W9-DDK-631

Kompaktwörterbuch

Englisch – Deutsch
Deutsch – Englisch

Neubearbeitung 2009

PONS GmbH
Stuttgart

PONS Kompaktwörterbuch
Englisch
mit CD-ROM

Bearbeitet von: Evelyn Agbaria, Ian Dawson

Entwickelt auf der Basis des PONS Kompaktwörterbuchs Englisch 2006
ISBN 978-3-12-517137-4

Landkarten: Klett-Perthes, Justus Perthes Verlag, Leipzig

Warenzeichen, Marken und gewerbliche Schutzrechte
Wörter, die unseres Wissens eingetragene Warenzeichen oder Marken
oder sonstige gewerbliche Schutzrechte darstellen, sind als solche –
soweit bekannt – gekennzeichnet. Die jeweiligen Berechtigten sind und
bleiben Eigentümer dieser Rechte. Es ist jedoch zu beachten, dass weder
das Vorhandensein noch das Fehlen derartiger Kennzeichnungen die
Rechtslage hinsichtlich dieser gewerblichen Schutzrechte berührt.

1. Auflage 2009   (1,02 – 2010)

© PONS GmbH, Stuttgart 2009

PONS Produktinfos und Shop: www.pons.de
E-Mail: info@pons.de
Onlinewörterbuch: www.pons.eu

Projektleitung: Helen Blocksidge
Sprachdatenverarbeitung: Andreas Lang, conTEXT AG
für Informatik und Kommunikation, Zürich
Einbandgestaltung: Tanja Haller, Petra Hazer, Stuttgart
Logoentwurf: Erwin Poell, Heidelberg
Logoüberarbeitung: Sabine Redlin, Ludwigsburg
Satz: Dörr + Schiller GmbH, Stuttgart
Druck: CPI – Clausen & Bosse, Leck
Printed in Germany

ISBN 978-3-12-517198-5

3

Inhalt

Contents

Übersicht über die Infokästen mit Formulierungshilfen
Info-boxes with useful English phrases

Im englisch-deutschen Wörterbuchteil

Im deutsch-englischen Wörterbuchteil

Hinweise zur Benutzung des Wörterbuchs

Notes on dictionary use

1. Die Stichwörter

1. Headwords

Bindestriche, Schrägstriche, Punkte, Kommas und Wortzwischenräume zählen nicht als Buchstaben; sie werden bei der alphabetischen Einordnung ignoriert.

Hyphens, slashes, full stops, commas and spaces between words are ignored in the alphabetic organization.

> **Adop·tiv·kind** *nt* adopted child
> **Adr.** *f Abk von* **Adresse** addr.
> **Ad·re·na·lin** <-s> [adrena'liːn] *nt kein pl* adrenalin *no pl*
>
> **Flut·wel·le** *f* tidal wave
> **f-Moll** <-s, -> ['ɛfmɔl] *nt kein pl* MUS F flat minor
> **focht** ['fɔxt] *imp von* **fechten**

> **IC** [ˌar'siː] *n abbrev of* **integrated circuit**
> **i/c** *abbrev of* **in charge** [of] v. D.
> **ice** [aɪs] **I.** *n no pl* Eis *nt* ▸ **to break the ~** das Eis zum Schmelzen bringen; **sth cuts no ~ with sb** etw lässt jdn ziemlich kalt; **to put sth on ~** etw auf Eis legen **II.** *vt* glasieren ◆ **ice over** *vi* ▪ **to be ~d over** *road* vereist sein; *lake* zugefroren sein

> **'stick in·sect** *n* Gespenstheuschrecke *f*
> **'stick-in-the-mud** **I.** *n* (*fam*) Muffel *m*, Spaßverderber(in) *m(f) pej* **II.** *adj attr* altmodisch, rückständig
> **stick·le·back** ['stɪk|bæk] *n* ZOOL Stichling *m*

Eingeklammerte Buchstaben werden bei der alphabetischen Einordnung berücksichtigt. Die Klammern zeigen an, dass das Wort auch in einer Variante ohne den betreffenden Buchstaben existiert.

Brackets in headwords indicate that the word may be written without the letters in question. Bracketed letters are relevant to the alphabetical organization of the headwords.

> **Gru·sel·ge·schich·te** *f* horror story
> **gru·s(e)·lig** ['gruːz(ə)lɪç] *adj* gruesome; **~ zumute werden** to have a creepy feeling
> **gru·seln** ['gruːz|n] **I.** *vt, vi impers ...*

> **fledged** [fledʒd] *adj* **fully ~** flügge *a. fig*
> **fledg(e)·ling** ['fledʒlɪŋ] **I.** *n* Jungvogel *m* **II.** *adj* neu, Jung-
> **flee** <fled, fled> [fliː] **I.** *vi* (*run away*) fliehen (**from** vor); ...

Zusammengesetzte Stichwörter, deren erster Wortteil gleich ist und die alphabetisch aufeinanderfolgen, werden in Gruppen zusammengefasst.

Compound headwords with the same first component are grouped together.

> **Kaf·fee·au·to·mat** *m* coffee machine **Kaf·fee·boh·ne** *f* coffee bean **kaf·fee·braun** *adj* coffee-coloured **Kaf·fee·fil·ter** *m* ❶ (*Vorrichtung*) coffee filter ❷ (*fam: Filterpapier*) filter paper **Kaf·fee·haus** *nt* ÖSTERR coffee-house **Kaf·fee·kan·ne** *f* coffeepot **Kaf·fee·klatsch** *m kein pl* (*fam*) coffee morning BRIT, kaffeeklatsch AM

> **'cof·fee bar** *n* Café *nt* **'cof·fee bean** *n* Kaffeebohne *f* **'cof·fee break** *n* Kaffeepause *f;* **to have a ~** eine Kaffeepause machen **'cof·fee cake** *n* ❶ BRIT, AUS (*cake*) Mokkakuchen *m* ❷ AM, AUS (*sweet bread*) Stuten *m* **'cof·fee cup** *n* Kaffeetasse *f* **'cof·fee-grind·er** *n* Kaffeemühle *f* **'cof·fee grounds** *npl* Kaffeesatz *m kein pl* **'cof·fee house** *n* Café *nt*

Verschiedene Schreibweisen eines Wortes werden an alphabetisch korrekter Stelle angegeben und erscheinen nur dann gemeinsam, wenn im Alphabet kein anderes Stichwort dazwischenkommt.

Spelling variants are generally given in correct alphabetical order. When there is no other form between them in the alphabet, they are listed on the same line and separated by a comma.

> **Mi·nu·ten·zei·ger** *m* minute hand
> **mi·nu·ti·ös, mi·nu·zi·ös** [minu'tsi̯øːs] **I.** *adj* (*geh*) meticulously exact **II.** *adv* (*geh*) meticulously
> **Min·ze** <-, -n> ['mɪntsə] *f* BOT mint *no pl*

> **di·etet·ics** [ˌdaɪə'tetɪks] *n + sing vb* Ernährungslehre *f*
> **di·eti·cian, di·eti·tian** [ˌdaɪə'tɪʃ°n] *n* Diätassistent(in) *m(f)*
> **dif·fer** ['dɪfəʳ] *vi* ❶ (*be unlike*) sich unterscheiden ❷ (*not agree*) verschiedener Meinung sein

Andernfalls wird von der selteneren Variante auf die frequentere verwiesen.

Less common spelling variants are cross-referred to more common ones.

> **Wan·da·lis·mus** [vanda'lɪsmʊs] *m s.* **Vandalismus**
> **Van·da·lis·mus** <-> [vanda'lɪsmʊ] *m kein pl* vandalism

> **dike** *n see* **dyke**
> **dyke** [daɪk] *n* ❶ (*wall*) Deich *m* ❷ (*drainage channel*) [Abfluss]graben *m* ❸ (*pej! sl: lesbian*) Lesbe *f*

Amerikanische Schreibvarianten

Die amerikanische Schreibung wird an alphabetischer Stelle aufgeführt mit einem Verweis auf die britische Schreibung.

American spellings

American spellings appear in their correct alphabetic position with a cross-reference to the main entry in British spelling.

> **aes·thet·ic** [iːsˈθetɪk] **I.** *adj* ästhetisch **II.** *n*
> Ästhetik *f*
> **es·thet·ic** *adj* AM *see* **aesthetic**

Phrasal Verbs

Feste Verbindungen von Verb und Adverb bzw. Präposition (sog. Phrasal Verbs) werden am Ende des Eintrags für das Grundverb in einer eigenen, in sich alphabetisch geordneten Kategorie zusammengefasst. Um ein Auffinden des jeweiligen Phrasal Verbs zu erleichtern, ist jeder Phrasal Verb Eintrag mit einer Raute markiert und gänzlich ausgeschrieben. In den Kontextangaben steht für das Verb eine Tilde (~), die Ergänzung wird wiederholt.

Phrasal verbs

Phrasal verbs are listed in a block at the end of the entry for the base verb. For ease of consultation each phrasal verb entry is marked with a diamond and written out in full. Within a phrasal verb entry the swung dash (~) stands for the base verb.

> **ask** [ɑːsk] **I.** *vt* ❶ (*request information*) fragen; ... ◆ **ask after** *vi* ■ to ~ **after sb** sich nach jdm erkundigen ◆ **ask around** *vi* herumfragen *fam* ◆ **ask out** *vt* to ~ **sb out for dinner** jdn ins Restaurant einladen; **I'd like to ~ her out** ich würde gern mit ihr ausgehen ◆ **ask over**, BRIT *also* **ask round** *vt* (*fam*) ■ to ~ **sb over** [*or* **round**] jdn [zu sich *dat*] einladen

Bei Phrasal Verb Einträgen im englisch-deutschen Teil gibt das Symbol ↻ an, dass die Reihenfolge von Objekt und Ergänzung auch vertauscht werden kann.

The symbol ↻ in phrasal verb entries shows that the sequence of object and complement can be reversed.

> ◆ **lay off I.** *vt* ■ to ~ **off** ↻ **sb** jdm kündigen
> ...
> ◆ **win back** *vt* ■ to ~ **back** ↻ **sth** etw zurückgewinnen ...

2. Besondere Zeichen in und an den Stichwörtern

2. Symbols surrounding the headwords

2.1 Die Rechtschreibreform

2.1 The German Spelling Reform

Dieses Wörterbuch berücksichtigt die im August 2006 in Kraft getretene Neuregelung der deutschen Rechtschreibung mit den vom Rat für deutsche Rechtschreibung vorgeschlagenen Änderungen.

This dictionary follows the rules set out by the German Spelling Council (Rat für deutsche Rechtschreibung) in the revision of the German spelling rules which took effect in August 2006.

Im englisch-deutschen Teil folgen sämtliche Übersetzungen der neuen deutschen Rechtschreibung.

Translations in the English-German half of the dictionary follow the new spelling rules.

Im deutsch-englischen Teil werden neue Schreibungen mit ᴿᴿ gekennzeichnet, alte Schreibungen mit ᴬᴸᵀ. Folgen Neu- und Altschreibungen nicht unmittelbar aufeinander, so wird ein Verweis von der alten zur neuen Schreibung gemacht, wo die Übersetzung angesiedelt ist.

In the German-English half, new spellings are labelled ᴿᴿ, while old spellings are marked ᴬᴸᵀ. Where both forms occur at different points in the alphabet, a cross-reference refers from the old to the new spelling. Full headword treatment can be found under the new spelling.

> **aufwändig**ᴿᴿ **I.** *adj* ❶ (*teuer und luxuriös*) lavish; ~**es Material** costly material[s *pl*] ❷ (*umfangreich*) costly, expensive **II.** *adv* lavishly
> **auf·wen·dig** *adj, adv s.* **aufwändig**

Von der Reform betroffene Komposita werden lediglich in der neuen Schreibung erfasst und mit ᴿᴿ gekennzeichnet.

Compound headwords are given only in their reformed spellings and are labelled with ᴿᴿ.

> **Fluss**ᴿᴿ <-es, Flüsse> *m*, **Fluß**ᴬᴸᵀ <-sses, Flüsse> [flʊs, *pl* ˈflʏsə] *m* ❶ (*Wasserlauf*) river; ...
> **fluss·auf·wärts**ᴿᴿ [flʊsˈʔaʊfvɛrts] *adv* upriver **Fluss·be·gra·di·gung**ᴿᴿ *f* river straightening **Fluss·bett**ᴿᴿ *nt* riverbed

In zahlreichen Fällen wird aus einem bisher zusammengeschriebenen Wort ein kleines Syntagma, d. h. eine Fügung aus mehreren Wörtern, die kein Stichwort mehr ist, sondern nun innerhalb des Eintrags steht. Das Auffinden solch einer Fügung wird dadurch erleichtert, dass bei dem Stichwort alter Schreibung ein Verweis die genaue Position der Fügung angibt.

In many cases, a word that used to be written together is now written as two words. As a result, it loses its headword status and becomes a phrase within an entry. To simplify finding such elements a cross-reference system has been developed which directs you to the exact part of the entry in which the item is listed.

> **eben·so** [ˈeːbn̩zoː] *adv* ❶ (*genauso*) just as; ~ **gern** [**wie**] just as well/much [as]; ~ **gut** [just] as well; ~ **lang**[**e**] just as long; ~ **oft** just as often; ~ **sehr** just as much; ~ **viel** just as much; ~ **wenig** just as little ❷ (*auch*) as well
> **eben·so·gern**ᴬᴸᵀ *adv s.* **ebenso 1** **eben·so·gut**ᴬᴸᵀ *adv s.* **ebenso 1** **eben·so·lang**[**e**]ᴬᴸᵀ *adv s.* **ebenso 1**

In vielen Fällen ersetzt die reformierte Schreibweise nicht die bisherige Schreibung, sondern tritt lediglich als Variante neben dieser. Wird zwischen einer Haupt- und Nebenvariante unterschieden, wird in der Regel von der Neben- zur Hauptvariante verwiesen.

In many cases, old spellings may continue to be used as an alternative to the reformed variants. Entries featuring spellings classified as secondary to the main form contain a cross-reference to this variant.

> **phan·tas·tisch** [fanˈtastɪʃ] *adj, adv s.* **fan·tastisch**
> **fan·tas·tisch**[RR] I. *adj* **❶** (*fam: toll*) fantastic **❷** *attr* (*unglaublich*) incredible …

2.2 Silbentrennung und Betonungszeichen

2.2 Syllabification and intonation

Die Silbentrennung wird im Stichwort angegeben. Die Worttrennung wird jeweils durch einen Trennungspunkt markiert.

Syllabification is given where relevant. The small dots in headwords indicate the points at which the word may be separated by a hyphen.

> **Dienst·leis·tung** *f meist pl* services *npl*
> **Ka·ta·kom·be** <-, -n> [kataˈkɔmbə] *f* catacomb

> **lem·on·ade** [ˌleməˈneɪd] *n* Zitronenlimonade *f*
> **poly·un·satu·rat·ed** [ˌpɒliʌnˈsætʃᵊreɪtɪɪd] *adj* mehrfach ungesättigt

Bei Stichwörtern ohne Phonetikangabe wird die Betonung direkt im Stichwort durch das Zeichen ' markiert.

Where no phonetic code is given, the main spoken emphasis of the headword is indicated by a stress mark.

> **'hot dog** *n* …
> **multi·'cul·tur·al** *adj* …

Der tiefgestellte Strich kennzeichnet einen Diphthong (Zwielaut: ai, ei, eu, au, äu) oder einen langen Vokal (Selbstlaut), der tiefgestellte Punkt einen kurzen Vokal.

When a diphthong (ai, ei, eu, au, äu) or long vowel in a German headword is underlined it indicates stress. A dot indicates a stressed short vowel.

> **Eu·ro·mün·ze** *f* euro coin
> **ge·schla·fen** *pp von* **schlafen**
> **Koch·buch** *nt* cook[ery]book

Unregelmäßige Pluralformen, Verb- und Steigerungsformen werden in spitzen Klammern angegeben.

Irregular inflections of nouns, verbs and adjectives are given in angle brackets.

> **In·dex** <-[es], -e *o* Indizes> [ˈɪndɛks, *pl* ˈɪnditseːs] *m* index

> **get** <got, got *or* Am *usu* gotten> [get] …

2.3 Grammatische Zeichen

2.3 Grammatical symbols

Der feine Strich kennzeichnet den ersten Teil bei trennbaren Verben.

A vertical line in German headwords shows where a separable verb can be separated.

> **durch|bli·cken** ['dʊrçblɪkn̩] *vi* …

Das hochgestellte Sternchen (*) zeigt an, dass das Partizip Perfekt des Verbs ohne ge- gebildet wird.

A superscript star (*) shows that the German perfect participle is formed without *ge-*.

> **ver·ler·nen*** *vt* to forget; …

Hochgestellte arabische Ziffern machen gleich geschriebene Wörter mit unterschiedlichen Bedeutungen (Homographen) kenntlich.

Words with the same spelling but with significantly different meanings are distinguished from each other by a superscript Arabic numeral.

> **Ka·pel·le¹** <-, -n> [ka'pɛlə] *f* chapel
> **Ka·pel·le²** <-, -n> [ka'pɛlə] *f* MUS orchestra

> **in·cense¹** ['ɪnsen(t)s] *n no pl* **❶** (*substance*) Räuchermittel *nt;* (*in church*) Weihrauch *m;* **stick of ~** Räucherstäbchen *nt* **❷** (*smoke*) wohlriechender Rauch; (*in church*) Weihrauch *m*
> **in·cense²** [ɪn'sen(t)s] *vt* empören; **to be ~d by sb/sth** über jdn/etw erbost sein

3. Besondere Zeichen im Eintrag

3. Symbols within the dictionary entry

Die Tilde (~) ersetzt in Anwendungsbeispielen und Redewendungen das vorhergehende Stichwort. Ändert sich die Groß- bzw. Kleinschreibung, steht vor der Tilde der entsprechende Groß- bzw. Kleinbuchstabe.

The swung dash substitutes the headword in examples. Where necessary, the dash is preceded by upper or lower case letters not given in the headword.

> **ab·schre·ckend I.** *adj* **❶** (*abhaltend, warnend*) deterrent; **ein ~es Beispiel** a warning; **die hohen Geldstrafen sollen ~ wirken** the high fines are designed to be a powerful deterrent **❷** (*abstoßend*) abhorrent **II.** *adv* (*abhaltend*) **~ wirken** to act as a deterrent
> **fol·gend** ['fɔlgn̩t] *adj* following; ■ **F~es** the following; ■ **im F~en** in the following

> **fa·cul·ty** ['fækəlti] *n* **❶** (*university department*) **the F~ of Arts/Law/Science** die philosophische/juristische/naturwissenschaftliche Fakultät …
> **smile** [smaɪl] **I.** *n* Lächeln *nt;* **wipe that ~ off your face!** hör auf, so zu grinsen!; **to bring a ~ to sb's face** jdn zum Lächeln bringen; **to be all ~s** über das ganze Gesicht strahlen; …

Grammatische Konstruktionen sind mit einem Kästchensymbol markiert.

Grammatical constructions are marked with a grey square.

> **Uhr·zei·ger·sinn** *m* ■**im** ~ clockwise;
> ■**entgegen dem** ~ anticlockwise, coun-
> terclockwise AM

> **fond** [fɒnd] *adj hope* kühn; *memories* lieb;
> *smile* liebevoll; ■**to be** ~ **of sb/sth** jdn/
> etw gerne mögen; ■**to be** ~ **of doing sth**
> etw gerne machen

4. Aufbau der Einträge

4. Entry structure

4.1. Römische Ziffern

4.1 Roman numerals

Römische Ziffern untergliedern ein Stich-wort in verschiedene Wortarten und Verben in transitiven, intransitiven und reflexiven Gebrauch.

Roman numerals subdivide an entry into dif-ferent parts of speech and verbs into transi-tive, intransitive and reflexive usage.

> **wäh·rend** [ˈvɛːrənt] **I.** *präp* +*gen* during
> **II.** *konj* ❶ (*zur selben Zeit*) while ❷ (*wo-*
> *hingegen*) whereas
> **ab·lar·bei·ten I.** *vt* ❶ (*durch Arbeit tilgen*)
> to work off *sep* ❷ (*der Reihe nach erledi-*
> *gen*) to work through **II.** *vr* ■**sich** ~ (*fam*)
> to work like a madman

> **her** [hɜːʳ, həʳ] **I.** *pron pers* sie *in akk*, ihr *in*
> *dat;* **it is/was** ~ sie it's/war's **II.** *adj poss*
> ihr(e, n); (*ship, country, boat, car*)
> sein(e, n); **what's** ~ **name?** wie heißt sie?;
> **the boat sank with all** ~ **crew** das Boot
> sank mit seiner ganzen Mannschaft **III.** *n*
> (*fam*) Sie *f;* **is it a him or a** ~**?** ist es ein Er
> oder eine Sie?
> ◆**follow through I.** *vt* zu Ende verfolgen
> **II.** *vi* SPORTS durchschwingen

4.2. Arabische Ziffern

Die arabischen Ziffern kennzeichnen die unterschiedlichen Bedeutungen des Stichworts innerhalb einer Wortart. Die eingeklammerten Angaben in kursiver Schrift (oder – in anderen Fällen – die abgekürzten Sachgebietshinweise) erläutern, welche Bedeutung jeweils vorliegt.

4.2 Arabic numerals

Arabic numerals indicate different meanings of the headword within a part of speech category. The elements in brackets or subject labels show which sense is being dealt with in each category.

> **Rol·le**[2] <-, -n> ['rɔlə] *f* ❶ FILM, THEAT (*a. fig*) role, part; **eine ~ spielen** to play a part ❷ (*Beteiligung, Part*) role, part; **das spielt doch keine ~!** it's of no importance! ❸ SOZIOL role; **eine Ehe mit streng verteilten ~n** a marriage with strict allocation of roles ▸ **aus der ~ <u>fallen</u>** to behave badly; **sich in jds ~ <u>versetzen</u>** to put oneself in sb's place

> **'state·room** *n* ❶ (*in a hotel*) Empfangszimmer *nt;* (*in a palace*) Empfangssaal *m* ❷ NAUT Luxuskabine *f* ❸ RAIL Luxusabteil *nt*

4.3. Phraseologischer Block

Ein Dreieck leitet den Block der festen Wendungen ein. Dies sind in der Regel bildhafte Redewendungen, die sich nur schwer oder gar nicht auf die Grundbedeutung (oder -bedeutungen) des Stichworts zurückführen lassen. Die Unterstreichung dient der besseren Orientierung im Wendungsblock.

4.3 Idiom block

Idiom blocks are introduced by a triangle. They consist of set idioms that cannot be attributed to a particular sense of the headword. The underlined guide words help you find your way through the block.

> **Hand** <-, Hände> [hant, *pl* 'hɛndə] *f* ❶ ANAT hand; **Hände hoch!** hands up!; ▸ **für jdn seine ~ ins <u>Feuer</u> legen** (*fam*) to vouch for sb; **~ und <u>Fuß</u> haben** to be purposeful; **weder ~ noch <u>Fuß</u> haben** to have no rhyme or reason; **~ aufs <u>Herz</u>!** (*fam*) cross your heart; **von der ~ in den <u>Mund</u> leben** to live from hand to mouth; **[bei etw *dat*] die Hände im <u>Spiel</u> haben**

> **ice** [aɪs] **I.** *n no pl* Eis *nt* ▸ **to <u>break</u> the ~** das Eis zum Schmelzen bringen; **sth <u>cuts</u> no ~ with sb** etw lässt jdn ziemlich kalt; **to <u>put</u> sth on ~** etw auf Eis legen **II.** *vt* glasieren ...

5. Wegweiser zur richtigen Übersetzung

5. How to find the correct translation

Übersetzungen, die, nur durch Kommas getrennt, nebeneinanderstehen, sind gleichbedeutend und somit austauschbar.

Equivalents that are separated from each other only by commas are interchangeable.

> **Ken·ner**(in) <-s, -> ['kɛnə] *m(f)* expert, authority

> **start** [stɑːt] **I.** *n usu sing* ❶(*beginning*) Anfang *m,* Beginn *m;* ...

5.1. Sachgebietsangaben

5.1 Field labels

Sachgebietsangaben zeigen an, auf welchen Wissensbereich sich die vorliegende Wortbedeutung und ihre Übersetzung beziehen.

Field labels indicate the field in which a particular usage is common.

> **Klam·mer·af·fe** *m* ❶ZOOL spider monkey ❷INFORM at sign

> **'air brake** *n* AUTO Druckluftbremse *f;* AVIAT Luftbremse *f*

5.2. Bedeutungshinweise

5.2 Sense glosses

Bedeutungshinweise sind notwendig bei Stichwörtern, die mehr als eine Bedeutung – mit jeweils unterschiedlichen Übersetzungen – haben. Die Hinweise stehen hinter den arabischen Ziffern in runden Klammern. Sie geben an, für welche Bedeutung des Stichworts die Übersetzung gilt.

When a headword has more than one sense, meaning discrimination is given. This information is given in brackets and shows which sense of the headword is being treated.

> **gän·gig** ['gɛŋɪç] *adj* ❶(*üblich*) common ❷(*gut verkäuflich*) in demand; **die ~ste Ausführung** the bestselling model ❸(*im Umlauf befindlich*) current; **die ~e Währung** the local currency

> **as·sail** [ə'seɪl] *vt* ❶(*attack*) angreifen ❷(*verbally*) anfeinden ❸ *usu passive* (*torment*) **to be ~ed by doubts** von Zweifeln geplagt werden ❹(*overwhelm*) **to be ~ed with letters** massenweise Briefe bekommen *fam*

5.3. Kursive Angaben

5.3 Elements in italics

Kursive Wörter geben den jeweiligen Kontext an, von dem die einzelne Übersetzung abhängt. Sie kommen in den folgenden Eintragstypen vor.

Context elements denote which translation of a word can be used to transport a particular sense. These are given in italics and occur in the following entry type.

In Verbeinträgen: Typische Subjekte des Verbs oder des verbalen Ausdrucks

In verb entries: typical subjects of the verb

> **sur·ren** ['zʊrən] *vi Insekt* to buzz; *Motor* to hum; *Kamera* to whirr

> **fiz·zle** ['fɪzl̩] *vi* zischen ◆ **fizzle out** *vi fire-works, enthusiasm* verpuffen; *attack, campaign* im Sand verlaufen; *interest* stark nachlassen

In Verbeinträgen: Typische direkte Objekte des Verbs

In verb entries: typical objects of the verb

> **ab|hol·zen** *vt* to chop down *sep; Baum* to fell; *Wald* to clear

> **ac·cept** [ək'sept] *vt* ❶ (*take*) annehmen; *award* entgegennehmen; *bribe* sich bestechen lassen; ... ❸ (*acknowledge*) anerkennen; *blame* auf sich nehmen; *decision* akzeptieren; *fate* sich abfinden mit; *responsibility* übernehmen; ...

In Adjektiveinträgen: Substantive, die typischerweise zusammen mit dem Adjektiv vorkommen

In adjective entries: nouns that are typically modified by the adjective

> **strup·pig** ['ʃtrʊpɪç] *adj Haare* tousled; *Fell* shaggy

> **soft** [sɒft] *adj* ... ❷ (*smooth*) weich; *cheeks, skin* zart; *leather* geschmeidig; *hair* seidig ... ❺ (*not loud*) *music* gedämpft; *sound, voice* leise; *words* sanft

In Substantiveinträgen: Typische Genitivanschlüsse

In noun entries: typical "of" complements

> **Straff·heit** <-> *f kein pl* ❶ *der Haut* firmness; *eines Seils* tautness ❷ (*fig*) *einer Ordnung* strictness

> **hum** [hʌm] **I.** *vi* <-mm-> ❶ (*make sound*) brausen; *engine* brummen; *small machine* surren; *bee* summen; *crowd* murmeln ... **III.** *n* Brausen *nt; of machinery* Brummen *nt; of insects* Summen *nt; of a conversation* Gemurmel *nt; of a small machine* Surren *nt*

6. Beschreibende Angaben zu Quell- und Zielsprache

6. Source and target language labels

6.1. Stilangaben

6.1 Usage labels

Weicht ein Stichwort von der neutralen Standardsprache ab, so wird dies grundsätzlich angegeben. Stilangaben zu Beginn eines Eintrags oder einer Kategorie (d. h. eines römisch oder arabisch bezifferten Absatzes) beziehen sich auf den gesamten Eintrag oder auf den gesamten Absatz.

If a headword or a translation deviates from neutral style then it is marked. Usage labels given at the beginning of an entry or at the start of a Roman or Arabic numeral section apply to the entire entry or section.

bezeichnet im Deutschen einen sehr saloppen Sprachgebrauch, der nur von meist jüngeren Sprechern untereinander verwendet wird. Dieser Stil wirkt leicht flapsig und kann daher Anstoß erregen.	*derb*	in German, designates very informal language that is generally only used by young people amongst themselves. This style may appear flippant and can cause offence.
bezeichnet umgangssprachlichen Sprachgebrauch, wie er zwischen Familienmitgliedern und Freunden in zwangloser Unterhaltung und in privaten Briefen verwendet wird.	*fam*	refers to informal language as it is used between family members and friends in a relaxed atmosphere and in private letters.
bezeichnet im Englischen stark umgangssprachlichen, saloppen Sprachgebrauch.	*fam!*	designates English language that is very informal but not vulgar.
bezeichnet im Englischen gehobenen Sprachgebrauch, wie er bei gewählter Ausdrucksweise üblich ist; bezeichnet im Deutschen förmlichen Sprachgebrauch, wie er im amtlichen Schriftverkehr, auf Formularen oder in formellen Ansprachen üblich ist.	*form*	designates spoken and written formal English usage; in German, designates official language as used in official correspondence, in forms or in official statements.
bezeichnet im Deutschen gehobenen Sprachgebrauch, sowohl in der gesprochenen wie der geschriebenen Sprache, wie er bei gewählter Ausdrucksweise üblich ist.	*geh*	designates spoken and written formal German language.
bezeichnet literarischen Sprachgebrauch, wie er nur in Romanen zu finden ist.	*liter*	refers to literary language.
bezeichnet im Englischen poetischen Sprachgebrauch, wie er nur in der Lyrik vorkommt.	*poet*	indicates poetic usage.
bezeichnet im Englischen Slang oder Jargon; bezeichnet im Deutschen stark umgangssprachlichen, saloppen Sprachgebrauch oder die Ausdrucksweise bestimmter Gruppen.	*sl*	in English, designates slang or jargon; in German, designates usage that is very informal but not vulgar as well as language of certain social groups.
bezeichnet Wörter, die allgemein als vulgär gelten und daher tabu sind. Ihr Gebrauch erregt meist Anstoß.	*vulg*	designates taboo language that is generally considered vulgar and that causes offence.

6.2. Altersangaben

6.2 Age labels

Es wird in beiden Sprachen grundsätzlich angegeben, wenn ein Wort oder Ausdruck nicht mehr dem heutigen Sprachgebrauch entspricht.

When a word no longer belongs to contemporary language this is indicated in both languages.

bezeichnet im Englischen Wörter, die noch im Gebrauch sind, die aber etwas altmodisch klingen.	*dated*	in English, designates language that is still in use, but which sounds old-fashioned.
für Wörter, die nicht mehr im Gebrauch sind.	*hist*	for words that have completely disappeared from current usage.
bezeichnet im Englischen ein Wort oder einen Ausdruck, der heutzutage nicht benutzt, aber durchaus noch verstanden wird.	*old*	in English, designates a word or expression that is no longer in current use, but which is still understood.
bezeichnet im Deutschen Wörter, die noch im Gebrauch sind, die aber etwas altmodisch klingen.	*veraltend*	in German, designates language that is still in use, but which sounds somewhat old-fashioned.
bezeichnet im Deutschen ein Wort oder einen Ausdruck, der heutzutage nicht benutzt, aber durchaus noch verstanden wird.	*veraltet*	in German, designates a word or expression that is no longer in current use, but which is still understood.

6.3. Rhetorische Angaben

6.3 Rhetoric labels

Viele Wörter und Wendungen können in einer bestimmten Sprechabsicht verwendet werden. Dies wird durch folgende Abkürzungen vermerkt:

Many words and phrases carry a particular connotation. These are indicated by the following abbreviations:

bezeichnet aufwertende, bejahende Wörter und Ausdrücke, die zeigen, dass der Sprecher eine positive Einstellung gegenüber einer Person oder Sache hat.	*approv*	designates words and expressions that are used in a positive way, showing that the speaker has a good opinion of somebody or something.
bezeichnet emphatischen Sprachgebrauch.	*emph*	designates emphatic usage.
bezeichnet verhüllenden Sprachgebrauch; statt des eigentlichen Worts wird stellvertretend dieser beschönigende Ausdruck gebraucht.	*euph*	designates euphemistic usage, i.e. words or expressions that are used to describe a word that the speaker wishes to avoid.
bezeichnet übertragenen Sprachgebrauch. Das Wort oder die Wendung dient – im übertragenen Sinn- als Bild für das, was man ausdrücken will.	*fig*	designates figurative usage.
bezeichnet scherzhaften Sprachgebrauch.	*hum*	designates humorous usage.
bezeichnet ironischen Sprachgebrauch. Der Sprecher meint eigentlich das Gegenteil dessen, was er sagt.	*iron*	designates ironic usage; the speaker really means the opposite of what he/she is saying.
bezeichnet einen abwertenden Sprachgebrauch. Der Sprecher drückt damit seine abschätzige Haltung aus.	*pej*	designates pejorative usage; the speaker expresses contempt or disapproval.

bezeichnet im Englischen einen belei-   *pej!*   designates offensive usage.
digenden Sprachgebrauch.

bezeichnet ein Sprichwort.   *prov*   designates a proverb.

6.4. Regionale Angaben

6.4 Regional labels

Die im Wörterbuch verwendete „Grund-sprache" ist das Deutsch aus Deutschland bzw. das britische Englisch. Weitere Angaben werden zu beiden Sprachen gemacht, wenn der Gebrauch eines Wortes auf eine bestimmte Region beschränkt ist.

The "base" languages used in this dictionary are German from Germany and British English. Further labels are used for both languages when the usage is restricted to a certain region.

6.4.1. Englisch-deutscher Teil

6.4.1 The English-German part

Amerikanisches Englisch wird berücksichtigt:

American English is supplied:

> 'mail·box *n* Aᴍ Briefkasten *m,* Postkasten *m bes* ɴᴏʀᴅᴅ
> malt [mɔːlt] I. *n no pl* ❶ (*grain*) Malz *nt* ❷ (*whisky*) Malzwhisky *m* ❸ Aᴍ (*malted milk*) Malzmilch *f* II. *vt* to ~ barley Gerste mälzen
> 'air·plane *n* Aᴍ *see* aeroplane

Australisches Englisch wird hauptsächlich auf der Wortschatzebene aufgeführt.

Australian English is treated mainly on a lexical level.

> tuck·er ['tʌkəʳ] (*fam*) I. *n no pl* Aᴜs Essen *nt* II. *vt* Aᴍ fix und fertig machen

Die wichtigsten kanadischen Wörter wurden ebenfalls aufgenommen.

The most important Canadianisms have also been included.

> Con·fed·era·tion Day *n* Cᴀɴ Confederation Day *m* (*der Nationalfeiertag Kanadas*)

In der Zielsprache werden außer dem Binnendeutschen auch das Schweizerdeutsche und das österreichische Deutsch berücksichtigt.

Besides German from Germany, German from Austria and Switzerland are shown in equivalents.

> to·ma·to <*pl* -es> [təˈmɑːtəʊ] *n* Tomate *f,* Paradeiser *m* ÖsTᴇʀʀ
> hos·pi·tal ['hɒspɪtᵊl] *n* Krankenhaus *nt,* Spital *nt* sᴄʜᴡᴇɪᴢ; to have to go to ~ ins Krankenhaus müssen

6.4.2. Deutsch-englischer Teil

6.4.2 The German-English part

Außer dem Deutschen Deutschlands werden das Deutsche von Österreich und der Schweiz berücksichtigt.

The German spoken in Austria and Switzerland is included.

> **Jän·ner** <-s, -> ['jɛnɐ] *m* ÖSTERR January
> **Spül·trog** <-(e)s, -tröge> *m* SCHWEIZ sink [unit]

Deutsche Wörter und Wendungen, die ausschließlich regional Verwendung finden, werden entsprechend markiert.

Expressions used exclusively in Northern or Southern Germany are also supplied.

> **Dös·kopp** <-s, -köppe> [-kɔp] *m* NORDD (*fam*) dope
> **Ka·po** <-s, -s> ['kapo] *m* SÜDD (*fam: Vorarbeiter*) gaffer

In der Zielsprache wird amerikanisches Englisch auch berücksichtigt.

American spellings, words and phrases are given in equivalents.

> **Dop·pel·haus** *nt* two semi-detached houses *pl* BRIT, duplex house AM
> **Ge·päck·kon·trol·le** *f* luggage [*or* AM *esp* baggage] check

6.4.3. Übersicht über die verwendeten regionalen Abkürzungen

6.4.3 Table of regional labels used in the dictionary

nur in USA gebrauchter Ausdruck	AM	item used only in the USA
nur in Australien gebrauchter Ausdruck	AUS	item used only in Australia
v. a. typisch bundesrepublikanische Phänomene	BRD	cultural item specific to Germany
nur in Großbritannien gebrauchter Ausdruck	BRIT	item used only in Great Britain
nur in Kanada gebrauchter Ausdruck	CAN	item used only in Canada
regional begrenzt gebrauchter Ausdruck	DIAL	regional item
Ausdruck aus dem Irischen	IRISH	item used only in Ireland
nur in Nordengland gebrauchter Ausdruck	NBRIT	item used only in Northern England
nur im Norden Deutschlands gebrauchter Ausdruck	NORDD	item used only in Northern Germany
nur in Neuseeland gebrauchter Ausdruck	NZ	item used only in New Zealand
nur in Österreich gebrauchter Ausdruck	ÖSTERR	item used only in Austria
nur in Südafrika gebrauchter Ausdruck	SA	item used only in South Africa
Ausdruck, der nur in der Schweiz gebraucht wird	SCHWEIZ	item used only in Switzerland
nur im Schottischen gebrauchter Ausdruck	SCOT	item used only in Scottish English
nur im Süden Deutschlands gebrauchter Ausdruck	SÜDD	item used only in Southern Germany

6.5. Sonstige Angaben

6.5 Other labels

Weitere Angaben werden zu beiden Sprachen gemacht, wenn der Gebrauch eines Wortes auf eine bestimmte Altersgruppe, Sprechsituation oder Zeit beschränkt ist.

Further markers are used in both languages to indicate restriction of an item to a certain age-group, situation or frequency of use.

bezeichnet einen von Laien nicht benutzten Fachausdruck.	*fachspr*	*spec*	designates specialist language that lay people would generally not use.
bezeichnet einen Ausdruck, der nur im Gespräch mit kleinen Kindern benutzt wird.	*Kindersprache*	*childspeak*	designates a word or expression used mainly when speaking to children.
bezeichnet selten gebrauchte Sprache.	*selten*	*rare*	designates language that is only rarely used.

Verwendete Lautschriftzeichen

Phonetic symbols used in this dictionary

	Zeichen der Lautschrift	
cat	[æ]	
	[a]	hat
	[aː]	Bahn
father, card	[ɑː]	
pot, bottom	[ɒ] (BRIT)	
	[ɐ]	bitter
	[ɐ̯]	Uhr
	[ã]	Chanson
	[ãː]	Gourmand
croissant	[ɑ̃ː]	
	[ai̯]	heiß
ride, my	[aɪ]	
	[au̯]	Haus
house, about	[aʊ]	
big	[b]	Ball
	[ç]	ich
dad	[d]	dicht
edge, juice	[dʒ]	Gin, Job
pet, best	[e]	Etage
	[eː]	Beet, Mehl
	[ɛ]	Nest, Wäsche
	[ɛː]	wählen
bird, cur, berth	[ɜː]	
	[ɛ̃]	timbrieren
fin de siècle	[ɛ̃ː]	Teint
Africa, potato	[ə]	halte
sudden	[ᵊ]	
bust, multi	[ʌ]	
rate	[eɪ]	
there, hair	[eə] (BRIT)	
fast	[f]	Fett, viel
gold	[g]	Geld

	Zeichen der Lautschrift	
	[o]	Oase
	[oː]	Boot, drohen
	[o̯]	loyal
	[ɔ]	Post
caught, ought	[ɔː]	
boat, rode	[əʊ] (BRIT)	
boat, rode	[oʊ] (AM)	
	[õ]	Fondue
	[õː]	Fonds
restaurant	[ɔ̃ː]	
	[ø]	Ökonomie
	[øː]	Öl
	[œ]	Götter
	[œ̃]	Lundist
	[œ̃ː]	Parfum
boy, noise	[ɔɪ]	
	[ɔ̯y]	Mäuse
pat	[p]	Papst
right	[r]	Rad
bitter	[ʳ] (BRIT)	
bitter	[ɚ] (AM)	
soft	[s]	Rast, besser, heiß
shift	[ʃ]	Schaum, sprechen, Chef
take	[t]	Test, treu
better	[t̬] (AM)	
chip, patch	[tʃ]	Matsch, Tschüss
think, bath	[θ]	
father, bathe	[ð]	
	[u]	zunächst
moose, lose	[uː]	Hut

	Zeichen der Lautschrift	
hello	[h]	Hut
sit	[ɪ]	Bitte
abbey	[i]	Vitamin
read, meet	[i:]	Bier
	[i̯]	Studie
here, beer	[ɪə] (BRIT)	
yellow	[j]	ja
cat, king	[k]	Kohl, Computer
	[kv]	Quadrat
queen	[kw]	
little	[l]	Last
little	[l̩]	Nebel
mom	[m]	Meister
	[m̩]	großem
nice	[n]	nett
	[n̩]	sprechen
ring, rink, bingo	[ŋ]	Ring, blinken
	[ɲ]	Gascogne

	Zeichen der Lautschrift	
	[u̯]	aktuell
book, put	[ʊ]	Mutter
allure	[ʊə] (BRIT)	
vitamin	[v]	wann
wish	[w]	
loch	[x] (SCOT)	Schlauch
fix	[ks]	Fix, Axt, Lachs
	[y]	Mykene
	[y:]	Typ
	[y̆]	Hyäne
	[ʏ]	füllen
	[ɣ]	Gelderland
zebra, jazz	[z]	Hase, sauer
pleasure	[ʒ]	Genie
glottal stop	?	Knacklaut
primary stress	'	Haupt-betonung
secondary stress	ˌ	Neben-betonung

Zeichen und Abkürzungen

Symbols and abbreviations

phrase block	▶	phraseologischer Block
separable verb	|	trennbares Verb
contraction	=	Kontraktion
German past participle formed without *ge-*	*	Partizip ohne *ge-*
comparable to	≈	entspricht etwa
change of speaker in a dialogue	–	Sprecherwechsel in einem Dialog
unreformed German spelling	ALT	alte Schreibung
reformed German spelling	RR	reformierte Schreibung
grammatical construction	■	grammatische Konstruktion
indicates the variable position of the object in phrasal verb sentences	↻	zeigt variable Stellung des Objektes und der Ergänzung bei Phrasal Verbs auf
trade mark	®	Warenzeichen
also	a.	auch
abbreviation	*abbrev, Abk*	Abkürzung
acronym	*acr*	Akronym
adjective	*adj*	Adjektiv
administration	ADMIN	Verwaltung
adverb	*adv*	Adverb
aerospace	AEROSP	Raum- und Luftfahrt
agriculture	AGR	Landwirtschaft
accusative	*akk*	Akkusativ
acronym	*Akr*	Akronym
American English	AM	amerikanisches Englisch
anatomy	ANAT	Anatomie
approving	*approv*	aufwertend
archaeology	ARCHÄOL, ARCHEOL	Archäologie
architecture	ARCHIT	Architektur
art	ART	Kunst
article	*art*	Artikel
astrology	ASTROL	Astrologie
astronomy	ASTRON	Astronomie
attributive	*attr*	attributiv
Australian English	AUS	australisches Englisch
automobile	AUTO	Auto
auxiliary	*aux*	Hilfsverb
aviation	AVIAT	Luftfahrt
railway	BAHN	Eisenbahnwesen
construction	BAU	Bauwesen
mining	BERGB	Bergbau

especially	*bes*	besonders
biology	BIOL	Biologie
stock exchange	BÖRSE	Börse
botany	BOT	Botanik
boxing	BOXING	Boxen
German of Germany	BRD	Binnendeutsch
British English	BRIT	britisches Englisch
Canadian English	CAN	kanadisches Englisch
cards	CARDS	Karten
chemistry	CHEM	Chemie
chess	CHESS	Schach
language of children	*childspeak*	Kindersprache
commerce	COMM	Handel
comparative	*comp*	komparativ
computing	COMPUT	Informatik
conjunction	*conj*	Konjunktion
dative	*dat*	Dativ
dated	*dated*	veraltend
definite	*def*	bestimmter Artikel
declined	*dekl*	dekliniert
demonstrative	*dem*	demonstrativ
coarse language	*derb*	derb
determiner	*det*	Bestimmungswort
dialect	DIAL	dialektal
diminutive	*dim*	Diminutiv
ecology	ECOL	Ökologie
economy	ECON	Wirtschaft
electricity	ELEK, ELEC	Elektrizität
emphatic	*emph*	emphatisch
especially	*esp*	besonders
something	*etw*	etwas
euphemistic	*euph*	euphemistisch
feminine	*f*	Femininum
specialist term	*fachspr*	fachsprachlich
informal	*fam*	umgangssprachlich
very informal	*fam!*	stark umgangssprachlich
feminine form	*fem*	feminine Form in der Zielsprache
fashion	FASHION	Mode
football	FBALL	Fußball
figurative	*fig*	bildlich
film, cinema	FILM	Film, Kino
finance	FIN	Finanzen
food and cooking	FOOD	Kochkunst
formal	*form*	förmlicher Sprachgebrauch
forestry	FORST	Forstwirtschaft
photography	FOTO	Fotografie

formal	*geh*	gehobener Sprachgebrauch
genitive	*gen*	Genitiv
geography	GEOG	Geographie
geology	GEOL	Geologie
commerce	HANDEL	Handel
history	HIST	Geschichte
historical	*hist*	historisch
gardening	HORT	Gartenbau
humorous	*hum*	scherzhaft
hunting	HUNT	Jagd
imperfect	*imp*	Imperfekt
impersonal use	*impers*	unpersönliches Verb
indefinite	*indef*	unbestimmt
internet	INET	Internet
infinitive	*infin*	Infinitiv
computing	INFORM	Informatik
interjection	*interj*	Interjektion
interrogative	*interrog*	fragend
Irish	IRISH	irisch
ironic	*iron*	ironisch
irregular	*irreg*	unregelmäßig
hunting	JAGD	Jagd
somebody *(nominative)*	*jd*	jemand
somebody *(dative)*	*jdm*	jemandem
somebody *(accusative)*	*jdn*	jemanden
somebody's *(genitive)*	*jds*	jemandes
journalism	JOURN	Journalismus
law	JUR	Jura
cards	KARTEN	Karten
language of children	*kindersprache*	Kindersprache
food and cooking	KOCHK	Kochkunst
conjunction	*konj*	Konjunktion
art	KUNST	Kunst
law	LAW	Jura
linguistics	LING	Linguistik
literature	LIT	Literatur
literary	*liter*	literarisch
aviation	LUFT	Luftfahrt
masculine	*m*	Maskulinum
masculine form	*masc*	maskuline Form in der Zielsprache
mathematics	MATH	Mathematik
mechanics	MECH	Mechanik
medicine	MED	Medizin
media	MEDIA	Medien
meteorology	METEO	Meteorologie
military	MIL	Militär

mining	MIN	Bergbau
fashion	MODE	Mode
music	MUS	Musik
noun	*n*	Substantiv
navigation	NAUT	Seefahrt
Northern English	NBRIT	Nordenglisch
negative, negation	*neg*	verneinend, Verneinung
nominative	*nomin*	Nominativ
Northern German	NORDD	Norddeutsch
neuter	*nt*	Neutrum
nuclear science	NUCL, NUKL	Kernphysik
New Zealand English	NZ	Englisch aus Neuseeland
or	*o*	oder
ecology	ÖKOL	Ökologie
economics	ÖKON	Wirtschaft
old	*old*	veraltet
ornithology	ORN	Vogelkunde
Austrian German	ÖSTERR	österreichisches Deutsch
participle	*part*	Partizip
pejorative	*pej*	abwertend
offensive	*pej!*	beleidigend
personal pronoun	*pers*	Personal(pronomen)
person	*pers.*	Person
pharmacy	PHARM	Pharmazie
philosophy	PHILOS	Philosophie
photography	PHOT	Fotografie
physics	PHYS	Physik
plural	*pl*	plural
poetic	*poet*	poetisch
politics	POL	Politik
possessive	*poss*	possessiv
past participle	*pp*	Partizip Perfekt
predicative	*präd*	Prädikativ
preposition	*präp*	Präposition
predicative	*pred*	Prädikativ
preposition	*prep*	Präposition
present	*pres*	Präsenz
pronoun	*pron*	Pronomen
proverb	*prov*	Sprichwort
psychology	PSYCH	Psychologie
past tense	*pt*	erste Vergangenheit
publishing	PUBL	Verlagswesen
radio broadcasting	RADIO	Rundfunk
railway	RAIL	Eisenbahnwesen
aerospace	RAUM	Raumfahrt
reflexive	*refl*	reflexiv

regular	*reg*	regulär
relative	*rel*	relativ
religion	REL	Religion
thing	S.	Sache
South African English	SA	südafrikanisches Englisch
somebody	*sb*	jemand/jemandem/jemanden
somebody's	*sb's*	jemandes
school	SCH	Schule
chess	SCHACH	Schach
Swiss German	SCHWEIZ	schweizerisches Deutsch
science	SCI	Naturwissenschaften
Scottish	SCOT	schottisch
separable	*sep*	trennbar
singular	*sing*	Einzahl
skiing	SKI	Skifahren
slang	*sl*	salopp
sociology	SOCIOL, SOZIOL	Soziologie
specialist term	spec	fachsprachlich
sports	SPORT, SPORTS	Sport
something	*sth*	etwas
stock exchange	STOCKEX	Börse
Southern German	SÜDD	Süddeutsch
superlative	*superl*	Superlativ
technology	TECH	Technik
telecommunications	TELEC, TELEK	Nachrichtentechnik
tennis	TENNIS	Tennis
theatre	THEAT	Theater
tourism	TOURIST	Tourismus
transportation	TRANSP	Transport und Verkehr
television	TV	Fernsehen
typography	TYPO	Buchdruck
university	UNIV	Universität
usually	*usu*	gewöhnlich
verb	*vb*	Verb
dated	*veraltend*	veraltend
old	*veraltet*	veraltet
publishing	VERLAG	Verlagswesen
intransitive verb	*vi*	intransitives Verb
reflexive verb	*vr*	reflexives Verb
transitive verb	*vt*	transitives Verb
vulgar	*vulg*	vulgär
zoology	ZOOL	Zoologie

Aa

A <*pl* -'s *or* -s>, **a** <*pl* -'s> [eɪ] *n* ❶ (*letter*) A *nt*, a *nt*; ~ **for Andrew** [*or* AM **as in Abel**] A wie Anton ❷ MUS A *nt*, a *nt*; ~ **flat** As *nt*, as *nt*; ~ **sharp** Ais *nt*, ais *nt*; ~ **major** A-Dur *nt*; ~ **minor** a-Moll *nt* ❸ (*school mark*) ≈ Eins *f*; **to get** [an] ~ eine Eins schreiben ❹ (*blood type*) A ▶ **from** ~ **to Z** von A bis Z

a [eɪ, ə], *before vowel* **an** [æn, ᵊn] *art indef* ❶ (*undefined*) ein(e) ❷ *after neg* ▪ **not** ~ kein(e); **there was not** ~ **person to be seen** es war niemand zu sehen; **I haven't got** ~ **chance** ich habe nicht die geringste Chance ❸ (*one*) ein(e); **can I have** ~ **knife and fork please?** kann ich bitte Messer und Gabel haben?; **for half** ~ **mile** eine halbe Meile; **to count to** ~ **thousand** bis tausend zählen; **one and** ~ **half** einenhalb ❹ *before profession, nationality* **she's** ~ **teacher** sie ist Lehrerin; **he's** ~**n Englishman** er ist Engländer ❺ *introducing state* ein(e); ~ **17th-century cottage** ein Landhaus im Stil des 17. Jahrhunderts; **this is** ~ **very mild cheese** dieser Käse ist sehr mild ❻ (*per*) **he earns $100,000** ~ **year** er verdient im Jahr 100.000 Dollar; **three times** ~ **day** dreimal täglich; **twice** ~ **week** zweimal die Woche; **once** ~ **month** einmal im Monat

A *n* ❶ *abbrev of* **ampere** A ❷ *abbrev of* **answer** Antw.

AA [ˌeɪˈeɪ] *n* ❶ + *sing/pl vb abbrev of* **Alcoholics Anonymous** AA ❷ + *sing/pl vb* BRIT *abbrev of* **Automobile Association** ≈ ADAC *m*

AAA [ˌtrɪp(ə)ˈeɪ] *n* + *sing/pl vb* AM *abbrev of* **American Automobile Association** ≈ ADAC *m*

AB [eɪˈbiː] *n* AM *abbrev of* **Artium Baccalaureus** Bakkalaureus *m* der philosophischen/naturwissenschaftlichen Fakultät

aback [əˈbæk] *adv* **to be taken** ~ erstaunt sein; (*sad*) betroffen sein

aba·cus <*pl* -es> [ˈæbəkəs] *n* MATH Abakus *m*

aban·don [əˈbændən] **I.** *vt* ❶ (*leave*) verlassen; *baby* aussetzen; **to** ~ **sb to his/her fate** jdn seinem Schicksal überlassen ❷ (*leave behind*) zurücklassen; *car* stehen lassen ❸ (*give up*) aufgeben; *attempt* abbrechen; *plan* fallen lassen; ▪ **to be** ~**ed** *search* eingestellt werden ❹ SPORTS abbrechen **II.** *n no pl* **with** ~ mit Leib und Seele

aban·doned [əˈbændənd] *adj* ❶ (*dis-*

carded) verlassen; *baby* ausgesetzt; *car* stehen gelassen ❷ (*empty*) *building* leer stehend; *property* herrenlos ❸ (*carefree*) unbekümmert

abashed [əˈbæʃt] *adj* verlegen

abate [əˈbeɪt] *vi rain* nachlassen; *storm, anger* abflauen; *pain, fever* abklingen

abate·ment [əˈbeɪtmənt] *n no pl* ❶ (*lessening*) Nachlassen *nt; of storm, anger also* Abflauen *nt* ❷ (*reducing*) Verminderung *f;* **noise** ~ Lärmbekämpfung *f*

ab·at·toir [ˈæbətwɑːʳ] *n* BRIT Schlachthof *m*

ab·bess <*pl* -es> [ˈæbes] *n* Äbtissin *f*

ab·bey [ˈæbi] *n* Abtei[kirche] *f*

ab·bot [ˈæbət] *n* Abt *m*

ab·bre·vi·ate [əˈbriːvieɪt] *vt* abkürzen; **Susan is often** ~**d to Sue** Susan wird oft mit Sue abgekürzt

ab·bre·via·tion [əˌbriːviˈeɪʃᵊn] *n* Abkürzung *f*

ABC[1] [ˌeɪbiːˈsiː] *n* ❶ (*alphabet*) ABC *nt;* **as easy as** ~ kinderleicht ❷ (*rudiments*) ABC *nt*, Einmaleins *nt*

ABC[2] [ˌeɪbiːˈsiː] *n* ❶ *abbrev of* **Australian Broadcasting Corporation** ABC *f* ❷ *abbrev of* **American Broadcasting Corporation** ABC *f*

ab·di·cate [ˈæbdɪkeɪt] **I.** *vi monarch* abdanken; *pope* zurücktreten **II.** *vt* ❶ (*resign*) **to** ~ **the throne** auf den Thron verzichten ❷ (*renounce*) *right* verzichten auf *akk*

ab·di·ca·tion [ˌæbdɪˈkeɪʃᵊn] *n* ❶ *of a monarch* Abdankung *f;* ~ **of the throne** Verzicht *m* auf den Thron ❷ *no pl* (*renunciation*) Verzicht *m*

ab·do·men [ˈæbdəmən, æbˈdəʊ-] *n* ❶ MED Unterleib *m* ❷ ZOOL Hinterleib *m*

ab·domi·nal [æbˈdɒmɪnᵊl] *adj* Unterleibs-; ~ **wall** Bauchdecke *f*

ab·duct [əbˈdʌkt] *vt* entführen

ab·duc·tion [əbˈdʌkʃᵊn] *n* Entführung *f*

ab·er·ra·tion [ˌæbəˈreɪʃᵊn] *n* ❶ (*deviation*) Abweichung *f* ❷ SCI Aberration *f*

abet <-tt-> [əˈbet] *vt* unterstützen; **to** ~ **a crime** Beihilfe zu einem Verbrechen leisten

abey·ance [əˈbeɪən(t)s] *n no pl* **in** ~ [vorübergehend] außer Kraft [gesetzt]; *hostilities* eingestellt; *issue* auf Eis gelegt

ab·hor <-rr-> [əbˈhɔːʳ] *vt* verabscheuen

ab·hor·rence [əbˈhɒrᵊn(t)s] *n no pl* Abscheu *f* (**of** vor)

ab·hor·rent [əbˈhɒrᵊnt] *adj* abscheulich;

I find his cynicism ~ sein Zynismus ist mir zuwider

abide [ə'baɪd] I. *vt usu neg* (*like*) ausstehen; (*endure*) ertragen II. *vi* (*continue*) fortbestehen ◆ **abide by** *vi rule* befolgen; **to ~ by a law** sich an ein Gesetz halten

abid·ing [ə'baɪdɪŋ] *adj* beständig; *love* immer während; *values* bleibend

abil·ity [ə'bɪləti] *n* ❶ (*capability*) Fähigkeit *f;* **to the best of my** ~ so gut ich kann ❷ (*talent*) Talent *nt;* **someone of her** ~ jemand mit ihrer Begabung; **a woman of** ~ eine fähige Frau; **mixed abilities** SCH unterschiedliche Leistungsstufen

ab·ject ['æbdʒekt] *adj* ❶ (*extreme*) äußerste(r, s); *coward* elend; *failure* komplett; *poverty* bitter; **in** ~ **fear** in größter Angst ❷ (*degraded*) *conditions* erbärmlich ❸ (*humble*) unterwürfig; *apology also* demütig; *failure* kläglich

ablaze [ə'bleɪz] *adj* ❶ (*burning*) ■**to be** ~ in Flammen stehen; **to set** ~ in Brand stecken ❷ (*bright*) **to be** ~ **with colour** von Farben leuchten; **to be** ~ **with lights** hell erleuchtet sein ❸ (*fig: impassioned*) **to be** ~ **with anger** vor Zorn glühen; **to be** ~ **with excitement** *eyes* vor Aufregung leuchten

able ['eɪbl] *adj* ❶ <more *or* better able, most *or* best able> (*can do*) ■**to** [**not**] **be** ~ **to do sth** etw [nicht] tun können ❷ <abler *or* more ~, ablest *or* most ~> (*clever*) talentiert; *mind* fähig

able-bodied [ˌeɪbl'bɒdɪd] *adj* gesund; MIL [wehr]tauglich

ABM [eɪbi'em] *n abbrev of* **anti-ballistic missile** Antiraketenrakete *f*

ab·nor·mal [æb'nɔːmᵊl] *adj* anormal; *weather also* ungewöhnlich

ab·nor·mal·ity [ˌæbnɔː'mæləti] *n* ❶ MED (*anomaly*) Anomalie *f;* **fetal** ~ fetale Missbildung ❷ *no pl* (*unusualness*) Abnormität *f; of a situation* Außergewöhnlichkeit *f*

ab·nor·mal·ly [æb'nɔːmᵊli] *adv* ungewöhnlich, abnorm, außergewöhnlich

aboard [ə'bɔːd] *adv, prep* (*on plane, ship*) an Bord; (*on train*) im Zug; **all** ~**!** (*on train, bus*) alles einsteigen!; (*on plane, ship*) alle Mann an Bord!

abode [ə'bəʊd] *n* ❶ (*hum: home*) Wohnung *f* ❷ *no pl* (*residence*) Wohnsitz *m;* **of no fixed** ~ ohne festen Wohnsitz

abol·ish [ə'bɒlɪʃ] *vt* abschaffen; *law* aufheben

abo·li·tion [ˌæbə'lɪʃᵊn] *n no pl* Abschaffung *f;* LAW Abolition *f; of a law* Aufhebung *f*

abomi·nable [ə'bɒmɪnəbl] *adj* furchtbar; *noise* grässlich; *smell* widerwärtig; *weather* scheußlich; **to taste** ~ abscheulich schmecken

abomi·nably [ə'bɒmɪnəbli] *adv* schrecklich, furchtbar; **she behaved** ~ sie benahm sich unmöglich; **to stink** ~ abscheulich stinken

abomi·nate [ə'bɒmɪneɪt] *vt* verabscheuen

abomi·na·tion [ə,bɒmɪ'neɪʃᵊn] *n* ❶ *no pl* (*loathing*) Abscheu *m* (**of** vor) ❷ (*detestable thing*) Abscheulichkeit *f*

Abo·rigi·nal [ˌæbə'rɪdʒᵊnᵊl] *adj* der Aborigines *nach n*

Abo·rigi·ne [ˌæbə'rɪdʒəni] *n* [australischer] Ureinwohner *m*/[australische] Ureinwohnerin *f*

abort [ə'bɔːt] *vt* ❶ (*prevent birth*) *baby, fetus* abtreiben; *pregnancy* abbrechen ❷ (*stop*) abbrechen

abor·tion [ə'bɔːʃᵊn] *n* Schwangerschaftsabbruch *m,* Abtreibung *f*

abor·tive [ə'bɔːtɪv] *adj* ❶ (*not successful*) *attempt* gescheitert; *plan* misslungen ❷ MED *abortiv fachspr,* abtreibend

abound [ə'baʊnd] *vi* [sehr] zahlreich sein; **rumours** ~ **that ...** zahlreiche Gerüchte kursieren, dass ...; ■**to** ~ **in** reich sein an *dat*

about [ə'baʊt] I. *prep* ❶ (*on the subject of*) über; **what's that book** ~**?** worum geht es in dem Buch?; **the movie is** ~ **the American Civil War** der Film handelt vom Amerikanischen Bürgerkrieg; **it's all** ~ **having fun** es geht einfach nur darum, Spaß zu haben; **anxiety** ~ **the future** Angst *f* vor der Zukunft; **a phobia** ~ **spiders** eine Spinnenphobie; **to ask sb** ~ **sb/sth** jdn nach jdm/etw fragen ❷ (*affecting*) gegen; **to do something** ~ **sth** etw gegen etw *akk* machen; **to do nothing** ~ **a problem** ein Problem nicht anpacken ❸ (*surrounding*) um ❹ *after vb* (*expressing movement*) **to wander** ~ **the house** im Haus herumgehen; **to look** ~ **the room** sich im Zimmer umsehen ❺ (*expressing location*) **she must be** ~ **the place somewhere** sie muss hier irgendwo sein ❻ (*being a characteristic of*) an; **there's something strange** ~ **him** er hat etwas Merkwürdiges an sich ❼ BRIT (*fam: in the process of*) **while you're** ~ **it** so wie Sie gerade dabei sind ▶ **how** ~ **sb/sth?** wie wäre es mit jdm/etw?; **to** **know** **what one is** ~ (*fam*) wissen, was man tut; **what** ~ **it?** was ist damit? II. *adv* ❶ (*approximately*) ungefähr; ~ **eight** [**o'clock**] [so] gegen acht [Uhr]; ~ **two days ago** vor etwa zwei Tagen ❷ (*almost*) fast ❸ (*barely*) **we just** ~ **made it** wir haben es gerade noch [so] geschafft ❹ *esp* Brit (*around*) herum; **there's a lot of flu ~ at the moment** im Moment geht die Grippe um; **up and ~** auf den Beinen ❺ *esp* Brit (*in the area*) hier; **is Cathy ~?** ist Cathy hier irgendwo?; **there was nobody ~** es war keiner da ❻ (*intending*) **we're just ~ to have supper** wir wollen gerade zu Abend essen ▶ **that's ~ all** [*or* **it**] das wär's

about-ˈface Am, Aus, **about-ˈturn** Brit **I.** *n* ❶ *esp* mil Kehrtwendung *f* ❷ (*fig*) **they've done a complete ~** sie haben ihre Meinung um 180° geändert **II.** *vi* mil **~!** kehrt!

above [əˈbʌv] **I.** *prep* ❶ (*over*) über; **~ the spectators** über den Zuschauern ❷ (*greater than*) über; **to be barely ~ freezing** kaum über dem Gefrierpunkt sein; **~ and beyond all expectation** weit über allen Erwartungen ❸ (*superior to*) **he thinks he's ~ everyone else** er hält sich für besser als alle anderen; **to be ~ criticism** über jede Kritik erhaben sein ❹ (*more importantly than*) **they value freedom ~ all else** für sie ist die Freiheit wichtiger als alles andere; **~ all** vor allem ❺ (*louder than*) **we could hardly hear each other speak ~ the music** wir konnten einander bei der Musik kaum verstehen ▶ **that's ~ me** das ist mir zu hoch **II.** *adv* ❶ (*on higher level*) oberhalb, darüber; **they live in the flat ~** sie wohnen in der Wohnung darüber; (*above oneself*) sie wohnen in der Wohnung über mir/uns ❷ (*overhead*) **from ~** von oben ❸ (*in the sky*) am Himmel; **he looked up to the stars ~** er blickte hinauf zu den Sternen ❹ (*in heaven*) im Himmel ❺ (*higher-ranking*) **from ~** von oben ❻ (*earlier in text*) oben; **the address given ~** die oben genannte Adresse **III.** *adj* obige(r, s); **the ~ address** die oben genannte Adresse **IV.** *n* ▪ **the ~** (*thing*) das Obengenannte; (*person*) der/die Obengenannte

above ˈboard *adj* (*fam*) einwandfrei

above-ˈmen·tioned *adj* oben genann-te(r, s)

ab·ra·ca·dab·ra [ˌæbrəkəˈdæbrə] **I.** *interj* Abrakadabra **II.** *n* Abrakadabra *nt*

abra·sion [əˈbreɪʒ^ən] *n* (*injury*) Abschürfung *f*

abra·sive [əˈbreɪsɪv] **I.** *adj* ❶ (*rubbing*) abreibend; **~ cleaner** Scheuermittel *nt* ❷ (*unpleasant*) aggressiv **II.** *n* mech Schleifmittel *nt*

abreast [əˈbrest] *adv* ❶ (*side by side*) nebeneinander ❷ (*alongside*) **to draw ~ of sb/sth** mit jdm/etw gleichziehen ❸ (*up to*

date) **to keep ~ of sth** sich über etw *akk* auf dem Laufenden halten

abridge [əˈbrɪdʒ] *vt* kürzen

abridg(e)·ment [əˈbrɪdʒmənt] *n* gekürzte Ausgabe

abroad [əˈbrɔːd] *adv* ❶ (*in foreign country*) im Ausland; **to go ~** ins Ausland fahren; **from ~** aus dem Ausland ❷ (*current*) ▪ **to be ~** *rumour* umgehen

ab·rupt [əˈbrʌpt] *adj* ❶ (*sudden*) abrupt; *departure* plötzlich; **to come to an ~ end** ein jähes Ende finden ❷ (*brusque*) schroff ❸ (*steep*) steil

ab·rupt·ly [əˈbrʌptli] *adv* ❶ (*suddenly*) abrupt, plötzlich ❷ (*brusquely*) schroff ❸ (*steeply*) steil, schroff

ABS [ˌeɪbiːˈes] *n no pl abbrev of* **anti-lock braking system** ABS *nt*

ab·scess <*pl* -es> [ˈæbses] *n* Abszess *m*

ab·scond [əbˈskɒnd] *vi* (*run away*) sich davonmachen; ▪ **to ~ with sb** mit jdm durchbrennen *fam*

ab·seil [ˈæbseɪl] *vi* [sich] abseilen

ab·sence [ˈæbs^ən(t)s] *n* ❶ *no pl* (*non-appearance*) Abwesenheit *f*; (*from school, work*) Fehlen *nt* ❷ *no pl* (*lack*) Fehlen *nt*; ▪ **in the ~ of sth** in Ermangelung einer S. *gen* ▶ **~ makes the heart grow fonder** (*prov*) die Liebe wächst mit der Entfernung

ab·sent [ˈæbs^ənt] **I.** *adj* ❶ (*not there*) abwesend; **to be ~ from school/work** in der Schule/auf der Arbeit fehlen ❷ (*lacking*) ▪ **to be ~** fehlen ❸ (*distracted*) [geistes]abwesend **II.** *vt* [ˈæbsent] ▪ **to ~ oneself** sich zurückziehen

ab·sen·tee [ˌæbs^ənˈtiː] *n* Abwesende(r) *f(m)*, Fehlende(r) *f(m)*

ab·sen·tee ˈbal·lot *n* Am (*postal vote*) Briefwahl *f*

ab·sen·tee·ism [ˌæbs^ənˈtiːɪz^əm] *n no pl* häufiges Fernbleiben

ab·sen·tee ˈland·lord *n* nicht ortsansässiger Vermieter oder Verpächter **ab·sen·tee ˈvot·ing** *n* Am Briefwahl *f*

absent-ˈmind·ed *adj* (*momentarily*) geistesabwesend; (*habitually*) zerstreut

absent-ˈmind·ed·ly *adv* (*momentarily*) geistesabwesend; (*habitually*) zerstreut

absent-ˈmind·ed·ness *n no pl* (*moment*) Geistesabwesenheit *f*; (*trait*) Zerstreutheit *f*

ab·so·lute [ˈæbsəˈluːt] *adj* ❶ (*complete*) absolut, vollkommen ❷ *angel* wahr; *disaster, mess* einzig; *idiot* ausgemacht; *nonsense* komplett; *ruler* unumschränkt; **in ~ terms** absolut gesehen

ab·so·lute·ly [ˌæbsəˈluːtli] *adv* absolut; **you're ~ right** Sie haben vollkommen

Recht; **~ not!** nein, überhaupt nicht!; **~ no idea** überhaupt keine Ahnung; **~ delicious** einfach köstlich; **~ determined** fest entschlossen; **to trust sb ~** jdm bedingungslos vertrauen; **~ nothing** überhaupt nichts

ab·so·lu·tion [ˌæbsə'luːʃⁿn] *n no pl* REL Absolution *f*

ab·so·lut·ism [ˌæbsə'luːtɪzᵊm] *n no pl* POL Absolutismus *m*

ab·solve [əb'zɒlv] *vt (from blame)* freisprechen; *(from sins)* lossprechen

ab·sorb [əb'zɔːb, -sɔːb] *vt* ❶ *(soak up)* aufnehmen; *attention* in Anspruch nehmen ❷ *(reduce) blow* abfangen; *light* absorbieren; *noise* dämpfen ❸ ■ **to be ~ed in sth** in etw *akk* vertieft sein ❹ ■ **to be ~ed into sth** in etw *akk* integriert werden

ab·sorb·ent [əb'zɔːbənt, -'sɔː-] *adj* absorptionsfähig; *cotton, paper* saugfähig

ab·sorb·ing [əb'zɔːbɪŋ, -'sɔː-] *adj* fesselnd; *problem* kniffelig

ab·sorp·tion [əb'zɔːpʃⁿn] *n no pl* ❶ *(absorbing)* Aufnahme *f*; **power of ~** Absorptionsfähigkeit *f* ❷ *of a blow* Abfangen *nt* ❸ *(engrossment)* Vertieftsein *nt*

ab·stain [əb'steɪn] *vi* ❶ *(eschew)* ■ **to ~ [from sth]** sich [einer S. *gen*] enthalten; **to ~ from alcohol** keinen Alkohol trinken ❷ *(not vote)* sich der Stimme enthalten

ab·sten·tion [əb'sten(t)ʃⁿn] *n* POL [Stimm]enthaltung *f*

ab·sti·nence ['æbstɪnən(t)s] *n no pl* Abstinenz *f*

ab·sti·nent ['æbstɪnənt] *adj* enthaltsam, abstinent

ab·stract I. *adj* ['æbstrækt] abstrakt; **~ noun** Abstraktum *nt* II. *n* ❶ *(summary)* Zusammenfassung *f* ❷ *(generalized form)* ■ **the ~** das Abstrakte; **in the ~** abstrakt ❸ ART abstraktes Werk III. *vt* [æb'strækt] ❶ *(summarize)* zusammenfassen ❷ *(remove)* entnehmen

ab·stract·ed [æb'stræktɪd] *adj* gedankenverloren

ab·strac·tion [æb'strækʃⁿn] *n* ❶ *(generalization)* Abstraktion *f* ❷ *no pl (distraction)* [Geistes]abwesenheit *f* ❸ *(removal)* Entnahme *f*

ab·struse [æb'struːs] *adj* abstrus

ab·surd [əb'zɜːd, -'sɜːd] *adj* absurd; **don't be ~!** sei nicht albern!; **to look ~** lächerlich aussehen

ab·surd·ity [əb'zɜːdəti, -'sɜː-] *n* Absurdität *f*; **the ~ of the situation** das Absurde an der Situation

abun·dance [ə'bʌndən(t)s] *n no pl* Fülle *f*;

to have an ~ of sth reich an etw *dat* sein; **in ~** in Hülle und Fülle

abun·dant [ə'bʌndənt] *adj* reichlich; *harvest* reich; *vegetation* üppig; **~ evidence** jede Menge Beweise

abuse I. *n* [ə'bjuːs] ❶ *no pl (affront)* [**verbal**] **~** Beschimpfung[en] *f*[*pl*]; **a term of ~** ein Schimpfwort *nt* ❷ *no pl (maltreatment)* Missbrauch *m*; **child ~** Kindesmissbrauch *m*; **mental/physical ~** psychische/körperliche Misshandlung ❸ *no pl (misuse)* Missbrauch *m*; **drug ~** Drogenmissbrauch *m*; **be open to ~** sich leicht missbrauchen lassen ❹ *(breach)* **~ of human rights** Menschenrechtsverletzungen *pl* II. *vt* [ə'bjuːz] ❶ *(verbally)* beschimpfen ❷ *(maltreat)* misshandeln; *(sexually)* missbrauchen ❸ *(exploit) authority, trust* missbrauchen; *kindness* ausnützen ❹ *(breach) rights* verletzen

abu·sive [ə'bjuːsɪv] *adj* ❶ *(insulting)* beleidigend; **~ language** Beleidigungen *pl* ❷ *(maltreating)* misshandelnd

abut <-tt-> [ə'bʌt] *vt, vi* ■ **to ~ [on] sth** an etw *akk* grenzen

abys·mal [ə'bɪzmᵊl] *adj* entsetzlich

abyss [ə'bɪs] *n (also fig)* Abgrund *m*

AC [ˌeɪ'siː] *n* ❶ AM *abbrev of* **air conditioning** ❷ *abbrev of* **alternating current** WS

a/c, AM *also* **A/C** *n abbrev of* **account** Kto.

aca·cia [ə'keɪʃə] *n* Akazie *f*; **~ gum** Gummi arabicum *nt*

aca·dem·ic [ˌækə'demɪk] I. *adj* ❶ *(university)* akademisch; **~ year** Studienjahr *nt* ❷ *(not vocational)* wissenschaftlich ❸ *(theoretical)* akademisch II. *n* Lehrkraft *f* an der Universität

aca·dem·ical·ly [ˌækə'demɪkli] *adv* wissenschaftlich; **to be ~ gifted** intellektuell begabt sein; **to be ~ inclined** eine wissenschaftliche Ader haben

acad·emy [ə'kædəmi] *n* ❶ *(training)* Akademie *f*; **police ~** Polizeischule *f* ❷ *esp* AM, SCOT *(school)* [höhere] Schule

ACAS ['eɪˌkæs] *n abbrev of* **Advisory, Conciliation, and Arbitration Service** Schlichtungsstelle für Arbeitskonflikte

ac·cede [æk'siːd] *vi* ❶ *(agree)* ■ **to ~ to sth** etw *dat* zustimmen; **to ~ to a demand** einer Forderung nachgeben ❷ *(assume)* übernehmen; **to ~ to the throne** den Thron besteigen

ac·cel·er·ate [ək'seləreɪt] I. *vi* ❶ *(go faster)* beschleunigen; *driver* Gas geben ❷ *fam (increase)* zunehmen II. *vt* beschleunigen

ac·cel·era·tion [əkˌselə'reɪʃⁿn] *n no pl* Beschleunigung *f*

ac·cel·era·tor [ək'seləreɪtəʳ] *n* ❶ (*in car*) Gas[pedal] *nt* ❷ PHYS [Teil‑]chen]beschleuniger *m*

ac·cent ['æksᵊnt] *n* ❶ LING Akzent *m* ❷ (*stress*) Betonung *f*; **to put the ~ on sth** etw in den Mittelpunkt stellen

ac·cen·tu·ate [ək'sentʃueɪt] *vt* ❶ (*highlight*) aspect, feature betonen ❷ MUS, LING akzentuieren

ac·cept [ək'sept] *vt* ❶ (*take*) annehmen; *award* entgegennehmen; *bribe* sich bestechen lassen; **do you ~ credit cards?** kann man bei Ihnen mit Kreditkarte zahlen?; **to ~ sb as a member** jdn als Mitglied aufnehmen ❷ (*believe*) glauben ❸ (*acknowledge*) anerkennen; *blame* auf sich nehmen; *decision* akzeptieren; *fate* sich abfinden mit; *responsibility* übernehmen; **to ~ [that]** ... akzeptieren, dass ... ❹ (*include socially*) akzeptieren

ac·cept·able [ək'septəbl] *adj* ❶ (*satisfactory*) akzeptabel (**to** für); **if these terms are ~ to you,** ... wenn Sie mit diesen Bedingungen einverstanden sind, ... ❷ (*welcome*) willkommen; **to make an ~ gift** als Mitbringsel gut ankommen

ac·cept·ance [ək'septən(t)s] *n* ❶ *no pl* (*accepting*) Annahme *f*; (*of idea*) Zustimmung *f* zu +*dat* ❷ (*positive answer*) Zusage *f*; **letter of ~** schriftliche Zusage ❸ *no pl* (*toleration*) Hinnahme *f* ❹ *no pl* (*recognition*) Anerkennung *f*

ac·cept·ed [ək'septɪd] *adj* anerkannt

ac·cess ['ækses] I. *n no pl* Zugang *m*; (*to room, building*) Zutritt *m*; **the only ~ to the village is by boat** das Dorf ist nur mit dem Boot zu erreichen; **no ~ to the top floor** kein Durchgang zum obersten Stockwerk; BRIT **"~ only"** „Anlieger frei"; **~ to the children** LAW das Recht, die Kinder zu sehen; **~ to information** Zugriff *m* auf Informationen II. *vt* COMPUT *data* zugreifen auf; *file* öffnen

ac·ces·sibil·ity [əkˌsesə'bɪləti] *n no pl* Zugänglichkeit *f*

ac·ces·sible [ək'sesəbl] *adj* ❶ (*approachable*) [leicht] erreichbar ❷ (*obtainable*) [leicht] verfügbar; ◾**to be ~ to sb** jdm zugänglich sein

ac·ces·sion [ək'seʃn] *n no pl* Antritt *m*; **~ to the throne** Thronbesteigung *f*

ac·ces·so·ry [ək'sesəri] *n* ❶ FASHION Accessoire *nt* ❷ (*equipment*) Zubehör *nt* ❸ (*tool*) Extra *nt* ❹ (*criminal*) Helfershelfer *m*; **he became an ~ to the crime** er machte sich am Verbrechen mitschuldig

ac·ci·dent ['æksɪdᵊnt] *n* ❶ (*with injury*) Unfall *m*; **~ and emergency unit** Notauf‑

nahme *f*; **plane/train ~** Flugzeug‑/Zugunglück *nt*; **road ~** Verkehrsunfall *m* ❷ (*without intention*) **sorry, it was an ~** tut mir leid, es war keine Absicht; **by ~** aus Versehen ❸ (*chance*) Zufall *m*; **by ~** zufällig ❹ (*mishap*) Missgeschick *nt* ▸**~s will happen** so was kommt vor

ac·ci·den·tal [ˌæksɪ'dentᵊl] *adj* ❶ (*unintentional*) unbeabsichtigt; **it was ~** es war ein Versehen ❷ TRANSP Unfall‑ ❸ (*chance*) zufällig

ac·ci·den·tal·ly [ˌæksɪ'dentᵊli] *adv* ❶ (*unintentionally*) versehentlich; **~ on purpose** (*hum*) rein zufällig *iron* ❷ (*by chance*) zufällig

ac·claim [ə'kleɪm] I. *vt* ◾**to be ~ed** gefeiert werden II. *n no pl* Anerkennung *f*

ac·cla·ma·tion [ˌæklə'meɪʃᵊn] *n no pl* Beifall *m*

ac·cli·mate ['ækləmeɪt] *vt, vi* AM *see* **acclimatize**

ac·cli·ma·ti·za·tion [əˌklaɪmətaɪ'zeɪʃᵊn] *n no pl* Akklimatisation *f*; **~ to a new environment** Eingewöhnung *f* in eine neue Umgebung

ac·cli·ma·tize [ə'klaɪmətaɪz] *vi, vt* sich akklimatisieren; *new conditions* sich gewöhnen an

ac·co·lade ['ækəleɪd] *n* Anerkennung *f*

ac·com·mo·date [ə'kɒmədeɪt] *vt* ❶ (*have room for*) unterbringen; **the chalet ~s up to 6 people** die Hütte bietet Platz für bis zu 6 Personen ❷ (*help*) entgegenkommen

ac·com·mo·dat·ing [ə'kɒmədeɪtɪŋ] *adj* entgegenkommend

ac·com·mo·da·tion [əˌkɒmə'deɪʃᵊn] *n* ❶ *no pl* BRIT, AUS (*lodging*) Unterkunft *f*; **"~ wanted"** „Zimmer gesucht"; **to find ~** eine Unterkunft finden ❷ AM (*lodging*) ◾**~s** *pl* Unterkunft *f* ❸ *no pl* (*space*) Platz *m* ❹ AM (*space*) ◾**~s** *pl* [Sitz]plätze *pl* ❺ (*compromise*) Einigung *f*

ac·com·pa·ni·ment [ə'kʌmpᵊnɪmənt] *n* Begleitung *f*; **to be the perfect ~ to ...** ideal passen zu ...; **to the ~ of** begleitet von

ac·com·pa·nist [ə'kʌmpənɪst] *n* MUS Begleiter(in) *m(f)*

ac·com·pa·ny <-ie-> [ə'kʌmpəni] *vt* ❶ (*escort*) begleiten ❷ (*occur together*) ◾**to be accompanied by sth** mit etw *dat* einhergehen ❸ MUS begleiten

ac·com·plice [ə'kʌmplɪs] *n* Komplize(in) *m(f)*

ac·com·plish [ə'kʌmplɪʃ] *vt* schaffen; *goal* erreichen; *task* erledigen

ac·com·plished [ə'kʌmplɪʃt] *adj* fähig; *actor* versiert; *performance* gelungen

ac·com·plish·ment [ə'kʌmplɪʃmənt] *n*

❶ no pl (completion) Vollendung f; of an aim Erreichen nt; of a task Erledigung f **❷** usu pl (skill) Fähigkeit f **❸** (achievement) Leistung f

ac·cord [əˈkɔːd] I. n **❶** (treaty) Vereinbarung f **❷** no pl (agreement) Übereinstimmung f; **with one ~** geschlossen ▸ **of one's/its own ~** (voluntarily) von sich dat aus; (without external cause) von alleine II. vt gewähren III. vi ▪ **to ~ with** übereinstimmen mit

ac·cord·ance [əˈkɔːdᵊn(t)s] prep **in ~ with** gemäß

ac·cord·ing·ly [əˈkɔːdɪŋli] adv **❶** (appropriately) [dem]entsprechend **❷** (thus) folglich

ac·cord·ing to [əˈkɔːdɪŋ] prep nach; **~ to season** der Jahreszeit entsprechend; **~ to the weather report** dem Wetterbericht zufolge

ac·cor·di·on [əˈkɔːdiən] n Akkordeon nt

ac·cost [əˈkɒst] vt ansprechen; (more aggressively) anpöbeln

ac·count [əˈkaʊnt] n **❶** (description) Bericht m; **by** [or **from**] **all ~s** nach allem, was man so hört; **by his own ~** [seinen] eigenen Aussagen zufolge **❷** (bank service) Konto nt (**with** bei) **❸** (credit) [Kunden]kredit m; **will that be cash or ~?** zahlen Sie bar oder geht das auf Rechnung? **❹** (bill) Rechnung f **❺** (records) ▪ **~s** pl [Geschäfts]bücher pl; **to keep the ~s** die Buchhaltung machen; **to keep an ~ of sth** über etw akk Buch führen **❻** (customer) Kunde(in) m(f) **❼** no pl (consideration) **to take into ~** berücksichtigen; **to take no ~ of** nicht berücksichtigen **❽** (reason) ▪ **on ~ of** aufgrund; **on my/her/his ~** meinet-/ihret-/seinetwegen; **on no ~** auf keinen Fall **❾** no pl (importance) **of little ~** von geringer Bedeutung; **to be of no ~** keinerlei Bedeutung haben **❿** no pl (responsibility) **on one's own ~** auf sein eigenes Risiko ▸ **to give a good ~ of oneself** sich wacker schlagen; **to be brought to ~** zur Rechenschaft gezogen werden; **to settle ~s with sb** mit jdm abrechnen

ac·count·abil·ity [əˌkaʊntəˈbɪləti] n no pl Verantwortlichkeit f (**to** gegenüber)

ac·count·able [əˈkaʊntəbl] adj verantwortlich

ac·count·an·cy [əˈkaʊntən(t)si] n no pl Buchhaltung f

ac·count·ant [əˈkaʊntənt] n [Bilanz]buchhalter(in) m(f)

ac·'count book n Kassenbuch nt

ac·cred·it [əˈkredɪt] vt **❶** (approve) ▪ **to have been ~ed** certificate anerkannt wor-

den sein **❷** (authorize) ▪ **to be ~ed to sb/ sth** ambassador bei jdm/etw akkreditiert sein

ac·crue [əˈkruː] vi **❶** FIN zuwachsen; interest auflaufen **❷** (be due) ▪ **to ~ to sb/sth** jdm/etw zukommen

ac·cu·mu·late [əˈkjuːmjəleɪt] I. vt ansammeln II. vi sich ansammeln

ac·cu·mu·la·tion [əˌkjuːmjəˈleɪʃᵊn] n (quantity) Ansammlung f; of sand Anhäufung f

ac·cu·mu·la·tor [əˈkjuːmjəleɪtəʳ] n BRIT, AUS Akkumulator m, Akku m fam

ac·cu·ra·cy [ˈækjərəsi] n no pl Genauigkeit f

ac·cu·rate [ˈækjərət] adj **❶** (precise) genau **❷** (correct) richtig; report getreu

ac·cu·rate·ly [ˈækjərətli] adv **❶** (precisely) genau, exakt **❷** (correctly) richtig **❸** (without missing) hit zielgenau

ac·cu·sa·tion [ˌækjʊˈzeɪʃᵊn] n **❶** (charge) Anschuldigung f; LAW Anklage f (**of** wegen); **to make an ~ against sb** jdn beschuldigen **❷** no pl (accusing) Vorwurf m; **with an air of ~** vorwurfsvoll

ac·cu·sa·tive [əˈkjuːzətɪv] n no pl Akkusativ m; **~ case** Akkusativ m

ac·cu·sa·tory [əˈkjuːzətᵊri] adj look anklagend; tone vorwurfsvoll

ac·cuse [əˈkjuːz] vt **❶** (charge) ▪ **to ~ sb** [**of sth**] jdn [wegen einer S. gen] anklagen **❷** (claim) ▪ **to ~ sb of sth** jdn einer S. gen beschuldigen; **are you accusing me of lying?** willst du damit sagen, dass ich lüge?; **I'm often ~d of ...** mir wird oft vorgeworfen, dass ...

ac·cused <pl -> [əˈkjuːzd] n ▪ **the ~** der/ die Angeklagte

ac·cus·ing·ly [əˈkjuːzɪŋli] adv look anklagend; say vorwurfsvoll

ac·cus·tom [əˈkʌstəm] vt ▪ **to ~ sb/oneself to sth** jdn/sich an etw akk gewöhnen

ac·cus·tomed [əˈkʌstəmd] adj ▪ **to be ~ to sth** etw gewohnt sein; **to become ~ to sth** sich an etw akk gewöhnen

AC/DC [ˌeisiːˈdiːsiː] I. n abbrev of alternating current/direct current WS/GS II. adj (fam: bisexual) bi fam

ace [eɪs] I. n (all meanings) Ass nt; **~ of spades** Pikass nt; **~ reporter** Starreporter(in) m(f) ▸ **to hold all the ~s** alle Trümpfe in der Hand halten II. adj (fam) klasse

ac·etate [ˈæsɪteɪt] n no pl CHEM Acetat nt

acetic 'acid n no pl Essigsäure f

acety·lene [əˈsetɪliːn] n no pl CHEM Acetylen nt

ache [eɪk] I. n Schmerz[en] m[pl]; **~s and**

pains Wehwehchen *pl* **II.** *vi* ❶ (*cause pain*) schmerzen; **I'm aching all over** mir tut alles weh ❷ (*desire*) ■ **to be aching to do sth** sich danach sehnen, etw zu tun

achieve [əˈtʃiːv] *vt* erreichen; *fame* erlangen; *success* erzielen; *victory* erringen

achieve·ment [əˈtʃiːvmənt] *n* ❶ (*feat*) Leistung *f* ❷ *no pl* (*achieving*) Erreichen *nt*

ach·ing [ˈeɪkɪŋ] *adj* ❶ (*painful*) schmerzend *attr;* ~ **back/head/tooth** schmerzender Rücken/Kopf/Zahn ❷ (*woeful*) schmerzend *attr;* **with an ~ heart** mit wehem Herzen *poet*

acid [ˈæsɪd] **I.** *n* ❶ CHEM Säure *f* ❷ *no pl* (*sl: LSD*) Acid *nt* **II.** *adj* ❶ CHEM sauer; ~ **soil** saurer Boden; ~ **stomach** übersäuerter Magen ❷ (*sour*) *taste* sauer

'acid house *n no pl* Acid House *nt*

acid·ic [əˈsɪdɪk] *adj* ❶ CHEM säurehaltig ❷ (*sour*) sauer

acid·ify <-ie-> [əˈsɪdɪfaɪ] **I.** *vt* übersäuern **II.** *vi water* sauer werden; *soil* versauern

acid·ity [əˈsɪdəti] *n no pl* ❶ CHEM Säuregehalt *m* ❷ (*sourness*) Säure *f*

acid 'rain *n no pl* saurer Regen **'acid test** *n* ❶ CHEM Säureprobe *f* ❷ (*fig*) Feuerprobe *f* **acid-'tongued** *adj person* scharfzüngig, bissig

ac·knowl·edge [əkˈnɒlɪdʒ] *vt* ❶ (*admit*) zugeben ❷ (*respect*) anerkennen; **he was generally ~d to be an expert** er galt allgemein als Experte ❸ (*reply to*) *greeting* erwidern; *receipt* bestätigen ❹ (*notice*) wahrnehmen

ac·knowl·edg(e)·ment [əkˈnɒlɪdʒmənt] *n* ❶ *no pl* (*admission*) Bekenntnis *nt* (**of** zu); ~ **of guilt** Schuldeingeständnis *nt* ❷ *no pl* (*respect*) Anerkennung *f* ❸ *no pl* (*reply*) Erwiderung *f* ❹ (*confirmation*) [Empfangs]bestätigung *f* ❺ PUBL ■~**s** *pl* Danksagung *f*

acne [ˈækni] *n no pl* Akne *f*

acorn [eɪˈkɔːn] *n* Eichel *f*

acous·tic [əˈkuːstɪk] *adj* akustisch

acous·ti·cal·ly [əˈkuːstɪkᵊli] *adv* akustisch

acous·tic 'cou·pler *n* Akustikkoppler *m* **acous·tic gui·'tar** *n* Akustikgitarre *f* **acous·tic 'nerve** *n* [Ge]hörnerv *m*

acous·tics [əˈkuːstɪks] *n* ❶ + *pl vb of hall* Akustik *f;* **the ~ of a room** die Raumakustik ❷ + *sing vb* PHYS Akustik *f*

ac·quaint [əˈkweɪnt] *vt* vertraut machen

ac·quaint·ance [əˈkweɪntᵊn(t)s] *n* ❶ (*friend*) Bekannte(r) *f(m)* ❷ *no pl* (*relationship*) Bekanntschaft *f*

ac·qui·esce [ˌækwiˈes] *vi* ■ **to** ~ [**to sth**] [in etw *akk*] einwilligen

ac·qui·es·cence [ˌækwiˈesᵊn(t)s] *n no pl* Einwilligung *f* (**to** in)

ac·qui·es·cent [ˌækwiˈesᵊnt] *adj* fügsam

ac·quire [əˈkwaɪəʳ] *vt* erwerben; *habit* annehmen; *knowledge* sich *dat* aneignen; *reputation* bekommen; **to** ~ **a taste for sth** Geschmack an etw *dat* finden; **to be an ~d taste** gewöhnungsbedürftig sein

ac·qui·si·tion [ˌækwɪˈzɪʃᵊn] *n* ❶ (*purchase*) Anschaffung *f* ❷ *no pl* (*acquiring*) Erwerb *m;* *of firm* Übernahme *f;* *of habits* Annehmen *nt;* *of knowledge* Aneignung *f*

ac·quisi·tive [əˈkwɪzɪtɪv] *adj* (*pej*) habgierig

ac·quit <-tt-> [əˈkwɪt] *vt* ❶ (*free*) freisprechen ❷ (*perform*) **to** ~ **oneself well** seine Sache gut machen

ac·quit·tal [əˈkwɪtᵊl] *n* Freispruch *m* (**on** von)

acre [ˈeɪkəʳ] *n* ❶ (*unit*) ≈ Morgen *m* ❷ (*fig*) ~**s of space** jede Menge Platz

acre·age [ˈeɪkᵊrɪdʒ] *n no pl* ≈ Morgen *m*

ac·rid [ˈækrɪd] *adj smell* stechend; *smoke* beißend; *taste* bitter

ac·ri·mo·ni·ous [ˌækrɪˈməʊniəs] *adj* erbittert

ac·ri·mo·ny [ˈækrɪməni] *n no pl* Verbitterung *f;* *of row* Schärfe *f*

ac·ro·bat [ˈækrəbæt] *n* Akrobat(in) *m(f)*

ac·ro·bat·ic [ˌækrəˈbætɪk] *adj* akrobatisch

ac·ro·bat·ics [ˌækrəˈbætɪks] *n* ❶ + *pl vb* (*movements*) Akrobatik *f* ❷ + *sing vb* (*skill*) Akrobatik *f;* **mental ~** *pl* Gehirnakrobatik *f,* geistige Klimmzüge *hum*

ac·ro·nym [ˈækrə(ʊ)nɪm] *n* Akronym *nt*

across [əˈkrɒs] **I.** *prep* ❶ (*on other side of*) über; ~ **town** am anderen Ende der Stadt; ~ **the street** auf der gegenüberliegenden Straßenseite ❷ (*from one side to other*) über; ~ **country** über Land ▶ ~ **the board** allgemein **II.** *adv* ❶ (*to other side*) hinüber; (*from other side*) herüber ❷ (*on other side*) drüben; ~ **from sb/sth** jdm/etw gegenüber ❸ (*wide*) breit; *of circle* im Durchmesser ❹ (*diagonal*) querdurch ❺ (*crossword*) waagerecht ▶ **to get one's point ~** sich verständlich machen

acryl·ic [əˈkrɪlɪk] *n* ❶ *no pl* (*fibre*) Acryl *nt* ❷ (*paint*) Acrylfarbe *f*

act [ækt] **I.** *n* ❶ (*deed*) Tat *f;* ~ **of aggression** Angriff *m;* ~ **of kindness** Akt *m* der Güte; ~ **of God** höhere Gewalt; ~ **of terrorism** Terrorakt *m;* **to catch sb in the ~** jdn auf frischer Tat ertappen ❷ (*of a play*) Akt *m;* **one-~ play** Einakter *m* ❸ *no pl* (*pretence*) Schau *f;* **to put on an ~** Theater spielen ❹ (*performance*) Nummer *f* ❺ LAW Gesetz *nt* ▶ **to get in on the ~** mitmischen; **to get one's ~ together** sich am

Riemen reißen **II.** *vi* ❶ (*take action*) handeln; (*proceed*) vorgehen; **to ~ |up|on sb's advice** jds Rat befolgen ❷ (*function*) *person* fungieren; *thing* dienen ❸ (*represent*) ■**to ~ for** [*or* **on behalf of**] **sb** jdn vertreten ❹ (*behave*) sich benehmen; **~ your age!** benimm dich gefälligst deinem Alter entsprechend!; ■**to ~ as if ...** so tun, als ob ... ❺ (*play*) spielen; (*be an actor*) Schauspieler(in) *m(f)* sein ❻ (*sham*) schauspielern ❼ (*take effect*) ■**to ~ |on sth|** [auf etw *akk*] wirken **III.** *vt* spielen ▶**to ~ a part** (*pej*) schauspielern; **to ~ the part** überzeugend sein ◆**act out** *vt* ❶ (*realize*) ausleben ❷ (*perform*) nachspielen ◆**act up** *vi* (*fam*) ❶ *person* ein Theater machen ❷ *thing* Ärger machen

act·ing ['æktɪŋ] **I.** *adj* stellvertretend **II.** *n* *no pl* Schauspielerei *f*

ac·tion ['ækʃ⁰n] *n* ❶ *no pl* (*activeness*) Handeln *nt;* (*proceeding*) Vorgehen *nt;* (*measures*) Maßnahmen *pl;* **we need ~** wir brauchen Taten; **let's see some ~!** legt euch ins Zeug!; **course of ~** Vorgehensweise *f;* **a man of ~** ein Mann der Tat, **decisive ~** ein entschlossenes Vorgehen; **to put into ~** in die Tat umsetzen; **to spring into ~** in Aktion treten; **to take ~** etwas unternehmen; **out of ~** außer Gefecht ❷ (*act*) Handlung *f,* Tat *f* ❸ *no pl* FILM Action *f* ❹ *no pl* (*combat*) Einsatz *m;* **to go into ~** ins Gefecht ziehen; **to be killed in ~** fallen; **to see ~** im Einsatz sein ❺ *no pl* ■**the ~** (*excitement*) das Geschehen; (*fun also*) die Action ❻ (*movement*) Bewegung *f* ❼ *no pl* (*function*) **in/out of ~** in/außer Betrieb ❽ LAW Klage *f* ❾ *no pl* **to take |industrial| ~** streiken ▶**~s speak louder than words** (*prov*) Taten sagen mehr als Worte; **to want a piece** [*or* **slice**] **of the ~** eine Scheibe vom Kuchen abhaben wollen

'**ac·tion-packed** *adj* spannungsgeladen **ac·tion 're·play** *n* BRIT, AUS TV Wiederholung *f*

ac·ti·vate ['æktɪveɪt] *vt* aktivieren; *alarm* auslösen

ac·ti·va·tion [ˌæktɪ'veɪʃ⁰n] *n* *no pl* Aktivierung *f;* *of alarm* Auslösen *nt*

ac·tive ['æktɪv] **I.** *adj* aktiv; *children* lebhaft **II.** *n* *no pl* LING **~ |voice|** Aktiv *nt;* **in the ~** im Aktiv

ac·tive·ly ['æktɪvli] *adv* aktiv

ac·tiv·ist ['æktɪvɪst] *n* Aktivist(in) *m(f)*

ac·tiv·ity [æk'tɪvəti] *n* ❶ (*activeness*) Aktivität *f* ❷ *no pl* (*liveliness*) Lebhaftigkeit *f* ❸ *usu pl* (*pastime*) Aktivität *f;* **classroom activities** schulische Aktivitäten

ac·tor ['æktə\^{r\}] *n* Schauspieler *m*

ac·tress \<*pl* **-es**\> ['æktrəs] *n* Schauspielerin *f*

ac·tual ['æktʃuəl] *adj* ❶ (*real*) eigentlich; *facts* konkret; **in ~ fact** tatsächlich ❷ (*precise*) genau

ac·tu·al·ly ['æktʃuəli] *adv* ❶ (*in fact*) eigentlich ❷ (*really*) wirklich; **did you ~ say that?** hast du das tatsächlich gesagt?

ac·tu·ate ['æktʃueɪt] *vt* in Gang setzen

acu·men ['ækjʊmən] *n* *no pl* Scharfsinn *m;* **business ~** Geschäftssinn *m;* **political ~** politischer Weitblick

acu·pres·sure ['ækjʊpreʃə\^{r\}] *n* *no pl* Akupressur *f*

acu·punc·ture ['ækjʊpʌŋ(k)tʃə\^{r\}] *n* *no pl* Akupunktur *f*

acute [ə'kju:t] **I.** *adj* ❶ (*serious*) akut; *difficulties* ernst; *anxiety* ernsthaft; *pain* heftig ❷ (*keen*) *hearing* fein; *sense of smell* ausgeprägt ❸ (*shrewd*) scharf|sinnig| ❹ MATH *angle* spitz **II.** *n* LING Akut *m*

acute·ly [ə'kju:tli] *adv* ❶ (*extremely*) äußerst; **to be ~ aware of sth** sich *dat* einer S. *gen* sehr bewusst sein ❷ (*shrewdly*) scharfsinnig

acute·ness [ə'kju:tnəs] *n* *no pl* ❶ (*severity*) Ernsthaftigkeit *f;* *of illness* Akutheit *f;* *of pain* Intensität *f* ❷ (*shrewdness*) Scharfsinn *m;* *of sb's observations* Genauigkeit *f*

ad [æd] *n* (*fam*) *short for* **advertisement** Anzeige *f;* (*on TV*) Werbespot *m*

AD [ˌeɪ'di:] *adj abbrev of* **Anno Domini** n. Chr.

ad·age ['ædɪdʒ] *n* Sprichwort *nt*

ada·gio [ə'dɑ:(d)ʒiəʊ] MUS **I.** *adv* adagio **II.** *n* Adagio *nt*

Adam ['ædəm] *n* Adam *m* ▶ **to not know sb from ~** jdn überhaupt nicht kennen

ada·mant ['ædəmənt] *adj* unnachgiebig; ■**to be ~ about sth** auf etw *dat* beharren

Ad·am's 'ap·ple *n* Adamsapfel *m*

adapt [ə'dæpt] **I.** *vt* ❶ (*modify*) anpassen (**to** an); *machine* umstellen ❷ (*rewrite*) bearbeiten **II.** *vi* ■**to ~ |to sth|** sich [einer S. *dat*] anpassen

adapt·abil·ity [əˌdæptə'bɪləti] *n* *no pl* Anpassungsfähigkeit *f* (**to/for** an +*akk*)

adapt·able [ə'dæptəbl] *adj* anpassungsfähig; *machine* vielseitig

ad·ap·ta·tion [ˌædæp'teɪʃ⁰n] *n* ❶ *no pl* (*adapting*) Anpassung *f* (**to** an) ❷ *no pl* (*modifying*) Umbau *m* (**to** +*gen*); *of machine* Umstellung *f* (**to** auf) ❸ (*work*) Bearbeitung *f* ❹ BIOL Adaptation *f*

adapt·er *n,* **adap·tor** [ə'dæptə\^{r\}] *n* Adapter *m;* (*with several*) Mehrfachsteckdose *f*

add [æd] *vt* ❶ hinzufügen ❷ MATH ■**to ~**

[**together**] addieren; ■**to ~ sth to sth** etw zu etw *dat* [dazu]zählen ❸ (*contribute*) beitragen ◆ **add up** I. *vi* ❶ (*do sums*) addieren ❷ (*total*) ■**to ~ up to sth** *bill* sich auf etw *akk* belaufen ❸ (*accumulate*) sich summieren ❹ (*fam: make sense*) **it doesn't ~ up** es macht keinen Sinn II. *vt* addieren

ad·den·dum <*pl* -da> [ə'dendəm, *pl* -də] *n* ❶ (*addition*) Nachtrag *m* ❷ (*in book*) ■**addenda** *pl* Addenda *pl*

ad·der ['ædə^r] *n* Otter *f*

ad·dict ['ædɪkt] *n* Süchtige(r) *f(m);* **drug ~** Drogenabhängige(r) *f(m);* **to become an ~** süchtig werden

ad·dict·ed [ə'dɪktɪd] *adj* ■**to be ~ to sth** nach etw *dat* süchtig sein; **~ to heroin** heroinsüchtig

ad·dic·tion [ə'dɪkʃ^ən] *n no pl* Sucht *f* (**to** nach)

ad·dic·tive [ə'dɪktɪv] *adj* süchtig; **to be highly ~** schnell süchtig machen; **~ substance** Suchtmittel *nt*

ad·di·tion [ə'dɪʃ^ən] *n* ❶ *no pl* (*adding*) Addition *f* ❷ *no pl* (*attaching*) Hinzufügen *nt* (**to** an); *of building* Anbau *m* (**to** an) ❸ (*extra*) Ergänzung *f;* **~ to the family** [Familien]zuwachs *m* ❹ ■**in ~** außerdem; ■**in ~ to** zusätzlich zu

ad·di·tion·al [ə'dɪʃ^ən^əl] *adj* zusätzlich; **~ charge** Aufpreis *m*

ad·di·tion·al·ly [ə'dɪʃ^ən^əli] *adv* außerdem

ad·di·tive ['ædɪtɪv] *n* Zusatz *m*

ad·dress I. *n* <*pl* -es> [ə'dres] ❶ (*abode*) Adresse *f;* **not known at this address** Empfänger unbekannt ❷ (*speech*) Rede *f* (**to** an) ❸ (*title*) **form of address** [Form *f* der] Anrede II. *vt* [ə'dres] ❶ (*write address*) adressieren (**to** an) ❷ (*direct*) *remark* richten (**to** an) ❸ (*speak to*) anreden

ad·dressee [ˌædres'iː] *n* Empfänger(in) *m(f)*

ad·enoids ['ædɪnɔɪdz] *npl* (*in throat*) Rachenmandelwucherungen *pl;* (*in nose*) Polypen *pl*

ad·eno·ma <*pl* -s *or* -ata> [ˌædɪ'nəʊmə, *pl* -mətə] *n* MED Adenom *nt*

adept [ə'dept] *adj* geschickt (**at** in)

ad·equa·cy ['ædɪkwəsi] *n no pl* ❶ (*sufficiency*) Angemessenheit *f* ❷ (*suitability*) Tauglichkeit *f*

ad·equate ['ædɪkwət] *adj* ❶ (*sufficient*) ausreichend ❷ (*suitable*) angemessen; *words* passend ❸ (*barely sufficient*) zulänglich

ad·equate·ly ['ædɪkwətli] *adv* ❶ (*sufficiently*) ausreichend ❷ (*suitably*) angemes-

sen ❸ (*barely sufficiently*) zulänglich

ad·here [əd'hɪə^r] *vi* ❶ (*stick*) kleben (**to** an) ❷ (*follow*) ■**to ~ to sth** sich an etw *akk* halten

ad·her·ence [əd'hɪər^ən(t)s] *n no pl* Festhalten *nt* (**to** an); (*of rule*) Befolgung *f* (**to** +*gen*)

ad·her·ent [əd'hɪər^ənt] *n* Anhänger(in) *m(f)*

ad·he·sive [əd'hiːsɪv] I. *adj* haftend; **~ plaster** Heftpflaster *nt* II. *n no pl* Klebstoff *m*

ad hoc [ˌæd'hɒk] *adv* ad hoc

adi·pose 'tis·sue *n no pl* MED Fettgewebe *nt*

ad·ja·cent [ə'dʒeɪs^ənt] *adj* angrenzend; **her room was ~ to mine** ihr Zimmer lag neben meinem

ad·jec·ti·val [ˌædʒɪk'taɪv^əl] *adj* adjektivisch; **~ ending** Adjektivendung *f*

ad·jec·tive ['ædʒɪktɪv] *n* Adjektiv *nt,* Eigenschaftswort *nt*

ad·join [ə'dʒɔɪn] *vt* angrenzen an

ad·join·ing [ə'dʒɔɪnɪŋ] *adj* angrenzend; **~ room** Nebenzimmer *nt*

ad·journ [ə'dʒɜːn] I. *vt* (*interrupt*) unterbrechen; (*suspend*) verschieben; LAW vertagen II. *vi* (*stop temporarily*) eine Pause einlegen; (*end*) aufhören

ad·journ·ment [ə'dʒɜːnmənt] *n* ❶ (*temporary stop*) Unterbrechung *f* ❷ *no pl* (*until another day*) Verschiebung *f* ❸ LAW (*until another day*) Vertagung *f* (**until** bis +*dat*)

ad·ju·di·cate [ə'dʒuːdɪkeɪt] *vi, vt* ■**to ~** [**on**] **sth** über etw *akk* entscheiden; LAW über etw *akk* ein Urteil fällen

ad·just [ə'dʒʌst] I. *vt* ❶ (*set*) [richtig] einstellen; *lever* verstellen ❷ (*rearrange*) *clothing* in Ordnung bringen ❸ (*tailor*) umändern II. *vi* (*adapt*) ■**to ~ to sth** sich an etw *akk* anpassen; (*feel comfortable with*) sich an etw *akk* gewöhnen

ad·just·able [ə'dʒʌstəbl] *adj* verstellbar

ad·just·able 'span·ner *n* Engländer *m*

ad·just·ment [ə'dʒʌstmənt] *n* ❶ (*mental*) Anpassung *f;* **to make an ~ to sth** sich auf etw *akk* umstellen ❷ (*mechanical*) Einstellung *f* ❸ (*alteration*) *of a knob* Verstellung *f; of clothing* Änderung *f*

ad·ju·tant ['ædjut^ənt] *n* Adjutant *m*

ad-lib <-bb-> [ˌæd'lɪb] *vi, vt* improvisieren

'ad·man *n* Werbefachmann *m*

ad·min ['ædmɪn] *n short for* **administration**

ad·min·is·ter [əd'mɪnɪstə^r] *vt* ❶ (*manage*) verwalten ❷ (*dispense*) geben; (*issue*) ausgeben; *medicine* verabreichen; *oath* abnehmen; **to ~ first aid** [**to sb**] [jdm] erste Hilfe leisten

ad·min·is·tra·tion [ədˌmɪnɪ'streɪʃ°n] *n* ❶ *no pl* Verwaltung *f* ❷ *esp* Am (*term in office*) Amtszeit *f* ❸ (*government*) Regierung *f* ❹ *no pl* (*dispensing*) *of a medicine* Verabreichung *f*; **~ of an oath** Vereidigung *f*

ad·min·is·tra·tive [əd'mɪnɪstrətɪv] *adj* administrativ, Verwaltungs-

ad·min·is·tra·tor [əd'mɪnɪstreɪtə'] *n* ❶ (*person in charge*) Leiter(in) *m(f)* ❷ (*clerk*) Verwaltungsbeamte(r), Verwaltungsbeamtin *m, f* ❸ LAW Verwalter(in) *m(f)*

ad·mi·rable ['ædmərəbl] *adj* bewundernswert; *job* hervorragend

ad·mi·ral ['ædmərəl] *n* Admiral(in) *m(f)*

Ad·mi·ral·ty ['ædmərəlti] *n no pl* BRIT Marineministerium *nt*

ad·mi·ra·tion [ˌædmə'reɪʃ°n] *n no pl* ❶ (*respect*) Hochachtung *f* (**for** vor) ❷ (*wonderment*) Bewunderung *f*

ad·mire [əd'maɪə'] *vt* bewundern

ad·mir·er [əd'maɪərə'] *n* ❶ (*with romantic interest*) Verehrer(in) *m(f)* ❷ (*supporter*) Anhänger(in) *m(f)*

ad·mis·sible [əd'mɪsəbl] *adj* zulässig

ad·mis·sion [əd'mɪʃ°n] *n* ❶ *no pl* (*entering*) Eintritt *m*; (*acceptance*) Zutritt *m*; (*into university*) Zulassung *f*; (*into hospital*) Einlieferung *f* ❷ *no pl* (*entrance fee*) Eintritt[spreis] *m* ❸ (*acknowledgment*) Eingeständnis *nt*; **by his/her own ~** nach eigenem Eingeständnis

ad·mit <-tt-> [əd'mɪt] **I.** *vt* ❶ (*acknowledge*) zugeben; *defeat* eingestehen ❷ (*allow entrance*) hineinlassen; (*towards spectator*) hereinlassen; **this ticket ~s one person only** diese Eintrittskarte ist nur für eine Person gültig; ■ **to ~ sb to** [Am **the**] **hospital** jdn ins Krankenhaus einliefern ❸ (*allow*) zulassen **II.** *vi* ■ **to ~ to sth** etw zugeben

ad·mit·tance [əd'mɪtən(t)s] *n no pl* (*entrance*) Zutritt *m*; (*to club*) Aufnahme *f*; **"no ~"** „Betreten verboten"

ad·mit·ted·ly [əd'mɪtɪdli] *adv* zugegebenermaßen

ad·mon·ish [əd'mɒnɪʃ] *vt* ermahnen

ad·mon·ish·ment [əd'mɒnɪʃmənt] *n*, **ad·mo·ni·tion** [ˌædmə'nɪʃ°n] *n* Ermahnung *f*

ado [ə'duː] *n no pl* großer Aufwand; **much ~ about nothing** viel Lärm um nichts; **without** [**further**] **~** ohne [weitere] Umstände

ado·les·cence [ˌædə'les°n(t)s] *n no pl* Jugend[zeit] *f*

ado·les·cent [ˌædə'les°nt] **I.** *adj* ❶ (*of teenagers*) heranwachsend, jugendlich ❷ (*pej: immature*) pubertär **II.** *n* Jugendliche(r) *f(m)*

adopt [ə'dɒpt] *vt* ❶ (*raise*) adoptieren; **to have one's child ~ed** sein Kind zur Adoption freigeben ❷ (*sponsor*) die Patenschaft übernehmen ❸ (*put into practice*) annehmen; *pose* einnehmen; *strategy* verfolgen; **to ~ a pragmatic approach** pragmatisch herangehen ❹ (*select*) auswählen; **to ~ sth as one's slogan** etw zu seinem Slogan erklären

adopt·ed [ə'dɒptɪd] *adj* ❶ (*into a family*) adoptiert, Adoptiv-; **~ child** Adoptivkind *nt* ❷ (*selected*) Wahl-; **Rome is her ~ city** sie ist Wahlrömerin; **to be sb's ~ country** jds Wahlheimat sein

adop·tion [ə'dɒpʃ°n] *n* ❶ *no pl* Adoption *f* ❷ *no pl* (*taking on*) Annahme *f*; *of a technology* Übernahme *f*; *of a method* Aneignung *f* ❸ *no pl* (*choice*) **country of ~** Wahlheimat *f*

ador·able [ə'dɔːrəbl] *adj* entzückend

ado·ra·tion [ˌædə'reɪʃ°n] *n no pl* ❶ (*respectful love*) Verehrung *f*; (*devotion*) grenzenlose Liebe ❷ REL Anbetung *f*

adore [ə'dɔː'] *vt* ❶ (*love*) über alles lieben; (*admire*) aufrichtig bewundern ❷ (*like very much*) ■ **to ~ sb** für jdn schwärmen; **to** [**absolutely**] **~ sth** etw [einfach] wunderbar finden; **I ~ chocolate** ich liebe Schokolade

ador·ing [ə'dɔːrɪŋ] *adj* (*loving*) liebend; (*devoted*) hingebungsvoll; *mother* liebevoll

adorn [ə'dɔːn] *vt* schmücken

adorn·ment [ə'dɔːnmənt] *n* ❶ (*ornament*) Schmuck *m* ❷ *no pl* (*act*) Verschönerung *f*

adrena·lin(e) [ə'drenəlɪn] *n no pl* Adrenalin *nt*

a'drena·line sport *n* Adrenalinsport *m*

Adri·at·ic [ˌeɪdri'ætɪk] *n* ■ **the ~** [**Sea**] die Adria

adrift [ə'drɪft] **I.** *adv* **to cut ~** losmachen **II.** *adj* **to be ~** treiben

adroit [ə'drɔɪt] *adj* geschickt

adu·la·tion [ˌædjʊ'leɪʃ°n] *n no pl* (*admiration*) Vergötterung *f*; (*flattery*) Schmeichelei *f*

adult ['ædʌlt, ə'dʌlt] **I.** *n* ❶ (*grown-up*) Erwachsene(r) *f(m)*; ■ **to be an ~** erwachsen sein ❷ (*animal*) ausgewachsenes Tier **II.** *adj* ❶ (*grown-up*) *person* erwachsen; *animal* ausgewachsen ❷ (*behaviour*) reif ❸ (*sexually explicit*) [nur] für Erwachsene

adult edu·'ca·tion *n no pl* Erwachsenenbildung *f*; **~ institute** ≈ Volkshochschule *f*

adul·ter·ate [ə'dʌltəreɪt] *vt* verfälschen; *wine* panschen

adul·tera·tion [ə'dʌltəreɪʃ*ə*n] *n no pl* Verunreinigung *f; of a drink* Panschen *nt; ~ of food* Nahrungsmittelfälschung *f*

adul·ter·er [ə'dʌltər*ə*r] *n* Ehebrecher *m*

adul·ter·ess <*pl* -es> [ə'dʌltərəs] *n* Ehebrecherin *f*

adul·ter·ous [ə'dʌltərəs] *adj* ehebrecherisch

adul·tery [ə'dʌltəri] *n no pl* Ehebruch *m*

adult·hood ['ædʌlthʊd, AM BRIT *also* ə'dʌlt-] *n no pl* (*state*) Erwachsensein *nt;* (*period*) Erwachsenenalter *nt;* **to reach ~** erwachsen werden

ad·vance [əd'vɑ:n(t)s] **I.** *vi* ❶ (*make progress*) Fortschritte *pl* machen ❷ (*be promoted*) aufsteigen ❸ (*move forward*) sich vorwärtsbewegen; MIL vorrücken **II.** *vt* ❶ (*develop*) voranbringen; **to ~ one's career** seine Karriere vorantreiben ❷ (*make earlier*) vorverlegen; *money* vorschießen ❸ (*postulate*) vorbringen **III.** *n* ❶ *no pl* (*forward movement*) Vorrücken *nt* ❷ (*progress*) Fortschritt *m* ❸ (*ahead of time*) **in ~** im Voraus ❹ (*payment*) Vorschuss *m* (**on** auf) ❺ (*flirtation*) ■**~s** *pl* Annäherungsversuche *pl* **IV.** *adj* vorherig; **~ booking** Reservierung *f;* **~ copy** Vorausexemplar *nt*

ad·vanced [əd'vɑ:n(t)st] *adj* ❶ (*in skills*) fortgeschritten; **~ mathematics** höhere Mathematik ❷ (*in development*) fortschrittlich ❸ (*in time*) fortgeschritten; **a person of ~ years** eine Person vorgerückten Alters

ad·vance·ment [əd'vɑ:n(t)smənt] *n* ❶ *no pl* (*improvement*) Verbesserung *f;* (*furtherance*) Förderung *f* ❷ *no pl* (*in career*) Aufstieg *m*

ad·vance 'notice *n no pl* Vorankündigung *f* **ad·vance 'payment** *n* Vorauszahlung *f*

ad·van·tage [əd'vɑ:ntɪdʒ] *n* Vorteil *m;* **to have the ~ of sb** jdm gegenüber im Vorteil sein; **to take ~ of sb** (*pej*) jdn ausnutzen; **to take ~ of sth** (*approv*) etw nutzen

ad·van·ta·geous [ˌædvən'teɪdʒəs] *adj* günstig; ■**to be ~ to sb** für jdn vorteilhaft sein

ad·vent ['ædvent] *n no pl* ❶ (*coming*) Beginn *m,* Anfang *m* ❷ REL ■**A~** Advent *m*

ad·ven·ture [əd'ventʃə*r*] *n* Abenteuer *nt;* **to have an ~** ein Abenteuer erleben; **~ holiday** Abenteuerurlaub *m*

ad·ven·tur·er [əd'ventʃ*ə*rə*r*] *n* Abenteurer(in) *m(f)*

ad·ven·tur·ous [əd'ventʃ*ə*rəs] *adj* ❶ (*filled with adventures*) abenteuerlich ❷ (*daring*) abenteuerlustig

ad·verb ['ædvɜ:b] *n* Adverb *nt*

ad·ver·bial [əd'vɜ:biəl] *adj* adverbial

ad·ver·sary ['ædvə:s*ə*ri] *n* Gegner(in) *m(f)*

ad·verse ['ædvɜ:s] *adj* ungünstig; *criticism, effect* negativ; *conditions* widrig

ad·ver·sity [əd'vɜ:səti] *n no pl* Not *f;* **in ~** in der Not

ad·vert ['ædvɜ:t] *n* BRIT (*fam*) *short for* **advertisement** (*in a newspaper*) Anzeige *f;* (*on a notice board*) Aushang *m;* (*on TV*) Werbespot *m*

ad·ver·tise ['ædvətaɪz] **I.** *vt* ❶ (*publicize*) Werbung machen für; (*in a newspaper*) inserieren; (*on a noticeboard*) in einem Aushang anbieten ❷ (*announce*) ankündigen **II.** *vi* ❶ (*publicize*) werben ❷ (*in a newspaper*) inserieren; (*on a noticeboard*) einen Aushang machen; ■**to ~ for sb/sth** jdn/etw per Inserat suchen

ad·ver·tise·ment [əd'vɜ:tɪsmənt] *n* Werbung *f;* (*in a newspaper*) Anzeige *f;* (*on a notice board*) Aushang *m;* **TV ~** Werbespot *m;* (*fig*) Reklame *f*

ad·ver·tis·er ['ædvətaɪzə*r*] *n* Werbungtreibende(r) *f(m);* (*in a newspaper*) Inserent(in) *m(f)*

ad·ver·tis·ing ['ædvətaɪzɪŋ] *n no pl* Werbung *f*

'ad·ver·tis·ing agen·cy *n* Werbeagentur *f*
'ad·ver·tis·ing cam·paign *n* Werbekampagne *f*

ad·vice [əd'vaɪs] *n* ❶ *no pl* (*recommendation*) Rat *m;* **some ~** ein Rat[schlag] *m;* **to take legal ~** sich juristisch beraten lassen; **to take sb's ~** jds Rat[schlag] *m* befolgen; ■**on sb's ~** auf jds Rat *m* hin ❷ (*notification*) Bescheid *m*

ad·vis·able [əd'vaɪzəbl] *adj* ratsam

ad·vise [əd'vaɪz] **I.** *vt* ❶ (*give council*) beraten; ■**to ~ sb against sth** jdm von etw *dat* abraten; ■**to ~ sb to do sth** jdm [dazu] raten, etw zu tun ❷ (*inform*) informieren (**of** über) **II.** *vi* (*give council*) raten; ■**to ~ against sth** von etw *dat* abraten; ■**to ~ on sth** bei etw *dat* beraten; ■**to ~ with sb** AM sich mit jdm beraten

ad·vis·er [əd'vaɪzə*r*], **ad·vis·or** *n* Berater(in) *m(f)*

ad·vi·so·ry [əd'vaɪz*ə*ri] *adj* beratend; **~ committee** Beratungsausschuss *m*

ad·vo·cate I. *vt* ['ædvəkeɪt] befürworten **II.** *n* ['ædvəkət, -keɪt] ❶ POL Befürworter(in) *m(f)* ❷ LAW [Rechts]anwalt, [Rechts]anwältin *m, f*

AEC [ˌeɪ'i:'si:] *n* AM *abbrev of* **Atomic Energy Commission** Atomenergiekommission *f*

Aegean [iːˈdʒiːən] *n* ▪the ~ [Sea] die Ägäis

aegis [ˈiːdʒɪs] *n no pl* Schirmherrschaft *f*

aer·ate [eəˈreɪt] *vt* durchlüften; *soil* auflockern; *liquid* mit Kohlensäure versetzen; *blood* Sauerstoff zuführen

aer·ial [ˈeəriəl] I. *adj* Luft- II. *n* Antenne *f*

aero·bat·ic [ˌeərə(ʊ)ˈbætɪk] *adj* Kunstflug-

aero·bat·ics [ˌeərə(ʊ)ˈbætɪks] *npl* ❶ (*manoeuvres*) Flugkunststücke *pl* ❷ + *sing vb* (*stunt flying*) Kunstflug *m*

aero·bics [eəˈrəʊbɪks] *n no pl* ❶ (*exercise*) Aerobic *nt* ❷ (*class*) Aerobickurs *m*

aero·drome [ˈeərədrəʊm] *n* Flugplatz *m*

aero·dy·nam·ic [ˌeərə(ʊ)daɪˈnæmɪk] *adj* aerodynamisch

aero·dy·nam·ics [ˌeərə(ʊ)daɪˈnæmɪks] *n* Aerodynamik *f*

aero·naut·ic [ˌeərə(ʊ)ˈnɔːtɪk] *adj* aeronautisch; ~ **engineering** Luftfahrttechnik *f*

aero·naut·ics [ˌeərə(ʊ)ˈnɔːtɪks] *n* + *sing vb* Luftfahrt[technik] *f*

aero·plane [ˈeərə(ʊ)pleɪn] *n* Flugzeug *nt*

aero·sol [ˈeərəsɒl] *n* ❶ (*mixture*) Aerosol *nt;* ~ **deodorant** Deospray *nt* ❷ (*spray container*) Spraydose *f*

ˈaero·space in·dus·try *n* Raumfahrtindustrie *f*

aes·thet·ic [iːsˈθetɪk] I. *adj* ästhetisch II. *n* Ästhetik *f*

aes·thet·ics [iːsˈθetɪks] *n no pl* Ästhetik *f*

afar [əˈfɑːʳ] *adv* **from** ~ aus der Ferne

af·fable [ˈæfəbl] *adj* freundlich

af·fair [əˈfeəʳ] *n* ❶ (*matter, event*) Angelegenheit *f;* **that's my own** ~ das ist ganz allein meine Sache; **he is an expert in South American** ~**s** er ist ein Südamerikakenner; **the state of** ~**s** der Stand der Dinge; **to handle sb's** ~**s** jds Geschäfte *pl* besorgen ❷ (*controversial situation, relationship*) Affäre *f*

af·fect [əˈfekt] *vt* ❶ (*have effect on*) ▪**to** ~ **sb/sth** sich auf jdn/etw auswirken; (*negatively*) **to** ~ **one's health** seiner Gesundheit schaden; (*concern*) jdn/etw betreffen ❷ (*move*) ▪**to be** ~**ed by sth** von etw *dat* bewegt sein ❸ (*feign*) vortäuschen

af·fec·ta·tion [ˌæfekˈteɪʃᵊn] *n* Affektiertheit *f*

af·fect·ed [əˈfektɪd] *adj* ❶ (*insincere*) affektiert ❷ (*influenced*) betroffen

af·fect·ed·ly [əˈfektɪdli] *adv* (*pej*) affektiert *pej*, geziert *pej*

af·fec·tion [əˈfekʃᵊn] *n no pl* Zuneigung *f* (**for** zu)

af·fec·tion·ate [əˈfekʃᵊnət] *adj* liebevoll; **your** ~ **daughter** (*in a letter*) deine dich liebende Tochter

af·fec·tion·ate·ly [əˈfekʃᵊnətli] *adv* liebevoll, zärtlich

af·fi·da·vit [ˌæfɪˈdeɪvɪt] *n* [schriftliche] eidesstattliche Erklärung

af·fili·ate I. *vt* [əˈfɪlieɪt] ▪**to be** ~**d with sth** mit etw *dat* assoziiert sein; (*in subordinate position*) etw *dat* angeschlossen sein II. *n* [əˈfɪliət] Konzernunternehmen *nt*

af·filia·tion [əˌfɪliˈeɪʃᵊn] *n* Angliederung *f;* **political** ~**s** politische Zugehörigkeit

af·fin·ity [əˈfɪnəti] *n* ❶ (*solidarity*) Verbundenheit *f;* **to feel an** ~ **for sb** sich jdm verbunden fühlen ❷ (*similarity*) Gemeinsamkeit *f*

af·firm [əˈfɜːm] *vt* beteuern

af·fir·ma·tion [ˌæfəˈmeɪʃᵊn] *n* ❶ (*positive assertion*) Bekräftigung *f* ❷ (*declaration*) Beteuerung *f*

af·firma·tive [əˈfɜːmətɪv] I. *adj* zustimmend; *answer* positiv II. *n* Bejahung *f;* **to answer in the** ~ mit Ja antworten III. *interj* ▪~! *esp* AM jawohl!

af·fix [əˈfɪks, ˈæfɪks] *vt* (*attach*) befestigen; (*stick on*) ankleben; (*clip on*) anheften

af·flict [əˈflɪkt] *vt* plagen; **he is** ~**ed with severe rheumatism** er leidet an schwerem Rheumatismus

af·flic·tion [əˈflɪkʃᵊn] *n* ❶ (*illness*) Leiden *nt* ❷ *no pl* (*distress*) Kummer *m*

af·flu·ence [ˈæfluən(t)s] *n no pl* Wohlstand *m*

af·flu·ent [ˈæfluənt] *adj* reich; ~ **society** Wohlstandsgesellschaft *f*

af·ford [əˈfɔːd] *vt* ❶ (*have money, time for*) sich *dat* leisten; **you can't** ~ **to miss this once-in-a-lifetime opportunity** diese einmalige Gelegenheit darfst du dir nicht entgehen lassen ❷ (*provide*) ▪**to** ~ [**sb**] **sth** [jdm] etw bieten

af·ford·able [əˈfɔːdəbl] *adj* erschwinglich

af·for·esta·tion [əˌfɒrɪˈsteɪʃᵊn] *n no pl* [Wieder]aufforstung *f*

af·front [əˈfrʌnt] I. *n* Beleidigung *f* II. *vt* beleidigen

Af·ghan [ˈæfgæn] I. *n* ❶ (*person*) Afghane(in) *m(f)* ❷ (*dog*) Afghane *m* II. *adj* afghanisch

Af·ghani·stan [æfˈgænɪstæn] *n* Afghanistan *nt*

afield [əˈfiːld] *adv* entfernt

afloat [əˈfləʊt] *adj* (*also fig*) über Wasser; ▪**to be** ~ schwimmen

afoot [əˈfʊt] I. *adj* im Gange II. *adv* AM zu Fuß

afore·men·tioned [əˈfɔːmen(t)ʃənd], **afore·said** [əˈfɔːsed] *adj* oben erwähnt

afraid [əˈfreɪd] *adj* ❶ (*frightened*) verängstigt; **to** [**not**] **be** ~ [**of sb/sth**] [keine] Angst

affirming

making sure	sich vergewissern
Everything OK?	Alles in Ordnung?
Have I done that right?	Habe ich das so richtig gemacht?
Did you enjoy the meal?	Hat es Ihnen geschmeckt?
Is that/this the bus for/to Frankfurt?	**Ist das der** Bus nach Frankfurt?
(on the phone): **Is that the** jobcentre?	*(am Telefon):* **Bin ich hier richtig bei der** Agentur für Arbeit?
Is that the film you were raving about? *(fam)*	**Ist das** der Film, von dem du so geschwärmt hast?
Are you sure you've got the right door number?	**Bist du dir sicher, dass** die Hausnummer stimmt?

assuring someone of something	jemandem etwas versichern, beteuern
The train **really was** late.	Der Zug hatte **wirklich** Verspätung.
I **honestly** didn't know anything about it.	**Ganz ehrlich,** ich habe davon nichts gewusst.
Believe it or not; they **really** have split up.	**Ob du's nun glaubst oder nicht:** Sie haben sich **tatsächlich** getrennt.
I assure you the car will go on running for a good while yet.	**Ich kann Ihnen versichern, dass** das Auto noch einige Jahre fahren wird.
Trust me, the concert is going to be a huge success.	**Glaub mir,** das Konzert wird ein Riesenerfolg.
You can be sure/certain he didn't notice a thing.	**Du kannst ganz sicher sein,** er hat nichts gemerkt.
I guarantee (you) the majority will vote against (it).	**Ich garantiere Ihnen, dass** die Mehrheit dagegen stimmen wird.
I can vouch for the fact that the takings have been properly declared.	Die Einnahmen sind ordnungsgemäß versteuert, **das kann ich beschwören.**

[vor jdm/etw] haben; **to be ~ of heights** Höhenangst haben; **to be ~ that ...** befürchten, dass ...; **to make sb ~** jdm Angst machen ➋ *(expressing regret)* **I'm ~ not/ so** leider nicht/ja; **I don't agree at all, I'm ~** da kann ich Ihnen leider nicht zustimmen

afresh [ə'freʃ] *adv* [noch einmal] von vorn

Af·rica ['æfrɪkə] *n* Afrika *nt*

Af·ri·can ['æfrɪkən] **I.** *n* Afrikaner(in) *m(f)* **II.** *adj* afrikanisch **Af·ri·can Ameri·can** [ˌæfrɪkənə'merɪkən] *n* Afroamerikaner(in) *m(f)*

Af·ri·kaans [ˌæfrɪ'kɑ:n(t)s] *n no pl* Afrikaans *nt*

Afro-Ameri·can [ˌæfrəʊə'merɪkən] **I.** *n* Afroamerikaner(in) *m(f)* **II.** *adj* afroamerikanisch

Afro-Car·ib·bean [ˌæfrəʊkærɪ'bi:ən] *adj* afrokaribisch

af·ter ['ɑ:ftəʳ] **I.** *prep* ➊ *(later time)* nach; **~ lunch** nach dem Mittagessen; **[a] quarter ~ six** AM [um] Viertel nach Sechs ➋ *(in pursuit of)* ■**to be ~ sb/sth** hinter jdm/etw her sein ➌ *(following)* nach; **~ you!** nach Ihnen! ➍ *(behind)* **he shut the door ~ them** er machte die Tür hinter ihnen zu; **she stared ~ him in disbelief** sie starrte ihm ungläubig nach ➎ *(result of)* nach; **~ what he did to me, ...** nach dem, was er mir angetan hat, ... ➏ *(similar to)* nach; **a painting ~ Picasso** ein Gemälde im Stil von Picasso ►**~ all** *(in spite of)* trotz; **he rang and told me that he couldn't come ~ all** er hat angerufen und mir gesagt, dass er doch nicht kommen könne; *(giving reason)* schließlich; **you are my husband, ~ all** du bist schließlich mein Mann; **she promised it, ~ all** sie hat es immerhin versprochen **II.** *conj* nachdem

III. *adv* danach; **shortly** ~ kurz darauf 'after·birth *n* Nachgeburt *f* 'after·care *n no pl* Nachbehandlung *f* 'after-ef·fect *n* Nachwirkung *f* 'after·life *n no pl* Leben *nt* nach dem Tod 'after·math [-mɑ:θ] *n no pl* Folgen *pl;* ■ **in the** ~ **of** infolge **after· noon** [ˌɑ:ftəˈnu:n] *n* Nachmittag *m;* **good** ~**!** guten Tag!; **on Friday** ~**s** freitagnachmittags; **on the** ~ **of** May 23rd am Nachmittag des 23. Mai; **on Wednesday** ~ [am] Mittwochnachmittag; ~ **nap** [Nach]mittagsschläfchen *nt;* **early/late** ~ am frühen/späten Nachmittag; **mid-**~ am Nachmittag; **this** ~ heute Nachmittag; **at 4.00 in the** ~ um vier Uhr Nachmittag; **in the** ~ am Nachmittag, nachmittags 'after· **pains** *npl* Nachwehen *pl* **after-sales** 'ser·vice *n no pl* Kundendienst *m* 'after· **shave** *n no pl* Aftershave *nt* 'after· **taste** *n* Nachgeschmack *m* 'after· **thought** *n* **as an** ~ im Nachhinein; **sth was added as an** ~ etw kam erst später hinzu

after·ward ['ɑ:ftəwəd], **after·wards** ['ɑ:ftəwədz] *adv* (*later*) später; (*after something*) danach; **shortly** ~ kurz danach

again [əˈgen, əgeɪn] *adv* ❶ (*as a repetition*) wieder; (*one more time*) noch einmal; ~ **and** ~ immer wieder; **what's her name** ~**?** wie ist nochmal ihr Name?; **as much** ~ noch [ein]mal so viel ❷ (*anew*) noch einmal

against [əˈgen(t)st] **I.** *prep* gegen; ~ **one's better judgement** wider besseres Wissen; **the dollar rose** ~ **the euro** der Dollar stieg gegenüber dem Euro **II.** *adv* gegen; **only 14 voted** ~ es gab nur 14 Gegenstimmen

ag·ate ['ægət] *n* Achat *m*

age [eɪdʒ] **I.** *n* ❶ (*length of existence*) Alter *nt;* **he's about your** ~ er ist ungefähr so alt wie du; **the club takes children of all** ~**s** der Verein nimmt Kinder aller Altersstufen auf; **to be 45 years of** ~ 45 [Jahre alt] sein; **wrinkled with** ~ vom Alter runzlig; **to be under** ~ minderjährig sein; **to come of** ~ volljährig werden; **to feel one's** ~ die Jahre spüren; **sb looks his/ her age** man sieht jdm sein Alter an; **at the** ~ **of 80** mit achtzig [Jahren]; **at your** ~ in deinem Alter ❷ (*era*) Zeitalter *nt;* **in this day and** ~ heutzutage; **down the** ~**s** durch die Jahrhunderte ❸ (*long time*) ■ **an** ~, ■ ~**s** eine Ewigkeit, Ewigkeiten *pl;* **the meeting took** ~**s** die Besprechung dauerte ewig [lang] **II.** *vi* ❶ (*become older*) altern ❷ FOOD reifen **III.** *vt* ❶ FOOD reifen lassen; *wine* ablagern lassen ❷ (*make look older*) älter machen; **strain, suffering** altern lassen

'age-band·ing *n no pl* Altersklasseneinteilung *f* 'age brack·et *n* Altersgruppe *f*

aged¹ ['eɪdʒd] *adj* **a boy** ~ **12** ein zwölfjähriger Junge; **children** ~ **8 to 12** Kinder [im Alter] von 8 bis 12 Jahren

aged² ['eɪdʒɪd] **I.** *adj* (*old*) alt **II.** *n* ■ **the** ~ *pl* die alten Menschen

age group *n* Altersgruppe *f*

age·ing ['eɪdʒɪŋ] *adj person* alternd; *machinery* veraltend

age·less ['eɪdʒləs] *adj* zeitlos

'age lim·it *n* Altersgrenze *f*

agen·cy ['eɪdʒ³n(t)si] *n* ❶ (*private business*) Agentur *f* ❷ (*of government*) Behörde *f*

agen·da [əˈdʒendə] *n* ❶ (*for a meeting*) Tagesordnung *f* ❷ (*for action*) Programm *nt;* **to have a hidden** ~ geheime Pläne haben

agent ['eɪdʒ³nt] *n* ❶ (*representative*) [Stell]vertreter(in) *m(f);* (*for artists*) Agent(in) *m(f)* ❷ (*of a secret service*) Agent(in) *m(f)* ❸ (*substance*) Mittel *nt*

'age spot *n* Altersfleck *m*

ag·glom·er·ate [əˈglɒm³rət], **ag·glom- era·tion** [əˌglɒməˈreɪʃ³n] *n* Anhäufung *f*

ag·gra·vate ['ægrəveɪt] *vt* ❶ (*worsen*) verschlechtern ❷ (*fam: annoy*) auf die Nerven gehen; ■ **to get** ~**d** sich ärgern

ag·gra·vat·ing ['ægrəveɪtɪŋ] *adj* (*fam: annoying*) ärgerlich

ag·gra·va·tion [ˌægrəˈveɪʃ³n] *n no pl* ❶ (*worsening*) Verschlimmerung *f* ❷ (*fam: annoyance*) Ärger *m*

ag·gre·gate I. *n* ['ægrɪgət] ❶ (*totality*) Gesamtmenge *f* ❷ SPORTS Gesamtergebnis *nt* **II.** *adj* ['ægrɪgeɪt] Gesamt-

ag·gres·sion [əˈgreʃ³n] *n no pl* Aggression *f;* **act of** ~ Angriffshandlung *f*

ag·gres·sive [əˈgresɪv] *adj* aggressiv; *salesman* aufdringlich

ag·gres·sive·ly [əˈgresɪvli] *adv* ❶ (*in a violent way*) aggressiv, angriffslustig ❷ (*with great energy*) energisch, forsch; SPORTS offensiv

ag·gres·sive·ness [əˈgresɪvnəs] *n no pl* ❶ (*hostility*) Aggressivität *f,* Angriffslust *f* ❷ (*active behaviour*) Forschheit *f;* SPORTS Offensivspiel *nt*

ag·gres·sor [əˈgresə] *n* Angreifer(in) *m(f)*

ag·grieved [əˈgri:vd] *adj* gekränkt (**at** wegen)

aghast [əˈgɑ:st] *adj* entsetzt (**at** über)

ag·ile ['ædʒaɪl] *adj* geschickt; *fingers* flink; **to have an** ~ **mind** geistig beweglich sein

agreement

expressing agreement	zustimmen
Yes, I think so too.	Ja, das denke ich auch.
I completely agree with you on that.	Da bin ich ganz Ihrer Meinung.
I endorse that. *(form)*	Dem schließe ich mich an. *(form)*
I absolutely agree with you.	Ich stimme Ihnen voll und ganz zu.
Yes, that's exactly what I think.	Das sehe ich genauso.
That's exactly how I see it.	Ich sehe es nicht anders.
You're absolutely right.	Du hast vollkommen Recht.
I can only agree with you on that.	Da kann ich Ihnen nur Recht geben.
That's (just/exactly) what I said.	(Genau) das habe ich auch gesagt.
I think so too.	Finde ich auch.
Exactly!/(That's) right!	Genau!/Stimmt!

ag·il·ity [əˈdʒɪləti] *n no pl* Flinkheit *f;* **mental** ~ geistige Beweglichkeit

ag·ing *adj* AM, AUS *see* **ageing**

agi·tate [ˈædʒɪteɪt] **I.** *vt* ❶ *(make nervous)* aufregen; ■**to get** ~**d** sich aufregen ❷ *(shake)* schütteln; *(stir)* [um]rühren **II.** *vi* ■**to** ~ **against/for sth** sich [öffentlich] gegen/für etw *akk* einsetzen

agi·tat·ed [ˈædʒɪteɪtɪd] *adj* aufgeregt, beunruhigt

agi·ta·tion [ˌædʒɪˈteɪʃᵊn] *n no pl* ❶ *(nervousness)* Aufregung *f* ❷ *(activism)* Agitation *f* ❸ *(of a liquid)* [Auf]rühren *nt*

agi·ta·tor [ˈædʒɪteɪtəʳ] *n* ❶ *(person)* Agitator(in) *m(f)* ❷ *(device)* Rührapparat *m*

AGM [ˌeɪdʒiːˈem] *n* BRIT, AUS *abbrev of* **annual general meeting**

ag·nos·tic [æɡˈnɒstɪk] **I.** *n* Agnostiker(in) *m(f)* **II.** *adj* agnostisch

ago [əˈɡəʊ] *adv* **how long** ~ **was that?** wie lange ist das her?; **a year** ~ vor einem Jahr; [**not**] **long** ~ vor [nicht] langer Zeit; **as long** ~ **as 1924** schon 1924

agog [əˈɡɒɡ] *adj* gespannt; **to be** ~ **with curiosity** vor Neugierde fast platzen

ago·nize [ˈæɡənaɪz] *vi* ■**to** ~ **about** [*or* **over**] **sth** sich über etw *akk* den Kopf zermartern

ago·niz·ing [ˈæɡənaɪzɪŋ] *adj* qualvoll; *pain* unerträglich

ago·ny [ˈæɡəni] *n* ❶ *no pl (pain)* Todesqualen *pl;* ■**to be in** ~ große Schmerzen leiden ❷ *(fig)* **oh, the** ~ **of defeat!** was für eine qualvolle Niederlage!; **to be in an** ~ **of suspense** von qualvoller Ungewissheit geplagt werden ▸ **to pile on the** ~ dick auftragen

ago·ny 'aunt *n* BRIT *(fam)* Briefkasten-

tante *f*

ago·ra·pho·bia [ˌæɡᵊrəˈfəʊbiə] *n no pl* Platzangst *f,* Agoraphobie *f fachspr*

agree [əˈgriː] **I.** *vi* ❶ *(have same opinion)* zustimmen; **I don't** ~ ich bin anderer Meinung; **to be unable to** ~ sich nicht einigen können; ■**to** ~ **with sb** mit jdm einer Meinung sein; **we couldn't** ~ **more with them** wir stimmen mit ihnen absolut überein; ■**to** ~ **on sth** über etw *akk* einer Meinung sein ❷ *(consent to)* zustimmen; ~**d!** einverstanden!; **let's** ~ **to disagree** [*or* **differ**] ich fürchte, wir können uns nicht einigen ❸ *food* ■**to** ~ **with sb** jdm [gut] bekommen ❹ *(match up)* übereinstimmen **II.** *vt* ■**to** ~ **sth** mit etw *dat* einverstanden sein; ■**to** ~ **that ...** sich darauf einigen, dass ...

agree·able [əˈgriːəbl] *adj* ❶ *(pleasant)* angenehm; *weather* freundlich ❷ *(acceptable)* ■**to be** ~ **to sb** für jdn akzeptabel sein ❸ *(consenting)* ■**to be** ~ **to sth** mit etw *dat* einverstanden sein

agreed [əˈgriːd] *adj* ❶ *pred (of one opinion)* einig; ■**to be** ~ [**on sth**] sich [auf etw *akk*] geeinigt haben; **are we all** ~ **on that?** sind alle damit einverstanden? ❷ *(accepted)* akzeptiert; **it's generally** ~ **that ...** es ist eine allgemein anerkannte Tatsache, dass ...

agree·ment [əˈgriːmənt] *n* ❶ *no pl (same opinion)* Übereinstimmung *f;* **to reach an** ~ zu einer Einigung kommen; ■**to be in** ~ **with sb** mit jdm übereinstimmen ❷ *(approval)* Zustimmung *f* ❸ *(arrangement)* Vereinbarung *f* ❹ *(contract)* Vertrag *m* ❺ LING Übereinstimmung *f;* **to be in** ~ übereinstimmen

ag·ri·busi·ness [ˈægrɪˌbɪznɪs] *n no pl* Agroindustrie *f*

ag·ri·cul·tur·al [ˌægrɪˈkʌltʃərəl] *adj* landwirtschaftlich; ~ **land** Agrarland *nt*

ag·ri·cul·tur·al·ly [ˌægrɪˈkʌltʃərəli] *adv* landwirtschaftlich

ag·ri·cul·ture [ˈægrɪˌkʌltʃəʳ] *n no pl* Landwirtschaft *f*

ag·ro·'ter·ror·ism *n no pl* Agroterrorismus *m*

ag·ro·'tour·ism *n no pl* Ferien *pl* auf dem Bauernhof

aground [əˈgraʊnd] I. *adv* **to run** ~ auf Grund laufen II. *adj* auf Grund gelaufen

ah [ɑː] *interj* (*in realization*) ach so; (*in happiness*) ah; (*in sympathy*) oh; (*in pain*) au[tsch]

aha [ɑːˈhɑː] *interj* (*in understanding*) aha; (*in glee*) haha

AHA [ˌeɪeɪtʃˈeɪ] *n abbrev of* **alpha-hydroxy acid** AHA *f*

ahead [əˈhed] *adv* ❶ (*in front*) vorn; **the road** ~ die Straße vor uns; **full speed** ~ volle Kraft voraus; **to put sb** ~ jdn nach vorne bringen ❷ (*more advanced*) **to be way** ~ **of sb** jdm um einiges voraus sein ❸ (*in the future*) **he has a lonely year** ~ es liegt ein einsames Jahr vor ihm; **to look** ~ nach vorne sehen ❹ *person* **to go** [on] ~ vor[aus]gehen ❺ *project* **to go** ~ vorangehen

ahoy [əˈhɔɪ] *interj* ahoi

AI [ˌeɪˈaɪ] *n no pl* ❶ COMPUT *abbrev of* **artificial intelligence** ❷ SCI *abbrev of* **artificial insemination**

aid [eɪd] I. *n* ❶ *no pl* (*assistance*) Hilfe *f*; **to come to sb's** ~ jdm zu Hilfe kommen; **in** ~ **of** zugunsten ❷ (*helpful tool*) [Hilfs]mittel *nt;* **hearing** ~ Hörgerät *nt* ▸ **what's this in** ~ **of?** BRIT (*fam*) wofür soll das gut sein? II. *vt* helfen ▸ **to** ~ **and abet** LAW begünstigen

AID¹ [ˌeɪaˈdiː] *n abbrev of* **Agency for International Development** ≈ DSE

AID² [ˌeɪaˈdiː] *n abbrev of* **artificial insemination by donor** künstliche Befruchtung durch Spendersperma

'aid con·voy *n* Hilfskonvoi *m*

aide [eɪd] *n* Berater(in) *m/f*

AIDS [eɪdz] *n,* **Aids** *no pl abbrev of* **acquired immune deficiency syndrome** Aids *nt*

ail [eɪl] *vt* plagen; **what** ~ **s you?** was fehlt dir?

ailer·on [ˈeɪlʳrɒn] *n* AVIAT Querruder *nt*

ail·ing [ˈeɪlɪŋ] *adj* kränkelnd

ail·ment [ˈeɪlmənt] *n* Leiden *nt;* **minor** ~ **s** leichte Beschwerden

aim [eɪm] I. *vi* ❶ (*point*) zielen (**at** auf) ❷ (*try for a time*) **to** ~ **for 7.30/next week** 7.30 Uhr/nächste Woche anpeilen ❸ (*try to achieve*) ▪**to** ~ **at** [*or* for] **sth** etw zum Ziel haben; ▪**to** ~ **at doing** [*or* to **do**] **sth** sich *dat* vornehmen, etw zu tun; **to** ~ **to please** gefallen wollen ▸ **to** ~ **high** hoch hinaus wollen II. *vt* ❶ (*point*) ▪**to** ~ **sth at sb/sth** mit etw *dat* auf jdn/etw zielen; **to** ~ **a camera/weapon at sb/sth** eine Kamera/Waffe auf jdn/etw richten; **to** ~ **a kick/punch at sb** nach jdm treten/schlagen ❷ (*direct at*) *remark* richten (**at** an) III. *n* ❶ *no pl* (*skill*) Zielen *nt;* **her** ~ **is good/bad** sie kann gut/schlecht zielen; **to take** ~ [**at sb/sth**] [auf jdn/etw] zielen ❷ (*goal*) Ziel *nt;* ~ **in life** Lebensziel *nt;* ▪**with the** ~ **of doing sth** in der Absicht, etw zu tun

aim·less [ˈeɪmləs] *adj* ziellos

aim·less·ly [ˈeɪmləsli] *adv* (*without direction*) ziellos; (*without purpose*) planlos

ain't [eɪnt] (*sl*) ❶ = **has not, have not** *see* **have** ❷ = **am not, is not, are not** *see* **be**

air [eəʳ] I. *n* ❶ *no pl* Luft *f*; **by** ~ mit dem Flugzeug; **to send sth by** ~ etw auf dem Luftweg versenden; **to be** [**up**] **in the** ~ (*fig*) in der Schwebe sein ❷ *no pl* TV, RADIO Äther *m;* **to go off** [**the**] ~ *programme* abgesetzt werden; *station* den Sendebetrieb einstellen; **on** [**the**] ~ auf Sendung ❸ *no pl* (*facial expression*) Miene *f;* (*manner*) Auftreten *nt;* **she has an** ~ **of confidence** [**about her**] sie strahlt eine gewisse Selbstsicherheit aus ❹ (*affected manner*) **to give oneself** [*or* put on] ~ **s** [**and graces**] (*pej*) vornehm tun ❺ MUS Melodie *f* II. *vt* ❶ (*ventilate*) lüften; *clothes* auslüften [lassen] ❷ (*express*) äußern; **to** ~ **one's frustration** seinem Frust Luft machen ❸ AM (*broadcast*) senden III. *vi* ❶ AM TV, RADIO gesendet werden ❷ (*ventilate*) auslüften

air 'am·bu·lance *n* Rettungshubschrauber *m* **'air bag** *n* Airbag *m* **'air·base** *n* Luftwaffenstützpunkt *m* **'air·borne** *adj* ❶ (*transported by air*) in der Luft befindlich; *disease* durch die Luft übertragen; ~ **troops** Luftlandetruppen *pl* ❷ (*flying*) ▪**to be** ~ in der Luft sein; **to get** ~ *plane* abheben; *bird* losfliegen **'air brake** *n* AUTO Druckluftbremse *f*; AVIAT Luftbremse *f* **'air·brushed** *adj* (*fig*) geschönt; **an** ~ **situation** eine beschönigt dargestellte Situation; **an** ~ **person** eine hochgestylte Person **'air bub·ble** *n* Luftblase *f* **air-con·'ditioned** *adj* klimatisiert **air con·'dition·er** *n* Klimaanlage *f* **air con·'dition·**

ing *n no pl* ❶ (*process*) Klimatisierung *f* ❷ (*plant*) Klimaanlage *f* 'air-cooled *adj* luftgekühlt air 'cor·ri·dor *n* Luftkorridor *m*

'air·craft <*pl* -> *n* Luftfahrzeug *nt;* com·mercial ~ Verkehrsflugzeug *nt* 'air·craft car·ri·er *n* Flugzeugträger *m* 'air·craft in·dus·try *n no pl* Flugzeugindustrie *f*

'air·crew *n* + *sing/pl vb* Crew *f,* Flugpersonal *nt*

'air cur·tain *n* Luftschleier *m* 'air cush·ion *n* Luftkissen *nt* air·drome *n* AM *see* aerodrome 'air·field *n* Flugplatz *m* 'air fil·ter *n* Luftfilter *m* 'air force *n* Luftwaffe *f* 'air freight *n no pl* Luftfracht *f* air gun *n* Luftgewehr *nt* 'air hole *n* Luftloch *nt*

'air·ing cup·board *n* BRIT [Wäsche]-trockenschrank *m*

air·less ['eələs] *adj* stickig

'air·lift I. *n* Luftbrücke *f* II. *vt* (*sth in*) über eine Luftbrücke befördern; (*sb out*) per Flugzeug evakuieren 'air·line *n* Fluggesellschaft *f* 'air·lin·er *n* Verkehrsflugzeug *nt* 'air·mail I. *n no pl* Luftpost *f* II. *vt* per Luftpost schicken 'air·man *n* MIL Flieger *m* 'air·plane *n* AM *see* aeroplane 'air pol·lut·ant *n* Luftschadstoff *m* 'air pol·lu·tion *n* Luftverschmutzung *f* 'air·port *n* Flughafen *m;* ~ bus Flughafenbus *m;* ~ tax Flughafengebühr *f* 'air qual·ity *n* Luftqualität *f* 'air rage *n no pl* (*fam*) Randale *f* im Flugzeug; flight attendants are concerned about passengers'~ Flugbegleiter sind beunruhigt über randalierende Passagiere 'air raid *n* Luftangriff *m* 'air·sick *adj* luftkrank 'air·space *n no pl* Luftraum *m* 'air stew·ard *n,* 'air stew·ard·ess *n* Flugbegleiter(in) *m(f)* 'air·strip *n* Start- und Landebahn *f* 'air ter·mi·nal *n* Terminal *nt o m* 'air tick·et *n* Flugschein *m* 'air·tight *adj* luftdicht; (*fig*) hieb- und stichfest 'air traf·fic *n no pl* Flugverkehr *m;* high volume of ~ hohes Flugaufkommen air traf·fic con·'trol *n no pl* ❶ (*job*) Flugsicherung *f* ❷ (*facility*) Flugleitung *f* air traf·fic con·'trol·ler *n* Fluglotse(in) *m(f)* 'air·way *n* ❶ ANAT Luftröhre *f* ❷ (*airline company*) Fluggesellschaft *f* 'air·worthy *adj* flugtüchtig

airy ['eəri] *adj* ❶ ARCHIT luftig ❷ (*lacking substance*) leichtfertig

airy-fairy [ˌeəri'feəri] *adj* (*fam*) wirklichkeitsfremd

aisle [aɪl] *n* Gang *m; of church* Seitenschiff *nt* ▸ to have sb rolling in the ~s jdn dazu bringen, sich vor Lachen zu ku-

geln; to take sb down the ~ jdn zum Traualtar führen

ajar [əˈdʒɑː'] *adj* einen Spalt offen

aka [ˌeɪkeɪ'eɪ] *abbrev of* also known as alias

akim·bo [əˈkɪmbəʊ] *adj* [with] arms ~ die Arme in die Hüften gestemmt

akin [əˈkɪn] *adj* ähnlich

ala·bas·ter ['æləbæstə'] *n no pl* Alabaster *m*

à la carte [ˌælə'kɑːt] *adj* à la carte

alac·rity [əˈlækrəti] *n no pl* (*speed*) Schnelligkeit *f;* (*eagerness*) Eilfertigkeit *f;* with ~ (*speedily*) schnell; (*eagerly*) bereitwillig

alarm [əˈlɑːm] I. *n* ❶ *no pl* (*worry*) Angst *f;* to give sb cause for ~ jdm einen Grund zur Sorge geben ❷ (*signal*) Alarm *m* ❸ (*device*) Alarmanlage *f* ❹ (*alarm clock*) Wecker *m* II. *vt* ❶ (*worry*) beunruhigen; (*frighten*) erschrecken ❷ (*warn of danger*) alarmieren

'alarm clock *n* Wecker *m*

alarmed [əˈlɑːmd] *adj* ❶ (*worried*) beunruhigt; (*frightened*) erschrocken; please don't be ~ bitte bleiben Sie ruhig ❷ (*with device*) to be ~ eine Alarmanlage besitzen, mit einer Alarmanlage ausgerüstet sein

alarm·ing [əˈlɑːmɪŋ] *adj* (*worrying*) beunruhigend; (*frightening*) erschreckend

alarm·ing·ly [əˈlɑːmɪŋli] *adv* (*worryingly*) beunruhigend[erweise]; (*frighteningly*) erschreckend[erweise]

alarm·ism [əˈlɑːmɪzᵊm] *n no pl* Schwarzmalerei *f fig*

alarm·ist [əˈlɑːmɪst] (*pej*) I. *adj* schwarzseherisch II. *n* Schwarzseher(in) *m(f)*

Alas·ka [əˈlæskə] *n* Alaska *nt*

Al·ba·nia [ælˈbeɪniə] *n* Albanien *nt*

Al·ba·nian [ælˈbeɪniən] I. *n* ❶ (*person*) Albaner(in) *m(f)* ❷ (*language*) Albanisch *nt* II. *adj* albanisch

al·ba·tross <*pl* -es> ['ælbətrɒs] *n* Albatros *m*

al·be·it [ɔːlˈbiːɪt] *conj* wenn auch

al·bi·no [ælˈbiːnəʊ] I. *adj* Albino- II. *n* Albino *m*

al·bum ['ælbəm] *n* Album *nt*

al·co·hol ['ælkəhɒl] *n no pl* Alkohol *m;* I could smell the ~ on his breath ich konnte seine Fahne riechen

al·co·hol-free [ˌælkəhɒl'friː] *adj* alkoholfrei

al·co·hol·ic [ˌælkə'hɒlɪk] I. *n* Alkoholiker(in) *m(f)* II. *adj* person alkoholsüchtig; *drink* alkoholisch

al·co·hol·ism ['ælkəhɒlɪzᵊm] *n no pl* Alkoholismus *m*

al·cove [ˈælkəʊv] *n* (*niche*) Nische *f*; (*for sleeping*) Alkoven *m*

al·der [ˈɔːldər] *n* Erle *f*

al·der·man [ˈɔːldəmən] *n* Alderman *m*

ale [eɪl] *n* Ale *nt*

alert [əˈlɜːt] **I.** *adj* ❶ (*mentally*) aufgeweckt ❷ (*watchful*) wachsam; (*attentive*) aufmerksam; (*conscious*) bewusst; ■**to be ~ to sb/sth** vor jdm/etw auf der Hut sein **II.** *n* ❶ (*alarm*) Alarmsignal *nt*; **red ~** höchste Alarmstufe ❷ *no pl* (*period of watchfulness*) Alarmbereitschaft *f*; **on full ~** *army* in Gefechtsbereitschaft; ■**to be on the ~ [for sth]** [vor etw *dat*] auf der Hut sein **III.** *vt* ■**to ~ sb to sth** ❶ (*notify*) jdn auf etw *akk* aufmerksam machen ❷ (*warn*) jdn vor etw *dat* warnen

A lev·el [ˈeɪlevəl] *n* BRIT ≈ Abitur *nt*; **to take one's ~s** das Abitur machen

alga <*pl* -e> [ˈælɡə, *pl* -dʒiː, -dʒaɪ] *n* Alge *f*

al·gal bloom [ˌælɡəlˈbluːm] *n* ECOL Algenbefall *m*

al·ge·bra [ˈældʒɪbrə] *n no pl* Algebra *f*

al·ge·bra·ic [ˌældʒɪˈbreɪɪk] *adj* algebraisch

Al·ge·ria [ælˈdʒɪəriə] *n* Algerien *nt*

Al·ge·rian [ælˈdʒɪəriən] **I.** *n* Algerier(in) *m(f)* **II.** *adj* algerisch

Al·giers [ælˈdʒɪəz] *n* Algier *nt*

al·go·rithm [ˈælɡərɪðəm] *n* Algorithmus *m*

ali·as [ˈeɪliəs] **I.** *n* Deckname *m* **II.** *adv* alias

ali·bi [ˈælɪbaɪ] *n* Alibi *nt*

al·ien [ˈeɪliən] **I.** *adj* ❶ (*foreign*) ausländisch ❷ (*strange*) fremd **II.** *n* ❶ (*foreigner*) Ausländer(in) *m(f)* ❷ (*from space*) Außerirdische(r) *f(m)*

al·ien·ate [ˈeɪliəneɪt] *vt* befremden; ■**to feel ~d** sich entfremdet fühlen (**from** +*dat*)

al·iena·tion [ˌeɪliəˈneɪʃən] *n no pl* Entfremdung *f*

alight¹ [əˈlaɪt] *adj* ❶ (*on fire*) **to be ~** brennen; **to set ~** in Brand stecken; (*fig*) begeistern ❷ (*shining brightly*) ■**to be ~** strahlen

alight² [əˈlaɪt] *vi* ❶ (*from train, bus etc.*) aussteigen (**from** aus) ❷ *bird, butterfly* landen; (*fig*) **her eyes ~ed upon the painting** ihr Blick fiel auf das Gemälde ◆ **alight on** *vi* ■**to ~ on sth** auf etw *akk* stoßen

align [əˈlaɪn] *vt* ❶ (*move into line*) ■**to ~ sth [with sth]** etw [auf etw *akk*] ausrichten ❷ ARCHIT fluchten ❸ (*fig: support*) ■**to ~ oneself with sb/sth** sich hinter jdn/etw stellen

align·ment [əˈlaɪnmənt] *n* Ausrichten *nt*; **the wheels are out of ~** die Räder sind nicht in der Spur

alike [əˈlaɪk] **I.** *adj* ❶ (*identical*) gleich ❷ (*similar*) ähnlich **II.** *adv* ❶ (*similarly*) gleich; **to look ~** sich *dat* ähnlich sehen; **to think ~** gleicher Ansicht sein ❷ (*both*) gleichermaßen

ali·mony [ˈælɪməni] *n no pl* Unterhalt *m*

aline *vt* AM *see* **align**

A-list·er [ˈeɪlɪstər] *n* Promi *m fam*, Publikumsliebling *m*; **they get ~s for the series** für die Serie nehmen sie nur erste Garnitur

alive [əˈlaɪv] *adj* ❶ (*not dead*) lebendig, lebend; ■**to be ~** am Leben sein; **to keep sb ~** jdn am Leben erhalten; **to be eaten ~** lebendigen Leibes aufgefressen werden; **to make sth come ~** *story* etw lebendig werden lassen ❷ (*aware*) ■**to be ~ to sth** sich *dat* einer S. *gen* bewusst sein ❸ (*swarming*) ■**to be ~ with sth** von etw *dat* wimmeln

al·ka·li <*pl* -s *or* -es> [ˈælkəlaɪ] *n* Alkali *nt*

al·ka·line [ˈælkəlaɪn] *adj* alkalisch

all [ɔːl] **I.** *adj* ❶ + *pl* (*every one of*) alle; **are those ~ the strawberries you can find?** sind das alle Erdbeeren, die du finden kannst?; **of ~ the stupid things to do!** das ist ja wohl zu blöd!; **why her, of ~ people?** warum ausgerechnet sie?; **~ her children** alle ihre Kinder; **~ the people** alle [Leute]; **~ the others** alle anderen; **on ~ fours** auf allen Vieren ❷ + *sing n* (*the whole (amount) of*) der/die/das ganze; **~ her life** ihr ganzes Leben; **~ the time** die ganze Zeit; **~ week** die ganze Woche; **for ~ her money** trotz ihres ganzen Geldes ❸ + *sing n* (*every type of*) jede(r, s); **people of ~ ages** Menschen jeden Alters ❹ (*the greatest possible*) all; **she denied ~ knowledge of him** sie stritt ab, irgendetwas über ihn zu wissen; **beyond ~ doubt** jenseits allen Zweifels; **in ~ honesty** ganz ehrlich; **in ~ probability** aller Wahrscheinlichkeit nach; **with ~ due respect** bei allem Respekt **II.** *pron* ❶ (*every one*) alle; **we saw ~ of them** wir haben [sie] alle gesehen; **~ but one of the pupils took part** bis auf einen Schüler nahmen alle teil; **the best of ~** der Beste von allen ❷ (*everything*) alles; **above ~** vor allem; **tell me ~ about it** erzähl mir alles darüber; **~ I want is to be left alone** ich will nur in Ruhe gelassen werden; **~ it takes is a bit of luck** man braucht nur etwas Glück; **that's ~ I need right now** das hat mir jetzt gerade noch gefehlt; **for ~ I care, ...** von mir aus ...; **for ~ I know, ...** soviel ich weiß ...; **first of ~** zuerst; **most of ~** am meisten; **most of ~, I'd like to be ...** aber am liebsten wäre ich ...; **to give**

one's ~ alles geben; **and** ~ (*fam*) und all dem; **what with the fog and** ~ bei dem Nebel und so; ~ **in one** alles in einem ❸ (*for emphasis*) **at** ~ überhaupt; **not at ~, it was a pleasure** keine Ursache, es war mir ein Vergnügen; **nothing at** ~ überhaupt nichts ▸ **and** ~ (*sl: as well*) auch; **get one for me and** ~ bring mir auch einen; ~ **in** ~ alles in allem; ~ **told** insgesamt; ~ **'s well that ends well** (*prov*) Ende gut, alles gut **III.** *adv* ❶ (*entirely*) ganz; **it's** ~ **about money these days** heutzutage geht es nur ums Geld; **she's been** ~ **over the world** sie war schon überall auf der Welt; **a good performance** ~ **round** eine rundum gelungene Vorstellung; **he bought drinks** ~ **round** er gab eine Runde Getränke aus; **he's** ~ **talk** er ist nur ein Schwätzer; **to be** ~ **ears** ganz Ohr sein; **to be** ~ **for doing sth** ganz dafür sein, etw zu tun; ~ **along** die ganze Zeit; **to be** ~ **over** aus und vorbei sein ❷ ▪~ **the ...** umso ...; ~ **the better!** umso besser!; **not** ~ **that ...** (*not really*) nicht gerade ...; **he's not** ~ **that important** so wichtig ist er nun auch wieder nicht; ~ **but** fast ❸ (*for emphasis*) **now don't get** ~ **upset about it** nun reg dich doch nicht so [furchtbar] darüber auf; **that's** ~ **very well, but ...** das ist ja schön und gut, aber ...; ~ **too ...** nur zu ... ❹ SPORTS (*to both sides*) **it's three** ~ es steht drei zu drei; **15 –** 15 beide ▸ **to go** ~ **out for sth** alles für etw *akk* tun; ~ **in** (*exhausted*) völlig erledigt; BRIT (*including everything*) alles inklusive; **all over** typisch; **that's Bill** ~ **over!** typisch Bill!; **to be** ~ **over** sb sich [geradezu] auf jdn stürzen; **not** ~ **there** (*fam*) nicht ganz richtig [im Kopf]

Allah ['ælə] *n* Allah

'all-around *adj* AM *see* **all-round**

allay [ə'leɪ] *vt* beschwichtigen; *suspicions* zerstreuen

all-'clear *n* Entwarnung *f*; **to give** [*or* **sound**] **the** ~ Entwarnung geben

al·le·ga·tion [ælə'geɪʃⁿn] *n* Behauptung *f*; **to make an** ~ **against sb** jdn beschuldigen

al·lege [ə'ledʒ] *vt* behaupten

al·leged [ə'ledʒd] *adj* angeblich

al·leg·ed·ly [ə'ledʒɪdli] *adv* angeblich

al·le·giance [ə'li:dʒⁿn(t)s] *n* Loyalität *f*; **oath of** ~ Fahneneid *m;* **to pledge** ~ **to sb** jdm Treue schwören

al·le·gori·cal [ælə'gɒrɪkⁿl] *adj* allegorisch

al·le·go·ry ['ælɪgəri] *n* Allegorie *f*

al·le·luia [ælɪ'lu:jə] **I.** *interj* halleluja **II.** *n* Halleluja *nt*

al·ler·gen ['ælədʒen] *n* Allergen *nt*

al·ler·gen·ic [ælə'dʒenɪk] *adj* allergen

al·ler·gic [ə'lɜ:dʒɪk] *adj* allergisch (**to** gegen)

al·ler·gy ['ælədʒi] *n* Allergie *f* (**to** gegen)

al·le·vi·ate [ə'li:vieɪt] *vt fears* abbauen; *pain* lindern; *stress* verringern

al·le·via·tion [ə,li:vi'eɪʃⁿn] *n no pl* Reduzierung *f*, Verminderung *f; of pain, discomfort* Linderung *f*

al·ley ['æli] *n* ❶ (*between buildings*) Gasse *f;* **blind** ~ (*also fig*) Sackgasse *f* ❷ (*in park*) Allee *f* ▸ **this is right up my** ~ AM, AUS das ist ganz mein Fall

All 'Fools' Day *n* der erste April

al·li·ance [ə'laɪən(t)s] *n* Allianz *f;* **to form an** ~ ein Bündnis schließen

al·lied ['ælaɪd] *adj* ❶ (*united*) verbündet; MIL alliiert ❷ (*related*) verwandt ❸ (*together with*) ▪~ **with** gepaart mit

al·li·ga·tor ['ælɪgeɪtə'] *n* Alligator *m*

all-'in *adj* alles inbegriffen; ~ **rate** Inklusivpreis *m*

al·lit·era·tion [ə,lɪtə'reɪʃⁿn] *n no pl* Alliteration *f*, Stabreim *m*

al·lo·cate ['æləkeɪt] *vt* zuteilen; *funds* bereitstellen

al·lo·ca·tion [ælə'keɪʃⁿn] *n usu sing* (*assignment*) Zuteilung *f;* (*distribution*) Verteilung *f; of funds* Bereitstellung *f*

al·lot <-tt-> [ə'lɒt] *vt* zuteilen; *time* vorsehen

al·lot·ment [ə'lɒtmənt] *n* ❶ (*assignment*) Zuteilung *f;* (*distribution*) Verteilung *f* ❷ BRIT (*plot of land*) Schrebergarten *m*

all-'out *adj* umfassend; ~ **attack** Großangriff *m*

al·low [ə'laʊ] **I.** *vt* ❶ (*permit*) erlauben; *access* gewähren; *goal* anerkennen; ~ **me** erlauben Sie; **she isn't ~ed any sweets** sie darf keine Süßigkeiten essen; ▪ **to** ~ **oneself sth** sich *dat* etw gönnen ❷ (*allocate*) einplanen ❸ (*concede*) zugeben ▸ **to** ~ **sb a free hand** jdm freie Hand lassen **II.** *vi* **if time** ~ **s** wenn die Zeit es zulässt ◆ **allow for** *vi* berücksichtigen; *error, delay* einkalkulieren

al·low·able [ə'laʊəbl] *adj* zulässig

al·low·ance [ə'laʊən(t)s] *n* ❶ (*permitted amount*) Zuteilung *f;* **entertainment** ~ Aufwandsentschädigung *f* ❷ *no pl* (*for student*) Ausbildungsbeihilfe *f; esp* AM (*pocket money*) Taschengeld *nt* ❸ (*prepare for*) **to make** ~ **s for sth** etw berücksichtigen; **to make** ~ **s for sb** mit jdm nachsichtig sein

al·loy ['ælɔɪ] *n* Legierung *f;* ~ **wheels** Alufelgen *pl*

all-'pow·er·ful *adj* allmächtig

all-'pur·pose *adj* Allzweck- **all right**
I. *adj* ❶ (*OK*) in Ordnung; **that's ~** (*apologetically*) das macht nichts; (*you're welcome*) keine Ursache; **it was ~, nothing special** na ja, es war nichts Besonderes; **would it be ~ if ...?** wäre es dir recht, wenn ...?; **it'll be ~ to leave your car here** du kannst deinen Wagen ruhig hier lassen; **to be a bit of ~** BRIT (*fam*) nicht schlecht aussehen; ■ **to be ~ with sb** jdm recht sein ❷ (*healthy*) gesund; (*safe*) gut; **to get home ~** gut nach Hause kommen II. *interj* ❶ (*in agreement*) o.k., in Ordnung ❷ (*approv fam*) bravo ❸ BRIT (*fam: greeting*) ~? wie geht's? III. *adv* ❶ (*doubtless*) auf jeden Fall ❷ (*quite well*) ganz gut

all-'round *adj* Allround- **all-round·er** [-'raʊndəʳ] *n* BRIT, AUS Multitalent *nt;* SPORTS Allroundsportler(in) *m(f)* **All 'Saints' Day** *n* Allerheiligen *nt* **All 'Souls' Day** *n* Allerseelen *nt* **'all-time** *adj attr* Rekord-, unübertroffen; **~ high/low** Höchststand *m*/Tiefststand *m* **'all-too-brief** *adj* allzu [*o* viel zu] kurz

al·lude [ə'luːd] *vi* ■ **to ~ to sth** auf etw *akk* anspielen

al·lure [ə'ljʊəʳ] *n no pl* (*attractiveness*) Anziehungskraft *f*, Reiz *m;* (*enticing charm*) Verführungskraft *f*

al·lur·ing [ə'ljʊə'rɪŋ] *adj* (*attractive*) anziehend; (*enticing*) verführerisch

al·lu·sion [ə'luːʒ°n] *n* Anspielung *f* (**to** auf) **'all-weath·er** *adj* Allwetter-

ally ['ælaɪ] I. *n* Verbündete(r) *f(m);* HIST Alliierte(r) *m* II. *vt* <-ie-> ■ **to ~ oneself with** sich verbünden mit +*dat*

al·ma·nac(k) ['ɔːlmənæk, 'æl-] *n* Almanach *m*

al·mighty [ɔːl'maɪti] *adj* ❶ REL allmächtig ❷ (*fam: huge*) Riesen-

al·mond ['ɑːmənd] *n* (*nut*) Mandel *f;* (*tree*) Mandelbaum *m*

al·most ['ɔːlməʊst] *adv* fast, beinahe; **we're ~ there** wir sind gleich da; **they'll ~ certainly forget** es ist so gut wie sicher, dass sie vergessen werden

alms [ɑːmz] *npl* Almosen *pl*

aloe vera [ˌæləʊ'vɪərə] *n* Aloe vera *f*

alone [ə'ləʊn] *adj, adv* allein; **am I ~ in thinking that ...** bin ich als Einzige der Meinung, dass ...; **to leave sb ~** jdn in Ruhe lassen; **let ~** ganz zu schweigen von ▶ **to go it ~** sich selbstständig machen; (*act independently*) etw im Alleingang machen

along [ə'lɒŋ] I. *prep* entlang; *before n* + *dat;* **the trees ~ the river** die Bäume entlang dem Fluss; *after n* + *akk;* **~ High-**

way 1 den Highway 1 entlang; **~ the way** unterwegs, auf dem Weg II. *adv* **go on ahead — I'll be ~ in a minute** geh du vor – ich komme gleich nach; **to bring ~** mitbringen; **all ~** die ganze Zeit; ■ **~ with** [zusammen] mit

along·side [ə,lɒŋ'saɪd] I. *prep* neben; NAUT längsseits II. *adv* daneben; **the lorry pulled up ~** der Laster fuhr heran; **a tanker with a tugboat ~** ein Tanker und ein Schleppboot Bord an Bord

aloof [ə'luːf] I. *adj* zurückhaltend II. *adv* **to remain ~** [**from sth**] sich [von etw *dat*] fernhalten

aloof·ness [ə'luːfnəs] *n no pl* Zurückhaltung *f*, Distanziertheit *f*

aloud [ə'laʊd] *adv* laut

al·pha ['ælfə] *n* ❶ (*Greek letter*) Alpha *nt* ❷ BRIT UNIV (*mark*) Eins *f*

al·pha·bet ['ælfəbet] *n* Alphabet *nt*

al·pha·beti·cal [ælfə'betɪk°l] *adj* alphabetisch

alpha-hy·droxy acid [ˌælfəhaɪˌdrɒksi'æsɪd] *n* CHEM AHA-Fruchtsäure *f*

al·pha·nu·mer·ic [ˌælfənjuː'merɪk] *adj* alphanumerisch

'al·pha par·ti·cle *n* PHYS Alphateilchen *nt*

al·pine ['ælpaɪn] I. *adj* alpin; **~ scene** [Hoch]gebirgslandschaft *f* II. *n* [Hoch]gebirgspflanze *f*

Alps [ælps] *npl* ■ **the ~** die Alpen

al Qae·da, al-Qai·da [æl'kʌaɪdə, ˌalkɑːˈiːdə] *n no pl, no art* al Qaida *kein art*

al·ready [ɔːl'redi] *adv* ❶ (*before now*) schon, bereits ❷ AM (*fam: indicating impatience*) endlich

al·right [ɔːl'raɪt] *adj, adv, interj see* **all right**

Al·sace [æl'sæs] *n* Elsass *nt*

Al·sace-Lor·raine [æl,sæslɒ'reɪn] *n* Elsass-Lothringen *nt*

Al·sa·tian [æl'seɪʃ°n] I. *n* (*dog*) [deutscher] Schäferhund II. *adj* elsässisch

also ['ɔːlsəʊ] *adv* ❶ (*too*) auch ❷ (*furthermore*) außerdem

al·tar ['ɔːltəʳ] *n* Altar *m*

'al·tar boy *n* Ministrant *m*

al·ter ['ɔːltəʳ] I. *vt* ändern; **that doesn't ~ the fact that ...** das ändert nichts an der Tatsache, dass ... II. *vi* sich ändern

al·ter·able ['ɔːltə'əbl] *adj* veränderbar

al·tera·tion [ˌɔːltə'reɪʃ°n] *n* Änderung *f;* (*to house*) Umbau *m*

al·ter·ca·tion [ˌɔːltə'keɪʃ°n] *n* heftige Auseinandersetzung

al·ter·nate I. *vi* ['ɔːltəneɪt] abwechseln II. *vt* **he ~d working in the office with working at home** abwechselnd arbeitete er mal im Büro und mal zu Hause III. *adj* [ɔːlˈtɜːnət] ❶ (by turns) abwechselnd; **on ~ days** jeden zweiten Tag ❷ (alternative) alternativ

al·ter·nate·ly [ɔːlˈtɜːnətli] adv abwechselnd, im Wechsel

al·ter·nat·ing [ˈɔːltəneɪtɪŋ] adj alternierend

al·ter·na·tive [ɔːlˈtɜːnətɪv] I. n Alternative f (**to** zu) II. adj alternativ; **~ date** Ausweichtermin m

al·ter·na·tive·ly [ɔːlˈtɜːnətɪvli] adv statt dessen

al·ter·na·tor [ˈɔːltəneɪtəʳ] n [Drehstrom]generator m

al·though [ɔːlˈðəʊ] conj obwohl

al·time·ter [ˈæltɪmiːtəʳ] n Höhenmesser m

al·ti·tude [ˈæltɪtjuːd] n Höhe f; **at high/ low ~** in großer/niedriger Höhe

alto [ˈæltəʊ] I. n ❶ (singer) Altist(in) m(f) ❷ (vocal range) Altstimme f; **to sing ~** Alt singen II. adj Alt-

al·to·geth·er [ˌɔːltəˈgeθəʳ] adv ❶ (completely) völlig, ganz ❷ (in total) insgesamt

al·tru·ism [ˈæltruɪzᵊm] n no pl Altruismus m

al·tru·ist [ˈæltruɪst] n Altruist(in) m(f)

al·tru·is·tic [ˌæltruˈɪstɪk] adj altruistisch

alu·min·ium [ˌæljəˈmɪniəm, -jʊˈmɪnjəm] n no pl Aluminium nt

alu·min·ium 'foil n Alufolie f **alu·min·ium 'ox·ide** n Aluminiumoxid nt

alu·mi·num n no pl Am see **aluminium**

al·ways [ˈɔːlweɪz] adv ❶ (at all times) immer ❷ (as last resort) immer noch

am [æm, əm] vi first pers sing of **be**

a.m. [ˌeɪˈem] abbrev of **ante meridian: at 6 ~** um sechs Uhr morgens

amal·gam [əˈmælgəm] n Mischung f (**of** aus)

amal·gam·ate [əˈmælgəmeɪt] I. vt companies fusionieren; departments zusammenlegen II. vi sich zusammenschließen

amal·gama·tion [əˌmælgəˈmeɪʃᵊn] n Vereinigung f

amass [əˈmæs] vt anhäufen

ama·teur [ˈæmətəʳ] I. n Amateur(in) m(f); (pej) Dilettant(in) m(f) II. adj Hobby-; sports Amateur-; **~ dramatics** Laienspiel nt

ama·teur·ish [ˈæmətᵊrɪʃ] adj (pej) dilettantisch

ama·teur·ish·ly [ˈæmətᵊrɪʃli] adv (pej) dilettantisch

amaze [əˈmeɪz] vt erstaunen; **it never ceases to ~ me that ...** es wundert mich immer wieder, dass ...; ■**to be ~d by sth** über etw akk verblüfft sein

amazed [əˈmeɪzd] adj erstaunt, verblüfft

amaze·ment [əˈmeɪzmənt] n no pl Verwunderung f; **to shake one's head in ~** erstaunt den Kopf schütteln

amaz·ing [əˈmeɪzɪŋ] adj ❶ (very surprising) erstaunlich ❷ (fam: excellent) toll

amaz·ing·ly [əˈmeɪzɪŋli] adv erstaunlich, unglaublich; **~ enough** erstaunlicherweise, überraschenderweise

Ama·zon [ˈæməzᵊn] n ❶ (female warrior) Amazone f ❷ (in South America) ■**the [River] ~** der Amazonas

am·bas·sa·dor [æmˈbæsədəʳ] n ❶ (of a country) Botschafter(in) m(f) (**to** in) ❷ (authorized messenger) Gesandte(r) f(m)

am·ber [ˈæmbəʳ] n no pl ❶ (fossil) Bernstein m ❷ (colour) Bernsteingelb nt; brit (traffic light) Gelb nt

am·bi·dex·trous [ˌæmbɪˈdekstrəs] adj beidhändig

am·bi·ence [ˈæmbɪən(t)s] n no pl Ambiente nt, Atmosphäre f

am·bi·gu·ity [ˌæmbɪˈgjuːəti] n Zweideutigkeit f

am·bigu·ous [æmˈbɪgjʊːəs] adj zweideutig, mehrdeutig; feelings gemischt

am·bigu·ous·ly [æmˈbɪgjʊːəsli] adv (with double meaning) zweideutig; (not clearly) unklar; **~ worded** missverständlich ausgedrückt; **to smile ~** vieldeutig lächeln

am·bi·tion [æmˈbɪʃᵊn] n ❶ no pl (wish to succeed) Ehrgeiz m ❷ (aim) Ambition[en] f[pl]; **burning ~** brennender Wunsch

am·bi·tious [æmˈbɪʃəs] adj ehrgeizig; target hochgesteckt

am·biva·lent [æmˈbɪvələnt] adj zwiespältig; attitude ambivalent; feelings gemischt

am·ble [ˈæmbl̩] I. vi schlendern II. n no pl ❶ (stroll) Schlendern nt ❷ (of a horse) Passgang m

am·bu·lance [ˈæmbjələn(t)s] n Krankenwagen m; **~ crew/service** Rettungsmannschaft f/-dienst m; **~ siren** Krankenwagensirene f

am·bush [ˈæmbʊʃ] I. vt ■**to be ~ed** aus dem Hinterhalt überfallen werden II. n Überfall m aus dem Hinterhalt; **to lie in ~ for sb** jdm auflauern

ame·ba <pl -s or -bae> n Am see **amoeba**

ame·bic adj Am see **amoebic**

ame·lio·rate [əˈmiːliᵊreɪt] vt verbessern; symptoms lindern

ame·lio·ra·tion [əˌmiːliᵊˈreɪʃᵊn] n Verbesserung f

amen [ˌɑːˈmen, ˌeɪ-] interj Amen; **~ to that!** Gott sei's gedankt!

ame·nable [əˈmiːnəbl̩] adj aufgeschlossen (**to** gegenüber)

amend [əˈmend] *vt* [ab]ändern

amend·ment [əˈmen(d)mənt] *n* Änderung *f*; **the fifth** ~ Am der Fünfte Zusatzartikel [zur Verfassung]

amends [əˈmendz] *npl* **to make** ~ **for sth** etw wieder gutmachen

amen·ity [əˈmiːnəti] *n* (*facilities*) ■**amenities** *pl* Freizeiteinrichtungen *pl;* **accommodation with basic amenities** Unterkunft *f* mit einfachstem Komfort; **public amenities** öffentliche Einrichtungen

Ameri·ca [əˈmerɪkə] *n* Amerika *nt;* ■**the** ~ **s** Nord-, Süd- und Mittelamerika *nt*

Ameri·can [əˈmerɪkən] **I.** *adj* amerikanisch **II.** *n* Amerikaner(in) *m(f)*

Ameri·can ˈfoot·ball *n* American Football *m* ■**Ameri·can** ˈIn·dian *n* Indianer(in) *m(f)*

Ameri·can·ism [əˈmerɪkənɪzᵊm] *n* Amerikanismus *m*

Ameri·ca·nize [əˈmerɪkənaɪz] *vt* amerikanisieren

am·ethyst [ˈæməθɪst] **I.** *n* Amethyst *m* **II.** *adj* amethystfarben

ami·abil·ity [ˌeɪmiəˈbɪləti] *n* Freundlichkeit *f*

ami·able [ˈeɪmiəb‖] *adj* freundlich

ami·cable [ˈæmɪkəb‖] *adj* freundlich; *divorce* einvernehmlich; *settlement* gütlich

ami·cably [ˈæmɪkəb‖i] *adv* freundlich; **to settle sth** ~ etw freundschaftlich regeln; **to settle a dispute** ~ einen Streit gütlich beilegen

amid [əˈmɪd] *prep,* **amidst** [əˈmɪdst] *prep* inmitten

ami·no acid [əˌmiːnəʊ'-] *n* Aminosäure *f*

amiss [əˈmɪs] **I.** *adj* **there's something** ~ etwas stimmt nicht **II.** *adv* **a word of apology would not go** ~ eine Entschuldigung könnte nicht schaden; **to take sth** ~ etw übelnehmen

am·meter [ˈæmɪtər] *n* Amperemeter *nt*

am·mo·nia [əˈməʊniə] *n* ❶ (*gas*) Ammoniak *nt* ❷ (*liquid*) Salmiakgeist *m*

am·mu·ni·tion [ˌæmjəˈnɪʃᵊn] *n* *no pl* Munition *f*

am·ne·sia [æmˈniːziə] *n* Amnesie *f*

am·nes·ty [ˈæmnəsti] *n* Amnestie *f*

amoe·ba <*pl* -s *or* -bae> [əˈmiːbə, *pl* -biː] *n* Amöbe *f*

amoe·bic [əˈmiːbɪk] *adj* Amöben-

amok [əˈmɒk] *adv* **to run** ~ Amok laufen

among [əˈmʌŋ] *prep,* **amongst** [əˈmʌŋst] *prep* ❶ (*between*) unter; **they wanted to discuss it** ~ **themselves** sie wollten es untereinander besprechen; ~ **her talents are ...** zu ihren Talenten zählen ...; [**just**]

one ~ **many** [nur] eine(r, s) von vielen; ~ **other things** unter anderem ❷ (*in midst of*) inmitten

amor·al [ˌeɪˈmɒrəl] *adj* amoralisch

amo·rous [ˈæmᵊrəs] *adj* amourös; *look* verliebt; ~ **advances** Annäherungsversuche *pl*

amor·phous [əˈmɔːfəs] *adj* amorph, formlos

amor·ti·za·tion [əˌmɔːtɪˈzeɪʃᵊn] *n* Amortisation *f*

amor·tize [əˈmɔːtaɪz] *vt* amortisieren

amount [əˈmaʊnt] **I.** *n* ❶ (*quantity*) Menge *f*; **a certain** ~ **of difficulty** gewisse Schwierigkeiten ❷ *of land* Fläche *f* ❸ *of money* Betrag *m* **II.** *vi* ❶ (*add up to*) ■**to** ~ **to sth** sich auf etw *akk* belaufen; (*fig*) *dat* gleichkommen ❷ (*be successful*) **he'll never** ~ **to much** er wird es nie zu etwas bringen

amp [æmp] ❶ *short for* **ampere** Ampere *nt* ❷ *short for* **amplifier** Verstärker *m*

am·pere [ˈæmpeə[r]] *n* Ampere *nt*

am·pheta·mine [æmˈfetəmiːn] *n* Amphetamin *nt*

am·phib·ian [æmˈfɪbiən] *n* ❶ (*animal*) Amphibie *f* ❷ (*vehicle*) Amphibienfahrzeug *nt*

am·phibi·ous [æmˈfɪbiəs] *adj* amphibisch; ~ **vehicle** Amphibienfahrzeug *nt*

am·phi·thea·tre [-fɪˌθɪətə[r]] *n* Brit, Aus Amphitheater *nt*

am·ple <-r, -st> [ˈæmp‖] *adj* ❶ (*plentiful*) reichlich; (*enough*) genügend ❷ (*large*) groß

am·pli·fi·ca·tion [ˌæmplɪfɪˈkeɪʃᵊn] *n* ❶ (*making loud*) Verstärkung *f* ❷ (*detail*) **it needs no further** ~ es braucht nicht weiter ausgeführt zu werden

am·pli·fi·er [ˈæmplɪfaɪər] *n* Verstärker *m*

am·pli·fy <-ie-> [ˈæmplɪfaɪ] *vt* ❶ (*make louder*) verstärken ❷ (*enlarge upon*) weiter ausführen

am·pli·tude [ˈæmplɪtjuːd] *n* (*breadth*) Weite *f;* (*range*) Umfang *m*

am·ply [ˈæmpli] *adv* reichlich

am·poule [ˈæmpuːl] *n,* Am **am·pul(e)** *n* Ampulle *f*

am·pu·tate [ˈæmpjəteɪt] *vt, vi* amputieren

am·pu·ta·tion [ˌæmpjəˈteɪʃᵊn] *n* Amputation *f*

am·pu·tee [ˌæmpjəˈtiː] *n* Amputierte(r) *f(m)*

amuck *adv see* **amok**

amu·let [ˈæmjʊlət] *n* Amulett *nt*

amuse [əˈmjuːz] **I.** *vt* amüsieren; ■**to be** ~**d by sth** sich über etw *akk* amüsieren **II.** *vi* unterhalten

amused [ə'mju:zd] *adj look, smile* amüsiert; **I told Helena about it and she was not ~** ich erzählte es Helena, und sie fand das gar nicht komisch; **to keep oneself ~** sich *dat* die Zeit vertreiben; ▪**to be ~ at sth** sich über etw *akk* amüsieren

amuse·ment [ə'mju:zmənt] *n* Belustigung *f;* **she smiled in ~** sie lächelte vergnügt; **what do you do for ~?** was machst du so in deiner Freizeit?; [much] **to her ~** [sehr] zu ihrem Vergnügen

a**'muse·ment ar·cade** *n* BRIT Spielhalle *f*

a**'muse·ment park** *n* Freizeitpark *m*

amus·ing [ə'mju:zɪŋ] *adj* amüsant; **that's** [not] **very ~** das ist [nicht] sehr witzig

an [æn, ᵊn] *art indef* ein(e) (*unbestimmter Artikel vor Vokalen oder stimmlosem h*); *see also* **a**

ana·bol·ic ster·oid [ˌænəbɒlɪk'-] *n* anaboles Steroid

anach·ron·ism [ə'nækrənɪzᵊm] *n* Anachronismus *m*

anach·ro·nis·tic [əˌnækrə'nɪstɪk] *adj* anachronistisch

ana·con·da [ˌænə'kɒndə] *n* Anakonda *f*

anaemia [ə'ni:miə] *n* Anämie *f*

anaemic [ə'ni:mɪk] *adj* anämisch; (*fig*) saft- und kraftlos

an·aes·the·sia [ˌænəs'θi:ziə] *n* Anästhesie *f*

an·aes·thet·ic [ˌænəs'θetɪk] **I.** *n* Betäubungsmittel *nt;* **under ~** in Narkose **II.** *adj* betäubend

anaes·the·tist [ə'ni:sθətɪst] *n* Anästhesist(in) *m(f)*

anaes·the·tize [ə'ni:sθətaɪz] *vt* betäuben

ana·gram ['ænəgræm] *n* Anagramm *nt*

anal ['eɪnᵊl] *adj* ❶ ANAT anal ❷ (*fam*) hyperordentlich

an·alge·sic [ˌænəl'dʒi:zɪk] **I.** *adj* schmerzlindernd **II.** *n* Analgetikum *nt*

anal·ly ['eɪnᵊli] *adv* ❶ ANAT anal ❷ PSYCH **~ retentive** krankhaft ordnungsbedürftig

ana·log *n, adj* AM *see* **analogue**

ana·log com·'put·er *n* COMPUT Analogcomputer *m*

analo·gous [ə'næləgəs] *adj* analog; ▪**to be ~ to sth** etw *dat* entsprechen

ana·logue ['ænəlɒg] **I.** *n* Entsprechung *f* **II.** *adj* analog; **~ computer** Analogrechner *m*

anal·ogy [ə'nælədʒi] *n* (*similarity*) Analogie *f;* **to draw an ~** eine Parallele ziehen; **by ~** in Analogie (**with** zu)

ana·lyse ['ænəlaɪz] *vt* analysieren

analy·sis <*pl* -ses> [ə'næləsɪs, *pl* -si:z] *n* ❶ (*examination*) Analyse *f;* (*conclusions*) Beurteilung *f* ❷ PSYCH [Psycho]analyse *f;*

▪**to be in ~** AM in psychiatrischer Behandlung sein ► **in the final ~** letzten Endes

ana·lyst ['ænəlɪst] *n* Analytiker(in) *m(f);* FIN Analyst(in) *m(f);* (*psychoanalyst*) Psychoanalytiker(in) *m(f)*

ana·lyti·cal [ˌænə'lɪtɪkᵊl] *adj* analytisch

ana·lyti·cal·ly [ˌænə'lɪtɪkᵊli] *adv* analytisch

ana·lyze *vt* AM *see* **analyse**

an·aph·ro·dis·i·ac [ˌænæfrə(ʊ)'dɪziæk] *adj* antiaphrodisisch

an·ar·chic(al) [æn'ɑ:kɪk(ᵊl)] *adj* anarchisch

an·ar·chism ['ænəkɪzᵊm] *n* Anarchismus *m*

an·ar·chist ['ænəkɪst] **I.** *n* Anarchist(in) *m(f)* **II.** *adj* anarchistisch

an·ar·chis·tic [ˌænə'kɪstɪk] *adj* anarchistisch

an·ar·chy ['ænəki] *n* Anarchie *f*

anath·ema [ə'næθəmə] *n* Gräuel *m*

ana·tomi·cal [ˌænə'tɒmɪkᵊl] *adj* anatomisch

ana·tomi·cal·ly [ˌænə'tɒmɪkᵊli] *adv* anatomisch

anato·my [ə'nætəmi] *n* Anatomie *f*

an·ces·tor ['ænsestəʳ] *n* Vorfahr[e](in) *m(f)*

an·ces·tral [æn'sestrᵊl] *adj* Ahnen-; *rights* angestammt; **~ home** Stammsitz *m*

an·ces·tress <*pl* -es> ['ænsestrəs] *n* Ahnin *f,* Vorfahrin *f*

an·ces·try ['ænsestri] *n* Abstammung *f*

an·chor ['æŋkəʳ] **I.** *n* ❶ NAUT Anker *m;* **to be at ~** vor Anker liegen ❷ (*fig*) **she was my ~ when things were difficult for me** sie war mein Halt, als ich in Schwierigkeiten war **II.** *vt* ❶ NAUT verankern ❷ *radio/TV program* moderieren **III.** *vi* vor Anker gehen

an·chor·age ['æŋkᵊrɪdʒ] *n* Ankerplatz *m*

'**an·chor·man** *n* Moderator *m* '**an·chor·woman** *n* Moderatorin *f*

an·cho·vy ['æntʃəvi] *n* An[s]chovis *f,* Sardelle *f*

an·cient ['eɪn(t)ʃᵊnt] *adj* alt; (*fam: very old*) uralt; **~ Rome** das antike Rom ► **to be ~ history** ein alter Hut sein

an·cil·lary [æn'sɪlᵊri] *adj* (*additional*) zusätzlich; (*of secondary importance*) zweitrangig; **~ staff** Hilfspersonal *nt*

and [ænd, ənd] *conj* und; **let's wait ~ see** warten wir mal ab; **come ~ see me tomorrow** komm mich morgen besuchen; **try ~ remember** versuche dich zu erinnern; **I tried ~ tried** ich versuchte es immer wieder; **nice ~ hot** schön heiß; **four hundred ~ twelve** vierhundert[und]zwölf; **more ~ more** immer mehr; **~ so on** und so weiter

An·des ['ændi:z] *npl* ■ **the** ~ die Anden
An·dor·ra [æn'dɔːrə] *n* Andorra *nt*
An·dor·ran [æn'dɔːrən] **I.** *n* Andorraner(in) *m(f)* **II.** *adj* andorranisch
an·drogy·nous [æn'drɒdʒɪnəs] *adj* androgyn
an·droid ['ændrɔɪd] *n* Androide *m*
an·ec·do·tal [ænɪk'dəʊtˀl] *adj* anekdotisch
an·ec·dote ['ænɪkdəʊt] *n* Anekdote *f*
anemia *n* AM *see* **anaemia**
anemic *adj* AM *see* **anaemic**
anemo·ne [ə'nemənɪ] *n* Anemone *f*
an·es·thesia *n* AM *see* **anaesthesia**
an·es·thet·ic *n* AM *see* **anaesthetic**
an·es·the·tist *n* AM *see* **anaesthetist**
an·es·the·tize *vt* AM *see* **anaesthetize**
anew [ə'njuː] *adv* aufs Neue
an·gel ['eɪndʒˀl] *n* Engel *m;* **be an** ~ **and help me with this** sei so lieb und hilf mir dabei
an·gel·ic [æn'dʒelɪk] *adj* engelhaft
an·ger ['æŋgə'] **I.** *n no pl* Ärger *m* (**at** über); (*fury*) Wut *f* (**at** auf); (*wrath*) Zorn *m* **II.** *vt* ärgern; (*more violently*) wütend machen; ■ **to be** ~**ed by sth** sich über etw *akk* ärgern; (*more violently*) über etw *akk* wütend sein
an·gi·na *n,* **an·gi·na pec·to·ris** [æn'dʒaɪnə'pektərɪs] *n* MED Angina pectoris *f*
an·gle ['æŋgl] *n* ❶ (*between two lines*) Winkel *m;* **to hang at an** ~ schief hängen; **at an** ~ **of 20°** in einem Winkel von 20° ❷ (*perspective*) Blickwinkel *m;* **from all** ~**s** von allen Seiten ❸ (*opinion*) Standpunkt *m*
an·gler ['æŋglə'] *n* Angler(in) *m(f)*
An·gli·can ['æŋglɪkən] **I.** *adj* anglikanisch; ~ **Church** anglikanische Kirche **II.** *n* Anglikaner(in) *m(f)*
An·gli·can·ism ['æŋglɪkənɪzˀm] *n* Anglikanismus *m*
An·gli·cism ['æŋglɪsɪzˀm] *n* Anglizismus *m*
an·gli·cize ['æŋglɪsaɪz] *vt* anglisieren
an·gling ['æŋglɪŋ] *n* Angeln *nt*
Anglo-A'merican **I.** *n* Angloamerikaner(in) *m(f)* **II.** *adj* angloamerikanisch
An·glo·phile ['æŋglə(ʊ)faɪl] **I.** *n* Englandliebhaber(in) *m(f)* **II.** *adj* anglophil
An·glo·phobe ['æŋglə(ʊ)fəʊb] **I.** *n* Englandhasser(in) *m(f)* **II.** *adj* anglophob
Anglo-'Saxon **I.** *n* ❶ (*person*) Angelsachse, Angelsächsin *m, f* ❷ (*language*) Angelsächsisch *nt* **II.** *adj* angelsächsisch
An·go·la [æn'gəʊlə] *n* Angola *nt*
an·go·ra [æn'gɔːrə] *n* Angorawolle *f*
an·gri·ly ['æŋgrɪlɪ] *adv* verärgert; (*furious*)

zornig; (*enraged*) wütend
an·gry ['æŋgrɪ] *adj* ❶ (*annoyed*) verärgert; (*stronger*) zornig; (*enraged*) wütend; **I'm not** ~ **at you** ich bin dir nicht böse; **to make sb** ~ jdn verärgern; (*stronger*) jdn wütend machen; ❷ (*fig*) *sky* bedrohlich; *wound* schlimm
angst [æŋ(k)st] *n* [neurotische] Angst
an·guish ['æŋgwɪʃ] *n no pl* Qual *f;* **to cause sb** ~ jdm Leid zufügen
an·gu·lar ['æŋgjʊlə'] *adj* kantig; (*bony*) knochig
ani·mal ['ænɪmˀl] *n* Tier *nt;* ~ **fat** tierisches Fett
ani·mal 'hus·band·ry *n* Viehzucht *f* **ani·mal 'king·dom** *n* Tierreich *nt* **ani·mal 'rights** *npl das Recht der Tiere auf Leben und artgerechte Haltung;* ~ **activist** Tierschützer(in) *m(f)* **ani·mal 'train·er** *n* Dompteur, Dompteuse *m, f* **ani·mal 'wel·fare** *n* ≈ Tierschutz *m*
ani·mate **I.** *adj* ['ænɪmət] belebt **II.** *vt* ['ænɪmeɪt] beleben
ani·mat·ed ['ænɪmeɪtɪd] *adj* ❶ *discussion* lebhaft ❷ FILM ~ **cartoon** [Zeichen]trickfilm *m*
ani·mat·ed·ly ['ænɪmeɪtɪdlɪ] *adv* lebhaft; **to talk** ~ sich angeregt unterhalten
ani·ma·tion [ænɪ'meɪʃˀn] *n* ❶ (*energy*) Lebhaftigkeit *f* ❷ FILM Animation *f*
ani·ma·tor ['ænɪmeɪtə'] *n* Trickfilmzeichner(in) *m(f)*
ani·mos·ity [ˌænɪ'mɒsətɪ] *n* Feindseligkeit *f* (**towards** gegenüber)
an·ise ['ænɪs] *n* Anis *m*
ani·seed [ænɪsiːd] *n* Anis[samen] *m*
an·kle ['æŋkl] *n* [Fuß]knöchel *m*
'an·kle-bit·er *n esp* AM, AUS (*hum*) Balg *m o nt meist pej Kind* **an·kle bone** *n* Sprungbein *nt* **'an·kle-deep** *adj* knöcheltief **'an·kle sock** *n* BRIT Söckchen *nt*
an·klet ['æŋklət] *n* ❶ (*chain*) Fußkettchen *nt* ❷ AM (*sock*) Söckchen *nt*
an·nals ['ænˀlz] *npl* Annalen *pl*
an·nex ['æneks] **I.** *vt* annektieren **II.** *n* <*pl* -es> AM *see* **annexe**
an·nexa·tion [ˌænek'seɪʃˀn] *n* Annektierung *f*
an·nexe ['æneks] *n* Anbau *m*
an·ni·hi·late [ə'naɪɪleɪt] *vt* vernichten
an·ni·hi·la·tion [əˌnaɪɪ'leɪʃˀn] *n* Vernichtung *f*
an·ni·ver·sa·ry [ænɪ'vɜːsˀrɪ] *n* Jahrestag *m;* ~ **party** Jubiläumsparty *f*
an·no·tate ['ænə(ʊ)teɪt] *vt* kommentieren
an·no·ta·tion [ˌænə(ʊ)'teɪʃˀn] *n* ❶ *no pl* (*act*) Kommentierung *f* ❷ (*note*) Kommentar *m*

an·no·ta·tor [ˈænə(ʊ)teɪtəʳ] n Kommentator(in) m(f)

an·nounce [əˈnaʊn(t)s] vt bekannt geben; *result* verkünden

an·nounce·ment [əˈnaʊn(t)smənt] n Bekanntmachung f; (on train, at airport) Durchsage f; (on radio) Ansage f; (in newspaper) Anzeige f; **to make an ~ about sth** etw mitteilen

an·nounc·er [əˈnaʊn(t)səʳ] n [Radio-/Fernseh]sprecher(in) m(f)

an·noy [əˈnɔɪ] vt ärgern

an·noy·ance [əˈnɔɪən(t)s] n ❶ (anger) Ärger m; (weaker) Verärgerung f ❷ (pest) Ärgernis nt

an·noyed [əˈnɔɪd] adj verärgert (**with** über +akk); **don't get so ~** lass dich dadurch nicht ärgern; **to be ~ to discover/hear/see that ...** mit Verärgerung entdecken/hören/sehen, dass ...

an·noy·ing [əˈnɔɪɪŋ] adj ärgerlich; habit lästig

an·noy·ing·ly [əˈnɔɪɪŋli] adv ❶ (irritatingly) störend; **she's so ~ sure of herself** ihr Selbstbewusstsein geht mir so was von auf die Nerven fam ❷ (to one's annoyance) **~ [enough]** ärgerlicherweise

an·nual [ˈænjuəl] I. adj jährlich; event alljährlich; **~ income** Jahreseinkommen nt; **~ rainfall** Niederschlagsmenge f pro Jahr II. n ❶ (publication) Jahrbuch nt ❷ (plant) einjährige Pflanze

an·nual ge·ne·ral 'meet·ing n BRIT, AUS Jahreshauptversammlung f

an·nu·al·ly [ˈænjuəli] adv [all]jährlich

an·nu·ity [əˈnjuːəti] n Jahresrente f

an·nul <-ll-> [əˈnʌl] vt annullieren; contract auflösen

an·nul·ment [əˈnʌlmənt] n Annullierung f; of a contract Auflösung f

An·nun·cia·tion [əˌnʌn(t)siˈeɪʃən] n REL ■**the ~** ❶ (event) die Verkündigung ❷ (church festival) Mariä Verkündigung

an·ode [ˈænəʊd] n Anode f

ano·dyne [ˈænə(ʊ)daɪn] adj einlullend; music unauffällig; approach neutral

anoint [əˈnɔɪnt] vt ❶ (with oil) einölen ❷ REL ■**to ~ sb [king]** jdn [zum König] salben; **~ed successor** auserwählter Nachfolger

a'noint·ing n Salbung f

anoma·lous [əˈnɒmələs] adj anomal

anoma·ly [əˈnɒməli] n ❶ (irregularity) Anomalie f ❷ (state) Absonderlichkeit f

ano·nym·ity [ˌænəˈnɪməti] n Anonymität f

anony·mous [əˈnɒnɪməs] adj anonym

anony·mous·ly [əˈnɒnɪməsli] adv anonym

ano·rak [ˈænəræk] n ❶ (jacket) Anorak m ❷ BRIT (fam) Einzelgänger, der sich einem speziellen Hobby obsessiv hingibt

ano·rexia [ˌænəˈreksɪə] n, **ano·rexia ner·vo·sa** [-nɜːˈvəʊzə] n no pl Magersucht f

ano·rex·ic [ˌænəˈreksɪk] I. adj magersüchtig II. n Magersüchtige(r) f(m)

an·other [əˈnʌðəʳ] I. adj ❶ (one more) noch eine(r,s); **~ piece of cake** noch ein Stück Kuchen ❷ (similar to) ein zweiter/ein zweites/eine zweite; **the Gulf War could have been ~ Vietnam** der Golfkrieg hätte ein zweites Vietnam sein können ❸ (not the same) ein anderer/ein anderes/eine andere; **that's ~ story** das ist eine andere Geschichte; **to be in ~ world** ganz woanders sein II. pron no pl ❶ (different one) ein anderer/eine andere/ein anderes; **one way or ~** irgendwie ❷ (additional one) noch eine(r, s); **one piece after ~** ein Stück nach dem anderen; **yet ~** noch eine(r, s) ❸ (each other) **one ~** einander

an·swer [ˈɑːn(t)səʳ] I. n ❶ (reply) Antwort f (**to** auf); (reaction also) Reaktion f; **there was no ~** (telephone) es ist keiner rangegangen; (doorbell) es kam keiner aufgemacht; **in ~ to your letter ...** in Beantwortung Ihres Schreibens ... ❷ MATH Ergebnis nt; **~ to a problem** Lösung f eines Problems II. vt beantworten, antworten auf; door öffnen; **to ~ the telephone** ans Telefon gehen; ■**to ~ sb** jdm antworten; **that ~ed our prayers** das war wie ein Geschenk des Himmels; LAW **to ~ charges** sich wegen einer Klage verantworten III. vi antworten; **nobody ~ed** (telephone) es ist keiner rangegangen; (doorbell) es hat keiner aufgemacht ◆**answer back** vi widersprechen; **don't ~ back!** keine Widerrede! ◆**answer for** vi Verantwortung tragen für; **to have a lot to ~ for** vieles zu verantworten haben ◆**answer to** vi ❶ (take orders) ■**to ~ to sb** jdm Rede und Antwort stehen ❷ description entsprechen ❸ (hum: respond to) **to ~ to the name of ...** auf den Namen ... hören

an·swer·able [ˈɑːn(t)sʳrəbl] adj ❶ (responsible) verantwortlich ❷ (accountable) haftbar; ■**to be ~ to sb** jdm gegenüber zur Rechenschaft verpflichtet sein

'an·swer·ing ma·chine n Anrufbeantworter m **'an·swer·ing ser·vice** n Fernsprechauftragsdienst m

an·swer·phone [ˈɑːn(t)səfəʊn] n BRIT Anrufbeantworter m

ant [ænt] n Ameise f; **to have ~s in one's pants** Hummeln im Hintern haben

an·tago·nism [æn'tægənızmª] n Feindseligkeit f (**towards** gegenüber)

an·tago·nist [æn'tægənıst] n Antagonist(in) m(f), Gegner(in) m(f), Widersacher(in) m(f)

an·tago·nis·tic [æn,tægə'nıstık] adj ■to be ~ toward[s] sb jdm gegenüber feindselig eingestellt sein

an·tago·nize [æn'tægənaız] vt ■to ~ sb sich jdn zum Feind machen

Ant·arc·tic [æn'tɑːktık] I. n ■the ~ die Antarktis II. adj antarktisch; expedition, explorer Antarktis-; ~ **Circle** südlicher Polarkreis; ~ **Ocean** südliches Eismeer

Ant·arc·ti·ca [æn'tɑːktıkə] n die Antarktis

ante ['ænti] n to up the ~ den Einsatz erhöhen

ant·eater ['ænt,iːtəʳ] n Ameisenbär m

ante·ced·ent [,æntı'siːdªnt] n (forerunner) Vorläufer(in) m(f); ■~s pl (past history) Vorgeschichte f kein pl; of a person Vorleben nt

ante·cham·ber ['æntı,tʃeımbəʳ] n Vorzimmer nt

ante·di·lu·vian [,æntıdı'luːvıən] adj vorsintflutlich

ante·lope <pl -s or -> ['æntıləʊp] n Antilope f

ante·na·tal [,æntı'neıtªl] I. adj pränatal; ~ **class** Geburtsvorbereitungskurs m; ~ **clinic** Klinik f für Schwangere II. n Schwangerschaftsvorsorgeuntersuchung f

an·ten·na [æn'tenə] n ❶ <pl -nae> of an insect Fühler m; **pair of ~e** Fühlerpaar nt ❷ <pl -s> (aerial) Antenne f

ante·ri·or [æn'tıərıəʳ] adj vordere(r, s)

ante·room ['æntıruːm] n Vorzimmer nt

an·them ['æn(t)θəm] n Hymne f

ant·hill ['ænthıl] n Ameisenhaufen m

an·thol·ogy [æn'θɒlədʒi] n Anthologie f

an·thra·cite ['æn(t)θrəsaıt] n Anthrazit m

an·thrax ['æn(t)θræks] n no pl MED Milzbrand m, Anthrax m fachspr

'an·thrax at·tack n Milzbrandattentat nt

an·thro·poid ['æn(t)θrə(ʊ)pɔıd] n Anthropoid[e] m; ~ **ape** Menschenaffe m

an·thro·po·logi·cal [,æn(t)θrəpə'lɒdʒıkªl] adj anthropologisch

an·thro·polo·gist [,æn(t)θrə'pɒlədʒıst] n Anthropologe, Anthropologin m, f

an·thro·pology [,æn(t)θrə'pɒlədʒi] n Anthropologie f

anti ['ænti] I. n Gegner(in) m(f) II. adj ■to be ~ sein III. prep gegen

anti-a'bor·tion·ist n Abtreibungsgegner(in) m(f) **anti-'air·craft** adj Flugabwehr- f; ~ **gun** Flak f **anti-A'meri·can·ism** n no pl Anti-Amerikanismus m **anti·**

bi·ot·ic [-baı'ɒtık] I. n Antibiotikum nt II. adj antibiotisch **'anti·body** n Antikörper m **anti-'cak·ing agent** n Antiklumpmittel nt **'Anti·christ** n Antichrist m

an·tici·pate [æn'tısıpeıt] vt ❶ (expect) erwarten; (foresee) vorhersehen ❷ (act in advance) vorgreifen

an·tici·pa·tion [æn,tısı'peıʃªn] n no pl ❶ (expecting) Erwartung f; (pleasure in advance) Vorfreude f; **thank you in ~** vielen Dank im Voraus ❷ (being first) Vorwegnahme f

an·tici·pa·tory [æn,tısı'peıtªri] adj vorwegnehmend

anti-'cleri·cal adj kirchenfeindlich **anti·cli-'mac·tic** adj enttäuschend **anti-'cli·max** n Enttäuschung f; LIT Antiklimax m **anti-'clock·wise** adv BRIT, AUS gegen den Uhrzeigersinn **anti·co·agu·lant** [-kəʊ'ægjʊlənt] I. n Antikoagulans nt II. adj [blut]gerinnungshemmend **anti·cor·'ro·sive** adj Korrosionsschutz-

an·tics ['æntıks] npl Kapriolen pl

anti-'cy·clone n Hochdruckgebiet nt **anti-'dazzle** adj blendfrei **anti·de-'pres·sant** n Antidepressivum nt

anti·dote ['æntıdəʊt] n Gegenmittel nt **'anti·freeze** n Frostschutzmittel nt **anti·gen** ['æntıdʒən] n Antigen nt **'anti-hero** n Antiheld m **anti'his·ta·mine** n Antihistamin n **'anti-knock** n Antiklopfmittel nt **anti-lock 'brak·ing sys·tem** n Antiblockiersystem nt **'anti·mat·ter** n Antimaterie f **'anti-mine** adj attr Anti-Minen- **anti-'mis·sile** adj Antiraketen- **anti-'oxi·dant** n Antioxidationsmittel nt

an·tipa·thy [,æn'tıpəθi] n Antipathie f

anti·per·spi·rant [,æntı'pəːspərənt] n Antitranspirant nt

An·tipo·dean [æn,tıpə(ʊ)'diːən] I. adj BRIT ❶ australisch ❷ neuseeländisch II. n ❶ Australier(in) m(f) ❷ Neuseeländer(in) m(f)

An·tipo·des [æn'tıpədiːz] npl BRIT ■the ~ Australien nt und Neuseeland nt

anti·quar·ian [,æntı'kweərıən] I. n (collector) Antiquitätensammler(in) m(f); (trader) Antiquitätenhändler(in) m(f) II. adj antiquarisch

anti·quar·ian 'book·shop n Antiquariat nt

anti·quat·ed ['æntıkweıtıd] adj antiquiert

an·tique [æn'tiːk] I. n ❶ (collectable object) Antiquität f; ~ **dealer** Antiquitätenhändler(in) m(f) ❷ (iron) Antiquität f II. adj antik

an·tiq·uity [æn'tıkwəti] n ❶ no pl (ancient

times) Altertum *nt* ❷ *no pl* (*great age*) hohes Alter ❸ (*relics*) ■**antiquities** *pl* Altertümer *pl*

anti-'rust *adj* Rostschutz- **anti-'Se·mite** *n* Antisemit(in) *m(f)* **anti-'Se·mit·ic** *adj* antisemitisch **anti-'Se·mi·tism** *n* Antisemitismus *m* **anti-'sep·tic** **I.** *n* Antiseptikum *nt* **II.** *adj* antiseptisch; (*fig*) steril **'anti-shat·ter** *adj attr glass, windows* mit Splitterschutz *nach n; coating* splitterfest **anti-'so·cial** *adj* ❶ (*harmful*) unsozial; (*alienated*) asozial ❷ (*not sociable*) ungesellig **anti-'spam** [ˌæntɪˈspæm] *adj attr* COMPUT, INET anti-Spam- **anti-'stat·ic** *adj* antistatisch **anti-'tank** *adj* Panzerabwehr- **an·tith·e·sis** <*pl* -ses> [ænˈtɪθəsɪs, *pl* -siːz] *n* Gegenteil *nt* **anti·thet·ic(al)** [ˌæntɪˈθetɪk(əl)] *adj* gegensätzlich **anti-'tox·in** *n* Gegengift *nt* **anti-'vi·rus** *adj* COMPUT ~ **programme** Virenschutzprogramm *nt* **anti-'war** *adj march, speech* Antikriegs- **anti-'wrin·kle cream** *n* Faltencreme *f*

ant·ler [ˈæntləʳ] *n* Geweihstange *f*; **pair of** ~**s** Geweih *nt*

an·to·nym [ˈæntənɪm] *n* Antonym *nt*

anus [ˈeɪnəs] *n* Anus *m*

an·vil [ˈænvɪl] *n* Amboss *m*

anxi·ety [æŋˈzaɪəti] *n* ❶ *no pl* (*feeling of concern*) Sorge *f* ❷ (*concern*) Angst *f* ❸ *no pl* (*desire*) Verlangen *nt*

anx·ious [ˈæŋ(k)ʃəs] *adj* ❶ (*concerned*) besorgt ❷ (*eager*) bestrebt; ■**to be** ~ **for sth** ungeduldig auf etw *akk* warten

anx·ious·ly [ˈæŋ(k)ʃəsli] *adv* ❶ (*with concern*) besorgt ❷ (*eagerly*) sehnsüchtig; ~ **awaited** sehnsüchtig erwartet; (*with excitement*) mit Spannung erwartet

any [eni, əni] **I.** *adj* ❶ (*in questions, conditional*) [irgend]ein(e); (*with uncountables*) etwas; **do you have** ~ **brothers and sisters?** haben Sie Geschwister?; **do you have** ~ **problems?** haben Sie [irgendwelche] Probleme?; **if I had** ~ **money ...** wenn ich [etwas] Geld hätte, ...; **if it's of** ~ **help** [**at all**] wenn das irgendwie hilft ❷ (*with negative*) **I haven't** [**got**] ~ **money** ich habe kein Geld ❸ (*every*) jede(r, s); **in** ~ **case** (*whatever happens*) auf jeden Fall; (*anyway*) außerdem; ~ **min·ute** jeden Augenblick; ~ **time** jederzeit; ~ **time now** jederzeit ❹ (*whichever you like*) jede(r, s) [beliebige]; (*with uncountables, pl n*) alle; (*not important which*) irgendein(e); (*with pl n*) irgendwelche; ~ **number** beliebig viele; ~ **old** jede(r, s) x-beliebige **II.** *pron* ❶ (*some of many*) wel-

che; (*one of many*) eine(r, s); **do you have** ~ [**at all**]? haben Sie [überhaupt] welche?; **did** ~ **of you hear anything?** hat jemand von euch etwas gehört? ❷ (*some of a quantity*) welche(r, s); **is there** ~ **left?** ist noch etwas übrig?; ~ **at all** überhaupt welche(r, s); **hardly** ~ kaum etwas ❸ (*with negative*) **I haven't seen** ~ **of his films** ich habe keinen seiner Filme gesehen; **don't you have** ~ **at all** haben Sie denn überhaupt keine? ❹ (*each*) jede(r, s); ~ **of the cars** jedes der Autos ❺ (*not important which*) irgendeine(r, s); (*replacing pl n*) irgendwelche; ~ **will do** egal welche **III.** *adv* ❶ (*emphasizing*) noch; (*a little*) etwas; (*at all*) überhaupt; **if I have to stay here** ~ **longer, ...** wenn ich noch länger hierbleiben muss, ...; **none of us is getting** ~ **younger** wir werden alle nicht jünger; **are you feeling** ~ **better?** fühlst du dich [denn] etwas besser?; **I don't feel** ~ **better** mir geht es überhaupt nicht besser; ~ **more** noch mehr ❷ (*expressing termination*) **not** ~ **longer** [*or* **more**] nicht mehr

any·body [ˈeniˌbɒdi] *pron*, **any·one** *pron* ❶ (*each person*) jede(r, s) ❷ (*someone*) jemand; ~ **else for coffee?** möchte noch jemand Kaffee? ❸ (*no one*) ■**not** ~ niemand ❹ (*unimportant person*) **he's not just** ~ er ist nicht irgendwer **any·how** [ˈenihaʊ] *adv* ❶ (*in any case*) sowieso ❷ (*in a disorderly way*) irgendwie **any·one** [ˈeniwʌn] *pron see* **anybody any·place** [ˈenipleɪs] *adv* AM irgendwo **any·thing** [ˈeniθɪŋ] *pron* ❶ (*each thing*) alles ❷ (*something*) **is there** ~ **I can do to help?** kann ich irgendwie helfen?; (*in shop*) ~ **else?** darf es noch etwas sein?; **does it look** ~ **like an eagle?** sieht das einem Adler irgendwie ähnlich?; **hardly** ~ kaum etwas ❸ (*nothing*) **you don't have to sing or** ~ du musst weder singen noch sonst was; **not** ~ nichts; **not** ~ **like ...** nicht annähernd ... ▸[*as*] ... **as** ~ ausgesprochen ...; **not for** ~ [**in the world**] um nichts in der Welt; **like** ~ wie verrückt **any·time** [ˈenitaɪm] *adv* jederzeit **any·way** [ˈeniweɪ] *adv*, AM *also* **any·ways** *adv* (*fam*) ❶ (*in any case*) sowieso; **what's he doing there** ~? was macht er dort überhaupt? ❷ (*well*) jedenfalls; ~**!** na ja! **any·where** [ˈeni(h)weəʳ] *adv* ❶ (*in any place*) überall; ~ **else** irgendwo anders; **not** ~ **else** nirgendwo anders ❷ (*some place*) irgendwo; **I'm not getting** ~ ich komme einfach nicht weiter; **are we** ~ **near finishing yet?** kommen wir jetzt irgendwie zum Ende?; **miles**

A

from ~ am Ende der Welt; **to go** ~ irgendwohin gehen; ~ **between 9 and 10** irgendwann zwischen 9 und 10 Uhr

AOB [ˌeɪrəʊˈbiː] n no pl Brit abbrev of **any other business** Diverses

aor·ta [eɪˈɔːtə] n Aorta f

apart [əˈpɑːt] adv ❶ (not together) auseinander; **to live** ~ getrennt leben ❷ after n (to one side) **joking** ~ Spaß beiseite; **a breed** ~ eine besondere Sorte ❸ (except for) ~ **from** abgesehen von

apart·heid [əˈpɑːteɪt] n no pl Apartheid f

apart·ment [əˈpɑːtmənt] n Wohnung f; (smaller) Ap[p]art[e]ment nt

a·**part·ment build·ing** n Am, a·**part·ment house** n Am Wohnhaus nt; (with smaller flats) Ap[p]art[e]menthaus nt

apa·thet·ic [ˌæpəˈθetɪk] adj apathisch

apa·thy [ˈæpəθi] n no pl Apathie f

ape [eɪp] I. n |Menschen|affe m ▶ **to go** ~ [or ~ **shit**] (sl) ausflippen II. vt nachahmen

ape·ri·tif [əˌperəˈtiːf] n Aperitif m

ap·er·ture [ˈæpətʃəʳ] n [kleine] Öffnung; phot Blende f

apex <pl -es or apices> [ˈeɪpeks, pl ˈeɪpɪsiːz] n Spitze f

aphid [ˈeɪfɪd] n Blattlaus f

apho·rism [ˈæfʳɪzᵊm] n Aphorismus m

aph·ro·disi·ac [ˌæfrə(ʊ)ˈdɪziæk] n Aphrodisiakum nt

apia·rist [ˈeɪpiərɪst] n Imker(in) m(f)

api·ary [ˈeɪpiəri] n Bienenhaus nt

api·cul·ture [ˈeɪpɪkʌltʃəʳ] n Bienenzucht f

apiece [əˈpiːs] adv das Stück; **give them five** ~ gib jedem fünf

aplenty [əˈplenti] adj in [Hülle und] Fülle

aplomb [əˈplɒm] n Aplomb m

apoca·lypse [əˈpɒkəlɪps] n Apokalypse f

apoca·lyp·tic [əˌpɒkəˈlɪptɪk] adj apokalyptisch

apo·gee [ˈæpə(ʊ)dʒiː] n no pl Apogäum nt

apolo·get·ic [əˌpɒləˈdʒetɪk] adj ❶ (showing regret) entschuldigend; ■**to be** ~ **about** sich entschuldigen für ❷ (diffident) bescheiden

apolo·geti·cal·ly [əˌpɒləˈdʒetɪkli] adv entschuldigend; **to smile** ~ zaghaft lächeln

apolo·gize [əˈpɒlədʒaɪz] vi sich entschuldigen (to bei)

apo·logy [əˈpɒlədʒi] n ❶ (statement of regret) Entschuldigung f; **please accept our apologies** wir bitten vielmals um Entschuldigung; **you owe him an** ~ du musst dich bei ihm entschuldigen; **to make an** ~ um Entschuldigung bitten; **to send one's apologies** sich entschuldigen lassen ❷ (esp hum fam) **what an** ~ **for a buffet!** was soll denn das für ein armseliges Büfett

sein!

apo·plec·tic [ˌæpəˈplektɪk] adj ❶ med apoplektisch ❷ (fig) **to be** ~ **with rage** vor Wut schäumen

apos·tle [əˈpɒsl] n Apostel m

ap·os·tol·ic [ˌæpəˈstɒlɪk] adj apostolisch

apos·tro·phe [əˈpɒstrəfi] n Apostroph m

ap·pal <-ll-> [əˈpɔːl] vt entsetzen; ■**to be** ~**led at** [or by] sth über etw akk entsetzt sein

ap·pall vt Am see **appal**

ap·pal·ling [əˈpɔːlɪŋ] adj entsetzlich

ap·pa·ra·tus [ˌæpᵊrˈeɪtəs] n ❶ no pl (equipment) [piece of] ~ Gerät nt ❷ (system) Apparat m

ap·par·el [əˈpærᵊl] n no pl Kleidung f

ap·par·ent [əˈpærᵊnt] adj ❶ (obvious) offensichtlich; **for no** ~ **reason** aus keinem ersichtlichen Grund ❷ (seeming) scheinbar

ap·par·ent·ly [əˈpærᵊntli] adv (evidently) offensichtlich; (it seems) anscheinend

ap·pa·ri·tion [ˌæpᵊrˈɪʃᵊn] n (ghost) Erscheinung f

ap·peal [əˈpiːl] I. vi ❶ (attract) ■**to** ~ **to sb/sth** jdn/etw reizen; (aim to please) jdn/etw ansprechen ❷ (protest formally) Einspruch einlegen (against gegen) ❸ (plead) bitten; **to** ~ **to sb's conscience** an jds Gewissen nt appellieren II. n ❶ (attraction) Reiz m ❷ (formal protest) Einspruch m (against gegen); **court of** ~ Berufungsgericht nt ❸ (request) Appell m; ~ **for donations** Spendenaufruf m; **to make an** ~ appellieren (to an)

ap·peal·ing [əˈpiːlɪŋ] adj ❶ (attractive) attraktiv; idea verlockend; ■**to be** ~ [to sb] [für jdn] verlockend sein ❷ (beseeching) flehend

ap·peal·ing·ly [əˈpiːlɪŋli] adv ❶ (attractively) reizvoll ❷ (beseechingly) flehend

ap·pear [əˈpɪəʳ] vi ❶ (become visible) erscheinen; (be seen also) sich dat zeigen; (arrive also) auftauchen; (come out also) herauskommen ❷ (come out) film anlaufen; newspaper erscheinen; (perform) auftreten ❸ (seem) scheinen; **to** ~ [to be] **calm** ruhig erscheinen; **so it** ~**s** sieht ganz so aus; **it** ~**s not** sieht nicht so aus

ap·pear·ance [əˈpɪərᵊn(t)s] n ❶ (instance of appearing) Erscheinen nt; (on TV, theatre) Auftritt m; **to make an** ~ auftreten ❷ no pl (looks) Aussehen nt; **neat** ~ gepflegtes Äußeres ❸ (outward aspect) ■~**s** pl äußerer [An]schein ▶ **to** [or Am **from**] **all** ~**s** allem Anschein nach; ~**s can be deceptive** (saying) der Schein trügt; **to keep up** ~**s** den Schein wahren

apologizing

admitting, confessing	zugeben, eingestehen
It's my fault.	Es ist meine Schuld.
Yes, it was my mistake.	Ja, es war mein Fehler.
I've really messed that/things up. *(fam)*	Da hab ich Mist gebaut. *(fam)*
I admit I acted too hastily.	Ich gebe es ja zu: Ich habe da zu vorschnell gehandelt.
You are right; I should have given the matter more consideration.	Sie haben Recht, ich hätte mir die Sache gründlicher überlegen sollen.

apologizing	sich entschuldigen
(Oh,) I didn't mean to do that! –	(Oh,) das hab ich nicht gewollt! –
I'm sorry!	Es tut mir leid!
Excuse me!/Sorry!/I beg your pardon!	Entschuldigung!/Verzeihung!/Pardon!
Please excuse me!/I'm sorry!	Entschuldigen Sie bitte!
I didn't mean it.	Das habe ich nicht gewollt.
That wasn't my intention. *(form)*	Das war nicht meine Absicht. *(form)*
I really must apologize for that.	Dafür muss ich mich wirklich entschuldigen.

accepting apologies	auf Entschuldigungen reagieren
That's okay! *(fam)*	Schon okay!/Nichts passiert! *(fam)*
It doesn't matter at all!	Das macht doch nichts!
That's all right!/Never mind!/Not a problem!	Keine Ursache!/Macht nichts!/Kein Problem!
Don't worry about it.	Mach dir deshalb keine Sorgen.
Don't lose any sleep over it. *(fam)*	Lass dir da mal keine grauen Haare wachsen. *(fam)*

ap·pease [əˈpiːz] *vt* besänftigen

ap·pease·ment [əˈpiːzmənt] *n* Besänftigung *f*

ap·pel·la·tion [ˌæpəˈleɪʃⁿn] *n* Bezeichnung *f*

ap·pend [əˈpend] *vt* hinzufügen

ap·pend·age [əˈpendɪdʒ] *n* Anhang *m*

ap·pen·di·ci·tis [əˌpendɪˈsaɪtɪs] *n* Blinddarmentzündung *f*

ap·pen·dix [əˈpendɪks, *pl* -dɪsiːz] *n* ❶ <*pl* -es> (*body part*) Blinddarm *m* ❷ <*pl* -dices *or* -es> (*in book*) Anhang *m*

ap·per·tain [ˌæpəˈteɪn] *vi no passive* ■ to ~ to sth (*form*) zu etw *dat* gehören

ap·pe·tite [ˈæpɪtaɪt] *n* Appetit *m;* **to give sb an** ~ jdn hungrig machen

ap·pe·tiz·er [ˈæpɪtaɪzəʳ] *n* ❶ (*before meal*) Appetithappen *m* ❷ *esp* AM (*first course*) Vorspeise *f*

ap·pe·tiz·ing [ˈæpɪtaɪzɪŋ] *adj* (*enticing*) appetitlich; (*fig: attractive*) reizvoll

ap·plaud [əˈplɔːd] I. *vi* applaudieren, Beifall klatschen II. *vt* ❶ (*clap*) ■ to ~ sb jdm applaudieren ❷ (*praise*) loben; *decision* begrüßen

ap·plause [əˈplɔːz] *n no pl* [a round of] ~ Applaus *m;* **loud** ~ tosender Beifall

ap·ple [ˈæpl̩] *n* Apfel *m*

'**ap·ple juice** *n* Apfelsaft *m* **ap·ple 'pie** *n* FOOD gedeckter Apfelkuchen ▶ **as American as** ~ durch und durch amerikanisch; **apple-pie order** schönste Ordnung **ap·ple 'sauce** *n* Apfelmus *nt* **ap·ple 'tart** *n* [ungedeckter] Apfelkuchen '**ap·ple tree** *n* Apfelbaum *m*

ap·pli·ance [əˈplaɪən(t)s] *n* ❶ (*for household*) Gerät *nt* ❷ MED Instrument *nt;* **surgical** ~s Stützapparate *pl* ❸ (*fire engine*) [Feuer]löschfahrzeug *nt*

ap·pli·cable [əˈplɪkəbl̩] *adj* anwendbar (**to** auf); (*on application form*) **not** ~ nicht zutreffend

ap·pli·cant ['æplɪkənt] *n* Bewerber(in) *m(f)* (**for** für)

ap·pli·ca·tion [ˌæplɪ'keɪʃⁿn] *n* ❶ (*for a job*) Bewerbung *f* (**for** um); (*for a permit*) Antrag *m* (**for** auf); (*for a patent*) Anmeldung *f* (**for** +*gen*) ❷ *no pl* (*process of requesting*) Anfordern *nt;* **on ~ to** auf Anfrage bei ❸ (*implementation*) Anwendung *f* ❹ (*coating*) Anstrich *m; of ointment* Auftragen *nt* ❺ (*diligence*) Eifer *m* ❻ COMPUT Anwendung *f*

ap·pli·'ca·tion form *n* (*for job*) Bewerbungsformular *nt;* (*for permit*) Antragsformular *nt;* (*for patent*) Anmeldungsformular *nt*

ap·plied [ə'plaɪd] *adj* angewandt

ap·pli·qué [æp'liːkeɪ] *n no pl* FASHION Applikation *f*

ap·ply <-ie-> [ə'plaɪ] **I.** *vi* ❶ (*formally request*) ■**to ~** [**to sb**] [**for sth**] (*for a job*) sich [bei jdm] [um etw *akk*] bewerben; (*for permission, passport*) etw [bei jdm] beantragen ❷ (*pertain*) gelten; ■**to ~ to** betreffen **II.** *vt* ❶ (*put on*) anwenden (**to** auf); *cream* auftragen; *make-up* auflegen ❷ (*use*) gebrauchen; *force* anwenden; *sanctions* verhängen; **to ~ the brakes** bremsen; **to ~ common sense** sich des gesunden Menschenverstands bedienen; **to ~ pressure to sth** auf etw *akk* drücken ❸ (*persevere*) ■**to ~ oneself** sich anstrengen

ap·point [ə'pɔɪnt] *vt* ■**to ~ sb** [**to do sth**] jdn [dazu] berufen[, etw zu tun]; ■**to ~ sb** [**as**] **sth** jdn zu etw *dat* ernennen; **to ~ sb as heir** jdn als Erben einsetzen

ap·point·ed [ə'pɔɪntɪd] *adj* ❶ (*selected*) ernannt ❷ (*designated*) vereinbart ❸ (*furnished*) eingerichtet

ap·poin·tee [əˌpɔɪn'tiː] *n* Ernannte(r) *f(m)*

ap·point·ment [ə'pɔɪntmənt] *n* ❶ *no pl* (*being selected*) Ernennung *f* (**as** zu) ❷ (*selection*) Einstellung *f* ❸ (*official meeting*) Verabredung *f;* **dental ~** Zahnarzttermin *m;* **by ~ only** nur nach Absprache ▸ **by ~ to sb** auf jds Geheiß; **Carter's Ltd, confectioners by ~ to the Queen** Carter's Ltd, königliche Hofkonditorei

ap·'point·ment book *n* Terminbuch *nt*

ap·por·tion [ə'pɔːʃⁿn] *vt* aufteilen; *blame* zuweisen

ap·po·site ['æpəzɪt] *adj* passend; *remark* treffend

ap·po·si·tion [ˌæpə'zɪʃⁿn] *n* Apposition *f*

ap·prai·sal [ə'preɪzəl] *n* ❶ (*evaluation*) Bewertung *f,* Beurteilung *f* ❷ (*estimation*) [Ab]schätzung *f*

ap·praise [ə'preɪz] *vt* ❶ (*evaluate*) bewerten; *situation* einschätzen ❷ (*estimate*) schätzen

ap·pre·ci·able [ə'priːʃəbl] *adj* beträchtlich; *difference* nennenswert

ap·pre·ci·ate [ə'priːʃieɪt] **I.** *vt* ❶ (*value*) schätzen; (*be grateful for*) zu schätzen wissen; **I'd ~ it if ...** könnten Sie ... ❷ (*understand*) Verständnis haben für; **to ~ the danger** sich *dat* der Gefahr bewusst sein; ■**to ~ that ...** verstehen, dass ... **II.** *vi* **to ~ in value** im Wert steigen

ap·pre·cia·tion [əˌpriːʃi'eɪʃⁿn] *n no pl* ❶ (*gratitude*) Anerkennung *f;* **a token of ~** ein Zeichen *nt* der Dankbarkeit ❷ (*understanding*) Verständnis *nt* (**of** für) ❸ (*increase in value*) [Wert]steigerung *f*

ap·pre·cia·tive [ə'priːʃiətɪv] *adj* ❶ (*grateful*) dankbar (**of** für) ❷ (*showing appreciation*) anerkennend; *audience* dankbar

ap·pre·hend [ˌæprɪ'hend] *vt* festnehmen

ap·pre·hen·sion [ˌæprɪ'hen(t)ʃⁿn] *n no pl* ❶ (*arrest*) Festnahme *f* ❷ (*anxiety*) Besorgnis *f;* **in a state of ~** voller Befürchtungen

ap·pre·hen·sive [ˌæprɪ'hen(t)sɪv] *adj* besorgt; (*scared*) ängstlich; ■**to be ~ about sth** vor etw *dat* Angst haben

ap·pren·tice [ə'prentɪs] **I.** *n* Auszubildende(r) *f(m);* **~ carpenter** Tischlerlehrling *m* **II.** *vt* ■**to be ~d to sb** bei jdm in die Lehre gehen

ap·pren·tice·ship [ə'prentɪʃɪp] *n* ❶ (*training*) Ausbildung *f;* **to do an ~** eine Lehre machen ❷ (*period of training*) Lehrzeit *f*

ap·proach [ə'prəʊtʃ] **I.** *vt* ❶ (*come closer*) ■**to ~ sb/sth** sich jdm/etw nähern; (*come towards*) auf jdn/etw zukommen; **he is ~ing 80** er wird bald 80; **it's ~ing lunchtime** es geht auf Mittag zu ❷ (*ask*) ■**to ~ sb** jdn ansprechen (**about** wegen); ■**to ~ sb for sth** jdn um etw *akk* bitten ❸ (*handle*) angehen **II.** *vi* sich nähern **III.** *n* ❶ (*coming*) Nähern *nt;* **at the ~ of winter ...** wenn der Winter naht, ... ❷ (*preparation to land*) [Lande]anflug *m* ❸ (*access*) Zugang *m;* **~ road** Zufahrtsstraße *f* ❹ (*appeal*) Herantreten *nt;* **to make an ~ to sb** an jdn herantreten ❺ (*proposal*) Vorstoß *m;* **to make an ~ to sb** sich an jdn wenden ❻ (*sexual advance*) Annäherungsversuch *m* ❼ (*methodology*) Ansatz *m*

ap·proach·abil·ity [əˌprəʊtʃə'bɪləti] *n* Zugänglichkeit *f kein pl*

ap·proach·able [ə'prəʊtʃəbl] *adj person* umgänglich; *place* zugänglich

ap·proach·ing [ə'prəʊtʃɪŋ] *adj attr* herannahend *a. fig*

ap·pro·ba·tion [ˌæprə(ʊ)'beɪʃⁿn] *n* Zustimmung *f*

ap·pro·pri·ate I. *adj* [ə'prəʊpriət] ❶ (*suitable*) angemessen, angebracht; *words* richtig ❷ (*relevant*) entsprechend **II.** *vt* [ə'prəʊprieɪt] sich *dat* aneignen

ap·pro·pri·ate·ly [ə'prəʊpriətli] *adv* passend; **to answer/speak** ~ angemessen antworten/sprechen

ap·pro·pri·ate·ness [ə'prəʊpriətnəs] *n no pl* Angemessenheit *f*

ap·pro·pria·tion [əˌprəʊpri'eɪʃⁿn] *n* Aneignung *f*

ap·prov·al [ə'pru:vⁿl] *n* ❶ (*praise*) Anerkennung *f* ❷ (*consent*) Zustimmung *f*; **a nod of** ~ ein zustimmendes Nicken ▶ **on** ~ ECON zur Ansicht; (*to try*) zur Probe

ap·prove [ə'pru:v] **I.** *vi* ❶ (*agree with*) ▪to ~ **of sth** etw *dat* zustimmen ❷ (*like*) ▪to ~/**not** ~ **of sb** etwas/nichts von jdm halten; ▪to ~ **of sth** etw gutheißen **II.** *vt* (*permit*) genehmigen; (*consent*) billigen; *minutes* annehmen; *expenses* übernehmen

ap·proved [ə'pru:vd] *adj* ❶ (*agreed*) bewährt ❷ (*sanctioned*) [offiziell] anerkannt

ap·prov·ing [ə'pru:vɪŋ] *adj* zustimmend

ap·prov·ing·ly [ə'pru:vɪŋli] *adv* anerkennend, zustimmend

approx *adv abbrev of* **approximately** ca.

ap·proxi·mate I. *adj* [ə'prɒksɪmət] ungefähr; ~ **number** [An]näherungswert *m* **II.** *vt* [ə'prɒksɪmeɪt] sich nähern **III.** *vi* [ə'prɒksɪmeɪt] ▪to ~ **to sth** etw *dat* annähernd gleichkommen

ap·proxi·mate·ly [ə'prɒksɪmətli] *adv* ungefähr, ca.

ap·proxi·ma·tion [əˌprɒksɪ'meɪʃⁿn] *n* Annäherung *f*; **could you give me a rough** ~ **of ...** können Sie mir ungefähr sagen, ...; **that's only an** ~ das ist nur eine grobe Schätzung

APR [ˌeɪpiː'ɑ:ʳ] *n* FIN *abbrev of* **annual percentage rate** Jahreszinssatz *m*

après-ski [ˌæprei'ski:] **I.** *n no pl* Après-Ski *nt* **II.** *adj bar, entertainment* Après-Ski-

apri·cot ['eɪprɪkɒt] **I.** *n* (*fruit*) Aprikose *f*, Marille *f* ÖSTERR **II.** *adj* apricotfarben

April ['eɪprⁿl] *n* April *m; see also* **February**

April 'Fools' Day *n* der erste April

apron ['eɪprən] *n* ❶ (*clothing*) Schürze *f* ❷ AVIAT ~ [**area**] Vorfeld *nt* ❸ THEAT Vorbühne *f*

ap·ro·pos [ˌæprə'pəʊ] **I.** *adj* passend **II.** *adv, prep* apropos

apse [æps] *n* Apsis *f*

apt [æpt] *adj* ❶ (*appropriate*) passend; *description, remark* treffend; *moment* geeig-

net ❷ (*talented*) begabt ❸ (*likely*) ▪**to be** ~ **to do sth** dazu neigen, etw zu tun

APT [ˌeɪpiː'ti:] *n abbrev of* **advanced passenger train** Hochgeschwindigkeitszug *m*

ap·ti·tude ['æptɪtju:d] *n* Begabung *f*

'ap·ti·tude test *n* Eignungstest *m*

aqua·cul·ture [ˌækwə'kʌltʃəʳ] *n* Aquakultur *f* **aqua jog·ging** ['ækwədʒɒgɪŋ] *n no pl* Aquajogging *nt* **aqua·lung** [ˌækwə'lʌŋ] *n* Tauchgerät *nt* **aqua·marine** [ˌækwəmə'ri:n] *n no pl* ❶ (*stone*) Aquamarin *m* ❷ (*colour*) Aquamarinblau *nt* **aqua·plan·ing** *n* ❶ SPORTS Surfen *nt* ❷ AUTO Aquaplaning *nt*

Aquar·ian [ə'kweəriən] *n* Wassermann *m*

aquar·ium <*pl* -s *or* -ria> [ə'kweəriəm] *n* Aquarium *nt*

Aquar·ius [ə'kweəriəs] *n* Wassermann *m*

aqua·ro·bics [ˌækwə'rəʊbɪks] *npl* Aquarobic *nt*

aquat·ic [ə'kwætɪk] *adj* Wasser-

aque·duct ['ækwɪdʌkt] *n* Aquädukt *m o nt*

aqui·fer ['ækwɪfəʳ] *n* GEOG Aquifer *m*, Grundwasserleiter *m*

aqui·line ['ækwɪlaɪn] *adj* adlerähnlich

Arab ['ærəb] **I.** *n* Araber(in) *m(f)* **II.** *adj* arabisch

ara·besque [ˌærə'besk] *n* Arabeske *f*

Ara·bia [ə'reɪbiə] *n no pl* Arabien *nt*

Ara·bian [ə'reɪbiə] *adj* arabisch

Ara·bic ['ærəbɪk] **I.** *n* Arabisch *nt* **II.** *adj* arabisch

ar·able ['ærəbl] *adj* anbaufähig; ~ **land** Ackerland *nt*; ~ **area** landwirtschaftliche Nutzfläche

arach·nid [ə'ræknɪd] *n* Spinnentier *nt*

ar·bi·ter ['ɑ:bɪtəʳ] *n* Vermittler(in) *m(f)*

ar·bi·trage [ˌɑ:bɪ'trɑ:ʒ] *n* FIN Arbitrage *f*

ar·bi·trari·ly [ˌɑ:bɪ'treəʳəli] *adv* ❶ (*randomly*) arbiträr *geh* ❷ (*pej: despotically*) willkürlich

ar·bi·trari·ness ['ɑ:bɪtrəʳrɪnəs] *n* Willkür *f*

ar·bi·trary ['ɑ:bɪtrⁿri] *adj* willkürlich

ar·bi·trate ['ɑ:bɪtreɪt] **I.** *vt* schlichten **II.** *vi* vermitteln

ar·bi·tra·tion [ˌɑ:bɪ'treɪʃⁿn] *n no pl* Schlichtung *f*; **to go to** ~ einen Schlichter anrufen

ar·bi·tra·tor ['ɑ:bɪtreɪtəʳ] *n* Schlichter(in) *m(f)*

ar·bor *n* AM, AUS *see* **arbour**

ar·bori·cul·ture ['ɑ:bⁿrɪˌkʌltʃəʳ] *n* Baumzucht *f*

ar·bour ['ɑ:bəʳ] *n* Laube *f*

arc [ɑ:k] **I.** *n* Bogen *m* **II.** *vi* einen Bogen beschreiben

ar·cade [ɑ:'keɪd] *n* Arkade *f*; [**shopping**] ~ [Einkaufs]Passage *f*

arch¹ [ɑːtʃ] I. n Bogen m; ~ **of the foot** Fußgewölbe nt II. vi sich wölben III. vt back krümmen; eyebrows heben

arch² [ɑːtʃ] adj verschmitzt

ar·chaeo·logi·cal [ˌɑːkɪəˈlɒdʒɪkəl] adj archäologisch; ~ **dig** [Aus]grabungsort m

ar·chae·olo·gist [ˌɑːkiˈɒlədʒɪst] n Archäologe, Archäologin m, f

ar·chae·ol·ogy [ˌɑːkiˈɒlədʒi] n Archäologie f

ar·cha·ic [ɑːˈkeɪɪk] adj veraltet

arch·angel [ˈɑːkeɪndʒəl] n Erzengel m

arch-'bishop n Erzbischof m **arch-'deacon** n Erzdiakon m **arch-'dio·cese** n Erzdiözese f

arched [ɑːtʃt] adj gewölbt; ~ **window** Bogenfenster nt

arch-'en·emy n Erzfeind(in) m(f)

ar·cheo·logi·cal adj Am see **archaeological**

ar·che·olo·gist n Am see **archaeologist**

ar·che·ol·ogy n Am see **archaeology**

arch·er [ˈɑːtʃə^r] n Bogenschütze, -schützin m, f

ar·chery [ˈɑːtʃəri] n Bogenschießen nt

ar·che·typ·al [ˌɑːkɪˈtaɪpəl] adj urbildlich, archetypisch; **an ~ English gentleman** ein vorbildlicher englischer Gentleman

ar·che·type [ˈɑːkɪtaɪp] n Archetyp m

archi·pela·go <pl -s or -es> [ˌɑːkɪˈpeləgəʊ] n Archipel m

archi·tect [ˈɑːkɪtekt] n Architekt(in) m(f)

archi·tec·tur·al [ˌɑːkɪˈtektʃərəl] adj architektonisch; ~ **plan** Bauplan m

archi·tec·ture [ˈɑːkɪtektʃə^r] n Architektur f

ar·chive [ˈɑːkaɪv] n Archiv nt

ar·chi·vist [ˈɑːkɪvɪst] n Archivar(in) m(f)

'arch·way n Torbogen m

'arc lamp, 'arc light n Bogenlampe f

Arc·tic [ˈɑːktɪk] n ■ **the ~** die Arktis

Arc·tic 'Circle n nördlicher Polarkreis

Arc·tic 'Ocean n nördliches Eismeer

arc 'weld·ing n no pl Lichtbogenschweißung f

ar·dent [ˈɑːdənt] adj leidenschaftlich; admirer glühend

ar·dent·ly [ˈɑːdəntli] adv leidenschaftlich, inbrünstig geh

ar·dour [ˈɑːdə^r] n, Am, Aus **ar·dor** n Leidenschaft f

ar·du·ous [ˈɑːdjuːəs] adj anstrengend

are [ɑː^r] vi, vt see **be**

area [ˈeəriə] n ❶ (region) Gebiet nt; ~ **of the brain** Hirnregion f; **danger ~** Gefahrenzone f ❷ (surface measure) Fläche f; ~ **of a circle** Kreisfläche f ❸ Fʙᴀʟʟ Strafraum m ❹ (approximately) ■ **in the ~ of ...** ungefähr ...

area 'code n Am, Aus Vorwahl f

arena [əˈriːnə] n Arena f

Ar·gen·ti·na [ˌɑːdʒ^ənˈtiːnə] n Argentinien nt

Ar·gen·tine [ˈɑːdʒ^əntaɪn], **Ar·gen·tin·ian** [ˌɑːdʒ^ənˈtɪniən] I. adj argentinisch II. n Argentinier(in) m(f)

ar·gu·able [ˈɑːgjuəbl] adj fragwürdig

ar·gu·ably [ˈɑːgjuəbli] adv wohl; **he is ~ one of the best** er dürfte zu den Besten gehören

ar·gue [ˈɑːgjuː] I. vi ❶ (disagree) [sich] streiten ❷ (reason) argumentieren; ■ **to ~ against/for sth** sich gegen/für etw akk aussprechen II. vt erörtern; ■ **to ~ that ...** dafür sprechen, dass ...

ar·gu·ment [ˈɑːgjəmənt] n ❶ (heated discussion) Auseinandersetzung f; **to get into an ~ [with sb]** [mit jdm] streiten ❷ (case) Argument nt

ar·gu·men·ta·tion [ˌɑːgjəmenˈteɪʃ^ən] n no pl Argumentation f

ar·gu·men·ta·tive [ˌɑːgjəˈmentətɪv] adj streitsüchtig

argy-bargy [ˌɑːdʒiˈbɑːdʒi] n no pl Bʀɪᴛ (fam) Geplänkel nt fam

aria [ˈɑːriə] n Arie f

arid [ˈærɪd] adj dürr; ~ **climate** Trockenklima nt

Aries [ˈeəriːz] n ᴀsᴛʀᴏʟ Widder m

arise <arose, arisen> [əˈraɪz] vi ❶ (come about) sich ergeben; **should the need ~, ...** sollte es notwendig werden, ... ❷ (liter: rise) sich erheben

arisen [əˈrɪz^ən] pp of **arise**

ar·is·to·cra·cy [ˌærɪˈstɒkrəsi] n + sing/pl vb Aristokratie f

aris·to·crat [ˈærɪstəkræt] n Aristokrat(in) m(f)

aris·to·crat·ic [ˌærɪstəˈkrætɪk] adj aristokratisch

arith·me·tic I. n [əˈrɪθmətɪk] Arithmetik f II. adj [ˌærɪθˈmetɪk] arithmetisch

arith·meti·cal [ˌærɪθˈmetɪkəl] adj Rechen-

arith·meti·cal·ly [ˌærɪθˈmetɪkəli] adv arithmetisch; **to solve a problem ~** ein Problem rechnerisch lösen

ark [ɑːk] n (boat) Arche f; **Noah's ~** die Arche Noah

arm¹ [ɑːm] n ❶ ᴀɴᴀᴛ, ɢᴇᴏɢ Arm m; **on one's ~** am Arm ❷ (sleeve) Ärmel m ❸ (armrest) Armlehne f ❹ (division) Abteilung f ▶ **to cost an ~ and a leg** Unsummen kosten; **to keep sb at ~'s length** jdn auf Distanz halten

arm² [ɑːm] I. vt ❶ (supply with weapons) bewaffnen; ■ **to ~ oneself** (fig) sich wappnen ❷ (prime) bomb scharfmachen II. n

■ **~s** *pl* ❶ (*weapons*) Waffen *pl;* **to take up ~s** den Kampf aufnehmen; **under ~s** kampfbereit ❷ (*heraldic insignia*) Wappen *nt;* **the King's A~s** Zum König (*auf Wirtshaustafeln*) ▸ **to be up in ~s about sth** über etw *akk* in Streit geraten

ar·ma·dil·lo [ˌɑːməˈdɪləʊ] *n* Gürteltier *nt*

ar·ma·ment [ˈɑːməmənt] *n* ❶ *usu pl* (*weapons*) Waffen *pl* ❷ *no pl* (*process of arming*) Bewaffnung *f,* Aufrüstung *f*

'ar·ma·ments pro·gramme *n* Rüstungsprogramm *nt*

'arm·band *n* ❶ (*on sleeve*) Armbinde *f* ❷ (*swimming aid*) Schwimmflügel *m*

'arm can·dy *n* (*fam*) vorzeigbare(*r*) Begleiter(in) *bei gesellschaftlichen Anlässen*

'arm·chair *n* Sessel *m;* **~ politician** Stammtischpolitiker(in) *m(f)*

armed [ɑːmd] *adj* bewaffnet

armed 'forces *npl* Streitkräfte *pl*

Ar·me·nia [ɑːˈmiːniə] *n* Armenien *nt*

Ar·me·nian [ɑːˈmiːniən] **I.** *adj* armenisch; **she is ~** sie ist Armenierin **II.** *n* ❶ (*person*) Armenier(in) *m(f)* ❷ (*language*) Armenisch *nt*

arm·ful *n* Arm *m* voll

arm·hole *n* Armloch *nt*

arm·ing *n* Bewaffnung *f*

ar·mi·stice [ˈɑːmɪstɪs] *n* Waffenstillstand *m*

ar·mor *n no pl* AM *see* **armour**

ar·mored *adj* AM, AUS *see* **armoured**

ar·mour [ˈɑːməʳ] *n no pl* ❶ HIST Rüstung *f;* **suit of ~** Panzerkleid *nt* ❷ MIL (*tanks*) Panzerfahrzeuge *pl;* **~ plate** Panzerplatte *f*

ar·moured [ˈɑːməd] *adj* gepanzert; **~ car** Panzer|späh|wagen *m*

ar·mour-'plat·ed *adj* gepanzert

'arm·pit *n* Achselhöhle *f* **'arm·rest** *n* Armlehne *f*

'arms con·trol, **arms 'limi·ta·tion** *n* Abrüstung *f*

'arms race *n* Wettrüsten *nt* **'arms re·duc·tion** *n* Rüstungsabbau *m*

army [ˈɑːmi] *n* ❶ MIL Armee *f;* **the ~** das Heer; **in the ~** beim Militär; **to join the ~** zum Militär gehen ❷ (*fig*) Heer *nt*

aro·ma [əˈrəʊmə] *n* Duft *m*

aroma·'thera·py [əˌrəʊməˈθerəpi] *n* Aromatherapie *f*

aro·mat·ic [ˌɑrə(ʊ)ˈmætɪk] *adj* aromatisch

arose [əˈrəʊz] *pt of* **arise**

around [əˈraʊnd] **I.** *adv* ❶ (*round*) herum; **to get ~ to doing sth** endlich dazu kommen, etw zu tun; **to show sb ~** jdn herumführen ❷ (*round about*) rundum; **from miles ~** von weither; **to [have a] look ~** sich umsehen ❸ (*in circumference*) im Durchmesser ❹ (*in different directions*)

umher; **to get ~** herumkommen; **to walk ~** umhergehen; **to wave one's arms ~** mit den Armen [herum]fuchteln ❺ (*nearby*) in der Nähe; **will you be ~ next week?** bist du nächste Woche da?; **there's a lot of flu ~ at the moment** die Grippe grasiert im Augenblick; **mobile phones have been ~ for quite a while** Handys sind bereits seit längerem auf dem Markt ▸ **see you ~** bis demnächst mal **II.** *prep* um; **all ~ the house** um das ganze Haus herum; **~ the table** um den Tisch herum; **from all ~ the world** aus aller Welt; **to stand ~** herumstehen; (*before number*) ungefähr; **~ 12:15** gegen 12.15 Uhr

arous·al [əˈraʊzəl] *n no pl* sexuelle Erregung; **in a state of ~** sexuell erregt

arouse [əˈraʊz] *vt* ❶ (*stir*) erwecken; *suspicion* erregen ❷ (*sexually excite*) erregen

arr. **I.** *n abbrev of* **arrival** Ank. **II.** *adj* MUS *abbrev of* **arranged** arr.

ar·range [əˈreɪndʒ] **I.** *vt* ❶ (*organize*) arrangieren; *date* vereinbaren; *marriage* in die Wege leiten, arrangieren; *matters* regeln ❷ (*put in order*) ordnen; *flowers* arrangieren; **to ~ according to height** der Größe nach aufstellen ❸ MUS arrangieren **II.** *vi* festlegen; ■ **to ~ to do sth** etw vereinbaren; ■ **to ~ for sb to do/have sth** etw für jdn organisieren

ar·range·ment [əˈreɪndʒmənt] *n* ❶ (*preparations*) ■ **~s** *pl* Vorbereitungen *pl* ❷ (*agreement*) Abmachung *f;* **to come to an ~** zu einer Übereinkunft kommen; **by [prior] ~** nach vorheriger Absprache ❸ (*ordering, also music*) Arrangement *nt;* **an ~ of dried flowers** ein Gesteck *nt* von Trockenblumen

ar·rang·er [əˈreɪndʒəʳ] *n* ❶ MUS Arrangeur(in) *m(f)* ❷ (*of flowers*) **flower ~** Florist(in) *m(f)*

ar·ray [əˈreɪ] **I.** *n* ❶ stattliche Reihe **II.** *vt* ❶ (*display*) aufreihen ❷ (*deploy*) aufstellen

ar·rears [əˈrɪəz] *npl* Rückstände *pl;* **in ~** in Verzug; **to be paid in ~** nachträglich beglichen werden

ar·rest [əˈrest] **I.** *vt* ❶ (*apprehend*) verhaften ❷ (*stop*) zum Stillstand bringen **II.** *n* Verhaftung *f;* **to place under ~** in Haft nehmen

ar·rest·ing [əˈrestɪŋ] *adj* ❶ (*striking*) faszinierend; *account* fesselnd; *performance* eindrucksvoll ❷ LAW **~ officer** festnehmender Polizeibeamter/festnehmende Polizeibeamtin

ar·ri·val [əˈraɪvəl] *n* ❶ (*at a destination*) Ankunft *f;* *of a baby* Geburt *f* ❷ (*person*)

Ankommende(r) *f(m);* **new ~** Baby *nt*
ar·rive [əˈraɪv] *vi* ❶ *bus etc.* ankommen;
baby, mail, season kommen; **to ~ at a**
compromise einen Kompromiss erzielen;
to ~ at a conclusion zu einem Schluss gelangen; **to ~ at a town** in einer Stadt eintreffen ❷(*establish one's reputation*) es
schaffen
ar·ri·viste [ˌæriːviːst] *n* Emporkömmling *m*
ar·ro·gance [ˈærəɡən(t)s] *n* Arroganz *f*
ar·ro·gant [ˈærəɡənt] *adj* arrogant
ar·ro·gant·ly [ˈærəɡəntli] *adv* arrogant
ar·row [ˈærəʊ] *n* Pfeil *m*
ˈ**arrow·head** *n* Pfeilspitze *f*
arse [ɑːs] Brit, Aus **I.** *n* (*vulg*) Arsch *m*
► move your ~! (*get moving*) beweg
dich!; (*make room*) rutsch rüber!; **to work**
one's ~ off sich den Arsch aufreißen **II.** *vi*
(*vulg*) ■ **to ~ about** herumblödeln
arse·hole *n* Brit, Aus (*vulg*) Arschloch *nt*
vulg
ar·senal [ˈɑːsᵊnᵊl] *n* [Waffen]arsenal *nt*
ar·senic [ˈɑːsᵊnɪk] *n* Arsen *nt*
ar·son [ˈɑːsᵊn] *n* Brandstiftung *f*
ar·son·ist [ˈɑːsᵊnɪst] *n* Brandstifter(in)
m(f)
art [ɑːt] *n* Kunst *f;* **~s and crafts** Kunsthandwerk *nt;* ■ **the ~s** *pl* die Kunst; univ
Geisteswissenschaften *pl*
ar·te·fact [ˈɑːtɪfækt] *n* Artefakt *nt*
ar·te·rial [ɑːˈtɪəriəl] *adj* ❶ anat arteriell
❷ transp Haupt-
ar·te·rio·sclero·sis [ɑːˌtɪəriəʊskleˈrəʊ-
sɪs] *n* Arterienverkalkung *f*
ar·tery [ˈɑːtᵊri] *n* ❶ anat Arterie *f* ❷ transp
Hauptverkehrsader *f*
art·ful [ˈɑːtfᵊl] *adj* geschickt; **~ dodger**
durchtriebenes Bürschchen
art·ful·ly [ˈɑːtfᵊli] *adv* geschickt
ˈ**art gal·lery** *n* Kunsthalle *f*
ar·thrit·ic [ɑːˈθrɪtɪk] *adj* arthritisch
ar·thri·tis [ɑːˈθraɪtɪs] *n* Gelenkentzün-
dung *f*
ar·ti·choke [ˈɑːtɪtʃəʊk] *n* Artischocke *f*
ar·ti·cle [ˈɑːtɪkl] *n* ❶ (*writing*) Artikel *m*
❷ (*object*) Gegenstand *m,* Artikel *m;* **~ of**
clothing/furniture Kleidungs-/Möbel-
stück *nt;* **~ of value** Wertgegenstand *m*
❸ law Paragraph *m*
ar·ticu·late I. *adj* [ɑːˈtɪkjələt] ❶ *person* redegewandt ❷ *speech* verständlich **II.** *vt*
[ɑːˈtɪkjəleɪt] ❶ (*express*) aussprechen;
idea äußern ❷ (*pronounce*) artikulieren;
sound bilden
ar·ˈticu·lat·ed lor·ry *n* Sattelschlepper *m*
ar·ticu·la·tion [ɑːˌtɪkjəˈleɪʃᵊn] *n* ❶ (*expres-*
sion) deutliche Formulierung ❷ (*pronunci-*
ation) Artikulation *f*

ar·ti·fact [ˈɑːrtˌəfækt] *n* Am Artefakt *nt*
ar·ti·fice [ˈɑːtɪfɪs] *n* List *f*
ar·ti·fi·cial [ˌɑːtɪˈfɪʃᵊl] *adj* ❶ (*not natural*)
künstlich; **~ colour[ing]** Farbstoff *m;* **~ fla-**
vouring Geschmacksverstärker *m;* **~ leg**
Beinprothese *f;* **~ sweetener** Süßstoff *m;*
~ turf Kunstrasen *m* ❷ (*pej: not genuine*)
unecht; *smile* aufgesetzt
ar·ti·fi·cial in·semi·ˈna·tion *n* künstliche
Befruchtung **ar·ti·fi·cial in·ˈtel·li·**
gence *n* künstliche Intelligenz
ar·ti·fi·cial·ly [ˌɑːtɪˈfɪʃᵊli] *adv* künstlich
ar·til·lery [ɑːˈtɪlᵊri] *n* Artillerie *f*
ar·ˈtil·lery·man *n* Artillerist *m*
ar·ti·san [ˈɑːtɪzæn] *n* Handwerker(in) *m(f)*
art·ist [ˈɑːtɪst] *n* Künstler(in) *m(f)*
ar·tiste [ɑːˈtiːst] *n* theat, tv Artist(in) *m(f)*
ar·tis·tic [ɑːˈtɪstɪk] *adj* künstlerisch;
arrangement kunstvoll
ar·tis·ti·cal·ly [ɑːˈtɪstɪkli] *adv* künstlerisch
art·ist·ry [ˈɑːtɪstri] *n* Kunstfertigkeit *f*
art·less [ˈɑːtləs] *adj* ungekünstelt
artsy *adj* Am *see* **arty**
ˈ**art·work** *n* no pl Illustrationen *pl*
arty [ˈɑːti] *adj* gewollt bohemienhaft
Aryan [ˈeəriən] **I.** *n* Arier(in) *m(f)* **II.** *adj*
arisch
as [æz, əz] **I.** *conj* ❶ (*while*) während ❷ (*in*
the way that, like) wie; **do ~ I say!** mach,
was ich sage!; **~ it is** (*already*) sowieso
schon; **~ it were** sozusagen; **~ it happens**
rein zufällig; **~ if** [*or* though] als ob; **~ if!**
wohl kaum!; **~ you do** du weißt schon
❸ (*because*) weil ❹ (*though*) **sweet ~ he**
is, ... so süß er auch ist, ...; ► **~ for ...** was
... betrifft; **~ from** [*or* of] ab; **~ to ...** was ...
angeht; **~ and when** sobald **II.** *prep* als;
speaking ~ a mother, ... als Mutter ...;
the news came ~ no surprise die Nachricht war keine Überraschung; **such big**
names ~ ... so große Namen wie ...;
I always thought of her ~ a good
mother ich habe sie immer für eine gute
Mutter gehalten; **~ a child** als Kind;
dressed ~ a banana als Banane verkleidet; **~ a matter of principle** aus Prinzip
III. *adv* ❶ (*in comparisons*) wie; ■ [just] **~**
... ~ ... [genau]so ... wie ...; **if you play ~**
well ~ that, ... wenn du so gut spielst, ...
❷ (*indicating an extreme*) **~ tall ~ 8 ft** bis
zu 8 Fuß hoch; **~ many/much ~** immerhin; (*even*) sogar; **~ little ~** nur
asap [ˌeɪˈeseɪˈpi, ˈeɪsæp] *adv abbrev of* **as**
soon as possible baldmöglichst
as·bes·tos [æsˈbestəs] *n* Asbest *m*
as·bes·to·sis [ˌæsbesˈtəʊsɪs] *n* Asbestose *f*
ASBO, asbo [ˈæzbəʊ] *n acr for* **antisocial**
behaviour order gerichtliche Verfügung

wegen Erregung öffentlichen Ärgernisses
as·cend [ə'send] **I.** *vt* hinaufsteigen; (*fig*)
throne besteigen **II.** *vi* ❶ (*move upwards*)
aufsteigen; *lift* hinauffahren; **Christ ~ed
into heaven** Christus ist in den Himmel
aufgefahren; **in ~ing order of importance** nach zunehmender Wichtigkeit
❷ (*lead up*) *path* hinaufführen
as·cend·ancy *n,* **as·cend·ency**
[ə'sendən(t)si] *n* Vormachtstellung *f*
as·cend·ant, as·cend·ent [ə'sendənt] *n*
❶ (*form*) **to be in the ~** (*be gaining
influence*) im Kommen sein; (*have
supremacy*) beherrschenden Einfluss haben ❷ ASTROL Aszendent *m*
as·cen·sion [ə'sen(t)ʃᵊn] *n* ❶ (*going up*)
Aufstieg *m* ❷ REL ■ **the A~** Christi Himmelfahrt
As·'cen·sion Day *n* Himmelfahrtstag *m*
as·cent [ə'sent] *n* ❶ (*upward movement*)
Aufstieg *m; of a mountain* Besteigung *f*
❷ (*slope*) Anstieg *m*
as·cer·tain [ˌæsə'teɪn] *vt* feststellen
as·cet·ic [ə'setɪk] **I.** *n* Asket(in) *m(f)* **II.** *adj*
asketisch
as·ceti·cal·ly [ə'setɪkᵊli] *adv* asketisch
as·ceti·cism [ə'setɪsɪzᵊm] *n* Askese *f*
ASCII ['æski:] *n acr for* **American Standard Code for Information Interchange**
ASCII *m*
as·cribe [ə'skraɪb] *vt* zurückführen (**to**
auf); **to ~ a play to sb** jdm ein Bühnenstück zuschreiben
as·crip·tion [ə'skrɪpʃᵊn] *n* Zuschreibung *f*
asexu·al [ˌeɪ'sekʃʊəl] *adj* asexuell; *reproduction* ungeschlechtlich
ash¹ [æʃ] *n* Asche *f;* ■ **~es** *pl* Asche *f kein
pl;* **to reduce to ~es** völlig niederbrennen;
~es to ~es Erde zu Erde
ash² [æʃ] *n* (*tree*) Esche *f;* (*wood*) Eschen-
holz *nt*
ashamed [ə'ʃeɪmd] *adj* ■ **to be ~** [of sb/
sth] sich [für jdn/etw] schämen; **that's
nothing to be ~ of!** deswegen brauchst du
dich [doch] nicht zu schämen!; ■ **to be ~
of oneself** sich schämen
ashore [ə'ʃɔːʳ] *adv* an Land; **to swim ~** ans
Ufer schwimmen
'ash·tray *n* Aschenbecher *m*
Ash 'Wednes·day *n* Aschermittwoch *m*
Asia ['eɪʃə] *n* Asien *nt*
Asia 'Mi·nor *n* Kleinasien *nt*
Asian ['eɪʃᵊn] **I.** *n* Asiate, Asiatin *m, f* BRIT
Abkömmling des indischen Subkontinents
II. *adj* asiatisch
Asi·at·ic [ˌeɪʃi'ætɪk] (*esp pej*) **I.** *n* Asiate,
Asiatin *m, f* **II.** *adj* asiatisch
aside [ə'saɪd] **I.** *adv* zur Seite; [all] **joking ~**

Spaß beiseite; **to leave sth ~** etw [weg]las-
sen; **to put ~** **some money** etwas Geld
beiseitelegen; **to take sb ~** jdn beiseitenehmen **II.** *n* ❶ (*incidental*) Nebenbemer-
kung *f* ❷ THEAT Aparte *f*
aside from *prep* abgesehen von
ask [ɑːsk] **I.** *vt* ❶ (*request information*) fragen; **to ~ a question** [about sth] [zu etw
dat] eine Frage stellen; **may I ~ you a
question?** darf ich Sie etwas fragen?
❷ (*request*) *favour* bitten [um]; **she ~ed
me for help** sie bat mich, ihr zu helfen
❸ (*invite*) einladen ❹ (*demand a price*)
verlangen; **how much are they ~ing for
the car?** was wollen sie für das Auto haben? ❺ (*expect*) **that's ~ing a lot!** Sie verlangen eine ganze Menge! **II.** *vi* ❶ (*request
information*) fragen; **you may well ~** gute
Frage; **I was only ~ing!** war ja nur 'ne Frage!; ■ **to ~ about sb** nach jdm fragen
❷ (*request*) bitten ❸ (*wish*) ■ **to ~ for sth**
sich *dat* etw wünschen ❹ (*fig: take a risk*)
■ **to be ~ing for sth** etw geradezu herausfordern; **you're ~ing for trouble** du willst
wohl Ärger haben! ♦ **ask after** *vi* ■ **to ~
after sb** sich nach jdm erkundigen ♦ **ask
around** *vi* herumfragen *fam* ♦ **ask out** *vt*
to ~ sb out for dinner jdn ins Restaurant
einladen; **I'd like to ~ her out** ich würde
gern mit ihr ausgehen ♦ **ask over,** BRIT
also **ask round** *vt* (*fam*) ■ **to ~ sb over**
[or **round**] jdn [zu sich *dat*] einladen
askance [ə'skæn(t)s] *adv* misstrauisch
askew [ə'skju:] **I.** *adj* schief **II.** *adv* ❶ (*not
level*) schief ❷ (*wrong*) **to go ~** schieflaufen
ask·ing ['ɑːskɪŋ] *n* **it's yours for the ~** du
kannst es gerne haben
asleep [e'sliːp] *adj* ❶ (*sleeping*) ■ **to be ~**
schlafen; ■ **to pretend to be ~** sich
schlafend stellen; **to fall ~** einschlafen
❷ (*numb*) eingeschlafen
as·para·gus [ə'spærəgəs] *n* Spargel *m*
ASPCA [ˌeɪespi:si:'eɪ] *n abbrev of* **American Society for the Prevention of
Cruelty to Animals** ≈ Tierschutzverein *m*
as·pect ['æspekt] *n* ❶ (*point of view*) Aspekt *m,* Gesichtspunkt *m* ❷ (*outlook*) Lage *f;* **the dining room has a southern ~**
das Esszimmer liegt nach Süden
as·pen ['æspən] *n* Espe *f*
as·per·sion [ə'spɜːʃᵊn] *n* **to cast ~s on sb**
jdn verleumden
as·phalt ['æsfælt] **I.** *n* Asphalt *m* **II.** *vt* asphaltieren
as·phyxia [æs'fɪksiə] *n* Asphyxie *f*
as·phyxi·ate [əs'fɪksieɪt] *vi, vt* ersticken
as·phyxia·tion [əsˌfɪksi'eɪʃᵊn] *n* Ersti-

A

ckung *f;* **to die from** ~ ersticken

as·pir·ant [ˈæspɪrᵊnt] *n* Aspirant(in) *m(f)*

as·pi·ra·tion [ˌæspᵊrˈeɪʃᵊn] *n* Ambition *f*

as·pire [əˈspaɪər] *vi* anstreben; **to ~ to be president** danach trachten, Präsident zu werden

as·pi·rin [ˈæspᵊrɪn] *n* Aspirin® *nt*

as·pir·ing [əˈspaɪərɪŋ] *adj* aufstrebend

ass <*pl* -es> [æs] *n* ❶ *(donkey)* Esel *m;* **to make an ~ of oneself** sich lächerlich machen ❷ AM *(fam!: arse)* Arsch *m* ♦ **ass about** *vi* AM herumblödeln

as·sail [əˈseɪl] *vt* ❶ *(attack)* angreifen ❷ *(verbally)* anfeinden ❸ *usu passive (torment)* **to be ~ed by doubts** von Zweifeln geplagt werden ❹ *(overwhelm)* **to be ~ed with letters** massenweise Briefe bekommen *fam*

as·sail·ant [əˈseɪlənt] *n* Angreifer(in) *m(f)*

as·sas·sin [əˈsæsɪn] *n* Mörder(in) *m(f);* *(esp political)* Attentäter(in) *m(f)*

as·sas·si·nate [əˈsæsɪneɪt] *vt* ■**to ~ sb** ein Attentat auf jdn verüben

as·sas·si·na·tion [əˌsæsɪˈneɪʃᵊn] *n* Attentat *nt* **(of** auf)

as·sault [əˈsɔːlt] I. *n* Angriff *m* II. *vt* angreifen

as·ˈsault course *n* MIL Übungsgelände *nt*

as·sem·ble [əˈsembl] I. *vi* sich versammeln II. *vt* zusammenbauen

as·sem·bly [əˈsembli] *n* ❶ *(gathering)* Versammlung *f;* AM Unterhaus *nt* ❷ SCH Schülerversammlung *f* ❸ TECH Montage *f;* ~ **line** Fließband *nt*

as·sent [əˈsent] *n* Zustimmung *f;* **royal** ~ königliche Genehmigung

as·sert [əˈsɜːt] *vt* ❶ *(state firmly)* beteuern ❷ *(demand)* geltend machen; *independence* behaupten ❸ *(act confidently)* ■**to** ~ **oneself** sich durchsetzen

as·ser·tion [əˈsɜːʃᵊn] *n* ❶ *(claim)* Behauptung *f;* *of innocence* Beteuerung *f* ❷ *no pl* *of authority* Geltendmachung *f*

as·ser·tive [əˈsɜːtɪv] *adj* ■**to be** ~ Durchsetzungsvermögen zeigen

as·ser·tive·ness [əˈsɜːtɪvnəs] *n* Durchsetzungsvermögen *nt*

as·sess [əˈses] *vt* ❶ *(evaluate)* einschätzen; *cost* veranschlagen; *damage* schätzen (**at** auf) ❷ *(tax)* ■**to be ~ed** *person* veranlagt werden; *property* steuerlich geschätzt werden

as·sess·able [əˈsesəbl] *adj* BRIT besteuerbar; *income* steuerpflichtig

as·sess·ment [əˈsesmənt] *n* ❶ *of damage* Schätzung *f* ❷ *(tax)* *person* Veranlagung *f;* *amount* Festsetzung *f* ❸ *no pl (evaluation)* Beurteilung *f* ❹ SCH, UNIV Einstufung *f*

as·ses·sor [əˈsesər] *n* Taxator(in) *m(f),* Schätzer(in) *m(f)*

as·set [ˈæset] *n* ❶ *(good quality)* Pluspunkt *m* ❷ *(valuable person)* Bereicherung *f;* *(useful thing)* Vorteil *m* ❸ COMM ■ ~ **s** *pl* Vermögenswerte *pl*

ass·hole [ˈæʃoʊl] *n* AM *(vulg: arsehole)* Arschloch *nt vulg*

as·sid·u·ous [əˈsɪdjuəs] *adj* gewissenhaft, eifrig

as·sign [əˈsaɪn] *vt* zuweisen; *task* zuteilen; ■**to** ~ **sb to do sth** jdn damit betrauen, etw zu tun

as·sign·ment [əˈsaɪnmənt] *n* *(task)* Aufgabe *f;* *(job)* Auftrag *m;* **homework** ~ Hausaufgabe *f*

as·simi·late [əˈsɪmɪleɪt] I. *vt* integrieren; *information* aufnehmen II. *vi* sich eingliedern

as·simi·lation [əˌsɪmɪˈleɪʃᵊn] *n* ❶ *(integration)* Eingliederung *f* ❷ *(understanding)* Aneignung *f*

as·sist [əˈsɪst] I. *vt, vi* helfen (**with** bei) II. *n* SPORTS Vorlage *f*

as·sist·ance [əˈsɪstᵊn(t)s] *n* Hilfe *f;* **can I be of any ~?** kann ich Ihnen irgendwie behilflich sein?

as·sis·tant [əˈsɪstᵊnt] I. *n* Assistent(in) *m(f);* *(in shop)* Verkäufer(in) *m(f);* [**foreign language**] ~ SCH muttersprachliche Hilfskraft im fremdsprachl. Unterricht II. *adj* stellvertretend

as·so·ci·ate I. *n* [əˈsəʊʃiət] *(friend)* Gefährte(in) *m(f);* *(colleague)* Kollege(in) *m(f);* *(of criminals)* Komplize(in) *m(f);* **business** ~ Geschäftspartner(in) *m(f)* II. *vt* [əˈsəʊʃieɪt] in Verbindung bringen; ■**to be** ~ **d with sth** in Zusammenhang mit etw *dat* stehen III. *vi* verkehren

as·so·ci·ate pro·ˈfes·sor *n* AM außerordentlicher Professor

as·so·cia·tion [əˌsəʊʃiˈeɪʃᵊn] *n* ❶ *(organization)* Vereinigung *f;* *(corporation)* Verband *m* ❷ *no pl (involvement)* Verbundenheit *f;* **in** ~ **with** in Verbindung mit ❸ *(mental connection)* Assoziation *f*

as·sort·ed [əˈsɔːtɪd] *adj* gemischt; *colours* verschieden

as·sort·ment [əˈsɔːtmənt] *n* Sortiment *nt*

as·suage [əˈsweɪdʒ] *vt* *grief* besänftigen; *pain* lindern; *thirst* stillen

as·sume [əˈsjuːm] *vt* ❶ *(regard as true)* annehmen; **to** ~ **sb's guilt** jdn für schuldig halten ❷ *(adopt)* annehmen; *role* übernehmen ❸ *(take on)* *power* ergreifen; *responsibility* übernehmen; **to** ~ **office** sein Amt antreten

as·sumed [əˈsjuːmd] *adj* **under an** ~

name unter einem Decknamen

as·sum·ing [əˈsjuːmɪŋ] *adj* anmaßend

as·sump·tion [əˈsʌm(p)ʃən] *n* ❶ (*supposition*) Annahme *f*; (*presupposition*) Voraussetzung *f*; **on the ~ that ...** wenn man davon ausgeht, dass ... ❷ *no pl* (*taking over*) Übernahme *f*

as·sur·ance [əˈʃʊərᵊn(t)s] *n* ❶ (*self-confidence*) Selbstsicherheit *f* ❷ (*promise*) Zusicherung *f* ❸ BRIT (*insurance*) [Lebens]versicherung *f*

as·sure [əˈʃʊəʳ] *vt* ❶ (*confirm certainty*) zusichern; ▪to ~ oneself of sth sich *dat* etw sichern ❷ (*promise*) ▪to ~ sb of sth jdm etw zusichern ❸ BRIT to ~ one's life eine Lebensversicherung abschließen

as·sured [əˈʃʊəʳd] I. *n* BRIT Versicherte(r) *f(m)* II. *adj* ❶ (*confident*) selbstsicher ❷ (*certain*) sicher

as·sur·ed·ly [əˈʃʊəˈɪdli] *adv* ❶ (*confidently*) selbstsicher ❷ (*certainly*) sicher[lich]

as·ter·isk [ˈæstᵊrɪsk] I. *n* Sternchen *nt* II. *vt* mit einem Sternchen versehen

astern [əˈstɜːn] *adv* ❶ NAUT achtern; **to go ~** achteraus fahren ❷ (*behind*) hinter

as·ter·oid [ˈæstᵊrɔɪd] *n* Asteroid *m*

asth·ma [ˈæsmə] *n* Asthma *nt*; **asthma attack** Asthmaanfall *m*

asth·mat·ic [æsθˈmætɪk] I. *n* Asthmatiker(in) *m(f)* II. *adj* asthmatisch

aston·ish [əˈstɒnɪʃ] *vt* erstaunen

aston·ished [əˈstɒnɪʃt] *adj* erstaunt; ▪to be ~ at sth über etw *akk* erstaunt sein; **we were ~ to hear that ...** wir waren erstaunt, dass ...

aston·ish·ing [əˈstɒnɪʃɪŋ] *adj* erstaunlich

aston·ish·ment [əˈstɒnɪʃmənt] *n* Erstaunen *nt;* **to stare in ~** verblüfft starren

astound [əˈstaʊnd] *vt* verblüffen

astound·ing [əˈstaʊndɪŋ] *adj* erstaunlich; *fact* verblüffend

astound·ing·ly [əˈstaʊndɪŋli] *adv* ❶ (*surprisingly*) erstaunlich, verblüffend ❷ (*extremely*) erstaunlich, außerordentlich

astray [əˈstreɪ] *adv* verloren; **to lead sb ~** (*fig*) jdn auf Abwege bringen

astride [əˈstraɪd] *prep* rittlings auf +*dat*

as·trolo·ger [əˈstrɒlədʒəʳ] *n* Astrologe, Astrologin *m, f*

as·tro·logi·cal [ˌæstrəˈlɒdʒɪkᵊl] *adj* astrologisch

as·trol·ogy [əˈstrɒlədʒi] *n* Astrologie *f*

as·tro·naut [ˈæstrənɔːt] *n* Astronaut(in) *m(f)*

as·trono·mer [əˈstrɒnəməʳ] *n* Astronom(in) *m(f)*

as·tro·nomi·cal [ˌæstrəˈnɒmɪkᵊl] *adj* (*also fig*) astronomisch

as·trono·my [əˈstrɒnəmi] *n* Astronomie *f*

as·tute [əˈstjuːt] *adj* scharfsinnig

as·tute·ly [əˈstjuːtli] *adv* schlau

as·tute·ness [əˈstjuːtnəs] *n* Scharfsinn *m*

asy·lum [əˈsaɪləm] *n* ❶ (*protection*) Asyl *nt;* **asylum seeker** Asylbewerber(in) *m(f)* ❷ (*dated: institution*) Anstalt *f*

asym·met·ric(al) [ˌeɪsɪˈmetrɪk(ᵊl)] *adj* asymmetrisch

asym·me·try [eɪˈsɪmətri] *n* ❶ (*lack of regularity*) Asymmetrie *f* ❷ *no pl* (*imbalance*) Unausgewogenheit *f*

at [æt, ət] *prep* ❶ (*in location of*) an +*dat;* **at the baker's** beim Bäcker; **~ home** zu Hause; **~ the museum** im Museum; **the man ~ number twelve** der Mann in Nummer zwölf; **my number ~ the office is ...** meine Nummer im Büro lautet ...; **~ the party** auf der Party; **~ school** in der Schule; **~ work** bei der Arbeit ❷ (*during time of*) **~ the age of 60** im Alter von 60; **~ Christmas** an Weihnachten; **~ the election** bei der Wahl; **~ lunchtime** in der Mittagspause; **~ the moment** im Moment; **~ night** in der Nacht, nachts; **~ this stage** bei diesem Stand; **~ the weekend** am Wochenende; **~ 10:00** um 10:00 Uhr; **~ a/ the time** zu diesem Zeitpunkt; **several things ~ a time** mehrere Sachen auf einmal; **~ the same time** (*simultaneously*) zur gleichen Zeit; (*on the other hand*) auf der anderen Seite; **~ no time** [*or* point] nie[mals] ❸ (*to amount of*) **~ a distance of 50 metres** aus einer Entfernung von 50 Metern; **~ a gallop** im Galopp; **~ a rough guess** grob geschätzt; **~ regular intervals** in regelmäßigen Abständen; **~ 50 kilometres per hour** mit 50 km/h; **~ that price** für diesen Preis ❹ (*in state of*) **~ a disadvantage** im Nachteil; **~ fault** im Unrecht; **~ play** beim Spielen; **~ war** im Krieg; + *superl;* **~ his happiest** am glücklichsten ❺ *after adj* (*in reaction to*) über +*akk;* **~ the thought of** dem Gedanken an +*akk* ❻ (*in response to*) **~ your invitation** auf Ihre Einladung hin; **~ that** daraufhin ❼ (*in ability to*) bei; **bad/good ~ maths** schlecht/gut in Mathematik; **he is bad ~ giving instructions** er kann keine guten Anweisungen geben ❽ *after vb* (*repeatedly do*) an +*dat;* **to be ~ sth** mit etw *dat* beschäftigt sein ► ~ **all** überhaupt; **I haven't been ~ all well** mir ging es gar nicht gut; **did she suffer ~ all?** hat sie denn gelitten?; **not ~ all** (*polite response*) gern geschehen; (*definitely not*) keineswegs; **~ that** noch dazu; **where it's ~** wo etwas

los ist

ata·vis·tic [ˌætə'vɪstɪk] *adj* atavistisch

ATC [ˌeɪtiː'siː] *n* BRIT *abbrev of* **Air Training Corps** Fliegerische Ausbildung der Royal Air Force

ate [et, eɪt] *pt of* **eat**

athe·ism ['eɪθiɪzəm] *n* Atheismus *m*

athe·ist ['eɪθiɪst] **I.** *n* Atheist(in) *m(f)* **II.** *adj* atheistisch

athe·is·tic(al) [ˌeɪθi'ɪstɪk(əl)] *adj* atheistisch

Ath·ens ['æθənz] *n* Athen *nt*

ath·lete ['æθliːt] *n* Athlet(in) *m(f)*

ath·let·ic [æθ'letɪk] *adj* athletisch, sportlich; **~ club** Sportclub *m;* **~ shorts** kurze Sporthose

ath·let·ics [æθ'letɪks] *n no pl* Leichtathletik *f*

atishoo [ə'tɪʃuː] *interj* BRIT hatschi

At·lan·tic [ət'læntɪk] *n* **the ~** [Ocean] der Atlantik

at·las <*pl* **-es**> ['ætləs] *n* Atlas *m*

ATM [ˌeɪtiː'em] *n abbrev of* **automated teller machine** Geldautomat *m,* Bankomat *m bes* SCHWEIZ

at·mos·phere ['ætməsfɪəʳ] *n* Atmosphäre *f a. fig*

at·mos·pher·ic [ˌætməs'ferɪk] *adj* ❶ PHYS atmosphärisch ❷ *(fig)* stimmungsvoll

at·oll ['ætɒl] *n* Atoll *nt*

atom ['ætəm] *n* PHYS Atom *nt;* *(fig)* Bisschen *nt*

'atom bomb *n* Atombombe *f*

atom·ic [ə'tɒmɪk] *adj* Atom-, atomar

at·om·ize ['ætəmaɪz] *vt* zerstäuben

at·om·iz·er ['ætəmaɪzəʳ] *n* Zerstäuber *m*

atone [ə'təʊn] *vi* ■ **to ~ for sth** etw wieder gutmachen; **to ~ one's sins** für seine Sünden büßen

atone·ment [ə'təʊnmənt] *n no pl* Buße *f*

atro·cious [ə'trəʊʃəs] *adj* grässlich; *weather, food* scheußlich; *conditions* grauenhaft

atroc·ity [ə'trɒsəti] *n* Gräueltat *f*

at·ro·phy ['ætrəfi] **I.** *n* Atrophie *f* **II.** *vi* <-ie-> atrophieren

at·tach [ə'tætʃ] **I.** *vt* ❶ *(fix)* befestigen (**to** an); *label* anbringen ❷ *(connect)* verbinden (**to** mit) ❸ *(send as enclosure)* ■ **to ~ sth** [**to sth**] etw [etw *dat*] beilegen ❹ *(join)* ■ **to ~ oneself to sb** sich jdm anschließen ❺ *(assign)* ■ **to be ~ed to sth** etw *dat* zugeteilt sein ❻ *(attribute)* value legen (**to** auf); **to ~ significance to sth** etw *dat* Bedeutung beimessen ❼ *(associate)* conditions knüpfen (**to** an) **II.** *vi* no blame ~**es to you** dich trifft keine Schuld

at·ta·ché [ə'tæʃeɪ] *n* Attaché *m*

at·'ta·ché case *n* Aktenkoffer *m*

at·tach·ment [ə'tætʃmənt] *n* ❶ *(fondness)* Sympathie *f;* **to form an ~ to sb** sich mit jdm anfreunden ❷ *no pl (support)* Unterstützung *f* ❸ *no pl (assignment)* **he is on ~ to the War Office** er ist dem Kriegsministerium unterstellt ❹ *(for appliances)* Zusatzgerät *nt* ❺ COMPUT Anhang *m*

at·tack [ə'tæk] **I.** *n* ❶ *(assault)* Angriff *m;* **to come under ~** angegriffen werden ❷ *(bout)* Anfall *m* **II.** *vt* ❶ *(physically, verbally)* angreifen; *by criminal* überfallen; *by dog* anfallen ❷ *(fig)* problem anpacken **III.** *vi* angreifen

at·tack·er [ə'tækəʳ] *n* Angreifer(in) *m(f)*

at·tain [ə'teɪn] *vt* erreichen; *independence* erlangen

at·tain·able [ə'teɪnəbl] *adj* erreichbar

at·tain·ment [ə'teɪnmənt] *n* ❶ *no pl (achievement)* Leistung *f* ❷ *no pl (achieving)* Erreichen *nt* ❸ *(accomplishments)* ■ **~s** *pl (accomplishments)* Fertigkeiten *pl*

at·tempt [ə'tem(p)t] **I.** *n* Versuch *m;* **make an ~** versuchen; **make an ~ on sb's life** einen Mordanschlag auf jdn verüben **II.** *vt* versuchen

at·tend [ə'tend] **I.** *vt* ❶ *(be present at)* besuchen; **to ~ a funeral/wedding** zu einer Beerdigung/Hochzeit gehen ❷ *(care for)* [ärztlich] behandeln **II.** *vi* ❶ *(be present)* teilnehmen ❷ *(listen carefully)* aufpassen

at·tend·ance [ə'tendən(t)s] *n* ❶ *(being present)* Anwesenheit *f;* **in ~** anwesend ❷ *(number of people present)* Besucherzahl *f*

at·tend·ant [ə'tendənt] *n* Aufseher(in) *m(f);* *(in swimming pool)* Bademeister(in) *m(f);* **car park ~** Parkwächter(in) *m(f);* **flight ~** Flugbegleiter(in) *m(f);* **museum ~** Museumswärter(in) *m(f);* **petrol** [*or* **gas**] **station ~** Tankwart(in) *m(f)*

at·ten·tion [ə'ten(t)ʃən] *n* ❶ *(notice)* Aufmerksamkeit *f;* **~!** Achtung!; **may I have your ~, please?** dürfte ich um Ihre Aufmerksamkeit bitten?; **to pay ~ to sb** jdm Aufmerksamkeit schenken; **to pay ~ to sth** auf etw *akk* achten ❷ *(care)* Pflege *f;* MED Behandlung *f* ❸ *(in letters)* **for the ~ of** zu Händen von ❹ MIL Stillstand *m;* **~!** stillgestanden!; **to stand at ~** stillstehen ❺ *(interests)* ■ **~s** *pl* Aufmerksamkeit *f kein pl*

at·'ten·tion span *n* Konzentrationsvermögen *f;* **to have a short ~** sich nur kurz auf etwas konzentrieren können

at·ten·tive [ə'tentɪv] *adj* ❶ *(caring)* fürsorglich ❷ *(listening)* aufmerksam

at·ten·tive·ly [ə'tentɪvli] *adv* ❶ *(caringly)*

fürsorglich ❷ (*taking notice*) aufmerksam; **to listen ~** aufmerksam zuhören

at·ten·tive·ness [ə'tentɪvnəs] *n no pl* ❶ (*care*) Fürsorglichkeit *f* ❷ (*listening*) Aufmerksamkeit *f*

at·test [ə'test] **I.** *vt* ❶ (*demonstrate*) *support, excellence* beweisen ❷ LAW bestätigen **II.** *vi* ■**to ~ to sth** *competence, fact* etw beweisen

at·tic ['ætɪk] *n* Dachboden *m;* **in the ~** auf dem Dachboden

at·tire [ə'taɪəʳ] *n* Kleidung *f*

at·ti·tude ['ætɪtjuːd] *n* ❶ (*way of thinking*) Haltung *f;* **an ~ problem** eine falsche Einstellung; **to take the ~ that ...** die Meinung vertreten, dass ... ❷ (*body position*) Stellung *f*

at·tor·ney [ə'tɜːrni] *n* AM Anwalt, Anwältin *m, f*

at·tract [ə'trækt] *vt* anziehen; *attention* erregen; *criticism* stoßen auf +*akk*

at·trac·tion [ə'trækʃən] *n* ❶ *no pl* PHYS Anziehungskraft *f* ❷ *no pl* (*between people*) Anziehung *f;* **she felt an ~ to him** sie fühlte sich zu ihm hingezogen ❸ (*entertainment*) Attraktion *f* ❹ (*appeal*) Reiz *m;* **I don't understand the ~ of ...** ich weiß nicht, was so toll daran sein soll, ...

at·trac·tive [ə'træktɪv] *adj* attraktiv

at·trac·tive·ness [ə'træktɪvnəs] *n no pl* Attraktivität *f; of view, countryside* Reiz *m;* **physical/sexual ~** körperliche/sexuelle Anziehungskraft

at·trib·ute **I.** *vt* [ə'trɪbjuːt] ❶ (*ascribe*) zurückführen (**to** auf) ❷ (*give credit for*) zuschreiben (**to** +*dat*) **II.** *n* ['ætrɪbjuːt] Eigenschaft *f*

at·tribu·tive [ə'trɪbjətɪv] *adj* attributiv

at·tri·tion [ə'trɪʃən] *n* ❶ (*wearing down*) Abrieb *m* ❷ (*gradual weakening*) Zermürbung *f* ❸ AM, AUS *Personalabbau durch Einstellungsstopp*

atypi·cal [ˌeɪ'tɪpɪkəl] *adj* atypisch, untypisch; ■**to be ~ of sb/sth** für jdn/etw nicht typisch sein

auber·gine ['əʊbəʒiːn] *n* Aubergine *f*

auburn ['ɔːbən] *adj* rotbraun

auc·tion ['ɔːkʃən] **I.** *n* Auktion *f,* Versteigerung *f;* **to put sth up for ~** etw zur Versteigerung anbieten; **to be sold at ~** versteigert werden **II.** *vt* ■**to ~** [**off**] versteigern

auc·tion·eer [ˌɔːkʃən'ɪəʳ] *n* Auktionator(in) *m(f)*

auda·cious [ɔː'deɪʃəs] *adj* ❶ (*bold*) kühn ❷ (*impudent*) dreist

auda·cious·ness [ɔː'deɪʃəsnəs] *n,* **audac·ity** [ɔː'dæsəti] *n* ❶ (*boldness*) Kühnheit *f* ❷ (*impudence*) Dreistigkeit *f*

audi·ble ['ɔːdəbl] *adj* hörbar

audib·ly ['ɔːdəbli] *adv* hörbar

audi·ence ['ɔːdiən(t)s] *n* ❶ + *sing/pl vb* (*at performance*) Publikum *nt;* THEAT *also* Besucher *pl;* TV Zuschauer *pl;* RADIO [Zu]hörer *pl* ❷ (*formal interview*) Audienz *f* (**with** bei)

audio ['ɔːdiəʊ] *adj* Audio-; **~ book** Hörbuch *nt;* **~ cassette** [Hör]kassette *f;* **~ frequency** Tonfrequenz *f;* **~ tape** Tonband *nt*

audit ['ɔːdɪt] **I.** *n* FIN Rechnungsprüfung *f;* **general ~** ordentliche Buchprüfung **II.** *vt* ❶ FIN [amtlich] prüfen ❷ AM, AUS UNIV *class* [nur] als Gasthörer besuchen

audi·tion [ɔː'dɪʃən] **I.** *n* (*for actor*) Vorsprechen *nt;* (*for singer*) Vorsingen *nt;* (*for dancer*) Vortanzen *nt;* (*for instrumentalist*) Vorspielen *nt* **II.** *vi* vorsprechen, vorsingen, vorspielen, vortanzen **III.** *vt* vorsprechen/vorsingen/vortanzen/vorspielen lassen

audi·tor ['ɔːdɪtəʳ] *n* Rechnungsprüfer(in) *m(f)*

audi·to·rium <*pl* **-s** *or* **-ria**> [ˌɔːdɪ'tɔːriəm] *n* THEAT Zuschauerraum *m;* (*hall*) Zuhörersaal *m;* (*for concerts*) Konzerthalle *f*

aug·ment [ɔːg'ment] *vt* vergrößern; *income* verbessern

augur ['ɔːgəʳ] **I.** *vi* **to ~ ill/well** ein schlechtes/gutes Zeichen sein **II.** *vt* verheißen

august [ɔː'gʌst] *adj* (*liter*) erhaben, hoheitsvoll

August ['ɔːgəst] *n* August *m; see also* **February**

aunt [ɑːnt] *n* Tante *f*

au pair [ˌəʊ'peəʳ] *n* Aupair *nt*

aura ['ɔːrə] *n* Aura *f*

aural ['ɔːrəl] *adj* akustisch; MED aural; **~ material** Tonmaterial *nt*

auri·cle ['ɔːrɪkl] *n* ❶ (*of heart*) Herzohr *nt* ❷ (*of ear*) Ohrmuschel *f*

auricu·lar [ɔː'rɪkjʊləʳ] *adj* aurikulär

auro·ra [ɔː'rɔːrə] *n* Polarlicht *nt*

aus·pices ['ɔːspɪsɪz] *npl* Schirmherrschaft *f*

aus·pi·cious [ɔː'spɪʃəs] *adj* viel versprechend

Aus·sie ['ɒzi] (*fam*) **I.** *n* Australier(in) *m(f)* **II.** *adj* australisch

aus·tere [ɒs'tɪəʳ] *adj* ❶ (*without comfort*) karg; (*severely plain*) nüchtern; *room* schmucklos; (*ascetic*) asketisch ❷ (*joyless and strict*) streng

aus·ter·ity [ɒs'terəti] *n* ❶ *no pl* (*absence of comfort*) Rauheit *f* ❷ *no pl* (*sparseness*) Kargheit *f;* (*asceticism*) Askese *f;* **~ meas-**

ures Sparmaßnahmen *pl* ❸ *no pl* (*strictness*) Strenge *f* ❹ ■**austerities** *pl* Entbehrungen *pl*

Aus·tralia [ɒsˈtreɪliə] *n* Australien *nt*

Aus·tral·ian [ɒsˈtreɪliən] **I.** *n* ❶ (*person*) Australier(in) *m(f)* ❷ (*language*) australisches Englisch **II.** *adj* australisch

Aus·tria [ˈɒstriə] *n* Österreich *nt*

Aus·trian [ˈɒstriən] **I.** *n* ❶ (*person*) Österreicher(in) *m(f)* ❷ (*language*) Österreichisch *nt* **II.** *adj* österreichisch

AUT [ˌeɪjuːˈtiː] *n* BRIT *abbrev of* **Association of University Teachers** ≈ Verband *m* der Hochschullehrer

authen·tic [ɔːˈθentɪk] *adj* authentisch

authen·ti·cate [ɔːˈθentɪkeɪt] *vt* [die Echtheit einer S. *gen*] bestätigen; LAW beglaubigen

authen·ti·ca·tion [ɔːˌθentɪˈkeɪʃən] *n* Bestätigung *f* [der Echtheit]; LAW Beglaubigung *f*

au·then·tic·ity [ɔːθenˈtɪsəti] *n* Echtheit *f*

author [ˈɔːθər] *n* (*profession*) Schriftsteller(in) *m(f); of particular book* Autor(in) *m(f)*

author·ess <*pl* -es> [ˈɔːθəres] *n* Autorin *f*

authori·tar·ian [ɔːθɒrɪˈteəriən] **I.** *adj* autoritär **II.** *n* ■**to be an** ~ autoritär sein

authori·ta·tive [ɔːˈθɒrɪtətɪv] *adj* ❶ (*definitive*) maßgebend ❷ (*commanding*) Respekt einflößend

author·ity [ɔːˈθɒrəti] *n* ❶ *no pl* (*right of control*) Autorität *f;* **in** ~ verantwortlich ❷ *no pl* (*permission*) Befugnis *f;* (*to act on sb's behalf*) Vollmacht *f;* **on whose** ~**?** wer hat das genehmigt?; **to have the** ~ **to do sth** befugt [*o* bevollmächtigt] sein, etw zu tun; **without** ~ unbefugt ❸ *no pl* (*knowledge*) **to speak with** ~ **on sth** sich [sehr] kompetent zu etw *dat* äußern ❹ (*expert*) **an** ~ **on microbiology** eine Autorität auf dem Gebiet der Mikrobiologie ❺ (*organization*) Behörde *f;* **education** ~ Schulamt *nt;* ■**the authorities** *pl* die Behörden ❻ *no pl* (*source*) **to have sth on good** ~ etw aus zuverlässiger Quelle wissen

authori·za·tion [ɔːθəraɪˈzeɪʃən] *n* (*approval*) Genehmigung *f;* (*delegation of power*) Bevollmächtigung *f*

author·ize [ˈɔːθəraɪz] *vt* genehmigen; ■**to** ~ **sb** jdn bevollmächtigen

author·ized [ˈɔːθəraɪzd] *adj* bevollmächtigt, autorisiert; ■**to be** ~ **to do sth** berechtigt sein, etw zu tun; "~ **personnel only**" „Zutritt nur für Befugte"

author·ship [ˈɔːθəʃɪp] *n* Autorschaft *f*

autis·tic [ɔːˈtɪstɪk] *adj* autistisch

auto [ˈɔːtəʊ] **I.** *n* Auto *nt* **II.** *adj* (*concern-*

ing cars) Auto-; (*automatic*) automatisch; ~ **restart** COMPUT Selbstanlauf *m*

auto·bio·gra·phi·cal [ɔːtəˌbaɪə(ʊ)ˈɡræfɪkəl] *adj* autobiografisch

auto·bi·og·ra·phy [ɔːtəbaɪˈɒɡrəfi] *n* Autobiografie *f*

autoc·ra·cy [ɔːˈtɒkrəsi] *n* Autokratie *f*

auto·crat [ˈɔːtəkræt] *n* Autokrat(in) *m(f)*

auto·crat·ic [ɔːtəˈkrætɪk] *adj* autokratisch

auto·cue® [ˈɔːtə(ʊ)kjuː] *n* BRIT TV Teleprompter® *m*

auto·graph [ˈɔːtəɡrɑːf] **I.** *n* Autogramm *nt* **II.** *vt* signieren

auto·mate [ˈɔːtəmeɪt] *vt* automatisieren

auto·mat·ed 'tell·er ma·chine *n* AM Geldautomat *m*

auto·mat·ic [ɔːtəˈmætɪk] **I.** *adj* automatisch; ~ **rifle** Selbstladegewehr *nt;* ~ **washing machine** Waschautomat *m* **II.** *n* ❶ (*non-manual machine*) Automat *m* ❷ (*car*) Automatikwagen *m* ❸ (*rifle*) Selbstladegewehr *nt*

auto·mati·cal·ly [ɔːtəˈmætɪkəli] *adv* ❶ (*without human control*) automatisch; (*train doors*) selbsttätig ❷ (*without thinking*) mechanisch ❸ (*inevitably*) automatisch, zwangsläufig

auto·mat·ic ·pi·lot *n* Autopilot *m*

auto·ma·tion [ɔːtəˈmeɪʃən] *n* Automatisierung *f*

automa·ton <*pl* -mata *or* -s> [ɔːˈtɒmətn] *n* Automat *m*

auto·mo·bile [ˈɔːtəmə(ʊ)biːl] *n* *esp* AM Auto *nt*

auto·mo·tive [ɔːtəˈməʊtɪv] *adj* Auto-

autono·mous [ɔːˈtɒnəməs] *adj* autonom

autono·my [ɔːˈtɒnəmi] *n* Autonomie *f*

auto·pi·lot [ˈɔːtəʊpaɪlət] *n* ❶ (*on aircraft*) Autopilot *m;* **to be on** ~ mit Autopilot fliegen ❷ *no pl* (*fig*) **to be on** ~ etw automatisch abspulen

autop·sy [ˈɔːtɒpsi] *n* Autopsie *f*

'auto·tune *n* Autotuner-System *nt* (*bei* [*Auto*] *radios*)

autumn [ˈɔːtəm] *n* Herbst *m;* **in** [**the**] ~ im Herbst; [**in**] **late** ~ [im] Spätherbst; ~ **term** Wintersemester *nt*

autum·nal [ɔːˈtʌmnəl] *adj* herbstlich; ~ **colours** Herbstfarben *pl*

aux·ilia·ry [ɔːɡˈzɪliəri] **I.** *n* ❶ (*assistant*) Hilfskraft *f;* (*soldier*) Soldat(in) *m(f)* der Hilfstruppen; (*nurse*) Hilfsschwester *f* ❷ LING Hilfsverb *nt* **II.** *adj* Hilfs-; (*additional*) Zusatz-

AV *adj* AM *abbrev of* **audio-visual** audiovisuell

Av. AM *abbrev of* **avenue** Ave.

avail [əˈveɪl] **I.** *n* Nutzen *m;* **to no** ~ vergeb-

aversion

expressing antipathy	Antipathie ausdrücken
I don't like him (very much).	Ich mag ihn nicht (besonders).
I think that bloke is just impossible.	Ich finde diesen Typ unmöglich.
He's an (a real) arsehole [or Am asshole]. *(sl)*	Das ist ein (richtiges) Arschloch. *(sl)*
I can't stand/bear him.	Ich kann ihn nicht ausstehen.
That woman gets on my nerves/drives me mad. *(fam)*	Diese Frau geht mir auf den Geist/Wecker/Keks. *(fam)*

expressing boredom	Langeweile ausdrücken
How boring!/Talk about boring!	Wie langweilig!/So was von langweilig!
I'll fall asleep/nod off in a minute!	Ich schlaf gleich ein!
It's enough to send you to sleep!	Das ist ja zum Einschlafen!
The film is (just) one big yawn.	Der Film ist ja eine Schlaftablette.
This nightclub is dead boring. *(sl)*	Diese Disco ist total öde. *(sl)*

expressing disgust	Abscheu ausdrücken
Yuk!	Igitt!
You make me sick!	Du widerst mich an!
That is absolutely revolting!	Das ist geradezu widerlich!
That is (quite) disgusting!	Das ist (ja) ekelhaft!
That disgusts me!	Das ekelt mich an!
That makes me (want to) puke! *(sl)*	Ich find das zum Kotzen! *(sl)*

lich **II.** *vt* **to ~ oneself of the opportunity ...** die Gelegenheit nutzen ...

avail·abil·ity [əˌveɪləˈbɪləti] *n no pl* Verfügbarkeit *f;* ECON Lieferbarkeit *f;* **the offer is subject to ~** das Angebot gilt, solange der Vorrat reicht

avail·able [əˈveɪləbl] *adj* ❶ *(free for use)* verfügbar; **in the time ~** in der vorhandenen Zeit; **to make ~** zur Verfügung stellen ❷ *(not busy)* abkömmlich ❸ ECON erhältlich; *(in stock)* lieferbar; *size* vorrätig ❹ *(romantically unattached)* frei

ava·lanche [ˈævəlɑːn(t)ʃ] *n* Lawine *f*

avant-garde [ˌævãːn(ː)ˈgɑːd] **I.** *n* Avantgarde *f* **II.** *adj* avantgardistisch

ava·rice [ˈævərɪs] *n* Habgier *f*

ava·ri·cious [ˌævəˈrɪʃəs] *adj* habgierig

Ave. *n abbrev of* **Avenue**

avenge [əˈvendʒ] *vt* rächen; ▪**to ~ oneself on sb** sich an jdm rächen

aveng·er [əˈvendʒəʳ] *n* Rächer(in) *m(f)*

av·enue [ˈævənjuː] *n* ❶ *(broad street)* Avenue *f;* **~ of lime trees** Lindenallee *f* ❷ *(fig: possibility)* Weg *m*

av·er·age [ˈævərɪdʒ] **I.** *n* Durchschnitt *m;*

on ~ im Durchschnitt; [to be] [well] above/below ~ [weit] über/unter dem Durchschnitt [liegen]; law of ~s Gesetz *nt* der Serie **II.** *adj* durchschnittlich; **~ income** Durchschnittseinkommen *nt;* **~ person** Otto Normalverbraucher **III.** *vt* im Durchschnitt betragen; **to ~ 40 hours a week** durchschnittlich 40 Stunden pro Woche arbeiten; **to ~ £18,000 per year** durchschnittlich 18.000 Pfund im Jahr verdienen

averse [əˈvɜːs] *adj* ▪**to be ~ to sth** etw *dat* abgeneigt sein

aver·sion [əˈvɜːʃən] *n* ❶ *(intense dislike)* Abneigung *f* ❷ *(hated thing)* Gräuel *m*

avert [əˈvɜːt] *vt* ❶ *(turn away)* abwenden ❷ *(prevent)* verhindern

avian *adj* Vogel-; **~ flu** Vogelgrippe *f*

aviary [ˈeɪviəri] *n* Vogelhaus *nt*

avia·tion [ˌeɪviˈeɪʃən] *n* Luftfahrt *f;* **aviation industry** Flugzeugindustrie *f*

avid [ˈævɪd] *adj* eifrig, begeistert

avo·ca·do <*pl* -s *or* -es> [ˌævəˈkɑːdəʊ] *n* Avocado *f*

avoid [əˈvɔɪd] *vt* ❶ *(stay away from)* meiden ❷(*prevent sth happening*) vermeiden; **to narrowly ~ sth** etw *dat* knapp entgehen ❸(*not hit*) ausweichen

avoid·able [əˈvɔɪdəbl] *adj* vermeidbar

avoid·ance [əˈvɔɪdᵊn(t)s] *n* Vermeidung *f*; *of taxes* Umgehung *f*

avow [əˈvaʊ] *vt* bekennen

AWACS [ˈeɪwæks] *n acr for* **airborne warning and control system** AWACS *nt*

await [əˈweɪt] *vt* erwarten; **long ~ed** lang ersehnt

awake [əˈweɪk] **I.** *vi* <awoke *or* Am *also* awaked, awoken> ❶(*stop sleeping*) erwachen ❷(*fig*) ▪ **to ~ to sth** sich *dat* einer S. *gen* bewusst werden **II.** *vt* <awoke *or* Am *also* awaked, awoken *or* Am *also* awaked> ❶(*from sleep*) [auf]wecken ❷(*fig: rekindle*) wiedererwecken **III.** *adj* ❶(*not asleep*) wach ❷(*fig*) ▪ **to be ~ to sth** sich *dat* einer S. *gen* bewusst sein

awak·en [əˈweɪkᵊn] **I.** *vt* ❶(*wake up*) ▪ **to be ~ed** geweckt werden ❷(*fig: start*) [er]wecken ❸(*fig: make aware*) bewusst machen **II.** *vi* erwachen

awak·en·ing [əˈweɪkᵊnɪŋ] *n* **rude ~** böses Erwachen

award [əˈwɔːd] **I.** *vt damages* zusprechen; *grant* gewähren; *prize* verleihen **II.** *n* ❶(*prize*) Auszeichnung *f* ❷(*compensation*) Entschädigung *f* ❸ LAW Zuerkennung *f*

award-win·ning [əˈwɔːdwɪnɪŋ] *adj attr* preisgekrönt

aware [əˈweəʳ] *adj* ❶(*knowing*) ▪ **to be ~ of sth** sich *dat* einer S. *gen* bewusst sein; **as far as I'm ~** soviel ich weiß; **not that I'm ~ of** nicht, dass ich wüsste ❷(*physically sensing*) ▪ **to be ~ of sb/sth** jdn/etw bemerken ❸(*well informed*) informiert; **environmentally ~** umweltbewusst

aware·ness [əˈweəʳnəs] *n* Bewusstsein *nt*

awash [əˈwɒʃ] *adj* ❶ *with water* unter Wasser, überflutet ❷(*fig*) ▪ **to be ~ with sth** voll von etw *dat* sein; **to be ~ with money** im Geld schwimmen

away [əˈweɪ] **I.** *adv* ❶(*distant*) weg; **to be ~ on business** geschäftlich unterwegs sein; **five miles ~** fünf Meilen [von hier] entfernt; **~ from each other** voneinander entfernt; **two days ~** in zwei Tagen; **summer still seems a long time ~** der Sommer scheint noch weit entfernt ❷(*all the time*) **we danced the night ~** wir tanzten die ganze Nacht durch; **you're dreaming your life ~** du verträumst noch dein ganzes Leben; **to be laughing ~** ständig am Lachen sein; **to write ~** drauflos-

schreiben ❸ SPORTS auswärts **II.** *adj* SPORTS auswärts; **~ game** Auswärtsspiel *nt*; **~ team** Gastmannschaft *f*

awe [ɔː] **I.** *n* Ehrfurcht *f*; **to hold sb in ~** großen Respekt vor jdm haben **II.** *vt* <BRIT aweing *or* Am awing> einschüchtern

awe-in·spir·ing *adj* Ehrfurcht gebietend

awe·some [ˈɔːsəm] *adj* ❶(*impressive*) beeindruckend ❷(*intimidating*) beängstigend ❸ Am (*sl: very good*) spitze

awe·strick·en [ˈɔːˌstrɪkᵊn] *adj*, **awe·struck** [ˈɔːstrʌk] *adj* [von Ehrfurcht] ergriffen; *expression* erfurchtsvoll

aw·ful [ˈɔːfᵊl] *adj* ❶(*extremely bad*) furchtbar; **what an ~ thing to say!** das war aber gemein von dir!; **you're really ~** du bist wirklich schlimm!; **to look ~** schrecklich aussehen; **to smell ~** fürchterlich stinken ❷(*great*) außerordentlich; **an ~ lot** eine riesige Menge

aw·ful·ly [ˈɔːfᵊli] *adv* furchtbar; **not ~ good** nicht besonders gut; **an ~ long way** ein schrecklich weiter Weg

awhile [əˈ(h)waɪl] *adv* eine Weile

awk·ward [ˈɔːkwəd] *adj* ❶(*difficult*) schwierig ❷(*embarrassing*) peinlich; **to feel ~** sich unbehaglich fühlen ❸(*inconvenient*) ungünstig ❹(*clumsy*) unbeholfen

awk·ward·ly [ˈɔːkwədli] *adv* ❶(*inconveniently*) ungünstig, unpassend; **~ timed** zu einem ungünstigen Zeitpunkt ❷(*feeling embarrassed*) verlegen, betreten ❸(*clumsily*) unbeholfen, ungeschickt ❹(*unskilfully*) ungeschickt

awn·ing [ˈɔːnɪŋ] *n* (*on house*) Markise *f*; (*on caravan*) Vorzelt *nt*; (*on wagon*) Plane *f*; (*on ship*) Sonnensegel *nt*

awoke [əˈwəʊk] *pt of* **awake**

awok·en [əˈwəʊkᵊn] *pp of* **awake**

AWOL [ˈeɪwɒl] *adj acr for* **absent without leave**: **to go ~** MIL sich unentschuldigt von der Truppe entfernen; (*fig*) verschwinden

awry [əˈraɪ] *adj* schief

axe [æks], Am **ax** [–] **I.** *n* Axt *f* ▶ **to get the ~** *workers* entlassen werden; *projects* gestrichen werden **II.** *vt things* streichen; *people* entlassen

axi·om [ˈæksiəm] *n* Axiom *nt*

axis <*pl* axes> [ˈæksɪs, *pl* –siːz] *n* Achse *f*

axle [ˈæksl̩] *n* Achse *f*

aya·tol·lah [ˌaɪəˈtɒlə] *n* Ayatollah *m*

aye [aɪ] **I.** *interj* ❶ SCOT, NBRIT (*yes*) ja ❷ NAUT **~, ~, sir!** zu Befehl, Herr Kapitän! **II.** *n* POL Jastimme *f*; **the ~s have it** die Mehrheit ist dafür

azalea [əˈzeɪliə] *n* Azalee *f*

Azer·bai·jan *n* [ˌæzəbaɪˈdʒɑːn] Aserbaid-schan *nt*

Az·tec [ˈæztek] **I.** *n* Azteke(in) *m(f)* **II.** *adj* aztekisch; **~ language** Aztekisch *nt*

az·ure [ˈæʒəʳ] **I.** *n* Azur[blau] *nt* **II.** *adj* azur[blau]

B b

B <pl -'s or -s>, **b** <pl -'s> [biː] n
① (letter) B nt, b nt; see also **A 1** **②** MUS
H nt, h nt; ~ **flat** B nt, b nt; ~ **sharp** His nt,
his nt **③** (school mark) ≈ Zwei f, ≈ gut
BA [ˌbiːˈeɪ] n **①** abbrev of **Bachelor of Arts**
B. **②** abbrev of **British Airways** BA f
bab·ble ['bæbl] I. n **①** (confused speech)
Geplapper nt **②** of water Plätschern nt II. vi
① (talk incoherently) plappern; baby bab-
beln **②** water plätschern III. vt (incoherently) stammeln
bab·bling ['bæblɪŋ] I. adj attr **①** (muttering nonsense) plappernd **②** (of water) plät-
schernd II. n Geplapper nt
babe [beɪb] n **①** (baby) Kindlein nt
② (fam: form of address) Schatz m **③** (fam:
attractive person) Süße(r) f(m)
ba·boon [bəˈbuːn] n Pavian m
baby ['beɪbi] I. n **①** (child) Baby nt; **to
have a** ~ ein Baby bekommen **②** (youngest
person) Jüngste(r) f(m); **the** ~ **of the
family** das Nesthäkchen **③** (childish person) Kindskopf m **④** (fam: affectionate
address) Baby nt ▶ **to throw the** ~ **out
with the bath water** das Kind mit dem
Bade ausschütten II. adj klein; ~ **carrots**
Babymöhren pl; ~ **clothes** Babywäsche f
III. vt <-ie-> ■ **to** ~ **sb** jdn wie ein kleines
Kind behandeln
'**baby car·riage** n AM Kinderwagen m
'**baby food** n Babynahrung f
ba·by·hood ['beɪbihʊd] n Säuglingsalter nt
ba·by·ish ['beɪbiɪʃ] adj kindisch
'**baby sign·ing** n no pl, no art SOCIOL, PSYCH
Gebärdensprache f für Kleinkinder '**baby·
sit·ter** n Babysitter(in) m(f)
bach·elor ['bætʃ[ə]lər] n **①** (unmarried man)
Junggeselle m **②** UNIV **B~ of Arts/Science**
Bakkalaureus m der philosophischen/
naturwissenschaftlichen Fakultät (unters-
ter akademischer Grad in englischspra-
chigen Ländern)
ba·cil·lus <pl bacilli> [bəˈsɪləs, pl
bəˈsɪlaɪ] n Bazillus m
back [bæk] I. n **①** (of body) Rücken m; **to
put one's** ~ **out** sich verheben; ~ **to** ~ Rücken an Rücken **②** (not front) of building,
page Rückseite f; of car Heck nt; of chair
Lehne f; (in car) Rücksitz[e] m[pl]; **Ted is
round the** ~ [or AM **out** ~] Ted ist draußen
hinterm Haus; **at** [or in] **the** ~ [of **the
bus/book**] hinten [im Bus/Buch]; **at the** ~
of the theatre hinten im Theater; ~ **to
front** verkehrt herum; ~ **of the hand**/

head/**leg** Handrücken m/Hinterkopf m/
Wade f **③** FBALL Verteidiger(in) m(f) ▶ **to
get off** sb's ~ jdn in Ruhe lassen; **to get
sb's** ~ **up** jdn wütend machen; **to know**
sth like the ~ **of one's hand** etw in- und
auswendig kennen; **in** [or at] **the** ~ **of
one's mind** im Hinterkopf; **to put one's** ~
into sth sich in etw akk hineinknien II. adj
① <backmost> (rear) Hinter-; ~ **pocket**
Gesäßtasche f; ~ **seat** Rücksitz m; ~ **tooth**
Backenzahn m **②** (of body) Rücken-
③ (old) alt; ~ **issue** alte Ausgabe III. adv
① (to previous place) [wieder] zurück;
there and ~ hin und zurück; ~ **and forth**
hin und her; **I'll be** ~ ich komme wieder
② (to past) **as far** ~ **as I can remember**
so weit ich zurückdenken kann; **that was**
~ **in 1950** das war [schon] 1950; **two
months** ~ vor zwei Monaten IV. vt **①** (support) unterstützen; **to** ~ **a horse** auf ein
Pferd setzen **②** (drive) **she** ~ **ed the car
into the garage** sie fuhr rückwärts in die
Garage **③** (accompany) begleiten V. vi car
zurücksetzen ◆ **back away** vi ■ **to** ~
away zurückweichen (**from** vor) ◆ **back
down** vi nachgeben ◆ **back into** vi ■ **to**
~ **into sb** person mit jdm zusammenstoßen; ■ **to** ~ **into sth** vehicle rückwärts gegen [o in] etw akk fahren ◆ **back off** vi
sich zurückziehen; ~ **off!** lass mich in Ruhe! ◆ **back onto** vi ■ **to** ~ **onto sth** hinten an etw akk [an]grenzen ◆ **back out** vi
einen Rückzieher machen ◆ **back up** I. vi
sich stauen II. vt **①** (support) unterstützen;
(confirm) bestätigen **②** COMPUT sichern
③ (reverse) zurücksetzen
'**back·ache** n no pl Rückenschmerzen pl
back·'bench·er n BRIT POL Hinterbänk-
ler(in) m(f) '**back·biting** n Lästern nt
'**back·bone** n Rückgrat nt a. fig '**back·
chat** n Widerrede f '**back·cloth** n THEAT
Prospekt m **back 'door** n Hintertür f
'**back·drop** n Hintergrund m a. fig
back·er ['bækər] n Förderer(in) m(f);
financial ~ s Geldgeber pl
'**back·fire** vi **①** AUTO frühzünden **②** (go
wrong) fehlschlagen **back·ground**
['bækgraʊnd] n **①** Hintergrund m; THEAT
Kulisse f **②** SOCIAL Herkunft f; **to come
from a poor** ~ aus armen Verhältnissen
stammen; **to do a** ~ **check on sb** jdn polizeilich überprüfen **③** (experience) **with a**
~ **in sth** mit Erfahrung in etw dat '**back·
hand** n Rückhand f '**back·hand·er** n

BRIT *(fam)* Schmiergeld *nt*

back·ing ['bækɪŋ] *n* **❶** *(support)* Unterstützung *f* **❷** *(stiffener)* Verstärkung *f* **❸** MUS Begleitung *f*

'**back·lash** *n* Gegenreaktion *f* '**back·log** *n usu sing* Rückstand *m* **back 'num·ber** *n* alte Ausgabe '**back·pack** I. *n* Rucksack *m* II. *vi* mit dem Rucksack reisen '**back·pack·er** *n* Rucksackreisende(r) *f(m)* '**back pay** *n (wages)* Lohnnachzahlung *f; (salaries)* Gehaltsnachzahlung *f* '**back seat** *n* **❶** *(in car)* Rücksitz *m* **❷** *(fig)* **to take a ~** in den Hintergrund treten '**back·side** *n (fam)* Hintern *m* ▶**to get off one's ~** seinen Hintern in Bewegung setzen '**back·slash** *n* Backslash *m* '**back·space** *n,* '**back·space key** *n* Backspace-Taste *f* '**back·stage** I. *n* Garderobe *f* II. *adj, adv* hinter der Bühne '**back·stroke** *n* Rückenschwimmen *nt;* **to swim ~** rückenschwimmen '**back talk** *n* AM *(fam)* Widerrede *f* **back-to-'school** *adj shopping, merchandise* zum Schulbeginn *nach n* '**back·track** *vi* **❶** *(go back)* wieder zurückgehen **❷** *(change opinion)* einlenken

'**back·up** ['bækʌp] *n* **❶** *(support)* Unterstützung *f; ~* **generator** Notstromaggregat *nt; ~* **staff** Reservepersonal *nt* **❷** COMPUT Sicherung *f,* Backup *nt*

back·ward ['bækwəd] I. *adj* **❶** *(facing rear)* rückwärts gewandt; *(reversed)* Rück[wärts]-; **a ~ step** ein Schritt nach hinten **❷** *(slow in learning)* zurückgeblieben **❸** *(underdeveloped)* rückständig II. *adv see* **backwards**

back·ward·ness ['bækwədnəs] *n no pl* Rückständigkeit *f*

back·wards ['bækwədz] *adv* **❶** *(towards the back)* nach hinten; **to walk ~ and forwards** hin- und hergehen **❷** *(in reverse)* rückwärts; **to know sth ~** etw in- und auswendig kennen **❸** *(into past)* zurück

'**back·water** *n* **❶** *(of river)* stehendes Gewässer **❷** *(pej: isolated place)* toter Fleck '**back·woods** *npl* hinterste Provinz '**back·woodsman** *n* Hinterwäldler(in) *m(f)* **back·'yard** *n* **❶** BRIT *(courtyard)* Hinterhof *m* **❷** AM *(back garden)* Garten *m* hinter dem Haus ▶**in one's own ~** vor der eigenen Haustür

ba·con ['beɪkⁿn] *n* [Schinken]speck *m; ~* **and eggs** Eier *pl* mit Speck

bac·te·ria [bæk'tɪəriə] *n pl of* **bacterium** Bakterien *pl*

bac·te·rial [bæk'tɪəriəl] *adj* bakteriell, Bakterien-

bac·te·rio·logi·cal   [bækˌtɪəriə'lɒdʒɪkⁿl]

adj bakteriologisch

bac·te·ri·olo·gist [bækˌtɪəri'ɒlədʒɪst] *n* Bakteriologe, Bakteriologin *m, f*

bac·te·ri·ol·ogy [bækˌtɪəri'ɒlədʒi] *n no pl* Bakteriologie *f*

bac·te·rium <*pl* -ria> [bæk'tɪəriəm] *n* Bakterie *f*

bad <worse, worst> [bæd] I. *adj* schlecht; *dream* böse; *smell* übel; *cold* schlimm; *debt* uneinbringlich; *storm* heftig; **things are going from ~ to worse** es wird immer schlimmer; **too ~** zu schade; **~ blood** böses Blut; **to fall in with a ~ crowd** in eine üble Bande geraten; **~ language** Kraftausdrücke *pl;* **~ luck** Pech *nt; ~* **at maths** schlecht in Mathe; **to have a ~ temper** jähzornig sein; **nowhere near as ~ as ...** nicht halb so schlimm wie ... II. *adv (fam)* sehr III. *n no pl* **to take the ~ with the good** auch das Schlechte in Kauf nehmen

badge [bædʒ] *n* Abzeichen *nt; (made of metal)* Button *m; (on car)* Plakette *f;* **police ~** Polizeimarke *f*

badg·er ['bædʒəʳ] I. *n* Dachs *m* II. *vt* bedrängen

bad·ly <worse, worst> ['bædli] *adv* schlecht; **to be ~ in need of sth** etw dringend benötigen; **~ hurt** schwer verletzt

bad·min·ton ['bædmɪntən] *n* Badminton *nt,* Federball *m*

bad-'tem·pered *adj (easily irritated)* leicht aufbrausend; *(in a bad mood)* schlecht gelaunt

baf·fle ['bæfl] *vt* verwirren

baf·fle·ment ['bæflmənt] *n no pl* Verblüffung *f*

baf·fling ['bæflɪŋ] *adj (confusing)* verwirrend; *(mysterious)* rätselhaft

bag [bæg] I. *n* **❶** *(container)* Tasche *f; (drawstring bag)* Beutel *m; (sack)* Sack *m;* **paper/plastic ~** Papier-/Plastiktüte *f;* **a ~ of sweets** eine Tüte Bonbons **❷** *(handbag)* Handtasche *f; (travelling bag)* Reisetasche *f;* **to pack one's ~s** die Koffer packen **❸** *(skin)* **to have ~s under one's eyes** Ringe *pl* unter den Augen haben **❹** BRIT, AUS *(fam)* ∎**~s of ...** jede Menge ... **❺** *(pej)* **old ~** alte Schachtel II. *vt* <-gg-> eintüten

ba·gel ['beɪgⁿl] *n* Bagel *m*

bag·gage ['bægɪdʒ] *n no pl (luggage)* Gepäck *nt;* **pieces of ~** Gepäckstücke *pl;* **excess ~** Übergepäck *nt*

'**bag·gage al·low·ance** *n* Freigepäck *nt* '**bag·gage car** *n* AM, AUS Gepäckwagen *m* '**bag·gage check** *n* Gepäckkontrolle *f* '**bag·gage claim** *n* Gepäckausgabe *f*

bag·gy ['bægi] *adj* [weit] geschnitten

'**bag lady** *n* Obdachlose *f* '**bag·pip·er** *n* Dudelsackspieler(in) *m(f)* '**bag·pipes** *npl* Dudelsack *m*

ba·guette [bæ'gət] *n* Baguette *nt o f,* Stangenweißbrot *nt*

Ba·ha·mas [bə'hɑːməz] *npl* ■ **the** ~ die Bahamas

Ba·ha·mian [bə'heɪmiən] **I.** *n* Baham[a]er(in) *m(f)* **II.** *adj* baham[a]isch

Bah·rain [bɑː'reɪn] *n no pl* Bahrain *nt*

bail [beɪl] **I.** *n* (*money*) Kaution *f;* **to grant** ~ die Freilassung gegen Kaution gewähren; **to jump** ~ die Kaution verfallen lassen und fliehen; **to stand** ~ **for sb** für jdn [die] Kaution stellen **II.** *vi* [Wasser] [aus]schöpfen **III.** *vt* ❶ (*remove*) [aus]schöpfen ❷ (*release*) ■ **to** ~ **sb** jdn gegen Kaution freilassen ♦ **bail out I.** *vt* ❶ (*pay to release*) ■ **to** ~ **out** ⟳ **sb** für jdn [die] Kaution stellen ❷ (*help*) ■ **to** ~ **sb out** jdm aus der Klemme helfen **II.** *vi* ❶ (*jump out*) [mit dem Fallschirm] abspringen ❷ (*fig*) aussteigen

bail·iff ['beɪlɪf] *n* ❶ BRIT Verwalter(in) *m(f)* ❷ AM (*court official*) Justizwachtmeister(in) *m(f)*

bait [beɪt] **I.** *n* Köder *m a. fig;* **to take the** ~ anbeißen **II.** *vt* ❶ (*put bait on*) mit einem Köder versehen ❷ (*harass*) *person* schikanieren; *animal* mit Hunden hetzen

bake [beɪk] **I.** *vi* ❶ (*cook*) backen ❷ (*fam*) **it's baking outside** draußen ist es wie im Backofen; **I'm baking** ich komme fast um vor Hitze **II.** *vt* ❶ (*cook*) [im Ofen] backen ❷ (*pottery*) brennen **III.** *n* ❶ FOOD Auflauf *m* ❷ AM gesellige Zusammenkunft (*mit bestimmten Speisen*)

bak·er ['beɪkər] *n* Bäcker(in) *m(f)*

bak·ery ['beɪkəri] *n* Bäckerei *f*

'**bak·ing pow·der** *n no pl* Backpulver *nt*

bal·ance ['bælən(t)s] **I.** *n* ❶ *no pl* Gleichgewicht *nt a. fig;* **the** ~ **of opinion is that ...** es herrscht die Meinung vor, dass ...; **to hang** [*or* **be**] **in the** ~ (*fig*) in der Schwebe sein; **to strike a** ~ den goldenen Mittelweg finden; **on** ~ alles in allem ❷ FIN Kontostand *m;* [**annual**] ~ **sheet** [Jahres]bilanz *f;* (*amount left to pay*) Rest[betrag] *m;* ~ **of payments** Zahlungsbilanz *f;* ~ **of trade** Handelsbilanz *f* ❸ (*scales*) Waage *f* ❹ (*harmony*) Ausgewogenheit *f* ❺ MUS, NAUT Balance *f* **II.** *vt* ❶ (*compare*) abwägen ❷ (*keep steady*) balancieren ❸ (*achieve equilibrium*) ■ **to** ~ **sth against sth** etw gegen etw *akk* abwägen ❹ FIN *account* ausgleichen; *books* abschließen ❺ TECH *wheels* auswuchten **III.** *vi* ❶ (*also fig: keep steady*)

das Gleichgewicht halten; **she** ~**d on one foot** sie balancierte auf einem Fuß ❷ FIN ausgeglichen sein ♦ **balance out I.** *vt* aufwiegen **II.** *vi* sich aufwiegen

bal·anced ['bæləntst] *adj* ausgewogen; *personality* ausgeglichen

'**bal·ance sheet** *n* Bilanz *f*

bal·co·ny ['bælkəni] *n* Balkon *m*

bald [bɔːld] *adj* ❶ (*lacking hair*) glatzköpfig; ~ **spot** [*or* **patch**] kahle Stelle; **to go** ~ eine Glatze bekommen ❷ *tyre* abgefahren ❸ *statement* unverblümt

bald-'head·ed *adj* glatzköpfig *attr;* **a** ~ **man** ein Glatzkopf *m*

baldie ['bɔːldi] *n* (*pej fam*) Glatzkopf *m fam*

bald·ly ['bɔːldli] *adv* unumwunden

bald·ness ['bɔːldnəs] *n* ❶ (*lacking hair*) Kahlheit *f* ❷ (*bluntness*) Unverblümtheit *f*

bale [beɪl] **I.** *n* Ballen *m* **II.** *vt* bündeln

Bal·e·ar·ic Is·lands *n* ■ **the** ~ die Balearen *pl*

bale·ful ['beɪlfəl] *adj* böse

balk [bɔːk, BRIT *also* bɔːlk] *vi* ❶ (*stop short*) *horse* scheuen ❷ (*be unwilling*) ■ **to** ~ **at sth** vor etw *dat* zurückschrecken

Bal·kans ['bɔːlkənz] *npl* ■ **the** ~ der Balkan

Bal·kan States [ˌbɔːlkən'steɪts] *npl* Balkanstaaten *pl*

ball [bɔːl] *n* ❶ Ball *m* ❷ (*ball-shaped*) *of wool* Knäuel *m o nt; of dough* Kugel *f;* **to crush paper into a** ~ Papier zusammenknüllen; **to curl** [**oneself**] **into a** ~ sich [zu einem Knäuel] zusammenrollen ❸ (*body part*) Ballen *m;* ~ **of the foot** Fußballen *m* ❹ (*dance*) Ball *m* ❺ (*root ball*) [Wurzel]ballen *m* ❻ *pl* (*fam!*) ■ ~**s** (*testicles*) *see* **balls** ▸ **to be on the** ~ auf Zack sein; **to start the** ~ **rolling** eine Sache in Gang bringen; **to have a** ~ Spaß haben; **to play** ~ mitmachen

bal·lad ['bæləd] *n* Ballade *f*

bal·lad·eer [ˌbælə'dɪər] *n* Liedermacher(in) *m(f)*

bal·last ['bæləst] *n no pl* ❶ (*for ship, balloon*) Ballast *m* ❷ RAIL Schotter *m*

ball 'bear·ing *n* (*bearing*) Kugellager *nt;* (*ball*) Kugellagerkugel *f*

'**ball-break·er** *n* (*fam: sexually demanding woman who destroys men's self-confidence*) Femme Fatale *f*

bal·le·ri·na [bælə'riːnə] *n* Ballerina *f*

bal·let ['bæleɪ] *n no pl* Ballett *nt*

'**bal·let danc·er** *n* Balletttänzer(in) *m(f)*

'**ball game** *n* AM Baseballspiel *nt* ▸ **that's a whole new** ~ das ist eine ganz andere Sache

bal·lis·tic [bə'lɪstɪk] *adj* ballistisch ▶ **to go** ~ ausflippen

bal·loon [bə'luːn] I. *n* Ballon *m* II. *vi* ■**to ~ out** sich aufblähen

bal·loon·ist [bə'luːnɪst] *n* Ballonfahrer(in) *m(f)*

bal·lot ['bælət] I. *n* [geheime] Abstimmung *f;* (*election*) Geheimwahl *f;* **first/second ~** erster/zweiter Wahlgang; **to hold a ~** abstimmen; (*elect*) wählen II. *vi* abstimmen III. *vt* ■**to ~ sb [on sth]** jdn [über etw *akk*] abstimmen lassen

'**bal·lot box** *n* Wahlurne *f* '**bal·lot pa·per** *n* Stimmzettel *m*

'**ball·park** *n* AM Baseballstadion *nt* '**ball play·er** *n* AM Baseballspieler(in) *m(f)*

'**ball·point** *n,* **ball·point** '**pen** *n* Kugelschreiber *m*

'**ball·room** *n* Ballsaal *m*

ball·room '**danc·ing** *n no pl* Gesellschaftstanz *m*

balls ['bɔːlz] *n pl* (*fam!*) Eier *pl derb*

'**balls-up** *n* BRIT (*fam!*) Scheiß *m;* (*confusion*) Durcheinander *nt*

balm [bɑːm] *n* Balsam *m*

balmy ['bɑːmi] *adj* mild

bal·sam ['bɔːlsəm] *n no pl* Balsam *m*

Bal·tic ['bɔːltɪk] I. *adj* baltisch; **the ~ Sea** die Ostsee II. *n* ■**the ~** die Ostsee

bam·boo [bæm'buː] *n* Bambus *m*

bam·boo·zle [bæm'buːzl] *vt* ❶ (*confuse*) verwirren ❷ (*trick*) übers Ohr hauen

ban [bæn] I. *n* Verbot *nt;* ~ **on smoking** Rauchverbot *nt;* **to put a ~ on sth** etw verbieten II. *vt* <-nn-> ■**to ~ sth** etw verbieten; ■**to ~ sb** jdn ausschließen; **she was ~ned from driving for two years** sie erhielt zwei Jahre Fahrverbot

ba·nal [bə'nɑːl] *adj* banal

ba·nal·ity [bə'næləti] *n* Banalität *f*

ba·na·na [bə'nɑːnə] *n* Banane *f*

ba·na·na re·'pub·lic *n* Bananenrepublik *f* **ba·'na·na tree** *n* Bananenstaude *f*

band [bænd] I. *n* ❶ *of metal, cloth* Band *nt* ❷ *of colour* Streifen *m;* (*section also*) Abschnitt *m* ❸ (*range*) Bereich *m;* **age ~** Altersgruppe *f;* **tax ~** Steuerklasse *f* ❹ MUS (*modern*) Band *f;* (*traditional*) Kapelle *f* ❺ *of robbers* Bande *f* II. *vt* BRIT SCH einstufen ◆**band together** *vi* sich vereinigen

band·age ['bændɪdʒ] I. *n* Verband *m;* (*of cloth*) Binde *f;* (*for support*) Bandage *f* II. *vt* *limb* bandagieren; *wound* verbinden

'**Band-Aid**® *n* Hansaplast® *nt*

B and B [ˌbiːᵊn(d)'biː] *n* BRIT *abbrev of* **bed and breakfast**

bandit ['bændɪt] *n* ❶ (*robber, murderer*) Bandit(in) *m(f)* ❷ (*swindler*) Gauner(in)

m(f)

'**band mem·ber,** '**bands·man** *n* (*modern music*) Bandmitglied *nt;* (*traditional music*) Mitglied *nt* einer Kapelle '**band·stand** *n* Musikpavillon *m* '**band·wagon** *n* ▶ **to jump on the ~** auf den fahrenden Zug aufspringen **band·width** ['bændwɪtθ] *n* Bandbreite *f*

ban·dy ['bændi] I. *adj* ~ **legs** O-Beine *pl* II. *vt* ■**to be bandied about** verbreitet werden

bang [bæŋ] I. *n* ❶ (*loud sound*) Knall *m* ❷ (*blow*) Schlag *m* ❸ *pl* (*fringe*) ■~**s** AM [kurzer] Pony ▶ **to go** [AM **over**] **with a ~** ein echter Knaller sein II. *adv* ❶ (*precisely*) genau; ~ **in the middle of the road** mitten auf der Straße; ~ **on** BRIT (*fam*) genau richtig; ~ **up-to-date** topaktuell ❷ (*make loud noise*) **to go** ~ [mit einem lauten Knall] explodieren ▶ ~ **goes sth** etw geht dahin; ~ **goes my pay rise** das war's dann wohl mit meiner Gehaltserhöhung *fam* III. *interj* ■~! Peng! IV. *vi* Krach machen; *door* knallen; **to ~ at the door** an die Tür hämmern V. *vt* ❶ (*hit*) *door* zuschlagen; **to ~ one's fist on the table** mit der Faust auf den Tisch hauen; **to ~ one's head on sth** sich den Kopf an etw *akk* anschlagen; **to ~ the phone down** den Hörer auf die Gabel knallen ❷ AM **to ~ one's hair** sich *dat* einen Pony schneiden ◆**bang away** *vi* herumhämmern

bang·er ['bæŋəʳ] *n* ❶ BRIT (*old car*) Klapperkiste *f* ❷ (*firework*) Knaller *m* ❸ BRIT (*fam: sausage*) [Brat]wurst *f;* ~ **s and mash** Würstchen *pl* mit Kartoffelbrei

Bang·la·desh [ˌbæŋgləˈdeʃ] *n* Bangladesh *nt*

Ban·gla·deshi [ˌbæŋgləˈdeʃi] I. *n* Bangale, Bangalin *m, f* II. *adj* bangladeschisch

ban·gle ['bæŋgl] *n* (*for arm*) Armreif[en] *m;* (*for ankle*) Fußreif *m*

ban·ish ['bænɪʃ] *vt* verbannen (**from** aus); *from a country* ausweisen

ban·ish·ment ['bænɪʃmənt] *n* Verbannung *f*

ban·is·ter ['bænɪstəʳ] *n usu pl* [Treppen]geländer *nt*

ban·jo ['bændʒəʊ] *n* <*pl* -s *or* -es> Banjo *nt*

bank¹ [bæŋk] I. *n* ❶ *of a river* Ufer *nt;* (*elevated area*) Abhang *m;* **grassy ~s** grüne Hänge ❷ (*row of objects*) Reihe *f* II. *vi* AVIAT in die Querlage gehen III. *vt* ❶ AVIAT in die Querlage bringen ❷ (*confine*) *water* eindämmen

bank² [bæŋk] I. *n* ❶ (*financial institution*) Bank *f;* **to break the ~** die Bank sprengen;

in the ~ auf der Bank ❷ (*storage place*) Bank *f* **II.** *vi* ■**to** ~ **with sb** bei jdm ein Konto haben **III.** *vt* [auf der Bank] einzahlen ◆**bank on** *vi* ■**to** ~ **on sth** (*rely on*) auf etw *akk* zählen; (*expect*) mit etw *dat* rechnen

'**bank ac·count** *n* Bankkonto *nt* '**bank bal·ance** *n* Kontostand *m* '**bank book** *n* Sparbuch *nt* '**bank charges** *npl* Bankgebühren *pl* '**bank clerk** *n* Bankangestellte(r) *f(m)*

bank·er ['bæŋkəʳ] *n* ❶ (*in bank*) Banker(in) *m(f)* ❷ (*in gambling*) Bankhalter(in) *m(f)*

bank 'holi·day *n* ❶ Brit öffentlicher Feiertag ❷ Am Bankfeiertag *m*

bank·ing ['bæŋkɪŋ] *n* Bankwesen *nt;* **to be in** ~ bei einer Bank arbeiten

'**bank·ing hours** *npl* Schalterstunden *pl* **bank 'man·ag·er** *n* Filialleiter(in) *m(f)* einer Bank '**bank·note** *n* Banknote *f* '**bank rate** *n* Diskontsatz *m* '**bank rob·ber** *n* Bankräuber(in) *m(f)*

bank·rupt ['bæŋkrʌpt] **I.** *adj* ❶ (*insolvent*) bankrott; **to go** ~ in Konkurs gehen ❷ (*deficient*) arm; **morally** ~ moralisch verarmt **II.** *vt* [finanziell] ruinieren **III.** *n* Konkursschuldner(in) *m(f)*

bank·rupt·cy ['bæŋkrʌp(t)si] *n* ❶ *no pl* (*insolvency*) Konkurs *m* ❷ (*individual case*) Konkursfall *m* ❸ *no pl* (*fig*) **moral** ~ moralische Verarmung

'**bank state·ment** *n* Kontoauszug *m* '**bank trans·fer** *n* Überweisung *f*

ban·ner ['bænəʳ] *n* ❶ (*sign*) Transparent *nt* ❷ (*flag*) Banner *nt*

ban·ner 'ad·vert *n* INET Bannerwerbung *f* **banns** [bænz] *npl* **to publish the** ~ das Aufgebot verkünden

ban·quet ['bæŋkwɪt] **I.** *n* Bankett *nt* **II.** *vi* festlich speisen

ban·tam ['bæntəm] *n* Bantamhuhn *nt* **ban·ter** ['bæntəʳ] **I.** *n* scherzhaftes Gerede **II.** *vi* herumscherzen

bap·tism ['bæptɪzᵊm] *n* Taufe *f;* ~ **of fire** (*fig*) Feuertaufe *f*

bap·tis·mal [bæp'tɪzmᵊl] *adj* Tauf-

Bap·tist ['bæptɪst] *n* Baptist(in) *m(f);* **the** ~ **Church** die Baptistengemeinde

bap·tize [bæp'taɪz] *vt* taufen

bar [baːʳ] **I.** *n* ❶ (*long rigid object*) Stange *f; of a cage* Gitterstab *m;* **to be behind** ~**s** hinter Schloss und Riegel sein ❷ (*in shape of bar*) *of chocolate* Riegel *m; of soap* Stück *m;* **a** ~ **of gold** ein Goldbarren *m* ❸ (*band of colour*) Streifen *m* ❹ Brit (*heating element*) *Heizelement* in künstlichen Kaminen ❺ (*obstacle*) Hemmnis *nt* ❻ (*for*

drinking) Lokal *nt,* Bar *f;* (*counter*) Bar *f,* Theke *f* ❼ MUS Takt *m* **II.** *vt* <-rr-> ❶ (*fasten*) verriegeln ❷ (*obstruct*) blockieren ❸ (*prohibit*) *something* verbieten; *somebody* ausschließen **III.** *prep* außer; ~ **none** [alle] ohne Ausnahme

Bar [baːʳ] *n* LAW **to be called to the** ~ als Anwalt/Anwältin [vor Gericht] zugelassen werden

barb [baːb] *n* ❶ *of hook, arrow* Widerhaken *m* ❷ (*insult*) Gehässigkeit *f*

Bar·ba·dos [baː'beɪdɒs] *n* Barbados *nt* **bar·bar·ian** [baː'beəriən] *n* Barbar(in) *m(f)*

bar·bar·ic [baː'bærɪk] *adj* barbarisch **bar·bar·ity** [baː'bærəti] *n* Barbarei *f* **bar·ba·rous** ['baːbᵊrəs] *adj* grausam **bar·be·cue** ['baːbɪkjuː] **I.** *n* (*utensil*) Grill *m;* (*event*) Grillparty *f;* **to have a** ~ grillen **II.** *vt* grillen

barbed [baːbd] *adj* ❶ *hook, arrow* mit Widerhaken ❷ (*fig: hurtful*) bissig

barbed 'wire *n* Stacheldraht *m* **bar·ber** ['baːbəʳ] *n* [Herren]friseur *m* '**bar·ber·shop** *n* Am Friseurgeschäft *nt* **bar·bi·tu·rate** ['baːbɪtʃᵊrət] *n* Barbiturat *nt* '**bar chart** *n* Histogramm *nt*

'**bar code** *n* Strichcode *m*

bard [baːd] *n* (*liter*) Barde *m;* **the B~ of Avon** Shakespeare

bare [beəʳ] **I.** *adj* ❶ (*unclothed*) nackt; **in** ~ **feet** barfuß; **with one's** ~ **hands** (*fig*) mit bloßen Händen ❷ (*uncovered*) *branch* kahl; *landscape* karg ❸ (*empty*) leer ❹ (*unadorned*) nackt; *room* karg ❺ (*basic*) **the** ~ **essentials** das Allernötigste; **the** ~ **minimum** das absolute Minimum **II.** *vt* entblößen; **to** ~ **one's heart** [*or* soul] **to sb** jdm sein Herz ausschütten; **to** ~ **one's teeth** die Zähne zeigen

'**bare·back** *adj, adv* ohne Sattel '**bare·faced** *adj* unverschämt '**bare·foot,** **bare·'foot·ed** *adj, adv* barfuß

bare·ly ['beəli] *adv* ❶ (*hardly*) kaum ❷ (*scantily*) karg

bare·ness ['beənəs] *n of a person* Nacktheit *f; of a landscape* Kargheit *f; of a room* Leere *f*

barf [baːf] *vi* Am (*fam!*) kotzen

bar·gain ['baːgɪn] **I.** *n* ❶ (*agreement*) Handel *m;* **to drive a hard** ~ hart verhandeln ❷ (*good buy*) guter Kauf; **a real** ~ ein echtes Schnäppchen; ~ **counter** Sonderangebotstisch *m* ▶**into the** ~ darüber hinaus **II.** *vi* (*negotiate*) [ver]handeln; (*haggle*) feilschen (**for** um) ◆**bargain for** *vi* (*reckon with*) rechnen mit +*dat;* **to get more than one ~ed for** eine unangenehme Überraschung erleben ◆**bargain on** *vi* zählen auf +*akk*

bar·gain '**base·ment** *n* AM Untergeschoss *nt* mit Sonderangeboten '**bar·gain price** *n* Sonderpreis *m* '**bar·gain-priced** *adj* stark reduziert, zum Schleuderpreis *nach n* '**bar·gain sale** *n* Ausverkauf *m*

barge [bɑːdʒ] **I.** *n* (*for cargo*) Lastkahn *m;* (*for pleasure*) Prunkschiff *nt* **II.** *vi* ■ **to ~ into sb** jdn anrempeln **III.** *vt* **to ~ one's way through sth** sich *dat* seinen Weg durch etw *akk* bahnen; **to ~ one's way to the front** sich nach vorne drängeln ◆**barge in** *vi* (*enter*) hinein-/hereinplatzen; (*interrupt*) sich einmischen

bari·tone ['bærɪtəʊn] *n* Bariton *m*

bar·ium [beəriəm] *n no pl* CHEM Barium *nt*

bark[1] [bɑːk] *n no pl* (*part of tree*) [Baum]rinde *f*

bark[2] [bɑːk] **I.** *n* (*animal cry*) Bellen *nt;* (*fig*) Anblaffen *nt* ▸**his ~ is worse than his bite** Hunde, die bellen, beißen nicht **II.** *vi* bellen ▸**to ~ up the wrong tree** auf dem Holzweg sein ◆**bark out** *vt* [barsch] bellen

'**bar·keep·er** *n* ❶(*owner*) Barbesitzer(in) *m(f)* ❷(*server of drinks*) Barkeeper *m*

bar·ley ['bɑːli] *n no pl* Gerste *f*

'**bar·maid** *n* Bardame *f*

'**bar·man** *n* Barmann *m*

bar·my ['bɑːmi] *adj esp* BRIT (*fam*) bekloppt

barn [bɑːn] *n* Scheune *f*

bar·na·cle ['bɑːnəkl] *n* Rankenfußkrebs *m*

bar·net ['bɑːnɪt] *n* BRIT (*rhyming sl: a person's hair*) Haare *pl*

'**barn·yard** *n esp* AM [Bauern]hof *m*

ba·rom·eter [bə'rɒmɪtər] *n* Barometer *nt*

bar·on ['bærən] *n* Baron *m*, Freiherr *m;* **press ~** Pressezar *m*

bar·on·ess ['bærənəs] *n* Baronin *f*

ba·ro·nial [bə'rəʊniəl] *adj* ❶(*great*) fürstlich ❷(*of a baron*) Barons-

ba·roque [bə'rɒk] **I.** *adj* barock **II.** *n no pl* ■**the ~** der [*o* das] Barock

bar·rack ['bærək] *vt* BRIT ausbuhen

bar·racks ['bærəks] *npl* + *sing/pl vb* Kaserne *f*

bar·rage ['bærɑː(d)ʒ] *n* ❶MIL Sperrfeuer *nt* ❷(*fig*) Hagel *m;* **they received a ~ of criticism** es hagelte nur so an Kritik; **a ~ of questions** ein Schwall *m* von Fragen ❸BRIT (*barrier*) Wehr *nt*

bar·rel ['bærəl] *n* ❶(*container*) Fass *nt* ❷(*measure*) Barrel *nt* ❸*of a gun* Lauf *m; of a cannon* Rohr *nt* ▸**a ~ of laughs** eine Stimmungskanone

'**bar·rel or·gan** *n* Drehorgel *f*

bar·ren ['bær³n] *adj* ❶*man, animal, plant* unfruchtbar; *landscape* karg ❷(*fig*) unproduktiv; *years* mager

bar·ri·cade ['bærɪkeɪd, ˌbærə'keɪd] **I.** *n* Barrikade *f* **II.** *vt* verbarrikadieren

bar·ri·er ['bæriər] *n* Barriere *f;* (*man-made*) Absperrung *f;* (*at railway station*) Schranke *f*

bar·ring ['bɑːrɪŋ] *prep* ausgenommen; **~ any unexpected delays** wenn es keine unerwarteten Verspätungen gibt

bar·ris·ter ['bærɪstər] *n* BRIT, AUS Rechtsanwalt, -anwältin *m, f* [bei höheren Gerichten]

bar·row ['bærəʊ] *n* ❶(*wheelbarrow*) Schubkarren *m* ❷(*cart*) Karren *m*

bar·tend·er ['bɑːˌtendər] *n* Barkeeper *m*

bar·ter ['bɑːtər] **I.** *n* Tausch[handel] *m* **II.** *vi* Tauschhandel [be]treiben; **to ~ for sth** um etw *akk* handeln **III.** *vt* [ein]tauschen (**for** gegen)

base[1] [beɪs] **I.** *n* ❶(*bottom*) Fuß *m; of spine* Basis *f* ❷(*main location*) Hauptsitz *m;* MIL Basis *f* ❸(*main ingredient*) Hauptbestandteil *m* ❹(*first ingredient used*) Grundlage *f;* (*for painting*) Grundierung *f* ❺CHEM Base *f* ❻MATH Basis *f* ❼SPORTS Base *f* ▸**to touch ~** sich mit jdm in Verbindung setzen **II.** *vt* ❶■**to be ~d** *firm* seinen/ihren Sitz haben; *soldier* stationiert sein ❷(*taken from*) ■**to be ~d on sth** auf etw *dat* basieren

base[2] *adj* ❶(*immoral*) niederträchtig ❷(*menial*) niedrig

'**base·ball** *n* Baseball *m o nt* '**base camp** *n* Basislager *nt*

Ba·sel ['bɑːz³l] *n* Basel *nt*

'**base·less** *adj* unbegründet

'**base·line** *n* SPORTS ❶(*in tennis, volleyball*) Grundlinie *f* ❷(*in baseball*) *Verbindungslinie von einer Base zur nächsten*

base·ment ['beɪsmənt] *n* (*living area*) Untergeschoss *nt;* (*cellar*) Keller *m*

'**base rate** *n* FIN Leitzins *m*

bash [bæʃ] **I.** *n* <*pl* -es> ❶(*blow*) [heftiger] Schlag ❷BRIT (*sl*) Versuch *m;* **to have a ~ at sth** etw [einmal] probieren ❸(*sl: party*) Fete *f* **II.** *vi* ■**to ~ into** zusammenstoßen mit +*dat* **III.** *vt* (*fam: hit hard*) ■**to ~ sb** jdn zusammenschlagen ❷**to ~ one's knee on sth** mit dem Knie gegen etw *akk* knallen

bash·ful ['bæʃf³l] *adj* schüchtern

bash·ful·ness ['bæʃf³lnəs] *n no pl* Schüchternheit *f*

ba·sic ['beɪsɪk] *adj* ❶(*fundamental*) grundlegend; **to have a ~ command of sth** [nur] Grundkenntnisse in etw *dat* besitzen; **~ requirements** Grundvorausset-

zungen *pl;* ~ **vocabulary** Grundwortschatz *m;* ■**the** ~**s** *pl* die Grundlagen; **to go back to** [the] ~**s** zum Wesentlichen zurückkehren ➋(*very simple*) [sehr] einfach
ba·si·cal·ly ['beɪsɪkəli] *adv* im Grunde
ba·sic 'pay *n* Grundlohn *m* **ba·sic 'sala·ry** *n* Grundgehalt *nt*
bas·il ['bæzəl] *n* Basilikum *nt*
ba·sili·ca [bə'zɪlɪkə] *n* ARCHIT Basilika *f*
ba·sin ['beɪsən] *n* ➊(*for cooking, washing-up*) Schüssel *f;* (*washbasin*) Waschbecken *nt* ➋ GEOG Becken *nt*
ba·sis <*pl* **bases**> ['beɪsɪs, *pl* -siːz] *n* Basis *f;* ■**to be the** ~ **for sth** als Grundlage für etw *akk* dienen; **on a regular** ~ regelmäßig; **on a voluntary** ~ auf freiwilliger Basis
bask [bɑːsk] *vi* ➊(*sun oneself*) **to** ~ **in the sun** sich in der Sonne aalen ➋(*fig*) ■**to** ~ **in sth** *success* sich in etw *dat* sonnen
bas·ket ['bɑːskɪt] *n* Korb *m*
'bas·ket·ball *n* Basketball *m* **'bas·ket case** *n* (*fam*) hoffnungsloser Fall
bask·ing shark ['bɑːskɪŋˌʃɑːk] *n* Riesenhai *m*
Basle ['bɑːzəl] *n* GEOG Basel *nt*
Basque [bæsk] I. *n* ➊(*person*) Baske, Baskin *m, f* ➋(*language*) Baskisch *nt* II. *adj* baskisch
bass¹ [beɪs] *n* MUS Bass *m;* ~ **clef** Bassschlüssel *m*
bass² [bæs] *n* (*fish*) Barsch *m*
bas·soon [bə'suːn] *n* Fagott *nt*
bas·tard ['bɑːstəd] *n* (*fam!*) ➊(*pej*) Dreckskerl *m;* **lucky** ~ (*hum*) verdammter Glückspilz ➋(*pej old: illegitimate child*) uneheliches Kind
baste [beɪst] *vt* ➊ FOOD mit [Braten]saft beträufeln ➋ AM (*tack*) [an]heften
bas·ti·on ['bæstiən] *n* Bollwerk *nt a. fig*
bat¹ [bæt] *n* ➊(*animal*) Fledermaus *f* ➋(*pej fam*) **an old** ~ eine alte Schrulle ▶**to have** ~**s in the belfry** eine Meise haben; [as] **blind as a** ~ blind wie ein Maulwurf
bat² [bæt] *vt* **to** ~ **one's eyelashes** mit den Wimpern klimpern; **to** ~ **one's eyelashes at sb** jdm zuzwinkern; **to not** ~ **an eyelid** (*fig*) nicht mal mit der Wimper zucken
bat³ [bæt] I. *n* SPORTS Schläger *m* ▶[**right**] **off the** ~ AM prompt; **to do sth off one's own** ~ BRIT etw auf eigene Faust tun II. *vi, vt* <-tt-> SPORTS schlagen
batch [bætʃ] *n* <*pl* -**es**> Stapel *m;* *of bread* Schub *m*
'batch file *n* COMPUT Batchdatei *f*
bat·ed ['beɪtɪd] *adj* **with** ~ **breath** mit angehaltenem Atem

bath [bɑːθ] I. *n* ➊(*tub*) [Bade]wanne *f* ➋(*water*) Bad[ewasser] *nt;* ~ **essence** Badezusatz *m;* **to run** [sb] **a** ~ [jdm] ein Bad einlassen ➌(*washing*) Bad *nt;* **to give sb a** ~ jdn baden; **to have** [*or esp* AM **take**] **a** ~ ein Bad nehmen, baden II. *vi, vt* [sich] baden
bathe [beɪð] I. *vi* ➊ BRIT (*swim*) schwimmen ➋ AM (*bath*) ein Bad nehmen II. *vt* ➊ MED baden; **to** ~ **one's eyes** ein Augenbad machen; **to** ~ **one's feet** ein Fußbad nehmen ➋ AM (*bath*) baden ➌(*fig: cover*) tauchen; **to be** ~**d in sweat** schweißgebadet sein III. *n no pl* Bad *nt*
bath·er ['beɪðər] *n* Badende(r) *f(m)*
bath·ing ['beɪðɪŋ] *n no pl* Baden *nt;* **to go** ~ baden gehen
'bath·ing cap *n* Bademütze *f* **'bath·ing cos·tume** *n* BRIT, AUS (*dated*), AM **'bath·ing suit** *n* Badeanzug *m* **'bath·ing trunks** *npl* Badehose *f*
'bath·robe *n* Bademantel *m* **'bath·room** *n* Bad[ezimmer] *nt;* **to go to the** ~ AM, AUS auf die Toilette gehen **'bath tow·el** *n* Bade[hand]tuch *nt* **'bath·tub** *n esp* AM Badewanne *f*
ba·tik [bæt'iːk] *n no pl* Batik *m o f*
ba·ton ['bætɒn] *n* ➊(*in conducting*) Taktstock *m* ➋(*majorette*) [Kommando]stab *m* ➌(*in relay races*) Staffelholz *nt;* ~ **change** Stabwechsel *m* ➍(*truncheon*) Schlagstock *m*
bats·man *n* Schlagmann *m*
bat·tal·ion [bə'tæliən] *n* Bataillon *nt*
bat·ten ['bætən] *n* Latte *f* ◆**batten down** *vt* mit Latten befestigen; **to** ~ **down the hatches** (*fig*) sich auf etwas gefasst machen
bat·ter¹ ['bætər] FOOD I. *n* [Back]teig *m* II. *vt* panieren
bat·ter² ['bætər] I. *n* SPORTS Schlagmann *m* II. *vt* ■**to** ~ **sb** jdn verprügeln; ■**to** ~ **sth** auf etw *akk* einschlagen III. *vi* schlagen; (*with fists*) hämmern
bat·tered ['bætəd] *adj* ➊(*beaten*) misshandelt ➋(*damaged*) böse zugerichtet; *car* verbeult; *equipment* schadhaft; *furniture, image* ramponiert; *hat* zerbeult; *toys* beschädigt ➌(*covered in batter*) paniert
bat·ter·ing ['bætərɪŋ] *n* ➊(*attack*) Prügel *pl;* **to give sb a** ~ jdn verprügeln ➋(*fam: defeat*) Niederlage *f*
'bat·ter·ing ram *n* Rammbock *m;* (*hist*) Sturmbock *m*
bat·tery ['bætəri] *n* ➊(*power*) Batterie *f;* ~-**operated** [*or* -**powered**] batteriebetrieben ➋(*large number*) Unmenge *f* ➌ MIL Batterie *f* ➍*no pl* LAW Körperverletzung *f*

'bat·tery charg·er n [Batterie]ladegerät nt
'bat·tery hen n Brit, Aus Batteriehuhn nt
bat·tle ['bætl] **I.** n Kampf m; ~ **of wills** Machtkampf m; **to do** ~ kämpfen; **in** ~ im Kampf ▶ **that is** <u>half</u> **the** ~ damit ist die Sache schon halb gewonnen; **to fight a** <u>los-ing</u> ~ auf verlorenem Posten kämpfen **II.** vi kämpfen a. fig **III.** vt Am ■**to** ~ **sth** gegen etw akk [an]kämpfen
'bat·tle·axe n ❶ (hist) Streitaxt f ❷ (pej sl: woman) Schreckschraube f **'bat·tle cry** n Schlachtruf m **'bat·tle·dress** n no pl Kampfanzug m **'bat·tle·field** n, **'bat·tle·ground** n ❶ (site) Schlachtfeld nt ❷ (fig) Reizthema nt
bat·tle·ments ['bætlmənts] npl Zinnen pl
'bat·tle·ship n Schlachtschiff nt
baulk [bɔːk] vi see **balk**
baux·ite ['bɔːksaɪt] n Bauxit m
Ba·varia [bəˈveərɪə] n no pl GEOG Bayern nt
Ba·var·ian [bəˈveərɪən] **I.** adj bay[e]risch **II.** n Bayer(in) m(f)
bawdy ['bɔːdi] adj schlüpfrig, zweideutig
bawl [bɔːl] **I.** vi ❶ (bellow) brüllen, schreien; ■**to** ~ **at sb** jdn anbrüllen ❷ (weep) heulen **II.** vt ❶ (bellow) brüllen, schreien; song grölen ❷ (weep) **to** ~ **one's eyes out** sich die Augen ausweinen
bay [beɪ] **I.** n ❶ GEOG Bucht f; **the B~ of Biscay** der Golf von Biskaya ❷ (for parking) Parkbucht f; (for unloading) Ladeplatz m ❸ (tree) Lorbeer[baum] m; ~ **leaf** Lorbeerblatt nt ❹ (horse) Braune(r) m ▶ <u>at</u> ~ in die Enge getrieben; **to keep sb** <u>at</u> ~ sich dat jdn vom Leib halten; **to keep one's fears** <u>at</u> ~ seine Ängste unter Kontrolle halten **II.** vi bellen; HUNT melden; **to** ~ **for blood** (fig) nach Blut lechzen
bayo·net ['beɪənət] **I.** n Bajonett nt **II.** vt mit dem Bajonett aufspießen
bay 'win·dow n Erkerfenster nt
ba·zaar [bəˈzɑːʳ] n Basar m
ba·zil·lion [bəˈzɪljən] n Am (fam) jede Menge
BBC [ˌbiːbiːˈsiː] n BRIT abbrev of **British Broadcasting Corporation** BBC f
BC [biːˈsiː] adv abbrev of **before Christ** v. Chr.
be <was, been> [biː, bi] vi + n or adj ❶ (describes) sein; **what is that?** was ist das?; **she's a doctor** sie ist Ärztin; **what do you want to** ~ **when you grow up?** was willst du einmal werden, wenn du erwachsen bist?; **to** ~ **from a country** aus einem Land kommen; **to** ~ [all] **for sth** [ganz] für etw akk sein ❷ (calculation) **two and two is four** zwei und zwei ist vier; **these books are 50p each** diese Bücher

kosten jeweils 50p; **how much is that?** wie viel macht das? ❸ (timing) **to** ~ **late/** |**right**| **on time** zu spät-/[genau] rechtzeitig kommen ❹ (location) sein; town, country liegen; **the keys are in that box** die Schlüssel befinden sich in der Schachtel; **the food was on the table** das Essen stand auf dem Tisch; **to** ~ **in a fix** in der Klemme stecken ❺ pp (visit) sein; **the postman hasn't been yet** der Briefträger war noch nicht da; **I've never been to Kenya** ich bin noch nie in Kenia gewesen ❻ (take place) stattfinden; **the meeting is next Monday** die Konferenz findet am nächsten Montag statt ❼ (do) **to** ~ **on benefit** [or Am **welfare**] Sozialhilfe bekommen; **to** ~ **on a diet** auf Diät sein; **to** ~ **on the pill** die Pille nehmen; ■**to** ~ **up to sth** etw im Schild[e] führen ❽ (exist) **to** ~ **or not to** ~, **that is the question** Sein oder Nichtsein, das ist die Frage; **there is/ are ...** es gibt ... ❾ (expresses future) **we are** |**going**| **to visit Australia in the spring** im Frühling reisen wir nach Australien; (expresses future in past) **she was never to see her brother again** sie sollte ihren Bruder nie mehr wiedersehen; **what are we to do?** was sollen wir tun?; (in conditionals) **if I were you, I'd ...** an deiner Stelle würde ich ...; **if he was to work harder, he'd get better grades** wenn er härter arbeiten würde, bekäme er bessere Noten; **were I to refuse, they'd be very annoyed** würde ich mich weigern, wären sie äußerst verärgert ❿ (impersonal use) **what's it to** ~? (what are you drinking) was möchten Sie trinken?; (please decide now) was soll es denn [nun] sein?; **is it true that ...?** stimmt es, dass ...?; **it's not that I don't like her — it's just that we rarely agree on anything** es ist nicht so, dass ich sie nicht mag – wir sind nur selten einer Meinung; **as it were** sozusagen ⓫ (expresses imperatives) ~ **quiet or I'll ...!** sei still oder ich ...!; ~ **seated!** setzen Sie sich!; ~ **yourself!** sei du selbst! ⓬ (expresses continuation) **she's study-ing to be a lawyer** sie studiert, um Rechtsanwältin zu werden; **it's raining** es regnet; **you're always complaining** du beklagst dich dauernd; **while I'm eating** während ich beim Essen bin ⓭ (expresses passive) **to** ~ **asked** gefragt werden; **to** ~ **left speechless** sprachlos sein; **what is to** ~ **done?** was kann getan werden?; **the exhibition is currently to** ~ **seen at the City Gallery** die Ausstellung ist zurzeit in der Stadtgalerie zu besichtigen ▶ **the** ~**-all** and **end-all** das Ein und Alles; ~ **that** as it may wie dem auch sei; **so** ~ **it** so sei es; **far** ~ **it from me to ...** nichts liegt mir ferner, als ...; **to** ~ **off** (*go away*) weggehen; (*begin spoiling*) schlecht sein; ~ **off with you!** go away! geh! hau ab!; **let her** ~ **!** lass sie in Ruhe!

beach [bi:tʃ] **I.** *n* <*pl* -es> Strand *m;* **on the** ~ am Strand **II.** *vt* auf [den] Strand setzen; ~ **ed whale** gestrandeter Wal

'**beach ball** *n* Wasserball *m* '**beach-wear** *n* Strandkleidung *f*

bea·con [ˈbiːkən] *n* ❶ (*signal*) Leuchtfeuer *nt* ❷ (*fig: inspiration*) Leitstern *m*

bead [biːd] *n* ❶ (*for jewellery*) Perle *f* ❷ (*fig: droplet*) Tropfen *m;* ~ **s of perspiration** Schweißtropfen *pl* ❸ REL ▪ ~ **s** *pl* Rosenkranz *m;* **to count one's** ~ **s** den Rosenkranz beten

bead·ing [ˈbiːdɪŋ] *n* Perlstab *m*

beady [ˈbiːdi] *adj* ~ **eyes** [glänzende] Knopfaugen; **to have one's** ~ **eye on** (*fig*) ein wachsames Auge haben auf +*akk*

beak [biːk] *n* Schnabel *m*

beak·er [ˈbiːkəʳ] *n* ❶ (*mug*) Becher *m* ❷ SCI Becherglas *nt*

beam [biːm] **I.** *n* ❶ (*light*) [Licht]strahl *m;* **full** ~ Fernlicht *nt* ❷ (*baulk*) Balken *m* ❸ SPORTS Schwebebalken *m* **II.** *vt* (*transmit*) ausstrahlen **III.** *vi* strahlen; ▪ **to** ~ **at sb** jdn anstrahlen

beam·ing [ˈbiːmɪŋ] *adj* strahlend

bean [biːn] *n* (*seed*) Bohne *f;* (*pod*) [Bohnen]hülse *f;* **baked** ~ **s** Baked Beans *pl* ▶ **full of** ~ **s** putzmunter; ~ **feast** BRIT, AUS Riesenfete *f*

beanie [ˈbiːni] *n* [Beanie-]mütze *f*

'**bean·pole** *n* (*hum fam*) Bohnenstange *f* *hum fam*'**bean sprouts** *npl* Sojabohnensprossen *pl*

bear[1] [beəʳ] *n* ❶ (*animal*) Bär *m;* **she** ~ Bärin *f;* **to be like a** ~ **with a sore head** (*fig*) ein richtiger Brummbär sein ❷ FIN Baissier *m*

bear[2] <bore, borne *or* AM *also* born> [beəʳ] **I.** *vt* ❶ (*carry*) tragen; **gifts** mitbringen; (*liter*) **tidings** überbringen; **to** ~ **the blame** die Schuld auf sich *akk* nehmen; **to** ~ **the cost** die Kosten tragen ❷ (*endure*) ertragen; **it doesn't** ~ **thinking about** man darf gar nicht daran denken; ▪ **to not be able to** ~ **the suspense** die Spannung nicht aushalten; ▪ **to not be able to** ~ **criticism** Kritik nicht vertragen ❸ (*harbour*) **to** ~ **sb a grudge** einen Groll gegen jdn hegen; **to** ~ **no ill-will** keine Feindschaft empfinden ❹ (*display*) **to** ~ **a likeness to sb** Ähnlichkeit mit jdm haben; **to**

~ **the scars** (*fig*) gezeichnet sein ❺ (*keep*) **I'll** ~ **that in mind** ich werde das berücksichtigen ❻ (*give birth to*) gebären; **his wife bore him a son** seine Frau schenkte ihm einen Sohn ❼ BOT **to** ~ **fruit** Früchte tragen *a. fig* ❽ FIN **to** ~ **interest at 8%** 8 % Zinsen bringen ❾ (*testify*) **to** ~ **witness** Zeugnis ablegen (*to* von) **II.** *vi* ❶ (*tend*) **to** ~ **right** sich rechts halten ❷ (*be patient*) ▪ **to** ~ **with sb** mit jdm Geduld haben ❸ (*approach*) ▪ **to** ~ **down on** zusteuern auf +*akk* ❹ (*be relevant*) ▪ **to** ~ **on** betreffen; (*have affect on*) beeinflussen ❺ (*put pressure on*) **to bring pressure to** ~ **on** Druck ausüben auf +*akk* ◆ **bear off** *vt* ❶ (*defend against*) abwehren ❷ (*carry away*) wegtragen ◆ **bear up** *vi* standhalten; **she's** ~ **ing up** sie lässt sich nicht unterkriegen

bear·able [ˈbeərəbl] *adj* erträglich

beard [bɪəd] *n* Bart *m;* **to have a** ~ einen Bart tragen [*o* haben]

beard·ed [ˈbɪədɪd] *adj* bärtig

beard·less [ˈbɪədləs] *adj* bartlos; ▪ **to be** ~ keinen Bart haben

bear·er [ˈbeərəʳ] *n* ❶ (*messenger*) Überbringer(in) *m(f)* ❷ (*pallbearer*) Sargträger *m*

bear·ing [ˈbeərɪŋ] *n* ❶ NAUT Peilung *f;* **to take a** ~ **on sth** etw anpeilen; ▪ ~ **s** *pl* (*position*) Lage *f kein pl;* (*direction*) Kurs *m kein pl;* **to get** [*or* **find**] **one's** ~ **s** (*fig*) sich zurechtfinden; **to lose one's** ~ **s** die Orientierung verlieren ❷ *no pl* (*deportment*) Benehmen *nt;* (*posture*) Haltung *f* ❸ TECH Lager *nt* ❹ (*relevance*) **to have no** ~ **on sth** für etw *akk* belanglos sein

'**bear·skin** *n* ❶ (*bear fur*) Bärenfell *nt* ❷ (*military hat*) Bärenfellmütze *f*

beast [biːst] *n* ❶ (*animal*) Tier *nt;* ~ **of burden** Lasttier *nt* ❷ (*fam: nasty person*) Biest *nt;* (*cruel person*) Bestie *f;* **to be a** ~ **to sb** zu jdm biestig sein; **a** ~ **of a day** BRIT ein scheußlicher Tag

beast·ly [ˈbiːs(t)li] *adj* (*fam*) ❶ (*disappointing, nasty*) scheußlich, garstig, ekelhaft ❷ (*unfair, unpleasant*) gemein, fies

beat [biːt] **I.** *n* ❶ (*throb*) Schlag *m* ❷ *no pl* (*act*) Schlagen *nt;* **of the heart** Klopfen *nt;* **her heart skipped a** ~ ihr stockte das Herz ❸ *no pl* MUS Takt *m* ❹ *usu sing* (*police patrol*) Runde *f* **II.** *adj* (*fam*) fix und fertig; **dead** ~ total geschafft **III.** *vt* <beat, beaten *or fam* beat> ❶ (*hit*) schlagen; ▪ **to** ~ **sth** schlagen; (*to* [*o* auf] etw *akk* schlagen; *carpet* [aus]klopfen; **to** ~ **a drum** trommeln; **to** ~ **time** den Takt schlagen; **to** ~ **sb to death** jdn totschlagen; **to** ~ **sb**

black and blue jdn grün und blau schlagen ② FOOD schlagen ③ (*force*) **to ~ a path through sth** sich *dat* einen Weg durch etw *akk* bahnen ④ (*defeat*) schlagen, besiegen; (*score better*) übertreffen; **you can't ~ a cool beer on a hot day** es geht [doch] nichts über ein kühles Bier an einem heißen Tag; **you simply can't ~ their prices** ihre Preise sind schlichtweg nicht zu unterbieten; **it ~s me** (*fam*) das ist mir zu hoch; ▪**to ~ sb to sth** jdm bei etw *dat* zuvorkommen; **it ~s me** [*or* what ~s me is] **how/why ...** es ist mir ein Rätsel, wie/warum ... ⑤ (*avoid*) umgehen ▶ **if you can't ~ 'em, join 'em** (*saying*) verbünde dich mit ihnen, wenn du sie nicht besiegen kannst; **that ~s everything** das schlägt dem Fass den Boden aus; **~ it!** hau ab!; **to ~ a** [hasty] **retreat** [schnell] einen Rückzieher machen **IV.** *vi* <beat, beaten *or fam* beat> ① (*throb,*) schlagen; *heart also* klopfen, pochen; *drum* dröhnen ② (*strike*) ▪**to ~ against** [*or* on] **sth** gegen etw *akk* schlagen; (*continuously*) gegen etw *akk* hämmern ③ (*fig*) *rain* prasseln; *sun* [nieder]brennen; *waves* schlagen ④ AM (*hurt*) ▪**to ~ on sb** auf jdn einschlagen ▶ **to ~ about** [*or* AM **around**] **the bush** um den heißen Brei herumreden ◆**beat back** *vt* abwehren; MIL zurückschlagen ◆**beat down I.** *vi* *rain* [her]niederprasseln; *sun* [her]niederbrennen **II.** *vt* (*haggle*) herunterhandeln (**to** auf) ◆**beat off** *vt* abwehren; MIL zurückschlagen ◆**beat out** *vt* ① (*extinguish*) ausschlagen ② (*drum*) schlagen ③ (*flatten*) aushämmern ▶ **to ~ sb's brains out** jdm den Schädel einschlagen ◆**beat up I.** *vt* verprügeln, zusammenschlagen **II.** *vi* AM ▪**to ~ up on** verprügeln

beat·en ['biːtᵊn] *adj* geschlagen; *metal* gehämmert ▶ **off the ~ track** abgelegen

beat·er ['biːtəʳ] *n* ① (*for cookery*) Rührbesen *m*; (*for carpets*) [Teppich]klopfer *m* ② HUNT Treiber(in) *m(f)*

be·ati·fi·ca·tion [bɪˌætɪfɪˈkeɪʃᵊn] *n* Seligsprechung *f*

be·ati·fy [bɪˈætɪfaɪ] *vt* selig sprechen

beat·ing ['biːtɪŋ] *n* ① (*smacking*) Prügel *pl* ② (*defeat*) Niederlage *f* ③ (*hard to better*) **her time will take some ~** ihre Zeit ist kaum zu übertreffen

Be·ati·tudes [bɪˈætɪtjuːdz] *npl* ▪**the ~** die Seligpreisungen

beau·ti·cian [bjuːˈtɪʃᵊn] *n* Kosmetiker(in) *m(f)*

beau·ti·ful ['bjuːtɪfᵊl] *adj* ① (*very attractive*) schön; **extremely ~** wunderschön

② (*uplifting*) herrlich, großartig

beau·ti·fy ['bjuːtɪfaɪ] *vt* verschönern; (*hum*) schön machen

beau·ty ['bjuːti] *n* ① *no pl* (*attractiveness*) Schönheit *f* ② (*very attractive woman*) Schönheit *f* ③ (*fam: outstanding specimen*) Prachtstück *nt* ④ *no pl* (*attraction*) **the ~ of our plan ...** das Schöne an unserem Plan ... ▶ **~ is in the eye of the beholder** (*prov*) über Geschmack lässt sich [bekanntlich] streiten

'**beau·ty con·test** *n,* '**beau·ty pag·eant** *n* Schönheitswettbewerb *m* '**beau·ty spot** *n* ① (*in countryside*) schönes Fleckchen [Erde] ② (*on face*) Schönheitsfleck *m*

bea·ver ['biːvəʳ] **I.** *n* ① ZOOL Biber *m* ② (*fig*) Arbeitstier *nt* **II.** *vi* (*fam*) **to ~ away** schuften

be·calmed [bɪˈkɑːmd] *adj* in eine Flaute geraten

be·came [bɪˈkeɪm] *pt of* **become**

be·cause [bɪˈkɒz] **I.** *conj* ① (*for reason that*) weil, da; **that's ~ ...** es liegt daran, dass ... ② (*fam: for*) denn ▶ **just ~!** [einfach] nur so! **II.** *prep* ▪**~ of** wegen

beck [bek] *n* BRIT [Wild]bach *m* ▶ **to be at sb's ~ and call** nach jds Pfeife tanzen

beck·on ['bekᵊn] **I.** *vt* ▪**to ~ sb** jdm ein Zeichen geben; ▪**to ~ sb over** jdn herüberwinken **II.** *vi* winken *a. fig*

be·come <became, become> [bɪˈkʌm] **I.** *vi* werden; **this species almost became extinct** diese Art wäre fast ausgestorben; **what became of ...?** was ist aus ... geworden?; **to ~ interested in sb/sth** anfangen, sich für jdn/etw zu interessieren **II.** *vt* ① (*change into*) werden; **she wants to ~ an actress** sie will Schauspielerin werden ② (*look good*) ▪**sth ~s sb** etw steht jdm ③ (*befit*) ▪**to ~ sb** sich für jdn schicken

be·com·ing [bɪˈkʌmɪŋ] *adj* ① (*attractive*) vorteilhaft; **that dress is very ~** das Kleid steht dir sehr gut ② (*appropriate*) schicklich

bed [bed] *n* ① (*furniture*) Bett *nt;* **to get out of ~** aufstehen; **to go to ~** zu [*o* ins] Bett gehen; **to put sb to ~** jdn ins Bett bringen; **in ~** im Bett ② (*flower patch*) Beet *nt* ③ (*foundation substratum*) Unterlage *f*; **~ of sand** Sandschicht *f*; **sea ~** Meeresgrund *m* ④ FOOD Beilage *f*; **served on a ~ of rice** auf Reis serviert ▶ **to get out of the wrong side of the ~** mit dem linken Fuß [zuerst] aufstehen; **as you make your ~ so you must lie on it** (*prov*) wie man sich bettet, so liegt man ◆**bed down** *vi*

❶ (*sleep*) **to ~ down on the couch** auf dem Sofa kampieren **❷** (*reach state of normality*) sich legen

BEd [bi:'ed] *n* BRIT *abbrev of* **Bachelor of Education** Bakkalaureus *m* der Erziehungswissenschaften

bed and 'break·fast *n* Übernachtung *f* mit Frühstück; **~ place** Frühstückspension *f*

'**bed·bug** *n* [Bett]wanze *f* '**bed·clothes** *npl* Bettzeug *nt kein pl*

bed·ding ['bedɪŋ] **I.** *n no pl* Bettzeug *nt* **II.** *adj attr* Freiland-, Beet-; **~ plant** Gartenpflanze *f*

be·dev·il <BRIT **-ll-** *or* AM *usu* **-l->** [br'devᵊl] *vt* ▪**to be ~ed by sth** von etw *dat* geplagt werden

'**bed·fel·low** *n* (*fig*) Verbündete(r) *f(m);* **the priest and the politician made strange ~s** der Pfarrer und der Politiker gaben ein merkwürdiges Gespann ab

bed·lam ['bedləm] *n* Chaos *nt*

'**bed lin·en** *n* Bettwäsche *f* '**bed·pan** *n* Bettpfanne *f,* Bettschüssel *f*

be·drag·gled [br'dræg|d] *adj* durchnässt [und verdreckt]

'**bed·rid·den** *adj* bettlägerig '**bed·rock** *n* Grundgestein *nt;* (*fig*) Fundament *nt* '**bed·room** *n* Schlafzimmer *nt* '**bed·side** *n no pl* Seite *f* des Bettes; **to be at sb's ~** an jds Bett sitzen **bed·side 'lamp** *n* Nachttischlampe *f* **bed·side 'rug** *n* Bettvorleger *m* **bed·side 'table** *n* Nachttisch *m* '**bed·sit** *n* BRIT *short for* **bedsitter** Einzimmerappartement *nt* **bed·'sit·ter** *n,* *form* **bed-'sit·ting room** *n esp* BRIT Einzimmerappartement *nt* '**bed·sore** *n* wund gelegene Stelle '**bed·spread** *n* Tagesdecke *f* '**bed·stead** *n* Bettgestell *nt* '**bed·time** *n* Schlafenszeit *f;* **it's ~** Zeit fürs Bett!; **it's long past your ~** du solltest schon längst im Bett sein; **at ~** vor dem Schlafengehen **bed·wet·ter** ['bed-wetə'] *n* PSYCH Bettnässer(in) *m(f)*

bee [bi:] *n* **❶** (*insect*) Biene *f* **❷** AM, AUS (*meet*) Treffen *nt;* **sewing ~** Nähkränzchen *nt* **❸** (*competition*) Wettbewerb *m* ► **to have a ~ in one's** <u>bonnet</u> einen Tick haben; **he thinks he's the ~s' <u>knees</u>** er hält sich für den Größten; **to be a** <u>busy</u> [*or* (**as**) <u>busy</u> **as a**] **~** fleißig wie eine Biene sein

beech [bi:tʃ] *n* Buche *f*

'**beech·nut** *n* Buchecker *f*

beef [bi:f] **I.** *n* **❶** (*meat*) Rindfleisch *nt;* **minced** [*or* AM **ground**] **~** Rinderhack[fleisch] *nt* **❷** (*complaint*) Beschwerde *f* **II.** *vi* sich beschweren (**about** über)

'**beef·bur·ger** *n* Beefburger *m* '**beef·cake** *n* (*sl*) Muskelpaket *nt* '**beef·steak** *n* Beefsteak *nt*

beefy ['bi:fi] *adj* (*fam*) **❶** (*muscular*) muskulös **❷** (*high-powered*) leistungsstark **❸** (*like beef*) Rindfleisch-

'**bee·hive** *n* **❶** (*of bees*) Bienenstock *m;* (*rounded*) Bienenkorb *m* **❷** (*hairstyle*) toupierte Hochfrisur

'**bee-keep·er** *n* Imker(in) *m(f)* '**bee·line** *n no pl* **to make a ~ for sb/sth** schnurstracks auf jdn/etw zugehen

been [bi:n] *pp of* **be**

beep [bi:p] **I.** *vt* **❶** (*make brief noise*) **to ~ one's horn** hupen **❷** (*fam: on pager*) ▪**to ~ sb** jdn anpiepen **II.** *vi* piepen; (*in car*) hupen; ▪**to ~ at sb** jdn anhupen **III.** *n* Piep[s]ton *m; of a car* Hupen *nt*

beep·er ['bi:pə'] *n* (*fam*) Piepser *m*

beer [biər] *n* Bier *nt*

'**beer gar·den** *n* Biergarten *m* '**beer mat** *n* Bierdeckel *m*

'**bees·wax** *n no pl* Bienenwachs *nt*

beet [bi:t] *n* **❶** (*edible plant root*) [Runkel]rübe *f* **❷** AM (*beetroot*) Rote Bete

bee·tle ['bi:t|] **I.** *n* Käfer *m* **II.** *adj* **~ brows** buschige Augenbrauen **III.** *vi* BRIT (*fam*) ▪**to ~ along** entlangpesen; ▪**to ~ off** abschwirren

beet·root ['bi:tru:t] *n* BRIT Rote Bete; **to go as red as a ~** rot werden wie eine Tomate

be·fit <**-tt->** [br'fɪt] *vt* (*form*) **as ~s a princess** wie es einer Prinzessin geziemt

be·fore [br'fɔ:'] **I.** *prep* **❶** (*earlier*) vor +*dat;* **the day ~ yesterday** vorgestern; **the year ~ last** vorletztes Jahr; **~ everything else** zuallererst; **~ long** in Kürze; **~ now** schon früher **❷** (*in front of*) vor +*dat; with persons of motion* von +*akk;* **the letter K comes ~ L** der Buchstabe K kommt vor dem L; **he was brought ~ the judge** er wurde vor den Richter gebracht; **the task ~ us** die Aufgabe, vor der wir stehen; **I'd go to prison ~ asking her for money** ich würde eher ins Gefängnis gehen, als sie um Geld zu bitten **II.** *conj* **❶** (*at previous time*) bevor; **but ~ I knew it, she was gone** doch ehe ich mich versah, war sie schon verschwunden; **just ~ ...** kurz bevor ... **❷** (*rather than*) bevor, ehe **❸** (*until*) bis; ▪**not ~** erst wenn **❹** (*so that*) damit **III.** *adv* (*earlier*) zuvor, vorher; **I have never seen that ~** das habe ich noch nie gesehen; **have you been to Cologne ~?** waren Sie schon einmal in Köln?; **she has seen it all ~** sie kennt das alles schon; **to be as ~** wie früher sein; **life went on as ~** das Leben ging wieder seinen gewohnten Gang; ~ **and after** davor und danach **IV.** *adj after n* zuvor; **the day ~ , it had rained** tags zuvor hatte es geregnet; **read this line and the one ~** lies diese Zeile und die vorhergehende [*o* davor]

before·hand [bɪˈfɔːhænd] *adv* vorher

be·friend [bɪˈfrend] *vt* ❶ (*become friends with*) sich anfreunden mit +*dat* ❷ (*look after*) sich annehmen

be·fuddled [bɪˈfʌdld] *adj* ❶ (*muddled*) verwirrt ❷ (*intoxicated*) benebelt; **to be ~ by drink** benebelt sein

beg <-gg-> [beg] **I.** *vt* ❶ (*request*) bitten; **to ~ sb's forgiveness** jdn um Verzeihung bitten; **I ~ your pardon** entschuldigen Sie bitte ❷ (*leave unresolved*) **to ~ the question** keine Antwort auf die [eigentliche] Frage geben ▶ **to go ~ging** noch zu haben sein **II.** *vi* ❶ (*seek charity*) betteln (**for** um) ❷ (*request*) **I ~ to inform you that ...** (*form*) ich möchte Ihnen mitteilen, dass...; **I ~ to differ** (*form*) ich erlaube mir, anderer Meinung zu sein; **to ~ for mercy** um Gnade flehen; ▪**to ~ of sb** jdn anflehen ❸ *dog* Männchen machen

be·gan [bɪˈgæn] *pt of* **begin**

beg·gar [ˈbegəʳ] **I.** *n* ❶ (*poor person*) Bettler(in) *m(f)* ❷ + *adj esp* BRIT **little** ~ kleiner Schlingel; **lucky ~** Glückspilz *m* ▶ **~s can't be choosers** (*prov*) in der Not frisst der Teufel Fliegen **II.** *vt* ▶ **to ~ belief** [einfach] unglaublich sein

beg·ging [ˈbegɪŋ] *n no pl* Betteln *nt*

be·gin <-nn-, began, begun> [bɪˈgɪn] *vt, vi* (*commence*) anfangen, beginnen; **I began this book two months ago** ich habe mit diesem Buch vor zwei Monaten angefangen; **she began acting at fifteen** sie fing mit fünfzehn mit der Schauspielerei an; **I began to think he'd never come** ich dachte schon, er würde nie kommen; **he didn't even ~ to answer my questions** er hat keinerlei Anstalten gemacht, meine Fragen zu beantworten; **it doesn't ~ to do him justice** es wird ihm nicht [einmal] annähernd gerecht; **she was ~ning to get angry** sie wurde allmählich wütend; **I'll ~ by welcoming our guests** zuerst werde ich unsere Gäste begrüßen; **I don't know where to ~** ich weiß nicht, wo ich anfangen soll!; **the play ~s with the sisters in the kitchen** am Anfang des Stücks sitzen die Schwestern in der Küche; **he began by saying ...** zunächst einmal sagte er ...; **to ~ school** in die Schule kommen; **to ~ work** mit der Arbeit beginnen; **to ~ to roll/stutter** ins Rollen/Stottern kommen; **to ~ again** neu anfangen; ▪**to ~**

with (*before anything*) **to ~ with, I want to ...** zunächst einmal möchte ich ...; **there were six of us to ~ with** anfangs waren wir noch zu sechst; **to ~ with, the room is too small, then ...** erstens ist das Zimmer zu klein, [und] dann ...; **before school ~s** vor Schulanfang; **~ning from September 1** ab dem ersten September

be·gin·ner [bɪˈgɪnəʳ] *n* Anfänger(in) *m(f)*; **~'s luck** Anfängerglück *nt*

be·gin·ning [bɪˈgɪnɪŋ] *n* ❶ (*starting point*) Anfang *m;* (*in time*) Beginn *m;* **at** [*or* **in**] **the ~** am Anfang, zu Beginn; **the ~ of the end** der Anfang vom Ende; **from ~ to end** (*place*) von vorn bis hinten; (*temporal*) von Anfang bis Ende ❷ (*origin*) ▪**~s** *pl* Anfänge *pl* ❸ *pl* (*start*) ▪**~s** erste Anzeichen; **I've got the ~s of a headache** ich glaube, ich bekomme Kopfschmerzen

be·grudge [bɪˈgrʌdʒ] *vt* ▪**to ~ sb sth** jdm etw missgönnen; **I don't ~ him his freedom** ich gönne ihm seine Freiheit

be·gun [bɪˈgʌn] *pp of* **begin**

be·half [bɪˈhɑːf] *n no pl* **on ~ of sb** [*or* **on sb's ~**] (*speaking for*) im Namen einer Person *gen;* (*as authorized by*) im Auftrag einer Person *gen*

be·have [bɪˈheɪv] **I.** *vi* ❶ *people* sich verhalten; **to ~ badly/well** sich schlecht/gut benehmen; **~!** benimm dich! ❷ *object, substance* sich verhalten **II.** *vt* ▪**to ~ oneself** sich [anständig] benehmen

be·'hav·ior *n* AM *see* **behaviour**

be·hav·ior·al *adj* AM *see* **behavioural**

be·hav·ior·ism *n no pl* AM *see* **behaviourism**

be·hav·iour [bɪˈheɪvjəʳ] *n* ❶ *of a person* Benehmen *nt,* Verhalten *nt;* **to be on one's best ~** sich von seiner besten Seite zeigen; **behaviour pattern** Verhaltensmuster *nt* ❷ *of a car* [Fahr]verhalten *nt*

be·hav·iour·al [bɪˈheɪvjəʳəl] *adj* Verhaltens-

be·hav·iour·ism [bɪˈheɪvjəʳrɪzəm] *n no pl* PSYCH Behaviorismus *m*

be·head [bɪˈhed] *vt* köpfen

be·hind [bɪˈhaɪnd] **I.** *prep* ❶ hinter +*dat;* *with verbs of motion* hinter +*akk;* **to be ~ schedule** in Verzug sein; **~ the wheel** hinterm Lenkrad; **to fall ~ sb** hinter jdn zurückfallen ❷ (*fig*) **I'm ~ you all the way** ich stehe voll hinter dir; **who's ~ [all] this?** wer steckt dahinter? ▶ **to go ~ sb's back** jdn hintergehen; **~ the times** hinter der Zeit zurück[geblieben] **II.** *adv* hinten; **to walk ~ [sb]** hinter [jdm] hergehen **III.** *adj* ❶ (*in arrears*) im Rückstand ❷ (*slow*) **to be [a long way] ~** [weit] zu-

belief

expressing belief	glauben
I think she will pass the exam.	**Ich glaube, dass** sie die Prüfung bestehen wird.
Our team **will definitely** win.	Unsere Mannschaft **wird hundertprozentig** gewinnen.
I reckon this story is true.	Ich **denke schon, dass** diese Geschichte wahr ist.
I believe this story **to be** true. *(form)*	**Ich halte** diese Geschichte **für** wahr.

expressing assumption	Vermutungen ausdrücken
I don't think she will come.	**Ich glaube nicht, dass** sie kommt.
I assume/suppose he's happy in his new job.	**Ich nehme an, dass** ihm seine neue Arbeit gefällt.
I consider it to be a distinct possibility that the stock market will crash in the near future. *(form)*	**Ich halte** einen Börsenkrach in der nächsten Zeit **für durchaus denkbar.** *(form)*
I've got a feeling about it.	**Ich habe da so eine Ahnung.**
I get the feeling he's keeping something from us.	**Ich habe so den Eindruck, dass** er uns etwas verheimlicht.
I suspect she might have made a mistake with the final bill.	**Es kommt mir so vor, als ob** sie bei der Abrechnung einen Fehler gemacht hat.
I have an inkling she won't put up with it much longer.	**Ich habe das Gefühl, dass** sie das nicht mehr lange mitmacht.

rück sein; **to be ~ in a subject** in einem Fach hinterherhinken **IV.** *n* (*fam*) Hintern *m*

be·hind·hand [bɪˈhaɪndhænd] *adj* im Rückstand

be·hold <beheld, beheld> [bɪˈhəʊld] *vt* (*liter*) erblicken

beige [beɪʒ] *adj* beige[farben]

be·ing [ˈbiːɪŋ] **I.** *n* ❶ (*creature*) Wesen *nt* ❷ (*existence*) Dasein *nt;* **to come into ~** entstehen **II.** *adj* **for the time ~** vorerst **III.** *see* **be**

Be·la·rus [n belǝˈruːs] Weißrussland *nt*

be·lat·ed [bɪˈleɪtɪd] *adj* verspätet; *birthday greetings* nachträglich

belch [beltʃ] **I.** *n* <*pl* -es> Rülpser *m* **II.** *vi* rülpsen **III.** *vt* ausstoßen; *volcano* ausspeien

bel·fry [ˈbelfrɪ] *n* Glockenturm *m* ▸ **to have bats in the ~** einen Vogel haben

Bel·gian [ˈbeldʒǝn] **I.** *n* Belgier(in) *m(f)* **II.** *adj* belgisch

Bel·gium [ˈbeldʒǝm] *n* Belgien *nt*

Bel·grade [belˈgreɪd] *n* Belgrad *nt*

be·lief [bɪˈliːf] *n* ❶ (*faith*) Glaube *m kein pl* (**in** an); **religious ~s** religiöse Überzeugungen; **to be beyond ~** [einfach] un-

glaublich sein ❷ (*view*) Überzeugung *f;* **it is my firm ~ that ...** ich bin der festen Überzeugung, dass ...; **to the best of my ~** nach bestem Wissen und Gewissen; **contrary to popular ~** entgegen der allgemeinen Auffassung

be·liev·able [bɪˈliːvǝbl] *adj* glaubwürdig

be·lieve [bɪˈliːv] **I.** *vt* ❶ (*presume true*) glauben; **~ [you] me!** du kannst mir glauben!; **would you ~ it?** kannst du dir das vorstellen?; **she couldn't ~ her eyes** sie traute ihren Augen nicht; **I couldn't ~ my luck** ich konnte mein Glück [gar] nicht fassen; **I can't ~ how ...** ich kann gar nicht verstehen, wie ...; **~ it or not** ob du es glaubst oder nicht; ▪ **to ~ sb to be sth** jdn für etw *akk* halten ❷ (*pretend*) **to make ~ [that]** ... so tun, als ob ... ▸ **seeing is believing** was ich sehe, glaube ich **II.** *vi* ❶ (*be certain of*) glauben (**in** an) ❷ (*have confidence*) ▪ **to ~ in sb/sth** auf jdn/etw vertrauen ❸ (*support sincerely*) ▪ **to ~ in sth** viel von etw *dat* halten ❹ (*think*) glauben; **the robbers are ~d to ...** man nimmt es an, dass die Räuber ...; **we have [every] reason to ~ that ...** wir haben [allen] Grund zu der Annahme, dass ...;

I ~ **so** ich glaube schon

be·liev·er [brˈliːvəʳ] *n* **❶** REL Gläubige(r) *f(m)* **❷** (*enthusiast*) [überzeugter] Anhänger-/[überzeugte] Anhängerin; **to be a** [**great**] ~ **in sth** [sehr] viel von etw *dat* halten

be·lit·tle [brˈlɪtl̩] *vt* herabsetzen; *success* schmälern

Be·lize [bəˈliːz] *n* Belize *nt*

Be·li·zean [bəˈliːziən] I. *adj* belizisch II. *n* Belizer(in) *m(f)*

bell [bel] *n* **❶** (*for ringing*) Glocke *f*; (*small one*) Glöckchen *nt*; **bicycle**/**door** ~ Fahrrad-/Türklingel *f* **❷** (*signal*) Läuten *nt kein pl*, Klingeln *nt kein pl*; **there's the ~ for lunch** es läutet zur Mittagspause; **to give sb a** ~ BRIT (*fam*) jdn anrufen ▸ [**as**] **clear as a** ~ (*pure*) glasklar; (*obvious*) völlig klar; **sth rings a** ~ [**with sb**] etw kommt jdm bekannt vor

'**bell·boy** *n* [Hotel]page *m*

bel·li·cose [ˈbelɪkəʊs] *adj* kriegerisch

bel·lig·er·ent [bəˈlɪdʒ³rənt] *adj* kampflustig

bel·lig·er·ent·ly [bəˈlɪdʒ³rəntli] *adv* kämpferisch; **to behave** ~ sich aggressiv verhalten

'**bell jar** *n* Glasglocke *f*

bel·low [ˈbeləʊ] I. *vt, vi* brüllen II. *n* Gebrüll *nt*; **to give a** ~ **of rage** voller Wut schreien

bel·lows [ˈbeləʊz] *npl* [a **pair of**] ~ **s** [ein] Blasebalg *m*

'**bell·push** *n* BRIT Klingel *f*

bel·ly [ˈbeli] *n* (*fam*) Bauch *m* ▸ **his eyes are bigger than his** ~ bei ihm sind die Augen größer als der Magen; **to go ~ up** pleitegehen

'**bel·ly·ache** I. *n* (*fam*) Bauchschmerzen *pl*, Bauchweh *nt kein pl* II. *vi* (*fam*) jammern '**bel·ly bar** *n* Nabelstecker *m* '**bel·ly but·ton** *n* (*fam*) [Bauch]nabel *m* '**bel·ly-danc·er** *n* Bauchtänzerin *f* '**bel·ly flop** I. *n* Bauchklatscher *m* II. *vi* <-pp-> einen Bauchklatscher machen

be·long [brˈlɒŋ] *vi* **❶** (*be property of*) gehören; **who does this ~ to?** wem gehört das?; (*be in right place*) hingehören; **where do these spoons ~?** wohin gehören diese Löffel? **❷** (*should be*) **he ~ s in jail** er gehört ins Gefängnis; **you don't ~ here** Sie haben hier nichts zu suchen **❸** (*fit in*) [dazu]gehören; **she doesn't really ~ here** sie passt eigentlich nicht hierher

be·long·ings [brˈlɒŋɪŋz] *npl* Hab und Gut *nt kein pl*; **personal** ~ persönliche Sachen

Be·lo·rus·sian [ˌbeləˌ(ʊ)ˈrʌʃən] I. *adj* weißrussisch II. *n* **❶** (*person*) Weißrusse, -russin *m, f* **❷** no *pl* LING Weißrussisch *nt*

be·loved [brˈlʌvɪd] I. *n* no *pl* Geliebte(r) *f(m)* II. *adj* geliebt; **dearly ~, ...** REL liebe Brüder und Schwestern im Herrn, ...

be·low [brˈləʊ] I. *adv* **❶** (*lower*) unten, darunter; **down** ~ NAUT unter Deck **❷** (*on page*) unten; **the information** ~ die nachstehenden Hinweise; **see** ~ siehe unten **❸** (*in temperature*) unter Null, minus II. *prep* **❶** unter +*dat*; *with verbs of motion* unter +*akk*; ~ **average** unter dem Durchschnitt **❷** (*south of*) unterhalb +*gen*

belt [belt] I. *n* **❶** (*for waist*) Gürtel *m*; **below the** ~ unter der Gürtellinie **❷** (*in martial arts*) **she's a black** ~ sie hat den schwarzen Gürtel **❸** (*conveyor*) Band *nt* **❹** (*area*) Gebiet *nt*; **commuter** ~ Einzugsbereich *m* [einer Großstadt]; **green** ~ Grüngürtel *m* **❺** (*fam: a punch*) Schlag *m*; (*drink from bottle*) Schluck *m* ▸ **to tighten one's** ~ den Gürtel enger schnallen; **under one's** ~ hinter sich +*dat* II. *vt* (*fam: hit*) hauen; *ball* knallen III. *vi* (*fam*) **to ~ along** [*or* **down**] entlangrasen ♦**belt out** *vt* (*fam*) *song* schmettern ♦**belt up** *vi* **❶** *esp* BRIT, AUS (*sl: be quiet*) die Klappe halten **❷** AUTO sich anschnallen

'**belt·way** *n* AM (*ring road*) Umgehungsstraße *f*

be·moan [brˈməʊn] *vt* (*form*) beklagen

be·mused [brˈmjuːzd] *adj* verwirrt

bench <*pl* -es> [bentʃ] *n* Bank *f*; ▪**the** ~ LAW die [Richter]bank; (*people*) die Richter; BRIT POL die Regierungsbank; **the opposition** ~ **es** die Oppositionsbank

'**bench·mark** *n usu sing* **❶** (*in surveying*) Höhenmarke *f* **❷** (*standard*) Maßstab *m*

bend [bend] I. *n* **❶** (*in road*) Kurve *f*; (*in a pipe*) Krümmung *f*; (*in a river*) Biegung *f*; **to take a** ~ um die Kurve fahren **❷** *pl* MED ▪**the** ~ **s** die Caissonkrankheit *kein pl* ▸ **to go round the** ~ durchdrehen; **to drive sb round the** ~ jdn zum Wahnsinn treiben II. *vi* <bent, bent> **❶** (*turn*) *road* biegen; **to ~ forwards** sich vorbeugen; **to be bent double** sich krümmen **❷** (*be flexible*) sich biegen; *tree* sich neigen; **be careful, that wire ~ s easily** Vorsicht, der Draht verbiegt sich leicht; (*fig*) **to ~ to sb's will** sich jdm fügen III. *vt* biegen; (*deform*) verbiegen; **to ~ one's knees** seine Knie beugen; **to ~ the rules** (*fig*) sich nicht ganz an die Regeln halten ♦**bend back** I. *vt* zurückbiegen; **to ~ sth back into shape** etw wieder in [die ursprüngliche] Form bringen II. *vi* sich nach hinten beugen ♦**bend down** *vi* sich niederbeugen ♦**bend over**,

bend forward *vi* sich vorbeugen ▶ **to ~ over backwards** sich *dat* die allergrößte Mühe geben

bend·ed ['bendɪd] *adj* (*form*) **on ~ knee(s)** auf Knien *a. fig*

bend·ing ['bendɪŋ] *n no pl* Bücken *nt*

be·neath [bɪ'niːθ] I. *prep* unter +*dat*; *with verbs of motion* unter +*akk*; **to be ~ sb** (*lower rank than*) unter jdm stehen; (*lower standard than*) unter jds Würde sein; **~ contempt** verachtenswert II. *adv* unten, darunter

ben·edic·tion [ˌbenɪ'dɪkʃ°n] *n* (*form*) Segnung *f*

ben·efac·tor ['benɪfæktə*r*] *n* (*philanthropist*) Wohltäter *m*; (*patron*) Gönner *m*

ben·efac·tress <*pl* -es> ['benɪfæktrəs] *n* (*philanthropist*) Wohltäterin *f*; (*patroness*) Gönnerin *f*

be·nefi·cent [bɪ'nefɪs°nt] *adj* (*form: kindly*) gütig; (*charitable*) wohltätig

ben·efi·cial [ˌbenɪ'fɪʃ°l] *adj* (*approv*) nützlich; **~ effect** positive Auswirkung, Nutzen *m*

bene·fi·ciary [ˌbenɪ'fɪʃ°ri] *n* Nutznießer(in) *m(f)*

ben·efit ['benɪfɪt] I. *n* ❶ (*advantage*) Vorteil *m*; (*profit*) Nutzen *m*; **for the ~ of those who weren't listening, ...** für all diejenigen, die nicht zugehört haben, ...; **to give sb the ~ of the doubt** im Zweifelsfall zu jds Gunsten entscheiden; **to derive** [*or* **get**] [**much**] **~ from sth** [großen] Nutzen aus etw *dat* ziehen; **with the ~ of hindsight** im Nachhinein ❷ BRIT (*welfare payment*) Beihilfe *f*; **housing ~** Wohngeld *nt*; **unemployment ~** Arbeitslosengeld *nt*; **to be on ~** Sozialhilfe bekommen II. *vi* <-t- *or* -tt-> ■**to ~ from sth** von etw *dat* profitieren, aus etw *dat* Nutzen ziehen III. *vt* <-t- *or* -tt-> ■**to ~ sb/sth** jdm/etw nützen

be·nevo·lent [bɪ'nev°lənt] *adj* (*approv: warm-hearted*) gütig, mild, wohlwollend; (*generous*) wohltätig

be·nevo·lent·ly [bɪ'nev°ləntli] *adv* wohlwollend, gütig

be·nign [bɪ'naɪn] *adj* ❶ (*approv: kind*) gütig ❷ MED **~ polyp/tumour** gutartiger Polyp/Tumor

Be·nin [ben'iːn] *n* Benin *nt*

Be·ni·nese [ˌbeni:n'iːz] I. *adj* beninisch II. *n* Beniner(in) *m(f)*

bent [bent] I. *pt, pp of* **bend** II. *n* (*inclination*) Neigung *f*; ■**a** [**natural**] **~ for sth** einen [natürlichen] Hang zu etw *dat* III. *adj* ❶ (*curved*) umgebogen; *wire* verbogen; *person* gekrümmt ❷ (*determined*) ■**to be**

[**hell**] **~ on** [**doing**] **sth** zu etw *dat* [wild] entschlossen sein ❸ *esp* BRIT (*sl: corrupt*) korrupt

ben·zene ['benziːn] *n* Benzol *nt*

ben·zine ['benziːn] *n* Benzin *nt*

be·queath [bɪ'kwiːð] *vt* hinterlassen

be·quest [bɪ'kwest] *n* Vermächtnis *nt*

be·reaved [bɪ'riːvd] I. *adj* trauernd II. *n* ■**the ~** *pl* die Hinterbliebenen

be·reave·ment [bɪ'riːvmənt] *n* (*death*) Trauerfall *m*; (*loss*) schmerzlicher Verlust

be·ret ['bereɪ] *n* Baskenmütze *f*; MIL Barett *nt*

Ber·mu·da [bə'mjuːdə] *n* Bermudas *pl*

Ber·mu·da shorts [bəˌmjuːdə'ʃɔːts] *npl* Bermudas *pl*

Ber·nese [bɜː'niːz] I. *n* Berner(in) *m(f)* II. *adj* Berner; **~ Alps** Berner Alpen *pl*

ber·ry ['beri] *n* Beere *f*

ber·serk [bə'zɜːk] *adj* außer sich +*dat*; **to go ~** [fuchsteufels]wild werden

berth [bɜːθ] I. *n* ❶ (*bed*) NAUT [Schlaf]koje *f*; RAIL Schlafwagenbett *nt* ❷ (*for ship*) Liegeplatz *m* ❸ NAUT (*distance*) Seeraum *m*; **to give sb a wide ~** (*fig*) um jdn einen großen Bogen machen II. *vt, vi* festmachen

be·seech <beseeched *or* besought, beseeched *or* besought> [bɪ'siːtʃ] *vt* (*liter*) anflehen

be·seech·ing [bɪ'siːtʃɪŋ] *adj* flehentlich

be·set <-tt-, beset, beset> [bɪ'set] *vt usu passive* ■**to be ~ by sth** von etw *dat* bedrängt werden; **by worries** geplagt

be·side [bɪ'saɪd] *prep* ❶ (*next to*) neben +*dat*; *with verbs of motion* neben +*akk*; **right ~ sb** genau neben jdm; **~ the sea** am Meer ❷ (*overwhelmed by*) **she was ~ herself with joy** sie war außer sich vor Freude ❸ (*irrelevant to*) **~ the point** nebensächlich

be·sides [bɪ'saɪdz] I. *adv* außerdem; **many more ~** noch viele mehr II. *prep* ❶ (*in addition to*) außer ❷ (*except for*) abgesehen von +*dat*

be·siege [bɪ'siːdʒ] *vt* ❶ MIL (*surround*) belagern ❷ (*overwhelm*) überschütten

be·sot·ted [bɪ'sɒtɪd] *adj* ■**~ with sb** in jdn völlig vernarrt; **~ with sth** von etw *dat* besessen

be·sought [bɪ'sɔːt] *pt, pp of* **beseech**

best [best] I. *adj superl of* **good** ❶ (*finest*) beste(r, s); **what subject are you ~ at?** in welchem Fach bist du am besten?; **~ regards** [*or* **wishes**] viele [*o* herzliche] Grüße; **give my ~ wishes to your wife** richten Sie Ihrer Frau herzliche Grüße von mir aus; ■**the ~ ...** der/die/das beste ...; **to be on one's ~ behaviour** sich von seiner besten Seite zeigen; **the ~ days of my life** die schönste Zeit meines Lebens ❷ (*most favourable*) **he is acting in her ~ interests** er handelt nur zu ihrem Besten; **the ~ thing she can do is forget him** am besten vergisst sie ihn möglichst schnell!; **what's the ~ way to the station?** wie komme ich am besten zum Bahnhof?; ■ **to be ~** am besten sein ❸ (*most*) **the ~ part of sth** der Großteil einer S. *gen;* **it took the ~ part of an hour** es dauerte fast eine Stunde; **the ~ part of the summer** der Großteil des Sommers; **for the ~ part of two decades** fast zwei Jahrzehnte lang ▶ **sb's ~ bet** (*fam*) **your ~ bet would be to take a taxi** am besten nehmen Sie ein Taxi; **the ~ thing since sliced bread** das [absolute] Nonplusultra **II.** *adv superl of* **well** am besten; **try as ~ you can** versuch es so gut du kannst; **to do as one thinks ~** tun, was man für richtig hält; **~ of all** am allerbesten; **to like sth ~ [of all]** etw am [aller]liebsten mögen **III.** *n no pl* ❶ (*finest person, thing*) ■ **the ~** der/die/das Beste; **to the ~ of your ability** so gut Sie können; **the ~ of friends** die besten Freunde; **in the ~ of health** bei bester Gesundheit; **to the ~ of my knowledge** meines Wissens; **at it's ~** vom Feinsten; **at one's ~** (*performance*) in Höchstform; (*condition*) in bester Verfassung; **and ~ of all** und allem voran; *people* und allen voran ❷ (*most favourable*) **all the ~!** (*fam*) alles Gute!; **~ of luck!** viel Glück!; **please give her my ~** bitte richten Sie ihr meine Grüße aus; **to send one's ~** seine besten [Glück]wünsche senden; **it's for the ~** es ist besser so; **at ~** bestenfalls ❸ SPORTS **to play the ~ of three/five** spielen, bis eine Seite zweimal/dreimal gewonnen hat ▶ **to get the ~ of the bargain** [*or* it] am besten dabei wegkommen; **to make the ~ of things** [*or* it] das Beste daraus machen; **to wear one's Sunday ~** seine Sonntagskleider tragen; **the ~ of both worlds** das Beste von beidem

bes·tial ['bestɪəl] *adj* bestialisch
bes·ti·al·ity [ˌbestiˈæləti] *n* Bestialität *f*
best 'man *n* Trauzeuge *m* (*des Bräutigams*)
be·stow [bɪˈstəʊ] *vt* (*form*) ■ **to ~ sth [up]on sb** jdm etw verleihen
best-'sell·er *n* Bestseller *m*
bet [bet] **I.** *n* ❶ (*gamble*) Wette *f;* **to lay** [*or* make] [*or* place] **a ~ on sth** auf etw *akk* wetten; **to make a ~ with sb** mit jdm wetten ❷ (*fig: guess*) Tipp *m;* **all ~s are off** alles ist möglich; **it's a safe ~ that …** ich

könnte wetten, dass … **II.** *vt, vi* <-tt-, bet *or* -ted, bet *or* -ted> wetten; **I ~ you £25 that …** ich wette mit dir um 25 Pfund, dass …; **I'll ~ him anything he likes** ich gehe jede Wette mit ihm [darauf] ein; **to ~ heavily** hoch wetten ▶ **you ~!** (*fam*) das kannst du mir aber glauben!; **I'll ~!** und ob!

beta ['biːtə] *n* Beta *nt;* BRIT SCH gut
'beta-block·er *n* Betablocker *m* **'beta test·ing** *n* COMPUT Beta-Testing *nt* **'beta ver·sion** *n* COMPUT Betaversion *f*
be·tray [bɪˈtreɪ] *vt* ❶ (*be disloyal*) verraten; *trust* missbrauchen; ■ **to ~ sb** (*be unfaithful*) jdm untreu sein; (*deceive*) jdn betrügen ❷ (*reveal feelings*) zeigen; *ignorance* verraten
be·tray·al [bɪˈtreɪəl] *n* (*treachery*) Verrat *m; of trust* Enttäuschung *f*
bet·ter[1] ['betə^r] **I.** *adj comp of* **good** ❶ (*superior*) besser; **~ luck next time** vielleicht klappt's ja beim nächsten Mal; **it's ~ that way** es ist besser so; **she is much ~ at tennis than I am** sie spielt viel besser Tennis als ich ❷ (*healthier*) besser; **I'm much ~ now** mir geht's schon viel besser; **to get ~** sich erholen ❸ (*most*) **the ~ part** der größte Teil; **the ~ part of an hour** fast eine Stunde [lang] ▶ **to go one ~** noch einen draufsetzen **II.** *adv comp of* **well** ❶ (*in superior manner*) besser; **or ~ still …** oder noch besser … ❷ (*to a greater degree*) mehr; *like* lieber; **she is much ~-looking** sie sieht viel besser aus; **you had ~ go home now** es wäre besser, wenn Sie jetzt nach Hause gingen; **to think ~ of sth** sich *dat* etw anders überlegen **III.** *n no pl* ❶ (*improvement*) **I have not seen ~** ich habe nichts Besseres gesehen; **to change for the ~** sich zum Guten wenden; **to expect ~ of sb** was Besseres von jdm erwarten; **all** [*or* so much] **the ~** umso besser ❷ *pl* (*hum old*) ■ **one's ~s** Leute, die über einem stehen ▶ **to get the ~ of sb** über jdn die Oberhand gewinnen; **for ~ or** [for] **worse** was immer daraus werden wird **IV.** *vt* verbessern; ■ **to ~ oneself** (*improve social position*) sich verbessern; (*further one's knowledge*) sich weiterbilden
bet·ter[2] ['betə^r] *n,* **bet·tor** ['betə^r] *n esp* AM *jd, der eine Wette abschließt*
bet·ter-'off I. *adj* besser dran *präd fam;* (*financially*) bessergestellt *präd,* wohlhabender *präd* **II.** *n + pl vb* ■ **the ~** die Bessergestellten [*o geh* Bessersituierten] *pl;* (*earning more money*) die Besserverdienenden *pl*

bet·ting [ˈbetɪŋ] I. *n no pl* Wetten *nt;* **what's the ~ that ... ?** (*fig fam*) um was wetten wir, dass ... ? II. *adj* Wett-; **if I were a ~ person, ...** wenn ich darum wetten müsste, ...

'**bet·ting of·fice** *n,* '**bet·ting shop** *n* BRIT Wettbüro *nt*

be·tween [brʼtwiːn] I. *prep* zwischen +*dat;* with verbs of motion zwischen +*akk;* **~ you and me** unter uns gesagt; **you shouldn't eat ~ meals** du sollst nicht zwischen den Mahlzeiten essen; **halfway ~ Rome and Florence** auf halbem Weg zwischen Rom und Florenz; **~ times** in der Zwischenzeit II. *adv* ■ **|in-|~** dazwischen; **~-meal snack** Zwischenmahlzeit *f*

bev·er·age [ˈbevərɪdʒ] *n* Getränk *nt*

bevy [ˈbevi] *n* Schar *f*

be·ware [brʼweəʳ] *vi, vt* sich in Acht nehmen (**of** vor); **~!** Vorsicht!; "**~ of pickpockets!**" „vor Taschendieben wird gewarnt!"; "**~ of the dog**" „Vorsicht, bissiger Hund!"; ■ **to ~ of doing sth** sich davor hüten, etw zu tun

be·wil·der [brʼwɪldəʳ] *vt* verwirren

be·wil·der·ment [brʼwɪldəmənt] *n* Verwirrung *f*

be·witch [brʼwɪtʃ] *vt* ❶ (*put under spell*) verzaubern ❷ (*enchant*) bezaubern

be·witch·ing [brʼwɪtʃɪŋ] *adj* bezaubernd

be·yond [brʼɒnd] I. *prep* ❶ (*on the other side of*) über +*akk,* jenseits +*gen* ❷ (*after*) nach +*dat* ❸ (*further than*) über +*akk;* **to go ~ a joke** über einen Witz hinaus gehen; **to be ~ the reach of sb** außerhalb jds Reichweite sein; **to see ~ sth** über etw *akk* hinaus sehen ❹ (*too difficult for*) **this is ~ my comprehension** das geht über meinen Verstand; **that's way ~ me** das ist mir viel zu hoch ❺ (*except for*) außer ❻ (*surpassing*) **sb is ~ help** jdm ist nicht mehr zu helfen; **to be ~ question** außer Frage stehen; **damaged ~ repair** irreparabel beschädigt II. *adv* (*in space*) jenseits; (*in time*) darüber hinaus; **with the mountains ~** mit den Bergen dahinter; **to go ~** hinausgehen über; **to go far ~ sth** etw bei weitem übersteigen III. *n* ■ **the ~** das Jenseits ▸ **at the back of ~** *esp* BRIT am Ende der Welt

bi [baɪ] *adj* (*fam*) bi *fam,* bisexuel

bi·an·nual [baɪʼænjuəl] *adj* halbjährlich; **~ report** Halbjahresbericht *m*

bias [ˈbaɪəs] I. *n usu sing* ❶ (*prejudice*) Vorurteil *nt* ❷ *no pl* (*one-sidedness*) Befangenheit *f* (**against** gegenüber) ❸ (*predisposition*) Neigung *f* (**towards** für) ❹ *no pl* FASHION **~-cut** schräg geschnitten II. *vt*

<Brit -ss- *or* Am *usu* -s-> ■ **to ~ sth** etw einseitig darstellen; ■ **to ~ sb** jdn beeinflussen; ■ **to ~ sb against sth** jdn gegen etw *akk* einnehmen

bi·ased [ˈbaɪəst] *adj,* BRIT *esp* **bi·assed** *adj* voreingenommen

bi·ath·lon [baɪʼæθlən] *n* Biathlon *nt*

bib [bɪb] *n* Lätzchen *nt*

Bi·ble [ˈbaɪbl̩] *n* Bibel *f*

bib·li·cal [ˈbɪblɪkəl] *adj* biblisch

bib·li·og·ra·pher [ˌbɪbliˈɒɡrəfəʳ] *n* Bibliograf(in) *m(f)*

bib·lio·graph·ic [ˌbɪbliə(ʊ)ˈɡræfɪk], **bib·lio·graphi·cal** [ˌbɪbliə(ʊ)ˈɡræfɪkəl] *adj* bibliografisch

bib·li·og·ra·phy [ˌbɪbliˈɒɡrəfi] *n* Bibliografie *f*

bib·lio·phile [ˈbɪbliə(ʊ)faɪl] *n* Bibliophile(r) *f(m)*

bi·car·bo·nate [ˌbaɪˈkɑːbənət] *n,* **bi·car·bo·nate of 'so·da** *n* Natriumbikarbonat *nt;* (*in cookery*) Natron *nt*

bi·cen·tenary [ˌbaɪsenˈtiːnəri], AM **bi·cen·ten·nial** *n* zweihundertjähriges Jubiläum; **the ~ of Goethe's death** Goethes zweihundertster Todestag

bi·ceps <*pl* -> [ˈbaɪseps] *n* Bizeps *m*

bick·er [ˈbɪkəʳ] *vi* sich zanken

bick·er·ing [ˈbɪkərɪŋ] *n no pl* Gezänk *nt*

bi·cy·cle [ˈbaɪsɪkl̩] *n* Fahrrad *nt;* **by ~** mit dem Fahrrad; **~ clip** Hosenklammer *f*

'**bi·cy·cle lane** *n* Fahrradweg *m*

bid¹ <-dd-, bid *or* bade, bid *or* bidden> [bɪd] *vt* (*form*) ❶ (*greet*) **to ~ sb farewell** jdm Lebewohl sagen; **to ~ sb good morning** jdm einen guten Morgen wünschen; **to ~ sb welcome** jdn willkommen heißen ❷ (*old: command*) ■ **to ~ sb [to] do sth** jdn etw tun heißen

bid² [bɪd] I. *n* ❶ (*offer*) Angebot *nt;* (*at an auction*) Gebot *nt* ❷ (*attempt*) Versuch *m;* **to make a ~ for power** nach der Macht greifen ❸ CARDS Ansage *f* II. *vi* <-dd-, bid, bid> ❶ (*offer money*) bieten ❷ (*tender*) ein Angebot unterbreiten; **to ~ for a contract** sich um einen Auftrag bewerben ❸ CARDS reizen III. *vt* <-dd-, bid, bid> bieten

bid·der [ˈbɪdəʳ] *n* Bieter(in) *m(f);* **highest ~** Meistbietende(r) *f(m)*

bid·ding [ˈbɪdɪŋ] *n no pl* ❶ (*making of bids*) Bieten *nt;* (*at an auction*) Steigern *nt;* **to open** [*or* start] **the ~** das erste Gebot machen ❷ (*form: command*) Geheiß *nt;* **to do sb's ~** tun, was einem gesagt wird ❸ CARDS Reizen *nt*

bide [baɪd] *vt* **to ~ one's time** den rechten Augenblick abwarten

bi·det ['biːdeɪ] n Bidet nt
bi·en·na·le [biːɜ'naːleɪ] n Biennale f
bi·en·nial [baɪ'eniəl] I. adj zweijährlich II. n zweijährige Pflanze
bier [bɪəʳ] n Bahre f
bi·fo·cal [baɪ'fəʊkᵊl] adj Bifokal-
bi·fo·cals [baɪ'fəʊkᵊlz] npl Bifokalbrille f
big <-gg-> [bɪg] adj ❶ (of size, amount) groß; meal üppig; tip großzügig; **a ~ drop in prices** ein starker Preisrückgang; **the ~ger the better** je größer desto besser ❷ (significant) bedeutend; decision schwerwiegend; **when's the ~ day?** wann ist der große Tag? **he fell for her in a ~ way** er verliebte sich bis über beide Ohren in sie ❸ (iron: generous) nobel ▸ **a ~ fish in a small pond** der Hecht im Karpfenteich; **the ~ger they are, the harder they fall** (prov) wer hoch steigt, fällt tief; **to make it ~** großen Erfolg haben ◆ **big up** vt (sl) ▪ **to ~ up** ↻ **sb/sth** jdn/etw groß herausbringen
biga·mist ['bɪgəmɪst] n Bigamist(in) m(f)
biga·my ['bɪgəmi] n Bigamie f
Big 'Ap·ple n (fam) ▪ **the ~** New York nt
big 'bang n Urknall m **'big-bucks** adj AM (fam) teuer **big 'busi·ness** n no pl ▪ **to be ~** ein lukratives Geschäft sein **Big 'Easy** n ▪ **the ~** New Orleans nt **big 'game** n no pl Großwild nt
big·ot ['bɪgət] n Eiferer m
big·ot·ed ['bɪgətɪd] adj (pej) fanatisch
big·ot·ry ['bɪgətri] n (pej) Fanatismus m **'big shot** n (fam) hohes Tier **big 'top** n großes Zirkuszelt **big 'wheel** n BRIT Riesenrad nt **'big·wig** n (fam) hohes Tier
bike [baɪk] I. n ❶ (fam: bicycle) [Fahr]rad nt; **by ~** mit dem [Fahr]rad ❷ (motorcycle) Motorrad nt ▸ **on yer ~!** BRIT (sl) hau ab! II. vi mit dem Fahrrad fahren
bik·er ['baɪkəʳ] n (fam) Motorradfahrer(in) m(f); (in gang) Rocker(in) m(f)
bi·ki·ni [bɪ'kiːni] n Bikini m; **~ bottoms** Bikinihose f; **~ top** Bikinioberteil nt
bi·lat·er·al [baɪ'lætᵊrᵊl] adj bilateral
bil·berry ['bɪlbᵊri] n Heidelbeere f
bile [baɪl] n no pl ❶ ANAT Galle f; **~ duct** Gallengang m meist pl ❷ (fig) Bitterkeit f
bil·har·zia [bɪl'hɑːziə] n Bilharziose f
bi·lin·gual [baɪ'lɪŋgwᵊl] adj zweisprachig; **~ secretary** Fremdsprachensekretär(in) m(f)
bili·ous ['bɪliəs] adj ❶ MED Gallen-; **~ attack** Gallenkolik f ❷ (fig: bad-tempered) übellaunig
bill¹ [bɪl] I. n ❶ (invoice) Rechnung f; **could we have the ~, please?** zahlen

bitte! ❷ AM (bank note) Geldschein m; **[one-]dollar ~** Dollarschein m ❸ (proposed law) Gesetzentwurf m ❹ (placard) Plakat nt; **"stick no ~s"** „Plakate ankleben verboten" ❺ (list of celebrities) Besetzungsliste f; **to top the ~** der Star des Abends sein ▸ **to fit the ~** der/die/das Richtige sein II. vt ❶ (invoice) ▪ **to ~ sb** jdm eine Rechnung ausstellen; ▪ **to ~ sb for sth** jdm etw in Rechnung stellen ❷ usu passive (listed) ▪ **to be ~ed** angekündigt werden
bill² [bɪl] n of bird Schnabel m
'bill·board n Reklamefläche f
bil·let ['bɪlɪt] MIL I. n Quartier nt II. vt usu passive ▪ **to be ~ed** einquartiert werden
'bill·fold n AM Brieftasche f
bil·liards ['bɪliədz] n no pl Billard nt; **billiard ball** Billardkugel f
bill·ing ['bɪlɪŋ] n no pl ❶ (list) Programm nt; **to get top ~** an oberster Stelle auf dem Programm stehen ❷ (publicity) **advance ~** Reklame f
bil·lion ['bɪliən] n Milliarde f
bil·lion·aire [ˌbɪliə'neəʳ] n esp AM Milliardär(in) m(f)
bil·low ['bɪləʊ] I. vi (bulge) cloth sich blähen; smoke in Schwaden aufsteigen; skirt sich bauschen II. n usu pl Schwaden pl
'bill post·er n Plakat[an]kleber(in) m(f); **"~s will be prosecuted"** „das Ankleben von Plakaten wird strafrechtlich verfolgt" **'bill post·ing** n no pl Plakatkleben nt **'bill stick·er** n Plakat[an]kleber(in) m(f)
'bil·ly·can n BRIT, AUS Kochgeschirr nt (zum Campen)
'bil·ly goat n Ziegenbock m
bim·bo <pl -es or -s> ['bɪmbəʊ] n (pej sl) Puppe f
bi-'month·ly adj, adv ❶ (twice a month) zweimal im Monat ❷ (every two months) zweimonatlich
bin [bɪn] I. n ❶ BRIT, AUS (for waste) Mülleimer m; BRIT Mülltonne f ❷ (for storage) Behälter m; **bread ~** Brotkasten m II. vt BRIT (fam) wegwerfen
bi·na·ry ['baɪnᵊri] adj binär
bind [baɪnd] I. n (fam: obligation) Verpflichtung f; (burden) Belastung f; **to be [a bit of] a ~** (ziemlich) lästig sein II. vi <bound, bound> binden III. vt <bound, bound> ❶ (fasten) ▪ **to ~ sb** jdn fesseln (**to** an); **to be bound hand and foot** an Händen und Füßen gefesselt sein; ▪ **to ~ sth** etw festbinden (**to** an); feet einbinden ❷ (commit) **to ~ sb to secrecy** jdn zum Stillschweigen verpflichten ❸ FOOD, TYPO binden

bind·er ['baɪndə'] n Einband m

bind·ing ['baɪndɪŋ] I. n no pl ❶ (covering) Einband m ❷ (act) Binden nt ❸ (textile strip) [Naht]band nt ❹ (on ski) Bindung f II. adj verbindlich

bind·weed ['baɪndwi:d] n no pl BOT Winde f

binge [bɪndʒ] (fam) I. n Gelage nt; **shopping** ~ Kaufrausch m II. vi ■**to** ~ **on sth** sich mit etw dat vollstopfen

'binge drink·ing n häufiger, exzessiver Alkoholgenuss

binger ['bɪndʒə'] n jd, der etw bis zum Exzess tut

bin·go ['bɪŋgəʊ] I. n Bingo nt II. interj (fam) ■~! bingo!

bin·ocu·lars [bɪ'nɒkjələz] npl [a pair of] ~ [ein] Fernglas nt

'bio-attack n Bioangriff m **'bio-chem** adj short for **biological-chemical** biochemisch **bio·'chemi·cal** adj biochemisch **bio·'chem·ist** n Biochemiker(in) m(f) **bio·'chem·is·try** n no pl Biochemie f **'bio·de·fence**, AM **biodefense** n Verteidigung f gegen Biowaffen **bio·de'grad·able** adj biologisch abbaubar **bio·de'grade** vi sich zersetzen **bio·di·'ver·sity** n Artenvielfalt f **bio·en·gi·'neered** adj genmanipuliert **bio·en·gi·'neer·ing** n Biotechnik f **bio·'feed·back** n Biofeedback nt **'bio·fuel** n no pl Biotreibstoff m **'bio·gas** n Biogas nt

bi·og·raph·er [baɪ'ɒgrəfə'] n Biograf(in) m(f)

bio·graphi·cal [ˌbaɪəʊ'græfɪkəl] adj biografisch

bi·og·ra·phy [baɪ'ɒgrəfi] n Biografie f **bio·logi·cal** [ˌbaɪə'lɒdʒɪkəl] adj biologisch **bio·logi·cal 'in·di·ca·tor** n biologischer Indikator

bio·logi·cal·ly [ˌbaɪə'lɒdʒɪkəli] adv biologisch

bi·olo·gist [baɪ'ɒlədʒɪst] n Biologe, Biologin m, f

bi·ol·ogy [baɪ'ɒlədʒi] n Biologie f **bio·mass** [ˌbaɪəʊ'mæs] n Biomasse f **bio·me·'chan·ics** npl + sing vb Biomechanik f

bio·met·ric [baɪə(ʊ)metrɪk] I. n ■~s + sing vb Biometrie f II. adj biometrisch **bi·op·sy** ['baɪɒpsi] n Biopsie f **'bio·rhythm** n Biorhythmus m **bio·se·'cu·rity** n no pl Sicherheitsvorkehrung[en] f[pl] gegen Bioangriffe **'bio·sphere** n Biosphäre f **bio·tech·'nol·ogy** n Biotechnologie f **bio·'ter·ror·ist** n Bioterrorist(in) m(f) **bio·tope** ['baɪə(ʊ)təʊp] n Biotop m o nt

bio·'vil·lage n Biovillage nt, sanfte Entwicklungshilfe (Kombination von neuester biologischer Technologie mit traditionellen Methoden für die Landbevölkerung)

bi·par·ti·san [ˌbaɪpɑ:tɪ'zæn] adj von zwei Parteien getragen

bi·ped ['baɪped] n Zweifüß[l]er m **bi·plane** [baɪpleɪn] n Doppeldecker m **bi·po·lar** [baɪ'pəʊlə'] adj bipolar

birch [bɜ:tʃ] n <pl -es> ❶ (tree) Birke f ❷ no pl (hist: type of punishment) ■**the** ~ Züchtigung mit der Rute

bird [bɜ:d] n ❶ (creature) Vogel m; ~ **life** Vogelwelt f; ~ **sanctuary** Vogelschutzgebiet nt ❷ (fam: young female) Biene f; **game old** ~ BRIT, AUS (approv) flotte Alte ▶**to know about the** ~**s and bees** (euph) aufgeklärt sein; ~**s of a feather flock together** (prov) Gleich und Gleich gesellt sich gern; **a** ~ **in the hand is worth two in the bush** (prov) besser ein Spatz in der Hand als eine Taube auf dem Dach; **to kill two** ~**s with one stone** zwei Fliegen mit einer Klappe schlagen; **the early** ~ **catches the worm** (prov) Morgenstund hat Gold im Mund; [strictly] **for the** ~**s** AM, AUS für die Katz

'bird·cage n Vogelkäfig m **'bird flu** n no pl Vogelgrippe f

birdie ['bɜ:di] I. n ❶ (esp childspeak: small bird) Piepmatz m ❷ (golf) Birdie nt ▶**watch the** ~ PHOT gleich kommt's Vögelchen II. vt (in golf) einen Schlag unter Par spielen

bird of 'para·dise <pl birds of paradise> n Paradiesvogel m **'bird·seed** n no pl Vogelfutter nt **bird's-eye 'view** n Vogelperspektive f **'bird ta·ble** n BRIT Futterplatz m (für Vögel) **'bird·watch·ing** n Beobachten nt von Vögeln

biro® ['baɪ(ə)rəʊ] n BRIT Kuli m

birth [bɜ:θ] n ❶ (event of being born) Geburt f; **from** ~ von Geburt an; **date of** ~ Geburtsdatum nt; **place of** ~ Geburtsort m; **to give** ~ **to a child** ein Kind zur Welt bringen ❷ no pl (family) Abstammung f; **English by** ~ gebürtiger Engländer/gebürtige Engländerin

'birth cer·tifi·cate n Geburtsurkunde f **'birth con·trol** n Geburtenkontrolle f; ~ **pill** Antibabypille f

birth·day ['bɜ:θdeɪ] n Geburtstag m; **happy** ~ [to you]! alles Gute zum Geburtstag!

'birth·day cake n Geburtstagstorte f **'birth·day card** n Geburtstagskarte f **'birth·day par·ty** n Geburtstagsparty f **'birth·day pres·ent** n Geburtstagsge-

schenk *nt* '**birth·day suit** *n* <u>in</u> one's ~
(*fam*) im Adamskostüm
'**birth·mark** *n* Muttermal *nt*
'**birth·place** *n* Geburtsort *m* '**birth rate** *n*
Geburtenrate *f* '**birth·right** *n* Geburts-
recht *nt*
Bis·cay ['bɪskeɪ] *n* Biskaya *f*
bis·cuit ['bɪskɪt] *n* ❶ Brit, Aus Keks *m;*
dog ~ Hundekuchen *m* ❷ Am (*bread type*)
Brötchen *nt* ▸ that [really] <u>takes</u> the ~
Brit das schlägt dem Fass den Boden aus
bi·sect [baɪ'sekt] *vt* zweiteilen
bi·sex·ual [baɪ'sekʃʊəl] I. *n* Bisexuelle(r)
f(m) II. *adj* bisexuell
bish·op ['bɪʃəp] *n* ❶ REL Bischof *m* ❷ CHESS
Läufer *m*
bish·op·ric ['bɪʃəprɪk] *n* ❶ (*term*) Amtszeit *f* (*eines Bischofs*) ❷ (*diocese*) Bis-
tum *nt*
bi·son <*pl* -s *or* -> ['baɪsᵊn, -zᵊn] *n* (*American*) Bison *m;* (*European*) Wisent *m*
bit¹ [bɪt] *n* (*fam*) ❶ (*piece*) Stück *nt;* (*fig:
some*) **a ~ of advice** ein Rat *m;* **a ~ of
news** eine Neuigkeit; **~s of glass** Glasscherben *pl;* **little ~s [of metal]** [Me-
tall]stückchen *pl;* **~s of paper** Papierfetzen
pl; **to blow sth to ~s** etw zerfetzen; **to
fall to ~s** kaputtgehen; **to smash sth to
~s** etw zerschmettern ❷ (*part*) Teil *m; of a
story, film* Stelle *f; of a* **to do one's ~** einen
Teil beitragen; **~ by ~** Stück für Stück ❸ (*a
little*) ■**a ~** ein bisschen; **just a ~** ein kleines bisschen ❹ (*rather*) ■**a ~** ziemlich;
he's put on a ~ of weight er hat ziemlich
zugenommen; **he's a ~ of a bore** er ist ein
ziemlicher Langweiler; **that was a ~
much** das war ein starkes Stück; **that was
a ~ too much of a coincidence** das konnte kein Zufall mehr sein; **he's a good ~
older than his wife** er ist um einiges älter
als seine Frau; **to be a ~ of an artist** künstlerisch ziemlich begabt sein; **[quite] a ~ of
money** ziemlich viel Geld; **to be a ~ of a
nuisance** ziemlich lästig sein ❺ (*short
time*) **I'm just going out for a ~** ich gehe
mal kurz raus; **I'll come along in a ~** ich
komme gleich nach; **hold on** [*or* wait] **a ~**
warte mal [kurz] ❻ (*in negations*) ■**not a ~**
kein bisschen; **not the least** [*or* slight-
est] **~** kein bisschen; **but not a ~ of it!** Brit
aber nicht die Spur! ❼ *pl* Brit **~s and
pieces** [*or* bobs] Krimskrams *m* ▸ **a ~ of
<u>all</u> right** Brit (*sl*) große Klasse; **~ on the
<u>side</u>** heimliche Geliebte; <u>thrilled</u> **to ~s**
ganz aus dem Häuschen
bit² [bɪt] *vt, vi pt of* **bite**
bit³ [bɪt] *n* (*for horses*) Trense *f* ▸ **to get
the ~ between one's <u>teeth</u>** sich an die

Arbeit machen
bit⁴ [bɪt] *n* (*drill*) Bohrer[einsatz] *m*
bit⁵ [bɪt] *n* COMPUT Bit *nt*
bitch [bɪtʃ] I. *n* <*pl* -es> ❶ (*female dog*)
Hündin *f* ❷ (*fam: complaint*) **to have a
good ~** mal richtig lästern ❸ (*fam!: mean
woman*) Miststück *nt* ❹ (*sl: bad situation*)
what a ~! so ein Mist!; **life's a ~** das Leben ist ungerecht; **a ~ of a job** ein Scheiß-
job *m* II. *vi* (*fam*) lästern (**about** über)
bitchy ['bɪtʃi] *adj* (*fam!*) gehässig
bite [baɪt] I. *n* ❶ (*using teeth*) Biss *m; of an
insect* Stich *m;* **~ mark** Bisswunde *f;* **to
have a ~ to eat** (*fam*) eine Kleinigkeit essen; **to take a ~ of a pizza** von einer Pizza abbeißen ❷ (*fig: sharpness*) Biss *m*
❸ (*fish*) **at last I've got a ~** endlich hat etwas angebissen ❹ *no pl* (*pungency*) Schärfe *f* II. *vt* <bit, bitten> (*cut with teeth*) beißen; *insect* stechen; **to ~ one's nails** an
seinen Nägeln kauen; **to ~ one's tongue**
sich *dat* auf die Zunge beißen *a. fig;* **what's
biting you?** (*fig*) was ist mit dir los? III. *vi*
<bit, bitten> ❶ (*with teeth*) *dog, snake*
beißen; *insect* stechen ❷ (*also fig: take
bait*) anbeißen ❸ (*affect*) einschneidende
Wirkung haben ▸ <u>once</u> **bitten, twice shy**
(*prov*) ein gebranntes Kind scheut das
Feuer
'**bite-sized** *adj* mundgerecht; (*fig fam:
small*) winzig
bit·ing ['baɪtɪŋ] *adj* beißend *a. fig*
bit·ten ['bɪtᵊn] *vt, vi pp of* **bite**
bit·ter ['bɪtəʳ] I. *adj* <-er, -est> ❶ (*sour*)
taste bitter; **~ chocolate** Brit Zartbitterschokolade *f* ❷ (*fig: painful*) bitter ❸ (*resentful*) verbittert II. *n* Brit, Aus **a glass
of ~** ein Glas *nt* Bitter; **half a ~** ein kleines
Bitter
bit·ter·ly ['bɪtəli] *adv* bitter; **~ cold** bitterkalt; **~ contested** heftig umstritten; **~ disappointed** schwer enttäuscht; **~ jealous**
krankhaft eifersüchtig
bit·ter·ness ['bɪtənəs] *n no pl* ❶ (*rancour*) Verbitterung *f* (**towards** gegenüber)
❷ FOOD Bitterkeit *f*
'**bit·ter·sweet** *adj* bittersüß *a. fig;* **~ chocolate** Am Zartbitterschokolade *f*
bi·tu·men ['bɪtʃəmɪn] *n no pl* Bitumen *nt*
bi·tu·mi·nous [bɪ'tʃuːmɪnəs] *adj* bitumi-
nös
bi·valve ['baɪvælv] *n* zweischalige Muschel
bivou·ac ['bɪvuæk] I. *n* Biwak *nt* II. *vi*
<-ck-> biwakieren
bi·week·ly [baɪ'wiːkli] *adj, adv* ❶ (*every
two weeks*) zweiwöchentlich ❷ (*twice a
week*) zweimal wöchentlich
bi·zarre [bɪ'zɑːʳ] *adj* bizarr; *behaviour* selt-

sam

blab <-bb-> [blæb] (*fam*) **I.** *vt* ausplaudern **II.** *vi* plaudern; ■**to ~ to sb** jdm gegenüber nicht dichthalten

black [blæk] **I.** *adj* (*colour*) schwarz *a. fig;* **~ despair** tiefste Verzweiflung; **to beat sb ~ and blue** jdn grün und blau schlagen **II.** *n* ❶ (*person*) Schwarze(r) *f(m)* ❷ (*colour*) Schwarz *nt* ❸ (*not in debt*) **to be in the ~** in den schwarzen Zahlen sein **III.** *vt* ❶ (*darken*) schwarz färben ❷ BRIT (*boycott*) boykottieren ◆ **black out I.** *vi* [kurz] das Bewusstsein verlieren **II.** *vt* ❶ (*not show light*) verdunkeln ❷ (*fig: censure*) unterschlagen

black and 'white I. *adj* ❶ (*documented*) |**down**| **in ~** schwarz auf weiß ❷ (*not in colour*) schwarzweiß ❸ (*clear-cut*) sehr einfach [*o* klar] **II.** *n* ❶ (*in film, photography*) Schwarzweißtechnik *f* ❷ (*oversimplified view*) Vereinfachung *f*

'black·ball *vt* ■**to ~ sb** (*vote against*) gegen jdn stimmen; (*reject*) jdn ausschließen

black·berry ['blækbºri] *n* Brombeere *f* **'black·bird** *n* Amsel *f* **'black·board** *n* Tafel *f* **'black book** *n* (*fig*) schwarze Liste; **to be in sb's ~s** bei jdm schlecht angeschrieben sein **black 'box** *n* AEROSP Flugschreiber *m* **black·cur·rant** [ˌblæk-'kʌrºnt] *n* schwarze Johannisbeere

black·en ['blækºn] **I.** *vt* ❶ (*make black*) schwärzen ❷ (*malign*) anschwärzen; **to ~ sb's name** dem Ruf einer Person *gen* schaden **II.** *vi* schwarz werden

black 'eye *n* blaues Auge **black·guard** ['blæga:d] *n* Bösewicht *m* **'black·head** *n* Mitesser *m* **black 'hole** *n* schwarzes Loch *a. fig* **black 'ice** *n* Glatteis *nt*

black·ish ['blækɪʃ] *adj* schwärzlich

black·jack ['blækdʒæk] *n* ❶ CARDS Siebzehnundvier *nt* ❷ AM (*cosh*) Totschläger *m* **'black·leg** *n* BRIT (*pej*) Streikbrecher(in) *m(f)* **'black·list I.** *vt* auf die schwarze Liste setzen **II.** *n* schwarze Liste

'black·mail I. *n* Erpressung *f;* **open to ~** erpressbar **II.** *vt* erpressen

'black·mail·er *n* Erpresser(in) *m(f)*

black 'mark *n* Tadel *m;* SCH Verweis *m* **black 'mar·ket** *n* Schwarzmarkt *m;* **there was a thriving ~ in cigarettes during the war** während des Krieges blühte der Schwarzhandel mit Zigaretten **black mar·ke·'teer** *n* Schwarzhändler(in) *m(f)*

black·ness ['blæknəs] *n no pl* Schwärze *f* **black·out** ['blækaʊt] *n* ❶ (*unconsciousness*) Ohnmachtsanfall *m* ❷ ELEC [Strom]ausfall *m* ❸ (*censor*) Sperre *f;*

news ~ Nachrichtensperre *f* ❹ (*covering of lights*) Verdunkelung *f*

black 'pud·ding *n* BRIT Blutwurst *f* **Black 'Sea** *n* ■**the~** das Schwarze Meer **black 'sheep** *n* (*fig*) schwarzes Schaf **'black·smith** *n* [Huf]schmied *m*

blad·der ['blædəʳ] *n* [Harn]blase *f*

blade [bleɪd] *n* ❶ (*flat part*) Klinge *f;* **~ of grass** Grashalm *m;* **~ of an oar** Ruderblatt *nt* **II.** *vi* SPORTS (*fam*) bladen

blame [bleɪm] **I.** *vt* ■**to ~ sb/sth for sth** [*or* **sth on sb/sth**] jdm/etw die Schuld an etw *dat* geben; **he has only himself to ~** er hat es sich selbst zuzuschreiben; ■**to ~ sb for doing sth** jdn beschuldigen, etw getan zu haben; ■**to not ~ sb for sth** jdm etw nicht verübeln **II.** *n no pl* ❶ (*guilt*) Schuld *f;* **where does the ~ lie?** wer hat Schuld?; **to lay the ~ on sb/sth for sth** jdm/etw die Schuld an etw *dat* zuschieben; **to take the ~** die Schuld auf sich nehmen ❷ (*censure*) Tadel *m*

blame·less ['bleɪmləs] *adj* schuldlos; *life* untadelig

blame·less·ly ['bleɪmləsli] *adv* untadelig

blanch [blɑ:n(t)ʃ] **I.** *vi* erblassen **II.** *vt* ❶ (*cause to whiten*) bleichen ❷ (*parboil*) blanchieren

blanc·mange [blə'mɒn(d)ʒ] *n no pl* Pudding *m*

bland [blænd] *adj* fade; (*fig*) vage; **~ diet** Schonkost *f*

blan·dish·ments ['blændɪʃmºnts] *npl* Schmeicheleien *pl*

blank [blæŋk] **I.** *adj* ❶ (*empty*) leer; **~ space** Leerraum *m;* **~ tape** Leerband *nt;* **my mind went ~** ich hatte ein Brett vor dem Kopf; **the screen went ~** das Bild fiel aus ❷ (*without emotion*) ausdruckslos; (*without comprehension*) verständnislos ❸ (*complete*) **~ refusal** glatte Ablehnung **II.** *n* ❶ (*empty space*) Leerstelle *f,* Lücke *f* ❷ (*mental void*) Gedächtnislücke *f;* **my mind is a complete ~** ich habe eine totale Mattscheibe ❸ (*non-lethal cartridge*) Platzpatrone *f* ▶ **to draw a ~** kein Glück haben **III.** *vt* ■**to ~ out** ausstreichen

blan·ket ['blæŋkɪt] **I.** *n* ❶ [Bett]decke *f;* (*fig*) Decke *f;* **~ of snow** Schneedecke *f* **II.** *vt* bedecken **III.** *adj* umfassend; *coverage* ausführlich

blank·ly ['blæŋkli] *adv* (*without expression*) ausdruckslos; (*without comprehension*) verständnislos

blare [bleəʳ] **I.** *n no pl* Geplärr *nt;* **~ of trumpets** Trompetengeschmetter *nt* **II.** *vi* *radio* plärren; *music* dröhnen; *trumpets* schmettern

blas·pheme [ˌblæsˈfiːm] *vi* [Gott] lästern
blas·phem·er [ˌblæsˈfiːməʳ] *n* Gotteslästerer, -lästerin *m, f*
blas·phe·mous [ˈblæsfəməs] *adj* blasphemisch
blas·phe·my [ˈblæsfəmi] *n no pl* Blasphemie *f*
blast [blɑːst] **I.** *n* ❶ (*explosion*) Explosion *f* ❷ (*air*) ~ **of air** Luftstoß *m* ❸ (*noise*) **a ~ of music** ein Schwall *m* Musik; **a ~ from the past** (*hum*) eine Begegnung mit der Vergangenheit; ~ **of a trumpet** Trompetenstoß *m;* ~ **of a whistle** Pfeifton *m;* **at full ~ radio** in voller Lautstärke ❹ Am (*fam: lot of fun*) tolle Zeit **II.** *interj* (*fam!*) verdammt! **III.** *vt* ❶ (*explode*) sprengen ❷ (*fig*) heftig angreifen
blast·ed [ˈblɑːstɪd] *adj* (*fam!*) verdammt
'**blast fur·nace** *n* Hochofen *m*
blast·ing [ˈblɑːstɪŋ] *n no pl* ❶ (*blowing up*) Sprengung *f,* Detonation *f* ❷ (*fig: reprimand*) Verweis *m* ❸ (*fig: criticism*) Verriss *m,* vernichtende Kritik
blast-off [ˈblɑːstɒf] *n* [Raketen]start *m*
'**blast wave** *n* Detonationswelle *f*
bla·tant [ˈbleɪtᵊnt] *adj* offensichtlich; *lie* unverfroren; *racism* unverhohlen
blaze [bleɪz] **I.** *n* ❶ (*fire*) Brand *m* ❷ (*light*) Glanz *m;* (*fig*) ~ **of colour** [*or* Am **color**] Farbenpracht *f;* **in a ~ of glory** mit Glanz und Gloria ❸ (*sudden attack*) ~ **of anger** Wutanfall *m* **II.** *vi* glühen; *eyes* glänzen; *fire* [hell] lodern; *sun* brennen **III.** *vt* **to ~ a trail** einen Weg markieren ◆ **blaze away** *vi* ❶ (*shine*) [nicht aufhören zu] strahlen ❷ (*shoot*) drauflosfeuern ◆ **blaze up** *vi* aufflammen
blaz·er [ˈbleɪzəʳ] *n* Blazer *m;* **school ~** Jacke *f* der Schuluniform
blaz·ing [ˈbleɪzɪŋ] *adj fire* lodernd; *inferno* flammend; *row* heftig; *sun* grell; ~ **hot** glühend heiß
bleach [bliːtʃ] **I.** *vt* bleichen **II.** *n* <*pl* -es> (*chemical*) Bleichmittel *nt;* (*for hair*) Blondierungsmittel *nt*
bleach·ers [ˈbliːtʃəʳz] *npl* Am unüberdachte [Zuschauer]tribüne
bleak [bliːk] *adj* kahl, öde; (*fig*) trostlos, düster
bleak·ness [ˈbliːknəs] *n no pl* ❶ (*dreariness*) Kargheit *f* ❷ (*hopelessness*) Hoffnungslosigkeit *f,* Trostlosigkeit *f*
bleary [ˈblɪəri] *adj* ❶ (*sleepy*) verschlafen; ~ **eyes** müde Augen ❷ (*blurred*) verschwommen
bleary-'eyed *adj* mit müden Augen; **to look ~** verschlafen aussehen
bleat [bliːt] **I.** *vi sheep* blöken; *goat* meckern; (*fig, pej*) *person* jammern **II.** *n of sheep* Blöken *nt; of goat* Meckern *nt*
bled [bled] *pt, pp of* **bleed**
bleed [bliːd] **I.** *vi* <bled, bled> bluten ▶ **my** <u>heart</u> ~ **s** (*iron*) mir blutet das Herz **II.** *vt* <bled, bled> ❶ (*hist: take blood*) ■ **to ~ sb** jdn zur Ader lassen; **to ~ sb dry** (*fig*) jdn [finanziell] bluten lassen ❷ *brakes, radiator* entlüften
bleed·er [ˈbliːdəʳ] *n* Brit **little ~s** kleine Biester *pl;* **you lucky ~!** du Glückspilz!
bleed·ing [ˈbliːdɪŋ] *adj* Brit (*fam!*) verdammt
bleep [bliːp] Brit **I.** *n* TECH Piepton *m* **II.** *vi* piepsen **III.** *vt* ■ **to ~ sb** jdn über einen Piepser rufen
bleep·er [ˈbliːpəʳ] *n* Brit Piepser *m*
blem·ish [ˈblemɪʃ] *n* <*pl* -es> Makel *m;* **without ~** makellos; (*fig*) untadelig
blench [blen(t)ʃ] *vi* bleich werden; (*fig*) **to ~ at a thought** vor einem Gedanken zurückschrecken
blend [blend] **I.** *n* Mischung *f; of wine* Verschnitt *m* **II.** *vt* [miteinander] vermischen **III.** *vi* ❶ (*match*) ■ **to ~ with sb/sth** zu jdm/etw passen; MUS mit jdm/etw harmonisieren ❷ (*not be noticeable*) ■ **to ~ into sth** mit etw *dat* verschmelzen
blend·er [ˈblendəʳ] *n* Mixer *m*
bless <-ed *or liter* blest, -ed> [bles] *vt* segnen ▶ ~ <u>him/her</u>**!** der/die Gute!; ~ <u>you</u>**!** (*after a sneeze*) Gesundheit!; (*as thanks*) das ist lieb von dir!
bless·ed [ˈblesɪd] *adj* gesegnet, selig; **not a ~ soul** keine Menschenseele ▶ ~ **are the** <u>meek</u> **...** (*prov*) selig sind die Sanftmütigen, ...
bless·ing [ˈblesɪŋ] *n* Segen *m* ▶ **to be a ~ in** <u>disguise</u> sich im Nachhinein als Segen erweisen; **to count one's ~ s** für das dankbar sein, was man hat
blew [bluː] *pt of* **blow**
blight [blaɪt] **I.** *vt* vernichten; (*fig*) zunichtemachen **II.** *n* Pflanzenkrankheit *f;* **potato ~** Kartoffelfäule *f;* (*fig*) Plage *f*
blight·er [ˈblaɪtəʳ] *n* Brit (*fam*) Luder *nt,* Lümmel *m*
bli·mey [ˈblaɪmi] *interj* Brit (*fam*) [ach] du liebe Zeit!
blind [blaɪnd] **I.** *n* ❶ (*for window*) Jalousie *f;* **roller ~** Rollo *nt* ❷ (*people*) ■ **the ~** *pl* die Blinden; **for the ~** für Blinde **II.** *vt* ❶ (*permanently*) blind machen; (*temporarily*) blenden; ~ **ed by tears** blind vor Tränen ❷ (*fig: impress*) **to ~ sb with science** jdn mit seinem Wissen beeindrucken **III.** *adj* ❶ (*sightless*) blind; **to go ~** blind werden; ~ **in one eye** auf einem Au-

ge blind ❷ (*fig: unable to perceive*) blind; ■**to be ~ to sth** etw nicht bemerken ❸ (*fig: unprepared*) unvorbereitet ❹ *esp* BRIT (*fig: without reserve*) rückhaltlos; **he swore ~ that ...** er versicherte hoch und heilig, dass ... ❺ (*fig: lack judgement*) blind; *acceptance* bedingungslos ❻ (*concealed*) *bend* schwer einsehbar ❼ *esp* BRIT (*fam: any*) **to not take a ~** [*or* **the ~est**] **bit of notice of sth** etw überhaupt nicht beachten ▶**as ~ as a bat** so blind wie ein Maulwurf; **to turn a ~ eye to sth** vor etw *dat* die Augen verschließen; **love is ~** Liebe macht blind **IV.** *adv* blind; **~ drunk** stockbetrunken

blind 'al·ley *n* Sackgasse *f a. fig*

blind·er ['blaɪndə'] *n* (*fam*) ❶ BRIT SPORTS **to play a ~** ein Superspiel hinlegen; **a ~ of a goal** ein Traumtor *nt* ❷ AM (*blinkers*) ■**~s** *pl* Scheuklappen *pl*

blind·fold ['blaɪn(d)fəʊld] **I.** *n* Augenbinde *f* **II.** *vt* ■**to ~ sb** jdm die Augen verbinden

blind·fold·ed ['blaɪn(d)fəʊldɪd] **I.** *adj* ■**to be ~** die Augen verbunden haben **II.** *adv* (*fig*) **to do sth ~** etw mit verbundenen Augen tun

blind·ing ['blaɪndɪŋ] *adj flash* blendend; *light also* grell; *headache* rasend ▶**to come to sb in a ~ flash** jdm blitzartig klarwerden

blind·ly ['blaɪndli] *adv* ❶ (*without seeing*) blind ❷ (*fig: without thinking*) blindlings; (*without plan*) ziellos; (*without purpose*) sinnlos

blind man's 'bluff *n esp* AM, **blind man's 'buff** *n* Blindekuh *kein art*

blind·ness ['blaɪndnəs] *n no pl* Blindheit *f*

'blind spot *n* ❶ MED blinder Fleck ❷ TRANSP toter Winkel ❸ (*weakness*) Schwachpunkt *m*

bling [blɪŋ] (*fam*) **I.** *n* Klunker *m*, Brillies *pl* **II.** *adj pred look* glamourös; *person* goldbehängt **III.** *vt* ■**to ~ out** ⟳ **sth** etw schmücken

blink [blɪŋk] **I.** *vt* **to ~ one's eyes** mit den Augen zwinkern; **without ~ing an eye** ohne mit der Wimper zu zucken; **to ~ back tears** die Tränen zurückhalten **II.** *vi* ❶ (*as protective reflex*) blinzeln; (*intentionally*) zwinkern ❷ (*of a light*) blinken; **to ~ left/right** links/rechts anzeigen **III.** *n* (*eye reflex*) Blinzeln *nt*; (*intentionally*) Zwinkern *nt*; **in the ~ of an eye** (*fig*) blitzschnell ▶**to be on the ~** (*fam*) kaputt sein

blink·er ['blɪŋkə'] *n* ❶ AUTO Blinker *m* ❷ *esp* BRIT ■**~s** *pl* Scheuklappen *pl a. fig*

blink·ered ['blɪŋkəd] *adj esp* BRIT ■**to be ~**

Scheuklappen tragen *a. fig*

blink·ers ['blɪŋkəz] *npl esp* BRIT Scheuklappen *pl*; (*fig*) **to have ~ on** engstirnig sein, Scheuklappen tragen

blink·ing ['blɪŋkɪŋ] *adj esp* BRIT (*fam*) verflixt

bliss [blɪs] *n no pl* [Glück]seligkeit *f*; **what ~!** herrlich!; **wedded ~** Eheglück *nt*

bliss·ful ['blɪsfᵊl] *adj* glückselig; *couple* glücklich; *smile* selig

blis·ter ['blɪstə'] **I.** *n* Blase *f* **II.** *vt* Blasen hervorrufen auf +*dat* **III.** *vi paint* Blasen werfen; *skin* Blasen bekommen

blis·ter·ing ['blɪstᵊrɪŋ] *adj* Wahnsinns-; *attack* massiv; *heat* brütend; *pace* mörderisch

blith·er·ing ['blɪðᵊrɪŋ] *adj* ~ **idiot** [Voll]idiot(in) *m(f)*

blitz [blɪts] **I.** *n no pl* ❶ (*air attack*) [plötzlicher] Luftangriff; ■**the B~** deutsche Luftangriffe auf britische Städte im Zweiten Weltkrieg ❷ (*fig*) **to have a ~ on sth** etw in Angriff nehmen **II.** *vt* ❶ (*attack*) **to ~ a city** Luftangriffe *pl* auf eine Stadt fliegen ❷ (*fig*) in Angriff nehmen

bliz·zard ['blɪzəd] *n* Schneesturm *m*

bloat·ed ['bləʊtɪd] *adj* ❶ (*swollen*) aufgedunsen ❷ (*overindulgence*) vollgestopft ❸ (*fig: excessive*) aufgebläht

blob [blɒb] *n* ❶ (*spot*) Klecks *m*; **~ of paint** Farbfleck *m* ❷ (*vague mass*) Klümpchen *nt*

bloc [blɒk] *n* POL Block *m*

block [blɒk] **I.** *n* ❶ (*solid lump*) Block *m*; **~ of wood** Holzklotz *m* ❷ (*toy*) **building ~** Bauklötzchen *nt* ❸ (*for executions*) Richtblock *m*; **to be sent to the ~** hingerichtet werden ❹ SPORTS Startblock *m* ❺ BRIT (*building*) Hochhaus *nt*; **~ of flats** Wohnblock *m*; **tower ~** Bürohochhaus *nt* ❻ *esp* AM, AUS (*part of neighbourhood*) [Häuser]block *m* ❼ *usu sing* (*obstruction*) Verstopfung *f* ❽ (*impediment*) Sperre *f* ❾ (*pulley*) Block *m* **II.** *adj* **to make ~ bookings** blockweise reservieren **III.** *vt* blockieren; *artery, pipeline* verstopfen; *exit, passage* versperren; *progress* aufhalten; *account* sperren; *ball* abblocken ◆**block off** *vt* [ver]sperren ◆**block out** *vt* ❶ (*ignore*) *emotions, thoughts* verdrängen; *noise, pain* ausschalten ❷ (*obscure*) **to ~ out the light** das Licht nicht durchlassen [*o* abhalten] ❸ (*suppress*) etw unterdrücken ◆**block up** *vt* ❶ (*obstruct*) blockieren; (*clog*) verstopfen; **my nose is all ~ed up** meine Nase ist total zu ❷ (*fill in*) zumauern

block·ade [blɒkˈeɪd] **I.** *n* Blockade *f* **II.** *vt* abriegeln

block·age ['blɒkɪdʒ] *n* Verstopfung *f*

block 'capi·tals *npl* Blockbuchstaben *pl;* **in ~** in Blockschrift

blocked [blɒkt] *adj* ❶ (*no way through*) *entrance, road* gesperrt; *pipe, nose, pore* verstopft; **~ artery** Arterienverschluss *m* ❷ (*prevented*) ▪ **to be ~** verhindert werden

'**block·head** *n* (*pej fam*) Trottel *m* '**block·house** *n* Blockhaus *nt*

blog [blɒg] *n* COMPUT, INET Blog *nt*, Internettagebuch *nt*

blog·ging ['blɒgɪŋ] *n no pl, no art* COMPUT, INET Blogging *nt* (*das Schreiben von Internet-Tagebüchern*) **blogo·sphere** ['blɒgə(ʊ)sfɪə^r] *n* COMPUT, INET Blogwelt *f*

bloke [bləʊk] *n* BRIT (*fam*) Typ *m*, Kerl *m*

blond(e) [blɒnd] **I.** *adj* blond **II.** *n* (*person*) Blonde(r) *f(m);* (*woman*) Blondine *f*

blood [blʌd] **I.** *n no pl* Blut *nt* ►**~ is thicker than** water (*prov*) Blut ist dicker als Wasser; bad **~** böses Blut; **to make sb's ~ run** cold jdm das Blut in den Adern gefrieren lassen; **in** cold **~** kaltblütig; **to be** after **sb's ~** es jdm heimzahlen wollen; **it makes my ~** boil es macht mich rasend **II.** *vt* [neu] einführen

'**blood bank** *n* Blutbank *f* '**blood·bath** *n* Blutbad *nt* '**blood clot** *n* Blutgerinnsel *nt* '**blood·curdling** *adj* markerschütternd '**blood do·nor** *n* Blutspender(in) *m(f)* '**blood group** *n* Blutgruppe *f* '**blood·hound** *n* Bluthund *m*

blood·less ['blʌdləs] *adj* ❶ (*without violence*) unblutig ❷ (*pale*) blutleer

'**blood poi·son·ing** *n no pl* Blutvergiftung *f* '**blood pres·sure** *n no pl* Blutdruck *m* '**blood prod·uct** *n* MED Blutprodukt *nt* '**blood re·'la·tion** *n* Blutsverwandte(r) *f(m)*

'**blood·shed** *n no pl* Blutvergießen *nt* '**blood·shot** *adj* blutunterlaufen '**blood sport** *n usu pl* Sportarten, bei denen Tiere getötet werden, z.B. Hetzjagden und Hahnenkämpfe '**blood·stained** *adj* blutbefleckt '**blood·stock** *n* + *sing/pl vb* Vollblutpferde *pl* '**blood·stream** *n* Blutkreislauf *m* '**blood·suck·er** *n* Blutsauger *m a. fig* '**blood sug·ar** *n* Blutzucker *m* '**blood test** *n* Bluttest *m* '**blood·thirsty** *adj* blutrünstig '**blood transfusion** *n* [Blut]transfusion *f* '**blood type** *n* Blutgruppe *f* '**blood ves·sel** *n* Blutgefäß *nt;* **to burst a ~** (*fig*) ausflippen

bloody ['blʌdi] **I.** *adj* ❶ (*with blood*) blutig; **to give sb a ~ nose** jdm die Nase blutig schlagen ❷ BRIT, AUS (*fam!: emphasis*) verdammt; **you're a ~ genius!** du bist [mir] vielleicht ein Genie!; **~ hell!** (*in surprise*) Wahnsinn!; (*in anger*) verdammt [nochmal]; **not a ~ thing** überhaupt nichts **II.** *adv* BRIT, AUS (*fam!*) total, verdammt; **I'll do what I ~ well like!** verdammt noch mal, ich mache was ich will!; **not ~ likely!** kommt nicht in Frage!; **~ marvel·lous** großartig *a. iron;* **to be ~ useless** zu gar nichts taugen

bloody-'mind·ed *adj* stur

bloom [bluːm] **I.** *n no pl* Blüte *f;* **to come into ~** aufblühen **II.** *vi* ❶ (*produce flowers*) blühen ❷ (*fig: flourish*) seinen Höhepunkt erreichen

bloom·er ['bluːmə^r] *n* BRIT (*fam*) Fehler *m*

bloom·ing¹ ['bluːmɪŋ] *adj* blühend

bloom·ing² ['bluːmɪŋ], **bloomin'** ['bluːmɪn] *adj* BRIT (*fam*) verdammt

blos·som ['blɒsəm] **I.** *n no pl* [Baum]blüte *f* **II.** *vi* blühen *a. fig*

blot [blɒt] *n* ❶ (*mark*) Klecks *m;* **ink ~** Tintenklecks *m* ❷ (*ugly feature*) **a ~ on the landscape** ein Schandfleck *m* in der Landschaft

blotch [blɒtʃ] *n* <*pl* -es> Fleck *m*

blotchy ['blɒtʃi] *adj* fleckig

blot·ter ['blɒtə^r] *n* [Tinten]löscher *m*

'**blot·ting pa·per** *n no pl* Löschpapier *nt*

blot·to ['blɒtəʊ] *adj* (*sl*) stinkbesoffen

blouse [blaʊz] *n* Bluse *f*

blow¹ [bləʊ] **I.** *vi* <blew, blown> ❶ *wind* wehen; **an icy wind began to ~** ein eisiger Wind kam auf; **the window blew open/shut** das Fenster wurde auf-/zugeweht ❷ (*exhale*) blasen, pusten ❸ *esp* BRIT (*pant*) keuchen ❹ *whale* spritzen; **there she ~s!** Wal in Sicht! ❺ (*break*) *fuse* durchbrennen; *gasket* undicht werden; *tyre* platzen ❻ (*fam: leave*) abhauen **II.** *vt* <blew, blown> ❶ (*propel*) blasen; *wind* wehen ❷ (*send*) **to ~ sb a kiss** jdm ein Küsschen zuwerfen ❸ (*play*) blasen; **to ~ the trumpet** Trompete spielen; **to ~ the whistle** (*start a match*) [das Spiel] anpfeifen; (*stop, end a match*) [das Spiel] abpfeifen ❹ (*clear*) **to ~ one's nose** sich *dat* die Nase putzen ❺ (*create*) **to ~ bubbles** [Seifen]blasen machen; **to ~ smoke rings** [Rauch]ringe *pl* [in die Luft] blasen ❻ (*destroy*) **we blew a tyre** uns ist ein Reifen geplatzt; **I've ~n a fuse** mir ist eine Sicherung durchgebrannt; **to be ~n to pieces** in die Luft gesprengt werden; *person* zerfetzt werden; **to ~ a safe [open]** einen Safe [auf]sprengen ❼ (*fam: squander*) verpulvern ❽ (*fam: expose*) auffliegen lassen; ▪ **to be ~n** auffliegen ❾ <blowed,

blowed> Brit (*fam: damn*) ~ [it]! verflixt!; **I'll be ~ed!** ich glaub, mich tritt ein Pferd!; **I'm ~ed if ...!** das wollen wir doch mal sehen, ob ...! ⑩ (*fam: bungle*) vermasseln III. *n no pl* **to have a [good] ~** sich *dat* [gründlich] die Nase putzen ◆**blow about, blow around** *vi* herumgewirbelt werden ◆**blow away** *vt* ❶ *wind* wegwehen ❷ (*fam: kill*) wegpusten ◆**blow back** *vi, vt* zurückwehen ◆**blow down** I. *vi* umgeweht werden II. *vt* umwehen ◆**blow in** I. *vi* ❶ *window* eingedrückt werden ❷ *sand* hineinwehen II. *vt* *window* eindrücken ◆**blow off** I. *vt* ❶ (*remove*) wegblasen; *wind* wegwehen ❷ (*rip off*) wegreißen II. *vi* (*blow away*) weggeweht werden ◆**blow out** I. *vt* ❶ (*extinguish*) ausblasen ❷ (*stop*) **the storm had ~n itself out** der Sturm hatte sich ausgetobt ❸ (*kill*) **to ~ out ⟳ one's brains** sich eine Kugel durch den Kopf jagen ❹ (*fill*) *cheeks* aufblasen II. *vi* ❶ *candle* verlöschen ❷ *tyre* platzen ◆**blow over** I. *vi* ❶ (*fall*) umstürzen ❷ (*stop*) *storm* sich legen II. *vt* umwerfen ◆**blow up** I. *vi* ❶ (*come up*) *storm* [her]aufziehen ❷ (*explode*) explodieren; (*fig fam: become angry*) an die Decke gehen II. *vt* ❶ (*inflate*) aufblasen ❷ (*fig: exaggerate*) hochspielen ❸ (*enlarge*) vergrößern ❹ (*destroy*) [in die Luft] sprengen

blow² [bləʊ] *n* ❶ (*hit*) Schlag *m;* **to come to ~s over sth** sich wegen einer S. *gen* prügeln ❷ (*misfortune*) [Schicksals]schlag *m* (**to/for** für)

blow-by-'blow *adj* detailgenau; **to give sb a ~ account** jdm haarklein Bericht erstatten

'**blow-dry** I. *vt* <-ie-> fönen II. *n* Fönen *nt*

blow-er ['bləʊə^r] *n* Brit, Aus (*fam*) Telefon *nt*

'**blow-fly** *n* Schmeißfliege *f* '**blow-hole** *n* Atemloch *nt* '**blow-lamp** *n* Lötlampe *f*

blown [bləʊn] *vt, vi pp of* **blow**

blow-out ['bləʊaʊt] *n* ❶ Brit (*fam: huge meal*) Schlemmerei *f* ❷ Am (*party*) Fete *f* ❸ (*eruption*) Eruption *f* ❹ (*of tyre*) Platzen *nt* [eines Reifens]

'**blow-pipe** *n* (*weapon*) Blasrohr *nt* '**blow-torch** *n* Lötlampe *f* '**blow-up** I. *n* ❶ PHOT Vergrößerung *f* ❷ (*fam: quarrel*) Krach *m* II. *adj* aufblasbar

blub <-bb-> [blʌb] *vi* Brit (*fam*) plärren

blub-ber¹ ['blʌbə^r] *vi* (*fam*) flennen

blub-ber² ['blʌbə^r] *n no pl* Speck *m a. fig*

bludg-eon ['blʌdʒ^ən] *vt* verprügeln; **to ~ sb to death** jdn zu Tode prügeln

blue [bluː] I. *adj* <-r, -st> ❶ (*colour*) blau; ~ **with cold** blaugefroren; **to go ~** blau anlaufen ❷ (*depressed*) traurig ❸ (*fam*) ~ **movie** Pornofilm *m* ◆**once in a ~ moon** alle Jubeljahre einmal II. *n* Blau *nt;* **the boys in ~** (*hum fam*) die Gesetzeshüter ▶**out of the ~** aus heiterem Himmel

'**blue-bell** *n* [blaue Wiesen]glockenblume '**blue-berry** ['bluːb^əri] *n* Heidelbeere *f* '**blue-bot-tle** *n* Schmeißfliege *f* '**blue chip** *n* FIN Blue Chip *m* **blue-'col-lar** *adj* ~ **worker** Arbeiter(in) *m(f)* '**blue-print** *n* Blaupause *f;* (*fig*) Plan *m* **blue-rinse bri-gade** [ˌbluːˈrɪn(t)sbrɪɡeɪd] *n* (*pej fam: elderly and conservative women*) Omis *pl*

blues [bluːz] *npl* ❶ (*fam*) **to have the ~** melancholisch gestimmt sein ❷ (*music*) Blues *m*

'**blue-sky** *adj* ~ **thinking** zukunftsorientiertes Denken

Blue-tooth-com-'pat-ible *adj* Bluetooth-kompatibel

blue 'whale *n* Blauwal *m*

bluff¹ [blʌf] I. *vi* bluffen II. *vt* täuschen; **to ~ one's way into/out of sth** sich in etw *akk* hinein-/aus etw *dat* herausmogeln III. *n* (*pretence*) Bluff *m;* **to call sb's ~** jdn bloßstellen

bluff² [blʌf] I. *n* (*steep bank*) Steilhang *m;* (*shore*) Steilküste *f* II. *adj* *manner* direkt

bluff-er ['blʌfə^r] *n* Bluffer(in) *m(f)*

bluff-er's guide [blʌfəzˈɡaɪd] *n* Ratgeber *m* für Bluffer

blu-ish ['bluːɪʃ] *adj* bläulich

blun-der ['blʌndə^r] I. *n* schwer[wiegend]er Fehler II. *vi* ❶ (*make a bad mistake*) einen groben Fehler machen ❷ (*act clumsily*) ▪**to ~** [about [*or* around]] [herum]tappen; ▪**to ~ into sth** in etw *akk* hineinplatzen

blunt [blʌnt] I. *adj* ❶ (*not sharp*) stumpf ❷ (*outspoken*) direkt II. *vt* ❶ (*make less sharp*) stumpf machen ❷ (*fig*) *enthusiasm, interest* dämpfen

blunt-ly ['blʌntli] *adv* direkt

blunt-ness ['blʌntnəs] *n* Direktheit *f*

blur [blɜː^r] I. *vi* <-rr-> verschwimmen II. *vt* <-rr-> verschwimmen lassen III. *n no pl* undeutliches Bild; ▪**to be a ~** verschwimmen; (*fig*) **it's all just a ~ to me now** ich erinnere mich nur noch vage daran

blurb [blɜːb] *n* (*fam*) Klappentext *m*

blurred [blɜːd] *adj* ❶ (*vague*) verschwommen; *picture* unscharf ❷ (*not clearly separated*) nicht klar voneinander getrennt

blush [blʌʃ] I. *vi* erröten II. *n* ❶ (*red face*) Erröten *nt kein pl;* **to spare sb's ~es** jdn nicht verlegen machen ❷ Am (*blusher*) Rouge *nt*

blush-er ['blʌʃə^r] *n* Rouge *nt*

blush·ing ['blʌʃɪŋ] *adj* errötend

blus·ter ['blʌstər] I. *vi* ❶ (*speak angrily*) poltern ❷ *wind* toben II. *n no pl* Theater *nt*

blus·tery ['blʌstəri] *adj weather* stürmisch

BNP [ˌbiːen'piː] *n* POL *abbrev of* **British National Party**

BO [ˌbiː'əʊ] *n no pl abbrev of* **body odour** Körpergeruch *m*

boa ['bəʊə] *n* Boa *f*

boar [bɔːʳ] *n* (*pig*) Eber *m*; **wild ~** Wildschwein *nt*; (*male*) Keiler *m*

board [bɔːd] I. *n* ❶ (*plank*) Brett *nt*; (*blackboard*) Tafel *f*; (*notice board*) Schwarzes Brett; (*floorboard*) Diele *f* ❷ + *sing/pl vb* ADMIN Behörde *f*; **~ of directors** Vorstand *m*; **B~ of Education** AM Bildungsausschuss *m*; **supervisory ~** Aufsichtsrat *m*; **Tourist B~** Fremdenverkehrsamt *nt*; **B~ of Trade** BRIT Handelsministerium *nt*; AM Handelskammer *f* ❸ *no pl* (*in a hotel*) **~ and lodging** BRIT, **room and ~** AM Kost und Logis; **full ~** Vollpension *f*; **half ~** Halbpension *f* ❹ TRANSP **on ~** an Bord *a. fig* ▸ **to let sth go by the ~** etw unter den Tisch fallen lassen; **to sweep the ~** alles gewinnen; **to take on ~** bedenken; **across the ~** rundum II. *vt* ❶ (*cover with wood*) ▪ **to ~ up** mit Brettern vernageln ❷ *plane, train* einsteigen ❸ (*uninvited*) *ship* entern III. *vi* ❶ TOURIST wohnen (*als Pensionsgast*) ❷ SCH im Internat wohnen ❸ AVIAT **flight BA345 is now ~ing at Gate 2** die Passagiere für Flug BA345 können jetzt über Gate 2 zusteigen

board·er ['bɔːdəʳ] *n* ❶ SCH Internatsschüler(in) *m(f)* ❷ (*lodger*) Pensionsgast *m*

'board game *n* Brettspiel *nt*

board·ing ['bɔːdɪŋ] *n* Unterbringung *f* in einem Internat

'board·ing card *n* BRIT Bordkarte *f* **'board·ing house** *n* Pension *f* **'board·ing pass** *n* AM Bordkarte *f* **'board·ing school** *n* Internat *nt*

'board meet·ing *n of executives* Vorstandssitzung *f*; *of owners' representatives* Aufsichtsratssitzung *f*

'board·room *n* Sitzungssaal *m*

'board·walk *n* AM Uferpromenade *f* (*aus Holz*)

boast [bəʊst] I. *vi* (*pej*) prahlen; ▪ **to ~ about sth** mit etw *dat* angeben II. *vt* (*possess*) sich einer S. *gen* rühmen III. *n* (*pej*) großspurige Behauptung

boast·er ['bəʊstəʳ] *n* (*pej*) Angeber(in) *m(f)*

boast·ful ['bəʊstfəl] *adj* (*pej*) großspurig; ▪ **to be ~** prahlen

boat [bəʊt] *n* Boot *nt*; (*large*) Schiff *nt*; **to travel by ~** mit dem Schiff fahren ▸ **to be in the same ~** im selben Boot sitzen; **to miss the ~** den Anschluss verpassen; **to push the ~ out** BRIT ganz groß feiern

'boat hook *n* Bootshaken *m* **'boat house** *n* Bootshaus *nt*

boating ['bəʊtɪŋ] *n no pl* Bootfahren *nt*; **~ lake** See *m* mit Wassersportmöglichkeiten

'boat·man *n* Bootsführer *m* **'boat race** *n* Bootsrennen *nt*; ▪ **the B~ R~** BRIT die Oxford-Cambridge-Regatta **boat·swain** ['bəʊsⁿn, 'bəʊtsweɪn] *n* NAUT [Hoch]bootsmann *m* **'boat train** *n* Zug *m* mit Fährenanschluss **'boat trip** *n* Bootsfahrt *f*

bob¹ [bɒb] *n* Bubikopf *m*

bob² [bɒb] *n abbrev of* **bobsleigh** Bob *m*

bob³ [bɒb] *n* BRIT (*hist: shilling*) fünf Pence

bob⁴ <-bb-> [bɒb] I. *vi* ❶ (*move*) ▪ **to ~ [up and down]** sich auf und ab bewegen; ▪ **to ~ [up]** [plötzlich] auftauchen *a. fig* ❷ (*curtsy*) knicksen II. *n* (*curtsy*) [angedeuteter] Knicks

bob·bin ['bɒbɪn] *n* Spule *f*

'bob·ble hat *n* BRIT Pudelmütze *f*

bob·by ['bɒbi] *n* BRIT (*dated fam*) Polizist(in) *m(f)*

'bob·sled *n* Bob[schlitten] *m*

'bob·sleigh *n* Bob[sleigh] *m*

'bob·tail *n* kupierter Schwanz

bode [bəʊd] *vi, vt* **to ~ ill/well** etwas Schlechtes/Gutes bedeuten

bod·ice ['bɒdɪs] *n* (*of dress*) Oberteil *nt*

bodi·ly ['bɒdɪli] I. *adj* körperlich; [grievous] **~ harm** [schwere] Körperverletzung II. *adv* ❶ (*with force*) gewaltsam ❷ (*as a whole*) als Ganzes

body ['bɒdi] *n* ❶ (*physical structure*) Körper *m*; **the ~ of Christ** der Leib Christi; **~ and soul** mit Leib und Seele ❷ + *sing/pl vb* (*organized group*) Gruppe *f*; **advisory ~** beratendes Gremium; **governing ~** Leitung *f*; **legislative ~** gesetzgebendes Organ; **student ~** Studentenschaft *f* ❸ (*central part*) Hauptteil *m*; *of a church* Hauptschiff *nt*; *of a plane, ship* Rumpf *m* ❹ AUTO Karosserie *f* ❺ (*corpse*) Leiche *f*; *of an animal* Kadaver *m*; SCI Körper *m*; **celestial ~** Himmelskörper *m*; **foreign ~** Fremdkörper *m* ❻ (*substance*) *of hair* Fülle *f*; *of wine* Gehalt *m* ❼ FASHION Body *m* ▸ **over my dead ~** nur über meine Leiche

'body bag *n* Leichensack *m* **'body-build·ing** *n no pl* Bodybuilding *nt* **'body·guard** *n* ❶ (*person*) Bodyguard *m* ❷ + *sing/pl vb* (*group*) Leibwache *f*

'**body im·age** *n* Körperwahrnehmung *f*
'**body jew·el·lery** *n* Körperschmuck *m*
'**body lan·guage** *n no pl* Körpersprache *f*
'**body lo·tion** *n* Körperlotion *f* '**body sculpt·ing** [-skʌlptɪŋ] *n no pl* Bodysculpting *nt* '**body search** *n* Leibesvisitation *f*
'**body·suit** *n* FASHION Body[suit] *m* '**body·work** *n no pl* AUTO Karosserie *f*

bog [bɒg] *n* ❶ (*wet ground*) Sumpf *m* ❷ BRIT, AUS (*sl*) Klo *nt* ◆**bog down** *vt* ■**to be ~ged down** stecken bleiben; **to get ~ged down** sich verheddern *a. fig*

bo·gey ['bəʊgi] *n* ❶ (*fear*) Schreckgespenst *nt* ❷ BRIT (*sl: snot*) Popel *m* ❸ (*golf score*) Bogey *nt*

bog·gle ['bɒgl] **I.** *vi* sprachlos sein; **the mind ~s** man fasst sich an den Kopf **II.** *vt* **to ~ the mind** unglaublich sein

bog·gy ['bɒgi] *adj* morastig

bo·gie *n* AM *see* **bogey**

bo·gus ['bəʊgəs] *adj* unecht; *documents, name* falsch; **~ company** Scheinfirma *f*

bogy *n see* **bogey**

Bo·he·mia [bəʊ'hiːmiə] *n no pl* Böhmen *nt*

bo·he·mian [bə(ʊ)'hiːmiən] **I.** *n* Bohemien *m* **II.** *adj* **~ life** Künstlerleben *nt*

boil [bɔɪl] **I.** *n* ❶ *no pl* FOOD kochen; **to let sth come to the** [*or* AM **a**] **~** etw aufkochen lassen ❷ MED Furunkel *m o nt* ▶ **to go off the ~** BRIT das Interesse verlieren **II.** *vi* ❶ FOOD kochen; **to ~ dry** verkochen ❷ CHEM den Siedepunkt erreichen ❸ (*fig*) *sea* brodeln ❹ (*fig fam: angry*) **to ~ with rage** vor Wut kochen ❺ (*fig fam: hot*) **I'm ~ing** ich schwitze mich zu Tode **III.** *vt* ❶ (*heat*) kochen; **~ the water before you drink it** koch das Wasser ab, bevor du es trinkst ❷ (*bring to boil*) zum Kochen bringen; **the kettle's ~ed!** das Wasser hat gekocht! ❸ *laundry* [aus]kochen ◆**boil away** *vt* verkochen ◆**boil down I.** *vi* (*reduce*) *sauce* einkochen ▶ **it all ~s down to …** es läuft auf … hinaus **II.** *vt* ❶ FOOD (*reduce*) einkochen ❷ (*fig: condense*) zusammenfassen ◆**boil over** *vi* ❶ (*flow over*) überkochen ❷ (*fig*) *situation* außer Kontrolle geraten; *person* ausrasten

boiled-down ['bɔɪlddaʊn] *adj* gekürzt

boil·er ['bɔɪləʳ] *n* Boiler *m*

'**boiler·house** *n* Kesselhaus *nt* '**boil·er room** *n* Kesselraum *m* '**boil·er suit** *n* BRIT, AUS Overall *m*

boil·ing ['bɔɪlɪŋ] *adj* ❶ (*100 °C*) kochend ❷ (*extremely hot*) sehr heiß; **I'm ~** ich komme um vor Hitze; **~ [hot] weather** unerträgliche Hitze

'**boil·ing point** *n* Siedepunkt *m a. fig*

bois·ter·ous ['bɔɪstᵊrəs] *adj* ❶ (*rough*) wild; (*noisy*) laut ❷ (*exuberant*) übermütig; **in ~ spirits** in ausgelassener Stimmung

bois·ter·ous·ly ['bɔɪstᵊrəsli] *adv* ❶ (*noisily*) laut ❷ (*exuberantly*) übermütig, ausgelassen

bold [bəʊld] *adj* ❶ (*brave*) mutig; **to take a ~ step** ein Wagnis eingehen ❷ *colour* kräftig; *pattern* auffällig; *handwriting* schwungvoll; **~ brush strokes** kühne Pinselstriche; **printed in ~ type** fett gedruckt ▶ **as ~ as brass** frech wie Oskar

bold·ly ['bəʊldli] *adv* ❶ (*bravely*) mutig ❷ (*defiantly*) keck, frech, unverschämt *pej*

bold·ness ['bəʊldnəs] *n* Mut *m*

bo·lero ['bɒlərəʊ] *n* Bolero *m*

Bo·livia [bə'lɪviə] *n* Bolivien *nt*

Bo·liv·ian [bə'lɪviən] **I.** *n* Bolivianer(in) *m(f)* **II.** *adj* bolivianisch

bol·lard ['bɒlɑːd] *n* Poller *m*

bol·locking ['bɒləkɪŋ] *n* BRIT (*vulg*) Standpauke *f fam;* **to give sb a good ~** jdn zur Sau machen *fam!*

Bol·ly·wood [bɒliwʊd] *n* (*fam*) Bollywood *nt* (*in Bombay angesiedelte Unterhaltungsfilmindustrie*)

Bol·she·vik ['bɒlʃəvɪk] *n* Bolschewik *m*

Bol·she·vism ['bɒlʃəvɪzᵊm] *n no pl* Bolschewismus *m*

bol·ster ['bəʊlstəʳ] **I.** *n* Nackenrolle *f* **II.** *vt* ❶ (*prop up*) stützen ❷ (*encourage*) unterstützen ❸ (*increase*) erhöhen

bolt [bəʊlt] **I.** *vi* ❶ (*move quickly*) rasen ❷ (*run away*) ausreißen; *horse* durchgehen **II.** *vt* ❶ (*gulp down*) ■**to ~ sth** ↻ [**down**] etw hinunterschlingen ❷ (*lock*) verriegeln ❸ (*fix*) ■**to ~ sth on**[**to**] **sth** etw mit etw *dat* verbolzen **III.** *n* ❶ (*lightning*) **~ of lightning** Blitz[schlag] *m* ❷ (*on a door*) Riegel *m* ❸ (*screw*) Schraubenbolzen *m* ❹ (*of a crossbow*) Bolzen *m* ❺ (*of a gun*) Schlagbolzen *m* ❻ (*roll of cloth*) [Stoff]ballen *m* ▶ **to be a ~ from the blue** aus heiterem Himmel kommen

'**bolt-hole** *n* BRIT, AUS Unterschlupf *m*

bomb [bɒm] **I.** *n* ❶ (*explosive*) Bombe *f;* **unexploded ~** Blindgänger *m;* **to put a ~ under sb** (*fig fam*) jdn völlig umkrempeln ❷ AM (*fam*) Flop *m* ❸ BRIT (*fig fam: success*) **to go [like] a ~** ein Bombenerfolg sein **II.** *vt* bombardieren **III.** *vi* (*fam*) [völlig] danebengehen

bom·bard [bɒm'bɑːd] *vt* bombardieren *a. fig*

bom·bard·ment [bɒm'bɑːdmənt] *n* Bombardierung *f*

bom·bast ['bɒmbæst] *n no pl* Schwulst *m*

bom·bas·tic [bɒm'bæstɪk] *adj* bombastisch

'**bomb cra·ter** *n* Bombentrichter *m*
'**bomb dis·pos·al unit** *n* BRIT Bomben-
räumkommando *nt*
bombed [bɑːmd] *adj* AM (*fam: on drugs*)
total zu; (*on alcohol*) voll
bomb·er ['bɒməʳ] *n* ❶(*plane*) Bomben-
flugzeug *nt* ❷(*person*) Bombenleger(in)
m(f)
bomb·ing ['bɒmɪŋ] *n* MIL Bombardierung *f;*
(*terrorist attack*) Bombenanschlag *m*
'**bomb·proof** *adj* bombensicher '**bomb·
shell** *n* Bombe *f* a. *fig;* **to come as a ~**
(*fig*) wie eine Bombe einschlagen; **to drop
a ~** (*fig*) die Bombe platzen lassen
bona fide [ˌbəʊnə'faɪdi] *adj* echt; *offer* seriös
bo·nan·za [bə'nænzə] *n* Goldgrube *f;* **a
fashion ~** ein Modetreff *m*
bond [bɒnd] **I.** *n* ❶(*emotional connection*) Bindung *f;* **~[s] of friendship** Bande
pl der Freundschaft ❷FIN Schuldschein *m;*
government ~ Staatsanleihe *f;* **savings ~**
festverzinsliche Wertpapier ❸LAW schriftliche Verpflichtung ❹CHEM Bindung *f* **II.** *vt*
❶(*unite emotionally*) verbinden ❷(*stick
together*) ▪**to ~ together** zusammenfügen **III.** *vi* haften
bond·age ['bɒndɪdʒ] *n no pl* ❶(*liter: slavery*) Sklaverei *f* ❷(*sexual act*) Fesseln *nt*
bond·ed ['bɒndɪd] *adj* **a ~ travel agent/
tour operator** BRIT *Reisebüro/Reiseunter-
nehmen, das sich im Interesse seiner
Kunden gegen den eigenen Bankrott versichert hat*
bone [bəʊn] **I.** *n* ❶ANAT Knochen *m; of fish*
Gräte *f;* FOOD **off the ~** *fish* entgrätet; *meat*
entbeint ❷ *no pl* (*material*) Bein *nt;* **made
of ~** aus Bein ▶ **to be a bag of ~s** nur noch
Haut und Knochen sein; **to work one's
fingers to the ~** sich abrackern; **to be
close to the ~** unter die Haut gehen; **to
feel sth in one's ~s** etw instinktiv fühlen;
to make no ~s about sth kein Geheimnis
aus etw *dat* machen; **to have a ~ to pick
with sb** mit jdm ein Hühnchen zu rupfen
haben **II.** *vt fish* entgräten; *meat* ausbeinen
'**bone den·sity** *n* MED Knochendichte *f*
'**bone·head** *n* (*pej sl*) Holzkopf *m* '**bone
idle** *adj,* **bone lazy** *adj* (*pej*) stinkfaul
'**bone mar·row** *n no pl* Knochenmark *nt*
'**bone·shak·er** *n* BRIT (*hum fam*) Klapperkiste *f*
bon·fire ['bɒnfaɪəʳ] *n* Freudenfeuer *nt*
bonk·ers ['bɒŋkəz] *adj* (*fam*) verrückt
bon·net ['bɒnɪt] *n* ❶(*hat*) Mütze *f;*
(*dated*) Haube *f* ❷BRIT, AUS AUTO Motorhaube *f*
bon·ny ['bɒni] *adj* BRIT strahlend gesund;

baby prächtig; *lass* hübsch
bon·sai ['bɒnsaɪ] *n* Bonsai *m*
bo·nus ['bəʊnəs] *n* ❶FIN Prämie *f;* **Christmas ~** Weihnachtsgratifikation *f;* **productivity ~** Ertragszulage *f;* **~ share** Gratisak-
tie *f* ❷(*fig: sth extra*) Bonus *m*
bony ['bəʊni] *adj* ❶(*with prominent
bones*) knochig ❷(*full of bones*) *fish* voller Gräten; *meat* knochig
boo [buː] **I.** *interj* (*fam*) ❶(*to surprise*)
huh ❷(*to show disapproval*) buh **II.** *vi* buhen **III.** *vt* ausbuhen; **to ~ sb off the stage**
jdn von der Bühne buhen **IV.** *n* Buhruf *m*
boob [buːb] **I.** *n* ❶ *usu pl* (*sl: breast*) big
~s große Titten ❷(*fam: blunder*) Schnitzer *m* ❸AM (*person*) Trottel *m* **II.** *vi* (*fam*)
einen Schnitzer machen
boo·by ['buːbi] *n* Trottel *m*
'**boo·by prize** *n* Trostpreis *m* '**boo·by
trap** *n* getarnte Bombe
boo·gie ['buːgi] (*dated*) **I.** *vi* (*fam*) shaken
fam **II.** *n* (*fam*) Schwof *m* BRD *sl;* **I enjoy a
good ~ from time to time** ich schwinge
immer mal wieder gern das Tanzbein
book [bʊk] **I.** *n* ❶(*for reading*) Buch *nt;* **to
be in the ~** im Telefonbuch stehen ❷(*set*)
~ of stamps/tickets Briefmarken-/Fahr-
kartenheftchen *nt* ❸ *pl* FIN ▪**the ~s** die
[Geschäfts]bücher; **on the ~s** eingetragen
▶ **to be in sb's good/bad ~s** bei jdm gut/
schlecht angeschrieben sein; **to do sth by
the ~** etw nach Vorschrift machen; **to
throw the ~ at sb** jdm gehörig den Kopf
waschen; **in my ~** meiner Meinung nach
II. *vt* ❶(*reserve*) buchen; ▪**to ~ sth for sb**
etw für jdn reservieren ❷(*by policeman*)
verwarnen; **to be ~ed for speeding** eine
Verwarnung wegen erhöhter Geschwindigkeit bekommen **III.** *vi* buchen, reservieren;
to ~ into a hotel in ein Hotel einchecken;
to be fully ~ed ausgebucht sein ◆**book
in I.** *vi esp* BRIT einchecken **II.** *vt* ▪**to ~ sb
↻ in** für jdn ein Hotel buchen ◆**book up**
vi buchen; ▪**to be ~ed up** ausgebucht
sein
book·able ['bʊkəbl] *adj* ❶(*able to be
reserved*) erhältlich ❷SPORTS **a ~ offence**
ein zu ahndender Regelverstoß
'**book·bind·er** *n* Buchbinder(in) *m(f)*
'**book·bind·ing** *n no pl* Buchbinderhand-
werk *nt* '**book·case** *n* Bücherschrank *m*
'**book club** *n* Buchklub *m* '**book·end** *n*
Buchstütze *f*
bookie ['bʊki] *n* (*fam*) *short for* **bookmaker** Buchmacher(in) *m(f)*
book·ing ['bʊkɪŋ] *n* ❶(*reservation*) Reservierung *f;* **advance ~s** Vorreservierung[en]
f[pl]; **block ~** Gruppenreservierung *f;* **to**

B

make a ~ etw buchen ➋ SPORTS Verwarnung *f*
'**book·ing clerk** *n* Schalterbeamte(r), -beamtin *m, f* '**book·ing of·fice** *n* Theaterkasse *f*
book·ish ['bʊkɪʃ] *adj* ➊ (*studious*) streberhaft ➋ (*unworldly*) weltfremd
'**book·keep·er** *n* Buchhalter(in) *m(f)*
'**book·keep·ing** *n no pl* Buchhaltung *f*
book·let ['bʊklət] *n* Broschüre *f*
'**book·mak·er** *n* Buchmacher(in) *m(f)*
'**book·mark** *n* Lesezeichen *nt* '**book re·view** *n* Buchbesprechung *f* '**book re·view·er** *n* Buchkritiker(in) *m(f)* '**book·seller** *n* Buchhändler(in) *m(f)* '**book·shelf** *n* Bücherregal *nt* '**book·shop** *n* Buchgeschäft *nt* '**book·stall** *n* Bücherstand *m* '**book·store** *n* AM Buchgeschäft *nt* '**book to·ken** *n* Büchergutschein *m* '**book·worm** *n* Bücherwurm *m*
boom¹ [buːm] ECON I. *vi* florieren II. *n* Boom *m,* Aufschwung *m* III. *adj* florierend; *town* aufstrebend
boom² [buːm] I. *n* Dröhnen *nt kein pl* II. *vi* ■ to ~ [out] dröhnen III. *vt* ■ to ~ [out] sth etw mit dröhnender Stimme befehlen
boom³ [buːm] *n* ➊ (*floating barrier*) Baum *m* ➋ NAUT Baum *m* ➌ FILM, TV Galgen *m*
boom·er·ang ['buːmᵊræŋ] I. *n* Bumerang *m* II. *vi* (*fig*) ■ to ~ on sb *plan* sich für jdn als Bumerang erweisen
boon [buːn] *n usu sing* Segen *m fig*
boor [bɔːʳ] *n* (*pej*) Rüpel *m*
boor·ish ['bɔːrɪʃ] *adj* (*pej*) rüpelhaft
boost [buːst] I. *n* Auftrieb *m* II. *vt* ansteigen lassen; *morale* heben; ELEC verstärken
boost·er ['buːstəʳ] *n* ➊ (*improvement*) Verbesserung *f;* **to be a confidence ~** das Selbstvertrauen heben ➋ MED **a ~ vaccination** [*or fam* **shot**] eine Auffrischungsimpfung
'**boost·er rock·et** *n* Trägerrakete *f* '**boost·er seat** *n* AUTO Kindersitz *m*
boot [buːt] I. *n* ➊ (*footwear*) Stiefel *m* ➋ (*fam: kick*) Stoß *m;* **to get the ~** (*fig*) hinausfliegen; **to give sb the ~** (*fig*) jdn hinauswerfen; **to put the ~ in** BRIT jdn mit Fußtritten fertigmachen; (*fig*) einer Sache die Krone aufsetzen ➌ BRIT AUTO Kofferraum *m;* AM Wegfahrsperre *f* ➍ BRIT (*fam: woman*) **old ~** Schreckschraube *f* ▸ **the ~'s on the other foot** die Lage sieht anders aus; **to be/get too big for one's ~s** hochnäsig sein/werden II. *vt* (*fam*) einen Tritt versetzen; ■ **to be ~ed off sth** achtkantig aus etw *dat* fliegen ◆ **boot out** *vt*

(*fam*) rausschmeißen
bootee ['buːti] *n* gestrickter Babyschuh
booth [buːð, buːθ] *n* ➊ (*cubicle*) Kabine *f;* (*in a restaurant*) Sitzecke *f* ➋ (*at a fair*) Stand *m*
'**boot·lace** *n* Schnürsenkel *m* '**boot·leg** *adj* ➊ (*sold illegally*) geschmuggelt ➋ (*illegally made*) illegal hergestellt; ~ **alcohol** schwarz gebrannter Alkohol; ~ **CDs** Raubpressungen *pl;* ~ **tapes** Raubkopien *pl* '**boot·lick·er** *n* (*pej*) Kriecher(in) *m(f)* '**boot·mak·er** *n* Schuhmacher(in) *m(f)*
boo·ty ['buːti] *n* Beutegut *nt*
'**booty call** *n* AM (*sl*) überraschender Besuch bei jdm mit sexuellen Absichten
booze [buːz] I. *n* (*fam*) ➊ *no pl* (*alcohol*) Alk *m;* **to be off the ~** nicht mehr trinken ➋ (*activity*) **to go out on the ~** auf Sauftour gehen II. *vi* (*fam*) saufen; **to have been boozing all night** die ganze Nacht durchgezecht haben
booz·er ['buːzəʳ] *n* (*fam*) ➊ BRIT (*pub*) Kneipe *f* ➋ (*person*) Säufer(in) *m(f)*
booze-up ['buːzʌp] *n* (*fam*) Besäufnis *nt sl*
booz·ing ['buːzɪŋ] *n no pl* Trinken *nt*
boozy ['buːzi] *adj* (*fam*) versoffen; ~ **breath** Fahne *f*
bor·der ['bɔːdəʳ] I. *n* ➊ (*frontier*) Grenze *f;* ~ **dispute** Grenzstreit *m* ➋ (*edge*) Begrenzung *f; of picture* Umrahmung *f* ➌ (*in garden*) Rabatte *f* ➍ FASHION Borte *f* II. *vt* ➊ (*be or act as frontier*) grenzen an ➋ (*bound*) begrenzen ◆ **border on** *vi* grenzen an *a. fig*
bor·der·ing ['bɔːdᵊrɪŋ] *adj* angrenzend
bor·der·land ['bɔːdᵊlænd] *n* ➊ GEOG Grenzgebiet *nt* ➋ (*fig*) Grenzbereich *m*
bor·der·line ['bɔːdᵊlaɪn] I. *n usu sing* Grenze *f* II. *adj* Grenz-
bore¹ [bɔːʳ] *n* Flutwelle *f*
bore² [bɔːʳ] *pt of* **bear**
bore³ [bɔːʳ] I. *n* ➊ (*thing*) langweilige Sache; **what a ~** wie langweilig ➋ (*person*) Langweiler(in) *m(f)* II. *vt* langweilen
bore⁴ [bɔːʳ] I. *n* ➊ (*of pipe*) Innendurchmesser *m* ➋ (*of gun*) Kaliber *nt* II. *vt* bohren III. *vi* ■ **to ~ through** durchbohren
bored [bɔːd] *adj* gelangweilt; ~ **stiff** (*fig*) zu Tode gelangweilt
bore·dom ['bɔːdəm] *n no pl* Langeweile *f*
'**bore·hole** *n* Bohrloch *nt;* **to sink a ~** ein Bohrloch [in die Erde] treiben
bor·ing ['bɔːrɪŋ] *adj* langweilig
born [bɔːn] *adj* geboren; **she's a Dubliner ~ and bred** sie ist eine waschechte Dublinerin; (*fig*) *idea* entstanden; **English-~** in England geboren ▸ **I wasn't ~ yesterday**

ich bin schließlich nicht von gestern

'born-again adj überzeugt

borne [bɔːn] vi pt of **bear**

bo·ron ['bɔːrɒn] n no pl CHEM Bor nt

bor·ough ['bʌrə] n Verwaltungsbezirk m; **the London ~ of Westminster** die Londoner Stadtgemeinde Westminster

bor·row ['bɒrəʊ] I. vt ① (take temporarily) leihen; (from a library) ausleihen ② LING entlehnen ③ MATH borgen II. vi Geld leihen

bor·rowed ['bɒrəʊd] adj ausgeliehen; **he lives on ~ time** seine Tage sind gezählt

bor·row·er ['bɒrəʊə'] n ① (from a bank) Kreditnehmer(in) m(f) ② (from a library) Entleiher(in) m(f)

bor·row·ing ['bɒrəʊɪŋ] n ① (take temporarily) Ausleihen nt ② LING Entlehnen nt ③ FIN **public ~** Staatsverschuldung f; ■ **~s** pl (debts) Darlehenssumme[n] f[pl]

Bos·nia ['bɒznɪə] n Bosnien nt

Bos·nia-Her·ze·'go·vi·na n Bosnien-Herzegowina nt

Bos·nian ['bɒznɪən] I. adj bosnisch II. n Bosnier(in) m(f)

bos·om ['bʊzᵊm] n usu sing ① (breasts) Busen m ② (fig) **in the ~ of one's family** im Schoß der Familie

bos·om 'bud·dy n AM, **'bos·om friend** n Busenfreund(in) m(f)

boss [bɒs] I. n Chef(in) m(f); **to be one's own ~** sein eigener Herr sein II. vt (fam) ■ **to ~ sb** [about [or around]] jdn herumkommandieren III. adj AM (fam) spitzenmäßig

bossy ['bɒsi] adj (pej) herrschsüchtig

bot [bɒt] n COMPUT, INET short for **robot** Bot nt

bo·tani·cal [bə'tænɪkᵊl] adj botanisch

bota·nist ['bɒtᵊnɪst] n Botaniker(in) m(f)

bota·ny ['bɒtᵊni] n Botanik f

botch [bɒtʃ] I. n Pfusch m; **to make a ~ of sth** etw verpfuschen II. vt ■ **to ~ sth** [up] etw verpfuschen

botch-up ['bɒtʃʌp] n Pfusch m

both [bəʊθ] I. adj, pron beide; **~ sexes** Männer und Frauen; **would you like milk or sugar or ~?** möchtest du Milch oder Zucker oder beides?; **a picture of ~ of us** ein Bild von uns beiden; **I've got two children, ~ of whom are good at maths** ich habe zwei Kinder, die beide gut in Mathe sind II. adv **I felt ~ happy and sad at the same time** ich war glücklich und traurig zugleich; **to be competitive in terms of ~ quality and price** sowohl bei der Qualität als auch beim Preis wettbewerbsfähig sein; **~ men and women** sowohl Männer als auch Frauen

both·er ['bɒðə'] I. n no pl ① (effort) Mühe f; (work) Aufwand m; **it is no ~** [at all]! [überhaupt] kein Problem!; **I don't want to put you to any ~** ich will dir keine Umstände machen; **to not be worth the ~** kaum der Mühe wert sein; **to go to [all] the ~ of doing sth** sich die Mühe machen, etw zu tun ② (trouble) Ärger m; (difficulties) Schwierigkeiten pl; (problem) Problem[e] nt[pl]; **to get oneself into a spot of ~** sich in Schwierigkeiten bringen ③ BRIT (nuisance) **to be a ~** lästig sein II. interj esp BRIT (annoyance) **[oh] ~!** [so ein] Mist! fam III. vi **don't ~!** lass nur!; **shall I wait? — no, don't ~** soll ich warten? – nein, nicht nötig; **why ~?** warum sich die Mühe machen?; **you needn't have ~ed** du hättest dir die Mühe sparen können; **don't ~ about [doing] the laundry** um die Wäsche brauchst du dich nicht zu kümmern; **he hasn't even ~ed to write** er hat sich nicht mal die Mühe gemacht zu schreiben; **why ~ asking if you're not really interested?** warum fragst du überhaupt, wenn es dich nicht wirklich interessiert?; **she didn't even ~ to let me know** sie hat es nicht einmal für nötig gehalten, es mir zu sagen; **do they ~ about punctuality in your job?** wird bei deiner Arbeit Wert auf Pünktlichkeit gelegt? IV. vt ① (worry) beunruhigen; **it ~ed me that I hadn't done anything** es ließ mir keine Ruhe, dass ich nichts getan hatte; **what's ~ing you?** was hast du?; **you shouldn't let that ~ you** du solltest dir darüber keine Gedanken machen ② (concern) **it doesn't ~ me** das macht mir nichts aus; **it doesn't ~ me if he doesn't turn up** es schert mich wenig, wenn er nicht kommt; **I'm not ~ed about what he thinks** es ist mir egal, was er denkt ③ (disturb) stören; **don't ~ me [with that]!** verschone mich damit!; **stop ~ing me when I'm working** stör mich doch nicht immer, wenn ich arbeite; **I'm sorry to ~ you, but ...** entschuldigen Sie bitte [die Störung], aber ... ④ (annoy) belästigen; **quit ~ing me!** lass mich in Ruhe!; **my tooth is ~ing me** mein Zahn macht mir zu schaffen ⑤ usu passive (not make the effort) **I just couldn't be ~ed to answer the phone** ich hatte einfach keine Lust, ans Telefon zu gehen

both·er·some ['bɒðəsᵊm] adj lästig

Bo·tox® ['bəʊtɒks] n Botox nt

Bo·toxed ['bəʊtɒkst] adj Botox-gespritzt

Bot·swa·na [bɒt'swɑːnə] n Botsuana nt

Bot·swa·nan [bɒt'swɑːnən] I. adj botsuanisch II. n Botsuaner(in) m(f)

bot·tle ['bɒtl] I. n ❶ (*container*) Flasche *f;* **baby's ~** Fläschchen *nt;* **a ~ of milk** eine Flasche Milch ❷ (*fam: alcohol*) **to hit the ~** saufen *derb* ❸ BRIT (*sl: courage*) Mumm *m* II. vt ❶ BRIT (*preserve in jars*) einmachen ❷ (*put into bottles*) abfüllen

'**bot·tle bank** n BRIT Altglascontainer *m* '**bot·tle brush** n Flaschenbürste *f*

bot·tled ['bɒtld] adj ❶ (*sold in bottles*) in Flaschen abgefüllt; **~ beer** Flaschenbier *nt* ❷ BRIT (*preserved in jars or bottles*) eingemacht

'**bot·tle-fed** adj mit der Flasche gefüttert; **a ~ baby** ein Flaschenkind *nt* '**bot·tle-feed** vt mit der Flasche füttern '**bot·tle-feeding** n no pl Fütterung *f* mit der Flasche '**bot·tle-green** adj flaschengrün '**bot·tle·neck** n Engpass *m* a. *fig* '**bot·tle open·er** n Flaschenöffner *m*

bot·tom ['bɒtəm] I. n ❶ (*lowest part*) Boden *m;* (*on chair*) Sitz *m;* (*in valley*) Talsohle *f;* **at the ~ of the page** am Seitenende; **pyjama ~s** Pyjamahose *f;* **rock ~** (*fig*) Tiefststand *m;* **the ~ of the sea** der Meeresgrund; **at the ~ of the stairs** am Fuß der Treppe; **from top to ~** von oben bis unten; **to sink to the ~** auf den Grund sinken; **to start at the ~** ganz unten anfangen ❷ (*end*) **at the ~ of the garden** im hinteren Teil des Gartens; **at the ~ of the street** am Ende der Straße ❸ ANAT Hinterteil *nt* ▸ **from the ~ of one's heart** aus tiefster Seele; **to get to the ~ of sth** einer Sache auf den Grund gehen; **~ s up!** (*fam*) ex! II. adj untere(r, s); **in ~ gear** BRIT im ersten Gang; **the ~ shelf** das unterste Regal III. vi ECON ▪ **to ~ out** seinen Tiefstand erreichen

bot·tom·less ['bɒtəmləs] adj ❶ (*without limit*) unerschöpflich ❷ (*fig: very deep*) unendlich; **a ~ pit** ein Fass *nt* ohne Boden **bot·tom 'line** n usu sing ❶ FIN Bilanz *f* ❷ (*fig: main point*) Wahrheit *f*

botu·lism ['bɒtjʊlɪzəm] n no pl MED Nahrungsmittelvergiftung *f*

bough [baʊ] n (*liter*) Ast *m*

bought [bɔːt] vt pt of **buy**

bouil·lon ['buːjɔ̃(ŋ)] n Bouillon *f*

boul·der ['bəʊldər] n Felsbrocken *m*

boule·vard ['buːləvɑːd] n Boulevard *m*

bounce [baʊn(t)s] I. n ❶ *ball* Aufprall *m* ❷ no pl (*spring*) Sprungkraft *f; of hair* Elastizität *f* ❸ (*fig: vitality*) Schwung *m* ❹ AM (*fam: eject, sack*) **to give sb the ~** jdn hinauswerfen II. vi ❶ *ball* aufspringen ❷ (*move up and down*) hüpfen ❸ FIN (*fam*) *cheque* platzen III. vt aufspringen lassen; *baby* schaukeln ◆ **bounce back**

vi ❶ (*rebound*) zurückspringen ❷ (*fig: recover*) wieder auf die Beine kommen

bounc·er ['baʊn(t)sər] n Rausschmeißer *m*

bounc·ing ['baʊn(t)sɪŋ] adj lebhaft; **a ~ baby boy** ein strammer Junge

bouncy ['baʊn(t)si] adj ❶ *mattress* federnd; **a ~ ball** ein Ball, der gut springt; **~ castle** Hüpfburg *f* ❷ (*lively*) frisch und munter

bound¹ [baʊnd] I. vi (*leap*) springen; *kangaroo* hüpfen II. n (*leap*) Sprung *m*

bound² [baʊnd] I. vt usu passive (*border*) ▪ **to be ~ed by sth** von etw *dat* begrenzt werden II. n ▪ **~s** pl Grenze *f;* **to be out of ~s** *ball* im Aus sein; *area* Sperrgebiet sein

bound³ [baʊnd] adj ▪ **to be ~ for X** unterwegs nach X sein

bound⁴ [baʊnd] I. pt, pp of **bind** II. adj ❶ (*certain*) **she's ~ to come** sie kommt ganz bestimmt; **to be ~ to happen** zwangsläufig geschehen; **it was ~ to happen** das musste so kommen ❷ (*obliged*) verpflichtet

bounda·ry ['baʊndəri] n Grenze *f*

bound·less ['baʊndləs] adj grenzenlos

boun·ty ['baʊnti] n ❶ (*reward*) Belohnung *f; (for capturing sb*) Kopfgeld *nt* ❷ no pl (*liter: generosity*) Freigebigkeit *f*

bou·quet [bʊˈkeɪ] n Bukett *nt*

bour·bon ['bɜːbən] n Bourbon *m*

bour·geois ['bɔːʒwɑː] adj bürgerlich; (*pej*) spießbürgerlich

bour·geoi·sie [ˌbɔːʒwɑːˈziː] n + sing/pl vb ❶ (*middle class*) Bürgertum *nt;* **petty ~** Kleinbürgertum *nt* ❷ (*capitalist class*) ▪ **the ~** die Bourgeoisie

bout [baʊt] n ❶ (*short attack*) Anfall *m;* **a ~ of coughing** ein Hustenanfall *m;* **drink·ing ~** Trinkgelage *nt* ❷ (*in boxing*) Boxkampf *m;* (*in wrestling*) Ringkampf *m*

bou·tique [buːˈtiːk] n Boutique *f*

bou·tique ho·'tel n Boutique-Hotel *nt*

bo·vine ['bəʊvaɪn] adj (*of cows*) Rinder-

bow¹ [bəʊ] n ❶ (*weapon*) Bogen *m;* **~ and arrow** Pfeil und Bogen ❷ (*for an instrument*) Bogen *m* ❸ (*knot*) Schleife *f*

bow² [baʊ] I. vi sich verbeugen (**to** vor); **to ~ to public pressure** (*fig*) sich öffentlichem Druck beugen II. vt **to ~ one's head** den Kopf senken III. n ❶ (*bending over*) Verbeugung *f;* **to take a ~** sich [unter Applaus] verbeugen ❷ NAUT Bug *m* ◆ **bow down** vi ❶ (*to show reverence*) sich verbeugen ❷ (*obey sb*) ▪ **to ~ down to sb** sich jdm fügen ◆ **bow out** vi sich verabschieden

bow·el ['baʊəl] n ❶ usu pl MED (*intes-*

tine) Darm *m* ❷ (*liter: depths*) ■~s *pl* Innere(s) *nt kein pl*

bow·el move·ment *n* Stuhl[gang] *m*

bowl¹ [bəʊl] *n* ❶ (*dish*) Schüssel *f*; (*shallower*) Schale *f*; **a ~ of soup** eine Tasse Suppe ❷ AM ■ **the B~** das Stadion

bowl² [bəʊl] SPORTS **I.** *vi* ❶ (*in cricket*) werfen ❷ (*tenpins*) bowlen, Bowling spielen; (*skittles*) kegeln; (*bowls*) Bowls spielen **II.** *vt* SPORTS ❶ (*bowling, cricket*) werfen; (*bowls*) rollen ❷ (*cricket: dismiss*) ■ **to ~ sb** jdn ausschlagen **III.** *n* Kugel *f*; BRIT ■ ~**s** + *sing vb* Bowls *kein art* ◆ **bowl out** *vt* (*in cricket*) ausschlagen ◆ **bowl over** *vt* umwerfen *a. fig*

bow-leg·ged [bəʊˈlegɪd] *adj* O-beinig

bowl·er [ˈbəʊlə] *n* ❶ (*cricket*) Werfer(in) *m(f)* ❷ (*bowls*) Bowlsspieler(in) *m(f)*; (*bowling*) Bowlingspieler(in) *m(f)* ❸ (*hat*) Bowler *m*, Melone *f*

bowl·ing [ˈbəʊlɪŋ] *n no pl* ❶ (*tenpins*) Bowling *nt*; (*skittles*) Kegeln *nt* ❷ (*in cricket*) Werfen *nt*; **to open the ~** den ersten Wurf machen

'bowl·ing al·ley *n* (*tenpins*) Bowlingbahn *f*; (*skittles*) Kegelbahn *f* **'bowl·ing green** *n* Rasenfläche *f* für Bowls

bow·man [ˈbəʊmən] *n* Bogenschütze *m*

'bow·string *n* Bogensehne *f*

bow 'tie *n* FASHION Fliege *f*

bow 'win·dow *n* Erkerfenster *nt*

box¹ [bɒks] **I.** *vi* boxen **II.** *vt* ❶ (*in match*) ■ **to ~ sb** gegen jdn boxen ❷ (*slap*) **to ~ sb's ears** jdn ohrfeigen **III.** *n* **to give sb a ~ on the ears** jdm eine Ohrfeige geben

box² [bɒks] **I.** *n* ❶ (*container*) Kiste *f*; *out of cardboard* Karton *m*; *of chocolates, cigars, matches* Schachtel *f* ❷ (*rectangular space*) Kästchen *nt*; FBALL (*fam*) Strafraum *m* ❸ (*in theatre*) Loge *f* ❹ BRIT, AUS SPORTS (*protective equipment*) Suspensorium *nt* ❺ (*fam: television*) ■ **the ~** die [Flimmer]kiste **II.** *vt* ■ **to ~ sth [up]** etw [in einen Karton [*o* eine Schachtel]] verpacken

box³ [bɒks] *n* (*tree*) Buchsbaum *m* ◆ **box in** *vt car* einparken; **to feel ~ed in** (*fig*) sich eingeengt fühlen ◆ **box up** *vt* [in Kartons] einpacken

box·er [ˈbɒksə] *n* ❶ (*dog*) Boxer *m* ❷ (*person*) Boxer(in) *m(f)*

box·er·cise® [ˈbɒksəsaɪz] *n no pl* Boxercise *nt* (*Kombination aus Aerobic und Kampfsport*)

box·ers [ˈbɒksəz] *npl*, **'box·er shorts** *npl* Boxershorts *pl*

box·ing [ˈbɒksɪŋ] *n no pl* Boxen *nt*

'Box·ing Day *n* BRIT, CAN zweiter Weihnachtsfeiertag, der 26. Dezember

'box·ing gloves *npl* Boxhandschuhe *pl* **'box·ing match** *n* Boxkampf *m* **'box·ing ring** *n* Boxring *m*

'box num·ber *n* Chiffre[nummer] *f* **'box of·fice** *n* Kasse *f* (*im Theater*)

boy [bɔɪ] **I.** *n* ❶ (*child*) Junge *m* ❷ *pl* (*friends*) ■ **the ~s** die Kumpel ► **the big ~s** die Großen; **the ~s in blue** die Polizei *kein pl*; **~s will be ~s** Jungs sind nun mal so **II.** *interj* [oh] **~!** Junge, Junge!

boy·cott [ˈbɔɪkɒt] **I.** *vt* boykottieren **II.** *n* Boykott *m*

'boy·friend *n* Freund *m*

boy·hood [ˈbɔɪhʊd] *n no pl* Kindheit *f*

boy·ish [ˈbɔɪɪʃ] *adj* jungenhaft

boy 'scout *n* Pfadfinder *m*

BP [ˌbiːˈpiː] *n* MED *abbrev of* **blood pressure** Blutdruck *m*

Bq *abbrev of* **becquerel** Bq

bra [brɑː] *n* BH *m*

brace [breɪs] **I.** *n* ❶ MED (*for teeth*) Zahnspange *f*; (*for back*) Stützapparat *m* ❷ BRIT, AUS (*for trousers*) ■ ~**s** *pl* Hosenträger *pl* ❸ *esp* AM (*callipers*) ■ ~**s** *pl* Stützapparat *m* **II.** *vt* ❶ (*prepare for*) ■ **to ~ oneself for sth** sich auf etw *akk* vorbereiten ❷ (*support*) [ab]stützen; (*horizontally*) verstreben

brace·let [ˈbreɪslət] *n* Armband *nt*

braces [ˈbreɪsɪz] *npl* COMPUT geschweifte Klammern

brack·en [ˈbrækᵊn] *n no pl* Adlerfarn *m*

brack·et [ˈbrækɪt] **I.** *n* ❶ *usu pl* (*in writing*) **in** [angle/round/square] ~**s** in [spitzen/ runden/eckigen] Klammern ❷ (*category*) **age ~** Altersgruppe *f*; **income ~** Einkommensstufe *f*; **tax ~** Steuerklasse *f* ❸ (*L-shaped support*) [Winkel]stütze *f* **II.** *vt* ❶ (*put into brackets*) in Klammern setzen ❷ (*include in one group*) in einen Topf werfen

brack·ish [ˈbrækɪʃ] *adj* brackig

brag <-gg-> [bræg] *vi, vt* ■ **to ~** [about sth] [mit etw *dat*] prahlen

braid [breɪd] **I.** *n* ❶ *no pl* (*on cloth*) Borte *f*; (*on uniform*) Litze *f*; (*with metal threads*) Tresse[n] *f*[*pl*] ❷ *esp* AM (*plait*) Zopf *m* **II.** *vt, vi esp* AM flechten

Braille [breɪl] *n no pl* Blindenschrift *f*

brain [breɪn] **I.** *n* ❶ (*organ*) Gehirn *nt*; ■ ~**s** *pl* [Ge]hirn *nt* ❷ (*intelligence*) Verstand *m*; ■ ~**s** *pl* Intelligenz *f kein pl*; **to have ~s** Grips haben ❸ (*fam: intelligent person*) heller Kopf; **the best ~s** die fähigsten Köpfe ► **to have sth on the ~** immer nur an etw *akk* denken **II.** *vt* (*fam*) ■ **to ~ sb** jdm den Schädel einschlagen

'brain buck·et *n* AM (*sl*) Helm *m* **'brain·**

child *n* genialer Einfall **'brain dam·age** *m* [Ge]hirnschaden *m* **'brain dead** *adj* [ge]hirntot **'brain death** *n* [Ge]hirntod *m* **'brain drain** *n* Braindrain *m* **'brain-drain·ing** *adj* (*fig: mentally exhausting*) nervig, stressig
brain·less ['breɪnləs] *adj* hirnlos
'brain·pan *n* (*fam*) Schädel *m* **'brain scan** *n* Computertomographie *f* des Schädels **'brain·storm I.** *vi* ein Brainstorming machen **II.** *n* ❶ BRIT (*fam: brain shutdown*) Anfall *m* geistiger Umnachtung ❷ AM (*brainwave*) Geistesblitz *m* **'brain·storm·ing** *n no pl* Brainstorming *nt* **'brain tu·mour** *n* [Ge]hirntumor *m* **'brain·wash** *vt* (*pej*) ▪ **to ~ sb** jdn einer Gehirnwäsche unterziehen **'brain·wash·ing** *n* Gehirnwäsche *f* **'brain·wave** *n* Geistesblitz *m* **'brain·work** *n no pl* Kopfarbeit *f*
brainy ['breɪni] *adj* gescheit
braise [breɪz] *vt* FOOD schmoren
brake [breɪk] **I.** *n* Bremse *f* **II.** *vi* bremsen; **to ~ hard** scharf bremsen
'brake fluid *n* Bremsflüssigkeit *f* **'brake shoe** *n* Bremsklotz *f*
brak·ing ['breɪkɪŋ] *n no pl* Bremsen *nt* **'brak·ing dis·tance** *n* Bremsweg *m*
bram·ble ['bræmbl] *n* ❶ (*bush*) Brombeerstrauch *m* ❷ AM Dornenstrauch *m*
bran [bræn] *n no pl* Kleie *f*
branch [brɑːn(t)ʃ] **I.** *n* ❶ *of a bough* Zweig *m; of a trunk* Ast *m* ❷ *esp* AM ~ **of a river** Flussarm *m* ❸ (*local office*) Zweigstelle *f*, Filiale *f* **II.** *vi* ❶ (*form branches*) Zweige treiben ❷ (*fig: fork*) sich gabeln ◆ **branch off I.** *vi* sich verzweigen **II.** *vt* **to ~ off a subject** vom Thema abkommen ◆ **branch out** *vi* ❶ (*enter a new field*) seine Aktivitäten ausdehnen; **to ~ out on one's own** sich selbstständig machen ❷ (*get active*) **to ~ socially** gesellschaftlich mehr unternehmen
'branch line *n* Nebenstrecke *f* **'branch of·fice** *n* Filiale *f*
brand [brænd] **I.** *n* ❶ (*product*) Marke *f;* **own** [*or* AM **store**] [*or* AUS **generic**] ~ Hausmarke *f* ❷ (*fig: type*) Art *f* ❸ (*mark*) Brandzeichen *nt* **II.** *vt* ❶ (*fig, pej: label*) ▪ **to be ~ed** [**as**] **sth** als etw gebrandmarkt sein ❷ *animal* mit einem Brandzeichen versehen
bran·dish ['brændɪʃ] *vt* (*drohend*) schwingen
'brand name *n* Markenname *m*
brand 'new *adj* [funkel]nagelneu
brand 're·in·force·ment *n* Markenpflege *f*
bran·dy ['brændi] *n* Weinbrand *m*
'bran·dy snap *n* dünnes, oft mit Schlag-

sahne gefülltes Ingwerteigröllchen
brash [bræʃ] *adj* (*pej*) ❶ (*cocky*) dreist ❷ (*gaudy*) grell
brass [brɑːs] *n* ❶ (*metal*) Messing *nt* ❷ (*engraving*) Gedenktafel *f* (*aus Messing*) ❸ + *sing/pl vb* MUS ▪ **the** ~ die Blechinstrumente *pl*
brass 'band *n* Blaskapelle *f*
brassi·ness ['brɑːsinəs] *n no pl* kitschiger Glamour; *of a person* aufgetakeltes Aussehen, Aufgemotztheit *f fam*
brass 'plate *n* Messingschild *nt* **'brass·ware** *n no pl* Messinggegenstände *pl*
brassy ['brɑːsi] *adj* ❶ (*like brass*) messingartig ❷ *sound* blechern
brat [bræt] *n* (*pej fam*) Balg *m o nt*
brat·tish·ness ['brætɪʃnəs] *n* kindisches Getue
bra·va·do [brəˈvɑːdəʊ] *n no pl* Draufgängertum *nt*
brave [breɪv] **I.** *adj* ❶ (*fearless*) mutig; (*stoical*) tapfer ▶ **to put on a ~ face** sich *dat* nichts anmerken lassen **II.** *vt* trotzen
brave·ly ['breɪvli] *adv* (*fearlessly*) mutig; (*stoically*) tapfer
brav·ery ['breɪvəri] *n no pl* Tapferkeit *f*, Mut *m*
brawl [brɔːl] **I.** *n* [lautstarke] Schlägerei **II.** *vi* sich [lautstark] schlagen
brawn [brɔːn] *n no pl* ❶ (*strength*) Muskelkraft *f* ❷ BRIT, AUS FOOD Schweinskopfsülze *f*
brawny ['brɔːni] *adj* muskulös
bray [breɪ] **I.** *vi donkey* schreien; *person* kreischen **II.** *n* [Esels]schrei *m*
bra·zen ['breɪzᵊn] **I.** *adj* unverschämt; ~ **hussy** frecher Fratz *hum* **II.** *vt* ▪ **to ~ it out** ❶ (*pretend there is no problem*) es aussitzen ❷ (*show no remorse*) eisern auf seiner Meinung beharren
bra·zen·ness ['breɪzᵊnnəs] *n no pl* Dreistigkeit *f*, Unverfrorenheit *f*
bra·zi·er ['breɪziə'] *n* ❶ (*heater*) [große, flache] Kohlenpfanne ❷ AM (*barbecue*) [Grill]rost *m*
Bra·zil [brəˈzɪl] *n* Brasilien *nt*
Bra·zil·ian [brəˈzɪliən] **I.** *n* Brasilianer(in) *m(f)* **II.** *adj* brasilianisch
Bra·'zil nut *n* Paranuss *f*
breach [briːtʃ] *n* ❶ (*infringement*) Verletzung *f;* ~ **of confidence** Vertrauensbruch *m;* ~ **of contract** Vertragsbruch *m;* ~ **of the law** Gesetzesübertretung *f;* ~ **of the peace** öffentliche Ruhestörung; ~ **of promise** Wortbruch *m;* **security** ~ Verstoß *m* gegen die Sicherheitsbestimmungen ❷ (*estrangement*) Bruch *m* ❸ (*gap*) Bresche *f* **II.** *vt* ❶ (*break*) verlet-

zen; *contract* brechen ❷ *defence* durch-brechen **III.** *vi whale* auftauchen

bread [bred] *n no pl* Brot *nt* ▶**to know which side one's ~ is** buttered seinen Vorteil kennen; **the best thing since** sliced **~** die beste Sache seit Menschenge-denken

bread and 'but·ter *n* ❶ (*food*) Butter-brot *nt; ~* **pudding** Brotauflauf *m* ❷ (*fig: income*) Lebensunterhalt *m; (job)* Broter-werb *m;* **this is my ~** damit verdiene ich mir meinen Lebensunterhalt **'bread bas·ket** *n* ❶ (*container*) Brotkorb *m* ❷ (*region*) Kornkammer *f* **'bread bin** *n* BRIT, AUS Brotkasten *m* **'bread·crumb** *n* Brot-krume *f;* ■*~***s** *pl (for coating food)* Panier-mehl *nt kein pl;* **to coat with ~s** panieren **'bread·mak·er** *n* Brotbackautomat *m*

breadth [bretθ, bredθ] *n no pl* ❶ (*broad-ness*) Breite *f;* (*width*) Weite *f* ❷ (*fig*) Aus-dehnung *f*

'bread·win·ner *n* Ernährer(in) *m(f)*

break [breɪk] **I.** *n* ❶ (*fracture*) Bruch *m* ❷ (*gap*) Lücke *f;* (*in line*) Unterbrechung *f* ❸ (*escape*) Ausbruch *m;* **to make a ~** *pris-oner* ausbrechen ❹ (*interruption*) Unter-brechung *f; esp* BRIT SCH Pause *f;* TV Wer-bung *f;* **coffee/lunch ~** Kaffee-/Mittags-pause *f;* **Easter/Christmas ~** Oster-/Weihnachtsferien *pl;* **a short ~ in Paris** ein Kurzurlaub *m* in Paris; **a ~ in the weather** ein Wetterumschwung *m;* **to have** [*or* **take**] **a ~** eine Pause machen; **to need a ~ from sth** eine Pause von etw *dat* brauchen ❺ (*end of relationship*) **to make a clean/complete ~** einen sauberen/end-gültigen Schlussstrich ziehen ❻ (*opportu-nity*) Chance *f* ❼ SPORTS Break *m o nt* ▶**give me a ~!** hör auf [damit]! **II.** *vt* <broke, broken> ❶ (*shatter*) zerbrechen; (*in two pieces*) entzweibrechen; (*damage*) kaputtmachen; (*fracture*) brechen; **to ~ one's arm** sich *dat* den Arm brechen; **to ~ sb's heart** (*fig*) jdm das Herz brechen; **to ~ a nail/tooth** sich *dat* einen Nagel/Zahn abbrechen; **to ~ a window** ein Fenster einschlagen ❷ (*momentarily interrupt*) un-terbrechen; *fall* abfangen ❸ (*put an end to*) brechen; *habit* aufgeben; **to ~ the back of sth** BRIT, AUS das Schlimmste einer S. *gen* hinter sich bringen; **to ~ camp** das Lager abbrechen; **to ~ a deadlock** einen toten Punkt überwinden; **to ~ sb's spirit** jdn mutlos machen ❹ TENNIS ein Break erzielen ❺ (*violate*) *agreement* verletzen; *law* über-treten; *promise* brechen; **to ~ a treaty** ge-gen einen Vertrag verstoßen ❻ *code* ent-schlüsseln ❼ (*tell*) *news* ■**to ~ sth to sb**

jdm etw mitteilen ❽ MIL **to ~ cover** aus der Deckung hervorbrechen; **to ~ formation** MIL aus der Aufstellung heraustreten **III.** *vi* <broke, broken> ❶ (*stop working*) ka-puttgehen; (*collapse*) zusammenbrechen; (*fall apart*) auseinanderbrechen; (*shatter*) zerbrechen ❷ (*interrupt*) **shall we ~** [**off**] **for lunch?** machen wir Mittagspause? ❸ *wave* sich brechen ❹ (*change in voice*) **her voice broke with emotion** vor Rüh-rung versagte ihr die Stimme; **the boy's voice is ~ing** der Junge ist [gerade] im Stimmbruch ❺ METEO *weather* umschla-gen; *dawn, day* anbrechen; *storm* losbre-chen ❻ *news* bekannt werden ❼ SPORTS (*snooker*) anstoßen; (*boxing*) sich trennen ❽ (*move out of formation*) MIL, SPORTS sich auflösen ❾ MED [auf]platzen; **the waters have broken** die Fruchtblase ist geplatzt ▶**to ~ even** kostendeckend arbeiten; **to ~** free ausbrechen; **to ~** loose sich losreißen ◆**break away** *vi* ❶ (*move away forcibly*) sich losreißen ❷ (*split off*) sich absetzen ◆**break down I.** *vi* ❶ (*stop working*) ste-hen bleiben; *engine* versagen ❷ (*dissolve*) sich auflösen; *marriage* scheitern ❸ (*emo-tionally*) zusammenbrechen **II.** *vt* ❶ (*force open*) aufbrechen; (*with foot*) eintreten ❷ (*overcome*) niederreißen ❸ CHEM auf-spalten ❹ (*separate into parts*) aufglie-dern; *figures* aufschlüsseln ◆**break in I.** *vi* ❶ (*enter by force*) einbrechen ❷ (*inter-rupt*) unterbrechen; ■**to ~ in on sth** in etw *akk* hineinplatzen **II.** *vt* ❶ (*condition*) *shoes* einlaufen ❷ (*tame*) zähmen; (*train*) abrichten; *horse* zureiten ◆**break into** *vi* ❶ (*forcefully enter*) einbrechen in; *car* auf-brechen ❷ (*start doing sth*) **to ~ into applause/tears** in Beifall/Tränen ausbre-chen; **to ~ into a run** [plötzlich] zu laufen anfangen ◆**break off I.** *vt* ❶ (*separate forcefully*) abbrechen ❷ (*terminate*) been-den; *engagement* lösen; *talks* abbrechen **II.** *vi* abbrechen ◆**break out** *vi* ❶ (*es-cape*) ausbrechen ❷ (*begin*) ausbrechen; *storm* losbrechen; **to ~ out laughing** in Gelächter ausbrechen ❸ (*become covered with*) **to ~ out in a rash** einen Ausschlag bekommen; **to ~ out in a sweat** ins Schwitzen kommen; **I broke out in a cold sweat** mir brach der kalte Schweiß aus ◆**break through** *vi* ❶ (*make one's way*) sich durchdrängen; **the sun broke through the clouds** die Sonne brach durch die Wolken ❷ (*be successful*) ein-schlagen ◆**break up I.** *vt* ❶ (*end*) been-den; *marriage* zerstören; (*dissolve*) auflö-sen ❷ (*split up*) aufspalten; *gang,* *monopoly* zerschlagen; *coalition* auflösen; *collection, family* auseinanderreißen; **~ it up, you two!** auseinander, ihr beiden! **II.** *vi* ❶ *(end relationship)* sich trennen ❷ *(come to an end)* enden; *meeting* sich auflösen; *marriage* scheitern ❸ *(fall apart)* auseinandergehen; *coalition* auseinanderbrechen; *aircraft, ship* zerschellen; *(in air)* zerbersten ❹ SCH **when do you ~ up?** wann beginnen bei euch die Ferien? ❺ *(laugh)* loslachen; *esp* AM *(be upset)* zusammenbrechen

break·able ['breɪkəbl] *adj* zerbrechlich

break·age ['breɪkɪdʒ] *n* Bruch *m;* **~ s must be paid for** zerbrochene Ware muss bezahlt werden

'break·away I. *n* ❶ Lossagung *f;* *(splitting off)* Absplitterung *f* ❷ FBALL Konter *m* **II.** *adj* Splitter- **'break-dance** *vi* Breakdance tanzen **'break danc·er** *n* Breakdancer(in) *m(f)* **'break-danc·ing** *n no pl* Breakdance *m*

'break·down *n* ❶ *(collapse)* Zusammenbruch *m;* *(failure)* Scheitern *nt* ❷ AUTO Panne *f* ❸ *(list)* Aufgliederung *f,* Aufschlüsselung *f* ❹ *(decomposition)* Zersetzung *f* ❺ PSYCH [Nerven]zusammenbruch *m*

'break·down lor·ry *n* BRIT Abschleppwagen *m* **'break·down ser·vice** *n* Abschleppdienst *m*

break·er ['breɪkə'] *n* *(wave)* Brecher *m*

break·fast ['brekfəst] **I.** *n* Frühstück *nt;* **to have ~** frühstücken **II.** *vi* *(form)* frühstücken

'break·fast bar *n* Frühstückstheke *f*

'break-in *n* Einbruch *m*

'break·ing point *n* Belastungsgrenze *f;* *(fig)* **her nerves were at ~** sie war nervlich völlig am Ende

'break·neck *adj* **at ~ speed** mit halsbrecherischer Geschwindigkeit **'break·out** *n* Ausbruch *m* **'break·through** *n* Durchbruch *m* **(in** bei) **'break-up** *n* Auseinanderbrechen *nt;* *(on rocks)* Zerschellen *nt;* *(in air)* Zerbersten *nt;* *(of a marriage)* Scheitern *nt;* *(of a group)* Auflösung *f* **'break·wa·ter** *n* Wellenbrecher *m*

breast [brest] *n* ❶ *(mammary gland)* Brust *f;* *(bust)* Busen *m* ❷ *(of bird)* Brust *f* ▶ **to make a clean ~ of sth** etw gestehen **'breast·bone** *n* Brustbein *nt* **'breast can·cer** *n* Brustkrebs *m* **'breast-feed** <-fed, -fed> *vi, vt* stillen **'breast-feed·ing** *n* Stillen *nt* **breast 'pock·et** *n* Brusttasche *f* **'breast·stroke** *n no pl* Brustschwimmen *nt;* **to do [the] ~** brustschwimmen

breath [breθ] *n* ❶ *(air)* Atem *m;* *(act of*

breathing in) Atemzug *m;* **bad ~** Mundgeruch *m;* **to catch one's ~** [*or* **get one's ~ back**] verschnaufen; **to draw ~** Luft holen; **to save one's ~** sich *dat* die Worte sparen; **to take a deep ~** tief Luft holen; **to take sb's ~ away** jdm den Atem rauben; **to waste one's ~** in den Wind reden; **out of ~** außer Atem; **under one's ~** leise vor sich *akk* hin ❷ *no pl* *(wind)* **a ~ of air** ein Hauch *m;* **she's like a ~ of fresh air** sie ist so erfrischend; **to go out for a ~ of fresh air** frische Luft schnappen gehen

breath·able ['briːðəbl] *adj* ❶ *(of air)* das Atmen zulassend ❷ *(of clothes)* luftdurchlässig

breatha·lyse ['breθəlaɪz] *vt,* **breatha·lyze** *vt* AM blasen lassen

breatha·lys·er® ['breθəlaɪzə'] *n,* **Breatha·lyz·er®** *n* AM Alcotest® *m,* Alkoholtestgerät *nt*

breathe [briːð] **I.** *vi* atmen; **to ~ again** [*or* **more easily**] *(fig)* [erleichtert] aufatmen ▶ **to ~ down sb's neck** jdm im Nacken sitzen **II.** *vt* ❶ *(exhale)* [aus]atmen; **to ~ a sigh of relief** erleichtert aufatmen ❷ *(whisper)* flüstern ▶ **to ~ [new] life into sth** [neues] Leben in etw *akk* bringen; **to not ~ a word** kein Sterbenswörtchen sagen

breath·er ['briːðə'] *n* [Verschnauf]pause *f*

breath·ing ['briːðɪŋ] *n no pl* Atmung *f*

'breath·ing ap·pa·rat·us *n* Sauerstoffgerät *nt* **'breath·ing room** *n,* **'breath·ing space** *n* *(fig)* Bewegungsfreiheit *f*

breath·less ['breθləs] *adj* atemlos

breath·less·ly ['breθləsli] *adv* außer Atem, atemlos; *(holding one's breath)* mit angehaltenem Atem

'breath·tak·ing *adj* atemberaubend

'breath test *n* Alkoholtest *m*

bred [bred] *pt, pp of* **breed**

breech [briːtʃ] *n* ❶ *(of gun)* Verschluss *m* ❷ MED **~ birth** Steißgeburt *f*

breeches ['brɪtʃɪz, 'briː-] *npl* Kniehose *f;* **riding ~** Reithose *f*

breed [briːd] **I.** *vt* <bred, bred> züchten; *(fig)* *crime* hervorbringen; *resentment* hervorrufen **II.** *vi* <bred, bred> sich fortpflanzen; *birds* brüten; *rabbits* sich vermehren **III.** *n* ❶ *(of animal)* Rasse *f;* *(of plant)* Sorte *f* ❷ *(fam: of person)* Sorte *f;* **to be a dying ~** einer aussterbenden Gattung angehören

breed·er ['briːdə'] *n* Züchter(in) *m(f)*

breed·ing ['briːdɪŋ] *n no pl* ❶ *(of animals)* Zucht *f* ❷ *(of people)* Erziehung *f*

'breed·ing ground *n* Brutstätte *f a. fig*

breeze [briːz] **I.** *n* ❶ *(light wind)* Brise *f*

❷(*fam: sth very easy*) Kinderspiel *nt* **II.** *vi*
■ **to ~ through sth** etw spielend schaffen
'**breeze block** *n* Bimsstein *m*
breezy ['bri:zi] *adj* ❶(*pleasantly windy*)
windig ❷(*jovial*) unbeschwert
brev·ity ['brevəti] *n no pl* Kürze *f*
brew [bru:] **I.** *n* Gebräu *nt;* (*fig*) Mischung *f*
II. *vi* ❶ *tea* ziehen ❷(*fig*) *trouble* sich zusammenbrauen **III.** *vt* brauen ◆ **brew up**
vi BRIT (*fam*) sich *dat* einen Tee machen
brew·er ['bru:əʳ] *n* [Bier]brauer(in) *m(f)*
brew·ery ['bru:ʳri] *n* Brauerei *f*
bri·ar ['braɪəʳ] *n* Dornbusch *m*
bribe [braɪb] **I.** *vt* bestechen **II.** *n* Bestechung *f;* **to take a ~** sich bestechen lassen
brib·ery ['braɪbʳri] *n no pl* Bestechung *f*
bric-a-brac ['brɪkəˌbræk] *n no pl* Nip-
pes *pl*
brick [brɪk] *n* (*building block*) Zie-
gel[stein] *m*, Backstein *m* ◆ **brick in** *vt* einmauern ◆ **brick up** *vt* zumauern
brickie ['brɪki] *n esp* BRIT, AUS (*fam*),
'**brick·lay·er** *n* Maurer(in) *m(f)*
brick 'wall *n* [Ziegelstein]mauer *f,* [Back-
stein]mauer *f* ▸ **to come up against a ~**
gegen eine Mauer rennen; **to be talking
to a ~** gegen eine Wand reden '**brick·
work** *n no pl* Mauerwerk *nt* '**brick·
works** *n + sing/pl vb,* '**brick·yard** *n* Zie-
gelei *f*
brid·al ['braɪdʳl] *adj* (*of a wedding*) Hoch-
zeits-; (*of the bride*) Braut-
bride [braɪd] *n* Braut *f*
bride·groom ['braɪdɡrʊm, -ɡru:m] *n*
Bräutigam *m*
'**brides·maid** *n* Brautjungfer *f*
bridge [brɪdʒ] **I.** *n* ❶(*over gap*) Brücke *f;* (*fig*) Überbrückung *f* ❷(*for teeth*)
[Zahn]brücke *f* ❸(*of nose*) Nasenrücken *m*
❹(*of glasses*) Brillensteg *m* ❺(*of instrument*) Steg *m* ❻(*on ship*) Kommandobrü-
cke *f* ❼ *no pl* (*card game*) Bridge *nt* ▸ **to
be water under the ~** der Vergangenheit
angehören **II.** *vt* ■ **to ~ sth** über etw *akk*
eine Brücke schlagen; (*fig*) **to ~ a gap** eine
Kluft überwinden
'**bridg·ing loan** *n* BRIT, AUS Überbrü-
ckungskredit *m*
bri·dle ['braɪdl] **I.** *n* Zaumzeug *nt* **II.** *vt* aufzäumen **III.** *vi* ■ **to ~ at sth** sich über etw
akk entrüsten
'**bri·dle path**, '**bri·dle·way** *n* Reitweg *m*
brief [bri:f] **I.** *adj* kurz; ■ **to be ~** sich
kurzfassen; **in ~** kurz gesagt **II.** *n* ❶ BRIT,
AUS (*instructions*) Anweisungen *pl* ❷ BRIT
(*fam: lawyer*) Anwalt *m*, Anwältin *f* ❸ *pl*
■ **~s** (*underpants*) Slip *m* **III.** *vt* informieren

brief·case ['bri:fkeɪs] *n* Aktentasche *f*
brief·ing ['bri:fɪŋ] *n* ❶(*meeting*) [Ein-
satz]besprechung *f* ❷(*information*) Anweisung[en] *f[pl]* **brief·ly** ['bri:fli] *adv* kurz
brief·ness ['bri:fnəs] *n no pl* Kürze *f*
bri·gade [brɪ'ɡeɪd] *n* Brigade *f*
briga·dier 'ge·ne·ral *n* MIL Brigadegene-
ral *m*
bright [braɪt] **I.** *adj* ❶(*shining*) *light* hell;
(*blinding*) grell; *star* leuchtend; *sunshine*
strahlend ❷(*vivid*) **~ blue** strahlend blau;
~ red leuchtend rot; **a ~ red face** ein
knallrotes Gesicht ❸(*full of light*) hell
❹(*intelligent*) intelligent; *child* aufgeweckt; *idea* glänzend *a. iron* ❺(*cheerful*)
fröhlich; **the one ~ spot** der einzige Lichtblick ❻(*promising*) viel versprechend ▸ **to
look on the ~ side** [of sth] etw positiv sehen; **~ and early** in aller Frühe **II.** *n* AM
AUTO ■ **~s** *pl* Fernlicht *nt*
bright·en ['braɪtʳn] **I.** *vt* ❶(*make brighter*)
heller machen ❷(*make more cheerful*)
auflockern; **to ~ up sb's life** Freude in jds
Leben *nt* bringen **II.** *vi* ■ **to ~ [up]** ❶(*become cheerful*) fröhlicher werden; *eyes*
aufleuchten ❷ METEO sich aufklären
bright·ly ['braɪtli] *adv* ❶(*not dimly*) hell;
the sun is shining ~ die Sonne strahlt;
~ lit hell erleuchtend ❷(*vividly*) leuchtend; **~ coloured** knallbunt ❸(*cheerfully*)
fröhlich, heiter
bright·ness ['braɪtnəs] *n no pl* ❶ *of light*
Helligkeit *f; of the sun* Strahlen *nt; of eyes*
Leuchten *nt* ❷ TV Helligkeit *f*
brill [brɪl] *adj* BRIT, AUS (*fam*) toll
bril·liance ['brɪliən(t)s] *no pl* ❶(*great ability*) Brillanz *f;* (*cleverness*) Scharfsinn *m;
of an idea* Genialität *f* ❷(*brightness*) *of the
sun* Strahlen *nt; of stars, eyes* Funkeln *nt;
of snow* Glitzern *nt*
bril·liant ['brɪliənt] **I.** *adj* ❶(*brightly shining*) *colour, eyes* leuchtend; *smile,
sun*(*shine*) strahlend; **~ white** strahlend
weiß ❷(*clever*) *person* hoch begabt; *plan*
brillant; *idea* glänzend ❸ BRIT (*fam: excellent*) hervorragend **II.** *interj* BRIT (*fam*) toll!
bril·liant·ly ['brɪliəntli] *adv* ❶(*with great
skill*) brillant, meisterhaft, erstklassig
❷(*extremely brightly*) leuchtend *attr,* glänzend *attr;* **~ lit** hell erleuchtet; **to shine ~**
strahlen
brim [brɪm] **I.** *n* ❶(*of hat*) Krempe *f*
❷(*top*) Rand *m;* **filled** [*or* **full**] **to the ~**
randvoll **II.** *vi* <-mm-> **her eyes ~med
with tears** ihr standen die Tränen in den
Augen; **to be ~ming with confidence**
vor Selbstbewusstsein nur so strotzen; **to ~
with ideas** vor Ideen übersprudeln

brim·ful ['brɪmfʊl] *adj* ~ of ideas voller Ideen

brine [braɪn] *n* [Salz]lake *f*

bring <brought, brought> [brɪŋ] *vt* ❶ (*convey*) mitbringen; **I didn't ~ my keys with me** ich habe meine Schlüssel nicht mitgenommen; **to ~ sth to sb's attention** jdn auf etw *akk* aufmerksam machen; **to ~ news** Nachrichten überbringen ❷ (*cause to come/happen*) bringen; **so what ~s you here to London?** was hat dich hier nach London verschlagen?; **the walk brought us to a river** der Spaziergang führte uns an einen Fluss; **her screams brought everyone running** durch ihre Schreie kamen alle zu ihr gerannt; **this ~s me to the second part of my talk** damit komme ich zum zweiten Teil meiner Rede; **to ~ sb luck** jdm Glück bringen ❸ LAW **to ~ charges against sb** Anklage gegen jdn erheben ❹ (*force*) ■**to ~ oneself to do sth** sich [dazu] durchringen, etw zu tun ◆**bring about** *vt* ❶ (*cause*) verursachen ❷ (*achieve*) ■**to have been brought about by sth** durch etw *akk* zustande gekommen sein ◆**bring along** *vt* mitbringen ◆**bring back** *vt* ❶ (*return*) zurückbringen ❷ (*reintroduce*) wieder einführen ❸ (*call to mind*) *memories* wecken ◆**bring down** *vt* ❶ (*fetch down*) herunterbringen ❷ (*make fall over*) zu Fall bringen ❸ (*shoot down*) abschießen ❹ (*depose*) stürzen ❺ (*reduce*) senken ❻ (*make depressed*) deprimieren ▶**to ~ the house down** einen Beifallssturm auslösen ◆**bring forth** *vt* (*form*) hervorbringen ◆**bring forward** *vt* (*reschedule*) vorverlegen ◆**bring in** *vt* ❶ (*fetch in*) hereinbringen ❷ (*introduce*) einführen ❸ (*ask to participate*) einschalten ❹ (*earn*) [ein]bringen ◆**bring off** *vt* (*fam*) zustande bringen ◆**bring on** *vt* (*cause to occur*) herbeiführen; MED verursachen; **she brought disgrace on the whole family** sie brachte Schande über die ganze Familie; **you brought it on yourself** du bist selbst schuld ◆**bring out** *vt* ❶ (*fetch out*) herausbringen ❷ BRIT, AUS (*encourage*) ■**to ~ sb out** jdm die Hemmungen nehmen ❸ COMM (*introduce to market*) herausbringen ❹ (*reveal*) zum Vorschein bringen; **seafood ~s me out in a rash** von Meeresfrüchten bekomme ich einen Ausschlag ◆**bring over** *vt* ❶ (*fetch over*) herbeibringen ❷ (*persuade*) **to ~ sb over to one's side** jdn auf seine Seite bringen ◆**bring round** *vt esp* BRIT ❶ (*fetch round*) mitbringen ❷ (*bring back to con-*

sciousness) wieder zu Bewusstsein bringen ❸ (*persuade*) überreden ◆**bring to** *vt* wieder zu Bewusstsein bringen ◆**bring up** *vt* ❶ (*carry up*) heraufbringen ❷ (*rear*) großziehen; **a well brought-up child** ein gut erzogenes Kind ❸ (*mention*) zur Sprache bringen; **don't ~ up that old subject again** fang nicht wieder mit diesem alten Thema an; **to ~ sth up for discussion** etw zur Diskussion stellen ❹ (*fam: vomit*) ausspucken ❺ COMPUT aufrufen ▶ **to ~ up the rear** das Schlusslicht bilden; **to ~ sb up short** jdn plötzlich zum Anhalten bringen

brink [brɪŋk] *n no pl* Rand *m a. fig*

briny ['braɪni] *adj* salzig

bri·quet(te) [brɪ'ket] *n* Brikett *nt*

brisk [brɪsk] *adj* ❶ (*quick*) zügig; *walk* stramm ❷ (*busy*) lebhaft ❸ *wind* frisch

bris·ket ['brɪskɪt] *n no pl* FOOD Bruststück *nt*

brisk·ness ['brɪsknəs] *n no pl* of a pace Zügigkeit *f*; of trade Lebhaftigkeit *f*

bris·tle ['brɪsl] I. *n* Borste *f*; (on a face) [Bart]stoppel *f meist pl* II. *vi* ❶ *fur* sich sträuben ❷ (*fig*) sich empören (at über)

brist·ly ['brɪsli] *adj* borstig; *chin* stoppelig

Brit [brɪt] *n* (*fam: person*) Brite(in) *m(f)*

Brit·ain ['brɪtᵊn] *n* Großbritannien *nt*

Bri·tan·nia [brɪ'tænjə] *n no pl* [allegorische] Britannia; (*fig*) Britannien *nt*

Brit·ish ['brɪtɪʃ] I. *adj* britisch II. *npl* ■**the ~** die Briten *pl*

Brit·ish Co·'lum·bia *n* Britisch Kolumbien *nt* **Brit·ish 'Isles** *npl* ■**the ~** die Britischen Inseln **Brit·ish 'Na·tion·al Par·ty** *n*, **BNP** *n* POL Britische Nationalpartei (*rechtsradikale Partei*)

Brit·on ['brɪtᵊn] *n* Brite(in) *m(f)*

Brit·ta·ny ['brɪtᵊni] *n* die Bretagne

brit·tle ['brɪtl] *adj* ❶ (*fragile*) zerbrechlich; *bones* brüchig ❷ (*fig*) *laugh* schrill

broach [brəʊtʃ] I. *vt subject* anschneiden II. *n* <*pl* -es> AM (*brooch*) Brosche *f*

broad [brɔːd] I. *adj* ❶ (*wide*) breit; *expanse* weit ❷ (*obvious*) **a ~ hint** ein Wink *m* mit dem Zaunpfahl ❸ (*general*) allgemein; **to be in ~ agreement** weitgehend übereinstimmen; *generalization* grob ❹ (*wide-ranging*) weitreichend; *interests* vielseitig ❺ (*liberal*) tolerant ❻ (*strong*) *accent/grin* breit ▶ **in ~ daylight** am hellichten Tag[e] II. *n* AM (*sl*) Tussi *f*

'broad bean *n* dicke Bohne

broad·cast ['brɔːdkɑːst] I. *n* Übertragung *f*; (*programme*) Sendung *f* II. *vi, vt* <broadcast *or* AM broadcasted, broadcast *or* AM broadcasted> senden; *match* übertragen; *rumour* [überall] verbreiten; **to be ~ live** live ausgestrahlt werden

broad·cast·er [ˈbrɔːdkɑːstəʳ] n (announcer) Sprecher(in) m(f); (presenter) Moderator(in) m(f)

broad·cast·ing [ˈbrɔːdkɑːstɪŋ] n no pl (radio) Rundfunk m; (TV) Fernsehen nt

ˈbroad·cast·ing sta·tion n Rundfunkstation f

broad·en [ˈbrɔːdᵊn] I. vi breiter werden II. vt ❶ (make wider) verbreitern ❷ (fig) vergrößern; **to ~ one's mind** seinen Horizont erweitern; **to ~ the scope of a discussion** eine Diskussion ausweiten

broad·ly [ˈbrɔːdli] adv ❶ (widely) breit ❷ (generally) allgemein; **I ~ agree with you** ich stimme weitgehend mit dir überein; **~ speaking, ...** ganz allgemein gesehen, ...

broad·ˈmind·ed adj tolerant

broad·ness [ˈbrɔːdnəs] n no pl Weite f; of accent, grin Breite f

ˈbroad·sheet n BRIT, AUS großformatige [seriöse] Zeitung

ˈbroad·side n Breitseite f a. fig

bro·cade [brəˈʊkeɪd] n no pl Brokat m

broc·co·li [ˈbrɒkᵊli] n no pl Brokkoli m

bro·chure [ˈbrəʊʃəʳ] n Broschüre f

brogue¹ [brəʊg] n usu sing LING irischer oder schottischer Akzent

brogue² [brəʊg] n (shoe) Brogue m

broil [brɔɪl] vt AM grillen

broil·er [ˈbrɔɪləʳ] n ❶ (chicken) [Brat]hähnchen nt ❷ AM (grill) Grill[rost] m

broke [brəʊk] I. pt of break II. adj (fam) pleite

bro·ken [ˈbrəʊkᵊn] I. pp of break II. adj ❶ arm gebrochen; bottle zerbrochen; watch kaputt; **~ glass** Glasscherben pl ❷ (not fluent) **in ~ English** in gebrochenem Englisch ❸ (dotted) gestrichelt 'broken-down adj ❶ (not working) kaputt ❷ (dilapidated) verfallen bro·ken-ˈheart·ed adj untröstlich

bro·ker [ˈbrəʊkəʳ] I. n ❶ ECON [Börsen]makler(in) m(f) ❷ (negotiator) Vermittler(in) m(f) II. vt aushandeln

bro·ker·age [ˈbrəʊkərɪdʒ] n no pl ECON ❶ (activity) Maklergeschäft nt ❷ (fee) Maklergebühr f

brol·ly [ˈbrɒli] n BRIT, AUS (fam) Schirm m

bro·mide [ˈbrəʊmaɪd] n CHEM Bromid nt

bro·mine [ˈbrəʊmiːn] n no pl CHEM Brom nt

bron·chi [ˈbrɒŋkiː] n pl of **bronchus**

bron·chial [ˈbrɒŋkiəl] adj Bronchial-

bron·chi·tis [brɒŋˈkaɪtɪs] n no pl Bronchitis f

bron·chus <pl -chi> [ˈbrɒŋkəs pl kiː] n MED Bronchus m fachspr

bronze [brɒnz] n Bronze f

ˈBronze Age n no pl ■ **the ~** die Bronzezeit **bronze** ˈmed·al n Bronzemedaille f

brooch <pl -es> [brəʊtʃ] n Brosche f

brood [bruːd] I. n Brut f a. fig II. vi ■ **to ~ on** [or over] sth über etw dat brüten

brood·ing [ˈbruːdɪŋ] adj beunruhigend; silence drückend; **dark ~ clouds** dunkle, schwere Wolken

broody [ˈbruːdi] adj ❶ ZOOL brütig ❷ (fam) **to feel ~** den Wunsch nach einem Kind haben ❸ (mopey) grüblerisch

brook¹ [brʊk] n Bach m

brook² [brʊk] vt (form: tolerate) dulden

broom [bruːm, brʊm] n ❶ (brush) Besen m ❷ no pl BOT Ginster m

ˈbroom han·dle, **ˈbroom·stick** [ˈbruːmstɪk, ˈbrʊm-] n Besenstiel m

broth [brɒθ] n no pl Brühe f

brotha [ˈbrʌðə] n AM (sl) Digger m (hauptsächlich von Schwarzafrikanern gebrauchte Anrede für einen Mann)

broth·el [ˈbrɒθᵊl] n Bordell nt

broth·er [ˈbrʌðə] I. n ❶ Bruder m; **~s and sisters** Geschwister pl; **~s in arms** Waffenbrüder pl ❷ esp AM (fam) Kumpel m II. interj (fam) Mann!

broth·er·hood [ˈbrʌðəhʊd] n ❶ + sing/pl vb (group) Bruderschaft f ❷ no pl (feeling) Brüderlichkeit f

ˈbroth·er-in-law <pl brothers-in-law> n Schwager m

broth·er·ly [ˈbrʌðəli] adj brüderlich

brought [brɔːt] pp, pt of **bring**

brow [braʊ] n ❶ (forehead) Stirn f; **to wrinkle one's ~** die Stirn runzeln ❷ usu sing (fig) **~ of a hill** Bergkuppe f

brow·beat <-beat, -beaten> [ˈbraʊbiːt] vt einschüchtern; ■ **to ~ sb into doing sth** jdn so unter Druck setzen, dass er etw tut

brown [braʊn] I. n Braun nt II. adj braun III. vt FOOD onion [an]bräunen; meat anbraten ◆ **brown off** vt BRIT, AUS (fam) ■ **to be ~ed off with sth** etw satthaben

brown ˈbread n no pl locker gebackenes Brot aus dunklerem Mehl, etwa wie Mischbrot **ˈbrown·field** adj **~ site** aus gewerblichen Brachflächen hervorgegangenes Bauland

brownie n esp AM kleiner Schokoladenkuchen mit Nüssen

brown·ish [ˈbraʊnɪʃ] adj bräunlich

brown ˈpa·per n no pl Packpapier nt

brown ˈrice n no pl ungeschälter Reis **ˈbrown·stone** n AM ❶ no pl (stone) rötlich brauner Sandstein ❷ (house) [rotbraunes] Sandsteinhaus

browse [braʊz] I. vi ❶ (look through) **to ~ through a magazine** eine Zeitschrift durchblättern ❷ (*look around*) **to ~** [**around a shop**] sich [in einem Geschäft] umsehen ❸ INET browsen, surfen ❹ (*graze*) grasen **II.** *vt* COMPUT **to ~ the Internet/the World Wide Web** im Internet/World Wide Web surfen **III.** *n no pl* ❶ (*look-around*) **to have a ~ around** sich umsehen ❷ (*look-through*) **to have a ~ through a magazine** eine Zeitschrift durchblättern

brows·er ['brauzə'] *n* ❶ (*in shop*) jd, der in einem Geschäft [herum]stöbert ❷ COMPUT Browser *m*

bruise [bru:z] **I.** *n* ❶ MED blauer Fleck, Bluterguss *m* ❷ (*on fruit*) Druckstelle *f* **II.** *vt* ❶ (*injure*) **to ~ one's arm** sich am Arm stoßen ❷ (*fig*) *ego, pride* verletzen **III.** *vi* einen blauen Fleck bekommen; *fruit* Druckstellen bekommen

bruised [bru:zd] *adj* (*injured*) geprellt; **to be badly ~** eine schwere Prellung haben; **to be battered and ~** grün und blau sein

bruis·er ['bru:zə'] *n* (*fam*) Schläger[typ] *m*

brunch <*pl* -es> [brʌntʃ] *n* Brunch *m*

Bru·nei [bru:'naɪ] *n* Brunei *nt*

bru·nette [bru:'net] **I.** *n* Brünette *f* **II.** *adj* brünett

brunt [brʌnt] *n no pl* **to bear the ~ of sth** etw am stärksten zu spüren bekommen

brush [brʌʃ] **I.** *n* <*pl* -es> ❶ (*for hair, cleaning*) Bürste *f*; (*broom*) Besen *m*; (*for painting*) Pinsel *m* ❷ *no pl* (*act*) Bürsten *nt*; **to give sth a ~** etw abbürsten; **to give one's teeth a ~** sich *dat* die Zähne putzen ❸ *usu sing* (*stroke*) leichte Berührung ❹ (*encounter*) Zusammenstoß *m*; **to have a ~ with the law** mit dem Gesetz in Konflikt geraten ❺ *no pl* AM, AUS (*brushwood*) Unterholz *nt* ❻ (*fox's tail*) Fuchsschwanz *m* **II.** *vt* ❶ (*clean*) abbürsten; **to ~ one's hair** sich *dat* die Haare bürsten; **she ~ed the hair out of her eyes** sie strich sich die Haare aus dem Gesicht; **to ~ one's teeth** sich *dat* die Zähne putzen ❷ (*touch lightly*) leicht berühren ❸ (*apply a substance*) bestreichen **III.** *vi* (*touch lightly*) ■**to ~ against** streifen; ■**to ~ by** vorbeieilen an ◆**brush aside** *vt* ❶ (*move aside*) wegschieben ❷ (*dismiss*) *thing* abtun; *person* ignorieren ◆**brush away** ❶ (*wipe*) wegwischen; *fly* verscheuchen; *tears* sich *dat* abwischen ❷ (*dismiss*) [aus seinen Gedanken] verbannen ◆**brush off** *vt* ❶ (*remove with brush*) abbürsten ❷ (*ignore*) *person* abblitzen lassen; *thing* zurückweisen ◆**brush up I.** *vi* ■**to ~ up on sth** etw auffrischen **II.** *vt* auffrischen

'**brush-off** *n no pl* **to get the ~ from sb**

von jdm einen Korb bekommen; **to give sb the ~** jdm eine Abfuhr erteilen

'**brush·wood** *n no pl* Reisig *nt*

brusque [bru:sk] *adj* schroff

brusque·ly ['bru:skli] *adv answer, say* schroff, brüsk; **to behave ~** sich ungehobelt benehmen

brusque·ness ['bru:sknəs] *n no pl* Schroffheit *f*

Brus·sels ['brʌsəlz] *n no pl* Brüssel *nt*

Brus·sel(s) 'sprout *n* ■~**s** *pl* Rosenkohl *m kein pl*

bru·tal ['bru:tᵊl] *adj* brutal *a. fig*; *honesty* schonungslos; *truth* ungeschminkt

bru·tal·ity [bru:'tæləti] *n no pl* Brutalität *f*

bru·tal·ize ['bru:tᵊlaɪz] *vt* ❶ (*treat cruelly*) brutal behandeln ❷ (*make brutal*) brutalisieren

bru·tal·ly ['bru:tᵊli] *adv* brutal *a. fig*; **to be ~ honest with sb** zu jdm schonungslos offen sein

brute [bru:t] **I.** *n* ❶ (*savage*) Bestie *f* ❷ (*brutal person*) brutaler Kerl ❸ (*animal*) Vieh *nt* **II.** *adj* ~ **force** rohe Gewalt

brut·ish ['bru:tɪʃ] *adj* brutal

BSc *n abbrev of* **Bachelor of Science** Bakkalaureus *m* der Naturwissenschaften

BSE *n no pl* BRIT *abbrev of* **bovine spongiform encephalopathy** BSE *f*

BST *n no pl abbrev of* **British Summer Time** britische Sommerzeit

bub·ble ['bʌbl] **I.** *n* Blase *f*; **to blow a ~** eine Seifenblase machen **II.** *vi* kochen *a. fig*; *coffee, stew* brodeln; *boiling water, fountain* sprudeln; *champagne* perlen; (*make bubbling sound*) blubbern ◆**bubble over** *vi* ■**to ~ over with sth** vor etw *dat* [über]sprudeln

'**bub·ble bath** *n* Schaumbad *nt* '**bub·ble·gum I.** *n* Bubble Gum® *m* **II.** *adj* (*pej*) *music* Bubblegum- *pej*, seicht, oberflächlich **bub·ble-jet 'print·er** [ˌbʌbl|dʒet-'prɪntə'] *n* Bubblejet-Drucker *m*

bub·bly ['bʌbli] **I.** *n no pl* (*fam*) Schampus *m* **II.** *adj* ❶ *drink* sprudelnd; *melted cheese* Blasen werfend ❷ *person* temperamentvoll

bu·bon·ic plague [bju:ˌbɒnɪk'pleɪg] *n no pl* Beulenpest *f*

buc·ca·neer [ˌbʌkə'nɪə'] *n* Seeräuber(in) *m(f)*

buck[1] [bʌk] *n* AM, AUS (*fam*) Dollar *m*

buck[2] [bʌk] **I.** *n* <*pl* - *or* -s> (*male deer*) Bock *m*; (*male rabbit*) Rammler *m*; (*antelope*) Antilope *f* **II.** *vi* bocken **III.** *vt* **to ~ the trend** sich dem Trend widersetzen

buck[3] [bʌk] *n no pl* (*fam*) **the ~ stops here!** auf meine Verantwortung!; **to pass**

the ~ [to sb] die Verantwortung [auf jdn] abwälzen ◆ **buck up I.** vi (fam) ❶ (cheer up) [wieder] Mut fassen; **~ up!** Kopf hoch! ❷ (hurry up) sich beeilen **II.** vt aufmuntern ▶ **to ~ one's ideas up** sich zusammenreißen

buck·et ['bʌkɪt] **I.** n ❶ (pail) Eimer m; **champagne ~** Sektkübel m ❷ (fam: large amounts) ■ **~s** pl Unmengen pl; **in ~s** eimerweise ▶ **to kick the ~** (sl) ins Gras beißen **II.** vi BRIT, AUS (fam) ■ **to ~ down** wie aus Eimern gießen

'**buck·et·ful** <pl -s or bucketsful> n Eimer m

'**buck·et hat** n Bucket-Hat m (weicher Hut, der die Form eines flachen, umgestülpten Eimers hat)

buck·le ['bʌkl] **I.** n Schnalle f **II.** vt ❶ belt [zu]schnallen ❷ (bend) verbiegen **III.** vi sich verbiegen; **my knees began to ~** ich bekam weiche Knie ◆ **buckle down** vi sich dahinterklemmen fam ◆ **buckle in** vt anschnallen

Buck's Fizz [bʌks'fɪz] n Orangensaft m mit Sekt [o Champagner]

buck·shot n no pl grobkörniger Schrot

buck·skin ['bʌkskɪn] n no pl Wildleder nt

'**buck·wheat** n no pl Buchweizen m

bud [bʌd] **I.** n Knospe f; **to be in ~** Knospen haben **II.** vi <-dd-> knospen

Bud·dhism ['bʊdɪzᵊm] n no pl Buddhismus m

Bud·dhist ['bʊdɪst] **I.** n Buddhist(in) m(f) **II.** adj buddhistisch

bud·ding ['bʌdɪŋ] adj (fig) angehend

bud·dy ['bʌdi] n AM (fam) Kumpel m

budge [bʌdʒ] **I.** vi ❶ (move) sich [vom Fleck] rühren ❷ (change mind) nachgeben; ■ **to ~ from sth** von etw dat abrücken **II.** vt ❶ (move) [von der Stelle] bewegen ❷ (cause to change mind) umstimmen

budg·eri·gar ['bʌdʒᵊrɪgɑːʳ] n Wellensittich m

budg·et ['bʌdʒɪt] **I.** n Budget nt; ■ **the B~** der öffentliche Haushalt[splan] **II.** vi ■ **to ~ for sth** etw [im Budget] vorsehen **III.** adj preiswert; **~ travel** Billigreisen pl; **~ prices** Tiefpreise pl

'**bud·get defi·cit** n Haushaltsdefizit nt

budgie ['bʌdʒi] n (fam) Wellensittich m

buff [bʌf] **I.** n (fam) Fan m ▶ **in the ~** nackt **II.** adj gelbbraun **III.** vt ■ **to ~ [up]** polieren

buf·fa·lo <pl - or -oes> ['bʌfᵊləʊ] n Büffel m

buff·er ['bʌfəʳ] n Puffer m; (railway) Prellbock m

'**buff·er zone** n Pufferzone f

buf·fet¹ ['bʊfeɪ, 'bʌ-] n ❶ (food) Büfett nt ❷ BRIT (restaurant) [Bahnhofs]imbiss m

buf·fet² ['bʌfɪt] vt [heftig] hin und her bewegen

'**buf·fet car** n esp BRIT ≈ Speisewagen m

buf·foon [bəˈfuːn] n Clown m

bug [bʌg] **I.** n ❶ (insect) ■ **~s** pl Ungeziefer nt kein pl; **bed ~** Bettwanze f ❷ MED Bazillus m ❸ COMPUT (fault) Bug m ❹ (listening device) Wanze f ❺ (fam: enthusiasm) Fieber nt; **to catch the travel ~** vom Reisefieber gepackt werden **II.** vt <-gg-> ❶ (install bugs) verwanzen ❷ (eavesdrop on) abhören ❸ (fam: annoy) ■ **to ~ sb [about sth]** jdm [mit etw dat] auf die Nerven gehen; **stop ~ging me!** hör auf zu nerven! ❹ (fam: worry) ■ **to ~ sb** jdm Sorgen bereiten

'**bug·bear** n Ärgernis nt

bug·ger ['bʌgəʳ] **I.** n BRIT, AUS (vulg) Scheißkerl m; **poor ~** (sl) armes Schwein; **you lucky ~!** (sl) du hast vielleicht ein Schwein! ▶ **it's got ~ all to do with you!** BRIT, AUS (vulg) das geht dich einen Dreck an!; **he knows ~ all about computers** BRIT, AUS (sl) er hat keinen blassen Schimmer von Computern **II.** interj BRIT, AUS (vulg) **~!** Scheiße! **III.** vt ❶ BRIT, AUS (sl: ruin) ruinieren ❷ (vulg) ■ **to ~ sb** jdn in den Arsch ficken ◆ **bugger off** vi (sl) abhauen ◆ **bugger up** vt (sl) versauen

bug·gery ['bʌgᵊri] n no pl Analverkehr m

bug·gy ['bʌgi] n ❶ BRIT (pushchair) Buggy gy m ❷ AM (pram) Kinderwagen m ❸ (small vehicle) Buggy m ❹ (carriage) Kutsche f

bu·gle ['bjuːgl] n Horn nt

bu·gler ['bjuːgləʳ] n Hornist(in) m(f)

build [bɪld] **I.** n no pl Körperbau m **II.** vt <built, built> ❶ (construct) bauen; building also errichten; fire machen; wall ziehen ❷ (fig) aufbauen **III.** vi <built, built> ❶ (construct) bauen ❷ (increase) zunehmen; tension steigen ◆ **build in** vt einbauen ◆ **build on** vi ❶ (take advantage of) bauen auf +akk ❷ (add extension) anbauen ◆ **build up I.** vt aufbauen; lead ausbauen; speed erhöhen **II.** vi (increase) zunehmen; traffic sich verdichten; backlog größer werden; pressure sich erhöhen

build·er ['bɪldəʳ] n (worker) Bauarbeiter(in) m(f); (contractor) Bauherr(in) m(f)

build·ing ['bɪldɪŋ] n Gebäude nt

'**build·ing con·trac·tor** n Bauunternehmer(in) m(f) '**build·ing regu·la·tions** npl Baugesetze pl '**build·ing site** n Baustelle f '**build·ing so·ci·ety** n BRIT, AUS Bausparkasse f

'build qual·ity *n no pl of car, computer* Verarbeitungsqualität *f*

'build-up *n* ❶ *(increase)* Zunahme *f;* ~ **of pressure** Druckanstieg *m;* ~ **of traffic** Verkehrsverdichtung *f;* ~ **of troops** Truppenaufmarsch *m* ❷ *(hype)* Werbung *f* ❸ *(preparations)* Vorbereitung *f*

built [bɪlt] *pp, pt of* **build**

built-in ['bɪltɪn] *adj* eingebaut; ~ **cupboard** Einbauschrank *m* **built-up** ['bɪltʌp] *adj* ❶ *area* verbaut ❷ *shoes* erhöht

bulb [bʌlb] *n* ❶ BOT Zwiebel *f* ❷ ELEC [Glüh]birne *f*

bulb·ous ['bʌlbəs] *adj* knollig; ~ **nose** Knollennase *f*

Bul·garia [bʌl'geəriə] *n* Bulgarien *nt*

Bul·gar·ian [bʌl'geəriən] I. *adj* bulgarisch II. *n* ❶ *(person)* Bulgare(in) *m(f)* ❷ *(language)* Bulgarisch *nt*

bulge [bʌldʒ] I. *n* *(protrusion)* Wölbung *f;* *(in tyre)* Wulst *m* II. *vi* sich runden; *eyes* hervortreten

bulg·ing ['bʌldʒɪŋ] *adj* ❶ *(full) container* zum Bersten voll; *stomach, wallet* prall gefüllt ❷ *(protruding) eyes* hervorquellend

bu·limia [bʊ'lɪmiə] *n,* **bu·limia ner·vo·sa** [bʊˌlɪmiənɜː'vəʊsə] *n no pl* Bulimie *f*

bulk [bʌlk] *n* ❶ *no pl (mass)* Masse *f* ❷ *(size)* Ausmaß *nt* ❸ *(quantity)* **in** ~ in großen Mengen ❹ *(large body)* massiger Körper *m* ❺ *no pl (largest part)* Großteil *m;* **the** ~ **of the work** die meiste Arbeit

bulk 'buy·ing *n no pl* Großeinkauf *m* **'bulk·head** *n* Schott *nt*

bulky ['bʌlki] *adj* ❶ *person* massig ❷ *luggage* sperrig

bull [bʊl] *n* ❶ *(male bovine)* Stier *m,* Bulle *m* ❷ *(male elephant, walrus)* Bulle *m;* ~ **elephant** Elephantenbulle *m* ❸ *(fig)* Bulle *m* ❹ *no pl (fam: nonsense)* Quatsch *m* ❺ STOCKEX Haussier *m* ▶ **like a** ~ **in a** <u>china shop</u> wie ein Elefant im Porzellanladen; **to take the** ~ **by the** <u>horns</u> den Stier bei den Hörnern packen; **to be** [**like**] **a red** <u>rag</u> **to a** ~ [wie] ein rotes Tuch sein

'bull·dog *n* Bulldogge *f*

bull·doze ['bʊldəʊz] *vt* ❶ *(level off)* einebnen; *(clear)* räumen; *(tear down)* abreißen ❷ *(fig)* **to** ~ **sth through** etw durchboxen

bull·doz·er ['bʊldəʊzəʳ] *n* Bulldozer *m*

bul·let ['bʊlɪt] *n* ❶ MIL Kugel *f;* ~ **hole** Einschussloch *nt;* ~ **wound** Schusswunde *f* ❷ TYPO großer Punkt ▶ **to** <u>bite</u> **the** ~ in den sauren Apfel beißen; **to** <u>give</u> **sb the** ~ jdn feuern

bul·letin ['bʊlətɪn] *n* Bulletin *nt;* *(update)* [kurzer] Lagebericht; [**news**] ~ [Kurz]nach-

richten *pl*

'bul·letin board *n* schwarzes Brett

'bul·let·proof *adj* kugelsicher

'bull·fight *n* Stierkampf *m*

'bull·fight·er *n* Stierkämpfer(in) *m(f)*

'bull·finch *n* Dompfaff *m*

bul·lion ['bʊliən] *n no pl* **gold** ~ Goldbarren *pl*

'bull·ring *n* Stierkampfarena *f* **'bull's eye** *n* Zentrum *nt* der Zielscheibe; **to hit the** ~ einen Volltreffer landen *a. fig* **'bull·shit** *(fam!)* I. *n no pl* Schwachsinn *m;* **don't give me that** ~ komm mir nicht mit so 'nem Scheiß II. *adj* **excuse** windig III. *vt* <-tt-> verscheißern IV. *vi* <-tt-> Scheiß erzählen

bul·ly ['bʊli] I. *n* Rabauke *m;* **you're a big** ~ du bist ein ganz gemeiner Kerl II. *vt* <-ie-> tyrannisieren; ■ **to** ~ **sb into doing sth** jdn soweit einschüchtern, dass er etw tut III. *adj* ▶ ~ **for you** *(esp iron)* gratuliere!

bul·rush <*pl* -es> ['bʊlrʌʃ] *n* [große] Binse

bul·wark ['bʊlwək] *n* Bollwerk *nt*

bum [bʌm] I. *n* ❶ *(pej: good-for-nothing)* Penner *m* ❷ *esp* BRIT, AUS *(fam: bottom)* Hintern *m;* **to give sb a kick up the** ~ jdn in den Hintern treten ▶ **to give sb the** ~ '**s** <u>rush</u> AM *(fam)* jdn rausschmeißen II. *adj* *(pej fam)* mies; ~ **rap** AM ungerechte Behandlung; ~ **steer** AM, AUS Verschaukelung *f* III. *vt* <-mm-> *(fam)* ■ **to** ~ **sth off sb** etw von jdm schnorren

bum·ble ['bʌmbl] *vi* ■ **to** ~ **through sth** sich durch etw *akk* wursteln

bum·ble·bee ['bʌmblbiː] *n* Hummel *f*

bum·bling ['bʌmblɪŋ] *adj* tollpatschig; ~ **idiot** ausgemachter Volltrottel

bumf [bʌm(p)f] *n no pl esp* BRIT, AUS *(fam)* Papierkram *m*

bump [bʌmp] I. *n* ❶ *(on head)* Beule *f;* *(in road)* Unebenheit *f;* **speed** ~ Bodenschwelle *f* ❷ *(fam: light blow)* leichter Stoß ❸ *(thud)* Bums *m;* **to go** ~ rumsen ❹ BRIT *(hum)* dicker Bauch II. *vt* ❶ *(have accident)* AUTO zusammenstoßen mit; ■ **to** ~ **oneself** sich [an]stoßen ❷ *usu passive* AM *(fam)* **to get** ~**ed from a flight** von der Passagierliste gestrichen werden III. *vi* ■ **to** ~ **along** entlangrumpeln ◆ **bump into** *vi* ■ **to** ~ **into sb** ❶ *(knock against)* mit jdm zusammenstoßen; ■ **to** ~ **into sth** gegen etw *akk* stoßen ❷ *(fig: meet by chance)* jdm [zufällig] in die Arme laufen ◆ **bump off** *vt* *(sl)* umlegen

bump·er ['bʌmpəʳ] *n* Stoßstange *f* **'bump·er car** *n* [Auto]skooter *m* **'bump·er stick·er** *n* Autoaufkleber *m* **bumper-**

to-'bumper *adv attr* Haube an Haube

bumph [bʌm(p)f] *n no pl see* **bumf**

bump·kin ['bʌmpkɪn] *n* (*pej fam*) **coun-try** ~ Bauerntölpel *m*

bump·tious ['bʌmpʃəs] *adj* überheblich

bumpy ['bʌmpi] *adj* holp[e]rig; *flight, ride* unruhig

bun [bʌn] *n* ❶ (*pastry*) [rundes] Gebäckstück ❷ *esp* Am (*bread roll*) Brötchen *nt* ❸ (*hair style*) [Haar]knoten *m* ▸ **she has a ~ in the <u>oven</u>** sie kriegt ein Kind

bunch <*pl* -es> [bʌn(t)ʃ] I. *n* ❶ (*group*) *of bananas* Büschel *nt; of carrots, parsley* Bund *m; of files* Bündel *nt; of flowers* Strauß *m; of people* Haufen *m; ~ of grapes* Weintraube *f;* **~ of keys** Schlüsselbund *m;* **thanks a ~!** tausend Dank!; **a whole ~ of problems** jede Menge Probleme ❷ (*wad*) **in a ~** aufgebauscht ❸ *pl* Brit **to wear one's hair in ~es** Zöpfe tragen ▸ **to be the <u>best</u>** [*or* <u>pick</u>] **of the ~** der/die/das Beste von allen sein II. *vt* bündeln III. *vi* sich bauschen

bun·dle ['bʌndl̩] I. *n* Bündel *nt;* **a ~ of nerves** (*fig*) ein Nervenbündel *nt* II. *vt* **to ~ sb into the car** jdn ins Auto verfrachten ◆ **bundle up** *vt* bündeln

bung [bʌŋ] I. *n* ❶ *esp* Brit Pfropfen *m* ❷ (*fam: underhand payment*) Schmiergeld *nt* II. *vt* ❶ *esp* Brit ▪ **to be ~ed up** verstopft sein ❷ *esp* Brit, Aus (*fam: throw*) schmeißen

bun·ga·low ['bʌŋgələʊ] *n* Bungalow *m*

'bun·gee jump·ing *n no pl* Bungeespringen *nt*

bun·gle ['bʌŋgl̩] I. *vt* verpfuschen II. *vi* Mist bauen III. *n* **to make a ~ of sth** etw verpfuschen

bun·gler ['bʌŋglə'] *n* (*pej*) Pfuscher(in) *m(f)*

bun·gling ['bʌŋglɪŋ] I. *n no pl* Stümperei *f* II. *adj* ungeschickt; **~ idiot** ausgemachter Trottel

bunk [bʌŋk] I. *n* ❶ (*in boat*) Koje *f* ❷ (*part of bed*) **bottom/top ~** unteres/oberes Bett (*eines Etagenbetts*) ▸ **to <u>do</u> a ~** Brit, Aus [heimlich] abhauen II. *vi* (*fam*) ▪ **to ~** [**down**] sich aufs Ohr legen; **to ~ together** Am sich auf eine Bude teilen

bunk 'bed *n* Etagenbett *nt*

bun·ker ['bʌŋkə'] *n* Bunker *m*

bun·ny ['bʌni] *n* Häschen *nt*

Bun·sen burn·er ['bʌn(t)sən,bɜːnə'] *n* Bunsenbrenner *m*

bunt·ing ['bʌntɪŋ] *n no pl* Schmücken *nt* mit Fähnchen

buoy [bɔɪ] I. *n* Boje *f* II. *vt* (*encourage*) ▪ **to ~ sb up** jdm Auftrieb geben

buoy·an·cy ['bɔɪən(t)si] *n no pl* Schwimmfähigkeit *f* **buoy·ant** ['bɔɪənt] *adj* ❶ (*able to float*) schwimmfähig ❷ (*cheerful*) **to be in a ~ mood** in bester Stimmung sein ❸ Econ lebhaft

bur·ble ['bɜːbl̩] I. *vi* ❶ (*of water*) plätschern ❷ (*pej: babble*) plappern II. *vt* (*pej*) brabbeln

bur·den ['bɜːdən] I. *n* ❶ (*load*) Last *f* ❷ (*fig*) Belastung *f;* **to place a ~ on sb** jdn einer Belastung aussetzen II. *vt* ❶ (*load*) beladen ❷ (*bother*) belasten

bur·den·some ['bɜːdənsəm] *adj* (*form*) belastend

bu·reau <*pl* -x *or* Am, Aus *usu* -s> ['bjʊərəʊ] *n* ❶ (*government department*) Amt *nt,* Behörde *f* ❷ Am (*office*) [Informations]büro *nt* ❸ Brit (*desk*) Sekretär *m* ❹ Am (*chest of drawers*) Kommode *f*

bu·reau·cra·cy [bjʊəˈrɒkrəsi] *n* Bürokratie *f*

bu·reau·crat ['bjʊərə(ʊ)kræt] *n* Bürokrat(in) *m(f)*

bu·reau·crat·ic [ˌbjʊərə(ʊ)ˈkrætɪk] *adj* bürokratisch

bu·reau·crati·cal·ly [ˌbjʊərəʊˈkrætɪkəli] *adv* bürokratisch

bur·geon·ing ['bɜːdʒənɪŋ] *adj* rasch wachsend

bur·ger ['bɜːgə'] *n* (*fam*) *short for* **hamburger** [Ham]burger *m*

bur·glar ['bɜːglə'] *n* Einbrecher(in) *m(f)*

'bur·glar alarm *n* Alarmanlage *f*

bur·glar·ize ['bɜːglər_aɪz] *vt* Am einbrechen in +*akk*

bur·gla·ry ['bɜːgl̩ʰri] *n* Einbruch[diebstahl] *m*

bur·gle ['bɜːgl̩] *vt* Brit, Aus einbrechen in +*akk;* **they were ~d** bei ihnen wurde eingebrochen

bur·gun·dy ['bɜːgəndi] I. *n* ❶ (*wine*) Burgunder *m* ❷ (*colour*) Burgunderrot *nt* II. *adj* burgunderrot

bur·ial ['beriəl] *n* Beerdigung *f;* **~ at sea** Seebestattung *f*

'bur·ial ground *n* Friedhof *m;* Hist Begräbnisstätte *f* **'bur·ial ser·vice** *n* Trauerfeier *f*

Bur·ki·na Fa·so [bɜːˌkiːnəˈfæsəʊ] *n* Burkina Faso *nt*

bur·lesque [bɜːˈlesk] *n* ❶ (*written*) Parodie *f* ❷ *no pl* (*genre*) Burleske *f* ❸ Am (*variety show*) Varietévorstellung *f;* (*comedy*) Klamauksendung *f*

bur·ly ['bɜːli] *adj* kräftig [gebaut]

Bur·ma ['bɜːmə] *n no pl* Geog, Hist Burma *nt*

burn¹ [bɜːn] *n* Scot Bächlein *nt*

burn² [bɜːn] I. *n* ❶ (*injury*) Verbrennung *f,*

Brandwunde *f; (sunburn)* Sonnenbrand *m* ❷ *(damage)* Brandfleck *m;* **cigarette ~** Brandloch *nt* **II.** *vi* <burnt *or* Am *usu* burned, burnt *or* Am *usu* burned> ❶ *(be in flames)* brennen; *house* in Flammen stehen; **to ~ to death** verbrennen ❷ FOOD anbrennen ❸ *(sunburn)* einen Sonnenbrand bekommen ❹ *(acid)* ätzen **III.** *vt* <burnt *or* Am *usu* burned, burnt *or* Am *usu* burned> ❶ *(damage with heat)* verbrennen; *village* niederbrennen; **to ~ one's fingers** *(also fig)* sich *dat* die Finger verbrennen ❷ FOOD anbrennen lassen ❸ *(sunburn)* ▪ **to be ~t** einen Sonnenbrand haben ❹ *(acid)* verätzen ❺ *(use up) calories* verbrennen; *oil* verbrauchen ❻ COMPUT brennen ◆ **burn away I.** *vi* herunterbrennen; *(continuously)* vor sich hinbrennen **II.** *vt* abbrennen ◆ **burn down I.** *vt* abbrennen **II.** *vi building* niederbrennen; *forest* abbrennen; *candle, fire* herunterbrennen ◆ **burn out I.** *vi* ❶ *fire, candle* herunterbrennen ❷ *rocket* ausbrennen ❸ Am *(fam: reach saturation)* ▪ **to ~ out on sth** etw schnell überhaben ❹ *bulb* durchbrennen; *(slowly)* durchschmoren **II.** *vt* ❶ *(stop burning)* **the candle ~t itself out** die Kerze brannte herunter ❷ *(lose)* **to be ~t out of house and home** durch einen Brand Haus und Hof verlieren ❸ *(person)* ▪ **to ~ [oneself] out** sich völlig verausgaben ◆ **burn up I.** *vi* ❶ verbrennen ❷ *(fig: be feverish)* glühen ❸ AEROSP *rocket, satellite* verglühen **II.** *vt* verbrauchen; *calories* verbrennen

burn·er ['bɜːnə'] *n* Brenner *m;* Am *also* Kochplatte *f*

burn·ing ['bɜːnɪŋ] **I.** *adj* ❶ *(on fire)* brennend; *face* glühend ❷ *(fig: intense)* brennend ❸ *(controversial) issue* heiß diskutiert; *question* brennend ❹ *(stinging)* brennend **II.** *n no pl* **there's a smell of ~** es riecht verbrannt

burnt [bɜːnt] **I.** *vt, vi pt, pp of* **burn II.** *adj (completely)* verbrannt; *(partly) food* angebrannt; *(from sun)* verbrannt; **there's a ~ smell** es riecht verbrannt

burp [bɜːp] **I.** *n; of a baby* Bäuerchen *nt* **II.** *vi* aufstoßen, rülpsen *fam; baby* ein Bäuerchen machen **III.** *vt baby* aufstoßen lassen

burr [bɜːʳ] *n* ❶ BOT Klette *f* ❷ LING **to speak with a ~** ein gerolltes Zäpfchen-R sprechen *(im Westen Englands und in Schottland)*

bur·row ['bʌrəʊ] **I.** *n* Bau *m* **II.** *vt* graben **III.** *vi (dig)* einen Bau graben; ▪ **to ~ through** sich [hin]durchgraben durch +*akk*

bur·sar ['bɜːsəʳ] *n* Finanzverwalter(in) *m(f)*

bur·sa·ry ['bɜːsᵊri] *n esp* BRIT Stipendium *nt*

burst [bɜːst] **I.** *n* **~ of activity** plötzliche Geschäftigkeit; **~ of applause** Beifallssturm *m;* **~ of laughter** Lachsalve *f;* **~ of speed** Spurt *m* **II.** *vi* <burst *or* Am *also* bursted, burst *or* Am *also* bursted> ❶ *(explode)* platzen *a. fig; bubble* zerplatzen; *dam* bersten ❷ *(fig)* ▪ **to be ~ing to do sth** darauf brennen, etw zu tun ❸ *(fam)* **I'm ~ing to go to the loo!** ich muss ganz dringend aufs Klo! ❹ *(be full) suitcase* zum Bersten voll sein; **to be ~ing with curiosity/pride** vor Neugier/Stolz platzen; **to be ~ing with energy** vor Kraft [nur so] strotzen; **to be ~ing with happiness** vor Glück ganz außer sich sein **III.** *vt* <burst *or* Am *also* bursted, burst *or* Am *also* bursted> zum Platzen bringen; *balloon* platzen lassen; **the river ~ its banks** der Fluss trat über die Ufer; **she ~ a blood vessel** ihr ist eine Ader geplatzt ◆ **burst in** *vi* hineinstürzen; *(towards spectator)* hereinstürzen; ▪ **to ~ in on sb** bei jdm hereinplatzen; **to ~ in on a meeting** in eine Versammlung hineinplatzen ◆ **burst out** *vi* ❶ *(hurry out)* herausstürzen ❷ *(speak)* losplatzen ❸ *(commence)* **to ~ out crying/laughing** in Tränen/Gelächter ausbrechen ❹ *(appear)* hervorbrechen ◆ **burst through** *vi* durchbrechen

Bu·run·di [bʊˈrʊndi] *n* Burundi *nt*

bury <-ie-> ['beri] *vt person* begraben; *thing* vergraben *a. fig;* **to ~ oneself in one's book** sich in sein Buch versenken

bus [bʌs] **I.** *n* <*pl* -es *or* Am *also* -ses> [Omni]bus *m;* **to go by ~** mit dem Bus fahren **II.** *vt* <-ss- *or* Am *usu* -s-> mit dem Bus befördern **III.** *vi* <-ss- *or* Am *usu* -s-> mit dem Bus fahren

'**bus driv·er** *n* Busfahrer(in) *m(f)*

bush <*pl* -es> [bʊʃ] *n* ❶ *(plant)* Busch *m* ❷ *(thicket)* Gebüsch *nt* ❸ *(fig)* **~ of hair** [dichtes] Haarbüschel ❹ *no pl (in Africa, Australia)* Busch *m* ▶ **to beat about the ~** um den heißen Brei herumreden

'**Bush baby** *n* Am *(fam)* jd, der sich wie Präsident G.W. Bush ausdrückt: mitfühlend und konservativ

bush·el [bʊʃᵊl] *n* Bushel *m* ▶ **to hide one's light under a ~** sein Licht unter den Scheffel stellen

bushy ['bʊʃi] *adj* buschig

busi·ly ['bɪzɪli] *adv* eifrig; **~ engaged on sth** intensiv mit etw *dat* beschäftigt

busi·ness <*pl* -es> ['bɪznɪs] *n* ❶ *no pl (commerce)* Handel *m;* **to combine ~ with pleasure** das Angenehme mit dem

Nützlichen verbinden; **to do ~ with sb** mit jdm Geschäfte machen; **to go out of ~** das Geschäft aufgeben; **to talk ~** zur Sache kommen; **on ~** beruflich, dienstlich, geschäftlich ❷ *no pl* (*sales volume*) Geschäft *nt;* **how's ~?** was machen die Geschäfte? ❸ (*profession*) Branche *f;* **what line of ~ are you in?** in welcher Branche sind Sie tätig? ❹ (*company*) Unternehmen *nt* ❺ *no pl* (*matter*) Angelegenheit *f;* **that's none of your ~** das geht dich nichts an; **to have no ~ doing sth** nicht das Recht haben, etw zu tun; **to make sth one's ~** sich *dat* etw zur Aufgabe machen ❻ *no pl* **to mean ~** es [wirklich] ernst meinen ▶ **~ before pleasure** (*prov*) erst die Arbeit, dann das Vergnügen; **to be ~ as usual** (*prov*) den gewohnten Gang gehen; **to get down to ~** zur Sache kommen; **to be the ~** BRIT (*sl*) spitze sein; **like nobody's ~** (*fam*) ganz toll

'**busi·ness ad·dress** *n* Geschäftsadresse *f* '**busi·ness card** *n* Visitenkarte *f* '**busi·ness class** *n no pl* Businessclass *f* '**busi·ness hours** *npl* Geschäftszeiten *pl* '**busi·ness let·ter** *n* Geschäftsbrief *m* '**busi·ness·like** *adj* geschäftsmäßig '**busi·ness·man** *n* Geschäftsmann *m* '**busi·ness park** *n* Industriepark *m* '**busi·ness trip** *n* Dienstreise *f,* Geschäftsreise *f* '**busi·ness·wom·an** *n* Geschäftsfrau *f*

busk [bʌsk] *vi* BRIT, AUS Straßenmusik machen **busk·er** ['bʌskər] *n* Straßenmusikant(in) *m(f)*

'**bus·load** *n* Busladung *f*

'**bus ser·vice** *n* Busverbindung *f* '**bus sta·tion** *n* Busbahnhof *m* '**bus stop** *n* Bushaltestelle *f*

bust[1] [bʌst] *n* ❶ (*statue*) Büste *f* ❷ (*breasts*) Büste *f;* (*circumference*) Oberweite *f*

bust[2] [bʌst] **I.** *n* ❶ (*recession*) [wirtschaftlicher] Niedergang ❷ (*sl*) Razzia *f* **II.** *adj* (*fam*) ❶ (*broken*) kaputt ❷ (*bankrupt*) **to go ~** Pleite machen **III.** *vt* <bust *or* AM *usu* busted, bust *or* AM *usu* busted> (*fam*) ❶ (*break*) kaputtmachen ❷ AM (*arrest*) festnehmen ❸ AM SCH erwischen ◆ **bust out** *vt* ▪**to ~ sb out** [**from prison**] jdm helfen auszubrechen

bus·tle ['bʌsl] **I.** *n no pl* Getriebe *nt* **II.** *vi* **the street ~d with activity** auf der Straße herrschte reger Betrieb; ▪**to ~ about** herumwuseln; ▪**to ~ in/out** geschäftig hinein-/hinauseilen

bus·tling ['bʌslɪŋ] *adj place* belebt

bust-up ['bʌstʌp] *n* BRIT, AUS (*fam*)

Krach *m*

busy ['bɪzi] **I.** *adj* ❶ (*occupied*) beschäftigt; **I'm very ~ this week** ich habe diese Woche viel zu tun; **to keep oneself ~** sich beschäftigen; **to keep sb ~** jdn in Atem halten ❷ (*active*) *day* arbeitsreich; *life* bewegt; *street* verkehrsreich; **I've had a ~ day** ich hatte heute viel zu tun; **the busiest time of year** die Jahreszeit, in der am meisten los ist ❸ TELEC besetzt **II.** *vt* <-ie-> ▪**to ~ oneself with sth** sich mit etw *dat* beschäftigen

'**busy·body** *n* (*pej fam*) Wichtigtuer(in) *m(f)*

but [bʌt, bət] **I.** *conj* ❶ (*although, however*) aber; **~ then I'm no expert** ich bin allerdings keine Expertin ❷ (*except*) als ❸ (*rather*) sondern; **not only ... ~ also ...** [**too**] nicht nur[,] ... sondern auch ... **II.** *prep* außer; **last ~ one** vorletzte(r, s); **anything ~** alles außer; **nothing ~ trouble** nichts als Ärger **III.** *n* **no ~s, go clean your room!** keine Widerrede, räum jetzt dein Zimmer auf!; **no** [**ifs and**] **~s about it** da gibt es kein Wenn und Aber **IV.** *adv* ❶ (*form: only*) nur ❷ (*really*) aber auch ▶ **~ for** bis auf; **~ for the storm, ...** wäre der Sturm nicht gewesen, ...; **~ then** [**again**] (*on the other hand*) andererseits; (*after all*) schließlich

bu·tane ['bju:teɪn] *n no pl* Butan[gas] *nt*

butch [bʊtʃ] *adj* maskulin

butch·er ['bʊtʃər] **I.** *n* Metzger(in) *m(f)* **II.** *vt* ❶ (*slaughter*) schlachten ❷ (*murder*) niedermetzeln

butch·ery ['bʊtʃəri] *n no pl* (*murder*) Abschlachten *nt*

but·ler ['bʌtlər] *n* Butler *m*

but'n'ben [ˌbʌtən'ben] *n* SCOT kleines [*o* armseliges] Häuschen

butt [bʌt] **I.** *n* ❶ *of rifle* Kolben *m; of cigarette* Stummel *m* ❷ AM (*sl*) Hintern *m;* **to get off one's ~** seinen Hintern in Bewegung setzen ❸ (*hit with head*) Stoß *m* [mit dem Kopf] ❹ (*usu fig: target*) Zielscheibe *f* ❺ (*barrel*) Tonne *f* **II.** *vt* ▪**to ~ sb/sth** jdm/etw einen Stoß mit dem Kopf versetzen **III.** *vi person* mit dem Kopf stoßen; *goat* mit den Hörnern stoßen

but·ter ['bʌtər] **I.** *n no pl* Butter *f* ▶ **she looks as if ~ wouldn't melt in her mouth** sie sieht aus, als könnte sie kein Wässerchen trüben **II.** *vt* mit Butter bestreichen ◆ **butter up** *vt* ▪**to ~ sb up** jdm Honig um den Bart schmieren

'**but·ter·cup** *n* Butterblume *f* '**but·ter·dish** *n* Butterdose *f* '**but·ter·fin·gers** <*pl* -> *n* (*hum*) Tollpatsch *m*

but·ter·fly ['bʌtəflaɪ] n ❶ Schmetterling m ❷ (in swimming) Butterfly m ▸ to **have butterflies** [in one's stomach] ein flaues Gefühl [im Magen] haben

'**but·ter·milk** n no pl Buttermilch f

but·tery ['bʌtəri] adj butt[e]rig

but·tock ['bʌtək] n [Hinter]backe f; ▪ ~s pl Gesäß nt

but·ton ['bʌtᵊn] I. n ❶ (fastening device) Knopf m ❷ TECH Knopf m; **to push a** ~ auf einen Knopf drücken ❸ AM (badge) Button m ▸ **at the push** of a ~ auf Knopfdruck; **to be right on the** ~ den Nagel auf den Kopf treffen II. vt zuknöpfen ▸ to ~ **it** [or one's lip] den Mund halten III. vi to ~ **down the front/at** [or AM **in**] **the back** sich vorne/hinten knöpfen lassen ◆**button up** vt zuknöpfen

'**but·ton·hole** I. n ❶ (on clothing) Knopfloch nt ❷ BRIT also Blume f im Knopfloch II. vt zu fassen kriegen

but·tress ['bʌtrəs] n <pl -es> ARCHIT Strebepfeiler m

bux·om ['bʌksəm] adj vollbusig

buy [baɪ] I. n Kauf m II. vt <bought, bought> ❶ (purchase) ▪to ~ **sb sth** [or **sth for sb**] jdm etw kaufen; ▪to ~ **sth from** [or fam **off**] **sb** jdm etw abkaufen; silence erkaufen; time gewinnen ❷ (fam: believe) abkaufen ❸ (agree to) zustimmen ◆**buy off** vt kaufen ◆**buy out** vt company aufkaufen; person auszahlen ◆**buy up** vt aufkaufen

buy·er ['baɪə'] n Käufer(in) m(f); (as job) Einkäufer(in) m(f)

'**buy·out** ['baɪaʊt] n Übernahme f **buy-to-'let** I. n Immobilie f zum Kaufen und Vermieten, Immobilien als Renditeobjekte II. adj attr mortgage, property zum Kaufen und Vermieten präd

buzz [bʌz] I. vi bee, buzzer summen; fly brummen; ears dröhnen; **my head was** ~**ing** mir schwirrten alle möglichen Gedanken durch den Kopf; **the room was** ~**ing with conversation** das Zimmer war von Stimmengewirr erfüllt II. vt ❶ (telephone) anrufen ❷ AVIAT im Tiefflug über etw akk hinwegsausen III. n <pl -es> ❶ of a bee, buzzer Summen nt; of a fly Brummen nt; ~ **of conversation** Stimmengewirr nt ❷ (call) **to give sb a** ~ jdn anrufen ❸ (fam: high feeling) Kick m; (from alcohol) Rausch m ◆**buzz off** vi (fam!) abzischen

buz·zard ['bʌzəd] n ❶ BRIT (hawk) Bussard m ❷ AM (turkey vulture) Truthahngeier m

'**buzz cut** n Stoppelhaare pl, kurz geschorene Haare

buzz·er ['bʌzə'] n Summer m

'**buzz word** n Schlagwort nt

buzzy ['bʌzi] adj (fam) club, pub, resort voller Leben nach n; atmosphere lebhaft; **there are** ~ **cafés on the square** in den Cafés am Platz ist viel los

by [baɪ] I. prep ❶ (beside) bei, an; **come and sit** ~ **me** komm und setz dich zu mir ❷ (part of sb/sth) bei; ~ **the arm/hair** am Arm/Schopf; ~ **the hand** bei der Hand ❸ (not later than) bis; ~ **14 February** [spätestens] bis zum 14.02.; ~ **now** [or **this time**] inzwischen; ~ **the time** [that] **this letter reaches you ...** wenn dieser Brief dich erreicht, ... ❹ (during) bei; ~ **candlelight** bei Kerzenlicht; ~ **day/night** tagsüber/nachts ❺ (happening progressively) **bit** ~ **bit** nach und nach; **day** ~ **day** Tag für Tag; **minute** ~ **minute** Minute um Minute; ~ **the minute** von Minute zu Minute; **two** ~ **two** in Zweiergruppen ❻ (agent) von; **a painting** ~ **Picasso** ein Gemälde von Picasso; **I swear** ~ **Almighty God that ...** ich schwöre bei dem allmächtigen Gott, dass ... ❼ (by means of) durch, mit; **you switch it on** ~ **pressing this button** man schaltet es ein, indem man auf diesen Knopf drückt; ~ **boat/bus/car/train** mit dem Schiff/Bus/Auto/Zug; ~ **chance** durch Zufall; ~ **cheque** mit Scheck; ~ **contrast** im Gegensatz; **caused** ~ **fire** durch einen Brand verursacht; ~ **her last name** mit ihrem Nachnamen; **to travel** ~ **road** über Land fahren; **to travel** ~ **sea** auf dem Seeweg reisen ❽ (according to) nach, von; **he could tell** ~ **the look on her face that ...** er konnte an ihrem Gesichtsausdruck ablesen, dass ...; **that's all right** ~ **me** ich bin damit einverstanden; **what is meant** ~ **'cool'?** was bedeutet ‚cool'?; ~ **birth** von Geburt; ~ **law** dem Gesetz nach; ~ **profession** von Beruf; ~ **my watch** nach meiner Uhr ❾ (quantity) ~ **the day** tageweise; ~ **the hour** stundenweise; ~ **the metre** am Meter; ~ **the thousand** zu Tausenden ❿ (margin) um; **it would be better** ~ **far to ...** es wäre weitaus besser, ...; **to go up** ~ **20%** um 20 % steigen ⓫ MATH **8 divided** ~ **4 equals 2** 8 geteilt durch 4 ist 2; **8 multiplied** ~ **3 equals 24** 8 mal 3 macht 24; **he multiplied it** ~ **20** er hat es mit 20 multipliziert; **5 metres** ~ **8 metres** 5 mal 8 Meter II. adv ❶ (past) vorbei; **excuse me, I can't get** ~ Entschuldigung, ich komme nicht vorbei; **time goes** ~ **so quickly** die Zeit vergeht so schnell ❷ (near) **close** ~ ganz in der Nä-

he ▸ ~ **and large** im Großen und Ganzen;
~ **oneself** (*alone*) allein; (*unaided*) selbst
bye [baɪ] *interj* (*fam*) tschüs
bye-bye [ˌbaɪˈbaɪ] *interj* (*fam*) tschüs
'by-elec·tion *n* BRIT, CAN Nachwahl *f*
'by·gone I. *adj* vergangen II. *n* ▸ **to** <u>let</u> ~ **s
be** ~ **s** die Vergangenheit ruhen lassen
'by-law *n* Gemeindeverordnung *f*
'by·pass I. *n* ❶ TRANSP Umgehungsstraße *f*
❷ MED Bypass *m* II. *vt* ❶ (*detour*) umfahren ❷ (*not consult*) übergehen
'by·play *n no pl* Nebenhandlung *f*
'by-prod·uct *n* Nebenprodukt *nt;* (*fig*) Be-

gleiterscheinung *f*
'by·road *n* Nebenstraße *f*
'by·stand·er *n* Zuschauer(in) *m(f)*
byte [baɪt] *n* COMPUT Byte *nt*
'by·way *n* Seitenweg *m*
'by·word *n* Musterbeispiel *nt*
byz·an·tine [bɪˈzæntaɪn] *adj* ❶ (*pej: overly
complicated*) *explanations, procedures*
hoch kompliziert, schwer durchschaubar
❷ ARCHIT ■B~ byzantinisch
Byz·an·tium [bɪˈzæntiəm] *n no pl* HIST By-
zanz *nt*

C C

C <*pl* -'s *or* -s>, **c** <*pl* -'s> [si:] *n*
❶ (*letter*) C *nt*, c *nt*; *see also* **A 1** ❷ MUS
C *nt*, c *nt*; ~ **flat** ces *nt*, Ces *nt*; ~ **sharp**
Cis *nt*, cis *nt* ❸ (*school mark*) ≈ Drei *f*, ≈
befriedigend

C¹ <*pl* -'s *or* -s> [si:] *n* (*symbol for 100*)
~-**note** AM Hundertdollarschein *m*

C² ❶ *after n abbrev of* **Celsius** C ❷ *abbrev
of* **cancer: the Big** ~ (*fam*) Krebs *m*

c *abbrev of* **circa** ca.

cab [kæb] *n* ❶ (*of a truck*) Führerhaus *nt*
❷ (*taxi*) Taxi *nt*

ca·ba·ret ['kæbəreɪ] *n* (*performance*) Varietee *nt*; (*satirical*) Kabarett *nt*

cab·bage ['kæbɪdʒ] *n* Kohl *m kein pl*,
Kraut *nt kein pl bes* SÜDD; (*head*) Kohlkopf *m*

cab·by ['kæbi] *n*, *esp* AM '**cab·driv·er** *n*
Taxifahrer(in) *m(f)*

cab·in ['kæbɪn] *n* ❶ (*on ship*) Kabine *f*;
(*on plane*) Fahrgastraum *m* ❷ (*wooden
house*) [Block]hütte *f*; (*for holidays*)
Ferienhütte *f*

'**cab·in class** *n* zweite Klasse '**cab·in
cruis·er** *n* Kajütboot *nt*

cabi·net ['kæbɪnət] *n* ❶ (*storage place*)
Schrank *m* ❷ + *sing/pl vb* POL Kabinett *nt*

ca·ble ['keɪbl] **I.** *n* ❶ *no pl* NAUT Tau *nt*
❷ ELEC [Leitungs]kabel *nt*, Leitung *f* ❸ *no pl*
TV Kabelfernsehen *nt* ❹ TELEC Kabelnetz *nt*
❺ (*message*) Telegramm *nt* **II.** *vt* ❶ (*send
telegram*) ein Telegramm schicken ❷ TV
■**to be ~d** verkabelt sein

'**ca·ble car** *n* (*on mountain*) Seilbahn *f*;
(*cabin*) [Seilbahn]kabine *f*; (*on street*)
Kabelbahn *f*; (*car*) [Kabelbahn]wagen *m*
'**ca·ble net·work** *n* TV Kabelnetz *nt* **ca·
ble 'rail·way** *n* Kabelbahn *f* '**ca·ble
stitch** *n* Zopfmuster *nt* **ca·ble 'tele·vi·
sion** *n no pl*, **ca·ble T'V** *n no pl* Kabelfernsehen *nt*

'**cab rank** *n*, '**cab stand** *n* Taxistand *m*
cab·rio·let ['kæbriə(ʊ)leɪ] *n* Kabrio[lett] *nt*
ca·cao [kæˈkaʊ] *n no pl* Kakaobaum *m*
cache [kæʃ] *n* ❶ (*hiding place*) Versteck *nt*;
~ **of weapons** geheimes Waffenlager
❷ COMPUT Cache *m*

ca·chet ['kæʃeɪ] *n no pl* Ansehen *nt*

cack·le ['kækl] **I.** *vi* gackern **II.** *n*
❶ (*chicken noise*) Gackern *nt kein pl*
❷ (*laughter*) Gegacker *nt*

ca·copho·ny [kəˈkɒfəni] *n no pl* (*form*)
Missklang *m*

cac·tus <*pl* -es *or* cacti> ['kæktəs, *pl*
-taɪ] *n* Kaktus *m*

CAD [kæd] *n no pl abbrev of* **Computer-
Aided Design** CAD *nt*

ca·dav·er [kəˈdɑːvəʳ] *n* (*form*) *of humans*
Leiche *f*; *of an animal* Kadaver *m*

cad·die ['kædi], **cad·dy** ['kædi] **I.** *n* Caddie *m* **II.** *vi* ■**to** ~ **for sb** jds Caddie sein

ca·dence ['keɪdᵊn(t)s] *n* ❶ (*intonation*)
Tonfall *m*; (*rhythm*) Rhythmus *m* ❷ MUS
Kadenz *f*

ca·det [kəˈdet] *n* MIL Kadett *m*

cadge [kædʒ] *vt*, *vi* (*fam*) schnorren
(**from/off** von)

cadg·er ['kædʒəʳ] *n* (*pej*) Schnorrer(in)
m(f)

cad·mium ['kædmiəm] *n no pl* Kadmi-
um *nt*, Cadmium *nt*

ca·dre ['kɑːdʳə] *n* ❶ (*elite trained group*)
Führungsgruppe *f*; MIL, POL, SPORTS Kader *m*
❷ (*individual member*) Kadermitglied *nt*

Cae·sar·ean [sɪˈzeərɪən] MED **I.** *adj*
~ **delivery** [*or* **birth**] Geburt *f* durch Kaiserschnitt; ~ **section** Kaiserschnitt *m* **II.** *n*
Kaiserschnitt *m*

café *n*, **cafe** ['kæfeɪ] *n* Café *nt*

caf·eteria [ˌkæfəˈtɪəriə] *n* Cafeteria *f*

caf·fein(e) ['kæfiːn] *n no pl* Koffein *nt*

cage [keɪdʒ] *n* Käfig *m*; **like a ~d animal**
wie ein Tier im Käfig

cag·ey ['keɪdʒi] *adj* (*fam*) ❶ (*secretive*)
verschlossen ❷ (*sneaky*) durchtrieben

ca·goul(e) [kəˈguːl] *n* BRIT Regenjacke *f*
[mit Kapuze]

cairn [keən] *n* Steinhaufen *m*

Cai·ro [ˈkaɪ(ə)rəʊ] *n* Kairo *nt*

ca·jole [kəˈdʒəʊl] *vt* beschwatzen

cake [keɪk] **I.** *n* ❶ (*in baking*) Kuchen *m*;
(*layered*) Torte *f* ❷ (*patty*) Küchlein *nt*;
fish ~ Fischfrikadelle *f*; **potato** ~ Kartoffelpuffer *m* ▶**a piece of** ~ (*fam*) kein
Klacks *m*; **to have one's** ~ **and eat it** [**too**]
beides gleichzeitig wollen **II.** *vt* ~**d with
mud** dreckverkrustet

cal. *n abbrev of* **calorie** cal

ca·lam·ity [kəˈlæməti] *n* Katastrophe *f*

cal·ci·fy <-ie-> ['kælsɪfaɪ] *vt*, *vi* verkalken

cal·cium ['kælsiəm] *n no pl* Kalzium *nt*

cal·cu·lable ['kælkjələbl] *adj* ❶ MATH kal-
kulierbar ❷ AM (*reliable*) verlässlich

cal·cu·late ['kælkjəleɪt] **I.** *vt* berechnen;
(*estimate*) veranschlagen **II.** *vi* ■**to** ~ [**on**
sth] [mit etw *dat*] rechnen

cal·cu·lat·ed ['kælkjəleɪtɪd] *adj* beabsichtigt; *risk* kalkuliert

cal·cu·lat·ing [ˈkælkjəleɪtɪŋ] *adj* berechnend

cal·cu·la·tion [ˌkælkjəˈleɪʃⁿn] *n* **①** MATH Berechnung *f*; (*estimate*) Schätzung *f* **②** *no pl* (*in math*) Rechnen *nt;* **it took some ~** es bedurfte einiger Rechnerei **③** *no pl* (*pej: selfish planning*) Berechnung *f*

cal·cu·la·tor [ˈkælkjəleɪtəʳ] *n* Rechner *m*

cal·cu·lus [ˈkælkjələs] *n no pl* MATH Differenzialrechnung *f*

cal·en·dar [ˈkæləndəʳ] *n* Kalender *m*

cal·en·dar ˈmonth *n* Kalendermonat *m*

calf <*pl* calves> [kɑːf, *pl* kɑːvz] *n* **①** (*animal*) Kalb *nt;* **in ~** trächtig **②** ANAT Wade *f*

cali·ber *n no pl* AM *see* **calibre**

cali·brate [ˈkælɪbreɪt] *vt* eichen

cali·bre [ˈkælɪbəʳ] *n* **①** *no pl* (*quality*) Niveau *nt* **②** *no pl* (*diameter*) Kaliber *nt*

Cali·for·nia [ˌkælɪˈfɔːniə] *n* Kalifornien *nt*

call [kɔːl] **I.** *n* **①** (*on the telephone*) [Telefon]anruf *m*, [Telefon]gespräch *nt;* **were there any ~s for me?** hat jemand für mich angerufen?; **to give sb a ~** jdn anrufen; **to make a ~** telefonieren; **to return sb's ~** jdn zurückrufen; **to take a ~** ein Gespräch annehmen **②** (*visit*) Besuch *m; of a doctor, nurse* Hausbesuch *m* **③** (*request to come*) **to be on ~** Bereitschaftsdienst haben **④** (*shout*) Ruf *m;* **a ~ for help** ein Hilferuf *m;* **to give sb a ~** jdn rufen **⑤** *no pl* (*appeal*) **the ~ of the sea** der Ruf der See; **to answer the ~ of nature** (*euph*) mal kurz verschwinden **⑥** (*request*) Forderung *f* (**for** nach) **⑦** *no pl* ECON (*demand*) Nachfrage *f* (**for** nach); **there's not much ~ for fur coats these days** Pelzmäntel sind zur Zeit nicht sehr gefragt; **to have many ~s on one's time** zeitlich sehr beansprucht sein **⑧** *no pl* (*form: need*) Grund *m;* **there was no ~ to shout** es war nicht nötig zu schreien **⑨** (*summoning*) Aufruf *m* (**for** zu) **⑩** STOCKEX ~ [option] Kaufoption *f* (*decision*) Entscheidung *f* **II.** *vt* **①** (*on the telephone*) anrufen; (*by radio*) rufen **②** (*name*) nennen; **what's that actor ~ed again?** wie heißt dieser Schauspieler nochmal?; **what's that ~ed in Spanish?** wie heißt [*o* nennt man] das auf Spanisch?; **to ~ sb names** jdn beschimpfen **③** (*shout*) rufen; ∎**to ~ sth at** [*or* **to**] **sb** jdm etw zurufen **④** (*read aloud*) SCH *roll* durchgehen **⑤** (*summon*) rufen; **please wait over there until I ~ you** warten Sie bitte dort drüben, bis ich Sie aufrufe; **to ~ a doctor/a taxi** einen Arzt/ ein Taxi kommen lassen; **to ~ sb to order** jdn um Ruhe bitten; **to ~ sb into a room** jdn in ein Zimmer bitten **⑥** (*bring*) **to ~**

sb's attention to sth jds Aufmerksamkeit auf etw *akk* lenken; **to ~ attention to oneself** auf sich *akk* aufmerksam machen; **to ~ sth to mind** (*recall*) sich *dat* etw ins Gedächtnis zurückrufen; (*remember*) sich an etw *akk* erinnern; **to ~ into question** in Frage stellen **⑦** (*summon to office*) berufen **⑧** (*wake*) wecken **⑨** (*give orders for*) *meeting* einberufen; *strike* ausrufen; **to ~ an election** Wahlen ansetzen; **to ~ a halt to the fighting** kämpferischen Auseinandersetzungen Einhalt gebieten **⑩** SPORTS geben **⑪** LAW **to ~ sb to the bar** BRIT jdn als Anwalt zulassen; *witness* aufrufen; **to ~ sb as a witness** jdn als Zeugen benennen **III.** *vi* **①** (*telephone*) anrufen; **who's ~ing, please?** wer ist am Apparat? **②** (*drop by*) vorbeischauen **③** (*shout*) rufen; *animal* schreien; ∎**to ~ to sb** jdm zurufen **④** (*summon*) ∎**to ~ to sb** nach jdm rufen ◆**call after I.** *vi* ∎**to ~ after sb** jdm nachrufen **II.** *vt* **he's ~ed after his grandfather** er ist nach seinem Großvater benannt ◆**call at** *vi* **①** (*visit*) ∎**to ~ at sth** bei etw *dat* vorbeigehen **②** NAUT anlaufen; TRANSP **to ~ at a town/station** in einer Stadt/an einem Bahnhof halten ◆**call away** *vt* wegrufen ◆**call back I.** *vt* zurückrufen **II.** *vi* **①** (*phone*) zurückrufen **②** (*return*) wiederkommen ◆**call by** *vi* vorbeischauen ◆**call for** *vi* **①** (*collect*) abholen **②** (*shout*) ∎**to ~ for sb** nach jdm rufen; **to ~ for help** um Hilfe rufen **③** (*demand*) verlangen; **this ~s for a celebration** das muss gefeiert werden ◆**call forth** *vt* (*form*) hervorrufen ◆**call in I.** *vt* **①** (*ask to come*) [herein]rufen **②** (*consult*) hinzuziehen **③** (*ask for the return of*) zurückfordern **II.** *vi* **①** RADIO anrufen **②** (*drop by*) ∎**to ~ in on sb** bei jdm vorbeischauen; **to ~ in at the butcher's** beim Metzger vorbeigehen ◆**call off** *vt* **①** (*cancel*) absagen; (*stop*) abbrechen **②** (*order back*) zurückrufen ◆**call on** *vi* **①** (*appeal to*) ∎**to ~ on sb to do sth** jdn dazu auffordern, etw zu tun; **I now ~ on everyone to raise a glass to the happy couple** hiermit bitte ich Sie alle, Ihr Glas auf das glückliche Paar zu erheben **②** (*visit*) ∎**to ~ on sb** bei jdm vorbeischauen **③** (*use*) zusammennehmen ◆**call out I.** *vt* **①** (*shout*) rufen; **to ~ out** ○ **sth to sb** jdm etw zurufen; **to ~ out** ○ **sb's name** jdn [*o* jds Namen] aufrufen **②** (*summon*) **to ~ out the fire brigade** die Feuerwehr alarmieren **③** (*order*) **to ~ out on strike** zum Streik aufrufen **II.** *vi* (*shout*) rufen; (*yell*) aufschreien ◆**call**

C

calming down	
calming down	**beruhigen**
Don't panic!	Nur keine Panik!
Don't you worry about a thing.	Machen Sie sich da keine Sorgen.
Don't worry; we'll manage it **all right**.	Keine Angst, das werden wir **schon** hinkriegen.
We'll just have to wait and see (what happens).	Abwarten und Tee trinken!
It'll be all right.	Es wird schon werden.
It's not as bad as all that.	Alles halb so schlimm.
Stay calm!/Relax!/Keep cool!	Immer mit der Ruhe!

over *vt* ■ **to ~ sb over** jdn zu sich *dat* hinüberrufen; (*towards oneself*) jdn zu sich *dat* herüberrufen ◆ **call round** *vi* BRIT vorbeischauen ◆ **call up** *vt* ❶ *esp* AM (*telephone*) anrufen ❷ COMPUT aufrufen ❸ MIL einberufen ❹ (*conjure up*) wachrufen ◆ **call upon** *vi* ❶ (*appeal to*) ■ **to ~ upon sb** sich an jdn wenden; ■ **to ~ upon sb to do sth** jdn dazu auffordern, etw zu tun; ■ **to ~ upon sth** an etw *akk* appellieren ❷ (*use*) in Anspruch nehmen; *courage* zusammennehmen
'call box *n* BRIT Telefonzelle *f*
call·er ['kɔ:lə'] *n* ❶ (*on telephone*) Anrufer(in) *m(f)* ❷ (*visitor*) Besucher(in) *m(f)*
cal·lig·ra·phy [kə'lɪɡrəfi] *n no pl* Kalligraphie *f*
call-in ['kɔ:lɪn] *n* Anruf *m*
call·ing ['kɔ:lɪŋ] *n* ❶ (*profession*) Beruf *m* ❷ (*inner impulse*) Berufung *f*
'call·ing card *n* ❶ AM (*for telephone*) Telefon[kredit]karte *f* ❷ *esp* AM (*personal*) Visitenkarte *f*, Visitkarte *f* ÖSTERR
cal·lous ['kæləs] *adj* hartherzig
cal·lous·ly ['kæləsli] *adv* hartherzig, herzlos, ungerührt
'call sign *n*, **'call sig·nal** *n* [Funk]rufzeichen *nt* **'call-up** *n* MIL Einberufung *f*
cal·lus <*pl* -es> ['kæləs] *n* MED Kallus *m* fachspr; (*of skin*) [Horn]schwiele *f*; (*of bone*) [Knochen]narbe *f*
calm [kɑ:m] I. *adj* ruhig II. *n* ❶ (*calmness*) Ruhe *f* ❷ METEO Windstille *f*; **the ~ before the storm** die Ruhe vor dem Sturm *a. fig*; **dead ~** Flaute *f* III. *vt* beruhigen ◆ **calm down** *vi, vt* beruhigen
calm·ly ['kɑ:mli] *adv* ruhig, gelassen; **she reacted surprisingly ~ to the news** sie reagierte erstaunlich gefasst auf die Nachricht; **to do sth ~ and collectedly** etw in aller Seelenruhe tun
calm·ness ['kɑ:mnəs] *n no pl* Ruhe *f*

calo·rie ['kælə'ri] *n* Kalorie *f*; **high/low in ~s** kalorienreich/-arm; **~-controlled diet** Kaloriendiät *f*; **~-reduced** brennwertvermindert
calo·rif·ic [ˌkælə'rɪfɪk] *adj* ❶ PHYS kalorisch; **~ value** Heizwert *m*; FOOD Brennwert *m* ❷ (*fam: high-calorie*) kalorienreich
cal·um·ny ['kæləmni] *n* (*form*) *no pl* Verleumdung *f*
calve [kɑ:v] *vi* kalben
Cal·vin·ism ['kɑ:lvɪnɪzˀm] *n no pl* REL Kalvinismus *m*
Cal·vin·ist ['kɑ:lvɪnɪst] REL I. *n* Kalvinist(in) *m(f)* II. *adj* kalvinistisch
CAM [kæm] *n abbrev of* **computer assisted manufacture** CAM
ca·ma·ra·derie [ˌkæmə'rɑ:d°ri] *n no pl* Kameradschaft *f*
cam·ber ['kæmbə'] *n* [Straßen]wölbung *f*
Cam·bo·dia [ˌkæm'bəʊdiə] *n no pl* Kambodscha *nt*
cam·cord·er ['kæmˌkɔ:də'] *n* Camcorder *m*
came [keɪm] *vi pt of* **come**
cam·el ['kæm°l] *n* Kamel *nt*; **~ hair** Kamelhaar *nt*
ca·mel·lia [kə'mi:liə] *n* BOT Kamelie *f*
Cam·em·bert ['kæməmbeə'] *n usu no pl* Camembert *m*
cameo <*pl* -os> ['kæmiəʊ] *n* ❶ (*stone*) Kamee *f* ❷ FILM Miniaturrolle *f*
cam·era ['kæm°rə] *n* Kamera *f*; **to be on ~** vor der Kamera stehen
'cam·era an·gle *n* Aufnahmewinkel *m*
'cam·era dock *n* PHOT, COMPUT Kameradock *nt* **'cam·era·man** *n* Kameramann *m*
cam·era-phone ['kæm°rəfəʊn] *n* Kameraphon *nt* (*Mobiltelefon mit eingebauter Digital-Kamera*) **'cam·era-shy** *adj* kamerascheu **'cam·era·wom·an** *n* Kamerafrau *f*
Cam·eroon [ˌkæmə'ru:n] *n* Kamerun *nt*

Cam·eroon·ian [ˌkæməˈruːniən] I. *adj* kamerunisch II. *n* Kameruner(in) *m(f)*

cami [ˈkæmi] *n short for* **camisole** Mieder *nt*

camo·mile [ˈkæmə(ʊ)maɪl] *n* Kamille *f*; **~ tea** Kamillentee *m*

camou·flage [ˈkæməflɑːʒ] I. *n no pl* Tarnung *f a. fig*; **~ paint** Tarnfarbe *f* II. *vt* tarnen

camp[1] [kæmp] I. *n* ① (*encampment*) [Zelt]lager *nt*; **summer ~** Sommerlager *nt*; **to pitch/break ~** ein Lager [o die Zelte] aufschlagen/abbrechen ② MIL [Feld]lager *nt*; **prison/refugee ~** Gefangenen-/Flüchtlingslager *nt* ③ (*fig*) Lager *nt*; **the pro-abortion ~** die Abtreibungsbefürworter *pl* II. *vi* ■ **to ~** |out| zelten; **to go ~ing** campen gehen

camp[2] [kæmp] I. *n no pl* Manieriertheit *f* II. *adj* ① (*pej: theatrical*) manieriert ② (*effeminate*) tuntenhaft *sl* III. *vt* ■ **to ~ sth ⟳ up** bei etw *dat* zu dick auftragen

cam·paign [kæmˈpeɪn] I. *n* ① (*action*) Kampagne *f* (**for** für, **against** gegen); **advertising ~** Werbekampagne *f*; **~ of violence** Gewaltaktion *f* ② (*for election*) |election| **~** Wahlkampf *m*; **~ pledge** Wahlversprechen *nt* ③ MIL Feldzug *m* II. *vi* kämpfen, sich engagieren

cam·paign·er [kæmˈpeɪnər] *n* ① (*in election*) Wahlwerber(in) *m(f)* ② (*advocate*) Kämpfer(in) *m(f)*; **environmental ~** Umweltschützer(in) *m(f)* ③ MIL Kämpfer *m*

camp 'bed *n* Campingliege *f*; MIL Feldbett *nt*

camp·er [ˈkæmpər] *n* ① (*person*) Camper(in) *m(f)* ② (*vehicle*) Wohnmobil *nt*

'camp·fire *n* Lagerfeuer *nt*

cam·phor [ˈkæm(p)fər] *n no pl* Kampfer *m*

camp·ing [ˈkæmpɪŋ] *n no pl* Camping *nt*; **to go ~** zelten gehen

'camp·ing ground *n*, **'camp·ing site** *n* Campingplatz *m* **'camp·ing van** *n* Wohnmobil *nt*

'camp·site *n* Campingplatz *m*

cam·pus [ˈkæmpəs] *n* Campus *m*; **on ~** auf dem Campus

cam·shaft [ˈkæmʃɑːft] *n* AUTO Nockenwelle *f*

can[1] [kæn] I. *n* ① (*container*) Dose *f*, Büchse *f*; **petrol ~** Benzinkanister *m* ② AM (*fam: prison*) Knast *m* ③ AM (*fam: toilet*) Klo *nt* ④ (*fam: headphones*) ■ **~s** *pl* Kopfhörer *pl* ▶ **to have to carry the ~** BRIT die Sache ausbaden müssen; **in the ~** FILM im Kasten; **a ~ of worms** eine verzwickte Angelegenheit II. *vt* ① (*package*) eindosen ② AM (*fam: stop*) **~ it!** hör auf damit! ③ AM (*fam:*

fire) rausschmeißen

can[2] <could, could> [kæn, kən] *aux vb* (*be able to*) können; (*be allowed to*) dürfen; (*less formal*) können; **~ you hear me?** kannst du mich hören?, hörst du mich?; **you ~'t park here** hier dürfen [o können] Sie nicht parken; **can I borrow your car?** könntest du mir dein Auto leihen?; **you could |always| try** du könntest es ja mal versuchen; **you ~'t** [*or* **cannot**] **be serious!** das ist nicht dein Ernst!; **how on earth could you do that!** wie konntest du nur so etwas tun!; **you could have told me before!** das hättest du mir auch schon vorher sagen können!; **the car could do with a clean** der Wagen müsste mal wieder gewaschen werden; **who ~ blame her?** wer will es ihr verdenken?; **~ do** kein Problem; **no ~ do** tut mir leid

Cana·da [ˈkænədə] *n no pl* Kanada *nt*

Ca·na·dian [kəˈneɪdiən] I. *n* Kanadier(in) *m(f)* II. *adj* kanadisch

ca·nal [kəˈnæl] *n* Kanal *m*

cana·li·za·tion [ˌkænəlaɪˈzeɪʃn] *n no pl* Kanalisierung *f*

cana·lize [ˈkænəlaɪz] *vt* ■ **to ~ sth** *a river* etw kanalisieren

cana·pé [ˈkænəpeɪ] *n* Appetithappen *m*, Kanapee *nt meist pl*

ca·nary [kəˈneəri] *n* Kanarienvogel *m*; **~ yellow** kanariengelb

Ca·'nary Is·lands *npl* Kanarische Inseln

can·cel <BRIT -ll- *or* AM *usu* -l-> [ˈkæn(t)s³l] I. *vt* ① (*call off*) absagen ② (*remove from schedule*) streichen ③ (*undo*) *cheque, reservation* stornieren ④ (*annul*) annullieren; *ticket* entwerten; (*revoke*) widerrufen ⑤ (*discontinue*) beenden; *subscription* kündigen; COMPUT abbrechen ⑥ MATH [weg]kürzen; **to ~ each other out** sich gegenseitig aufheben II. *vi* absagen

can·cel·la·tion [ˌkæn(t)s³lˈeɪʃn] *n* ① (*calling off*) Absage *f* ② (*from schedule*) Streichung *f* ③ (*undoing*) Stornierung *f* ④ (*annulling*) Annullierung *f*; *of a ticket* Entwertung *f*; (*revocation*) Widerruf *m*; *of a debt* Erlass *m* ⑤ (*discontinuation*) Kündigung *f*; *of a subscription* Abbestellung *f* ⑥ FIN Stornierung *f*

can·cer [ˈkæn(t)sər] *n* ① *no pl* (*disease*) Krebs *m*; **~ check-up** Krebsvorsorgeuntersuchung *f*; **~ clinic** Krebsklinik *f*; **~ research** Krebsforschung *f*; **~ of the stomach/throat** Magen-/Kehlkopfkrebs *m* ② (*growth*) Krebsgeschwulst *f*

Can·cer [ˈkæn(t)sər] *n no art, no pl* Krebs *m*

can·cer·ous [ˈkæn(t)s³rəs] *adj* krebsartig

can·de·la·bra <*pl* - *or* -s> [ˌkændəˈlɑːbrə] *n* Leuchter *m*

can·did [ˈkændɪd] *adj* offen; ~ **camera** versteckte Kamera

can·di·da·cy [ˈkændɪdəsi] *n no pl* Kandidatur *f*

can·di·date [ˈkændɪdət] *n* ❶ POL, SCH Kandidat(in) *m(f)* ❷ ECON Bewerber(in) *m(f)* ❸ (*possible choice*) [möglicher] Kandidat

can·di·da·ture [ˈkændɪdətʃəʳ] *n no pl* Kandidatur *f*

can·died [ˈkændɪd] *adj* kandiert

can·dle [ˈkændl̩] *n* Kerze *f;* ~ **bulb** Kerze[nbirne] *f;* **scented** ~ Duftkerze *f* ▸ **to burn the** ~ **at both** <u>ends</u> Raubbau mit seiner Gesundheit treiben

'can·dle·light *n no pl* Kerzenlicht *nt;* ~ [*or* **candlelit**] **dinner** Abendessen *nt* bei Kerzenschein **'can·dle·stick** *n* Kerzenständer *m*

can·dour [ˈkændəʳ], AM **can·dor** *n no pl* Offenheit *f*

can·dy [ˈkændi] *n* ❶ *no pl* (*sugar*) Kandiszucker *m* ❷ AM (*sweets*) Süßigkeiten *pl;* (*piece of candy*) Bonbon *m o nt;* (*chocolate*) Praline *f* ▸ **like taking** ~ **from a** <u>baby</u> ein Kinderspiel *nt*

'can·dy·floss *n no pl* BRIT Zuckerwatte *f* **'can·dy store** *n* AM Süßwarenladen *m*

cane [keɪn] I. *n* ❶ *no pl* (*of plant*) Rohr *nt;* ~ **basket** Weidenkorb *m;* ~ **furniture** Rattanmöbel *pl;* ~ **sugar** Rohrzucker *m* ❷ (*stick*) Stock *m* ❸ *no pl* (*punishment*) **to get the** ~ [eine Tracht] Prügel bekommen II. *vt* [mit einem Stock] züchtigen

ca·nine [ˈkeɪnaɪn] *adj* Hunde-

can·is·ter [ˈkænɪstəʳ] *n* Behälter *m;* (*for fluids*) Kanister *m;* **metal** ~ Blechbüchse *f;* **plastic** ~ Plastikbehälter *m*

can·na·bis [ˈkænəbɪs] *n no pl* Cannabis *nt*

canned [kænd] *adj* ❶ FOOD Dosen- ❷ MEDIA ~ **music** Musik *f* aus der Konserve ❸ (*fam: drunk*) blau ❹ AM (*fam: fired*) entlassen

can·nery [ˈkænəri] *n* Konservenfabrik *f*

can·ni·bal [ˈkænɪbəl] *n* Kannibale, Kannibalin *m, f*

can·ni·bal·ism [ˈkænɪbəlɪzˈm] *n no pl* Kannibalismus *m*

can·ni·bal·ize [ˈkænɪbəlaɪz] *vt* car ausschlachten

can·ning [ˈkænɪŋ] *n no pl* Konservierung *f;* ~ **factory** Konservenfabrik *f*

can·non [ˈkænən] I. *n* ❶ MIL Kanone *f* ❷ (*in billiards*) Karambolage *f* ▸ **a** <u>loose</u> ~ ein unberechenbarer Faktor II. *vi* ❶ (*collide*) ▪ **to** ~ **into** **sb/sth** mit jdm/etw zusammenprallen ❷ (*in billiards*) karambolieren

'can·non ball *n* Kanonenkugel *f* **'can·**

non fod·der *n* Kanonenfutter *nt*

can·not [ˈkænɒt] *aux vb see* **can not: we** ~ **but succeed** wir können nur gewinnen

can·ny [ˈkæni] *adj* ❶ (*clever*) schlau ❷ NBRIT, SCOT (*approv: nice*) nett ❸ (*cautious*) vorsichtig

ca·noe [kəˈnuː] *n* Kanu *nt*

ca·noe·ing [kəˈnuːɪŋ] *n no pl* Paddeln *nt;* SPORTS Kanufahren *nt*

ca·noe·ist [kəˈnuːɪst] *n* Kanufahrer(in) *m(f)*

can·on [ˈkænən] *n* ❶ REL Kanoniker *m* ❷ MUS Kanon *m*

can·oni·za·tion [ˌkænənaɪˈzeɪʃˈn] *n* Heiligsprechung *f*

can·on·ize [ˈkænənaɪz] *vt* heiligsprechen

'can open·er *n* Dosenöffner *m*

cano·py [ˈkænəpi] *n* ❶ (*awning*) Überdachung *f;* (*over throne, bed*) Baldachin *m* ❷ (*sunshade*) Sonnendach *nt* ❸ (*on parachute*) Fallschirmkappe *f* ❹ (*treetops*) Blätterdach *nt*

cant [kænt] *n no pl* Scheinheiligkeit *f*

can't [kɑːnt] (*fam*) = **cannot**

can·tan·ker·ous [ˌkænˈtæŋkˈrəs] *adj* streitsüchtig

can·ta·ta [kænˈtɑːtə] *n* Kantate *f*

can·teen [kænˈtiːn] *n* ❶ (*restaurant*) Kantine *f;* UNIV Mensa *f* ❷ MIL Feldflasche *f*

can·ter [ˈkæntəʳ] I. *n* ❶ (*gait*) Handgalopp *m* ❷ (*ride*) [Aus]ritt *m* II. *vi* leicht galoppieren

can·ti·lever [ˈkæntɪliːvəʳ] *n* ~ **bridge** Auslegerbrücke *f*

can·ton [ˈkæntɒn] *n* ADMIN Kanton *m*

Can·ton [ˌkænˈtɒn] *n* GEOG Kanton *nt*

can·vas [ˈkænvəs] *n* <*pl* -es> ❶ *no pl* (*cloth*) Segeltuch *nt;* (*for painting*) Leinwand *f;* **under** ~ im Zelt ❷ (*painting*) [Öl]gemälde *nt*

can·vass [ˈkænvəs] I. *vt* ❶ (*gather opinion*) befragen ❷ POL werben II. *vi* POL um Stimmen werben

can·vass·er [ˈkænvəsəʳ] *n* POL Wahlhelfer(in) *m(f)*

can·vass·ing [ˈkænvəsɪŋ] *n* POL Wahlwerbung *f*

can·yon [ˈkænjən] *n* Schlucht *f*

CAP [ˌsiːeɪˈpiː] *n* POL *abbrev of* **Common Agricultural Policy** GAP *f*

cap [kæp] I. *n* ❶ (*hat*) Mütze *f;* **peaked** ~ Schirmmütze *f* ❷ *esp* BRIT SPORTS (*fig*) *Ziermütze als Zeichen der Aufstellung für die Nationalmannschaft* ❸ (*top*) Verschlusskappe *f;* (*on tooth*) Schutzkappe *f;* **lens** ~ PHOT Objektivdeckel *m* ❹ GEOL Deckschicht *f* ❺ (*limit*) Obergrenze *f* ❻ BRIT (*contraceptive*) Pessar *nt* ❼ (*for toy gun*)

Zündplättchen *nt* ▶ **to go ~ in** <u>hand</u> klein-
laut auftreten; **to put on one's** <u>thinking</u> ~
scharf nachdenken; **if the ~** <u>fits</u>**, wear it**
(*prov*) wem der Schuh passt, der soll ihn
sich anziehen **II.** *vt* <-pp-> ❶ (*limit*) begrenzen ❷ *esp* BRIT SPORTS für die Nationalmannschaft aufstellen ❸ (*cover*) bedecken;
teeth überkronen ❹ (*outdo*) überbieten;
and to ~ it all ... und um allem die Krone
aufzusetzen ...

ca·pa·bil·i·ty [ˌkeɪpəˈbɪləti] *n* ❶ *no pl* (*ability*) Fähigkeit *f* ❷ MIL Potenzial *nt*

ca·pable [ˈkeɪpəbl] *adj* ❶ (*competent*) fähig; *worker* tüchtig; **to leave sth in sb's ~
hands** (*also hum*) etw vertrauensvoll in
jds Hände legen ❷ (*able*) fähig; ▪ **to be ~
of doing sth** in der Lage sein, etw zu tun

ca·paci·tor [kəˈpæsɪtər] *n* ELEC Kondensator *m*

ca·pac·ity [kəˈpæsəti] *n* ❶ (*available
space*) Fassungsvermögen *nt;* **to have a
seating ~ of 50,000** 50.000 Sitzplätze haben ❷ *no pl* (*ability*) Fähigkeit *f;* **mental ~**
geistige Fähigkeiten *pl* ❸ *no pl* (*maximum*)
Kapazität *f;* **full to ~** absolut voll; **below/
at full ~** nicht ganz/voll ausgelastet; **a ~
crowd** ein volles Haus ❹ (*position*) Funktion *f;* (*role*) Eigenschaft *f*

cape¹ [keɪp] *n* Kap *nt;* **the C~ of Good
Hope** das Kap der guten Hoffnung; **C~
Horn** Kap Hoorn; **C~ Town** Kapstadt

cape² [keɪp] *n* Umhang *m,* Cape *nt*

ca·per [ˈkeɪpər] **I.** *n* ❶ *usu pl* FOOD Kaper *f*
❷ (*dubious activity*) krumme Sache **II.** *vi*
Luftsprünge machen

'Cape Town *n* Kapstadt *nt*

Cape Verde [ˌkeɪpˈvɜːd] *n* Kap Verde *nt*

ca·pil·lary [kəˈpɪləri] *n* Kapillare *f*

capi·tal [ˈkæpɪtl] *n* ❶ (*city*) Hauptstadt *f*
❷ (*letter*) Großbuchstabe *m* ❸ ARCHIT Kapi-
tell *nt* ❹ *no pl* FIN Kapital *nt*

capi·tal 'as·sets *npl* FIN Kapitalvermö-
gen *nt kein pl* **capi·tal 'crime** *n* Kapital-
verbrechen *nt* **'capi·tal flight** *n no pl* Ka-
pitalflucht *f* **capi·tal 'gains tax** *n no pl*
Kapitalgewinnsteuer *f* **capi·tal in·'vest·
ment** *n* FIN Kapitalanlage *f*

capi·tal·ism [ˈkæpɪtəlɪzᵊm] *n no pl* Kapita-
lismus *m*

capi·tal·ist [ˈkæpɪtəlɪst] **I.** *n* Kapitalist(in)
m(f) **II.** *adj* kapitalistisch

capi·tal·ist·ic [ˌkæpɪtᵊlˈɪstɪk] *adj* kapitalistisch

capi·tali·za·tion [ˌkæpɪtᵊlaɪˈzeɪʃᵊn] *n no pl*
❶ LING Großschreibung *f* ❷ FIN Kapitalisie-
rung *f*

capi·tal·ize [ˈkæpɪtᵊlaɪz] **I.** *vt* ❶ LING groß-
schreiben ❷ FIN kapitalisieren **II.** *vi* (*fig*)

▪ **to ~ on sth** aus etw *dat* Kapital schlagen

capi·tal 'let·ter *n* Großbuchstabe *m* **capi·
tal 'pun·ish·ment** *n no pl* Todesstrafe *f*

Capi·tol [ˈkæpətᵊl] *n* AM ❶ (*hill*) **on ~ Hill**
im amerikanischen Kongress ❷ (*building*)
State ~ Parlamentsgebäude *nt,* Kapitol *nt*

ca·pitu·late [kəˈpɪtjʊleɪt] *vi* kapitulieren
(**to** vor)

ca·pitu·la·tion [kəˌpɪtjʊˈleɪʃᵊn] *n* Kapitulation *f* (**to** vor)

cap·puc·ci·no <*pl* -s> [ˌkæpʊˈtʃiːnəʊ] *n*
Cappuccino *m*

ca·pri·cious [kəˈprɪʃəs] *adj* (*liter*) *person*
launisch; *weather* wechselhaft

Cap·ri·corn [ˈkæprɪkɔːn] *n no art, no pl*
ASTROL Steinbock *m*

cap·size [kæpˈsaɪz] NAUT **I.** *vi* kentern **II.** *vt*
zum Kentern bringen

cap·stan [ˈkæpstən] *n* NAUT [Anker]winde *f*

cap·sule [ˈkæpsjuːl] *n* Kapsel *f*

cap·sule 'ward·robe *n* Grundgarderobe *f*

cap·tain [ˈkæptɪn] **I.** *n* ❶ NAUT, AVIAT Kapi-
tän(in) *m(f);* SPORTS [Mannschafts]kapi-
tän(in) *m(f);* (*in army*) Hauptmann *m*
❷ ECON **~ of industry** Großindustrielle(r)
f(m) **II.** *vt* anführen; MIL befehligen; **to ~ a
team** Mannschaftskapitän(in) sein

cap·tain·cy [ˈkæptɪnsi] *n* Führung *f*

cap·tion [ˈkæpʃᵊn] *n* ❶ (*heading*) Überschrift *f* ❷ (*under illustration*) Bildunterschrift *f*

cap·ti·vate [ˈkæptɪveɪt] *vt* faszinieren

cap·ti·vat·ing [ˈkæptɪveɪtɪŋ] *adj* (*approv*)
faszinierend, bezaubernd; **~ smile** einneh-
mendes [*o* gewinnendes] Lächeln

cap·tive [ˈkæptɪv] **I.** *n* Gefangene(r) *f(m)*
II. *adj* gefangen; *animal* in Gefangenschaft;
~ audience unfreiwilliges Publikum

cap·tiv·ity [kæpˈtɪvəti] *n no pl* Gefangenschaft *f*

cap·ture [ˈkæptʃər] **I.** *vt* ❶ (*take prisoner*)
gefangen nehmen; *police* festnehmen
❷ (*take possession*) *city* einnehmen; *ship*
kapern ❸ (*fig: gain*) erringen ❹ (*depict
accurately*) einfangen ❺ COMPUT erfassen
II. *n of a person* Gefangennahme *f;* (*by
police*) Festnahme *f; of a city* Einnahme *f;
of a ship* Kapern *nt*

car [kɑːr] *n* ❶ (*vehicle*) Auto *nt,* Wagen *m;*
~ factory Automobilfabrik *f;* **~ rental
service** Autovermietung *f,* Autoverleih *m;*
~ tax Kfz-Steuer *f;* **by ~** mit dem Auto
❷ RAIL Waggon *m,* Wagen *m* ❸ (*in airship,
balloon*) Gondel *f*

car ac·'ces·so·ry *n* Autozubehörteil *nt*
car 'aer·ial *n* BRIT, **car an·'ten·na** *n* AM
Autoantenne *f*

ca·rafe [kəˈræf] *n* Karaffe *f*

cara·mel [ˈkærəmᵊl] *n* Karamell *m;* (*sweet*) Karamellbonbon *nt*

car·at [ˈkærət] *n* <*pl* -s *or* -> Karat *nt;* **24-~ gold** 24-karätiges Gold

cara·van [ˈkærəvæn] *n* ❶ BRIT (*vehicle*) Wohnwagen[anhänger] *m* ❷ + *sing/pl vb* (*group of travellers*) Karawane *f*

cara·way [ˈkærəweɪ] *n no pl* Kümmel *m*

'carb-con·trol·led *adj attr short for* **carbohydrate-controlled** *diet* kohlenhydratarm

car·bine [ˈkɑːbaɪn] *n* MIL Karabiner *m*

'car body *n* Karosserie *f*

car·bo·hy·drate [ˌkɑːbə(ʊ)ˈhaɪdreɪt] *n* Kohle[n]hydrat *nt;* **to be high/low in ~s** viele/wenig Kohle[n]hydrate enthalten

car·bol·ic [kɑːˈbɒlɪk] *adj* Karbol-

'car bomb *n* Autobombe *f*

car·bon [ˈkɑːbᵊn] *n no pl* CHEM Kohlenstoff *m*

car·bon·at·ed [ˈkɑːbᵊneɪtɪd] *adj* kohlensäurehaltig, mit Kohlensäure

'car·bon copy *n* Durchschlag *m;* (*fig*) Ebenbild *nt* **car·bon 'dat·ing** *n no pl* Radiokarbonmethode *f* **car·bon di·'ox·ide** *n no pl* Kohlendioxid *nt*

car·bon·if·er·ous [ˌkɑːbəˈnɪfᵊrəs] *adj* GEOL kohlehaltig, kohleführend

car·bon·ize [ˈkɑːbᵊnaɪz] *vt, vi* verkohlen **car·bon mon·'ox·ide** *n no pl* Kohlenmonoxid *nt* **'car·bon pa·per** *n no pl* (*dated*) Kohlepapier *nt*

car-'boot sale *n* BRIT *privater Flohmarkt, bei dem der Kofferraum als Verkaufsfläche dient*

car·bun·cle [ˈkɑːbʌŋkl̩] *n* ❶ MED Karbunkel *m* ❷ (*gem*) Karfunkel *m*

car·bu·ret·tor [ˌkɑːbjəˈretər], AM **car·bu·retor** *n* AUTO Vergaser *m*

car·cass <*pl* -es> [ˈkɑːkəs] *n* ❶ *of an animal* Tierleiche *f; of a meat animal* Rumpf *m; of poultry* Gerippe *nt* ❷ (*of a vehicle*) [Auto]wrack *nt*

car·cino·gen [kɑːˈsɪnədʒᵊn] *n* Krebserreger *m*

car·cino·gen·ic [ˌkɑːsɪnə(ʊ)ˈdʒenɪk] *adj* Krebs erregend

card [kɑːd] I. *n* ❶ *no pl* (*paper*) Pappe *f,* Karton *m* ❷ (*piece of paper*) Karte *f;* (*with a message*) [Glückwunsch]karte *f;* **birthday** ~ Geburtstagskarte *f;* (*postcard*) [Post]karte *f,* Ansichtskarte *f* ❸ (*game*) [Spiel]karte *f;* [**game of**] ~**s** *pl* Kartenspiel *nt* ❹ (*for paying*) Karte *f;* **credit/phone** ~ Kredit-/Telefonkarte *f* ❺ (*official document*) **identy** [*or* **ID**] ~ Personalausweis *m;* **membership** ~ Mitgliedskarte *f*
▶**to have a** ~ **up one's** sleeve noch et-

was in petto haben; **to put one's** ~**s on the** table seine Karten auf den Tisch legen; **to** play **one's** ~**s** right geschickt vorgehen; **on** [*or* AM **in**] **the** ~**s** zu erwarten II. *vt* AM ▬**to be** ~**ed** seinen Ausweis vorzeigen müssen

car·da·mom [ˈkɑːdəməm], BRIT *also* **car·da·mum**, AM *also* **car·da·mon** *n* Kardamom *m o nt*

'card·board *n no pl* Pappe *f,* [Papp]karton *m;* ~ **box** [Papp]karton *m*

car·di·ac [ˈkɑːdiæk] *adj* Herz-

car·di·gan [ˈkɑːdɪgən] *n* Strickjacke *f*

car·di·nal [ˈkɑːdɪnᵊl] I. *n* Kardinal *m* II. *adj* ~ **error** Kardinalfehler *m;* ~ **number** Kardinalzahl *f;* ~ **point** Himmelsrichtung *f;* ~ **rule** Grundregel *f;* ~ **sin** Todsünde *f*

'card in·dex *n* Kartei *f*

car·dio [ˈkɑːrdioʊ] *n* AM (*fam*) *short for* **cardiovascular** Kardio-

car·dio·gram [ˈkɑːdiə(ʊ)græm] *n* MED Kardiogramm *nt*

car·di·olo·gist [ˌkɑːdiˈɒlədʒɪst] *n* MED Kardiologe, Kardiologin *m, f*

car·di·ol·ogy [ˌkɑːdiˈɒlədʒi] *n no pl* MED Kardiologie *f*

car·dio·vas·cu·lar [ˌkɑːdiə(ʊ)ˈvæskjʊlər] *adj* kardiovaskulär *fachspr,* Herz-Kreislauf-

card-key ID [ˌkɑːdkiːɑːˈdiː] *n no pl* Schlüsselkarte *f*

'card·phone *n* Kartentelefon *nt* **'card read·er** *n* Kartenleser *m*

care [keər] I. *n* ❶ *no pl* (*attention*) **take ~ you don't fall!** pass auf, dass du nicht hinfällst!; **to do sth with ~** etw sorgfältig machen; **to drive with ~** umsichtig fahren; **driving without due ~ and attention** BRIT LAW fahrlässiges Verhalten im Straßenverkehr; **to handle sth with ~** mit etw *dat* vorsichtig umgehen; **'handle with ~'** ,Vorsicht, zerbrechlich!'; **to take ~ with sth** bei etw *dat* sorgfältig sein; **you need to take a bit more ~ with your spelling** du musst dir mit deiner Rechtschreibung mehr Mühe geben; ~ **of** ... c/o ..., zu Händen von ... ❷ *no pl* (*looking after*) Betreuung *f; (of children, the elderly)* Pflege *f;* (*in hospital*) Versorgung *f;* **hair ~** Haarpflege *f;* **to take** [**good**] ~ **of sb** sich [gut] um jdn kümmern; **to take good ~ of sth** etw schonen; **take ~** [**of yourself**]**!** pass auf dich auf!; **let me take ~ of it** lass mich das übernehmen; **all the travel arrangements have been taken ~ of** sämtliche Reisevorbereitungen wurden getroffen; **in ~** in Pflege; **to be put/taken into ~** in Pflege gegeben/genommen werden ❸ (*worry*) Sorge *f;* **to not have a ~ in the**

world keinerlei Sorgen haben II. *vi* ❶ (*be concerned*) betroffen sein; **I think he ~ s quite a lot** ich glaube, es macht ihm eine ganze Menge aus; **I couldn't ~ less** das ist mir völlig egal; **as if I ~ d** als ob mir das etwas ausmachen würde; **for all I ~** meinetwegen; **who ~ s?** (*it's not important*) wen interessiert das schon?; (*so what*) was soll's?; **I didn't know you ~ d!** ich wusste ja gar nicht, dass du dir etwas aus mir machst ❷ (*want*) ■ **to ~ for sth** etw mögen ❸ (*look after*) ■ **to ~ for sb/sth** sich um jdn/etw kümmern III. *vt* ■ **sb does not ~ what/who/whether ...** jdm ist es egal, was/wer/ob ...

CARE [keəʳ] *n abbrev of* **Cooperative for American Relief Everywhere** *Amerikanische Internationale Hilfsorganisation*

ca·reer [kəˈrɪəʳ] I. *n* ❶ (*profession*) Beruf *m;* **~ s office** BRIT Berufsberatung *f;* **~ politician** Berufspolitiker(in) *m(f)* ❷ (*working life*) Karriere *f,* Laufbahn *f* II. *vi* rasen; **to ~ out of control** außer Kontrolle geraten

ca·reer·ist [kəˈrɪərɪst] *n* (*usu pej*) Karrierist(in) *m(f)*

'**care·free** *adj* sorgenfrei

care·ful [ˈkeəf⁰l] *adj* ❶ (*cautious*) vorsichtig; *driver* umsichtig; **to be ~ with sth** mit etw *dat* vorsichtig umgehen; ■ **to be ~** [that] ... darauf achten, dass ...; ■ **to be ~ where/what/who/how ...** darauf achten, wo/was/wer/wie ... ❷ (*meticulous*) sorgfältig; *analysis* umfassend; *consideration* reiflich; *examination* gründlich; *worker* gewissenhaft; **to pay ~ attention to sth** auf etw *akk* genau achten

care·ful·ly [ˈkeəf⁰li] *adv* ❶ (*cautiously*) vorsichtig; **to handle sth ~** mit etw *dat* achtsam umgehen ❷ (*painstakingly*) sorgfältig, gewissenhaft; **to examine sb ~** jdn gründlich untersuchen; **to listen ~** aufmerksam zuhören

care·ful·ness [ˈkeəf⁰lnəs] *n no pl* ❶ (*caution*) Vorsicht *f* ❷ (*meticulousness*) Sorgfalt *f*

care·less [ˈkeələs] *adj* ❶ (*lacking attention*) unvorsichtig; *driver* leichtsinnig ❷ (*unthinking*) *remark* unbedacht; *talk* gedankenlos ❸ (*not painstaking*) nachlässig ❹ (*carefree*) unbekümmert

care·less·ly [ˈkeələsli] *adv* ❶ (*without attention*) unvorsichtig ❷ (*negligently*) nachlässig ❸ (*thoughtlessly*) gedankenlos ❹ (*nonchalantly*) lässig

care·less·ness [ˈkeələsnəs] *n no pl* ❶ (*lack of care*) Nachlässigkeit *f* ❷ (*thoughtlessness*) Gedankenlosigkeit *f*

❸ (*lack of carefulness*) Unvorsichtigkeit *f*

car·er [ˈkeərəʳ] *n* BRIT Betreuer(in) *m(f)*

ca·ress [kəˈres] I. *n < pl -es>* Streicheln *nt;* ■ **~ es** *pl* Zärtlichkeiten *pl* II. *vt* streicheln III. *vi* Zärtlichkeiten austauschen

'**care·tak·er** *n* BRIT Hausmeister(in) *m(f);* AM Hausverwalter(in) *m(f)* II. *adj* **~ government** Übergangsregierung *f*

'**care·worn** *n* vergrämt

car·go [ˈkɑːgəʊ] *n < pl -s or -es>* ❶ *no pl* (*goods*) Fracht *f;* **~ plane** Transportflugzeug *nt* ❷ (*load*) Ladung *f*

'**car hire** *n no pl esp* BRIT Autovermietung *f;* **~ company** Autoverleih *m*

Car·ib·bean [ˌkærɪˈbiːən, kəˈrɪbi‑] I. *n no pl* ■ **the ~** die Karibik II. *adj* karibisch; **the ~ Islands** die Karibischen Inseln

cari·ca·ture [ˈkærɪkətʃʊəʳ] I. *n* Karikatur *f* II. *vt* (*draw*) karikieren; (*parody*) parodieren

cari·ca·tur·ist [ˈkærɪkətʃʊərɪst] *n* Karikaturist(in) *m(f)*

car·ing [ˈkeərɪŋ] *adj* warmherzig; *person* fürsorglich; *society* sozial

'**car in·sur·ance** *n no pl* Kfz‑Versicherung *f* '**car·jack·ing** *n* Autoentführung *f*

'**car li·cence** *n* BRIT Kfz‑Zulassung *f*

car·nage [ˈkɑːnɪdʒ] *n no pl* Gemetzel *nt*

car·nal [ˈkɑːn⁰l] *adj* sinnlich

car·na·tion [kɑːˈneɪʃ⁰n] *n* Nelke *f;* **~ pink** zartrosa

car·ni·val [ˈkɑːnɪv⁰l] I. *n* ❶ (*festival*) Volksfest *nt;* AM (*funfair*) Jahrmarkt *m* ❷ (*pre-Lent*) Karneval *m,* Fasching *m des* SÜDD, ÖSTERR II. *adj* Fest‑, Karnevals‑; **~ atmosphere** ausgelassene Stimmung

car·ni·vore [ˈkɑːnɪvɔːʳ] *n* Fleischfresser *m*

car·nivo·rous [kɑːˈnɪvⁱrəs] *adj* Fleisch fressend

car·ol [ˈkær⁰l] *n* [**Christmas**] **~** Weihnachtslied *nt;* **~ concert** Weihnachtssingen *nt;* **to go ~ ling** als Sternsinger von Haus zu Haus ziehen

'**car·ol sing·er** *n* Sternsinger(in) *m(f)*

caro·tene [ˈkærəti:n] *n no pl* Karotin *nt*

carou·sel [ˌkærəˈsel] *n* ❶ AM (*merry-go-round*) Karussell *nt* ❷ AVIAT [Gepäck]ausgabeband *nt* ❸ PHOT Rundmagazin *nt*

'**car own·er** *n* Autobesitzer(in) *m(f)*

carp *< pl - or -s>* [kɑːp] I. *n* Karpfen *m* II. *vi* meckern

'**car park** *n* BRIT, AUS Parkplatz *m;* (*multistorey*) Parkhaus *nt;* (*underground*) Tiefgarage *f*

car·pen·ter [ˈkɑːp⁰ntəʳ] *n* (*making wooden parts of buildings*) Zimmer‑

mann *m;* (*making furniture*) Schreiner(in) *m(f)*, Tischler(in) *m(f)*

car·pen·try ['kɑːpⁿntri] *n no pl* ❶ (*activity*) Schreinerhandwerk *nt*, Tischlerhandwerk *nt;* (*in buildings*) Zimmerhandwerk *nt* ❷ (*item*) |**piece of**| ~ Schreinerarbeit *f*, Tischlerarbeit *f;* (*in buildings*) Zimmermannsarbeit *f*

car·pet ['kɑːpɪt] **I.** *n* Teppich *m a. fig;* (*fitted*) Teppichboden *m* ▸ **to sweep sth under the** ~ etw unter den Teppich kehren **II.** *vt* |mit einem Teppich| auslegen; **to ~ the stairs** einen Läufer auf die Treppenstufen legen

'**car·pet·bag·ger** *n esp* AM (*pej*) politischer Abenteurer (*insbesondere Politiker aus dem Norden der USA, der nach dem Amerikanischen Bürgerkrieg in den Südstaaten Karriere machen wollte*)

car·pet·ing ['kɑːpɪtɪŋ] *n no pl* Teppich|boden| *m*

'**car·pet sweep·er** *n* Teppichkehrer *m*

'**car·pool** *n* Fahrgemeinschaft *f*

car·riage ['kærɪdʒ] *n* ❶ (*horse-drawn*) Kutsche *f* ❷ BRIT (*train wagon*) Personenwagen *m* ❸ (*posture*) |Körper|haltung *f* ❹ *no pl* BRIT (*transport costs*) Transportkosten *pl*

'**car·riage re·turn** *n* Wagenrücklauftaste *f*

'**car·riage·way** *n* BRIT Fahrbahn *f*

car·ri·er ['kæriə'] *n* ❶ (*person*) Träger(in) *m(f)* ❷ MIL (*vehicle*) Transporter *m;* |aircraft| ~ Flugzeugträger *m* ❸ (*transport company*) *of people* Personenbeförderungsunternehmen *nt; of goods* Transportunternehmen *nt*, Spedition *f;* (*by air*) Fluggesellschaft *f;* (*person*) Frachtunternehmer(in) *m(f)*, Spediteur(in) *m(f)* ❹ MED |Über|träger(in) *m(f)*

'**car·ri·er bag** *n* BRIT Tragetasche *f;* (*of plastic*) |Plastik|tüte *f;* (*of paper*) |Papier|tüte *f*

car·ri·on ['kæriən] *n no pl* Aas *nt*

'**car·ri·on 'crow** *n* Rabenkrähe *f*

car·rot ['kærət] **I.** *n* ❶ (*vegetable*) Möhre *f*, Karotte *f*, Mohrrübe *f* NORDD, gelbe Rübe SÜDD, Rüebli *nt* SCHWEIZ ❷ (*fam: reward*) Belohnung *f;* **the** ~ **and** |**the**| **stick** Zuckerbrot und Peitsche **II.** *adj* Karotten-, Möhren-

car·roty ['kærəti] *adj* karottenrot; ~ **hair** feuerrotes Haar

car·ry <-ie-> ['kæri] **I.** *vt* ❶ (*bear*) tragen *a. fig;* ▪ **to ~ sth around** etw mit sich *dat* herumtragen; **to be carried downstream** flussabwärts treiben ❷ (*transport*) transportieren ❸ (*have, incur*) **murder used to ~ the death penalty** auf Mord stand früher die Todesstrafe; **all cigarette packets ~ a warning** auf allen Zigarettenpäckchen

steht eine Warnung; **to ~ conviction** überzeugend sein; **to ~ a penalty** eine |Geld|strafe nach sich *dat* ziehen; **to ~ sail** Segel gesetzt haben; **to ~ weight with sb** Einfluss auf jdn haben ❹ (*transmit*) MED übertragen; *electricity, oil* leiten ❺ (*posture*) **to ~ oneself well** sich gut halten ❻ (*sell*) führen ❼ (*win*) **to ~ the day** den Sieg davontragen; **the Conservatives will surely ~ the day at the next election** die Konservativen werden die nächsten Wahlen bestimmt für sich entscheiden ❽ *usu passive* (*approve*) *motion* annehmen ❾ JOURN bringen ❿ (*develop*) **to ~ sth too far** mit etw *dat* zu weit gehen ⓫ MATH (*on paper*) *number* übertragen; (*in one's head*) behalten **II.** *vi* (*reach*) *sound* zu hören sein; *ball* nicht zu früh den Boden berühren ◆ **carry along** *vt* mitnehmen; *water, food* bei sich *dat* haben ◆ **carry away** *vt* ❶ (*take away*) wegtragen; *current* wegtreiben; (*stronger*) |mit sich *dat*| fortreißen ❷ *usu passive* ▪ **to be carried away** (*be overcome*) sich mitreißen lassen; (*be enchanted*) hingerissen sein; **to get carried away** es übertreiben ◆ **carry forward** *vt* FIN übertragen ◆ **carry off** *vt* ❶ (*take away*) wegtragen; SPORTS vom Spielfeld tragen ❷ (*succeed*) hinbekommen ❸ (*win*) gewinnen ◆ **carry on I.** *vt* ❶ (*continue*) fortführen; ~ **on the good work!** weiter so!; **we'll ~ on this conversation later** wir reden später weiter; **to ~ on reading** weiterlesen; **we carried on talking till way past midnight** wir setzten unser Gespräch bis weit nach Mitternacht fort ❷ (*conduct*) führen; **to ~ on one's work** arbeiten **II.** *vi* ❶ (*continue*) weitermachen ❷ (*fam: behave uncontrolledly*) sich danebenbenehmen; (*make a fuss*) ein |furchtbares| Theater machen; (*talk incessantly*) pausenlos reden ◆ **carry out** *vt* ❶ (*move*) hinaustragen; (*towards speaker*) heraustragen; (*by current*) hinaustreiben ❷ (*perform*) durchführen; *order, plan* ausführen; *threat* wahr machen ◆ **carry over** *vt* ❶ (*postpone*) verschieben; *holiday* ins neue Jahr herübernehmen ❷ FIN vortragen ◆ **carry through** *vt* ❶ (*sustain*) durchbringen ❷ (*complete*) durchführen

'**car·ry-all** *n* AM ❶ (*travel bag*) Reisetasche *f* ❷ TRANSP (*horse-drawn vehicle*) einspänniges, vierrädriges Fuhrwerk; (*motorized*) Kombiwagen *m* '**car·ry-cot** *n* BRIT Babytragetasche *f*

'**car·ry·ing ca·pac·ity** *n* Nutzlast *f*

car·ry·ing-'on <*pl* carryings-on> *n* (*fam*)

Machenschaft[en] *f**pl*

'**car·ry-on** *n no pl* BRIT (*fam: fuss*) Aufregung *f;* **what a ~!** was für ein Getue!

car·ry-on '**lug·gage** *n no pl* Handgepäck *nt*

cart [kɑːt] **I.** *n* ❶ (*pulled vehicle*) Wagen *m*, Karren *m* ❷ AM (*supermarket trolley*) Einkaufswagen *m* ▶ **to put the ~ before the** <u>horse</u> das Pferd von hinten aufzäumen **II.** *vt* (*fam*) schleppen

carte blanche [ˌkɑːtˈblãː(nt)ʃ] *n no pl* **to give sb ~** jdm freie Hand geben

car·tel [kɑːˈtel] *n* Kartell *nt*

cart·horse [ˈkɑːthɔːs] *n* Zugpferd *nt*

car·ti·lage [ˈkɑːtɪlɪdʒ] *n no pl* MED Knorpel *m*

'**cart·load** *n* Wagenladung *f* (**of** von + *dat*); (*fig fam: large quantity*) Unmenge *f*

car·tog·ra·pher [kɑːˈtɒɡrəfə^r] *n* Kartograph(in) *m(f)*

car·tog·ra·phy [kɑːˈtɒɡrəfi] *n no pl* Kartographie *f*

car·ton [ˈkɑːt^ən] *n* Karton *m;* (*small*) Schachtel *f;* **milk ~** Milchtüte *f*

car·toon [kɑːˈtuːn] *n* ❶ (*drawing*) Cartoon *m o nt* ❷ FILM Zeichentrickfilm *m*

car·'toon·ist [kɑːˈtuːnɪst] *n* ❶ ART Karikaturist(in) *m(f)* ❷ FILM Trickzeichner(in) *m(f)*

car·tridge [ˈkɑːtrɪdʒ] *n* ❶ (*for ink, ammunition*) Patrone *f* ❷ (*for film*) Kassette *f* ❸ (*pick-up head*) Tonabnehmer *m*

'**car·tridge case** *n* Patronenhülse *f* '**car·tridge pa·per** *n* Zeichenpapier *nt*

'**cart·wheel** **I.** *n* ❶ (*wheel*) Wagenrad *nt* ❷ SPORTS Rad *nt;* **to do a ~** ein Rad schlagen **II.** *vi* Rad schlagen

carve [kɑːv] **I.** *vt* ❶ (*cut a figure*) schnitzen; (*with a chisel*) meißeln; (*cut a pattern*) [ein]ritzen ❷ FOOD tranchieren ❸ (*fig*) niche finden **II.** *vi* tranchieren

carv·er [ˈkɑːvə^r] *n* ❶ (*person*) Bildhauer(in) *m(f); wood* Holzschnitzer(in) *m(f);* (*at the table*) Vorschneider(in) *m(f)* ❷ (*knife*) Tranchiermesser *nt*

car·very [ˈkɑːv^əri] *n* BRIT offene Fleischzubereitung in einem Restaurant

carv·ing [ˈkɑːvɪŋ] *n* ART ❶ *no pl* (*art of cutting*) Bildhauerei *f; of wood* Schnitzen *nt* ❷ (*ornamental figure*) in Stein gemeißelte Figur; (*of wood*) Schnitzerei *f*

'**carv·ing knife** *n* Tranchiermesser *nt*

'**car wash** *n* Autowaschanlage *f*

casa·no·va [ˌkæsəˈnəʊvə] *n* (*pej*) Casanova *m fam*

cas·cade [kæsˈkeɪd] **I.** *n* (*natural*) Wasserfall *m;* (*artificial*) Kaskade *f a. fig* **II.** *vi* sich ergießen; (*fig*) *hair* in Wellen herabfallen

case¹ [keɪs] *n* ❶ (*situation, instance*) Fall *m;* **it's not a ~ of wanting to but of having to** mit Wollen hat das nichts zu tun, eher mit Müssen; **in ~ of an emergency** im Notfall; **a ~ in point** ein [zu]treffendes Beispiel; **in most ~s** meistens; **as** [*or* **whatever**] **the ~ may be** wie auch immer; **in ~ ...** falls ...; **just in ~** für alle Fälle; **in any ~** (*besides*) sowieso; (*at least*) zumindest; (*regardless*) jedenfalls ❷ LAW [Rechts]fall *m;* (*suit*) Verfahren *nt;* **there was no ~ against her** es lag nichts gegen sie vor; **murder ~** Mordfall *m* ❸ MED Fall *m* ❹ *usu sing* (*arguments*) **to make out a good ~** gute Argumente vorbringen; **is there a good ~ for reinstating him?** was spricht dafür, ihn wieder einzusetzen? ❺ (*fig: person*) Fall *m no pl* (*fam: nerves*) **get off my ~!** hör auf, mich zu nerven! ❼ LING Fall *m,* Kasus *m;* **to be in the accusative ~** im Akkusativ stehen

case² [keɪs] *n* ❶ (*suitcase*) Koffer *m* ❷ (*for display*) Vitrine *f* ❸ (*packaging plus contents*) Kiste *f;* (*for instruments*) Kasten *m* ❹ (*small container*) Schatulle *f;* (*for hat*) Schachtel *f;* (*for spectacles*) Etui *nt;* (*for musical instrument*) Kasten *m;* (*for CD, umbrella*) Hülle *f* ❺ TYPO **written in lower/upper ~** kleingeschrieben/großgeschrieben

case³ [keɪs] *vt* (*fam*) **to ~ the joint** sich *dat* den Laden mal ansehen

case·ment, **case·ment** '**win·dow** [ˈkeɪsmənt-] *n* Flügelfenster *nt;* (*frame*) Fensterflügel *m*

'**case study** *n* Fallstudie *f*

cash [kæʃ] **I.** *n no pl* Bargeld *nt;* **to pay by** [*or* **in**] **~** bar bezahlen **II.** *vt* ■ **to ~** [**in**] ↻ **sth** etw einlösen; *chips* etw eintauschen ◆**cash in** *vi* ■ **to ~ in on sth** von etw *dat* profitieren

cash and '**car·ry** **I.** *n* Discountladen *m* **II.** *adj* Discount- '**cash box** *n* Geldkassette *f* '**cash card** *n esp* BRIT Geldautomatenkarte *f* '**cash crop** *n* ausschließlich zum Verkauf bestimmte Agrarprodukte '**cash dis·pens·er** *n* BRIT Geldautomat *m* **cash** '**down** *adv* COMM **to pay ~** bar bezahlen

cash·ew [ˈkæʃuː] *n,* '**cash·ew nut** *n* Cashewnuss *f*

'**cash flow** *n* Cashflow *m*

cash·ier [kæʃˈɪə^r] *n* Kassierer(in) *m(f)*

cash·less [ˈkæʃləs] *adj* bargeldlos; **~ payments** *pl* bargeldloser Zahlungsverkehr

'**cash ma·chine** *n esp* BRIT Geldautomat *m*

cash·mere [ˈkæʃmɪə^r] *n* FASHION Kaschmir *m*

cash ˈover(s) n AM FIN Kassenüberschuss m ˈ**cash pay·ment** n Barzahlung f ˈ**cash·point** n BRIT Geldautomat m ˈ**cash reg·is·ter** n Registrierkasse f

cas·ing [ˈkeɪsɪŋ] n Hülle f; of a machine Verkleidung f

ca·si·no <pl -os> [kəˈsiːnəʊ] n [Spiel]kasino nt

cask [kɑːsk] n Fass nt

cas·ket [ˈkɑːskɪt] n ❶ (box) Kästchen nt ❷ AM (coffin) Sarg m

Cas·pian Sea [ˌkæspiənˈsiː] n ▪the ~ das Kaspische Meer

cas·se·role [ˈkæsᵊrəʊl] n ❶ (pot) Schmortopf m ❷ (stew) ≈ Eintopf m

cas·sette [kəˈset] n Kassette f

cas·ˈsette deck n Kassettendeck nt **cas·ˈsette play·er** n, **cas·ˈsette re·cord·er** n Kassettenrecorder m

cast [kɑːst] I. n ❶ + sing/pl vb THEAT, FILM Besetzung f ❷ (moulded object) [Ab]guss m ❸ (plaster) Gips[verband] m II. vt <cast, cast> ❶ (throw) werfen a. fig; fishing line auswerfen; **to ~ doubt on sth** etw zweifelhaft erscheinen lassen ❷ (allocate roles) **to ~ sb in a role** jdm eine Rolle geben ❸ (give) vote abgeben ❹ (make in a mould) gießen ◆**cast about** vi, **cast around** vi auf der Suche sein ◆**cast aside** vt sich befreien von +dat ◆**cast away** vt ❶ (discard) wegwerfen ❷ NAUT ▪**to be ~ away somewhere** irgendwo stranden ❸ see cast aside ◆**cast off** NAUT I. vt losmachen II. vi ablegen ◆**cast out** vt vertreiben

cas·ta·nets [ˌkæstəˈnets] npl Kastagnetten pl

cast·away [ˈkɑːstəweɪ] n Schiffbrüchige(r) f(m)

caste [kɑːst] n Kaste f

cast·er [ˈkɑːstəʳ] n see castor

cast·ing [ˈkɑːstɪŋ] n ❶ (mould) Guss m; no pl (moulding) Gießen nt ❷ THEAT Casting nt ❸ (fishing) Auswerfen nt

ˈ**cast·ing vote** n entscheidende Stimme

cast ˈiron I. n no pl Gusseisen nt II. adj ❶ cooking pot, nail aus Gusseisen ❷ (fig) alibi wasserdicht; guarantee sicher

cas·tle [ˈkɑːsl] I. n ❶ (fortress) Burg f; (mansion) Schloss nt ❷ CHESS (fam) Turm m II. vi CHESS rochieren

ˈ**cast-off** I. n ▪~s pl abgelegte Kleidung II. adj (second-hand) gebraucht; (discarded) abgelegt

cas·tor [ˈkɑːstəʳ] n (wheel) Laufrolle f

ˈ**cas·tor stand** n AM [Silber]gestell für Salz, Pfeffer und Öl oder Pickles ˈ**cast·or sug·ar** n Streuzucker m

cas·trate [kæsˈtreɪt] vt kastrieren

cas·ual [ˈkæʒjuəl] adj ❶ (not planned) zufällig; acquaintance, glance flüchtig ❷ (irregular) gelegentlich; ~ **sex** Gelegenheitssex m; ~ **work** Gelegenheitsarbeit f ❸ (careless) gleichgültig; (offhand) beiläufig ❹ (informal) lässig, salopp; clothes leger; ~ **shirt** Freizeithemd nt

cas·ual·ly [ˈkæʒjuəli] adv ❶ (accidentally) zufällig ❷ (informally) lässig, leger; ~ **dressed** salopp gekleidet ❸ (without seriousness) beiläufig

cas·ual·ness [ˈkæʒjuəlnəs] n no pl ❶ (unconcern) Gleichgültigkeit f, Teilnahmslosigkeit f ❷ (carelessness) Achtlosigkeit f, Nachlässigkeit f

cas·ual·ty [ˈkæʒjuəlti] n ❶ (accident victim) [Unfall]opfer nt; (injured person) Verletzte(r) f(m); (dead person) Todesfall m ❷ (fig) Opfer nt ❸ no pl BRIT (hospital department) Unfallstation f

cat¹ [kæt] n Katze f ▸ **to let the ~ out of the bag** die Katze aus dem Sack lassen; **to look like the ~ that got the cream** esp BRIT sich freuen wie ein Schneekönig; **to rain ~s and dogs** wie aus Eimern schütten; **a ~ in hell's chance** BRIT nicht die Spur einer Chance; **to look like something the ~ brought in** wie gerädert aussehen; **while the ~'s away the mice will play** (prov) wenn die Katze nicht zuhause ist, tanzen die Mäuse auf dem Tisch; **to put the ~ among the pigeons** BRIT für die Katze im Taubenschlag sorgen; **there's no room to swing a ~** BRIT man kann sich vor lauter Enge kaum um die eigene Achse drehen

cat² [kæt] n AUTO (fam) short for **catalytic converter** Kat m

CAT [kæt] n no pl MED abbrev of **computerized axial tomography** Computertomographie f

cata·clys·mic [ˌkætəˈklɪzmɪk] adj (liter) verheerend

cata·comb [ˈkætəkuːm, -kəʊm] n usu pl Katakombe f

cata·logue [ˈkætᵊlɒg], AM **cata·log** I. n Katalog m; **a ~ of mistakes** (fig) eine [ganze] Reihe von Fehlern II. vt katalogisieren

ca·taly·sis [kəˈtæləsɪs] n no pl CHEM Katalyse f

cata·lyst [ˈkætᵊlɪst] n ❶ CHEM Katalysator m ❷ (fig) Auslöser m

cata·lyt·ic [ˌkætəˈlɪtɪk] adj katalytisch; ~ **converter** Katalysator m

cata·ma·ran [ˌkætəməˈræn] n Katamaran m

cata·pult [ˈkætəpʌlt] I. *n* Katapult *nt* II. *vt* katapultieren

cata·ract[1] [ˈkætərækt] *n* MED grauer Star

cata·ract[2] [ˈkætərækt] *n* GEOG Katarakt *m*

ca·tarrh [kəˈtɑːʳ] *n no pl* Schleimhautentzündung *f*

ca·tas·tro·phe [kəˈtæstrəfi] *n* Katastrophe *f*

cata·stroph·ic [ˌkætəˈstrɒfɪk] *adj* katastrophal

cata·strophi·cal·ly [ˌkætəˈstrɒfɪkəli] *adv* katastrophal

ˈ**cat·call** I. *n* Hinterherpfeifen *nt* II. *vi* pfeifen

catch [kætʃ] I. *n* <*pl* -es> ➊ (*ball*) Fang *m;* **good ~!** gut gefangen!; **to miss a ~** den Ball nicht fangen ➋ (*fish*) Fang *m kein pl* ➌ (*fastener*) Verschluss *m;* (*bolt*) Riegel *m;* (*hook*) Haken *m;* **window ~** Fensterverriegelung *f* ➍ *no pl* (*fam: partner*) [guter] Fang ➎ *no pl* (*trick*) Haken *m;* **what's the ~?** wo ist der Haken? ➏ *no pl* (*game*) Fangen *nt* II. *vt* <caught, caught> ➊ (*intercept*) fangen; *light* einfangen; *person* auffangen ➋ (*grab*) ergreifen ➌ (*capture*) *person* ergreifen; (*arrest*) festnehmen; *animal* fangen; *escaped animal* einfangen; (*fig*) **the virus was caught in time** das Virus wurde rechtzeitig erkannt ➍ (*surprise, get hold of*) erwischen; **have I caught you at a bad time?** komme ich ungelegen?; **you won't ~ me in that shop!** in dem Laden wirst du mich niemals finden; **to ~ sb in the act** jdn auf frischer Tat ertappen; **to be caught in a thunderstorm** von einem Gewitter überrascht werden; ▪**to ~ sb/oneself doing sth** jdn/sich bei etw *dat* ertappen ➎ (*meet*) treffen; **I'll ~ you later** bis später ➏ MED ▪**to ~ sth [from sb]** sich [bei jdm] mit etw *dat* anstecken; **you've caught the sun** du hast einen [leichten] Sonnenbrand bekommen; **to ~ a cold** sich erkälten ➐ SPORTS ▪**to ~ sb** jdn durch Abfangen des Balls ausscheiden lassen ➑ ▪**to ~ sth in sth** (*trap*) etw in etw *akk* einklemmen; (*entangle*) mit etw *dat* in etw *dat* hängen bleiben; ▪**to get caught [in sth]** sich [in etw *dat*] verfangen; ▪**to get caught on sth** an etw *dat* hängen bleiben ➒ (*fig: become involved*) ▪**to get caught in sth** in etw *akk* verwickelt werden; **to be caught in the crossfire** ins Kreuzfeuer geraten ➓ (*take*) *bus, train* nehmen; (*be in time for*) kriegen; **to ~ the post** rechtzeitig zur Post kommen ⓫ (*collect*) *liquid* auffangen ⓬ (*depict*) festhalten ⓭ (*attract*) *attention* erregen; *imagination* anregen ⓮ (*notice*) bemerken; **I didn't quite ~ what you said** ich habe nicht

ganz mitbekommen, was du gesagt hast; **to ~ sight [**or **a glimpse] of sb/sth** jdn/etw [kurz] sehen; (*by chance*) jdn/etw zufällig sehen ⓯ (*hit*) **she caught her head on the mantelpiece** sie schlug mit dem Kopf auf den Kaminsims auf; **his head caught the edge of the table** er schlug mit dem Kopf auf die Tischkante auf; **to ~ sb on the arm** jdn am Arm treffen ⓰ (*burn*) **to ~ fire [**or **light]** Feuer fangen ▶**to ~ it** (*fam*) Ärger kriegen III. *vi* <caught, caught> ➊ BRIT, AUS (*grab*) ▪**to ~ at sth** nach etw *dat* greifen ➋ (*entangle*) sich in etw *dat* verfangen; ▪**to ~ on sth** an etw *dat* hängen bleiben ➌ (*ignite*) Feuer fangen; *engine* zünden ◆**catch on** *vi* (*fam*) ➊ (*become popular*) sich durchsetzen ➋ (*understand*) kapieren ◆**catch out** *vt* BRIT ➊ (*detect*) ertappen ➋ (*trick*) hereinlegen ➌ (*cause difficulty*) [unangenehm] überraschen ◆**catch up** I. *vi* ➊ (*reach*) ▪**to ~ up with** einholen *a. fig;* **she's ~ing up!** sie holt auf! ➋ (*fig: complete*) ▪**to ~ up with [**or **on] sth** etw aufarbeiten; **to ~ up on one's sleep** versäumten Schlaf nachholen II. *vt* ➊ (*reach*) ▪**to ~ sb up** jdn einholen ➋ *usu passive* **to get caught up in sth** sich in etw *dat* verfangen; (*fig*) in etw *akk* verwickelt werden

catch·er [ˈkætʃəʳ] *n* Fänger(in) *m(f)*

catch·ing [ˈkætʃɪŋ] *adj* ansteckend

ˈ**catch·ment area** *n* Einzugsgebiet *nt*

ˈ**catch·phrase** *n* Slogan *m* ˈ**catch ques·tion** *n* Fangfrage *f* **catch·up** [ˈkætʃʌp, ˈketʃ-] *n* FOOD *see* **ketchup** ˈ**catch·word** *n* Schlagwort *nt*

catchy [ˈkætʃi] *adj* eingängig; **~ tune** Ohrwurm *m*

cat·echism [ˈkætəkɪzəm] *n* Katechismus *m;* (*fig*) Fragenkatalog *m*

cat·egori·cal [ˌkætəˈgɒrɪkəl] *adj* kategorisch

cat·egori·cal·ly [ˌkætəˈgɒrɪkəli] *adv* definitiv; (*final*) endgültig, kategorisch; **to ~ deny sth** etw kategorisch bestreiten; **to ~ refuse sth** etw unmissverständlich ablehnen

cat·ego·rize [ˈkætəgəraɪz] *vt* kategorisieren

cat·ego·ry [ˈkætəgəri] *n* Kategorie *f*

ca·ter [ˈkeɪtəʳ] *vi* ➊ (*serve food, drink*) für Speise und Getränke sorgen; *firm* Speisen und Getränke liefern ➋ (*provide for*) sich kümmern (**for** um)

ca·ter·er [ˈkeɪtərəʳ] *n* (*company*) Cateringservice *m;* (*for parties*) Partyservice *m*

ca·ter·ing [ˈkeɪtərɪŋ] *n no pl* Versorgung *f* mit Speisen und Getränken; (*trade*) Catering *nt;* (*service*) Partyservice *m*

cat·er·pil·lar ['kætəpɪlə^r] *n* Raupe *f*

cat·er·pil·lar® 'trac·tor *n* Raupenfahrzeug *nt*

'**cat·fish** <*pl* -> *n* Wels *m,* Seewolf *m,* Katfisch *m*

'**cat·gut** *n no pl* MUS [Darm]saite *f;* MED Katgut *nt*

ca·thar·tic [kə'θɑːtɪk] *adj* kathartisch

ca·thedral [kə'θiːdr^əl] *n* Kathedrale *f,* Dom *m,* Münster *nt;* **Cologne** ~ der Kölner Dom; **Freiburg** ~ das Freiburger Münster

Cath·erine wheel ['kæθ^ərɪn,(h)wiːl] *n* Feuerrad *nt*

cath·eter ['kæθɪtə^r] *n* Katheter *m*

cath·ode ['kæθəʊd] *n* Kat[h]ode *f*

catho·lic ['kæθ^əlɪk] I. *n* ■**C~** Katholik(in) *m(f)* II. *adj* ❶ (*Roman Catholic*) ■**C~** katholisch ❷ (*form: varied*) [all]umfassend

Ca·tholi·cism [kə'θɒlɪsɪz^əm] *n no pl* Katholizismus *m*

'**cat·kin** *n* BOT Kätzchen *nt*

'**cat lit·ter** *n no pl* Katzenstreu *f* '**cat·nap** (*fam*) I. *n* **to have a** ~ ein Nickerchen machen II. *vi* <-pp-> kurz schlafen

cat·sup ['kætsəp, 'ketʃəp] *n* AM Ketchup *m* o *nt*

cat·tle ['kætl] *npl* Rinder *pl;* **200 head of** ~ 200 Stück Vieh; **"~ crossing"** „Vorsicht Viehbetrieb"

'**cat·tle breed·er** *n* Rinderzüchter(in) *m(f)* '**cat·tle thief** *n* Viehdieb(in) *m(f)*

cat·ty ['kæti] *adj* gehässig; *remark* bissig

'**cat·walk** *n* FASHION Laufsteg *m*

Cau·ca·sian [kɔː'keɪʒən] I. *n* (*white person*) Weiße(r) *f(m)* II. *adj* ❶ (*whiteskinned*) weiß ❷ (*of Caucasus*) kaukasisch

Cau·ca·sus ['kɔːkəsəs] *n* ■**the** ~ der Kaukasus

caught [kɔːt] *pt, pp of* **catch**

caul·dron ['kɔːldrən] *n* ❶ (*pot*) [großer] Kessel ❷ (*fig*) brodelnder Hexenkessel

cau·li·flow·er ['kɒliflaʊə^r] *n* Blumenkohl *m,* Karfiol *m* SÜDD, ÖSTERR

caus·al ['kɔːz^əl] *adj* (*form*) kausal

cau·sal·ity [kɔː'zæləti] *n* (*form*) Kausalität *f*

caus·al·ly ['kɔːz^əli] *adv* (*form*) ursächlich, kausal *geh;* **the two events are connected** ~ zwischen den beiden Vorfällen besteht ein kausaler Zusammenhang

cau·sa·tive ['kɔːzətɪv] *adj* (*form*) kausativ

cause [kɔːz] I. *n* ❶ (*of effect*) Ursache *f;* ~ **of death** Todesursache *f* ❷ *no pl* (*reason*) Grund *m;* **to have good** ~ **for complaint** allen Grund haben, sich zu beschweren; ~ **for concern** Anlass *m* zur Sorge; **a just** ~ ein triftiger Grund; ■**to be**

the ~ **of sth** der Grund für etw *akk* sein ❸ (*object of support*) Sache *f;* **a rebel without a** ~ *jd, der sich gegen jegliche Autorität widersetzt;* **a good** ~ ein guter Zweck; **a lost** ~ eine verlorene Sache II. *vt* verursachen; **to** ~ **trouble** Unruhe stiften; ■**to** ~ **sb to do sth** jdn veranlassen, etw zu tun; **the bright light** ~**d her to blink** das helle Licht ließ sie blinzeln

cause·way ['kɔːzweɪ] *n* (*road*) Damm *m;* (*path*) Knüppeldamm *m*

caus·tic ['kɔːstɪk] *adj* ätzend *a. fig; humour* beißend; ~ **soda** Ätznatron *nt*

cau·tion ['kɔːʃ^ən] I. *n* ❶ *no pl* (*carefulness*) Vorsicht *f;* **with [great]** ~ [sehr] umsichtig; **to treat sth with** ~ etw mit Vorbehalt aufnehmen ❷ BRIT (*legal warning*) Verwarnung *f* ▶ **to throw** ~ **to the winds** Bedenken *pl* in den Wind schlagen II. *vt* (*form*) ❶ (*warn*) ■**to** ~ **sb [against sth]** jdn [vor etw *dat*] warnen ❷ *esp* BRIT, AUS (*warn officially*) verwarnen

cau·tion·ary ['kɔːʃ^ən^əri] *adj* warnend; ~ **tale** Geschichte *f* mit einer Moral

cau·tious ['kɔːʃəs] *adj* (*careful*) vorsichtig; (*prudent*) umsichtig; *optimism* verhalten

cau·tious·ly ['kɔːʃəsli] *adv* vorsichtig; (*circumspectly*) umsichtig

cav·al·cade [,kæv^əl'keɪd] *n* Kavalkade *f*

cava·lier [,kæv^əl'ɪə^r] I. *n* Kavalier *m* II. *adj* unbekümmert

cav·al·ry ['kæv^əlri] *n no pl, usu + pl vb* ■**the** ~ die Kavallerie

cav·al·ry·man *n* Kavallerist *m*

cave [keɪv] I. *n* Höhle *f* II. *vi* BRIT, AUS Höhlen erforschen ◆**cave in** *vi* ❶ (*collapse*) einstürzen ❷ (*give in*) kapitulieren; ■**to** ~ **in to sth** sich etw *dat* beugen

'**cave art** *n* HIST Höhlenmalereien *pl*

ca·veat ['kæviæt] *n* (*form*) Vorbehalt *m;* ~ **emptor** Ausschluss *m* der Gewährleistung

'**cave-in** *n* Einsturz *m* '**cave·man** *n* Höhlenmensch *m* '**cave paint·ing** *n* Höhlenmalerei *f*

'**cav·er** ['keɪvə^r] *n* BRIT, AUS Höhlensportler(in) *m(f)*

cav·ern ['kæv^ən] *n* Höhle *f*

cav·ern·ous ['kæv^ənəs] *adj* ❶ (*cave-like*) höhlenartig ❷ (*fig*) *cheeks* hohl; *eyes* tief liegend

cavi·ar(e) ['kæviɑː^r] *n no pl* Kaviar *m*

cav·ity ['kævəti] *n* (*hole*) Loch *nt;* (*hollow space*) Hohlraum *m*

ca·vort [kə'vɔːt] *vi* (*hum, euph fam: have sex*) herumspielen

caw [kɔː] I. *n* Krächzen *nt* II. *vi* krächzen

cay·enne [keɪ'en] *n no pl,* **cay·enne**

'**pep·per** *n no pl* Cayennepfeffer *m*

Cay·man Is·lands ['keɪmən] *npl* ■ the ~ die Cayman-Inseln *pl*

CB [ˌsiː'biː] *n no pl abbrev of* **Citizen's Band** CB-Funk *m*

CBI [ˌsiːbiː'aɪ] *n* BRIT *abbrev of* **Confederation of British Industry** britischer Unternehmerverband

CBT [ˌsiːbiː'tiː] *abbrev of* **Computer Based Training** computergestütztes Lernen

CBW [ˌsiːbiː'dʌblʲuː] *n abbrev of* **chemical and biological warfare** chemische und biologische Kriegführung

cc <*pl - or -s*> [ˌsiː'siː] *n abbrev of* **cubic centimetre** cm³

CCL [ˌsiːsiː'el] *n* BRIT *abbrev of* **climate change levy** Klimaschutzabgabe *f*

CCTV [ˌsiːsiːtiː'viː] *n abbrev of* **closed-circuit television** Überwachungskamera *f*

ccw. *adv abbrev of* **counterclockwise** gegen den Uhrzeigersinn

CD [ˌsiː'diː] *n abbrev of* **compact disc** CD *f*

CDC [ˌsiːdiː'siː] *n no pl abbrev of* **Centers for Disease Control and Prevention** Amerikanische Gesundheitsbehörde

CDI [ˌsiːdiː'aɪ] *n* COMPUT *abbrev of* **compact disk interactive** CDI *f*

C'D play·er *n* CD-Spieler *m*

CD-R [ˌsiːdiː'ɑːʳ] *n abbrev of* **Compact Disc Recordable** Rohling *m* **CD-ROM** [ˌsiːdiː'rɒm] I. *n abbrev of* **compact disc read-only memory** CD-ROM *f* II. *adj player* CD-ROM-Spieler *m; writer* CD-ROM-Brenner *m; drive* CD-ROM-Laufwerk *nt* **CD-RW** [ˌsiːdiː'dʌblʲuː] *n abbrev of* **Compact Disc-Rewritable** CD-RW *f*

cease [siːs] (*form*) I. *vi* aufhören II. *vt* beenden; *fire* einstellen; **it never ~s to amaze me** es überrascht [mich] doch immer wieder

'**cease·fire** *n* Waffenruhe *f*

cease·less ['siːsləs] *adj* endlos; *noise* ständig

ce·dar ['siːdəʳ] *n* Zeder *f*

ceil·ing ['siːlɪŋ] *n* [Zimmer]decke *f; (fig)* Obergrenze *f* ▶ **to hit the ~** an die Decke gehen

cel·ebrate ['seləbreɪt] *vi, vt* feiern

cel·ebrat·ed ['seləbreɪtɪd] *adj* berühmt

cel·ebra·tion [ˌselə'breɪʃ°n] *n* Feier *f; this calls for a ~!* das muss gefeiert werden!; *cause for ~* Grund *m* zum Feiern; ■ **in ~** zur Feier

cel·ebra·tory [ˌselə'breɪt°ri] *adj* Fest-

ce·leb·rity [sə'lebrəti] *n* ❶ (*person*) Prominente(r) *f(m)* ❷ *no pl* (*fame*) Ruhm *m*

ce·leri·ac [sə'leriæk] *n no pl* [Knollen]selle-

rie *m* ÖSTERR *a. f*

cel·ery ['seləʳri] *n no pl* [Stangen]sellerie *m o f*

ce·les·tial [sə'lestiəl] *adj* ❶ ASTRON Himmels- ❷ REL himmlisch

celi·ba·cy ['seləbəsi] *n no pl* Zölibat *m o nt*

celi·bate ['seləbət] I. *n* Zölibatär *m* II. *adj* zölibatär

cell [sel] *n* Zelle *f*

cel·lar ['seləʳ] *n* Keller *m*

cel·list ['tʃelɪst] *n* Cellist(in) *m(f)*

cel·lo <*pl -s*> ['tʃeləʊ] *n* Cello *nt*

cel·lo·phane® ['seləfeɪn] *n no pl* Cellophan® *nt; ~ wrapper* [Klarsicht]folie *f*

'**cell phone** *n* Mobiltelefon *nt*

cel·lu·lar ['seljələʳ] *adj* zellular

cel·lu·lar 'phone *n* Mobiltelefon *nt*

cel·lu·lite ['seljəlaɪt] *n no pl* Zellulitis *f*

cel·lu·loid ['seljəlɔɪd] *n no pl* Zelluloid *nt*

cel·lu·lose ['seljələʊs] *n no pl* Zellulose *f*

Cel·sius ['selsiəs] *n* Celsius

Celt [kelt, selt] *n* Kelte, Keltin *m, f*

Celt·ic ['keltɪk, 'sel-] *adj* keltisch

ce·ment [sɪ'ment] I. *n no pl* Zement *m* II. *vt* ❶ (*with concrete*) betonieren; (*with cement*) zementieren; ■ **to ~ up** zumauern ❷ (*also fig: bind*) festigen

ce·'ment mix·er *n* Betonmischmaschine *f*

cem·etery ['semət°ri] *n* Friedhof *m*

cen·ser ['sen(t)səʳ] *n* Räuchergefäß *nt*

cen·sor ['sen(t)səʳ] I. *n* Zensor(in) *m(f)* II. *vt* zensieren

cen·so·ri·ous [sen(t)'sɔːriəs] *adj* [übertrieben] kritisch

cen·sor·ship ['sen(t)səʃɪp] *n no pl* Zensur *f*

cen·sure ['sen(t)sjəʳ] I. *n no pl* Tadel *m* II. *vt* tadeln

cen·sus ['sen(t)səs] *n* Zählung *f*

cent [sent] *n* Cent *m; to not be worth a ~* keinen Pfifferling wert sein

cen·te·nar·ian [ˌsentɪ'neəriən] *n* Hundertjährige(r) *f(m)*

cen·te·nary [sen'tiːn°ri] *n,* AM **cen·ten·nial** [sen'teniəl] *n* Hundertjahrfeier *f; the orchestra celebrated its ~* das Orchester feierte sein hundertjähriges Bestehen; *~ celebrations* Feierlichkeiten *pl* zum hundertsten Jahrestag

'**cen·ter** *n, vt* AM *see* **centre**

cen·ti·grade ['sentɪgreɪd] *n no pl* Celsius

cen·ti·gram *n, esp* BRIT **cen·ti·gramme** ['sentɪgræm] *n* Zentigramm *nt*

cen·ti·li·tre, AM **cen·ti·li·ter** ['sentɪliːtəʳ] *n* Zentiliter *m*

cen·ti·me·tre ['sentɪmiːtəʳ] *n,* AM **cen·ti·me·ter** Zentimeter *m*

cen·ti·pede ['sentɪpiːd] *n* Tausendfüßler *m*

cen·tral ['sentr°l] *adj* ❶ (*in the middle*)

zentral ② (*paramount*) wesentlich ③ (*national*) ~ **bank** Zentralbank *f*

cen·tral·ism ['sentrᵊlɪzᵊm] *n no pl* POL Zentralismus *m*

cen·tral·i·za·tion [ˌsentrᵊlaɪˈzeɪʃᵊn] *n no pl* Zentralisierung *f*

cen·tral·ize ['sentrᵊlaɪz] *vt* zentralisieren

cen·tral·ly ['sentrᵊli] *adv* zentral; **to be ~ heated** Zentralheizung haben; **to be ~ located** zentral gelegen sein

cen·tre ['sentəʳ] I. *n* ❶ (*middle*) Zentrum *nt*, Mitte *f*; *of chocolates* Füllung *f*; **to be the ~ of attention** im Mittelpunkt der Aufmerksamkeit stehen ② POL Mitte *f*; **left/right of ~** Mitte links/rechts ③ SPORTS Mittelfeldspieler(in) *m(f)*; (*basketball*) Center *m*; (*ice hockey*) Sturmspitze *f* II. *vt* ❶ (*put in middle*) zentrieren ② (*focus*) **to ~ one's attention on sth** seine Aufmerksamkeit auf etw *akk* richten ③ (*spiritually, emotionally*) ■**to be ~d** ausgeglichen sein

'**cen·tre ground** *n no pl* politische Mitte

'**cen·tre·piece** *n* ❶ (*on table*) Tafelaufsatz *m* ② (*central feature*) Kernstück *nt*

cen·trif·u·gal [ˌsentrɪˈfjuːgᵊl] *adj* zentrifugal

cen·tri·fuge ['sentrɪfjuːdʒ] I. *n* MED, TECH Zentrifuge *f fachspr*, Schleuder *f* II. *vt* CHEM ■**to ~ sth** etw zentrifugieren [*o* abschleudern]

cen·trip·etal [sen'trɪpɪtᵊl] *adj* zentripetal

cen·tu·ry ['sen(t)ʃᵊri] *n* ❶ (*period*) Jahrhundert *nt;* **turn of the ~** Jahrhundertwende *f* ② (*in cricket*) 100 Läufe *pl*

CEO [ˌsiːiːˈəʊ] *n abbrev of* **chief executive officer** Generaldirektor(in) *m(f)*

ce·ram·ic [səˈræmɪk] *adj* keramisch

ce·ram·ics [səˈræmɪks] *n + sing vb* Keramik *f*

ce·real ['sɪəriəl] *n* ❶ (*grain*) Getreide *nt* ② (*for breakfast*) Frühstückszerealien *pl* (*Cornflakes, Müsli etc.*)

'**ce·real bar** *n* Müsliriegel *m*

cer·ebel·lum <*pl* -s *or* -la> [ˌserɪˈbeləm, *pl* -lə] *n* ANAT Kleinhirn *nt*

cer·ebral ['serəbrᵊl, səˈriː-] *adj* ❶ ANAT Gehirn- ② (*intellectual*) hochgeistig; **it was all too ~ for me** es war mir alles zu hoch

cer·ebrum <*pl* -s *or* -bra> [səˈriːbrəm, *pl* -brə] *n* ANAT Großhirn *nt*

cer·emo·nial [ˌserɪˈməʊniəl] I. *adj* zeremoniell II. *n* (*form*) Zeremoniell *nt*

cer·emo·nial·ly [ˌserɪˈməʊniəli] *adv* feierlich

cer·emo·ni·ous [ˌserɪˈməʊniəs] *adj* förmlich

cer·emo·ny ['serɪməni] *n* Zeremonie *f*, Feier *f*; **without ~** ohne viel Aufhebens; **to**

stand on ~ förmlich sein

cert [sɜːt] *n usu sing* BRIT (*fam*) *short for* **certainty:** ■**to be a dead ~** eine todsichere Sache sein

cer·tain ['sɜːtᵊn] I. *adj* ❶ (*sure*) sicher; (*unavoidable*) bestimmt; **to mean ~ death** den sicheren Tod bedeuten; **to feel ~** sicher sein; **to make ~** [that ...] darauf achten[, dass ...]; **to make ~ of sth** sich einer S. *gen* vergewissern; ■**for ~** ganz sicher; **I don't know yet for ~** ich weiß noch nicht genau ② (*limited*) gewiss; **to a ~ extent** in gewissem Maße ③ (*particular*) **at a ~ age** in einem bestimmten Alter; **in ~ circumstances** unter gewissen Umständen II. *pron* (*form*) einige

cer·tain·ly ['sɜːtᵊnli] *adv* ❶ (*surely*) sicher[lich]; (*without a doubt*) bestimmt, gewiss ② (*gladly*) gern[e]; (*of course*) [aber] selbstverständlich; ~ **not** auf [gar] keinen Fall; **I ~ will not!** ich denke gar nicht dran!

cer·tain·ty ['sɜːtᵊnti] *n* Gewissheit *f;* **with ~** mit Sicherheit; **he'll arrive late, that's a** [**virtual**] ~ er wird zu spät kommen, darauf kannst du wetten!

cer·ti·fi·able [ˌsɜːtɪˈfaɪəbl] *adj* ❶ (*officially admissible*) nachweisbar ② (*psychologically ill*) unzurechnungsfähig

cer·tifi·cate [səˈtɪfɪkət] *n* ❶ (*official document*) Urkunde *f*; (*attestation*) Bescheinigung *f;* ~ **of achievement** Leistungsnachweis *m;* ~ **of baptism** Taufschein *m;* **doctor's** [*or* **medical**] ~ ärztliches Attest; **examination** ~ Prüfungszeugnis *nt;* **marriage** ~ Trauschein *m* ② FILM **an 18** ~ [Film]freigabe *f* ab 18 Jahren

cer·ti·fi·ca·tion [ˌsɜːtɪfɪˈkeɪʃᵊn] *n no pl* ❶ (*state*) Qualifikation *f*; (*process*) Qualifizierung *f* ② (*document*) Zertifikat *nt;* (*attestation*) Beglaubigung *f*

cer·ti·fy <-ie-> ['sɜːtɪfaɪ] *vt* ❶ (*declare as true*) bescheinigen [*o* bestätigen]; LAW beglaubigen; **to ~ sb** [**as**] **dead** jdn für tot erklären ② (*declare mentally ill*) für unzurechnungsfähig erklären

cer·ti·tude ['sɜːtɪtjuːd] *n no pl* Sicherheit *f*

cer·vi·cal ['sɜːvɪkᵊl] *adj* ANAT ❶ (*of neck*) zervikal; ~ **vertebra** Halswirbel *m* ② (*of cervix*) Gebärmutterhals-

cer·vix <*pl* -es *or* -vices> ['sɜːvɪks, *pl* -vɪsiːz] *n* ANAT Gebärmutterhals *m*

ces·sa·tion [seˈseɪʃᵊn] *n no pl* (*form: end*) Ende *nt;* (*process*) Beendigung *f*; *of hostilities* Einstellung *f*

cess·pit ['sespɪt] *n*, **cess·pool** ['sespuːl] *n* Jauchegrube *f*; (*fig, pej*) Sumpf *m*

CET [ˌsiːiːˈtiː] *n abbrev of* **Central Euro-**

pean Time MEZ *f*

cf ['si:ef] *vt* (*form*) *abbrev of* **compare** vgl.

CFC [ˌsi:ef'si:] *n abbrev of* **chlorofluoro-carbon** FCKW *nt*

CGI [ˌsi:gi:'aɪ] *n* FILM *abbrev of* **computer-generated image/imaging** CGI

c/h *n abbrev of* **central heating** ZH *f*

Chad [tʃæd] *n no pl* Tschad *m*

Chad·ian ['tʃædiən] **I.** *adj* tschadisch **II.** *n* Tschader(in) *m(f)*

chafe [tʃeɪf] **I.** *vi* ❶ (*make sore*) sich [wund]scheuern; *hands* wund werden ❷ (*fig: become irritated*) sich ärgern ❸ (*fig: be impatient*) ■**to ~ to do sth** erpicht darauf sein, etw zu tun **II.** *vt* ❶ (*rub sore*) [wund]scheuern ❷ (*rub warm*) warm reiben

chaff [tʃæf, BRIT *also* tʃɑ:f] *n no pl* Spreu *f* ▶ **to separate the** <u>wheat</u> **from the ~** die Spreu vom Weizen trennen

chaf·finch <*pl* -es> ['tʃæːfɪn(t)ʃ] *n* Buch-fink *m*

cha·grin ['ʃægrɪn] *n no pl* (*form*) ❶ (*sorrow*) Kummer *m* ❷ (*annoyance*) Verdruss *m*

chain [tʃeɪn] **I.** *n* ❶ (*series of links*) Kette *f* ❷ (*fig: oppression*) ■**~s** *pl* Fesseln *pl* ❸ (*jewellery*) [Hals]kette *f* ❹ (*fig: series*) Reihe *f; of mishaps* Verkettung *f;* **~ of command** Hierarchie *f;* MIL Befehlskette *f;* **fast food ~** [Schnell]imbisskette *f;* **~ of shops** Ladenkette *f* **II.** *vt* ■**to ~** [**up**] [an]ketten (**to** an); **to be ~ed to a desk** (*fig*) an den Schreibtisch gefesselt sein

'**chain let·ter** *n* Kettenbrief *m* '**chain mail** *n no pl* Kettenhemd *nt* **chain re-'ac·tion** *n* Kettenreaktion *f* '**chain saw** *n* Kettensäge *f* '**chain-smok·er** *n* Kettenraucher(in) *m(f)* '**chain store** *n* Kettenladen *m*

chair [tʃeəʳ] **I.** *n* ❶ (*seat*) Stuhl *m;* **easy ~** Sessel *m* ❷ UNIV Lehrstuhl *m;* **to be ~** den Lehrstuhl innehaben ❸ (*head*) Vorsitzende(r) *f(m)* ❹ (*position*) **to take the ~** den Vorsitz übernehmen ❺ AM (*electric chair*) ■**the ~** der elektrische Stuhl **II.** *vt* ❶ (*be leader*) ■**to ~ sth** bei etw *dat* den Vorsitz führen ❷ (*carry*) tragen

'**chair lift** *n* Sessellift *m*

'**chair·man** *n* Vorsitzende(r) *m*

'**chair·man·ship** *n* Vorsitz *m*

'**chair·per·son** *n* Vorsitzende(r) *f(m)*

'**chair·wom·an** *n* Vorsitzende *f*

cha·let ['ʃæleɪ] *n* Chalet *nt*

chal·ice ['tʃælɪs] *n* (*poet or liter*) Kelch *m;* REL Abendmahlskelch *m*

chalk [tʃɔ:k] **I.** *n no pl* ❶ (*type of stone*) Kalkstein *m* ❷ (*for writing*) Kreide *f* ▶ [as

different as| **~ and** <u>cheese</u> [so verschieden wie] Tag und Nacht; **as alike as ~ and** <u>cheese</u> grundverschieden; [**not**] **by a** <u>long</u> **~** BRIT bei weitem [nicht]; **as** <u>white</u> **as ~** kreidebleich **II.** *vt* (*write*) mit Kreide schreiben; (*draw*) mit Kreide zeichnen; (*in billiards*) mit Kreide einreiben ◆**chalk out** *vt design* entwerfen; *strategy* planen ◆**chalk up** *vt* ❶ (*write*) [mit Kreide] aufschreiben ❷ (*fig: achieve*) *victory* verbuchen können ❸ (*write off*) **to ~ sth up to experience** etw als Erfahrung sehen

'**chalk·board** *n* AM, AUS (*blackboard*) Tafel *f*

chalky ['tʃɔ:ki] *adj* ❶ (*of chalk*) kalk[halt]ig ❷ (*dusty*) **to be all ~** voll[er] Kreide sein ❸ (*chalk-like*) kreideartig ❹ (*pale*) kreidebleich

chal·lenge ['tʃælɪndʒ] **I.** *n* ❶ (*hard task*) Herausforderung *f;* **to find sth a ~** etw schwierig finden; **to issue a ~ to sb** jdn herausfordern ❷ MIL Werdaruf *m* (*militärischer Befehl, sich auszuweisen*) **II.** *vt* ❶ (*ask to compete*) herausfordern ❷ (*call into question*) in Frage stellen ❸ MIL anrufen

chal·lenged ['tʃæləndʒd] *adj* (*euph or iron*) **physically ~** behindert; **vertically ~** kurz geraten

chal·leng·er ['tʃælɪndʒəʳ] *n* Herausforderer, -forderin *m, f;* **~ for a title** Titelanwärter(in) *m(f)*

chal·leng·ing ['tʃælɪndʒɪŋ] *adj* [heraus]fordernd

cham·ber ['tʃeɪmbəʳ] *n* ❶ (*old: room*) [Schlaf]gemach *nt* ❷ (*meeting hall*) Sitzungssaal *m;* **Lower/Upper ~** Zweite/Erste Kammer (*des britischen Abgeordnetenhauses*) ❸ (*lawyer's offices*) ■**~s** *pl* Anwaltsbüro *nt*, Kanzlei *f;* (*private room of a judge*) Richterzimmer *nt* ❹ MED Kammer *f;* **~ of the heart** Herzkammer *f*

cham·ber·lain ['tʃeɪmbəlɪn] *n* HIST Kammerherr *m*

'**cham·ber·maid** *n* Zimmermädchen *nt* '**cham·ber mu·sic** *n no pl* Kammermusik *f* '**cham·ber pot** *n* Nachttopf *m*

cha·me·le·on [kə'mi:liən] *n* Chamäleon *nt a. fig*

cham·ois¹ <*pl* -> ['ʃæmwɑ:] *n* Gämse *f*

cham·ois² ['ʃæmi:] *n,* **cham·ois 'leath·er** *n* Fensterleder *nt*

champ [tʃæmp] **I.** *n short for* **champion** Champion *m* **II.** *vi, vt* [geräuschvoll] kauen ▶ **to ~ at the** <u>bit</u> vor Ungeduld fiebern

cham·pagne [ʃæm'peɪn] *n* ❶ Champagner *m;* **~ brunch** Sektfrühstück *nt*

cham·pi·on ['tʃæmpi:ən] **I.** *n* ❶ SPORTS

Champion *m;* **world ~** Weltmeister(in) *m(f);* **defending ~** Titelverteidiger(in) *m(f);* **Olympic ~** Olympiasieger(in) *m(f);* **reigning ~** amtierender Meister/amtierende Meisterin ❷ *(supporter)* Verfechter(in) *m(f)* (**of** +*gen*) **II.** *vt* verfechten; **to ~ a cause** für eine Sache eintreten **III.** *adj* BRIT *(fam)* klasse; **~ boxer** Boxchampion *m;* **~ dog** preisgekrönter Hund; **~ racehorse** Turfsieger(in) *m(f)* **IV.** *adv* BRIT *(fam)* super

cham·pi·on·ship ['tʃæmpiːənʃɪp] *n* ❶ SPORTS Meisterschaft *f* ❷ *no pl* (**for a cause**) Einsatz *m* (**of** für)

chance [tʃɑːn(t)s] **I.** *n* ❶ *no pl* Zufall *m;* **to leave nothing to ~** nichts dem Zufall überlassen; **by ~** zufällig ❷ *(prospect)* Chance *f;* |**the**| **~s are ...** aller Wahrscheinlichkeit nach ...; **given half a ~, I'd ...** wenn ich nur könnte, würde ich ...; **no ~!** BRIT *(fam)* niemals!; **the ~ of a lifetime** eine einmalige Chance; **~s of survival** Überlebenschancen *pl;* **to be in with** [*or* **stand**] **a ~** eine Chance haben; **to do sth on the off ~** etw auf gut Glück tun ❸ *(risk)* Risiko *nt;* **~ of injury** Verletzungsrisiko *nt;* **to take ~s** [*or* **a ~**] etwas riskieren; **to take no ~s** kein Risiko eingehen ▶ **~ would be a fine thing** BRIT schön wär's **II.** *vt (fam)* riskieren; **to ~ one's arm** es riskieren; **to ~ one's luck** sein Glück versuchen ◆**chance on** *vi,* **chance upon** *vi* ▪**to ~ on sb** jdn zufällig treffen; ▪**to ~ |up|on sth** zufällig auf etw *akk* stoßen

chan·cel·lery ['tʃɑːn(t)sᵊlᵊri] *n* ❶ *(place)* Kanzleramt *nt* ❷ *(position)* Amt *nt* des Kanzlers, Kanzlerschaft *f*

chan·cel·lor ['tʃɑːn(t)sᵊləʳ] *n* Kanzler(in) *m(f);* **of federal state** [Bundes]kanzler(in) *m(f)*

chan·cel·lor·ship ['tʃɑːns‍ᵊləʃɪp] *n no pl* ❶ POL *(office of chancellor)* Kanzleramt *nt* ❷ BRIT POL Amt *nt* des Finanzministers

chancy ['tʃɑːn(t)si] *adj* riskant

chan·de·lier [ˌʃændəˈlɪəʳ] *n* Kronleuchter *m*

change [tʃeɪndʒ] **I.** *n* ❶ *(alteration)* [Ver]änderung *f;* **~ of direction** Richtungsänderung *f a. fig;* **~ of heart** Sinneswandel *m;* **~ of pace** Tempowechsel *m a. fig;* **~ in the weather** Wetterumschwung *m;* **to be a ~ for the better/worse** eine Verbesserung/Verschlechterung darstellen ❷ *no pl (substitution)* Wechsel *m;* **a ~ of clothes** Kleidung *f* zum Wechseln; **~ of government** Regierungswechsel *m;* **~ of scene** THEAT Szenenwechsel *m;* *(fig)* Tapetenwechsel *m* ❸ *no pl (variety)* Abwechs-

lung *f;* **it'll make a ~** das wäre mal was anderes; **for a ~** zur Abwechslung ❹ *no pl (coins)* Kleingeld *nt;* *(money returned)* Wechselgeld *nt,* Retourgeld *nt* SCHWEIZ; **could you give me ~ for 50 dollars?** *(return all)* könnten Sie mir 50 Dollar wechseln?; *(return balance)* könnten Sie mir auf 50 Dollar herausgeben?; **keep the ~** der Rest ist für Sie; **to have the correct ~** es passend haben; **to give the wrong ~** falsch herausgeben ❺ TRANSP **to have to make several ~s** mehrmals umsteigen müssen **II.** *vi* ❶ *(alter)* sich [ver]ändern; *traffic light* umspringen; *weather* umschlagen; *wind* sich drehen; **nothing** |**ever**| **~s** alles bleibt beim Alten; **to ~ for the better/worse** sich verbessern/verschlechtern; **to ~ into sth** sich in etw *akk* verwandeln ❷ *(substitute, move)* ▪**to ~** |**over**| **to sth** zu etw *dat* wechseln; **to ~** |**driving**| **an automatic** |**car**| auf ein Auto mit Automatik umsteigen; **to ~** |**over**| **from gas heating to electric** die Heizung von Gas auf Strom umstellen ❸ TRANSP umsteigen; **all ~!** alle aussteigen! ❹ *(dress)* sich umziehen; **to ~ into** anziehen; **to ~ out of** ausziehen ❺ AUTO schalten ❻ TV umschalten **III.** *vt* ❶ *(make different)* [ver]ändern; *(transform)* verwandeln; **to ~ one's mind** seine Meinung ändern; **to ~ around** umstellen ❷ *(exchange, move)* wechseln; *(in a shop)* umtauschen (**for** gegen); *(replace)* auswechseln; **to ~ hands** den Besitzer wechseln; **to ~ places with sb** mit jdm den Platz tauschen; *(fig)* mit jdm tauschen ❸ *(make fresh)* bed neu beziehen; *baby* [frisch] wickeln; **the baby needs changing** das Baby braucht eine frische Windel; **to ~ one's clothes** sich umziehen; **to ~ one's shirt** ein anderes Hemd anziehen ❹ *(money)* wechseln; **could you ~ a £20 note?** *(return all)* könnten Sie mir 20 Pfund wechseln?; *(return balance)* könnten Sie mir auf 20 Pfund herausgeben?; **to ~ £100 into euros** 100 Pfund in Euro umtauschen ❺ TRANSP **to ~ planes** das Flugzeug wechseln; **to ~ buses** [*or* **trains**] umsteigen ❻ AUTO **to ~ gear**|**s**| schalten ◆**change down** *vi* AUTO herunterschalten ◆**change up** *vi* AUTO hochschalten

change·able ['tʃeɪndʒᵊbl] *adj* unbeständig; *moods* wechselnd; *weather* wechselhaft

'**change·over** *n usu sing* Umstellung *f* (**to** auf)

chang·ing ['tʃeɪndʒɪŋ] *adj* wechselnd

chan·nel ['tʃænᵊl] **I.** *n* ❶ RADIO, TV Programm *nt;* **on ~ five** im fünften Programm; **cable ~** Kabelkanal *m;* **commercial ~** kommerzieller Sender; **pay ~** Pay-TV *nt;* **to change ~ s** umschalten; **to turn to ~ two** ins zweite Programm umschalten ❷ (*waterway*) [Fluss]bett *nt;* (*artificial*) Kanal *m;* **navigable ~** schiffbare Fahrrinne; **the** [**English**] **C~** der Ärmelkanal ❸ (*in airport or port*) **the red/green ~** der rot/grün gekennzeichnete Ausgang ❹ (*means*) Weg *m;* **to go through the official ~ s** den Dienstweg gehen; **through the usual ~ s** auf dem üblichen Weg II. *vt* <BRIT -ll- *or* AM *usu* -l-> (*direct*) leiten; **to ~ one's energies/money into sth** seine Energien/sein Geld in etw *akk* stecken

'**chan·nel con·trol·ler** *n* Intendant(in) *m(f)* eines Fernsehsenders

Chan·nel Is·lands *n* ▪ **the ~** die Kanalinseln *pl*

Chan·nel 'Tun·nel *n no pl* ▪ **the ~** der [Ärmel]kanaltunnel

chant [tʃɑːnt] I. *n* ❶ REL [Sprech]gesang *m* ❷ SPORTS *of fans* Sprechchor *m* II. *vi* ❶ REL einen Sprechgesang anstimmen ❷ (*crowd*) im Sprechchor rufen III. *vt* ❶ REL skandieren; (*sing*) singen ❷ *crowd* im Sprechchor rufen

chan·te·relle [ˌʃɑ:(n)təˈrel] *n* Pfifferling *m*

cha·os [ˈkeɪɒs] *n no pl* Chaos *nt,* Durcheinander *nt*

cha·ot·ic [keɪˈɒtɪk] *adj* chaotisch

cha·oti·cal·ly [keɪˈɒtɪkᵃli] *adv* chaotisch

chap¹ [tʃæp] *n* BRIT (*fam*) Typ *m;* **well, ~ s, anyone for a pint?** na Jungs, hat jemand Lust auf ein Bier?

chap² <-pp-> [tʃæp] *vi skin* aufspringen

chap³ *n abbrev of* **chapter** Kap.

chap·el [ˈtʃæpᵊl] *n* ❶ (*for worship*) Kapelle *f* ❷ SCH (*service*) Andacht *f*

chap·er·on(e) [ˈʃæpᵊrəʊn] I. *n* ❶ (*dated*) Anstandsdame *f* ❷ AM (*adult supervisor*) Aufsichtsperson *f* II. *vt* ❶ (*dated: accompany*) begleiten ❷ AM (*supervise*) beaufsichtigen

chap·lain [ˈtʃæplɪn] *n* Kaplan *m*

chapped [tʃæpt] *adj* (*cracked*) aufgesprungen; (*rough*) spröde

chap·ter [ˈtʃæptəʳ] *n* ❶ (*of book*) Kapitel *nt;* **to quote ~ and verse** den genauen Wortlaut wiedergeben ❷ (*of time*) Abschnitt *m,* Kapitel *nt;* **a tragic ~ in the country's history** ein tragisches Kapitel in der Geschichte des Landes ❸ *esp* AM (*of organization*) Zweig *m*

'**chap·ter house** *n* Kapitelsaal *m*

char¹ [tʃɑːʳ] *n* BRIT (*dated*) ❶ (*maid*) ~ [**woman**] Putzfrau *f* ❷ (*tea*) Tee *m*

char² <-rr-> [tʃɑːʳ] *vi, vt* verkohlen

char·ac·ter [ˈkærəktəʳ] *n* ❶ *no pl* Charakter *m;* **to be similar in ~** sich *dat* im Wesen ähnlich sein; **out of ~** ungewöhnlich ❷ (*unique person*) Original *nt* ❸ LIT (*representation*) [Roman]figur *f* ❹ TYPO Zeichen *nt*

'**char·ac·ter ac·tor** *n* Charakterdarsteller *m*

char·ac·ter·is·tic [ˌkærəktəˈrɪstɪk] I. *n* charakteristisches Merkmal II. *adj* charakteristisch; ▪ **to be ~ of sth** typisch für etw *akk* sein

char·ac·ter·is·ti·cal·ly [ˌkærəktəˈrɪstɪkᵊli] *adv* typisch

char·ac·teri·za·tion [ˌkærəktᵊraɪˈzeɪʃᵊn] *n no pl* ❶ LIT [Personen]beschreibung *f;* FILM Darstellung *f* ❷ (*description*) Charakterisierung *f*

char·ac·ter·ize [ˈkærəktᵊraɪz] *vt* kennzeichnen

cha·rade [ʃəˈrɑːd] *n* ❶ *usu pl* (*game*) Scharade *f* ❷ (*lie*) Farce *f*

char·coal [ˈtʃɑːkəʊl] *n no pl* ❶ (*fuel*) Holzkohle *f;* **charcoal burner** [Holz]kohle[n]ofen *m* ❷ (*for drawing*) Kohle *f*

charge [tʃɑːdʒ] I. *n* ❶ (*cost*) Gebühr *f;* **is there a ~ for children?** kosten Kinder [auch] etwas?; **what's the ~ for this?** was kostet das?; **for an extra ~** gegen Aufpreis; **free of ~** kostenlos ❷ LAW (*accusation*) Anklage *f* (**of** wegen); ▪ **~ s** *pl* Anklagepunkte *pl;* (*in civil cases*) Ansprüche *pl;* **to answer ~ s** sich [wegen eines Vorwurfs] verantworten; **to bring ~ s against sb** Anklage gegen jdn erheben; **to drop ~ s** [**against sb**] die Anklage gegen jdn zurückziehen; **to press ~ s against sb** gegen jdn Anzeige erstatten ❸ *no pl* (*responsibility*) Verantwortung *f;* (*care*) Obhut *f;* **to be in ~** die Verantwortung tragen; **who's in ~ here?** wer ist hier zuständig?; **she's in ~ of the department** sie leitet die Abteilung; **you're in ~ until I get back** Sie haben bis zu meiner Rückkehr die Verantwortung; **in ~ of a motor vehicle** (*form*) als Führer eines Kraftfahrzeuges; **to leave sb in ~ of sth** jdm für etw *akk* die Verantwortung übertragen ❹ *no pl* ELEC Ladung *f;* **to put on ~** BRIT aufladen ❺ (*attack*) Angriff *m* ❻ (*dated: person*) Schützling *m* II. *vi* ❶ FIN eine Gebühr verlangen; **to ~ for admission** Eintritt verlangen ❷ ELEC laden ❸ (*attack*) [vorwärts]stürmen; **~!** vorwärts!; ▪ **to ~ at sb** auf jdn losgehen; MIL jdn angreifen ❹ (*move quickly*) stürmen; **to come charging into a room** in ein Zimmer stürmen III. *vt* ❶ FIN berechnen; **how much do you ~ for a wash and cut?** was [*o* wie viel] kostet bei Ihnen Waschen und Schneiden?; **to ~ sth to sb's account** etw auf jds Rechnung setzen; ■ **to ~ sth to sb** jdm etw in Rechnung stellen; **we were not ~ d** [**for it**] wir mussten nichts [dafür] bezahlen ❷ LAW (*accuse*) ■ **to ~ sb** [**with sth**] jdn [wegen einer S. *gen*] anklagen; **~ sb with murder** jdn des Mordes anklagen; **to ~ sb with doing sth** jdn beschuldigen, etw getan zu haben ❸ ELEC aufladen ❹ *usu passive* (*fill with emotion*) **a highly ~ d atmosphere** eine hochgradig geladene Atmosphäre ❺ BRIT (*form: fill*) füllen; **please ~ your glasses** lasst uns unsere Gläser füllen ❻ (*attack*) angreifen

'**charge ac·count** *n* Kreditkonto *nt*
'**charge card** *n* [Kunden]kreditkarte *f*
charged *adj* geladen
'**charg·er plate** *n* Unterteller *m*
chari·ot ['tʃærɪət] *n* Streitwagen *m*
cha·ris·ma [kə'rɪzmə] *n no pl* Charisma *nt*
chari·table ['tʃærɪtəbl] *adj* ❶ (*generous with money*) großzügig; (*uncritical*) gütig ❷ (*of charity*) wohltätig, karitativ; **~ dona·tions** Spenden *pl* für einen wohltätigen Zweck; **~ organization** Wohltätigkeitsorganisation *f*
chari·tably ['tʃærɪtəbli] *adv* (*generously*) großzügig; (*kindly*) freundlich
char·ity ['tʃærɪti] *n* ❶ *no pl* (*generosity*) Barmherzigkeit *f*; **human ~** Nächstenliebe *f* ❷ *no pl* (*assistance*) **the proceeds go to ~** die Erträge sind für wohltätige Zwecke bestimmt; **~ work** ehrenamtliche Arbeit [für einen wohltätigen Zweck]; **to accept ~** Almosen annehmen; **to depend on ~** auf Sozialhilfe angewiesen sein; **to donate sth to ~** etw für wohltätige Zwecke spenden ❸ (*organization*) Wohltätigkeitsorganisation *f*
'**char·ity or·gani·za·tion** *n* Hilfsorganisation *f* '**char·ity shop** *n* BRIT *Laden, in dem gespendete, meist gebrauchte Waren verkauft werden, um Geld für wohltätige Zwecke zu sammeln*
char·la·tan ['ʃɑːlətən] *n* Scharlatan *m*
charm [tʃɑːm] *n* ❶ *no pl* (*attractive quality*) Charme *m*; **to turn on the ~** seinen [ganzen] Charme spielen lassen ❷ (*jewellery*) Anhänger *m*; **lucky ~** Glücksbringer *m* II. *vt* bezaubern
charmed [tʃɑːmd] *adj* ❶ (*delighted*) bezaubert ❷ (*fortunate*) vom Glück gesegnet; **to lead a ~ life** ein [richtiges] Glückskind sein
charm·er ['tʃɑːmə'] *n* ❶ (*likeable person*) Liebling *m* aller ❷ (*pej: smooth talker*) Schmeichler(in) *m(f)*; (*man*) Charmeur *m*

charm·ing ['tʃɑːmɪŋ] *adj* (*approv*) bezaubernd, reizend, charmant; (*pej*) reizend *iron*
charm·ing·ly ['tʃɑːmɪŋli] *adv* reizend, charmant
charred [tʃɑːd] *adj* verkohlt
chart [tʃɑːt] I. *n* ❶ (*visual*) Diagramm *nt*; NAUT Karte *f*, Krankenblatt *nt*; **weather ~** Wetterkarte *f* ❷ *pl* ■ **the ~s** die Charts; **to top the ~s** ein Nummer eins Hit *m* sein II. *vt* (*plot*) aufzeichnen; (*register*) erfassen
char·ter ['tʃɑːtə'] I. *n* ❶ (*constitution*) Charta *f*; *of society* Satzung *f* ❷ (*exclusive right*) Freibrief *m* ❸ *no pl* (*renting*) **they went to a place that had boats for ~** sie gingen zu einem Bootsverleih ❹ TRANSP Charter *m* II. *vt* chartern
'**char·ter com·pa·ny** *n* Chartergesellschaft *f*
char·tered ['tʃɑːtəd] *adj* ❶ (*rented out*) gechartert; **~ plane** Chartermaschine *f* ❷ BRIT, AUS (*officially qualified*) staatlich geprüft
char·ter·er ['tʃɑːtərə'] *n* (*company*) Verleih *m*; (*person*) Verleiher(in) *m(f)*
'**char·ter flight** *n* Charterflug *m*
chase [tʃeɪs] I. *n* ❶ (*pursuit*) Verfolgungsjagd *f*; **to give ~ to sb** jdm hinterherrennen ❷ HUNT Jagd *f* II. *vi* ■ **to ~ after sb** hinter jdm herlaufen; ■ **to ~ around** herumhetzen III. *vt* ❶ (*pursue*) verfolgen ❷ (*scare away*) ■ **to ~ away** vertreiben; ■ **to ~ off** verscheuchen ❸ BRIT (*fam: put under pressure*) ■ **to ~ sb** [**up**] jdm Dampf machen
chasm ['kæzəm] *n* Kluft *f a. fig*
chas·sis <*pl* -> ['ʃæsi] *pl n* Fahrgestell *nt*
chaste [tʃeɪst] *adj* (*form*) keusch
chas·ten ['tʃeɪstən] *vt* ■ **to be ~ed by sth** durch etw *akk* zur Einsicht gelangen
chas·tise [tʃæs'taɪz] *vt* (*form*) züchtigen
chas·tity ['tʃæstəti] *n no pl* Keuschheit *f*; **vow of ~** Keuschheitsgelübde *nt*
chat [tʃæt] I. *n* ❶ (*informal conversation*) Unterhaltung *f*; **to have a ~** plaudern ❷ (*euph: admonition*) **to have a little ~ with sb** mit jdm ein Wörtchen reden ❸ *no pl* (*gossip*) Gerede *nt* II. *vi* <-tt-> ❶ (*talk informally*) plaudern; (*gossip*) schwätzen ❷ COMPUT chatten
'**chat room** *n* COMPUT Chatroom *m* '**chat show** *n* Talkshow *f*
chat·ter ['tʃætə'] I. *n* Geschwätz *nt* II. *vi* ❶ (*converse*) plaudern; ■ **to ~ away** endlos schwätzen; ■ **to ~ on** unentwegt reden ❷ (*make clacking noises*) *teeth* klappern; *machines* knattern; *birds* zwitschern ▶ **the**

~**ting** classes Brit (*pej*) das Bildungsbürgertum

'**chat·ter·box** *n* (*pej*) Plaudertasche *f*

chat·ty ['tʃæti] *adj* (*fam: person*) gesprächig; (*pej*) geschwätzig; **a very ~ letter** ein äußerst unterhaltsamer Brief

chauf·feur ['ʃəʊfəʳ] **I.** *n* Chauffeur(in) *m(f)* **II.** *vt* ■**to ~ sb around** jdn herumfahren

chau·vin·ism ['ʃəʊvɪnɪzᵊm] *n no pl* Chauvinismus *m*

chau·vin·ist ['ʃəʊvɪnɪst] *n* Chauvinist(in) *m(f)*

chau·vin·is·tic [ˌʃəʊvɪˈnɪstɪk] *adj* (*pej*) chauvinistisch

chau·vin·is·ti·cal·ly [ˌʃəʊvɪˈnɪstɪkᵊli] *adv* (*pej*) chauvinistisch *pej*

chav [tʃæv], **chav·ster** ['tʃævstəʳ] *n* (*pej sl*) Proll *m*

cheap [tʃiːp] *adj* billig *a. fig;* (*reduced*) ermäßigt ►**~ at half the** price Brit, Aus äußerst günstig; **a ~** shot ein Schuss *m* unter die Gürtellinie; **~ and** cheerful Brit, Aus gut und preiswert; **~ and** nasty Brit, Aus billig und schäbig; **to** get **sth on the ~** etw für 'nen Appel und 'n Ei bekommen

cheap·en ['tʃiːpᵊn] *vt* herabsetzen

cheap·ly ['tʃiːpli] *adv* billig

cheap·ness ['tʃiːpnəs] *n no pl* ❶ (*low price*) Billigkeit *f* ❷ (*fam: miserliness*) Geiz *m*

'**cheap·skate** **I.** *n* (*pej fam*) Geizkragen *m* **II.** *adj* (*pej fam*) knick[e]rig

cheat [tʃiːt] **I.** *n* ❶ (*person*) Betrüger(in) *m(f);* (*in game*) Mogler(in) *m(f);* (*in school*) Schummler(in) *m(f)* ❷ (*fraud*) Täuschung *f* **II.** *vi* betrügen; (*in exam, game*) mogeln (**at/in** bei); ■**to ~ on sb** jdn betrügen **III.** *vt* ❶ (*treat dishonestly*) täuschen; (*financially*) betrügen (**out of** um) ❷ (*liter*) **to ~ death** dem Tod entkommen

check¹ [tʃek] **I.** *n* ❶ (*inspection*) Kontrolle *f* ❷ (*look*) **to take a quick ~** schnell nachsehen [*o bes* Südd, Österr, Schweiz nachschauen] ❸ (*search for information*) Suchlauf *m* ❹ *no pl* (*restraint*) Kontrolle *f;* **to keep in ~** unter Kontrolle halten ❺ Am (*ticket*) Garderobenmarke *f* ❻ (*pattern*) Karo[muster] *nt* ❼ Chess Schach *nt;* **to be in ~** im Schach stehen ❽ Am (*tick*) Haken *m* **II.** *adj* Karo- **III.** *vt* ❶ (*inspect*) überprüfen ❷ (*prevent*) *attack* aufhalten ❸ *esp* Am (*temporarily deposit*) zur Aufbewahrung geben; Aviat einchecken ❹ Chess Schach bieten ❺ Am (*make a mark*) abhaken **IV.** *vi* ❶ (*examine*) nachsehen, nachschauen *bes* Südd, Österr, Schweiz; ■**to ~ on sth** nach etw *dat* sehen ❷ (*consult*) ■**to ~ with sb** bei jdm

nachfragen ❸ *esp* Am (*be in accordance*) übereinstimmen ◆**check in I.** *vi* (*at airport*) einchecken; (*at hotel*) sich [an der Rezeption] anmelden **II.** *vt* (*at airport*) *person* abfertigen; (*at hotel*) anmelden; *luggage* einchecken ◆**check off** *vt* abhaken ◆**check out I.** *vi* sich abmelden; **to ~ out of a room** ein [Hotel]zimmer räumen **II.** *vt* ❶ (*investigate*) untersuchen ❷ (*sl: observe*) **~ it out!** schau dir bloß mal das an! ◆**check up** *vt* ■**to ~ up on** ❶ (*monitor*) überprüfen [*o* kontrollieren] ❷ (*research*) Nachforschungen anstellen über +*akk*

check² *n* ❶ Am *see* **cheque** ❷ Am, Scot (*bill*) Rechnung *f*

checked [tʃekt] *adj* kariert

'**check·er·board** *n* Am Damebrett *nt*

check·ered *adj* Am *see* **chequered**

'**check-in** ['tʃekɪn] *n* ❶ (*registration for flight*) Einchecken *nt,* Abfertigung *f* ❷ (*place in airport*) Abfertigungsschalter *m;* (*in hotel*) Rezeption *f*

'**check-in count·er** *n,* '**check-in desk** *n* Abfertigungsschalter *m*

check·ing ['tʃekɪŋ] *n no pl* Am gebührenfreie [Scheck]abbuchung

'**check·ing ac·count** *n* Am Girokonto *nt*

'**check-in time** *n* Eincheckzeit *f*

'**check·list** *n* Checkliste *f*

'**check·mate I.** *n no pl* ❶ Chess Schachmatt *nt* ❷ (*fig*) das Aus **II.** *vt* ❶ Chess schachmatt setzen ❷ (*fig*) mattsetzen

'**check·out** *n* Kasse *f* '**check·out count·er** *n* [Supermarkt]kasse *f*

'**check·point** *n* Kontrollpunkt *m* '**checkroom** *n* Am ❶ (*for coats*) Garderobe *f* ❷ (*for luggage*) Gepäckaufbewahrung *f*

'**check-up** *n* [Kontroll]untersuchung *f;* **to go for a ~** einen Check-up machen lassen

ched·dar ['tʃedəʳ] *n no pl* Cheddar[käse] *m*

cheek [tʃiːk] *n* ❶ *of face* Backe *f;* **to dance ~ to ~** Wange an Wange tanzen ❷ *no pl* (*impertinence*) Frechheit *f;* **to give sb ~** frech zu jdm sein; **to have the ~ to do sth** die Stirn haben, etw zu tun ►**to** turn **the other ~** die andere Wange [auch] hinhalten

'**cheek·bone** *n usu pl* Backenknochen *m*

cheeki·ly ['tʃiːkɪli] *adv* frech, dreist, vorlaut

cheeky ['tʃiːki] *adj* frech

cheep [tʃiːp] **I.** *n* ❶ *of bird* Piepser *m;* (*act*) Piepen *nt* ❷ (*any small noise*) Pieps *m* **II.** *vi* piep[s]en

cheer [tʃɪəʳ] **I.** *n* ❶ (*shout*) Beifallsruf *m;* (*cheering*) Jubel *m;* **three ~s for the champion!** ein dreifaches Hoch auf den Sieger!; **to give a ~** Hurra rufen ❷ *no pl* (*joy*) Freude *f;* **to be of good ~** (*liter*)

guten Mutes sein **II.** *vi* ■**to ~ for sb**
jdn anfeuern ◆**cheer on** *vt* anfeuern
◆**cheer up I.** *vi* bessere Laune bekommen; **~ up!** Kopf hoch! **II.** *vt* aufmuntern

cheer·ful ['tʃɪəfᵊl] *adj* ❶ (*happy*) fröhlich;
(*positive*) heiter; **in a ~ mood** gut gelaunt
❷ (*bright*) heiter; *colour, tune* fröhlich

cheer·ful·ly ['tʃɪəfᵊli] *adv* vergnügt; (*willingly*) [bereit]willig

cheer·ful·ness ['tʃɪəfᵊlnəs] *n no pl* Fröhlichkeit *f*

'**cheer·ing I.** *n no pl* Jubel *m* **II.** *adj* jubelnd

cheerio ['tʃɪəriəʊ] *interj* BRIT (*fam*)
tschüs[s]

'**cheer·lead·er** *n* Cheerleader *m*

cheer·less ['tʃɪələs] *adj* (*gloomy*) düster,
trüb; (*joyless*) freudlos

cheers [tʃɪəz] *interj* BRIT (*fam*) ❶ (*good
health*) prost ❷ (*thanks*) danke [schön]
❸ (*goodbye*) tschüs[s]

cheery ['tʃɪəri] *adj* fröhlich

cheese [tʃiːz] *n no pl* Käse *m*; **~ sandwich**
Käsebrot *nt* ▶ **hard** [*or* AUS **tough**] **~** (*fam*)
Künstlerpech! *hum;* **say ~** bitte [schön] lä-
cheln!

'**cheese·burg·er** *n* Cheeseburger *m*

'**cheese·cake** *n* Käsekuchen *m*

'**cheese·cloth** *n no pl* indische Baumwolle

cheesed off [ˌtʃiːzd'ɒf] *adj* BRIT, AUS (*fam*)
angeödet; ■**to be ~ with sb** auf jdn sauer
sein

cheesy ['tʃiːzi] *adj* ❶ (*with cheese flavour*)
käsig ❷ (*fam: smelly*) übel riechend; **~ feet**
Käsefüße *pl* ❸ (*fam: not genuine*) **~ grin**
Zahnpastalächeln *nt* ❹ AM (*fam: corny*) abgedroschen

chee·tah ['tʃiːtə] *n* Gepard *m*

chef [ʃef] *n* Koch, Köchin *m, f*

chem·bio [ˌkem'baɪəʊ] *adj short for*
chemical·biological bio-chemisch

chemi·cal ['kemɪkᵊl] **I.** *n* (*substance*) Chemikalie *f;* (*additive*) chemischer Zusatz
II. *adj* chemisch; **~ industry** Chemiein-
dustrie *f*

chemi·cal·ly ['kemɪkᵊli] *adv* chemisch

chem·ist ['kemɪst] *n* ❶ (*student of chemistry*) Chemiker(in) *m(f)* ❷ BRIT, AUS (*pharmacist*) Drogist(in) *m(f)*, Apotheker(in)
m(f) ❸ BRIT, AUS (*shop*) **~'s** *Drogerie, in
der man auch Medikamente erhält*

chem·is·try ['kemɪstri] *n no pl* ❶ (*study*)
Chemie *f* ❷ CHEM (*make-up*) chemische Zusammensetzung ❸ (*fig: attraction*) **the ~
is right between them** die Chemie
stimmt zwischen den beiden

chemo·pre·ven·ta·tive [ˌkiːməʊprɪ-
'ventətɪv] *adj* MED, CHEM chemopräventiv

chemo·thera·peu·tic
[ˌkiːməʊθerə'pjuːtɪk] *adj* MED, CHEM che-
motherapeutisch

chemo·thera·py [ˌkiːmə(ʊ)'θerəpi] *n no
pl* Chemotherapie *f*

cheque [tʃek] *n* Scheck *m* (**for** über)

'**cheque ac·count** *n* Girokonto *nt*

'**cheque·book** *n* Scheckheft *nt*

cheq·uered ['tʃekəd] *adj* ❶ (*patterned*)
kariert ❷ (*inconsistent*) bewegt

cher·ish ['tʃerɪʃ] *vt person* liebevoll umsorgen; *hope* hegen; *sb's memory* in Ehren
halten; **although I ~ my children, ...**
auch wenn mir meine Kinder lieb und teuer sind, ...

cher·ry ['tʃeri] *n* ❶ (*fruit*) Kirsche *f* ❷ (*tree*)
Kirschbaum *m*

'**cher·ry blos·som** *n* Kirschblüte *f* **cher·
ry 'bran·dy** *n no pl* Kirschlikör *m*

cher·ub <*pl* -s *or* -im> ['tʃerəb, *pl* -bɪm] *n*
ART Putte *f*, Putto *m*

cher·vil ['tʃɜːvɪl] *n no pl* Kerbel *m*

chess [tʃes] *n no pl* Schach[spiel] *nt*

'**chess·board** *n* Schachbrett *nt* '**chess·
man** *n*, '**chess piece** *n* Schachfigur *f*

chest [tʃest] *n* ❶ (*torso*) Brust *f* ❷ (*trunk*)
Truhe *f;* (*box*) Kiste *f* ▶ **to get sth off
one's ~** sich *dat* etw von der Seele reden

'**chest·nut** *n* ❶ (*nut*) Kastanie *f;* **hot ~**
heiße [Ess]kastanie [*o* Marone]; **~ hair** kas-
tanienbraunes Haar ❷ (*tree*) **horse ~**
Rosskastanie *f;* **sweet ~** Edelkastanie *f*
❸ (*horse*) Fuchs *m*

chesty ['tʃesti] *adj* erkältet; **~ cough** tief
sitzender Husten

chew [tʃuː] **I.** *n* **to have a ~ on sth** auf etw
dat herumkauen **II.** *vt, vi* kauen; **to ~
one's fingernails/lips** an den Nägeln kau-
en/auf den Lippen herumbeißen ▶ **to bite
off more than one can ~** sich zu viel zumuten

'**chew·ing gum** *n no pl* Kaugummi *m o nt*

chewy ['tʃuːi] *adj meat* zäh; *toffee* weich

chic [ʃiːk] **I.** *n* Schick *m* **II.** *adj* schick

chi·cane [ʃɪ'keɪn] *n* SPORTS Schikane *f*

chick [tʃɪk] *n* ❶ (*baby chicken*) Küken *nt;*
(*young bird*) [Vogel]junge(s) *nt* ❷ (*sl:
young female*) Mieze *f*

chick·en ['tʃɪkɪn] **I.** *n* ❶ (*farm bird*)
Huhn *nt* ❷ *no pl* (*meat*) Hähnchen *nt;*
fried [*or* **roasted**] **~** Brathähnchen *nt;*
grilled ~ Grillhähnchen *nt* ❸ (*pej sl: coward*) Angsthase *m;* **to play ~** eine Mutprobe machen ▶ **don't count your ~s before
they're hatched** (*prov*) man soll den Tag
nicht vor dem Abend loben **II.** *adj* (*pej sl*)
feige

chick·en 'broth *n no pl* Hühnerbrühe *f*

'**chick·en farm** n Hühnerfarm f '**chick·en·feed** n no pl ❶ (fodder) Hühnerfutter nt ❷ (of money) nur ein paar Groschen '**chick·en·pox** n Windpocken pl '**chick·en run** n |Hühner|auslauf m

'**chick lit** n (fam) Chick Lit f (Frauenromane für trendy, erfolgreiche Mittzwanziger- bis Mittdreißigerinnen)

chick-mag·net n AM (sl) Teenie-Idol nt

chick·pea ['tʃɪkpi:] n Kichererbse f

chico·ry ['tʃɪkˀri] n no pl ❶ (vegetable) Chicorée m o f ❷ (in drink) Zichorie f

chief [tʃi:f] I. n ❶ (head of organization) Chef(in) m(f) ❷ (leader of people) Führer(in) m(f); (head of clan) Oberhaupt nt; (head of tribe) Häuptling m II. adj ❶ (main) Haupt- ❷ (head) ~ **administrator** Verwaltungschef(in) m(f); ~ **minister** Ministerpräsident(in) m(f)

chief ex·'ecu·tive n ❶ AM (head of state) Präsident(in) m(f) ❷ (head of organization) ~ [**officer**] Generaldirektor(in) m(f)

chief 'jus·tice n Oberrichter(in) m(f)

chief·ly ['tʃi:fli] adv hauptsächlich

chief·tain ['tʃi:ftˀn] n of a tribe Häuptling m; of a clan Oberhaupt nt

chif·fon ['ʃɪfɒn] n ❶ no pl Chiffon m ❷ AM **lemon ~ pie** Zitronensahne|torte] f

chil·blain ['tʃɪlbleɪn] n Frostbeule f

child <pl -dren> [tʃaɪld, pl tʃɪldrˀn] n Kind nt

'**child abuse** n no pl Kindesmisshandlung f; (sexually) Kindesmissbrauch m '**child·bear·ing** I. n no pl [Kinder]gebären nt II. adj of ~ **age** im gebärfähigen Alter **child 'ben·efit** n BRIT Kindergeld nt '**child·birth** n no pl Geburt f '**child·care** n no pl Kinderpflege f; (social services department) Kinderfürsorge f; (for older children) Jugendfürsorge f

child·hood ['tʃaɪldhʊd] n no pl Kindheit f; ~ **friend** Freund(in) m(f) aus Kindheitstagen

child·ish ['tʃaɪldɪʃ] adj (pej) kindisch

child·ish·ly ['tʃaɪldɪʃli] adv (pej) kindisch, infantil pej

child·ish·ness ['tʃaɪldɪʃnəs] n no pl kindisches Benehmen [o Betragen], infantiles Verhalten pej

child·less ['tʃaɪldləs] adj kinderlos

'**child·like** adj kindlich

'**child·mind·er** n Tagesmutter f '**child·proof** adj kindersicher

chil·dren ['tʃɪldrən] n pl of **child**

'**child's play** n to be ~ ein Kinderspiel sein

child sup·'port n Unterhalt m

Chile ['tʃɪli] n Chile nt

Chil·ean ['tʃɪliən] I. n Chilene, Chile-

nin m, f II. adj chilenisch

chili <pl -es> ['tʃɪli] n esp AM see **chilli**

chill [tʃɪl] I. n ❶ no pl (coldness) Kühle f; (feeling of coldness) Kältegefühl nt; to **take the ~ off** leicht erwärmen ❷ (cold) Erkältung f; to **catch a ~** sich erkälten II. adj (liter: cold) kalt ▸ to **take a ~ pill** AM (sl) sich abregen III. vi ❶ (grow cold) abkühlen; ~**ed to the bone** ganz durchgefroren ❷ esp AM (fam) ~ [**out**] chillen sl IV. vt [ab]kühlen [lassen]

chil·li <pl -es> ['tʃɪli] n Chili m

chill·ing ['tʃɪlɪŋ] adj ❶ (making cold) eisig ❷ (causing fear) abschreckend ❸ (damaging) ernüchternd

chill-out ['tʃɪlaʊt] adj attr room, area Ruhe-

chil·ly ['tʃɪli] adj kühl a. fig; to **feel ~** frösteln

chime ['tʃaɪm] I. n (bell tones) Geläute nt; (single one) Glockenschlag m; of doorbell Läuten nt kein pl II. vi klingen; church bells läuten III. vt the clock ~d eleven die Uhr schlug elf

chim·ney ['tʃɪmni] n Schornstein m; of factory Schlot m; of stove Rauchfang m; to **smoke like a ~** (fig) wie ein Schlot rauchen

'**chim·ney·pot** n Schornsteinaufsatz m '**chim·ney·stack** n BRIT Schornstein m; of factory Schlot m '**chim·ney·sweep** n Schornsteinfeger(in) m(f)

chim·pan·zee [ˌtʃɪmpˀn'zi:] n Schimpanse m

chin [tʃɪn] n Kinn nt ▸ to **keep** one's **~ up** sich nicht unterkriegen lassen; **keep your ~ up!** Kopf hoch!; to **take** it on the **~** etw mit [großer] Fassung [er]tragen

chi·na ['tʃaɪnə] n no pl ❶ (porcelain) Porzellan nt ❷ (tableware) Geschirr nt

Chi·na ['tʃaɪnə] n no pl China nt

Chi·nese <pl -> [tʃaɪ'ni:z] I. n ❶ (person) Chinese, Chinesin m, f; ∎ **the ~** pl die Chinesen pl ❷ no pl (language) Chinesisch nt ❸ no pl (food) chinesisches Essen II. adj chinesisch

Chi·nese 'cab·bage n Chinakohl m **Chi·nese 'lan·tern** n Lampion m **Chi·nese 'res·tau·rant** n Chinarestaurant nt

chink [tʃɪŋk] I. n ❶ (opening) Spalt m; **a ~ in sb's armour** (fig) jds Schwachstelle ❷ (noise) Klirren nt; of coins, keys Klimpern nt II. vi klirren; (with coins, keys) klimpern

chintz [tʃɪnts] n no pl Chintz m

'**chin·wag** ['tʃɪnwæg] n (dated fam) Schwatz m; to **have a good ~ with sb** mit jdm ein nettes Schwätzchen halten

chip [tʃɪp] I. n ❶ (broken-off piece) Splitter *m; of wood* Span *m* ❷ *(crack)* ausgeschlagene Ecke; *(on blade)* Scharte *f;* **this cup has got a ~ in it** diese Tasse ist angeschlagen ❸ BRIT *(fried potato)* ■~s *pl* Pommes frites *pl; fish and ~s* Fisch und Chips ❹ AM *(crisps)* ■~s *pl* Chips *pl* ❺ COMPUT Chip *m* ❻ *(for gambling)* Chip *m* ▸ **to be a ~ off the old** <u>block</u> ganz der Vater/die Mutter sein; **to have a ~ on one's** <u>shoulder</u> einen Komplex haben [und daher sehr empfindlich sein]; **when the ~s are** <u>down</u> wenn es drauf ankommt II. *vt* <-pp-> ❶ *(damage)* abschlagen; *(break off)* abbrechen ❷ SPORTS chippen III. *vi* <-pp-> [leicht] abbrechen ◆ **chip away** *vi* ■ **to ~ away at sth** an etw *dat* nagen ◆ **chip in** *vi (fam)* ❶ *(pay)* beisteuern ❷ *(help)* mithelfen ❸ BRIT *(interrupt)* dazwischenreden

'chip-bas·ket *n* BRIT Frittiersieb *nt*

chip-en'hanced *adj* mit einem Mikrochip ausgestattet; **~ online security** Online-Sicherheit durch eingepflanzten Mikrochip

chip·munk ['tʃɪpmʌŋk] *n* Backenhörnchen *nt*

'chip pan *n* BRIT Fritteuse *f*

chipped [tʃɪpt] *adj* abgeschlagen; *blade* schartig; *plate* angeschlagen; *tooth* abgebrochen

chip·per ['tʃɪpəʳ] *adj (fam)* aufgekratzt *fam,* munter

chip·py ['tʃɪpi] *n* ❶ BRIT *(fam: food outlet)* Frittenbude *f* ❷ AM *(pej! sl: female prostitute)* [billiges] Flittchen ❸ BRIT *(fam: carpenter)* Schreiner(in) *m(f)*

chi·ropo·dist [kɪ'rɒpədɪst, ʃɪ-] *n* Fußpfleger(in) *m(f)*

chi·ropo·dy [kɪ'rɒpədi, ʃɪ-] *n no pl* Fußpflege *f*

chi·ro·prac·tic ['kaɪ(ə)rə(ʊ)præktɪk] *n no pl* Chiropraktik *f*

chi·ro·prac·tor ['kaɪ(ə)rə(ʊ)ˌpræktəʳ] *n* Chiropraktiker(in) *m(f)*

chirpi·ly ['tʃɜːpɪli] *adv* munter, fröhlich

chirpy ['tʃɜːpi] *adj* aufgekratzt

chir·rup ['tʃɪrəp], **chirp** [tʃɜːp] I. *n* Zwitschern *nt* II. *vi, vt* <-pp-> zwitschern

chis·el ['tʃɪzəl] I. *n* Meißel *m; (for wood)* Beitel *m* II. *vt* <BRIT -ll- *or* AM *usu* -l-> meißeln; *wood* hauen

chit [tʃɪt] *n* BRIT Bescheinigung *f; (from doctor)* Krankmeldung *f*

chit-chat ['tʃɪtʃæt] *n no pl (fam)* Geplauder *nt;* **~** leeres Gerede

chiv·al·rous ['ʃɪvəlrəs] *adj* ritterlich

chiv·al·ry ['ʃɪvəlri] *n no pl* Ritterlichkeit *f*

chive [tʃaɪv] *n* ■~s *pl* Schnittlauch *m kein pl*

chlo·ride ['klɔːraɪd] *n no pl* Chlorid *nt*

chlo·rin·ate ['klɔːrɪneɪt] *vt* chloren

chlo·rine ['klɔːriːn] *n no pl* Chlor *nt*

chloro·fluoro·car·bon [ˌklɔːrə(ʊ)flʊərə(ʊ)'kɑːbən] *n* Fluorchlorkohlenwasserstoff *m*

chlo·ro·form ['klɔːrəfɔːm] I. *n no pl* Chloroform *nt* II. *vt* chloroformieren

chlo·ro·phyll ['klɔːrəfɪl] *n no pl* Chlorophyll *nt*

choc-ice ['tʃɒkaɪs] *n* BRIT Eis[riegel] mit Schokoladenüberzug

chock [tʃɒk] *n* Bremsklotz *m*

chock-a-block [ˌtʃɒkə'blɒk] *adj (fam)* vollgestopft **chock-'full** *adj (fam)* ❶ *(full)* proppenvoll ❷ *(fig)* **~ of vitamins** vitaminreich

choco·late ['tʃɒkələt] *n* ❶ *no pl (substance)* Schokolade *f;* **~ biscuit** Schokoladenkeks *m;* **~ mousse** Mousse *f* au Chocolat; **baking ~** Blockschokolade *f;* **dark ~** [*or* BRIT *also* **bitter**] [*or* AM *also* **bittersweet**] Zartbitterschokolade *f* ❷ *(sweet)* Praline *f*

choice [tʃɔɪs] I. *n* ❶ *no pl (selection)* Wahl *f;* **it's your choice!** du hast die Wahl!; **to make a ~** eine Wahl treffen; **by ~** freiwillig ❷ *no pl (variety)* **a wide ~ of sth** eine reiche Auswahl an etw *dat* ▸ **to be** <u>spoilt</u> **for ~** die Qual der Wahl haben II. *adj* ❶ *(top quality)* erstklassig ❷ *(iron: abusive) language* deftig; *words* beißend

choir [kwaɪəʳ] *n* Chor *m* '

'choir·boy *n* Chorknabe *m* **'choir·master** *n* Chorleiter(in) *m(f)* **'choir stalls** *npl* Chorgestühl *nt*

choke [tʃəʊk] I. *n no pl* AUTO Choke *m* II. *vt* ❶ *(strangle)* erwürgen; *(suffocate)* ersticken ❷ *usu passive (fam: overwhelm emotionally)* überwältigen ❸ *(blocked)* ■ **to be ~d** verstopft sein III. *vi* ❶ *(have problems breathing)* keine Luft bekommen; **to ~ to death** ersticken; ■ **to ~ on sth** sich an etw *dat* verschlucken ❷ SPORTS *(sl)* versagen ◆ **choke back** *vt* unterdrücken ◆ **choke down** *vt* hinunterschlucken ◆ **choke off** *vt* drosseln ◆ **choke up** *vt* überwältigen

chok·er ['tʃəʊkəʳ] *n* ❶ *(necklace)* eng anliegende Halskette; *(ribbon)* Halsband *nt* ❷ AM *(fam: person)* Versager(in) *m(f)*

chol·era ['kɒlərə] *n no pl* Cholera *f*

cho·les·ter·ol [kə'lestərɒl] *n no pl* Cholesterin *nt;* **high-~ foods** Nahrungsmittel *pl* mit hohem Cholesteringehalt; **~ level** Cholesterinspiegel *m*

choose <chose, chosen> [tʃuːz] I. *vt* [aus]wählen; **they chose her to lead the**

project sie haben sie zur Projektleiterin gewählt II. *vi* (*select*) wählen; (*decide*) sich entscheiden; **you can ~ from these prizes** Sie können sich etwas unter diesen Preisen aussuchen; **to ~ to do sth** es vorziehen, etw zu tun ▶ **there is <u>little</u> to ~ between them** sie unterscheiden sich kaum

choos(e)y ['tʃuːzi] *adj* (*fam*) ■**to be ~ [about sth]** [bei etw *dat*] wählerisch sein

chop [tʃɒp] I. *vt* <-pp-> ❶ (*cut*) ■**to ~ sth** ↻ [**up**] etw klein schneiden; *wood* etw hacken ❷ (*reduce*) kürzen II. *vi* <-pp-> hacken ▶ **to ~ and <u>change</u>** BRIT, AUS (*of opinion*) ständig die Meinung ändern; (*of action*) häufig wechseln III. *n* ❶ (*meat*) Kotelett *nt* ❷ (*hit*) Schlag *m* ❸ *no pl* (*of water*) Wellengang *m* ❹ *esp* BRIT, AUS (*fam*) **to get the ~** gefeuert werden ◆ **chop away** *vt* abschlagen; (*fig*) kürzen ◆ **chop down** *vt* fällen ◆ **chop off** *vt* abhacken

chop-chop [ˌtʃɒpˈtʃɒp] *interj* (*fam*) hopphopp

chop·per ['tʃɒpə'] *n* ❶ (*sl: helicopter*) Hubschrauber *m* ❷ BRIT (*for meat*) Hackbeil *nt;* (*for wood*) Hackmesser *nt* ❸ (*sl: motorcycle*) Chopper *m*

'**chop·ping block** *n* Hackklotz *m*

'**chop·ping board** *n* Hackbrett *nt*

chop·py ['tʃɒpi] *adj* NAUT bewegt

'**chop·stick** *n usu pl* [Ess]stäbchen *nt*

chop suey [ˌtʃɒpˈsuːi] *n* Chopsuey *nt*

cho·ral ['kɔːrəl] *adj* Chor-; **~ society** Gesangverein *m*

chord [kɔːd] *n* Akkord *m* ▶ **to <u>strike</u> a ~ with sb** jdn berühren

chore [tʃɔː'] *n* ❶ (*routine task*) Routinearbeit *f;* **to do the ~s** die Hausarbeit erledigen ❷ (*tedious task*) lästige Aufgabe

cho·reo·graph ['kɒriəgrɑːf] *vt* **to ~ a ballet** ein Ballett choreografieren

cho·reog·ra·pher [ˌkɒriˈɒgrəfə'] *n* Choreograf(in) *m(f)*

cho·reo·graph·ic [ˌkɒriəʊˈgræfɪk] *adj* choreografisch

cho·reog·ra·phy [ˌkɒriˈɒgrəfi] *n no pl* Choreografie *f*

chor·is·ter ['kɒrɪstə'] *n* Chormitglied *nt;* (*in cathedral choir*) Kirchenchorsänger(in) *m(f)*

cho·rus ['kɔːrəs] I. *n* <*pl* -es> ❶ (*refrain*) Refrain *m;* **they burst into a ~ of Happy Birthday** sie stimmten ein Happy Birthday an ❷ + *sing/pl vb* (*group of singers*) Chor *m* II. *vi* im Chor sprechen

chose [tʃəʊz] *pt of* **choose**

cho·sen [tʃəʊzən] *pp of* **choose**

chow [tʃaʊ] *n* AM (*sl: food*) Futter *nt*

chow·der ['tʃaʊdə'] *n no pl* AM *sämige Suppe mit Fisch, Muscheln etc.*

Christ [kraɪst] I. *n* Christus *m* II. *interj* (*sl*) **~ almighty!** Herrgott noch mal!

chris·ten [krɪsən] *vt* ❶ (*give name to*) taufen; (*give nickname to*) einen Spitznamen geben ❷ (*use for first time*) einweihen

chris·ten·ing ['krɪsənɪŋ] *n,* '**chris·ten·ing cer·emo·ny** *n* Taufe *f*

Chris·tian ['krɪstʃən] I. *n* Christ(in) *m(f)* II. *adj* christlich *a. fig;* (*decent*) anständig

Chris·ti·an·ity [ˌkrɪstiˈænɪti] *n no pl* Christentum *nt*

'**Chris·tian name** *n esp* BRIT Vorname *m*

Christ·mas <*pl* -es *or* -ses> ['krɪs(t)məs] *n* Weihnachten *nt;* **Happy** [*or* **Merry**] **~!** Frohe [*o* Fröhliche] Weihnachten!; **at ~** [an] Weihnachten

'**Christ·mas card** *n* Weihnachtskarte *f*

'**Christ·mas carol** *n* Weihnachtslied *nt*

Christ·mas 'crack·er *n* BRIT Knallbonbon *nt* **Christ·mas 'Day** *n* erster Weihnachtsfeiertag **Christ·mas 'Eve** *n* Heiligabend *m;* **on ~** Heiligabend **Christ·mas 'pud·ding** *n* BRIT Plumpudding *m* '**Christ·mas tree** *n* Weihnachtsbaum *m*

chrome [krəʊm], **chro·mium** ['krəʊmiəm] *n no pl* Chrom *nt;* **~ bumper** verchromte Stoßstange; **~-plated** verchromt

chro·mo·some ['krəʊməsəʊm] *n* Chromosom *nt*

chron·ic ['krɒnɪk] *adj* ❶ (*continual*) chronisch; *liar* notorisch ❷ BRIT, AUS (*fam: extremely bad*) furchtbar

chroni·cle ['krɒnɪkl] I. *vt* aufzeichnen II. *n* Chronik *f*

chroni·cler ['krɒnɪklə'] *n* Chronist(in) *m(f)*

chrono·logi·cal [ˌkrɒnəˈlɒdʒɪkəl] *adj* chronologisch

chrono·logi·cal·ly [ˌkrɒnəˈlɒdʒɪkəli] *adv* chronologisch; **to be listed ~** in chronologischer Reihenfolge aufgelistet sein

chro·nol·ogy [krɒnˈɒlədʒi] *n no pl* Chronologie *f*

chro·nom·eter [krɒnˈɒmɪtə'] *n* Zeitmesser *m,* Chronometer *nt fachspr*

chrysa·lis <*pl* -es> ['krɪsəlɪs] *n* BIOL Puppe *f*

chry·san·themum [krɪˈsæn(t)θəməm] *n* Chrysantheme *f*

chub·by ['tʃʌbi] *adj* pummelig; *face* pausbäckig; **~ child** Pummelchen *nt;* **~ fingers** Wurstfinger *pl*

chuck [tʃʌk] I. *n* NBRIT (*fam*) Schnucki *nt* II. *vt* (*fam*) ❶ (*throw*) schmeißen ❷ (*end a* *relationship*) ■**to ~ sb** mit jdm Schluss machen ❸ (*fam: give up*) [hin|schmeißen [hin]schmeißen ◆**chuck away** *vt* (*fam*) wegschmeißen ◆**chuck out** *vt* (*fam*) ❶ (*throw away*) wegschmeißen ❷ (*force to leave*) an die [frische] Luft setzen ◆**chuck up** (*fam*) **I.** *vt* hinschmeißen **II.** *vi* kotzen *derb*

chuck·er-'out <*pl* chuckers-out> *n* BRIT (*fam*) Rausschmeißer *m*

chuck·ing-out time [ˌtʃʌkɪŋˈaʊttaɪm] *n* (*fam*) *of pub* Polizeistunde *f*

chuck·le [tʃʌkl] **I.** *n* Gekicher *nt kein pl* **II.** *vi* in sich *akk* hineinlachen

chug [tʃʌg] **I.** *vi* <-gg-> tuckern **II.** *n* Tuckern *nt*

chum [tʃʌm] *n* (*fam*) Freund(in) *m(f)*

chum·my [ˈtʃʌmi] *adj* (*fam*) freundlich; **to get ~ with sb** sich mit jdm anfreunden

chump [tʃʌmp] *n* (*fam*) Trottel *m* ▶ **to be off one's ~** seinen Verstand verloren haben

chunk [tʃʌŋk] *n* ❶ (*thick lump*) Brocken *m*; **~ of bread/cheese** [großes] Stück Brot/Käse; **~ s of meat** Fleischbrocken *pl*; **pineapple ~s** Ananasstücke *pl* ❷ (*fig fam: large part of sth*) großer Batzen

chunky [ˈtʃʌŋki] *adj garment* grob; *jewellery* klobig; *person* stämmig

Chun·nel [ˈtʃʌnəl] *n* (*fam*) ■**the ~** der Kanaltunnel

church [tʃɜ:tʃ] *n* <*pl* -es> Kirche *f*; **to go to** [*or attend*] **~** in die [*o* zur] Kirche gehen; **the Catholic C~** die Katholische Kirche; **~ elder** Kirchenälteste(r) *f(m)*; **~ fête** *esp* BRIT Kirchenbasar *m*; **~ wedding** kirchliche Trauung

'church·goer *n* Kirchgänger(in) *m(f)* **Church of 'Eng·land** *n* BRIT Kirche *f* von England **church·'ward·en** *n* BRIT (*in Anglican Church*) Gemeindevorsteher(in) *m(f)*; AM (*administrator*) Vermögensverwalter(in) *m(f)* einer Kirche **'church·yard** *n* Friedhof *m*

churl·ish [ˈtʃɜ:lɪʃ] *adj* ungehobelt

churn [tʃɜ:n] *n* ❶ Butterfass *nt*; **milk ~** Milchkanne *f* **II.** *vt ground, sea* aufwühlen; *milk* quirlen **III.** *vi* (*fig*) sich heftig drehen

chute¹ [ʃu:t] *n* Rutsche *f*; **laundry ~** Wäscheschacht *m*; **rubbish** [*or* AM **garbage**] **~** Müllschlucker *m*

chute² [ʃu:t] *n short for* **parachute** Fallschirm *m*

chut·ney [ˈtʃʌtni] *n* Chutney *nt*

CIA [ˌsi:aɪˈeɪ] *n* AM *abbrev of* **Central Intelligence Agency** CIA *m o f*

CID [ˌsi:aɪˈdi:] *n* BRIT *abbrev of* **Criminal Investigation Department** Oberste Kriminalpolizeibehörde, ≈ Kripo *f*

ci·der [ˈsaɪdər] *n no pl* Apfelwein *m*, Apfel-most *m*; **~ apples** Pressäpfel *pl*

ci·gar [sɪˈgɑ:ʳ] *n* Zigarre *f*

ci·'gar box *n* Zigarrenkiste *f* **ci·'gar case** *n* Zigarrenetui *nt* **ci·'gar-cut·ter** *n* Zigarrenabschneider *m*

ciga·rette [ˌsɪgəˈret] *n* Zigarette *f*

ciga·'rette case *n* Zigarettenetui *nt* **ciga·'rette hold·er** *n* Zigarettenspitze *f* **ciga·'rette pa·per** *n* Zigarettenpapier *nt*

ciga·ril·lo [ˌsɪgəˈrɪləʊ] *n* Zigarillo *m o nt, fam a. f*

cig·gy [ˈsɪgi] *n* (*fam: cigarette*) Kippe *f sl*

ci·lan·tro [sɪˈlæntroʊ] *n* AM *no pl* frischer Koriander

cinch <*pl* -es> [sɪntʃ] *n usu sing* ■**a ~** (*easy task*) ein Kinderspiel *nt*; (*a certainty*) eine todsichere Sache

cin·der [ˈsɪndər] *n* Zinder *m*; **burnt to a ~** verkohlt; ■**~s** *pl* Asche *f kein pl*; **~ track** Aschenbahn *f*

Cin·der·ella [ˌsɪndəˈrelə] *n* Aschenputtel *nt*

'cine-cam·era *n* Filmkamera *f* **'cine-film** *n* Schmalfilm *m* **'cin·ema** [ˈsɪnəmə] *n* Kino *nt*; **to go to the ~** ins Kino gehen

'cin·ema·goer *n* Kinogänger(in) *m(f)* **cin·emat·ic** [ˌsɪnɪˈmætɪk] *adj* Film- **'cine-pro·jec·tor** *n* Filmprojektor *m*

cin·na·mon [ˈsɪnəmən] *n no pl* Zimt *m*

ci·pher [ˈsaɪfər] *n* ❶ (*secret code*) [Geheim]code *m*; (*sign*) Chiffre *f* ❷ AM (*zero*) Null *f*

cir·ca [ˈsɜ:kə] *prep* (*form*) circa

cir·cle [ˈsɜ:kl] **I.** *n* ❶ (*round shape*) Kreis *m*; **to have ~s under one's eyes** Ringe unter den Augen haben; **to go round in ~s** sich im Kreis drehen *a. fig* ❷ (*group of people*) Kreis *m*, Runde *f*; **~ of friends** Freundeskreis *m* ❸ *no pl* (*in theatre*) Rang *m* ▶ **a vicious ~** ein Teufelskreis *m* **II.** *vt* ❶ (*draw*) umkringeln ❷ (*walk*) umkreisen **III.** *vi* kreisen

cir·clet [ˈsɜ:klət] *n* Reif *m*

cir·cuit [ˈsɜ:kɪt] *n* ❶ ELEC Schaltsystem *nt* ❷ SPORTS Rennstrecke *f*; **to do a ~** eine Runde drehen ❸ (*circular route*) Rundgang *m* (**of** um/durch) ❹ (*sequence of events*) Runde *f*; **lecture ~** Vortragsreihe *f*; **tennis ~** Tennis(turnier)runde *f* ❺ LAW Gerichtsbezirk *m*; **~ court** Bezirksgericht *nt*

'cir·cuit board *n* Schaltbrett *nt* **'cir·cuit break·er** *n* Schutzschalter *m*

cir·cui·tous [səˈkju:ɪtəs] *adj* umständlich; **~ route** Umweg *m*

cir·cu·lar [ˈsɜ:kjələʳ] **I.** *adj* [kreis|rund **II.** *n* Rundschreiben *nt*; (*advertisement*) Wurfsendung *f*

cir·cu·lar 'let·ter *n* Rundschreiben *nt*

cir·cu·lar 'saw n Kreissäge f **cir·cu·lar 'tour** n, **cir·cu·lar 'trip** n Rundreise f, Rundfahrt f

cir·cu·late ['sɜːkjəleɪt] I. vt news in Umlauf bringen; petition herumgehen lassen II. vi zirkulieren; rumours kursieren; ~ **among your guests!** mach mal eine Runde!

cir·cu·la·tion [ˌsɜːkjə'leɪʃ³n] n no pl ❶ MED [Blut]kreislauf m, Durchblutung f; **poor ~** Durchblutungsstörungen pl ❷ (copies sold) Auflage f ❸ (seen in public) **to be/ be taken out of ~** aus dem Verkehr gezogen sein/werden a. fig; **to be back in ~** wieder mitmischen

cir·cum·cise ['sɜːkəmsaɪz] vt beschneiden

cir·cum·ci·sion [ˌsɜːkəm'sɪʒ³n] n Beschneidung f

cir·cum·fer·ence [sə'kʌm(p)f³r³n(t)s] n Umfang m

cir·cum·navi·gate [ˌsɜːkəm'nævɪgeɪt] vt umfahren; (by sailing boat) umsegeln

cir·cum·navi·ga·tion [ˌsɜːkəmnævɪ'geɪʃ³n] n Umschiffung f; (by sailing boat) Umseg[e]lung f

cir·cum·spect ['sɜːkəmspekt] adj umsichtig

cir·cum·stance ['sɜːkəmstæn(t)s] n Umstände pl; **to be a victim of ~[s]** ein Opfer der Verhältnisse sein; **in reduced ~s** in beschränkten Verhältnissen; **in** [or **under]** **no/these ~s** unter keinen/diesen Umständen

cir·cum·stan·tial [ˌsɜːkəm'stæn(t)ʃ³l] adj indirekt; ~ **evidence** Indizienbeweis m

cir·cum·vent [ˌsɜːkəm'vent] vt umgehen

cir·cum·ven·tion [ˌsɜːkəm'ven(t)ʃ³n] n no pl of a law, regulation Umgehung f

cir·cus ['sɜːkəs] n ❶ (show) Zirkus m ❷ BRIT (in city) [runder] Platz; **Piccadilly C~** Piccadilly Circus m

cir·rus <pl -ri> ['sɪrəs, pl -ri] n METEO Zirrus m

cis·tern ['sɪstən] n (of toilet) Spülkasten m; (in roof) Wasserspeicher m

cita·del ['sɪtəd³l] n Zitadelle f

ci·ta·tion [ˌsaɪ'teɪʃ³n] n ❶ (quotation) Zitat nt ❷ AM (commendation) lobende Erwähnung

cite [saɪt] vt ❶ (mention) anführen ❷ (quote) zitieren ❸ AM (officially commend) ▪**to be ~d** lobend erwähnt werden

citi·zen ['sɪtɪz³n] n [Staats]bürger(in) m/f)

Citi·zens' Band 'ra·dio n CB-Funk m

citi·zen·ship ['sɪtɪz³nʃɪp] n no pl ❶ (national status) Staatsbürgerschaft f ❷ (behaviour) Nachbarschaft f

cit·ric ['sɪtrɪk] adj Zitrus-; ~ **acid** Zitronen-

säure f

cit·rus ['sɪtrəs] n <pl - or -es> Zitrusgewächs nt; ~ **fruit** Zitrusfrucht f

city ['sɪti] n ❶ (large town) [Groß]stadt f ❷ BRIT ▪**the C~** das Londoner Banken- und Börsenviertel

city 'hall n AM Rathaus nt; ▪**C~** Stadtverwaltung f

civ·ic ['sɪvɪk] adj städtisch; (of citizenship) bürgerlich; ~ **authorities** Stadtverwaltung f; ~ **centre** BRIT Verwaltungszentrum nt

civ·il ['sɪv³l] adj ❶ (non-military) zivil; (of ordinary citizens) bürgerlich ❷ (courteous) höflich; **to keep a ~ tongue in one's head** seine Zunge im Zaum halten

civ·il 'court n Zivilgericht nt **civ·il de·'fence** n no pl Zivilschutz m **civ·il dis·o'bedi·ence** n no pl ziviler Ungehorsam **civ·il en·gi·'neer** n Bauingenieur(in) m/f)

ci·vil·ian [sɪ'vɪliən] I. n Zivilist(in) m/f) II. adj Zivil-

ci·vil·ity [sɪ'vɪlətiz] n ❶ no pl (politeness) Höflichkeit f ❷ (remarks) ▪**civilities** pl Höflichkeitsfloskeln pl

civi·li·za·tion [ˌsɪv³laɪ'zeɪʃ³n] n Zivilisation f

civi·lize ['sɪv³laɪz] vt zivilisieren

civi·lized ['sɪv³laɪzd] adj ❶ (advanced in social customs) zivilisiert; ~ **nation** Kulturnation f ❷ (polite, reasonable) höflich ❸ (showing good taste) kultiviert

civ·il 'law n Zivilrecht nt **civ·il 'lib·er·ties** npl [bürgerliche] Freiheitsrechte

civ·il·ly ['sɪv³li] adv höflich, zuvorkommend

civ·il 'rights npl Bürgerrechte pl **civ·il 'serv·ant** n [Staats]beamte(r), -beamtin m, f **civ·il 'ser·vice** n öffentlicher Dienst **civ·il 'war** n Bürgerkrieg m

civ·vies ['sɪviz] npl esp BRIT (dated fam) Zivil nt kein pl

ckw. adv abbrev of **clockwise** im Uhrzeigersinn

clack [klæk] vi klappern

clad [klæd] adj gekleidet; **ivy-~** efeubewachsen

claim [kleɪm] I. n ❶ (assertion) Behauptung f ❷ (demand for money) Forderung f ❸ (right) Anspruch m (to auf); **legal ~** Rechtsanspruch m ❹ (insurance) Versicherungsanspruch m ❺ LAW Klage f; **small ~s court** Gericht, das für Geldansprüche bis zu einer bestimmten Höhe zuständig ist ❻ MIN Claim nt II. vt ❶ (assert) behaupten; responsibility übernehmen; victory für sich akk in Anspruch nehmen ❷ (declare ownership) Anspruch erheben auf +akk; lug-

gage abholen; *throne* beanspruchen; *diplomatic immunity* sich berufen auf +*akk* ❸ (*require*) in Anspruch nehmen ❹ (*demand in writing*) beantragen; *damages, a refund* fordern; **to ~ one's money back** sein Geld zurückverlangen ❺ (*cause death*) fordern **III.** *vi* seine Ansprüche geltend machen; ■**to ~ for sth** etw fordern; **to ~ on the insurance** Schadenersatz bei der Versicherung beantragen ◆**claim back** *vt* zurückfordern

claim·ant [ˈkleɪmənt] *n* Anspruchsteller(in) *m(f)*; (*for benefits*) Antragsteller(in) *m(f)*; LAW Kläger(in) *m(f)*; **~ to a throne** Thronanwärter(in) *m(f)*

clair·voy·ance [ˌkleəˈvɔɪən(t)s] *n no pl* Hellsehen *nt*

clair·voy·ant [ˌkleəˈvɔɪənt] **I.** *n* Hellseher(in) *m(f)* **II.** *adj* hellseherisch; ■**to be ~** hellsehen können

clam [klæm] **I.** *n* Venusmuschel *f* **II.** *vi* <-mm-> ■**to ~ up** keinen Piep[s] mehr sagen

clam·ber [ˈklæmbə^r] **I.** *vi* klettern **II.** *n usu sing* Kletterei *f*

clam 'chow·der *n* [sämige] Muschelsuppe

clam·my [ˈklæmi] *adj* feuchtkalt

cla·mor *n, vi* Am *see* **clamour**

cla·mour [ˈklæmə^r] **I.** *vi* (*demand*) schreien (**for** nach); (*protest*) protestieren **II.** *n* ❶ (*popular outcry*) Aufschrei *m*; (*demand*) lautstarke Forderung ❷ (*loud noise*) Lärm *m*

clamp [klæmp] **I.** *n* Klammer *f*; (*screwable*) Klemme *f* **II.** *vt* ❶ (*fasten together*) ■**to ~ sth to sth** etw an etw *dat* festklammern; ■**to ~ sth together** etw [mittels einer Zwinge] zusammenpressen ❷ (*hold tightly*) fest halten; **he ~ed his hand over her mouth** er hielt ihr mit der Hand den Mund zu ❸ *esp* BRIT **to ~ a car** eine Wegfahrsperre an einem Auto anbringen ◆**clamp down** *vi* ■**to ~ down on sth** gegen etw *akk* scharf vorgehen

'clam·shell *n* TELEC Klapp-Handy *nt*

clan [klæn] *n* + *sing/pl vb* SCOT Clan *m*; (*hum fam: family*) Sippschaft *f*

clan·des·tine [klænˈdestɪn] *adj* heimlich

clang [klæŋ] **I.** *vi* scheppern; *bell* [laut] läuten **II.** *n usu sing* Scheppern *nt*; *bell* [lautes] Läuten

clang·er [ˈklæŋə^r] *n* BRIT (*fam*) Fauxpas *m*

clank [klæŋk] **I.** *vi* klirren; *chain* rasseln **II.** *vt* klirren mit +*dat* **III.** *n usu sing* Klirren *nt*

clap [klæp] **I.** *n* ❶ (*act*) Klatschen *nt*; **to give sb a ~** jdm applaudieren ❷ (*noise*) Krachen *nt*; **~ of thunder** Don-

ner[schlag] *m* **II.** *vt* <-pp-> ❶ (*slap palms together*) **to ~ one's hands [together]** in die Hände klatschen; ■**to ~ sb** jdm Beifall klatschen ❷ (*place quickly*) **she ~ped her hand over her mouth** sie hielt sich schnell den Mund zu; **to ~ sb on the back** jdm auf die Schulter klopfen; **to ~ sb in chains** jdn in Ketten legen; **to ~ handcuffs on sb** jdm Handschellen anlegen ▶**to ~ eyes on** [erstmals] zu sehen bekommen **III.** *vi* <-pp-> [Beifall] klatschen; **to ~ along** mitklatschen

'clap doc·tor *n* (*sl*) Facharzt, -ärztin *m, f* für Geschlechtskrankheiten

clapped-out [ˈklæptaʊt] *adj* BRIT, AUS (*fam*) klapprig

clap·per [ˈklæpə^r] *n* Klöppel *m* ▶**like the ~s** BRIT (*fam*) mit einem Affenzahn

clap·trap [ˈklæptræp] *n no pl* (*pej fam*) Unsinn *m*

clar·et [ˈklærət] *n* ❶ (*wine*) roter Bordeaux ❷ (*colour*) Weinrot *nt*

clari·fi·ca·tion [ˌklærɪfɪˈkeɪʃ°n] *n* Klarstellung *f*

clari·fy <-ie-> [ˈklærɪfaɪ] *vt* klarstellen

clari·net [ˌklærɪˈnet] *n* Klarinette *f*

clar·ity [ˈklærəti] *n no pl* Klarheit *f*

clash [klæʃ] **I.** *vi* ❶ (*come into conflict*) zusammenstoßen ❷ (*compete against*) aufeinandertreffen ❸ (*contradict*) im Widerspruch stehen ❹ (*be discordant*) nicht harmonieren; *colours* sich beißen ❺ *esp* BRIT, AUS (*coincide inconveniently*) sich überschneiden **II.** *vt* *cymbals* gegeneinanderschlagen **III.** *n* <*pl* -es> ❶ (*hostile encounter*) Zusammenstoß *m* ❷ (*contest*) Aufeinandertreffen *nt* ❸ (*conflict*) Konflikt *m* ❹ (*incompatibility*) Unvereinbarkeit *f* ❺ *esp* BRIT, AUS (*coincidence*) unglückliches Zusammentreffen

clasp [klɑːsp] **I.** *n* ❶ (*firm grip*) Griff *m* ❷ (*fastening device*) Verschluss *m* **II.** *vt* umklammern; **to ~ one's hands** die Hände ringen

'clasp knife *n* Klappmesser *nt*

class [klɑːs] **I.** *n* <*pl* -es> ❶ + *sing/pl vb* (*pupils*) [Schul]klasse *f* ❷ (*lesson*) [Unterrichts]stunde *f*; SPORTS Kurs[us] *m*; **~es have been cancelled today** heute fällt der Unterricht aus ❸ + *sing/pl vb* AM (*graduates*) Jahrgang *m* ❹ + *sing/pl vb* (*stratum*) Klasse *f*, Schicht *f* ❺ (*category, quality*) Klasse *f* **II.** *adj* erstklassig **III.** *vt* einstufen

class-'con·scious *adj* klassenbewusst

clas·sic [ˈklæsɪk] **I.** *adj* klassisch **II.** *n* Klassiker *m*

clas·si·cal [ˈklæsɪk°l] *adj* klassisch

Clas·si·cism [ˈklæsɪsɪzᵊm] *n no pl* Klassizismus *m*

clas·si·cist [ˈklæsɪsɪst] *n* Altphilologe, -philologin *m, f*

clas·sics [ˈklæsɪks] *n + sing vb* Altphilologie *f*

clas·si·fi·ca·tion [ˌklæsɪfɪˈkeɪʃᵊn] *n no pl* Klassifikation *f*

clas·si·fied [ˈklæsɪfaɪd] *adj* geheim; ■**to be** ~ unter Verschluss stehen

clas·si·fy <-ie-> [ˈklæsɪfaɪ] *vt* klassifizieren

class·less [ˈklɑːsləs] *adj* klassenlos

'**class·mate** *n* Klassenkamerad(in) *m(f)*

class re·'un·ion *n* Klassentreffen *nt*

'**class·room** *n* Klassenzimmer *nt*

classy [ˈklɑːsi] *adj* erstklassig

clat·ter [ˈklætəʳ] **I.** *vt* klappern mit +*dat* **II.** *vi* ❶ (*rattle*) klappern ❷ *hooves* trappeln **III.** *n no pl* Klappern *nt; hooves* Getrappel *nt*

clause [klɔːz] *n* ❶ (*part of sentence*) Satzglied *nt* ❷ (*in a contract*) Klausel *f*

claus·tro·pho·bia [ˌklɔːstrəˈfəʊbiə] *n no pl* Klaustrophobie *f*

claus·tro·pho·bic [ˌklɔːstrəˈfəʊbɪk] **I.** *adj person* klaustrophobisch; **my room's a bit** ~ in meinem Zimmer kriegt man fast Platzangst **II.** *n jd, der unter Klaustrophobie leidet*

claw [klɔː] **I.** *n* Kralle *f; of birds of prey, big cats* Klaue *f; of sea creatures* Schere *f* **II.** *vt* [zer]kratzen

claw-foot bath [ˌklɔːfʊtˈbɑːθ] *n* freistehende Badewanne auf Krallenfüßen

clay [kleɪ] *n no pl* ❶ (*earth*) Lehm *m;* (*for pottery*) Ton *m;* **modelling** ~ Modelliermasse *f* ❷ TENNIS Sand *m*

clay 'pig·eon *n* Tontaube *f*

clean [kliːn] **I.** *adj* ❶ (*not dirty*) sauber; *sheet* frisch ❷ LAW ~ **driving licence** Führerschein *m* ohne Strafpunkte; **to have a** ~ **record** nicht vorbestraft sein ❸ *joke* anständig; *living* makellos ❹ *lines* klar ❺ (*complete, entire*) gründlich; **to make a** ~ **break from sth** unter etw *dat* einen Schlussstrich ziehen ❻ MED **to give sb a** ~ **bill of health** jdn für gesund erklären ▸ **to come** ~ reinen Tisch machen **II.** *adv* total, glatt; **the thief got** ~ **away** der Dieb ist spurlos verschwunden; ~ **bowled** BRIT (*cricket*) sauber geschlagen **III.** *vt* ❶ (*remove dirt*) sauber machen; *car* waschen; *floor* wischen; *furniture* reinigen; *shoes, windows* putzen; *wound* reinigen; **to** ~ **the house** putzen; **to** ~ **one's teeth** sich *dat* die Zähne putzen; ■**to** ~ **sth off** etw abwischen ❷ FOOD *chicken, fish* ausnehmen; *vegetables* putzen **IV.** *vi* sich reinigen

lassen **V.** *n* **to give sth a** [**good**] ~ etw [gründlich] sauber machen; *shoes, window, teeth, room* [gründlich] putzen; *furniture, carpet* [gründlich] reinigen ◆**clean out** *vt* ❶ (*clean thoroughly*) [gründlich] sauber machen; (*with water*) auswaschen; *stables* ausmisten; (*throw away*) entrümpeln ❷ (*fam: take all resources*) *person* [wie eine Weihnachtsgans] ausnehmen; *bank, store* ausräumen *fam;* (*in games*) sprengen; **to be completely** ~**ed out** völlig blank sein ◆**clean up I.** *vt* ❶ (*make clean*) sauber machen; *building* reinigen; *room* aufräumen; **to** ~ **up the mess** aufräumen ❷ (*fig*) säubern **II.** *vi* ❶ (*make clean*) aufräumen; (*freshen oneself*) sich frisch machen; ■**to** ~ **up after sb** jdm hinterherräumen ❷ (*sl: make profit*) absahnen

'**clean-cut** *adj* klar umrissen

clean·er [ˈkliːnəʳ] *n* ❶ (*person*) Reinigungskraft *f*, Putzfrau *f* ❷ *no pl* (*substance*) Reiniger *m*

clean·er's *n + sing vb*, **clean·ers** [ˈkliːnəz] *npl* Reinigung *f;* **at the** ~ in der Reinigung ▸ **to have been** taken **to the** ~ (*cheated*) reingelegt worden sein *fam;* (*badly beaten*) fertiggemacht worden sein *fam*

clean·ing [ˈkliːnɪŋ] *n no pl* Reinigung *f;* **to do the** ~ sauber machen

'**clean·ing lady** *n*, '**clean·ing wom·an** *n* Putzfrau *f*

clean·li·ness [ˈklenlɪnəs] *n no pl* Sauberkeit *f*

clean·ly [ˈkliːnli] *adv* sauber

clean·ness [ˈkliːnnəs] *n no pl* Sauberkeit *f*

'**clean room** *n* Reinraum *m*

cleanse [klenz] *vt* reinigen

cleans·er [ˈklenzəʳ] *n* Reiniger *m;* (*for skin*) Reinigungscreme *f*

clean-'shav·en *adj* glatt rasiert

'**cleans·ing cream** *n* Reinigungscreme *f*

'**cleans·ing tis·sue** *n* Kosmetiktuch *nt*

'**clean-up** *n* Reinigung *f*

clear [klɪəʳ] **I.** *adj* ❶ (*understandable*) klar; (*definite*) eindeutig; *signs* deutlich; *picture* scharf; **to make oneself** ~ sich deutlich ausdrücken; **as** ~ **as a bell** glockenhell; [**as**] ~ **as day** eindeutig ❷ (*obvious*) klar; **he's got a** ~ **lead** er führt eindeutig; **as** ~ **as day** sonnenklar; **to make one's position** ~ seine Haltung deutlich machen; **to make oneself** ~ sich verständlich machen; ■**to be** ~ **about sth** sich *dat* über etw *akk* im Klaren sein ❸ (*guilt-free*) *conscience* rein ❹ (*unobstructed*) frei ❺ (*transparent*) *glass* durchsichtig; *liquid* klar ❻(*pure*) rein; *sound* klar ❼(*of weather*) klar ❽(*net*) rein; ~ **profit** Reingewinn *m* ❾(*away from*) **to keep ~** sich fernhalten ▶ **all** ~ die Luft ist rein **II.** *n* ▣ **to be in the ~** außer Verdacht sein **III.** *adv* ❶(*away from*) **stand ~ of the doors** (*in underground*) bitte zurückbleiben; (*at train station*) Türen schließen selbsttätig – Vorsicht bei der Abfahrt; **to be thrown ~ of sth** aus etw *dat* herausgeschleudert werden ❷(*distinctly*) **loud and ~** klar und deutlich **IV.** *vt* ❶(*remove doubts*) klären ❷(*remove confusion*) **to ~ one's head** einen klaren Kopf bekommen ❸(*remove obstruction*) [weg]räumen; **to ~ one's throat** sich räuspern ❹(*remove blemish*) reinigen ❺(*empty*) ausräumen; *building* räumen; *table* abräumen ❻(*acquit*) freisprechen; *name* reinwaschen ❼(*complete*) erledigen ❽ FIN *debts* begleichen ❾(*jump*) springen über +*akk* ❿(*get approval*) klären ⓫(*give permission*) genehmigen; **to ~ a plane for take-off** ein Flugzeug zum Start freigeben ⓬ SPORTS **to ~ |the ball|** klären ▶ **to ~ the decks** klar Schiff machen **V.** *vi* ❶(*delete*) löschen ❷(*become transparent*) sich klären ❸(*become free of obstruction*) sich reinigen ❹(*weather*) sich [auf]klären; *fog* sich auflösen ◆ **clear away I.** *vt* wegräumen **II.** *vi* abräumen ◆ **clear off** *vi* (*fam*) verschwinden ◆ **clear out I.** *vt* ausräumen; *attic* entrümpeln **II.** *vi* (*fam*) verschwinden ◆ **clear up I.** *vt* ❶(*explain*) klären; *mystery* aufklären ❷(*clean*) aufräumen **II.** *vi* ❶(*tidy*) aufräumen; ▣ **to ~ up after sb** hinter jdm herräumen ❷(*become cured*) verschwinden, sich legen ❸(*stop raining*) aufhören zu regnen; (*brighten up*) sich aufklären

clear·ance ['klɪərˀn(t)s] *n no pl* ❶(*act of clearing*) Beseitigung *f*; **slum ~ programme** Slumsanierungsprogramm *nt* ❷(*space*) Spielraum *m; of a door* lichte Höhe ❸ FIN *of a debt* Tilgung *f* ❹(*official permission*) Genehmigung *f*; (*for take-off*) Starterlaubnis *f*; (*for landing*) Landeerlaubnis *f*; **security ~** Unbedenklichkeitsbescheinigung *f*

'**clear·ance sale** *n* Räumungsverkauf *m*

'**clear-cut I.** *adj* ❶(*sharply outlined*) scharf geschnitten; *features* markant ❷(*definite*) klar; *case* eindeutig **II.** *vt* abholzen **clear-'head·ed** *adj* ▣ **to be ~** einen klaren Kopf haben

clear·ing ['klɪərɪŋ] *n* Lichtung *f*

'**clear·ing of·fice** *n* BRIT Abrechnungsstelle *f*

clear·ly ['klɪəli] *adv* ❶(*distinctly*) klar, deutlich ❷(*obviously*) offensichtlich; (*unambiguously*) eindeutig; (*undoubtedly*) zweifellos

clear·ness ['klɪənəs] *n no pl* Klarheit *f*; (*unambiguousness*) Eindeutigkeit *f*

clear-'sight·ed *adj* scharfsichtig

cleav·age ['kliːvɪdʒ] *n no pl* Dekolletee *nt*

cleav·er ['kliːvə'] *n* Hackbeil *nt*

clef [klef] *n* [Noten]schlüssel *m*

cleft [kleft] **I.** *adj* gespalten; **~ palate** Gaumenspalte *f* **II.** *n* Spalt *m*

clema·tis <*pl* -> ['klemətɪs] *n* Klematis *f*

clem·en·cy ['klemən(t)si] *n no pl* Milde *f*; **appeal for ~** Gnadengesuch *nt*

clem·en·tine ['klemənti:n] *n* Klementine, Clementine *f* SCHWEIZ

clench [klen(t)ʃ] *vt* |*fest*| umklammern; *fist* ballen; *teeth* fest zusammenbeißen; **to ~ sth between one's teeth** sich *dat* etw zwischen die Zähne klemmen

cler·gy ['klɜːdʒi] *n* + *pl vb* ▣ **the ~** die Geistlichkeit, *to* **join the ~** Geistliche(r) werden '**cler·gy·man** *n* Geistliche(r) *m* '**cler·gy·wom·an** *n* Geistliche *f*

cler·ic ['klerɪk] *n* Kleriker(in) *m(f)*

cleri·cal ['klerɪkᵊl] *adj* ❶(*of the clergy*) geistlich ❷(*of offices*) Büro-; **~ error** Versehen *nt*

'**cleri·cal staff** *n* + *sing/pl vb* Büropersonal *nt* '**cleri·cal work** *n no pl* Büroarbeit *f*

clerk [klɑːk] **I.** *n* Büroangestellte(r) *f(m)*; AM (*hotel receptionist*) Empfangschef, -dame *m, f*; *sales* ~ AM Verkäufer(in) *m(f)* **II.** *vi* AM **to ~ in an office** in einem Büro beschäftigt sein

clev·er ['klevə'] *adj* ❶(*intelligent*) klug; **to be ~ at a subject** in einem Fach sehr gut sein ❷(*skilful*) geschickt (**at** in); (*showing intelligence*) clever *a. pej; trick* raffiniert '**clev·er clogs** <*pl* -> *n* BRIT, '**clev·er dick** *n* BRIT (*pej*) Klugscheißer *m sl*

clev·er·ly ['klevᵊli] *adv* klug; (*skilfully*) geschickt; **to handle a situation ~** eine Situation sehr geschickt meistern

clev·er·ness ['klevənəs] *n no pl* ❶(*quick-wittedness*) Schlauheit *f* ❷(*skill*) Geschick *nt*

cliché ['kli:ʃeɪ] *n* Klischee *nt*

click [klɪk] **I.** *n* ❶(*short, sharp sound*) Klicken *nt; of fingers* Knipsen *nt; of heels* Zusammenklappen *nt; of lock* Einschnappen *nt; of tongue* Schnalzen *nt* ❷ COMPUT Klick *m* ❸ AM (*sl*) Kilometer *m* **II.** *vi* ❶(*short, sharp sound*) klicken; *lock* einschnappen ❷(*fam: become friendly*) sich auf Anhieb verstehen ❸(*fam: become understandable*) [plötzlich] klar werden

④ COMPUT klicken; ■**to ~ on sth** etw anklicken III. *vt* ❶ (*make sound*) **to ~ one's fingers** [mit den Fingern] schnippen; *heels* zusammenklappen; **to ~ one's tongue** mit der Zunge schnalzen ❷ COMPUT anklicken

'**click fraud** *n no pl* Betrug, bei dem jd unzählige Male Pop-up-Werbung anklickt, damit dem Werber Kosten entstehen, ohne jedoch an dem Produkt interessiert zu sein

cli·ent ['klaɪənt] *n* Kunde, Kundin *m, f;* LAW Klient(in) *m(f)*

cli·en·tele [ˌkliːã(n)'tel] *n + sing/pl vb* Kundschaft *f*

cliff [klɪf] *n* Klippe *f*

'**cliff·hang·er** *n* Thriller *m*

cli·mac·tic [klaɪ'mæktɪk] *adj* sich steigernd

cli·mate ['klaɪmət] *n* Klima *nt a. fig;* **change of ~** Klimawechsel *m;* **the ~ of opinion** die allgemeine Meinung; **to move to a warmer ~** in wärmere Gegenden ziehen

'**cli·mate change** *n no pl* Klimaveränderung *f* '**cli·mate change levy** *n* BRIT Klimaschutzabgabe *f* (*Abgabe auf den Stromverbrauch im nicht-privaten Sektor*) '**cli·mate-neu·tral** *adj attr event, process* klimaneutral

cli·mat·ic [klaɪ'mætɪk] *adj* klimatisch; **~ changes** Klimaveränderungen *pl*

cli·ma·tolo·gist [ˌklaɪmə'tɒlədʒɪst] *n* Klimatologe, Klimatologin *m, f*

cli·ma·tol·ogy [ˌklaɪmə'tɒlədʒi] *n no pl* Klimatologie *f*

cli·max ['klaɪmæks] I. *n* Höhepunkt *m* II. *vi* ❶ (*reach a high point*) einen Höhepunkt erreichen; ■**to ~ in sth** in etw *dat* gipfeln ❷ (*achieve orgasm*) einen Orgasmus haben

climb [klaɪm] I. *n* ❶ (*ascent*) Aufstieg *m a. fig* ❷ AVIAT Steigflug *m* ❸ (*increase*) Anstieg *m* (**in** *+gen*) II. *vt* ❶ (*ascend*) **to ~** [up] **a hill** auf einen Hügel [hinauf]steigen; **to ~** [up] **a ladder** eine Leiter hinaufklettern; **to ~** [up] **the stairs** die Treppe hochgehen; **to ~** [up] **a tree** auf einen Baum [hoch]klettern ❷ (*conquer*) ersteigen III. *vi* ❶ (*ascend*) *road a. fig;* ■**to ~ up path** sich hochschlängeln; *plant* hochklettern ❷ (*increase rapidly*) [an]steigen ❸ (*get into*) hineinklettern (**into** in); **he ~ed into his suit** er stieg in seinen Anzug ❹ (*get out*) herausklettern (**out of** aus) ◆**climb down** *vi* ❶ (*descend*) heruntersteigen; (*from summit*) absteigen; **to ~ down** [**from**] **a tree** von einem Baum herunterklettern ❷ BRIT, AUS (*give in*) klein beige-

ben

'**climb-down** *n* BRIT [Ein]geständnis *nt*

climb·er ['klaɪmə^r] *n* ❶ (*mountaineer*) Bergsteiger(in) *m(f);* of rock faces Kletterer, Kletterin *m, f* ❷ (*climbing plant*) Kletterpflanze *f* ❸ (*striver for higher status*) Aufsteiger(in) *m(f)* ❹ AM (*climbing frame*) Klettergerüst *nt*

climb·ing ['klaɪmɪŋ] I. *n no pl* of mountains Bergsteigen *nt;* of rock faces Klettern *nt* II. *adj* Kletter-; **~ irons** Steigeisen *pl*

clinch [klɪn(t)ʃ] I. *n <pl -es>* ❶ (*embrace*) Umschlingung *f* ❷ BOXING Clinch *m* II. *vt* entscheiden; *deal* perfekt machen III. *vi* BOXING clinchen

clinch·er [klɪn(t)ʃə^r] *n* (*fam*) entscheidender Faktor

cling <clung, clung> [klɪŋ] *vi* ❶ (*hold tightly*) [sich] klammern (**to** an); **~ on** halt dich fest ❷ (*stick*) kleben; *smell* hängen bleiben

'**cling film** *n no pl* BRIT Frischhaltefolie *f*

cling·ing ['klɪŋɪŋ] *adj* ❶ (*close-fitting*) eng anliegend ❷ (*emotionally*) klammernd

clingy ['klɪŋi] *adj* klammernd

clin·ic ['klɪnɪk] *n* (*building*) Klinik *f;* BRIT (*medical advice*) Sprechstunde *f*

clini·cal ['klɪnɪkᵊl] *adj* ❶ *attr* klinisch ❷ *rooms, clothes* steril, kalt ❸ (*emotionless*) distanziert

clini·cal·ly ['klɪnɪkᵊli] *adv* klinisch; **~ dead** klinisch tot; **~ proven** klinisch getestet

cli·ni·cian ['klɪnɪʃᵊn] *n* Kliniker(in) *m(f)*

clink [klɪŋk] I. *vi* klirren; *esp metal* klimpern *dat* II. *vt* klirren mit *+dat; esp metal* klimpern mit *+dat;* **to ~ glasses** die Gläser klingen lassen III. *n* ❶ *no pl* Klirren *nt; coins* Klimpern *nt* ❷ (*fam*) Knast *m*

clip¹ [klɪp] I. *n* ❶ (*fastener*) Klipp *m;* (*for wires*) Klemme *f;* **bicycle ~** [Fahrrad]klammer *f;* **hair ~** [Haar]spange *f;* **paper ~** Büroklammer *f* ❷ (*for gun*) Ladestreifen *m* ❸ (*jewellery*) Klipp *m* II. *vt* *<-pp->* ■**to ~ together** zusammenklammern

clip² [klɪp] I. *n* ❶ (*trim*) Schneiden *nt* ❷ FILM Ausschnitt *m* ❸ (*sharp blow*) Schlag *m;* **to get a ~ round the ear** eins hinter die Ohren bekommen II. *vt <-pp->* ❶ (*trim*) *dog* trimmen; *hedge* stutzen; *sheep* scheren; **to ~ one's nails** sich *dat* die Nägel schneiden ❷ BRIT *ticket* entwerten ❸ (*fig: reduce*) verkürzen ❹ (*attach*) anheften (**to** an) ❺ (*touch*) streifen; **to ~ sb's ear** jdm eins hinter die Ohren geben ▶**to ~ sb's wings** (*fig*) jdm die Flügel stutzen

'clip·board *n* Klemmbrett *nt*
clipped [klɪpt] *adj* ❶ (*trimmed*) gestutzt ❷ (*cut short*) *way of speaking* abgehackt
clip·ping ['klɪpɪŋ] *n* grass ~s das gemähte Gras; nail ~s abgeschnittene Nägel; newspaper ~ Zeitungsausschnitt *m*
clique [kliːk] *n* + *sing/pl vb* (*pej*) Clique *f*
cli·quish ['kliːkɪʃ] *adj*, **cli·quey** ['kliːki] *adj* (*pej*) cliquenhaft
clito·ris ['klɪtⁱərɪs] *n* Klitoris *f*, Kitzler *m*
cloak [kləʊk] **I.** *n* ❶ (*garment*) Umhang *m* ❷ (*fig*) Deckmantel *m* **II.** *vt* verhüllen; to be ~ed in secrecy geheim gehalten werden
'cloak·room *n* ❶ (*for coats*) Garderobe *f* ❷ BRIT (*public toilet*) Toilette *f*
clob·ber ['klɒbəʳ] (*fam*) **I.** *vt* ❶ (*strike*) verprügeln ❷ (*fig: punish*) bestrafen ❸ (*defeat*) vernichtend schlagen **II.** *n no pl* BRIT, AUS Zeug *nt*
clock [klɒk] **I.** *n* ❶ (*for time*) Uhr *f*; to run against the ~ auf Zeit laufen; to work against the ~ gegen die Zeit arbeiten; round the ~ rund um die Uhr ❷ (*speedometer*) Tacho[meter] *m o nt* **II.** *vt* ❶ (*measure speed*) the police ~ed him doing 90 mph die Polizei blitzte ihn mit 145 km/h; to be ~ed at [*or* to ~] 10 seconds in [*or* for] the 100 metres die 100 Meter in 10 Sekunden laufen ❷ (*fam: strike*) ▪to ~ sb [one] jdm eine kleben ◆clock in *vi* stechen
'clock face *n* Zifferblatt *nt* ◆clock out *vi* stechen **clock 'ra·dio** *n* Radiowecker *m*
'clock-watch·er *n* (*pej*) jd, der ständig auf die Uhr sieht **clock·wise** ['klɒkwaɪz] *adj, adv* im Uhrzeigersinn **'clock·work** *n no pl* Uhrwerk *nt;* everything is going like ~ alles läuft wie am Schnürchen; ~ toy Spielzeug *nt* zum Aufziehen; regular as ~ pünktlich wie ein Uhrwerk
clod [klɒd] *n* Klumpen *m*
clog [klɒg] **I.** *n* Holzschuh *m;* (*modern*) Clog *m* **II.** *vi, vt* <-gg-> ▪to ~ [up] verstopfen
clois·ter ['klɔɪstəʳ] *n usu pl* Kreuzgang *m*
clone [kləʊn] **I.** *n* Klon *m* **II.** *vt* klonen
clon·ing ['kləʊnɪŋ] *n no pl* Klonen *nt*
close¹ [kləʊs] **I.** *adj* ❶ (*near*) nah[e]; it's ~ to Christmas Weihnachten steht vor der Tür; ~ combat Nahkampf *m;* the ~st pub das nächste Pub; ▪to be ~ to sth in der Nähe einer S. *gen* liegen; to be ~ to tears den Tränen nahe sein ❷ (*intimate*) eng; ~ relatives nahe Verwandte; ~ secret großes Geheimnis; ▪to be ~ to sb jdm [sehr] nahestehen ❸ (*almost equal*) knapp; the election was too ~ to call der Aus-

gang der Wahl war völlig offen; ~ race Kopf-an-Kopf-Rennen *nt* ❹ (*exact*) genau; to pay ~ attention to sb jdm gut zuhören; to pay ~ attention to sth genau auf etw *akk* achten; to keep a ~ eye on sth etw gut im Auge behalten ❺ (*airless*) schwül; (*in room*) stickig ❻ (*almost*) ~ to [*or* on] ... nahezu ...; ~ to midnight kurz vor Mitternacht ▶that was a ~ call! das war knapp! **II.** *adv* (*near*) nahe; please come ~r kommen Sie doch näher!; the election is getting ~ die Wahlen stehen unmittelbar vor der Tür; she came ~ to getting that job fast hätte sie die Stelle bekommen; the child stood ~ to his mother das Kind stand dicht bei seiner Mutter; to come ~ to tears den Tränen nahe kommen; to get ~ to sb/sth jdm/etw nahekommen; to hold sb ~ jdn fest an sich *akk* drücken; ▪~ by in der Nähe; ▪from ~ up aus der Nähe; ▪~ together dicht beieinander; please stand ~r together können Sie vielleicht noch ein bisschen aufrücken? **III.** *n* BRIT Hof *m;* (*in street names*) Straßenname für Sackgassen
close² [kləʊz] **I.** *vt* ❶ (*shut*) schließen; *book, door, mouth* zumachen; *curtains* zuziehen; *road* sperren ❷ (*end*) abschließen; *bank account* auflösen; *meeting* beenden **II.** *vi* ❶ (*shut*) *wound* sich schließen; *door, lid* zugehen; *shop* schließen; *eyes* zufallen ❷ (*shut down*) schließen; *shop* zumachen; *factory also* stilllegen ❸ (*end*) zu Ende gehen; *meeting* schließen; the pound ~d at $1.62 das Pfund schloss mit 1,62 Dollar ❹ (*approach*) sich nähern **III.** *n no pl* Ende *nt,* Schluss *m;* at the ~ of business bei Geschäftsschluss; to bring [*or* draw] sth to a ~ etw beenden; to come to a ~ zu Ende gehen, enden ◆close down **I.** *vi* business schließen, zumachen; *factory* stillgelegt werden **II.** *vt* schließen; *factory* stilllegen ◆close in *vi* darkness hereinbrechen; *days* kürzer werden; ▪to ~ in on sb/sth sich jdm/etw nähern; (*surround*) jdn/etw umzingeln ◆close off *vt* absperren ◆close up **I.** *vi* ❶ (*shut*) *flower, oyster, wound* sich schließen ❷ (*get nearer*) *people* zusammenrücken; *troops* aufrücken ❸ (*lock up*) abschließen **II.** *vt* [ab]schließen
closed [kləʊzd] *adj* geschlossen, zu; behind ~ doors (*fig*) hinter verschlossenen Türen
closed-'door *adj* geheim; ~ meeting Besprechung *f* hinter verschlossenen Türen
'close-down *n* [Geschäfts]schließung *f; of a factory* Stilllegung *f*

'close-knit *adj* eng verbunden

close·ly ['kləʊsli] *adv* ❶ (*near*) dicht ❷ (*intimately*) eng ❸ (*carefully*) sorgfältig ❹ (*almost equally*) ~ **fought** hart umkämpft ❺ (*exactly*) genau

close·ness ['kləʊsnəs] *n* ❶ *no pl* (*nearness*) Nähe *f* ❷ *no pl* (*intimacy*) Vertrautheit *f* ❸ BRIT (*airlessness*) Schwüle *f;* (*stuffiness*) Stickigkeit *f*

'close sea·son *n* Schonzeit *f*

clos·et ['klɒzɪt] **I.** *n* *esp* AM (*cupboard*) [Wand]schrank *m* ▸ **to come out of the** ~ seine Homosexualität bekennen **II.** *vt* ■**to be** ~**ed with sb** mit jdm hinter verschlossenen Türen tagen

'close-up *n* Nahaufnahme *f*

clos·ing ['kləʊzɪŋ] **I.** *adj* abschließend; ~ **phase** Endphase *f;* ~ **speech** Schlussrede *f* **II.** *n* ❶ (*bringing to an end*) Beenden *nt kein pl;* (*action of closing*) Schließung *f* ❷ (*end of business hours*) Geschäftsschluss *m*

'clos·ing date *n* Schlusstermin *m;* (*for competition*) Einsendeschluss *m;* (*for work due*) Abgabetermin *m* **clos·ing 'down** *n* Schließung *f* **clos·ing-'down sale** *n* Räumungsverkauf *m* **'clos·ing price** *n* Schlussnotierung *f* **'clos·ing time** *n* (*for shop*) Ladenschluss *m;* (*for staff*) Feierabend *m;* (*of pub*) Sperrstunde *f*

clo·sure ['kləʊʒəʳ] *n* ❶ *of institution* Schließung *f; of street* Sperrung *f; of pit* Stilllegung *f* ❷ (*end*) **to have** ~ **of sth** etw abgeschlossen haben

clot [klɒt] **I.** *n* ❶ MED [**blood**] ~ [Blut]gerinnsel *nt* ❷ BRIT (*fam: stupid person*) Trottel *m* **II.** *vi* <-tt-> gerinnen

cloth [klɒθ] *n* ❶ *no pl* (*material*) Tuch *nt*, Stoff *m* ❷ (*for cleaning*) Lappen *m* ❸ (*clergy*) Geistlichkeit *f;* **a man of the** ~ ein Geistlicher *m*

clothe [kləʊð] *vt* [be]kleiden *a. fig*

clothes [kləʊ(ð)z] *npl* Kleider *pl;* (*collectively*) Kleidung *f kein pl*

'clothes-hang·er *n* Kleiderbügel *m* **'clothes horse** *n* Wäscheständer *m* **'clothes line** *n* Wäscheleine *f* **'clothes-moth** *n* [Kleider]motte *f* **'clothes peg** *n* BRIT, **'clothes pin** *n* AM Wäscheklammer *f*

cloth·ing ['kləʊðɪŋ] *n no pl* Kleidung *f*

clot·ting ['klɒtɪŋ] *n no pl* BIOL, CHEM Gerinnung *f*, Koagulierung *f*

cloud [klaʊd] **I.** *n* Wolke *f; of insects* Schwarm *m* ▸ **every** ~ **has a silver lining** (*prov*) jedes Unglück hat auch sein Gutes; **to be under** a ~ keinen guten Ruf haben **II.** *vt issue* verschleiern ◆**cloud over** *vi* ❶ *sky* sich bewölken; **it always** ~**s over**

like this in the afternoon es zieht sich am Nachmittag immer so zu ❷ (*fig*) *face* sich verfinstern

'cloud bank *n* Wolkenbank *f* **'cloud·burst** *n* Wolkenbruch *m* **'cloud-capped** *adj* wolkenverhangen **cloud 'cuckoo land** *n* (*pej*) Wolkenkuckucksheim *nt*

cloud·ed ['klaʊdɪd] *adj* ❶ (*cloudy*) bewölkt, bedeckt ❷ *liquid* trüb ❸ *mind* vernebelt, getrübt

cloud·less ['klaʊdləs] *adj* wolkenlos

cloudy ['klaʊdi] *adj* ❶ (*overcast*) bewölkt, bedeckt ❷ *liquid* trüb

clout [klaʊt] (*fam*) **I.** *n* ❶ (*hit*) Schlag *m; to* **get a** ~ **round the ears** eins hinter die Ohren kriegen; **to give sb a** ~ jdm eine runterhauen; **to give sth a** ~ auf etw *akk* schlagen ❷ *no pl* (*power*) Schlagkraft *f* **II.** *vt* ■**to** ~ **sb** jdm eine schmieren; ■**to** ~ **sth** auf etw *akk* schlagen

clove [kləʊv] *n* ❶ (*spice*) Gewürznelke *f* ❷ (*section*) ~ **of garlic** Knoblauchzehe *f*

clo·ven ['kləʊvᵊn] *adj* Spalt-

clo·ver ['kləʊvəʳ] *n no pl* Klee *m* ▸ **to live in** ~ wie Gott in Frankreich leben

'clo·ver·leaf *n* BOT, TRANSP Kleeblatt *nt*

clown [klaʊn] **I.** *n* ❶ (*entertainer*) Clown *m* ❷ (*funny person*) Kasper *m;* (*pej*) Trottel *m* **II.** *vi* ■**to** ~ **around** [*or* **about**] herumalbern

clown·ish ['klaʊnɪʃ] *adj* albern

cloy·ing ['klɔɪɪŋ] *adj* (*liter*) ❶ (*pej: too sweet*) übermäßig süß; ~ **perfume** widerwärtig süßliches Parfüm ❷ (*pej: emotionally excessive*) übersteigert, exzessiv; ~ **sentimentality** übertriebene Sentimentalität

club [klʌb] **I.** *n* ❶ (*group*) Klub *m*, Verein *m* ❷ SPORTS (*implement*) Schläger *m* ❸ (*weapon*) Knüppel *m* ❹ CARDS Kreuz *nt;* **queen of** ~**s** Kreuzdame *f* ❺ (*disco*) Klub *m* **II.** *vt* <-bb-> einknüppeln auf +*akk;* **to** ~ **to death** erschlagen; **to** ~ **sb to the ground** jdn niederknüppeln ◆**club together** *vi* sich zusammentun

club·ber ['klʌbəʳ] *n* Discobesucher(in) *m(f);* ~**s** Nachtschwärmer *pl*

club·bing ['klʌbɪŋ] *n no pl* **to go** ~ in die Disko gehen

'club car *n* AM Zugrestaurant *nt*

club 'foot *n* MED Klumpfuß *m*

'club·house *n* Klubhaus *nt* **club 'mem·ber** *n* Klubmitglied *nt* **club 'sand·wich** *n* Klubsandwich *nt* **club 'soda** *n* AM Sodawasser *nt*

cluck [klʌk] *vi* gackern

clue [kluː] *n* ❶ (*evidence*) Hinweis *m;*

(*hint*) Tipp *m;* (*in criminal investigation*) Spur *f* ② (*idea*) Ahnung *f;* **I haven't a ~!** [ich hab'] keine Ahnung! ◆**clue up** *vt* ■**to ~ sb up** [**on sth**] jdn [über etw *akk*] informieren

clue·less ['klu:ləs] *adj* (*fam*) ahnungslos; ■**to be ~ about sth** von etw *dat* keine Ahnung haben

clump [klʌmp] **I.** *n* ① (*group*) Gruppe *f;* **~ of bushes** Gebüsch *nt;* **~ of trees** Baumgruppe *f* ② (*lump*) Klumpen *m* ③ *no pl* (*sound*) Sta[m]pfen *nt* **II.** *vi* ■**to ~ around** herumtrampeln

clum·si·ly ['klʌmzɪli] *adv* unbeholfen

clum·si·ness ['klʌmzɪnəs] *n* Ungeschicktheit *f*

clum·sy ['klʌmzi] *adj* ① (*bungling*) ungeschickt, unbeholfen; *attempt* plump; **~ idiot** Tollpatsch *m* ② (*ungainly*) klobig

clung [klʌŋ] *pp, pt of* **cling**

clunk [klʌŋk] *n* dumpfes Geräusch

clus·ter ['klʌstə] **I.** *n* Bündel *nt; of people* Traube *f; of gems* Büschel *nt; of eggs* Gelege *nt; of islands* Gruppe *f;* **~ of stars** Sternhaufen *m* **II.** *vi* ■**to ~ around sth** sich um etw *akk* scharen

'clus·ter bomb *n* Splitterbombe *f*

clutch [klʌtʃ] **I.** *vi* sich klammern (**at** an) **II.** *vt* umklammern **III.** *n* ① *usu sing* AUTO Kupplung *f;* **to let the ~ in/out** ein-/auskuppeln ② (*group*) **~** [**of eggs**] Gelege *nt;* (*fig*) Schar *f* ③ (*control*) **to fall into the ~es of sb** jdm in die Klauen fallen

'clutch bag *n* Unterarmtasche *f* **'clutch hit·ter** *n* Am *sehr zuverlässiger Schläger im Baseball*

clut·ter ['klʌtə'] **I.** *n no pl* ① (*mess*) Durcheinander *nt* ② (*unorganized stuff*) Kram *m fam* **II.** *vt* durcheinanderbringen ◆**clutter up** *vt* ■**to be ~ed up** vollgestopft sein, übersät sein

cm <*pl* -> *n abbrev of* **centimetre** cm

c'mon [kə'mɒn] (*fam*) *see* **come on**

CO [ˌsiː'əʊ] *n* MIL *abbrev of* **Commanding Officer** Befehlshaber(in) *m(f)*

Co [kəʊ] *n abbrev of* **company**

c/o ['keə'ɒv] *abbrev of* **care of** c/o, bei

coach [kəʊtʃ] **I.** *n* ① Brit (*private bus*) Reisebus *m;* **by ~** mit dem Bus ② (*horse-drawn carriage*) Kutsche *f* ③ (*railway carriage*) [Eisenbahn]wagen *m* ④ (*teacher*) Nachhilfelehrer(in) *m(f);* SPORTS Trainer(in) *m(f)* **II.** *vt* ① SPORTS trainieren ② (*help to learn*) Nachhilfe geben

coach·ing ['kəʊtʃɪŋ] *n no pl* ① SPORTS Training *nt* ② (*teaching*) Nachhilfe *f*

'coach·ing staff *n* SPORTS Trainingspersonal *nt* **'coach·man** *n* Kutscher *m*

'coach sta·tion *n* Brit Busbahnhof *m*

co·agu·late [kəʊ'ægjəleɪt] **I.** *vi* gerinnen **II.** *vt* gerinnen lassen

co·agu·la·tion [kəʊˌægjə'leɪʃən] *n no pl* Gerinnung *f*

coal [kəʊl] *n* Kohle *f* ▶**to carry ~s to Newcastle** Eulen nach Athen tragen; **to haul sb over the ~s** jdm die Leviten lesen

'coal-black *adj* kohlrabenschwarz **'coal bun·ker** *n* Kohlenbunker *m*

coa·lesce [kəʊə'les] *vi* (*form*) sich verbinden

coa·les·cence [kəʊə'les³n(t)s] *n no pl* (*form*) Vereinigung *f*

'coal-fired *adj* kohlebeheizt

coa·li·tion [ˌkəʊə'lɪʃ³n] *n* Koalition *f*

'coal mine *n* Kohlenbergwerk *nt* **'coal min·er** *n* Bergmann *m* **'coal min·ing** *n* Kohle[n]bergbau *m* **'coal scut·tle** *n* Kohleneimer *m*

coarse [kɔːs] *adj* ① (*rough*) grob ② (*vulgar*) derb

coarse·ly ['kɔːsli] *adv* derb

coars·en ['kɔːs³n] **I.** *vt* rau machen **II.** *vi* rau werden

coarse·ness ['kɔːsnəs] *n no pl* Grobheit *f*

coast [kəʊst] **I.** *n* Küste *f;* **on the west ~** an der Westküste; **off the ~** vor der Küste ▶**the ~ is clear** die Luft ist rein **II.** *vi* dahinrollen; **to ~** [**along**] mühelos vorankommen

coast·al ['kəʊst³l] *adj* Küsten-

coast·er ['kəʊstə'] *n* ① (*boat*) Küstenmotorschiff *nt* ② (*table mat*) Untersetzer *m*

'coast·guard *n* Küstenwache *f* **'coast·line** *n no pl* Küste[nlinie] *f* **coast-to-'coast** *adj* von Küste zu Küste

coat [kəʊt] **I.** *n* ① (*outer garment*) Mantel *m* ② (*animal's fur*) Fell *nt* ③ (*layer*) Schicht *f; of paint* Anstrich *m* **II.** *vt* überziehen; **to ~ with breadcrumbs** panieren

coat·ed ['kəʊtɪd] *adj* überzogen; *tongue* belegt; *textiles* imprägniert; *glass* getönt; *wire* isoliert

'coat hang·er *n* Kleiderbügel *m* **'coat hook** *n* Kleiderhaken *m*

coat·ing ['kəʊtɪŋ] *n* Schicht *f,* Überzug *m; of paint* Anstrich *m*

coat of 'arms *n* Wappen *nt* **'coat peg** *n* Brit Kleiderhaken *m* **'coat-tails** *npl* Frackschöße *pl* ▶**to hang onto sb's ~** auf der Erfolgswelle eines anderen mitschwimmen

co-author [kəʊ'ɔːθə'] **I.** *n* Mitautor(in) *m(f)* **II.** *vt* gemeinsam verfassen

coax [kəʊks] *vt* ■**to ~ sb into doing sth** jdn dazu bringen, etw zu tun; **to ~ a smile out of sb** jdm ein Lächeln entlocken

coax·ing ['kəʊksɪŋ] **I.** *n no pl* Zuspruch *m*
II. *adj* schmeichelnd
coax·ing·ly ['kəʊksɪŋli] *adv* schmeichelnd
cob[1] [kɒb] *n short for* **corncob** Kolben *m*
cob[2] [kɒb] *n* BRIT (*bread*) Laib *m*
cob·ble ['kɒbl̩] *n* Kopfstein *m* ◆**cobble together** *vt* zusammenschustern
cob·bled ['kɒbl̩d] *adj* ~ **streets** Straßen *pl* mit Kopfsteinpflaster
cob·bler ['kɒblər] *n* [Flick]schuster *m*
'cob·ble·stone *n* Kopfstein *m*
'cob·nut *n* Haselnuss *f*
co·bra ['kəʊbrə] *n* Kobra *f*
cob·web ['kɒbweb] *n* (*web*) Spinnennetz *nt;* (*single thread*) Spinn[en]webe *f*
co·caine [kə(ʊ)'keɪn] *n no pl* Kokain *nt*
co·citi·zen [kəʊ'sɪtɪzən] *n* verantwortungsbewusster Mitbürger/verantwortungsbewusste Mitbürgerin
cock [kɒk] **I.** *n* ❶ (*male chicken*) Hahn *m* ❷ (*vulg: penis*) Schwanz *m* **II.** *adj* ORN männlich **III.** *vt* ❶ ears spitzen; *head* auf die Seite legen ❷ (*ready gun*) **to ~ a gun** den Hahn spannen
cock-a-doodle-doo [ˌkɒkədu:d'l'du:] *n* Kikeriki *nt* **cock-and-bull 'sto·ry** *n* Lügenmärchen *nt*
cocka·tiel [ˌkɒkə'ti:l] *n* Nymphensittich *m*
cocka·too <*pl* -s *or* -> [ˌkɒkə'tu:] *n* Kakadu *m*
cock·chafer ['kɒkˌtʃeɪfər] *n* Maikäfer *m*
cocked [kɒkt] *adj hat* aufgestülpt
cock·er·el ['kɒkərəl] *n* junger Hahn
cock·eyed ['kɒkaɪd] *adj* ❶ (*not straight*) schief ❷ (*ridiculous*) verrückt
'cock fight *n* Hahnenkampf *m*
cocki·ness ['kɒkinəs] *n* Großspurigkeit *f*
cock·le ['kɒkl̩] *n* Herzmuschel *f*
cock·pit ['kɒkpɪt] *n* Cockpit *nt*
cock·roach ['kɒkrəʊtʃ] *n* Küchenschabe *f*
cock·tail ['kɒkteɪl] *n* Cocktail *m;* ~ **of gases** Gasgemisch *nt*
'cock·tail cabi·net *n* Hausbar *f* **'cock·tail dress** *n* Cocktailkleid *nt* **'cock·tail lounge** *n* Cocktailbar *f* **'cock·tail stick** *n* Spießchen *nt*
cock-up ['kɒkʌp] *n* (*sl*) Schlamassel *m;* **what a ~!** so ein Mist!; **to make a ~ of sth** bei etw *dat* Scheiße bauen
cocky ['kɒki] *adj* (*fam*) großspurig
co·coa ['kəʊkəʊ] *n no pl* Kakao *m*
coco·nut ['kəʊkənʌt] *n* Kokosnuss *f;* **grated ~** Kokosraspel *pl*, Kokosette *nt* ÖSTERR
coco·nut 'but·ter *n* Kokosfett *nt* **coco·nut 'mat·ting** *n* Kokosmatte *f* **coco·nut 'milk** *n* Kokosmilch *f* **coco·nut 'oil** *n* Kokosöl *nt* **coco·nut 'palm** *n* Kokospalme *f*

'coco·nut shy *n* BRIT Wurfbude *f*
co·coon [kə'ku:n] **I.** *n* Kokon *m* **II.** *vt* (*fig*) abschirmen
cod <*pl* - *or* -s> [kɒd] *n* Kabeljau *m;* (*in Baltic*) Dorsch *m*
coda ['kəʊdə] *n* MUS Koda *f*
cod·dle ['kɒdl̩] *vt* ❶ (*cook gently*) langsam köcheln lassen; *eggs* pochieren ❷ (*treat tenderly*) verhätscheln
code [kəʊd] **I.** *n* ❶ (*ciphered language*) Kode *m;* **to write sth in ~** etw verschlüsseln ❷ LAW Kodex *m;* ~ **of honour** Ehrenkodex *m* **II.** *vt* chiffrieren
co·de·fend·ant *n* LAW Mitbeklagte(r) *f(m)*
co·deine ['kəʊdi:n] *n* Kodein *nt*
'code name *n* Deckname *m* **'code num·ber** *n* Kodenummer *f;* ADMIN Kennziffer *f* **code of 'con·duct** *n* Verwaltungsvorschrift[en] *f[pl]* **code of 'prac·tice** *n* Verhaltensregeln *pl*
co·de·pend·en·cy [kəʊdɪ'pendənsi] *n no pl* Koabhängigkeit *f*
co·de·ter·mi·na·tion [ˌkəʊdɪtɜ:mɪ'neɪʃən] *n* Mitbestimmung *f*
'code word *n* Kennwort *nt*
codg·er ['kɒdʒər] *n* [alter] Knacker *m*
co·di·cil ['kəʊdɪsɪl] *n* Kodizill *nt*
cod·ing ['kəʊdɪŋ] *n* ❶ (*assigning a code*) Kodierung *f*, Verschlüsselung *f* ❷ (*the assigned code*) Kodierung *f*
cod liv·er 'oil *n* Lebertran *m*
cod·piece ['kɒdpi:s] *n* (*hist*) Hosenbeutel *m*
co-driv·er ['kəʊdraɪvər] *n* Beifahrer(in) *m(f)*
cods·wal·lop ['kɒdzˌwɒləp] *n no pl* BRIT, AUS (*fam*) Quatsch *m*
co-ed [ˌkəʊ'ed] *adj* SCH (*fam*) gemischt
co-edu·ca·tion [ˌkəʊedʒu:'keɪʃən] *n no pl* Koedukation *f* **co-edu·ca·tion·al** [ˌkəʊedʒu:'keɪʃənəl] *adj* koedukativ
co·ef·fi·cient [ˌkəʊɪ'fɪʃnt] *n* Koeffizient *m*
co·erce [kəʊ'ɜ:s] *vt* (*form*) ■**to ~ sb into doing sth** jdn dazu zwingen, etw zu tun
co·er·cion [kəʊ'ɜ:ʃən] *n no pl* (*form*) Zwang *m*
co·er·cive [kəʊ'ɜ:sɪv] *adj* Zwangs-
co·ex·ist [ˌkəʊɪg'zɪst] *vi* nebeneinander bestehen
co·ex·ist·ence [ˌkəʊɪg'zɪst³n(t)s] *n no pl* Koexistenz *f*
co·ex·ist·ent [ˌkəʊɪg'zɪstənt] *adj* koexistent
C of E ['si:əvi:] *n abbrev of* **Church of Eng·land**
cof·fee ['kɒfi:] *n* Kaffee *m*
'cof·fee bar *n* Café *nt* **'cof·fee bean** *n* Kaffeebohne *f* **'cof·fee break** *n* Kaffee-

pause f; **to have a ~** eine Kaffeepause machen '**cof·fee cake** n ❶ BRIT, AUS (*cake*) Mokkakuchen m ❷ AM, AUS (*sweet bread*) Stuten m '**cof·fee cup** n Kaffeetasse f '**cof·fee-grind·er** n Kaffeemühle f '**cof·fee grounds** npl Kaffeesatz m kein pl '**cof·fee house** n Café nt '**cof·fee ma·chine** n Kaffeemaschine f '**cof·fee mill** n Kaffeemühle f '**cof·fee morn·ing** n BRIT Morgenkaffee m (*Wohltätigkeitsveranstaltung*) '**cof·fee pot** n Kaffeekanne f '**cof·fee shop** n (*for drinking*) Café nt; (*for selling*) Kaffeegeschäft nt '**cof·fee ta·ble** n Couchtisch m '**cof·fee-ta·ble book** n Bildband m

cof·fer ['kɒfəʳ] n ❶ (*box*) Truhe f ❷ pl (*money reserves*) Rücklagen pl; *of the state* Staatssäckel m

cof·fin ['kɒfɪn] n Sarg m

cog [kɒg] n ❶ (*part of wheel*) Zahn m ❷ (*wheel*) Zahnrad nt ❸ (*fig*) Rädchen nt

co·gency ['kəʊdʒªn(t)si] n no pl (*form*) Stichhaltigkeit f

co·gent ['kəʊdʒªnt] adj (*form*) stichhaltig

co·gent·ly ['kəʊdʒªntli] adv (*form*) stichhaltig

cog·nac ['kɒnjæk] n Cognac m

cog·nate ['kɒgneɪt] LING I. adj [ur]verwandt (**with** mit +dat) II. n verwandtes Wort; **false ~** Faux ami m, falscher Freund

cog·ni·tive ['kɒgnətɪv] adj (*form*) kognitiv; **~ therapy** Kognitionstherapie f

co·gno·scen·ti [ˌkɒnjə(ʊ)'ʃenti] npl (*form*) Kenner(innen) mpl(fpl)

cog·wheel ['kɒgwi:l] n Zahnrad nt

co·hab·it [kəʊ'hæbɪt] vi (*form*) zusammenleben; LAW in eheähnlicher Gemeinschaft leben

co·hab·it·ant [kəʊ'hæbɪtªnt] n (*form*) Lebensgefährte, -gefährtin m, f

co·hab·i·ta·tion [kəʊˌhæbɪ'teɪʃªn] n no pl Zusammenleben nt; LAW eheähnliche Gemeinschaft

co·hab·itee [kəʊhæbɪ'ti:] n (*form*) Lebensgefährte, -gefährtin m, f

co·here [kə(ʊ)'hɪəʳ] vi (*form*) zusammenhängen

co·her·ence [kə(ʊ)'hɪərªn(t)s] n no pl Zusammenhang m

co·her·ent [kə(ʊ)'hɪərªnt] adj zusammenhängend

co·her·ent·ly [kə(ʊ)'hɪərªntli] adv zusammenhängend; **to speak ~** verständlich sprechen

co·he·sion [kə(ʊ)'hi:ʒªn] n no pl Zusammenhalt m

co·he·sive [kə(ʊ)'hi:sɪv] adj geschlossen

co·he·sive·ness [kə(ʊ)'hi:sɪvnəs] n no pl

(*in physics*) Kohäsionskraft f; (*in group*) Zusammenhalt m

co·hort ['kə(ʊ)hɔ:t] n ❶ (*subgroup*) [Personen]gruppe f ❷ esp AM (*pej: crony*) ■ **~s** pl Konsorten pl

COI [ˌsi:əʊ'aɪ] n BRIT abbrev of **Central Office of Information** Offizieller Britischer Informationsdienst

coil [kɔɪl] I. n ❶ (*wound spiral*) Rolle f; ELEC Spule f ❷ (*contraceptive*) Spirale f II. vi sich winden III. vt aufwickeln; ■ **to ~ one·self around sth** sich um etw akk winden

coiled [kɔɪld] adj gewunden; **~ spring** Sprungfeder f

coin [kɔɪn] I. n Münze f II. vt **to ~ it** [**in**] BRIT, **to ~ money** AM (*fam*) Geld scheffeln; **to ~ a phrase ...** ich will mal so sagen ...

coin·age ['kɔɪnɪdʒ] n no pl (*set of coins*) Münzen pl; (*act*) Prägung f

coin-box 'tele·phone n Münzfernsprecher m

co·in·cide [ˌkəʊɪn'saɪd] vi subjects übereinstimmen; events zusammenfallen; **our views ~ on a range of subjects** wir sind in vielen Dingen einer Meinung

co·in·ci·dence [kəʊ'ɪn(t)sɪdªn(t)s] n ❶ (*instance*) Zufall m; **by ~** durch Zufall ❷ (*agreement*) Übereinstimmung f; *of events* Zusammenfallen nt

co·in·ci·dent·al [kəʊˌɪn(t)sɪ'dªntªl] adj zufällig

co·in·ci·dent·al·ly [kəʊˌɪn(t)sɪ'dªntªli] adv zufällig[erweise]

coi·tus ['kəʊɪtəs] n no pl (*form*) Geschlechtsverkehr m; MED Koitus m; LAW Beischlaf m

coke [kəʊk] n no pl Koks m

Coke® [kəʊk] n short for **Coca Cola** Coke m

col n abbrev of **column** Sp.

COL [ˌsi:əʊ'el] n abbrev of **computer-oriented language** COL f

Col n abbrev of **colonel**

cola ['kəʊlə] n Cola nt o f fam

col·an·der ['kʌləndəʳ, 'kɒ-] n Sieb nt

col·can·non [kəl'kænən] n FOOD *irisches und schottisches Gericht: gekochter Kohl und gekochte Kartoffeln werden zerstampft und vermischt*

cold [kəʊld] I. adj kalt; **as ~ as ice** eiskalt; **to be** [or feel] **~** frieren; **I'm ~** mir ist kalt; **don't get ~** pass auf, dass du nicht frierst; **to go ~** kalt werden ▶ **to get ~ feet** kalte Füße bekommen; **to pour ~ water on sth** etw auf den Dämpfer versetzen II. n ❶ (*low temperature*) Kälte f; **with ~** vor Kälte ❷ MED Erkältung f, Schnupfen m; **to catch** [or get] **a ~** sich erkälten; **to have a ~** erkältet sein

'cold bag n BRIT Kühltasche f **cold-blood·ed** [ˌkəʊld'blʌdɪd] adj kaltblütig **'cold call** n unangemeldeter Vertreterbesuch **cold 'com·fort** n schwacher Trost **'cold cream** n Cold Cream f (halbfette Feuchtigkeitscreme) **'cold cuts** npl Aufschnitt m kein pl **'cold-eyed** adj **she gave him a ~ stare** sie blickte ihn kalt an **'cold frame** n Frühbeet nt **'cold front** n Kaltfront f **cold-'heart·ed** adj kaltherzig **cold·ish** ['kəʊldɪʃ] adj kühl **cold·ness** ['kəʊldnəs] n no pl Kälte f **cold shoul·der** n (fig) **to give sb the ~** jdn schneiden **'cold snap** n kurze Kälteperiode **'cold sore** n Bläschenausschlag m **cold 'start** n Kaltstart m **cold 'stor·age** n **to put in ~** kühl lagern; (fig) auf Eis legen **'cold store** n Kühlhalle f **cold 'sweat** n kalter Schweiß **cold 'truth** n nackte Wahrheit **cold 'tur·key** n (sl) kalter Entzug **'cold war** n kalter Krieg **cole·slaw** ['kəʊlslɔː] n no pl Krautsalat m **col·ey** <-(s)> ['kəʊli] n BRIT Seelachs m **col·ic** ['kɒlɪk] n no pl Kolik f **col·labo·rate** [kə'læbəreɪt] vi ❶ (work together) zusammenarbeiten (**on** an) ❷ (with enemy) kollaborieren **col·labo·ra·tion** [kəˌlæbə'reɪʃən] n ❶ (working with sb) Zusammenarbeit f ❷ no pl (with enemy) Kollaboration f **col·labo·ra·tive** [kə'læbərətɪv] adj effort gemeinsam **col·labo·ra·tor** [kə'læbəreɪtəʳ] n ❶ (colleague) Mitarbeiter(in) m(f) ❷ (pej: traitor) Kollaborateur(in) m(f) **col·lage** ['kɒlɑːʒ] n Collage f **col·lapse** [kə'læps] **I.** vi ❶ (fall down) things, buildings zusammenbrechen, einstürzen; people zusammenbrechen; **to ~ with laughter [at a joke]** (fig) sich [über einen Witz] kaputtlachen ❷ (fail) zusammenbrechen; enterprise zugrunde gehen; government stürzen; hopes sich zerschlagen; prices einbrechen; society zerfallen; talks scheitern **II.** n ❶ (act of falling down) Einsturz m, Zusammenbruch m ❷ (failure) Zusammenbruch m; of marriage Scheitern nt; **~ of prices** Preissturz m ❸ MED Kollaps m **col·laps·ible** [kə'læpsɪbl] adj zusammenklappbar; **~ chair** Klappstuhl m **col·lar** ['kɒləʳ] **I.** n Kragen m; (for animals) Halsband nt **II.** vt (fam) ▪**to ~ sb** jdn schnappen **'col·lar bone** n Schlüsselbein nt **col·late** [kə'laɪt] vt ❶ (analyse) vergleichen ❷ (arrange) zusammenstellen **col·lat·er·al** [kə'læt³r³l] n FIN [zusätzliche]

Sicherheit **col·lat·er·al 'dam·age** n Kollateralschaden m **col·league** ['kɒliːg] n [Arbeits]kollege, -kollegin m, f **col·lect** ['kɒlekt] **I.** adj AM TELEC **~ call** R-Gespräch nt **II.** adv AM TELEC **to call ~** ein R-Gespräch führen **III.** vi (gather) sich versammeln; (accumulate) sich ansammeln **IV.** vt ❶ (gather) einsammeln; money, stamps sammeln ❷ (pick up) abholen ❸ (form: regain control) ▪**to ~ one-self** sich sammeln; **to ~ one's thoughts** seine Gedanken ordnen ◆**collect up** vt belongings zusammenpacken; empties aufsammeln; tickets einsammeln **col·lect·able** [kə'lektəbl] **I.** adj sammelbar **II.** n Sammlerstück nt **col·'lect call** n AM R-Gespräch nt; **to make a ~** ein R-Gespräch anmelden **col·lect·ed** [kə'lektɪd] adj (calm) beherrscht **col·lect·ible** [kə'lektəbl] adj, n see **collectable col·lec·tion** [kə'lekʃᵊn] n ❶ of money, objects Sammlung f; (in church) Kollekte f ❷ of people Ansammlung f ❸ (fig: large number) Auswahl f ❹ FASHION Kollektion f ❺ (act of collecting) Abholung f; **rub·bish ~** Müllabfuhr f; BRIT (from letterbox) [Briefkasten]leerung f **col·lec·tive** [kə'lektɪv] **I.** adj gemeinsam; leadership kollektiv; **~ interests** Gesamtinteressen pl; **~ opinion** Mehrheitsmeinung f **II.** n Gemeinschaft f; POL Kollektiv nt; ECON Genossenschaftsbetrieb m **col·lec·tive 'bar·gain·ing** n Tarifverhandlungen pl **col·lec·tive 'farm** n landwirtschaftliche Produktionsgenossenschaft **col·lec·tive 'noun** n LING Sammelbegriff m **col·lec·tor** [kə'lektəʳ] n Sammler(in) m(f); **tax ~** Steuereintreiber(in) m(f) **col·'lec·tor's item** n, **col·'lec·tor's piece** n Sammlerstück nt **col·leen** ['kɒliːn, kɒ'liːn] n IRISH [junges] Mädchen **col·lege** ['kɒlɪdʒ] n ❶ (school) Gymnasium nt; (privately funded) Kolleg nt ❷ (university) Universität f, Hochschule f; (privately funded) College nt; **art ~** Kunstakademie f; **to go to ~** auf die Universität gehen, studieren ❸ BRIT (division of university) College nt ❹ AM (university faculty) Fakultät f **col·lege 'gradu·ate** n AM Hochschulabsolvent(in) m(f) **col·legi·ate** [kə'liːdʒiət] adj **Cambridge is**

a ~ university die Universität von Cambridge ist in mehrere Colleges untergliedert; **~ sports** Hochschulsport *m*

col·lide [kəˈlaɪd] *vi* zusammenstoßen

col·lie [ˈkɒli] *n* Collie *m*

col·li·er [ˈkɒliə^r] *n* ① (*form*) ① (*man*) Kohlenarbeiter *m* ② (*ship*) Kohlenschiff *nt*

col·liery [ˈkɒljəri] *n* Bergwerk *nt*

col·li·sion [kəˈlɪʒ^ən] *n* Zusammenstoß *m*

col·lo·cate [ˈkɒləkeɪt] *vi* LING kollokieren

col·lo·ca·tion [ˌkɒləˈkeɪʃ^ən] *n* LING Kollokation *f*

col·lo·quial [kəˈləʊkwiəl] *adj* umgangssprachlich; **~ language** Umgangssprache *f*

col·lo·qui·al·ism [kəˈləʊkwiəlɪz^əm] *n* umgangssprachlicher Ausdruck

col·lude [kəˈluːd] *vi* unter einer Decke stecken

col·lu·sion [kəˈluːʒ^ən] *n no pl* geheime Absprache; **to act in ~ with sb** mit jdm gemeinsame Sache machen

col·ly·wob·bles [ˈkɒliwɒb|z] *npl* (*hum fam*) Muffensausen *nt*

co·logne [kəˈləʊn] *n no pl* Kölnischwasser *nt*

Co·lom·bia [kəˈlɒmbiə, -ˈlʌm-] *n* Kolumbien *nt*

Co·lom·bian [kəˈlɒmbiən, -ˈlʌm-] I. *adj* kolumbisch II. *n* Kolumbier(in) *m(f)*

co·lon [ˈkəʊlɒn] *n* ① ANAT Dickdarm *m* ② LING Doppelpunkt *m*

colo·nel [ˈkɜːn^əl] *n* Oberst *m*

co·lo·nial [kəˈləʊniəl] I. *adj* Kolonial- II. *n* Kolonist(in) *m(f)*

co·lo·ni·al·ism [kəˈləʊniəlɪz^əm] *n no pl* Kolonialismus *m*

co·lo·ni·al·ist [kəˈləʊniəlɪst] I. *n* Kolonialist(in) *m(f)* II. *adj* kolonialistisch

colo·nist [ˈkɒlənɪst] *n* Kolonist(in) *m(f)*

colo·ni·za·tion [ˌkɒlənaɪˈzeɪʃ^ən] *n no pl esp* AM Kolonisation *f*

colo·nize [ˈkɒlənaɪz] *vt* kolonisieren

colo·niz·er [ˈkɒlənaɪzə^r] *n* Kolonisator *m*

col·on·nade [ˌkɒləˈneɪd] *n* ARCHIT Säulengang *m*, Kolonnade *f geh*

colo·ny [ˈkɒləni] *n* Kolonie *f*

col·or *n, adj, vi, vt* AM *see* **colour**

col·ora·tion [ˌkʌləˈreɪʃ^ən] *n no pl* Färbung *f*

col·ored *adj* AM *see* **coloured**

col·or·ful *adj* AM *see* **colourful**

col·oring *n no pl* AM *see* **colouring**

col·or·less *adj* AM *see* **colourless**

co·los·sal [kəˈlɒs^əl] *adj* ungeheuer, riesig

co·los·sus <*pl* -es *or* colossi> [kəˈlɒsəs, *pl* -aɪ] *n* ① (*statue*) Koloss *m* ② (*person*) Gigant(in) *m(f)*

col·our [ˈkʌlə^r] I. *n* ① Farbe *f*; **what ~ is her hair?** was hat sie für eine Haarfarbe?;

~ photos Farbfotos *pl*; **to give ~ to sth** etw *dat* [mehr] Farbe verleihen ② *of complexion* Gesichtsfarbe *f*; **to have ~ in one's cheeks** gerötete Wangen haben ③ (*skin colour*) Hautfarbe *f* ④ SCH, UNIV ■**~s** *pl* Sportabzeichen *nt* ⑤ (*flag*) ■**~s** *pl* Fahne *f* ▶ **to pass with flying ~s** glänzend abschneiden; **to show one's <u>true</u> ~s** sein wahres Gesicht zeigen II. *vt* ① (*change colour of*) färben ② (*distort*) beeinflussen III. *vi face* rot werden; *leaves* sich verfärben

'col·our bar *n* Rassenschranke *f* **'col·our blind** *adj* farbenblind **'col·our blind·ness** *n no pl* Farbenblindheit *f*

col·oured [ˈkʌləd] *adj* ① (*having colour*) farbig; **~ pencil** [*or* **crayon**] Buntstift *m* ② (*often pej: dark-skinned*) farbig ③ SA (*of mixed race*) gemischtrassig

'col·our-fast *adj* farbecht **'col·our fil·ter** *n* Farbfilter *m o nt*

col·our·ful [ˈkʌləf^əl] *adj* ① (*full of colour*) *paintings* farbenfroh; *clothing* bunt ② (*vivid*) lebendig; *description* anschaulich ③ (*interesting*) [bunt] schillernd; *past* bewegt ④ (*euph: vulgar*) *language* schlüpfrig

col·our·ful·ly, AM **col·orful·ly** [ˈkʌləf^əli] *adv* ① (*with colours*) farbenfroh, bunt; **to be dressed ~** bunte Kleider tragen ② (*vividly*) lebhaft; (*interestingly*) auffallend; **to describe sth ~** etw anschaulich schildern

col·our·ing [ˈkʌlərɪŋ] *n no pl* ① (*complexion*) Gesichtsfarbe *f* ② (*chemical*) Farbstoff *m*

col·our·less [ˈkʌlələs] *adj* farblos

col·our·safe [ˈkʌləseɪf] *adj detergent, bleach* mit Farbschutz *nach n*; **~ detergents** Colorwaschmittel *nt* **'col·our scheme** *n* Farbzusammenstellung *f* **'col·our slide** *n* Farbdia *nt* **col·our 'tele·vi·sion** *n* Farbfernseher *m* **'colour-themed** *adj table-setting, window display* farblich aufeinander abgestimmt

colt [kəʊlt] *n* [Hengst]fohlen *nt*

Co·lum·bia [kəˈlʌmbiə] *n* **the District of ~** der District of Columbia (*Bundesdistrikt der USA um Washington*)

col·umn [ˈkɒləm] *n* ① (*pillar*) Säule *f* ② MIL Kolonne *f* ③ (*article*) Kolumne *f*, Spalte *f* ④ (*vertical row*) Kolonne *f*, Reihe *f*

col·umn·ist [ˈkɒləmnɪst] *n* Kolumnist(in) *m(f)*

coma [ˈkəʊmə] *n* MED Koma *nt*; **to be in a ~** im Koma liegen

co·ma·tose [ˈkəʊmətəʊs] *adj* ① MED komatös ② (*fig*) apathisch

comb [kəʊm] I. *n* Kamm *m* II. *vt* ① *hair* kämmen ② (*search thoroughly*) durchkämmen

com·bat I. *n* ['kɒmbæt] *no pl* Kampf *m* II. *vt* <-tt- *or* -t-> ['kɒmbæt] bekämpfen

com·bat·ant ['kɒmbətᵊnt] *n* Kämpfer(in) *m(f)*

com·bat·ive ['kɒmbətɪv] *adj* angriffslustig

com·bi·na·tion [ˌkɒmbɪˈneɪʃᵊn] *n* Kombination *f* (**of** aus)

com·bine [kəmˈbaɪn] I. *vt* verbinden; **to ~ family life with a career** Familie und Karriere unter einen Hut bringen II. *vi* ❶ (*mix together*) sich verbinden ❷ (*work together*) sich verbünden

com·bined [kəmˈbaɪnd] *adj* vereint; **~ total** Gesamtsumme *f*

com·bine 'har·ves·ter *n* Mähdrescher *m*

com·bus·ti·ble [kəmˈbʌstəbl̩] *adj* (*form*) ❶ (*highly flammable*) brennbar, entflammbar ❷ (*fig*) reizbar

com·bus·tion [kəmˈbʌstʃᵊn] *n no pl* Verbrennung *f*

come [kʌm] *vi* <came, come> ❶ (*move towards*) kommen; **~ here a moment** kommst du mal einen Moment [her]?; **my sister came rushing out of the room** meine Schwester stürmte aus dem Zimmer; **coming!** ich komme!; **have you ~ straight from the airport?** kommen Sie direkt vom Flughafen?; **~ to sunny Bridlington for your holidays!** machen Sie Urlaub im sonnigen Bridlington!; ▪**to ~ towards sb** auf jdn zugehen ❷ (*arrive*) ankommen; **has she ~ yet?** ist sie schon da?; **Christmas is coming** bald ist Weihnachten; **~ Monday morning you'll regret ...** Montagmorgen wirst du es bereuen, dass ...; **~ March, I will have been married for two years** im März bin ich zwei Jahre verheiratet; **I think the time has ~ to ...** ich denke, es ist an der Zeit, zu ...; **how's your headache? — it ~s and goes** was machen deine Kopfschmerzen? – mal besser, mal schlechter; **I've ~ to read the gas meter** ich soll den Gaszähler ablesen; **the year to ~** das kommende Jahr; **in years to ~** in der Zukunft; ▪**to ~ for sb/sth** jdn/etw abholen ❸ (*accompany someone*) mitkommen; **do you want to ~ to the pub with us?** kommst du mit einen trinken? ❹ (*originate from*) stammen; **where is that awful smell coming from?** wo kommt dieser schreckliche Gestank her? ❺ (*in sequence*) **Monday ~s before Tuesday** Montag kommt vor Dienstag; **the article ~s before the noun** der Artikel steht vor dem Substantiv ❻ (*in competition*) **to ~ first/second** Erste(r)/Zweite(r) werden; **to ~ from behind** auf-

holen ❼ (*have priority*) **to ~ before sth** wichtiger als etw sein; **to ~ first** [bei jdm] an erster Stelle stehen ❽ (*happen*) geschehen; **how exactly did you ~ to be naked in the first place?** wie genau kam es dazu, dass Sie nackt waren?; **~ to think of it ...** wenn ich es mir recht überlege, ...; **~ what may** komme, was wolle; **you could see it coming** das war ja zu erwarten; **how ~?** wieso?; **how ~ you missed the train?** wie kommt's, dass du den Zug verpasst hast? ❾ (*be, become*) **all my dreams came true** all meine Träume haben sich erfüllt; **everything will ~ right in the end** am Ende wird alles gut werden; **nothing came of it** daraus ist nichts geworden; **his hair ~s [down] to his shoulders** seine Haare reichen ihm bis auf die Schultern; **your shoelaces have ~ undone** deine Schnürsenkel sind aufgegangen; **to ~ into money** zu Geld kommen; **to ~ under pressure** unter Druck geraten; **to ~ loose** sich [ab]lösen; **to ~ open** sich öffnen; *door* aufgehen ❿ (*be available*) erhältlich sein; (*exist*) vorkommen ▸ **~ again?** [wie] bitte?; **to be as stupid as they ~** dumm wie Stroh sein; **he/she had it coming** das hat er/sie sich selbst zu verdanken; **I don't know whether I'm coming or going** ich weiß nicht, wo mir der Kopf steht; **don't ~ it with me!** komm mir jetzt bloß nicht so!

◆**come about** *vi* ❶ (*happen*) passieren ❷ NAUT wenden ◆**come across** I. *vi* ❶ (*be evident*) *feelings* zum Ausdruck kommen ❷ (*create an impression*) wirken; **she ~s across really well on television** sie macht sich im Fernsehen wirklich gut; **how did her explanation ~ across?** wie ist ihre Erklärung angekommen? II. *vt* ❶ (*by chance*) ▪**to ~ across sb** jdm [zufällig] begegnen; ▪**to ~ across sth** [zufällig] auf etw *akk* stoßen ❷ (*encounter*) **have you ever ~ across anything like this before?** ist dir so etwas schon einmal begegnet? ◆**come along** *vi* ❶ (*hurry*) **~ along!** jetzt komm [endlich]! ❷ (*go too*) mitgehen, mitkommen; **I'll ~ along later** ich komme später nach ❸ (*arrive*) ankommen; *job* sich bieten ❹ (*progress*) Fortschritte machen; *person* sich gut machen; **how is the project coming along?** wie geht's mit dem Projekt voran? ◆**come apart** *vi* auseinanderfallen ◆**come around** *vi see* **come round** ◆**come at** *vi* ▪**to ~ at sb** auf jdn losgehen; **the ball was coming straight at me** der Ball kam genau auf mich zu ◆**come away** *vi* ❶ (*leave*) weggehen ❷ (*become* detached) sich lösen ❸ (be left) **to ~ away with the feeling that ...** mit dem Gefühl gehen, dass ... ◆**come back** vi ❶ (return) zurückkommen ❷ (be remembered) name wieder einfallen ❸ (return to fashion) wieder in Mode kommen; artist ein Come-back haben ❹ SPORTS aufholen ◆**come by** vi ❶ (visit) vorbeikommen ❷ (obtain) kriegen; **how did you ~ by that black eye?** wie bist du denn zu dem blauen Auge gekommen? ◆**come down** vi ❶ (fall) fallen; trousers rutschen; plane [not]landen; (crash) abstürzen ❷ (collapse) einstürzen; **the building will have to ~ down** das Gebäude muss abgerissen werden ❸ (move down) herunterkommen ❹ (visit south) runterkommen ❺ (become less) sinken ❻ (depend on) ankommen (to auf) ❼ (amount to) hinauslaufen (to auf) ❽ (reach decision) **to ~ down on the side of sb/sth** sich für jdn/etw entscheiden ❾ BRIT UNIV [von der Universität] abgehen ❿ (be taken ill) ▪**to ~ down with sth** sich dat etw eingefangen haben ⓫ (rebuke) ▪**to ~ down on sb** [for doing sth] jdn [wegen einer S. gen] rankriegen ⓬ (be removed) **those pictures will have to ~ down** diese Bilder müssen runter ◆**come forward** vi sich melden ◆**come in** vi ❶ (enter) hereinkommen; **do ~ in** komm doch rein; **~ in!** herein! ❷ (arrive) ankommen, eintreffen; ship einlaufen; train einfahren; plane landen; fruit, vegetables geerntet werden; supplies eintreffen; tide kommen; money reinkommen; news hereinkommen; **reports are just coming in of a major oil spillage** soeben erreichen uns Berichte von einer großen Ölpest ❸ (become fashionable) in Mode kommen ❹ + adj (be) **to ~ in handy** gelegen kommen; **to ~ in useful** sich als nützlich erweisen ❺ (play a part) **where do I ~ in?** welche Rolle spiele ich dabei?; **and that's where you ~ in** und hier kommst du dann ins Spiel; **and here's where experience ~s in** und hier ist es dann wichtig, dass man eine gewisse Erfahrung hat ❻ (begin to participate) sich einschalten; ▪**to ~ in on sth** sich an etw dat beteiligen ❼ (be positioned) **to ~ in first/second** Erste(r)/ Zweite(r) werden ❽ (radio communication) **~ in, bravo four** Bravo Four, bitte melden! ❾ (be subjected to) ▪**to ~ in for sth** etw erregen; **to ~ in for criticism** Kritik hervorrufen ◆**come into** vi ❶ (inherit) erben ❷ (be involved) **love doesn't ~ into it** Liebe spielt dabei keine Rolle; **where do I ~ into it?** was habe ich damit

zu tun? ◆**come off** vi ❶ (fam: succeed) klappen ❷ (take place) stattfinden ❸ (end up) abschneiden; **to always ~ off worse** immer den Kürzeren ziehen ❹ (become detached) abgehen ❺ (removable) stain rausgehen ❻ (fall off) [he]runterfallen ❼ (stop taking) ▪**off sth** mit etw dat aufhören ▶~ **off** it! jetzt mach aber mal halblang! ◆**come on** vi ❶ ~ **on!** (impatient) komm jetzt!; (encouraging) komm schon!; (annoyed) jetzt hör aber auf! ❷ (improve) vorankommen; **how's your English coming on?** wie geht's mit deinem Englisch voran? ❸ (express interest) ▪**to ~ on to sb** jdn anmachen ❹ (appear) actor auftreten ❺ (begin) film anfangen; (start to work) heating angehen; **I've a cold coming on** ich kriege eine Erkältung ❻ (see accidentally) [zufällig] stoßen auf +akk ◆**come out** vi ❶ (go outside) herauskommen; (go out socially) ausgehen ❷ (be released) book herauskommen; (onto the market) auf den Markt kommen; results bekannt gegeben werden; film anlaufen; **to ~ out of prison** aus dem Gefängnis kommen ❸ (become known) bekannt werden ❹ (reveal homosexuality) sich outen ❺ (end up) herauskommen; **these figures have ~ out wrong** diese Zahlen haben sich als falsch herausgestellt; **your painting has ~ out really well** Ihr Gemälde ist wirklich gut geworden; **she came out of the divorce settlement a rich woman** sie ging aus der Scheidung als reiche Frau hervor ❻ (PHOT [gut] herauskommen; **damn, the photo hasn't ~ out** Mist, das Foto ist nichts geworden! ❼ (express opinion) **to ~ out in favour of/ against sth** sich für/gegen etw akk aussprechen ❽ (tell) ▪**to ~ out with sth** truth mit etw dat herausrücken; **to ~ out with a remark** eine Bemerkung loslassen ❾ (appear) herauskommen; stars zu sehen sein ❿ (in contest) **to ~ out top/the winner** Beste(r)/Sieger(in) werden ⓫ BRIT (strike) **to ~ [on strike]** in Streik treten ⓬ (remove itself) tooth herausfallen ⓭ (fade) stain herausgehen ⓮ (break out) ausbrechen; **to ~ out in a rash/spots** einen Ausschlag/Pickel bekommen ◆**come over** vi ❶ (to a place) [her]überkommen; (to sb's home) vorbeischauen ❷ + adj BRIT, AUS (feel) **to ~ over dizzy** sich [plötzlich ganz] benommen fühlen; **I don't know what came over me** ich weiß wirklich nicht, was in mich gefahren ist ❸ (change point of view) überwechseln ❹ (create impression) wirken ◆**come round** vi *esp* BRIT, AUS ❶ (*visit sb's home*) vorbeikommen ❷ (*regain consciousness*) [wieder] zu sich *dat* kommen ❸ (*change one's mind*) seine Meinung ändern; **to ~ round to sb's point of view** sich jds Standpunkt anschließen ❹ (*recur, arrive*) kommen ◆**come through** *vi* ❶ (*survive*) durchkommen ❷ BRIT, AUS (*arrive*) *results, visa* eintreffen; *call* eingehen; **my divorce still hasn't ~ through** meine Scheidung ist noch nicht durch ◆**come to** *vi* ❶ (*regain consciousness*) [wieder] zu sich *dat* kommen ❷ (*amount to*) sich belaufen auf +*akk;* **that ~s to £25** das macht 25 Pfund ❸ (*reach*) **what is the world coming to?** wo soll das alles nur hinführen?; **writing ~s naturally to me** Schreiben fiel mir noch nie schwer; **it'll ~ to me later** es wird mir schon noch einfallen; **he won't ~ to any harm** ihm wird nichts passieren; **he will never ~ to much** er wird es nie zu viel bringen; **it ~s to the same thing** das läuft auf dasselbe hinaus; **to ~ to the conclusion** ... zu dem Schluss kommen, dass ...; **to have ~ to a decision** eine Entscheidung getroffen haben; **to ~ to an end** zu Ende gehen; **to ~ to nothing** zu nichts führen; **to ~ to the point** zum Punkt kommen; **to ~ to rest** zum Stehen kommen ❹ (*concern*) **when it ~s to travelling ...** wenn's ums Reisen geht, ... ◆**come under** *vi* ❶ (*be listed under*) stehen unter; **soups ~ under 'starters'** Suppen sind als Vorspeisen aufgeführt ❷ (*subject to*) **to ~ under fire/sb's influence** unter Beschuss/jds Einfluss geraten ◆**come up** *vi* ❶ (*to higher place*) hochkommen; *sun, moon* aufgehen; **do you ~ up to Edinburgh often?** kommen Sie oft nach Edinburgh? ❷ (*be mentioned*) aufkommen; *topic* angeschnitten werden; *name* erwähnt werden ❸ LAW *case* verhandelt werden ❹ (*happen*) passieren ❺ (*present itself*) **to ~ up for sale** zum Verkauf stehen ❻ (*become vacant*) *job* frei werden ❼ (*on TV*) **coming up next on BBC 2 ...** und auf BBC 2 sehen Sie als Nächstes ... ❽ (*of plants*) herauskommen ◆**come upon** *vi* ■**to ~ upon sth** [zufällig] auf etw *akk* stoßen; ■**to ~ upon sb** [zufällig] jdm begegnen

come·back ['kʌmbæk] *n* ❶ (*return*) Comeback *nt* ❷ (*retort*) Reaktion *f*

co·median [kə'miːdiən] *n* ❶ (*professional*) Komiker(in) *m(f)* ❷ (*amateur*) Clown *m*

co·medi·enne [kə‚miːdi'en] *n* ❶ (*professional*) Komikerin *f* ❷ (*amateur*) Clown *m*

come·down ['kʌmdaʊn] *n no pl* (*fam*) Abstieg *m*

com·edy ['kɒmədi] *n* Komödie *f*

come-on ['kʌmɒn] *n* (*fam*) Anmache *f*

com·et ['kɒmɪt] *n* Komet *m*

come-up·pance [kʌm'ʌpən(t)s] *n no pl* **to get one's ~** die Quittung kriegen *fam*

com·fort ['kʌm(p)fət] I. *n* ❶ *no pl* (*comfortable feeling*) Bequemlichkeit *f;* **the deadline is getting too close for ~** der Termin rückt bedrohlich näher ❷ *no pl* (*consolation*) Trost *m;* **to take ~ from the fact that ...** sich damit trösten, dass ... ❸ (*pleasurable things in life*) ■**~s** *pl* Komfort *m kein pl* II. *vt* trösten

com·fort·able ['kʌm(p)ftəbl] *adj* ❶ (*offering comfort*) bequem; *house, room* komfortabel; *income* ausreichend; *temperature* angenehm ❷ (*at ease*) **to be** [*or* feel] **~** sich wohl fühlen; **are you ~?** sitzt du bequem?; **to feel ~ with sth** mit etw *dat* zufrieden sein; **to make oneself ~** es sich *dat* bequem machen ❸ MED wohlauf ❹ SPORTS (*substantial*) deutlich

com·fort·ably ['kʌm(p)ftəbli] *adv* ❶ (*in a comfortable manner*) bequem ❷ (*easily*) leicht ❸ (*in financially stable manner*) **they are ~ off** es geht ihnen [finanziell] gut; **to live ~** sorgenfrei leben ❹ (*substantially*) deutlich

com·fort·er ['kʌm(p)fətəʳ] *n* AM (*duvet*) Oberbett *nt*

com·fort·ing ['kʌm(p)fətɪŋ] *adj thought* beruhigend; *word* tröstend

com·fort·less ['kʌm(p)fətləs] *adj* (*form*) trostlos

'**com·fort sta·tion** *n* AM öffentliche Toilette

com·fy ['kʌm(p)fi] *adj* (*fam*) bequem

com·ic ['kɒmɪk] I. *n* ❶ (*magazine*) Comicheft *nt* ❷ (*amateur comedian*) Clown *m* ❸ (*professional comedian*) Komiker(in) *m(f)* II. *adj* komisch

comi·cal ['kɒmɪkᵊl] *adj* komisch

'**com·ic book** *n* AM Comicbuch *nt* '**com·ic strip** *n* Comic *m* (*in einer Zeitung*)

com·ing ['kʌmɪŋ] I. *adj* (*next*) kommend; (*approaching*) herannahend; *elections* anstehend; **this ~ Friday** nächsten Freitag II. *n* ❶ *no pl* (*arrival*) Ankunft *f* ❷ (*approaching*) **~s and goings** ein Kommen und Gehen *nt*

com·ing 'out <*pl* comings out> *n* Outing *nt,* Coming-out *nt*

com·ma [‚kɒmə] *n* Komma *nt*

com·mand [kə'mɑːnd] I. *vt* ❶ (*order*) ■**to ~ sb** jdm einen Befehl geben ❷ MIL ■**to ~ sth** den Oberbefehl über etw *akk* haben;

company etw leiten; *ship* etw befehligen ❸ (*form: inspire*) gebieten; **to ~ sb's respect** jdm Respekt einflößen **II.** *vi* Befehle erteilen **III.** *n* ❶ (*order*) Befehl *m* ❷ *no pl* (*authority*) Kommando *nt;* **to be in ~ of** befehligen; ■ **to be at sb's ~** (*hum*) jdm zur Verfügung stehen ❸ *no pl* (*control*) Kontrolle *f* ❹ *no pl* (*knowledge*) Beherrschung *f*

com·man·dant ['kɒməndænt] *n* Kommandant(in) *m(f)*

com·'mand chain *n* Befehlskette *f,* Befehlshierarchie *f*

com·man·deer [ˌkɒmən'dɪəʳ] *vt* beschlagnahmen

com·mand·er [kə'mɑːndəʳ] *n* ❶ MIL Kommandant(in) *m(f)* ❷ BRIT NAUT Fregattenkapitän(in) *m(f)*

com·mand·er-in-'chief *n* MIL Oberbefehlshaber(in) *m(f)*

com·mand·ing [kə'mɑːndɪŋ] *adj* ❶ (*authoritative*) gebieterisch ❷ (*dominant*) *position* beherrschend ❸ (*considerable*) beachtlich

com·'mand key *n* COMPUT Befehlstaste *f*

com·mand·ment [kə'mɑːn(d)mənt] *n* REL **the Ten C~s** die Zehn Gebote *pl*

com·'mand mod·ule *n* Kommandokapsel *f*

com·man·do <*pl* -s *or* -es> [kə'mɑːndəʊ] *n* MIL ❶ + *sing/pl vb* (*group*) Kommando *nt* ❷ (*member*) Angehörige(r) *f(m)* eines Kommandotrupps

com·'mand post *n* MIL Kommandoposten *m* **com·'mand prompt** *n* COMPUT Befehlsaufforderung *f*

com·memo·rate [kə'meməreɪt] *vt* gedenken +*gen*

com·memo·ra·tion [kəˌmemə'reɪʃ⁽ᵊ⁾n] *n* *no pl* **in ~ of sb** zum Gedenken an jdn; **in ~ of sth** zur Erinnerung an etw *akk*

com·memo·ra·tive [kə'memᵊrətɪv] *adj* **~ issue** Gedächtnisausgabe *f;* **~ plaque** Gedenktafel *f*

com·mence [kə'men(t)s] *vi* (*form*) beginnen, anfangen

com·mence·ment [kə'men(t)smənt] *n* (*form*) ❶ (*beginning*) Beginn *m,* Anfang *m;* **~ of a flight** Abflug *m* ❷ AM UNIV Abschlussfeier *f*

com·mend [kə'mend] *vt* ❶ (*praise*) loben ❷ (*recommend*) empfehlen; **'highly ~ed'** ‚sehr empfehlenswert'

com·mend·able [kə'mendəbl] *adj* lobenswert

com·men·da·tion [ˌkɒmen'deɪʃ⁽ᵊ⁾n] *n* ❶ *no pl, no indef art* (*praise*) Belobigung *f* ❷ (*honour*) Auszeichnung *f*

com·ment ['kɒment] **I.** *n* Kommentar *m* **II.** *vi* einen Kommentar abgeben; ■ **to ~ on sth** sich zu etw *dat* äußern; ■ **to ~ that ...** bemerken, dass ...

com·men·tary ['kɒmentᵊri] *n* Kommentar *m* (**on** über)

com·men·tate ['kɒmənteɪt] *vi* TV, RADIO ■ **to ~ on sth** etw kommentieren

com·men·ta·tor ['kɒmənteɪtəʳ] *n* Kommentator(in) *m(f),* Reporter(in) *m(f)*

com·merce ['kɒmɜːs] *n* Handel *m*

com·mer·cial [kə'mɜːʃl] **I.** *adj* ❶ (*relating to commerce*) kaufmännisch, Handels- ❷ (*profit-orientated*) kommerziell **II.** *n* Werbespot *m*

com·mer·cial·ism [kə'mɜːʃᵊlɪzᵊm] *n no pl* Kommerzialisierung *f*

com·mer·ciali·za·tion [kəˌmɜːʃᵊlaɪ'zeɪʃᵊn] *n no pl* Kommerzialisierung *f*

com·mer·cial·ize [kə'mɜːʃᵊlaɪz] *vt* kommerzialisieren

com·mer·cial·ly [kə'mɜːʃᵊli] *adv* ❶ (*on the market*) kommerziell; **to succeed ~** auf dem Markt bestehen können ❷ (*for public consumption*) auf dem Markt; **~ available** im Handel erhältlich

com·mis·er·ate [kə'mɪzᵊreɪt] *vi* mitfühlen

com·mis·era·tion [kəˌmɪzᵊ'reɪʃᵊn] *n* ❶ *no pl* (*sympathy*) Mitgefühl *nt* ❷ (*expression of sympathy*) ■ **~ s** *pl* Beileid *nt kein pl*

com·mis·sion [kə'mɪʃᵊn] **I.** *vt* ❶ (*order*) ■ **to ~ sth** etw in Auftrag geben; ■ **to ~ sb** [**to do sth**] jdn beauftragen[, etw zu tun] ❷ MIL ■ **to be ~ed as sth** zu etw *dat* ernannt werden **II.** *n* ❶ (*order*) Auftrag *m* ❷ (*system of payment*) Provision *f* ❸ + *sing/pl vb* (*investigative body*) Kommission *f* ❹ MIL **to get a** [*or* **one's**] **~** zum Offizier ernannt werden; **to resign one's ~** aus dem Offiziersdienst ausscheiden ❺ *no pl* **in/out of ~** *machine* in/außer Betrieb; *battleship* in/außer Dienst; (*fig*) **to put sb out of ~** jdn außer Gefecht setzen

com·mis·sion·aire [kəˌmɪʃᵊn'eəʳ] *n esp* BRIT Portier(in) *m(f)*

com·mis·sioned 'of·fic·er *n* Offizier(in) *m(f)*

com·mis·sion·er [kə'mɪʃᵊnəʳ] *n* Beauftragte(r) *f(m);* **police ~** Polizeipräsident(in) *m(f)*

com·mit <-tt-> [kə'mɪt] **I.** *vt* ❶ (*carry out*) begehen ❷ (*bind*) *money* bereitstellen; *soldiers* entsenden; ■ **to ~ oneself to sth** sich etw *dat* voll und ganz widmen; **to ~ oneself to a relationship** sich auf eine Beziehung einlassen; ■ **to ~ oneself to doing sth** sich verpflichten, etw zu tun ❸ (*institutionalize*) einweisen (**to** in)

④ (*entrust*) **to ~ sth to memory** sich *dat* etw einprägen; **to ~ sth to paper** etw zu Papier bringen **II.** *vi* (*bind oneself*) **■ to ~ to sth** sich auf etw *akk* festlegen

com·mit·ment [kə'mɪtmənt] *n* **①** *no pl* (*dedication*) Engagement *nt* **②** (*obligation*) Verpflichtung *f* (**to** gegenüber); **with absolutely no ~ to buy!** es besteht keinerlei Kaufzwang! **③** (*sending to hospital*) Einweisung *f*; (*sending to prison*) Einlieferung *f*

com·mit·ted [kə'mɪtɪd] *adj* **①** (*obliged*) verpflichtet; **■ to be ~ to sth** auf etw *akk* festgelegt sein **②** (*dedicated*) engagiert; *Christian* überzeugt; **■ to be ~ to sth** sich für etw *akk* engagieren

com·mit·tee [kə'mɪti] *n* + *sing/pl vb* Ausschuss *m*, Komitee *nt*

com·mode [kə'məʊd] *n* **①** (*chair with toilet*) Nachtstuhl *m* **②** (*chest of drawers*) [dekorative] Kommode

com·mod·ity [kə'mɒdəti] *n* (*product*) Ware *f*; (*raw material*) Rohstoff *m*

com·mo·dore ['kɒmədɔ:'] *n* **①** (*in navy*) Kommodore *m* **②** (*of yacht club*) Präsident(in) *m(f)*

com·mon ['kɒmən] **I.** *adj* <-er, -est *or* more ~, most ~> **①** (*often encountered*) üblich, gewöhnlich; *disease* weit verbreitet; *name* gängig **②** (*normal*) normal; **it is ~ knowledge/practice ...** es ist allgemein bekannt/üblich ...; **~ courtesy** ein Gebot *nt* der Höflichkeit **③** (*shared*) gemeinsam; **by ~ consent** mit allgemeiner Einwilligung; **for the ~ good** für das Gemeinwohl; **in ~** gemeinsam **④** ZOOL, BOT gemein **⑤** <-er, -est> (*pej: vulgar*) vulgär **⑥** (*ordinary*) einfach; *criminal* gewöhnlich; *thief* gemein **II.** *n* Gemeindeland *nt*

com·mon de·'nomi·na·tor *n* gemeinsamer Nenner

com·mon·er ['kɒmənə'] *n* Bürgerliche(r) *f(m)*

com·mon 'land *n* Gemeindeland *nt*
com·mon 'law *n no pl* [ungeschriebenes englisches] Gewohnheitsrecht '**com·mon-law** *adj* **~ marriage** eheähnliche Gemeinschaft, Konsensehe *f*; **~ husband/wife** Lebensgefährte *m*/Lebensgefährtin *f*

com·mon·ly ['kɒmənli] *adv* **①** (*often*) häufig; (*usually*) gemeinhin; **a ~ held belief** eine weit verbreitete Annahme; **~ known as ...** oft auch ... genannt **②** (*pej: vulgarly*) gewöhnlich

com·mon-or-'gar·den *adj* BRIT (*fam*) stinknormal

'**com·mon·place I.** *adj* **①** (*normal*) alltäglich **②** (*pej: trite*) banal **II.** *n* Gemein-

platz *m*

'**com·mon room** *n* BRIT SCH Gemeinschaftsraum *m*

Com·mons ['kɒmənz] *n* + *sing/pl vb* POL **■ the ~** das Unterhaus

com·mon 'sense *n no pl* gesunder Menschenverstand; **a ~ approach** ein praktischer Ansatz **com·mon 'stocks** *npl* AM STOCKEX Stammaktien *pl*

Com·mon·wealth ['kɒmənwelθ] *n* **■ the ~** das Commonwealth

com·mo·tion [kə'məʊʃ°n] *n usu no pl* **①** (*fuss*) Theater *nt* (**over** um) **②** (*noisy confusion*) Spektakel *m*

com·mu·nal ['kɒmjʊn°l, kə'mju:-] *adj* **①** (*shared*) gemeinsam; **~ bathroom** Gemeinschaftsbad *nt* **②** (*of racial communities*) Rassen- **③** (*of religious communities*) Gemeinde- **④** (*of a commune*) Kommunen-

com·mune ['kɒmju:n] *n* + *sing/pl vb* Kommune *f*

com·mu·ni·cable [kə'mju:nɪkəb°l] *adj* vermittelbar; *disease* übertragbar

com·mu·ni·cate [kə'mju:nɪkeɪt] **I.** *vt* **①** (*pass on*) mitteilen; *knowledge* vermitteln **②** *disease* übertragen auf + *akk* **II.** *vi* **①** (*give information*) kommunizieren; **to ~ with one's hands** sich mit den Händen verständigen **②** (*be in touch*) in Verbindung stehen; (*socially*) sich verstehen

com·mu·ni·ca·tion [kə‚mju:nɪ'keɪʃ°n] *n* *no pl* **①** (*being in touch*) Kommunikation *f*; **~ gap** Informationslücke *f* **②** (*passing on*) *of ideas* Vermittlung *f*; *of information* Übermittlung *f*; *of emotions* Ausdruck *m* **③** (*form: thing communicated*) Mitteilung *f* **④** MED *of a disease* Übertragung *f* (**to** auf) **⑤** (*connection*) Verbindung *f*

com·mu·ni·ca·tive [kə'mju:nɪkətɪv] *adj esp* gesprächig; **~ skills** kommunikatives Talent

Com·mun·ion [kə'mju:niən] *n no pl* **■** [**Holy**] **~** (*Protestant*) das [heilige] Abendmahl; (*Catholic*) die [heilige] Kommunion

com·mu·ni·qué [kə'mju:nɪkeɪ] *n* Kommuniqué *nt*

com·mun·ism ['kɒmjənɪz°m] *n no pl* Kommunismus *m*

com·mun·ist ['kɒmjənɪst] **I.** *n* Kommunist(in) *m(f)* **II.** *adj* kommunistisch

com·mu·nity [kə'mju:nəti] *n* **①** ADMIN Gemeinde *f*; **~ hospital** Kommunalkrankenhaus *nt* **②** (*group*) **the business ~** die Geschäftswelt; **the scientific ~** die Wissenschaftler *pl* **③** *no pl* (*togetherness*) **sense of ~** Gemeinschaftsgefühl *nt* **④** *no pl* (*public*) **■ the ~** die Allgemeinheit

com·mu·nity 'home *n* Fürsorgeanstalt *f*
com·mu·nity 'ser·vice *n no pl* gemeinnützige Arbeit **com·'mu·nity work·er** *n* Sozialarbeiter(in) *m(f)*
com·mu·'ta·tion tick·et *n* AM RAIL Zeitkarte *f*
com·mute [kə'mju:t] **I.** *n* (*fam*) Pendelstrecke *f* **II.** *vi* pendeln **III.** *vt* (*form*) umwandeln
com·mut·er [kə'mju:tə^r] *n* Pendler(in) *m(f)*
com·'mut·er belt *n* städtischer Einzugsbereich **com·'mut·er traf·fic** *n* Pendelverkehr *m* **com·'mut·er train** *n* Pendlerzug *m*
Como·ran ['kɒmərən] **I.** *adj* komorisch **II.** *n* Komorer(in) *m(f)*
Como·ros ['kɒmərəʊz] *npl* ■ **the** ~ die Komoren *pl*
com·pact I. *adj* [kəm'pækt] kompakt; *snow* fest; *style* knapp **II.** *vt* [kəm'pækt] (*form: by a person*) festtreten; (*by a vehicle*) festfahren **III.** *n* ['kɒmpækt] ❶ (*cosmetics*) Puderdose *f* ❷ AM, AUS AUTO Kompaktwagen *m* ❸ (*formal agreement*) Übereinkunft *f*
com·pact 'disc, AM *also* **com·pact 'disk** *n* Compactdisc *f*
com·pact·ness [kəm'pæktnəs] *n no pl* Kompaktheit *f; of style* Knappheit *f*
com·pan·ion [kəm'pænjən] *n* (*person accompanying sb*) Begleiter(in) *m(f)*; (*associate*) Gefährte, Gefährtin *m, f*; **trav·elling** ~ Reisebegleiter(in) *m(f)*
com·pan·ion·able [kəm'pænjənəbl] *adj* angenehm
com·pan·ion·ship [kəm'pænjənʃɪp] *n no pl* (*company*) Gesellschaft *f*; (*friendship*) Kameradschaft *f*
com·pa·ny ['kʌmpəni] *n* ❶ COMM Firma *f*, Unternehmen *nt;* **Adams and C**~ Adams & Co.; **shipping** ~ Reederei *f*; ~ **policy** Firmenpolitik *f* ❷ *no pl* (*companionship*) Gesellschaft *f*; **present** ~ **excepted** die Anwesenden ausgenommen; **to keep sb** ~ jdm Gesellschaft leisten ❸ *no pl* (*visitors*) Besuch *m kein pl*, Gäste *pl* ❹ THEAT Schauspieltruppe *f* ❺ MIL Kompanie *f*
com·pa·rable ['kɒmp^ərəbl] *adj* vergleichbar (**to/with** mit)
com·para·tive [kəm'pærətɪv] **I.** *n* Komparativ *m* **II.** *adj* ❶ (*involving comparison*) vergleichend ❷ (*relative*) relativ
com·para·tive·ly [kəm'pærətɪvli] *adv* ❶ (*relatively*) verhältnismäßig ❷ (*by comparison*) im Vergleich
com·pare [kəm'peə^r] **I.** *vt* vergleichen (**to/with** mit) ▶ **to** ~ **notes on sth** Mei-

nungen über etw *akk* austauschen **II.** *vi* vergleichbar sein; **to** ~ **favourably** vergleichsweise gut abschneiden **III.** *n no pl* (*liter*) **beyond** ~ unvergleichlich
com·pari·son [kəm'pærɪs^ən] *n* Vergleich *m;* **there's no** ~! das ist gar kein Vergleich!; **there's no** ~ **between them** man kann sie nicht vergleichen; **to bear** [*or* **stand**] ~ einem Vergleich gewachsen sein; **to draw** [*or* **make**] **a** ~ einen Vergleich anstellen; **by** ~ **with** verglichen mit + *dat*
com·part·ment [kəm'pɑ:tmənt] *n* ❶ RAIL [Zug]abteil *nt,* Coupé *nt* ÖSTERR ❷ (*section*) Fach *nt*
com·pass <*pl* -es> ['kʌmpəs] *n* ❶ (*for showing direction*) Kompass *m;* **they took a** ~ **reading** sie lasen den Kompass ab ❷ (*for drawing circles*) Zirkel *m* ❸ *no pl* (*liter: range*) Umfang *m*
com·pas·sion [kəm'pæʃ^ən] *n no pl* **to feel** [*or* **have**] ~ **for** [*or* **towards**] **sb** Mitleid mit jdm haben; **to show** ~ **for** [*or* **towards**] **sb** Mitgefühl für jdn zeigen; **with** ~ voller Mitgefühl
com·pas·sion·ate [kəm'pæʃ^ənət] *adj* mitfühlend
com·pat·ibil·ity [kəm,pætə'bɪləti] *n no pl* Vereinbarkeit *f*; COMPUT, MED Kompatibilität *f*
com·pat·ible [kəm'pætɪbl] *adj* ❶ ■ **to be** ~ zusammenpassen ❷ COMPUT, MED kompatibel ❸ (*consistent*) vereinbar
com·pat·ri·ot [kəm'pætriət] *n* (*form*) Landsmann, -männin *m, f*
com·pel <-ll-> [kəm'pel] *vt* ■ **to** ~ **sb to do sth** jdn [dazu] zwingen, etw zu tun; **to feel** ~ **led** [**to do sth**] sich gezwungen sehen[, etw zu tun]
com·pel·ling [kəm'pelɪŋ] *adj reason* zwingend; *performance* fesselnd
com·pen·dium <*pl* -s *or* -dia> [kəm'pendiəm, *pl* -diə] *n* Handbuch *nt,* Kompendium *nt geh*
com·pen·sate ['kɒmpənseɪt] **I.** *vt* [finanziell] entschädigen **II.** *vi* kompensieren; ■ **to** ~ **for sth** etw ausgleichen
com·pen·sa·tion [,kɒmpən'seɪʃ^ən] *n no pl* Entschädigung[sleistung] *f*, Schadenersatz *m*
com·père ['kɒmpeə^r] BRIT **I.** *n* Showmaster(in) *m(f)* **II.** *vt* konferieren
com·pete [kəm'pi:t] *vi* ■ **to** ~ [**with sb**] [gegen jdn] kämpfen (**for** um); ~ **in a race** an einem Rennen teilnehmen
com·pe·tence ['kɒmpɪt^ən(t)s], **com·pe·ten·cy** ['kɒmpɪt^ən(t)si] *n no pl* ❶ (*ability*) Fähigkeiten *pl*, Kompetenz *f*; **he reached a reasonable level of** ~ **in English** sein

Englisch erreichte ein recht gutes Niveau ❷ LAW Zuständigkeit *f*

com·pe·tent [ˈkɒmpɪtᵊnt] *adj* ❶ (*capable*) fähig; (*qualified*) kompetent ❷ (*adequate*) **he speaks quite ~ German** er spricht recht gutes Deutsch ❸ LAW zuständig

com·pe·tent·ly [ˈkɒmpɪtᵊntli] *adv* gekonnt

com·pe·ti·tion [ˌkɒmpəˈtɪʃᵊn] *n* ❶ *no pl* (*state of competing*) Konkurrenz *f*, Wettbewerb *m;* ▪to be in ~ with sb mit jdm konkurrieren ❷ COMM Konkurrenz *f* ❸ (*contest*) Wettbewerb *m*

com·peti·tive [kəmˈpetɪtɪv] *adj* ❶ (*characterized by competition*) konkurrierend; (*eager to compete*) kampfbereit; **acting is very ~** in der Schauspielerei herrscht harte Konkurrenz; ~ **spirit** Wettkampfgeist *m;* ~ **sports** Leistungssport *m* ❷ COMM konkurrenzfähig, wettbewerbsfähig; ~ **edge** Wettbewerbsvorteil *m*

com·peti·tive·ness [kəmˈpetɪtɪvnəs] *n no pl* ❶ (*ambition*) Konkurrenzdenken *nt* ❷ COMM Wettbewerbsfähigkeit *f*

com·peti·tor [kəmˈpetɪtəʳ] *n* ❶ (*one who competes*) [Wettkampf]gegner(in) *m(f);* (*participant*) [Wettbewerbs]teilnehmer(in) *m(f)* ❷ COMM Konkurrent(in) *m(f)*

com·pi·la·tion [ˌkɒmprˈleɪʃᵊn] *n* ❶ *no pl* (*act of compiling*) Zusammenstellung *f* ❷ (*collection*) Sammlung *f*

com·pile [kəmˈpaɪl] *vt* ❶ (*put together*) *list* erstellen ❷ (*gather*) *facts* zusammentragen ❸ COMPUT kompilieren

com·pil·er [kəmˈpaɪləʳ] *n* ❶ (*one who compiles*) Sammler(in) *m(f)* ❷ COMPUT Compiler *m fachspr*

com·pla·cence [kəmˈpleɪsᵊn(t)s], **com·pla·cen·cy** [kəmˈpleɪsᵊn(t)si] *n no pl* (*pej*) Selbstzufriedenheit *f*

com·pla·cent [kəmˈpleɪsᵊnt] *adj* (*pej*) selbstzufrieden

com·plain [kəmˈpleɪn] *vi* klagen, sich beklagen (**about/of** über); **stop ~ing!** hör auf zu jammern!

com·plain·ant [kəmˈpleɪnənt] *n* LAW ❶ (*complainer*) Beschwerdeführer(in) *m(f)* ❷ (*plaintiff*) Kläger(in) *m(f)*

com·plaint [kəmˈpleɪnt] *n* ❶ (*expression of displeasure*) Beschwerde *f*, Klage *f* ❷ LAW Klageschrift *f;* **to lodge** [*or* make] **a ~ against sb** jdn verklagen; AM gegen jdn Anzeige erstatten ❸ COMM Mängelrüge *f* ❹ (*illness*) Leiden *nt*

com·ple·ment [ˈkɒmplɪmənt] **I.** *vt* ergänzen; **to ~ each other** sich [gegenseitig] ergänzen **II.** *n* ❶ (*accompaniment*) Ergänzung *f* ❷ *no pl* **a full ~ of staff** eine komplette Ersatzmannschaft

com·ple·men·tary [ˌkɒmplɪˈmentᵊri] *adj* [einander] ergänzend

com·plete [kəmˈpliːt] **I.** *vt* ❶ (*add what is missing*) vervollständigen; *form* [vollständig] ausfüllen ❷ (*finish*) fertig stellen; *course* absolvieren; *studies* zu Ende bringen **II.** *adj* ❶ (*with nothing missing*) vollständig, komplett; **the ~ works of Shakespeare** Shakespeares gesammelte Werke ❷ (*including*) ~ **with** inklusive ❸ (*total*) absolut; *breakdown* total; *darkness, stranger, surprise* völlig; **a ~ fool** ein Vollidiot *m;* ~ **and utter** total

com·plete·ly [kəmˈpliːtli] *adv* völlig; ~ **certain** absolut sicher; **to be ~ convinced** der vollen Überzeugung sein

com·plete·ness [kəmˈpliːtnəs] *n no pl* Vollständigkeit *f*

com·ple·tion [kəmˈpliːʃᵊn] *n no pl* Fertigstellung *f;* **on ~ of the project** nach Abschluss des Projekts

com·plex I. *adj* [ˈkɒmpleks] komplex; (*complicated*) kompliziert; *issue, personality* vielschichtig; *plot* verwickelt **II.** *n* <*pl* -es> [ˈkɒmpleks] ❶ ARCHIT Komplex *m;* **sports and leisure ~** Sport- und Freizeitzentrum *nt;* **shopping ~** Einkaufszentrum *nt* ❷ PSYCH Komplex *m* (**about** wegen); **to give sb a ~** bei jdm Komplexe verursachen

com·plex·ion [kəmˈplekʃᵊn] *n* Teint *m;* **clear/spotty ~** reine/unreine Haut; **healthy ~** gesunde Gesichtsfarbe ▸ **to put a <u>different</u> ~ on sth** etw in einem anderen Licht erscheinen lassen

com·plex·ity [kəmˈpleksəti] *n* ❶ *no pl* (*intricacy*) Komplexität *f* ❷ (*complication*) Kompliziertheit *f*

com·pli·ance [kəmˈplaɪən(t)s] *n* ❶ (*form*) (*conformity*) Übereinstimmung *f;* **in ~ with sb's order** gemäß jds Befehl; **in ~ with the regulations** unter Einhaltung der Bestimmungen ❷ (*pej: obedience*) Willfährigkeit *f*

com·pli·ant [kəmˈplaɪənt] *adj* (*form*) gefügig

com·pli·cate [ˈkɒmplɪkeɪt] *vt* [noch] komplizierter machen

com·pli·cat·ed [ˈkɒmplɪkeɪtɪd] *adj* kompliziert

com·pli·ca·tion [ˌkɒmplɪˈkeɪʃᵊn] *n* Komplikation *f*

com·plic·ity [kəmˈplɪsəti] *n no pl* (*form*) Mittäterschaft *f*

com·pli·ment [ˈkɒmplɪmənt] **I.** *n* Kompliment *nt;* **my ~s to the chef!** mein Kompliment an die Köchin!; **to pay sb a ~** jdm ein

Kompliment machen ▶ ~s of the **season** frohes Fest; **to be fishing for** ~s auf Komplimente aus sein **II.** *vt* ■**to** ~ **sb** jdm ein Kompliment machen

com·pli·men·tary [ˌkɒmplɪˈmentəri] *adj* ❶ (*expressing a compliment*) schmeichelhaft ❷ (*free*) *tickets, books* Frei-

com·ply [kəmˈplaɪ] *vi* sich fügen; **to** ~ **with the regulations** die Bestimmungen erfüllen

com·po·nent [kəmˈpəʊnənt] *n* [Bestand]teil *m*

com·po·nent 'parts *npl* Einzelteile *pl*

com·pose [kəmˈpəʊz] **I.** *vi* komponieren **II.** *vt* ❶ MUS komponieren ❷ LIT verfassen; *letter* aufsetzen ❸ (*comprise*) ■**to be** ~**d of sth** aus etw *dat* bestehen ❹ (*calm*) ordnen; ■**to** ~ **oneself** sich beruhigen ❺ TYPO setzen

com·posed [kəmˈpəʊzd] *adj* gefasst

com·pos·er [kəmˈpəʊzəʳ] *n* Komponist(in) *m(f)*

com·po·site [ˈkɒmpəzɪt] **I.** *n* Gemisch *nt* **II.** *adj* zusammengesetzt

com·po·si·tion [ˌkɒmpəˈzɪʃⁿn] *n* ❶ *no pl* (*in music*) Komponieren *nt;* (*in literature*) Verfassen *nt* ❷ (*piece*) Komposition *f* ❸ (*arrangement*) Gestaltung *f; of painting* Komposition *f* ❹ (*short essay*) Aufsatz *m* (**on** über) ❺ *no pl* (*make-up*) Zusammenstellung *f;* CHEM Zusammensetzung *f* ❻ *no pl* TYPO Satz *m*

com·post [ˈkɒmpɒst] **I.** *n no pl* Kompost *m* **II.** *vt* kompostieren

com·po·sure [kəmˈpəʊʒəʳ] *n no pl* Fassung *f*

com·pound¹ [kəmˈpaʊnd] *vt* verschlimmern

com·pound² [ˈkɒmpaʊnd] **I.** *n* ❶ (*combination*) Mischung *f* ❷ CHEM Verbindung *f* ❸ MIL Truppenlager *nt;* **embassy** ~ Botschaftsgelände *nt;* **prison** ~ Gefängnishof *m* **II.** *adj* zusammengesetzt

com·pound 'frac·ture *n* MED komplizierter Bruch **com·pound 'in·ter·est** *n* FIN Zinseszins *m meist pl*

com·pre·hend [ˌkɒmprɪˈhend] *vi, vt* begreifen, verstehen

com·pre·hen·sibil·ity [ˌkɒmprɪhen(t)səˈbɪləti] *n no pl* Verständlichkeit *f*

com·pre·hen·sible [ˌkɒmprɪˈhen(t)səbl̩] *adj* verständlich (**to** für)

com·pre·hen·sibly [ˌkɒmprɪˈhen(t)səbli] *adv* verständlich

com·pre·hen·sion [ˌkɒmprɪˈhen(t)ʃⁿn] *n no pl* Verständnis *nt;* **to be beyond sb's** ~ jdm unbegreiflich [*o* unverständlich] sein;

listening/reading ~ [**test**] Hör-/Leseverständnistest *m*

com·pre·hen·sive [ˌkɒmprɪˈhen(t)sɪv] **I.** *adj* umfassend; *answer* ausführlich; *list* vollständig; ~ **insurance** BRIT Vollkaskoversicherung *f* **II.** *n* BRIT Gesamtschule *f*

com·pre·hen·sive·ly [ˌkɒmprɪˈhen(t)sɪvli] *adv* umfassend; ~ **defeated** deutlich geschlagen

com·pre·hen·sive 'school *n* BRIT Gesamtschule *f*

com·press¹ [kəmˈpres] *vt* ❶ (*squeeze together*) zusammendrücken ❷ (*condense*) zusammenfassen

com·press² <*pl* -es> [ˈkɒmpres] *n* MED Kompresse *f*

com·pressed [kəmˈprest] *adj* komprimiert

com·pres·sion [kəmˈpreʃⁿn] *n no pl* Kompression *f*

com·pres·sor [kəmˈpresəʳ] *n* Kompressor *m,* Verdichter *m*

com·prise [kəmˈpraɪz] *vt* (*form*) ■**to** ~ **sth** aus etw *dat* bestehen

com·pro·mise [ˈkɒmprəmaɪz] **I.** *n* Kompromiss *m;* **to reach** [*or* **arrive at**] **a** ~ zu einem Kompromiss gelangen **II.** *vi* Kompromisse eingehen **III.** *vt* etw *dat* schaden; ■**to** ~ **oneself** sich kompromittieren

com·pro·mis·ing [ˈkɒmprəmaɪzɪŋ] *adj* kompromittierend

com·pul·sion [kəmˈpʌlʃⁿn] *n no pl* Zwang *m*

com·pul·sive [kəmˈpʌlsɪv] *adj* ❶ (*obsessive*) zwanghaft; *liar* notorisch; ~ **eating disorder** krankhafte Essstörung ❷ (*captivating*) fesselnd; **her latest book is a** ~ **read** ihr letztes Buch muss man einfach gelesen haben; ~ **viewing** TV Pflichttermin *m;* **utterly** ~ überaus faszinierend

com·pul·so·ri·ly [kəmˈpʌlsəʳⁱli] *adv* zwangsweise

com·pul·so·ry [kəmˈpʌlsəri] *adj* obligatorisch; ~ **retirement** Zwangspensionierung *f;* ~ **military service** [allgemeine] Wehrpflicht; ~ **subject** Pflichtfach *nt*

com·punc·tion [kəmˈpʌŋ(k)ʃⁿn] *n no pl* Schuldgefühle *pl;* ■**to have no** ~ **about sth** keine Skrupel wegen einer S. *gen* haben

com·pu·ta·tion [ˌkɒmpjəˈteɪʃⁿn] *n* Berechnung *f*

com·pute [kəmˈpjuːt] *vt* berechnen ❷ AM **that doesn't** ~ das ergibt keinen Sinn

com·put·er [kəmˈpjuːtəʳ] *n* Computer *m* **com·put·er·'aid·ed, com·put·er·as·'sist·ed** *adj* COMPUT computergestützt, rechnerunterstützt **com·put·er·'ani-**

mat·ed *adj* computeranimiert **com·'put·er game** *n* Computerspiel *nt* **com·put·er 'graph·ics** *n + sing/pl vb* Computergrafik *f*

com·put·eri·za·tion [kəm,pjuːtᵊraɪ'zeɪʃᵊn] *n no pl* ❶ (*computer storage*) Computerisierung *f* ❷ (*equipping with computers*) Ausrüstung *f* mit Computern **com·put·er·ize** [kəm'pjuːtᵊraɪz] I. *vt* ❶ (*store on computer*) [im Computer] speichern ❷ (*equip with computers*) computerisieren II. *vi* auf EDV umstellen

com·put·er 'net·work *n* Rechnernetz *nt* **com·put·er 'pro·gram·mer** *n* Programmierer(in) *m(f)* **com·put·er 'sci·ence** *n no pl* Informatik *f* **com·put·er 'sci·en·tist** *n* Informatiker(in) *m(f)* **com·'put·er search** *n* Recherche *f* am Computer **com·put·er 'vi·rus** *n* Virus *m*

com·put·ing [kəm'pjuːtɪŋ] *n no pl* ❶ (*calculating*) Berechnen *nt* ❷ COMPUT EDV *f* **com·rade** ['kɒmreɪd] *n* ❶ (*friend*) Kamerad(in) *m(f)* ❷ POL Genosse, Genossin *m, f* **com·rade·ship** ['kɒmreɪdʃɪp] *n no pl* Kameradschaft *f*

COMSAT ['kɑːmsæt] *n* AM *abbrev of* **communications satellite** Nachrichtensatellit *m*

con¹ [kɒn] (*fam*) I. *vt* <-nn-> **to ~ one's way into a building** sich in ein Gebäude einschleichen; ▪**to ~ sb** jdn reinlegen; ▪**to ~ sb into doing sth** jdn [mit Tricks] dazu bringen, etw zu tun; **to ~ sb into believing** [*or* **thinking**] **that ...** jdm weismachen wollen, dass ...; ▪**to ~ sb out of sth** [*or* **sth out of sb**] jdm etw abluchsen II. *n* ❶ (*trick*) Schwindel *m kein pl* ❷ (*convict*) Knacki *m*

con² [kɒn] *n usu pl* (*fam*) **the pros and ~ s** das Pro und Kontra

'con art·ist *n* Schwindler(in) *m(f)* **con·cave** ['kɒnkeɪv] *adj* konkav **con·ceal** [kən'siːl] *vt* verbergen (**from** vor) **con·cealed** [kən'siːld] *adj* versteckt; *entrance* verborgen; *lighting* indirekt **con·ceal·ment** [kən'siːlmənt] *n no pl* Verheimlichung *f*; *of feelings* Verbergen *nt*; **place of ~** Versteck *nt*

con·cede [kən'siːd] I. *vt* ❶ (*acknowledge*) zugeben; **to ~ defeat** sich geschlagen geben ❷ (*surrender*) aufgeben ❸ (*grant*) einräumen ❹ SPORTS *goal* kassieren; *point, match* abgeben II. *vi* sich geschlagen geben **con·ceit** [kən'siːt] *n no pl* Einbildung *f* **con·ceit·ed** [kən'siːtɪd] *adj* eingebildet **con·ceiv·able** [kən'siːvəbl] *adj* vorstellbar; **by every ~ means** mit allen [nur] erdenklichen Mitteln

con·ceive [kən'siːv] I. *vt* ❶ (*conceptualize*) kommen auf +*akk* ❷ (*create*) entwerfen ❸ (*imagine*) sich *dat* vorstellen ❹ (*become pregnant with*) empfangen II. *vi* ❶ (*imagine*) ▪**to ~ of sth** sich *dat* etw vorstellen ❷ (*become pregnant*) empfangen

con·cen·trate ['kɒn(t)sᵊntreɪt] I. *vi* ❶ (*focus one's thoughts*) sich konzentrieren ❷ (*come together*) sich sammeln II. *vt* konzentrieren; **to ~ one's mind on sth** sich auf etw *akk* konzentrieren; **most of the country's population is ~d in the north** der Großteil der Bevölkerung ballt sich im Norden III. *n* Konzentrat *nt* **con·cen·trat·ed** ['kɒn(t)sᵊntreɪtɪd] *adj* konzentriert; *attack* geballt; *effort* gezielt **con·cen·tra·tion** [,kɒn(t)sᵊn'treɪʃᵊn] *n* ❶ *no pl* (*mental focus*) Konzentration *f* (**on** auf); **to lose [one's] ~** sich nicht mehr konzentrieren können ❷ (*accumulation*) Konzentrierung *f*; *of troops* Zusammenziehung *f* ❸ CHEM Konzentration *f*

con·cen·'tra·tion camp *n* Konzentrationslager *nt*

con·cen·tric [kən'sentrɪk] *adj* konzentrisch

con·cept ['kɒnsept] *n* ❶ (*abstract idea*) Vorstellung *f* ❷ (*plan*) Entwurf *m,* Konzept *nt* (**of** für)

con·cep·tion [kən'sepʃᵊn] *n* ❶ (*basic understanding*) Vorstellung *f* ❷ (*idea*) Idee *f,* Konzept *nt;* (*creation*) Konzeption *f* ❸ *no pl* BIOL Empfängnis *f* **con·cep·tu·al** [kən'septʃuəl] *adj* begrifflich **con·cep·tu·al·ize** [kən'septʃuəlaɪz] I. *vi* [begrifflich] denken II. *vt* begrifflich erfassen

con·cern [kən'sɜːn] I. *n* ❶ (*interest*) Anliegen *nt;* (*preoccupation*) Sorge *f;* **the company's sole ~ is to ensure the safety of its employees** das Unternehmen ist einzig und allein um die Gewährleistung der Sicherheit seiner Mitarbeiter besorgt ❷ (*worry*) Sorge *f,* Besorgnis *f* (**about** um); **~ for the safety of the two missing teenagers is growing** die Sorge um die beiden vermissten Teenager wächst beständig; **my ~ is that ...** ich mache mir Sorgen, dass ...; **there's no cause for ~** es besteht kein Grund zur Sorge; **to give rise to ~** besorgniserregend sein ❸ (*business*) Angelegenheit *f;* **it's no ~ of mine!** das ist nicht meine Angelegenheit!; **that's none of your ~** das geht dich nichts an ❹ COMM Unternehmen *nt;* **industrial ~** Industriekonzern *m* II. *vt* ❶ (*apply to*) angehen; (*affect*) betreffen; **as far as I'm ~ed** was mich betrifft ❷ (*be sb's business*) angehen; **to whom it may** ~ (*in a letter*) sehr geehrte Damen und Herren ❸ (*take an interest in*) ■**to ~ oneself with sth** sich mit etw *dat* befassen ❹ (*be about*) handeln von +*dat* ❺ (*worry*) beunruhigen; ■**to ~ oneself** sich *dat* Sorgen machen

con·cern·ing [kənˈsɜːnɪŋ] *prep* bezüglich +*gen*

con·cert [ˈkɒnsət] *n* ❶ MUS Konzert *nt;* **in ~** live ❷ (*form*) **in ~** gemeinsam; **to act in ~** zusammenarbeiten

con·cert·ed [kənˈsɜːtɪd] *adj* ❶ (*joint*) gemeinsam ❷ (*resolute*) entschlossen

con·cert ˈgrand *n* Konzertflügel *m*

con·cer·ti·na [ˌkɒn(t)səˈtiːnə] I. *n* Ziehharmonika *f* II. *vi* BRIT, AUS sich [ziehharmonikaförmig] zusammenschieben

ˈcon·cert·mas·ter *n* AM Konzertmeister(in) *m(f)*

con·cer·to <*pl* -s *or* -ti> [kənˈtʃeətəʊ, *pl* -ti] *n* Konzert *nt*

con·ces·sion [kənˈseʃ°n] *n* ❶ (*compensation*) Zugeständnis *nt;* **as a ~** als Ausgleich; **to make no ~ to sth** auf etw *akk* keine Rücksicht nehmen ❷ (*admission of defeat*) Eingeständnis *nt* [einer Niederlage] ❸ ECON Konzession *f*

con·cili·ate [kənˈsɪlieɪt] I. *vi* schlichten II. *vt* (*placate*) besänftigen

con·cili·ation [kənˌsɪliˈeɪʃ°n] *n no pl* (*form*) ❶ (*reconciliation*) Besänftigung *f* ❷ (*mediation*) Schlichtung *f*

con·cili·ˈation board *n* Schlichtungskommission *f*

con·cilia·tory [kənˈsɪliət°ri] *adj* versöhnlich; (*mediating*) beschwichtigend

con·cise [kənˈsaɪs] *adj* präzise; *answer* kurz und bündig; *style also* knapp

con·cise·ness [kənˈsaɪsnəs] *n,* **con·ci·sion** [kənˈsɪʒ°n] *n no pl* Prägnanz *f*

con·clude [kənˈkluːd] I. *vi* enden, schließen; **"that's all I have to say," he** ~**d** „mehr habe ich nicht zu sagen", meinte er abschließend II. *vt* ❶ (*finish*) [ab]schließen ❷ (*determine*) beschließen ❸ (*infer*) ■**to ~** [**from sth**] **that ...** [aus etw *dat*] schließen, dass ...

con·clud·ing [kənˈkluːdɪŋ] *adj* abschließend; ~ **remark** Schlussbemerkung *f*

con·clu·sion [kənˈkluːʒ°n] *n* ❶ (*end*) Abschluss *m; of a story* Schluss *m;* **in ~** zum Abschluss, abschließend ❷ (*decision*) **to come to a ~** einen Beschluss fassen; **to reach a ~** zu einem Entschluss gelangen ❸ (*inference*) Schluss *m,* Schlussfolgerung *f;* **to come to/draw** [*or* **reach**] **the ~ that ...** zu dem Schluss kommen/gelangen, dass ...

con·clu·sive [kənˈkluːsɪv] *adj* ❶ (*convincing*) schlüssig ❷ (*decisive*) eindeutig; *evidence* stichhaltig

con·coct [kənˈkɒkt] *vt dish* zusammenstellen; *drink* mixen; *excuse* sich *dat* zurechtbasteln; *plan* aushecken; *story* sich *dat* ausdenken

con·coc·tion [kənˈkɒkʃ°n] *n* (*dish*) Kreation *f;* (*drink*) Gebräu *nt*

con·cord·ance [kənˈkɔːd°n(t)s] *n* LIT Konkordanz *f fachspr,* Übereinstimmung *f*

con·course [ˈkɒnkɔːs] *n* Halle *f*

con·crete [ˈkɒŋkriːt] I. *n no pl* Beton *m* II. *adj* ❶ *path* betoniert ❷ *proof* eindeutig ❸ *suggestion* konkret III. *vt* betonieren; ■**to ~ over** zubetonieren

ˈcon·crete mix·er *n* Betonmischmaschine *f*

con·cu·bine [ˈkɒŋkjuːbaɪn] *n* Konkubine *f*

con·cur <-rr-> [kənˈkɜːʳ] *vi* übereinstimmen; **to ~ with sb's opinion** jds Meinung zustimmen; **to ~ with sb** [**in** [*or* **on**] **sth**] jdm [in etw *dat*] beipflichten

con·cur·rent [kənˈkʌr°nt] *adj* ❶ (*simultaneous*) gleichzeitig ❷ (*together*) gemeinsam

con·cur·rent·ly [kənˈkʌr°ntli] *adv* ❶ (*simultaneously*) gleichzeitig ❷ (*together*) gemeinsam

con·cuss [kənˈkʌs] *vt* ■**to be ~ed** eine Gehirnerschütterung erleiden

con·cus·sion [kənˈkʌʃ°n] *n no pl* Gehirnerschütterung *f*

con·demn [kənˈdem] *vt* ❶ (*reprove*) verurteilen ❷ LAW verurteilen; **to be ~ed to death** zum Tode verurteilt werden ❸ (*declare unsafe*) für unbrauchbar erklären; *food* für den Verzehr als ungeeignet erklären; *building* für unbewohnbar erklären

con·dem·na·tion [ˌkɒndemˈneɪʃ°n] *n* ❶ (*reproof*) Verurteilung *f;* (*fig*) Verdammung *f* ❷ (*legal act*) Verurteilung *f* ❸ (*declaration as unsafe*) Untauglichkeitserklärung *f*

con·den·sa·tion [ˌkɒndenˈseɪʃ°n] *n* ❶ *no pl* (*process*) Kondensation *f* ❷ *no pl* (*droplets*) Kondenswasser *nt*

con·dense [kənˈden(t)s] I. *vt* ❶ (*concentrate*) *gas* komprimieren; *liquid* eindicken; ~**d milk** Kondensmilch *f* ❷ (*form droplets from*) kondensieren ❸ (*shorten*) zusammenfassen II. *vi* kondensieren

con·dens·er [kənˈden(t)səʳ] *n* CHEM Kondensator *m*

con·de·scend [ˌkɒndɪˈsend] *vi* ■**to ~ to do sth** sich herablassen, etw zu tun

con·de·scend·ing [ˌkɒndɪˈsendɪŋ] *adj*

herablassend

con·de·scend·ing·ly [ˌkɒndɪˈsendɪŋli] *adv* gönnerhaft

con·de·scen·sion [ˌkɒndɪˈsenʃən] *n no pl* herablassende Haltung

con·di·ment [ˈkɒndɪmənt] *n* Gewürz *nt*

con·di·tion [kənˈdɪʃən] I. *n* ❶ (*state*) Zustand *m;* *person* Verfassung *f* ❷ MED Leiden *nt;* **he's got a heart ~** er ist herzkrank ❸ (*circumstances*) ▪ **~s** *pl* Bedingungen *pl* ❹ (*stipulation*) Bedingung *f;* ▪ **on the ~ that ...** unter der Bedingung, dass ... II. *vt* ❶ (*train*) konditionieren ❷ (*accustom*) gewöhnen (**to** an) ❸ *hair* eine Pflegespülung machen

con·di·tion·al [kənˈdɪʃənəl] I. *adj* bedingt; ▪ **to be ~ [up]on sth** von etw *dat* abhängen II. *n* LING ▪ **the ~** der Konditional

con·di·tion·al·ly [kənˈdɪʃənəli] *adv* unter Vorbehalt

con·di·tioned [kənˈdɪʃənd] *adj* (*trained*) konditioniert; (*accustomed*) anerzogen

con·di·tion·er [kənˈdɪʃənəʳ] *n no pl* ❶ (*for hair*) Pflegespülung *f* ❷ (*for clothes*) Weichspüler *m*

con·do [ˈkɑːndəʊ] *n* AM (*fam*) *short for* **condominium** Eigentumswohnung *f*

con·do·lence [kənˈdəʊlən(t)s] *n* ▪ **~s** Beileid *nt kein pl;* **letter of ~** Beileidsschreiben *nt*

con·dom [ˈkɒndɒm] *n* Kondom *nt*

con·do·min·ium [ˌkɒndəˈmɪniəm] *n* AM (*owned apartment*) Eigentumswohnung *f;* (*apartment building*) Wohnblock *m* [mit Eigentumswohnungen]

con·done [kənˈdəʊn] *vt* [stillschweigend] dulden

con·du·cive [kənˈdjuːsɪv] *adj* förderlich

con·duct I. *vt* [kənˈdʌkt] ❶ (*carry out*) durchführen; *negotiations* führen; *service* abhalten ❷ (*direct*) leiten; *orchestra* dirigieren; *traffic* [um]leiten ❸ (*guide*) führen; **~ed tour** Führung *f* ❹ ELEC leiten ❺ (*form: behave*) ▪ **to ~ oneself** sich benehmen II. *vi* [kənˈdʌkt] MUS dirigieren III. *n* [ˈkɒndʌkt] *no pl* ❶ (*behaviour*) Benehmen *nt,* Verhalten *nt* ❷ (*form: management*) Führung *f,* Leitung *f*

con·duc·tive [kənˈdʌktɪv] *adj* ELEC leitfähig

con·duc·tiv·ity [ˌkɒndʌkˈtɪvəti] *n no pl* ELEC Leitfähigkeit *f*

con·duc·tor [kənˈdʌktəʳ] *n* ❶ MUS Dirigent(in) *m(f)* ❷ PHYS Leiter *m* ❸ BRIT (*on bus*) Schaffner(in) *m(f);* AM (*on train*) Zugführer(in) *m(f)*

con·duc·tress [kənˈdʌktrəs] *n* BRIT Schaffnerin *f*

con·duit [ˈkɒndjuɪt] *n* (*pipe*) [Rohr]leitung *f;* (*channel*) Kanal *m*

cone [kəʊn] *n* ❶ MATH Kegel *m;* **~ of light** Lichtkegel *m;* **traffic ~** Leitkegel *m* ❷ FOOD **ice cream ~** Eistüte *f* ❸ BOT Zapfen *m*

con·fec·tion·er [kənˈfekʃənəʳ] *n* Süßwarenhändler(in) *m(f);* **~'s [shop]** Süßwarengeschäft *nt*

con·fec·tion·ery [kənˈfekʃənᵊri] *n no pl* (*sweets*) Süßwaren *pl;* (*chocolate*) Konfekt *nt*

con·fed·era·cy [kənˈfedᵊrəsi] *n + sing/pl vb* Konföderation *f;* ▪ **the C~** AM HIST die Konföderierten Staaten *pl* von Amerika

con·fed·er·ate [kənˈfedᵊrət] I. *n* Komplize, Komplizin *m, f* II. *adj* AM HIST ▪ **C~** Südstaaten-

con·fed·era·tion [kənˌfedəreɪʃən] *n + sing/pl vb* ❶ POL Bund *m* ❷ ECON Verband *m;* **C~ of British Industry** *britischer Unternehmerverband*

Con·fed·era·tion Day *n* CAN Confederation Day *m* (*der Nationalfeiertag Kanadas*)

con·fer <-rr-> [kənˈfɜːʳ] I. *vt* ▪ **to ~ sth [up]on sb** jdm etw verleihen; *rights* jdm etw übertragen II. *vi* ▪ **to ~ with sb** sich mit jdm beraten

con·fer·ence [ˈkɒnfᵊrᵊn(t)s] *n* Konferenz *f,* Tagung *f* (**on** über); **in ~** in einer Besprechung

con·fess [kənˈfes] *vi, vt* ❶ (*admit*) zugeben; ▪ **to ~ to sth** etw gestehen ❷ REL beichten

con·fes·sion [kənˈfeʃən] *n* ❶ (*admission*) Geständnis *nt;* **to have a ~ to make** etw gestehen müssen ❷ REL Beichte *f*

con·fes·sion·al [kənˈfeʃənᵊl] *n* Beichtstuhl *m*

con·fes·sor [kənˈfesəʳ] *n* Beichtvater *m*

con·fet·ti [kənˈfeti] *n no pl* Konfetti *nt*

con·fi·dant [ˈkɒnfɪdænt] *n* Vertraute(r) *m*

con·fi·dante [ˈkɒnfɪdænt] *n* Vertraute *f*

con·fide [kənˈfaɪd] I. *vt* gestehen; ▪ **to ~ [to sb] that ...** jdm anvertrauen, dass ... II. *vi* ▪ **to ~ in sb** sich jdm anvertrauen

con·fi·dence [ˈkɒnfɪdᵊn(t)s] *n* ❶ *no pl* (*trust*) Vertrauen *nt;* **to take sb into one's ~** jdn ins Vertrauen ziehen; **to have every/no ~ in sb** volles/kein Vertrauen zu jdm haben; **in ~** im Vertrauen ❷ (*secrets*) ▪ **~s** *pl* Vertraulichkeiten *pl* ❸ *no pl* (*self-assurance*) Selbstvertrauen *nt;* **to lack ~** kein Selbstvertrauen haben

con·fi·dent [ˈkɒnfɪdᵊnt] *adj* ❶ (*certain*) zuversichtlich; ▪ **to be ~ of sth** von etw *dat* überzeugt sein ❷ (*self-assured*) selbstbewusst

con·fiden·tial [ˌkɒnfɪˈden(t)ʃᵊl] *adj* vertraulich; **to keep sth ~** etw für sich *akk* behalten

con·fi·den·ti·al·ity [ˌkɒnfɪdən(t)ʃiˈæləti] *n no pl* Vertraulichkeit *f*

con·fi·den·tial·ly [ˌkɒnfɪˈdən(t)ʃ³li] *adv* vertraulich

con·fid·ing [kənˈfaɪdɪŋ] *adj* vertrauensvoll

con·figu·ra·tion [kənˌfɪgəˈreɪʃ³n] *n* Konfiguration *f*

con·fig·ure [kənˈfɪgəʳ] *vt* konfigurieren

con·fine I. *vt* [kənˈfaɪn] ❶ (*restrict*) beschränken (**to** auf) ❷ (*shut in*) einsperren; **he was ~d to the house** er war ans Haus gefesselt; **to be ~d to quarters** MIL Ausgangssperre haben II. *n* [ˈkɒnfaɪn] ■**the ~s** *pl* die Grenzen *pl*

con·fine·ment [kənˈfaɪnmənt] *n no pl* Einsperrung *f;* solitary ~ Einzelhaft *f;* (*restriction*) Gebundenheit *f;* ~ **to quarters** MIL Ausgangssperre *f* ❷ MED Niederkunft *f*

con·firm [kənˈfɜːm] I. *vt* ❶ (*verify*) bestätigen ❷ (*strengthen*) ~ **sb's faith** jdn in seinem Glauben bestärken ❸ REL ■**to be ~ed** (*Catholic*) gefirmt werden; (*Protestant*) konfirmiert werden II. *vi* bestätigen

con·fir·ma·tion [ˌkɒnfəˈmeɪʃ³n] *n* ❶ (*verification*) Bestätigung *f* ❷ REL (*Catholic*) Firmung *f;* (*Protestant*) Konfirmation *f*

con·firmed [kənˈfɜːmd] *adj* erklärt; *atheist* überzeugt; *bachelor* eingefleischt

con·fis·cate [ˈkɒnfɪskeɪt] *vt* beschlagnahmen

con·fis·ca·tion [ˌkɒnfɪˈskeɪʃ³n] *n* Beschlagnahme *f; of property* Einziehung *f*

con·flict I. *n* [ˈkɒnflɪkt] ❶ (*clash*) Konflikt *m;* ~ **of interests** Interessenkonflikt *m;* **to be in ~ with sb** mit jdm im Streit liegen ❷ (*battle*) Kampf *m* II. *vi* [kənˈflɪkt] ■**to ~ with sth** im Widerspruch zu etw *dat* stehen

con·flict·ing [kənˈflɪktɪŋ] *adj* widersprüchlich; *claims* entgegengesetzt

con·flu·ence [ˈkɒnfluən(t)s] *n* Zusammenfluss *m*

con·form [kənˈfɔːm] *vi* sich einfügen; (*agree*) übereinstimmen; ■**to ~ to** [*or* **with**] **sth** etw *dat* entsprechen

con·form·ist [kənˈfɔːmɪst] I. *n* Konformist(in) *m(f)* II. *adj* konformistisch

con·form·ity [kənˈfɔːməti] *n no pl* ❶ (*uniformity*) Konformismus *m* ❷ (*form: compliance*) Übereinstimmung *f;* **in ~ with the law** in Einklang mit dem Gesetz

con·found [kənˈfaʊnd] I. *vt* ❶ (*astonish*) verblüffen ❷ (*confuse*) verwirren II. *interj* ~ **it!** verflixt nochmal!

con·found·ed [kənˈfaʊndɪd] *adj* (*fam*) verflixt

con·front [kənˈfrʌnt] *vt* ❶ (*face*) ■**to ~ sb/sth** sich jdm/etw stellen; *danger* etw *dat* ins Auge sehen; *enemy* jdm entgegentreten; **when I was ~ed by the TV camera, ...** als ich der Fernsehkamera gegenüberstand, ... ❷ (*compel to deal with*) konfrontieren

con·fron·ta·tion [ˌkɒnfrʌnˈteɪʃ³n] *n* Konfrontation *f;* (*during inquiry*) Gegenüberstellung *f*

con·fron·ta·tion·al [ˌkɒnfrʌnˈteɪʃ³n³l] *adj* herausfordernd

con·fuse [kənˈfjuːz] *vt* ❶ (*perplex*) verwirren [*o* durcheinanderbringen] ❷ (*complicate*) [noch] verworrener machen ❸ (*misidentify*) verwechseln

con·fused [kənˈfjuːzd] *adj* ❶ *people* verwirrt, durcheinander ❷ *situation* verworren, konfus

con·fus·ed·ly [kənˈfjuːzɪdli] *adv* verwirrt

con·fus·ing [kənˈfjuːzɪŋ] *adj* verwirrend

con·fu·sion [kənˈfjuːʒ³n] *n no pl* ❶ (*perplexity*) Verwirrung *f* ❷ (*mix-up*) Verwechslung *f* ❸ (*disorder*) Durcheinander *nt;* **he threw everything into ~** er brachte alles durcheinander; ■**to be in ~** durcheinander sein

con·geal [kənˈdʒiːl] *vi fat* fest werden

con·gen·ial [kənˈdʒiːniəl] *adj* angenehm; *people* sympathisch

con·geni·tal [kənˈdʒenɪt³l] *adj* angeboren; ~ **defect** Geburtsfehler *m;* ~ **liar** Gewohnheitslügner(in) *m(f)*

con·gest·ed [kənˈdʒestɪd] *adj* ❶ (*overcrowded*) überfüllt; *road* verstopft ❷ MED verstopft

con·ges·tion [kənˈdʒestʃ³n] *n no pl* (*overcrowding*) Überfüllung *f;* (*on roads*) Stau *m; nasal* ~ verstopfte Nase

con·'ges·tion charge *n* City-Maut *f,* Innenstadtmaut *f*

con·glom·er·ate [kənˈglɒm³reɪt] *n* Konglomerat *nt*

con·glom·era·tion [kənˌglɒm³ˈreɪʃ³n] *n* Ansammlung *f*

con·gratu·late [kənˈgrætʊleɪt] *vt* ■**to ~ sb** [**on sth**] (*wish well*) jdm [zu etw *dat*] gratulieren; ■**to ~ oneself for** [*or* **on**] **sth** sich zu etw *dat* beglückwünschen

con·gratu·la·tion [kənˌgrætʊˈleɪʃ³n] *n no pl* Gratulation *f,* Glückwunsch *m;* ~ **s!** herzlichen Glückwunsch!; ~ **s on your graduation/promotion!** herzlichen Glückwunsch zur bestandenen Prüfung/zur Beförderung!

con·gre·gate [ˈkɒŋgrɪgeɪt] *vi* sich [ver]sammeln

con·gre·ga·tion [ˌkɒŋgrɪ'geɪʃⁿn] *n* + *sing/pl vb* REL [Kirchen]gemeinde *f*

con·gress ['kɒŋgres] *n* Kongress *m;* **C~** AM POL der Kongress

con·gres·sion·al [kən'greʃⁿnᵊl] *adj* ~ **committee** Ausschuss *m* des US-Kongresses; ~ **elections** Wahlen *pl* zum US-Kongress

'**con·gress·man** *n* [Kongress]abgeordneter *m* '**con·gress·wom·an** *n* [Kongress]abgeordnete *f*

con·gru·ence ['kɒŋgruːən(t)s] *n no pl* MATH Kongruenz *f*

con·gru·ent ['kɒŋgruːənt] *adj* MATH kongruent

coni·cal ['kɒnɪkᵊl] *adj* konisch, kegelförmig; ~ **section** Kegelschnitt *m*

co·ni·fer ['kɒnɪfəʳ] *n* Nadelbaum *m*

co·nif·er·ous [kə(ʊ)'nɪfᵊrəs] *adj* Nadel-

con·jec·ture [kən'dʒektʃəʳ] I. *n* Vermutung *f* II. *vt, vi* vermuten

con·ju·gal ['kɒndʒʊgᵊl] *adj* (*form*) ehelich; ~ **bed** Ehebett *nt*

con·ju·gate ['kɒndʒʊgeɪt] LING I. *vi* konjugiert werden II. *vt* konjugieren

con·ju·ga·tion [ˌkɒndʒʊ'geɪʃⁿn] *n* LING Konjugation *f*

con·junc·tion [kən'dʒʌŋkʃⁿn] *n* ❶ LING Bindewort *nt* ❷ (*combination*) ▪ **in** ~ **with sth** in Verbindung mit etw *dat;* ▪ **in** ~ **with sb** zusammen mit jdm

con·junc·ti·vi·tis [kənˌdʒʌŋ(k)tɪ'vaɪtɪs] *n no pl* Bindehautentzündung *f*

con·jure ['kʌndʒəʳ] I. *vi* zaubern II. *vt* hervorzaubern ◆**conjure up** *vt* ❶ (*call upon*) beschwören ❷ (*fig: produce*) hervorzaubern; *meal* zaubern

con·jur·er ['kʌndʒᵊrəʳ] *n* Zauberkünstler(in) *m(f)*

con·jur·ing ['kʌndʒᵊrɪŋ] *n no pl* Zaubern *nt,* Zauberei *f;* ~ **trick** Zaubertrick *m*

con·juror *n see* **conjurer**

conk [kɒŋk] I. *n* BRIT, AUS (*hum sl: nose*) Zinken *m* II. *vt* (*hum fam*) hauen ◆**conk out** *vi* (*fam*) den Geist aufgeben

conk·er ['kɒŋkəʳ] *n* BRIT Rosskastanie *f*

'**con man** *n* Schwindler *m*

con·nect [kə'nekt] I. *vi* ❶ (*plug in*) ▪ **to** ~ [**up**] **to sth** an etw *akk* angeschlossen sein ❷ (*form network*) ▪ **to** ~ **with sth** Anschluss an etw *akk* haben ❸ (*feel affinity*) ▪ **to** ~ **with sb** sich auf Anhieb gut mit jdm verstehen ❹ (*fam: hit*) treffen ❺ (*join*) miteinander verbunden sein II. *vt* ❶ ELEC (*join*) verbinden (**to/with** mit); (*plug in*) anschließen (**to/with** an) ❷ (*make accessible*) ▪ **to** ~ **sth** eine Verbindung zu etw *dat* herstellen ❸ (*associate*) in Verbindung

bringen; ▪ **to be** ~**ed with sth** mit etw *dat* zusammenhängen ❹ TELEC (*put through*) verbinden

con·nect·ing [kə'nektɪŋ] *adj* ~ **door** Verbindungstür *f;* ~ **flight** Anschlussflug *m;* ~ **link** Bindeglied *nt*

con·nec·tion [kə'nekʃⁿn] *n* ❶ *no pl* (*joining, link*) Verbindung *f* (**to/with** mit); ELEC Anschluss *m* (**to** an); **there was no** ~ **between the two phenomena** die beiden Phänomene hingen nicht zusammen; **... but I never made the** ~ **that they were sisters** ...aber ich habe nie daraus geschlossen, dass sie Schwestern sein könnten; **to get a** ~ TELEC durchkommen ❷ TRANSP (*link*) Verbindung *f;* (*connecting train, flight*) Anschluss *m* ❸ (*contacts*) ▪ ~**s** *pl* Beziehungen *pl* (**with** zu) ❹ (*personal association*) Beziehung *f* ❺ (*reference*) **in that** [*or* **this**] ~ in diesem Zusammenhang

con·nec·tiv·ity [ˌkɒnek'tɪvəti] *n* COMPUT Netzwerkfähigkeit *f*

con·nec·tor [kə'nektəʳ] *n* ELEC Verbindungselement *nt*

con·niv·ance [kə'naɪvⁿn(t)s] *n no pl* stillschweigende Billigung

con·nive [kə'naɪv] *vi* sich verschwören; (*condone*) ▪ **to** ~ **at sth** etw [stillschweigend] dulden, vor etw *dat* die Augen verschließen; **to** ~ **at a crime** einem Verbrechen Vorschub leisten; ▪ **to** ~ **in doing sth** sich verschwören, etw zu tun

con·niv·ing [kə'naɪvɪŋ] *adj* hinterhältig

con·nois·seur [ˌkɒnə'sɜːʳ] *n* Kenner(in) *m(f)*

con·no·ta·tion [ˌkɒnə(ʊ)'teɪʃⁿn] *n* Konnotation *f*

con·quer ['kɒŋkəʳ] *vt* ▪ **to** ~ **sb** jdn besiegen; ▪ **to** ~ **sth** etw erobern *a. fig; mountain* bezwingen; *disease* besiegen ▶ **I came, I saw, I** ~**ed** (*saying*) ich kam, sah und siegte

con·quer·or ['kɒŋkᵊrəʳ] *n* ❶ (*of sth*) Eroberer, Eroberin *m, f;* (*of sb*) Sieger(in) *m(f)* (**of** über); **William the C~** William der Eroberer ❷ (*climber*) Bezwinger(in) *m(f)*

con·quest ['kɒŋkwest] *n* ❶ *no pl of a thing* Eroberung *f; of a person* Sieg *m* (**of** über) ❷ *no pl* (*climbing*) Bezwingung *f*

con·science ['kɒn(t)ʃⁿn(t)s] *n* Gewissen *nt;* **in all** ~ guten Gewissens; **to do sth with a clear** ~ ruhigen Gewissens etw tun

con·sci·en·tious [ˌkɒn(t)ʃi'en(t)ʃəs] *adj* ❶ (*thorough*) gewissenhaft; (*with sense of duty*) pflichtbewusst; *work* gründlich ❷ (*moral*) **on** ~ **grounds** aus Gewissens-

C

consent	
granting consent	**einwilligen**
Agreed!/Okay!	Einverstanden!/Okay!
It's a deal!	Abgemacht!
No problem!	Kein Problem!
That's all right!/fine!	Geht in Ordnung!
I'll do that!	Mach ich!
Will do! *(fam)*	Wird gemacht! *(fam)*

gründen; ~ **objector** Kriegsdienstverweigerer, -verweigerin *m, f*

con·sci·en·tious·ness [ˌkɒn(t)ʃiˈen(t)ʃənəs] *n no pl* (*thoroughness*) Gewissenhaftigkeit *f;* (*sense of duty*) Pflichtbewusstsein *nt*

con·scious [ˈkɒn(t)ʃəs] *adj* ❶ MED (*sentient*) ▪**to be** |**fully**| ~ bei |vollem| Bewusstsein sein ❷(*hum: awake*) wach ❸(*deliberate*) bewusst ❹(*aware*) bewusst; **fashion** ~ modebewusst; **sb is/ becomes** ~ **that ...** jdm ist/wird bewusst, dass ...

con·scious·ness [ˈkɒn(t)ʃəsnəs] *n no pl* Bewusstsein *nt a. fig;* **to lose/regain** ~ das Bewusstsein verlieren/wiedererlangen

con·script I. *n* [ˈkɒnskrɪpt] Wehrpflichtige(r) *m* II. *adj* [ˈkɒnskrɪpt] eingezogen; ~ **army** Armee *f* von Wehrpflichtigen III. *vt* [kənˈskrɪpt] einziehen; **to be** ~**ed into the army** [zum Wehrdienst] einberufen werden

con·scrip·tion [kənˈskrɪpʃⁱ*ə*n] *n no pl* MIL Wehrpflicht *f;* (*act of conscripting*) Einberufung *f*

con·se·crate [ˈkɒn(t)sɪkreɪt] *vt* weihen

con·se·cra·tion [ˌkɒn(t)sɪˈkreɪʃⁱ*ə*n] *n no pl* Weihe *f*

con·secu·tive [kənˈsekjʊtɪv] *adj* ❶(*following*) *days, months* aufeinanderfolgend; *numbers* fortlaufend; **this is the fifth** ~ **night that I haven't slept** ich habe jetzt schon fünf Nächte hintereinander nicht geschlafen ❷ LING Konsekutiv-

con·secu·tive·ly [kənˈsekjʊtɪvli] *adv* hintereinander; ~ **numbered** fortlaufend nummeriert

con·sen·sus [kənˈsen(t)səs] *n no pl* Übereinstimmung *f;* **the general** ~ die allgemeine Meinung; **there is a** ~ **that ...** es besteht Einigkeit darüber, dass ...; **to reach a** ~ **on sth** sich in etw *dat* einigen

con·sent [kənˈsent] (*form*) I. *n no pl* Zustimmung *f;* **age of** ~ ≈ Ehemündigkeitsalter *nt;* **by common** ~ nach allgemeiner

Auffassung; **informed** ~ erklärtes Einverständnis; **by mutual** ~ im gegenseitigen Einverständnis II. *vi* ▪**to** ~ **to sth** etw *dat* zustimmen; ▪**to** ~ **to do sth** einwilligen, etw zu tun

con·se·quence [ˈkɒn(t)sɪkwən(t)s] *n* ❶(*result*) Folge *f;* **as a** ~ folglich; **as a** ~ **of sth** als Folge einer S. *gen;* **in** ~ folglich; **in** ~ **of sth** infolge einer S. *gen* ❷ *no pl* (*significance*) Bedeutung *f;* **of no/some** ~ unwichtig/wichtig; **nothing of** |**any**| ~ nichts Besonderes

con·se·quent [ˈkɒn(t)sɪkwənt] *adj,* **con·se·quen·tial** [ˌkɒn(t)sɪˈkwəntʃⁱ*ə*l] *adj* daraus folgend

con·se·quent·ly [ˈkɒn(t)sɪkwəntli] *adv* folglich

con·ser·va·tion [ˌkɒn(t)s*ə*ˈveɪʃⁱ*ə*n] *n no pl* (*protection*) Schutz *m;* (*preservation*) Erhaltung *f;* ~ **area** Naturschutzgebiet *nt*

con·ser·va·tion·ist [ˌkɒn(t)sə*ə*ˈveɪʃⁱ*ə*nɪst] *n* Naturschützer(in) *m(f);* ~ **groups** Umweltschutzgruppen *pl*

con·serva·tism [kənˈsɜːvətɪzⁱ*ə*m] *n no pl* ❶(*conservative attitude*) konservative Einstellung ❷ POL ▪**C~** Konservatismus *m*

con·serva·tive [kənˈsɜːvətɪv] I. *adj* ❶(*in dress, opinion*) konservativ ❷(*low*) *estimate* vorsichtig ❸ POL ▪**C~** konservativ; **did you vote C~?** haben Sie die Konservativen gewählt? II. *n* POL ▪**C~** Konservative(r) *f(m)*

con·serva·toire [kənˈsɜːvətwɑːʳ] *n* MUS Konservatorium *nt*

con·serva·tory [kənˈsɜːvətri] *n* ❶(*for plants*) Wintergarten *m* ❷ MUS Konservatorium *nt*

con·serve I. *vt* [kənˈsɜːv] ❶(*save*) sparen; *strength* schonen ❷(*maintain*) erhalten II. *n* [kənˈsɜːv] Eingemachte(s) *nt kein pl*

con·sid·er [kənˈsɪdəʳ] *vt* ❶(*contemplate*) sich *dat* überlegen; **to be** ~**ed for a job** für eine Stelle in Erwägung gezogen werden; ▪**to** ~ **doing sth** daran denken, etw zu tun ❷(*look at*) betrachten; (*think of*) denken an +*akk;* (*take into account*) bedenken; **all things ~ed** alles in allem ❸ (*regard as*) ■**to ~ sb/sth** [as [*or* **to be**]] **sth** jdn/etw für etw *akk* halten; **~ yourself sacked!** betrachten Sie sich als entlassen!; **~ it done!** schon erledigt!; ■**to be ~ed** [**to be**] **sth** als etw gelten; ■**to ~ that ...** denken, dass ...

con·sid·er·able [kən'sɪdᵊrəbl] *adj* erheblich, beträchtlich

con·sid·er·ably [kən'sɪdᵊrəbli] *adv* erheblich, beträchtlich; (*rather*) ziemlich

con·sid·er·ate [kən'sɪdᵊrət] *adj* rücksichtsvoll

con·sid·era·tion [kən,sɪdᵊr'eɪʃᵊn] *n* ❶ *no pl* (*thought*) Überlegung *f;* **after careful ~** nach reiflicher Überlegung; **to give sth one's ~** etw in Erwägung ziehen; ■**to be under ~** geprüft werden ❷ *no pl* (*account*) **to take into ~** berücksichtigen ❸ (*factor*) Gesichtspunkt *m* ❹ *no pl* (*regard*) Rücksicht *f* (**for** auf) ❺ (*payment*) Entgelt *nt*

con·sid·ered [kən'sɪdəd] *adj* **opinion** wohl überlegt

con·sid·er·ing [kən'sɪdᵊrɪŋ] **I.** *prep* ■**~ how/what ...** wenn man bedenkt, wie/was ... **II.** *conj* ■**~ that ...** dafür, dass ... **III.** *adv* (*all in all*) alles in allem; (*really*) eigentlich

con·sign [kən'saɪn] *vt* (*form*) senden; *goods, articles* verschicken

con·sign·ment [kən'saɪnmənt] *n* Warensendung *f*

con·sist [kən'sɪst] *vi* ❶ (*comprise*) ■**to ~ of sth** aus etw *dat* bestehen ❷ (*form: derive from*) ■**to ~ in sth** in etw *dat* bestehen

con·sist·en·cy [kən'sɪstᵊn(t)si] *n no pl* ❶ (*firmness*) Konsistenz *f* ❷ *no pl* (*constancy*) Beständigkeit *f* ❸ *no pl* (*in principles*) Konsequenz *f*

con·sist·ent [kən'sɪstᵊnt] *adj* ❶ (*compatible*) vereinbar ❷ (*steady*) beständig; *way of doing sth* gleich bleibend; *improvement* ständig ❸ (*in agreement with principles*) konsequent

con·sist·ent·ly [kən'sɪstᵊntli] *adv* ständig

con·so·la·tion [,kɒnsə'leɪʃᵊn] *n no pl* Trost *m;* **that's not much ~!** das ist ein schwacher Trost!; **if it's** [**of**] **any ~, ...** wenn es ein Trost für dich ist, ...

con·so·'la·tion prize *n* Trostpreis *m*

con·sola·tory [kən'sɒlətᵊri] *adj* tröstend

con·sole [kən'səʊl] **I.** *vt* trösten **II.** *n* ❶ (*control desk*) Schaltpult *nt* ❷ COMPUT Konsole *f*

con·soli·date [kən'sɒlɪdeɪt] **I.** *vi* ❶ (*im-*

prove) sich festigen ❷ (*unite*) sich vereinigen **II.** *vt* festigen

con·soli·dat·ed [kən'sɒlɪdeɪtɪd] *adj* vereint

con·soli·da·tion [kən,sɒlɪ'deɪʃᵊn] *n no pl* ❶ (*improvement*) Festigung *f* ❷ (*merging*) Fusion *f*

con·som·mé [kən'sɒmeɪ] *n no pl* Kraftbrühe *f*

con·so·nant ['kɒn(t)sᵊnənt] *n* Konsonant *m*

con·sort I. *vi* [kən'sɔːt] verkehren **II.** *n* ['kɒnsɔːt] Gemahl(in) *m(f)*

con·sor·tium <*pl* -s *or* -**tia**> [kən,sɔːtiəm, *pl* -tiə] *n* Konsortium *nt*

con·spicu·ous [kən'spɪkjuːəs] *adj* (*noticeable*) auffallend; (*clearly visible*) unübersehbar; *behaviour, clothes* auffällig; **to look ~** auffallen

con·spicu·ous·ly [kən'spɪkjuːəsli] *adv* (*noticeably*) auffallend; (*clearly visible*) deutlich sichtbar

con·spira·cy [kən'spɪrəsi] *n* Verschwörung *f*

con·spira·tor [kən'spɪrətᵊr] *n* Verschwörer(in) *m(f)*

con·spira·to·rial [kən,spɪrə'tɔːriəl] *adj* verschwörerisch; **to exchange ~ glances** verschwörerische Blicke austauschen

con·spire [kən'spaɪᵊr] *vi* (*also fig*) sich verschwören; ■**to ~** [**together**] **to do sth** heimlich planen, etw zu tun

con·sta·ble ['kʌn(t)stəbl] *n* BRIT Polizist(in) *m(f)*

con·stabu·lary [kən'stæbjʊlᵊri] *n* + *sing/ pl vb* BRIT Polizei *f kein pl*

con·stan·cy ['kɒn(t)stən(t)si] *n no pl* (*form*) Beständigkeit *f*

con·stant ['kɒn(t)stənt] **I.** *n* MATH Konstante *f* **II.** *adj* ❶ (*continuous*) ständig ❷ (*unchanging*) gleich bleibend; MATH konstant ❸ (*loyal*) treu

con·stant·ly ['kɒn(t)stəntli] *adv* ständig

con·stel·la·tion [,kɒn(t)stə'leɪʃᵊn] *n* Sternbild *nt*

con·ster·na·tion [,kɒn(t)stə'neɪʃᵊn] *n no pl* Bestürzung *f;* **a look of ~ crossed his face** er machte ein bestürztes Gesicht; **in ~** bestürzt

con·sti·pate ['kɒn(t)stɪpeɪt] *vt* MED zu Verstopfung führen bei +*dat*

con·sti·pat·ed ['kɒn(t)stɪpeɪtɪd] *adj* verstopft; **to be/become** [*or* **get**] **~** [eine] Verstopfung haben/bekommen

con·sti·pa·tion [,kɒn(t)stɪ'peɪʃᵊn] *n no pl* Verstopfung *f*

con·stitu·en·cy [kən'stɪtjuən(t)si] *n* POL (*area*) Wahlkreis *m;* (*voters also*) Wählerschaft *f* eines Wahlkreises

con·stitu·ent [kən'stɪtjuənt] I. *n* ❶ (*voter*) Wähler(in) *m(f)* ❷ (*part*) Bestandteil *m* II. *adj* ❶ (*component*) einzeln; ~ **part** Bestandteil *m* ❷ POL konstituierend

con·sti·tute ['kɒn(t)stɪtjuːt] *vt* ❶ (*make up*) bilden ❷ (*form: be*) sein ❸ (*establish*) einrichten

con·sti·tu·tion [ˌkɒn(t)stɪ'tjuːʃ°n] *n* ❶ (*structure*) Zusammensetzung *f* ❷ POL Verfassung *f* ❸ (*health*) Konstitution *f* ❹ *no pl* (*establishment*) Einrichtung *f*

con·sti·tu·tion·al [ˌkɒn(t)stɪ'tjuːʃ°n°l] I. *adj* konstitutionell; ~ **amendment** Verfassungsänderung *f*; ~ **right** Grundrecht *nt* II. *n* (*hum*) [regelmäßiger] Spaziergang *m*

con·strain [kən'streɪn] *vt* ❶ (*restrict*) einschränken ❷ (*compel*) zwingen

con·straint [kən'streɪnt] *n* ❶ (*compulsion*) Zwang *m* ❷ (*restriction*) Beschränkung *f*

con·strict [kən'strɪkt] I. *vt* ❶ (*narrow*) verengen; (*squeeze*) einschnüren ❷ (*hinder*) behindern II. *vi* sich zusammenziehen

con·stric·tion [kən'strɪkʃ°n] *n* ❶ *no pl* (*narrowing*) Verengung *f*; (*squeezing*) Einschnüren *nt* ❷ (*hindrance*) Behinderung *f*

con·struct [kən'strʌkt] *vt* ❶ (*build*) bauen; *dam* errichten ❷ (*develop*) *theory* entwickeln ❸ LING konstruieren

con·struc·tion [kən'strʌkʃ°n] *n* ❶ *no pl* (*act of building*) Bau *m;* **the ~ industry** die Bauindustrie; ~ **site** Baustelle *f;* **under ~** im Bau ❷ (*how sth is built*) Bauweise *f* ❸ (*object*) Konstruktion *f*; (*architectural feature*) Bau *m,* Bauwerk *nt;* (*building*) Gebäude *nt* ❹ LING Konstruktion *f*

con·struc·tive [kən'strʌktɪv] *adj* konstruktiv

con·struc·tive·ly [kən'strʌktɪvli] *adv* konstruktiv *geh,* auf konstruktive Weise; **use your energy a bit more ~** setz mal deine Energie etwas sinnvoller ein

con·struc·tor [kən'strʌktəʳ] *n* (*tech*) Konstrukteur(in) *m(f);* ARCHIT Erbauer(in) *m(f)*

con·strue [kən'struː] *vt* (*form*) auffassen

con·sul ['kɒn(t)s°l] *n* Konsul(in) *m(f)*

con·su·lar ['kɒn(t)sjuləʳ] *adj* konsularisch; ~ **office** Konsulatsbüro *nt*

con·sulate ['kɒn(t)sjulət] *n* ❶ (*building*) Konsulat *nt* ❷ + *sing/pl vb* (*staff*) Konsulatsbelegschaft *f*

'**con·sul gen·er·al** <*pl* consuls-> *n* Generalkonsul(in) *m(f)*

con·sult [kən'sʌlt] I. *vi* sich beraten II. *vt* ❶ (*ask*) ■**to ~ sb** [**about** [*or* **on**] **sth**] jdn [bezüglich einer S. *gen*] um Rat fragen;

doctor, lawyer, specialist jdn konsultieren [*o* zu Rate ziehen] ❷ (*look at*) *dictionary* nachschlagen in +*dat; diary, list* nachsehen in +*dat; map* nachsehen auf +*dat; oracle* befragen

con·sul·tan·cy [kən'sʌlt°n(t)si] *n* ❶ *no pl* (*advice*) Beratung *f* ❷ (*firm*) Beratungsdienst *m*

con·sult·ant [kən'sʌlt°nt] *n* ❶ (*adviser*) Berater(in) *m(f)* ❷ BRIT MED Facharzt, -ärztin *m, f*

con·sul·ta·tion [ˌkɒns°l'teɪʃ°n] *n* ❶ *no pl* Beratung *f* (**on** über); (*with lawyer, accountant*) Rücksprache *f;* **to be in ~** [**with sb**] sich [mit jdm] beraten; **in ~ with** in Absprache mit +*dat* ❷ MED Konsultation *f;* **to have a ~ with sb** jdn konsultieren

con·sul·ta·tive [kən'sʌltətɪv] *adj* beratend, Beratungs-; ~ **committee** Beratungsgremium *nt*

con·sult·ing [kən'sʌltɪŋ] *adj* beratend

con·sume [kən'sjuːm] *vt* ❶ (*eat, drink*) konsumieren; *food also* verzehren ❷ *fire* zerstören ❸ (*obsess*) **to be ~d by anger/ guilt/hatred** von Zorn/Schuldgefühlen/ Hass erfüllt sein; **to be ~d by envy/jealousy** vor Neid/Eifersucht [fast] vergehen ❹ (*use up*) verbrauchen

con·sum·er [kən'sjuːməʳ] *n* Verbraucher(in) *m(f)*

con·sum·er·ism [kən'sjuːmərɪz°m] *n* *no pl* Konsumdenken *nt*

con·sum·er·ist [kən'sjuːmerɪst] *adj* (*pej*) Konsum-

con·sum·mate I. *adj* ['kɒn(t)semət, kən'sʌmət] (*form*) vollendet; *liar* ausgebufft; ~ **athlete** Spitzensportler(in) *m(f)* II. *vt* ['kɒn(t)səmeɪt] (*form*) vollenden; *marriage* vollziehen

con·sum·ma·tion [ˌkɒn(t)sə'meɪʃ°n] *n* *no pl* (*form*) ❶ (*completion*) Erfüllung *f*; *of a career* Höhepunkt *m* ❷ *of a marriage* Vollzug *m*

con·sump·tion [kən'sʌm(p)ʃ°n] *n* *no pl* ❶ (*using up*) Verbrauch *m;* (*using*) Konsum *m* ❷ (*eating, drinking*) Konsum *m; of food also* Verzehr *m;* **unfit for human ~** nicht für den menschlichen Verzehr geeignet ❸ (*fig: use*) **for internal ~** zur internen Nutzung ❹ *no pl* MED (*hist*) Schwindsucht *f*

con·sump·tive [kən'sʌm(p)tɪv] I. *n* MED (*hist*) Schwindsüchtige(r) *f(m)* II. *adj* MED (*hist*) schwindsüchtig

con·tact ['kɒntækt] I. *n* ❶ *no pl* (*communication*) Kontakt *m,* Verbindung *f;* **I'll get in ~ with him** ich melde mich bei ihm; **to be in ~** [**with sb**] [mit jdm] in Verbindung stehen; **to keep in** ~ **with sb** den Kontakt zu jdm aufrechterhalten; **to lose** ~ **with sb** den Kontakt zu jdm verlieren; **to make** ~ **with sb** sich mit jdm in Verbindung setzen ❷ (*person*) **I've got a** ~ **in a printing firm** ich kenne da jemanden in einer Druckerei; **business** ~ **s** Geschäftskontakte *pl*; **to have** ~ **s** Beziehungen haben ❸ *no pl* (*touch*) Kontakt *m*; **have you come into** ~ **with anyone with chickenpox?** hatten Sie Kontakt mit jemandem, der Windpocken hat?; **to come into** ~ **with sth** mit etw *dat* in Berührung kommen *a. fig*; **on** ~ bei Berührung ❹ ELEC Kontakt *m* **II.** *vt* ◼ **to** ~ **sb** sich mit jdm in Verbindung setzen; (*by phone*) jdn [telefonisch] erreichen; **you can** ~ **me on** [*or* AM **at**] **123 456** sie erreichen mich unter der Nummer 123 456

'con·tact-break·er *n* ELEC Unterbrecher *m*
con·tact 'lens *n* Kontaktlinse *f* **'con·tact man** *n* Kontaktperson *f*
con·ta·gion [kənˈteɪdʒ³n] *n no pl* Ansteckung *f*; **risk of** ~ Ansteckungsgefahr *f*
con·ta·gious [kənˈteɪdʒəs] *adj* ansteckend *a. fig*
con·tain [kənˈteɪn] *vt* ❶ (*hold, include*) enthalten ❷ (*limit*) in Grenzen halten; (*hold back*) aufhalten ❸ (*suppress*) zurückhalten; **she could barely** ~ **herself** sie konnte kaum an sich *akk* halten
con·tain·er [kənˈteɪnəʳ] *n* ❶ (*receptacle*) Behälter *m*, Gefäß *nt* ❷ TRANSP Container *m*; ~ **ship** Containerschiff *nt*
con·tain·er·ize [kənˈteɪnəʳraɪz] *vt* in Container verpacken
con·tain·ment [kənˈteɪnmənt] *n no pl* ❶ (*limit*) Eindämmung *f* ❷ POL, MIL In-Schach-Halten *nt*
con·tami·nate [kənˈtæmɪneɪt] *vt* verunreinigen; (*with radioactivity, also food*) verseuchen
con·tami·na·tion [kənˌtæmɪˈneɪʃ³n] *n no pl* Verunreinigung *f*; (*by radioactivity, also of food*) Verseuchung *f*
con·tem·plate [ˈkɒntəmpleɪt] **I.** *vi* nachdenken **II.** *vt* ❶ (*gaze at*) betrachten ❷ (*consider*) in Erwägung ziehen; (*reflect upon*) über etw *akk* nachdenken; *suicide* denken an +*akk;* ◼ **to** ~ **doing sth** daran denken, etw zu tun
con·tem·pla·tion [ˌkɒntəmˈpleɪʃ³n] *n no pl* ❶ (*gazing*) Betrachtung *f* ❷ (*thought*) Nachdenken *nt* (**of** über) ❸ REL Kontemplation *f*
con·tem·pla·tive [kənˈtemplətɪv] *adj* ❶ (*reflective*) *mood* nachdenklich ❷ REL besinnlich; *life* beschaulich
con·tem·po·rary [kənˈtempʳʳri] **I.** *n*

❶ (*from same period*) Zeitgenosse, -genossin *m, f* ❷ (*of same age*) Altersgenosse, -genossin *m, f* **II.** *adj* zeitgenössisch
con·tempt [kənˈtem(p)t] *n no pl* ❶ (*scorn*) Verachtung *f*; (*disregard*) Geringschätzung *f* (**for** +*gen*); **to hold sb/ sth in** ~ jdn/etw verachten; **to treat sb/ sth with** ~ jdn/etw mit Verachtung strafen; **beneath** ~ unter aller Kritik ❷ LAW ~ [**of court**] Missachtung *f* [des Gerichts]
con·tempt·ible [kənˈtem(p)təbl] *adj* verachtenswert
con·temp·tu·ous [kənˈtem(p)tʃuəs] *adj* verächtlich; *look, remark also* geringschätzig; **to give sb a** ~ **look** jdn verächtlich anschauen
con·temp·tu·ous·ly [kənˈtem(p)tʃuəsli] *adv* verächtlich, geringschätzig
con·tend [kənˈtend] **I.** *vi* ❶ (*compete*) kämpfen (**for** um) ❷ (*cope*) ◼ **to** ~ **with sth** mit etw *dat* fertigwerden müssen **II.** *vt* ◼ **to** ~ **that …** behaupten, dass …
con·tend·er [kənˈtendəʳ] *n* Bewerber(in) *m(f)* (**for** für), Anwärter(in) *m(f)* (**for** auf)
con·tent[1] [ˈkɒntent] *n* ❶ (*what is inside*) Inhalt *m* ❷ (*amount contained*) Gehalt (**of** an); **to have a high/low fat** ~ einen hohen/niedrigen Fettgehalt aufweisen ❸ *no pl* (*substance, meaning*) Gehalt *m*
con·tent[2] [kənˈtent] **I.** *adj* zufrieden; ◼ **to be** [**not**] ~ **to do sth** etw [nicht] gerne tun **II.** *vt* **to be easily** ~ **ed** leicht zufrieden zu stellen sein; ◼ **to** ~ **oneself with sth** sich mit etw *dat* zufriedengeben **III.** *n no pl* **to one's heart's** ~ nach Herzenslust
con·tent·ed [kənˈtentɪd] *adj* zufrieden
con·tent·ed·ly [kənˈtentɪdli] *adv* zufrieden
con·tent·ed·ness [kənˈtentɪdnəs] *n no pl* Zufriedenheit *f*
con·ten·tion [kənˈten(t)ʃ³n] *n* ❶ *no pl* (*dispute*) Streit *m* ❷ (*opinion*) Behauptung *f* ❸ *no pl* SPORTS **in/out of** ~ **for sth** [noch] im/aus dem Rennen um etw *akk* ▶ **bone of** ~ Zankapfel *m*
con·ten·tious [kənˈten(t)ʃəs] *adj* umstritten
con·tent·ment [kənˈtentmənt] *n no pl* Zufriedenheit *f*; **with** ~ zufrieden
con·tents [ˈkɒntents] *npl* Inhalt *m*; [**table of**] ~ Inhaltsverzeichnis *nt*
con·test I. *n* [ˈkɒntest] ❶ (*event*) Wettbewerb *m*; SPORTS Wettkampf *m*; *dance* ~ Tanzturnier *nt* ❷ *also* POL Wettstreit *m* (**for** um) ❸ (*dispute*) Streit *m*; (*fight*) Kampf *m* (**for** um) ▶ **no** ~ ungleicher Kampf **II.** *vt* [kənˈtest] ❶ (*compete for*) kämpfen um +*akk* ❷ POL kandidieren für; **to** ~ **a seat**

um einen Wahlkreis kämpfen ❸ (*dispute*) bestreiten; *decision* in Frage stellen ❹ LAW anfechten

con·test·ant [kən'testənt] *n* ❶ (*in a competition*) Wettbewerbsteilnehmer(in) *m(f)*; SPORTS Wettkampfteilnehmer(in) *m(f)*; (*in a quiz*) Kandidat(in) *m(f)* ❷ POL Kandidat(in) *m(f)*

con·text ['kɒntekst] *n* Kontext *m*; **to use** [*or* **quote**] [*or* **take**] **sth out of ~** etw aus dem Zusammenhang reißen

con·ti·nent ['kɒntɪnent] I. *n* ❶ (*land*) Kontinent *m*, Erdteil *m* ❷ *no pl* ▪ **the C~** Kontinentaleuropa *nt;* **on the C~** in Europa, auf dem Kontinent II. *adj* MED ▪ **to be ~** seine Blase und Darmtätigkeit kontrollieren können

con·ti·nen·tal [ˌkɒntɪ'nentəl] I. *adj* ❶ GEOG kontinental; **~ land** Festland *nt* ❷ (*European*) europäisch II. *n* Europäer(in) *m(f)*

con·tin·gen·cy [kən'tɪndʒən(t)si] *n* (*form*) Eventualität *f*

con·tin·gent [kən'tɪndʒənt] I. *n* ❶ (*group*) Gruppe *f* ❷ MIL [Truppen]kontingent *nt* II. *adj* ▪ **to be ~** [up]**on sth** von etw *dat* abhängig sein

con·tin·ual [kən'tɪnjuəl] *adj* ständig, andauernd

con·tin·ual·ly [kən'tɪnjuəli] *adv* ständig, [an]dauernd

con·tinu·ation [kənˌtɪnju'eɪʃən] *n no pl* Fortsetzung *f*

con·tinue [kən'tɪnju] I. *vi* ❶ (*persist*) andauern; (*go on*) weitergehen; *rain* anhalten; (*in an activity*) weitermachen; ▪ **to ~ doing** [*or* **to do**] **sth** weiter[hin] etw tun; **to ~ talking** [*or* **to talk**] weiterreden; ▪ **to ~ with sth** mit etw *dat* weitermachen; **~ with the medicine** nehmen Sie das Medikament weiter ❷ (*remain*) bleiben; **to ~ in office** weiter[hin] im Amt bleiben; **he ~s to be an important member of the team** er ist nach wie vor ein wichtiges Mitglied der Mannschaft; ▪ **to ~ as sth** weiter als etw tätig sein ❸ (*resume*) weitergehen; *an activity* weitermachen; *speaking* fortfahren; **~ overleaf** Fortsetzung umseitig; **to ~ on one's way** seinen Weg fortsetzen; ▪ **to ~ doing sth** weiter etw tun; **to ~ eating** weiteressen; ▪ **to ~ with sth** mit etw *dat* weitermachen ❹ (*not end*) *path* weitergehen; (*travel*) *person;* **to ~ northwards** in Richtung Norden weiterreisen ❺ (*with direct speech*) fortfahren II. *vt* ❶ (*keep up, carry on*) fortführen; *career* weiterverfolgen; *education* fortsetzen; *an action* weitermachen mit +*dat* ❷ (*resume*) fortsetzen; **to be ~d on the next page** auf der

nächsten Seite weitergehen

con·tinued [kən'tɪnjuːd] *adj* fortwährend; **~ existence** Weiterbestehen *nt*

con·ti·nu·ity [ˌkɒntɪ'njuːəti] *n no pl* ❶ (*consistency*) Kontinuität *f* ❷ FILM Drehbuch *nt;* **~ boy/girl** Scriptboy *m/*-girl *nt*

con·tinu·ous [kən'tɪnjuəs] *adj* ❶ (*permanent*) ununterbrochen; (*steady*) stetig; (*unbroken*) durchgehend; *line also* durchgezogen; *pain* anhaltend ❷ LING ▪ **form** Verlaufsform *f*

con·tinu·ous·ly [kən'tɪnjuəsli] *adv* (*permanently*) dauernd, ständig; **it's been raining ~ for two days** es regnet schon seit zwei Tagen ununterbrochen; **to work ~** pausenlos arbeiten

con·tort [kən'tɔːt] I. *vi* (*in pain*) sich verzerren; (*in displeasure*) sich verziehen II. *vt* **to ~ one's body** sich verrenken

con·tor·tion [kən'tɔːʃən] *n* Verrenkung *f*

con·tor·tion·ist [kən'tɔːʃənɪst] *n* Schlangenmensch *m*

con·tour ['kɒntʊər] *n* ❶ (*outline*) Kontur *f* *meist pl* ❷ GEOG ▪ [**line**] Höhenlinie *f*

contra·band ['kɒntrəbænd] I. *n no pl* Schmuggelware *f* II. *adj* geschmuggelt

contra·cep·tion [ˌkɒntrə'sepʃən] *n no pl* [Empfängnis]verhütung *f*

contra·cep·tive [ˌkɒntrə'septɪv] I. *n* Verhütungsmittel *nt* II. *adj* empfängnisverhütend; **~ pill** [Antibaby]pille *f*

con·tract¹ ['kɒntrækt] I. *n* Vertrag *m;* **to be under ~** [to [*or* **with**] **sb**] [bei jdm] unter Vertrag stehen; **to be under ~ to do sth** vertraglich verpflichtet sein, etw zu tun II. *vi* ▪ **to ~ to do sth** sich vertraglich verpflichten, etw zu tun III. *vt* vertraglich vereinbaren; ▪ **to ~ sb to do sth** jdn vertraglich dazu verpflichten, etw zu tun ◆ **contract in** *vi* (*opt for involvement*) sich anschließen ◆ **contract out** *vt* vergeben (**to** an)

con·tract² [kən'trækt] I. *vi* ❶ (*shrink*) sich zusammenziehen; *pupils* sich verengen ❷ LING ▪ **to ~ sth** zu etw *dat* verkürzt werden II. *vt* ❶ (*tense*) zusammenziehen ❷ LING verkürzen ❸ MED bekommen; *pneumonia* sich *dat* zuziehen

con·trac·tion [kən'trækʃən] *n* ❶ *no pl* (*shrinkage*) Zusammenziehen *nt; of pupils* Verengung *f* ❷ *no pl of a muscle* Kontraktion *f* ❸ *of the uterus* Wehe *f;* **she began having ~s** bei ihr setzten die Wehen ein ❹ LING Kontraktion *f*

con·trac·tor [kən'træktər] *n* (*person*) Auftragnehmer(in) *m(f);* (*firm*) beauftragte Firma; **building ~** Bauunternehmer *m*

con·trac·tual [kən'træktʃuəl] *adj* vertrag-

contradicting

contradicting	widersprechen
That's not right at all!	Das stimmt doch gar nicht!
Stuff and nonsense! *(fam)*	Ach was!/Unsinn!/Blödsinn! *(fam)*
(What a load of) rubbish! *(fam)*	(So ein) Quatsch! *(fam)*
I see things differently.	Das sehe ich anders.
No, I don't think so.	Nein, das finde ich nicht.
I have to contradict you there.	Da muss ich Ihnen widersprechen.
That doesn't fit the facts.	Das entspricht nicht den Tatsachen.
You can't look at it like that.	So kann man das nicht sehen.
There can be no question of that.	Davon kann gar nicht die Rede sein.

objecting	einwenden
Yes, but …	Ja, aber …
You have forgotten that …	Du hast vergessen, dass …
You're completely wrong about that.	Das siehst du aber völlig falsch.
You may well be right, but don't forget …	Sie haben schon Recht, aber bedenken Sie doch auch, dass …
That's all well and good but …	Das ist ja alles schön und gut, aber …
I've got several objections to that.	Ich habe dagegen einiges einzuwenden.
That's rather far-fetched.	Das ist aber weit hergeholt.

lich

contra·dict [ˌkɒntrə'dɪkt] *vt* ▪ **to ~ sb/sth** jdm/etw widersprechen; ▪ **to ~ oneself** sich *dat* [selbst] widersprechen

contra·dic·tion [ˌkɒntrə'dɪkʃən] *n* Widerspruch *m* (**of** gegen); **isn't that a bit of a ~?** widerspricht sich das nicht irgendwie?; **a ~ in terms** ein Widerspruch in sich

contra·dic·tory [ˌkɒntrə'dɪktəri] *adj* widersprüchlich; ▪ **to be ~ to sth** etw *dat* widersprechen

con·tral·to <*pl* -s *or* -ti> [kən'træltəʊ, *pl* -ti] *n* ❶ (*singer*) Altist(in) *m(f)* ❷ (*voice*) Alt *m*

con·trap·tion [kən'træpʃən] *n* Apparat *m;* (*vehicle*) Vehikel *nt*

con·tra·ri·ness [kən'treərɪnəs] *n no pl* (*argumentativeness*) Widerspruchsgeist *m;* (*obstinacy*) Eigensinn *m*

con·tra·ry[1] ['kɒntrəri] **I.** *n no pl* ▪ **the ~** das Gegenteil; **if I don't hear to the ~ …** wenn ich nichts anderes [*o* Gegenteiliges] höre …; **proof to the ~** Gegenbeweis *m;* **on the ~** ganz im Gegenteil **II.** *adj* ❶ (*opposite*) entgegengesetzt; **~ to my advice** entgegen meinem Rat; **~ to [all] expectations** wider Erwarten; **~ to popular opinion** im Gegensatz zur allgemeinen Meinung; **to put forward the ~ point of view** die gegenteilige Ansicht vertreten ❷ (*contradictory*) widersprüchlich

con·tra·ry[2] [kən'treəri] *adj* (*argumentative*) widerspenstig

con·trast I. *n* ['kɒntrɑːst] ❶ (*difference*) Gegensatz *m,* Kontrast *m* (**to/with** zu); **to be in stark ~ to sth** in krassem Gegensatz zu etw *dat* stehen; **by** [*or* **in**] **~** im Gegensatz ❷ TV Kontrast *m* **II.** *vt* [kən'trɑːst] ▪ **to ~ sth with sth** etw etw *dat* gegenüberstellen **III.** *vi* [kən'trɑːst] kontrastieren

'con·trast con·trol *n* TV Kontrastregler *m*

con·trast·ing [kən'trɑːstɪŋ] *adj* gegensätzlich; *colours, flavours* konträr; *techniques* unterschiedlich

contra·vene [ˌkɒntrə'viːn] *vt* (*form*) ▪ **to ~ sth** gegen etw *akk* verstoßen

contra·ven·tion [ˌkɒntrə'venʃən] *n* (*form*) Verstoß *m* (**of** gegen)

con·trib·ute [kən'trɪbjuːt, BRIT *also* 'kɒntrɪbjuːt] **I.** *vt money, food, equipment* beisteuern (**towards** zu); *ideas* beitragen; *article* schreiben (**to** für) **II.** *vi* ❶ (*give*) etwas beisteuern (**towards** zu) ❷ (*pay in*) einen Beitrag leisten, zuzahlen

con·tri·bu·tion [ˌkɒntrɪ'bjuːʃən] *n* Beitrag *m* (**to[wards]** zu); (*to charity*) Spende *f*

(to|wards| für)

con·tribu·tor [kən'trɪbjuːtəʳ] *n* ① (*donor*) Spender(in) *m(f)* ② (*writer*) Mitarbeiter(in) *m(f)* (**to** bei)

con·tribu·tory [kən'trɪbjuːtᵊri] *adj* ① (*joint*) ~ **pension scheme** [*or* AM **plan**] beitragspflichtige Rentenversorgung ② (*causing*) **to be a ~ factor to sth** ein Faktor sein, der zu etw *dat* beiträgt

con·trite [kən'traɪt] *adj* (*form*) zerknirscht; *apology* reuevoll

con·tri·tion [kən'trɪʃᵊn] *n no pl* (*form*) Reue *f;* **act of ~** Buße *f*

con·trive [kən'traɪv] **I.** *vt* ① (*devise*) sich *dat* ausdenken ② (*arrange*) arrangieren ③ (*make*) fabrizieren **II.** *vi* ■ **to ~ to do sth** es schaffen, etw zu tun

con·trived [kən'traɪvd] *adj* (*pej: artificial*) gestellt, gekünstelt; **his excuse sounded a bit ~** seine Entschuldigung klang ein bisschen zu konstruiert

con·trol [kən'trəʊl] **I.** *n* ① *no pl* Kontrolle *f; of a country* Gewalt *f; of a company* Leitung *f;* **he's got no ~ over that child of his** er hat sein Kind überhaupt nicht im Griff; **everything is under ~!** wir haben alles im Griff!; **arms ~** Rüstungsbegrenzung *f;* **ball ~** SPORTS Ballführung *f;* **birth ~** Geburtenkontrolle *f;* **passport ~** Passkontrolle *f;* **price ~s** Preiskontrollen *pl;* **to be in ~ of sth** etw unter Kontrolle haben; *a territory* etw in seiner Gewalt haben; **to be out of ~** außer Kontrolle sein; **to get** [*or* **go**] **out of ~** außer Kontrolle geraten ② TECH Schalter *m,* Regler *m;* **~ desk** Schaltpult *nt;* **~ panel** Schalttafel *f;* **volume ~** Lautstärkeregler *m* ③ (*steering*) **to take over the ~s** die Steuerung übernehmen; **~ column** Steuerknüppel *m* ④ (*person*) Kontrollperson *f;* **~** |**group**| Kontrollgruppe *f* ⑤ COMPUT Steuerung *f* ⑥ (*base*) **~** |**room**| Zentrale *f;* **~ tower** AVIAT Kontrollturm *m* **II.** *vt* <-ll-> ① (*direct*) kontrollieren; *car* steuern; *company* leiten ② (*limit*) regulieren; *inflation* eindämmen; *pain* in Schach halten ③ *emotions* beherrschen; *temper* zügeln ④ TECH regulieren; **this knob ~s the volume** dieser Knopf regelt die Lautstärke; **the traffic lights are ~led by a computer** die Ampeln werden von einem Computer gesteuert

con·trol·lable [kən'trəʊləbl] *adj* kontrollierbar, steuerbar

con·trolled [kən'trəʊld] *adj* ① (*mastered*) kontrolliert; *voice* beherrscht ② MED *drugs* verschreibungspflichtig

con·trolled-carb *adj attr* kohlenhydratarm

con·trol·ler [kən'trəʊləʳ] *n* ① (*director*) Leiter(in) *m(f); of a radio station* Intendant(in) *m(f); (supervisor)* Aufseher(in) *m(f)* ② AVIAT **air-traffic** [*or* **flight**] **~** Fluglotse, -lotsin *m, f* ③ FIN Controller(in) *m(f)*

con·trol·ling [kən'trəʊlɪŋ] *n no pl* ① (*discipline*) Controlling *nt* ② (*manipulation*) Steuerung *f*

con·'trol or·der *n* BRIT *gerichtliche Verfügung zur Einschränkung der Bewegungs- und Kommunikationsfreiheit* **con·'trol point** *n* Kontrollpunkt *m*

con·tro·ver·sial [ˌkɒntrə'vɜːʃᵊl] *adj* umstritten

con·tro·ver·sy [kən'trɒvəsi, 'kɒntrəvɜːsi] *n* Kontroverse *f;* **to cause bitter ~** zu erbitterten Auseinandersetzungen führen

con·tu·sion [kən'tjuːʒᵊn] *n* Quetschung *f,* Prellung *f*

co·nun·drum [kə'nʌndrʌm] *n* ① (*puzzle*) Rätsel *nt* ② (*problem*) Problem *nt*

con·ur·ba·tion [ˌkɒnɜː'beɪʃᵊn] *n* (*form*) Ballungsgebiet *nt*

con·va·lesce [ˌkɒnvə'les] *vi* genesen

con·va·les·cence [ˌkɒnvə'lesᵊn(t)s] *n* ① (*recovery*) Genesung *f* ② (*time*) Genesungszeit *f*

con·va·les·cent [ˌkɒnvə'lesᵊnt] **I.** *n* Genesende(r) *f(m)* **II.** *adj* ① *person* genesend ② *for convalescents* Genesungs-

con·vec·tion [kən'vekʃᵊn] *n no pl* Konvektion *f*

con·'vec·tion oven *n* Heißluftherd *m*

con·vec·tor [kən'vektəʳ] *n,* **con·'vec·tor heat·er** *n* Heizlüfter *m*

con·vene [kən'viːn] (*form*) **I.** *vi* sich versammeln; *committee* zusammentreten **II.** *vt* ■ **to ~ sb** jdn zusammenrufen; ■ **to ~ sth** etw einberufen

con·veni·ence [kən'viːniən(t)s] *n* ① *no pl* (*comfort*) Annehmlichkeit *f;* **at your ~** wenn es Ihnen passt; **at your earliest ~** baldmöglichst ② (*device*) Annehmlichkeit *f;* **with all modern ~s** mit allem Komfort

con·'veni·ence store *n* AM Laden *m* an der Ecke

con·veni·ent [kən'viːniənt] *adj* ① (*useful*) zweckmäßig; (*suitable*) günstig; (*comfortable*) bequem; *excuse* passend; ■ **it is** |**very**| **~ that ...** es ist |sehr| praktisch, dass ... ② *date, time* passend, günstig; **if it's ~ for you** wenn es Ihnen passt ③ (*accessible*) günstig gelegen; **the flat is ~ for ...** die Wohnung liegt günstig für ... ④ (*beneficial*) **to be ~ for sb** jdm gelegen kommen

con·vent ['kɒnvənt] *n* |Nonnen|kloster *nt*

con·ven·tion [kən'ven(t)ʃᵊn] *n* ① (*cus-*

tom) Brauch *m;* (*social code*) Konvention *f;* ~ **dictates that ...** es ist Brauch, dass ... ❷ (*agreement*) Abkommen *nt; of human rights* Konvention *f* ❸ (*assembly*) [Mitglieder]versammlung *f;* **annual ~** Jahrestreffen *nt* ❹ (*conference*) Konferenz *f;* ~ **centre** Tagungszentrum *nt*

con·ven·tion·al [kən'ven(t)ʃᵊnᵊl] *adj* konventionell; ~ **medicine** Schulmedizin *f*

con·ven·tion·al·ly [kən'venʃᵊnᵊli] *adv dress, behave* konventionell; *written, built* traditionell

con·verge [kən'vɜːdʒ] *vi* ❶ *lines* zusammenlaufen ❷ *people* **to ~ on a city** scharenweise in eine Stadt kommen ❸ (*resemble*) sich einander annähern ❹ MATH konvergieren

con·ver·gence [kən'vɜːdʒən(t)s] *n no pl* ❶ (*resemblance*) Annäherung *f* ❷ *of lines* Zusammenlaufen *nt;* **point of ~** Schnittpunkt *m* ❸ MATH Konvergenz *f*

con·ver·gent [kən'vɜːdʒənt] *adj* ❶ *lines* konvergent ❷ (*similar*) ähnlich; *opinions* konvergierend ❸ MATH konvergierend

con·ver·sant [kən'vɜːsᵊnt] *adj* ▪**to be ~ with sth** mit etw *dat* vertraut sein

con·ver·sa·tion [ˌkɒnvəˈseɪʃᵊn] *n* Gespräch *nt,* Unterhaltung *f;* **telephone ~** Telefongespräch *nt;* **to be in** [*or* **have a**] **~** [**with sb**] sich [mit jdm] unterhalten; **to be deep in ~** ins Gespräch vertieft sein; **to carry on** [*or* **hold**] **a ~** sich unterhalten, ein Gespräch führen; **to get into ~ with sb** mit jdm ins Gespräch kommen; **to make ~** (*small talk*) Konversation machen

con·ver·sa·tion·al [ˌkɒnvəˈseɪʃᵊnᵊl] *adj* Gesprächs-, Unterhaltungs-; ~ **tone** Plauderton *m*

con·ver·sa·tion·al·ly [ˌkɒnvəˈseɪʃᵊnᵊli] *adv* im Plauderton

con·verse¹ [kən'vɜːs] *vi* (*form*) sich unterhalten

con·verse² ['kɒnvɜːs] (*form*) **I.** *n* ▪**the ~** das Gegenteil **II.** *adj* gegenteilig

con·verse·ly [kən'vɜːsli] *adv* umgekehrt

con·ver·sion [kən'vɜːʃᵊn] *n* ❶ *no pl* (*change of form or function*) Umwandlung *f* (**into** in), ARCHIT Umbau *m* (**into** zu); TECH Umrüstung *f* (**into** zu) ❷ REL Konversion *f,* Übertritt *m,* Bekehrung *f* ❸ (*changing beliefs or opinions*) Wandel *m* ❹ *no pl* MATH Umrechnung *f* ❺ SPORTS Verwandlung *f*

con·vert I. *n* ['kɒnvɜːt] REL Bekehrte(r) *f(m),* Konvertit(in) *m(f);* **to be a ~ to Buddhism** zum Buddhismus übergetreten sein; **a ~ to Catholicism** ein zum Katholizismus Übergetretene/eine zum Katholi-

zismus Übergetretene; **to become a ~ to Islam** zum Islam übertreten **II.** *vi* [kən'vɜːt] ❶ REL übertreten; **he ~ed to his wife's religion** er nahm die Religion seiner Frau an ❷ (*change in function*) sich verwandeln lassen **III.** *vt* [kən'vɜːt] ❶ REL (*also fig*) bekehren ❷ (*change in form or function*) ▪**to ~ sth** [**into**] etw umwandeln [in +*akk*]; ARCHIT etw umbauen [zu +*dat*]; *attic* etw ausbauen [zu +*dat*]; TECH etw umrüsten [zu +*dat*] ❸ (*calculate*) umrechnen; (*exchange*) umtauschen ❹ SPORTS verwandeln ❺ (*to a different fuel*) umstellen (**to** auf)

con·vert·er [kən'vɜːtəʳ] *n* ❶ ELEC Umwandler *m* ❷ AUTO Katalysator *m*

con·vert·ible [kən'vɜːtɪbl] **I.** *n* Kabrio[lett] *nt,* Kabriole *nt* ÖSTERR **II.** *adj* ❶ (*changeable*) verwandelbar ❷ FIN konvertierbar

con·vex ['kɒnveks] *adj* konvex; ~ **lens** Konvexlinse *f*

con·vey [kən'veɪ] *vt* ❶ (*transport*) befördern ❷ (*transmit*) überbringen; (*impart*) vermitteln; (*make clear*) deutlich machen; **please ~ my regards to your father** (*form*) grüßen Sie bitte Ihren Vater von mir

con·vey·ance [kən'veɪən(t)s] *n* ❶ *no pl* (*form: transport*) Beförderung *f* ❷ (*form: vehicle*) Verkehrsmittel *nt* ❸ *no pl* (*form: communication*) Übermittlung *f* ❹ *no pl* LAW (*transfer*) Eigentumsübertragung *f*

con·vey·anc·ing [kən'veɪən(t)sɪŋ] *n no pl* LAW Eigentumsübertragung *f*

con·vey·or *n,* **con·vey·er** [kən'veɪəʳ] *n* ❶ (*bearer*) Überbringer(in) *m(f)* ❷ TECH ~ [**belt**] Förderband *nt;* (*in factory*) Fließband *nt*

con·vict I. *n* ['kɒnvɪkt] Strafgefangene(r) *f(m)* **II.** *vi* [kən'vɪkt] auf schuldig erkennen **III.** *vt* [kən'vɪkt] verurteilen

con·vic·tion [kən'vɪkʃᵊn] *n* ❶ (*judgement*) Verurteilung *f* (**for** wegen); **it was her first ~ for stealing** sie wurde zum ersten Mal wegen Diebstahls verurteilt; **previous ~s** Vorstrafen *pl;* **to have no/two previous ~s** nicht/zweifach vorbestraft sein ❷ (*belief*) Überzeugung *f;* **he's a socialist by ~** er ist ein überzeugter Sozialist; **to have a deep ~ that ...** der festen Überzeugung sein, dass ...; **sb/sth carries ~** jd/etw ist [*o* klingt] überzeugend

con·vince [kən'vɪn(t)s] *vt* überzeugen (**of** von)

con·vinced [kən'vɪn(t)st] *adj* ❶ (*persuaded*) überzeugt; ▪**to be ~ of sth** von etw *dat* überzeugt sein ❷ *attr* (*of ones beliefs*) überzeugt; **a ~ Socialist** ein überzeugter Sozialist/eine überzeugte Sozialistin

con·vinc·ing [kən'vɪn(t)sɪŋ] *adj* überzeugend

con·vinc·ing·ly [kən'vɪn(t)sɪŋli] *adv* überzeugend; **to argue very ~ in favour of sth** mit großer Überzeugung für etw *akk* sprechen

con·vo·lut·ed [ˌkɒnvə'luːtɪd] *adj* (*form*) ❶ (*twisted*) verwickelt ❷ (*difficult*) *sentences* verschachtelt; *plot* verschlungen

con·voy ['kɒnvɔɪ] I. *n* Konvoi *m;* **~ of trucks** Lkw-Konvoi *m;* **in ~** im Konvoi; **shall we drive to the party in ~?** sollen wir gemeinsam zur Party fahren? II. *vt* eskortieren

con·vulse [kən'vʌls] I. *vi* **to ~ with laughter** sich vor Lachen biegen; **to ~ with pain** sich vor Schmerzen winden II. *vt* erschüttern; **to be ~d with laughter** sich vor Lachen biegen

con·vul·sion [kən'vʌlʃᵊn] *n usu pl* Krampf *m;* **to go into ~s** Krämpfe bekommen

con·vul·sive [kən'vʌlsɪv] *adj* Krampf-, krampfartig; *movement* krampfhaft; **~ spasms** Muskelkrämpfe *pl,* konvulsivische Zuckungen *fachspr*

coo [kuː] I. *vi* gurren II. *n no pl* Gurren *nt*

cook [kʊk] I. *n* Koch, Köchin *m, f* ▶**too many ~s spoil the broth** (*prov*) viele Köche verderben den Brei II. *vi* ❶ (*make meals*) kochen ❷ (*in water*) kochen; *fish, meat* garen; (*fry, roast*) braten; *pie* backen ❸ Am (*fam: do well*) in Höchstform sein; (*be successful*) so richtig gut einschlagen; (*be ready to go*) loslegen können; **now we're ~in'!** jetzt kann es losgehen! ▶**what's ~ing?** (*sl*) was ist los? III. *vt* ❶ (*make*) kochen; **how do you ~ this fish?** wie wird dieser Fisch zubereitet? ❷ (*heat*) kochen; *fish, meat* garen; (*fry, roast*) braten ❸ (*fam: falsify*) frisieren

'**cook·book** *n* Kochbuch *nt*

cooked-to-'or·der *adj* nach Wunsch gekocht

cook·er ['kʊkər] *n* BRIT ❶ (*stove*) Herd *m* ❷ (*fam: cooking apple*) Kochapfel *m*

cook·ery ['kʊkᵊri] I. *n no pl* (*cooking*) Kochen *nt* II. *adj* Koch-

cookie ['kʊki] *n esp* Am ❶ (*biscuit*) Keks *m,* Plätzchen *nt* ❷ Am (*fam: person*) Typ *m* ❸ COMPUT Cookie *nt* ▶**tough ~s!** Am Pech gehabt!; **that's the way the ~ crumbles** (*saying*) so ist das nun mal im Leben

cookie 'sand·wich *n* Am Sandwich aus Keksen mit süßem Belag, meist Eis

cook·ing ['kʊkɪŋ] I. *n no pl* ❶ (*act*) Ko-

chen *nt;* **to do the ~** kochen ❷ (*style*) **French ~** die französische Küche II. *adj* Koch-; **~ foil** BRIT Alufolie *f*

cool [kuːl] I. *adj* ❶ (*pleasantly cold*) kühl; (*unpleasantly cold*) kalt ❷ (*clothing, material*) luftig ❸ *colour* kühl ❹ (*calm*) ruhig, cool *sl;* (*level-headed*) besonnen; **to keep a ~ head** einen kühlen Kopf bewahren; **~, calm and collected** kühl, ruhig und besonnen ❺ (*unfriendly*) kühl; **to give sb a ~ reception** jdn kühl empfangen ❻ (*unfeeling*) kühl; (*not showing interest*) abweisend ❼ (*fam: trendy, great*) cool *sl,* geil *sl* II. *interj* (*fam*) cool *sl,* geil *sl* III. *n no pl* ❶ (*cold*) Kühle *f;* **in the ~ of the evening** in der Abendkühle; **to stay in the ~** im Kühlen bleiben ❷ (*calm*) Ruhe *f* IV. *vi* ❶ (*lose heat*) abkühlen (**to** auf) ❷ (*die down*) nachlassen V. *vt* ❶ (*make cold*) kühlen; (*cool down*) abkühlen ❷ (*sl: calm down*) |**just**| **~ it!** reg dich ab!; **~ it everyone!** ganz cool bleiben!

cool·ant ['kuːlənt] *n* MECH Kühlflüssigkeit *f,* Kühlmittel *nt*

cool·er ['kuːlər] *n* Kühlbox *f; for wine bottle* Kühler *m*

cool·'head·ed *adj* besonnen

cool·ing ['kuːlɪŋ] *adj* |ab|kühlend

'**cool·ing tow·er** *n* Kühlturm *m*

cool·ly ['kuːlli] *adv* (*coldly*) kühl, distanziert; (*in a relaxed manner*) cool *sl,* gelassen

cool·ness ['kuːlnəs] *n no pl* ❶ (*low temperature*) Kühle *f* ❷ (*unfriendliness*) Kühle *f,* Distanziertheit *f* ❸ (*relaxed manner*) coole Art *sl*

coop [kuːp] I. *n* Hühnerstall *m* II. *vt* ■**to ~ up** einsperren

co-op ['kəʊɒp] *n* ❶ *abbrev of* **cooperative** I ❷ BRIT (*fam*) Konsum|laden| *m*

coop·er ['kuːpər] *n* Böttcher *m,* Küfer *m*

co·oper·ate [kəʊ'ɒpᵊreɪt] *vi* ❶ (*help*) kooperieren; (*comply also*) mitmachen ❷ (*act jointly*) kooperieren, zusammenarbeiten (**in** bei)

co·opera·tion [ˌkəʊɒpə'reɪʃᵊn] *n no pl* ❶ (*assistance*) Kooperation *f,* Mitarbeit *f* (**in** bei) ❷ (*joint work*) Zusammenarbeit *f,* Kooperation *f* (**in** bei)

co·opera·tive [kəʊ'ɒpᵊrətɪv] I. *n* Genossenschaft *f,* Kooperative *f* II. *adj* ❶ ECON genossenschaftlich, kooperativ; **~ farm** landwirtschaftliche Genossenschaft; **~ society** Konsumgenossenschaft *f;* **~ store** Konsum|laden| *m* ❷ (*willing*) kooperativ

co-opt [kəʊ'ɒpt] *vt* kooptieren; ■**to ~ sb on to sth** jdn durch Kooptation in etw *akk* wählen

co·or·di·nate I. *n* [kəʊˈɔːdɪnət] ❶ *usu pl* MATH Koordinate *f* ❷ FASHION ▪ ~ **s** *pl* Ensembles *pl* **II.** *vi* [kəʊˈɔːdɪneɪt] [gut] zusammenarbeiten **III.** *vt* [kəʊˈɔːdɪneɪt] koordinieren

co·or·di·na·tion [kəʊˌɔːdɪnˈeɪʃən] *n no pl* ❶ (*coordinating*) Koordination *f* ❷ (*cooperation*) Zusammenarbeit *f* ❸ (*dexterity*) Sinn *m* für Koordination; **to not have much** ~ kein gutes Koordinationsgefühl besitzen

co·or·di·na·tor [kəʊˈɔːdɪneɪtəʳ] *n* Koordinator(in) *m(f)*

coot [kuːt] *n* ❶ (*bird*) Blässhuhn *nt* ❷ AM (*fam: stupid person*) **old** ~ alter Esel ▸ **as bald** as a ~ völlig kahl

cop [kɒp] **I.** *n* ❶ (*fam: police officer*) Bulle *m;* **to play** ~ **s and robbers** Räuber und Gendarm spielen ❷ *no pl* BRIT (*sl*) **to not be much** ~ nicht besonders gut sein **II.** *vt* <-pp-> ❶ BRIT, AUS (*sl*) **to** ~ **it** (*be in trouble*) dran sein; (*get killed*) gekillt werden ❷ (*sl: receive*) bekommen ❸ (*sl: grab*) **to** ~ **hold of sth** bei etw *dat* mit anpacken; ~ **hold of that** pack mal mit an; **to** ~ **a** [**quick**] **look at sth** einen [kurzen] Blick auf etw *akk* werfen ❹ LAW **to** ~ **a plea** *sich schuldig bekennen und dafür eine mildere Strafe aushandeln* ▸ ~ **a load of that!** kuck dir das mal an!

co·par·ent·ing [ˌkəʊˈpeəʳəntɪŋ, AM ˌkoʊˈper-] *n no pl* Ausübung *f* des gemeinsamen Sorgerechtes

cope [kəʊp] *vi* ❶ (*mentally*) zurechtkommen; **to** ~ **with a problem** ein Problem bewältigen ❷ (*physically*) ▪ **to** ~ **with sb/ sth** jdm/etw gewachsen sein

Co·pen·ha·gen [ˌkəʊpənˈheɪgən, -ˈhɑː-] *n* Kopenhagen *nt*

copi·er [ˈkɒpiəʳ] *n* ❶ (*machine*) Kopiergerät *nt* ❷ (*cheater*) Abgucker(in) *m(f)*

co·pi·lot [ˌkəʊˈpaɪlət] *n* Kopilot(in) *m(f)*

co·pi·ous [ˈkəʊpiəs] *adj* zahlreich; ~ **amounts of** Unmengen von + *dat*

cop·per [ˈkɒpəʳ] *n* ❶ *no pl* (*metal*) Kupfer *nt* ❷ (*fam: police officer*) Bulle *m* ❸ BRIT (*sl: coins*) ▪ ~ **s** *pl* Kleingeld *nt* kein pl

cop·per ˈ**beech** *n* Blutbuche *f* ˈ**cop·per· plate** *n* (*engraving*) Kupferstichplatte *f;* (*print*) Kupferstechen *nt* ˈ**cop·per· smith** *n* Kupferschmied(in) *m(f)*

cop·pice [ˈkɒpɪs] **I.** *n* zurückgeschnittenes Waldstück *nt* **II.** *vt trees* stutzen

co·pro·duc·tion [ˌkəʊprəˈdʌkʃən] *n* Koproduktion *f*

ˈ**cop show** *n* Polizeiserie *f*

copu·late [ˈkɒpjəleɪt] *vi* kopulieren

copu·la·tion [ˌkɒpjəˈleɪʃən] *n no pl* Kopulation *f*

copy [ˈkɒpi] **I.** *n* ❶ (*duplicate*) Kopie *f; of a document* Abschrift *f; of a photo* Abzug *m;* **a true** ~ eine originalgetreue Kopie ❷ (*issue*) Exemplar *nt;* **have you got a** ~ **of the latest Vogue?** hast du die neueste Vogue?; **hard** ~ COMPUT [Computer]ausdruck *m* ❸ *no pl* PUBL Manuskript *nt;* (*in advertising*) Werbetext *m;* **disasters make good** ~ **for newspapers** Katastrophen sind guter Stoff für Zeitungen; **clean** ~ Reinschrift *f* **II.** *vt* <-ie-> ❶ (*duplicate*) kopieren; ~ [**down**] (*from text*) abschreiben; (*from words*) niederschreiben ❷ (*imitate*) *person* nachmachen; *style* nachahmen; *picture* abmalen ❸ (*plagiarize*) abschreiben **III.** *vi* <-ie-> ❶ (*imitate*) nachahmen ❷ (*in school*) abschreiben ◆**copy down** *vt text* abschreiben; *spoken words* niederschreiben

ˈ**copy·book I.** *adj* beispielhaft; ~ **manoeuvre** [*or* AM **maneuver**] Bilderbuchmanöver *nt* **II.** *n* ▸ **to blot one's** ~ BRIT seinen Ruf ruinieren ˈ**copy·cat I.** *n* (*pej fam*) Nachmacher(in) *m(f); of written work* Abschreiber(in) *m(f)* **II.** *adj* imitiert ˈ**copy· desk** *n* AM JOURN Redaktionstisch *m* ˈ**copy edi·tor** *n* Manuskriptbearbeiter(in) *m(f);* (*press*) Redakteur(in) *m(f);* (*publishing house*) Lektor(in) *m(f)* ˈ**copy·ing ink** *n no pl* Kopiertinte *f* ˈ**copy·ing pa· per** *n* Kopierpapier *nt* ˈ**copy pro·ˈtec· tion** *n no pl* COMPUT Kopierschutz *m* **copy·right** [ˈkɒpiraɪt] **I.** *n* Copyright *nt,* Urheberrecht *nt; out of* ~ nicht [mehr] urheberrechtlich geschützt **II.** *vt* urheberrechtlich schützen ˈ**copy·writ·er** *n* [Werbe]texter(in) *m(f)*

cor·al [ˈkɒrəl] *n no pl* Koralle *f*

cor·al ˈ**reef** *n* Korallenriff *nt*

cord [kɔːd] **I.** *n* ❶ (*for parcel*) Schnur *f;* (*for curtain*) Kordel *f;* AM, AUS (*electrical cord*) Kabel *nt* ❷ ANAT (*umbilical cord*) Nabelschnur *f;* (*spinal cord*) Rückenmark *nt* ❸ (*trousers*) ▪ ~ **s** *pl* Cordhose *f* **II.** *adj* Cord-

cor·dial [ˈkɔːdiəl] **I.** *adj* ❶ (*friendly*) freundlich, herzlich; *relations* freundschaftlich ❷ (*form: strong*) heftig; *dislike* tief **II.** *n* BRIT, AUS (*drink*) Sirup *m;* AM Likör *m*

cor·di·al·ity [ˌkɔːdiˈæləti] *n* ❶ *no pl* (*friendliness*) Herzlichkeit *f* ❷ (*pleasant remarks*) ▪ **cordialities** *pl* **to exchange cordialities** Freundlichkeiten austauschen

cord·less [ˈkɔːdləs] *adj* schnurlos

cor·don [ˈkɔːdən] **I.** *n* Kordon *m* **II.** *vt* ▪ **to** ~ **off** ○ **sth** etw absperren

cor·du·roy [ˈkɔːdjərɔɪ] *n* ❶ *no pl* (*material*) Cordsamt *m;* ~ **jacket** Cordjacke *f* ❷ (*trousers*) ■ ~ **s** *pl* Cordhose *f*

core [kɔːʳ] **I.** *n* ❶ (*centre*) *of apple* Kerngehäuse *nt; of rock* Innere(s) *nt; of planet* Mittelpunkt *m;* (*of reactor*) [Reaktor]kern *m;* **rotten to the ~** völlig verfault ❷ (*fig*) Kern *m;* **conservative to the ~** durch und durch konservativ; **rotten/shocked to the ~** bis ins Mark verdorben/erschüttert ❸ GEOL ~ [**sample**] Bohrprobe *f* ❹ ELEC *of cable* Leiter *m* **II.** *adj* zentral **III.** *vt* entkernen

CORE [kɔːʳ] *n* AM *abbrev of* **Congress of Racial Equality** ≈ Vereinigung *f* zur Bekämpfung von Rassendiskriminierung

core ˈsub·ject *n* SCH Hauptfach *nt*

co·ri·an·der [ˌkɒriˈændəʳ] *n no pl* Koriander *m*

cork [kɔːk] **I.** *n* ❶ *no pl* (*material*) Kork *m* ❷ (*stopper*) Korken *m* **II.** *vt* ❶ (*seal bottle*) zukorken ❷ AM (*fig fam*) ~ **it!** halt die Klappe!

cork·age [ˈkɔːkɪdʒ] *n no pl,* ˈ**cork charge** *n* AM Korkengeld *nt*

corked [kɔːkt] *adj* korkig

ˈ**cork·screw** *n* Korkenzieher *m*

corn[1] [kɔːn] *n* ❶ *no pl* BRIT (*cereal in general*) Getreide *nt,* Korn *nt;* **field of ~** Kornfeld *nt* ❷ *no pl* AM, AUS (*maize*) Mais *m;* ~ **on the cob** Maiskolben *m* ❸ BRIT (*single grain*) [Getreide]korn *nt*

corn[2] [kɔːn] *n* MED Hühnerauge *nt*

ˈ**corn·cob** *n* Maiskolben *m*

cor·nea [ˈkɔːnɪə] *n* (*in eye*) Hornhaut *f*

cor·ner [ˈkɔːnəʳ] **I.** *n* ❶ *of wall* Ecke *f; of table* Kante *f;* **the holidays are just around the ~** (*fig*) die Ferien stehen vor der Tür; **a remote ~ of the earth** ein entlegener Winkel der Erde; **out of the ~ of one's eye** aus dem Augenwinkel; ~ **of one's mouth** Mundwinkel *m;* **to fold the ~ of a page** ein Eselsohr machen; **on the ~ of the street** an der Straßenecke; **the four ~ s of the world** alle vier Himmelsrichtungen; **to cut a ~** eine Kurve schneiden; **at every ~** (*fig*) überall ❷ SPORTS (*in hockey, football*) Ecke *f,* Eckball *m;* BOXING Ecke *f* ▸ **to be in a tight ~** in der Klemme stecken; **to cut ~ s** (*financially*) Kosten sparen; (*in procedure*) das Verfahren abkürzen; **to force sb into a [tight] ~** jdn in die Enge treiben; **to have turned the ~** über den Berg sein **II.** *adj* Eck- **III.** *vt* ❶ (*trap*) in die Enge treiben ❷ COMM monopolisieren; *market* beherrschen **IV.** *vi vehicle* eine Kurve [*o* Kurven] nehmen; **to ~ well** gut in der Kurve liegen

ˈ**cor·nered** *adj attr* in die Enge getriebene(r, s)

ˈ**cor·ner house** *n* Eckhaus *nt* ˈ**cor·ner seat** *n* Eckplatz *m* ˈ**cor·ner shop** *n* BRIT Tante-Emma-Laden *m fam* ˈ**cor·ner·stone** *n* ARCHIT (*also fig*) Eckstein *m*

cor·net [ˈkɔːnɪt] *n* ❶ MUS Kornett *nt* ❷ BRIT FOOD Waffeltüte *f;* **ice cream ~** Eistüte *f*

ˈ**corn·flakes** *npl* Cornflakes *pl* ˈ**corn·flour** *n no pl* BRIT, AUS Maisstärke *f* ˈ**corn·flow·er** *n* Kornblume *f*

cor·nice [ˈkɔːnɪs] *n* ARCHIT [Kranz]gesims *nt*

Cor·nish [ˈkɔːnɪʃ] **I.** *adj* aus Cornwall **II.** *n* ■ **the ~** *pl* die Bewohner *pl* von Cornwall

Corn·wall [ˈkɔːnwɔːl] *n* Cornwall *nt*

corny [ˈkɔːni] *adj* (*fam: sentimental*) kitschig; (*dopey*) blöd

coro·nary [ˈkɒrənəʳri] **I.** *n* Herzinfarkt *m* **II.** *adj* koronar, Herzkranz-

coro·na·tion [ˌkɒrəˈneɪʃən] *n* Krönung[szeremonie] *f*

coro·ner [ˈkɒrənəʳ] *n* Coroner *m* (*Beamter, der unter verdächtigen Umständen eingetretene Todesfälle untersucht*)

Corp [kɔːp] *n* ❶ *short for* **corporation** ❷ *short for* **corporal**

cor·po·ral [ˈkɔːpəʳrəl] *n* Unteroffizier *m*

cor·po·rate [ˈkɔːpəʳrət] *adj* ❶ (*shared*) gemeinsam ❷ (*of corporation*) körperschaftlich; ~ **identity** Corporate Identity *f;* ~ **policy** Firmenpolitik *f*

cor·po·ra·tion [ˌkɔːpəʳˈreɪʃən] *n* ❶ BRIT COMM öffentlich-rechtliche Körperschaft; AM [Kapital]gesellschaft *f;* **public ~** BRIT wirtschaftliche Unternehmung der öffentlichen Hand ❷ BRIT (*local council*) Stadtverwaltung *f;* **municipal ~** kommunale Körperschaft

cor·po·ˈra·tion tax *n* Körperschaftssteuer *f*

corps <*pl* -> [kɔːʳ] *n* + *sing/pl vb* Korps *nt;* **medical ~** Sanitätstruppe *f;* **the diplomatic ~** das Diplomatische Korps

corps de bal·let <*pl* -> [ˌkɔːdəˈbæleɪ] *n* + *sing/pl vb* Ballettkorps *nt*

corpse [kɔːps] *n* Leiche *f*

cor·pu·lence [ˈkɔːpjʊlən(t)s] *n no pl* Korpulenz *f*

cor·pu·lent [ˈkɔːpjʊlənt] *adj* (*euph*) korpulent

cor·pus <*pl* -pora *or* -es> [ˈkɔːpəs, *pl* -pəʳrə] *n* Korpus *nt*

Cor·pus Chris·ti [-ˈkrɪsti] *n* Fronleichnam *nt*

cor·pus·cle [ˈkɔːpʌsl] *n* Blutkörperchen *nt*

cor·ral [kəˈræl] AM **I.** *n* [Fang]gehege *nt* **II.** *vt* <-ll-> *animals* in den Korral treiben; ■ **to ~ sth off** etw absperren

cor·rect [kəˈrekt] **I.** *vt* korrigieren; **I stand**

~ed ich nehme alles zurück **II.** adj ❶ (accurate) richtig, korrekt; **that is ~** das stimmt ❷ (proper) korrekt

cor·rec·tion [kəˈrekʃ⁰n] n ❶ (change) Korrektur f; **subject to ~** ohne Gewähr ❷ no pl (improvement) Verbesserung f, Berichtigung f

cor·ˈrec·tion flu·id n no pl Korrekturflüssigkeit f

cor·rec·tions [kəˈrekʃ⁰nz] npl Am Law (form) erzieherische Strafmaßnahmen

cor·rec·tive [kəˈrektɪv] **I.** adj ❶ (counteractive) korrigierend; **~ surgery** Korrekturoperation f ❷ (improving behaviour) Besserungs- **II.** n Korrektiv nt

cor·rect·ly [kəˈrektli] adv korrekt, richtig

cor·rect·ness [kəˈrektnəs] n no pl Korrektheit f, Richtigkeit f

cor·re·late [ˈkɒrəleɪt] **I.** vt in Beziehung setzen **II.** vi sich dat entsprechen

cor·re·la·tion [ˌkɒrəˈleɪʃ⁰n] n ❶ (cause, result) [Wechsel]beziehung f, Zusammenhang m; **there's little ~ between wealth and happiness** Reichtum und Glück haben wenig miteinander zu tun ❷ (in statistics) Korrelation f

cor·re·spond [ˌkɒrɪˈspɒnd] vi ❶ (be equivalent of) entsprechen (**to** +dat); (be same as) übereinstimmen (**with** mit) ❷ (write) korrespondieren

cor·re·spond·ence [ˌkɒrɪˈspɒndən(t)s] n no pl (letter-writing) Korrespondenz f; **to be in ~ with sb** mit jdm in Briefwechsel stehen

cor·re·spond·ent [ˌkɒrɪˈspɒndənt] n ❶ of letters Briefeschreiber(in) m(f) ❷ (journalist) Berichterstatter(in) m(f), Korrespondent(in) m(f)

cor·re·spond·ing [ˌkɒrɪˈspɒndɪŋ] adj ❶ (same) entsprechend ❷ (accompanying) dazugehörig

cor·re·spond·ing·ly [ˌkɒrɪˈspɒndɪŋli] adv entsprechend

cor·ri·dor [ˈkɒrɪdɔːʳ] n ❶ (inside) Flur m, Gang m, Korridor m; (fig) **the ~s of power** die Schalthebel pl der Macht ❷ (strip of land, air space) Korridor m

cor·robo·rate [kəˈrɒbⁿreɪt] vt bestätigen

cor·robo·ra·tion [kəˌrɒbəˈreɪʃⁿn] n Bestätigung f; **in ~ of** zur Bestätigung +gen

cor·robo·ra·tive [kəˈrɒbⁿrətɪv] adj bestätigend

cor·rode [kəˈrəʊd] **I.** vi korrodieren **II.** vt etw korrodieren [o zerfressen]; (fig) zerstören

cor·ro·sion [kəˈrəʊʒⁿn] n no pl ❶ of metal, stone Korrosion f ❷ (fig: deterioration) Verfall m

cor·ro·sive [kəˈrəʊsɪv] **I.** adj ❶ (destructive) korrosiv; acid ätzend ❷ (fig) zerstörerisch **II.** n korrodierender Stoff

cor·ru·gat·ed [ˈkɒrəgeɪtɪd] adj ❶ iron, cardboard gewellt ❷ Brit road zerfurcht

cor·rupt [kəˈrʌpt] **I.** adj ❶ (dishonest) korrupt; (bribable) bestechlich; **~ morals** verdorbener Charakter ❷ (ruined) text entstellt; file unlesbar; disk kaputt **II.** vt ❶ (debase ethically) korrumpieren; (morally) [moralisch] verderben ❷ (change) entstellen; text verfälschen ❸ (influence by bribes) bestechen ❹ comput file ruinieren; **~ed file** fehlerhafte Datei

cor·rup·tion [kəˈrʌpʃⁿn] n ❶ no pl (action) of moral standards Korruption f; of a text Entstellung f; of computer file Zerstörung f ❷ no pl (dishonesty) Unehrenhaftigkeit f; (bribery) Korruption f ❸ ling (changed form) korrumpierte Form ❹ (decay) Zersetzung f

cor·set [ˈkɔːsət] n (undergarment) Korsett nt; med Stützkorsett n

Cor·si·ca [ˈkɔːsɪkə] n Korsika nt

Cor·si·can [ˈkɔːsɪkən] **I.** adj korsisch **II.** n ❶ (person) Korse, Korsin m, f ❷ no pl (language) Korsisch nt

cos¹ n math abbrev of **cosine** cos

cos² [kəz, kɒz] conj Brit (fam) abbrev of **because**

cos³ [kɒs, kɒz] n Brit, Aus Romagnasalat m

co·sec [ˈkəʊsek] math abbrev of **cosecant** cosec

co·sig·na·tory [ˌkəʊˈsɪɡnət⁰ri] n Mitunterzeichner(in) m(f)

co·si·ly [ˈkəʊzɪli] adv gemütlich

co·sine [ˈkəʊsaɪn] n math Kosinus m

co·si·ness [ˈkəʊzɪnəs] n no pl Gemütlichkeit f

cos·met·ic [kɒzˈmetɪk] **I.** n Kosmetik f; **~s** pl Kosmetika pl **II.** adj kosmetisch a. fig

cos·meti·cal·ly [kɒzˈmetɪkli] adv kosmetisch

cos·me·ti·cian [ˌkɒzməˈtɪʃⁿn] n Kosmetiker(in) m(f)

cos·mic [ˈkɒzmɪk] adj kosmisch a. fig

cos·mol·ogy [ˌkɒzˈmɒlədʒi] n no pl Kosmologie f

cos·mo·naut [ˈkɒzmənɔːt] n Kosmonaut(in) m(f)

cos·mo·poli·tan [ˌkɒzməˈpɒlɪtⁿn] **I.** adj kosmopolitisch **II.** n Kosmopolit(in) m(f)

cos·mos [ˈkɒzmɒs] n no pl Kosmos m

Cos·sack [ˈkɒsæk] **I.** n Kosak(in) m(f) **II.** adj Kosaken-

cost [kɒst] **I.** vt ❶ <cost, cost> kosten; **drinking and driving ~s lives** Trunkenheit am Steuer fordert Menschenleben

C

❷ <-ed, -ed> FIN ■ to ~ [out] [durch]kalkulieren II. n ❶ (price) Preis m, Kosten pl (of für); at no ~ to ohne Kosten für +akk; at no extra ~ ohne Aufpreis; at huge ~ für Unsummen; at ~ zum Selbstkostenpreis ❷ (fig) Aufwand m kein pl; at no ~ to the environment ohne Beeinträchtigung für die Umwelt; at the ~ of one's health auf Kosten der Gesundheit; to learn sth to one's ~ etw am eigenen Leib erfahren; at all ~[s] [or at any ~] um jeden Preis; at great expense ~ unter großen persönlichen Opfern ❸ pl ■ ~s Kosten pl (of für); LAW Prozesskosten pl

co-star [ˌkəʊˈstɑːʳ] I. n einer der Hauptdarsteller; to be sb's ~ neben jdm die Hauptrolle spielen II. vt, vi <-rr-> ■ to ~ [with] sb neben jdm die Hauptrolle spielen

Cos·ta Rica [ˌkɒstəˈriːkə] n Costa Rica nt

Cos·ta Ri·can [ˌkɒstəˈriːkən] I. adj costa-ricanisch II. n Costa-Ricaner(in) m(f)

cost-in'tensive adj aufwändig

cost·ly [ˈkɒstli] adj kostspielig a. fig; to prove ~ sich als kostspielig herausstellen

'cost price n Selbstkostenpreis m

cos·tume [ˈkɒstjuːm] n ❶ (national dress) Tracht f; historical ~ historisches Kostüm; national ~ Landestracht f ❷ (decorative dress) Kostüm nt; to wear a witch['s] ~ als Hexe verkleidet sein

cosy [ˈkəʊzi] I. adj ❶ (pleasant, comfortable) gemütlich, behaglich; (nice and warm) mollig warm; (atmosphere) heimelig; (relationship) traut ❷ (pej) bequem; ~ deal Kuhhandel m II. n egg/tea ~ Eier-/Teewärmer m III. vi <-ie-> ■ to ~ up to sb/sth ❶ (snuggle up to) sich an jdn/etw anschmiegen ❷ (make deal with) mit jdm/etw einen Kuhhandel machen

cot¹ n MATH abbrev of cotangent cot

cot² [kɒt] n ❶ BRIT (baby's bed) Kinderbett nt ❷ AM (camp bed) Feldbett nt; (foldout bed) Klappbett nt

co·tan·gent [ˌkəʊˈtændʒənt] n MATH Kotangens m

'cot death n BRIT plötzlicher Kindstod

cot·tage [ˈkɒtɪdʒ] n Cottage nt; thatched ~ Landhaus nt mit Strohdach [o Reetdach]

cot·tage 'cheese n no pl Hüttenkäse m

cot·tage 'in·dus·try n BRIT Heimindustrie f

cot·ton [ˈkɒtⁿn] I. n ❶ (material, plant) Baumwolle f ❷ (thread) Garn m II. adj Baumwoll- III. vi ❶ (fam: understand) ■ to ~ on [to sth] [etw] kapieren ❷ AM (like) ■ to ~ to sb/sth mit jdm/etw sympathisieren

'cot·ton bud n BRIT Wattestäbchen nt

'cot·ton-grow·er n Baumwollpflanzer(in) m(f) **'cot·ton mill** n Baumwollspinnerei f **'cot·ton seed** n Baumwollsamen m **cot·ton 'wool** n no pl ❶ BRIT Watte f ❷ AM [Roh]baumwolle f ► to wrap sb in ~ BRIT jdn in Watte packen

couch [kaʊtʃ] I. n <pl -es> Couch f II. vt formulieren

cou·chette [kuːˈʃet] n BRIT RAIL Liege f (in einem Schlafwagen)

couch po·'ta·to n (fam) Couchpotato f, Fernsehglotzer(in) m(f)

cough [kɒf] I. n Husten m; to give a ~ (as warning) hüsteln II. vi ❶ person husten ❷ motor stottern ❸ BRIT (fam: reveal information) singen III. vt blood husten ◆ **cough up** I. vt ❶ blood, phlegm husten ❷ (fam: pay) herausrücken II. vi (fam) herausrücken

'cough drop n, **'cough sweet** n Hustenbonbon nt **'cough medi·cine** n no pl, **'cough mix·ture** n BRIT Hustensaft m

could [kʊd, kəd] pt, subjunctive of can

coun·cil [ˈkaʊn(t)səl] n + sing/pl vb Rat m; local/town ~ Gemeinde-/Stadtrat m

coun·cil es·'tate n BRIT Siedlung f mit Sozialwohnungen **coun·cil 'flat** n BRIT, **'coun·cil house** n BRIT Sozialwohnung f **coun·cil 'hous·ing** n no pl BRIT sozialer Wohnungsbau **coun·cil·lor** [ˈkaʊn(t)sələʳ] n Ratsmitglied nt; town ~ Stadtrat, -rätin m, f **Coun·cil of 'Europe** n Europarat m **Coun·cil of 'Min·is·ters** n Ministerrat m **Coun·cil of the Euro·pean 'Un·ion** n Rat m der Europäischen Union

coun·ci·lor n AM see councillor

'coun·cil tax n no pl BRIT Gemeindesteuer f

coun·sel [ˈkaʊn(t)səl] I. vt <BRIT -ll- or AM usu -l-> empfehlen; ■ to ~ sb about [or on] sth jdn bei etw dat beraten; ■ to ~ sb against sth jdm von etw dat abraten II. n ❶ no pl (form: advice) Rat[schlag] m ❷ (lawyer) Anwalt, Anwältin m, f; ~ for the defence Verteidiger(in) m(f) ► to keep one's own ~ seine Meinung für sich akk behalten

coun·sel·ling [ˈkaʊn(t)səlɪŋ] n, AM **coun·sel·ing** I. n no pl psychologische Betreuung; to be in ~ in Therapie sein II. adj Beratungs-

coun·sel·lor [ˈkaʊn(t)sələʳ] n, AM **coun·se·lor** n ❶ (advisor) Berater(in) m(f) ❷ AM (lawyer) Anwalt, Anwältin m, f

count¹ [kaʊnt] n Graf m

count² [kaʊnt] I. n ❶ (totalling up) Zählung f; POL Auszählung f; to keep ~ of sth etw genau zählen; **to lose ~** beim Zählen durcheinanderkommen; **on the ~ of three** bei drei ❷ (*measured amount*) [An]zahl *f;* Ergebnis *nt;* SPORTS Punktestand *m;* **final ~** Endstand *m* ❸ LAW Anklagepunkt *m;* **on all ~s** in allen [Anklage]punkten ❹ (*point*) Punkt *m;* **on all ~s** in allen Punkten ▶ **to be out for the ~** BOXING ausgezählt werden; (*fig*) k.o. sein **II.** *vt* ❶ (*number*) zählen; *change* nachzählen; **there'll be eight for dinner ~ing ourselves** uns mitgerechnet sind wir acht zum Abendessen; **~** [**off**] abzählen ❷ (*consider*) **to ~ sb as a friend/among one's friends** jdn als Freund betrachten/zu seinen Freunden zählen; **to ~ sth a success** etw als Erfolg verbuchen; **to ~ oneself lucky** sich glücklich schätzen; ■ **to ~ sth against sb** jdm etw verübeln ▶ **to ~ the cost** [**of sth**] [etw] bereuen **III.** *vi* zählen; **that's what ~s** darauf kommt es an; **this essay will count towards your final mark** dieser Aufsatz geht in die Berechnung Ihrer Endnote ein; ■ **to ~ against sb** gegen jdn sprechen; ■ **to be ~ed as sth** als etw gelten ◆ **count down** *vi* rückwärts bis Null zählen; AEROSP den Countdown durchführen ◆ **count out I.** *vi* ❶ (*number off aloud*) abzählen ❷ BOXING auszählen **II.** *vt* (*fam*) ■ **to ~ sb out** jdn nicht einplanen; **~ me out!** ohne mich!; **who wants to come swimming tomorrow? — ~ me out** wer hat Lust, morgen mit schwimmen zu gehen? – ich nicht

count·able ['kaʊntəbl] *adj* LING zählbar

count·able 'noun *n* zählbares Substantiv

count·down ['kaʊntdaʊn] *n* Countdown *m* (**to** für)

coun·te·nance ['kaʊntʰnən(t)s] **I.** *n* ❶ (*liter: face*) Antlitz *nt;* **to be of noble ~** edle Gesichtszüge haben ❷ (*approval*) Unterstützung *f* ❸ *no pl* (*composure*) Haltung *f* **II.** *vt* (*form*) gutheißen; ■ **to not ~** nicht dulden

count·er ['kaʊntə'] **I.** *n* ❶ (*service point*) Theke *f;* (*in bank, post office*) Schalter *m;* [**kitchen**] **~** AM [Küchen]arbeitsplatte *f;* **over the ~** rezeptfrei; **under the ~** (*fig*) unterm Ladentisch ❷ (*person*) Zähler(in) *m(f);* (*machine*) Zählwerk *nt* ❸ (*disc*) Spielmarke *f* **II.** *vt* ausgleichen; *arguments* widersprechen; *orders* aufheben **III.** *vi* kontern **IV.** *adv* entgegen; **to act/run ~ to sth** etw *dat* zuwiderhandeln/zuwiderlaufen

coun·ter·'act *vt* ■ **to ~ sth** etw *dat* entgegenwirken; *poison* etw neutralisieren **coun·ter·'ac·tive** *adj* ❶ (*working*

against) entgegenwirkend ❷ (*neutralizing*) neutralisierend **'coun·ter·at·tack I.** *n* Gegenangriff *m* **II.** *vt* im Gegenzug angreifen **III.** *vi* zurückschlagen; SPORTS kontern **coun·ter·bal·ance I.** *n* ['kaʊntə‚bælən(t)s] Gegengewicht *nt;* (*fig*) **to be a ~** ausgleichend wirken **II.** *vt* [‚kaʊntə'bælən(t)s] ausgleichen; (*fig*) ein Gegengewicht darstellen zu + *dat* **'coun·ter·charge** *n* LAW Gegenklage *f* **'coun·ter·check I.** *n* ❶ (*restraint*) Hemmnis *nt* ❷ (*second check*) Gegenprüfung *f* **II.** *vt* gegenprüfen **coun·ter·'clock·wise** *adj* AM gegen den Uhrzeigersinn **'count·er·dem·on·stra·tion** *n* Gegendemonstration *f* **coun·ter·'es·pio·nage** *n no pl* Spionageabwehr *f;* **~ service** Spionageabwehrdienst *m*

coun·ter·feit ['kaʊntəfɪt] **I.** *adj* gefälscht; **~ money** Falschgeld *nt* **II.** *vt* fälschen **III.** *n* Fälschung *f*

coun·ter·feit·er ['kaʊntəfɪtə'] *n* Fälscher(in) *m(f);* **~ of money** Falschmünzer(in) *m(f)*

'coun·ter·foil *n* BRIT FIN [Kontroll]abschnitt *m*

coun·ter·in·'tel·li·gence *n* Spionageabwehr *f*

coun·ter·mand [‚kaʊntə'mɑːnd] *vt* rückgängig machen; *order* widerrufen

'coun·ter·meas·ure *n* Gegenmaßnahme *f*

'coun·ter·part *n* Gegenstück *nt,* Pendant *nt;* POL Amtskollege, -kollegin *m, f*

'coun·ter·point *n* MUS Kontrapunkt *m*

'coun·ter·poise *n* (*form*) Gegengewicht *nt* **coun·ter·pro·'duc·tive** *adj* kontraproduktiv **'coun·ter·re·cruit·er** *n* (Armee-)Rekrutierungsgegner(in) *m(f)* **'coun·ter·re·cruit·ing** *n no pl* Behinderung *f* von (Armee-)Rekrutierung **coun·ter·revo·'lu·tion** *n* Gegenrevolution *f* **'coun·ter·sign** *vt* gegenzeichnen **'coun·ter·sink** <-sank, -sunk> *vt screw* versenken **'coun·ter·sue** *vi* Gegenklage *f* erheben **coun·ter·'ter·ror·ism** *n no pl* Terrorismusbekämpfung *f*

coun·tess <*pl* -es> ['kaʊntɪs] *n* Gräfin *f*

count·less ['kaʊntləs] *adj* zahllos

coun·try ['kʌntri] **I.** *n* ❶ (*nation*) Land *nt;* **~ of destination** Bestimmungsland *nt;* **~ of origin** Herkunftsland *nt;* **native ~** Heimat *f,* Heimatland *nt;* **to die for one's ~** fürs Vaterland sterben ❷ *no pl* (*population*) ■ **the ~** das Volk; **the whole ~** das ganze Land; **to go to the ~** BRIT POL Neuwahlen ausschreiben ❸ *no pl* (*rural areas*) ■ **the ~** das Land; **town and ~** Stadt und Land; ■ **in the ~** auf dem Land

④ no pl (land) Land nt, Gebiet nt; **open ~** freies Land; **rough ~** urwüchsige Landschaft; **across ~** (not on roads) querfeldein; (avoiding towns) über Land **⑤** no pl (music) Countrymusik f **II.** adj **①** (rural) cottage, lane Land-; customs ländlich; **~ life** Landleben nt **②** MUS volkstümlich; **~ music** Countrymusik f

coun·try 'bump·kin n (pej) Bauerntölpel m; (woman) Bauerntrampel m **'coun·try club** n Country Club m **coun·try 'dance** n BRIT [englischer] Volkstanz **'coun·try folk** npl Landbevölkerung f **coun·try 'house** n Landhaus nt **'coun·try·man** n **①** (of same nationality) |fellow| ~ Landsmann m; **countrymen and women** Landsleute pl **②** (from rural area) Landbewohner m **coun·try 'road** n Landstraße f **'coun·try·side** n no pl Land nt; (scenery) Landschaft f **'coun·try·wide I.** adj landesweit **II.** adv im ganzen Land **'coun·try·wom·an** n **①** (of same nationality) |fellow| ~ Landsmännin f **②** (from rural area) Landbewohnerin f

coun·ty ['kaʊnti] n **①** BRIT Grafschaft f; **C~ Antrim** die Grafschaft Antrim **②** AM [Verwaltungs]bezirk m

coun·ty 'coun·cil n + sing/pl vb BRIT Grafschaftsrat m **coun·ty 'court** n + sing/pl vb ≈ Amtsgericht nt **coun·ty 'seat** n AM Bezirkshauptstadt f **coun·ty 'town** n BRIT Hauptstadt f einer Grafschaft

coup [kuː] n **①** (unexpected achievement) Coup m **②** POL Staatsstreich m

coup de grâce <pl coups de grâce> [ˌkuːdəˈɡrɑːs] n Gnadenstoß m **coup d'état** <pl coups d'état> [ˌkuːdeɪˈtɑː] n Staatsstreich m

coupé ['kuːpeɪ] n Coupé nt

cou·ple ['kʌpl] **I.** n **①** no pl (a few) ■ a ~ of ... einige ..., ein paar ...; **I've only had a ~ of drinks** ich habe nur wenig getrunken; **every ~ of days** alle paar Tage; **for the last ~ of days** in den letzten Tagen; **in a ~ more minutes** in wenigen Minuten; **the next ~ of minutes** die nächsten Minuten; **the first ~ of weeks** die ersten Wochen; **another ~ of ...** noch ein paar ... **②** + sing/pl vb (two people) Paar nt; **courting** |or AM **dating|** ~ Liebespaar nt; **to make a lovely ~** ein hübsches Paar abgeben **II.** vt **①** RAIL (join) kuppeln (**to** an) **②** usu passive (put together) ■to be ~d with sth mit etw dat verbunden sein

cou·plet ['kʌplət] n Verspaar nt; **rhyming ~** Reimpaar nt

cou·pling ['kʌplɪŋ] n **①** RAIL (device) Kupplung f **②** (linking) Verknüpfung f

cou·pon ['kuːpɒn] n **①** (voucher) Coupon m, Gutschein m **②** BRIT **football** |or **pools|** ~ Totoschein m

cour·age ['kʌrɪdʒ] n no pl Mut m, Tapferkeit f; **to lack the ~ of one's convictions** keine Zivilcourage haben; **to lose courage** den Mut verlieren; **to pluck up courage** sich ein Herz fassen

cou·ra·geous [kəˈreɪdʒəs] adj mutig

cour·gette [kɔːˈʒet] n esp BRIT Zucchino m

cou·ri·er ['kʊriəʳ] n **①** (delivery person) Kurier(in) m(f); **motorcycle ~** Motorradbote, -botin m, f **②** (tour guide) Reiseführer(in) m(f)

course [kɔːs] **I.** n **①** of aircraft, ship Kurs m; **to change ~** den Kurs ändern; **to set** |a| ~ **for Singapore** auf Singapur zusteuern; **off ~** nicht auf Kurs; (fig) aus der Bahn geraten; **to be driven off ~** [vom Kurs] getrieben werden; (fig) von seinen Plänen abgebracht werden; **on ~** auf Kurs; (fig) auf dem [richtigen] Weg; **we're on ~ to finish by the end of the week** wenn alles so weiterläuft, sind wir bis Ende der Woche fertig **②** of road Verlauf m; of river, history, justice Lauf m; **to follow a winding ~** kurvig verlaufen; **to change ~** einen anderen Verlauf nehmen **③** (way of acting) ~ |of action| Vorgehen nt; **the best/wisest ~** das Beste/Vernünftigste **④** (during) **in the ~ of sth** im Verlauf einer S. gen; **in the ~ of time** im Lauf[e] der Zeit **⑤** (development) Verlauf m; **to change the ~ of history** den Lauf der Geschichte ändern **⑥** (certainly) **of ~** natürlich; **of ~ not** natürlich nicht **⑦** (series of classes) Kurs m; **to go on a ~** BRIT einen Kurs besuchen **⑧** MED ~ |of treatment| Behandlung f; **~ of iron tablets** Eisenkur f; **to put sb on a ~ of sth** jdn mit etw akut behandeln **⑨** SPORTS Bahn f, Strecke f; |golf| ~ Golfplatz m **⑩** (part of meal) Gang m **⑪** (layer) Schicht f ▶ **to be par for the ~** normal sein; **in due ~** zu gegebener Zeit; **to stay the ~** [bis zum Ende] durchhalten; **to take** |or **run|** **its ~** seinen Weg gehen; **to let nature take its ~** nicht in die Natur eingreifen **II.** vi **①** (flow) strömen **②** HUNT an einer Hetzjagd teilnehmen

'course book n esp BRIT SCH Lehrbuch nt **'course·ware** n no pl COMPUT Kursmaterial nt, [webbasierte] Courseware

court [kɔːt] **I.** n **①** (judicial body) Gericht nt; **in a ~ of law** vor Gericht; **by order of the ~** durch Gerichtsbeschluss; **to go to ~** vor Gericht gehen; **to take sb to ~** jdn vor Gericht bringen; **out of ~** außergerichtlich **②** (room) Gerichtssaal m; **to**

appear in ~ vor Gericht erscheinen ❸ (*playing area*) [Spiel]platz *m;* **badminton/squash** ~ Badminton-/Squashcourt *m;* **grass** ~ Rasenplatz *m* ❹ (*of king, queen*) Hof *m;* ■**at** ~ bei Hof ❺ (*yard*) Hof *m;* ■**in the** ~ auf dem Hof ❻ (*as street, building name*) **Meadow C~** Meadow Court **II.** *vt* ❶ (*dated: woo*) umwerben ❷ (*ingratiate oneself*) hofieren ❸ (*fig: try to gain*) suchen ❹ (*fig: risk*) herausfordern **III.** *vi* ein Liebespaar sein

cour·teous [ˈkɜːtɪəs] *adj* höflich

cour·teous·ly [ˈkɜːtɪəsli] *adv* höflich

cour·te·san [ˌkɔːtɪˈzæn] *n* (*liter*) Kurtisane *f liter*

cour·tesy [ˈkɜːtəsi] *n* ❶ *no pl* (*politeness*) Höflichkeit *f;* **to have the [common]** ~ **to do sth** so höflich sein, etw zu tun ❷ (*courteous gesture*) Höflichkeit *f* ▶ **[by]** ~ **of sb/sth** (*with the permission of*) mit freundlicher Genehmigung einer Person/ einer S. *gen;* (*thanks to*) dank einer Person/einer S. *gen*

ˈ**cour·tesy bus** *n* BRIT kostenfreier Bus *m*

ˈ**cour·tesy light** *n* AUTO Innenleuchte *f*

ˈ**cour·tesy ti·tle** *n* Ehrentitel *m*

ˈ**court hear·ing** *n* [Gerichts]verhandlung *f*

ˈ**court·house** *n* AM Gerichtsgebäude *nt*

cour·ti·er [ˈkɔːtɪə] *n* Höfling *m*

court·ly [ˈkɔːtli] *adj* galant *geh;* ~ **love** LIT höfische Liebe

court ˈmar·tial I. *n* <*pl* -s *or form* courts martial> Kriegsgericht *nt* **II.** *vt* <BRIT -ll- *or* AM *usu* -l-> ■**to** ~ **sb** jdn vor ein Kriegsgericht stellen **Court of ˈAudi·tors** *n* Europäischer Rechnungshof **Court of ˈJus·tice** *n* Gericht *nt* ˈ**court·room** *n* Gerichtssaal *m*

court·ship [ˈkɔːtʃɪp] *n no pl* Werben *nt* (**of** um); ~ **dance** ZOOL Balztanz *m*

ˈ**court·yard** *n* Hof *m;* (*walled-in*) Innenhof *m;* ■**in the** ~ auf dem Hof

cous·in [ˈkʌzən] *n* Vetter *m*, Cousin, Cousine *m, f*

cove [kəʊv] *n* kleine Bucht

cov·enant [ˈkʌvənənt] **I.** *n* ❶ (*legal agreement*) vertragliches Abkommen; **restrictive** ~ restriktive Vertragsklausel ❷ REL Bündnis *nt* **II.** *vt* vertraglich vereinbaren **III.** *vi* eine vertragliche Vereinbarung treffen

Cov·en·try [ˈkɒvəntri] *n no pl* ▶ **to send sb to** ~ BRIT jdn schneiden

cov·er [ˈkʌvə] **I.** *n* ❶ (*covering*) Abdeckung *f;* (*of flexible plastic*) Plane *f;* (*for smaller objects*) Hülle *f;* (*for clothes*) Kleiderhülle *f;* (*protective top*) Deckel *m;* (*for bed*) [Bett]decke *f;* (*for furniture*) [Schon]bezug *m;* **quilt** [*or* **duvet**] ~ Bettdeckenbezug *m* ❷ (*sheets*) ■**the** ~**s** *pl* das Bettzeug ❸ (*of a book*) Einband *m; of a magazine* Titelseite *f,* Cover *nt;* **to read sth from** ~ **to** ~ etw vom Anfang bis zum Ende [*o* in einem] durchlesen ❹ (*envelope*) **under plain** ~ in neutralem Umschlag; **under separate** ~ mit getrennter Post ❺ *no pl* (*shelter*) Schutz *m;* **under** ~ überdacht; (*concealed*) in Deckung; **under** ~ **of darkness** im Schutz der Dunkelheit; **to take** ~ (*from rain*) sich unterstellen; (*from danger*) sich verstecken ❻ *no pl* (*for animals to hide*) Dickicht *nt;* **to break** ~ aus dem [schützenden] Unterholz hervorbrechen ❼ (*concealing true identity*) Tarnung *f;* **under** ~ getarnt; **to blow sb's** ~ jdn enttarnen ❽ *no pl* MIL Deckung *f;* (*from bombs, bullets*) Feuerschutz *m* ❾ *no pl esp* BRIT (*insurance*) Versicherungsschutz *m* ❿ *no pl* (*substitute*) Vertretung *f;* **to provide** ~ **for sb** jdn vertreten; **to provide emergency** ~ einen Notdienst aufrechterhalten ⓫ MUS Coverversion *f* ▶ **never judge a book by its** ~ man sollte niemals nur nach dem Äußeren urteilen **II.** *vt* ❶ (*put over*) bedecken; (*against dust also*) überziehen; **to be** ~ **ed** [**in** [*or* **with**] **sth**] [mit etw *dat*] bedeckt sein; ~**ed with blood** voll Blut; ~**ed in ink/mud** voller Tinte/Schlamm ❷ (*to protect*) abdecken; **they** ~**ed him with a blanket** sie deckten ihn mit einer Decke zu; **to** ~ **one's eyes with one's hands** die Augen mit den Händen bedecken ❸ (*to hide*) verdecken; (*fig*) *one's confusion* überspielen ❹ (*extend over*) sich erstrecken über +*akk;* (*fig*) zuständig sein ❺ (*travel*) *a lot of ground* eine große Strecke zurücklegen; (*make progress*) gut vorankommen *a. fig;* (*be wide-ranging*) sehr umfassend sein ❻ (*deal with*) sich befassen mit +*dat* ❼ (*be enough for*) decken; **will that** ~ **it?** wird das reichen? ❽ (*report on*) berichten über +*akk* ❾ (*insure*) versichern (**against** gegen) ❿ (*protect*) ■**to** ~ **oneself** sich absichern; **she tried to** ~ **herself by saying that ...** sie versuchte sich damit herauszureden, dass ... ⓫ MIL decken; (*give covering fire*) Feuerschutz geben; ~ **me!** gib mir Deckung! ⓬ (*aim weapon at*) seine Waffe richten auf +*akk;* **I've got you** ~**ed!** meine Waffe ist auf Sie gerichtet! ⓭ (*watch*) bewachen ⓮ (*do sb's job*) übernehmen ⓯ MUS covern ▶ **to** ~ **one's back** sich absichern; **to** ~ **one's tracks** seine Spuren verwischen **III.** *vi* **to** ~ **well/badly** *paint* gut/

schlecht decken ◆**cover up I.** *vt* ❶ (*protect*) ■**to ~ [oneself] up** sich bedecken ❷ (*hide*) verdecken; *spot* abdecken ❸ (*keep secret*) vertuschen **II.** *vi* alles vertuschen; ■**to ~ up for sb** jdn decken

cov·er·age [ˈkʌvᵊrɪʤ] *n no pl* ❶ (*reporting*) Berichterstattung *f* (**of** über); **a lot of media ~** ein großes Medienecho ❷ (*dealing with*) Behandlung *f;* **to give comprehensive ~ of sth** etw ausführlich behandeln ❸ Am (*insurance*) Versicherungsschutz *m*

'**cov·er·alls** *npl* Am Overall *m*

'**cov·er charge** *n* (*in a restaurant*) Kosten *pl* für das Gedeck; (*in a nightclub*) Eintritt *m*

cov·ered [ˈkʌvəd] *adj* ❶ (*roofed over*) überdacht; **~ wagon** Planwagen *m* ❷ (*insured*) versichert

'**cov·er girl** *n* Covergirl *nt*

cov·er·ing [ˈkʌvᵊrɪŋ] *n* Bedeckung *f;* **floor ~** Bodenbelag *m;* **a light ~ of snow** eine dünne Schneeschicht; **to put a fresh ~ on a wound** eine Wunde frisch verbinden

cov·er·ing 'let·ter *n* Brit Begleitbrief *m*

'**cov·er note** *n* Am, Aus Begleitschreiben *nt;* Brit (*insurance*) Deckungskarte *f* '**cov·er sto·ry** *n* Coverstory *f,* Titelgeschichte *f*

cov·ert I. *adj* [ˈkʌvət] verdeckt, geheim; *glance* verstohlen **II.** *n* [ˈkʌvət] Dickicht *nt kein pl*

'**cov·er-up** *n* Vertuschung *f*

cov·et [ˈkʌvɪt] *vt* begehren

cow¹ [kaʊ] *n* ❶ zool Kuh *f;* **herd of ~s** Kuhherde *f;* **elephant/whale ~** Elefanten-/Walkuh *f* ❷ (*pej sl*) **stupid ~** dumme Kuh ❸ Aus (*fam: unpleasant thing*) **a ~ of a job** ein Mistjob *m* ▶ **until** [*or* **till**] **the ~s come home** bis in alle Ewigkeit

cow² [kaʊ] *vt* einschüchtern

cow·ard [ˈkaʊəd] *n* Feigling *m;* **moral ~** Duckmäuser *m*

cow·ard·ice [ˈkaʊədɪs] *n no pl,* **cow·ard·li·ness** [ˈkaʊədlɪnəs] *n no pl* Feigheit *f;* **moral ~** Duckmäuserei *f*

cow·ard·ly [ˈkaʊədli] *adj* feige

'**cow·boy** *n* ❶ (*cattle hand*) Cowboy *m;* **to play ~s and Indians** ≈ Räuber und Gendarm spielen ❷ (*fam: dishonest tradesperson*) Pfuscher(in) *m(f)*

cow·er [ˈkaʊə^r] *vi* kauern; **to ~ behind sb/sth** sich hinter jdn/etw ducken

'**cow·girl** *n* Cowgirl *nt* '**cow·hand** *n,* '**cow·herd** *n* Kuhhirt(in) *m(f)* '**cow·hide** *n no pl* Rindsleder *nt*

cowl [kaʊl] *n* ❶ (*hood*) Kapuze *f* ❷ (*on*

chimney) Schornsteinkappe *f*

cowl·ing [ˈkaʊlɪŋ] *n* aviat Motorhaube *f*

'**cow·man** *n* ❶ (*cowherd*) Rinderhirt *m* ❷ Aus (*farm manager*) Rinderfarmer *m*

co-work·er [ˌkəʊˈwɜːkə^r] *n* Mitarbeiter(in) *m(f)*

'**cow·shed** *n* Kuhstall *m*

'**cow·slip** *n* ❶ Brit Schlüsselblume *f* ❷ Am Sumpfdotterblume *f*

cox [kɒks] **I.** *n* Steuermann *m* (*beim Rudern*) **II.** *vt* steuern **III.** *vi* [ein Ruderboot] steuern

cox·swain [ˈkɒksᵊn] *n* Steuermann *m*

coy [kɔɪ] *adj* ❶ (*secretive*) geheimnistuerisch; ■**to be ~ about sth** aus etw *dat* ein Geheimnis machen ❷ (*pretending to be shy*) geziert; *glance* [gespielt] unschuldig; **come on, don't be so ~** komm, zier dich nicht so

coy·ote [kɔɪˈəʊti] *n* ❶ (*animal*) Kojote *m* ❷ Am (*fam: in illegal immigration*) Schlepper *m*

cozy *adj* Am *see* **cosy**

CP [ˌsiːˈpiː] *n abbrev of* **Communist Party** KP *f*

CPU [ˌsiːpiːˈjuː] *n* comput *abbrev of* **central processing unit** CPU *f*

crab [kræb] **I.** *n* Krebs *m* **II.** *vi* <-bb-> (*fam*) nörgeln

'**crab ap·ple** *n* (*fruit*) Holzapfel *m;* (*tree*) Holzapfelbaum *m*

crab·bed [kræbd] *adj* ❶ *handwriting* eng ❷ (*bad-tempered*) mürrisch

crab·by [ˈkræbi] *adj* (*fam*) nörglerisch

crack [kræk] **I.** *n* ❶ (*fissure*) Riss *m;* (*fig*) Sprung *m;* **there was a ~ in the teacup** die Teetasse hatte einen Sprung ❷ (*narrow space*) Ritze *f;* **to open sth [just] a ~** etw [nur] einen Spalt öffnen ❸ (*sharp noise*) of a breaking branch Knacken *nt;* of breaking ice Krachen *nt;* of a rifle Knall *m;* **~ of thunder** Donnerkrachen *nt* ❹ (*sharp blow*) Schlag *m;* **to give sb a ~ over the head** jdm eins überziehen ❺ *no pl* (*illegal drug*) Crack *nt* o *m* ❻ (*joke*) **a cheap ~** ein schlechter Witz ❼ (*fam: attempt*) Versuch *m;* **to have a ~ at sth** [*or* **to give sth a ~**] etw [aus]probieren ▶ **at the ~ of dawn** im Morgengrauen; **to get/have a fair ~ of the whip** Brit eine [echte] Chance bekommen/haben **II.** *adj* erstklassig; **~ shot** Meisterschütze, -schützin *m, f;* **~ regiment** Eliteregiment *nt* **III.** *vt* ❶ (*break*) **to ~ sth** einen Sprung in etw *akk* machen ❷ (*open*) **egg** aufschlagen; ■**to ~ sth** ◯ **[open]** etw aufbrechen; *bottle* etw aufmachen; *nuts, safe, code* etw knacken; **to ~ an egg into a bowl** ein Ei in eine Schüssel schlagen ❸ (*solve*) knacken; **I've ~ed it!** ich hab's! ❹ (*hit*) **to ~ sb on/over the head** jdm eins auf/über den Schädel geben; **to ~ one's head on sth** sich *dat* den Kopf an etw *dat* anschlagen ❺ (*make noise*) **to ~ one's knuckles** mit den Fingern knacken; **to ~ a whip** mit einer Peitsche knallen ▸ **to ~ a joke** einen Witz reißen; **to ~ the whip** ein strengeres Regiment aufziehen **IV.** *vi* ❶ (*break*) [zer]brechen, zerspringen; *lips, paintwork* aufspringen, rissig werden ❷ (*break down*) zusammenbrechen; *relationship* zerbrechen; *facade* abbröckeln; *voice* versagen ❸ (*make noise*) *ice, thunder* krachen; *branch* knacken; *shot, whip* knallen ▸ **to get ~ing** (*fam*) loslegen ◆ **crack down** *vi* vorgehen (**on** gegen) ◆ **crack up I.** *vi* (*fam*) ❶ (*find sth hilarious*) lachen müssen ❷ (*have nervous breakdown*) zusammenbrechen; (*go crazy*) durchdrehen **II.** *vt* ❶ (*assert*) ■ **to ~ sth up to be sth** etw als etw darstellen; **it's not all it's ~ed up to be** es hält nicht alles, was es verspricht ❷ (*fam: amuse*) zum Lachen bringen; **it ~ s me up** ich könnte mich kaputtlachen

crack·ber·ry ['kræbªri] *n* COMPUT (*fam*) Crackberry *m* (*Spitzname für einen Blackberry®-Handheldcomputer, der auf das Suchtpotenzial dieses Geräts anspielt*)

'**crack·down** *n* scharfes Vorgehen (**on** gegen)

cracked [krækt] *adj* ❶ (*having cracks*) rissig; *cup, glass* gesprungen; *lips* aufgesprungen ❷ (*fam: crazy*) verrückt

crack·er ['krækəʳ] *n* ❶ (*biscuit*) Kräcker *m* ❷ (*firework*) Kracher *m* ❸ (*at Christmas*) Knallbonbon *nt* ❹ BRIT (*fam: excellent thing*) Knüller *m;* **that was a ~ of a race** das war ein Superrennen ❺ BRIT (*fam: attractive person*) **he/she's a real ~** er/ sie ist einfach umwerfend

crack·ers ['krækəz] *adj* (*fam*) verrückt

crack·le ['krækl] **I.** *vi* knistern *a. fig; telephone line* knacken **II.** *vt* ■ **to ~ sth** mit etw *dat* knistern **III.** *n* (*on a telephone line, radio*) Knacken *nt; of paper* Knistern *nt; of fire also* Prasseln *nt*

crack·ling ['kræklɪŋ] *n* ❶ *no pl of paper* Knistern *nt; of fire also* Prasseln *nt;* (*on the radio*) Knacken *nt* ❷ (*pork skin*) [Braten]kruste *f*

'**crack·pot I.** *n* (*fam*) Spinner(in) *m(f)* **II.** *adj* (*fam*) bescheuert

'**crack-up** *n* (*fam*) Zusammenbruch *m*

cra·dle ['kreɪdl] **I.** *n* ❶ (*baby's bed*) Wiege *f a. fig;* **from the ~ to the grave** von der Wiege bis zur Bahre ❷ (*framework*) Ge-

rüst *nt* (*für Reparaturarbeiten*) ❸ BRIT (*hanging platform*) Hängebühne *f* ❹ (*part of telephone*) Gabel *f* **II.** *vt* [sanft] halten; *sb's head* betten

craft [krɑːft] **I.** *n* ❶ *<pl ->* (*ship*) Schiff *nt;* (*boat*) Boot *nt;* (*plane*) Flugzeug *nt* ❷ (*trade*) Handwerk *nt kein pl* ❸ *no pl* (*skill*) Kunst *f* ❹ (*handmade objects*) ■ **~ s** *pl* Kunsthandwerk *nt kein pl* ❺ *no pl* (*guile*) Heimtücke *f* **II.** *vt* kunstvoll fertigen; **a cleverly ~ed poem** ein geschickt verfasstes Gedicht

crafti·ly ['krɑːftɪli] *adv* schlau; (*with guile*) arglistig, hinterhältig

crafti·ness ['krɑːftɪnəs] *n no pl* Gerissenheit *f*

'**craft shop** *n* Kunstgewerbeladen *m*

'**crafts·man** *n* gelernter Handwerker; **master ~** Handwerksmeister *m*

crafty ['krɑːfti] *adj* schlau, gerissen

crag [kræg] *n* Felsmassiv *nt*

crag·gy ['krægi] *adj* zerklüftet; *features* markant

cram *<-mm->* [kræm] **I.** *vt* stopfen; **six children were ~med into the back of the car** sechs Kinder saßen gedrängt auf dem Rücksitz des Autos; **we've got an awful lot to ~ into the next half hour** wir müssen in die nächste halbe Stunde einiges hineinpacken **II.** *vi* büffeln, pauken

'**cram-full** *adj* vollgestopft

cram·mer ['kræməʳ] *n* BRIT (*fam: book*) Paukbuch *nt;* (*school*) Paukschule *f*

cram·ming ['kræmɪŋ] *n* Büffeln *nt fam*

cramp [kræmp] **I.** *n* [Muskel]krampf *m;* **I have ~** [*or* AM **a ~**] **in my foot** ich habe einen Krampf im Fuß; **to get ~** [*or* AM **~ s**] einen Krampf bekommen **II.** *vt* einengen ▸ **to ~ sb's style** jdn nicht zum Zug kommen lassen

cramped [kræmpt] *adj* beengt; **to be [rather] ~ for space** [ziemlich] wenig Platz haben

cram·pon ['kræmpɒn] *n* Steigeisen *nt*

cran·ber·ry ['krænbªri] *n* Preiselbeere *f*

crane [kreɪn] **I.** *n* ❶ (*device*) Kran *m* ❷ (*bird*) Kranich *m* **II.** *vt* **to ~ one's neck** den Hals recken **III.** *vi* ■ **to ~ forward** sich vorbeugen; **she ~d over the heads of the crowd** sie streckte ihren Kopf über die Menge

'**crane fly** *n* [Erd]schnake *f*

cra·nium *<pl -s or -nia>* ['kreɪniəm, *pl* -niə] *n* Schädel *m*

crank [kræŋk] **I.** *n* (*fam*) ❶ (*eccentric*) Spinner(in) *m(f);* **health-food ~** Gesundheitsapostel *m;* **~ call** Juxanruf *m* ❷ AM (*bad-tempered person*) Griesgram *m*

C

❸ MECH Kurbel f **II.** vt ankurbeln

'**crank·case** n Kurbelgehäuse nt '**crank·shaft** n Kurbelwelle f

cranky ['kræŋki] adj (fam) ❶ (eccentric) verschroben ❷ AM, AUS (bad-tempered) mürrisch

cran·ny ['kræni] n Ritze f

crap [kræp] **I.** vi <-pp-> (fam!) kacken **II.** n usu sing (vulg) Scheiße f a. fig; **to have** [or AM **take**] **a ~** kacken **III.** adj (fam!) mies

crape n see **crêpe**

crap·py ['kræpi] adj (fam!) Scheiß-

crash [kræʃ] **I.** n <pl -es> ❶ (accident) Unfall m; of plane Absturz m ❷ (noise) Krach m kein pl; ■ **with a ~** mit Getöse ❸ COMM Zusammenbruch m; **stock market ~** Börsenkrach m ❹ COMPUT Absturz m **II.** vi ❶ (have an accident) driver, car verunglücken; plane abstürzen ❷ (hit) ■ **to ~ into sth** auf etw akk aufprallen ❸ (collide with) ■ **to ~ into sb/sth** mit jdm/etw zusammenstoßen ❹ (make loud noise) cymbals, thunder donnern; door knallen; (move noisily) poltern; **the dog came ~ing through the bushes** der Hund preschte durch die Büsche; **the car ~ed through the roadblock** das Auto krachte durch die Straßensperre; **to come ~ing to the ground** auf den Boden knallen; ■ **to ~ against sth** gegen etw akk knallen; waves gegen etw akk schlagen ❺ COMM stockmarket zusammenbrechen; company Pleite machen ❻ COMPUT abstürzen ❼ (sl: sleep) ■ **to ~ [out]** wegtreten **III.** vt ❶ (damage in accident) car zu Bruch fahren; plane eine Bruchlandung machen; (deliberately) einen Absturz absichtlich verursachen; **to ~ a car into sth** ein Auto gegen etw akk fahren; **to ~ a plane into sth** ein Flugzeug in etw akk fliegen ❷ (make noise) knallen ❸ (fam: gatecrash) **to ~ a party** uneingeladen zu einer Party kommen

'**crash bar·ri·er** n BRIT, AUS Leitplanke f '**crash course** n Intensivkurs m, Crashkurs m '**crash diet** n radikale Abmagerungskur, Crashdiät f '**crash hel·met** n Sturzhelm m

crash·ing ['kræʃɪŋ] adj (fam) total

crash-'land vi bruchlanden **crash-'landing** n Bruchlandung f '**crash-test** vt ■ **to ~ sth** etw einem Crashtest unterziehen

crass [kræs] adj krass, grob; behaviour derb; ignorance haarsträubend

crass·ly ['kræsli] adv krass, grob; **to behave ~** sich sehr rüde benehmen

crate [kreɪt] **I.** n ❶ (open box) Kiste f; (for bottles) [Getränke]kasten m ❷ (fam: old car, plane) Kiste f **II.** vt ■ **to ~ [up]** in eine Kiste einpacken

cra·ter ['kreɪtər] n Krater m; of bomb Trichter m

cra·vat [krə'væt] n Halstuch nt

crave [kreɪv] **I.** vt begehren; **to ~ attention** sich nach Aufmerksamkeit sehnen **II.** vi ■ **to ~ for sth** sich nach etw dat sehnen

crav·ing ['kreɪvɪŋ] n heftiges Verlangen (**for** nach)

craw·fish ['krɔːfɪʃ] n Languste f

crawl [krɔːl] **I.** vi ❶ (go on all fours) krabbeln ❷ (move slowly) kriechen ❸ (pej fam: be obsequious) kriechen ❹ (fam: be overrun) ■ **to be ~ing with** wimmeln von +dat **II.** n no pl ❶ (slow pace) **to move at a ~** im Schneckentempo fahren ❷ (style of swimming) Kraulen nt; **to do the ~** kraulen

crawl·er ['krɔːlər] n ❶ (very young child) Krabbelkind nt; **to be a ~** im Krabbelalter sein ❷ (pej fam: obsequious person) Kriecher(in) m(f)

'**crawl·er lane** n (fam) Kriechspur f

cray·fish ['kreɪfɪʃ] n Flusskrebs m

cray·on ['kreɪɒn] **I.** n Buntstift m; **wax ~s** Malkreiden pl **II.** vt ■ **to ~ [in]** ◯ sth etw [mit Buntstift] ausmalen **III.** vi [mit Buntstift] malen

craze [kreɪz] n Mode[erscheinung] f, Fimmel m pej; ■ **~ for sth** Begeisterung f für etw akk; **that's the latest ~** das ist der letzte Schrei

crazed [kreɪzd] adj wahnsinnig

crazi·ness ['kreɪzɪnəs] n no pl Verrücktheit f

crazy ['kreɪzi] **I.** adj verrückt (**about** nach); **to drive sb ~** jdn zum Wahnsinn treiben; **to go ~** verrückt werden **II.** n AM (sl) Verrückte(r) f(m)

creak [kriːk] **I.** vi furniture knarren; door quietschen; bones knirschen **II.** n of furniture Knarren nt; of a door Quietschen nt; of bones Knirschen nt

cream [kriːm] **I.** n ❶ no pl FOOD Sahne f, Obers nt ÖSTERR; **strawberries and ~** Erdbeeren mit Sahne; **~ cake** Sahnetorte f; **~ of asparagus soup** Spargelcremesuppe f ❷ (cosmetic) Creme f ❸ no pl (colour) Creme nt ❹ (fig: the best) Creme f, Elite f **II.** adj cremefarben **III.** vt ❶ (beat) cremig rühren; **~ed potatoes** Kartoffelpüree nt ❷ (apply lotion) eincremen ❸ AM (fam: defeat) schlagen

cream 'cheese n [Doppelrahm]frischkäse m

cream·ery ['kriːmᵊri] n Molkerei f

creamy [ˈkriːmi] *adj* ❶ (*smooth*) cremig, sahnig ❷ (*off-white*) cremefarben

crease [kriːs] I. *n* ❶ (*fold*) [Bügel]falte *f; of a hat* Kniff *m* ❷ (*in cricket*) Spielfeldlinie *f* II. *vt* zerknittern III. *vi* knittern

cre·ate [kriˈeɪt] I. *vt* ❶ (*make*) erschaffen ❷ (*cause*) erzeugen; *confusion* stiften; *impression; precedent* schaffen; *sensation* erregen II. *vi* BRIT, AUS (*fam*) eine Szene machen

crea·tion [kriˈeɪʃⁿn] *n* ❶ *no pl* (*making*) [Er]schaffung *f;* (*founding*) Gründung *f* ❷ (*product*) Produkt *nt,* Erzeugnis *nt;* FASHION Kreation *f;* (*of arts also*) Werk *nt* ❸ *no pl* REL Schöpfung *f*

crea·tive [kriˈeɪtɪv] *adj* kreativ, schöpferisch; ~ **ability** [*or* **talent**] Kreativität *f*

crea·tive e'cono·my *n* ■ **the** ~ *Teil der Wirtschaft, der auf geistigem Eigentum beruht*

crea·tive·ly [kriˈeɪtɪvli] *adv* kreativ, schöpferisch, einfallsreich

crea·tor [kriˈeɪtəʳ] *n* Schöpfer(in) *m(f)*

crea·ture [ˈkriːtʃəʳ] *n* ❶ (*being*) Kreatur *f,* Wesen *nt; living* ~ Lebewesen *nt* ❷ (*person*) Kreatur *f,* Geschöpf *nt; ~ **of habit** Gewohnheitstier *nt*

crea·ture 'com·forts *npl* (*fam*) leibliches Wohl

crèche [kreʃ] *n* ❶ BRIT, AUS Kinderkrippe *f* ❷ AM Kinderheim *nt*

cre·dence [ˈkriːdⁿn(t)s] *n* *no pl* (*form*) Glaube *m; to add* [*or* **lend**] ~ *to sth* etw glaubwürdig machen; *to give* [*or* **attach**] ~ *to sth* etw *dat* Glauben schenken

cre·den·tials [krɪˈden(t)ʃⁿlz] *npl* ❶ (*letter of introduction*) Empfehlungsschreiben *nt* ❷ (*documents*) Zeugnisse *pl*

cred·ibil·ity [ˌkredəˈbɪləti] *n* *no pl* Glaubwürdigkeit *f*

cred·ible [ˈkredəbl] *adj* glaubwürdig

cred·it [ˈkredɪt] I. *n* ❶ *no pl* (*recognition, praise*) Anerkennung *f;* (*respect*) Achtung *f;* (*honour*) Ehre *f;* (*standing*) Ansehen *nt; all* ~ **to her for not telling on us** alle Achtung, dass sie uns nicht verraten hat!; *to be a* ~ *to sb/sth* [*or* *to do sb/sth* ~] jdm/etw Ehre machen; **it is to sb's** ~ **that ...** es ist jds Verdienst, dass ... ❷ *no pl* (*reliance*) Glaube[n] *m; to give sb* ~ **for sth** jdm etw zutrauen ❸ *no pl* COMM Kredit *m; on* ~ auf Kredit ❹ FIN (*money in the bank*) Haben *nt; in* ~ im Plus ❺ SCH Auszeichnung *f* ❻ (*contributors*) ■ ~ **s** *pl* FILM, TV Abspann *m;* LIT Mitarbeiterverzeichnis *nt* ▶ [**give**] ~ **where** ~ **'s due** (*saying*) Ehre, wem Ehre gebührt II. *vt* ❶ (*attribute*) zuschreiben; **I** ~ **ed her with more deter-**

mination ich hatte ihr mehr Entschlossenheit zugetraut ❷ (*believe*) glauben; **would you** ~ **it?!** ist das zu glauben?! ❸ FIN gutschreiben

cred·it·able [ˈkredɪtəbl] *adj* ehrenwert; *result* verdient

'cred·it card *n* Kreditkarte *f* **'cred·it col·umn** *n* Habenseite *f* **'cred·it en·try** *n* Gutschrift *f*

cred·it·ing [ˈkredɪtɪŋ] *n* *no pl* FIN Kreditierung *f*

'cred·it lim·it *n* Kredit[höchst]grenze *f* **'cred·it note** *n* BRIT, AUS Gutschrift *f*

credi·tor [ˈkredɪtəʳ] *n* Gläubiger(in) *m(f)* **'cred·it rat·ing** *n* Kreditwürdigkeit *f* *kein pl* **'cred·it-shy** *adj* **to be** ~ zurückhaltend im Kreditkartengebrauch sein **'cred·it side** *n* Habenseite *f* **'cred·it terms** *npl* Kreditbedingungen *pl* **'cred·it·wor·thy** *adj* kreditwürdig

cre·du·lity [krəˈdjuːləti] *n* *no pl* (*form*) Leichtgläubigkeit *f*

credu·lous [ˈkredjʊləs] *adj* (*form*) leichtgläubig

creed [kriːd] *n* Glaubensbekenntnis *nt*

creek [kriːk] *n* ❶ BRIT (*coastal inlet*) kleine Bucht; (*narrow waterway*) Wasserlauf *m* ❷ AM, AUS (*stream*) Bach *m;* (*tributary*) Nebenfluss *m* ▶ **to be up the** ~ [**without a paddle**] in der Patsche sitzen

creep [kriːp] I. *n* (*fam*) ❶ (*unpleasant person*) Mistkerl *m* ❷ (*unpleasant feeling*) ■ **the** ~ **s** *pl* das Gruseln *kein pl;* **I get the** ~ **s when ...** es gruselt mich immer, wenn ...; **that gives me the** ~ **s** das ist mir nicht ganz geheuer II. *vi* <crept, crept> ❶ (*move*) kriechen; *water* steigen; **the traffic was** ~ **ing along at a snail's pace** der Verkehr bewegte sich im Schneckentempo voran ❷ (*fig*) **doubts began to** ~ **into people's minds** den Menschen kamen langsam Zweifel; **tiredness crept over her** die Müdigkeit überkam sie ◆ **creep up** *vi* ❶ (*increase steadily*) [an]steigen ❷ (*sneak up on*) sich anschleichen *a. fig* (**behind/on** an)

creep·er [ˈkriːpəʳ] *n* BOT (*along ground*) Kriechgewächs *nt;* (*up a wall*) Kletterpflanze *f*

creep·ing [ˈkriːpɪŋ] *adj* schleichend

creep·oid [ˈkriːpɔɪd] *n* AM (*fam*) Miststück *nt fam*

creepy [ˈkriːpi] *adj* (*fam*) grus[e]lig, schaurig

creepy 'crawlie [-ˈkrɔːli] *n* AUS Bodenabsauggerät *nt* (*für den Swimmingpool*) **creepy-'crawly** *n* (*fam*) Krabbeltier *nt*

cre·mate [krɪˈmeɪt] *vt* verbrennen [*o* einäschern]

cre·ma·tion [krɪ'meɪʃᵊn] *n* Einäscherung *f*

crema·to·rium <*pl* -s *or* -ria> [ˌkreməˈtɔːriəm, *pl* -riə] *n*, **crema·tory** [ˈkremətᵊri] *n* AM Krematorium *nt*

crêpe [kreɪp] *n* ❶ FOOD Crêpe *f* ❷ (*fabric*) Krepp *m* ❸ (*rubber*) Kreppgummi *m*

crept [krept] *pp, pt of* **creep**

cre·scen·do [krɪ'ʃendəʊ] *n* ❶ MUS Crescendo *nt* ❷ (*fig*) Anstieg *m;* **to reach a ~** einen Höhepunkt erreichen

cres·cent [ˈkresᵊnt] I. *n* ❶ (*moon*) Mondsichel *f* ❷ (*street*) mondsichelförmige Straße oder Häuserreihe; **they live at number 15, Park ~** sie wohnen in der Park Crescent [Nr.] 15 II. *adj* sichelförmig; **~ moon** Mondsichel *f*

cress [kres] *n no pl* Kresse *f*

crest [krest] I. *n* ❶ (*peak*) Kamm *m;* **~ of a hill** Hügelkuppe *f;* **~ of a mountain** Bergrücken *m;* **~ of a roof** Dachfirst *m;* **~ of a wave** Wellenkamm *m* ❷ ZOOL *of a cock* Kamm *m; of a bird* Schopf *m;* **~ed tit** Haubenmeise *f* ❸ (*helmet plume*) Federbusch *m* ❹ (*insignia*) Emblem *nt;* **family ~** Familienwappen *nt* II. *vt hill* erklimmen

'**crest·fall·en** *adj* niedergeschlagen

Cre·tan [ˈkriːtᵊn] *adj* GEOG, HIST kretisch

Crete [kriːt] *n* Kreta *nt*

cret·in [ˈkretɪn] *n* (*pej fam*) Schwachkopf *m*

Creutzfeldt-Jakob dis·ease [ˌkrɔɪtsfeltˈjækɒb-] *n* Creutzfeldt-Jakob-Syndrom *nt*

cre·vasse [krə'væs] *n* Gletscherspalte *f*

crev·ice [ˈkrevɪs] *n* Spalte *f*

crew [kruː] I. *n* + *sing/pl vb* ❶ AVIAT, NAUT Crew *f*, Besatzung *f; of ambulance, lifeboat* Rettungsmannschaft *f;* **camera-/film ~** Kamera-/Filmteam *nt;* **ground ~** Bodenpersonal *nt;* **train ~** Zugpersonal *nt* ❷ (*fam: gang*) Bande *f* II. *vt* ▪ **to ~ sth** zur Besatzung einer S. *gen* gehören III. *vi* Mannschaftsmitglied sein; ▪ **to ~ for sb** zu jds Mannschaft gehören

'**crew cut** *n* Bürstenschnitt *m* '**crew·man** *n*, '**crew·mem·ber** *n* Besatzungsmitglied *nt*

crib [krɪb] I. *n* ❶ AM (*cot*) Gitterbett *nt;* REL Krippe *f* ❷ (*fam: plagiarized work*) Plagiat *nt* ❸ (*fam: crib sheet*) Spickzettel *m*, Schummler *m* ÖSTERR II. *vt, vi* <-bb-> (*pej fam*) abschreiben

crick [krɪk] I. *n* ▪ **to get a ~ in one's neck** einen steifen Hals bekommen II. *vt* ▪ **to ~ one's neck** einen steifen Hals bekommen

crick·et¹ [ˈkrɪkɪt] *n* ZOOL Grille *f*

crick·et² [ˈkrɪkɪt] *n no pl* SPORTS Kricket *nt* '**crick·et bat** *n* Kricketschläger *m*

crick·et·er [ˈkrɪkɪtəʳ] *n* Kricketspieler(in) *m(f)*

'**crick·et field** *n*, '**crick·et ground** *n* Kricketplatz *m* '**crick·et pitch** *n* Kricket[spiel]feld *nt*

cri·er [ˈkraɪəʳ] *n* Ausrufer(in) *m(f)*

cri·key [ˈkraɪkiː] *interj* BRIT (*fam*) [ach] du liebe Zeit!

crime [kraɪm] *n* ❶ (*illegal act*) Verbrechen *nt* ❷ *no art, no pl* (*criminality*) Kriminalität *f;* **to lead a life of ~** das Leben eines/einer Kriminellen führen ❸ (*fig*) Schande *f*

crime pre·'ven·tion *n no pl* Verbrechensverhütung *f* '**crime-rid·den** *adj* mit einer besonders hohen Kriminalitätsrate '**crime wave** *n* Welle *f* der Kriminalität

crimi·nal [ˈkrɪmɪnᵊl] I. *n* Verbrecher(in) *m(f)* II. *adj* ❶ (*illegal*) verbrecherisch; *behaviour* kriminell; *offence* strafbar; **~ act** Straftat *f;* **~ code** Strafgesetzbuch *nt;* **~ court** Strafgericht *nt* ❷ (*fig*) schändlich; **it's ~ to charge so much** es ist eine Sünde, so viel Geld zu verlangen

crimi·nal·ity [ˌkrɪmɪˈnæləti] *n no pl* Kriminalität *f*

crimi·nolo·gist [ˌkrɪmɪˈnɒlədʒɪst] *n* Kriminologe, Kriminologin *m, f*

crimi·nol·ogy [ˌkrɪmɪˈnɒlədʒi] *n no pl* Kriminologie *f*

crimp [krɪmp] *vt* ❶ (*press*) kräuseln ❷ (*make curls*) **to ~ one's hair** sich *dat* das Haar wellen

crim·son [ˈkrɪmzᵊn] I. *n no pl* Purpur[rot] *nt* II. *adj* purpurrot

cringe [krɪndʒ] *vi* ❶ (*cower*) sich ducken ❷ (*shiver*) schaudern; (*feel uncomfortable*) **we all ~d with embarrassment** das war uns allen furchtbar peinlich

crin·kle [ˈkrɪŋkl] I. *vt* [zer]knittern II. *vi dress, paper* knittern; *face, skin* [Lach]fältchen bekommen III. *n* [Knitter]falte *f;* (*in hair*) Krause *f*

crin·kly *adj* ❶ (*full of wrinkles*) *paper* zerknittert; *skin* knittrig ❷ (*wavy and curly*) gekräuselt

crip·ple I. *n* Krüppel *m* II. *vt* ▪ **to ~ sb** jdn zum Krüppel machen; ▪ **to ~ sth** etw gefechtsunfähig machen; (*fig*) etw lahmlegen

crip·pled *adj* verkrüppelt; **to be ~ with debt** von Schulden erdrückt werden *fig;* **to be ~ with rheumatism** von Rheuma geplagt sein

crip·pling *adj debts* erdrückend; *pain* lähmend

cri·sis <*pl* -ses> [ˈkraɪsɪs, *pl* -siːz] *n* Krise *f;* **to be in ~** in einer Krise stecken; **~ of con-**

criticizing

criticizing, evaluating negatively	kritisieren, negativ bewerten
I don't like this at all.	Das gefällt mir gar nicht.
It doesn't look good.	Das sieht aber nicht gut aus.
That could have been done better.	Das hätte man aber besser machen können.
Several things can be said about that.	Dagegen lässt sich einiges sagen.
I have my doubts about that.	Da habe ich so meine Bedenken.

expressing disapproval	missbilligen
I don't approve of that.	Das kann ich nicht gutheißen.
That wasn't very nice of you (at all).	Das war aber (gar) nicht nett von dir.
I'm completely opposed to it.	Da bin ich absolut dagegen.

fidence Vertrauenskrise *f;* **energy** ~ Energiekrise *f;* **a** ~ **situation** eine Krisensituation

cri·sis 'man·age·ment *n no pl* Krisenmanagement *nt*

crisp [krɪsp] **I.** *adj* ❶ *(hard and brittle)* knusprig; *snow* knirschend ❷ *(firm and fresh) apple, lettuce* knackig ❸ *(stiff and smooth) paper, tablecloth* steif; *banknote* druckfrisch ❹ *(bracing) air, morning* frisch ❺ *(sharply defined) image* gestochen scharf ❻ *(quick and precise) manner, style* präzise; *answer, reply* knapp **II.** *n* ❶ BRIT *(potato crisp)* Chip *m;* **burnt to a** ~ verkohlt ❷ AM *(crumble)* Obstdessert *nt (mit Streuseln überbacken);* **cherry** ~**s** ≈ Kirschtörtchen *pl*

'crisp·bread *n* Knäckebrot *nt*

crispy ['krɪspi] *adj (approv)* knusprig

'criss-cross I. *vt* durchqueren **II.** *vi* sich kreuzen

cri·teri·on <*pl* -ria> [kraɪ'tɪəriən, *pl* -riə] *n* Kriterium *nt*

crit·ic ['krɪtɪk] *n* Kritiker(in) *m(f)*

criti·cal ['krɪtɪkᵊl] *adj* ❶ *(judgmental)* kritisch; ~ **success** Erfolg *m* bei der Kritik; ◼ **to be** ~ **of sb** an jdm etwas auszusetzen haben; **to be highly** ~ **of sb/sth** jdm/etw [äußerst] kritisch gegenüberstehen ❷ *(crucial)* entscheidend ❸ MED kritisch; **to be on the** ~ **list** ein Todeskandidat/eine Todeskandidatin sein

criti·cal·ly ['krɪtɪkᵊli] *adv* ❶ *(evaluating)* kritisch; **the** ~ **acclaimed film ...** der Film, der von den Kritikern hochgelobt wurde, ... ❷ *(gravely)* bedenklich; **to be** ~ **ill** schwer [*o* ernsthaft] krank sein

criti·cism ['krɪtɪsɪzᵊm] *n* Kritik *f*

criti·cize ['krɪtɪsaɪz] **I.** *vt* kritisch beurteilen; ◼ **to** ~ **sb/sth for sth** jdn/etw wegen einer S. *gen* kritisieren **II.** *vi* kritisieren

cri·tique ['krɪtiːk] *n* Kritik *f*

croak [krəʊk] **I.** *vi* ❶ *crow, person* krächzen; *frog* quaken ❷ *(sl: die)* abkratzen **II.** *vt* krächzen **III.** *n of a crow, person* Krächzen *nt; of a frog* Quaken *nt*

Cro·at ['krəʊæt] *n* ❶ *(person)* Kroate, Kroatin *m, f* ❷ *(language)* Kroatisch *nt kein pl*

Croa·tia ['krəʊ'eɪʃə] *n* Kroatien *nt*

Croa·tian ['krəʊ'eɪʃᵊn] **I.** *adj* kroatisch **II.** *n* ❶ *(person)* Kroate, Kroatin *m, f* ❷ *(language)* Kroatisch *nt kein pl*

cro·chet ['krəʊʃeɪ] **I.** *n no pl* Häkelarbeit *f* **II.** *vi, vt* häkeln

'cro·chet hook *n,* **'cro·chet nee·dle** *n* Häkelnadel *f*

crock [krɒk] *n* ❶ *(clay container)* [Ton]topf *m* ❷ *(hum)* **old** ~ kauziger Alter/ kauzige Alte ❸ *no pl* AM *(fam: nonsense)* ◼ **a** ~ ein absoluter Schwachsinn

crock·ery ['krɒkəri] *n no pl* Geschirr *nt*

croco·dile <*pl* - *or* -**s**> ['krɒkədaɪl] *n* ❶ ZOOL Krokodil *nt;* ~ **skin** Krokodilleder *nt* ❷ BRIT *(fam)* Zweierreihe *f (von Schulkindern)*

croco·dile 'tears *n pl* Krokodilstränen *pl*

cro·cus ['krəʊkəs] *n* Krokus *m*

croft [krɒft] *n esp* SCOT kleiner [gepachteter] Bauernhof

crois·sant ['krwæsɑ̃(ŋ)] *n* Croissant *nt*

cro·ny ['krəʊni] *adj (esp pej fam)* Spießgeselle *m,* Haberer *m* ÖSTERR

cro·ny·ism ['krəʊniɪzᵊm] *n no pl (esp pej)* Kumpanei *f oft pej fam,* Vetternwirtschaft *f pej*

crook [krʊk] **I.** *n* ❶ *(fam: rogue)* Gauner *m* ❷ *usu sing (curve)* Beuge *f* ❸ *of a shepherd* Hirtenstab *m; of a bishop* Bischofsstab m II. adj AUS (fam) ❶ (ill) krank; **to be ~ with a cold** erkältet sein ❷ (annoyed) ■**to be ~ on sb** auf jdn wütend sein; **to go ~ at sb** auf jdn wütend werden ❸ (unsatisfactory) place, situation schlecht, mies; (out of order) kaputt ❹ (illegal) krumm III. vt arm beugen; finger krümmen

crook·ed ['krʊkɪd] adj ❶ (fam: dishonest) unehrlich; police officer, politician korrupt; salesman betrügerisch ❷ (not straight) krumm; grin, teeth schief; **the picture's ~** das Bild hängt schief

croon [kru:n] vt mit schmachtender Stimme singen

croon·er ['kru:nəʳ] n Schnulzensänger(in) m(f)

crop [krɒp] I. n ❶ (plant) Feldfrucht f; (harvest) Ernte f ❷ (group) Gruppe f ❸ (short hair cut) Kurzhaarschnitt m ❹ (whip) Reitgerte f II. vt <-pp-> ❶ AM (plant) bestellen; **the land here has been over-~ped** auf diesen Feldern wurde Raubbau getrieben ❷ (shorten) abschneiden; **to have one's hair ~ped** sich dat das Haar kurz schneiden lassen III. vi wachsen ◆**crop up** vi (fam) auftauchen; **something's ~ped up** es ist etwas dazwischengekommen

crop·per ['krɒpəʳ] n AGR Nutzpflanze f ▸ **to come a ~** (fail miserably) auf die Nase fallen

'**crop ro·ta·tion** n Fruchtfolge f

cro·quet ['krəʊkeɪ] n no pl Krocket[spiel] nt

cro·quette [krɒ'ket] n FOOD Krokette[n] f[pl]

cross [krɒs] I. n ❶ Kreuz nt; **to mark sth with a** [red] ~ etw [rot] ankreuzen; **to put a ~ next to sth** neben etw dat ein Kreuz machen ❷ REL **sign of the ~** Kreuzzeichen nt; **to die on the ~** am Kreuz sterben ❸ (hybrid) Kreuzung f; (fig) Mittelding nt (**between** zwischen); (person) Mischung f (**between** aus) ❹ FBALL Flanke f; BOXING Cross m II. adj verärgert; ■**to be ~ with sb** auf jdn böse [o sauer] sein; ■**to get ~ with sb** sich über jdn ärgern III. vt ❶ (cross over) überqueren; (also on foot) bridge, road gehen über +akk; border passieren; threshold überschreiten; (traverse) durchqueren; **the bridge ~es the estuary** die Brücke geht [o führt] über die Flussmündung; **the railway ~es the desert** die Bahnstrecke führt durch die Wüste ❷ FBALL flanken ❸ (place crosswise) [über]kreuzen; arms verschränken; legs übereinanderschlagen ❹ BRIT, AUS cheque zur Verrechnung ausstellen; ~**ed cheque**

Verrechnungsscheck m ❺ REL ■**to ~ one-self** sich bekreuz[ig]en ❻ (form: oppose) verärgern ❼ (breed) kreuzen ❽ TELEC da ist jemand in der Leitung ▸ **to keep** [or **have**] **one's fingers** ~**ed** [**for sb**] [jdm] die Daumen drücken; ~ **my heart and hope to die** großes Ehrenwort; **to ~ one's mind** jdm einfallen; **to ~ swords with sb** mit jdm die Klinge kreuzen IV. vi ❶ (intersect) sich kreuzen ❷ (traverse a road) die Straße überqueren; (on foot) über die Straße gehen; (travel by ferry) übersetzen; (traverse a border) **to ~ into a country** die Grenze in ein Land passieren ❸ (meet) **our paths have ~ed several times** wir sind uns schon mehrmals über den Weg gelaufen ❹ (pass) letters sich kreuzen ◆**cross off** vt streichen; ■**to ~ sth off sth** etw von etw dat streichen ◆**cross out** vt ausstreichen ◆**cross over** I. vi hinübergehen; (on boat) übersetzen; (fig) überwechseln; **don't ~ over on a red light** geh nicht bei Rot über die Straße II. vt überqueren

'**cross·bar** n Querlatte f; of goal Torlatte f; of bicycle [Quer]stange f '**cross·beam** n Querbalken m '**cross·bow** n Armbrust f '**cross·breed** I. n ZOOL Kreuzung f; (halfbreed) Mischling m II. vt kreuzen '**cross-channel** adj ferry Kanal- '**cross·check** I. n Gegenprobe f II. vt nachprüfen **cross-'coun·try** I. adj Querfeldein-; ~ **race** Geländerennen nt; ~ **skiing** Langlauf m; ~ **skiing course** Loipe f II. adv ❶ (across a country) quer durchs Land ❷ (across countryside) querfeldein '**cross-cur·rent** n Gegenströmung f **cross-ex·ami·'na·tion** n Kreuzverhör nt; **under** ~ im Kreuzverhör **cross-ex·'am·ine** vt ■**to ~ sb** jdn ins Kreuzverhör nehmen a. fig '**cross-eyed** adj schielend; ■**to be ~** schielen **cross-fer·ti·li·'za·tion** n no pl BOT Kreuzbefruchtung f '**cross·fire** n no pl Kreuzfeuer nt; **to be caught in the ~** ins Kreuzfeuer geraten a. fig **cross-gen·era·tion·al** [ˌkrɒsdʒenə'reɪʃənəl] adj appeal, interest, event für alle Altersgruppen; **will it have ~ appeal?** wird es alle Altersgruppen ansprechen?; **a ~ event** eine Veranstaltung für Jung und Alt

cross·ing ['krɒsɪŋ] n ❶ (place to cross) Übergang m; (crossroads) [Straßen]kreuzung f; **pedestrian** ~ Zebrastreifen m ❷ (journey) Überfahrt f; **the ~ of the Alps** die Überquerung der Alpen

cross-'legged [ˌkrɒs'legd, -'legɪd] I. adj **in a ~ position** mit gekreuzten Beinen II. adv **to sit ~** im Schneidersitz [da]sitzen

cross-pro·'mote *vt* ECON ■ **to ~ sth** für etw *akk* im Einzel-, Versand- und Internethandel werben **cross-'pur·poses** *npl* ▶ **to be talking at ~** aneinander vorbeireden **cross-'ref·er·ence** *n* Querverweis *m* (**to** auf) **'cross·roads** <*pl* -> *n* Kreuzung *f;* (*fig*) Wendepunkt *m;* ■ **at a** [*or* **the**] **~** am Scheideweg **cross-'sec·tion** *n* ➊ (*cut*) Querschnitt *m* (**of** durch) ➋ (*sample*) repräsentative Auswahl **'cross· walk** *n* AM Fußgängerübergang *m* **'cross· ways** *adv* quer **'cross·wind** *n* Seitenwind *m* **'cross·wise** I. *adj* Quer- II. *adv* quer **'cross·word** *n,* **'cross·word puz· zle** *n* Kreuzworträtsel *n*

crotch [krɒtʃ] *n* Unterleib *m; of trousers* Schritt *m*

crotch·et ['krɒtʃɪt] *n* MUS Viertelnote *f*

crotch·ety ['krɒtʃɪti] *adj* (*fam*) quengelig

crouch [kraʊtʃ] I. *n usu sing* Hocke *f* II. *vi* sich kauern

croup [kru:p] *n no pl* MED Krupp *m*

crou·pi·er ['kru:piə'] *n* Croupier *m*

crow [krəʊ] I. *n* Krähe *f* ▶ **as the ~ flies** [in der] Luftlinie II. *vi* <crowed, crowed> ➊ (*cry*) *baby, cock* krähen ➋ (*express happiness*) jauchzen; (*gloatingly*) triumphieren

'crow·bar *n* Brecheisen *nt*

crowd [kraʊd] I. *n + sing/pl vb* ➊ (*throng*) [Menschen]menge *f;* SPORTS, MUS Zuschauermenge *f* ➋ (*fam: clique*) Clique *f;* **a bad ~** ein übler Haufen ➌ *no pl* (*fig*) ■ **the ~** die [breite] Masse; **to follow the ~** mit der Masse gehen II. *vt* ➊ (*fill*) *stadium* füllen; *streets* bevölkern ➋ (*fam: pressure*) ■ **to ~ sb** jdn [be]drängen ➌ (*force*) ■ **to ~ sb into sth** jdn in etw *akk* hineinzwängen III. *vi* ■ **to ~ into sth** sich in etw *akk* hineindrängen ◆ **crowd out** *vt* herausdrängen

crowd·ed ['kraʊdɪd] *adj* überfüllt; *timetable* übervoll; ■ **~ out** (*fam*) gerammelt voll; **to feel ~** (*fam*) sich bedrängt fühlen

'crowd-pleas·er *n* Publikumsrenner *m; person* Publikumsliebling *m* **'crowd-pleas·ing** *adj attr product* Massen-; *policy* populär; *performance* gefällig **'crowd-pull·er** *n* Massenattraktion *f*

crown [kraʊn] I. *n* ➊ *of a monarch* Krone *f;* **~ of thorns** Dornenkrone *f* ➋ (*top*) *of head* Scheitel *m; of hill* Kuppe *f; of roof* [Dach]first *m; of tooth, tree, hat* Krone *f* ➌ (*coin*) Krone *f* II. *vt* krönen; *teeth* überkronen ▶ **to ~ it all** BRIT, AUS (*iron*) zur Krönung des Ganzen

crown 'colo·ny *n* Kronkolonie *f* **crown 'court** *n* BRIT höheres Gericht für Straf-

sachen

crown·ing ['kraʊnɪŋ] *adj* krönend; **the ~ achievement** die Krönung

crown 'jew·els *npl* Kronjuwelen *pl*

crown 'prince *n* Kronprinz *m*

'crow's feet *npl* (*wrinkles*) Krähenfüße *pl*

'crow's nest *n* NAUT Krähennest *nt*

cru·cial ['kru:ʃ'l] *adj* (*decisive*) entscheidend (**to** für); (*critical*) kritisch; (*very important*) äußerst wichtig

cru·ci·ble ['kru:sɪbl] *n* TECH Schmelztiegel *m*

cru·ci·fix ['kru:sɪfɪks] *n* Kruzifix *nt*

cru·ci·fix·ion [ˌkru:sə'fɪkʃ'n] *n* Kreuzigung *f*

cru·ci·fy ['kru:sɪfaɪ] *vt* kreuzigen; (*fig fam*) verreißen

crud·dy ['krʌdi] *adj* (*fam*) mies

crude [kru:d] I. *adj* ➊ (*rudimentary*) primitiv ➋ (*unsophisticated*) plump; *letter* umständlich ➌ (*vulgar*) derb; *manners* rau ➍ (*unprocessed*) roh; **~ oil** Rohöl *nt* II. *n* Rohöl *nt*

crude·ly ['kru:dli] *adv* ➊ (*in a rudimentary way*) primitiv ➋ (*rudely*) rüde; **to behave ~** sich ungehobelt benehmen

cru·el <BRIT -ll- *or* AM *usu* -l-> ['kru:əl] *adj* ➊ (*deliberately mean*) grausam; *remark* gemein ➋ (*harsh*) hart; *disappointment* schrecklich ▶ **to be ~ to be kind** (*saying*) jdm beinhart die Wahrheit sagen

cru·el·ly ['kru:əli] *adv* grausam

cru·el·ty ['kru:əlti] *n* Grausamkeit *f* (**to** gegen); **an act of ~** eine grausame Tat; **~ to animals** Tierquälerei *f;* **~ to children** Kindesmisshandlung *f*

cruise [kru:z] I. *n* Kreuzfahrt *f;* **to go on a ~** eine Kreuzfahrt machen II. *vi* ➊ (*take a cruise*) eine Kreuzfahrt machen; *ship* kreuzen; **to ~ along the Danube** die Donau entlangschippern ➋ (*travel at constant speed*) *aeroplane* [mit Reisegeschwindigkeit] fliegen; *car* [konstante Geschwindigkeit] fahren ➌ (*fam: drive around aimlessly*) herumfahren III. *vt* (*sl*) **to ~ the bars** in den Bars aufreißen gehen

cruise 'mis·sile *n* Marschflugkörper *m*

cruis·er ['kru:zə'] *n* ➊ (*warship*) Kreuzer *m* ➋ (*pleasure boat*) Motoryacht *f*

'cruise ship *n* Kreuzfahrtschiff *nt*

crumb [krʌm] I. *n* ➊ *of biscuit, cake* Krümel *m,* Brösel *m* ÖSTERR *a. nt; of bread also* Krume *f* ➋ (*fig*) **a small ~ of comfort** ein kleiner Trost; **a ~ of hope** ein Funke[n] *m* Hoffnung II. *interj* BRIT, AUS ■ **~ s!** ach du meine Güte! III. *vt* AM panieren

crum·ble ['krʌmbl] I. *vt* zerkrümeln; (*break into bits*) zerbröckeln II. *vi* ➊ (*disintegrate*) zerbröckeln ➋ (*fig*) *empire* zerfallen; *opposition* [allmählich] zerbrechen; *resistance* schwinden; *support* abbröckeln **III.** *n* BRIT *mit Streuseln überbackenes Obstdessert*

crum·bly [ˈkrʌmbli] *adj food* krümelig; *stone* bröckelig

crum·my [ˈkrʌmi] *adj* (*fam*) mies; *house* schäbig; *idea* blöd

crum·pet [ˈkrʌmpɪt] *n* ❶ BRIT *flaches rundes Hefeküchlein zum Auftoasten* ❷ *no pl* BRIT (*sl*) Mieze *f*

crum·ple [ˈkrʌmpl] **I.** *vt* zerknittern; *paper* zerknüllen **II.** *vi* ❶ (*become dented*) eingedrückt werden ❷ (*become wrinkled*) sich verziehen ❸ (*collapse*) zusammenbrechen

crunch [krʌntʃ] **I.** *n* ❶ *usu sing* (*noise*) Knirschen *nt kein pl* ❷ *no pl* (*fam: difficult situation*) Krise *f* ▸ **when it comes to the** ~ wenn es darauf ankommt **II.** *vt* FOOD geräuschvoll verzehren **III.** *vi* ❶ *gravel, snow* knirschen ❷ FOOD ▦ **to** ~ **on sth** geräuschvoll in etw *akk* beißen

crunchy [ˈkrʌntʃi] *adj apple* knackig; *cereal, toast* knusprig; *peanut butter* mit Erdnussstückchen; *snow* verharscht

cru·sade [kruːˈseɪd] **I.** *n* Kreuzzug *m;* **a moral** ~ ein moralischer Kampf; ▦ **the C~s** *pl* HIST die Kreuzzüge *pl* **II.** *vi* ▦ **to** ~ **for/against sth** einen Kreuzzug für/gegen etw *akk* führen

cru·sad·er [kruːˈseɪdə͞r] *n* ❶ (*campaigner*) ▦ **to be a** ~ **against sth** gegen etw *akk* zu Felde ziehen ❷ HIST Kreuzritter *m*

crush [krʌʃ] **I.** *vt* ❶ (*compress*) zusammendrücken; (*causing serious damage*) zerquetschen; MED sich *dat* etw quetschen ❷ FOOD zerdrücken; *grapes* zerstampfen; *ice* zerstoßen ❸ (*shock*) [stark] erschüttern ❹ (*defeat*) vernichten; *hopes* zunichtemachen; *opponent* [vernichtend] schlagen; *rebellion* niederschlagen; *resistance* zerschlagen **II.** *n* ❶ *no pl* (*crowd*) Gedränge *nt* ❷ (*fam: temporary infatuation*) **to have a** ~ **on sb** in jdn verknallt sein ❸ *no pl* (*drink*) Fruchtsaft *m* mit zerstoßenem Eis ◆ **crush up** *vt* zusammenquetschen; *herbs, spices* zerstoßen

'crush bar·ri·er *n* BRIT Absperrung *f*

crush·ing [ˈkrʌʃɪŋ] *adj* schrecklich; *blow* hart; *defeat* vernichtend

crust [krʌst] *n* Kruste *f*

crus·ta·cean [krʌsˈteɪʃⁿn] *n* Krustentier *nt*

crusty [ˈkrʌsti] **I.** *adj* ❶ *bread* knusprig ❷ (*grumpy*) grantig **II.** *n* BRIT (*fam*) *alternative Person, oft mit Dreadlocks*

crutch [krʌtʃ] *n* ❶ MED Krücke *f* ❷ *no pl* (*fig*) Stütze *f*, Halt *m* ❸ ANAT, FASHION Unterleib *m; of trousers* Schritt *m*

crux [krʌks] *n no pl* Kernfrage *f;* **the** ~ **of the matter** der springende Punkt

cry <-ie-> [kraɪ] **I.** *n* ❶ *no pl* (*act of shedding tears*) Weinen *nt;* **to have a** ~ sich ausweinen ❷ (*loud emotional utterance*) Schrei *m;* (*shout also*) Ruf *m;* **a** ~ **of pain** ein Schmerzensschrei *m* ❸ (*appeal*) Ruf *m* (**for** nach); ~ **for help** Hilferuf *m* ❹ (*slogan*) Parole *f* ❺ ZOOL, ORN Schreien *nt kein pl,* Geschrei *nt kein pl* ▸ **to be in full** ~ in voller Jagd sein **II.** *vi* weinen (**for** nach); *baby* schreien **III.** *vt* ❶ (*shed tears*) weinen; **to** ~ **oneself to sleep** sich im Schlaf weinen ❷ (*exclaim*) rufen ▸ **to** ~ **one's eyes** [*or* **heart**] **out** sich *dat* die Augen ausweinen ◆ **cry off** *vi* (*fam*) einen Rückzieher machen ◆ **cry out I.** *vi* ❶ (*shout*) aufschreien ❷ (*protest*) [lautstark] protestieren ❸ (*need*) schreien (**for** nach) ▸ **for** ~**ing out loud** (*fam*) verdammt nochmal! **II.** *vt* rufen; (*scream*) schreien

'cry·baby *n* (*pej fam*) Heulsuse *f pej fam*

cry·ing [ˈkraɪɪŋ] **I.** *n no pl* Weinen *nt;* (*screaming*) Schreien *nt* **II.** *adj* dringend ▸ **it's a** ~ **shame that ...** es ist jammerschade, dass ...

crypt [krɪpt] *n* Krypta *f*

cryp·tic [ˈkrɪptɪk] *adj* rätselhaft; *message also* geheimnisvoll; *look* unergründlich; ~ **crossword** *Kreuzworträtsel, bei dem man um die Ecke denken muss;* ▦ **to be** ~ **about sth** sich nur sehr vage zu etw *dat* äußern

crys·tal [ˈkrɪstⁿl] **I.** *n* ❶ CHEM Kristall *m* ❷ *no pl* (*glass*) Kristallglas *nt* ❸ AM (*on a watch, clock*) [Uhr]glas *nt* **II.** *adj* ❶ CHEM kristallin ❷ (*made of crystal*) Kristall-

crys·tal 'ball *n* Kristallkugel *f;* **I haven't got a** ~ ich bin (doch) kein Hellseher **crys·tal 'clear** *adj* ❶ (*transparent*) *water* kristallklar ❷ (*obvious*) glasklar; **she made it** ~ **that ...** sie stellte unmissverständlich klar, dass ... **crys·tal·line** [ˈkrɪstⁿlaɪn] *adj* ❶ CHEM kristallin ❷ (*liter: crystal clear*) kristallklar **crys·tal·li·za·tion** [ˌkrɪstⁿlaɪˈzeɪʃⁿn] *n no pl* CHEM Kristallisation *f*

crys·tal·lize [ˈkrɪstⁿlaɪz] **I.** *vi* CHEM kristallisieren; (*fig*) *feelings* fassbar werden **II.** *vt* (*fig*) herausbilden

ct. *abbrev of* **cent** ct

CTC [ˌsiːtiːˈsiː] *n* BRIT *abbrev of* **city technology college** ≈ technische Fachschule

cub [kʌb] *n* ❶ ZOOL Junge(s) *nt* ❷ (*cub scout*) Wölfling *m*

Cuba [ˈkjuːbə] *n* Kuba *nt*

Cu·ban [ˈkjuːbⁿn] **I.** *adj* kubanisch **II.** *n* Kubaner(in) *m(f)*

cubby·hole ['kʌbihəʊl] *n* Kämmerchen *nt*

cube [kju:b] I. *n* ❶ (*shape*) Würfel *m* ❷ MATH Kubikzahl *f* II. *vt* ❶ FOOD in Würfel schneiden ❷ MATH hoch drei nehmen; **2 ~d equals 8** 2 hoch 3 ist 8

cub·ic ['kju:bɪk] *adj* ❶ MATH Kubik- ❷ (*cube-shaped*) würfelförmig

cu·bi·cle ['kju:bɪkl] *n* ❶ (*for changing*) [Umkleide]kabine *f* ❷ (*for sleeping*) Schlaf-zelle *f*

cub·ism ['kju:bɪzᵊm] *n no pl* ART Kubis-mus *m*

cub·ist ['kju:bɪst] ART I. *n* Kubist(in) *m(f)* II. *adj* kubistisch

cu·boid ['kju:bɔɪd] *adj* quaderförmig

cuckoo ['kʊku:] I. *n* ORN Kuckuck *m* II. *adj* (*fam*) übergeschnappt

'**cuckoo clock** *n* Kuckucksuhr *f*

cu·cum·ber ['kju:kʌmbəʳ] *n* [Salat]gurke *f* ▶ **to be** [as] **cool as a ~** immer einen küh-len Kopf behalten

cud·dle ['kʌdl] I. *n* (liebevolle) Umarmung; **to give sb a ~** jdn umarmen II. *vt* liebko-sen III. *vi* kuscheln

cud·dly ['kʌdli] *adj* knuddelig

cud·gel ['kʌdʒᵊl] I. *n* Knüppel *m* II. *vt* <BRIT -ll- *or* AM *usu* -l-> niederknüppeln

cue [kju:] I. *n* ❶ THEAT Stichwort *nt;* (*fig also*) Zeichen *nt;* **to take one's ~ from sb** jds Beispiel folgen ❷ (*billiards*) Queue *nt* ÖSTERR *a. m,* Billardstock *m* ▶ [**right**] **on ~** wie gerufen II. *vt* ■**to ~ in** ⟳ **sb** jdm das Stichwort geben

cuff [kʌf] I. *n* ❶ *of sleeve* Manschette *f* ❷ AM, AUS *of trouser leg* [Hosen]auf-schlag *m* ❸ (*blow*) Klaps *m* ❹ (*fam*) ■**~s** *pl* Handschellen *pl* ▶ **off the ~** aus dem Stegreif II. *vt* ■**to ~ sb** ❶ (*strike*) jdm ei-nen Klaps geben ❷ (*fam: handcuff*) jdm Handschellen anlegen

'**cuff link** *n* Manschettenknopf *m*

cui·sine [kwɪ'zi:n] *n no pl* Küche *f*

cul-de-sac <*pl* -s *or* culs-de-sac> ['kʌldəsæk] *n* Sackgasse *f a. fig*

culi·nary ['kʌlɪnᵊri] *adj* kulinarisch; **~ equipment** Küchengeräte *pl;* **~ skills** Kochkünste *pl*

cull [kʌl] I. *vt* ❶ (*kill*) erlegen (*um den Be-stand zu reduzieren*) ❷ (*select*) herausfil-tern II. *n* Abschlachten *nt kein pl;* (*fig*) Ab-schuss *m kein pl*

cul·mi·nate ['kʌlmɪneɪt] *vi* gipfeln (**in** in)

cul·mi·na·tion [ˌkʌlmɪ'neɪʃᵊn] *n no pl* Hö-hepunkt *m*

cu·lottes [kju:'lɒts] *npl* Hosenrock *m*

cul·pable ['kʌlpəbl] *adj* (*form*) schuldig; **to hold sb ~ for sth** jdm die Schuld an etw *dat* geben

cul·prit ['kʌlprɪt] *n* Schuldige(r) *f(m);* (*hum*) Missetäter(in) *m(f)*

cult [kʌlt] *n* Kult *m*

'**cult fig·ure** *n* Kultfigur *f*

cul·ti·vate ['kʌltɪveɪt] *vt* ❶ AGR (*grow*) an-bauen; (*till*) land bestellen ❷ (*fig form*) entwickeln; *accent, contacts* pflegen; *sb's talent* fördern

cul·ti·vat·ed ['kʌltɪveɪtɪd] *adj* ❶ AGR *field* bestellt; *land, soil also* kultiviert, bebaut ❷ (*fig*) kultiviert

cul·ti·va·tion [ˌkʌltɪ'veɪʃᵊn] *n no pl* AGR *of crops, vegetables* Anbau *m; of land* Bebau-ung *m,* Bestellung *f*

cul·ti·va·tor ['kʌltɪveɪtəʳ] *n* Grubber *m*

cul·tur·al ['kʌltʃᵊrᵊl] *adj* kulturell; **~ attaché** Kulturattaché *m;* **~ backwater** Kultur-wüste *f;* **~ exchange** Kulturaustausch *m;* **~ revolution** Kulturrevolution *f*

cul·tur·al·ly ['kʌltʃᵊrᵊli] *adv* kulturell, in kultureller Hinsicht; **~ diverse** multikultu-rell

cul·ture ['kʌltʃəʳ] I. *n* ❶ Kultur *f;* **person of ~** kultivierter Mann/kultivierte Frau II. *vt* BIOL züchten

cul·tured ['kʌltʃəd] *adj* kultiviert

'**cul·ture vul·ture** *n* BRIT (*pej fam*) [Kunst-und] Kulturfreak *m*

cum·ber·some ['kʌmbəsəm] *adj luggage* unhandlich; *clothing* unbequem; *style of writing* schwerfällig

cum·in ['kʌmɪn, 'kju:-] *n no pl* Kreuzküm-mel *m*

cu·mu·la·tive ['kju:mjələtɪv] *adj* kumula-tiv; **~ total** Gesamtbetrag *m*

cu·mu·lus <*pl* -li> ['kju:mjələs, *pl* li:] *n* Kumulus *m*

cun·ning ['kʌnɪŋ] I. *adj* ❶ (*ingenious*) *idea* clever, raffiniert; *person also* schlau, geris-sen; *device* ausgeklügelt; *look* listig ❷ AM (*cute*) niedlich II. *n no pl* (*ingenuity*) Cle-verness *f,* Gerissenheit *f*

cun·ning·ly ['kʌnɪŋli] *adv* (*slyly*) schlau; (*ingeniously*) geschickt, clever, raffiniert

cunt [kʌnt] *n* (*vulg*) Fotze *f*

cup [kʌp] I. *n* ❶ (*container*) Tasse *f; of paper, plastic* Becher *m;* **a cup of coffee** eine Tasse Kaffee ❷ SPORTS Pokal *m;* **the World C~** der Weltcup ❸ (*part of bra*) Körbchen *nt;* (*size*) Körbchengröße *f* ❹ AM SPORTS Suspensorium *nt* ❺ *no pl* (*drink*) Punsch *m* ▶ **that's** [**just**]/**not my ~ of tea** das ist genau/nicht gerade mein Fall II. *vt* <-pp-> **to ~ one's hands** mit den Händen eine Schale bilden; **she ~ped her hands around her mug** sie legte die Hände um den Becher; **she ~ped her chin in her hands** sie stützte das Kinn in die Hände

cup·board ['kʌbəd] *n* Schrank *m*, Kasten *m* ÖSTERR

cup 'fi·nal *n* Pokalendspiel *nt*, Cupfinale *nt*

cup·ful <*pl* -s *or esp* AM cupsful> ['kʌpfʊl] *n* Tasse *f*

cu·po·la ['kju:pələ] *n* Kuppel *f*

cup·pa ['kʌpə] *n* BRIT (*fam*) Tasse *f* Tee

'cup tie *n* Pokalspiel *nt* '**cup win·ner** *n* SPORTS Pokalsieger(in) *m(f)*

cur [kɜː'] *n* (*pej liter*) ❶ (*dog*) [gefährlicher] Köter ❷ (*person*) fieser Hund *fam*

cur·able ['kjʊərəbl] *adj* heilbar

cu·rate ['kjʊərət] *n* REL Kurat *m*

cu·ra·tor [kjʊə'reɪtə'] *n* Konservator(in) *m(f)*

curb [kɜːb] I. *vt* zügeln; **to ~ one's dog** AM seinen Hund an der Leine führen; *expenditure* senken; *inflation* bremsen II. *n* ❶ (*control*) Beschränkung *f*; **to keep a ~ on sth** etw im Zaum halten; **to put a ~ on sth** etw zügeln ❷ (*of harness*) Kandare *f* ❸ AM (*kerb*) Randstein *m*

'curb bit *n* Kandare *f* '**curb·stone** *n* AM Randstein *m*

curd *n* **~ cheese** Weißkäse *m*

cur·dle [kɜːdl] I. *vi* gerinnen ▶**to make sb's blood ~** jdm das Blut in den Adern gerinnen lassen II. *vt* gerinnen lassen

cure [kjʊər] I. *vt* ❶ (*heal*) heilen *a. fig* (**of** von); *cancer* besiegen ❷ FOOD haltbar machen; (*by smoking*) räuchern; (*by salting*) pökeln; (*by drying*) trocknen; (*using vinegar*) in Essig einlegen II. *n* ❶ (*remedy*) [Heil]mittel *nt* (**for** gegen) ❷ *no pl* (*recovery*) Heilung *f*; (*fig: solution*) Lösung *f*; **she was beyond ~** ihr war nicht mehr zu helfen

'cure-all *n* Allheilmittel *nt* (**for** gegen)

cur·few ['kɜːfjuː] *n* Ausgangssperre *f*; **what time is the ~?** wann ist Sperrstunde?

cu·ri·os·ity [ˌkjʊəriˈɒsəti] *n* ❶ *no pl* (*desire to know*) Neugier[de] *f* ❷ (*object*) Kuriosität *f* ▶**~ killed the cat** (*prov*) wer wird denn so neugierig sein?

cu·ri·ous ['kjʊəriəs] *adj* ❶ (*inquisitive*) neugierig; **to be ~ to see sb/sth** neugierig darauf sein, jdn/etw zu sehen; ∎**to be ~ as to** [*or about*] **sth** neugierig auf etw *akk* sein ❷ (*peculiar*) seltsam, merkwürdig; **a ~ thing happened to me yesterday** gestern ist mir etwas ganz Komisches passiert

cu·ri·ous·ly ['kjʊəriəsli] *adv* ❶ (*with curiosity*) neugierig, wissbegierig ❷ (*strangely*) seltsamerweise, merkwürdigerweise

curl [kɜːl] I. *n* ❶ (*loop of hair*) Locke *f* ❷ (*spiral*) Kringel *m*; **~s of smoke** Rauchkringel *pl* ❸ SPORTS Hantelübung *f* II. *vi* ❶ *hair* sich locken; **does your hair ~ naturally?** hast du Naturlocken? ❷ *leaf* sich einrollen III. *vt* ❶ (*contract*) **to ~ oneself into a ball** sich zusammenrollen; **to ~ one's hair** sich *dat* Locken drehen; **to ~ one's lip** [verächtlich] die Lippen schürzen; **to ~ one's toes** die Zehen einziehen ❷ (*wrap*) **to ~ sth [round sth]** etw [um etw *akk*] herumwickeln

curl·er ['kɜːlə'] *n* Lockenwickler *m*

cur·lew ['kɜːljuː] *n* ORN Brachvogel *m*

curl·ing ['kɜːlɪŋ] *n* *no pl* SPORTS Curling *nt*, Eisstockschießen *nt*; **~ stone** Puck *m*

'curl·ing iron *n*, **'curl·ing tongs** *npl* Lockenstab *m*

curly ['kɜːli] *adj* *leaves* gewellt, gekräuselt; *hair also* lockig

cur·rant ['kʌrənt] *n* ❶ (*dried grape*) Korinthe *f*; **~ bun** Korinthenbrötchen *nt* ❷ (*berry*) Johannisbeere *f*, Ribisel *f* ÖSTERR

cur·ren·cy ['kʌrən(t)si] *n* ❶ (*money*) Währung *f*; [**foreign**] **~** Devisen *pl* ❷ *no pl* (*acceptance*) [weite] Verbreitung *f*; **to gain ~** sich verbreiten

cur·rent ['kʌrənt] I. *adj* gegenwärtig; *issue* aktuell; **in ~ use** gebräuchlich II. *n* ❶ *of air, water* Strömung *f*; **~ of air** Luftströmung *f*; **to swim against/with the ~** gegen/mit dem Strom schwimmen *a. fig* ❷ ELEC Strom *m*

cur·rent ac·'count *n* BRIT Girokonto *nt* **cur·rent af·'fairs** *n*, **cur·rent e'vents** *npl* POL Zeitgeschehen *nt kein pl*

cur·rent·ly ['kʌrəntli] *adv* zur Zeit

cur·rent o'pin·ion *n* aktuelle öffentliche Meinung **cur·rent 'rate** *n* aktueller Kurs

cur·ricu·lum vi·tae <*pl* -s *or* curricula vitae> [-'viːtaɪ] *n* Lebenslauf *m*

cur·ry[1] ['kʌri] FOOD I. *n* Curry *nt o m*; **~ paste** Currypaste *f*; **hot/medium/ mild ~** scharfes/mittelscharfes/mildes Curry II. *vt* <-ie-> als Curry zubereiten

cur·ry[2] <-ie-> ['kʌri] *vt* (*groom horse*) striegeln ▶**to ~ favour [with sb]** sich [bei jdm] einschmeicheln [wollen]

curse [kɜːs] I. *vi* fluchen II. *vt* ❶ (*swear at*) verfluchen ❷ (*put a magic spell on*) verwünschen III. *n* Fluch *m*; **to put a ~ on sb** jdn verwünschen; **with a ~** fluchend

curs·ed[1] ['kɜːsɪd] *adj* (*annoying*) verflucht

curs·ed[2] [kɜːst] *adj* ❶ (*under a curse*) verhext ❷ (*fig: afflicted*) ∎**to be ~ with sth** mit etw *dat* geschlagen sein

cur·sor ['kɜːsə'] *n* COMPUT Cursor *m*

cur·sory ['kɜːs°ri] *adj* *glance* flüchtig; *examination* oberflächlich

curt [kɜːt] *adj* (*pej*) schroff, barsch; ∎**to be ~ with sb** zu jdm kurz angebunden sein

cur·tail [kɜː'teɪl] *vt* ❶ (*reduce*) kürzen ❷ (*shorten*) verkürzen; *holiday* frühzeitig abbrechen

cur·tail·ment [kɜː'teɪlmənt] *n* Beschränkung *f*

cur·tain ['kɜːtᵊn] *n* ❶ (*across a window*) Vorhang *m*; [net] ~ Gardine *f*; **the final ~** die letzte Vorstellung ❷ (*fig*) Schleier *m*, Vorhang *m*; ~ **of rain/smoke** Regen-/Rauchwand *f*

cur·tain call *n* THEAT Vorhang *m*; **to take a ~** einen Vorhang bekommen 'cur·tain rais·er *n* THEAT [kurzes] Vorspiel

curt·ly ['kɜːtli] *adv* brüsk, schroff; **to dismiss sb ~** jdn kurzerhand entlassen

curt·sey, curt·sy ['kɜːtsi] **I.** *vi* knicksen (**to** vor) **II.** *n* [Hof]knicks *m*; **to make a ~ to sb** einen [Hof]knicks vor jdm machen

cur·va·ture ['kɜːvətʃəʳ] *n no pl* Krümmung *f*; ~ **of the spine** Rückgratverkrümmung *f*

curve [kɜːv] **I.** *n* ❶ (*bending line*) *of a figure, vase* Rundung *f*, Wölbung *f*; *of a road* Kurve *f*; *of a river* Bogen *m* ❷ MATH Kurve *f* **II.** *vi river, road* eine Kurve machen; *line* eine Kurve beschreiben; **to ~ through the air** in einem hohen Bogen durch die Luft fliegen **III.** *vt* biegen

curved [kɜːvd] *adj* gebogen, geschwungen; *surface* gewölbt; **the ~ line represents the temperature fluctuation** die Kurve zeigt die Temperaturschwankungen

curvy ['kɜːvi] *adj* kurvenreich; *line* krumm

cush·ion ['kʊʃᵊn] **I.** *n* ❶ (*pillow*) Kissen *nt*, Polster *m* ÖSTERR ❷ (*fig: buffer*) Polster *m* o ÖSTERR *a. m*; ~ **of air** Luftkissen *nt* **II.** *vt* dämpfen *a. fig*

cushy ['kʊʃi] *adj* (*pej fam*) bequem; *job* ruhig; **to have a ~ time** sich *dat* kein Bein ausreißen ▶ **to be on to a ~ number** BRIT eine ruhige Kugel schieben

cuss [kʌs] *vi* (*fam*) fluchen

cus·tard ['kʌstəd] *n no pl* FOOD (*sauce*) ≈ Vanillesoße *f*; (*set*) ≈ Vanillepudding *m*

cus·to·dial [kʌs'təʊdiəl] *adj* Wach-; ~ **sentence** Freiheitsstrafe *f*

cus·to·dian [kʌs'təʊdiən] *n* ❶ (*keeper*) Aufseher(in) *m(f)*; *of museum* Wärter(in) *m(f)*; *of valuables* Hüter(in) *m(f)* ❷ AM (*caretaker*) Hausmeister(in) *m(f)*

cus·to·dy ['kʌstədi] *n no pl* ❶ (*guardianship*) Obhut *f*; LAW Sorgerecht *nt* (**of** für) ❷ (*detention*) Haft *f*; **to hold sb in ~** jdn in Gewahrsam halten; **to remand sb in ~** jdn in die Untersuchungshaft zurücksenden; **to take sb into ~** jdn verhaften; **to take sb into protective ~** jdn in Schutzhaft nehmen

cus·tom ['kʌstəm] *n* ❶ (*tradition*) Brauch *m*, Sitte *f* ❷ *no pl* (*usual behaviour*) Gewohnheit *f* ❸ *no pl* (*patronage*) Kundschaft *f*; **to withdraw one's ~** [*or* take one's ~ **elsewhere**] anderswohin gehen

cus·tom·ary ['kʌstəmᵊri] *adj* üblich

'cus·tom-built *adj* spezialangefertigt **cus·tom 'clothes** *npl* AM maßgeschneiderte Kleidung

cus·tom·er ['kʌstəməʳ] *n* ❶ (*buyer, patron*) Kunde, Kundin *m, f*; **regular ~** Stammkunde, -kundin *m, f* ❷ (*fam: person*) Typ *m*

'cus·tom·er num·ber *n* Kundennummer *f*

cus·tom·ize ['kʌstəmaɪz] *vt* nach Kundenwünschen anfertigen

cus·tom-'made *adj* auf den Kunden zugeschnitten; *shirt* maßgeschneidert; *shoes* maßgefertigt; **a ~ slipcover** ein Schonbezug *m* in Sonderanfertigung; ~ **suit** Maßanzug *m*

cus·toms ['kʌstəmz] *npl* Zoll *m*

'cus·toms clear·ance *n* Zollabfertigung *f*; **to get ~ for sth** etw verzollt bekommen 'cus·toms dec·la·ra·tion *n* Zollerklärung *f* 'cus·toms dues *npl*, 'cus·toms duties *npl* Zollabgaben *pl* 'cus·toms ex·ami·na·tion *n* Zollkontrolle *f* 'cus·tom(s) house *n* Zollamt *nt* 'cus·toms of·fic·er *n*, 'cus·toms of·fi·cial *n* Zollbeamte(r), -beamtin *m, f* 'cus·toms un·ion *n* Zollunion *f*

cut [kʌt] **I.** *n* ❶ (*act*) Schnitt *m*; **my hair needs a ~** mein Haar muss geschnitten werden; **to make a ~** [**in sth**] [in etw *akk*] einen Einschnitt machen ❷ (*piece of meat*) Stück *nt*; **cold ~s** Aufschnitt *m* ❸ (*fit*) [Zu]schnitt *m*; *of shirt, trousers* Schnitt *m* ❹ (*wound*) Schnittwunde *f*; **to get a ~** sich schneiden ❺ (*fam: due*) [An]teil *m* ❻ (*decrease*) Senkung *f*; ~ **in emissions** Abgasreduzierung *f*; ~ **in interest rates** Zinssenkung *f*; ~ **in production** Produktionseinschränkung *f*; ~ **in staff** Personalabbau *m*; **to take a ~** eine Kürzung hinnehmen; **many people have had to take a ~ in their living standards** viele Menschen mussten sich mit einer Einschränkung ihres Lebensstandards abfinden ❼ (*less spending*) ■ ~ **s** Kürzungen *pl* ❽ *in film* Schnitt *m*; *in book* Streichung *f* ❾ AM (*truancy*) Schwänzen *nt kein pl* ▶ **the ~ and thrust of sth** das Spannungsfeld einer S. *gen*; **to be a ~ above sb/sth** jdm/etw um einiges überlegen sein **II.** *adj* ❶ (*removed*) abgeschnitten; (*sliced*) *bread* [auf]geschnitten; ~ **flowers** Schnittblumen *pl* ❷ (*fitted*) *glass, jewel* geschliffen **III.** *in-*

terj FILM ~! Schnitt! **IV.** *vt* <-tt-, cut, cut> **❶** (*slice*) schneiden (**in** in); *bread* aufschneiden; *slice of bread* abschneiden; **to ~ sth to pieces** [*or* **shreds**] etw zerstückeln; **to ~ sth in|to| several pieces** etw in mehrere Teile zerschneiden; **to ~ free/ loose** losschneiden; **to ~ open** aufschneiden **❷** (*sever*) durchschneiden **❸** (*trim*) [ab]schneiden; **to ~ one's fingernails** sich *dat* die Fingernägel schneiden; **to ~ the grass** den Rasen mähen; **to ~ sb's hair** jdm die Haare schneiden; **to have** [*or* **get**] **one's hair ~** sich *dat* die Haare schneiden lassen **❹** (*clear*) **they're planning to ~ a road right through the forest** sie planen, eine Straße mitten durch den Wald zu schlagen **❺** (*decrease*) *costs* senken; *prices* herabsetzen; *overtime* reduzieren; *wages* kürzen (**by** um); **to ~ one's losses** weitere Verluste vermeiden **❻** *film* kürzen; *scene* herausschneiden; **to ~ short** abbrechen; **to ~ sb short** jdn unterbrechen **❼** (*miss*) *class, school* schwänzen **❽** (*turn off*) *engine* abstellen **❾** (*shape*) *diamond* schleifen **❿** AUTO *corner* schneiden **⓫** *tooth* bekommen **⓬** CARDS abheben **⓭** MUS *CD* aufnehmen **⓮** COMPUT ausschneiden **⓯** SPORTS *ball* [an]schneiden ▸ **to ~ sb dead** jdn schneiden; **to ~ a bit** [**a bit**] **fine** [ein bisschen] knapp kalkulieren; **to ~ sb to the quick** jdn ins Mark treffen **V.** *vi* <-tt-, cut, cut> **❶** (*slice*) *knife* schneiden **❷** (*slice easily*) *material* sich schneiden lassen **❸** (*take short cut*) eine Abkürzung nehmen **❹** CARDS abheben; **to ~ for dealer** den Geber auslosen **❺** AM (*fam: push in*) **no ~ting!** nicht drängeln!; **to ~** [**in line**] sich vordrängeln **❻** (*withdraw*) ■**to ~ loose** sich trennen (**from** von); (*fig*) das Hemmungen verlieren ▸ **to ~ to the chase** AM (*fam*) auf den Punkt kommen; **to ~ both** [*or* **two**] **ways** eine zweischneidige Sache sein; **to ~ and run** Reißaus nehmen ◆**cut across** *vi* **❶** (*to other side*) hinüberfahren **❷** (*take short cut*) durchqueren; **to ~ across country** querfeldein fahren; **to ~ across a field** quer über ein Feld gehen **❸** (*fig: affect*) quer durch ◆**cut away** *vt* wegschneiden ◆**cut back I.** *vt* **❶** (*fell*) *tree* umhauen **❷** (*reduce*) einschränken; *labour force* abbauen; *production* zurückfahren; **to ~ down wastage**

weniger Abfall produzieren **❸** (*abridge*) kürzen **❹** FASHION kürzen ▸ **to ~ sb down to size** jdn in seine Schranken verweisen **II.** *vi* ■**to ~ down on sth** etw einschränken; **to ~ down on smoking** das Rauchen einschränken ◆**cut in I.** *vi* **❶** (*interrupt*) unterbrechen **❷** (*activate*) sich einschalten **❸** AUTO einscheren; ■**to ~ in in front of sb** jdn schneiden **❹** (*take over during a dance*) ■**to ~ in on sb** jdn ablösen **❺** (*jump queue*) sich vordrängeln; ■**to ~ in on** [*or* **in front of**] **sb** sich vor jdn drängeln **II.** *vt* ■**to ~ sb in** **❶** (*share with*) jdn [am Gewinn] beteiligen **❷** (*include*) teilnehmen lassen; (*in a game*) jdn mitspielen lassen; **shall we ~ you in?** willst du mitmachen? ◆**cut into** *vi* **❶** (*slice*) anschneiden **❷** (*decrease*) verkürzen **❸** (*interrupt*) unterbrechen ◆**cut off** *vt* **❶** (*remove*) abschneiden; ■**to ~ sth off sth** etw von etw *dat* abschneiden **❷** (*silence*) unterbrechen; **to ~ sb off in mid-sentence** [*or* **mid-flow**] jdm den Satz abschneiden **❸** (*disconnect*) unterbinden; *electricity* abstellen; *escape route* abschneiden; *gas supply* abdrehen; *phone conversation* unterbrechen **❹** (*isolate*) abschneiden; ■**to ~ oneself off** sich zurückziehen **❺** AM (*refuse drink*) ■**to ~ off** ○ **sb** jdm nichts mehr zu trinken geben **❻** AM AUTO (*pull in front of*) schneiden ◆**cut out I.** *vt* **❶** (*excise*) herausschneiden **❷** (*from paper*) ausschneiden **❸** (*abridge*) streichen **❹** (*eschew*) weglassen ▸ **to ~ it out!** hör auf damit! **❺** (*block*) *light* abschirmen; **it's a beautiful tree, but it ~s out most of the light** es ist ein schöner Baum, aber er nimmt uns das meiste Licht **❼** (*exclude*) ausschließen; [**you can**] **~ me out!** ohne mich! **❽** (*disinherit*) **to ~ sb out of one's will** jdn aus seinem Testament streichen ▸ **to have one's work ~ out** alle Hände voll zu tun haben; **to be ~ out for sth** für etw *akk* geeignet sein **II.** *vi* **❶** (*stop operating*) ausschalten; *plane's engine* aussetzen **❷** AM AUTO ausscheren; **to ~ out of traffic** plötzlich die Spur wechseln **❸** AM (*depart*) sich davonmachen; **he ~ out after dinner** nach dem Essen schwirrte er ab *fam* ◆**cut up I.** *vt* **❶** (*slice*) zerschneiden; *food for a child* klein schneiden **❷** (*injure*) ■**to ~ up** ○ **sb** jdm Schnittwunden zufügen **❸** (*fig: sadden*) schwer treffen; **the divorce really ~ him up** die Scheidung war ein schwerer Schlag für ihn; ■**to be ~ up** [**about sth**] [über etw *akk*] zutiefst betroffen sein **❹** BRIT AUTO (*pull in front of*) schneiden **II.** *vi* AM sich danebenbenehmen ▶ **to ~ up rough** BRIT grob werden

cut-and-ˈdried *adj* ❶ (*fixed*) abgemacht; *decision* klar ❷ (*simple*) eindeutig; **~ solution** Patentlösung *f*

cut-and-ˈpaste [ˌkʌtəndˈpeɪst] *adj* Textumstellungs-; **~ plagiarism** durch Textumstellung hergestellte Plagiate

cut·back [ˈkʌtbæk] *n* Kürzung *f*

cute <-r, -st> [kjuːt] *adj* ❶ (*sweet*) süß, niedlich ❷ AM (*clever*) schlau

cutey *n* AM (*fam*) *see* **cutie**

cu·ti·cle [ˈkjuːtɪkl] *n* Nagelhaut *f*

cutie [ˈkjuːʈi] *n* AM (*fam*), **cutie·pie** [ˈkjuːʈipaɪ] *n* AM (*fam: woman*) dufte Biene; (*man*) irrer Typ; **hi there, ~!** hallo, Süße!

cut·lass <*pl* -es> [ˈkʌtləs] *n* Entermesser *nt*

cut·lery [ˈkʌtlᵊri] *n no pl* Besteck *nt*

cut·let [ˈkʌtlət] *n* ❶ (*meat*) Kotelett *nt* ❷ (*patty*) Frikadelle *f*

cut-off [ˈkʌtɒf] *n* ❶ (*limit*) Obergrenze *f* ❷ (*stop*) Beendigung *f;* **~ date** Endtermin *m* **cut-out** [ˈkʌtaʊt] **I.** *n* ❶ (*shape*) Ausschneidefigur *f* ❷ (*stereotype*) **cardboard ~** [Reklame]puppe *f* ❸ (*switch*) Unterbrecher *m* **II.** *adj* ausgeschnitten

ˈ**cut-price** **I.** *adj product, store* Billig-; *clothes* herabgesetzt; *ticket* ermäßigt **II.** *adv* zu Schleuderpreisen

cut·ter [ˈkʌtᵊʳ] *n* ❶ (*tool*) Schneider *m* ❷ (*person*) [Zu]schneider(in) *m(f);* FILM Cutter(in) *m(f)* ❸ NAUT Kutter *m*

cut·ting [ˈkʌtɪŋ] **I.** *n* ❶ JOURN Ausschnitt *m;* **press ~** Zeitungsausschnitt *m* ❷ HORT Ableger *m* **II.** *adj comment* scharf; *remark* beißend

cut·ting ˈedge **I.** *n* ❶ (*blade*) Schneide *f* ❷ *no pl* (*latest stage*) ▪**to be at the ~** an vorderster Front stehen **II.** *adj* supermodern, Hightech-, Spitzen-

cut·tle·fish <*pl* - *or* -es> *n* Tintenfisch *m*

cuz [kəz] *conj* AM (*sl*) *short for* **because** weil

CV [ˌsiːˈviː] *n abbrev of* **curriculum vitae**

cwt <*pl* - *or* -s> *abbrev of* **hundredweight**

cya·nide [ˈsaɪənaɪd] *n no pl* Zyanid *nt*

cy·ber- [ˈsaɪbə] *in compounds* Cyber-, Internet-

ˈ**cy·ber·beg·ging** *n no pl, no art* COMPUT, INET Betteln *nt* im Internet **cy·ber·cafe** [ˈsaɪbəkæfeɪ] *n* Cybercafe *nt* ˈ**cy·ber·en·**

tre·pre·neur *n* Cyber-Unternehmer(in) *m(f)*

cy·ber·net·ics [ˌsaɪbəˈnetɪks] *n + sing vb* Kybernetik *f*

cy·ber·re·ˈsponse *n* COMPUT, INET Internet-Nachfrage *f,* Internet-Response *f* **cy·ber·space** [ˈsaɪbəspeɪs] *n* Cyberspace *m* ˈ**cy·ber·ver·sion** *n* COMPUT, INET Internet-Version *f*

cyc·la·men [ˈsɪkləmən] *n* Alpenveilchen *nt,* Zyklame *f* ÖSTERR, SCHWEIZ

cy·cle¹ [ˈsaɪkl] *short for* **bicycle** **I.** *n* [Fahr]rad *nt* **II.** *vi* Rad fahren

cy·cle² [ˈsaɪkl] *n* Zyklus *m; of washing machine* Arbeitsgang *m;* **~ of life** Lebenskreislauf *m*

cyc·li·cal [ˈsaɪklɪkᵊl, ˈsɪk-] *adj* zyklisch

cy·cling [ˈsaɪklɪŋ] *n no pl* Radfahren *nt;* SPORTS Radrennsport *m*

cy·clist [ˈsaɪklɪst] *n* Radfahrer(in) *m(f)*

cy·clone [ˈsaɪkləʊn] *n* ❶ METEO Zyklon *m* ❷ AM, AUS **C~®** **fence** Maschendrahtzaun *m*

cyg·net [ˈsɪgnət] *n* junger Schwan

cyl·in·der [ˈsɪlɪndᵊʳ] *n* ❶ AUTO, MATH Zylinder *m* ❷ TECH (*roller*) Walze *f* ❸ (*vessel*) Flasche *f*

ˈ**cyl·in·der block** *n* TECH Zylinderblock *m* **cy·lin·dri·cal** [səˈlɪndrɪkᵊl] *adj* zylindrisch

cym·bal [ˈsɪmbᵊl] *n usu pl* Beckenteller *m;* ▪**~s** Becken *nt;* **clash** [*or* **crash**] **of ~s** Beckenschlag *m*

cyn·ic [ˈsɪnɪk] *n* Zyniker(in) *m(f)*

cyni·cal [ˈsɪnɪkᵊl] *adj* zynisch

cyni·cal·ly [ˈsɪnɪkᵊli] *adv* (*pej*) zynisch *pej*

cyni·cism [ˈsɪnɪsɪzᵊm] *n no pl* Zynismus *m*

cy·pher *n see* **cipher**

cy·press [ˈsaɪprəs] *n* Zypresse *f*

Cyp·ri·ot [ˈsɪpriət] **I.** *n* Zypriot(in) *m(f)* **II.** *adj* zypr[iot]isch

Cy·prus [ˈsaɪprəs] *n no pl* Zypern *nt*

cyst [sɪst] *n* MED Zyste *f*

cys·ti·tis [sɪˈstaɪtɪs] *n no pl* Blasenentzündung *f*

czar *n esp* AM *see* **tsar**

cza·ri·na *n esp* AM *see* **tsarina**

Czech [ˌtʃek] **I.** *n* ❶ (*person*) Tscheche, Tschechin *m, f* ❷ *no pl* (*language*) Tschechisch *nt* **II.** *adj* tschechisch

Czecho·slo·va·kia [ˌtʃekə(ʊ)slə(ʊ)ˈvækiə] *n no pl* (*hist*) die Tschechoslowakei

Czech Re·ˈpub·lic *n no pl* ▪**the ~** die Tschechische Republik

Dd

D <pl -'s or -s>, **d** <pl -'s> [diː] n ❶ (letter) D nt, d nt; see also **A 1** ❷ MUS D nt, d nt; ~ **flat** Des nt, des nt; ~ **sharp** Dis nt, dis nt ❸ (school mark) ≈ Vier f, ≈ ausreichend

d. abbrev of **died** gest.

DA [ˌdiːˈeɪ] n AM LAW abbrev of **district attorney**

dab [dæb] **I.** vt <-bb-> betupfen; **to ~ one's eyes** sich dat die Augen [trocken] tupfen **II.** vi <-bb-> ▪ **to ~ at sth** etw betupfen

DAB [ˌdiːeɪˈbiː] n abbrev of **digital audio broadcasting** digitale Rundfunkübertragung

dab·ble [ˈdæbl] **I.** vi dilettieren; ▪ **to ~ in** [or **with**] **sth** sich nebenbei mit etw dat beschäftigen **II.** vt **to ~ one's feet in the water** mit den Füßen im Wasser planschen **III.** n no pl Zwischenspiel nt; **after a brief ~ in politics, ...** nach einem kurzen Abstecher in die Politik ...

dachs·hund [ˈdæksᵊnd] n Dackel m, Dachshund m

dad [dæd] n (fam) Papa m

dad·dy [ˈdædi] n (fam) Vati m, Papi m

dad·dy-'long-legs <pl -> n (fam) ❶ (crane fly) Schnake f ❷ AM (harvestman) Weberknecht m

daf·fo·dil [ˈdæfədɪl] n Osterglocke f

daft [dɑːft] adj (fam) doof

dag·ger [ˈdægəʳ] n Dolch m ▸ **to look ~s at sb** jdn mit Blicken durchbohren

dahl·ia [ˈdeɪliə] n Dahlie f

dai·ly [ˈdeɪli] **I.** adj, adv täglich; **on a ~ basis** täglich; ~ **routine** Alltagsroutine f **II.** n Tageszeitung f

dain·ty [ˈdeɪnti] adj fein

dairy [ˈdeəri] n ❶ (company) Molkerei f; ~ **products** Molkereiprodukte pl ❷ AM (farm) Milchbetrieb m; ~ **farmer** Milchbauer, Milchbäuerin m, f; ~ **herd** Milchkühe

'**dairy cat·tle** npl Milchvieh nt

dais [ˈdeɪɪs] n Podium nt

dai·sy [ˈdeɪziː] n Gänseblümchen nt ▸ **as fresh as a ~** putzmunter

'**daisy-cut·ter** n ❶ (in cricket) Daisycutter m (am Boden entlang rollender Ball) ❷ MIL Flächenbombe f

dal·ly <-ie-> [ˈdæli] vi [herum]trödeln

dam [dæm] **I.** n [Stau]damm m **II.** vt <-mm-> stauen

dam·age [ˈdæmɪdʒ] **I.** vt ▪ **to ~ sth**

❶ (wreck) etw [be]schädigen ❷ (blemish) etw dat schaden **II.** n no pl Schaden m (**to** an); **to suffer brain ~** einen Gehirnschaden erleiden ▸ **the ~ is done** es ist nun einmal passiert; **what's the ~?** (fam) was kostet der Spaß?

dam·aged [ˈdæmɪdʒd] adj ❶ (destroyed) beschädigt; **badly ~** stark beschädigt ❷ (blemished) reputation befleckt

'**dam·age limi·ta·tion** n no pl ❶ POL Schadensbegrenzung f ❷ MIL Vermeidung f von Verlusten

dam·ag·ing [ˈdæmɪdʒɪŋ] adj ❶ (destroying) schädlich; **to have a ~ effect** [**on sth**] sich auf etw akk negativ auswirken ❷ (disadvantageous) evidence, remark nachteilig

Da·mas·cus [dəˈmæskəs] n Damaskus nt

dame [deɪm] n ❶ AM (dated sl: woman) Dame f ❷ BRIT (title) Freifrau f

damn [dæm] **I.** interj (sl) ▪ ~ [**it**]! verdammt! **II.** adj (sl) ❶ (cursed) Scheiß-; ~ **fool** Vollidiot m ❷ (emph) verdammt; **to be a ~ sight better** entschieden besser sein ▸ ~ **all** BRIT nicht die Bohne; **to know ~ all about sth** von etw dat überhaupt keine Ahnung haben **III.** vt ❶ (sl: curse) verfluchen; ~ **you!** hol dich der Teufel! ❷ (condemn) verurteilen ❸ (punish) verdammen ▸ **as near as ~ it** (fam) so gut wie; **I'm ~ed if I'm going to invite her** es fällt mir nicht im Traum ein, sie einzuladen; **well I'm** [or **I'll be**] ~**ed!** (fam!) mich tritt ein Pferd! **IV.** adv (fam!) verdammt **V.** n no pl (fam!) **sb does not give** [or **care**] **a ~ about sb/sth** jdm ist jd/etw scheißegal

dam·na·tion [dæmˈneɪʃᵊn] n no pl Verdammnis f

damned [dæmd] **I.** adj (fam!) ❶ (cursed) Scheiß- ❷ (emph: extreme) verdammt **II.** adv (fam!) verdammt **III.** n ▪ **the ~** pl die Verdammten

damn·ing [ˈdæmɪŋ] adj comment vernichtend; evidence erdrückend; report belastend

damp [dæmp] **I.** adj feucht **II.** n no pl BRIT, AUS Feuchtigkeit f; **patch of ~** feuchter Fleck **III.** vt befeuchten

'**damp course** n [Feuchtigkeits]dämmschicht f

damp·en [ˈdæmpən] vt ❶ (wet) befeuchten [o anfeuchten] ❷ (suppress) dämpfen

damp·ness [ˈdæmpnəs] n no pl Feuchtigkeit *f*

dam·son ['dæmzᵊn] *n* Haferpflaume *f,* Damaszenerpflaume *f*

dance [dɑːn(t)s] I. *vi, vt* tanzen *a. fig* II. *n* Tanz *m;* **to have a ~ with sb** mit jdm tanzen; **end-of-term dinner ~** Semesterabschlussball *m*

'**dance band** *n* Tanzkapelle *f* '**dance mu·sic** *n no pl* Tanzmusik *f*

danc·er ['dɑːn(t)sərˈ] *n* Tänzer(in) *m(f)*

danc·ing ['dɑːn(t)sɪŋ] *n no pl* Tanzen *nt* '**danc·ing mas·ter** *n* Tanzlehrer(in) *m(f)* '**danc·ing part·ner** *n* Tanzpartner(in) *m(f)* '**danc·ing shoes** *npl* Tanzschuhe *pl*

dan·de·lion ['dændɪlaɪən] *n* Löwenzahn *m*

dan·druff ['dændrʌf] *n no pl* [Kopf]schuppen *pl*

dan·dy ['dændi] I. *n* (*pej*) Dandy *m pej,* Geck *m pej* II. *adj* (*dated: very good*) super *fam;* **that's just ~!** das ist großartig!

Dane [deɪn] *n* Däne(in) *m(f)*

dan·ger ['deɪndʒərˈ] *n* Gefahr *f;* **~! keep out!** Zutritt verboten! Lebensgefahr!; **there is no ~ of that!** diese Gefahr besteht nicht; ▪**to be a ~ to sb/sth** eine Gefahr für jdn/etw sein; **to be in ~ of extinction** vom Aussterben bedroht sein; ▪**to be in ~ of doing sth** Gefahr laufen, etw zu tun

'**dan·ger area** *n* Gefahrenzone *f* '**dan·ger mon·ey** *n no pl* Brit, Aus Gefahrenzulage *f*

dan·ger·ous ['deɪndʒᵊrəs] *adj* gefährlich; **~ to health** gesundheitsgefährdend

dan·ger·ous·ly ['deɪndʒᵊrəsli] *adv* gefährlich; **to live ~** gefährlich leben

dan·gle ['dæŋgl] I. *vi* herabhängen; *earrings* baumeln (**from** an) ▸**to keep sb dangling** jdn zappeln lassen II. *vt* ❶ (*swing*) **to ~ one's feet** mit den Füßen baumeln ❷ (*tempt with*) ▪**to ~ sth before** [*or* **in front of**] **sb** jdm etw [verlockend] in Aussicht stellen

Dan·ish ['deɪnɪʃ] I. *n* <*pl* -es> ❶ *no pl* (*language*) Dänisch *nt* ❷ (*people*) ▪**the ~** *pl* die Dänen ❸ Am (*cake*) *see* **Danish pastry** II. *adj* dänisch

Dan·ish 'pas·try *n* Blätterteiggebäck *nt*

dank [dæŋk] *adj* nasskalt

Dan·ube ['dænjuːb] *n no pl* ▪**the ~** die Donau

dap·per <-er, -est> ['dæpərˈ] *adj* adrett

dap·pled ['dæpld] *adj horse* scheckig; *light* gesprenkelt; **~ shade** Halbschatten *m*

dare [deəˈ] I. *vt* herausfordern; **I ~ you!** trau dich!; **I ~ you to ask him to dance** ich wette, dass du dich nicht traust, ihn zum Tanzen aufzufordern II. *vi* sich trauen; ▪**to ~** [**to**] **do sth** es wagen, etw zu tun ▸▪ **I say** [**it**] ... ich wage zu behaupten, ...;

who ~s wins (*prov*) wer wagt, gewinnt; [**just** [*or* **don't**]] **you ~!** untersteh dich!; **how ~ you!** was fällt Ihnen ein!; **how ~ sb do sth** wie kann es jd wagen, etw zu tun; **I ~ say** (*supposing*) ich nehme an; (*confirming*) das glaube ich gern III. *n* Mutprobe *f;* **it's a ~!** sei kein Frosch!

'**dare·dev·il** (*fam*) I. *n* Draufgänger(in) *m(f)* II. *adj* tollkühn; *stunt* halsbrecherisch

dar·ing ['deərɪŋ] I. *adj* ❶ (*brave*) *person* kühn, wagemutig; *crime* dreist; *rescue operation* waghalsig ❷ (*provocative*) verwegen; *film* gewagt ❸ (*revealing*) *dress* gewagt II. *n no pl* Kühnheit *f*

dar·ing·ly ['deərɪŋli] *adv* ❶ (*bravely*) wagemutig, kühn ❷ (*provocatively*) herausfordernd, provozierend

dark [dɑːk] I. *adj* ❶ (*unlit*) dunkel, finster; (*gloomy*) düster ❷ (*in colour*) dunkel; **~ blue** dunkelblau ❸ (*fig*) *chapter* dunkel; *look* finster; **to look on the ~ side of things** schwarzsehen; **in ~est Peru** im tiefsten Peru II. *n no pl* ▪**the ~** die Dunkelheit; **to see/sit in the ~** im Dunkeln sehen/sitzen; **before/after ~** vor/nach Einbruch der Dunkelheit ▸**to keep sb in the ~** jdn im Dunkeln lassen; **to be** [**completely**] **in the ~** keine Ahnung haben

'**Dark Ages** *npl* ❶ HIST ▪**the ~** das frühe Mittelalter ❷ (*fig*) ▪**the d~ a~** die schlimmen Zeiten

dark·en ['dɑːkᵊn] I. *vi* ❶ *sky* dunkel werden ❷ *face, mood* sich verdüstern II. *vt* verdunkeln; *room* abdunkeln ▸**never ~ these doors again!** lass dich hier bloß nicht wieder blicken!

dark 'horse *n* ❶ Brit, Aus (*talent*) unbekannte Größe ❷ Am (*victor*) erfolgreicher Außenseiter

dark·ly ['dɑːkli] *adv* ❶ (*dimly*) dunkel, finster ❷ (*sadly*) traurig ❸ (*ominously*) böse

dark·ness ['dɑːknəs] *n no pl* ❶ (*no light*) Dunkelheit *f;* **the room was in complete ~** der Raum war völlig dunkel ❷ (*night*) Finsternis *f* ❸ *of colour* Dunkelheit *f* ❹ (*fig: sadness*) Düsterkeit *f* ❺ (*fig: evil*) Finsternis *f*

'**dark·room** *n* Dunkelkammer *f* '**dark-skinned** <darker-, darkest-> *adj* dunkelhäutig

dar·ling ['dɑːlɪŋ] I. *n* Liebling *m,* Schatz *m,* Schätzchen *nt;* ▪**to be sb's ~** jds Liebling sein; ▪**be a ~ and ...** sei so lieb und ..., sei ein Schatz und ...; **here's your change, ~** hier ist Ihr Wechselgeld, Schätzchen II. *adj* entzückend

darn[1] [dɑːn] I. *vt* stopfen II. *n* gestopfte Stelle

D

darn² [dɑːn] (fam) I. interj ~ it! verflixt noch mal! II. adj a ~ sight younger ein ganzes Stück jünger

darn·ing ['dɑːnɪŋ] n no pl Stopfen nt '**darn·ing nee·dle** n Stopfnadel f

dart [dɑːt] I. n ❶ (weapon) Pfeil m ❷ SPORTS Wurfpfeil m; ~ s + sing vb (game) Darts nt ❸ usu sing (dash) Satz m II. vi flitzen III. vt glance zuwerfen; **the lizard ~ed its tongue out** die Eidechse ließ ihre Zunge herausschnellen

'**dart·board** n Dartscheibe f

dash [dæʃ] I. n <pl -es> ❶ (rush) Hetze f; **to make a ~ for the door** zur Tür stürzen ❷ AM SPORTS Kurzstreckenlauf m ❸ (little bit) ■ a ~ [of] ein wenig; spice eine Messerspitze; of salt eine Prise; of originality ein Hauch m von; alcohol ein Schuss m; **a ~ of yellow** ein Stich m ins Gelbe; **to add a ~ of colour to a dish** einem Gericht einen Farbtupfer hinzufügen ❹ (punctuation) Gedankenstrich m ❺ (flair) Schwung m ❻ (Morse signal) [Morse]strich m ❼ AUTO (fam) Armaturenbrett nt II. vi ❶ (hurry) sausen; **I've got to ~** ich muss fort; **we ~ed along the platform** wir hasteten die Plattform entlang; **to ~ into the house** ins Haus flitzen; **to ~ out of the room** aus dem Zimmer stürmen; ■**to ~ about** herumrennen; ■**to ~ off** davonjagen ❷ (strike forcefully) schmettern III. vt ❶ (strike forcefully) schleudern; **to ~ to pieces** zerschmettern ❷ (destroy) hopes zunichtemachen; ■**to be ~ed** zerstört werden

'**dash·board** n Armaturenbrett nt

dash·ing ['dæʃɪŋ] adj schneidig

das·tard·ly ['dæstədli] adj (liter) attack, plot, revenge hinterhältig, heimtückisch; ~ **deeds** Gemeinheiten pl

data ['deɪtə] npl + sing/pl vb Daten pl

'**data·bank** n Datenbank f '**data·base** n Datenbestand m '**data file** n Datei f '**data log·ger** n ELEC, TECH Datalogger m, Datenspeichergerät nt '**data min·ing** n no pl COMPUT Extrahieren nt von Informationen aus großen Datenbeständen **data 'pro·cess·ing** n no pl Datenverarbeitung f **data pro·'tec·tion** n no pl BRIT Datenschutz m

date¹ [deɪt] I. n ❶ (calendar day) Datum nt; **what's the ~ today?** welches Datum haben wir heute?; **out of ~** überholt; **to be out of ~** food das Verfallsdatum überschritten haben; **to ~** bis heute; **up to ~** technology auf dem neuesten Stand; style zeitgemäß ❷ (on coins) Jahreszahl f ❸ (business appointment) Termin m; **it's**

a ~! abgemacht!; **to make a ~** sich verabreden ❹ (booked performance) Aufführungstermin m ❺ (social appointment) Verabredung f; (romantic appointment) Date nt; **to go out on a ~** ausgehen ❻ (person) Date nt II. vt ❶ (have relationship) ■**to ~ sb** mit jdm gehen ❷ (establish the age of) datieren; **that sure ~s you** daran merkt man, wie alt du bist!; **in reply to your letter ~d November 2nd, ...** unter Bezugnahme auf Ihren Brief vom 2. November ... III. vi ❶ (have a relationship) miteinander gehen ❷ (go back to) ■**to ~ from** [or **back to**] **sth** auf etw akk zurückgehen; tradition aus etw dat stammen

date² [deɪt] n FOOD Dattel f

dat·ed ['deɪtɪd] adj überholt

'**date·line** n JOURN Datumszeile f

'**date-stamp** n Datumsstempel m

da·tive ['deɪtɪv] I. n no pl LING ■**the ~** der Dativ; **to be in the ~** im Dativ stehen; **to take the ~** den Dativ nach sich ziehen II. adj **the ~ case** der Dativ

daub [dɔːb] I. vt beschmieren II. n Spritzer m; ~ **of paint** Farbklecks m

daugh·ter ['dɔːtə'] n Tochter f a. fig

'**daugh·ter-in-law** <pl daughters-> n Schwiegertochter f

daunt [dɔːnt] vt usu passive entmutigen

daunt·ing ['dɔːntɪŋ] adj entmutigend

daw·dle ['dɔːdl] vi trödeln

daw·dler ['dɔːdlə'] n Trödler(in) m(f)

dawn [dɔːn] I. n ❶ no pl (daybreak) [Morgen]dämmerung f; **at [the break of] ~** bei Tagesanbruch, im Morgengrauen; [**from**] **to dusk** von morgens bis abends ❷ (fig) Anfang m II. vi ❶ (start) anbrechen a. fig ❷ (become apparent) bewusst werden; **it ~ed on me that ...** es dämmerte mir, dass ... fam

day [deɪ] n Tag m; **those were the ~s** das waren noch Zeiten; **he works three ~s on, two ~s off** er arbeitet drei Tage und hat dann zwei Tage frei; **until her dying ~** bis an ihr Lebensende; **today of all ~s** ausgerechnet heute; **the ~ after tomorrow** übermorgen; **the ~ before yesterday** vorgestern; ~ **by ~** Tag für Tag; **from ~ to ~** von Tag zu Tag; **from this ~ forth** von heute an; **from that ~ on[wards]** von dem Tag an; **from one ~ to the next** (suddenly) von heute auf morgen; (in advance) im Voraus; ~ **in**, ~ **out** tagaus, tagein; **in sb's younger/student ~s** als jd noch jung/Student war; **in this ~ and age** heutzutage; **in the good old ~s** in der guten alten Zeit; **in the ~s before/when ...** in der Zeit vor/als ...; **in the ~s of ...** zur Zeit

des/der ...; **in those ~s** damals; **of the ~**
Tages-; **to the ~** auf den Tag genau; **to
this ~** bis heute; **all ~** [long] den ganzen
Tag [über]; **any ~** [now] jeden Tag; **one ~**
eines Tages; **one of these ~s** eines Tages;
(*soon*) demnächst [einmal]; (*some time or
other*) irgendwann [einmal]; **one of those
~s** einer dieser unglückseligen Tage; **the
other ~** neulich; **some ~** irgendwann [ein-
mal]; **ten ~s from now** heute in zehn Tagen; **these ~s** (*recently*) in letzter Zeit;
(*nowadays*) heutzutage; (*at the moment*)
zur Zeit ▸ **any ~** jederzeit; **to call it a ~**
Schluss machen [für heute]; **to carry** [*or*
win] **the ~** den Sieg davontragen; **at the
end of the ~** (*in the final analysis*) letzten
Endes; (*eventually*) schließlich; **to make
sb's ~** jds Tag retten; **to name the ~** den
Hochzeitstermin festsetzen; **to pass the
time of ~** plaudern, plauschen SÜDD,
ÖSTERR; **that will be the ~!** das möchte ich
zu gern[e] einmal erleben!; **to be all in a
~'s** **work** zum Alltag gehören

'**day·bed** *n* ❶ (*for daytime rest*) Liege-
sofa *nt* ❷ AM Bettsofa *nt* '**day·break** *n no
pl* **at ~** bei Tagesanbruch '**day care** *n no
pl* **of pre-schoolers** Vorschulkinderbe-
treuung *f;* **of the elderly** Altenbetreuung *f;*
~ centre (*for pre-schoolers*) Kindertagesstätte *f;* (*for the elderly*) Altentagesstätte *f*
'**day·dream** I. *vi* vor sich *akk* hinträumen
II. *n* Tagtraum *m* '**day·light** *n no pl* Tageslicht *nt;* **in broad ~** am helllichten Tag[e]
▸ **to beat the living ~s out of sb** jdn windelweich schlagen; **to scare the living ~s
out of sb** jdn zu Tode erschrecken; **to
see ~** [allmählich] klarsehen '**day nursery** *n* Kindertagesstätte *f* '**day re·turn** *n*
BRIT Tagesrückfahrkarte *f* '**day shift** *n*
Tagschicht *f* '**day-time** I. *n no pl* Tag *m;* **in**
[*or* **during**] **the ~** tagsüber II. *adj* Tages-
day-to-'day *adj* (*daily*) [tag]täglich; (*normal*) alltäglich; **on a ~ basis** tageweise
'**day trip** *n* Tagesausflug *m*
daze [deɪz] I. *n no pl* Betäubung *f;* **in a ~**
ganz benommen II. *vt* ▪ **to be ~d** wie
betäubt sein
daz·zle ['dæzl̩] I. *vt* blenden II. *n no pl*
❶ (*brilliance*) Glanz *m* ❷ (*sudden brightness*) blendendes Licht
'**daz·zled** *adj* geblendet *a. fig,* überwältigt
fig
daz·zling ['dæzlɪŋ] *adj* ❶ (*visually brilliant*) blendend *attr; diamond* funkelnd
attr ❷ (*impressive*) umwerfend *attr; smile*
strahlend *attr; success* glänzend *attr*
daz·zling·ly ['dæzlɪŋli] *adv* funkelnd; (*fig*)
to smile ~ at sb jdn strahlend anlächeln

DC [ˌdiːˈsiː] *n no pl* ❶ ELEC *abbrev of* **direct
current** Gleichstrom *m* ❷ *abbrev of* **District of Columbia** D.C.
DD [ˌdiːˈdiː] *n abbrev of* **Doctor of Divinity**
Dr. theol.
'**D-Day** *n no art* ❶ HIST *6. Juni 1944, Tag
der Landung der Alliierten in der Normandie* ❷ (*fig*) der Tag X
deacon ['diːkən] *n* Diakon(in) *m(f)*
dea·con·ess [ˌdiːkəˈnes] *n* Diakonisse *f*
dead [ded] I. *adj* ❶ (*not alive*) tot; **~ body**
Leiche *f;* **to drop ~** tot umfallen; **to shoot
sb ~** jdn erschießen ❷ (*not active*) *custom* ausgestorben; *feelings* erloschen; *fire,
match, volcano* erloschen; *language* tot;
are these glasses ~? brauchen Sie diese
Gläser noch? ❸ (*numb*) *limbs* taub; **my
legs have gone ~** meine Beine sind eingeschlafen ❹ (*with no emotion*) *voice* kalt;
(*flat*) *sound* dumpf ❺ (*not bright*) *colour*
matt ❻ (*boring, deserted*) *city* tot, [wie]
ausgestorben; *party* öde; *season* tot ❼ (*fig
fam: exhausted*) **to be ~ on one's feet**
zum Umfallen müde sein ❽ (*not functioning*) *phone* tot; **and then the phone
went ~** und dann war die Leitung tot
❾ (*fig: used up*) verbraucht; *battery* leer
❿ (*totally*) völlig; **~ calm** METEO Windstille *f;* **~ silence** Totenstille *f* ⓫ (*asleep*) **~ to
the world** fest eingeschlafen ⓬ FIN, SPORTS
tot ▸ **you'll be ~ meat if you ever do
that again** ich kill dich, wenn du das noch
einmal machst!; **~ men tell no tales**
(*prov*) Tote reden nicht; **I wouldn't be
seen ~ in that dress** so ein Kleid würde
ich nie im Leben anziehen II. *adv* ❶ (*fam:
totally*) absolut; **you're ~ right** du hast
vollkommen Recht!; "**~ slow**" „Schritt
fahren"; **~ certain** todsicher; **~ drunk**
stockbetrunken; **~ easy** kinderleicht;
~ good BRIT (*fam*) super; **to have been ~
lucky** Schwein gehabt haben; **~ silent** totenstill; **~ still** regungslos; **~ tired** todmü-
de; **to be ~ set against sth** absolut gegen
etw *akk* sein; **to be ~ set on sth** etw felsenfest vorhaben ❷ (*exactly*) genau; **the
town hall is ~ ahead** die Stadthalle liegt
direkt da vorne; **~ on five o'clock** Punkt
fünf; **~ on target** genau im Ziel; **~ on time**
auf die Minute genau ▸ **to stop ~ in one's
tracks** auf der Stelle stehen bleiben; **to
stop sth ~ in its tracks** etw völlig zum
Stillstand bringen III. *n* ❶ (*people*) ▪ **the ~**
pl die Toten ❷ (*in the middle*) **in the ~ of
night** mitten in der Nacht; **in the ~ of
winter** im tiefsten Winter
'**dead·beat** (*fam*) I. *n esp* AM, AUS (*lazy
person*) Faulpelz *m;* (*chronic debtor*)

Schnorrer(in) *m(f)*; (*feckless person*) Gammler(in) *m(f)* II. *adj* säumig

dead 'cen·tre *n,* Am **dead 'cen·ter** *n* genaue Mitte

dead·en ['dedən] *vt* ❶ (*numb*) *pain* abtöten *a. fig* ❷ (*diminish*) dämpfen

dead-'end I. *n* Sackgasse *f a. fig* II. *adj* ~ **street** Sackgasse *f*; (*fig*) aussichtslos

dead·en·ing ['dedənɪŋ] *adj* betäubend *attr,* abstumpfend *attr*

dead 'heat *n* totes Rennen; **the race ended in a** ~ das Rennen ging unentschieden aus '**dead·line** *n* letzter Termin, Deadline *f* **dead·lock** ['dedlɒk] *n no pl* toter Punkt; **to end in** ~ an einem toten Punkt enden

dead·ly ['dedli] I. *adj* ❶ (*capable of killing*) tödlich ❷ (*total*) ~ **enemies** Todfeinde *pl*; **in** ~ **earnest** todernst ❸ (*pej fam: very boring*) todlangweilig ▸ **the seven** ~ <u>sins</u> die sieben Todsünden II. *adv* ~ **dull**/**serious** todlangweilig/-ernst

'**dead·pan** I. *adj* ausdruckslos; *humour* trocken II. *vt* trocken sagen

Dead 'Sea *n* ▪**the** ~ das Tote Meer **dead 'wood** *n no pl* ❶ BOT totes Holz ❷ (*fig*) Ballast *m*

deaf [def] I. *adj* (*unable to hear*) taub; (*hard of hearing*) schwerhörig; ~ **in one ear** auf einem Ohr taub; **to go** ~ taub werden; ▪**to be** ~ **to sth** (*fig*) taube Ohren für etw *akk* haben ▸ [as] ~ **as a** <u>post</u> stocktaub II. *n* ▪**the** ~ *pl* die Tauben

deaf·en ['defən] *vt* taub machen; (*fig*) betäuben

deaf·en·ing ['defənɪŋ] *adj* ohrenbetäubend

deaf-'mute *n* Taubstumme(r) *f(m)*

deaf·ness ['defnəs] *n no pl* (*complete*) Taubheit *f*; (*partial*) Schwerhörigkeit *f*

deal[1] [di:l] *n no pl* Menge *f*; **a great** [*or* **good**] ~ eine Menge; **to be under a great** ~ **of pressure** unter sehr großem Druck stehen

deal[2] <-t, -t> [di:l] I. *n* ❶ (*in business*) Geschäft *nt,* Deal *m sl;* **we got a good** ~ **on that computer** mit dem Rechner haben wir ein gutes Geschäft gemacht; **I never make** ~**s** ich lasse mich nie auf Geschäfte ein; **to do** [*or* **make**] **a** ~ **with sb** mit jdm ein Geschäft abschließen; **to make sb a** ~ jdm ein Angebot machen ❷ (*general agreement*) Abmachung *f*; **it's a** ~ abgemacht; **to make** [*or* **do**] **a** ~ [**with sb**] eine Vereinbarung [mit jdm] treffen ❸ (*treatment*) **a fair**/**raw** [*or* **rough**] ~ eine faire/ungerechte Behandlung ❹ CARDS Geben *nt;* **it's your** ~ du gibst ▸ <u>big</u> ~!, **what's the** <u>big</u>

~? (*fam*) was soll's?, na und?; <u>what's the</u> ~ [**with sth**]? Am (*fam*) worum geht's eigentlich [bei etw *dat*]?, was ist los [mit etw *dat*]? II. *vi* ❶ CARDS geben; **whose turn is it to** ~? wer gibt? ❷ (*sl: sell drugs*) dealen III. *vt* ❶ (*give*) ▪**to** ~ [**out**] verteilen; **to** ~ **sb a blow** jdm einen Schlag versetzen *a. fig;* CARDS geben ❷ ⟳ *esp* Am (*sell*) ▪**to** ~ **sth** mit etw *dat* handeln ◆**deal with** *vi* ❶ (*handle*) sich befassen mit, sich kümmern um ❷ (*treat*) handeln von ❸ (*do business*) Geschäfte machen mit

deal·er ['di:ləʳ] *n* ❶ COMM Händler(in) *m(f); of drugs* Dealer(in) *m(f)* ❷ CARDS [Karten]geber(in) *m(f)*

deal·er·ship ['di:ləʃɪp] *n* Verkaufsstelle *f*

deal·ing ['di:lɪŋ] *n* ❶ *pl* ▪~**s** (*transactions*) Geschäfte *pl*; (*contact*) Umgang *m kein pl* ❷ *no pl* (*way of behaving*) Verhalten *nt*; (*in business*) Geschäftsgebaren *nt* ❸ BRIT STOCKEX Effektenhandel *m* ❹ CARDS Geben *nt*

dealt [delt] *pt, pp of* **deal**

dean [di:n] *n* Dekan(in) *m(f)*

dear [dɪəʳ] I. *adj* ❶ (*much loved*) lieb; (*lovely*) *baby, kitten* süß; *thing also* entzückend; **for** ~ **life** als ob es ums Leben ginge ❷ (*in letters*) ~ **Mr Jones** Sehr geehrter Herr Jones; **D~ Jane** Liebe Jane ❸ (*form: costly*) teuer II. *adv* **to cost sb** ~ jdn teuer zu stehen kommen III. *interj* ~ **me!** du liebe Zeit!; **oh** ~! du meine Güte! IV. *n* ❶ (*nice person*) Schatz *m;* **be a** ~ sei so lieb ❷ (*term of endearment*) **my** ~[**est**] [mein] Liebling *m*

dearie ['dɪəri] I. *n* (*dated fam*) Schätzchen *nt* II. *interj* ~ **me!** ach du meine Güte!

dear·ly ['dɪəli] *adv* von ganzem Herzen; ~ **beloved** REL liebe Gemeinde; **to pay** ~ (*fig*) teuer bezahlen

dearth [dɜ:θ] *n no pl* (*form*) Mangel *m* (**of** an)

deary *n see* **dearie**

death [deθ] *n* Tod *m;* **to be bored to** ~ sich zu Tode langweilen; **to die a natural** ~ eines natürlichen Todes sterben; **to be put to** ~ getötet werden ▸ **to be at** ~'**s** <u>door</u> an der Schwelle des Todes stehen; **to** <u>be</u> **the** ~ **of sb** jdn das Leben kosten; **to** <u>catch</u> **one's** ~ [**of cold**] sich *dat* den Tod holen; **to** <u>look</u> **like** ~ **warmed up** [*or* Am **over**] wie eine Leiche auf Urlaub aussehen; **to be in at the** ~ BRIT das Ende miterleben

'**death·bed** *n* Sterbebett *nt* '**death blow** *n* Todesstoß *m* '**death cer·ti·fi·cate** *n* Sterbeurkunde *f* '**death duties** *npl* Erbschaftssteuern *pl*

death·ly ['deθli] *adj, adv* tödlich; ~ **hush** [*or* **silence**] Totenstille *f;* ~ **pale** totenbleich

'**death pen·al·ty** *n* Todesstrafe *f;* **to receive the** ~ zum Tode verurteilt werden '**death rate** *n* Sterblichkeitsrate *f* ② **death 'row** *n* Am Todestrakt *m;* **to be on** ~ im Todestrakt sitzen '**death sen·tence** *n* Todesurteil *nt* '**death squad** *n* Todesschwadron *f* '**death trap** *n* Todesfalle *f*

de·ba·cle [der'bɑ:k(ə)l] *n* Debakel *nt*

de·bar <-rr-> [ˌdi:'bɑ:r] *vt* ausschließen

de·base [dr'beɪs] *vt* ① *thing* herabsetzen; *currency* im Wert mindern ② *person* entwürdigen

de·base·ment [dr'beɪsmənt] *n no pl* ① (*degradation*) Herabsetzung *f* ② (*loss of meaning*) Entwertung *f; of morals, attitudes* Verfall *m*

de·bat·able [dr'beɪtəb(ə)l] *adj* umstritten; ■ **it's** ~ **whether ...** es ist fraglich, ob ...

de·bate [dr'beɪt] **I.** *n* Debatte *f;* **to be open to** ~ sich [erst] noch erweisen müssen **II.** *vt, vi* debattieren

de·bauch [dr'bɔ:tʃ] *vt* [sittlich] verderben

de·bauch·ery [dr'bɔ:tʃ(ə)ri:] *n no pl* Ausschweifungen *pl*

de·bili·tate [dr'bɪlɪteɪt] *vt* schwächen

de·bili·tat·ing [dr'bɪlɪteɪtɪŋ] *adj* schwächend

de·bil·ity [dr'bɪləti] *n no pl* Schwäche *f*

deb·it ['debɪt] **I.** *n* Debet *nt,* Soll *nt;* **to be in** ~ im Minus sein **II.** *vt* abbuchen

'**deb·it card** *n* Kundenkarte *f*

de·bris ['debri:, 'deɪ-] *n no pl* Trümmer *pl*

debt [det] *n* Schuld *f;* **out of** ~ schuldenfrei; **to be** [**heavily**] **in** ~ **to sb** [große] Schulden bei jdm haben; **to be in sb's** ~ (*fig*) in jds Schuld stehen

'**debt col·lec·tor** *n* Schuldeneintreiber(in) *m(f)*

debt·or ['detər] *n* Schuldner(in) *m(f)*

'**debt·or coun·try** *n,* '**debt·or na·tion** *n* Schuldnerstaat *m*

'**debt re·lief** *n* Schuldenerlass *m*

de·bug <-gg-> [ˌdi:'bʌg] *vt* ■ **to** ~ **sth** ① COMPUT bei etw *dat* die Fehler beseitigen; **to** ~ **a program** ein Programm auf Viren hin absuchen ② (*remove hidden microphones*) etw entwanzen ③ Am (*remove insects*) etw gründlich [von Insekten] säubern

de·but ['deɪbju:] **I.** *n of a performer* Debüt *nt;* **to make one's** ~ sein Debüt geben, debütieren; ~ **album** Debütalbum *nt* **II.** *vi* debütieren

debu·tante ['debjuːtɑ̃:nt] *n* Debütantin *f*

a. fig

dec·ade ['dekeɪd, dɪ'keɪd] *n* Jahrzehnt *nt*

deca·dence ['dekədᵊn(t)s] *n no pl* Dekadenz *f*

deca·dent ['dekədᵊnt] *adj* dekadent; (*hum*) üppig

de·caf ['di:kæf] (*fam*) **I.** *adj abbrev of* **decaffeinated** entkoffeiniert, koffeinfrei **II.** *n abbrev of* **decaffeinated coffee** entkoffeinierter Kaffee

de·caf·fein·at·ed [dr'kæfɪneɪtɪd] *adj* entkoffeiniert, koffeinfrei

de·cant [dr'kænt] *vt* umfüllen

de·cant·er [dr'kæntər] *n* Karaffe *f*

de·capi·tate [dr'kæpɪteɪt] *vt* köpfen

de·capi·ta·tion [dɪˌkæpɪ'teɪʃᵊn] *n no pl* Enthauptung *f*

de·cath·lete [dr'kæθli:t] *n* Zehnkämpfer(in) *m(f)*

de·cath·lon [dr'kæθlɒn] *n* Zehnkampf *m*

de·cay [dr'keɪ] **I.** *n no pl* ① (*deterioration*) Verfall *m;* **death and** ~ Tod und Untergang; **urban** ~ Verfall *m* der Städte; **to fall into** ~ verfallen ② BIOL Verwesung *f;* BOT Fäulnis *f;* PHYS Zerfall *m;* **dental** [*or* **tooth**] ~ Zahnfäule *f* **II.** *vi* ① (*deteriorate*) verfallen ② BIOL verwesen, [ver]faulen; BOT verblühen; PHYS zerfallen

de·ceased [dr'si:st] (*form*) **I.** *n <pl ->* ■ **the** ~ der/die Verstorbene, die Verstorbenen *pl* **II.** *adj* verstorben

de·ceit [dr'si:t] *n* ① *no pl* Betrug *m* ② (*act of deception*) Täuschungsmanöver *nt*

de·ceit·ful [dr'si:tfᵊl] *adj* [be]trügerisch

de·ceit·ful·ly [dr'si:tfᵊli] *adv* hinterlistig, [be]trügerisch; **to obtain sth** ~ etw auf betrügerischem Wege erreichen

de·ceive [dr'si:v] *vt* ■ **to** ~ **sb** jdn betrügen; **she thought her eyes were deceiving her** sie traute ihren [eigenen] Augen nicht; ■ **to** ~ **oneself** sich [selbst] täuschen; ■ **to be** ~**d by sth** von etw *dat* getäuscht werden

de·ceiv·er [dr'si:vər] *n* Betrüger(in) *m(f)*

de·cel·er·ate [ˌdi:'selᵊreɪt] **I.** *vi* sich verlangsamen; *vehicle, driver* langsamer fahren **II.** *vt* verlangsamen

De·cem·ber [dr'sembər] *n* Dezember *m; see also* **February**

de·cen·cy ['di:sᵊn(t)si] *n* ① *no pl* (*respectability*) Anstand *m;* (*goodness*) Anständigkeit *f* ② (*approved behaviour*) ■ **decencies** *pl* Anstandsformen *pl* ③ Am (*basic comforts*) ■ **decencies** *pl* Annehmlichkeiten *pl*

de·cent ['di:sᵊnt] *adj* ① (*socially acceptable*) anständig ② (*good*) nett ③ (*appropriate*) angemessen; **to do the** ~ **thing** das

D

deciding

asking about strength of opinion	nach Entschlossenheit fragen
Are you sure that's what you want?	**Sind Sie sicher, dass** Sie das wollen?
Have you considered it carefully?	**Haben Sie sich das gut überlegt?**
Wouldn't you rather have this model?	**Wollen Sie nicht lieber** dieses Modell?

expressing determination	Entschlossenheit ausdrücken
I have decided to give the celebration a miss.	**Ich habe mich nun entschieden** und werde an der Feier nicht teilnehmen.
I have made up my mind to tell her everything.	**Ich habe mich dazu durchgerungen,** ihr alles zu sagen.
We are (absolutely) determined to emigrate to Australia.	**Wir haben uns (endgültig) entschlossen,** nach Australien auszuwandern.
Nothing/Nobody is going to stop me doing it.	**Ich lasse mich von nichts/niemandem davon abbringen,** es zu tun.
On no account shall I hand in my notice.	Ich werde **auf keinen Fall** kündigen.

expressing indecision	Unentschlossenheit ausdrücken
I don't know what I should do.	**Ich weiß nicht,** was ich tun soll.
I cannot decide whether or not to take the flat.	**Ich bin mir noch unschlüssig, ob** ich die Wohnung nehmen soll oder nicht.
I haven't decided yet.	**Ich habe mich noch nicht entschieden.**
I haven't reached a decision about it yet.	**Ich bin noch zu keinem Entschluss darüber gekommen.**
We are still unsure about what we are going to do.	**Wir sind uns noch nicht im Klaren darüber,** was wir tun werden.

[einzig] Richtige tun ❹ (*good-sized*) anständig; *helping* ordentlich ❺ (*acceptable*) annehmbar

de·cent·ly ['diːsªntli] *adv* ❶ (*in a civilized manner*) mit Anstand ❷ (*fittingly, appropriately*) richtig, gehörig

de·cen·trali·za·tion [diːˌsentrªlaɪˈzeɪʃªn] *n no pl* Dezentralisierung *f*

de·cen·tral·ize [ˌdiːˈsentrªlaɪz] *vt* dezentralisieren

de·cen·tral·ized [ˌdiːˈsentrªlaɪzd] *adj* dezentral[isiert] *geh*

de·cep·tion [dɪˈsepʃªn] *n no pl* Täuschung *f*

de·cep·tive [dɪˈseptɪv] *adj* täuschend

de·cep·tive·ly [dɪˈseptɪvli] *adv* ❶ (*misleadingly*) irrig, täuschend ❷ (*deceitfully*) trügerisch

deci·bel ['desɪbel] *n* Dezibel *nt*

de·cide [dɪˈsaɪd] **I.** *vi* sich entscheiden (**on** für); ■ **to ~ for oneself** für sich selbst entscheiden; ■ **to ~ to do sth** beschließen [*o* sich entschließen], etw zu tun **II.** *vt* entscheiden, bestimmen; **he ~d that he**

liked **her** er kam zu der Überzeugung, dass er sie mochte

de·cid·ed [dɪˈsaɪdɪd] *adj* (*definite*) entschieden; **he walks with a ~ limp** er humpelt auffällig; *dislike* ausgesprochen

de·cidu·ous [dɪˈsɪdjuəs] *adj* **oak trees are ~** Eichenbäume werfen alljährlich ihr Laub ab; **~ tree** Laubbaum *m*

deci·mal ['desɪmªl] *n* Dezimalzahl *f*, Dezimale *f*; **~ place** Dezimalstelle *f*; **~ point** Komma *nt*

deci·mate ['desɪmeɪt] *vt* dezimieren

de·ci·pher [dɪˈsaɪfəʳ] *vt* entziffern; *code* entschlüsseln

de·ci·sion [dɪˈsɪʒªn] *n* Entscheidung *f* (**about/on** über), Entschluss *m;* **to come to** [*or* **reach**] **a ~** zu einer Entscheidung gelangen; **to make a ~** eine Entscheidung fällen [*o* treffen]

de·ci·sion-mak·ing *n no pl* Entscheidungsfindung *f*

de·ci·sive [dɪˈsaɪsɪv] *adj* ❶ (*determining*) bestimmend; *battle* entscheidend; *part* maßgeblich ❷ (*firm*) *measure* entschlossen; **"no," was his ~ reply** „nein", antwortete er mit Bestimmtheit

de·ci·sive·ly [dɪˈsaɪsɪvli] *adv* ❶ (*crucially*) entscheidend, maßgeblich ❷ (*firmly*) **to act/intervene ~** entschlossen handeln/ eingreifen; **to reject sth ~** etw entschieden ablehnen

deck [dek] **I.** *n* ❶ (*on a ship, bus*) Deck *nt;* **below ~s** unter Deck; **on ~** an Deck ❷ *esp* AM, AUS (*raised porch*) Veranda *f* ❸ CARDS **~ of cards** Spiel *nt* Karten; **to shuffle the ~** die Karten *pl* mischen ❹ MUS **tape ~** Tapedeck *nt* ▶ **to have all hands on ~** jede erdenkliche Unterstützung haben; **to clear the ~s** klar Schiff machen; **to hit the ~** sich auf den Boden werfen **II.** *vt* ❶ (*adorn*) ◼ **to ~ sth** [**out**] etw [aus]schmücken; **to be ~ed** [**out**] **in one's best** herausgeputzt sein ❷ (*sl: knock down*) ◼ **to ~ sb** jdm eine verpassen

'**deck·chair** *n* Liegestuhl *m;* (*on ship*) Deckchair *m*

de·claim [dɪˈkleɪm] *vt, vi* (*form*) deklamieren

dec·la·ra·tion [ˌdekləˈreɪʃən] *n* Erklärung *f;* **~ of war** Kriegserklärung *f;* **to make a ~** eine Erklärung abgeben

de·clare [dɪˈkleəʳ] **I.** *vt* ❶ (*make known*) verkünden; *intention* kundtun; *support* zusagen; **to ~ one's love for sb** jdm eine Liebeserklärung machen ❷ (*state*) erklären; **to ~ war on sb** jdm den Krieg erklären; **to ~ oneself** [**to be**] **bankrupt** sich für bankrott erklären ❸ ECON (*for customs, tax*) deklarieren; **have you anything to ~?** haben Sie etwas zu verzollen? **II.** *vi* sich aussprechen

de·clared [dɪˈkleəd] *adj* erklärt; **~ value** ECON, FIN angemeldeter [*o* angegebener] Wert

de·clen·sion [dɪˈklen(t)ʃən] *n* LING ❶ (*grammatical class*) Fall *m*, Kasus *m* fachspr ❷ *no pl* (*grammatical system*) Deklination *f* fachspr

de·cline [dɪˈklaɪn] **I.** *n* ❶ (*decrease*) Rückgang *m* ❷ (*deterioration*) Verschlechterung *f;* **industrial ~** Niedergang *m* der Industrie **II.** *vi* ❶ (*diminish*) *interest, popularity* sinken, nachlassen, zurückgehen; *health* sich verschlechtern; *strength* abnehmen ❷ (*sink in position*) abfallen ❸ (*refuse*) ablehnen; **to ~ to comment on sth** jeden Kommentar zu etw *dat* verweigern **III.** *vt* ❶ (*refuse*) ablehnen ❷ LING deklinieren [*o* beugen]

de·code [dɪˈkəʊd] *vt* entschlüsseln

de·cod·er [dɪˈkəʊdəʳ] *n* Decoder *m*

de·com·pose [ˌdiːkəmˈpəʊz] *vi* sich zersetzen

de·com·po·si·tion [ˌdiːkɒmpəˈzɪʃən] *n no pl* Zersetzung *f*

de·com·press [ˌdiːkəmˈpres] *vt, vi* dekomprimieren

de·com·pres·sion [ˌdiːkəmˈpreʃən] *n no pl* Dekompression *f;* COMPUT Entpacken *nt*

de·con·tami·nate [ˌdiːkənˈtæmɪneɪt] *vt* entseuchen

de·con·tami·na·tion [ˌdiːkəntæmɪˈneɪʃən] *n no pl* Entseuchung *f*

de·cor [ˈdeɪkɔːʳ] *n no pl* Ausstattung *f;* THEAT Dekor *m o nt*

deco·rate [ˈdekəreɪt] **I.** *vt* ❶ (*adorn*) schmücken; *cake, shop window* dekorieren ❷ (*paint*) streichen; (*wallpaper*) tapezieren; (*paint and wallpaper*) renovieren ❸ (*award a medal*) **to be ~d** ausgezeichnet werden **II.** *vi* (*paint*) streichen; (*wallpaper*) tapezieren

deco·ra·tion [ˌdekəˈreɪʃən] *n* ❶ (*for party*) Dekoration *f;* (*for Christmas tree*) Schmuck *m kein pl* ❷ *no pl* (*process*) Dekorieren *nt*, Schmücken *nt;* (*with paint*) Streichen *nt;* (*with wallpaper*) Tapezieren *nt* ❸ (*medal*) Auszeichnung *f*

deco·ra·tive [ˈdekəᵊrətɪv] *adj* dekorativ

deco·ra·tive·ly [ˈdekəᵊrətɪvli] *adv* dekorativ

deco·ra·tor [ˈdekəᵊreɪtəʳ] *n* BRIT Maler(in) *m(f)*

de·co·rum [dɪˈkɔːrəm] *n no pl* (*form*) Schicklichkeit *f*

de·coy [ˈdiːkɔɪ] *n* Lockvogel *m;* **to act as a ~** den Lockvogel spielen

de·crease **I.** *vi* [dɪˈkriːs, ˈdiːkriːs] abnehmen, zurückgehen **II.** *vt* [dɪˈkriːs, ˈdiːkriːs] reduzieren; *production* drosseln **III.** *n* [ˈdiːkriːs] Abnahme *f; numbers* Rückgang *m;* ◼ **on the ~** rückläufig

de·cree [dɪˈkriː] **I.** *n* (*form*) Erlass *m* **II.** *vt* verfügen

de·cree 'ab·so·lute <*pl* decrees abso­lute> *n* BRIT LAW endgültiges Scheidungsurteil

de·crep·it [dɪˈkrepɪt] *adj* klapprig

de·crepi·tude· [dɪˈkrepɪtjuːd] *n no pl* (*form*) heruntergekommener Zustand; *of a person* Klapprigkeit *f fam*

de·crimi·nali·za·tion [diːˌkrɪmɪnᵊlaɪˈzeɪʃən] *n no pl* Legalisierung *f*

de·crimi·nal·ize [diːˈkrɪmɪnᵊlaɪz] *vt* legalisieren

de·di·cate [ˈdedɪkeɪt] *vt* ◼ **to ~ sth to sb** jdm etw widmen; ◼ **to ~ oneself to sth** sich etw *dat* widmen

de·di·cat·ed [ˈdedɪkeɪtɪd] *adj* ❶ (*hardworking*) engagiert; ◼ **to be ~ to sth** etw *dat* verschrieben sein ❷ COMPUT ausschließ lich zugeordnet, dediziert

de·di·ca·tion [ˌdedɪˈkeɪʃⁿn] n ❶ (hard work) Engagement nt (to für) ❷ (in book) Widmung f ❸ REL Einweihung f

de·duce [dɪˈdjuːs] vt folgern; ▪ to ~ whether ... feststellen, ob ...

de·duct [dɪˈdʌkt] vt abziehen

de·duct·ible [dɪˈdʌktəbl] adj absetzbar

de·duc·tion [dɪˈdʌkʃⁿn] n ❶ (inference) Schlussfolgerung f; to make a ~ eine Schlussfolgerung ziehen ❷ (subtraction) Abzug m

deed [diːd] n ❶ (action) Tat f; dirty ~s Drecksarbeit f; to do a good ~ eine gute Tat vollbringen; to do an evil ~ eine Untat begehen ❷ usu pl LAW Urkunde f

deem [diːm] vt (form) ▪ to be ~ed sth als etw gelten

deep [diːp] I. adj, adv ❶ (in dimension) tief; the snow was 1 m ~ der Schnee lag einen Meter hoch; they were standing four ~ sie standen zu viert hintereinander; ~ space äußerer Weltraum ❷ (very much) tief; ~ in debt hoch verschuldet; to be ~ in conversation/thought in ein Gespräch/in Gedanken vertieft sein; to be in ~ trouble in großen Schwierigkeiten stecken; ~ blue tiefblau; ~ red dunkelrot ❸ (emotional) tief; you have my ~est sympathy herzliches Beileid; to take a ~ breath tief Luft holen; in ~ despair total verzweifelt; a ~ disappointment to sb eine schwere Enttäuschung für jdn; with ~ regret mit großem Bedauern; to let out a ~ sigh tief seufzen; ~-down tief im Innersten ❹ (difficult) schwer verständlich; quantum physics is a bit ~ for me die Quantenphysik ist mir etwas zu hoch II. n (liter) ▪ the ~ die Tiefe

deep-con'ditioning adj mit pflegender Tiefenwirkung nach n

deep·en [ˈdiːpⁿn] I. vt ❶ (make deeper) tiefer machen ❷ (intensify) vertiefen II. vi ❶ voice, water tiefer werden ❷ (intensify) sich vertiefen; crisis sich verschärfen ❸ (become darker) intensiver werden

deep·en·ing [ˈdiːpⁿnɪŋ] adj tiefer werdend attr

'deep-freeze n Tiefkühlschrank m; (chest) Tiefkühltruhe f **deep-'froz·en** adj tiefgefroren **deep-'fry** vt frittieren

deep·ly [ˈdiːpli] adv ❶ (very) äußerst; to be ~ appreciative of sth etw sehr schätzen; to be ~ insulted zutiefst getroffen sein; to ~ regret sth etw sehr bereuen ❷ (far down) tief

deep·ness [ˈdiːpnəs] n Tiefe f

deep-'pocketed adj wohlhabend **deep-**

sea 'ani·mal n Tiefseetier nt **deep-'seat·ed** adj tief sitzend

deer <pl -> [dɪəʳ] n Hirsch m; (roe deer) Reh nt

de·face [dɪˈfeɪs] vt verunstalten; building verschandeln

defa·ma·tion [ˌdefəˈmeɪʃⁿn] n no pl (form) Diffamierung f

de·fama·tory [dɪˈfæmətʳri] adj (form) diffamierend; ~ speech Schmährede f

de·fame [dɪˈfeɪm] vt (form) diffamieren

de·fault [dɪˈfɔːlt] I. vi ❶ FIN (failure to pay) in Verzug geraten (on mit) ❷ COMPUT ▪ to ~ to sth standardmäßig eingestellt sein II. n ❶ of contract Nichterfüllung f; (failure to pay debt) Versäumnis nt; in ~ of payment ... bei Zahlungsverzug ... ❷ no pl ▪ by ~ automatisch III. adj Standard-

de·feat [dɪˈfiːt] I. vt ❶ (win over) besiegen; (at games, sport) schlagen; hopes zerschlagen; proposal ablehnen; that ~s the purpose of this meeting dadurch verliert dieses Treffen seinen Sinn ❷ POL bill ablehnen II. n Niederlage f

de·feat·ism [dɪˈfiːtɪzⁿm] n no pl (pej) Defätismus m, Defaitismus m SCHWEIZ

de·feat·ist [dɪˈfiːtɪst] I. adj defätistisch, defaitistisch SCHWEIZ II. n Defätist(in) m(f), Defaitist(in) m(f) SCHWEIZ

def·ecate [ˈdefəkeɪt] vi (form) den Darm entleeren

def·eca·tion [ˌdefəkeɪʃⁿn] n no pl (form) Stuhlentleerung f

de·fect¹ [ˈdiːfekt] n Fehler m; TECH Defekt m (in an)

de·fect² [dɪˈfekt] vi POL überlaufen (to zu)

de·fec·tion [dɪˈfekʃⁿn] n Flucht f; POL Überlaufen nt

de·fec·tive [dɪˈfektɪv] adj fehlerhaft; TECH defekt

de·fence [dɪˈfen(t)s] n ❶ of person Schutz m; of country Verteidigung f; in my ~ zu meiner Verteidigung; ministry of ~ Verteidigungsministerium nt ❷ LAW Verteidigung f; witness for the ~ Zeuge(in) m(f) der Verteidigung ❸ SPORTS Abwehr f; to play in [or AM on] ~ Abwehrspieler/Abwehrspielerin sein ❹ MED ▪ ~s pl Abwehrkräfte pl

de·fence·less [dɪˈfen(t)sləs] adj wehrlos

De·'fence Min·is·ter n Verteidigungsminister(in) m(f)

de·fend [dɪˈfend] vt, vi verteidigen; (fight off) ▪ to ~ oneself sich wehren

de·fend·ant [dɪˈfendənt] n LAW Angeklagte(r) f(m)

de·fend·er [dɪˈfendəʳ] n ❶ (protector) Beschützer(in) m(f); (supporter) Verfechter(in) *m(f)* ❷ SPORTS Verteidiger(in) *m(f)*

de·fense *n esp* AM *see* **defence**

de·fen·sible [dɪ'fen(t)səbl] *adj* ❶ (*capable of being defended*) wehrhaft ❷ (*supportable*) vertretbar

de·fen·sive [dɪ'fen(t)sɪv] **I.** *adj* defensiv **II.** *n* Defensive *f;* **to be on the ~** in der Defensive sein; **to go on the ~** in die Defensive gehen

de·fen·sive·ly [dɪ'fen(t)sɪvli] *adv* defensiv

de·fer <-rr-> [dɪ'fɜːr] **I.** *vi* (*form*) ▪**to ~ to sb/sth** sich jdm/etw beugen; **to ~ to sb's judgement** sich jds Urteil fügen **II.** *vt* verschieben; FIN, LAW aufschieben; *decision* vertagen

def·er·ence ['defᵊrᵊn(t)s] *n no pl* (*form*) Respekt *m;* **in ~** aus Respekt (**to** vor)

def·er·en·tial [ˌdefᵊ'ren(t)ʃᵊl] *adj* respektvoll

def·er·en·tial·ly [ˌdefᵊ'ren(t)ʃᵊli] *adj* respektvoll; **to bow ~** sich respektvoll verbeugen

de·fi·ance [dɪ'faɪən(t)s] *n no pl* Aufsässigkeit *f;* ▪**in ~ of sb/sth** jdm/etw zum Trotz

de·fi·ant [dɪ'faɪənt] *adj* aufsässig

de·fi·cien·cy [dɪ'fɪʃᵊn(t)si] *n* Mangel *m* (**in** an)

de·fi·cient [dɪ'fɪʃᵊnt] *adj* unzureichend; ▪**sb/sth is ~ in sth** es mangelt jdm/etw an etw *dat*

defi·cit ['defɪsɪt] *n* Defizit *nt* (**in** in)

de·file [dɪ'faɪl] **I.** *vt* (*form*) beschmutzen; *tomb* schänden **II.** *n* Hohlweg *m*

de·fine [dɪ'faɪn] *vt* ❶ (*give definition*) definieren (**by** über); ▪**to be ~d against sth** (*outlined*) sich [deutlich] gegen etw *akk* abzeichnen ❷ (*specify*) festlegen

defi·nite ['defɪnət] **I.** *adj* sicher; *answer* klar; *decision* definitiv; *improvement, increase* eindeutig; *place, shape, tendency, time limit* bestimmt; **there's nothing ~ yet** es steht noch nichts fest; **to have ~ opinions** feste Vorstellungen haben; ▪**to be ~ about sth** sich *dat* einer S. *gen* sicher sein **II.** *n* (*fam*) **she's a ~ for the Olympic team** sie wird auf jeden Fall in der Olympiamannschaft dabei sein

defi·nite 'ar·ti·cle *n* LING bestimmter Artikel

defi·nite·ly ['defɪnətli] *adv* eindeutig; **we're ~ going by car** wir fahren auf jeden Fall mit dem Auto; **to decide sth ~** etw endgültig beschließen

defi·ni·tion [ˌdefɪ'nɪʃᵊn] *n* ❶ (*meaning*) Definition *f* ❷ *no pl* (*distinctness*) Schärfe *f;* **to lack ~** unscharf sein

de·fini·tive [dɪ'fɪnətɪv] *adj* ❶ (*conclusive*)

endgültig; *proof* eindeutig ❷ (*most authoritative*) ultimativ

de·fini·tive·ly [dɪ'fɪnətɪvli] *adv* definitiv geh

de·flate [dɪ'fleɪt] **I.** *vt* ❶ *balloon, ball* Luft ablassen aus +*dat* ❷ (*fig*) *hopes* zunichtemachen; ▪**to be ~d** einen Dämpfer bekommen haben ❸ ECON deflationieren **II.** *vi* Luft verlieren

de·fla·tion [dɪ'fleɪʃᵊn] *n no pl* ECON Deflation *f*

de·fla·tion·ary [dɪ'fleɪʃᵊnᵊri] *adj* deflationär

de·flect [dɪ'flekt] **I.** *vt* ▪**to ~ sb from doing sth** jdn davon abbringen, etw zu tun; ▪**to ~ sth** etw ablenken; *ball* abfälschen; *blow* abwehren; PHYS *light* beugen **II.** *vi* ▪**to ~ off sth** *ball* von etw *dat* abprallen

de·flec·tion [dɪ'flekʃᵊn] *n* Ablenkung *f;* SPORTS Abpraller *m;* **the ball took a ~ off a defender's leg** der Ball prallte am Bein eines Verteidigers ab

de·for·est [diː'fɒrɪst] *vt* abholzen

de·for·esta·tion [diːˌfɒrɪ'steɪʃᵊn] *n no pl* Abholzung *f,* Entwaldung *f*

de·form [dɪ'fɔːm] **I.** *vt* deformieren **II.** *vi* sich verformen

de·for·ma·tion [diːˌfɔː'meɪʃᵊn, 'defə-] *n no pl* Deformation *f,* Verformung *f;* **~ of one's bones** Knochenmissbildung *f*

de·formed [dɪ'fɔːmd] *adj* verformt; *face* entstellt; **to be born ~** missgebildet zur Welt kommen

de·form·ity [dɪ'fɔːməti] *n* Missbildung *f*

de·fraud [dɪ'frɔːd] *vt* betrügen (**of** um)

de·fray [dɪ'freɪ] *vt* (*form*) *costs* tragen

de·frost [diː'frɒst] **I.** *vt* auftauen; *fridge* abtauen **II.** *vi* auftauen; *fridge* abtauen

deft [deft] *adj* geschickt; ▪**to be ~ at sth** Geschick für etw *akk* haben

deft·ness ['deftnəs] *n no pl* Geschicklichkeit *f*

de·funct [dɪ'fʌŋ(k)t] *adj* (*form*) gestorben; (*hum*) hinüber *fam; institution* ausgedient; *process* überholt

de·fuse [diː'fjuːz] *vt* entschärfen *a. fig*

defy <-ie-> [dɪ'faɪ] *vt* ❶ (*disobey*) ▪**to ~ sb/sth** sich jdm/etw widersetzen; (*fig: resist, withstand*) sich etw *dat* entziehen; **to ~ description** jeder Beschreibung spotten ❷ (*challenge*) auffordern

deg. *n abbrev of* **degree**

de·gen·er·ate I. *vi* [dɪ'dʒenəreɪt] degenerieren; ▪**to ~ into sth** zu etw *dat* entarten **II.** *adj* [dɪ'dʒenᵊrət] degeneriert **III.** *n* [dɪ'dʒenᵊrət] verkommenes Subjekt

de·gen·era·tion [dɪˌdʒenə'reɪʃᵊn] *n no pl*

Degeneration *f*

de·grade [dɪ'greɪd] I. *vt* ❶ *person* erniedrigen ❷ *environment* angreifen ❸ CHEM abbauen II. *vi* ❶ ELEC beeinträchtigt werden ❷ CHEM ■**to ~ into sth** zu etw *dat* abgebaut werden

de·grad·ing [dɪ'greɪdɪŋ] *adj* erniedrigend, entwürdigend

de·gree [dɪ'gri:] *n* ❶ (*amount*) Maß *nt;* (*extent*) Grad *m;* **to different ~s** in unterschiedlichem Maße; **a high ~ of skill** ein hohes Maß an Können; **to the last ~** im höchsten Grad; **by ~s** nach und nach; **to some ~** bis zu einem gewissen Grad ❷ MATH, METEO Grad *m* ❸ UNIV Abschluss *m;* **to do a ~ in sth** etw studieren

de·'gree course *n* Studiengang, der mit einem ‚bachelor's degree' abschließt

de·hu·man·ize [ˌdi:'hju:mənaɪz] *vt* entmenschlichen

de·hu·midi·fi·er [ˌdi:hju:'mɪdɪfaɪəʳ] *n* Entfeuchter *m*

de·hy·drate [ˌdi:haɪ'dreɪt] I. *vt* ■**to ~ sth** etw *dat* das Wasser entziehen; **to become ~d** austrocknen II. *vi* MED dehydrieren

de·hy·drat·ed [ˌdi:haɪ'dreɪtɪd] *adj food* getrocknet; *skin* ausgetrocknet; **~ food** Trockennahrung *f*

de·hy·dra·tion [ˌdi:haɪ'dreɪʃən] *n no pl* MED Dehydration *f*

de·ice [ˌdi:'aɪs] *vt* enteisen

deign [deɪn] *vi* ■**to ~ to do sth** sich [dazu] herablassen, etw zu tun

de·ity ['deɪɪti] *n* Gottheit *f*

de·ject·ed [dɪ'dʒektɪd] *adj* niedergeschlagen

de·jec·tion [dɪ'dʒekʃən] *n no pl* Niedergeschlagenheit *f*

de·lay [dɪ'leɪ] I. *vt* verschieben II. *vi* verschieben III. *n* Verzögerung *f;* TRANSP Verspätung *f;* ■**without ~** unverzüglich

de·layed [dɪ'leɪd] *adj attr flight, train* verspätet; *reaction* verzögert; **to be ~ed [by 10 minutes]** [zehn Minuten] Verspätung haben; **I was ~ed** ich wurde aufgehalten

de·layed-'ac·tion *adj* **~ fuse** Zeitzünder *m;* **~ drug** Medikament *nt* mit Depotwirkung

de·lay·ing [dɪ'leɪɪŋ] *adj* verzögernd; **~ tactics** Verzögerungstaktik *f*

de·lec·table [dɪ'lektəbl] *adj food, drink* köstlich; (*esp hum*) *person* bezaubernd

de·lec·ta·tion [ˌdɪlek'teɪʃən] *n no pl* (*form or hum*) Vergnügen *nt*

del·egate I. *n* ['delɪɡət] Delegierte(r) *f(m)* II. *vt* ['delɪɡeɪt] ❶ (*appoint*) ■**to ~ sb** als Vertreter/Vertreterin [aus]wählen; ■**to ~ sb to do sth** jdn dazu bestimmen, etw

zu tun ❷ (*assign*) ■**to ~ sth to sb** jdm etw übertragen; ■**to ~ sb to do sth** jdn dazu ermächtigen, etw zu tun III. *vi* ['delɪɡeɪt] delegieren

del·ega·tion [ˌdelɪ'ɡeɪʃən] *n* Delegation *f*

de·lete [dɪ'li:t] I. *vt* ❶ (*in writing*) streichen (**from** aus) ❷ COMPUT löschen II. *vi* löschen; **please ~ as appropriate** Nichtzutreffendes bitte streichen

de·le·tion [dɪ'li:ʃən] *n* ❶ (*act, item removed*) Löschung *f;* *of a file* Löschen *nt* ❷ (*item crossed out*) Streichung *f;* **to make a ~** etwas streichen

deli ['deli] *n* (*fam*) *short for* **delicatessen** Feinkostgeschäft *nt*

de·lib·er·ate I. *adj* [dɪ'lɪbərət] ❶ (*intentional*) absichtlich; *decision, lie* bewusst ❷ (*careful*) vorsichtig II. *vi* [dɪ'lɪbəreɪt] (*form*) [gründlich] nachdenken (**on** über) III. *vt* [dɪ'lɪbəreɪt] (*form*) ❶ (*discuss*) beraten ❷ (*consider*) ■**to ~ whether ...** überlegen, ob ...

de·lib·er·ate·ly [dɪ'lɪbərətli] *adv* absichtlich

de·lib·era·tion [dɪˌlɪbə'reɪʃən] *n* ❶ *no pl* (*carefulness*) Bedächtigkeit *f* ❷ (*form: consideration*) Überlegung *f;* **after much ~, ...** nach reiflicher Überlegung ...

deli·ca·cy ['delɪkəsi] *n* ❶ FOOD Delikatesse *f* ❷ *no pl* (*discretion*) Feingefühl *nt;* **that is a matter of some ~** das ist eine ziemlich heikle Angelegenheit ❸ *no pl* (*fineness*) Feinheit *f;* *of features* Zartheit *f* ❹ *no pl of health* Zerbrechlichkeit *f*

deli·cate ['delɪkət] *adj* ❶ (*sensitive*) empfindlich; *china* zerbrechlich ❷ (*tricky*) heikel ❸ (*fine*) fein; *aroma, colour* zart; **~ cycle** Feinwaschgang *m* ❹ (*prone to illness*) *person* anfällig, empfindlich; *health* zart

deli·ca·tes·sen [ˌdelɪkə'tesən] *n* Feinkostgeschäft *nt*

de·li·cious [de'lɪʃəs] *adj* köstlich, lecker

de·li·cious·ly [de'lɪʃəsli] *adv* köstlich

de·light [dɪ'laɪt] I. *n* Freude *f;* **the ~s of being retired** die Annehmlichkeiten des Ruhestandes; **in ~** vor Freude II. *vt* erfreuen III. *vi* ■**to ~ in sth** Vergnügen bei etw *dat* empfinden; ■**to ~ in doing sth** es lieben, etw zu tun

de·light·ed [dɪ'laɪtɪd] *adj* hocherfreut; *smile* vergnügt; ■**to be ~ at [or by] [or with] sth** von etw *dat* begeistert sein; ■**to be ~ to do sth** etw mit [großem] Vergnügen tun; **I was ~ to meet you** es hat mich sehr gefreut, Sie kennen zu lernen

de·light·ful [dɪ'laɪtfəl] *adj* wunderbar; *evening, village* reizend; *smile, person* charmant

de·lin·quen·cy [dɪˈlɪŋkwən(t)si] *n no pl* Straffälligkeit *f*

de·lin·quent [dɪˈlɪŋkwənt] **I.** *n* Delinquent(in) *m(f)* **II.** *adj* straffällig

de·liri·ous [dɪˈlɪriəs] *adj* ➊ MED im Delirium ➋ (*extremely happy*) *crowd* taumelnd; ~ **with joy** außer sich *dat* vor Freude

de·liri·ous·ly [dɪˈlɪriəsli] *adv* ➊ (*incoherently*) im Delirium ➋ (*extremely*) wahnsinnig

de·lir·ium [dɪˈlɪriəm] *n no pl* MED Delirium *nt*

de·liv·er [dɪˈlɪvə^r] **I.** *vt* ➊ (*bring*) liefern; (*by post*) zustellen; *newspapers* austragen; (*by car*) ausfahren; **to ~ a message to sb** jdm eine Nachricht überbringen ➋ (*recite*) *speech* halten; LAW (*pronounce*) *verdict* verkünden ➌ (*direct*) *blow* geben; *rebuke* halten ➍ SPORTS *ball* werfen; *punch* landen ➎ (*give birth*) zur Welt bringen; (*aid in giving birth*) entbinden ➏ (*form: liberate*) erlösen; ~ **us from evil** REL bewahre uns vor dem Bösen ➐ (*produce*) *promise* einlösen ➑ (*hand over*) ausliefern **II.** *vi* ➊ (*supply*) liefern ➋ (*fulfil*) ◼ **to ~ on sth** etw einhalten

de·liv·er·ance [dɪˈlɪv^ər^ən(t)s] *n no pl* (*form*) Erlösung *f*

de·liv·er·er [dɪˈlɪv^ərə^r] *n* (*form*) Erlöser *m*

de·liv·ery [dɪˈlɪv^əri] *n* ➊ (*of goods*) Lieferung *f*; (*of mail*) Zustellung *f*; ~ **time** Lieferzeit *f*; **to take ~ of sth** etw erhalten; **on ~** bei Lieferung ➋ (*manner of speaking*) Vortragsweise *f* ➌ SPORTS Wurf *m* ➍ (*birth*) Entbindung *f*

de·ˈliv·ery room *n*, **de·ˈliv·ery suite** *n*, **de·ˈliv·ery unit** *n* Kreißsaal *m* **de·ˈliv·ery ser·vice** *n* Zustelldienst *m* **de·ˈliv·ery van** *n* Lieferwagen *m*

de·louse [diːˈlaʊs] *vt* ◼ **to ~ sb/an animal** jdn/ein Tier entlausen

del·ta [ˈdeltə] *n* Delta *nt*

de·lude [dɪˈluːd] *vt* täuschen; ◼ **to ~ one-self** sich *dat* etwas vormachen

del·uge [ˈdeljuːdʒ] **I.** *n* ➊ (*downpour*) Regenguss *m*; (*flood*) Flut *f* ➋ (*fig*) Flut *f* **II.** *vt* ◼ **to be ~d** überflutet werden; (*fig*) überschüttet werden

de·lu·sion [dɪˈluːʒ^ən] *n* Täuschung *f*; **to suffer from** [*or* be under] **the ~ that ...** sich *dat* einbilden, dass ...; **to suffer from ~s** unter Wahnvorstellungen leiden; ~**s of grandeur** Größenwahn *m*

de luxe [dɪˈlʌks] *adj* Luxus-

delve [delv] *vi* suchen (**for** nach); **to ~ in one's pocket** in seiner Tasche kramen; **to ~ into sb's past** in jds Vergangenheit nachforschen

dema·gog *n* AM *see* **demagogue**

dema·gog·ic [ˌdeməˈgɒgɪk] *adj* demagogisch

dema·gogue, AM *also* **dema·gog** [ˈdeməgɒg] *n* (*pej*) Demagoge, Demagogin *m, f*

de·mand [dɪˈmɑːnd] **I.** *vt* ➊ (*insist upon*) verlangen ➋ (*need*) erfordern **II.** *n* ➊ (*insistent request*) Forderung *f* (**for** nach); **on ~** auf Verlangen ➋ (*requirement*) Bedarf *m*; COMM Nachfrage *f*; **in ~** gefragt ➌ BRIT (*for payment*) Mahnung *f* ➍ (*expectations*) **to make ~s on sb** Anforderungen *pl* an jdn stellen; **she's got many ~s on her time** sie ist zeitlich sehr beansprucht

de·mand·ing [dɪˈmɑːndɪŋ] *adj child, journey, work* anstrengend; *job, person, test* anspruchsvoll

de·mar·ca·tion [ˌdiːmɑːˈkeɪʃ^ən], AM *also* **de·mar·ka·tion** *n* Abgrenzung *f*; ~ **line** Demarkationslinie *f*

de·mean [dɪˈmiːn] *vt* erniedrigen

de·mean·ing [dɪˈmiːnɪŋ] *adj* erniedrigend

de·mean·our [dɪˈmiːnə^r], AM **de·mean·or** *n no pl* (*form: behaviour*) Verhalten *nt*; (*bearing*) Erscheinungsbild *nt*

de·ment·ed [dɪˈmentɪd] *adj* verrückt

de·mer·it [ˌdiːˈmerɪt] *n* ➊ (*fault*) Schwäche *f* ➋ AM SCH (*black mark*) Minuspunkt *m*

demi·god [ˈdemigɒd] *n* Halbgott *m a. fig*

de·mili·ta·rize [diːˈmɪlɪt^əraɪz] *vt* entmilitarisieren

de·mise [dɪˈmaɪz] *n no pl* (*form*) Ableben *nt*; (*fig*) Niedergang *m*

de·mist [dɪˈmɪst] *vt* BRIT *windscreen* frei machen

de·mist·er [dɪˈmɪstə^r] *n* BRIT AUTO Gebläse *nt*

demo [ˈdeməʊ] (*fam*) **I.** *n* Demo *f*; **to go on a ~** auf eine [*o* zu einer] Demo gehen **II.** *adj* Demo- **III.** *vt* <-ˈd, -ˈd> (*demonstrate*) ◼ **to ~ sth** etw demonstrieren

de·mo·bi·lize [diːˈməʊbəlaɪz] **I.** *vt people* aus dem Kriegsdienst entlassen; *things* demobilisieren **II.** *vi* demobilisieren

de·moc·ra·cy [dɪˈmɒkrəsi] *n* Demokratie *f*

demo·crat [ˈdeməkræt] *n* Demokrat(in) *m(f)*

demo·crat·ic [ˌdeməˈkrætɪk] *adj* demokratisch

demo·crati·cal·ly [ˌdeməˈkrætɪk^əli] *adv* demokratisch

de·moc·ra·ti·za·tion [dɪˌmɒkrətaɪˈzeɪʃ^ən] *n no pl* Demokratisierung *f*

de·moc·ra·tize [dɪˈmɒkrətaɪz] *vt* demokratisieren

de·mol·ish [dɪˈmɒlɪʃ] *vt* **❶** (*destroy*) *building* abreißen; *wall* einreißen; *car in accident* demolieren; (*in scrapyard*) verschrotten **❷** (*refute, defeat*) zunichtemachen; *argument* widerlegen **❸** (*fam: eat up*) verdrücken

demo·li·tion [ˌdeməlɪʃᵊn] *n* Abriss *m;* (*fig*) Widerlegung *f*

de·mon [ˈdiːmən] **I.** *n* **❶** (*evil spirit*) Dämon *m;* (*fig: wicked person*) Fiesling *m sl* **II.** *adj* (*fam*) höllisch [gut]

de·mon·ic [dɪˈmɒnɪk] *adj* **❶** (*devilish*) dämonisch **❷** (*evil*) bösartig

de·mon·ize [ˈdiːmənaɪz] *vt* ■**to ~ sb** jdn verteufeln

de·mon·strable [dɪˈmɒn(t)strəbl] *adj* nachweislich

dem·on·strate [ˈdemənstreɪt] **I.** *vt* **❶** (*show*) zeigen; *operation* vorführen; *authority, knowledge* demonstrieren; *loyalty* beweisen **❷** (*prove*) nachweisen **II.** *vi* demonstrieren

dem·on·stra·tion [ˌdemənˈstreɪʃᵊn] *n* **❶** (*act of showing*) Demonstration *f,* Vorführung *f;* **~ model** Vorführmodell *nt* **❷** (*open expression*) Ausdruck *m* **❸** (*protest march*) Demonstration *f*

de·mon·stra·tive [dɪˈmɒn(t)strətɪv] *adj* **❶** (*form: illustrative*) anschaulich; ■**to be ~ of sth** etw veranschaulichen **❷** (*expressing feelings*) ■**to be ~** seine Gefühle offen zeigen

de·mon·stra·tive·ly [dɪˈmɒn(t)strətɪvli] *adv* offen

dem·on·stra·tor [ˈdemənstreɪtəʳ] *n* **❶** (*of a product*) Vorführer(in) *m(f)* **❷** (*protester*) Demonstrant(in) *m(f)*

de·mor·al·ize [dɪˈmɒrəlaɪz] *vt* demoralisieren

de·mote [dɪˈməʊt] *vt* zurückstufen; MIL degradieren

de·mure [dɪˈmjʊəʳ] *adj* **❶** (*shy*) [sehr] schüchtern **❷** (*composed and reserved*) gesetzt

den [den] *n* **❶** (*lair*) Bau *m* **❷** (*children's playhouse*) Hütte *f* **❸** (*study*) Arbeitszimmer *nt;* (*private room*) Bude *f; esp* AM Hobbyraum *m* **❹** (*hum*) **~ of thieves** Räuberhöhle *f*

de·na·tion·al·ize [ˌdiːˈnæʃᵊnᵊlaɪz] *vt* privatisieren

de·natu·ral·ize [diːˈnætʃᵊrᵊlaɪz] *vt* ■**to ~ sb** jdn entstaatlichen, jdm die Staatsbürgerschaft entziehen

de·ni·al [dɪˈnaɪəl] *n* **❶** (*statement*) Dementi *nt;* (*action*) Leugnen *nt kein pl* **❷** *no pl* (*refusal*) Ablehnung *f;* **~ of equal opportunities** Verweigerung *f* von Chancen-

gleichheit **❸** PSYCH **to be in ~** sich der Realität verschließen

deni·grate [ˈdenɪgreɪt] *vt* verunglimpfen

den·im [ˈdenɪm] **I.** *n* **❶** *no pl* (*material*) Denim® *m* **❷** (*fam*) ■**~s** *pl* Jeans *f|pl|* **II.** *adj* Jeans-

Den·mark [ˈdenmɑːk] *n* Dänemark *nt*

de·nomi·na·tion [dɪˌnɒmɪˈneɪʃᵊn] *n* **❶** (*religious group*) Konfessionsgemeinschaft *f* **❷** (*unit of value*) Währungseinheit *f*

de·nomi·na·tion·al [dɪˌnɒmɪˈneɪʃᵊnᵊl] *adj* Konfessions-

de·nomi·na·tor [dɪˈnɒmɪneɪtəʳ] *n* MATH Nenner *m*

de·note [dɪˈnəʊt] *vt* bedeuten

de·noue·ment [dərˈnuːmɑ̃] *n* (*form*) Ende *nt; film* Ausgang *m*

de·nounce [dɪˈnaʊn(t)s] *vt* **❶** (*criticize*) anprangern **❷** (*accuse*) entlarven; ■**to ~ sb to sb** jdn bei jdm denunzieren

dense <-r, -st> [den(t)s] *adj* **❶** (*thick*) dicht **❷** (*fig fam: stupid*) dumm

dense·ly [ˈden(t)sli] *adv* dicht

den·sity [ˈden(t)sɪti] *n* Dichte *f*

dent [dent] **I.** *n* **❶** (*hollow*) Beule *f,* Delle *f* **❷** (*fig*) Loch *nt* **II.** *vt* **❶** (*put a dent in*) einbeulen **❷** (*fig*) **to ~ sb's confidence** jds Selbstbewusstsein ein wenig anknacksen

den·tal [ˈdentᵊl] *adj* Zahn-

den·tal prac·ti·tion·er *n,* **'den·tal sur·geon** *n* Zahnarzt, Zahnärztin *m, f*

den·tist [ˈdentɪst] *n* Zahnarzt, Zahnärztin *m, f*

den·tis·try [ˈdentɪstri] *n no pl* Zahnmedizin *f*

den·tures [ˈden(t)ʃəz] *npl* |Zahn|prothese *f*

de·nude [dɪˈnjuːd] *vt* kahl werden lassen [*o* kahl machen]

de·nun·cia·tion [dɪˌnʌn(t)siˈeɪʃᵊn] *n* **❶** (*condemnation*) Anprangerung *f* **❷** (*denouncing*) Denunziation *f*

deny <-ie-> [dɪˈnaɪ] *vt* **❶** (*declare untrue*) abstreiten; *accusation* zurückweisen; **there's no ~ing that ...** es lässt sich nicht bestreiten, dass ... **❷** (*refuse to grant*) ■**to ~ sth to sb** [*or* **sb sth**] jdm etw verweigern; *request* ablehnen **❸** (*do without*) ■**to ~ oneself sth** sich *dat* etw versagen **❹** (*form: disown*) verleugnen

de·odor·ant [diˈəʊdᵊrᵊnt] *n* Deo[dorant] *nt*

dep. *n abbrev of* **departure** Abf. *f; aircraft* Abfl. *m*

de·part [dɪˈpɑːt] **I.** *vi* **❶** (*leave*) fortgehen; *plane* abfliegen, starten; *train* abfahren; *ship* ablegen, abfahren **❷** (*differ*) abweichen **II.** *vt* **to ~ this life** aus diesem Leben scheiden

de·part·ed [dɪˈpɑːtɪd] (*form*) **I.** *adj* ver-

storben **II.** *n pl* ■**the ~** die Verstorbenen
de·part·ment [dɪˈpɑːtmənt] *n* ❶ UNIV Institut *nt* ❷ COMM Abteilung *f* ❸ POL Ministerium *nt* ❹ ADMIN Amt *nt* ❺ (*fig fam: field of expertise*) Zuständigkeitsbereich *m*
de·part·men·tal [ˌdɪpɑːˈmentˀl] *adj* ❶ UNIV Instituts- ❷ COMM Abteilungs- ❸ POL Ministerial- ❹ ADMIN Amts-
de·ˈpart·ment store *n* Kaufhaus *nt*
de·par·ture [dɪˈpɑːtʃəʳ] *n* ❶ (*on a journey*) Abreise *f*, Abfahrt *f; plane* Abflug *m; ship* Ablegen *nt*, Abfahrt *f* ❷ (*act of leaving*) Abschied *m; ~* **from politics** Abschied *m* aus der Politik ❸ (*deviation*) Abweichung *f; from policy* Abkehr *f*
de·ˈpar·ture gate *n* Flugsteig *m* **de·ˈpar·ture lounge** *n* Abfahrtshalle *f;* AVIAT Abflughalle *f* **de·ˈpar·ture time** *n* Abfahrtzeit *f;* AVIAT Abflugzeit *f*
de·pend [dɪˈpend] *vi* ❶ (*rely on circumstance*) ■**to ~ on sth** von etw *dat* abhängen; **that ~ s** kommt darauf an; **that ~ s on the weather** das hängt vom Wetter ab; **~ ing on the weather** je nachdem, wie das Wetter ist ❷ (*get help from*) ■**to ~ on sb/sth** von jdm/etw abhängig sein; **to ~ on sb/sth financially** finanziell auf jdn/ etw angewiesen sein ❸ (*rely on*) ■**to ~ [up]on sb/sth** sich auf jdn/etw verlassen
de·pend·abil·ity [dɪˌpendəˈbɪləti] *n no pl* Zuverlässigkeit *f*, Verlässlichkeit *f*
de·pend·able [dɪˈpendəbl] *adj* zuverlässig, verlässlich
de·pend·ant [dɪˈpendənt] *n* [finanziell] abhängige(r) Angehörige(r) *f(m)*
de·pend·ence [dɪˈpendən(t)s] *n no pl* Abhängigkeit *f*
de·pend·ency [dɪˈpendən(t)si] *n* ❶ *no pl* Abhängigkeit *f* ❷ (*dependent state*) Territorium *nt*
de·pend·ent [dɪˈpendənt] **I.** *adj* ❶ (*conditional*) ■**to be ~ [up]on sth** von etw *dat* abhängen ❷ (*relying on*) ■**to be ~ on sth** von etw *dat* abhängig sein; *help, goodwill* auf etw *akk* angewiesen sein **II.** *n* AM *see* **dependant**
de·pict [dɪˈpɪkt] *vt* (*form*) darstellen
de·pic·tion [dɪˈpɪkʃ°n] *n* Darstellung *f*
de·pila·tory [dɪˈpɪlətʳri] *n* Enthaarungsmittel *nt; ~* **cream** Enthaarungscreme *f*
de·plete [dɪˈpliːt] *vt* vermindern
de·plet·ed [dɪˈpliːtɪd] *adj* verbraucht
de·ple·tion [dɪˈpliːʃ°n] *n* Abbau *m; of resources, capital* Erschöpfung *f*
de·plor·able [dɪˈplɔːrəbl] *adj* beklagenswert; *conditions* erbärmlich
de·plore [dɪˈplɔːʳ] *vt* ❶ (*disapprove*) verurteilen ❷ (*regret*) beklagen

de·ploy [dɪˈplɔɪ] *vt* einsetzen
de·ploy·ment [dɪˈplɔɪmənt] *n no pl* Einsatz *m*
de·popu·late [ˌdiːˈpɒpjəleɪt] *vt* entvölkern
de·port [dɪˈpɔːt] *vt* ausweisen; *prisoner* deportieren; **to ~ sb back to his home country** jdn in sein Heimatland abschieben
de·por·ta·tion [ˌdɪpɔːˈteɪʃ°n] *n* Ausweisung *f*, Abschiebung *f; of prisoner* Deportation *f*
de·por·tee [ˌdɪpɔːˈtiː] *n* (*waiting to be deported*) Abzuschiebende(r) *f(m);* (*already deported*) Abgeschobene(r) *f(m)*
de·port·ment [dɪˈpɔːtmənt] *n no pl* (*form*) Benehmen *nt*
de·pose [dɪˈpəʊz] *vt* absetzen; *monarch* entthronen
de·pos·it [dɪˈpɒzɪt] **I.** *vt* ❶ (*leave*) ■**to ~ sb** jdn absetzen; ■**to ~ sth** etw abstellen; *eggs* etw ablegen; GEOL ablagern ❷ (*safe-keeping*) *luggage* deponieren ❸ (*pay into account*) einzahlen; (*pay as first instalment*) anzahlen; **to ~ money in one's account** Geld auf sein Konto einzahlen ❹ (*leave as security*) als Sicherheit hinterlegen **II.** *n* ❶ (*sediment*) Bodensatz *m;* (*layer*) Ablagerung *f;* (*underground layer*) Vorkommen *nt* ❷ FIN (*first instalment*) Anzahlung *f;* (*security*) Kaution *f;* (*on a bottle*) Pfand *nt*
de·ˈpos·it ac·count *n* BRIT Sparkonto *nt*
depo·si·tion [ˌdepəˈzɪʃ°n] *n* ❶ *no pl* (*form: removal from power*) Absetzung *f; of dictator* Sturz *m* ❷ (*written statement*) Aussage *f*
de·posi·tor [dɪˈpɒzɪtəʳ] *n* Anleger(in) *m(f)*
de·pot [ˈdepəʊ] *n* Depot *nt*
de·praved [dɪˈpreɪvd] *adj* [moralisch] verdorben
de·prav·ity [dɪˈprævəti] *n no pl* Verdorbenheit *f*
dep·re·cate [ˈdeprəkeɪt] *vt* (*form*) ❶ (*show disapproval of*) missbilligen ❷ (*disparage*) schlechtmachen
dep·re·cat·ing [ˈdeprəkeɪtɪŋ] *adj* (*form*) ❶ (*strongly disapproving*) missbilligend; *stare* strafend ❷ (*disparaging*) herablassend; (*apologetic*) entschuldigend
de·pre·ci·ate [dɪˈpriːʃieɪt] **I.** *vi* an Wert verlieren **II.** *vt* entwerten
de·pre·cia·tion [ˌdɪpriːʃiˈeɪʃ°n] *n no pl* Wertminderung *f; of currencies* Entwertung *f*
de·press [dɪˈpres] *vt* ❶ (*deject*) deprimieren ❷ (*reduce*) drücken ❸ (*form: press down*) [nieder]drücken; **to ~ a pedal** auf ein Pedal treten

de·press·ant [dɪˈpresⁿnt] I. n Beruhigungsmittel nt II. adj beruhigend

de·pressed [dɪˈprest] adj ❶ (dejected) deprimiert (at/over wegen); to feel ~ sich niedergeschlagen fühlen ❷ ECON heruntergekommen ❸ MED ~ fracture of the skull Schädelfraktur f mit Impression

de·press·ing [dɪˈpresɪŋ] adj deprimierend

de·pres·sion [dɪˈpreʃⁿn] n ❶ no pl (sadness) Depression f; to suffer from ~ unter Depressionen leiden ❷ ECON Wirtschaftskrise f ❸ METEO Tiefdruckgebiet nt ❹ (hollow) Vertiefung f

de·pres·sive [dɪˈpresɪv] I. n Depressive(r) f(m) II. adj depressiv

dep·ri·va·tion [ˌdeprɪˈveɪʃⁿn] n Entbehrung f

de·prive [dɪˈpraɪv] vt ■to ~ sb of sth jdm etw entziehen [o vorenthalten]

de·prived [dɪˈpraɪvd] adj sozial benachteiligt

dept. n abbrev of **department** Abt.

depth [depθ] n Tiefe f a. fig; he has hidden ~s er hat verborgene Talente; in the ~s of despair zutiefst verzweifelt; in the ~s of the forest mitten im Wald; the ~s of the ocean die Tiefen des Ozeans; in the ~ of winter mitten im tiefsten Winter; in ~ gründlich ▸ to be out of one's ~ für jdn zu hoch sein; to get out of one's ~ den Boden unter den Füßen verlieren

'depth charge n Wasserbombe f

depu·ta·tion [ˌdepjəˈteɪʃⁿn] n + sing/pl vb Abordnung f

depu·tize [ˈdepjətaɪz] vi ■to ~ for sb für jdn einspringen, jdn vertreten

depu·ty [ˈdepjəti:] I. n Stellvertreter(in) m(f) II. adj stellvertretend

de·rail [dɪˈreɪl] vt entgleisen lassen; (fig) negotiations zum Scheitern bringen; ■to be ~ed entgleisen

de·rail·ment [dɪˈreɪlmənt] n Entgleisung f; (fig) of negotiation Scheitern nt

de·ranged [dɪˈreɪndʒd] adj geistesgestört

der·by [ˈdɑːbi] n ❶ SPORTS Derby nt ❷ AM (bowler hat) Melone f

de·regu·late [diːˈregjuˌleɪt] vt ■to ~ sth etw deregulieren

de·regu·la·tion [diːˌregjuːˈleɪʃⁿn] n no pl Deregulierung f

der·elict [ˈderəlɪkt] I. adj verlassen; to lie ~ brach liegen II. n (form) Obdachlose(r) f(m)

der·elic·tion [ˌderəˈlɪkʃⁿn] n ❶ no pl (dilapidation) Verwahrlosung f ❷ (negligence) ~ of duty Pflichtvernachlässigung f

de·ride [dɪˈraɪd] vt (form) verspotten

de·ri·sion [dɪˈrɪʒⁿn] n no pl Spott m; to

treat sth with ~ etw verhöhnen

de·ri·sive [dɪˈraɪsɪv] adj spöttisch

de·ri·sory [dɪˈraɪsⁿri] adj ❶ (derisive) spöttisch ❷ (ridiculously small) lächerlich

deri·va·tion [ˌderɪˈveɪʃⁿn] n ❶ (origin) Ursprung m ❷ (process of evolving) Ableitung f

de·riva·tive [dɪˈrɪvətɪv] I. adj (pej) nachgemacht II. n Ableitung f, Derivat nt

de·rive [dɪˈraɪv] I. vt gewinnen; sb ~s pleasure from doing sth etw bereitet jdm Vergnügen II. vi ■to ~ from sth sich von etw dat ableiten [lassen]

der·ma·ti·tis [ˌdɜːməˈtaɪtɪs] n no pl Hautreizung f, Dermatitis f

der·ma·tolo·gist [ˌdɜːməˈtɒlədʒɪst] n Dermatologe, Dermatologin m, f, Hautarzt, Hautärztin m, f

der·ma·tol·ogy [ˌdɜːməˈtɒlədʒi] n no pl Dermatologie f

de·roga·tory [dɪˈrɒgətⁿri] adj abfällig

der·rick [ˈderɪk] n ❶ (crane) Lastkran m ❷ (over oil well) Bohrturm m

DES [ˌdiːiːˈes] n BRIT abbrev of **Department of Education and Science** Bildungs- und Wissenschaftsministerium nt

de·sali·nate [diːˈsælɪneɪt] vt entsalzen

de·sali·na·tion [diːˌsælɪˈneɪʃⁿn] n no pl Entsalzung f

de·scale [diːˈskeɪl] vt entkalken

des·cant [ˈdeskænt] n Diskant m

de·scend [dɪˈsend] I. vi ❶ (go down) path hinunterführen; person hinabsteigen, hinuntergehen ❷ (fall) herabsinken ❸ (fig: deteriorate) ■to ~ into sth in etw akk umschlagen ❹ (fig: lower oneself) sich erniedrigen ❺ (fig: originate) abstammen II. vt hinuntersteigen

de·scend·ant [dɪˈsendənt] n Nachkomme m

de·scent [dɪˈsent] n ❶ (landing approach) [Lande]anflug m ❷ (way down) Abstieg m kein pl ❸ (fig: decline) Abrutsch m ❹ no pl (fig: ancestry) Abstammung f

de·scribe [dɪˈskraɪb] vt beschreiben; experience schildern; to ~ sb as stupid jdn als dumm bezeichnen

de·scrip·tion [dɪˈskrɪpʃⁿn] n Beschreibung f; of every ~ jeglicher Art; to write a ~ of sb/sth jdn/etw schriftlich schildern

de·scrip·tive [dɪˈskrɪptɪv] adj beschreibend; statistics deskriptiv; this passage is very ~ dieser Abschnitt enthält eine ausführliche Beschreibung

des·ecrate [ˈdesɪkreɪt] vt schänden

des·ecra·tion [ˈdesɪkreɪʃⁿn] n no pl Schändung f

de·seg·re·ga·tion [diːˈsegrɪgeɪʃⁿn] n no

pl Aufhebung *f* der Rassentrennung

de·sen·si·tize [diːˈsen(t)sɪtaɪz] *vt* ❶ (*make less sensitive to*) abstumpfen ❷ MED desensibilisieren

de·sert¹ [dɪˈzɜːt] I. *vi* MIL desertieren II. *vt* verlassen; **my courage ~ed me** mein Mut ließ mich im Stich

de·sert² [ˈdezət] *n* Wüste *f a. fig;* ~ **island** verlassene Insel; ~ **plant** Wüstenpflanze *f*

de·sert·ed [dɪˈzɜːtɪd] *adj* verlassen; *of town* ausgestorben

de·sert·er [dɪˈzɜːtəʳ] *n* Deserteur(in) *m(f)*

de·ser·ti·fi·ca·tion [dɪˌzɜːtɪfɪˈkeɪʃ⁰n] *n no pl* Desertifikation *f*

de·ser·tion [dɪˈzɜːʃ⁰n] *n* Verlassen *nt;* MIL Desertion *f*

de·serts [dɪˈzɜːtz] *npl* ■ **to get one's** [just] ~ seine Quittung bekommen

de·serve [dɪˈzɜːv] *vt* (*merit*) verdienen; **what have I done to ~** [all] **this?** womit habe ich das verdient?

de·serv·ed·ly [dɪˈzɜːvɪdli] *adv* verdientermaßen; ~ **so** zu Recht

de·serv·ing [dɪˈzɜːvɪŋ] *adj* verdienstvoll; **a ~ cause** eine gute Sache

de·sign [dɪˈzaɪn] I. *vt* ❶ (*plan*) entwerfen; *books* gestalten; *cars* konstruieren ❷ (*intend*) ■ **to ~ed for sb** für jdn konzipiert sein; **these measures are ~ed to reduce pollution** diese Maßnahmen sollen die Luftverschmutzung verringern II. *n* ❶ (*plan or drawing*) Entwurf *m* ❷ *no pl* (*art*) Design *nt; of building* Bauart *f; of machine* Konstruktion *f;* (*pattern*) Muster *nt* ❸ *no pl* (*intention*) Absicht *f* ❹ (*fam: dishonest intentions*) ■ ~**s** *pl* Absichten *pl* III. *adj* Konstruktions-

des·ig·nate [ˈdesɪɡneɪt] I. *vt* ■ **to ~ sb** jdn ernennen (**as** zu); ■ **to ~ sb to do sth** jdn mit etw *dat* beauftragen; ■ **to ~ sth** etw erklären (**as** zu); ■ **to ~ sth for sb** etw für jdn konzipieren II. *adj after n* designiert

des·ig·na·tion [ˌdesɪɡˈneɪʃ⁰n] *n* ❶ (*title*) Bezeichnung *f* ❷ (*act of designating*) Festlegung *f*

de·sign·er [dɪˈzaɪnəʳ] *n* Designer(in) *m(f);* ~ **jeans** Designerjeans *pl*

de·sign·ing [dɪˈzaɪnɪŋ] *n* Design *nt*

de·sir·able [dɪˈzaɪərəbl] *adj* ❶ (*worth having*) erstrebenswert; (*popular*) begehrt; **computer literacy is ~ for this job** für diesen Job sind Computerkenntnisse erwünscht ❷ (*sexually attractive*) begehrenswert

de·sire [dɪˈzaɪəʳ] I. *vt* ❶ (*want*) wünschen ❷ (*be sexually attracted to*) begehren II. *n* ❶ (*strong wish*) Verlangen *nt;* (*stronger*) Sehnsucht *f;* (*request*) Wunsch *m* ❷ (*sexual need*) Begierde *f*

de·ˈsired *adj* erwünscht

de·sist [dɪzɪst] *vi* (*form*) einhalten; ■ **to ~ from doing sth** davon absehen, etw zu tun

desk [desk] *n* ❶ (*table for writing*) Schreibtisch *m* ❷ (*service counter*) Schalter *m* ❸ (*newspaper section*) Redaktion *f*

'desk lamp *n* Schreibtischlampe *f* **'desk·top** *n* Desktop *m;* ~ **publishing** Desktop-publishing *nt*

deso·late [ˈdes⁰lət] I. *adj* ❶ (*barren*) trostlos ❷ (*unhappy*) niedergeschlagen II. *vt* ❶ *country* verwüsten ❷ *person* **she was ~d** sie war untröstlich

deso·la·tion [ˈdes⁰leɪʃ⁰n] *n no pl* ❶ (*barrenness*) Trostlosigkeit *f* ❷ (*sadness*) Verzweiflung *f*

des·pair [dɪˈspeəʳ] I. *n no pl* (*feeling of hopelessness*) Verzweiflung *f;* **in ~** verzweifelt; **filled with ~** voller Verzweiflung II. *vi* verzweifeln (**at/of** an); **to ~ of doing sth** die Hoffnung aufgeben, etw zu tun

des·pair·ing [dɪˈspeərɪŋ] *adj* verzweifelt

des·pair·ing·ly [dɪˈspeərɪŋli] *adv* verzweifelt, hoffnungslos

des·patch [dɪˈspætʃ] *n, vt see* **dispatch**

des·per·ate [ˈdesp⁰rət] *adj* verzweifelt; (*great*) dringend; **I'm in a ~ hurry** ich hab's wahnsinnig eilig; **to be in ~ need of help** dringend Hilfe brauchen; **to be in ~ straits** in extremen Schwierigkeiten stecken; ■ **to be ~ for sth** etw dringend brauchen

des·per·ate·ly [ˈdesp⁰rətli] *adv* ❶ (*in a desperate manner*) verzweifelt ❷ (*seriously, extremely*) äußerst; **they ~ wanted a child** sie wollten unbedingt ein Kind haben; **to be ~ ill** todkrank sein

des·pera·tion [ˌdesp⁰ˈreɪʃ⁰n] *n no pl* Verzweiflung *f;* **in** [*or* **out of**] ~ aus Verzweiflung

des·pic·able [dɪˈspɪkəbl] *adj* abscheulich

des·pic·ably [dɪˈspɪkəbli] *adv* verachtenswert, abscheulich; **to behave ~** gemein sein *fam*

des·pise [dɪˈspaɪz] *vt* verachten

de·spite [dɪˈspaɪt] *prep* ■ ~ **sth** trotz einer S. *gen*

de·spond·en·cy [dɪˈspɒndən(t)si] *n no pl* Niedergeschlagenheit *f*

de·spond·ent [dɪˈspɒndənt] *adj* niedergeschlagen

des·pot [ˈdespɒt] *n* Despot *m*

des·pot·ic [deˈspɒtɪk] *adj* despotisch

des·poti·cal·ly [deˈspɒtɪkli] *adv* despotisch

des·pot·ism [ˈdespətɪz⁰m] *n no pl* Despotismus *m geh,* Tyrannei *f*

des·sert [dɪˈzɜːt] *n* Nachtisch *m,* Dessert *nt*

des·'sert·spoon *n* (*small*) Dessertlöffel *m;* (*larger*) Esslöffel *m*

de·sta·bi·li·za·tion [diːˌsteɪbᵊlaɪˈzeɪʃᵊn] *n no pl* Destabilisierung *f*

de·sta·bi·lize [diːˈsteɪbᵊlaɪz] *vt* destabilisieren

des·ti·na·tion [ˌdestɪˈneɪʃᵊn] *n* Ziel *nt; of journey* Reiseziel *nt; of letter* Bestimmungsort *m*

des·ti·ny [ˈdestɪni] *n* Schicksal *nt*

des·ti·tute [ˈdestɪtjuːt] **I.** *adj* mittellos **II.** *n* ■**the** ~ *pl* die Bedürftigen

des·ti·tu·tion [ˌdestɪˈtjuːʃᵊn] *n no pl* Armut *f*

de-stress [ˌdiːˈstres] *vi* Stress abbauen

de·stroy [dɪˈstrɔɪ] *vt* ❶ (*demolish*) zerstören ❷ (*do away with*) vernichten ❸ (*kill*) auslöschen; *herd* abschlachten; *pet* einschläfern ❹ (*ruin*) zunichtemachen; *reputation* ruinieren ❺ (*fig: crush*) fertigmachen

de·stroy·er [dɪˈstrɔɪəʳ] *n* ❶ MIL Zerstörer *m* ❷ (*fig*) Vernichter(in) *m(f)*

de·struct·ible [dɪˈstrʌktəbl] *adj* zerstörbar

de·struc·tion [dɪˈstrʌkʃᵊn] *n no pl* Zerstörung *f;* **mass ~** Massenvernichtung *f;* **to leave a trail of ~** eine Spur der Verwüstung hinterlassen

de·struc·tive [dɪˈstrʌktɪv] *adj* zerstörerisch; *influence, person* destruktiv

de·struc·tive·ly [dɪˈstrʌktɪvli] *adv* destruktiv *geh,* zerstörerisch

de·struc·tive·ness [dɪˈstrʌktɪvnəs] *n no pl of person* Zerstörungswut *f; of explosive* Sprengkraft *f*

des·ul·tory [ˈdesᵊltri] *adj* halbherzig

Det *n abbrev of* **Detective** Kriminalbeamte(r), -beamtin *m, f*

de·tach [dɪˈtætʃ] *vt* abnehmen; (*without reattaching*) abtrennen

de·tach·able [dɪˈtætʃəbl] *adj* abnehmbar

de·tached [dɪˈtætʃt] *adj* ❶ (*separated*) abgelöst; **to become ~** sich ablösen ❷ (*aloof*) distanziert

de·tach·ment [dɪˈtætʃmənt] *n* ❶ *no pl* (*aloofness*) Distanziertheit *f* ❷ (*of soldiers*) Einsatztruppe *f*

de·tail [ˈdiːteɪl] **I.** *n* ❶ (*item of information*) Detail *nt,* Einzelheit *f;* **further ~s** nähere Informationen; **to provide ~s about sth** nähere Angaben zu etw *dat* machen; **to go into ~** ins Detail gehen, auf die Einzelheiten eingehen; **in ~** im Detail ❷ (*unimportant item*) Kleinigkeit *f* ❸ *pl* ■**~s** (*vital statistics*) Personalien *pl* ❹ MIL Sonderkommando *nt* **II.** *vt* ❶ (*explain*) ausführ-

lich erläutern ❷ (*specify*) einzeln aufführen ❸ MIL ■**to ~ sb to do sth** jdn dazu abkommandieren, etw zu tun

de·tailed [ˈdiːteɪld] *adj* detailliert; *description, report* ausführlich; *study* eingehend

de·tain [dɪˈteɪn] *vt* ❶ LAW in Haft nehmen ❷ (*form: delay*) aufhalten

de·tainee [ˌdiːteɪˈniː] *n* Häftling *m*

de·tect [dɪˈtekt] *vt* ❶ (*catch in act*) ertappen ❷ (*discover presence of*) entdecken; *disease* feststellen; *mine* aufspüren; *smell* bemerken; *sound* wahrnehmen; **do I ~ a note of sarcasm in your voice?** höre ich da [etwa] einen sarkastischen Unterton aus deinen Worten heraus?

de·tec·tion [dɪˈtekʃᵊn] *n no pl* ❶ (*act of discovering*) Entdeckung *f; of cancer* Feststellung *f* ❷ (*by detective*) Ermittlungsarbeit *f*

de·tec·tive [dɪˈtektɪv] *n* ❶ (*in police*) Kriminalbeamte(r), -beamtin *m, f;* (*form of address*) **D~ Sergeant Lewis** Kriminalobermeister(in) *m(f)* Lewis ❷ (*private*) [Privat]detektiv(in) *m(f)*

de·tec·tive in·'spect·or *n* BRIT Polizeiinspektor(in) *m(f)* **de·'tec·tive nov·el** *n* Kriminalroman *m,* Krimi *m fam* **de·tec·tive super·in·'tend·ent** *n* BRIT Kriminalkommissar(in) *m(f)*

de·tec·tor [dɪˈtektəʳ] *n* Detektor *m*

de·ten·tion [dɪˈten(t)ʃᵊn] *n* ❶ *no pl* (*state*) Haft *f* ❷ (*act*) Festnahme *f* ❸ *no pl* MIL Arrest *m* ❹ SCH Nachsitzen *nt kein pl;* **to get** [*or* **have**] ~ nachsitzen müssen

de·'ten·tion cen·tre *n* BRIT, **de·'ten·tion home** *n* AM Jugendstrafanstalt *f*

de·ter [dɪˈtɜːʳ] *vt* verhindern; ■**to ~ sb** jdn abschrecken [*o* abhalten]

de·ter·gent [dɪˈtɜːdʒᵊnt] *n* Reinigungsmittel *nt*

de·terio·rate [dɪˈtɪəriᵊreɪt] *vi* ❶ (*become worse*) sich verschlechtern; *sales* zurückgehen; *morals* verfallen ❷ (*disintegrate*) verfallen; *leather, wood* sich zersetzen

de·terio·ra·tion [dɪˌtɪəriᵊˈreɪʃᵊn] *n no pl* ❶ (*worsening*) Verschlechterung *f; of morals* Zerfall *m* ❷ ECON, TECH Qualitätsverlust *m* ❸ (*disintegration*) Verfall *m; of metal, wood* Zersetzung *f*

de·ter·mi·na·tion [dɪˌtɜːmɪˈneɪʃᵊn] *n no pl* ❶ (*resolve*) Entschlossenheit *f* ❷ (*determining*) Bestimmung *f*

de·ter·mine [dɪˈtɜːmɪn] *vt* ❶ (*decide*) entscheiden; ■**to ~ that ...** beschließen, dass ... ❷ (*find out*) ermitteln; ■**to ~ that ...** feststellen, dass ...; ■**to ~ when/where/**

who/why ... herausfinden, wann/wo/wer/warum ... ❸(*influence*) bestimmen; **genetically ~d** genetisch festgelegt

de·ter·mined [dɪ'tɜ:mɪnd] *adj* entschlossen; **she is ~ that** ... sie hat es sich in den Kopf gesetzt, dass ...

de·ter·mined·ly [dɪ'tɜ:mɪndli] *adv* entschlossen

de·ter·rence [dɪ'terᵊn(t)s] *n no pl* Abschreckung *f*

de·ter·rent [dɪ'terᵊnt] **I.** *n* Abschreckung *f*, Abschreckungsmittel *nt;* ■**to be a ~** abschrecken **II.** *adj* abschreckend

de·test [dɪ'test] *vt* verabscheuen; **I ~ having to get up early in the morning** ich hasse es, frühmorgens aufstehen zu müssen

de·test·able [dɪ'testəbl] *adj* abscheulich

de·throne [di:'θrəʊn] *vt* entthronen

deto·nate ['detᵊneɪt] *vi, vt* detonieren

deto·na·tion [,detᵊn'eɪʃᵊn] *n* Detonation *f*

deto·na·tor ['detᵊneɪtəʳ] *n* [Spreng]zünder *m*

de·tour ['di:tʊəʳ] *n* Umweg *m*

de·tox ['di:tɒks] *n short for* **detoxification** Entzug *m;* ■**to be in ~** auf Entzug sein

de·toxi·fi·ca·tion [di:,tɒksɪfɪ'keɪʃᵊn] *n no pl* ❶(*remove poison*) Entgiftung *f* ❷(*treatment for addiction*) Entzug *m fam*

de·toxi·fy <-ie-> [,di:'tɒksɪfaɪ] *vt* entgiften; *addict* einer Entziehungskur unterziehen

de·tract [dɪ'trækt] *vi* ■**to ~ from sth** etw beeinträchtigen; **to ~ from sb's achievements** jds Leistungen *pl* schmälern

de·trac·tor [dɪ'træktəʳ] *n* Kritiker(in) *m(f)*

det·ri·ment ['detrɪmənt] *n no pl* Nachteil *m;* **without ~** ohne Schaden (**to** für)

det·ri·men·tal [,detrɪ'mentᵊl] *adj* schädlich

deuce [dju:s] *n* ❶AM (*cards, dice*) Zwei *f* ❷TENNIS Einstand *m*

de·valua·tion [,di:vælju:'eɪʃᵊn] *n no pl* Abwertung *f*

de·value [,di:'vælju:] *vt* abwerten

dev·as·tate ['devəsteɪt] *vt* vernichten; *region* verwüsten; (*fam*) umhauen; **to be utterly ~d** völlig am Boden zerstört sein

dev·as·tat·ing ['devəsteɪtɪŋ] *adj* ❶(*destructive*) verheerend, vernichtend *a.* fig ❷(*fig fam: positively overwhelming*) umwerfend; *smile* unwiderstehlich; (*negatively*) niederschmetternd

dev·as·tat·ing·ly ['devəsteɪtɪŋli] *adv* ❶(*destructively*) entsetzlich, furchtbar; **~ cruel** entsetzlich grausam ❷(*overwhelmingly*) unheimlich *fam;* **a ~ attractive man** ein wahnsinnig attraktiver Mann

dev·as·ta·tion [,devə'steɪʃᵊn] *n no pl* ❶(*destruction*) Verwüstung *f* ❷(*of person*) Verzweiflung *f*

de·vel·op [dɪ'veləp] **I.** *vi* sich entwickeln (**into** zu); *abilities* sich entfalten **II.** *vt* ❶ entwickeln; *habit* annehmen; *plan* ausarbeiten; *skills* weiterentwickeln ❷ ARCHIT erschließen [und bebauen] ❸ PHOT entwickeln

de·vel·oped [dɪ'veləpt] *adj* ❶(*advanced*) entwickelt ❷ ARCHIT *land* erschlossen

de·vel·op·er [dɪ'veləpəʳ] *n* ❶ PSYCH **late** ~ Spätentwickler(in) *m(f)* ❷ ARCHIT (*person*) Bauunternehmer(in) *m(f);* (*company*) Baufirma *f,* Bauunternehmen *nt* ❸ PHOT Entwickler *m*

de·vel·op·ing [dɪ'veləpɪŋ] *adj* sich entwickelnd

de·vel·op·ment [dɪ'veləpmənt] *n* ❶ *no pl* (*act, event, process*) Entwicklung *f;* **have there been any new ~s?** hat sich etwas Neues ergeben? ❷ *no pl* ARCHIT (*work*) Bau *m;* (*area*) Baugebiet *nt;* **new ~** Neubaugebiet *nt*

de·vi·ant ['di:viənt] SOCIOL **I.** *n* **to be a [sexual] ~** [im sexuellen Verhalten] von der Norm abweichen **II.** *adj behaviour* abweichend

de·vi·ate ['di:vieɪt] *vi* abweichen; *from route* sich entfernen

de·via·tion [,di:vi'eɪʃᵊn] *n* Abweichung *f*

de·vice [dɪ'vaɪs] *n* ❶(*machine*) Gerät *nt,* Vorrichtung *f* ❷(*method*) Verfahren *nt;* **linguistic/stylistic ~** Sprach-/Stilmittel *nt;* **literary/rhetorical ~** literarischer/rhetorischer Kunstgriff; **marketing ~** absatzförderndes Mittel ❸(*bomb*) **explosive/incendiary ~** Spreng-/Brandsatz *m;* **nuclear ~** atomarer Sprengkörper ▸**to leave sb to their <u>own</u> ~s** jdn sich *dat* selbst überlassen

dev·il ['devᵊl] *n* ❶ *no pl* Teufel *m;* ■**the D~** der Teufel ❷(*fig*) Teufel(in) *m(f)* ❸(*fam: sly person*) alter Fuchs; (*daring person*) Teufelskerl *m;* [**go on,**] **be a ~!** nur zu, sei kein Frosch! ❹(*fam: affectionately*) **cheeky ~** Frechdachs *m;* **little ~** kleiner Schlingel; **lucky ~** Glückspilz *m;* **poor ~** armer Teufel ❺(*emphasizing*) **a ~ of a job** eine Heidenarbeit; **to have the ~ of a job** [*or* **time**] **doing sth** es verdammt schwer haben, etw zu tun; **how/what/where/who/why the ~ ...?** wie/was/wo/wer/warum zum Teufel ...? ▸**~ take the <u>hind</u><u>most</u>** den Letzten beißen die Hunde; **needs must when the ~ <u>drives</u>** (*prov*) ob du willst oder nicht; **to be between the ~ and the <u>deep</u> blue sea** sich in einer

Zwickmühle befinden; **go to the ~!** geh zum Teufel!; **speak of the ~ ...** wenn man vom Teufel spricht ...; **like the ~** wie besessen

dev·il·ish ['devəlɪʃ] *adj* teuflisch; *situation* verteufelt; **~ job** Heidenarbeit *f*

'dev·il-may-care *adj attr* sorglos-leichtsinnig

de·vi·ous ['diːviəs] *adj* ❶ (*dishonest*) *person* verschlagen; *scheme* krumm ❷ (*roundabout*) gewunden; **to take a ~ route** einen Umweg fahren

de·vi·ous·ness ['diːviəsnəs] *n no pl* Hinterhältigkeit *f*

de·vise [dɪ'vaɪz] *vt* erdenken; *scheme* aushecken

de·void [dɪ'vɔɪd] *adj* ◼ **to be ~ of sth** ohne etw sein

de·vo·lu·tion [ˌdiːvə'luːʃən] *n no pl* POL Dezentralisierung *f*

de·volve [dɪ'vɒlv] (*form*) **I.** *vi* übergehen (**on** auf) **II.** *vt* übertragen (**on** auf)

de·vote [dɪ'vəʊt] *vt* widmen; *one's time* opfern; **to ~ oneself to God** sein Leben Gott weihen

de·vot·ed [dɪ'vəʊtɪd] *adj admirer* begeistert; *dog* anhänglich; *follower, friend* treu; *friendship* aufrichtig; *husband, mother* hingebungsvoll; *servant* ergeben; ◼ **to be ~ to sb/sth** jdm/etw treu ergeben sein; **she is ~ to her job** sie geht völlig in ihrer Arbeit auf

devo·tee [ˌdevə(ʊ)'tiː] *n of an artist* Verehrer(in) *m(f); of a leader* Anhänger(in) *m(f); of a cause* Verfechter(in) *m(f); of music* Liebhaber(in) *m(f); of a sport* Fan *m*

de·vo·tion [dɪ'vəʊʃən] *n no pl* ❶ (*loyalty*) Ergebenheit *f* ❷ (*dedication*) Hingabe *f* (**to** an) ❸ (*affection*) *of husband, wife* Liebe *f; of children* Anhänglichkeit *f; of an admirer* Verehrung *f* ❹ REL Andacht *f*

de·vo·tion·al [dɪ'vəʊʃənəl] *adj* Andachts-, andächtig

de·vour [dɪ'vaʊəʳ] *vt* verschlingen *a. fig*

de·vour·ing [dɪ'vaʊərɪŋ] *adj* verzehrend

de·vout [dɪ'vaʊt] *adj* REL fromm; (*fig*) [sehr] engagiert; *hope, wish* sehnlich

de·vout·ly [dɪ'vaʊtli] *adv* ❶ (*earnestly religious*) streng religiös ❷ (*sincerely*) **to pray ~** andächtig beten

dew [djuː] *n no pl* Tau *m*

dew·drop *n* Tautropfen *m*

dewy ['djuːi] *adj* ❶ (*covered with dew*) taufeucht; *morning* taufrisch ❷ (*moist*) *skin* feucht

dex·ter·ity [dek'sterəti] *n no pl* ❶ (*of hands*) Geschicklichkeit *f* ❷ (*cleverness*) Gewandtheit *f; (of speech)* Redegewandt-

heit *f*

dex·ter·ous ['dekstərəs] *adj* gewandt; *fingers* geschickt

dex·trose ['dekstrəʊs] *n no pl* Traubenzucker *m*

dex·trous ['dekstrəs] *adj see* **dexterous**

DHS [ˌdiːeɪtʃ'es] *n no pl* AM *abbrev of* **Department of Homeland Security** Ministerium *nt* für innere Sicherheit

dia·be·tes [ˌdaɪə'biːtiːz] *n no pl* Zuckerkrankheit *f*

dia·bet·ic [ˌdaɪə'betɪk] **I.** *n* Diabetiker(in) *m(f)* **II.** *adj* ❶ (*having diabetes*) zuckerkrank ❷ (*for diabetics*) Diabetiker-

dia·bol·ic [ˌdaɪə'bɒlɪk] *adj* ❶ (*of Devil*) Teufels- ❷ (*evil*) teuflisch

dia·boli·cal [ˌdaɪə'bɒlɪkəl] *adj* ❶ (*of Devil*) Teufels- ❷ (*evil*) teuflisch ❸ (*fam: very bad*) schrecklich *fam*

dia·boli·cal·ly [ˌdaɪə'bɒlɪkəli] *adv* ❶ (*extremely*) unheimlich *fam;* **~ difficult** saumäßig schwer *sl* ❷ (*wickedly*) diabolisch

dia·dem ['daɪədem] *n* Diadem *nt*

di·ag·nose ['daɪəgnəʊz] *vt* ❶ MED diagnostizieren; **she was ~d as having diabetes** man hat bei ihr Diabetes festgestellt ❷ (*discover*) erkennen; *fault* feststellen

di·ag·no·sis <*pl* -**ses**> [ˌdaɪəg'nəʊsɪs, *pl* -siːz] *n* ❶ *of a disease* Diagnose *f;* **to make a ~** eine Diagnose stellen ❷ *of a problem* Beurteilung *f*

di·ag·nos·tic [ˌdaɪəg'nɒstɪk] *adj* diagnostisch

di·ago·nal [daɪ'æɡənəl] **I.** *adj line* diagonal, schräg **II.** *n* Diagonale *f*

dia·gram ['daɪəgræm] *n* schematische Darstellung; MATH Diagramm *nt*

dia·gram·mati·cal·ly [ˌdaɪəgrə'mætɪkli] *adv* schematisch, diagrammatisch

dial [daɪəl] **I.** *n of clock* Zifferblatt *nt; of instrument, radio* Skala *f; of telephone* Wählscheibe *f* **II.** *vi, vt* <BRIT -ll- *or* AM *usu* -l-> wählen; **to ~ direct** durchwählen; **to ~ the wrong number** sich verwählen

dia·lect ['daɪəlekt] *n* Dialekt *m*

dial·ling ['daɪəlɪŋ] *n no pl* Wählen *nt*

'dial·ling code *n* BRIT Vorwahl *f*

dia·logue ['daɪəlɒɡ] *n,* AM **dia·log** *n* Dialog *m*

di·aly·sis [daɪ'æləsɪs] *n no pl* Dialyse *f*

di·am·eter [daɪ'æmətəʳ] *n* Durchmesser *m*

dia·met·ri·cal·ly [ˌdaɪə'metrɪkəli] *adv* **~ opposed** völlig entgegengesetzt

dia·mond ['daɪəmənd] *n* ❶ (*stone*) Diamant *m* ❷ MATH Raute *f*, Rhombus *m* ❸ CARDS Karo *nt;* **ace of ~s** Karoass *nt* ❹ (*in baseball*) Spielfeld *nt; (infield)* Innenfeld *nt*

dia·mond 'wed·ding *n* diamantene Hochzeit

dia·per ['daɪəpəʳ] *n* AM Windel *f*

di·apha·nous [daɪˈæfʰnəs] *adj* (*liter*) durchscheinend

dia·phragm ['daɪəfræm] *n* Diaphragma *nt*

dia·rist ['daɪərɪst] *n* Tagebuchschreiber(in) *m(f)*

di·ar·rhoea [ˌdaɪəˈrɪə] *n, esp* AM **di·ar·rhea** *n no pl* Durchfall *m*

dia·ry ['daɪəri:] *n* ❶ (*book*) Tagebuch *nt* ❷ (*schedule*) [Termin]kalender *m*

dia·ton·ic [daɪəˈtɒnɪk] *adj* MUS diatonisch

dia·tribe ['daɪətraɪb] *n* (*form: verbal*) Schmährede *f;* (*written*) Schmähschrift *f*

dice [daɪs] **I.** *n* <*pl* -> (*object*) Würfel *m;* (*game*) Würfelspiel *nt;* **to play ~** würfeln; **to roll** [*or* **throw**] **the ~** würfeln ▸ **no ~ !** AM (*fam*) kommt [überhaupt] nicht in Frage! **II.** *vi* würfeln ▸ **to ~ with death** mit seinem Leben spielen **III.** *vt* FOOD würfeln

dicey ['daɪsi] *adj* (*fam*) riskant

dick [dɪk] *n* ❶ (*pej!: stupid man*) Idiot *m* ❷ AM (*pej sl: detective*) Schnüffler *m* ❸ (*vulg: penis*) Schwanz *m* ❹ AM, CAN (*sl*) **~ all** überhaupt nichts

dick·ens ['dɪkɪnz] *n* (*fam*) **what the ~ ...?** was zum Teufel ...?

dicky ['dɪki] *adj* BRIT, AUS (*sl*) *heart* schwach

Dic·ta·phone® ['dɪktəfəʊn] *n* Diktaphon® *nt*

dic·tate [dɪkˈteɪt] **I.** *vt* ❶ (*command*) befehlen ❷ *a letter, memo* diktieren **II.** *vi* ■ **to ~ to sb** jdm Vorschriften machen; **to ~ into a machine** in ein Gerät diktieren

dic·ta·tion [dɪkˈteɪʃʰn] *n* Diktat *nt*

dic·ta·tor [dɪkˈteɪtəʳ] *n* ❶ POL (*also fig*) Diktator *m* ❷ (*of text*) Diktierende(r) *f/m*

dic·ta·tor·ial [ˌdɪktəˈtɔ:riəl] *adj* diktatorisch

dic·ta·tor·ship [dɪkˈteɪtəʃɪp] *n* Diktatur *f*

dic·tion ['dɪkʃʰn] *n no pl* Ausdrucksweise *f*

dic·tion·ary ['dɪkʃʰnʳri] *n* Wörterbuch *nt*

did [dɪd] *pt of* **do**

di·dac·tic [daɪˈdæktɪk] *adj* didaktisch

di·dac·ti·cal·ly [daɪˈdæktɪkli] *adv* didaktisch

did·dle ['dɪdl] (*fam*) **I.** *vt* (*cheat*) übers Ohr hauen; ■ **to ~ sb out of sth** jdm etw abgaunern **II.** *vi* AM (*tinker*) ■ **to ~** [**around**] **with sth** an etw *dat* [he]rummachen

didn't ['dɪdʰnt] = **did not** *see* **do**

die[1] [daɪ] *n* <*pl* dice> (*for games*) Würfel *m* ▸ **as straight as a ~** grundehrlich; **the ~ is cast** die Würfel sind gefallen

die[2] <-y-> [daɪ] **I.** *vi* ❶ (*cease to live*) sterben, umkommen (*of* vor); **to ~ of** [*or* from] **cancer** an Krebs sterben; **to almost ~ of boredom/embarrassment** (*fam*) vor Langeweile/Scham fast sterben; **we almost ~d laughing** wir hätten uns fast totgelacht; **to ~ of hunger** verhungern; **to ~ in one's sleep** [sanft] entschlafen; **to ~ by one's own hand** (*liter*) Hand an sich *akk* legen ❷ (*fig: end*) vergehen; *love* sterben ❸ (*fam: stop functioning*) kaputtgehen; *engine* stehen bleiben; *battery* leer werden; *flames, lights* [v]erlöschen ▸ **to ~ hard** nicht totzukriegen sein; **never** say ~ nur nicht aufgeben; **do or ~** kämpfen oder untergehen; **to be dying to do sth** darauf brennen, etw zu tun; **I'm dying to hear the news** ich bin wahnsinnig gespannt, die Neuigkeiten zu erfahren; **to be dying for sth** großes Verlangen nach etw *dat* haben; **I'm dying for a cup of tea** ich hätte jetzt zu gern eine Tasse Tee; **something to ~ for** unwiderstehlich gut **II.** *vt* sterben ♦ **die away** *vi* schwinden; *sobs* nachlassen; *anger, enthusiasm, wind* sich allmählich legen; *sound* verhallen ♦ **die back** *vi* absterben ♦ **die down** *vi noise* leiser werden; *rain, wind* schwächer werden; *storm* sich legen; *excitement* abklingen ♦ **die off** *vi* aussterben; BOT absterben ♦ **die out** *vi* aussterben

'die·back *n* [Ab]sterben *nt* [von Bäumen oder Ästen]

'die·hard **I.** *n* (*pej*) Dickschädel *m* **II.** *adj* unermüdlich; *reactionary* Erz

die·sel ['di:zʰl] *n no pl* ❶ (*fuel*) Diesel[kraftstoff] *m;* **to run on ~** mit Diesel fahren ❷ (*vehicle*) Dieselfahrzeug *nt,* Diesel *m*

'die·sel en·gine *n* Dieselmotor *m* **'die·sel oil** *n* Dieselöl *nt*

diet [daɪət] **I.** *n* ❶ (*food and drink*) Nahrung *f;* **they exist on a ~ of ...** sie ernähren sich ausschließlich von ...; **balanced ~** ausgewogene Kost ❷ MED Diät *f,* Schonkost *f;* **on a ~** auf Diät ❸ (*scheme for losing weight*) Diät *f,* Schlankheitskur *f;* **to go on a ~** eine Diät machen **II.** *vi* Diät halten **III.** *adj* Diät

di·etary ['daɪətʰri] *adj* ❶ (*of usual food*) Ernährungs-, Ess- ❷ (*of medical diet*) Diät

di·etary 'fi·bre *n no pl* Ballaststoffe *pl*

di·etet·ics [ˌdaɪəˈtetɪks] *n + sing vb* Ernährungslehre *f*

di·eti·cian, di·eti·tian [ˌdaɪəˈtɪʃʰn] *n* Diätassistent(in) *m(f)*

dif·fer ['dɪfəʳ] *vi* ❶ (*be unlike*) sich unterscheiden ❷ (*not agree*) verschiedener Meinung sein

dif·fer·ence ['dɪfʰrʰn(t)s] *n* ❶ (*state*) Unterschied *m;* **~ in quality** Qualitätsunter schied *m* ❷ (*distinction*) Verschiedenheit *f;* **to make a ~ to sth** etw verändern; **to make all the ~** die Sache völlig ändern; **for all the ~ it will make** auch wenn sich dadurch nichts ändert; **to make all the ~ in the world** [*or* **a world of ~**] einen himmelweiten Unterschied machen ❸ FIN Differenz *f;* MATH (*after subtraction*) Rest *m* ❹ (*disagreement*) ~ [**of opinion**] Meinungsverschiedenheit *f*

dif·fer·ent ['dɪfᵊrᵊnt] *adj* ❶ (*not the same*) anders *präd,* andere(r, s) *attr;* **something ~** etwas anderes ❷ (*distinct*) unterschiedlich, verschieden; ■**to be ~ from sb/sth** sich von jdm/etw unterscheiden; **entirely ~ from** ganz anders als; **the two brothers are very ~ from each other** die beiden Brüder sind sehr verschieden; **~ opinions** unterschiedliche Meinungen ❸ (*unusual*) ungewöhnlich; **to do something ~** etwas Außergewöhnliches tun

dif·fer·en·tial [ˌdɪfᵊˈren(t)ʃᵊl] I. *n* ❶ (*difference*) Unterschied *m;* ECON Gefälle *nt* ❷ MATH Differenzial *nt* ❸ MECH Differenzial[getriebe] *nt* II. *adj* ❶ (*different*) unterschiedlich; **~ treatment** Ungleichbehandlung *f* ❷ ECON gestaffelt; **~ tariff** Staffeltarif *m* ❸ MATH, MECH Differenzial-

dif·fer·en·ti·ate [ˌdɪfᵊˈren(t)ʃieɪt] *vi, vt* unterscheiden

dif·fer·en·tia·tion [ˌdɪfᵊren(t)ʃiˈeɪʃᵊn] *n* Differenzierung *f*

dif·fer·ently ['dɪfᵊrentli] *adv* verschieden, unterschiedlich

dif·fi·cult ['dɪfɪkᵊlt] *adj examination, language, task* schwierig, schwer; *case, problem, situation* schwierig; *choice, decision* schwer; *age, position* schwierig; *life, time* schwer; *job, trip* beschwerlich; *person, book, concept* schwierig; **to find it ~ to do sth** es schwer finden, etw zu tun

dif·fi·cul·ty ['dɪfɪkᵊlti] *n* ❶ *no pl* (*effort*) **with ~** mit Mühe ❷ *no pl* (*problematic nature*) *of a task* Schwierigkeit *f* ❸ (*trouble*) Problem *nt,* Schwierigkeit *f;* **to be in difficulties** in Schwierigkeiten sein; **to have ~ doing sth** Schwierigkeiten dabei haben, etw zu tun

dif·fi·dent ['dɪfɪdᵊnt] *adj* ❶ (*shy*) zaghaft ❷ (*modest*) zurückhaltend

dif·fract [dɪˈfrækt] *vt* PHYS beugen

dif·fuse I. *adj* [dɪˈfjuːs] ❶ (*spread out*) *community* [weit] verstreut; *light* diffus ❷ (*verbose*) *explanation, report* weitschweifig; *prose, speech* langatmig II. *vi* [dɪˈfjuːz] ❶ (*disperse*) sich verbreiten ❷ PHYS (*intermingle*) sich vermischen III. *vt* [dɪˈfjuːz] (*disseminate*) ■**to ~ sth** etw verbreiten

dif·fu·sion [dɪˈfjuːʒᵊn] *n no pl* Verbreitung *f;* SOCIOL Ausbreitung *f;* CHEM, PHYS Diffusion *f*

dif·'fu·sion line *n* Pret-à-porter-Kollektion *f*

dig [dɪg] I. *n* ❶ ARCHEOL Ausgrabung *f* ❷ (*thrust*) Stoß *m;* **~ in the ribs** Rippenstoß *m;* (*fig: cutting remark*) Seitenhieb *m* (**at** auf**;** **to have** [*or* **take**] **a ~ at sb** gegen jdn sticheln ❸ *esp* BRIT (*fam*) ■**~s** *pl* [Studenten]bude *f* II. *vi* <-gg-, dug, dug> graben (**for** nach); ■**to ~ through sth** sich durch etw *akk* graben; **her nails dug into his palm** ihre Nägel gruben sich in seine Hand; **the stone in my shoe is ~ging into my foot** der Stein in meinem Schuh bohrt sich in meinen Fuß; **to ~ in one's pocket** in der Tasche kramen III. *vt* <-gg-, dug, dug> ❶ (*with a shovel*) graben; *ditch* ausheben ❷ ARCHEOL ausgraben ❸ (*thrust*) **to ~ sb in the ribs** jdn [mit dem Ellenbogen] anstoßen ❹ (*sl: like*) stehen auf +*akk* ❺ (*sl: understand*) schnallen ◆**dig in** I. *vi* ❶ (*fam: begin eating*) zulangen ❷ MIL sich eingraben II. *vt fertilizer* untergraben ◆**dig out** *vt* ausgraben *a. fig* ◆**dig up** *vt* ❶ (*turn over*) umgraben ❷ (*remove*) ausgraben; ARCHEOL freilegen ❸ (*fig: find out*) herausfinden

di·gest I. *vt* [daɪˈdʒest] ❶ (*in stomach*) verdauen ❷ CHEM auflösen II. *n* ['daɪdʒest] Auswahl *f* (**of** aus)

di·gest·ible [dɪˈdʒestəbl] *adj* verdaulich

di·ges·tion [dɪˈdʒestʃᵊn] *n* Verdauung *f*

di·ges·tive [daɪˈdʒestɪv] *adj* Verdauungs-

dig·ger ['dɪgᵊ] *n* ❶ (*machine*) Bagger *m* ❷ (*sb who digs*) Gräber(in) *m(f);* ARCHEOL Ausgräber(in) *m(f)* ❸ AUS (*fam: buddy*) Kumpel *m*

dig·it ['dɪdʒɪt] *n* ❶ MATH Ziffer *f;* **three-~ number** dreistellige Zahl ❷ (*finger*) Finger *m;* (*toe*) Zehe *f*

digi·tal ['dɪdʒɪtᵊl] *adj* digital, Digital-

digi·tal·ize ['dɪdʒɪtᵊlaɪz] *vt* digitalisieren

digi·tal·ly ['dɪdʒɪtᵊli] *adv* digital

digi·tal 'pen *n* COMPUT Digital-Pen *f* **digi·tal 'ra·dio** *n no pl* Digitalradio *nt*

digi·tize ['dɪdʒɪtaɪz] *vt* ■**to ~ sth** etw digitalisieren

digi·tiz·er ['dɪdʒɪtaɪzᵊ] *n* COMPUT Digitalisierer *m*

dig·ni·fied ['dɪgnɪfaɪd] *adj* würdig, würdevoll; *silence* ehrfürchtig

dig·ni·fy <-ie-> ['dɪgnɪfaɪ] *vt* Würde verleihen

dig·ni·tary ['dɪgnɪtᵊri] *n* Würdenträger(in) *m(f)*

dig·ni·ty ['dɪgnɪti] *n no pl* Würde *f;*

human ~ Menschenwürde *f*

di·gress [daɪˈgres] *vi* abschweifen

di·gres·sion [daɪˈgreʃən] *n* Abschweifung *f*, Exkurs *m*

digs [dɪgz] *n* + *pl vb esp* BRIT (*fam*) [Studenten]bude *f fam*; **to live in** ~ ein möbliertes Zimmer haben

dike *n see* **dyke**

di·lapi·dat·ed [dɪˈlæpɪdeɪtɪd] *adj house* verfallen; *estate* heruntergekommen; *car* klapprig

di·lapi·da·tion [dɪˌlæpɪˈdeɪʃən] *n no pl of house* Verfall *m*, Baufälligkeit *f*

di·late [daɪˈleɪt] I. *vi* sich weiten II. *vt* erweitern

di·la·tion [daɪˈleɪʃən] *n no pl* Erweiterung *f*

di·lemma [dɪˈlemə] *n* Dilemma *nt*; **to be faced with a** ~ vor einem Dilemma stehen

dil·et·tante [ˌdɪlɪˈtænti] I. *n* <*pl* -s *or* -ti> Dilettant(in) *m(f)* II. *adj* dilettantisch

dili·gence [ˈdɪlɪdʒən(t)s] *n no pl* ❶ (*effort*) Eifer *m* ❷ (*industriousness*) Fleiß *m*

dili·gent [ˈdɪlɪdʒənt] *adj* ❶ (*hard-working*) fleißig, eifrig ❷ (*painstaking*) sorgfältig

dili·gent·ly [ˈdɪlɪdʒəntli] *adv* sorgfältig, gewissenhaft

dill [dɪl] *n no pl* Dill *m*

di·lute [daɪˈluːt] I. *vt* ❶ (*mix*) verdünnen ❷ (*fig*) abschwächen II. *adj* verdünnt

di·lut·ed [daɪˈluːtɪd] *adj esp* AM ❶ *juice, chemical solution* verdünnt; *soup, sauce* gestreckt ❷ FIN bereinigt; (*share profits*) dilutiert

di·lu·tion [daɪˈluːʃən] *n* ❶ *no pl* (*act*) Verdünnen *nt* ❷ (*liquid*) Verdünnung *f* ❸ *no pl* (*fig*) Abschwächung *f*

dim <-mm-> [dɪm] I. *adj* ❶ (*not bright*) schwach, trüb; (*poorly lit*) schumm[e]rig ❷ (*indistinct*) undeutlich; *recollection, shape* verschwommen ❸ (*dull*) *colour* matt ❹ (*slow to understand*) schwer von Begriff ❺ (*fig: unfavourable*) ungünstig; ~ **prospects** trübe Aussichten; **to take a** ~ **view of sth** von etw *dat* nichts halten II. *vt* abdunkeln; **to** ~ **the lights** das Licht dämpfen III. *vi lights* dunkler werden; *hopes* schwächer werden

dime [daɪm] *n* AM Dime *m*, Zehncentstück *nt* ▸ **a** ~ **a** <u>dozen</u> spottbillig ◆ **dime out** *vt* AM (*fam*) **to** ~ **out sb** jdn gegen eine Belohnung verpfeifen *fam*

di·men·sion [ˌdaɪˈmen(t)ʃən] *n* Dimension *f*

-di·men·sion·al [ˌdaɪˈmen(t)ʃənəl] *in compounds* (*1-, 2-, 3-*) -dimensional

di·min·ish [dɪˈmɪnɪʃ] I. *vt* vermindern II. *vi* sich vermindern; *pain* nachlassen; *influence, value* abnehmen

dimi·nu·tion [ˌdɪmɪˈnjuːʃən] *n* Verringerung *f*

di·minu·tive [dɪˈmɪnjətɪv] I. *adj* ❶ (*small*) winzig ❷ LING diminutiv II. *n* LING Verkleinerungsform *f*

dim·ly [ˈdɪmli] *adv* ❶ (*not brightly*) schwach ❷ (*indistinctly*) undeutlich, unscharf ❸ (*vaguely*) **to remember sth** ~ sich dunkel an etw *akk* erinnern

dim·mer [ˈdɪmə] *n*, **ˈdim·mer switch** *n* Dimmer *m*, Helligkeitsregler *m*

dim·ness [ˈdɪmnəs] *n no pl* ❶ (*lack of light*) Trübheit *f*; *of a lamp* Mattheit *f*; *of a memory* Undeutlichkeit *f*; *of an outline* Unschärfe *f*; *of a room* Düsterkeit *f* ❷ (*lack of intelligence*) Beschränktheit *f*

dim·ple [ˈdɪmpl] I. *n* (*in cheeks, chin*) Grübchen *nt*; (*on golf ball*) kleine Delle II. *adj* ~**d** mit Grübchen *nach n*

din [dɪn] I. *n no pl* Lärm *m*; **the** ~ **of the traffic** der Verkehrslärm; **terrible** ~ Höllenlärm *m*; **to make a** ~ Krach machen II. *vt* ▪ **to** ~ **sth into sb** jdm etw einbläuen

dine [daɪn] *vi* (*form*) speisen

din·er [ˈdaɪnə] *n* ❶ (*person*) Speisende(r) *f(m)*; (*in restaurant*) Gast *m* ❷ RAIL Speisewagen *m* ❸ AM Restaurant am Straßenrand mit Theke und Tischen

din·ghy [ˈdɪŋgi] *n* Dingi *nt*

din·gy [ˈdɪndʒi] *adj* düster, schmuddelig; *colour* trüb

din·ing car [ˈdaɪnɪŋ͵-] *n* RAIL Speisewagen *m*

ˈdin·ing room *n* (*in house*) Esszimmer *nt*; (*in hotel*) Speisesaal *m*

dinky [ˈdɪŋki] *adj* ❶ BRIT, AUS (*approv*) niedlich ❷ AM (*pej*) klein

din·ner [ˈdɪnə] *n* ❶ (*evening meal*) Abendessen *nt*; (*warm lunch*) Mittagessen *nt*; **we've been invited to** ~ wir sind zum Essen eingeladen; ~**'s ready!** das Essen ist fertig!; **to go out for** ~ essen gehen; **to have** ~ zu Abend essen; (*lunch*) zu Mittag essen; **to make** ~ das Essen zubereiten; **for** ~ zum Essen ❷ (*formal meal*) Diner *nt*, Festessen *nt*

ˈdin·ner jack·et *n* Smoking *m* **ˈdin·ner par·ty** *n* Abendgesellschaft *f* [mit Essen] **ˈdin·ner ser·vice** *n*, **ˈdin·ner set** *n* Tafelservice *nt* **ˈdin·ner ta·ble** *n* (*in house*) Esstisch *m*; (*at formal event*) Tafel *f* **ˈdin·ner·time** *n no pl* Essenszeit *f*

di·no·saur [ˈdaɪnəsɔːʳ] *n* Dinosaurier *m a. fig*

dio·cese [ˈdaɪəsɪs, -sɪz] *n* Diözese *f*

di·op·tre, AM **di·op·ter** [daɪˈɒptəʳ] *n* Dioptrie *f*

di·ox·ide [daɪˈɒksaɪd] *n no pl* Dioxyd *nt*

di·ox·in [daɪˈɒksɪn] *n* Dioxin *nt*

dip [dɪp] **I.** *n* ❶ (*dipping*) [kurzes] Eintauchen *kein pl* ❷ FOOD Dip *m* ❸ (*brief swim*) kurzes Bad; **to go for a ~** kurz reinspringen ❹ (*cleansing liquid*) [Desinfektions]lösung *f* ❺ (*brief study*) Ausflug *m* ❻ (*downward slope*) Gefälle *nt kein pl; (in the road)* Vertiefung *f; (drop)* Sinken *nt kein pl; (in skyline)* Abfallen *nt kein pl;* **a sudden ~ in the temperature** ein plötzlicher Temperatureinbruch **II.** *vi* <-pp-> ❶ (*go down*) [ver]sinken; (*lower*) sich senken ❷ (*decline*) fallen; *profits* zurückgehen ❸ (*slope down*) abfallen ❹ (*go under water*) eintauchen **III.** *vt* <-pp-> ❶ (*immerse*) [ein]tauchen; FOOD [ein]tunken ❷ (*put into*) [hinein]stecken; **to ~** [one's hand] **into sth** [mit der Hand] in etw *akk* hineingreifen ❸ (*lower*) senken; *flag* dippen ❹ BRIT, AUS (*dim*) *headlights* abblenden ❺ (*dye*) färben ❻ AGR *sheep* dippen ◆ **dip into** *vi* ❶ (*study casually*) ■**to ~ into sth** einen kurzen Blick auf etw *akk* werfen; **to ~ into a book** kurz in ein Buch hineinschauen ❷ *savings* angreifen; **to ~ into one's pocket** [*or* **wallet**] tief in die Tasche greifen

diph·theria [dɪfˈθɪəriə] *n no pl* MED Diphtherie *f*

diph·thong [dɪfˈθɒŋ] *n* LING Doppellaut *m*

di·plo·ma [dɪˈpləʊmə] *n* ❶ SCH, UNIV Diplom *nt* ❷ (*honorary document*) [Ehren]urkunde *f*

di·plo·ma·cy [dɪˈpləʊməsi] *n no pl* Diplomatie *f a. fig*

dip·lo·mat [ˈdɪpləmæt] *n* Diplomat(in) *m(f) a. fig*

dip·lo·mat·ic [ˌdɪpləˈmætɪk] *adj* diplomatisch *a. fig*

dip·lo·mati·cal·ly [ˌdɪpləˈmætɪkli] *adv* diplomatisch; POL *also* auf diplomatischem Weg[e]

'dip·stick *n* ❶ AUTO [Öl]messstab *m* ❷ (*fam: idiot*) Idiot(in) *m(f)* **'dip switch** *n* BRIT AUTO Abblendschalter *m*

dire [ˈdaɪəʳ] *adj* ❶ (*dreadful*) entsetzlich, furchtbar; *poverty* äußerst; *situation* aussichtslos; **in ~ straits** in einer ernsten Notlage ❷ (*ominous*) *warning* unheilvoll ❸ (*fam: very bad*) grässlich ❹ (*urgent*) dringend; **to be in ~ need of help** ganz dringend Hilfe brauchen

di·rect [dɪˈrekt] **I.** *adj* direkt; **~ flight** Direktflug *m;* **~ route** kürzester Weg; **she is a ~ descendant of ...** sie stammt in direkter Linie von ... ab; **the ~ opposite** das genaue Gegenteil **II.** *adv* direkt; **to dial ~** durchwählen **III.** *vt* ❶ (*control*) leiten [*o* führen]; *traffic* regeln ❷ (*order*) anweisen ❸ (*aim*) *remark, letter* richten (**at/to** an); *attention* lenken (**at/to** auf); **to ~ a blow at sb** nach jdm schlagen ❹ (*give directions*) ■**to ~ sb to sth** jdm den Weg zu etw *dat* zeigen ❺ THEAT, FILM Regie führen bei; MUS dirigieren **IV.** *vi* THEAT, FILM Regie führen; MUS dirigieren

di·rect 'cur·rent *n no pl* ELEC Gleichstrom *m* **di·rect 'deb·it** *n no pl* BRIT, CAN Einzugsermächtigung *f;* **I pay my electricity bill by ~** ich lasse meine Stromrechnung abbuchen **di·rect 'dial·ling** *n no pl* Direktwahl *f*, Durchwahl *f* **di·rect 'hit** *n* Volltreffer *m*

di·rec·tion [dɪˈrekʃən] *n* ❶ (*course taken*) Richtung *f;* **in the ~ of the bedroom** in Richtung Schlafzimmer; **sense of ~** Orientierungssinn *m;* **to lack ~** orientierungslos sein; **in opposite ~s** in entgegengesetzter Richtung; **to give sb ~s** jdm den Weg beschreiben ❷ *no pl* (*supervision*) Leitung *f*, Führung *f* ❸ *no pl* FILM, TV, THEAT Regie *f* ❹ (*instructions*) ■**~s** *pl* Anweisungen *pl*

di·rec·tion·al [dɪˈrekʃənəl] *adj* RADIO Richt-

di·rec·tive [dɪˈrektɪv] *n* [An]weisung *f*

di·rect·ly [dɪˈrektli] **I.** *adv* direkt; **I'll be with you ~** ich bin gleich bei Ihnen; **~ after/before sth** unmittelbar nach/vor etw *dat* **II.** *conj* sobald

di·rect 'ob·ject *n* direktes Objekt

di·rec·tor [dɪˈrektəʳ] *n* ❶ *of company* Direktor(in) *m(f); of information centre* Leiter(in) *m(f)* ❷ (*member of board*) Mitglied *nt* des Verwaltungsrats ❸ FILM, THEAT Regisseur(in) *m(f); of orchestra* Dirigent(in) *m(f); of choir* Chorleiter(in) *m(f)*

di·rec·to·rate [dɪˈrektərət] *n* + *sing/pl vb* ❶ ADMIN Direktorat *nt* ❷ (*board*) Direktorium *nt*

di·rec·tor·ship [dɪˈrektəʃɪp] *n* Direktorenstelle *f*

di·rec·tory [dɪˈrektəri] *n* Telefonbuch *nt; (list)* Verzeichnis *nt;* **business ~** Branchenverzeichnis *nt*

di·rec·tory en·'quiries *npl* BRIT, AM, AUS **di·rec·tory as·'sis·tance** *n no pl* [Telefon]auskunft *f kein pl*

dirt [dɜːt] *n no pl* ❶ (*filth*) Schmutz *m*, Dreck *m;* **covered in ~** ganz schmutzig ❷ (*soil*) Erde *f* ❸ (*scandal*) **to dig for ~** nach Skandalen suchen ❹ (*fam: excrement*) Dreck *m* ▸ **to eat ~** sich widerspruchslos demütigen lassen; **to treat sb like ~** jdn wie [den letzten] Dreck behandeln

dirt 'cheap I. *adj* (*fam*) spottbillig **II.** *adv* **to sell sth ~** etw verschleudern '**dirt road** *n* Schotterstraße *f*

dirty ['dɜːti] I. *adj* ❶ (*unclean*) dreckig, schmutzig; *needle* benutzt ❷ (*fam: nasty*) gemein; *liar* dreckig; *rascal* gerissen ❸ BRIT ~ **weather** Sauwetter *nt* derb ❹ (*fam: lewd*) schmutzig; *language* vulgär ❺ (*unfriendly*) **to give sb a ~ look** jdm einen bösen Blick zuwerfen ▸**to get one's** <u>hands</u> ~ sich *dat* die Hände schmutzig machen II. *adv* ❶ BRIT, AUS (*sl*) ~ **great** riesig ❷ (*dishonestly*) **to play** ~ unfair spielen ❸ (*obscenely*) **to talk** ~ sich vulgär ausdrücken III. *vt* beschmutzen IV. *n no pl* BRIT, AUS (*fam*) ▸**to** <u>do</u> **the** ~ **on sb** jdn [he]reinlegen

'**dirty bomb** *n* schmutzige Bombe '**dirty bomb·er** *n* Bombenattentäter(in) *m(f)* mit einer schmutzigen Bombe

dis·abil·ity [ˌdɪsə'bɪləti] *n* Behinderung *f*; **mental/physical** ~ geistige Behinderung/ Körperbehinderung *f*; ~ **benefit** Erwerbsunfähigkeitsrente *f*

dis·able [dɪ'seɪbl] *vt* ■**to** ~ **sb** jdn arbeitsunfähig machen; ■**to** ~ **sth** etw funktionsunfähig machen

dis·abled [dɪ'seɪbld] I. *adj* behindert; **mentally/severely** ~ geistig/schwer behindert; **physically** ~ körperbehindert II. *n* ■**the** ~ *pl* die Behinderten

dis·ad·vant·age [ˌdɪsəd'vɑːntɪdʒ] I. *n* Nachteil *m*; (*state*) Benachteiligung *f*; **at a** ~ im Nachteil; **to put sb at a** ~ jdn benachteiligen II. *vt* benachteiligen

dis·ad·van·taged [ˌdɪsəd'vɑːntɪdʒd] I. *adj* benachteiligt II. *n* ■**the** ~ *pl* die Benachteiligten

dis·ad·van·ta·geous [ˌdɪsˌædvən'teɪdʒəs] *adj* nachteilig

dis·af·fect·ed [ˌdɪsə'fektɪd] *adj* (*dissatisfied*) unzufrieden; (*estranged*) entfremdet

dis·af·fec·tion [ˌdɪsə'fekʃən] *n no pl* (*dissatisfaction*) Unzufriedenheit *f* (**with** mit); (*estrangement*) Entfremdung *f* (**with** von)

dis·agree [ˌdɪsə'griː] *vi* ❶ (*dissent*) nicht übereinstimmen; (*with plan, decision*) nicht einverstanden sein; (*with sb else*) uneinig [*o* anderer Meinung] sein; **I strongly** ~ **with the decision** ich kann mich der Entscheidung in keiner Weise anschließen ❷ (*quarrel*) eine Auseinandersetzung haben ❸ (*not correspond*) nicht übereinstimmen ❹ FOOD **I must have eaten something that** ~d **with me** ich muss etwas gegessen haben, das mir nicht bekommt

dis·agree·able [ˌdɪsə'griːəbl] *adj* ❶ (*unpleasant*) unangenehm ❷ (*unfriendly*) unsympathisch

dis·agree·ment [ˌdɪsə'griːmənt] *n* ❶ *no*
pl (*lack of agreement*) Uneinigkeit *f*; **to be in** ~ **about sth** sich *dat* über etw *akk* nicht einig sein ❷ (*argument*) Meinungsverschiedenheit *f* (**over** um, **about** über) ❸ *no pl* (*discrepancy*) Diskrepanz *f*

dis·al·low [ˌdɪsə'laʊ] *vt* ❶ (*rule out*) nicht erlauben; SPORTS nicht anerkennen; *goal* annullieren ❷ LAW abweisen

dis·ap·pear [ˌdɪsə'pɪəʳ] *vi* ❶ (*vanish*) verschwinden; **to** ~ **into thin air** sich in Luft auflösen ❷ (*become extinct*) aussterben

dis·ap·pear·ance [ˌdɪsə'pɪərᵊn(t)s] *n no pl* ❶ (*vanishing*) Verschwinden *nt* ❷ (*becoming extinct*) Aussterben *nt*

dis·ap·point [ˌdɪsə'pɔɪnt] *vt* enttäuschen

dis·ap·point·ed [ˌdɪsə'pɔɪntɪd] *adj* enttäuscht (**at/about** über, **in/with** mit); **I was** ~ **to learn that ...** ich war enttäuscht, als ich erfuhr, dass ...

dis·ap·point·ed·ly [ˌdɪsə'pɔɪntɪdli] *adv* enttäuscht

dis·ap·point·ing [ˌdɪsə'pɔɪntɪŋ] *adj* enttäuschend; **how** ~! so eine Enttäuschung!

dis·ap·point·ment [ˌdɪsə'pɔɪntmənt] *n* Enttäuschung *f* (**in** über); ■**to be a** ~ **to sb** für jdn eine Enttäuschung sein

dis·ap·prov·al [ˌdɪsə'pruːvᵊl] *n no pl* Missbilligung *f*; **a hint of** ~ ein leichtes Missfallen

dis·ap·prove [ˌdɪsə'pruːv] *vi* dagegen sein; ■**to** ~ **of sth** etw missbilligen; **to** ~ **of sb's behaviour** jds Verhalten *nt* kritisieren; ■**to** ~ **of sb** jdn ablehnen

dis·ap·prov·ing [ˌdɪsə'pruːvɪŋ] *adj* missbilligend

dis·ap·prov·ing·ly [ˌdɪsə'pruːvɪŋli] *adv* missbilligend

dis·arm [dɪ'sɑːm] I. *vt person* entwaffnen *a. fig*; *bomb* entschärfen II. *vi* abrüsten

dis·arma·ment [dɪ'sɑːməmənt] *n no pl* Abrüstung *f*

dis·arm·ing [dɪ'sɑːmɪŋ] *adj* entwaffnend

dis·arm·ing·ly [dɪs'ɑːmɪŋli] *adv* entwaffnend

dis·ar·ray [ˌdɪsᵊ'reɪ] *n no pl* ❶ (*disorder*) Unordnung *f*; **her hair was in** ~ ihr Haar war [ganz] zerzaust ❷ (*confusion*) Verwirrung *f*

dis·as·ter [dɪ'zɑːstəʳ] *n* Katastrophe *f a. fig*; **the evening was a complete** ~ der Abend war der totale Reinfall; **as a teacher, he was a** ~ als Lehrer war er absolut unfähig

dis·as·trous [dɪ'zɑːstrəs] *adj* katastrophal; *decision, impact* verhängnisvoll

dis·band [dɪs'bænd] I. *vi* sich auflösen II. *vt* ■**to** ~ **sth** etw auflösen

dis·be·lief [ˌdɪsbɪ'liːf] *n no pl* Unglaube *m*;

in ~ ungläubig

dis·be·lieve [ˌdɪsbɪˈliːv] (*form*) **I.** *vt* ■**to ~ sb** jdm nicht glauben; ■**to ~ sth** etw bezweifeln **II.** *vi* ■**to ~ in sth** an etw *akk* nicht glauben

dis·be·liev·er [ˌdɪsbɪˈliːvəʳ] *n* Ungläubige(r) *f(m)*

dis·burse [dɪsˈbɜːs] *vt* auszahlen

disc [dɪsk] *n* ❶ (*shape, object*) Scheibe *f*; MED Bandscheibe *f* ❷ MUS [Schall]platte *f*; (*CD*) CD *f* ❸ COMPUT Diskette *f*

dis·card I. *vt* [dɪˈskɑːd] ❶ (*throw away*) wegwerfen; (*throw down*) *coat* ablegen; (*fig*) *idea* fallen lassen ❷ CARDS abwerfen **II.** *n* [ˈdɪskɑːd] ❶ CARDS abgeworfene Karte ❷ (*reject*) Ausschuss *m kein pl*

ˈ**disc brake** *n* Scheibenbremse *f*

dis·cern [dɪˈsɜːn] *vt* (*form*) wahrnehmen

dis·cern·ible [dɪˈsɜːnəbl] *adj* wahrnehmbar, erkennbar

dis·cern·ing [dɪˈsɜːnɪŋ] *adj* urteilsfähig; *palate* fein; *reader* kritisch

dis·cern·ment [dɪˈsɜːnmənt] *n no pl* ❶ (*good judgement*) Urteilskraft *f* ❷ (*act of discerning*) Wahrnehmung *f*

dis·charge I. *vt* [dɪsˈtʃɑːdʒ] ❶ (*release*) entlassen (**from** aus); *accused* freisprechen; *soldier* verabschieden ❷ (*form: fire*) *weapon* abfeuern ❸ (*emit*) absondern; *sewage* ablassen ❹ (*pay off*) *debt* begleichen ❺ (*perform*) *duty* erfüllen; *responsibility* nachkommen ❻ PHYS entladen **II.** *vi* [dɪsˈtʃɑːdʒ] sich ergießen; *wound* eitern **III.** *n* [ˈdɪstʃɑːdʒ] ❶ *no pl of person* Entlassung *f* ❷ (*firing of gun*) Abfeuern *nt kein pl* ❸ (*discharging of liquid*) Ausströmen *nt kein pl* ❹ (*liquid emitted*) Ausfluss *m kein pl; from wound* Absonderung *f* ❺ *of debt* Begleichung *f* ❻ *of duty* Erfüllung *f* ❼ PHYS Entladung *f*

dis·ci·ple [dɪˈsaɪpl] *n* Anhänger(in) *m(f)*; (*of Jesus*) Jünger *m*

dis·ci·pli·nary [ˌdɪsəˈplɪnəri] *adj* Disziplinar-; ~ **problems** Disziplinprobleme *pl*

dis·ci·pline [ˈdɪsəplɪn] **I.** *n* Disziplin *f* **II.** *vt* ❶ (*have self-control*) ■**to ~ oneself** sich disziplinieren ❷ (*punish*) bestrafen

dis·ci·plined [ˈdɪsəplɪnd] *adj* diszipliniert, ordentlich

ˈ**disc jock·ey** *n* Diskjockey *m*

dis·claim [dɪsˈkleɪm] *vt* abstreiten; *responsibility* ablehnen

dis·claim·er [dɪsˈkleɪməʳ] *n* Verzichtserklärung *f*

dis·close [dɪsˈkləʊz] *vt* ❶ (*reveal*) bekannt geben ❷ (*uncover*) enthüllen

dis·clo·sure [dɪsˈkləʊzəʳ] *n* (*form*) ❶ *no pl* (*act of disclosing*) *of information* Be-

kanntgabe *f* ❷ (*revelation*) Enthüllung *f*

dis·co [ˈdɪskəʊ] *n short for* **discotheque** Disco *f*, Disko *f*; **to go to the ~** in die Disco gehen

dis·col·our [dɪˈskʌləʳ], **dis·col·or** **I.** *vi* sich verfärben **II.** *vt* verfärben

dis·com·fit [dɪˈskʌm(p)fɪt] *vt* (*form*) ■**to ~ sb** jdm Unbehagen bereiten

dis·com·fi·ture [dɪˈskʌm(p)fɪtʃəʳ] *n no pl* (*form*) Unbehagen *nt*

dis·com·fort [dɪˈskʌm(p)fət] *n* ❶ *no pl* (*slight pain*) Beschwerden *pl* (**in** mit) ❷ *no pl* (*mental uneasiness*) Unbehagen *nt* ❸ (*inconvenience*) Unannehmlichkeit *f*

dis·con·cert [ˌdɪskənˈsɜːt] *vt* beunruhigen

dis·con·cert·ing [ˌdɪskənˈsɜːtɪŋ] *adj* beunruhigend; (*unnerving*) irritierend

dis·con·nect [ˌdɪskəˈnekt] *vt* ■**to ~ sth** etw trennen; *electricity, gas, phone* abstellen; TELEC **we suddenly got ~ed** die Verbindung wurde plötzlich unterbrochen; ■**to ~ sb** jdn nicht mehr versorgen

dis·con·nect·ed [ˌdɪskəˈnektɪd] *adj* ❶ (*turned off*) [ab]getrennt; (*left without supply*) abgestellt ❷ (*incoherent*) zusammenhang[s]los

dis·con·nec·tion [ˌdɪskəˈnekʃən] *n* Unterbrechung *f*, Trennung *f*; **a sense of ~** ein Gefühl *nt* der Ausgeschlossenheit (**from** von + *dat*)

dis·con·so·late [dɪˈskɒn(t)səlÉ™t] *adj* (*dejected*) niedergeschlagen; (*inconsolable*) untröstlich

dis·con·tent [dɪskənˈtent] *n no pl* Unzufriedenheit *f*

dis·con·tent·ed [dɪskənˈtentɪd] *adj* unzufrieden (**with/about** mit)

dis·con·tent·ment [dɪskənˈtentmənt] *n no pl see* **discontent**

dis·con·tinue [ˌdɪskənˈtɪnjuː] *vt* abbrechen; *product* auslaufen lassen; *service* einstellen; *subscription* kündigen; *visits* aufgeben

dis·con·ti·nu·ity [ˌdɪsˌkɒntɪˈnjuːəti] *n* (*form*) Diskontinuität *f*

dis·cord [ˈdɪskɔːd] *n no pl* (*form*) Uneinigkeit *f*, Zwietracht *f*; **the letter caused ~** der Brief führte zu Missklängen; **note of ~** Misston *m*

dis·cord·ant [dɪˈskɔːdᵊnt] *adj* ❶ (*disagreeing*) entgegengesetzt; *views* gegensätzlich; **to strike a ~ note** einen Misston anschlagen ❷ MUS disharmonisch

dis·co·theque [ˈdɪskətek] *n* Diskothek *f*

dis·count I. *n* [ˈdɪskaʊnt] Rabatt *m*; ~ **for cash** Skonto *nt o m; at a ~* mit Rabatt **II.** *vt* [dɪˈskaʊnt] ❶ (*disregard*) unberücksichtigt lassen; *possibility* nicht berücksichtigen;

disdain

expressing disdain/displeasure	Geringschätzung/Missfallen ausdrücken
I **don't think much of** that theory.	Ich **halte nicht viel von** dieser Theorie.
I **don't think much of** that at all.	**Davon halte ich gar nicht viel.**
I'm **not in the least impressed by** that.	**Davon halte ich überhaupt nichts.**
Don't give me any of that psychology **nonsense!**	**Komm mir bloß nicht mit** Psychologie **daher!**
(I'm sorry but) I've **got no time for** people like that.	(Es tut mir leid, aber) **ich habe für** diese Typen **nichts übrig.**
Modern art **doesn't do a thing for me./is not my cup of tea.**	Ich **kann mit** moderner Kunst **nichts anfangen.**

testimony nicht einbeziehen ❷ (*reduce*) *article* herabsetzen; *price* reduzieren

'**dis·count store** *n* Discountladen *m*

dis·cour·age [dɪ'skʌrɪdʒ] *vt* ❶ (*dishearten*) entmutigen ❷ (*dissuade*) ▪ **to ~ sth** von etw *dat* abraten; ▪ **to ~ sb from doing sth** jdm davon abraten, etw zu tun ❸ (*stop*) abhalten; ▪ **to ~ sb from doing sth** jdn davon abhalten, etw zu tun

dis·cour·age·ment [dɪ'skʌrɪdʒmənt] *n* ❶ *no pl* (*action*) Entmutigung *f*; (*feeling*) Mutlosigkeit *f* ❷ (*discouraging thing*) Hindernis *nt* ❸ *no pl* (*deterrence*) Abschreckung *f*; (*dissuasion*) Abraten *nt*

dis·cour·ag·ing [dɪ'skʌrɪdʒɪŋ] *adj* entmutigend

dis·cour·teous [dɪ'skɜːtiəs] *adj* (*form*) unhöflich

dis·cour·tesy [dɪ'skɜːtəsi] *n* (*form*) Unhöflichkeit *f*

dis·cov·er [dɪ'skʌvər] *vt* ❶ (*find out*) herausfinden ❷ (*find first*) entdecken *a. fig* ❸ (*find*) finden

dis·cov·er·er [dɪ'skʌvərər] *n* Entdecker(in) *m(f)*

dis·cov·ery [dɪ'skʌvəri] *n* Entdeckung *f a. fig*

Dis·'cov·ery Day *n* CAN *no pl* Feiertag in Neufundland und Labrador

dis·cred·it [dɪs'kredɪt] I. *vt* ❶ (*disgrace*) in Verruf bringen, diskreditieren ❷ (*cause to appear false*) unglaubwürdig machen II. *n no pl* Misskredit *m*; **to be to sb's ~** jdm keine Ehre machen

dis·creet [dɪ'skriːt] *adj* ❶ (*unobtrusive*) diskret; *colour, pattern* dezent ❷ (*tactful*) taktvoll

dis·creet·ly [dɪ'skriːtli] *adv* diskret

dis·crep·an·cy [dɪ'skrepənt(s)i] *n* (*form*) Diskrepanz *f*

dis·crete [dɪ'skriːt] *adj* eigenständig

dis·cre·tion [dɪ'skreʃ°n] *n no pl* ❶ (*behaviour*) Diskretion *f* ❷ (*good judgement*) **to leave sth to sb's ~** etw in jds Ermessen *nt* stellen; **to use one's ~** nach eigenem Ermessen handeln; **at sb's ~** nach jds Ermessen *nt* ▸ **~ is the better part of valour** (*prov*) Vorsicht ist die Mutter der Porzellankiste

dis·crimi·nate [dɪ'skrɪmɪneɪt] I. *vi* ❶ (*differentiate*) unterscheiden ❷ (*be prejudiced*) diskriminieren; **to ~ in favour of sb** jdn bevorzugen; ▪ **to ~ against sb** jdn diskriminieren II. *vt* unterscheiden

dis·crimi·nat·ing [dɪ'skrɪmɪneɪtɪŋ] *adj* (*approv*) kritisch; *palate* fein

dis·crimi·na·tion [dɪ,skrɪmɪ'neɪʃ°n] *n no pl* ❶ (*prejudice*) Diskriminierung *f* ❷ (*taste*) [kritisches] Urteilsvermögen ❸ (*ability to differentiate*) Unterscheidung *f*

dis·crimi·na·tory [dɪ'skrɪmɪnət°ri] *adj* diskriminierend

dis·cus <*pl* -es> ['dɪskəs] *n* SPORTS Diskus *m*; (*event*) Diskuswerfen *nt*

dis·cuss [dɪ'skʌs] *vt* ❶ (*talk about*) besprechen; **this booklet ~es how to ...** in dieser Broschüre wird beschrieben, wie man ... ❷ (*debate*) erörtern, diskutieren

dis·cus·sion [dɪ'skʌʃ°n] *n* Diskussion *f*; **to be open to** [*or* **under**] **~** zur Diskussion stehen; **~ group** Diskussionsrunde *f*

dis·'cus·sion board *n* COMPUT, INET Diskussionsforum *nt*

dis·dain [dɪs'deɪn] I. *n no pl* Verachtung *f* II. *vt* (*despise*) verachten; (*reject*) verschmähen; **to ~ to do sth** zu stolz sein, etw zu tun

dis·dain·ful [dɪs'deɪnf°l] *adj* (*form*) verächtlich

dis·ease [dɪ'ziːz] *n* Krankheit *f a. fig*

dis·eased [dɪ'ziːzd] *adj* krank; *plant* befallen

dis·em·bark [ˌdɪsɪmˈbɑːk] *vi* von Bord gehen

dis·em·bar·ka·tion [ˌdɪsɪmbɑːˈkeɪʃ⁰n] *n* **❶** *of boat* Ausschiffung *f;* *of passengers* Aussteigen *nt kein pl*

dis·em·bod·ied [ˌdɪsɪmˈbɒdid] *adj* körperlos; *voice* geisterhaft

dis·en·chant [ˌdɪsɪnˈtʃɑːnt] *vt* ernüchtern

dis·en·fran·chise [ˌdɪsɪnˈfræn(t)faɪz] *vt* ■ **to ~ sb** jdm das Wahlrecht entziehen

dis·en·gage [ˌdɪsɪnˈgeɪdʒ] **I.** *vt* **❶** (*extricate*) ■ **to ~ oneself** sich lösen (**from** von) **❷** MECH entkuppeln; **to ~ the clutch** auskuppeln **❸** MIL *troops* abziehen **II.** *vi* **❶** (*become detached*) sich lösen **❷** MIL sich zurückziehen

dis·en·gage·ment [ˌdɪsɪnˈgeɪdʒmənt] *n no pl* **❶** MECH Lösung *f;* *of a clutch* Auskuppeln *nt* **❷** MIL Absetzen *nt*

dis·en·tan·gle [ˌdɪsɪnˈtæŋgl] *vt* **❶** (*untangle*) entwirren; (*fig*) herauslösen (**from** aus) **❷** (*get away*) ■ **to ~ oneself** sich befreien (**from** von)

dis·fa·vour [ˌdɪsˈfeɪvəʳ], AM **dis·fa·vor** *n no pl* Missfallen *nt;* **to be in/fall into ~ with sb** bei jdm in Ungnade stehen/fallen

dis·fig·ure [dɪsˈfɪgəʳ] *vt* entstellen

dis·fig·ure·ment [dɪsˈfɪgəmənt] *n* Entstellung *f*

dis·fran·chise [ˌdɪsˈfræn(t)faɪz] *vt see* **disenfranchise**

dis·gorge [dɪsˈgɔːdʒ] *vt* ausspucken *a. fig*

dis·grace [dɪsˈgreɪs] **I.** *n no pl* Schande *f;* **to bring ~ on sb/sth** Schande über jdn/etw bringen **II.** *vt* ■ **to ~ sb** Schande über jdn bringen; **he has been ~d** er ist in Ungnade gefallen

dis·graced [dɪsˈgreɪst] *adj* beschämt; ■ **to be ~** blamiert sein

dis·grace·ful [dɪsˈgreɪsf⁰l] *adj* schändlich; *behaviour* skandalös

dis·grace·ful·ly [dɪsˈgreɪsf⁰li] *adv* schändlich; **unemployment benefit is ~ low** das Arbeitslosengeld ist erbärmlich niedrig

dis·grun·tled [dɪsˈgrʌntld] *adj* verstimmt (**with** über)

dis·guise [dɪsˈgaɪz] **I.** *vt* ■ **to ~ oneself** sich verkleiden; ■ **to ~ sth** etw verbergen; *voice* verstellen **II.** *n* (*for body*) Verkleidung *f;* (*for face*) Maske *f;* **to put on a ~** sich verkleiden; **to wear a ~** verkleidet sein; **in ~** verkleidet

dis·guised [dɪsˈgaɪzd] *adj* verkleidet; **to be ~ as a cowboy** als Cowboy verkleidet sein; (*fig*) verschleiert; *emotion* verhüllt; *tax* versteckt

dis·gust [dɪsˈgʌst] **I.** *n no pl* **❶** (*revulsion*) Ekel *m;* **to be filled with ~ at sth** von etw

dat angewidert sein; **sth fills sb with ~** etw ekelt jdn an **❷** (*indignation*) Empörung *f* (**at** über); [**much**] **to sb's ~** [sehr] zu jds Entrüstung; **in ~** entrüstet, empört **II.** *vt* **❶** (*sicken*) anwidern [*o* anekeln] **❷** (*appal*) entrüsten [*o* empören]

dis·gust·ed [dɪsˈgʌstɪd] *adj* **❶** (*sickened*) angeekelt, angewidert (**at/by** von) **❷** (*indignant*) empört, entrüstet (**at/with** über)

dis·gust·ing [dɪsˈgʌstɪŋ] *adj* **❶** (*unacceptable*) empörend **❷** (*repulsive*) widerlich

dis·gust·ing·ly [dɪsˈgʌstɪŋli] *adv* **❶** (*repulsively*) widerlich, ekelhaft **❷** (*iron: unbelievably*) unglaublich; **his grades are ~ good** seine Noten sind unverschämt gut *fam*

dish [dɪʃ] *n <pl -es>* **❶** (*for serving*) Schale *f;* AM (*plate*) Teller *m* **❷** (*crockery*) ■ **the ~es** *pl* das Geschirr *kein pl;* **to do** [*or* **wash**] **the ~es** [ab]spülen **❸** (*meal*) Gericht *nt;* **side ~** Beilage *f* **❹** TELEC Schüssel *f* **❺** (*approv sl: man*) toller Typ; (*woman*) klasse Frau ◆**dish out** *vt* **❶** (*give freely*) großzügig verteilen (**to** an); **to ~ out punishment** [be]strafen; **to ~ it out** austeilen **❷** (*serve*) servieren ◆**dish up** (*fam*) **I.** *vt* auftischen **II.** *vi* anrichten

dis·har·mo·ny [dɪsˈhɑːməni] *n no pl* (*form*) Disharmonie *f*

'dish·cloth *n* Geschirrtuch *nt*

dis·heart·en [dɪsˈhɑːt⁰n] *vt* entmutigen

di·shev·eled [dɪˈʃev⁰ld], AM *usu* **di·shev·elled** *adj* unordentlich; *hair* zerzaust

dis·hon·est [dɪˈsɒnɪst] *adj* unehrlich

dis·hon·est·ly [dɪˈsɒnɪstli] *adv* auf betrügerische Art und Weise; **to act ~** unredlich handeln

dis·hon·es·ty [dɪˈsɒnɪsti] *n* **❶** *no pl* (*deceitfulness*) Unehrlichkeit *f* **❷** (*deceitful act*) Unredlichkeit *f*

dis·hon·or *vt, n* AM *see* **dishonour**

dis·hon·or·able *adj* AM *see* **dishonourable**

dis·hon·our [dɪˈsɒnəʳ] (*form*) **I.** *n no pl* Schande *f* (**to** für); **to bring ~ on sb** jdm Schande bereiten **II.** *vt* **❶** (*disgrace*) ■ **to ~ sb/sth** dem Ansehen einer Person/einer S. schaden **❷** (*not respect*) *agreement* verletzen; *promise* nicht einlösen

dis·hon·our·able [dɪˈsɒnərəbl] *adj* unehrenhaft

'dish tow·el *n* AM Geschirrtuch *nt* **'dish·wash·er** *n* **❶** (*machine*) Geschirrspülmaschine *f* **❷** (*person*) Tellerwäscher(in) *m(f)*

'dish·wa·ter *n no pl* Spülwasser *nt a. fig*

dis·il·lu·sion [dɪsɪˈluːʒ⁰n] **I.** *vt* desillusionieren **II.** *n no pl* Ernüchterung *f*

dis·il·lu·sioned [dɪsɪˈluːʒ⁰nd] *adj* desillusioniert

dis·il·lu·sion·ment [dɪsɪ'luːʒənmənt] n no pl Ernüchterung f (**with** über)

dis·in·cli·na·tion [ˌdɪsɪnklɪ'neɪʃən] n no pl Abneigung f

dis·in·clined [ˌdɪsɪn'klaɪnd] adj abgeneigt

dis·in·fect [ˌdɪsɪn'fekt] vt desinfizieren

dis·in·fect·ant [ˌdɪsɪn'fektənt] n Desinfektionsmittel nt

dis·in·fec·tion [ˌdɪsɪn'fekʃən] n no pl Desinfizierung f

dis·in·genu·ous [ˌdɪsɪn'dʒenjuəs] adj (form) unaufrichtig; manner, smile verlogen

dis·in·her·it [ˌdɪsɪn'herɪt] vt enterben

dis·in·te·grate [dɪ'sɪntɪgreɪt] vi zerfallen; (fig) marriage zerbrechen

dis·in·te·gra·tion [dɪˌsɪntɪ'greɪʃən] n no pl Zerfall m

dis·in·ter·est·ed [dɪˌsɪntrəstɪd, -trɪst-] adj ❶ (impartial) unparteiisch; ~ party Unbeteiligte(r) f(m) ❷ (uninterested) desinteressiert

dis·joint·ed [dɪs'dʒɔɪntɪd] adj zusammenhanglos

disk [dɪsk] n ❶ COMPUT Diskette f; ~ **drive** Laufwerk nt ❷ AM see **disc**

disk·ette [dɪ'sket] n Diskette f

'**disk jock·ey** n Diskjockey m

dis·like [dɪs'laɪk] I. vt nicht mögen; ■ to ~ **doing sth** etw nicht gern tun II. n Abneigung f (**of/for** gegen); **to take a[n instant]** ~ **to sb/sth** jdn/etw [spontan] unsympathisch finden

dis·lo·cate ['dɪslə(ʊ)keɪt] vt ■ to ~ **sth** sich dat etw ausrenken; **to** ~ **one's shoulder** sich dat die Schulter auskugeln

dis·lo·ca·tion [ˌdɪslə(ʊ)'keɪʃən] n Verrenkung f; of shoulder Auskugeln nt kein pl

dis·lodge [dɪs'lɒdʒ] vt thing lösen; person verdrängen

dis·loy·al [dɪs'lɔɪəl] adj illoyal (**to** gegenüber)

dis·loy·al·ty [dɪs'lɔɪəlti] n no pl Illoyalität f (**to** gegenüber +dat); **to demonstrate** ~ **to sb/sth** jdm/etw gegenüber illoyal sein

dis·mal ['dɪzməl] adj ❶ (gloomy) düster ❷ (dreary) trostlos; outlook, weather trüb ❸ (fam: pitiful) kläglich

dis·man·tle [dɪs'mæntl] vt zerlegen; (fig) demontieren

dis·man·tling [dɪs'mæntlɪŋ] n no pl of border controls, trade barriers Abbau m

dis·may [dɪs'meɪ] I. n no pl Bestürzung f (**at/with** über) II. vt schockieren

dis·mayed [dɪs'meɪd] adj bestürzt; expression betroffen (**at/with** über)

dis·mem·ber [dɪs'membər] vt zerstü-

---

ckeln; (fig) country zersplittern

dis·miss [dɪs'mɪs] vt ❶ (ignore) abtun; idea aufgeben; **to** ~ **a thought [from one's mind]** sich dat einen Gedanken aus dem Kopf schlagen ❷ (send away) wegschicken; class gehen lassen; MIL ~**ed!** wegtreten! ❸ (sack) entlassen ❹ LAW case einstellen; charge abweisen

dis·miss·al [dɪs'mɪsəl] n ❶ no pl (disregard) Abtun nt ❷ (the sack) Entlassung f (**from** aus) ❸ of an assembly Auflösung f ❹ LAW of a case Abweisung f; of the accused Entlassung f

dis·mis·sive [dɪs'mɪsɪv] adj geringschätzig; ■ **to be** ~ **of sth** etw geringschätzig abtun

dis·mount [dɪs'maʊnt] vi absteigen

dis·obedi·ence [ˌdɪsə(ʊ)'biːdiən(t)s] n no pl Ungehorsam m (**to** gegenüber)

dis·obedi·ent [ˌdɪsə(ʊ)'biːdiənt] adj ungehorsam; ■ **to be** ~ **to|wards| sb** jdm nicht gehorchen

dis·obey [ˌdɪsə(ʊ)'beɪ] I. vt ■ **to** ~ **sb** jdm nicht gehorchen; orders nicht befolgen; rules sich nicht halten an +akk II. vi ungehorsam sein

dis·or·der [dɪ'sɔːdər] n ❶ no pl (disarray) Unordnung f; **to retreat in** ~ sich ungeordnet zurückziehen; **to throw into** ~ in Unordnung bringen ❷ MED [Funktions]störung f; **brain** ~ Störung f der Gehirnfunktion; **kidney** ~ Nierenleiden nt; **personality** ~ Persönlichkeitsstörung f; **skin** ~ Hautirritation f ❸ no pl (riot) Aufruhr m; **civil** ~ Landfriedensbruch m; **public** ~ öffentliche Unruhen

dis·or·der·ly [dɪ'sɔːdəli] adj ❶ (untidy) unordentlich ❷ (unruly) aufrührerisch

dis·or·gan·ized [dɪ'sɔːgənaɪzd] adj schlecht organisiert

dis·ori·en·tate [dɪ'sɔːriənteɪt] vt usu passive ❶ (lose bearings) **to be/get [or become] [totally]** ~**d** [völlig] die Orientierung verloren haben/verlieren ❷ (be confused) ■ **to be** ~**d** orientierungslos sein

dis·ori·en·ta·tion [dɪsˌɔːriən'teɪʃən] n no pl Richtungslosigkeit f; Desorientierung f

dis·'ori·ent·ed adj desorientiert

dis·own [dɪ'səʊn] vt verleugnen; (hum also) nicht mehr kennen

dis·par·age [dɪ'spærɪdʒ] vt diskreditieren

dis·par·age·ment [dɪ'spærɪdʒmənt] n no pl (snub) Herabsetzung f; (denigration) Verunglimpfung f; (abuse) Schmähung f

dis·par·ag·ing [dɪ'spærɪdʒɪŋ] adj geringschätzig

dis·par·ag·ing·ly [dɪ'spærɪdʒɪŋli] adv geringschätzig, verächtlich; **to speak** ~ **of**

displeasure	
expressing dissatisfaction	**Unzufriedenheit ausdrücken**
That doesn't meet my expectations.	Das entspricht nicht meinen Erwartungen.
I would have expected you to take more trouble.	Ich hätte erwartet, dass Sie sich nun mehr Mühe geben.
That's not what we agreed.	So hatten wir es nicht vereinbart.
expressing annoyance	**Verärgerung ausdrücken**
That's an outrage!	Das ist ja unerhört!
That's outrageous!	Eine Unverschämtheit ist das!
What a cheek!	So eine Frechheit!
That's the limit!	Das ist doch wohl die Höhe!
That can't be true!	Das darf doch wohl nicht wahr sein!
I can't take/stand it anymore!	Das ist ja nicht mehr zum Aushalten!
It's a pain in the neck. *(fam)*	Das nervt! *(fam)*

sb/sth abschätzig über jdn/etw sprechen

dis·par·ate [dɪ'spɔ]ʳrət] *adj* (*form*) [grund]verschieden

dis·par·ity [dɪ'spærəti] *n* Ungleichheit *f*

dis·pas·sion·ate [dɪ'spæʃ]ənət] *adj* objektiv

dis·pas·sion·ate·ly [dɪ'spæʃ]ənətli] *adv* nüchtern, sachlich; **to look at sth** ~ etw nüchtern betrachten

dis·patch [dɪ'spætʃ] **I.** *n* <*pl* -es> ❶ (*something sent*) Sendung *f* ❷ *no pl* (*sending*) Verschicken *nt*; *of a person* Entsendung *f* ❸ (*press report*) [Auslands]bericht *m*; MIL [Kriegs]bericht *m*; **to be mentioned in ~es** rühmend erwähnt werden **II.** *vt* ❶ (*send*) *thing* senden; *person* entsenden ❷ (*hum: eat*) verputzen ❸ (*kill*) töten

dis·pel <-ll-> [dɪ'spel] *vt* zerstreuen

dis·pen·sable [dɪ'spen(t)səbl] *adj* entbehrlich

dis·pen·sa·ry [dɪ'spen(t)səri] *n* ❶ (*room*) [Krankenhaus]apotheke *f* ❷ (*clinic*) Dispensarium *nt*

dis·pen·sa·tion [dɪ͵spen'seɪʃ]ən] *n* (*form*) Befreiung *f*; REL Dispens *f*; **papal** ~ päpstlicher Erlass; **special** ~ Sondergenehmigung *f*

dis·pense [dɪ'spens] **I.** *vt* austeilen (**to** an); *advice* erteilen; *medicine* ausgeben **II.** *vi* ▪**to** ~ **with sth** auf etw *akk* verzichten

dis·pens·er [dɪ'spensə]ʳ] *n* Automat *m*

dis·per·sal [dɪ'spɜ:səl] *n no pl* ❶ (*scattering*) Zerstreuung *f*; *of a crowd* Auflösung *f*; (*migration*) Verbreitung *f* ❷ (*break-up*)

Auseinandergehen *nt kein pl* ❸ (*spread*) Verstreutheit *f*

dis·perse [dɪ'spɜ:s] **I.** *vt* ❶ (*dispel*) auflösen; *crowd* zerstreuen ❷ (*distribute*) verteilen ❸ PHYS *light* streuen **II.** *vi* *crowd* auseinandergehen; *mist* sich auflösen

dis·per·sion [dɪ'spɜ:ʃ]ən] *n no pl* ❶ (*form: distribution*) Verteilung *f* ❷ (*spread*) Verbreitung *f* ❸ PHYS Streuung *f*

dis·pir·it·ed [dɪ'spɪrɪtɪd] *adj* entmutigt

dis·place [dɪs'pleɪs] *vt* ❶ (*force out*) ▪**to ~ sb** jdn vertreiben ❷ (*replace*) ersetzen ❸ PHYS verdrängen

dis·place·ment [dɪs'pleɪsmənt] *n no pl* ❶ (*expulsion*) Vertreibung *f* ❷ (*relocation*) Umsiedlung *f* ❸ (*replacement*) Ablösung *f* ❹ PHYS Verdrängung *f*

dis·play [dɪ'spleɪ] **I.** *vt* ❶ (*on a noticeboard*) aushängen; (*in a shop window*) auslegen ❷ (*demonstrate*) zeigen ❸ (*flaunt*) zur Schau stellen **II.** *n* ❶ (*in a museum, shop*) Auslage *f*; **to be/go on ~** ausgestellt sein/werden ❷ (*performance*) Vorführung *f*; **firework[s]** ~ Feuerwerk *nt* ❸ (*demonstration*) Demonstration *f*; **~ of anger** Wutausbruch *m* ❹ COMPUT Display *nt*

dis·'play case *n*, **dis·'play cabi·net** *n* Vitrine *f* **dis·'play window** *n* Schaufenster *nt*

dis·please [dɪs'pli:z] *vt* ▪**to ~ sb** jdm missfallen; **greatly ~d** sehr verärgert (**at/ by** über)

dis·pleas·ing [dɪs'pli:zɪŋ] *adj* ärgerlich

dis·pleas·ure [dɪs'pleʒə]ʳ] *n no pl* Missfallen *nt* (**at** über)

dis·pos·able [dɪ'spəʊzəbl] I. *adj* ❶ *articles* Wegwerf-; **~ razor** Einwegrasierer *m;* **~ towel** Einmalhandtuch *nt* ❷ FIN verfügbar II. *n* ■**-s** *pl* Wegwerfartikel *pl*

dis·pos·al [dɪ'spəʊzᵊl] *n* ❶ *no pl* Beseitigung *f; of waste* Entsorgung *f* ❷ AM Müllschlucker *m* ❸ *(control)* Verfügung *f;* ■**to be at sb's ~** zu jds Verfügung stehen

dis·pose [dɪ'spəʊz] *vt* *(form)* ■**to ~ sb to|wards| sth** jdn zu etw *dat* bewegen ◆**dispose of** *vt* ❶ *(get rid of)* beseitigen; *(sell)* veräußern ❷ *(deal with)* erledigen

dis·posed [dɪ'spəʊzd] *adj* *(form)* to be [*or* feel] **~ to do sth** geneigt sein, etw zu tun; **to be** [*or* feel] **well ~ towards sb/sth** jdm/etw wohlgesonnen sein

dis·po·si·tion [ˌdɪspə'zɪʃᵊn] *n* ❶ *(nature)* Art *f* ❷ *(tendency)* Veranlagung *f*

dis·pos·sess [ˌdɪspə'zes] *vt* enteignen

dis·pos·ses·sion [ˌdɪspə'zeʃᵊn] *n no pl* *(form)* Enteignung *f*

dis·pro·por·tion [ˌdɪsprə'pɔːʃᵊn] *n no pl* *(form)* Missverhältnis *nt*

dis·pro·por·tion·ate [ˌdɪsprə'pɔːʃᵊnət] *adj* unangemessen

dis·prove [dɪ'spruːv] *vt* widerlegen

dis·put·able [dɪ'spjuːtəbl] *adj* strittig

dis·pute I. *vt* [dɪ'spjuːt] ❶ *(argue)* ■**to ~ sth** sich über etw *akk* streiten ❷ *(oppose)* bestreiten ❸ SPORTS **to ~ the lead** um die Führungsposition kämpfen II. *vi* streiten III. *n* [dɪ'spjuːt, 'dɪspjuːt] *(argument)* Streit *m* **(over** über**); that is open to ~** darüber lässt sich streiten; **pay ~** Lohnverhandlung *f;* ■**to be in ~ over sth** über etw *akk* streiten; **to be beyond ~** außer Frage stehen

dis·put·ed [dɪ'spjuːtɪd] *adj* ❶ *(controversial)* umstritten ❷ LAW angefochten

dis·quali·fi·ca·tion [dɪˌskwɒlɪfɪ'keɪʃᵊn] *n* Ausschluss *m;* SPORTS Disqualifikation *f*

dis·quali·fy <-ie-> [dɪ'skwɒlɪfaɪ] *vt* ❶ *(expel)* ausschließen; SPORTS disqualifizieren ❷ LAW **to ~ sb from driving** jdm den Führerschein entziehen

dis·qui·et [dɪ'skwaɪət] *(form)* I. *n no pl* Besorgnis *f* **(about** um, **over** über**)** II. *vt* beunruhigen

dis·qui·et·ing [dɪ'skwaɪətɪŋ] *adj* *(form)* beunruhigend

dis·re·gard [ˌdɪsrɪ'gɑːd] I. *vt* ignorieren II. *n no pl* Gleichgültigkeit *f* **(for** gegenüber**);** *(for a rule, the law)* Missachtung *f* **(for/of** +*gen***)**

dis·re·pair [ˌdɪsrɪ'peəʳ] *n no pl* Baufälligkeit *f;* **to fall into ~** verfallen

dis·repu·table [dɪs'repjətəbl] *adj* verrufen

dis·re·pute [ˌdɪsrɪ'pjuːt] *n* Verruf *m kein pl*

dis·re·spect [ˌdɪsrɪ'spekt] I. *n no pl* ~ Respektlosigkeit *f* **(for** gegenüber**); no ~ to your boss, but ...** ohne deinem Chef zu nahetreten zu wollen, aber ...; **to intend no ~** nicht respektlos sein wollen II. *vt* AM *(fam)* beleidigen

dis·re·spect·ful [ˌdɪsrɪ'spektfᵊl] *adj* respektlos

dis·rupt [dɪs'rʌpt] *vt* ❶ *(disturb)* stören ❷ *(form: destroy)* zerstören

dis·rup·tion [dɪs'rʌpʃᵊn] *n* ❶ *(interruption)* Unterbrechung *f* ❷ *no pl* *(disrupting)* Störung *f;* **~ of traffic** Verkehrsbehinderung *f*

dis·rup·tive [dɪs'rʌptɪv] *adj* störend; **~ influence** Störelement *nt;* *(person)* Unruhestifter *m*

dis·sat·is·fac·tion [dɪsˌsætɪs'fækʃᵊn] *n no pl* Unzufriedenheit *f*

dis·sat·is·fied [dɪs'sætɪsfaɪd] *adj* unzufrieden

dis·sect [dɪ'sekt, daɪ-] *vt* ❶ *(cut open)* sezieren ❷ *(fig)* analysieren

dis·sec·tion [dɪ'sekʃᵊn, daɪ-] *n* ❶ *no pl* *(dissecting)* Sezieren *nt* ❷ *(instance)* Sektion *f* ❸ *(fig)* Analyse *f*

dis·sem·ble [dɪ'sembl] *vi* sich verstellen

dis·semi·nate [dɪ'semɪneɪt] *vt* *(form)* verbreiten

dis·semi·na·tion [dɪˌsemɪ'neɪʃᵊn] *n no pl* *(form)* Verbreitung *f*

dis·sen·sion [dɪ'sen(t)ʃᵊn] *n* *(form)* Meinungsverschiedenheit[en] *f[pl]*

dis·sent [dɪ'sent] I. *n no pl* ❶ *(disagreement)* Meinungsverschiedenheit *f* ❷ *(protest)* Widerspruch *m;* **voice of ~** Gegenstimme *f* II. *vi* dagegen stimmen; *(disagree)* anderer Meinung sein

dis·sent·er [dɪ'sentəʳ] *n* Andersdenkende(r) *f(m);* POL Dissident(in) *m(f)*

dis·sent·ing [dɪ'sentɪŋ] *adj* **opinion** abweichend *attr;* **~ group** Splittergruppe *f;* **~ voice** Gegenstimme *f*

dis·ser·ta·tion [ˌdɪsə'teɪʃᵊn] *n* Dissertation *f* **(on** über**)**

dis·ser·vice [dɪs'sɜːvɪs] *n no pl* **to do oneself/sb a ~** sich/jdm einen schlechten Dienst erweisen

dis·si·dent ['dɪsɪdᵊnt] I. *n* Dissident(in) *m(f);* **political ~** Regimekritiker(in) *m(f)* II. *adj* regimekritisch

dis·simi·lar [dɪs'sɪmɪləʳ] *adj* unterschiedlich

dis·simi·lar·ity [dɪsˌsɪmɪ'lærəti] *n* Unterschied *m*

dis·si·pate ['dɪsɪpeɪt] I. *vi* allmählich verschwinden; *crowd, mist* sich auflösen II. *vt*

❶ (*disperse*) auflösen ❷ (*squander*) verschwenden

dis·si·pat·ed ['dɪsɪpeɪtɪd] *adj* (*liter*) ausschweifend

dis·si·pa·tion [ˌdɪsɪ'peɪʃⁿn] *n* (*form*) ❶ (*squandering*) Verschwendung *f* ❷ (*indulgence*) Maßlosigkeit *f*; **a life of ~** ein ausschweifendes Leben

dis·so·ci·ate [dɪ'səʊsɪeɪt] *vt* getrennt betrachten; ■**to ~ oneself from sb/sth** sich von jdm/etw distanzieren

dis·so·lute ['dɪsəluːt] *adj* (*liter*) *life* ausschweifend; *person* zügellos

dis·so·lu·tion [ˌdɪsə'luːʃⁿn] *n* ❶ *no pl* (*annulment*) Auflösung *f* ❷ (*liter: debauchery*) Ausschweifung *f*; **a life of ~** ein ausschweifendes Leben

dis·solve [dɪ'zɒlv] **I.** *vi* ❶ (*be absorbed*) sich auflösen ❷ (*subside*) **to ~ in[to] giggles** loskichern; **to ~ in[to] tears** in Tränen ausbrechen ❸ (*dissipate*) verschwinden; *tension* sich lösen ❹ FILM (*fade out*) ■**to ~ into sth** auf etw *akk* überblenden **II.** *vt* ❶ (*liquefy*) [auf]lösen ❷ (*annul*) auflösen; *marriage* scheiden

dis·suade [dɪ'sweɪd] *vt* abbringen

dis·tance ['dɪstⁿn(t)s] **I.** *n* ❶ (*route*) Strecke *f*; **to close [up] the ~ [to sth]** den Abstand [zu etw *dat*] verringern ❷ (*linear measure*) Entfernung *f*; **within driving/ walking ~** mit dem Auto/zu Fuß erreichbar; **within shouting ~** in Rufweite ❸ *no pl* (*remoteness*) Ferne *f*; **they sped off into the ~** sie brausten davon; **from** [*or at*] **a distance** von weitem ❹ (*fig: aloofness*) Distanz *f kein pl*; **to keep one's ~** auf Distanz bleiben; **to keep one's ~ from sb/ sth** sich von jdm/etw fernhalten **II.** *vt* ■**to ~ oneself** sich distanzieren

dis·tant ['dɪstⁿnt] *adj* ❶ (*far away*) fern; *relative* entfernt; (*fig*) *look* abwesend; **in the not-too-~ future** in nicht allzu ferner Zukunft; **from the dim and ~ past** aus der fernen Vergangenheit; **at some ~ point in the future** irgendwann einmal ❷ (*aloof*) unnahbar; ■**to be ~ with sb** jdm gegenüber distanziert sein

dis·tant·ly ['dɪstⁿntli] *adv* ❶ (*far away*) in der Ferne ❷ (*loftily*) distanziert ❸ (*absently*) abwesend ❹ (*not closely*) **to be ~ related** entfernt [miteinander] verwandt sein

dis·taste [dɪ'steɪst] *n no pl* Widerwille *m* (**for** gegen); **with ~** mit Widerwillen

dis·taste·ful [dɪ'steɪstfⁿl] *adj* abscheulich

dis·tend [dɪ'stend] MED **I.** *vt* ■**to be ~ed** aufgebläht sein **II.** *vi* sich [auf]blähen

dis·ten·sion [dɪ'stenʃⁿn] *n no pl* MED [Auf]blähung *f*

dis·til <-ll-> [dɪ'stɪl], AM, AUS **dis·till** *vt* ❶ CHEM destillieren ❷ (*fig*) zusammenfassen

dis·til·la·tion [ˌdɪstɪ'leɪʃⁿn] *n* ❶ *no pl* CHEM Destillation *f* ❷ (*fig*) Quintessenz *f*

dis·till·er [dɪ'stɪlⁿr] *n* ❶ (*company*) Destillerie *f* ❷ (*person*) Destillateur *m*

dis·till·ery [dɪ'stɪlⁿri] *n* Brennerei *f*

dis·tinct [dɪ'stɪŋ(k)t] *adj* ❶ (*different*) verschieden; ■**to be ~ from sth** sich von etw *dat* unterscheiden; **as ~ from sth** im Unterschied zu etw *dat* ❷ (*clear*) deutlich

dis·tinc·tion [dɪ'stɪŋ(k)ʃⁿn] *n* ❶ (*difference*) Unterschied *m* ❷ *no pl* (*eminence*) **of** [great] **~** von hohem Rang ❸ *no pl* (*honour*) Ehre *f* ❹ UNIV Auszeichnung *f*; **to pass with ~** mit Auszeichnung bestehen

dis·tinc·tive [dɪ'stɪŋ(k)tɪv] *adj* charakteristisch

dis·tin·guish [dɪ'stɪŋgwɪʃ] **I.** *vi* unterscheiden **II.** *vt* ❶ (*tell apart*) unterscheiden; (*positively*) abheben ❷ (*discern*) ausmachen [können] ❸ (*excel*) ■**to ~ oneself in sth** sich in etw *dat* hervortun

dis·tin·guish·able [dɪ'stɪŋgwɪʃəbl] *adj* unterscheidbar; **to be clearly ~** leicht zu unterscheiden sein

dis·tin·guished [dɪ'stɪŋgwɪʃt] *adj* ❶ (*eminent*) *career* hervorragend; *person* von hohem Rang; ■**to be ~ for sth** sich durch etw *akk* auszeichnen ❷ (*stylish*) distinguiert

dis·tort [dɪ'stɔːt] *vt* ❶ (*out of shape*) verzerren; *face* entstellen ❷ (*fig*) verdrehen; *history, a result* verfälschen

dis·tort·ed [dɪ'stɔːtɪd] *adj* ❶ *face* entstellt; *parts of the body* verformt ❷ (*fig*) verfälscht; *impression* falsch; **to have a ~ idea of sth** eine völlig verzerrte Vorstellung von etw *dat* haben

dis·tor·tion [dɪ'stɔːʃⁿn] *n* ❶ (*twisting*) Verzerrung *f*; *of a face* Entstellung *f* ❷ MUS Klirrfaktor *m* ❸ (*fig*) Verdrehung *f*

dis·tract [dɪ'strækt] *vt* ablenken

dis·tract·ed [dɪ'stræktɪd] *adj* verwirrt; (*worried*) besorgt

dis·trac·tion [dɪ'strækʃⁿn] *n* ❶ (*disturbance*) Störung *f*; **sb finds sth a ~** etw stört jdn ❷ (*diversion*) Ablenkung *f* ❸ (*entertainment*) Zerstreuung *f* ❹ *no pl* (*confusion*) Aufregung *f* ▸ **to drive sb to ~** jdn zum Wahnsinn treiben; **to love sb to ~** jdn wahnsinnig lieben

dis·traught [dɪ'strɔːt] *adj* verzweifelt, außer sich *dat*

dis·tress [dɪ'stres] **I.** *n no pl* ❶ (*pain*) Leid *nt*; (*anguish*) Kummer *m*, Sorge *f* (**at**

über) ➋ (*despair*) Verzweiflung *f* ➌ (*exhaustion*) Erschöpfung *f* ➍ (*emergency*) Not *f;* **vessels in ~** Schiffe *pl* in Seenot **II.** *vt* quälen; ▪**to ~ oneself** sich *dat* Sorgen machen

dis·tressed [dɪˈstrest] *adj* ➊ (*unhappy*) bekümmert ➋ (*shocked*) erschüttert (**at** über) ➌ (*in difficulties*) ▪**to be ~** in Not sein

dis·tress·ing [dɪˈstresɪŋ] *adj,* Am **dis·tress·ful** *adj* ➊ (*worrying*) erschreckend ➋ (*painful*) schmerzlich

dis·tri·bute [dɪˈstrɪbjuːt, Brit *also* ˈdɪstrɪ-] *vt* verteilen; *goods* vertreiben; **widely ~d** weit verbreitet

dis·tri·bu·tion [ˌdɪstrɪˈbjuːʃ^ən] *n no pl* ➊ (*sharing*) Verteilung *f* ➋ (*scattering*) Verbreitung *f* ➌ ECON Vertrieb *m*

dis·tri·ˈbu·tion chain *n* Vertriebsnetz *nt*

dis·tribu·tor [dɪˈstrɪbjətə^r] *n* ➊ COMM Vertriebsgesellschaft *f* ➋ AUTO Verteiler *m*

dis·trict [ˈdɪstrɪkt] *n* (*area*) Gebiet *nt;* (*within a town/country*) Bezirk *m*

dis·trict at·ˈtor·ney *n* Am Staatsanwalt, Staatsanwältin *m, f* **dis·trict ˈcoun·cil** *n* Brit Bezirksamt *nt* **dis·trict ˈcourt** *n* Am [Bundes]bezirksgericht *nt*

dis·trust [dɪˈstrʌst] **I.** *vt* misstrauen +*dat* **II.** *n no pl* Misstrauen *nt* (**of** gegen)

dis·trust·ful [dɪˈstrʌstf^əl] *adj* misstrauisch (**of** gegen)

dis·turb [dɪˈstɜːb] **I.** *vt* ➊ (*interrupt*) stören ➋ (*worry*) beunruhigen ➌ (*disarrange*) durcheinanderbringen **II.** *vi* stören; **"do not ~ "** „bitte nicht stören"

dis·turb·ance [dɪˈstɜːb^ən(t)s] *n* ➊ *no pl* (*annoyance*) Belästigung *f* ➋ (*distraction*) Störung *f* ➌ (*riot*) **to cause a ~** Unruhe stiften

dis·turbed [dɪˈstɜːbd] *adj* ➊ (*worried*) beunruhigt ➋ PSYCH [geistig] verwirrt; **~ behaviour** gestörtes Verhalten; **emotionally/mentally ~** emotional/psychisch gestört

dis·turb·ing [dɪˈstɜːbɪŋ] *adj* beunruhigend

dis·unity [dɪsˈjuːnɪti] *n no pl* Uneinigkeit *f*

dis·use [dɪsˈjuːs] *n no pl* Nichtgebrauch *m;* **to fall into ~** nicht mehr benutzt werden

dis·used [dɪsˈjuːzd] *adj* ungenutzt; *building* leer stehend; *warehouse* stillgelegt

ditch [dɪtʃ] **I.** *n* <*pl* -es> Graben *m* **II.** *vt* (*fam*) ➊ (*discard*) wegwerfen; *getaway car* stehen lassen; *proposal* aufgeben ➋ (*sack*) feuern ➌ (*end relationship*) ▪**to ~ sb** jdm den Laufpass geben ➍ *plane* im Bach landen **III.** *vi* AVIAT auf dem Wasser landen

dith·er [ˈdɪðə^r] **I.** *n no pl* **in** [*or* **all of**] **a ~** ganz aufgeregt **II.** *vi* schwanken; **she's still**

~**ing over whether to ...** sie ist sich immer noch nicht schlüssig darüber, ob ...

dit·to [ˈdɪtəʊ] **I.** *adv* (*likewise*) dito; (*me too*) ich auch **II.** *n* LING Wiederholungszeichen *nt*

dit·ty [ˈdɪti] *n* [banales] Liedchen

di·uret·ic [ˌdaɪjʊəˈretɪk] MED **I.** *n* harntreibendes Mittel, Diuretikum *nt fachspr* **II.** *adj* harntreibend, diuretisch *fachspr;* **~ effect** harntreibende Wirkung

di·ur·nal [ˌdaɪˈɜːn^əl] *adj* SCI ➊ (*daily*) Tages- ➋ (*opp: nocturnal*) tagaktiv

di·van [dɪˈvæn] *n* Diwan *m*

dive [daɪv] **I.** *n* ➊ (*into water*) [Kopf]sprung *m* ➋ *of a plane* Sturzflug *m* ➌ (*sudden movement*) ▪**to make a ~ for sth** einen [Hecht]sprung nach etw *dat* machen; **to make a ~ at sb** auf jdn zuspringen ➍ (*drop in price*) [Preis]sturz *m;* **to take a ~** fallen; *profits* sinken ➎ (*setback*) **to take a ~** einen Schlag erleiden ➏ (*fam: dingy place*) Spelunke *f* ➐ FBALL Schwalbe *f;* BOXING **to take a ~** ein K.O. vortäuschen **II.** *vi* <dived *or* Am dove, dived *or* Am dove> ➊ (*into water*) einen Kopfsprung ins Wasser machen; (*underwater*) tauchen; ▪**to ~ off sth** von etw *dat* [herunter]springen ➋ *plane, bird* einen Sturzflug machen ➌ (*move quickly*) ▪**to ~ for sth** nach etw *dat* hechten; ▪**to ~ after sb/sth** jdm/etw nachstürzen; **to ~ for cover** schnell in Deckung gehen ➍ *prices, shares* fallen

div·er [ˈdaɪvə^r] *n* ➊ (*in ocean, lake*) Taucher(in) *m(f);* SPORTS Turmspringer(in) *m(f)* ➋ (*bird*) Taucher *m*

di·verge [daɪˈvɜːdʒ] *vi* auseinandergehen; ▪**to ~ from sth** von etw *dat* abweichen

di·ver·gence [daɪˈvɜːdʒən(t)s] *n* ➊ (*difference*) Divergenz *f* ➋ (*deviation*) Abweichung *f*

di·ver·gent [daɪˈvɜːdʒənt] *adj* ➊ (*differing*) abweichend; **to hold widely ~ opinions** weit auseinandergehende Meinungen haben ➋ MATH divergent

di·verse [ˈdaɪvɜːs] *adj* ➊ (*varied*) vielfältig ➋ (*not alike*) unterschiedlich

di·ver·si·fi·ca·tion [daɪˌvɜːsɪfɪˈkeɪʃ^ən] *n no pl* Diversifikation *f*

di·ver·si·fy <-ie-> [daɪˈvɜːsɪfaɪ] **I.** *vi* vielfältiger werden **II.** *vt* umfangreicher machen

di·ver·sion [daɪˈvɜːʃ^ən] *n* ➊ *no pl* (*rerouting*) Verlegung *f;* **traffic ~** Umleitung *f* ➋ (*distraction*) Ablenkung *f;* (*entertainment*) Unterhaltung *f;* **to create a ~** ein Ablenkungsmanöver inszenieren

di·ver·sity [daɪˈvɜːsəti] *n no pl* Vielfalt *f*

di·vert [daɪˈvɜːt] *vt* ➊ (*reroute*) verlegen; *traffic* umleiten ➋ (*reallocate*) anders einsetzen ❸ (*distract*) ablenken ❹ (*amuse*) unterhalten

di·vert·ing [daɪˈvɜːtɪŋ] *adj* unterhaltsam

di·vest [daɪˈvest] *vt* ❶ (*deprive*) berauben ❷ (*sell*) verkaufen ❸ ▪ **to ~ oneself of sth** (*take off*) etw ablegen [*o* ausziehen]; (*rid*) etw aufgeben

di·vide [dɪˈvaɪd] **I.** *n* ❶ (*gulf*) Kluft *f* ❷ (*boundary*) Grenze *f* ❸ Am (*watershed*) Wasserscheide *f* **II.** *vt* ❶ (*split*) teilen ❷ (*share*) aufteilen ❸ MATH teilen (**by** durch) ❹ (*separate*) trennen ❺ (*allocate*) zuteilen; **she ~s her time between ... and ...** sie verbringt ihre Zeit abwechselnd in ... und ... ❻ (*disunite*) spalten; ▪ **to be ~d over** [*or* on] **sth** über etw *akk* verschiedene Ansichten haben **III.** *vi* ❶ (*split*) sich teilen; **to ~ equally** [*or* evenly] in gleiche Teile zerfallen ❷ MATH dividieren ❸ (*separate*) sich trennen ◆ **divide off** *vt* [ab]teilen ◆ **divide up I.** *vt* aufteilen **II.** *vi* sich teilen

di·vid·ed [dɪˈvaɪdɪd] *adj* uneinig

divi·dend [ˈdɪvɪdend] *n* FIN Dividende *f*; (*fig*) **to pay ~s** sich bezahlt machen

di·vid·ers [dɪˈvaɪdəz] *npl* [**a pair of**] ~ [ein] Zirkel *m*

di·ˈvid·ing line *n* Trennlinie *f*

di·vine [dɪˈvaɪn] **I.** *adj* ❶ (*of God*) göttlich; **~ intervention** Gottes Hilfe *f*; **~ right** heiliges Recht; **the ~ right of kings** (*hist*) Gottesgnadentum *nt* ❷ (*splendid*) himmlisch; *voice* göttlich **II.** *vt* erraten; *future* vorhersehen; ▪ **to ~ from sb/sth that ...** jdm/etw ansehen, dass ... **III.** *vi* ▪ **to ~ for sth** mit einer Wünschelrute nach etw *dat* suchen

di·vine·ly [dɪˈvaɪnli] *adv* göttlich, himmlisch; **to sing ~** wie ein junger Gott singen

div·ing [ˈdaɪvɪŋ] *n no pl* ❶ (*into water*) Tauchen *nt;* SPORTS Turmspringen *nt* ❷ (*underwater*) Tauchen *nt;* **to go ~** tauchen gehen

ˈdiv·ing bell *n* Taucherglocke *f* **ˈdiv·ing board** *n* Sprungbrett *nt* **ˈdiv·ing suit** *n* Taucheranzug *m*

di·ˈvin·ing rod *n* Wünschelrute *f*

di·vin·ity [dɪˈvɪnəti] *n* ❶ *no pl* (*godliness*) Göttlichkeit *f* ❷ (*god*) Gottheit *f*

di·vis·ible [dɪˈvɪzəbl] *adj* teilbar (**by** durch)

di·vi·sion [dɪˈvɪʒ³n] *n* ❶ *no pl* (*sharing*) Verteilung *f* ❷ *no pl* (*break-up*) Teilung *f* ❸ (*section*) Teil *m* ❹ (*disagreement*) Meinungsverschiedenheit *f* ❺ (*difference*) Kluft *f* ❻ (*border*) Grenze *f* ❼ *no pl* MATH Division *f* ❽ MIL Division *f* ❾ (*department*) Abteilung *f* ❿ (*league*) Liga *f* ⓫ BRIT POL Abstimmung *f*

durch Hammelsprung

di·vi·sive [dɪˈvaɪsɪv] *adj* entzweiend; **~ issue** Streitfrage *f*

di·vorce [dɪˈvɔːs] **I.** *n* ❶ LAW Scheidung *f*; **~ proceedings** Scheidungsprozess *m;* **~ settlement** Beilegung *f* der Scheidung ❷ *no pl* (*fig*) Trennung *f* **II.** *vt* ❶ (*annul marriage*) ▪ **to ~ sb** [*or* get ~d from sb] sich von jdm scheiden lassen ❷ (*distance*) ▪ **to ~ oneself from sth** sich selbst von etw *dat* trennen **III.** *vi* sich scheiden lassen

di·vorced [dɪˈvɔːst] *adj* ❶ (*ceased to be married*) geschieden ❷ (*out of touch*) ▪ **to be ~ from sth** keinen Bezug zu etw *dat* haben

di·vor·cee [dɪˈvɔːsiː] *n* Geschiedene(r) *f(m)*

di·vulge [daɪˈvʌldʒ] *vt* enthüllen; *information* weitergeben

DIY [ˌdiːaɪˈwaɪ] *n no pl* BRIT, AUS *abbrev of* **do-it-yourself** Heimwerken *nt*

diz·zi·ness [ˈdɪzɪnəs] *n no pl* Schwindel *m*

diz·zy [ˈdɪzi] *adj* ❶ (*unsteady*) schwindlig; **~ spells** Schwindelanfälle *pl* ❷ (*vertiginous*) Schwindel erregend ❸ (*rapid*) atemberaubend ❹ (*fam: silly*) einfältig

DJ [ˌdiːˈdʒeɪ] *n* ❶ *abbrev of* **disc jockey** DJ *m* ❷ BRIT *abbrev of* **dinner jacket**

DNA [ˌdiːen'eɪ] *n no pl abbrev of* **deoxyribonucleic acid** DNS *f*

do [duː] **I.** *aux vb* <does, did, done> ❶ (*negating verb*) **Frida ~esn't like olives** Frida mag keine Oliven; **I ~n't want to go yet!** ich will noch nicht gehen!; **I ~n't smoke** ich rauche nicht; **it ~esn't matter** das macht nichts; **~n't** [**you**] **speak to me like that!** sprich nicht so mit mir!; **~n't be silly** sei nicht albern!; BRIT, AUS **~n't let's argue about it** lasst uns deswegen nicht streiten ❷ (*forming question*) **~ you like children?** magst du Kinder?; **did he see you?** hat er dich gesehen?; **what did you say?** was hast du gesagt?; **~ you/~es he/she indeed** [*or* now]**?** tatsächlich?; **~ I like cheese? — I love cheese!** ob ich Käse mag? – ich liebe Käse! ❸ (*for emphasis*) **~ come to our party** ach komm doch zu unserer Party; **can I come? — please ~!** kann ich mitkommen? – aber bitte!; **boy, did he yell!** der hat vielleicht geschrien!; **so you ~ like beer after all** du magst also doch Bier; **you ~ look tired** du siehst wirklich müde aus; **~ shut up, Sarah** halte bloß deinen Mund, Sarah; **~ tell me!** sag's mir doch!; **~ I/~es he/she ever!** und ob! ❹ (*inverting verb*) **not only did I speak to her, I even ...** ich habe nicht nur mit ihr gesprochen, sondern auch ...; **little ~es she**

know sie hat echt keine Ahnung *fam;* (*not yet*) sie ahnt noch nichts ❺ (*replacing verb*) **she runs much faster than he – es** sie läuft viel schneller als er; **~ you like Chopin? — yes, I ~/no, I ~n't** mögen Sie Chopin? – ja/nein; **who ate the cake? — I did!/didn't!** wer hat den Kuchen gegessen? – ich!/ich nicht!; **I don't like Chinese food — nor** [*or* **neither**] **~ I/I ~** ich esse nicht gerne Chinesisch – ich auch nicht/ich schon; **... so ~ I ...** ich auch; **so you don't like her — I ~!** du magst sie also nicht – doch! ❻ (*requesting affirmation*) **you don't understand the question, ~ you?** Sie verstehen die Frage nicht, stimmt's?; **you do understand what I mean, ~n't you?** du verstehst [doch], was ich meine, oder? ❼ (*expressing surprise*) **so they really got married, did they?** dann haben sie also wirklich geheiratet! **II.** *vt* <does, did, done> ❶ (*perform, undertake*) tun, machen; **just ~ it!** mach's einfach!; **let me ~ the talking** überlass mir das Reden; **what's the front door ~ing open?** warum steht die Haustür offen?; **that was a stupid thing to ~** das war dumm!; **what have you done with my coat?** wo hast du meinen Mantel hingetan?; **what am I going to ~ with myself?** was soll ich nur die ganze Zeit machen?; **these pills have done nothing for me** diese Pillen haben mir überhaupt nicht geholfen; **what are you going to ~ with that hammer?** was hast du mit dem Hammer vor?; **what ~es your father ~?** was macht dein Vater beruflich?; **~n't just stand there, ~ something!** stehen Sie doch nicht nur so rum, tun Sie was!; **today we're going to ~ Chapter 4** heute beschäftigen wir uns mit Kapitel 4; **I found someone to ~ the garden wall** ich habe jemanden gefunden, der die Gartenmauer bauen wird; **can you ~ me 20 photocopies of this report?** kannst du mir diesen Bericht 20 mal abziehen?; **to ~ a bow tie** eine Schleife binden; **to ~ the cooking/shopping** kochen/einkaufen; **to ~ the dishes** das Geschirr abspülen; **to ~ the flowers** die Blumen arrangieren; **to ~ one's nails** sich *dat* die Nägel lackieren; **to ~ one's teeth** sich *dat* die Zähne putzen; ■**to get sth done** etw machen lassen; **where ~ you get your hair done?** zu welchem Friseur gehst du? ❷ (*study*) studieren; **Diane did History at London University** Diane hat an der Londoner University Geschichte [im Hauptfach] studiert ❸ (*solve*) lösen; **can you ~ this sum for**

me? kannst du das für mich zusammenrechnen? ❹ (*fam: finish*) **are you done?** bist du jetzt fertig? ❺ (*travel*) fahren ❻ (*suffice*) ■**to ~ sb** jdm genügen; **that'll ~ me nicely, thank you** das reicht mir dicke, danke! *fam;* **I only have diet cola — will that ~ you?** ich habe nur Diätcola – trinkst du die auch? ❼ (*provide*) **~ you ~ travel insurance as well?** bieten Sie auch Reiseversicherungen an?; **sorry, we ~n't ~ hot meals** tut mir leid, bei uns gibt es nur kalte Küche ❽ *esp* BRIT (*serve*) drannehmen ❾ (*put on*) **play** aufführen ❿ (*impersonate*) nachmachen; (*fig*) **I hope she won't ~ a Helen and ...** ich hoffe, sie macht es nicht wie Helen und ... ⓫ (*fam: cheat*) übers Ohr hauen ⓬ (*fam: spend* [*time*] *in jail*) sitzen ⓭ *esp* BRIT (*fam: punish*) fertigmachen; **to get done for sth** (*by the police*) wegen einer S. *gen* von der Polizei angehalten werden; (*by a court*) für etw *akk* verurteilt werden ⓮ (*fam: take*) **to ~ heroin** Heroin nehmen ⓯ (*fam: impress*) **Bach has never done anything for me** Bach hat mich noch nie sonderlich vom Hocker gerissen; **that film really did something to me** dieser Film hat mich wirklich beeindruckt ⓰ (*euph fam: have sex*) ■**to ~ it with sb** mit jdm schlafen ▶ **what's done is <u>done</u>** (*saying*) was passiert ist, ist passiert; **that ~es it!** so, das war's jetzt!; **that's done it!** jetzt haben wir die Bescherung! **III.** *vi* <does, did, done> ❶ (*behave*) tun; **~ as I ~** mach's wie ich; **~ as you're told** tu, was man dir sagt; **to ~ well to do sth** gut daran tun, etw zu tun ❷ (*fare*) **sb is ~ing badly/fine** jdm geht es schlecht/gut; **mother and baby are ~ing well** Mutter und Kind sind wohlauf; **George has done well for himself** George hat es für seine Verhältnisse weit gebracht; **our daughter is ~ing well at school** unsere Tochter ist gut in der Schule; **to be ~ing well out of sth** erfolgreich mit etw *dat* sein ❸ (*fam: finish*) **have you done?** bist du fertig?; **I haven't done with you yet** ich bin noch nicht fertig mit dir ❹ (*be acceptable, suffice*) **that'll ~** das ist o.k. so; **will £10 ~?** reichen 10 Pfund?; **this kind of behaviour just won't ~!** so ein Verhalten geht einfach nicht an!; **do you think this will ~ for a blanket?** glaubst du, das können wir als Decke nehmen?; **that'll ~ as a cushion** das geht [erstmal] als Kissen; **this will ~ just fine as a table** das wird einen guten Tisch abgeben; **this will have to ~ for a meal** das muss als Essen genügen; **will this room**

~**?** ist dieses Zimmer o.k. für Sie?; **we'll make ~ with $100** 100 Dollar müssen reichen; **that will never ~** das geht einfach nicht ▸ **it isn't done** BRIT es ist nicht üblich; **that will ~** jetzt reicht's aber!; **how ~ you ~?** (*form: as introduction*) angenehm; **what's ~ing?** (*fam*) was ist los? **IV.** *n* ❶ *esp* BRIT, AUS (*fam: party*) Fete *f* ❷ BRIT (*fam: treatment*) **fair ~s** gleiches Recht für alle ❸ *no pl* (*droppings*) **dog ~** Hundehäufchen *nt* ❹ (*allowed, not allowed*) **the ~s and ~n'ts** was man tun und was man nicht tun sollte ◆**do away** *vi* ❶ (*discard*) ■**to ~ away with sth** etw loswerden ❷ (*fam: kill*) ■**to ~ away with sb** jdn um die Ecke bringen *fam* ◆**do down** *vt* schlechtmachen ◆**do in** *vt* (*sl*) ❶ (*kill*) kaltmachen; ■**to ~ oneself in** sich umbringen ❷ (*tire*) schaffen ◆**do out** *vt* dekorieren ◆**do over** *vt* (*fam*) ❶ BRIT, AUS (*beat up*) zusammenschlagen ❷ BRIT (*rob*) ausrauben ❸ AM (*redo*) noch einmal machen ◆**do up** **I.** *vt* ❶ (*close*) zumachen; *shoes* zubinden; *zip* zuziehen ❷ (*adorn*) herrichten; *house* renovieren ❸ (*dress*) ■**to ~ oneself up** sich zurecht machen ❹ (*hair*) **to ~ up one's hair** sich *dat* die Haare hochstecken ❺ (*wrap*) einpacken ◆**do with** **II.** *vi dress* zugehen *vi* ❶ BRIT (*fam: bear*) ■**sb can't** [*or* **cannot**] **~** [*or* **be ~ing**] **with sth** jd kann etw nicht ertragen ❷ BRIT (*fam: need*) brauchen; **I could ~ with a sleep** ich könnte jetzt etwas Schlaf gebrauchen ❸ (*be related to*) um etw *akk* gehen; **to be** [*or* **have**] **nothing to ~ with sth** mit etw *dat* nichts zu tun haben; **what's that got to ~ with it?** was hat das damit zu tun? ❹ (*deal with*) ■**to be** [*or* **have**] **to ~ with sth** von etw *dat* handeln ❺ (*refuse contact*) **to not have anything** [*more*] **to ~ with sb** nichts [mehr] mit jdm zu tun haben ❻ (*not concern*) **sth has nothing to ~ with sb** etw geht jdn nichts an ◆**do without** *vi* ❶ (*not have*) auskommen ohne ❷ (*prefer not to have*) verzichten auf +*akk*

DOA [ˌdiːəʊ'eɪ] *abbrev of* **dead on arrival** DOA (*beim Eintreffen des Krankenwagens bereits tot*)

doc [dɒk] *n* (*fam*) *short for* **doctor** Arzt, Ärztin *m, f*

doc·ile ['dəʊsaɪl] *adj* sanftmütig

dock¹ [dɒk] **I.** *n* ❶ (*wharf*) Dock *nt;* ■**the ~s** *pl* die Hafenanlagen; **to be in ~** im Hafen liegen; **dry/floating ~** Trocken-/Schwimmdock *nt* ❷ AM (*pier*) Kai *m* **II.** *vi* ❶ NAUT anlegen ❷ AEROSP andocken (**with** an) **III.** *vt* ■**to ~ sth** etw eindocken; AEROSP etw aneinanderkoppeln

dock² [dɒk] *n no pl esp* BRIT LAW **to be in the ~** auf der Anklagebank sitzen

dock³ [dɒk] *vt* ❶ (*reduce*) kürzen (**by** um); (*deduct*) abziehen ❷ (*cut off*) [den Schwanz] kupieren

dock⁴ [dɒk] *n no pl* BOT Ampfer *m*

dock·er ['dɒkəʳ] *n* Hafenarbeiter(in) *m(f)*

dock·et ['dɒkɪt] *n* ❶ BRIT, AUS (*delivery note*) Lieferschein *m* ❷ AM LAW Terminplan *m* ❸ AM (*agenda*) Tagesordnung *f*

'**dock·yard** *n* Werft *f*

Doc Martens [ˌdɒk'mɑːtɪnz] *npl*, **DMs** *n* (*fam*) Doc Martens *pl*

doc·tor ['dɒktəʳ] **I.** *n* ❶ (*medic*) Arzt, Ärztin *m, f;* **good morning, D~ Smith** guten Morgen, Herr/Frau Doktor Smith; **at the ~'s** beim Arzt/bei der Ärztin ❷ (*academic*) Doktor *m* ▸ **to be just what the ~ ordered** genau das Richtige sein **II.** *vt* ❶ (*falsify*) fälschen ❷ (*poison*) vergiften ❸ AM (*add alcohol to*) mit Alkohol versetzen ❹ BRIT, AUS (*fam: neuter*) sterilisieren

doc·tor·ate ['dɒktᵊrət] *n* Doktor[titel] *m*

doc·tor·re·com·'mend·ed *adj* ärztlich empfohlen

doc·tri·naire [ˌdɒktrɪ'neəʳ] *adj* (*form*) doktrinär

doc·trine ['dɒktrɪn] *n* ❶ *no pl* (*set of beliefs*) Doktrin *f* ❷ (*belief*) Grundsatz *m*

docu·ment ['dɒkjəmənt] **I.** *n* Dokument *nt;* **travel ~s** Reisepapiere *pl* **II.** *vt* dokumentieren

docu·men·tary [ˌdɒkjə'mentᵊri] **I.** *n* Dokumentation *f*, Dokumentarfilm *m* (**on** über) **II.** *adj* ❶ (*factual*) dokumentarisch, Dokumentar- ❷ (*official*) urkundlich, Urkunden-

docu·men·ta·tion [ˌdɒkjəmen'teɪʃᵊn] *n no pl* ❶ (*proof*) [dokumentarischer] Nachweis ❷ (*manual*) Informationsmaterial *nt* ❸ (*papers*) Ausweispapiere *pl*

docu·soap ['dɒkjuːsəʊp] *n* Doku-Soap *f*

DOD [ˌdiːəʊ'diː] *n* AM *abbrev of* **Department of Defense** Verteidigungsministerium *nt*

dod·der·ing ['dɒdᵊrɪŋ] *adj*, **dod·dery** ['dɒdᵊri] *adj* (*fam*) tattrig; **~ old man** Tattergreis *m*

dod·dle ['dɒdl] *n no pl* BRIT (*fam*) ■**to be a ~** ein Kinderspiel sein

dodge [dɒdʒ] **I.** *vt* ❶ (*duck*) ausweichen +*dat* ❷ (*evade*) sich entziehen; *military service* sich drücken vor +*dat; question* ausweichend beantworten; ■**to ~ doing sth** um etw *akk* herumkommen **II.** *vi* ausweichen **III.** *n* (*fam*) Trick *m*

Dodg·em® ['dɒdʒəm] *n*, **Dodg·em**

car® *n* Autoscooter *m*

dodg·er ['dɒdʒər'] *n* (*pej*) Drückeberger(in) *m(f);* **to be a draft ~** sich vor dem Militärdienst drücken; **fare ~** Trittbrettfahrer(in) *m(f);* **tax ~** Steuerhinterzieher(in) *m(f)*

dodgy ['dɒdʒi] *adj* BRIT, AUS (*fam*) ❶ (*unreliable*) zweifelhaft; *weather* unbeständig ❷ (*dishonest*) unehrlich ❸ (*risky*) riskant

dodo <*pl* -s *or* -es> ['dəʊdəʊ] *n* (*hist*) Dodo *m* ▶ **to be as** underline:**dead** **as a ~** völlig überholt sein

doe [dəʊ] *n* ❶ (*deer*) Hirschkuh *f,* [Reh]geiß *f* ❷ (*hare or rabbit*) Häsin *f*

DoE [ˌdiːəʊˈiː] *n* BRIT *abbrev of* **Department of the Environment** Umweltministerium *nt*

doer ['duːə'] *n* (*approv*) Macher *m*

does [dʌz, dəz] *vt, vi, aux vb 3rd pers sing of* **do**

doesn't [dʌzᵊnt] = **does not** *see* **do** I, II

dog [dɒg] I. *n* ❶ (*canine*) Hund *m;* **good ~!** braver Hund!; **~ food** Hundefutter *nt* ❷ *pl* (*fam: dog races*) ■**the ~s** das Hunderennen ❸ (*pej: nasty man*) Hund *m;* (*sl: ugly woman*) Vogelscheuche *f;* **the** [**dirty**] **~!** der [gemeine] Hund! ❹ (*sl: failure*) Flop *m* ▶ **a ~'s** underline:**breakfast** BRIT Pfusch *m;* **to make a ~'s breakfast of sth** etw verpfuschen; **every ~ has its** underline:**day** (*prov*) auch ein blindes Huhn findet mal ein Korn; **to be done up like a ~'s** underline:**dinner** BRIT wie ein Papagei angezogen sein; **a ~'s** underline:**life** ein Hundeleben; **~** underline:**eat** **~** jeder gegen jeden; **to go to the ~s** vor die Hunde gehen; **to put on the ~** AM, AUS sich aufspielen; **to** underline:**turn** **~ on sb** AUS jdn verpfeifen II. *vt* <-gg-> ❶ (*follow*) ständig verfolgen ❷ (*beset*) begleiten

'**dog bis·cuit** *n* Hundekuchen *m* '**dog col·lar** *n* ❶ (*of a dog*) Hundehalsband *nt* ❷ (*fam: of a vicar*) Halskragen *m* [eines Geistlichen] '**dog-eared** *adj* mit Eselsohren

dog·ged ['dɒgɪd] *adj* verbissen, zäh

dog·ged·ly ['dɒgɪdli] *adj* beharrlich

dog·ged·ness ['dɒgɪdnəs] *n no pl* Beharrlichkeit *f,* Hartnäckigkeit *f*

dog·ger·el ['dɒgᵊrᵊl] *n no pl* Knittelvers *m* '**dog·house** *n* AM Hundehütte *f* ▶ **to be** underline:**in** **the ~** in Ungnade gefallen sein

dog·ma ['dɒgmə] *n* Dogma *nt*

dog·mat·ic [dɒgˈmætɪk] *adj* dogmatisch (**about** in)

'**dogs·body** *n* BRIT, AUS (*fam*) Kuli *m;* **general ~** Mädchen für alles **dog-'tired** *adj* (*fam*) hundemüde '**dog walk·er** *n* Hundeausführer(in) *m(f)*

do·ing ['duːɪŋ] *n* ❶ *no pl* (*sb's work*) to be

sb's ~ jds Werk sein; **that's all your ~** daran bist allein du schuld; **to take some** [*or* **a lot of**] **~** ganz schön anstrengend sein ❷ *pl* (*activities*) ■**~s** Tätigkeiten *pl*

do-it-your·self [ˌduːɪtjɔːˈself] *n no pl see* **DIY**

dol·drums ['dɒldrəmz] *npl* (*old*) Kalmenzone *f* ▶ **to be** underline:**in** **the ~** (*be in low spirits*) deprimiert [*o* niedergeschlagen] sein

dole [dəʊl] I. *n* ■**the ~** das Arbeitslosengeld, die Arbeitslosenunterstützung, die Stütze *fam;* **to go on the ~** stempeln gehen II. *vt* ■**to ~ out** sparsam austeilen (**to** an)

dole·ful ['dəʊlfᵊl] *adj* traurig

doll [dɒl] I. *n* ❶ (*toy*) Puppe *f* ❷ (*fam: attractive woman*) Puppe *f* ❸ AM (*approv fam: kind person*) **be a ~ and ...** sei [doch bitte] so lieb und ... II. *vt* ■**to ~ oneself up** sich herausputzen

dol·lar ['dɒlə'] *n* Dollar *m*

'**dol·lar store** *n* AM Ramschladen *m*

dol·lop ['dɒləp] *n* Klacks *m kein pl*

dol·ly ['dɒli] *n* ❶ (*doll*) Püppchen *nt* ❷ FILM Dolly *m*

dol·phin ['dɒlfɪn] *n* Delphin *m*

dolt [dəʊlt] *n* (*pej*) Tollpatsch *m*

do·main [dəˈ(ʊ)meɪn] *n* ❶ (*area*) Reich *nt,* Gebiet *nt* ❷ COMPUT Domäne *f;* TELEC Domain *f*

dome [dəʊm] *n* Kuppel *f;* **~ roof** Kuppeldach *nt*

domed [dəʊmd] *adj* gewölbt, kuppelförmig; **~ ceiling** Kuppeldach *nt*

do·mes·tic [dəˈmestɪk] *adj* ❶ (*household*) häuslich; **~ appliance** [elektrisches] Haushaltsgerät; **to be in ~ service** als Hausangestellte(r) *f(m)* arbeiten; **~ violence** Gewalt *f* in der Familie; **~ work** Hausarbeit *f* ❷ ECON, POL inländisch; **~ airline** Inlandsfluggesellschaft *f;* **~ considerations** innenpolitische Erwägungen; **~ market** Binnenmarkt *m;* **~ policy** Innenpolitik *f;* **~ product** einheimisches Produkt; **gross ~ product** Bruttoinlandsprodukt *nt;* **~ trade** Binnenhandel *m*

do·mes·ti·cate [dəˈmestɪkeɪt] *vt* ❶ (*tame*) zähmen ❷ (*accustom to home life*) häuslich machen

do·mes·ti·city [ˌdəʊmesˈtɪsəti] *n no pl* Häuslichkeit *f,* häusliches Leben

do·mes·tic 'sci·ence *n* Hauswirtschaftslehre *f* **do·mes·tic 'vio·lence** *n* Gewalt *f* in der Familie, häusliche Gewalt

domi·cile ['dɒmɪsaɪl] (*form*) I. *n* Wohnsitz *m* II. *vi* **to be ~d in ...** in ... ansässig sein

domi·nance ['dɒmɪnən(t)s] *n no pl* ❶ (*superior position*) Vormacht[stellung] *f*

D

② (*being dominant*) Dominanz *f,* Vorherrschaft *f* (**over** über)

domi·nant ['dɒmɪnənt] *adj* ① (*controlling*) *colour, culture* vorherrschend; *issue, position* beherrschend; *personality* dominierend; **~ male** männliches Leittier ② BIOL, MUS dominant

domi·nate ['dɒmɪneɪt] **I.** *vt* ① (*have control*) beherrschen; **they ~d the rest of the match** sie gingen für den Rest des Spieles in Führung; **to be ~d by ambition** vom Ehrgeiz beherrscht sein ② PSYCH dominieren **II.** *vi* dominieren

domi·na·tion [ˌdɒmɪˈneɪʃən] *n no pl* ① (*state of dominating*) [Vor]herrschaft *f;* **world ~** Weltherrschaft *f* ② (*controlling position*) Vormachtstellung *f*

domi·neer·ing [ˌdɒmɪˈnɪərɪŋ] *adj* herrschsüchtig, herrisch

Domi·ni·ca [ˌdɒmɪˈniːkə] *n* Dominica *nt*

Do·mini·can [dəˈmɪnɪkən] **I.** *adj* ① REL Dominikaner- ② (*relating to Dominican Republic*) dominikanisch **II.** *n* Dominikaner(in) *m(f)*

Do·mini·can Re·'pub·lic *n* Dominikanische Republik

do·min·ion [dəˈmɪnjən] *n* ① *no pl* (*form: sovereignty*) Herrschaft *f* (**over** über) ② (*realm*) Herrschaftsgebiet *nt* ③ POL, HIST ■**D~** Dominion *nt*

domi·no <*pl* -es> ['dɒmɪnəʊ] *n* ① (*piece*) Dominostein *m* ② (*game*) ■**~es** + *sing vb, no art* Domino[spiel] *nt*

don[1] [dɒn] *n* ① BRIT (*university teacher, esp at Oxford or Cambridge*) [Universitäts]dozent(in) *m(f)* ② AM (*sl: mafia boss*) Mafiaboss *m*

don[2] <-nn-> [dɒn] *vt* (*liter*) anziehen; *hat* aufsetzen

do·nate [dəˈʊˈneɪt] *vt, vi* spenden (**to** für)

do·na·tion [dəˈʊˈneɪʃən] *n* ① (*contribution*) [Geld]spende *f;* (*endowment*) Stiftung *f;* LAW Schenkung *f;* **~s to political parties** Parteispenden *pl;* **charitable ~s** Spenden *pl* für wohltätige Zwecke ② *no pl* (*act of donating*) Spenden *nt*

done [dʌn] *pp of* **do**

don·key ['dɒŋki] *n* Esel *m a. fig*

'don·key jack·et *n* BRIT *gefütterte, wasserdichte Jacke* **'don·key work** *n no pl* (*fam*) Dreck[s]arbeit *f*

do·nor ['dəʊnər] *n* Spender(in) *m(f);* (*for large sums*) Stifter(in) *m(f);* LAW Schenker(in) *m(f)*

don't [dəʊnt] *see* **do not** *see* **do** I, II

do·nut *n* AM, AUS *see* **doughnut**

doo·dle ['duːdl] **I.** *vi* vor sich *akk* hinkritzeln **II.** *n* Gekritzel *nt kein pl*

doom [duːm] **I.** *n* ① (*grim destiny*) Verhängnis *nt kein pl,* [schlimmes] Schicksal ② (*disaster*) Unheil *nt* **II.** *vt* verdammen

doomed [duːmd] *adj* ① (*destined to end badly*) verdammt ② (*condemned*) verurteilt

dooms·day ['duːmzdeɪ] *n no pl* der Jüngste Tag

door [dɔːr] *n* ① (*entrance*) Tür *f;* **to be on the ~** Türsteher sein; ■**at the ~** an der Tür; **out of ~s** im Freien, draußen ② (*house*) **two ~s away** zwei Häuser weiter; **two ~s down/up** zwei Häuser die Straße runter/rauf; **next ~** nebenan; **~ to ~** von Tür zu Tür ③ (*room*) **two ~s down/up** zwei Zimmer den Gang hinunter/hinauf ④ (*fig*) **to close the ~ on sth** etw ausschließen; **to leave the ~ open to sth** die Tür für etw *akk* offen lassen; **to open the ~ to sth** etw ermöglichen ▶ **to shut the stable ~ after the horse has bolted** (*prov*) den Brunnen zudecken, wenn das Kind schon hineingefallen ist

'door·bell *n* Türklingel *f* **'door·frame** *n* Türrahmen *m* **'door·keep·er** *n* Portier *m* **'door·knob** *n* Türknauf *m* **'door·man** *n* Portier *m* **'door·mat** *n* ① (*thing*) Fußmatte *f,* Fußabstreifer *m bes* SÜDD ② (*fig, pej: person*) Waschlappen *m* **'door·nail** *n* **as dead as a ~** mausetot **'door poli·cy** *n of a club, bar etc* Einlasskriterien *pl* **'door·step** **I.** *n* ① (*step outside a house door*) Türstufe *f;* **don't keep her on the ~,** **invite her in** lass sie nicht in der Tür stehen, bitte sie herein; **right on the ~** (*fig*) direkt vor der Haustür ② BRIT (*sl: thick slice of bread*) dicke Scheibe Brot **II.** *vt* <-pp-> BRIT JOURN (*fam*) ■**to ~ sb** jdm [vor der Haustür] auflauern **door-to-'door** *adj* von Haus zu Haus **'door·way** *n* [Tür]eingang *m;* **to stand in the ~** in der Tür stehen

dope [dəʊp] **I.** *n* ① *no pl* (*fam: illegal drug*) Rauschgift *nt,* Stoff *m sl* ② (*sl: stupid person*) Trottel *m* **II.** *adj* AM (*sl: Black English: good*) cool **III.** *vt* dopen

dopey ['dəʊpi] *adj* ① (*drowsy*) benebelt ② (*pej: silly*) blöd

dork [dɔːk, AM dɔːrk] *n* AM, AUS (*pej sl*) Trottel *m pej fam*

dor·mant ['dɔːmənt] *adj* ① (*inactive*) *volcano* untätig; *talents* brach liegend ② BOT, BIOL ■**to be ~** ruhen; **to lie ~** schlafen; *seeds* ruhen

dor·mer ['dɔːmər] *n,* **dor·mer 'win·dow** *n* Mansardenfenster *nt*

dor·mi·tory ['dɔːmɪtəri] *n* ① (*sleeping quarters*) Schlafsaal *m* ② AM (*student hos-*

tel) Studentenwohnheim *nt*

Dor·mo·bile® ['dɔːməbiːl] *n* Camping-bus *m*, Wohnmobil *nt*

dor·mouse ['dɔːmaʊs] *n* Haselmaus *f*

dor·sal ['dɔːsəl] *adj* Rücken-

DOS [dɒs] *n no pl, no art acr for* **disk operating system** DOS *nt*

dos·age ['dəʊsɪdʒ] *n* (*size of dose*) Dosis *f;* (*giving of medicine*) Dosierung *f*

dose [dəʊs] **I.** *n* (*dosage*) Dosis *f a. fig;* **in small ~s** (*fig*) in kleinen Mengen; **she's nice, but only in small ~s** sie ist nett, wenn man nicht zu viel mit ihr zu tun hat; **like a ~ of salts** (*fig*) in null Komma nichts **II.** *vt* [medizinisch] behandeln

dosh [dɒʃ] *n no pl* BRIT, AUS (*sl: money*) Kohle *f*

doss [dɒs] *vi* BRIT, AUS (*fam*) pennen

doss·er ['dɒsər] *n* BRIT (*pej sl*) ❶ (*homeless person*) Penner(in) *m(f)* ❷ (*idle person*) Faulenzer(in) *m(f)*

'doss·house *n* BRIT (*sl*) Penne *f*

dos·si·er ['dɒsɪeɪ] *n* Dossier *nt*

dot [dɒt] **I.** *n* Punkt *m;* (*on material*) Tupfen *m;* **at two o'clock on the ~** [*or* **on the ~ of two o'clock**] Punkt zwei Uhr **II.** *vt* <-tt-> ❶ (*make a dot*) mit einem Punkt versehen; **to ~ one's** [*or* **the**] **i's and cross one's** [*or* **the**] **t's** (*fig*) sehr penibel sein ❷ *usu passive* (*scatter*) ■ **to be ~ted with sth** mit etw *dat* übersät sein

dote [dəʊt] *vi* ■ **to ~ on sb** in jdn [ganz] vernarrt sein

dot·ing ['dəʊtɪŋ] *adj* vernarrt

dot-'ma·trix print·er *n* Matrixdrucker *m*

dot·ty ['dɒti] *adj* verschroben, schrullig

dou·ble ['dʌbl] **I.** *adj* ❶ (*twice, two*) doppelt; **'cool' has a ~ o in the middle** ,cool' wird mit zwei o in der Mitte geschrieben; **my telephone number is ~ three, one, five** meine Telefonnummer ist zweimal die drei, eins, fünf; **his salary is ~ what I get** sein Gehalt ist doppelt so hoch wie meines; **~ the price** doppelt so teuer ❷ (*of two equal parts, layers*) Doppel-; *pneumonia* doppelseitig; **~ door**[s] (*with two parts*) Flügeltür *f;* (*twofold*) Doppeltür *f;* **~ life** Doppelleben *nt;* **to have a ~ meaning** doppeldeutig sein **II.** *adv* ❶ (*twice as much*) doppelt so viel; **to charge sb ~** jdm das Doppelte berechnen ❷ (*two times*) **to see ~** doppelt sehen ❸ (*in the middle*) **to be bent ~** sich niederbeugen; (*with laughter, pain*) sich krümmen; **bent ~** in gebückter Haltung **III.** *n* ❶ *no pl* (*double quantity*) ■ **the ~** das Doppelte [*o* Zweifache] ❷ (*whisky, gin*) Doppelte(r) *m* ❸ (*duplicate person*) Doppelgänger(in) *m(f)*

❹ FILM Double *nt* ❺ SPORTS ■ **~s** *pl* Doppel *nt;* (*baseball*) Double *nt;* **men's/ women's ~s** Herren-/Damendoppel *nt;* **mixed ~s** gemischtes Doppel ❻ (*in games of dice*) Pasch *m;* **~ four** Viererpasch *m* ▶ **~ or quits** doppelt oder nichts; **on** [*or* **at**] **the ~** im Eiltempo; MIL im Laufschritt **IV.** *vt* verdoppeln **V.** *vi* ❶ (*increase twofold*) sich verdoppeln ❷ (*serve a second purpose*) eine Doppelfunktion haben; (*play*) FILM, THEAT eine Doppelrolle spielen; **the kitchen table ~s as my desk** der Küchentisch dient auch als mein Schreibtisch

◆**double back** *vi* kehrtmachen ◆**double over** *vi* sich krümmen (**in/with** vor)

◆**double up** *vi* ❶ (*bend over*) sich krümmen (**in/with** vor) ❷ (*share a room*) sich *dat* ein Zimmer teilen

dou·ble-'bar·relled *adj,* AM **dou·ble-'bar·reled** *adj* ❶ (*having two barrels*) doppelläufig ❷ AM, AUS (*having two purposes*) zweideutig ❸ *esp* BRIT (*hyphenated*) **~ name** Doppelname *m*

dou·ble 'bass *n* Kontrabass *m* **dou·ble 'bed** *n* Doppelbett *nt* **dou·ble-'breast·ed** *adj* zweireihig; **~ suit** Zweireiher *m* **dou·ble-'check** *vt* (*verify again*) noch einmal überprüfen; (*verify in two ways*) zweifach überprüfen [*o* kontrollieren] **dou·ble 'chin** *n* Doppelkinn *nt* **dou·ble-'click** COMPUT **I.** *vt* doppelt anklicken **II.** *vi* doppelklicken **dou·ble-'cross I.** *vt* ■ **to ~ sb** mit jdm ein falsches Spiel treiben **II.** *n* <*pl* -es> Doppelspiel *nt* **dou·ble-'deal·ing** (*pej*) **I.** *n no pl* Betrügerei *f* **II.** *adj* betrügerisch **dou·ble-'deck·er** *n* Doppeldecker *m* **dou·ble 'Dutch** *n no pl* ❶ (*fam: incomprehensible words*) Kauderwelsch *nt;* **it sounds like ~ to me** ich verstehe nur Bahnhof ❷ AM (*jump rope style*) Seilhüpfen *nt* mit zwei Seilen **dou·ble-'edged** *adj* zweischneidig *a. fig* **dou·ble 'fea·ture** *n* FILM Doppelprogramm *nt* **dou·ble-'glaze** *vt* doppelt verglasen **dou·ble-'glaz·ing** *n no pl* Doppelverglasung *f* **dou·ble-'joint·ed** *adj* äußerst gelenkig **dou·ble-'park** *vt, vi* in der zweiten Reihe parken **dou·ble-'quick I.** *adv* sehr schnell **II.** *adj* sofortig; **in ~ time** in null Komma nichts **dou·ble 'stand·ard** *n* Doppelmoral *f kein pl;* **to apply ~s** mit zweierlei Maß messen **dou·ble 'take** *n* verzögerte Reaktion; ■ **to do a ~** zweimal hinschauen **dou·ble 'time** *n no pl* ❶ (*double pay*) doppelter Stundenlohn; **to be paid ~** den doppelten Stundenlohn erhalten ❷ MIL Laufschritt *m*

dou·bly ['dʌbli] *adv* doppelt

doubt

expressing doubt	Zweifel ausdrücken
I'm not so sure about that.	Da bin ich mir nicht so sicher.
I find that hard to believe.	Es fällt mir schwer, das zu glauben.
I cannot really believe that.	So ganz kann ich das nicht glauben.
I don't quite buy his story.	Das kaufe ich ihm nicht ganz ab.
I don't really know.	Ich weiß nicht so recht.
I have my doubts as to whether he really was serious about it/that.	Ich habe da so meine Zweifel, ob er es wirklich ernst gemeint hat.
I very much doubt (that) we will finish this week.	Ich glaube kaum, dass wir noch diese Woche damit fertig werden.
It is by no means certain that the campaign will achieve the desired aims.	Ob die Kampagne die gewünschten Ziele erreichen wird, ist noch zweifelhaft.

doubt [daʊt] I. n ❶ no pl (lack of certainty) Zweifel m (**about** an); ■**to be in ~** ungewiss sein; ■**to be in ~ about sth** über etw akk im Zweifel sein; **no ~** zweifellos; **open to ~** fraglich, unsicher; **beyond reasonable ~** LAW jeden Zweifel ausschließend; **without a ~** ohne jeden Zweifel; **to cast ~ on sth** etw in Zweifel ziehen ❷ (feeling of uncertainty) Ungewissheit f, Bedenken pl; **I never had any ~ [that] you would win** ich habe nie im Geringsten daran gezweifelt, dass du gewinnen würdest II. vt ❶ (be unwilling to believe) ■**to ~ sb** jdm misstrauen; ■**to ~ sth** Zweifel an etw dat haben ❷ (call in question) ■**to ~ sb** jdm nicht glauben; ■**to ~ sth** etw anzweifeln; **to ~ sb's abilities** an jds Fähigkeiten zweifeln ❸ (feel uncertain) ■**to ~ that ...** bezweifeln, dass ...; ■**to ~ whether** [or **if**] ... zweifeln, ob ...

doubt·ful ['daʊtfʰl] adj ❶ (expressing doubt) zweifelnd; **the expression on her face was ~** sie blickte skeptisch ❷ (uncertain, undecided) unsicher, unschlüssig; ■**to be ~ about sth** über etw akk im Zweifel sein ❸ (unlikely) fraglich, ungewiss; ■**to be ~ whether** [or **if**] ... zweifelhaft sein, ob ... ❹ (questionable) fragwürdig, zweifelhaft

doubt·less ['daʊtləs] adv sicherlich

dough [dəʊ] n ❶ (for baking) Teig m ❷ no pl esp AM (sl: money) Knete f

dough·nut n Donut m

doughy ['dəʊi] adj teigig a. fig

dour ['dʊəʳ, 'daʊəʳ] adj person mürrisch; face düster; expression finster; struggle hart[näckig]

douse [daʊs] vt ❶ (drench) übergießen ❷ (extinguish) ausmachen; fire löschen

dove¹ [dʌv] n Taube f a. fig

dove² [dəʊv] vi AM pt of **dive**

dove·cot(e) ['dʌvkɒt] n Taubenschlag m

Do·ver ['dəʊvəʳ] n Dover nt

'dove·tail I. vi übereinstimmen II. vt TECH (in wood) verschwalben; (in metal) verzinken III. n (wood) Schwalbenschwanz m; (metal) Zinken m

dowa·ger ['daʊədʒəʳ] n [adlige] Witwe; **~ queen** [or **queen ~**] Königinwitwe f

dow·dy ['daʊdi] adj (pej) ohne jeden Schick

down¹ [daʊn] I. adv ❶ (movement to a lower position) hinunter; (towards the speaker) herunter; **"~!"** (to a dog) „Platz!" ❷ (downwards) nach unten; **head ~** mit dem Kopf nach unten ❸ (in a lower position) unten; **~ here/there** hier/dort unten ❹ (in the south) im Süden, unten fam; (towards the south) in den Süden, runter fam; **things are much more expensive ~ south** unten im Süden ist alles viel teurer; **how often do you come ~ to Cornwall?** wie oft kommen Sie nach Cornwall runter? fam ❺ (away from the centre) außerhalb; **he has a house ~ by the harbour** er hat ein Haus draußen am Hafen ❻ (fam: badly off) unten; **to be ~ on one's luck** eine Pechsträhne haben; **to kick sb when he's ~** jdn treten, wenn er schon am Boden liegt ❼ (have only) **she was ~ to her last bar of chocolate** sie hatte nur noch einen Riegel Schokolade ❽ (ill) **to be ~ with sth** an etw dat erkrankt sein; **she's ~ with flu** sie liegt mit einer Grippe im Bett; **to come ~ with sth** etw kriegen ❾ SPORTS im Rückstand ❿ (at/to a lower amount) **he was only $50 ~** er hatte erst 50 Dollar verloren; **to get the price ~** den Preis drücken ⑪(*including*) **from the mayor ~** angefangen beim Bürgermeister; **from the director ~ to the secretaries** vom Direktor angefangen bis hin zu den Sekretärinnen ⑫(*on paper*) **to have sth ~ in writing** [*or* **on paper**] etw schriftlich haben; **to get** [*or* **put**] **sb ~ for sth** jdn für etw *akk* vormerken ⑬(*already finished*) vorbei; **two lectures ~, eight to go** zwei Vorlesungen haben wir schon besucht, es bleiben also noch acht ⑭(*as initial payment*) als Anzahlung; **to pay** [*or* **put**] **£100 ~** 100 Pfund anzahlen ⑮(*attributable*) ■**to be ~ to sth** auf etw *akk* zurückzuführen sein; **to be ~ to sb** jds Sache sein; **it's all ~ to you now** nun ist es an Ihnen ⑯(*in crossword puzzles*) senkrecht ▶ ~ **to the ground** völlig; **that suits me ~ to the ground** das ist genau das Richtige für mich **II.** *prep* ①(*in a downward/downhill direction*) hinunter; (*towards the speaker*) herunter; **up and ~ the stairs** die Treppe rauf und runter; **she poured the milk ~ the sink** sie schüttete die Milch in den Abfluss ②(*downhill*) hinunter; **to come/go ~ the mountain** den Berg herunter-/hinuntersteigen ③(*along*) entlang; **go ~ the street** gehen Sie die Straße entlang; **her office is ~ the corridor on the right** ihr Büro ist weiter den Gang entlang auf der rechten Seite; **we drove ~ the motorway as far as Bristol** wir fuhren auf der Schnellstraße bis Bristol; **I ran my finger ~ the list of ingredients** ich ging mit dem Finger die Zutatenliste durch; **her hair reached most of the way ~ her back** ihre Haare reichten fast ihren ganzen Rücken hinunter; **~ the river** flussabwärts ④(*through time*) **~ the centuries** die Jahrhunderte hindurch; **~ the generations** über Generationen hinweg ⑤ BRIT, AUS (*fam: to*) **we went ~ the pub** wir gingen in die Kneipe; **to go ~ the shops** einkaufen gehen ⑥(*inside*) **you'll feel better once you've got some hot soup ~ you** du wirst dich besser fühlen, sobald du ein bisschen heiße Suppe im Magen hast **III.** *adj* <more down, most down> ①(*moving downward*) abwärtsführend; **the ~ escalator** die Rolltreppe nach unten ②(*fam: unhappy*) niedergeschlagen, down *fam* ③(*fam: disapprove of*) ■**to be ~ on sb** jdn auf dem Kieker haben ④(*not functioning*) außer Betrieb; *telephone wires* tot ⑤(*sunk to a low level*) **the river is ~** der Fluss hat Niedrigwasser **IV.** *vt* ①(*knock down*) ■**to ~ sb** jdn zu Fall bringen; BOXING jdn niederschlagen

②(*shoot down*) ■**to ~ sth** etw abschießen ③ *esp* BRIT **to ~ tools** die Arbeit niederlegen ④ AM, AUS SPORTS (*beat*) schlagen ⑤(*drink quickly*) hinunterkippen **V.** *n* ①(*bad fortune*) **we've had our ups and ~s** wir haben schon Höhen und Tiefen durchgemacht ② *no pl* (*fam: dislike*) ■**to have a ~ on sb** jdn auf dem Kieker haben ③ AM FBALL Versuch *m* **VI.** *interj* **~ with taxes!** weg mit den Steuern!; **~ with the dictator!** nieder mit dem Diktator!

down² [daʊn] *n no pl* (*soft feathers*) Daunen *pl;* **~ quilt** Daunendecke *f*

down³ [daʊn] *n esp* BRIT [baumloser] Höhenzug; ■**the ~s** *pl* die Downs (*an der Südküste Englands*)

down-and-'out I. *adj* heruntergekommen **II.** *n* (*pej*) Penner(in) *m(f)*

'down·cast *adj* ①(*sad*) niedergeschlagen ②(*looking down*) gesenkt

'down·fall *n* ①(*ruin*) Untergang *m*, Fall *m fig; of government* Sturz *m* ②(*cause of ruin*) Ruin *m;* **drinking was his ~** das Trinken hat ihn ruiniert

'down·grade I. *vt* ■**to ~ sb** jdn degradieren; ■**to ~ sth** etw herunterstufen **II.** *n* ①(*case of demotion*) Degradierung *f* ② AM (*downward slope*) Gefälle *nt*

down·'heart·ed *adj* niedergeschlagen

'down·hill I. *adv* (*downwards*) bergab, abwärts; **to go ~** *person* heruntergehen; *vehicle* herunterfahren; *road, path* bergab führen; (*fig*) *person* bergab gehen; *situation* sich verschlechtern **II.** *adj* **it's all ~ from here** von hier geht es nur noch bergab; **to be ~** [all the way] leichter werden

down·'load *vt* COMPUT herunterladen (**to** auf)

down·'mar·ket I. *adj* weniger anspruchsvoll, für den Massenmarkt; **~ product** Billigprodukt *nt* **II.** *adv* auf den Massenmarkt ausgerichtet

down 'pay·ment *n* Anzahlung *f;* **to make** [*or* **put**] **a ~ on sth** eine Anzahlung für etw *akk* leisten

down·'play *vt* herunterspielen

'down·pour *n* Regenguss *m*, Platzregen *m*

'down·right I. *adj* völlig; *disgrace* ausgesprochen; *lie* glatt; *nonsense* komplett **II.** *adv* (*completely*) ausgesprochen; **~ dangerous** schlichtweg gefährlich

down·'riv·er I. *adj* flussabwärts [*o* stromabwärts] gelegen **II.** *adv* flussabwärts, stromabwärts

'down·side *n no pl* Kehrseite *f*

'down·size *vi* ECON Personal abbauen

'down·stairs I. *adv* treppab, die Treppe hinunter, nach unten; **there's a man ~** unten steht ein Mann **II.** *adj* (*one floor down*) im unteren Stockwerk; **there's a ~ bathroom** unten gibt es ein Badezimmer ②(*on the ground floor*) im Erdgeschoss

III. *n no pl* Erdgeschoss *nt* '**down·stream I.** *adv* stromabwärts **II.** *adj* stromabwärts gelegen '**down·time** *n no pl* MECH Ausfallzeit *f* **down-to-'earth** *adj* nüchtern '**down·town** AM **I.** *n no pl, no art* Innenstadt *f* **II.** *adj, adv* in der Innenstadt; *(towards)* in die Innenstadt '**down·trod·den** *adj* unterdrückt '**down·turn** *n* ECON Rückgang *m;* **economic** ~ Konjunkturabschwung *m*

down·ward ['daʊnwəd] **I.** *adj* nach unten [gerichtet]; **to be on a ~ trend** sich im Abwärtstrend befinden **II.** *adv esp* AM *see* **downwards**

down·wards ['daʊnwədz] *adv* ❶ *(in/toward a lower position)* abwärts, nach unten, hinunter ❷ *(to a lower number)* nach unten

dow·ry ['daʊri] *n* Mitgift *f*

dowse[1] [daʊz] *vi* mit einer Wünschelrute suchen

dowse[2] [daʊz] *vt see* **douse**

dows·er ['daʊzə'] *n* [Wünschel]rutengänger(in) *m(f)*

dows·ing ['daʊzɪŋ] *n no pl* Wünschelrutengehen *nt;* ~ **rod** Wünschelrute *f*

doy·en ['dɔɪen] *n* Altmeister *m*

doy·enne [dɔɪ'en] *n* Altmeisterin *f*

doz. *abbrev of* **dozen** Dtzd.

doze [daʊz] **I.** *n* Nickerchen *nt;* **to have a ~** ein Nickerchen machen **II.** *vi* dösen

doz·en ['dʌzᵊn] *n* Dutzend *nt;* **half a ~** ein halbes Dutzend; **two ~ people** zwei Dutzend Leute; **~s of times** x-mal; **by the ~** zu Dutzenden ▶ **to talk** nineteen **to the ~** reden wie ein Wasserfall

dozy ['daʊzi] *adj* ❶ *(drowsy)* schläfrig ❷ BRIT *(fam: stupid)* dumm; ~ **idiot** Trottel *m*

Dr *n abbrev of* **doctor** Dr.

drab <-bb-> [dræb] *adj* trist; *colours* trüb; *person* farblos; *surroundings* trostlos

dra·co·nian [drə'kəʊniən] *adj* drakonisch

draft[1] [drɑ:ft] **I.** *n* ❶ *(preliminary version)* Entwurf *m;* **preliminary** ~ Vorentwurf *m;* **rough ~** Rohentwurf *m* ❷ *no pl* MIL Einberufung *f;* ~ **card** Einberufungsbescheid *m;* ~ **order** Einberufungsbefehl *m* **II.** *adj* ❶ *(preliminary)* Entwurfs-; ~ **contract** Vertragsentwurf *m* ❷ *(relating to military conscription)* Einberufungs-; ~ **board** Wehrersatzbehörde *f;* ~ **exemption** Befreiung *f* vom Wehrdienst **III.** *vt* ❶ *(prepare)* entwerfen; *bill* verfassen; *contract* aufsetzen; *proposal* ausarbeiten ❷ MIL **to ~ sb into the army** jdn zum Wehrdienst einberufen

draft[2] *n, adj* AM *see* **draught**

'**draft dodg·er** *n* *(conscientious objector)* Wehrdienstverweigerer(in) *m(f);* *(shirker)* Drückeberger(in) *m(f)*

draftee [,drɑ:f'ti:] *n* Wehrpflichtige(r) *f(m)*

draft·ing ['drɑ:ftɪŋ] *n no pl* ECON, FIN Verfassen *nt,* Formulieren *nt*

drafts·man *n* AM *see* **draughtsman**

drafty *adj* AM *see* **draughty**

drag [dræg] **I.** *n* ❶ *no pl* PHYS Widerstand *m;* AVIAT Luftwiderstand *m;* NAUT Wasserwiderstand *m* ❷ *no pl* *(fig: impediment)* Hemmschuh *m;* **to be a ~ on sb** ein Klotz an jds Bein sein ❸ *no pl* *(fam: bore)* langweilige Sache; **what a ~!** so'n Mist! *sl* ❹ *no pl* *(fam: cross dress)* Fummel *m;* ~ **artist** Künstler, *der in Frauenkleidern auftritt* ❺ *(fam: inhalation)* Zug *m* ▶ **the main ~** AM *(fam)* die Hauptstraße **II.** *vt* <-gg-> ❶ *(pull along the ground)* ziehen; **to ~ one's heels** *[or* **feet***]* schlurfen; *(fig)* sich *dat* Zeit lassen; **to ~ sth behind one** etw hinter sich *dat* herziehen; **to ~ oneself somewhere** sich irgendwohin schleppen ❷ *(take sb somewhere unwillingly)* schleifen; **I don't want to ~ you away** ich will dich hier nicht wegreißen ❸ *(involve)* ■ **to ~ sb into sth** jdn in etw *akk* hineinziehen ❹ *(force)* ■ **to ~ sth out of sb** etw aus jdm herausbringen; **I always have to ~ it out of you** ich muss dir immer alles aus der Nase ziehen; **to ~ the truth out of sb** jdm die Wahrheit entlocken ❺ *(search)* lake absuchen **III.** *vi* <-gg-> ❶ *(trail along)* schleifen ❷ *(pej: proceed tediously)* sich [da]hinziehen; **this meeting is really starting to ~** dieses Treffen zieht sich allmählich ziemlich in die Länge; **to ~ to a close** schleppend zu Ende gehen ◆ **drag along** *vi thing* mitschleppen; *person* mitschleppen; **to ~ oneself along** sich dahinschleppen ◆ **drag down** *vt* ■ **to ~ sb down** ❶ *(force sb to a lower level)* jdn herunterziehen; ■ **to ~ sb down with oneself** jdn mit sich *dat* reißen ❷ *(make sb depressed)* jdn zermürben ◆ **drag in** *vt person* hineinziehen; *thing* aufs Tapet bringen *fam* ◆ **drag on** *vi* *(pej)* sich [da]hinziehen ◆ **drag out** *vt* in die Länge ziehen ◆ **drag up** *vt* *(fig: mention)* wieder ausgraben

'**drag lift** *n* Schlepplift *m*

drag·on ['drægᵊn] *n* ❶ *(mythical creature)* Drache *m* ❷ *(woman)* Drachen *m* ❸ AUS *(lizard)* Eidechse *f*

'**drag·on·fly** *n* Libelle *f*

dra·goon [drə'gu:n] **I.** *n* *(hist)* Dragoner *m* **II.** *vt* zwingen

'**drag queen** *n* Transvestit *m,* Tunte *f pej sl*

drain [dreɪn] **I.** *n* ❶ *(pipe)* Rohr *nt;* *(under*

sink) Abflussrohr *nt;* (*at roadside*) Gully *m;* **to be down the ~** (*fig*) für immer verloren sein; **to go down the ~** (*fig*) vor die Hunde gehen; **to throw sth down the ~** (*fig*) etw zum Fenster hinauswerfen ❷ (*plumbing system*) ■ **~ s** *pl* Kanalisation *f* ❸ (*constant outflow*) Belastung *f;* ■ **to be a ~ on sth** eine Belastung für etw *akk* darstellen **II.** *vt* ❶ (*remove liquid*) entwässern; *liquid* ablaufen lassen; *vegetables* abgießen; *noodles, rice* abtropfen lassen; *pond* ablassen; *abscess* drainieren ❷ (*form: empty*) austrinken ❸ (*exhaust*) [völlig] auslaugen ❹ (*deplete*) ■ **to ~ sth of sb** jdn einer S. *gen* berauben **III.** *vi* ❶ (*flow away*) ablaufen ❷ (*become dry*) *food, washing-up* abtropfen ❸ (*vanish gradually*) **the colour ~ed from her face** die Farbe wich aus ihrem Gesicht ◆ **drain away** *vi liquid* ablaufen; (*fig*) [dahin|schwinden ◆ **drain off** *vt water* abgießen; *noodles/rice* abtropfen lassen

drain·age ['dreɪnɪdʒ] **I.** *n no pl* ❶ (*water removal*) Entwässerung *f* ❷ (*for land*) Entwässerungssystem *nt;* (*for houses*) Kanalisation *f* **II.** *adj* Entwässerungs-

drained [dreɪnd] *adj* erschöpft, fix und fertig *fam,* k. o. *fam;* **you look completely ~** du siehst total erledigt aus *fam*

drain·ing board ['dreɪnɪŋ-] *n* Abtropfbrett *nt*

'**drain·pipe** *n* (*for rainwater*) Regenrohr *nt;* (*for sewage*) Abflussrohr *nt*

drain·pipe 'trou·sers *npl* Röhrenhose *f*

drake [dreɪk] *n* Enterich *m,* Erpel *m*

dram [dræm] *n* Scot Schluck *m*

dra·ma ['drɑːmə] **I.** *n* ❶ *no pl* (*theatre art*) Schauspielkunst *f* ❷ *no pl* (*dramatic literature*) Drama *nt* ❸ (*play, dramatic event*) Drama *nt a. fig;* **television ~** Fernsehspiel *nt;* **historical ~** historisches Stück ❹ *no pl* (*dramatic quality*) Dramatik *f* **II.** *adj* **~ critic** Theaterkritiker(in) *m(f);* **~ school** Schauspielschule *f;* **~ teacher** Schauspiellehrer(in) *m(f)*

dra·mat·ic [drəˈmætɪk] *adj* ❶ (*action-filled*) dramatisch ❷ (*pej: theatrical*) theatralisch ❸ (*in theatre*) **~ irony** tragische Ironie; **~ poetry** dramatische Dichtung; **~ work** [Theater]stück *nt* ❹ (*very noticeable*) spektakulär; (*serious*) gravierend

dra·mat·i·cal·ly [drəˈmætɪkᵊli] *adv* ❶ (*relating to the theatre*) schauspielerisch ❷ (*strikingly*) dramatisch, beträchtlich; **the political situation has been developing ~** die politische Situation hat sich dramatisch zugespitzt

dra·mat·ics [drəˈmætɪks] *npl* ❶ + *sing vb*

(*art of acting*) Dramaturgie *f;* **amateur ~** Laientheater *nt* ❷ (*usu pej: behaviour*) theatralisches Getue

drama·tist ['dræmətɪst] *n* Dramatiker(in) *m(f)*

drama·ti·za·tion [ˌdræmətaɪˈzeɪʃᵊn] *n* ❶ (*dramatizing of a work*) Dramatisierung *f;* FILM Kinobearbeitung *f;* TV Fernsehbearbeitung *f* ❷ *no pl* (*usu pej: exaggeration*) Dramatisieren *nt*

drama·tize ['dræmətaɪz] *vt* ❶ (*adapt*) bearbeiten ❷ (*usu pej: exaggerate*) dramatisieren

drank [dræŋk] *pt of* **drink**

drape [dreɪp] **I.** *vt* ❶ (*cover loosely*) bedecken (**in/with** mit) ❷ (*place on*) drapieren, legen **II.** ■ **~ s** *pl* Vorhänge *pl*

drap·er ['dreɪpər] *n* Brit **~'s shop** Textilgeschäft *nt*

dras·tic ['dræstɪk] *adj* drastisch; *change* radikal

dras·ti·cal·ly ['dræstɪkli] *adv* drastisch, rigoros; **to change one's diet ~** seine Ernährung von Grund auf umstellen

drat [dræt] *interj* (*fam*) verflixt!

draught [drɑːft] **I.** *n* ❶ (*air current*) [Luft]zug *m kein pl;* **there's a ~** es zieht; **to sit in a ~** im Zug sitzen ❷ *no pl* **on ~** vom Fass ❸ (*of ship*) Tiefgang *m* ❹ Brit, Aus (*game*) ■ **~ s** *pl* Damespiel *nt;* **to play ~ s** Dame spielen **II.** *adj* ❶ (*in cask*) vom Fass; **~ beer** Fassbier *nt* ❷ (*for pulling loads*) Zug-; **~ animal** Zugtier *nt*

'**draught board** *n* Brit, Aus Damebrett *nt*

'**draughts·man** *n* [technischer] Zeichner

draughty ['drɑːfti] *adj* zugig

draw [drɔː] **I.** *n* ❶ (*celebrity*) Publikumsmagnet *m;* (*popular film, play, etc.*) Kassenschlager *m* ❷ (*drawn contest*) Unentschieden *nt;* **to end in a ~** unentschieden enden [*o* ausgehen] ❸ (*drawing lots*) Verlosung *f* ❹ (*drawing gun*) Ziehen *nt;* **to be quick on the ~** schnell ziehen können; (*fig*) schlagfertig sein ❺ (*inhalation*) Zug *m* **II.** *vt* <drew, drawn> ❶ (*make a picture*) zeichnen; *line* ziehen; **I ~ the line there** (*fig*) da ist bei mir Schluss ❷ (*depict*) darstellen ❸ (*pull*) ziehen; (*close*) *curtains* zuziehen; (*open*) aufziehen; **to ~ sb aside** jdn beiseitenehmen; **to ~ sb into [an] ambush** jdn in einen Hinterhalt locken ❹ (*attract*) ■ **to ~ sb** jdn anlocken; ■ **to ~ sth** etw auf sich *akk* ziehen; **to ~ [sb's] attention [to sb/sth]** [jds] Aufmerksamkeit *f* [auf jdn/etw] lenken; **she waved at him to ~ his attention** sie winkte ihm zu, um ihn auf sich aufmerksam zu machen; **to**

~ attention to oneself Aufmerksamkeit erregen; ■**to feel ~n to** [*or* **toward[s]**] **sb** sich zu jdm hingezogen fühlen ❺ (*involve in*) ■**to ~ sb into sth** jdn in etw *akk* hineinziehen ❻ (*elicit*) hervorrufen; ■**to ~ sth from sb** jdn zu etw *dat* veranlassen; **to ~ a confession from sb** jdm ein Geständnis entlocken ❼ (*formulate*) *comparison* anstellen; *conclusion, parallel* ziehen ❽ (*pull out*) ziehen ❾ (*extract*) ziehen; **has it drawn blood?** blutet es?; **to ~ first blood** (*fig*) den ersten Treffer erzielen ❿ CARDS ziehen ⓫ (*earn, get from source*) beziehen ⓬ (*select by chance*) ziehen [*o* auslosen]; **Real Madrid has ~n** [*or* **been ~n against**] **Juventus** als Gegner von Real Madrid wurde Juventus Turin ausgelost; **to ~ lots for sth** um etw *akk* losen ⓭ *water* holen; *bath* einlassen ⓮ FIN *money* abheben; *cheque* ausstellen ⓯ (*inhale*) **to ~ a** [**deep**] **breath** [tief] Luft holen; **to ~ breath** (*fig*) verschnaufen ⓰ NAUT **the ship ~s 20 feet of water** das Schiff hat sechs Meter Tiefgang ⓱ SPORTS *bow* spannen ⓲ HIST **~n and quartered** gestreckt und geviertelt **III.** *vi* <drew, drawn> ❶ (*make pictures*) zeichnen ❷ (*proceed*) sich bewegen; *vehicle, ship* fahren; **to ~ alongside** [*or* **level with**] **sth** mit etw *dat* gleichziehen; **to ~ apart** sich voneinander trennen; **to ~ away** wegfahren ❸ (*approach* [*in time*]) **to ~ to a close** zu Ende gehen; **to ~ near**[**er**] näher rücken ❹ (*make use of*) ■**to ~ on sb** auf jdn zurückkommen; ■**to ~ on sth** auf etw *akk* zurückgreifen; **she ~s on personal experience in her work** sie schöpft bei ihrer Arbeit aus persönlichen Erfahrungen ❺ (*draw lots*) losen (**for** um) ❻ SPORTS unentschieden spielen; **they drew 1–1** sie trennten sich 1:1 unentschieden ◆**draw aside** *vt* ■**to ~ sb aside** jdn beiseitenehmen; ■**to ~ sth aside** etw zur Seite ziehen ◆**draw in I.** *vi* ❶ (*arrive and stop*) *train* einfahren; *car* anhalten ❷ (*shorten*) *days* kürzer werden **II.** *vt* ❶ (*involve*) hineinziehen ❷ (*inhale*) **to ~ in a** [**deep**] **breath** [tief] Luft holen ◆**draw off** *vt* ❶ *liquid* ablassen ❷ *gloves* ausziehen ◆**draw on I.** *vt* ❶ *clothes* anziehen **II.** *vi* ❶ (*pass slowly*) *evening, summer* vergehen; **as the evening drew on, ...** im Verlauf des Abends ...; **as time drew on, ...** mit der Zeit ... ❷ (*form: approach* [*in time*]) **winter ~s on** der Winter naht ◆**draw out I.** *vt* ❶ (*prolong*) in die Länge ziehen; *vowels* dehnen ❷ (*pull out sth*) herausziehen ❸ FIN (*withdraw*) abheben ❹ (*persuade to talk*) aus

der Reserve locken **II.** *vi* ❶ (*depart*) *train* ausfahren; *car, bus* herausfahren ❷ (*lengthen*) *days* länger werden ◆**draw together I.** *vt* ■**to ~ sb together** jdn zusammenbringen; ■**to ~ sth together** etw zusammenziehen **II.** *vi* zusammenrücken ◆**draw up I.** *vt* ❶ (*draft*) aufsetzen; *agenda, list, syllabus* aufstellen; *guidelines* festlegen; *plan* entwerfen; *proposal, questionnaire* ausarbeiten; *report* erstellen; *will* errichten ❷ (*pull toward one*) heranziehen; **~ up a chair!** hol dir doch einen Stuhl!; **he drew the blanket up to his chin** er zog sich die Bettdecke bis ans Kinn ❸ (*stand up*) **to ~ oneself up** [**to one's full height**] sich [zu seiner vollen Größe] aufrichten **II.** *vi car* vorfahren; *train* einfahren

ˈdrawˈback *n* Nachteil *m* **ˈdrawˈbridge** *n* Zugbrücke *f*

drawˈer[1] [ˈdrɔːˈ] *n* Schublade *f*; **chest of ~s** Kommode *f*

drawˈer[2] [ˈdrɔːəˈ] *n* ❶ (*of a cheque*) Aussteller(in) *m(f)* ❷ (*sb who draws*) Zeichner(in) *m(f)*

drawˈing [ˈdrɔːɪŋ] *n* ❶ *no pl* (*art*) Zeichnen *nt* ❷ (*picture*) Zeichnung *f*

ˈdrawˈing board *n* Zeichenbrett *nt;* **to go back to the ~** (*fig*) noch einmal von vorn anfangen **ˈdrawˈing pin** *n* BRIT, AUS Reißzwecke *f* **ˈdrawˈing room** *n* (*form*) Wohnzimmer *nt*

drawl [drɔːl] **I.** *n* schleppende Sprache; **Texas ~** breites Texanisch **II.** *vi* schleppend sprechen **III.** *vt* dehnen

drawn [drɔːn] **I.** *pp of* **draw II.** *adj* ❶ (*showing tiredness and strain*) abgespannt ❷ SPORTS unentschieden; **~ game** [*or* **match**] Unentschieden *nt*

dread [dred] **I.** *vt* ■**to ~ sth** sich vor etw *dat* [sehr] fürchten; ■**to ~ doing sth** [große] Angst haben, etw zu tun; **I ~ to think what would happen if ...** ich wage gar nicht daran zu denken, was geschehen würde, wenn ... **II.** *n no pl* Furcht *f;* **to live in ~ of sth** in [ständiger] Furcht vor etw *dat* leben; **to fill sb with ~** jdn mit Angst und Schrecken erfüllen **III.** *adj* (*liter*) fürchterlich

dreadˈful [ˈdredfᵊl] *adj* ❶ (*awful*) schrecklich, furchtbar; **I feel ~** (*unwell*) ich fühle mich scheußlich; (*embarrassed*) es ist mir furchtbar peinlich ❷ (*of very bad quality*) miserabel, erbärmlich

dreadˈfulˈly [ˈdredfᵊli] *adv* ❶ (*in a terrible manner*) schrecklich, entsetzlich ❷ (*very poorly*) mies, grauenhaft ❸ (*extremely*) schrecklich, furchtbar; **he was ~ upset** er hat sich furchtbar aufgeregt; **I'm ~ sorry** es tut mir schrecklich leid

dream [driːm] **I.** *n* Traum *m* a. *fig;* ■**to have a ~** |**about sth**| |von etw *dat*| träumen; ■**to be in a ~** vor sich *akk* hinträumen; **to work like a ~** wie eine Eins funktionieren; **in your ~s!** du träumst wohl! **II.** *adj* Traum- **III.** *vi, vt* <dreamt *or* dreamed, dreamt *or* dreamed> träumen *a. fig;* **~ on!** (*iron*) träum [nur schön] weiter!; ■**to not ~ of sth** nicht [einmal] im Traum an etw *akk* denken; **I wouldn't ~ of asking him for money!** es würde mir nicht im Traum einfallen, ihn um Geld zu bitten ◆**dream up** *vt* sich *dat* ausdenken **dream·er** ['driːməʳ] *n* Träumer(in) *m(f)* a. *fig*

dream·less ['driːmləs] *adj* traumlos
'dream·like *adj* traumhaft
dreamt [drem(p)t] *pt, pp of* **dream**
dreamy ['driːmi] *adj* ❶(*gorgeous*) zum Träumen ❷(*daydreaming*) verträumt ❸(*approv sl: wonderful*) traumhaft
dreari·ness [drɪərɪnəs] *n no pl* ❶(*depressing quality*) Tristheit *f* ❷(*monotony*) Eintönigkeit *f*
dreary [drɪəri] *adj* ❶(*depressing*) trostlos; *day* trüb ❷(*monotonous*) eintönig
dredge [dredʒ] **I.** *n* [Schwimm]bagger *m* **II.** *vt* ❶(*dig out*) *river* ausbaggern ❷ FOOD bestreuen
dredg·er ['dredʒəʳ] *n* ❶(*digger*) [Schwimm]bagger *m* ❷ FOOD Streuer *m*
dregs [dregz] *npl* ❶(*drink sediment*) [Boden]satz *m kein pl* ❷(*fig*) Abschaum *m kein pl*
drench [dren(t)ʃ] *vt* durchnässen; **to get ~ed to the skin** nass bis auf die Haut werden; **~ed in sweat** schweißgebadet
dress [dres] **I.** *n* <*pl* -es> ❶(*woman's garment*) Kleid *nt* ❷*no pl* (*clothing*) Kleidung *f* **II.** *vi* ❶(*put on clothing*) ■**to ~** [*or* **get ~ed**] sich anziehen ❷(*wear clothing*) sich kleiden; **he always ~es fairly casually** er ist immer ziemlich leger angezogen **III.** *vt* ❶(*put on clothing*) ■**to ~ sb/oneself** jdn/sich anziehen ❷ FOOD *salad* anmachen ❸(*treat*) *wound* verbinden ❹(*decorate*) dekorieren ◆**dress down I.** *vi* sich leger anziehen **II.** *vt* zurechtweisen ◆**dress up I.** *vi* ❶(*wear nice clothes*) sich fein anziehen ❷(*disguise oneself*) sich verkleiden **II.** *vt* ❶(*in a costume*) verkleiden ❷(*improve*) verschönern
dress 'cir·cle *n* THEAT erster Rang **dress 'coat** *n* Frack *m*
dress·er ['dresəʳ] *n* ❶(*person*) **he's a snappy ~** er kleidet sich flott ❷ THEAT

(*actor's assistant*) Garderobier(e) *m(f)* ❸(*sideboard*) Anrichte *f* ❹ AM, CAN (*chest of drawers*) |Frisier|kommode *f*
dress·ing ['dresɪŋ] *n* ❶*no pl* (*of clothes*) Anziehen *nt* ❷(*for salad*) Dressing *nt* ❸(*for injury*) Verband *m*
dress·ing-'down *n* (*fam*) Standpauke *f;* **to get a ~** zurechtgewiesen werden
'dress·ing gown *n* Bademantel *m*
'dress·ing room *n* (*in theatre*) [Künstler]garderobe *f;* SPORTS Umkleidekabine *f*
'dress·ing ta·ble *n* Frisierkommode *f*
'dress·mak·er *n* [Damen]schneider(in) *m(f)* **'dress·mak·ing** *n no pl* Schneidern *nt* **dress re·'hears·al** *n* THEAT Generalprobe *f* **dress 'shirt** *n* Smokinghemd *nt* **dress 'suit** *n* Abendanzug *m* **dress 'uni·form** *n* Galauniform *f*
dressy ['dresi] *adj* (*fam*) ❶(*stylish*) elegant ❷(*requiring formal clothes*) vornehm
drew [druː] *pt of* **draw**
drib·ble ['drɪbl] **I.** *vi* ❶ *baby* sabbern ❷(*trickle*) tropfen ❸ SPORTS dribbeln **II.** *vt* SPORTS dribbeln mit +*dat* **III.** *n* ❶*no pl* (*saliva*) Sabber *m* ❷ SPORTS Dribbling *nt kein pl*
dribs [drɪbz] *npl* **in ~ and drabs** kleckerweise
dried [draɪd] **I.** *pt, pp of* **dry II.** *adj* getrocknet; **~ flowers** Trockenblumen *pl;* **~ fruit** Dörrobst *nt*
dried up *adj pred,* **dried-up** *adj attr* ausgetrocknet
drift [drɪft] **I.** *vi* treiben; *balloon* schweben; *mist, fog, clouds* ziehen; *snow* angeweht werden; **to ~ into crime** in die Kriminalität abdriften; **to ~ out to sea** aufs offene Meer hinaustreiben; **to ~ into a situation** in eine Situation hineingeraten; **to ~ into unconsciousness** in Bewusstlosigkeit versinken; **to ~ with the tide** mit dem Strom schwimmen *fig;* **to ~ along** (*fig*) sich treiben lassen; **to ~ away** people davonschlendern; *fog* verwehen **II.** *n* ❶(*slow movement*) Strömen *nt;* **~ from the land** Landflucht *f* ❷(*slow trend*) Trend *m* ❸ *of snow* Verwehung *f* ❹(*meaning*) **to catch** [*or* **get**] **sb's ~** verstehen, was jd sagen will ◆**drift apart** *vi* einander fremd werden ◆**drift off** *vi* einschlummern
drift·er ['drɪftəʳ] *n* Gammler(in) *m(f)*
'drift ice *n no pl* Treibeis *nt* **'drift·wood** *n no pl* Treibholz *nt*
drill[1] [drɪl] **I.** *n* Bohrer *m* **II.** *vt, vi* bohren; ■**to ~ through sth** etw durchbohren **III.** *adj* Bohr-
drill[2] [drɪl] **I.** *n* ❶(*exercise*) Übung *f;* MIL Drill *m* ❷(*fam: routine procedure*) **what's**

D

the ~? wie wird das gemacht?; **to know the** ~ wissen, wie es geht **II.** *vt* MIL, SCH drillen **III.** *vi* MIL exerzieren **IV.** *adj* MIL Drill-; ~ **ground** Exerzierplatz *m*

drill·ing ['drɪlɪŋ] *n no pl* Bohren *nt*

'drill·ing rig *n* (*on land*) Bohrturm *m;* (*offshore*) Bohrinsel *f*

drink [drɪŋk] **I.** *n* ❶ (*liquid nourishment*) Getränk *nt;* **can I get you a** ~? kann ich Ihnen etwas zu trinken bringen?; **a** ~ **of juice** ein Schluck *m* Saft; **to have a** ~ etw trinken ❷ (*alcoholic drink*) Drink *m;* ∎~**s** *pl* Getränke *pl;* **whose turn is it to buy the** ~**s?** wer gibt die nächste Runde aus? ❸ *no pl* (*alcohol*) Alkohol *m;* **smelling of** ~ mit einer [Alkohol]fahne; **to drive sb to** ~ jdn zum Trinker/zur Trinkerin machen **II.** *vi, vt* <drank, drunk> trinken; **to** ~ **and drive** unter Alkoholeinfluss fahren; **I'll** ~ **to that** darauf trinke ich; (*fig*) **he** ~**s like a fish** er säuft wie ein Loch *derb*
◆**drink in** *vt* [begierig] in sich *akk* aufnehmen

drink·able ['drɪŋkəbl] *adj* trinkbar

drink-'driv·ing *n no pl* BRIT, AUS Trunkenheit *f* am Steuer

drink·er ['drɪŋkəʳ] *n* Trinker(in) *m(f)*

drink·ing ['drɪŋkɪŋ] **I.** *n no pl* Trinken *nt;* **this water is not for** ~ das ist kein Trinkwasser; ~ **and driving is dangerous** Alkohol am Steuer ist gefährlich **II.** *adj* Trink-; ~ **bout** Sauftour *f derb*

'drink·ing foun·tain *n* Trinkwasserbrunnen *m* **'drink·ing song** *n* Trinklied *nt* **'drink·ing straw** *n* Trinkhalm *m* **'drink·ing wa·ter** *n no pl* Trinkwasser *nt*

drip [drɪp] **I.** *vi* <-pp-> (*continually*) tropfen; (*in individual drops*) tröpfeln **II.** *vt* <-pp-> [herunter]tropfen lassen; **to** ~ **blood** Blut verlieren **III.** *n* ❶ *no pl* (*act of dripping*) Tropfen *nt;* *of rain* Tröpfeln *nt* ❷ (*drop*) Tropfen *m* ❸ MED Tropf *m;* **to be on a** ~ am Tropf hängen ❹ (*pej sl: foolish person*) Flasche *f*

drip-'dry I. *vt* <-ie-> tropfnass aufhängen **II.** *adj* bügelfrei

drip·ping ['drɪpɪŋ] **I.** *adj* ❶ (*dropping drips*) tropfend; ∎**to be** ~ tropfen ❷ (*extremely wet*) klatschnass ❸ (*hum, iron: be covered with sth*) ∎**to be** ~ **with sth** über und über mit etw *dat* behängt sein **II.** *adv* ~ **wet** klatschnass **III.** *n* FOOD Schmalz *nt*

drive [draɪv] **I.** *n* ❶ (*trip*) Fahrt *f;* **to go for a** ~ eine Spazierfahrt machen; **it is a 20-mile/20-minute** ~ **to the airport** zum Flughafen sind es [mit dem Auto] 30 Kilometer/20 Minuten; **a day's** ~ eine Tagesfahrt; **an hour's** ~ **away** eine Autostunde entfernt ❷ (*to small building*) Einfahrt *f;* (*to larger building*) Auffahrt *f;* (*approach road*) Zufahrt *f* ❸ *no pl* TECH Antrieb *m* ❹ *no pl* AUTO (*steering*) left-/right-hand ~ Links-/Rechtssteuerung *f* ❺ *no pl* (*energy*) Tatkraft *f;* (*élan, vigour*) Schwung *m,* Elan *m,* Drive *m;* (*motivation*) Tatendrang *m* ❻ *no pl* PSYCH Trieb *m;* **sex** ~ Geschlechtstrieb *m* ❼ (*campaign*) Aktion *f;* **economy** ~ Sparmaßnahmen *pl;* **recruitment** ~ Anwerbungskampagne *f* ❽ SPORTS Treibschlag *m,* Drive *m* ❾ COMPUT Laufwerk *nt;* **hard** ~ Festplatte *f* ❿ AGR (*of animals*) Treiben *nt kein pl;* **cattle** ~ Viehtrieb *m* **II.** *vt* <drove, driven> ❶ (*steer*) fahren; **to** ~ **a bus** einen Bus lenken; (*as a job*) Busfahrer(in) *m(f)* ❷ (*force onwards*) antreiben; **the wind drove the snow into my face** der Wind wehte mir den Schnee ins Gesicht; **he was** ~**n by greed** Gier bestimmte sein Handeln; **to** ~ **sb to suicide** jdn in den Selbstmord treiben; **to** ~ **sb mad** jdn wahnsinnig machen; **to** ~ **oneself too hard** sich *dat* zu viel zumuten; **to** ~ **sb from** [*or* out of] **sth** jdn aus etw *dat* vertreiben; **the scandal drove the minister out of office** der Skandal zwang den Minister zur Amtsniederlegung ❸ (*power*) *engine* antreiben; COMPUT treiben ❹ (*in golf*) treiben **III.** *vi* <drove, driven> ❶ (*steer vehicle*) fahren; **who was driving at the time of the accident?** wer saß zur Zeit des Unfalls am Steuer?; **to learn to** ~ den Führerschein machen; **are you going by train? — no, I'm driving** fahren Sie mit dem Zug? – nein, mit dem Auto ❷ *rain, snow* peitschen; *clouds* jagen ◆**drive at** *vi* **what are you driving at?** worauf wollen Sie [eigentlich] hinaus? ◆**drive away I.** *vt* ❶ (*transport*) wegfahren ❷ (*expel*) vertreiben ❸ (*fig: dispel*) zerstreuen **II.** *vi* wegfahren ◆**drive back I.** *vt* ❶ (*in a vehicle*) zurückfahren ❷ (*force back*) zurückdrängen; *animals* zurücktreiben; *enemy* zurückschlagen **II.** *vi* zurückfahren ◆**drive off I.** *vt* ❶ (*expel*) vertreiben ❷ (*repel*) zurückschlagen **II.** *vi* wegfahren ◆**drive out I.** *vt* hinausjagen; (*fig*) austreiben **II.** *vi* hinausfahren; (*come out*) herausfahren ◆**drive up I.** *vt price* hochtreiben **II.** *vi* vorfahren; ∎**to** ~ **up to a ramp** an eine Rampe heranfahren

'drive-in *esp* AM, AUS **I.** *adj* Drive-in- **II.** *n* ❶ (*restaurant*) Drive-in *nt* ❷ (*cinema/movie*) Autokino *nt*

drive-in 'bank *n esp* AM, AUS Bank *f* mit Autoschalter

driv·el ['drɪvᵊl] *n no pl* (*pej*) Gefasel *nt*

driv·en ['drɪvᵊn] I. *pp* of **drive** II. *adj* ❶ (*very ambitious*) ehrgeizig ❷ (*powered*) angetrieben ▸ **as pure as the ~ snow** so unschuldig wie ein Engel

drive off *n* AM (*fam*) Tankbetrug *m* (*von einer Tankstelle wegfahren, ohne für sein Benzin zu bezahlen*)

driv·er ['draɪvᵊr] *n* ❶ (*of vehicle*) Fahrer(in) *m(f); of locomotive* Führer(in) *m(f)* ❷ (*golf club*) Driver *m*

'driv·er's li·cense *n* AM Führerschein *m*

'drive·time ['draɪvtaɪm] *n* Hauptverkehrszeit *f* für Autopendler; (*programme*) Rush-Hour *f*

'drive·way *n* ❶ (*to small building*) Einfahrt *f;* (*to larger building*) Auffahrt *f* ❷ (*approach road*) Zufahrt[sstraße] *f*

driv·ing ['draɪvɪŋ] I. *n* (*of vehicle*) Fahren *nt;* **drunk ~** Trunkenheit *f* am Steuer II. *adj* ❶ (*on road*) Fahr-; **~ conditions** Straßenverhältnisse *pl* ❷ (*lashing*) **rain** peitschend; **~ snow** Schneetreiben *nt* ❸ (*powerfully motivating*) treibend; *ambition* stark

'driv·ing ban *n* Fahrverbot *nt* **'driv·ing force** *n no pl* treibende Kraft **'driv·ing in·struc·tor** *n* Fahrlehrer(in) *m(f)* **'driv·ing les·son** *n* Fahrstunde *f;* ■**~ s** *pl* Fahrunterricht *m kein pl;* **to take ~ s** den Führerschein machen **'driv·ing li·cence** *n* BRIT Führerschein *m* **'driv·ing pool** *n* Fuhrpark *m* **'driv·ing school** *n* Fahrschule *f* **'driv·ing test** *n* Fahrprüfung *f*

driz·zle ['drɪzl] I. *n no pl* ❶ (*light rain*) Nieselregen *m* ❷ (*small amount of liquid*) ein paar Spritzer II. *vi* nieseln III. *vt* FOOD träufeln

driz·zly ['drɪzli] *adj* Niesel-; **it was a ~ afternoon** es hat den ganzen Nachmittag genieselt

droll [drəʊl] *adj* drollig

drom·edary [drɒmədᵊri] *n* Dromedar *nt*

drone [drəʊn] I. *n no pl* ❶ (*sound*) of a machine Brummen *nt; of insects* Summen *nt;* (*pej*) of a person Geleier *m* ❷ (*male bee*) Drohne *f* II. *vi* ❶ (*make sound*) summen; *engine* brummen ❷ (*speak monotonously*) leiern

drool [dru:l] I. *vi* ❶ (*dribble*) sabbern ❷ (*fig*) ■**to ~ over sb/sth** von jdm/etw hingerissen sein II. *n no pl* Sabber *m*

droop [dru:p] I. *vi* ❶ (*hang down*) schlaff herunterhängen; *flowers* die Köpfe hängen lassen; *eyelids* zufallen ❷ (*lack energy*) schlapp sein II. *n* Herunterhängen *nt; of body* Gebeugtsein *nt; of eyelids* Schwere *f*

drop [drɒp] I. *n* ❶ (*vertical distance*) Gefälle *nt;* (*difference in level*) Höhenunter-

schied *m* ❷ (*decrease*) Rückgang *m;* **~ in temperature** Temperaturrückgang *m* ❸ (*by aircraft*) Abwurf *m;* **food/letter ~** Futter-/Postabwurf *m* ❹ *of liquid* Tropfen *m;* **~ of rain** Regentropfen *m;* **~ s of paint** Farbspritzer *pl;* **~ by ~** tropfenweise; ■**~ s** *pl* MED (*fam: drink*) Schluck *m;* **to have had a ~ too much** [**to drink**] ein Glas über den Durst getrunken haben ❻ (*boiled sweet*) **fruit ~** Fruchtbonbon *nt* ❼ (*collection point*) [Geheim]versteck *nt* ▸ **at the ~ of a hat** im Handumdrehen; **a ~ in the ocean** ein Tropfen *m* auf den heißen Stein II. *vt* <-pp-> ❶ (*cause to fall*) fallen lassen; *anchor* [aus]werfen; *bomb, leaflets* abwerfen; **to ~ a bombshell** (*fig*) eine Bombe platzen lassen ❷ (*lower*) senken ❸ (*fam: send*) **to ~ sb a line** jdm ein paar Zeilen schreiben ❹ (*dismiss*) entlassen ❺ (*give up*) aufgeben; **let's ~ the subject** lassen wir das Thema; *charges* fallen lassen; *demand* abgehen von; **to ~ everything** alles stehen und liegen lassen ❻ (*abandon*) ■**to ~ sb** (*fig*) jdn fallen lassen; (*end a relationship*) mit jdm Schluss machen ❼ SPORTS ausschließen (**from** aus) ❽ (*leave out*) weglassen; **to ~ one's aitches** [*or* **h's**] BRIT, AUS den Buchstaben ,h' [im Anlaut] verschlucken ❾ (*fam: tell indirectly*) **to ~** [**sb**] **a hint** [jdm gegenüber] eine Anspielung machen ▸ **to ~ sb right in it** jdn [ganz schön] reinreiten; **to let it ~ that ...** beiläufig erwähnen, dass ... III. *vi* <-pp-> ❶ (*descend*) [herunter]fallen; *jaw* herunterklappen; **the curtain ~ped** der Vorhang ist gefallen *a. fig* ❷ (*become lower*) *land* sinken; *prices, temperatures, water level* fallen ❸ (*fam: become exhausted*) umfallen; **to be fit** [*or* **ready**] **to ~** zum Umfallen müde sein; **to ~** [**down**] **dead** tot umfallen; **~ dead!** (*fam*) scher dich zum Teufel! ◆ **drop behind** *vi* zurückfallen ◆ **drop in** *vi* (*fam*) vorbeischauen (**on** bei) ◆ **drop off** I. *vt* (*fam*) ■**to ~ sth ⟳ off** etw abliefern; ■**to ~ sb ⟳ off** jdn absetzen II. *vi* ❶ (*fall off*) abfallen ❷ (*decrease*) zurückgehen; *support, interest* nachlassen ❸ (*fam: fall asleep*) einschlafen ◆ **drop out** *vi* ❶ (*give up membership*) ausscheiden; **to ~ out of a course/school/university** einen Kurs/die Schule/das Studium abbrechen ❷ *of society* aussteigen

drop-down 'menu *n* COMPUT Pull-down-Menü *nt*

drop·let ['drɒplət] *n* Tröpfchen *nt*

'drop·out *n* ❶ (*from university*) [Studien]abbrecher(in) *m(f);* (*from school*)

Schulabgänger(in) *m(f)* ❷ *(from conventional lifestyle)* Aussteiger(in) *m(f)*

drop·per ['drɒpəʳ] *n* Tropfer *m*

drop·pings ['drɒpɪŋz] *npl of bird* Vogeldreck *m; of horse* Pferdeäpfel *pl; of rodents, sheep* Köttel *pl*

'**drop shot** *n* TENNIS Stopp[ball] *m*

dross [drɒs] *n no pl* Schrott *m a. fig*

drought [draʊt] *n* Dürre[periode] *f*

drove[1] [drəʊv] *n* ❶ *of animals* Herde *f* ❷ *(many)* ■ ~s *pl (fam) of people* Scharen *pl* (**of** von)

drove[2] [drəʊv] *pt of* **drive**

drov·er ['drəʊvəʳ] *n* Viehtreiber(in) *m(f)*

drown [draʊn] **I.** *vt* ❶ *(kill)* ertränken; ■ **to be ~ed** ertrinken ❷ *(cover)* überfluten; **he ~s his food in ketchup** er tränkt sein Essen in Ketchup ❸ *(make inaudible)* übertönen ▸ **to ~ one's sorrows** seinen Kummer ertränken **II.** *vi* ertrinken *a. fig*

'**drown·ing** *n* Ertrinken *nt*

drowse [draʊz] *vi* dösen

drowsy ['draʊzi] *adj* schläfrig; *(after waking up)* verschlafen

drudge [drʌdʒ] *n (person)* Kuli *m*

drudg·ery ['drʌdʒəri] *n no pl* Schufterei *f*

drug [drʌg] **I.** *n* ❶ *(medicine)* Medikament *nt* ❷ *(narcotic)* Droge *f*, Rauschgift *nt;* **to be on ~s** Drogen nehmen ❸ *(fig)* Droge *f* **II.** *vt* <-gg-> ❶ MED *(sedate)* ■ **to ~ sb** jdm Beruhigungsmittel verabreichen ❷ *(secretly)* ■ **to ~ sb** jdn unter Drogen setzen

'**drug abuse** *n* Drogenmissbrauch *m* '**drug ad·dict** *n* Drogensüchtige(r) *f(m)* '**drug ad·dic·tion** *n no pl* Drogenabhängigkeit *f* '**drug deal·er** *n* Drogenhändler(in) *m(f)*, Dealer(in) *m(f)* '**drug manu·fac·tur·er** *n* Arzneimittelhersteller *m* '**drug rape** *n* Vergewaltigung *f* mit Hilfe von K.-o.-Tropfen '**drug(s) squad** *n* Drogenfahndung *f* '**drug·store** *n* AM Drogerie *f* '**drug tak·ing** *n no pl* Einnahme *f* von Drogen '**drug traf·fick·er** *n* Drogenhändler(in) *m(f)* '**drug traf·fick·ing** *n no pl* Drogenhandel *m*

dru·id ['druːɪd] *n* Druide *m*

drum [drʌm] **I.** *n* ❶ MUS Trommel *f;* ■ ~s *pl (drum kit)* Schlagzeug *nt* ❷ *(sound)* ~ **of hooves** Pferdegetrappel *nt* ❸ *(for storage)* Trommel *f;* **oil** ~ Ölfass *nt* ❹ *(machine part)* Trommel *f* **II.** *vi* <-mm-> ❶ MUS trommeln; *(on a drum kit)* Schlagzeug spielen ❷ *(strike repeatedly)* ■ **to ~ on sth** auf etw *akk* trommeln **III.** *vt* <-mm-> *(fam)* ❶ *(make noise)* **to ~ one's fingers [on the table]** [mit den Fingern] auf den Tisch trommeln ❷ *(repeat)* ■ **to ~ sth into sb**

jdm etw einhämmern

'**drum·beat** *n* Trommelschlag *m*

drum·mer ['drʌməʳ] *n* MUS Trommler(in) *m(f);* (*playing a drum kit)* Schlagzeuger(in) *m(f)*

'**drum·stick** *n* ❶ MUS Trommelstock *m* ❷ FOOD Keule *f*, Schlegel *m* SÜDD, ÖSTERR

drunk [drʌŋk] **I.** *adj* ❶ *(inebriated)* betrunken; **he was charged with being ~ and disorderly** er wurde wegen Erregung öffentlichen Ärgernisses durch Trunkenheit angeklagt; ~ **driving** Trunkenheit *f* am Steuer; ~ **as a skunk** *(fam)* total blau; **blind** [*or* dead] ~ stockbetrunken; **to get ~** sich betrinken; **to be/get ~ on sth** von etw *dat* betrunken sein/werden ❷ *(fig: overcome)* trunken **II.** *n (pej)* Betrunkene(r) *f(m)* **III.** *vt, vi pp of* **drink**

drunk·ard ['drʌŋkəd] *n (pej)* Trinker(in) *m(f)*

drunk·en ['drʌŋkən] *adj (pej)* ❶ *person* betrunken ❷ *(involving alcohol)* ~ **brawl** Streit *m* zwischen Betrunkenen; ~ **driving** AM Trunkenheit *f* am Steuer; **in a ~ stupor** im Vollrausch

drunk·en·ly ['drʌŋkənli] *adv* betrunken

drunk·en·ness ['drʌŋkənnəs] *n no pl* Betrunkenheit *f*

dry [draɪ] **I.** *adj* <-ier, -iest *or* -er, -est> ❶ *(not wet)* trocken; **the kettle has boiled ~** das ganze Wasser im Kessel ist verdampft; **as ~ as a bone** knochentrocken; **to go ~** austrocknen ❷ *(without alcohol)* alkoholfrei ▸ **to run ~** unproduktiv werden **II.** *vt* <-ie-> trocknen; *fruit, meat* dörren; *(dry out)* austrocknen; *(dry up)* abtrocknen; ~ **your eyes!** wisch dir die Tränen ab!; **to ~ one's hands** sich *dat* die Hände abtrocknen; ■ **to ~ oneself** sich abtrocknen **III.** *vi* <-ie-> ❶ *(lose moisture)* trocknen ❷ *(dry up)* abtrocknen ❸ THEAT *(fam: forget one's lines)* stecken bleiben ◆ **dry up I.** *vi* ❶ *(become dry)* austrocknen; *spring, well* versiegen ❷ *(dry the dishes)* abtrocknen ❸ *(evaporate)* *liquid* trocknen ❹ *(fig: stop talking)* den Faden verlieren; *(on stage)* stecken bleiben ❺ *(fig: run out)* *funds* schrumpfen; *source* versiegen; *supply* ausbleiben; *conversation* versiegen **II.** *vt* ❶ *(after washing-up)* abtrocknen ❷ *(dry out)* austrocknen **III.** *interj (fam!: shut up!)* halt die Klappe!

'**dry-clean** *vt* chemisch reinigen **dry 'clean·er's** *n* Reinigung *f* **dry 'clean·ing** *n no pl* [chemische] Reinigung '**dry dock** *n* Trockendock *nt*

dry·er ['draɪəʳ] *n* ❶ *(for laundry)* [Wäsche]trockner *m* ❷ *(for hair)* Fön *m; (over-*

head) Trockenhaube *f*

dry 'ice *n no pl* Trockeneis *nt* **dry 'land** *n no pl* Festland *nt;* **to be back on ~** wieder festen Boden unter den Füßen haben **dry·ness** ['draɪnəs] *n no pl* Trockenheit *f*

dry 'rot *n no pl* ➊ (*in timber*) Hausschwamm *m* ➋ (*in plants*) Trockenfäule *f* **dry·stone 'wall** *n* BRIT Trockensteinmauer *f*

DS [ˌdiːˈes] *n abbrev of* Detective Sergeant Kriminalmeister(in) *m(f)*

DSL [ˌdiːesˈel] *n* INET, COMPUT, TELEC *acr for* **digital subscriber line** DSL *kein art*

DTP [ˌdiːtiːˈpiː] *n abbrev of* **desktop publishing** DTP *nt*

dual ['djuːəl] *adj* (*double*) doppelt; (*two different*) zweierlei; **~ ownership** Miteigentümerschaft *f;* **~ role** Doppelrolle *f*

dual 'car·riage·way *n* BRIT ≈ Schnellstraße *f* **'dual-earn·ing** *adj attr* Doppelverdiener-, mit Doppelverdienst *nach n*

dub <-bb-> [dʌb] *vt* ➊ (*confer knighthood*) **to ~ sb a knight** jdn zum Ritter schlagen ➋ (*fig: give sb a name*) nennen ➌ FILM synchronisieren; **to ~ into English** ins Englische übersetzen

dub·bing ['dʌbɪŋ] *n* FILM Synchronisation *f*

du·bi·ous ['djuːbiəs] *adj* ➊ (*questionable*) zweifelhaft, fragwürdig ➋ (*unsure*) unsicher; **to be/feel ~ about** [*or* **as to**] **whether ...** bezweifeln, ob ...

Dub·lin·er ['dʌblɪnəʳ] *n* Dubliner(in) *m(f)*

duch·ess <*pl* -es> ['dʌtʃɪs] *n* Herzogin *f*

duchy ['dʌtʃi] *n* Herzogtum *nt*

duck¹ [dʌk] *n* ➊ ZOOL Ente *f* ➋ *no pl* BRIT (*fam*) Schätzchen *nt* ► **to take to sth like a ~ to** water bei etw *dat* gleich in seinem Element sein; **he took to fatherhood like a ~ to water** er war der geborene Vater

duck² [dʌk] **I.** *vi* ➊ (*lower head*) **to ~** [**down**] sich ducken ➋ (*plunge*) **to ~ under water** [unter]tauchen ➌ (*hide quickly*) **to ~ out of sight** sich verstecken **II.** *vt* ➊ (*lower quickly*) **to ~ one's head** den Kopf einziehen; **to ~ one's head under water** den Kopf unter Wasser tauchen ➋ (*avoid*) ▪ **to ~ sth** etw *dat* ausweichen *a. fig*

'duck·boards *npl* Lattenrost *m*

duck·ling ['dʌklɪŋ] *n* ➊ (*animal*) Entenküken *nt,* Entchen *nt* ➋ (*meat*) junge Ente

duct [dʌkt] *n* ➊ (*pipe*) [Rohr]leitung *f;* **air ~** Luftkanal *m* ➋ ANAT **ear ~** Gehörgang *m;* **tear ~** Tränenkanal *m*

dud [dʌd] (*fam*) **I.** *n* ➊ (*bomb*) Blindgänger *m* ➋ (*useless thing*) **this pen is a ~** dieser Füller taugt nichts ➌ (*failure*) Reinfall *m* ➍ (*person*) Niete *f* ➎ (*clothes*) ▪ **~s**

pl (*fam*) Klamotten *pl* **II.** *adj* ➊ (*useless*) mies ➋ (*forged*) gefälscht

dude [duːd] *n esp* AM (*fam*) ➊ (*smartly dressed urbanite*) feiner Pinkel ➋ (*fellow*) Typ *m,* Kerl *m;* **hey, ~, how's it going?** na, wie geht's, Mann?

due [djuː] **I.** *adj* ➊ (*payable*) fällig; **~ date** Fälligkeitstermin *m;* **to fall ~** fällig werden ➋ (*entitled to*) ▪ **sb is ~ sth** jdm steht etw zu ➌ (*appropriate*) gebührend; **with ~ care** mit der nötigen Sorgfalt; **without ~ care and attention** fahrlässig; **after ~ consideration** nach reiflicher Überlegung; **with** [**all**] **~ respect** bei allem [gebotenen] Respekt; **to treat sb with the respect ~ to him/her** jdn mit dem nötigen Respekt behandeln ➍ (*expected*) **what time is the next bus ~** [**to arrive/leave**]? wann kommt/fährt der nächste Bus?; **their baby is ~ in January** sie erwarten ihr Baby im Januar; **when are you ~?** wann ist es denn so weit?; **in ~ course** zu gegebener Zeit ➎ (*because of*) ▪ **to sth** wegen [*o* auf Grund] einer S. *gen;* ▪ **to be ~ to sb/sth** jdm/etw zuzuschreiben sein **II.** *n* ➊ (*fair treatment*) **she feels that is simply her ~** sie hält das einfach nur für gerecht; **to give sb his/her ~** jdm Gerechtigkeit widerfahren lassen ➋ (*fees*) ▪ **~s** *pl* Gebühren *pl* ➌ (*debts*) ▪ **~s** *pl* Schulden *pl;* (*obligations*) Verpflichtungen *pl* **III.** *adv* **~ north** genau nach Norden

duel ['djuːəl] **I.** *n* Duell *nt;* **to fight a ~** ein Duell austragen **II.** *vi* <BRIT -ll- *or* AM *usu* -l-> sich duellieren

duet [djuˈet] *n* (*for instruments*) Duo *nt;* (*for voices*) Duett *nt*

duf·fel bag ['dʌfᵊl,-] *n* Matchbeutel *m;* NAUT Seesack *m*

'duf·fel coat *n* Dufflecoat *m*

dug [dʌg] *pt, pp of* **dig**

'dug·out *n* ➊ MIL Schützengraben *m* ➋ SPORTS (*in football*) überdachte Trainerbank; AM (*in baseball*) überdachte Spielerbank ➌ AM, AUS (*canoe*) Einbaum *m*

duke [djuːk] *n* Herzog *m*

dull [dʌl] **I.** *adj* ➊ (*pej: boring*) langweilig, eintönig; **as ~ as ditchwater** stinklangweilig; **deadly** [*or* **terribly**] **~** todlangweilig ➋ (*not bright*) *animal's coat* glanzlos; *weather* trüb; *colour* matt; *light* schwach, trübe ➌ (*indistinct*) dumpf ➍ AM (*not sharp*) stumpf **II.** *vt* (*lessen*) schwächen; *pain* lindern

dull·ness ['dʌlnəs] *n no pl* Langweiligkeit *f,* Eintönigkeit *f*

duly ['djuːli] *adv* ➊ (*appropriately*) gebührend ➋ (*at the expected time*) wie erwartet

dumb [dʌm] *adj* ❶ (*mute*) stumm; **she was struck ~ with amazement** es verschlug ihr vor Staunen die Sprache ❷ (*pej fam: stupid*) dumm

'**dumb·bell** *n* ❶ SPORTS Hantel *f* ❷ AM (*pej fam: dummy*) Dummkopf *m*

dumb·'found *vt* verblüffen

dumb·'found·ed *adj* sprachlos

'**dumb·show** *n no pl* (*fam*) Zeichensprache *f* '**dumb·struck** *adj* sprachlos **dumb 'wait·er** *n* Speiseaufzug *m*, stummer Diener

dum·found [dʌmˈfaʊnd] *vt see* **dumbfound**

dum·my ['dʌmi] I. *n* ❶ (*mannequin*) Schaufensterpuppe *f*; (*crash test dummy*) Dummy *m*; (*doll*) [**ventriloquist's**] ~ [Bauchredner]puppe *f*; **to stand there like a stuffed ~** (*fam*) wie ein Ölgötze dastehen ❷ (*substitute*) Attrappe *f* ❸ BRIT, AUS (*for baby*) Schnuller *m* ❹ (*pej: fool*) Dummkopf *m* ❺ CARDS (*in bridge*) Strohmann *m* II. *adj* (*duplicate*) nachgemacht; (*false*) falsch; **~ run** Probelauf *m* III. *vi* AM (*fam*) ▪**to ~ up** dichthalten

dump [dʌmp] I. *n* ❶ (*for rubbish*) Müll[ablade]platz *m*; (*fig, pej: messy place*) Dreckloch *nt*; (*badly run place*) Saustall *m* derb ❷ (*storage place*) Lager *nt* ❸ COMPUT Speicherabzug *m* II. *vt* ❶ (*offload*) abladen; **toxic chemicals continue to be ~ed in the North Sea** es werden nach wie vor giftige Chemikalien in die Nordsee gekippt ❷ (*put down carelessly*) hinknallen; **where can I ~ my coat?** wo kann ich meinen Mantel lassen? ❸ (*fam: abandon*) *plan* fallen lassen; *sth unwanted* loswerden; **the criminals ~ed the car and fled on foot** die Verbrecher ließen das Auto stehen und flüchteten zu Fuß ❹ (*fam: leave sb*) ▪**to ~ sb** jdm den Laufpass geben ❺ COMPUT ausgeben ❻ ECON ▪**to ~ sth on sb** etw an jdn verschleudern III. *vi* AM (*fam: treat unfairly*) ▪**to ~ on sb** jdn fertigmachen

dump·er ['dʌmpəʳ] *n* ❶ AUS (*in surfing*) Brecher *m* ❷ BRIT (*truck*) Kipper *m*

'**dump·ing ground** *n* Müll[ablade]platz *m*

dump·ling ['dʌmplɪŋ] *n* Knödel *m*, Kloß *m*

dumpy ['dʌmpi] *adj* pummelig

dunce [dʌns] *n* (*pej: poor pupil*) schlechter Schüler, schlechte Schülerin; (*stupid person*) Dummkopf *m*; **to be a ~ at sth** schlecht in etw *dat* sein

dune [dju:n] *n* Düne *f*

dung [dʌŋ] *n no pl* Dung *m*

dun·ga·rees [ˌdʌŋgəˈri:z] *npl* BRIT Latzho-

se *f*; AM Jeans[hose] *f*

dun·geon ['dʌndʒ°n] *n* Verlies *nt*, Kerker *m*

'**dung·hill** *n* Misthaufen *m*

dunk [dʌŋk] *vt* [ein]tunken

duo ['dju:ə(ʊ)] *n* Duo *nt*

duo·denum <*pl* -na *or* -s> [ˌdju:ə(ʊ)-ˈdi:nəm, *pl* -nə] *n* Zwölffingerdarm *m*

dup. *n abbrev of* **duplicate** Duplikat *nt*

dupe [dju:p] I. *n* Betrogene(r) *f(m)* II. *vt* ▪**to be ~d** betrogen werden

du·plex ['dju:pleks] I. *n* <*pl* -es> ❶ AM, AUS (*for house*) Doppelhaus *nt* ❷ AM (*flat having two floors*) Maisonette[wohnung] *f* II. *adj* Doppel-

du·pli·cate I. *vt* ['dju:plɪkeɪt] ▪**to ~ sth** eine zweite Anfertigung von etw *dat* machen; (*repeat an activity*) etw noch einmal machen II. *adj* ['dju:plɪkət] Zweit-; **~ key** Nachschlüssel *m* III. *n* ['dju:plɪkət] Duplikat *nt*; *of a document* Zweitschrift *f*; **in ~** in zweifacher Ausfertigung

du·pli·ca·tion [ˌdju:plɪˈkeɪʃ°n] *n no pl* Verdoppelung *f*; *of data* Duplizierung *f*

du·plic·ity [dju:ˈplɪsəti] *n no pl* (*pej: speech*) Doppelzüngigkeit *f*; (*action*) Doppelspiel *nt*

du·rabil·ity [ˌdjʊərəˈbɪləti] *n no pl* ❶ (*endurance*) Dauerhaftigkeit *f* ❷ *of a product* Haltbarkeit *f*; *of a machine* Lebensdauer *f*

du·rable ['djʊərəbl] *adj* ❶ (*hard-wearing*) strapazierfähig ❷ (*long-lasting*) dauerhaft; *goods* langlebig

du·ra·tion [ˌdjʊə(ə)ˈreɪʃ°n] *n no pl* Dauer *f*; *of a film* Länge *f*; **for the ~** bis zum Ende

du·ress [djʊˈres] *n no pl* (*form*) Zwang *m*

dur·ing ['djʊərɪŋ] *prep* während +*gen*; **~ World War Two** während des Zweiten Weltkriegs

dusk [dʌsk] *n no pl* [Abend]dämmerung *f*; **~ is falling** es dämmert; **after/at ~** nach/ bei Einbruch der Dunkelheit

dusky ['dʌski] *adj* dunkel

dust [dʌst] I. *n no pl* Staub *m*; **covered in ~** (*outside*) staubbedeckt; (*inside*) völlig verstaubt ▸ **to let the ~ settle** [ab]warten, bis sich die Wogen wieder geglättet haben; **to bite the ~** ins Gras beißen; **to eat sb's ~** AM von jdm abgehängt werden; **to turn to ~** (*liter*) zu Staub werden II. *vt* ❶ (*clean*) *objects* abstauben; *rooms* Staub wischen in ❷ (*spread over finely*) bestäuben; (*using grated material*) bestreuen III. *vi* Staub wischen

'**dust·bin** *n* BRIT Mülltonne *f* '**dust·cart** *n* BRIT Müllwagen *m* '**dust·coat** *n* Kittel *m* '**dust cov·er** *n* (*for furniture*) Schonbezug *m*; (*for devices*) Abdeckhaube *f*; (*on a* *book*) Schutzumschlag *m;* (*for clothes*) Staubschutz *m kein pl*

dust·er ['dʌstə^r] *n* Staubtuch *nt;* **feather ~** Staubwedel *m*

'**dust jack·et** *n* Schutzumschlag *m* '**dust·man** *n* Brit Müllmann *m* '**dust mite** *n* Hausmilbe *f* '**dust·pan** *n* Schaufel *f;* **~ and brush** Schaufel *f* und Besen *m* '**dust storm** *n* Staubsturm *m* '**dust-up** *n* (*fam*) ❶ (*fight*) Schlägerei *f* ❷ (*dispute*) Krach *m*

dusty ['dʌsti] *adj* staubig; *objects* verstaubt

Dutch [dʌtʃ] **I.** *adj* holländisch, niederländisch **II.** *n* ❶ *no pl* (*language*) Holländisch *nt*, Niederländisch *nt* ❷ (*people*) ∎**the ~** *pl* die Holländer **III.** *adv* **to go ~** getrennte Kasse machen

'**Dutch·man** *n* Holländer *m* ▸ **if ... [then] I'm a ~** Brit wenn ... , [dann] bin ich der Kaiser von China '**Dutch·wom·an** *n* Holländerin *f*

du·ti·able ['dju:tiəbl] *adj* zollpflichtig

du·ti·ful ['dju:tɪf^əl] *adj* ❶ *person* pflichtbewusst; (*obedient*) gehorsam ❷ *act* pflichtschuldig

du·ti·ful·ly ['dju:tɪf^əli] *adv* pflichtbewusst; (*obediently*) gehorsam

duty ['dju:ti] **I.** *n* ❶ *no pl* (*obligation*) Pflicht *f;* **to do sth out of ~** etw aus Pflichtbewusstsein tun ❷ (*task, function*) Aufgabe *f,* Pflicht *f* ❸ *no pl* (*work*) Dienst *m;* **to do ~ for sb** jdn vertreten; **on/off ~** im/nicht im Dienst; **to be off ~** [dienst]frei haben; **to be on ~** Dienst haben; **to come** [*or* **go**] **on ~** seinen Dienst antreten ❹ (*revenue*) Zoll *m* (**on** auf); **customs duties** Zollabgaben *pl;* **to be free of ~** zollfrei sein; **to pay ~ on sth** etw verzollen **II.** *adj* *nurse, officer* Dienst habend

'**duty call** *n* Pflichtbesuch *m* **duty-'free I.** *adj* zollfrei **II.** *n* ∎**~s** *pl* zollfreie Waren '**duty ros·ter** *n* Dienstplan *m*

du·vet ['dju:veɪ, 'du:-] *n* Steppdecke *f,* Daunendecke *f*

DVD [ˌdi:vi:'di:] *n abbrev of* **digital video disk** DVD *f*

DVR [ˌdi:vi:'ɑ:^r] *n abbrev of* **digital video recorder** digitaler Videorecorder

DVT [ˌdi:vi:'ti:] *n no pl* MED *abbrev of* **deep vein thrombosis** tiefe Venenthrombose

dwarf [dwɔ:f] **I.** *n* <*pl* -s *or* dwarves> Zwerg(in) *m(f)* **II.** *adj* Zwerg- **III.** *vt* überragen; (*fig*) in den Schatten stellen

dwell <dwelt *or* -ed, dwelt *or* -ed> [dwel] *vi* (*form*) wohnen

dwell·er ['dwelə^r] *n* (*form*) Bewohner(in) *m(f)*

dwell·ing ['dwelɪŋ] *n* (*form*) Wohnung *f*

dwelt [dwelt] *pp, pt of* **dwell**

dwin·dle ['dwɪndl] *vi* abnehmen; *numbers* zurückgehen; *money, supplies* schrumpfen

dwin·dling ['dwɪndlɪŋ] *adj* abnehmende(r, s) *attr; number* sinkende(r, s)

dye [daɪ] **I.** *vt* färben **II.** *n* Färbemittel *nt*

dyed-in-the-'wool *adj* Erz-

dyer [daɪə^r] *n* Färber(in) *m(f)*

'**dye-works** *n* Färberei *f*

dy·ing ['daɪɪŋ] *adj* sterbend; (*fig*) aussterbend

dyke [daɪk] *n* ❶ (*wall*) Deich *m* ❷ (*drainage channel*) [Abfluss]graben *m* ❸ (*pej: sl: lesbian*) Lesbe *f*

dy·nam·ic [daɪ'næmɪk] *adj* dynamisch

dy·nami·cal·ly [daɪ'næmɪkli] *adv* dynamisch

dy·nam·ics [daɪ'næmɪks] *n* Dynamik *f*

dy·na·mite ['daɪnəmaɪt] **I.** *n no pl* Dynamit *nt a. fig* **II.** *vt* mit Dynamit sprengen

dy·na·mo ['daɪnəməʊ] *n* ❶ Brit (*generator*) Dynamo *m; of a car* Lichtmaschine *f* ❷ (*fig: person*) Energiebündel *nt*

dyn·as·ty ['dɪnəsti] *n* Dynastie *f*

dys·en·tery ['dɪs^ənt^əri] *n no pl* Ruhr *f*

dys·func·tion·al [dɪs'fʌŋ(k)ʃ^ən^əl] *adj* SOCIOL gestört

dys·lexia [dɪ'sleksiə] *n no pl* Legasthenie *f*

dys·lex·ic [dɪ'sleksɪk] *adj* legasthenisch

E e

E <*pl* -'s *or* -s>, **e** <*pl* -'s> [iː] *n* ❶ (*letter*) E *nt*, e *nt*; *see also* **A 1** ❷ MUS E *nt*, e *nt*; ~ **flat** Es *nt*, es *nt*; ~ **sharp** Eis *nt*, eis *nt* ❸ (*school mark*) ≈ Fünf *f*, ≈ mangelhaft

E *n* ❶ *no pl abbrev of* **east** O ❷ (*fam: drug*) *abbrev of* **ecstasy** Ecstasy *f*

each [iːtʃ] *adj, pron* jede(r, s); **500 miles** ~ **way** 500 Meilen in eine Richtung; ~ **and every one of us** jede(r) Einzelne von uns; ~ **one of the books** jedes einzelne Buch; **give the kids one piece** ~ gib jedem Kind ein Stück; **they** ~ **have their own personality** jeder von ihnen hat seine eigene Persönlichkeit; **there are five leaflets — please take one of** ~ hier sind fünf Broschüren — nehmen Sie bitte von jeder eine; **that's about £10** ~ das sind für jeden ungefähr 10 Pfund; **these cost $3.50** ~ diese kosten 3,50 Dollar das Stück ▶ ~ **to his** [*or* **her**] [*or* **their**] **own** BRIT jedem das Seine

each '**oth·er** *pron after vb* einander; **they're always wearing** ~'s **clothes** sie tauschen immer die Kleidung; **why are you arguing with** ~? warum streitet ihr euch?; **to be made for** ~ füreinander bestimmt sein

eager <-er, -est *or* more ~, most ~> [ˈiːgər] *adj* ❶ (*hungry*) begierig (**for** auf) ❷ (*enthusiastic*) eifrig; ▪ **to be** ~ **to do sth** etw unbedingt tun wollen; ▶ **to learn** ~ lernbegierig ❸ (*expectant*) **face** erwartungsvoll; *anticipation* gespannt

eager·ly [ˈiːgəli] *adv* ❶ (*hungrily*) [be]gierig ❷ (*enthusiastically*) eifrig ❸ (*expectantly*) **to be** ~ **awaited** mit Spannung erwartet werden

eager·ness [ˈiːgənəs] *n no pl* Eifer *m*; ~ **to learn** Lerneifer *m*

eagle [ˈiːgl] *n* Adler *m*

eagle-'eyed *adj* scharfsichtig; ▪ **to be** ~ Adleraugen haben

ear[1] [ɪər] *n* ANAT Ohr *nt*; ~, **nose and throat specialist** Hals-Nasen-Ohren-Arzt, -Ärztin *m, f*; **from** ~ **to** ~ von einem Ohr zum anderen ▶ **to be up to one's** ~**s in debt/work** bis über die Ohren in Schulden/Arbeit stecken; **to have** [*or* **keep**] **an** ~ **to the ground** auf dem Laufenden bleiben [*o* sein]; **to be all** ~**s** ganz Ohr sein; **to go in one** ~ **and out the other** zum einen Ohr hinein- und zum anderen wieder hinausgehen; **to keep one's** ~**s open** die Ohren offen halten; **to be out on one's** ~ rausgeflogen sein; [**to give sb**] **a thick** ~

esp BRIT jdm ein paar hinter die Ohren geben; **sb's** ~**s are burning** jdm klingen die Ohren; **to close one's** ~**s to sth** etw ignorieren; **sb's** ~**s are flapping** jd spitzt die Ohren; **to have an** ~ **for sth** für etw *akk* ein Gehör haben; **sb has sth coming out of their** ~**s** etw hängt jdm zum Hals[e] [he]raus; **to have the** ~ **of sb** jds Vertrauen *nt* haben

ear[2] [ɪər] *n* AGR Ähre *f*

'**ear·ache** *n no pl* Ohrenschmerzen *pl*

'**ear·drum** *n* Trommelfell *nt* '**ear in·fec·tion** *n* Ohrenentzündung *f*

earl [ɜːl] *n* Graf *m*

ear·li·er [ˈɜːliər] **I.** *adj comp of* **early** früher **II.** *adv comp of* **early** früher; **we can't deliver the goods** ~ **than Monday** wir können nicht vor Montag liefern; ~ **on** [today] vorhin; ~ [**on**] **this week/year** vor ein paar Tagen/Monaten

ear·li·est [ˈɜːliɪst] **I.** *adj superl of* **early**: ▪ **the** ~ ... der/die/das früheste ... **II.** *adv superl of* **early** zuerst; **the** ~ **I can come is Monday** ich kann frühestens am Montag kommen; **at the** ~ frühestens

'**ear·lobe** *n* Ohrläppchen *nt*

ear·ly <-ier, -iest *or* more ~, most ~> [ˈɜːli] **I.** *adj* ❶ (*in the day*) früh; **she usually has an** ~ **breakfast** sie frühstückt meistens zeitig; ~ **edition** Morgenausgabe *f*; **the** ~ **hours** die frühen Morgenstunden; **in the** ~ **morning** am frühen Morgen; ~ **morning call** Weckruf *m*; ~ **riser** Frühaufsteher(in) *m(f)* ❷ (*of a period*) früh, Früh-; **she is in her** ~ **thirties** sie ist Anfang dreißig; **in the** ~ **afternoon** am frühen Nachmittag; **at an** ~ **age** in jungen Jahren; **from an** ~ **age** von klein auf; **in the** ~ **15th century** Anfang des 15. Jahrhunderts ❸ (*prompt*) schnell; ~ **payment appreciated** um baldige Zahlung wird gebeten ❹ (*ahead of expected time*) vorzeitig; (*comparatively early*) [früh]zeitig; **to have an** ~ **lunch** früh zu Mittag essen; **to have an** ~ **night** früh schlafen gehen; **to take** ~ **retirement** vorzeitig in den Ruhestand gehen ❺ (*first*) **the** ~ **Christians** die ersten Christen **II.** *adv* ❶ (*in the day*) früh ❷ (*ahead of expected time*) vorzeitig; (*prematurely*) zu früh; (*comparatively early*) [früh]zeitig; **the plane landed 20 minutes** ~ das Flugzeug landete 20 Minuten früher [als geplant] ❸ (*of a period*) früh; ~ **next week** Anfang nächster Woche

'**ear·mark** *vt* ❶ (*mark*) kennzeichnen ❷ (*allocate*) vorsehen; *money* bereitstellen

'**ear·muffs** *npl* Ohrenschützer *pl*

earn [ɜːn] *vt* ❶ *money, a living* verdienen ❷ FIN (*yield*) einbringen ❸ (*deserve*) verdienen; *criticism* einbringen; *respect* gewinnen

earned au·tono·my *n* BRIT durch Verdienste erzielte Autonomie *f* (*gut geführten Schulen, Stadtbezirken und Trusts des NHS wird auf bestimmten Gebieten größere Entscheidungsfreiheit gewährt*)

earned in·come [ɜːnd'-] *n* FIN Arbeitseinkommen *nt*

earn·er ['ɜːnə^r] *n* ❶ (*person*) Verdiener(in) *m(f)* ❷ (*fam: income source*) Einnahmequelle *f*; **to be a nice little ~** ganz schön was einbringen

ear·nest ['ɜːnɪst] I. *adj* ernst[haft] II. *n no pl* Ernst *m*; **to be in** [**deadly**] ~ es [tod]ernst meinen

ear·nest·ly ['ɜːnɪstli] *adv* ernsthaft

earn·ings ['ɜːnɪŋz] *npl* Einkommen *nt*; *of a business* Ertrag *m*

'**ear·phone** *n* Kopfhörer *m* '**ear·piece** *n* Hörer *m* '**ear·plug** *n usu pl* Ohrenstöpsel *nt* '**ear·ring** *n* Ohrring *m* '**ear·shot** *n no pl* [**with**]**in/out of ~** in/außer Hörweite

earth [ɜːθ] I. *n* ❶ *no pl* (*planet*) Erde *f*; **nothing on ~ would make me sell my house** um nichts in der Welt würde ich mein Haus verkaufen; **how/what/who/ where/why on earth ...** wie/was/wer/ wo/warum um alles in der Welt ... ❷ *no pl* (*soil*) Erde *f*, Boden *m* ❸ *no pl* BRIT, AUS ELEC Erdung *f* ❹ (*of fox*) Bau *m* ▶ **to bring sb** **back** [**down**] **to ~** jdn wieder auf den Boden der Tatsachen zurückholen; **to be** **down** **to ~** ein natürlicher und umgänglicher Mensch sein; **to** **charge/cost/pay** **the ~** BRIT ein Vermögen verlangen/kosten/bezahlen II. *vt* BRIT erden

'**earth-col·our·ed**, AM '**earth-col·or·ed** *adj* erdfarben

earth·en·ware I. *n no pl* Tonwaren *pl* II. *adj* Ton-

earth·ly ['ɜːθli] I. *adj* ❶ (*on Earth*) irdisch ❷ (*fam: possible*) möglich; **there is no ~ reason why ...** es gibt nicht den geringsten Grund, warum ...; **to be of no ~ use to sb** jdm nicht im Geringsten nützen II. *n* BRIT (*fam*) **to not have an ~ chance** [**of doing sth**] nicht die geringste Chance haben[, etw zu tun]

'**earth·quake** *n* Erdbeben *nt* '**earth-shak·ing** *adj*, '**earth-shat·ter·ing** *adj* welterschütternd '**earth·work** *n* Erd-

wall *m* '**earth·worm** *n* Regenwurm *m*

earthy <-ier, -iest *or* more ~, most ~,> ['ɜːθi] *adj smell, touch* erdig

'**ear·wax** *n no pl* Ohrenschmalz *m* '**ear·wig** *n* Ohrwurm *m*

ease [iːz] I. *n no pl* ❶ (*effortlessness*) Leichtigkeit *f* ❷ (*comfort*) Ruhe *f* [*or* Gefühl] **at ~** sich wohl fühlen; [**stand**] **at ~!** MIL rührt euch!; **to put sb at** [**their**] ~ jdm die Befangenheit nehmen II. *vt* ❶ (*relieve*) *pain* lindern; *strain* mindern; **to ~ the ten·sion** die Anspannung lösen; (*fig*) die Lage entspannen ❷ (*move*) **she ~d the lid off** sie löste den Deckel behutsam ab III. *vi* nachlassen; *situation* sich entspannen

◆**ease off** *vi* ❶ (*decrease*) nachlassen ❷ (*work less*) **to ~ off** [**at work**] [auf der Arbeit] kürzertreten ◆**ease up** *vi* ❶ (*abate*) nachlassen ❷ (*relax*) sich entspannen ❸ (*be less severe*) ▪**to ~ up on sb** zu jdm weniger streng sein; **to ~ up on the accelerator** vom Gas gehen

easel ['iːzəl] *n* Staffelei *f*

easi·ly ['iːzɪli] *adv* ❶ (*without difficulty*) leicht; (*effortlessly*) mühelos; **to win ~** spielend gewinnen; **to tan ~** schnell bräunen [*o* braun werden] ❷ (*by far*) ▪**to be ~ the ...** + *superl* bei weitem der/die/das ... sein ❸ (*probably*) [sehr] leicht ❹ (*at least*) locker *sl*

easi·ness ['iːzɪnəs] *n no pl* Leichtigkeit *f*; (*effortlessness also*) Mühelosigkeit *f*; *of a question* Einfachheit *f*

east [iːst] I. *n no pl* ❶ (*compass point*) Osten *m*; **to the ~ of sth** östlich einer S. *gen*; **from/to the ~** von/nach Osten ❷ (*part of a region, town*) ▪**the E~** der Osten; '**Bir·mingham E~'** ,Birmingham-Ost'; **the Near/Middle/Far ~** der Nahe/Mittlere/ Ferne Osten II. *adj* östlich, Ost-; **E~ Berlin** Ostberlin *nt*; **~ wind** Ostwind *m* III. *adv* ostwärts, nach Osten; **~ of Heidelberg/ the town centre** [*or* AM **downtown**] östlich von Heidelberg/der Innenstadt; **to face ~** nach Osten liegen

'**east·bound** *adj* nach Osten; **~ train** Zug *m* in Richtung Osten

East·er ['iːstə^r] *n no art* Ostern *nt*; **at ~** an Ostern

East·er 'Day *n*, **East·er 'Sun·day** *n* Ostersonntag *m* '**East·er egg** *n* Osterei *nt* **East·er 'holi·days** *npl* Osterferien *pl*

east·er·ly ['iːstəli] I. *adj* östlich, Ost- II. *n* Ostwind *m*

East·er 'Mon·day *n* Ostermontag *m*

east·ern ['iːstən] *adj* ❶ *location* östlich, Ost-; **the ~ seaboard** AM die Ostküste ❷ (*Asian*) orientalisch

east·ern·er ['i:stᵊnəʳ] *n* AM Oststaatler(in) *m(f)*

east·ern·most ['i:stᵊnməʊst] *adj* ▪the ~ ... der/die/das östlichste ...

East 'Ger·ma·ny *n no pl* HIST Ostdeutschland *nt*

east·ward ['i:stwəd] I. *adj* östlich, nach Osten II. *adv* ostwärts, nach Osten

east·wards ['i:stwədz] *adv* ostwärts, nach Osten

easy <-ier, -iest *or* more ~, most ~> ['i:zi] I. *adj* ❶ *(simple)* leicht, einfach; **to get on with** mit ihm kann man gut auskommen; **it's ~ for you to laugh** du hast gut lachen; **as ~ as anything** kinderleicht; **~ money** leicht verdientes Geld; **within ~ reach** leicht erreichbar; **easier said than done** leichter gesagt als getan ❷ *(effortless)* leicht, mühelos; *walk* bequem ❸ *(trouble-free)* angenehm; *(comfortable)* bequem; *life* sorglos ❹ *(not worried)* conscience ruhig; **to not feel ~ about sth** sich bei etw *dat* nicht wohl fühlen ❺ *(fam: indifferent)* **I'm ~** mir ist es egal ❻ *(pleasing)* ~ **on the ear/eye** angenehm für das Ohr/Auge ❼ *(pej: simplistic)* [zu] einfach II. *adv* ❶ *(cautiously)* vorsichtig; **~ does it** immer langsam; **to go ~ on** [*or* **with**] **sth** sich bei etw *dat* zurückhalten; **go ~ on the cream** nimm nicht so viel Sahne; **to go ~ on sb** nicht zu hart mit jdm umgehen ❷ *(in a relaxed manner)* **take it ~!** nur keine Aufregung!, immer mit der Ruhe!; **to take things** [*or* **it**] **~** *(fam: for one's health)* sich schonen; *(rest)* sich *dat* keinen Stress machen ▸ **~ come, ~ go** wie gewonnen, so zerronnen III. *interj (fam)* locker

'easy-care *adj* pflegeleicht **'easy chair** *n* Sessel *m* **easy-'go·ing** *adj (approv: straightforward)* unkompliziert; *(relaxed)* gelassen

eat <ate, eaten> [i:t] I. *vt* essen; *animal* fressen; **don't be afraid of the boss, he won't ~ you** hab keine Angst vor dem Chef, er wird dich schon nicht [auf]fressen; **to ~ breakfast** frühstücken; **to ~ lunch/supper** zu Mittag/Abend essen ▸ **to ~ sb for breakfast** jdn zum Frühstück verspeisen; **I'll ~ my hat if ...** ich fresse einen Besen, wenn ...; **~ your heart out** platze ruhig vor Neid; **to ~ one's heart out** sich [vor Kummer] verzehren; **to ~ like a horse** wie ein Scheunendrescher essen; **to ~ sb out of house and home** jdm die Haare vom Kopf fressen; **to ~ one's words** seine Worte zurücknehmen; **what's ~ing you?** was bedrückt dich? II. *vi* essen ▸ **she has them ~ing out of her hand** sie fressen ihr aus der Hand; **you are what you ~** *(prov)* der Mensch ist, was er isst ◆ **eat into** *vi* ▪to ~ **into sth** ❶ *(dig into)* sich in etw *akk* hineinfressen ❷ *(corrode)* etw angreifen ❸ *(use up)* savings etw angreifen ◆ **eat out** *vi* auswärts essen, essen gehen ◆ **eat up** I. *vt* ❶ *(finish)* aufessen; *animal* auffressen ❷ *(plague)* ▪to be **~en up by** [*or* **with**] **sth** von etw *dat* verzehrt werden ❸ *(consume)* money, resources verschlingen II. *vi* aufessen; *animals* auffressen

eat·able ['i:təbl] *adj* essbar, genießbar **'eat·ables** *npl* Lebensmittel *nt meist pl*

eat·en ['i:tᵊn] *pp of* **eat**

eat·er ['i:təʳ] *n* ❶ *(person)* Esser(in) *m(f)* ❷ BRIT *(fam: apple)* Speiseapfel *m*

eat·ery ['i:tᵊri] *n* AM Esslokal *nt*

eat·ing ['i:tɪŋ] I. *n* Essen *nt* II. *adj* Ess- **'eat·ing ap·ple** *n* Speiseapfel *m* **'eat·ing dis·or·der** *n* Essstörung *f*

eau de co·logne [ˌəʊdəkə'ləʊn] *n no pl* Kölnischwasser *nt*

eaves [i:vz] *npl* Dachvorsprung *m*

eaves·drop <-pp-> ['i:vzdrɒp] *vi* [heimlich] lauschen; ▪to **~ on sb/sth** jdn/etw belauschen

eaves·drop·per ['i:vz'drɒpəʳ] *n* Lauscher(in) *m(f)*

ebb [eb] I. *n no pl* ❶ *(of the sea)* Ebbe *f*; **on the ~** bei Ebbe ❷ *(fig)* **the ~ and flow of sth** das Auf und Ab einer S. *gen*; **to be at a low ~** auf einem Tiefpunkt sein; *funds* knapp bei Kasse sein II. *vi* ❶ *tide* zurückgehen ❷ *(fig: lessen)* schwinden

eb·ony ['ebᵊni] *n no pl* Ebenholz *nt*

e-'busi·ness *n no pl* INET E-Business *nt*, elektronischer Geschäftsverkehr

EC [ˌi:'si:] *n no pl* HIST *abbrev of* **European Community** EG *f*

e-car ['i:kɑːʳ] *n short for* **electric car** Elektroauto *nt*

ec·cen·tric [ɪk'sentrɪk] I. *n* Exzentriker(in) *m(f)* II. *adj* exzentrisch; *clothes* ausgefallen

ec·cen·tri·city [ˌeksen'trɪsəti] *n* Exzentrizität *f*

ec·cle·si·as·tic [ɪˌklizi'æstɪk] *(form)* I. *n* Geistliche(r) *m* II. *adj* kirchlich, geistlich **ec·cle·si·as·ti·cal** [ɪˌklizi'æstɪkᵊl] *adj see* **ecclesiastic** II

ECG [ˌi:si:'dʒi:] *n abbrev of* **electrocardiogram** EKG *nt*

eche·lon ['eʃəlɒn] *n* ❶ *(level)* Rang *m* ❷ MIL *(formation)* Staffel[formation] *f*

echo ['ekəʊ] I. *n* <*pl* -es> ❶ *(reverberation)* Echo *nt* ❷ *(fig)* Anklang *m* (**of** an) II. *vi* ❶ *(resound)* sound, place [wider]hallen ❷(*fig: repeat*) wiederholen **III.** *vt* ❶(*copy*) wiedergeben; (*reflect*) widerspiegeln ❷(*resemble*) ähneln ❸(*repeat sb's words*) wiederholen

'**echo cham·ber** *n* Hallraum *m* '**echo sound·er** *n* Echolot *nt*

ec·lec·tic [ek'lektik] *adj* eklektisch

ec·lipse [ɪ'klɪps] **I.** *n* ❶ASTRON Finsternis *f*; ~ **of the moon/sun** Mond-/Sonnenfinsternis *f* ❷ *no pl*(*fig: decline*) Niedergang *m* **II.** *vt* ❶(*obscure*) verfinstern ❷(*fig: overshadow*) in den Schatten stellen

'**eco-con·scious** *adj* umweltbewusst '**eco-doom** *n no pl* Öko-Pessimismus *m* '**eco-drive** *adj attr* mit Eco-Drive-Antrieb *nach n*

ECOFIN ['i:kəʊfɪn] *n abbrev of* **Economic and Finance Ministers Council** ECOFIN

eco·logi·cal [ˌiːkə'lɒdʒɪkᵊl] *adj* ökologisch; ~ **catastrophe** [*or* **disaster**] Umweltkatastrophe *f*

eco·logi·cal·ly [ˌiːkə'lɒdʒɪkᵊli] *adv* ökologisch; ~ **friendly** umweltfreundlich; ~ **harmful** umweltschädlich; ~ **sound** umweltverträglich

ecolo·gist [i:'kɒlədʒɪst] *n* ❶(*expert*) Ökologe, Ökologin *m, f* ❷POL Umweltbeauftragte(r) *f(m)*

ecol·ogy [i:'kɒlədʒi] *n no pl* Ökologie *f*

e'col·ogy move·ment *n* Umweltbewegung *f* **e'col·ogy par·ty** *n* Umweltpartei *f,* Öko-Partei *f*

e-com·merce [ˌi:'kɒmɜːs] *n no pl short for* **electronic commerce** E-Commerce *m*

eco·nom·ic [ˌiːkə'nɒmɪk] *adj* ❶POL, ECON ökonomisch, wirtschaftlich; ~ **aid** [*or* **assistance**] Wirtschaftshilfe *f;* ~ **downturn** Konjunkturabschwächung *f;* ~ **forecast** Wirtschaftsprognose *f;* ~ **system** Wirtschaftssystem *nt;* ~ **upturn** Konjunkturaufschwung *m* ❷(*profitable*) rentabel

eco·nomi·cal [ˌiːkə'nɒmɪkᵊl] *adj* ❶(*cost-effective*) wirtschaftlich, ökonomisch; *car* sparsam ❷(*thrifty*) sparsam; **to be ~ with the truth** mit der Wahrheit hinter dem Berg halten

eco·nomi·cal·ly [ˌiːkə'nɒmɪkᵊli] *adv* ❶(*thriftily*) sparsam; **to use sth ~** mit etw *dat* sparsam umgehen ❷POL, ECON wirtschaftlich, ökonomisch; **to be ~ viable** wirtschaftlich überlebensfähig sein

Eco·nom·ic and Mon·etary 'Unit *n* Wirtschafts- und Währungseinheit *f*

eco·nom·ics [ˌiːkə'nɒmɪks] *npl* ❶ + *sing vb* (*science*) Wirtschaftswissenschaft[en] *f*[*pl*]; (*management studies*) Betriebswirtschaft *f* ❷(*economic aspects*) wirtschaftlicher Aspekt

econo·mist [ɪ'kɒnəmɪst] *n* Wirtschaftswissenschaftler(in) *m(f);* (*in industrial management*) Betriebswirtschaftler(in) *m(f)*

econo·mize [ɪ'kɒnəmaɪz] *vi* sparen (**on** an)

econo·my [ɪ'kɒnəmi] *n* ❶(*system*) Wirtschaft *f* ❷(*thriftiness*) Sparsamkeit *f kein pl;* **to make economies** Einsparungen machen ❸ *no pl* (*sparing use of sth*) Ökonomie *f;* ~ **of language** prägnante Ausdrucksweise

e'cono·my class *n* Touristenklasse *f* **e'cono·my drive** *n* **to be on an ~** auf dem Spartrip sein **e'cono·my pack** *n,* **e'cono·my size** *n* Sparpackung *f*

'**ecoroof,** '**green roof,** '**liv·ing roof** *n* begrüntes Dach

eco·sys·tem ['iːkə(ʊ)-] *n* Ökosystem *nt* '**eco·tour·ism** *n* Ökotourismus *m* '**eco·tour·ist** *n* Ökotourist(in) *m(f)* '**eco-war·ri·or** *n* militanter Umweltschützer/militante Umweltschützerin

ec·sta·sy ['ekstəsi] *n* ❶(*bliss*) Ekstase *f* ❷ *no pl* (*sl: drug*) ■**E~** Ecstasy *f*

ec·stat·ic [ɪk'stætɪk] *adj* ekstatisch

Ecua·dor ['ekwədɔː*r*] *n no pl* Ekuador *nt,* Ecuador *nt*

Ecua·do·rean [ˌekwə'dɔːriən] *adj* ecuadorianisch

ecu·meni·cal [ˌiːkjʊ'menɪkᵊl] *adj* ökumenisch

ec·ze·ma ['eksɪmə] *n no pl* Ekzem *nt*

ed. ❶ *abbrev of* **edition** Aufl. ❷ *abbrev of* **edited** ediert

eddy ['edi] **I.** *vi* <-ie-> wirbeln; *water* strudeln **II.** *n* Wirbel *m; of water* Strudel *m*

edge [edʒ] **I.** *n* ❶(*boundary*) Rand *m a. fig; of a lake* Ufer *nt;* **at the ~ of the road** am Straßenrand; **the ~ of the table** die Tischkante ❷(*blade*) Schneide *f;* (*sharp side*) Kante *f* ❸ *no pl* (*sharpness*) Schärfe *f;* **his apology took the ~ off her anger** seine Entschuldigung besänftigte ihren Ärger; **there's an ~ to her voice** sie schlägt einen scharfen Ton an; **to take the ~ off sb's appetite** jdm den Appetit nehmen ❹(*nervousness*) **to be on ~** nervös sein; **to set sb's teeth on ~** jdm auf die Nerven gehen ❺(*superiority*) ■**the ~** die Überlegenheit *f;* **to have the ~ over sb** jdm überlegen sein ▸**to live on the ~** ein extremes Leben führen **II.** *vt* **to ~ one's way forward** sich langsam vorwärtsbewegen **III.** *vi* **to ~ forward** langsam voranrücken **edge·ways** ['edʒweɪz] *adv,* **edge·wise** ['edʒwaɪz] *adv* **to not get a word in ~** nicht zu Wort kommen

edg·ing ['edʒɪŋ] n Umrandung f; of a table-cloth, dress Borte f; of a lawn, garden Einfassung f

edgy ['edʒi] adj (fam) ❶ (anxious) nervös ❷ artist ernsthaft

ed·ible ['edɪbl] adj essbar, genießbar; ~ **mushroom** Speisepilz m

edict ['i:dɪkt] n (form) Edikt nt hist, Erlass m

edi·fi·ca·tion [ˌedɪfɪ'keɪʃ°n] n no pl (form) **for sb's** ~ zu jds Erbauung f

edi·fice ['edɪfɪs] n Gebäude nt

edi·fy·ing ['edɪfaɪɪŋ] adj erbaulich

Ed·in·burgh ['edɪnb°rə] n Edinburg[h] nt

edit ['edɪt] vt redigieren; COMPUT editieren; FILM, TV, RADIO cutten ◆ **edit out** vt PUBL [heraus]streichen; FILM, TV, RADIO herausschneiden

edit·ing ['edɪtɪŋ] n no pl ❶ of a text Bearbeiten nt, Redigieren nt ❷ of a film, tape Bearbeiten nt, Schneiden nt

edi·tion [ɪ'dɪʃ°n] n ❶ (issue) Ausgabe f ❷ (broadcast) Folge f ❸ PUBL Auflage f

edi·tor ['edɪtə'] n ❶ (of a book, newspaper) Herausgeber(in) m/f ❷ (of a press or publishing department) Redakteur(in) m/f; **sports** ~ Sportredakteur(in) m/f ❸ FILM Cutter(in) m/f

edi·tor-at-'large <pl editors-at-large> n [oft früherer] Chefredakteur zur besonderen Verwendung, der nicht für das Tagesgeschäft verantwortlich ist, aber an Redaktionssitzungen teilnimmt

edi·to·rial [ˌedɪ'tɔ:riəl] I. n Leitartikel m II. adj Redaktions-, redaktionell; ~ **staff** + sing/pl vb Redaktion f

edi·to·rial·ly [ˌedɪ'tɔ:riəli] adv redaktionell

edi·tor-in-chief [ˌedɪtərɪn'tʃi:f] n (at newspaper) Chefredakteur(in) m/f; (at publishing house) Herausgeber(in) m/f

EDP [ˌi:di:'pi:] n no pl abbrev of **electronic data processing** EDV f

edu·cable ['edʒʊkəbl] adj einer Bildung zugänglich

edu·cate ['edʒʊkeɪt] vt ❶ (teach) unterrichten; (train) ausbilden ❷ (enlighten) aufklären

edu·cat·ed ['edʒʊkeɪtɪd] adj gebildet; **to be Cambridge-/Harvard-~** in Cambridge/Harvard studiert haben; **to make an ~ guess** eine fundierte Vermutung äußern

edu·ca·tion [ˌedʒʊ'keɪʃ°n] n no pl ❶ (teaching, knowledge) Bildung f; (training) Ausbildung f ❷ (system) Erziehungswesen nt ❸ (study of teaching) Pädagogik f

edu·ca·tion·al [ˌedʒʊ'keɪʃ°nəl] adj ❶ SCH, UNIV Bildungs-, pädagogisch; ~ **back-ground** schulischer Werdegang; ~ **film** Lehrfilm m; ~ **psychology** Schulpsychologie f; ~ **qualifications** schulische Qualifikationen ❷ (enlightening) lehrreich

edu·ca·tion·al·ist [ˌedʒʊ'keɪʃ°nəlɪst] n Erziehungswissenschaftler(in) m/f)

edu·ca·tion·al·ly [ˌedʒʊ'keɪʃ°nəli] adv pädagogisch, erzieherisch

edu·ca·tor ['edʒʊkeɪtə'] n Erzieher(in) m/f)

Ed·ward·ian [ed'wɔ:diən] adj aus der Zeit Edwards VII. (1901-1910)

eel [i:l] n Aal m

eerie <-r, -st> ['ɪəri] adj unheimlich

eeri·ly ['ɪərɪli] adv unheimlich

ef·fect [ɪ'fekt] I. n ❶ (consequence) Auswirkung f ([up]on auf), Folge f ([up]on für) ❷ no pl (influence) Einfluss m (on auf) ❸ no pl (force) **to come into** [or **take**] ~ in Kraft treten; **with** ~ **from 1st January** (form) mit Wirkung vom 1.Januar ❹ (result) Wirkung f; (success) Erfolg m; **to good** ~ mit Erfolg; **to take** ~ medicine wirken ❺ no pl (esp pej: attention-seeking) **for** ~ aus Effekthascherei ❻ (essentially) **in** ~ eigentlich ❼ (summarizing) **to say something to the effect that ...** sinngemäß sagen, dass ...; **or words to that** ~ oder etwas in der Art; **I received a letter to the** ~ **that ...** ich erhielt einen Brief des Inhalts, dass ... ❽ (sounds, lighting) ■ ~ **s** pl Effekte pl II. vt bewirken

ef·fec·tive [ɪ'fektɪv] adj ❶ (competent) fähig ❷ (achieving the desired effect) wirksam, effektiv; (successful) erfolgreich ❸ (real) tatsächlich, wirklich ❹ (operative) gültig; law [rechts]wirksam ❺ (striking) effektvoll, wirkungsvoll

ef·fec·tive·ly [ɪ'fektɪvli] adv ❶ (efficiently) wirksam, effektiv; (successfully) erfolgreich ❷ (essentially) eigentlich

ef·fec·tive·ness [ɪ'fektɪvnəs] n no pl Wirksamkeit f, Effektivität f

ef·femi·nate [ɪ'femɪnət] adj unmännlich

ef·fer·ves·cence [ˌefə'vesən(t)s] n no pl Sprudeln nt

ef·fer·ves·cent [ˌefə'vesənt] adj sprudelnd a. fig

ef·fi·cien·cy [ɪ'fɪʃ°n(t)si] n no pl Leistungsfähigkeit f; of a person Tüchtigkeit f; of a machine Wirkungsgrad m

ef·fi·cient [ɪ'fɪʃ°nt] adj ❶ (productive) leistungsfähig; person fähig, tüchtig ❷ (economical) wirtschaftlich

ef·fi·cient·ly [ɪ'fɪʃ°ntli] adv effizient geh

ef·fi·gy ['efɪdʒi] n Bild[nis] nt; **to burn sb in** ~ jdn symbolisch verbrennen

ef·flu·ent ['efluənt] n Abwasser nt

ef·fort ['efət] *n* Mühe *f,* Anstrengung *f;* **to make an ~** (*physically*) sich anstrengen; (*mentally*) sich bemühen; **despite all my ~s** trotz all meiner Bemühungen; **a poor ~** eine schwache Leistung

ef·fort·less ['efətləs] *adj* mühelos; *grace* natürlich

ef·fort·less·ly ['efətləsli] *adv* mühelos, ohne Anstrengung

ef·fu·sive [ɪ'fjuːsɪv] *adj* (*form*) überschwänglich

ef·fu·sive·ly [ɪ'fjuːsɪvli] *adv* (*form*) überschwänglich

EFL [ˌiːef'el] *n no pl abbrev of* **English as a Foreign Language** Englisch *nt* als Fremdsprache

EFT [ˌiːef'tiː] *n abbrev of* **electronic funds transfer** elektronischer Geldtransfer

e.g. [ˌiːˈdʒiː] *abbrev of* **exempli gratia** (*Latin: for example*), z. B.

egali·tar·ian [ɪˌɡælɪˈteəriən] **I.** *n* Verfechter(in) *m/f)* des Egalitarismus **II.** *adj* egalitär

e-gen·era·tion ['iːdʒenəreɪʃⁿn] *n* Internetgeneration *f*

egg [eg] **I.** *n* ❶ (*food*) Ei *nt;* [**half**] **a dozen ~s** ein [halbes] Dutzend Eier ❷ (*cell*) Eizelle *f* ▸ **to put all one's ~s in one basket** alles auf eine Karte setzen; **to be left with ~ on one's face** dumm dastehen; **a bad ~** ein Gauner *m* **II.** *vt* ▪ **to ~ sb** ⟳ **on** jdn anstacheln

'**egg cell** *n* Eizelle *f* '**egg cup** *n* Eierbecher *m* '**egg·head** *n* (*hum fam*) Eierkopf *m* '**egg·plant** *n* AM, AUS Aubergine *f* '**egg·shell** *n* Eierschale *f* '**egg spoon** *n* Eierlöffel *m* '**egg tim·er** *n* Eieruhr *f* '**egg yolk** *n* Eigelb *nt*

e-gift ['iːɡɪft] *n* INET, COMPUT Internet-Geschenk *nt*

ego ['iːɡəʊ] *n* Ego *nt*

ego·cen·tric [ˌiːɡə(ʊ)'sentrɪk] *adj* egozentrisch

ego·ism ['iːɡəʊɪzᵊm] *n no pl* Egoismus *m* **ego·ist** ['iːɡəʊɪst] *n* (*pej*) Egoist *m*

ego·is·tic [ˌiːɡəʊˈɪstɪk] *adj* (*pej*) egoistisch

'**ego surf** *vi* INET, COMPUT ego-surfen (*im Internet den eigenen Namen eingeben*) '**ego surf·ing** *n no pl, no art* INET, COMPUT Ego-Surfen *nt* (*Eingabe des eigenen Namens im Internet*)

ego·tism ['iːɡəʊtɪzᵊm] *n no pl* Egotismus *m* **ego·tist** ['iːɡəʊtɪst] *n* (*pej*) Egotist(in) *m/f)*

ego·tis·tic [ˌiːɡəʊ'tɪstɪk] *adj* (*pej*) egotistisch

'**ego trip** *n* Egotrip *m*

Egypt ['iːdʒɪpt] *n no pl* Ägypten *nt*

Egyp·tian [ɪ'dʒɪpfⁿn] **I.** *n* Ägypter(in) *m/f)* **II.** *adj* ägyptisch

eh [eɪ] *interj* (*fam*) ▪ **~?** (*expressing confusion*) was?, hä?; (*expressing surprise also*) wie bitte?; (*asking for repetition*) wie bitte?, was?; (*inviting response to statement*) nicht [wahr]?

eider·down ['aɪdədaʊn] *n* ❶ (*feathers*) [Eider]daunen *pl* ❷ (*quilt*) Daunenbett *nt*

Eiffel Tow·er [ˌaɪfᵊl'taʊəʳ] *n* ▪ **the ~** der Eiffelturm

eight [eɪt] **I.** *adj* acht; **~ times three is 24** acht mal drei ist 24; **the score is ~ three** es steht acht zu drei; **there are ~ of us** wir sind [zu] acht; **in packets of ~** in einer Achterpackung; **~ times** achtmal; **a family of ~** eine achtköpfige Familie; **~ and a quarter/half** achteinviertel/achteinhalb; **one in ~** [people] jeder Achte; **a boy of ~** ein achtjähriger Junge; **at the age of ~** [or **at ~** [years old]] [or **aged ~**] mit acht Jahren; **at ~** [o'clock] um acht [Uhr]; [at] **about** [or **around**] **~** [o'clock] gegen acht [Uhr]; **half past** [or BRIT *fam* **half ~**] halb neun; **at ~ thirty** um halb neun, um acht Uhr dreißig; **at ~ twenty/forty-five** um zwanzig nach acht [o acht Uhr zwanzig]/ Viertel vor neun [o *bes* SÜDD drei viertel neun] **II.** *n* ❶ (*number, symbol*) Acht *f* ❷ SPORTS (*boat*) Achter *m;* (*crew also*) Achtermannschaft *f;* **a figure of ~** eine Acht ❸ CARDS Acht *f;* **~ of clubs** Kreuz-Acht *f* ❹ (*public transport*) ▪ **the ~** die Acht

eight·een [eɪ'tiːn] **I.** *adj* (*number, age*) achtzehn; *see also* **eight II.** *n* ❶ (*number, symbol*) Achtzehn *f;* **in the ~ twenties** in den zwanziger Jahren des neunzehnten Jahrhunderts; *see also* **eight** ❷ BRIT FILM **~ certificate** [Alters]freigabe *f* ab 18 Jahren

eight·eenth [eɪ'tiːnθ] **I.** *adj* achtzehnte(r, s) **II.** *n* ▪ **the ~** der/die/das Achtzehnte

'**eight·fold** *adj* achtfach

eighth [eɪtθ] **I.** *adj* achte(r, s); **the ~ person** der/die Achte; **every ~ person** jeder Achte; **in ~ place** an achter Stelle; **the largest ...** der/die/das achtgrößte ... **II.** *n no pl* ❶ (*order*) ▪ **the ~** der/die/das Achte; **~ [in line]** als Achter an der Reihe; **to be/finish ~ [in a race]** [bei einem Rennen] Achter sein/werden ❷ (*date*) ▪ **the ~ [of the month]** *spoken* der Achte [des Monats]; ▪ **the 8th [of the month]** *written* der 8. [des Monats]; **on the ~ of February** am achten Februar ❸ (*in titles*) **Henry the E~** *spoken* Heinrich der Achte; **Henry VIII** *written* Heinrich VIII. ❹ (*fraction*) Achtel *nt*

'**eight-hour** *adj* achtstündig; **~ day** Achtstundentag *m*

eighti·eth ['eɪtiəθ] **I.** *adj* achtzigste(r, s); *see also* **eighth II.** *n* ❶ (*order*) ■ **the ~** der/die/das Achtzigste; *see also* **eighth** ❷ (*fraction*) Achtzigstel *nt*

eighty ['eɪti] **I.** *adj* achtzig; *see also* **eight II.** *n* ❶ (*number*) Achtzig *f* ❷ (*age*) **in one's eighties** in den Achtzigern; **to be in one's early/mid/late eighties** Anfang/Mitte/Ende achtzig sein ❸ (*decade*) ■ **the eighties** *pl* die achtziger [*o* 80er] Jahre ❹ (*temperature*) **in the eighties** um die 30 Grad Celsius warm ❺ (*fam: speed*) **to do** [*or* **drive**] **~** achtzig fahren

Eire ['eərə] *n* Eire *nt*, Irland *nt*

EIS[1] [ˌiːaːˈres] *n* COMPUT *abbrev of* **executive information system** Informationssystem *nt* für Entscheidungsträger in Unternehmen

EIS[2] [ˌiːaːˈres] *n* *abbrev of* **Educational Institute of Scotland** *Schottische Lehrergewerkschaft*

either ['aɪðər, 'iː-] **I.** *conj* **~ ... or ...** entweder ... oder ... **II.** *adv* ❶ + *neg* (*indicating similarity*) auch nicht; **she doesn't ~** sie auch nicht ❷ + *neg* (*moreover*) **it's really good and not very expensive ~** es ist wirklich gut – und nicht einmal sehr teuer **III.** *adj* ❶ (*each of two*) beide; **on ~ side** auf beiden Seiten ❷ (*one of two*) eine(r, s) [von beiden]; **~ person** jede(r) der beiden; **~ way** so oder so **IV.** *pron no pl* (*any one of two*) beide(s); **you can have ~ of the two** such dir einen davon aus; **~ of you** eine(r) von euch beiden

ejac·u·late [ɪ'dʒækjəleɪt] *vi, vt* ejakulieren

ejac·u·la·tion [ɪˌdʒækjə'leɪʃ³n] *n* Ejakulation *f*

eject [ɪ'dʒekt] **I.** *vt* ❶ ■ **to ~ sb** jdn hinauswerfen (**from** aus) ❷ TECH ■ **to ~ sth** etw auswerfen **II.** *vi* AVIAT den Schleudersitz betätigen

ejec·tion [ɪ'dʒekʃ³n] *n no pl* ❶ (*kicking out*) *of a person* Hinauswurf *m* ❷ TECH Auswerfen *nt;* AVIAT *of a pilot* Hinausschleudern *nt* ❸ LAW [Zwangs]räumung *f*

e'jec·tor seat *n* Schleudersitz *m*

elabo·rate I. *adj* [ɪ'læb³rət] *design* kompliziert; *decorations* kunstvoll [gearbeitet]; *style of writing* ausgefeilt; *banquet* üppig; *plan* ausgeklügelt **II.** *vi* [ɪ'læb³reɪt] ins Detail gehen; ■ **to ~ on sth** etw näher ausführen

elabo·ra·tion [ɪˌlæbə'reɪʃ³n] *n* ❶ *no pl of style* Ausfeilung *f; of plan* Ausarbeitung *f* ❷ (*explanation*) [nähere] Ausführung

elapse [ɪ'læps] *vi time* vergehen

elas·tic [ɪ'læstɪk] **I.** *adj* elastisch **II.** *n* elastisches Material, Gummi *m*

elas·tic 'band *n* Gummiband *nt*

elas·tici·ty [ˌɪlæs'tɪsəti] *n no pl* Elastizität *f a. fig*

elat·ed [ɪ'leɪtɪd] *adj* **to be ~ at** [*or* **by**] **sth** über etw *akk* hocherfreut sein

ela·tion [ɪ'leɪʃ³n] *n no pl* Hochstimmung *f*

Elba ['elbə] *n* Elba *nt*

el·bow ['elbəʊ] **I.** *n* ❶ ANAT Ell[en]bogen *m* ❷ (*fig: in a pipe, river*) Knie *nt;* (*in a road, river*) Biegung *f* ▸ **to give sb the ~** jdm den Laufpass geben **II.** *vt* ■ **to ~ sb** jdm mit dem Ellbogen einen Stoß versetzen; **to ~ sb out** jdn hinausdrängeln; **she ~ed him in the ribs** sie stieß ihm den Ellbogen in die Rippen

'el·bow grease *n* Muskelkraft *f* **'el·bow room** *n* ❶ (*space to move*) Ellbogenfreiheit *f* ❷ (*fig*) Bewegungsfreiheit *f*

el·der[1] ['eldər] **I.** *n* Ältere(r) *f(m);* **church/ village ~** Kirchen-/Dorfälteste(r) *f(m)* **II.** *adj* ältere(r, s); *states[wo]man* erfahren(e)

el·der[2] ['eldər] *n* BOT Holunder *m*

el·der·ber·ry ['eldəˌberi] *n* ❶ (*berry*) Holunderbeere *f* ❷ (*tree*) Holunder[strauch] *m*

el·der·ly ['eld³li] **I.** *adj* ältere(r, s) *attr,* ältlich **II.** *n* ■ **the ~** *pl* ältere Menschen

eld·est ['eldɪst] **I.** *adj* älteste(r, s) **II.** *n no pl* ■ **the ~** der/die Älteste

elect [ɪ'lekt] *vt* ❶ (*choose by vote*) wählen (**to** in); **to ~ sb as chairman/a representative** jdn zum Vorsitzenden/Stellvertreter wählen; **the president ~** der designierte Präsident ❷ (*opt for*) ■ **to ~ to do sth** sich [dafür] entscheiden, etw zu tun

elec·tion [ɪ'lekʃ³n] *n* Wahl *f*

e'lec·tion ad·dress *n* Wahlrede *f* **e'lec·tion booth** *n* Wahlkabine *f* **e'lec·tion cam·paign** *n* Wahlkampf *m* **e'lec·tion day** *n* Wahltag *m* **e'lec·tion de·feat** *n* Wahlniederlage *f*

elec·tion·eer [ɪˌlekʃə'nɪər] *n* Wahlhelfer(in) *m(f)*

elec·tion·eer·ing [ɪˌlekʃə'nɪərɪŋ] *n no pl* (*pej*) Wahlpropaganda *f*

elec·tion mani·fes·to *n* Wahlprogramm *nt* **e'lec·tion meet·ing** *n* Wahlversammlung *f* **e'lec·tion post·er** *n* Wahlplakat *nt* **e'lec·tion re·sult** *n usu pl* Wahlergebnis *nt meist pl* **e'lec·tion re·turns** *npl* Wahlergebnisse *pl* **e'lec·tion speech** *n* Wahlrede *f*

elec·tive [ɪ'lektɪv] *adj* Wahl-

elec·tor [ɪ'lektər] *n* Wähler(in) *m(f)*

elec·tor·al [ɪ'lekt³rəl] *adj* Wahl-

elec·tor·ate [ɪ'lekt³rət] *n* Wählerschaft *f*

elec·tric [ɪ'lektrɪk] *adj* ❶ (*powered by electricity*) elektrisch; **~ blanket** Heizdecke *f;*

~ **guitar** E-Gitarre *f;* ~ **motor** Elektromotor *m* ❷ (*involving or conveying electricity*) Strom- ❸ (*fig: exciting*) elektrisierend; *atmosphere* spannungsgeladen; *performance* mitreißend

elec·tri·cal [ɪˈlektⁿrɪkⁿl] *adj* elektrisch; ~ **device** Elektrogerät *nt*

electric 'commuter car *n,* **e-com car** [ˈiːkɒm-] *n* brennstoffangetriebenes Auto

elec·tri·cian [ˌelɪkˈtrɪʃⁿn, ˌiːlekˈ-] *n* Elektriker(in) *m(f)*

elec·tric·ity [ˌelɪkˈtrɪsəti, ˌiːlekˈ-] *n no pl* Elektrizität *f,* [elektrischer] Strom; **heated/ powered by** ~ elektrisch beheizt/angetrieben

elec·'tric·ity board *n* BRIT Stromanbieter *m*

elec·tri·fy [ɪˈlektrɪfaɪ] *vt* ❶ TECH elektrifizieren ❷ (*fig*) elektrisieren

elec·tro·cute [ɪˈlektrəkjuːt] *vt* ❶ (*unintentionally*) durch einen Stromschlag töten ❷ (*intentionally*) auf dem elektrischen Stuhl hinrichten

elec·tro·cu·tion [ɪˌlektrəˈkjuːʃⁿn] *n* ❶ (*by chance*) Tötung *f* durch Stromschlag ❷ LAW Hinrichtung *f* durch den elektrischen Stuhl

elec·trode [ɪˈlektrəʊd] *n* Elektrode *f*

elec·troly·sis [ˌelɪkˈtrɒləsɪs, ˌiːlekˈ-] *n no pl* Elektrolyse *f*

elec·tro·'mag·net *n* Elektromagnet *m*

elec·tro·mag·'net·ic *adj* elektromagnetisch

elec·tron [ɪˈlektrɒn] *n* Elektron *nt;* ~ **microscope** Elektronenmikroskop *nt*

elec·tron·ic [ˌelekˈtrɒnɪk, ˌiːlekˈ-] *adj* elektronisch; ~ **calculator** Elektronenrechner *m*

elec·troni·cal·ly [ˌelekˈtrɒnɪkli, ˌiːlekˈ-] *adv* elektronisch

elec·tron·ics [ˌelekˈtrɒnɪks, ˌiːlekˈ-] *n* + *sing/pl vb* Elektronik *f*

elec·tro·plate [ɪˈlektrə(ʊ)pleɪt] *vt* galvanisieren; ~**d cutlery** versilbertes Besteck

el·egance [ˈelɪgⁿn(t)s] *n no pl* Eleganz *f*

el·egant [ˈelɪgⁿnt] *adj* elegant

el·egant·ly [ˈelɪgⁿntli] *adv* elegant

el·egy [ˈelɪdʒi] *n* Elegie *f*

el·ement [ˈelɪmənt] *n* Element *nt*

el·ement·al [ˌelɪˈmentⁿl] *adj* (*liter*) elementar

el·emen·ta·ry [ˌelɪˈmentⁿri] *adj* elementar; *mistake* grob; ~ **course** Grundkurs *m;* ~ **education** AM Elementarunterricht *m*

el·ephant [ˈelɪfənt] *n* Elefant *m*

el·ephan·tine [ˌelɪˈfəntaɪn] *adj* massig

el·evate [ˈelɪveɪt] *vt* ❶ (*lift*) [empor]heben; (*raise*) erhöhen ❷ (*fig*) erheben

el·evat·ed [ˈelɪveɪtɪd] *adj* ❶ (*raised*) erhöht, höher liegend; ~ **road** Hochstraße *f* ❷ (*important*) gehoben

el·eva·tion [ˌelɪˈveɪʃⁿn] *n* (*form*) ❶ (*height*) Höhe *f* ❷ (*raised area*) [Boden]erhebung *f* ❸ (*promotion*) Beförderung *f;* (*to peerage*) Erhebung *f*

el·eva·tor [ˈelɪveɪtⁿ] *n* AM Aufzug *m,* Lift *m*

elev·en [ɪˈlevⁿn] **I.** *adj* elf; *see also* **eight** **II.** *n* Elf *f; see also* **eight**

elev·en·ses [ɪˈlevⁿnzɪz] *npl* BRIT (*fam*) zweites Frühstück

elev·enth [ɪˈlevⁿnθ] **I.** *adj* elfte(r, s); *see also* **eighth** **II.** *n* ❶ (*order, date*) **the** ~ der/die/das Elfte; *see also* **eighth** ❷ (*fraction*) Elftel *nt; see also* **eighth**

elf <*pl* elves> [elf] *n* Elf *m,* Elfe *f*

elic·it [ɪˈlɪsɪt] *vt* ❶ (*obtain*) ■**to** ~ **sth from sb** jdm etw entlocken ❷ (*provoke*) hervorrufen

eli·gibil·ity [ˌelɪdʒəˈbɪləti] *n no pl* ❶ (*for a job*) Eignung *f,* (*fitness*) Qualifikation *f* ❷ (*entitlement*) Berechtigung *f*

eli·gible [ˈelɪdʒəbl] *adj* ❶ (*qualified*) ■**to be** ~ in Frage kommen; ■**to be** ~ **for** [*or* to] **sth** für etw *akk* qualifiziert sein ❷ (*entitled*) zu etw *dat* berechtigt sein; ~ **to vote** wahlberechtigt ❸ (*desirable*) *bachelor* begehrt

elimi·nate [ɪˈlɪmɪneɪt] *vt* ❶ (*eradicate*) beseitigen ❷ (*exclude from consideration*) ausschließen ❸ SPORTS ■**to be** ~**d** ausscheiden ❹ (*euph sl: murder*) eliminieren

elimi·na·tion [ɪˌlɪmɪˈneɪʃⁿn] *n no pl* Beseitigung *f;* **process of** ~ Ausleseverfahren *nt*

elimi·'na·tion con·test *n* Wettbewerb *m* durch Ausscheidung **elimi·'na·tion tour·na·ment** *n* AM Ausscheidungswettkampf *m*

elite [ɪˈliːt] **I.** *n* Elite *f* **II.** *adj* Elite-

elit·ism [ɪˈliːtɪzⁿm] *n no pl* Elitedenken *nt*

elit·ist [ɪˈliːtɪst] *adj* elitär

elk <*pl* - *or* -s> [elk] *n* Elch *m*

el·lipse [ɪˈlɪps] *n* Ellipse *f*

el·lip·tic(al) [ɪˈlɪptɪk(ⁿl)] *adj* elliptisch

elm [elm] *n* Ulme *f*

elo·cu·tion [ˌeləˈkjuːʃⁿn] *n no pl* Sprechtechnik *f*

elon·gate [ˈiːlɒŋgeɪt] **I.** *vt* strecken **II.** *vi* länger werden

elope [ɪˈləʊp] *vi* weglaufen

elope·ment [ɪˈləʊpmənt] *n* Weglaufen *nt*

elo·quence [ˈeləkwən(t)s] *n* Redegewandtheit *f,* Eloquenz *f geh*

elo·quent [ˈeləkwənt] *adj* sprachgewandt

El Sal·va·dor [ˌelˈsælvədɔːʳ] *n* El Salvador *nt*

E

else [els] *adv* ❶ (*other, different*) **I didn't tell anybody** ~ ich habe es niemand anders erzählt; **anyone** ~ **would have left** jeder andere wäre gegangen; **anything** ~ **would be fine** alles andere wäre toll; **anywhere** ~ irgendwo anders; **she doesn't want to live anywhere** ~ sie will nirgendwo anders leben; **everybody** ~ alle anderen; **everything** ~ alles andere; **everywhere** ~ überall sonst; **nobody/someone** ~ niemand/jemand ander[e]s; **this is someone ~'s** das gehört jemand anderem; **nothing/something** ~ nichts/etwas anderes; **somewhere** ~ woanders; **how/what/where/who/why** ~ ...? wie/was/wo/wer/warum sonst ...?; **who** ~ **but her** wer außer ihr; **why** ~ **would he come?** warum sollte er denn sonst kommen?; **if all** ~ **fails ...** wenn alle Stricke reißen ... ❷ (*additional*) sonst noch; **I don't want anyone** ~ **but you to come** ich will, dass niemand außer dir kommt; **the police could not find out anything** ~ die Polizei konnte nichts weiter herausfinden; **anything** ~, **madam?** darf es sonst noch etwas sein?; **no, thank you, nothing** ~ nein danke, das ist alles; **there's nothing** ~ **for me to do here** es gibt hier nichts mehr für mich zu tun; **nobody/nothing** ~ sonst niemand/nichts; **there's not much** ~ **you can do** viel mehr kannst du nicht machen; **someone/something** ~ sonst noch jemand/etwas; **somewhere** ~ woanders ❸ (*otherwise*) sonst; **or** ~! (*fam*) sonst gibt's was!

else·where ['els(h)weəʳ] *adv* woanders

elu·ci·date [ɪ'luːsɪdeɪt] *vt* (*form*) erklären

elude [ɪ'luːd] *vt* ❶ (*escape*) ■**to** ~ **sb** jdm entkommen; **to** ~ **capture** der Gefangennahme entgehen ❷ (*fig*) ■**to** ~ **sb/sth** sich jdm/etw entziehen

elu·sive [ɪ'luːsɪv] *adj* ❶ (*evasive*) ausweichend ❷ (*difficult to obtain*) schwer fassbar ❸ (*avoiding pursuit*) schwer zu fassen

elves [elvz] *n pl of* **elf**

ema·ci·at·ed [ɪ'meɪsieɪtɪd, -ʃieɪ-] *adj* [stark] abgemagert

email *n*, **e-mail** ['iːmeɪl] **I.** *n see* **electronic mail** E-Mail *f* **II.** *vt* ■**to** ~ **sb sth** jdm etw [e-]mailen

'email ad·dress *n* E-Mail-Adresse *f*

ema·nate ['eməneɪt] **I.** *vi* (*form: originate*) heat, light ausstrahlen; odour ausgehen; documents stammen **II.** *vt* ausstrahlen; confidence verströmen

eman·ci·pat·ed [ɪ'mæn(t)sɪpeɪtɪd] *adj* ❶ SOCIOL emanzipiert ❷ POL befreit

eman·ci·pa·tion [ɪˌmæn(t)sɪ'peɪʃ(ə)n] *n no*

pl ❶ SOCIOL Emanzipation *f* ❷ POL Befreiung *f*

em·balm [ɪm'bɑːm, em'-] *vt* [ein]balsamieren

em·bank·ment [ɪm'bæŋkmənt, em'-] *n* Damm *m; of a road* [Straßen]damm *m*, Böschung *f; of a river* Uferdamm *m*

em·bar·go [ɪm'bɑːgəʊ, em'-] **I.** *n* <*pl -es*> Embargo *nt;* **to lay** [*or* **place**] **an** ~ **on sth** ein Embargo über etw *akk* verhängen; **to lift an** ~ **from sth** ein Embargo für etw *akk* aufheben **II.** *vt* ■**to** ~ **sth** über etw *akk* ein Embargo verhängen

em·bark [ɪm'bɑːk, em'-] *vi* ❶ (*board*) sich einschiffen ❷ (*begin*) ■**to** ~ [**up**]**on sth** etw in Angriff nehmen

em·bar·ka·tion [ˌembɑː'keɪʃ(ə)n] *n* Einschiffung *f*

em·bar·rass [ɪm'bærəs] *vt* in Verlegenheit bringen

em·bar·rassed [ɪm'bærəst] *adj* verlegen; **to feel** ~ verlegen sein; **I feel so** ~ [*about it*] das ist mir so peinlich; **to make sb feel** ~ jdn verlegen machen

em·bar·rass·ing [ɪm'bærəsɪŋ] *adj* peinlich; *generosity* beschämend

em·bar·rass·ment [ɪm'bærəsmənt] *n* (*instance*) Peinlichkeit *f;* (*feeling*) Verlegenheit *f;* **she blushed with** ~ sie wurde rot vor Verlegenheit; ■**to be an** ~ [**to sb**] [jdm] peinlich sein; **he is an** ~ **to his family** er blamiert seine Familie; **to cause sb** ~ jdn verlegen machen; **to cause** ~ **to sb** jdn in Verlegenheit bringen

em·bassy ['embəsi] *n* Botschaft *f*

em·bed <-dd-> [ɪm'bed, em'-] *vt* einlassen; (*fig*) verankern

embedded *adj* MIL, TV *journalist* eingebettet

em·bed·ding [em'bedɪŋ] *n no pl* MIL, TV ~ **of journalists** Einbettung *f* von Journalisten

em·bel·lish [ɪm'belɪʃ, em'-] *vt* ❶ (*decorate*) schmücken ❷ (*fig*) *story* ausschmücken; *truth* beschönigen

em·bers ['embəz] *npl* Glut *f*

em·bez·zle [ɪm'bezl, em'-] *vt* unterschlagen

em·bez·zle·ment [ɪm'bezl|mənt, em'-] *n no pl* Unterschlagung *f*

em·bez·zler [ɪm'bezləʳ, em'-] *n* Veruntreuer(in) *m(f)*

em·bit·ter [ɪm'bɪtəʳ, em'-] *vt* verbittern

em·blem ['embləm] *n* Emblem *nt*

em·bodi·ment [ɪm'bɒdɪmənt, em'-] *n no pl* ❶ (*incarnation*) Verkörperung *f;* **she is the** ~ **of virtue** sie ist die Tugend selbst ❷ (*incorporation*) Eingliederung *f*

em·body [ɪmˈbɒdi, emˈ-] *vt* ❶ (*show*) zum Ausdruck bringen ❷ (*be incarnation of*) verkörpern ❸ (*incorporate*) aufnehmen

em·bo·lism [ˈembəlɪzᵊm] *n* MED Embolie *f*

em·boss [ɪmˈbɒs, emˈ-] *vt* prägen

em·brace [ɪmˈbreɪs, emˈ-] I. *vt* ❶ (*hug, clasp*) umarmen ❷ (*fig*) [bereitwillig] übernehmen; *idea* aufgreifen II. *n* Umarmung *f*

em·bro·ca·tion [ˌembrə(ʊ)ˈkeɪʃᵊn] *n* Einreibemittel *nt*

em·broi·der [ɪmˈbrɔɪdəʳ, emˈ-] I. *vi* sticken II. *vt* ❶ *cloth* sticken ❷ (*fig*) ausschmücken

em·broi·dery [ɪmˈbrɔɪdᵊri] *n* ❶ (*craft*) Stickerei *f* ❷ *no pl* (*fig*) Ausschmückungen *pl*

em·broil [ɪmˈbrɔɪl, emˈ-] *vt* verwickeln

em·bryo [ˈembriəʊ] *n* Embryo *m o* ÖSTERR *a. nt*

em·bry·on·ic [ˌembriˈɒnɪk] *adj* embryonal; (*fig*) unentwickelt

em·cee [ˌemˈsiː] *n* AM Conférencier *m;* TV Showmaster *m*

emend [ɪˈmend, iːˈ-] *vt* berichtigen

em·er·ald [ˈemᵊrᵊld] *n* Smaragd *m*

emerge [ɪˈmɜːdʒ, iːˈ-] *vi* ❶ (*come out*) herauskommen (**from** aus); ▪**to ~ from behind/beneath** [*or* **under**] **sth** hinter/unter etw *dat* hervorkommen (*from liquid*) auftauchen (**from** aus) ❸ (*fig: become known*) sich herausstellen; *truth* an den Tag kommen ❹ (*fig: become famous*) in Erscheinung treten ❺ (*be started*) entstehen

emer·gence [ɪˈmɜːdʒən(t)s, iːˈ-] *n no pl* Auftauchen *nt* (**from** aus); *of a book* Erscheinen *nt; of circumstances* Auftreten *nt; of a country* Entstehung *f; of facts* Bekanntwerden *nt; of ideas, trends* Aufkommen *nt*

emer·gen·cy [ɪˈmɜːdʒən(t)s, iːˈ-] I. *n* ❶ (*extreme situation*) Notfall *m;* **in case of ~** im Notfall; POL Notstand *m;* **state of ~** Ausnahmezustand *m* ❷ AM (*emergency room*) Notaufnahme *f* II. *adj* Not-; **~ measures** POL Notstandsmaßnahmen *pl*

emer·gent [ɪˈmɜːdʒənt] *adj* aufstrebend

e'merg·ing *adj* ❶ (*become known*) *problems* auftauchend ❷ (*developing*) *markets* aufstrebend

'em·ery board *n* Nagelfeile *f*

'em·ery pa·per *n* Schmirgelpapier *nt*

emet·ic [ɪˈmetɪk] *n* Brechmittel *nt*

emi·grant [ˈemɪɡrənt] *n* Auswanderer(in) *m(f);* (*esp for political reasons*) Emigrant(in) *m(f)*

emi·grate [ˈemɪɡreɪt] *vi* auswandern; (*esp for political reasons*) emigrieren

emi·gra·tion [ˌemɪˈɡreɪʃᵊn] *n* Auswanderung *f;* (*esp for political reasons*) Emigration *f*

emi·nence [ˈemɪnən(t)s] *n no pl* hohes Ansehen

emi·nent [ˈemɪnənt] *adj* [hoch] angesehen

emi·nent·ly [ˈemɪnəntli] *adv* überaus

emir·ate [ˈemɪrət] *n* Emirat *nt;* **the United Arab E~s** die Vereinigten Arabischen Emirate

em·is·sary [ˈemɪsᵊri] *n* Emissär(in) *m(f)*

emis·sion [ɪˈmɪʃᵊn, iːˈ-] *n* Emission *f,* Abgabe *f; of gas, liquid, odour* Ausströmen *nt; of heat, light* Ausstrahlen *nt; of sparks* Versprühen *nt; of steam* Ablassen *nt*

emit <-tt-> [ɪˈmɪt, iːˈ-] *vt* abgeben; *fumes, smoke, cry* ausstoßen; *gas, odour* verströmen; *heat, radiation, a sound* abgeben; *liquid* absondern; *rays* aussenden; *sparks* [ver]sprühen; *steam* ablassen

emolu·ment [ɪˈmɒljʊmənt] *n* (*form*) Vergütung *f*

emo·ti·con [ɪˈməʊtɪkɒn] *n* INET Emoticon *nt*

emo·tion [ɪˈməʊʃᵊn] *n* Gefühl *nt*

emo·tion·al [ɪˈməʊʃᵊnᵊl] *adj* ❶ (*involving emotion*) emotional; *decision* gefühlsmäßig; *experience* erregend; *reception* herzlich; *speech* gefühlsbetont; *voice* gefühlvoll ❷ PSYCH *development* seelisch; *blackmail* psychologisch; *person* leicht erregbar

emo·tion·al·ly [ɪˈməʊʃᵊnᵊli] *adv* ❶ (*involving emotion*) emotional, gefühlsmäßig; **to get ~ involved with sb** sich emotional auf jdn einlassen ❷ PSYCH **~ disturbed** seelisch gestört, blockiert

emo·tion·less [ɪˈməʊʃᵊnləs] *adj* emotionslos; *face* ausdruckslos; *voice* gleichgültig

emo·tive [ɪˈməʊtɪv] *adj* emotional; **~ term** Reizwort *nt*

em·pa·thy [ˈempəθi] *n no pl* Empathie *f*

em·per·or [ˈempᵊrəʳ] *n* Kaiser *m*

em·pha·sis <*pl* -ses> [ˈem(p)fəsɪs] *n* Betonung *f;* **to place** [**great**] **~ on sth** etw [sehr] betonen

em·pha·size [ˈem(p)fəsaɪz] *vt* betonen

em·phat·ic [ɪmˈfætɪk, emˈ-] *adj* nachdrücklich; *denial* entschieden; *victory* deutlich

em·phati·cal·ly [ɪmˈfætɪkli, emˈ-] *adv* nachdrücklich; *reject* entschieden

em·pire [ˈempaɪəʳ] *n* Imperium *nt a. fig*

em·piri·cal [ɪmˈpɪrɪkᵊl, -emˈ-] *adj* erfahrungsmäßig

em·ploy [ɪmˈplɔɪ] *vt* ❶ (*pay to do work*) beschäftigen; (*take into service*) einstellen; **to be ~ed with a company** bei einer Firma arbeiten; ▪**to ~ sb to do sth** jdn beauftragen, etw zu tun ❷ (*fig: put to use*) einsetzen; (*use*) anwenden

E

em·ploy·able [ɪm'plɔɪəbl] *adj* ❶ (*to be hired*) vermittelbar; **a university degree would make him more ~** mit einem Universitätsabschluss hätte er auf dem Arbeitsmarkt bessere Chancen ❷ *method, technique* anwendbar

em·ployee [ɪm'plɔɪiː] *n* Angestellte(r) *f(m);* (*vs employer*) Arbeitnehmer(in) *m(f);* **■~s** *pl* (*in company*) Belegschaft *f;* (*vs employers*) Arbeitnehmer *pl;* **to be an ~ of the bank** bei der Bank angestellt sein

em·ploy·er [ɪm'plɔɪəʳ] *n* Arbeitgeber(in) *m(f);* **~s' federation** [*or* **association**] Arbeitgeberverband *m*

em·ploy·ment [ɪm'plɔɪmənt] *n no pl* ❶ (*having work*) Beschäftigung *f;* (*taking on*) Anstellung *f;* **to take up ~ with a company** bei einer Firma eine Stelle annehmen; **level of ~** Beschäftigungsgrad *m;* **in ~** erwerbstätig; **out of ~** erwerbslos ❷ (*profession*) Beruf *m* ❸ (*fig: use*) *of skill* Anwendung *f; of means* Einsatz *m; of a concept* Verwendung *f*

em·'ploy·ment bu·reau *n* Stellenvermittlung *f*

em·po·rium <*pl* -s *or* -ia> [em'pɔːriəm, *pl* -riə] *n* (*shop*) Kaufhaus *nt;* (*market*) Handelszentrum *nt*

em·pow·er [ɪm'paʊəʳ] *vt* ❶ (*make mentally stronger*) [mental] stärken ❷ (*enable*) befähigen; (*authorize*) ermächtigen

em·pow·er·ment [ɪm'paʊəmənt] *n no pl* Bevollmächtigung *f; of minorities, the underprivileged* Stärkung *f*

em·press <*pl* -es> ['emprəs] *n* Kaiserin *f*

emp·ti·ness ['em(p)tɪnəs] *n no pl* Leere *f*

emp·ty ['em(p)ti] **I.** *adj* leer *a. fig; house* leer stehend; *castle* unbewohnt; *seat* frei; *stomach* nüchtern; **~ of people** menschenleer; **into ~ space** ins Leere **II.** *vt* <-ie-> [entl]leeren; (*pour*) ausschütten; *bottle* ausleeren **III.** *vi* <-ie-> sich leeren **IV.** *n* **■empties** *pl* Leergut *nt* ◆**empty out I.** *vt* ausleeren **II.** *vi* sich leeren

emp·ty-'hand·ed *adj* mit leeren Händen

emp·ty-'head·ed *adj* hohl[köpfig] **emp·ty 'weight** *n* Leergewicht *nt*

EMS [ˌiːem'es] *n no pl* ECON *abbrev of* **European Monetary System** EWS *m*

emu <*pl* - *or* -s> ['iːmjuː] *n* Emu *m*

EMU [ˌiːem'juː] *n no pl* ECON *abbrev of* **European Monetary Union** EWU *f*

emu·late ['emjəleɪt] *vt* nacheifern + *dat*

emu·la·tion [ˌemjə'leɪʃ⁽ə⁾n] *n no pl* Nacheifern *nt;* COMPUT Emulation *f*

emul·si·fier [ɪ'mʌlsɪfaɪəʳ] *n* Emulgator *m*

emul·sion [ɪ'mʌlʃ⁽ə⁾n] *n* ❶ (*mixture*) Emulsion *f* ❷ BRIT (*paint*) Dispersionsfarbe *f*

en·able [ɪ'neɪbl] *vt* ❶ (*give the ability*) **■to ~ sb to do sth** es jdm ermöglichen, etw zu tun ❷ COMPUT aktivieren

en·act [ɪ'nækt] *vt* ❶ LAW erlassen ❷ (*carry out*) ausführen ❸ THEAT *part* spielen; *play* aufführen ❹ (*fig*) **■to be ~ed** *scene* sich abspielen

enam·el [ɪ'næm⁽ə⁾l] **I.** *n* ❶ (*substance*) Email *nt* ❷ (*part of tooth*) Zahnschmelz *m* ❸ (*paint*) Emaillelack *m* **II.** *vt* <BRIT -ll- *or* AM *usu* -l-> emaillieren

en·am·ored *adj* AM *see* **enamoured**

en·am·oured [ɪ'næmə'd] *adj* begeistert (*of/with* von)

enc. *see* **encl.**

en·camp [ɪn'kæmp] *vt* **■to be ~ed** das Lager aufgeschlagen haben

en·camp·ment [ɪn'kæmpmənt] *n* Lager *nt*

en·cap·su·late [ɪn'kæpsjəleɪt] *vt* ummanteln; **the nuclear waste was ~d in concrete** der Atommüll wurde in Beton eingeschlossen

en·case [ɪn'keɪs] *vt* **■to be ~d** ummantelt sein; *waste* eingeschlossen sein; **~d in plaster** eingegipst

en·cepha·li·tis [ˌenkefə'laɪtɪs] *n* Gehirnentzündung *f*

en·chant [ɪn'tʃɑːnt] *vt* (*delight*) entzücken; (*bewitch*) verzaubern

en·chant·ed [ɪn'tʃɑːntɪd] *adj* (*delighted*) entzückt; (*bewitched*) verzaubert; **~ forest** Zauberwald *m*

en·chant·ing [ɪn'tʃɑːntɪŋ] *adj* bezaubernd, entzückend

en·chant·ing·ly [ɪn'tʃɑːntɪŋli] *adv* bezaubernd, entzückend

en·chant·ment [ɪn'tʃɑːntmənt] *n* (*delight*) Entzücken *nt;* (*charm*) Zauber *m*

en·chant·ress <*pl* -es> [ɪn'tʃɑːntrɪs] *n* Zauberin *f*

en·ci·pher [ɪn'saɪfəʳ] *vt* chiffrieren

en·cir·cle [ɪn'sɜːkl] *vt* umgeben; MIL einkesseln, umzingeln; **the M25 ~s London** die M25 führt ringförmig um London herum

encl. **I.** *adj abbrev of* **enclosed** Anl. **II.** *n abbrev of* **enclosure** Anl.

en·close [ɪn'kləʊz] *vt* ❶ (*surround*) umgeben; (*shut in*) einschließen ❷ (*in same envelope*) beilegen

en·closed [ɪn'kləʊzd] *adj* ❶ (*surrounded by fence*) eingezäunt; (*shut in*) eingeschlossen; **in ~ spaces** in geschlossenen Räumen ❷ (*in same envelope*) beigelegt; **please find ~d ...** beiliegend erhalten Sie ...

en·clo·sure [ɪn'kləʊʒəʳ] *n* ❶ (*enclosed area*) eingezäuntes Grundstück; (*for keeping animals*) Gehege *nt* ❷ (*act of enclos-*

ing) Einfriedung *f;* (*with fence*) Einzäunung *f* ❸ BRIT SPORTS Zuschauerbereich *m* ❹ (*enclosed item*) Anlage *f*

en·code [ɪnˈkəʊd] *vt* kodieren

en·com·pass [ɪnˈkʌmpəs] *vt* umfassen

en·core [ˈɒŋkɔːʳ] *n* Zugabe *f;* **for an ~** als Zugabe; (*fig*) obendrein

en·coun·ter [ɪnˈkaʊntəʳ] **I.** *vt* ❶ (*experience*) ■**to ~ sth** auf etw *akk* stoßen ❷ (*unexpectedly meet*) [unerwartet] treffen **II.** *n* Begegnung *f;* MIL Zusammenstoß *m*

en·cour·age [ɪnˈkʌrɪdʒ] *vt* ❶ (*give courage*) zusprechen +*dat;* (*give confidence*) ermutigen; (*give hope*) unterstützen ❷ ■**to ~ sb to do sth** (*urge*) jdn [dazu] ermuntern, etw zu tun; (*advise*) jdm [dazu] raten, etw zu tun ❸ (*support*) unterstützen; SPORTS anfeuern ❹ (*make more likely*) fördern

en·cour·age·ment [ɪnˈkʌrɪdʒmənt] *n no pl* (*incitement*) Ermutigung *f;* (*urging*) Ermunterung *f;* SPORTS Anfeuerung *f;* (*support*) Unterstützung *f;* **to be a great ~ to sb** jdm großen Auftrieb geben; **to give sb ~** jdn ermutigen

en·cour·ag·ing [ɪnˈkʌrɪdʒɪŋ] *adj* ermutigend

en·cour·ag·ing·ly [ɪnˈkʌrɪdʒɪŋli] *adv* ermutigend

en·croach [ɪnˈkrəʊtʃ] *vi* ■**to ~ [up]on sb** zu jdm vordringen; ■**to ~ [up]on sth** in etw *akk* eindringen; **to ~ [up]on sb's rights** in jds Rechte eingreifen; **to ~ on sb's time** jds Zeit *f* [über Gebühr] in Anspruch nehmen

en·croach·ment [ɪnˈkrəʊtʃmənt] *n* Übergriff *m* (**on** auf); (*interference*) Eingriff *m* (**on** in); (*intrusion*) Eindringen *nt* (**on** in)

en·cryp·tion [ɪnˈkrɪpʃən] *n no pl* Verschlüsselung *f*

en·cum·ber [ɪnˈkʌmbəʳ] *vt* ■**to be ~ed with sth** (*burdened*) mit etw *dat* belastet sein; (*impeded*) durch etw *akk* behindert sein

en·cum·brance [ɪnˈkʌmbrən(t)s] *n* Belastung *f;* *of debts* Last *f;* (*impediment*) Behinderung *f*

en·cy·clo·p(a)e·dia [ɪnˌsaɪkləˈpiːdiə] *n* Lexikon *nt*

en·cyc·lo·p(a)e·dic [ɪnˌsaɪkləˈpiːdɪk] *adj* universal

end [end] **I.** *n* ❶ Ende *nt;* (*completion*) Schluss *m;* **for hours on ~** stundenlang; **at the ~ of one's patience** mit seiner Geduld am Ende; **no ~ of trouble** reichlich Ärger; **to come to an ~** zu Ende gehen; **to put an ~ to sth** etw *dat* ein Ende setzen; **to read to the ~** zu Ende lesen; **at the ~**

of next week Ende nächster Woche; **at the ~ of six months** nach Ablauf von sechs Monaten; **without ~** unaufhörlich; **~ to ~** der Länge nach; **~ on: he stood ~ on to the table** er stand vor der kurzen Tischkante; **on ~** hochkant; **my hair stood on ~** mir standen die Haare zu Berge ❷ *usu pl* (*aims*) Ziel *nt;* (*purpose*) Zweck *m* ❸ SPORTS [Spielfeld]hälfte *f* ▶ **all ~s up** völlig; **to become an ~ in itself** [zum] Selbstzweck werden; **to come to a bad** [*or* BRIT **sticky**] **~** ein schlimmes Ende nehmen; **at the ~ of the day** [*or* **in the ~**] (*when everything is considered*) letzten Endes; (*finally*) schließlich; **to go off the deep ~** hochgehen; **to hold** [*or* **keep**] **one's ~ up** sich nicht unterkriegen lassen; **the ~ justifies the means** (*prov*) der Zweck heiligt die Mittel; **to make ~s meet** mit seinem Geld zurechtkommen; **no ~** außerordentlich; **to put an ~ to oneself** [*or* **it all**] Selbstmord begehen; **to reach the ~ of the line** [*or* **road**] am Ende sein; **~ of story** [und] Schluss; **to throw sb in at the deep ~** jdn ins kalte Wasser werfen; **it's not the ~ of the world** davon geht die Welt nicht unter **II.** *vt* beenden ▶ **to ~ it all** Selbstmord begehen **III.** *vi* enden; **to ~ in divorce** mit der Scheidung enden; **to ~ in a draw** unentschieden ausgehen ◆ **end up** *vi* enden; **to ~ up teaching** schließlich Lehrer(in) werden; **to ~ up a prostitute/rich woman** als Prostituierte enden/eine reiche Frau werden; **to ~ up homeless/in prison** [schließlich] auf der Straße/im Gefängnis landen

en·dan·ger [ɪnˈdeɪndʒəʳ] *vt* gefährden; **an ~ed species** eine vom Aussterben bedrohte Art

en·dear [ɪnˈdɪəʳ] *vt* ■**to ~ oneself to sb** sich bei jdm beliebt machen

en·dear·ing [ɪnˈdɪəʳɪŋ] *adj* lieb[enswert]; *smile* gewinnend

en·dear·ment [ɪnˈdɪəʳmənt] *n* Zärtlichkeit *f;* **term of ~** Kosename *m*

en·deav·our [ɪnˈdevəʳ], AM **en·deav·or** **I.** *vi* sich bemühen **II.** *n* Bemühung *f;* **to make every ~ to do sth** alle Anstrengungen unternehmen, [um] etw zu tun

en·dem·ic [enˈdemɪk] *adj* endemisch

end·ing [ˈendɪŋ] *n* ❶ (*last part*) Ende *nt,* Schluss *m; of a day* Abschluss *m; of a story, book* Ausgang *m;* **happy ~** Happyend *nt* ❷ LING Endung *f*

en·dive [ˈendaɪv, -dɪv] *n* ❶ BOT Endivie *f* BRD, ÖSTERR ❷ AM (*chicory*) Chicorée *m*

end·less [ˈendləs] *adj* (*without end*) endlos; (*innumerable*) unzählig

end·less·ly ['endləsli] adv (*infinitely*) endlos; (*incessantly*) unaufhörlich

en·dor·phin [en'dɔːfɪn] n Endorphin nt; ~ **rush** Endorphinausschüttung f

en·dorse [ɪn'dɔːs] vt ❶ FIN indossieren ❷ (*approve*) billigen; (*promote*) unterstützen

en·dorse·ment [ɪn'dɔːsmənt] n ❶ (*support*) Billigung f; COMM Befürwortung f ❷ FIN Indossament nt ❸ BRIT LAW Strafvermerk m (*im Führerschein*)

en·dos·co·py [en'dɒskəpi] n MED Endoskopie f

en·dow [ɪn'daʊ] vt ❶ (*give income to*) über eine Stiftung finanzieren; *prize* stiften ❷ (*give feature*) ■ to be ~ed with sth mit etw dat ausgestattet sein

en·dow·ment [ɪn'daʊmənt] n FIN Stiftung f

end 'prod·uct n Endprodukt nt; (*fig*) Resultat nt

en·dur·able [ɪn'djʊərəbl] adj erträglich

en·dur·ance [ɪn'djʊərᵊn(t)s] n no pl Ausdauer f, Durchhaltevermögen nt

en·dure [ɪn'djʊəʳ] I. vt (*tolerate*) ertragen; (*suffer*) erleiden II. vi fortdauern

en·dur·ing [ɪn'djʊəˈrɪŋ] adj dauerhaft

ENE abbrev of **east-north-east** ONO

en·ema <pl -s or -ta> ['enɪmə, pl ɪ'nemətə] n MED Einlauf m

en·emy ['enəmi] I. n Feind(in) m/f) II. adj feindlich; ~ **action** Feindeinwirkung f

en·er·get·ic [ˌenə'dʒetɪk] adj ❶ (*full of energy*) voller Energie nach n, energiegeladen, schwungvoll; (*resolute*) energisch ❷ (*euph: overactive*) anstrengend

en·er·gize ['enədʒaɪz] vt ❶ ELEC unter Strom setzen ❷ (*fig*) ■ to ~ sb jdm neue Energie geben

en·er·gy ['enədʒi] n ❶ no pl (*vigour*) Energie f, Kraft f; to be full of ~ voller Energie stecken ❷ SCI Energie f; ~ **crisis** Energiekrise f; **sources of** ~ Energiequellen pl

'en·er·gy re·sources npl Energieressourcen pl

en·force [ɪn'fɔːs] vt durchsetzen, erzwingen; to ~ **the law** dem Gesetz Geltung verschaffen

en·force·able [ɪn'fɔːsəbl] adj durchsetzbar **en·force·ment** [ɪn'fɔːsmənt] n no pl Erzwingung f; of a regulation Durchsetzung f; of a law Vollstreckung f

en·fran·chise [ɪn'fræn(t)ʃaɪz] vt (*form*) ■ to ~ sb jdm das Wahlrecht verleihen

en·gage [ɪn'geɪdʒ] I. vt ❶ (*employ*) anstellen; *actor* engagieren; to ~ **a lawyer** sich dat einen Anwalt nehmen ❷ (*involve*) to ~ **sb in a conversation** jdn in ein Gespräch verwickeln ❸ (*put into use*) einschalten;

to ~ **the clutch** einkuppeln; to ~ **a gear** einen Gang einlegen ❹ MIL angreifen ❺ TECH greifen II. vi (*involve self with*) ■ to ~ **in sth** sich an etw dat beteiligen; to ~ **in conversation** sich unterhalten; to ~ **in espionage** Spionage betreiben; to ~ **in politics** sich politisch engagieren ❷ MIL angreifen ❸ TECH eingreifen

en·gaged [ɪn'geɪdʒd] adj ❶ (*busy*) beschäftigt; *toilet* besetzt; **the line is** ~ es ist besetzt ❷ (*to be married*) verlobt; to get [*or* become] ~ [to sb] sich [mit jdm] verloben; **the ~ couple** die Verlobten pl

en·gage·ment [ɪn'geɪdʒmənt] n ❶ (*appointment*) Verabredung f ❷ MIL Kampfhandlung f ❸ (*to marry*) Verlobung f (to mit)

en·'gage·ment book n, **en·'gage·ment dia·ry** n Terminkalender m **en·'gage·ment ring** n Verlobungsring m

en·gag·ing [ɪn'geɪdʒɪŋ] adj bezaubernd; *manner* einnehmend; *smile* gewinnend

en·gine ['endʒɪn] n Motor m; AVIAT Triebwerk nt; RAIL Lok[omotive] f

en·gi·neer [ˌendʒɪ'nɪəʳ] I. n Ingenieur(in) m(f); MIL Pionier m; **civil/electrical/mechanical** ~ Bau-/Elektro-/Maschinenbauingenieur(in) m(f) II. vt ❶ (*construct*) konstruieren ❷ (*fig: contrive*) arrangieren

en·gi·neer·ing [ˌendʒɪ'nɪəˈrɪŋ] n no pl Technik f, Ingenieurwissenschaft f; (*mechanical engineering*) Maschinenbau m

Eng·land ['ɪŋglənd] n England nt

Eng·lish ['ɪŋglɪʃ] I. n ❶ no pl (*language*) Englisch nt; **the King's** [*or* **Queen's**] ~ die englische Hochsprache ❷ (*people*) ■ **the** ~ pl die Engländer II. adj englisch; ~ **department** UNIV Institut nt für Anglistik

Eng·lish 'break·fast n typisch englisches Frühstück mit Frühstückszerealien, Spiegeleiern, gebratenen Tomaten, Pilzen, Speck, Würstchen sowie Toast und Marmelade **Eng·lish 'Chan·nel** n ■ **the** ~ der Ärmelkanal **'Eng·lish·man** n Engländer m ▸ **an** ~'s **home is his castle** BRIT (*prov*) für den Engländer ist sein Haus wie eine Burg **'English-speaker** n Englischsprachige(r) f(m) **English-'speaking** adj englischsprachig **'Eng·lish·wom·an** n Engländerin f

en·grave [ɪn'greɪv] vt [ein]gravieren; (*on stone*) einmeißeln; (*on wood*) einschnitzen; (*fig*) sich dat einprägen

en·grav·er [ɪn'greɪvəʳ] n Graveur(in) m(f); (*of stone*) Steinhauer(in) m(f); (*of wood*) Holzschneider(in) m(f)

en·grav·ing [ɪn'greɪvɪŋ] n ❶ (*print*)

Stich *m;* (*from wood*) Holzschnitt *m* ❷ (*design*) Gravierung *f,* Gravur *f* ❸ *no pl* (*act*) Gravieren *nt;* (*art*) Gravierkunst *f*

en·gross [ɪnˈgrəʊs] *vt* fesseln; **to be ~ed in sth** in etw *akk* vertieft sein

en·gulf [ɪnˈgʌlf] *vt* verschlingen

en·hance [ɪnˈhɑːn(t)s] *vt* (*improve*) verbessern; (*intensify*) hervorheben

en·hance·ment [ɪnˈhɑːn(t)smənt] *n* (*improvement*) Verbesserung *f;* (*intensification*) Verstärkung *f;* (*increase*) Steigerung *f*

enig·ma [ɪˈnɪgmə] *n* Rätsel *nt*

en·ig·mat·ic(al) [ɪˈnɪgmætɪk(ᵊl)] *adj* rätselhaft

en·ig·mati·cal·ly [ɪˈnɪgmætɪkᵊli] *adv* rätselhaft

en·joy [ɪnˈdʒɔɪ] *vt* genießen; **he ~ed his meal** ihm hat das Essen sehr gut geschmeckt; **did you ~ the film?** hat dir der Film gefallen?; ■**to ~ doing sth** etw gern[e] tun; **I really ~ed talking to you** es war wirklich nett, sich mit dir zu unterhalten; **to ~ good health** sich guter Gesundheit erfreuen; ■**to ~ oneself** sich amüsieren; **~ yourself!** viel Spaß!

en·joy·able [ɪnˈdʒɔɪəbl] *adj* angenehm, nett; *film, book, play* unterhaltsam

en·joy·ment [ɪnˈdʒɔɪmənt] *n no pl* Vergnügen *nt,* Spaß *m* (**of** an); **to get real ~ out of doing sth** großen Spaß daran finden, etw zu tun; **I got a lot of ~ from this book** ich habe dieses Buch sehr genossen

en·large [ɪnˈlɑːdʒ] I. *vt* vergrößern; (*expand*) erweitern II. *vi* ❶ (*expatiate*) ■**to ~ [up]on sth** sich zu etw *dat* ausführlich äußern ❷ (*get bigger*) sich vergrößern

en·large·ment [ɪnˈlɑːdʒmənt] *n* Vergrößerung *f;* (*expanding*) Erweiterung *f*

en·light·en [ɪnˈlaɪtᵊn] *vt* aufklären; **let me ~ you on this** lass mich es dir erklären

en·light·ened [ɪnˈlaɪtᵊnd] *adj* (*approv*) aufgeklärt

en·light·en·ment [ɪnˈlaɪtᵊnmənt] *n no pl* ❶ REL Erleuchtung *f* ❷ PHILOS ■**the E~** die Aufklärung ❸ (*information*) aufklärende Information

en·list [ɪnˈlɪst] I. *vi* MIL sich melden; **to ~ in the army** in die Armee eintreten II. *vt person* anwerben; *support* gewinnen

en·liv·en [ɪnˈlaɪvᵊn] *vt* beleben

en masse [ɑ̃(m)ˈmæs] *adv* alle zusammen; **to resign ~** geschlossen zurücktreten

en·mesh [ɪnˈmeʃ] *vt* ■**to be/become ~ed in sth** sich in etw *akk* verfangen haben/verfangen; (*fig*) in etw *akk* verwickelt sein/werden

en·mity [ˈenməti] *n* Feindschaft *f*

enor·mity [ɪˈnɔːməti] *n* ungeheures Ausmaß; *of a task* ungeheure Größe; *of a crime* Ungeheuerlichkeit *f*

enor·mous [ɪˈnɔːməs] *adj* enorm; *size* riesig; *mountain* gewaltig; *difficulties* ungeheuer

enor·mous·ly [ɪˈnɔːməsli] *adv* enorm, ungeheuer

enough [ɪˈnʌf] I. *adj* genug, genügend; **that should be ~** das dürfte reichen; **just ~ room** gerade Platz genug; **I've got problems ~ of my own** ich habe selbst genug Probleme II. *adv* ❶ (*adequately*) genug; **are you warm ~?** ist es dir warm genug?; **be kind ~ to do sth** so freundlich sein, etw zu tun; **to be experienced ~** genügend Erfahrung haben ❷ (*quite*) **he seems ~** er scheint so weit recht nett zu sein; **curiously ~** seltsamerweise III. *interj* ~**!** jetzt reicht es aber! IV. *pron no pl* ❶ (*sufficient quantity*) genug; **there's ~ for everybody** es ist für alle genug da; **there's not quite ~** es reicht nicht ganz ❷ (*too much*) **that is quite ~** das ist mehr als genug; **I've had ~ of your excuses!** ich habe die Nase voll von deinen Entschuldigungen!; **I've had ~ — I'm going home** mir reicht's – ich gehe nach Hause; **that's ~!** jetzt reicht es!; **~ of this** [Am **already**]**!** genug davon! ▶**~ said** (*don't mention it further*) es ist alles gesagt; (*I understand*) ich verstehe schon

en·quire [ɪnˈkwaɪəʳ] *vi* sich erkundigen (**about/after** nach); **'~ within'** ‚Näheres im Geschäft'; ■**to ~ into sth** etw untersuchen

en·quir·ing [ɪnˈkwaɪəʳɪŋ] *adj* (*quizzical*) fragend; **to give sb an ~ look** jdm einen fragenden Blick zuwerfen; **~ mind** forschender Geist

en·quir·ing·ly [ɪnˈkwaɪəʳɪŋli] *adv* fragend; **to look at sb ~** jdn fragend ansehen

en·quiry [ɪnˈkwaɪəri] *n* ❶ (*question*) Anfrage *f,* Erkundigung *f;* **on ~** auf Anfrage ❷ (*investigation*) Untersuchung *f;* **to make enquiries** Nachforschungen anstellen

en·rage [ɪnˈreɪdʒ] *vt* wütend machen

en·raged [ɪnˈreɪdʒd] *adj* wütend

en·rap·tured [ɪnˈræptʃəd] *adj* (*liter*) entzückt, hingerissen; ■**to be ~ by** [*or* **with**] **sth** von etw *dat* entzückt sein

en·rich [ɪnˈrɪtʃ] *vt* ❶ (*improve quality*) bereichern ❷ (*make richer*) reich machen; ■**to ~ oneself** sich bereichern ❸ PHYS anreichern

en·rich·ment [ɪnˈrɪtʃmənt] *n no pl* Bereicherung *f;* *of food, soil* Anreicherung *f*

en·rol <-ll-> [ɪnˈrəʊl], Am **en·roll I.** vi sich einschreiben; (for a course) sich anmelden **II.** vt aufnehmen

en·rol·ment [ɪnˈrəʊl-], Am **en·roll·ment** n ❶ (act) Einschreibung f; (for a course) Anmeldung f ❷ Am (number of students) Studentenzahl f

en route [ˌɑ̃:(n)ˈru:t] adv unterwegs; ~ **from London to Tokyo** auf dem Weg von London nach Tokio

en·sem·ble [ɑ̃:(n)ˈsɑ̃:(m)bəl] n Ensemble nt

en·sign [ˈensaɪn] n ❶ (flag) Schiffsflagge f ❷ MIL Fähnrich m zur See

en·slave [ɪnˈsleɪv] vt zum Sklaven machen

en·slave·ment [ɪnˈsleɪvmənt] n no pl Versklavung f

en·snare [ɪnˈsneəʳ] vt (liter) fangen

en·sue [ɪnˈsju:] vi folgen

en·su·ing [ɪnˈsju:ɪŋ] adj [darauf] folgend

en suite ˈbath·room n angeschlossenes Badezimmer

en·sure [ɪnˈʃɔ:ʳ] vt sicherstellen; (guarantee) garantieren

en·tail [ɪnˈteɪl] vt mit sich bringen

en·tan·gle [ɪnˈtæŋgl] vt **to get** [or **become**] **~d in sth** sich in etw dat verfangen; (fig) sich in etw akk verstricken; **his legs got ~d in the ropes** er verhedderte sich mit den Beinen in den Seilen

en·tan·gle·ment [ɪnˈtæŋglmənt] n Verfangen nt; (fig) Verwicklung f

en·ter [ˈentəʳ] **I.** vt ❶ (go into) hineingehen in +akk; building, room betreten; phase eintreten in +akk; (penetrate) eindringen in +akk; **alcohol ~s the bloodstream through the stomach wall** Alkohol gelangt durch die Magenwand in den Blutkreislauf ❷ (insert) data eingeben; (in a register) eintragen ❸ (join) beitreten +dat; ■**to ~ sb for sth** jdn für etw akk anmelden; **to ~ the priesthood** Priester werden ❹ (make known) einreichen; bid abgeben; protest einlegen **II.** vi ❶ THEAT auftreten ❷ (register) ■**to ~ for sth** sich für etw akk [an]melden ❸ (bind oneself to) **to ~ into an alliance** ein Bündnis schließen; **to ~ into conversation with sb** mit jdm ein Gespräch anknüpfen; **to ~ into discussion** sich an einer Diskussion beteiligen; **to ~ into negotiations** in Verhandlungen eintreten ❹ (begin) ■**to ~ [up]on sth** etw beginnen

en·ter·ing [ˈentərɪŋ] n no pl ECON, FIN Eintragung f

ˈen·ter key n COMPUT Eingabetaste f

en·ter·prise [ˈentəpraɪz] n ❶ COMM Unternehmen nt; **private ~** Privatwirtschaft f

❷ no pl (initiative) Unternehmungsgeist m

en·ter·pris·ing [ˈentəpraɪzɪŋ] adj (adventurous) unternehmungslustig; (ingenious) einfallsreich; businessman rührig; idea kühn

en·ter·tain [ˌentəˈteɪn] **I.** vt ❶ (amuse) unterhalten ❷ (invite) zu sich einladen; (give meal) bewirten ❸ (have) haben; doubts hegen **II.** vi Gäste haben

en·ter·tain·er [ˌentəˈteɪnəʳ] n Entertainer(in) m(f)

en·ter·tain·ing [ˌentəˈteɪnɪŋ] **I.** adj unterhaltsam **II.** n no pl **to do a lot of ~** häufig jdn bewirten

en·ter·tain·ing·ly [ˌentəˈteɪnɪŋli] adv unterhaltsam

en·ter·tain·ment [ˌentəˈteɪnmənt] n Unterhaltung f

en·thral <-ll-> [ɪnˈθrɔ:l], Am usu **en·thrall** vt packen

en·thuse [ɪnˈθju:z] **I.** vi schwärmen (**about/over** von) **II.** vt begeistern (**with** für)

en·thu·si·asm [ɪnˈθju:ziæzəm] n Begeisterung f; **to not work up any ~** sich einfach nicht begeistern können

en·thu·si·ast [ɪnˈθju:ziæst] n Enthusiast(in) m(f)

en·thu·si·as·tic [ɪnˈθju:ziæstɪk] adj enthusiastisch, begeistert (**about** von); ■**to become ~ about sth** sich für etw begeistern

en·thu·si·as·ti·cal·ly [ɪnˈθju:ziæstɪkəli] adv enthusiastisch, begeistert, mit Begeisterung

en·tice [ɪnˈtaɪs] vt ■**to ~ sb** [**away from sth**] jdn [von etw dat] weglocken; ■**to ~ sb to do sth** jdn dazu verleiten, etw zu tun

en·tice·ment [ɪnˈtaɪsmənt] n (allurement) Verlockung f; (lure) Lockmittel nt

en·tic·ing [ɪnˈtaɪsɪŋ] adj verlockend

en·tire [ɪnˈtaɪəʳ] adj (whole) ganz; (complete) vollständig

en·tire·ly [ɪnˈtaɪəʳli] adv ganz; **to agree ~** völlig übereinstimmen

en·tire·ty [ɪnˈtaɪ(ə)rəti] n no pl Gesamtheit f

en·ti·tle [ɪnˈtaɪtl] vt ■**to be ~d to do sth** [dazu] berechtigt sein, etw zu tun; **~d to vote** stimmberechtigt

en·ti·tle·ment [ɪnˈtaɪtlmənt] n no pl (right) Berechtigung f (**to** zu); (claim) Anspruch m (**to** auf)

en·tity [ˈentɪti] n ❶ (independently existing thing) Einheit f ❷ LAW Rechtspersönlichkeit f ❸ PHILOS Wesen nt, Existenz f

ento·mol·ogy [ˌentəˈmɒlədʒi] n no pl Insektenkunde f

en·tou·rage [ˈɒntʊrɑ:ʒ] n Gefolge nt

en·trails ['entreɪlz] *npl* Eingeweide *pl*

en·trance¹ ['entrən(t)s] *n* ➊ (*door*) Eingang *m*; (*for vehicle*) Einfahrt *f* ➋ (*act of entering*) Eintritt *m*; THEAT Auftritt *m*; **to make one's ~** THEAT auftreten; (*fig*) **she likes to make an ~** sie setzt sich gerne in Szene ➌ (*right to enter*) Eintritt *m*; (*right to admission*) Aufnahme *f*; **to refuse ~ to sb** jdm den Zutritt verweigern

en·trance² [ɪn'trɑːn(t)s] *vt* (*delight*) entzücken

'**en·trance ex·ami·na·tion** *n* Aufnahmeprüfung *f* '**en·trance fee** *n* (*for admittance*) Eintritt *m*, ÖSTERR *a.* Entree *nt*; (*for competition entry*) Teilnahmegebühr *f*; (*for membership*) Aufnahmegebühr *f* '**en·trance form** *n* Antragsformular *nt*; (*for competition*) Teilnahmeformular *nt* '**en·trance hall** *n* Eingangshalle *f* '**en·trance re·quire·ment** *n* Aufnahmebedingung *f*

en·tranc·ing [ɪn'trɑːn(t)sɪŋ] *adj* bezaubernd, hinreißend

en·trant ['entrənt] *n* Teilnehmer(in) *m(f)*

en·treat [ɪn'triːt] *vt* anflehen

en·trenched [ɪn'tren(t)ʃt] *adj* verwurzelt; *prejudice* alt; *behaviour* eingebürgert; **firmly ~** fest verankert

en·tre·pre·neur [ˌɒntrəprə'nɜːʳ] *n* Unternehmer(in) *m(f)*

en·tre·pre·neur·ial [ˌɒntrəprə'nɜːriəl] *adj* unternehmerisch

en·tre·pre·neur·ial 'spir·it *n no pl* Unternehmergeist *m*

en·trust [ɪn'trʌst] *vt* ▪ **to ~ sth to sb** [*or* **sb with sth**] jdm etw anvertrauen; **to ~ a task to sb** jdn mit einer Aufgabe betrauen

en·try ['entri] *n* ➊ (*act of entering*) Eintritt *m*; (*by car*) Einfahrt *f*; (*into a country*) Einreise *f*; (*into an organization or activity*) Aufnahme *f*; THEAT Auftritt *m*; '**no ~**' 'Zutritt verboten' ➋ (*entrance*) Eingang *m*; (*to car park etc.*) Einfahrt *f* ➌ (*right of entry*) Zugang *m*, Zutritt *m* (**into** zu) ➍ (*written item*) Eintrag *m* ➎ (*item for competition*) Einsendung *f*; (*solution*) Lösung *f*; (*number*) Teilnehmerzahl *f*

'**en·try fee** *n* (*for admittance*) Eintritt *m*, ÖSTERR *a.* Entree *nt*; (*for competition entry*) Teilnahmegebühr *f*; (*for membership*) Aufnahmegebühr *f* '**en·try form** *n* Antragsformular *nt*; (*for competition*) Teilnahmeformular *nt* '**en·try per·mit** *n* (*permit to pass*) Passierschein *m*; (*into a country*) Einreiseerlaubnis *f*, Einreisegenehmigung *f* '**en·try·phone** *n* BRIT [Tür]sprechanlage *f* '**en·try test** *n* Zulassungstest *m*

en·twine [ɪn'twaɪn] *vt* [miteinander] verflechten

enu·mer·ate [ɪ'njuːm³reɪt] *vt* aufzählen

enun·ci·ate [ɪ'nʌn(t)sieɪt] **I.** *vi* sich artikulieren; **to ~ clearly** deutlich sprechen **II.** *vt* aussprechen

en·vel·op [ɪn'veləp, en'-] *vt* einhüllen

en·velope ['envələʊp] *n* Briefumschlag *m*

en·vi·able ['enviəbl] *adj* beneidenswert

en·vi·ous ['enviəs] *adj* neidisch (**of** auf)

en·vi·ous·ly ['enviəsli] *adv* neidisch, neiderfüllt *geh*; **to look ~ at sth** etw voller Neid betrachten

en·vi·ron·ment [ɪn'vaɪ(ə)r³nmənt] *n* ➊ *no pl* ECOL ▪ **the ~** die Umwelt ➋ (*surroundings*) Umgebung *f* ➌ (*social surroundings*) Milieu *nt*; **working ~** Arbeitsumfeld *nt*

en·vi·ron·men·tal [ɪnˌvaɪ(ə)r³n'ment³l] *adj* Umwelt-; **negative ~ impact** Umweltbelastung *f*

en·vi·ron·men·tal·ist [ɪnˌvaɪ(ə)r³n'ment³lɪst] *n* Umweltschützer(in) *m(f)*

en·vi·ron·men·tal·ly [ɪnˌvaɪ(ə)r³n'ment³li] *adv* **~ damaging** umweltschädlich; **~ sound** [*or* **friendly**] umweltfreundlich

en·vi·ron·ment-'friend·ly *adj* umweltfreundlich

en·vi·rons [ɪn'vaɪ(ə)r³nz] *npl* (*form*) Umgebung *f kein pl*

en·vis·age [ɪn'vɪzɪdʒ, en'-] *vt*, **en·vi·sion** [ɪn'vɪʒ³n] *vt* AM sich *dat* vorstellen; **it's hard to ~ how ...** es ist schwer vorstellbar, wie ...; ▪ **to ~ that ...** hoffen, dass ...; ▪ **to ~ doing sth** vorhaben, etw zu tun

en·voy ['envɔɪ] *n* Gesandte(r) *f(m)*; **special ~** Sonderbeauftragte(r) *f(m)*

envy ['envi] **I.** *n no pl* Neid *m* (**of** auf); **to feel ~ towards sb** auf jdn neidisch sein; **he's the ~ of the school with his new car** die ganze Schule beneidet ihn um sein neues Auto ▸ **to be green with ~** grün vor Neid sein **II.** *vt* <-ie-> ▪ **to ~ sb sth** [*or* **sb for sth**] jdn um etw *akk* beneiden

en·zyme ['enzaɪm] *n* Enzym *nt*

EOF [ˌiːəʊ'ef] *n* COMPUT *abbrev of* **end of file** Dateiende *nt*

ephem·er·al [ɪ'fem³r³l] *adj* kurzlebig

epic ['epɪk] **I.** *n* Epos *m* **II.** *adj* ➊ episch; *poem* erzählend; **~ poet** Epiker(in) *m(f)*; **~ poetry** Epik *f* ➋ (*fig*) schwierig und abenteuerlich; *struggle* heroisch; **~ achievement** Heldentat *f*

epi·cen·tre *n*, AM **epi·cen·ter** *n* Epizentrum *nt*

epi·dem·ic [ˌepɪ'demɪk] **I.** *n* Epidemie *f* **II.** *adj* epidemisch *a. fig*

epi·gram ['epɪɡræm] n Epigramm nt

epi·lep·sy ['epɪlepsi] n no pl Epilepsie f

epi·lep·tic [ˌepɪ'leptɪk] I. n Epileptiker(in) m(f) II. adj epileptisch

epi·logue ['epɪlɒɡ] n, AM **epi·log** n Epilog m

Epipha·ny [ɪ'pɪfᵊni] n Dreikönigsfest nt

epi·sode ['epɪsəʊd] n ❶ (event) Episode f; **unfortunate ~** bedauerlicher Vorfall ❷ (part of story) Folge f

epi·sod·ic [ˌepɪ'sɒdɪk] adj episodisch

epis·tle [ɪ'pɪsl] n Epistel f

epi·taph ['epɪtɑːf] n Grabinschrift f

epito·me [ɪ'pɪtəmi] n Inbegriff m; **the ~ of elegance** die Eleganz selbst

epito·mize [ɪ'pɪtəmaɪz] vt verkörpern

epoch ['iːpɒk] n Epoche f

'epoch-mak·ing adj Epoche machend

epony·mous [ɪ'pɒnɪməs] adj namengebend

eq·uable ['ekwəbl] adj person, temperament ausgeglichen

equal ['iːkwəl] I. adj ❶ (the same) gleich; **of ~ size** gleich groß; **~ in volume** vom Umfang her gleich; **one litre is ~ to 1.76 imperial pints** ein Liter entspricht 1,76 ips.; **~ status** Gleichstellung f; **~ treatment** Gleichbehandlung f ❷ (able to do) **to be ~ to a task** einer Aufgabe gewachsen sein ▸ **all things being ~** unter ansonsten gleichen Bedingungen II. n Gleichgestellte(r) f(m); **she was the ~ of any opera singer** sie konnte sich mit jeder Opernsängerin messen; **to have no ~** unübertroffen sein III. vt <BRIT -ll- or AM usu -l-> ❶ MATH ergeben; **three plus four ~s seven** drei plus vier ist gleich [o fam macht] sieben ❷ (match) herankommen an +akk; **record** erreichen

equali·ty [ɪ'kwɒləti] n no pl Gleichberechtigung f; **racial ~** Rassengleichheit f

equali·za·tion [ˌiːkwᵊlaɪ'zeɪʃᵊn] n Gleichmachung f

equal·ize ['iːkwᵊlaɪz] I. vt gleichmachen; **pressure** ausgleichen; **standards** einander angleichen II. vi BRIT, AUS SPORTS den Ausgleich erzielen

equal·iz·er ['iːkwəlaɪzər] n BRIT, AUS Ausgleichstor nt, Ausgleichstreffer m

equal·ly ['iːkwəli] adv ebenso; **~ good** gleich gut; **to contribute ~** gleichermaßen beitragen; **to divide** [or share] **sth ~** etw gleichmäßig aufteilen

equal op·por·'tu·nities npl BRIT, **equal op·por·'tu·nity** n AM Chancengleichheit f

'equal(s) sign n MATH Gleichheitszeichen nt

equa·nim·ity [ˌekwə'nɪməti] n no pl Gleichmut m; **to receive sth with ~** etw gelassen aufnehmen

equate [ɪ'kweɪt] I. vt gleichsetzen II. vi ■ **to ~ to sth** etw dat entsprechen

equa·tion [ɪ'kweɪʒᵊn] n MATH Gleichung f ▸ **the other side of the ~** die Kehrseite der Medaille

equa·tor [ɪ'kweɪtər] n no pl [**on the**] ~ [am] Äquator m

equa·to·rial [ˌekwe'tɔːriəl] adj äquatorial

Equa·to·rial 'Guinea n Äquatorialguinea nt

eques·trian [ɪ'kwestriən] I. adj Reit[er]- II. n Reiter(in) m(f)

equi·dis·tant [ˌiːkwɪ'dɪstᵊnt] adj gleich weit entfernt

equi·lat·eral [ˌiːkwɪ'lætᵊrᵊl] adj MATH gleichseitig

equi·lib·rium [ˌiːkwɪ'lɪbriəm] n no pl Gleichgewicht nt

equi·nox <pl -es> ['iːkwɪnɒks, 'ek-] n Tagundnachtgleiche f

equip <-pp-> [ɪ'kwɪp] vt ❶ (provide) ausstatten; (with special equipment) ausrüsten ❷ (fig) rüsten

equip·ment [ɪ'kwɪpmənt] n no pl Ausrüstung f, Ausstattung f

equi·table ['ekwɪtəbl] adj gerecht

equi·ty ['ekwɪti] n no pl ❶ (fairness) Gerechtigkeit f ❷ FIN Eigenkapital nt; ■ **equi·ties** pl [Stamm]aktien pl

eq(uiv). abbrev of **equivalent** äquivalent

equiva·lence [ɪ'kwɪvᵊlən(t)s] n no pl Äquivalenz f

equiva·lent [ɪ'kwɪvᵊlənt] I. adj äquivalent, entsprechend; ■ **to be ~ to sth** etw dat entsprechen II. n Äquivalent nt (**for/of** für), Entsprechung f

equivo·cal [ɪ'kwɪvək°l] adj ❶ (ambiguous) zweideutig ❷ (questionable) zweifelhaft

equivo·cate [ɪ'kwɪvəkeɪt] vi (form) doppeldeutige Aussagen machen

equivo·ca·tion [ɪˌkwɪvə'keɪʃᵊn] n no pl doppeldeutige Aussage

ER [ˌiː'ɑːʳ] n ❶ abbrev of **Elizabeth Regina** ER ❷ AM abbrev of **emergency room** Notaufnahme f

era ['ɪərə] n Ära f

eradi·cate [ɪ'rædɪkeɪt] vt ausrotten

erase [ɪ'reɪz] vt ❶ (remove completely) entfernen; **file** löschen; **memories** auslöschen ❷ (rub out) ausradieren

eras·er [ɪ'reɪzəʳ] n esp AM Radiergummi m

eras·ure [ɪ'reɪʒəʳ] n esp AM Löschung f

ere [eəʳ] prep, conj (old liter) ehe; **~ long** binnen kurzem

erect [ɪ'rekt] I. adj ❶ (upright) aufrecht ❷ ANAT erigiert II. vt ❶ (construct) errichten ❷ (*put up*) aufstellen

erec·tion [ɪˈrekʃ^ən] *n* ❶ *no pl* (*construction*) Errichtung *f* ❷ ANAT Erektion *f*

er·go·nom·ic [ˌɜːgəˈnɒmɪk] *adj* ergonomisch

er·go·nom·ics [ˌɜːgəˈnɒmɪks] *n no pl* Ergonomie *f*

er·mine [ˈɜːmɪn] *n* Hermelin *nt*

erode [ɪˈrəʊd] **I.** *vt* ❶ GEOL auswaschen ❷ CHEM zerfressen ❸ (*fig*) untergraben **II.** *vi* ❶ GEOL erodieren; *soil* abtragen ❷ (*fig*) abnehmen

erog·enous [ɪˈrɒdʒɪnəs] *adj* erogen

ero·sion [ɪˈrəʊʒ^ən] *n no pl* ❶ GEOL Erosion *f*; ~ **by water** Auswaschung *f* ❷ (*fig*) [Dahin]schwinden *nt*; ~ **of confidence** Vertrauensverlust *m*

erot·ic [ɪˈrɒtɪk] *adj* erotisch

eroti·cism [ɪˈrɒtɪsɪz^əm] *n no pl* Eroti[zi]smus *m*

err [ɜːˀ] *vi* (*form*) sich irren; **to ~ on the side of caution** übervorsichtig sein ▸ **to ~ is human** [to forgive divine] (*prov*) Irren ist menschlich[, Vergeben göttlich]

er·rand [ˈerənd] *n* Besorgung *f*; (*with a message*) Botengang *m*; **to run an ~** etwas erledigen; ~ **of mercy** Rettungsaktion *f*

'er·rand boy *n* Laufbursche *m*

er·rant [ˈerənt] *adj* auf Abwegen *nach n*

er·rat·ic [erˈætɪk] *adj* ❶ (*inconsistent*) sprunghaft ❷ (*irregular*) unregelmäßig

er·ra·tum <*pl* -ta> [erˈɑːtəm, ɪrˈ-, *pl* -tə] *n* (*spec*) Druckfehler *m*

er·ro·neous [ɪˈrəʊniəs] *adj* falsch; *assumption* irrig

er·ror [ˈerəˀ] *n* Fehler *m*, Irrtum *m*; ~ **of judgment** Fehleinschätzung *f*; **in ~** aus Versehen ▸ **to see the ~ of one's <u>ways</u>** seine Fehler einsehen; **to show sb the ~ of his <u>ways</u>** jdn auf seine Fehler hinweisen

'er·ror mes·sage *n* COMPUT Fehlermeldung *f* **'er·ror-prone** *adj* fehleranfällig

eru·dite [ˈerʊdaɪt] *adj* gelehrt

eru·di·tion [ˌerʊˈdɪʃ^ən] *n no pl* Gelehrsamkeit *f*

erupt [ɪˈrʌpt] *vi* ausbrechen; (*fig*) *person* explodieren; **to ~ into violence** gewalttätig werden

erup·tion [ɪˈrʌpʃ^ən] *n* Ausbruch *m a. fig*

es·ca·late [ˈeskəleɪt] **I.** *vi* eskalieren, sich ausweiten; *incidents* stark zunehmen **II.** *vt* ausweiten

es·ca·la·tion [ˌeskəˈleɪʃ^ən] *n* Eskalation *f*, Steigerung *f*; ~ **of fighting** Ausweitung *f* der Kämpfe; ~ **in tension** Verschärfung *f* der Spannung

es·ca·la·tor [ˈeskəleɪtəˀ] *n* Rolltreppe *f*

es·ca·lope [ˈeskəlɒp] *n* Schnitzel *nt*

e-scam [ˈiːskæm] *n* INET, COMPUT Internet-Betrügerei *f*

es·ca·pade [ˌeskəˈpeɪd] *n* Eskapade *f*

es·cape [ɪˈskeɪp, esˈ-] **I.** *vi* ❶ (*get away*) fliehen; (*successfully*) entkommen; (*from a cage, prison*) ausbrechen; *dog, cat* entlaufen; *bird* entfliegen; ■ **to ~ from sb** vor jdm fliehen; (*successfully*) jdm entkommen; ■ **to ~ from somewhere** aus etw *dat* fliehen; (*successfully*) aus etw *dat* entkommen; **to ~ from prison** aus dem Gefängnis ausbrechen ❷ (*avoid harm*) davonkommen; **to ~ unhurt** unverletzt bleiben ❸ (*leak*) entweichen, austreten ❹ COMPUT **to ~ from a program** ein Programm verlassen **II.** *vt* ❶ (*get away from*) ■ **to ~ sth** *a place* aus etw *dat* fliehen; (*successfully*) aus etw *dat* entkommen; (*fig*) **to ~ [from]** entfliehen +*dat;* **to ~ the danger/fire** der Gefahr/dem Feuer entkommen; ■ **to ~ sb** vor jdm fliehen; (*successfully*) jdm entkommen ❷ (*avoid*) entgehen +*dat;* **she was lucky to ~ serious injury** sie hatte Glück, dass sie nicht ernsthaft verletzt wurde; **there's no escaping the fact that ...** es lässt sich nicht leugnen, dass ... ❸ (*not be remembered or observed*) **his address ~ s me** seine Adresse ist mir entfallen; **to ~ sb's attention** [*or* **notice**] jds Aufmerksamkeit entgehen ❹ (*be emitted*) ■ **to ~ sb** jdm entfahren **III.** *n* ❶ (*act of escaping*) Flucht *f a. fig* (**from** aus); *from a prison* Ausbruch *m*; ~ **route** Fluchtweg *m;* **to make** [good] **one's ~ from sth** aus etw *dat* fliehen [*o* ausbrechen] *m* ❷ *no pl* (*avoidance*) Entkommen *nt;* **that was a lucky ~!** da haben wir wirklich noch einmal Glück gehabt!; **there's no ~** daran führt kein Weg vorbei; **to have a narrow ~** gerade noch einmal davonkommen ❸ (*leakage*) Austreten *nt kein pl*, Entweichen *nt kein pl*

e's·cape clause *n* Rücktrittsklausel *f*

es·capee [ɪˌskeɪˈpiː, eˌs-] *n* Entflohene(r) *f(m)*

e's·cape key *n* COMPUT ESC-Taste *f*

es·cap·ism [ɪˈskeɪpɪz^əm, esˈ-] *n no pl* Realitätsflucht *f*

es·cap·ist [ɪˈskeɪpɪst, esˈ-] **I.** *n* Eskapist(in) *m(f)* **II.** *adj* eskapistisch

es·cort I. *vt* [ɪˈskɔːt, esˈ-] eskortieren; MIL Geleitschutz geben +*dat;* **to ~ sb to safety** jdn in Sicherheit bringen **II.** *n* [ˈeskɔːt] ❶ (*companion*) Begleiter(in) *m(f)*, Begleitung *f* ❷ *no pl* (*guard*) Eskorte *f*; Geleitschutz *m; police ~* Polizeieskorte *f;* **under police ~** unter Polizeischutz

ESE *n abbrev of* **east-south-east** OSO

E

Es·ki·mo <pl -s or -> ['eskɪməʊ] n
❶ (people) Eskimo, Eskimofrau m, f ❷ no
pl (language) Eskimosprache f
esopha·gus n AM see **oesophagus**
eso·ter·ic [ˌesə(ʊ)'terɪk] adj esoterisch
esp adv abbrev of **especially** bes.
es·pe·cial·ly [ɪ'speʃ³li, es'-] adv besonders;
I chose this ~ for you ich habe das extra
für dich ausgesucht
Es·pe·ran·to [ˌesp³r'æntəʊ] n no pl Esperanto nt
es·pio·nage ['espiənɑːʒ] n no pl Spionage f
es·pres·so [es'presəʊ] n Espresso m
Esq. n abbrev of **Esquire**
Es·quire [ɪ'skwaɪə', es'-] n (form: on envelope) **Richard Smith, Esq.** Herrn
Richard Smith
es·say ['eseɪ] n Essay m o nt (**on** über)
es·say·ist ['eseɪɪst] n Essayist(in) m(f)
es·sence ['es³n(t)s] n ❶ PHILOS Wesen nt
❷ (gist) Wesentliche(s) nt; of problem
Kern m; **time is of the ~ here** die Zeit ist
hier entscheidend ❸ (epitome) **the [very]
~ of stupidity** der Inbegriff der Dummheit
❹ FOOD Essenz f, Extrakt m
es·sen·tial [ɪ'sen(t)ʃ³l] I. adj ❶ (indispensable) unbedingt erforderlich; vitamins lebenswichtig ❷ (fundamental) essenziell;
element wesentlich; difference grundlegend; ~ component Grundbestandteil m
II. n ■the ~s pl das Wesentliche kein pl;
the ~s of Spanish die Grundzüge des
Spanischen; **the bare ~s** das [Al-
ler]nötigste
es·sen·tial·ly [ɪ'sen(t)ʃ³li] adv im Grunde
[genommen]
est adj ❶ abbrev of **estimated** ❷ abbrev of
established gegr.
es·tab·lish [ɪ'stæblɪʃ, es'-] I. vt ❶ (found,
set up) gründen; contact aufnehmen; dictatorship, monopoly errichten; precedent
schaffen; priorities setzen; record aufstellen; relationship aufbauen; relations, rule
of law herstellen; rule aufstellen ❷ (secure) to ~ one's authority over sb sich
dat Autorität gegenüber jdm verschaffen;
to ~ order für Ordnung sorgen ❸ (demonstrate) **to ~ one's superiority** sich als
überlegen erweisen; her latest book has
~ed her as one of our leading novelists
ihr jüngstes Buch zeigt, dass sie eine unserer führenden Romanautorinnen ist
❹ (prove) feststellen; claim nachweisen
II. vi gedeihen
es·tab·lished [ɪ'stæblɪʃt, es'-] adj
❶ (standard) fest; **it is ~ practice ...** es ist
üblich, ... ❷ (proven) nachgewiesen;
fact gesichert ❸ (accepted) anerkannt

❹ (founded) gegründet
es·tab·lish·ment [ɪ'stæblɪʃmənt, es'-] n
❶ (institution) Unternehmen nt; **educational ~** Bildungseinrichtung f ❷ no pl (ruling group) ■the ~ das Establishment
❸ (act of setting up) Gründung f
es·tate [ɪ'steɪt, es'-] n ❶ (landed property)
Gut nt; **country ~** Landgut nt ❷ LAW (personal property) [Privat]vermögen nt; of
deceased person Erbmasse f ❸ BRIT
(group of buildings) Siedlung f; **housing ~**
[Wohn]siedlung f; **industrial/trading ~** In-
dustrie-/Gewerbegebiet nt ❹ BRIT (car)
Kombi[wagen] m
e's·tate agent n BRIT Immobilienmak-
ler(in) m(f) **e's·tate car** n BRIT Kombi[wagen] m
es·teem [ɪ'stiːm, es'-] I. n no pl Ansehen nt;
to hold sb in high/low ~ jdn hoch/ge-
ring schätzen II. vt [hoch] schätzen
es·thet·ic adj AM see **aesthetic**
es·thet·ics n AM see **aesthetics**
es·ti·mable ['estɪməbl] adj (form) bewundernswert, schätzenswert
es·ti·mate I. vt ['estɪmeɪt] [ein]schätzen
II. n ['estɪmət] Schätzung f; ECON Kostenvoranschlag m; **conservative ~** vorsichtige
Einschätzung; **at a rough ~** grob geschätzt
es·ti·mat·ed ['estɪmeɪtɪd] adj geschätzt;
~ figure Schätzung f; time of arrival/
departure voraussichtlich
es·ti·ma·tion [ˌestɪ'meɪʃ³n] n no pl
❶ (opinion) Einschätzung f; **in my ~** meiner Ansicht nach ❷ (esteem) Achtung f
Es·to·nia [es'təʊniə] n Estland nt
Es·to·nian [es'təʊniən] I. adj estnisch II. n
❶ (person) Este, Estin m, f ❷ LING Estnisch nt
es·trange [ɪ'streɪndʒ, es'-] vt ■to ~ sb
from sb/sth jdn jdm/etw entfremden
es·tranged [ɪ'streɪndʒd, es'-] adj ❶ (alienated) entfremdet ❷ (living apart) ■to be ~
getrennt leben
es·trange·ment [ɪ'streɪndʒmənt, es'-] n
Entfremdung f (**from** von +dat)
es·tro·gen n no pl AM see **oestrogen**
es·tu·ary ['estjʊəri] n Flussmündung f
ETA [ˌiːtiː'eɪ] n abbrev of **Estimated Time
of Arrival** voraussichtliche Ankunft
e-tail ['iːteɪl] n INET, COMPUT Internet-Han-
del m
etc. adv abbrev of **et cetera** usw., etc.
etch [etʃ] vt ätzen; (in copper) kupferstechen; (in other metals) radieren; **to be
~ed on sb's memory** in jds Gedächtnis
eingebrannt sein
etch·ing ['etʃɪŋ] n Ätzung f; (artwork) Ra-
dierung f; (in copper) Kupferstich m

ETD [ˌiːtiːˈdiː] *abbrev of* **estimated time of departure** RAIL voraussichtliche Abfahrtszeit; AVIAT voraussichtliche Abflugzeit

eter·nal [ɪˈtɜːnᵊl] *adj* ewig *a. fig; complaints* endlos; ~ **flame** ewiges Licht

eter·nal·ly [ɪˈtɜːnᵊli] *adv* ewig; (*pej*) unaufhörlich

eter·nity [ɪˈtɜːnəti] *n no pl* Ewigkeit *f a. fig;* **for all ~** bis in alle Ewigkeit

ether [ˈiːθəʳ] *n no pl* ❶ CHEM, MED Äther *m* ❷ MEDIA, RADIO (*fig old*) Äther *m;* **through the ~** durch den Äther

eth·ic [ˈeθɪk] *n* Moral *f*, Ethos *nt;* **work ~** Arbeitsethos *nt*

ethi·cal [ˈeθɪkᵊl] *adj* ethisch

eth·ics [ˈeθɪks] *n* Ethik *f*

Ethio·pia [ˌiːθiˈəʊpiə] *n no pl* Äthiopien *nt*

Ethio·pian [ˌiːθiˈəʊpiən] **I.** *n* Äthiopier(in) *m(f)* **II.** *adj* äthiopisch

eth·nic [ˈeθnɪk] *adj* ethnisch; **the ~ Chinese** die Volkschinesen; **~ costume** Landestracht *f*

eth·nolo·gist [eθˈnɒlədʒɪst] *n* Ethnologe, Ethnologin *m, f*

eth·nol·ogy [eθˈnɒlədʒi] *n no pl* Ethnologie *f*, vergleichende Völkerkunde

eth·no·na·tion·al·ist [ˌeθnəʊˈnæʃᵊnᵊlɪst] *adj* ethnonationalistisch

eti·quette [ˈetɪket] *n no pl* Etikette *f*

ety·mo·logi·cal [ˌetɪməˈlɒdʒɪkᵊl] *adj* LING etymologisch

ety·mol·ogy [ˌetɪˈmɒlədʒi] *n* Etymologie *f*

EU [ˌiːˈjuː] *n abbrev of* **European Union** EU *f*

eulogy [ˈjuːlədʒi] *n* ❶ AM (*funeral oration*) Grabrede *f* ❷ (*speech of praise*) Lobrede *f*

eunuch [ˈjuːnək] *n* Eunuch *m*

euphemism [ˈjuːfəmɪzᵊm] *n* Euphemismus *m*

euphemis·tic [ˌjuːfəˈmɪstɪk] *adj* euphemistisch

eupho·ria [juːˈfɔːriə] *n no pl* Euphorie *f*

euphor·ic [juːˈfɔːrɪk] *adj* euphorisch

EUR *n see* Euro EUR

euro [ˈjʊərəʊ] *n* Euro *m*

'Euro·cheque *n* Euroscheck *m*

euro·chic [ˈjʊərəʊʃiːk] *adj* (*stylish in a European way*) schick mit Stil

'euro coins *npl* Euromünzen *pl*

Euro·crat [ˈjʊərə(ʊ)kræt] *n* Eurokrat(in) *m(f)*

Europe [ˈjʊərəp] *n no pl* Europa *nt*

Euro·pean [ˌjʊərəˈpiən] **I.** *adj* europäisch **II.** *n* Europäer(in) *m(f)*

Euro·pean Eco·nom·ic 'Area *n* ECON, FIN Europäischer Wirtschaftsraum **Euro·pean Eco·nom·ic Com·'mu·nity** *n no pl* (*hist*) ■**the ~** die Europäische Wirtschafts-

gemeinschaft **Euro·pean Mone·tary 'Union** *n* Europäische Währungsunion *f* **Euro·pean 'Par·lia·ment** *n no pl* Europaparlament *nt* **Euro·pean 'Un·ion** *n no pl* Europäische Union

Euro-'scep·tic *n* Euroskeptiker(in) *m(f)*

Euro·vi·sion [ˈjʊərəʊvɪʒᵊn] *n no pl,* + *sing/pl vb* Eurovision *f*

eutha·na·sia [ˌjuːθəˈneɪziə] *n no pl* Sterbehilfe *f*

evacu·ate [ɪˈvækjuert] *vt* evakuieren; *area, building* räumen

evacu·ation [ɪˌvækjuˈeɪʃᵊn] *n* Evakuierung *f;* (*of area, building*) Räumung *f*

evac·uee [ɪˌvækjuˈiː] *n* Evakuierte(r) *f(m)*

evade [ɪˈveɪd] *vt* ausweichen +*dat; draft, responsibility* sich entziehen +*dat; police* entgehen +*dat; tax* hinterziehen

evalu·ate [ɪˈvæljuert] *vt* bewerten; *results* auswerten; *person* beurteilen

evalu·ation [ɪˌvæljuˈeɪʃᵊn] *n* Schätzung *f; of damages* Festsetzung *f; of an experience* Einschätzung *f; of a treatment* Beurteilung *f; of a book* Bewertung *f*

evan·geli·cal [ˌiːvænˈdʒelɪkᵊl] *adj* evangelisch

evan·gelist [ɪˈvændʒəlɪst] *n* Wanderprediger(in) *m(f)*

evapo·rate [ɪˈvæpᵊreɪt] **I.** *vt* verdampfen lassen **II.** *vi* verdunsten; (*fig*) sich in Luft auflösen; **~d milk** Kondensmilch *f*

evapo·ra·tion [ɪˌvæpəˈreɪʃᵊn] *n no pl* Verdunstung *f*

eva·sion [ɪˈveɪʒᵊn] *n* ❶ (*prevarication*) Ausweichen *nt* ❷ *no pl* (*avoidance*) Umgehung *f;* **fare ~** Schwarzfahren *nt;* **tax ~** Steuerhinterziehung *f*

eva·sive [ɪˈveɪsɪv] *adj* ausweichend; **to take ~ action** ein Ausweichmanöver machen; ■**to be ~** ausweichen

eve [iːv] *n no pl* Vorabend *m*

Eve [iːv] *n no art* Eva *f*

even [ˈiːvᵊn] **I.** *adv* ❶ (*unexpectedly*) selbst; ~ **Chris was there** selbst Chris war da ❷ (*indeed*) sogar; **not ~** [noch] nicht einmal; **did he ~ read the letter?** hat er den Brief überhaupt gelesen? ❸ (*despite*) ~ **if ...** selbst wenn ...; ~ **so ...** trotzdem ...; ~ **then ...** trotzdem ...; ~ **though ...** selbst wenn ...; ~ **though he left school at 16, ...** obwohl er mit sechzehn bereits von der Schule abging, ... ❹ + *comp* noch; ~ **colder** noch kälter **II.** *adj* ❶ (*level*) eben; *row* gerade; *two surfaces* auf gleicher Höhe; (*fig*) ausgeglichen ❷ (*equal*) gleich [groß]; *contestant* ebenbürtig; *distribution* gleichmäßig; *game* ausgeglichen; **to be/get ~ with sb** mit jdm quitt sein/jdm etw heimzahlen ❸ (*regular*) gleichmäßig; **to walk at an ~ pace** in gleichmäßigem Tempo gehen; **to have an ~ temper** ausgeglichen sein ❹ MATH gerade **III.** *vt* ebnen

◆**even out I.** *vt* ausgleichen **II.** *vi* sich ausgleichen; *prices* sich einpendeln

◆**even up** *vt* ausgleichen

eve·ning ['iːvnɪŋ] **I.** *n* Abend *m;* **have a nice ~** schönen Abend!; **all ~** den ganzen Abend; **on Friday ~** am Freitagabend; **on Friday ~s** freitagabends; **this ~** heute Abend; **in the ~** am Abend; **in the ~s** abends **II.** *adj* Abend-

'**eve·ning class** *n* Abendkurs *m* **eve·ning 'dress** *n* ❶ (*dress*) Abendkleid *nt* ❷ *no pl* (*outfit*) **to wear ~** Abendkleidung tragen **eve·ning per·'for·mance** *n* Abendvorstellung *f* **eve·ning 'prayer** *n* Abendgebet *nt* **eve·ning 'ser·vice** *n* Abendgottesdienst *m*

even·ly ['iːvᵊnli] *adv* ❶ (*placidly*) gelassen ❷ (*equally*) gleichmäßig; **to be ~ matched** einander ebenbürtig sein

even·ness ['iːvᵊnnəs] *n no pl* Ebenheit *f*

evens ['iːvᵊnz] *adj* BRIT **the chances are ~** die Chancen stehen fünfzig zu fünfzig

event [ɪ'vent] *n* ❶ (*occurrence*) Ereignis *nt;* **series of ~s** Reihe *f* von Vorfällen; **sport·ing ~** Sportveranstaltung *f* ❷ (*case*) Fall *m;* **in the ~ that ...** falls ...; **in the ~ of sb's death** im Falle des Todes einer Person *gen;* **in any ~** auf jeden Fall; **to be wise after the ~** es im Nachhinein besser wissen ❸ SPORTS Wettkampf *m*

even-'tem·pered *adj* ausgeglichen

event·ful [ɪ'ventfᵊl] *adj* ereignisreich

even·tual [ɪ'ventʃuəl] *adj* ❶ (*final*) schließlich; *cost* letztendlich ❷ (*possible*) etwaig

even·tu·al·ity [ɪˌventʃu'æləti] *n* Eventualität *f;* **in that ~** in diesem Fall

even·tu·al·ly [ɪ'ventʃuəli] *adv* ❶ (*finally*) schließlich, endlich ❷ (*some day*) irgendwann

ever ['evə^r] *adv* ❶ (*at any time*) je[mals]; **nothing ~ happens here** hier ist nie was los; **have you ~ been to London?** bist du schon einmal in London gewesen?; **nobody has ~ heard of this book** keiner hat je etwas von diesem Buch gehört; **a brilliant performance if ~ there was one** eine wahrhaft ausgezeichnete Darbietung; **rarely, if ~** kaum, wenn überhaupt je; **hardly ~** kaum; **to hardly ~ do sth** etw so gut wie nie tun; **as good as ~** so gut wie eh und je; **worse than ~** schlimmer als je zuvor ❷ (*always*) **happily ~ after** glücklich bis ans Ende ihrer Tage; **as ~** wie gewöhnlich; **~ since ...** seitdem ... ❸ (*of all*

time) **the biggest trade fair ~** die größte Handelsmesse, die es je gab; **the first performance ~** die allererste Darbietung ❹ (*as intensifier*) **how ~ could anyone ...?** wie kann jemand nur ...?; **what ~ have you done?** was hast du bloß angetan?; **when ~ are we going to get this finished?** wann sind wir endlich damit fertig?; **where ~ have I ...?** wohin habe ich nur ...?; **am I ~!** und wie! ❺ (*fam: exceedingly*) **thank you ~ so much** tausend Dank

'**ever·glade** *n* Sumpfgebiet *nt;* ▪**the E~s** *pl* die Everglades *pl* '**ever·green I.** *n* (*plant, shrub*) immergrüne Pflanze; (*tree*) immergrüner Baum **II.** *adj* immergrün; (*fig*) immer aktuell **ever·'last·ing** [ˌevə'lɑːstɪŋ] *adj* ❶ (*undying*) immerwährend; *gratitude* ewig; *happiness* dauerhaft ❷ (*pej: unceasing*) endlos '**ever·more** *adv* (*liter*) **for ~** für alle Ewigkeit

every ['evri] *adj* ❶ (*each*) jede(r, s) ❷ (*as emphasis*) ganz und gar; **~ bit as ... as ...** genauso ... wie ...; **to have ~ chance** die besten Chancen haben; **~ inch a gentleman** von Kopf bis Fuß ein Gentleman; **to have ~ reason to do sth** allen Grund haben, etw zu tun; **~ which way** AM in alle Richtungen

every·body ['evriˌbɒdi] *pron indef, + sing vb* (*all people*) jede(r); **~ in favour?** alle, die dafür sind?; **goodbye, ~** auf Wiedersehen alle miteinander; **~ but Jane** alle außer Jane; **~ else** alle anderen '**every·day** *adj* alltäglich; **~ language** Alltagssprache *f;* **~ life** Alltagsleben *nt;* **a word in ~ use** ein umgangssprachlich verwendetes Wort **every·one** ['evriwʌn] *pron see* **every·body every·thing** ['evriθɪŋ] *pron indef* alles; **to blame ~ on sb/sth** [*or* **sb/sth for ~**] etw/jdm die ganze Schuld geben; **money isn't ~** Geld ist nicht alles; **how's ~?** wie steht's?; **despite** [*or* **in spite of**] **~** trotz allem; **and ~** mit allem Drum und Dran **every·where** ['evri(h)weə^r] *adv* überall; **~ else** überall sonst; **to travel ~** überallhin reisen

evict [ɪ'vɪkt] *vt* **to ~ sb** (*from their home*) jdm kündigen; (*forcefully*) jdn zur Räumung seiner Wohnung zwingen; (*from a pub*) jdn rausschmeißen *fam*

evic·tion [ɪ'vɪkʃᵊn] *n* Zwangsräumung *f;* **~ notice/order** Räumungsbescheid *m/* -befehl *m*

evi·dence ['evɪdᵊn(t)s] **I.** *n no pl* ❶ (*proof*) Beweis[e] *m[pl]*; **to believe the ~ of one's own eyes** seinen eigenen Augen trauen; **to find no ~ of sth** keinen

Anhaltspunkt für etw *akk* haben; **all the ~** alle Anhaltspunkte; ■**on the ~ of** im Hinblick auf +*akk* ❷ LAW Beweisstück *nt;* **to turn Queen's** [*or* **King's**] **~** BRIT als Kronzeuge auftreten; **written ~** schriftliches Beweismaterial; **to give ~** aussagen (**on** über, **against** gegen) ❸ (*be present*) ■**to be** [**much**] **in ~** [deutlich] sichtbar sein; **few police were in ~** nur ein geringes Polizeiaufgebot war zu erkennen **II.** *vt* ■**to be ~d by sth** sich in etw *dat* ausdrücken

evi·dence-based ['evɪdᵊn(t)sbeɪst] *adj* *research, report, results* belegbar, belegt, nachgewiesen

evi·dent ['evɪdᵊnt] *adj* offensichtlich; ■**to be ~ to sb** jdm klar sein; **it only became ~ the following morning** es war erst am nächsten Morgen zu erkennen; ■**to be ~ in sth** in etw *dat* zu erkennen sein

evi·dent·ly ['evɪdᵊntli] *adv* offensichtlich

evil ['iːvᵊl] **I.** *adj* böse **II.** *n* Übel *nt;* LIT das Böse; **good and ~** Gut und Böse; **the lesser of two ~s** das kleinere von zwei Übeln

evil·ly ['iːvᵊli] *adv* schlimm, übel, böse

evoca·tive [ɪ'vɒkətɪv] *adj* evokativ

evoke [ɪ'vəʊk] *vt* hervorrufen; *mental image* an etw *akk* erinnern; *memory* wachrufen; *suspicion* erregen

evo·lu·tion [ˌiːvə'luːʃᵊn] *n no pl* Evolution *f;* (*fig*) Entwicklung *f*

evolve [ɪ'vɒlv] **I.** *vi* sich entwickeln **II.** *vt* entwickeln

ewe [juː] *n* Mutterschaf *nt;* **~'s milk** Schafsmilch *f*

ex <*pl* -es> *n* (*fam: lover*) Ex-Freund(in) *m(f);* (*spouse*) Exmann, Exfrau *m, f*

ex·ac·er·bate [ɪg'zæsəbeɪt] *vt* verschlimmern; *crisis* verschärfen

ex·act [ɪg'zækt] **I.** *adj* genau; **to be the ~ equivalent of sth** etw *dat* genau entsprechen; **to have the ~ fare ready** das Fahrgeld genau abgezählt bereithalten; **the ~ opposite** ganz im Gegenteil; **an ~ science** eine exakte Wissenschaft **II.** *vt* fordern; *revenge* üben (**on** an)

ex·act·ing [ɪg'zæktɪŋ] *adj* anstrengend; *demand, standards* hoch

ex·acti·tude [ɪg'zæktɪtjuːd] *n no pl* (*form*) Genauigkeit *f*

ex·act·ly [ɪg'zæktli] *adv* ❶ (*precisely*) genau; **~!** ganz genau!; **~ the same** genau dasselbe ❷ (*hardly*) ■**not ~** eigentlich nicht, nicht gerade

ex·act·ness [ɪg'zæktnəs] *n* Genauigkeit *f*

ex·ag·ger·ate [ɪg'zædʒᵊreɪt] *vt, vi* übertreiben; *effect* verstärken

ex·ag·ger·at·ed [ɪg'zædʒᵊreɪtɪd] *adj* übertrieben

ex·ag·gera·tion [ɪgˌzædʒᵊr'eɪʃᵊn] *n* Übertreibung *f;* **it's not an ~ to say that ...** es ist nicht übertrieben, wenn man behauptet, dass ...; **a bit of an ~** ein bisschen übertrieben

ex·alt [ɪg'zɔːlt] *vt* ❶ (*praise*) preisen ❷ (*promote to higher rank*) erheben

ex·al·ta·tion [ˌegzɔːl'teɪʃᵊn] *n no pl* Begeisterung *f*

ex·alt·ed [ɪg'zɔːltɪd] *adj* hoch

exam [ɪg'zæm] *n* Prüfung *f*

ex·ami·na·tion [ɪgˌzæmɪ'neɪʃᵊn] *n* ❶ (*test*) Prüfung *f;* UNIV Examen *nt;* **~ results** Prüfungsergebnisse *pl* ❷ (*investigation*) Untersuchung *f; of evidence* Überprüfung *f;* ■**to be under ~** untersucht werden ❸ MED Untersuchung *f;* **to undergo a medical ~** sich ärztlich untersuchen lassen

ex·am·ine [ɪg'zæmɪn] *vt* ❶ (*test*) prüfen ❷ (*scrutinize*) untersuchen ❸ LAW verhören ❹ MED untersuchen

ex·ami·nee [ɪgˌzæmɪ'niː] *n* Examenskandidat(in) *m(f)*

ex·am·in·er [ɪg'zæmɪnər] *n* ❶ SCH, UNIV Prüfer(in) *m(f)* ❷ MED **medical ~** Gerichtsmediziner(in) *m(f)*

ex·'am·in·ing board *n* Prüfungsausschuss *m*

ex·am·ple [ɪg'zɑːmpl] *n* Beispiel *nt;* **for ~** zum Beispiel; **to set sb a good ~** jdm ein gutes Beispiel geben; **to follow sb's ~** [**in doing sth**] sich *dat* an jdm ein Beispiel nehmen [und etw tun]; **to make an ~ of sb** an jdm ein Exempel statuieren

ex·as·per·ate [ɪg'zæspᵊreɪt] *vt* (*infuriate*) zur Verzweiflung bringen; (*irritate*) verärgern

ex·as·per·at·ing [ɪg'zæspᵊreɪtɪŋ] *adj* ärgerlich

ex·as·pera·tion [ɪgˌzæspə'reɪʃᵊn] *n no pl* Verzweiflung *f* (**at** über); **in ~** verärgert, verzweifelt

ex·ca·vate ['ekskəveɪt] **I.** *vt* ❶ ARCHEOL ausgraben ❷ (*dig*) ausheben **II.** *vi* Ausgrabungen machen

ex·ca·va·tion [ˌekskə'veɪʃᵊn] *n* ARCHEOL Ausgrabung *f;* (*digging*) Ausheben *nt*

ex·ca·va·tor ['ekskəveɪtə] *n* Bagger *m*

ex·ceed [ɪk'siːd] *vt* übersteigen; (*outshine*) übertreffen; *speed limit* überschreiten

ex·ceed·ing·ly [ɪk'siːdɪŋli] *adv* äußerst

ex·cel <-ll-> [ɪk'sel] **I.** *vi* sich auszeichnen; ■**to ~ at** [*or* **in**] **sth** sich bei etw *dat* hervortun **II.** *vt* ■**to ~ oneself** sich selbst übertreffen

ex·cel·lence ['eksᵊlᵊn(t)s] *n no pl* Vorzüglichkeit *f; of a performance* hervorragende

Qualität; **academic** ~ (*of a university*) ausgezeichnetes akademisches Niveau

Ex·cel·len·cy ['eksᵊlᵊn(t)si] *n* [Your] ~ [Eure] Exzellenz

ex·cel·lent ['eksᵊlᵊnt] *adj* ausgezeichnet; *performance, quality, reputation* hervorragend; **to have** ~ **taste** einen erlesenen Geschmack besitzen

ex·cel·lent·ly ['eksᵊlᵊntli] *adv* ausgezeichnet; **to work** ~ hervorragende Arbeit leisten; *computers, machines* hervorragend funktionieren

ex·cept [ɪk'sept] I. *prep* ■~ [for] außer +*dat* II. *conj* ❶ (*only, however*) doch, nur ❷ (*besides*) außer III. *vt* (*form*) ausschließen; **present company** ~ed Anwesende ausgenommen

ex·cept·ing [ɪk'septɪŋ] *prep* außer +*dat;* **not** ~ nicht ausgenommen; **always** ~ natürlich mit Ausnahme

ex·cep·tion [ɪk'sepʃᵊn] *n* Ausnahme *f;* **without** ~ ausnahmslos; **to take** ~ [to sth] Anstoß *m* [an etw *dat*] nehmen; **with the** ~ **of ...** mit Ausnahme von ... ▶**the** ~ **proves the rule** (*prov*) die Ausnahme bestätigt die Regel

ex·cep·tion·al [ɪk'sepʃᵊnᵊl] *adj* außergewöhnlich

ex·cep·tion·al·ly [ɪk'sepʃᵊnᵊli] *adv* außergewöhnlich; ~ **clever** ungewöhnlich intelligent

ex·cerpt *n* ['eksɜ:pt] Auszug *m* (**from** aus)

ex·cess [ɪk'ses, ek-] I. *n* <*pl* -es> ❶ *no pl* (*overindulgence*) Übermaß *nt* (**of** an) ❷ (*surplus*) Überschuss *m* (**of** an); ■**to do sth to** ~ bei etw *dat* übertreiben; **in** ~ **of ...** mehr als ... II. *adj* Über-; ~ **amount** Mehrbetrag *m;* ~ **baggage**/**luggage** Übergepäck *nt;* ~ **charge** Zusatzgebühr *f;* ~ **fare** Zuschlag *m;* ~ **fat** überschüssiges Fett

ex·cess ex·'pen·di·ture *n* Mehrausgabe *f*

ex·ces·sive [ɪk'sesɪv, ek-] *adj* übermäßig; *claim* übertrieben

ex·ces·sive·ly [ɪk'sesɪvli, ek-] *adv* übermäßig; **he behaved** ~ **at the party** er benahm sich auf der Party total daneben; ~ **high salaries** überzogene Gehälter; **to not be** ~ **bright** nicht gerade eine Leuchte sein

ex·change [ɪks'tʃeɪndʒ, eks-] I. *vt* austauschen; (*in a shop*) umtauschen (**for** gegen); **to** ~ **words** einen Wortwechsel haben; *looks* wechseln II. *n* ❶ (*trade*) Tausch *m;* **in** ~ **for** dafür; ~ **of letters** Briefwechsel *m* ❷ FIN Währung *f;* **foreign** ~ Devisen *pl;* **rate of** ~ Wechselkurs *m* ❸ (*interchange*) Wortwechsel *m;* ~ **of blows** Schlagabtausch *m;* ~ **of fire** Schusswech-

sel *m*

ex·change·able [ɪks'tʃeɪndʒəbl, eks-] *adj* austauschbar; *goods* umtauschbar; *token* einlösbar **ex·'change rate** *n* Wechselkurs *m* **ex·change regu·'la·tions** *npl* ECON, FIN Devisenbestimmungen *pl* **ex·'change re·stric·tions** *npl* Devisenbeschränkungen *pl* **ex·'change stu·dent** *n* SCH Austauschschüler(in) *m(f);* UNIV Austauschstudent(in) *m(f)*

ex·cheq·uer [ɪks'tʃekəʳ, eks-] *n no pl* BRIT Finanzministerium *nt*

ex·cise¹ ['eksaɪz] *n* FIN ~ **duty** Verbrauchsteuer *f* (**on** für)

ex·cise² [ek'saɪz] *vt* entfernen

ex·cit·able [ɪk'saɪtəbl, ek-] *adj* erregbar

ex·cite [ɪk'saɪt, ek-] *vt* ❶ (*stimulate*) erregen; (*make enthusiastic*) begeistern ❷ (*awaken*) hervorrufen; *curiosity* wecken; *imagination* anregen

ex·cit·ed [ɪk'saɪtɪd, ek-] *adj* aufgeregt; (*enthusiastic*) begeistert; **to be** ~ **about sth** (*in present*) von etw *dat* begeistert sein; (*in near future*) sich auf etw *akk* freuen; **nothing to get** ~ **about** nichts Weltbewegendes

ex·cit·ed·ly [ɪk'saɪtɪdli, ek-] *adv* aufgeregt; **to talk** ~ erregt sprechen

ex·cite·ment [ɪk'saɪtmənt, ek-] *n* Aufregung *f;* **in a state of** ~ in heller Aufregung; **what** ~! wie aufregend!

ex·cit·ing [ɪk'saɪtɪŋ, ek-] *adj* aufregend; *development, match, story* spannend; (*stimulating*) anregend

excl. *adj, prep abbrev of* **exclusive, excluding** exkl.

ex·claim [ɪks'kleɪm, eks-] I. *vi* **to** ~ **in delight** in ein Freudengeschrei ausbrechen II. *vt* ausrufen

ex·cla·ma·tion [ˌekskləˈmeɪʃᵊn] *n* Ausruf *m;* ~**s of happiness** Freudengeschrei *nt*

ex·cla·'ma·tion mark *n*, **ex·cla·'ma·tion point** *n* AM Ausrufezeichen *nt*

ex·clude [ɪks'klu:d, eks-] *vt* ausschließen; **the price** ~**s local taxes** im Preis sind die Kommunalsteuern nicht inbegriffen

ex·clud·ing [ɪks'klu:dɪŋ, eks-] *prep* ausgenommen +*gen*

ex·clu·sion [ɪks'klu:ʒᵊn, eks-] *n* Ausschluss *m* (**from** von); **to concentrate on revision to the** ~ **of all else** sich ausschließlich auf Prüfungsvorbereitungen konzentrieren

ex·clu·sive [ɪks'klu:sɪv, eks-] I. *adj* ❶ (*excluding*) ausschließlich ❷ (*limited to, select*) exklusiv; **for the** ~ **use of ...** nur für ... bestimmt; ~ **interview** Exklusivinterview nt ❸ (*sole*) einzig **II.** n MEDIA Exklusivbericht *m*

ex·clu·sive·ly [ɪksˈkluːsɪvli, eks-] *adv* ausschließlich, exklusiv

ex·com·mu·ni·cate [ˌekskəˈmjuːnɪkeɪt] *vt* exkommunizieren

ex·com·mu·ni·ca·tion [ˌekskəˌmjuːnɪˈkeɪʃᵊn] *n* Exkommunikation *f*

ex·cre·ment [ˈekskrəmənt] *n* (*form*) Kot *m*, Exkremente *pl*

ex·crete [ɪkˈskriːt, ek-] **I.** *vt* ausscheiden **II.** *vi* Exkremente ausscheiden

ex·cre·tion [ɪkˈskriːʃᵊn, ek-] *n* (*form*) ❶ (*matter*) Exkret *nt fachspr* ❷ *no pl* (*act*) Ausscheidung *f*, Exkretion *f fachspr*

ex·cru·ci·at·ing [ɪkˈskruːʃieɪtɪŋ, ek-] *adj* ❶ (*painful*) schmerzhaft; **an ~ pain** fürchterliche Schmerzen; *suffering* entsetzlich ❷ (*fig*) qualvoll

ex·cur·sion [ɪkˈskɜːʃᵊn, eks-] *n* Ausflug *m*; **to go on an ~** einen Ausflug machen

ex-ˈcur·sion tick·et *n* verbilligte Fahrkarte **ex-ˈcur·sion train** *n* AM Sonderzug *m*

ex·cus·able [ɪkˈskjuːzəbl, ek-] *adj* verzeihlich, entschuldbar

ex·cuse I. *vt* [ɪkˈskjuːz, ek-] ❶ (*forgive*) entschuldigen; (*make an exception*) hinwegsehen über +*akk*; **I cannot ~ his behaviour** ich kann sein Verhalten nicht rechtfertigen; ▪**to ~ sb [for] sth** jdm etw nachsehen; ▪**to ~ sb from sth** jdn von etw *dat* befreien; **may I be ~d from cricket practice?** dürfte ich dem Cricket-Training fernbleiben? ❷ (*attract attention*) **~ me!** entschuldigen Sie bitte!, Entschuldigung!; (*beg pardon*) [ich bitte vielmals um] Entschuldigung; **~ me?** wie bitte?; (*on leaving*) [**if you'll**] **~ me** wenn Sie mich jetzt entschuldigen würden **II.** *n* [ɪkˈskjuːs, ek-] ❶ (*explanation*) Entschuldigung *f*; **please make my ~s at Thursday's meeting** entschuldige mich bitte bei der Sitzung am Donnerstag ❷ (*justification*) Ausrede *f*; (*with reason*) Rechtfertigung *f*; **there is no ~ for their behaviour** ihr Verhalten ist durch nichts zu rechtfertigen; **to make an ~** sich entschuldigen ❸ (*fam: poor example*) ▪**an ~ for sth** ein armseliges Beispiel einer S. *gen*

ex·di·rec·tory [ˌeksdəˈrektᵊri] *adj* BRIT, AUS **~ number** Geheimnummer *f*; ▪**to be ~** nicht im Telefonbuch stehen

ex·ecute [ˈeksɪkjuːt] *vt* ❶ (*form: carry out*) durchführen; *manoeuvre, order, plan* ausführen ❷ (*kill*) hinrichten

ex·ecu·tion [ˌeksɪˈkjuːʃᵊn] *n* ❶ *no pl* (*carrying out*) Durchführung *f*; **to put a plan into ~** einen Plan ausführen ❷ (*killing*)

Hinrichtung *f*

ex·ecu·tion·er [ˌeksɪˈkjuːnəʳ] *n* Scharfrichter *m*

ex·ecu·tive [ɪgˈzekjətɪv, eg-] **I.** *n* ❶ (*manager*) leitender Angestellter/leitende Angestellte; **advertising ~** Werbemanager(in) *m(f)*; **junior/senior ~** untere/höhere Führungskraft ❷ + *sing/pl vb* (*body*) Exekutive *f*; (*committee*) Vorstand *m* **II.** *adj* Exekutiv-; **~ car** Vorstandswagen *m*; **~ committee** [geschäftsführender] Vorstand; **~ council** Ministerrat *m*; **~ decisions** Führungsentscheidungen *pl*; **~ editor** Chefredakteur(in) *m(f)*; **~ producer** leitender Produzent/leitende Produzentin; **~ secretary** Direktionssekretär(in) *m(f)*; **~ skills** Führungsqualitäten *pl*; **~ suite** Vorstandsetage *f*; (*in a hotel*) Chefsuite *f*

ex·ecu·tor [ɪgˈzekjətəʳ, eg-] *n* LAW Testamentsvollstrecker(in) *m(f)*

ex·em·pla·ry [ɪgˈzemplᵊri, eg-] *adj* vorbildlich; *punishment* exemplarisch

ex·em·pli·fy <-ie-> [ɪgˈzemplɪfaɪ, eg-] *vt person* erläutern; *thing* veranschaulichen

ex·empt [ɪgˈzempt, eg-] **I.** *vt* befreien; *from military service* freistellen **II.** *adj* befreit; **~ from duty** [*or* **tax**] gebührenfrei

ex·emp·tion [ɪgˈzempʃᵊn, eg-] *n no pl* Befreiung *f*; *from military service* Freistellung *f*; **~ from taxes** Steuerfreiheit *f*

ex·er·cise [ˈeksəsaɪz] **I.** *vt* ❶ (*physically*) trainieren; *dog* spazieren führen; *horse* bewegen ❷ (*form: use*) üben; *authority, control* ausüben; *caution* walten lassen; *right* geltend machen; *veto* einlegen; **to ~ tact** mit Takt vorgehen **II.** *vi* trainieren **III.** *n* ❶ (*physical exertion*) Bewegung *f*; (*training*) Übung *f*; **breathing ~** Atemübung *f*; **outdoor ~** Bewegung *f* im Freien; **to do ~s** Gymnastik machen; **to do leg ~s** Beinübungen machen; **to take ~** sich bewegen ❷ (*practice*) Übung *f*; SCH, UNIV Aufgabe *f* ❸ MIL Übung *f* ❹ *usu sing* (*act*) Aufgabe *f*; ▪**an ~ in** ein Paradebeispiel für ❺ AM ▪**~s** *pl* Feierlichkeiten *pl* **IV.** *adj* Trainings-; **~ class** Fitnessklasse *f*; **~ video** Übungsvideo *nt*

'ex·er·cise bike *n* Heimfahrrad *nt* **'ex·er·cise book** *n* Heft *nt*

ex·er·cis·er [ˈeksəsaɪzəʳ] *n* Trainingsgerät *nt*

ex·ert [ɪgˈzɜːt, eg-] *vt* ❶ (*utilize*) *control* ausüben; *influence* geltend machen ❷ (*labour*) ▪**to ~ oneself** sich anstrengen

exer-ˈtain·ment *n no pl* (*fam*) Exertainment *nt*

ex·er·tion [ɪgˈzɜːʃᵊn, eg-] *n* ❶ *no pl* (*utiliza-*

tion) Ausübung *f* ❷ (*strain*) Anstrengung *f*

ex·fo·li·ate [eks'fəʊlieɪt] I. *vi skin, bark* sich abschälen II. *vt* **to ~ one's face** ein Peeling machen

ex·'fo·li·at·ing cream *n* Rubbelcreme *f*, Peeling *nt*

ex·fo·li·a·tion [eks‚fəʊliˈeɪʃ³n] *n no pl* Haut[ab]schälung *f*

ex·ha·la·tion [‚eks(h)əˈleɪʃ³n] *n* Ausatmen *nt*

ex·hale [eks'heɪl] *vt, vi* ausatmen

ex·haust [ɪg'zɔːst, eg-] I. *vt* ❶ (*tire*) ermüden; ◼ **to ~ oneself** sich strapazieren ❷ (*use up*) erschöpfen II. *n* ❶ *no pl* (*gas*) Abgase *pl* ❷ (*tailpipe*) Auspuff *m* III. *adj* **~ fumes** Abgase *pl*

ex·haust·ed [ɪg'zɔːstɪd, eg-] *adj* (*very tired*) erschöpft; (*used up also*) aufgebraucht

ex·haust·ing [ɪg'zɔːstɪŋ, eg-] *adj* anstrengend

ex·haus·tion [ɪg'zɔːstʃ³n, eg-] *n no pl* Erschöpfung *f*

ex·haus·tive [ɪg'zɔːstɪv, eg-] *adj* erschöpfend; *inquiry* eingehend; *list* vollständig; *report* ausgiebig; *research* tief greifend

ex·haus·tive·ly [ɪg'zɔːstɪvli, eg-] *adv* erschöpfend; **to document sth ~** etw eingehend dokumentieren

ex·'haust pipe *n* Auspuffrohr *nt*

ex·hib·it [ɪg'zɪbɪt, eg-] I. *n* ❶ (*display*) Ausstellungsstück *nt* ❷ LAW (*evidence*) Beweisstück *nt* II. *vt* ❶ (*display*) ausstellen ❷ (*manifest*) zeigen III. *vi* ausstellen

ex·hi·bi·tion [‚eksɪˈbɪʃ³n] *n* (*display*) Ausstellung *f* (**about** über); (*performance*) Vorführung *f*; **an ~ of skill** ein Beispiel an Geschicklichkeit ▶ **to make an ~ of oneself** sich zum Gespött machen

ex·hi·bi·tion·ism [‚eksɪˈbɪʃ³nɪz³m] *n no pl* Exhibitionismus *m*

ex·hi·bi·tion·ist [‚eksɪˈbɪʃ³nɪst] *n* Exhibitionist(in) *m(f)*

ex·hib·i·tor [ɪg'zɪbɪtəʳ, eg-] *n* Aussteller(in) *m(f)*

ex·hila·rate [ɪg'zɪl³reɪt, eg-] *vt* ◼ **to ~ sb** ❶ (*thrill*) jdn berauschen; **they were both ~d by the motorbike ride** sie waren beide von der Motorradfahrt begeistert ❷ (*energize*) brisk air jdn beleben [*o* erfrischen]

ex·hila·rat·ing [ɪg'zɪl³reɪtɪŋ, eg-] *adj* ❶ (*thrilling*) berauschend; (*exciting*) aufregend ❷ (*energizing*) belebend

ex·hila·ra·tion [ɪg‚zɪl³rˈeɪʃ³n, eg‚-] *n no pl* Hochgefühl *nt*

ex·hort [ɪg'zɔːt, eg-] *vt* (*form*) ermahnen

ex·hor·ta·tion [‚egzɔːˈteɪʃ³n] *n* Ermahnung *f*

ex·hu·ma·tion [‚eks(h)juːˈmeɪʃ³n] *n no pl* Exhumierung *f*

ex·hume [eks'(h)juːm] *vt* exhumieren

ex·'husband *n* Exmann *m*

ex·ile ['eksaɪl] I. *n* ❶ *no pl* (*banishment*) Exil *nt*, Verbannung *f* (**from** aus); **to be in ~** im Exil leben; **to go into ~** ins Exil gehen ❷ (*person*) Verbannte(r) *f(m)*; **tax ~** Steuerflüchtling *m* II. *vt* verbannen

ex·ist [ɪg'zɪst, eg'-] *vi* ❶ (*be*) existieren, bestehen; **if such a thing ~s** wenn es so etwas gibt ❷ (*live*) leben, existieren; (*survive*) überleben; ◼ **to ~ on sth** von etw *dat* leben

ex·ist·ence [ɪg'zɪst³n(t)s, eg'-] *n* ❶ *no pl* (*state*) Existenz *f*, Bestehen *nt*; **the only one in ~** das einzige Exemplar, das es [davon] gibt; **to be in ~** existieren, bestehen; **to come into ~** entstehen; **to go out of ~** verschwinden ❷ (*life*) Leben *nt*, Existenz *f*; **means of ~** Lebensgrundlage *f*

ex·ist·ent [ɪg'zɪst³nt, eg'-] *adj* existent, vorhanden

ex·is·ten·tial [‚egzɪˈsten(t)ʃ³l] *adj* ❶ BIOL existenziell *fachspr* ❷ PHILOS existenzialistisch *fachspr*; **the ~ philosopher** der Existenzialphilosoph/die Existenzialphilosophin

ex·is·ten·tial·ism [‚egzɪˈsten(t)ʃ³lɪz³m] *n no pl* Existenzphilosophie *f*, Existenzialismus *m fachspr*

ex·ist·ing [ɪg'sɪstɪŋ, eg-] *adj* existierend, bestehend; *rules* gegenwärtig

exit ['eksɪt, 'egz-] I. *n* ❶ (*way out*) Ausgang *m* ❷ (*departure*) Weggehen *nt kein pl*, Abgang *m*; (*from room*) Hinausgehen *nt kein pl*; **to make an ~** weggehen; *from room* hinausgehen ❸ (*road off*) Ausfahrt *f*, Abfahrt *f* ❹ THEAT Abgang *m*; **to make one's ~** abgehen II. *vt* verlassen III. *vi* ❶ (*leave*) hinausgehen ❷ (*leave road*) eine Ausfahrt nehmen ❸ (*leave the stage*) abgehen; **~ Ophelia** Ophelia [tritt] ab

'exit visa *n* Ausreisevisum *nt*

exo·dus ['eksədəs] *n* <*pl* **-es**> ❶ (*mass departure*) Auszug *m*; **general ~** allgemeiner Aufbruch ❷ REL ◼ **E~** Zweites Buch Mose

ex·on·er·ate [ɪg'zɒn³reɪt, eg-] *vt* freisprechen; (*partially*) entlasten

ex·on·era·tion [ɪg‚zɒnəˈreɪʃ³n, eg‚-] *n no pl* Entlastung *f*; *from duty, task* Entbindung *f* (**from** von + *dat*)

ex·or·bi·tant [ɪg'zɔːbɪt³nt, eg-] *adj* überhöht

ex·or·cism ['eksɔːsɪz³m] *n* Exorzismus *m*

ex·or·cist ['eksɔːsɪst] *n* Exorzist(in) *m(f)*

ex·or·cize ['eksɔːsaɪz] *vt* exorzieren

ex·ot·ic [ɪgˈzɒtɪk, eg-] *adj* exotisch; (*fig*) fremdländisch

ex·oti·cal·ly [ɪgˈzɒtɪkᵊli, eg-] *adv* exotisch; ~ **named** mit exotischem [*o* ausgefallenem] Namen *nach n*

ex·pand [ɪkˈspænd, ek-] **I.** *vi* ❶ (*increase*) zunehmen, expandieren; *population, trade* wachsen; *horizon, knowledge* sich erweitern ❷ ECON expandieren ❸ PHYS sich ausdehnen **II.** *vt* ❶ (*make larger*) erweitern ❷ PHYS ausdehnen ❸ (*elaborate*) weiter ausführen

ex·pand·able [ɪkˈspændəbl, ek-] *adj* material dehnbar; *business, project* entwicklungsfähig; *installation, system* ausbaufähig; ~ **bag** elastische Tasche

ex·panse [ɪkˈspæn(t)s, ek-] *n* weite Fläche, Weite *f*; ~ **of grass/lawn** ausgedehnte Grün-/Rasenfläche

ex·pan·sion [ɪkˈspæn(t)ʃᵊn, ek-] *n* ❶ *no pl* (*increase*) *of knowledge* Erweiterung *f*; *of territory, rule* Expansion *f*; *of population, trade* Wachstum *nt*, Zunahme *f* ❷ *no pl* ECON Expansion *f*, Erweiterung *f* ❸ *no pl* PHYS Ausdehnung *f* ❹ (*elaboration*) Erweiterung *f*

ex·pan·sion·ism [ɪkˈspæn(t)ʃᵊnɪzᵊm, ek-] *n no pl* Expansionspolitik *f*

ex·pan·sive [ɪkˈspæn(t)sɪv] *adj* ❶ (*approv: sociable*) umgänglich; (*effusive*) überschwänglich; *personality* aufgeschlossen ❷ (*elaborated*) ausführlich

ex·pat·ri·ate (*form*) **I.** *n* [ɪkˈspætriət, ek'-] [ständig] im Ausland Lebende(r) *f(m)*; **German ~** im Ausland lebende(r) Deutsche(r); ~ **community** Ausländergemeinde *f* **II.** *vt* [ɪkˈspætrieɪt, ek'-] ausbürgern

ex·pat·ria·tion [ɪkˌspætriˈeɪʃᵊn, ek'-] *n* LAW Ausbürgerung *f*

ex·pect [ɪkˈspekt, ek-] *vt* ❶ (*anticipate*) erwarten; **that was to be ~ed** das war zu erwarten; **I ~ed as much** damit habe ich gerechnet; **to half ~ sth** fast mit etw *dat* rechnen; ■ **to ~ to do sth** damit rechnen, etw zu tun; ■ **to ~ sb to do sth** erwarten, dass jd etw tut ❷ (*fam: suppose*) glauben; **I ~ so/not** ich denke schon/nicht; **I ~ that it is somewhere in your bedroom** ich schätze, es ist irgendwo in deinem Schlafzimmer; **I ~ you'd like a rest** Sie möchten sich sicher ausruhen; **is someone ~ing you?** werden Sie erwartet? ►~ **me when you see me** wenn ich komme, bin ich da

ex·pec·tan·cy [ɪkˈspektᵊn(t)si, ek-] *n no pl* Erwartung *f*; **air of ~** erwartungsvolle Atmosphäre

ex·pec·tant [ɪkˈspektᵊnt, ek-] *adj* erwartungsvoll; *mother* werdend

ex·pec·tant·ly [ɪkˈspektᵊntli] *adv* erwartungsvoll; **to pause ~** eine erwartungsvolle Pause machen; **to wait ~** gespannt warten

ex·pec·ta·tion [ˌekspekˈteɪʃᵊn] *n* Erwartung *f*; **to have great ~s for sb/sth** große Erwartungen in jdn/etw setzen

ex·pec·to·rate [ɪkˈspektᵊreɪt, ek-] *vi* (*form*) [Schleim] abhusten

ex·pedi·ence [ɪkˈspiːdiən(t)s, ek-] *n*, **ex·pedi·en·cy** [ɪkˈspiːdiən(t)si, ek-] *n no pl* ❶ (*suitability*) Zweckmäßigkeit *f* ❷ (*pej: personal advantage*) Eigennutz *m*

ex·pedi·ent [ɪkˈspiːdiənt, ek-] *adj* ❶ (*useful*) zweckmäßig; (*advisable*) ratsam ❷ (*pej: advantageous*) eigennützig

ex·pedite [ˈekspɪdaɪt] *vt* ❶ (*hasten*) beschleunigen ❷ (*carry out*) schnell erledigen

ex·pedi·tion [ˌekspɪˈdɪʃᵊn] *n* ❶ (*journey*) Expedition *f*; MIL Feldzug *m*; **shopping ~** Einkaufstour *f* ❷ *no pl* (*form: swiftness*) Schnelligkeit *f*

ex·pedi·tious [ˌekspɪˈdɪʃəs] *adj* (*form*) schnell

ex·pel <-ll-> [ɪkˈspel, ek-] *vt* ❶ (*force to leave*) ausschließen (**from** aus); *from a country* ausweisen (**from** aus); *from school/university* verweisen (**from** von) ❷ (*force out*) vertreiben (**from** aus) ❸ (*eject*) *breath* ausstoßen; *liquid* austreiben

ex·pend [ɪkˈspend, ek-] *vt* ❶ (*spend*) *time, effort* aufwenden (**on** für) ❷ (*use up*) aufbrauchen

ex·pendi·ture [ɪkˈspendɪtʃəʳ, ek-] *n* ❶ *no pl* (*spending*) *of money* Ausgabe *f*; (*using*) *of energy, resources* Aufwand *m* (**of** an); ~ **of time** Zeitaufwand *m* ❷ (*sum spent*) Ausgaben *pl*, Aufwendungen *pl* (**on** für)

ex·pense [ɪkˈspen(t)s, ek-] *n* ❶ *no pl* [Un]kosten *pl*, Ausgaben *pl*; **at great ~** mit großen Kosten; **to go to great ~** sich in Unkosten stürzen; **at one's own ~** auf eigene Kosten; **to put sb to the ~ of sth** jdm die Kosten für etw *akk* zumuten ❷ (*reimbursed money*) ■~**s** *pl* Spesen *pl*; **please detail any ~s incurred** bitte führen Sie alle entstandenen Auslagen auf; **to put sth on ~s** etw auf die Spesenrechnung setzen ❸ (*fig*) **at sb's ~** auf jds Kosten *pl*; **at the ~ of sth** auf Kosten einer S. *gen* ►**all ~s paid** ohne Unkosten; **no ~ spared** [die] Kosten spielen keine Rolle

ex·'pense ac·count *n* Spesenrechnung *f*

ex·pen·sive [ɪkˈspen(t)sɪv, ek-] *adj* teuer; *hobby* kostspielig; **to be an ~ mistake for sb** jdn teuer zu stehen kommen

ex·pen·sive·ly [ɪkˈspen(t)sɪvli, ek-] *adv*

teuer; **to be ~ dressed** teure Kleidung tragen; **~ priced** teuer

ex·peri·ence [ɪkˈspɪərɪən(t)s, ek-] I. *n* ❶ *no pl* (*practical knowledge*) Erfahrung *f;* **~ of life** Lebenserfahrung *f;* **driving ~** Fahrpraxis *f;* **to gain ~** Erfahrungen sammeln; **to learn by** [*or* **from**] **~** durch Erfahrung lernen; **from my own ~** aus eigener Erfahrung; ■**to have ~ in** [*or* **of**] **sth** Erfahrung in etw *dat* haben ❷ (*particular instance*) Erfahrung *f*, Erlebnis *nt;* **to have an ~** eine Erfahrung machen ▶**to put sth down to ~** etw als Erfahrung abbuchen II. *vt* ❶ (*undergo*) erleben; (*endure*) kennen lernen, erfahren; *difficulties* stoßen auf +*akk* ❷ (*feel*) empfinden

ex·peri·enced [ɪkˈspɪərɪən(t)st, ek-] *adj* erfahren; *eye* geschult; **more ~** mit mehr Erfahrung *nach n;* ■**to be ~ at** [*or* **in**] **sth** Erfahrung in etw *dat* haben

ex·peri·ment I. *n* [ɪkˈsperɪmənt, ek-] Experiment *nt*, Versuch *m* (**on** an); **by ~** durch Ausprobieren II. *vi* [ɪkˈsperɪment] experimentieren; ■**to ~ on sb/sth** an jdm/etw Versuche machen

ex·peri·men·tal [ɪkˌsperɪˈmentᵊl, ek,-] *adj* ❶ (*for experiment*) Versuchs- ❷ (*using experiments*) experimentell ❸ (*fig: provisional*) vorläufig; **on an ~ basis** versuchsweise

ex·peri·men·ta·tion [ɪkˌsperɪmenˈteɪʃᵊn, ek-] *n no pl* Experimentieren *nt*

ex·pert [ˈekspɜːt] I. *n* Experte(in) *m(f)*, Fachmann, Fachfrau *m*, *f;* LAW Sachverständige(r) *f(m);* **gardening ~** Fachmann, Fachfrau *m*, *f* für Gartenbau; **an ~ at doing sth** ein Experte *m*/eine Expertin in etw *dat;* **an ~ on** [*or* **in**] **sth** Experte/Expertin für etw *akk;* **he is an ~ on that subject** er ist ein Fachmann auf diesem Gebiet II. *adj* ❶ (*specialist*) fachmännisch; (*skilled*) erfahren; (*clever*) geschickt; *analysis* fachkundig ❷ (*excellent*) ausgezeichnet; *liar* perfekt; ■**to be ~ at sth** sehr gut in etw *dat* sein

ex·per·tise [ˌekspɜːˈtiːz] *n no pl* (*knowledge*) Fachkenntnis *f*, Sachverstand *m* (**in** in); (*skill*) Können *nt*

ex·pert ˈknowl·edge *n no pl* Fachkenntnis *f* **ex·pert oˈpin·ion** *n* Expertenmeinung *f;* LAW Sachverständigengutachten *nt* **ex·pert ˈwit·ness** *n* LAW Sachverständige(r) *f(m)*

ex·pi·ra·tion [ˌekspɪˈreɪʃᵊn] *n no pl* ❶ (*exhalation*) Ausatmung *f* ❷ (*running out*) Ablauf *m*

ex·pire [ɪkˈspaɪəʳ] I. *vi* ❶ (*become invalid*) ablaufen; *contract* auslaufen; *coupon,*

ticket verfallen ❷ (*form: die*) verscheiden II. *vt* (*exhale*) ausatmen

ex·pi·ry [ɪkˈspaɪ(ə)ri] *n no pl* Ablauf *m;* **~ date** [*or* **date of ~**] *of drugs, food* Verfallsdatum *nt; of credit card, passport* Ablaufdatum *nt;* ■**before/on the ~ of sth** vor/nach Ablauf einer S. *gen*

ex·plain [ɪkˈspleɪn, ek-] I. *vt* erklären; *reason, motive* erläutern; ■**to ~ oneself** (*make clear*) sich [deutlich] ausdrücken; (*justify*) **you'd better ~ yourself** du solltest mir das erklären II. *vi* eine Erklärung geben; **I just can't ~** ich kann es mir einfach nicht erklären; **let me ~** lassen Sie es mich erklären ◆**explain away** *vt* eine [einleuchtende] Erklärung für etw *akk* haben

ex·plain·able [ɪkˈspleɪnəbl, ek-] *adj* erklärlich; **to be ~** sich erklären lassen

ex·pla·na·tion [ˌekspləˈneɪʃᵊn, ek-] *n* Erklärung *f; of reason, motive* Erläuterung *f;* **to give** [sb] **an ~ for** [*or* **of**] **sth** [jdm] etw erklären [*o* erläutern]; **in ~** [**of sth**] [*or* **by way of ~** [**for sth**]] als Erklärung [für etw *akk*]

ex·plana·tory [ɪkˈsplænətᵊri, ek-] *adj* erklärend; *footnotes, statement* erläuternd; **~ diagram** Schaubild *nt* zur Erläuterung

ex·ple·tive [ɪkˈspliːtɪv, ek-] *n* ❶ (*form: swear word*) Kraftausdruck *m* ❷ LING Füllwort *nt*

ex·pli·cable [ɪkˈsplɪkəbl, ek-] *adj* erklärbar **ex·plic·it** [ɪkˈsplɪsɪt, ek-] *adj* ❶ (*precise*) klar, deutlich; *agreement, order* ausdrücklich; **could you please be more ~?** könnten Sie bitte etwas deutlicher werden? ❷ (*detailed*) eindeutig, unverhüllt

ex·plic·it·ly [ɪkˈsplɪsɪtli, ek-] *adv* ❶ (*precisely*) [klar und] deutlich; **to tell sb sth ~** jdm etw ausdrücklich sagen ❷ (*outspokenly*) unverhohlen; (*sexually explicit*) freizügig, explizit *geh*

ex·plode [ɪkˈspləʊd, ek-] I. *vi* explodieren *a. fig; tyre* platzen; **to ~ in** [*or* **with**] **anger** vor Wut platzen II. *vt bomb* zünden; *container* sprengen; *ball* zum Platzen bringen; (*fig*) widerlegen

ex·ploit I. *n* [ˈeksplɔɪt] Heldentat *f* II. *vt* [ɪkˈsplɔɪt, ek-] ❶ (*pej: take advantage*) *worker* ausbeuten; *friend, thing* ausnutzen ❷ (*utilize*) nutzen

ex·ploi·ta·tion [ˌeksplɔɪˈteɪʃᵊn] *n no pl* ❶ (*pej: taking unfair advantage*) *of workforce* Ausbeutung *f; of person, thing* Ausnutzung *f* ❷ (*profitable use*) Nutzung *f*

ex·ploit·er [ɪkˈsplɔɪtəʳ, ek-] *n* (*pej*) Ausbeuter(in) *m(f)*

ex·plo·ra·tion [ˌekspləˈreɪʃᵊn] *n* ❶ (*jour-*

ney) Erforschung f; of enclosed space Erkundung f; **voyage of** ~ Entdeckungsreise f ➋ (examination) Untersuchung f (**of** von)

ex·plora·tory [ɪkˈsplɒrətˤri, ek-] adj Forschungs-; drilling, well Probe-; operation explorativ; ~ **talks** Sondierungsgespräche pl

ex·plore [ɪkˈsplɔːˤ, ekˈ-] I. vt ➊ (investigate) erforschen, erkunden ➋ (examine) untersuchen II. vi sich umschauen; **to go exploring** auf Erkundung[stour] gehen

ex·plor·er [ɪkˈsplɔːˤəˤ, ekˈ-] n Forscher(in) m(f)

ex·plo·sion [ɪkˈspləʊʒˤn, ek-] n Explosion f a. fig; ~ **of anger** Wutausbruch m

ex·plo·sive [ɪkˈspləʊsɪv, ekˈ-] I. adj explosiv a. fig; issue, situation [hoch] brisant; ~ **force** Sprengkraft f; ~ **substance** Explosivstoff m; **to have an** ~ **temper** zu Wutausbrüchen neigen II. n Sprengstoff m

ex·plo·sive·ly [ɪkˈspləʊsɪvli, ekˈ-] adv ➊ (by blowing up) explosiv; **to react** ~ flame, gas verpuffen ➋ (fig: with sudden outburst) heftig; **to react** ~ explodieren, heftig reagieren

ex·po·nent [ɪkˈspəʊnənt, ekˈ-] n (representative) Vertreter(in) m(f), Exponent(in) m(f); (advocate) Verfechter(in) m(f)

ex·port [ɪkˈspɔːt] I. vt, vi exportieren II. n ➊ no pl (selling abroad) Export m, Ausfuhr f; **for** ~ für den Export ➋ (product) Exportartikel m

ex·port·able [ɪkˈspɔːtəbl, ekˈ-] adj exportfähig

ex·por·ta·tion [ˌekspɔːˈteɪʃˤn] n no pl Export m, Ausfuhr f

'**ex·port busi·ness** n Exportgeschäft nt

ex·port·er [ɪkˈspɔːtəˤ] n Exporteur m; (person also) Exporthändler(in) m(f); (company also) Exportfirma f; (country) Exportland nt, Ausfuhrland nt

'**ex·port goods** npl Exportgüter pl '**ex·port li·cence** f Ausfuhrgenehmigung f, Exportlizenz f '**ex·port regu·la·tions** npl Ausfuhrbestimmungen pl '**ex·port trade** n no pl Exporthandel m, Außenhandel m

ex·pose [ɪkˈspəʊz, ekˈ-] vt ➊ (lay bare) freilegen; nerves bloßlegen ➋ (leave vulnerable to) aussetzen (**to** +dat); **to** ~ **sb to danger** jdn einer Gefahr aussetzen; **to** ~ **sb to ridicule** jdn dem Spott preisgeben; ▪ **to be** ~**d to sth** etw dat ausgesetzt sein ➌ (reveal) offenbaren; scandal, plot aufdecken; ▪ **to** ~ **sb** jdn entlarven; ▪ **to** ~ **oneself** [**to sb**] sich [vor jdm] entblößen ➍ PHOT belichten

ex·posed [ɪkˈspəʊzd, ekˈ-] adj ➊ (unpro-

tected) ungeschützt; position exponiert; **to be** ~ **to rain** dem Regen ausgesetzt sein ➋ (bare) freigelegt; part of body unbedeckt ➌ PHOT belichtet

ex·po·si·tion [ˌekspə(ʊ)ˈzɪʃˤn] n ➊ (form: explanation) Darlegung f ➋ esp AM (public show) Ausstellung f ➌ LIT, MUS Exposition f

ex·po·sure [ɪkˈspəʊʒəˤ, ekˈ-] n ➊ (being unprotected) Aussetzung f; ~ **to radiation** Bestrahlung f ➋ no pl (contact) Kontakt m (**to** mit) ➌ no pl (contact with elements) Ausgesetztsein nt; **to die of/suffer from** ~ an Unterkühlung sterben/leiden ➍ no pl (revelation) of a person Entlarvung f; of a plot Aufdeckung f; of an affair Enthüllung f ➎ no pl (media coverage) Berichterstattung f [in den Medien], Publicity f ➏ PHOT (contact with light) Belichtung[szeit] f; (shot) Aufnahme f

ex·'po·sure me·ter n PHOT Belichtungsmesser m

ex·pound [ɪkˈspaʊnd, ekˈ-] I. vt (form) ➊ (explain) darlegen ➋ (interpret) erläutern II. vi ▪ **to** ~ **on sth** etw darlegen

ex·press [ɪkˈspres, ekˈ-] I. vt ➊ (communicate) ausdrücken; (say) aussprechen; **there are no words to** ~ **that** das lässt sich nicht in Worte fassen; **to** ~ **one's thanks** seinen Dank zum Ausdruck bringen; ▪ **to** ~ **oneself** sich ausdrücken ➋ MATH darstellen ➌ (squeeze out) ausdrücken ➍ AM (send quickly) per Express schicken II. adj ➊ (rapid) express; **by** ~ **delivery** per Eilzustellung ➋ (precise) bestimmt; (explicit) ausdrücklich; **for the** ~ **purpose** eigens zu dem Zweck III. adv per Express IV. n ➊ (train) Express[zug] m, Schnellzug m, D-Zug m ➋ no pl (messenger) **by** ~ per Eilboten; (delivery) per Express ➌ AM (company) Spedition f

ex·pres·sion [ɪkˈspreʃˤn, ekˈ-] n Ausdruck m, Äußerung f; **to find** ~ **in sth** in etw dat seinen Ausdruck finden; **to give** ~ **to sth** etw zum Ausdruck bringen; **an** ~ **of gratitude** ein Ausdruck m der Dankbarkeit; **freedom of** ~ Freiheit f der Meinungsäußerung; (facial look) [Gesichts]ausdruck m; **to have a glum** ~ ein mürrisches Gesicht machen; **without** ~ ausdruckslos; **with great** ~ sehr ausdrucksvoll

Expres·sion·ism [ɪkˈspreʃˤnɪzˤm, ekˈ-] n no pl Expressionismus m

Expres·sion·ist [ɪkˈspreʃˤnɪst, ekˈ-] I. n Expressionist(in) m(f) II. adj expressionistisch

ex·pres·sion·less [ɪkˈspreʃˤnləs, ekˈ-] adj ausdruckslos

ex·pres·sive [ɪkˈspresɪv, ekˈ-] adj ausdrucksvoll; *voice* ausdrucksstark; ■ **to be ~ of sth** etw ausdrücken

ex·press·ly [ɪkˈspresli, ek'-] *adv* ❶ (*explicitly*) ausdrücklich ❷ (*particularly*) extra

ex-ˈpress·way *n* Am, Aus Schnellstraße *f*

ex-ˈprisoner *n* ehemaliger Häftling

ex·pro·pri·ate [ɪkˈsprəʊprɪeɪt, ek'-] *vt* ❶ (*dispossess*) enteignen ❷ (*appropriate*) sich *dat* [widerrechtlich] aneignen; *funds* veruntreuen

ex·pro·pria·tion [ɪkˌsprəʊprɪˈeɪʃᵊn, ek'-] *n* ❶ (*dispossessing*) Enteignung *f* ❷ (*appropriation*) [widerrechtliche] Aneignung; *of funds* Veruntreuung *f*

ex·pul·sion [ɪkˈspʌlʃᵊn, ek'-] *n no pl from a club* Ausschluss *m* (**from** aus); *from a country* Ausweisung *f* (**from** aus); *from home* Vertreibung *f* (**from** aus); *from school/university* Verweisung *f* (**from** von)

ex·quis·ite [ɪkˈskwɪzɪt, ek'-] *adj* erlesen, exquisit; **to have ~ taste** einen exquisiten Geschmack haben; **~ timing** ausgeprägtes Zeitgefühl

ex·quis·ite·ly [ɪkˈskwɪzɪtli, ek'-] *adv* ❶ (*beautifully*) vorzüglich; **~ crafted** kunstvoll angefertigt; **~ furnished** geschmackvoll eingerichtet ❷ (*intensely*) außerordentlich; **~ sensitive** äußerst empfindlich

ex-ˈser·vice·man *n* ehemaliger Militärangehöriger

ex·tant [ek'stænt] *adj* (*form*) [noch] vorhanden

ex·tem·po·ra·neous [ɪkˌstempəˈreɪnɪəs, ek'-] *adj* improvisiert; **an ~ speech** eine Rede aus dem Stegreif

ex·tem·po·re [ɪkˈstempᵊri, ek'-] *adj, adv* unvorbereitet, aus dem Stegreif

ex·tem·po·rize [ɪkˈstempᵊraɪz, ek'-] *vi* improvisieren

ex·tend [ɪkˈstend, ek'-] **I.** *vt* ❶ (*stretch out*) ausstrecken; *rope* spannen ❷ (*prolong*) *credit, visa* verlängern ❸ (*pull out*) verlängern; *ladder, table* ausziehen; *landing gear* ausfahren; *sofa* ausklappen ❹ (*expand*) erweitern; *influence, business* ausdehnen ❺ (*increase*) vergrößern ❻ (*build*) ausbauen ❼ (*offer*) erweisen; *credit* gewähren; **to ~ a welcome to sb** jdn willkommen heißen **II.** *vi* sich erstrecken; *over period of time* sich hinziehen; ■ **to ~ beyond sth** über etw *akk* hinausgehen; **to ~ for miles** sich meilenweit hinziehen; ■ **to ~ to sb/sth** für jdn/etw gelten

ex·tend·able [ɪkˈstendəbl̩, ek'-] *adj* ❶ (*prolongable*) *contract, deadline* verlängerbar ❷ (*telescopic*) ausziehbar; **~ ladder** Aus-

ziehleiter *f*

ex·tend·ed [ɪkˈstendɪd, ek'-] *adj* verlängert; *news bulletin* umfassend

ex·ten·sion [ɪkˈsten(t)ʃᵊn, ek'-] **I.** *n* ❶ *no pl* (*stretching out*) *of extremities* Ausstrecken *nt; of muscles* Dehnung *f* ❷ (*lengthening*) Verlängerung *f;* **~ table** Ausziehtisch *m* ❸ *no pl* (*expansion*) Erweiterung *f,* Vergrößerung *f; of influence, power* Ausdehnung *f;* **the ~ of police powers** die Verstärkung von Polizeikräften; **by ~** im weiteren Sinne ❹ (*prolongation*) *of credit, time, visa* Verlängerung *f* ❺ (*added piece*) Anbau *m; of a building* Erweiterungsbau *m* (**to** an); **we're building an ~ to our house** wir bauen gerade an ❻ (*phone line*) Nebenanschluss *m;* (*number*) [Haus]apparat *m* ❼ *no pl* (*offering*) Bekundung *f* **II.** *adj* Am, Aus univ Fern-

ex-ˈten·sion cord *n* Am, Aus Verlängerungskabel *nt* **ex-ˈten·sion lad·der** *n* Ausziehleiter *f* **ex-ˈten·sion lead** *n* Brit Verlängerungskabel *nt*

ex·ten·sive [ɪkˈsten(t)sɪv, ek'-] *adj* ❶ (*large*) ausgedehnt; *grounds* weitläufig ❷ (*far-reaching*) weitreichend ❸ (*large-scale*) *bombing* schwer; *damage* beträchtlich; *knowledge* breit; *repairs* umfangreich; **the royal wedding received ~ coverage in the newspapers** über die königliche Hochzeit wurde in den Zeitungen ausführlich berichtet; **to make ~ use of sth** von etw *dat* ausgiebig[en] Gebrauch machen ❹ agr extensiv

ex·ten·sive·ly [ɪkˈsten(t)sɪvli, ek'-] *adv* ❶ (*for the most part*) weitgehend ❷ (*considerably*) beträchtlich; **~ damaged** erheblich beschädigt ❸ (*thoroughly*) gründlich; (*in detail*) ausführlich; **to use sth ~** von etw *dat* ausgiebig Gebrauch machen

ex·tent [ɪkˈstent, ek'-] *n* ❶ *no pl* (*size*) Größe *f,* Ausdehnung *f;* (*length*) Länge *f* ❷ *no pl* (*range*) Umfang *m* ❸ *no pl* (*amount*) Ausmaß *nt; of a sum* Höhe *f* ❹ (*degree*) Grad *m kein pl,* Maß *nt kein pl;* **to a certain ~** in gewissem Maße; **to a great** [*or* **large**] **~** in hohem Maße, weitgehend; **to the same ~ as ...** in gleichem Maße wie ...; **to some ~** bis zu einem gewissen Grad; **to go to the ~ of doing sth** so weit gehen, etw zu tun; **to such an ~** dermaßen; **to that ~** in diesem Punkt, insofern; **to what ~** in welchem Maße, inwieweit

ex·tenu·at·ing [ɪkˈstenjueɪtɪŋ, ek'-] *adj* (*form*) mildernd

ex·te·ri·or [ɪkˈstɪərɪəʳ, ek'-] **I.** *n* ❶ (*outside surface*) Außenseite *f; of a building* Außenfront *f* ❷ (*outward appearance*)

Äußere(s) nt ❸ FILM Außenaufnahme f
II. adj Außen-

ex·ter·mi·nate [ɪkˈstɜːmɪneɪt, ek'-] vt ausrotten, vernichten; *vermin, weeds* vertilgen

ex·ter·mi·na·tion [ɪkˌstɜːmɪˈneɪʃᵊn, ek'-] n no pl Ausrottung f, Vernichtung f; *of vermin, weeds* Vertilgung f

ex·ter·nal [ɪkˈstɜːnᵊl, ek'-] adj ❶ (*exterior*) äußerlich; *angle, pressure, world* Außen-; ~ **appearance** Aussehen nt ❷ (*from the outside*) äußere(r, s) ❸ (*on body surface*) äußerlich; **for ~ use only** nur zur äußerlichen Anwendung ❹ (*foreign*) auswärtig; ~ **affairs** Außenpolitik f ❺ UNIV extern ❻ ECON außerbetrieblich

ex·ter·nal·ize [ɪkˈstɜːnᵊlaɪz, ek'-] vt nach außen verlagern

ex·tinct [ɪkˈstɪŋkt, ek'-] adj ❶ (*died out*) ausgestorben; *custom, empire, people* untergegangen; *language* tot; **to become ~** aussterben ❷ (*no longer active*) erloschen; **to become ~** erlöschen

ex·tinc·tion [ɪkˈstɪŋkʃᵊn, ek'-] n no pl ❶ (*dying out*) Aussterben nt; *of a custom, an empire, a people* Untergang m; (*deliberate act*) Ausrottung f; **to be in danger of** [*or threatened with*] ~ vom Aussterben bedroht sein ❷ (*becoming inactive*) Erlöschen nt

ex·tin·guish [ɪkˈstɪŋgwɪʃ, ek'-] vt [aus]löschen; *candle, light also* ausmachen

ex·tin·guish·er [ɪkˈstɪŋgwɪʃəʳ, ek'-] n Feuerlöscher m

ex·tol <-ll-> [ɪkˈstəʊl, ek'-] vt (*form*) rühmen; **to ~ the virtues of sth** die Vorzüge einer S. gen preisen

ex·tort [ɪkˈstɔːt, ek'-] vt erzwingen; *money* erpressen

ex·tor·tion [ɪkˈstɔːʃᵊn, ek'-] n no pl Erzwingung f; *of money* Erpressung f; **that's sheer ~!** das ist ja Wucher!

ex·tor·tion·ate [ɪkˈstɔːʃᵊnət, ek'-] adj (*pej*) ❶ (*exorbitant*) übermäßig; **that's ~!** das ist ja Wucher!; ~ **prices** Wucherpreise pl ❷ (*using force*) erpresserisch

ex·tra [ˈekstrə] I. adj zusätzlich; **we have an ~ bed** wir haben noch ein Bett frei; **some ~ money/time** etwas mehr Geld/Zeit; **to take ~ care** besonders vorsichtig sein; ~ **charge** Aufschlag m; **to make an ~ effort** sich besonders anstrengen; **to work ~ hours** Überstunden machen; **packing is ~** die Verpackung geht extra II. adv ❶ (*more*) mehr; **to charge/pay ~** einen Aufpreis verlangen/bezahlen; **to cost ~** gesondert berechnet werden; **postage and packing ~** zuzüglich Porto und

Versand ❷ (*especially*) besonders; **I'll try ~ hard** ich werde mich ganz besonders anstrengen III. n ❶ ECON (*perk*) Zusatzleistung f; AUTO Extra nt ❷ (*charge*) Aufschlag m ❸ (*actor*) Statist(in) m(f)

ex·tract I. vt [ɪkˈstrækt, ek'-] ❶ (*remove*) [heraus]ziehen (**from** aus); *bullet* entfernen; *tooth* ziehen ❷ (*obtain*) gewinnen (**from** aus); *oil* fördern; **to ~ a confession from sb** jdm ein Geständnis abringen; **to ~ information from sb** Informationen aus jdm herausquetschen ❸ (*select*) **to ~ sth from a text** etw aus einem Text [heraus]ziehen ❹ MATH *root* ziehen (**from** aus) II. n [ˈekstrækt] ❶ (*excerpt*) Auszug m (**from** aus) ❷ no pl (*concentrate*) Extrakt m

ex·trac·tion [ɪkˈstrækʃᵊn, ek'-] n ❶ no pl (*removal*) Herausziehen nt; *of bullet* Entfernen nt ❷ (*obtainment*) Gewinnung f; *of oil* Förderung f; *of confession* Abringen nt ❸ (*tooth removal*) Ziehen nt ❹ no pl (*family origin*) Herkunft f

extra·cur·ricu·lar [ˌekstrəkəˈrɪkjələʳ] adj ❶ SCH, UNIV außerhalb des Stundenplans nach n ❷ (*fig*) außerplanmäßig

extra·dite [ˈekstrədaɪt] vt ausliefern (**from** von, **to** an)

extra·di·tion [ˌekstrəˈdɪʃᵊn] n no pl Auslieferung f

extra·mari·tal [ˌekstrəˈmærɪtᵊl] adj außerehelich

extra·mu·ral [ˌekstrəˈmjʊərᵊl] adj außerhalb der Universität nach n; ~ **courses** Fern[studien]kurse pl

extra·neous [ɪkˈstreɪniəs] adj ❶ (*external*) von außen nach n; ~ **substance** Fremdstoff m ❷ (*form: unrelated*) sachfremd

extraor·di·nari·ly [ɪkˈstrɔːdᵊnᵊrᵊli] adv (*remarkably*) außerordentlich; (*unusually*) ungewöhnlich; (*positive*) ungemein

extraor·di·nary [ɪkˈstrɔːdᵊnᵊri] adj außerordentlich, außergewöhnlich; *achievement* herausragend; *coincidence* merkwürdig; *success* erstaunlich

ex·tra ˈpay n no pl Zulage f

ex·trapo·late [ɪkˈstræpəleɪt] vt extrapolieren

extra·sen·so·ry [ˌekstrəˈsen(t)sᵊri] adj übersinnlich

extra·ter·res·trial [ˌekstrətəˈrestriəl] I. adj außerirdisch II. n außerirdisches [Lebe]wesen

ex·tra ˈtime n no pl BRIT, AUS SPORTS [Spiel]verlängerung f; **they had to play ~** sie mussten nachspielen

ex·trava·gance [ɪkˈstrævəgən(t)s] n ❶ no

pl (*unrestrained excess*) Verschwendungs-
sucht *f* ❷ *no pl* (*excessive expenditure*)
Verschwendung *f* ❸ (*unnecessary treat*)
Luxus *m kein pl*

ex·trava·gant [ɪk'strævəgənt] *adj* ❶ (*flamboyant*) extravagant ❷ (*luxurious*) üppig;
lifestyle aufwendig; **to have ~ tastes** einen
teuren Geschmack haben ❸ (*wasteful*) verschwenderisch ❹ (*exaggerated*) übertrieben

ex·trava·gant·ly [ɪk'strævəgəntli] *adv*
❶ (*luxuriously*) verschwenderisch; (*flamboyantly*) extravagant; **to live ~** ein auf-
wändiges Leben führen ❷ (*wastefully*) verschwenderisch; **he spends his money ~**
er gibt sein Geld mit vollen Händen aus

ex·trava·gan·za [ɪkˌstrævə'gænzə] *n* opu-
lente Veranstaltung; **musical ~** aufwendige
Musicalproduktion

ex·treme [ɪk'striːm] **I.** *adj* ❶ (*utmost*)
äußerste(r, s); *cold, difficulties, weather* extrem; *relief* außerordentlich; **in the ~
north** im äußersten Norden ❷ (*radical*) radikal, extrem **II.** *n* Extrem *nt;* **to go from
one ~ to the other** von einem Extrem ins
andere fallen; **to drive sb to ~s** jdn zum
Äußersten treiben; **in the ~** äußerst

ex·treme·ly [ɪk'striːmli] *adv* äußerst;
~ unpleasant höchst unangenehm; **I'm ~
sorry** es tut mir außerordentlich leid

ex·trem·ism [ɪk'striːmɪzᵊm] *n no pl* Extre-
mismus *m*

ex·trem·ist [ɪk'striːmɪst] **I.** *n* Extremist(in)
m(f) **II.** *adj* radikal

ex·trem·ity [ɪk'streməti] *n* ❶ (*furthest
end*) äußerstes Ende ❷ (*fingers and toes*)
■**extremities** *pl* Extremitäten *pl*

ex·tri·cate ['ekstrɪkeɪt] *vt* (*form*) befreien
(**from** aus)

extro·vert ['ekstrəvɜːt] **I.** *n* extrovertierter
Mensch; **to be an ~** extrovertiert sein
II. *adj* extrovertiert

ex·trude [ɪk'struːd] *vt* herauspressen

exu·ber·ance [ɪg'zjuːbᵊrᵊn(t)s] *n no pl of
a person* Überschwänglichkeit *f; of feelings*
Überschwang *m*

exu·ber·ant [ɪg'zjuːbᵊrᵊnt] *adj person*
überschwänglich, ausgelassen; *dancing*
schwungvoll; *mood* überschäumend

ex·ude [ɪg'zjuːd] *vt* ausscheiden; *aroma*
verströmen; *pus, resin* absondern; (*fig*)
confidence ausstrahlen

ex·ult [ɪg'zʌlt] *vi* (*often pej*) frohlocken
(**in/over** über)

ex·ult·ant [ɪg'zʌltᵊnt] *adj* jubelnd; *laugh*
triumphierend

ex·ul·ta·tion [ˌɪgˌzʌl'teɪʃᵊn] *n no pl* Jubel *m*
(**at** über)

ex·urb ['eksɜːb] *n* AM Trabantensiedlung *f*
(*neuentstandene Stadt über die Vororte
hinaus*)

eye [aɪ] **I.** *n* ❶ ANAT Auge *nt;* **to give sb a
black ~** jdm ein blaues Auge verpassen; **as
far as the ~ can see** so weit das Auge
reicht; **to have ~s in the back of one's
head** fig überall hinsehen können ▸ **to roll one's ~s** einen
teuren Geschmack rollen; **to rub one's ~s** [**in amazement/dis-
belief**] sich *dat* [erstaunt/ungläubig] die
Augen reiben ❷ (*needle hole*) Öhr *nt;* **~ of
a needle** Nadelöhr *nt* ❸ (*eyelet*) Öse *f*
❹ BOT, METEO Auge *nt* ▸ **his ~s were too
big for his stomach** (*hum*) seine Augen
waren größer als sein Magen; **to cry one's
~s out** sich *dat* die Augen ausheulen; **to
get/have one's ~ in** BRIT Ballgefühl be-
kommen/haben; **to have one's ~ on sb/
sth** jdn/etw im Auge behalten, ein [wach-
sames] Auge auf jdn/etw haben; **to have a
good ~ for sth** ein Auge für etw *akk* haben; **she has ~s in the back of her head**
sie hat ihre Augen überall; **to keep an** [*or
one's*] **~ on sb/sth** ein [wachsames] Auge
auf jdn/etw haben; **to keep an ~ out for
sb/sth** nach jdm/etw Ausschau halten; **to
keep one's ~s open** [*or* **peeled**] die
Augen offen halten; **to make ~s at sb** jdm
[schöne] Augen machen; **there's more to
her/it than meets the ~** in ihr/dahinter
steckt mehr, als es zunächst den Anschein
hat; **to be one in the ~ for sb** BRIT ein
Schlag ins Kontor für jdn sein; **to open
sb's ~s** [**to sth**] jdm die Augen [für etw
akk] öffnen; **to see ~ to ~ with sb on sth**
mit jdm einer Meinung über etw *akk* sein;
with one's ~s shut mit geschlossenen
Augen; **to go around with one's ~s shut**
blind durch die Gegend laufen; **to not
take one's ~s off sb/sth** (*admire*) kein
Auge von jdm/etw abwenden; (*guard*)
jdn/etw keine Minute aus den Augen lassen; **to sb's ~s** in jds Augen; **an ~ for an
~, a tooth for a tooth** (*prov*) Auge um
Auge, Zahn um Zahn; **to turn a blind ~**
[**to sth**] [bei etw *dat*] beide Augen zudrücken; [**right**] **before** [*or* **under**] **sb's very
~s** [direkt] vor [*o* unter] jds Augen; **to be
up to one's ~s in work** bis über beide
Ohren in Arbeit stecken **II.** *adj* Augen-;
~ specialist Augenarzt, -ärztin *m, f* **III.** *vt*
<-d, -d, -ing *or* eying> beäugen ◆**eye
up** *vt* ❶ (*carefully*) beäugen ❷ (*with
desire*) mit begehrlichen Blicken betrachten

'eye·ball I. *n* Augapfel *m* ▸ **to be drugged
to the ~s** völlig zu sein; [**to be**] **~ to ~**
[**with sb**] [jdm] Auge in Auge [gegenüber-
stehen]; **to be up to one's ~s in work** bis

über beide Ohren in Arbeit stecken **II.** *vt* (*fam*) ❶ (*watch intently*) mit einem durchdringenden Blick ansehen ❷ Am (*measure approximately*) nach Augenmaß einschätzen '**eye·brow** *n* Augenbraue *f* '**eye·brow pen·cil** *n* Augenbrauenstift *m* '**eye-catch·ing** *adj* auffallend '**eye con·tact** *n no pl* **to make ~** [**with sb**] Blickkontakt [mit jdm] aufnehmen '**eye·drops** *n pl* Augentropfen *pl*

'**eye·ful** *n* **to get an ~ of dust** Staub ins Auge bekommen ▸ **to be an ~** etw fürs Auge sein; **to get an ~ of sth** einen Blick auf etw *akk* werfen

'**eye·lash** *n* Wimper *f*
eye·let ['aɪlət] *n* Öse *f*
'**eye·lid** *n* Augenlid *nt* '**eye·lin·er** *n no pl* Eyeliner *m* '**eye-open·er** *n* (*fig*) ▪ **to be an ~ for sb** (*enlightening*) jdm die Augen öffnen; (*startling*) alarmierend für jdn sein

'**eye·piece** *n* Okular *nt* '**eye-pop·ping** *adj* (*fig*) spektakulär '**eye shad·ow** *n no pl* Lidschatten *m* '**eye·sight** *n no pl* Sehvermögen *nt,* Sehkraft *f;* **bad/good ~** schlechte/gute Augen; **failing ~** nachlassende Sehkraft; **to have poor ~** schlecht sehen '**eye·sore** *n* (*fig*) Schandfleck *m* '**eye·strain** *n no pl* Überanstrengung *f* der Augen '**eye tooth** *n* (*tooth*) Augenzahn *m;* (*fig*) **I'd give my eye teeth for that** ich würde alles darum geben ▸ **to cut one's eye teeth** Am erwachsen werden '**eye·wash** *n* ❶ *no pl* PHARM Augenwasser *nt* ❷ *no pl* (*fam: silly nonsense*) Blödsinn *m* '**eye·wear** *n no pl* Brillen [und Kontaktlinsen] *pl* **eye·'wit·ness** *n* Augenzeuge(in) *m(f)*

ey·rie ['ɪəri] *n* ORN Horst *m*
e-zine ['iːziːn] *n* E-Zine *nt,* Internet-Magazin *nt*

F f

F <pl -'s or -s>, **f** <pl -'s> [ef] n ❶ (letter)
F nt, f nt; see also **A 1** ❷ MUS F nt, f nt;
~ **flat** Fes nt, fes nt; ~ **sharp** Fis nt, fis nt
❸ (school mark) ≈ Sechs f, ≈ ungenügend
FA [ˌefeɪ] n no pl abbrev of **Football Association** ≈ DFB m
fa·ble ['feɪbl] n Fabel f
fa·bled ['feɪbld] adj legendär
fab·ric ['fæbrɪk] n ❶ no pl (textile) Stoff m
❷ of building Bausubstanz f ❸ (fig) **the ~
of society** die Gesellschaftsstruktur
fab·ri·cate ['fæbrɪkeɪt] vt ❶ (make) herstellen ❷ (pej: make up) erfinden
❸ (forge) fälschen
fabu·lous ['fæbjələs] adj ❶ (terrific) fabelhaft, sagenhaft, toll fam ❷ (mythical) Fa-
bel-
fabu·lous·ly ['fæbjələsli] adv fabelhaft, sagenhaft, toll fam; ~ **rich** unvorstellbar
reich; ~ **wealthy** unglaublich wohlhabend
fa·çade [fəˈsɑːd] n Fassade f a. fig
face [feɪs] **I.** n ❶ (also fig) Gesicht nt;
I don't want to see your ~ here again!
(fam) ich will dich hier nie wiedersehen!;
**to have a puzzled expression on
one's ~** ein ratloses Gesicht machen; **to
have a smile on one's ~** lächeln; **with a
~ like thunder** mit finsterer Miene; **with
a happy/smiling ~** mit strahlender Miene; ~ **down/up** mit dem Gesicht nach un-
ten/oben; **to do one's ~** (fam) sich
schminken; **to look sb in the ~** jdm in die
Augen schauen; **to make [or pull] ~s** Grimassen schneiden; **to shut the door in
sb's ~** jdm die Tür vor der Nase zuschlagen; **to tell sth to sb's ~** jdm etw ins Gesicht sagen; ~ **to ~** von Angesicht zu Angesicht ❷ of a building Fassade f; of a cliff,
mountain Wand f; of a clock, watch Zifferblatt nt; **place the cards ~ down/up on
the table** legen Sie die Karten mit der Bild-
seite nach unten/oben auf den Tisch;
north ~ of a building Nordseite f; of a
mountain Nordwand f ❸ no pl (reputation) **to lose/save ~** das Gesicht verlie-
ren/wahren ❹ no pl ■ **in the ~ of sth** (in
view of) angesichts einer S. gen; (despite)
trotz einer S. gen ❺ no pl (fam: cheek) Unverfrorenheit f ❻ MIN Abbaustoß m ▸ **to
disappear [or be wiped] off the ~ of the
earth** wie vom Erdboden verschluckt sein;
sb's ~ drops [or falls] jd ist sichtlich enttäuscht; **to be in sb's ~** AM (sl: impede)
jdm in die Quere kommen; (bother) jdm

auf den Geist gehen; **on the ~ of it** auf den
ersten Blick; **to put on a brave ~** gute
Miene zum bösen Spiel machen; **to show
one's ~** sich blicken lassen; **to struggle to
keep a straight ~** sich dat nur mit Mühe das Lachen verkneifen können **II.** vt
❶ (look towards) person ■ **to ~ sb/sth**
sich jdm/etw zuwenden; ■ **to ~** [or **sit/
stand facing**] sb jdm gegenübersitzen/
-stehen; ■ **to ~** [or **sit/stand facing**] sth
mit dem Gesicht zu etw dat sitzen/stehen;
to sit facing the engine [or **the front**] in
Fahrtrichtung sitzen ❷ ■ **to ~ sth** (point
towards) object zu etw dat [hin] zeigen;
room, window auf etw akk [hinaus]gehen;
(be situated opposite) gegenüber etw dat
liegen ❸ (be confronted with) ■ **to ~ sth**
sich etw dat gegenübersehen; **to ~ a
charge of theft** sich wegen Diebstahls vor
Gericht verantworten müssen; **to ~ criticism** Kritik ausgesetzt sein; **to ~ a difficult
situation** mit einer schwierigen Situation
konfrontiert sein; ■ **to be ~d by sth** vor
etw dat stehen; ■ **to be ~d with sth** mit
etw dat konfrontiert werden; **they are ~d
with financial penalties** sie müssen mit
Geldstrafen rechnen ❹ (deal with) criticism, fears sich stellen +dat; **let's ~ it** machen wir uns doch nichts vor ❺ (bear) ertragen; **he can't ~ work today** er ist heute
nicht imstande zu arbeiten; **I can't ~ telling him the truth** ich bringe es einfach
nicht über mich, ihm die Wahrheit zu sagen ▸ **to ~ the music** für die Folgen gera-
destehen **III.** vi ❶ (point) ■ **to ~ back-
wards/downwards/east/forwards**
nach hinten/unten/Osten/vorne zeigen;
a seat facing forwards TRANSP ein Sitz in
Fahrtrichtung ❷ (look onto) ■ **to ~ south/
west** room, window nach Süden/Westen
[hinaus]gehen; house, garden nach Süden/
Westen liegen ❸ (look) person blicken;
~ **right!** MIL Abteilung rechts[um]!; **to sit/
stand facing away from sb/sth** mit dem
Rücken zu jdm/etw sitzen/stehen; **facing
forwards/left** mit dem Gesicht nach
vorne/links; **to ~** [or **sit facing**] **back-
wards/forwards** TRANSP entgegen der/in
Fahrtrichtung sitzen ◆ **face about** vi MIL
kehrtmachen ◆ **face down I.** vt ■ **to ~
down** ↻ sb/sth jdm/etw [energisch] entgegentreten **II.** vi nach unten zeigen
◆ **face out I.** vt ■ **to ~ out** ↻ sth etw
durchstehen **II.** vi nach außen zeigen

◆**face up I.** *vi* ▪to ~ **up to sth** etw *dat* ins Auge sehen; **to ~ up to one's problems** sich seinen Problemen stellen; ▪**to not ~ up to sth** etw nicht wahrhaben wollen **II.** *vi* nach oben zeigen

'**face·cloth** *n* Waschlappen *m* '**face cream** *n no pl* Gesichtscreme *f* '**face-lift** *n* [Face]lifting *nt*; (*fig*) Renovierung *f*; **to have a ~** sich liften lassen '**face map·ping** *n no pl* Face-Mapping *nt* (*automatische Gesichtserkennung*) '**face pack** *n* Gesichtsmaske *f* '**face pow·der** *n no pl* Gesichtspuder *m*

fac·et ['fæsɪt] *n* Facette *f a. fig*

fa·ce·tious [fə'siːʃəs] *adj* (*usu pej*) [gewollt] witzig

face-to-'face *adv* persönlich; **to come ~ with sth** direkt mit etw *dat* konfrontiert werden **face 'value** *n* Nennwert *m*; **to take sth at ~** etw für bare Münze nehmen

fa·cial ['feɪʃ°l] **I.** *adj* Gesichts- **II.** *n* [kosmetische] Gesichtsbehandlung

fac·ile <-r, -st *or* more ~, most ~> ['fæsaɪl] *adj* ❶ *person* oberflächlich ❷ (*pej: superficially easy*) [allzu] einfach

fa·cili·tate [fə'sɪlɪteɪt] *vt* erleichtern

fa·cili·ta·tor [fə'sɪlɪteɪtəʳ] *n* Vermittler(in) *m(f)*

fa·cil·ity [fə'sɪlɪti] *n* ❶ *no pl* (*ease*) Leichtigkeit *f* ❷ (*natural ability*) Begabung *f* (**for** für); **~ for languages** Sprachbegabung *f* ❸ (*extra feature*) **memory ~** TELEC Speicherfunktion *f*; **overdraft ~** Überziehungsmöglichkeit *f* ❹ *esp* AM (*building and equipment*) Einrichtung *f*, Anlage *f*; **toilet facilities** Toiletten *pl*

fac·simi·le [fæksɪm°li] *n* Faksimile *nt*

fac·'simi·le ma·chine *n* Faxgerät *nt*

fact [fækt] *n* ❶ *no pl* (*truth*) Wirklichkeit *f* ❷ (*single truth*) Tatsache *f*; **the ~** [**of the matter**] **is that ...** Tatsache ist, dass ... ▶~**s and figures** Fakten und Zahlen *pl*; **to be a ~ of** <u>life</u> die harte Wahrheit sein; **to tell a child the ~s of** <u>life</u> ein Kind sexuell aufklären; <u>in</u> ~ [*or* **as a** <u>matter</u> **of** ~] [*or* **in** <u>point</u> **of** ~] genau genommen

'**fact-find·ing** *adj* Untersuchungs-; **~ mission** Erkundungsmission *f*; **~ tour** Informationsreise *f*

fac·tion ['fækʃ°n] *n* POL ❶ (*dissenting group*) [Splitter]gruppe *f* ❷ (*party within parliament*) Fraktion *f*

fac·tor ['fæktəʳ] *n* Faktor *m*; **to be a contributing ~ in sth** zu etw *dat* beitragen; **two is a ~ of six** sechs ist durch zwei teilbar; **by a ~ of four** um das Vierfache; **a ~ 20 sunscreen** eine Sonnencreme mit Schutzfaktor 20

fac·to·ry ['fækt°ri] *n* Fabrik *f*; (*plant*) Werk *nt*

'**fac·to·ry-farmed** *adj* BRIT, AUS aus Massentierhaltung *nach n*; **~ eggs** Eier *pl* aus Legebatterien '**fac·tory farm·ing** *n no pl* BRIT, AUS [voll] automatisierte Viehhaltung

fac·tual ['fæktʃʊəl] *adj* sachlich; **~ account** Tatsachenbericht *m*; **~ error** Sachfehler *m*

fac·tual·ly ['fæktʃʊəli] *adv* sachlich; **~ correct** sachlich korrekt

fa·cul·ty ['fæk°lti] *n* ❶ (*university department*) **the F~ of Arts/Law/Science** die philosophische/juristische/naturwissenschaftliche Fakultät ❷ *no pl* AM SCH, UNIV Lehrkörper *m* ❸ (*natural ability*) Fähigkeit *f*; (*skill*) Talent *nt*; **to have** [**all**] **one's faculties** im [Voll]besitz seiner [geistigen] Kräfte sein

fad [fæd] *n* Modeerscheinung *f*; **brown rice was the food ~ of the 70s** Naturreis war das Modenahrungsmittel in den siebziger Jahren; **the latest ~** der letzte Schrei

fad·dy ['fædi] *adj* wählerisch

fade [feɪd] **I.** *vi* ❶ (*lose colour*) ausbleichen, verblassen ❷ (*lose intensity*) nachlassen; *light* schwächer werden; (*at end of day*) dunkel werden; *sound* verklingen; *smile* vergehen; *suntan* verbleichen ❸ (*disappear*) verschwinden, FILM, TV ausgeblendet werden; **day slowly ~d into night** der Tag ging langsam in die Nacht über; **to ~ from view** aus dem Blickfeld verschwinden ❹ (*fig*) schwinden; *memories* verblassen; **to ~ fast** dahinwelken ❺ (*fam: to lose vitality*) abschlaffen **II.** *vt* ausbleichen ◆**fade away** *vi* ❶ (*disappear gradually*) *courage, hope* schwinden; *memories* verblassen; *plans* zerrinnen; *beauty* verblühen ❷ (*liter: weaken and die*) dahinwelken ◆**fade in** FILM, TV **I.** *vi* eingeblendet werden **II.** *vt* einblenden ◆**fade out I.** *vi* ausgeblendet werden **II.** *vt* ausblenden

fad·ed ['feɪdɪd] *adj* *carpet, wallpaper* ausgeblichen; *colour* verblichen; *memory* verblasst; *beauty* verblüht

fae·ces ['fiːsiːz] *npl* (*form*) Fäkalien *pl*

fag [fæg] *n* ❶ BRIT, AUS (*fam: cigarette*) Kippe *f*, Glimmstängel *m* ❷ *esp* AM (*pej sl: homosexual*) Schwule(r) *m*

'**fag end** *n* ❶ BRIT, AUS (*fam: cigarette butt*) Kippe *f* ❷ (*fig*) letzter Rest

fag·got ['fægət] *n* ❶ *usu pl* BRIT (*meatball*) Leberknödel *m* ❷ *esp* AM (*pej sl*) Schwule(r) *m*

fag·ot *n* AM *see* **faggot**

fail [feɪl] **I.** *vi* ❶ (*not succeed*) *person* versagen; *attempt, plan* scheitern, fehlschlagen;

he ~ed to convince the jury es gelang ihm nicht, die Jury zu überzeugen; **if all else ~s** zur Not ❷ (*not do*) ■**to ~ to do sth** versäumen, etw zu tun; **they surely can't ~ to notice that ...** es kann ihnen nicht entgangen sein, dass ...; **to ~ in one's duty** [to sb] seiner Pflicht [jdm gegenüber] nicht nachkommen; **I ~ to see what/why/how ...** ich verstehe nicht, was/warum/wie ... ❸ SCH, UNIV durchfallen ❹ TECH *brakes* versagen; *generator* ausfallen ❺ (*become weaker*) nachlassen; *health* schwächer werden; *heart, voice* versagen; **my courage ~ed** der Mut verließ mich; **to be ~ing fast** im Sterben liegen ❻ (*go bankrupt*) bankrottgehen ❼ AGR *harvest* ausfallen II. *vt* ❶ (*not pass*) durchfallen bei +*dat; course, subject* nicht bestehen; ■**to ~ sb** jdn durchfallen lassen ❷ (*let down*) im Stich lassen; **my courage ~ed me** mich verließ der Mut; **words ~ me** mir fehlen die Worte III. *n* **is this one a pass or a ~?** hat dieser Kandidat bestanden oder ist er durchgefallen? ▸ **without ~** auf jeden Fall

failed [feɪld] *adj attr person, marriage* gescheitert; *writer also* erfolglos; *attempt* fehlgeschlagen

fail·ing ['feɪlɪŋ] I. *adj* ~ **eyesight** Sehschwäche *f;* **to be in ~ health** eine angeschlagene Gesundheit haben; **in the ~ light** in der Dämmerung II. *n* Schwäche *f* III. *prep* mangels +*gen;;* ■~ **that** ansonsten

'fail-safe *adj* abgesichert; ~ **mechanism** Sicherheitsmechanismus *m*

fail·ure ['feɪljər] *n* ❶ *no pl* (*lack of success*) Scheitern *nt,* Versagen *nt;* ~ **rate** Durchfallquote *f;* **to end in** ~ scheitern ❷ (*unsuccessful thing*) Misserfolg *m;* **an utter** ~ ein totaler Reinfall; *person* Versager(in) *m(f)* ❸ *no pl* (*omission*) Unterlassung *f* ❹ MED, TECH Versagen *nt kein pl; of an engine* Ausfall *m* ❺ ECON **bank/business** ~ Bank-/Firmenpleite *f* ❻ AGR **crop** ~ Missernte *f*

faint [feɪnt] I. *adj* ❶ (*slight*) *light, colour, smile, voice* matt; *sound, suspicion, hope* leise; *scent, pattern* zart; *smell, memory* schwach; *chance* gering; **there was a ~ taste of vanilla in the pudding** der Pudding schmeckte schwach nach Vanille; **to bear a ~ resemblance to sb** jdm ein wenig ähnlich sehen; **to not have the ~est [idea]** nicht die geringste Ahnung haben ❷ (*unclear*) *line* undeutlich ❸ (*physically weak*) schwach; **he was ~ with hunger** er fiel fast um vor Hunger II. *vi* ohnmächtig werden III. *n* **in a [dead]** ~ ohnmächtig

faint-'heart·ed *adj* zaghaft; **to not be for**

the ~ nichts für schwache Nerven sein

faint·ly ['feɪntli] *adv* ❶ (*weakly*) leicht, schwach ❷ (*not clearly*) schwach; **to be ~ visible** schwach zu sehen sein ❸ (*slightly*) leicht, etwas; **even ~ informative** auch nur annähernd informativ; **to ~ resemble sth** entfernt an etw *akk* erinnern

fair¹ [feər] I. *adj* ❶ (*reasonable*) fair; *wage* angemessen; (*legitimate*) berechtigt; **you're not being ~** das ist unfair; **to be ~,** **he didn't have much time** zugegeben, er hatte nicht viel Zeit; [that's] ~ **enough!** (*fam: approved*) na schön!; (*agreed*) dagegen ist nichts einzuwenden!; ~ **contest** fairer Wettbewerb; **it's only ~ that/to ...** es ist nur recht und billig, dass/zu ...; **it's ~ to say that ...** man kann [wohl] sagen, dass ...; ■**to be ~ with sb** sich jdm gegenüber fair verhalten; ■**to not be ~ on sb** jdm gegenüber nicht fair sein ❷ (*just, impartial*) gerecht, fair; **to get one's ~ share** seinen Anteil bekommen; ■**to be ~ to[wards] sb** jdm gegenüber gerecht sein ❸ (*large*) ziemlich; **we've had a ~ amount of rain** es hat ziemlich viel geregnet; **there's still a ~ bit of work to do** es gibt noch einiges zu tun; **a ~ number of people** ziemlich viele Leute ❹ (*good*) ziemlich gut; **she's got a ~ chance of winning** ihre Gewinnchancen stehen ziemlich gut; **to have a ~ idea of sth** sich *dat* etw [recht gut] vorstellen können; **to have a ~ idea that ...** sich *dat* ziemlich sicher sein, dass ... ❺ (*average*) mittelmäßig; ~ **to middling** so lala ❻ (*pale*) *skin* hell; *person* hellhäutig; **to have ~ hair** blond sein ❼ (*favourable*) *weather* schön; *wind* günstig ❽ (*beautiful*) schön II. *adv* fair ▸ ~ **old ...** ganz schön; ~ **and square** (*clearly*) [ganz] klar; BRIT, AUS (*accurately*) voll

fair² [feər] *n* ❶ (*funfair*) Jahrmarkt *m,* Rummel[platz] *m bes* NORDD ❷ (*trade, industry*) Messe *f;* (*agriculture*) [Vieh]markt *m;* **craft** ~ Kunsthandwerkmarkt *m;* **the Frankfurt Book F~** die Frankfurter Buchmesse

fair 'copy *n* Reinschrift *f* **fair 'game** *n no pl* (*fig*) Freiwild *nt*

'fair·ground *n* Rummelplatz *m*

fair-'haired <fairer-, fairest- *or* more ~, most ~> *adj* blond

fair·ly ['feəli] *adv* ❶ (*quite*) ziemlich; ~ **recently** vor kurzem ❷ (*justly*) fair, gerecht ❸ (*liter: actually*) geradezu; **the dog ~ flew out of the door** der Hund flog nahezu durch die Tür ▸ ~ **and squarely** einzig und allein

fair-'mind·ed <fairer-, fairest- *or* more ~,

most ~> *adj* unvoreingenommen

fair·ness ['feənəs] *n no pl* ❶ (*justice*) Fairness *f*, Gerechtigkeit *f;* **sense of ~** Gerechtigkeitsempfinden *nt;* **in** [**all**] **~** fairerweise ❷ *of hair, skin* Helligkeit *f*

fair 'play *n no pl* Fairplay *nt*

'fair-skinned <fairer-, fairest- *or* more ~, most ~> *adj* hellhäutig

fairy ['feəri] *n* ❶ (*creature*) Fee *f* ❷ (*pej! sl: homosexual*) Tunte *f*

'fairy lights *npl* BRIT, AUS [bunte] Lichterkette u.a. für den Weihnachtsbaum **'fairy sto·ry** *n*, **'fairy tale** *n* Märchen *nt a. fig* **'fairy-tale** *adj* Märchen-

faith [feɪθ] *n* ❶ *no pl* (*trust*) Vertrauen *nt* (**in** zu); **to put one's ~ in sb/sth** auf jdn/ etw vertrauen ❷ REL Glaube *m* (**in** an) ❸ *no pl* (*promise*) **to keep ~ with sb/sth** jdm/etw gegenüber Wort halten; (*continue to support*) jdn/etw weiterhin unterstützen ❹ (*sincerity*) **to act in good/bad ~** in gutem/bösem Glauben handeln

faith·ful ['feɪθfəl] I. *adj* ❶ (*loyal*) treu ❷ REL gläubig ❸ (*accurate*) originalgetreu; *account* detailliert; ■**to be ~ to sth** einer S. *dat* gerecht werden II. *n* ■**the ~** *pl* die Gläubigen *pl;* **the party ~** die Parteifreunde *pl*

faith·ful·ly ['feɪθfəli] *adv* ❶ (*loyally*) treu; **to promise ~** hoch und heilig versprechen; **to serve sb ~** jdm treue Dienste leisten; **Yours f~** BRIT, AUS mit freundlichen Grüßen ❷ (*exactly*) genau; *reproduce* originalgetreu

'faith heal·er *n* Gesundbeter(in) *m(f)*

fake [feɪk] I. *n* ❶ (*counterfeit object*) Fälschung *f;* (*of a gun*) Attrappe *f* ❷ (*impostor*) Hochstapler(in) *m(f)* II. *adj* Kunst-; *antique* falsch; *jewel* imitiert; *passport* gefälscht; **~ blood** blutrote Flüssigkeit; **~ tan** Solariumsbräune *f* III. *vt* ❶ (*make a copy*) fälschen ❷ (*pretend*) vortäuschen; *illness* simulieren IV. *vi* (*pretend*) markieren, so tun als ob

fak·er ['feɪkə^r] *n* Vortäuscher(in) *m(f)*

fal·con ['fɔːlkən] *n* Falke *m*

fall [fɔːl] I. *n* ❶ (*tumble, drop*) Fall *m;* (*harder*) Sturz *m;* **she broke her leg in the ~** sie brach sich bei dem Sturz das Bein; **to have** [*or* **take**] **a nasty ~** schwer stürzen ❷ *no pl* (*descent*) Fallen *nt;* **the rise and ~ of the tide** Ebbe und Flut ❸ METEO, GEOG [heavy] **~s of rain/snow** [heftige] Regen-/Schneefälle; **~ of rock** Steinschlag *m* ❹ SPORTS (*in wrestling*) Schultersieg *m* ❺ *no pl* (*decrease*) Rückgang *m* (**in** +*gen*); *in support* Nachlassen *nt* (**in** +*gen*); *in a level also* Sinken *nt*

(**in** +*gen*); **~ in temperature** Temperaturrückgang *m;* **sudden ~ in price** Preissturz *m;* **~ in pressure** Druckabfall *m;* **~ in value** Wertverlust *m* ❻ *no pl* (*defeat*) *of a city* Einnahme *f;* *of a dictator, regime* Sturz *m;* **the ~ of the Roman Empire** der Untergang des Römischen Reiches; **~ from power** Entmachtung *f* ❼ (*autumn*) Herbst *m* ❽ (*waterfall*) ■**~s** *pl* Wasserfall *m;* [the] **Niagara F~s** die Niagarafälle *pl* ▶ **to take a** [*or* **the**] **~ for sb/sth** für jdn/etw die Schuld auf sich *akk* nehmen II. *adj* AM Herbst- III. *vi* <fell, fallen> ❶ (*drop, tumble*) fallen; (*harder*) stürzen; *person* hinfallen; (*harder*) stürzen; *tree, post, pillar* umfallen; (*harder*) umstürzen; **to ~ into sb's/each other's arms** jdm/ sich in die Arme fallen; **to ~ under a bus** unter einen Bus geraten; **to ~ to one's death** in den Tod stürzen; **to ~ flat on one's face** auf die Nase fallen; **to ~ on the floor** [*or* **to the ground**] auf den Boden fallen; **to ~ to one's knees** auf die Knie fallen; **to ~ down dead** tot umfallen ❷ (*hang*) fallen; **his hair fell around his shoulders** sein Haar fiel ihm auf die Schulter; **her hair fell to her waist** ihr Haar reichte ihr bis zur Taille ❸ (*descend*) fallen; *darkness* hereinbrechen; *silence* eintreten ❹ (*slope*) [steil] abfallen ❺ (*decrease*) sinken, fallen; **church attendance has ~en dramatically** die Anzahl der Kirchenbesucher ist drastisch zurückgegangen ❻ (*be defeated*) gestürzt werden; *empire* untergehen; *city, town* fallen; ■**to ~ to sb** jdm in die Hände fallen ❼ (*be*) **Easter ~s early this year** Ostern ist dieses Jahr früh; **this year, my birthday ~s on a Monday** dieses Jahr fällt mein Geburtstag auf einen Montag; **the accent ~s on the second syllable** der Akzent liegt auf der zweiten Silbe ❽ (*become*) **to ~ asleep** einschlafen; **to ~ due** fällig sein; **to ~ ill** krank werden; **to ~ open** aufklappen; **to ~ silent** verstummen; **to ~ vacant** frei werden ❾ (*enter a particular state*) **to ~ into debt** sich verschulden; **to ~ into disuse** nicht mehr benutzt werden; **to ~ out of favour** [**with sb**] [bei jdm] nicht mehr gefragt sein; **to ~ into the habit of doing sth** sich *dat* angewöhnen, etw zu tun; **to ~ under the influence of sb/sth** unter den Einfluss einer Person/einer S. *gen* geraten; **to ~ in love** [**with sb/sth**] sich [in jdn/ etw] verlieben; **to have ~en under the spell of sb/sth** von jdm/etw verzaubert sein ♦ **fall about** *vi* BRIT, AUS (*fam*) ■**to ~ about** [**laughing**] sich vor Lachen schütteln ◆**fall apart** *vi* ❶ (*disintegrate*) auseinanderfallen; *clothing* sich auflösen ❷ (*fig: fail*) auseinanderfallen; *system* zusammenbrechen; *organization* sich auflösen; *marriage* auseinandergehen ❸ (*fig: not cope*) *person* zusammenbrechen ◆**fall away** *vi* ❶ (*detach*) abfallen ❷ (*slope*) abfallen ❸ (*decrease*) sinken, zurückgehen ◆**fall back** *vi* ❶ (*move back*) zurückweichen; MIL sich zurückziehen; SPORTS *leader* zurückfallen ❷ (*resort to*) ■**to** ~ **back [up]on sb** auf jdn zurückkommen; ■**to** ~ **back [up]on sth** auf etw *akk* zurückgreifen ◆**fall behind** *vi* ❶ (*slow*) zurückfallen; ■**to** ~ **behind sb/sth** hinter jdn/etw zurückfallen ❷ (*achieve less*) zurückbleiben; (*at school*) hinterherhinken; ■**to** ~ **behind sb/sth** hinter jdm/etw zurückbleiben; ■**to** ~ **behind with sth** mit etw *dat* in Verzug geraten ❸ SPORTS (*lose lead*) zurückfallen ◆**fall down** *vi* ❶ (*drop, tumble*) hinunterfallen; (*topple*) *person* hinfallen; (*harder*) stürzen; *object* umfallen; (*harder*) umstürzen; ■**to** ~ **down dead** tot umfallen; ■**to** ~ **down sth** etw hinunterfallen; *hole, well* hineinfallen in +*akk* ❷ (*collapse*) einstürzen; *tent* zusammenfallen; ■**to be** ~**ing down** abbruchreif sein ❸ (*fail*) ■**to** ~ **down on sth** mit etw *dat* scheitern ◆**fall for** *vt* ❶ (*love*) ■**to** ~ **for sb** sich in jdn verlieben ❷ (*be deceived by*) ■**to** ~ **for sth** auf etw *akk* hereinfallen ◆**fall in** *vi* ❶ (*drop*) hineinfallen ❷ (*collapse*) einstürzen ❸ MIL (*line up*) antreten ❹ (*join*) ■**to** ~ **in behind sb** hinter jdm herlaufen; ■**to** ~ **in with sb** sich jdm anschließen ◆**fall off** *vi* ❶ (*drop*) ■**to** ~ **off sth** von etw *dat* fallen ❷ (*decrease*) zurückgehen, sinken ❸ (*decline*) abfallen ❹ (*detach*) abfallen, herunterfallen; *wallpaper* sich lösen ◆**fall on** *vi* ❶ (*attack*) ■**to** ~ **on sb** über jdn herfallen ❷ (*liter: embrace*) **they fell on each other** sie fielen sich in die Arme ❸ (*be assigned to*) ■**to** ~ **on sb** jdm zufallen ❹ (*be directed at*) ■**to** ~ **on sb** jdn treffen; *suspicion* auf jdn fallen ❺ (*light on*) *gaze* ■**to** ~ **on sb/ sth** auf jdn/etw fallen ◆**fall out** *vi* ❶ (*drop*) herausfallen; *teeth, hair* ausfallen ❷ (*quarrel*) ■**to** ~ **out [with sb]** sich [mit jdm] [zer]streiten ❸ MIL (*break line*) wegtreten ◆**fall over** *vi* ❶ (*topple*) *person* hinfallen; (*harder*) stürzen; *object* umfallen; (*harder*) umstürzen ❷ (*trip*) ■**to** ~ **over sth** über etw *akk* fallen ❸ (*fam: be keen*) ■**to** ~ **out** [AM **all**] **over oneself to do sth** sich darum reißen, etw zu tun ◆**fall through** *vi* scheitern; *plan* ins Wasser fallen ◆**fall**

to *vi* ❶ (*liter: start*) ■**to** ~ **to doing sth** beginnen, etw zu tun ❷ (*be assigned to*) ■**to** ~ **to sb** jdm zufallen

fal·la·cious [fəˈleɪʃəs] *adj* (*form*) abwegig

fal·la·cy [ˈfæləsi] *n* Irrtum *m*

fall·en [ˈfɔ:lən] **I.** *adj* ❶ (*on the ground*) *apple* abgefallen; *leaf* heruntergefallen; *tree* umgestürzt; ~ **arches** MED Senkfüße *pl*; ~ **leaves** Laub *nt* ❷ (*overthrown*) *dictator* gestürzt; (*disgraced*) *idol* einstig; *angel* gefallen **II.** *n* (*liter*) ■**the** ~ *pl* die Gefallenen *pl*

ˈ**fall guy** *n* (*sl*) Prügelknabe *m*

fal·li·ble [ˈfæləbl] *adj* *person* fehlbar; *thing* fehleranfällig

ˈ**fall-off** *n no pl* Rückgang *m* (**in** +*gen*)

ˈ**fal·lo·pian tube** [fəˌləʊpiənˈ-] *n* ANAT Eileiter *m*

ˈ**fall·out** *n no pl* ❶ NUCL radioaktive Strahlung; ~ **shelter** Atombunker *m* ❷ (*consequences*) ■**the** ~ die Konsequenzen *pl* (**from** +*gen*)

fal·low [ˈfæləʊ] *adj* ❶ AGR (*not planted*) brach liegend; **to lie** ~ brach liegen ❷ (*unproductive*) ruhig

fal·low ˈdeer *n* Damwild *nt kein pl*

false [fɔ:ls] *adj* falsch; *bottom* doppelt; *imprisonment* unrechtmäßig; *optimism* trügerisch; ~ **start** Fehlstart *m a. fig*; ■**to be** ~ **to sb/sth** jdm/etw untreu werden

false·hood [ˈfɔ:ls(h)ʊd] *n* Unwahrheit *f*

false·ness [ˈfɔ:lsnəs] *n no pl* ❶ (*inaccuracy*) Unkorrektheit *f* ❷ (*insincerity*) Falschheit *f*

fal·set·to [fɒlˈsetəʊ] *n* Kopfstimme *f;* **to speak in a high** ~ im Falsett sprechen; **to sing** ~ Falsettstimme singen

fal·si·fi·ca·tion [ˌfɔ:lsɪfɪˈkeɪʃ⁰n] *n no pl* Fälschung *f*

fal·si·fy <-ie-> [ˈfɔ:lsɪfaɪ] *vt* fälschen

fal·sity [ˈfɔ:lsəti] *n no pl* ❶ (*incorrectness*) Unkorrektheit *f* ❷ (*insincerity*) Falschheit *f*

fal·ter [ˈfɔ:ltə⁎] *vi* ❶ *speaker, voice* stocken ❷ (*fig*) nachlassen; **without** ~ **ing** ohne zu zögern ❸ (*move unsteadily*) schwanken

fal·ter·ing [ˈfɔ:ltⁱⁿrɪŋ] *adj* zögerlich; *economy* stagnierend; *step* stockend; **in a** ~ **voice** mit stockender Stimme

fame [feɪm] *n no pl* Ruhm *m*

famed [feɪmd] *adj* berühmt

fa·mili·ar [fəˈmɪliə⁎] *adj* ❶ (*well-known*) vertraut; *faces* bekannt; **this looks** ~ **to me** das kommt mir irgendwie bekannt vor ❷ (*acquainted*) ■**to be** ~ **with sb/sth** jdn/etw kennen; **yours is not a name I'm** ~ **with** Ihr Name kommt mir nicht bekannt vor; **to become** [*or* **get**] ~ **with sb/ sth** mit jdm/etw vertraut werden ❸ (*infor* *mal*) vertraulich; **to be on ~ terms** [**with sb**] [mit jdm] befreundet sein; **the ~ form** LING die Du-Form; **~ form of address** vertrauliche Anrede ❹ (*too friendly*) allzu vertraulich

fa·mili·ar·ity [fəˌmɪliˈærəti] *n no pl* ❶ (*well-known*) Vertrautheit *f* ❷ (*knowledge*) Kenntnis *f* (**with** in) ❸ (*overfriendly*) Vertraulichkeit *f* ▸ **~ breeds contempt** (*prov*) allzu große Vertrautheit erzeugt Verachtung

fa·mil·iar·ize [fəˈmɪliəraɪz] *vt* ■**to ~ oneself/sb with sth** sich/jdn mit etw *dat* vertraut machen; *with work* sich einarbeiten (**with** in)

fami·ly [ˈfæmᵊli] **I.** *n* Familie *f;* **we've got ~ coming to visit** wir bekommen Familienbesuch; **a ~ of squirrels** eine Eichhörnchenfamilie; **a ~ of four** eine vierköpfige Familie; **to keep sth in the ~** etw in Familienbesitz behalten; *secret* etw für sich *akk* behalten; **to be** [**like**] **one of the ~** [praktisch] zur Familie gehören **II.** *adj* Familien-

fami·ly 'doc·tor *n* Hausarzt, -ärztin *m, f*

fam·ine [ˈfæmɪn] *n* Hungersnot *f*

fam·ished [ˈfæmɪʃt] *adj* (*fam*) ausgehungert

fa·mous [ˈfeɪməs] *adj* berühmt ▸ **~ last words** wer's glaubt wird selig!

fa·mous·ly [ˈfeɪməsli] *adv* ❶ (*well-known*) bekanntermaßen ❷ (*fam*) **to get on ~** sich blendend verstehen

fan¹ [fæn] *n* (*enthusiast*) Fan *m;* (*admirer*) Bewunderer, Bewunderin *m, f;* **I'm a great ~ of your work** ich schätze Ihre Arbeit sehr

fan² [fæn] **I.** *n* ❶ (*hand-held*) Fächer *m* ❷ (*electrical*) Ventilator *m* **II.** *vt* <-nn-> ■**to ~ sb/oneself** jdm/sich Luft zufächeln; *flames* anfachen; (*fig*) schüren

fa·nat·ic [fəˈnætɪk] **I.** *n* ❶ (*pej: obsessed*) Fanatiker(in) *m(f)* ❷ (*enthusiast*) **fellow ~** Mitbegeisterte(r) *f/m;* **fitness ~** ein Fitnessfan *m* **II.** *adj* fanatisch

fa·nati·cal [fəˈnætɪkᵊl] *adj* ❶ (*obsessed*) besessen (**about** von); *support* bedingungslos ❷ (*enthusiastic*) total begeistert (**about** von)

fa·nati·cal·ly [fəˈnætɪkᵊli] *adv* fanatisch, extrem

fa·nati·cism [fəˈnætɪsɪzᵊm] *n no pl* (*pej*) Fanatismus *m*

'fan belt *n* AUTO Keilriemen *m*

fan·cied [ˈfæn(t)sid] *adj* favorisiert

fan·ci·er [ˈfæn(t)siəʳ] *n* Züchter(in) *m(f)*

fan·ci·ful [ˈfæn(t)sifᵊl] *adj* ❶ (*unrealistic*) unrealistisch ❷ *person* überspannt

'fan club *n + sing/pl vb* Fanclub *m*

fan·cy [ˈfæn(t)si] **I.** *vt* <-ie-> ❶ *esp* BRIT (*want*) wollen; (*would like to have*) gerne haben wollen; (*feel like*) Lust haben auf +*akk;* (*like*) ■**sb fancies sth** jdm gefällt etw; **she fancied an after-lunch nap** sie hätte gern ein Mittagsschläfchen gehalten; **do you ~ a drink this evening?** hast du Lust, heute Abend was trinken zu gehen? ❷ *esp* BRIT ■**to ~ sb** (*find attractive*) jdn attraktiv finden; (*be sexually attracted by*) etw von jdm wollen ❸ (*be full of*) ■**to ~ oneself** BRIT (*pej*) sich *dat* toll vorkommen ❹ (*imagine as winner*) favorisieren; **who do you ~ to win the Cup?** wer, glaubst du, wird den Pokal gewinnen? ❺ (*believe*) **to ~ one's chances** [**of doing sth**] sich *dat* Chancen ausrechnen [etw zu tun]; **to not ~ sb's chances** jdm keine großen Chancen geben ❻ *esp* BRIT (*imagine, think*) ■**to ~** [**that**] ... denken, dass ...; **she fancies herself a rebel** sie hält sich für eine Rebellin; **Dick fancies himself as a singer** Dick bildet sich ein, ein großer Sänger zu sein; **~** [**that**]**!** stell dir das [mal] vor!; **~ seeing you here!** na, so was! du hier!; **~ saying that to you of all people!** [unglaublich,] dass man das ausgerechnet zu dir gesagt hat! **II.** *n* ❶ *no pl* (*liking*) Vorliebe *f;* **to catch** [*or* **take**] **sb's ~** jdm gefallen; **to take a ~ to sb/sth** Gefallen an jdm/ etw finden ❷ *no pl* (*whim*) Laune *f;* **when the ~ takes him** wenn ihm gerade danach ist ❸ (*idea*) Vorstellung *f;* **flight of ~** Fantasterei *f* **III.** *adj* ❶ (*elaborate*) *decoration* aufwändig; *pattern* ausgefallen; *hairdo* kunstvoll; *car* schick; (*fig*) *talk* geschwollen; **~ footwork** gute Beinarbeit; **nothing ~** nichts Ausgefallenes ❷ (*whimsical*) versponnen; **don't you go filling his head with ~ ideas** setz ihm keinen Floh ins Ohr ❸ (*fam: expensive*) Nobel-; **~ foods** Delikatessen *pl*

fan·cy 'dress *n no pl esp* BRIT, AUS Kostüm *nt;* **to come/go to a party in ~** verkleidet zu einer Party kommen/gehen; **to wear ~** verkleidet sein **fan·cy-'free** *adj* sorglos

fan·fare [ˈfænfeəʳ] *n* Fanfare *f*

fang [fæŋ] *n* Fang[zahn] *m; of a snake* Giftzahn *m*

'fan·light *n* Oberlicht *nt*

'fan mail *n no pl* Fanpost *f*

fan·ta·size [ˈfæntəsaɪz] **I.** *vi* fantasieren **II.** *vt* ■**to ~ that ...** davon träumen, dass ...

fan·tas·tic [fænˈtæstɪk] *adj* ❶ (*fam: wonderful*) fantastisch, toll; **a ~ idea** eine Superidee; **to look ~** *person* umwerfend aussehen ❷ (*fam: extremely large*) enorm, unwahrscheinlich viel ❸ (*not real*) Fantasie- ❹ (*unbelievable*) unwahrscheinlich; (*unreasonable*) unsinnig

fan·tas·ti·cal·ly [fæn'tæstɪkᵊli] *adv* ❶ (*extremely*) unwahrscheinlich *fam*, unglaublich *pej* ❷ (*fam: wonderfully well*) ganz wunderbar; **everything's going ~** es läuft alles ausgesprochen gut

fan·ta·sy ['fæntəsi] *n* Fantasie *f*; LIT Fantasy *f*; ▪ **to have fantasies about sth** von etw *dat* träumen

'fan·ta·sy·land *n* Fabelwelt *f*

fan·zine ['fænziːn] *n* Fanmagazin *nt*

FAO [ˌefeɪ'əʊ] *n abbrev of* **Food and Agriculture Organization** Organisation *f* für Ernährung und Landwirtschaft der Vereinten Nationen

FAQ [ˌefeɪ'kjuː, fæk] *n* + *sing vb* INET *abbrev of* **frequently asked questions** FAQ

far <farther *or* further, farthest *or* furthest> [fɑːʳ] I. *adv* ❶ (*in place*) weit; **how much further is it?** wie weit ist es denn noch?; **have you come very ~?** kommen Sie von weit her?; **do you have ~ to travel to work?** haben Sie es weit zu Ihrer Arbeitsstelle?; **~ away in the distance** in weiter Ferne; **~ from home** fern der Heimat; **to be ~ down the list** weit unten auf der Liste stehen; **~ and wide** weit und breit; **from ~ and wide** [*or* **near**] aus Nah und Fern ❷ (*in time*) weit; **some time ~ in the future** irgendwann in ferner Zukunft; **your birthday's not ~ away** bis zu deinem Geburtstag ist es nicht mehr lang; **lunch isn't ~ off** wir essen bald zu Mittag; **he's not ~ off seventy** er geht auf die siebzig zu; **~ into the night** bis spät in die Nacht hinein; **to plan further ahead** weiter voraus planen; **as ~ back as 1977** bereits 1977; **as ~ back as I can remember ...** so weit ich zurückdenken kann ... ❸ (*in progress*) weit; **to not get very ~ with** [**doing**] **sth** mit etw *dat* nicht besonders weit kommen; **to not get very ~ with sb** bei jdm nicht viel erreichen ❹ (*much*) weit, viel; **~ better/nicer** viel besser/netter; **~ more difficult** viel schwieriger; **~ too expensive** viel zu teuer; **by ~** bei weitem; **to be not ~ wrong** nicht so unrecht haben ▸ **as ~ as** (*in place*) bis; **as ~ as the eye can see** so weit das Auge reicht; (*in degree*) **as ~ as I can** soweit es mir möglich ist; **as ~ as possible** so oft wie möglich; **as ~ as I can see ...** so wie ich es beurteilen kann, ...; **as ~ as I know** soweit ich weiß; **as ~ as I'm concerned ...** wenn es nach mir geht ...; **that's as ~ as it goes** das ist auch alles; **~ and away** mit Abstand; **I'd ~ rather ...** ich würde viel lieber ...; **she'd ~ sooner ...** sie würde viel lieber ...; **we're ~ from happy** wir sind alles andere als zufrieden; **~ from it!** weit gefehlt; **~ be it from me ...** es liegt mir fern ...; **to go too ~** zu weit gehen; **to** [**not**] **go ~ enough** [nicht] weit genug gehen; **sth will go ~** jd wird es zu etwas bringen; **sth won't go very ~** etw wird nicht lange vorhalten; **a hundred pounds won't go very ~** mit hundert Pfund kommt man nicht weit; **~ gone** beschädigt; **so ~ so good** so weit, so gut; **so ~** (*until now*) bisher; **any problems? — not so ~** Probleme? – bis jetzt nicht; (*to a limited extent*) **only so ~** nur bedingt II. *adj* ❶ (*further away*) **at the ~ end** am anderen Ende; **on the ~ bank** am gegenüberliegenden Ufer ❷ (*extreme*) extrem ❸ (*distant*) fern; **in the ~ distance** in weiter Ferne ▸ **to be a ~ cry from sb/sth** mit jdm/etw nicht zu vergleichen sein

far·away [ˌfɑːrə'weɪ] *adj* ❶ (*distant*) fern; *sound* weit entfernt ❷ (*dreamy*) *look* verträumt

farce [fɑːs] *n* Farce *f*

far·ci·cal ['fɑːsɪkᵊl] *adj* absurd

fare [feəʳ] I. *n* ❶ (*money*) Fahrpreis *m* ❷ (*traveller in a taxi*) Taxifahrgast *m* ❸ *no pl* (*food*) Kost *f* II. *vi* (*form: get on*) **sb ~s badly/well** jdm [er]geht es schlecht/gut; **how did you ~?** wie ist es dir ergangen?

Far 'East *n no pl* ▪ **the ~** der Ferne Osten

fare·well [ˌfeə'wel] I. *interj* (*form*) leb wohl; **to bid** [*or* **say**] **~ to sb/sth** sich von jdm/etw verabschieden II. *n* Abschied *m* III. *adj* Abschied[s]-

far-'fetched *adj* weit hergeholt

far-'flung *adj* ❶ (*widely spread*) weitläufig ❷ (*remote*) abgelegen

farm [fɑːm] I. *n* Bauernhof *m*; **chicken ~** Hühnerfarm *f*; **health ~** Schönheitsfarm *f*; **trout ~** Forellenzucht *f* II. *vt* bebauen III. *vi* Land bebauen; **the family still ~s in Somerset** die Familie hat immer noch Farmland in Somerset ◆ **farm out** *vt work* abgeben (**to** an); *children* anvertrauen (+*dat*)

farm·er ['fɑːməʳ] *n* Bauer, Bäuerin *m, f*

farm·ers' '**mar·ket** *n* Bauernmarkt *m*

'farm·hand *n* Landarbeiter(in) *m(f)* **'farmhouse** *n* Bauernhaus *nt*; **~ cheese** Bauernkäse *m* **'farm·land** *n no pl* Ackerland *nt* **farm·stead** ['fɑːmsted] *n* AM Farm *f* **'farm·yard** *n* Hof *m*

'far-off *adj* ❶ (*distant*) fern; (*remote*) [weit] entfernt ❷ (*time*) fern

far-'reach·ing *adj* weitreichend **far-'sight·ed** *adj* ❶ (*shrewd*) *decision* weitsichtig; *person* vorausschauend ❷ AM, AUS (*long-sighted*) weitsichtig

fart [fɑːt] I. *n* ❶ (*fam!*) Furz *m;* **to do** [*or* **let off**] **a** ~ furzen ❷ (*pej: person*) Sack *m* II. *vi* (*fam!*) furzen

far·ther ['fɑːðəʳ] I. *adv comp of* **far** ❶ (*at, to a greater distance*) weiter entfernt; **how much** ~ **is it to the airport?** wie weit ist es noch zum Flughafen?; ~ **down/up** [**sth**] weiter unten/oben ❷ (*additional*) weitere(r, s) II. *adj comp of* **far** weiter; **at the ~ end** am anderen Ende

far·thest ['fɑːðɪst] I. *adv superl of* **far** am weitesten; **the ~ east** am weitesten östlich II. *adj superl of* **far** am weitesten; **the ~ place** der am weitesten entfernte Ort

fas·ci·nate ['fæsɪneɪt] *vt* faszinieren

fas·ci·nat·ed ['fæsɪneɪtɪd] *adj* fasziniert

fas·ci·nat·ing ['fæsɪneɪtɪŋ] *adj* faszinierend

fas·ci·na·tion [ˌfæsɪ'neɪʃ°n] *n no pl* Faszination *f;* **to watch in** ~ fasziniert zusehen; **to hold** [*or* **have**] **a** ~ **for sb** jdn faszinieren

fas·cism *n no pl* Faschismus *m*

fas·cist I. *n* Faschist(in) *m/f* II. *adj* faschistisch

fash·ion ['fæʃ°n] I. *n* ❶ (*style*) Mode *f;* **in the latest** ~ nach der neuesten Mode; **in** ~ in Mode; **to go out of** ~ aus der Mode kommen ❷ (*clothes*) ■ ~ **s** *pl* Mode *f* ❸ *no pl* (*industry*) Modebranche *f;* **the world of** ~ die Modewelt ❹ (*manner*) Art [und Weise] *f;* **after a** ~ einigermaßen II. *vt* ausarbeiten

fash·ion·able ['fæʃ°nəbl] *adj* modisch, schick; ■ **to be** ~ [in] Mode sein; ■ **to become** ~ [zur] Mode werden; ~ **restaurant** Schickerialokal *nt fam*

fash·ion·ably ['fæʃ°nəbli] *adv* modisch; **to be** ~ **dressed** modisch gekleidet sein

'fash·ion-con·scious *adj* modebewusst **'fash·ion de·sign·er** *n* Modedesigner(in) *m/f* **'fash·ion-for·ward** *adj* modebewusst **'fash·ion show** *n* Modenschau *f*

fast[1] [fɑːst] I. *adj* ❶ (*quick*) schnell; **to be a** ~ **reader/runner** schnell lesen/laufen ❷ PHOT *film* lichtempfindlich ❸ *clock, watch* ■ **to be** ~ vorgehen ❹ (*firm*) fest; **to make** ~ [**to sth**] NAUT [an etw *dat*] anlegen; **to make sth** ~ [**to sth**] etw [an etw *dat*] festmachen ❺ (*permanent*) *colour* waschecht II. *adv* ❶ (*at speed*) schnell ❷ (*firmly*) fest; **to be** ~ **asleep** tief schlafen

fast[2] [fɑːst] I. *vi* fasten II. *n* Fastenzeit *f;* **to**

break one's ~ das Fasten brechen

fas·ten ['fɑːs°n] I. *vt* ❶ (*close*) schließen; *coat* zumachen; **to** ~ **one's seat belt** sich anschnallen ❷ (*secure*) befestigen (**on/to** an); (*with glue*) festkleben; (*with rope*) festbinden ▸ **to** ~ **one's** eyes [*or* gaze] **on sb/sth** den Blick auf jdn/etw heften II. *vi* ❶ (*close*) sich schließen lassen; **this dress** ~ **s at the back** dieses Kleid wird hinten zugemacht ❷ (*focus*) ■ **to** ~ **[up]on sth** sich auf etw *akk* konzentrieren ◆ **fasten down** *vt* befestigen ◆ **fasten on** *vt* befestigen ◆ **fasten up** I. *vt* zumachen; *buttons* zuknöpfen II. *vi* zugemacht werden

fas·ten·er ['fɑːs°nəʳ] *n* Verschluss *m;* **snap** ~ Druckknopf *m;* **zip** ~ Reißverschluss *m*

fas·ten·ing ['fɑːs°nɪŋ] *n* Verschluss *m*

fast 'food *n no pl* Fast Food *nt* **fast-'for·ward** *vt, vi* vorspulen

fas·tidi·ous [fæs'tɪdiəs] *adj* ❶ (*correct*) wählerisch; *taste* anspruchsvoll; **to be very** ~ **about doing sth** sehr sorgsam darauf bedacht sein, etw zu tun ❷ (*pej*) pingelig

fat [fæt] I. *adj* <-tt-> ❶ (*fleshy*) dick, fett *pej; animal* fett ❷ (*thick*) dick ❸ (*substantial*) *profits* fett ❹ (*fam: little*) ~ **chance we've got** iron; **a** ~ **lot he cares** er schert sich einen Dreck *sl;* **a** ~ **lot of use you are!** du bist mir eine schöne Hilfe! II. *n* Fett *nt;* **layer of** ~ Fettschicht *f* ▸ **the** ~ **is in the** fire der Teufel ist los

fa·tal ['feɪt°l] *adj* ❶ (*lethal*) tödlich; ~ **blow** Todesstoß *m* ❷ (*disastrous*) fatal

fa·tal·ism ['feɪt°lɪz°m] *n no pl* Fatalismus *m*

fa·tal·ist ['feɪt°lɪst] *n* Fatalist(in) *m/f*

fa·tal·ity [fə'tæləti] *n* Todesopfer *nt*

fa·tal·ly ['feɪt°li] *adv* ❶ (*mortally*) tödlich; ~ **ill** sterbenskrank ❷ (*disastrously*) hoffnungslos; **his reputation was** ~ **damaged** sein Ansehen war für immer geschädigt

'fat-burning *adj attr* fettverbrennend

'fat cat *n* (*fam*) Bonze *m*

fate [feɪt] *n* Schicksal *nt;* **to leave sb to his/her** ~ jdn seinem Schicksal überlassen ▸ **a** ~ worse **than death** äußerst unerfreulich

fat·ed ['feɪtɪd] *adj* vom Schicksal bestimmt

fate·ful ['feɪt°l] *adj* schicksalhaft; *decision* verhängnisvoll

'fat-free *adj* fettfrei

'fat·head *n* (*fam*) Schafskopf *m*

fa·ther ['fɑːðəʳ] I. *n* Vater *m;* **on one's** ~ **'s side** väterlicherseits; **like** ~**, like son** wie der Vater, so der Sohn; **from** ~ **to son** vom Vater auf den Sohn II. *vt* **to** ~ **a child** ein

Kind zeugen

Fa·ther 'Christ·mas n esp BRIT der Weihnachtsmann **fa·ther·hood** ['fɑːðəhʊd] n no pl Vaterschaft f **'fa·ther-in-law** <pl fathers- or BRIT also -s> n Schwiegervater m **'fa·ther·land** n Vaterland nt

fa·ther·less ['fɑːðələs] adj vaterlos

fa·ther·ly ['fɑːðəli] adj väterlich

'Fa·ther's Day n no pl Vatertag m

fath·om ['fæðəm] I. n Faden m (= ca. 1,8 m) II. vt begreifen

fath·om·less ['fæðəmləs] adj unergründlich

fa·tigue [fə'tiːg] I. n ❶ no pl Ermüdung f; **donor** ~ Nachlassen nt der Spendenfreudigkeit; **metal** ~ Metallermüdung f ❷ MIL ■~s pl (uniform) Arbeitskleidung f kein pl II. vt, vi ermüden

fat·so <pl -s or -es> ['fætsəʊ] n (pej, hum fam) Dickerchen nt

fat·ten ['fæt⁹n] vt animal mästen; ■to ~ sb **up** jdn herausfüttern

fat·ten·ing ['fæt⁹nɪŋ] adj to be ~ dick machen

'fat trans·fer n MED Fettunterspritzung f, Lipotransfer m fachspr

fat·ty ['fæti] I. adj ❶ (containing fat) food fetthaltig, fett ❷ (consisting of fat) Fett-; ~ **tissue** Fettgewebe nt II. n (pej fam) Dickerchen nt

fatu·ous ['fætjʊəs] adj (form) albern

fat·wa ['fætwɑː] n Fetwa nt, Rechtsgutachten nt (im Islam)

fau·cet ['fɔːsɪt] n AM (tap) Wasserhahn m

fault [fɔːlt] I. n ❶ no pl (responsibility) Schuld f; it's all your ~ das ist ganz allein deine Schuld; it's your own ~ du bist selbst schuld daran; to find ~ with sb/sth etw an jdm/etw auszusetzen haben; the ~ **lies with sb/sth** die Schuld liegt bei jdm/ etw; to be at ~ schuld sein; through no ~ **of his own** ohne sein eigenes Verschulden ❷ (weakness) Fehler m; she was generous to a ~ sie war zu großzügig; his/her **main** ~ seine/ihre größte Schwäche ❸ (defect) Fehler m, Defekt m; a ~ **on the line** eine Störung in der Leitung ❹ GEOL Verwerfung f ❺ TENNIS Fehler m; to call a ~ einen Fehler anzeigen II. vt ■to ~ sb/sth [einen] Fehler an jdm/etw finden; you can't ~ [him on] his logic an seiner Logik ist nichts auszusetzen

'fault-find·ing n no pl ❶ (criticism) Nörgelei f ❷ ELEC Fehlersuche f

fault·less ['fɔːltləs] adj fehlerfrei; performance also fehlerlos

faulty ['fɔːlti] adj ❶ (unsound) fehlerhaft ❷ (defect) defekt

fau·na ['fɔːnə] n no pl, + sing/pl vb Fauna f

faux [fəʊ] adj fur Web-; leather Kunst-; gemstones unecht, -Imitate; pearls falsch

fa·vor n, vt AM see favour

fa·vor·able adj AM see favourable

fa·vored adj AM see favoured

fa·vor·ite adj, n AM see favourite

fa·vor·it·ism n AM see favouritism

fa·vour ['feɪvər] I. n ❶ no pl (approval) he's trying to get back into ~ er versucht, sich wieder beliebt zu machen; to **be/fall out of** ~ in Ungnade sein/fallen; to find ~ with sb bei jdm Gefallen finden; to **gain** [or win] sb's ~ [or ~ with sb] jds Gunst erlangen; to show ~ to sb jdn bevorzugen; ■to be in ~ dafür sein; all those in ~, ... alle, die dafür sind, ...; in ~ of für ❷ no pl (advantage) ■to be in sb's ~ zu jds Gunsten sein; there are so many things in your ~ so viele Dinge sprechen für dich; the wind was in our ~ der Wind war günstig für uns; to have sth in one's ~ etw als Vorteil haben; to rule in sb's ~ SPORTS für jdn entscheiden; in ~ of für; to reject sb/sth in ~ of sb/sth jdm/ etw gegenüber jdm/etw den Vorzug geben ❸ (kind act) Gefallen m kein pl; I'm not **asking for** ~s ich bitte nicht um Gefälligkeiten; do it as a ~ to me tu es mir zuliebe; to do sb a ~ [or a ~ for sb] jdm einen Gefallen tun; to not do sb/oneself any ~s jdm/sich keinen Gefallen tun ❹ AM (present) kleines Geschenk ▸ **do** me a ~! BRIT (fam) nun mir einen Gefallen! II. vt ❶ (prefer) vorziehen ❷ (approve) gutheißen; ■to ~ doing sth es gutheißen, etw zu tun ❸ (benefit) begünstigen ❹ (be partial) bevorzugen; SPORTS favorisieren

fa·vour·able ['feɪvⁿrəbl] adj ❶ (approving) positiv, zustimmend; impression sympathisch; to view sth in a ~ light etw mit Wohlwollen betrachten ❷ (advantageous) ■~ to sb/sth für jdn/etw günstig

fa·vour·ably, AM **fa·vor·ably** ['feɪvⁿrəbli] adv ❶ (approvingly) positiv, wohlwollend; to be ~ disposed towards sb jdm gewogen sein geh ❷ (pleasingly) to compare ~ **with sb/sth** im Vergleich zu jdm/etw gut abschneiden; to impress sb ~ jdn positiv beeindrucken ❸ (advantageously) vorteilhaft, günstig; things didn't turn out ~ for **us** die Dinge entwickelten sich nicht in unserem Sinn

fa·voured ['feɪvəd] adj ❶ (preferred) bevorzugt ❷ (privileged) begünstigt

fa·vour·ite ['feɪvⁿrɪt] I. adj Lieblings- II. n ❶ (best-liked) person Liebling m; **Johnny Depp's a** ~ **of mine** Johnny Depp ist einer

fear

expressing fear/anxiety	Befürchtungen/Angst ausdrücken
I've got a bad feeling (about this).	Ich habe (da) ein ungutes Gefühl.
It doesn't look good.	Es sieht nicht gut aus.
I'm expecting the worst.	Ich rechne mit dem Schlimmsten.
I'm scared/afraid you will hurt yourself.	Ich habe Angst, dass du dich verletzen könntest.
I'm scared/afraid of the dentist.	Ich habe Angst vorm Zahnarzt.
I'm worried to death about the exam. *(fam)*	Ich habe Bammel/Schiss vor der Prüfung. *(fam)*
These crowds terrify me.	Diese Menschenmengen machen mir Angst.
This thoughtlessness frightens me.	Diese Rücksichtslosigkeit beängstigt mich.

expressing concern	Sorge ausdrücken
I am very worried about his health.	Sein Gesundheitszustand macht mir große Sorgen.
I am worried about you.	Ich mache mir Sorgen um dich.
I'm (deeply) concerned about the rising unemployment figures.	Die steigenden Arbeitslosenzahlen beunruhigen mich.
I'm having sleepless nights worrying about him.	Die Sorge um ihn bereitet mir schlaflose Nächte.

meiner Lieblingsstars; *thing;* **which one's your ~?** welches magst du am liebsten?; ■**to be a ~ with sb** bei jdm sehr beliebt sein ❷(*contestant*) Favorit(in) *m(f)* ❸(*privileged person*) Liebling *m*

fa·vour·it·ism [ˈfeɪvᵊrɪtɪzᵊm] *n no pl (pej)* Begünstigung *f*

fawn[1] [fɔːn] I. *n* ❶(*deer*) Rehkitz *nt* ❷(*brown*) Rehbraun *nt* II. *adj* rehbraun

fawn[2] [fɔːn] *vi (pej)* ■**to ~ [up]on sb** vor jdm katzbuckeln; ■**to ~ over sb/sth** um jdn/etw ein Getue machen

fawn·ing [ˈfɔːnɪŋ] *adj (pej)* kriecherisch; *review* schmeichelhaft

fax [fæks] I. *n* Fax *nt* II. *vt* faxen; ■**to ~ sth through** [*or* over] etw durchfaxen

'fax ma·chine *n* Fax[gerät] *nt*

FBI [ˌefbiːˈaɪ] *n no pl abbrev of* **Federal Bureau of Investigation** FBI *nt*

FCO [ˌefsiːˈəʊ] *n* Brit pol *abbrev of* **Foreign and Commonwealth Office** britisches Außen- und Commonwealthministerium

fear [fɪəʳ] I. *n* ❶*no pl (dread)* Angst *f,* Furcht *f; ~* **of heights** Höhenangst *f;* **in ~ of one's life** in Todesangst; **to have a ~ of sth** vor etw *dat* Angst haben; **to put the ~ of God into sb** jdm einen heiligen Schrecken einjagen; ■**for ~ of doing sth** aus Angst, etw zu tun; ■**for ~ that …** aus

Angst, dass … ❷(*worry*) *~s* **for sb's safety** Sorge *f* um jds Sicherheit; **sb's worst** *~s* jds schlimmste Befürchtungen ▸**no ~!** Brit, Aus bestimmt nicht!; **there's no** [*or* **isn't any**] **~ of that!** das ist nicht zu befürchten! II. *vt* ❶(*dread*) fürchten; **what do you ~ most?** wovor hast du am meisten Angst?; **nothing to ~** nichts zu befürchten ❷(*form: regret*) ■**to ~** [**that**] … befürchten, dass … III. *vi* ■**to ~ for sb/sth** sich *dat* um jdn/etw Sorgen machen; **to ~ for sb's life** um jds Leben fürchten; **never ~** keine Angst

feared [fɪəd] *adj* gefürchtet

fear·ful [ˈfɪəfᵊl] *adj* ❶(*anxious*) ängstlich; **she was ~ of what he might say** sie hatte Angst davor, was er sagen würde; **~ of causing a scene, …** aus Angst, eine Szene auszulösen, … ❷(*terrible*) schrecklich

fear·ful·ness [ˈfɪəfᵊlnəs] *n no pl* Ängstlichkeit *f*

fear·less [ˈfɪələs] *adj* furchtlos

fear·less·ly [ˈfɪələsli] *adv* furchtlos, unerschrocken

fear·less·ness [ˈfɪələsnəs] *n no pl* Furchtlosigkeit *f*

fear·some [ˈfɪəsəm] *adj* Furcht einflößend

fea·sibil·ity [ˌfiːzəˈbɪləti] *n no pl* Machbarkeit *f; of plan* Durchführbarkeit *f*

fea·sible ['fi:zəbl] *adj* ❶ (*practicable*) durchführbar; **financially/politically** ~ finanziell/politisch möglich; **technically** ~ technisch machbar ❷ (*possible*) möglich ❸ (*fam: plausible*) glaubhaft

feast [fi:st] I. *n* Festessen *nt;* ~ **for the ear/eye** Ohrenschmaus *m*/Augenweide *f;* ~ **day** REL [kirchlicher] Festtag II. *vi* schlemmen; ▪ **to** ~ **on sth** sich an etw *dat* gütlich tun ▶ **to** ~ **one's eyes on sth** sich am Anblick einer S. *gen* weiden

feast·ing ['fi:stɪŋ] *n no pl* Schlemmerei *f*

feat [fi:t] *n* ❶ (*brave deed*) Heldentat *f* ❷ (*skill*) [Meister]leistung *f;* ~ **of engineering** technische Großtat; ~ **of organization** organisatorische Meisterleistung; **no mean** ~ keine schlechte Leistung

feath·er ['feðəʳ] *n* Feder *f* ▶ **a** ~ **in sb's cap** etwas, worauf jd stolz sein kann; **as light as a** ~ federleicht; **you could have knocked** me down with a ~ ich war total platt; **to** ~ **one's [own] nest** seine Schäfchen ins Trockene bringen

'**feath·er·weight** *n* Federgewicht *nt*

feath·ery ['feðri] *adj* (*covered with feathers*) gefiedert; (*like a feather*) fed[e]rig

fea·ture ['fi:tʃəʳ] I. *n* ❶ (*aspect*) Merkmal *nt,* Kennzeichen *nt;* **the best** ~ das Beste (**of** an); **special** ~ Besonderheit *f;* **to make a** ~ **of sth** (*in room*) etw zu einem Blickfang machen ❷ (*of face*) ▪ ~**s** *pl* Gesichtszüge *pl* ❸ (*report*) Sonderbeitrag *m* (**on** über) ❹ (*film*) Spielfilm *m;* **double** ~ zwei Spielfilme in einem; **main** ~ Hauptfilm *m* II. *vt* ❶ (*show*) aufweisen ❷ (*star*) **featuring sb** mit jdm in der Hauptrolle ❸ (*exhibit*) groß herausbringen ❹ (*report*) ▪ **to** ~ **sth** über etw *akk* groß berichten III. *vi* ❶ (*appear*) vorkommen; **to** ~ **high on the list** ganz oben auf der Liste stehen ❷ (*act in a film*) [mit]spielen

fea·ture·less ['fi:tʃələs] *adj* ohne Besonderheiten

'**fea·ture sto·ry** *n* Sonderbericht *m*

fea·tur·ette [,fi:tʃəʳ'et] *n* Extras *pl,* Dokumentation *f* zu den Dreharbeiten (*auf DVDs*)

Feb·ru·ary ['febru²ri] *n* Februar *m,* Feber *m* ÖSTERR; **at the beginning of** [*or* **in early**] ~ Anfang Februar; **at the end of** [*or* **in late**] ~ Ende Februar; **in the middle of** ~ Mitte Februar; **in the first/second half of** ~ in der ersten/zweiten Februarhälfte; **for the whole of** ~ den ganzen Februar über; **last/next/this** ~ vergangenen [*o* letzten]/kommenden [*o* nächsten]/ diesen Februar; **to be in** ~ in den Februar fallen; **in/during** ~ im Februar; **on** ~ **14** [*or* BRIT ~ **14th**] am 14. Februar; **on Friday,** ~ **14** am Freitag, dem [*o* den] 14. Februar; **Hamburg,** ~ **14, 2009** Hamburg, den 14. Februar 2009

fe·ces *npl* AM *see* **faeces**

feck·less ['fekləs] *adj* (*form*) nutzlos; *person* nichtsnutzig

Fed *n* AM (*fam*) ❶ (*police*) FBI-Agent(in) *m(f)* ❷ (*bank*) Zentralbankrat *m*

fed·er·al ['fedᵉrᵉl] *adj* föderativ; ~ **republic** Bundesrepublik *f;* **at** ~ **level** auf Bundesebene

fed·er·al·ism ['fedᵉrᵉlɪzᵉm] *n no pl* Föderalismus *m*

fed·er·al·ist ['fedᵉrᵉlɪst] I. *n* Föderalist(in) *m(f)* II. *adj* föderalistisch

fed·era·tion [,fedᵉr'eɪʃᵉn] *n* Föderation *f*

'**fed up** *adj* (*fam*) ▪ **to be** ~ **up** die Nase voll haben; **to be** ~ **up to the [back] teeth with sb/sth** jdn/etw gründlich satthaben; **I'm** ~ **up with being treated as a child** ich habe es satt, wie ein Kind behandelt zu werden

fee [fi:] *n* Gebühr *f;* **lawyer's** ~ Rechtsanwaltshonorar *nt;* **legal** ~**s** Rechtskosten *pl;* **membership** ~ Mitgliedsbeitrag *m;* **school** ~**s** Schulgeld *nt*

fee·ble <-r, -st> ['fi:bl] *adj* schwach; *attempt* müde; *joke, excuse* lahm

fee·ble·'mind·ed *adj* schwachsinnig

fee·ble·ness ['fi:blnəs] *n no pl* Schwäche *f*

fee·bly ['fi:bli] *adv* schwach

feed [fi:d] I. *n* ❶ *no pl* (*fodder*) Futter *nt* ❷ (*for baby*) Mahlzeit *f;* (*for animals*) Fütterung *f;* **the baby had a** ~ **an hour ago** das Baby ist vor einer Stunde gefüttert worden ❸ TECH (*supply*) Zufuhr *f* II. *vt* <fed, fed> ❶ (*give food to*) *animal, invalid* füttern; *baby* füttern; (*breast-feed*) stillen; (*with bottle*) die Flasche geben; *plant* düngen; ▪ **to** ~ **sb/oneself** jdm zu essen geben/allein essen; ▪ **to** ~ **an animal [on] sth** einem Tier etw zu fressen geben; ▪ **to** ~ **sth to an animal** etw an ein Tier verfüttern ❷ (*provide food for*) ernähren; **that's not going to** ~ **ten people** das reicht nicht für zehn Personen ❸ (*supply*) *data* eingeben; **the river is fed by several smaller streams** der Fluss wird von einigen kleineren Flüssen gespeist ❹ (*thread*) führen; *rope* fädeln ❺ (*stoke*) schüren ❻ (*fam*) *parking meter* Münzen einwerfen in +*akk* ❼ (*give*) versorgen; *information* geben III. *vi* <fed, fed> ❶ (*eat*) *animal* weiden; *baby* gefüttert werden ❷ (*enter*) ▪ **to** ~ **into sth** *river* in etw *akk* münden ◆ **feed in** *vt* COMPUT eingeben ◆ **feed off** *vi,* **feed on** *vi* ❶ (*eat*) sich ernähren von

+*dat* ❷ (*fig: increase*) genährt werden von +*dat* ◆ **feed up** *vt animal* mästen; *person* aufpäppeln

'**feed·back** *n no pl* ❶ (*opinion*) Feedback *nt* ❷ ELEC Rückkopplung *f*

feed·er ['fiːdə'] *n* ❶ (*eater*) Esser(in) *m(f)*; **to be a fussy/messy/noisy ~** beim Essen heikel sein/kleckern/schmatzen ❷ (*device*) Zuführapparat *m*

'**feed·ing bot·tle** *n* Fläschchen *nt*

feel [fiːl] **I.** *vt* <felt, felt> ❶ (*sense, touch*) fühlen; *one's age* spüren; **I had to ~ my way along the wall** ich musste mich die Wand entlangtasten; **to ~ the cold/heat** unter der Kälte/Hitze leiden; **to ~ an idiot** sich *dat* wie ein Idiot vorkommen; **you made me ~ a real idiot** du hast mir das Gefühl gegeben, ein richtiger Idiot zu sein; **to ~ one's old self** [again] [wieder] ganz der/die Alte sein; **to ~ nothing for sb** für jdn nichts empfinden; **do you ~ anything for Robert?** hast du etwas für Robert übrig? ❷ (*think*) halten; **how do you ~ about it?** was hältst du davon?; ■ **to ~ that ...** der Meinung sein, dass ... **II.** *vi* <felt, felt> ❶ + *adj* (*sense*) **my mouth ~s dry** mein Mund fühlt sich trocken an; **my eyes ~ sore** meine Augen brennen; **it ~s awful to tell you this** ich fühle mich ganz schrecklich, wenn ich dir das sage; **how do you ~ about it?** was sagst du dazu?; **how does it ~ to be world champion?** wie fühlt man sich als Weltmeister?; **what does it ~ like?** was für ein Gefühl ist das?; **to ~ angry** wütend sein; **to ~ better/ill** sich besser/krank fühlen; **to ~ certain** [*or* **sure**] sich *dat* sicher sein; **to ~ foolish** sich *dat* dumm vorkommen; **to ~ free to do sth** etw ruhig tun; **~ free to visit any time you like** du kannst uns gern jederzeit besuchen; **sb ~s hot/cold** jdm ist heiß/kalt; **sb ~s hungry/thirsty** jd ist hungrig/durstig [*o* hat Hunger/Durst]; **to ~ safe** sich sicher fühlen; ■ **to ~ as if one were doing sth** das Gefühl haben, etw zu tun; ■ **to ~ for sb** mit jdm fühlen ❷ + *adj* (*seem*) scheinen ❸ (*search*) tasten (**for** nach); ■ **to ~ along sth** etw abtasten ❹ (*want*) ■ **to ~ like sth** zu etw *dat* Lust haben; ■ **to ~ like doing sth** Lust haben, etw zu tun **III.** *n no pl* ❶ (*texture*) **the ~ of wool** das Gefühl von Wolle; **the material has a nice ~ to it** das Material fühlt sich gut an; **to recognize sth by the ~ of it** etw beim Anfassen erkennen ❷ (*touch*) Berühren *nt*; (*by holding*) Anfassen *nt* ❸ (*talent*) Gespür *nt* ◆ **feel up I.** *vt* (*fam*) begrapschen **II.** *vi* ■ **to ~ up to sth** sich

etw *dat* gewachsen fühlen

feel·er ['fiːlə'] *n usu pl* Fühler *m* ► **to put out ~s** seine Fühler ausstrecken

feel·ing ['fiːlɪŋ] *n* ❶ Gefühl *nt* (**of** +*gen/* von); **no hard ~s!** nichts für ungut!; **~ of tension** angespannte Stimmung; **dizzy ~** Schwindelgefühl *nt;* **to cause bad ~** [*or* AM **~s**] böses Blut verursachen; **to have a ~ for language** Sprachgefühl haben ❷ (*opinion*) Ansicht *f* (**about/on** über); **what are your ~s about ...?** wie denken Sie über ...?

feet [fiːt] *n pl of* **foot**

feign [feɪn] *vt* vortäuschen

feigned [feɪnd] *adj* vorgetäuscht; **~ indifference** gespielte Gleichgültigkeit

feint [feɪnt] SPORTS **I.** *vi, vt* antäuschen **II.** *n* Finte *f*

fe·line ['fiːlaɪn] *adj* (*of cats*) Katzen-; (*catlike*) katzenartig

fell[1] [fel] *pt of* **fall**

fell[2] [fel] **I.** *vt* ❶ (*cut down*) fällen ❷ (*knock down*) ■ **to ~ sb** jdn niederstrecken **II.** *n* Hochmoor *nt* (*in Nordengland und Schottland*) **III.** *adj* ► **at** [*or* **in**] [*or* **with**] **one ~** **swoop** auf einen Streich

fel·la·tio [fə'leɪʃiəʊ] *n no pl* Fellatio *f*

fel·low ['feləʊ] **I.** *n* ❶ (*fam: man*) Kerl *m* ❷ BRIT (*scholar*) Fellow *m* **II.** *adj* **~ citizen** Mitbürger(in) *m(f)*; **~ countrymen** Landsleute *pl*; **~ student** Kommilitone, Kommilitonin *m, f*; **~ sufferer** Leidensgenosse, -genossin *m, f*

fel·low 'mem·ber *n* POL Parteigenosse, -genossin *m, f*; *of a club* Klubkamerad(in) *m(f)*

fel·low 'pas·sen·ger *n* Mitreisende(r) *f(m)* **fel·low·ship** ['feləʊʃɪp] *n* ❶ (*group*) Gesellschaft *f* ❷ (*studentship*) Fellowship *f* ❸ (*award*) Stipendium *nt* **fel·low 'trav·el·ler** *n* ❶ (*traveller*) Mitreisende(r) *f(m)* ❷ (*supporter*) Mitläufer(in) *m(f)*

fel·on ['felən] *n* LAW [Schwer]verbrecher(in) *m(f)*

felo·ny ['feləni] *n* [Schwer]verbrechen *nt*

felt[1] [felt] *pt, pp of* **feel**

felt[2] [felt] *n no pl* Filz *m*

'**felt-tip** *n*, **felt-tip 'pen** *n* Filzstift *m*

fe·male ['fiːmeɪl] **I.** *adj* ❶ (*sex*) weiblich ❷ TECH *valve* Innen- **II.** *n* ❶ (*animal*) Weibchen *nt* ❷ (*woman*) Frau *f*

femi·nine ['femɪnɪn] **I.** *adj* feminin, weiblich **II.** *n* LING Femininum *nt*

femi·nin·ity [ˌfemɪ'nɪnəti] *n no pl* Weiblichkeit *f*

femi·nism ['femɪnɪzᵊm] *n no pl* Feminismus *m*

femi·nist ['femɪnɪst] **I.** *n* Feminist(in) *m(f)*

II. *adj* feministisch

fen [fen] *n* BRIT Sumpfland *nt;* **the F~s** *die Niederungen in East Anglia*

fence [fen(t)s] **I.** *n* ❶ *(barrier)* Zaun *m* ❷ *(in horse race)* Hindernis *nt* ❸ *(sl: criminal)* Hehler(in) *m/f* ▶**to sit on the ~** neutral bleiben **II.** *vi* fechten **III.** *vt* einzäunen

fenc·er [ˈfen(t)sə^r] *n* Fechter(in) *m/f*

fenc·ing [ˈfen(t)sɪŋ] *n no pl* ❶ SPORTS Fechten *nt* ❷ *(barrier)* Einzäunung *f* ❸ *(materials)* Einzäunungsmaterial *nt*

fend [fend] **I.** *vi (care)* ▪**to ~ for oneself** für sich *akk* selbst sorgen **II.** *vt (defend)* ▪**to ~ off** abwehren; *criticism* zurückweisen

fend·er [ˈfendə^r] *n* ❶ *(around fireplace)* Kamingitter *nt* ❷ AM AUTO Kotflügel *m* ❸ NAUT Fender *m*

fen·nel [ˈfen^əl] *n no pl* Fenchel *m*

fe·ral [ˈfer^əl] *adj animals* wild [geworden], ungezähmt

fer·ment **I.** *vt* [fəˈment] ❶ *(change)* fermentieren ❷ *(form: rouse)* schüren **II.** *vi* [fəˈment] gären **III.** *n* [ˈfɜːment] *no pl (form)* Unruhe *f*

fer·men·ta·tion [ˌfɜːmenˈteɪʃ^ən] *n no pl* Gärung *f*

fern [fɜːn] *n* Farn *m*

fe·ro·cious [fəˈrəʊʃəs] *adj* wild; *fighting* heftig; *heat* brütend

fe·ro·cious·ness [fəˈrəʊʃəsnəs] *n*, **fe·roc·ity** [fəˈrɒsəti] *n no pl* Wildheit *f; of attack, storm* Heftigkeit *f*

fer·ret [ˈferɪt] **I.** *n* Frettchen *nt* **II.** *vi (fam)* ❶ *(search)* wühlen; ▪**to ~ [around] [for sth]** [nach etw *dat*] wühlen ❷ *(hunt)* **to go ~ing** mit Frettchen auf die Jagd gehen

Fer·ris wheel [ˈferɪs,-] *n esp* AM, AUS Riesenrad *nt*

fer·rous [ˈferəs] *adj* CHEM Eisen-

fer·ry [ˈferi] **I.** *n* Fähre *f; by ~* mit der Fähre **II.** *vt* <-ie-> ❶ *(across water)* **to ~ [across [or over]]** übersetzen ❷ *(transport)* befördern; **to ~ sb about** jdn herumfahren

ˈfer·ry boat *n* Fährschiff *nt* **ˈfer·ry·man** *n* Fährmann *m*

fer·tile [ˈfɜːtaɪl] *adj* fruchtbar; *(fig) imagination* lebhaft

fer·til·ity [fəˈtɪləti] *n no pl* Fruchtbarkeit *f*

fer·ti·li·za·tion [ˌfɜːtɪlaɪˈzeɪʃ^ən] *n no pl* Befruchtung *f*

fer·ti·lize [ˈfɜːtɪlaɪz] *vt* ❶ AGR düngen ❷ BIOL befruchten

fer·ti·liz·er [ˈfɜːtɪlaɪzə^r] *n* Dünger *m*

fer·vent [ˈfɜːv^ənt] *adj (form)* ❶ *hope* inbrünstig ❷ *supporter* glühend

fer·vent·ly [ˈfɜːv^əntli] *adv (form)* inbrünstig

geh

fer·vour [ˈfɜːvə^r], AM **fer·vor** *n no pl (form)* Leidenschaft *f*

fes·ter [ˈfestə^r] *vi* ❶ MED eitern ❷ *(fig)* gären

fes·ti·val [ˈfestɪv^əl] *n* ❶ *(holy day)* Fest *nt* ❷ *(event)* Festival *nt;* **the Salzburg F~** die Salzburger Festspiele

fes·tive [ˈfestɪv] *adj* festlich; **~ mood** Feststimmung *f*

fes·tiv·ity [fesˈtɪvəti] *n* ❶ *(celebrations)* ▪**festivities** *pl* Feierlichkeiten *pl* ❷ *no pl (festiveness)* Feststimmung *f*

fes·toon [fesˈtuːn] **I.** *n* Girlande *f* **II.** *vt* [mit Girlanden] schmücken

fe·tal *adj* AM *see* **foetal**

fetch [fetʃ] **I.** *vt* ❶ *(get)* **to ~ sb from the station** jdn vom Bahnhof abholen; ▪**to ~ sth** etw holen ❷ *(be sold for)* erzielen **II.** *vi* **~!** bring [es] her!; **to ~ and carry [for sb]** [jds] Handlanger sein

fetch·ing [ˈfetʃɪŋ] *adj* schick

fête [feɪt] **I.** *n* BRIT, AUS Fest *nt* **II.** *vt* feiern

fet·id [ˈfetɪd] *adj* übel riechend

fet·ish [ˈfetɪʃ] *n* Fetisch *m*

fet·ish·ism [ˈfetɪʃɪz^əm] *n no pl* Fetischismus *m*

fet·ish·ist [ˈfetɪʃɪst] *n* Fetischist(in) *m/f*

fet·ter [ˈfetə^r] *vt* ❶ *(chain)* fesseln; *horse* anbinden ❷ *(fig: restrict)* einschränken

fet·tle [ˈfetl] *n no pl (fam)* **in fine ~** in guter Verfassung

fe·tus *n* AM *see* **foetus**

feud [fjuːd] **I.** *n* Fehde *f* **(over wegen)** **II.** *vi* in Fehde liegen

feu·dal [ˈfjuːd^əl] *adj* Feudal-

feu·dal·ism [ˈfjuːd^əlɪz^əm] *n no pl* Feudalismus *m*

fe·ver [ˈfiːvə^r] *n* ❶ *(temperature)* Fieber *nt kein pl;* **to have a ~** Fieber haben ❷ *(excitement)* Aufregung *f;* **election/football ~** Wahl-/Fußballfieber *nt;* **a ~ of excitement** fieberhafte Erregung; **at ~ pitch** fieberhaft

fe·ver·ish [ˈfiːv^ərɪʃ] *adj* ❶ *(ill)* fiebrig ❷ *(frantic)* fieberhaft

fe·ver·ish·ly [ˈfiːv^ərɪʃli] *adv* fieberhaft, hektisch

few [fjuː] **I.** *adj* ❶ *(some)* **a ~** ein paar, einige; **can I have a ~ words with you?** kann ich dich mal kurz sprechen?; **every ~ days** alle paar Tage; **quite a ~** ziemlich viele ❷ *(not many)* wenige; **he's a man of ~ words** er sagt nie viel; **~ things in this world** nur weniges auf der Welt; **~er people** weniger Menschen; **not a ~ readers** nicht wenige Leser; **no ~er than five times** schon mindestens fünf Mal; **as ~ as**

... nur ... ▶**to be ~ and <u>far</u> between** dünn gesät sein **II.** *pron* ❶ *(some)* **a ~ of these apples** ein paar von diesen Äpfeln; **a ~ of us** einige von uns; **a good ~** BRIT ziemlich viele; **quite a ~** eine ganze Menge ❷ *(not many)* wenige; **~ can do that** nur wenige können das; **the ~ who came ...** die paar, die kamen, ...; **~ of the houses/ of us** nur wenige Häuser/von uns; **there were too ~ of us** wir waren nicht genug; **not a ~** nicht wenige ▶**to have had a ~ <u>too many</u>** etwas zu viel getrunken haben **III.** *n* ❶ *(elite)* ▪**the ~** pl die Auserwählten ❷ *(minority)* ▪**the ~** pl die Minderheit; **I was one of the lucky ~ who ...** ich gehörte zu den wenigen Glücklichen, die ...

FFV [ˌefefˈviː] *n abbrev of* **flexible-fuel vehicle** FFV-

fi·an·cé [fiˈãː(n)seɪ] *n* Verlobte(r) *m*

fi·an·cée [fiˈãː(n)seɪ] *n* Verlobte *f*

fi·as·co <*pl* -s *or esp* AM -es> [fiˈæskəʊ] *n* Fiasko *nt*

fib [fɪb] *(fam)* **I.** *vi* <-bb-> schwindeln; ▪**to ~ to sb** jdn anschwindeln **II.** *n* Schwindelei *f*; **to tell a ~** schwindeln

fib·ber [ˈfɪbə⁺] *n (fam)* Schwindler(in) *m(f)*

fi·ber *n* AM *see* **fibre**

fi·bre [ˈfaɪbə⁺] *n* ❶ *(thread)* Faden *m;* (*for cloth*) Faser *f* ❷ ANAT Faser *f* ❸ *no pl (fig: strength)* **moral ~** Rückgrat *nt* ❹ *no pl* FOOD Ballaststoffe *pl*

'**fi·bre·glass** *n no pl* ❶ *(plastic)* glasfaserverstärkter Kunststoff ❷ *(fabric)* Glasfaser *f* **fi·bre op·tic** '**ca·ble** *n* Glasfaserkabel *nt* **fi·bre** '**op·tics** *n + sing vb* TELEC, COMPUT Glasfasertechnik *f;* MED, PHYS [Glas]faseroptik *f*

fi·brin [ˈfaɪbrɪn] *n* Fibrin *nt fachspr*

fi·brino·gen [faɪˈbrɪnə(ʊ)dʒⁿn] *n* MED Fibrinogen *nt*

fibu·la <*pl* -s *or* -lae> [ˈfɪbjələ, *pl* -liː] *n* Wadenbein *nt*

fick·le [ˈfɪkl̩] *adj (pej)* ❶ *(vacillating)* wankelmütig ❷ *(not loyal)* untreu

fick·le·ness [ˈfɪklnəs] *n no pl* ❶ *(moodiness)* Launenhaftigkeit *f* ❷ *(lack of loyalty)* Untreue *f*

fic·tion [ˈfɪkʃⁿn] *n* ❶ *no pl* LIT Erzählliteratur *f;* **~ writer** Prosaschriftsteller(in) *m(f)* ❷ *(fabrication)* Erfindung *f*

fic·tion·al [ˈfɪkʃⁿnⁿl] *adj* erfunden; *character* fiktiv

fic·ti·tious [fɪkˈtɪʃəs] *adj* ❶ *(false)* falsch ❷ *(imaginary)* [frei] erfunden; *character* fiktiv

fid·dle [ˈfɪdl̩] **I.** *n (fam)* ❶ MUS Fidel *f* ❷ BRIT *(fraud)* Betrug *m kein pl;* **to be on the ~**

krumme Dinger drehen ❸ BRIT *(tricky task)* kniff[e]lige Angelegenheit ▶**[as] <u>fit</u> as a ~** kerngesund; **to play <u>second</u> ~ to sb** in jds Schatten *m* stehen **II.** *vt (fam)* ❶ *(falsify) accounts, finances* frisieren ❷ *(obtain fraudulently)* [sich *dat*] ergaunern **III.** *vi* ❶ *(finger)* herumspielen; ▪**to ~ with sth** an etw *dat* herumfummeln ❷ *(tinker)* ▪**to ~ [about] with sth** an etw *dat* herumbasteln ❸ MUS *(fam)* fiedeln

fid·dler [ˈfɪdlə⁺] *n (fam)* Geiger(in) *m(f)*

fid·dling [ˈfɪdlɪŋ] *adj* belanglos

fid·dly <-ier, -iest *or* more ~, most ~> [ˈfɪdli] *adj* BRIT *(fam)* kniff[e]lig

fi·del·ity [fɪˈdeləti] *n no pl* Treue *f* (**to** gegenüber)

fidg·et [ˈfɪdʒɪt] **I.** *n* ❶ *(person)* Zappelphilipp *m* ❷ *(condition)* ▪**to have/get the ~s** *pl* zapp[e]lig sein/werden **II.** *vi* zappeln; **stop ~ing!** hör auf, so rumzuzappeln!

fidg·ety [ˈfɪdʒəti] *adj* zapp[e]lig

fief·dom [ˈfiːfdəm] *n* HIST Lehnsgut *nt*

field [fiːld] **I.** *n* ❶ *(meadow)* Wiese *f;* (*pasture*) Weide *f;* (*for crops*) Feld *nt*, Acker *m* ❷ SPORTS *(place)* Spielfeld *nt*, Platz *m;* (*contestants*) [Teilnehmer]feld *nt;* **to take the ~** einlaufen ❸ *(expanse)* **gas ~** Gasfeld *nt;* **snow ~** Schneefläche *f* ❹ *(area of knowledge)* Gebiet *nt* ❺ MATH, PHYS Feld *nt* ▶**to <u>leave</u> the ~ clear for sb** jdm das Feld überlassen **II.** *vi* SPORTS als Fänger spielen **III.** *vt* ❶ *(stop)* *ball* fangen ❷ *(have playing)* *team* aufs Feld schicken ❸ *(handle)* *questions* parieren; *phone calls* abweisen

'**field day** *n* ❶ AM, AUS [Schul]sportfest *nt* ❷ *(fig)* **to have a ~** seinen großen Tag haben

field·er [ˈfiːldə⁺] *n* SPORTS Feldspieler(in) *m(f)*

'**field events** *npl* SPORTS Sprung- und Wurfdisziplinen *pl* '**field glasses** *npl* Feldstecher *m* '**field mouse** *n* Feldmaus *f* '**field sports** *npl* Sport *m* im Freien *(bes Jagen und Fischen)* '**field·work** *n no pl* Feldforschung *f*

fiend [fiːnd] *n* Teufel *m*

fiend·ish [ˈfiːndɪʃ] *adj* teuflisch

fiend·ish·ly [ˈfiːndɪʃli] *adv (diabolically)* teuflisch

fierce [fɪəs] *adj* ❶ *animal* wild ❷ *attack, competition* scharf; *debate* hitzig; *fighting* erbittert; *opposition* entschlossen; *winds* tobend ❸ AM *(fam: difficult)* schwer

fierce·ly [ˈfɪəsli] *adv* ❶ *(hostilely)* wild ❷ *(very)* extrem; *(intensely)* ausgesprochen, äußerst

fierce·ness [ˈfɪəsnəs] *n no pl* ❶ *(hostility)*

Wildheit *f* ❷ (*intensity*) Intensität *f* ❸ (*destructiveness*) Heftigkeit *f*

fiery ['faɪ(ə)ri] *adj* ❶ (*consisting of fire*) glühend ❷ (*spicy*) feurig ❸ (*bright*) feuerrot ❹ (*passionate*) leidenschaftlich ❺ (*angry*) hitzig; **he has a ~ temper** er ist ein Hitzkopf

fif·teen [fɪfˈtiːn] I. *adj* fünfzehn; *see also* **eight** II. *n* Fünfzehn *f;* **to be given a ~ certificate** ab 15 [Jahren] freigegeben sein; *see also* **eight**

fif·teenth [fɪfˈtiːnθ] I. *adj* fünfzehnte(r, s) II. *n* ❶ (*order*) ■the ~ der/die/das Fünfzehnte ❷ (*date*) ■the ~ der Fünfzehnte ❸ (*fraction*) Fünfzehntel *nt*

fifth [fɪfθ] I. *adj* fünfte(r, s); **every ~ person** jeder Fünfte; *see also* **eighth** II. *n* ❶ (*order*) ■the ~ der/die/das Fünfte; *see also* **eighth** ❷ (*date*) ~ der Fünfte; *see also* **eighth** ❸ (*fraction*) Fünftel *nt; see also* **eighth** ❹ (*gear*) fünfter Gang ❺ MUS Quinte *f* III. *adv* fünftens; *see also* **eighth**

fif·ti·eth ['fɪftiəθ] I. *adj* fünfzigste(r, s) II. *n* ❶ (*order*) ■the ~ der/die/das Fünfzigste; *see also* **eighth** ❷ (*fraction*) Fünfzigstel *nt; see also* **eighth** III. *adv* fünfzigstens; *see also* **eighth**

fif·ty ['fɪfti] I. *adj* fünfzig; *see also* **eight** II. *n* ❶ (*number*) Fünfzig *f; see also* **eight** ❷ (*banknote*) Fünfziger *m*

fig¹ [fɪg] *n* FOOD Feige *f* ▸ **to be not worth a ~** keinen Pfifferling wert sein; **to not care a ~ about** [*or* **for**] **sb/sth** sich keinen Deut um jdn/etw scheren

fig² [fɪg] I. *n abbrev of* **figure** Abb. *f* II. *adj abbrev of* **figurative** fig.

fight [faɪt] I. *n* ❶ (*combat*) Kampf *m* (**against** gegen, **for** um); (*brawl*) Rauferei *f;* (*involving fists*) Schlägerei *f;* **to give up without a ~** kampflos aufgeben; **to have a ~ on one's hands** Ärger am Hals haben; **to put up a ~** sich wehren ❷ BOXING Kampf *m,* Fight *m* ❸ MIL Gefecht *nt* ❹ *no pl* (*spirit*) Kampfgeist *m* II. *vi* <fought, fought> ❶ (*combat*) kämpfen; *children* sich raufen; ■**to ~ with sb** (*against*) gegen jdn kämpfen; (*on same side*) an jds Seite kämpfen; **to ~ for breath/one's life** nach Luft ringen/um sein Leben kämpfen ❷ (*quarrel*) sich streiten (**about/over** um) ❸ BOXING boxen III. *vt* <fought, fought> ❶ (*to be engaged in*) *battle* schlagen; *duel* austragen; **to ~ an election** bei einer Wahl kandidieren; **to ~ one's way through the crowd** sich *dat* einen Weg durch die Menge bahnen; **to ~ one's way to the top** sich an die Spitze kämpfen ❷ (*use force against*) kämpfen gegen +*akk; crime, fire*

bekämpfen; *disease* ankämpfen gegen +*akk* ❸ (*in boxing*) ■**to ~ sb** gegen jdn boxen ◆**fight back** I. *vi* zurückschlagen; (*defend oneself*) sich zur Wehr setzen II. *vt tears* unterdrücken ◆**fight off** *vt* ■**to ~ off ○ sb** jdn abwehren; *reporter* jdn abwimmeln; ■**to ~ off ○ sth** etw bekämpfen

fight·er ['faɪtə'] *n* ❶ (*person*) Kämpfer(in) *m(f);* (*boxer*) Boxer(in) *m(f)* ❷ (*plane*) Kampfflugzeug *nt*

fight·ing ['faɪtɪŋ] I. *n no pl* ❶ (*hostilities*) Kämpfe *pl* ❷ (*fist fights*) Schlägereien *pl* II. *adj* kämpferisch

fig·ment ['fɪgmənt] *n* **a ~ of sb's imagination** reine Einbildung

fig·ura·tive ['fɪgjᵊrətɪv] *adj* ❶ (*metaphorical*) bildlich; LING figurativ; *sense* übertragen ❷ ART gegenständlich

fig·ura·tive·ly ['fɪgjᵊrətɪvli] *adv* bildlich, figurativ; **~ speaking** bildlich gesprochen

fig·ure ['fɪgə'] I. *n* ❶ (*shape*) Figur *f* ❷ (*person*) Gestalt *f;* (*personality*) Persönlichkeit *f;* **~ of fun** [*or* **ridicule**] Spottfigur *f* ❸ MATH (*digit*) Ziffer *f;* (*numeral*) Zahl *f;* **he is good at ~s** er ist ein guter Rechner; **column of ~s** Zahlenreihe *f;* **double/single ~s** zweistellige/einstellige Zahlen; **in four ~s** vierstellig; **in round ~s** rund [gerechnet] ❹ (*amount of money*) Betrag *m* ❺ (*illustration*) Abbildung *f* II. *vt* AM ❶ (*envisage*) voraussehen; (*predict*) voraussagen; (*estimate*) schätzen ❷ (*comprehend*) verstehen III. *vi* ❶ (*feature*) eine Rolle spielen ❷ AM (*count on*) ■**to ~ on sth** mit etw *dat* rechnen ❸ (*make sense*) **that ~s** das hätte ich mir denken können ◆**figure out** *vt* ❶ (*work out*) herausfinden; MATH ausrechnen ❷ (*understand*) begreifen

'**fig·ure·head** *n* Galionsfigur *f a. fig* '**fig·ure-skat·er** *n* Eiskunstläufer(in) *m(f)* '**fig·ure-skat·ing** *n no pl* Eiskunstlauf *m*

figu·rine ['fɪgjəriːn] *n* ART Figurine *f fachspr,* Statuette *f*

Fi·ji ['fiːdʒiː] *n* ■**the ~ Islands** die Fidschiinseln *pl*

fila·ment ['fɪləmənt] *n* ❶ (*fibre*) Faden *m* ❷ ELEC Glühfaden *m* ❸ BOT Filament *nt*

filch [fɪltʃ] *vt* (*fam*) mitgehen lassen, mopsen

file¹ [faɪl] I. *n* ❶ (*folder*) [Akten]hefter *m;* (*hardback*) [Akten]ordner *m;* (*loose-leaf*) [Akten]mappe *f* ❷ (*database*) Akte *f* (**on** über); **to keep a ~ on sb/sth** eine Akte über jdn/etw führen; **to keep sth on ~** etw aufbewahren ❸ COMPUT Datei *f* II. *vt* ❶ (*put in folder*) ablegen, abheften; (*in order*) einordnen ❷ (*submit*) abgeben;

JOURN einsenden; LAW einreichen **III.** *vi* LAW ■**to ~ for sth** auf etw *akk* klagen; **to ~ for bankruptcy** einen Konkursantrag stellen; **to ~ for divorce** die Scheidung beantragen ◆**file away** *vt* ■**to ~ away** ⟲ **sth** etw zu den Akten legen

file² [faɪl] **I.** *n* (*line*) Reihe *f;* **in single ~** im Gänsemarsch **II.** *vi* nacheinander gehen ◆**file in** *vi* **they ~ed in** nach und nach kamen sie herein ◆**file out** *vi* **the guests began to ~ out** ein Gast nach dem anderen ging

file³ [faɪl] **I.** *n* (*tool*) Feile *f* **II.** *vt* (*smooth*) feilen; **to ~ one's nails** sich *dat* die Nägel feilen; ■**to ~ down** abfeilen

fil·ial ['fɪlɪəl] *adj* (*form*) Kindes-; *respect* kindlich

fil·ing ['faɪlɪŋ] *n* ❶ *no pl* (*archiving*) Ablage *f* ❷ (*registration*) Einreichung *f* ❸ *no pl* COMPUT Archivierung *f*

'**fil·ing cabi·net** *n* Aktenschrank *m*

fil·ings ['faɪlɪŋz] *npl* (*particles*) [Feil]späne *pl;* **iron ~** Eisenspäne *pl*

Fili·pi·no [ˌfɪlɪ'piːnəʊ] **I.** *adj* philippinisch **II.** *n* <*pl* -s> Philippiner(in) *m(f),* Filipino, Filipina *m, f,* Bewohner(in) *m(f)* der Philippinen

fill [fɪl] **I.** *n* **to drink/eat one's ~** seinen Durst stillen/sich satt essen; **to have one's ~ of sth** genug von etw *dat* haben **II.** *vt* ❶ (*make full, seal*) füllen; *pipe* stopfen; *tooth* plombieren; *vacuum, gap in the market* schließen ❷ (*pervade, cause to feel*) erfüllen ❸ NAUT *sail* aufblähen ❹ (*appoint*) *vacancy* besetzen ❺ (*utilize*) ausfüllen; **to ~ the time [by] watching television** die Zeit mit Fernsehen verbringen **III.** *vi* sich füllen; **their eyes ~ed with tears** sie hatten Tränen in den Augen, ihnen traten [die] Tränen in die Augen ◆**fill in I.** *vt* ❶ (*inform*) informieren (**on** über) ❷ (*seal*) [aus]füllen; *cracks* zuspachteln ❸ ART ausmalen ❹ (*complete*) *form* ausfüllen; *name and address* eintragen ❺ (*occupy*) *time* ausfüllen **II.** *vi* ■**to ~ in** [for sb] [für jdn] einspringen ◆**fill out I.** *vt* ausfüllen **II.** *vi* (*expand*) sich ausdehnen; (*gain weight*) fülliger werden ◆**fill up I.** *vt* ❶ (*make full*) voll füllen ❷ (*occupy entire space*) ausfüllen ❸ FOOD ■**to ~ up** ⟲ **sb** jdn satt bekommen; ■**to ~ oneself up** sich vollstopfen **II.** *vi* ❶ (*become full*) sich füllen ❷ AUTO [voll] tanken

fill·er ['fɪləʳ] *n* ❶ *no pl* (*for cracks*) Spachtelmasse *f;* **wood ~** Porenfüller *m* ❷ (*for adding bulk*) Füllmaterial *nt* ❸ JOURN, TV, RADIO Lückenfüller *m*

'**fill·er cap** *n* Tankverschluss *m*

fil·let ['fɪlɪt] **I.** *n* FOOD Filet *nt* **II.** *vt* ❶ (*remove bones*) *fish* entgräten; *meat* entbeinen ❷ (*cut into pieces*) filetieren

'**fil·let steak** *n* Filetsteak *nt*

fill·ing ['fɪlɪŋ] **I.** *n* ❶ (*material*) Füllmasse *f* ❷ (*for teeth*) Füllung *f* ❸ FOOD Füllung *f;* (*in a sandwich*) Belag *m* **II.** *adj* sättigend

'**fill·ing sta·tion** *n* Tankstelle *f*

fill·ip ['fɪlɪp] *n* ■**to give sb a ~** jdn anspornen

film [fɪlm] **I.** *n* ❶ FILM, PHOT Film *m;* **to get into ~s** zum Film gehen ❷ (*layer*) Schicht *f;* **~ of oil** Ölfilm *m* **II.** *adj* Film- **III.** *vt* filmen; *book* verfilmen; *scene* drehen **IV.** *vi* filmen, drehen

film·ing ['fɪlmɪŋ] *n* *no pl* ❶ (*making of a film*) Dreharbeiten *pl* ❷ (*making into a film*) **the ~ of a book** die Verfilmung eines Buchs

'**film-mak·er** *n* Filmemacher(in) *m(f)*

fil·ter ['fɪltəʳ] **I.** *n* Filter *m* **II.** *vt* ❶ (*process, purify*) filtern ❷ (*fig*) selektieren **III.** *vi* ❶ BRIT AUTO **to ~ left/right** sich links/rechts einordnen ❷ (*light, sound* dringen (**into** in) ◆**filter out** *vi* ❶ (*leak*) durchsickern ❷ (*leave*) nacheinander herausgehen [*o* herauskommen] **II.** *vt* herausfiltern (**from** aus) ◆**filter through** *vi* *light* durchscheinen; *liquid* durchsickern; *sound* durchdringen; (*fig*) *reports* durchsickern

'**fil·ter lane** *n* BRIT Abbiegespur *f* '**fil·ter pa·per** *n* Filterpapier *nt*

filth [fɪlθ] *n* *no pl* ❶ (*dirt*) Dreck *m,* Schmutz *m* ❷ (*pej: obscenity*) Schmutz *m,* Obszönitäten *pl*

filthy ['fɪlθi] **I.** *adj* ❶ (*dirty*) schmutzig, dreckig *fam,* verdreckt *pej fam* ❷ (*bad-tempered*) *look* vernichtend; *temper* aufbrausend; **he was in a ~ mood** er hatte furchtbare Laune ❸ BRIT METEO scheußlich; **~ weather** Schmuddelwetter *nt* ❹ (*pej fam: obscene*) schmutzig; *language* obszön; *habit* widerlich **II.** *adv* (*fam*) furchtbar; **~ rich** stinkreich

fil·tra·tion [fɪl'treɪʃᵊn] *n* *no pl* Filterung *f*

fin [fɪn] *n* Flosse *f*

fi·nal ['faɪnᵊl] **I.** *adj* ❶ (*last*) letzte(r, s); **in the ~ analysis** letzten Endes; **~ chapter** Schlusskapitel *nt;* **~ payment** Abschlusszahlung *f;* **~ result** Endergebnis *nt;* **in the ~ stages** in der Schlussphase ❷ (*decisive*) endgültig; **to have the ~ say [on sth]** [bei etw *dat*] das letzte Wort haben; **that's ~!** und damit basta! **II.** *n* ❶ (*concluding match*) Endspiel *nt,* Finale *nt* ❷ (*final stages*) ■**~s** *pl* Finale *nt* ❸ BRIT UNIV ■**~s** *pl* [Schluss]examen *nt;* **to take one's ~s** Examen machen ❹ AM SCH Abschlussprüfung *f*

fi·na·le [fɪˈnɑːli] *n* Finale *nt*; (*fig*) [krönender] Abschluss

fi·nal·ist [ˈfaɪnᵊlɪst] *n* Finalist(in) *m(f)*

fi·nal·ity [fɪˈnæləti] *n* ❶ *no pl* (*irreversibility*) Endgültigkeit *f* ❷ *no pl* (*determination*) Entschiedenheit *f*

fi·nal·ize [ˈfaɪnᵊlaɪz] *vt* ❶ (*complete*) zum Abschluss bringen ❷ (*agree on*) endgültig festlegen

fi·nal·ly [ˈfaɪnᵊli] *adv* ❶ (*at long last*) schließlich; (*expressing relief*) endlich ❷ (*in conclusion*) abschließend, zum Schluss ❸ (*conclusively*) endgültig; (*decisively*) bestimmt

fi·nance [ˈfaɪnæn(t)s] **I.** *n* ❶ *no pl* (*money management*) Finanzwirtschaft *f* ❷ (*money*) Geldmittel *pl*; ~**s** Finanzen *pl* **II.** *vt* finanzieren

ˈ**fi·nance com·pa·ny** *n*, ˈ**fi·nance house** *n* Finanzierungsgesellschaft *f*; BRIT Kundenkreditbank *f*

fi·nan·cial [faɪˈnæn(t)ʃᵊl] *adj* finanziell, Finanz-; ~ **resources** Geldmittel *pl*

fi·nan·cial·ly [faɪˈnæn(t)ʃᵊli] *adv* finanziell; ~ **weak** kapitalschwach

fi·nan·cier [faɪˈnæn(t)siəʳ] *n* ❶ (*expert*) Finanzexperte, -expertin *m, f* ❷ (*capitalist*) Geldgeber(in) *m(f)*, Finanzier *m*

fi·nanc·ing [ˈfaɪnæn(t)sɪŋ] *n* Finanzierung *f*

finch <*pl* -es> [fɪn(t)ʃ] *n* Fink *m*

find [faɪnd] **I.** *n* (*thing*) Fund *m*; (*person*) Entdeckung *f* **II.** *vt* <found, found> finden; **she was found unconscious** sie wurde bewusstlos aufgefunden; **she found her boyfriend a job** sie besorgte ihrem Freund eine Stelle; **when we woke up we found ourselves in Calais** als wir aufwachten, befanden wir uns in Calais; ■ **to ~ oneself** zu sich *dat* selbst finden; **to ~ oneself alone** auf einmal alleine sein; ■ **to ~ sb/sth** [**to be sth**] jdn/etw [als etw] empfinden; **Linda found living in London a fascinating experience** für Linda war es eine faszinierende Erfahrung, in London zu leben; **to ~ sb guilty** jdn für schuldig erklären; ■ **to ~ that ...** feststellen, dass ...; (*come to realize*) sehen, dass ...; ■ **to ~ what/where/who ...** herausfinden, was/wo/wer ... **III.** *vi* <found, found> entscheiden (**for** zu Gunsten, **against** gegen) ◆ **find out I.** *vt* ❶ (*detect*) erwischen ❷ (*discover*) herausfinden **II.** *vi* dahinter kommen; ■ **to ~ out about sb/ sth** (*get information*) sich über jdn/etw informieren; (*learn*) über jdn/etw etwas erfahren

find·er [ˈfaɪndəʳ] *n of sth lost* Finder(in) *m(f)*; *of sth unknown* Entdecker(in) *m(f)* ▶ ~**s keepers**[**, losers weepers**] wer's findet, dem gehört's **find·ing** [ˈfaɪndɪŋ] *n* ❶ (*discovery*) Entdeckung *f* ❷ (*result of inquiry*) [Urteils]spruch *m*; *usu pl* (*result of investigation*) Ergebnis *nt*

fine¹ [faɪn] **I.** *adj* ❶ (*acceptable*) in Ordnung; **seven's ~ by me** sieben [Uhr] passt mir gut ❷ (*excellent*) glänzend; *food* ausgezeichnet; **the ~st pianist** der beste Pianist/die beste Pianistin; **the ~st wines** die erlesensten Weine ❸ (*iron*) schön ❹ (*slender, cut small*) fein; *slice* dünn ❺ METEO schön ❻ (*noble*) edel; *manners* fein; *house* vornehm ❼ (*understated*) fein; **there's a ~ line between genius and madness** Genie und Wahnsinn liegen oft nah beieinander; ~**r** *points* Feinheiten *pl*; **not to put too ~ a point on it ...** um ganz offen zu sein ... **II.** *adv* ❶ (*all right*) fein, [sehr] gut ❷ (*thinly*) fein

fine² [faɪn] **I.** *n* (*punishment*) Geldstrafe *f*; **heavy/small** ~ hohe/niedrige Geldstrafe; (*for minor offences*) Bußgeld *nt* **II.** *vt* ■ **to ~ sb** jdn zu einer Geldstrafe verurteilen; (*for minor offences*) gegen jdn ein Bußgeld verhängen

fine ˈart *n no pl*, **fine ˈarts** *npl* schöne Künste; **to have sth off to a ~** (*fig*) etw zu einer wahren Kunst entwickeln

fine·ly [ˈfaɪnli] *adv* fein; ~ **tuned** fein eingestellt; ~ **ground** fein gemahlen

fine·ness [ˈfaɪnnəs] *n no pl* Feinheit *f*

fin·ery [ˈfaɪnᵊri] *n no pl* Staat *m*

fi·nesse [fɪˈnes] *n no pl* ❶ (*delicacy*) Feinheit *f* ❷ (*skill*) Geschick *nt* ❸ CARDS Schneiden *nt*

fine-tooth ˈcomb *n*, **fine-toothed ˈcomb** *n* fein gezahnter Kamm ▶ **to examine sth with a ~** etw sorgfältig unter die Lupe nehmen

fin·ger [ˈfɪŋɡəʳ] **I.** *n* Finger *m*; **they could be counted on the ~s of one hand** man konnte sie an einer Hand abzählen ▶ **to have a ~ in every pie** überall die Finger drin haben; **the ~ of suspicion** die Verdachtsmomente *pl*; **to be all ~s and thumbs** BRIT, AUS zwei linke Hände haben; **to catch sb with their ~s in the till** jdn beim Griff in die Kasse ertappen; **to twist sb around one's little ~** jdn um den [kleinen] Finger wickeln; **to keep one's ~s crossed** [**for sb**] [jdm] die Daumen drücken; **to get** [*or* **pull**] **one's ~ out** BRIT, AUS sich ranhalten; **to give sb the ~** AM jdm den Stinkefinger zeigen; **to lay a ~ on sb** jdm ein Haar krümmen; **to not lift** [*or* raise| a ~ keinen Finger rühren; **to put one's ~ on sb** jdn verpfeifen **II.** *vt* ❶ (*touch*) anfassen; (*play with*) befingern; **to ~ the strings** in die Saiten greifen ❷ (*fam: inform on*) verpfeifen (**to** bei) ❸ Am (*choose*) aussuchen

fin·ger·ing ['fɪŋgᵊrɪŋ] *n* MUS ❶ *no pl* (*technique*) Fingertechnik *f* ❷ (*marking*) Fingersatz *m*

'**fin·ger·mark** *n* Fingerabdruck *m* '**fin·ger·nail** *n* Fingernagel *m* '**fin·ger·print** **I.** *n* Fingerabdruck *m* **II.** *vt* ■**to ~ sb** jdn die Fingerabdrücke abnehmen '**fin·ger·tip** *n* Fingerspitze *f* ▶ **to have sth at one's ~s** etw perfekt beherrschen

fin·ish ['fɪnɪʃ] **I.** *n* ❶ (*final stage*) Ende *nt; of race* Endspurt *m*, Finish *nt;* (*finishing line*) Ziel *nt;* **close ~** Kopf-an-Kopf-Rennen *nt;* **to be in at the ~** in der Endrunde sein ❷ (*final treatment*) letzter Schliff; (*sealing, varnishing*) Finish *nt* ▶ **a fight to the ~** ein Kampf *m* bis zur Entscheidung **II.** *vi* enden, aufhören; (*conclude*) schließen; **have you quite ~ed?** (*iron*) bist du endlich fertig?; **to ~ first/second** als Erster/Zweiter fertig sein; SPORTS Erster/Zweiter werden; ■**to have ~ed with sth** etw nicht mehr brauchen **III.** *vt* ❶ (*bring to end*) beenden; *book* zu Ende lesen; *sentence* zu Ende sprechen; ■**to have ~ed doing sth** mit etw *dat* fertig sein ❷ SCH abschließen ❸ (*bring to completion*) **to ~ sth** etw fertig stellen; (*give final treatment*) etw *dat* den letzten Schliff geben ❹ (*stop*) ■**to ~ sth** mit etw *dat* aufhören; **I ~ work at 5 p.m.** ich mache um 5 Uhr Feierabend ❺ FOOD aufessen; *drink* austrinken ◆ **fin·ish off I.** *vt* ❶ (*get done*) fertig stellen ❷ (*make nice*) den letzten Schliff geben ❸ FOOD aufessen; *drink* austrinken ❹ (*beat*) bezwingen; (*tire out*) schaffen; Am (*sl: murder*) erledigen **II.** *vi* ❶ (*end*) abschließen ❷ (*get work done*) fertig werden ◆ **finish up I.** *vi* ❶ (*get finished*) fertig werden ❷ (*end up*) enden; **to ~ up drunk** am Ende betrunken sein; **to ~ up in hospital** im Krankenhaus landen **II.** *vt food* aufessen; *drink* austrinken

fin·ished ['fɪnɪʃt] *adj* ❶ *pred* fertig; ■**to be ~ with sth** mit etw *dat* fertig sein; **the ~ product** das Endprodukt ❷ (*of workmanship*) **beautifully ~** wunderbar bearbeitet ❸ (*used up*) verbraucht; **the juice is ~ and so are the cookies** der Saft ist leer und Plätzchen sind auch keine mehr da ❹ (*worn out*) erschöpft, fix und fertig *fam* ❺ (*ruined*) erledigt; *career* zu Ende

'**fin·ish·ing line** *n,* '**fin·ish·ing post** *n* SPORTS Ziellinie *f*

fi·nite ['faɪnaɪt] *adj* begrenzt; MATH endlich

Fin·land ['fɪnlənd] *n* Finnland *nt*

Finn [fɪn] *n* Finne(in) *m(f)*

Finn·ish ['fɪnɪʃ] **I.** *n* Finnisch *nt* **II.** *adj* finnisch; **the ~ people** die Finnen

fiord [fjɔːd] *n* Fjord *m*

fir [fɜː] *n* Tanne *f*

'**fir-cone** *n* BRIT Tannenzapfen *m*

fire ['faɪə] **I.** *n* ❶ *no pl* Feuer *nt;* **electric ~** Elektroofen *m;* **gas ~** Gasofen *m;* **open ~** offener Kamin; (*outside*) Lagerfeuer *nt;* **to play with ~** mit dem Feuer spielen *a. fig* ❷ *no pl* (*destructive burning*) Brand *m;* **~!** Feuer!; **~ control** [*or* **prevention**] Brandschutz *m;* **~ damage** Brandschaden *m;* **forest ~** Waldbrand *m;* **~ risk** Brandrisiko *nt,* Feuergefahr *f;* **to be on ~** brennen, in Flammen stehen; **to catch ~** Feuer fangen, in Brand geraten; **destroyed by ~** völlig abgebrannt; **to set sth on ~** [*or* **to ~ sth**] etw in Brand stecken ❸ *no pl* MIL Feuer *nt,* Beschuss *m;* **in the line of ~** in der Schusslinie; **covering ~** Feuerschutz *m;* ■**to be under ~** beschossen werden; ■**to come under ~** unter Beschuss geraten *a. fig;* **to open/cease/return ~** das Feuer eröffnen/einstellen/erwidern ❹ *no pl* (*fervour*) Feuer *nt* ▶ **to set the world on ~** die Welt erschüttern; **to hang ~** auf sich *akk* warten lassen **II.** *vt* ❶ (*bake in kiln*) brennen ❷ (*shoot*) abfeuern; *shot* abgeben; **to ~ a gun at sb/sth** auf jdn/etw schießen; (*fig*) **to ~ questions at sb** jdn mit Fragen bombardieren; **to ~ a salute** Salut schießen ❸ (*dismiss*) feuern ❹ (*excite*) *person* begeistern, anregen; *imagination* beflügeln **III.** *vi* ❶ (*shoot*) feuern, schießen (**at** auf) ❷ (*start up*) *motor* zünden; (*be operating*) funktionieren ◆ **fire away** *vi* losschießen *a. fig* ◆ **fire off** *vt* abfeuern

'**fire alarm** *n* ❶ (*instrument*) Feuermelder *m* ❷ (*sound*) Feueralarm *m* '**fire·arm** *n* Schusswaffe *f* '**fire·ball** *n* Feuerball *m;* ASTRON Feuerkugel *f* '**fire·brand** *n* Brandfackel *f;* (*fig*) Aufwiegler(in) *m(f)* '**fire·break** *n* Brandschneise *f* '**fire·brick** *n* Schamottestein *m* '**fire bri·gade** *n* BRIT Feuerwehr *f* '**fire·crack·er** *n* Kracher *m* '**fire de·part·ment** *n* AM Feuerwehr *f* '**fire-eat·er** *n* Feuerschlucker(in) *m(f)* '**fire en·gine** *n* Feuerwehrauto *nt* '**fire es·cape** *n* (*staircase*) Feuertreppe *f;* (*ladder*) Feuerleiter *f* '**fire exit** *n* Notausgang *m* '**fire ex·tin·guish·er** *n* Feuerlöscher *m* '**fire·fight·er** *n* Feuerwehrmann, -frau *m, f* '**fire·fly** *n* Leuchtkäfer *m* 'fire·guard *n* Kamingitter *nt* 'fire house *n* AM Feuerwache *f* 'fire in·sur·ance *n* Feuerversicherung *f* 'fire-irons *npl* Kaminbesteck *nt* 'fire·man *n* Feuerwehrmann *m* 'fire·place *n* Kamin *m* 'fire·proof I. *adj* feuerfest II. *vt* feuerfest machen 'fire-rais·er *n* BRIT Brandstifter(in) *m(f)* 'fire·side *n* [offener] Kamin 'fire sta·tion *n* Feuerwache *f* 'fire wall *n* ❶ ARCHIT Brandmauer *f* ❷ COMPUT Firewall *f* 'fire·wa·ter *n no pl* (*fam*) Feuerwasser *nt* 'fire·wom·an *n* Feuerwehrfrau *f* 'fire·wood *n no pl* Brennholz *nt* 'fire·work *n* ❶ (*explosive*) Feuerwerkskörper *m* ❷ (*display*) ■ ~s *pl* Feuerwerk *nt*; (*fig*) [Riesen]krach *m kein pl*

fir·ing ['faɪərɪŋ] *n* ❶ *no pl* (*shooting*) Abfeuern *nt; of a rocket* Abschießen *nt; ~ practice* Schießübung *f* ❷ *no pl* (*in a kiln*) Brennen *nt* ❸ (*dismissal*) Rauswurf *m* 'fir·ing line *n* Schusslinie *f a. fig* 'fir·ing squad *n* Exekutionskommando *nt*

firm¹ [fɜːm] *n* Firma *f*, Unternehmen *nt*

firm² [fɜːm] I. *adj* fest; COMM stabil; *basis* sicher; *offer* verbindlich; *undertaking* definitiv; ■ to be ~ with sb jdm gegenüber bestimmt auftreten; to be a ~ believer in sth fest an etw *akk* glauben II. *adv* fest; to hold [*or* stand] ~ standhaft bleiben III. *vi* sich stabilisieren

firm·ly ['fɜːmli] *adv* ❶ (*securely, strongly*) fest, sicher; to be attached/held ~ gut befestigt sein; to shake sb's hand ~ jdm kräftig die Hand schütteln; to say sth ~ etw mit Entschiedenheit sagen; to repri-mand sb ~ jdn entschieden zurechtweisen ❷ (*resolutely*) fest, bestimmt; to believe ~ that ... fest glauben, dass ...

firm·ness ['fɜːmnəs] *n no pl* ❶ (*solidity*) Festigkeit *f* ❷ (*resoluteness*) Entschlossenheit *f*

first [fɜːst] I. *adj* erste(r, s); ~ thing tomorrow morgen als Allererstes; the ~ thing that came into my head das Erstbeste, das mir einfiel; the ~ ever (*fam*) der/die/das Allererste; the ~ ever radio broadcast die allererste Rundfunksendung; ~ option [*or* refusal] Vorkaufsrecht *nt* ▶ ~ among equals Primus inter pares; in the ~ place (*at the beginning*) zunächst [einmal]; (*from the beginning*) von vornherein; (*most importantly*) in erster Linie; to not know the ~ thing about sth von etw *dat* keinen blassen Schimmer haben; ~ things ~ eins nach dem anderen II. *adv* ❶ (*before doing something else*) zuerst; ~ of all zu[aller]erst; ■ ~ off (*fam*) erst [einmal] ❷ (*before other things, people*) als Erste(r,

s); head ~ mit dem Kopf voraus ❸ (*rather*) lieber ▶ ~ come ~ served (*prov*) wer zuerst kommt, mahlt zuerst; ~ and foremost vor allem; ~ and last in erster Linie III. *n* ❶ (*that before others*) ■ the ~ der/die/das Erste; ■ to be the ~ to do sth etw als Erster/Erste tun ❷ (*start*) ■ at ~ anfangs; from the [very] ~ von Anfang an ❸ (*top-quality product*) Spitzenerzeugnis *nt*; (*achievement*) Errungenschaft *f* ❹ BRIT UNIV Eins *f* ❺ AUTO der erste Gang

first 'aid *n* erste Hilfe; to give sb ~ jdm erste Hilfe leisten; ~ box Verbandskasten *m*; ~ certificate Erste-Hilfe-Schein *m* 'first-born I. *adj* erstgeboren II. *n* Erstgeborene(r) *f(m)* 'first-class I. *adj* ❶ (*best quality*) Erste[r]-Klasse-; ~ mail bevorzugt beförderte Post ❷ (*approv: wonderful*) erstklassig II. *adv* erster Klasse first 'cous·in *n* Cousin, Cousine *m*, *f* ersten Grades first 'floor *n* BRIT erster Stock; AM Erdgeschoss *nt* 'first-hand *adj, adv* aus erster Hand

first·ly ['fɜːs(t)li] *adv* erstens

'first name *n* Vorname *m* first 'night *n* THEAT Premiere *f* first of-'fend·er *n* Erst-täter(in) *m(f)* first 'per·son *n* LING the ~ die erste Person 'first-rate *adj* erstklassig first 'strike *n* MIL Erstschlag *m*

firth [fɜːθ] *n* SCOT Förde *f*

fis·cal ['fɪskəl] *adj* fiskalisch; ~ policy Finanzpolitik *f*

fish [fɪʃ] I. *n* <*pl* -es *or* -> Fisch *m* ▶ to be a small ~ in a big pond nur einer von vielen sein; there are [plenty more] ~ in the sea es gibt noch andere Möglichkeiten auf der Welt; like a ~ out of water wie ein Fisch auf dem Trockenen; to have bigger ~ to fry Wichtigeres zu tun haben; to drink like a ~ wie ein Loch saufen *derb* II. *vi* ❶ (*catch fish*) fischen; (*with rod*) angeln (for auf) ❷ (*look for*) herumsuchen; ■ to ~ for sth (*fig*) nach etw *dat* suchen; to ~ for compliments sich *dat* gerne Komplimente machen lassen III. *vt* befischen

'fish·bone *n* [Fisch]gräte *f* 'fish·cake *n* Fischfrikadelle *f*

'fish·er·man *n* (*professional*) Fischer *m*; (*for hobby*) Angler *m*

fish·ery ['fɪʃəri] *n* Fischfanggebiet *nt*

fish 'fin·ger *n* Fischstäbchen *nt* 'fish·hook *n* Angelhaken *m*

fish·ing ['fɪʃɪŋ] *n no pl* ❶ (*catching fish*) Fischen *nt*; (*with rod*) Angeln *nt* ❷ (*looking for*) to be ~ for compliments Komplimente hören wollen; ~ for information Informationssuche *f*

'**fish·ing grounds** *npl* Fischgründe *pl*
'**fish·ing line** *n* Angelleine *f,* Angelschnur *f* '**fish·ing rod** *n* Angel[rute] *f*
'**fish·ing-tack·le** *n no pl* (*for industry*)
Fischereigeräte *pl;* (*for sport*) Angelgeräte *pl*
'**fish·monger** *n* Brit Fischhändler(in) *m(f)*
'**fish·pond** *n* Fischteich *m*
fishy ['fɪʃi] *adj* ① (*tasting of fish*) fischig;
(*like fish*) fischartig; ~ **smell** Fischgeruch *m* ② (*pej fam: dubious*) verdächtig;
there is something ~ about that daran
ist irgendetwas faul
fis·sion ['fɪʃ°n] *n no pl* PHYS [Kern]spaltung *f;*
BIOL [Zell]teilung *f*
fis·sion·able ['fɪʃ°nəbl] *adj* spaltbar, spaltfähig
fis·sure ['fɪʃər] *n* ① (*crack*) Spalte *f* ② (*fig*)
Spaltung *f*
fist [fɪst] *n* Faust *f*
fit¹ [fɪt] *n* Anfall *m;* **in a ~ of generosity** in
einer Anwandlung von Großzügigkeit; **to
be in ~s of laughter** sich kaputtlachen
▶ **by** [*or* **in**] **~s and starts** sporadisch
fit² [fɪt] **I.** *adj* <-tt-> ① (*suitable*) geeignet;
that's all he's ~ for das ist alles, wozu er
taugt; **~ for human consumption** [*or* **to
eat**] zum Verzehr geeignet; **~ for human
habitation** bewohnbar ② (*up to*) fähig;
~ to travel reisetauglich; **~ to work** arbeitsfähig ③ (*appropriate*) angebracht; **do
what you think ~** tun Sie, was Sie für
richtig halten ④ (*worthy*) würdig; **to be
not ~ to be seen** sich nicht sehen lassen
können ⑤ (*ready*) bereit; **to be ~ to drop**
zum Umfallen müde sein ⑥ (*healthy*) fit;
to keep ~ sich fit halten ⑦ Brit (*sl: attractive*) geil **II.** *n no pl* ① FASHION Sitz *m;* **these
shoes are a good ~** diese Schuhe passen
gut ② TECH Passung *f* **III.** *vt* <Brit -tt- *or*
Am *usu* -t-> ① (*be appropriate*) ■**to ~ sb/
sth** sich für jdn/etw eignen ② (*correspond
with*) ■**to ~ sth** etw *dat* entsprechen; **the
punishment should always ~ the crime**
die Strafe sollte immer dem Vergehen angemessen sein; **the key ~s the lock** der
Schlüssel passt ins Schloss; **the description ~ted the criminal** die Beschreibung
passte auf den Täter ③ (*make correspond*)
■**to ~ sth to sth** etw etw *dat* anpassen
④ FASHION ■**to ~ sb** jdm passen ⑤ (*mount*)
montieren ⑥ (*shape as required*) anpassen ⑦ (*position as required*) einpassen
⑧ (*supply*) ■**to ~ sth with sth** etw mit
etw *dat* versehen **IV.** *vi* <Brit -tt- *or* Am
usu -t-> ① (*be correct size*) passen; FASHION
sitzen; ■**to ~ into sth** in etw *akk* hineinpassen ② (*agree*) *facts* übereinstimmen

③ (*fig*) **how do you ~ into all this?** was
für eine Rolle spielen Sie in dem Ganzen?
◆**fit in I.** *vi* ① (*get on well*) sich einfügen
② (*conform*) dazupassen; **this doesn't ~
in with my plans** das passt mir nicht in
den Plan **II.** *vt* einschieben ◆**fit out** *vt* ausstatten; (*for a purpose*) ausrüsten ◆**fit
together** *vi* zusammenpassen ◆**fit up** *vt*
① (*equip*) ausstatten ② Brit (*sl: frame*) anschwärzen
fit·ful ['fɪtf°l] *adj* unbeständig; *sleep* unruhig
fit·ment ['fɪtmənt] *n* Einrichtungsgegenstand *m*
fit·ness ['fɪtnəs] *n no pl* ① (*competence*)
Eignung *f* ② (*health*) Fitness *f*
fit·ted ['fɪtɪd] *adj* (*adapted*) geeignet; (*tailor-made*) maßgeschneidert; **~ carpet** Brit
Teppichboden *m*
fit·ter ['fɪtər] *n* ① FASHION Zuschneider(in)
m(f) ② TECH [Maschinen]schlosser(in)
m(f); (*of engines*) Monteur(in) *m(f);* (*of
pipes*) Installateur(in) *m(f)*
fit·ting ['fɪtɪŋ] **I.** *n* ① (*fixtures*) ■~**s** *pl* Ausstattung *f,* Einrichtungsgegenstände *pl;*
bathroom ~s Badezimmereinrichtung *f*
② (*of clothes*) Anprobe *f* **II.** *adj* passend; **it
is ~ that ...** es schickt sich, dass ...
five [faɪv] **I.** *adj* fünf; *see also* **eight II.** *n*
① (*number, symbol*) Fünf *f;* **~ o'clock
shadow** nachmittäglicher Stoppelbart; *see
also* **eight** ② (*fingers*) **gimme ~!** (*fam*)
*Aufforderung zur Begrüßung o nach einem
Erfolg die Hand hochzuheben, so dass
man mit der eigenen Hand dagegenschlagen kann* ③ (*minutes*) **to take ~**
(*fam*) sich *dat* eine kurze Pause genehmigen ④ Brit FIN Fünfpfundnote *f;* Am
Fünfdollarschein *m*
'**five·fold** *adj* fünffach
fiv·er ['faɪvər] *n* Brit (*fam*) Fünfpfundnote *f;*
Am Fünfdollarschein *m*
fix [fɪks] **I.** *n* ① (*fam: dilemma*) Klemme *f;*
to be in a ~ in der Klemme sitzen ② (*sl:
drugs*) Schuss *m,* Fix *m* ③ NAUT, AVIAT (*position*) Position *f;* **to take a ~ on sth** etw orten **II.** *vt* ① (*fasten*) befestigen, festmachen; ■**to ~ sth to sth** etw an etw *dat*
anbringen; **to ~ a picture to a wall** ein
Bild an eine Wand hängen; (*fig*) **to ~ sth in
one's mind** sich *dat* etw einprägen ② (*decide*) festlegen; *rent* festsetzen ③ (*arrange*) arrangieren ④ (*repair*) reparieren,
in Ordnung bringen ⑤ (*fam: prepare*)
shall I ~ you sth? soll ich dir was zu essen
machen?; **to ~ one's hair** sich frisieren
⑥ (*fam: manipulate*) manipulieren ⑦ (*sl:
take revenge on*) ■**to ~ sb** es jdm heim-

F

zahlen ❽ ART, PHOT fixieren ❾ (*concentrate*) richten (**on** auf) ❿ (*stare at*) fixieren ⓫ MIL *bayonet* aufpflanzen ⓬ AM (*fam: sterilize*) sterilisieren **III.** *vi* (*sl*) *drugs* fixen ◆ **fix on** *vt* ■**to** ~ |**up**|**on** sth sich auf etw *akk* festlegen ◆ **fix up** *vt* ❶ (*supply*) ■**to** ~ **sb** ⟳ **up** jdn versorgen; (*with a date*) jdn eine Verabredung arrangieren ❷ (*arrange*) ■**to** ~ **up sth** etw arrangieren; *time to meet* etw vereinbaren ❸ (*fam: mend*) in Ordnung bringen; *house* renovieren

fixa·tion [fɪk'seɪʃ°n] *n* PSYCH Fixierung *f* (**with** auf)

fixed [fɪkst] *adj* fest; *gaze* starr; *idea* fix; **how are you ~ for Saturday evening?** hast du am Samstagabend schon etwas vor?; **how are you ~ for cash?** wie steht's bei dir mit Geld?; ~ **charges** Fixkosten *pl*

fix·ed·ly ['fɪksɪdli] *adv* starr

fix·er ['fɪksə] *n* ❶ (*fam: person*) Schieber(in) *m(f)* ❷ CHEM Fixiermittel *nt*

fix·ture ['fɪkstʃə] *n* ❶ (*immovable object*) eingebautes Teil; *bath* ~ **s** Badezimmerarmaturen *pl*; ~ **s and fittings** bewegliches und unbewegliches Inventar; **to be a permanent** ~ (*fig, hum*) zum |lebenden| Inventar gehören ❷ BRIT, AUS SPORTS |Sport|veranstaltung *f*; ~ **list** Spielplan *m*

fizz [fɪz] **I.** *vi* ❶ (*bubble*) sprudeln ❷ (*make sound*) zischen **II.** *n no pl* ❶ (*bubbles*) Sprudeln *nt*; **the tonic water has lost its** ~ in dem Tonic Water ist keine Kohlensäure mehr ❷ (*fam: champagne*) Schampus *m*; (*fizzy drink*) Sprudel *m*

fiz·zle ['fɪzl] *vi* zischen ◆ **fizzle out** *vi* *fireworks, enthusiasm* verpuffen; *attack, campaign* im Sand verlaufen; *interest* stark nachlassen

fizzy ['fɪzi] *adj* sprudelnd; ~ **drink** Getränk *nt* mit Kohlensäure; **to be** ~ sprudeln

fjord [fjɔːd] *n* Fjord *m*

flab·ber·gast ['flæbəɡɑːst] *vt* ■**to be** ~ **ed** völlig platt sein

flab·bi·ness ['flæbɪnəs] *n no pl* (*pej fam: lack of firmness*) Schlaffheit *f*; *of arms, thighs* Wabbeligkeit *f*

flab·by ['flæbi] *adj* schwabbelig; (*fig*) schlapp

flag¹ [flæɡ] *n* (*flagstone*) |Stein|platte *f*

flag² [flæɡ] **I.** *n* ❶ (*pennant*) Fahne *f*; (*national*) Flagge *f* ❷ (*marker*) Markierung *f* ▸ **to fly** |*or* **show**| |*or* **wave**| **the** ~ Flagge zeigen **II.** *vt* <-gg-> ❶ (*mark*) markieren ❷ (*signal to*) **to** ~ |**down**| anhalten **III.** *vi* <-gg-> *enthusiasm* abflauen; *interest* nachlassen; *person* ermüden; *vigour* erlahmen

'**flag day** *n* BRIT *Tag, an dem für wohltätige Zwecke gesammelt wird*

flag·el·late ['flædʒ°leɪt] *vt* (*form*) geißeln

flag·ging *adj attr* AM nachlassend, erlahmend *geh*; ~ **sales** Absatzrückgang *m*

flag·on ['flæɡən] *n* (*hist*) Kanne *f*

'**flag·pole** *n* Fahnenmast *m*, Flaggenmast *m*

fla·grant ['fleɪɡrənt] *adj* offenkundig

'**flag·ship** *n* Flaggschiff *nt a. fig*; ~ **model** Topmodell *nt*; ~ **store** Hauptgeschäft *nt*

'**flag·staff** *n* Fahnenmast *m*, Flaggenmast *m*

flail [fleɪl] **I.** *n* Dreschflegel *m* **II.** *vi* heftig um sich *akk* schlagen; ■**to** ~ **about** herumfuchteln; **to** ~ **away at** wild einschlagen auf +*akk* **III.** *vt* **to** ~ **one's arms** wild mit den Armen fuchteln

flair [fleə] *n no pl* ❶ (*talent*) Talent *nt*; **to have a** ~ **for languages** sprachbegabt sein; **to have a** ~ **for music** musikalisch veranlagt sein ❷ (*style*) Stil *m*

flak [flæk] *n no pl* ❶ (*shooting*) Flakfeuer *nt* ❷ (*fig*) scharfe Kritik

flake [fleɪk] **I.** *n* ❶ *of chocolate* Raspel *f*; *of metal* Span *m*; *of pastry* Krümel *m*; *of wallpaper* Fetzen *m*; ~ **s of snow** Schneeflocke *f*; **soap** ~ Seifenflocke *f* ❷ AM (*fam: odd person*) Spinner(in) *m(f)* **II.** *vi* ❶ *skin* sich schuppen; *paint* abblättern; *plaster* abbröckeln ❷ AM (*fam: forget*) nicht dran denken ◆ **flake out** *vi* (*fam*) ❶ BRIT (*be exhausted*) zusammenklappen ❷ AM (*forget*) nicht dran denken

flaky ['fleɪki] *adj* ❶ (*with layers*) flockig; *pastry* blättrig; *paint* bröcklig; *skin* schuppig ❷ AM (*fam: odd*) verdreht ❸ COMPUT unberechenbar

flaky '**pas·try** *n no pl* Blätterteig *m*

flam·boy·ance [flæm'bɔɪən(t)s] *n no pl* ❶ (*extravagance*) Extravaganz *f* ❷ (*showiness*) Grellheit *f*

flam·boy·ant [flæm'bɔɪənt] *adj* extravagant; *colours* prächtig

flame [fleɪm] **I.** *n* ❶ (*fire*) Flamme *f a. fig*; ■**to be/go up in** ~**s** in Flammen stehen/aufgehen; **to burst into** ~ in Brand geraten ❷ INET beleidigende E-Mail **II.** *vi* (*blaze*) brennen; (*fig*) glühen **III.** *vt* COMPUT (*sl*) per E-Mail beleidigen

flam·ing ['fleɪmɪŋ] **I.** *adj* ❶ (*fig: angry*) **to be in a** ~ **temper** vor Wut kochen ❷ *colour* flammend ❸ BRIT (*fam!: intensifier*) verdammt **II.** *n no pl* INET *heftiges Beleidigen beim Chatten im Internet*

fla·min·go <*pl* -s *or* -es> [flə'mɪŋɡəʊ] *n* Flamingo *m*

flam·mable *adj* leicht entflammbar; **highly** ~ feuergefährlich

flan [flæn] *n* ❶ (*with fruit*) Obsttorte *f*;

(*savoury*) Pastete mit Käse oder Schinken ❷ AM *Kuchen mit einer Füllung aus Vanillepudding*

Flan·ders ['flɑːndəz] *n* Flandern *nt*

flange [flændʒ] *n* Flansch *m*

flank [flæŋk] **I.** *n* Flanke *f* **II.** *vt* flankieren

flan·nel ['flænəl] *n* ❶ *no pl* (*material*) Flanell *m* ❷ BRIT (*facecloth*) Waschlappen *m* ❸ (*trousers*) ▪ ~s *pl* Flanellhose *f;* AM Flanellunterwäsche *f kein pl*

flap [flæp] **I.** *vt* <-pp-> **to ~ one's wings** mit den Flügeln schlagen; (*in short intervals*) flattern mit +*dat* **II.** *vi* <-pp-> ❶ (*flutter*) flattern; *wings* schlagen ❷ BRIT (*fam: fuss*) sich aufregen; ▪ **to ~ about** nervös auf und ab laufen **III.** *n* ❶ (*flutter*) Flattern *nt* ❷ (*overlapping part*) *of cloth* Futter *nt;* *pocket* ~ Taschenklappe *f;* ~ *of* **skin** Hautlappen *m* ❸ AVIAT Landeklappe *f* ❹ (*fam: commotion*) helle Aufregung; ▪ **to be in a ~** schrecklich aufgeregt sein

flap·jack ['flæpdʒæk] *n* ❶ BRIT, AUS Haferkeks *m* ❷ AM Pfannkuchen *m*

flare [fleəʳ] **I.** *n* ❶ (*signal*) Leuchtkugel *f* ❷ (*of trousers*) Schlag *m;* ▪ ~s *pl* Schlaghose *f* **II.** *vi* ❶ (*burn up*) aufflammen ❷ FASHION aufweiten ❸ *nostrils* sich blähen **III.** *vt* **to ~ one's nostrils** die Nasenflügel aufblähen ◆ **flare up** *vi* ❶ (*also fig*) auflodern; *person* aufbrausen ❷ MED sich bemerkbar machen

'flare-up *n* ❶ MIL Auflodern *nt a. fig* ❷ MED [erneuter] Ausbruch

flash [flæʃ] **I.** *n* <*pl* -es> ❶ (*light*) [Licht]blitz *m; of jewellery, metal* [Auf]blitzen *nt kein pl; of an explosion* Stichflamme *f;* ~ **of lightning** Blitz *m;* **to give sb a ~** AUTO jdm ein Zeichen mit der Lichthupe geben ❷ (*fig*) ~ **of anger/temper** Wut-/Temperamentsausbruch *m;* ~ **of inspiration** Geistesblitz *m* ❸ (*moment*) Augenblick *m* ❹ AM (*fam: flashlight*) Taschenlampe *f* ❺ PHOT Blitz *m;* **to use** [a] ~ mit Blitzlicht fotografieren ▸ **a ~ in the pan** ein Strohfeuer *nt;* **like a ~** blitzartig; **quick as a ~** blitzschnell; **in a ~** im Nu; **to be back in a ~** sofort wieder da sein **II.** *adj* (*pej fam*) protzig **III.** *vt* ❶ (*signal*) *light* aufleuchten lassen; *message* blinken; **to ~ sb** (*in a car*) jdm ein Zeichen mit der Lichthupe geben; (*with a torch*) jdn anleuchten ❷ (*look*) zuwerfen ❸ (*communicate*) übermitteln ❹ (*pej fam*) ▪ **to ~ sth about** mit etw *dat* protzen **IV.** *vi* ❶ (*shine*) blitzen; AUTO Lichthupe machen; **the lightning ~ed** es blitzte ❷ (*fig: appear*) kurz auftauchen; *smile* huschen; *thought* schießen; **my whole life ~ed before me** mein

ganzes Leben lief im Zeitraffer vor mir ab ❸ (*move*) ▪ **to ~ by** [*or* **past**] vorbeirasen ❹ (*fam: expose genitals*) ▪ **to ~** [**at**] [**sb**] sich [jdm] exhibitionistisch zeigen ◆ **flash back** *vi* ▪ **to ~ back to sth** sich plötzlich [wieder] an etw *akk* erinnern

'flash·back *n* ❶ FILM Rückblende *f* ❷ CHEM [Flammen]rückschlag *m* **'flash·bulb** *n* PHOT Blitz[licht]lampe *f* **flash·er** ['flæʃəʳ] *n* ❶ AUTO Lichthupe *f* ❷ (*fam: exhibitionist*) Exhibitionist *m* **'flash·gun** *n* PHOT Blitzlicht *nt* **'flash·light** *n* ❶ PHOT Blitzlicht *nt* ❷ AM (*torch*) Taschenlampe *f* **'flash·point** *n* ❶ CHEM Flammpunkt *m* ❷ (*fig: stage*) Siedepunkt *m;* (*trouble spot*) Unruheherd *m*

flashy ['flæʃi] *adj* protzig

flask [flɑːsk] *n* ❶ (*bottle*) [bauchige] Flasche; (*for wine*) Ballonflasche *f;* (*for spirits*) Flachmann *m;* (*for travelling*) Reiseflasche *f* ❷ CHEM [Glas]kolben *m*

flat¹ [flæt] **I.** *adj* <-tt-> ❶ (*horizontal*) flach; *path, surface* eben; *face, nose* platt ❷ (*not fizzy*) *drinks* schal ❸ BRIT, AUS (*empty*) *battery* leer ❹ (*deflated*) *tyre* platt; *person* niedergeschlagen ❺ COMM, ECON (*slack*) *market* flau; (*fixed*) *rate* Einheits-, Pauschal- ❻ MUS *key* mit B-Vorzeichen *nach n; note* [um einen Halbton] erniedrigt; (*unintentionally*) zu tief [gestimmt]; **E ~ major** Es-Dur ❼ (*fig: absolute*) *refusal* glatt ❽ (*fig, pej: dull*) lahm; *voice* ausdruckslos ❾ AM (*fam: without funds*) pleite ▸ **and that's** ~ und dabei bleibt es **II.** *adv* <-tt-> ❶ (*horizontally*) flach; **to fall ~ on one's face** der Länge nach hinfallen ❷ (*levelly*) platt ❸ (*fam: absolutely*) rundheraus, glattweg ❹ (*fam: completely*) total ❺ (*fam: exactly*) genau ❻ MUS zu tief ▸ **in no time ~** in Sekundenschnelle; **to fall ~** (*fail*) *attempt* scheitern; *performance* durchfallen; *joke* nicht ankommen **III.** *n* ❶ (*level surface*) flache Seite; ~ **of the hand** Handfläche *f* ❷ (*level ground*) Ebene *f;* **mud ~s** *pl* Sumpfebene *f;* **salt ~s** *pl* Salzwüste *f* ❸ MUS (*sign*) Erniedrigungszeichen *nt;* (*tone*) [um einen halben Ton] erniedrigter Ton ❹ THEAT Schiebewand *f* ❺ BRIT, AUS (*tyre*) Platte[r] *m*

flat² [flæt] *n* BRIT, AUS [Etagen]wohnung *f;* ▪ ~s *pl* Wohnblock *m*

flat 'feet *npl* Plattfüße *pl* **flat-'foot·ed** *adj* plattfüßig; **to be ~** Plattfüße haben ▸ **to catch sb** ~ jdn [völlig] umhauen

flat·ly ['flætli] *adv* ❶ (*dully*) ausdruckslos ❷ (*absolutely*) glatt[weg]

'flat·mate *n* BRIT Mitbewohner(in) *m(f)*

flat·ness ['flætnəs] *n no pl* Flachheit *f; of*

ground, track Ebenheit *f*

'**flat-pack** *adj attr furniture* zur Selbstmontage *nach n*, im Flachkarton *nach n*

flats [flæts] *npl* FASHION flache Schuhe

'**flat screen** *n* Flachbildschirm *m*

flat·ten ['flætⁿn] *vt* ❶ (*level*) flach machen; *ground, path* eben machen; *dent* ausbeulen; ▪to ~ **oneself against sth** sich platt gegen etw *akk* drücken ❷ (*knock down*) *thing* einebnen; *tree* umlegen; *person* niederstrecken ❸ MUS [um einen Halbton] erniedrigen

flat·ter¹ ['flætər] *vt* ▪to ~ **sb** jdm schmeicheln; **don't ~ yourself!** bilde dir ja nichts ein!

flat·ter² ['flætər] *adj comp of* **flat**

flat·tered ['flætəd] *adj* geschmeichelt; **to be** ~ sich geschmeichelt fühlen

flat·ter·er ['flætⁿrər] *n* Schmeichler(in) *m(f)*

flat·ter·ing ['flætⁿrɪŋ] *adj* (*approv*) schmeichelhaft; (*pej*) schmeichlerisch

flat·tery ['flætⁿri] *n no pl* Schmeicheleien *pl* ▸~ **will get you nowhere** mit Schmeicheleien erreicht man nichts

flatu·lence ['flætjələn(t)s] *n no pl* (*form*) Blähung[en] *f[pl]*

flaunt [flɔ:nt] *vt* (*esp pej*) zur Schau stellen

flaut·ist ['flɔ:tɪst] *n* Flötist(in) *m(f)*

fla·vo·noid ['fleɪvənɔɪd] *n* CHEM Flavonoid *nt*

fla·vor *n, vt* AM *see* **flavour**

fla·vor·ing *n* AM *see* **flavouring**

fla·vour ['fleɪvər] I. *n* ❶ (*taste*) [Wohl]geschmack *m*, Aroma *nt*; (*particular taste*) Geschmacksrichtung *f*, Sorte *f*; **to add** ~ **to sth** etw *dat* Geschmack verleihen ❷ (*fig*) Anflug *m*; **a city with a cosmopolitan** ~ eine Stadt mit weltmännischer Atmosphäre II. *vt* würzen

fla·vour·ing ['fleɪvⁿrɪŋ] *n* Aroma *nt*, Geschmacksstoff *m*

flaw [flɔ:] I. *n* ❶ Fehler *m*, Mangel *m*; TECH Defekt *m*; ~ **in one's character** Charakterfehler *m* II. *vt usu passive* beeinträchtigen

flaw·less ['flɔ:ləs] *adj* fehlerlos; *beauty* makellos; *behaviour* einwandfrei; *diamond* lupenrein; *performance* vollendet

flax [flæks] *n no pl* Flachs *m*

flax·en ['flæksⁿn] *adj* flachsfarben; ~-**haired** flachsblond

flay [fleɪ] *vt* ❶ *animal* [ab]häuten ❷ (*fig*) *person* auspeitschen

flea [fli:] *n* Floh *m* ▸**to send sb away** [*or* **off**] **with a** ~ **in their ear** jdm eine Abfuhr erteilen

'**flea·bite** *n* Flohstich *m* '**flea-bit·ten** *adj*

(*bitten*) voller Flohbisse *präd* '**flea mar·ket** *n* Flohmarkt *m*

fleck [flek] I. *n* Fleck[en] *m* II. *vt* sprenkeln

fled [fled] *vi, vt pp, pt of* **flee**

fledged [fledʒd] *adj* **fully** ~ flügge *a. fig*

fledg(e)·ling ['fledʒlɪŋ] I. *n* Jungvogel *m* II. *adj* neu, Jung-

flee <fled, fled> [fli:] I. *vi* (*run away*) fliehen (**from** vor); (*seek safety*) flüchten; **she fled from the room in tears** sie rannte weinend aus dem Zimmer; **to** ~ **abroad** [sich] ins Ausland flüchten II. *vt country* fliehen aus; *danger* fliehen [*o* flüchten] vor

fleece [fli:s] I. *n* ❶ *of sheep* Schaffell *nt*, Vlies *nt* ❷ *no pl* (*fabric*) Flausch *m*, weicher Wollstoff ❸ BRIT (*clothing*) Vliesjacke *f* II. *vt* ❶ *sheep* scheren ❷ (*fig fam: cheat*) schröpfen

fleecy ['fli:si] *adj* ❶ (*Handtuch*) flauschig ❷ (*of fleece*) [Schaf]fell-; ~ **lining** Fellfutter *nt*

fleet¹ [fli:t] *n* + *sing/pl vb* ❶ NAUT Flotte *f*; ▪**the F~** die Marine ❷ AVIAT Staffel *f* ❸ (*group of vehicles*) Fuhrpark *m*; ~ **of cars** Wagenpark *m*

fleet² [fli:t] *adj* (*liter*) flink; ~ **of foot** schnell zu Fuß

fleet·ing ['fli:tɪŋ] *adj* flüchtig; *beauty* vergänglich; *opportunity* kurzfristig; ~ **visit** Kurzbesuch *m*

Flem·ing ['flemɪŋ] *n* Flame, Flämin *m, f*

Flem·ish ['flemɪʃ] I. *adj* flämisch II. *n no pl* Flämisch *nt*

flesh [fleʃ] *n no pl* Fleisch *nt*; *of fruit* [Frucht]fleisch *nt* ▸**to be** [**only**] ~ **and blood** auch [nur] ein Mensch sein; **one's own** ~ **and blood** sein eigen[es] Fleisch und Blut; **to have one's pound of** ~ seinen vollen Anteil bekommen; **to make one's** ~ **crawl** eine Gänsehaut bekommen; **to press the** ~ AM POL [Wähler]hände schütteln; **in the** ~ in Person ◆**flesh out** *vt* weiterentwickeln

'**flesh-col·oured** *adj*, '**flesh-col·ored** *adj* AM fleischfarben '**flesh·pot** *n* (*fig*) ▪**the** ~**s** *pl* das Vergnügungsviertel '**flesh wound** *n* Fleischwunde *f*

fleshy ['fleʃi] *adj* ❶ (*also fig, euph: plump*) beleibt ❷ *fruit* fleischig, saftig

flew [flu:] *vi, vt pp, pt of* **fly**

flex [fleks] I. *vt* beugen; *muscles* [an]spannen; **to** ~ **one's muscles** (*fig*) seine Muskeln spielen lassen II. *vi* sich beugen; *muscles* sich [an]spannen III. *n* [Anschluss]kabel *nt*

flex·ibil·ity [ˌfleksɪˈbɪləti] *n no pl* ❶ (*pliability*) Biegsamkeit *f*; *of material* Elastizität *f*; *of body* Gelenkigkeit *f* ❷ (*fig*) Flexibilität *f*

flex·ible ['fleksɪbl] *adj* ❶ (*pliable*) biegsam; *body* gelenkig ❷ (*fig*) flexibel; ~ **working hours** gleitende Arbeitszeit

flex·ible-'fuel ve·hi·cle *n* ethanoltaugliches Fahrzeug

flexi·time ['fleksitaɪm] *n no pl* Gleitzeit *f;* **to work** [*or* **be on**] ~ gleitende Arbeitszeit haben

flick [flɪk] **I.** *n* ❶ (*blow*) [kurzer] Schlag ❷ (*movement*) kurze Bewegung; *of switch* Klicken *nt; of whip* Schnalzen *nt; of wrist* kurze Drehung ❸ BRIT (*fam*) ◾**the ~s** *pl* das Kino **II.** *vt* (*strike*) ◾**to ~ sb/sth** jdm/etw einen [leichten] Schlag versetzen; *horses* ~ **their tails** Pferde schlagen mit dem Schweif ❷ (*move*) ◾**to ~ sth** etw mit einer schnellen Bewegung ausführen; *whip* schnalzen mit + *dat;* **to ~ channels** (*fam*) durch die Kanäle zappen; **to ~ a knife open** ein Messer aufschnappen lassen; **to ~ the light switch on/off** das Licht an-/ auskniepsen; **by ~ing one's wrist** mit einer schnellen Drehung des Handgelenks ❸ (*remove*) wegwedeln; *with fingers* wegschnippen ◆**flick through** *vi* (*fam*) ◾**to ~ through sth** *book, pages, report* etw [schnell] durchblättern

flick·er ['flɪkəʳ] **I.** *vi* ❶ (*shine unsteadily*) flackern; *TV* flimmern; *eyelids* zucken; *tongue* züngeln ❷ (*fig*) aufkommen; *hope* aufflackern **II.** *n* ❶ (*movement*) Flackern *nt kein pl; of TV pictures* Flimmern *nt kein pl; of eyelids* Zucken *nt kein pl* ❷ (*fig*) Anflug *m;* **a ~ of hope** ein Hoffnungsschimmer *m*

'**flick knife** *n* BRIT, AUS Klappmesser *nt*

fli·er ['flaɪəʳ] *n* ❶ AVIAT Flieger(in) *m/f;* **frequent ~** Vielflieger(in) *m/f* ❷ (*fig fam: fast horse*) Renner *m; (fast vehicle*) Flitzer *m* ❸ (*leaflet*) Flugblatt *nt; of police* Steckbrief *m*

flight¹ [flaɪt] *n* ❶ (*flying*) Flug *m;* **to take ~** auffliegen; **in ~** im Flug ❷ + *sing/pl vb* (*group*) *of birds, insects* Schwarm *m; of migrating birds* [Vogel]zug *m; of aircraft* [Flieger]staffel *f;* **to be in the top ~** (*fig*) zur ersten Garnitur gehören ❸ (*series*) **a ~** [**of stairs**] eine Treppe; **we live three ~s up** wir wohnen drei Treppen hoch; **a ~ of hurdles** eine Hürdenreihe ❹ (*fig: whim*) **a ~ of fancy** ein geistiger Höhenflug ❺ *in darts* Befiederung *f*

flight² [flaɪt] *n* (*fleeing*) Flucht *f;* **to put sb to ~** jdn in die Flucht schlagen

'**flight at·tend·ant** *n* Flugbegleiter(in) *m/f* '**flight con·trol·ler** *n* Fluglotse, -lotsin *m, f* '**flight deck** *n* ❶ (*on ship*) Flugdeck *nt* ❷ (*on plane*) Cockpit *nt*

flight·less ['flaɪtləs] *adj* flugunfähig

'**flight num·ber** *n* Flugnummer *f* '**flight path** *n of an aircraft* Flugweg *m; of an object* Flugbahn *f* '**flight risk** *n* potentieller Überläufer/potentielle Überläuferin

flighty ['flaɪti] *adj* (*usu pej*) flatterhaft

flim·si·ness ['flɪmzɪnəs] *n no pl* ❶ *of material* mangelnde Festigkeit; *of a structure* mangelnde Stabilität ❷ *of a fabric, paper* Dünnheit *f* ❸ (*fig*) *of an excuse* Fadenscheinigkeit *f*

flim·sy ['flɪmzi] *adj* ❶ *construction* instabil, unsolide ❷ *clothing* dünn, leicht ❸ (*fig*) *excuse* schwach

flinch [flɪn(t)ʃ] *vi* ❶ (*wince*) [zusammen]zucken ❷ (*avoid*) ◾**to ~** [**away**] **from sth** vor etw *dat* zurückschrecken

fling [flɪŋ] **I.** *n* ❶ (*throw*) [mit Schwung ausgeführter] Wurf ❷ (*fig: good time*) ausgelassene Zeit; **to have a ~** ausgelassen feiern; (*relationship*) **to have a ~ with sb** mit jdm etw haben **II.** *vt* <flung, flung> werfen; **to ~ one's arms round sb's neck** jdm die Arme um den Hals werfen; **they flung their arms** [**a**]**round each other** sie fielen sich um den Hals; **to ~ one's head back** den Kopf in den Nacken werfen; ◾**to ~ oneself at sb/sth** sich auf jdn/etw stürzen; (*fig*) sich jdm an den Hals werfen; ◾**to ~ oneself into sth** (*fig*) sich in etw *akk* stürzen; **to ~ open** aufreißen ◆**fling away** *vt* wegwerfen ◆**fling off** *vt cloth-ing* abwerfen *a. fig; blanket* wegstoßen ◆**fling on** *vt* (*fam*) sich *dat* überwerfen ◆**fling out** *vt* (*fam*) *thing* ausrangieren; *person* rausschmeißen

flint [flɪnt] *n* Feuerstein *m*

flip [flɪp] **I.** *vt* <-pp-> ❶ (*turn on/off*) *switch* drücken ❷ (*turn over*) umdrehen; *coin* werfen; *pancake* wenden ▸**to ~ one's lid** ausflippen **II.** *vi* <-pp-> ❶ ◾**to ~** [**over**] sich [schnell] [um]drehen; *vehicle* sich überschlagen ❷ (*fig sl*) ausflippen **III.** *n* ❶ (*throw*) Werfen *nt* ❷ (*movement*) Ruck *m;* **to have a** [**quick**] **~ through sth** etw im Schnellverfahren tun ❸ SPORTS Salto *m*

'**flip chart** *n* Flipchart *m o nt* '**flip-flop** *n* ❶ (*shoe*) Badelatsche *f* ❷ AM SPORTS Flic[k]flac[k] *m* **flip-fold seat** [ˌflɪpfəʊld'siːt] *n* umklappbarer [*o* hochfaltbarer] Sitz

flip·pan·cy ['flɪpᵊn(t)si] *n no pl* Leichtfertigkeit *f*

flip·pant ['flɪpᵊnt] *adj* leichtfertig

flip·per ['flɪpəʳ] *n* [Schwimm]flosse *f*

flip·ping ['flɪpɪŋ] *adj, adv* (*sl*) echt, verflixt; **you'll do as you're ~ well told!** du tust gefälligst das, was man dir sagt!

'flip side n ❶ (back) of a record B-Seite f ❷ (effect) of an activity, policy Kehrseite f

flirt [flɜːt] **I.** vi flirten **II.** n [gern] flirtender Mann/[gern] flirtende Frau; **she's a dreadful ~** sie kann das Flirten nicht lassen

flir·ta·tion [flɜːˈteɪʃ³n] n Flirt m

flir·ta·tious [flɜːˈteɪʃəs] adj kokett; **to be ~ with sb** mit jdm [herum]flirten

flit <-tt-> [flɪt] **I.** vi ❶ (also fig: move) huschen; (fly) flattern ❷ (fig) sich stürzen; **to ~ through one's mind** einem durch den Kopf schießen ❸ NBRIT, SCOT (move house) umziehen **II.** n BRIT **to do a moonlight ~** sich bei Nacht und Nebel davonmachen

float [fləʊt] **I.** n ❶ (for fishing) [Kork]schwimmer m ❷ (for swimming) Schwimmkork m ❸ TECH Schwimmer m ❹ (vehicle) Festzugswagen m; **milk ~** Milch[ausliefer]wagen m ❺ BRIT, AUS FIN Spesenvorschuss m; (in a till) Wechselgeld nt **II.** vi ❶ (be buoyant) schwimmen, oben bleiben ❷ (move in liquid or gas) objects treiben; people sich treiben lassen ❸ (fig: move casually) schweben; **to ~ through one's mind** jdm in den Sinn kommen ❹ (move in air) clouds ziehen; leaves segeln; sound dringen ❺ ECON floaten **III.** vt ❶ ECON business gründen; currency freigeben ❷ (on water) treiben lassen; logs flößen; ship zu Wasser lassen ❸ (fig) idea zur Diskussion stellen ◆ **float about, float around** vi (fig) rumour in Umlauf sein; objects [he]rum[f]liegen fam; person sich herumtreiben ◆ **float off** vi (on water) wegtreiben; (in air) davonschweben

floata·tion n see **flotation**

float·ing [ˈfləʊtɪŋ] adj ❶ (in water) schwimmend, treibend; crane, dock Schwimm- ❷ (fluctuating) population mobil; **~ voter** Wechselwähler(in) m/f ❸ FIN debt schwebend ❹ MED Wander-; rib frei

flock [flɒk] **I.** n + sing/pl vb ❶ of animals Herde f; of birds Schar f, Schwarm m ❷ of people Schar f; REL Herde f **II.** vi sich scharen; ■ **to ~ to sth** zu etw dat in Scharen kommen

floe [fləʊ] n Eisscholle f

flog <-gg-> [flɒg] vt ❶ (whip) auspeitschen (for wegen) ❷ BRIT (fam: sell) verscheuern ▶ **to ~ sth/oneself to death** etw zum hundertsten Mal durchkauen, sich zu Tode rackern

flog·ging [ˈflɒgɪŋ] n Auspeitschen nt kein pl

flo·ka·ti rug [fləˈkɑːtirʌg] n Flokati m

flood [flʌd] **I.** n ❶ (excess water) Überschwemmung f, Hochwasser nt kein pl; ■ **the F~** REL die Sintflut ❷ (fig) Flut f; **to be in ~s of tears** von Tränen überströmt sein ❸ (tide) ~ [tide] Flut f; **on the ~** bei [o mit der] Flut **II.** vt ❶ (overflow) überschwemmen a. fig; room unter Wasser setzen ❷ AUTO absaufen lassen ❸ (intentionally fill with water) fluten **III.** vi ❶ place überschwemmt werden, unter Wasser stehen; river über die Ufer treten ❷ (fig) strömen

'flood·gate n Schleusentor nt; **to open the ~s to sth** (fig) etw dat Tür und Tor öffnen

flood·ing [ˈflʌdɪŋ] n no pl Überschwemmung f

'flood·light n (lamp) Scheinwerfer m; (light) Scheinwerferlicht nt, Flutlicht nt; **under ~s** bei Flutlicht

floor [flɔːʳ] **I.** n ❶ (ground) [Fuß]boden m; GEOG Boden m; **to drop through the ~** (fig) ins Bodenlose fallen ❷ (storey) Stock m, Stockwerk nt, Etage f; **first ~** BRIT erster Stock; AM Erdgeschoss nt; **on the third ~** im dritten Stock ❸ (room) Sitzungssaal m ❹ (area) Bereich m; **factory ~** Fabrikhalle f; **on the shop ~** im Betrieb ▶ **to have/take the ~** das Wort haben/ergreifen **II.** vt ❶ (cover) room, space mit einem [Fuß]boden auslegen ❷ (fig) umhauen

'floor·board n Diele f

floor·ing [ˈflɔːrɪŋ] n no pl Boden[belag] m

'floor lamp n AM Stehlampe f **'floor polish** n no pl Bohnerwachs nt **'floor show** n Varieteevorstellung f

flop [flɒp] **I.** vi <-pp-> ❶ (move) sich fallen [o plumpsen] lassen ❷ (fail) ein Flop sein; performance durchfallen **II.** n ❶ no pl (movement) Plumps m ❷ (failure) thing Flop m; person Niete f

'flop·house n AM (fam) Absteige f fam, billige Pension

flop·py [ˈflɒpi] **I.** adj schlaff; hair [immer wieder] herabfallend; **~ ears** Schlappohren pl; **~ hat** Schlapphut m **II.** n COMPUT (fam) Floppy [Disk] f

flop·py 'disk n COMPUT Floppy Disk f

flo·ra [ˈflɔːrə] n no pl Flora f

flo·ral [ˈflɔːr³l] adj Blumen-

Flor·ence [ˈflɒr³n(t)s] n no pl Florenz nt

flor·id [ˈflɒrɪd] adj ❶ (form: ruddy) kräftig rot ❷ (fig, usu pej: over-ornate) überladen; style prose; prose, rhetoric schwülstig

Flori·da [ˈflɒrɪdə] n Florida nt

flo·rist [ˈflɒrɪst] n Florist(in) m/f; ■ **~'s** Blumengeschäft nt

flo·ta·tion [fləʊˈteɪʃ³n] n ❶ ECON of a busi-

ness Gründung *f*; **stock-market** ~ Börsengang *m* ❷ *no pl* TECH ~ **chamber** Schwimmkammer *f*

flo·til·la [flə(ʊ)'tɪlə] *n + sing/pl vb* Flottille *f*

flounce [flaʊn(t)s] *vi* rauschen

floun·der¹ <*pl* - *or* -s> ['flaʊndəʳ] *n* (*flatfish*) Flunder *f*

floun·der² ['flaʊndəʳ] *vi* ❶ (*move with difficulty*) stolpern; (*in mud, snow*) waten; (*in water*) [herum]rudern ❷ (*fig: be in difficulty*) sich abmühen; (*be confused*) nicht weiterwissen; ▪ **to be** ~**ing** *organization* auf der Kippe stehen; *person* ins Schwimmen kommen

flour ['flaʊəʳ] *n no pl* Mehl *nt*

flour·ish ['flʌrɪʃ] **I.** *vi* blühen; COMM blühen, florieren **II.** *vt* ▪ **to** ~ **sth** mit etw *dat* herumfuchteln, etw schwingen **III.** *n* ❶ (*movement*) schwungvolle Bewegung, (*gesture*) überschwängliche Geste; **the team produced a late** ~ die Mannschaft brachte gegen Ende noch einmal Bewegung ins Spiel ❷ (*decoration*) Schnörkel *m*

flour·ish·ing ['flʌrɪʃɪŋ] *adj* (*also fig*) *plants* prächtig; *business, market* blühend, florierend

'flour mill *n* Getreidemühle *f*

floury ['flaʊəri] *adj* mehlig

flout [flaʊt] *vt* [offen] missachten

flow [fləʊ] **I.** *vi* fließen *a. fig*; *air, light, warmth* strömen; **many rivers** ~ **into the Pacific Ocean** viele Flüsse münden in den Pazifischen Ozean; **the beer was** ~**ing** das Bier floss in Strömen; **the conversation began to** ~ die Unterhaltung kam in Gang; **her hair** ~**ed down over her shoulders** ihr Haar wallte über ihre Schultern **II.** *n usu sing* Fluss *m a. fig*; (*volume*) Durchflussmenge *f*; ~ **of goods** Güterverkehr *m*; ~ **of ideas/information** Ideen-/Informationsfluss *m*; ~ **of traffic** Verkehrsfluss *m*; ~ **of visitors** Besucherstrom *m*; **to stop the** ~ **of blood** das Blut stillen ▸ **in full** ~ voll in Fahrt; **to go against/with the** ~ gegen den/mit dem Strom schwimmen

'flow·chart *n*, **'flow dia·gram** *n* Flussdiagramm *nt*

flow·er ['flaʊəʳ] **I.** *n* ❶ BOT (*plant*) Blume *f*; (*blossom*) Blüte *f*; **to be in** ~ blühen ❷ (*fig*) Blüte *f* **II.** *vi* blühen *a. fig*

'flow·er ar·range·ment *n* Blumengesteck *nt* **'flow·er·bed** *n* Blumenbeet *nt* **'flow·er·pot** *n* Blumentopf *m*

flow·ery ['flaʊəri] *adj* ❶ *material* geblümt ❷ (*fig*) *language* blumig

flow·ing ['fləʊɪŋ] *adj* flüssig; *clothing, movement* fließend; *hair* wallend

flown [fləʊn] *vi, vt pp of* **fly**

flu [flu:] *n no pl short for* **influenza** Grippe *f*; ~ **shot** [*or* **vaccination**] Grippeimpfung *f*

fluc·tu·ate ['flʌktʃueɪt] *vi* schwanken; ECON fluktuieren

fluc·tu·at·ing ['flʌktʃueɪtɪŋ] *adj* ECON, FIN schwankend

fluc·tua·tion [,flʌktʃu'eɪʃᵊn] *n* Schwankung *f*; ECON Fluktuation *f*; ~ **s in temperature** Temperaturschwankung[en] *f*[*pl*]

flue [flu:] *n* Abzugsrohr *nt*; (*in chimney*) Rauchabzug *m*; (*for boiler*) Flammrohr *nt*

flu·en·cy ['flu:ən(t)si] *n no pl* Fluss *m*; *of style* Flüssigkeit *f*; *of articulation* Gewandtheit *f*; *of foreign language* Beherrschung *f*

flu·ent ['flu:ənt] *adj* *foreign language* fließend; *style* flüssig; *rhetoric* gewandt; *movements* flüssig; **to be** ~ **in a language** eine Sprache fließend beherrschen [*o* sprechen]

flu·ent·ly ['flu:əntli] *adv* *speak, write* flüssig; *speak a foreign language* fließend

fluff [flʌf] **I.** *n no pl* ❶ (*particle*) Fussel[n] *pl* ❷ ORN, ZOOL Flaum *m* ❸ AM (*fig, pej fam: nonsense*) Blödsinn *m* **II.** *vt* (*pej fam*) verpatzen; *exam* verhauen

fluffy ['flʌfi] *adj* ❶ (*soft*) *feathers* flaumig; *pillows* flaumig weich; *towels* flauschig; *animal* kuschelig [weich]; ~ **toy** Kuscheltier *nt* ❷ (*light*) *clouds* aufgelockert; *food, hair* locker; *egg white* schaumig

flu·id ['flu:ɪd] **I.** *n* Flüssigkeit *f*; **bodily** ~**s** Körpersäfte *pl* **II.** *adj* ❶ (*liquid*) flüssig ❷ (*fig: changeable*) veränderlich

flu·id 'ounce *n* BRIT 28,41 cm³; AM 29,57 cm³

fluke [flu:k] *n usu sing* (*fam: chance*) Dusel *m fam*; **by some amazing** ~ durch einen glücklichen Zufall

flung [flʌŋ] *pp, pt of* **fling**

flunk [flʌŋk] *vt* (*fam*) durchfallen in +*dat*

fluo·res·cence [flɔː'res²n(t)s] *n no pl* Fluoreszenz *f*

fluo·res·cent [flɔː'res²nt] *adj* fluoreszierend; ~ **light** Neonlicht *nt*

fluo·ride ['flɔːraɪd] *n no pl* Fluorid *nt*

fluo·ro·car·bon [,flɔːrə(ʊ)'kɑːbᵊn] *n* CHEM Fluorkohlen[wasser]stoff *m*

flur·ry ['flʌri] *n* ❶ (*swirl*) Schauer *m*; ~ **of snow** Schneeschauer *m* ❷ (*excitement*) Unruhe *f*; ~ **of excitement** große Aufregung

flush¹ [flʌʃ] *adj* ❶ (*flat*) eben; ~ **with sth** mit etw *dat* auf gleicher Ebene ❷ (*fam: rich*) reich; ~ **with cash** gut bei Kasse

flush² [flʌʃ] *n* (*in cards*) Flush *m*

flush³ [flʌʃ] **I.** *vi* ❶ (*blush*) erröten (**with**

vor) ❷ (*empty*) spülen; **the toilet won't ~** die [Toiletten]spülung geht nicht **II.** *vt* spülen; **to ~ [sth down] the toilet** [etw die Toilette hinunter]spülen **III.** *n* ❶ *usu sing* (*blush*) Röte *f kein pl* ❷ (*emptying*) Spülen *nt kein pl* ◆ **flush out** *vt* ❶ (*cleanse*) ausspülen ❷ (*drive out*) hinaustreiben

flushed [flʌʃt] *adj* rot im Gesicht; **~ with success** triumphierend

flus·ter ['flʌstə'] **I.** *vt* nervös machen **II.** *n no pl* ■ **to be/get in a ~** nervös sein/werden

flus·tered ['flʌstəd] *adj* nervös, aufgeregt; **to look ~** einen gehetzten Eindruck machen

flute [fluːt] *n* Flöte *f*

flut·ist *n* AM Flötist(in) *m(f)*

flut·ter ['flʌtə'] **I.** *vi* flattern **II.** *vt* flattern lassen; **the bird ~ed its wings** der Vogel schlug mit den Flügeln; **to ~ one's eyelashes/eyelids** (*hum*) mit den Wimpern/Augendeckeln klimpern *fam* **III.** *n* ❶ BRIT, AUS (*fam: bet*) kleine Wette *f* ❷ (*flapping*) Flattern *nt kein pl* ❸ (*nervousness*) Aufregung *f;* **all of a ~** völlig aus dem Häuschen

flux [flʌks] *n no pl* **in a state of ~** im Fluss

fly¹ [flaɪ] **I.** *vi* <flew, flown> ❶ (*through the air*) fliegen; **we're ~ing at 9000 metres** wir fliegen in 9000 Meter Höhe; **he flew across the Atlantic** er überflog den Atlantik; **we flew from Heathrow** wir flogen von Heathrow ab ❷ (*in the air*) *flag* wehen ❸ (*speed*) sausen; **I must ~** ich muss mich sputen; **the door flew open** die Tür flog auf **II.** *vt* <flew, flown> ❶ (*pilot, transport*) fliegen ❷ (*raise*) wehen lassen; *kite* steigen lassen; **the ship was ~ing the Spanish flag** das Schiff fuhr unter spanischer Flagge ◆ **fly away** *vi* ❶ AVIAT abfliegen ❷ *bird, insect* wegfliegen ◆ **fly in** *vi, vt* einfliegen; **she's ~ing in from New York tonight** sie kommt heute Abend mit dem Flugzeug aus New York ◆ **fly off** *vi* ❶ *bird, insect, hat* wegfliegen ❷ AVIAT abfliegen; **she flew off to India** sie flog nach Indien

fly² [flaɪ] *n* Fliege *f* ► **the ~ in the ointment** das Haar in der Suppe; **to be a ~ on the wall** Mäuschen sein; **he wouldn't hurt a ~** er würde keiner Fliege etwas zuleide tun; **there are no flies on him** ihn legt man nicht so leicht rein

'fly-by-night *adj* (*pej fam*) zweifelhaft

fly·er *n see* flier

fly·ing ['flaɪɪŋ] **I.** *n no pl* Fliegen *nt;* **to be scared of ~** Angst vorm Fliegen haben **II.** *adj* fliegend; **~ boat** Flugboot *nt;* **~ fox** Flughund *m;* **~ saucer** fliegende Untertasse; **~ squad** Überfallkommando *nt* (*der*

Polizei); **~ time** Flugzeit *f;* **~ visit** Stippvisite *f*

'fly·leaf *n* Vorsatzblatt *nt* **'fly·over** *n* ❶ BRIT (*bridge*) Überführung *f* ❷ AM (*flight*) Luftparade *f* **'fly·pa·per** *n* Fliegenpapier *nt* **'fly·past** *n* Luftparade *f* **'fly·sheet** *n* BRIT Überzelt *nt* **'fly·weight** *n* BOXING Fliegengewicht *nt* **'fly·wheel** *n* TECH Schwungrad *nt*

FM [ˌefˈem] *n no pl abbrev of* **frequency modulation** FM

foal [fəʊl] **I.** *n* Fohlen *nt;* ■ **in** [*or* **with**] **~** trächtig **II.** *vi* fohlen

foam [fəʊm] **I.** *n no pl* ❶ (*bubbles*) Schaum *m* ❷ (*plastic*) Schaumstoff *m* **II.** *vi* schäumen ► **to be ~ing at the mouth** vor Wut schäumen

foam 'rub·ber *n no pl* Schaumgummi *m*

fob [fɒb] **I.** *n* ❶ (*for watch*) Uhrkette *f* ❷ (*for keys*) Schlüsselanhänger *m* **II.** *vt* <-bb-> ■ **to ~ sb off with sth** jdn mit etw *dat* abspeisen; ■ **to ~ sth off on sb** jdm etw andrehen

fo·cal ['fəʊkəl] *adj* im Brennpunkt stehend

fo·cus <*pl* -es *or form* -ci> ['fəʊkəs, *pl* -saɪ] **I.** *n* ❶ (*centre*) Mittelpunkt *m*, Brennpunkt *m;* **to be the ~ of attention** im Mittelpunkt stehen ❷ PHOT *of a lens* Fokus *m;* **in/out of ~** scharf/nicht scharf eingestellt **II.** *vi* <-s- *or* -ss-> ❶ (*concentrate*) sich konzentrieren ([up]on auf) ❷ PHYS fokussieren (**on** auf) **III.** *vt* <-s- *or* -ss-> ❶ (*concentrate*) konzentrieren (**on** auf) ❷ (*direct*) *camera, telescope* scharf einstellen (**on** auf); *eyes* richten (**on** auf)

fod·der ['fɒdə'] *n no pl* Futter *nt;* **~ crop** Futterpflanze *f*

foe [fəʊ] *n* (*liter*) Feind *m*

foe·tal ['fiːtʰl] *adj* fetal

foe·tus ['fiːtəs] *n* Fetus *m*

fog [fɒg] *n* Nebel *m*

'fog·bound *adj airport* wegen Nebels geschlossen; *plane* durch Nebel festgehalten

fo·gey ['fəʊgi] *n* (*fam*) Mensch *m* mit verstaubten Ansichten

fog·gy ['fɒgi] *adj* neblig ► **to not have the foggiest [idea]** keine blasse Ahnung haben

'fog·horn *n* Nebelhorn *nt;* **a voice like a ~** eine dröhnende Stimme **'fog lamp** *n*, **'fog light** *n* Nebelscheinwerfer *m*

fogy *n see* fogey

foi·ble ['fɔɪbl̩] *n usu pl* Eigenart *f kein pl*

foil¹ [fɔɪl] *n* ❶ (*sheet*) Folie *f* ❷ (*contrast*) Gegenstück *nt* ❸ (*sword*) Florett *nt*

foil² [fɔɪl] *vt* ■ **to ~ sth** etw verhindern; *coup* vereiteln; *plan* durchkreuzen; ■ **to ~ sb** jds Vorhaben vereiteln; **~ed again!** (*hum*) wieder mal alles umsonst!

foist [fɔɪst] *vt* ■ **to ~ sth [up]on sb** jdm etw aufzwingen

fold [fəʊld] **I.** *n* ❶ (*crease*) Falte *f* ❷ (*fig: home*) Zuhause *nt;* **to return to the ~** nach Hause zurückkehren **II.** *vt* ❶ (*bend*) falten (**into** zu); *letter* zusammenfalten; *umbrella* zusammenklappen; *arms, hands* verschränken ❷ (*wrap*) einwickeln ❸ FOOD (*mix*) heben (**into** unter) **III.** *vi* ❶ (*bend*) zusammenklappen; **the chairs ~ flat** die Stühle lassen sich flach zusammenklappen ❷ (*fail*) eingehen *fam* ◆ **fold up I.** *vt* zusammenfalten **II.** *vi* sich zusammenfalten lassen

fold·er [ˈfəʊldə'] *n* ❶ (*holder*) Mappe *f,* Ordner *m* ❷ COMPUT Ordner *m*

fold·ing [ˈfəʊldɪŋ] *adj* **~ bed** Klappbett *nt;* **~ door** Falttür *f*

fo·li·age [ˈfəʊliːɪdʒ] *n no pl* Laub *nt*

folk [fəʊk] **I.** *n* ❶ *pl* (*people*) Leute *pl* ❷ *no pl* (*music*) Folk *m* **II.** *adj* ❶ (*traditional*) Volks- ❷ (*connected with folk music*) Folk- **'folk dance** *n* Volkstanz *m* **'folk·lore** *n no pl* Folklore *f* **'folk mu·sic** *n no pl* Folk *m*

folks [fəʊks] *npl* ❶ (*fam: form of address*) Leute *pl fam* ❷ *esp* AM (*parents*) ■ **the ~** die Eltern *pl*

'folk song *n* Volkslied *nt* **'folk tale** *n* Volkssage *f*

fol·low [ˈfɒləʊ] **I.** *vt* ❶ (*take same route as*) folgen +*dat* ❷ (*pursue*) verfolgen ❸ (*happen next*) ■ **to ~ sth** auf etw *akk* folgen ❹ (*succeed*) ■ **to ~ sb** jdm nachfolgen ❺ (*imitate*) ■ **to ~ sb** es jdm gleichtun; ■ **to ~ sth** etw nachmachen; **~ that!** mach mir das erst mal nach! ❻ (*obey*) befolgen; (*go along with*) folgen +*dat; guidelines* sich halten an +*akk; conscience* gehorchen +*dat* ❼ (*support*) ■ **to ~ a team** Anhänger(in) *m(f)* einer Mannschaft sein ❽ (*understand*) folgen +*dat* ❾ (*have an interest in*) verfolgen **II.** *vi* ❶ (*take the same route, happen next*) folgen; **letter to ~** Brief folgt; **in the hours that ~ed ...** in den darauf folgenden Stunden ... ❷ (*result*) sich ergeben (**from** aus); (*be the consequence*) die Folge sein ◆ **follow on** *vi* ❶ *person* nachkommen ❷ *fact* sich [aus etw *dat*] ergeben ◆ **follow through I.** *vt* zu Ende verfolgen **II.** *vi* SPORTS durchschwingen ◆ **follow up I.** *vt* ❶ (*investigate*) weiterverfolgen; *rumour* nachgehen +*dat* ❷ (*do next*) ■ **to ~ up** ↻ **sth by** [*or* with] **sth** etw *dat* etw folgen lassen ❸ MED nachuntersuchen **II.** *vi* ■ **to ~ up with sth** etw folgen lassen

fol·low·er [ˈfɒləʊə'] *n* Anhänger(in) *m(f)*

fol·low·ing [ˈfɒləʊɪŋ] **I.** *adj* folgende(r, s);

we didn't arrive until the **~ day** wir kamen erst am nächsten Tag an **II.** *n* ❶ + *pl vb* (*listed*) ■ **the ~ persons** folgende Personen; *objects* Folgendes ❷ *usu sing,* + *sing/pl vb* (*fans*) Anhänger *pl* **III.** *prep* nach

'fol·low-up I. *n* Fortsetzung *f* (**to** von) **II.** *adj visit, interviews* Folge-; **~ treatment** Nachbehandlung *f*

fol·ly [ˈfɒli] *n* ❶ (*stupidity*) Dummheit *f* ❷ BRIT (*building*) [verschwenderischer] Prachtbau

fond [fɒnd] *adj hope* kühn; *memories* lieb; *smile* liebevoll; ■ **to be ~ of sb/sth** jdn/ etw gerne mögen; ■ **to be ~ of doing sth** etw gerne machen

fon·dle [ˈfɒndl] *vt* streicheln

fond·ness [ˈfɒndnəs] *n no pl* Vorliebe *f*

fon·due [ˈfɒndjuː] *n* Fondue *nt*

font [fɒnt] *n* ❶ (*basin*) Taufbecken *nt* ❷ (*type*) Schriftart *f*

food [fuːd] *n* ❶ *no pl* (*nutrition*) Essen *nt,* Nahrung *f;* **baby ~** Babynahrung *f;* **cat ~** Katzenfutter *nt;* **to be off one's ~** keinen Appetit haben ❷ (*foodstuff*) Nahrungsmittel *pl* ▶ **~ for thought** Stoff *m* zum Nachdenken

'food chain *n* Nahrungskette *f* **food in·'tol·er·ance** *n* Lebensmittelunverträglichkeit *f* **'food poi·son·ing** *n no pl* Lebensmittelvergiftung *f* **'food pro·ces·sor** *n* Küchenmaschine *f* **'food sci·en·tist** *n* Lebensmittelwissenschaftler(in) *m(f)* **'food·stuff** *n* Nahrungsmittel *pl*

fool [fuːl] **I.** *n* ❶ (*idiot*) Dummkopf *m;* **to play the ~** herumalbern; **to make a ~ of sb/oneself** jdn/sich lächerlich machen; **to be nobody's ~** nicht blöd sein; **he's no ~** er ist nicht blöd ❷ (*jester*) [Hof]narr *m* ❸ (*dessert*) cremiges Fruchtdessert ▶ **~s rush in where angels fear to tread** (*prov*) blinder Eifer schadet nur; **a ~ and his money are soon parted** (*prov*) Dummheit und Geld lassen sich nicht vereinen; **there's no ~ like an old ~** (*prov*) Alter schützt vor Torheit nicht; **more ~ you** BRIT selber schuld **II.** *adj* AM blöd **III.** *vt* täuschen; **we weren't ~ed by his promises** wir sind auf seine Versprechungen nicht hereingefallen; ■ **to ~ sb into doing sth** jdn [durch einen Trick] dazu bringen, etw zu tun ▶ **you could have ~ed me** das kannst du mir nicht weismachen **IV.** *vi* einen Scherz machen ◆ **fool about, fool around** *vi* ❶ (*carelessly*) herumspielen ❷ (*amusingly*) herumblödeln ❸ *esp* AM (*sexually*) ■ **to ~ around with sb** es mit jdm treiben

fool·har·dy [ˈfuːlˌhɑːdi] *adj* verwegen; *attempt* tollkühn

fool·ish [ˈfuːlɪʃ] *adj* töricht; **she was afraid that she would look ~** sie hatte Angst, sich zu blamieren

fool·ish·ly [ˈfuːlɪʃli] *adv* töricht; (*at start of a sentence*) törichterweise

fool·ish·ness [ˈfuːlɪʃnəs] *n no pl* Dummheit *f*; ▪**it is ~ to do sth** es ist dumm, etw zu tun

'**fool·proof** *adj* idiotensicher

fools·cap [ˈfuːlzkæp] *n no pl britisches Papierformat* (*330 x 200 mm*)

foot [fʊt] **I.** *n* <*pl* feet> [*pl* fiːt] ❶ (*limb*) Fuß *m;* **what size are your feet?** welche Schuhgröße haben Sie?; **to be** [**back/quick**] **on one's feet** [wieder/schnell] auf den Beinen sein; **he can barely put one ~ in front of the other** er hat Schwierigkeiten beim Laufen; **to leap to one's feet** aufspringen; **to put one's feet up** die Füße hochlegen; **to set ~ in sth** einen Fuß in etw *akk* setzen; **at sb's feet** zu jds Füßen; **on ~** zu Fuß ❷ <*pl* foot *or* feet> (*length*) Fuß *m* (= 0,348 m) ❸ <*pl* feet> (*base*) Fuß *m;* **at the ~ of the bed** am Fußende des Betts; **at the ~ of the page** am Seitenende ❹ <*pl* feet> LIT Versfuß *m* ▶ **to have a ~ in both camps** auf beiden Seiten beteiligt sein; **to have one ~ in the grave** mit einem Bein im Grab stehen; **to have both feet on the ground** mit beiden Beinen fest auf der Erde stehen; **to have the world at one's feet** die Welt in seiner Macht haben; **to put one's best ~ forward** sich anstrengen; **to get off on the right/wrong foot** einen guten/schlechten Start haben; **to never put a ~ wrong** nie einen Fehler machen; **to drag one's feet** herumtrödeln; **to land on one's feet** Glück haben; **to put one's ~ down** (*insist*) ein Machtwort sprechen; BRIT (*accelerate*) Gas geben; **to put one's ~ in it** [*or* AM **one's mouth**] ins Fettnäpfchen treten; **to rush sb off his/her feet** jdn beschäftigen; **to think on one's feet** eine schnelle Entscheidung treffen; **to be under sb's feet** zwischen jds Füßen herumlaufen; **my ~** so ein Quatsch! **II.** *vt* (*fam*) *bill* bezahlen

foot·age [ˈfʊtɪdʒ] *n no pl* Filmmaterial *nt*

foot-and-'mouth dis·ease *n* Maul- und Klauenseuche *f* **foot·ball** [ˈfʊtbɔːl] *n* ❶ *no pl* (*soccer*) Fußball *m* ❷ *no pl* AM (*American football*) Football *m* ❸ (*ball*) Fußball *m;* (*American football*) Football *m* **foot·ball·er** [ˈfʊtbɔːlə^r] *n* BRIT Fußballspieler(in) *m(f);* AM Footballspieler(in) *m(f)* '**foot·ball hoo·li·gan** *n* Fußballrowdy *m* '**foot·**

board *n* Trittbrett *nt* '**foot·bridge** *n* Fußgängerbrücke *f*

foot·er [ˈfʊtə^r] *n* TYPO Fußzeile *f*

'**foot·hills** *npl* Vorgebirge *nt* '**foot·hold** *n* Halt *m* [für die Füße] ▶ **to gain a ~** Fuß fassen

foot·ing [ˈfʊtɪŋ] *n no pl* ❶ (*foothold*) Halt *m* ❷ (*basis*) **on an equal ~** auf gleicher Basis; **on a war ~** im Kriegszustand

'**foot·lights** *npl* Rampenlicht *nt* '**foot·loose** *adj* ungebunden; La-kai *m* '**foot·note** *n* Fußnote *f* '**foot·path** *n* Fußweg *m* '**foot·print** *n* Fußabdruck *m* '**foot·rest** *n* Fußstütze *f* '**foot·step** *n* Schritt *m* ▶ **to follow in sb's ~** jds Fußstapfen treten '**foot·stool** *n* Fußbank *f,* Schemel *m* SÜDD, ÖSTERR '**foot·wear** *n no pl* Schuhe *pl* '**foot·work** *n no pl* Beinarbeit *f*

for [fɔː^r, fə^r] **I.** *conj* denn **II.** *prep* ❶ für; **that's too strong ~ me** das ist mir zu stark; **luckily ~ me** zu meinem Glück; **say hi ~ me** grüß ihn/sie von mir; **follow the signs ~ the town centre** folgen Sie den Schildern in die Innenstadt; **what's the Spanish ~ 'vegetarian'?** was heißt ‚Vegetarier' auf Spanisch?; **how are you doing ~ money?** wie sieht es bei dir mit dem Geld aus?; **it's not ~ me to tell her what to do** es ist nicht meine Aufgabe, ihr vorzuschreiben, was sie zu tun hat; **I ~ one ...** ich für meinen Teil ...; **that's children ~ you!** so sind Kinder eben!; **there's gratitude ~ you!** und so was nennt sich Dankbarkeit!; **demand ~ money** Bedarf *m* an Geld; **to have a need ~ sth** etw brauchen; **a cheque ~ £100** ein Scheck über 100 Pfund; **for rent/sale** zu vermieten/verkaufen; **to make it easy ~ sb** es jdm einfach machen; **to apply ~ a job** sich um eine Stelle bewerben; **to ask ~ sth** um etw *akk* bitten; **to be** [**all**] **~ sth** [ganz] für etw *akk* sein; **to be** [*or* **stand**] **~ sth** für etw *akk* stehen; **to be concerned ~ sb/sth** um jdn/etw besorgt sein; **to feel ~ sb** mit jdm fühlen; **I feel sorry ~ her** sie tut mir leid; **to go ~ sb** auf jdn losgehen; **to head ~ home** auf dem Heimweg sein; (*start off*) sich auf den Heimweg machen; **to look ~ a way to do sth** nach einer Möglichkeit suchen, etw zu tun; **to prepare ~ sth** sich auf etw *akk* vorbereiten; **to run ~ the bus** laufen, um den Bus zu kriegen; **to send ~ the doctor** den Arzt holen; **to trade sth ~ sth** etw gegen etw *akk* [ein]tauschen; **to wait ~ sb/sth** auf jdn/etw warten; **to wait ~ sb to do sth** darauf warten, dass jd

forbidding something

forbidding	verbieten
You're not allowed to watch TV today.	**Du darfst** heute **nicht** fernsehen.
That's (completely) out of the question.	**Das kommt gar nicht in Frage.**
Don't touch my computer! *(fam)*	**Finger weg von** meinem Computer! *(fam)*
Hands off my diary! *(fam)*	**Lass die Finger von** meinem Tagebuch! *(fam)*
I can't allow that.	**Das kann ich nicht zulassen.**
Please refrain from smoking. *(form)*	**Bitte unterlassen Sie das** Rauchen. *(form)*

etw tut; **to work ~ sb/sth** bei jdm/etw arbeiten; **~ all I know** möglicherweise; **as ~ me** was mich betrifft; **to do sth ~ nothing** etw umsonst machen ❷ *(with time, distance)* **he was jailed ~ twelve years** er musste für zwölf Jahre ins Gefängnis; **my father has been smoking ~ 10 years** mein Vater raucht seit 10 Jahren; **~ the next two days** in den beiden nächsten Tagen; **~ a bit/while** ein bisschen/eine Weile; **I'm just going out ~ a bit** ich gehe mal kurz raus; **~ Christmas** zu Weihnachten; **~ dinner** zum Abendessen; **~ eternity** [*or* **ever**] bis in alle Ewigkeit; **to practise ~ half an hour** eine halbe Stunde üben; **~ the moment** im Augenblick; **~ a time** eine Zeit lang; **~ the time being** für den Augenblick; **~ the first time** zum ersten Mal; **~ the second time running** zweimal hintereinander; **~ a long time** seit langem; **I hadn't seen him ~ such a long time** ich hatte ihn schon so lange nicht mehr gesehen; **~ some time** seit längerem; **~ a kilometre** einen Kilometer ❸ *(purpose)* **what's that ~?** wofür ist das?; **what did you do that ~?** wozu hast du das getan?; **what do you use these ~?** wozu brauchst du diese?; **that's useful ~ removing rust** damit kann man gut Rost entfernen; **that's not ~ eating** das ist nicht zum Essen; **~ your information** zu Ihrer Information ❹ *(reason)* **he apologized ~ being late** er entschuldigte sich wegen seiner Verspätung; **all the better ~ seeing you!** jetzt wo ich dich sehe, gleich noch viel besser!; **if it hadn't been ~ him, ...** ohne ihn ...; **he's only in it ~ the money** er tut es nur wegen des Geldes; **not ~ a million dollars** um nichts in der Welt; **~ fear of** aus Angst vor +*dat*; **~ lack of** aus Mangel an +*dat*; **to be arrested ~ murder** wegen Mordes verhaftet werden; **~ various reasons** aus verschiedenen

Gründen ❺ *(despite)* trotz; **~ all his effort** trotz all seiner Anstrengungen; **~ all that** trotz alledem ▶ **to be** [**in**] **~ it** dran sein

for·bade [fə'bæd] *pt of* **forbid**

for·bear·ance [fɔ:'beərən(t)s] *n no pl* *(dated form)* Nachsicht *f*, Geduld *f*

for·bid <-dd-, forbade, forbidden> [fə'bɪd] *vt* ■ **to ~ sb sth** jdm etw verbieten; ■ **to ~ sb from doing** [*or* **to do**] **sth** jdm verbieten, etw zu tun ▶ **God** [*or* **heaven**] **~** [**that ...**] Gott behüte mich [davor, dass ...]

for·bid·den [fə'bɪdən] **I.** *adj* verboten **II.** *pp of* **forbid**

for·bid·ding [fə'bɪdɪŋ] *adj* abschreckend

force [fɔ:s] **I.** *n* ❶ *no pl* *(power)* Kraft *f*; *(intensity)* Stärke *f*; *of a blow* Wucht *f*; **from ~ of habit** aus reiner Gewohnheit ❷ *no pl* *(violence)* Gewalt *f*; **by ~** mit Gewalt; **the ~s of evil** die Mächte *pl* des Bösen; **the ~s of nature** die Naturgewalten *pl*; **to be in/come into ~** in Kraft sein/treten ❸ *(group)* Truppe *f*; **police ~** Polizei *f*; **Air F~** Luftwaffe *f*; **labour ~** Arbeitskräfte *pl*; **armed ~s** Streitkräfte *pl* ▶ **to join ~s** zusammenhelfen; **by sheer ~ of numbers** aufgrund zahlenmäßiger Überlegenheit **II.** *vt* *(compel)* zwingen; *confession* erzwingen; *door, lock* aufbrechen; **to ~ an entry** sich mit Gewalt Zutritt verschaffen; **to ~ a smile** gezwungen lächeln; **to ~ one's way** sich *dat* seinen Weg bahnen; ■ **to ~ sth on sb** jdm etw aufzwingen; ■ **to ~ sth into sth** etw in etw *akk* [hinein]zwängen ◆ **force back** *vt* ❶ *(repel)* zurückdrängen; *(fig)* *tears* unterdrücken ❷ *(push back)* zurückdrücken ◆ **force down** *vt* ❶ *plane* zur Landung zwingen ❷ *food* hinunterwürgen ❸ *(push)* nach unten drücken ◆ **force open** *vt* mit Gewalt öffnen; *door, window* aufbrechen ◆ **force upon** *vt* ■ **to ~ sth upon sb** jdm etw aufzwingen

forced [fɔːst] *adj* ❶ (*imposed*) erzwungen; ~ **labour** Zwangsarbeit *f*; ~ **landing** Notlandung; ~ **march** Gewaltmarsch *m* ❷ *smile* gezwungen

'**forced mar·riage** *n* Zwangsehe *f*

'**force-feed** *vt* zwangsernähren

force·ful ['fɔːsfᵊl] *adj attack* kraftvoll; *personality* stark

force·ful·ly ['fɔːsfᵊli] *adv* kraftvoll; **to argue** ~ überzeugend argumentieren

for·ceps ['fɔːseps] *npl* [**a pair of**] ~ [eine] Zange; ~ **delivery** Zangengeburt *f*

for·cible ['fɔːsəbl] *adj* gewaltsam

for·cibly ['fɔːsəbli] *adv* gewaltsam

ford [fɔːd] **I.** *n* Furt *f* **II.** *vt* durchqueren; (*on foot*) durchwaten

fore [fɔːʳ] **I.** *adj* vordere(r, s) **II.** *n no pl* Vordergrund *m*; *of ship* Bug *m*; ■ **to be/come to the** ~ im Vordergrund stehen/in den Vordergrund treten **III.** *interj* (*golfer's warning*) Achtung!

fore·arm[1] ['fɔːʳɑːm] *n* Unterarm *m*

fore·arm[2] [fɔːʳɑːm] *vt* ■ **to** ~ **oneself** sich wappnen

fore·bears ['fɔːʳbeəʳs] *npl* (*form*) Vorfahren *pl*

fore·bod·ing [fɔːʳbəʊdɪŋ] *n* (*liter*) [düstere] Vorahnung

fore·cast ['fɔːʳkɑːst] **I.** *n* ❶ (*prediction*) Prognose *f* ❷ *of weather* [Wetter]vorhersage *f* **II.** *vt* <-cast *or* -casted, -cast *or* -casted> METEO vorhersagen; ECON prognostizieren; ■ **to** ~ **that/what/who ...** prophezeien, dass/was/wer ...

fore·cast·er ['fɔːʳkɑːstəʳ] *n* ECON Prognostiker(in) *m(f)*; [**weather**] ~ Meteorologe, Meteorologin *m, f*

'**fore·court** *n* ❶ (*of building*) Vorhof *m* ❷ (*in tennis*) Halfcourt *m* '**fore·fa·thers** *npl* (*liter*) Vorfahren *pl* '**fore·fin·ger** *n* Zeigefinger *m* '**fore·front** *n no pl* **at the** ~ an der Spitze

fore·go <-went, -gone> *vt see* **forgo**

fore·go·ing [fɔːʳgəʊɪŋ] *adj* (*form*) vorhergehend

fore·gone con·clu·sion *n* ausgemachte Sache

'**fore·ground** *n* Vordergrund *m* '**fore·hand** *n* Vorhand *f*; **on the** ~ mit der Vorhand **fore·head** ['fɒrɪd] *n* Stirn *f*

for·eign ['fɒrɪn] *adj* ❶ (*from another country*) ausländisch, fremd; ~ **countries** Ausland *nt kein pl*; ~ **currency** Fremdwährung *f* ❷ (*involving other countries*) ~ **policy** Außenpolitik *f*; ~ **travel** Auslandsreise *f* ❸ (*not belonging*) fremd; ~ **body** Fremdkörper *m*

for·eign '**affairs** *npl* Außenpolitik *f kein pl*

for·eign cor·re·'**spond·ent** *n* Auslandskorrespondent(in) *m(f)*

for·eign·er ['fɒrɪnəʳ] *n* Ausländer(in) *m(f)*

for·eign ex'**change** *n no pl* Devisen *pl*

for·eign '**min·is·ter** *n* Außenminister(in) *m(f)* '**For·eign Of·fice** *n no pl* BRIT Außenministerium *nt* **For·eign** '**Sec·re·tary** *n* BRIT Außenminister(in) *m(f)*

'**fore·man** *n* ❶ (*workman*) Vorarbeiter *m* ❷ LAW Sprecher *m* (*der Geschworenen*)

fore·most ['fɔːməʊst] *adj* führend; **first and** ~ zuallererst

'**fore·name** *n* (*form*) Vorname *m*

fo·ren·sic [fərˈen(t)sɪk] *adj* forensisch

'**fore·play** *n no pl* Vorspiel *nt* '**fore·run·ner** *n* ❶ (*predecessor*) Vorläufer(in) *m(f)* ❷ (*sign*) Vorzeichen *nt* '**fore·sail** *n* Focksegel *nt* **fore·see** <-saw, -seen> [fɔːˈsiː] *vt* vorhersehen **fore·see·able** [fɔːˈsiːəbl] *adj* absehbar; **in the** ~ **future** in absehbarer Zeit **fore·**'**shad·ow** *vt* ■ **to be** ~**ed** angedeutet werden (**by** durch) '**fore·sight** *n no pl* Weitblick *m*; ■ **to have the** ~ **to do sth** so vorausschauend sein, etw zu tun '**fore·skin** *n* Vorhaut *f*

for·est ['fɒrɪst] *n* Wald *m a. fig*; **the Black F~** der Schwarzwald

fore·stall [fɔːˈstɔl] *vt* zuvorkommen +*dat*

for·est·er ['fɒrɪstəʳ] *n* Förster(in) *m(f)*

for·est '**fire** *n* Waldbrand *m* **for·est** '**rang·er** *n* AM Förster(in) *m(f)*

for·est·ry ['fɒrɪstri] *n no pl* Forstwirtschaft *f*

fore·taste ['fɔːteɪst] *n usu sing* Vorgeschmack *m* **fore·tell** <-told, -told> [fɔːˈtel] *vt* vorhersagen

for·ever [fəˈrevəʳ] *adv* ❶ (*for all time*) ewig *a. fig* ❷ (*fam: continually*) ständig; ■ **to be** ~ **doing sth** etw ständig machen

fore·warn [fɔːˈwɔːn] *vt* vorwarnen ▶ ~**ed is forearmed** (*prov*) bist du gewarnt, bist du gewappnet '**fore·word** *n* Vorwort *nt*

for·feit ['fɔːfɪt] **I.** *vt* einbüßen; *right* verwirken **II.** *n* ❶ (*in a game*) Pfand *nt* ❷ LAW Strafe *f* **III.** *adj* (*form*) **be** ~ verfallen

for·gave [fəˈgeɪv] *n pt of* **forgive**

forge [fɔːdʒ] **I.** *n* ❶ (*furnace*) Glühofen *m* ❷ (*smithy*) Schmiede *f* **II.** *vt* ❶ (*copy*) fälschen ❷ (*heat and shape*) schmieden ❸ (*fig*) mühsam schaffen **III.** *vi* **to** ~ **into the lead** die Führung übernehmen ◆**forge ahead** *vi* ❶ (*progress*) [rasch] Fortschritte machen ❷ (*take lead*) die Führung übernehmen

forg·er ['fɔːdʒəʳ] *n* Fälscher(in) *m(f)*

forg·ery ['fɔːdʒᵊri] *n* ❶ (*copy*) Fälschung *f* ❷ *no pl* (*crime*) Fälschen *nt*

for·get <-got, -gotten *or* AM *also* -got> [fəˈget] *vt, vi* vergessen; **some things are**

best forgotten manche Dinge vergisst man besser; **and don't you ~ it!** lass dir das gesagt sein!; ■**to ~ oneself** sich vergessen; **to ~ the past** die Vergangenheit ruhen lassen; ■**to ~ about sb/sth** jdn/ etw vergessen; ■**to ~ about doing sth** sich *dat* etw aus dem Kopf schlagen; **not ~ting** nicht zu vergessen

for·get·ful [fəˈgetfˀl] *adj* vergesslich

for·get·ful·ness [fəˈgetfˀlnəs] *n no pl* Vergesslichkeit *f*

for·ˈget-me-not *n* BOT Vergissmeinnicht *nt*

for·giv·able [fəˈgɪvəbl] *adj* verzeihlich

for·give <-gave, -given> [fəˈgɪv] *vt* ■**to ~ sb [for] sth** jdm etw verzeihen; *sin* jdm etw vergeben; **~ me, but ...** Entschuldigung, aber ...; ■**to ~ sb for doing sth** jdm verzeihen, dass er/sie etw getan hat; **please ~ me for asking** verzeihen Sie bitte, dass ich frage; **to ~ and forget** vergeben und vergessen

for·giv·en [fəˈgɪvˀn] *pp of* **forgive**

for·give·ness [fəˈgɪvnəs] *n no pl* ❶ (*pardon*) Vergebung *f* ❷ (*forgiving quality*) Versöhnlichkeit *f*

for·giv·ing [fəˈgɪvɪŋ] *adj* versöhnlich

for·go <-went, -gone> [fɔːˈgəʊ] *vt* ■**to ~ sth** auf etw *akk* verzichten

for·got [fəˈgɒt] *pt of* **forget**

for·got·ten [fəˈgɒtˀn] I. *pp of* **forget** II. *adj* vergessen

fork [fɔːk] I. *n* ❶ (*tool*) Gabel *f* ❷ (*division*) Gabelung *f*; *of tree* Astgabel *f*; **take the left ~** nehmen Sie die linke Abzweigung ❸ *of bicycle* ■**~s** *pl* [Rad]gabel *f* II. *vi* ❶ (*divide*) sich gabeln ❷ (*go*) **to ~ left** nach links abzweigen

forked [fɔːkt] *adj* gegabelt; *tongue* gespalten; **~ lightning** Linienblitz *m*

ˈfork-lift *n*, **fork-lift ˈtruck** *n* Gabelstapler *m*

for·lorn [fəˈlɔːn] *adj person* einsam; *place* verlassen; *hope* schwach

form [fɔːm] I. *n* ❶ (*type, variety*) Form *f*, Art *f*; *of a disease* Erscheinungsbild *nt*; **art ~** Kunstform *f*; **~ of exercise** Sportart *f*; **~ of government** Regierungsform *f*; **life ~** Lebensform *f*; **~ of transport** Transportart *f*; **~ of worship** Formen *pl* der Gottesverehrung ❷ *no pl* (*particular way*) Form *f*, Gestalt *f*; **support in the ~ of money** Unterstützung in Form von Geld; **the training programme takes the ~ of a series of workshops** die Schulung wird in Form einer Serie von Workshops abgehalten; **in any [shape or] ~** in jeglicher Form; **in some ~ or other** auf die eine oder andere Art ❸ (*document*) Formular *nt;* **applica-** tion ~ Bewerbungsbogen *m;* **entry ~** Anmeldeformular *m;* **order ~** Bestellschein *m;* **printed ~** Vordruck *m* ❹ (*shape*) Form *f; of a person* Gestalt *f* ❺ *no pl* ART, LIT, MUS Form *f* ❻ *no pl* (*physical/mental condition*) Form *f*, Kondition *f;* **to be in good ~** [gut] in Form sein; **to be out of ~** nicht in Form sein ❼ *no pl* (*past performance*) Form *f;* **true to ~** wie zu erwarten ❽ *no pl* BRIT (*procedure*) Form *f;* **a matter of ~** eine Formsache; **for ~['s sake]** aus Formgründen ❾ BRIT SCH (*class*) Klasse *f;* (*year group*) Jahrgangsstufe *f* ❿ LING Form *f* ⓫ *no pl* BRIT (*sl: criminal record*) **to have ~** vorbestraft sein II. *vt* ❶ (*shape*) formen *a. fig* (*into* zu); GEOG **to be ~ed from** entstehen aus +*dat* ❷ (*arrange, constitute*) bilden; **they ~ed themselves into three lines** sie stellten sich in drei Reihen auf ❸ (*set up*) gründen; *committee, government* bilden; *friendships* schließen; *relationship* eingehen; **to ~ an alliance with sb** sich mit jdm verbünden; **to ~ an opinion about sth** sich *dat* eine Meinung über etw *akk* bilden ❹ LING bilden III. *vi* sich bilden; *idea* Gestalt annehmen; ■**to ~ into sth** sich zu etw *dat* formen ◆**form up** *vi* sich formieren; ■**to ~ up in sth** sich zu etw *dat* formieren

for·mal [ˈfɔːmˀl] *adj* ❶ (*ceremonious*) formell; **~ dress** Gesellschaftskleidung *f* ❷ (*serious*) förmlich ❸ (*official*) offiziell; *education* ordentlich ❹ *garden* sorgfältig angelegt ❺ (*nominal*) formal

for·mal·ity [fɔːˈmæləti] *n* ❶ *no pl* (*ceremoniousness*) Förmlichkeit *f* ❷ (*for form's sake*) Formalität *f;* **to be [just] a ~** [eine] [reine] Formsache sein

for·mal·ize [ˈfɔːmˀlaɪz] *vt* ❶ (*make official*) *agreement* formell bekräftigen ❷ (*give shape to*) *thoughts* ordnen

for·mal·ly [ˈfɔːmˀli] *adv* ❶ (*ceremoniously*) formell ❷ (*officially*) offiziell ❸ (*for form's sake*)

for·mat [ˈfɔːmæt] I. *n* Format *nt* II. *vt* <-tt-> formatieren

for·ma·tion [fɔːˈmeɪʃˀn] *n* ❶ *no pl* (*creation*) Bildung *f* ❷ GEOL, MIL Formation *f*

for·ma·tive [ˈfɔːmətɪv] *adj* prägend

ˈfor·mat·ting *n* COMPUT Formatierung *f*

for·mer [ˈfɔːmə] I. *adj* ❶ (*previous*) ehemalig, früher ❷ (*first of two*) erstere(r, s) II. *n* ■**the ~** der/die/das Erstere

for·mer·ly [ˈfɔːməli] *adv* früher

for·mi·dable [ˈfɔːmɪdəbl] *adj* ❶ (*difficult*) schwierig; (*tremendous*) kolossal; *obstacle* ernstlich; *person* Furcht erregend ❷ (*powerful*) eindrucksvoll

form·less ['fɔ:mləs] *adj* formlos

for·mu·la <*pl* -s *or* -e> ['fɔ:mjələ, *pl* -li:] *n* ❶ MATH Formel *f* ❷ (*plan*) ~ **for success** Erfolgsrezept *nt* ❸ FOOD Babymilchpulver *nt*

for·mu·late ['fɔ:mjəleɪt] *vt* ❶ (*draw up*) ausarbeiten; *law* formulieren; *theory* entwickeln ❷ (*articulate*) formulieren

for·mu·la·tion [ˌfɔ:mjə'leɪʃᵊn] *n* ❶ *no pl* (*drawing up*) Entwicklung *f;* *of law* Fassung *f* ❷ (*articulation*) Formulierung *f*

fort [fɔ:t] *n* Fort *nt* ▶ **to hold the** ~ die Stellung halten

forte ['fɔ:teɪ] I. *n usu sing* Stärke *f* II. *adv* MUS forte

forth [fɔ:θ] *adv* **back and** ~ vor und zurück; **to pace back and** ~ auf und ab gehen; **to set** ~ ausziehen; **from that day** ~ von jenem Tag an ▶ [**and so on**] **and so** ~ und so weiter [und so fort]

forth·com·ing [ˌfɔ:θ'kʌmɪŋ] *adj* ❶ (*planned*) bevorstehend ❷ (*coming out soon*) in Kürze erscheinend; *film* in Kürze anlaufend ❸ (*made available*) verfügbar; ■ **to be** ~ *money* zur Verfügung gestellt werden; *reply* erfolgen ❹ (*informative*) mitteilsam **forth·right** ['fɔ:θraɪt] *adj* direkt **forth·with** [ˌfɔ:θ'wɪθ] *adv* (*form*) unverzüglich

for·ti·eth ['fɔ:tiəθ] I. *adj* vierzigste(r, s); *see also* **eighth** II. *n* ❶ (*order*) ■ **the** ~ der/die/das Vierzigste; *see also* **eighth** ❷ (*fraction*) Vierzigstel *nt; see also* **eighth**

for·ti·fi·ca·tion [ˌfɔ:tɪfɪ'keɪʃᵊn] *n* ❶ *no pl* (*reinforcing*) Befestigung *f* ❷ (*reinforcement*) ■ ~**s** *pl* Befestigungsanlagen *pl*

for·ti·fy <-ie-> ['fɔ:tɪfaɪ] *vt* ❶ MIL befestigen ❷ (*strengthen*) ■ **to** ~ **oneself** sich stärken ❸ FOOD anreichern

for·ti·tude ['fɔ:tɪtju:d] *n no pl* (*form*) [innere] Stärke

fort·night ['fɔ:tnaɪt] *n* BRIT, AUS zwei Wochen, vierzehn Tage; **a** ~**'s holiday** ein zweiwöchiger [*o* vierzehntägiger] Urlaub; **a** ~ **on Monday** Montag in zwei Wochen [*o* vierzehn Tagen]; **in a** ~['**s time**] in zwei Wochen

fort·night·ly ['fɔ:tnaɪtli] I. *adj* vierzehntägig II. *adv* alle zwei Wochen

for·tress <*pl* -es> ['fɔ:trəs] *n* Festung *f*

for·tui·tous [fɔ:'tju:ɪtəs] *adj* (*form*) zufällig

for·tu·nate ['fɔ:tʃᵊnət] *adj* glücklich; ■ **to be** ~ Glück haben; ■ **it is** ~ [**for sb**] **that ...** es ist [jds] Glück, dass ...

for·tu·nate·ly ['fɔ:tʃᵊnətli] *adv* zum Glück; ~ **for him** zu seinem Glück

for·tune ['fɔ:tʃu:n] *n* ❶ (*money*) Vermögen *nt* ❷ *no pl* (*form: luck*) Schicksal *nt;* **a stroke of good** ~ ein Glücksfall *m;* **good** ~ Glück *nt;* **ill** ~ Pech *nt;* **to tell sb's** ~ jds Schicksal vorhersagen; **to seek one's** ~ sein Glück suchen; ~ **seems to be smiling on him** Fortuna scheint ihm gewogen zu sein; **the** ~**s of war** die Wechselfälle des Krieges ▶ ~ **favours the brave** (*prov*) das Glück ist mit den Tüchtigen

'**for·tune hunt·er** *n* (*pej*) Mitgiftjäger *m* '**for·tune tell·er** *n* Wahrsager(in) *m(f)*

for·ty ['fɔ:ti] I. *adj* vierzig; *see also* **eight** II. *n* Vierzig *f; see also* **eight**

fo·rum ['fɔ:rəm] *n* Forum *nt*

for·ward ['fɔ:wəd] I. *adv* (*towards front*) nach vorn[e]; (*onwards*) vorwärts; **to lean** ~ sich vorlehnen; **to be** [**no**] **further** ~ (*fig*) [nicht] weiter sein; ■ **to be** ~ **of sth** vor etw *dat* liegen; **from that day** ~ von jenem Tag an II. *adj* ❶ (*towards front*) Vorwärts-; ~ **pass** SPORTS Vorpass *m* ❷ (*near front*) vordere(r, s) ❸ (*of future*) planning Voraus-; ~ **buying** Terminkauf *m* ❹ (*bold*) vorlaut III. *n* SPORTS Stürmer(in) *m(f)* IV. *vt* weiterleiten (**to** an); "**please** ~" „bitte nachsenden"

'**for·ward·ing ad·dress** *n* Nachsendeadresse *f* '**for·ward-look·ing** *adj* vorausschauend

for·wards ['fɔ:wədz] *adv see* **forward**

for·went [fɔ:'went] *pt of* **forgo**

fos·sil ['fɒsᵊl] *n* Fossil *nt;* ~ **fuel** fossiler Brennstoff

fos·sil·ized ['fɒsᵊlaɪzd] *adj* versteinert

fos·ter ['fɒstə'] I. *vt* ❶ *child* aufziehen, in Pflege nehmen ❷ (*encourage*) fördern II. *vi* ein Kind in Pflege nehmen III. *adj* Pflege-

'**fos·ter broth·er** *n* Pflegebruder *m* '**fos·ter child** *n* Pflegekind *nt* '**fos·ter fa·ther** *n* Pflegevater *m* '**fos·ter home** *n* Pflegefamilie *f* '**fos·ter moth·er** *n* Pflegemutter *f* '**fos·ter sis·ter** *n* Pflegeschwester *f*

fought [fɔ:t] *pt, pp of* **fight**

foul [faʊl] I. *adj* ❶ (*polluted*) verpestet; *air* stinkend; *water* schmutzig ❷ (*disgusting*) abscheulich; *smell* faul; *taste* schlecht ❸ (*unpleasant*) *mood* fürchterlich; ■ **to be** ~ **to sb** fies zu jdm sein ❹ (*morally objectionable*) unanständig; *language* anstößig II. *n* SPORTS Foul *nt* (**on** an) III. *vt* ❶ (*pollute*) verschmutzen ❷ BRIT (*defecate on*) beschmutzen ❸ SPORTS foulen

foul-'mouthed *adj* unflätig **foul 'play** *n no pl* ❶ (*criminal activity*) Verbrechen *nt* ❷ SPORTS Foulspiel *nt*

found[1] [faʊnd] *pt, pp of* **find**

found[2] [faʊnd] *vt* gründen

foun·da·tion [ˌfaʊnˈdeɪʃ°n] n ❶ (*basis*) Fundament *nt a. fig* (**of**/**for** zu); **to shake sth to its ~ s** etw in seinem Fundament erschüttern; **to be without ~** (*fig*) der Grundlage entbehren ❷ *no pl* (*establishing*) Gründung *f* ❸ (*organization*) Stiftung *f* ❹ *no pl* (*of make-up*) **~ cream** Grundierung *f*

foun·'da·tion stone n Grundstein *m*

found·er ['faʊndəʳ] I. n Gründer(in) *m(f)* II. vi ❶ (*sink*) sinken ❷ (*fig: fail*) scheitern

Found·ing 'Fa·thers npl AM Gründerväter *pl*

found·ry ['faʊndri] n Gießerei *f*

fount [faʊnt] n Quelle *f*

foun·tain ['faʊntɪn] n ❶ (*water feature*) Brunnen *m;* **drinking ~** Trinkbrunnen *m* ❷ (*fig: spray*) Schwall *m;* **~ of water** Wasserstrahl *m*

'foun·tain pen n Füllfederhalter *m,* Füllfeder *f bes* ÖSTERR, SÜDD, SCHWEIZ

four [fɔːʳ] I. adj vier; *see also* **eight** II. n ❶ (*number, symbol*) Vier *f; see also* **eight** ❷ SPORTS (*in rowing*) Vierer *m;* (*in cricket*) vier Punkte; **to hit a ~** vier Punkte erzielen ❸ (*hands and knees*) **on all ~s** auf allen Vieren

'four-by-four n AUTO allrad-/vierradangetriebenes Auto **four-door 'car** n viertüriges Auto **'four·fold** adj vierfach **four-'foot·ed** adj vierfüßig **four-'hand·ed** adj ❶ (*for four people*) für vier Personen ❷ (*for two pianists*) vierhändig **four-leaf 'clo·ver, four-leaved 'clo·ver** n vierblättriges Kleeblatt **four-let·ter 'word** n Schimpfwort *nt*

'four·some n Vierergruppe *f;* (*golf*) Vierer *m*

four·teen [ˌfɔːˈtiːn] I. adj vierzehn; *see also* **eight** II. n Vierzehn *f; see also* **eight**

four·teenth [ˌfɔːˈtiːnθ] I. adj vierzehnte(r, s) II. n ❶ (*fraction*) Vierzehntel *nt* ❷ (*date*) ◼ **the ~** der Vierzehnte ❸ (*order*) ◼ **the ~** der/die/das Vierzehnte

fourth [fɔːθ] I. adj vierte(r, s); *see also* **eighth** II. n ❶ (*order*) **the ~** der/die/das Vierte; *see also* **eighth** ❷ (*date*) **the ~** der Vierte; *see also* **eighth** ❸ (*fraction*) Viertel *nt;* *see also* **eighth** ❹ AUTO vierter Gang ❺ MUS Quart[e] *f* III. adv viertens; *see also* **eighth**

Fourth of July n AM Unabhängigkeitstag *m* der USA

four-wheel 'drive I. n Allradantrieb *m,* Vierradantrieb *m* II. adj mit Allradantrieb [*o* Vierradantrieb]

fowl <pl - *or* -s> [faʊl] n Geflügel *nt kein pl*

fox [fɒks] I. n Fuchs *m a. fig;* (*fur*) Fuchspelz *m* II. vt ❶ (*mystify*) verblüffen ❷ (*trick*) täuschen

'fox·glove n BOT Fingerhut *m* **'fox·hunt** n Fuchsjagd *f* **'fox·trot** I. n Foxtrott *m* II. vi <-tt-> Foxtrott tanzen

foxy ['fɒksi] adj ❶ (*like fox*) fuchsig ❷ (*crafty*) gerissen ❸ (*fam: sexy*) sexy

foy·er ['fɔɪeɪ] n ❶ (*of public building*) Foyer *nt* ❷ AM (*of house*) Diele *f*

fra·cas <pl - *or* AM -es> ['frækɑː, *pl* -kɑz] n lautstarke Auseinandersetzung

frac·tion ['frækʃ°n] n ❶ (*number*) Bruchzahl *f,* Bruch *m* ❷ (*proportion*) Bruchteil *m;* (*fig*) **a ~ of an inch** eine Spur; **by a ~** um Haaresbreite ❸ (*a bit*) **a ~** ein bisschen ❹ CHEM Fraktion *f*

frac·tion·al ['frækʃ°n°l] adj minimal

frac·tious ['frækʃəs] adj reizbar, grantig SÜDD, ÖSTERR; *child* quengelig

frac·ture ['fræk(t)ʃəʳ] I. vt, vi brechen; **to ~ one's leg** sich *dat* das Bein brechen II. n Bruch *m*

frag·ile ['frædʒaɪl] adj ❶ (*breakable*) zerbrechlich ❷ (*unstable*) brüchig; *agreement, peace* unsicher ❸ (*in health*) schwach; (*fam: after overindulgence*) angeschlagen

fra·gil·ity [frəˈdʒɪləti] n no pl ❶ (*delicacy*) Zerbrechlichkeit *f* ❷ (*weakness*) Brüchigkeit *f; of an agreement* Unsicherheit *f*

frag·ment I. n ['frægmənt] ❶ (*broken piece*) Splitter *m* ❷ (*incomplete piece*) Brocken *m* ❸ LIT, MUS Fragment *nt* II. vi [frægˈment] zerbrechen *a. fig;* (*burst*) zerbersten

frag·men·tary ['frægmənt°ri] adj bruchstückhaft

fra·grance ['freɪgrən(t)s] n Duft *m*

fra·grant ['freɪgrənt] adj duftend

frail [freɪl] adj *person* gebrechlich; *thing* schwach

frail·ty ['freɪlti] n ❶ no pl *of a person* Gebrechlichkeit *f* ❷ no pl *of a thing* Zerbrechlichkeit *f* ❸ (*moral weakness*) Schwäche *f*

frame [freɪm] I. n ❶ (*of picture*) Bilderrahmen *m;* ◼ **to be in the ~** (*fig*) unter Verdacht stehen ❷ (*of door, window*) Rahmen *m* ❸ (*of spectacles*) ◼ **~s** *pl* Brillengestell *nt* ❹ (*support*) Rahmen *m a. fig* ❺ (*body*) Körper *m* ❻ (*of film strip*) Bild *nt* ❼ (*for plants*) Frühbeet *nt;* **cold ~** Frühbeetkasten *m* ❽ (*for snooker balls*) [dreieckiger] Rahmen ❾ (*of snooker match*) Spiel *nt* II. vt ❶ (*put in surround*) einrahmen ❷ (*act as surround*) umrahmen ❸ (*put into words*) formulieren ❹ (*fam: falsely incriminate*) verleumden

'**frame-up** n (*fam*) abgekartetes Spiel
'**frame·work** n ❶(*support*) Gerüst *nt*, Gestell *nt* ❷(*fig*) Rahmen *m*
franc [fræŋk] n Franc *m*; |**Swiss**| ~ [Schweizer] Franken *m*
France [frɑːn(t)s] n no pl Frankreich *nt*
fran·chise ['fræn(t)ʃaɪz] n Franchise *nt*
Fran·cis·can [fræn'sɪskən] n REL Franziskaner(in) *m(f)*; ~ **friar** Franziskanermönch *m*
Fran·co- ['fræŋkəʊ] in compounds französisch-; ~-**German** deutsch-französisch
frank[1] [fræŋk] adj aufrichtig; ■**to be** ~ [**with sb**] ehrlich [zu jdm] sein; **to be** ~ [**with you**] ehrlich gesagt; ■**to be** ~ **with sb about sth** jdm seine ehrliche Meinung über etw akk sagen
frank[2] [fræŋk] vt ❶(*stamp*) frankieren ❷(*cancel stamp*) freistempeln
frank·in·cense ['fræŋkɪnsen(t)s] n no pl Weihrauch *m*
frank·ly ['fræŋkli] adv offen
frank·ness ['fræŋknəs] n no pl Offenheit *f*
fran·tic ['fræntɪk] adj ❶(*distracted*) verrückt (**with** vor) ❷(*hurried*) hektisch
fran·ti·cal·ly ['fræntɪkᵊli] adv ❶(*wildly*) wie wild fam ❷(*desperately*) verzweifelt; **to be** ~ **busy** im Stress sein; **to work** ~ hektisch arbeiten
frat-boy ['frætbɔɪ] n AM UNIV (*pej fam*) Mitglied einer Studentenverbindung, der viel trinkt und sich vor allem für Mädchen interessiert
fra·ter·nal [frə'tɜːnᵊl] adj brüderlich
fra·ter·nity [frə'tɜːnəti] n ❶ no pl (*feeling*) Brüderlichkeit *f* ❷ + sing/pl vb (*group*) Vereinigung *f*; **the criminal/legal/medical** ~ die Kriminellen pl/Juristen pl/Ärzteschaft *f* ❸ + sing/pl vb AM UNIV Burschenschaft *f*
frat·er·nize ['frætənaɪz] vi sich verbrüdern
frat·ri·cide ['frætrɪsaɪd] n Brudermord *m*
fraud [frɔːd] n ❶ no pl (*deceit*) Betrug *m* ❷ LAW [arglistige] Täuschung ❸(*trick*) Schwindel *m* ❹(*deceiver*) Betrüger(in) *m(f)*
fraudu·lence ['frɔːdjələn(t)s] n no pl Betrügerei *f*
fraudu·lent ['frɔːdjələnt] adj betrügerisch
fraught [frɔːt] adj ❶(*full*) **to be** ~ **with difficulties** voller Schwierigkeiten stecken ❷(*tense*) [an]gespannt; *situation* stressig fam; *person* gestresst fam
fray [freɪ] I. vi ❶(*come apart*) ausfransen ❷(*become strained*) anspannen II. n Auseinandersetzung *f*; **to enter** [or **join**] **the** ~ sich einmischen
frayed [freɪd] adj ❶ edges ausgefranst

❷ nerves angespannt; temper gereizt
freak [friːk] I. n ❶(*abnormal thing*) etwas Außergewöhnliches; ~ **accident** außergewöhnliches Missgeschick; **a** ~ **of nature** eine Laune der Natur ❷(*abnormal person*) Missgeburt *f* ❸(*fanatic*) Freak *m* II. vi (*fam*) ausflippen ◆**freak out** (*fam*) I. vi ausflippen II. vt ausflippen lassen
freaky ['friːki] adj (*fam*) irre fam
freck·le ['frekl] n usu pl Sommersprosse *f*
freck·led ['frekld] adj sommersprossig
free [friː] I. adj frei; **feel** ~ **to interrupt me** unterbrechen Sie mich ruhig; ~ **of charge** kostenlos; ~ **copy/ticket** Freiexemplar *nt*/Freikarte *f*; ~ **of pain/tax** schmerz-/steuerfrei; ~ **play** MECH Spielraum *m*; ~ **speech** Redefreiheit *f*; ~ **time** Freizeit *f*; ■**to be** ~ **of sb/sth** jdn/etw los sein; ■**to be** ~ [**to do sth**] Zeit haben[, etw zu tun]; **you are** ~ **to come and go as you please** Sie können kommen und gehen, wann Sie wollen; **to break** ~ [**of** [or **from**] **sth**] sich [aus etw dat] befreien a. fig; **to break** ~ [**of** [or **from**] **sb**] sich [von jdm] losreißen a. fig; **to make** ~ **with sth** mit etw dat großzügig umgehen; **to run** ~ frei herumlaufen; **to set** ~ freilassen a. fig; **to walk** ~ straffrei ausgehen; **to work** [**oneself/sth**] ~ [sich/etw] lösen ▶~ **and easy** locker; **there's no such thing as a** ~ **lunch** nichts ist umsonst II. adv frei, gratis; ~ **of charge** kostenlos; **for** ~ gratis, umsonst III. vt freilassen; hands frei machen; ■**to** ~ **sb/an animal** jdn/ein Tier befreien (**from** von) ◆**free up** vt freimachen
free·bie ['friːbi] n (*fam*) Werbegeschenk *nt*
'**free div·er** n Freitaucher(in) *m(f)*
free·dom ['friːdəm] n Freiheit *f*; ~ **of choice** Wahlfreiheit *f*; ~ **of the city** Ehrenbürgerschaft *f*; ~ **of information** freier Informationszugang; ~ **of movement** Bewegungsfreiheit *f*; ~ **from persecution** Schutz *m* vor [politischer] Verfolgung; ~ **of speech** Redefreiheit *f*
'**free fall** n no pl freier Fall; **to go into** ~ (*fig*) ins Bodenlose fallen '**free-for-all** n allgemeines Gerangel '**free·hold** I. n Eigentumsrecht *nt* (**an** Grundbesitz) II. adj Eigentums- '**free·hold·er** n Eigentümer(in) *m(f)* **free** '**kick** n SPORTS Freistoß *m* **free·lance** ['friːlɑːn(t)s] I. n Freiberufler(in) *m(f)* II. adj, adv freiberuflich III. vi frei[beruflich] arbeiten '**free·load** vi (*pej*) schmarotzen (**off** bei) '**free·load·er** vi (*pej*) Schnorrer(in) *m(f)*
free·ly ['friːli] adv ❶(*unrestrictedly*) frei ❷(*without obstruction*) ungehindert ❸(*frankly*) offen ❹(*generously*) großzügig

❺ (*willingly*) freiwillig

'free·man *n* **❶** (*hist: not slave*) freier Mann **❷** (*honorary citizen*) Ehrenbürger *m* 'Free·ma·son *n* Freimaurer *m* 'Free·phone BRIT **I.** *n no pl* gebührenfreie Telefonnummer **II.** *adj* gebührenfrei free 'port *n* Freihafen *m* 'free-range *adj* Freiland-; ~ **eggs** Eier *pl* aus Freilandhaltung free 'speech *n no pl* Redefreiheit *f* free-'stand·ing *adj* frei stehend 'free·style *n no pl* Freistil *m* free 'trade *n no pl* Freihandel *m* 'free·ware *n no pl* Gratissoftware *f*, Freeware *f* 'free·way *n* AM, AUS Autobahn *f* 'free·wheel *vi* to ~ [**downhill**] im Freilauf [den Hügel hinunter]fahren free 'will *n no pl* freier Wille; ■**to do sth of one's own ~** etw aus freien Stücken tun

freeze [fri:z] **I.** *n* **❶** METEO Frost *m;* **big ~** harter Frost **❷** ECON Einfrieren *nt* **II.** *vi* <froze, frozen> **❶** (*become solid*) *water* gefrieren; *pipes* einfrieren; *lake* zufrieren; **to ~ solid** festfrieren **❷** (*also fig: get very cold*) [sehr] frieren; **to ~ to death** erfrieren **❸** *impers* (*be below freezing point*) ■**it's freezing** es friert **❹** (*turn to ice*) einfrieren **❺** (*be still*) erstarren **III.** *vt* <froze, frozen> **❶** (*turn to ice*) gefrieren lassen **❷** (*preserve*) einfrieren **❸** *image* festhalten; *film* anhalten **❹** ECON einfrieren **❺** MED vereisen ◆ **freeze up** *vi* einfrieren 'freeze-dried *adj* gefriergetrocknet

freez·er ['fri:zə^r] *n* Gefrierschrank *m;* **chest/upright ~** Gefriertruhe *f*/Gefrierschrank *m*

freez·ing ['fri:zɪŋ] **I.** *adj* frostig; **it's ~** es ist eiskalt; **I'm ~** mir ist eiskalt **II.** *n no pl* **❶** (*0°C*) Gefrierpunkt *m;* **above ~** über dem Gefrierpunkt **❷** (*preserving*) Einfrieren *nt* 'freez·ing point *n* Gefrierpunkt *m*

freight [freɪt] **I.** *n no pl* **❶** (*goods*) Frachtgut *nt* **❷** (*transportation*) Fracht *f;* **to send sth** [**by**] ~ etw als Fracht senden **❸** (*charge*) Frachtgebühr *f* **II.** *adv* als Fracht **III.** *vt* als Frachtgut befördern 'freight car *n* AM Güterwagen *m* 'freight·er ['freɪtə^r] *n* **❶** (*ship*) Frachter *m* **❷** (*plane*) Frachtflugzeug *nt* 'freight train *n* Güterzug *m*

French [fren(t)ʃ] **I.** *adj* französisch; ~ **people** Franzosen *pl* **II.** *n* **❶** *no pl* (*language*) Französisch *nt;* ~ **lesson** Französischstunde *f* **❷** (*people*) ■**the ~** *pl* die Franzosen

French 'bean *n* BRIT Buschbohne *f,* Gartenbohne *f* French 'chalk *n no pl* Schneiderkreide *f* French 'doors *npl*

Verandatür *f* French 'dress·ing *n no pl* Vinaigrette *f* French 'fried po·'ta·toes *npl,* French 'fries *npl* Pommes frites *pl* French 'horn *n* Waldhorn *nt* French 'let·ter *n* BRIT, AUS (*fam*) Pariser *m sl* 'French·man *n* Franzose *m* 'French·wom·an *n* Französin *f*

fre·net·ic [frə'netɪk] *adj* hektisch

fren·zied ['frenzɪd] *adj* fieberhaft; *attack, barking* wild; *crowd* aufgebracht

fren·zy ['frenzi] *n no pl* Raserei *f;* ~ **of activity** fieberhafte Aktivität; **media ~** Medienspektakel *nt*

fre·quen·cy ['fri:kwən(t)si] *n* **❶** *no pl* Häufigkeit *f;* **with increasing ~** immer öfter **❷** RADIO Frequenz *f*

fre·quent **I.** *adj* ['fri:kwənt] (*often*) häufig; (*regular*) regelmäßig; ~ **flyer** Vielflieger(in) *m(f)* **II.** *vt* [frɪ'kwent] häufig besuchen fre·quent·ly ['fri:kwentli] *adv* häufig

fres·co <*pl* -s *or* -es> ['freskəʊ] *n* Fresko *nt*

fresh [freʃ] *adj* **❶** *attr* (*new*) frisch *a. fig.* ~ **snow** Neuschnee *m;* ~ **start** Neuanfang *m;* ~ **water** Süßwasser *nt;* ~ **from the oven** ofenfrisch; ~ **off the presses** druckfrisch; **like a breath of ~ air** (*fig*) erfrischend [anders]; **to get a breath of ~ air** frische Luft schnappen **❷** (*fam: cheeky*) frech; (*forward*) zudringlich **❸** AM (*sl*) megacool

fresh·en ['freʃ^ən] **I.** *vt* *drink* auffüllen; *make-up* auffrischen; *room* durchlüften **II.** *vi* frischer werden; *wind* auffrischen fresh·ly ['freʃli] *adv* **❶** (*newly*) frisch; ~ **baked bread** frisch gebackenes Brot **❷** METEO (*strongly*) kräftig

fresh·man *n* Studienanfänger *m* fresh·ness ['freʃnəs] *n no pl* Frische *f* 'fresh·wa·ter *adj* Süßwasser-

fret[1] [fret] *vi* <-tt-> sich *dat* Sorgen machen; **to get into a ~** sich aufregen

fret[2] [fret] *n* MUS Bund *m*

'fret·saw ['fretsɔ:] *n* Laubsäge *f*

fri·ar ['fraɪə^r] *n* Mönch *m*

fric·as·see [ˌfrɪkə'si:] *n* Frikassee *nt*

fric·tion ['frɪkʃ^ən] *n no pl* **❶** (*force*) Reibung *f* **❷** (*disagreement*) Reiberei[en] *f*[*pl*]

Fri·day ['fraɪdeɪ] *n* Freitag *m; see also* **Tuesday**

fridge [frɪdʒ] *n* (*fam*) Kühlschrank *m*

fried [fraɪd] *adj* **❶** (*of food*) gebraten; ~ **chicken** Brathähnchen *nt;* ~ **potatoes** Bratkartoffeln *pl* **❷** AM (*fam*) ■~ gerädert fried 'egg *n* Spiegelei *nt*

friend [frend] *n* Freund(in) *m(f);* **a ~ of mine** ein Freund/eine Freundin von mir; ■**to be ~s** [**with sb**] [mit jdm] befreundet sein; **to make ~s [with sb]** sich [mit jdm] anfreunden **II.** *vt* INET ■ **to ~ sb** jdn [in seiner Kontaktliste] als Freund markieren [*o* eintragen]

friend·less ['frendləs] *adj* ohne Freund[e]

friend·li·ness ['frendlınəs] *n no pl* Freundlichkeit *f*

friend·ly ['frendli] **I.** *adj* ❶ (*showing friendship*) freundlich; **to be on ~ terms with sb** mit jdm auf freundschaftlichem Fuß stehen; ■ **to be ~ with sb** mit jdm befreundet sein ❷ (*of place, atmosphere*) angenehm ❸ (*not competitive*) freundschaftlich; **~ match** Freundschaftsspiel *nt* ❹ (*allied*) freundlich gesinnt; **country** befreundet **II.** *n* BRIT SPORTS Freundschaftsspiel *nt*

friend·ship ['fren(d)ʃɪp] *n* Freundschaft *f*

fries [fraɪz] *npl* AM Pommes frites *pl*

frieze [friːz] *n* ARCHIT Fries *m*

frig·ate ['frɪɡət] *n* Fregatte *f*

fright [fraɪt] *n* ❶ *no pl* (*feeling*) Angst *f*; **to take ~ [at sth]** [vor etw *dat*] Angst bekommen ❷ *usu sing* (*experience*) Schrecken *m*; **to get a ~** erschrecken; **to give sb a ~** jdn erschrecken; **to have the ~ of one's life** den Schock seines Lebens bekommen

fright·en ['fraɪtᵊn] **I.** *vt* ■ **to ~ sb** jdm Angst machen; **to ~ sb to death** jdn zu Tode erschrecken; **to ~ the life [or the [living] daylights] out of sb** jdn furchtbar erschrecken; ■ **to ~ sb out of doing sth** jdn von etw *dat* abschrecken **II.** *vi* erschrecken ◆**frighten away** *vt* abschrecken

fright·ened ['fraɪtᵊnd] *adj* verängstigt; ■ **to be ~ [that] ...** Angst haben, [dass] ...; **to be ~ to death** zu Tode erschrocken sein; ■ **to be ~ of sb/sth** sich vor jdm/etw fürchten; ■ **to be ~ of doing** [*or* **to do**] **sth** Angst [davor] haben, etw zu tun

fright·en·ing ['fraɪtᵊnɪŋ] *adj* Furcht erregend

fright·ful ['fraɪtᶠl] *adj* ❶ (*bad*) entsetzlich ❷ (*extreme*) schrecklich, furchtbar; **to get into ~ trouble** furchtbaren Ärger bekommen

frig·id ['frɪdʒɪd] *adj* ❶ (*sexually*) frigid[e] ❷ (*of manner*) frostig ❸ (*of temperature*) eisig

frig·id·ity [frɪ'dʒɪdəti] *n no pl* ❶ (*of sexuality*) Frigidität *f* ❷ (*of manner, temperature*) Kälte *f*

frill [frɪl] *n* ❶ (*cloth*) Rüsche *f* ❷ (*fig fam: extras*) ■ **~s** *pl* Schnickschnack *m*

frilly ['frɪli] *adj* mit Rüschen, Rüschen-

fringe [frɪndʒ] **I.** *n* ❶ (*edging*) Franse *f* ❷ BRIT, AUS (*hair*) Pony *m* ❸ (*of area*) Rand *m a. fig* ❹ BRIT ART ■ **the ~** die Alternativszene **II.** *vt usu passive* umgeben;

cloth umsäumen **III.** *adj* **~ benefits** zusätzliche Leistungen; **~ character** Nebenrolle *f*; **~ medicine/theatre** BRIT Alternativmedizin *f*/Alternativtheater *nt*

'fringe group *n* Randgruppe *f*

frisk [frɪsk] **I.** *vi* ■ **to ~ [about]** herumtollen **II.** *vt* abtasten (**for** nach)

frisky ['frɪski] *adj* ausgelassen; *horse* lebhaft

frit·ter ['frɪtəʳ] **I.** *n* Fettgebackenes *nt* (*mit Obst-/Gemüsefüllung*) **II.** *vt* ■ **to ~ away** ↻ **sth** etw vergeuden; *money* verschleudern; *time* vertrödeln

fri·vol·ity [frɪ'vɒləti] *n* ❶ *no pl* (*lack of seriousness*) Frivolität *f* ❷ (*activities*) ■ **frivolities** *pl* Banalitäten *pl*

frivo·lous ['frɪvᵊləs] *adj* ❶ (*pej*) *person* leichtfertig ❷ (*pej: unimportant*) belanglos ❸ (*not serious*) frivol

frizz [frɪz] **I.** *vt* ■ **to ~ one's/sb's hair** das/jds Haar kräuseln **II.** *vi* *hair* sich kräuseln **III.** *n no pl* ❶ (*usu pej: curly state*) Krause *f* ❷ (*curly hairstyle*) Kraushaar *nt*, gekraustes Haar

friz·zy ['frɪzi] *adj* gekräuselt

fro [frəʊ] *adv* **to and ~** hin und her

frock [frɒk] *n* Kleid *nt*; **posh ~** BRIT (*hum*) Ausgehkleid *nt*

frog [frɒɡ] *n* Frosch *m* ▶ **to have a ~ in one's throat** einen Frosch im Hals haben

'frog·march *vt* gewaltsam abführen **'frog·spawn** *n no pl* Froschlaich *m*

frol·ic ['frɒlɪk] *vi* <-ck-> herumtollen

from [frɒm, frəm] *prep* ❶ (*off*) von; (*out of*) aus ❷ (*as seen from*) **~ here** von hier [aus]; **~ her own experience** aus eigener Erfahrung; **~ my point of view** aus meiner Sicht ❸ (*as starting location*) von; **~ the north** von Norden; **~ room to room** von einem Raum in den anderen; **~ Washington to Florida** von Washington nach Florida ❹ (*as starting time*) von, ab; **~ day to day** von Tag zu Tag; **~ that day on[wards]** seitdem; **~ start to finish** vom Anfang bis zum Ende; **~ time to time** ab und zu; **~ tomorrow** ab morgen; **~ 10 a.m. to 2 p.m.** von 10.00 Uhr bis 14.00 Uhr; **~ now/then on** seither; **as ~ 1 January** ab dem 1. Januar ❺ (*as starting condition*) bei; **prices start ~ £2.99** die Preise beginnen bei £2,99; **things went ~ bad to worse** die Situation wurde noch schlimmer; **~ the Latin** aus dem Lateinischen; **~ 25 to 200** von 25 auf 200 ❻ (*at distance to*) von; **a mile ~ home** eine Meile von zu Hause entfernt ❼ (*originating in*) aus; **I'm ~ New York** ich komme aus New York ❽ (*in temporary location*) von, aus; **he hasn't returned ~ work yet**

er ist noch nicht von der Arbeit zurück; **she called him ~ the hotel** sie rief ihn aus dem Hotel an; **his return ~ the army** seine Rückkehr aus der Armee; **fresh ~ the States** gerade aus den USA ❾ (*as source*) von; **who is the card ~?** von wem ist die Karte?; **a present ~ me to you** ein Geschenk von mir für dich ❿ (*made of*) aus ⓫ (*removed from*) aus; **three ~ sixteen is thirteen** sechzehn minus drei ist dreizehn ⓬ (*considering*) aufgrund, wegen; **~ looking at the clouds ...** wenn ich mir die Wolken so ansehe ...; **~ the evidence** aufgrund des Beweismaterials ⓭ (*caused by*) an; **he died ~ his injuries** er starb an seinen Verletzungen; **she suffers ~ arthritis** sie leidet unter Arthritis; **he did it ~ jealousy** er hat es aus Eifersucht getan; **she made her fortune ~ investing in property** sie hat ihr Vermögen durch Investitionen in Grundstücke gemacht; **the risk ~ radiation** das Risiko einer Verstrahlung ⓮ (*indicating protection*) vor; **they insulated their house ~ the cold** sie dämmten ihr Haus gegen die Kälte; **shelter ~ the storm** Schutz vor dem Sturm; **to guard sb ~ sth** jdn vor etw *dat* schützen ⓯ (*indicating prevention*) vor; **the truth was kept ~ the public** die Wahrheit wurde vor der Öffentlichkeit geheim gehalten; **he has been banned ~ driving for six months** er darf sechs Monate lang nicht Auto fahren; **to prevent sb ~ doing sth** jdn davon abhalten, etw zu tun ⓰ (*indicating distinction*) von; **his opinion is different ~ mine** er hat eine andere Meinung als ich

front [frʌnt] **I.** *n* ❶ *usu sing* (*forward-facing part*) Vorderseite *f*; *of building* Front *f*; *of pullover* Vorderteil *nt*; **please turn round and face the ~** bitte drehen Sie sich um und schauen Sie nach vorn; **to lie on one's ~** auf dem Bauch liegen; **to put sth on back to ~** etw verkehrt herum anziehen; ▪**from the ~** von vorne ❷ (*front area*) ▪**the ~** der vordere Bereich; **to sit as near the ~ as possible** möglichst weit vorne sitzen; ▪**at the ~** vorn[e]; **right at the ~** in der vordersten Reihe ❸ (*ahead of*) ▪**in ~** vorn[e]; ▪**in ~ of sb/sth** vor jdm/etw; **in the row in ~** in der Reihe davor; ▪**to be in ~** SPORTS in Führung liegen; **to lead from the ~** die Spitze anführen ❹ (*book cover*) [vorderer] Buchdeckel; (*first pages*) Anfang *m* ❺ THEAT ▪**out ~** im Publikum; **to go out ~** vor den Vorhang treten ❻ (*in advance*) ▪**up ~** im Voraus ❼ (*fig: deception*) Fassade *f*; **to put on a**

bold ~ kühn auftreten ❽ MIL, METEO, POL Front *f* ❾ (*area of activity*) Front *f*; **on the domestic ~** an der Heimatfront; **on the employment ~** im Beschäftigungsbereich ❿ *usu sing* (*beside sea*) [Strand]promenade *f*; **the lake/river ~** die Uferpromenade ⓫ *no pl* (*fam: impudence*) Unverschämtheit *f* **II.** *adj* ❶ (*at the front*) vorder[st]e(r, s); **~ garden** Vorgarten *m*; **~ leg/wheel** Vorderbein *nt*/Vorderrad *nt*; **~ teeth** Schneidezähne *pl* ❷ (*concealing*) Deck- **III.** *vt* ❶ (*be head of*) vorstehen +*dat* ❷ TV moderieren

front·age ['frʌntɪdʒ] *n* [Vorder]front *f*; **a garden with river ~** ein Garten, der zum Fluss hin liegt

front·al ['frʌntᵊl] *adj* Frontal-; **~ view** Voderansicht *f*

front 'bench *n* BRIT POL vordere Sitzreihe (*für führende Regierungs- und Oppositionspolitiker*) **front 'door** *n* Vordertür *f*; *of a house* Haustür *f*

fron·tier [frʌn'tɪəʳ] *n* ❶ (*between countries*) Grenze *f* ❷ AM (*outlying areas*) ▪**the ~** das Grenzland ❸ (*of knowledge*) Neuland *nt kein pl*

'**fron·tier sta·tion** *n* Grenzstation *f*

front 'line *n* ❶ MIL Frontlinie *f* ❷ (*fig*) vorderste Front **front 'page** *n* Titelseite *f*; **to make the ~** auf die Titelseite kommen '**front-page** *adj* auf der Titelseite *nach n*; **~ story** Titelgeschichte *f* '**front-run·ner** *n* Spitzenreiter(in) *m(f)* a. *fig* **front-wheel 'drive I.** *n* Vorderradantrieb *m* **II.** *adj* mit Vorderradantrieb *nach n* **front 'yard** *n* BRIT Vorhof *m*; AM Vorgarten *m*

frost [frɒst] **I.** *n* Frost *m*; **12 degrees of ~** 12 Grad minus **II.** *vt* AM FOOD glasieren '**frost·bite** *n no pl* Erfrierung *f* '**frost·bit·ten** *adj* erfroren

frost·ed ['frɒstɪd] *adj* ❶ AM FOOD glasiert ❷ (*opaque*) **~ glass** Milchglas *nt*

frost·ing ['frɒstɪŋ] *n no pl* AM FOOD Glasur *f*

frosty ['frɒsti] *adj* ❶ (*very cold*) frostig ❷ (*covered with frost*) vereist ❸ (*unfriendly*) frostig; *atmosphere* kühl

froth [frɒθ] **I.** *n no pl* ❶ (*small bubbles*) Schaum *m* ❷ (*fig, pej*) seichte Unterhaltung **II.** *vi* schäumen; **to ~ at the mouth** Schaum vor dem Mund haben; (*fig*) vor Wut schäumen **III.** *vt* ▪**to ~ [up]** aufschäumen

frothy ['frɒθi] *adj* schaumig

frown [fraʊn] **I.** *vi* ❶ (*showing displeasure*) die Stirn runzeln; ▪**to ~ at sb/sth** jdn/etw missbilligend ansehen; ▪**to ~ [up]on sth** etw missbilligen ❷ (*in thought*) nachdenklich die Stirn runzeln **II.** *n* Stirnrunzeln *nt kein pl;* **~ of disapproval** missbilligender Blick

froze [frəʊz] *pt of* **freeze**

froz·en [ˈfrəʊzᵊn] I. *pp of* **freeze** II. *adj* ❶ (*of water*) gefroren ❷ FOOD [tief]gefroren; **~ food** Tiefkühlkost *f* ❸ (*fig: of person*) erfroren ❹ ECON (*fig*) eingefroren

fruc·tose [ˈfrʌktəʊs] *n no pl* Fruchtzucker *m,* Fructose *f fachspr*

fru·gal [ˈfruːgᵊl] *adj* ❶ (*economical*) sparsam; *lifestyle* genügsam ❷ *meal* karg, frugal

fruit [fruːt] I. *n* Frucht *f a. fig;* (*collectively*) Obst *nt;* **to bear ~** Früchte tragen *a. fig* II. *vi* [Früchte] tragen

'**fruit·cake** *n* ❶ *no pl* Früchtebrot *nt* ❷ (*fam!: eccentric*) Spinner(in) *m(f)*

fruit·ful [ˈfruːtfᵊl] *adj* fruchtbar *a. fig*

frui·tion [fruˈɪʃᵊn] *n no pl* Verwirklichung *f;* **to come to** [*or* **reach**] **~** verwirklicht werden

'**fruit knife** *n* Obstmesser *nt*

fruit·less [ˈfruːtləs] *adj* fruchtlos

fruit 'sal·ad *n no pl* Obstsalat *m*

fruity [ˈfruːti] *adj* ❶ (*of taste*) fruchtig ❷ (*fam: risqué*) anzüglich

frump·ish [ˈfrʌmpɪʃ] *adj,* **frumpy** [ˈfrʌmpi] *adj* altmodisch

frus·trate [frʌsˈtreɪt] *vt* ❶ (*annoy*) frustrieren ❷ (*prevent*) *efforts, plans* vereiteln

frus·trat·ed [frʌsˈtreɪtɪd] *adj* frustriert

frus·trat·ing [frʌsˈtreɪtɪŋ] *adj* frustrierend

frus·tra·tion [frʌsˈtreɪʃᵊn] *n* Frustration *f;* **to work off one's ~** seinen Frust abreagieren *fam*

fry [fraɪ] I. *npl* junger Fisch ▸ **small** **~** kleine Fische; (*person*) kleiner Fisch II. *vt* <-ie-> braten III. *vi* <-ie-> ❶ (*cook*) braten ❷ (*fig fam: get sunburnt*) schmoren

fry·ing pan [ˈfraɪɪŋ-] *n* Bratpfanne *f* ▸ **out of the ~ into the fire** vom Regen in die Traufe

'**fry-up** *n* BRIT (*fam*) Pfannengericht *nt*

ft *n abbrev of* **feet, foot** ft

F2F *adv abbrev of* **face-to-face** persönlich

fuck [fʌk] (*vulg*) I. *n* ❶ (*act*) Fick *m* ❷ *no pl* (*used as expletive*) **who gives a ~?** wen interessiert es schon?; **shut the ~ up!** halt verdammt noch mal das Maul!; **for ~'s sake!** zum Teufel!; ■ **what/who/why/ where the ~ ...** was/wer/warum/wo zum Teufel ... II. *interj* Scheiße! III. *vt* ❶ (*have sex with*) vögeln; **go ~ yourself!** verpiss dich!, schleich dich! *bes* SÜDD, ÖSTERR ❷ (*damn*) **that idea** scheiß auf diese Idee!; [**oh**] **~ it!** verdammte Scheiße!; **~ me!** ich glaub, ich spinne!; **~ you!** leck mich am Arsch! IV. *vi* ❶ (*have sex*) ficken

❷ (*play mind-games*) ■ **to ~ with sb** jdn verscheißern ◆ **fuck off** *vi* (*vulg*) sich verpissen

fuck·er [ˈfʌkər] *n* (*vulg*) ❶ (*person*) Arsch *m* ❷ (*thing*) Scheiß *m*

fuck·ing [ˈfʌkɪŋ] *adj* (*vulg*) verdammt, Scheiß-

fudge [fʌdʒ] I. *n* ❶ *no pl* (*sweet*) Fondant *m* *o nt* ❷ (*pej: compromise*) [fauler] Kompromiss II. *vt, vi* (*pej*) ausweichen +*dat*

fuel [ˈfjuːᵊl] I. *n* Brennstoff *m;* (*for engines*) Kraftstoff *m,* Treibstoff *m* II. *vt* <BRIT *-ll- or* AM *usu -l->* ❶ *usu passive* ■ **to be ~led** [**by sth**] [mit etw *dat*] betrieben werden ❷ (*fig*) nähren; *resentment* schüren; *speculation* anheizen

'**fuel cell** *n* Brennstoffzelle *f* '**fuel-cell car** *n* AUTO brennstoffzellenangetriebenes Auto '**fuel con·sump·tion** *n no pl* Brennstoffverbrauch *m;* TRANSP Treibstoffverbrauch *m* **fuel-ef'ficient** *adj* Benzin sparend '**fuel gauge** *n,* AM '**fuel gage** *n* Tankanzeige *f* **fuel-in·jec·tion 'en·gine** *n* Einspritzmotor *m* **fuel 'pov·er·ty** *n no pl* Situation, in der Personen mit niedrigem Einkommen einen Großteil ihres Einkommens für Heizkosten u.ä. ausgeben müssen '**fuel pump** *n* Kraftstoffpumpe *f* '**fuel rod** *n* NUCL Brennstab *m*

fug [fʌg] *n no pl* BRIT Mief *m*

fug·gy [ˈfʌgi] *adj* BRIT stickig

fu·gi·tive [ˈfjuːdʒətɪv] I. *n* Flüchtige(r) *f(m)* II. *adj* flüchtig

fugue [fjuːg] *n* MUS Fuge *f*

ful·fil <-ll-> [fʊlˈfɪl], AM, AUS **ful·fill** *vt* ❶ (*satisfy*) erfüllen; *ambition* erreichen; *potential* ausschöpfen ❷ (*carry out*) nachkommen +*dat; contract, promise* erfüllen; *function* einnehmen; *prophecy* erfüllen

ful·fil·ment [fʊlˈfɪlmənt], AM, AUS **ful·fil·ment** *n no pl* Erfüllung *f*

full [fʊl] I. *adj* voll; (*complete*) *explanation* vollständig; *life* ausgefüllt; *skirt* weit; *theatre* ausverkauft; *wine* vollmundig; (*after eating*) satt; **his headlights were on ~** seine Scheinwerfer waren voll aufgeblendet; [**at**] **~ blast** [*or* **volume**] mit voller Lautstärke; **~ employment** Vollbeschäftigung *f;* **for the ~er figure** FASHION für die vollschlanke Figur; **a look ~ of hatred** ein hasserfüllter Blick; **~ member** Vollmitglied *nt;* **with one's mouth ~** mit vollem Mund; **to give one's ~ name and address** den Vor- und Zunamen und die volle Adresse angeben; **suspended on ~ pay** bei vollen Bezügen freigestellt; **to be under ~ sail** mit vollen Segeln fahren; [**at**] **~ speed** mit voller Geschwindigkeit;

~ **steam ahead** Volldampf voraus; **on a ~ stomach** mit vollem Magen; **at ~ stretch** völlig durchgestreckt; *(fig)* mit vollen Kräften; ~ **of surprises/tears** voller Überraschungen/Tränen; **in ~ swing** voll im Gang; **in ~ view of sb** direkt vor den Augen einer Person *gen;* ■ to be ~ of sth *(enthusiastic)* von etw *dat* ganz begeistert sein; **to be ~ of oneself** eingebildet sein; **to be ~ to bursting** zum Brechen voll sein **II.** *adv* ❶ *(completely)* voll ❷ *(directly)* direkt ❸ *(very)* sehr; **to know ~ well** [that ...] sehr gut wissen, [dass ...] **III.** *n* **in ~** zur Gänze; **to the ~** bis zum Äußersten

'**full·back** *n* SPORTS Außenverteidiger(in) *m(f)* **full-'blood·ed** *adj* ❶ *(vigorous)* kraftvoll ❷ *animal* reinrassig **full-'blown** *adj disease* voll ausgebrochen; *scandal* ausgewachsen **full 'board** *n no pl* BRIT Vollpension *f* **full-'bodied** *adj food* voll; *wine* vollmundig **full-cream 'milk** *n no pl* Vollmilch *f* **full-'frontal** *adj* völlig nackt **full-'grown** *adj* ausgewachsen **full-'length I.** *adj film* abendfüllend; *gown* bodenlang; *mirror* groß **II.** *adv* **to lie/throw oneself ~ on the floor** sich der Länge nach auf den Boden legen/werfen **full 'moon** *n* Vollmond *m*

'**full·ness** ['fʊlnəs] *n no pl* ❶ *(being full)* Völle *f* ❷ *(roundedness)* Fülle *f a. fig* ❸ FASHION *of a dress* weiter Schnitt; *of hair* Volumen *nt* ❹ *of wine* Vollmundigkeit *f*

'**full-page** *adj* ganzseitig '**full-scale** *adj* ❶ *(original size)* in Originalgröße *nach n* ❷ *(all-out)* umfassend; *war* ausgewachsen **full 'stop** *n* ❶ BRIT, AUS *(punctuation mark)* Punkt *m* ❷ *(complete halt)* **to come to a ~** zum Stillstand kommen ❸ BRIT **I'm not going, ~** ich gehe nicht und damit Schluss **full 'time** *n* SPORTS Spielende *nt* '**full-time I.** *adj* ❶ *(not part-time)* Ganztags-; ~ **job** Vollzeitbeschäftigung *f* ❷ SPORTS End-; ~ **score** Endstand *m* **II.** *adv* ganztags

ful·ly ['fʊli] *adv* ❶ *(completely)* völlig; ~ **booked** ausgebucht; ~ **intending to return** mit der festen Absicht zurückzukommen ❷ *(in detail)* detailliert ❸ *(of time, amount)* voll; ~ **two-thirds of the students** ganze zwei Drittel der Studenten **ful·ly-'fledged** *adj* BRIT, AUS ❶ *bird* flügge ❷ *person* ausgebildet

fum·ble ['fʌmbl] **I.** *vi* ❶ ■ to ~ [around [or about]] **with sth** an etw *dat* [herum]fingern; ■ to ~ **for sth** nach etw *dat* tasten; ~ **around** [or **about**] **in the dark** im Dunkeln [umher]tappen ❷ SPORTS den Ball fallen lassen **II.** *vt ball* fallen lassen **III.** *n* SPORTS

[Ballannahme]fehler *m*
fume [fjuːm] *vi* vor Wut schäumen
fumes [fjuːmz] *n pl* Dämpfe *pl; of car* Abgase *pl*
fu·mi·gate ['fjuːmɪgeɪt] *vt* ausräuchern

fun [fʌn] **I.** *n no pl* Spaß *m;* **it was good ~** es hat viel Spaß gemacht; **that sounds like ~** das klingt gut; **what ~!** super!; **have ~!** viel Spaß!; **to be full of ~** immer unternehmungslustig sein; **to get a lot of ~ out of** [or **from**] **sth** viel Spaß an etw *dat* haben; **to have ~ at sb's expense** sich auf jds Kosten amüsieren; **to make ~ of sb** sich über jdn lustig machen; **to spoil sb's ~** jdm den Spaß verderben; **for ~** [or **the ~ of it**] nur [so] zum Spaß; **in ~** im Spaß ▸ ~ **and games** das reine Vergnügen **II.** *adj (fam)* lustig

func·tion ['fʌŋ(k)ʃən] **I.** *n* ❶ *(task) of a person* Aufgabe *f; of a thing* Funktion *f* ❷ MATH Funktion *f* ❸ *(ceremony)* Feier *f;* *(social event)* Veranstaltung *f* **II.** *vi* funktionieren; ■ to ~ **as sth** *thing* als etw dienen; *person* als etw fungieren

func·tion·al ['fʌŋ(k)ʃənəl] *adj* ❶ *(with purpose)* funktional ❷ *(operational)* funktionstüchtig; ■ to be ~ funktionieren ❸ MED Funktions-

func·tion·ary ['fʌŋ(k)ʃənəri] *n* Funktionär(in) *m(f)*

func·tion·ing ['fʌŋ(k)ʃənɪŋ] *adj attr* funktionsfähig

'**func·tion key** *n* COMPUT Funktionstaste *f*

fund [fʌnd] **I.** *n* ❶ *(stock of money)* Fonds *m;* **disaster ~** Notfonds *m* ❷ *(money)* ■ ~s *pl* [finanzielle] Mittel; **short of ~s** knapp bei Kasse; **to allocate ~s** Gelder bewilligen ❸ *(fig: source)* Vorrat *m* **(of an) II.** *vt* finanzieren; **privately ~ed** frei finanziert

fun·da·men·tal [ˌfʌndə'mentəl] *adj* grundlegend **(to** für); *difference* wesentlich; *question* entscheidend; ~ **right** Grundrecht *nt;* **to be of ~ importance to sth** für etw *akk* von zentraler Bedeutung sein

fun·da·men·tal·ism [ˌfʌndə'mentəlɪzəm] *n no pl* Fundamentalismus *m*

fun·da·men·tal·ist [ˌfʌndə'mentəlɪst] **I.** *n* Fundamentalist(in) *m(f)* **II.** *adj* fundamentalistisch

fun·da·men·tal·ly [ˌfʌndə'mentəli] *adv* ❶ *(basically)* im Grunde ❷ *(in all important aspects)* grundsätzlich

fund·ing ['fʌndɪŋ] *n no pl* Finanzierung *f*
'**fund-rais·er** *n* ❶ *(person)* Spendenbeschaffer(in) *m(f)* ❷ *(event)* Wohltätigkeitsveranstaltung *f* '**fund-rais·ing I.** *adj*

Wohltätigkeits-; ~ **campaign** Spendenaktion f **II.** n no pl Geldbeschaffung f

fu·ner·al ['fjuːnᵊrəl] n Beerdigung f, Begräbnis nt ▸ **that's his ~** [das ist] sein Pech

'fun·er·al march n MUS Trauermarsch m

'fun·er·al par·lour n, AM **'fun·er·al par·lor** n Bestattungsunternehmen nt **'fun·er·al pyre** n Scheiterhaufen m

fu·nereal [fjuːˈnɪəriəl] adj gedrückt; music getragen; **at a ~ pace** im Schneckentempo

'fun·fair n BRIT (amusement park) Vergnügungspark m; (fair) Jahrmarkt m, Rummelplatz m, Kir[ch]tag m ÖSTERR

fun·gi·cide ['fʌŋgɪsaɪd] n Fungizid nt

fun·gus <pl -es or -gi> ['fʌŋgəs, pl -gaɪ] n Pilz m

fu·nicu·lar [fjuːˈnɪkjələˀ] n, **fu·nicu·lar 'rail·way** n Seilbahn f

funk [fʌŋk] n no pl ❶ AM, AUS (fam: depression) **in a ~** deprimiert ❷ BRIT (fam: panic) **to be in a blue ~** riesigen Schiss haben ❸ MUS Funk m

funky ['fʌŋki] adj (sl) ❶ (hip) flippig ❷ MUS funkig

'fun·lov·ing adj lebenslustig

fun·nel ['fʌnᵊl] **I.** n ❶ (tool) Trichter m ❷ (on ship) Schornstein m **II.** vt <BRIT -ll- or AM usu -l-> ❶ (pour) [mit einem Trichter] einfüllen ❷ (fig: direct) zuleiten **III.** vi people drängen; liquids fließen; gases strömen

fun·nies ['fʌniz] npl AM ■**the ~** der Witzteil (einer Zeitung)

fun·ny ['fʌni] **I.** adj ❶ (amusing) lustig, witzig, komisch; **breaking your leg isn't ~** es ist nicht lustig, sich das Bein zu brechen; **there's a ~ side to everything** alles hat auch seine komischen Seiten; **don't you try to be ~ with me!** komm mir nicht auf diese Tour! ❷ (strange) komisch, merkwürdig, seltsam; **a ~ thing happened to me** mir ist etwas Komisches passiert; **to have a ~ feeling that …** so eine Ahnung haben, dass … ❸ (dishonest) verdächtig; **there's something ~ going on here** hier ist doch was faul; **~ business** krumme Sachen pl ▸ **~ ha-ha or ~ peculiar?** lustig oder merkwürdig? **II.** adv (fam) komisch, merkwürdig

'fun·ny bone n (fam) Musikantenknochen m

fur [fɜːˀ] **I.** n ❶ no pl (on animal) Fell nt ❷ FASHION Pelz m ▸ **the ~ flies** die Fetzen fliegen **II.** vi <-rr-> ■**to ~ up** kettle verkalken

fur 'coat n Pelzmantel m

fu·ri·ous ['fjʊəriəs] adj ❶ (angry) person [sehr] wütend; argument heftig; ■**to be ~**

with sb/about [or at] sth wütend auf jdn/über etw akk sein ❷ (intense) storm heftig; **at a ~ pace** in rasender Geschwindigkeit; **fast and ~** rasant; **the questions came fast and ~** die Fragen kamen Schlag auf Schlag

fu·ri·ous·ly ['fjʊəriəsli] adv ❶ (angrily) wütend; **to quarrel ~** sich heftig streiten ❷ (intensely) heftig, wie wild fam

furl [fɜːl] vt einrollen

fur·long ['fɜːlɒŋ] n Achtelmeile f

fur·nace ['fɜːnɪs] n ❶ (industrial) Hochofen m, Schmelzofen m ❷ (domestic) [Haupt]heizung f ❸ (fig) Backofen m

fur·nish ['fɜːnɪʃ] vt ❶ (provide furniture) einrichten ❷ (supply) liefern; ■**to ~ sb with sth** jdn mit etw dat versorgen

fur·nished ['fɜːnɪʃt] adj house eingerichtet; apartment, room möbliert

fur·nish·ing ['fɜːnɪʃɪŋ] n no pl Einrichtung f

fur·nish·ings ['fɜːnɪʃɪŋz] npl Einrichtung f

fur·ni·ture ['fɜːnɪtʃəˀ] n no pl Möbel pl; **piece** [or **item**] **of ~** Möbelstück nt; **to be part of the ~** (fig) zum Inventar gehören

'fur·ni·ture van n Möbelwagen m

fu·ro·re [fjʊ(ə)ˈrɔːri], AM **fu·ror** n no pl ❶ (excitement) Wirbel m (**over** um); **to cause a ~** für Wirbel sorgen ❷ (uproar) Aufruhr m

fur·row ['fʌrəʊ] n ❶ (groove) Furche f ❷ (wrinkle) Falte f

fur·ry ['fɜːri] adj (short fur) pelzig; (long fur) wollig; tongue belegt; **soft and ~** kuschelig weich

fur·ther ['fɜːðəˀ] **I.** adj comp of **far** ❶ (more distant) weiter [entfernt] ❷ (additional) weiter; **I've no ~ use for it** ich kann es nicht mehr gebrauchen; **until ~ notice** bis auf weiteres **II.** adv comp of **far** ❶ (more distant) weiter; **nothing could be ~ from my mind** nichts liegt mir ferner; **~ back** (in place) weiter zurück; (in time) früher; **a bit ~ on** [noch] etwas weiter ❷ (to a greater degree) weiter; **I wouldn't go any ~ than that** mehr möchte ich nicht sagen; **to take sth ~** mit etw dat weitermachen; (pursue) matter etw weiterverfolgen; **~ and ~** [immer] weiter ❸ (more) [noch] weiter; **I have nothing ~ to say** ich habe nichts mehr zu sagen; **~ to your letter, …** BRIT, AUS (form) bezugnehmend auf Ihren Brief, …; **to not go any ~** nicht weitergehen; **to make sth go ~** food etw strecken **III.** vt fördern; **to ~ sb's interests** jds Interessen förderlich sein

fur·ther·more [ˌfɜːðəˈmɔːˀ] adv außerdem

fur·ther·most ['fɜːðəməʊst] adj äußerste(r, s)

fur·thest ['fɜːðɪst] I. *adj superl of* **far** ① (*most distant*) am weitesten entfernte(r, s) ② (*fig*) extremste(r, s) II. *adv superl of* **far** am weitesten; **that's the ~ I can see** weiter [entfernt] erkenne ich nichts mehr

fur·tive ['fɜːtɪv] *adj glance* verstohlen; *action* heimlich; *manner* verschlagen; **to have a ~ air** heimlichtuerisch wirken

fur·tive·ly ['fɜːtɪvli] *adv* (*secretly*) heimlich; (*slyly*) verschlagen *pej;* **to glance ~** verstohlen blicken

fury ['fjʊəri] *n no pl* ① (*rage*) Wut *f;* **like ~** wie verrückt; **in a ~** wütend ② (*intensity*) Ungestüm *nt; of a storm* Heftigkeit *f*

fuse [fjuːz] I. *n* ① (*in a house*) Sicherung *f* ② (*device*) *of a bomb* Zündvorrichtung *f;* (*string*) Zündschnur *f* ▶ *sb* **has a short ~** jd wird schnell wütend II. *vi* ① BRIT **the lights have ~d** die Sicherungen der Lampen sind durchgebrannt ② (*join together*) sich vereinigen; **to ~ together** miteinander verschmelzen III. *vt* ① BRIT ELEC die Sicherung einer S. *gen* zum Durchbrennen bringen ② (*join together*) verbinden; (*with heat*) verschmelzen

'**fuse box** *n* Sicherungskasten *m*

fu·selage ['fjuːzəlɑːʒ] *n* [Flugzeug]rumpf *m*

fu·sion ['fjuːʒən] *n* Verschmelzung *f kein pl a. fig;* **nuclear ~** Kernfusion *f*

'**fu·sion food** *n no pl* Fusion Food *f* (*Kombination von Zutaten und Zubereitungsarten aus den Küchen der Welt*)

fuss [fʌs] I. *n* ① (*excitement*) [übertriebene] Aufregung ② (*attention*) [übertriebener] Aufwand, Getue *nt pej;* **it's a lot of ~ about nothing** das ist viel Lärm um nichts; **to make a ~** einen Aufstand machen *fam;* **to make a ~ of** [*or* AM **over**] **sb** für jdn einen großen Aufwand betreiben; **to make a ~ about sth** um etw *akk* viel Aufhebens machen II. *vi* (*be nervously active*) [sehr] aufgeregt sein; **please, stop ~ing** hör bitte auf, so einen Wirbel zu machen; ■**to ~ over sb/sth** (*treat with excessive attention*) viel Wirbel um jdn/etw machen; (*overly worry*) sich *dat* übertriebene Sorgen um jdn/etw machen; ■**to ~ with sth** [hektisch] an etw *dat* herumhantieren III. *vt* ■**to ~ sb** jdm auf die Nerven gehen; **stop ~ing me!** lass mich doch in Ruhe!

'**fuss·pot** *n* (*fam*) **to be a ~** penibel sein

fussy ['fʌsi] *adj* ① (*pej: about things*) pingelig; (*about food*) mäkelig; (*about people*) [zu] wählerisch; **we're not ~** (*not demanding*) wir sind nicht wählerisch; BRIT (*indifferent*) uns ist es egal ② (*pej: overly decorated*) [zu] verspielt, überladen

fus·ty ['fʌsti] *adj* (*pej*) ① (*musty*) muffig ② (*fig: old-fashioned*) verstaubt

fu·tile ['fjuːtaɪl] *adj* sinnlos; (*pointless*) nutzlos; *attempt* vergeblich; **to prove ~** vergebens sein

fu·til·ity [ˌfjuːˈtɪləti] *n no pl* Sinnlosigkeit *f*

fu·ture ['fjuːtʃər] I. *n usu sing* ① (*in time*) Zukunft *f;* **plans for the ~** Zukunftspläne *pl;* **at some point in the ~** irgendwann einmal; ■**in** [AM *usu* **in the**] **~** in Zukunft; **in the near ~** in naher Zukunft; **to not have much of a ~** keine [guten] Zukunftsaussichten haben ② LING **~ tense** Futur *nt;* **to be in the ~ tense** im Futur stehen II. *adj* zukünftig; *generations* kommend; **for ~ reference** zur späteren Verwendung

fu·ture 'per·fect *n no pl* vollendetes Futur, Futur II

'**fu·tures mar·ket** *n* ECON Terminbörse *f*

fu·tur·is·tic [ˌfjuːtʃəˈrɪstɪk] *adj* futuristisch

fuze *n, vt* AM *see* **fuse**

fuzz [fʌz] *n no pl* ① (*fluff*) Fussel[n] *pl* ② (*fluffy hair*) Flaum *m* ③ (*sl: police*) ■**the ~** die Bullen *pl*

fuzzy ['fʌzi] *adj* ① (*fluffy*) flaumig ② (*frizzy*) wuschelig ③ (*distorted*) verschwommen; **my head is so ~** ich bin ganz benommen

Gg

G <*pl* -'s *or* -s>, **g** <*pl* -'s> [dʒiː] *n*
❶ (*letter*) G *nt*, g *nt*; *see also* **A 1** ❷ MUS
G *nt*, g *nt*; ~ **flat** Ges *nt*, ges *nt*; ~ **sharp**
Gis *nt*, gis *nt*

gab [gæb] **I.** *vi* <-bb-> (*pej fam*) quatschen **II.** *n* **to have the gift of the** ~ überzeugend reden können

gab·ble ['gæbl̩] **I.** *vi* quasseln; *goose*
schnattern; ~ **away at sb** jdn voll quasseln **II.** *vt* herunterrasseln **III.** *n* no pl Gequassel *nt*; *of geese* Geschnatter *nt*

ga·ble ['geɪbl̩] *n* Giebel *m*

Ga·bon [gæb'ɒn] *n* Gabun *nt*

Gabo·nese [ˌgæbə'niːz] **I.** *adj* gabunisch
II. *n* Gabuner(in) *m(f)*

gadg·et ['gædʒɪt] *n* [praktisches] Gerät

Gael·ic ['geɪlɪk, 'gæl-] **I.** *n* Gälisch *nt* **II.** *adj*
gälisch

gaffe [gæf] *n* Fauxpas *m*

gaff·er ['gæfə'] *n* ❶ BRIT (*fam: foreman*)
Vorarbeiter *m*; (*fig*) Boss *m* ❷ FILM, TV
≈ Filmtechniker *m*

gag [gæg] **I.** *n* ❶ (*cloth*) Knebel *m* ❷ (*joke*)
Gag *m* **II.** *vt* <-gg-> ■ **to** ~ **sb** jdn knebeln;
(*fig*) jdm einen Maulkorb verpassen

gaga ['gɑːgɑː] *adj* (*fam*) vertrottelt

gage *n*, *vt* AM *see* **gauge**

gag·ging ['gægɪŋ] *pers part* **gag III**: ■ **to**
be ~ **for sth** (*sl: be desperate for a drink, a*
cigarette etc.) etw dringend brauchen,
nach etw *dat* gieren *fam*

gag·ging or·der ['gægɪŋ-] *n* (*fam*) Nachrichtensperre *f*

gag·gle ['gægl̩] *n* (*people*) Schar *f*; ~ **of**
geese Gänseherde *f*

gai·ety ['geɪəti] *n no pl* Fröhlichkeit *f*

gai·ly ['geɪli] *adv* ❶ (*happily*) fröhlich
❷ (*brightly*) freundlich; ~ **coloured** farbenfroh

gain [geɪn] **I.** *n* ❶ *no pl* (*increase*) Zunahme *f* kein pl; (*in speed*) Erhöhung *f* kein pl;
~ **in weight** Gewichtszunahme *f* ❷ ECON
Gewinn *m* ❸ *no pl* (*advantage*) Vorteil *m*
II. *vt* ❶ (*obtain*) gewinnen; *access, entry*
sich *dat* verschaffen; *experience* sammeln;
independence erlangen; *insight* bekommen; *recognition* finden; *victory* erringen;
to ~ **acceptance** akzeptiert werden; **to** ~
control of sth etw unter [seine] Kontrolle
bekommen ❷ (*increase*) ■ **to** ~ **sth** an etw
dat gewinnen; *self-confidence* entwickeln;
to ~ **speed/strength** schneller/kräftiger
werden; **to** ~ **weight** zunehmen **III.** *vi*
❶ (*increase*) zunehmen; *prices, numbers*

[an]steigen; *clock, watch* vorgehen
❷ (*profit*) profitieren; ■ **to** ~ **by doing sth**
durch etw *akk* profitieren ❸ (*catch up*)
■ **to** ~ **on sb** jdn mehr und mehr einholen

gain·ful ['geɪnfəl] *adj* ~ **employment** Er-
werbstätigkeit *f*

gait [geɪt] *n* Gang *m* kein pl; *of a horse*
Gangart *f*

gal¹ [gæl] *n* AM (*hum fam: girl*) Mädchen *nt*, Mädl *nt* fam

gal² <*pl* - *or* -s> *n abbrev of* **gallon**

gala ['gɑːlə] *n* ❶ (*social event*) Gala *f*
❷ BRIT (*competition*) Sportfest *nt*

ga·lac·tic [gə'læktɪk] *adj* galaktisch

gal·axy ['gæləksi] *n* ❶ (*star system*) Gala-
xie *f* ❷ (*fig: group*) erlesene Gesellschaft

gale [geɪl] *n* Sturm *m*; ~ **-force wind**
Wind *m* mit Sturmstärke; ~ **warning**
Sturmwarnung *f*

gall [gɔːl] **I.** *n* ❶ ANAT Galle *f*; ~ **bladder** Gal-
lenblase *f* ▸ **to have the** ~ **to do sth** die
Frechheit besitzen, etw zu tun **II.** *vt* ■ **sth**
~ **s sb** etw ist bitter für jdn

gal·lant ['gælənt] *adj* ❶ (*chivalrous*) charmant ❷ (*brave*) tapfer

gal·lant·ry ['gæləntri] *n* ❶ *no pl* (*chivalry*)
Zuvorkommenheit *f* ❷ *no pl* (*courage*)
Tapferkeit *f*

gal·leon ['gæliən] *n* Galeone *f*

gal·lery ['gæl³ri] *n* Galerie *f*

gal·ley ['gæli] *n* ❶ (*kitchen*) *of a ship* Kom-
büse *f*; AVIAT Bordküche *f* ❷ (*hist: ship*) Galeere *f*

gal·ley 'kitch·en *n* Küchenzeile *f*

Gal·lic ['gælɪk] *adj* (*hist*) ❶ (*of Gaul*) gal-
lisch ❷ (*typically French*) [sehr] französisch

gal·li·vant ['gælɪvænt] *vi* (*fam*) ■ **to** ~
about [*or* **around**] sich herumtreiben

gal·lon ['gælən] *n* Gallone *f*; **imperial/**
US ~ britische/amerikanische Gallone;
■ ~ **s** (*fig*) Unmengen *pl*

gal·lop ['gæləp] **I.** *vi* galoppieren **II.** *n usu*
sing Galopp *m*; **to break into a** ~ in Galopp verfallen

gal·lows ['gæləʊz] *n* + *sing vb* Galgen *m*;
to send sb to the ~ jdn an den Galgen
bringen

'gall·stone *n* Gallenstein *m*

Gal·lup poll® ['gæləp,-] *n* Meinungsumfrage *f*

ga·lore [gə'lɔːʳ] *adj after n* im Überfluss

gal·va·nize ['gælvənaɪz] *vt* ❶ TECH galvanisieren ❷ (*fig*) **to** ~ **sb into action** jdm
Beine machen

gam·bit ['gæmbɪt] *n* **❶** (*in chess*) Gambit *nt* **❷** (*fig: tactic, remark*) Schachzug *m;* **opening ~** *Satz, mit dem man ein Gespräch anfängt*

gam·ble ['gæmbl̩] **I.** *n usu sing* Risiko *nt;* **to take a ~** ein Risiko eingehen **II.** *vi* **❶** (*bet*) [um Geld] spielen; **to ~ on dogs/horses** auf Hunde/Pferde wetten; **to ~ on the stock market** an der Börse spekulieren **❷** (*take a risk*) ■**to ~ that …** sich darauf verlassen, dass …; ■**to ~ on sb/sth doing sth** sich darauf verlassen, dass jd/etw etw tut; ■**to ~ with sth** etw aufs Spiel setzen **III.** *vt* aufs Spiel setzen

gam·bler ['gæmblər] *n* Spieler(in) *m(f)*

gam·bling ['gæmblɪŋ] *n no pl* Glücksspiel *nt*

gam·bol <BRIT -ll- *or* AM *usu* -l-> ['gæmbəl] *vi* (*liter*) herumspringen

game¹ [geɪm] **I.** *n* Spiel *nt;* ■**~s** *pl* BRIT SCH [Schul]sport *m kein pl;* **let's have a ~ of tennis** lass uns Tennis spielen; **what's your ~?** (*fig fam*) was soll das?; **a ~ of chess** eine Partie Schach; **to be on/off one's ~** gut/nicht in Form sein; **to play ~s with sb** (*fig*) mit jdm spielen ▶ **to beat sb at their own ~** jdn mit seinen eigenen Waffen schlagen; **to give the ~ away** alles verraten; **to be on the ~** BRIT (*fam*) auf den Strich gehen; AM seine Finger in unsauberen Geschäften haben; **two can play at that ~** was du kannst, kann ich schon lange; **the ~'s up** das Spiel ist aus **II.** *adj* bereit

game² [geɪm] *n no pl* (*animal*) Wild *nt;* **big ~** Großwild *nt*

'game·keep·er *n* Wildhüter(in) *m(f)*

gam·elan ['gæməlæn] *n* MUS Gamelan *nt*

'game·pad *n* Spiel-Pad *nt,* Game-Pad *nt*

gamer ['geɪmər] *n* Gamer(in) *m(f),* Computerspieler(in) *m(f)*

'game show *n* Spielshow *f;* (*quiz show*) Quizsendung *f*

gam·ing ['geɪmɪŋ] *n no pl* Spielen *nt*

'gam·ing table *n* Spieltisch *m*

gam·mon ['gæmən] *n no pl* BRIT leicht geräucherter Schinken

gam·my ['gæmi] *adj* BRIT (*fam*) *leg* lahm

ga·nache [gæ'næʃ] *n no pl* Ganache *nt* (*Mischung aus Schokolade, Sahne oder Butter, oft aromatisiert, für Torten oder Trüffel*)

gan·der ['gændər] *n* **❶** (*goose*) Gänserich *m* **❷** (*fam: look*) **to have** [*or* take] **a ~ at sth** einen kurzen Blick auf etw *akk* werfen

gang [gæŋ] **I.** *n of people* Gruppe *f; of criminals* Bande *f; of youths* Gang *f; of friends* Clique *f; of workers, prisoners* Kolonne *f* **II.** *vi* ■**to ~ up** sich zusammentun; ■**to ~ up against** [*or* on] **sb** sich gegen jdn verbünden

gan·gling ['gæŋglɪŋ] *adj* schlaksig

gan·gly <-ier, -iest> ['gæŋgli] *adj* schlaksig

'gang·plank *n* Landungssteg *m*

gan·grene ['gæŋgriːn] *n no pl* MED Brand *m*

gang·ster ['gæŋ(k)stər] *n* Gangster(in) *m(f)*

gang 'war·fare *n no pl* Bandenkrieg *m*

'gang·way I. *n* **❶** NAUT Gangway *f* **❷** (*gangplank*) Landungsbrücke *f;* (*ladder*) Fallreep *nt* **❸** BRIT (*aisle*) [Durch]gang *m* **II.** *interj* (*fam*) **~!** Platz da!

gan·try ['gæntri] *n* Gerüst *nt; for crane*) Portal *nt; for rocket*) Abschussrampe *f*

gaol [dʒeɪl] *n* BRIT (*dated*) *see* **jail**

gap [gæp] *n* **❶** (*empty space*) Lücke *f a. fig* **❷** (*in time*) Pause *f* **❸** (*difference*) Unterschied *m; (in attitude*) Kluft *f;* **age ~** Altersunterschied *m*

gape [geɪp] *vi* glotzen; ■**to ~ at sb/sth** jdn/etw [mit offenem Mund] anstarren

gap·ing ['geɪpɪŋ] *adj* weit geöffnet; *wound* klaffend; *hole* gähnend

gap·per ['gæpər] *n* (*fam*) *jd, der ein Jahr Auszeit nimmt,* (*oft zwischen Schule und Studienantritt*)

'gap year *n ein freies Jahr, oft zwischen Schule und Studienantritt*

gar·age ['gærɑːʒ] **I.** *n* **❶** (*for cars*) Garage *f* **❷** BRIT, AUS (*petrol station*) Tankstelle *f* **❸** (*repair shop*) [Kfz-]Werkstatt *f* **❹** BRIT (*dealer*) Autohändler(in) *m(f)* **II.** *vt* in die Garage stellen

garb [gɑːb] *n no pl* (*liter*) Kleidung *f*

gar·bage ['gɑːbɪdʒ] *n no pl* **❶** AM, AUS (*rubbish*) Müll *m a. fig* **❷** (*pej: nonsense*) Blödsinn *m*

gar·ble ['gɑːbl̩] *vt* durcheinanderbringen; *message* verdrehen

gar·den ['gɑːdən] **I.** *n* Garten *m;* **back ~** Garten *m* hinter dem Haus; **front ~** Vorgarten *m;* ■**~s** *pl* Gartenanlage *f,* Gärten *pl* ▶ **to lead sb up the ~ path** jdn an der Nase herumführen **II.** *vi* im Garten arbeiten

'gar·den cen·tre *n* BRIT, CAN Gartencenter *nt* **gar·den·er** ['gɑːdənər] *n* Gärtner(in) *m(f)* **gar·den·ing** ['gɑːdənɪŋ] *n no pl* Gartenarbeit *f;* **a book on ~** ein Buch *nt* über Gartenpflege; **~ tools** Gartengeräte *pl* **'gar·den par·ty** *n* [großes] Gartenfest

gar·gan·tuan [gɑː'gæntjuən] *adj* riesig

gar·gle ['gɑːgl̩] **I.** *vi* gurgeln **II.** *n no pl* Gurgeln *nt*

gar·goyle ['gɑːɡɔɪl] *n* Wasserspeier *m*

gar·ish ['geərɪʃ] *adj* (*pej*) knallbunt

gar·land ['gɑːlənd] **I.** *n* Kranz *m; for a Christmas tree* Girlande *f;* ~ **of roses** Rosenkranz *m* **II.** *vt* bekränzen

gar·lic ['gɑːlɪk] *n no pl* Knoblauch *m*

gar·ment ['gɑːmənt] *n* Kleidungsstück *nt*

gar·net ['gɑːnɪt] *n* Granat *m*

gar·nish ['gɑːnɪʃ] **I.** *vt food* garnieren; (*fig*) ausschmücken **II.** *n <pl -es>* Garnierung *f*

gar·ret ['gærət] *n* Dachkammer *f*

gar·ri·son ['gærɪsᵊn] **I.** *n* Garnison *f* **II.** *vt* ■ **to be ~ed** in Garnison liegen

gar·ru·lous ['gærələs] *adj* schwatzhaft

gar·ter ['gɑːtəʳ] *n* ❶ (*band*) Strumpfband *nt;* Am Strumpfhalter *m* ❷ Brit **the Order of the G~** Brit der Hosenbandorden

gas [gæs] **I.** *n <pl -es or -sses>* ❶ (*vapour*) Gas *nt;* **natural** ~ Erdgas *nt* ❷ *no pl* Am (*fam: petrol*) Benzin *nt;* **to get** ~ tanken; **to step on the** ~ (*fig*) Gas geben ❸ *no pl* Am (*fam: flatulence*) Blähungen *pl* ❹ *esp* Am (*fam: laugh*) **to be a** ~ zum Brüllen sein **II.** *vt <-ss->* vergasen **III.** *vi <-ss-> (fam*) quatschen

'gas·bag *n* (*pej sl*) Quasselstrippe *f* **'gas cham·ber** *n* Gaskammer *f* **'gas cook·er** *n* Brit Gasherd *m;* (*small device*) Gaskocher *m*

gas·eous ['gæsiəs] *adj* gasförmig

'gas field *n* [Erd]gasfeld *nt* **'gas fire** *n* Brit Gaskaminofen *m* **'gas fit·ter** *n* Brit Gasinstallateur(in) *m(f)*

gash [gæʃ] **I.** *n <pl -es> on the body* [tiefe] Schnittwunde; *in cloth* [tiefer] Schlitz; *in the ground* [tiefer] Spalt; *in a tree* [tiefe] Kerbe **II.** *vt* aufschlitzen; ■ **to** ~ **sth open** *leg, arm* sich *dat* etw aufreißen; *head, knee, elbow* sich *dat* etw aufschlagen

'gas·hold·er *n* Gascontainer *m*

gas·ket ['gæskɪt] *n* Dichtung *f*

'gas lamp *n* Gaslampe *f* **'gas light·er** *n* Gasanzünder *m;* (*for cigarettes*) Gasfeuerzeug *nt* **'gas mask** *n* Gasmaske *f* **'gas me·ter** *n* Gaszähler *m*

gaso·line ['gæsᵊliːn] *n* Am Benzin *nt;* ~ **tax** Kraftstoffsteuer *f*

gas·om·eter [gæs'ɒmɪtəʳ] *n* [großer] Gasbehälter

'gas oven *n* Gasherd *m*

gasp [gɑːsp] **I.** *vi* ❶ (*pant*) keuchen; (*catch one's breath*) tief einatmen; ■ **sb** ~**s** (*in surprise, shock, pain*) jdm stockt der Atem; **to** ~ **for air** nach Luft schnappen ❷ (*speak*) nach Luft ringen ❸ Brit (*fam*) ■ **to be** ~**ing** [**for sth**] großes Verlangen

[nach etw *dat*] haben; **I'm** ~**ing!** ich verdurste! **II.** *vt* ■ **to** ~ **out** [atemlos] hervorstoßen **III.** *n* hörbares Lufteinziehen; **he gave a** ~ **of amazement** ihm blieb vor Überraschung die Luft weg ▸ **to the** <u>last</u> ~ bis zum letzten Atemzug

'gas ped·al *n* Am Gaspedal *nt* **'gas pipe** *n* Gasleitung *f* **'gas pump** *n* Am Zapfsäule *f* **'gas sta·tion** *n* Am Tankstelle *f* **'gas stove** *n* Gasherd *m;* (*small device*) Gaskocher *m*

gas·sy ['gæsi] *adj* kohlensäurehaltig

gas·tric ['gæstrɪk] *adj* MED Magen-

gas·tro·en·teri·tis [ˌgæstrəʊˌentə'raɪtɪs] *n no pl* MED Magen-Darm-Katarrh *m*

gas·tro·nom·ic [ˌgæstrə'nɒmɪk] *adj* kulinarisch

gas·trono·my [gæs'trɒnəmi] *n no pl* Gastronomie *f*

gas·tro·pub ['gæstrəʊpʌb] *n ein Bistro-ähnliches Lokal mit anspruchsvoller Küche*

'gas·works *n* + *sing vb* Gaswerk *nt*

gate [geɪt] *n* ❶ (*at an entrance*) Tor *nt;* (*in an airport*) Flugsteig *m,* Gate *nt;* (*of an animal pen*) Gatter *nt;* (*to a garden, courtyard*) Pforte *f* ❷ SPORTS **starting** ~ Startmaschine *f* ❸ (*spectators*) Zuschauerzahl *f* ❹ *no pl* (*money*) Einnahmen *pl*

ga·teau *<pl -x>* ['gætəʊ] *n esp* Brit Torte *f*

'gate·crash *vt* (*fam*) reinplatzen in +*akk* **'gate·crash·er** *n* (*fam*) un[ein]geladener Gast **'gate·keep·er** *n* Pförtner(in) *m(f)* **'gate mon·ey** *n no pl* Brit, Aus Einnahmen *pl* (*aus Eintrittskartenverkäufen*) **'gate·post** *n* Torpfosten *m* ▸ **between you, me, and the** ~ unter uns [gesagt] **'gate·way** *n* ❶ (*entrance*) Eingangstor *nt* ❷ (*fig*) Tor *nt;* **the** ~ **to the North** das Tor zum Norden **'gate·way drug** *n* Einstiegsdroge *f*

gath·er ['gæðəʳ] **I.** *vt* ❶ (*collect*) sammeln; **we** ~**ed our things together** wir suchten unsere Sachen zusammen; **to** ~ **intelligence** sich *dat* [geheime] Informationen beschaffen ❷ (*pull nearer*) **to** ~ **sb in one's arms** jdn in die Arme nehmen ❸ FASHION kräuseln ❹ (*increase*) **to** ~ **momentum** in Fahrt kommen; **to** ~ **speed** schneller werden ❺ (*understand*) verstehen; **Tony's not happy, I** ~ wie ich höre, ist Tony nicht glücklich; ■ **to** ~ **from sth that ...** aus etw *dat* schließen, dass ...; ■ **to** ~ **from sb that ...** von jdm erfahren, dass ... **II.** *vi* ❶ (*come together*) sich sammeln; *people* sich versammeln; (*accumulate*) sich ansammeln; *clouds* sich zusammenziehen; *storm* heraufziehen

❷ FASHION gerafft sein

gath·er·ing ['gæð³rɪŋ] I. *n* Versammlung *f;* **family** ~ Familientreffen *nt* II. *adj clouds, storm* heraufziehend; *darkness* zunehmend

gauche [gəʊʃ] *adj* unbeholfen

gaudy ['gɔːdi] *adj* knallig

gauge [geɪdʒ] I. *n* ❶ (*device*) Messgerät *nt;* (*for tools*) [Mess]lehre *f;* (*for water level*) Pegel *m* ❷ (*thickness*) *of metal, plastic* Stärke *f; of a wire, tube* Dicke *f;* (*diameter*) *of a gun, bullet* Durchmesser *m,* Kaliber *nt* ❸ RAIL Spurweite *f;* **narrow** ~ Schmalspur *f;* **standard** ~ Normalspur *f* ❹ (*fig: measure*) Maßstab *m* (**of** für) II. *vt* ❶ (*measure*) messen ❷ (*judge*) beurteilen; (*estimate*) [ab]schätzen

gaunt [gɔːnt] *adj* hager; (*from illness*) ausgemergelt

gaunt·let ['gɔːntlət] *n* [Stulpen]handschuh *m* ▸ **to run the** ~ Spießruten laufen

gauze [gɔːz] *n no pl* ❶ (*fabric*) Gaze *f* ❷ CHEM (*wire gauze*) Gewebedraht *m*

gave [geɪv] *pt of* **give**

gav·el ['gæv³l] *n* Hammer *m*

gawk [gɔːk] *vi,* **gawp** [gɔːp] *vi* (*fam*) glotzen; **don't stand there** ~**ing!** glotz nicht so blöd!; ■**to** ~ **at sb/sth** jdn/etw anglotzen

gawky ['gɔːki] *adj* schlaksig, linkisch, unbeholfen

gawp [gɔːp] *n* (*fam*) langer Blick; **have a** ~ **at sth** etw unverwandt anstarren

gay [geɪ] I. *adj* ❶ (*homosexual*) schwul, gay; ~ **bar** Schwulenlokal *nt;* ~ **community** Schwulengemeinschaft *f;* ~ **scene** Schwulenszene *f* ❷ (*cheerful*) fröhlich II. *n* Schwule(r) *m,* Gay *m*

gaze [geɪz] I. *vi* starren; **to** ~ **into the distance/out of the window** ins Leere/aus dem Fenster starren; ■**to** ~ **at sb/sth** jdn/etw anstarren II. *n* Blick *m*

ga·zelle [gə'zel] *n* Gazelle *f*

ga·zette [gə'zet] *n* Blatt *nt,* Anzeiger *m*

ga·zump [gə'zʌmp] *vt* BRIT, AUS (*fam*) ■**to** ~ **sb** jdn beim Hausverkauf übers Ohr hauen, indem man entgegen vorheriger Zusage an einen Höherbietenden verkauft

GB *n* <*pl* -> ❶ *abbrev of* **Great Britain** GB ❷ *abbrev of* **Gigabyte** GByte *nt*

GBH [ˌdʒiːbiː'eɪtʃ] *n no pl* BRIT LAW *abbrev of* **grievous bodily harm** schwere Körperverletzung

GCHQ [ˌdʒiːsiːeɪtʃ'kjuː] *n* BRIT *abbrev of* **Government Communications Headquarters** Zentrale des britischen Nachrichtendienstes

GCSE [ˌdʒiːsiːes'iː] *n* BRIT *abbrev of* **Gen-**

eral Certificate of Secondary Education ≈ Mittlere Reife (*Abschluss der Sekundarstufe*)

Gdns *abbrev of* **Gardens** *bei Adressenangaben, z.B.: 25 Egerton Gdns*

GDP [ˌdʒiːdiː'piː] *n abbrev of* **gross domestic product** BIP *nt*

gear [gɪəʳ] I. *n* ❶ TECH Gang *m;* **to change** [*or* AM **shift**] ~**s** schalten; ■~**s** *pl* (*in a car*) Getriebe *nt;* (*on a bicycle*) Gangschaltung *f* ❷ *no pl* (*fig*) **to step up a** ~ einen Gang zulegen ❸ *no pl* (*equipment*) Ausrüstung *f;* (*clothes*) Kleidung *f,* Sachen *pl fam;* (*trendy clothes*) Klamotten *pl sl* ❹ (*sl: heroin*) Zeug *nt* II. *vt* ausrichten (**to** auf) III. *vi* ■**to** ~ [oneself] **up** sich einstellen (**for** auf)

'gear·box *n* Getriebe *nt*

'gear·head *n* (*sl*) Computerfreak *m fam*

gear·ing ['gɪərɪŋ] *n no pl* ❶ TECH Getriebe *nt* ❷ ECON Verschuldungsgrad *m*

'gear stick, BRIT, AUS **'gear lev·er,** AM **'gear·shift** *n* Schalthebel *m* **'gear·wheel** *n* Zahnrad *nt*

gee [dʒiː] *interj* AM (*fam*) Mannomann

gee·zer ['giːzəʳ] *n* (*fam*) [old] ~ Alte(r) *m*

gel [dʒel] I. *n* Gel *nt* II. *vi* <-ll-> ❶ (*form a gel*) gelieren ❷ (*fig*) Form annehmen

geld·ing ['geldɪŋ] *n* kastriertes Tier; (*horse*) Wallach *m*

gem [dʒem] *n* ❶ (*jewel*) Edelstein *m* ❷ (*person*) Schatz *m* ❸ (*very good thing*) Juwel *nt;* **a** ~ **of a car/house** ein klasse Auto *fam*/prunkvolles Haus

Gemi·ni ['dʒemɪnaɪ, -niː] *n* ASTROL Zwillinge *pl;* **to be a** ~ [ein] Zwilling sein

gen [dʒen] I. *n no pl* BRIT (*sl*) Informationen *pl* II. *vi* <-nn-> BRIT (*sl*) ■**to** ~ **up on sth** sich über etw *akk* informieren

gen·der ['dʒendəʳ] *n* Geschlecht *nt*

gen·der-bend·ing ['dʒendəbendɪŋ] *adj attr* (*fam*) *chemicals* hormonell wirksam; ~ **hormones** sich auf die Geschlechtsmerkmale auswirkende Hormone

gen·dered ['dʒendəd] *adj* geschlechtsspezifisch

gen·der   'ste·reo·typ·ing [-'steriə(ʊ)taɪpɪŋ] *n no pl* geschlechtsspezifische Rollenverteilung; **why does this** ~ **still happen?** warum gibt es noch immer diese Klischeevorstellungen von Männern und Frauen?

gene [dʒiːn] *n* Gen *nt*

ge·nea·logi·cal [ˌdʒiːniə'lɒdʒɪk³l] *adj* genealogisch; ~ **tree** Stammbaum *m*

ge·ne·alo·gist [ˌdʒiːni'ælədʒɪst] *n* Genealoge, Genealogin *m, f*

ge·neal·ogy [ˌdʒiːni'ælədʒi] *n no pl* Genea-

G

logie f

'**gene bank** n Genbank f

gen·er·al ['dʒenᵊrᵊl] **I.** adj allgemein; ~ **idea** ungefähre Vorstellung; ~ **impression** Gesamteindruck m; ~ **meeting** Vollversammlung f; **it is** ~ **practice** es ist allgemein üblich; **in** ~ [or **as a** ~ **rule**] im Allgemeinen; **to talk in** ~ **terms** [nur] allgemein reden; **for** ~ **use** für den allgemeinen Gebrauch; **to be in** ~ **use** allgemein benutzt werden; **Consul** ~ Generalkonsul(in) m(f) **II.** n MIL General(in) m(f)

gen·er·al an·aes·'thet·ic n no pl Vollnarkose f **Gen·er·al As·'sem·bly** n no pl [UNO-]Vollversammlung f **gen·er·al de·'liv·ery** n no pl AM (poste restante) postlagernd **gen·er·al e'lec·tion** n Parlamentswahlen pl

gen·er·al·ity [,dʒenᵊ'rælɪti] n ❶ (general statement) **to talk in/of generalities** verallgemeinern, sich über Allgemeines unterhalten ❷ no pl (vagueness) Allgemeingültigkeit f ❸ no pl (form: majority) Mehrheit f

gen·er·ali·za·tion [,dʒenᵊrᵊlar'zeɪʃᵊn] n ❶ (instance) Verallgemeinerung f ❷ no pl (technique) Generalisierung f

gen·er·al·ize ['dʒenᵊrᵊlaɪz] vi, vt ▪ **to** ~ [**about sth**] [etw] verallgemeinern

gen·er·al·ly ['dʒenᵊrᵊli] adv ❶ (usually) normalerweise, im Allgemeinen ❷ (mostly) im Allgemeinen, im Großen und Ganzen ❸ (widely, not in detail) allgemein; **to be** ~ **available** der Allgemeinheit zugänglich sein; ~ **speaking** im Allgemeinen

Gen·er·al 'Post Of·fice n Hauptpost f **gen·er·al prac·'ti·tion·er** n Arzt, Ärztin m, f für Allgemeinmedizin, praktischer Arzt/praktische Ärztin **gen·er·al 'staff** n + sing/pl vb MIL Generalstab m **gen·er·al 'store** n AM Gemischtwarenladen m **gen·er·al 'strike** n Generalstreik m **gen·er·al 'view** n no pl ▪ **the** ~ die vorherrschende Meinung

gen·er·ate ['dʒenᵊreɪt] vt ❶ controversy, enthusiasm hervorrufen; electricity erzeugen; income erzielen; jobs schaffen ❷ MATH, LING generieren

'**gen·er·at·ing sta·tion** n Elektrizitätswerk nt

gen·era·tion [,dʒenᵊ'reɪʃᵊn] n ❶ (set) Generation f ❷ no pl (production) Erzeugung f

gen·era·tive ['dʒenᵊrᵊtɪv] adj (form) generativ

gen·era·tor ['dʒenᵊreɪtᵊʳ] n ❶ (dynamo) Generator m ❷ (producer) Erzeuger(in) m(f); ~ **of new ideas** Ideenlieferant(in)

ge·ner·ic [dʒə'nerɪk] **I.** adj ❶ (general) generisch; ~ **term** Oberbegriff m; BIOL Gattungsbegriff m ❷ AM, AUS (not name-brand) markenlos **II.** n AUS No-Name-Produkt nt

gen·er·os·ity [,dʒenᵊ'rɒsəti] n no pl Großzügigkeit f

gen·er·ous ['dʒenᵊrəs] adj großzügig

gen·er·ous·ly ['dʒenᵊrəsli] adv ❶ (kindly) großzügig[erweise] ❷ (amply) großzügig; **to be** ~ **cut** groß[zügig] geschnitten sein; **to tip** ~ reichlich Trinkgeld geben

gen·esis <pl -ses> ['dʒenəsɪs, pl -si:z] n usu sing ❶ (form: origin) Ursprung m ❷ REL **G**~ das erste Buch Mose

gene 'thera·py n usu sing Gentherapie f

ge·net·ic [dʒə'netɪk] adj genetisch; ~ **disease** Erbkrankheit f

gen·eti·cist [dʒə'netɪsɪst] n Genetiker(in) m(f)

gen·et·ics [dʒə'netɪks] n no pl Genetik f

Ge·neva [dʒə'ni:və] n Genf nt

gen·ial ['dʒi:niəl] adj freundlich; climate angenehm

ge·nie <pl -nii or -s> ['dʒi:ni, pl -niaɪ] n Geist m (aus einer Flasche oder Lampe)

geni·tal ['dʒenɪtᵊl] adj attr Genital-; ~ **organs** Geschlechtsorgane pl

geni·ta·lia [,dʒenɪ'teɪliə] npl (form), **geni·tals** ['dʒenɪtᵊlz] npl Geschlechtsorgane pl

geni·tive ['dʒenɪtɪv] n Genitiv m; **to be in the** ~ im Genitiv stehen; ~ **case** Genitiv m

ge·ni·us <pl -es or -nii> ['dʒi:niəs, pl niaɪ] n ❶ (person) Genie nt; **to be a** ~ **with numbers** genial rechnen können ❷ no pl (intelligence, talent) Genialität f; **to have a** ~ **for sth** eine [besondere] Gabe für etw akk haben

geno·cid·al [,dʒenə'saɪdᵊl] adj völkermordähnlich; ▪ **to be** ~ einem Völkermord gleichen

geno·cide ['dʒenəsaɪd] n no pl Völkermord m

gen·re ['ʒɑ̃:(n)rə] n Genre nt

gent [dʒent] n (hum fam) short for **gentleman** Gentleman m

gen·teel [dʒen'ti:l] adj vornehm

gen·tian ['dʒentiən] n Enzian m

gen·tile ['dʒentaɪl] n Nichtjude, -jüdin m, f

gen·tle ['dʒentl] adj ❶ (tender) sanft; hint zart; ▪ **to be** ~ **with sb** behutsam mit jdm umgehen ❷ (moderate) breeze, motion sanfte; slope leicht; ~ **exercise** leichte sportliche Betätigung ❸ (liter) **of** ~ **birth** von edler Herkunft

gen·tle·man ['dʒentl|mən] n ❶ (polite man) Gentleman m; **a perfect** ~ ein wahrer Gentleman ❷ (*man*) Herr *m;* ~'s **club** Herrenklub *m* ❸ (*to audience*) ■**gentlemen** *pl* meine Herren; ~ **of the jury** meine Herren Geschworenen; **ladies and gentlemen** meine Damen und Herren **gen·tle·man·ly** ['dʒentlmənli] *adj* gentlemanlike

gen·tle·ness ['dʒentl̩nəs] *n no pl* Sanftheit *f*

gen·tly ['dʒentli] *adv* ❶ (*kindly*) sanft; (*considerately*) behutsam; **to break the news ~ to sb** jdm etw schonend beibringen ❷ (*moderately*) sanft; ~ **rolling hills** sanfte Hügel

gen·try ['dʒentri] *n no pl* BRIT [**landed**] ~ niederer [Land]adel

Gents [dʒents] *n* BRIT Herrentoilette *f;* '~' ,Herren'

genu·ine ['dʒenjuːɪn] *adj* ❶ (*not fake*) echt ❷ (*sincere*) ehrlich

genu·ine·ly ['dʒenjuːɪnli] *adv* ❶ (*truly*) wirklich ❷ (*sincerely*) aufrichtig; **to ~ believe that ...** ernsthaft glauben, dass ...

ge·nus <*pl* -nera> ['dʒenəs, *pl* -ᵊrə] *n* BIOL Gattung *f*

ge·og·ra·pher [dʒiː'ɒgrəfəʳ] *n* Geograph(in) *m(f)*

geo·graph·ic(al) [ˌdʒiːə(ʊ)'græfɪk(ᵊl)] *adj* geographisch

ge·og·ra·phy [dʒiː'ɒgrəfi, 'dʒɒg-] *n no pl* Geographie *f;* SCH Erdkunde *f;* **physical/ political ~** Geophysik *f* /Geopolitik *f*

geo·logi·cal [ˌdʒiːə(ʊ)'lɒdʒɪkᵊl] *adj* geologisch

ge·olo·gist [dʒiː'ɒlədʒɪst] *n* Geologe, Geologin *m, f*

ge·ol·ogy [dʒiː'ɒlədʒi] *n no pl* Geologie *f;* **historical ~** Geogeschichte *f*

geo·met·ric(al) [ˌdʒiːə(ʊ)'metrɪk(ᵊl)] *adj* geometrisch

ge·om·etry [dʒiː'ɒmɪtri] *n no pl* Geometrie *f*

geo·physi·cal [ˌdʒiːə(ʊ)'fɪzɪkᵊl] *adj* geophysikalisch

geo·phys·ics [ˌdʒiːə(ʊ)'fɪzɪks] *n no pl* Geophysik *f*

geo·pro·fil·er [ˌdʒiː'əʊ'prəʊfaɪləʳ] *n short for* **geographic profiler** geographischer Fallanalyst/geographische Fallanalystin, Geo-Profiler(in) *m(f)*

Geor·gia ['dʒɔː'dʒə] *n* ❶ (*European country*) Georgien *nt* ❷ (*US state*) Georgia *nt*

Geor·gian ['dʒɔː'dʒən] **I.** *adj* ❶ (*style*) georgianisch ❷ (*of Republic*) georgisch ❸ (*of US state*) in/aus/von Georgia **II.** *n* ❶ (*native*) Georgier(in) *m(f);* (*language*) georgische Sprache ❷ (*native of US state*) Einwohner aus Georgia

geo·ther·mal [ˌdʒiːə(ʊ)'θɜːmᵊl] *adj* geothermisch

ge·ra·nium [dʒə'reɪniəm] *n* Geranie *f*

geri·at·ric [ˌdʒeri'ætrɪk] **I.** *adj* geriatrisch; ~ **nurse** Altenpfleger(in) *m(f)* **II.** *n* alter Mensch

geri·at·rics [ˌdʒeri'ætrɪks] *n* + *sing vb* Altersheilkunde *f*

germ [dʒɜːm] *n* ❶ MED, BIOL Keim *m,* Bakterie *f;* **to spread ~s** Keime verbreiten ❷ (*fig*) **a ~ of truth** ein Funken *m* Wahrheit; **the ~ of an idea** der Ansatz einer Idee

Ger·man ['dʒɜːmən] **I.** *n* ❶ (*person*) Deutsche(r) *f(m)* ❷ *no pl* (*language*) Deutsch *nt* **II.** *adj* deutsch

ger·mane [dʒə'meɪn] *adj* (*form*) relevant (**to** für)

Ger·man·ic [dʒə'mænɪk] *adj* [indo]germanisch

Ger·man·ize ['dʒɜː'mənaɪz] **I.** *vt* ■**to ~ sb/sth** jdn/etw eindeutschen [*o* germanisieren] **II.** *vi* deutsch werden

Ger·man 'mea·sles *n* + *sing vb* Röteln *pl* **Ger·man 'shep·herd** *n* (*dog*) Schäferhund *m*

Ger·ma·ny ['dʒɜː'məni] *n* Deutschland *nt* '**germ-free** *adj* keimfrei

ger·mi·cid·al [ˌdʒɜː'mɪ'saɪdᵊl] *adj* keimtötend

ger·mi·cide ['dʒɜː'mɪ'saɪd] *n* keimtötendes Mittel

ger·mi·nate ['dʒɜː'mɪneɪt] **I.** *vi* keimen **II.** *vt* zum Keimen bringen

ger·mi·na·tion [ˌdʒɜː'mɪ'neɪʃᵊn] *n no pl* Keimen *nt*

germ 'war·fare *n* Bakterienkrieg *m*

ger·und ['dʒerᵊnd] *n* LING Gerundium *nt*

ges·ta·tion [dʒes'teɪʃᵊn] *n no pl* ❶ *of humans* Schwangerschaft *f;* ❷ (*fig*) Reifwerden *nt*

ges·ticu·late [dʒes'tɪkjəleɪt] *vi* (*form*) gestikulieren

ges·ticu·la·tion [dʒesˌtɪkjə'leɪʃᵊn] *n* (*form*) Gestik *f*

ges·ture ['dʒestʃəʳ] **I.** *n* Geste *f;* **a ~ of defiance** eine trotzige Geste **II.** *vi, vt* deuten

get <*got, got or* AM *usu* **gotten**> [get] **I.** *vt* ❶ (*obtain*) erhalten; **where did you ~ your mobile from?** woher hast du dein Handy?; **to ~ a glimpse of sb/sth** einen Blick auf jdn/etw erhaschen; **to ~ time off** frei bekommen ❷ (*receive*) bekommen ❸ (*experience*) erleben; **we don't ~ much snow here** hier schneit es nicht sehr viel; **I got quite a surprise** ich war ganz schön überrascht; **she ~s a lot of pleasure from it** es bereitet ihr viel Freude ④ (*deliver*) ■**to ~ sth to sb** jmd etw bringen ⑤ MED (*fam: contract*) sich *dat* holen; **to ~ the flu** sich *dat* die Grippe einfangen; **to ~ food poisoning** sich *dat* eine Lebensmittelvergiftung zuziehen ⑥ (*fetch*) ■**to ~ [sb] sth** [*or* **sth for sb**] jdm etw besorgen; **can I ~ you a drink?** möchtest du was trinken?; (*formal*) kann ich Ihnen was zu trinken anbieten?; **could you ~ me a paper?** könntest du mir eine Zeitung mitbringen? ⑦ TRANSP **to ~ a train** (*travel with*) einen Zug nehmen; (*catch*) einen Zug erwischen *fam* ⑧ (*earn*) verdienen ⑨ (*capture*) fangen ⑩ (*fam: punish*) kriegen; **I'll ~ you for that!** ich kriege dich dafür! ⑪ (*fam: answer*) *door* aufmachen; **to ~ the telephone** ans Telefon gehen ⑫ (*fam: pay for*) bezahlen ⑬ + *pp* (*cause to be*) ■**to ~ sth confused** etw verwechseln; **to ~ sth delivered** sich *dat* etw liefern lassen; **to ~ sth finished** etw fertig machen ⑭ (*induce*) ■**to ~ sb/sth doing sth** jdn/etw zu etw *dat* bringen; ■**to ~ sb/sth to do sth** jdn/etw dazu bringen, etw zu tun ⑮ (*transfer*) ■**to ~ sb/sth somewhere** jdn/etw irgendwohin bringen; **we'll never ~ it through the door** wir werden es niemals durch die Tür bekommen ⑯ (*hear, understand*) verstehen; **to ~ the message** [*or* **picture**] [es] kapieren *fam* ⑰ (*prepare*) *meal* zubereiten ⑱ (*hit*) erwischen II. *vi* ① (*become*) werden; **~ well soon!** gute Besserung!; **to ~ used to sth** sich an etw *akk* gewöhnen; **to ~ to be sth** etw werden; **to ~ to like sth** etw langsam mögen; **this window seems to have got broken** jemand scheint dieses Fenster zerbrochen zu haben; **to ~ married** heiraten ② (*reach*) kommen; **to ~ home** nach Hause kommen ③ (*progress*) **to ~ nowhere** es nicht weit bringen ④ (*have opportunity*) ■**to ~ to do sth** die Möglichkeit haben, etw zu tun; **to ~ to see sb** jdn zu Gesicht bekommen ⑤ (*must*) ■**to have got to do sth** etw machen müssen ⑥ (*fam: start*) **to ~ going** gehen ⑦ (*understand*) ■**to ~ with it** sich informieren ◆**get about** *vi* herumkommen ◆**get across** *vt* verständlich machen ◆**get along** *vi* ① *see* **get on** II 1, 2 ② (*hurry*) weitermachen ◆**get around** *vi* ① *see* **get round** I ② *see* **get about** ◆**get at** *vi* ① (*fam: suggest*) ■**to ~ at sth** auf etw *akk* hinauswollen ② BRIT, AUS (*fam: criticize*) kritisieren ③ (*assault*) angreifen ④ (*fam: bribe*) bestechen ⑤ (*reach*) [he]rankommen an +*akk* ⑥ (*discover*) aufdecken ◆**get away** *vi* ① (*leave*) fortkommen, wegkommen ② (*escape*) ■**to ~ away** [**from sb/sth**] [vor jdm/etw] flüchten; (*successfully*) [jdm/etw] entkommen; ■**to ~ away with sth** mit etw *dat* ungestraft davonkommen ③ (*fam*) **~ away** [**with you**]! ach, hör auf! ④ (*succeed*) ■**to ~ away with sth** mit etw *dat* durchkommen ▶**to ~ away with murder** sich *dat* alles erlauben können ◆**get back** I. *vt* (*actively*) zurückholen; *strength* zurückgewinnen; (*passively*) zurückbekommen II. *vi* ① (*return*) zurückkommen ② (*fam: have revenge*) ■**~ one's own back on sb** sich an jdm rächen ③ ■**to ~ back into sth** wieder mit etw *dat* beginnen; ■**to ~ back to** [**doing**] **sth** auf etw *akk* zurückkommen; **to ~ back to sleep** wieder einschlafen ④ (*contact*) ■**to ~ back to sb** wieder bei jdm melden ◆**get behind** *vi* ① (*support*) unterstützen ② (*be late*) in Rückstand geraten ◆**get by** *vi* ■**to ~ by** [**on/with sth**] mit etw *dat* auskommen ◆**get down** I. *vt* ① (*remove*) runternehmen (**from/off** von) ② (*depress*) fertigmachen ③ (*note*) niederschreiben ④ (*swallow*) runterschlucken II. *vi* ① (*descend*) herunterkommen (**from/off** von); (*from the table*) aufstehen ② (*bend down*) sich runterbeugen; (*kneel down*) niederknien ③ (*start*) ■**to ~ down to** [**doing**] **sth** sich an etw *akk* machen ◆**get in** I. *vt* ① (*fam: find time for*) reinschieben ② (*say*) *word* einwerfen ③ (*bring inside*) hereinholen ④ (*purchase*) beschaffen; **whose turn is it to ~ the drinks in?** BRIT (*fam*) wer ist mit den Getränken an der Reihe? ⑤ (*ask to come*) kommen lassen; *specialist* hinzuziehen ⑥ (*submit*) absenden; *application* einreichen II. *vi* ① (*become elected*) an die Macht kommen ② (*enter*) hineingehen ③ (*arrive*) ankommen ④ (*return*) zurückkehren; **to ~ in from work** von der Arbeit heimkommen ⑤ (*join*) ■**to ~ in on sth** sich an etw *dat* beteiligen ⑥ (*make friends with*) ■**to ~ in with** auskommen mit +*dat* ◆**get into** *vi* ① (*enter*) [ein]steigen in +*akk* ② (*have interest for*) sich interessieren für +*akk* ③ (*affect*) **what's got into you?** was ist in dich gefahren? ④ (*become involved in*) *argument* verwickelt werden in +*akk* ◆**get off** I. *vi* ① (*fall asleep*) **to ~ off** [**to sleep**] einschlafen ② (*evade punishment*) davonkommen ③ (*exit*) aussteigen ④ (*dismount*) absteigen ⑤ (*depart*) losfahren ⑥ (*fam: find pleasurable*) ■**to ~ off on sth** Vergnügen finden an etw *dat* II. *vt* ① (*send to sleep*) in den Schlaf wiegen ② LAW freibekommen ③ (*send*) versenden

❹ (*remove*) nehmen von +*dat;* **to ~ sb off sth** *bus, train, plane* jdm aus etw *dat* heraushelfen; *boat, roof* jdn von etw *dat* herunterholen ◆ **get on I.** *vt* (*put on*) anziehen; *hat* aufsetzen; *load* aufladen ▸ **to ~ it on with sb** (*sl*) etwas mit jdm haben **II.** *vi* ❶ (*be friends*) sich verstehen ❷ BRIT (*manage*) vorankommen ❸ (*continue*) weitermachen ❹ (*age*) alt werden; **to be ~ting on in years** an Jahren zunehmen ❺ *time* spät werden ❻ (*be nearly*) ~**ting on for a hundred people** um die hundert Leute ❼ (*criticize*) ▤ **to ~ on at sb** auf jdn herumhacken ❽ (*arrive at*) *subject* kommen auf +*akk* ❾ (*contact*) ▤ **to ~ on to sb** sich mit jdm in Verbindung setzen ❿ (*start work on*) sich heranmachen an +*akk* ◆ **get out I.** *vi* ❶ (*become known*) *news* herauskommen ❷ AM (*in disbelief*) **~ out** [of here]! ach komm! **II.** *vt* ❶ (*bring out*) rausbringen (**of** aus) ❷ (*remove*) herausbekommen; *money* abheben ❸ (*issue*) herausbringen ◆ **get over I.** *vi* ❶ (*recover from*) ▤ **to ~ over sth** über etw *akk* hinwegkommen; *illness* sich von etw *dat* erholen; **I can't ~ over the way he behaved** ich komme nicht darüber hinweg, wie er sich verhalten hat ❷ (*complete*) ▤ **to ~ sth over** [**with**] etw hinter sich *akk* bringen **II.** *vt* *idea* rüberbringen ◆ **get round I.** *vi* ❶ (*spread*) *news* sich verbreiten ❷ (*do*) ▤ **to ~ round to** [**doing**] **sth** es schaffen, etw zu tun **II.** *vt* ❶ (*evade*) *the law* umgehen ❷ (*deal with*) *a problem* angehen ❸ BRIT (*persuade*) ▤ **to ~ round sb to do sth** jdn dazu bringen, etw zu tun ❹ (*invite*) ▤ **to ~ sb round** jdn einladen; *specialist* jdn hinzuziehen ◆ **get through I.** *vi* ❶ (*make oneself understood*) ▤ **to ~ through to sb that/how ...** jdm klarmachen, dass/wie ... ❷ (*contact*) ▤ **to ~ through to sb** *on the phone* zu jdm durchkommen **II.** *vt* ❶ (*use up*) aufbrauchen ❷ (*finish*) *work* erledigen ❸ (*survive*) *bad times* überstehen ❹ (*pass*) *exam* bestehen ❺ (*convey*) ▤ **to ~ it through to sb that ...** jdm klarmachen, dass ... ◆ **get together I.** *vi* sich treffen **II.** *vt* **to ~ it together** es zu etwas bringen ◆ **get up I.** *vt* ❶ (*climb*) hinaufsteigen ❷ (*organize*) zusammenstellen ❸ (*gather*) *courage* aufbringen; *speed* sich beschleunigen ❹ (*fam: wake*) wecken **II.** *vi* ❶ BRIT *wind* auffrischen ❷ (*get out of bed*) aufstehen ❸ (*stand up*) sich erheben ❹ *pranks* ▤ **to ~ up to sth** aushecken

get-'at-able *adj* (*fam*) zugänglich '**get away** *n* (*fam*) ❶ (*escape*) Flucht *f;* **to**

make a ~ entwischen ❷ (*holiday*) Trip *m* '**get-togeth-er** *n* (*fam*) Treffen *nt* '**get-up** *n* (*fam: outfit*) Kluft *f*
gey-ser ['gaɪzəʳ] *n* Geysir *m*
Gha-na ['gɑːnə] *n* Ghana *nt*
Gha-na-ian [gɑːˈneɪən] **I.** *adj* ghanaisch **II.** *n* Ghanaer(in) *m(f)*
ghast-ly ['gɑːstli] *adj* ❶ (*fam: frightful*) *report* schrecklich; *experience* fürchterlich ❷ (*unpleasant, unwell*) grässlich, scheußlich
Ghent [gent] *n* Gent *nt*
gher-kin ['gɜːkɪn] *n* Essiggurke *f*
ghet-to ['getəʊ] *n* <*pl* -s *or* -es> G[h]etto *nt*
ghet-to-fabu-lous [getəʊˈfabjələs] *adj* *jewellery* ~ **rocks** Riesenklunker *m*[*pl*]
ghost [gəʊst] *n* ❶ Geist *m;* **the ~ of the past** das Gespenst der Vergangenheit ▸ **to give up the ~** den Geist aufgeben
ghost-ly ['gəʊstli] *adj* ❶ (*ghost-like*) geisterhaft ❷ (*eerie*) gespenstisch
'**ghost town** *n* Geisterstadt *f* '**ghost train** *n* Geisterbahn *f* '**ghost-writ-er** *n* Ghostwriter *m*
ghoul [guːl] *n* Ghul *m*
GI¹ [dʒiːˈaɪ] *n* (*fam*) MIL GI *m*
GI² [dʒiːˈaɪ] *n abbrev of* **glycaemic index** glykämischer Index
gi-ant ['dʒaɪənt] **I.** *n* ❶ Riese *m a. fig;* **industrial ~** Industriegigant *m* **II.** *adj* riesig; **to make ~ strides** (*fig*) große Fortschritte machen
gi-ant-ess ['dʒaɪəntes] *n* Riesin *f*
gib-ber ['dʒɪbəʳ] *vi* stammeln
gib-ber-ish ['dʒɪb³rɪʃ] *n no pl* (*pej*) ❶ (*spoken*) Gestammel *nt* ❷ (*written*) Quatsch *m*
gib-bet ['dʒɪbɪt] *n* Galgen *m*
gib-bon ['gɪb³n] *n* ZOOL Gibbon *m*
gibe *n, vi* see **jibe**
gib-lets ['gɪbləts] *npl* Innereien *pl*
Gi-bral-tar [dʒɪˈbrɒltəʳ] *n* Gibraltar *nt*
gid-dy ['gɪdi] *adj* schwind(e)lig
gift [gɪft] *n* ❶ (*present*) Geschenk *nt a. fig* ❷ (*donation*) Spende *f* ❸ (*giving*) Schenkung *f* ❹ (*talent*) Talent *nt;* **to have a ~ for languages** sprachbegabt sein; **to have the ~ of the gab** (*fam*) ein großes Mundwerk haben
'**gift card** *n* Geschenkgutschein in Form einer Kreditkarte, von Kreditkartenanbietern oder Firmen angeboten
gift-ed ['gɪftɪd] *adj* begabt; *musician* begnadet
'**gift horse** *n* ▸ **never look a ~ in the mouth** (*prov*) einem geschenkten Gaul guckt man nicht ins Maul '**gift shop** *n*

Geschenkartikelladen *m* 'gift to·ken *n*, 'gift vouch·er *n* Geschenkgutschein *m*

gig [gɪg] I. *n* Gig *m* II. *vi* <-gg-> auftreten

giga·byte ['gɪgəbaɪt] *n* COMPUT Gigabyte *nt*

gi·gan·tic [dʒaɪ'gæntɪk] *adj* gigantisch; ~ bite Riesenbissen *m*

gig·gle ['gɪgl] I. *vi* kichern (at über) II. *n* ❶ (*laugh*) Gekicher *nt kein pl*; to get/have [a fit of] the ~s einen Lachanfall bekommen/haben ❷ *no pl* BRIT, AUS (*fam: joke*) Spaß *m;* to do sth for a ~ etw zum Spaß machen

gill [gɪl] *n usu pl* Kieme *f* ▶ to look green about the ~s grün im Gesicht sein; to the ~s bis oben hin

gilt [gɪlt] I. *adj* vergoldet II. *n* Vergoldung *f*

gilt-'edged *adj* FIN mündelsicher

gim·let ['gɪmlət] *n* ❶ (*tool*) Schneckenbohrer *m* ❷ AM (*drink*) Cocktail aus Gin, Wodka und Limettensaft

gim·mick ['gɪmɪk] *n* (*esp pej*) ❶ (*trick*) Trick *m* ❷ (*attraction*) Attraktion *f*

gim·micky ['gɪmɪki] *adj* (*pej*) marktschreierisch

gin [dʒɪn] *n* ❶ (*drink*) Gin *m* ❷ (*trap*) Falle *f*

gin·ger ['dʒɪndʒə*r*] I. *n no pl* ❶ (*spice*) Ingwer *m* ❷ (*colour*) gelbliches Braun ❸ BRIT (*drink*) Gingerale *nt* II. *adj* gelblich braun

gin·ger 'ale *n* Gingerale *nt* gin·ger 'beer *n* Ingwerbier *nt* 'gin·ger·bread *n no pl* Lebkuchen *m* gin·ger-'haired *adj* dunkelblond

gin·ger·ly ['dʒɪndʒə*r*li] *adv* behutsam

gip·sy *n esp* BRIT *see* gypsy

gi·raffe <*pl* -s *or* -> [dʒɪ'rɑːf] *n* Giraffe *f*

gird·er ['gɜːdə*r*] *n* Träger *m*

gir·dle ['gɜːdl] *n* ❶ (*belt*) Gürtel *m* ❷ (*corset*) Korsett *nt*

girl [gɜːl] *n* Mädchen *nt; (girlfriend)* Freundin *f*

'girl·friend *n* Freundin *f*

girlie, girly ['gɜːli], girl·ish ['gɜːlɪʃ] *adj* mädchenhaft

giro ['dʒaɪ(ə)rəʊ] *n* ❶ *no pl (system)* Giro *nt* ❷ <*pl* -s> BRIT *(cheque)* Giroscheck *m*

'giro ac·count *n* Girokonto *nt* 'giro trans·fer *n* Giroüberweisung *f*

girth [gɜːθ] *n* ❶ (*circumference*) Umfang *m;* in ~ an Umfang ❷ (*hum: fatness*) Körperumfang *m* ❸ (*saddle strap*) Sattelgurt *m*

gist [dʒɪst] *n* ▪the ~ das Wesentliche; to get the ~ of sth den Sinn von etw *dat* verstehen

give [gɪv] I. *vt* <gave, given> ❶ ▪to ~ sb sth jdm etw geben; (*as present*) jdm etw schenken; (*donate*) jdm etw spenden; ~n

the choice wenn ich die Wahl hätte; I'll ~ you a day to think it over ich lasse dir einen Tag Bedenkzeit; what gave you that idea? wie kommst du denn auf die Idee?; he couldn't ~ me a reason why ... er konnte mir auch nicht sagen, warum ...; that will ~ you something to think about! darüber kannst du ja mal nachdenken!; don't ~ me that! (*fig*) komm mir doch nicht damit!; ~ yourself time to get over it lass dir Zeit, um darüber hinwegzukommen; I'll ~ you what for! ich geb dir gleich was!; ~ him my thanks richten Sie ihm meinen Dank aus; ~ her my best wishes grüß sie schön von mir!; to ~ sb a cold jdn mit seiner Erkältung anstecken; to ~ a decision LAW ein Urteil fällen; to ~ sb his/her due jdm Ehre erweisen; to ~ sb encouragement jdm ermutigen; to ~ a lecture/speech einen Vortrag/eine Rede halten; to ~ one's life to sth etw *dat* sein Leben widmen; to be ~n life imprisonment lebenslang bekommen; to ~ sb/sth a bad name jdn/etw in Verruf bringen; to ~ sb the news of sth jdm etw mitteilen; to ~ sb permission [to do sth] jdm die Erlaubnis erteilen[, etw zu tun]; to ~ one's best sein Bestes geben ❷ (*emit*) to ~ a bark bellen; to ~ a cry/groan aufschreien/aufstöhnen ❸ (*produce*) result, number ergeben; warmth spenden ❹ (*do*) to ~ sb a [dirty] look jdm einen vernichtenden Blick zuwerfen; to ~ a shrug mit den Schultern zucken ❺ (*admit*) I'll ~ you that das muss man dir lassen ❻ (*inclined*) ▪to be ~n to sth zu etw *dat* neigen ❼ (*fam*) ~ or take mehr oder weniger; he came at six o'clock, ~ or take a few minutes er kam so gegen sechs II. *vi* <gave, given> ❶ (*donate*) spenden (to für); to ~ and take [gegenseitige] Kompromisse machen ❷ (*bend, yield*) nachgeben; bed federn; knees weich werden; rope reißen ❸ (*fam: what's happening*) what ~s? (*fam*) was gibt's Neues? ▶ it is better to ~ than to receive (*prov*) Geben ist seliger denn Nehmen; to ~ as good as one gets Gleiches mit Gleichem vergelten III. *n no pl* Nachgiebigkeit *f; (elasticity)* Elastizität *f; of bed* Federung *f;* to [not] have much ~ [nicht] sehr nachgeben; (*elastic*) [nicht] sehr elastisch sein ◆give away *vt* ❶ (*offer for free*) verschenken ❷ bride zum Altar führen ❸ (*fig: lose*) FBALL penalty verschenken ❹ (*reveal*) to ~ the game away (*fig*) alles verraten; to ~ oneself away sich verraten ◆give back *vt* zurückgeben (to + *dat*) ◆give in

I. *vi* ➊ (*to pressure*) nachgeben (**to** +*dat*); **to ~ in to blackmail** auf Erpressung eingehen; **to ~ in to temptation** der Versuchung erliegen ➋ (*surrender*) aufgeben **II.** *vt* ➊ (*hand in*) abgeben; *document* einreichen ➋ BRIT SPORTS (*judge in play*) **to ~ the ball in** den Ball gut geben ◆**give off** *vt* abgeben; *smell, smoke* verströmen ◆**give out I.** *vi* ➊ (*run out*) ausgehen; *energy* zu Ende gehen; **then her patience gave out** dann war es mit ihrer Geduld vorbei ➋ (*stop working*) versagen **II.** *vt* ➊ (*distribute*) verteilen (**to** an); *pencils, books* austeilen ➋ (*announce*) verkünden ➌ (*emit*) von sich *dat* geben ➍ BRIT SPORTS (*judge out of play*) **to ~ the ball out** Aus geben ◆**give over I.** *vt* ➊ (*set aside*) ■**to be given over to sth** für etw *akk* beansprucht werden; (*devoted*) etw *dat* gewidmet sein; ■**to ~ oneself over to sth** sich etw *dat* ganz hingeben ➋ (*hand over*) übergeben **II.** *vi* BRIT (*fam*) aufhören; (*disbelief*) **they've doubled your salary? ~ over!** sie haben wirklich dein Gehalt verdoppelt?! ◆**give up I.** *vi* aufgeben **II.** *vt* ➊ (*quit*) aufgeben; *habit* ablegen; ■**to ~ up doing sth** mit etw *dat* aufhören ➋ (*surrender*) überlassen; *territory* abtreten; **to ~ oneself up [to the police]** sich [der Polizei] stellen ➌ (*devote*) ■**to ~ oneself up to sth** sich etw *dat* hingeben; **to ~ up one's life to [*or* doing] sth** sein Leben etw *dat* verschreiben ➍ (*consider lost*) **to ~ sb up for dead** jdn für tot halten; **to ~ up sb/ sth as lost** jdn/etw verloren glauben; **to ~ up sth as a bad job** etw abschreiben

give-and-'take *n no pl* ➊ (*compromise*) Geben und Nehmen *nt* ➋ AM (*debate*) Meinungsaustausch *m*

'**give·away I.** *n* ➊ *no pl* (*fam: telltale*) **to be a dead ~** alles verraten ➋ (*freebie*) Werbegeschenk *nt* **II.** *adj* ➊ (*low*) **~ price** Schleuderpreis *m* ➋ (*free*) kostenlos; **~ newspaper** Gratiszeitung *f*

giv·en ['gɪvⁿn] **I.** *n* gegebene Tatsache; **to take sth as a ~** etw als gegeben annehmen **II.** *adj* ➊ (*certain*) gegeben ➋ (*specified*) festgelegt ➌ (*tend*) ■**to be ~ to sth** zu etw *dat* neigen; ■**to be ~ to doing sth** gewöhnt sein, etw zu tun **III.** *pp of* **give IV.** *prep* ■**~ sth** angesichts einer S. *gen*

'**giv·en name** *n* Vorname *m*

giv·er ['gɪvə'] *n* Spender(in) *m(f)*

gla·cé ['glæseɪ], AM *also* **gla·céed** *adj* **~ fruit** kandierte Früchte

gla·cial ['gleɪsiəl] *adj* ➊ (*left by glacier*) glazial; **~ lake** Gletschersee *m* ➋ (*freezing*) eisig *a. fig*

glaci·er ['glæsiə'] *n* Gletscher *m*

glad <-dd-> [glæd] *adj* froh; **to be ~ about sth** sich über etw *akk* freuen; ■**to be ~ for sb** sich für jdn freuen; ■**to be ~ of sth** über etw *akk* froh sein; **I'd be [only too] ~ to help you** es freut mich, dass ich dir helfen kann

glad·den ['glædⁿn] *vt* (*form*) erfreuen; **the news ~ed his heart** die Nachricht stimmte sein Herz froh

glade [gleɪd] *n* (*liter*) Lichtung *f*

gladia·tor ['glædieɪtə'] *n* Gladiator *m*

glad·ly ['glædli] *adv* gerne

glad·ness ['glædnəs] *n no pl* Freude *f*

'**glad rags** *npl* (*hum*) Festkleidung *f*

glam·or *n no pl* AM *see* **glamour**

glam·or·ize ['glæmᵊraɪz] *vt* verherrlichen

glam·or·ous ['glæmᵊrəs] *adj* glamourös

glam·our ['glæmə'] *n no pl* Glanz *m*

glance [glɑːn(t)s] **I.** *n* Blick *m*; **at first ~** auf den ersten Blick; **to see at a ~** mit einem Blick erfassen **II.** *vi* ■**to ~ at sth** auf etw *akk* schauen; ■**to ~ up [from sth]** [von etw *dat*] aufblicken; **to ~ around a room** sich in einem Zimmer umschauen; **to ~ through a letter** einen Brief überfliegen ◆**glance off** *vi* abprallen

gland [glænd] *n* Drüse *f*

glan·du·lar 'fe·ver *n no pl* Drüsenfieber *nt*

glare [gleə'] **I.** *n* ➊ (*stare*) wütender Blick ➋ *no pl* (*light*) grelles Licht; **~ of the sun** grelles Sonnenlicht **II.** *vi* ➊ (*stare*) ■**to ~ [at sb]** [jdn an]starren ➋ (*shine*) blenden; **the sun is glaring in my eyes** die Sonne blendet mich **III.** *vt* **to ~ defiance [at sb/ sth]** jdn/etw trotzig anstarren

glar·ing ['gleə'rɪŋ] *adj* ➊ (*staring*) stechend ➋ (*blinding*) blendend; *light* grell ➌ (*obvious*) *mistake* eklatant; *weakness* krass; *injustice* himmelschreiend

glass [glɑːs] *n* ➊ *no pl* (*material*) Glas *nt*; **pane of ~** Glasscheibe *f*; **broken ~** Glasscherben *pl* ➋ (*receptacle*) **a ~ of water** ein Glas *nt* Wasser ➌ *pl* (*spectacles*) **[a pair of] ~es** [eine] Brille *f*; **to wear ~es** eine Brille tragen

'**glass-blow·er** *n* Glasbläser(in) *m(f)* '**glass-cut·ter** *n* Glasschneider *m* **glass 'fi·bre** *n* Glasfasern *pl* '**glass·ful** *n* **a ~ of juice** ein ganzes Glas Saft '**glass·house** *n* Gewächshaus *nt* '**glass·ware** *n no pl* Glaswaren *pl* '**glass·works** *n + sing/pl vb* Glasfabrik *f*

glassy ['glɑːsi] *adj* ➊ *surface* spiegelglatt ➋ *eyes* glasig

Glas·we·gian [glæz'wiːdʒⁿn] **I.** *n* ➊ (*person*) Glasgower(in) *m(f)* ➋ *no pl* (*accent*) Glasgower Dialekt *m* **II.** *adj* aus Glasgow *nach* n

glau·co·ma [glɔːˈkəʊmə] n no pl grüner Star, Glaukom nt fachspr

glaze [gleɪz] I. n (on food, pottery) Glasur f II. vt **❶** food, pottery glasieren **❷** (fit with glass) verglasen III. vi ■to ~ [over] eyes glasig werden

glazed [gleɪzd] adj **❶** (shiny) glänzend; ~ **finish** Glanzappretur f **❷** (fitted with glass) doors verglast **❸** (dull) expression, look glasig **❹** FOOD (coated in glazed sugar) glasiert

gla·zi·er [ˈgleɪziəʳ] n Glaser(in) m(f)

gleam [gliːm] I. n Schimmer m II. vi schimmern

gleam·ing [ˈgliːmɪŋ] I. adj glänzend II. adv strahlend

glean [gliːn] vt in Erfahrung bringen

glee [gliː] n no pl Entzücken nt; (gloating joy) Schadenfreude f

glee·ful [ˈgliːfᵊl] adj ausgelassen; (gloating) schadenfroh

glen [glen] n Schlucht f

glib <-bb-> [glɪb] adj **❶** (hypocritical) person heuchlerisch, aalglatt; answer unbedacht **❷** (facile) person zungenfertig

glide [glaɪd] I. vi **❶** (move smoothly) hingleiten **❷** (fly) gleiten II. n Gleiten nt kein pl

glid·er [ˈglaɪdəʳ] n **❶** (plane) Segelflugzeug nt; ~ **pilot** Segelflieger(in) m(f) **❷** AM (chair) Hollywoodschaukel f

glid·ing [ˈglaɪdɪŋ] n no pl Segelfliegen nt; ~ **club** Segelflugverein m; **to take sb** ~ mit jdm Segelfliegen gehen

glim·mer [ˈglɪməʳ] I. vi schimmern II. n Schimmer m kein pl; ~ **of hope/light** Hoffnungs-/Lichtschimmer m

glimpse [glɪm(p)s] I. vt flüchtig sehen II. n [kurzer [o flüchtiger]] Blick

glint [glɪnt] I. vi glitzern II. n Glitzern nt

glis·ten [ˈglɪsᵊn] vi glitzern, glänzen

glitch [glɪtʃ] n **❶** (fam: fault) Fehler m; **computer** ~ Computerstörung f **❷** (setback) Verzögerung f

glit·ter [ˈglɪtəʳ] I. vi glitzern; eyes funkeln ▸**all that** ~**s is not gold** (prov) es ist nicht alles Gold, was glänzt II. n no pl **❶** (sparkling) Glitzern nt; of eyes Funkeln nt **❷** (fig) Prunk m **❸** (decoration) Glitzerwerk nt

glit·ter·ing [ˈglɪtᵊrɪŋ] adj **❶** (sparkling) glitzernd **❷** (impressive) career glanzvoll **❸** (appealing) prächtig

glitz [glɪts] n no pl Glanz m

glitzy [ˈglɪtsi] adj glanzvoll

gloat [gləʊt] I. vi sich hämisch freuen; ■to ~ **over sth** sich an etw dat weiden II. n Schadenfreude f

glob·al [ˈgləʊbᵊl] adj **❶** (worldwide) global **❷** (complete) umfassend ▸**to go** ~ (fam) auf den Weltmarkt vorstoßen

glob·ali·za·tion [ˌgləʊbᵊlaɪˈzeɪʃᵊn] n no pl Globalisierung f

glob·al·ly [ˈgləʊbᵊli] adv **❶** (worldwide) global **❷** (generally) allgemein

glob·al ˈwarm·ing n no pl Erwärmung f der Erdatmosphäre

globe [gləʊb] n **❶** (Earth) ■the ~ die Erde; **to circle the** ~ die Welt umreisen **❷** (map) Globus m **❸** (sphere) Kugel f **❹** AUS (bulb) Glühbirne f

ˈglobe·trot·ter n Globetrotter(in) m(f)

glo·bo·cop [ˈgləʊbəʊkɒp] n Weltpolizist(in) m(f)

glock·en·spiel [ˈglɒkᵊnʃpiːl] n MUS Glockenspiel nt

gloom [gluːm] n no pl **❶** (depression) Hoffnungslosigkeit f **❷** (darkness) Düsterheit f; **to emerge from the** ~ aus dem Dunkel auftauchen

gloomi·ness [ˈgluːmɪnəs] n no pl **❶** (depression) Hoffnungslosigkeit f **❷** (darkness) Düsterheit f

gloomy [ˈgluːmi] adj **❶** (dismal) trostlos; thoughts trübe; ■to be ~ **about** [or over] **sth** für etw akk schwarzsehen **❷** (dark) düster

gloopy [ˈgluːpi] adj (pej fam) lipstick schmierig

glo·ri·fi·ca·tion [ˌglɔːrɪfɪˈkeɪʃᵊn] n no pl **❶** (honouring) Verherrlichung f **❷** (make more splendid) Verherrlichung f

glo·ri·fy <-ie-> [ˈglɔːrɪfaɪ] vt **❶** (make seem better) verherrlichen **❷** (honour) ehren; REL [lob]preisen

glo·ri·ous [ˈglɔːriəs] adj **❶** (illustrious) victory glorreich; person ruhmvoll **❷** (splendid) prachtvoll; weather herrlich

glo·ry [ˈglɔːri] I. n **❶** no pl (honour) Ruhm m; ~ **days** Blütezeit f **❷** (splendour) Herrlichkeit f, Pracht f **❸** no pl REL (praise) Ehre f; ~ **to God in the highest** Ehre sei Gott in der Höhe ▸~ **be!** Gott sei Dank! II. vi <-ie-> ■to ~ **in** [doing] **sth** etw genießen

ˈglo·ry hole n (fam) Rumpelkammer f

gloss [glɒs] I. n **❶** (shine) Glanz m; **in** ~ **or matt** glänzend oder matt; (fig) **to put a** ~ **on sth** etw [besonders] hervorheben **❷** (paint) Glanzlack m **❸** (cosmetic) **lip** ~ Lipgloss nt **❹** LIT [erklärender] Kommentar II. adj Glanz- ◆**gloss over** vt schönfärben

glos·sa·ry [ˈglɒsᵊri] n Glossar nt

glossy [ˈglɒsi] I. adj glänzend; ~ **maga-**

zine/paper Hochglanzmagazin/-papier *nt* **II.** *n* ❶ AM, AUS (*picture*) [Hoch]glanzabzug *m* ❷ (*magazine*) Hochglanzmagazin *nt*

glove [glʌv] **I.** *n usu pl* Handschuh *m;* **rubber/woollen ~s** Gummi-/Wollhandschuhe *pl;* **a pair of ~s** ein Paar *nt* Handschuhe; **to fit like a ~** wie angegossen passen **II.** *vt* SPORTS (*baseball*) fangen; (*cricket*) abfälschen

'**glove box** *n* ❶ AUTO Handschuhfach *nt* ❷ TECH Handschuhkasten *m* '**glove compart·ment** *n* Handschuhfach *nt*

glow [gləʊ] **I.** *n no pl* Leuchten *nt; of a lamp, the sun* Scheinen *nt; of a cigarette, the sunset* Glühen *nt; of fire* Schein *m;* **~ of satisfaction** tiefe Befriedigung; **a healthy ~** eine gesunde Farbe **II.** *vi* ❶ (*illuminate*) leuchten; *fire, light* scheinen ❷ (*be red and hot*) glühen; **the embers ~ed dimly in the grate** die Glut glomm im Kamin ❸ (*fig: look radiant*) strahlen; **to ~ with health** vor Gesundheit strotzen; **to ~ with pride** vor Stolz schwellen

glow·er ['glaʊə'] **I.** *vi* verärgert aussehen; ■ **to ~ at sb** jdn zornig anstarren **II.** *n* finsterer Blick

glow·ing ['gləʊɪŋ] *adj* ❶ (*radiating light*) *candle* leuchtend; *sun* scheinend; *cigarette* glühend ❷ (*red and hot*) *embers, cheeks* glühend ❸ (*radiant*) leuchtend ❹ (*very positive*) begeistert; *review* überschwänglich; **to paint sth in ~ colours** (*fig*) etw in leuchtenden Farben beschreiben

'**glow-worm** *n* Glühwürmchen *nt*

glu·cosa·mine [glu:'kɒsəmi:n] *n* Glucosamin *nt*

glu·cose ['glu:kəʊs] *n no pl* Traubenzucker *m*

glue [glu:] **I.** *n no pl* Klebstoff *m* **II.** *vt* ❶ (*stick*) kleben; ■ **to ~ sth on** etw ankleben; ■ **to ~ sth together** etw zusammenkleben ❷ (*fig*) ■ **to be ~d to sth** an etw *dat* kleben; **to keep one's eyes ~d to sb/sth** seine Augen auf jdn/etw geheftet haben; **to be ~d to the spot** wie angewurzelt dastehen

'**glue-sniff·ing** *n no pl* Schnüffeln *nt* '**glue stick** *n* Klebestift *m*

glum <-mm-> [glʌm] *adj* niedergeschlagen; *expression* mürrisch; *face* bedrückt; *thoughts* schwarz

glut [glʌt] **I.** *n* Überangebot *nt; ~ of graduates* Akademikerschwemme *f;* **an oil ~** eine Ölschwemme **II.** *vt* <-tt-> überschwemmen

glu·ten ['glu:t³n] *n no pl* Gluten *nt*

glu·ti·nous ['glu:tɪnəs] *adj* klebrig

glut·ton ['glʌt³n] *n* ❶ (*pej: overeater*) Viel-

fraß *m* ❷ (*fig: enthusiast*) Unersättliche(r) *f(m); ~* **for punishment** Masochist(in) *m(f)*

glut·ton·ous ['glʌt³nəs] *adj* gefräßig

glut·tony ['glʌt³ni] *n no pl* Gefräßigkeit *f;* REL Völlerei *f*

GM¹ [ˌdʒi:'em] *adj* BRIT SCH *abbrev of* **grant-maintained** öffentlich bezuschusst

GM² [ˌdʒi:'em] *n* ECON *abbrev of* **general manager** Hauptgeschäftsführer(in) *m(f)*

GM³ [ˌdʒi:'em] *n abbrev of* **genetically modified** *food* gentechnisch behandelt

GMO [ˌdʒi:em'əʊ] *n abbrev of* **genetically modified organism** gentechnisch veränderter Organismus

GMT [ˌdʒi:em'ti:] *n no pl abbrev of* **Greenwich Mean Time** WEZ

gnarled [nɑ:ld] *adj wood* knorrig; *finger* knotig

gnash [næʃ] *vt* **to ~ one's teeth** mit den Zähnen knirschen

gnash·ers ['næʃəz] *npl* BRIT (*fam: teeth*) Kauwerkzeuge *pl*

gnat [næt] *n* [Stech]mücke *f*

gnaw [nɔ:] **I.** *vi* nagen *a. fig* (**on/at** an) **II.** *vt* ❶ (*chew*) ■ **to ~ sth** an etw *dat* kauen ❷ (*fig*) **to be ~ed by guilt** von Schuld geplagt sein

gnaw·ing ['nɔ:ɪŋ] **I.** *adj* nagend **II.** *n no pl* Nagen *nt*

gnome [nəʊm] *n* Gnom *m; |garden| ~* Gartenzwerg *m*

GNP [ˌdʒi:en'pi] *n no pl abbrev of* **Gross National Product** BSP *nt*

go [gəʊ] **I.** *vi* <goes, went, gone> ❶ (*proceed*) gehen; *vehicle, train* fahren; *plane* fliegen; **you ~ first!** geh du zuerst!; **we have a long way to ~** wir haben noch einen weiten Weg vor uns; (*to dog*) **~ fetch!** hol!; **I'll just ~ and put my shoes on** ich ziehe mir nur schnell die Schuhe an; **to ~ home** nach Hause gehen; **to ~ to hospital/a party/prison/the toilet** ins Krankenhaus/auf eine Party/ins Gefängnis/auf die Toilette gehen; ■ **to ~ towards sb/sth** auf jdn/etw zugehen ❷ (*travel*) reisen; **to ~ by bike** mit dem Fahrrad fahren; **to ~ by plane** fliegen; **to ~ on a cruise** eine Kreuzfahrt machen; **to ~ on [a] holiday** in Urlaub gehen; **to ~ to Italy** nach Italien fahren; **last year I went to Spain** letztes Jahr war ich in Spanien; **to ~ on a journey** [*or* **trip**] verreisen, eine Reise machen; **to ~ abroad** ins Ausland gehen ❸ (*disappear*) verschwinden; **where have my keys gone?** wo sind meine Schlüssel hin?; **my toothache's gone!** meine Zahnschmerzen sind weg!; **half of my salary ~es on rent**

die Hälfte meines Gehaltes geht für die Miete drauf *fam;* **gone are the days when ...** vorbei sind die Zeiten, wo ...; **there ~es my free weekend** das war's dann mit meinem freien Wochenende; **there ~es another one!** und wieder eine/einer weniger!; **the president will have to ~** der Präsident wird seinen Hut nehmen müssen; **that cat will have to ~** die Katze muss verschwinden!; **all hope has gone** jegliche Hoffnung ist geschwunden; **to ~ missing** verschwinden ❹ (*leave*) gehen; **the bus has gone** der Bus ist schon weg; **let's ~!** los jetzt!; **to let ~ of sb/sth** jdn/etw loslassen ❺ (*do*) **to ~ biking/shopping/swimming** Rad fahren/einkaufen/schwimmen gehen; **to ~ looking for sb/sth** jdn/etw suchen gehen; **to ~ on a pilgrimage** auf Pilgerfahrt gehen ❻ (*attend*) **to ~ to church/a concert** in die Kirche/ins Konzert gehen; **to ~ to the doctor** zum Arzt gehen; **to ~ to school/university** in die Schule/auf die Universität gehen ❼ (*answer*) **I'll ~** (*phone*) ich geh ran; (*door*) ich mach auf ❽ + *adj* (*become*) werden; **the line has gone dead** die Leitung ist tot; **the milk's gone sour** die Milch ist sauer; **I went cold** mir wurde kalt; **he's gone all environmental** er macht jetzt voll auf Öko *fam;* **to ~ bankrupt** bankrottgehen; **to ~ haywire** (*out of control*) außer Kontrolle geraten; (*malfunction*) verrückt spielen; **to ~ public** an die Öffentlichkeit treten; STOCKEX an die Börse gehen; **to ~ to sleep** einschlafen ❾ + *adj* (*be*) sein; **to ~ hungry/thirsty** hungern/dursten; **to ~ unmentioned/unnoticed/unsolved** unerwähnt/unbemerkt/ungelöst bleiben ❿ (*turn out*) gehen; **how did your party ~?** und, wie war deine Party?; **how's your thesis ~ing?** was macht deine Doktorarbeit?; **how are things ~ing?** und, wie läuft's?; **things have gone well** es ist gut gelaufen; **the way things are ~ing at the moment ...** so wie es im Moment aussieht ...; **to ~ according to plan** nach Plan laufen; **to ~ from bad to worse** vom Regen in die Traufe kommen; **to ~ wrong** schieflaufen ⓫ (*pass*) **only two days to ~ ...** nur noch zwei Tage ... ⓬ (*begin*) anfangen; **one, two, three, ~!** eins, zwei, drei, los!; **we really must get ~ing with these proposals** wir müssen uns jetzt echt an diese Konzepte setzen; **here ~es!** jetzt geht's los!; **there he ~es again!** jetzt fängt er schon wieder damit an! ⓭ (*fail*) kaputtgehen; *hearing, memory* nachlassen; *rope*

reißen; **my jeans have gone at the knees** meine Jeans ist an den Knien durchgescheuert ⓮ (*die*) sterben ⓯ (*belong*) hingehören; **the cutlery ~es in this drawer** das Besteck gehört in diese Schublade; **where do you want that to ~?** wo soll das hin? ⓰ (*be awarded*) ■ **to ~ to sb** an jdn gehen; *property* auf jdn übergehen ⓱ (*lead*) *path, road* führen ⓲ (*extend*) gehen; **the meadow ~es all the way down to the stream** die Weide erstreckt sich bis hinunter zum Bach ⓳ (*when buying*) gehen; **I'll ~ as high as £200** ich gehe bis zu 200 Pfund ⓴ (*function*) *watch* gehen; *machine, business* laufen; **to get sth ~ing** etw in Gang bringen; **come on! keep ~ing!** ja, weiter!; **to keep sth ~ing** etw in Gang halten; *factory* in Betrieb halten; **here's some food to keep you ~ing** hier hast du erst mal was zu essen; **to keep a conversation ~ing** eine Unterhaltung am Laufen halten; **to keep a fire ~ing** ein Feuer nicht ausgehen lassen ㉑ (*have recourse*) **to ~ to the police** zur Polizei gehen; **to ~ to war** in den Krieg ziehen ㉒ (*match, be in accordance*) ■ **to ~ [with sth]** [zu etw *dat*] passen; **these two colours don't ~** diese beiden Farben beißen sich; **to ~ against sb's principles** gegen jds Prinzipien verstoßen ㉓ (*fit*) **five ~es into ten two times** fünf geht zweimal in zehn; **will that ~ into the suitcase?** wird das in den Koffer passen? ㉔ (*be sold*) weggehen; **~ing, ~ing, gone!** zum Ersten, zum Zweiten, [und] zum Dritten!; ■ **to ~ to sb** an jdn gehen; **to be ~ing cheap** billig zu haben sein ㉕ (*sound*) machen; **there ~es the bell** es klingelt; **ducks ~ 'quack'** Enten machen ‚quack'; **with sirens ~ing** mit heulender Sirene ㉖ (*accepted*) **anything ~es** alles ist erlaubt; **that ~es for all of you** das gilt für euch alle! ㉗ (*be told, sung*) gehen; *title, theory* lauten; **the story ~es that ...** es heißt, dass ... ㉘ (*compared to*) **as things ~** verglichen mit anderen Dingen ㉙ (*fam: use the toilet*) **I really have to ~** ich muss ganz dringend mal! ㉚ AM **I'd like a cheeseburger to ~, please** ich hätte gerne einen Cheeseburger zum Mitnehmen ㉛ (*available*) **is there any beer ~ing?** gibt es Bier?; **I'll have whatever is ~ing** ich nehme das, was gerade da ist ㉜ (*fam: treat*) **to ~ easy on sb** jdn schonend behandeln ㉝ (*fam: say*) **she ~es to me: I never want to see you again!** sie sagt zu mir: ich will dich nie wiedersehen! ▶ **there you ~** bitte schön!; **that ~es**

<u>without</u> **saying** das versteht sich von selbst **II.** *aux vb future tense* ■ **to** be ~**ing to do sth** etw tun werden; **we are ~ing to have a party tomorrow** wir geben morgen eine Party; **isn't she ~ing to accept the job after all?** nimmt sie den Job nun doch nicht an? **III.** *vt* <goes, went, gone> ❶ AM (*travel*) *route* nehmen ❷ CARDS reizen ❸ BRIT (*like*) **to not ~ much on sth** sich *dat* nicht viel aus etw *dat* machen ❹ (*become*) **my mind went a complete blank** ich hatte voll ein Brett vorm Kopf! *fam* ▶ **sb will ~ a long way** jd wird es weit bringen **IV.** *n* <*pl* -es> ❶ (*turn*) **you've had your ~ already!** du warst schon dran!; **it's Stuart's ~ now** jetzt ist Stuart dran; **can I have a ~?** darf ich mal? ❷ (*attempt*) Versuch *m;* **have a ~!** versuch es doch einfach mal!; **at one ~** auf einen Schlag; (*drink*) in einem Zug; **to give sth a ~** etw versuchen; **to have a ~ at sb** (*criticize*) jdn runtermachen; (*attack*) über jdn herfallen; **his boss had a ~ at him about his appearance** sein Chef hat sich ihn wegen seines Äußeren vorgeknöpft ❸ *no pl* (*energy*) Antrieb *m;* **full of ~** voller Elan ❹ (*fam: lots of activity*) **it's all ~ here** hier ist immer was los; **I've got two projects on the ~** ich habe zwei Projekte gleichzeitig laufen; **I've been on the ~ all day long** ich war den ganzen Tag auf Trab ▶ **from the** <u>word</u> ~ von Anfang an; **to** <u>make</u> **a ~ of sth** mit etw *dat* Erfolg haben; **it's** <u>no</u> ~ da ist nichts zu machen **V.** *adj* [start]klar; **all systems [are]** ~ alles klar ◆**go about I.** *vi* ❶ (*walk around*) herumlaufen; (*with car*) herumfahren; **to ~ about in groups** in Gruppen herumziehen ❷ NAUT wenden ❸ (*be in circulation*) *see* **go around 5** ❹ (*do repeatedly*) *see* **go around 8 II.** *vt* ❶ (*proceed with*) *problem* angehen ❷ (*occupied with*) **to ~ about one's business** seinen Geschäften nachgehen ❸ (*spend time together*) *see* **go around 7** ◆**go after** *vi* ■ **to ~ after sb** ❶ (*in succession*) nach jdm gehen ❷ (*chase*) jdn verfolgen ◆ **go against** *vi* ❶ (*be negative for*) ■ **to ~ against sb** zu jds Ungunsten *pl* ausgehen; **the jury's decision went against the defendant** die Entscheidung der Jury fiel gegen den Angeklagten aus ❷ (*contradict*) **that ~es against everything I believe in** das geht gegen all das, woran ich glaube ❸ (*disobey*) ■ **to ~ against sth** sich jdm widersetzen; **he's always ~ing against his father's advice** er handelt immer entgegen den Ratschlägen seines Vaters ◆**go**

ahead *vi* ❶ (*go before*) vorgehen; (*in vehicle*) vorausfahren; (*in sports*) sich an die Spitze setzen ❷ (*proceed*) vorangehen; *event* stattfinden; **— of course, ~ ahead!** – natürlich, schieß los!; **~ ahead, try it!** komm, versuch's doch einfach!; ■ **to ~ ahead with sth** etw durchführen ◆**go along** *vi* ❶ (*on foot*) entlanggehen; (*in vehicle*) entlangfahren ❷ (*move onward*) weitergehen; *vehicle* weiterfahren ❸ (*at same time*) **a flexible approach allows us to make changes as we ~ along** ein flexibler Ansatz ermöglicht es uns, Änderungen direkt während des Vorgangs vorzunehmen ❹ (*accompany*) mitgehen [*o* mitkommen] ❺ (*agree*) ■ **to ~ along with sb/sth** jdm/etw zustimmen; (*join in*) sich jdm/etw anschließen; **I'll ~ along with your joke as long as ...** ich mach bei deinem Streich mit, solange ... ◆**go around** *vi* ❶ (*move around*) **they went around the room** sie liefen im Zimmer herum; **they went around Europe for two months** sie reisten zwei Monate lang durch Europa ❷ (*move in a curve*) herumgehen um +*akk; vehicle* herumfahren um +*akk;* (*circumnavigate*) umrunden; **to ~ around the block** um den Block laufen; **to ~ around the world** eine Weltreise machen ❸ (*visit*) **to ~ around and see sb** bei jdm vorbeischauen ❹ (*visit successively*) **we've been ~ing around the local schools trying to find out ...** wir haben die örtlichen Schulen abgeklappert, um herauszufinden, ... ❺ (*be in circulation*) *rumour, illness* herumgehen ❻ (*be enough*) **there won't be enough soup to ~ around** die Suppe wird nicht für alle reichen ❼ (*spend time together*) sich herumtreiben ❽ (*do repeatedly*) ■ **to ~ around doing sth** etw ständig tun ▶ **what ~es around, comes around** (*saying*) alles rächt sich früher oder später ◆**go at** *vi* ❶ (*attack*) ■ **to ~ at sb** auf jdn losgehen; (*fig: eat ravenously*) ■ **to ~ at sth** über etw *akk* herfallen ❷ (*work hard*) ■ **to ~ at sth** sich an etw *akk* machen; **to ~ at it** loslegen ◆**go away** *vi* ❶ (*travel*) weggehen; (*for holiday*) wegfahren ❷ (*leave*) [weg]gehen; **~ away!** geh weg! ❸ (*disappear*) verschwinden ◆**go back** *vi* ❶ (*return*) zurückgehen; (*to school*) wieder anfangen; **I want to ~ back there one day** da will ich irgendwann noch mal hin; **there's no ~ing back now** jetzt gibt es kein Zurück mehr; ■ **to ~ back to sb** zu jdm zurückkehren; ■ **to ~ back to sth** *former plan* auf etw *akk* zurückgreifen; **to ~ back to the**

G

beginning noch mal von vorne anfangen; **to ~ back to one's old ways** wieder in seine alten Gewohnheiten verfallen; **to ~ back to normal** sich wieder normalisieren; ■**to ~ back to doing sth** wieder mit etw *dat* anfangen ➋ (*move backwards*) zurückgehen; (*from platform*) zurücktreten ➌ (*date back*) **our friendship ~es back to when we were at university together** wir sind befreundet, seit wir zusammen auf der Uni waren ➍ *clocks* zurückgestellt werden ➎ (*not fulfil*) **to ~ back on sth** von etw *dat* zurücktreten; **to ~ back on one's promise** sein Versprechen nicht halten ◆**go beyond** *vi* ■**to ~ beyond sth** ➊ (*proceed past*) an etw *dat* vorübergehen ➋ (*exceed*) über etw *akk* hinausgehen; **to ~ beyond sb's wildest dreams** jds kühnste Träume übersteigen ◆**go by** *vi* ➊ (*move past*) vorbeigehen; *vehicle* vorbeifahren ➋ (*of time*) vergehen; **in days gone by** (*form*) in früheren Tagen ➌ AM (*visit*) **to ~ by sb** bei jdm vorbeischauen ➍ (*be guided by* [*when deciding*]) ■**to ~ by sth** nach etw *dat* gehen; **that's not much to ~ by** das hilft mir nicht wirklich weiter; **if this is anything to ~ by ...** wenn man danach gehen kann, ...; **to ~ by the book** sich an die Vorschriften halten ◆**go down** *vi* ➊ (*move downward*) hinuntergehen; *sun, moon* untergehen; *ship also* sinken; *plane* abstürzen; *boxer* zu Boden gehen; *curtain* fallen; **the striker went down in the penalty area** der Stürmer kam im Strafraum zu Fall; **to ~ down on all fours** sich auf alle viere begeben; ■**to ~ down sth** etw hinuntergehen; (*climb down*) etw hinuntersteigen ➋ (*decrease*) *attendance, wind* nachlassen; *crime rate, fever, swelling, water level* zurückgehen; *prices, taxes, temperature* sinken; *currency* fallen; *tyre* Luft verlieren ➌ (*decrease in quality*) nachlassen; **to ~ down in sb's opinion** in jds Ansehen sinken ➍ (*break down*) *computer* ausfallen ➎ (*be defeated*) verlieren (**to** gegen); SPORTS *also* unterliegen; **to ~ down fighting/without a fight** kämpfend/kampflos untergehen ➏ (*get ill*) **to ~ down with the flu** die Grippe bekommen ➐ (*move along*) entlanggehen; *vehicle* entlangfahren; **she was ~ing down the road on her bike** sie fuhr auf ihrem Fahrrad die Straße entlang; **to ~ down to the beach** runter zum Strand gehen; **to ~ down a list** eine Liste [von oben nach unten] durchgehen ➑ (*visit quickly*) vorbeigehen; **they went down [to] the pub for a quick**

drink sie gingen noch schnell einen trinken ➒ (*travel southward*) runterfahren ➓ (*extend*) hinunterreichen; **the tree's roots ~ down three metres** die Wurzeln des Baumes reichen drei Meter in die Tiefe ⓫ (*be received*) **to ~ down badly/well** [**with sb**] [bei jdm] schlecht/gut ankommen ⓬ (*be recorded*) **to ~ down in history** in die Geschichte eingehen ⓭ (*fam*) *food, drink* runtergehen; **a cup of coffee would ~ down nicely now** eine Tasse Kaffee wäre jetzt genau das Richtige ⓮ (*sl: happen*) vorgehen ◆**go for** *vi* ➊ (*fetch*) holen; *food etc.* besorgen ➋ (*try to achieve*) **~ for it!** nichts wie ran!; **if I were you I'd ~ for it** ich an deiner Stelle würde zugreifen ➌ (*attack*) ■**to ~ for sb** auf jdn losgehen ➍ (*be true for*) **that ~es for me too** das gilt auch für mich ➎ (*fam: like*) ■**to ~ for sb/sth** auf jdn/etw stehen ➏ (*believe*) glauben ➐ (*have as advantage*) **to have sth ~ing for one** etw haben, was für einen spricht; **this film has absolutely nothing ~ing for it** an diesem Film gibt es absolut nichts Positives ➑ (*do*) **to ~ for a drive** [ein bisschen] rausfahren; **to ~ for a newspaper** eine Zeitung holen gehen ◆**go in** *vi* ➊ (*enter*) hineingehen ➋ (*fit*) hineinpassen ➌ (*go to work*) arbeiten gehen ➍ (*go behind cloud*) **as soon as the sun ~es in, ...** sobald es sich bewölkt, ... ➎ (*fam: be understood*) in den Kopf gehen ➏ (*work together*) ■**to ~ in with sb** sich mit jdm zusammentun ➐ (*fam: participate in*) teilnehmen (**for** an); **to ~ in for an exam** eine Prüfung machen ➑ (*fam: enjoy*) mögen ➒ (*fam: indulge in*) ■**to ~ in for sth** auf etw *akk* abfahren ◆**go into** *vi* ➊ gehen in +*akk*; **to ~ into action** in Aktion treten; **to ~ into a coma** ins Koma fallen; **to ~ into effect** in Kraft treten; **to ~ into hysterics/journalism** hysterisch/Journalist(in) *m(f)* werden; **to ~ into labour** [*or* AM **labor**] [die] Wehen bekommen; **to ~ into mourning** trauern; **to ~ into reverse** in den Rückwärtsgang schalten; **to ~ into a trance** in Trance [ver]fallen ➋ (*examine*) ■**to ~ into sth** etw erörtern; **I don't want to ~ into that now** ich möchte jetzt nicht darauf eingehen; **to ~ into detail** ins Detail gehen ➌ (*be invested in*) **a considerable amount of money has gone into this exhibition** in dieser Ausstellung steckt eine beträchtliche Menge [an] Geld ➍ (*join*) ■**to ~ into sth** etw *dat* beitreten; **to ~ into the army** zur Armee gehen; **to ~ into hospital/a nursing home** ins Krankenhaus/in ein Pflegeheim gehen ❺ (*crash into*) hineinfahren in +*akk;* (*tree, wall*) fahren gegen +*akk* ❻ MATH **seven won't ~ into three** sieben geht nicht in drei ♦ **go off** *vi* ❶ (*leave*) weggehen; THEAT abgehen ❷ (*stop working*) *light* ausgehen; *electricity* ausfallen; **to ~ off the air** den Sendebetrieb einstellen ❸ (*ring*) *alarm* losgehen; *alarm clock* klingeln ❹ (*detonate*) *bomb* hochgehen; *gun* losgehen ❺ BRIT, AUS (*decrease in quality*) nachlassen; *food* schlecht werden; *milk* sauer werden; *butter* ranzig werden; *pain* nachlassen ❻ (*happen*) verlaufen ❼ (*fall asleep*) einschlafen ❽ (*diverge*) abgehen; **the road that ~es off to Silver Springs** die Straße, die nach Silver Springs abzweigt; **to ~ off the subject** vom Thema abschweifen ❾ (*stop liking*) nicht mehr mögen; **she went off skiing after she broke her leg** sie ist vom Skifahren abgekommen, nachdem sie sich das Bein gebrochen hatte ♦ **go on** *vi* ❶ (*go further*) weitergehen; *vehicle* weiterfahren; **to ~ on ahead** vorausgehen; *vehicle* vorausfahren ❷ (*extend*) sich erstrecken; *time* voranschreiten; **it got warmer as the day went on** im Laufe des Tages wurde es wärmer ❸ (*continue*) weitermachen; *fights* anhalten; *negotiations* andauern; **I can't ~ on** ich kann nicht mehr; **to ~ on trying** es weiter versuchen; **to ~ on working** weiterarbeiten; **to ~ on and on** kein Ende nehmen [wollen] ❹ (*continue speaking*) weiterreden; (*speak incessantly*) unaufhörlich reden; **sorry, please ~ on** Entschuldigung, bitte fahren Sie fort; **she went on to talk about her time in Africa** sie erzählte weiter von ihrer Zeit in Afrika; **he went on to say that ...** dann sagte er, dass ...; **to always ~ on [about sth]** andauernd [über etw *akk*] reden ❺ (*criticize*) ■**to ~ on at sb** an jdm herumnörgeln ❻ (*happen*) passieren; **this has been ~ing on for months now** das geht jetzt schon Monate so!; **what's ~ing on here?** was geht denn hier vor? ❼ (*move on, proceed*) **he went on to become a teacher** später wurde er Lehrer ❽ (*start, embark on*) anfangen; **to ~ on a diet** auf Diät gehen; **to ~ on the dole** stempeln gehen; **to ~ on [a] holiday** in Urlaub gehen; **to ~ on the pill** die Pille nehmen; **to ~ on strike** in den Streik treten; **to ~ on tour** auf Tournee gehen ❾ TECH *lights* angehen ❿ THEAT auftreten ⓫ SPORTS an der Reihe sein ⓬ (*base conclusions on*) ■**to ~ on sth** sich auf etw *akk* stützen; **we haven't got anything to ~ on** wir haben keine Anhaltspunkte ⓭ (*fit*) **this shoe just won't ~ on** ich kriege diesen Schuh einfach nicht an ⓮ (*belong on*) gehören auf +*akk* ⓯ FIN (*be allocated to*) gehen auf +*akk* ⓰ (*as encouragement*) **~ on, have another drink** na komm, trink noch einen; **~ on!** los, mach schon!; **~ on, tell me!** jetzt sag schon! ⓱ (*expressing disbelief*) **~ on, you must be kidding!** das ist nicht dein Ernst! ⓲ (*ride on*) **to ~ on the swings** auf die Schaukel gehen ⓳ (*approach*) **my granny is ~ing on [for] ninety** meine Oma geht auf die neunzig zu ♦ **go out** *vi* ❶ (*leave*) [hinaus]gehen; **to ~ out to work** arbeiten gehen; **to ~ out jogging/shopping** joggen/einkaufen gehen; **to ~ out riding** ausreiten ❷ (*emigrate*) auswandern ❸ (*enjoy social life*) ausgehen; **to ~ out for a meal** essen gehen ❹ (*date*) ■**to ~ out with sb** mit jdm gehen ❺ (*be extinguished*) *fire* ausgehen; *light also* ausfallen; **the fire's gone out** das Feuer ist erloschen; **to ~ out like a light** (*fig*) sofort einschlafen ❻ (*be sent out*) verschickt werden; MEDIA ausgestrahlt werden; (*be issued*) verteilt werden; **word has gone out that ...** es wurde bekannt, dass ... ❼ (*sympathize*) **our thoughts ~ out to all the people who ...** unsere Gedanken sind bei all denen, die ...; **my heart ~es out to him** ich fühle mit ihm ❽ (*recede*) *water* zurückgehen; **when the tide ~es out ...** bei Ebbe ... ❾ AM (*be spent*) ausgegeben werden ❿ (*become unfashionable*) aus der Mode kommen ⓫ (*strike*) streiken; **to ~ out on strike** in den Ausstand treten ⓬ BRIT SPORTS (*be eliminated*) ■**to ~ out [to sb]** [gegen jdn] ausscheiden ⓭ (*in golf*) **he went out in 36** für die Hinrunde benötigte er 36 Schläge ⓮ (*end*) *month, year* zu Ende gehen ⓯ (*lose consciousness*) das Bewusstsein verlieren ▶ **to ~ all out** sich ins Zeug legen ♦ **go over** *vi* ❶ (*cross*) hinübergehen; (*in vehicle*) hinüberfahren; *border, river, street* überqueren; **to ~ over the edge of a cliff** über eine Klippe stürzen ❷ (*visit*) ■**to ~ over to sb** zu jdm rübergehen ❸ (*fig: change*) ■**to ~ over to sth** zu etw *dat* übergehen; POL zu etw *dat* überwechseln; REL zu etw *dat* übertreten; **to ~ over to the enemy** zum Feind überlaufen ❹ (*be received*) **to ~ over [badly/well]** [schlecht/gut] ankommen ❺ (*examine*) durchgehen; *flat, car* durchsuchen; *problem* sich etw durch den Kopf gehen lassen; MED untersuchen ❻ TV, RADIO umschalten ❼ (*sl: attack brutally*) ■**to ~ over sb with sth** jdn mit etw *dat* zusammenschlagen ❽ (*exceed*) über-

G

schreiten; **to ~ over the time limit** überziehen ➒ (*wash*) durchputzen ➓ (*redraw*) nachzeichnen; *line* nachziehen ◆**go round** *vi see* **go around** ◆**go through** *vi* ➊ (*pass in and out of*) durchgehen; *vehicle* durchfahren ➋ (*experience*) durchmachen ➌ (*review, discuss*) durchgehen ➍ (*be approved*) *plan* durchgehen; *bill, divorce* durchkommen; *business deal* [erfolgreich] abgeschlossen werden ➎ (*use up*) aufbrauchen; *money* ausgeben; *shoes* durchlaufen ➏ (*wear through*) sich durchscheuern; *jeans* sich abwetzen ➐ (*look through*) durchsehen ➑ (*carry out*) ◼**to ~ through with sth** etw durchziehen; **he had to ~ through with it now** jetzt gab es kein Zurück mehr für ihn ◆**go together** *vi* ➊ (*harmonize*) zusammenpassen ➋ (*date*) miteinander gehen ◆**go under** *vi* ➊ (*sink*) untergehen ➋ (*fail*) *person* scheitern; *business* eingehen ➌ (*be known by*) **he went under the name of Bluebeard** er war unter dem Namen Blaubart bekannt ➍ (*move below*) ◼**to ~ under sth** unter etw *akk* gehen; **the road ~es under the railway bridge** die Straße führt unter der Eisenbahnbrücke durch ◆**go up** *vi* ➊ (*move higher*) hinaufgehen; (*on a ladder*) hinaufsteigen; *curtain* hochgehen; *balloon* aufsteigen ➋ (*increase*) steigen; **everything is ~ing up!** alles wird teurer!; **to ~ up 2%** um 2 % steigen ➌ (*approach*) ◼**to ~ up to sb/sth** auf jdn/etw zugehen ➍ (*move as far as*) ◼**to ~ up to sth** [bis] zu etw *dat* hingehen; (*in vehicle*) [bis] zu etw *dat* [hin]fahren ➎ (*travel northwards*) **to ~ up to Edinburgh/Maine** hoch nach Edinburgh/Maine fahren ➏ (*extend to*) hochreichen; (*of time*) bis zu einer bestimmten Zeit gehen ➐ (*be built*) entstehen ➑ (*burn up*) hochgehen; **to ~ up in flames** in Flammen aufgehen; **to ~ up in smoke** (*fig*) sich in Rauch auflösen ➒ (*be heard*) ertönen; **a shout went up from the crowd** ein Schrei stieg von der Menge auf ▸**to ~ up against sb** sich jdm widersetzen; (*in a fight*) auf jdn losgehen ◆**go with** *vt* ➊ (*accompany*) ◼**to ~ with sb** mit jdm mitgehen; ◼**to ~ with sth** zu etw *dat* gehören ➋ (*be associated with*) einhergehen mit +*dat* ➌ (*harmonize*) passen zu +*dat* ➍ (*follow*) **to ~ with the beat** mit dem Rhythmus mitgehen; **to ~ with the flow** (*fig*) mit dem Strom schwimmen; **to ~ with the majority** sich der Mehrheit anschließen ➎ (*date*) ◼**to ~ with sb** mit jdm gehen ◆**go without** *vi* ◼**to ~ without sth** ohne etw auskommen; **to ~ without**

breakfast/sleep nicht frühstücken/schlafen; ◼**to ~ without doing sth** darauf verzichten, etw zu tun

goad [gəʊd] *vt* ➊ (*spur*) ◼**to ~ sb** [**to sth**] jdn [zu etw *dat*] antreiben ➋ (*tease*) ärgern; *child* hänseln ➌ (*provoke*) ◼**to ~ sb into** [**doing**] **sth** jdn dazu anstacheln, etw zu tun

go-ahead ['gəʊəhed] **I.** *n no pl* Erlaubnis *f* (**for** zu); **to get/give the ~** grünes Licht erhalten/geben **II.** *adj* Brit, Aus fortschrittlich

goal [gəʊl] *n* ➊ (*aim*) Ziel *nt* ➋ sports Tor *nt*; **~ area** Torraum *m*; **~ difference** Tordifferenz *f*; **to keep ~** das Tor hüten; **to play in ~** im Tor stehen

goalie ['gəʊli] *n* (*fam*), **'goal·keep·er** *n* Tormann, -frau *m, f*

'goal line *n* Torlinie *f* **'goal·post** *n* Torpfosten *m*

goat [gəʊt] *n* Ziege *f*; **~'s milk** Ziegenmilch *f* ▸ **to get sb's ~** jdn auf die Palme bringen

goatee [gəʊ'ti:] *n* Spitzbart *m*

gob [gɒb] *n* ➊ Brit, Aus (*sl: mouth*) Maul *nt sl*; **shut your ~!** halt's Maul! *sl* ➋ Am (*fam: lump*) Klumpen *m*

gob·ble ['gɒbl] **I.** *vi* ➊ *turkey* kollern ➋ (*fam: eat quickly*) schlingen **II.** *vt* (*fam*) hinunterschlingen

gob·ble·de·gook *n,* **gob·ble·dy·gook** ['gɒbl̩di̩gu:k] *n no pl* (*pej fam*) Kauderwelsch *nt*

go-between ['gəʊbɪˌtwi:n] *n* Vermittler(in) *m(f)*; (*between lovers*) Liebesbote(in) *m(f)*

gob·let ['gɒblət] *n* Kelch *m*

gob·lin ['gɒblɪn] *n* Kobold *m*

gob·smack·ing ['gɒbsmækɪŋ] *adj* Brit (*fam*) umwerfend, einmalig

go-cart *n* Am *see* **go-kart**

god [gɒd] *n* Gott *m*; **~ of war** Kriegsgott *m* **god-'aw·ful** *adj* (*fam*) beschissen *sl* **'god·child** *n* Patenkind *nt* **'god·damn**, *esp* Am **'god·dam** (*fam!*) **I.** *adj* gottverdammt **II.** *interj* verdammt **'god·daugh·ter** *n* Patentochter *f*

god·dess <*pl* -es> ['gɒdes] *n* Göttin *f*; **~ screen** [Film]diva *f*

'god·fa·ther *n* ➊ (*male godparent*) Patenonkel *m*, Pate *m* ➋ (*Mafia leader*) Pate *m* **'god-fear·ing** *adj* gottesfürchtig **'god-for·sak·en** *adj* (*pej*) gottverlassen **'God-giv·en** *adj* gottgegeben; **she has a ~ talent as a painter** sie ist eine begnadete Malerin **god·less** ['gɒdləs] *adj* gottlos **god·like** ['gɒdlaɪk] *adj* göttlich

god·ly ['gɒdli] *adj* fromm

'god·moth·er n Patentante f, Patin f; **fairy** ~ gute Fee |gute **god·par·ent** n Pate, Patin m, f 'god·send n (fam) Gottesgeschenk nt 'god·son n Patensohn m

goer ['gəʊəʳ] n (fam) ❶ (person or thing that goes) Geher m; **that horse is a good** ~ das Pferd läuft gut; **my car's not much of a** ~ mein Auto ist nicht besonders schnell ❷ BRIT (fig: live-wire) Feger m ❸ (viable proposition) Erfolg m

goes [gəʊz] 3rd pers sing of go

go-get·ter n Tatmensch m

go-get·ting adj tatkräftig

gog·gle ['gɒgl] I. vi (fam) glotzen; ■ to ~ **at sb/sth** jdn/etw anglotzen II. n |a **pair of**| ~s [eine] [Schutz]brille; **ski/ swim[ming]** ~s Ski-/Schwimmbrille f

'gog·gle-box n BRIT (fam) Glotze f gog·gle-'eyed adj (fam) mit Kulleraugen

go·ing ['gəʊɪŋ] I. n ❶ (act of leaving) Gehen nt ❷ (departure) Weggang m; (from job) Ausscheiden nt ❸ (conditions) easy/ rough ~ günstige/ungünstige Bedingungen; **while the** ~ **is good** solange es gut läuft ❹ (of a racetrack) Bahn f ❺ (progress) **to be heavy** ~ mühsam sein ▶ **when the** ~ **gets <u>tough</u>, the tough get** ~ was uns nicht umbringt, macht uns nur noch härter II. adj ❶ (available) vorhanden; **do you know if there are any jobs** ~ **around here?** weißt du, ob es hier in der Gegend Arbeit gibt?; **he's the biggest crook** ~ er ist der größte Gauner, den es gibt ❷ (in action) im Laufen; **to get/ keep sth** ~ etw in Gang bringen/halten ❸ (current) aktuell; **what's the** ~ **rate for babysitters nowadays?** wie viel zahlt man heutzutage üblicherweise für einen Babysitter? ❹ ECON gut gehend

'go·ing price n ❶ (market price) Marktwert m ❷ (current price) aktueller Preis go·ings-'on npl Vorfälle pl

'go-kart n Gokart m

gold [gəʊld] n Gold nt ▶ |as| **good as** ~ mustergültig

'gold brick AM I. n (pej fam) ❶ (sham) Mogelpackung f ❷ (lazy person) Faulenzer(in) m(f) II. vt betrügen III. vi faulenzen

'gold con·tent n no pl Goldgehalt m 'gold dig·ger n Goldgräber m; **she's a classic** ~ (fig) sie ist nur auf Geld aus 'gold dust n no pl Goldstaub m; **tickets are like** ~ (fig) Eintrittskarten sind äußerst schwer zu bekommen

gold·en ['gəʊldⁿn] adj golden a. fig; ~ **brown** goldbraun

'gold·finch n Stieglitz m, Distelfink m 'gold·fish n Goldfisch m **gold 'leaf** n no

pl Blattgold nt **gold 'med·al** n Goldmedaille f 'gold·mine n Goldmine f; (fig) Goldgrube f **gold 'plat·ing** n Vergoldung f 'gold·smith n Goldschmied(in) m(f)

golf [gɒlf] I. n no pl Golf nt; **a round of** ~ eine Runde Golf; ~ **cart** Golfwagen m II. vi Golf spielen

'golf ball n Golfball m 'golf club n ❶ (implement) Golfschläger m ❷ (association) Golfclub m 'golf course n Golfplatz m golf·er ['gɒlfəʳ] n Golfer(in) m(f) 'golf links npl AM Golfplatz m; BRIT Golfplatz m an der Küste

gol·ly ['gɒli] interj (fam) Donnerwetter gon·do·la ['gɒndⁿlə] n Gondel f gon·do·lier [ˌgɒndəˈlɪəʳ] n Gondoliere m

gone [gɒn] I. pp of go II. prep BRIT it's just ~ **ten o'clock** es ist kurz nach zehn Uhr III. adj ❶ (no longer there) weg; (used up) verbraucht ❷ (dead) tot; **to be pretty far** ~ beinahe tot sein; **to be too far** ~ dem Tode zu nah sein ❸ (fam: pregnant) **how far** ~ **is she?** im wievielten Monat ist sie?

gon·er ['gɒnəʳ] n (fam) **to be a** ~ (be bound to die) es nicht mehr lange machen; (be irreparable) hoffnungslos kaputt sein

gong [gɒŋ] n ❶ (instrument) Gong m ❷ BRIT, AUS (fam: award) Auszeichnung f gon·or·rhoea [ˌgɒnəˈriːə], AM gon·or· rhea n no pl Tripper m

goo [gu:] n no pl (fam) Schmiere f

good [gʊd] I. adj <better, best> ❶ (approv) gut; weather schön; (healthy) appetite, leg gesund; ~ **morning/evening** guten Morgen/Abend; **have a** ~ **day!** schönen Tag noch!; **it's** ~ **to see you again** schön, dich wiederzusehen; **there's a** ~ **chance** |that| ... die Chancen stehen gut, dass ...; ~ **dog!** braver Hund!; **he's a** ~ **runner** er ist ein guter Läufer; **she speaks** ~ **Spanish** sie spricht gut Spanisch; **the G~ Book** die [heilige] Bibel; **to do a** ~ **job** gute Arbeit leisten; **it's a** ~ **job** ... zum Glück ...; **the** ~ **life** das süße Leben; ~ **luck!** viel Glück!; ~ **sense** Geistesgegenwart f; **to have a** ~ **time** [viel] Spaß haben; **in** ~ **time** rechtzeitig; **to be too much of a** ~ **thing** zu viel des Guten sein; **to be too** ~ **to be true** zu schön, um wahr zu sein; ■ **to be** ~ **at sth** gut in etw dat sein; **he's not very** ~ **at maths** [or AM **in math**] er ist nicht besonders gut in Mathe; **to be** ~ **for nothing** zu nichts taugen; **if she says so that's** ~ **enough for me** wenn sie es sagt, reicht mir das; **to be** ~ **with children/people** mit Kindern/Menschen gut umgehen können; **sb looks** ~ **in sth** etw

G

saying goodbye	
saying goodbye	**sich verabschieden**
Goodbye!	Auf Wiedersehen!
Hope to see you again soon!	Auf ein baldiges Wiedersehen!
Bye! *(fam)*/Cheerio! *(fam)*	Tschüss! *(fam)*/Ciao! *(fam)*
See you!/Take care!/All the best!	Mach's gut! *(fam)*
(OK then,) see you soon/later!	(Also dann,) bis bald!
See you tomorrow!	Bis morgen!
See you around! *(fam)*	Man sieht sich! *(fam)*
Safe journey home!	Gute Heimfahrt!
Look after yourself!/Take care!	Pass auf dich auf! *(fam)*
Have a nice evening!	Einen schönen Abend noch!
saying goodbye on the phone	**sich am Telefon verabschieden**
Goodbye!	Auf Wiederhören! *(form)*
OK then, speak to you again soon!	Also dann, bis bald wieder!
Bye! *(fam)*/Cheerio! *(fam)*	Tschüss! *(fam)*/Ciao! *(fam)*

steht jdm ❷ (*kind, understanding*) **it was very ~ of you to help us** es war sehr lieb von dir, uns zu helfen; **would you be ~ enough to ...** wären Sie bitte so nett und ... ❸ (*thorough*) gut; **the house needs a ~ clean** das Haus sollte mal gründlich geputzt werden; **to have a ~ cry** sich richtig ausweinen; **to have a ~ laugh** ordentlich lachen; **to have a ~ look at sth** sich *dat* etw genau ansehen; **a ~ talking to** eine Standpauke ❹ (*substantial*) beträchtlich; **we walked a ~ distance today** wir sind heute ein ordentliches Stück gelaufen; **it's a ~ half hour's walk** es ist eine gute halbe Stunde zu Fuß; **a ~ deal** jede Menge; **to make ~ money** gutes Geld verdienen ❺ (*able to provide*) **he is always ~ for a laugh** er ist immer gut für einen Witz ❻ (*almost*) ▪ **as ~ as ...** so gut wie ...; **they as ~ as called me a liar** sie nannten mich praktisch eine Lügnerin; **to be as ~ as gold** sich ausgezeichnet benehmen; **to be [as] ~ as one's word** vertrauenswürdig sein ❼ (*to emphasize*) schön; **I need a ~ long holiday** ich brauche mal einen richtig schönen langen Urlaub!; **when I'm ~ and ready** wenn es mir [in meinem Kram] passt ❽ (*in exclamations*) **~ Lord** [*or* **heavens**]! gütiger Himmel!; **~ gracious!** ach du liebe Zeit!; **~ grief!** du meine Güte!; **~ old James!** der gute alte James! ▶ **it's as ~ as it gets** besser wird's nicht mehr; **to have [got] it ~** es gut haben; **to make ~** zu Geld

kommen; **to make sth ↻ ~** (*repair*) etw reparieren; *mistake* etw wiedergutmachen; (*pay for*) etw wettmachen; (*do successfully*) etw schaffen **II.** *adv* ❶ AM, DIAL (*fam: well*) gut ❷ (*fam: thoroughly*) gründlich; **to do sth ~ and proper** etw richtig gründlich tun **III.** *n no pl* ❶ (*moral force*) Gute(s) *nt;* **~ and evil** Gut und Böse; **to be up to no ~** nichts Gutes im Schilde führen; **to do ~** Gutes tun; ▪ **the ~** *pl* die Guten *pl* ❷ (*benefit*) Wohl *nt;* **this will do you a world of ~** das wird Ihnen unglaublich gut tun; **that young man is no ~** dieser junge Mann ist ein Taugenichts; **a lot of ~ that'll do [you]!** das wird [dir] ja viel nützen!; **to do more harm than ~** mehr schaden als nützen; **for the ~ of his health** seiner Gesundheit zuliebe; **for the ~ of the nation** zum Wohle der Nation; **for one's own ~** zu seinem eigenen Besten ❸ (*ability*) ▪ **to be no ~ at sth** etw nicht gut können ▶ **for ~ [and all]** für immer [und ewig]

good·bye, AM **good·by I.** *interj* [gʊ(d)-'baɪ] auf Wiedersehen; **to say ~ to sb/sth** sich von jdm/etw verabschieden; **to kiss sb ~** jdm einen Abschiedskuss geben; **to kiss sth ~** (*fig*) etw abschreiben; **to wave ~** zum Abschied winken **II.** *n* [gʊd-'baɪ] Abschied *m;* **to say one's ~s** sich verabschieden

'**good-for-noth·ing I.** *n* (*pej*) Taugenichts *m* **II.** *adj* (*pej*) nichtsnutzig **Good 'Fri·day** *n no art* Karfreitag *m* **good-'hu·**

moured [ˌgʊdˈhju·məd] *adj,* Am
good-'hu·mored *adj* ❶ (*cheerful*) fröhlich ❷ (*good-natured*) gutmütig **good-**
'look·ing *adj* <more good-looking, most
good-looking *or* better-looking, best-
looking> gut aussehend **good 'looks** *npl*
gutes Aussehen **good-'na·tured** *adj* gutmütig

good·ness ['gʊdnəs] I. *n no pl* ❶ (*moral*
virtue) Tugendhaftigkeit *f* ❷ (*kindness*)
Freundlichkeit *f,* Güte *f* ❸ FOOD Wert-
volle(s) *nt* ❹ (*for emphasis*) **for ~'** sake
du liebe Güte; **to hope to ~ that …** bei
Gott hoffen, dass …; **~ knows** weiß der
Himmel; **thank ~** Gott sei Dank II. *interj*
[my] **~** [gracious] [me] [ach du] meine
Güte

goods [gʊdz] I. *npl* Waren *pl,* Güter *pl;*
sports ~ Sportartikel *pl;* **manufactured ~**
Fertigprodukte *pl;* **stolen ~** Diebesgut *nt*
▶ **sb/sth** comes **up with the ~** jd/etw
hält, was er/sie verspricht II. *adj* BRIT Gü-
ter-; **~ vehicle** Nutzfahrzeug *nt*

'good-sized *adj* [recht] groß **good-'tem-**
pered *adj* gutmütig **'good-will** I. *n no pl*
❶ (*friendly feeling*) guter Wille (**towards**
gegenüber); **feeling/gesture of ~** Atmosphäre *f*/Geste *f* des guten Willens ❷ ECON
Goodwill *m* II. *adj* **a ~ gesture** eine Geste
des guten Willens; **~ mission** Goodwill-
reise *f*

goody ['gʊdi] I. *n* ❶ (*desirable object*) tolle Sache ❷ FOOD Leckerbissen *m* ❸ (*good*
person) Gute(r) *f(m)* II. *interj* (*usu child-*
speak) spitze

'goody bag *n* (*fam*) Goody-Bag *m fam;* (*at*
children's party) Tüte *f* mit kleinen Ge-
schenken; (*promotional gift*) Tüte *f* mit
Gratisproben

goo·ey ['gu:i] *adj* (*fam*) ❶ (*sticky*) klebrig
❷ (*fig, pej*) schmalzig

goof [gu:f] I. *n esp* AM (*fam*) ❶ (*mistake*)
Patzer *m* ❷ (*silly person*) Trottel *m* II. *vi*
esp AM (*fam*) **to ~** [up] Mist bauen ◆ **goof**
up I. *vt* AM (*fam*) vermasseln II. *vi* AM
(*fam*) Mist bauen

goofy ['gu:fi] *adj esp* AM (*fam*) doof

google ['gu:gl] *vt* INET (*fam*) ▪**to ~ sth**
name im Internet nach etw *dat* suchen

goo-goo ['gu:gu:] *adj attr* (*fam*) **to** make
~ eyes at sb jdm schöne Augen machen

goolies ['gu:liz] *npl* BRIT (*fam*) Eier *pl*

goon [gu:n] *n* (*fam*) ❶ (*pej: silly person*)
Blödmann *m* ❷ (*fam*) (*thug*) Schläger *m*

goose [gu:s] I. *n* <*pl* geese> Gans *f* ▶ **to**
kill the ~ that lays the golden eggs den
Ast absägen, auf dem man sitzt; **to** cook
sb's ~ jdm die Suppe versalzen II. *vt*

(*fam*) ❶ AM (*motivate*) antreiben ❷ AM
(*increase*) **to ~ up profits** Gewinne steigern III. *adj* Gänse-; **a ~ egg** AM (*fig fam*)
überhaupt nichts

goose·ber·ry ['gʊzbəri] *n* Stachelbeere *f*
▶ **to** play **~** BRIT das fünfte Rad am Wagen
sein

'goose pim·ples *npl,* **'goose·flesh** *n no*
pl, esp AM **'goose bumps** *npl* Gänsehaut *f kein pl* **'goose-pim·ply** *adj* (*fam*)
to go all ~ eine Gänsehaut kriegen
'goose·step I. *vi* <-pp-> im Stechschritt
marschieren II. *n no pl* Stechschritt *m;* **to**
do the ~ im Stechschritt marschieren

goos(e)y ['gu:si] *adj* AUS **to go all ~** eine
Gänsehaut kriegen

gore [gɔ:ʳ] I. *n no pl* Blut *nt* II. *vt* aufspießen

gorge [gɔ:dʒ] I. *n* Schlucht *f* II. *vi* sich voll-
essen *fam* III. *vt* ▪**to ~ oneself on sth**
sich mit etw *dat* vollstopfen *fam*

gor·geous ['gɔ:dʒəs] *adj* ❶ (*very beautiful*)
herrlich, großartig; **the bride looked ~** die
Braut sah zauberhaft aus; **hello, G~!** hallo,
du Schöne!; **~ autumnal colours** präch-
tige Herbstfarben ❷ (*very pleasurable*) ausgezeichnet, fabelhaft; *meal* hervorragend

go·ril·la [gəˈrɪlə] *n* Gorilla *m a. fig*

gorm·less ['gɔ:mləs] *adj* BRIT (*fam*) dämlich

gorse [gɔ:s] *n no pl* Stechginster *m*

gory ['gɔ:ri] *adj* ❶ (*bloody*) blutig; *film* blutrünstig ❷ (*fig, hum: explicit*) peinlich;
come on, I want to know all the ~
details about your date los, erzähl schon,
ich will all die intimen Details deines Rendezvous erfahren

gosh [gɒʃ] *interj* (*fam*) Mensch

gos·ling ['gɒzlɪŋ] *n* Gänseküken *nt*

go-'slow *n* BRIT Bummelstreik *m*

gos·pel ['gɒspəl] *n* ❶ (*New Testament*)
▪**the ~** das Evangelium; **the G~ accord-**
ing to Saint Mark [*or* St Mark's Gospel]
das Evangelium nach Markus ❷ (*fig*)
Grundsätze *pl;* **to take sth as ~** etw für
bare Münze nehmen ❸ *no pl* (*music*) Gospel *m o nt*

gos·sa·mer ['gɒsəməʳ] I. *n no pl* Spinn-
fäden *pl* II. *adj* hauchdünn

gos·sip ['gɒsɪp] I. *n* (*usu pej*) ❶ *no pl* (*ru-*
mour) Klatsch *m;* **idle ~** leeres Geschwätz;
the latest ~ der neueste Tratsch *fam;* **to**
have a ~ about sb über jdn tratschen *fam*
❷ (*pej: person*) Tratschbase *f fam* ❸ (*con-*
versation) Schwatz *m* II. *vi* ❶ (*chatter*)
schwatzen ❷ (*spread rumours*) tratschen
fam

'gos·sip col·umn *n* Klatschspalte *f*

gos·sipy ['gɒsɪpi] *adj* schwatzhaft; ~ **per-son** Klatschmaul *nt sl*

got [gɒt] *pt, pp of* **get**

Goth [gɒθ] *n* **❶** HIST Gote, Gotin *m, f* **❷** *no pl* MUS (*style of rock music*) ■ **g~** Gothic *nt* **❸** (*pej: person*) ■ **g~** Grufti[e] *m*

Goth·ic ['gɒθɪk] *adj* **❶** ARCHIT, TYPO gotisch **❷** LIT Schauer-

got·ten ['gɒtən] AM, AUS *pp of* **got**

gouge [gaʊdʒ] **I.** *n* **❶** (*chisel*) Meißel *m* **❷** (*indentation*) Rille *f* **II.** *vt* **❶** (*cut out*) ■ **to ~ out** aushöhlen; *eye* ausstechen **❷** AM (*fam: overcharge*) betrügen

gou·lash ['guːlæʃ] *n no pl* Gulasch *nt*

gourd [gʊəd] *n* Kürbisflasche *f*

gour·mand ['gʊəmənd] *n* Schlemmer(in) *m(f)*

gour·met ['gʊəmeɪ] *n* Feinschmecker(in) *m(f)*

gout [gaʊt] *n no pl* Gicht *f*

Gov *n* **❶** *abbrev of* **government** **❷** AM *abbrev of* **governor**

gov·ern ['gʌvən] **I.** *vt* **❶** POL, LING regieren **❷** (*regulate*) regeln; ■ **to be ~ed by sth** durch etw *akk* bestimmt werden **II.** *vi* regieren; **fit/unfit to ~** regierungsfähig/-unfähig

gov·er·ness <*pl* -es> ['gʌvənəs] *n* (*hist*) Gouvernante *f*

gov·ern·ing ['gʌvənɪŋ] *adj* regierend; ~ **body** Vorstand *m*; **self-~** autonom

gov·ern·ment ['gʌvənmənt] *n* Regierung *f*; ~ **agency** Behörde *f*; ~ **department** Regierungsstelle *f*; ~ **grant** staatlicher Zuschuss; ~ **intervention** Eingreifen *nt* der Regierung; ~ **policy** Regierungspolitik *f*; ~ **property** Staatseigentum *nt*; ~ **securities** staatliche Wertpapiere; ~ **spending** Staatsausgaben *pl*; ~ **subsidy** Subvention *f*; ~ **support** staatliche Unterstützung; **local** ~ Kommunalverwaltung *f*; **in** ~ BRIT, AUS an der Regierung

gov·ern·men·tal [ˌgʌvən'mentəl] *adj* Regierungs-; ~ **publication** Veröffentlichung *f* der Regierung

gov·er·nor ['gʌvənə] *n* **❶** POL Gouverneur *m* **❷** BRIT ADMIN Direktor(in) *m(f)*; **the G~ of the Bank of England** der Präsident der Bank von England; **the school ~s** der Schulbeirat; **board of ~s** COMM Vorstand *m* **❸** BRIT (*fam: one's boss*) Chef(in) *m(f)* **❹** MECH Regler *m*

gown [gaʊn] *n* **❶** FASHION Kleid *nt* **❷** MED Kittel *m*; **surgical ~** Operationskittel *m* **❸** UNIV Talar *m*

GP [ˌdʒiː'piː] *n* MED *abbrev of* **general practitioner**

GPU [ˌdʒiːpiː'juː] *n* COMPUT *abbrev of*

graphics processing unit GPU *f*

grab [græb] **I.** *n* **❶** (*snatch*) Griff *m*; **to make a ~ at** [*or* **for**] **sth** nach etw *dat* greifen **❷** MECH Greifer *m* ▶ **to be up for ~s** zu haben sein **II.** *vt* <-bb-> **❶** (*snatch, take hold of*) [sich *dat*] schnappen; ■ **to ~ sth** [**away**] **from sb** jdm etw entreißen; ■ **to ~ sb by the arm** jdn am Arm packen; ■ **to ~ hold of sb/sth** jdn/etw festhalten **❷** (*fig*) *attention* erregen; *opportunity* wahrnehmen; **can I just ~ you for a minute?** kann ich dich mal für 'ne Minute haben?; **to ~ a bite** [**to eat**] schnell einen Happen essen; **to ~ some sleep** [ein wenig] schlafen **❸** (*sl: impress*) beeindrucken; **how does that** [**idea**] ~ **you?** was hältst du davon? **III.** *vi* <-bb-> **❶** (*snatch*) grapschen; ■ **to ~ at sb** jdn begrapschen; ■ **to ~ at sth** nach etw *dat* greifen **❷** MECH *brake* [ruckartig] greifen **❸** (*take advantage of*) **to ~ at an opportunity** eine Gelegenheit wahrnehmen

grab-and-'go *adj* (*fam*) *meal* zum Mitnehmen *nach n*

grace [greɪs] *n* **❶** *no pl* (*of movement*) Grazie *f* **❷** *no pl* (*of appearance*) Anmut *f* **❸** (*of behaviour*) Anstand *m kein pl*; **to have the** [**good**] ~ **to do sth** den Anstand besitzen, etw zu tun; **social ~s** gesellschaftliche Umgangsformen **❹** *no pl* (*mercy*) Gnade *f* **❺** (*favour*) Gnade *f*; **to fall from** ~ in Ungnade fallen **❻** (*prayer*) Tischgebet *nt*; **to say** ~ ein Tischgebet sprechen **❼** *no pl* (*leeway*) Aufschub *m*; **a month's** ~ ein Monat Aufschub **❽** (*title*) **Your** ~ (*duke, duchess*) Eure Hoheit; (*archbishop*) Eure Exzellenz

grace·ful ['greɪsfəl] *adj* **❶** (*in movement*) graziös, anmutig **❷** (*in appearance*) elegant **❸** (*in behaviour*) würdevoll

grace·less ['greɪsləs] *adj* taktlos

gra·cious ['greɪʃəs] **I.** *adj* **❶** (*kind*) liebenswürdig **❷** (*dignified*) würdevoll **❸** (*elegant*) kultiviert **❹** (*merciful*) gnädig **II.** *interj* [**good** [*or* **goodness**]] ~ [**me**] [du] meine Güte

gra·cious·ly ['greɪʃəsli] *adv* **❶** (*kindly*) liebenswürdig, freundlich **❷** (*mercifully*) gütig, gnädig

grade [greɪd] **I.** *n* **❶** (*rank*) Rang *m* **❷** (*of salary*) Gehaltsstufe *f* **❸** SCH (*mark*) Note *f* **❹** AM SCH (*class*) Klasse *f* **❺** (*of quality*) Qualität *f*; **a dozen ~ A eggs** ein Dutzend Eier Klasse A **❻** AM (*gradient*) Neigung *f*; [**gentle/steep**] ~ (*upwards*) [geringe/starke] Steigung; (*downwards*) [schwaches/starkes] Gefälle ▶ **to be on the down/up** ~ AM schlechter/besser werden; **to make the ~** den Anforderungen gerecht werden **II.** *vt* ❶ SCH, UNIV benoten ❷ (*categorize*) einteilen ❸ AM TRANSP (*level*) einebnen

'**grade cross·ing** *n* AM [schienengleicher] Bahnübergang '**grade school** *n* AM Grundschule *f*

gra·di·ent ['greɪdɪənt] *n* Neigung *f*; [**gentle/steep**] **~** (*upwards*) [leichte/starke] Steigung; (*downwards*) [schwaches/starkes] Gefälle; **the ~ of the road is 1 in 10** die Straße hat eine Steigung/ein Gefälle von 10 %

'**grad·ing** *n* ❶ (*gradation*) Maßeinteilung *f* ❷ (*of colours etc.*) Abstufung *f* ❸ (*classification*) Klassifizierung *f*; SCH Benotung *f*

grad·ual ['grædʒuəl] *adj* ❶ (*not sudden*) allmählich ❷ (*not steep*) sanft

grad·ual·ly ['grædʒuəli] *adv* ❶ (*not suddenly*) allmählich ❷ (*not steeply*) sanft

gradu·ate I. *n* ['grædʒuət] ❶ UNIV Absolvent(in) *m(f)*; **he is a physics ~** er hat einen [Universitäts]abschluss in Physik; **~ student** Student(in) *m(f)* mit Universitätsabschluss; **~ unemployment** Akademikerarbeitslosigkeit *f*; **university ~** Hochschulabsolvent(in) *m(f)* ❷ AM SCH Schulabgänger(in) *m(f)* **II.** *vi* ['grædʒueɪt] ❶ UNIV einen akademischen Grad erwerben; **she ~d from the University of Birmingham** sie hat an der Universität von Birmingham ihren Abschluss gemacht; **to ~ with honours** seinen Abschluss mit Auszeichnung machen ❷ AM SCH die Abschlussprüfung bestehen; **to ~ from high school** das Abitur machen ❸ (*move up*) aufsteigen **III.** *vt* ['grædʒueɪt] ❶ (*calibrate*) einteilen ❷ AM (*award degree*) ■**to ~ sb** jdn graduieren

gradu·at·ed ['grædʒueɪtɪd] *adj* FIN gestaffelt

gradua·tion [ˌgrædʒu'eɪʃən] *n* ❶ *no pl* SCH, UNIV (*completion of studies*) [Studien]abschluss *m* ❷ (*ceremony*) Abschlussfeier *f* ❸ (*calibration*) [Grad]einteilung *f*

graf·fi·ti [grə'fiːti] *n no pl* Graffiti *nt*

graft [grɑːft] **I.** *n* ❶ MED Transplantat *nt* ❷ HORT (*shoot*) Pfropfreis *m;* (*process*) Pfropfung *f*; (*place*) Pfropfstelle *f* ❸ *no pl* (*corruption*) Schiebung *f* ❹ BRIT (*sl: work*) [**hard**] **~** Schufterei *f* **II.** *vt* ❶ MED übertragen (**on**|**to**) auf) ❷ HORT aufpfropfen (**on**|**to** auf) **III.** *vi* BRIT (*sl*) schuften

graft·er ['grɑːftə^r] *n* BRIT (*sl*) Arbeitstier *nt*

Grail [greɪl] *n* [**Holy**] **~** Heiliger Gral

grain [greɪn] *n* ❶ (*particle*) Korn *nt*, Körnchen *nt;* **~ of sand/wheat** Sand-/Weizenkorn *nt* ❷ *no pl* (*cereal*) Getreide *nt* ❸ *no pl* (*texture*) *of wood, marble* Maserung *f*

❹ (*fig*) **a ~ of hope/truth** ein Fünkchen Hoffnung/ein Körnchen Wahrheit ▶ **to go against the ~ for sb** jdm gegen den Strich gehen

'**grain ex·port** *n* Getreideexport *m* '**grain mar·ket** *n* Getreidemarkt *m*

grainy ['greɪni] *adj* ❶ FOOD *sauce* klumpig ❷ PHOT, FILM [grob]körnig ❸ *wood* gemasert

gram [græm] *n* Gramm *nt*

gram·mar ['græmə^r] *n* Grammatik *f*; **to be good/bad ~** grammatikalisch richtig/falsch sein

'**gram·mar book** *n* Grammatik *f*

gram·mar·ian [grə'meəriən] *n* Grammatiker(in) *m(f)*

'**gram·mar school** *n* ❶ AM (*elementary school*) Grundschule *f* ❷ BRIT (*upper level school*) ≈ Gymnasium *nt*

gram·mati·cal [grə'mætɪk^əl] *adj* grammati[kali]sch

gramme *n* BRIT *see* **gram**

gramo·phone ['græməfəʊn] *n* (*hist*) Grammophon *nt hist*

gran [græn] *n* (*fam*) *short for* **grandmother** Oma *f*, Omi *f*

grana·ry ['grænəri] *n* [Getreide]silo *m o nt*

'**grana·ry bread** *n no pl* BRIT, '**grana·ry loaf** *n* BRIT ≈ Mehrkornbrot *nt*

grand [grænd] **I.** *adj* ❶ (*splendid*) prächtig, großartig; **to make a ~ entrance** einen großen Auftritt haben ❷ (*fam: excellent*) großartig ❸ (*of age*) **he lived to the ~ old age of 97** er erreichte das gesegnete Alter von 97 Jahren ❹ (*important*) groß, bedeutend ❺ (*large, far-reaching*) **~ ambitions/ideas** große Pläne/Ideen; **on a ~ scale** in großem Rahmen ❻ (*overall*) **~ total** Gesamtsumme *f* **II.** *n* ❶ <*pl* -> (*fam: one thousand dollars/pounds*) Mille *f* ❷ <*pl* -s> (*grand piano*) Flügel *m;* **baby/concert ~** Stutz-/Konzertflügel *m*

gran·dad ['grændæd] *n* (*fam*) ❶ (*grandfather*) Opa *m*, Opi *m* ❷ (*pej: old man*) Opa *m*, Alter *m*

'**grand·child** *n* Enkelkind *nt* '**grand·daugh·ter** *n* Enkeltochter *f*

gran·dee [græn'diː] *n* ❶ (*nobleman*) Grande *m* ❷ (*fig*) Größe *f*

gran·deur ['grændjə^r] *n no pl* Größe *f; of scenery, music* Erhabenheit *f;* **faded ~** verblasster Glanz; **delusions of ~** Größenwahn *m*

'**grand·fa·ther** *n* Großvater *m*

gran·di·ose ['grændiəʊs] *adj* grandios

grand jury *n* AM Anklagejury *f*

grand·ly ['grændli] *adv* ❶ (*splendidly*) prachtvoll ❷ (*pej: over-importantly*) prahlerisch

'grand·ma *n* (*fam*) Oma *f*; Omi *f* **'grand·mas·ter** *n* Großmeister(in) *m(f)* **'grand·moth·er** *n* Großmutter *f* **'grand·pa** *n* (*fam*) Opa *m*, Opi *f* **grand pi'a·no** *n* [Konzert]flügel *m* **'grand·son** *n* Enkel[sohn] *m* **'grand·stand I.** *n* [Haupt]tribüne *f* **II.** *adj seat* Tribünen-; ~ finish Entscheidung *f* auf den letzten Metern **III.** *vi* (*pej*) sich inszenieren **grand 'sum** *n*, **grand 'to·tal** *n* Gesamtsumme *f*

grange [greɪndʒ] *n* Gutshof *m*

gran·ite ['grænɪt] *n no pl* Granit *m*

gran·nie, gran·ny ['græni] *n* (*fam*) Oma *f*, Omi *f*

grant [grɑːnt] **I.** *n* ❶ UNIV Stipendium *nt*; [government] ~ ≈ Bafög *nt* ❷ (*from authority*) Zuschuss *m oft pl*; (*subsidy*) Subvention *f* **II.** *vt* ❶ (*allow*) ■ to ~ sb sth jdm etw gewähren; *favour* jdm etw erweisen; *money* jdm etw bewilligen; *permission, visa* jdm etw erteilen; to ~ sb a request jds Anliegen *nt* stattgeben ❷ (*admit to*) zugeben; ~ ed, ... zugegeben, ... ▸ to take sth for ~ ed etw für selbstverständlich halten; (*not appreciate*) etw als [allzu] selbstverständlich betrachten; no one likes to be taken for ~ ed niemand mag es, dass seine Leistung als Selbstverständlichkeit hingenommen wird

granu·lar ['grænjələʳ] **I.** *adj* körnig **II.** *adv* (*sl*) to get ~ in Einzelheiten gehen

granu·lat·ed ['grænjəleɪtɪd] *adj* granuliert; ~ sugar Kristallzucker *m*

gran·ule ['grænjuːl] *n* Körnchen *nt*; ■ ~ s *pl* Granulat *nt*; instant coffee ~ s Kaffeegranulat *nt*

grape [greɪp] **I.** *n* [Wein]traube *f*; a bunch of ~ s eine [ganze] Traube **II.** *adj* Trauben- **'grape·fruit** <*pl - or -s>* ['greɪpfruːt] *n* Grapefruit *f* **'grape·vine** *n* Weinstock *m* ▸ I heard on the ~ that ... es ist mir zu Ohren gekommen, dass ...

graph [grɑːf] *n* Diagramm *nt*, Graph *m*; bar [*or* block] ~ Säulendiagramm *nt*; temperature ~ Temperaturkurve *f*; ~ paper Millimeterpapier *nt*

graph·ic ['græfɪk] *adj* ❶ (*diagrammatic*) grafisch ❷ (*vividly descriptive*) anschaulich; in ~ detail haarklein ❸ ART Grafik-; ~ design Grafikdesign *nt*

graphi·cal·ly ['græfɪkᵊli] *adv* ❶ (*using a graph*) grafisch ❷ (*vividly*) anschaulich, plastisch

graph·ics ['græfɪks] *npl* Grafik *f*; ~ card Grafikkarte *f*

graph·ite ['græfaɪt] *n no pl* Graphit *m*

grap·ple ['græpl] *vi* ■ to ~ with sb mit jdm ringen; ■ to ~ for sth um etw *akk*

kämpfen; to ~ with a problem mit einem Problem zu kämpfen haben

grasp [grɑːsp] **I.** *n no pl* ❶ (*grip*) Griff *m* ❷ (*fig: attainability*) Reichweite *f*; to be within sb's ~ zum Greifen nahe sein ❸ (*fig: understanding*) Verständnis *nt*; to have a good ~ of a subject ein Fach gut beherrschen **II.** *vt* ❶ (*take firm hold*) [fest] [er]greifen; to ~ sb by the arm/hand jdn am Arm/an der Hand fassen ❷ (*fig: understand*) begreifen **III.** *vi* ❶ (*try to hold*) ■ to ~ at sth nach etw *dat* greifen ❷ (*fig*) to ~ at the opportunity die Gelegenheit beim Schopfe packen

grasp·ing ['grɑːspɪŋ] *adj* (*fig, pej*) habgierig

grass <*pl -es>* [grɑːs] **I.** *n* ❶ Gras *nt*; (*lawn*) Rasen *m*; to put cattle out to ~ [das] Vieh auf die Weide treiben; to put sb/an animal out to ~ (*fig*) jdn in Rente schicken/einem Tier das Gnadenbrot geben ❷ BRIT (*sl: informer*) Spitzel *m* ▸ to [not] let the ~ grow under one's feet etw [nicht] auf die lange Bank schieben; the ~ is [always] greener on the other side [of the fence] (*prov*) die Kirschen in Nachbars Garten schmecken immer süßer **II.** *adj* Gras-; ~ court Rasenplatz *m*; ~ verge BRIT Grünstreifen *m* **III.** *vt* Gras bepflanzen **IV.** *vi* BRIT, AUS (*sl*) singen; ■ to ~ on sb jdn verpfeifen

'grass·hop·per *n* Heuschrecke *f* **'grass·land** *n* Grasland *nt* **grass·'roots** *npl* (*ordinary people*) Volk *nt kein pl*; of a party, organization Basis *f kein pl*; ~ activity Arbeit *f* an der Basis; ~ opinion Volksmeinung *f* **'grass snake** *n* AM Grasnatter *f*; BRIT Ringelnatter *f*

grassy ['grɑːsi] *adj* mit Gras bewachsen

grate¹ [greɪt] *n* ❶ (*fireplace*) Kamin *m* ❷ (*grid*) Rost *m*

grate² [greɪt] **I.** *vi* ❶ (*annoy*) *noise* in den Ohren wehtun; to ~ on sb['s nerves] jdm auf die Nerven gehen ❷ (*rasp*) kratzen **II.** *vt* (*shred*) *cheese, nutmeg* reiben; *vegetables* raspeln

grate·ful ['greɪtfᵊl] *adj* dankbar

grat·er ['greɪtəʳ] *n* Reibe *f*

grati·fi·ca·tion [ˌgrætɪfɪˈkeɪʃᵊn] *n* Genugtuung *f*; sexual ~ sexuelle Befriedigung

grati·fy <-ie-> ['grætɪfaɪ] *vt* ❶ *usu passive* (*please*) ■ to be gratified at [*or* by] sth über etw *akk* [hoch] erfreut sein ❷ (*satisfy*) befriedigen

grati·fy·ing ['grætɪfaɪɪŋ] *adj* erfreulich

grat·ing ['greɪtɪŋ] **I.** *n* Gitter *nt* **II.** *adj* ❶ (*grinding*) knirschend; (*rasping*) kratzend ❷ (*annoying*) nervtötend

gratitude

expressing gratitude	sich bedanken
Thank you!/Thanks!	Danke!
Thank you very much!/Many thanks!	Danke schön!/Vielen Dank!
Thanks a million!	Tausend Dank!
Thanks, that's really kind of you!	Danke, das ist sehr lieb von dir/Ihnen!
Thank you very much indeed!	Vielen herzlichen Dank!
My sincere thanks. *(form)*	Ich bedanke mich recht herzlich!
I'm so grateful to you for looking after my grandmother.	Ich bin Ihnen so dankbar, dass Sie sich um meine Großmutter kümmern.

reacting to being thanked	auf Dank reagieren
You're welcome!	Bitte (schön)!
My pleasure!	Gern geschehen!
Don't mention it!	Keine Ursache!/Nichts zu danken!
Please don't mention it!	Aber bitte, das ist doch nicht der Rede wert!
Not at all!	Bitte, bitte!
It was a pleasure!/The pleasure was mine!	Aber das war doch selbstverständlich!
I was happy to do it!	Das hab ich doch gern gemacht!

acknowledging gratefully	dankend anerkennen
Many thanks, you've been a great help.	Vielen Dank, du hast mir sehr geholfen.
What would we do without you!	Wo wären wir ohne dich!
We wouldn't have managed it without your help.	Ohne deine Hilfe hätten wir es nicht geschafft.
You were a great help to us.	Sie waren uns eine große Hilfe.
I very much appreciate your commitment.	Ich weiß Ihr Engagement sehr zu schätzen.

grati·tude ['grætɪtjuːd] *n no pl* Dankbarkeit *f*

gra·tui·tous [grə'tjuːɪtəs] *adj* (*uncalled-for*) grundlos; (*unnecessary*) überflüssig; **~ bad language** unnötige Kraftausdrücke

gra·tu·ity [grə'tjuːəti] *n* ❶ (*tip*) Trinkgeld *nt* ❷ BRIT (*payment*) Sonderzuwendung *f* ❸ AM (*bribe*) **illegal ~** Bestechungsgeld *nt*

grave¹ [greɪv] *n* Grab *nt* ▶ **to dig one's own ~** sich *dat* sein eigenes Grab schaufeln; **to have one foot in the ~** mit einem Bein im Grab stehen; **as silent as the ~** mucksmäuschenstill *fam*; (*gloomy*) totenstill; **to turn in one's ~** sich im Grabe [her]umdrehen

grave² [grɑːv] *adj face, music* ernst; (*seriously bad*) *news* schlimm; (*worrying*) *conditions, symptoms* bedenklich; *crisis* schwer; *decision* schwerwiegend; *mistake* gravierend

'grave·dig·ger *n* Totengräber(in) *m(f)*

grav·el ['grævəl] *n no pl* Kies *m;* **~ road** Schotterstraße *f*

'grav·el·ly ['grævəli] *adj* ❶ *soil* kieshaltig ❷ (*fig*) *voice* rau

'grave·el·pit *n* Kiesgrube *f*

grave·ly ['greɪvli] *adv* ernst; **~ ill** schwer krank; **to be ~ mistaken** sich schwer irren

'grave rob·ber *n* Grabräuber(in) *m(f)*

'grave·stone *n* Grabstein *m* **'grave·yard** *n* Friedhof *m*

'grav·ing dock *n* Trockendock *nt*

gravi·tate ['grævɪteɪt] *vi* ▪ **to ~ to[wards] sb/sth** von jdm/etw angezogen werden

gravi·ta·tion [ˌgrævɪ'teɪʃ°n] *n no pl* ❶ (*movement*) ▪ **~ to[wards] sth** Bewegung *f* zu etw *dat* hin ❷ (*attracting force*) Schwerkraft *f*

grav·ity ['grævəti] *n no pl* ❶ PHYS Schwerkraft *f;* **the force of** ~ die Schwerkraft; **the law of** ~ das Gesetz der Schwerkraft ❷ (*seriousness*) Ernst *m; of speech* Ernsthaftigkeit *f*

gra·vy ['greɪvi] *n no pl* ❶ FOOD [Braten]soße *f* ❷ *esp* AM (*fig sl: easy money*) leicht verdientes Geld

'**gra·vy boat** *n* Sauciere *f,* Soßenschüssel *f*

'**gra·vy train** *n* (*fig*) **to get on the** ~ sich *dat* ein Stück vom Kuchen abschneiden

gray *n, adj* AM *see* **grey**

graze[1] [greɪz] **I.** *n* Schürfwunde *f* **II.** *vt* streifen; **to** ~ **one's elbow/knee** sich *dat* den Ellbogen/das Knie aufschürfen

graze[2] [greɪz] **I.** *vi* grasen, weiden **II.** *vt animals* weiden lassen; *meadow* abgrasen

grease [gri:s] **I.** *n* ❶ (*fat*) Fett *nt;* ~ **mark** Fettfleck *m* ❷ (*lubricating oil*) Schmierfett *nt* **II.** *vt* [ein]fetten; MECH schmieren ▶**like** ~**d lightning** wie ein geölter Blitz

'**grease gun** *n* Fettspritze *f* '**grease·paint** *n* THEAT Fettschminke *f* '**grease·proof** '**pa·per** *n* Pergamentpapier *nt* '**grease spot** *n* Fettfleck *m*

greasy ['gri:si] *adj* ❶ *hair, skin* fettig; *fingers, objects also* schmierig; *food* fett; (*slippery*) glitschig ❷ (*fig, pej*) schmierig

greasy '**pole** *n* (*fig*) mit Hindernissen gespickte Karriereleiter

great [greɪt] **I.** *adj* ❶ (*very big*) groß; **a** ~ **deal of money/time** eine Menge Geld/ Zeit; **to a** ~ **extent** im Großen und Ganzen; **the** ~ **majority of people** die überwiegende Mehrheit der Leute ❷ (*famous*) groß; (*important*) bedeutend; (*outstanding*) überragend ❸ (*wonderful*) großartig, hervorragend, toll; **we had a** ~ **time at the party** wir haben uns auf der Party großartig amüsiert; **it's** ~ **to be back home again** es ist richtig schön, wieder zu Hause zu sein; ~! (*iron fam*) na prima!; **the** ~ **thing about sb/sth is** [that] ... das Tolle an jdm/etw ist[, dass] ...; **to feel not all that** ~ sich gar nicht gut fühlen; ■**to be** ~ **at doing sth** etw sehr gut können ❹ (*for emphasis*) ausgesprochen; ~ **fool** Volltrottel *m;* ~ **friends** dicke Freunde ❺ (*enthusiastic*) begeistert **II.** *adv* (*extremely*) sehr; ~ **big** riesengroß; ~ **long** ewig lang **III.** *n* (*person*) Größe *f;* (*in titles*) **Alexander/ Catherine the G**~ Alexander der Große/ Katharina die Große; **one of the** ~**s** einer/ eine der ganz Großen

'**great-aunt** *n* Großtante *f* **Great** '**Bear** *n* ASTRON Großer Bär **Great** '**Brit·ain** *n*

Großbritannien *nt* '**great·coat** *n* BRIT [schwerer] [Winter]mantel **Great De·** '**pres·sion** *n* HIST Weltwirtschaftskrise (*1929*)

Great·er ['greɪtə[r]] (*in cities*) ~ **London** Groß-London *nt;* ~ **Manchester** Großraum *m* Manchester; (*county*) [Grafschaft *f*] Greater Manchester *nt*

great-'**grand·child** *n* Urenkel(in) *m(f)* **Great** '**Lakes** *npl* GEOG ■**the** ~ die Großen Seen

great·ly ['greɪtli] *adv* sehr; ~ **impressed** tief beeindruckt; **to** ~ **regret** zutiefst bedauern

great-'**neph·ew** [,greɪt'nefju:] *n* Großneffe *m*

great·ness ['greɪtnəs] *n no pl* Bedeutsamkeit *f*

great-'**niece** [,greɪt'ni:s] *n* Großnichte *f* **great-**'**un·cle** *n* Großonkel *m*

Gre·cian ['gri:ʃən] *adj* griechisch

Greece [gri:s] *n* Griechenland *nt*

greed [gri:d] *n no pl* Gier *f* (**for** nach)

greedi·ly ['gri:dɪli] *adv* gierig

greedi·ness ['gri:dɪnəs] *n no pl* Gier *f*

greedy ['gri:di] *adj* gierig; (*for money, things*) habgierig; (*fig*) ■**to be** ~ **for sth** gierig nach etw *dat* sein; ~**guts** BRIT, AUS (*fam*) (kleiner) Vielfraß; ~ **pig** (*pej*) Vielfraß *m*

Greek [gri:k] **I.** *n* ❶ (*person*) Grieche, Griechin *m, f* ❷ *no pl* (*language*) Griechisch *nt;* **ancient/modern** ~ Alt-/Neugriechisch *nt;* **in** ~ auf Griechisch **II.** *adj* griechisch ▶**it's** <u>all</u> ~ **to me** das sind alles böhmische Dörfer für mich

green [gri:n] **I.** *n* ❶ *no pl* (*colour*) Grün *nt;* **in** ~**s and blues** in Grün- und Blautönen ❷ FOOD ■~**s** *pl* Blattgemüse *nt kein pl* ❸ POL ■**G**~ Grüne(r) *f(m)* ❹ *no pl* (*area of grass*) **bowling** ~ Rasenfläche zum Bowlen; [**putting**] ~ (*golf*) Grün *nt;* **village** ~ Dorfanger *m* **II.** *adj* grün; ~ **issues** Umweltschutzfragen *pl;* ~ **policies** umweltfreundliche [politische] Maßnahmen; ~ **with envy** grün vor Neid

'**green belt** *n* Grüngürtel *m* **green** '**card** *n* ❶ BRIT [internationale] Grüne [Versicherungs]karte ❷ AM Aufenthaltserlaubnis *f* mit Arbeitsgenehmigung

green·ery ['gri:nªri] *n no pl* Grün *nt*

'**green-eyed** *adj* grünäugig; (*fig*) **the** ~ **monster** der blasse Neid '**green·finch** *n* Grünfink *m* '**green·fly** <*pl - or -flies*> *n* BRIT Blattlaus *f* '**green·gage** *n* [grüne] Reneklode '**green·gro·cer** *n* BRIT Obst- und Gemüsehändler(in) *m(f);* **at the** ~'**s** im Obst- und Gemüseladen '**green·house** *n*

Gewächshaus *nt;* ~ **effect** Treibhauseffekt *m*

green·ish ['griːnɪʃ] *adj* grünlich

Green·land ['griːnlənd] *n* Grönland *nt*
Green·land·er ['griːnləndəʳ] *n* Grönländer(in) *m/f*

green·ness ['griːnnəs] *n no pl* Grün[e] *nt*
green 'pep·per *n* grüne Paprikaschote
'green roof *n see* ecoroof

greeny <-ier, -iest> [griːni] *adj* grünlich

greet [griːt] *vt* ❶ *(welcome)* [be]grüßen; *(receive)* empfangen; **a scene of chaos** ~**ed us** ein chaotischer Anblick bot sich uns dar; **to** ~ **each other** [**by shaking hands**] sich [mit Handschlag] begrüßen ❷ *(react)* ■ **to** ~ **sth with sth** auf etw *akk* mit etw *dat* reagieren; **the unions have** ~**ed his decision with anger/delight** die Gewerkschaften haben seine Entscheidung mit Zorn aufgenommen/sehr begrüßt

greet·ing ['griːtɪŋ] *n* Begrüßung *f;* **she smiled at me in** ~ sie begrüßte mich mit einem Lächeln; ■~**s** *pl* Grüße *pl;* **warm** ~**s to you all** herzliche Grüße an euch alle; **birthday** ~**s** Geburtstagsglückwünsche *pl*

gre·gari·ous [grɪ'geəriəs] *adj* gesellig
Gre·na·da [grə'neɪdə] *n* Grenada *nt*
gre·nade [grə'neɪd] *n* Granate *f*
Gre·na·dian [grə'neɪdən] I. *adj* grenadisch II. *n* Grenader(in) *m/f*

grew [gruː] *pt of* **grow**

grey [greɪ] I. *n* ❶ *no pl (colour)* Grau *nt;* **in** ~**s and blues** in Grau- und Blautönen ❷ *(white horse)* Grauschimmel *m* II. *adj* grau *a. fig; face* [asch]grau; *horse* [weiß]grau

'grey·hound *n* Windhund *m* **grey·ing** ['greɪɪŋ] *adj* ergrauend; ~ **hair** leicht ergrautes Haar **grey·ish** ['greɪɪʃ] *adj* gräulich **'grey mat·ter** *n no pl (fam)* graue Zellen *pl* **grey 'pound** *n* BRIT Finanzkraft *f* der Senioren

grid [grɪd] *n* ❶ *(grating)* Gitter *nt* ❷ *(pattern)* Gitternetz *nt* ❸ *(in motor races)* Start[platz] *m* ❹ ELEC Netz *nt*

grid·dle ['grɪdl̩] I. *n* Heizplatte *f* II. *vt* auf einer Heizplatte zubereiten

grid·iron ['grɪdaɪən] *n* ❶ *(metal grid)* [Grill]rost *m* ❷ AM SPORTS Footballfeld *nt* **'grid·lock** ['grɪdlɒk] *n no pl* Verkehrskollaps *m;* **to cause** ~ den [gesamten] Verkehr lahmlegen **'grid square** *n* Planquadrat *nt*

grief [griːf] *n no pl* ❶ *(sadness)* tiefe Trauer, Kummer *m* ❷ *(trouble)* **my parents gave me a lot of** ~ **about my bad marks** meine Eltern haben mir wegen meiner schlechten Noten ganz schön die Leviten

gelesen; **to cause** ~ für Ärger sorgen; **to come to** ~ *(fail)* scheitern; *(have an accident)* zu Schaden kommen ▶ **good** ~**!** du liebe Zeit!

griev·ance ['griːvᵉn(t)s] *n* ❶ *(complaint)* Beschwerde *f* ❷ *(sense of injustice)* Groll *m kein pl*

grieve [griːv] I. *vi* bekümmert sein; ■ **to** ~ **for sb** um jdn trauern; ■ **to** ~ **over sth** über etw *akk* betrübt sein II. *vt* ■ **to** ~ **sb** *(distress)* jdm Kummer bereiten; *(make sad)* jdn traurig machen; *(annoy)* jdn ärgern

griev·ous ['griːvəs] *adj* schwer; *danger* groß; ~ **bodily harm** schwere Körperverletzung

grill [grɪl] I. *n* *(in cooker)* Grill *m;* *(over charcoal)* [Grill]rost *m;* *(restaurant)* Grillrestaurant *nt* II. *vt* ❶ *(cook)* grillen ❷ *(fig fam: interrogate)* ausquetschen

grille [grɪl] *n* Gitter *nt*

grill·ing ['grɪlɪŋ] *n* *(fig fam)* strenges Verhör; **to give sb a** [**good**] ~ jdn [ordentlich] in die Mangel nehmen

grim [grɪm] *adj* ❶ *(forbidding)* grimmig, verbissen ❷ *(very unpleasant) flat, picture* trostlos; *landscape* unwirtlich; *news* entsetzlich; *outlook* düster; *reminder* bitter; *situation* schlimm; **things were looking** ~ die Lage sah düster aus; **to feel** ~ sich miserabel fühlen

gri·mace [grɪ'meɪs] I. *n* Grimasse *f;* **to make a** ~ eine Grimasse schneiden II. *vi* **to** ~ [**with pain**] das Gesicht [vor Schmerz] verziehen

grime [graɪm] *n no pl* Schmutz *m*
grimy ['graɪmi] *adj* schmutzig

grin [grɪn] I. *n* Grinsen *nt kein pl* II. *vi* grinsen ▶ **to** ~ **and** **bear it** gute Miene zum bösen Spiel machen

grind [graɪnd] I. *n no pl (fam)* **the daily** ~ der tägliche Trott; **to be a real** ~ sehr mühsam sein II. *vt* <ground, ground> ❶ *(crush)* mahlen; AM, AUS *meat* fein hacken; *cigarette* ausdrücken; *(with foot)* austreten; **to** ~ **sth** [**in**]**to a powder** etw fein zermahlen; **to** ~ **one's teeth** mit den Zähnen knirschen ❷ *(sharpen)* schleifen III. *vi* <ground, ground> **to** ~ **to a halt** *machine* [quietschend] zum Stehen kommen; *production* stocken; *negotiations* sich festfahren ◆ **grind down** *vt* ❶ *(file)* abschleifen; *mill* zerkleinern; **to** ~ **sth down to flour** etw zermahlen ❷ *(wear)* abtragen ❸ *(mentally wear out)* zermürben; *(oppress)* unterdrücken ◆ **grind out** *vt* ❶ *(produce continuously)* ununterbrochen produzieren ❷ *(extinguish)* ausdrücken; (*with foot*) austreten

grind·er ['graɪndə'] *n* ❶ (*mill*) Mühle *f* ❷ (*sharpener*) Schleifmaschine *f* ❸ Am (*mincer*) Fleischwolf *m* ❹ Am (*fam: sandwich*) Jumbosandwich *nt*

grind·ing ['graɪndɪŋ] *adj* *noise* knirschend; *hardship* zermürbend ▶ **to come to a ~ halt** [*or* **standstill**] *car, machine* [quietschend] zum Stehen kommen; (*fig*) [endlich] aufhören

grind·stone ['graɪn(d)stəʊn] *n* Schleifstein *m* ▶ **to keep one's nose to the ~** sich [bei der Arbeit] ranhalten

grip [grɪp] **I.** *n* Griff *m* *kein pl a. fig*; **to be in the ~ of sth** von etw *dat* betroffen sein; **to get to ~s with sth** etw in den Griff bekommen; **to get/keep a ~ on oneself** sich zusammenreißen/im Griff haben; **to keep a** [**firm**] **~ on sth** etw festhalten; **to lose one's ~ on reality** den Bezug zur Realität verlieren **II.** *vt* <-pp-> ❶ (*hold firmly*) packen ❷ (*fig*) packen; (*interest deeply*) fesseln **III.** *vi* <-pp-> greifen

gripe [graɪp] (*fam*) **I.** *n* Nörgelei *f*; **if you've got any ~s, ...** wenn du etwas zu meckern hast, ... **II.** *vi* nörgeln

grip·ping ['grɪpɪŋ] *adj* packend, fesselnd

gris·ly ['grɪzli] *adj* grausig

gris·tle ['grɪsl] *n* Knorpel *m*

gris·tly ['grɪsli] *adj* knorpelig

grit [grɪt] **I.** *n* *no pl* ❶ (*small stones*) Splitt *m*; (*for icy roads*) Streusand *m* ❷ (*fig: courage*) Schneid *m* **II.** *vt* <-tt-> ❶ (*scatter*) streuen ❷ (*press together*) **to ~ one's teeth** die Zähne zusammenbeißen *a. fig*

grit·ter ['grɪtə'] *n* Brit Streuwagen *m*

grit·ty ['grɪti] *adj* ❶ (*like grit*) grob[körnig] ❷ (*full of grit*) sandig ❸ (*brave*) mutig

griz·zle ['grɪzl] *vi* Brit (*pej fam*) ❶ (*cry*) quengeln ❷ (*complain*) meckern

griz·zled ['grɪzld] *adj* ergraut

griz·zly ['grɪzli] **I.** *adj* Brit quengelig **II.** *n* Grizzlybär *m*

groan [grəʊn] **I.** *n* Stöhnen *nt kein pl* **II.** *vi* ❶ *person* [auf]stöhnen; **to ~ inwardly** einen inneren Seufzer ausstoßen; ▪ **to ~ about sth** (*fig*) sich über etw *akk* beklagen ❷ *thing* ächzen

gro·cer ['grəʊsə'] *n* Lebensmittelhändler(in) *m(f)*

gro·cer's <*pl* grocers *or* grocers'> ['grəʊsəz] *n* (*food shop*) Lebensmittelgeschäft *nt*

gro·cery ['grəʊsəri] *n* Lebensmittelgeschäft *nt*

grog·gy ['grɒgi] *adj* angeschlagen

groin [grɔɪn] *n* ❶ Anat Leiste *f* ❷ Am

(*groyne*) Buhne *f*

groom [gruːm] **I.** *n* ❶ (*caring for horses*) Pferdepfleger(in) *m(f)* ❷ (*bridegroom*) Bräutigam *m* **II.** *vt* (*clean fur*) das Fell pflegen; *horse* striegeln; **the apes were ~ing each other** die Affen lausten sich [gegenseitig]

groom·ing *n* Inet **internet ~** *Kontaktaufnahme über das Internet zu Minderjährigen mit sexuellen Absichten*

groove [gruːv] *n* Rille *f*

groovy ['gruːvi] *adj* (*dated sl*) doll

grope [grəʊp] **I.** *n* (*fam*) Befummeln *nt kein pl* **II.** *vi* ▪ **to ~ for sth** nach etw *dat* tasten; (*fig*) nach etw *dat* suchen **III.** *vt* ❶ (*search*) **to ~ one's way** sich *dat* tastend seinen Weg suchen ❷ (*fam*) ▪ **to ~ sb** jdn befummeln

grop·ing·ly ['grəʊpɪŋli] *adv* tastend

gross¹ <*pl* - *or* -es> [grəʊs] *n* (*a group of 144*) Gros *nt*; **by the ~** en gros

gross² [grəʊs] **I.** *adj* ❶ *also* Law grob ❷ (*very fat*) fett; (*big and ugly*) abstoßend; (*revolting*) ekelhaft **II.** *adj* Brutto-; **~ domestic/national product** Bruttoinlands-/Bruttosozialprodukt *nt* **III.** *vt* Fin brutto einnehmen

gross·ly ['grəʊsli] *adv* extrem

gross-out ['grəʊsaʊt] *adj* (*fam*) derb, widerlich

gross 'ton·nage *n* Bruttotonnage *f*

gro·tesque [grə(ʊ)'tesk] **I.** *n* Art, Lit Groteske *f* **II.** *adj* grotesk

grot·to <*pl* -es *or* -s> ['grɒtəʊ] *n* Grotte *f*

grot·ty ['grɒti] *adj* Brit (*fam*) *clothing* gammelig; *place* schäbig; *souvenir* billig; **to feel ~** sich mies fühlen

grouch [graʊtʃ] **I.** *n* <*pl* -es> ❶ (*complaint*) Beschwerde *f* ❷ (*person*) Nörgler(in) *m(f)* **II.** *vi* [herum]nörgeln (**about** an)

grouchy ['graʊtʃi] *adj* griesgrämig

ground¹ [graʊnd] **I.** *n* *no pl* ❶ (*Earth's surface*) [Erd]boden *m*, Erde *f*; **to be burnt** [*or* Am **burned**] **to the ~** vollständig niedergebrannt werden; **to fall to the ~** zu Boden fallen; **to get off the ~** *plane* abheben; (*fig fam*) *project* in Gang kommen; *plan* verwirklicht werden; **to get sth off the ~** (*fig fam*) etw realisieren; **to go to ~** *animal* in Deckung gehen; *criminal* untertauchen; **above/below ~** über/unter der Erde ❷ *no pl* (*area of land*) [ein Stück *nt*] Land; **level ~** flaches Gelände; **waste ~** brach liegendes Land; **to gain/lose ~** Mil Boden gewinnen/verlieren; (*fig*) an Boden gewinnen/verlieren; **to make up ~** Sports aufholen; **to stand one's ~** nicht von der Stelle weichen; (*fig*) nicht nachgeben ❸ (*surrounding a building*) ■~s *pl* Anlagen *pl* ❹ SPORTS Platz *m*, [Spiel]feld *nt* ❺ AM ELEC (*earth*) Erdung *f* ❻ *no pl* (*fig: area of discussion, experience*) Gebiet *nt;* **common ~** Gemeinsame(s) *nt;* **to be on familiar/safe ~** sich auf vertrautem/sicherem Boden bewegen; **to cover the ~** well ein Thema umfassend behandeln; **to go over the same ~** sich wiederholen ❼ *pl* ■~s (*reasons*) Grund *m;* **~s for divorce** Scheidungsgrund *m;* **on medical ~s** aus medizinischen Gründen; **on the ~s that ...** mit der Begründung, dass ... ▶ **to break new ~** *person* Neuland betreten; *achievement* bahnbrechend sein; **to suit sb down to the ~** jdm prima passen; **to fall on stony ~** auf taube Ohren stoßen; **to shift one's ~** seinen Standpunkt ändern; **he wished the ~ would open up and swallow him** er wäre am liebsten im Erdboden versunken; **to work oneself into the ~** sich kaputtmachen **II.** *vt* ❶ **to be ~ed** (*unable to fly*) nicht starten können; (*forbidden to fly*) *plane* Startverbot haben; *pilot* Flugverbot haben; (*fig fam*) Hausarrest haben ❷ NAUT auf Grund setzen; ■ **to be ~ed** auflaufen ❸ (*be based*) ■ **to be ~ed upon sth** auf etw *dat* basieren; ■ **to be ~ed in sth** (*have its origin*) von etw *dat* herrühren; **to be well ~ed** [wohl]begründet sein ❹ (*teach fundamentals*) **to be well ~ed in German** über gute Deutschkenntnisse verfügen ❺ AM ELEC erden **III.** *vi* ❶ (*in baseball*) einen Bodenball schlagen ❷ NAUT auflaufen

ground² [graʊnd] **I.** *vt pt of* **grind II.** *adj* gemahlen **III.** *n* ■~s *pl* [Boden]satz *m kein pl*

'**ground-break·ing** *adj* bahnbrechend '**ground con·trol** *n* AVIAT Bodenkontrolle *f* '**ground crew** *n* AVIAT Bodenpersonal *nt kein pl* **ground** '**floor** *n* Erdgeschoss *nt*, Parterre *nt;* **to live on the ~** parterre [*o* im Erdgeschoss] wohnen ▶ **to get in on the ~** [of sth] von Anfang an [bei etw *dat*] dabei sein '**ground frost** *n* Bodenfrost *m*

ground·ing ['graʊndɪŋ] *n no pl* Grundlagen *pl*

ground·less ['graʊndləs] *adj* grundlos '**ground·nut** *n* Erdnuss[pflanze] *f* '**ground per·son·nel** *n* + *pl vb* AVIAT Bodenpersonal *nt* '**ground rules** *npl* Grundregeln *pl* '**ground·sheet** *n* BRIT Bodenplane *f* '**grounds·man** *n*, AM '**grounds·keep·er** *n* Platzwart *m* '**ground staff** *n no pl,* + *sing/pl vb* ❶ SPORTS Wartungspersonal *nt* ❷ AVIAT Bo-

denpersonal *nt* '**ground·swell** *n no pl* (*fig*) Anschwellen *nt* '**ground-to-air** '**mis·sile** *n* Boden-Luft-Rakete *f* '**ground·wa·ter** *n no pl* Grundwasser *nt* '**ground wire** *n* AM Erdungsdraht *m* '**ground·work** *n no pl* Vorarbeit *f*

group [gruːp] **I.** *n* ❶ + *sing/pl vb* Gruppe *f;* **I'm meeting a ~ of friends for dinner** ich treffe mich mit ein paar Freunden zum Essen; **~s of four or five** Vierer- oder Fünfergruppen *pl;* **~ of trees** Baumgruppe *f;* **to get into ~s** sich in Gruppen zusammentun ❷ ECON Konzern *m* **II.** *adj* Gruppen- **III.** *vt* gruppieren; **to ~ sth according to subject matter** etw nach Themenbereichen ordnen; **I ~ed the children according to age** ich habe die Kinder dem Alter nach in Gruppen eingeteilt **IV.** *vi* sich gruppieren; **to ~ together** sich zusammentun; **to ~ together around sb** sich um jdn herumstellen

'**group cap·tain** *n* BRIT AVIAT Oberst *m* (*der Royal Air Force*) **group dy·**'**nam·ics** *npl* Gruppendynamik *f kein pl*

groupie ['gruːpi] *n* (*fam*) Groupie *nt* **group·ing** ['gruːpɪŋ] *n* Gruppierung *f* **group** '**prac·tice** *n* Gemeinschaftspraxis *f* **group** '**thera·py** *n* Gruppentherapie *f* **group** '**tick·et** *n* TRANSP Sammelfahrschein *m;* TOURIST Gruppenticket *nt*

grouse¹ [graʊs] *n* <*pl* -> Raufußhuhn *nt;* **black ~** Birkhuhn *nt;* **red ~** [Schottisches] Moorschneehuhn; **~ season** Jagdzeit *f* für Moorhühner; **~ shooting** Moorhuhnjagd *f*

grouse² [graʊs] (*fam*) **I.** *n* Meckerei *f;* **his biggest ~ is about ...** er meckert oft und gerne über ... **II.** *vi* meckern

grove [grəʊv] *n* Wäldchen *nt;* **olive ~** Olivenhain *m*

grov·el <BRIT -ll- *or* AM *usu* -l-> ['grɒvəl] *vi* ❶ (*behave obsequiously*) ■ **to ~** [*before sb*] [vor jdm] zu Kreuze kriechen, katzbuckeln; **~ling letter of apology** unterwürfiger Entschuldigungsbrief ❷ (*crawl*) kriechen; **to ~ about in the dirt** im Schmutz [herum]wühlen

grov·el·ling ['grɒvəlɪŋ] *adj* unterwürfig, kriecherisch *pej*

grow <grew, grown> [grəʊ] **I.** *vi* wachsen; **to ~ taller/wiser** größer/weiser werden; **football's popularity continues to ~** Fußball wird immer populärer; **~ing old** Älterwerden *nt;* **to ~ to like sth** langsam beginnen, etw zu mögen **II.** *vt* ❶ (*cultivate*) anbauen; *flowers* züchten; **to ~ sth from seed** etw aus Samen ziehen ❷ (*let grow*) *hair* wachsen lassen; **the male deer ~s large antlers** dem Hirsch wächst ein mächtiges Geweih; **furry animals ~ a thicker coat in winter** Pelztiere bekommen im Winter ein dichteres Fell ◆**grow away** vi **to ~ away from sb** sich jdm [allmählich] entfremden ◆**grow into** vi hineinwachsen in +akk; (fig) sich eingewöhnen in +akk ◆**grow out** vi ▪**to ~ out of sth** aus etw dat herauswachsen; **our daughter's ~n out of dolls** unsere Tochter ist aus dem Puppenalter heraus; **to ~ out of a habit** eine Angewohnheit ablegen ◆**grow up** vi ➊ (become adult) erwachsen werden; **when I ~ up I'm going to ...** wenn ich erwachsen bin, werde ich ...; **for goodness' sake ~ up!** Menschenskind, wann wirst du endlich erwachsen? ➋ (arise) entstehen

grow·er ['grəʊəʳ] n ➊ (plant) **a fast/slow ~** eine schnell/langsam wachsende Pflanze ➋ (gardener) **coffee/tobacco ~** Kaffee-/Tabakpflanzer(in) m(f); **flower ~** Blumenzüchter(in) m(f); **fruit/vegetable ~** Obst-/Gemüsebauer, -bäuerin m, f

grow·ing ['grəʊɪŋ] I. n no pl Anbau m II. adj ➊ boy, girl im Wachstumsalter; **~ pains** Wachstumsschmerzen pl; (fig) Anfangsschwierigkeiten pl ➋ (increasing) zunehmend ➌ ECON wachsend

growl [graʊl] I. n of animal Knurren nt kein pl; of machine Brummen nt kein pl II. vi knurren; ▪**to ~ at sb** jdn anknurren; ▪**to ~ out sth** etw in einem knurrigen Ton sagen

grown [grəʊn] I. adj erwachsen; **fully ~** ausgewachsen II. pp of **grow**

grown-up ['grəʊnʌp] (fam) I. n Erwachsene(r) f(m) II. adj erwachsen

growth [grəʊθ] n ➊ no pl Wachstum nt; **~ industry** Wachstumsindustrie f ➋ BOT (new shoots) Triebe pl ➌ MED Geschwulst f

groyne [grɔɪn] n Buhne f

grub [grʌb] I. n ➊ (larva) Larve f ➋ no pl (fam: food) Fressalien pl; **~['s] up!** Essen fassen!; **pub ~** Kneipenessen nt II. vi <-bb-> **to ~ about** [or around] [for sth] [nach etw dat] wühlen III. vt <-bb-> ➊ ▪**to ~ up** [or out] ⟲ **sth** etw ausgraben; tree stump etw ausroden ➋ AM (fam: cadge) schnorren (**off/from** von)

grub·by ['grʌbi] adj (fam) schmudd[e]lig; hands schmutzig; (fig) schäbig

grudge [grʌdʒ] I. n Groll m kein pl; **to have** [or hold] [or bear] **a ~ against sb** einen Groll gegen jdn hegen II. vt ▪**to ~ sb sth** jdm etw missgönnen; **I don't ~ you your holiday** ich neide dir deinen Urlaub nicht

grudg·ing ['grʌdʒɪŋ] adj widerwillig

grudg·ing·ly ['grʌdʒɪŋli] adv widerwillig

gru·el [grʊəl] n no pl Haferschleim m

gru·el·ing adj AM see **gruelling**

gru·el·ling ['grʊəlɪŋ] adj time aufreibend, zermürbend; journey strapaziös

grue·some ['gruːsəm] adj grausig, schauerlich

gruff [grʌf] adj barsch

gruff·ly ['grʌfli] adv barsch, schroff; (awkwardly) unbeholfen

grum·ble ['grʌmbl] I. n Gemurre nt kein pl II. vi murren; **mustn't ~** ich kann nicht klagen; ▪**to ~ about sb/sth** über jdn/etw schimpfen

grumpi·ly ['grʌmpɪli] adv (fam) grantig, mürrisch, übellaunig

grumpy ['grʌmpi] adj (fam) mürrisch, brummig, grantig

grunge [grʌndʒ] n no pl MUS, FASHION Grunge m

grunt [grʌnt] I. n Grunzen nt kein pl; **to give a ~** grunzen II. vi grunzen

G-string ['dʒiːstrɪŋ] n ➊ MUS G-Saite f ➋ (clothing) String-Tanga m

gua·rana [gwɑːˈrɑːnə] n Guarana nt

guar·an·tee [ˌgærənˈtiː] I. n Garantie f; **his name is a ~ of success** sein Name bürgt für Erfolg; **money-back ~** Rückerstattungsgarantie f; **two-year ~** Garantie f auf 2 Jahre; **to be** [still] **under ~** [noch] Garantie haben; **to give sb one's ~** jdm seine Garantie geben II. vt ➊ (promise) garantieren; ▪**to ~ sb sth** jdm etw zusichern; ▪**to ~ that ...** gewährleisten, dass ... ➋ COMM **to be ~d for three years** drei Jahre Garantie haben ➌ LAW bürgen für +akk

guar·an·tor [ˌgærənˈtɔːʳ] n Garant(in) m(f); LAW Bürge(in) m(f)

guar·an·ty ['gærənti] n LAW Bürgschaft f

guard [gɑːd] I. n ➊ (person) Wache f; (sentry) Wach[t]posten m; **border ~** Grenzposten m; **prison ~** AM Gefängniswärter(in) m(f); **security ~** Sicherheitsbeamte(r), -beamtin m, f; **to be on ~** Wache halten; **to be under ~** unter Bewachung stehen ➋ (defensive stance) Deckung f; **to be on one's ~** [against sb/sth] (fig) [vor jdm/etw] auf der Hut sein; **to be caught off one's ~** [von einem Schlag] unvorbereitet getroffen werden; (fig) auf etw akk nicht vorbereitet sein; **to drop one's ~** seine Deckung vernachlässigen; (fig) nicht [mehr] wachsam [genug] sein; **to let one's ~ slip** seine Deckung fallen lassen; (fig) alle Vorsicht außer Acht lassen ➌ (protective device) Schutz m ➍ BRIT RAIL Zugbegleiter(in) m(f) ➎ BRIT MIL ▪**the G~s** pl die Garde II. vt ➊ (keep watch) bewachen; (*protect*) [be]schützen (**against** vor); **heavily** ~ed scharf bewacht ❷ (*keep secret*) für sich behalten; **closely** ~ed **secret** sorgsam gehütetes Geheimnis **III.** *vi* ■to ~ **against sth** sich vor etw *dat* schützen

'**guard dog** *n* Wachhund *m* '**guard duty** *n* Wachdienst *m;* **to be on** ~ Wachdienst haben

guard·ed ['gɑːdɪd] *adj* (*reserved*) zurückhaltend; (*cautious*) vorsichtig

'**guard·house** *n* Wache *f*

guard·ian ['gɑːdiən] *n* ❶ LAW Vormund *m* ❷ (*form: protector*) Hüter(in) *m(f)*

guard·ian 'an·gel *n* Schutzengel *m a. fig*

guard·ian·ship ['gɑːdiənʃɪp] *n no pl* ❶ LAW Vormundschaft *f* ❷ (*form: care*) Obhut *f*

'**guard rail** *n* [Schutz]geländer *nt* '**guard·room** *n* Wachstube *f*

'**guards·man** *n* Wach[t]posten *m;* BRIT MIL Gardesoldat *m*

Gua·te·ma·la *n* [ˌgwɑːtəˈmɑːlə] Guatemala *nt*

Gua·te·ma·la 'City *n* Guatemala City *kein art*

Gua·te·ma·lan [ˌgwætəˈmɑːlən] *adj* guatemaltekisch

Guern·sey ['gɜːnziː] *n* [the island of] ~ Guernsey *nt*

gue(r)·ril·la [gəˈrɪlə] *n* Guerillakämpfer(in) *m(f);* ~ **warfare** Guerillakrieg *m*

guess [ges] **I.** *n* <*pl* -es> Vermutung *f;* (*estimate*) Schätzung *f;* **you've got three** ~**es** dreimal darfst du raten; **lucky** ~ Glückstreffer *m;* **to have a** ~ raten; **to take a wild** ~ einfach [wild] drauflosraten; **at a** ~ grob geschätzt; ■**sb's** ~ **is that ...** jd vermutet, dass ...; **your** ~ **is as good as mine** da kann ich auch nur raten ▸**it's** anyone's ~ weiß der Himmel **II.** *vi* ❶ (*conjecture*) [er]raten; **how did you** ~? wie bist du darauf gekommen?; **to keep sb** ~**ing** jdn auf die Folter spannen; ■**to** ~ **at sth** etw raten; (*estimate*) etw schätzen ❷ *esp* AM (*suppose*) denken; (*suspect*) annehmen; **I** ~ **you're right** du wirst wohl recht haben **III.** *vt* raten; ~ **where I'm calling from** rate mal, woher ich anrufe; **I bet you can't** ~ **how old she is** ich wette, du kommst nicht darauf, wie alt sie ist; ~ **what?** stell dir vor!; **to keep sb** ~**ing** jdn im Ungewissen lassen; ■**to** ~ **that ...** vermuten, dass ...

guess·ing game ['gesɪŋ-] *n* Ratespiel *nt a. fig*

guess·ti·mate, **gues·ti·mate** ['gestɪmət] **I.** *n* (*fam*) grobe Schätzung **II.** *vt*

■**to** ~ **sth** etw grob schätzen

guess·work ['geswɜːk] *n no pl* Spekulation *f oft pl*

guest [gest] **I.** *n* Gast *m* ▸**be my** ~ nur zu! **II.** *vi* als Gaststar auftreten; **to** ~ **on an album** als Gaststar an einem Album mitwirken

'**guest·house** *n* Gästehaus *nt,* Pension *f* '**guest·room** *n* Gästezimmer *nt*

guid·ance ['gaɪdᵊn(t)s] *n no pl* ❶ (*advice*) Beratung *f;* (*direction*) [An]leitung *f* ❷ (*steering system*) Steuerung *f;* ~ **system** *of a rocket* Lenksystem *nt; of a missile* Leitstrahlsystem *nt*

guide [gaɪd] **I.** *n* ❶ (*person*) Führer(in) *m(f);* TOURIST *also* Fremdenführer(in) *m(f);* **mountain** ~ Bergführer(in) *m(f);* **tour** ~ Reiseführer(in) *m(f)* ❷ (*book*) Reiseführer *m* ❸ (*principle*) Richtschnur *f* ❹ (*indication*) Anhaltspunkt *m* ❺ BRIT ■**the G~s** *pl* die Pfadfinderinnen *pl* **II.** *vt* ❶ (*show*) ■**to** ~ **sb** jdn führen *a. fig;* (*show the way*) jdm den Weg zeigen ❷ (*instruct*) anleiten ❸ (*steer*) führen; **the plane was** ~**d in to land** das Flugzeug wurde zur Landung eingewiesen ❹ (*influence*) leiten; **to be** ~**d by one's emotions** sich von seinen Gefühlen leiten lassen

'**guide·book** *n* Reiseführer *m*

guid·ed ['gaɪdɪd] *adj* ❶ (*led by a guide*) geführt; ~ **tour** Führung *f* ❷ (*automatically steered*) [fern]gelenkt; ~ **missile** Lenkflugkörper *m*

'**guide dog** *n* Blindenhund *m* '**guide horse** *n* Pferd, das Blinde führt wie ein Blindenhund '**guide·line** *n usu pl* Richtlinie *f*

guid·ing hand [ˌgaɪdɪŋ-] *n* (*fig*) leitende Hand

guid·ing 'prin·ci·ple *n* Richtschnur *f*

guild [gɪld] *n of merchants* Gilde *f; of craftsmen* Innung *f,* Zunft *f;* **Writers'** ~ Schriftstellerverband *m*

guile [gaɪl] *n no pl* Arglist *f*

guil·lo·tine ['gɪlətiːn] *n* ❶ HIST Guillotine *f,* Fallbeil *nt;* **to go to the** ~ unter der Guillotine sterben ❷ BRIT, AUS (*paper cutter*) Papierschneidemaschine *f*

guilt [gɪlt] *n no pl* Schuld *f;* **feelings of** ~ Schuldgefühle *pl*

guilti·ly ['gɪltɪli] *adv* schuldbewusst

guilt·less ['gɪltləs] *adj* schuldlos

'**guilt-rid·den** *adj* von Schuldgefühlen geplagt

guilty ['gɪlti] *adj* schuldig; **he is** ~ **of theft** er hat sich des Diebstahls schuldig gemacht; ~ **conscience** schlechtes Gewissen; **to feel** ~ **about sth** ein schlechtes Gewissen wegen einer S. *gen* haben; **to prove sb ~** jds Schuld beweisen; **until proven ~** bis die Schuld erwiesen ist

'**guinea fowl** *n* Perlhuhn *nt*

Guin·ean ['gɪnɪən] **I.** *adj* guineisch **II.** *n* Guineer(in) *m(f)*

'**guinea pig** *n* Meerschweinchen *nt;* (*fig*) Versuchskaninchen *nt*

guise [gaɪz] *n no pl* ❶ (*appearance*) Gestalt *f;* **in the ~ of a monk** als Mönch verkleidet ❷ (*pretence*) Vorwand *m;* **under the ~ of friendship** unter dem Deckmantel der Freundschaft; **under the ~ of doing sth** unter dem Vorwand, etw zu tun

gui·tar [gɪ'tɑ:ʳ] *n* Gitarre *f*

gui·tar·ist [gɪ'tɑ:rɪst] *n* Gitarrist(in) *m(f)*

gulch [gʌl(t)ʃ] *n* Am Schlucht *f*

gulf [gʌlf] *n* ❶ GEOG Golf *m;* **the G~ of Mexico** der Golf von Mexiko; **the G~** der [Persische] Golf; **the G~ states** die Golfstaaten *pl* ❷ (*huge difference*) [tiefe] Kluft

gull [gʌl] *n* Möwe *f*

gul·let ['gʌlɪt] *n* ANAT Speiseröhre *f* ▸ **sth sticks in sb's ~** etw geht jdm gegen den Strich

gul·lible ['gʌlɪbl] *adj* leichtgläubig

gul·ly ['gʌli] *n* [enge] Schlucht *f;* (*channel*) Rinne *f*

gulp [gʌlp] **I.** *n* [großer] Schluck; **to get a ~ of air** Luft holen; **in one** [*or* at a] **~** in einem Zug **II.** *vt* [hinunter|schlucken; *liquid* hinunterstürzen **III.** *vi* ❶ (*with emotion*) schlucken ❷ (*breathe*) tief Luft holen; **to ~ for air** nach Luft schnappen

gum¹ [gʌm] *n* ANAT ■ ~[s] Zahnfleisch *nt kein pl;* **~ shield** Mundschutz *m*

gum² [gʌm] **I.** *n* ❶ *no pl* (*sticky substance*) Gummi *nt;* (*on stamps etc.*) Gummierung *f;* (*glue*) Klebstoff *m* ❷ (*sweet*) **chewing ~** Kaugummi *m o nt;* **fruit/wine ~** BRIT Frucht-/Weingummi *m o nt* ❸ (*tree*) Gummibaum *m* **II.** *vt* <-mm-> kleben; ■ **to ~ down** zukleben ◆ **gum up** *vt* verkleben ▸ **to ~ up the works** [den Ablauf] blockieren

gum·my ['gʌmi] *adj* ❶ (*sticky*) klebrig; (*with glue on*) gummiert ❷ (*without teeth*) zahnlos

gump·tion ['gʌm(p)ʃⁿn] *n no pl* (*fam*) Grips *m*

'**gum·shoe** *n* Am (*sl: detective*) Schnüffler(in) *m(f)* '**gum tree** *n* [Australischer] Gummibaum *m* ▸ **to be up a ~** BRIT in der Patsche sitzen

gun [gʌn] **I.** *n* ❶ (*weapon*) [Schuss]waffe *f;* (*cannon*) Geschütz *nt;* (*pistol*) Pistole *f;* (*revolver*) Revolver *m;* (*rifle*) Gewehr *nt;*

big ~ Kanone *f;* (*fig*) hohes Tier; **with all ~s blazing** aus allen Rohren feuernd; (*fig*) mit wilder Entschlossenheit ❷ SPORTS Startpistole *f;* **to jump the ~** einen Frühstart verursachen; (*fig*) voreilig handeln ❸ MECH Pistole *f* ❹ Am (*person*) Bewaffnete(r) *f/m;* **hired ~** Auftragskiller(in) *m(f)* ▸ **to stick to one's ~s** auf seinem Standpunkt beharren **II.** *vt* <-nn-> Am (*fam*) *engine* hochjagen ◆ **gun down** *vt* niederschießen

'**gun bar·rel** *n of a rifle* Gewehrlauf *m; of a pistol* Pistolenlauf *m* '**gun·boat** *n* Kanonenboot *nt* '**gun·fight** *n* Schießerei *f* '**gun·fire** *n* Schießerei *f; of cannons* Geschützfeuer *nt* '**gun-li·cence,** Am '**gun-li·cense** *n* Waffenschein *m* '**gun·man** *n* Bewaffnete(r) *m*

gun·ner ['gʌnəʳ] *n* Artillerist *m*

'**gun·point** *n no pl* **at ~** mit vorgehaltener Waffe; **to be held at ~** mit vorgehaltener Waffe bedroht werden '**gun·pow·der** *n no pl* Schießpulver *nt* '**gun-run·ner** *n* Waffenschmuggler(in) *m(f)* '**gun-run·ning** *n no pl* Waffenschmuggel *m* '**gun·shot** *n* ❶ (*shot*) Schuss *m;* **~ wound** Schusswunde *f* ❷ *no pl* (*firing*) [Gewehr]schüsse *pl* ❸ (*range*) Schussweite *f*

gun·sling·er ['gʌn‚slɪŋəʳ] *n* (*hist*) Pistolenheld(in) *m(f)*

gur·gle ['gɜ:gl] **I.** *n no pl* Glucksen *nt; of water* Gluckern *nt* **II.** *vi baby* glucksen; *water* gluckern

guru ['gʊru:] *n* Guru *m a. fig*

gush [gʌʃ] **I.** *n no pl* Schwall *m;* (*fig*) Erguss *m* **II.** *vi* ❶ (*flow out*) [hervor]strömen; (*at high speed*) [hervor]schießen ❷ (*praise*) [übertrieben] schwärmen; ■ **to ~ over sth** über etw *akk* ins Schwärmen geraten **III.** *vt* ausstoßen; (*fig*) schwärmerisch sagen; **her injured arm ~ed blood** aus ihrem verletzten Arm schoss Blut

gush·er ['gʌʃəʳ] *n* [natürlich sprudelnde] Ölquelle

gush·ing ['gʌʃɪŋ] *adj* schwärmerisch

gus·set ['gʌsɪt] *n* Zwickel *m*

gust [gʌst] **I.** *n* [Wind]stoß *m,* Bö[e] *f* **II.** *vi* böig wehen

gus·to ['gʌstəʊ] *n no pl* ■ **with ~** mit Begeisterung

gusty ['gʌsti] *adj* böig

gut [gʌt] **I.** *n* ❶ (*intestine*) Darm[kanal] *m* ❷ (*for instruments, rackets*) Darmsaite *f;* (*for fishing*) Angelsehne *f;* MED Katgut *nt kein pl* ❸ (*sl: abdomen*) Bauch *m;* **beer ~** Bierbauch *m* ❹ (*fam: bowels*) ■ ~**s** *pl* Eingeweide *pl* ❺ (*fam: courage*) ■ ~**s** *pl* Mumm *m kein pl* ▸ **to have sb's ~s for garters** BRIT (*hum*) Hackfleisch aus jdm

machen; **to bust a** ~ sich abrackern **II.** *vt*
<-tt-> ❶ *animal* ausnehmen ❷ (*destroy by fire*) ■**to be** ~**ted** [völlig] ausbrennen
III. *adj* (*fam*) gefühlsmäßig; *feeling* instinktiv

'**gut·buck·et** ['gʌtbʌkɪt] *n* (*pej sl*) Fettsack *m* **gut·less** ['gʌtləs] *adj* (*fam*) feige

gut·sy ['gʌtsi] *adj* mutig

gut·ter ['gʌtə'] **I.** *n of road* Rinnstein *m; of roof* Dachrinne *f;* (*fig*) Gosse *f* **II.** *vi flame* flackern; *candle* tropfen

gut·ter 'jour·nal·ism *n no pl* (*pej*) Sensationsjournalismus *m* **gut·ter 'press** *n no pl* BRIT (*pej*) Sensationspresse *f*

gut·tur·al ['gʌtᵊrᵊl] *adj* kehlig; LING guttural; ~ **sound** Kehllaut *m*

guy [gaɪ] *n* ❶ (*fam: man*) Kerl *m*, Typ *m* ❷ *pl* (*fam: people*) **hi** ~**s!** hallo Leute!; **are you** ~**s coming to lunch?** kommt ihr [mit] zum Essen? ❸ BRIT *Guy Fawkes verkörpernde Puppe, die in der Guy Fawkes Night (5. November) auf einem Scheiterhaufen verbrannt wird* ❹ (*rope*) ~ [**rope**] Spannseil *nt;* (*for tent*) Zeltschnur *f*

Guy·ana [gaɪ'ænə] *n* Guyana *nt*

guz·zle ['gʌzl] (*fam*) **I.** *vt* (*drink*) in sich *akk* hineinkippen; (*eat*) in sich *akk* hineinstopfen **II.** *vi* schlingen

gym [dʒɪm] *n* ❶ *short for* **gymnastics** Turnen *nt kein pl* ❷ *short for* **gymnasium**

Turnhalle *f* ❸ AM SCH [Schul]sport *m kein pl*

'**gym·goer** *n* AM (*fam*) Besucher(in) *m(f)* eines Fitnesscenters

gym·na·sium <*pl* -s *or* -sia> [dʒɪm'neɪziəm, *pl* -ziə] *n* Turnhalle *f*

gym·nast ['dʒɪmnæst] *n* Turner(in) *m(f)*

gym·nas·tic [dʒɪm'næstɪk] *adj* turnerisch, Turn-

gym·nas·tics [dʒɪm'næstɪks] *npl* Turnen *nt kein pl;* (*fig*) **mental** ~ Gehirnakrobatik *f*

'**gym shoes** *npl* Turnschuhe *pl*

gy·nae·co·logi·cal [ˌgaɪnəkə'lɒdʒɪkᵊl] *adj*, AM, AUS **gy·ne·co·logi·cal** *adj* gynäkologisch

gy·nae·colo·gist [ˌgaɪnə'kɒlədʒɪst] *n*, AM, AUS **gy·ne·colo·gist** *n* Gynäkologe, Gynäkologin *m, f*, Frauenarzt, -ärztin *m, f*

gy·nae·col·ogy [ˌgaɪnə'kɒlədʒi], AM, AUS **gy·ne·col·ogy** *n no pl* Gynäkologie *f*

gyp [dʒɪp] *n no pl* BRIT, AUS (*fam*) **to give sb** ~ jdm [arg] zu schaffen machen

gyp·sy ['dʒɪpsi] *n* Zigeuner(in) *m(f)*

gy·rate [dʒaɪ(ə)'reɪt] *vi* sich drehen; (*fig: dance*) [aufreizend] tanzen

gy·ra·tion [dʒaɪ(ə)'reɪʃᵊn] *n* Drehung *f*

gyro·com·pass <*pl* -es> ['dʒaɪ(ə)rəʊˌkʌmpəs] *n* Kreiselkompass *m*

gyro·scope ['dʒaɪ(ə)rəskəʊp] *n* NAUT, AVIAT Gyroskop *nt*

Hh

H <*pl* -'s *or* -s>, **h** <*pl* -'s> [eitʃ] *n* H *nt*, h *nt; see also* **A** 1

ha [hɑː] *interj (esp hum)* ah

hab·er·dash·ery ['hæbədæ[ə]ri] *n* ❶ BRIT (*sewing wares*) Kurzwaren *pl*; (*shop*) Kurzwarenladen *m* ❷ AM (*male clothing*) Herrenmode *f*; (*shop*) Herrenausstatter *m*

hab·it ['hæbɪt] *n* ❶ (*repeated action*) Gewohnheit *f*; (*reiner*] Gewohnheit; **a bad/good ~** eine schlechte/gute [An]gewohnheit; **to break a ~** sich *dat* etw abgewöhnen; **to get into/ out of the ~ of sth** sich *dat* etw angewöhnen/abgewöhnen; **to make a ~ of sth** etw zur Gewohnheit werden lassen ❷ (*fam: drug addiction*) **to have a heroin ~** heroinsüchtig sein ❸ (*special clothing*) REL Habit *m o nt* ▸ **old** ~**s die hard** (*prov*) der Mensch ist ein Gewohnheitstier

hab·it·able ['hæbɪtəbl] *adj* bewohnbar

habi·tat ['hæbɪtæt] *n* Lebensraum *m*; BIOL Habitat *nt*

habi·ta·tion [ˌhæbɪ'teɪʃⁿn] *n* ❶ *no pl* (*living in a place*) [Be]wohnen *nt*; **to show signs of ~** bewohnt aussehen; **fit/unfit for human ~** menschenwürdig/-unwürdig ❷ (*form: home*) Wohnstätte *f*

ha·bitu·al [hə'bɪtʃuəl] *adj* ❶ (*constant*) ständig ❷ (*usual*) gewohnt ❸ (*due to habit*) gewohnheitsmäßig; (*of bad habit*) notorisch; **~ smoker** Gewohnheitsraucher(in) *m(f)*

hack¹ [hæk] **I.** *vt* ❶ (*chop*) hacken; **to ~ sb/sth to pieces** jdn/etw zerstückeln ❷ (*kick*) ▪**to ~ sb** BRIT [gegen das Schienbein] treten ❸ COMPUT ▪**to ~ sth** in etw *akk* eindringen ❹ AM, AUS (*sl: cope with*) aushalten; **he can't ~ it** er bringt's einfach nicht **II.** *vi* ❶ (*chop*) ▪**to ~** [**away**] **at sth** auf etw *akk* einhacken ❷ COMPUT ▪**to ~ into sth** in etw *akk* eindringen

hack² [hæk] **I.** *n* ❶ (*horse-ride*) Ausritt *m* ❷ (*pej fam: writer*) Schreiberling *m* ❸ AM (*fam: taxi*) Taxi *nt*; (*taxi driver*) Taxifahrer(in) *m(f)* **II.** *vi* BRIT ausreiten

hack·er ['hækəʳ] *n* COMPUT Hacker(in) *m(f)*

hack·ing ['hækɪŋ] *n* ❶ (*breaking into computers*) Hacken *nt* ❷ BRIT (*horse-riding*) **to go ~** ausreiten, einen Ausritt machen

hack·les ['hæk|z] *npl* [aufstellbare] Nackenhaare; **the dog's ~ were up** dem Hund sträubte sich das Fell

hack·neyed ['hæknid] *adj* (*pej*) abgedroschen *fam*

had [hæd, həd] **I.** *vt* ❶ *pt, pp of* **have** ❷ (*fam*) **to have ~ it** (*want to stop*) genug haben; (*to be broken*) kaputt sein; **to have ~ it** [**up to here**] **with sb/sth** von jdm/ etw die Nase [gestrichen] voll haben **II.** *adj* (*fam*) ▪**to be ~** [he]reingelegt werden; **you've been ~**! die haben dich reingelegt!

had·dock <*pl* -> ['hædək] *n* Schellfisch *m*

hadn't ['hæd[ə]nt] = **had not** *see* **have**

haemo·philia, AM **hemo·philia** [ˌhiːmə'fɪliə] *n no pl* MED Bluterkrankheit *f*, Hämophilie *f fachspr*

haemo·phili·ac [ˌhiːmə'fɪliæk] *n* MED Bluter(in) *m(f)*

haem·or·rhage ['hem[ə]rɪdʒ] **I.** *n* MED [starke] Blutung **II.** *vi* ❶ MED [stark] bluten ❷ (*fig*) einen großen Verlust erleiden

haem·or·rhoids ['hem[ə]rɔɪdz] *npl* MED Hämorrhoiden *pl*

hag [hæg] *n* (*pej: witch*) Hexe *f*; (*old woman*) hässliches altes Weib

hag·gard ['hægəd] *adj* ausgezehrt, verhärmt

hag·gis ['hægɪs] *n no pl* schottisches Gericht aus in einem Schafsmagen gekochten Schafsinnereien und Haferschrot

hag·gle ['hægl] **I.** *vi* ❶ (*bargain*) ▪**to ~** [**over sth**] [um etw *akk*] feilschen ❷ (*argue*) ▪**to ~ over sth** [sich] über etw *akk* streiten **II.** *n* Gefeilsche *nt*

Hague [heɪg] *n* ▪**The ~** Den Haag *kein art*

ha-ha ['hɑːhɑː] *n* [eingelassener] Begrenzungszaun

hail¹ [heɪl] **I.** *vt* ❶ (*greet*) [be]grüßen ❷ (*form: call*) zurufen; *taxi* rufen ❸ (*acclaim*) zujubeln; ▪**to ~ sb/sth as sth** jdn/ etw als etw bejubeln **II.** *vi* (*form*) stammen

hail² [heɪl] **I.** *n no pl* Hagel *m*; **a ~ of bullets/stones** ein Kugel-/Steinhagel *m*; **a ~ of insults** ein Schwall *m* von Beschimpfungen **II.** *vi* ▪**it's ~ing** *impers* es hagelt

hail·stone *n* Hagelkorn *nt*

hair [heəʳ] *n* ❶ (*single strand*) Haar *nt*; **to lose/win by a ~** (*fig*) ganz knapp verlieren/gewinnen ❷ *no pl* (*on head*) Haar *nt*, Haare *pl*; (*on body*) Behaarung *f*; **to have one's ~ cut** sich *dat* die Haare schneiden lassen ❸ (*hairstyle*) Frisur *f*; **to do sb's ~** jdn frisieren ▸ **that'll put ~s on your chest** das zieht dir die Schuhe aus; **the ~ of the dog** [ein Schluck *m*] Alkohol, um einen Kater zu vertreiben; **keep your ~ on!** BRIT, AUS immer mit der Ruhe!; **to let one's**

~ **down** sich gehen lassen; **to make sb's ~ stand on end** jdm die Haare zu Berge stehen lassen; **to not turn a ~** nicht mit der Wimper zucken

'**hair·band** *n* Haarband *nt* '**hair·brush** *n* Haarbürste *f* '**hair·care** *n* Haarpflege *f* '**hair curl·er** *n* Lockenwickler *m* '**hair·cut** *n* Haarschnitt *m*, Frisur *f*; **I need a ~** ich muss mal wieder zum Friseur; **to get** [*or* **have**] **a ~** sich *dat* die Haare schneiden lassen '**hair·do** *n* [kunstvolle] Frisur '**hair·dress·er** *n* Friseur, Friseuse *m, f*; ▪**the ~'s** der Friseur[salon] '**hair·dress·ing** *n no pl* ❶ (*profession*) Friseurberuf *m* ❷ (*action*) Frisieren *nt* '**hair·dress·ing sa·lon** *n* Friseursalon *m* '**hair·dri·er** *n*, '**hair·dry·er** *n* Föhn *m*; (*with hood*) Trockenhaube *f* '**hair ex·ten·sion** *n usu pl* Haarverlängerung *f* '**hair·grip** *n* BRIT Haarklammer *f*

hair·less ['heələs] *adj* unbehaart; *person* glatzköpfig; *plant* haarlos '**hair·line** *n* Haaransatz *m* **hair·line** '**crack** *n* Haarriss *m* '**hair·net** *n* Haarnetz *nt* '**hair·piece** *n* Haarteil *nt* '**hair·pin** *n* Haarnadel *f* **hair·pin** '**bend** *n* BRIT, AUS, **hair·pin** '**curve** *n*, **hair·pin** '**turn** *n* AM Haarnadelkurve *f*

'**hair·rais·ing** *adj* (*fam*) haarsträubend '**hair re·mov·er** *n* Enthaarungsmittel *nt* '**hair re·stor·er** *n* Haarwuchsmittel *nt* '**hair·slide** *n* BRIT, AUS Haarspange *f* '**hair·split·ting** (*pej*) I. *n* Haarspalterei *f* II. *adj* haarspalterisch '**hair·spray** *n* Haarspray *nt* '**hair·style** *n* Frisur *f*

hairy ['heəri] *adj* ❶ (*having much hair*) haarig ❷ (*made of hair*) aus Haar *nach n* ❸ (*fig fam: dangerous*) haarig; *situation* brenzlig

Hai·ti ['heɪti] *n* Haiti *nt* **Hai·tian** ['heɪʃ°n] I. *n* ❶ (*person*) Haitianer(in) *m/f*; **to be a ~** Haitianer(in) *m/f* sein ❷ (*language*) Haitianisch *nt* II. *adj* haitisch, haitianisch

haka ['hɑːkə] *n* NZ *Kriegstanz der Maoris, der in abgewandelter Form von neuseeländischen Rugbymannschaften vor einem Spiel aufgeführt wird*

hake <*pl - or* -*s*> [heɪk] *n* Seehecht *m*, Hechtdorsch *m*

hale [heɪl] *adj* ~ **and hearty** gesund und munter

half [hɑːf] I. *n* <*pl* halves> ❶ (*fifty per cent*) Hälfte *f*; ~ **the amount** der halbe Betrag; ~ **an apple** ein halber Apfel; ~ **a dozen** ein halbes Dutzend; **a kilo and a ~** eineinhalb [*o* DIAL anderthalb] Kilo; **to cut**

sth into halves etw halbieren; **to cut in ~** in der Mitte durchschneiden, halbieren; **to fold in ~** zur Mitte falten; ▪**by ~** um die Hälfte; **to divide sth by ~** etw durch zwei teilen; **to reduce sth by ~** etw um die Hälfte reduzieren ❷ BRIT (*fam: half pint of beer*) kleines Bier (*entspricht ca. 1/4 Liter*) ❸ BRIT (*child's ticket*) **two adults and three halves, please!** zwei Erwachsene und drei Kinder, bitte! ❹ FBALL (*midfield player*) Läufer(in) *m/f*; (*period*) Spielhälfte *f*, Halbzeit *f* ❺ (*fam*) **you haven't heard the ~ of it yet!** das dicke Ende kommt ja noch!; **that's ~ the fun** [**of it**] das ist doch gerade der Spaß daran; ~ [**of**] **the time** die meiste Zeit ▸ **given ~ a chance** wenn man die Möglichkeit hätte; **to not do things by halves** keine halben Sachen machen; **a game/meal and a ~** ein Bombenspiel *nt*/Bombenessen *nt fam*; **to go halves** [**on sth**] (*fam*) sich *dat* die Kosten [für etw *akk*] teilen; **I'll go halves with you** ich mach mit dir halbe-halbe; **how the other ~ lives** (*prov*) wie andere Leute leben; ~ **a second** [*or* BRIT **tick**] einen Moment II. *adj* halbe(r, s); ~ [**a**] **per cent** ein halbes Prozent; **a ~ pint of lager** ein kleines Helles III. *adv* ❶ (*almost*) fast ❷ (*partially*) halb; **it wasn't ~ as good** das war bei weitem nicht so gut; ~ **asleep** halb wach; **to be ~ right** *person* zum Teil Recht haben; *thing* zur Hälfte richtig sein ❸ (*time*) [**at**] ~ **past nine** [um] halb zehn; **at ~ past on the dot** um Punkt halb ❹ (*by fifty percent*) **my little brother is ~ as tall as me** mein kleiner Bruder ist halb so groß wie ich; **he is ~ my weight** er wiegt halb so viel wie ich ❺ (*intensifies negative statement*) **not** ~ BRIT (*fam*) unheimlich; **she didn't ~ shout at him** sie hat ihn vielleicht angebrüllt

'**half·back** *n* FBALL Läufer(in) *m/f*; (*in rugby*) Halbspieler(in) *m/f* **half·**'**baked** *adj* (*fig fam*) unausgereift **half·**'**board** *n* BRIT Halbpension *f* '**half·breed** *n* ❶ (*pej!: person*) Mischling *m* ❷ (*animal*) [Rassen]kreuzung *f*; (*horse*) Halbblut *nt* '**half·broth·er** *n* Halbbruder *m* '**half·doz·en** *n*, **half a** '**doz·en** *n* ein halbes Dutzend **half·**'**emp·ty** *adj* halb leer **half·**'**full** *adj* halb voll **half·**'**heart·ed** *adj* halbherzig **half·**'**mast** *n* ▪**at** ~ auf halbmast '**half·moon** *adj* halbmond- '**half note** *n* AM MUS halbe Note **half·**'**price** *adj, adv* zum halben Preis '**half·sister** *n* Halbschwester *f* **half·**'**term** *n* Ferien *nach ca. der Hälfte eines Trimesters;* ▪**at** ~ in den Trimesterferien **half·**'**tim·bered**

adj Fachwerk- **half-'time** SPORTS I. *n* Halbzeit *f;* (*break*) Halbzeitpause *f* II. *adj* Halbzeit- **half-'way** I. *adj* halb; **at the ~ point of the race** nach der Hälfte des Rennens II. *adv* in der Mitte; **York is ~ between Edinburgh and London** York liegt auf halber Strecke zwischen Edinburgh und London; **~ through dinner** mitten beim Abendessen; **~ decent** (*fig fam*) halbwegs anständig; **to meet sb ~** (*fig*) jdm [auf halbem Weg] entgegenkommen; **~ down** in der Mitte; **~ down page 27** auf Seite 27 Mitte; **~ up** auf halber Höhe; **we went ~ up the mountain** wir bestiegen den Berg zur Hälfte **'half-wit** *n* (*pej*) Dummkopf *m* **half-'year·ly** *adj, adv* halbjährlich

hali·but <*pl* - *or* -*s*> ['hælɪbət] *n* Heilbutt *m*

hall [hɔːl] *n* ❶ (*room by front door*) Korridor *m*, Diele *f*, Flur *m* ❷ (*large building*) Halle *f;* (*public room*) Saal *m;* **school ~** Aula *f;* **town** [*or* AM **city**] **~** Rathaus *nt* ❸ (*large country house*) Herrenhaus *nt* ❹ (*student residence*) **~** [**of residence**] [Studenten]wohnheim *nt*

hall·mark ['hɔːlmɑːk] *n* ❶ BRIT Feingehaltsstempel *m* ❷ (*fig*) Kennzeichen *nt*

hal·lowed ['hæləʊd] *adj* [als heilig] verehrt; *ground* geweiht; *traditions* geheiligt; **~ be Thy name** geheiligt werde Dein Name

Hal·low·een [ˌhæləʊ'wiːn] *n* Halloween *nt*

hal·lu·ci·nate [hə'luːsɪneɪt] *vi* halluzinieren

hal·lu·ci·na·tion [həˌluːsɪ'neɪʃᵊn] *n* Halluzination *f*

hal·lu·cino·gen·ic [həˌluːsɪnə(ʊ)'dʒenɪk] *adj* halluzinogen

halo <*pl* -*s or* -*es*> ['heɪləʊ] *n* ❶ REL Heiligenschein *m* ❷ (*circle*) Ring *m;* **~ of light** Lichtkranz *m* ❸ ASTRON Hof *m*

halo·gen 'bulb *n* Halogenglühbirne *f*

halt [hɒlt] I. *n* *no pl* ❶ (*stoppage*) Stillstand *m;* **to bring sth to a ~** etw zum Stillstand bringen; **to call a ~** [to sth] [etw *dat*] ein Ende machen; **to come to a ~** zum Stehen kommen; **to grind to a ~** (*fig*) zum Erliegen kommen ❷ (*break*) Pause *f;* MIL Halt *m* II. *vt* zum Stillstand bringen; *fight* beenden III. *vi* ❶ (*stop*) zum Stillstand kommen ❷ (*break*) eine Pause machen; MIL Halt machen IV. *interj* halt

hal·ter ['hɒltəʳ] I. *n* ❶ (*for animals*) Halfter *nt* ❷ AM FASHION rückenfreies Oberteil (*mit Nackenverschluss*) II. *vt* halftern

'hal·ter·neck I. *n* BRIT rückenfreies Oberteil (*mit Nackenverschluss*) II. *adj* rückenfrei

halt·ing ['hɒltɪŋ] *adj* zögernd; *speech* stockend

halve [hɑːv] I. *vt* ❶ (*cut in two*) halbieren ❷ (*lessen by 50 per cent*) um die Hälfte reduzieren II. *vi* sich halbieren

ham [hæm] I. *n* ❶ *no pl* FOOD Schinken *m* ❷ THEAT (*pej*) Schmierenkomödiant(in) *m(f)* ❸ (*pej*) **radio ~** Amateurfunker(in) *m(f)* II. *adj* ❶ (*made with ham*) Schinken-; **~ sandwich** Schinkenbrot *nt* ❷ (*incompetently acting*) Schmieren-; **~ actor** Schmierenkomödiant(in) *m(f)* III. *vt* THEAT, FILM **to ~ it up** übertrieben agieren

ham·burg·er ['hæmˌbɜːɡəʳ] *n* FOOD ❶ (*cooked*) Hamburger *m* ❷ *no pl* AM (*raw*) Hackfleisch *nt*

ham·let ['hæmlət] *n* Weiler *m*

ham·mer ['hæməʳ] I. *n* ❶ (*tool*) Hammer *m* ❷ SPORTS [Wurf]hammer *m;* [throwing] **the ~** das Hammerwerfen ▶ **to go at sth ~ and tongs** (*work hard*) sich [mächtig] ins Zeug legen; (*argue*) sich streiten, dass die Fetzen fliegen II. *vt* ❶ (*hit*) *nail* einschlagen; *ball* [kräftig] schlagen; **to ~ sth into sb** (*fig*) jdm etw einhämmern ❷ (*fam: defeat*) **France ~ed Italy 6-1** Frankreich war Italien mit 6:1 haushoch überlegen ❸ ECON (*fig*) *price* drücken; **to ~ business** dem Geschäft schaden ❹ (*criticize*) *film* niedermachen; **to be ~ed by sb** [for sth] von jdm [wegen einer S. *gen*] zur Schnecke gemacht werden ❺ (*become very drunk*) **to get ~ed** (*fam*) besoffen werden ▶ **to ~ sth home** *etw dat* Nachdruck verleihen; **to ~ it home to sb** es jdm einbläuen III. *vi* hämmern *a. fig;* ■ **to ~ at** [*or* on] **sth** gegen etw *akk* hämmern ◆ **hammer in** *vt* ❶ (*hit*) *nail* einschlagen; (*fig*) *ball* hämmern ❷ (*fig*) ■ **to ~ sth into sb** *fact* jdm etw einbläuen ◆ **hammer out** *vt* ❶ *dent* ausbeulen ❷ *solution* aushandeln; *difficulties* bereinigen; *plan* ausarbeiten ❸ (*fig: play loudly*) *tune* hämmern

ham·mock ['hæmək] *n* Hängematte *f*

ham·per¹ ['hæmpəʳ] *n* ❶ [Deckel]korb *m;* (*for presents*) Geschenkkorb *m;* (*for food*) Präsentkorb *m;* AM (*for dirty linen*) Wäschekorb *m*

ham·per² ['hæmpəʳ] *vt* behindern

ham·ster ['hæm(p)stəʳ] *n* Hamster *m*

ham·string ['hæmstrɪŋ] I. *n* ANAT Kniesehne *f;* **to pull a ~** sich *dat* eine Kniesehnenzerrung zuziehen II. *vt* <-strung, -strung> *usu passive* (*fig*) **to be hamstrung** lahmgelegt sein

hand [hænd] *n* ❶ ANAT Hand *f;* **get your ~s off!** Hände weg!; **~s up!** Hände hoch!; **~s up who wants to come!** Hand hoch, wer kommen will; **the pupil put up her ~** die Schülerin meldete sich; **to be good with one's ~s** geschickte Hände haben; **to get one's ~s dirty** (*also fig*) sich *dat* die Hände schmutzig machen; **to hold sb's ~** jdm die Hand halten; ▪**to take** [*or* **lead**] **sb by the ~** jdn an die Hand nehmen; **by ~** (*manually*) von Hand; (*by messenger*) durch einen Boten; ▪**in one's** [**left**/ **right**] ~ in der [linken/rechten] Hand; **~ in ~** Hand in Hand; **on ~s and knees** auf allen vieren ❷ (*control*) **to be in good**/**safe ~s** in guten/sicheren Händen sein; **to fall into the wrong ~s** in die falschen Hände geraten; **to have sth well in ~** etw gut im Griff haben; **to leave sth in sb's ~s** jdm etw überlassen; **to take sb/sth in ~** sich *dat* jdn/etw vornehmen; **to turn one's ~ to sth** sich an etw *akk* machen; ▪**at ~** (*current, needing attention*) vorliegend; (*close*) in Reichweite; ▪**on ~** zur Verfügung; **he's got a lot of time on his ~s** er hat viel Zeit zur Verfügung; ▪**to be out of sb's ~s** außerhalb jds Kontrolle sein; **to get out of ~** *situation* außer Kontrolle geraten; *children* nicht mehr zu bändigen sein ❸ (*assistance*) **would you like a ~?** soll ich Ihnen helfen?; **to give** [*or* **lend**] **sb a ~** jdm helfen ❹ (*manual worker*) Arbeiter(in) *m(f)*; (*sailor*) Matrose *m* ❺ (*skilful person*) **I'm an old ~ at ...** ich bin ein alter Hase was ... betrifft ❻ (*on clock, watch*) Zeiger *m* ❼ CARDS Blatt *nt*; **a ~ of poker** eine Runde Poker ❽ (*horse measurement*) Handbreit *f* ❾ (*handwriting*) Handschrift *f* ❿ (*applause*) **to give sb a big ~** jdm einen großen Applaus spenden ▶ **to live from ~ to mouth** von der Hand in den Mund leben; **to only have one pair of ~s** auch nur zwei Hände haben; **many ~s make light work** (*prov*) viele Hände machen der Arbeit bald ein Ende; **to keep a firm ~ on sth** etw fest im Griff behalten; **to have one's ~s full** jede Menge zu tun haben; **on the one ~ ... on the other** [~] ... einerseits ... andererseits; **sb's ~s are tied** jdm sind die Hände gebunden; **to ask for sb's ~ in marriage** (*form*) jdn um seine/ihre Hand bitten; **to get one's ~s on sb** jdn zu fassen kriegen; **to wait on sb ~ and foot** jdn von vorne bis hinten bedienen; **to win ~s down** spielend gewinnen **II.** *vt* ▪**to ~ sb sth** jdm etw [über]geben ▶ **you've got to ~ it to sb** man muss es jdm lassen ◆**hand back** *vt* zurückgeben ◆**hand down** *vt* ❶ (*pass on*) weitergeben; *tradition* überliefern ❷ LAW verkünden ◆**hand in** *vt* einreichen; *homework*

abgeben; *weapon* aushändigen ◆**hand on** *vt* ▪**to ~ sth** ↻ **on** [**to sb**] etw [an jdn] weitergeben; (*through family*) [jdm] etw vererben ◆**hand out** *vt* ❶ (*distribute*) austeilen (**to** an); *homework, advice* geben (**to** + *dat*) ❷ LAW *sentence* verhängen ◆**hand over** *vt* ❶ (*pass*) herüberreichen; (*away from one*) hinüberreichen; (*present*) übergeben; *cheque* überreichen ❷ TV, RADIO weitergeben (**to** an) ❸ (*transfer authority*) ▪**to ~ sb over** [**to sb**] jdn [jdm] übergeben; **to ~ oneself over to the police** sich der Polizei stellen ◆**hand round** *vt* BRIT herumreichen; *papers, test* austeilen

'**hand·bag** *n* Handtasche *f* '**hand·ball** *n* ❶ (*kind of sport*) Handball *m* ❷ FBALL Handspiel *nt* '**hand·bill** *n* Handzettel *m* '**hand·book** *n* Handbuch *nt;* **student ~** Vorlesungsverzeichnis *nt* '**hand·brake** *n* Handbremse *f*

H & C *abbrev of* **hot and cold** [**water**] heißes und kaltes Wasser

'**hand·cart** *n* Handkarren *m* '**hand·cuff** **I.** *vt* ▪**to ~ sb** jdm Handschellen anlegen; ▪**to ~ sb to sb/sth** jdn mit Handschellen an jdn/etw fesseln **II.** *n* ▪**~s** *pl* Handschellen *pl* '**hand·ful** [ˈhæn(d)fʊl] *n* ❶ (*quantity*) Handvoll *f;* **a ~ of hair** ein Büschel *nt* Haare; **a ~ of people** wenige Leute ❷ *no pl* (*person*) Nervensäge *f* '**hand·gre·nade** *n* Handgranate *f* '**hand·gun** *n* Handfeuerwaffe *f*

handi·cap [ˈhændɪkæp] **I.** *n* ❶ SPORTS Handicap *nt;* (*race*) Vorgaberennen *nt* ❷ (*disadvantage*) Handicap *nt* ❸ (*dated: disability*) Behinderung *f* **II.** *vt* <-pp-> (*disadvantage*) benachteiligen

handi·capped [ˈhændɪkæpt] *adj* (*dated*) behindert; **~ people** Behinderte *pl*

handi·craft [ˈhændɪkrɑːft] **I.** *n* [Kunst]handwerk *nt kein pl* **II.** *adj* handwerklich; **~ class** Bastelkurs *m*

handi·work [ˈhændɪwɜːk] *n no pl* [Mach]werk *nt;* (*approv*) Meisterwerk *nt*

hand·ker·chief [ˈhæŋkətʃiːf] *n* Taschentuch *nt*

han·dle [ˈhændl] **I.** *n* ❶ (*handgrip*) Griff *m; of a pot, basket* Henkel *m; of a door* Klinke *f; of a handbag* Bügel *m; of a broom, comb* Stiel *m; of a pump* Schwengel *m* ❷ (*fam: nickname*) Beiname *m* ▶ **to fly off the ~** hochgehen; **to get a ~ on sth** einen Zugang zu etw *dat* finden **II.** *vt* ❶ (*grasp*) anfassen; "**~ with care**" „Vorsicht, zerbrechlich!" ❷ (*transport*) befördern ❸ (*work on*) bearbeiten; *luggage* abfertigen; (*be in charge of*) zuständig sein für

+*akk;* **to ~ sb's affairs** sich um jds Angelegenheiten kümmern ❹ (*manage*) bewältigen; (*sort out*) regeln; **can you ~ it alone?** schaffst du das alleine? ❺ (*deal with*) umgehen mit +*dat,* behandeln **III.** *vi* + *adv* sich handhaben lassen; **this car ~s really well** dieser Wagen fährt sich wirklich gut

han·dle·bar mous·'tache *n* Schnauzbart *m*

'**han·dle·bars** *npl* Lenkstange *f*

han·dler ['hændlə] *n* ❶ (*dog trainer*) Hundeführer(in) *m(f)* ❷ Am (*counsellor*) Berater(in) *m(f)*

han·dling ['hændlɪŋ] *n no pl* ❶ (*act of touching*) Berühren *nt* ❷ (*treatment*) Handhabung *f* (**of** +*gen*); *of person* Behandlung *f* (**of** +*gen*), Umgang *m* (**of** mit); *of a theme* [literarische] Abhandlung ❸ (*settlement*) Erledigung *f* (**of** +*gen*) ❹ (*using a machine*) Umgang *m* (**of** mit), Handhabung *f* (**of** +*gen*); *of vehicle* Fahrverhalten *nt* ❺ (*processing of material*) Verarbeitung *f* (**of** +*gen*); (*treating of material*) Bearbeitung *f* (**of** mit)

'**hand lug·gage** *n no pl* Handgepäck *nt*

hand·'made *adj* handgearbeitet; *paper* handgeschöpft '**hand-me-down** *n* abgelegtes Kleidungsstück **hand-'op·er·at·ed** *adj* handbetrieben '**hand·out** *n* ❶ (*money*) Almosen *nt;* **government ~** staatliche Unterstützung ❷ (*leaflet*) Flugblatt *nt; for students* Arbeitsblatt *nt;* **press ~** Presseerklärung *f* **hand-'picked** *adj* handverlesen *a. fig* '**hand·rail** *n on stairs* Geländer *nt; on ship* Reling *f* '**hand saw** *n* Handsäge *f* '**hand·shake** *n* Händedruck *m*

hand·some ['hæn(d)səm] *adj* ❶ (*attractive*) gut aussehend ❷ (*approv: larger than expected*) *number* beachtlich; **a ~ sum** eine stolze Summe ❸ (*approv: generous*) großzügig

hand·some·ly ['hæn(d)səmli] *adv* ❶ (*attractively*) schön ❷ (*generously*) reichlich; **to tip ~** ein großzügiges Trinkgeld geben

hands-'on *adj* ❶ (*non-delegating*) interventionistisch ❷ (*practical*) praktisch

hands on 'con·test *n* Wettbewerb, bei dem derjenige gewinnt, der seine Hand am längsten auf dem Preis liegen lässt

'**hand·spring** *n* Handstandüberschlag *m* '**hand·stand** *n* Handstand *m kein pl* **hand-to-'mouth** *adv* **to live** [**from**] **~** von der Hand in den Mund leben '**hand·work** *n no pl* Handarbeit *f* '**hand·writ·ing** *n no pl* Handschrift *f* '**hand·writ·ten** *adj* handgeschrieben

handy ['hændi] *adj* ❶ (*user-friendly*) prak-

tisch, nützlich, geschickt *süDD;* (*easy to handle*) handlich ❷ (*convenient*) nützlich; *excuse* passend; **to come in ~** [**for sb/sth**] [jdm/etw] gelegen kommen ❸ (*conveniently close*) *thing* griffbereit, greifbar; *place* in der Nähe, leicht erreichbar; ■ **to be ~** *thing* griffbereit sein; *place* günstig liegen ❹ (*skilful*) geschickt; ■ **to be ~ with sth** mit etw *dat* gut umgehen können

'**handy·man** *n* Heimwerker(in) *m(f)*

hang [hæŋ] **I.** *n no pl* ❶ *of drapery* Fall *m; of clothes* Sitz *m* ❷ (*fig fam*) **to get the ~ of sth** bei etw *dat* den [richtigen] Dreh herausbekommen **II.** *vt* <hung, hung> ❶ (*mount*) aufhängen (**on** an) ❷ (*decorate*) behängen ❸ <hung *or* -ed, hung *or* -ed> (*execute*) [auf]hängen; ■ **to ~ oneself** sich aufhängen; **to be hung** [*or* ~**ed**], **drawn and quartered** (*hist*) gehängt, gestreckt und geviertelt werden ❹ (*let droop*) **to ~ one's head** den Kopf hängen lassen; **to ~ one's head in shame** beschämt den Kopf senken ❺ (*fig: postpone*) **to ~ fire** [es] abwarten [können] ❻ FOOD abhängen [lassen] ▸ **~ it** [**all**]! zum Henker damit! **III.** *vi* ❶ <hung, hung> (*be suspended*) hängen (**from** an); (*fall*) *clothes* fallen; **a gold necklace hung around her neck** eine Goldkette lag um ihren Hals; ■ **to ~ down** herunterhängen ❷ <hanged, hanged> (*die by execution*) hängen ❸ <hung, hung> (*remain in air*) *mist, smell* hängen ❹ <hung, hung> (*rely on*) ■ **to ~** [**up**|**on sb/sth** von jdm/etw abhängen ❺ <hung, hung> (*listen carefully*) **to ~ on sb's** [**every**] **word** an jds Lippen hängen ❻ <hung, hung> (*keep*) ■ **to ~ onto sth** etw behalten ❼ <hung, hung> Am (*fam*) **sb can go ~!** zum Henker mit jdm! ❽ <hung, hung> Am (*fam*) **to ~ at a place** an einem Ort rumhängen ▸ **to ~ in there** am Ball bleiben ◆ **hang about** *vi* ❶ (*fam: waste time*) herumtrödeln ❷ (*wait*) warten; BRIT **~ about, ...** Moment mal, ...; **to keep sb ~ing about** jdn warten lassen ❸ BRIT (*fam*) ■ **to ~ about with sb** [ständig] mit jdm zusammenstecken ◆ **hang back** *vi* ❶ (*be slow*) sich zurückhalten; (*hesitate*) zögern ❷ (*stay behind*) zurückbleiben ◆ **hang behind** *vi* hinterhertrödeln ◆ **hang on** *vi* ❶ (*fam: persevere*) durchhalten ❷ (*grasp*) ■ **to ~ on to sth** sich an etw *dat* festhalten; (*stronger*) sich an etw *akk* klammern; **to ~ on tight** sich gut festhalten; **to ~ on in there** (*fam*) am Ball bleiben ❸ (*wait briefly*) warten; (*on the telephone*) dranbleiben; **~ on** [a **minute**] wart mal, einen Augenblick; **~ on!**

(*annoyed*) Moment! ◆**hang out I.** *vt* heraushängen; *washing* aufhängen **II.** *vi* ❶(*project*) heraushängen ❷(*sl: loiter*) rumhängen; (*live*) hausen; **where does he ~ out these days?** wo treibt er sich zur Zeit herum? ▶**to** <u>let it all ~ out</u> die Sau rauslassen *fam* ◆**hang round** *vi* BRIT *see* **hang about** ◆**hang together** *vi* *argument* schlüssig sein; *alibi* keine Widersprüche aufweisen ◆**hang up I.** *vi* ❶(*dangle*) hängen ❷(*finish phone call*) auflegen **II.** *vt* ❶(*suspend*) aufhängen; *phone* auflegen ❷(*fig fam: give up*) an den Nagel hängen

hang·ar ['hæŋɡəʳ] *n* AVIAT Hangar *m*

hang·dog ['hæŋdɒɡ] *adj* **to have a ~ look on one's face** ein Gesicht wie vierzehn Tage Regenwetter machen

hang·er ['hæŋəʳ] *n* [Kleider]bügel *m*

hanger-'on <*pl* hangers-on> *n* ❶(*pej: follower*) Trabant(in) *m(f) pej;* ▪**the hangers-on** *pl* das Gefolge

'**hang-glid·er** *n* (*person*) Drachenflieger(in) *m(f);* (*device*) Drachen *m* '**hang-glid·ing** *n no pl* Drachenfliegen *nt*

hang·ing ['hæŋɪŋ] **I.** *n* ❶(*decorative fabric*) Behang *m;* (*curtain*) Vorhang *m;* [*wall*] ~**s** Wandbehänge *pl* ❷(*execution*) Hinrichtung *f* durch den Strang **II.** *adj* hängend

'**hang·man** *n* ❶(*executioner*) Henker *m* ❷(*game*) Galgen *m* '**hang·nail** *n* MED Niednagel *m* '**hang·out** *n* (*fam*) Stammlokal *nt,* Treff *m* '**hang·over** *n* ❶(*from drinking*) Kater *m* ❷(*relic*) Überbleibsel *nt* '**hang-up** *n* (*fam*) Komplex *m* (**about** wegen)

hank·er ['hæŋkəʳ] *vi* ▪**to ~ after sb/sth** sich nach jdm/etw sehnen

hankie ['hæŋki] *n,* **hanky** *n* (*fam*) *short for* **handkerchief** Taschentuch *nt*

hanky-panky [ˌhæŋki'pæŋki] *n no pl* (*fam*) ❶(*love affair*) Techtelmechtel *nt* ❷(*kissing*) Knutscherei *f kein pl;* (*groping*) Gefummel *nt kein pl* ❸(*fiddle*) Mauschelei *f*

Hano·ver ['hænə(ʊ)vəʳ] *n* Hannover *kein art;* **the House of ~** (*hist*) das Haus Hannover

Han·seat·ic [ˌhæn(t)si'ætɪk] *adj* hanseatisch; **~ town** Hansestadt *f*

hap·haz·ard [ˌhæp'hæzəd] **I.** *adj* ❶(*disorganized*) unüberlegt ❷(*arbitrary*) willkürlich **II.** *adv* willkürlich

hap·less ['hæpləs] *adj* (*liter*) unglückselig **hap·pen** ['hæpᵊn] **I.** *vi* NBRIT vielleicht; **~ it'll rain later** es könnte später regnen **II.** *vi* ❶(*occur*) geschehen, passieren;

event stattfinden; *process* vor sich gehen; **these things ~** das kann vorkommen; **what's ~ing?** was geht?; **nothing ever ~ s here** hier ist tote Hose; **it's all ~ing** (*fam*) es ist ganz schön was los ❷(*by chance*) ▪**to ~ to do sth** zufällig etw tun; **it just so ~ s that ...** wie's der Zufall will, ...; **as it ~ ed ...** wie es sich so traf, ... ❸(*liter: come across*) ▪**to ~ [up]on sb/sth** jdm/etw zufällig begegnen ❹(*indicating contradiction*) **I ~ to think he's right** ich glaube trotzdem, dass er Recht hat ❺(*actually*) **as it ~ s** tatsächlich

hap·pen·ing ['hæpᵊnɪŋ] **I.** *n usu pl* ❶(*occurrence*) Ereignis *nt;* (*unplanned occurrence*) Vorfall *m;* (*process*) Vorgang *m* ❷ART Happening *nt* **II.** *adj* (*sl*) angesagt

hap·pi·ly ['hæpɪli] *adv* ❶(*contentedly*) glücklich; (*cheerfully*) fröhlich; **and they all lived ~ ever after** und sie lebten glücklich und zufrieden bis an ihr Lebensende; (*fairytale ending*) und wenn sie nicht gestorben sind, dann leben sie noch heute ❷(*willingly*) gern ❸(*luckily*) glücklicherweise

hap·pi·ness ['hæpɪnəs] *n no pl* Glück *nt;* (*contentment*) Zufriedenheit *f;* (*cheerfulness*) Fröhlichkeit *f;* **to wish sb every ~** (*form*) jdm alles Gute wünschen

hap·py ['hæpi] *adj* ❶(*pleased*) glücklich; (*contented*) zufrieden; (*cheerful*) fröhlich; ▪**to be ~ about** [*or* with] **sb/sth** mit jdm/etw zufrieden sein; ▪**to be ~ to do sth** sich freuen, etw zu tun; ▪**to be ~ that ...** froh [darüber] sein, dass ... ❷(*willing*) ▪**to be ~ to do sth** etw gerne tun; **I'd be ~ to!** aber gern! ❸(*in greetings*) **~ birthday** alles Gute zum Geburtstag; **~ Easter** frohe Ostern; **a ~ New Year** ein glückliches neues Jahr; **many ~ returns** [**of the day**] herzlichen Glückwunsch zum Geburtstag

hap·py-go-'lucky *adj* sorglos, unbekümmert **hap·py 'me·dium** *n* goldene Mitte

har·ass ['hærəs] *vt* ❶(*intimidate*) schikanieren; (*pester*) ständig belästigen ❷MIL ständig angreifen

har·assed ['hærəst] *adj* abgespannt; *look* gequält

har·ass·ment ['hærəsmənt] *n no pl* ❶(*intimidation*) Schikane *f;* (*pestering*) Belästigung *f* ❷MIL [ständiger] Beschuss

har·bour ['hɑːbəʳ], AM **har·bor I.** *n* Hafen *m* **II.** *vt* ❶(*keep in hiding*) ▪**to ~ sb** jdm Unterschlupf gewähren ❷*feelings* hegen; **to ~ a grudge** einen Groll hegen

hard [hɑːd] **I.** *adj* ❶(*solid*) hart; [*as*] **~ as a rock** steinhart ❷(*tough*) *person* zäh, hart;

he's a ~ one er ist ein ganz Harter ❸ (*difficult*) schwierig; **she had a ~ time [of it]** es war eine schwere Zeit für sie; **to find sth ~ to believe** etw kaum glauben können; **to get ~ er** schwerer werden; **it's ~ to say** es ist schwer zu sagen ❹ (*laborious*) anstrengend; **to be ~ work** harte Arbeit sein; *studies* anstrengend sein; *text* schwer zu lesen sein; **to be a ~ worker** fleißig sein ❺ (*severe*) hart; *voice* schroff; **~ luck!** [so ein] Pech!; [**as**] **~ as nails** knallhart; **to give sb a ~ time** jdm das Leben schwer machen ❻ (*harmful*) ▪**to be ~ on sth** etw stark strapazieren ❼ (*unfortunate*) hart; ▪**to be ~ on sb** hart für jdn sein ❽ (*extreme*) hart; **~ frost/winter** strenger Frost/Winter ❾ (*reliable*) sicher; **~ facts** (*verified*) gesicherte Fakten; (*blunt*) nackte Tatsachen ❿ (*potent*) stark; *drug* hart ⓫ *water* hart ⓬ (*scrutinizing*) **to take a [good] ~ look at sth** sich *dat* etw genau ansehen ⓭ (*printout*) **~ copy** Ausdruck *m* ▸**to be ~ at it** ganz bei der Sache sein; **~ and fast** fest; *rule* verbindlich **II.** *adv* ❶ (*solid*) hart; *frozen* ~ *liquid* hart gefroren; *plants* steif gefroren; **to set ~** *glue, varnish* hart werden; *concrete* fest werden ❷ (*vigorously*) fest[e], kräftig; **think ~!** denk mal genau nach!; **to fight ~ [for sth]** [um etw *akk*] hart kämpfen; **to rain ~** stark regnen; **to try ~** sich sehr bemühen; **to work ~** hart arbeiten ❸ (*severely*) schwer ❹ (*closely*) knapp ❺ (*fig: stubbornly*) **to die ~** [nur] langsam sterben ▸**to be ~ done by** BRIT unfair behandelt werden

'hard·back I. *adj* gebunden **II.** *n* gebundenes Buch; ▪**in ~** gebunden **hard-'bit·ten** *adj* abgebrüht **'hard·board** *n no pl* Hartfaserplatte *f* **hard-'boiled** *adj* ❶ *egg* hart gekocht ❷ (*fig*) hart gesotten **hard 'cash** *n no pl* Bargeld *nt* **hard 'copy** *n* COMPUT Ausdruck *m* **'hard court** *n* TENNIS Hartplatz *m* **hard 'cur·ren·cy** *n* harte Währung **'hard disk** *n* COMPUT Festplatte *f* **hard-'earned** *adj* ehrlich verdient; *pay* hart verdient

hard·en ['hɑːdᵊn] **I.** *vt* ❶ (*make harder*) härten; *arteries* verhärten ❷ (*make tougher*) *attitude* verhärten; ▪**to ~ sb [to sth]** jdn [gegen etw *akk*] abhärten **II.** *vi* ❶ (*become hard*) sich verfestigen, hart werden ❷ (*become tough*) sich verhärten; *face* sich versteinern ❸ ECON sich festigen **hard·ened** ['hɑːdᵊnd] *adj* ❶ (*pej: not reformable*) starrsinnig; *attitude* verhärtet; **~ criminal** Gewohnheitsverbrecher(in) *m(f)* ❷ (*tough*) abgehärtet; **to become ~ to sth** sich an etw *akk* gewöhnen

hard·en·ing ['hɑːdᵊnɪŋ] *n no pl* ❶ (*process of making hard*) Härten *nt* ❷ (*fig: process*) Verhärten *nt;* (*result*) Verhärtung *f* **hard 'feel·ings** *npl* **no ~?** alles klar? **hard-'fought** *adj* ❶ *battle, match* hart ❷ *victory* hart erkämpft **'hard hat** *n* ❶ (*helmet*) [Schutz]helm *m* ❷ (*fam: worker*) Bauarbeiter(in) *m(f)* **hard-'head·ed** *adj* nüchtern **hard-'heart·ed** *adj* hartherzig **hard-'hit·ting** *adj* sehr kritisch **hard 'la·bour**, AM **hard 'la·bor** *n no pl* Zwangsarbeit *f* **hard·'lin·er** *n* POL Hardliner *m*

hard·ly ['hɑːdli] *adv* ❶ (*scarcely*) kaum; **~ ever** so gut wie nie ❷ (*certainly not*) wohl kaum; (*as a reply*) bestimmt nicht; **it's ~ my fault!** ich kann ja wohl kaum was dafür!

hard·ness ['hɑːdnəs] *n no pl* Härte *f* **hard-'nosed** *adj* nüchtern; *person* abgebrüht **hard-'pressed** *adj* bedrängt **hard 'sell** *n* aggressive Verkaufsmethoden *pl*

hard·ship ['hɑːdʃɪp] *n* Not *f;* **if it's not too much of a ~ for you** wenn es dir nicht zu viele Umstände macht

hard 'shoul·der *n* BRIT TRANSP befestigter Seitenstreifen **hard 'tar·get** *n* MIL, POL hartes Ziel **'hard·ware** *n no pl* ❶ (*tools*) Eisenwaren *pl*; (*household items*) Haushaltswaren *pl* ❷ MIL Rüstungsmaterial *nt* ❸ COMPUT Hardware *f* **hard-'wear·ing** *adj* strapazierfähig **'hard·wood** *n* Hartholz *nt* **'hard·work·ing** *adj* fleißig

har·dy ['hɑːdi] *adj* ❶ (*tough*) zäh; (*toughened*) abgehärtet ❷ BOT winterhart

hare [heəʳ] *n* <*pl* -s *or* -> [Feld]hase *m* **'hare·brained** *adj* verrückt **'hare·lip** *n* MED Hasenscharte *f*

har·em ['hɑːriːm, 'herəm] *n* Harem *m* **hark** [hɑːk] *vi* (*liter*) horchen **har·le·quin** ['hɑːlɪkwɪn] *adj* bunt **Har·le·quin** ['hɑːlɪkwɪn] *n* (*esp hist*) Harlekin *m veraltet*

harm [hɑːm] **I.** *n no pl* Schaden *m;* **there's no ~ in asking** Fragen kostet nichts; **there's no ~ in trying** ein Versuch kann nichts schaden; **to mean no harm** es nicht böse meinen; **to do more ~ than good** mehr schaden als nützen; **what's the ~ in that/it?** was macht das schon?; **to stay out of ~'s way** der Gefahr *dat* aus dem Weg gehen; [**grievous**] **bodily ~** [schwere] Körperverletzung; **to come to [no] ~** [nicht] zu Schaden kommen **II.** *vt* ▪**to ~ sth** etw *dat* Schaden zufügen; ▪**to ~ sb** jdm schaden; (*hurt*) jdn verletzen; ▪**to be ~ed** Schaden erleiden

harm·ful ['hɑːmfᵊl] *adj* schädlich; *words*

verletzend

harm·less ['haːmləs] *adj* harmlos

harm·less·ly ['haːmləsli] *adv* harmlos

har·mon·ic [haːˈmɒnɪk] **I.** *adj* harmonisch **II.** *n* MUS Oberton *m*

har·moni·ca [haːˈmɒnɪkə] *n* Mundharmonika *f*

har·moni·ous [haːˈməʊniəs] *adj* harmonisch *a. fig*

har·moni·ous·ly [haːˈməʊniəsli] *adv* harmonisch

har·mo·ni·za·tion [ˌhaːmənaɪˈzeɪʃᵊn] *n no pl* Harmonisierung *f a. fig*

har·mo·nize ['haːmənaɪz] **I.** *vt* ❶ MUS harmonisieren ❷ (*fig*) aufeinander abstimmen **II.** *vi* harmonieren *a. fig*

har·mo·ny ['haːməni] *n* Harmonie *f a. fig*; **to live in ~** in Eintracht [miteinander] leben; **to sing in ~** mehrstimmig singen; **in ~ with nature** im Einklang mit der Natur

har·ness ['haːnɪs] **I.** *n* <*pl* -es> ❶ (*for animal*) Geschirr *nt;* (*for person*) Gurtzeug *nt;* (*for baby*) Laufgeschirr *nt* ❷ (*fig*) ▪**in ~** gemeinsam **II.** *vt* ❶ *animal* anschirren; *person* anschnallen ❷ (*fig*) nutzen

harp [haːp] **I.** *n* Harfe *f* **II.** *vi* (*pej fam*) ▪**to ~ on about sth** auf etw *dat* herumreiten

har·poon [ˌhaːˈpuːn] **I.** *n* Harpune *f* **II.** *vt* harpunieren

harp·si·chord ['haːpsɪkɔːd] *n* Cembalo *nt*

har·row ['hærəʊ] **I.** *n* Egge *f* **II.** *vt* ❶ (*plough*) **to ~ sth** etw eggen ❷ *usu passive* (*fig*) ▪**to ~ sb** jdn ängstigen

har·row·ing ['hærəʊɪŋ] *adj* grauenvoll

harsh [haːʃ] *adj* ❶ *rau; winter* streng; *light* grell; *sound* schrill ❷ (*severe*) hart; (*critical*) scharf; ▪**to be ~ on sb** streng mit jdm sein ❸ (*brusque*) *tone of voice* barsch

harsh·ly ['haːʃli] *adv* ❶ (*rigorously*) hart; **to criticize sb/sth ~** jdn/etw scharf kritisieren; **to treat sb ~** streng mit jdm sein ❷ (*brusquely*) barsch; **she spoke ~ to her children** sie redete in einem schroffen Ton mit ihren Kindern

harsh·ness ['haːʃnəs] *n no pl* ❶ (*roughness*) Rauheit *f;* *of weather* Härte *f* ❷ *of colours, light* Grelle *f;* *of fabric* Rauheit *f;* *of voice* Heiserkeit *f* ❸ (*brusqueness*) Schroffheit *f*

hart [haːt] *n* Hirsch *m*

har·vest ['haːvɪst] **I.** *n* Ernte *f;* *of grapes* Lese *f;* (*season*) Erntezeit *f* **II.** *vt* ernten; *grapes* lesen; *shellfish* fangen; *timber* schlagen

har·vest 'fes·ti·val *n* BRIT Erntedankfest *nt*

has [hæz, həz] *3rd pers sing of* **have**

has-been ['hæzbiːn] *n* (*pej fam*) ehemalige Größe

hash [hæʃ] **I.** *n* ❶ AM FOOD Haschee *nt* ❷ *no pl* (*fam: shambles*) **to make a ~ of sth** etw vermasseln ❸ (*fam: hashish*) Hasch *nt* **II.** *vt* (*fam*) ▪**to ~ up** vermasseln

hash 'browns *npl* AM Kartoffelpuffer *pl,* ≈ Rösti *pl* SÜDD, SCHWEIZ

hash·ish ['hæʃɪʃ] *n no pl* Haschisch *nt*

hasn't ['hæzᵊnt] = **has not** *see* **have**

has·sle ['hæsl] **I.** *n* (*fam*) Mühe *f kein pl;* **parking in town is such a ~** in der Stadt zu parken ist vielleicht ein Aufstand; **it is just too much ~** es ist einfach zu umständlich **II.** *vt* (*fam: pester*) schikanieren; (*harass*) bedrängen; **stop hassling me!** lass mich einfach in Ruhe!

haste [heɪst] *n no pl* Eile *f;* (*rush*) Hast *f;* **to make ~** sich beeilen; ▪**in ~** hastig ▶ **more ~ less speed** (*prov*) eile mit Weile

has·ten ['heɪsᵊn] **I.** *vt* ▪**to ~ sb** jdn drängen; ▪**to ~ sth** etw beschleunigen **II.** *vi* sich beeilen

has·ti·ly ['heɪstɪli] *adv* ❶ (*hurriedly*) eilig ❷ (*too quickly*) übereilt; (*without thinking*) voreilig; **to ~ add** schnell hinzufügen

has·ty ['heɪsti] *adj* ❶ (*hurried*) eilig, hastig *pej;* **to beat a ~ retreat** (*fam*) sich schnell aus dem Staub machen ❷ (*rashly*) übereilt; (*badly thought out*) voreilig

hat [hæt] *n* Hut *m;* (*of fur, wool*) Mütze *f* ▶ **~s off to sb/sth** Hut ab vor jdm/etw; **to pick sb out of the ~** jdn zufällig auswählen; **to eat one's ~ if ...** einen Besen fressen, wenn ...; **to pass the ~ [a]round** den Hut herumgehen lassen

hatch¹ <*pl* -es> [hætʃ] *n* ❶ (*opening*) Durchreiche *f* ❷ NAUT Luke *f* ▶ **down the ~!** runter damit!

hatch² [hætʃ] **I.** *vi* schlüpfen **II.** *vt* ausbrüten *a. fig*

hatch·back ['hætʃbæk] *n* ❶ (*door*) Heckklappe *f* ❷ (*vehicle*) Wagen *m* mit Heckklappe

hatch·et ['hætʃɪt] *n* Beil *nt* ▶ **to bury the ~** das Kriegsbeil begraben

'hatch·et man *n* (*pej fam*) Handlanger *m;* (*at work*) Sparkommissar *m*

hatch·ing ['hætʃɪŋ] *n no pl of eggs* Ausbrüten *nt; of plan, plot* Aushecken *nt*

hate [heɪt] **I.** *n* ❶ *no pl* (*emotion*) Hass *m;* **feelings of ~** Hassgefühle *pl;* **to give sb a look of ~** jdn hasserfüllt ansehen; **~ mail** hasserfüllte Briefe *pl* ❷ (*object of hatred*) **pet ~** Gräuel *nt;* **one of my pet ~s is ...** eines der Dinge, die ich am meisten verabscheue, ist ... **II.** *vt* hassen; **I ~ going to the dentist** ich hasse es, zum Zahnarzt zu gehen; **I'd ~ you to think that I was being critical** ich möchte auf keinen Fall, dass Sie denken, ich hätte Sie kritisiert; **I ~ to say it, but ...** es fällt mir äußerst schwer, das sagen zu müssen, aber ...; **to ~ sb's guts** (*fig*) jdn wie die Pest hassen; **to ~ the sight/sound/smell of sth** etw nicht sehen/hören/riechen können

hat·ed ['heɪtɪd] *adj* verhasst ❶

hate·ful ['heɪtf°l] *adj* (*dated*) ❶ (*filled with hate*) *person* hasserfüllt; (*detesting, spiteful*) gemein ❷ *action, clothes, comment* abscheulich; *person* unausstehlich; **~ remarks** hässliche Bemerkungen

ha·tred ['heɪtrɪd] *n no pl* Hass *m* (**of/for** auf)

'**hat·stand** *n* Garderobenständer *m*

hat·ter ['hætə'] *n* **to be as <u>mad</u> as a ~** total verrückt sein

'**hat-trick** *n* Hattrick *m*

haugh·ty ['hɔːti] *adj* (*pej*) überheblich

haul [hɔːl] **I.** *n* ❶ *usu sing* (*pull*) **to give a ~** [kräftig] ziehen ❷ (*quantity caught*) Ausbeute *f* (**of** von/an); (*fig*) Beute *f* ❸ (*distance covered*) Strecke *f*; **it was a long ~** (*fig*) es hat sich lange hingezogen **II.** *vt* ❶ (*pull*) ziehen; *sth heavy* schleppen; **to ~ oneself out of bed** sich aus dem Bett hieven ❷ (*transport*) befördern **III.** *vi* **to ~ on** zerren an +*dat* ◆**haul down** *vt* **to ~ down a flag/sail** eine Fahne/ein Segel einholen ◆**haul off** *vt* wegziehen; (*more brutally*) wegzerren; **to ~ sb off to jail** (*fig*) jdn ins Gefängnis werfen ◆**haul up** *vt* hochziehen; (*with more effort*) hoch schleppen; **to ~ sb up before a magistrate** (*fig*) jdn vor den Kadi bringen

haul·age ['hɔːlɪdʒ] *n no pl* ❶ (*transportation*) Transport *m;* **~ company** Transportunternehmen *nt,* Spedition[sfirma] *f* ❷ (*costs*) Transportkosten *pl*

haul·ier ['hɔːliə'], AM **haul·er** *n* ❶ (*firm*) Spedition *f* ❷ (*person*) Spediteur *m*

haunch <*pl* -es> [hɔːn(t)ʃ] *n* ❶ ANAT Hüfte *f*; **to sit on one's ~es** in der Hocke sitzen ❷ FOOD Keule *f*; **~ of venison** Rehkeule *f*

haunt [hɔːnt] **I.** *vt* ❶ *ghost* spuken in +*dat;* ■**to be ~ed by sb/sth** von jdm/etw heimgesucht werden ❷ *memories* heimsuchen **II.** *n* (*place*) Treffpunkt *m;* (*pub*) Stammlokal *nt*

haunt·ed ['hɔːntɪd] *adj* ❶ (*with ghosts*) **~ castle** Spukschloss *nt;* **~ house** Gespensterhaus *nt;* **this house is ~!** in diesem Haus spukt es! ❷ (*troubled*) *look* gehetzt

haunt·ing ['hɔːntɪŋ] *adj* ❶ (*disturbing*) quälend ❷ (*stirring*) sehnsuchtsvoll

have [hæv, həv] **I.** *aux vb* <has, had, had> ❶ (*forming past tenses*) **he has never been to Scotland before** er war noch nie zuvor in Schottland; **we had been swimming** wir waren schwimmen gewesen; **I've heard that story before** ich habe diese Geschichte schon einmal gehört; **I've passed my test — ~ you? congratulations!** ich habe den Test bestanden – oh, wirklich? herzlichen Glückwunsch!; **they still hadn't had any news** sie hatten immer noch keine Neuigkeiten ❷ (*experience*) **she had her car stolen last week** man hat ihr letzte Woche das Auto gestohlen ❸ (*render*) ■**to ~ sth done** etw tun lassen; **to ~ one's hair cut** sich *dat* die Haare schneiden lassen ❹ (*must*) ■**to ~ to do sth** etw tun müssen; **what time ~ we got to be there?** wann müssen wir dort sein? ❺ (*form: if*) **had I/she/he etc. done sth, ...** hätte ich/sie/er etc. etw getan, ..., wenn ich/sie/er etc. etw getan hätte, ...; **if only I'd known this** wenn ich das nur gewusst hätte **II.** *vt* <has, had, had> ❶ (*possess*) ■**to ~** [*or* BRIT, AUS **~ got**] **sth** etw haben; **he's got green eyes** er hat grüne Augen; **I don't have** [*or* **haven't got**] **a car** ich habe kein Auto; **we're having a wonderful time in Venice** wir verbringen eine wundervolle Zeit in Venedig; **~ a nice day!** viel Spaß!; (*to customers*) einen schönen Tag noch!; **to have one's back to sb** jdm den Rücken zugekehrt haben; **to ~ the decency to do sth** die Anständigkeit besitzen, etw zu tun; **to have** [*or* BRIT, AUS **~ got**] **the light/radio on** das Licht/Radio anhaben ❷ (*engage in*) *bath* nehmen; *nap, party, walk* machen; **to ~ a swim** schwimmen; **to ~ a talk with sb** mit jdm sprechen; **to ~ a try** es versuchen ❸ (*consume*) *food* essen; *cigarette* rauchen; **to ~ lunch/dinner** zu Mittag/Abend essen; **we're having sausages for lunch today** zum Mittagessen gibt es heute Würstchen; **~ a cigarette/some more coffee** nimm doch eine Zigarette/noch etwas Kaffee ❹ (*receive*) erhalten; **okay, let's ~ it!** okay, her damit!; **thanks for having us** danke für Ihre Gastfreundschaft; **to ~ sb back** (*resume relationship*) jdn wieder [bei sich *dat*] aufnehmen; **to let sb ~ sth back** jdm etw zurückgeben ❺ (*be obliged*) ■**to ~** [*or* BRIT, AUS **~ got**] **sth to do** etw tun müssen ❻ (*give birth to*) **to ~ a baby** ein Baby bekommen; **my mother was 18 when she had me** meine Mutter war 18, als ich geboren wurde ❼ (*induce*) ■**to ~ sb to do sth** jdn [dazu] veranlassen, etw zu tun; ■**to ~ sb/sth doing sth** jdn/etw dazu bringen,

etw zu tun; **he'll ~ it working in no time** er wird es im Handumdrehen zum Laufen bringen ➑ (*hold*) **to ~** [*or* BRIT, AUS **~ got**] **sb by the throat** jdn bei der Kehle gepackt haben ➒ (*fam: deceive*) **you've been had!** dich hat man ganz schön übern Tisch gezogen! ▸ **to not ~ any** [**of it**] nichts [von etw *dat*] wissen wollen; **to ~ had it** (*be broken*) hinüber sein; (*be tired*) fix und fertig sein; (*be in serious trouble*) dran sein; **to have had it with sb/sth** von jdm/etw die Nase voll haben; **to ~** [*or* BRIT, AUS **~ got**] **nothing on sb** (*be less able*) gegen jdn nicht ankommen; (*lack evidence*) nichts gegen jdn in der Hand haben; **and what ~ you** und wer weiß was noch III. *n* (*fam*) ■ **the ~s** *pl* **the ~s and the ~-nots** die Besitzenden und die Besitzlosen ◆**have against** *vt* **to ~ something/ nothing against sb/sth** etwas/nichts gegen jdn/etw [einzuwenden] haben ◆**have around** *vt* zur Hand haben ◆**have away** *vt* BRIT (*sl*) see **have off** 1 ◆**have back** *vt* zurückhaben ◆**have in** *vt* ➊ (*call to do*) ■ **to ~ in** ○ **sb** [**to do sth**] jdn kommen lassen[, um etw zu tun] ➋ (*show ability*) ■ **to ~** [*or* BRIT, AUS **~ got**] **it in one** das Zeug[s] zu etw *dat* haben ▸ **to ~ it in for sb** jdn auf dem Kieker haben ◆**have off** *vt* ➊ BRIT, AUS (*vulg, sl: have sex*) ■ **to ~ it off** [**with sb**] es [mit jdm] treiben ➋ (*take off*) *clothes* ausgezogen haben; *hat* abgenommen haben ➌ (*detach*) abmachen ◆**have on** *vt* ➊ (*wear*) *clothes* tragen ➋ (*carry*) ■ **to ~** [*or* BRIT, AUS **~ got**] **sth on one** etw bei sich *dat* haben, etw mit sich *dat* führen ➌ (*know about*) ■ **to ~ sth on sb/sth** *evidence, facts* etw über jdn/etw [in der Hand] haben ➍ BRIT (*fam: trick*) ■ **to ~ sb on** jdn auf den Arm nehmen ➎ (*plan*) ■ **to ~** [*or* BRIT, AUS **~ got**] **sth on** etw vorhaben ◆**have out** *vt* ➊ (*remove*) sich *dat* herausnehmen lassen; **he had his wisdom teeth out yesterday** ihm sind gestern die Weisheitszähne gezogen worden ➋ (*fam: argue*) ■ **to ~ it out** [**with sb**] es [mit jdm] ausdiskutieren ◆**have over** *vt* ■ **to ~ sb over** jdn zu sich *dat* einladen ◆**have up** *vt* ➊ BRIT LAW (*fam: indict*) ■ **to ~ sb up for sth** jdn wegen einer S. *gen* drankriegen ➋ (*hang*) aufgehängt haben
ha·ven ['heɪvən] *n* Zufluchtsort *m*
'**have-not** *n usu pl* Besitzlose(r) *f(m)*, Habenichts *m pej*
haven't ['hævənt] = **have not** see **have**
hav·oc ['hævək] *n no pl* Verwüstungen *pl*; **to play ~ with sth** (*fig*) etw völlig durcheinanderbringen

Ha·vre ['(h)ɑːvrə] *n* ■ **Le ~** Le Havre *nt*
hawk [hɔːk] I. *n* ➊ (*bird*) Habicht *m*; (*fig*) **to have eyes like a ~** Adleraugen haben; **to watch sb like a ~** jdn nicht aus den Augen lassen ➋ POL Falke *m* II. *vt* ■ **to ~ sth** etw auf der Straße verkaufen; (*door to door*) mit etw *dat* hausieren gehen
hawk·er ['hɔːkə'] *n* Hausierer(in) *m(f)*; (*in the street*) fliegender Händler
'**hawk-eyed** *adj* ■ **to be ~** Adleraugen haben
haw·thorn ['hɔːθɔːn] *n no pl* Weißdorn *m*
hay [heɪ] *n no pl* Heu *nt* ▸ **to make ~ while the sun shines** (*prov*) das Eisen schmieden, solange es heiß ist; **to hit the ~** sich in die Falle hauen
'**hay fe·ver** *n no pl* Heuschnupfen *m* '**hay·rick** *n*, '**hay·stack** *n* Heuhaufen *m* '**hay·wire** *adj* (*fam*) **to go ~** verrückt spielen
haz·ard ['hæzəd] I. *n* Gefahr *f*; **fire ~** Brandrisiko *nt*; **health ~** Gefährdung *f* der Gesundheit II. *vt* ➊ (*risk*) wagen ➋ (*endanger*) gefährden
'**haz·ard lights** *npl* AUTO Warnblinkanlage *f*
haz·ard·ous ['hæzədəs] *adj* (*dangerous*) gefährlich; (*risky*) riskant
haze [heɪz] I. *n* ➊ (*mist*) Dunst[schleier] *m*; **heat ~** Hitzeflimmern *nt* ➋ (*fig*) Benommenheit *f* II. *vt* AM schikanieren
ha·zel ['heɪzəl] I. *adj* haselnussbraun II. *n* Hasel[nuss]strauch *m*
'**ha·zel·nut** *n* Haselnuss *f*
hazy ['heɪzi] *adj* ➊ (*with haze*) dunstig, diesig ➋ (*confused, unclear*) unklar; (*indistinct*) verschwommen; ■ **to be ~ about sth** sich nur vage an etw *akk* erinnern [können]
he [hiː, hi] I. *pron pers* (*male person*) er; (*unspecified person*) er/sie/es II. *n* Er *m*
head [hed] I. *n* ➊ Kopf *m*; **she's got a good ~ for figures** sie kann gut mit Zahlen umgehen; **to use one's ~** seinen Verstand benutzen; **from ~ to foot** [*or* **toe**] von Kopf bis Fuß ➋ (*unit*) **a** [*or* **per**] **~** pro Kopf; **to be a ~ taller than sb** [um] einen Kopf größer sein als jd; **to win by a ~** mit einer Kopflänge Vorsprung gewinnen ➌ *no pl* (*top, front part*) *of bed, table* Kopfende *nt*; *of nail* Kopf *m*; *of queue* Anfang *m*; **~ of a match** Streichholzkopf *m* ➍ (*leader*) Chef(in) *m(f)*; *of a project, department* Leiter(in) *m(f)*; *of Church* Oberhaupt *nt*; **~ of the family** Familienoberhaupt *nt*; **~ of state** Staatsoberhaupt *nt* ➎ BRIT SCH Schulleiter(in) *m(f)*, Rektor(in) *m(f)* ➏ *usu pl* (*coin face*) **~s or tails?** Kopf oder Zahl? ➐ (*beer foam*) Blume *f* ➑ (*water source*) Quelle *f* ➒ (*accumulated amount*) **~ of**

steam Dampfdruck *m;* **to build up a ~ of steam** (*fig*) Dampf machen ⑩ (*of spot on skin*) Pfropf *m* ⑪ TECH *of a video recorder* Tonkopf *m* ▸**to have one's ~ in the clouds** in höheren Regionen schweben; **to be ~ over heels in love** bis über beide Ohren verliebt sein; **to have a/no ~ for heights** BRIT schwindelfrei/nicht schwindelfrei sein; **to bury one's ~ in the sand** den Kopf in den Sand stecken; **to not be able to make ~ [n]or tail of sth** aus etw *dat* nicht schlau werden; **~s I win, tails you lose** (*saying*) ich gewinne auf jeden Fall; **to bang one's ~ against a brick wall** mit dem Kopf durch die Wand wollen; **to keep one's ~ above water** sich über Wasser halten; **to keep a cool ~** einen kühlen Kopf bewahren; **to bite sb's ~ off** jdm den Kopf abreißen; **to come to a ~** sich zuspitzen; **to go to sb's ~** jdm zu Kopf steigen; **to laugh one's ~ off** sich halb totlachen; **to scream** [*or* **shout**] **one's ~ off** sich *dat* die Lunge aus dem Leib schreien; **to have one's ~ screwed on** ein patenter Mensch sein; **to be in over one's ~** tief im Schlamassel stecken; **to be off one's ~** (*crazy*) übergeschnappt sein; (*stoned*) total zu[gedröhnt] sein **II.** *adj* leitend **III.** *vt* ① (*be at the front of*) anführen ② (*be in charge of*) *organization* leiten ③ PUBL (*have at the top*) überschreiben ④ FBALL köpfen **IV.** *vi* **he ~ed straight for the fridge** er steuerte direkt auf den Kühlschrank zu; **to ~ for disaster** auf eine Katastrophe zusteuern; **to ~ home** sich auf den Heimweg machen ◆**head back** *vi* zurückgehen; *with transport* zurückfahren ◆**head off I.** *vt* ① (*intercept*) abfangen ② (*fig: avoid*) abwenden **II.** *vi* ▪**to ~ off to[wards] sth** sich zu etw *dat* begeben ◆**head up** *vt* leiten

'head·ache *n* Kopfschmerzen *pl;* (*fig*) Problem *nt;* **that noise is giving me a ~** von diesem Krach bekomme ich Kopfschmerzen **'head·band** *n* Stirnband *nt* **'head cold** *n* Kopfgrippe *f* **'head·dress** <*pl* -es> *n* Kopfschmuck *m*

head·er ['hedə'] *n* ① FBALL Kopfball *m* ② (*fam: dive*) Köpfer *m*

head 'first *adv* kopfüber; (*fig*) **to rush ~ into** [**doing**] **sth** sich Hals über Kopf in etw *akk* [hinein]stürzen **'head·hunt** *vt* (*fam*) abwerben **'head·hunt·er** *n* Headhunter(in) *m(f)*

head·ing ['hedɪŋ] *n* ① (*title*) Überschrift *f* ② (*division*) Kapitel *nt;* (*keyword*) Stichwort *nt*

'head·lamp *n* Scheinwerfer *m* **'head·**

land *n* Landspitze *f*

head·less ['hedləs] *adj* kopflos ▸**to run around like a ~ chicken** wie ein aufgeregtes Huhn hin und her laufen

'head·light *n* Scheinwerfer *m* **'head·line I.** *n* Schlagzeile *f* **II.** *vt* ① (*provide with headline*) mit einer Schlagzeile versehen ② (*star*) anführen **'head·liner** *n* Hauptattraktion *f;* **the ~ is ...** der Star des Abends ist ... **'head·lock** *n* Schwitzkasten *m* **'head·long I.** *adv* ① (*head first*) kopfüber ② (*recklessly*) überstürzt; **to rush ~ into sth** sich Hals über Kopf in etw *akk* stürzen **II.** *adj* überstürzt **head·'mas·ter** *n* Schulleiter *m,* Rektor *m* **head·'mis·tress** *n* Schulleiterin *f,* Rektorin *f* **head 'of·fice** *n* Zentrale *f* **head-'on I.** *adj* Frontal- *m* **II.** *adv* frontal; (*fig*) direkt **'head·phones** *npl* Kopfhörer *m* **head·'quar·ters** *npl* + *sing/pl vb* MIL Hauptquartier *nt;* (*of companies*) Hauptsitz *m;* (*of the police*) Polizeidirektion *f* **'head·rest** *n,* **'head re·straint** *n* Kopfstütze *f* **'head·room** *n no pl* lichte Höhe; *for ceiling* Kopfhöhe *f;* (*in cars*) Kopffreiheit *f* **'head·scarf** *n* Kopftuch *nt* **'head·set** *n* Kopfhörer *m* **head·ship** ['hedʃɪp] *n* (*position*) Schulleiterposten *m;* (*period*) Amtszeit *f* als Schulleiter/Schulleiterin **'head·shrink·er** *n* (*pej fam: psychiatrist*) Seelenklempner(in) *m(f)* **head 'start** *n* Vorsprung *m;* **to give sb a ~** jdm einen Vorsprung lassen **'head·stone** *n* Grabstein *m* **'head·strong** *adj* eigensinnig **head 'teach·er** *n* BRIT Schulleiter(in) *m(f),* Rektor(in) *m(f)* **head 'wait·er** *n* Oberkellner *m* **'head·wa·ter** *n* *pl* Quellgewässer *pl* **'head·way** *n no pl* **to make ~** [gut] vorankommen (**in** bei, **with** mit) **'head·wind** *n* Gegenwind *m* **'head·word** *n* LING Stichwort *nt*

heady ['hedi] *adj* berauschend

heal [hi:l] **I.** *vt* heilen; *differences* beilegen **II.** *vi* heilen *a. fig*

heal·er ['hi:lə'] *n* Heiler(in) *m(f)*

heal·ing ['hi:lɪŋ] **I.** *adj attr experience, process* heilsam; **~ properties** Heilwirkung *f;* (*stronger*) Heilkräfte *pl* **II.** *n no pl* Heilung *f;* (*of wounds*) Verheilen *nt*

health [helθ] *n no pl* Gesundheit *f;* **your ~!** Prosit!; **to be in good/poor ~** bei guter Gesundheit/gesundheitlich in keiner guten Verfassung sein; **to restore sb to ~** jdn gesundheitlich wiederherstellen

'health·care *n no pl* Gesundheitsfürsorge *f;* **~ worker** in der Gesundheitsfürsorge Beschäftigte(r) *f(m)* **'health cen·tre** *n,* AM **'health cen·ter** *n* Ärztehaus *nt* **'health cer·tifi·cate** *n* Gesundheitszeugnis *nt* '**health club** *n* Fitnessclub *m* '**health farm** *n* Gesundheitsfarm *f* '**health food** *n* Reformkost *f* '**health food shop** *n* Naturkostladen *m*, Bioladen *m;* (*more formal*) Reformhaus *nt* '**health haz·ard** *n* Gesundheitsrisiko *nt; smoking is a ~* Rauchen gefährdet die Gesundheit '**health in·sur·ance** *n no pl* Krankenversicherung *f; ~* **company** Krankenkasse *f* '**health re·sort** *n* AM [Bade]kurort *m*, Erholungsort *f* '**Health Ser·vice** *n* BRIT [staatlicher] Gesundheitsdienst '**health visi·tor** *n* BRIT Krankenpfleger, -pflegerin *m, f* der Sozialstation

healthy ['helθi] *adj* gesund *a. fig; profit* ordentlich; (*promoting good health*) gesundheitsfördernd

heap [hi:p] **I.** *n* ① (*pile*) Haufen *m a. fig;* ~ **of clothes** Kleiderhaufen *m;* **to collapse in a ~** zu Boden sacken ② (*fam: large amount*) ■ *~s* jede Menge (**of** *+gen*) **II.** *vt* aufhäufen; (*fig*) **to ~ criticism on sb** massive Kritik an jdm üben; **to ~ praise on sb** jdn überschwänglich loben

heaped [hi:pt], AM **heap·ing** *adj* gehäuft; **a ~ teaspoon of sugar** ein gehäufter Teelöffel Zucker

hear <heard, heard> [hɪə^r] **I.** *vt* ① (*perceive*) hören; **Jane ~d him go out** Jane hörte, wie er hinausging ② LAW *case* verhandeln ③ REL *prayers* erhören ▶ **to be ~ing things** sich *dat* etwas einbilden; **I must be ~ing things!** ich hör' wohl nicht richtig!; **to be hardly able to ~ oneself think** sich nur schwer konzentrieren können **II.** *vi* hören (**about/of** von); **have you ~d about Jane getting married?** hast du schon gehört, dass Jane heiratet? ▶ **do you ~?** verstehst du/verstehen Sie?; **~, ~!** ja, genau!

heard [hɜ:d] *pt, pp of* **hear**

hear·ing ['hɪərɪŋ] *n* ① *no pl* (*ability to hear*) Gehör *nt;* **to have excellent ~** ein sehr gutes Gehör haben; **to be hard of ~** schwerhörig sein ② *no pl* (*range of ability*) [**with**|**in** [**sb's**] ~ in [jds] Hörweite *f* ③ (*official examination*) Anhörung *f;* **disciplinary ~** Disziplinarverfahren *nt;* **to give sb a fair ~** jdn richtig anhören; LAW jdm einen fairen Prozess machen

'**hear·ing aid** *n* Hörgerät *nt*

hear·say ['hɪəseɪ] *n no pl* Gerüchte *pl*

hearse [hɜ:s] *n* Leichenwagen *m*

heart [hɑ:t] *n* ① ANAT Herz *nt* ② (*fig*) Herz *nt;* **my ~ goes out to her** ich fühle mit ihr; **affairs of the ~** Herzensangelegenheiten *pl;* **from the bottom of one's ~** aus tiefstem Herzen; **to one's ~'s content**

nach Herzenslust; **the ~ of the matter** der Kern der Sache; [**with**] ~ **and soul** mit Leib und Seele; **to break sb's ~** jdm das Herz brechen; **it breaks my ~** es bricht mir das Herz; **to come from the ~** von Herzen kommen; **to not have the ~ to do sth** es nicht übers Herz bringen, etw zu tun; **to put one's ~ in**|**to**| **sth** sich voll für etw *akk* einsetzen; **to take sth to ~** sich *dat* etw zu Herzen nehmen; **to set one's ~ on sth** sein [ganzes] Herz an etw *akk* hängen; **with all one's ~** von ganzem Herzen; **sb's ~ is not in it** jd ist mit dem Herzen nicht dabei ③ *no pl* (*courage*) Mut *m;* **to lose ~** den Mut verlieren; **sb's ~ sinks** jdm wird das Herz schwer; **to take ~** [**from sth**] [aus etw *dat*] neuen Mut schöpfen ④ CARDS ■ *~s* *pl* Herz *nt kein pl;* **queen of ~s** Herzdame *f* ▶ **at ~** im Grunde seines/ihres Herzens; **my ~ bleeds for him!** der Ärmste, ich fang gleich an zu weinen!; **by ~** auswendig; **to have a change of ~** sich anders besinnen; **to have a ~ of gold/stone** ein herzensguter Mensch sein/ein Herz aus Stein haben; **sb's ~ misses** [*or* **skips**] **a beat** jdm stockt das Herz; **in my ~ of ~s** im Grunde meines Herzens; **to wear one's ~ on one's sleeve** sein Herz auf der Zunge tragen

'**heart·ache** *n no pl* Kummer *m* '**heart at·tack** *n* Herzinfarkt *m;* (*not fatal*) Herzanfall *m;* (*fatal*) Herzschlag *m a. fig* '**heart·beat** *n* Herzschlag *m* '**heart·break** *n* großer Kummer '**heart·break·ing** *adj* herzzerreißend '**heart·bro·ken** *adj* todunglücklich, untröstlich '**heart·burn** *n no pl* Sodbrennen *nt* '**heart dis·ease** *n* Herzkrankheit *f*

heart·en·ing ['hɑ:t^ənɪŋ] *adj* ermutigend '**heart fail·ure** *n no pl* Herzversagen *nt* '**heart·felt** *adj* (*strongly felt*) tief empfunden; (*sincere*) aufrichtig

hearth [hɑ:θ] *n* Kamin *m*

'**heart-healthy** *adj ~* **fats** Fette, die gut für das Herz sind

'**hearth·rug** *n* Kaminvorleger *m*

hearti·ly ['hɑ:tɪli] *adv* ① (*enthusiastically*) herzlich; **to applaud ~** begeistert applaudieren; **to eat ~** herzhaft zugreifen ② (*extremely*) von [ganzem] Herzen

heart·land ['hɑ:tlænd] *n of region* Kerngebiet *nt; of support* Hochburg *f*

heart·less ['hɑ:tləs] *adj* herzlos

heart·less·ness ['hɑ:tləsnəs] *n no pl* Herzlosigkeit *f,* Unbarmherzigkeit *f*

'**heart mur·mur** *n* Herzgeräusch[e] *nt*[*pl*] '**heart·rend·ing** *adj* herzzerreißend '**heart-search·ing** *n no pl* Gewissenserforschung *f* '**heart·strings** *npl* **to tug at sb's** ~ jdm ans Herz gehen '**heart-throb** *n* (*fam*) Schwarm *m* **heart-to-**'**heart I.** *adj* [ganz] offen **II.** *n* **to have a** ~ sich aussprechen '**heart trans·plant** *n* Herztransplantation *f* '**heart-warm·ing** *adj* herzerfreuend

hearty ['hɑːti] *adj* ❶ (*warm*) herzlich ❷ (*large*) *breakfast* herzhaft, kräftig; *appetite* gesund ❸ (*strong*) kräftig ❹ (*unreserved*) uneingeschränkt; **to have a** ~ **dislike for sb/sth** gegen jdn/etw eine tiefe Abneigung empfinden

heat [hiːt] **I.** *n* ❶ *no pl* (*warmth*) Wärme *f*; (*high temperature*) Hitze *f*; **to cook sth on a high/low** ~ etw bei starker/schwacher Hitze kochen ❷ *no pl* PHYS [Körper]wärme *f* ❸ *no pl* (*fig*) **in the** ~ **of the moment** in der Hitze des Gefechts; **the** ~ **is on** es weht ein scharfer Wind ❹ SPORTS Vorlauf *m* ❺ *no pl* ZOOL Brunst *f*; *of deer* Brunft *f*; *of dogs, cats* Läufigkeit *f*; *of horses* Rossen *nt*; ▪ **on** [*or* AM **in**] ~ brünstig; *deer* brunftig; *cat* rollig; *dog* läufig; *horse* rossig ▸ **if you can't stand the** ~, **get out of the** <u>kitchen</u> (*prov*) wenn es dir zu viel wird, dann lass es lieber sein **II.** *vt* erhitzen [*o* heiß machen]; *food* aufwärmen; *house, room* heizen; *pool* beheizen **III.** *vi* warm werden ◆ **heat up I.** *vt* heiß machen; *food* aufwärmen; *house, room* [auf]heizen **II.** *vi room* warm werden; *engine* warm laufen; (*fig*) *discussion* sich erhitzen

heat·ed ['hiːtɪd] *adj* ❶ (*emotional*) hitzig; *discussion* heftig; **to get** ~ **about sth** sich über etw *akk* aufregen ❷ (*warm*) erhitzt; *room* geheizt; *pool, seats* beheizt

heat·ed·ly ['hiːtɪdli] *adv* hitzig; *discuss* heftig

heat·er ['hiːtə^r] *n* [Heiz]ofen *m*, Heizgerät *nt*; (*in car*) Heizung *f*; **water** ~ Boiler *m*

'**heat gauge** *n* Temperaturanzeiger *m*

heath [hiːθ] *n* Heide *f*

hea·then ['hiːð^ən] **I.** *n* Heide, Heidin *m, f* **II.** *adj* heidnisch

heath·er ['heðə^r] *n no pl* Heidekraut *nt*

heat·ing ['hiːtɪŋ] *n no pl* ❶ (*action*) Heizen *nt*; *of room, house* [Be]heizen *nt*; *of substances* Erwärmen *nt*; PHYS Erwärmung *f* ❷ (*appliance*) Heizung *f*; ~ **engineer** Heizungsmonteur(in) *m(f)*

'**heat pump** *n* Wärmepumpe *f* '**heat rash** *n* Hitzeausschlag *m* '**heat-re·sist· ant** *adj*, '**heat-re·sist·ing** *adj* hitzebeständig; *ovenware* feuerfest '**heat-seek· ing** *adj* MIL wärmesuchend '**heat shield** *n* Hitzeschild *m* '**heat stroke** *n* Hitz-

schlag *m* '**heat treat·ment** *n* Wärmebehandlung *f* '**heat·wave** *n* Hitzewelle *f*

heave [hiːv] **I.** *n* Ruck *m* **II.** *vt* ❶ (*move*) [hoch]hieven ❷ (*utter*) *sigh* ausstoßen ❸ (*fam: throw*) werfen (**at** nach) **III.** *vi* ❶ (*pull*) hieven ❷ (*move*) sich heben und senken; *ship* schwanken; *sea, chest* wogen ❸ (*vomit*) würgen; *stomach* sich umdrehen ◆ **heave to** *vi* NAUT beidrehen

heav·en ['hev^ən] *n no pl* Himmel *m* a. *fig*: **it's** ~! (*fam*) es ist himmlisch!; **in seventh** ~ im siebten Himmel; **to go to** ~ in den Himmel kommen; **the** ~**s opened** der Himmel öffnete seine Schleusen ▸ **what/ why in** ~'**s name** ...? was/warum in Gottes Namen ...?; **for** ~'**s sake!** um Himmels willen!; **good** ~**s!** du lieber Himmel!; **to stink to high** ~ zum Himmel stinken; ~ **forbid!** Gott bewahre!; ~ **help us!** der Himmel steh uns bei!; **thank** ~**s!** Gott sei Dank!; ~**s above!** du lieber Himmel!

heav·en·ly ['hev^ənli] *adj* himmlisch '**heav·en-sent** *adj* vom Himmel gesandt

heavi·ly ['hevɪli] *adv* ❶ (*to great degree*) stark; ~ **armed/guarded** schwer bewaffnet/bewacht; ~ **populated** dicht besiedelt; **to gamble** ~ leidenschaftlich spielen; **to invest** ~ groß investieren; **to sleep** ~ tief schlafen ❷ (*with weight*) schwer; *move* schwerfällig; ~ **built** kräftig gebaut ❸ (*severely*) schwer; **to rain/snow** ~ stark regnen/schneien ❹ (*with difficulty*) schwer

heavi·ness ['hevɪnəs] *n no pl* ❶ (*weight*) Gewicht *nt*, Schwere *f*; *of movement* Schwerfälligkeit *f* ❷ *of a problem* Ausmaß *nt*; *of mood* Bedrücktheit *f* ❸ (*liter: sadness*) Niedergeschlagenheit *f*; ~ **of heart** schweres Herz

heavy ['hevi] **I.** *adj* ❶ (*weighty*) schwer a. *fig; fine* hoch; ~ **with child** (*liter*) schwanger ❷ (*intense*) *accent, bleeding, frost, rain, snowfall* stark; **to be under** ~ **fire** MIL unter schwerem Beschuss stehen ❸ (*excessive*) *drinker, smoker* stark ❹ (*fig: oppressive*) drückend; *weather* schwül ❺ (*difficult*) schwierig; *breathing* schwer; ~ **going** Schinderei *f*; **the book is rather** ~ **going** das Buch ist schwer zu lesen ❻ (*dense*) *beard* dicht; (*thick*) *coat* dick; *cloud*[*s*] schwer; *schedule* voll; *traffic* stark ❼ (*not delicate*) *features* grob ❽ (*strict*) streng ▸ **with a** ~ <u>heart</u> schweren Herzens; **to make** ~ <u>weather</u> **of sth** etw unnötig komplizieren **II.** *n* ❶ (*sl: thug*) Schläger[typ] ·*m* ❷ THEAT Schurke, Schurkin *m, f*

heavy-'**duty** *adj* robust; *clothes* strapazierfähig **heavy** '**go·ing** *n* ▪ **to be** ~ schwierig sein **heavy 'goods ve·hi·cle** n Lastkraftwagen m **heavy-'hand·ed** adj ungeschickt **heavy-'heart·ed** adj bedrückt **heavy-'hit·ting** adj report, newspaper article ernst zu nehmend, einflußreich; role, play stark **heavy 'in·dus·try** n no pl Schwerindustrie f **heavy 'met·al** n ❶ (metal) Schwermetall nt ❷ (music) Heavymetal nt an **'heavy·weight** n Schwergewicht nt a. fig II. adj ❶ SPORTS im Schwergewicht nach n ❷ (weighty) schwer ❸ (fig: important) person prominent; report ernst zu nehmend

He·brew ['hi:bru:] I. n ❶ (person) Hebräer(in) m(f) ❷ no pl (language) Hebräisch nt II. adj hebräisch

Heb·ri·des ['hebrɪdi:z] npl ■the ~ die Hebriden pl

heck [hek] interj (euph sl) Mist!; **where the ~ have you been?** wo, zum Teufel, bist du gewesen?; **it's a ~ of a walk from here** es ist ein verdammt langer Weg von hier aus; **what the ~!** wen kümmert's!

heck·le ['hekl] I. vt dazwischenrufen II. vt ■to ~ sb jdn durch Zwischenrufe stören

heck·ler ['heklər] n Zwischenrufer(in) m(f)

hec·tare ['hekteər, -ɑ:r] n Hektar m o nt

hec·tic ['hektɪk] adj hektisch

hec·to·li·tre, AM **hec·to·li·ter** ['hektə(ʊ),li:tər] n Hektoliter m

he'd [hi:d] = **he had/he would** see **have I, II, would**

hedge [hedʒ] I. n ❶ BOT Hecke f ❷ (fig) Schutzwall m; FIN Absicherung f II. vt to ~ one's **bets** nicht alles auf eine Karte setzen III. vi ❶ (avoid) ausweichen ❷ FIN sich absichern

'hedge·hog n Igel m **'hedge·row** n Hecke f, Knick m NORDD

he·don·ism ['hi:dənɪzəm] n no pl Hedonismus m

he·don·ist ['hi:dənɪst, 'hed-] n Hedonist(in) m(f)

he·don·is·tic [,hi:dən'ɪstɪk, 'hed-] adj hedonistisch

heebie-jeebies [,hi:bi'dʒi:biz] npl **to get the ~** Zustände kriegen; **to give sb the ~** jdm eine Gänsehaut machen

heed [hi:d] (form) I. vt beachten II. n no pl Beachtung f; **to pay ~ to** [or take ~ of] sth auf etw akk achten

heed·ful ['hi:dfl] adj (form) achtsam; ■to be ~ of sb/sth jdn/etw beachten

heed·less ['hi:dləs] adj (form) achtlos; ■to be ~ of sth etw nicht beachten; ~ of dangers ungeachtet der Gefahren

heel [hi:l] I. n ❶ ANAT Ferse f; ~ of the hand Handballen m ❷ of shoe Absatz m; of sock Ferse f; ~ **bar** Absatzschnelldienst m; ■~s pl Stöckelschuhe pl; **to turn on one's ~** auf dem Absatz kehrtmachen ▶ **to be hard** [or hot] **on sb's ~s** jdm dicht auf den Fersen sein; **down at ~** heruntergekommen; **to dig one's ~s in** sich auf die Hinterbeine stellen; **to kick** [or cool] **one's ~s** (wait) sich dat die Beine in den Bauch stehen; (do nothing) Däumchen drehen II. interj ■~! bei Fuß! III. vt ❶ a shoe einen neuen Absatz machen ❷ (in rugby) hakeln ▶ **well** ~ed gut betucht

hefty ['hefti] adj ❶ (strong) kräftig ❷ (large) mächtig; ~ **workload** hohe Arbeitsbelastung ❸ (considerable) deutlich, saftig fam; ~ **price rise** deutliche Preiserhöhung

he·gemo·ny [hɪ'geməni] n no pl Hegemonie f

heif·er ['hefər] n Färse f

height [haɪt] n ❶ (top to bottom) Höhe f; of a person [Körper]größe f; **at chest ~** in Brusthöhe; **to be 6 metres in ~** 6 Meter hoch sein ❷ (high places) ■~s pl Höhen pl; **fear of ~s** Höhenangst f ❸ (fig) Höhepunkt m; **the ~ of bad manners** der Gipfel der Unverschämtheit; **at the ~ of one's power** auf dem Gipfel seiner Macht; **at the ~ of summer** im Hochsommer

height·en ['haɪtən] vt verstärken; tension steigern

hei·nous ['heɪnəs, 'hi:-] adj (form) abscheulich, grässlich, verabscheuungswürdig form

heir [eər] n Erbe, Erbin m, f; ~ **to the throne** Thronfolger(in) m(f)

heir·ess <pl -es> ['eəres] n Erbin f

heir·loom ['eəlu:m] n Erbstück nt

heist [haɪst] n AM (fam) Raub[überfall] m

held [held] vt, vi pt, pp of **hold**

heli·cop·ter ['helɪkɒptər] I. n Hubschrauber m II. vt mit dem Hubschrauber transportieren

Heli·go·land ['helɪgə(ʊ)lænd] n no pl Helgoland nt

heli·pad ['helɪ-] n Hubschrauberlandeplatz m

'heli·port n Heliport m, Hubschrauberlandeplatz m

he·lium ['hi:liəm] n no pl Helium nt

hell [hel] I. n no pl ❶ (not heaven) Hölle f; **to go to ~** in die Hölle kommen ❷ (fig fam) **to ~ with it!** ich hab's satt!; **to ~ with you!** du kannst mich mal!; **to make sb's life ~** jdm das Leben zur Hölle machen; **to not have a hope in ~** nicht die leiseste Hoffnung haben; **to beat the ~ out**

of sb jdn windelweich prügeln; **to go through** ~ durch die Hölle gehen; **to raise** ~ einen Höllenlärm machen; **to scare the** ~ **out of sb** jdn zu Tode erschrecken ❸ *(fam: for emphasis)* **he's one** ~ **of a guy!** er ist echt total in Ordnung!; **they had a** ~ **of a time** *(negative)* es war die Hölle für sie; *(positive)* sie hatten einen Heidenspaß; **a** ~ **of a lot** verdammt viel; **a** ~ **of a performance** eine Superleistung; **as cold as** ~ saukalt; **as hard as** ~ verflucht hart; **as hot as** ~ verdammt heiß ▶**come** ~ **or high <u>water</u>** komme, was wolle; **all** ~ **breaks <u>loose</u>** die Hölle ist los; **to <u>give</u> sb** ~ *(scold)* jdm die Hölle heiß machen; *(make life unbearable)* jdm das Leben zur Hölle machen; **go to** ~**!** scher dich zum Teufel!; **to <u>have</u>** ~ **to pay** jede Menge Ärger haben; **to do sth <u>for the</u>** ~ **of it** etw aus reinem Vergnügen machen; **<u>like</u>** ~ wie verrückt **II.** *interj* **what the** ~ **are you doing?** was zum Teufel machst du da?; **get the** ~ **out of here, will you?** mach, dass du rauskommst!; **oh** ~**!** Scheiße! *sl;* ~ **no!** bloß nicht! ▶**<u>like</u>** ~**!** nie im Leben!; **the** ~ **you <u>do</u>!** AM einen Dreck tust du!; **<u>what</u> the** ~**!** was soll's!

he'll [hi:l] = **he will/he shall** *see* **will, shall**

'**hell-bent** *adj* fest entschlossen '**hell·fire** *n no pl* Höllenfeuer *nt*

hell·ish ['helɪʃ] **I.** *adj* höllisch *a. fig; cold, heat* mörderisch; *day* grässlich; *experience* schrecklich **II.** *adv* BRIT *(fam)* verdammt

hell·ish·ly ['helɪʃli] *adv (fam)* ❶ *(dreadfully)* höllisch ❷ *(extremely)* verdammt

hel·lo [hel'əʊ] **I.** *n* Hallo *nt;* **to say** ~ **to sb** jdn [be]grüßen **II.** *interj* hallo!

helm [helm] *n* Ruder *nt a. fig*

hel·met ['helmət] *n* Helm *m*

helms·man *n* Steuermann, -frau *m, f*

help [help] **I.** *n no pl* Hilfe *f; (financial)* Unterstützung *f;* **can I be of** ~**?** kann ich [Ihnen] irgendwie helfen?; **a great** ~ **you are!** *(iron)* eine tolle Hilfe bist du!; **to cry for** ~ nach Hilfe schreien; **sb/sth is beyond** ~ jdm/etw ist nicht mehr zu helfen **II.** *interj* ■~**!** Hilfe! **III.** *vi* helfen (**with** bei); **is there any way that I can** ~**?** kann ich irgendwie behilflich sein? **IV.** *vt* ❶ *(assist)* ■**to** ~ **sb** jdm helfen; **her local knowledge** ~**ed her** ihre Ortskenntnisse haben ihr genützt SÜDD [*o* NORDD genutzt]; **can I** ~ **you?** *(in shop)* kann ich Ihnen behilflich sein?; **nothing can** ~ **her now** ihr ist nicht mehr zu helfen; **so** ~ **me God** so wahr mir Gott helfe; **to** ~ **sb into a taxi** jdm in ein Taxi helfen; **to** ~ **sb through a difficult time** jdm eine schwierige Zeit hinweghelfen; ■**to** ~ **sb with sth** jdm bei etw *dat* helfen ❷ *(improve)* verbessern; *(alleviate)* lindern ❸ *(contribute)* ■**to** ~ **sth** zu etw *dat* beitragen ❹ *(prevent)* **I can't** ~ **it!** ich kann nichts dagegen machen!; **he can't** ~ **his looks** er kann nichts für sein Aussehen; **I can't** ~ **thinking that ...** ich denke einfach, dass ...; **she couldn't** ~ **wondering whether ...** sie musste sich wirklich fragen, ob ...; **not if I can** ~ **it** nicht, wenn ich es irgendwie verhindern kann; ■**sth can't be** ~**ed** etw ist nicht zu ändern ❺ *(take)* ■**to** ~ **oneself** sich bedienen; ■**to** ~ **oneself to sth** sich *dat* etw nehmen; *thief* sich an etw *dat* bedienen ❻ *(form: give)* ■**to** ~ **sb to sth** jdm etw reichen ▶**<u>God</u>** ~**s those who** ~ **themselves** *(prov)* hilf dir selbst, dann hilft dir Gott **V.** *adj* Hilfe- ◆**help along** *vt* ■**to** ~ **along** ⟳ **sb** jdm [auf die Sprünge] helfen; ■**to** ~ **along** ⟳ **sth** etw vorantreiben ◆**help off** *vt* ■**to** ~ **sb off with sth** jdm helfen, etw auszuziehen; *coat* jdm aus etw *dat* helfen ◆**help on** *vt* ■**to** ~ **sb on with sth** jdm helfen, etw anzuziehen; *coat* jdm in etw *akk* helfen ◆**help out I.** *vt* ■**to** ~ **out** ⟳ **sb** jdm [aus]helfen **II.** *vi* aushelfen; ■**to** ~ **out with sth** bei etw *dat* helfen ◆**help up** *vt* ■**to** ~ **up** ⟳ **sb** jdm aufhelfen

help·er ['helpər] *n* Helfer(in) *m(f); (assistant)* Gehilfe, Gehilfin *m, f*

help·ful ['helpfl] *adj person* hilfsbereit; *tool, suggestion* hilfreich; **to be** ~ [**to sb**] [jdm] helfen; **I was only trying to be** ~ ich wollte nur helfen

help·ful·ness ['helpflnəs] *n no pl of person* Hilfsbereitschaft *f; (usefulness) of tool, comment* Nützlichkeit *f*

help·ing ['helpɪŋ] **I.** *n of food* Portion *f;* **to take a second** [*or* **another**] ~ sich *dat* noch einmal nehmen **II.** *adj* hilfreich; **to give** [*or* **lend**] **sb a** ~ **hand** jdm helfen

help·less ['helpləs] *adj* hilflos; *(powerless)* machtlos; **to be** ~ **with laughter** sich vor Lachen kaum noch halten können

help·less·ly ['helpləsli] *adv (lacking help)* hilflos; *(weakly)* machtlos; **she laughed** ~ sie hat sich halb totgelacht; **they were** ~ **drunk** sie waren völlig betrunken

help·less·ness ['helpləsnəs] *n no pl (lack of help)* Hilflosigkeit *f; (weakness)* Machtlosigkeit *f*

'**help·line** *n* Notruf *m*

helter-skelter [ˌheltə'skeltər] **I.** *adj* hektisch **II.** *adv* Hals über Kopf **III.** *n* BRIT *(at funfair)* spiralförmige Rutsche

hem [hem] **I.** n Saum m; **to let the ~ down** den Saum herauslassen; **to take the ~ up** den Saum aufnehmen **II.** vt <-mm-> säumen ◆**hem in** vt ❶ (surround) umgeben ❷ (fig) einengen; **to feel ~med in** sich eingeengt fühlen

'**he-man** n (fam) Heman m

hemi·sphere ['hemɪsfɪəʳ] n ❶ GEOG, ASTRON [Erd]halbkugel f ❷ MED Gehirnhälfte f

hem·line ['hemlaɪn] n [Kleider]saum m; **~s are up/down** die Röcke sind kurz/lang

hemo·phili·ac n AM see **haemophiliac**

hem·or·rhage n, vi AM see **haemorrhage**

hem·or·rhoids n AM see **haemorrhoids**

hemp [hemp] n no pl Hanf m

hen [hen] n ❶ ZOOL Henne f, Huhn nt ❷ SCOT (fam: to a woman) Hasi nt

hence [hen(t)s] adv ❶ after n (from now) von jetzt an; **four weeks ~** in vier Wochen ❷ (therefore) daher ❸ (old: from here) von hinnen; **get thee ~!** hinweg mit dir!

hence·forth [ˌhen(t)s'fɔːθ] adv, **hence·for·ward** [ˌhen(t)s'fɔːwəd] adv (form) von nun an

hench·man ['hen(t)ʃmən] n Handlanger m

'**hen·coop** n, '**hen·house** n Hühnerstall m

hen·na ['henə] **I.** n Henna f o nt **II.** vt **to ~ one's hair** sich dat die Haare mit Henna färben

'**hen night** n Party am Abend vor der Hochzeit für die Braut und ihre Freundinnen

'**hen·pecked** adj **~ husband** Pantoffelheld m; ■**to be ~** unter dem Pantoffel stehen

hepa·ti·tis [ˌhepə'taɪtɪs] n no pl Leberentzündung f

hep·tath·lon [hep'tæθlɒn] n Siebenkampf m

her [hɜːʳ, həʳ] **I.** pron pers sie in akk, ihr in dat; **it is/was ~** sie ist's/war's **II.** adj poss ihr(e, n); (ship, country, boat, car) sein(e, n); **what's ~ name?** wie heißt sie?; **the boat sank with all ~ crew** das Boot sank mit seiner ganzen Mannschaft **III.** n (fam) Sie f; **is it a him or a ~?** ist es ein Er oder eine Sie?

her·ald ['herəld] **I.** n (messenger) Bote, Botin m, f; (newspaper) Bote m **II.** vt (form) ankündigen; **much ~ed** viel gepriesen

her·al·dic [hɪ'rældɪk] adj Wappen-

her·ald·ry ['herəldri] n no pl Wappenkunde f

herb [hɜːb] n [Gewürz]kraut nt meist pl; (for medicine) [Heil]kraut nt meist pl; **~ garden** Kräutergarten m

herb·al ['hɜːbəl] adj Kräuter- **herb·al·ist** ['hɜːbəlɪst] n (dealer) Kräuterhändler(in) m(f); (healer) Kräuterheilkundige(r) f(m)

herbi·cide ['hɜːbɪsaɪd] n Unkrautvertilgungsmittel nt

her·bi·vore ['hɜːbɪvɔːʳ] n Pflanzenfresser m, Herbivore m fachspr

her·bivo·rous [hɜː'bɪvᵊrəs] adj Pflanzen fressend

Her·cu·lean [ˌhɜːkjə'liːən] adj übermenschlich; **~ task** Herkulesarbeit f

Her·cu·les ['hɜːkjəliːz] n Herkules m a. fig

herd [hɜːd] **I.** n + sing/pl vb ❶ (group of animals) Herde f; of wild animals Rudel nt; **a ~ of cattle** eine Viehherde ❷ (pej: group of people) Herde f, Masse f **II.** vt treiben ◆**herd together** **I.** vt animals zusammentreiben; people zusammenpferchen **II.** vi sich zusammendrängen

'**herd in·stinct** n Herdentrieb m '**herds·man** n Hirt[e] m

here [hɪəʳ] **I.** adv hier; (with movement) hierher, hierhin; **come ~!** komm [hier]her!; **give it ~!** (fam) gib mal her!; **~ you are!** (presenting) bitte schön!; (finding) hier bist du!; **~ I am!** hier bin ich!; **~ they are!** da sind sie!; **Christmas is ~** endlich ist es Weihnachten; **~ comes the train** da kommt der Zug; **~ goes!** (fam) los geht's!; **~ we go!** jetzt geht's los!; **~ we go again!** jetzt geht das schon wieder los!; **~'s to the future!** auf die Zukunft!; **~'s to you!** auf Ihr/dein Wohl!; **~ and now** [jetzt] sofort; **from ~ on in** von jetzt an **II.** interj ■**~!** he!; **~, ...** na komm, ...

here·'af·ter (form) **I.** adv im Folgenden **II.** n Jenseits nt '**here·by** adv (form) hiermit

he·redi·tary [hɪ'redɪtᵊri] adj erblich; disease angeboren; succession gesetzlich; title vererbbar; **~ monarchy** Erbmonarchie f

he·red·ity [hɪ'redəti] n no pl (transmission of characteristics) Vererbung f; (genetic make-up) Erbgut nt

'**here·in** adv (form) hierin **here·'of** adv (form) hiervon

her·esy ['herəsi] n Ketzerei f

her·etic ['herətɪk] n Ketzer(in) m(f)

he·reti·cal [hə'retɪkᵊl] adj ketzerisch

here·u·'pon adv (form) hierauf **here·'with** adv (form) anbei, hiermit; **enclosed ~** beiliegend

her·it·age ['herɪtɪdʒ] n no pl Erbe nt

her·maph·ro·dite [hɜː'mæfrədaɪt] n Zwitter m

her·meti·cal·ly [hɜː'metɪkᵊli] adv herme-

hesitating

hesitating	zögern
I'm not sure.	Ich weiß nicht so recht.
It's still hard to say whether or not I can accept your offer.	Ich kann Ihnen noch nicht sagen, ob ich Ihr Angebot annehmen werde.
I still have to think about it.	Ich muss darüber noch nachdenken.
I'm sorry, I can't accept yet.	Ich kann Ihnen leider noch nicht zusagen.

tisch

her·mit ['hɜːmɪt] *n* Eremit(in) *m(f)* a. *fig,* Einsiedler(in) *m(f)* a. *fig*

her·mit·age ['hɜːmɪtɪdʒ] *n* Einsiedelei *f*

'her·mit crab *n* Einsiedlerkrebs *m*

her·nia <*pl* -s *or* -niae> ['hɜːnɪə, *pl* -nii:] *n* MED Bruch *m*

hero <*pl* -es> ['hɪərəʊ] *n* Held *m;* **to die a ~'s death** den Heldentod sterben

he·ro·ic [hɪˈrəʊɪk] **I.** *adj* ❶ (*brave*) heldenhaft; *attempt* kühn; **~ deed** Heldentat *f* ❷ LIT heroisch **II.** *n* ■ **~s** *pl* Heldentaten *pl*

he·roi·cal·ly [hɪˈrəʊɪkºli] *adv* heldenhaft, heldenmütig, heroisch *geh o a. fig;* **to die/ fight ~** heldenhaft sterben/kämpfen

hero·in ['herəʊɪn] *n no pl* Heroin *nt;* **~ addict** Heroinsüchtige(r) *f(m)*

hero·ine ['herəʊɪn] *n* Heldin *f*

hero·ism ['herəʊɪzºəm] *n no pl* Heldentum *nt;* **act of ~** heldenhafte Tat

her·on <*pl* -s *or* -> ['herºn] *n* Reiher *m*

her·pes ['hɜːpiːz] *n no pl* MED Herpes *m*

her·ring <*pl* -s *or* -> ['herɪŋ] *n* Hering *m;* **~ gull** Silbermöwe *f*

'her·ring·bone *n no pl* ❶ (*pattern*) Fischgrätenmuster *nt* ❷ SKI Grätenschritt *m*

hers [hɜːz] *pron pers* (*of person's/ animal's*) ihre(r, s); **that's a favourite game of ~** das ist eines ihrer Lieblingsspiele; **a good friend of ~** eine gute Freundin von ihr

her·self [həˈself] *pron reflexive* ❶ *after vb, prep* sich *in dat o akk* ❷ (*emph: personally*) selbst; **she told me ~** sie hat es mir selbst erzählt ❸ (*alone*) [**all**] **by ~** ganz alleine ❹ (*normal*) **to be ~** sie selbst sein

hertz <*pl* -> [hɜːts] *n* Hertz *nt*

he's [hiːz] = **he is**/**he has** *see* **be, have I, II**

hesi·tant ['hezɪtºnt] *adj person* unschlüssig; *reaction, answer, smile* zögernd; *speech* stockend; ■ **to be ~ to do** [*or* **about doing**] **sth** zögern, etw zu tun

hesi·tant·ly ['hezɪtºntli] *adv act* unentschlossen; *smile* zögernd; *speak* stockend

hesi·tate ['hezɪteɪt] *vi* ❶ (*wait*) zögern; **he**

~s at nothing er schreckt vor nichts zurück; **don't ~ to call me** ruf mich einfach an ❷ (*falter*) stocken ▸ **he who ~s is** <u>lost</u> (*prov*) man muss das Glück beim Schopfe packen

hesi·ta·tion [ˌhezɪˈteɪʃºn] *n no pl* (*indecision*) Zögern *nt,* Unentschlossenheit *f;* (*reluctance*) Bedenken *pl;* **without** [**the slightest**] **~** (*indecision*) ohne [einen Augenblick] zu zögern; (*reluctance*) ohne [den geringsten] Zweifel

hetero·geneous [ˌhetºrə(ʊ)ˈdʒiːnɪəs] *adj* uneinheitlich

hetero·sex·ual [ˌhetºrə(ʊ)ˈsekʃuºl] **I.** *adj* heterosexuell **II.** *n* Heterosexuelle(r) *f(m)*

hetero·sexu·al·ity [ˌhetºrə(ʊ)ˌsekʃuˈæləti] *n no pl* Heterosexualität *f*

het up [ˌhetˈʌp] *adj* (*fam*) aufgeregt; ■ **to get ~ up about sth** sich über etw *akk* aufregen

hexa·gon ['heksəgºn] *n* Sechseck *nt*

hex·ago·nal [hekˈsægºnºl] *adv* sechseckig

hey [heɪ] *interj* (*fam*) he!

hey·day ['heɪdeɪ] *n usu sing* Glanzzeit *f*

hey 'pres·to *interj* BRIT, AUS (*fam*) simsalabim!

HGV [ˌeɪtʃdʒiːˈviː] *n* BRIT *abbrev of* **heavy goods vehicle** LKW *m*

hi [haɪ] *interj* hallo!

hi·ber·nate ['haɪbəneɪt] *vi* Winterschlaf halten

hi·ber·na·tion [ˌhaɪbəˈneɪʃºn] *n no pl* Winterschlaf *m;* **to go into ~** in den Winterschlaf verfallen

hic·cup ['hɪkʌp] **I.** *n* ❶ (*sound, attack*) Schluckauf *m;* **to give a ~** schlucksen; **to have the ~s** einen Schluckauf haben ❷ (*fig: setback*) Schwierigkeit *f meist pl* **II.** *vi* schlucksen

hid [hɪd] *vt pt of* **hide**

hid·den ['hɪdºn] **I.** *vt pp of* **hide II.** *adj* versteckt; *agenda* heimlich; *reserves* still; *talent* verborgen

hide¹ [haɪd] *n* (*skin*) Haut *f* a. *fig;* (*with fur*) Fell *nt;* (*leather*) Leder *nt* ▸ **I've seen**

neither ~ nor <u>hair</u> **of her** ich habe keine Spur von ihr gesehen

hide² [haɪd] **I.** n BRIT, AUS Versteck nt; HUNT Ansitz m **II.** vt <hid, hidden> ❶ (keep out of sight) verstecken (**from** vor); (cover) verhüllen ❷ (keep secret) emotions verbergen (**from** vor); facts verheimlichen (**from** vor) ❸ (block) verdecken; **to be hidden from view** nicht zu sehen sein **III.** vi <hid, hidden> sich verstecken (**from** vor) ◆ **hide away I.** vt verstecken **II.** vi sich verstecken ◆ **hide out, hide up** vi sich versteckt halten

'hide-and-seek n no pl Versteckspiel nt; **to play ~** Versteck spielen **'hide· away** n (fam) Versteck nt a. fig

hide·ous ['hɪdɪəs] adj ❶ (ugly) grässlich, scheußlich ❷ (terrible) schrecklich, furchtbar

'hide·out n Versteck nt

hid·ing¹ ['haɪdɪŋ] n usu sing ❶ (fam: beating) Tracht f Prügel; **to give sb a good ~** jdm eine ordentliche Tracht Prügel verpassen ❷ (fam: defeat) Schlappe f; **to get a real ~** eine schwere Schlappe einstecken ▸ **to be on a ~ to nothing** BRIT kaum Aussicht auf Erfolg haben

hid·ing² ['haɪdɪŋ] n no pl (concealment) **to be in ~** sich versteckt halten; **to come out of ~** aus seinem Versteck hervorkommen; **to go into ~** untertauchen

hi·er·ar·chi·cal [ˌhaɪ(ə)'rɑːkɪkəl] adj hierarchisch; **to set sth in ~ order** etw hierarchisch ordnen

hi·er·ar·chi·cal·ly [ˌhaɪ(ə)'rɑːkɪkəli] adv hierarchisch

hi·er·ar·chy ['haɪ(ə)rɑːki] n Hierarchie f

hi·ero·glyph ['haɪ(ə)rə(ʊ)glɪf] n Hieroglyphe f

hi·ero·glyph·ic [ˌhaɪ(ə)rə(ʊ)'glɪfɪk] n usu pl ■ ~s Hieroglyphen pl

hi-fi [ˌhaɪ'faɪ] **I.** n short for **high fidelity** Hi-Fi-Anlage f **II.** adj short for **high-fidelity** Hi-Fi-

higgledy-piggle·dy [ˌhɪgldi'pɪgldi] adj, adv (fam) wie Kraut und Rüben

high [haɪ] **I.** adj ❶ hoch präd, hohe(r, s) attr; **to fly at a ~ altitude** in großer Höhe fliegen; **~ in calories** kalorienreich; **to be ~ in calcium** viel Kalzium enthalten; **a ~ level of concentration** hohe Konzentration; **to have ~ hopes** sich dat große Hoffnungen machen; **~ marks** gute Noten; **a ~-scoring match** ein Match nt mit vielen Treffern; **friends in ~ places** wichtige Freunde; **of ~ rank** hochrangig; **at ~ speed** mit hoher Geschwindigkeit; **~ wind** starker Wind; **~ and mighty** (pej) herab-

lassend ❷ (on drugs) high ❸ FOOD game mit Hautgout ▸ **to leave sb ~ and dry** jdn auf dem Trockenen sitzen lassen; **~ time** höchste Zeit **II.** adv hoch; (fig) **feelings were running ~** die Gemüter erhitzten sich ▸ **~ and low** überall **III.** n ❶ (high[est] point) Höchststand m ❷ METEO Hoch nt ❸ (exhilaration) **~s and lows** Höhen und Tiefen pl; **to be on a ~** high sein

high 'beams npl AM AUTO Fernlicht nt **'high·boy** n AM hohe Kommode **'high· brow** adj hochgeistig **'high chair** n Hochstuhl m **'high-'class** adj erstklassig; product hochwertig **high court** n oberstes Gericht **high 'den·sity** adj ❶ COMPUT mit hoher Dichte; **~ disk** HD-Diskette f ❷ (closely packed) kompakt; **~ housing** dicht bebautes Wohngebiet

high·er ['haɪəʳ] **I.** adj comp of **high** höher; **to have ~ marks** bessere Noten haben; **to be destined for ~ things** zu Höherem berufen sein **II.** n SCOT ■**H~**s schottische Hochschulreife; **to take one's H~s** ≈ sein Abitur [o ÖSTERR seine Matura] [o SCHWEIZ seine Matur] machen **III.** adv comp of **high**: **he lives ~ up the hill** er wohnt weiter oben am Berg; **she climbed ~ up the ladder** sie kletterte weiter die Leiter hoch; **this season our team is ~ up in the league** diese Saison sitzt unsere Mannschaft weiter oben in der Tabelle

high·er edu·'ca·tion n no pl Hochschulbildung f; (system) Hochschulwesen nt

high-'fli·er n Überflieger(in) m(f) **high-'flown** adj hochtrabend **high 'fre·quen·cy** n Hochfrequenz f **high-'hand·ed** adj selbstherrlich **high-'hand·ed·ness** n no pl Selbstherrlichkeit f **high 'heels** npl ❶ (shoes) hochhackige Schuhe ❷ (part of a shoe) hohe Absätze **'high jinks** npl Ausgelassenheit f kein pl **'high jump** n no pl Hochsprung m ▸ **to be for the ~** BRIT in Teufels Küche kommen

high·land ['haɪlənd] adj attr Hochland-, hochländisch

High·land 'dress schottische Tracht

high·lands ['haɪləndz] npl Hochland nt kein pl

'high-lev·el adj auf höchster Ebene nach n **'high life** n exklusives Leben; **to live the ~** in Saus und Braus leben **'high·light I.** n ❶ (best part) Höhepunkt m ❷ (in hair) ■ ~s pl Strähnchen pl **II.** vt ❶ (draw attention to) hervorheben, unterstreichen; text markieren ❷ (dye) **to have one's hair ~ed** sich dat Strähnchen machen lassen **'high·light·er** n ❶ (pen) Textmarker m ❷ (cosmetics) Highlighter m

H

high·ly ['haɪli] *adv* hoch-; ~ **amusing** ausgesprochen amüsant; ~ **contagious** hoch ansteckend; ~**-educated** hoch gebildet; ~**-skilled** hoch qualifiziert; ~**-strung** nervös; **to speak ~ of someone** von jdm in den höchsten Tönen sprechen; **to think ~ of someone** eine hohe Meinung von jdm haben

High 'Mass *n* Hochamt *nt*

High·ness ['haɪnəs] *n* ■ **Her/His/Your ~** Ihre/Seine/Eure Hoheit

high-per·'for·mance *adj* Hochleistungs-
high-'pitched *adj* ❶ *voice* hoch ❷ *roof* steil **'high point** *n* Höhepunkt *m* **high-'pow·ered** *adj* ❶ *machine* Hochleistungs-; *car* stark; *computer* leistungsstark ❷ (*influential*) einflussreich; *delegation* hochrangig ❸ (*advanced*) anspruchsvoll **high-'pres·sure** I. *n no pl* METEO Hochdruck *m* II. *adj* ❶ TECH Hochdruck- ❷ ECON ~ **sales techniques** aggressive Verkaufstechniken III. *vt* AM unter Druck setzen **high 'priest** *n* REL Hohe(r) Priester *m;* (*fig*) Doyen *m* **high 'pro·file** I. *n* **to have a ~** gerne im Rampenlicht stehen II. *adj* **she's a ~ politician** sie ist eine Politikerin, die im Rampenlicht steht **high-'protein** *adj* eiweißreich **high-'rank·ing** *adj* hochrangig **high-reso-'lu·tion** *adj* mit hoher Auflösung **'high-rise** *n* Hochhaus *nt* **high-rise 'build·ing** *n*, **high-rise 'flats** *npl* BRIT Hochhaus *nt* **high-'risk** *adj* hochriskant; **to be in a ~ category** einer Risikokategorie angehören **'high school** *n* Highschool **'high 'seas** *npl* hohe See; **on the ~** auf hoher See **high 'sea·son** *n* Hochsaison *f* **'high-sound·ing** *adj* hochtrabend **high-speed 'train** *n* Hochgeschwindigkeitszug *m* **high-'spir·it·ed** *adj* ausgelassen; *horse* temperamentvoll **high 'spir·its** *npl* Hochstimmung *f kein pl* **'high spot** *n* Höhepunkt *m* **'high street** *n* BRIT Haupt[einkaufs]straße *f* **high 'sum·mer** *n no pl* Hochsommer *m* **'high·tail** *vi, vt esp* AM (*fam*) **to ~** [**it**] abhauen **high 'tea** *n* BRIT *frühes Abendessen bestehend aus einem gekochten Essen, Brot und Tee* **high-'tech** *adj* Hightech- **high tech·'nol·ogy** *n no pl* Hightech *nt*, Hochtechnologie *f* **high-'ten·sion** *adj* Hochspannungs- **high 'tide** *n no pl* Flut *f;* **at ~** bei Flut **high 'trea·son** *n no pl* Hochverrat *m* **high 'up** I. *adj* ■ **to be ~** hoch oben in der Hierarchie stehen II. *n* (*fam*) hohes Tier **high 'wa·ter** *n no pl* Flut *f* **high-'wa·ter mark** *n* Hochwassermarke *f*

'high·way I. *n* AM, AUS Highway *m;* BRIT (*form*) Bundesstraße *f;* **coastal ~** Küstenstraße *f* II. *adj* Straßen-; ~ **fatalities** Verkehrstote *pl;* ~ **restaurant** Autobahnrestaurant *nt*

High·way 'Code *n* BRIT Straßenverkehrsordnung *f* **'high·way·man** *n* (*hist*) Straßenräuber *m* **high·way 'rob·bery** *n* (*hist*) Straßenraub *m*

hi·jack ['haɪdʒæk] I. *vt* entführen; (*fig*) klauen *fam* II. *n* Entführung *f*

hi·jack·er ['haɪdʒækəʳ] *n* Entführer(in) *m(f)*

hi·jack·ing ['haɪdʒækɪŋ] *n no pl* Entführung *f*

hike [haɪk] I. *n* ❶ (*long walk*) Wanderung *f;* (*fam*) **that was quite a ~** das war ein ganz schöner Marsch [*o* ÖSTERR Hatscher]; **to go on a ~** wandern gehen; **to take a ~** AM (*fam*) abhauen ❷ AM (*fam: increase*) Erhöhung *f;* ~ **in prices** Preiserhöhung *f* II. *vi* wandern III. *vt* AM (*fam*) erhöhen

hik·er ['haɪkəʳ] *n* Wanderer, Wanderin *m, f*

hik·ing ['haɪkɪŋ] *n no pl* Wandern *nt;* **to go ~** wandern gehen

hi·lari·ous [hɪ'leəriəs] *adj* urkomisch, zum Brüllen

hi·lar·ity [hɪ'lærəti] *n no pl* Ausgelassenheit *f;* **to cause ~** Heiterkeit erregen

hill [hɪl] *n* ❶ (*small mountain*) Hügel *m;* (*higher*) Berg *m* ❷ (*slope*) Steigung *f* ▶ **as old as the ~s** steinalt; **to be over the ~** mit einem Fuß im Grab stehen

hill·bil·ly *n* AM Hinterwäldler(in) *m(f),* Hillbilly *m*

hill·ock ['hɪlək] *n* kleiner Hügel

'hill·side *n* Hang *m* **'hill·top** I. *n* Hügelkuppe *f* II. *adj* (*farm*) auf einem Hügel gelegen **'hill-walk·ing** *n no pl* BRIT Bergwandern *nt*

hilly ['hɪli] *adj* hügelig

hilt [hɪlt] *n* ❶ (*handle*) Griff *m; of a dagger, sword* Heft *nt* ❷ (*fig*) [**up**] **to the ~** hundertprozentig; **to be up to the ~ in debt** bis über beide Ohren in Schulden stecken

him [hɪm, ɪm] *pron object* ihm *in dat,* ihn *in akk;* **who? ~?** wer? der?; **I could never be as good as ~** ich könnte nie so gut sein wie er; **you have more than ~** du hast mehr als er; **that's ~ all right** das ist er in der Tat

Hima·la·yas [ˌhɪmə'leɪjəz] *npl* Himalaya *m*

him·self [hɪm'self] *pron reflexive* sich *in dat o akk;* (*emph: personally*) selbst; **the whole group, including ~** die ganze Gruppe, er eingeschlossen; **he talks to ~ when he works** er spricht bei der Arbeit mit sich [selbst]; **I told him to act naturally and be ~** ich sagte ihm, dass er natürlich bleiben und ganz er selbst sein sollte; **he finally looked ~ again** endlich sah er wieder wie er selbst aus; [all] **by ~** ganz alleine; **all to ~** ganz für sich

hind [haɪnd] **I.** *adj* hintere(r, s); **~ leg** Hinterbein *nt; of game* Hinterlauf *m* ▶ [**to be able**] to talk the **~ legs off a donkey** ohne Punkt und Komma reden [können] **II.** *n* <*pl* - *or* -s> Hirschkuh *f*

hin·der ['hɪndə^r] *vt* behindern

Hin·di ['hɪndiː] *n no pl* Hindi *nt*

'**hind·quar·ters** *npl* Hinterteil *nt; of a horse* Hinterhand *f*

hin·drance ['hɪndrən(t)s] *n* Behinderung *f;* **I've never considered my disability a ~** ich habe meine Behinderung nie als Einschränkung empfunden; **sb is more of a ~ than a help** jd stört mehr, als dass er/sie hilft

'**hind·sight** *n no pl* **in** [*or* **with** [**the benefit of**]] **~** im Nachhinein

Hin·du [ˌhɪn'duː] **I.** *n* Hindu *m o f* **II.** *adj* hinduistisch, Hindu-

Hin·du·ism ['hɪnduːɪzᵊm] *n no pl* Hinduismus *m*

hinge [hɪndʒ] **I.** *n* Angel *f; of a chest, gate* Scharnier *nt;* **to lift** [*or* **take**] **the door off its ~s** die Tür aus den Angeln heben **II.** *vi* (*fig*) ■**to ~ [up]on sb/sth** von jdm/etw abhängen

hinged [hɪndʒd] *adj* mit einem Scharnier *nach n;* ■**to be ~** ein Scharnier haben

hint [hɪnt] **I.** *n* ❶ *usu sing* (*trace*) Spur *f;* **he gave me no ~ that ...** er gab mir nicht den leisesten Wink, ob ...; **at the slightest ~ of trouble** beim leisesten Anzeichen von Ärger; **with a ~ of blue** mit einem Hauch von blau ❷ (*allusion*) Andeutung *f;* **OK, I can take a ~** OK, ich verstehe schon; **it's my birthday next week, ~, ~!** ich habe nächste Woche Geburtstag - so ein dezenter Hinweis ...; **to drop a ~** eine Andeutung machen ❸ (*advice*) Hinweis *m*, Tipp *m* **II.** *vt* ■**to ~ that ...** andeuten, dass ... **III.** *vi* andeuten; ■**to ~ at sth** auf etw *akk* anspielen

hinter·land ['hɪntəlænd] *n no pl* (*behind coast or river*) Hinterland *nt;* (*undeveloped land*) Entwicklungsland *nt*

hip [hɪp] **I.** *n* ❶ ANAT Hüfte *f; of trousers* Hüftweite *f;* **she stood with her hands on her ~s** sie hatte die Arme in die Hüften gestemmt; **to dislocate a ~** sich *dat* die Hüfte ausrenken; **with a 38-inch ~** mit einer Hüftweite von 96 cm ❷ BOT Hagebutte *f* **II.** *adj* (*fam*) hip

'**hip·bone** *n* ANAT Hüftknochen *m* '**hip flask** *n* Flachmann *m*

'**hip-hop** *n no pl* Hiphop *m*

hip·pie ['hɪpi] *n* Hippie *m*

hip·po ['hɪpəʊ] *n* (*fam*) *short for* **hippopotamus**

hip·po·pota·mus <*pl* -es *or* -mi> [ˌhɪpə'pɒtəməs] *n* Nilpferd *nt*

hip·py ['hɪpi] *n* Hippie *m*

hire [haɪə^r] **I.** *n no pl* Mieten *nt;* '**for ~'** ‚zu vermieten'; **there are bikes for ~** man kann Fahrräder mieten; **car ~** [*or* **~ car**] **business** BRIT Autoverleih *m* **II.** *vt* ❶ (*rent*) mieten; *dress* ausleihen ❷ (*employ*) einstellen ◆ **hire out** *vt* vermieten; *bicycle, clothes* verleihen

hire 'pur·chase *n* BRIT Ratenkauf *m;* **to buy something on ~** etw auf Raten kaufen

hire 'pur·chase agree·ment *n* BRIT Teilzahlungsvertrag *m*

his [hɪz, ɪz] **I.** *pron pers* seine(r, s); **some friends of ~** einige seiner Freunde; **that dog of ~ is so annoying!** sein doofer Hund nervt total! *fam* **II.** *adj poss* (*of person*) sein(e); **what's ~ name?** wie heißt er?; **he got ~ very own computer** er hat einen Computer ganz für sich alleine bekommen

His·pan·ic [hɪ'spænɪk] **I.** *adj* hispanisch **II.** *n* Hispano-Amerikaner(in) *m(f)*

hiss [hɪs] **I.** *vi* zischen; (*whisper angrily*) fauchen; ■**to ~ at sb** jdn anfauchen **II.** *vt* ❶ (*utter*) fauchen ❷ (*disapprove of*) ■**to ~ sb/sth** jdn/etw auszischen **III.** *n* <*pl* -es> Zischen *nt kein pl;* (*on tapes*) Rauschen *nt kein pl*

his·ta·mine ['hɪstəmiːn] *n* MED Histamin *nt fachspr*

his·to·rian [hɪ'stɔːriən] *n* Historiker(in) *m(f)*

his·tor·ic [hɪ'stɒrɪk] *adj* historisch

his·tori·cal [hɪ'stɒrɪkᵊl] *adj* geschichtlich, historisch; **~ accuracy** Geschichtstreue *f*

his·tori·cal·ly [hɪ'stɒrɪkᵊli] *adv* geschichtlich, historisch; **the film doesn't try to be ~ accurate** der Film versucht nicht, geschichtstreu zu sein

his·tory ['hɪstᵊri] **I.** *n* ❶ *no pl* (*past events*) Geschichte *f;* **to go down in ~** in die Geschichte eingehen; **to make ~** Geschichte schreiben ❷ (*fig*) **that's all ~** das gehört alles der Vergangenheit an; ■**sb is ~** jd ist fertig [*o* erledigt] [*o* nicht mehr im Bilde]; **ancient ~** kalter Kaffee ❸ *usu sing* (*background*) Vorgeschichte *f;* **her family has a ~ of heart problems** Herzprobleme liegen bei ihr in der Familie **II.** *adj book, class* Geschichts-

his·tri·on·ic [ˌhɪstri'ɒnɪk] *adj* theatralisch

H

hit [hɪt] **I.** *n* ❶ (*blow*) Schlag *m* ❷ (*shot*) Treffer *m;* **to suffer a direct ~** direkt getroffen werden ❸ (*success*) Hit *m;* **to be a** [**big**] **~ with sb** bei jdm gut ankommen ❹ (*in baseball*) Hit *m;* **to score a ~** einen Punkt machen ❺ (*sl: of drug*) Schuss *m* ❻ *esp* AM (*fam: murder*) Mord *m* ❼ INET Besuch *m* einer Webseite ❽ COMPUT (*in database*) Treffer *m* ▶ **to take a** [**big**] **~** einen [großen] Verlust hinnehmen [müssen] **II.** *vt* <-tt-, hit, hit> ❶ (*strike*) schlagen; **to ~ sb below the belt** jdm einen Schlag unter die Gürtellinie versetzen *a. fig;* **to ~ sb where it hurts** (*fig*) jdn an einer empfindlichen Stelle treffen ❷ (*come in contact*) treffen; **the house was ~ by lightning** in das Haus schlug der Blitz ein ❸ (*press*) *button* drücken; *key* drücken auf +*akk* ❹ (*crash into*) ▪ **to ~ sth** gegen etw *akk* stoßen; **their car ~ a tree** ihr Auto krachte gegen einen Baum; **she ~ her head on the edge of the table** sie schlug sich den Kopf an der Tischkante an; **the glass ~ the floor** das Glas schlug auf den Boden [auf] ❺ (*with missile*) ▪ **to be ~** getroffen werden; **I've been ~!** mich hat's erwischt! ❻ SPORTS treffen; (*score*) erzielen ❼ (*affect negatively*) **to be** [**badly**] **~ by sth** von etw *dat* [hart] getroffen werden ❽ (*fam: arrive at*) **we should ~ the main road soon** wir müssten bald auf die Hauptstraße stoßen; **my sister ~ forty last week** meine Schwester wurde letzte Woche 40; **to ~ the headlines/papers** in die Schlagzeilen/Zeitungen kommen; **to ~ rock bottom** einen historischen Tiefstand erreichen; **to ~ a web site** eine Webseite besuchen ❾ (*fam: go to*) **let's ~ the dance floor** lass uns tanzen! ❿ (*encounter*) stoßen auf +*akk;* **to ~ the rush hour/a traffic jam** in die Stoßzeit/einen Stau geraten; **to ~ trouble** in Schwierigkeiten geraten ⓫ (*occur to*) ▪ **to ~ sb** jdm auffallen; **it suddenly ~ me that ...** mir war plötzlich klar, dass ... ⓬ (*produce*) *note* treffen *a. fig* **III.** *vi* ❶ (*strike*) ▪ **to ~** [**at sb/sth**] [nach jdm/etw] schlagen; **to ~ hard** kräftig zuschlagen ❷ (*attack*) ▪ **to ~ at sb** jdn attackieren *a. fig* ❸ (*take effect*) wirken ◆ **hit back** *vi* zurückschlagen; ▪ **to ~ back at sb** jdm Kontra geben ◆ **hit off** *vt* ▪ **to ~ it off** [**with sb**] (*fam*) sich prächtig [mit jdm] verstehen ◆ **hit on** *vi* ❶ (*think of*) kommen auf +*akk* ❷ AM (*sl: make sexual advances*) ▪ **to ~ on sb** jdn anmachen ❸ AM (*fam: attempt to extract* [*money*]) ▪ **to ~ on sb** jdn anpumpen ◆ **hit out** *vi* ▪ **to ~ out** [**at sb**] [auf jdn] einschlagen;

(*fig*) [jdn] scharf attackieren; **he was ~ting out in all directions** er schlug nach allen Seiten um sich ◆ **hit up** *vt* AM (*fam*) ▪ **to ~ up** ↻ **sb** [**for money**] jdn [um Geld] anhauen ◆ **hit upon** *vi idea* kommen auf +*akk*

hit-and-'miss *adj* zufällig; **a ~ affair** [reine] Glückssache

hit-and-'run I. *n no pl* AUTO Fahrerflucht *f;* MIL Überraschungsüberfall *m* **II.** *adj driver* unfallflüchtig; **~ accident** Unfall *m* mit Fahrerflucht; **~ attack** MIL Blitzangriff *m*

hitch [hɪtʃ] **I.** *n* <*pl* -es> (*difficulty*) Haken *m;* **but there is a ~** aber die Sache hat einen Haken; **a technical ~** ein technisches Problem; **to go off without a ~** reibungslos ablaufen **II.** *vt* ❶ (*fasten*) festmachen (**to** an); *trailer* anhängen (**to** an); *animal* festbinden; **to ~ a horse to a cart** ein Pferd vor einen Wagen spannen ❷ (*fam: hitchhike*) **to ~ a lift** [*or* **ride**] trampen, per Anhalter fahren **III.** *vi* (*fam*) trampen ◆ **hitch up** *vt* ❶ (*fasten*) festmachen (**to** an); *trailer* anhängen (**to** an); **to ~ a horse up to a cart** ein Pferd vor einen Wagen spannen ❷ (*pull up*) *trousers* hochziehen

hitch·er ['hɪtʃər] *n* Anhalter(in) *m(f)*, Tramper(in) *m(f)*

'hitch·hike *vi* per Anhalter fahren, trampen **'hitch·hik·er** *n* Anhalter(in) *m(f)*, Tramper(in) *m(f)* **'hitch·hik·ing** *n no pl* Trampen *nt*

hi-tech *adj see* **high-tech**

hith·er ['hɪðər] *adv* (*liter*) **~ and thither** hierhin und dorthin

hith·er·to [ˌhɪðə'tuː] *adv* (*form*) bisher

'hit man *n* Killer *m*

hit-or-'miss *adj see* **hit-and-miss**

HIV [ˌeɪtʃaɪ'viː] *n no pl abbrev of* **human immunodeficiency virus** HIV *nt*

hive [haɪv] *n* ❶ (*beehive*) Bienenstock *m* ❷ (*busy place*) Ameisenhaufen *m fig;* **the whole house was a ~ of activity** das ganze Haus glich einem Ameisenhaufen ◆ **hive off** *vt* BRIT, AUS ausgliedern

HIV-'posi·tive *adj* HIV-positiv

hl *abbrev of* **hectolitre** hl

HMS [ˌeɪtʃem'es] *n* BRIT *abbrev of* **Her/His Majesty's Ship** H.M.S.

HNC [ˌeɪtʃen'siː] *n* BRIT SCH *abbrev of* **Higher National Certificate** Fachhochschulzertifikat *nt;* **to do an ~ course** einen Fachhochschulkurs besuchen

HND [ˌeɪtʃen'diː] *n* BRIT SCH *abbrev of* **Higher National Diploma** Fachhochschuldiplom *nt;* **to do an ~ course** einen Diplomlehrgang an einer Fachhochschule besuchen

hoard [hɔːd] I. *n (of money, food)* Vorrat *m (of* an); *(treasure)* Schatz *m; ~* **of weapons** Waffenlager *nt* II. *vt* horten; *food also* hamstern III. *vi* Vorräte anlegen

hoard·ing ['hɔːdɪŋ] *n* ❶ Brit, Aus [**advertising**] ~ Plakatwand *f* ❷ *(fence)* Bauzaun *m* ❸ *(storing)* Horten *nt*

'**hoar frost** *n no pl* [Rau]reif *m*

hoarse [hɔːs] *adj* heiser

hoarse·ly ['hɔːsli] *adv* heiser

hoarse·ness ['hɔːsnəs] *n no pl* Heiserkeit *f*

hoax [həʊks] *n* ❶ *(deception)* Täuschung *f;* (*joke*) Streich *m; (false alarm)* blinder Alarm; **bomb ~** vorgetäuschte Bombendrohung II. *adj* vorgetäuscht; *~* **caller** *jd, der telefonisch falschen Alarm auslöst* III. *vt* [he]reinlegen; **to ~ sb into believing** [*or* **thinking**] **sth** jdm etw weismachen

hoax·er ['həʊksər] *n jd, der falschen Alarm auslöst*

hob [hɒb] *n* Brit Kochfeld *nt*

hob·ble ['hɒbl] I. *vi* hinken, humpeln; **to ~ around on crutches** mit Krücken herumlaufen II. *vt* **to ~ an animal** einem Tier die Beine zusammenbinden III. *n* ❶ *(for a horse)* Fußfessel *f* ❷ *(awkward walk)* Hinken *nt kein pl,* Humpeln *nt kein pl;* **by the end of the match he was reduced to a ~** am Ende des Spiels hinkte er nur noch

hob·by ['hɒbi] *n* Hobby *nt*

'**hob·by-horse** *n* Steckenpferd *nt*

hob·nailed boot [ˌhɒbneɪld'-] *n* Nagelschuh *m*

hob·nob <-bb-> ['hɒbnɒb] *vi (fam)* verkehren

hobo <*pl* -s *or* -es> ['həʊbəʊ] *n* Am, Aus ❶ *(tramp)* Penner(in) *m(f),* Sandler(in) *m(f)* ÖSTERR ❷ *(itinerant worker)* Wanderarbeiter(in) *m(f)*

hock¹ [hɒk] *n* Brit *(wine)* weißer Rheinwein

hock² [hɒk] *n* ZOOL Sprunggelenk *nt; of a horse* Fesselgelenk *nt; (meat)* Hachse *f,* Haxe *f* SÜDD, ÖSTERR

hock³ [hɒk] I. *n (fam)* ❶ *(in debt)* **to be in ~** Schulden haben; **to be in ~ to sb** bei jdm in der Kreide stehen ❷ *(pawned)* **in ~** verpfändet II. *vt* verpfänden

hock·ey ['hɒki] *n no pl* Hockey *nt; ~* **stick** Hockeyschläger *m*

hocus-pocus [ˌhəʊkəs'pəʊkəs] *n no pl* Hokuspokus *m; (evil tricks)* fauler Zauber *fam*

hodge·podge ['hɑːdʒpɑːdʒ] *n* Am *see* **hotchpotch**

hoe [həʊ] I. *n* Hacke *f* II. *vt, vi* hacken

hog [hɒg] I. *n* ❶ Am Schwein *nt;* Brit Mast-

schwein *nt* ❷ *(fig, pej fam)* Gierschlund *m* ▶ **to go the whole ~** ganze Sache machen II. *vt* <-gg-> *(fam)* ■ **to ~ sb/sth** [**all to oneself**] jdn/etw [ganz für sich *akk*] in Beschlag nehmen; **to ~ the bathroom** das Badezimmer mit Beschlag belegen; **to ~ the limelight** im Rampenlicht stehen; **to ~ the road** die ganze Straße [für sich *akk*] beanspruchen

Hog·ma·nay ['hɒgməneɪ] *n* SCOT *traditionelles schottisches Neujahrsfest*

hoist [hɔɪst] I. *vt* hochheben; *flag, sail* hissen; **he ~ed her onto his shoulders** er hievte sie auf seine Schultern II. *n* Winde *f*

hold [həʊld] I. *n* ❶ *(grasp)* Halt *m kein pl;* **to catch** [*or* **grab**] [*or* **get** [**a**]] [*or* **take** [**a**]] *~* **of sb/sth** jdn/etw ergreifen; **grab ~ of my hand** nimm meine Hand; **to keep ~ of sth** etw festhalten; **sb loses ~ of sth** jdm entgleitet etw; **to take ~** *(fig) fire, epidemic* übergreifen ❷ SPORTS Griff *m* (**on** an) ❸ TELEC **to be on ~** in der Warteschleife sein; **to put sb on ~** jdn in die Warteschleife schalten ❹ *(delay)* **to be on ~** auf Eis liegen *fig;* **to put sth on ~** etw auf Eis legen *fig* ❺ *(control)* **get** [**a**] **~ of yourself!** reiß dich zusammen!; **to have a** [**strong**] **~ on** [*or* **over**] **sb** [starken] Einfluss auf jdn haben ❻ *(fig)* **no ~s barred** ohne jegliches Tabu; **to get ~ of sb/sth** jdn/etw auftreiben; *information* etw sammeln ❼ *(understand)* **to get ~ of sth** etw verstehen; **to get ~ of the wrong idea** etw falsch verstehen ❽ NAUT, AVIAT Frachtraum *m* II. *vt* <held, held> ❶ *(grasp)* ■ **to ~ sb/sth** [**tight** [*or* **tightly**]] jdn/etw [fest]halten; **to ~ sb in one's arms** jdn in den Armen halten; **to ~ the door open for sb** jdm die Tür aufhalten; **to ~ one's nose** sich *dat* die Nase zuhalten; **to ~ sth in place** etw halten ❷ *(support)* [aus]halten ❸ *(keep)* halten; **to ~ sb's attention** [*or* **interest**] jdn fesseln; **to ~ sb** [**in custody**]/**hostage/prisoner** jdn in Haft/als Geisel/gefangen halten; **to be able to ~ one's drink** Alkohol vertragen; **to ~ sb to ransom** jdn bis zur Zahlung eines Lösegelds gefangen halten; **to ~ its value** seinen Wert behalten; **to ~ sb to his/her word** jdn beim Wort nehmen ❹ *(delay, stop)* zurückhalten; *~* **it** [**right there**]! stopp!; **OK,** *~* **it!** PHOT gut, bleib so!; **to ~ one's breath** die Luft anhalten; **to ~ the front page** die erste Seite freihalten; **to ~ the line** am Apparat bleiben ❺ *(contain)* fassen; COMPUT speichern; **this room ~s 40 people** dieser Raum bietet 40 Personen Platz; **the CD rack ~s 100 CDs** in den CD-Ständer passen 100 CDs; **this hard disk ~s 13 giga-bytes** diese Festplatte hat ein Speichervo-lumen von 13 Gigabyte ◆ **hold against** *vt* ■ **to ~ sth against sb** jdm etw vorwerfen ◆ **hold back** I. *vt* (*stop*) aufhalten; (*impede development*) hindern; *informa-tion* geheim halten; **to ~ back tears** Trä-nen zurückhalten II. *vi* (*refrain*) **to ~ back from doing sth** etw unterlassen ◆ **hold down** *vt* (*keep near the ground*) nieder-halten; (*keep low*) *levels, prices* niedrig halten ◆ **hold forth** *vi* ■ **to ~ forth** [about sth] sich [über etw *akk*] auslassen ◆ **hold in** *vt emotion* zurückhalten; **to ~ in one's fear** seine Angst unterdrücken; **to ~ one's stomach in** seinen Bauch einziehen ◆ **hold off** I. *vt* ❶ MIL. *enemy* abwehren ❷ (*postpone*) verschieben II. *vi* warten; **the rain held off all day** es hat den gan-zen Tag nicht geregnet ◆ **hold on** *vi* ❶ (*affix, attach*) ■ **to be held on by** [*or* with] **sth** mit etw *dat* befestigt sein ❷ (*manage to keep going*) durchhalten ❸ (*wait*) **hold on!** Moment bitte! ◆ **hold onto** *vt* ❶ (*grasp*) festhalten ❷ (*keep*) be-halten ◆ **hold out** I. *vt* ausstrecken; ■ **to ~ out sth to sb** jdm etw hinhalten II. *vi* ❶ (*manage to resist*) durchhalten; **to ~ out for sth** auf etw *dat* bestehen ❷ (*refuse to give information*) **to ~ out on sb** jdm etw verheimlichen ◆ **hold over** *vt* ❶ (*defer*) etw aufschieben ❷ AM (*extend*) etw verlängern ◆ **hold to** *vi* **can I ~ you to that?** bleibst du bei deinem Wort? ◆ **hold together** *vi, vt* zusammenhalten ◆ **hold up** I. *vt* ❶ (*raise*) hochhalten; **to ~ up one's hand** die Hand heben; ■ **to be held up by sth** von etw *dat* gestützt wer-den ❷ (*delay*) aufhalten; **the letter was held up in the post** der Brief war bei der Post liegen geblieben II. *n* (*violent rob-bery*) Überfall *m* ◆ **hold with** *vt* ■ **to ~ with sth** mit etw *dat* einverstanden sein

'**hold·all** *n* BRIT Reisetasche *f*

hold·er ['həʊldəʳ] *n* ❶ (*device*) Halter *m*; **cigarette ~** Zigarettenspitze *f* ❷ (*person*) Besitzer(in) *m(f)*; **account ~** Kontoinha-ber(in) *m(f)*; **passport ~** Passinhaber(in) *m(f)*; **record ~** Rekordhalter(in) *m(f)*

hold·ing ['həʊldɪŋ] *n* ❶ (*tenure*) Pachtbe-sitz *m* ❷ FIN Beteiligung *f*; ■ **~s** *pl* Anteile *pl*; **~ company** Dachgesellschaft *f*

'**hold-up** *n* ❶ (*crime*) Raubüberfall *m* ❷ (*delay*) Verzögerung *f*

hole [həʊl] I. *n* ❶ (*gap*) Loch *nt a. fig*; *of fox, rabbit* Bau *m*; **to dig a ~** ein Loch gra-ben; **an 18-~ course** ein Golfplatz *m* mit 18 Löchern ❷ (*fig: fault*) Schwachstelle *f*;

to pick ~s [**in sth**] [etw] kritisieren ❸ (*fig fam: difficulty*) **to be in a** [**bit of a**] ~ [ganz schön] in Schwierigkeiten stecken; **to get sb out of a ~** jdm aus der Patsche helfen II. *vt* ❶ MIL Löcher reißen in +*akk* ❷ (*in golf*) einlochen ◆ **hole up** *vi* (*fam*) sich verkriechen

holey ['həʊli] *adj* löchrig

holi·day ['hɒlədeɪ] I. *n* ❶ BRIT, AUS (*vaca-tion*) Urlaub *m*, Ferien *pl*; **school ~s** Feri-en *pl*; **to go on an adventure/a sailing/a skiing ~** Abenteuer-/Segel-/Skiurlaub ma-chen; **to take three weeks' ~** drei Wochen Urlaub nehmen; **to be [away] on ~** im Urlaub sein ❷ (*work-free day*) Fei-ertag *m* ❸ AM ■ **~s** Weihnachtszeit *f kein pl* II. *vi* BRIT, AUS Urlaub machen

'**holi·day camp** *n* BRIT, AUS Ferienlager *nt*

holi·day en·'ti·tle·ment *n* BRIT, AUS Ur-laubsanspruch *m* '**holi·day flat** *n* BRIT, AUS Ferienwohnung *f* '**holi·day house** *n* BRIT, AUS Ferienhaus *nt* '**holi·day·mak-er** *n* BRIT, AUS Urlauber(in) *m(f)* '**holi·day re·sort** *n* BRIT, AUS Urlaubsort *m*

holi·ness ['həʊlɪnəs] *n no pl* Heiligkeit *f*

Hol·land ['hɒlənd] *n no pl* Holland *nt*

hol·ler ['hɒləʳ] I. *vi, vt* AM (*fam*) brüllen II. *n* AM (*fam*) Schrei *m*

hol·low ['hɒləʊ] I. *adj* ❶ (*empty, sunken*) hohl; *cheeks* eingefallen ❷ (*fig*) wertlos; *laughter* ungläubig; *promise* leer; *victory* schal II. *n* ❶ (*hole*) Senke *f* ❷ AM (*valley*) Tal *nt* III. *adv* hohl IV. *vt* ■ **to ~ [out]** aus-höhlen

hol·ly ['hɒli] *n* Stechpalme *f*

holo·caust ['hɒləkɔːst] *n* ❶ (*destruction*) Inferno *nt* ❷ (*genocide*) Massenvernich-tung *f*; ■ **the H~** der Holocaust

holo·gram ['hɒləgræm] *n* Hologramm *nt*

holo·graph·ic [ˌhɒlə'græfɪk] *adj* hologra-fisch; **~ picture** holografisches Bild

hol·ster ['həʊlstəʳ] *n* [Pistolen]halfter *nt o f*

holy ['həʊli] *adj* heilig ▶ **~ cow** [*or* **smoke**] [*or fam!* **shit**]! du heilige Scheiße!

Holy Com·'mun·ion *n* (*service*) heilige Kommunion ❷ (*bread and wine*) heiliges Abendmahl **Holy 'Fa·ther** *n* ■ **the ~** der Heilige Vater **Holy 'Scrip·ture** *n* die Hei-lige Schrift **Holy 'Spir·it** *n* ■ **the ~** der Heilige Geist **'Holy Week** *n* Karwoche *f*

hom·age ['hɒmɪdʒ] *n no pl* Huldigung *f* (**to** +*gen*); **to pay ~** [**to sb**] [jdm] huldigen

home [həʊm] I. *n* ❶ (*abode*) Zuhause *nt*; **haven't you got a ~ to go to?** hast du [denn] kein Zuhause?; **to give sb/an animal a ~** jdm/einem Tier ein Zuhause geben; **a ~** [AM, AUS **away**] **from ~** ein zweites Zuhause; **to be away from ~** von zu Hause weg sein; **to leave ~** [von zu Hause] ausziehen; **to make oneself at ~** es sich *dat* gemütlich machen; **to work from ~** zu Hause arbeiten; **at ~** zu Hause, zuhause ÖSTERR, SCHWEIZ ❷ (*house*) Haus *nt;* (*flat*) Wohnung *f;* **luxury ~** Luxusheim *nt;* **starter ~** erstes eigenes Heim ❸ (*family*) Zuhause *nt kein pl;* **to come from a broken ~** aus zerrütteten Familienverhältnissen stammen ❹ (*institute*) Heim *nt;* **old people's ~** Altersheim *nt* ❺ (*place of origin*) Heimat *f; of people also* Zuhause *nt kein pl;* **England feels like ~ to me now** ich fühle mich inzwischen in England zu Hause ❻ SPORTS **at ~** zu Hause; **away from ~** auswärts ❼ *no pl* COMPUT (*for the cursor*) Ausgangsstellung *f;* (*on the key*) "*~*" „Pos. 1" ▶ **who's he when he's at ~?** wer, bitteschön, ist er [denn] überhaupt?; **to feel at ~ with sb** sich bei jdm wohl fühlen; **~ is where the <u>heart</u> is** (*prov*) Zuhause ist, wo das Herz zu Hause ist; **there's <u>no place</u> like ~** (*prov*) daheim ist's doch am schönsten; **~ <u>sweet</u> ~** (*saying*) trautes Heim, Glück allein **II.** *adv* ❶ (*at one's abode*) zu Hause, zuhause ÖSTERR, SCHWEIZ, daheim *bes* SÜDD, ÖSTERR, SCHWEIZ; (*to one's abode*) nach Hause, nachhause ÖSTERR, SCHWEIZ; **hello! I'm ~!** hallo! ich bin wieder da! ❷ (*to one's origin*) **to go/return ~** in seine Heimat zurückgehen/zurückkehren ❸ (*to sb's understanding*) **her remarks really hit ~** ihre Bemerkungen haben echt gesessen!; **to bring sth ~** [**to sb**] [jdm] etw klarmachen; **to drive it ~ that ...** unmissverständlich klarmachen, dass ... ❹ SPORTS (*finish*) **to get ~** das Ziel erreichen ▶ **to be ~ and <u>dry</u>** [*or* AUS <u>hosed</u>], **to be ~ <u>free</u>** AM seine Schäfchen ins Trockene gebracht haben **III.** *vi* ▪ **to ~ in on sth** genau auf etw *akk* zusteuern; (*fig*) [sich *dat*] etw herausgreifen

'**home ad·dress** *n* Heimatadresse *f*, Privatanschrift *f* '**home ad·van·tage** *n* Heimvorteil *m* '**home af·fairs** *n pl* BRIT POL innere Angelegenheiten; **~ correspondent** Korrespondent(in) *m(f)* für Innenpolitik **home-'baked** *adj* selbst gebacken **home 'bank·ing** *n no pl* Homebanking *nt* **home 'brew** *n* selbst gebrautes Bier '**home·com·ing** *n* ❶ (*return*) Heimkehr *f kein pl* ❷ AM (*reunion*) Ehemaligentreffen *nt;* **~ queen** Schönheitskönigin beim Ehemaligentreffen **home 'cook·ing** *n no pl* Hausmannskost *f* **Home 'Coun·ties** *npl* BRIT *an London angrenzende Grafschaften* **home eco·'nom·ics** *n + sing*

vb Hauswirtschaft[slehre] *f* '**home game** *n* Heimspiel *nt* '**home ground** *n* eigener Platz **home-'grown** *adj* aus dem eigenen Garten, aus eigenem Anbau **home 'help** *n* BRIT Haushaltshilfe *f* '**home·land** *n* ❶ (*origin*) Heimat *f*, Heimatland *nt* ❷ (*hist: in South Africa*) Homeland *nt* **home·less** ['həʊmləs] **I.** *adj* heimatlos; ▪ **to be ~** obdachlos sein **II.** *n* **the ~** *pl* die Obdachlosen *pl* '**home loan** *n* Hypothek *f* **home·ly** ['həʊmli] *adj* ❶ BRIT, AUS (*plain*) schlicht, aber gemütlich ❷ AM, AUS (*pej: ugly*) unansehnlich **home-'made** *adj* hausgemacht; *cake* selbst gebacken; *jam* selbst gemacht '**home·mak·er** *n* Hausmann, -frau *m, f;* **to be the ~** den Haushalt führen '**Home Of·fice** *n + sing/pl vb* BRIT Innenministerium *nt*

homeo·path ['həʊmiə(ʊ)pæθ] *n* Homöopath(in) *m(f)*

homeo·path·ic ['həʊmiə(ʊ)pæθɪk] *adj* homöopathisch

homeopa·thy [ˌhəʊmi'ɒpəθi] *n no pl* Homöopathie *f*

'**home·own·er** *n* Hausbesitzer(in) *m(f)* '**home page** *n* COMPUT Homepage *f* **home 'plate** *n* AM (*in baseball*) Schlagmal *nt* '**home re·cord** *n* Heimrekord *m* **home 'rule** *n no pl* [politische] Selbstverwaltung **Home 'Sec·re·tary** *n* BRIT Innenminister(in) *m(f)*

'**home·sick** *adj* **to be** [*or* feel] **~** [**for sth**] [nach etw *dat*] Heimweh haben

'**home·sick·ness** *n no pl* Heimweh *nt*

home·stead ['həʊmsted] *n* AUS, NZ *Wohnhaus auf einer Schaf- oder Rinderfarm;* AM (*old*) *Stück Land, das den Siedlern zugewiesen wurde*

home 'straight, **home 'stretch** *n* Zielgerade *f a. fig* '**home team** *n* Heimmannschaft *f* **home-'town** *n* AM Heimatstadt *f* **home 'truth** *n* bittere Wahrheit

home·ward ['həʊmwəd] **I.** *adv* heimwärts, nach Hause **II.** *adj* heimwärts; **~ journey** Heimreise *f*

home·wards ['həʊmwədz] *adv* heimwärts

'**home win** *n* SPORTS Heimsieg *m* '**home·work** *n no pl* Hausaufgaben *pl a. fig* '**home·work·er** *n* Heimarbeiter(in) *m(f)*

homey ['həʊmi] *adj* AM, AUS heimelig

homi·ci·dal [ˌhɒmɪ'saɪdəl] *adj* AM, AUS gemeingefährlich

homi·cide ['hɒmɪsaɪd] *n* LAW ❶ *no pl* (*murdering*) Mord *m* ❷ (*death*) Mordfall *m;* **~ rate** Mordrate *f;* **~ squad** Mordkommission *f*

homi·ly ['hɒmɪli] n (pej) Moralpredigt f (on über +akk)

hom·ing ['həʊmɪŋ] adj ~ **instinct** Heimfindevermögen nt; ~ **device** Peilsender m; ~ **pigeon** Brieftaube f

homo ['həʊməʊ] I. n (pej fam) Homo m II. adj (esp pej fam: of homosexuals) homo sl

ho·mog·enize [hə'mɒdʒənaɪz] vt homogenisieren

homo·sex·ual [ˌhəʊmə(ʊ)'sekʃʊəl] I. adj homosexuell II. n Homosexuelle(r) f(m)

homo·sex·ual·ity [ˌhəʊmə(ʊ)ˌsekʃʊ'æləti] n no pl Homosexualität f

Hon [ɒn] adj abbrev of **Honourable** geehrt, ehrenhaft

Hon·du·ran [hɒn'djʊərən] I. n Honduraner(in) m(f) II. adj honduranisch

Hon·du·ras [hɒn'djʊərəs] n Honduras nt

hon·est ['ɒnɪst] adj ❶ (truthful) ehrlich ❷ (trusty) redlich ❸ attr (correct) ehrlich, ordentlich; **to make an ~ living** ein geregeltes Einkommen haben

hon·est·ly ['ɒnɪstli] I. adv ehrlich II. interj ❶ (promising) [ganz] ehrlich! ❷ (disapproving) also ehrlich!

hon·es·ty ['ɒnɪsti] n no pl Ehrlichkeit f; **in all ~** ganz ehrlich ▸ **~ is the best policy** (prov) ehrlich währt am längsten

hon·ey ['hʌni] n ❶ no pl (fluid) Honig m ❷ esp AM (fam: sweet person) Schatz m; (sl: attractive young woman) flotter Käfer

'hon·ey·bee n [Honig]biene f **'hon·ey·comb** n (wax) Bienenwabe f; (food) Honigwabe f; ~ **pattern** Wabenmuster nt

hon·ey·dew 'mel·on n Honigmelone f

'hon·ey·moon I. n ❶ (after marriage) Flitterwochen pl; ~ **couple** Flitterwöchner pl ❷ usu sing (fig) Schonfrist f II. vi **they are ~ing in the Bahamas** sie verbringen ihre Flitterwochen auf den Bahamas

honk [hɒŋk] I. n ❶ of goose Schrei m ❷ of horn Hupen nt II. vi ❶ (cry) goose schreien ❷ horn hupen III. vt (beep) **to ~ one's horn** auf die Hupe drücken

honk·ing ['hɒŋkɪŋ] n ❶ (crying) Schreien nt; **the ~ of geese** der Schrei der Gänse ❷ (beeping) Hupen nt

hon·or n, vt AM see **honour**

hon·or·able adj AM see **honourable hon·or·ary** ['ɒnərəri] adj ehrenamtlich

hon·our ['ɒnə] I. n ❶ no pl Ehre f; **word of ~** Ehrenwort nt; **to be [or feel] ~ bound to do sth** es als seine Pflicht ansehen, etw zu tun; ◾**in ~ of sb/sth** zu Ehren einer Person/einer S. gen; ◾**to do sb the ~ of doing sth** jdm die Ehre erweisen,

etw zu tun ❷ (award) Auszeichnung f ❸ (title) **Your H~** Euer Ehren ❹ (in golf) Recht, den Golfball vom ersten Abschlag zu spielen ▸ **there's ~ among thieves** (prov) es gibt auch so etwas wie Ganovenehre II. vt ❶ person ehren ❷ (fulfil) obligation erfüllen ❸ FIN akzeptieren

hon·our·able ['ɒnᵊrəbl] adj ❶ (worthy) ehrenhaft; agreement ehrenvoll; person ehrenwert ❷ BRIT (MP) **the ~ member for Bristol West** der Herr Abgeordnete für West-Bristol

hon·our·ably, AM **hon·or·ably** ['ɒnᵊrəbli] adv ehrenhaft

'hon·our kil·ling n Ehrenmord m

'hon·ours de·gree n BRIT UNIV Examen nt mit Auszeichnung

hons n short for **honours** ≈ höherer akademischer Grad

hooch n no pl AM (sl) Fusel m fam

hood¹ [hʊd] n ❶ (cap) Kapuze f ❷ (mask) Maske f ❸ (shield) Haube f; **cooker ~** Abzugshaube f; **pram** [or AM **stroller**] ~ Kinderwagenschutzdach nt ❹ AM (bonnet) [Motor]haube f; BRIT (folding top) Verdeck nt

hood² [hʊd] n AM (gangster) Kriminelle(r) f(m)

hood³ [hʊd] n AM (sl) Nachbarschaft f

hoodie n ['hʊdi] Kapuzenjacke f

hood·lum ['huːdləm] n ❶ (gangster) Kriminelle(r) f(m) ❷ (thug) Rowdy m

hood·wink ['hʊdwɪŋk] vt hereinlegen

hoody n ['hʊdi] Kapuzenjacke f

hoof [huːf] I. n <pl hooves or -s> Huf m II. vt (fam) **to ~ it** laufen

hoo·ha ['huːhɑː] n no pl (fam) Wirbel m

hook [hʊk] I. n Haken m; **to leave the phone off the ~** den Telefonhörer nicht auflegen ▸ **by ~ or by crook** auf Biegen und Brechen; **to fall for sth ~, line and sinker** voll auf etw akk hereinfallen; **to be off the ~** aus dem Schneider sein; **to get the ~** AM entlassen werden; **to let sb off the ~** jdn herauspauken; **to sling one's ~** BRIT die Hufe schwingen II. vt ❶ (fish) **to ~ a fish** einen Fisch an die Angel bekommen ❷ (fasten) ◾**to ~ sth to sth** etw an etw dat festhaken ❸ (fetch with hook) **she ~ed the shoe out of the water** sie angelte den Schuh aus dem Wasser ◆**hook up** I. vt ❶ (hang) aufhängen ❷ (connect) anschließen (**to** an) ❸ (fasten) zumachen ❹ AM (fam: supply) ◾**to ~ sb up with sth** jdm etw besorgen II. vi ◾**to ~ up** [**to sth**] sich [an etw akk] anschließen

hook·ah ['hʊkə] n Huka f (indische Was-

serpfeife)

hooked [hʊkt] *adj* ❶ (*curved*) hakenförmig; **~ nose** Hakennase *f* ❷ (*addicted*) abhängig; **~ on drugs** drogenabhängig ❸ (*interested*) ■**to be ~** total begeistert sein; ■**to be ~ on sb** total verrückt nach jdm sein; ■**to be ~ on sth** völlig besessen von etw *dat* sein

hook·er ['hʊkə^r] *n* ❶ Am, Aus (*fam*) Nutte *f sl* ❷ (*rugby*) Hakler(in) *m(f)*

hooky ['hʊki] *n no pl* Am, Aus (*fam*) **to play ~** die Schule schwänzen

hoo·li·gan ['huːlɪg²n] *n* Hooligan *m*

hoo·li·gan·ism ['huːlɪg²nɪz²m] *n no pl* Rowdytum *nt*

hoop [huːp] *n* ❶ (*ring*) Reifen *m* ❷ (*earring*) ringförmiger Ohrring ❸ (*semicircle*) Tor *nt*

hoop·tie ['huːpti] *n* Am (*sl: car*) Kiste *f fam*

hoot [huːt] **I.** *n* ❶ (*beep*) Hupen *nt kein pl* ❷ (*owl call*) Schrei *m* ❸ (*outburst*) **to give a ~ of laughter** losprusten ▶**to be a** [**real**] **~** zum Brüllen sein; **to not give a ~** [**about sth**] sich keinen Deut [um etw *akk*] kümmern **II.** *vi* ❶ *car* hupen ❷ *owl* schreien ❸ (*utter*) **to ~ with laughter** in johlendes Gelächter ausbrechen **III.** *vt* **to ~ one's horn** auf die Hupe drücken; **to ~ one's horn at sb** jdn anhupen

hoot·er ['huːtə^r] *n* ❶ (*siren*) Sirene *f* ❷ Brit, Aus (*fam: nose*) Zinken *m* ❸ Am (*fam!: breasts*) ■**~s** *pl* Titten *pl derb*

Hoo·ver® ['huːvə^r] Brit, Aus **I.** *n* Staubsauger *m* **II.** *vt, vi* |staub|saugen

hop [hɒp] **I.** *vi* <-pp-> ❶ (*jump*) hüpfen; *hare* hoppeln ❷ sports springen **II.** *vt* <-pp-> ❶ (*jump*) springen über +*akk* ❷ Am (*fam: board*) steigen in +*akk* ❸ Brit (*fam*) **to ~ it** abhauen **III.** *n* ❶ (*jump*) Hüpfer *m* ❷ (*fam: dance*) Tanz *m* ❸ (*fam: trip*) [*short*] **~** [Katzen]sprung *m* ❹ (*fam: flight stage*) Flugabschnitt *m* ❺ bot Hopfen *m* ▶**to catch sb on the ~** Brit jdn überrumpeln

hope [həʊp] **I.** *n* Hoffnung *f*; **I don't hold out much ~ of ...** ich habe nicht sehr viel Hoffnung, dass ...; **there is little ~ that ...** es besteht wenig Hoffnung, dass ...; **to give up ~** die Hoffnung aufgeben; **to live in ~** hoffen; **to pin all one's ~s on sb/sth** seine ganze Hoffnung auf jdn/etw setzen; ■**in the ~ of doing sth** in der Hoffnung, etw zu tun ▶**to not have a ~ in hell** nicht die geringste Chance haben; **~ springs eternal** (*prov*) und die Hoffnung währt ewiglich **II.** *vi* hoffen (**for** auf); **it's good news, I ~** hoffentlich gute Nachrichten; **to ~ for the best** das Beste hoffen; **to ~**

against hope [**that**] ... wider alle Vernunft hoffen, [**dass**] ...

hope·ful ['həʊpf²l] **I.** *adj* zuversichtlich; ■**to be ~ of sth** auf etw *akk* hoffen **II.** *n usu pl* viel versprechende Personen; **young ~s** viel versprechende junge Talente

hope·ful·ly ['həʊpf²li] *adv* ❶ (*in hope*) hoffnungsvoll ❷ (*it is hoped*) hoffentlich

hope·less ['həʊpləs] *adj* hoffnungslos; *situation* aussichtslos; ■**to be ~** (*fam: incompetent*) ein hoffnungsloser Fall sein; **I'm ~ at cooking** wenn es um's Kochen geht, bin ich eine absolute Null

hope·less·ly ['həʊpləsli] *adv* hoffnungslos; **he's ~ in love with her** er hat sich bis über beide Ohren in sie verliebt

hope·less·ness ['həʊpləsnəs] *n no pl* Hoffnungslosigkeit *f*

hop·ping ['hɒpɪŋ] *adj* (*fam*) auf hundertachtzig; **to be ~ mad with sb** stinksauer auf jdn sein

hop·scotch ['hɒpskɒtʃ] *n no pl* Himmel und Hölle *nt*

horde [hɔːd] *n* Horde *f*; **~s of fans** eine riesige Fangemeinde

ho·ri·zon [hə'raɪz²n] *n* Horizont *m*; **on the ~** am Horizont; (*fig*) in Sicht; **to broaden one's ~s** (*fig*) seinen Horizont erweitern

ho·ri·zon·tal [ˌhɒrɪ'zɒnt²l] **I.** *adj* horizontal, waag[e]recht **II.** *n no pl* ■**the ~** die Horizontale

ho·ri·zon·tal·ly [ˌhɒrɪ'zɒnt²li] *adv* horizontal, waag[e]recht

hor·mon·al [hɔː'məʊn²l] *adj* hormonal, hormonell

hor·mone ['hɔːməʊn] *n* Hormon *nt*

horn [hɔːn] **I.** *n* ❶ (*growth*) Horn *nt* ❷ mus Horn *nt* ❸ *of vehicle* Hupe *f*; **to sound** [*or* **blow**] **one's ~** auf die Hupe drücken **II.** *vi* Am ■**to ~ in** sich einmischen; ■**to ~ in on sth** bei etw *dat* mitmischen

hor·net ['hɔːnɪt] *n* Hornisse *f*

'horn-rimmed *adj* **~ glasses** Hornbrille *f*

horny ['hɔːni] *adj* ❶ (*hard*) hornartig; (*of horn*) aus Horn ❷ (*fam: randy*) geil; **to feel ~** spitz sein

horo·scope ['hɒrəskəʊp] *n* Horoskop *nt*

hor·ren·dous [hɒ'rendəs] *adj* schrecklich; *conditions* entsetzlich; *losses, prices* horrend

hor·ri·ble ['hɒrəbl] *adj* schrecklich; (*unkind*) gemein

hor·ri·bly ['hɒrəbli] *adv* ❶ (*shockingly*) schrecklich; **to go ~ wrong** entsetzlich schiefgehen ❷ (*unkindly*) gemein; **to behave ~** sich fürchterlich benehmen

hor·rid ['hɒrɪd] *adj* (*fam*) fürchterlich;

(*unkind*) gemein

hor·ri·fic [hɒrˈɪfɪk] *adj* ❶ (*shocking*) entsetzlich, grausig ❷ (*fam: extreme*) *losses, prices* horrend

hor·ri·fied [ˈhɒrɪfaɪd] *adj* entsetzt; **to be ~ at** [*or* **by**] **sth** von etw *dat* völlig schockiert sein *fam*

hor·ri·fy <-ie-> [ˈhɒrɪfaɪ] *vt* entsetzen

hor·ri·fy·ing [ˈhɒrɪfaɪɪŋ] *adj* ❶ (*shocking*) *injuries, incidents* schrecklich; **~ conditions** entsetzliche Bedingungen ❷ (*unpleasant*) grauenhaft

hor·ror [ˈhɒrə^r] *n* ❶ (*feeling*) Entsetzen *nt*, Grauen *nt* (**at** über); **to have a ~ of doing sth** einen Horror davor haben, etw zu tun; **in ~** entsetzt ❷ (*fam: brat*) **that child is a little ~!** dieses Kind ist der reinste Horror!

ˈhor·ror-strick·en *adj,* **ˈhor·ror-struck** *adj* von Entsetzen gepackt; **to watch ~** voller Entsetzen zusehen; ▪ **to be ~ at sth** über etw *akk* entsetzt sein

hors d'oeuvre <*pl* **-** *or* **-s**> [ɔːˈdɜːv] *n* ❶ BRIT, AUS (*starter*) Hors d'oeuvre *nt* ❷ AM (*canapés*) Appetithäppchen *nt*

horse [hɔːs] *n* Pferd *nt;* **~ and carriage** Pferdekutsche *f;* **~ and cart** Pferdefuhrwerk *nt;* **coach and ~s** Postkutsche *f;* **to eat like a ~** fressen wie ein Scheunendrescher ▶ **never look a gift ~ in the** <u>mouth</u> (*prov*) einem geschenkten Gaul schaut man nicht ins Maul; **to hear sth** [**straight**] **from the ~'s** <u>mouth</u> etw aus erster Hand haben; **you can lead a ~ to** <u>water</u>, **but you can't make him drink** (*prov*) man kann jdn nicht zu seinem Glück zwingen; **to be a** <u>dark</u> **~** BRIT sein Licht unter den Scheffel stellen; **to flog a** <u>dead</u> **~** sich *dat* die Mühe sparen können; **to get off one's** <u>high</u> **~** von seinem hohen Ross heruntersteigen; **to back the** <u>wrong</u> **~** aufs falsche Pferd setzen; **to** <u>hold</u> **one's ~s** die Luft anhalten; **hey! hold your ~s! not so fast!** he, nun mal langsam, nicht so schnell!

ˈhorse·back *n* **on ~** zu Pferd **ˈhorse·box** *n* BRIT, AM **ˈhorse-car** *n* Pferdetransporter *m* **horse ˈchest·nut** *n* Rosskastanie *f* **ˈhorse-drawn** *adj* von Pferden gezogen; **~ carriage** Pferdekutsche *f;* **~ vehicle** Pferdegespann *nt* **ˈhorse-fly** *n* [Pferde]bremse *f* **ˈhorse-hair** *n no pl* Rosshaar *nt* **ˈhorse·man** *n* Reiter *m* **ˈhorse·man·ship** *n no pl* Reitkunst *f* **ˈhorse·play** *n no pl* wilde Ausgelassenheit **ˈhorse·pow·er** *n* <*pl* -> Pferdestärke *f;* **a 10-~ engine** ein Motor *m* mit 10 PS **ˈhorse race** *n* Pferderennen *nt* **ˈhorse rac·ing** *n* Pferderennsport *m;* **to go ~** zum Pferderennen gehen **ˈhorse·rad·**

ish *n no pl* Meerrettich *m* **ˈhorse·shoe** *n* Hufeisen *nt* **ˈhorse van** *n* AM *see* **horsebox** **ˈhorse-whip** I. *n* Pferdepeitsche *f* II. *vt* <-pp-> [mit der Pferdepeitsche] auspeitschen **ˈhorse·wom·an** *n* Reiterin *f*

hors(e)y [ˈhɔːsi] *adj* (*fam*) ❶ (*devoted*) pferdenärrisch ❷ (*pej: ugly*) pferdeähnlich

hor·ti·cul·tur·al [ˌhɔːtɪˈkʌltʃ^ərəl] *adj* Gartenbau- **hor·ti·cul·ture** [ˈhɔːtɪkʌltʃ^ər] *n no pl* Gartenbau *m*

hose [həʊz] *n* ❶ (*tube*) Schlauch *m* ❷ *no pl* FASHION Strumpfwaren *pl*

ˈhose-pipe *n* BRIT Schlauch *m;* **~ ban** Spritzverbot *nt* (*durch Wasserknappheit bedingtes Verbot, Wasser zu verschwenden*)

ho·siery [ˈhəʊziəri] *n no pl* Strumpfwaren *pl*

hos·pice [ˈhɒspɪs] *n* Hospiz *nt*

hos·pi·table [hɒsˈpɪtəbl] *adj* ❶ (*friendly*) gastfreundlich; ▪ **to be ~ to**[**wards**] **sb** jdn gastfreundlich aufnehmen ❷ (*pleasant*) angenehm

hos·pi·tably [hɒsˈpɪtəbli] *adv* gastfreundlich

hos·pi·tal [ˈhɒspɪt^əl] *n* Krankenhaus *nt*, Spital *nt* SCHWEIZ; **to have to go to ~** ins Krankenhaus müssen

hos·pi·tal·ity [ˌhɒspɪˈtæləti] I. *n no pl* ❶ (*welcome*) Gastfreundschaft *f* ❷ (*food*) Bewirtung *f* II. *adj* **~ coach** kostenloser Zubringerbus; **~ suite** Gästelounge *f;* **~ tent** Partyzelt *nt*

hos·pi·tali·za·tion [ˌhɒspɪt^əlaɪˈzeɪʃ^ən] *n no pl* ❶ (*admittance*) Krankenhauseinweisung *f* ❷ (*treatment*) Krankenhausaufenthalt *m*

hos·pi·tal·ize [ˈhɒspɪt^əlaɪz] *vt* ❶ (*admit*) ▪ **to be ~d** ins Krankenhaus eingewiesen werden ❷ (*beat*) ▪ **to ~ sb** jdn krankenhausreif schlagen

ˈhos·pi·tal ship *n* MIL Lazarettschiff *nt*

host¹ [həʊst] I. *n* ❶ (*party-giver*) Gastgeber(in) *m(f)* ❷ (*event-stager*) Veranstalter(in) *m(f)* ❸ (*compère*) Showmaster(in) *m(f)* ❹ BIOL Wirt *m* ❺ COMPUT Hauptrechner *m* II. *adj* **~ country** Gastland *nt;* **~ family** Gastfamilie *f* III. *vt* ❶ (*stage*) ausrichten ❷ (*be compère for*) präsentieren, moderieren

host² [həʊst] *n usu sing* ▪ **a** [**whole**] **~ of ...** jede Menge ...

hos·tage [ˈhɒstɪdʒ] *n* Geisel *f;* **to hold/ take sb ~** jdn als Geisel festhalten/nehmen

ˈhos·tage-tak·er *n* Geiselnehmer(in) *m(f)* **ˈhos·tage-tak·ing** *n no pl* Geiselnahme *f*

hos·tel [ˈhɒst^əl] *n* Wohnheim *nt;* BRIT (*for* *homeless*) Obdachlosenheim *nt;* |**youth**| ~ Jugendherberge *f*

host·ess [ˈhəʊstɪs] *n* <*pl* -es> (*at home, on TV*) Gastgeberin *f;* (*at restaurant*) Wirtin *f;* (*at hotel*) Empfangsdame *f;* (*in nightclub*) Animierdame *f;* (*at exhibition*) Hostess *f;* (*on aeroplane*) Stewardess *f*

hos·tile [ˈhɒstaɪl] *adj* ❶ (*unfriendly*) feindselig ❷ (*difficult*) hart, widrig; *climate* rau ❸ ECON, MIL feindlich

hos·til·ity [hɒsˈtɪləti] *n* ❶ *no pl* Feindseligkeit *f;* **to show ~ to**|**wards**| **sb** sich jdm gegenüber feindselig verhalten; **~ to foreigners/technology** Ausländer-/Technikfeindlichkeit *f* ❷ MIL ■**hostilities** *pl* Feindseligkeiten *pl*

hot [hɒt] **I.** *adj* <-tt-> ❶ (*temperature*) heiß; **she was ~** ihr war heiß ❷ (*spicy*) *food* scharf ❸ (*close*) **you're getting ~** (*in guessing game*) wärmer; **to be ~ on sb's heels** jdm dicht auf den Fersen sein; **in ~ pursuit** dicht auf den Fersen ❹ (*fam: good*) **my Spanish is not all that ~** mein Spanisch ist nicht gerade umwerfend; **he's Hollywood's ~test actor** er ist Hollywoods begehrtester Schauspieler; **to be ~ stuff** absolute Spitze sein; **~ tip** heißer Tipp ❺ (*fam: dangerous*) *situation* brenzlig; *stolen items* heiß; **to be too ~ to handle** ein heißes Eisen sein ❻ (*sl: sexy*) heiß ❼ (*new and exciting*) heiß; **~ gossip** das Allerneueste ▸ **to be all ~ and** **bothered** ganz aufgeregt sein **II.** *vt* <-tt-> ■**to ~ up** *engine* frisieren **III.** *vi* <-tt-> ■**to ~ up** *pace* sich steigern; *situation* sich verschärfen **IV.** *n* ▸ **to** **have** **the ~s for sb** scharf auf jdn sein

hot-'air bal·loon *n* Heißluftballon *m* '**hot·bed** *n* (*fig*) **a ~ of crime** eine Brutstätte für Kriminalität **hot-'blood·ed** *adj* (*easy to anger*) hitzköpfig; (*passionate*) heißblütig

hotch·potch [ˈhɒtʃpɒtʃ] *n no pl* Mischmasch *m* (**of** aus)

'**hot dog** *n* (*sausage*) Wiener Würstchen *nt;* (*in a roll*) Hotdog *m*

ho·tel [hə(ʊ)'tel] *n* Hotel *nt*

ho·'tel bill *n* Hotelrechnung *f*

ho·tel·ier [hə(ʊ)'teliɛɪ] *n* (*owner*) Hotelbesitzer(in) *m(f)*, Hotelier *m*

ho·tel 'in·dus·try *n no pl* Hotelgewerbe *nt* **ho·tel 'staff** *n* + *sing/pl vb* Hotelpersonal *nt*

'**hot·foot I.** *adv* eilig **II.** *vt* (*fam*) **to ~ it home** schnell nach Hause rennen **III.** *vi* AM (*fam*) eilen '**hot·head** *n* Hitzkopf *m* **hot-'head·ed** *adj* hitzköpfig '**hot·house I.** *n* ❶ (*for plants*) Treibhaus *nt* ❷ (*fig: for*

development) fruchtbarer Boden **II.** *vt* (*fam*) ■**to ~ a child** ein Kind zu früh mit Lernstoff vollstopfen '**hot·line** *n* Hotline *f;* POL heißer Draht

hot·ly [ˈhɒtli] *adv* heftig; **~ contested** heiß umkämpft

'**hot·plate** *n* (*on stove*) Kochplatte *f;* (*platewarmer*) Warmhalteplatte *f* **hot po·'ta·to** *n* POL (*fig*) heißes Eisen '**hot·rod** *n* (*fam*) hochfrisiertes Auto '**hot seat** *n* ❶ (*fig*) Schleudersitz *m;* **to be in the ~** (*in the spotlight*) im Rampenlicht stehen ❷ AM (*fam*) elektrischer Stuhl '**hot spot** *n* ❶ (*popular place*) heißer Schuppen ❷ (*area of conflict*) Krisenherd *m* **hot 'stuff** *n no pl* ❶ (*fam: skilful*) ■**to be ~** ein Ass sein ❷ (*sl: sexy woman*) heiße Braut; (*sexy man*) heißer Typ **hot-'tem·pered** *adj* heißblütig **hot-'wa·ter bot·tle** *n* Wärmflasche *f*

hound [haʊnd] **I.** *n* [Jagd]hund *m* **II.** *vt* jagen

hour [aʊəʳ] *n* Stunde *f;* **it's about 3 ~s' walk from here** von hier sind es etwa 3 Stunden zu Fuß; **the clock struck the ~** die Uhr schlug die volle Stunde; **24 ~s a day** 24 Stunden am Tag; **50 kilometres an** [*or* **per**] ~ 50 Kilometer pro Stunde; **£10 an ~** 10 Pfund die Stunde; **opening ~s** Öffnungszeiten *pl;* **to keep regular ~s** geregelte Zeiten einhalten; **to be paid by the ~** pro Stunde bezahlt werden; **to work long ~s** lange arbeiten; **~ after** [*or* **upon**] ~ Stunde um Stunde; **after ~s** nach der Polizeistunde; **at all ~s** zu jeder Tages- und Nachtzeit; **for ~s** stundenlang; **till all ~s** bis früh in den Morgen

'**hour·glass** *n* Sanduhr *f,* Stundenglas *nt veraltet* '**hour hand** *n* Stundenzeiger *m* **hour·ly** [ˈaʊəli] *adj, adv* stündlich; **~ rate** Stundensatz *m*

house I. *n* [haʊs] Haus *nt;* **Sam's playing at Mary's ~** Sam spielt bei Mary; **~ of cards** Kartenhaus *nt;* **the H~ of Windsor** das Haus Windsor; **to eat sb out of ~ and home** jdm die Haare vom Kopf fressen; **to play to a full ~** THEAT vor vollem Haus spielen; **in ~** im Hause; **on the ~** auf Kosten des Hauses ▸ **to get on like a ~ on** **fire** ausgezeichnet miteinander auskommen; **to go all** **around** **the ~s** umständlich vorgehen **II.** *adj* [haʊs] Haus-; **~ red/white** Rot-/Weißwein *m* der Hausmarke **III.** *vt* [haʊz] ■**to ~ sb** jdn unterbringen; *criminal* jdm Unterschlupf gewähren; ■**to ~ sth** etw beherbergen; (*encase*) etw verkleiden

'**house ar·rest** *n no pl* Hausarrest *m*

'**house·boat** *n* Hausboot *nt* '**house·break·er** *n* Einbrecher(in) *m(f)* '**house·break·ing** *n no pl* Einbruch *m* '**house·coat** *n* Hausmantel *m* '**house·fly** *n* Stubenfliege *f* '**house·hold I.** *n* Haushalt *m* **II.** *adj appliance* Haushalts-; *expense, task, waste* häuslich; ~ **goods** Hausrat *m* '**house·hold·er** *n* Hauseigentümer(in) *m(f)* '**house·hunt** *vi* nach einem Haus suchen '**house hus·band** *n* Hausmann *m* '**house·keep·er** *n* Haushälter(in) *m(f)* '**house·keep·ing** *n no pl* ❶ (*act*) Haushalten *nt* ❷ (*money*) Haushaltsgeld *nt* '**house·man** *n* BRIT Assistenzarzt *m* '**house·mate** *n* Mitbewohner(in) *m(f)*, Hausgenosse, -genossin *m, f* '**house·plant** *n* Zimmerpflanze *f* '**house·proud** *adj* BRIT, AUS ■to be ~ sich sehr um sein Zuhause kümmern, weil man großen Wert auf Heimeligkeit etc. legt '**house sur·geon** *n* BRIT Klinikchirurg(in) *m(f)* **house-to-'house** *adj, adv* von Haus zu Haus '**house-train** *vt* stubenrein machen '**house-trained** *adj* BRIT, AUS stubenrein '**house-warm·ing** *n*, '**house-warm·ing par·ty** *n* Einweihungsparty *f* '**house·wife** *n* Hausfrau *f* '**house·work** *n no pl* Hausarbeit *f*

hous·ing ['haʊzɪŋ] *n* ❶ *no pl* (*living quarters*) Wohnungen *pl* ❷ (*casing*) Gehäuse *nt*

'**hous·ing as·so·cia·tion** *n* Wohnungsbaugesellschaft *f* '**hous·ing ben·efit** *n* BRIT Wohngeld *nt kein pl* '**hous·ing con·di·tions** *npl* Wohnbedingungen *pl* '**hous·ing es·tate** *n* BRIT, AM '**hous·ing de·vel·op·ment** *n* Wohnsiedlung *f* '**hous·ing mar·ket** *n* Wohnungsmarkt *m*

HOV [ˌeɪtʃoʊˈviː] *n* AM AUTO *abbrev of* **high occupancy vehicle** Fahrzeug *nt* mit mindestens zwei Insassen; ~ **lane** Fahrspur *f* für Fahrzeuge mit mindestens zwei Insassen

hov·el ['hɒvəl] *n* armselige Hütte; (*fig*) Bruchbude *f*

hov·er ['hɒvəʳ] *vi* ❶ (*stay in air*) schweben; *hawk also* stehen ❷ (*fig: be near*) **the waiter ~ed over our table** der Kellner hing ständig an unserem Tisch herum; **to ~ in the background/near a door** sich im Hintergrund/in der Nähe einer Tür herumdrücken; **to ~ on the brink of disaster** am Rande des Ruins stehen

'**hov·er·craft** <*pl - or -s*> *n* Luftkissenboot *nt* '**hov·er·port** *n* Anlegestelle *f* für Luftkissenboote

how [haʊ] **I.** *adv* wie; ~ **are you?** wie geht es Ihnen?; ~ **are things?** wie geht's [denn so]?; ~ **is your mother doing?** wie geht's deiner Mutter?; ~'s **work?** was macht die Arbeit?; ~'s **that?** (*comfortable?*) wie ist das?; (*do you agree?*) passt das?; ~ **do you do?** (*meeting sb*) Guten Tag [*o* Abend]!; ~ **come?** wie das?; ~ **come you're here?** wieso bist du da?; ~ **do you know that?** woher weißt du das?; **just do it any old** ~ mach's wie du willst; ~ **about it?** was meinst du?; ~ **about a movie?** wie wäre es mit Kino?; **and** ~! und ob [o wie]!; ~ **about that!** was sagt man dazu!; ~'s **that for an excuse!** ist das nicht eine klasse Ausrede!; ~ **far/long/many** wie weit/lange/viele; ~ **much** wie viel; ~ **much is it?** wie viel [*o* was] kostet es? **II.** *n* the ~[s] and why[s] das Wie und Warum

how·ever [haʊˈevəʳ] **I.** *adv* ❶ + *adj* (*to whatever degree*) egal wie ❷ (*showing contradiction*) jedoch; **I love ice cream — ~, I am trying to lose weight, so ...** ich liebe Eis – ich versuche jedoch gerade abzunehmen, daher ... ❸ (*by what means*) wie um alles ...; ~ **did you manage to get so dirty?** wie hast du es bloß geschafft, so schmutzig zu werden? **II.** *conj* ❶ (*in any way*) wie auch immer; **you can do it ~ you like** du kannst es machen, wie du willst; ~ **you do it, ...** wie auch immer du es machst, ... ❷ (*nevertheless*) jedoch; **there may, ~, be other reasons** es mag jedoch auch andere Gründe geben

howl [haʊl] **I.** *n of animal, wind* Heulen *nt kein pl; of person* Geschrei *nt kein pl;* ~ **of pain** Schmerzensschrei *m;* ~**s of protest** Protestgeschrei *nt* **II.** *vi* ❶ *animal, wind* heulen; *person* schreien ❷ (*fam: laugh*) brüllen ◆**howl down** *vt* niederschreien

howl·er ['haʊləʳ] *n* (*mistake*) Schnitzer *m*

howl·ing ['haʊlɪŋ] **I.** *adj* ❶ *animal, wind* heulend; *person* schreiend ❷ (*fam: great*) riesig; ~ **success** Riesenerfolg *m* **II.** *n no pl of animal, wind* Heulen *nt; of person* Geschrei *nt*

hp *n abbrev of* **horsepower** PS; **a 4 ~ engine** ein Motor *m* mit 4 PS

HQ [ˌeɪtʃˈkjuː] *n abbrev of* **headquarters**

hr *n abbrev of* **hour** Std.

HRH [ˌeɪtʃɑːˈʳeɪtʃ] *n abbrev of* **His/Her Royal Highness** S.M./I.M.

ht *n abbrev of* **height**

HTML [ˌeɪtʃtiːemˈel] *n no pl* COMPUT *abbrev of* **Hypertext Mark-up Language** HTML *nt*

HTTP [ˌeɪtʃtiːtiːˈpiː] *n* COMPUT *abbrev of* **Hypertext Transfer Protocol** HTTP *nt*

hub [hʌb] *n* ❶ TECH Nabe *f* ❷ (*of airline*) Basis *f* ❸ (*fig: centre*) Zentrum *nt*

hub·bub [ˈhʌbʌb] *n no pl* (*noise*) Lärm *m*; (*commotion*) Tumult *m*

hub·cap [ˈhʌbkæp] *n* Radkappe *f*

huck·le·ber·ry [ˈhʌk|bⁱberi] *n* Aᴍ amerikanische Heidelbeere

huck·ster [ˈhʌkstəʳ] *n* Aᴍ (*fam*) Reklamefritze *m*

hud·dle [ˈhʌdl] **I.** *n* ❶ (*close group*) [wirrer] Haufen; *of people* Gruppe *f*; **to stand in a ~** dicht zusammengedrängt stehen ❷ Aᴍ (*in football*) **to make** [*or* **form**] **a ~** die Köpfe zusammenstecken **II.** *vi* sich [zusammen]drängen ◆**huddle down** *vi* sich niederkauern ◆**huddle together** *vi* sich zusammenkauern; **to ~ together for warmth** sich wärmesuchend aneinander schmiegen ◆**huddle up** *vi* sich zusammenkauern

hue [hjuː] *n* Farbe *f*; (*shade*) Schattierung *f*; (*complexion*) Gesichtsfarbe *f* ▶ **~ and cry** Gezeter *nt*

huff [hʌf] **I.** *vi* **to ~ and puff** schnaufen und keuchen **II.** *n* (*fam*) **to be in a ~** eingeschnappt sein; **to get into a ~** einschnappen; **to go off in a ~** beleidigt abziehen

huffy [ˈhʌfi] *adj* ❶ (*easily offended*) empfindlich ❷ (*in a huff*) beleidigt

hug [hʌg] **I.** *vt* <-gg-> ❶ (*with arms*) ▪**to ~ sb** jdn umarmen; **to ~ one's knees** seine Knie umklammern ❷ (*fig*) **the dress ~ged her body** das Kleid lag eng an ihrem Körper an; **to ~ the shore** sich dicht an der Küste halten **II.** *vi* <-gg-> sich umarmen **III.** *n* Umarmung *f*; **to give sb a ~** jdn umarmen

huge [hjuːdʒ] *adj* ❶ (*big*) riesig; **~ success** Riesenerfolg *m* ❷ (*impressive*) gewaltig; *costs* immens

huge·ly [ˈhjuːdʒli] *adv* ungeheuer

hulk [hʌlk] *n* ❶ (*ship*) [Schiffs]rumpf *m*; (*car*) Wrack *nt*; (*building*) Ruine *f* ❷ (*person*) Brocken *m*

hulk·ing [ˈhʌlkɪŋ] *adj* massig; (*clumsy*) ungeschlacht; **~ great** Bʀɪᴛ monströs

hull [hʌl] *n* [Schiffs]rumpf *m*

hul·lo [həˈləʊ] *interj* Bʀɪᴛ *see* **hello**

hum [hʌm] **I.** *vi* <-mm-> ❶ (*make sound*) brausen; *engine* brummen; *small machine* surren; *bee* summen; *crowd* murmeln ❷ (*fig*) voller Leben sein ❸ (*sing*) summen; **to ~ under one's breath** vor sich *akk* hinsummen ▶ **to ~ and haw** Bʀɪᴛ, Aᴜs herumdrucksen **II.** *vt* <-mm-> summen **III.** *n* Brausen *nt*; *of machinery* Brummen *nt*; *of insects* Summen *nt*; *of a conversation* Gemurmel *nt*; *of a small machine* Surren *m*

hu·man [ˈhjuːmən] **I.** *n* Mensch *m* **II.** *adj*

menschlich; **~ chain** Menschenkette *f*; **~ relationships** die Beziehungen *pl* des Menschen

hu·mane [hjuːˈmeɪn] *adj* human

hu·mane·ly [hjuːˈmeɪnli] *adv* human *geh*

hu·mani·tar·ian [hjuːˌmænɪˈteəriən] **I.** *n* Menschenfreund(in) *m(f)* **II.** *adj* humanitär

hu·man·ities [hjuːˈmænətiːz] *npl* ▪**the ~** die Geisteswissenschaften *pl*

hu·man·ity [hjuːˈmænəti] *n no pl* ❶ (*people*) die Menschheit; **crimes against ~** Verbrechen *pl* gegen die Menschheit ❷ (*quality*) Menschlichkeit *f*; **to treat sb with ~** jdn human behandeln

hu·man·ize [ˈhjuːmənaɪz] *vt* ❶ (*make acceptable*) humanisieren ❷ (*give human character*) vermenschlichen

hu·man·ly [ˈhjuːmənli] *adv* menschlich; **to do everything ~ possible** alles Menschenmögliche tun

hu·man 'na·ture *n no pl* die menschliche Natur **hu·man 'race** *n no pl* ▪**the ~** die menschliche Rasse **hu·man re·'sources** *npl* ❶ + *sing vb* (*department*) Personalabteilung *f* ❷ (*staff*) Arbeitskräfte *pl* **hu·man 'rights** *npl* Menschenrechte *pl*

hum·ble [ˈhʌmbl] **I.** *adj* <-r, -st-> ❶ (*modest*) bescheiden; **of ~ birth** von niedriger Geburt ❷ (*respectful*) demütig; **please accept our ~ apologies** wir bitten ergebenst um Verzeihung **II.** *vt* ▪**to be ~d by sth** durch etw *akk* gedemütigt werden; ▪**to be ~d by sb** sᴘᴏʀᴛs von jdm vernichtend geschlagen werden

hum·bly [ˈhʌmbli] *adv* ❶ (*not proudly*) bescheiden; **to dress ~** sich einfach kleiden ❷ (*submissively*) demütig; **he ~ said that he was sorry** zerknirscht sagte er, dass es ihm leid täte

hum·bug [ˈhʌmbʌg] *n* ❶ *no pl* (*nonsense*) Humbug *m* ❷ (*sweet*) Pfefferminzbonbon *nt o m*

hum·drum [ˈhʌmdrʌm] *adj* langweilig, fad[e]

hu·mid [ˈhjuːmɪd] *adj* feucht

hu·midi·fi·er [hjuːˈmɪdɪfaɪəʳ] *n* Luftbefeuchter *m*

hu·midi·fy <-ie-> [hjuːˈmɪdɪfaɪ] *vt* befeuchten

hu·mid·ity [hjuːˈmɪdəti] *n no pl* [Luft]feuchtigkeit *f*

hu·mili·ate [hjuːˈmɪlieɪt] *vt* ❶ (*humble*) demütigen ❷ (*embarrass*) blamieren ❸ sᴘᴏʀᴛs vernichtend schlagen

hu·mili·at·ing [hjuːˈmɪlieɪtɪŋ] *adj* erniedrigend; *defeat, experience* demütigend

hu·milia·tion [hjuːˌmɪliˈeɪʃ°n] *n* Demütigung *f*

hu·mil·ity [hjuː'mɪləti] *n no pl* Demut *f*; (*modesty*) Bescheidenheit *f*

hum·ming·bird ['hʌmɪŋbɜːd] *n* Kolibri *m*

hum·mock ['hʌmək] *n* [kleiner] Hügel

hu·mor *n* AM *see* **humour**

hu·mor·ist ['hjuːmᵊrɪst] *n* Humorist(in) *m(f)*

hu·mor·less *adj* AM *see* **humourless**

hu·mor·ous ['hjuːmᵊrəs] *adj person* humorvoll; *book, programme, situation* lustig; *idea, thought* witzig

hu·mour ['hjuːmə'] I. *n* ❶ *no pl* Humor *m*; **his speech was full of ~** seine Rede war voller Witz ❷ (*form: mood*) Laune *f* II. *vt* ▪ **to ~ sb** jdm seinen Willen lassen

hu·mour·less ['hjuːmələs] *adj* humorlos

hump [hʌmp] I. *n* ❶ (*hill*) kleiner Hügel; (*in street*) Buckel *m* ❷ (*on camel*) Höcker *m*; (*on a person*) Buckel *m* ▶ **sb has got the ~** jd ist sauer; **to be over the ~** über den Berg sein II. *vt* ❶ (*fam: carry*) schleppen ❷ (*vulg, sl: have sex with*) bumsen

'**hump·back** *n* ❶ (*person*) Buck[e]lige(r) *f(m)* ❷ (*back*) Buckel *m* ❸ (*whale*) Buckelwal *m* '**hump·backed** *adj person* bucklig; *bridge* gewölbt

hu·mus ['hjuːməs] *n no pl* HORT Humus *m*

Hun [hʌn] *n* ❶ HIST Hunne, Hunnin *m, f* ❷ (*pej! hist: German*) Deutsche(r) *f(m)*

hunch [hʌntʃ] I. *n* <*pl* -es> ❶ (*protuberance*) Buckel *m* ❷ (*feeling*) Gefühl *nt*; **to act on a ~** nach Gefühl handeln; **to have a ~ that ...** das [leise] Gefühl haben, dass ... II. *vi* sich krümmen III. *vt* **to ~ one's back** einen Buckel machen; **to ~ one's shoulders** die Schultern hochziehen

'**hunch·back** *n* ❶ (*back*) Buckel *m* ❷ (*person*) Bucklige(r) *f(m)*

hunched ['hʌntʃt] *adj* gekrümmt

hun·dred ['hʌndrəd] I. *n* ❶ <*pl* -> (*number*) Hundert *f*; **~s of cars** Hunderte von Autos; **~s and ~s** Hunderte und aber Hunderte; **a ~ to one** hundert zu eins; **eight ~** achthundert; **by the ~s** zu Hunderten ❷ <*pl* -> (*miles/kilometres per hour*) **to drive a ~** hundert fahren ❸ <*pl* -> (*years old*) **to be/turn a ~** hundert Jahre alt sein/werden ❹ (*with centuries*) **the eighteen ~s** das achtzehnte Jahrhundert II. *adj* hundert; **a ~ miles** [ein]hundert Meilen; **a ~ per cent** hundertprozentig; **never in a ~ years** nie im Leben; **a ~ and five** [ein]hundert[und]fünf

'**hun·dred·fold** *adv* hundertfach; **sales have increased a ~** der Umsatz ist um das Hundertfache gestiegen

hun·dredth ['hʌndrədθ] I. *n* ❶ (*in line*) Hundertste(r) *f(m)* ❷ (*fraction*) Hundertstel *nt* II. *adj* ❶ (*in series*) hundertste(r, s); **for the ~ time** zum hundertsten Mal ❷ (*in fraction*) hundertstel

'**hun·dred·weight** <*pl* - *or* -s> *n* ≈ Zentner *m*

hung [hʌŋ] I. *pt, pp of* **hang** II. *adj* **~ jury** Jury, die zu keinem Mehrheitsurteil kommt; **~ parliament** Parlament *nt* ohne klare Mehrheitsverhältnisse

Hun·gar·ian [hʌŋ'geəriən] I. *n* ❶ (*person*) Ungar(in) *m(f)* ❷ *no pl* (*language*) Ungarisch *nt* II. *adj* ungarisch

Hun·ga·ry ['hʌŋgᵊri] *n no pl* Ungarn *nt*

hun·ger ['hʌŋgə'] I. *n no pl* Hunger *m a. fig*; **to die of ~** verhungern II. *vi* ▪ **to ~ after** [*or* for] **sth** nach etw *dat* hungern

hung-'over *adj* ▪ **to be ~** verkatert sein *fam*

hun·gry ['hʌŋgri] *adj* hungrig *a. fig*; **to go ~** hungern; ▪ **to be ~** Hunger haben; ▪ **to be ~ for sth** hungrig nach etw *dat* sein; **~ for adventure/love/power** abenteuer-/liebes-/machthungrig; **~ for knowledge** wissensdurstig

hunk [hʌŋk] *n* ❶ (*piece*) Stück *nt* ❷ (*fam: man*) **a ~ of a man** ein Bild *nt* von einem Mann

hunky dory [-'dɔːri] *adj* prima

hunt [hʌnt] I. *n* ❶ (*chase*) Jagd *f*; **to go on a ~** auf die Jagd gehen ❷ (*search*) Suche *f*; **to be on the ~ for sb/sth** auf der Suche nach jdm/etw sein ❸ (*group of hunters*) Jagdgesellschaft *f* II. *vt* ❶ (*chase to kill*) jagen ❷ (*search for*) ▪ **to ~ sb/sth** Jagd auf jdn/etw machen; **the police are ~ing the terrorists** die Polizei fahndet nach den Terroristen III. *vi* ❶ (*chase to kill*) jagen ❷ (*search*) suchen; ▪ **to ~ through sth** etw durchsuchen

hunt·er ['hʌntə'] *n* ❶ (*person*) Jäger(in) *m(f)* ❷ (*horse*) Jagdpferd *nt* ❸ (*dog*) Jagdhund *m*

hunt·ing ['hʌntɪŋ] *n no pl* ❶ HUNT Jagen *nt*, Jagd *f*; **to go ~** auf die Jagd gehen ❷ (*search*) Suche *f*

'**hunt·ing ground** *n* Jagdrevier *nt* '**hunt·ing li·cence** *n* Jagdschein *m* '**hunt·ing sea·son** *n* Jagdzeit *f*

hunt·ress ['hʌntrɪs] *n* Jägerin *f*

'**hunts·man** *n* ❶ (*hunter*) Jäger *m* ❷ (*keeper of dogs*) Rüdemann *m* (*Hundebetreuer bei der Jagd*)

hur·dle ['hɜːdl] I. *n* Hürde *f a. fig*; **to fall at the first ~** [bereits] an der ersten Hürde scheitern; SPORTS ▪ **~s** *pl* (*for people*) Hürdenlauf *m*; (*horseracing*) Hürdenrennen *nt;* **the American won the 400 metres** ~**s** der Amerikaner siegte über 400 Meter Hürden **II.** *vt* überspringen

hur·dler ['hɜːdlə'] *n* Hürdenläufer(in) *m(f)*

hurl [hɜːl] *vt* schleudern; **he ~ed the book across the room** er pfefferte das Buch quer durchs Zimmer; **to ~ abuse/insults at sb** jdm Beschimpfungen/Beleidigungen an den Kopf werfen; **to ~ oneself at/into** sich stürzen auf +*akk*/in +*akk*

hurly-burly ['hɜːliˌbɜːli] *n* Rummel *m*

hur·rah [həˈrɑː], **hur·ray** [həˈreɪ] **I.** *interj* hurra; **~ for the Queen!** ein Hoch der Königin! **II.** *n* **last** ~ Schwanengesang *m*

hur·ri·cane ['hʌrɪkən] *n* Orkan *m;* (*tropical*) Hurrikan *m;* **~ force wind** orkanartiger Wind

'**hur·ri·cane lamp** *n* Sturmlaterne *f*

hur·ried ['hʌrid] *adj* hastig; *departure* überstürzt

hur·ried·ly ['hʌridli] *adv* eilig, hastig; **a ~ arranged press conference** eine flugs anberaumte [*o* hastig einberufene] Pressekonferenz

hur·ry ['hʌri] **I.** *n no pl* Eile *f;* **what's [all] the ~?** wozu die Eile?; **he won't do that again in a ~** das wird er so schnell nicht mehr machen; **there's no [great] ~** es hat keine Eile [*o* eilt nicht]; **in my ~ to leave on time I ...** in der Hektik des Aufbruchs habe ich ...; **to leave in a ~** hastig aufbrechen; **to need sth in a ~** etw sofort brauchen **II.** *vi* <-ie-> sich beeilen; **there's no need to ~** lassen Sie sich ruhig Zeit **III.** *vt* <-ie-> ■**to ~ sb** jdn hetzen; **I hate to ~ you, but ...** ich will ja nicht drängen, aber ...; **he was hurried to hospital** er wurde eilig ins Krankenhaus geschafft ◆**hurry along I.** *vi* sich beeilen **II.** *vt person* [zur Eile] antreiben; *process* ◆**hurry away, hurry off I.** *vi* schnell weggehen **II.** *vt* schnell wegbringen ◆**hurry on** *vi* weitereilen ◆**hurry out I.** *vi* hinauseilen **II.** *vt* schnell hinausbringen ◆**hurry up I.** *vi* sich beeilen; **~ up!** beeil dich! **II.** *vt person* zur Eile antreiben; *process* beschleunigen

hurt [hɜːt] **I.** *vi* <hurt, hurt> ❶ (*be painful*) wehtun ❷ (*do harm*) schaden *a. fig* **II.** *vt* <hurt, hurt> ❶ (*also fig: cause pain*) ■**to ~ sb** jdm wehtun; (*injure*) jdn verletzen; **his ear ~s him** sein Ohr tut ihm weh; **she was ~ by his refusal to apologize** dass er sich absolut nicht entschuldigen wollte, hat sie gekränkt; ■**to ~ oneself** sich verletzen; **to ~ one's leg** sich *dat* am Bein wehtun ❷ (*harm*) ■**to ~ sb/sth** jdm/etw schaden; **it wouldn't ~ you to do the ironing**

for once es würde dir nichts schaden, wenn du auch mal bügeln würdest; **to ~ sb's feelings/pride** jds Gefühle/Stolz verletzen **III.** *adj* ❶ (*in pain*) verletzt ❷ (*fig*) *feelings* verletzt; *look, voice* gekränkt **IV.** *n* (*pain*) Schmerz *m;* (*injury*) Verletzung *f;* (*fig*) Kränkung *f*

hurt·ful ['hɜːtfl] *adj* verletzend

hur·tle ['hɜːtl] **I.** *vi* rasen; **the boy came hurtling round the corner** der Junge kam um die Ecke geschossen **II.** *vt* ■**to ~ sb/sth against sth** jdn/etw gegen etw *akk* schleudern

hus·band ['hʌzbən(d)] *n* Ehemann *m;* **that's my ~** das ist mein Mann; **~ and wife** Mann und Frau

hush [hʌʃ] **I.** *n no pl* Stille *f;* **deathly ~** Totenstille *f;* **a bit of ~ now, please!** ein bisschen Ruhe jetzt, bitte! **II.** *interj* ■**~!** pst! **III.** *vt* zum Schweigen bringen; (*soothe*) beruhigen ◆**hush up** *vt* vertuschen

hush-'hush *adj* (*fam*) [streng] geheim

'**hush mon·ey** *n* (*fam*) Schweigegeld *nt*

husk [hʌsk] **I.** *n* Schale *f;* Am *of maize* Hüllblatt *nt* **II.** *vt corn* schälen

husky[1] ['hʌski] *adj* ❶ *voice* rau ❷ *person* kräftig [gebaut]

husky[2] ['hʌski] *n* (*dog*) Husky *m,* Schlittenhund *m*

hus·sy ['hʌsi] *n* (*pej, hum*) Flittchen *nt*

hus·tings ['hʌstɪŋz] *npl* Wahlkampf *m*

hus·tle ['hʌsl] **I.** *vt* ❶ (*hurry*) ■**to ~ sb somewhere** jdn irgendwohin treiben ❷ (*coerce*) ■**to ~ sb into doing sth** jdn [be]drängen, etw zu tun; ■**to ~ sth** Am (*fam*) etw [hartnäckig] erkämpfen **II.** *vi* ❶ (*work quickly*) unter Hochdruck arbeiten; **to ~ for business** sich fürs Geschäft abstrampeln *fam* ❷ Am (*fam*) auf den Strich gehen **III.** *n* Gedränge *nt;* **~ and bustle** geschäftiges Treiben

hus·tler ['hʌslə'] *n* ❶ (*swindler*) Betrüger(in) *m(f)* ❷ Am (*prostitute*) Strichjunge *m,* Strichmädchen *nt*

'**hus·tling** *n no pl* (*prostitution*) [Straßen]prostitution *f*

hut [hʌt] *n* Hütte *f*

hutch [hʌtʃ] *n* Käfig *m;* (*for rabbits*) Stall *m*

hya·cinth ['haɪəsɪn(t)θ] *n* Hyazinthe *f*

hy·aena [haɪˈiːnə] *n* Hyäne *f*

hy·brid ['haɪbrɪd] *n* BOT, ZOOL Kreuzung *f*

hy·drant ['haɪdrənt] *n* Hydrant *m*

hy·drau·lic [haɪˈdrɔːlɪk] *adj* hydraulisch

hy·drau·lics [haɪˈdrɔːlɪks] *n* + *sing vb* Hydraulik *f*

hydro·car·bon [ˌhaɪdrə(ʊ)ˈkɑːbən] *n* Kohlenwasserstoff *m*

hydro·chlo·ric acid [ˌhaɪdrə(ʊ)klɒrɪk-

'æsɪd] *n no pl* Salzsäure *f*

hydro·elec·tric [ˌhaɪdrəʊɪ'lektrɪk] *adj* hydroelektrisch; **~ power station** Wasserkraftwerk *nt*

hydro·foil ['haɪdrə(ʊ)fɔɪl] *n* Tragflächenboot *nt*

hydro·gen ['haɪdrədʒən] *n no pl* Wasserstoff *m;* **~ bomb** Wasserstoffbombe *f*

hydro·pho·bia [haɪdrə(ʊ)'fəʊbiə] *n no pl* krankhafte Wasserscheu

hydro·pon·ics [ˌhaɪdrə(ʊ)'pɒnɪks] *n + sing vb* BOT Hydrokultur *f*

hydro·thera·py [ˌhaɪdrə(ʊ)'θerəpi] **I.** *n no pl* Wasserbehandlung *f,* Hydrotherapie *f fachspr* **II.** *adj* hydrotherapeutisch

hy·ena [haɪ'iːnə] *n* Hyäne *f*

hy·giene ['haɪdʒiːn] *n no pl* Hygiene *f;* **personal ~** Körperpflege *f*

hy·gien·ic [haɪ'dʒiːnɪk] *adj* hygienisch

hy·men ['haɪmən] *n* Jungfernhäutchen *nt,* Hymen *nt o m fachspr*

hymn [hɪm] *n* **①** REL Kirchenlied *nt* **②** *(praise)* Hymne *f*

hym·nal ['hɪmnəl] *n,* **hymn·book** ['hɪmbʌk] *n* Gesangbuch *nt*

hype [haɪp] **I.** *n no pl* Reklameaufwand *m;* **media ~** Medienrummel *m;* *(deception)* Werbemasche *f* **II.** *vt* ■**to ~ sth** etw [in den Medien] hochjubeln

hy·per ['haɪpəʳ] *adj* *(fam)* aufgedreht, hyper *sl*

hyper·ac·tive [ˌhaɪpərˈæktɪv] *adj* hyperaktiv **hyper·bo·la** [haɪ'pɜːbələ] *n* MATH Hyperbel *f* **hyper·bo·le** [haɪ'pɜːbəli] *n no pl* LIT Hyperbel *f* **hyper·mar·ket** *n* Verbrauchermarkt *m* **hyper·ˈsen·si·tive** *adj* überempfindlich; ■**to be ~ to sth** auf etw *akk* überempfindlich reagieren

hy·phen ['haɪfⁿn] *n* *(between words)* Bindestrich *m;* *(at end of line)* Trennstrich *m* **hy·phen·ate** ['haɪfⁿneɪt] *vt* mit Bindestrich schreiben

hyp·no·sis [hɪp'nəʊsɪs] *n no pl* Hypnose *f;* ■**to be under ~** sich in Hypnose befinden

hyp·no·thera·py [ˌhɪpnə(ʊ)'θerəpi] *n no pl* MED Hypnotherapie *f*

hyp·not·ic [hɪp'nɒtɪk] *adj* *(causing hypnosis)* hypnotisierend; *(referring to hypnosis)* hypnotisch; **~ state** Zustand *m* der Hypnose

hyp·no·tist ['hɪpnətɪst] *n* Hypnotiseur(in) *m(f)*

hyp·no·tize ['hɪpnətaɪz] *vt* hypnotisieren *a. fig*

hypo·chon·dria [ˌhaɪpə(ʊ)'kɒndriə] *n no pl* Hypochondrie *f*

hypo·chon·dri·ac [ˌhaɪpə(ʊ)'kɒndriæk] *n* Hypochonder(in) *m(f)*

hy·poc·ri·sy [hɪ'pɒkrəsi] *n no pl* Heuchelei *f,* Scheinheiligkeit *f*

hypo·crite ['hɪpəkrɪt] *n* Heuchler(in) *m(f),* Scheinheilige(r) *f(m)*

hypo·criti·cal [ˌhɪpəʊ'krɪtɪkəl] *adj* heuchlerisch, scheinheilig

hypo·criti·cal·ly [ˌhɪpə'krɪtɪkəli] *adv* scheinheilig, heuchlerisch

hypo·der·mic [ˌhaɪpə(ʊ)'dɜːmɪk] *adj* subkutan; **~ syringe** Injektionsspritze *f*

hy·pote·nuse [haɪ'pɒtⁿnjuːz] *n* MATH Hypotenuse *f*

hypo·ther·mia [ˌhaɪpə(ʊ)θɜːmiə] *n no pl* Unterkühlung *f*

hy·poth·esis <*pl* -ses> [haɪ'pɒθəsɪs] *n* Hypothese *f*

hypo·theti·cal [ˌhaɪpə(ʊ)'θetɪkəl] *adj* hypothetisch

hys·ter·ec·to·my [ˌhɪstə'rektəmi] *n* MED Hysterektomie *f*

hys·te·ria [hɪ'stɪəriə] *n no pl* Hysterie *f*

hys·ter·ic [hɪ'sterɪk] *adj* hysterisch

hys·teri·cal [hɪ'sterɪkəl] *adj* **①** *(emotional)* hysterisch **②** *(fam: hilarious)* ausgelassen heiter

I
i

I <*pl* -'s *or* -s>, **i** <*pl* -'s> [aɪ] *n* ❶ (*letter*) I *nt*, i *nt*; *see also* **A 1** ❷ (*Roman numeral*) I *nt*, i *nt*

I [aɪ] **I.** *pron pers* ich; ~ **for one ...** ich meinerseits ...; **accept me for what** ~ **am** nimm mich so, wie ich bin **II.** *n* PHILOS (*the ego*) ◼**the** ~ das Ich

IAEA *n* [ˌaɪeɪˈiːeɪ] *abbrev of* **International Atomic Energy Agency** IAEO *f*

Iberian [aɪˈbɪərɪən] **I.** *n* ❶ (*person*) Iberer(in) *m(f)* ❷ (*language*) Iberisch *nt* **II.** *adj* iberisch

ibex <*pl* -es> [ˈaɪbeks] *n* Steinbock *m*

ibid [ɪˈbɪd] *adv*, **ibidem** [ɪˈbɪdem] *adv* LIT ib.

IBS [ˌaɪbiːˈes] *n no pl* MED *abbrev of* **irritable bowel syndrome** Reizdarm *m*

IC [ˌaɪˈsiː] *n abbrev of* **integrated circuit**

i/c *abbrev of* **in charge** [of] v. D.

ice [aɪs] **I.** *n no pl* Eis *nt* ▶ **to break the** ~ das Eis zum Schmelzen bringen; **sth cuts no** ~ **with sb** etw lässt jdn ziemlich kalt; **to put sth on** ~ etw auf Eis legen **II.** *vt* glasieren ◆ **ice over** *vi* ◼ **to be** ~**d over** *road* vereist sein; *lake* zugefroren sein

'Ice Age *n* Eiszeit *f* **'ice-axe** *n* Eispickel *m* **'ice·berg** *n* Eisberg *m* **'ice·bound** *adj ship* eingefroren; *harbour* zugefroren **'ice·box** *n* ❶ BRIT (*freezer*) Eisfach *nt* ❷ AM (*fridge*) Kühlschrank *m* **'ice-break·er** *n* ❶ (*ship*) Eisbrecher *m* ❷ (*to break tension*) Spiel zur Auflockerung der Atmosphäre **'ice cap** *n* Eiskappe *f* (*an den Polen*) **ice-'cold** *n* eiskalt **ice 'cream** *n* Eiscreme *f* **ice-'cream mak·er** *n* Eismaschine *f* **ice-'cream par·lour** *n* Eisdiele *f* **'ice cube** *n* Eiswürfel *m*

iced [aɪst] *adj* ❶ (*frozen*) eisgekühlt ❷ (*covered with icing*) glasiert

'ice floe *n* Eisscholle *f* **'ice hock·ey** *n* Eishockey *nt*

Ice·land [ˈaɪslənd] *n* Island *nt*

Ice·land·er [ˈaɪsləndəʳ] *n* Isländer(in) *m(f)*

Ice·land·ic [aɪsˈlændɪk] **I.** *n* Isländisch *nt* **II.** *adj* isländisch

ice 'lol·ly *n* BRIT Eis *nt* am Stiel **'ice pack** *n* ❶ (*for swelling*) Eisbeutel *m* ❷ (*sea ice*) Packeis *nt* **'ice rink** *n* Schlittschuhbahn *f*, Eisbahn *f* **'ice-skate** *vi* eislaufen **'ice-skat·ing** *n no pl* Schlittschuh laufen *nt*

I Ching [ˌiːˈtʃɪŋ] *n* I Ging *nt*

ici·cle [ˈaɪsɪkl] *n* Eiszapfen *m*

ic·ing [ˈaɪsɪŋ] *n* FOOD Zuckerguss *m* ▶ **to be the** ~ **on the cake** (*pej: unneces-*

sary) [bloß] schmückendes Beiwerk sein; (*approv: unexpected extra*) das Sahnehäubchen sein *fam*

'ic·ing sug·ar *n* Puderzucker *m*

icon [ˈaɪkɒn] *n* ❶ (*also fig: painting*) Ikone *f* ❷ COMPUT Ikon *nt*

icono·clast [aɪˈkɒnə(ʊ)klæst] *n* ❶ (*form: critic of beliefs*) Bilderstürmer *m fig* ❷ REL (*hist*) Ikonoklast *m fachspr*

icono·clast·ic [aɪˌkɒnə(ʊ)ˈklæstɪk] *adj* ikonoklastisch *geh*

ICU [ˌaɪsiːˈjuː] *n abbrev of* **intensive care unit** Intensivstation *f*

icy [ˈaɪsi] *adj* ❶ (*full of ice*) *road* vereist; (*very cold*) eisig [kalt] ❷ (*unfriendly*) frostig

I.D. [ˌaɪˈdiː] *n no pl abbrev of* **identification** Ausweis *m*

I'd [aɪd] = I would, I had *see* have I, II, would

I.'D. card *n* [Personal]ausweis *m*

IDDD [ˌaɪdiːdiːˈdiː] AM *abbrev of* **international direct distance dialling** SWFD

idea [aɪˈdɪə, -ˈdiːə] *n* ❶ (*notion*) Vorstellung *f*; **whatever gave you that** ~**?** wie kommst du denn [bloß] darauf?; **the** ~ **never entered my head** der Gedanke ist mir nie in den Sinn gekommen; **to get** ~**s** (*fam*) auf dumme Gedanken kommen; **to give sb** ~**s** (*fam*) jdn auf dumme Gedanken bringen ❷ (*purpose*) ◼**the** ~ der Zweck; **the** ~ **was to meet at the pub** eigentlich wollten wir uns in der Kneipe treffen ❸ (*suggestion*) Idee *f*; **that's an** ~**!** (*fam*) das ist eine gute Idee!; **to toy with the** ~ **of doing sth** mit der Idee spielen, etw zu tun ❹ (*knowledge*) Begriff *m*; **to have an** ~ **of sth** eine Vorstellung von etw *dat* haben; **have you any** ~ **of what you're asking me to do?** weißt du eigentlich, um was du mich da bittest?; **to have [got] no** ~ (*fam*) keine Ahnung haben; **to not have the slightest** ~ nicht die leiseste Ahnung haben ❺ (*conception*) Ansicht *f*; **this is not my** ~ **of fun** (*fam*) das verstehe ich nicht unter Spaß!

ideal [aɪˈdɪəl, -ˈdiːəl] **I.** *adj* ideal **II.** *n no pl* Ideal *nt*

ideal·ism [aɪˈdɪəlɪzᵊm] *n no pl also* PHILOS Idealismus *m*

ideal·ist [aɪˈdɪəlɪst] *n* Idealist(in) *m(f)*

ideal·is·tic [ˌaɪdɪəˈlɪstɪk] *adj* idealistisch

ideal·ize [aɪˈdɪəlaɪz] *vt* idealisieren

ideal·ly [aɪˈdɪəli] *adv* ❶ (*best scenario*)

idealerweise ❷ (*perfectly*) genau richtig

iden·ti·cal [aɪˈdentɪkəl] *adj* identisch (**to** mit)

iden·ti·cal·ly [aɪˈdentɪkəli] *adv* identisch

iden·ti·fi·able [aɪˌdentɪˈfaɪəbl] *adj* erkennbar; *substance* nachweisbar

iden·ti·fi·ca·tion [aɪˌdentɪfɪˈkeɪʃən] *n no pl* ❶ (*determination of identity*) *of a dead person, criminal* Identifizierung *f;* (*of a problem, aims* Identifikation *f;* (*of a virus, plant*) Bestimmung *f* ❷ (*papers*) Ausweispapiere *pl* ❸ (*sympathy*) Identifikation *f* (**with** mit) ❹ (*association*) Parteinahme *f*

iden·ti·fi·'ca·tion pa·pers *npl* Ausweispapiere *pl*

iden·ti·fy <-ie-> [aɪˈdentɪfaɪ] **I.** *vt* ❶ (*recognize*) identifizieren ❷ (*establish identity*) ■**to ~ sb** jds Identität *f* feststellen ❸ (*associate*) ■**to ~ sb with sth/sb** jdn mit jdm/etw assoziieren; ■**to ~ oneself with sth** sich mit etw *dat* identifizieren **II.** *vi* ■**to ~ with sb** sich mit jdm identifizieren; ■**to be identified with sth** mit etw *dat* in Verbindung gebracht werden

iden·ti·kit® [aɪˈdentɪkɪt] **I.** *n* BRIT, AUS Phantombild *nt* **II.** *adj* ❶ (*made with identikit*) Phantom- ❷ (*pej: copied*) unoriginell

iden·ti·ty [aɪˈdentɪti] *n* ❶ (*who sb is*) Identität *f* ❷ (*identicalness*) Übereinstimmung *f*

i'den·ti·ty card *n* [Personal]ausweis *m* **i'den·ti·ty fraud** *n no pl* Identitätsbetrug *m* **i'den·tity theft** *n* SOCIOL Identitätsdiebstahl *m* **i'den·tity thief** *n* SOCIOL Identitätsdieb(in) *m(f)*

ideo·logi·cal [ˌaɪdɪə(ʊ)ˈlɒdʒɪkəl] *adj* ideologisch

ideo·logi·cal·ly [ˌaɪdɪəˈlɒdʒɪkəli] *adv* ideologisch

ideolo·gist [ˌaɪdiˈɒlədʒɪst] *n* Ideologe, Ideologin *m, f*

ideol·ogy [ˌaɪdiˈɒlədʒi] *n* Ideologie *f*

idio·cy [ˈɪdiəsi] *n* (*foolishness*) Schwachsinn *m;* (*act*) Dummheit *f*

idiom [ˈɪdiəm] *n* LING ❶ (*phrase*) [idiomatische] Redewendung ❷ (*language*) Idiom *nt;* (*dialect*) Dialekt *m*

idio·mat·ic [ˌɪdiə(ʊ)ˈmætɪk] *adj* idiomatisch

idio·syn·cra·sy [ˌɪdiə(ʊ)ˈsɪŋkrəsi] *n* Eigenart *f*

idio·syn·crat·ic [ˌɪdiə(ʊ)sɪŋˈkrætɪk] *adj* charakteristisch

idi·ot [ˈɪdiət] *n* (*pej*) Idiot *m*

idi·ot·ic [ˌɪdiˈɒtɪk] *adj* idiotisch; *idea* hirnverbrannt

idi·oti·cal·ly [ˌɪdiˈɒtɪkəli] *adv* idiotischerweise, blödsinnigerweise

idle [ˈaɪdl̩] **I.** *adj* ❶ (*lazy*) faul ❷ (*not working*) *people* untätig; *moment* müßig; *machines* außer Betrieb *präd;* **the ~ rich** die reichen Müßiggänger ❸ (*pointless, unfounded*) *chatter* hohl; *fear* unbegründet; *rumours, speculation* rein; *threat* leer **II.** *vi* ❶ (*do nothing*) faulenzen ❷ (*engine*) leer laufen

idle·ness [ˈaɪdlnəs] *n no pl* Müßiggang *m;* (*not doing anything*) Untätigkeit *f*

idler [ˈaɪdlər] *n* (*person*) Müßiggänger(in) *m(f)*

idly [ˈaɪdli] *adv* ❶ (*not doing anything*) untätig; **to stand ~ by** untätig dabeistehen ❷ (*lazily*) faul, träge

idol [ˈaɪdl̩] *n* ❶ (*model*) Idol *nt* ❷ REL Götzenbild *nt*

idola·trous [aɪˈdɒlətrəs] *adj* REL Götzenartig

idola·try [aɪˈdɒlətri] *n no pl* Götzenanbetung *f;* (*fig*) Vergötterung *f*

idol·ize [ˈaɪdəlaɪz] *vt* vergöttern

IDP¹ [ˌaɪdiːˈpiː] *abbrev of* **integrated data processing** integrierte Datenverarbeitung

IDP² [ˌaɪdiːˈpiː] *abbrev of* **International Driving Permit** Internationaler Führerschein

idyll [ˈɪdl̩] *n* ❶ (*blissful time*) Idyll *nt* ❷ LIT Idylle *f*

idyl·lic [ɪˈdɪlɪk] *adj* idyllisch

idyl·li·cal·ly [ɪˈdɪlɪkli] *adv* idyllisch

i.e. [ˌaɪˈiː] *n abbrev of* **id est** d.h.

if I. *conj* ❶ (*in case*) wenn, falls; **even ~ ...** selbst [dann], wenn ...; ■**~ ..., then ...** wenn ..., dann ... ❷ (*in exclamation*) ~ **I had only known!** hätte ich es nur gewusst! ❸ (*whether*) ob ❹ (*although*) wenn auch ►~ **anyone/anything/anywhere** wenn überhaupt; **barely/hardly/rarely ...** ~ **at all** kaum ..., wenn überhaupt; ~ **ever** wenn [überhaupt] je[mals]; **little/few ~ any** wenn [überhaupt], dann wenig/wenige; **... ~ not ...** ..., wenn nicht [sogar] ...; **let's take a break, ~ only for a minute** machen wir eine Pause, und sei's auch nur für eine Minute **II.** *n* Wenn *nt;* **there's a big ~ hanging over the project** über diesem Projekt steht noch ein großes Fragezeichen ►**no ~s and buts** kein Wenn und Aber *fam*

if·fy [ˈɪfi] *adj* (*fam*) ungewiss

ig·loo [ˈɪgluː] *n* Iglu *m o nt*

ig·ne·ous [ˈɪgniəs] *adj* vulkanisch

ig·nite [ɪgˈnaɪt] **I.** *vi* Feuer fangen; ELEC zünden **II.** *vt* (*form*) anzünden; (*set in motion*) entfachen

ig·ni·tion [ɪgˈnɪʃən] *n* AUTO Zündung *f*

ig·'ni·tion coil *n* Zündspule *f* **ig·'ni·tion key** *n* Zündschlüssel *m* **ig·'ni·tion switch** <-es> *n* Zündschalter *m*

ignorance

expressing a lack of knowledge	Nichtwissen ausdrücken
I don't know (either).	Das weiß ich (auch) nicht.
Don't know./Dunno. *(fam)*	Weiß nicht. *(fam)*
No idea!	Keine Ahnung!
I haven't the foggiest *(fam)*/faintest idea.	Hab keinen blassen Schimmer. *(fam)*
I'm afraid I don't know anything about that.	Ich kenne mich da leider nicht aus.
That I don't know.	Da kenne ich mich nicht aus.
You've got me there.	Da bin ich überfragt.
How should I know?	Woher soll ich das wissen?
That's new to me.	Darüber weiß ich nicht Bescheid.
I have no knowledge of the exact number.	Die genaue Anzahl entzieht sich meiner Kenntnis. *(form)*

ig·no·ble [ɪɡˈnəʊbl̩] *adj* (*liter*) schändlich

ig·no·mini·ous [ˌɪɡnə(ʊ)ˈmɪniəs] *adj* (*liter*) schmachvoll; (*humiliating*) entwürdigend; *behaviour* schändlich; *defeat* schmählich

ig·no·miny [ˈɪɡnəmɪni] *n no pl* Schande *f*

ig·no·ra·mus [ˌɪɡnəˈreɪməs] *n* (*form or hum*) Ignorant(in) *m(f)*

ig·no·rance [ˈɪɡnⁿrⁿn(t)s] *n no pl* Unwissenheit *f* (**about** über)

ig·no·rant [ˈɪɡnⁿrⁿnt] *adj* unwissend; ■**to be ~ about sth** sich in etw *dat* nicht auskennen; ■**to be ~ of sth** von etw *dat* keine Ahnung haben *fam*

ig·nore [ɪɡˈnɔː^r] *vt* ignorieren

igua·na [ɪˈɡwɑːnə] *n* Leguan *m*

ilk [ɪlk] *n no pl* (*pej liter*) **people of that ~** solche Leute

ill [ɪl] **I.** *adj* ❶ (*sick*) krank; **I feel ~** mir ist gar nicht gut; **to be critically ~** in Lebensgefahr schweben; **to fall ~** krank werden; **my sister is ~ with a cold** meine Schwester hat eine Erkältung ❷ (*bad*) schlecht; (*harmful*) schädlich; (*unfavourable*) unerfreulich; **he doesn't bear you any ~ will** er trägt dir nichts nach; **no ~ feeling!** Schwamm drüber!; **to suffer no ~ effects** keine negativen Auswirkungen verspüren; **~ fortune** Pech *nt*; **~ health** angegriffene Gesundheit ❸ *Am* (*sl*) megacool **II.** *adv* (*form: badly*) schlecht; **to bode ~** nichts Gutes verheißen; **to speak ~ of sb** schlecht über jdn sprechen **III.** *n* ❶ (*problems*) ■**~ s** *pl* Übel *nt* ❷ (*people*) ■**the ~** *pl* Kranke *pl*

I'll [aɪl] = **I will** *see* **will**

ill-ad·vised *adj* unklug **ill at ˈease** *adj* unbehaglich **ill-ˈbred** *adj* schlecht erzogen **ill-con·ˈceived** *adj* schlecht durchdacht

il·legal [ɪˈliːɡ^əl] **I.** *adj* illegal **II.** *n esp* Am (*fam*) Illegale(r) *f(m)*

il·legal ˈim·mi·grant *n* illegaler Einwanderer/illegale Einwanderin

il·legal·ity [ˌɪliːˈɡæləti] *n* Illegalität *f*; SPORTS Regelwidrigkeit *f*

il·legal·ly [ɪˈliːɡ^əli] *adv* ungesetzlich, illegal; **to park ~** widerrechtlich [*o fam* falsch] parken

il·leg·ible [ɪˈledʒəbl̩] *adj* unleserlich

il·le·giti·mate [ˌɪlɪˈdʒɪtəmət] *adj* ❶ (*unauthorized*) unrechtmäßig ❷ *child* unehelich

il·le·giti·mate·ly [ˌɪlɪˈdʒɪtəmətli] *adv* ❶ (*unauthorized*) unrechtmäßig[erweise] ❷ *child* unehelich

ill-eˈquipped *adj* schlecht ausgestattet; ■**to be ~ to do sth** (*lack of equipment*) für etw *akk* nicht die nötigen Mittel haben; (*lack of ability*) nicht über die notwendigen Kenntnisse verfügen, um etw tun zu können **ill-ˈfat·ed** *adj person* vom Unglück verfolgt **ill-ˈfa·voured** *adj* unerfreulich **ill-ˈfit·ting** *adj clothes, shoes, dentures* schlecht sitzend *attr* **ill-ˈgot·ten** *adj attr* unrechtmäßig erworben

il·lib·er·al [ɪˈlɪb^ər^əl] *adj* (*form*) ❶ (*repressive*) illiberal ❷ (*narrow-minded*) intolerant

il·lic·it [ɪˈlɪsɪt] *adj* [gesetzlich] verboten

il·lim·it·able [ɪˈlɪmɪtəbl̩] *adj* grenzenlos; *sky* endlos; *ocean* unendlich

ill-in·ˈformed *adj* ❶ (*wrongly informed*) falsch informiert ❷ (*ignorant*) schlecht informiert

il·lit·era·cy [ɪˈlɪt^ərəsi] *n no pl* Analphabetismus *m* il·lit·er·ate [ɪˈlɪtʳrət] I. n Analphabet(in) m(f) II. adj analphabetisch; (fig, pej) ungebildet

ill-ˈman·nered adj unhöflich; child ungezogen ill-ˈna·tured adj boshaft

ill·ness [ˈɪlnəs] n Krankheit f

il·logi·cal [ɪˈlɒdʒɪkᵊl] adj unlogisch

il·logi·cal·ity [ˌɪlɒdʒɪˈkæləti] n no pl Mangel m an Logik

ill-ˈomened adj unheilvoll ill-ˈstarred adj vom Pech verfolgt ill-ˈtem·pered adj (at times) schlecht gelaunt; (by nature) mürrisch ill-ˈtimed adj ungelegen ill-ˈtreat vt misshandeln ill-ˈtreat·ment n Misshandlung f

il·lu·mi·nate [ɪˈluːmɪneɪt] vt erhellen; (spotlight) beleuchten; (fig) erläutern

il·lu·mi·nat·ing [ɪˈluːmɪneɪtɪŋ] adj (form) aufschlussreich

il·lu·mi·na·tion [ɪˌluːmɪˈneɪʃᵊn] n ❶ no pl (form: light) Beleuchtung f ❷ no pl (in books) Buchmalerei f ❸ BRIT (decorative lights) ▪ ~s pl Festbeleuchtung f

illus. ❶ abbrev of illustrated ill. ❷ abbrev of illustration Abb.

il·lu·sion [ɪˈluːʒᵊn] n Illusion f; to create the ~ of sth die Illusion erwecken, dass ...; to labour under the ~ that ... sich der Illusion hingeben, dass ...

il·lu·sion·ist [ɪˈluːʒᵊnɪst] n Zauberkünstler(in) m(f)

il·lu·sive [ɪˈluːsɪv] adj, il·lu·sory [ɪˈluːsᵊri] adj ❶ (deceptive) illusorisch ❷ (imaginary) imaginär

il·lus·trate [ˈɪləstreɪt] vt ❶ (add pictures to) illustrieren ❷ (fig: show more clearly) aufzeigen

il·lus·tra·tion [ˌɪləˈstreɪʃᵊn] n ❶ (drawing) Illustration f ❷ (fig: example) Beispiel nt

il·lus·tra·tive [ˈɪləstrətɪv] adj (form) beispielhaft

il·lus·tra·tor [ˈɪləstreɪtəʳ] n Illustrator(in) m(f)

il·lus·tri·ous [ɪˈlʌstriːəs] adj (form) person berühmt; deed glanzvoll

ill-ˈwill n Feindseligkeit f; to bear sb ~ einen Groll auf jdn haben

ILS [ˌaɪelˈes] n abbrev of instrument landing system Instrumentenlandesystem nt

I'm [aɪm] = I am see be

im·age [ˈɪmɪdʒ] I. n ❶ (likeness) Ebenbild nt ❷ (picture) Bild nt; (sculpture) Skulptur f ❸ (mental picture) Vorstellung f ❹ (reputation) Image nt ❺ LIT Metapher f II. vt ▪ to ~ sth sich dat etw vorstellen

im·age·ry [ˈɪmɪdʒᵊri] n no pl LIT Bildersprache f

im·agi·nable [ɪˈmædʒɪnəbl] adj erdenklich

im·agi·nary [ɪˈmædʒɪnəri] adj imaginär

im·agi·na·tion [ɪˌmædʒɪˈneɪʃᵊn] n Fantasie f; lack of ~ Fantasielosigkeit f; not by any stretch of the ~ beim besten Willen nicht

im·agi·na·tive [ɪˈmædʒɪnətɪv] adj fantasievoll

im·agi·na·tive·ly [ɪˈmædʒɪnətɪvli] adv fantasievoll

im·ag·ine [ɪˈmædʒɪn] vt ❶ (form mental image) ▪ to ~ sb/sth sich dat jdn/etw vorstellen ❷ (suppose) ▪ to ~ sth sich dat etw denken; I cannot ~ what you mean ich weiß wirklich nicht, was du meinst ❸ (be under the illusion) glauben ▸ ~ that! stell dir das mal vor!

ˈim·ag·ing n no pl COMPUT digitale Bildverarbeitung

im·bal·ance [ɪmˈbælən(t)s] n Ungleichgewicht nt

im·becile [ˈɪmbəsiːl] I. n Idiot m pej fam II. adj schwachsinnig pej fam

im·bibe [ɪmˈbaɪb] I. vt ▪ to ~ sth ❶ (form: drink) etw [in sich hin]einschlürfen ❷ (fig: absorb) etw übernehmen II. vi (form or hum) sich dat einen genehmigen fam

im·bro·glio [ɪmˈbrəʊliəʊ] n (liter) Hexenkessel m

im·bue [ɪmˈbjuː] vt usu passive ❶ (inspire) erfüllen (with mit) ❷ (form: soak) benetzen; (dye) [ein]färben

IMF [ˌaɪemˈef] n no pl abbrev of International Monetary Fund ▪ the ~ der IWF

imi·tate [ˈɪmɪteɪt] vt imitieren; style kopieren

imi·ta·tion [ˌɪmɪˈteɪʃᵊn] I. n ❶ no pl (mimicry) Imitation f ❷ (act of imitating) Imitieren nt; to do an ~ of sb/sth jdn/etw nachmachen ❸ (copy) Kopie f II. adj leather, silk Kunst-; pearl, gold, silver unecht

imi·ta·tive [ˈɪmɪtətɪv] adj ❶ (esp pej: copying) imitierend ❷ (onomatopoeic) lautmalerisch

imi·ta·tor [ˈɪmɪteɪtəʳ] n Nachahmer(in) m(f); of voices Imitator(in) m(f)

im·macu·late [ɪˈmækjələt] adj (approv: neat) makellos; (flawless) perfekt; garden säuberlich gepflegt

im·macu·late·ly [ɪˈmækjələtli] adv (approv) perfekt, makellos

im·ma·nence [ˈɪmənən(t)s] n no pl PHILOS Immanenz f

im·ma·nent [ˈɪmənənt] adj innewohnend; PHILOS immanent

im·ma·terial [ˌɪməˈtɪəriəl] adj ❶ (not important) unwesentlich ❷ (not physical) immateriell

im·ma·ture [ˌɪmə'tjʊəʳ,] *adj* ❶ (*pej: not mature*) unreif; (*childish*) kindisch *meist pej* ❷ (*not developed*) unreif; (*sexually*) nicht geschlechtsreif; *plan* unausgereift

im·ma·tur·ity [ˌɪmə'tjʊərəti] *n no pl* Unreife *f*

im·meas·ur·able [ɪ'meʒʳrəbl] *adj* (*limitless*) grenzenlos; (*great*) *influence* riesig; *effect* gewaltig

im·media·cy [ɪ'miːdiəsi] *n no pl* Unmittelbarkeit *f*; *of a problem* Aktualität *f*; (*relevance*) Relevanz *f*; (*nearness*) Nähe *f*

im·medi·ate [ɪ'miːdiət] *adj* ❶ (*without delay*) umgehend; **to take ~ action/effect** augenblicklich handeln/wirken; *consequences* unmittelbar ❷ *attr* (*close*) unmittelbar; **sb's ~ family** jds nächste Angehörige; **sb's ~ friends** jds engste Freunde ❸ (*direct*) direkt; *cause* unmittelbar; *result* sofortig ❹ (*current*) unmittelbar; *concerns, problems, needs* dringend

im·medi·ate·ly [ɪ'miːdiətli] **I.** *adv* ❶ (*at once*) sofort, gleich ❷ (*closely*) direkt, unmittelbar **II.** *conj* BRIT sobald

im·memo·rial [ˌɪmɪ'mɔːriəl] *adj* (*liter*) uralt; **from time ~** seit Urzeiten

im·mense [ɪ'men(t)s] *adj* riesig, enorm; **to be of ~ importance** immens wichtig sein

im·mense·ly [ɪ'men(t)sli] *adv* extrem, ungeheuer

im·men·si·ty [ɪ'men(t)səti] *n* ❶ *no pl* (*largeness*) Größe *f* ❷ *usu pl* (*boundlessness*) Endlosigkeit *f kein pl*

im·merse [ɪ'mɜːs] *vt* ❶ (*dunk*) eintauchen ❷ (*become absorbed in*) ∎ **to ~ oneself in sth** sich in etw *akk* vertiefen ❸ (*baptize*) untertauchen (*als Taufhandlung*)

im·mer·sion [ɪ'mɜːʃʳn, -ʒʳn] *n* ❶ (*dunking*) Eintauchen *nt*, Untertauchen *nt*; (*baptizing*) Ganztaufe *f* ❷ *no pl* (*absorption*) Vertiefung *f fig* ❸ *no pl esp* AM (*teaching method*) Unterrichtsmethode, bei der ausschließlich die zu erlernende Sprache verwendet wird

im·'mer·sion heat·er *n* Tauchsieder *m*

im·mi·grant ['ɪmɪɡrənt] **I.** *n* Einwanderer(in) *m(f)*, Immigrant(in) *m(f)* **II.** *adj neighbourhood, worker* Immigranten-, Einwanderer-; **the ~ population** die Einwanderer *pl*

im·mi·grate ['ɪmɪɡreɪt] *vi* einwandern, immigrieren

im·mi·gra·tion [ˌɪmɪ'ɡreɪʃʳn] *n no pl* ❶ (*action*) Einwanderung *f*, Immigration *f* ❷ (*immigration control*) Grenzkontrolle *f* ❸ AM (*immigration control*) ∎ **~s** *pl* ≈ Grenzschutz *m* (*an Flughäfen*)

im·mi·'gra·tion coun·try *n* Einwanderungsland *nt*

im·mi·nence ['ɪmɪnən(t)s] *n no pl* Bevorstehen

im·mi·nent ['ɪmɪnənt] *adj* bevorstehend *attr*; *danger* drohend

im·mo·bile [ɪ'məʊbaɪl] *adj* ❶ (*motionless*) bewegungslos; (*sit*) regungslos; (*unable to move*) unbeweglich ❷ *pred* (*fig fam: not have transportation*) **to be ~** nicht motorisiert sein; **to be rendered ~** zum Stillstand gebracht werden

im·mo·bil·ity [ˌɪməʊ'bɪləti] *n no pl* (*motionlessness*) Bewegungslosigkeit *f*, Unbewegtheit *f*; (*of building, object*) Unbeweglichkeit *f*; (*because of damage*) Bewegungsunfähigkeit *f*

im·mo·bi·lize [ɪ'məʊbʳlaɪz] *vt* ❶ (*prevent from functioning*) lahmlegen; *car, machine* betriebsuntauglich machen; (*render motionless*) **his indecision/fear ~d him** seine Unentschlossenheit/Angst lähmte ihn ❷ (*set in cast*) **my leg was ~d in a plaster cast** mein Bein wurde mit einem Gipsverband ruhig gestellt

im·mo·der·ate [ɪ'mɒdʳrət] *adj* maßlos; *demands* übertrieben

im·mod·est [ɪ'mɒdɪst] *adj* (*pej*) ❶ (*conceited*) eingebildet ❷ (*indecent*) *clothing* unanständig

im·mo·late ['ɪməʊleɪt] *vt* REL (*form: sacrifice*) *animal* [rituell] opfern

im·mor·al [ɪ'mɒrʳl] *adj* unmoralisch

im·mor·tal [ɪ'mɔːtʳl] **I.** *adj* ❶ (*undying*) *person, soul* unsterblich; *life* ewig ❷ (*unforgettable*) *of literature* unvergesslich **II.** *n* ❶ (*in myths*) Unsterbliche(r) *f(m)* ❷ (*famous person*) unvergessene Persönlichkeit

im·mor·tal·ity [ˌɪmɔː'tæləti] *n no pl* Unsterblichkeit *f*

im·mor·tal·ize [ɪ'mɔːtʳlaɪz] *vt* ∎ **to ~ sb** (*in a film, book*) jdn verewigen; **to be ~d in history for sth** wegen einer S. *gen* in die Geschichte eingehen

im·mov·able [ɪ'muːvəbl] **I.** *adj* ❶ (*stationary*) unbeweglich ❷ (*unchanging*) unerschütterlich; *belief, opinion* fest; *opposition* starr **II.** *n* LAW ∎ **~s** Immobilien *pl*

im·mune [ɪ'mjuːn] *adj pred* ❶ MED, POL, LAW (*also fig*) immun (**to** gegen/für) ❷ (*fig: safe from*) sicher (**from** vor)

im·'mune sys·tem *n* Immunsystem *nt*

im·mu·nity [ɪ'mjuːnəti] *n no pl* ❶ MED, LAW Immunität *f* ❷ (*fig: lack of vulnerability*) Unempfindlichkeit *f*

im·mu·nize ['ɪmjənaɪz] *vt* immunisieren

im·mu·no·logi·cal [ˌɪmjənə(ʊ)'lɒdʒɪkʳl] *adj* immunologisch *fachspr*

im·mu·nolo·gist [ˌɪmjə'nɒlədʒɪst] *n* Immunologe, Immunologin *m, f fachspr*

im·mure [ɪ'mjʊəʳ] *vt* (*liter, form*) ■**to ~ sb** jdn einkerkern

im·mu·table [ɪ'mjuːtəbl] *adj* (*unchangeable*) unveränderlich; (*everlasting*) unvergänglich

imp [ɪmp] *n* Kobold *m*

im·pact I. *n* ['ɪmpækt] *no pl* ❶ (*contact*) Aufprall *m;* **on ~** beim Aufprall; (*force*) Wucht *f;* (*of a bullet, meteor*) Einschlag *m;* **on ~** beim Einschlag ❷ (*fig: effect*) Auswirkung[en] *f*[*pl*]; **to have an ~ on sb** Eindruck *m* bei jdm machen **II.** *vt* [ɪm'pækt] *esp* Am, Aus beeinflussen **III.** *vi* [ɪm'pækt] ❶ (*hit ground*) aufschlagen ❷ *esp* Am, Aus (*have effect*) ■**to ~ on sb/sth** jdn/etw beeinflussen

im·pact·ed [ɪm'pæktɪd] *adj* ❶ *tooth, bone* eingeklemmt ❷ *esp* Am, Aus (*affected*) betroffen

im·pair [ɪm'peəʳ] *vt* (*disrupt*) behindern; **to ~ sb's ability to concentrate/walk/work** jds Konzentrations-/Geh-/Arbeitsfähigkeit beeinträchtigen; (*damage*) etw *dat* schaden, etw schädigen

im·paired [ɪm'peəʳd] *adj* geschädigt; **~ hearing/vision** Hör-/Sehbehinderung *f*

im·pale [ɪm'peɪl] *vt usu passive* aufspießen (**on** auf); ■**to ~ sb** (*hist*) jdn pfählen

im·pal·pable [ɪm'pælpəbl] *adj* (*liter*) undeutlich; **an ~ change** eine kaum merkliche Veränderung

im·part [ɪm'pɑːt] *vt* ■**to ~ sth** [**to sb**] ❶ (*communicate*) *information, knowledge, wisdom* [jdm] etw vermitteln ❷ (*bestow*) [jdm] etw verleihen

im·par·tial [ɪm'pɑːʃəl] *adj* unparteiisch

im·par·tial·ity [ɪmˌpɑːʃi'æləti] *n no pl* Unvoreingenommenheit *f*

im·par·tial·ly [ɪm'pɑːʃəli] *adv* unvoreingenommen

im·pass·able [ɪm'pɑːsəbl] *adj* (*blocking vehicles*) unpassierbar; (*fig: blocking negotiations*) unüberwindlich

im·passe ['ɪmpɑːs] *n* (*also fig: closed path*) Sackgasse *f;* **to reach an ~** sich festfahren *fig*

im·pas·sioned [ɪm'pæʃ°nd] *adj* leidenschaftlich

im·pas·sive [ɪm'pæsɪv] *adj* (*not showing emotion*) ausdruckslos; (*not sympathizing*) gleichgültig

im·pa·tience [ɪm'peɪʃ°n(t)s] *n no pl* ❶ (*eagerness for change*) Ungeduld *f* ❷ (*intolerance*) Unduldsamkeit *f*

im·pa·tient [ɪm'peɪʃ°nt] *adj* ungeduldig (**with** gegenüber); (*intolerant*) intolerant

(**of** gegenüber)

im·pa·tient·ly [ɪm'peɪʃ°ntli] *adv* (*eagerly*) ungeduldig; (*intolerantly*) ungehalten, unwillig

im·peach [ɪm'piːtʃ] *vt* ■**to ~ sb for sth** jdn wegen einer S. *gen* anklagen; **to ~ an official/the president** einen Amtsträger/den Präsidenten wegen Amtsmissbrauchs anklagen

im·peach·ment [ɪm'piːtʃmənt] *n* Amtsenthebungsverfahren *nt*

im·pec·cable [ɪm'pekəbl] *adj* makellos; *manners* tadellos; *performance* perfekt; *reputation* untadelig; *taste* ausgesucht

im·pec·cably [ɪm'pekəbli] *adv* makellos, perfekt

im·pecu·ni·ous [ˌɪmpɪ'kjuːniəs] *adj* (*form*) mittellos

im·pede [ɪm'piːd] *vt movement, progress, person* behindern

im·pedi·ment [ɪm'pedɪmənt] *n* ❶ (*hindrance*) Hindernis *nt* (**to** für) ❷ MED Behinderung *f;* **to have a speech ~** einen Sprachfehler haben

im·pel <-ll-> [ɪm'pel] *vt* (*drive*) [an]treiben; (*force*) nötigen

im·pend·ing [ɪm'pendɪŋ] *adj attr* (*imminent*) bevorstehend; (*menacing*) drohend

im·pen·etrable [ɪm'penɪtrəbl] *adj* ❶ (*blocking entrance*) unüberwindlich; (*dense*) undurchdringlich; (*exclusive*) exklusiv; *fog* dicht ❷ (*fig: incomprehensible*) unverständlich

im·peni·tent [ɪm'penɪt°nt] *adj* (*form*) uneinsichtig

im·pera·tive [ɪm'perətɪv] **I.** *adj* ❶ (*essential*) unbedingt erforderlich ❷ (*commanding*) gebieterisch **II.** *n* ❶ (*necessity*) [Sach]zwang *m;* (*obligation*) Verpflichtung *f;* PHILOS Imperativ *m;* (*factor*) Erfordernis *f* ❷ *no pl* LING ■**the ~** der Imperativ

im·per·cep·tible [ˌɪmpə'septəbl] *adj* unmerklich

im·per·fect [ɪm'pɜːfɪkt] **I.** *adj* (*flawed*) fehlerhaft; (*incomplete*) unvollkommen; (*not sufficient*) unzureichend **II.** *n no pl* LING ■**the ~** das Imperfekt

im·per·fec·tion [ˌɪmpə'fekʃ°n] *n* ❶ (*flaw*) Fehler *m*, Mangel *m* ❷ *no pl* (*faultiness*) Unvollkommenheit *f*, Fehlerhaftigkeit *f*

im·per·fect·ly [ɪm'pɜːfɪktli] *adv* (*in a flawed way*) fehlerhaft; (*not finished*) unvollkommen; (*not sufficiently*) unzureichend

im·perial [ɪm'pɪəriəl] *adj* ❶ (*of an empire*) Reichs-; (*of an emperor*) kaiserlich, Kaiser-; (*imperialistic*) imperialistisch *oft pej* ❷ (*grand*) prächtig ❸ (*of British empire*)

Empire-, des Empires *nach n* ❹ (*measure*) britisch; ~ **gallon** britische Gallone (*4,55 Liter*); **the ~ system** das britische System der Maße und Gewichte

im·peri·al·ism [ɪmˈpɪəriəlɪzᵊm] *n no pl* Imperialismus *m meist pej*

im·peri·al·ist [ɪmˈpɪəriəlɪst] **I.** *n* (*usu pej*) Imperialist(in) *m(f) meist pej* **II.** *adj* imperialistisch

im·per·il <BRIT, AUS -ll- *or* AM *usu* -l-> [ɪmˈperᵊl] *vt* gefährden

im·peri·ous [ɪmˈpɪəriəs] *adj* herrisch

im·per·ish·able [ɪmˈperɪʃəbl̩] **I.** *adj beauty* unvergänglich; *food* haltbar **II.** *n* ◼ ~**s** *pl* haltbare Lebensmittel *pl*

im·per·ma·nent [ɪmˈpɜːmənənt] *adj* (*transitory*) unbeständig; (*temporary*) zeitlich begrenzt

im·per·meable [ɪmˈpɜːmiəbl̩] *adj* undurchlässig; ~ **to water** wasserundurchlässig

im·per·son·al [ɪmˈpɜːsᵊnᵊl] *adj* (*without warmth*) *also* LING unpersönlich; (*anonymous*) anonym

im·per·son·ate [ɪmˈpɜːsᵊneɪt] *vt* ◼ **to ~ sb** (*take off*) jdn imitieren; (*pretend to be*) sich als jdn ausgeben

im·per·sona·tor [ɪmˈpɜːsᵊneɪtəʳ] *n* Imitator(in) *m(f)*

im·per·ti·nence [ɪmˈpɜːtɪnən(t)s] *n no pl* (*disrespect*) Unverschämtheit *f*

im·per·ti·nent [ɪmˈpɜːtɪnənt] *adj* ❶ (*disrespectful*) unverschämt ❷ (*irrelevant*) nebensächlich

im·per·ti·nent·ly [ɪmˈpɜːtɪnəntli] *adv* unverschämt, frech

im·per·turb·able [ˌɪmpəˈtɜːbəbl̩] *adj* (*form*) unerschütterlich, gelassen

im·per·vi·ous [ɪmˈpɜːviəs] *adj* ❶ (*resistant*) undurchlässig; ~ **to fire/heat** feuer-/ hitzebeständig; ~ **to water** wasserdicht ❷ (*fig: not affected*) immun (**to** gegenüber)

im·petu·ous [ɪmˈpetʃuəs] *adj person* impulsiv; *nature* hitzig; *decision, remark* unüberlegt

im·petus [ˈɪmpɪtəs] *n no pl* ❶ (*push*) Anstoß *m*; (*driving force*) Antrieb *m* ❷ (*momentum*) Schwung *m*

im·pi·ety [ɪmˈpaɪəti] *n* ❶ *no pl* (*irreverence*) Pietätlosigkeit *f*; (*blasphemy*) Gotteslästerung *f* ❷ (*act*) Frevel *m*

im·pinge [ɪmˈpɪndʒ] *vi* (*form*) ◼ **to ~ on sb/sth** (*affect*) sich [negativ] auf jdn/etw auswirken; (*restrict*) jdn/etw einschränken

im·pi·ous [ˈɪmpiːəs, ɪmˈpaɪəs] *adj* (*irreverent*) pietätlos; (*blasphemous*) gottesläster-

lich

imp·ish [ˈɪmpɪʃ] *adj* (*mischievous*) *child* lausbubenhaft; *look, grin* verschmitzt; *remark, trick* frech

im·plac·able [ɪmˈplækəbl̩] *adj* (*irreconcilable*) unversöhnlich; (*relentless*) unnachlässig; *enemy, opponent* unerbittlich

im·plac·ably [ɪmˈplækəbli] *adv* (*without compromise*) unnachgiebig; (*relentlessly*) unermüdlich

im·plant I. *n* [ˈɪmplɑːnt] Implantat *nt* **II.** *vt* [ɪmˈplɑːnt] ❶ (*add surgically*) einpflanzen ❷ (*fig: put in mind*) **to ~ ideas/worries in sb** jdm Ideen/Ängste einreden

im·plaus·ible [ɪmˈplɔːzəbl̩] *adj* unglaubwürdig

im·plaus·ibly [ɪmˈplɔːzəbli] *adv* unglaubwürdig; **to be ~ stupid** unglaublich dumm sein

im·ple·ment I. *n* [ˈɪmplɪmənt] (*utensil*) Gerät *nt*; (*tool*) Werkzeug *nt* **II.** *vt* [ˈɪmplɪment] einführen; **to ~ a plan** ein Vorhaben in die Tat umsetzen

im·ple·men·ta·tion [ˌɪmplɪmenˈteɪʃᵊn] *n no pl of measures, policies* Einführung *f*

im·pli·cate [ˈɪmplɪkeɪt] *vt* ❶ (*involve[d]*) ◼ **to ~ sb in sth** jdn mit etw *dat* in Verbindung bringen; **to be ~d in a crime/scandal** in ein Verbrechen/einen Skandal verwickelt sein ❷ (*imply*) andeuten ❸ (*affect*) ◼ **to ~ sth** etw zur Folge haben

im·pli·ca·tion [ˌɪmplɪˈkeɪʃᵊn] *n* ❶ (*involvement*) Verwicklung *f* ❷ *no pl* (*hinting at*) Implikation *f geh* ❸ *usu pl* (*effect*) Auswirkung[en] *f[pl]*

im·plic·it [ɪmˈplɪsɪt] *adj* ❶ (*suggested*) indirekt ❷ *pred* (*connected*) ◼ **to be ~ in sth** mit etw *dat* verbunden sein ❸ *attr* (*total*) bedingungslos; *confidence* unbedingt

im·plied [ɪmˈplaɪd] *adj* indirekt

im·plode [ɪmˈpləʊd] *vi* (*cave in*) implodieren; (*fig*) zusammenbrechen

im·plore [ɪmˈplɔːʳ] *vt* anflehen

im·plor·ing [ɪmˈplɔːʳɪŋ] *adj* flehend

im·plo·sion [ɪmˈpləʊʒᵊn] *n no pl* Implosion *f fachspr*; (*fig*) Zusammenbruch *m*

im·ply <-ie-> [ɪmˈplaɪ] *vt* (*suggest*) andeuten; (*as consequence*) erfordern

im·po·lite [ˌɪmpᵊˈlaɪt] *adj* (*without manners*) unhöflich; (*obnoxious*) unverschämt

im·po·lite·ness [ˌɪmpᵊˈlaɪtnəs] *n no pl* (*lack of manners*) Unhöflichkeit *f*; (*obnoxiousness*) Unverschämtheit *f*

im·poli·tic [ɪmˈpɒlətɪk] *adj* undiplomatisch

im·pon·der·able [ɪmˈpɒndᵊrəbl̩] **I.** *adj*

question, theory unergründbar; *impact, effect* nicht einschätzbar **II.** *n usu pl* Unwägbarkeit[en] *f[pl]*

im·port **I.** *vt* [ɪmˈpɔːt] ❶ (*bring in*) products importieren (**from** aus); *ideas, customs* übernehmen (**from** von) ❷ COMPUT importieren **II.** *vi* [ɪmˈpɔːt] importieren (**from** aus) **III.** *n* [ˈɪmpɔːt] Import *m*

im·por·tance [ɪmˈpɔːtⁿn(t)s] *n no pl* Bedeutung *f*; Wichtigkeit *f*; **to be full of one's own** ~ sich selbst für sehr wichtig halten

im·por·tant [ɪmˈpɔːtⁿnt] *adj* ❶ (*significant*) wichtig ❷ (*influential*) bedeutend

im·por·tant·ly [ɪmˈpɔːtⁿntli] *adv* wichtig; (*pej: self-importantly*) wichtigtuerisch

im·por·ta·tion [ˌɪmpɔːˈteɪʃⁿn] *n no pl* Import *m*

'im·port duty *n* [Import]zoll *m*

im·port·er [ˈɪmpɔːtər] *n* (*company*) Importeur *m*; (*person*) Importeur(in) *m(f)*; (*country*) Importnation *f*

im·por·tu·nate [ɪmˈpɔːtjʊnət] *adj* (*form*) hartnäckig; (*annoyingly*) aufdringlich *pej*

im·por·tune [ˌɪmpəˈtjuːn] *vt* (*form*) ▪ **to** ~ **sb** ❶ (*request insistently*) jdn bedrängen ❷ (*proposition*) jdm Sex für Geld bieten

im·pose [ɪmˈpəʊz] **I.** *vt* (*implement*) durchsetzen; (*order*) verhängen; *law* verfügen; **to** ~ **taxes on sb** jdm Steuern auferlegen; **to** ~ **taxes on sth** Steuern auf etw *akk* erheben **II.** *vi* ▪ **to** ~ **on sb** sich jdm aufdrängen

im·pos·ing [ɪmˈpəʊzɪŋ] *adj* beeindruckend; *person* stattlich

im·po·si·tion [ˌɪmpəˈzɪʃⁿn] *n* ❶ *no pl* (*implementation*) Einführung *f*; *of penalties, sanctions* Verhängen *nt* ❷ (*inconvenience*) Belastung *f*; (*annoyance*) Aufdringlichkeit *f*

im·pos·sibil·ity [ɪmˌpɒsəˈbɪləti] *n* ❶ (*thing*) Ding *nt* der Unmöglichkeit ❷ *no pl* (*quality*) Unmöglichkeit *f*

im·pos·sible [ɪmˈpɒsəbl] **I.** *adj* ❶ (*not possible*) unmöglich; **that's** ~**!** das ist unmöglich! ❷ (*not resolvable*) ausweglos ❸ (*difficult*) *person* unerträglich **II.** *n* ▪ **the** ~ *no pl* das Unmögliche; **to ask the** ~ Unmögliches verlangen

im·pos·sibly [ɪmˈpɒsəbli] *adv* unvorstellbar

im·post·er *n*, **im·post·or** [ɪmˈpɒstər] *n* Hochstapler(in) *m(f)*

im·pos·ture [ɪmˈpɒstjər] *n* ❶ *no pl* (*activity*) Hochstapelei *f* ❷ (*instance*) Betrug *m*

im·po·tence [ˈɪmpətən(t)s] *n no pl* ❶ (*powerlessness*) Machtlosigkeit *f* ❷ (*sexual*) Impotenz *f*

im·po·tent [ˈɪmpətənt] *adj* ❶ (*powerless*) machtlos ❷ (*sexually*) impotent

im·pound [ɪmˈpaʊnd] *vt car, documents, goods* beschlagnahmen; *cat, dog* [von Amts wegen] einsperren

im·pov·er·ish [ɪmˈpɒvərɪʃ] *vt* ❶ (*make poor*) ▪ **to** ~ **sb** jdn arm machen ❷ (*fig: deplete*) **to** ~ **the soil** den Boden auslaugen

im·pov·er·ished [ɪmˈpɒvərɪʃt] *adj* arm; (*fig*) verarmt

im·pov·er·ish·ment [ɪmˈpɒvərɪʃmənt] *n no pl* Verarmung *f*

im·prac·ti·cable [ɪmˈpræktɪkəbl] *adj* (*unfeasible*) undurchführbar; (*inaccessible*) ungangbar

im·prac·ti·cal [ɪmˈpræktɪkəl] *adj* (*not practical*) unpraktisch; (*unfit*) untauglich; (*unrealistic*) nicht anwendbar

im·pre·ca·tion [ˌɪmprɪˈkeɪʃⁿn] *n* (*form*) Verwünschung *f*

im·pre·cise [ˌɪmprɪˈsaɪs] *adj* ungenau

im·pre·cise·ly [ˌɪmprɪˈsaɪsli] *adv* ungenau

im·preg·nable [ɪmˈpregnəbl] *adj* ❶ (*impossible to invade*) uneinnehmbar ❷ BRIT, AUS (*fig: impossible to defeat*) unschlagbar

im·preg·nate [ˈɪmpregneɪt] *vt* ❶ *usu passive* (*saturate*) imprägnieren ❷ *usu passive* (*make pregnant, fertilize*) *an animal, egg* befruchten

im·pre·sa·rio [ˌɪmprɪˈsɑːriəʊ] *n* Impresario *m*; *for artists* Agent(in) *m(f)*

im·press [ɪmˈpres] **I.** *vt* ❶ (*evoke admiration*) beeindrucken; ▪ **to be** ~**ed** [**by sb/ sth**] [von jdm/etw] beeindruckt sein ❷ (*make realize*) ▪ **to** ~ **sth on sb** jdn von etw *dat* überzeugen; **to** ~ **sth on one's memory** sich *dat* etw einprägen ❸ (*stamp*) [auf]drucken **II.** *vi* Eindruck machen, imponieren; **to fail to** ~ keinen [guten] Eindruck machen

im·pres·sion [ɪmˈpreʃⁿn] *n* ❶ (*general opinion*) Eindruck *m*; **to be under the** ~ **that ...** den Eindruck haben, dass ...; **to have/get the** ~ **that ...** den Eindruck haben/bekommen, dass ... ❷ (*feeling*) Eindruck *m*; **to create a bad/good** ~ einen schlechten/guten Eindruck machen; **to make an** ~ **on sb** auf jdn Eindruck machen ❸ (*imitation*) Imitation *f*; **to do an** ~ **of sb/sth** jdn/etw imitieren ❹ (*imprint*) Abdruck *m*; (*on skin*) Druckstelle *f*

im·pres·sion·able [ɪmˈpreʃⁿnəbl] *adj* [leicht] beeinflussbar

im·pres·sion·ism [ɪmˈpreʃⁿnɪzⁿm] *n no pl* Impressionismus *m*

im·pres·sion·ist [ɪmˈpreʃⁿnɪst] **I.** *n* ❶ LIT, MUS, ART Impressionist(in) *m(f)* ❷ (*imita-*

tor) Imitator(in) *m(f)* **II.** *adj* impressionistisch

im·pres·sion·is·tic [ɪmˈpreʃᵊnɪstɪk] *adj* impressionistisch

im·pres·sive [ɪmˈpresɪv] *adj* beeindruckend

im·pres·sive·ly [ɪmˈpresɪvli] *adv* beeindruckend

im·print I. *vt* [ɪmˈprɪnt] *usu passive* ❶ (*mark by pressing*) coins, leather prägen; **to ~ a seal on wax** ein Siegel auf Wachs drücken ❷ (*print*) drucken (**on** auf); **to ~ sth on sb's mind** (*fig*) jdm etw einprägen **II.** *n* [ˈɪmprɪnt] ❶ (*mark*) Abdruck *m; coin, leather* Prägung *f; paper, cloth* [Auf]druck *m;* (*fig*) Spuren *pl* ❷ (*in publishing*) Impressum *nt*

im·pris·on [ɪmˈprɪzᵊn] *vt usu passive* (*put in prison*) inhaftieren; (*sentence to prison*) zu einer Gefängnisstrafe verurteilen

im·pris·on·ment [ɪmˈprɪzᵊnmənt] *n no pl* Haft *f; esp in war* Gefangenschaft *f*

im·prob·abil·ity [ɪmˌprɒbəˈbɪləti] *n no pl* Unwahrscheinlichkeit *f*

im·prob·able [ɪmˈprɒbəbl] *adj* unwahrscheinlich; *excuse, story* unglaubhaft; *name* kurios

im·promp·tu [ɪmˈprɒm(p)tjuː] *adj* spontan

im·prop·er [ɪmˈprɒpəʳ] *adj* ❶ (*not correct*) falsch; (*showing bad judgement*) fälschlich ❷ (*inappropriate*) clothing, actions unpassend; (*indecent*) unanständig; *conduct* unschicklich

im·prop·er·ly [ɪmˈprɒpəʳli] *adv* ❶ (*incorrectly*) nicht richtig; **to apply sth ~** etw unsachgemäß anwenden ❷ (*inappropriately*) unangemessen; **to be dressed ~** unpassend angezogen sein

im·pro·pri·ety [ˌɪmprəˈpraɪəti] *n* ❶ *usu pl* (*improper doings*) Betrug *m kein pl* ❷ *no pl* (*indecency*) Unanständigkeit *f;* (*wrong use*) falscher Gebrauch; (*unsuitableness*) Untauglichkeit *f*

im·prove [ɪmˈpruːv] **I.** *vt* verbessern **II.** *vi* besser werden, sich verbessern; **I hope the weather ~s** ich hoffe, es gibt besseres Wetter; **to ~ on sth** etw [noch] verbessern; **you can't ~ on that!** da ist keine Steigerung mehr möglich!; **to ~ with age** mit dem Alter immer besser werden

im·prove·ment [ɪmˈpruːvmənt] *n* ❶ (*instance*) Verbesserung *f* ❷ *no pl* (*activity*) Verbesserung *f; of illness* Besserung *f;* **room for ~** Steigerungsmöglichkeiten *pl* ❸ (*repair or addition*) Verbesserungsmaßnahme *f;* [**home**] **~s** Renovierungsarbeiten *pl* (*Ausbau- und Modernisierungsarbeiten an/in Wohnung/Haus*)

im·provi·dent [ɪmˈprɒvɪdᵊnt] *adj* (*form: without foresight*) unbedacht; (*careless*) unvorsichtig

im·provi·sa·tion [ˌɪmprəvaɪˈzeɪʃᵊn] *n* Improvisation *f*

im·pro·vise [ˈɪmprəvaɪz] *vt, vi* improvisieren

im·pru·dent [ɪmˈpruːdᵊnt] *adj* leichtsinnig

im·pu·dence [ˈɪmpjədᵊn(t)s] *n no pl* Unverschämtheit *f*

im·pu·dent [ˈɪmpjədᵊnt] *adj* unverschämt

im·pugn [ɪmˈpjuːn] *vt* (*form*) bestreiten; *testimony, motives* bezweifeln

im·pulse [ˈɪmpʌls] *n* ❶ (*urge*) *also* ELEC Impuls *m;* **to do sth on** [**an**] **~** etw aus einem Impuls heraus tun; **to have a sudden ~ to do sth** plötzlich den Drang verspüren, etw zu tun ❷ (*motive*) Antrieb *m*

im·pul·sion [ɪmˈpʌlʃᵊn] *n* ❶ (*urge*) Impuls *m;* (*compulsion*) Drang *m* ❷ (*motive*) Antrieb *m*

im·pul·sive [ɪmˈpʌlsɪv] *adj* impulsiv; (*spontaneous*) spontan

im·pun·ity [ɪmˈpjuːnəti] *n no pl* Straflosigkeit *f;* LAW Straffreiheit *f;* **to do sth with ~** etw ungestraft tun

im·pure [ɪmˈpjʊəʳ] *adj* ❶ (*unclean*) unrein, unsauber; (*contaminated*) drinking water verunreinigt; *drugs* gestreckt; *medication* nicht rein ❷ (*liter: not chaste*) unrein

im·pur·ity [ɪmˈpjʊərəti] *n* ❶ *no pl* (*quality*) Verunreinigung *f* ❷ (*element*) Verschmutzung *f* ❸ *no pl* (*liter: of thought*) Unreinheit *f veraltet*

im·pu·ta·tion [ˌɪmpjʊˈteɪʃᵊn] *n* (*form*) Behauptung *f*

im·pute [ɪmˈpjuːt] *vt* ◼ **to ~ sth to sb** jdm etw unterstellen

in [ɪn] **I.** *prep* ❶ (*position*) in +*dat;* **he is deaf ~ his left ear** er hört auf dem linken Ohr nichts; **~ a savings account** auf einem Sparkonto; **he read it ~ the paper** er hat es in der Zeitung gelesen; **to ride ~ a car** [im] Auto fahren; **to be ~ hospital** im Krankenhaus sein; **~ the street** auf der Straße ❷ *after vb* (*into*) in +*akk;* **slice the potatoes ~ two** schneiden Sie die Kartoffel einmal durch; **to get ~ the car** ins Auto steigen ❸ AM (*at*) auf +*dat;* **Boris is ~ college** Boris ist auf dem College ❹ (*as part of*) in +*dat;* **there are 31 days in March** der März hat 31 Tage; **get together ~ groups of four!** bildet Vierergruppen!; **you're with us ~ our thoughts** in Gedanken sind wir bei dir ❺ (*state, condition*) in +*dat or akk;* **he cried out ~ pain** er schrie vor Schmerzen; **he always drinks ~ excess** er trinkt immer zu viel; **~ anger** im Zorn; **difference ~ quality** Qualitätsunterschied *m;* **to be ~ [no] doubt** [nicht] zweifeln; **~ horror** voller Entsetzen; **~ all honesty** in aller Aufrichtigkeit; **to be ~ a hurry** es eilig haben; **to be ~ love [with sb]** [in jdn] verliebt sein; **to fall ~ love [with sb]** sich [in jdn] verlieben; **to be ~ a good mood** guter Laune sein; **~ secret** heimlich ⑥ *(with)* mit, in *+dat;* **to pay ~ cash** [in] bar bezahlen; **~ writing** schriftlich ⑦ *(language, music, voice)* **Mozart's Piano Concerto ~ E flat** Mozarts Klavierkonzert in E-Moll; **~ English/French/ German** auf Englisch/Französisch/Deutsch; **to speak ~ a loud/small voice** mit lauter/leiser Stimme sprechen ⑧ *(time: during)* am, in *+dat;* **she assisted the doctor ~ the operation** sie assistierte dem Arzt bei der Operation; **~ 1968** [im Jahre] 1968; **~ the end** am Ende; **~ March/May** im März/Mai; **~ the morning/afternoon/evening** morgens/nachmittags/abends ⑨ *(time/distance: within)* in, nach *+dat;* **~ record time** in Rekordzeit; **~ a mile or so** nach ungefähr einer Meile ⑩ *(time: for)* seit; **I haven't done that ~ a long time** ich habe das lange Zeit nicht mehr gemacht; **I haven't seen her ~ years** ich habe sie seit Jahren nicht gesehen ⑪ *(job, profession)* **he's ~ computers** er hat mit Computern zu tun; **she works ~ publishing** sie arbeitet bei einem Verlag ⑫ *(wearing)* in; **you look nice ~ green** Grün steht dir; **the woman ~ the hat** die Frau mit dem Hut; **to be ~ disguise** verkleidet sein; **~ the nude** nackt; **to be ~ uniform** Uniform tragen ⑬ *(result)* als; **~ conclusion** schließlich; **~ fact** tatsächlich ⑭ + *-ing (while doing)* **~ attempting to save the child, he nearly lost his own life** bei dem Versuch, das Kind zu retten, kam er beinahe selbst um; **~ refusing to work abroad, she missed a good job** weil sie sich weigerte, im Ausland zu arbeiten, entging ihr ein guter Job; **~ doing so** dabei, damit ⑮ *(with quantities)* **temperatures tomorrow will be ~ the mid-twenties** die Temperaturen werden sich morgen um 25 Grad bewegen; **he's about six foot ~ height** er ist ca. zwei Meter groß; **people died ~ their thousands** die Menschen starben zu Tausenden; **to be equal ~ weight** gleich viel wiegen; **~ total** insgesamt ⑯ *(comparing amounts)* pro; **she has a one ~ three chance** ihre Chancen stehen eins zu drei;

one ~ ten people jeder zehnte ⑰ *after vb (concerning)* **to interfere ~ sb's business** sich in jds Angelegenheiten einmischen; **to be interested ~ sth** sich für etw *akk* interessieren ⑱ *after n* **she had no say ~ the decision** sie hatte keinen Einfluss auf die Entscheidung; **to have confidence ~ sb** jdm vertrauen ⑲ *(in a person)* **we're losing a very good sales agent ~ Kim** mit Kim verlieren wir eine sehr gute Verkaufsassistentin; **to not have it ~ oneself to do sth** nicht in der Lage sein, etw zu tun ▸ **~ all** insgesamt; **all ~ all** alles in allem; **~ between** dazwischen **II.** *adv* ❶ *(into sth)* herein; **come ~!** herein!; **he opened the door and went ~** er öffnete die Tür und ging hinein; **she was locked ~** sie war eingesperrt; **she didn't ask me ~** sie hat mich nicht hereingebeten ❷ *(at arrival point)* **train, bus the train got ~ very late** der Zug ist sehr spät eingetroffen ❸ *(towards land)* **is the tide coming ~ or going out?** kommt oder geht die Flut? ❹ *(submitted)* **to hand sth ~** etw abgeben ▸ **day ~, day out** tagein, tagaus; **to let sb ~ on sth** jdn in etw *akk* einweihen **III.** *adj* ❶ *pred (there)* da; *(at home)* zu Hause; **to have a quiet evening ~** einen ruhigen Abend zu Hause verbringen ❷ *(leading in)* einwärts; **door ~** Eingangstür *f* ❸ *(in fashion)* in ❹ *pred (submitted)* **the application must be ~ by May 31** die Bewerbung muss bis zum 31.Mai eingegangen sein ▸ **to be ~ on sth** über etw *akk* Bescheid wissen **IV.** *n (connection)* Kontakt[e] *m[pl]* ▸ **to know the ~s and outs of sth** sich in einer S. *dat* genau auskennen; **to understand the ~s and outs of sth** etw hundertprozentig verstehen

in·abil·ity [ˌɪnəˈbɪləti] *n no pl* Unfähigkeit *f*

in·ac·ces·sible [ˌɪnəkˈsesəbl] *adj* ❶ *(hard to enter)* unzugänglich; *(hard to understand)* unverständlich ❷ *pred (hard to relate to)* unnahbar

in·ac·cu·ra·cy [ɪnˈækjərəsi] *n* ❶ *(fact)* Ungenauigkeit *f;* **inaccuracies in bookkeeping** Fehler in der Buchführung ❷ *no pl (quality)* Ungenauigkeit *f*

in·ac·cu·rate [ɪnˈækjərət] *adj (inexact)* ungenau; *(wrong)* falsch

in·ac·tion [ɪnˈækʃ°n] *n no pl* Untätigkeit *f*

in·ac·tive [ɪnˈæktɪv] *adj* untätig, inaktiv

in·ac·tiv·ity [ˌɪnækˈtɪvəti] *n no pl* Untätigkeit *f*

in·ad·equa·cy [ɪnˈædɪkwəsi] *n* ❶ *(trait)* Unzulänglichkeit[en] *f[pl]* ❷ *no pl (quality)* Unzulänglichkeit *f;* **feelings of ~** Minderwertigkeitsgefühle *pl*

in·ad·equate [ɪnˈædɪkwət] *adj* unangemessen; **woefully ~** völlig unzulänglich; **to feel ~** Minderwertigkeitsgefühle haben

in·ad·equate·ly [ɪnˈædɪkwətli] *adv* unzureichend, nicht ausreichend

in·admis·si·ble [ˌɪnədˈmɪsəbl̩] *adj* unzulässig

in·ad·ver·tent [ˌɪnədˈvɜːtᵊnt] *adj* (*careless*) unachtsam; (*erroneous*) versehentlich

in·ad·ver·tent·ly [ˌɪnədˈvɜːtᵊntli] *adv* (*carelessly*) unachtsam; (*erroneously*) versehentlich

in·ad·vis·able [ˌɪnədˈvaɪzəbl̩] *adj* nicht empfehlenswert

in·al·ien·able [ɪˈneɪliənəbl̩] *adj* (*form*) unveräußerlich

in·ane [ɪˈneɪn] *adj* (*pej*) *story, TV show* geistlos; *question, comment, remark* dämlich

in·ani·mate [ɪˈnænɪmət] *adj* (*not living*) leblos; (*not moving*) bewegungslos

in·an·ity [ɪˈnænəti] *n* (*pej*) ❶ (*lack of substance*) Trivialität *f* ❷ *no pl* (*silliness*) Albernheit *f*

in·ap·pli·cable [ˌɪnəˈplɪkəbl̩] *adj* unanwendbar; *answer, question* unzutreffend

in·ap·pro·pri·ate [ˌɪnəˈprəʊpriət] *adj* (*not of use*) ungeeignet; (*inconvenient*) ungelegen; *time* unpassend; (*out of place*) unangebracht

in·apt [ɪˈnæpt] *adj* (*form*) ❶ (*not suitable*) ungeeignet ❷ (*not skilful*) ungeschickt

in·ap·ti·tude [ɪˈnæptɪtjuːd] *n no pl* (*form*) Unvermögen *f*

in·ar·ticu·late [ˌɪnɑːˈtɪkjələt] *adj* ❶ (*unable to express oneself*) **she was ~ with rage/shame** die Wut/Scham verschlug ihr die Sprache ❷ (*not expressed*) *fear, worry* unausgesprochen ❸ (*unclear*) undeutlich; *speech* zusammenhangslos

in·ar·tis·tic [ˌɪnɑːˈtɪstɪk] *adj* amusisch

in·as·much as [ɪnəzˈmʌtʃəz] *conj* (*form*) ❶ (*to the extent that*) insofern [als] ❷ (*because*) da [ja], weil

in·at·ten·tion [ˌɪnəˈten(t)ʃᵊn] *n no pl* (*distractedness*) Unaufmerksamkeit *f;* (*negligence*) Achtlosigkeit *f*

in·at·ten·tive [ˌɪnəˈtentɪv] *adj* (*distracted*) unaufmerksam; (*careless*) achtlos

in·audible [ɪˈnɔːdəbl̩] *adj* unhörbar

in·augu·ral [ɪˈnɔːgjərᵊl] *adj attr* ❶ (*consecration*) Einweihungs-; (*opening*) Eröffnungs- ❷ *esp* AM POL (*at start of term*) Antritts-

in·augu·rate [ɪˈnɔːgjəreɪt] *vt* ❶ (*start*) **to ~ an era** eine neue Ära einläuten; **to ~ a policy** eine Politik [neu] einführen; (*open up*) *new building* [neu] eröffnen ❷ (*induct into office*) ■**to ~ sb** jdn in sein Amt einführen

in·augu·ra·tion [ɪˌnɔːgjəˈreɪʃᵊn] *n* ❶ *no pl* (*starting*) *of museum, library* Eröffnung *f; of monument, stadium* Einweihung *f; of era, policy* Einführung *f* ❷ (*induction*) Amtseinführung *f*

in·aus·pi·cious [ˌɪnɔːˈspɪʃəs] *adj* (*form*) ungünstig; **her cinematic debut was ~** ihr Kinodebüt stand unter einem schlechten Stern

in·be·tween **I.** *adj attr* Zwischen-, Übergangs- *f* **II.** *n* (*often hum*) Zwischending *nt*

in·board [ˈɪnbɔːd] **I.** *adj* (*towards inside*) einwärts, nach innen; (*inside*) innen, auf der Innenseite *nach n;* (*inside vehicle*) im Innenraum *nach n;* NAUT innenbords; **~ engine** Innenbordmotor *m* **II.** *adv* einwärts, [nach] innen; **an aerial was mounted ~** eine Antenne wurde innenseitig angebracht

in·born [ɪnˈbɔːn] *adj personality trait* angeboren; *physical trait* vererbt

'in·box *n* COMPUT Posteingangsordner *m*

in·bred [ɪnˈbred] *adj* ❶ (*from inbreeding*) durch Inzucht erzeugt ❷ (*inherent*) angeboren; *charm, talent* naturgegeben

in·breed·ing [ɪnˈbriːdɪŋ] *n no pl* Inzucht *f*

in·built [ˈɪnbɪlt] *adj* BRIT eingebaut; *in people, animals* angeboren

Inc. *adj after n* ECON *abbrev of* **incorporated** [als Kapitalgesellschaft] eingetragen

in·cal·cu·lable [ɪnˈkælkjələbl̩] *adj* ❶ (*very high*) unabsehbar; *costs* unüberschaubar ❷ (*inestimable*) nicht zu ermessen *präd,* unvorstellbar; **of ~ value** von unschätzbarem Wert ❸ (*unpredictable*) *person* unberechenbar

in·can·des·cent [ˌɪnkænˈdesᵊnt] *adj* ❶ (*lit up*) [weiß]glühend *attr,* leuchtend hell ❷ (*fig: aglow*) strahlend ❸ (*brilliant*) glanzvoll; *performance* glänzend

in·can·ta·tion [ˌɪnkænˈteɪʃᵊn] *n* ❶ *no pl* (*activity*) Beschwörung *f* ❷ (*spell*) Zauberspruch *m*

in·ca·pabil·ity [ɪnˌkeɪpəˈbɪləti] *n no pl* Unfähigkeit *f*

in·ca·pable [ɪnˈkeɪpəbl̩] *adj* unfähig; **he is ~ of such dishonesty** er ist zu einer solchen Unehrlichkeit gar nicht fähig

in·ca·paci·tate [ˌɪnkəˈpæsɪteɪt] *vt* ■**to ~ sb** jdn außer Gefecht setzen

in·ca·pac·ity [ˌɪnkəˈpæsəti] *n no pl* Unfähigkeit *f*

in·car·cer·ate [ɪnˈkɑːsᵊreɪt] *vt* einkerkern

in·car·nate **I.** *adj* [ɪnˈkɑːnət] *after n* personifiziert; **evil ~** das personifizierte Böse

II. *vt* ['ɪnkɑːneɪt] (*form*) ❶ (*embody*) verkörpern ❷ (*make concrete*) wiedergeben ❸ REL (*become human*) **God ~d Himself in the person of Jesus** Gott selber nahm in der Person Jesu Menschengestalt an

in·car·na·tion [ˌɪnkɑːˈneɪʃⁿn] *n* ❶ *no pl* (*human form*) Verkörperung *f* ❷ (*lifetime*) Inkarnation *f* ❸ (*realization*) Bearbeitung *f* ❹ REL **the I~** die Inkarnation

in·cau·tious [ɪnˈkɔːʃəs] *adj* unvorsichtig

in·cen·di·ary [ɪnˈsendɪəri] **I.** *adj* ❶ *attr* (*causing fire*) Brand- ❷ (*fig: causing argument*) aufstachelnd *attr*; aufrührerisch ❸ AM (*spicy*) sehr scharf **II.** *n* (*bomb*) Brandbombe *f*; (*device*) Brandmittel *nt*

in·cense¹ ['ɪnsen(t)s] *n no pl* ❶ (*substance*) Räuchermittel *nt*; (*in church*) Weihrauch *m*; **stick of ~** Räucherstäbchen *nt* ❷ (*smoke*) wohlriechender Rauch; (*in church*) Weihrauch *m*

in·cense² [ɪnˈsen(t)s] *vt* empören; **to be ~d by sb/sth** über jdn/etw erbost sein

in·censed [ɪnˈsen(t)st] *adj pred* empört

in·cen·tive [ɪnˈsentɪv] **I.** *n* (*motivation*) Anreiz *m* **II.** *adj attr* Vorteile bringend; **~ discount** Treuerabatt *m*; **~ offer** Gratisangebot *nt*; **~ price** Kennenlernpreis *m*

in·ˈcen·tive scheme *n* Prämiensystem *nt*

in·cen·tiv·iz·ing [ɪnˈsentɪvaɪzɪŋ] *adj* motivierend, attraktiv

in·cep·tion [ɪnˈsepʃⁿn] *n no pl* Anfang *m*; (*of a company*) Gründung *f*

in·cer·ti·tude [ɪnˈsɜːtɪtjuːd] *n* Unsicherheit *f*

in·ces·sant [ɪnˈsesⁿnt] *adj* ununterbrochen

in·ces·sant·ly [ɪnˈsesⁿntli] *adv* ununterbrochen, pausenlos; **to talk ~** ununterbrochen reden

in·cest ['ɪnsest] *n no pl* Inzest *m*

in·ces·tu·ous [ɪnˈsestjuəs] *adj* inzestuös

inch [ɪn(t)ʃ] **I.** *n* <*pl* -es> ❶ (*measurement*) Zoll *m* (*2,54 cm*) ❷ (*person's measurement*) **~es** *pl* Körpergröße *f* ❸ (*small distance*) Zollbreit *m*, Zentimeter *m fig*; **just an ~/just ~es** ganz knapp; **to avoid** [*or* **miss**] **sb/sth by ~es** jdn/etw [nur] um Haaresbreite verfehlen; **we won the game by an ~** wir haben das Spiel gerade mal eben gewonnen ❹ (*all*) **every ~** jeder Zentimeter **II.** *vi* sich [ganz] langsam bewegen **III.** *vt* **to ~ sth across the room/ towards the wall** etw [ganz] vorsichtig durch das Zimmer/gegen die Wand bewegen ◆**inch forward** *vi* sich stückchenweise vorwärtsbewegen

in·ci·dence ['ɪn(t)sɪdⁿn(t)s] *n* Auftreten *nt*

in·ci·dent ['ɪn(t)sɪdⁿnt] *n* ❶ (*occurrence*)

[Vor]fall *m*; **isolated ~** Einzelfall *m*; **minor ~** Bagatelle *f* ❷ (*story*) Begebenheit *f*

in·ci·den·tal [ˌɪn(t)sɪˈdentⁿl] *adj* ❶ (*related*) begleitend *attr*; verbunden; ▪**to be ~ to sth** mit etw *dat* einhergehen; (*secondary*) nebensächlich; **~ expenses** Nebenkosten *pl* ❷ (*by chance*) zufällig; (*in passing*) beiläufig

in·ci·den·tal·ly [ˌɪn(t)sɪˈdentⁿli] *adv* ❶ (*by the way*) übrigens ❷ (*in passing*) nebenbei; (*accidentally*) zufällig

in·cin·er·ate [ɪnˈsɪnⁿreɪt] *vt* verbrennen

in·cin·era·tor [ɪnˈsɪnⁿreɪtə'] *n* Verbrennungsanlage *f*; (*for waste*) Müllverbrennungsanlage *f*; (*for bodies*) [Verbrennungs]ofen *m*

in·cipi·ent [ɪnˈsɪpiənt] *adj* (*form*) beginnend *attr*; im Entstehen begriffen *präd*; **at an ~ stage** im Anfangsstadium

in·cise [ɪnˈsaɪz] *vt* (*form*) einritzen; (*into wood*) einschnitzen; (*into metal, stone*) eingravieren; *wound* aufschneiden

in·ci·sion [ɪnˈsɪʒⁿn] *n* MED [Ein]schnitt *m*

in·ci·sive [ɪnˈsaɪsɪv] *adj* (*clear*) *description* klar; (*penetrating*) *remark* schlüssig; (*clearthinking*) *person* scharfsinnig; *mind* [messer]scharf

in·ci·sor [ɪnˈsaɪzə'] *n* ANAT Schneidezahn *m*

in·cite [ɪnˈsaɪt] *vt* (*pej*) aufstacheln; *mutiny, revolt, riot* anzetteln

in·cite·ment [ɪnˈsaɪtmənt] *n no pl* Anstiftung *f*

in·ci·vil·ity [ˌɪnsɪˈvɪləti] *n* ❶ *no pl* (*form: impoliteness*) Unhöflichkeit *f* ❷ (*disregard*) Respektlosigkeit *f*

in·clem·ent [ɪnˈklemənt] *adj* (*form*) *weather* rau; *judge* unnachsichtig

in·cli·na·tion [ˌɪnklɪˈneɪʃⁿn] *n* ❶ (*tendency*) Neigung *f*, Hang *m kein pl* ❷ *no pl* (*preference*) [besondere] Neigung ❸ (*slope*) Neigung *f*; **a light/steep ~** ein sanfter/steiler Abhang; *of head* Neigen *nt*

in·cline I. *vi* [ɪnˈklaɪn] ❶ (*tend*) tendieren (**towards** zu) ❷ (*lean*) sich neigen **II.** *vt* [ɪnˈklaɪn] ❶ (*form*) **that ~s me to think that ...** das lässt mich vermuten, dass ... ❷ (*bend*) **to ~ one's head** seinen Kopf neigen **III.** *n* ['ɪnklaɪn] (*slope*) Neigung *f*; *of a hill/mountain* [Ab]hang *m*

in·clined [ɪnˈklaɪnd] *adj* ❶ *pred* (*with tendency*) bereit; **to be ~ to do sth** dazu neigen, etw zu tun; **to be ~ to agree/disagree** eher zustimmen/nicht zustimmen; **to be mathematically/politically ~** eine Anlage für Mathematik/Politik haben ❷ PHYS (*not even*) *plane* schief

in·close *vt see* **enclose**

in·clude [ɪnˈkluːd] *vt* (*contain*) beinhalten;

(*add*) beifügen; ■**to be ~d in sth** in etw *akk* eingeschlossen sein; ■**to ~ sb/sth in sth** jdn/etw in etw *akk* einbeziehen

in·clud·ing [ɪnˈkluːdɪŋ] *prep* einschließlich

in·clu·sion [ɪnˈkluːʒⁿn] *n no pl* Einbeziehung *f*

in·clu·sive [ɪnˈkluːsɪv] *adj* ❶ (*containing*) einschließlich; **all-~ rate** Pauschale *f* ❷ *after n* (*including limits*) [bis] einschließlich ❸ (*involving all*) [all]umfassend

in·cog·ni·to [ˌɪnkɒɡˈniːtəʊ] **I.** *n* Inkognito *nt* **II.** *adv* inkognito

in·co·her·ent [ˌɪnkə(ʊ)ˈhɪərⁿnt] *adj* zusammenhanglos; **sb is ~** jd redet wirr

in·co·her·ent·ly [ˌɪnkə(ʊ)ˈhɪərⁿntli] *adv* zusammenhanglos, unzusammenhängend

in·come [ˈɪŋkʌm] *n* Einkommen *nt; of a company* Einnahmen *pl*

'**in·come group** *n* Einkommensklasse *f*

'**in·come sup·port** *n no pl* Brɪт ≈ Sozialhilfe *f;* **to be on ~** ≈ Sozialhilfe bekommen

'**in·come tax** *n* Einkommensteuer *f*

in·com·ing [ˌɪŋˈkʌmɪŋ] *adj attr* (*in arrival*) ankommend; **~ call** [eingehender] Anruf; **~ freshman** Am *Studienanfänger an einer amerikanischen Hochschule;* **~ tide** [ansteigende] Flut; (*immigrating*) zuwandernd; (*recently elected*) neu [gewählt]

in·com·ings [ˌɪŋˈkʌmɪŋz] *npl* Einkommen *nt; of a company* Einnahmen *pl*

in·com·men·su·rate [ˌɪnkəˈmen(t)ʃⁿrət] *adj pred* ❶ (*out of proportion*) unangemessen; ■**to be ~ to sth** zu einer S. *dat* in keinem Verhältnis stehen ❷ (*not compatible*) unvergleichbar ❸ Mатн inkommensurabel *fachspr*

in·com·mu·ni·ca·do [ˌɪnkəˌmjuːnɪˈkɑːdəʊ] **I.** *adj pred* (*form*) nicht erreichbar **II.** *adv* isoliert

in·com·pa·rable [ɪnˈkɒmpⁿrəbl] *adj* (*different*) unvergleichbar; (*superior*) unvergleichlich

in·com·pa·rably [ɪnˈkɒmpⁿrəbli] *adv* (*relatively*) *healthier* ungleich; (*better*) unvergleichlich; (*superlatively*) einmalig

in·com·pat·ibil·ity [ˌɪnkəmˌpætəˈbɪləti] *n no pl* Unvereinbarkeit *f; of computers* Inkompatibilität *f fachspr*

in·com·pat·ible [ˌɪnkəmˈpætəbl] *adj* unvereinbar; ■**to be ~** *persons* nicht zusammenpassen; ■**to be ~ with sth** mit etw unvereinbar sein; *machinery* inkompatibel; *blood type* unverträglich; *colours* nicht kombinierbar

in·com·pe·tence [ɪnˈkɒmpɪtⁿn(t)s], **in·com·pe·ten·cy** [ɪnˈkɒmpɪtⁿn(t)si] *n no pl* Inkompetenz *f*

in·com·pe·tent [ɪnˈkɒmpɪtⁿnt] **I.** *adj*

❶ (*incapable*) inkompetent; ■**to be ~ for sth** für etw ungeeignet sein ❷ Law unzuständig **II.** *n* (*pej*) Dilettant(in) *m(f)*

in·com·pe·tent·ly [ɪnˈkɒmpɪtⁿntli] *adv* (*pej*) inkompetent, stümperhaft *pej*

in·com·plete [ˌɪnkəmˈpliːt] **I.** *adj form, application, collection* unvollständig; *construction, project* unfertig **II.** *n* Am schь, univ '**incomplete**' *Zeugnisvermerk, der besagt, dass ein Kurs noch nachträglich zu absolvieren ist*

in·com·plete·ly [ˌɪnkəmˈpliːtli] *adv* unvollständig

in·com·plete·ness [ˌɪnkəmˈpliːtnəs] *n no pl* Unvollständigkeit *f*

in·com·pre·hen·sible [ɪnˌkɒmprɪˈhen(t)səbl] *adj* unverständlich; *act, event* unbegreiflich

in·con·ceiv·able [ˌɪnkənˈsiːvəbl] *adj* undenkbar; ■**it is ~ that ...** es ist unvorstellbar, dass ...

in·con·ceiv·ably [ˌɪnkənˈsiːvəbli] *adv* unvorstellbar, undenkbar

in·con·clu·sive [ˌɪnkənˈkluːsɪv] *adj argument* nicht überzeugend; *results, test* ergebnislos; *evidence* unzureichend

in·con·gru·ous [ɪnˈkɒŋɡruəs] *adj* (*not appropriate*) unpassend; (*not consistent*) widersprüchlich

in·con·sequent [ɪnˈkɒn(t)sɪkwənt] *adj* (*illogical*) unlogisch; (*irrelevant*) unwesentlich

in·con·sequen·tial [ɪnˌkɒn(t)sɪˈkwen(t)ʃⁿl] *adj* (*illogical*) unlogisch; (*unimportant*) unbedeutend; (*irrelevant*) unwesentlich

in·con·sid·er·able [ˌɪnkənˈsɪdⁿrəbl] *adj* unbeträchtlich

in·con·sid·er·ate [ˌɪnkənˈsɪdⁿrət] *adj* (*disregarding*) rücksichtslos (**towards** gegenüber); (*insensitive*) gedankenlos; *remark* taktlos

in·con·sid·er·ate·ly [ˌɪnkənˈsɪdⁿrətli] *adv* rücksichtslos

in·con·sist·en·cy [ˌɪnkənˈsɪstⁿn(t)si] *n* ❶ (*contradiction*) Unvereinbarkeit *f;* (*in a text*) Unstimmigkeit *f* ❷ *no pl* (*inconstancy*) Unbeständigkeit *f*

in·con·sist·ent [ˌɪnkənˈsɪstənt] *adj* ❶ (*lacking agreement*) widersprüchlich ❷ (*unsteady*) unbeständig

in·con·sol·able [ˌɪnkənˈsəʊləbl] *adj* untröstlich

in·con·spicu·ous [ˌɪnkənˈspɪkjuəs] *adj* unauffällig

in·con·stant [ɪnˈkɒn(t)stənt] *adj* ❶ (*changing*) unbeständig; (*unpredictably*) unberechenbar ❷ (*unfaithful*) treulos in·con·test·able [ˌɪnkən'testəbl] *adj* unbestreitbar; *evidence* unwiderlegbar; *fact* unumstößlich

in·con·ti·nent [ɪn'kɒntɪnənt] *adj* ❶ MED inkontinent ❷(*fig form: uncontrollable*) unbeherrscht

in·con·tro·vert·ible [ˌɪnˌkɒntrə'vɜːtəbl] *adj* (*form*) unwiderlegbar

in·con·ven·ience [ˌɪnkən'viːnɪən(t)s] I. *n* ❶ *no pl* (*trouble*) Unannehmlichkeit[en] *f*[*pl*] ❷(*troublesome thing*) Unannehmlichkeit *f* II. *vt* ■to ~ sb jdm Unannehmlichkeiten bereiten; don't ~ yourself for us — we'll be fine machen Sie sich keine Umstände – wir kommen zurecht

in·con·ven·ient [ˌɪnkən'viːnɪənt] *adj time* ungelegen; *things, doings* lästig; *place* ungünstig [gelegen]

in·cor·po·rate [ɪn'kɔːpəreɪt] *vt* ❶(*integrate*) einfügen; *company, region* eingliedern; *food* [hin]zugeben ❷(*contain*) enthalten

in·cor·po·ra·tion [ɪnˌkɔːpər'eɪʃən] *n no pl* (*integration*) Eingliederung *f; region* Eingemeindung *f; food* Zugabe *f*

in·cor·po·real [ˌɪnkɔː'pɔːrɪəl] *adj* körperlos; an ~ being ein übernatürliches Wesen

in·cor·rect [ˌɪn'kəˈrekt] *adj* ❶(*not true*) falsch; *calculation* fehlerhaft; *diagnosis* unkorrekt ❷(*improper*) unkorrekt; *behaviour* unangebracht

in·cor·rect·ly [ˌɪn'kəˈrektli] *adv* (*wrongly*) falsch, fälschlicherweise; *behave* ungehörig; to tip ~ nicht das richtige Trinkgeld geben

in·cor·ri·gible [ɪn'kɒrɪdʒəbl] *adj* (*esp hum*) unverbesserlich

in·cor·rupt·ibil·ity [ˌɪnkəˌrʌptə'bɪləti] *n no pl* (*lack of corruption*) Unbestechlichkeit *f;* (*virtuousness*) Integrität *f*

in·cor·rupt·ible [ˌɪnkə'rʌptəbl] *adj* ❶(*not corrupt*) unbestechlich; (*virtuous*) integer ❷(*not breaking down*) haltbar

in·crease I. *vi* [ɪn'kriːs] *prices, taxes, interest rates* [an]steigen; *pain, troubles, worries* zunehmen; *population, wealth* anwachsen; to ~ tenfold/threefold sich verzehnfachen/verdreifachen II. *vt* [ɪn'kriːs] (*make more*) erhöhen; (*make stronger*) verstärken; (*make larger*) vergrößern III. *n* ['ɪnkriːs] Anstieg *m,* Zunahme *f;* an ~ in production eine Steigerung der Produktion; the ~ in violence die zunehmende Gewalt; price ~ Preisanstieg *m; to* be on the ~ ansteigen; *in numbers* [mehr und] mehr werden; *in size* [immer] größer werden

in·creased [ɪn'kriːst] *adj attr* erhöht,

[an]gestiegen; *salary* gestiegen; *security* erhöht; *taxes* erhöht; *unemployment, homelessness, traffic* gestiegen

in·creas·ing [ɪn'kriːsɪŋ] *adj* steigend, zunehmend

in·creas·ing·ly [ɪn'kriːsɪŋli] *adv* zunehmend; she became ~ dismayed sie wurde immer verzweifelter

in·cred·ible [ɪn'kredɪbl] *adj* ❶(*unbelievable*) unglaublich ❷(*fam: very good*) fantastisch

in·cred·ibly [ɪn'kredɪbli] *adv* ❶(*strangely*) erstaunlicherweise, (*surprisingly*) überraschenderweise ❷ + *adj, adv* (*very*) unglaublich

in·cre·du·lity [ˌɪnkrə'djuːləti] *n no pl* (*disbelief*) [ungläubiges] Staunen; (*bewilderment*) Fassungslosigkeit *f*

in·credu·lous [ɪn'kredjələs] *adj* (*disbelieving*) ungläubig; (*bewildered*) fassungslos; *look* erstaunt; *smile* skeptisch

in·cre·ment ['ɪnkrəmənt] *n* ❶(*increase*) Anwachsen *n; of earnings* Mehreinnahme[n] *f*[*pl*] ❷(*division*) Stufe *f;* by ~s stufenweise; *on a scale* [Grad]einteilung *f*

in·cre·men·tal [ˌɪnkrə'mentəl] *adj* stufenweise

in·crimi·nate [ɪn'krɪmɪneɪt] *vt* beschuldigen

in·crimi·nat·ing [ɪn'krɪmɪneɪtɪŋ] *adj* belastend

in·crimi·na·tion [ɪnˌkrɪmɪ'neɪʃən] *n no pl* Beschuldigung *f,* Belastung *f;* self-~ Selbstbezichtigung *f*

in·crus·ta·tion [ˌɪnkrʌs'teɪʃən] *n* Verkrustung *f;* GEOL Inkrustation *f fachspr*

in·cu·bate ['ɪŋkjʊbeɪt] I. *vt* ❶(*brood*) *egg* [be]brüten; (*hatch*) ausbrüten; *bacteria, cells* heranzüchten ❷(*fig: think up*) *idea, plan* ausbrüten ❸(*fall ill*) *disease* entwickeln II. *vi* (*develop*) *egg* bebrütet werden; *idea, plan* reifen

in·cu·ba·tion [ˌɪŋkjʊ'beɪʃən] *n no pl* ❶ ZOOL (*egg keeping*) [Be]brüten *nt; for hatching* Ausbrüten *nt* ❷(*time period*) *for eggs* Brut[zeit] *f; for diseases* Inkubation[szeit] *f*

in·cu·ba·tion pe·ri·od *n* (*in egg*) Brut[zeit] *f;* (*for plan*) Planungsphase *f;* (*for disease*) Inkubationszeit *f*

in·cu·ba·tor ['ɪŋkjʊbeɪtər] *n* (*for eggs*) Brutapparat *m;* (*for babies*) Brutkasten *m*

in·cul·cate ['ɪnkʌlkeɪt] *vt* ■to ~ sth on sb jdm etw einschärfen; ■to ~ sb with sth jdm etw beibringen

in·cum·bent [ɪn'kʌmbənt] I. *adj* ❶ *attr* (*in office*) amtierend ❷ *pred* (*form: obligatory*) erforderlich II. *n* Amtsinhaber(in) *m(f)*

in·cur <-rr-> [ɪnˈkɜːʳ] *vt* ❶ FIN, ECON hinnehmen müssen; **to ~ costs** Kosten haben; *debt* machen; *losses* erleiden; **expenses ~red** entstandene Kosten ❷ *(bring upon oneself)* hervorrufen; **to ~ the anger of sb** jdn verärgern

in·cur·able [ɪnˈkjʊərəbl] *adj* unheilbar; **an ~ habit** eine nicht ablegbare Angewohnheit

in·cur·ably [ɪnˈkjʊərəbli] *adv* unheilbar; **to be ~ ill** unheilbar krank sein; *(fig)* unverbesserlich

in·cur·sion [ɪnˈkɜːʃən] *n* [feindlicher] Einfall

'in-dash *adj* AUTO ins Armaturenbrett integriert

in·debt·ed [ɪnˈdetɪd] *adj pred* ❶ *(obliged)* [zu Dank] verpflichtet ❷ *(having debt)* verschuldet

in·debt·ed·ness [ɪnˈdetɪdnəs] *n no pl* ❶ *(personal)* Verpflichtung *f* ❷ *(financial)* Verschuldung *f*

in·de·cen·cy [ɪnˈdiːsənt)si] *n no pl* ❶ *(impropriety)* Ungehörigkeit *f* ❷ *(lewdness)* Anstößigkeit *f* ❸ *(sexual assault)* sexueller Übergriff (**against** auf)

in·de·cent [ɪnˈdiːsənt] *adj* ❶ *(improper)* ungehörig; *(unseemly)* unschicklich; *(inappropriate)* unangemessen ❷ *(lewd)* unanständig; *proposal* unsittlich

in·de·cent·ly [ɪnˈdiːsəntli] *adv* ❶ *(improper)* ungehörig; *(inappropriate)* unangemessen ❷ *(lewdly)* unanständig

in·de·ci·pher·able [ˌɪndɪˈsaɪfərəbl] *adj* *(impossible to read)* unlesbar; *(of handwriting)* kaum zu entziffern; *(impossible to understand)* unverständlich

in·de·ci·sion [ˌɪndɪˈsɪʒən] *n no pl* Unentschlossenheit *f*

in·de·ci·sive [ˌɪndɪˈsaɪsɪv] *adj* ❶ *(wishy-washy)* unentschlossen; *person* nicht entscheidungsfreudig ❷ *(not conclusive)* unschlüssig ❸ *(not decisive)* nicht entscheidend

in·de·ci·sive·ly [ˌɪndɪˈsaɪsɪvli] *adv* unentschlossen

in·de·clin·able [ˌɪndɪˈkleɪnəbl] *adj* LING undeklinierbar

in·deco·rous [ɪnˈdekərəs] *adj* *(form: improper)* unangemessen; *(undignified)* schamlos

in·deed [ɪnˈdiːd] **I.** *adv* ❶ *(for emphasis)* wirklich; *(actually)* tatsächlich; **thank you very much ~!** vielen herzlichen Dank! ❷ *(affirmation)* allerdings ❸ *(for strengthening)* ja **II.** *interj* [ja,] wirklich, ach, wirklich *oft iron;* **when will we get a pay rise? — when ~?** wann bekommen wir

eine Gehaltserhöhung? – ja, wann wohl?

in·de·fati·gable [ˌɪndɪˈfætɪgəbl] *adj* unermüdlich

in·de·fen·sible [ˌɪndɪˈfen(t)səbl] *adj* ❶ *(not justifiable)* *actions* unentschuldbar; *(not convincing)* *opinions, arguments* unhaltbar; *(not acceptable)* untragbar; *behaviour* unmöglich ❷ MIL nicht zu halten *präd*

in·de·fin·able [ˌɪndɪˈfaɪnəbl] *adj* undefinierbar

in·defi·nite [ɪnˈdefɪnət] *adj* ❶ *(unknown)* unbestimmt ❷ *(vague)* unklar; *answer* nicht eindeutig; *date, time* offen; *plans, ideas* vage

in·defi·nite 'ar·ti·cle *n* unbestimmter Artikel

in·defi·nite·ly [ɪnˈdefɪnətli] *adv* ❶ *(for unknown time)* auf unbestimmte Zeit ❷ *(vaguely)* vage

in·del·ible [ɪnˈdeləbl] *adj* ❶ *(staining)* unlöschbar; *colours, stains* unlöslich ❷ *(fig: permanent)* unauslöschlich

in·dem·ni·fy <-ie-> [ɪnˈdemnɪfaɪ] *vt* ❶ *(insure)* versichern ❷ *(compensate)* entschädigen

in·dem·ni·ty [ɪnˈdemnəti] *n* *(form)* ❶ *no pl (insurance)* Versicherung *f* ❷ *(compensation in case of responsibility)* Schaden[s]ersatz *m;* *(compensation without sb responsible)* Entschädigung *f*

in·dent **I.** *vi* [ɪnˈdent] ❶ TYPO *(make a space)* einrücken ❷ BRIT, AUS ECON *(request goods)* anfordern **II.** *vt* [ɪnˈdent] ❶ TYPO *line, paragraph* einrücken ❷ *(make depression)* eindrücken; *metal* einbeulen **III.** *n* [ˈɪndent] ❶ TYPO Einzug *m* ❷ BRIT, AUS ECON *(request)* Auftrag *m*

in·den·ta·tion [ˌɪndenˈteɪʃən] *n* ❶ TYPO Einzug *m* ❷ *(depression)* Vertiefung *f; in cheek, head* Kerbe *f; in car, metal* Beule *f; in rock, coastline* Einbuchtung *f; (cut)* [Ein]schnitt *m*

in·de·pend·ence [ˌɪndɪˈpendən(t)s] *n no pl* ❶ *(autonomy)* Unabhängigkeit *f* ❷ *(without influence)* Unabhängigkeit *f; (impartiality)* Unparteilichkeit *f* ❸ *(self-reliance)* Selbständigkeit *f*

In·de·'pend·ence Day *n* AM amerikanischer Unabhängigkeitstag *(4. Juli)*

in·de·pend·ent [ˌɪndɪˈpendənt] **I.** *adj* ❶ *(autonomous, self-governing)* unabhängig (**from** von) ❷ *(uninfluenced)* unabhängig (**of** von); *(impartial)* unparteiisch ❸ *(unassisted)* selbständig ❹ *(separate, unconnected)* unabhängig **II.** *n* POL Parteilose(r) *f(m)*

in·de·pend·ent·ly [ˌɪndɪˈpendəntli] *adv* ❶ *(separately)* unabhängig ❷ *(self-reli-*

antly) selbstständig

in-depth [ˌɪn'depθ] *adj attr* gründlich; *investigation* eingehend; *report* detailliert

in·de·scrib·able [ˌɪndɪ'skraɪbəbl̩] *adj* unbeschreiblich

in·de·struct·ible [ˌɪndɪ'strʌktəbl̩] *adj* unzerstörbar; *toy* unverwüstlich

in·de·ter·mi·nable [ˌɪndɪ'tɜːmɪnəbl̩] *adj* ❶ (*unidentifiable, unascertainable*) unbestimmbar, undefinierbar ❷ (*irresolvable*) *dispute, issue* nicht zu klären *präd*

in·de·ter·mi·nate [ˌɪndɪ'tɜːmɪnət] *adj* ❶ (*uncounted, immeasurable*) unbestimmt ❷ (*vague*) unklar; (*not distinct*) *colour* unbestimmbar; (*noise*) undefinierbar; *period of time* ungewiss

in·dex ['ɪndeks, *pl* -dɪsiːz] I. *n* ❶ <*pl* -es> (*alphabetical list*) *in book* Index *m;* *in library* Katalog *m;* **card ~** Kartei *f* ❷ <*pl* -dices *or* -es> ECON Index *m fachspr* ❸ <*pl* -dices *or* -es> (*indicator, measure*) Anzeichen *nt* (**of** für) ❹ <*pl* -dices> MATH Index *m fachspr* II. *vt* ❶ (*create index*) ▪**to ~** sth *in book* etw mit einem Verzeichnis versehen; *in library* etw katalogisieren ❷ (*record in index*) ▪**to ~ sth** *in book* etw in ein Verzeichnis aufnehmen; *in library* etw in einen Katalog aufnehmen

in·dex·ation [ˌɪndek'seɪʃᵊn] *n no pl* ECON Indexierung *f fachspr*

'in·dex card *n* Karteikarte *f* **'in·dex fin·ger** *n* Zeigefinger *m* **in·dex·'linked** *adj* BRIT ECON indexgebunden *fachspr*

In·dia ['ɪndɪə] *n no pl* Indien *nt*

In·dian ['ɪndɪən] I. *adj* ❶ (*of Indian subcontinent*) indisch ❷ (*often pej: of native Americans*) indianisch, Indianer- II. *n* ❶ (*of Indian descent*) Inder(in) *m(f)* ❷ (*often pej: native American*) Indianer(in) *m(f)*

In·dian 'club *n* Keule *f* **In·dian 'corn** *n no pl* AM Mais *m* **In·dian 'file** *n esp* AM (*single file*) **in ~** im Gänsemarsch **In·dian 'ink** *n* Tusche *f* **In·dian 'Ocean** *n* ▪**the ~** der Indische Ozean **In·dian 'sum·mer** *n* Altweibersommer *m*

in·di·cate ['ɪndɪkeɪt] I. *vt* ❶ (*show*) zeigen; *apparatus, device, gauge* anzeigen ❷ (*strongly imply*) auf etw *akk* hindeuten ❸ (*point to*) ▪**to ~ sb/sth** auf jdn/etw hindeuten ❹ (*state briefly*) ▪**to ~ [to sb] that ...** [jdm] zu verstehen geben, dass ... II. *vi* BRIT blinken

in·di·ca·tion [ˌɪndɪ'keɪʃᵊn] *n* ❶ (*evidence, sign*) [An]zeichen *nt* (**of** für), Hinweis *m* (**of** auf); **he hasn't given any ~ of his plans** er hat nichts von seinen Plänen ver-

lauten lassen; **there is every/no ~ that ...** alles/nichts weist darauf hin, dass ...; **early ~s** erste Anzeichen ❷ (*reading*) *on gauge, meter* Anzeige *f*

in·dica·tive [ɪn'dɪkətɪv] I. *adj* ❶ (*suggestive*) hinweisend *attr;* ▪**to be ~ of sth** etw erkennen lassen ❷ LING (*not subjunctive*) indikativisch *fachspr* II. *n* LING Indikativ *m fachspr*

in·di·ca·tor ['ɪndɪkeɪtəʳ] *n* ❶ (*evidence*) Indikator *m fachspr;* *of fact, trend* deutlicher Hinweis *m* ❷ BRIT (*turning light*) Blinker *m*, [Fahrt]richtungsanzeiger *m bes* SCHWEIZ ❸ MECH (*gauge, meter*) Anzeiger *m;* (*needle*) Zeiger *m;* **~ light** BRIT Kontrolllicht *nt* ❹ BRIT (*information board*) *at airport, station* Anzeigetafel *f*

in·di·ces ['ɪndɪsiːz] *n pl of* **index I** 2,3,4

in·dict [ɪn'daɪt] *vt* anklagen

in·dict·ment [ɪn'daɪtmənt] *n* ❶ LAW (*statement of accusation*) Anklage[erhebung] *f;* (*bill*) Anklageschrift *f* ❷ (*fig: reason for blame*) Anzeichen *nt* (**of** für); **to be a damning ~ of sth** ein Armutszeugnis für etw sein

in·die ['ɪndi] *adj short for* **independent** *film, industry, music* Indie-

In·dies ['ɪndiz] *npl* (*hist*) ▪**the ~** der indische Subkontinent

in·dif·fer·ence [ɪn'dɪfᵊrən(t)s] *n no pl* Gleichgültigkeit *f* (**to|wards** gegenüber)

in·dif·fer·ent [ɪn'dɪfᵊrənt] *adj* ❶ (*not interested*) gleichgültig (**to** gegenüber); (*unmoved*) ungerührt (**to** von) ❷ (*of poor quality*) [mittel]mäßig

in·dif·fer·ent·ly [ɪn'dɪfᵊrəntli] *adv* gleichgültig; **to behave ~ towards sb** sich jdm gegenüber gleichgültig verhalten; (*unmoved*) ungerührt

in·dig·enous [ɪn'dɪdʒɪnəs] *adj* [ein]heimisch; **~ people** Einheimische *pl;* **to be ~ to Europe** *plants, animals* in Europa heimisch sein

in·di·gest·ible [ˌɪndɪ'dʒestəbl̩] *adj* ❶ (*food*) schwer verdaulich; (*bad, off*) ungenießbar ❷ (*fig: information*) schwer verdaulich

in·diges·tion [ˌɪndɪ'dʒestʃᵊn] *n no pl* ❶ (*after meal*) Magenverstimmung *f* ❷ (*chronic disorder*) Verdauungsstörung[en] *f[pl]*

in·dig·nant [ɪn'dɪgnənt] *adj* empört (**at/about** über); **to become ~** sich aufregen

in·dig·nant·ly [ɪn'dɪgnəntli] *adv* empört, entrüstet, aufgebracht, ungehalten *geh*

in·dig·na·tion [ˌɪndɪg'neɪʃᵊn] *n no pl* Empörung *f* (**at/about** über)

in·dig·nity [ɪn'dɪgnəti] *n* Demütigung *f;*

(*sth humiliating also*) Erniedrigung *f*

in·di·rect [ˌɪndɪˈrekt] *adj* ❶ (*not straight*) indirekt ❷ (*not intended*) *benefits, consequences* mittelbar ❸ (*not done directly*) **by ~ means** auf Umwegen *fig* ❹ (*avoiding direct mention*) indirekt; **~ attack/ remark** Anspielung *f*

in·di·rect·ly [ˌɪndɪˈrektli] *adv* indirekt, auf Umwegen; **he was acting ~ on my behalf** er handelte gemäß meiner indirekten Vollmacht

in·di·rect ˈob·ject *n* LING indirektes Objekt, Dativobjekt *nt* **in·di·rect ˈtax** *n* FIN (*money*) indirekte Steuer; (*system of taxation*) indirekte Besteuerung

in·dis·cern·ible [ˌɪndɪˈsɜːnəbl] *adj* (*impossible to detect*) nicht wahrnehmbar; *change* unmerklich; (*not visible*) nicht erkennbar

in·dis·ci·pline [ɪnˈdɪsəplɪn] *n no pl* (*form*) Disziplinlosigkeit *f*

in·dis·creet [ˌɪndɪˈskriːt] *adj* (*careless*) indiskret; (*tactless*) taktlos (**about** in Bezug auf)

in·dis·cre·tion [ˌɪndɪˈskreʃᵊn] *n* ❶ *no pl* (*carelessness*) Indiskretion *f*; (*tactlessness*) Taktlosigkeit *f* ❷ (*indiscreet act*) Indiskretion *f*; (*thoughtless act*) unüberlegte Handlung

in·dis·crimi·nate [ˌɪndɪˈskrɪmɪnət] *adj* ❶ (*unthinking*) unüberlegt; (*uncritical*) unkritisch ❷ (*random*) wahllos

in·dis·crimi·nate·ly [ˌɪndɪˈskrɪmɪnətli] *adv* ❶ (*without careful thought*) unüberlegt; (*uncritically*) unkritisch ❷ (*at random*) wahllos, willkürlich; (*not discriminating*) unterschiedslos, ohne [irgendwelche] Unterschiede zu machen

in·dis·pen·sable [ˌɪndɪˈspen(t)səbl] *adj* unentbehrlich (**for/to** für)

in·dis·posed [ˌɪndɪˈspəʊzd] *adj pred* (*form*) ❶ (*slightly ill*) unpässlich; *artist, singer* indisponiert *geh* ❷ (*unwilling*) ■**to be/feel ~ to do sth** nicht gewillt sein, etw zu tun

in·dis·po·si·tion [ˌɪndɪspəˈzɪʃᵊn] *n* (*form*) ❶ *usu sing* (*also euph: illness*) Unpässlichkeit *f* ❷ *no pl* (*disinclination*) Widerwille *m*

in·dis·put·able [ˌɪndɪˈspjuːtəbl] *adj* unbestreitbar; *evidence* unanfechtbar; *skill, talent* unbestritten

in·dis·sol·uble [ˌɪndɪˈsɒljəbl] *adj* CHEM *substances* unlöslich, unauflösbar

in·dis·tinct [ˌɪndɪˈstɪŋ(k)t] *adj* ❶ (*poorly defined*) undeutlich; (*blurred*) verschwommen ❷ (*not clear*) unklar; *memory, recollection* verschwommen; *smell* undefinierbar

in·dis·tin·guish·able [ˌɪndɪˈstɪŋgwɪʃəbl] *adj* (*impossible to differentiate*) nicht unterscheidbar; (*not perceptible*) nicht wahrnehmbar

in·di·vid·ual [ˌɪndɪˈvɪdʒuəl] I. *n* ❶ (*single person*) Einzelne(r) *f(m)*, Individuum *nt geh* ❷ (*approv: distinctive person*) [selbstständige] Persönlichkeit II. *adj* ❶ *attr* (*separate*) einzeln ❷ (*particular*) individuell ❸ (*distinctive, original*) eigen

in·di·vidu·al·ism [ˌɪndɪˈvɪdʒuəlɪzᵊm] *n no pl* Individualismus *m*

in·di·vidu·al·ist [ˌɪndɪˈvɪdʒuəlɪst] *n* Individualist(in) *m(f)*

in·di·vidu·al·is·tic [ˌɪndɪˌvɪdʒuəlˈɪstɪk] *adj* individualistisch *geh*

in·di·vidu·al·ity [ˌɪndɪˌvɪdʒuˈæləti] *n* ❶ *no pl* (*distinctiveness, originality*) Individualität *f* ❷ *no pl* (*separate existence*) individuelle Existenz ❸ *pl* (*characteristics, tastes*) Eigenarten *pl*; (*distinct tastes*) Geschmäcker *pl*

in·di·vidu·al·ize [ˌɪndɪˈvɪdʒuəlaɪz] *vt* ■**to ~ sth** ❶ (*adapt*) etw nach individuellen Bedürfnissen ausrichten ❷ (*make distinctive*) etw individuell[er] gestalten

in·di·vid·ual·ly [ˌɪndɪˈvɪdʒuəli] *adv* ❶ (*as single entities*) einzeln ❷ (*in distinctive way*) individuell; (*distinctly*) eigen[tümlich]

in·di·vis·ible [ˌɪndɪˈvɪzəbl] *adj* unteilbar

Indo·chi·na [ˌɪndəʊˈtʃaɪnə] *n* (*hist*) Indochina *nt*

in·doc·tri·nate [ɪnˈdɒktrɪneɪt] *vt* indoktrinieren (**in/with** mit)

in·doc·tri·na·tion [ɪnˌdɒktrɪˈneɪʃᵊn] *n no pl* (*instruction*) Indoktrination *f*; (*process*) Indoktrinierung *f*

Indo-Euro·pean [ˌɪndə(ʊ)ˌ-] LING I. *adj* indoeuropäisch, indogermanisch II. *n* ❶ (*proto-language*) Indoeuropäisch *nt*, Indogermanisch *nt* ❷ (*person*) Indoeuropäer(in) *m(f)*, Indogermane, -germanin *m, f*

in·do·lent [ˈɪndᵊlənt] *adj* (*pej: lazy*) träge; (*without interest*) gleichgültig

in·domi·table [ɪnˈdɒmɪtəbl] *adj* (*approv*) unbezähmbar; *courage* unerschütterlich; *spirit* unbeugsam; *strength of character* unbezwingbar; *will* unbändig

In·do·nesia [ˌɪndə(ʊ)ˈniːʒə] *n* Indonesien *nt*

In·do·nesian [ˌɪndə(ʊ)ˈniːʒən] I. *adj* indonesisch II. *n* ❶ (*person*) Indonesier(in) *m(f)* ❷ (*language*) Indonesisch *nt*

in·door [ˌɪnˈdɔːˌ] *adj attr* ❶ (*situated inside*) Innen-; **~ plant** Zimmerpflanze *f*; **we'll have to do ~ activities with the children today** wir müssen mit den Kindern im Haus spielen; SPORTS Hallen- ❷ (*for use inside*) Haus-, für zu Hause *nach n*; SPORTS Hallen-, für die Halle *nach n*

in·doors [ˌɪnˈdɔːz] *adv* (*into a building*) herein, nach drinnen; (*within building, house*) drinnen; (*within house*) im Haus

in·du·bi·table [ɪnˈdjuːbɪtəbl] *adj* (*form*) unzweifelhaft; *evidence* zweifelsfrei

in·du·bi·tably [ɪnˈdjuːbɪtəbli] *adv* (*form*) zweifellos

in·duce [ɪnˈdjuːs] *vt* ❶ (*persuade*) ▪ **to ~ sb to do sth** jdn dazu bringen, etw zu tun ❷ (*cause*) hervorrufen ❸ *abortion, birth, labour* einleiten ❹ ELEC, PHYS induzieren *fachspr*

in·duce·ment [ɪnˈdjuːsmənt] *n* (*also euph*) Anreiz *m*; (*verbal*) Überredung *f*

in·duct [ɪnˈdʌkt] *vt usu passive* (*form*) ❶ (*install in office*) **to be ~ed into office** in ein Amt eingesetzt werden ❷ (*initiate*) ▪ **to be ~ed into sth** in etw *akk* eingeführt werden ❸ AM MIL **to be ~ed** [**into the army**] eingezogen werden

in·duc·tion [ɪnˈdʌkʃᵊn] *n* ❶ (*into office, post*) [Amts]einführung *f*; (*into organization*) Aufnahme *f* (**into** in); **~ into the military** AM Einberufung *f* [zum Wehrdienst] ❷ (*initiation*) Einführung *f*; **~ course** Einführungskurs *m* ❸ MED (*act of causing*) *of abortion, birth, labour* Einleitung *f*; *of sleep* Herbeiführen *nt* ❹ *no pl* ELEC, PHYS, TECH Induktion *f*; TECH *also* Ansaugung *f*; **~ coil** Induktionsspule *f*

in·duc·tive [ɪnˈdʌktɪv] *adj* ELEC, MATH induktiv *fachspr*; **~ current** Induktionsstrom *m*

in·dulge [ɪnˈdʌldʒ] **I.** *vt* ❶ (*allow pleasure*) nachgeben; **to ~ sb's every wish** jdm jeden Wunsch erfüllen ❷ (*spoil*) verwöhnen ❸ (*form: permit speech*) ▪ **to ~ sb** gewähren lassen **II.** *vi* ❶ (*euph: drink alcohol*) sich *dat* einen genehmigen; (*too much*) einen über den Durst trinken ❷ (*in undesirable activity*) ▪ **to ~ in sth** in etw *dat* schwelgen; **to ~ in gossip** sich dem Tratsch hingeben

in·dul·gence [ɪnˈdʌldʒən(t)s] *n* ❶ (*treat, pleasure*) Luxus *m*; *food, drink, activity* Genuss *m* ❷ *no pl* (*leniency*) Nachsichtigkeit *f* (**of** gegenüber); (*softness*) Nachgebigkeit *f* (**of** gegenüber) ❸ *no pl* (*in food, drink, pleasure*) Frönen *nt*; (*in alcohol*) übermäßiger Alkoholgenuss *f*; **self-~** [ausschweifendes] Genießen

in·dul·gent [ɪnˈdʌldʒənt] *adj* ❶ (*lenient*) nachgiebig (**towards** gegenüber) ❷ (*tolerant*) nachsichtig

in·dus·trial [ɪnˈdʌstriəl] *adj* ❶ (*of produc-* tion of goods) industriell; **~ output** Industrieproduktion *f*; (*of training, development*) betrieblich ❷ (*for use in manufacturing*) Industrie- ❸ (*having industry*) Industrie-; **~ estate** BRIT, **~ park** AM, AUS Industriegebiet *nt*

in·dus·tri·al·ism [ɪnˈdʌstriəlɪzᵊm] *n no pl* Industrialismus *m*

in·dus·tri·al·ist [ɪnˈdʌstriəlɪst] *n* Industrielle(r) *f(m)*

in·dus·tri·al·iza·tion [ɪnˌdʌstriəlaɪˈzeɪʃᵊn] *n no pl* Industrialisierung *f*

in·dus·tri·al·ize [ɪnˈdʌstriəlaɪz] **I.** *vi country, state* zum Industriestaat werden; *area* Industrie ansiedeln; *business* industrielle Produktionsmethoden einführen **II.** *vt* industrialisieren; *area* Industrie ansiedeln; *business* industrielle Produktionsmethoden einführen

In·dus·trial Revo·ˈlu·tion *n* HIST ▪ **the ~** die industrielle Revolution

in·dus·tri·ous [ɪnˈdʌstriəs] *adj* (*hardworking*) fleißig; (*busy*) eifrig

in·dus·tri·ous·ly [ɪnˈdʌstriəsli] *adv* (*hardworking*) fleißig; (*busily*) eifrig, emsig; **to work ~** fleißig arbeiten

in·dus·tri·ous·ness [ɪnˈdʌstriəsnəs] *n no pl* (*diligence*) Fleiß *m*; (*being busy*) Eifrigkeit *f*, Emsigkeit *f*

in·dus·try [ˈɪndəstri] *n* ❶ *no pl* (*manufacturing*) Industrie *f* ❷ (*type of trade*) Branche *f* ❸ *no pl* (*form: diligence*) Fleiß *m*; (*quality of being busy*) Emsigkeit *f*

in·ebri·ate I. *vt* [ɪˈniːbrieɪt] (*form*) ▪ **to ~ sb** jdn betrunken machen **II.** *n* [ɪˈniːbriət] (*form*) Trinker(in) *m(f)*

in·ebri·at·ed [ɪˈniːbrieɪtɪd] *adj* (*form*) betrunken; **in an ~ state** in betrunkenem Zustand

in·ed·ible [ɪˈnedɪbl] *adj* ❶ (*unsuitable as food*) nicht essbar ❷ (*pej: extremely unpalatable*) ungenießbar

in·edu·cable [ɪˈnedjəkəbl] *adj* schwer erziehbar; (*due to a mental disability*) lernbehindert

in·ef·fable [ɪˈnefəbl] *adj* (*form*) unsäglich

in·ef·fec·tive [ˌɪnɪˈfektɪv] *adj measure* unwirksam; *person* untauglich

in·ef·fec·tual [ˌɪnɪˈfektʃuᵊl] *adj* ineffektiv geh

in·ef·fi·cien·cy [ˌɪnɪˈfɪʃᵊn(t)si] *n no pl of system, method* Ineffizienz *f* geh; *of person* Inkompetenz *f*; *of measure* Unwirksamkeit *f*; *of attempt* Erfolglosigkeit *f*

in·ef·fi·cient [ˌɪnɪˈfɪʃᵊnt] *adj* ❶ (*dissatisfactory*) *organization, person* unfähig; *system* ineffizient; (*not productive*) unwirtschaftlich ❷ (*wasteful*) unrationell

in·el·egant [ɪ'nelɪgənt] *adj* **❶** (*unattractive*) unelegant; *surroundings, appearance* ohne [jeden] Schick *nach n; speech* holprig **❷** (*unrefined*) ungeschliffen; *gesture, movement* plump

in·eli·gible [ɪ'nelɪdʒəbl̩] *adj* **❶** (*for funds, benefits*) nicht berechtigt (**for** zu); (*for office*) nicht wählbar (**for** in) **❷** (*not fit*) ■ **to be ~ for sth** *in character* für etw *akk* nicht geeignet sein; *physically* für etw *akk* untauglich sein

in·ept [ɪ'nept] *adj* (*clumsy*) unbeholfen (**at** in); (*unskilled*) ungeschickt (**at** in); *comment* unangebracht; *leadership* unfähig; *performance* stümperhaft; *remark* unpassend; **to be socially ~** nicht [gut] mit anderen [Menschen] umgehen können

in·equal·ity [ˌɪnɪ'kwɒləti] *n* Ungleichheit *f*

in·equi·table [ɪ'nekwɪtəbl̩] *adj* (*form*) ungerecht

in·equi·ty [ɪ'nekwəti] *n* (*form*) Ungerechtigkeit *f*

in·eradi·cable [ˌɪnɪ'rædɪkəbl̩] *adj* (*form*) *disease, prejudice* unausrottbar; *impression* unauslöschlich; *mistake, state* unabänderlich

in·ert [ɪn'ɜːt] *adj* **❶** (*not moving*) unbeweglich **❷** (*fig, pej: sluggish, slow*) träge; (*lacking vigour*) kraftlos **❸** CHEM inert *fachspr*

in·er·tia [ɪ'nɜːʃə] *n no pl* **❶** (*inactivity*) Unbeweglichkeit *f* **❷** (*lack of will, vigour*) Trägheit *f* **❸** PHYS Trägheit *f*

in·er·tia reel 'seat belt *n* Automatikgurt *m*

in·es·cap·able [ˌɪnɪ'skeɪpəbl̩] *adj* (*unavoidable*) *fact* unvermeidlich; *fate* unentrinnbar; (*undeniable*) unleugbar; *truth* unbestreitbar

in·es·sen·tial [ˌɪnɪ'sen(t)ʃ^əl] I. *adj* nebensächlich II. *n usu pl* Nebensächlichkeit *f*

in·es·ti·mable [ɪ'nestɪməbl̩] *adj* unschätzbar

in·evi·table [ɪ'nevɪtəbl̩] I. *adj* **❶** (*certain to happen*) unvermeidlich; *conclusion, result* zwangsläufig **❷** (*pej: boringly predictable*) unvermeidlich II. *n no pl* ■ **the ~** das Unvermeidbare *a. iron*

in·evi·tably [ɪ'nevɪtəbli] *adv* unweigerlich, zwangsläufig

in·ex·act [ˌɪnɪg'zækt] *adj* ungenau

in·ex·cus·able [ˌɪnɪk'skjuːzəbl̩] *adj* unverzeihlich

in·ex·haust·ible [ˌɪnɪg'zɔːstəbl̩] *adj* unerschöpflich

in·exo·rable [ɪ'neks^ərəbl̩] *adj* (*form*) **❶** (*cannot be stopped*) unaufhaltsam **❷** (*relentless*) *person* unerbittlich

in·ex·pe·di·ent [ˌɪnɪk'spiːdiənt] *adj* (*form:*

not practical, suitable) ungeeignet; (*not advisable*) unklug

in·ex·pen·sive [ˌɪnɪk'spen(t)sɪv] *adj* **❶** (*reasonably priced*) preisgünstig **❷** (*euph: cheap*) billig

in·ex·pe·ri·ence [ˌɪnɪk'spɪəriən(t)s] *n no pl* Unerfahrenheit *f*

in·ex·pe·ri·enced [ˌɪnɪk'spɪəriən(t)st] *adj* unerfahren; ■ **to be ~ in sth** mit etw *dat* nicht vertraut sein; *in skill* in etw *dat* nicht versiert sein; ■ **to be ~ with sth** sich mit etw *dat* nicht auskennen

in·ex·pert [ɪ'nekspɜːt] *adj* (*unskilled*) laienhaft; *attempt* stümperhaft; *handling* unsachgemäß; *treatment* unfachmännisch

in·ex·pli·cable [ˌɪnɪk'splɪkəbl̩] I. *adj* unerklärlich II. *n no pl* ■ **the ~** das Unerklärliche

in·ex·press·ible [ˌɪnɪk'spresəbl̩] *adj* unbeschreiblich; **sth is ~ in words** etw lässt sich nicht mit Worten beschreiben

in·ex·tri·cable [ˌɪnɪk'strɪkəbl̩] *adj* **❶** (*impossible to disentangle*) unentwirrbar; (*inseparable*) unlösbar **❷** (*inescapable*) *difficulty, situation* unentrinnbar

in·fal·lible [ɪn'fæləbl̩] *adj* unfehlbar

in·fa·mous ['ɪnfəməs] *adj* **❶** (*notorious*) *criminal* berüchtigt **❷** (*abominable*) *lie* infam; *person* niederträchtig; *act* schändlich *geh*

in·fa·my ['ɪnfəmi] *n* **❶** *no pl* (*notoriety*) Verrufenheit *f* **❷** (*shocking act*) Niederträchtigkeit *f*

in·fan·cy ['ɪnfən(t)si] *n* **❶** (*early childhood*) frühe[ste] Kindheit **❷** (*fig: early stage of development*) Anfangsphase *f*

in·fant ['ɪnfənt] I. *n* **❶** (*baby*) Säugling *m* **❷** BRIT, AUS (*child between 4 and 7*) Kleinkind *nt* **❸** BRIT, AUS SCH ■ **the I-s** *pl* die erste und zweite Grundschulklasse II. *adj* **~ daughter** kleines Töchterchen; **~ prodigy** Wunderkind *nt;* BRIT, AUS **~ class** SCH erste/zweite Grundschulklasse; **~ teacher** Grundschullehrer(in) *m(f)*

in·fan·ti·cide [ɪn'fæntɪsaɪd] *n no pl* Kindestötung *f*

in·fan·tile ['ɪnfəntaɪl] *adj* (*pej*) kindisch

in·fant mor·'tal·ity *n no pl* Säuglingssterblichkeit *f*

in·fan·try ['ɪnfəntri] I. *n no pl* ■ **the ~** + *sing/pl vb* die Infanterie II. *adj* (*brigade, corps, regiment, unit*) Infanterie-

'in·fant·ry·man *n* Infanterist *m*

in·fatu·at·ed [ɪn'fætjueɪtɪd] *adj* vernarrt (**with** in), verknallt *fam* (**with** in)

in·fect [ɪn'fekt] *vt* **❶** (*contaminate*) *with disease, virus* infizieren **❷** (*fig, pej*) infizieren; **hysteria about AIDS ~ed the**

media die Aidshysterie griff auf die Medien über ❸ *(fig, approv)* anstecken

in·fec·tion [ɪnˈfekʃᵊn] *n* ❶ *no pl, no art* *(contamination)* Infektion *f* ❷ *(instance)* Infektion *f;* **throat/ear** ~ Hals-/Mittelohrentzündung *f*

in·fec·tious [ɪnˈfekʃəs] *adj* *(also fig)* ansteckend

in·fe·lici·tous [ˌɪnfəˈlɪsɪtəs] *adj* *(pej form: inappropriate)* unangebracht; *(hum: unfortunate)* unglücklich

in·fer <-rr-> [ɪnˈfɜ:ʳ] *vt* *(come to conclusion)* schließen **(from** aus); *(imply)* andeuten

in·fer·ence [ɪnˈfᵊrᵊn(t)s] *n* *(form)* ❶ *usu sing (conclusion)* Schluss *m* ❷ *no pl (process of inferring)* [Schluss]folgern *nt;* **by ~** folglich

in·fe·ri·or [ɪnˈfɪəriəʳ] **I.** *adj* ❶ *(of lesser quality)* system, thing minderwertig; *mind* unterlegen; ■**to be ~ to sth** *(in quality)* von minderer Qualität als etw sein ❷ *(lower)* in rank [rang]niedriger; *in status* untergeordnet **II.** *n* ■**~s** *pl in rank* Untergebene *pl*

in·fe·ri·or·ity [ɪnˌfɪəriˈɒrəti] *n no pl* ❶ *(lower quality)* Minderwertigkeit *f;* of workmanship schlechte Qualität ❷ *(lower status, rank)* Unterlegenheit *f*

in·fe·ri·'or·ity com·plex *n* Minderwertigkeitskomplex *m*

in·fer·nal [ɪnˈfɜ:nᵊl] *adj* ❶ REL *(liter: of hell)* höllisch, Höllen- ❷ *(dreadful)* höllisch ❸ *attr (fam: annoying, detestable)* grässlich

in·fer·no [ɪnˈfɜ:nəʊ] *n* ❶ *(fire)* flammendes Inferno ❷ *(liter: place like hell)* Inferno *nt*

in·fer·tile [ɪnˈfɜ:taɪl] **I.** *adj* person, animal, land unfruchtbar **II.** *n* ■**the ~** *pl* zeugungsunfähige Personen

in·fer·til·ity [ˌɪnfəˈtɪləti] *n no pl* of person, animal, land Unfruchtbarkeit *f*

in·fest [ɪnˈfest] *vt* befallen **(with** von); *(fig: haunt)* heimsuchen

in·fes·ta·tion [ˌɪnfesˈteɪʃᵊn] *n* ❶ *no pl (state)* Verseuchung *f* ❷ *(instance)* Befall *m* **(of** durch); **~ of rats** Rattenplage *f*

in·fi·del [ˈɪnfɪdᵊl] *n no pl (pej hist)* Ungläubige(r) *f(m)*

in·fi·del·ity [ˌɪnfɪˈdeləti] *n* ❶ *no pl (unfaithfulness)* Verrat *m* **(to** gegenüber/an); *(sexual)* Untreue *f* **(to** an) ❷ *(sexual peccadillos)* ■**infidelities** *pl* Seitensprünge *pl*

in·fight·ing [ˈɪnfaɪtɪŋ] *n no pl* interne Machtkämpfe; **political ~** parteiinterner Machtkampf

in·fil·trate [ˈɪnfɪltreɪt] **I.** *vt* ❶ *(secretly penetrate)* military units, organization unter-

wandern; *building, enemy lines* eindringen (in); *agent, spy* einschleusen **(into** in) ❷ *(influence thinking)* of idea, theory durchdringen ❸ CHEM, PHYS *(permeate)* durchdringen; *of liquid* durchsickern (in) **II.** *vi* CHEM, PHYS *gas, liquid* eindringen **(into** in); *liquid also* einsickern **(into** in); ■**to ~ through sth** etw durchdringen; *liquid* durch etw *akk* sickern

in·fil·tra·tion [ˌɪnfɪlˈtreɪʃᵊn] *n no pl* ❶ *(penetration by stealth)* Unterwanderung *f;* MIL Infiltration *f fachspr* ❷ *(influence on thinking)* starke Einflussnahme ❸ CHEM, PHYS *(penetration)* Infiltration *f fachspr; of gas, liquid* Eindringen *nt; of liquid also* Einsickern *nt*

in·fil·tra·tor [ˈɪnfɪltreɪtəʳ] *n also* MIL Eindringling *m*

in·fi·nite [ˈɪnfɪnət] **I.** *adj* ❶ *(unlimited)* unendlich; *space* unbegrenzt ❷ *(very great)* grenzenlos; **to take ~ care** ungeheuer vorsichtig sein; **~ choice** unendlich große Auswahl; **~ pains/variety** ungeheure Schmerzen/Vielfalt ❸ MATH *(unending)* unendlich **II.** *n* ❶ REL ■**the I~** Gott *m* ❷ *(space or quality)* ■**the ~** die Unendlichkeit

in·fi·nite·ly [ˈɪnfɪnətli] *adv* ❶ *(extremely)* unendlich; **~ small** winzig klein ❷ *(very much)* unendlich viel

in·fini·tesi·mal [ˌɪnfɪnɪˈtesɪmᵊl] *adj (form)* winzig; MATH infinitesimal *fachspr*

in·fini·tive [ɪnˈfɪnɪtɪv] **I.** *n* LING Infinitiv *m;* **to be in the ~** im Infinitiv stehen **II.** *adj attr* Infinitiv-; **~ form** Grundform *f,* Infinitiv *m*

in·fin·ity [ɪnˈfɪnəti] *n* ❶ *no pl* MATH ■**~** *(unreachable point)* das Unendliche; ■**to ~** [bis] ins Unendliche ❷ *no pl (state, sth immeasurable)* Unendlichkeit *f;* **into** [bis] **in** die Unendlichkeit ❸ *(huge amount)* gewaltige Menge **(of** an); **an ~ of combinations/problems** unendlich viele Kombinationsmöglichkeiten/Probleme

in·firm [ɪnˈfɜ:m] **I.** *adj* ❶ *(ill)* gebrechlich ❷ *(form: weak)* schwach **II.** *n* ■**the ~** *pl* die Kranken und Pflegebedürftigen; **the mentally ~** die Geistesschwachen

in·fir·mary [ɪnˈfɜ:mᵊri] *n* ❶ *(dated: hospital)* Krankenhaus *nt* ❷ AM *(sick room)* Krankenzimmer *nt; (in prison)* Krankenstation *f*

in·fir·mity [ɪnˈfɜ:məti] *n (form)* ❶ *no pl (state)* Gebrechlichkeit *f* ❷ *(illness)* Gebrechen *nt geh*

in·flame [ɪnˈfleɪm] *vt* ❶ *(stir up)* entfachen ❷ *(make angry)* aufbringen; *(stronger)* erzürnen; **to ~ sb with anger** jdn in Wut versetzen; **to ~ sb with desire/passion** jdn mit Verlangen/Leidenschaft erfüllen

in·flamed [ɪnˈfleɪmd] *adj* ❶ ⟨*red and swollen*⟩ *body part* entzündet; **to become ~** sich entzünden ❷ *pred* ⟨*provoked*⟩ **~ with anger** wutentbrannt; **~ with desire/passion** von Verlangen/ Leidenschaft entflammt

in·flam·mable [ɪnˈflæməbl] *adj* ❶ ⟨*burning easily*⟩ [leicht] entzündbar ❷ ⟨*fig: volatile*⟩ *temperament* explosiv; **a highly ~ situation/topic** eine höchst brisante Situation/ein höchst brisantes Thema

in·flam·ma·tion [ˌɪnfləˈmeɪʃᵊn] *n* Entzündung *f;* **~ of the ear/eye** Ohren-/Augenentzündung *f*

in·flam·ma·tory [ɪnˈflæmətᵊri] *adj* ❶ MED entzündlich, Entzündungs- ❷ ⟨*provoking*⟩ hetzerisch; POL aufrührerisch

in·flat·able [ɪnˈfleɪtəbl] **I.** *adj* aufblasbar; **~ boat** Schlauchboot *nt* **II.** *n esp* BRIT Schlauchboot *nt*

in·flate [ɪnˈfleɪt] **I.** *vt* ❶ ⟨*fill with air*⟩ aufblasen; ⟨*with pump*⟩ aufpumpen ❷ ⟨*exaggerate*⟩ aufblähen *fig, pej* ❸ ECON ⟨*make bigger*⟩ *value, prices* in die Höhe treiben **II.** *vi hot air balloon* sich mit Luft füllen

in·flat·ed [ɪnˈfleɪtɪd] *adj* ❶ ⟨*filled with air*⟩ aufgeblasen ❷ ⟨*fig, pej: exaggerated*⟩ aufgebläht; **to have an ~ opinion of oneself** ein übersteigertes Selbstwertgefühl haben; **to have an ~ idea of sth** eine übertriebene Vorstellung von etw *dat* besitzen ❸ ECON ⟨*higher*⟩ überhöht ❹ ⟨*pej form: bombastic*⟩ schwülstig

in·fla·tion [ɪnˈfleɪʃᵊn] *n no pl* ❶ ECON Inflation *f* ❷ ⟨*with air*⟩ Aufblasen *nt;* ⟨*with pump*⟩ Aufpumpen *nt*

in·fla·tion·ary [ɪnˈfleɪʃᵊnᵊri] *adj* FIN inflationär, Inflations-

in·flect [ɪnˈflekt] *vt* ❶ LING beugen ❷ ⟨*modulate*⟩ modulieren

in·flec·tion [ɪnˈflekʃᵊn] *n* ❶ LING ⟨*change in form*⟩ Beugung *f* ❷ ⟨*affixes*⟩ Flexionsform *f fachspr* ❸ ⟨*modulation of tone*⟩ Modulation *f fachspr*

in·flex·ibil·ity [ɪnˌfleksəˈbɪləti] *n no pl* ❶ ⟨*rigidity*⟩ Inflexibilität *f geh* ❷ ⟨*usu pej: stubbornness*⟩ Sturheit *f* ❸ ⟨*stiffness*⟩ Steifheit *f*

in·flex·ible [ɪnˈfleksəbl] *adj* ⟨*usu pej*⟩ ❶ ⟨*fixed, unchanging*⟩ starr ❷ ⟨*not adaptable*⟩ unbeugsam ❸ ⟨*stiff*⟩ *limb* steif

in·flex·ion *n esp* BRIT LING *see* **inflection**

in·flict [ɪnˈflɪkt] *vt* ❶ ⟨*impose*⟩ ◾**to ~ sth on sb** *pain, suffering torture, violence* jdm etw zufügen; **to ~ a fine/punishment on sb** jdm eine Bußstrafe/Bestrafung auferle-

gen; **to ~ one's opinion/views on sb** jdm seine Meinung/Ansichten aufzwingen ❷ ⟨*usu hum*⟩ **to ~ oneself/one's company on sb** sich jdm aufdrängen

in·flic·tion [ɪnˈflɪkʃᵊn] *n no pl of suffering* Zufügen *nt; of torture also* Quälen *nt; of punishment, sentence* Verhängen *nt; of fine* Auferlegen *nt*

in·flu·ence [ˈɪnfluən(t)s] **I.** *n* ❶ ⟨*sth that affects*⟩ Einfluss *m;* **to be an ~ on sb/sth** [einen] Einfluss auf jdn/etw ausüben; **to fall under the ~ of sb** ⟨*usu pej*⟩ unter jds Einfluss geraten; ⟨*stronger*⟩ in jds Bann geraten ❷ *no pl* ⟨*power to affect*⟩ Einfluss *m* ⟨*on* auf⟩; **to be/fall under sb's ~** ⟨*usu pej*⟩ unter jds Einfluss stehen/geraten; **to exert one's ~** seinen [ganzen] Einfluss geltend machen **II.** *vt* beeinflussen; **to be easily ~d** beeinflussbar sein

in·flu·en·tial [ˌɪnfluˈen(t)ʃᵊl] *adj* einflussreich

in·flu·en·za [ˌɪnfluˈenzə] *n no pl* ⟨*form*⟩ Grippe *f*

in·flux [ˈɪnflʌks] *n no pl of tourists* Zustrom *m* ⟨*of* an⟩; *of capital* Zufuhr *f* ⟨*of* an⟩

info [ˈɪnfəʊ] *n* ⟨*fam*⟩ *short for* **information** Info *f fam*

in·form [ɪnˈfɔːm] **I.** *vt* ❶ ⟨*give information*⟩ informieren; **to ~ the police** die Polizei benachrichtigen; **why wasn't I ~ed about this earlier?** warum hat man mir das nicht früher mitgeteilt? ❷ *usu passive* ⟨*guide*⟩ ◾**to be ~ed by sth** geprägt sein von etw *dat* **II.** *vi* ◾**to ~ against/on sb** jdn anzeigen

in·for·mal [ɪnˈfɔːmᵊl] *adj* ❶ ⟨*not formal, casual*⟩ informell; *atmosphere, party* zwanglos; *clothing, manner* leger ❷ ⟨*not official*⟩ *meeting* inoffiziell ❸ ⟨*approachable, not stiff*⟩ *person* ungezwungen

in·for·mal·ity [ˌɪnfɔːˈmæləti] *n no pl* ❶ ⟨*casual quality*⟩ Zwanglosigkeit *f* ❷ ⟨*unofficial character*⟩ inoffizieller Charakter ❸ ⟨*approachability*⟩ *of person* Ungezwungenheit *f*

in·for·mal·ly [ɪnˈfɔːmᵊli] *adv* ❶ ⟨*not formally*⟩ informell; ⟨*casually*⟩ zwanglos, ungezwungen; **to dress ~** sich leger kleiden ❷ ⟨*not officially*⟩ inoffiziell

in·form·ant [ɪnˈfɔːmənt] *n* Informant(in) *m(f)*

in·for·ma·tion [ˌɪnfəˈmeɪʃᵊn] *n* ❶ *no pl* ⟨*data*⟩ Information *f;* **a piece of ~** eine Information; **a lot of/a little ~** viele/wenige Informationen; **for your ~** als Information; ⟨*annoyed*⟩ damit Sie es wissen ❷ ⟨*enquiry desk*⟩ Information *f* ❸ AM ⟨*telephone operator*⟩ Auskunft *f*

in·for·'ma·tion con·tent *n no pl* COMPUT Informationsgehalt *m* **in·for·ma·tion re·'triev·al** *n no pl* Wiederauffinden *nt* von Informationen; COMPUT Informationsabruf *m* **in·for·'ma·tion sci·ence** *n usu pl* Informatik *f kein pl* **in·for·ma·tion 'stor·age** *n no pl* COMPUT Datenspeicherung *f* **in·for·ma·tion 'super·high·way** *n* ▪**the ~** die Datenautobahn, das Internet **in·for·ma·tion 'sys·tem** *n* Informationssystem *nt* **in·for·ma·tion tech·'nol·ogy** *n no pl* Informationstechnologie *f*

in·forma·tive [ɪnˈfɔːmətɪv] *adj* (approv) informativ

in·formed [ɪnˈfɔːmd] *adj* [gut] informiert; *opinion* fundiert; **to make an ~ guess** etw [aufgrund von Informationen] vermuten; **to keep sb ~** jdn auf dem Laufenden halten

in·form·er [ɪnˈfɔːməʳ] *n* Informant(in) *m(f)*

info·tain·ment [ˌɪnfə(ʊ)ˈteɪnmənt] *n no pl* Infotainment *nt*

in·frac·tion [ɪnˈfrækʃᵊn] *n* LAW (form) Verstoß *m* (**of** gegen)

in·fra dig [ˌɪnfrəˈdɪg] *adj pred* ▪**to be ~ [for sb]** unter jds Würde sein

infra·red [ˌɪnfrəˈred] *adj* infrarot

infra·struc·ture [ˈɪnfrəˌstrʌktʃəʳ] *n* Infrastruktur *f*

in·fre·quent [ɪnˈfriːkwənt] *adj* selten

in·fringe [ɪnˈfrɪndʒ] **I.** *vt* verletzen; **to ~ a law** gegen ein Gesetz verstoßen **II.** *vi* ▪**to ~ on/upon sth** *privacy, rights* etw verletzen; *area* in etw *akk* eindringen; *territory* auf etw *akk* übergreifen

in·fringe·ment [ɪnˈfrɪndʒmənt] *n* ❶ (action) Verstoß *m*; (breach) of law Gesetzesverstoß *m*; of rules Regelverletzung *f*; esp SPORTS Regelverstoß *m* ❷ *no pl* (violation) Übertretung *f*

in·furi·ate [ɪnˈfjʊərieɪt] *vt* wütend machen

in·fuse [ɪnˈfjuːz] **I.** *vt* ❶ (fill) erfüllen; ▪**to ~ sth into sb/sth** jdm/etw etw einflößen ❷ (form: steep in liquid) tea, herbs aufgießen **II.** *vi* ziehen

in·fu·sion [ɪnˈfjuːʒᵊn] *n* ❶ (input) Einbringen *nt*; ECON Infusion *f fachspr* ❷ (brew) Aufguss *m*; **herbal ~** Kräutertee *m* ❸ *no pl* (brewing) Aufgießen *nt* ❹ MED Infusion *f*

in·gen·ious [ɪnˈdʒiːniəs] *adj person* ideenreich; *idea, method, plan* ausgeklügelt; *device, machine* raffiniert

in·gen·ious·ly [ɪnˈdʒiːniəsli] *adv* ausgeklügelt, genial, raffiniert

in·genu·ity [ˌɪndʒɪˈnjuːəti] *n no pl* of a person Einfallsreichtum *m*; of an idea, plan, solution Genialität *f*; of a machine, device Raffiniertheit *f*

in·genu·ous [ɪnˈdʒenjuəs] *adj* (form)

❶ (naive) naiv ❷ (openly honest) offen

in·gest [ɪnˈdʒest] *vt* (form) ❶ MED einnehmen ❷ (fig) *facts, information* verschlingen

ingle·nook [ˈɪŋglnʊk] *n esp* BRIT ARCHIT Kaminecke *f*

in·glo·ri·ous [ɪnˈglɔːriəs] *adj* unrühmlich; *defeat* schmählich

in·going [ˈɪnˌgəʊɪŋ] *adj attr* eingehend; *occupant, office holder* neu

in·got [ˈɪŋgət] *n* Ingot *m fachspr*; (of gold, silver) Barren *m*

in·grained [ɪnˈgreɪnd] *adj* ❶ (embedded) fest sitzend *attr*; **to be ~ with dirt** stark verschmutzt sein ❷ (fig: deep-seated) tief sitzend *attr*, fest verankert

in·gra·ti·ate [ɪnˈgreɪʃieɪt] *vt no passive* (usu pej) ▪**to ~ oneself [with sb]** sich [bei jdm] einschmeicheln

in·grati·tude [ɪnˈgrætɪtjuːd] *n no pl* Undankbarkeit *f*

in·gre·di·ent [ɪnˈgriːdiənt] *n* ❶ (in recipe) Zutat *f* ❷ (component) Bestandteil *m*

'in-group *n* (usu pej fam) angesagte Clique

in·grow·ing [ɪnˈgrəʊɪŋ] *adj*, **in·grown** [ɪnˈgrəʊn] *adj usu attr* eingewachsen; **an ~ toenail** ein eingewachsener Fußnagel

in·hab·it [ɪnˈhæbɪt] *vt* bewohnen

in·hab·it·able [ɪnˈhæbɪtəbl] *adj* bewohnbar

in·hab·it·ant [ɪnˈhæbɪtᵊnt] *n* of region Einwohner(in) *m(f)*; of building Bewohner(in) *m(f)*

in·hale [ɪnˈheɪl] **I.** *vt* einatmen; *smoker* inhalieren **II.** *vi* einatmen; *smoker* inhalieren

in·hal·er [ɪnˈheɪləʳ] *n* Inhalationsapparat *m*

in·har·mo·ni·ous [ˌɪnhɑːˈməʊniəs] *adj* ❶ (not friendly) gespannt ❷ (form: not blending well) also MUS unharmonisch

in·her·ent [ɪnˈherᵊnt] *adj* innewohnend *attr*; PHILOS inhärent *geh*; ▪**to be ~ in sth** etw *dat* eigen sein

in·her·it [ɪnˈherɪt] **I.** *vt* erben (from von); (fig) übernehmen (from von) **II.** *vi* erben

in·her·it·able [ɪnˈherɪtəbl] *adj* ❶ (transmissible) vererbbar ❷ LAW (able to inherit) erbfähig

in·her·it·ance [ɪnˈherɪtᵊn(t)s] *n* ❶ (legacy) Erbe *nt kein pl* (from von) ❷ *no pl* (inheriting) of money, property Erben *nt*; of characteristics Vererben *nt*

in·hib·it [ɪnˈhɪbɪt] *vt* ❶ (restrict) hindern ❷ (deter) hemmen; ▪**to ~ sb from doing sth** jdn daran hindern, etw zu tun

in·hib·it·ed [ɪnˈhɪbɪtɪd] *adj* ❶ (self-conscious) gehemmt; **to be/feel ~** Hemmungen haben ❷ (repressed) ▪**to be ~** verklemmt sein *fam*

in·hi·bi·tion [ˌɪn(h)ɪ'bɪʃ°n] *n* ❶ *usu pl* (*self-consciousness*) Hemmung *f* ❷ *no pl* (*inhibiting*) Einschränken *nt;* (*prevention*) Verhindern *nt*

in·hos·pi·table [ˌɪnhɒs'pɪtəbl] *adj* ❶ (*unwelcoming*) ungastlich ❷ (*unpleasant*) unwirtlich

in-'house I. *adj attr* hauseigen **II.** *adv* intern, im Hause

in·hu·man [ɪn'hju:mən] *adj* ❶ (*pej: cruel*) unmenschlich ❷ (*non-human*) unmenschlich; (*superhuman*) übermenschlich

in·hu·mane [ˌɪnhju:'meɪn] *adj* inhuman; (*barbaric*) barbarisch

in·hu·man·ity [ˌɪnhjuː'mænəti] *n no pl* Grausamkeit *f;* (*barbaric cruelty*) Barbarei *f*

in·imi·cal [ɪ'nɪmɪkəl] *adj* (*form*) ❶ (*harmful*) nachteilig; ■ **to ~ to sth** etw *dat* abträglich sein *geh* ❷ (*hostile*) feindselig; ■ **to be ~ to sth/sb** etw/jdm feindlich gesonnen sein

in·imi·table [ɪ'nɪmɪtəbl] *adj* unnachahmlich

in·iqui·tous [ɪ'nɪkwɪtəs] *adj* (*form*) ungeheuerlich

in·iquity [ɪ'nɪkwɪti] *n* ❶ *no pl* (*wickedness*) Bosheit *f;* (*unfairness*) Ungerechtigkeit *f;* (*sinfulness*) Verderbtheit *f geh* ❷ (*wicked act*) Untat *f;* (*act of unfairness*) Ungerechtigkeit *f;* (*sin*) Sünde *f*

ini·tial [ɪ'nɪʃ°l] **I.** *adj attr* anfänglich, erste(r, s) **II.** *n* Initiale *f* **III.** *vt* <BRIT -ll- *or* AM *usu* -l-> ■ **to ~ sth** seine Initialen unter etw *akk* setzen

ini·tial·ize [ɪ'nɪʃ°laɪz] *vt* COMPUT initialisieren

ini·tial·ly [ɪ'nɪʃ°li] *adv* anfangs, zunächst

ini·ti·ate I. *vt* [ɪ'nɪʃieɪt] ❶ (*start*) in die Wege leiten ❷ (*teach*) einweihen (**into** in) ❸ (*admit to group*) einführen (**into** in); (*make official member*) [feierlich] aufnehmen (**into** in) **II.** *n* [ɪ'nɪʃiət] (*in a club, organization*) neues Mitglied; (*in a spiritual community*) Eingeweihte(r) *f(m)*

ini·tia·tion [ɪˌnɪʃi'eɪʃ°n] *n* ❶ *no pl* (*start*) Einleitung *f* ❷ (*introduction*) Einführung *f* (**into** in); (*as a member*) Aufnahme *f* (**into** in); (*in tribal societies*) Initiation *f* (**into** in)

ini·tia·tive [ɪ'nɪʃətɪv] *n* ❶ *no pl* (*approv: enterprise*) [Eigen]initiative *f;* **to use one's ~** eigenständig handeln ❷ *no pl* (*power to act*) Initiative *f* ❸ (*action*) Initiative *f*

ini·tia·tor [ɪ'nɪʃieɪtər] *n* Urheber(in) *m(f),* Initiator(in) *m(f)*

in·ject [ɪn'dʒekt] *vt* ❶ MED spritzen (**into** in); ■ **to ~ sb against sth** BRIT, AUS jdn gegen etw *akk* impfen ❷ (*fig: introduce*) ■ **to**

~ sth into sth etw in etw *akk* [hinein]bringen; **to ~ cash into a project** einem Projekt Geld zuschießen *fam* ❸ TECH einspritzen ❹ AEROSP **to ~ a spacecraft into an orbit** ein Raumfahrzeug in eine Umlaufbahn schießen

in·jec·tion [ɪn'dʒekʃ°n] *n* ❶ MED Spritze *f* ❷ (*addition*) **an ~ of cash** eine Geldspritze *fam;* **an ~ of enthusiasm/new life/optimism** ein Schuss Enthusiasmus/neues Leben/Optimismus ❸ TECH Einspritzung *f*

in·ju·di·cious [ˌɪndʒuː'dɪʃəs] *adj* (*form*) unklug; (*ill-considered*) unüberlegt

in·junc·tion [ɪn'dʒʌŋ(k)ʃ°n] *n* ❶ LAW [gerichtliche] Verfügung ❷ (*instruction*) Ermahnung *f*

in·jure [ɪn'dʒər] *vt* ❶ (*wound*) verletzen; **to ~ one's back/leg** sich *dat* den Rücken/das Bein verletzen ❷ (*damage*) schaden

in·jured ['ɪndʒəd] **I.** *adj* ❶ (*wounded*) verletzt ❷ (*offended*) verletzt ❸ LAW (*wronged*) **the ~ party** der/die Geschädigte **II.** *n* ■ **the ~** *pl* die Verletzten *pl*

in·ju·ry ['ɪndʒəri] *n* Verletzung *f*

in·jus·tice [ɪn'dʒʌstɪs] *n* Ungerechtigkeit *f*

ink [ɪŋk] **I.** *n* ❶ *no pl* (*for writing*) Tinte *f;* ART Tusche *f;* (*for stamp-pad*) Farbe *f;* TYPO Druckfarbe *f;* (*for newspapers*) Druckerschwärze *f* ❷ (*from octopus*) Tinte *f* **II.** *vt* ❶ TYPO einfärben ❷ ECON unterschreiben

'ink bot·tle *n* Tintenfass *nt* **ink-jet 'print·er** *n* Tintenstrahldrucker *m*

ink·ling ['ɪŋklɪŋ] *n* ❶ (*suspicion*) Ahnung *f;* **sb has an ~ of sth** jd ahnt etw ❷ (*hint*) Hinweis *m*

'ink-pad *n* Stempelkissen *nt*

inky ['ɪŋki] *adj* ❶ (*covered with ink*) tintenbefleckt ❷ (*very dark*) pechschwarz

in·laid [ɪn'leɪd] **I.** *adj* mit Intarsien *nach n;* **~ work** Intarsienarbeit *f* **II.** *vt pt, pp of* **inlay**

in·land I. *adj* ['ɪnlənd] *usu attr* ❶ (*not coastal*) *sea, shipping* Binnen-; *town, village* im Landesinneren *nach n* ❷ *esp* BRIT ADMIN, ECON (*domestic*) inländisch, Inland[s]-; **~ haulage/trade** Binnentransport *m/*-handel *m* **II.** *adv* ['ɪnlænd] (*direction*) ins Landesinnere; (*place*) im Landesinneren

In·land 'Rev·enue *n* BRIT, NZ ■ **the ~** ≈ das Finanzamt

in-laws ['ɪnlɔːz] *npl* Schwiegereltern *pl*

in·lay I. *n* ['ɪnleɪ] ❶ *no pl* (*embedded pattern*) Einlegearbeit[en] *f[pl]* ❷ MED (*for tooth*) Inlay *nt* **II.** *vt* <-laid, -laid> [ɪn'leɪ] *usu passive* einlegen

in·let ['ɪnlet] *n* ❶ GEOG [schmale] Bucht; (*of sea*) Meeresarm *m* ❷ TECH (*part of* machine) Einlass[kanal] *m*; (*pipe*) Zuleitung *f*

in·mate ['ɪnmeɪt] *n* Insasse(in) *m(f)*; **prison** ~ Gefängnisinsasse(in) *m(f)*

inn [ɪn] *n* Gasthaus *nt*

in·nards ['ɪnədz] *npl* ❶ ANAT Eingeweide *pl*; FOOD Innereien *pl* ❷ (*of machine*) Innere *nt kein pl*

in·nate [ɪˈneɪt] *adj* natürlich, angeboren

in·ner ['ɪnə'] *adj usu attr* ❶ (*interior*) Innen-, innere(r, s) *attr* ❷ (*emotional*) innere(r, s) *attr*; ~ **feelings** tiefste Gefühle; ~ **life** Innenleben *nt*

in·ner 'city *n* Innenstadt *f*, [Stadt]zentrum *nt* **in·ner·most** ['ɪnəmə(ʊ)st] *adj attr* ❶ (*furthest in*) innerste(r, s) ❷ (*most secret*) geheimste(r, s), intimste(r, s) **'inner tube** *n* Schlauch *m*

in·ning ['ɪnɪŋ] *n* SPORTS ❶ AM (*in baseball*) Inning *nt* ❷ BRIT ■ **~s** + *sing vb* (*in cricket*) Durchgang *m*

in·no·cence ['ɪnəsᵊn(t)s] *n no pl* Unschuld *f*

in·no·cent ['ɪnəsᵊnt] **I.** *adj* ❶ (*not guilty*) unschuldig ❷ (*approv: artless*) unschuldig ❸ (*uninvolved*) unbeteiligt; **an ~ victim** ein unschuldiges Opfer ❹ (*intending no harm*) unschuldig; *mistake* unbeabsichtigt ❺ (*harmless*) *substance* harmlos **II.** *n* **to be an ~** naiv sein

in·no·cent·ly ['ɪnəsᵊntli] *adv* ❶ (*not maliciously*) arglos ❷ (*not criminally*) ohne böse Absicht

in·nocu·ous [ɪˈnɒkjuəs] *adj* harmlos

in·no·vate ['ɪnə(ʊ)veɪt] *vi* ❶ (*introduce sth new*) Neuerungen einführen; (*be creative*) kreativ sein ❷ (*make changes*) sich erneuern

in·no·va·tion [ˌɪnə(ʊ)ˈveɪʃᵊn] *n* ❶ (*new thing*) Neuerung *f*; (*new product*) Innovation *f* ❷ *no pl* (*creating new things*) [Ver]änderung *f*

in·no·va·tive ['ɪnə(ʊ)veɪtɪv] *adj* ❶ (*original*) innovativ ❷ (*having new ideas*) kreativ

in·no·va·tor ['ɪnə(ʊ)veɪtə'] *n* Erneuerer, Erneuerin *m, f*

in·nu·en·do <*pl* -s *or* -es> [ˌɪnjuˈendəʊ] *n* ❶ (*insinuation*) Anspielung *f* (**about** auf) ❷ (*suggestive remark*) Zweideutigkeit *f* ❸ *no pl* (*suggestive quality*) Andeutungen *pl*

in·nu·mer·able [ɪˈnjuːmᵊrəbl] *adj* unzählig

in·nu·mer·ate [ɪˈnjuːmᵊrət] *adj esp* BRIT ■ **to be ~** nicht rechnen können

in·ocu·late [ɪˈnɒkjəleɪt] *vt* impfen (**against** gegen)

in·ocu·la·tion [ɪˌnɒkjəˈleɪʃᵊn] *n* Impfung *f*

in·of·fen·sive [ˌɪnəˈfen(t)sɪv] *adj* ❶ (*not causing offence*) *behaviour, person, remark* unauffällig ❷ (*not unpleasant*) *pattern, design* unaufdringlich

in·op·er·able [ɪˈnɒpᵊrəbl] *adj* ❶ MED (*not treatable*) inoperabel ❷ (*unable to function*) nicht funktionsfähig; (*not practicable*) undurchführbar

in·op·era·tive [ɪˈnɒpᵊrətɪv] *adj* (*form*) ❶ (*not in effect*) ungültig; **to be/become ~** *rule, regulation* außer Kraft sein/treten ❷ (*not working*) nicht funktionsfähig; ■ **to be ~** nicht funktionieren

in·op·por·tune [ɪˈnɒpətjuːn] *adj* ❶ (*inconvenient*) ungünstig ❷ (*unsuitable*) *remark* unpassend

in·or·di·nate [ɪˈnɔːdɪnət] *adj* (*pej form*) ungeheuere(r, s) *attr*, ungeheuerlich

in·or·gan·ic [ˌɪnɔːˈɡænɪk] *adj* CHEM anorganisch

'in-pa·tient *n* stationärer Patient/stationäre Patientin

in·put ['ɪnpʊt] **I.** *n* ❶ *no pl* (*resource put in*) Beitrag *m*; (*of work*) [Arbeits]aufwand *m*; (*of ideas, suggestions*) Beitrag *m* ❷ COMPUT, ELEC (*component*) Anschluss *m* ❸ *no pl* COMPUT (*ingoing information*) Input *m*; (*the typing in*) Eingabe *f* **II.** *adj* COMPUT (*buffer, data, file, port*) Eingabe- **III.** *vt* <-tt-, put, put> COMPUT (*store in computer*) eingeben; (*with a scanner*) einscannen

in·quest ['ɪŋkwest] *n* ❶ LAW gerichtliche Untersuchung [der Todesursache]; **to hold an ~** [**into sth**] [etw] gerichtlich untersuchen ❷ ECON (*fig*) Untersuchung *f*; **to hold an ~** [**into sth**] eine Untersuchung [einer S. *gen*] durchführen

in·quire *vt, vi esp* AM *see* **enquire**

in·quir·ing *adj esp* AM *see* **enquiring**

in·quir·ing·ly *adv esp* AM *see* **enquiringly**

in·quiry *n esp* AM *see* **enquiry**

in·qui·si·tion [ˌɪŋkwɪˈzɪʃᵊn] *n* ❶ (*pej: unfriendly questioning*) Verhör *nt* ❷ HIST ■ **the I~** die Inquisition

in·quisi·tive [ɪnˈkwɪzətɪv] *adj* ❶ (*eager to know*) wissbegierig; (*curious*) neugierig; *look, face* fragend *attr*; *child* fragelustig ❷ (*pej: prying*) *person* neugierig

in·road ['ɪnrəʊd] *n usu pl* ❶ (*reduce noticeably*) **to make ~s into sth** *money, savings* tiefe Löcher in etw *akk* reißen; *object, pile* sich an etw *dat* vergreifen *fam* ❷ (*make progress*) **to make ~s** [**into sth**] [bei etw *dat*] weiterkommen ❸ (*raid*) **to make ~s** [**into sth**] [in etw *akk*] vorstoßen; **to make ~s on sth** in etw *akk* einfallen

in·rush ['ɪnrʌʃ] *n usu sing of water* Einbruch *m; of people* Zustrom *m*

in·sa·lu·bri·ous [ˌɪnsə'lu:briəs] *adj (form: unwholesome)* schädlich; *(unhealthy)* ungesund; *(dirty)* verschmutzt

ins and outs [ˌɪnzən(d)'aʊts] *n* ■ **the ~ of sth** die Details *pl* einer S. *gen*

in·sane [ɪn'seɪn] *adj* ❶ PSYCH geistesgestört ❷ *(fam: crazy)* verrückt

in·sane·ly [ɪn'seɪnli] *adv* wahnsinnig; ~ **jealous** krankhaft eifersüchtig

in·sani·tary [ɪn'sænɪtᵊri] *adj* unhygienisch

in·san·ity [ɪn'sænəti] *n no pl (also fig)* Wahnsinn

in·sa·tiable [ɪn'seɪʃəbl] *adj appetite, demand, thirst* unstillbar; *person* unersättlich

in·scribe [ɪn'skraɪb] *vt* ❶ *(form: write)* schreiben **(on** auf); *(cut into metal)* eingravieren **(on** auf); *(cut into stone)* einmeißeln **(on** auf) ❷ *(dedicate)* ■ **to ~ sth to sb** jdm etw widmen

in·scrip·tion [ɪn'skrɪpʃᵊn] *n* ❶ *(inscribed words)* Inschrift *f* ❷ *(in book)* Widmung *f*

in·scru·table [ɪn'skru:təbl] *adj expression, look, smile* undurchdringlich; *person* undurchschaubar

in·sect ['ɪnsekt] *n* Insekt *nt;* ~ **bite** Insektenstich *m*

in·sec·ti·cide [ɪn'sektɪsaɪd] *n* Insektenvernichtungsmittel *nt*

in·se·cure [ˌɪnsɪ'kjʊəʳ] *adj* ❶ *(lacking confidence)* unsicher ❷ *(precarious)* unsicher ❸ *(not fixed securely)* nicht fest; *(unsafe)* unstabil

in·se·cu·rity [ˌɪnsɪ'kjʊərəti] *n no pl* Unsicherheit *f;* **a sense of ~** eine innere Unsicherheit

in·semi·nate [ɪn'semɪneɪt] *vt animal* besamen; *woman* [künstlich] befruchten

in·semi·na·tion [ɪnˌsemɪ'neɪʃᵊn] *n no pl* Befruchtung *f; of animals* Besamung *f*

in·sen·sible [ɪn'sen(t)səbl] *adj (form)* ❶ *(unconscious)* bewusstlos ❷ *(physically)* gefühllos; *(not feeling pain)* [schmerz]unempfindlich ❸ *pred (indifferent)* unempfänglich **(to** für); *(unfeeling)* gefühllos ❹ *pred (unaware)* ■ **to be ~ of sth** sich *dat* einer S. *gen* nicht bewusst sein ❺ *(imperceptible)* unmerklich

in·sen·si·tive [ɪn'sen(t)sətɪv] *adj* ❶ *(pej: uncaring)* person gefühllos; *remark* taktlos ❷ *(pej: unappreciative)* gleichgültig; ■ **to be ~ to sth** etw *dat* gegenüber gleichgültig sein ❸ *usu pred (physically)* unempfindlich; ■ **to be ~ to sth** etw *dat* gegenüber unempfindlich sein

in·sepa·rable [ɪn'sepᵊrəbl] *adj* ❶ *(emotionally)* unzertrennlich ❷ *(physically)* untrennbar [miteinander verbunden] ❸ LING untrennbar

in·sert I. *vt* [ɪn'sɜ:t] ■ **to ~ sth [into sth]** ❶ *(put into)* etw [in etw *akk*] [hinein]stecken; *coins* etw [in etw *akk*] einwerfen ❷ *(into text)* etw [in etw *akk*] einfügen; *(on form)* etw [in etw *akk*] eintragen **II.** *n* ['ɪnsɜːt] ❶ *(extra pages)* Werbebeilage[n] *f[pl]* ❷ *(in shoe)* Einlage *f; (in clothing)* Einsatz *m*

in·ser·tion [ɪn'sɜ:ʃᵊn] *n* ❶ *no pl (act of inserting)* Einlegen *nt,* Einsetzen *nt; (into a slot)* Einführen *nt; of coins* Einwurf *m; (into text)* Ergänzung *f* ❷ *(sth inserted)* Zusatz *m* ❸ *(in newspaper)* Erscheinen *nt*

'in·ser·vice *adj attr* ~ **course** [innerbetriebliche] Fortbildung

in·set I. *n* ['ɪnset] ❶ *(inserted thing)* Einsatz *m* ❷ *(in map)* Nebenkarte *f; (in picture)* Nebenbild *nt* ❸ TYPO *(added page)* Einlage *f,* Beilage *f* **II.** *vt* <-set *or* -setted, -set *or* -setted> [ˌɪn'set] ■ **to ~ sth [into** *or* **in] sth]** ❶ *(insert)* etw [in etw *akk*] einsetzen; **a gold necklace ~ with rubies** eine Goldkette mit eingelassenen Rubinen ❷ TYPO etw [in etw *akk*] einfügen

in·shore [ˌɪn'ʃɔ:ʳ] **I.** *adj* Küsten-, in Küstennähe *nach n* **II.** *adv* in Richtung Küste

in·side [ˌɪn'saɪd] **I.** *n* ❶ *no pl (interior)* Innere *nt;* **from the ~** von innen ❷ *(inner surface) of hand, door* Innenseite *f; (inner lane)* Innenspur *f;* SPORTS Innenbahn *f* ❸ *(within an organization)* Innere *nt;* **someone on the ~** ein Insider ❹ *(mind)* **who knows what she was feeling on the ~** wer weiß wie es in ihr aussah ❺ *(inside information)* **to have the ~ on sth** vertrauliche Information[en] über etw *akk* haben **II.** *adv* ❶ *(in the interior)* innen ❷ *(indoors)* innen; *(direction)* hinein; *(into the house)* ins Haus ❸ *(fig: within oneself)* im Inneren ❹ *(sl: in prison)* hinter Gittern **III.** *adj attr* ❶ *(inner)* Innen-, innere(r, s) ❷ *(indoor)* Innen- **IV.** *prep* ■ ~ **sth** *(direction)* in etw *akk* [hinein]; *(location)* in etw *dat;* **he finished it ~ of two hours** er war in weniger als zwei Stunden damit fertig; **to be ~ the record** unter der Rekordzeit liegen

in·sid·er [ɪn'saɪdəʳ] *n* Insider(in) *m(f)*

in·sidi·ous [ɪn'sɪdiəs] *adj* heimtückisch

in·sidi·ous·ly [ɪn'sɪdiəsli] *adv* heimtückisch, schleichend *attr*

in·sight ['ɪnsaɪt] *n* ❶ *(perception)* Einsicht *f,* Einblick *m* **(into** in); **to gain an ~ into sth/sb** jdn/etw verstehen lernen; **to**

give sb an ~ into sth jdm einen Einblick in etw *akk* geben ❷ *no pl* (*perceptiveness*) Verständnis *nt;* **to have ~ into sth** etw verstehen; (*sympathetically*) sich in etw *akk* einfühlen können

in·sig·nia <*pl - or* -s> [ɪnˈsɪgniə] *n* Insigne *nt*

in·sig·nifi·cance [ˌɪnsɪgˈnɪfɪkᵊn(t)s] *n no pl* Belanglosigkeit *f*

in·sig·nifi·cant [ˌɪnsɪgˈnɪfɪkᵊnt] *adj* ❶ (*trifling*) unbedeutend ❷ (*trivial*) belanglos ❸ (*undistinguished*) unbedeutend

in·sin·cere [ˌɪnsɪnˈsɪəʳ] *adj* unaufrichtig; *person* falsch; *smile, praise* unecht; *flattery* heuchlerisch

in·sinu·ate [ɪnˈsɪnjueɪt] *vt* ❶ (*imply*) andeuten ❷ (*form: slide*) ■ **to ~ sth into sth** etw vorsichtig in etw *akk* schieben ❸ (*pej form: worm one's way*) ■ **to ~ oneself into sth** sich in etw *akk* [ein]schleichen

in·sinu·at·ing [ɪnˈsɪnjueɪtɪŋ] *adj* (*implying sth unpleasant*) boshaft, provozierend; (*implying sth salacious*) zweideutig

in·sinu·ation [ɪnˌsɪnjuˈeɪʃᵊn] *n* Unterstellung *f*

in·sip·id [ɪnˈsɪpɪd] *adj* (*pej*) ❶ (*dull*) stumpfsinnig ❷ (*bland*) fade

in·sist [ɪnˈsɪst] **I.** *vi* ❶ (*demand*) bestehen (**on/upon** auf) ❷ (*continue annoyingly*) ■ **to ~ on doing sth** sich nicht von etw *dat* abbringen lassen ❸ (*maintain forcefully*) ■ **to ~ on sth** auf etw *dat* beharren **II.** *vt* ■ **to ~ that ...** ❶ (*state forcefully*) fest behaupten, dass ... ❷ (*demand forcefully*) darauf bestehen, dass ...

in·sist·ence [ɪnˈsɪstᵊn(t)s] *n no pl* Bestehen *nt* (**on** auf)

in·sist·ent [ɪnˈsɪstᵊnt] *adj* ❶ *usu pred* (*determined*) beharrlich ❷ (*forceful*) *appeals, demands* nachdrücklich ❸ (*repeated*) wiederholt

in·so·far as [ˌɪnsə(ʊ)ˈfɑːræz] *adv* (*form*) soweit

in·sole [ˈɪnsəʊl] *n* Einlegesohle *f;* (*part of shoe*) Innensohle *f*

in·so·lence [ˈɪn(t)sᵊlən(t)s] *n no pl* Unverschämtheit *f*

in·so·lent [ˈɪn(t)sᵊlənt] *adj* unverschämt

in·so·lent·ly [ˈɪn(t)sᵊləntli] *adv* unverschämt, frech

in·sol·uble [ɪnˈsɒljəbl] *adj* ❶ *puzzle, problem* unlösbar ❷ *minerals, substances* nicht löslich

in·sol·ven·cy [ɪnˈsɒlvᵊn(t)si] *n no pl* Zahlungsunfähigkeit *f*

in·sol·vent [ɪnˈsɒlvᵊnt] **I.** *adj* zahlungsunfähig **II.** *n* **to be an ~** zahlungsunfähig sein

in·som·nia [ɪnˈsɒmniə] *n no pl* Schlaflosigkeit *f*

in·som·ni·ac [ɪnˈsɒmniæk] *n* **to be an ~** an Schlaflosigkeit leiden

in·spect [ɪnˈspekt] *vt* ❶ (*examine carefully*) untersuchen ❷ (*examine officially*) kontrollieren ❸ MIL *troops* inspizieren

in·spec·tion [ɪnˈspekʃᵊn] *n* ❶ (*examination*) [Über]prüfung *f;* **to carry out an ~ of sth** etw einer Überprüfung unterziehen ❷ (*by officials*) Kontrolle *f* ❸ (*of troops*) Inspektion *f*

in·spec·tor [ɪnˈspektəʳ] *n* ❶ (*person who inspects*) Inspektor(in) *m(f);* **tax ~** Steuerprüfer(in) *m(f);* **ticket ~** [Fahrkarten]kontrolleur(in) *m(f)* ❷ (*police rank*) Inspektor(in) *m(f)*

in·spi·ra·tion [ˌɪn(t)spəʳˈeɪʃᵊn] *n* ❶ *no pl* (*creative stimulation*) Inspiration *f;* **to lack ~** fantasielos sein ❷ (*sth inspiring*) Inspiration *f* ❸ (*good idea*) Idee *f*

in·spire [ɪnˈspaɪəʳ] *vt* ❶ (*stimulate creatively*) inspirieren ❷ (*arouse*) ■ **to ~ sth [in sb]** *fear, hope, optimism* etw [bei jdm] hervorrufen; **they don't ~ me with confidence** sie wirken nicht Vertrauen erweckend auf mich ❸ (*lead to*) ■ **to ~ sth** zu etw *dat* führen

in·spired [ɪnˈspaɪəd] *adj* ❶ (*stimulated*) *poet, athlete* inspiriert ❷ (*approv: excellent*) großartig ❸ (*motivated*) **a politically ~ strike** ein politisch motivierter Streik

in·sta·bil·ity [ˌɪnstəˈbɪləti] *n no pl* ❶ (*also fig*) *of building, structure* Instabilität *f* ❷ PSYCH Labilität *f*

in·stall [ɪnˈstɔːl], AM **in·stal** <-ll-> *vt* ❶ TECH (*put in position*) *machinery* aufstellen; *computers, heating, plumbing* installieren; *bathroom, kitchen* einbauen; *electrical wiring, pipes* verlegen; *telephone, washing machine* anschließen ❷ (*ceremonially*) einsetzen; **to ~ sb as archbishop/mayor** jdn als Erzbischof/Bürgermeister in sein Amt einführen ❸ (*position*) **to ~ sb/oneself at a desk** jdm einen Schreibtisch zuweisen/sich einen Schreibtisch aussuchen

in·stal·la·tion [ˌɪnstəˈleɪʃᵊn] *n* ❶ *no pl* TECH *of machinery* Aufstellen *nt; of an appliance, heating, plumbing* Installation *f; of kitchen, bathroom* Einbau *m; of electrical wiring, pipes* Verlegung *f; of telephone, washing machine* Anschluss *m;* AM, AUS *of carpet* Verlegen *nt* ❷ (*facility*) Anlage *f* ❸ (*in office*) Amtseinsetzung *f kein pl* ❹ ART (*sculpture*) Installation *f*

in·stal·ment [ɪnˈstɔːlmənt] *n*, AM **in·stall·ment** ❶ (*part*) Folge *f* ❷ ECON, FIN Rate *f*

in·stance [ˈɪn(t)stən(t)s] *n* ❶ (*particular*

case) Fall *m;* **in this ~** in diesem Fall ❷ (*example*) **for ~** zum Beispiel ❸ (*form: in argumentation*) **in the first ~** (*at first*) zunächst; (*in the first place*) von vorne herein

in·stant ['ɪn(t)stənt] **I.** *n* ❶ (*moment*) Moment *m,* Augenblick *m;* **the next ~** im nächsten Moment; **this ~** sofort ❷ (*as soon as*) ■ **the ~** sobald **II.** *adj* ❶ (*immediate*) sofortige(r, s) *attr;* **the film was an ~ success** der Film war sofort ein Erfolg; **to take ~ effect** sofort wirken ❷ FOOD **~ coffee** Pulverkaffee *m;* **~ soup** (*in bags*) Tütensuppe *f;* (*in tins*) Dosensuppe *f* ❸ *attr* (*liter: urgent*) dringend

in·stan·ta·neous [ˌɪn(t)stən'teɪniəs] *adj* *effect, reaction* unmittelbar

in·stan·ta·neous·ly [ˌɪn(t)stən'teɪniəsli] *adv* sofort, unmittelbar

in·stant·ly ['ɪn(t)stəntli] *adv* sofort

in·stant 're·play *n* TV Wiederholung *f*

in·stead [ɪn'sted] **I.** *adv* stattdessen **II.** *prep* ■ **~ of sth/sb** [an]statt einer S./einer Person *gen;* **Sue volunteered to go ~ of Jean** Sue bot sich an, an Jeans Stelle zu gehen; ■ **~ of doing sth** [an]statt etw zu tun

in·step ['ɪnstep] *n* ❶ (*of foot*) Spann *m* ❷ (*of shoe*) Blatt *nt*

in·sti·gate ['ɪn(t)stɪgeɪt] *vt* ❶ (*initiate*) einleiten ❷ (*pej: incite*) *revolt, strike* anzetteln

in·sti·ga·tion [ˌɪn(t)stɪ'geɪʃ°n] *n* *no pl* (*form*) Anregung *f* (**of** zu); (*incitement*) Anstiftung *f* (**of** zu)

in·sti·ga·tor ['ɪn(t)stɪgeɪtəʳ] *n* Initiator(in) *m(f);* (*inciter*) Anstifter(in) *m(f)*

in·stil <-ll-> [ɪn'stɪl], AM **in·still** *vt* ■ **to ~ sth into sb** *a feeling* jdm etw einflößen; *knowledge* jdm etw beibringen

in·stinct ['ɪn(t)stɪŋ(k)t] *n* ❶ (*natural response*) Instinkt *m;* **her first ~ was to shout** ihr erster Impuls war zu schreien; **to have an ~ for sth** einen Riecher für etw *akk* haben *fam* ❷ *no pl* (*innate behaviour*) Instinkt *m;* **to do sth by/on ~** etw instinktiv tun

in·stinc·tive [ɪn'stɪŋ(k)tɪv] *adj* instinktiv; (*innate*) natürlich, angeboren

in·stinc·tive·ly [ɪn'stɪŋ(k)tɪvli] *adv* instinktiv

in·sti·tute ['ɪn(t)stɪtjuːt] **I.** *n* Institut *nt;* (*of higher education*) Hochschule *f* **II.** *vt* ❶ (*establish*) *system, reform* einführen ❷ (*initiate*) *steps, measures* einleiten; *legal action* anstrengen

in·sti·tu·tion [ˌɪn(t)stɪ'tjuːʃ°n] *n* ❶ *no pl* (*establishment*) Einführung *f* ❷ (*esp pej:*

building) Heim *nt,* Anstalt *f* ❸ (*custom*) *also of person* Institution *f* ❹ (*organization*) Einrichtung *f*

in·sti·tu·tion·al [ˌɪn(t)stɪ'tjuːʃ°n°l] *adj* ❶ (*pej*) Anstalts-, Heim- ❷ (*organizational*) institutionell; (*established*) institutionalisiert, etabliert

in·sti·tu·tion·al·ize [ˌɪn(t)stɪ'tjuːʃ°nəlaɪz] *vt* ❶ (*place in care*) ■ **to ~ sb** jdn in ein Heim einweisen ❷ (*make into custom*) ■ **to ~ sth** etw institutionalisieren *geh*

in·struct [ɪn'strʌkt] *vt* ❶ (*teach*) ■ **to ~ sb in sth** jdm etw beibringen ❷ (*order*) anweisen ❸ BRIT, AUS *solicitor, counsel* beauftragen

in·struc·tion [ɪn'strʌkʃ°n] *n* ❶ *usu pl* (*order*) Anweisung *f* ❷ *no pl* (*teaching*) Unterweisung *f;* **to give sb ~ in sth** jdm etw beibringen ❸ (*directions*) ■ **~s** *pl* Anweisung *f;* **~s for use** Gebrauchsanweisung *f*

in·'struc·tion book *n,* **in·'struc·tion manu·al** *n of a computer* Handbuch *nt; of a machine/device* Gebrauchsanweisung *f*

in·'struc·tion leaf·let *n* Informationsblatt *nt;* (*for use*) Gebrauchsanweisung *f*

in·struc·tive [ɪn'strʌktɪv] *adj* (*approv*) lehrreich, aufschlussreich

in·struc·tor [ɪn'strʌktəʳ] *n* ❶ (*teacher*) Lehrer(in) *m(f);* **driving/ski ~** Fahr-/Skilehrer(in) *m(f)* ❷ AM (*at university*) Dozent(in) *m(f)*

in·stru·ment ['ɪnstrəmənt] *n* ❶ (*tool, measuring device*) *also* MUS Instrument *nt;* **a blunt ~** ein schwerer, stumpfer Gegenstand ❷ (*means*) Mittel *nt*

in·stru·men·tal [ˌɪn(t)strə'ment°l] **I.** *adj* ❶ MUS instrumental ❷ (*influential*) förderlich; **he was ~ in bringing about much needed reforms** er war maßgeblich daran beteiligt, längst überfällige Reformen in Gang zu setzen **II.** *n* Instrumental[stück] *nt*

in·stru·men·ta·tion [ˌɪn(t)strəmən'teɪʃ°n] *n* ❶ *no pl* MUS (*arrangement*) Arrangement *nt* ❷ MUS (*instruments*) Instrumentation *f fachspr* ❸ *no pl* TECH (*instruments collectively*) Instrumente *pl*

'in·stru·ment board *n,* **'in·stru·ment pan·el** *n* AUTO Armaturenbrett *nt;* AVIAT, NAUT Instrumententafel *f*

in·sub·or·di·nate [ˌɪnsə'bɔːdənət] *adj* ungehorsam, aufsässig

in·sub·stan·tial [ˌɪnsəb'stæn(t)ʃ°l] *adj* ❶ (*unconvincing*) *argument, evidence* fadenscheinig; *plot, meal* dürftig ❷ (*small*) *meal* [sehr] klein ❸ (*form: not real*) unbegründet

in·suf·fer·able [ɪn'sʌfᵊrəbl] *adj* (*pej*) unerträglich; *person* unausstehlich

in·suf·fi·cien·cy [ˌɪnsə'fɪʃⁿ(t)si] *n no pl* Mangel *m* (**of** an)

in·suf·fi·cient [ˌɪnsə'fɪʃⁿnt] *adj* zu wenig *präd*, unzureichend

in·suf·fi·cient·ly [ˌɪnsə'fɪʃⁿntli] *adv* ungenügend, unzureichend, unzulänglich

in·su·lar ['ɪn(t)sjələʳ] *adj* ❶ (*pej: parochial*) provinziell ❷ GEOG Insel-

in·su·lar·ity [ˌɪn(t)sjə'lærəti] *n no pl* (*pej*) Provinzialität *f*

in·su·late ['ɪn(t)sjəleɪt] *vt* ❶ (*protect*) *roof, room, wire* isolieren ❷ (*fig: shield*) [be]schützen (**from** vor)

in·su·lat·ing ['ɪn(t)sjəleɪtɪŋ] *adj layer, material, tape* Isolier-

in·su·la·tion [ˌɪn(t)sjə'leɪʃⁿn] *n no pl* ❶ (*material, action*) Isolierung *f* ❷ (*fig: protection*) Schutz *m*

in·su·lin ['ɪn(t)sjəlɪn] *n no pl* Insulin *nt*

in·sult I. *vt* [ɪn'sʌlt] beleidigen; **to feel/be ~ed** beleidigt sein II. *n* ['ɪnsʌlt] ❶ (*offensive remark*) Beleidigung *f* ❷ (*affront*) **to be an ~ to sb/sth** für jdn/etw eine Beleidigung sein; **an ~ to sb's intelligence** jds Intelligenz beleidigen ▸ **to add ~ to injury** um dem Ganzen die Krone aufzusetzen

in·sult·ing [ɪn'sʌltɪŋ] *adj* beleidigend

in·sult·ing·ly [ɪn'sʌltɪŋli] *adv* beleidigend; **the questions were ~ easy** die Fragen waren lächerlich einfach

in·su·per·able [ɪn'suːpᵊrəbl] *adj* (*form*) unüberwindlich

in·sup·port·able [ˌɪnsə'pɔːtəbl] *adj* unerträglich

in·sur·ance [ɪn'ʃʊəʳn(t)s] *n* ❶ *no pl* (*financial protection*) Versicherung *f;* **to have ~** [**against sth**] [gegen etw *akk*] versichert sein; **to take out ~** [**against sth**] sich [gegen etw *akk*] versichern ❷ *no pl* (*payout*) Versicherungssumme *f* ❸ *no pl* (*premium*) [Versicherungs]prämie *f* ❹ *no pl* (*profession*) Versicherungswesen *nt* ❺ (*protective measure*) Absicherung *f*

in·'sur·ance bro·ker *n* Versicherungsmakler(in) *m(f)* **in·'sur·ance com·pa·ny** *n* Versicherung[sgesellschaft] *f* **in·'sur·ance poli·cy** *n* ❶ (*contract*) Versicherungspolice *f* ❷ (*fig: alternative*) **as an ~** zur Sicherheit **in·'sur·ance pre·mium** *n* [Versicherungs]prämie *f*

in·sure [ɪn'ʃʊəʳ] I. *vt* versichern (**against** gegen) II. *vi* ❶ (*protect oneself*) ▪ **to ~ against sth** sich gegen etw *akk* absichern ❷ (*take insurance*) sich versichern (**with** bei)

in·sured [ɪn'ʃʊəd] I. *adj* ▪ **to be ~** *object,*

person versichert sein II. *n* LAW ▪ **the ~** der/die Versicherte

in·sur·er [ɪn'ʃʊəʳəʳ] *n* ❶ (*agent*) Versicherungsvertreter(in) *m(f)* ❷ *esp pl* (*company*) Versicherung[sgesellschaft] *f*

in·sur·gent [ɪn'sɜːdʒⁿnt] I. *n* ❶ (*rebel*) Aufständische(r) *f(m)*, Aufrührer(in) *m(f)* ❷ AM POL *Parteimitglied, das sich der Parteidisziplin nicht beugt* II. *adj attr* aufständisch

in·sur·mount·able [ˌɪnsə'maʊntəbl] *adj* unüberwindlich

in·sur·rec·tion [ˌɪnsᵊr'ekʃⁿn] *n* Aufstand *m*

in·tact [ɪn'tækt] *adj usu pred* ❶ (*physically*) intakt ❷ (*fig: morally*) unversehrt

in·take ['ɪnteɪk] I. *n* ❶ (*act*) *of drink, food, vitamins* Aufnahme *f;* **~ of breath** Luftholen *nt* ❷ (*amount*) aufgenommene Menge; **alcohol ~** Alkoholkonsum *m;* **~ of calories** Kalorienzufuhr *f* ❸ (*number of people*) Aufnahmequote *f;* MIL Rekrutierung *f* ❹ MECH, TECH Einlassöffnung *f* II. *adj* Ansaug-, Saug-

in·tan·gible [ɪn'tændʒəbl] I. *adj* nicht greifbar; *fear, feeling, longings* unbestimmbar II. *n* das Unbestimmte; (*personal quality*) Eigenschaft *f*

in·te·ger ['ɪntɪdʒəʳ] *n* MATH ganze Zahl

in·te·gral ['ɪntɪgrəl] I. *adj* ❶ (*central, essential*) wesentlich ❷ (*whole*) vollständig ❸ (*built-in*) eingebaut ❹ MATH Integral- II. *n* MATH Integral *nt*

in·te·grate ['ɪntɪgreɪt] I. *vt* integrieren (**into** in); ▪ **to ~ sth with sth** etw [auf etw *akk*] abstimmen II. *vi* sich integrieren; AM SCH (*hist*) *Schulen für Schwarze zugänglich machen*

in·te·grat·ed ['ɪntɪgreɪtɪd] *adj plan, piece of work* einheitlich; ▪ **to be ~ into sth** *ethnic community, person* in etw *akk* integriert sein; **~ school** AM (*hist*) Schule *f* ohne Rassentrennung

in·te·grat·ed 'cir·cuit *n,* **IC** *n* ELEC integrierter Schaltkreis

in·te·gra·tion [ˌɪntɪ'greɪʃⁿn] *n no pl* ❶ (*cultural assimilation*) Integration *f;* **~ of disabled people** Eingliederung *f* von Behinderten; **racial ~** Rassenintegration *f* ❷ (*unification, fusion*) Zusammenschluss *m;* (*combination*) Kombination *f* ❸ PHYS, PSYCH Integration *f fachspr*

in·teg·rity [ɪn'tegrəti] *n no pl* ❶ (*moral uprightness*) Integrität *f* ❷ (*form: unity, wholeness*) Einheit[lichkeit] *f*

in·tel·lect ['ɪntᵊlekt] *n* ❶ *no pl* (*faculty*) Verstand *m,* Intellekt *m* ❷ (*person*) großer Denker/große Denkerin

in·tel·lec·tual [ˌɪntᵊl'ektjuəl] I. *n* Intellek-

tuelle(r) *f(m)* **II.** *adj activity, climate, interests* intellektuell, geistig

in·tel·li·gence [ɪn'telɪdʒ³n(t)s] *n no pl*
❶ (*brain power*) Intelligenz *f* ❷ + *sing/
pl vb* (*department*) Geheimdienst *m;*
military ~ militärischer Geheimdienst
❸ + *sing/pl vb* (*inside information*) [nach-
richtendienstliche] Informationen; **according to our latest ~** unseren letzten Meldungen zufolge

in·'tel·li·gence ser·vice *n* Geheimdienst *m* **in·'tel·li·gence test** *n* Intelligenztest *m*

in·tel·li·gent [ɪn'telɪdʒ³nt] *adj* klug, intelligent

in·tel·li·gent de·'sign *n no pl* Intelli-
gent-Design *nt* (*Glaubensrichtung, die davon ausgeht, dass die Evolution von einer
göttlichen Kraft gelenkt wurde*)

in·tel·li·gent·sia [ɪn,telɪ'dʒentsiə] *n*
+ *sing/pl vb* ■**the ~** die Intellektuellen
pl

in·tel·li·gible [ɪn'telɪdʒəbl] *adj* verständlich; **hardly ~** schwer verständlich; *handwriting* leserlich

in·tend [ɪn'tend] *vt* ❶ (*plan*) beabsichtigen;
to ~ no harm nichts Böses wollen; **what
do you ~ to do about it?** was willst du in
der Sache unternehmen?; **I don't think
she ~ed me to hear the remark** ich
glaube nicht, dass ich die Bemerkung hören sollte ❷ (*express, intimate*) ■**to be
~ed** beabsichtigt sein; **it was ~ed as a
compliment, honestly!** es sollte ein Kompliment sein, ehrlich!; **no disrespect ~ed**
[das] war nicht böse gemeint ❸ *usu passive*
(*earmark, destine*) ■**to be ~ed for sth** für
etw *akk* gedacht sein

in·tend·ed [ɪn'tendɪd] *adj* vorgesehen, beabsichtigt; LAW geplant

in·tense [ɪn'ten(t)s] *adj* ❶ (*concentrated,
forceful*) intensiv; *odour* stechend; *cold*
bitter; *desire, heat* glühend; *disappointment* herb; *excitement* groß; *feeling,
friendship* tief; *hatred* rasend; *love* leidenschaftlich; *pain* heftig; *wind* stark ❷ (*demanding, serious*) ernst

in·tense·ly [ɪn'ten(t)sli] *adv* ❶ (*extremely*)
äußerst, ausgesprochen; **~ hot** extrem
heiß; **to hate sb ~** jdn zutiefst hassen; **to
love sb ~** jdn abgöttisch lieben ❷ (*strong
emotion*) intensiv; **he spoke so ~ that ...**
er sprach mit solchem Nachdruck, dass ...

in·ten·si·fi·ca·tion [ɪn,ten(t)sɪfɪ'keɪʃ³n] *n
no pl* Verstärkung *f,* Intensivierung *f;* **~ of
the fighting** Eskalation *f* der Kämpfe

in·ten·si·fy <-ie-> [ɪn'ten(t)sɪfaɪ] **I.** *vt* intensivieren; *conflict* verschärfen; *fears* verstärken; *pressure* erhöhen **II.** *vi heat*

stärker werden; *fears, competition, pain
also* zunehmen

in·ten·si·ty [ɪn'ten(t)səti] *n no pl* Stärke *f;
of feelings* Intensität *f; of explosion, anger*
Heftigkeit *f;* **~ of light** Lichtstärke *f*

in·ten·sive [ɪn'ten(t)sɪv] *adj* intensiv;
analysis gründlich; *bombardment* heftig;
~ course Intensivkurs *m*

in·ten·sive 'care *n no pl* Intensivpflege *f;*
to be in ~ auf der Intensivstation sein

in·ten·sive·ly [ɪn'tensɪvli] *adv* intensiv

in·tent [ɪn'tent] **I.** *n* Absicht *f;* ■**with ~ to
do sth** mit dem Vorsatz, etw zu tun; **with
good ~** in guter Absicht **II.** *adj* ❶ *pred*
(*absorbed*) aufmerksam; **~ look** forschender Blick; ■**to be ~ on sth** sich auf
etw *akk* konzentrieren ❷ *pred* (*determined*) ■**to be ~ on sth** auf etw *akk* versessen sein; ■**to be ~ on doing sth** fest
entschlossen sein, etw zu tun

in·ten·tion [ɪn'ten(t)ʃ³n] *n* Absicht *f;* **I still
don't know what his ~s are** ich weiß
noch immer nicht, was er genau vorhat; **it
wasn't my ~ to exclude you** ich wollte
Sie nicht ausschließen; **to be full of good
~s** voller guter Vorsätze sein

in·ten·tion·al [ɪn'ten(t)ʃ³n³l] *adj* absichtlich

in·ten·tion·al·ly [ɪn'ten(t)ʃ³n³li] *adv* absichtlich, mit Absicht

inter·act [,ɪntə'rækt] *vi* aufeinander einwirken

inter·ac·tion [,ɪntə'rækʃ³n] *n* Wechselwirkung *f; of groups, people* Interaktion *f*

inter·ac·tive [,ɪntə'ræktɪv] *adj* interaktiv;
~ TV interaktives Fernsehen **inter·ac·tiv-
ity** [,ɪntəræk'tɪvəti] *n* TV, COMPUT Interakti-
vität *f* **inter·breed** <-bred, -bred>
[,ɪntə'briːd] **I.** *vt cattle, sheep* kreuzen
II. *vi* sich kreuzen

inter·cede [,ɪntə'siːd] *vi* ■**to ~** [**with sb
on behalf of sb**] sich [bei jdm für jdn] einsetzen; **to ~ in an argument** in einem
Streit vermitteln

inter·cept [,ɪntə'sept] *vt person, message,
illegal goods* abfangen; **~ a call** eine Fang-
schaltung legen; **to ~ a pass** SPORTS einen
Pass abfangen

inter·cep·tion [,ɪntə'sepʃ³n] *n* Abfangen *nt; of calls* Abhören *nt*

inter·cep·tor [,ɪntə'septər] *n* MIL Abfangjä-
ger *m*

inter·ces·sion [,ɪntə'seʃ³n] *n* Fürsprache *f,*
Vermittlung *f*

inter·change I. *n* ['ɪntətʃeɪndʒ] ❶ (*form*)
Austausch *m;* **~ of ideas** Gedankenaus-
tausch *m* ❷ (*road*) [Autobahn]kreuz *nt*
❸ (*station*) Umsteigebahnhof *m* **II.** *vt*

intent

enquiring about intent	nach Absicht fragen
What are you trying to achieve by that?	Was bezwecken Sie damit?
What's the point of all this?	Was hat das alles für einen Sinn?
What are you trying to say?	Auf was wollen Sie da hinaus?
What do you actually mean by that?	Was wollen Sie damit eigentlich sagen?

expressing intent	Absicht ausdrücken
I'm going to wallpaper the living room this month.	Ich habe vor, diesen Monat noch das Wohnzimmer zu tapezieren.
I'm planning a trip to Italy next year.	Ich habe für nächstes Jahr eine Reise nach Italien geplant.
I intend to institute proceedings against the company.	Ich beabsichtige, Klage gegen die Firma zu erheben.
The mousse au chocolat has rather caught my eye.	Ich habe als Dessert eine Mousse au Chocolat ins Auge gefasst.
I've set my mind on getting a pilot's licence.	Ich habe mir fest vorgenommen, den Pilotenschein zu machen.
She set her heart on a holiday in Italy.	Sie hat sich einen Urlaub in Italien in den Kopf gesetzt.

expressing lack of intent	Absichtslosigkeit ausdrücken
I didn't mean to do that.	Das war nicht meine Absicht.
I'm not interested in telling you what you should or should not do.	Ich habe nicht die Absicht, dir irgendwelche Vorschriften zu machen.
That's the last thing I want to do.	Das liegt mir völlig fern.
I am not after your money.	Ich habe es nicht auf Ihr Geld abgesehen.

[ˌɪntə'tʃeɪndʒ] *ideas, information* austauschen **III.** *vi* [ˌɪntə'tʃeɪndʒ] [aus]wechseln **inter·change·able** [ˌɪntə'tʃeɪndʒəbl] *adj* austauschbar; *word* synonym **inter·city** [ˌɪntə'sɪti] **I.** *n* Intercity *m* **II.** *adj attr service, train* Intercity·
inter·com ['ɪntəkɒm] *n* [Gegen]sprechanlage *f*
inter·com·mu·ni·cate [ˌɪntəkə'mjuːnɪkeɪt] *vi* miteinander in Verbindung stehen; *rooms* miteinander verbunden sein **inter·con·nec·tion** [ˌɪntəkə'nekʃ⁰n] *n* Verbindung *f; of loudspeakers* Zusammenschaltung *f; of computers* Vernetzung *f;* ~ **of cultures** Kulturaustausch *m* **inter·con·ti·nen·tal** [ˌɪntəˌkɒntɪ'nent⁰l] *adj* interkontinental; ~ **flight** Interkontinentalflug *m*
inter·course ['ɪntəkɔːs] *n no pl* ① (*sex*) [Geschlechts]verkehr *m* ② (*form: communication*) Umgang *m*
inter·de·nomi·na·tion·al [ˌɪntədɪˌnɒmɪ'neɪʃ⁰n⁰l] *adj* interkonfessionell **inter·de·**

part·ment·al [ˌɪntəˌdiːpɑː't'ment⁰l] *adj* zwischen den Abteilungen *nach n* **inter·de·pend·ence** [ˌɪntədɪpendən(t)s] *n no pl* gegenseitige Abhängigkeit, Interdependenz *f geh* **inter·de·pend·ent** [ˌɪntədɪpendənt] *adj* voneinander abhängig, interdependent *geh*
inter·dict (*form*) **I.** *vt* [ˌɪntə'dɪkt, -daɪt] ① LAW ■ **to** ~ **sth** jdm etw untersagen ② *esp* AM MIL *supplies* abschneiden; *route* unterbrechen **II.** *n* ['ɪntədɪkt, -daɪt] LAW Verbot *nt*
inter·dis·ci·plin·ary [ˌɪntə'dɪsɪplɪn⁰ri] *adj* fachübergreifend, interdisziplinär
in·ter·est ['ɪntrəst] **I.** *n* ① (*concern, curiosity*) Interesse *nt* (**in** an); (*hobby*) Hobby *nt;* **just out of** ~ (*fam*) nur interessehalber; **vested** ~ eigennütziges Interesse; **to lose** ~ **in sb/sth** das Interesse an jdm/etw verlieren; ■ **sth is in sb's** ~ etw liegt in jds Interesse ② (*advantage*) **in the** ~**s of safety, please do not smoke** aus Sicherheits-

gründen Rauchen verboten; **I'm only act-ing in your best ~ s** ich tue das nur zu dei-nem Besten; **Jane is acting in the ~ s of her daughter** Jane vertritt die Interessen ihrer Tochter ❸ *no pl* (*importance*) Inte-resse *nt;* **buildings of historical ~** histo-risch interessante Gebäude; **to be of ~ to sb** für jdn von Interesse sein ❹ *no pl* FIN Zinsen *pl;* **rate of ~** Zinssatz *m* ❺ (*involve-ment*) Beteiligung *f;* **a legal ~ in a com-pany** ein gesetzlicher Anteil an einer Firma **II.** *vt* interessieren (**in** für)

in·ter·est·ed ['ɪntrəstɪd] *adj* ❶ (*con-cerned*) interessiert; **I'd be ~ to know more about it** ich würde gerne mehr dar-über erfahren; **are you ~ in a game of tennis?** hast du Lust, mit mir Tennis zu spielen?; **to be ~ in sth/sb** sich für etw/ jdn interessieren ❷ (*involved*) beteiligt; *witness* befangen

in·ter·est-'free *adj* FIN zinslos; *credit* un-verzinslich

in·ter·est·ing ['ɪntrəstɪŋ] *adj* interessant

in·ter·est·ing·ly ['ɪntrəstɪŋli] *adv* interes-sant, interessanterweise; **~ enough ...** in-teressanterweise ...

inter·face I. *n* ['ɪntəfeɪs] Schnittstelle *f;* COMPUT, TECH *also* Interface *nt* **II.** *vi* [ˌɪntə'feɪs] **to ~ with sb** mit jdm in Ver-bindung treten **III.** *vt* ['ɪntəfeɪs] COMPUT, TECH koppeln

inter·fere [ˌɪntə'fɪər] *vi* ❶ (*meddle*) ■**to ~ [in sth]** sich [in etw *akk*] einmischen ❷ (*disturb*) ■**to ~ with sb/sth** jdn/etw stören ❸ RADIO, TECH (*hamper signals*) ■**to ~ with sth** etw überlagern ❹ BRIT (*euph: molest sexually*) ■**to ~ with sb** jdn sexu-ell missbrauchen ❺ (*strike against*) ■**to ~ with one another** aneinanderstoßen

inter·fer·ence [ˌɪntə'fɪərən(t)s] *n* *no pl* ❶ (*meddling*) Einmischung *f;* **free from ~** ohne Beeinträchtigung ❷ RADIO, TECH Stö-rung *f*

in·ter·im ['ɪntərɪm] **I.** *n* *no pl* (*meantime*) Zwischenzeit *f;* **in the ~** in der Zwischen-zeit *f* **II.** *adj attr* vorläufig; **~ government** Übergangsregierung *f;* **~ measure** Über-gangsmaßnahme *f;* **~ report** Zwischenbe-richt *m*

in·te·ri·or [ɪn'tɪəriər] **I.** *adj attr* ❶ (*inside*) *of door, wall* Innen- ❷ (*of country*) Inlands-, Binnen- **II.** *n* ❶ (*inside*) Innere *nt* ❷ POL ■**the I~** das Innere; **~ minister** In-nenminister(in) *m/f;* **the ministry** [*or* AM **department**] **of the ~** das Innenministe-rium; **the U.S. I~ Department** das Ameri-kanische Innenministerium

in·te·ri·or de·'sign·er *n* Innenarchi-

tekt(in) *m/f*)

inter·ject [ˌɪntə'dʒekt] **I.** *vt* *comments, remarks, words* einwerfen **II.** *vi* dazwi-schenreden

inter·jec·tion [ˌɪntə'dʒekʃən] *n* ❶ (*inter-ruption*) Zwischenbemerkung *f;* **~s from the audience** Zwischenrufe *pl* aus dem Publikum ❷ LING Interjektion *f*

inter·lace [ˌɪntə'leɪs] **I.** *vt* kombinieren **II.** *vi* sich ineinander verflechten

inter·li·brary 'loan *n* Fernleihe *f*

inter·locu·tor [ˌɪntə'lɒkjətər] *n* (*form*) Ge-sprächspartner(in) *m/f;* (*on behalf of sb else*) Sprecher(in) *m/f*

inter·lop·er ['ɪntəˌləʊpər] *n* (*pej*) Eindring-ling *m*

inter·lude ['ɪntəluːd] *n* ❶ (*interval*) Ab-schnitt *m;* (*between acts of play*) Pause *f* ❷ (*entertainment*) Zwischenspiel *nt*

inter-'mar·ried *adj* in einer Mischehe nach *n* **inter·medi·ary** [ˌɪntə'miːdiəri] **I.** *n* Vermittler(in) *m/f;* ■**through an ~** über einen Mittelsmann **II.** *adj* vermit-telnd; **~ role** Vermittlerrolle *f;* **~ stage** Zwischenstadium *nt* **inter·medi·ate** [ˌɪntə'miːdiət] **I.** *adj* ❶ (*level*) mittel; (*between two things*) Zwischen- ❷ (*level of skill*) Mittel-; **~ course** Kurs *m* für fort-geschrittene Anfänger/Anfängerinnen **II.** *n* fortgeschrittener Anfänger/fortgeschrit-tene Anfängerin **III.** *vi* vermitteln **inter·mez·zo** <*pl* -s *or* -zi> [ˌɪntə'metsəʊ, *pl* -tsi] *n* Intermezzo *nt*

in·ter·mi·nable [ɪn'tɜːmɪnəbl] *adj* (*pej*) endlos

inter·mis·sion [ˌɪntə'mɪʃən] *n* Pause *f*

inter·mit·tent [ˌɪntə'mɪtənt] *adj* perio-disch; **there will be ~ rain in the south** im Süden wird es mit kurzen Unterbre-chungen regnen

in·tern I. *vt* [ɪn'tɜːn] POL, MIL internieren **II.** *vi* [ɪn'tɜːn] *esp* AM ein Praktikum absol-vieren **III.** *n* ['ɪntɜːn] *esp* AM Praktikant(in) *m/f*

in·ter·nal [ɪn'tɜːnəl] *adj* innere(r, s); (*within a company*) innerbetrieblich; (*within a country*) Binnen-; *investigation, memo* in-tern; **~ affairs/bleeding** innere Angele-genheiten/Blutungen; **for ~ use only** ver-traulich

in·ter·nal·ize [ɪn'tɜːnəlaɪz] *vt* ■**to ~ sth** etw verinnerlichen [*o fachspr* internali-sieren]

in·ter·nal·ly [ɪn'tɜːnəli] *adv* innerlich; **not to be taken ~** nur zur äußeren Anwen-dung; **to develop sth ~** (*within company*) etw betriebsintern entwickeln

inter·na·tion·al [ˌɪntə'næʃənəl] **I.** *adj* international; **~ call/flight** Auslandsgespräch *nt/*-flug *m* **II.** *n* BRIT SPORTS (*player*) Nationalspieler(in) *m(f);* (*match*) Länderspiel *nt*

Inter·na·tion·al Court of 'Jus·tice *n* Internationaler Gerichtshof

inter·na·tion·al·ize [ˌɪntəˈnæʃᵊnᵊlaɪz] *vt* internationalisieren

inter·na·tion·al·ly [ˌɪntəˈnæʃᵊnᵊli] *adv* international, weltweit

Inter·na·tion·al 'Mon·etary Fund *n* Internationaler Währungsfonds **Inter·na·tion·al O'lym·pic Com·mit·tee** *n* Internationales Olympisches Komitee

in·ternee [ˌɪntɜːˈniː] *n* Internierte(r) *f(m)*

Inter·net [ˈɪntənet] *n* Internet *nt;* **to browse** [*or* **surf**] **the ~** im Internet surfen; **on the ~** im Internet

Inter·net 'bank·ing *n no pl* Internetbanking *nt* **Inter·net 'search en·gine** *n* Internet-Suchmaschine *f* **inter·net 'sham·ing** *n no pl* Anprangerung *f* im Internet

in·tern·ist [ˈɪntɜːnɪst] *n* AM Internist(in) *m(f)*

in·tern·ment [ɪnˈtɜːnmənt] *n no pl* Internierung *f*

in·'tern·ment camp *n* Internierungslager *nt*

inter·pel·la·tion [ɪnˌtɜːpəˈleɪʃᵊn] *n* POL Interpellation *f fachspr*

inter·per·son·al [ˌɪntəˈpɜːsᵊnᵊl] *adj* zwischenmenschlich; **~ relationships** zwischenmenschliche Beziehungen; **~ skills** soziale Kompetenz; **~ training** Praxis *f* im Umgang mit Menschen **'inter·phone** *n* AM *see* **intercom** **inter·plane·tary** [ˌɪntəˈplænɪtᵊri] *adj attr* interplanetarisch **inter·play** [ˈɪntəpleɪ] *n no pl of forces, factors* Zusammenspiel *nt* (**of** von), Wechselwirkung *f* (**between** zwischen)

Inter·pol [ˈɪntəpɒl] *n no art* Interpol *f*

in·ter·po·late [ɪnˈtɜːpəleɪt] *vt* (*form*) einfügen; (*allow to influence*) *opinion* einfließen lassen

in·ter·po·la·tion [ɪnˌtɜːpəˈleɪʃᵊn] *n* (*form*) ❶ (*remark*) Einwurf *m;* (*adding words*) Einwerfen *nt;* (*in text*) Einfügung *f* ❷ *no pl* (*insertion*) Eindringen *nt;* (*influence*) Einflussnahme *f*

in·ter·pret [ɪnˈtɜːprɪt] **I.** *vt* ❶ (*explain*) interpretieren; (*understand, take as meaning*) auslegen ❷ (*perform*) wiedergeben; *role* auslegen ❸ (*translate*) dolmetschen **II.** *vi* dolmetschen

in·ter·pre·ta·tion [ɪnˌtɜːprɪˈteɪʃᵊn] *n* ❶ (*explanation*) Interpretation *f; of rules* Auslegung *f; of dream* Deutung *f* ❷ THEAT, LIT Interpretation *f*

in·ter·pret·er [ɪnˈtɜːprɪtəʳ] *n* ❶ LIT, THEAT

Interpret(in) *m(f)* ❷ (*oral translator*) Dolmetscher(in) *m(f)* ❸ COMPUT Interpreter *m fachspr*

in·ter·pret·ing [ɪnˈtɜːprɪtɪŋ] *n no pl* Dolmetschen *nt*

Inter-Rail® [ˈɪntəreɪl] **I.** *n* Interrail *nt* **II.** *vi* Interrail machen

inter·re·late [ˌɪntəriˈleɪt] **I.** *vi* zueinander in Beziehung stehen **II.** *vt* verbinden **inter·re·la·tion** [ˌɪntəriˈleɪʃᵊn], **inter·re·la·tion·ship** [ˌɪntəriˈleɪʃᵊnʃɪp] *n* Wechselbeziehung *f,* Zusammenhang *m*

in·ter·ro·gate [ɪnˈterəgeɪt] *vt* ❶ (*cross-question*) verhören ❷ (*obtain data*) **to ~ a computer database** Daten abfragen

in·ter·ro·ga·tion [ɪnˌterəˈgeɪʃᵊn] *n* Verhör *nt*

in·ter·ro·'ga·tion mark *n,* **in·ter·ro·'ga·tion point** *n* Fragezeichen *nt*

in·ter·ro·ga·tive [ˌɪntəˈrɒgətɪv] **I.** *n* LING ■**the ~** das Interrogativum *fachspr* **II.** *adj* ❶ (*liter: questioning*) fragend *attr* ❷ (*word type*) interrogativ *fachspr,* Frage-

in·ter·ro·ga·tor [ɪnˈterəgeɪtəʳ] *n* Vernehmungsbeamte(r) *m,* Vernehmungsbeamte [*o* -in] *f*

in·ter·roga·tory [ˌɪntəˈrɒgətᵊri] *adj* fragend *attr*

in·ter·rupt [ˌɪntəˈrʌpt] **I.** *vt* unterbrechen; (*rudely*) ins Wort fallen **II.** *vi* unterbrechen

in·ter·rupt·er [ˌɪntəˈrʌptəʳ] *n* also ELEC Unterbrecher *m*

in·ter·rup·tion [ˌɪntəˈrʌpʃᵊn] *n* Unterbrechung *f*

inter·sect [ˌɪntəˈsekt] **I.** *vt* ❶ (*divide*) durchziehen; *line* schneiden ❷ TRANSP ■**to be ~ed by sth** *roads* etw kreuzen **II.** *vi* sich schneiden; **~ing roads** [Straßen]kreuzungen *pl*

inter·sec·tion [ˌɪntəˈsekʃᵊn] *n* ❶ (*crossing of lines*) Schnittpunkt *m* ❷ AM, AUS (*junction*) [Straßen]kreuzung *f*

inter·sperse [ˌɪntəˈspɜːs] *vt* ■**to ~ sth with sth** etw in etw *akk* einstreuen; **periods of bright sunshine ~d with showers** sonnige Abschnitte mit vereinzelten Regenschauern; **to be ~d throughout the text** über den ganzen Text verteilt sein

inter·state [ˌɪntəˈsteɪt] AM **I.** *adj attr* zwischenstaatlich **II.** *n* [Bundes]autobahn *f*

inter·state 'high·way *n* AM [Bundes]autobahn *f*

inter·stel·lar [ˌɪntəˈsteləʳ] *adj attr* interstellar *fachspr*

in·ter·stice [ɪnˈtɜːstɪs] *n usu pl* (*form*) Zwischenraum *m;* (*between bricks*) Fuge *f;* (*in wall*) Riss *m*

inter·twine [ˌɪntəˈtwaɪn] **I.** *vt usu passive*

interrupting

interrupting someone	jemanden unterbrechen
Sorry for interrupting, ...	Entschuldigen Sie bitte, dass ich Sie unterbreche, ...
If I may interrupt you for a moment ...	Wenn ich Sie einmal kurz unterbrechen dürfte: ...

indicating that you wish to continue speaking	anzeigen, dass man weitersprechen will
Just a moment, I haven't finished.	Augenblick, ich bin noch nicht fertig.
Will you please let me finish?	Lassen Sie mich bitte ausreden?
Would you mind letting me finish?	Könnten Sie mich bitte ausreden lassen?
Please don't interrupt (me)!	Lassen Sie mich bitte ausreden!
Please let me finish my point.	Lassen Sie mich bitte diesen Punkt noch zu Ende führen.

asking to speak	ums Wort bitten
May I comment on that?	Darf ich dazu etwas sagen?
If I may add to that ...	Wenn ich dazu noch etwas sagen dürfte: ...

■**to be ~d with sth** [miteinander] verflochten sein; *story lines, plots, destinies* miteinander verknüpft sein **II.** *vi branches* sich [ineinander] verschlingen

inter·ur·ban [ˌɪntəˈɜːrbᵊn] AM **I.** *adj* (*intercity*) zwischen [den] Städten *nach n*, Städte verbindend; **~ connection** Städteverbindung *f* **II.** *n* Überlandbahn *f*

in·ter·val [ˈɪntəvᵊl] *n* ❶(*in space, time*) Abstand *m* ❷METEO Abschnitt *m* ❸THEAT, MUS Pause *f* ❹MUS Intervall *nt*

inter·vene [ˌɪntəˈviːn] *vi* ❶(*get involved*) einschreiten; **to ~ on sb's behalf** sich für jdn einsetzen ❷(*interrupt verbally*) sich einmischen ❸(*come to pass*) dazwischenkommen

inter·ven·ing [ˌɪntəˈviːnɪŋ] *adj attr* dazwischenliegend; **in the ~ period** in der Zwischenzeit

inter·ven·tion [ˌɪntəˈven(t)ʃᵊn] *n* Eingreifen *nt*

inter·ven·tion·ist [ˌɪntəˈventʃᵊnɪst] POL **I.** *adj* interventionistisch *fachspr* **II.** *n* Interventionist(in) *m/f* *fachspr*

inter·view [ˈɪntəvjuː] **I.** *n* ❶(*for job*) Vorstellungsgespräch *nt* ❷(*with the media*) Interview *nt* ❸(*formal talk*) Unterredung *f*; (*with police*) Verhör *nt* **II.** *vt* ■**to ~ sb** (*for job*) mit jdm ein Vorstellungsgespräch führen; (*by reporter*) jdn interviewen; *esp* BRIT (*by police*) jdn befragen **III.** *vi* (*for job*) ein

Vorstellungsgespräch führen; *celebrity* ein Interview geben

inter·viewee [ˌɪntəvjuːˈiː] *n* Interviewte(r) *f(m)*; (*by police*) Befragte(r) *f(m)*; **job ~** Kandidat(in) *m(f)*

inter·view·er [ˈɪntəvjuːəʳ] *n* (*reporter*) Interviewer(in) *m(f)*; (*in job interview*) Leiter(in) *m(f)* des Vorstellungsgesprächs

inter·weave <-wove, -woven> [ˌɪntə-ˈwiːv] **I.** *vt* ■**to ~ sth** etw [miteinander] verweben; (*fig*) etw [miteinander] vermischen **II.** *vi branches* sich verschlingen

in·tes·tate [ɪnˈtesteɪt] *adj usu pred* LAW ■**to be ~** kein Testament besitzen

in·tes·tine [ɪnˈtestɪn] *n usu pl* MED Darm *m*, Eingeweide *nt|pl|*

in·ti·ma·cy [ˈɪntɪməsi] *n* ❶*no pl* (*closeness, familiarity*) Intimität *f*; (*euph: sexual*) Intimitäten *pl* ❷(*knowledge*) Vertrautheit *f*

in·ti·mate¹ [ˈɪntɪmət] **I.** *adj* ❶(*close*) eng, vertraut; *atmosphere* gemütlich; *friend* eng; *relationship* intim ❷(*very detailed*) gründlich; **to have an ~ understanding of sth** ein umfassendes Wissen über etw *akk* haben ❸(*private, personal*) **~ details** intime Einzelheiten **II.** *n* Vertraute(r) *f(m)*, enger Freund/enge Freundin

in·ti·mate² [ˈɪntɪmeɪt] *vt* andeuten

in·ti·ma·tion [ˌɪntɪˈmeɪʃᵊn] *n* Anzeichen *nt* (**of** für)

in·timi·date [ɪnˈtɪmɪdeɪt] *vt* einschüchtern

in·timi·dat·ing [ɪn'tɪmɪdeɪtɪŋ] *adj* beängstigend; *manner* einschüchternd

in·timi·da·tion [ɪnˌtɪmɪ'deɪʃ°n] *n no pl* Einschüchterung *f*

into ['ɪntə, -tu] *prep* ❶ (*movement to inside*) in +*akk;* **to go ~ town** in die Stadt gehen ❷ (*movement toward*) in +*akk;* **guess who I bumped ~ the other day** rate mal, wem ich kürzlich über den Weg gelaufen bin; **she looked ~ the mirror** sie sah in den Spiegel ❸ (*through time of*) in +*akk;* **sometimes we work late ~ the evening** manchmal arbeiten wir bis spät in den Abend ❹ (*fam: interested in*) **to be ~ sth/sb** an etw/jdm interessiert sein; **what sort of music are you ~?** auf welche Art von Musik stehst du? ❺ (*involved in*) **I'll look ~ the matter as soon as possible** ich kümmere mich sobald als möglich um die Angelegenheit; **he got ~ some trouble** er bekam einige Schwierigkeiten ❻ (*forced change to*) **they tried to talk their father ~ buying them bikes** sie versuchten ihren Vater dazu zu überreden, ihnen Fahrräder zu kaufen ❼ (*transition to*) **her novels have been translated ~ nineteen languages** ihre Romane sind in neunzehn Sprachen übersetzt worden ❽ (*fam: yell at*) **to lay ~ sb for sth** jdn wegen etw *dat* anschreien ❾ (*begin*) **she burst ~ tears** sie brach in Tränen aus ❿ FASHION (*wear*) **I can't get ~ these trousers anymore** ich komme nicht mehr in diese Hose rein ⓫ (*make smaller*) **chop it ~ small cubes** schneide es in kleine Würfel

in·tol·er·able [ɪn'tɒl°rəbl] *adj* unerträglich

in·tol·er·ance [ɪn'tɒl°r°n(t)s] *n no pl* ❶ (*narrow-mindedness*) Intoleranz *f* (*of* gegenüber) ❷ (*non-compatibility*) Überempfindlichkeit *f;* MED Intoleranz *f* (*of* gegenüber)

in·tol·er·ant [ɪn'tɒl°r°nt] *adj* ❶ (*narrow-minded*) intolerant ❷ MED überempfindlich (*of* gegenüber)

in·tol·er·ant·ly [ɪn'tɒl°r°ntli] *adv* intolerant

in·to·na·tion [ˌɪntə(ʊ)'neɪʃ°n] *n usu sing* LING, MUS Intonation *f*

in·tone [ɪn'təʊn] *vt* intonieren *fachspr*

in·toxi·cant [ɪn'tɒksɪk°nt] *n* Rauschmittel *nt*

in·toxi·cate [ɪn'tɒksɪkeɪt] *vt* ❶ (*cause drunkenness*) betrunken machen; (*fig*) **the idea ~d him** die Idee begeisterte ihn ❷ (*poison*) vergiften

in·toxi·cated [ɪn'tɒksɪkeɪtɪd] *adj* ❶ (*drunk*) betrunken ❷ (*excited*) berauscht

in·toxi·cat·ing [ɪn'tɒksɪkeɪtɪŋ] *adj* berauschend *a. fig*

in·toxi·ca·tion [ɪnˌtɒksɪ'keɪʃ°n] *n no pl* ❶ (*from alcohol, excitement*) Rausch *m* ❷ MED Vergiftung *f*

in·trac·table [ɪn'træktəbl] *adj* unbeugsam; *problem, partygoer* hartnäckig; *pupil* widerspenstig; *situation* verfahren

intra·mu·ral [ˌɪntrə'mjʊər°l] *adj* innerhalb der Universität *nach n,* universitätsintern

Intra·net [ˌɪntrə'net] *n* Intranet *nt*

in·tran·si·gence [ɪn'træn(t)sɪdʒ°n(t)s] *n no pl* (*form*) Unnachgiebigkeit *f*

in·tran·si·gent [ɪn'træn(t)sɪdʒ°nt] *adj* (*form*) *attitude* unnachgiebig; *position* unversöhnlich

in·tran·si·tive [ɪn'træn(t)sətɪv] LING **I.** *adj* intransitiv **II.** *n* Intransitivum *nt fachspr*

intra·uter·ine [ˌɪntrə'juːt°raɪn] *adj* intrauterin

intra·ve·nous [ˌɪntrə'viːnəs] *adj* intravenös

in·tray ['ɪntreɪ] *n* Ablage *f* für Eingänge

in·trep·id [ɪn'trepɪd] *adj* unerschrocken

in·tri·ca·cy ['ɪntrɪkəsi] *n* ❶ *no pl* (*complexity*) Kompliziertheit *f* ❷ (*elaborateness*) ■ **intricacies** *pl* Feinheiten *pl*

in·tri·cate ['ɪntrɪkət] *adj* kompliziert; *plot* verschlungen; *question* verzwickt

in·trigue **I.** *vt* [ɪn'triːg] (*fascinate*) faszinieren; (*arouse curiosity*) neugierig machen; ■ **to be ~d by sth** von etw *dat* fasziniert sein **II.** *vi* [ɪn'triːg] intrigieren **III.** *n* ['ɪntriːg] Intrige *f* (*against* gegen)

in·tri·guing [ɪn'triːgɪŋ] *adj* faszinierend

in·trin·sic [ɪn'trɪn(t)sɪk] *adj* innewohnend; *part* wesentlich

intro·duce [ˌɪntrə'djuːs] *vt* ❶ (*acquaint*) ■ **to ~ sb** [**to sb**] jdn [jdm] vorstellen ❷ (*bring in*) *fashion, reform, subject* einführen ❸ (*announce*) vorstellen; MUS einleiten; *programme* ankündigen

intro·duc·tion [ˌɪntrə'dʌkʃ°n] *n* ❶ (*first contact*) Vorstellung *f,* Bekanntmachen *nt* ❷ (*establishment*) Einführung *f* ❸ MED (*insertion*) Einführen *nt* ❹ (*preface*) Vorwort *nt;* MUS Einleitung *f*

intro·duc·tory [ˌɪntrə'dʌkt°ri] *adj* ❶ (*preliminary*) einleitend ❷ (*inaugural, starting*) einführend

intro·spec·tion [ˌɪntrə(ʊ)'spekʃ°n] *n no pl* Selbstbeobachtung *f*

intro·spec·tive [ˌɪntrə(ʊ)'spektɪv] *adj* verinnerlicht; **to be in an ~ mood** gerade mit sich selbst beschäftigt sein

intro·vert [ˌɪntrə(ʊ)'vɜːt] *n* introvertierter Mensch

intro·vert·ed [ˌɪntrə(ʊ)'vɜːtɪd] *adj* introvertiert

in·trude [ɪnˈtruːd] I. *vi* ❶ (*meddle*) stören; ▪ **to ~ into sth** sich in etw *akk* einmischen ❷ (*unwelcome presence*) **am I intruding?** störe ich gerade?; ▪ **to ~ on sb's privacy** in jds Privatsphäre eindringen II. *vt* einbringen

in·trud·er [ɪnˈtruːdəʳ] *n* (*unwelcome visitor*) Eindringling *m*; (*thief*) Einbrecher(in) *m(f)*

in·tru·sion [ɪnˈtruːʒ³n] *n* (*interruption*) Störung *f*; (*encroachment*) Verletzung *f*; MIL Einmarsch *m*

in·tru·sive [ɪnˈtruːsɪv] *adj* (*pej*) *person, question* aufdringlich

in·tui·tion [ˌɪntjuˈɪʃ³n] *n* Intuition *f*

in·tui·tive [ɪnˈtjuːɪtɪv] *adj* intuitiv

in·un·date [ˈɪnʌndeɪt] *vt* (*also fig*) überschwemmen

in·un·da·tion [ˌɪnʌnˈdeɪʃ³n] *n no pl* (*form*) Überschwemmung *f*; (*with work*) Überhäufung *f*

in·ure [ɪˈnjʊəʳ] (*form*) I. *vi* LAW in Kraft treten II. *vt* ▪ **to ~ sb to sth** jdn an etw *akk* gewöhnen

in·vade [ɪnˈveɪd] I. *vt* ❶ (*occupy*) **to ~ a country** in ein Land einmarschieren; **the squatters ~d the house** die Hausbesetzer drangen in das Gebäude ein ❷ (*fig: violate*) **to ~ sb's privacy** jds Privatsphäre verletzen II. *vi* einfallen

in·vad·er [ɪnˈveɪdəʳ] *n* MIL Angreifer(in) *m(f)*; (*unwelcome presence*) Eindringling *m*

in·va·lid[1] [ˈɪnvəlɪd] I. *n* (*requiring long-term care*) Invalide(r) *m(f)* II. *adj* invalide, körperbehindert III. *vt* ▪ **to ~ sb** jdn zum Invaliden machen

in·va·lid[2] [ɪnˈvælɪd] *adj* (*not legally binding*) ungültig; (*unsound*) nicht stichhaltig; *theory* nicht begründet

in·vali·date [ɪnˈvælɪdeɪt] *vt* unwirksam machen; LAW für nichtig erklären; *argument* widerlegen; *criticisms* entkräften; *judgement* aufheben; *results* annullieren; *theory* entkräften

in·vali·da·tion [ɪnˌvælɪˈdeɪʃ³n] *n no pl* (*nullification*) Ungültigkeitserklärung *f*; *of a decision* Aufhebung *f*; *verdict* Außerkraftsetzung *f*; *of results* Annullierung *f*; LAW Kraftloserklärung *f*

in·va·lid·ism [ˈɪnvəlɪdɪzᵊm] *n no pl* AM Invalidität *f*

in·va·lid·ity [ˌɪnvəˈlɪdəti] *n* ❶ (*bedridden, convalescent*) Invalidität *f* ❷ (*unsound argument*) [Rechts]ungültigkeit *f* ❸ (*not legally binding*) ~ **of a contract** Nichtigkeit *f* eines Vertrags

in·valu·able [ɪnˈvæljuəbl̩] *adj advice, help* unbezahlbar; *source of information* unverzichtbar

in·vari·able [ɪnˈveəriəbl̩] I. *adj* unveränderlich II. *n* ❶ LING Substantiv, bei dem Singular und Plural gleich sind ❷ MATH Konstante *f*

in·vari·ably [ɪnˈveəriəbli] *adv* ausnahmslos

in·va·sion [ɪnˈveɪʒ³n] *n* ❶ MIL Invasion *f* ❷ (*interference*) Eindringen *nt kein pl*

in·vec·tive [ɪnˈvektɪv] *n no pl* (*form*) Beschimpfungen *pl*

in·vei·gle [ɪnˈveɪgl̩] *vt* (*form*) verlocken (**into** zu)

in·vent [ɪnˈvent] *vt* ❶ (*create*) erfinden ❷ (*usu pej: fabricate*) erdichten; **to ~ an excuse** sich *dat* eine Ausrede ausdenken

in·ven·tion [ɪnˈven(t)ʃ³n] *n* ❶ (*creation*) Erfindung *f* ❷ *no pl* (*creativity*) Einfallsreichtum *m* ❸ (*usu pej: fabrication*) Erfindung *f*

in·ven·tive [ɪnˈventɪv] *adj* (*approv*) *novel, design, person* einfallsreich; *powers, skills* schöpferisch; *design* originell; *illustration* fantasievoll

in·ven·tive·ness [ɪnˈventɪvnəs] *n no pl* Einfallsreichtum *m*

in·ven·tor [ɪnˈventəʳ] *n* Erfinder(in) *m(f)*

in·ven·tory [ˈɪnvᵊntri] *n* ❶ ECON (*catalogue*) Inventar *nt* ❷ AM ECON (*stock*) [Lager]bestand *m* ❸ ECON (*stock counting*) Inventur *f*; **to take ~** Inventur machen

in·verse [ɪnˈvɜːs] I. *adj attr* umgekehrt; ~ **function** MATH Umkehrfunktion *f* II. *n no pl* Gegenteil *nt*

in·ver·sion [ɪnˈvɜːʃən] *n no pl* (*form*) Umkehrung *f*; LING, MATH, MUS Inversion *f* fachspr

in·vert [ɪnˈvɜːt] *vt* (*form*) umkehren

in·ver·te·brate [ɪnˈvɜːtɪbreɪt] I. *n* ❶ ZOOL wirbelloses Tier ❷ (*fig: person*) charakterloser Mensch II. *adj* ❶ ZOOL (*with no backbone*) wirbellos ❷ (*fig, pej: weak*) charakterlos

in·vest [ɪnˈvest] I. *vt* ❶ FIN (*put to use*) investieren ❷ (*form: install*) [in Amt und Würden] einsetzen II. *vi* ▪ **to ~ in sth** [sein Geld] in etw *akk* investieren; **to ~ in a new washing machine** sich *dat* eine neue Waschmaschine zulegen

in·ves·ti·gate [ɪnˈvestɪgeɪt] *vt* untersuchen; *connections, methods* erforschen

in·ves·ti·ga·tion [ɪnˌvestɪˈgeɪʃ³n] *n* Untersuchung *f*; *of an affair* [Über]prüfung *f*; (*by police*) Ermittlung *f*; (*looking for sth*) Nachforschung *f*

in·ves·ti·ga·tive [ɪnˈvestɪgətɪv] *adj* Forschungs-, Untersuchungs-, Ermittlungs-

inviting	
inviting	**einladen**
Do come and visit (me), I'd be delighted.	**Besuch mich doch,** ich würde mich sehr freuen.
I'm having a party next Saturday. **Will you come?**	Nächsten Samstag lasse ich eine Party steigen. **Kommst du auch?** *(fam)*
Would you like to join us? *(going out)*	**Kommen Sie doch auch mit.**
Would you like to join us? *(at table)*	**Setzen Sie sich doch zu uns.**
May I take you out for a working lunch/dinner?	**Darf ich Sie zu** einem Arbeitsessen **einladen?**
I'd like to invite you round (to my place) for dinner.	**Ich würde Sie gern** zum Abendessen **zu mir nach Hause einladen.**
I'd like to invite you out (to a restaurant) for dinner.	**Ich würde Sie gern** zum Abendessen **in ein Restaurant einladen.**

in·ves·ti·ga·tor [ɪn'vestɪɡeɪtəʳ] *n* Ermittler(in) *m(f)*; (*in pending proceedings*) Untersuchungsführer(in) *m(f)*

in·vest·ment [ɪn'ves(t)mənt] I. *n* ❶ (*act of investing*) Investierung *f* ❷ FIN (*instance of investing*) Investition *f* ❸ FIN (*share*) Einlage *f* II. *adj* Anlage-, Investitions-, Investment-

in·'vest·ment fund *n* Investmentfonds *m*
in·'vest·ment trust *n* Investmentgesellschaft *f*

in·ves·tor [ɪn'vestəʳ] *n* [Kapital]anleger(in) *m(f)*, Investor(in) *m(f)* fachspr

in·vet·er·ate [ɪn'vetʳrət] *adj attr* (*usu pej*) *custom, prejudice* tief verankert; *bachelor* eingefleischt; *hatred* tief verwurzelt; *optimist* unverbesserlich; *disease, prejudice* hartnäckig

in·vidi·ous [ɪn'vɪdiəs] *adj* ❶ (*unpleasant*) unerfreulich; *incident* unangenehm; *task* undankbar ❷ (*discriminatory*) ungerecht ❸ (*offensive*) gehässig, boshaft

in·vigi·late [ɪn'vɪdʒəleɪt] *vt* BRIT, AUS SCH, UNIV **to ~ an examination** die Aufsicht bei einer Prüfung führen

in·vigi·la·tor [ɪn'vɪdʒəleɪtəʳ] *n* BRIT, AUS SCH, UNIV Aufsicht *f*, Aufsichtsführende(r) *f(m)*

in·vig·or·ate [ɪn'vɪɡʳreɪt] *vt* ❶ (*make stronger*) stärken ❷ (*fig: stimulate*) beleben

in·vig·or·at·ing [ɪn'vɪɡʳreɪtɪŋ] *adj* (*approv*) ❶ (*strengthening*) *medicine, sleep* stärkend; *climate, drink, food* kräftigend ❷ (*fig: stimulating*) *conversation* anregend; *walk* erfrischend

in·vin·cible [ɪn'vɪn(t)səbl̩] *adj* ❶ (*impossible to defeat*) *army, team* unschlagbar ❷ (*impossible to overcome*) unüberwind-

lich ❸ (*absolute*) unerschütterlich ❹ (*unavoidable*) unabänderlich

in·vis·ible [ɪn'vɪzəbl̩] *adj* ❶ (*to the eye*) unsichtbar ❷ *usu attr* (*hidden*) verborgen ❸ (*inconspicuous*) *contour, shape* undeutlich; *appearance* unauffällig

in·vi·ta·tion [ˌɪnvɪ'teɪʃʳn] *n* ❶ (*request to attend*) Einladung *f* (**to** zu); **~ to tea** Einladung *f* zum Tee ❷ (*incitement*) Aufforderung *f* (**to** zu) ❸ (*opportunity*) Gelegenheit *f* ❹ ECON (*offer*) Ausschreibung *f*

in·vite I. *n* ['ɪnvaɪt] (*fam*) Einladung *f* (**to** zu) II. *vt* [ɪn'vaɪt] ❶ (*ask to attend*) einladen; **to ~ sb to dinner** jdn zum Essen einladen ❷ (*request*) ■**to ~ sb to do sth** jdn auffordern, etw zu tun ❸ ECON (*solicit offer*) **to ~ applications** Stellen ausschreiben; **to ~ a bid** ein Angebot ausschreiben ❹ (*fig: provide opportunity*) herausfordern; **to ~ accidents** zu Unfällen führen; **to ~ trouble** Unannehmlichkeiten hervorrufen ❺ (*fig: attract*) ■**to ~ sb to do sth** jdn verleiten, etw zu tun

in·vit·ing [ɪn'vaɪtɪŋ] *adj* ❶ (*attractive*) *sight, weather* einladend; *appearance, fashion* ansprechend ❷ (*tempting*) *idea, prospect* verlockend; *gesture, smile* einladend

in·vit·ing·ly [ɪn'vaɪtɪŋli] *adv* einladend, verlockend

in vi·tro [ɪn'viːtrəʊ] I. *adj* BIOL, SCI, ZOOL künstlich, In-vitro- II. *adv* künstlich, in vitro *fachspr*

in vi·tro fer·ti·li·'za·tion *n no pl* künstliche Befruchtung

in·vo·ca·tion [ˌɪnvə(ʊ)'keɪʃʳn] *n* ❶ (*form: supplication*) Anrufung *f* ❷ REL (*prayer*) Bittgebet *nt* ❸ (*calling forth*) Beschwörung *f* ❹ (*petition*) flehentliche Bitte ❺ (*ap-*

peal) Appell *m* ⑥ *no pl* (*reference*) Berufung *f*

in·voice ['ɪnvɔɪs] **I.** *vt* ECON ■to ~ **sb** jdm eine Rechnung ausstellen **II.** *n* ECON [Waren]rechnung *f* (**for** für); **to submit an** ~ eine Rechnung vorlegen

in·voke [ɪn'vəʊk] *vt* (*form*) ① (*call on*) **to** ~ **God's name** Gottes Namen anrufen ② (*call forth*) *memories* [herauf]beschwören ③ (*petition*) **to** ~ **God's blessing** Gottes Segen erflehen ④ (*appeal to*) ■to ~ **sth** an etw *akk* appellieren; (*refer to*) sich auf etw *akk* berufen

in·vol·un·tari·ly [ɪn'vɒlənt³r³li] *adv* ① (*not by own choice*) unfreiwillig ② (*unintentionally*) unabsichtlich; **he** ~ **glanced again at his watch** wieder schaute er ungewollt auf die Uhr ③ MED (*automatically*) unwillkürlich; **to blink** ~ unwillkürlich blinzeln

in·vol·un·tary [ɪn'vɒlənt³ri] *adj* ① (*not by own choice*) unfreiwillig; *kindness* gezwungen; *loyalty* erzwungen ② (*unintentional*) unbeabsichtigt

in·volve [ɪn'vɒlv] *vt* ① (*include*) beinhalten; (*encompass*) umfassen; (*entail*) mit sich bringen; (*mean*) bedeuten ② (*affect, concern*) betreffen; **that doesn't** ~ **her** sie hat damit nichts zu tun; **this incident** ~**s us all** dieser Zwischenfall geht uns alle an ③ (*feature*) ■**sth** ~**s sb**/**sth** jd/etw ist an etw *dat* beteiligt ④ (*bring in*) ■**to** ~ **sb in sth** jdn an etw *dat* beteiligen; (*unwillingly*) jdn in etw *akk* verwickeln; **I don't want to get** ~**d** ich will damit nichts zu tun haben ⑤ (*participate*) ■**to** ~ **oneself in sth** sich in etw *dat* engagieren ⑥ *usu passive* ■**to be** ~**d in sth** (*be busy with*) mit etw *dat* zu tun haben; (*be engrossed*) von etw *dat* gefesselt sein ⑦ *usu passive* ■**to be** ~**d with sb** (*have to do with*) mit jdm zu tun haben; (*relationship*) mit jdm eine Beziehung haben; (*affair*) mit jdm ein Verhältnis haben

in·volved [ɪn'vɒlvd] *adj* ① (*intricate*) kompliziert; *story* verworren; *style* komplex; *affair* verwickelt ② *after n* (*implicated*) beteiligt; (*affected*) betroffen ③ (*committed*) engagiert

in·volve·ment [ɪn'vɒlvmənt] *n* ① (*intricacy*) Verworrenheit *f*, Kompliziertheit *f*; (*complexity*) Komplexität *f* ② (*participation*) Beteiligung *f* (**in** an), Verwicklung *f* (**in** in) ③ (*affection*) Betroffensein *nt* ④ (*relationship*) Verhältnis *nt* ⑤ (*commitment*) Engagement *nt*

in·vul·ner·able [ɪn'vʌln³rəbl] *adj* ① (*also fig: immune to damage*) unverwundbar,

unverletzbar *fig* ② (*fig: unassailable*) *position* unangreifbar; *right* unverletzlich ③ (*fig: strong*) *argument* unwiderlegbar; *fortification* uneinnehmbar; *position, theory* unanfechtbar

in·ward ['ɪnwəd] **I.** *adj* ① (*in·going*) nach innen gehend ② (*incoming*) Eingangs-, eingehend ③ NAUT (*inbound*) Heim- ④ ECON (*import*) Eingangs- ⑤ (*usu fig: internal*) innere(r, s), innerlich ⑥ (*fig: intimate*) vertraut **II.** *adv* einwärts, nach innen; ~ **bound road** stadteinwärts führende Straße

'**in·ward-look·ing** *adj* introvertiert, in sich *akk* gekehrt

in·ward·ly ['ɪnwədli] *adv* ① (*fig: towards the inside*) nach innen ② (*usu fig: internally*) innerlich, im Innern ③ (*fig: privately*) insgeheim ④ (*fig: softly*) leise

in·ward·ness ['ɪnwədnəs] *n no pl* ① *of a body's organ* Lage *f* ② (*fig: depth*) Innerlichkeit *f*; *of emotions* Innigkeit *f*; *of a thought* gedankliche Tiefe ③ (*fig: essence*) innerste Natur; (*significance*) wahre Bedeutung; (*intimacy*) Vertrautheit *f*

in·wards ['ɪnwədz] *adv* ① (*towards the inside*) einwärts, nach innen ② (*spiritually*) im Innern

I/O COMPUT *abbrev of* **input/output** Input/Output *nt*

IOC [ˌaɪəʊ'siː] *n abbrev of* **International Olympic Committee** IOC *nt*

iodine ['aɪədiːn] *n no pl* Jod *nt*

ion ['aɪən] *n* Ion *nt*

Ion·ic [aɪ'ɒnɪk] *adj* ionisch

iota [aɪ'əʊtə] *n no pl, usu neg* Jota *nt;* **not an** ~ kein bisschen

IOU [ˌaɪəʊ'juː] *n* (*fam*) *abbrev of* **I owe you** Schuldschein *m*

IOW *n abbrev of* **Isle of Wight** Isle of Wight *f*

IPA [ˌaɪpiː'eɪ] *n abbrev of* **International Phonetic Alphabet** internationales phonetisches Alphabet

IQ [ˌaɪ'kjuː] *n abbrev of* **intelligence quotient** IQ *m*

IRA [ˌaɪɑː'reɪ] *n* ① *no pl abbrev of* **Irish Republican Army** IRA *f* ② AM FIN *abbrev of* **Individual Retirement Account** [steuerbegünstigte] Altersvorsorge

Iran [ɪ'rɑːn] *n* Iran *m*

Ira·nian [ɪ'reɪnɪən] **I.** *n* Iraner(in) *m(f)* **II.** *adj* iranisch

Iraq [ɪ'rɑːk] *n* Irak *m*

Ira·qi [ɪ'rɑːki] **I.** *n* Iraker(in) *m(f)* **II.** *adj* irakisch

iras·cible [ɪ'ræsəbl] *adj* (*form*) aufbrausend

irate [aɪˈreɪt] *adj (form)* wütend
IRBM [ˌaɪɑːbiːˈem] *n abbrev of* **intermediate-range ballistic missile** Mittelstreckenraketengeschoss *nt*
Ire·land [ˈaɪələnd] *n* Irland *nt*
iri·des·cent [ˌɪrɪˈdesᵊnt] *adj* irisierend
iris <*pl* -es> [ˈaɪ(ə)rɪs] *n* ❶ BOT Schwertlilie *f*, Iris *f* ❷ ANAT Regenbogenhaut *f*, Iris *f*
Irish [ˈaɪ(ə)rɪʃ] **I.** *adj* irisch **II.** *n pl* ■ **the ~** die Iren *pl*
'Irish·man *n* Ire *m* **'Irish·wom·an** *n* Irin *f*
'iris rec·og·ni·tion *n no pl* Iriserkennung *f* (*zur Identifizierung einer Person*)
irk [ɜːk] *vt* ärgern
irk·some [ˈɜːksəm] *adj (form)* ärgerlich; *task* lästig
iron [ˈaɪən] **I.** *n* ❶ *no pl* CHEM Eisen *nt* ❷ (*appliance*) [Bügel]eisen *nt* ❸ (*golf club*) Eisen *nt*, Eisenschläger *m* ❹ (*fig*) **will of ~** eiserne Wille ▸ **to have [too] many/other ~s in the fire** [zu] viele/andere Eisen im Feuer haben **II.** *adj* ❶ *bar, mine, railing* Eisen- ❷ (*fig: strict, strong*) eisern **III.** *vt, vi* bügeln
'Iron Age I. *n* Eisenzeit *f* **II.** *adj* eisenzeitlich; **~ settlement** Siedlung *f* aus der Eisenzeit **iron 'cur·tain** *n* ❶ POL (*hist*) ■ I~ Eiserner Vorhang *m*; **~ countries** Länder *pl* hinter dem Eisernen Vorhang ❷ (*fig*) Abschottung *f*; **~ mentality** Abschottungsmentalität *f*
iron·ic [aɪ(ə)ˈrɒnɪk] *adj* ironisch
ironi·cal·ly [aɪ(ə)ˈrɒnɪkᵊli] *adv* ironisch; **~,** ... ironischerweise ...
iron·ing [ˈaɪənɪŋ] *n no pl* ❶ (*pressing*) Bügeln *nt* ❷ (*laundry*) Bügelwäsche *f*
'iron·ing board *n* Bügelbrett *nt*
iron 'lung *n* eiserne Lunge **iron·mon·ger** [ˈaɪənˌmʌŋgəʳ] *n* BRIT ❶ (*person*) Eisenwarenhändler(in) *m(f)* ❷ (*shop*) ■ **~'s** Eisen- und Haushaltswarenhandlung *f* **iron·mon·gery** [ˈaɪənˌmʌŋgᵊri] *n no pl* BRIT ❶ (*goods*) Eisenwaren *pl* ❷ (*premises*) Eisenwarenhandlung *f* **iron 'ore** *n* Eisenerz *nt* **'iron ra·tion** *n* eiserne Ration **'iron·work** *n no pl* ❶ (*dressed iron*) Eisenwerk *nt* ❷ (*part*) Eisenkonstruktion *f* ❸ (*goods*) Eisenzeug *nt* **'iron·works** *n* + *sing/pl vb* Eisenhütte *f*
iro·ny [ˈaɪ(ə)rᵊni] *n no pl* Ironie *f*
ir·ra·di·ate [ɪˈreɪdieɪt] *vt* ❶ (*illuminate*) *sunlight* bestrahlen; *moonlight* erleuchten; *candle, lightning* erhellen; *spotlight, streetlight* beleuchten ❷ MED, PHYS bestrahlen
ir·ra·dia·tion [ɪˌreɪdiˈeɪʃᵊn] *n no pl* MED, PHYS (*treatment*) Bestrahlung *f*
ir·ra·tion·al [ɪˈræʃᵊnᵊl] *adj* ❶ (*unreason-*

able) *action, behaviour* irrational; (*not sensible*) unvernünftig; *suggestion* unsinnig ❷ (*illogical*) *arguments, reasons* irrational ❸ ZOOL (*of lower animals*) vernunftlos
ir·ra·tion·al 'num·ber *n* irrationale Zahl
ir·rec·on·cil·able [ˌɪrekᵊnˈsaɪləbl] *adj* ❶ (*diametrically opposed*) *ideas, views* unvereinbar; **~ accounts/facts** sich völlig widersprechende Berichte/Tatsachen ❷ (*implacably opposed*) *enemies, factions* unversöhnlich
ir·re·cov·er·able [ˌɪrɪˈkʌvᵊrəbl] *adj* ❶ (*reparable*) *damage, loss* unersetzbar; nicht wieder gutzumachend; **~ health** nicht wiederherstellbare Gesundheit ❷ (*irretrievable*) *crew, ship* unrettbar [verloren]; *treasure, paradise* unwiederbringlich [verloren]
ir·re·deem·able [ˌɪrɪˈdiːmᵊbl] *adj (form)* ❶ (*irretrievable*) *crew, ship* unrettbar [verloren]; *treasure* unwiederbringlich [verloren] ❷ *case* hoffnungslos; *drinker* unverbesserlich ❸ (*absolute*) *despair, gloom* völlig; *stupidity* rein ❹ ECON, FIN (*not terminable*) *debt* nicht tilgbar
ir·refu·table [ˌɪrɪˈfjuːtəbl] *adj (form)* ❶ (*factual, unshakable*) *argument, proof* unwiderlegbar ❷ (*incontestable*) unbestreitbar
ir·refu·tably [ˌɪrɪˈfjuːtəbli] *adv (form)* ❶ (*undisprovably*) unwiderlegbar; **~ prov·en** eindeutig bewiesen ❷ (*uncontestably*) unbestreitbar, unzweifelhaft
ir·regu·lar [ɪˈregjələʳ] **I.** *adj* ❶ (*unsymmetrical*) *arrangement, pattern* unregelmäßig; *surface, terrain* uneben ❷ (*intermittent*) unregelmäßig ❸ (*form: failing to accord*) *behaviour, conduct* regelwidrig; *document* nicht ordnungsmäßig; *action* ungesetzlich; *banknote* ungültig; (*peculiar*) *customs, practices* sonderbar; (*improper*) ungebührlich; *dealings* zwielichtig **II.** *n* MIL Partisan(in) *m(f)*
ir·regu·lar·ity [ɪˌregjəˈlærəti] *n* ❶ (*form: lack of symmetry*) *of an arrangement* Unregelmäßigkeit *f*; *of prices* Uneinheitlichkeit *f*; *of a surface, terrain* Unebenheit *f* ❷ (*intermittence*) *of intervals* Unregelmäßigkeit *f* ❸ (*form: lack of accordance*) *of behaviour, conduct* Regelwidrigkeit *f*; *of an action* Ungesetzlichkeit *f* ❹ (*peculiarity*) *of customs, practices* Eigenartigkeit *f*; (*impropriety*) *of behaviour* Ungehörigkeit *f*
ir·regu·lar·ly [ɪˈregjələli] *adv* ❶ (*unsymmetrically*) unregelmäßig; (*shaped*) ungleichmäßig; **prices marked ~** uneinheitlich ausgezeichnete Preise ❷ (*intermittently*) ungleichmäßig; **payments were**

made ~ Zahlungen wurden unregelmäßig geleistet

ir·rel·evance [ɪˈreləvᵊn(t)s] *n*, **ir·rel·evan·cy** [ɪˈreləvᵊn(t)si] *n* (*form*) Unerheblichkeit *f; of details* Bedeutungslosigkeit *f*

ir·rel·evant [ɪˈreləvᵊnt] *adj* belanglos, unerheblich

ir·re·medi·able [ˌɪrɪˈmiːdiəbl] *adj* (*form*) nicht behebbar; *damage* nicht zu behebend; *loss* nicht wettzumachen

ir·repa·rable [ɪˈrepᵊrᵊbl] *adj* irreparabel; *loss* unersetzlich

ir·repa·rably [ɪˈrepᵊrᵊbli] *adv* irreparabel; **the ship has been ~ damaged** der an dem Schiff entstandene Schaden ist nicht behebbar

ir·re·place·able [ˌɪrɪˈpleɪsəbl] *adj* unersetzlich; *resources* nicht erneuerbar

ir·re·press·ible [ˌɪrɪˈpresᵊbl] *adj* ❶ (*usu approv: impossible to restrain*) *curiosity, desire* unbezähmbar; *anger, joy* unbändig ❷ (*impossible to discourage*) unverwüstlich, unerschütterlich

ir·re·proach·able [ˌɪrɪˈprəʊtʃᵊbl] *adj* (*form*) *behaviour, character* untadelig; *behaviour, quality* einwandfrei

ir·re·sist·ible [ˌɪrɪˈzɪstᵊbl] *adj* ❶ (*powerful*) *understeichlich*; *argument* schlagend ❷ (*lovable*) *appearance* äußerst anziehend; *personality* überaus einnehmend ❸ (*enticing*) äußerst verführerisch

ir·reso·lute [ɪˈrezᵊluːt] *adj* (*pej form*) ❶ (*doubtful*) unentschlossen; *reply* unklar ❷ (*lacking determination*) entschlusslos

ir·re·spec·tive [ˌɪrɪˈspektɪv] *adv* (*form*) ■ ~ **of sth** ohne Rücksicht auf etw *akk*, ungeachtet einer S. *gen;* ~ **of what ...** unabhängig davon, was ...; ~ **of whether ...** ohne Rücksicht darauf, ob ...

ir·re·spon·sible [ˌɪrɪˈspɒn(t)səbl] *adj* ❶ (*pej: lacking consideration*) *action* unverantwortlich; *person* verantwortungslos ❷ (*form: unaccountable*) *body, state* nicht verantwortlich ❸ LAW (*inadequate*) unzurechnungsfähig

ir·re·spon·sibly [ˌɪrɪˈspɒn(t)səbli] *adv* (*pej*) verantwortungslos, unverantwortlich

ir·re·triev·able [ˌɪrɪˈtriːvəbl] *adj* ❶ (*irreparable*) *loss* unersetzlich ❷ (*irremediable*) irreparabel ❸ (*irrecoverable*) *crew, ship* unrettbar [verloren]; *treasure* unwiederbringlich [verloren] ❹ COMPUT *sth is ~ information, file* etw kann nicht mehr abgerufen werden

ir·rev·er·ence [ɪˈrevᵊrᵊn(t)s] *n no pl* Respektlosigkeit *f;* (*in religious matters*) Pietätlosigkeit *f geh*

ir·rev·er·ent [ɪˈrevᵊrᵊnt] *adj* respektlos; (*in*

religious matters) pietätlos *geh*

ir·re·ver·sible [ˌɪrɪˈvɜːsəbl] *adj* ❶ (*impossible to change back*) *development, process* nicht umkehrbar, irreversibel; *decision* unwiderruflich ❷ CHEM, TECH *engine* in einer Richtung laufend; *chemical synthesis* in einer Richtung verlaufend ❸ (*impossible to turn*) *cover, cushion* nicht doppelseitig wendbar

ir·revo·cable [ɪˈrevəkəbl] *adj* unwiderruflich, unumstößlich

ir·revo·cably [ɪˈrevəkəbli] *adv* unwiderruflich, endgültig

ir·ri·gate [ˈɪrɪgeɪt] *vt* bewässern

ir·ri·ga·tion [ˌɪrɪˈgeɪʃᵊn] *n no pl of land* Bewässerung *f; of crops* Berieselung *f*

ir·ri·ˈga·tion plant *n* Bewässerungsanlage *f*

ir·ri·table [ˈɪrɪtəbl] *adj* (*pej*) reizbar, gereizt; MED *organ, tissue* reizbar, [über]empfindlich

ir·ri·tant [ˈɪrɪtᵊnt] *n* ❶ CHEM, MED (*substance*) Reizstoff *m* ❷ (*annoyance*) Ärgernis *nt*

ir·ri·tate [ˈɪrɪteɪt] *vt* ❶ (*pej: provoke*) [ver]ärgern ❷ MED (*pej: inflame*) **to ~ skin** Hautreizungen hervorrufen

ir·ri·tat·ing [ˈɪrɪteɪtɪŋ] *adj* (*pej*) ärgerlich, lästig; *behaviour* irritierend

ir·ri·ta·tion [ˌɪrɪˈteɪʃᵊn] *n* ❶ (*annoyance*) Ärger *m*, Verärgerung *f* ❷ (*nuisance*) Ärgernis *nt* ❸ MED (*inflammation*) Reizung *f;* ~ **of the eye** Augenreizung *f;* **skin** ~ Hautreizung *f;* **to cause** ~ eine Reizung hervorrufen

is [ɪz, z] *aux vb 3rd pers sing of* **be**

ISBN [ˌaɪesbiːˈen] *n* PUBL *abbrev of* **International Standard Book Number** ISBN-Nummer *f*

ISD [ˌaɪesˈdiː] *n abbrev of* **international subscriber dialling** Ferngespräche ohne Vermittlung

ISDN [ˌaɪesdiːˈen] *n* TELEC *abbrev of* **integrated services digital network** ISDN

Is·lam [ˈɪzlɑːm] *n no art, no pl* Islam *m*

Is·lam·ic [ɪzˈlɑːmɪk] *adj* REL islamisch

Is·lam·ist [ˈɪzləmɪst] **I.** *n* Islamist(in) *m(f)* **II.** *adj* islamistisch

Is·lamo·pho·bia [ˌɪslɑːməˈfəʊbiə] *n no pl* Anti-Islamismus *m*

is·land [ˈaɪlənd] *n* ❶ (*also fig: in the sea*) Insel *f* ❷ (*on street*) Verkehrsinsel *f*

is·land·er [ˈaɪləndəʳ] *n* Insulaner(in) *m(f)*

isle *n*, **Isle** [aɪl] *n* (*esp form, poet*) Eiland *nt;* **the I~ of Man** die Insel Man; **the British I~s** die Britischen Inseln

Isle of Wight [ˈwaɪt] *n* Isle of Wight *f*

is·let [ˈaɪlət] *n* (*liter*) winziges Eiland

isn't [ɪzᵊnt] = **is not** *see* **be**

iso·bar ['aɪsə(ʊ)bɑː^r] *n* Isobare *f*

iso·late ['aɪsəleɪt] *vt* ❶ (*set apart*) ▪**to ~ sb/sth** [**from sb/sth**] jdn/etw [von jdm/ etw] trennen; ▪**to ~ oneself** [**from sb/ sth**] sich [von jdm/etw] absondern ❷ CHEM, ELEC (*separate*) **to ~ sth from the electric circuit** etw vom Stromkreis trennen; **to ~ a substance** eine Substanz isolieren ❸ (*identify*) **to ~ a problem** ein Problem gesondert betrachten

iso·lat·ed ['aɪsəleɪtɪd] *adj* ❶ (*outlying*) abgelegen; (*detached*) *building, house* frei stehend ❷ (*solitary*) einsam [gelegen]; *village* abgeschieden ❸ (*excluded*) *country* isoliert ❹ (*lonely*) einsam; **to feel ~** sich einsam fühlen ❺ (*single*) vereinzelt, einzeln; **in ~ cases** in Einzelfällen

iso·la·tion [ˌaɪs^əl'eɪʃ^ən] *n no pl* ❶ (*separation*) Isolation *f*; **~ from moisture/noise** Isolierung *f* gegen Feuchtigkeit/Schall ❷ (*remoteness*) *of a hotel, lake* Abgelegenheit *f* ❸ (*solitariness*) *of a village* Einsamkeit *f* ❹ (*exclusion*) *of a country* Isolation *f* ❺ (*loneliness*) Isolation *f*

iso·la·tion hos·pi·tal *n* Infektionskrankenhaus *nt*

iso·la·tion·ism [ˌaɪs^əl'eɪʃ^ənɪz^əm] *n no pl* Isolationismus *m*

iso·la·tion ward *n* Isolierstation *f*

isos·celes tri·an·gle [aɪˌsɒs^əliːz'-] *n* gleichschenkliges Dreieck

iso·therm ['aɪsə(ʊ)θɜːm] *n* METEO, PHYS Isotherme *f*

iso·tope ['aɪsətəʊp] *n* CHEM Isotop *nt*

ISP [ˌaɪes'piː] *n* COMPUT, INET *abbrev of* **Internet service provider** ISP *m*

Is·ra·el ['ɪzreɪ(ə)l] *n* Israel *nt*

Is·rae·li [ɪz'reɪli] **I.** *n* Israeli *m o f* **II.** *adj* israelisch

Is·rael·ite ['ɪzriəlaɪt] *n* Israelit(in) *m(f)*

is·sue ['ɪʃuː] **I.** *n* ❶ (*topic*) Thema *nt*; (*question*) Frage *f*; (*dispute*) Streitfrage *f*; (*affair*) Angelegenheit *f*; (*problem*) Problem *nt*; **what is the ~?** worum geht es [hier]?; **that's not the ~!** darum geht es doch gar nicht!; **the point at ~** der strittige Punkt; **side ~** Nebensache *f*; **a burning ~** eine brennende Frage; **to address an ~** ein Thema ansprechen; **to avoid the ~** [dem Thema] ausweichen; **to** [**not**] **be at ~** [nicht] zur Debatte stehen; **to confuse an ~** etwas durcheinanderbringen; **to make an ~ of sth** etw aufbauschen; **to raise an ~** eine Frage aufwerfen; **to take ~ with sb** [**over sth**] (*form*) sich mit jdm auf eine Diskussion [über etw *akk*] einlassen ❷ (*edition*) *of a magazine, newspaper* Ausgabe *f*; **date of ~** Erscheinungsdatum *nt* ❸ *no pl*

(*copies produced*) Auflage *f* ❹ *no pl* (*making available*) *of goods, notes, stamps* Ausgabe *f*; *of shares* Emission *f*; *of a fund, loan* Auflegung *f*; *of a cheque, document* Ausstellung *f*; **date of ~** *of a passport, cheque* Ausstellungsdatum *nt* ❺ *no pl* (*form: pronouncement*) **the ~ of a statement** die Abgabe einer Erklärung ❻ *no pl* LAW (*or dated: offspring*) Nachkommen *pl* **II.** *vt* ❶ (*produce*) *licence, permit* ausstellen; **to ~ an arrest warrant** AM einen Haftbefehl erlassen; **to ~ banknotes** Banknoten in Umlauf bringen; **to ~ bonds** FIN Obligationen ausgeben; *newsletter* veröffentlichen ❷ (*make known*) **to ~ a call for sth** zu etw *dat* aufrufen; *invitation, warning* aussprechen; **to ~ an order to sb** jdm einen Befehl erteilen; *statement* abgeben; *ultimatum* stellen ❸ (*supply with*) ▪**to ~ sb with sth** jdn mit etw *dat* ausstatten; (*distribute to*) etw an jdn austeilen **III.** *vi* (*form*) ❶ (*come out*) ausströmen; *smoke* hervorquellen; ▪**to ~ from sth** aus etw *dat* dringen; *liquid, gas also* aus etw *dat* strömen; *smoke* aus etw *dat* quellen ❷ (*be born out of*) ▪**to ~ from sth** einer S. *gen* entspringen

is·su·er ['ɪʃuːə^r] *n* Emittent *m*, Emissionshaus *nt*; *of a document* Aussteller(in) *m(f)*

isth·mus ['ɪsməs] *n* Isthmus *m*

it [ɪt] *pron* ❶ (*thing*) es; **the computer hasn't broken down, has ~?** der Computer ist nicht kaputt, oder?; **a room with two beds in ~** ein Raum mit zwei Betten darin; (*of unspecified sex*) er, sie, es ❷ (*activity*) es; **have you gone windsurfing before? ~'s a lot of fun** warst du schon früher Windsurfen? es macht großen Spaß; **stop ~ — you're hurting me** hör auf [damit] – du tust mir weh ❸ (*in time phrases: time, past dates*) es; (*day, date*) heute; **what time is ~?** wie spät ist es?; **~ was Wednesday before I remembered that my birthday had been that Monday** es war Mittwoch, bevor ich daran dachte, dass am Montag mein Geburtstag gewesen war ❹ (*in weather phrases*) es ❺ (*in distance phrases*) es; **~'s a day's walk to get to the town from the farm** die Stadt liegt einen Tagesmarsch von dem Bauernhaus entfernt ❻ *subject* (*referring to later part of sentence*) es; **~'s common to have that problem** dieses Problem ist weit verbreitet; **~'s no use knocking, she can't hear you** Klopfen hat keinen Sinn, sie hört dich nicht; **~'s true I don't like Sarah** es stimmt, ich mag Sarah nicht; **~'s important that you should see a doctor** du solltest unbedingt zu einem Arzt gehen; **~'s a shame I can't come** es ist schade, dass ich nicht kommen kann; **~'s interesting how often she talks to him** es ist interessant, wie oft sie mit ihm spricht; **I found ~ impossible to get to sleep last night** ich konnte letzte Nacht einfach nicht einschlafen; **I like ~ in the autumn when the weather is crisp and bright** ich mag den Herbst, wenn das Wetter frisch und klar ist; **he thought ~ strange that she refused to talk to him** er fand es seltsam, dass sie sich weigerte, mit ihm zu sprechen **❼** (*form: in passive sentences with verbs of opinion, attitude*) man; **~ is thought that ...** man nimmt an, dass ...; **~ is said that ...** es heißt, dass ... **❽** (*emph*) **~ was Paul who came here in September, not Bob** Paul kam im September, nicht Bob; **~ was in Paris where we met, not in Marseilles** wir trafen uns in Paris, nicht in Marseilles **❾** (*situation*) es; **~ appears that we have lost** mir scheint, wir haben verloren; **~ sounds an absolutely awful situation** das klingt nach einer schrecklichen Situation; **~ takes [me] an hour to get dressed in the morning** ich brauche morgens eine Stunde, um mich anzuziehen; **if ~'s convenient** wenn es Ihnen/dir passt; **they made a mess of ~** sie versauten es *sl;* **we had a hard time of ~ during the drought** während der Dürre hatten wir es schwer **❿** (*right thing*) es; **that's absolutely ~ — what a great find!** das ist genau das – ein toller Fund!; **that's ~!** das ist es! **⓫** (*trouble*) **to get ~** Probleme kriegen; **that's not ~** das ist es nicht **⓬** (*the end*) **that's ~** das war's **⓭** (*fam: sex*) **to do ~** es treiben ▸ **go for ~!** Hoppauf!; (*encouragement*) **go for ~, girl!** du schaffst es, Mädchen!; **to have ~ in for sb** es auf jdn abgesehen haben; **this is ~** jetzt geht's los; **to run for ~** davonlaufen; **that's ~** das ist der Punkt

IT [ˌaɪˈtiː] *n no pl* COMPUT *abbrev of* **Information Technology** IT *f*

Ital·ian [ɪˈtæliən] **I.** *n* **❶** (*native*) Italiener(in) *m(f)* **❷** (*language*) Italienisch *nt* **II.** *adj* italienisch

ital·ic [ɪˈtælɪk] *adj* TYPO kursiv

ital·ic·ize [ɪˈtælɪsaɪz] *vt* TYPO **to ~ a passage** eine Passage kursiv drucken

ital·ics [ɪˈtælɪks] *npl* TYPO Kursivschrift *f;* **printed in ~** kursiv gedruckt

Ita·ly [ˈɪtəli] *n* Italien *nt*

itch [ɪtʃ] **I.** *n* <*pl* -es> **❶** (*irritation*) Juckreiz *m;* **I've got an ~ on my back** es juckt mich am Rücken **❷** MED (*irritation*) Haut-

jucken *nt* **❸** (*fig fam: desire*) **to have an ~ for sth** wild auf etw *akk* sein **II.** *vi* **❶** (*prickle*) jucken **❷** (*fig fam: desire*) ▪ **to be ~ing to do sth** ganz wild darauf sein, etw zu tun; **she was ~ing to clip him round the ear** es juckte ihr in den Fingern, ihm eine runterzuhauen; ▪ **to ~ for sth** ganz wild auf etw *akk* sein; **to be ~ing for trouble/a fight** auf Ärger/Streit aus sein

itchy [ˈɪtʃi] *adj* **❶** (*rough*) *sweater* kratzig; *wool* kratzend **❷** (*causing sensation*) juckend; **I've got an ~ scalp** meine Kopfhaut juckt

item [ˈaɪtəm] *n* **❶** (*single thing*) Punkt *m;* (*in catalogue*) Artikel *m;* (*in account book*) Posten *m;* **~ of clothing** Kleidungsstück *nt;* **~ of furniture** Möbelstück *nt;* **~ in a list** Posten *m* auf einer Liste; **luxury ~** Luxusartikel *m;* **~ by ~** Punkt *m* für Punkt **❷** (*object of interest*) Anliegen *nt*, Gegenstand *m* **❸** (*topic*) Thema *m;* (*on agenda*) Punkt *m* **❹** (*fig fam: couple*) Beziehungskiste *f;* **are you two an ~, or just friends?** habt ihr beiden etwas miteinander, oder seid ihr nur Freunde?

item·ize [ˈaɪtəmaɪz] *vt* (*form*) näher angeben; *costs* aufgliedern; **I asked the telephone company to ~ my phone bill** ich bat die Telefongesellschaft, mir eine detaillierte Telefonrechnung auszustellen

itin·er·ant [aɪˈtɪnᵊrᵊnt] **I.** *n* **❶** (*unsettled person*) Vagabund(in) *m(f)* **❷** (*migrant worker*) Wanderarbeiter(in) *m(f);* (*traveller*) beruflich Reisender/beruflich Reisende; (*as a minstrel*) Fahrende(r) *f(m)* *hist* **II.** *adj* **❶** (*vagabond*) umherwandernd **❷** (*migrant*) Wander-, Saison- **❸** (*travelling*) reisend, Wander-, fahrend *hist*

itin·er·ary [aɪˈtɪnᵊrᵊri] *n* **❶** (*course*) Reiseroute *f* **❷** (*outline*) Reiseplan *m* **❸** (*account*) Reisebericht *m* **❹** (*book*) [Reise]führer *m*

it'll [ˈɪtᵊl] = **it will/it shall** *see* **will¹, shall**

ITN [ˌaɪtiːˈen] *n no pl* BRIT *abbrev of* **Independent Television News** Nachrichtendienst des ITV

its [ɪts] *pron poss* sein(e)

it's [ɪts] = **it is/it has** *see* **be, have I, II**

it·self [ɪtˈself] *pron reflexive* **❶** *after vb* sich [selbst] **❷** *after prep* sich [selbst] **❸** (*specifically*) **the shop ~ started 15 years ago** das Geschäft selbst öffnete vor 15 Jahren; **Mrs Vincent was punctuality ~** Mrs. Vincent war die Pünktlichkeit in Person **❹** (*alone*) **to keep sth to ~** etw geheim halten; **[all] by ~** [ganz] allein ▸ **in ~** selbst; **creativity in ~ is not enough to make a**

successful company Kreativität alleine genügt nicht, um eine erfolgreiche Firma aufzubauen

ITV [ˌaɪtiːˈviː] *n no pl, no art* BRIT *abbrev of* **Independent Television** *englisches Privatfernsehen*

IUD [ˌaɪjuːˈdiː] *n* MED *abbrev of* **intra-uterine device** Intrauterinpessar *nt*

IV [ˌaɪˈviː] *adj* MED *abbrev of* **intravenous** intravenös

I've [aɪv] = **I have** *see* **have I, II**

IVF [ˌaɪviːˈef] *n* MED *abbrev of* **in vitro fertilisation** IVF *f*

ivo·ry [ˈaɪvᵊri] **I.** *n* ❶ *no pl* (*substance*) Elfenbein *nt* ❷ (*tusk*) Stoßzahn *m* ❸ (*article*) Elfenbeinarbeit *f* **II.** *adj* elfenbeinern, Elfenbein- **III.** *adj* ❶ (*made of ivory*) elfenbeinern, Elfenbein- ❷ (*colour*) elfenbeinfarben

'Ivo·ry Coast *n* Elfenbeinküste *f*

ivo·ry 'tow·er I. *n* (*fig, pej form*) ❶ (*remote place*) weltabgeschiedener Ort, Elfenbeinturm *m* ❷ (*aloofness*) Weltabgeschiedenheit *f;* **to live in an ~** im Elfenbeinturm leben **II.** *adj* weltabgewandt

ivy [ˈaɪvi] *n* Efeu *m*

J j

J <pl -'s or -s>, **j** <pl -'s> [dʒeɪ] n J nt, j nt; see also **A 1**

jab [dʒæb] **I.** n ❶ (poke) Stoß m ❷ BOXING Gerade f ❸ BRIT, AUS (fam: injection) Spritze f ❹ (also fig: sharp sensation) Stich m **II.** vt <-bb-> ❶ (poke or prick) stechen; **to ~ a finger at sb/sth** auf jdn/etw mit dem Finger tippen; ▪**to ~ sth in|to| sth** etw in etw akk hineinstechen fam ❷ (kick) schießen **III.** vi <-bb-> ❶ (poke) schlagen; BOXING eine [kurze] Gerade schlagen ❷ (thrust at) ▪**to ~ at sb/sth [with sth]** [mit etw dat] auf jdn/etw einstechen

jab·ber ['dʒæbəʳ] (pej) **I.** n no pl Geplapper nt fam **II.** vi quasseln fam (about über) **III.** vt (blurt out) **he ~ed out something about an accident** er quasselte etwas von einem Unfall daher fam

jab·ber·ing ['dʒæbəʳrɪŋ] n see **jabber I**

jack [dʒæk] n ❶ (tool) Hebevorrichtung f; AUTO Wagenheber m ❷ CARDS Bube m ◆**jack in** vt BRIT (fam) job hinschmeißen ◆**jack up I.** vt ❶ (raise a heavy object) hoch heben; car aufbocken ❷ (fig fam: raise) erhöhen; prices, rent in die Höhe treiben **II.** vi (sl) fixen

Jack [dʒæk] n ▪~ **the Lad** BRIT (fam) Prahlhans m; **I'm all right ~** (fam) das kann mich überhaupt nicht jucken

jack·al ['dʒækɔːl] n Schakal m

jack·ass ['dʒækæs] n ❶ (donkey) Esel m ❷ (fam: idiot) Esel m pej, Depp m SÜDD, ÖSTERR, SCHWEIZ pej

jack·boot ['dʒækbuːt] n Schaftstiefel m

jack·daw ['dʒækdɔː] n Dohle f

jack·et ['dʒækɪt] n ❶ FASHION Jacke f ❷ (of a book) Schutzumschlag m ❸ AM, AUS MUS [Schall]plattenhülle f

jack·et po·ta·to n Folienkartoffel f

jack-in-the-box n Schachtelmännchen nt; (fig) Hampelmann m **jack·knife I.** n ❶ (knife) Klappmesser nt ❷ SPORTS Hechtsprung m **II.** vi ❶ (fold together) [wie ein Taschenmesser] zusammenklappen ❷ SPORTS hechten **jack-of-'all-trades** <pl jacks-of-all-trades> n ❶ (handyman) Mädchen nt für alles hum; ▪**to be a ~** alle anfallenden Arbeiten erledigen ▪**a ~, master of none** ein Hansdampf m in allen Gassen **jack-o'-'lantern** n AM Kürbislaterne f **'jack plug** n BRIT ELEC Bananenstecker m **'jack·pot** n Hauptgewinn m; **to hit the ~** den Hauptgewinn ziehen; (fig fam: have luck) das

große Los ziehen; (have success) einen Bombenerfolg haben

ja·cuz·zi® n, **Ja·cuz·zi®** [dʒə'kuːzi] n Whirlpool m

jade [dʒeɪd] **I.** n ❶ no pl (precious green stone) Jade m o f ❷ (colour) Jadegrün nt **II.** adj ❶ (made of jade) Jade-, aus Jade nach n ❷ (colour) jadegrün

jad·ed ['dʒeɪdɪd] adj ❶ (exhausted) erschöpft ❷ (dulled) übersättigt

jag·ged ['dʒægɪd] adj gezackt; coastline, rocks zerklüftet; cut, tear ausgefranst; (fig) nerves angeschlagen

jag·gy ['dʒægi] adj gezackt

jagu·ar ['dʒægjuəʳ] n Jaguar m

jail [dʒeɪl] **I.** n Gefängnis nt; **to go to ~** ins Gefängnis kommen **II.** vt einsperren

'jail·bird n (fam) Knastbruder m **'jail·break** n Gefängnisausbruch m

jail·er ['dʒeɪləʳ] n Gefängnisaufseher(in) m(f)

jail·or n see **jailer**

ja·lopy [dʒə'lɒpi] n (hum fam) [Klapper]kiste f

jam¹ [dʒæm] n Marmelade f

jam² [dʒæm] **I.** n ❶ (fam: awkward situation) Klemme f; **to be in [a bit of] a ~** [ziemlich] in der Klemme sitzen ❷ no pl (obstruction) of people Gedränge nt; of traffic Stau m ❸ MUS Jamsession f **II.** vt <-mm-> ❶ (block) verklemmen; switchboard überlasten; **to ~ sth open** etw aufstemmen ❷ (cram inside) [hinein]zwängen (**into** in) **III.** vi <-mm-> ❶ (become stuck) sich verklemmen; brakes blockieren ❷ (play music) jammen

Ja·mai·ca [dʒə'meɪkə] n Jamaika nt

Ja·mai·can [dʒə'meɪkən] **I.** n ❶ (person) Jamaikaner(in) m(f) ❷ (language) Jamaikanisch nt **II.** adj jamaikanisch

jamb(e) [dʒæm(b)] n ARCHIT [Tür]pfosten m, [Fenster]pfosten m

jam·bo·ree [ˌdʒæmbəʳr'iː] n ❶ (large social gathering) großes Fest ❷ (Scouts' or Guides' rally) Pfadfindertreffen nt ❸ (pej: political gathering) Politparty f fam

'jam jar n ❶ (container) Marmeladenglas nt ❷ BRIT (rhyming sl: car) Blechkiste f fam

jam·my ['dʒæmi] adj ❶ (covered with jam) marmelade[n]verschmiert ❷ BRIT (fam: unfairly lucky) Glücks-; **~ bastard** (fam!) [gott]verdammter Glückspilz ❸ BRIT (fam: very easy) kinderleicht

'**jam-packed** *adj* (*fam*) *bus, shop* gerammelt voll; *bag, box* randvoll; *suitcase* vollgestopft '**jam ses·sion** *n* (*fam*) Jamsession *f*

jan·gle ['dʒæŋgl̩] **I.** *vt* ❶ (*rattle*) ■**to ~ sth** [mit etw *dat*] klirren; *bells* bimmeln lassen; **to ~ keys** mit Schlüsseln rasseln ❷ (*fig: upset*) **to ~ sb's nerves** jdm auf die Nerven gehen **II.** *vi* klirren; *bells* bimmeln **III.** *n see* **jangling**

jan·gling ['dʒæŋglɪŋ] *n no pl of bells* Bimmeln *nt; of keys* Klirren *nt*

jani·tor ['dʒænɪtə'] *n esp* AM, SCOT Hausmeister(in) *m(f)*, Hauswart *m* DIAL

Janu·ary ['dʒænjuªri] *n* Januar *m*, Jänner *m* ÖSTERR, SÜDD, SCHWEIZ; *see also* **February**

Jap [dʒæp] (*pej!*) **I.** *n* (*sl*) *short for* **Japanese** Japs *m pej sl* **II.** *adj* (*sl*) *short for* **Japanese** Japsen- *pej sl*

Ja·pan [dʒə'pæn] *n* Japan *nt*

Japa·nese [ˌdʒæpªn'iːz] **I.** *n* <*pl* -> ❶ (*person*) Japaner(in) *m(f)* ❷ (*language*) Japanisch *nt* **II.** *adj* japanisch

jar¹ [dʒɑː'] *n* (*of glass*) Glas[gefäß] *nt; (of clay, without handle*) Topf *m; (of clay, with handle*) Krug *m; (of metal*) Topf *m*

jar² [dʒɑː'] **I.** *vt* <-rr-> ❶ (*strike*) schleudern (**against** gegen) ❷ (*influence unpleasantly*) verletzen ❸ (*send a shock through*) erschüttern **II.** *vi* <-rr-> (*cause unpleasant feelings*) ■**to ~ on sb** jdm auf den Nerv gehen; **to ~ on the ears** in den Ohren wehtun **III.** *n* ❶ (*sudden unpleasant shake*) Ruck *m* ❷ (*shock*) Schock *m*

jar·gon ['dʒɑːgən] *n no pl* [Fach]jargon *m*

jas·mine ['dʒæzmɪn] *n no pl* Jasmin *m*

jaun·dice ['dʒɔːndɪs] *n no pl* MED Gelbsucht *f*

jaun·diced ['dʒɔːndɪst] *adj* ❶ MED gelbsüchtig ❷ (*form: bitter*) *attitude* verbittert; *view* zynisch

jaunt [dʒɔːnt] *n* Ausflug *m;* **to go on a ~** einen Ausflug machen

jaun·ty ['dʒɔːnti] *adj* flott; *grin* fröhlich; *step* schwungvoll

jave·lin ['dʒævªlɪn] *n* ❶ (*light spear*) Speer *m* ❷ (*athletic event*) Speerwerfen *nt*

jaw [dʒɔː] **I.** *n* ❶ (*body part*) Kiefer *m;* **lower/upper ~** Unter-/Oberkiefer *m;* **sb's ~ drops in amazement** (*fig*) jdm fällt [vor Staunen] der Unterkiefer herunter *fam* ❷ (*large mouth and teeth*) ■**~s** *pl* Rachen *m a. fig* **II.** *vi* (*pej fam*) quasseln; ■**to ~ with sb** mit jdm quatschen

'**jaw·bone** *n* Kieferknochen *m* '**jaw·break·er** *n* ❶ *esp* AM, AUS FOOD großes, rundes, steinhartes Bonbon ❷ (*fam: tongue-twister*) Zungenbrecher *m* '**jaw-**

drop·ping *adj* (*fam*) atemberaubend

jay [dʒeɪ] *n* Eichelhäher *m*

'**jay·walk** *vi* AM eine Straße regelwidrig überqueren '**jay·walk·er** *n* unachtsamer Fußgänger/unachtsame Fußgängerin '**jay·walk·ing** *n no pl* unachtsames Überqueren einer Straße

jazz [dʒæz] **I.** *n no pl* ❶ (*music*) Jazz *m* ❷ AM (*pej sl: nonsense*) Quatsch *m* ▸ **and all that ~** (*pej fam*) und all so was **II.** *vt* AM (*sl*) (*make nonsense*) ... verkaufen ◆ **jazz up** *vt* (*fam*) ❶ (*adapt for jazz*) verjazzen ❷ (*fig: brighten or enliven*) aufpeppen

jazzy ['dʒæzi] *adj* ❶ (*of or like jazz*) Jazz-, jazzartig ❷ (*approv fam: bright and colourful*) *colours* knallig; *piece of clothing* poppig; *wallpaper* auffällig gemustert

JCB® [ˌdʒeɪsiː'biː] *n* BRIT [Erdräum]bagger *m*

jeal·ous ['dʒeləs] *adj* ❶ (*resentful*) eifersüchtig (**of** auf) ❷ (*envious*) neidisch; ■**to be ~ of sb** auf jdn neidisch sein; ■**to be ~ of sb's sth** jdn um etw *akk* beneiden

jeal·ous·ly ['dʒeləsli] *adv* ❶ (*resentfully*) eifersüchtig ❷ (*enviously*) neidisch

jeal·ousy ['dʒeləsi] *n* ❶ (*resentment*) Eifersucht *f no pl (of)* (*envy*) Neid *m*

jeans [dʒiːnz] *npl* Jeans[hose] *f;* **a pair of ~** eine Jeans[hose]

jeep [dʒiːp] *n* Jeep *m*, Geländewagen *m*

jeer [dʒɪə'] **I.** *vt* ausbuhen *fam* **II.** *vi* (*comment*) spotten (**at** über); (*laugh*) höhnisch lachen; (*boo*) buhen **III.** *n* höhnische Bemerkung

Je·ho·vah [dʒə'həʊvə] *n no art, no pl* Jehova *m*

jell *vi see* **gel**

jel·lied ['dʒelid] *adj* in Aspik eingelegt; **~ eels** Aal *m* in Aspik

jel·ly ['dʒeli] *n* ❶ (*substance*) Gelee *nt* ❷ BRIT, AUS (*dessert*) Wackelpudding *m fam; (meat in gelatine*) Sülze *f* ❸ AM (*jam*) Gelee *m o nt* ▸ **to beat sb to a ~** *esp* BRIT jdn windelweich schlagen *fam*

'**jel·ly baby** *n* BRIT Fruchtgummi *nt* (*in Form eines Babys*) '**jel·ly bean** *n* [bohnenförmiges] Geleebonbon '**jel·ly·fish** *n* ❶ (*sea animal*) Qualle *f* ❷ *esp* AM (*pej fam: weak, cowardly person*) Waschlappen *m* '**jel·ly wax** *n* Gelwachs *nt*

jem·my ['dʒemi] BRIT, AUS **I.** *n* Brecheisen *nt* **II.** *vt* <-ie-> ■**to ~ open** ⟳ **sth** etw aufbrechen

jeop·ard·ize ['dʒepədaɪz] *vt* gefährden; *career, future* aufs Spiel setzen

jeop·ardy ['dʒepədi] *n no pl* Gefahr *f*

jerk [dʒɜːk] **I.** *n* ❶ (*sudden sharp movement*) Ruck *m; (pull*) Zug *m; twist* Dreh *m*

② *esp* Am (*pej sl: stupid person*) Trottel *m*, Depp *m* süDD **③** (*weightlifting*) Stoß *m* **II.** *vi* zucken; **to ~ upwards** hochschnellen; **to ~ to a halt** abrupt zum Stillstand kommen **III.** *vt* **①** (*move sharply*) ■ **to ~ sb/sth** jdn/etw mit einem Ruck ziehen; (*fig*) reißen (**out of** aus) **②** (*weightlifting*) stoßen ◆ **jerk off** *vi* (*vulg*) wichsen

jer·kin [ˈdʒɜ:kɪn] *n* ärmellose Jacke

jerky [ˈdʒɜ:ki] **I.** *adj movement* ruckartig; *speech* abgehackt **II.** *n no pl* Am luftgetrocknetes Fleisch

jer·ry-built [ˈdʒerɪbɪlt] *adj attr* (*pej*) schlampig gebaut *fam*

jer·ry·can [ˈdʒerikæn] *n* Kanister *m*

jer·sey [ˈdʒɜ:zi] *n* **①** (*garment*) Pullover *m* **②** (*sports team shirt*) Trikot *nt* **③** *no pl* (*cloth*) Jersey *m* **④** (*type of cow*) ■ **J~** Jerseyrind *nt*

Jer·sey [ˈdʒɜ:zi] *n* GEOG Jersey *nt*

jest [dʒest] **I.** *n* **①** (*form*) (*utterance*) Scherz *m* **②** (*mood*) Spaß *m;* **to do/say sth in ~** etw im Spaß tun/sagen ■ **in** (*form*) scherzen; ■ **to ~ about sth** sich über etw *akk* lustig machen

jest·er [ˈdʒestə'] *n* HIST *court* ~ Hofnarr *m*

jest·ing [ˈdʒestɪŋ] **I.** *n* Scherzen *nt* **II.** *adj* scherzhaft

Jesu·it [ˈdʒezjuɪt] **I.** *n* Jesuit *m* **II.** *adj* jesuitisch, Jesuiten-

Jesu·iti·cal [ˌdʒezjuˈɪtɪkᵊl] *adj* **①** (*of or concerning Jesuits*) Jesuiten-, jesuitisch **②** (*pej: dissembling or equivocating*) verschlagen

Jesus, Jesus Christ [ˌdʒi:zəsˈkraɪst] **I.** *n no art, no pl* Jesus *m* **II.** *interj* (*pej sl*) Mensch! *fam*

jet¹ [dʒet] **I.** *n* **①** AVIAT [Düsen]jet *m* **②** (*thin stream*) Strahl *m;* **~ of air/gas** [dünner] Luft-/Gasstrahl **③** (*nozzle*) Düse *f* **II.** *vi* <-tt-> mit einem Jet fliegen, jetten *fam*

jet² [dʒet] *n no pl* (*gemstone*) Gagat *m*

'jet-black *adj* pechschwarz **jet 'en·gine** *n* Düsentriebwerk *nt* **jet 'fight·er** *n* Düsenjäger *m* **'jet·foil** *n* Tragflügelboot *nt* **'jet lag** *n no pl* Jetlag *m* **'jet plane** *n* Düsenflugzeug *nt* **jet-pro·'pelled** *adj* mit Düsenantrieb *nach h;* ■ **to be ~** einen Düsenantrieb haben **jet pro·'pul·sion** *n no pl* Düsenantrieb *m*

jet·sam [ˈdʒetsəm] *n no pl see* **flotsam**

'jet set *n no pl* (*fam*) Jetset *m*

jet·ti·son [ˈdʒetɪsᵊn] *vt* **①** (*discard, abandon*) fallen lassen; *employee* entlassen; ■ **to ~ sth** etw aufgeben; *plan* verwerfen; ■ **to ~ sth** [**for sth**] etw [zugunsten einer S. *gen*] aufgeben **②** (*drop*) *from a ship* über Bord werfen; *from a plane* abwerfen

jet·ty [ˈdʒeti] *n* **①** (*landing stage*) Pier *m* **②** (*breakwater*) Mole *f*

Jew [dʒu:] *n* Jude *m*, Jüdin *f*

jew·el [ˈdʒu:əl] *n* **①** (*precious stone*) Edelstein *m*, Juwel *m o nt* **②** (*sth beautiful or valuable*) Kostbarkeit *f* **③** (*watch part*) Stein *m*

je·wel·ler [ˈdʒu:ələ'] *n*, Am **je·wel·er** *n* Juwelier(in) *m(f)*

je·wel·lery [ˈdʒu:əlri] *n*, Am **'je·wel·ry** *n no pl* Schmuck *m*

Jew·ess <*pl* -es> [ˈdʒu:əs] *n* (*pej!*) Jüdin *f*

Jew·ish [ˈdʒu:ɪʃ] *adj* jüdisch

Jew·ry [ˈdʒʊəri] *n no art, no pl* (*form*) die Juden *pl*, das Judentum

Jew's 'harp *n* Maultrommel *f*

jib¹ [dʒɪb] *n* NAUT Klüver *m*

jib² [dʒɪb] *n* TECH Ausleger[arm] *m*

jib³ <-bb-> [dʒɪb] *vi* **①** (*be reluctant*) ■ **to ~ at doing sth** sich weigern, etw zu tun **②** (*stop suddenly*) *horse* scheuen (**at** vor)

jibe [dʒaɪb] **I.** *n* Stichelei *f*, verletzende Bemerkung **II.** *vi* **①** (*insult, mock*) ■ **to ~ at sth** über etw *akk* spötteln **②** Am, Aus (*fam: correspond*) übereinstimmen

jif·fy [ˈdʒɪfi] *n no pl* (*fam*) Augenblick *m;* **in a ~** gleich

jig [dʒɪg] **I.** *vt* <-gg-> schütteln **II.** *vi* <-gg-> **①** (*move around*) **to ~ about/up and down** herumhopsen/herumspringen **②** (*dance a jig*) eine Gigue tanzen **III.** *n* **①** (*dance*) *also* MUS Gigue *f*

jig·ger [ˈdʒɪgə'] **I.** *n* **①** (*container*) Messbecher *m* für Alkohol **②** Am (*measure*) *45 ml* **II.** *vt* Am fälschen

jiggery-pokery [ˌdʒɪgᵊriˈpəʊkᵊri] *n no pl* (*dated fam*) Gemauschel *nt pej*

jig·gle [ˈdʒɪgl] **I.** *vt* ■ **to ~ sth** mit etw *dat* wackeln; ■ **to ~ sth about** etw schütteln **II.** *vi* wippen, hüpfen **III.** *n* Rütteln *nt; of a limb* Zucken *nt*

'jig·saw *n* **①** (*mechanical*) Laubsäge *f;* (*electric*) Stichsäge *f* **②** (*puzzle*) Puzzle[spiel] *nt*

ji·had·ist [dʒɪˈhɑ:dɪst] *adj* Jihad-

jilt [dʒɪlt] *vt* ■ **to ~ sb** [**for sb**] jdn [wegen jdm] sitzen lassen

Jim Crow [ˌdʒɪmˌkrəʊ] *n no art, no pl* Am (*pej dated*) Rassendiskriminierung *f*

jim·jams *npl* **①** BRIT (*fam: pyjamas*) Schlafanzug *m* **②** (*fam*) ■ **the ~** (*alcohol-induced trembling*) Säuferwahnsinn *m;* (*fit of nerves*) Muffensausen *nt fam*

jim·my *vt* Am *see* **jemmy**

jin·gle [ˈdʒɪŋgl] **I.** *vt bells* klingeln lassen; **to ~ coins** mit Münzen klimpern; **to ~ keys** mit Schlüsseln klirren **II.** *vi bells* bimmeln; *coins* klimpern; *keys* klirren **III.** *n* **①** *no pl* (*metallic ringing*) *of bells* Bimmeln *nt; of coins* Klimpern *nt; of keys* Klirren ❷ (*in advertisements*) Jingle *m*

jin·go·ism ['dʒɪŋgəʊɪzᵃm] *n no pl* (*pej*) Chauvinismus *m*

jin·go·is·tic [ˌdʒɪŋgəʊ'ɪstɪk] *adj* (*pej*) chauvinistisch

jinx [dʒɪŋks] **I.** *n no pl* Unglück *nt;* **there's a ~ on this computer** mit diesem Computer ist es wie verhext; **to put a ~ on sb/ sth** jdn/etw verhexen **II.** *vt* verhexen

jit·ter·bug ['dʒɪtəbʌg] **I.** *n* (*dance*) Jitterbug *m* **II.** *vi* <-gg-> Jitterbug tanzen

jit·ters ['dʒɪtəz] *npl* (*fam*) Bammel *m kein pl; of an actor* Lampenfieber *nt;* **to get the ~** Muffensausen kriegen

jit·tery ['dʒɪtᵃri] *adj* (*fam*) nervös

jive [dʒaɪv] **I.** *n no pl* ❶ (*dance*) Jive *m;* (*music*) Swingmusik *f;* **to do the ~** Jive tanzen ❷ AM (*sl: dishonest talk*) Gewäsch *nt fam;* **a bunch of ~** ein Haufen *m* Mist *fam* **II.** *vi* Jive tanzen; ▣ **to ~ to sth** auf etw *akk* Jive tanzen **III.** *vt* AM (*sl*) ▣ **to ~ sb** jdn für dumm verkaufen *fam*

job [dʒɒb] **I.** *n* ❶ (*employment*) Stelle *f;* **full-time/part-time ~** Vollzeit-/Teilzeitstelle *f;* **he has a part-time ~** [working] **in a bakery** er arbeitet halbtags in einer Bäckerei; **holiday/Saturday job** Ferien-/ Samstagsjob *m;* **nine-to-five ~** Achtstundentag *m;* **steady ~** feste Stelle; **to apply for a ~** [with sb/sth] sich um eine Stelle [bei jdm/etw] bewerben; **to be out of a ~** arbeitslos sein; **to create new ~s** neue Arbeitsplätze schaffen; **to give up one's ~** kündigen; **to lose one's ~** seinen Arbeitsplatz verlieren ❷ (*piece of work*) Arbeit *f;* (*task*) Aufgabe *f;* (*to be*] **just the man/ woman for the ~** genau der/die Richtige dafür [sein]; **nose ~** (*fam*) Nasenkorrektur *f;* **to make a bad/good ~ of doing sth** bei etw *dat* schlechte/gute Arbeit leisten ❸ (*fam: object*) Ding *nt* ❹ (*sl: crime*) Ding *nt fam;* **to do a ~** ein Ding drehen *fam* ❺ *no pl* (*duty*) Aufgabe *f;* **she's only doing her ~** sie tut nur ihre Pflicht; **it's not my ~ to tell you how to run your life, but ...** es geht mich zwar nichts an, wie du dein Leben regelst, aber... ❻ *no pl* (*problem*) **it was quite a ~** das war gar nicht so einfach ❼ COMM (*order*) Auftrag *m* ▶ **~ for the boys** BRIT (*pej fam*) unter der Hand vergebene Arbeit; **to do the ~** den Zweck erfüllen **II.** *vt* <-bb-> ❶ AM (*fam: cheat*) ▣ **to ~ sb** jdn übers Ohr hauen ❷ STOCKEX **to ~ stocks** mit Aktien handeln **III.** *vi* <-bb-> ❶ (*do casual work*) jobben *fam* ❷ STOCKEX als Broker tätig sein

'job ad·ver·tise·ment *n* Stellenanzeige *f* **'job analy·sis** *n* Arbeitsplatzanalyse *f* **'job ap·pli·ca·tion** *n* Bewerbung *f*

job·ber ['dʒɒbə'] *n* ❶ BRIT (*hist: in stocks*) Jobber *m*, Wertpapiergroßhändler(in) *m(f)* (*an Londoner Börse*) ❷ AM (*wholesaler*) Großhändler(in) *m(f)*

'job·cen·tre *n* BRIT ≈ Agentur *f* für Arbeit (*für Arbeitsvermittlung, Durchführung arbeitsmarktpolitischer Maßnahmen und Gewährung von Lohnersatzleistungen zuständig*) **'job coun·sel·lor** *n* Arbeitsberater(in) *m(f)* **'job crea·tion** *n no pl* Arbeitsbeschaffung *f* **'job cuts** *npl* Stellenabbau *m kein pl*, Arbeitsplatzabbau *m kein pl* **'job de·scrip·tion** *n* Stellenbeschreibung *f* **'job inter·view** *n* Bewerbungsgespräch *nt*

job·less ['dʒɒbləs] **I.** *adj* arbeitslos **II.** *n esp* BRIT ▣ **the ~** *pl* die Arbeitslosen *pl*

job 'lot *n* [Waren]posten *m;* **I bought a ~ of children's books which were being sold off cheaply** ich habe eine ganze Sammlung Kinderbücher gekauft, die verramscht wurden **'job mar·ket** *n* Arbeitsmarkt *m* **'job rat·ing** *n* Arbeitsbewertung *f* **'job seek·er** *n* Arbeitssuchende(r) *f(m)* **'job ti·tle** *n* Berufsbezeichnung *f*

Jock [dʒɒk] *n* ❶ BRIT (*sl*) Schotte *m* ❷ SPORTS (*sl*) *see* **jockstrap**

jock·ey ['dʒɒki] **I.** *n* Jockey *m* **II.** *vi* ▣ **to ~ for sth** um etw *akk* konkurrieren **III.** *vt* ▣ **to ~ sb into doing sth** jdn dazu drängen, etw zu tun

'jock·strap *n* SPORTS Suspensorium *nt*

jo·cose [dʒə(ʊ)'kəʊs] *adj* (*form, liter*) scherzhaft; *manner* witzig

jocu·lar ['dʒɒkjələr'] *adj* (*form*) lustig; *comment* witzig; *person* heiter; **in a ~ fashion** im Spaß; **to be in a ~ mood** zu Scherzen aufgelegt sein

joc·und ['dʒɒkənd] *adj* (*liter*) fröhlich

jodh·purs ['dʒɒdpəz] *npl* Reithose *f;* **a pair of ~** eine Reithose

Joe Bloggs [ˌdʒəʊ'blɒgz] *n no art, no pl* BRIT (*fam*) Otto Normalverbraucher *m*

jog [dʒɒg] **I.** *n* ❶ *no pl* (*run*) Dauerlauf *m;* **to go for a ~** joggen gehen *fam* ❷ *usu sing* (*push, knock*) Stoß *m* **II.** *vi* <-gg-> joggen **III.** *vt* <-gg-> [an]stoßen ▶ **to ~ sb's me·mory** jds Gedächtnis *nt* nachhelfen ◆ **jog along** *vi* ❶ (*fam: advance slowly*) *person* dahintrotten; *vehicle* dahinzuckeln ❷ (*continue in a routine manner*) [so] dahinwursteln

jog·ger ['dʒɒgər'] *n* Jogger(in) *m(f)*

jog·ging ['dʒɒgɪŋ] *n no pl* Joggen *nt;* **to go** [out] **~** joggen gehen

jog·gle ['dʒɒgl] **I.** *vt* (*move jerkily*) [leicht] rütteln; **to ~ a baby about** ein Baby hin und her wiegen **II.** *n* [leichtes] Schütteln

john [dʒɑːn] *n* ❶ AM, AUS (*fam: toilet*) Klo *nt* ❷ AM (*sl: prostitute's client*) Freier *m fam*

John Bull [ˌdʒɒn'bʊl] *n no art, no pl* BRIT (*dated fam*) John Bull *m* (*Figur, die den typischen Engländer oder England repräsentiert*)

john·nie *n*, **john·ny** ['dʒɒni] *n* BRIT (*sl*) [*rubber*] ▶ Pariser *m*

join [dʒɔɪn] **I.** *vt* ❶ (*connect*) ■**to ~ sth** [**to sth**] etw [mit etw *dat*] verbinden; *battery* etw [an etw *dat*] anschließen; (*add*) etw [an etw *akk*] anfügen; ■**to ~ sth together** etw zusammenfügen ❷ (*offer company*) ■**to ~ sb** sich zu jdm gesellen; **would you like to ~ us for supper?** möchtest du mit uns zu Abend essen?; **do you mind if I ~ you?** darf ich mich zu Ihnen setzen?; **her husband ~ed her in Rome a week later** eine Woche später kam ihr Mann nach Rom nach ❸ (*enrol*) beitreten; *club, party* Mitglied werden; **to ~ the army** Soldat werden ❹ (*participate*) ■**to ~ sth** bei etw *dat* mitmachen; **let's ~ the dancing** lass uns mittanzen; **to ~ the queue** [*or* AM **line**] sich in die Schlange stellen ❺ (*support*) ■**to ~ sb in** [**doing**] **sth** jdm bei etw *dat* zur Seite stehen; **I'm sure everyone will ~ me in wishing you a very happy birthday** es schließen sich sicher alle meinen Glückwünschen zu Ihrem Geburtstag an ❻ (*cooperate*) **to ~ forces with sb** sich mit jdm zusammentun ❼ (*board*) **to ~ a plane/train** in ein Flugzeug/einen Zug zusteigen **II.** *vi* ❶ (*connect*) ■**to ~** [**with sth**] sich [mit etw *dat*] verbinden ❷ (*cooperate*) ■**to ~ with sb in doing sth** sich mit jdm *dat* zusammenschließen, um etw zu tun ❸ (*enrol*) beitreten, Mitglied werden **III.** *n* ❶ (*seam*) Verbindung[sstelle] *f* ❷ MATH (*set theory*) Vereinigungsmenge *f fachspr* ❸ COMPUT Join-Anweisung *f fachspr* ◆ **join in** *vi* teilnehmen; (*in game*) mitspielen; (*in song*) mitsingen; ■**to ~ in sth** bei etw *dat* mitmachen ◆ **join up I.** *vi* ❶ BRIT, AUS MIL zum Militär gehen ❷ (*connect*) sich verbinden; *cells* miteinander verschmelzen; *streets* aufeinandertreffen ❸ (*meet*) **let's ~ up later for a drink** lasst uns später zusammen noch einen trinken gehen; ■**to ~ up with sb** sich mit jdm zusammentun ❹ (*cooperate*) ■**to ~ up with sb/sth** sich mit jdm/etw zusammenschließen **II.** *vt* ■**to ~ up ⟳ sth** etw [miteinander] verbinden; *parts* etw zusammenfügen

join·er ['dʒɔɪnə^r] *n* ❶ (*skilled worker*) Tischler(in) *m(f)* ❷ (*fam: activity-oriented person*) geselliger Typ

join·ery ['dʒɔɪnəri] *n no pl* (*product*) Tischlerarbeit *f*; (*craft*) Tischlerhandwerk *nt*

joint [dʒɔɪnt] **I.** *adj* gemeinsam; **~ undertaking** Gemeinschaftsunternehmen *nt*; **~ winners** SPORTS zwei Sieger/Siegerinnen; **to come ~ second** mit jdm zusammen den zweiten Platz belegen **II.** *n* ❶ (*connection*) Verbindungsstelle *f* ❷ ANAT Gelenk *nt*; **to put sth out of ~** etw ausrenken; (*fig*) etw außer Betrieb setzen ❸ (*meat*) Braten *m*; **~ of beef/lamb** Rinder-/Lammbraten *m* ❹ (*fam: cheap bar, restaurant*) Laden *m* ❺ (*cannabis cigarette*) Joint *m sl* ▶ **to be out of ~** aus den Fugen sein

joint ac·'count *n* Gemeinschaftskonto *nt* **joint com·'mit·tee** *n* gemischter Ausschuss **joint 'debt·or** *n* Mitschuldner(in) *m(f)*

joint·ed ['dʒɔɪntɪd] *adj* ❶ (*having joints*) gegliedert; **double ~** extrem gelenkig ❷ (*united*) verbunden

joint 'ef·forts *npl* gemeinsame Anstrengungen **joint·ly** ['dʒɔɪntli] *adv* gemeinsam **joint 'own·er** *n* Miteigentümer(in) *m(f)*; **of a company** Mitinhaber(in) *m(f)* **joint 'prop·er·ty** *n* gemeinschaftliches Eigentum **joint 'stock** *n no pl* Aktienkapital *nt* **joint-stock 'com·pa·ny** *n* BRIT Aktiengesellschaft *f* **joint 'ven·ture** *n* Joint Venture *nt*

joist [dʒɔɪst] *n* [Quer]balken *m*

joke [dʒəʊk] **I.** *n* ❶ (*action*) Spaß *m*; (*trick*) Streich *m*; (*amusing story*) Witz *m*; **dirty ~** Zote *f*; **to crack/tell ~s** Witze reißen *fam*/erzählen; **to get a ~** einen Witz kapieren; **to get beyond a ~** nicht mehr witzig sein; **to make a ~ of sth** (*ridicule*) etw ins Lächerliche ziehen; (*laugh off*) **they made a ~ of it, but it was obvious they were offended** sie lachten darüber, aber es war offensichtlich, dass sie beleidigt waren; **to not be able to take a ~** keinen Spaß vertragen; **the ~ was on me** der Spaß ging auf meine Kosten ❷ (*fam: sth very easy*) Kinderspiel *nt* ❸ (*fam: ridiculous thing or person*) Witz *m* **II.** *vi* scherzen; ■**to be joking** Spaß machen; **you must be joking!** das meinst du doch nicht im Ernst!; ■**to ~ about sth** sich über etw *akk* lustig machen

jok·er ['dʒəʊkə^r] *n* ❶ (*one who jokes*) Spaßvogel *m* ❷ (*fam: annoying person*) Typ *m* ❸ CARDS Joker *m*

jok·ing ['dʒəʊkɪŋ] **I.** *adj* scherzhaft **II.** *n no* *pl* Scherzen *nt;* ~ **apart** Spaß beiseite; ~ **apart, what do you really think of your new job?** jetzt mal ganz im Ernst, was hältst du wirklich von deinem neuen Job?

jok·ing·ly ['dʒəʊkɪŋli] *adv* im Scherz

jol·li·fi·ca·tion [ˌdʒɒlɪfɪ'keɪʃən] *n (fam)* no *pl (merrymaking)* Festlichkeit *f;* (*boozy party*) feuchtfröhliches Fest

jol·lity ['dʒɒləti] *n no pl* Fröhlichkeit *f*

jol·ly ['dʒɒli] I. *adj* ❶ (*happy*) lustig, vergnügt ❷ (*enjoyable or cheerful*) lustig; *evening* nett; *room* freundlich II. *adv* BRIT (*fam*) sehr; **just tell her to ~ well hurry up** sag ihr, sie soll sich endlich mal beeilen; **I ~ well hope so!** das will ich doch hoffen! III. *vt* ■**to ~ sb along** ❶ (*humour*) jdn bei Laune halten *fam* ❷ (*encourage*) jdn ermutigen

jolt [dʒəʊlt] I. *n* ❶ (*sudden jerk*) Stoß *m,* Ruck *m* ❷ (*shock*) Schlag *m;* **his self-confidence took a sudden ~** sein Selbstvertrauen wurde plötzlich erschüttert; **to wake up with a ~** aus dem Schlaf hochschrecken II. *vt* ❶ (*jerk*) durchrütteln; **the train stopped unexpectedly and we were ~ed forwards** der Zug hielt unerwartet an und wir wurden nach vorne geschleudert; **I was ~ed awake by a sudden pain** ich wurde von einem plötzlichen Schmerz aus dem Schlaf gerissen ❷ (*fig: shake*) *relationship* erschüttern; *conscience* wachrütteln ❸ (*fig: shock*) **to ~ sb into action** jdn zum Handeln veranlassen; **to ~ sb out of his/her lethargy** jdn aus seiner/ihrer Lethargie reißen III. *vi vehicle* rumpeln

Jor·dan ['dʒɔːdən] *n* ❶ (*country*) Jordanien *nt* ❷ (*river*) ■**the river ~** der Jordan

Jor·da·nian [dʒɔː'deɪniən] I. *adj* jordanisch II. *n* Jordanier(in) *m(f)*

josh [dʒɒʃ] (*fam*) I. *vt* ■**to ~ sb [about sth]** jdn [wegen einer S. *gen*] aufziehen II. *vi* Spaß machen, scherzen

joss stick ['dʒɒs-] *n* Räucherstäbchen *nt*

jos·tle ['dʒɒsl] I. *vt* anrempeln; FBALL rempeln II. *vi* ❶ (*push*) [sich *akk*] drängeln *fam* ❷ (*compete*) ■**to ~ for sth** *business, influence* um etw *akk* konkurrieren

jos·tling ['dʒɒslɪŋ] I. *n no pl* ❶ (*pushing*) Gedränge *nt,* Drängelei *f* ❷ (*competition*) Gerangel *nt pej fam* (**for** um +*akk*) II. *adj* (*pushing*) sich drängelnd *attr;* (*pushy*) *crowd* aufdringlich *pej*

jot [dʒɒt] I. *n no pl* ▸ **not a ~ of good** keinerlei Nutzen; **not a ~ of truth** nicht ein Körnchen Wahrheit; **to not give a ~ about sb/sth** sich nicht den Teufel um

jdn/etw scheren *fam* II. *vt* <-tt-> notieren

jot·ter ['dʒɒtə'] *n* BRIT, AUS, **jot·ter pad** *n* BRIT, AUS Notizblock *m*

jot·tings ['dʒɒtɪŋz] *npl* Notizen *pl*

joule [dʒuːl] *n* Joule *nt*

jour·nal ['dʒɜːnəl] *n* ❶ (*periodical*) Zeitschrift *f;* (*newspaper*) Zeitung *f* ❷ (*diary*) Tagebuch *nt;* **to keep a ~** Tagebuch führen

jour·nal·ism ['dʒɜːnəlɪzəm] *n no pl* Journalismus *m*

jour·nal·ist ['dʒɜːnəlɪst] *n* Journalist(in) *m(f)*

jour·nal·is·tic [ˌdʒɜːnəl'ɪstɪk] *adj* journalistisch

jour·ney ['dʒɜːni] I. *n* Reise *f;* **car/train ~** Auto-/Zugfahrt *f;* **a two-hour train ~** eine zweistündige Zugfahrt II. *vi* (*esp liter*) reisen

'jour·ney·man *n* ❶ (*experienced workman*) Fachmann *m* ❷ (*qualified workman*) Geselle *m* ❸ SPORTS **~ tennis player** routinierter Tennisspieler

joust [dʒaʊst] I. *vi* ❶ (*engage in a joust*) einen Turnierzweikampf austragen ❷ (*compete*) ■**to ~ for sth** um etw *akk* streiten II. *n* Turnierzweikampf *m*

jo·vial ['dʒəʊviəl] *adj* ❶ (*friendly*) *person* freundlich; *welcome* herzlich ❷ (*joyous*) *mood* heiter; *chat, evening* nett

jo·vi·al·ity [ˌdʒəʊvi'æləti] *n no pl* ❶ (*friendliness*) Freundlichkeit *f* ❷ (*joyousness*) Fröhlichkeit *f*

jowl [dʒaʊl] *n* ❶ (*jaw*) Unterkiefer *m* ❷ *usu pl* (*hanging flesh*) Kinnbacke *f*

joy [dʒɔɪ] *n* ❶ (*gladness*) Freude *f,* Vergnügen *nt;* **her singing is a ~ to listen to** ihrem Gesang zuzuhören ist ein Genuss; **one of the ~s of the job** einer der erfreulichen Aspekte dieses Berufs; **to jump for ~** einen Freudensprung machen; **to weep with ~** vor Freude weinen ❷ (*liter: expression of gladness*) Fröhlichkeit *f* ❸ *no pl* BRIT (*fam: success*) Erfolg *m*

joy·ful ['dʒɔɪfəl] *adj face, person* fröhlich; *event, news* freudig

joy·ful·ly ['dʒɔɪfəli] *adv* fröhlich, vergnügt

joy·less ['dʒɔɪləs] *adj childhood, time* freudlos; *expression, occasion, news* traurig; *marriage* unglücklich

joy·ous ['dʒɔɪəs] *adj* (*liter*) *event, news* freudig; *person, voice* fröhlich

'joy·ride *n* [waghalsige] Spritztour (*in einem gestohlenen Auto*) **'joy·stick** *n* AVIAT Steuerknüppel *m;* COMPUT Joystick *m*

JP *n abbrev of* Justice of the Peace

Jr *adj after n esp* AM *short for* **junior** jun.

ju·bi·lant ['dʒuːbɪlənt] *adj* glücklich; *crowd* jubelnd *attr; expression, voice* tri-

umphierend *attr; face* freudestrahlend *attr*
ju·bi·la·tion [ˌdʒuːbɪˈleɪʃⁿn] *n no pl* Jubel *m*
ju·bi·lee [ˈdʒuːbɪliː] *n* Jubiläum *nt*
Ju·da·ism [ˈdʒuːdeɪɪzⁿm] *n no pl* Judaismus *m,* Judentum *nt*
jud·der [ˈdʒʌdəʳ] BRIT, AUS I. *vi* ruckeln II. *n no pl* Ruckeln *nt*
judge [dʒʌdʒ] I. *n* ❶ LAW Richter(in) *m(f)* ❷ (*at a competition*) Preisrichter(in) *m(f);* SPORTS (*in boxing, gymnastics, wrestling*) Punktrichter(in) *m(f);* (*in athletics, swimming*) Kampfrichter(in) *m(f)* ❸ (*expert*) of *literature, music, wine* Kenner(in) *m(f);* **to be a good/bad ~ of character** ein guter/schlechter Menschenkenner sein II. *vi* ❶ (*decide*) urteilen; **judging by his comments, he seems to have been misinformed** seinen Äußerungen nach zu urteilen, ist er falsch informiert worden ❷ (*estimate*) schätzen III. *vt* ❶ (*decide*) beurteilen ❷ (*estimate*) schätzen ❸ (*pick a winner*) ▪**to ~ sth** bei etw *dat* Kampfrichter sein ❹ (*rank*) einstufen ▸ **you can't ~ a book by its cover** (*saying*) man kann eine Sache nicht nach dem äußeren Anschein beurteilen
judg(e)·ment [ˈdʒʌdʒmənt] *n* ❶ LAW Urteil *nt;* **to pass ~ [on sb]** (*also fig*) ein Urteil [über jdn] fällen ❷ (*opinion*) Urteil *nt;* **error of ~** Fehleinschätzung *f;* **against one's better ~** wider besseres Wissen ❸ (*discernment*) Urteilsvermögen *nt*
judg(e)·men·tal [dʒʌdʒˈmentⁿl] *adj* (*pej*) [vorschnell] wertend *attr;* ▪**to be ~ about sb** ein [vorschnelles] Urteil über jdn fällen
ju·di·ca·ture [ˈdʒuːdɪkətʃəʳ] *n no pl* ❶ LAW (*system*) Justiz *f* ❷ + *sing/pl vb* (*the judges*) ▪**the ~** die Richterschaft
ju·di·cial [dʒuːˈdɪʃⁿl] *adj* gerichtlich; **~ authorities/murder/reform** Justizbehörden *pl*/-mord *m*/-reform *f;* **~ review** gerichtliche Überprüfung (*der Vorinstanzentscheidung*); AM Normenkontrolle *f* (*Prüfung der Gesetze auf ihre Verfassungsmäßigkeit*)
ju·di·ci·ary [dʒuːˈdɪʃⁿri] *n* + *sing/pl vb* ▪**the ~** (*people*) der Richterstand; (*system*) das Gerichtswesen
ju·di·cious [dʒuːˈdɪʃəs] *adj choice, person* klug; *decision* wohl überlegt
ju·di·cious·ly [dʒuːˈdɪʃəsli] *adv* klug
judo [ˈdʒuːdəʊ] *n no pl* Judo *nt*
jug [dʒʌg] I. *n* Kanne *f,* Krug *m* II. *vt* <-gg-> FOOD schmoren; **~ged hare** Hasenpfeffer *m*
jug·ger·naut [ˈdʒʌgənɔːt] *n* ❶ (*heavy lorry*) Schwerlastwagen *m;* NAUT Großkampfschiff *nt* ❷ (*pej: overwhelming*

force) verheerende Gewalt ❸ (*overpowering institution*) Gigant *m*
jug·gle [ˈdʒʌgl] I. *vt* ▪**to ~ sth** ❶ (*toss and catch*) mit etw *dat* jonglieren; (*fig*) **it is quite hard to ~ children and a career** es ist ziemlich schwierig, Familie und Beruf unter einen Hut zu bringen ❷ (*fig, pej: manipulate*) etw manipulieren II. *vi* ❶ (*fig, pej: manipulate*) ▪**to ~ with sth** *facts, information* etw manipulieren ❷ (*pej: fumble*) ▪**to ~ with sth** mit etw *dat* herumspielen
jug·gler [ˈdʒʌgləʳ] *n* Jongleur(in) *m(f)*
jugu·lar [ˈdʒʌgjələʳ] *n,* **jugu·lar ˈvein** *n* Drosselvene *f fachspr* ▸ **to go for the ~** (*fig*) an die Gurgel springen *fam*
juice [dʒuːs] *n* ❶ *no pl* (*of fruit, vegetable*) Saft *m;* **lemon ~** Zitronensaft *m* ❷ *pl* (*liquid in meat*) [Braten]saft *m kein pl* ❸ AM (*sl: influence, power*) Macht *f;* **to have [all] the ~** das [absolute] Sagen haben *fam* ❹ (*fig: energy*) **to get the creative ~s flowing** schöpferisch tätig werden ❺ (*sl: electricity*) Saft *m;* (*petrol*) Sprit *m fam*
juiced-ˈup *adj attr* aufgepeppt *fam*
juicy [ˈdʒuːsi] *adj* ❶ (*succulent*) saftig ❷ (*fam: bountiful*) saftig; *profit* fett ❸ (*fam: interesting*) interessant; *role, task* reizvoll ❹ (*fam: suggestive*) *joke, story* schlüpfrig; *details, scandal* pikant
ju-jit·su [dʒuːˈdʒɪtsuː] *n no pl* Jiu-Jitsu *nt*
juke·box [ˈdʒuːkbɒks] *n* Jukebox *f*
ju·lep [ˈdʒuːlɪp] *n* Julep *m o nt* (*alkoholisches Eisgetränk, oft mit Pfefferminze*)
July [dʒʊˈlaɪ] *n* Juli *m; see also* **February**
jum·ble [ˈdʒʌmbl] I. *n no pl* ❶ (*also fig: chaos*) Durcheinander *nt a. fig; of clothes, papers* Haufen *m* ❷ BRIT (*unwanted articles*) Ramsch *m fam* II. *vt* in Unordnung bringen; *figures* durcheinanderbringen
ˈjum·ble sale *n* BRIT Flohmarkt *m;* (*for charity*) Wohltätigkeitsbasar *m*
jum·bo [ˈdʒʌmbəʊ] I. *adj attr* Riesen- II. *n* (*fam*) Koloss *m;* AVIAT Jumbo *m*
jump [dʒʌmp] I. *n* ❶ (*leap*) Sprung *m,* Satz *m;* SPORTS Hoch-/Weit-/Dreisprung *m;* **parachute ~** Fallschirmabsprung *m* ❷ (*fig: rise*) Sprung *m; of prices, temperatures, value* [sprunghafter] Anstieg; *of profits* [sprunghafte] Steigerung; **to take a sudden ~** *prices, temperatures, value* sprunghaft ansteigen ❸ (*step*) Schritt *m;* (*head start*) Vorsprung *m;* **to get/have the ~ on sb** AM (*fam*) sich *dat* einen Vorsprung vor jdm verschaffen/jdm gegenüber im Vorteil sein ❹ (*shock*) [nervöse] Zuckung; **to wake up with a ~** aus dem Schlaf hoch-

fahren ⑤ (*hurdle*) Hindernis *nt* **II.** *vi*
① (*leap*) springen; **to ~ to sb's defence**
(*fig*) jdm zur Seite springen; **to ~ to one's
feet** aufspringen; **to ~ up and down** herumspringen *fam;* ▪ **to ~ in** [to] **sth** *car,
water* in etw *akk* [hinein]springen ② (*rise*)
sprunghaft ansteigen, in die Höhe schnellen ③ (*fig: change*) springen ④ (*be startled*) einen Satz machen; **to make sb ~**
jdn erschrecken ⑤ BRIT, AUS (*fig fam*) **to ~
on sb** (*criticize*) jdn [aus nichtigem Anlass]
abkanzeln ▸ **to ~ to conclusions** voreilige
Schlüsse ziehen; **to ~ for joy** einen Freudensprung machen; *heart* vor Freude hüpfen; **to ~ out of one's skin** zu Tode erschrecken **III.** *vt* ① (*leap over*) überspringen ② (*skip*) *line, page, stage* überspringen
③ *esp* AM (*fam: attack*) überfallen ④ (*disregard*) missachten; **to ~ bail** (*fam*) die
Kaution sausen lassen [und sich verdrücken]; **to ~ the** [**traffic**] **lights** (*fam*) eine
Ampel überfahren; **to ~ a/the queue** BRIT,
AUS sich vordrängeln; (*fig*) aus der Reihe
tanzen ▸ **to ~ the gun** überstürzt handeln;
SPORTS einen Frühstart verursachen; **to ~
ship** das sinkende Schiff verlassen ◆ **jump
at** *vi* ① (*attack*) ▪ **to ~ at sb** auf jdn losgehen ② (*accept eagerly*) ▪ **to ~ at sth** *idea,
suggestion* sofort auf etw *akk* anspringen
fam; offer sich auf etw *akk* stürzen; **to ~ at
the chance of doing sth** die Gelegenheit
beim Schopfe packen, etw zu tun ◆ **jump
in** *vi* ① (*leap in*) hinein-/hereinspringen
(in +*akk*); (*into vehicle*) einsteigen (in
+*akk*) ② (*interrupt*) dazwischenreden
◆ **jump out** *vi* ① (*leave*) hinaus-/herausspringen; ▪ **to ~ out of sth** *bed, car, window* aus etw *dat* springen ② (*fig: stand
out*) ▪ **to ~ out at sb** jdm sofort auffallen
◆ **jump up** *vi* aufspringen
jumped-up [ˌdʒʌm(p)t'ʌp] *adj* BRIT (*pej
fam*) aufgeblasen
jump·er [ˈdʒʌmpə^r] *n* ① (*person*) Springer(in) *m(f);* (*horse*) Springpferd *nt* ② BRIT,
AUS (*pullover*) Pullover *m* ③ AM, AUS (*pinafore*) Trägerkleid *nt*
jump·ing 'jack *n* ① (*firework*) Knallfrosch *m* ② (*toy figure*) Hampelmann *m*
'jump jet *n* Senkrechtstarter *m* '**jump
leads** *npl* BRIT Starthilfekabel *m* '**jump·
suit** *n* Overall *m*
jumpy [ˈdʒʌmpi] *adj* (*fam*) ① (*nervous*)
nervös ② (*easily frightened*) schreckhaft
③ (*jerky*) *movement* ruckartig ④ FIN
(*unsteady*) *market* unsicher ⑤ (*digressive*)
style sprunghaft
junc·tion [ˈdʒʌŋkʃ^ən] *n* (*road*) Kreuzung *f;*
(*motorway*) Autobahnkreuz *nt*

'junc·tion box *n* ELEC Verteilerkasten *m*
junc·ture [ˈdʒʌŋ(k)(t)ʃə^r] *n no pl* (*form*)
[kritischer] Zeitpunkt; **at this ~** zum jetzigen Zeitpunkt
June [dʒu:n] *n* Juni *m; see also* **February**
jun·gle [ˈdʒʌŋgl] *n* (*also fig*) Dschungel *m*
jun·ior [ˈdʒu:niə^r] **I.** *adj* ① (*younger*) junior
nach n ② *attr* SPORTS Junioren-, Jugend-
③ *attr* SCH **~ college** AM Juniorencollege *nt*
(*die beiden ersten Studienjahre umfassende Einrichtung*); **~ school** BRIT Grundschule *f;* **~ high school** AM Aufbauschule *f*
(*umfasst in der Regel die Klassenstufen
7–9*) ④ (*low rank*) untergeordnet; **I'm too
~ to apply for this job** ich habe eine zu
niedrige Position inne, um mich für diese
Stelle bewerben zu können **II.** *n* ① *no pl
esp* AM (*son*) Sohn *m* ② (*younger*) Jüngere(r) *f(m);* **he's two years my ~** er ist
zwei Jahre jünger als ich ③ (*low-ranking
person*) unterer Angestellter/untere Angestellte; *office* ~ Bürogehilfe(in) *m(f)* ④ BRIT
SCH Grundschüler(in) *m(f)* ⑤ BRIT SCH
▪ **the ~s** *pl* die Grundschule *f kein pl*
⑥ AM UNIV Student(in) *m(f)* im vorletzten
Studienjahr
ju·ni·per [ˈdʒu:nɪpə^r] *n* Wacholder *m*
junk[1] [dʒʌŋk] **I.** *n* ① *no pl* (*worthless stuff*)
Ramsch *m fam;* (*fig, pej*) Mist *m;* (*literature*) Schund *m* ② (*sl: heroin*) Stoff *m*
II. *vt* (*fam*) wegschmeißen
junk[2] [dʒʌŋk] *n* NAUT Dschunke *f*
junk 'food *n* Schnellgerichte *pl;* (*pej*)
ungesundes Essen
junkie [ˈdʒʌŋki] *n* (*sl*) Fixer(in) *m(f);* **fitness ~** (*hum*) Fitnessfreak *m*
junk 'mail *n no pl* Wurfsendungen *pl,* Reklame *f* '**junk room** *n* Rumpelkammer *f*
'**junk shop** *n* Trödelladen *m* '**junk·
yard** *n* Schrottplatz *m*
jun·ta [ˈdʒʌntə] *n* + *sing/pl vb* Junta *f*
Ju·pi·ter [ˈdʒu:pɪtə^r] *n no art* Jupiter *m*
ju·ridi·cal [dʒʊ(ə)ˈrɪdɪk^əl] *adj* ① (*of law*)
Rechts-, juristisch, juridisch ÖSTERR ② (*of
court*) Gerichts-; **~ power** richterliche Gewalt
ju·ris·dic·tion [ˌdʒʊərɪsˈdɪkʃ^ən] *n no pl* Gerichtsbarkeit *f*
ju·ris·pru·dence [ˌdʒʊərɪsˈpru:d(ə)n(t)s]
n no pl LAW Jurisprudenz *f*
ju·rist [ˈdʒʊərɪst] *n* Jurist(in) *m(f),* Rechtswissenschaftler(in) *m(f)*
ju·ror [ˈdʒʊərə^r] *n* Preisrichter(in) *m(f);* LAW
Geschworene(r) *f(m)*
jury [ˈdʒʊəri] *n* + *sing/pl vb* ① LAW ▪ **the ~**
die Geschworenen *pl;* **member of the ~**
Geschworene(r) *f(m);* **to be on a ~** Geschworene(r) sein ② (*competition*) Jury *f;*

SPORTS Kampfgericht *nt* ▶ **the ~ is still out**
das letzte Wort ist noch nicht gesprochen
'jury·man *n* Geschworener *m*
just I. *adv* [dʒʌst, dʒəst] ❶ (*in a moment*)
gleich; **we're ~ about to leave** wir wollen
gleich los; **I was ~ going to phone you**
ich wollte dich eben anrufen ❷ (*directly*)
direkt, gleich; **~ after getting up/finish-**
ing work gleich nach dem Aufstehen/
nach Arbeitsende ❸ (*recently*) gerade
[eben], |so|eben ❹ (*now*) gerade; ■ **to be ~**
doing sth gerade dabei sein, etw zu tun
❺ (*exactly*) genau; **that's ~ what I was**
going to say genau das wollte ich gerade
sagen; **the twins look ~ like each other**
die Zwillinge sehen sich zum Verwechseln
ähnlich; **~ as I thought!** das habe ich mir
schon gedacht!; **that's ~ it!** das ist es ja gerade!; **~ now** gerade; **~ then** gerade in diesem Augenblick; **~ as well** ebenso gut;
~ as/when ... gerade in dem Augenblick
als ... ❻ (*only*) nur, bloß *fam*; (*simply*) einfach; **why don't you like him? — I ~**
don't! warum magst du ihn nicht? – nur
so!; **she's ~ a baby/a few weeks old** sie
ist noch ein Baby/erst ein paar Wochen alt;
~ for fun nur |so| zum Spaß; |**not|** **~**
anybody |nicht| einfach irgendjemand
❼ (*barely*) gerade noch/mal; **the stone ~**
missed me der Stein hat mich nur knapp
verfehlt; **~ in time** gerade noch rechtzeitig
❽ (*absolutely*) einfach, wirklich ❾ *with*
impers **~ imagine!** stell dir das mal vor!;
~ listen! hör mal!; **~ look at this!** schau
dir das mal an!; **~ shut up!** halt mal den
Mund!; ▶ **that's ~ my luck** so etwas kann
wirklich nur mir passieren; **~ a minute!**
(*please wait*) einen Augenblick [bitte]!; (*as*
interruption) Moment [mal]!; **it's ~ one of**
those things (*saying*) so etwas passiert
eben **II.** *adj* [dʒʌst] ❶ (*fair*) gerecht (**to** gegenüber) ❷ (*justified*) **punishment** gerecht; *anger* berechtigt; *suspicion, indigna-*
tion gerechtfertigt; **to have ~ cause to do**

sth einen triftigen Grund haben, etw zu
tun ▶ **to get one's ~ deserts** bekommen,
was man verdient hat **III.** *n* [dʒʌst] ■ **the ~**
pl die Gerechten *pl*
jus·tice ['dʒʌstɪs] *n* ❶ (*fairness*) Gerechtigkeit *f*; **~ has been done** der Gerechtigkeit
wurde Genüge getan; **to do him ~, he**
couldn't have foreseen this problem
gerechterweise muss man sagen, dass er
dieses Problem unmöglich vorausgesehen
haben kann; **you didn't do yourself ~ in**
the exams du hättest in den Prüfungen
mehr leisten können; **to do sth ~** etw *dat*
gerecht werden ❷ (*administration of the*
law) Justiz *f*; **a miscarriage of ~** ein Justiz-
irrtum *m*; **to bring sb to ~** jdn vor Gericht
bringen ❸ (*judge*) Richter(in) *m(f)*
Jus·tice of the 'Peace *n*, **JP** *n* Friedens-
richter(in) *m(f)*
jus·ti·fi·able ['dʒʌstɪfaɪəbl] *adj* zu rechtfertigen *präd*, berechtigt
jus·ti·fi·ca·tion [ˌdʒʌstɪfɪ'keɪʃən] *n no pl*
Rechtfertigung *f*
jus·ti·fied ['dʒʌstɪfaɪd] *adj* gerechtfertigt,
berechtigt; **you were quite ~ in com-**
plaining du hast dich völlig zu Recht
beschwert
jus·ti·fy <-ie-> ['dʒʌstɪfaɪ] *vt* rechtfertigen;
that does not ~ him being late das ent-
schuldigt nicht, dass er zu spät gekommen
ist; ■ **to ~ oneself to sb** sich jdm gegenüber rechtfertigen
just·ly ['dʒʌstli] *adv* zu Recht; **to act ~** gerecht handeln
jut <-tt-> [dʒʌt] **I.** *vi* vorstehen **II.** *vt* vorschieben
jute [dʒuːt] *n no pl* Jute *f*
ju·venile ['dʒuːvənaɪl] **I.** *adj* ❶ (*youth*) Ju-
gend-, jugendlich ❷ (*pej: childish*) kindisch **II.** *n* Jugendliche(r) *f(m)*
jux·ta·pose [ˌdʒʌkstə'pəʊz] *vt* nebeneinan-
derstellen; *ideas* einander gegenüberstellen
jux·ta·po·si·tion [ˌdʒʌkstəpə'zɪʃən] *n no pl*
Nebeneinanderstellung *f*

J

K k

K <*pl* -'s *or* -s>, **k** <*pl* -'s> [keɪ] *n* K *nt*, k *nt; see also* **A 1**

K[1] <*pl* -> *n* ① *abbrev of* **kilobyte** KB ② *after n abbrev of* **Kelvin** K

K[2] <*pl* -> *n* BRIT, AUS (*fam*) 1000 Pfund; AM 1000 Dollar

kale [keɪl] *n no pl* [Grün]kohl *m*

ka·lei·do·scope [kə'laɪdəskəʊp] *n* (*also fig*) Kaleidoskop *nt*

ka·mi·'ka·ze at·tack *n* Kamikazeangriff *m*

kan·ga·roo <*pl* -s *or* -> [ˌkæŋɡ°r'uː] *n* Känguru *nt*

kan·ga·roo 'court *n* selbst ernanntes Gericht **kan·ga·'roo pock·et** *n* Kängurutasche *f*

kao·lin ['keɪəlɪn] *n no pl* Kaolin *m o nt*

Kaposi's sar·co·ma [kəˌpəʊziːsɑːˈkəʊmə] *n* MED Kaposi-Sarkom *nt*

ka·rao·ke [ˌkærɪˈəʊki] *n no pl* Karaoke *nt*

ka·ra·te [kəˈrɑːti] *n no pl* Karate *nt;* ~ **chop** Karateschlag *m*

kar·ma ['kɑːmə] *n no pl* Karma *nt*

Kash·mir [ˌkæʃˈmɪəʳ] *n no pl* Kaschmir *m*

kay·ak ['kaɪæk] *n no pl* Kajak *m o selten a. nt* **'kay·ak·ing** *n no pl* Kajakfahren *nt*

Ka·zakh·stan [ˌkæzæk'stɑːn] *n* Kasachstan *nt*

KB *n abbrev of* **kilobyte** KB

KC [ˌkeɪˈsiː] *n* BRIT *abbrev of* **King's Counsel**

ke·bab [kɪˈbæb] *n* Kebab *m*

keel [kiːl] **I.** *n* NAUT Kiel *m* ▶ **to be back on an even** ~ *person* wieder obenauf sein; *matter* wieder im Lot sein **II.** *vi* ■**to** ~ **over** ① NAUT kentern ② (*fam: swoon*) umkippen **keel·haul** ['kiːlhɔːl] *vt* (*fam*) kielholen; (*fig*) zusammenstauchen

keen [kiːn] *adj* ① (*enthusiastic*) leidenschaftlich; *hunter* begeistert; ■**to be** ~ **on doing sth** etw leidenschaftlich gern tun; **they were** ~ **for their children to go to the best schools** sie wollten unbedingt, dass ihre Kinder die besten Schulen besuchen; ■**to be** ~ **on sb** auf jdn scharf sein *sl;* **to be** ~ **on football/horror movies/ jazz** auf Fußball/Horrorfilme/Jazz versessen sein ② (*perceptive*) *mind* scharf; ~ **eyesight** scharfe Augen; ~ **sense of hearing** feines Gehör ③ (*extreme*) *pain* stark; *competition* scharf; *desire* heftig; *interest* lebhaft ④ (*sharp*) *blade* scharf; *wind* schneidend; *noise, voice* schrill

keen·ly ['kiːnli] *adv* ① (*strongly*) stark; **to feel sth** ~ etw sehr intensiv empfinden

② (*extremely*) ungemein, brennend; **to be** ~ **interested in sth** sich brennend für etw *akk* interessieren

keen·ness ['kiːnnəs] *n no pl* ① (*enthusiasm*) Begeisterung *f* (**for** für +*akk*) ② (*eagerness*) starkes Interesse; (*desire*) starker Wunsch ③ (*also fig: sharpness*) Schärfe *f a. fig*

keep [kiːp] **I.** *n no pl* [Lebens]unterhalt *m* **II.** *vt* <kept, kept> ① (*hold onto*) behalten; *bills, receipts* aufheben; **to** ~ **one's sanity** sich geistig gesund halten ② (*have in particular place*) **he** ~**s a glass of water next to his bed** er hat immer ein Glas Wasser neben seinem Bett stehen ③ (*store*) *medicine, money* aufbewahren; **where do you** ~ **your cups?** wo sind die Tassen? ④ (*run*) *shop* führen ⑤ (*sell*) führen ⑥ (*detain*) aufhalten; **to** ~ **sb waiting** jdn warten lassen ⑦ (*prevent*) ■**to** ~ **sb from doing sth** jdn davon abhalten, etw zu tun ⑧ (*maintain*) **to** ~ **sb/sth under control** jdn/etw unter Kontrolle halten; **to** ~ **count of sth** etw mitzählen; **to** ~ **one's eyes fixed on sb/sth** den Blick auf jdn/etw geheftet halten; **to** ~ **sth in one's head** etw im Kopf behalten; **to** ~ **house** den Haushalt führen; **to** ~ **sb/sth in mind** jdn/etw im Gedächtnis behalten; **to** ~ **one's mouth shut** den Mund halten; **to** ~ **oneself to oneself** [die] Gesellschaft [anderer] meiden; **to** ~ **track of sb/sth** jdn/etw im Auge behalten; ~ **track of how many people enter reception** merken Sie sich, wie viele Leute die Eingangshalle betreten; **to** ~ **sb awake** jdn wach halten; **to** ~ **sth closed/open** etw geschlossen/geöffnet lassen; **to** ~ **sb/sth warm** jdn/etw warm halten ⑨ (*own*) *animals* halten ⑩ (*guard*) bewachen; **to** ~ **goal** im Tor stehen; *watch* halten ⑪ (*not reveal*) ■**to** ~ **sth from sb** jdm etw *akk* vorenthalten; ■**to** ~ **sth to oneself** etw für sich *akk* behalten ⑫ (*stick to*) *appointment, treaty* einhalten; *law, Ten Commandments* befolgen; *oath, promise* halten; *tradition* wahren; **to** ~ **the faith** glaubensstark sein; ~ **the faith!** AM nur Mut! ⑬ (*make records*) **to** ~ **a record of sth** über etw *akk* Buch führen; *diary* führen; **to** ~ **score** SPORTS die Punkte anschreiben ⑭ (*provide for*) unterhalten; **to** ~ **sb in cigarettes/ money** jdn mit Zigaretten/Geld versorgen ▶ **to** ~ **one's** <u>balance</u> das Gleichgewicht

halten; **to ~ an** <u>eye</u> **out for sth** nach etw
dat Ausschau halten; **to ~ one's** <u>hand</u> **in
sth** bei etw *dat* die Hand [weiterhin] im
Spiel haben; **to ~ a** <u>secret</u> ein Geheimnis
hüten; **to ~** <u>time</u> *watch* richtig gehen; MUS
Takt halten **III.** *vi* <kept, kept> ❶ *(stay
fresh) food* sich halten ❷ *(wait)* Zeit haben; **your questions can ~ until later**
deine Fragen können noch warten ❸ *(stay)*
bleiben; **she's ill and has to ~ to her bed**
sie ist krank und muss das Bett hüten; **to ~
in line** sich an die Ordnung halten; **to ~ in
step with sb** mit jdm Schritt halten; **to ~**
[to the] **left/right** sich [mehr] links/rechts
halten; **to ~ quiet** still sein ❹ *(continue)*
don't stop, ~ walking bleib nicht stehen,
geh weiter; **he ~s trying to distract me**
er versucht ständig, mich abzulenken;
don't ~ asking silly questions stell nicht
immer so dumme Fragen; ◾**to ~ at sth** mit
etw *dat* weitermachen ❺ *(stop oneself)*
◾**to ~ from doing sth** etw unterlassen;
how will I ever ~ from smoking? wie
kann ich jemals mit dem Rauchen aufhören? ❻ *(adhere to)* ◾**to ~ to sth** an etw
dat festhalten; *(not digress)* bei etw *dat*
bleiben; **to ~ to an agreement/a promise** sich an eine Vereinbarung/ein Versprechen halten; **to ~ to a schedule** einen
Zeitplan einhalten ▸ **how** are you **~ing?**
BRIT wie geht's dir so? ◆ **keep away I.** *vi*
◾**to ~ away** [**from sb/sth**] sich [von jdm/
etw] fernhalten; **I just can't seem to ~
away from chocolate** *(hum)* irgendwie
kann ich Schokolade einfach nicht widerstehen **II.** *vt* ◾**to ~ sb/sth away** jdn/etw
fernhalten; **~ your medications away
from your children** bewahren Sie Ihre
Medikamente für Ihre Kinder unzugänglich auf ◆ **keep back I.** *vi* zurückbleiben;
(stay at distance) Abstand halten **II.** *vt*
❶ *(restrain)* zurückhalten ❷ *(withhold)
information* verschweigen; *payment* einbehalten ❸ *(prevent advance)* ◾**to ~ back**
↻ **sb** jdn aufhalten; ◾**to ~ sb back from
doing sth** jdn daran hindern, etw zu tun
◆ **keep down I.** *vi* unten bleiben, sich ducken **II.** *vt* ❶ *(suppress)* unterdrücken
❷ *(not vomit) food* bei sich *dat* behalten
◆ **keep in I.** *vt* ❶ *(detain)* dabehalten; *(a
pupil)* nachsitzen lassen; *(at home)* nicht
aus dem Haus [gehen] lassen ❷ *(not reveal)*
to ~ in one's anger/emotions/tears seinen Zorn/seine Gefühle/seine Tränen zurückhalten **II.** *vi* ◾**to ~ in with sb** sich gut
mit jdm stellen ◆ **keep off I.** *vi* wegbleiben; **'wet cement, ~ off!'** ‚frischer Zement, nicht betreten!'; **this is my private**

stuff, so **~ off!** das sind meine Privatsachen, also Finger weg!; **to ~ off alcohol/cigarettes** das Trinken/Rauchen lassen; **to ~ off a subject** ein Thema vermeiden **II.** *vt* ❶ *(hold away)* ◾**to ~ sb/sth off
sth** jdn/etw von etw *dat* fernhalten; **to ~
one's hands off sb/sth** die Hände von
jdm/etw lassen; **to ~ one's mind off sth**
sich von etw *dat* ablenken ❷ *(protect
from)* ◾**to ~ off** ↻ **sth** etw abhalten
◆ **keep on I.** *vi* ❶ *(continue)* ◾**to ~ on
doing sth** etw weiter[hin] tun; **I ~ on
thinking I've seen her somewhere** es
will mir nicht aus dem Kopf, dass ich sie
irgendwo schon einmal gesehen habe
❷ *(pester)* ◾**to ~ on at sb** jdm keine Ruhe
lassen; **~ at him about the lawn and
he'll eventually mow it** sprich ihn immer
wieder auf den Rasen an, dann wird er ihn
am Ende schon mähen **II.** *vt* ◾**to ~ on** ↻
sth *clothes* etw anbehalten ◆ **keep out** *vi*
draußen bleiben; **'Keep Out'** ‚Zutritt verboten'; ◾**to ~ out of sth** etw nicht betreten; *(fig)* sich aus etw *dat* heraushalten; **to
~ out of trouble** Ärger vermeiden ◆ **keep
together I.** *vi* ❶ *(stay in a group)* zusammenbleiben; *(remain loyal)* zusammenhalten ❷ MUS Takt halten **II.** *vt* zusammenhalten ◆ **keep up I.** *vt* ❶ *(hold up)* hoch
halten; **these poles ~ the tent up** diese
Stangen halten das Zelt aufrecht ❷ *(hold
awake)* wach halten ❸ *(continue doing)*
fortführen; *conversation* in Gang halten;
~ it up! [nur] weiter so!; **I was keen to ~
up my French** ich wollte unbedingt mit
meinem Französisch in Übung bleiben; **to
~ up appearances** den Schein wahren; **to
~ one's spirits up** den Mut nicht sinken
lassen; **to ~ one's strength up** sich bei
Kräften halten **II.** *vi* ❶ *(continue) noise,
rain* andauern, anhalten ❷ *(not fall
behind)* ◾**to ~ up with sb/sth** mit jdm/
etw mithalten ❸ *(stay in touch)* ◾**to ~ up
with sb** mit jdm in Verbindung bleiben

keep·er ['kiːpəʳ] *n* ❶ *(person in charge) of
a shop* Inhaber(in) *m(f); of a zoo* Wärter(in) *m(f); of a museum* Kustos *m; of an
estate, house* Verwalter(in) *m(f); of a park*
Wächter(in) *m(f); of keys* Verwahrer(in)
m(f) ❷ AM [geangelter] Fisch normaler
Größe *(wird nicht wieder ins Wasser
geworfen)* ❸ *(on earring)* Stecker *m*

keep·ing ['kiːpɪŋ] *n no pl* ❶ *(guarding)*
Verwahrung *f; (care)* Obhut *f* ❷ *(maintenance)* **the ~ of the law** das Hüten des
Gesetzes ❸ *(obeying)* Einhalten *nt,* Befolgen *nt;* **in ~ with an agreement** entsprechend einer Vereinbarung

keep·sake [ˈkiːpseɪk] *n* Andenken *nt*
keg [keg] *n* kleines Fass
keg·era·tor [ˈkegəreɪtəʳ], **ˈkeg fridge** *n* Bierfasskühler *m*
kelp [kelp] *n no pl* Seetang *m*
Kel·vin <-s> [ˈkelvɪn] *n* PHYS Kelvin *nt*
ken [ken] *vt* <-nn-> SCOT, NBRIT kennen
ken·nel [ˈkenəl] *n* (*dog house*) Hundehütte *f;* (*dog boarding*) ■~s Hundepension *f*
Ken·ya [ˈkenjə] *n* Kenia *nt*
Ken·yan [ˈkenjən] **I.** *n* Kenianer(in) *m(f)* **II.** *adj* kenianisch
kept [kept] **I.** *vt, vi pt, pp of* **keep II.** *adj attr* ausgehalten; **he is a ~ man** er lässt sich aushalten; **~ woman** Mätresse *f*
kerb [kɜːb] *n* BRIT, AUS Randstein *m*
ker·chief [ˈkɜːtʃɪf] *n for head* [Hals]tuch *nt,* [Kopf]tuch *nt;* (*handkerchief*) Taschentuch *nt*
ker·fuf·fle [kəˈfʌfl] *n no pl esp* BRIT (*sl*) Wirbel *m*
ker·nel [ˈkɜːnəl] *n* (*fruit centre*) Kern *m;* (*cereal centre*) Getreidekorn *nt*
kero·sene [ˈkerəsiːn] *n no pl esp* AM, AUS (*paraffin*) Petroleum *nt;* PHARM Paraffin *nt;* (*for jet engines*) Kerosin *nt*
kes·trel [ˈkestrəl] *n* Turmfalke *m*
ketch <*pl* -es> [ketʃ] *n* Ketsch *f*
ketch·up [ˈketʃʌp] *n no pl* Ketschup *m o nt*
ket·tle [ˈketl] *n* [Wasser]kessel *m;* **to put the ~ on** Wasser aufsetzen ▶ **to be a different ~ of fish** etwas ganz anderes sein; **that's the pot calling the ~ black** ein Esel schimpft den anderen Langohr
ket·tle·ball [ˈketlbɔːl] *n* SPORTS Kettlebell *m* (*aus einer Eisenkugel bestehendes Trainingsgerät*) **ˈket·tle·drum** *n* [Kessel]pauke *f*
key¹ [kiː] *n* [Korallen]riff *nt*
key² [kiː] **I.** *n* ❶ (*also fig: for a lock*) Schlüssel *m* ❷ (*button*) *of a computer, piano* Taste *f;* (*of a flute*) Klappe *f;* **to hit a ~** eine Taste drücken ❸ (*to symbols*) Zeichenerklärung *f;* (*for solutions*) Lösungsschlüssel *m* ❹ MUS Tonart *f;* **change of ~** Tonartwechsel *m;* **in the ~ of C major** in C-Dur; **to sing in/off ~** richtig/falsch singen **II.** *adj* (*factor, figure, industry, role*) Schlüssel-; **~ contribution/ingredient** Hauptbeitrag *m/*-zutat *f;* **~ decision** wesentliche Entscheidung; **~ point** springender Punkt; **~ witness** Kronzeuge(in) *m(f)* ◆ **key in** *vt* **to ~ in text** Text eingeben ◆ **key up** *vt a person* jdn aufregen; **to be ~ed up for sth** auf etw *akk* eingestimmt sein; **to be all ~ed up** völlig überdreht sein
ˈkey ac·count man·ag·er *n* Key Account Manager(in) *m(f)* **ˈkey·board I.** *n* ❶ (*of a*

computer) Tastatur *f;* (*of a piano*) Klaviatur *f;* (*of an organ*) Manual *nt* ❷ (*musical instrument*) Keyboard *nt* **II.** *vt, vi* tippen
ˈkey·board·er *n* Datentypist(in) *m(f)*
ˈkey·board·ing *n no pl* Texteingabe *f*
key·board ˈin·stru·ment *n* Tasteninstrument *nt* **ˈkey·hole** *n* Schlüsselloch *nt*
ˈkey mon·ey *n no pl* Abstandsgeld *nt*
ˈkey·note *n* Hauptthema *nt; of a speech* Grundgedanke *m;* AM Parteilinie *f* **ˈkey·note ad·dress** *n,* **ˈkey·note speech** *n* programmatische Rede **ˈkey·not·er** *n* Hauptredner(in) *m(f)* **ˈkey·pad** *n* Tastenfeld *nt* **ˈkey ring** *n* Schlüsselring *m* **ˈkey·stone** *n* ❶ ARCHIT (*centre stone*) Schlussstein *m* ❷ (*fig: crucial part*) Grundpfeiler *m* **ˈkey·stroke** *n* [Schreibmaschinen]anschlag *m* **ˈkey·word** *n* ❶ (*cipher*) Schlüssel *m fig* ❷ (*important word*) Schlüsselwort *nt* ❸ (*for identifying*) Kennwort *nt*
kg *n abbrev of* **kilogram** kg
kha·ki [ˈkɑːki] **I.** *n* ❶ *no pl* (*cloth*) Khaki[stoff] *m* ❷ (*trousers*) ■~s Khakihose *f* **II.** *adj* ❶ (*of khaki material*) Khaki- ❷ (*colour*) khakifarben
kHz *n abbrev of* **kilohertz** kHz
KIA [ˌkaɪaɪˈeɪ] *adj abbrev of* **killed in action** gef.
kib·butz [kɪˈbʊts] *n* Kibbuz *m*
kick [kɪk] **I.** *n* ❶ (*with foot*) [Fuß]tritt *m,* Stoß *m;* (*in sports*) Schuss *m; of a horse* Tritt *m;* **to give sb a ~** gegen etw *akk* treten; **a ~ in the teeth** (*fig*) ein Schlag *m* ins Gesicht ❷ (*exciting feeling*) Nervenkitzel *m;* **to do sth for ~s** etw wegen des Nervenkitzels tun; **he gets a ~ out of that** das macht ihm einen Riesenspaß; **to have a ~** eine berauschende Wirkung haben; **the cocktail doesn't have much ~** der Cocktail ist nicht sehr stark ❸ (*trendy interest*) Tick *m fam;* **he's on a religious ~** er ist [gerade] auf dem religiösen Trip *fam* ❹ (*gun jerk*) Rückstoß *m* **II.** *vt* ❶ (*hit with foot*) [mit dem Fuß] treten; **to ~ a ball** einen Ball schießen; **to ~ oneself** (*fig*) sich in den Hintern beißen *fam* ❷ (*put*) **to ~ sth into high gear** etw auf Hochtouren bringen; **to ~ sth up a notch** (*stereo*) etw ein wenig lauter stellen; (*ride*) etw ein wenig beschleunigen ❸ (*get rid of*) *accent* ablegen; *drinking, smoking, habit* aufgeben ▶ **to ~ sb's ass** AM (*fam!*) jdm eine Abreibung verpassen; **to ~ some ass** AM (*fam!*) Terror machen; **to ~ ass** AM (*fam!*) haushoch gewinnen; **to ~ the bucket** ins Gras beißen; **to be ~ing one's heels** BRIT ungeduldig warten; **to ~ sb when he/she is down** jdm den Rest geben **III.** *vi* ❶ (*with*

foot) treten (**at** nach); *horse* ausschlagen; (*in a dance*) das Bein hochwerfen ❷ *esp* AM (*complain*) meckern *fam* (**about** über); **to ~ against sb** sich gegen jdn auflehnen ▶ **to be <u>alive</u> and ~ing** gesund und munter sein ◆ **kick about** *vi* (*fam*) [he]rumliegen II. *vt* ❶ (*with foot*) ▪ **to ~ sth around** etw [in der Gegend] herumkicken *fam* ❷ (*consider*) **to ~ an idea around** (*fam*) eine Idee [ausführlich] bekakeln ❸ (*mistreat*) ▪ **to ~ sb around** jdn herumstoßen *fam* ◆ **kick away** *vt* wegstoßen ◆ **kick back** I. *vt* zurücktreten; *ball* zurückschießen; **to ~ back the blanket** sich aufdecken; **to ~ money back to sb** (*fam*) sich mit Geld bei jdm *dat* revanchieren II. *vi* ❶ AM (*fam: relax*) relaxen ❷ (*gun*) einen Rückstoß haben ◆ **kick in** I. *vt* (*with foot*) *door, window* eintreten II. *vi* ❶ (*start*) *drug, measure, method* wirken; *device, system* anspringen; *maturity* sich einstellen ❷ (*to contribute*) ▪ **to ~ in for sth** einen Beitrag zu etw *dat* leisten; **if we all ~ in we can buy a microwave** wenn wir alle zusammenlegen, dann können wir eine Mikrowelle kaufen ◆ **kick off** I. *vi* beginnen, anfangen; FBALL anstoßen II. *vt* (*start, launch*) beginnen; *discussion* eröffnen ◆ **kick out** I. *vt* (*throw out*) hinauswerfen II. *vi* ▪ **to ~ out against sb/sth** sich mit Händen und Füßen gegen jdn/etw wehren ◆ **kick over** *vt* ▪ **to ~ over ↻ sb/sth** jdn/etw umrempeln *fam* ◆ **kick up** *vi* **to ~ up dust** (*also fig*) Staub aufwirbeln ▶ **to ~ up a <u>fuss</u>** einen Wirbel machen *fam*

'**kick·back** *n* ❶ (*money*) Schmiergeld *nt* ❷ (*reaction*) [heftige] Reaktion; **to feel the ~ from sth** die Auswirkungen einer S. *gen* spüren

kick·er ['kɪkə'] *n* ❶ SPORTS Fußballspieler(in) *m(f)* ❷ AM (*fig: rebel*) Querulant(in) *m(f)*

'**kick·off** *n* FBALL Anstoß *m* '**kick·start·er** *n* Kickstarter *m*

kid [kɪd] I. *n* ❶ (*child*) Kind *nt;* AM, AUS (*young person*) Jugendliche(r) *f(m);* (*male*) Bursche *m;* (*female*) Mädchen *nt;* **~ brother/sister** *esp* AM kleiner Bruder/ kleine Schwester ❷ (*young goat*) Zicklein *nt* ❸ *no pl* (*goat leather*) Ziegenleder *nt* II. *vi* <-dd-> (*fam*) Spaß machen; **just ~ding!** war nur Spaß!; **no ~ding? no ~ding?** ohne Scherz? III. *vt* (*fam*) ▪ **to ~ sb** jdn verulken; **you're ~ding me!** das ist doch nicht dein Ernst!; ▪ **to ~ oneself** sich *dat* etwas vormachen

kid·die ['kɪdi] I. *n* (*fam*) Kleine(r) *f(m)* II. *adj attr bike, car, seat* Kinder·

'**kid-friend·ly** *adj programme, place, meal* für Kinder geeignet

kid·nap ['kɪdnæp] I. *vt* <-pp-> entführen II. *n no pl* Entführung *f;* LAW Menschenraub *m*

kid·nap·per ['kɪdnæpə'] *n* Entführer(in) *m(f)*

kid·nap·ping ['kɪdnæpɪŋ] *n* Entführung *f;* LAW Menschenraub *m*

kid·ney ['kɪdni] *n* ANAT, FOOD Niere *f*

kid·ney 'bean *n usu pl* (*any kind of edible bean*) Gartenbohne *f;* (*red bean*) Kidneybohne *f* '**kid·ney do·nor** *n* Nierenspender(in) *m(f)* '**kid·ney fail·ure** *n no pl* Nierenversagen *nt* '**kid·ney ma·chine** *n* künstliche Niere '**kid·ney stone** *n* Nierenstein *m*

kill [kɪl] I. *n no pl* ❶ (*act*) *of animal* **a fresh ~** eine frisch geschlagene Beute; **to make a ~** eine Beute schlagen ❷ HUNT (*prey*) [Jagd]beute *f;* **a fresh ~** ein frisch erlegte Beute ❸ MIL (*fam*) Zerstörung *f* ▶ **to go in for the ~** zum entscheidenden Schlag ausholen II. *vi* ❶ (*end life*) *criminal* töten; *disease* tödlich sein ❷ (*fig fam: hurt*) unheimlich wehtun ▶ **to be <u>dressed</u> to ~** todschick angezogen sein *fam* III. *vt* ❶ (*end life*) umbringen *a. fig;* **to ~ sb by drowning/strangling** jdn ertränken/erwürgen; **to ~ sb with poison/a gun/a knife** jdn vergiften/erschießen/erstechen; **to ~ a fly** eine Fliege totschlagen; **to be ~ed in an accident** bei einem Unfall ums Leben kommen; **to be ~ed in action** MIL [im Kampf] fallen ❷ (*destroy*) zerstören; **the frost ~ed the vegetables in my garden** der Frost hat das Gemüse in meinem Garten vernichtet; **to ~ the smell/ sound/taste of sth** einer S. *dat* den Geruch/Klang/Geschmack [völlig] nehmen ❸ (*spoil*) *fun, joke* [gründlich] verderben; ▪ **to ~ sth for sb** jdm den Spaß an etw *dat* [völlig] verderben; *surprise* kaputtmachen *fam* ❹ (*stop*) **to ~ a bill** eine Gesetzesvorlage zu Fall bringen; *engine, lights, TV* ausmachen; *pain* stillen; *plan, project* fallen lassen; *computer program* abbrechen ❺ (*fam: consume*) vernichten; *food* verputzen; *drink* leer machen; **to ~ a bottle of whisk(e)y** eine Flasche Whisk(e)y köpfen ❻ (*fam: amuse*) **that story ~s me** diese Geschichte find ich zum Totlachen; **to ~ oneself with laughter** sich totlachen ❼ (*fig fam: hurt*) ▪ **to ~ sb** jdn umbringen; **my shoes/these stairs are ~ing me!** meine Schuhe/diese Treppen bringen mich noch mal um!; **it wouldn't ~ you to apologize** du könntest dich ruhig mal entschuldigen; **to ~ sb with kindness** jdn mit seiner Güte fast erdrücken ❽ *(fam: tire)* jdn völlig fertigmachen ❾ *(fig fam: overtax)* **to ~ oneself doing sth** sich mit etw *dat* umbringen; **they're not exactly ~ing themselves getting it finished in time** sie reißen sich dabei nicht gerade ein Bein raus, rechtzeitig fertig zu werden; **I'm going to finish it if it ~s me!** ich werde's zu Ende bringen, und wenn ich draufgehe! ❿ SPORTS **to ~ the ball** *(slam)* einen Wahnsinnsball spielen *fam;* (stop) den Ball stoppen ▸ **to ~ time** *(spend time)* sich *dat* die Zeit vertreiben; *(waste time)* die Zeit totschlagen; **to ~ two birds with one stone** *(prov)* zwei Fliegen mit einer Klappe schlagen ◆ **kill off** *vt* ❶ *(destroy)* disease, species ausrotten; pests vernichten ❷ *esp* Am *(fam: finish)* bottle leeren ❸ writer **to ~ off** ↻ **a character** eine Romanfigur sterben lassen

kill·er ['kɪlə'] **I.** *n* ❶ *(person)* Mörder(in) *m(f);* (thing) Todesursache *f* ❷ *(agent)* Vertilgungsmittel *nt;* **weed ~** Unkrautvertilgungsmittel *nt* ❸ *(fam: difficult thing)* ■ **to be a ~** ein harter Brocken sein ❹ *(good joke)* ■ **to be a ~** zum Totlachen sein *fam;* **the ~** Am *(funniest part)* der Hammer *fig fam* **II.** *adj* ❶ *attr (deadly)* flu, virus tödlich; heat, hurricane, wave mörderisch ❷ Am, Aus *(fam: excellent)* car, job, party Wahnsinns-; product Killer-

'**kill·er whale** *n* Schwertwal *m*

kill·ing ['kɪlɪŋ] **I.** *n* ❶ *(act)* Tötung *f;* (case) Mord(fall) *m* ❷ *(fig fam: lots of money)* **to make a ~** einen Mordsgewinn machen **II.** *adj attr* ❶ *(causing death)* tödlich ❷ *(fig: difficult)* mörderisch *fam* ❸ *(funny)* zum Totlachen

kill·joy ['kɪldʒɔɪ] *n* Spielverderber(in) *m(f)*

kiln [kɪln, kɪl] *n (for bricks)* [Brenn]ofen *m;* (for food) [Trocken]ofen *m*

kilo ['kiːləʊ] *n* Kilo *nt*

kilo·byte ['kɪləbaɪt] *n* Kilobyte *nt* **kilo·gram,** BRIT *also* **kilo·gramme** ['kɪlə(ʊ)græm] *n* Kilogramm *nt* **kilo·joule** ['kɪlə(ʊ)dʒuːl] *n* Kilojoule *nt* **kilo·me·tre** [kɪ'lɒmɪtə', 'kɪlə(ʊ)miːtə'] *n,* Am **kilo·me·ter** *n* Kilometer *m* **kilo·watt** ['kɪlə(ʊ)wɒt] *n* Kilowatt *nt* **kilo·watt** '**hour** *n* Kilowattstunde *f*

kilt [kɪlt] *n* Kilt *m*

ki·mo·no [kɪ'məʊnəʊ] *n* Kimono *m*

kin [kɪn] *n + pl vb (form)* [Bluts]verwandte *pl;* **the next of ~** die nächsten Angehörigen

kind¹ [kaɪnd] *adj* ❶ *(generous, helpful)* nett; *(in a letter)* **with ~ regards** mit

freundlichen Grüßen; ■ **to be ~ to sb** nett zu jdm sein; **he is ~ to animals** er ist gut zu Tieren ❷ *(gentle)* ■ **to be ~ to sb/sth** jdn/etw schonen; **this shampoo is ~ to your hair** dieses Shampoo pflegt dein Haar auf schonende Weise; **the years have been ~ to her** die Zeit hat es gut mit ihr gemeint

kind² [kaɪnd] **I.** *n* ❶ *(group)* Art *f;* **I don't usually like that ~ of film** normalerweise mag ich solche Filme nicht; **he's not that ~ of person** so einer ist der nicht *fam;* **this car was the first of its ~ in the world** dieses Auto war weltweit das erste seiner Art; **all ~s of animals/cars/people** alle möglichen Tiere/Autos/Menschen; **to stick with one's ~** unter sich *dat* bleiben; **to be one of a ~** einzigartig sein; **his/her ~** *(pej)* so jemand [wie er/sie] ❷ *(limited)* **I guess you could call this success of a ~** man könnte das, glaube ich, als so etwas wie einen Erfolg bezeichnen ❸ *no pl (similar)* **nothing of the ~** nichts dergleichen ❹ *(character)* ■ **in ~** im Wesen; **they were brothers but quite different in ~** sie waren Brüder, aber in ihrem Wesen ganz verschieden; **Betty, Sally and Joan are three of a ~** Betty, Sally und Joan sind alle drei vom gleichen Schlag; ■ **to be true to ~** in typischer Weise reagieren **II.** *adv* ■ **~ of** irgendwie; **are you excited? — yeah, ~ of** bist du aufgeregt? – ja, irgendwie schon

kin·der·gar·ten ['kɪndə‚gɑːt²n] *n* ❶ *esp* BRIT *(nursery school)* Kindergarten *m* ❷ *no pl esp* Am SCH Vorschule *f*

kind·'heart·ed *adj* gütig

kin·dle ['kɪndl] *vt* **to ~ a fire** ein Feuer anzünden; **to ~ sb's desire** *(fig)* jds Begierde *f* entfachen *geh;* **to ~ sb's imagination** jds Fantasie wecken

kin·dling ['kɪndlɪŋ] *n no pl* Anzündholz *nt*

kind·ly ['kaɪndli] **I.** *adj person* freundlich; smile, voice sanft; **she's a ~ soul** sie ist eine gute Seele **II.** *adv* ❶ *(in a kind manner)* freundlich; **to not take ~ to sb/sth** sich nicht mit jdm/etw anfreunden können ❷ *(please)* freundlicherweise; **you are ~ requested to leave the building** sie werden freundlich[st] gebeten, das Gebäude zu verlassen

kind·ness ['kaɪndnəs] *n <pl -es>* ❶ *no pl (attitude)* Freundlichkeit *f;* **an act of ~** eine Gefälligkeit; **to treat sb with ~** freundlich zu jdm sein; **to show sb ~** jdm Gutes tun; ■ **out of ~** aus Gefälligkeit ❷ *(act)* Gefälligkeit *f*

kin·dred ['kɪndrəd] *adj* ❶ *(related)* people

[bluts]verwandt; *languages* verwandt ❷ (*similar*) ähnlich

ki·net·ic [kɪˈnetɪk] *adj* kinetisch

kin·folk [ˈkɪnfoʊk] *n* + *pl vb* AM Verwandtschaft *f*

king [kɪŋ] *n* König *m;* **to be fit for a ~** höchsten Ansprüchen genügen *geh;* **to live like a ~** fürstlich leben

'**king·cup** *n* BRIT Sumpfdotterblume *f*

king·dom [ˈkɪŋdəm] *n* ❶ (*country*) Königreich *nt* ❷ (*area of control*) Reich *nt;* **the ~ of Heaven** das Reich Gottes ❸ (*area of activity*) Welt *f* ❹ (*domain*) **animal/plant ~** Tier-/Pflanzenreich *nt* ▶**until ~ come** bis in alle Ewigkeit

'**king·fish·er** *n* Eisvogel *m*

king·ly [ˈkɪŋli] *adj* majestätisch

'**king·pin** *n* ❶ (*main bolt*) Achsschenkelbolzen *m* ❷ (*fig: important person*) Hauptperson *f;* **he was the ~ of the Democratic organization in Chicago** er war der wichtigste Mann in der Organisation der Demokraten von Chicago

King's 'Bench *n* BRIT *Kammer des Obersten Gerichtshofs*

King's 'Coun·sel *n* BRIT Kronanwalt, -anwältin *m, f*

'**king-size(d)** *adj* extragroß

kink [kɪŋk] *n* ❶ (*twist*) *in hair* Welle *f; in a pipe* Knick *m; in a rope* Knoten *m* ❷ AM, AUS (*sore muscle*) [Muskel]krampf *m* ❸ (*problem*) Haken *m fam;* **to iron out [a few] ~s** [ein paar] Mängel ausbügeln *fam*

kinky [ˈkɪŋki] *adj* ❶ (*tightly curled*) *hair* kraus ❷ (*unusual*) spleenig; **~ sex** Sex *m* der anderen Art

kins·folk [ˈkɪnzfəʊk] *n* + *pl vb* Verwandtschaft *f*

kin·ship [ˈkɪnʃɪp] *n* ❶ *no pl* (*family*) [Bluts]verwandtschaft *f* ❷ (*connection*) Verwandtschaft *f fig;* **to feel a ~ with sb** sich jdm verbunden fühlen

kins·man [ˈkɪnzmən] *n* Verwandte(r) *m*

kins·wom·an [ˈkɪnzwʊmən] *n* Verwandte *f*

ki·osk [ˈkiːɒsk] *n* ❶ (*stand*) Kiosk *m* ❷ BRIT (*phone booth*) Telefonzelle *f*

kip [kɪp] BRIT, AUS **I.** *n no pl* (*fam*) Nickerchen *nt;* **to get some ~** sich mal eben aufs Ohr hauen **II.** *vi* <-pp-> (*fam*) ein Nickerchen machen

kip·per [ˈkɪpəʳ] *n* Bückling *m*

kirk [kɜːk] *n* SCOT Kirche *f;* **the K~** die [presbyterianische] schottische Staatskirche

kiss [kɪs] **I.** *n* <*pl* -es> ❶ (*with lips*) Kuss *m;* **French ~** Zungenkuss *m;* **love and ~es** (*in a letter*) alles Liebe; **to blow sb a ~** jdm eine Kusshand zuwerfen; **to**

give sb a ~ jdm einen Kuss geben ❷ (*in billiards*) leichte Berührung **II.** *vi* [sich] küssen; **to ~ and make up** sich wieder mit einem Kuss versöhnen; **to ~ and tell** mit intimen Enthüllungen an die Öffentlichkeit gehen **III.** *vt* ❶ (*with lips*) küssen (**on** auf); **to ~ sb goodbye/goodnight** jdm einen Abschieds-/Gutenachtkuss geben; (*fig*) **they can ~ their chances of winning the cup goodbye** ihre Aussichten, den Cup zu gewinnen, können sie vergessen *fam* ❷ (*in billiards*) **to ~ the ball** die Kugel leicht berühren ▶**to ~ sb's ass** *esp* AM (*fam!*) jdm in den Arsch kriechen *derb;* **~ my ass** AM [*or* BRIT **arse**]! (*sl*) du kannst mich mal!

kiss·er [ˈkɪsəʳ] *n* **to be a lousy ~** miserabel küssen

'**kiss-off** *n* AM (*fam*) Laufpass *m;* **to give sb the ~** (*lover*) jdm den Laufpass geben; (*employee*) jdn feuern

'**kiss-proof** *adj* kussecht

kit [kɪt] **I.** *n* ❶ (*set*) Ausrüstung *f;* (*for a model*) Bausatz *m;* **first-aid ~** Verbandskasten *m;* **tool ~** Werkzeugkasten *m* ❷ (*outfit*) Ausrüstung *f* ❸ *esp* BRIT (*uniform*) Montur *f;* (*sl: clothes*) Klamotten *pl;* **to get one's ~ off** seine Klamotten ausziehen **II.** *vt* <-tt-> *usu passive esp* BRIT ▪**to ~ out** ⟳ **sb** jdn ausrüsten

'**kit bag** *n* Kleidersack *m*

kitch·en [ˈkɪtʃɪn] **I.** *n* Küche *f* **II.** *adj* ❶ (*of kitchen*) Küchen- ❷ (*basic*) **~ Latin** Küchenlatein *nt iron;* **~ Spanish** rudimentäres Spanisch

kitch·en·ette [ˌkɪtʃɪˈnet] *n* Kochnische *f*

'**kitch·en foil** *n no pl* Alufolie *f* **kitch·en 'gar·den** *n* Gemüsegarten *m,* Nutzgarten *m* **kitch·en 'pa·per** *n no pl* Küchenpapier *nt* **kitch·en 'sink** *n* Spüle *f* ▶**everything but the ~** aller nur mögliche Krempel *fam* **kitch·en 'tow·el** *n* ❶ *no pl* Küchentuch *nt* ❷ AM (*tea towel*) Geschirrtuch *nt* **kitch·en 'unit** *n* Küchenelement *nt* (*einer Einbauküche*)

kite [kaɪt] *n* Drachen *m;* **to fly a ~** einen Drachen steigen lassen ▶**to be as high as a ~** (*drunk*) sternhagelvoll sein *fam;* (*high*) völlig zugedröhnt sein *sl*

'**Kite·mark** *n* BRIT [amtliches] Qualitätssiegel '**kite·surf·ing** *n no pl* SPORTS Kitesurfing *nt*

kith [kɪθ] *n* ▪**~ and kin** Kind und Kegel

kitsch [kɪtʃ] **I.** *n no pl* (*pej*) Kitsch *m* **II.** *adj* kitschig

kit·ten [ˈkɪtᵊn] *n* Kätzchen *nt*

kit·ty [ˈkɪti] *n* ❶ (*childspeak: kitten or cat*) Miezekatze *f* ❷ (*money*) gemeinsame Kasse; (*in games*) [Spiel]kasse *f*

kiwi [ˈkiːwiː] *n* ❶ (*bird*) Kiwi *m* ❷ (*fruit*) Kiwi *f* ❸ (*fig fam: New Zealander*) Neuseeländer(in) *m(f)*

kJ *abbrev of* **kilojoule** kJ

KKK [ˌkeɪkeɪˈkeɪ] *n abbrev of* **Ku Klux Klan**

klax·on® [ˈklæksᵊn] *n* Hupe *f*

Kleen·ex® [ˈkliːneks] *n* Tempo[taschentuch]® *nt*

klep·to·ma·nia [ˌkleptə(ʊ)ˈmeɪniə] *n no pl* Kleptomanie *f*

klep·to·ma·ni·ac [ˌkleptə(ʊ)ˈmeɪniæk] *n* Kleptomane(in) *m(f)*

km *n abbrev of* **kilometre** km

km/h *abbrev of* **kilometres per hour** km/h

knack [næk] *n no pl* ❶ (*trick*) Kniff *m;* **there's a ~ to getting this lock to open** es gibt einen Dreh, wie man dieses Schloss aufkriegt *fam;* **to get the ~ of sth** herausfinden, wie etw geht *fam;* **to have the ~ of it** den Bogen raushaben *fam* ❷ (*talent*) Geschick *nt;* **to have a ~ for sth** (*also iron*) ein Talent für etw *akk* haben

knack·ered [ˈnækəd] *adj pred* BRIT, AUS (*fam*) |fix und| fertig

knack·er's yard [ˈnækəˈz jɑːd] *n* Abdeckerei *f*

knap·sack [ˈnæpsæk] *n* Rucksack *m;* MIL Tornister *m*

knead [niːd] *vt clay, wax* formen; *dough* kneten; *muscles* [ordentlich] durchkneten

knee [niː] I. *n* Knie *nt;* **on one's hands and ~s** auf allen vieren *fam;* **to get down on one's ~s** niederknien; **to put sb across one's ~** jdn übers Knie legen *fam;* **to put sb on one's ~** jdn auf den Schoß nehmen; **~ socks** Kniestrümpfe *pl* ▶ **to be/go <u>weak</u> at the ~s** weiche Knie haben/bekommen; **to <u>bring</u> sb to their ~s** jdn in die Knie zwingen II. *vt* ■ **to ~ sb** jdn mit dem Knie stoßen

knee·cap I. *n* ❶ ANAT Kniescheibe *f* ❷ (*covering*) Knieschützer *m* II. *vt* <-pp-> ■ **to ~ sb** jdm die Kniescheibe zerschießen

knee-cap·ping *n* Zerschießen *nt* der Kniescheibe **knee-ˈdeep** *adj* knietief; **the water was only ~** das Wasser reichte mir nur bis zum Knie; ■ **to be ~ in sth** (*fig*) knietief in etw *dat* stecken **knee-ˈhigh** I. *n* AM ■ **~s** *pl* Kniestrümpfe *pl* II. *adj* kniehoch; **~ grass** kniehohes Gras ▶ **to be ~ to a <u>grasshopper</u>** (*hum fam*) ein Dreikäsehoch sein; **I've loved music ever since I was ~ to a grasshopper** Musik habe ich schon von klein auf geliebt **knee-jerk** I. *n* Knie[sehnen]reflex *m*

II. *adj reaction* automatisch; AM *person* geistlos

kneel <knelt *or esp* AM kneeled, knelt> [niːl] *vi* knien; ■ **to ~ before sb** vor jdm niederknien

ˈknees-up *n* BRIT (*fam*) |ausgelassene| Party

knell [nel] *n* Totenglocke *f*

knelt [nelt] *pt of* **kneel**

knew [njuː] *pt of* **know**

knick·er·bock·er [ˈnɪkəˌbɒkəʳ] *n* ❶ (*short trousers*) ■ **~s** *pl* Knickerbocker[s] *pl* ❷ AM (*knickers*) ■ **~s** *pl* [Damen]schlüpfer *m* ❸ (*hist: New Yorker*) Knickerbocker *m*

knick·ers [ˈnɪkəʳz] *npl* ❶ BRIT (*underwear*) [Damen]schlüpfer *m* ❷ AM (*knickerbockers*) Knickerbocker[s] *pl* ▶ **to get one's ~ in a <u>twist</u>** BRIT, AUS (*hum fam: get angry*) sich aufregen; (*get worried*) den Kopf verlieren

knick-knack [ˈnɪknæk] *n usu pl* (*fam*) Schnickschnack *m*

knife [naɪf] I. *n* <*pl* knives> Messer *nt;* **to pull a ~ [on sb]** ein Messer [gegen jdn] ziehen ▶ **you could [have] cut the <u>air</u> with a ~** die Stimmung war zum Zerreißen gespannt; **to <u>put</u> the ~ into sb** jdm in den Rücken fallen; **to <u>turn</u> the ~ [in the <u>wound</u>]** Salz in die Wunde streuen; **to go <u>under</u> the ~** MED unters Messer kommen *fam* II. *vt* ■ **to ~ sb** auf jdn einstechen

ˈknife-edge I. *n* Messerschneide *f;* **to be on a ~** (*fig*) auf Messers Schneide stehen II. *adj attr* ❶ (*narrow*) messerscharf ❷ (*fig: uncertain*) *situation* gefährlich **ˈknife sharp·en·er** *n* Messerschleifer(in) *m(f)* **knif·ing** [ˈnaɪfɪŋ] *n* Messerstecherei *f*

knight [naɪt] I. *n* ❶ (*title*) Ritter *m* ❷ (*hist: soldier*) Ritter *m* ❸ CHESS Springer *m* ▶ **[a] ~ in shining <u>armour</u>** [ein] Ritter ohne Furcht und Tadel II. *vt* ■ **to ~ sb** jdn zum Ritter schlagen

knight-er·rant <*pl* knights-> [ˌnaɪtˈerᵊnt] *n* fahrender Ritter

knight·hood [ˈnaɪthʊd] *n* Ritterstand *m;* **to give sb a ~** jdn in den Ritterstand erheben *geh*

knight·ly [ˈnaɪtli] *adj* (*liter*) ritterlich

knit [nɪt] I. *n* ❶ (*stitch*) Strickart *f* ❷ (*clothing*) ■ **~s** *pl* Stricksachen *pl* II. *vi* <knitted *or* knit, knitted *or* AM *also* knit> ❶ (*with yarn*) stricken; (*do basic stitch*) eine rechte Masche stricken ❷ (*mend*) *broken bone* zusammenwachsen III. *vt* <knitted *or* knit, knitted *or* AM *also* knit> ❶ (*with yarn*) stricken; **~ two, then purl one** zwei rechts, eins links ❷ (*join*) [miteinander]

verknüpfen ▶to ~ one's **brows** die Augenbrauen zusammenziehen [*o* Stirn runzeln] ◆**knit together I.** *vi* ❶(*combine*) sich zusammenfügen; **all the factors seem to be ~ting together** alle Faktoren scheinen zusammenzuhängen ❷(*mend*) *broken bone* zusammenwachsen **II.** *vt* ❶(*by knitting*) zusammenstricken ❷(*fig: join*) miteinander verbinden

knit·ter ['nɪtə^r] *n* Stricker(in) *m(f)*

knit·ting ['nɪtɪŋ] *n no pl* ❶(*action*) Stricken *nt* ❷(*product*) Gestrickte(s) *nt;* (*unfinished*) Strickzeug *nt*

'**knit·ting-nee·dle** *n* Stricknadel *f* '**knit· ting-yarn** *n* Strickgarn *nt*

'**knit·wear** *n no pl* Stricksachen *pl*

knob [nɒb] *n* ❶(*handle*) *of a cane* Knauf *m; of a door* Griff *m; of a bedhead* rundes Teil; (*dial*) Knopf *m;* **to twiddle a ~** an einem Knopf drehen ❷(*on a tree*) Knorren *m* ❸(*small amount*) Klümpchen *nt;* **a ~ of butter** ein Stückchen *nt* Butter ❹*esp* AM (*hill*) Kuppe *f* ❺(*vulg, sl: penis*) Schwanz *m* ▶**with** [**brass**] **~s on** BRIT und wie!

knob·bly ['nɒblɪ] *adj* BRIT, **knob·by** *adj* AM knubbelig; *tree, wood* astreich; **~ knees** Knubbelknie *pl;* (*rhyming sl*) Schlüssel *pl*

knock [nɒk] **I.** *n* ❶(*sound*) Klopfen *nt;* **there was a ~ on the door** es hat [an der Tür] geklopft; **she heard a ~** sie hat es klopfen hören ❷(*blow*) Schlag *m;* **to be able to withstand ~s** stoßsicher sein; **the table has had a few ~s** der Tisch hat schon ein paar Schrammen abbekommen ❸*no pl* TECH *of engine* Klopfen *nt* ❹(*fig: setback*) Schlag *m;* **to take a ~** (*fam*) einen Tiefschlag erleiden; (*in confidence*) einen Knacks bekommen; **to be able to take a lot of ~s** viel einstecken können; **she has learned everything in the school of hard ~s** sie ist [im Leben] durch eine harte Schule gegangen ❺(*fam: critical comment*) Kritik *f* ❻SPORTS (*in cricket*) Innings *nt fachspr* **II.** *vi* ❶(*strike noisily*) klopfen; **to ~ at the door/on the window** an die Tür/ans Fenster klopfen; **his knees were ~ing** (*fig*) ihm schlotterten die Knie *fam* ❷(*collide with*) stoßen (**into/against** gegen); ■**to ~ into sb** mit jdm zusammenstoßen ❸TECH *engine, pipes* klopfen ❹(*fam: be approaching*) **to be ~ing on 40/50/60** auf die 40/50/60 zugehen ▶**to ~ on wood** AM, AUS dreimal auf Holz klopfen **III.** *vt* ❶(*hit*) ■**to ~ sth** gegen etw *akk* stoßen; **I ~ed my knee on the door** ich habe mir mein Knie an der

Tür angestoßen; **she ~ed the glass off the table** sie stieß gegen das Glas und es fiel vom Tisch ❷(*blow*) ■**to ~ sb** jdm einen Schlag versetzen; (*less hard*) jdm einen Stoß versetzen; **to ~ sb to the ground** jdn zu Boden werfen; **to ~ sb on the head** jdn an den Kopf schlagen; **to ~ sb unconscious** jdn bewusstlos schlagen; (*fig*) **to ~ sb's self-esteem** jds Selbstbewusstsein anschlagen ❸(*drive, demolish*) ■**to ~ sth out of sb** jdm etw austreiben; **to ~ some sense into sb** jdn zur Vernunft bringen; **to ~ a hole in the wall** ein Loch in die Wand schlagen ❹(*fam: criticize*) ■**to ~ sb/sth** jdn/etw schlechtmachen; **don't ~ it till you've tried it** mach es nicht schon runter, bevor du es überhaupt ausprobiert hast *fam* ▶**to ~ 'em dead** AM es jdm zeigen; **okay, son, go and ~ 'em dead!** also los, Junge, geh und zeig's ihnen!; **to ~ sth on the head** BRIT, AUS (*stop sth*) etw *dat* ein Ende bereiten; **to ~ an idea on the head** einen Gedanken verwerfen; (*complete sth*) etw zu Ende bringen; **to ~ sb sideways** [*or* BRIT *also* **for six**] jdn umhauen *fam;* **to ~ the stuffing out of sb** jdn fertigmachen **IV.** *interj* "~ ~" "klopf, klopf"

◆**knock about, knock around I.** *vi* (*fam*) ❶(*be present*) *person* [he]rumhängen; *object, thing* [he]rumliegen; ■**to ~ about with sb** *esp* BRIT sich mit jdm [he]rumtreiben; **to ~ around in town** sich in der Stadt [he]rumtreiben ❷(*fam: travel aimlessly*) [he]rumziehen ❸BRIT (*have a sexual relationship*) ■**to ~ about with sb** es mit jdm treiben *euph fam* **II.** *vt* ❶(*hit*) ■**to ~ sb about** jdn verprügeln ❷(*play casually*) **to ~ a ball about** einen Ball hin- und herspielen; TENNIS ein paar Bälle schlagen ◆**knock back** *vt* (*fam*) ❶(*drink quickly*) hinunterkippen; *liquor* sich *dat* einen hinter die Binde kippen; **to ~ a beer back** ein Bier zischen ❷BRIT, AUS (*cost a lot*) ■**to ~ sb back** jdn eine [hübsche] Stange Geld kosten ❸(*surprise*) ■**to ~ sb back** jdn umhauen ❹BRIT (*fam: reject*) ■**to ~ sb back** jdn zurückweisen ◆**knock down** *vt* ❶(*cause to fall*) umstoßen; (*with a car, motorbike*) umfahren ❷(*demolish*) niederreißen ❸(*reduce*) *price* herunterhandeln ❹(*sell at auction*) versteigern ❺AM (*fam: earn*) **to ~ down a few thousand** ein paar Tausender kassieren ◆**knock off I.** *vt* ❶(*cause to fall off*) hinunterstoßen; **to ~ sb off their pedestal** jdn von seinem Podest stoßen ❷(*reduce a price*) [im Preis] herabsetzen ❸BRIT (*sl: steal*) klauen *fam* ❹(*fam: murder*) um-

K

legen ❺ (*fam: produce quickly*) schnell erledigen; (*easily*) [etw] mit links machen; *manuscript, novel, report, story* [etw] runterschreiben; (*on a keyboard*) [etw] runterhauen ❻ (*fam: stop*) ■ **to ~ off** ○ **sth** mit etw *dat* aufhören; **to ~ off work** Feierabend machen ❼ AM (*fam: rob*) **to ~ off a bank/a shop** eine Bank/einen Laden ausräumen II. *vi* (*fam*) Schluss machen ◆ **knock on** *vt, vi* (*in rugby*) **to ~** [**the ball**] **on** Vorwurf machen ◆ **knock out** *vt* ❶ (*render unconscious*) ■ **to ~ out** ○ **sb** jdn bewusstlos werden lassen; (*in a fight*) jdn k.o. schlagen ❷ (*forcibly remove*) **to ~ out two teeth** sich *dat* zwei Zähne ausschlagen ❸ *pipe* ausklopfen ❹ (*eliminate*) ausschalten; **to be ~ed out of a competition** aus einem Wettkampf ausscheiden ❺ (*render useless*) außer Funktion setzen ❻ AUS, NZ (*fam: earn a specified sum of money*) **to ~ out £2000** 2000 Pfund kassieren ❼ (*fam: produce quickly*) hastig entwerfen; *draft, manuscript, story* also [etw] runterschreiben; (*on a keyboard*) [etw] runterhauen ❽ (*fam: astonish and impress*) umhauen ◆ **knock over** *vt* ❶ (*cause to fall*) umstoßen; (*with a bike, car*) umfahren ❷ AM (*fam: rob*) **to ~ over a shop** einen Laden ausräumen ▶ **to ~ sb over with a feather** jdn völlig umhauen ◆ **knock together** *vt* ❶ (*fam: complete quickly*) zusammenschustern; *piece of furniture, shed, shelves* zusammenzimmern; *written article* zusammenschreiben ❷ BRIT (*remove wall*) **to ~ together two rooms/buildings** die Wand zwischen zwei Zimmern/Gebäuden einreißen ◆ **knock up** I. *vt* ❶ (*fam: make quickly*) zusammenschustern ❷ BRIT, AUS (*fam: awaken*) aus dem Schlaf trommeln ❸ *esp* AM (*sl: impregnate*) ■ **to ~ up** ○ **a woman** einer Frau ein Kind machen; **to get ~ed up** sich schwängern lassen II. *vi* BRIT (*in a racket game*) ein paar Bälle schlagen; (*before a match starts*) sich einschlagen

'**knock·about** *adj attr* THEAT, FILM Klamauk-; *comedy, humour* burlesk '**knock·down** *adj attr* ❶ (*very cheap*) supergünstig *sl;* ~ **price** Schleuderpreis *m fam;* (*at auction*) Mindestpreis *m* ❷ (*physically violent*) niederschmetternd; *argument* schlagend; **a ~ fight** eine handfeste Auseinandersetzung ❸ (*easily dismantled*) zerlegbar

knock·er ['nɒkə^r] *n* Türklopfer *m*

'**knock·ing copy** *n no pl* herabsetzende Werbung **knock·ing-'off time** *n no pl* Feierabend *m*

knock-'kneed *adj* X-beinig; ■ **to be ~** X-Beine haben '**knock-on ef·fect** *n* BRIT Folgewirkung *f;* **to have a ~ on sth** sich mittelbar auf etw *akk* auswirken '**knock·out** I. *n* ❶ BRIT, AUS (*tournament*) Ausscheidungs|wett]kampf *m* ❷ BOXING K.o. *m* II. *adj* ❶ BRIT, AUS (*elimination*) Ausscheidungs- ❷ BOXING ~ **blow** K.-o.-Schlag *m;* (*fig*) Tiefschlag *m;* **to deal sb's hopes a ~ blow** jds Hoffnungen *pl* zunichtemachen '**knock-up** *n usu sing* BRIT Einspielen *nt*

knoll [nəʊl] *n* Anhöhe *f*

knot [nɒt] I. *n* ❶ (*in rope, material*) Knoten *m;* **to untie a ~** einen Knoten lösen ❷ (*in hair*) [Haar]knoten *m* ❸ (*of people*) Knäuel *m o nt* ❹ (*in wood*) Ast *m* ▶ **sb's stomach is in ~s** jds Magen *m* krampft sich zusammen; **to tie the ~** heiraten II. *vt* <-tt-> knoten; *tie* binden; ■ **to ~ sth together** etw zusammenknoten III. *vi* <-tt-> *muscles* sich verspannen; *stomach* sich zusammenkrampfen

knot·ty ['nɒti] *adj* ❶ (*full of knots*) *wood* astreich; *branch* knotig; *hair* voller Knoten nach *n*, *präd* ❷ (*difficult*) kompliziert

know [nəʊ] I. *vt* <knew, known> ❶ (*have information/knowledge*) wissen; *facts, results* kennen; **do you ~ where the post office is?** können Sie mir bitte sagen, wo die Post ist?; **I ~ no fear** ich habe vor nichts Angst; **I ~ what I am talking about** ich weiß, wovon ich rede; **that's worth ~ing** das ist gut zu wissen; **that's what I'd like to ~ too** das würde ich auch gerne wissen!; — **don't I ~ it!** – wem sagst du das!; **for all I ~** soweit ich weiß; **they might have even cancelled the project for all I ~** vielleicht haben sie das Projekt ja sogar ganz eingestellt – weiß man's! *fam;* **I knew it!** wusste ich's doch! *fam;* **but she's not to ~** aber sie soll nichts davon erfahren; **God ~s I've done my best** ich habe weiß Gott mein Bestes gegeben; **God only ~s what'll happen next!** weiß der Himmel, was als Nächstes passiert!; **the police ~ him to be a cocaine dealer** die Polizei weiß, dass er mit Kokain handelt; ■ **to ~ how to do sth** wissen, wie man etw macht; **to ~ how to drive a car** Auto fahren können; **to ~ the alphabet/English** das Alphabet/Englisch können; **to ~ sth by heart** etw auswendig können; **to ~ what one is doing** wissen, was man tut; **to let sb ~ sth** jdn etw wissen lassen ❷ (*be certain*) ■ **to not ~ whether ...** sich *dat* nicht sicher sein, ob ...; **to not ~ which way to turn** nicht wissen, was man machen soll; **to ~ for a fact that ...** ganz sicher wissen, dass ... ❸(*be acquainted with*) ■to ~ sb jdn kennen; ~ing Sarah, she'll have done a good job so wie ich Sarah kenne, hat sie ihre Sache bestimmt gut gemacht; she ~s Paris well sie kennt sich in Paris gut aus; surely you ~ me better than that! du solltest mich eigentlich besser kennen!; you ~ what it's like du weißt ja, wie das [so] ist; to ~ sth like the back of one's hand etw wie seine eigene Westentasche kennen *fam;* to ~ sb by name/by sight/personally jdn dem Namen nach/vom Sehen/persönlich kennen; to get to ~ sb/each other jdn/sich kennen lernen; to get to ~ sth *methods* etw lernen; *faults* etw herausfinden ❹(*have understanding*) verstehen; do you ~ what I mean? du solltest mich eigentlich besser kennen!; ❺(*experience*) I've never ~n anything like this so etwas habe ich noch nie erlebt; I've never ~n her [to] cry ich habe sie noch nie weinen sehen ❻(*recognize*) erkennen (by an); I ~ a good thing when I see it ich merke gleich, wenn was gut ist; I knew her for a liar the minute I saw her ich habe vom ersten Augenblick an gewusst, dass sie eine Lügnerin ist ❼(*be able to differentiate*) you wouldn't ~ him from his brother man kann ihn und seinen Bruder nicht unterscheiden; don't worry, she won't ~ the difference keine Angst, sie wird den Unterschied [gar] nicht merken; to ~ right from wrong Gut und Böse unterscheiden können ❽ *passive* (*well-known*) ■to be ~n for sth für etw *akk* bekannt sein; ■it is ~n that ... es ist bekannt, dass ...; to make sth ~n etw bekannt machen; Terry is also ~n as 'The Muscleman' Terry kennt man auch unter dem Namen 'der Muskelmann' ▸to ~ no bounds keine Grenzen kennen; to ~ one's own mind wissen, was man will; to ~ one's place wissen, wo man steht; to ~ the ropes sich auskennen; to ~ the score wissen, was gespielt wird; to ~ which side one's bread is buttered on wissen, wo was zu holen ist; to ~ one's stuff [*or* BRIT *also* onions] sein Geschäft verstehen; to ~ a thing or two about sth sich mit etw *dat* auskennen; to ~ what's what wissen, wo's langgeht; what do you ~! wer hätte das gedacht!; to not ~ what hit one nicht wissen, wie einem geschieht II. *vi* <knew, known> ❶(*have knowledge*) [Bescheid] wissen; ask Kate, she's sure to ~ frag Kate, sie weiß es bestimmt; I was not to ~ until years later das sollte ich erst Jahre später erfahren; you never ~

man kann nie wissen; as far as I ~ so viel ich weiß; who ~s? wer weiß?; how should I ~? wie soll ich das wissen?; I ~! jetzt weiß ich!; she didn't want to ~ sie wollte nichts davon wissen; just let me ~ ok? sag mir einfach Bescheid, ok? ❷(*fam: understand*) begreifen; "I don't ~," he said, "why can't you ever be on time?" „ich begreife das einfach nicht", sagte er, „warum kannst du nie pünktlich sein?" ❸(*said to agree with sb*) I ~ ich weiß ❹(*conversation filler*) he's so boring and, you ~, sort of spooky er ist so langweilig und, na ja, irgendwie unheimlich; he asked me, you ~ weißt du, er hat mich halt gefragt ▸you ought to ~ better du solltest es eigentlich besser wissen; I ~ better than to go out in this weather ich werde mich hüten, bei dem Wetter rauszugehen; he said he loved me but I ~ better er sagte, dass er mich liebt, aber ich weiß, dass es nicht stimmt; to not ~ any better es nicht anders kennen

'**know-all** *n* (*pej fam*) Besserwisser(in) *m(f)* '**know-how** *n no pl* Know-how *nt* **know·ing** ['nəʊɪŋ] I. *adj* wissend *attr; look, smile* viel sagend II. *n no pl* Wissen *nt* **know·ing·ly** ['nəʊɪŋli] *adv* ❶(*meaningfully*) viel sagend ❷(*with full awareness*) bewusst

know-it-all *n* AM Besserwisser(in) *m(f) pej* **knowl·edge** ['nɒlɪdʒ] *n no pl* ❶(*body of learning*) Kenntnisse *pl* (of in); ~ of French Französischkenntnisse *pl;* **lim·ited** ~ begrenztes Wissen; to have [no/some] ~ of sth [keine/gewisse] Kenntnisse über etw *akk* besitzen; to have a thorough ~ of sth ein fundiertes Wissen in etw *dat* besitzen ❷(*acquired information*) Wissen *nt;* to my ~ soweit ich weiß; to be common ~ allgemein bekannt sein ❸(*awareness*) Wissen *nt;* to deny all ~ [of sth] jegliche Kenntnis [über etw *akk*] abstreiten; to be safe in the ~ that ... mit Bestimmtheit wissen, dass ...; it has been brought to our ~ that ... wir haben davon Kenntnis erhalten, dass ...; ■to do sth without sb's ~ etw ohne jds Wissen *nt* tun **knowl·edg(e)·able** ['nɒlɪdʒəbl] *adj* (*well informed*) sachkundig; (*experienced*) bewandert

known [nəʊn] I. *vt, vi pp of* know II. *adj* ❶(*publicly recognized*) bekannt; it is a little/well ~ fact that ... es ist nur wenigen/allgemein bekannt, dass ... ❷(*understood*) bekannt; no ~ reason kein erkennbarer Grund ❸(*tell publicly*) to make sth ~ etw bekannt machen

K

knuck·le [ˈnʌkl̩] I. n ❶ ANAT [Finger]knöchel m ❷ (cut of meat) Hachse f, Haxe f SÜDD; ~ **of pork** Schweinshaxe f SÜDD ❸ AM (knuckleduster) ■~**s** pl Schlagring m ▸ **to be near the ~** BRIT sich hart an der Grenze bewegen; joke ziemlich gewagt sein II. vi ❶ (start working hard) ■**to ~ down** sich dahinter klemmen ❷ (submit) ■**to ~ under** sich fügen

'**knuck·le·dust·er** n ❶ esp BRIT (weapon) Schlagring m ❷ BRIT (fam: ring) Klunker m

KO [ˌkeɪˈəʊ] I. n abbrev of **knockout** K.o. m; **to win with a ~ in the third round** in der dritten Runde durch K.o. gewinnen II. vt <KO'd, KO'd> abbrev of **knock out**: ■**to ~ sb** jdn k.o. schlagen; (fig) jdn außer Gefecht setzen fam

koa·la [kəʊˈɑːlə] n, **koala bear** n Koala[bär] m

kohl [kəʊl] n no pl Kajal nt; ~ **pencil** Kajalstift m

kooky [ˈkuːki] adj esp AM (usu approv fam) ausgeflippt

Ko·ran [kɒrˈɑːn] n no pl ■**the ~** der Koran

Ko·rea [kəˈriːə] n no pl, no art Korea nt; **North/South ~** Nord-/Südkorea nt

Ko·rean [kəˈriːᵊn] I. adj koreanisch II. n ❶ (inhabitant) Koreaner(in) m(f) ❷ LING Koreanisch nt

ko·sher [ˈkəʊʃəʳ] adj (also fig) koscher; **to keep ~** [weiterhin] koscher leben

Kosian [ˈkəʊʃᵊn] n Kind mit einem südkoreanischen Elternteil und einem aus einem anderen asiatischen Land

Ko·so·vo [ˈkɒsəvəʊ] n no pl Kosovo m

kow·tow [ˌkaʊtaʊ] vi (fam) ■**to ~ to sb** vor jdm katzbuckeln

Krem·lin [ˈkremlɪn] n no pl ■**the ~** der Kreml + sing/pl vb

ku·dos [ˈkjuːdɒs] npl Ansehen nt kein pl

Ku Klux Klan [ˌkuːklʌksˈklæn] n no pl, + sing/pl vb ■**the ~** der Ku-Klux-Klan

kung fu [ˌkʊŋˈfuː] n no pl Kung-Fu nt

Kurd [kɜːd] n Kurde(in) m(f)

Kurd·ish [ˈkɜːdɪʃ] I. adj kurdisch II. n no pl LING Kurdisch nt

Kur·di·stan [ˌkɜːdɪˈstɑːn] n no pl, no art Kurdistan nt

Ku·wait [kuːˈweɪt] n no pl, no art Kuwait nt

Ku·wai·ti [kuːˈweɪti] I. adj kuwaitisch II. n ❶ (inhabitant of Kuwait) Kuwaiter(in) m(f) ❷ LING Kuwaitisch nt

kW <pl -> n abbrev of **kilowatt** kW

KWIC [kwɪk] COMPUT abbrev of **key word in context** KWIC

KWOC [kwɒk] COMPUT abbrev of **key word out of context** KWOC

L|

L <*pl* -'s *or* -s>, **l** <*pl* -'s> [el] *n* ❶ (*letter*) L *nt*, l *nt*; *see also* **A 1** ❷ (*Roman numeral*) L *nt*, l *nt*

l [el] **I.** *n* ❶ <*pl* -> *abbrev of* **litre** ❷ <*pl* ll> TYPO *abbrev of* **line** Z. ❸ *no pl abbrev of* **left** l. **II.** *adj abbrev of* **left** l., **L III.** *adv abbrev of* **left** l.

L *n* ❶ *abbrev of* **lake** ❷ FASHION *abbrev of* **Large** L ❸ BRIT AUTO *abbrev of* **learner** *großes L, das man an einem Auto anbringt, um anzuzeigen, dass hier ein(e) Fahrschüler(in), der/die noch keinen Führerschein hat, in Begleitung eines Führerscheininhabers fährt*

LA [ˌelˈeɪ] *n abbrev of* **Los Angeles** Los Angeles *nt*

lab [læb] *n short for* **laboratory** Labor *nt*

la·bel [ˈleɪbᵊl] **I.** *n* ❶ (*on bottles*) Etikett *nt*; (*in clothes*) Schild[chen] *nt* ❷ (*brand name*) Marke *f*; **record ~** Schallplattenlabel *nt*; (*company*) Plattenfirma *f* ❸ (*set description*) Bezeichnung *f* **II.** *vt* <BRIT -ll­ *or* AM *usu* -l-> ❶ (*affix labels*) etikettieren; (*mark*) kennzeichnen; (*write on*) beschriften ❷ (*categorize*) etikettieren; **to be ~led as a criminal** als Krimineller/Kriminelle abgestempelt werden

la·bel·ling [ˈleɪbᵊlɪŋ], AM **la·bel·ing** *n no pl* Etikettierung *f*; (*marking*) Kennzeichnung *f*; (*with a price*) Auszeichnung *f*

la·bia [ˈleɪbɪə] *npl* ANAT Labia *pl fachspr*, Schamlippen *pl*

la·bor *n* AM *see* **labour**

la·bora·tory [ləˈbɒrətᵊri] *n* Labor[atorium] *nt*

la·ˈbora·tory as·sis·tant *n* Laborant(in) *m(f)* **la·ˈbora·tory test** *n* Labortest *m*

la·bor·er *n* AM *see* **labourer**

la·bo·ri·ous [ləˈbɔːrɪəs] *adj* ❶ (*onerous*) mühsam ❷ (*usu pej: strained*) umständlich

la·bo·ri·ous·ly [ləˈbɔːrɪəsli] *adv* mühsam, mühevoll

la·bor un·ion *n* AM Gewerkschaft *f*

la·bour [ˈleɪbᵊr] **I.** *n* ❶ (*work*) Arbeit *f*; **division of ~** Arbeitsteilung *f*; **manual ~** körperliche Arbeit ❷ *no pl* (*workers*) Arbeitskräfte *pl*; **skilled ~** ausgebildete Arbeitskräfte; **semi-skilled ~** angelernte Arbeitskräfte; **unskilled ~** ungelernte Arbeitskräfte ❸ *no pl* (*childbirth*) Wehen *pl*; **to go into ~** Wehen bekommen **II.** *vi* ❶ (*do physical work*) arbeiten; **to do ~ing work** körperlich arbeiten ❷ (*work hard*)

sich abmühen; ▪**to ~ on sth** hart an etw *dat* arbeiten ❸ (*do sth with effort*) ▪**to ~ sich** [ab]quälen; ▪**to ~ on sth** sich mit etw *dat* abplagen

ˈla·bour camp *n* Arbeitslager *nt* **ˈLa·bour Day** *n no pl* BRIT Tag *m* der Arbeit (*staatlicher Feiertag in Großbritannien am 1. Mai*) **ˈla·bour dis·pute** *n* Arbeitskampf *m*

la·bour·er [ˈleɪbᵊrər] *n* [ungelernter] Arbeiter/[ungelernte] Arbeiterin, Hilfsarbeiter(in) *m(f)*

ˈla·bour force *n + sing/pl vb* (*working population*) Arbeiterschaft *f*; (*a company's employees*) Belegschaft *f* **la·bour-inˈten·sive** *adj* arbeitsintensiv **ˈla·bour mar·ket** *n* Arbeitsmarkt *m* **ˈla·bour move·ment** *n* POL Arbeiterbewegung *f* **ˈla·bour pains** *npl* MED Wehen *pl* **ˈLa·bour Par·ty** *n no pl* BRIT POL ▪**the ~** die Labour Party **ˈla·bour re·la·tions** *npl* Arbeitgeber-Arbeitnehmerverhältnis *nt* **ˈla·bour-sav·ing** *adj* arbeitssparend **ˈla·bour short·age** *n* Arbeitskräftemangel *m* **ˈla·bour ward** *n* Kreißsaal *m*

Lab·ra·dor [ˈlæbrədɔːʳ] *n* Labrador[hund] *m*

la·bur·num [ləˈbɜːnəm] *n* BOT Goldregen *m*

laby·rinth [ˈlæbᵊrɪnθ] *n* Labyrinth *nt*; (*fig liter*) Verwicklung *f*

lace [leɪs] **I.** *n* ❶ *no pl* (*decorative cloth*) Spitze *f*; (*decorative edging*) Spitzenborte *f* ❷ (*cord*) Band *nt*; **shoe ~s** Schnürsenkel *pl bes* NORDD, MITTELD, Schuhbänder *pl* DIAL **II.** *vt* ❶ (*fasten*) corset zuschnüren; shoes zubinden ❷ (*add alcohol*) ▪**to ~ sth** einen Schuss [Alkohol] in etw *akk* geben ◆**lace up** *vt* shoes zuschnüren

lac·er·ate [ˈlæsᵊreɪt] *vt* ❶ (*cut and tear*) aufreißen ❷ (*form: cause extreme pain*) **to ~ sb's feelings** jds Gefühle *pl* zutiefst verletzen

lac·era·tion [ˌlæsᵊrˈeɪʃᵊn] *n* ❶ *no pl* (*tearing*) Verletzung *f* ❷ (*instance of tearing*) Fleischwunde *f*; (*by tearing*) Risswunde *f*; (*by cutting*) Schnittwunde *f*; (*by biting*) Bisswunde *f*

ˈlace-ups *npl* Schnürschuhe *pl*

lach·ry·mose [ˈlækrɪməʊs] *adj* (*form, liter*) ❶ (*tearful*) weinerlich ❷ (*inducing melancholy*) rührselig

lack [læk] **I.** *n no pl* Mangel *m* (**of** an); **~ of confidence/judgement** mangelndes Selbstvertrauen/Urteilsvermögen; **~ of**

funds fehlende Geldmittel; ~ **of money/ supplies** Geld-/Vorratsmangel *m;* ~ **of sleep/time** Schlaf-/Zeitmangel *m* **II.** *vt* ■**to ~ sth** etw nicht haben; **what we ~ in this house is ...** was uns in diesem Haus fehlt, ist ...

lacka·dai·si·cal [ˌlækəˈdeɪzɪkəl] *adj* lustlos

lack·ey [ˈlæki] *n* (*hist or pej: servile person*) Lakai *m*

lack·ing [ˈlækɪŋ] *adj pred* ❶ (*without*) ■**to be ~ in sth** an etw *dat* mangeln ❷ (*fam: mentally subnormal*) beschränkt

lack·lust·re [ˈlækˌlʌstəʳ] *adj,* Am **lack·lust·er** *adj* ❶ (*lacking vitality*) langweilig ❷ (*dull*) trüb[e]

la·con·ic [ləˈkɒnɪk] *adj* ❶ (*very terse*) lakonisch ❷ (*taciturn*) wortkarg

lac·quer [ˈlækəʳ] **I.** *n* Lack *m* **II.** *vt* lackieren

la·crosse [ləˈkrɒs] *n no pl* SPORTS Lacrosse *nt*

lad [læd] *n* ❶ BRIT, SCOT (*boy*) Junge *m* ❷ BRIT, SCOT (*a man's male friends*) ■**the ~s** die Kumpels *pl fam,* die Jungs *pl fam* ❸ BRIT, SCOT (*fam*) **to be a bit of a ~** ein ziemlicher Draufgänger sein ❹ BRIT (*stable worker*) [Stall]bursche *m*

lad·der [ˈlædəʳ] **I.** *n* ❶ (*device for climbing*) Leiter *f;* **to be up a ~** auf einer Leiter stehen; **to go up a ~** auf eine Leiter steigen ❷ (*hierarchy*) [Stufen]leiter *f* ❸ BRIT, AUS (*in stocking*) Laufmasche *f* **II.** *vt* BRIT, AUS **to ~ tights** eine Laufmasche in eine Strumpfhose machen **III.** *vi* BRIT, AUS *stockings, tights* eine Laufmasche bekommen

lad·die [ˈlædi] *n* SCOT (*fam*) Junge *m*

lad·en [ˈleɪdᵊn] *adj* beladen

la·di·da [ˈlɑːdiːdɑː] *adj* (*pej*) affektiert

lad·ing [ˈleɪdɪŋ] *n* NAUT Ladung *f*

la·dle [ˈleɪdl] **I.** *n* [Schöpf]kelle *f* **II.** *vt* **to ~ out the soup** die Suppe austeilen; (*fig*) **doctors ~d out antibiotics to patients in those days** früher haben die Ärzte den Patienten ziemlich großzügig Antibiotika verschrieben

lady [ˈleɪdi] *n* ❶ (*woman*) Frau *f;* **a ~ doctor** eine Ärztin; **cleaning ~** Putzfrau *f;* **old/young ~** alte/junge Dame ❷ (*woman with social status*) Dame *f* ❸ (*form: polite address*) **ladies and gentlemen!** meine [sehr verehrten] Damen und Herren! ❹ AM (*sl*) Lady *f*

ˈ**lady·bird** *n* BRIT, AUS Marienkäfer *m* ˈ**lady·boy** *n* junger Transvestit (*vor allem in Südostasien*) **lady-in-ˈwait·ing** <*pl* ladies-> *n* Hofdame *f* ˈ**lady·like** *adj* (*dated*) damenhaft ˈ**lady·ship** *n* ❶ (*form: form of address*) **her/your ~** Ihre/

Eure Ladyschaft ❷ (*pej, iron: pretentious woman*) die gnädige Frau

LAFTA [ˈlæftə] *n abbrev of* **Latin American Free Trade Association** Lateinamerikanische Freihandelszone

lag¹ [læg] **I.** *n* ❶ (*lapse*) Rückstand *m;* (*falling behind*) Zurückbleiben *nt kein pl;* **time ~** Zeitabstand *m;* (*delay*) Verzögerung *f* ❷ BRIT, AUS (*sl: habitual convict*) Knacki *m* **II.** *vi* <-gg-> zurückbleiben; **sales are ~ging** der Verkauf läuft schleppend; ■**to ~ behind [sb/sth]** [hinter jdm/ etw] zurückbleiben **III.** *vt* <-gg-> AUS (*sl*) ■**to ~ sb** jdn einbuchten

lag² <-gg-> [læg] *vt* isolieren

la·ger [ˈlɑːgəʳ] *n* ❶ *no pl* (*beer*) Lagerbier *nt* ❷ (*portion of lager*) [helles] Bier; **a glass of ~** ein Helles *nt*

ˈ**la·ger lout** *n* BRIT (*fam*) betrunkener Rowdy *pej*

lag·ging [ˈlægɪŋ] *n* Isolierung *f*

la·goon [ləˈguːn] *n* Lagune *f*

laid [leɪd] *pt, pp of* **lay**

laid-ˈback *adj* (*fam: relaxed*) locker; (*calm*) gelassen

lain [leɪn] *pp of* **lie**

lair [leəʳ] *n* ❶ HUNT Lager *nt fachspr; of fox* Bau *m; of small animals* Schlupfwinkel *m* ❷ (*hiding place*) Schlupfwinkel *m oft pej*

laird [leəd] *n* SCOT Gutsherr *m*

lais·sez-faire [ˌleɪseɪˈfeəʳ] *n no pl* POL Laisser-faire *nt geh*

la·ity [ˈleɪəti] *n no pl,* + *sing/pl vb* REL ■**the ~** die Laien *pl*

lake [leɪk] *n* ❶ (*body of fresh water*) See *m* ❷ BRIT ECON (*fig, pej: surplus stores*) [flüssiger] Lagerbestand

ˈ**lake·side I.** *adj attr* am See *nach n* **II.** *n* Seeufer *nt*

lam [læm] **I.** *n* AM (*sl*) **to be on the ~** auf der Flucht sein; **to take it on the ~** die Fliege machen *fam* **II.** *vt* <-mm-> (*fam*) verdreschen; **~ him on the head!** gib ihm eins auf die Birne! **III.** *vi* <-mm-> ■**to ~ into sb** (*attack brutally*) auf jdn eindreschen *fam;* (*attack verbally*) jdn zur Schnecke machen *fam*

lama [ˈlɑːmə] *n* REL Lama *m*

lamb [læm] *n* ❶ (*young sheep*) Lamm *nt;* (*fig*) Schatz *m fam* ❷ *no pl* (*meat*) Lamm[fleisch] *nt* **II.** *vi* lammen

lam·bast(e) [læmˈbæst] *vt* heftig kritisieren

ˈ**lamb·skin** *n* Lammfell *nt*

ˈ**lambs·wool** *n no pl* Lammwolle *f*

lame [leɪm] *adj* ❶ (*crippled*) lahm ❷ (*weak*) lahm *pej fam; argument* schwach

lame·ness ['leɪmnəs] *n no pl* ❶ (*crippled condition*) Lähmung *f* ❷ (*weakness*) Lahmheit *f*

la·ment [lə'ment] **I.** *n* MUS, LIT Klagelied *nt* (**for** über) **II.** *vt* (*also iron*) ■ **to** ~ **sth** über etw *akk* klagen; ■ **to** ~ **sb** um jdn trauern **III.** *vi* ■ **to** ~ **over sth** etw beklagen *geh*

la·men·table [lə'mentəbl] *adj* beklagenswert; *piece of work* erbärmlich

la·men·ta·tion [ˌlæmen'teɪʃ°n] *n* ❶ (*regrets*) Wehklage *f geh* ❷ *no pl* (*act of mourning*) [Weh]klagen *nt geh;* (*act of wailing*) Jammern *nt*

lami·nate I. *n* ['læmɪnət] Laminat *nt* **II.** *vt* ['læmɪneɪt] beschichten **III.** *adj attr* beschichtet

lami·nat·ed ['læmɪneɪtɪd] *adj* geschichtet; (*covered with plastic*) beschichtet; ~ **glass** Verbundglas *nt;* ~ **plastic** ≈ Resopal® *nt;* ~ **wood** Sperrholz *nt*

lamp [læmp] *n* Lampe *f;* **street** ~ Straßenlaterne *f*

lam·poon [læm'puːn] **I.** *n* Spottschrift *f* **II.** *vt* verspotten

'lamp·post *n* Laternenpfahl *m*

lam·prey ['læmpri] *n* ZOOL Neunauge *nt*

'lamp·shade *n* Lampenschirm *m*

LAN [læn] *n* COMPUT *abbrev of* **local area network** LAN *nt*

lance [lɑːn(t)s] **I.** *n* MIL (*dated*) Lanze *f* **II.** *vt* MED aufschneiden

lan·cet ['lɑːn(t)sɪt] *n* Lanzette *f*

land [lænd] **I.** *n* ❶ *no pl* (*not water*) Land *nt;* **to travel by** ~ auf dem Landweg reisen ❷ *no pl* (*ground*) Land *nt;* (*soil*) Boden *m;* **building** ~ Bauland *nt;* **agricultural** ~ Ackerland *nt;* **piece/plot of** ~ (*for building*) Grundstück *nt;* (*for farming*) Stück *nt* Land; **waste** ~ Brachland *nt* ❸ *no pl* (*countryside*) ▶ **the** ~ das Land ❹ (*particular area of ground*) Grundstück *nt;* **private** ~ Privatbesitz *m;* **state** ~[**s**] AM staatlicher Grundbesitz ❺ (*country, region*) Land *nt* ❻ AM (*euph: Lord*) **for** ~'**s sake** um Gottes Willen ▶ **to see how the** ~ **lies** die Lage peilen **II.** *vi* ❶ AVIAT, AEROSP landen (**on** auf) ❷ NAUT *vessel* anlegen; *people* an Land gehen ❸ (*come down, fall*) landen; **to** ~ **on one's feet** auf den Füßen landen; (*fig*) [wieder] auf die Füße fallen ❹ *blow, punch* sitzen ❺ (*fam: end up, arrive*) landen **III.** *vt* ❶ (*bring onto land*) *plane* landen; *boat* an Land ziehen ❷ (*unload*) an Land bringen; *cargo* löschen; *passengers* von Bord [gehen] lassen; *troops* anlanden ❸ (*fam: obtain*) *contract, offer, job* an Land ziehen *fig* ❹ (*fam: burden*) ■ **to** ~ **sb with sth** jdm etw aufhalsen; ■ **to be** ~ **ed**

with sb jdn am Hals haben ❺ (*fam: place*) ■ **to** ~ **sb in sth** jdn in etw *akk* bringen; **that could have** ~**ed you in jail** deswegen hättest du im Gefängnis landen können ◆ **land up** *vi* (*fam*) ❶ (*in a place*) landen ❷ (*in a situation*) enden; ■ **to** ~ **up doing sth** schließlich etw tun

land·ed ['lændɪd] *adj attr* **the** ~ **gentry** + *sing/pl vb* der Landadel

'land·fall *n* NAUT (*first land reached*) Landungsort *m;* (*sighting*) Sichten *nt* von Land **'land·fill** *n* ❶ *no pl* (*waste disposal*) Geländeanfüllung *f* ❷ *no pl* (*site*) Deponiegelände *nt* ❸ *no pl* (*waste*) Müll *m* **'land forces** *npl* MIL Landstreitkräfte *pl* **'land·hold·er** *n* Landbesitzer(in) *m(f);* (*tenant*) Pächter(in) *m(f)*

land·ing ['lændɪŋ] *n* ❶ (*staircase space*) Treppenabsatz *m* ❷ (*aircraft touchdown*) Landung *f;* **to make an emergency** ~ notlanden ❸ (*nautical landfall*) Landung *f* ❹ SPORTS (*coming to rest*) Landung *f*

'land·ing card *n* Einreiseformular *nt* **'land·ing craft** *n* MIL Landungsboot *nt* **'land·ing field** *n* Landeplatz *m* **'land·ing gear** *n* Fahrgestell *nt* **'land·ing net** *n* Kescher *m* **'land·ing stage** *n* Landungssteg *m* **'land·ing strip** *n* Landebahn *f*

'land·lady *n* ❶ (*house owner*) Hausbesitzerin *f;* (*renting out houses*) Vermieterin *f* ❷ (*of pub or hotel*) [Gast]wirtin *f* ❸ (*of a boarding house*) Pensionswirtin *f*

land·less ['lændləs] *adj* ohne Landbesitz nach *n,* landlos

'land·locked *adj* von Land umgeben; ~ **country** Binnenstaat *m* **'land·lord** *n* ❶ (*house owner*) Hausbesitzer *m;* (*renting out housing*) Vermieter *m* ❷ (*of pub or hotel*) [Gast]wirt *m* ❸ (*of boarding house*) Pensionswirt *m* **'land·mark** *n* ❶ (*point of recognition*) Erkennungszeichen *nt* ❷ (*noted site*) Wahrzeichen *nt* ❸ (*important event*) Meilenstein *m* **'land·mine** *n* MIL Landmine *f* **'land of·fice** *n* AM (*old*) Grundbuchamt *nt* **'land·own·er** *n* Grundbesitzer(in) *m(f)* **'land re·form** *n* Bodenreform *f* **'land reg·is·ter** *n* Grundbuch *nt* **land re·medi·'ation** *n no pl* Bodensanierung *f,* Wiedernutzbarmachung *f* von Brachen

'land·scape I. *n* ❶ (*country scenery*) Landschaft *f* ❷ (*painting*) Landschaft *f* **II.** *adj attr* ❶ (*relating to landscapes*) Landschafts- ❷ TYPO (*printing format*) **in** ~ **format** im Querformat **III.** *vt* [landschafts]gärtnerisch gestalten

land·scape 'archi·tect *n* Landschaftsarchitekt(in) *m(f)* **land·scape 'archi·tec·**

ture *n no pl* Landschaftsgärtnerei *f*

'land·slide I. *n* ❶ (*of earth, rock*) Erdrutsch *m* ❷ (*majority*) Erdrutsch[wahl]sieg *m* II. *adj attr* ~ **victory** Erdrutsch[wahl]sieg *m* **'land·slip** *n* NBRIT GEOG Erdrutsch *m* **'land tax** *n* Grundsteuer *f*

land·ward ['lændwəd] I. *adj* land[ein]wärts [gelegen]; **the ~ side** die Landseite II. *adv* land[ein]wärts; **to head ~** in Richtung Land fahren

lane [leɪn] *n* ❶ (*narrow road*) Gasse *f;* **country ~** schmale Landstraße ❷ (*marked strip*) [Fahr]spur *f;* SPORTS Bahn *f;* **cycle ~** Fahrradweg *m;* **in the fast/middle ~** auf der Überholspur/mittleren Spur

lan·guage ['læŋgwɪdʒ] *n* ❶ (*of nation*) Sprache *f;* **a foreign ~** eine Fremdsprache; **sb's native ~** jds Muttersprache ❷ *no pl* (*words*) Sprache *f;* (*style of expression*) Ausdrucksweise *f;* **bad ~** Schimpfwörter *pl* ❸ (*of specialist group*) Fachsprache *f;* (*individual expressions*) Fachausdrücke *pl*

'lan·guage la·bora·tory *n* Sprachlabor *nt* **'lan·guage learn·ing** *n no pl* Erlernen *nt* von Fremdsprachen

lan·guid ['læŋgwɪd] *adj* (*liter*) ❶ (*without energy*) träge, matt ❷ (*unenthusiastic*) gelangweilt

lan·guish ['læŋgwɪʃ] *vi* ❶ (*remain*) schmachten *geh;* **to ~ in jail** im Gefängnis schmoren *fam;* **to ~ in obscurity** in der Bedeutungslosigkeit dahindümpeln *fam* ❷ (*grow weak*) verkümmern

lan·guor ['læŋgər] *n no pl* (*liter: pleasant*) wohlige Müdigkeit; (*unpleasant*) Mattigkeit *f*

lan·guor·ous ['læŋgərəs] *adj* (*liter*) *afternoon* träge; *feeling* wohlig; *look* verführerisch; *music* getragen

lank [læŋk] *adj* ❶ (*hanging limply*) *hair* strähnig ❷ (*tall and thin*) *person* hager

lanky ['læŋki] *adj* hoch aufgeschossen

lano·lin(e) ['lænəlɪn] *n no pl* Lanolin *nt*

lan·tern ['læntən] *n also* ARCHIT Laterne *f*

lan·yard ['lænjəd] *n* ❶ (*short cord*) Kordel *f;* (*for gun*) Abzugsleine *f* ❷ NAUT Taljereep *nt*

Laos ['laʊs] *n* Laos *nt*

lap[1] [læp] *n* Schoß *m* ▸ **to live in the ~ of luxury** ein Luxusleben führen; **to drop into sb's ~** jdm in den Schoß fallen

lap[2] [læp] I. *n* ❶ SPORTS Runde *f;* **to do a ~ [of honour]** BRIT eine Ehrenrunde drehen ❷ (*stage*) Etappe *f* II. *vt* <-pp-> ❶ (*overtake*) überrunden ❷ *usu passive* (*liter: wrap*) ■ **to be ~ped in sth** in etw *akk* gehüllt sein III. *vi* ❶ (*in car racing*) eine

Runde drehen ❷ (*project*) hängen (**over** über)

lap[3] [læp] I. *vt* ❶ (*drink*) lecken, schlecken SÜDD, ÖSTERR ❷ (*hit gently*) *waves* [sanft] gegen etw *akk* schlagen II. *vi* ■ **to ~ against sth** *waves* [sanft] gegen etw *akk* schlagen ◆ **lap up** *vt* ❶ (*drink*) [auf]lecken, [auf]schlecken SÜDD, ÖSTERR ❷ (*fam: accept eagerly*) [gierig] aufsaugen

'lap·dog *n* ❶ (*small dog*) Schoßhündchen *nt* ❷ (*person*) Spielball *m*

la·pel [lə'pel] *n* Revers *nt*

la·pis lazu·li [ˌlæpɪs'læzjʊli] *n* ❶ (*gemstone*) Lapislazuli *m* ❷ (*colour*) Ultramarin *nt kein pl; of eyes* tiefes Blau

Lap·land ['læplænd] *n* Lappland *nt*

Lap·land·er ['læplændər] *n* Lappländer(in) *m(f)*

lapse [læps] I. *n* ❶ (*mistake*) Versehen *nt;* (*moral*) Fehltritt *m;* ~ **of attention/concentration** Aufmerksamkeits-/Konzentrationsmangel *m;* ~ **of judgement** Fehleinschätzung *f;* ~ **of memory** Gedächtnislücke *f* ❷ *no pl* (*of time*) Zeitspanne *f;* **after a ~ of a few days/hours** nach Verstreichen einiger Tage/Stunden II. *vi* ❶ (*fail*) *attention, concentration* abschweifen; *quality, standard* nachlassen ❷ (*end*) ablaufen; *contract also* erlöschen; *subscription* auslaufen ❸ (*pass into*) ■ **to ~ into sth** in etw *akk* verfallen; (*revert to*) **to ~ into a coma/unconsciousness** ins Koma/in Ohnmacht fallen; **to ~ into silence** in Schweigen verfallen ❹ (*cease membership*) austreten

lapsed [læpst] *adj attr* ❶ (*no longer involved*) *member* ehemalig; ~ **Catholic** vom Glauben abgefallener Katholik/abgefallene Katholikin ❷ (*discontinued*) *policy, subscription* abgelaufen

'lap·top *n,* **lap·top com·'put·er** *n* Laptop *m*

lap·wing ['læpwɪŋ] *n* Kiebitz *m*

lar·ceny ['lɑːsⁿni] *n esp* AM LAW Diebstahl *m*

larch <*pl* -es> [lɑːtʃ] *n* Lärche *f;* (*wood also*) Lärchenholz *nt kein pl*

lard [lɑːd] I. *n no pl* Schweineschmalz *nt* II. *vt* (*also fig*) spicken

lar·der ['lɑːdər] *n* Speisekammer *f*

lardy ['lɑːdi] *adj* (*pej fam*) fett

large [lɑːdʒ] I. *adj* ❶ (*in size*) groß ❷ (*in quantity, extent*) groß, beträchtlich; **a ~ amount of work** viel Arbeit; **a ~ number of people/things** viele Menschen/Dinge; **the ~st ever** der/die/das höher Größte ❸ (*hum or euph: fat*) wohlbeleibt ▸ ~ **r than life** überlebensgroß; **by and ~** im Großen und Ganzen II. *n* ❶ (*not caught*)

■**to be at ~** auf freiem Fuß sein ❷ (*in general*) ■**at ~** im Allgemeinen ❸ AM **ambassador at ~** Sonderbotschafter(in) *m(f)*

large·ly ['lɑːdʒli] *adv* größtenteils

large·ness ['lɑːdʒnəs] *n no pl* ❶ (*size*) Größe *f*; (*extensiveness*) Umfang *m* ❷ (*generosity*) Großzügigkeit *f*

lar·ger-than-'life *adj attr*, **lar·ger than 'life** *adj pred* herausragend; *hero* Super-; (*legendary*) legendär

'large-scale *adj esp attr* ❶ (*extensive*) umfangreich; **~ manufacturer/producer** Großerzeuger *m/*-produzent *m* ❷ (*made large*) in großem Maßstab *nach n;* **a ~ map** eine Karte mit großem Maßstab

lar·gess(e) [lɑːˈʒes] *n no pl* Großzügigkeit *f*

lari·at ['læriət] *n* Lasso *nt*

lark¹ [lɑːk] *n* (*bird*) Lerche *f*

lark² [lɑːk] **I.** *n* ❶ *esp* BRIT (*fam: joke*) Spaß *m;* **for a ~** aus Jux *fam* ❷ BRIT (*pej fam: business*) Zeug *nt;* **I've had enough of this commuting ~** ich hab' genug von dieser ewigen Pendelei **II.** *vi* (*fam*) ■**to ~ about** herumblödeln

lark·spur ['lɑːkspɜːʳ] *n* Rittersporn *m*

lar·va <*pl* -vae> ['lɑːvə, *pl* -viː] *n* Larve *f*

lar·yn·gi·tis [ˌlærɪnˈdʒaɪtɪs] *n no pl* Kehlkopfentzündung *f*

lar·ynx <*pl* -es *or* -ynges> ['lærɪŋks, *pl* lærˈɪndʒiːz] *n* Kehlkopf *m*

la·sa·gne [ləˈzænjə] *n* Lasagne *f*; (*pasta also*) Lasagneblätter *pl*

las·civi·ous [ləˈsɪviəs] *adj* lüstern *geh*

la·ser ['leɪzəʳ] *n* Laser *m*

'la·ser beam *n* Laserstrahl *m* **'la·ser print·er** *n* Laserdrucker *m* **'la·ser show** *n* Lasershow *f*

lash¹ <*pl* -es> [læʃ] *n* [Augen]wimper *f*

lash² [læʃ] **I.** *n* ❶ (*whip*) Peitsche *f*; (*flexible part*) Peitschenriemen *m* ❷ (*stroke of whip*) Peitschenhieb *m* ❸ (*fig: criticism*) scharfe Kritik ❹ (*sudden movement*) Hieb *m* ▸ **to go out on the ~** auf den Putz hauen *fam*, einen draufmachen *fam* **II.** *vt* ❶ (*whip*) auspeitschen ❷ (*strike violently*) ■**to ~ sth** gegen etw *akk* schlagen; *rain* gegen etw prasseln ❸ (*strongly criticize*) ■**to ~ sb** heftige Kritik an jdm üben ❹ (*move violently*) **to ~ its tail** mit dem Schwanz schlagen ❺ (*tie*) [fest]binden (**to** an) **III.** *vi* ❶ (*strike*) schlagen (**at** gegen); *rain, wave* peitschen (**at** gegen) ❷ (*move violently*) schlagen ◆**lash about, lash around** *vi* [wild] um sich schlagen ◆**lash down** **I.** *vt* festbinden **II.** *vi rain* niederprasseln ◆**lash out** **I.** *vi* ❶ (*attack physically*) ■**to ~ out at sb** auf jdn einschlagen ❷ (*criticize severely*) ■**to**

~ out at sb jdn scharf kritisieren; (*attack verbally*) ■**to ~ out against sb** jdn heftig attackieren; ■**to ~ out against sth** gegen etw *akk* wettern *fam* ❸ BRIT, AUS (*fam: spend freely*) sich *dat* etw leisten **II.** *vt* BRIT, AUS **to ~ out £500/$40** £500/$40 springen lassen *fam*

lash·ing ['læʃɪŋ] *n* ❶ (*whipping*) Peitschenhieb *m;* **to give sb a ~** jdn auspeitschen; **to give sb a tongue ~** jdm ordentlich die Meinung sagen *fam* ❷ BRIT (*hum dated: a lot*) ■**~s** *pl* reichlich ❸ *usu pl* (*cord*) [Befestigungs]seil *nt*

lass <*pl* -es> [læs] *n esp* NBRIT, SCOT, **las·sie** ['læsi] *n esp* NBRIT, SCOT ❶ (*fam: girl, young woman*) Mädchen *nt;* (*daughter*) Tochter *f*; (*sweetheart*) Mädchen *nt* ❷ (*fam: form of address*) Schatzi *nt a. pej*

las·si·tude ['læsɪtjuːd] *n no pl* (*form*) Energielosigkeit *f*

las·so [læsˈuː] **I.** *n* <*pl* -s *or* -es> Lasso *nt* **II.** *vt* mit einem Lasso einfangen

last¹ [lɑːst] **I.** *adj* ❶ (*after all the others*) ■**the ~ ...** der/die/das letzte ...; **to arrive/come ~** als Letzte(r) *f(m)* ankommen/kommen; **to plan sth [down] to the ~ detail** etw bis ins kleinste Detail planen; **to do sth ~ thing** etw als Letztes tun; **the second/third ~ door** die vor-/drittletzte Tür; **the ~ one** der/die/das Letzte ❷ (*lowest in order, rank*) letzte(r, s); ■**to be ~** Letzte(r) *f(m)* sein; (*in competition*) Letzte(r) *f(m)* werden ❸ *attr* (*final, remaining*) letzte(r, s); **I'm almost finished — this is the ~ but one box to empty** ich bin fast fertig – das ist nur noch die vorletzte Kiste, die ich ausräumen muss; **at the ~ minute/moment** in letzter Minute/im letzten Moment; **at long ~** schließlich und endlich ❹ *attr* (*most recent, previous*) letzte(r, s); **did you see the news on TV ~ night?** hast du gestern Abend die Nachrichten im Fernsehen gesehen?; **the week/year before ~** vorletzte Woche/vorletztes Jahr ❺ *attr* (*most unlikely*) **she was the ~ person I expected to see** sie hätte ich am allerwenigsten erwartet; **the ~ thing I wanted was to make you unhappy** das Letzte, was ich wollte, war dich unglücklich zu machen ▸ **to have the ~ laugh** zuletzt lachen; (*show everybody*) es allen zeigen; **sth is on its ~ legs** (*fam*) etw macht es nicht mehr lange; **sb is on their ~ legs** (*fam: very tired*) jd ist fix und fertig; (*near to death*) jd macht es nicht mehr lange; **to be the ~ straw** das Fass [endgültig] zum Überlaufen bringen **II.** *adv* ❶ (*most recently*) das letzte Mal, zuletzt

❷ (*after the others*) als Letzte(r, s); **until ~** bis zuletzt ❸ (*lastly*) zuletzt, zum Schluss; **~, and most important ...** der letzte und wichtigste Punkt ...; **~ but not least** nicht zuletzt **III.** *n* <pl -> ❶ (*one after all the others*) ■**the ~** der/die/das Letzte; **she was the ~ to arrive** sie kam als Letzte ❷ (*only one left*) ■**the ~** der/die/das Letzte ❸ (*remainder*) ■**the ~** der letzte Rest; **the ~ of the ice cream/strawberries** der letzte Rest Eis/Erdbeeren ❹ (*most recent, previous one*) ■**the ~** der/die/das Letzte; **the ~ we heard from her, ...** als wir das letzte Mal von ihr hörten, ...; **that was the ~ we saw of her** seitdem haben wir sie nie wiedergesehen ❺ *usu sing* SPORTS (*last position*) letzte Position ❻ BOXING ■**the ~** die letzte Runde ❼ (*fam: end*) **you haven't heard the ~ of this!** das letzte Wort ist hier noch nicht gesprochen!; **to see the ~ of sth** (*fam*) etw nie wiedersehen müssen; **at ~** endlich; **to the ~** (*form: until the end*) bis zuletzt; (*utterly*) durch und durch

last² [lɑːst] **I.** *vi* ❶ (*go on for*) [an]dauern ❷ (*endure*) halten; *enthusiasm, intentions* anhalten; **it's the only battery we've got, so make it ~** wir habe nur diese eine Batterie – verwende sie also sparsam; **you won't ~ long in this job if ...** du wirst diesen Job nicht lange behalten, wenn ...; **he wouldn't ~ five minutes in the army!** er würde keine fünf Minuten beim Militär überstehen! **II.** *vt supplies etc.* [aus]reichen; *car, machine* halten; **to ~** [*sb*] **a lifetime** ein Leben lang halten

last³ [lɑːst] *n* Leisten *m*

'**last-ditch** *adj attr* [aller]letzte(r, s)

last·ing ['lɑːstɪŋ] *adj* dauerhaft, andauernd; *impression* nachhaltig

last·ly ['lɑːstli] *adv* schließlich

last-'min·ute *adj* in letzter Minute *nach n*; **~ booking** Last-Minute-Buchung *f* '**last name** *n* Nachname *m*, Familienname *m* **last 'year** *adj pred* passé; **that is** *so* ~ das ist ja inzwischen wieder sowas von out

latch [lætʃ] **I.** *n* Riegel *m* **II.** *vi* ❶ *esp* BRIT (*fam: understand*) ■**to ~ on** [**to sth**] [etw] kapieren ❷ (*fam: attach oneself to*) ■**to ~ on to sb/sth** sich an jdn/etw hängen ❸ (*fam: take up*) ■**to ~ on to sth** an etw *dat* Gefallen finden

'**latch·key** *n* Schlüssel *m*

late [leɪt] *adj* <-r, -st> ❶ (*behind time*) verspätet *attr*; ■**to be ~** *bus, flight, train* Verspätung haben; *person* zu spät kommen, sich verspäten; **sorry I'm ~** tut mir leid, dass ich zu spät komme; ■**to be ~ for**

sth zu spät zu etw *dat* kommen ❷ (*in the day*) spät; **let's go home, it's getting ~** lass uns nach Hause gehen, es ist schon spät; **I've had too many ~ nights last month** ich bin letzten Monat zu oft zu spät ins Bett gekommen ❸ *attr* (*towards the end*) spät; **they won the game with a ~ goal** sie gewannen mit einem Tor kurz vor Spielende; **in the ~ afternoon/evening** spät am Nachmittag/Abend; **~ October** Ende Oktober; **~ summer/autumn** [*or* AM *also* **fall**] der Spätsommer/-herbst; **to be in one's ~ thirties/twenties** Ende dreißig/zwanzig sein ❹ *attr* (*deceased*) verstorben ❺ *attr* (*recent*) jüngste(r, s); (*last*) letzte(r, s); **some ~ news has just come in that ...** wir haben soeben eine aktuelle Meldung erhalten, dass ... **II.** *adv* <-r, -s> ❶ (*after the expected time*) spät; **the train arrived ~** der Zug hatte Verspätung; **sorry, I'm running a bit ~ today** tut mir leid, ich bin heute etwas spät dran; **can I stay up ~ tonight?** darf ich heute länger aufbleiben?; **Ann has to work ~ today** Ann muss heute Überstunden machen; **the letter arrived two days ~** der Brief ist zwei Tage zu spät angekommen ❷ (*at an advanced time*) **we talked ~ into the night** wir haben bis spät in die Nacht geredet; **~ in the afternoon/at night** am späten Nachmittag/Abend; **~ in the evening/night** spät am Abend/in der Nacht; **~ in the day** spät [am Tag]; **it's rather ~ in the day to do sth** (*fig*) es ist schon beinahe zu spät um etw zu tun; **too ~ in the day** (*also fig*) zu spät; **~ in March/this month/this year** gegen Ende März/des Monats/des Jahres ❸ (*recently*) **as ~ as** noch; **of ~** in letzter Zeit

'**late·com·er** *n* Nachzügler(in) *m(f)*

late·ly ['leɪtli] *adv* ❶ (*recently*) kürzlich, in letzter Zeit ❷ (*short time ago*) kürzlich, vor kurzer Zeit; **until ~** bis vor kurzem

late·ness ['leɪtnəs] *n no pl* Verspätung *f*

'**late-night** *adj attr* Spät-

la·tent ['leɪtᵊnt] *adj* ❶ (*hidden*) verborgen ❷ SCI latent

lat·er ['leɪtəʳ] **I.** *adj comp of* **late** ❶ *attr* (*at future time*) *date, time* später; **an earlier and a ~ version of the same text** eine ältere und eine neuere Version desselben Texts ❷ *pred* (*less punctual*) später **II.** *adv comp of* **late** ❶ (*at later time*) später, anschließend; **no ~ than nine o'clock** nicht nach neun Uhr; **see you ~!** bis später!; **what are you doing ~ on this evening?** was machst du heute Abend noch? ❷ (*afterwards*) später, danach

lat·er·al ['lætᵊrᵊl] *adj esp attr* seitlich, Seiten-, Neben-; *thinking* unorthodox

lat·est ['leɪtɪst] I. *adj superl of* **late** (*most recent*) ■**the ~ …** der/die/das jüngste [*o* letzte] …; **and now let's catch up with the ~ news** kommen wir nun zu den aktuellen Meldungen; **her ~ movie** ihr neuester Film II. *n* **have you heard the ~?** hast du schon das Neueste gehört?; (*most recent info*) **what's the ~ on that story?** wie lauten die neuesten Entwicklungen in dieser Geschichte? III. *adv* **at the** [*very*] **~** bis [aller]spätestens

la·tex ['leɪteks] *n no pl* Latex *m*

lath [læθ] *n* Latte *f*; (*thin strip of wood*) Leiste *f*

lathe [leɪð] *n* Drehbank *f*

'lathe op·era·tor *n* Dreher(in) *m(f)*

lath·er ['lædəʳ] I. *n no pl* ① (*soap bubbles*) [Seifen]schaum *m* ② (*sweat*) Schweiß *m*; (*on horses*) Schaum *m* II. *vi* schäumen III. *vt* einseifen

Lat·in ['lætɪn] I. *n no pl* Latein *nt* II. *adj* ① LING lateinisch ② (*of Latin origin*) Latein-; **~ alphabet** lateinisches Alphabet

La·ti·no [ləˈtiːnoʊ] *n* AM Latino *m*

lat·ish ['leɪtɪʃ] I. *adj* ziemlich spät II. *adv* etwas spät

lati·tude ['lætɪtjuːd] *n* Breite *f*, Breitengrad *m*

la·trine [ləˈtriːn] *n* Latrine *f*

lat·ter ['lætəʳ] I. *adj attr* ① (*second of two*) zweite(r, s) ② (*near the end*) spätere(r, s); **in the ~ part of the year** in der zweiten Jahreshälfte II. *pron* ■**the ~** der/die/das Letztere

lat·ter·ly ['lætəli] *adv* in letzter Zeit, neuerdings

lat·tice ['lætɪs] *n* Gitter[werk] *nt*

Lat·via ['lætviə] *n* Lettland *nt*

Lat·vian ['lætviən] I. *n* ① (*person*) Lette(in) *m(f)* ② (*language*) Lettisch *nt kein pl* II. *adj* lettisch

laud·able ['lɔːdəbl] *adj* (*form*) lobenswert

lau·da·num ['lɔːdᵊnəm] *n no pl* Laudanum *nt*

lauda·tory ['lɔːdətᵊri] *adj* (*form*) Lob-, lobend

laugh [lɑːf] I. *n* ① (*sound*) Lachen *nt kein pl* ② (*fam: amusing activity*) Spaß *m*; **she's a good ~** sie bringt Stimmung in die Bude *fam*; **to do sth for a ~** etw [nur] aus Spaß tun II. *vi* lachen; **to make sb ~** jdn zum Lachen bringen; (*fam*) **his threats make me ~** über seine Drohungen kann ich [doch] nur lachen; **to ~ at sb/sth** über jdn/etw lachen; (*fam: scorn*) sich über jdn/etw lustig machen; (*find ridiculous*)

jdn/etw auslachen ▶**to ~ in sb's face** jdn auslachen; **to ~ one's head off** (*fam*) sich totlachen; **no ~ing matter** nicht zum Lachen; **he who ~s last ~s longest** [*or* AM **best**] (*prov*) wer zuletzt lacht, lacht am besten ◆**laugh off** *vt* mit einem Lachen abtun

laugh·able ['lɑːfəbl] *adj* lächerlich *pej*, lachhaft *pej*

laugh·ing gas ['lɑːfɪŋ-] *n no pl* Lachgas *nt*

'laugh·ing stock *n* ■**to be a ~** die Zielscheibe des Spotts sein; **to make oneself a ~** sich lächerlich machen

laugh·ter ['lɑːftəʳ] *n no pl* Gelächter *nt*, Lachen *nt*

launch [lɔːn(t)ʃ] I. *n* ① (*introductory event*) Präsentation *f* ② (*boat*) Barkasse *f* ③ (*of boat*) Stapellauf *m*; (*of rocket, spacecraft*) Start *m* II. *vt* ① (*send out*) *boat* zu Wasser lassen; *ship* vom Stapel lassen; *balloon* steigen lassen; *missile, torpedo* abschießen; *rocket, spacecraft* starten; *satellite* in den Weltraum schießen ② (*begin something*) beginnen; **to ~ an attack** zum Angriff übergehen; *campaign, show* starten; *inquiry, investigation* anstellen; **to ~ an invasion** [in ein Land] einfallen ③ (*hurl*) ■**to ~ oneself at sb** sich auf jdn stürzen ◆**launch into** *vi* ■**to ~ into sth** sich [begeistert] in etw *akk* stürzen; **to ~ into a verbal attack** eine Schimpfkanonade loslassen ◆**launch out** *vi* anfangen, beginnen

'launch·ing *n see* **launch** I

'launch·ing pad *n*, **'launch pad** *n* ① (*starting area*) Abschussrampe *f* ② (*starting point*) Anfang *m*

laun·der ['lɔːndəʳ] I. *vt* ① (*wash*) waschen [und bügeln] ② (*disguise origin*) weißwaschen *fam*; **to ~ money** Geld waschen *sl* II. *vi* (*form*) sich waschen lassen

laun·d(e)rette [ˌlɔːndᵊˈret] *n*, **laun·dromat®** ['lɔːndroʊmæt] *n* AM, AUS Waschsalon *m*

laun·dry ['lɔːndri] *n* ① *no pl* (*dirty clothes*) Schmutzwäsche *f*; **to do the ~** Wäsche waschen ② *no pl* (*washed clothes*) frische Wäsche ③ (*place*) Wäscherei *f*

'laun·dry bas·ket *n*, AM *also* **'laun·dry ham·per** *n* Wäschekorb *m* **'laun·dry ser·vice** *n* ① (*facility*) Wäscheservice *m* ② (*business*) Wäscherei *f*

lau·reate ['lɔːriət] *n* Preisträger(in) *m(f)*

lau·rel ['lɒrᵊl] *n* ① (*tree*) Lorbeer[baum] *m* ② *pl* (*fig*) ■**~s** Lorbeeren *pl* ▶**to rest on one's ~s** sich auf seinen Lorbeeren ausruhen

lava ['lɑːvə] *n no pl* Lava *f*; (*cooled also*)

Lavagestein *nt*

lava·tory ['lævət°ri] *n usu* Bʀɪᴛ Toilette *f*

'lava·tory seat *n esp* Bʀɪᴛ Toilettensitz *m*

lav·en·der ['lævəndə'] **I.** *n no pl* (*plant, colour*) Lavendel *m* **II.** *adj* lavendelfarben

lav·ish ['lævɪʃ] **I.** *adj* ❶ (*sumptuous*) *meal* üppig; *banquet, reception* aufwendig ❷ (*generous*) großzügig; *praise* überschwänglich; *promises* großartig; **to be ~ with one's praise** nicht mit Lob geizen **II.** *vt* ▪ **to ~ sth on sb** jdn mit etw *dat* überhäufen; **to ~ much effort on sth** viel Mühe in etw *akk* stecken

lav·ish·ly ['lævɪʃli] *adv* ❶ (*sumptuously*) üppig, prächtig; **~ furnished** luxuriös eingerichtet ❷ (*generously*) großzügig

law [lɔ:] *n* ❶ (*rule*) Gesetz *nt;* **there is a ~ against driving on the wrong side of the road** es ist verboten, auf der falschen Straßenseite zu fahren ❷ *no pl* (*legal system*) Recht *nt;* **to be against the ~** illegal sein; **to be above the ~** über dem Gesetz stehen; **to break/obey the ~** das Gesetz brechen/befolgen ❸ (*scientific principle*) [Natur]gesetz *nt* ❹ *no pl* (*at university*) Jura *kein art* ▶ **the ~ of the jungle** das Gesetz des Stärkeren; **sb is a ~ unto oneself** jd lebt nach seinen eigenen Gesetzen

'law-abid·ing *adj* gesetzestreu **'law·break·er** *n* Gesetzesbrecher(in) *m(f)* **'law court** *n* Gericht *nt* **'law en·force·ment** *n no pl esp* Aᴍ Gesetzesvollzug *m;* **in most countries ~ is in the hands of the police** in den meisten Ländern ist es Aufgabe der Polizei, für die Einhaltung der Gesetze zu sorgen

law·ful ['lɔ:f°l] *adj* (*form*) gesetzlich; *heir, owner* gesetzmäßig

law·ful·ly ['lɔ:f°li] *adv* (*form*) rechtmäßig

'law·giv·er *n* Gesetzgeber *m*

law·less ['lɔ:ləs] *adj* ❶ (*without laws*) gesetzlos ❷ (*illegal*) gesetzwidrig

'law·mak·er *n* Gesetzgeber *m*

lawn¹ [lɔ:n] *n* Rasen *m*

lawn² [lɔ:n] *n no pl* (*cotton*) Batist *m;* (*linen*) Linon *m*

'lawn·mow·er *n* Rasenmäher *m* **lawn 'ten·nis** *n no pl* (*form*) Rasentennis *nt*

'law school *n esp* Aᴍ juristische [*o* Ösᴛᴇʀʀ juridische] Fakultät **'law stu·dent** *n* Jurastudent(in) *m(f),* Jusstudent(in) *m(f)* Ösᴛᴇʀʀ, sᴄʜᴡᴇɪᴢ **'law·suit** *n* Klage *f,* Prozess *m*

law·yer ['lɔɪə'] *n* ❶ (*attorney*) Rechtsanwalt, Rechtsanwältin *m, f* ❷ Bʀɪᴛ (*fam: student*) Jurastudent(in) *m(f),* Jusstudent(in) *m(f)* Ösᴛᴇʀʀ, sᴄʜᴡᴇɪᴢ

lax [læks] *adj* ❶ (*lacking care*) lax *oft pej; discipline, security* mangelnd; ▪ **to be ~ in doing sth** bei etw *dat* lax sein *oft pej* ❷ (*lenient*) locker

laxa·tive ['læksətɪv] **I.** *n* Abführmittel *nt* **II.** *adj attr* abführend

lax·ity ['læksəti] *n no pl* Laxheit *f*

lay¹ [leɪ] *adj attr* ❶ (*not professional*) laienhaft ❷ (*not clergy*) weltlich, Laien-

lay² [leɪ] *pt of* **lie**

lay³ [leɪ] **I.** *n* ❶ (*general appearance*) Lage *f* ❷ (*layer*) Lage *f* ❸ (*fam!: sexual intercourse*) **to be a good ~** gut im Bett sein *fam* **II.** *vt* <laid, laid> ❶ (*spread*) legen (**on** auf), breiten (**over** über) ❷ (*place*) legen; **to ~ the blame on sb** jdn für etw *akk* verantwortlich machen ❸ (*put down*) verlegen; **to ~ the foundations of a building** das Fundament für ein Gebäude legen; **to ~ the foundations for sth** (*fig*) das Fundament zu etw *dat* legen ❹ (*prepare*) herrichten; *bomb, fire* legen; *the table* decken; *plans* schmieden ❺ (*render*) **to ~ sth bare** etw offenlegen; **to ~ sb bare** jdn bloßstellen; **to ~ sb/sth open to an attack/to criticism** jdn/etw einem Angriff/der Kritik aussetzen; **to ~ waste to the land** das Land verwüsten ❻ (*deposit*) **to ~ an egg** ein Ei legen ❼ (*wager*) setzen; **to ~ a bet on sth** auf etw *akk* wetten ❽ (*present*) ▪ **to ~ sth before sb** jdm etw vorlegen ❾ (*assert*) **to ~ a charge against sb** gegen jdn Anklage erheben; **to ~ claim to sth** auf etw *akk* Anspruch erheben ❿ ᴄᴀʀᴅs legen ⓫ *usu passive* (*vulg: have sexual intercourse*) ▪ **to ~ sb** jdn umlegen *sl;* **to get laid** flachgelegt werden *sl* ▶ **to ~ sth at sb's door** *esp* Bʀɪᴛ, Aᴜs jdn für etw *akk* verantwortlich machen; **to ~ hands on sb** Hand an jdn legen; **to ~ sth to rest** *fears, suspicions* etw beschwichtigen; **to ~ it on** [a bit thick] etw zu dick auftragen *fam* **III.** *vi* <laid, laid> *hen* [Eier] legen ◆ **lay about** *vi* ❶ (*strike out wildly*) ▪ **to ~ about oneself** wild um sich schlagen ❷ (*be indiscriminately critical*) zu einem Rundumschlag ausholen ◆ **lay aside** *vt* ❶ (*put away*) beiseitelegen ❷ (*stop*) *project, work* auf Eis legen *fam* ❸ (*forget*) *differences* beilegen ❹ (*save*) beiseitelegen ❺ (*reserve for future use*) zurückbehalten ◆ **lay back** *vt* zurücklegen; **to ~ back one's ears** *animal* die Ohren anlegen ◆ **lay by** *vt* ❶ (*save up*) beiseitelegen ❷ Aᴍ (*grow a last crop on*) **to ~ by a field** ein Feld ein letztes Mal bestellen ◆ **lay down** *vt* ❶ (*place on a surface*) hinlegen (**on** auf) ❷ (*relinquish*) *weapons* niederlegen ❸ (*decide on*) festlegen; (*establish*) aufstellen ▸**to ~ down the** <u>**law**</u> **[about sth]** (*fam*) [über etw *akk*] Vorschriften machen; **to ~ down one's** <u>**life**</u> **for sb/sth** sein Leben für jdn/etw geben ◆**lay into** *vi* ❶ (*fam: assault*) angreifen; (*shout at, criticize*) zur Schnecke machen ❷ (*eat heartily*) ▪**to ~ into sth** etw verschlingen ◆**lay off** I. *vt* ▪**to ~ off** ◯ **sb** jdm kündigen II. *vi* aufhören; **just ~ off a bit, ok?** gib mal ein bisschen Ruhe, okay? *fam;* **to ~ off smoking** das Rauchen aufgeben ◆**lay on** *vt* ❶ (*make available*) ▪**to ~ on** ◯ **sth** für etw *akk* sorgen ❷ (*install*) *electricity* anschließen ❸ (*Am* /*sl: berate*) **to ~ it on sb** jdn zur Schnecke machen *fam* ❹ (*fam: impose*) ▪**to ~ sth on sb** jdm etw aufbürden ◆**lay out** *vt* ❶ (*arrange*) planen; *campaign* organisieren ❷ (*spread out*) *map* ausbreiten (**on** auf) ❸ *usu passive* (*design*) ▪**to be laid out** angeordnet sein; *garden* angelegt sein ❹ (*prepare for burial*) aufbahren ❺ *Am* (*explain*) ▪**to ~ sth out** [**for sb**] [jdm] etw erklären ◆**lay up** *vt usu passive* (*fam*) **to be laid up** [**in bed**] **with flu** mit einer Grippe im Bett liegen

'**lay·about** *n* (*pej fam*) Faulenzer(in) *m(f)*

'**lay-by** *n* ❶ *Brit* (*on road*) Rastplatz *m* ❷ *no pl Aus* (*form of purchasing*) Ratenkauf *m* ❸ *Aus* (*purchased item*) angezahlter Gegenstand

lay·er ['leɪə^r] I. *n* ❶ (*of substance*) Schicht *f;* ▪**~s** *pl* (*in hair*) Stufen *pl* ❷ (*level*) *of bureaucracy* Stufe *f;* (*in an organization*) *administrative* Ebene *f* II. *vt* ▪**to ~ sth** [**with sth**] etw [abwechselnd mit etw *dat*] in Schichten anordnen

lay·ered ['leɪəd] *adj* Schicht-

'**lay·man** *n* ❶ (*non-specialist*) Laie *m* ❷ (*sb not ordained*) Laienbruder *m*

'**lay-off** *n* (*from work*) *temporary* vorübergehende Entlassung; *permanent* Entlassung *f*

'**lay·out** *n* ❶ (*plan*) *of building* Raumaufteilung *f; of road, town* Plan *m* ❷ (*of written material*) Layout *nt* ❸ *no pl* (*arrangement*) Anordnung *nt*

'**lay·over** *n Am* (*stopover*) Aufenthalt *m;* (*of plane*) Zwischenlandung *f*

'**lay·wom·an** *n* Laiin *f*

laze [leɪz] *vi* faulenzen

lazi·ness ['leɪzɪnəs] *n no pl* Faulheit *f*

lazy ['leɪzi] *adj* ❶ (*pej: unwilling to work*) faul; (*lacking pep*) träge ❷ (*relaxed*) müßig *geh;* **I had a wonderful ~ weekend** ich hatte ein herrliches, erholsames Wochenende

'**lazy·bones** <*pl -*> *n* (*pej fam*) Faulpelz *m pej fam*

lb <*pl - or -s*> *n abbrev of* **pound** Pfd.

LCD [ˌelsiːˈdiː] *n abbrev of* **liquid crystal display** LCD *nt*

lead¹ [led] *n* ❶ *no pl* (*metal*) Blei *nt;* **to contain ~** bleihaltig sein ❷ (*pencil filling*) Mine *f* ❸ *no pl* (*graphite*) Graphit *m*

lead² [liːd] I. *n* ❶ ⊕ THEAT, FILM Hauptrolle *f* ❷ (*clue*) Hinweis *m* ❸ (*connecting wire*) Kabel *nt* ❹ *Brit, Aus* (*rope for pet*) Leine *f;* ▪**to be on a ~** angeleint sein ❺ *no pl* (*front position*) Führung *f;* ▪**to be in the ~** führend sein; SPORTS in Führung liegen ❻ *usu sing* (*guiding, example*) Beispiel *nt* ❼ (*position in advance*) Vorsprung *m* ❽ *usu sing* (*guiding in dance*) Führung *f kein pl;* **to follow sb's ~** sich von jdm führen lassen II. *vt* <led, led> ❶ (*be in charge of*) führen; *discussion, inquiry* leiten ❷ (*guide*) führen; **to ~ sb astray** jdn auf Abwege führen ❸ (*go in advance*) **to ~ the way** vorangehen; **to ~ the way in sth** bei etw *dat* an der Spitze stehen ❹ (*cause to have*) **to ~ sb** [**in**]**to problems** jdn in Schwierigkeiten bringen ❺ (*pej: cause to do*) ▪**to ~ sb to do sth** jdn dazu verleiten, etw zu tun; **to ~ sb to believe that ...** jdn glauben lassen, dass ... ❻ ECON, SPORTS (*be ahead of*) anführen ❼ (*spend*) **to ~ a hectic/quiet life** ein hektisches/ruhiges Leben führen ▸**to ~ sb up the** <u>**garden path**</u> (*fam*) jdn an der Nase herumführen III. *vi* <led, led> ❶ (*be in charge*) die Leitung innehaben ❷ (*be guide*) vorangehen; **to ~ from the front** den Ton angeben ❸ (*guide woman dancer*) führen ❹ (*be directed towards*) führen ❺ (*implicate*) ▪**to ~ to sth** auf etw *akk* hinweisen ❻ (*cause to develop, happen*) ▪**to ~ to sth** zu etw *dat* führen ❼ (*be in the lead*) führen; SPORTS in Führung liegen ◆**lead astray** *vt* auf Abwege führen ◆**lead away** *vt* wegbringen; **he was led away by the police** er wurde von der Polizei abgeführt ◆**lead off** I. *vt* ❶ (*initiate*) ▪**to ~ off** ◯ **sth** etw eröffnen ❷ (*take away*) wegführen ❸ (*go off*) ▪**to ~ off sth** von etw *dat* wegführen II. *vi* (*perform first*) beginnen ◆**lead on** I. *vi* vorangehen; (*in a car*) voranfahren II. *vt* (*pej*) ▪**to ~ sb on** ❶ (*deceive*) jdm etw vormachen ❷ (*raise false hopes, sexually*) jdm zum Spaß den Kopf verdrehen ❸ (*encourage to do bad things*) jdn anstiften ◆**lead up** *vi* ❶ (*slowly introduce*) hinführen (**to** zu); **what's this all ~ing up to?** was soll das Ganze? ❷ (*precede*) ▪**to ~ up to sth** etw *akk* vorangehen

lead·ed ['ledɪd] I. *adj* ❶ (*of fuel*) verbleit ❷ (*of windows*) bleiverglast II. *n no pl* verbleites Benzin

lead·en ['ledⁿn] *adj* ❶ (*of colour*) bleiern ❷ (*heavy*) bleischwer; *facial expression* starr

lead·er ['li:dəʳ] *n* ❶ (*head*) Führer(in) *m(f)* ❷ (*first in competition*) Erste(r) *f(m)* ❸ (*most successful*) Führende(r) *f(m)* ❹ BRIT MUS (*violinist*) erster Geiger/ erste Geigerin ❺ AM MUS (*conductor*) Dirigent(in) *m(f)* ❻ BRIT (*editorial*) Leitartikel *m*

lead·er·ship ['li:dəʃɪp] *n no pl* ❶ (*action of leading*) Führung *f* ❷ (*position*) Führung *f*, Führerschaft *f* ❸ + *sing/pl vb* (*people in charge*) ▪ **the** ~ die Leitung

lead-free ['led-] *adj* bleifrei

lead gui·tar [li:dgɪˈtɑːʳ] *n* ❶ (*guitar*) Leadgitarre *f* ❷ (*guitar player*) Leadgitarrist(in) *m(f)*

lead·ing[1] ['li:dɪŋ] I. *adj attr* führend II. *n no pl* (*guidance*) Führung *f*

lead·ing[2] ['ledɪŋ] *n no pl* BRIT ❶ (*of roof*) Verbleiung *f* ❷ (*of windows*) Bleifassung *f*

lead·ing 'ar·ti·cle *n* BRIT Leitartikel *m*

lead·ing 'edge *n* ❶ (*of wing/blade*) Flügelvorderkante *f* ❷ *no pl* (*of development*) ▪ **to be at the** ~ [**of sth**] auf dem neuestem Stand [einer S. *gen*] sein **lead·ing 'la·dy** *n* Hauptdarstellerin *f* **lead·ing 'light** *n* (*fam*) führende Persönlichkeit **lead·ing 'man** *n* Hauptdarsteller *m* **lead·ing 'ques·tion** *n* Suggestivfrage *f*

lead pen·cil [led'-] *n* Bleistift *m* **lead·poi·son·ing** *n no pl* Bleivergiftung *f*

lead sing·er [li:d'-] *n* Leadsänger(in) *m(f)* **lead 'sto·ry** *n* Aufmacher *m* **'lead time** *n* (*in production*) Vorlaufzeit *f*; (*for completion*) Realisierungszeit *f*

leaf I. *n* <*pl* leaves> [li:f, *pl* li:vz] ❶ (*part of plant*) Blatt *nt*; **dead** ~ verwelktes Blatt ❷ *no pl* (*complete foliage*) Laub *nt* ▸ **shake like a** ~ wie Espenlaub zittern II. *vi* [li:f] (*of book, periodical*) ▪ **to** ~ **through sth** etw durchblättern

leaf·less ['li:fləs] *adj* kahl **leaf·let** ['li:flət] I. *n* (*for advertising*) Prospekt *m o* ÖSTERR *a. nt*; (*for instructions*) Merkblatt *nt*; (*for political use*) Flugblatt *nt*; (*brochure*) Broschüre *f* II. *vi* (*in street*) auf der Straße Prospekte/Flugblätter/Broschüren verteilen; (*by mail*) per Post Werbematerial/Broschüren verschicken III. *vt* <-t-> Handzettel verteilen; (*by mail*) Handzettel irgendwohin verschicken; (*for advertising*) Werbematerial verteilen; (*for political use*) Flugblätter verteilen; (*for instruction*) Merkblätter verteilen

leafy ['li:fi] *adj* ❶ (*of place*) belaubt ❷ HORT Blatt-, blattartig

league [li:g] *n* ❶ (*group*) Bund *m* ❷ (*esp pej: agreement to cooperate*) ▪ **to be in** ~ **with sb** mit jdm gemeinsame Sache machen ❸ (*in competitive sport*) Liga *f*; **to be bottom/top of the** ~ den Tabellenschluss bilden/Tabellenführer sein ❹ (*class*) Klasse *f*

leak [li:k] I. *n* Leck *nt*; **a gas** ~ eine undichte Stelle in der Gasleitung II. *vi* (*of container, surface*) undicht sein; *boat, ship* lecken; *tap* tropfen; *tire* Luft verlieren; *pen* klecksen III. *vt* ▪ **to** ~ **sth** ❶ (*of container, surface*) verlieren; *gas, liquid* austreten lassen ❷ (*fig*) *confidential information* durchsickern lassen

leak·age ['li:kɪdʒ] *n* ❶ *no pl* (*leaking*) *of gas* Ausströmen *nt*; *of liquid* Auslaufen *nt*; *of water* Versickern *nt* (*leak*) Leck *nt*; (*in pipe*) undichte Stelle ❸ *no pl* (*fig: of secret information*) Durchsickern *nt*

leaky ['li:ki] *adj* leck

lean[1] [li:n] I. *adj* ❶ *animal* mager; *person* schlank ❷ *meat* mager ❸ (*of period of time*) mager ❹ (*of organization*) schlank; (*efficient*) effizient II. *n no pl* mageres Fleisch

lean[2] [li:n] I. *vi* <leant *or* AM *usu* leaned, leant *or* AM *usu* leaned> ❶ (*incline*) sich beugen; (*prop*) sich lehnen; ▪ **to** ~ **against sth** sich an [*o* gegen] etw *akk* lehnen; ▪ **to** ~ **forward** sich nach vorne lehnen; ▪ **to** ~ **on sb/sth** sich an jdn/etw [an]lehnen; **to** ~ **out of a window** sich aus einem Fenster [hinaus]lehnen ❷ (*have opinion*) neigen; **I** ~ **towards the view that ...** ich neige zur Ansicht, dass ... II. *vt* <leant *or* AM *usu* leaned, leant *or* AM *usu* leaned> lehnen (**against** an, **on** auf) ◆ **lean on** *vi* ❶ (*pressurize*) ▪ **to** ~ **on sb** jdn unter Druck setzen ❷ (*rely*) ▪ **to** ~ **on sb/sth** sich auf jdn/etw verlassen ◆ **lean over** *vi* ▪ **to** ~ **over sb/sth** sich über jdn/etw beugen

lean·ing ['li:nɪŋ] *n esp pl* Neigung *f geh* (**for/towards** zu)

leant [lent] *vt, vi pt, pp of* **lean**

'lean-to *n* ❶ (*building extension*) Anbau *m* ❷ AM, AUS (*camping shelter*) Schuppen *m* (*mit Pultdach*)

leap [li:p] I. *n* ❶ (*jump*) Sprung *m*; (*bigger*) Satz *m* ❷ (*increase*) Sprung *m* (**in** bei) ❸ (*change*) **a** ~ **of faith/imagination** ein Sinneswandel *m*/Gedankensprung *m* II. *vi* <leapt *or* AM *esp* leaped, leapt *or* AM *esp* leaped> ❶ (*jump*) springen; ▪ **to** ~ **forward** nach vorne springen; ▪ **to** ~ **on sb/sth** sich auf jdn/etw stürzen ❷ (*rush*) **to** ~ **to sb's defence** zu jds Verteidigung eilen ❸ (*be enthusiastic*) **to** ~ **at the chance to**

do sth die Chance ergreifen, etw zu tun; **to ~ with joy** vor Freude einen Luftsprung machen **III.** vt <leapt or Am usu leaped, leapt or Am usu leaped> ■ **to ~** sth über etw akk springen; (get over in a jump) etw überspringen ◆ **leap out** vi ❶ (jump out) heraussspringen (**out of** aus); (from behind sth) hervorspringen; ■ **to ~ out at** sb sich auf jdn stürzen ❷ (grab attention) ■ **to ~ out at** sb jdm ins Auge springen ◆ **leap up** vi ❶ (jump up) aufspringen ❷ (increase) in die Höhe schießen

'**leap·frog I.** n no pl Bockspringen nt **II.** vt <-gg-> ■ **to ~** sb/sth ❶ (vault) über jdn/etw einen Bocksprung machen ❷ (go around) jdn/etw umgehen; (skip) jdn/etw überspringen **III.** vi <-gg-> ❶ (vault) ■ **to ~ over** sb/sth über jdn/etw einen Bocksprung machen ❷ (jump over) ■ **to ~ somewhere** irgendwohin springen

leapt [lept] vt, vi pt, pp of **leap**

'**leap year** n Schaltjahr nt

learn [lɜːn] **I.** vt <learnt or Am usu learned, learnt or Am usu learned> (acquire knowledge, skill) lernen ▸ **to ~** sth **by heart** etw auswendig lernen **II.** vi <learnt or Am usu learned, learnt or Am usu learned> ❶ (master) lernen (**about** über); **to ~ by experience/one's mistakes** aus Erfahrung/seinen Fehlern lernen ❷ (become aware of) ■ **to ~ about** sth von etw dat erfahren

learned[1] [lɜːnd] adj angelernt

learned[2] ['lɜːnɪd] adj (form) gelehrt; **my ~ friend** Brit law mein geschätzter Herr Kollege/meine geschätzte Frau Kollegin

learn·er ['lɜːnə'] n ❶ (one who's learning, training) Lernende(r) f(m); (beginner) Anfänger(in) m(f); (pupil) Schüler(in) m(f); **advanced ~s** Fortgeschrittene pl; **to be a quick ~** schnell lernen ❷ Brit (learner driver) Fahrschüler(in) m(f)

learn·ing ['lɜːnɪŋ] n no pl ❶ (acquisition of knowledge) Lernen nt ❷ (education) Bildung f; (extensive knowledge) Gelehrsamkeit f

'**learn·ing dis·abil·ity** n Lernstörung f; (more severe) Lernbehinderung f

learnt [lɜːnt] vt, vi pt, pp of **learn**

lease [liːs] **I.** vt ❶ (let on long-term basis) house, vehicle vermieten (**to** an); land, property verpachten ❷ (rent long-term) flat, house mieten; land, property pachten; vehicle leasen **II.** n of flat, house Mietvertrag m; of land, property Pachtvertrag m; of vehicle Leasingvertrag m

'**lease·hold** n ❶ no pl (having property) Pachtbesitz m ❷ (leased property) Pacht-

grundstück nt '**lease·hold·er** n of land Pächter(in) m(f); of flat, house Mieter(in) m(f); of vehicle Leasingnehmer(in) m(f)

leash [liːʃ] **I.** n ❶ (lead) Leine f; **pets must be on a ~** Haustiere müssen angeleint sein ❷ (restraint) on emotions, feelings Zügel m **II.** vt ❶ dog anleinen ❷ (restrain) emotions, feelings zügeln

leas·ing ['liːsɪŋ] n no pl ❶ (let on long-term basis) of land Verpachten nt; of flat, house Vermieten nt; (of cars) Leasing nt ❷ (rent long-term) of land Pachten nt; of flat, house Mieten nt; of cars Leasen nt

'**leas·ing com·pa·ny** n Leasingfirma f

least [liːst] **I.** adv am wenigsten; **the ~ likely of the four to win** von den vier diejenige mit den geringsten Gewinnchancen; **the ~ little thing** die kleinste Kleinigkeit; **~ of all** am allerwenigsten; **no one believed her, ~ of all the police** niemand glaubte ihr, schon gar nicht die Polizei **II.** adj det ❶ (tiniest amount) geringste(r, s); **of all our trainees, she has the ~ ability** von all unseren Auszubildenden ist sie am unfähigsten; ■ **at ~** (minimum) mindestens, wenigstens; (if nothing else) wenigstens, zumindest ❷ biol Zwerg-

leath·er ['leðə'] n ❶ no pl (material) Leder nt ❷ (for polishing) Lederlappen m

'**leath·er·ing** n (fam) Prügel pl

'**leath·er·neck** n Am (sl: US Marine) Ledernacken m fam

leath·ery ['leðəri] adj ❶ (tough, thick) ledrig ❷ (pej) meat, pastry zäh ❸ hands, skin ledern

leave [liːv] **I.** n no pl ❶ (vacation time) Urlaub m; **maternity ~** Mutterschaftsurlaub m; **to be/go on ~** in Urlaub sein/gehen ❷ (farewell) Abschied m ❸ (permission, consent) Erlaubnis f ❹ (departure) Abreise f **II.** vt <left, left> ❶ (depart from) place verlassen ❷ (go away permanently) **to ~ home** von zu Hause weggehen; one's husband/wife verlassen; job aufgeben; **to ~ school/university** die Schule/Universität beenden; **to ~ work** aufhören zu arbeiten ❸ (not take away with) [zurück]lassen (**with** bei); message, note hinterlassen ❹ (forget to take) vergessen ❺ (let traces remain) footprints, stains hinterlassen ❻ (cause to remain) **five from twelve ~s seven** zwölf weniger fünf macht sieben ❼ (cause to remain in a certain state) **to ~ sb alone** jdn alleine lassen; **to ~ sb better/worse off** jdn in einer besseren/schlechteren Situation zurücklassen; **to ~ sth on/open** etw eingeschaltet/offen lassen ❽ (not change) lassen ❾ (not eat) übrig lassen ⑩ (*bequeath*) hinterlassen ⑪ (*be survived by*) *wife, children* hinterlassen ⑫ (*put off doing*) lassen; **don't ~ it too late!** schieb es nicht zu lange auf! ⑬ (*not discuss further*) *question, subject* lassen; **let's ~ it at that** lassen wir es dabei bewenden ⑭ (*assign*) ■**to ~ sth to sb** *decision* jdm etw überlassen ▸ **to ~ nothing/sth to** <u>chance</u> nichts/etw dem Zufall überlassen; **to ~ sb to their own** <u>devices</u> jdn sich *dat* selbst überlassen; **to ~ a** <u>lot</u> **to be desired** viel zu wünschen übriglassen; **to ~ sb** <u>alone</u> (*not disturb*) jdn in Ruhe lassen; **~ well** |**enough**| <u>alone</u>**!** lass die Finger davon! **III.** *vi* <left, left> [weg]gehen; *vehicle, train, ferry* abfahren; *plane* abfliegen ◆**leave behind** *vt* ① (*not take along*) zurücklassen ② (*leave traces*) hinterlassen ③ (*no longer participate in*) hinter sich *dat* lassen ◆**leave off I.** *vt* ① (*omit*) auslassen; **to leave sb/sb's name off a list** jdn/jds Namen nicht in eine Liste aufnehmen ② (*not put on*) **to ~ a lid off sth** keinen Deckel auf etw *akk* geben ③ (*not wear*) **to ~ one's coat off** seinen Mantel nicht anziehen ④ (*not turn on*) **to ~ the radio off** das Radio aus[gestellt] lassen **II.** *vi* (*fam*) aufhören; ■**to ~ off sth** mit etw *dat* aufhören ◆**leave out** *vt* ① (*omit*) auslassen; *chance, opportunity* verpassen; *facts, scenes* weglassen ② (*exclude*) ausschließen ◆**leave over** *vt usu passive* ■**to be left over** |**from sth**| [von etw *dat*] übrig geblieben sein

leave-in ['liːvɪn] *adj* **~ conditioner** Conditioner *m* ohne Ausspülen

leav·en ['levən] **I.** *vt usu passive* ① (*make rise*) *bread, dough* gehen lassen; **this dough is ~ed with yeast** dieser Teig enthält Hefe ② (*lighten*) ■**to be ~ed by sth** mit etw *dat* aufgelockert werden **II.** *n no pl* ① (*rising agent*) Gärmittel *nt* ② (*dough*) Sauerteig *m* ③ (*influence*) Auflockerung *f;* (*cheering up*) Aufheiterung *f*

leaves [liːvz] *n pl of* **leaf**

leave-tak·ing *n no pl* Abschied *m*

leav·ing ['liːvɪŋ] *n no pl* (*departure*) Abreise *f*

leav·ing par·ty *n* Abschiedsparty *f*

Leba·nese [ˌlebə'niːz] **I.** *n* <*pl* -> Libanese, Libanesin *m, f* **II.** *adj* libanesisch

Leba·non ['lebənən] *n* ■**the ~** der Libanon

lech·er ['letʃə] *n* (*pej*) Wüstling *m*

lech·er·ous ['letʃərəs] *adj* (*pej: interested in sex*) geil

lech·ery ['letʃəri] *n no pl* (*pej: interest in sex*) Geilheit *f;* (*desire*) Lüsternheit *f*

lec·tern ['lektən] *n* [Redner]pult *nt;* REL Lektionar *nt fachspr*

lec·ture ['lektʃə] **I.** *n* ① (*formal speech*) Vortrag *m* (**on**/**about** über); UNIV Vorlesung *f* (**on** über) ② (*pej: criticism*) Standpauke *f fam* **II.** *vi* ① UNIV eine Vorlesung halten (**in**/**on** über); **he ~s in chemistry at London university** er ist Dozent für Chemie an der Universität London ② (*pej: criticize*) belehren (**about** über) **III.** *vt* ■**to ~ sb on sth** ① (*give speech*) jdm über etw *akk* einen Vortrag halten; UNIV vor jdm über etw *akk* eine Vorlesung halten ② (*criticize*) jdm wegen einer S. eine Standpauke halten *fam;* (*advise*) jdm über etw *akk* einen Vortrag halten *fam*

lec·ture notes *npl* Vorlesungsmitschrift *f*

lec·tur·er ['lektʃərə] *n* ① (*speaker*) Redner(in) *m(f)* ② (*at university*) Dozent(in) *m(f);* (*without tenure*) Lehrbeauftragte(r) *f(m)*

lec·ture room *n* UNIV Hörsaal *m* **lec·ture thea·tre** *n* Hörsaal *m* **lec·ture tour** *n* Vortragsreise *f*

led [led] *pt, pp of* **lead**

LED [ˌəʊeliː'diː] *n abbrev of* **light-emitting diode** LED *f*

ledge [ledʒ] *n* Sims *m o nt;* (*in rocks*) Felsvorsprung *m*

ledg·er ['ledʒə] *n* ① FIN Hauptbuch *nt* ② (*for angling*) Angelleine *f* (*mit festliegendem Köder*)

lee [liː] *n no pl* Windschatten *m;* GEOG, NAUT Lee *f o nt fachspr*

leech <*pl* -es> [liːtʃ] **I.** *n* ① (*worm*) Blutegel *m* ② (*clingy person*) Klette *f pej* **II.** *vi* ■**to ~ on sb/sth** (*rely on*) von jdm/etw abhängen; (*exploit*) bei jdm/etw schmarotzen *pej*

leek [liːk] *n* Lauch *m*

leer [lɪə] (*pej*) **I.** *vi* ■**to ~ at sb** jdm anzügliche Blicke zuwerfen **II.** *n* anzügliches Grinsen

lee·ward ['liːwəd] **I.** *adj* windgeschützt; GEOG, NAUT Lee- *fachspr* **II.** *adv* auf der windabgewandten Seite; GEOG, NAUT leewärts *fachspr*

lee·way ['liːweɪ] *n no pl* Spielraum *m*

left¹ [left] *pt, pp of* **leave**

left² [left] **I.** *n* ① *no pl* (*direction*) **from ~ to right** von links nach rechts; **to approach from the ~** sich von links nähern ② (*left turn*) **to make a ~** [nach] links abbiegen ③ (*street on the left*) **the first**/ **second**/**third ~** die erste/zweite/dritte Straße links ④ *no pl* (*left side*) ■**the ~** die linke Seite; **my sister is third from the ~** meine Schwester ist die Dritte von links;

■ **on/to the** ~ links; ■ **on/to sb's** ~ zu jds Linken, links von jdm ❺ SPORTS linke [Spielfeld]seite ❻ *no pl* (*political grouping*) ■ **the** ~ die Linke II. *adj* ❶ (*position, direction*) linke(r, s) ❷ (*political direction*) linke(r, s), linksgerichtet III. *adv* (*direction*) nach links; (*side*) links; **to keep/turn** ~ sich links halten/links abbiegen ▶ ~, **right and** **centre** überall

'**left-hand** *adj attr* ❶ (*on sb's left side*) linke(r, s) ❷ SPORTS ~ **catch/volley** mit links gefangener Ball/ausgeführter Volley ❸ (*in road*) ~ **bend** Linkskurve *f* **left-'hand·ed** *adj* ❶ (*of person*) linkshändig; **she is** ~ sie ist Linkshänderin ❷ *attr* (*for left hand use*) Linkshänder- ❸ (*turning to left*) racetrack linksläufig; *screw* linksdrehend; BIOL linksgedreht ❹ (*fig: of emotions*) pervers; (*sadistic*) sadistisch **left-'hand·er** *n* ❶ (*person*) Linkshänder(in) *m(f)* ❷ (*curve in road*) Linkskurve *f* ❸ (*hit*) Schlag *m* mit der Linken; SPORTS Linke *f*

left·ist ['leftɪst] (*also pej*) I. *adj* (*in politics*) linke(r, s) II. *n* (*in politics*) Linke(r) *f(m)*

left-'lug·gage *n,* **left-'lug·gage of·fice** *n* BRIT Gepäckaufbewahrung *f*

'**left·overs** *npl* ❶ (*food*) Reste *pl* ❷ (*parts remaining*) Überreste *pl*

left 'wing *n + sing/pl vb* ■ **the** ~ ❶ (*in politics*) die Linke; **the** ~ **of the party** der linke Parteiflügel ❷ MIL, SPORTS der linke Flügel **left-'wing** *adj* linksgerichtet **left-'wing·er** *n* Linke(r) *f(m)*

leg [leg] I. *n* ❶ (*limb*) Bein *nt* ❷ (*meat*) Keule *f,* Schlegel *m* SÜDD, ÖSTERR ❸ (*clothing part*) [Hosen]bein *nt* ❹ (*support*) Bein *nt;* **chair/table** ~ Stuhl-/Tischbein *nt* ❺ (*segment*) Etappe *f;* (*round*) Runde *f* ❻ AM (*fam*) **to have** ~ **s** (*remain popular*) langfristig halten; (*succeed*) klappen ▶ **to be on one's** **last** ~ **s** aus dem letzten Loch pfeifen *fam;* **break** **a** ~! Hals- und Beinbruch!; **to** **give** **sb a** ~ **up** (*fam: help to climb*) jdm hinaufhelfen; (*help sb*) jdm unter die Arme greifen *fam;* **to** **have** **a** ~ **up on sb** AM jdm gegenüber einen Vorteil haben; **to** **pull** **sb's** ~ jdn aufziehen *fam* II. *vt* <-gg-> **we are late, we really need to** ~ **it** wir sind spät dran, wir müssen uns wirklich beeilen

lega·cy ['legəsi] *n* ❶ LAW Vermächtnis *nt,* Erbe *nt a. fig* ❷ (*consequence*) Auswirkung *f*

le·gal ['liːgəl] *adj* ❶ (*permissible by law*) legal ❷ (*required by law*) gesetzlich [vorgeschrieben] ❸ (*according to the law*) rechtmäßig ❹ (*concerning the law*) rechtlich; **to take** ~ **action against sb** rechtliche

Schritte gegen jdn unternehmen; ~ **system** Rechtssystem *nt* ❺ (*of courts*) gerichtlich; (*of lawyers*) juristisch

le·gal 'aid *n no pl* [unentgeltlicher] Rechtsbeistand

le·gal·ity [liːˈgæləti] *n* ❶ *no pl* (*lawfulness*) Gesetzmäßigkeit *f* ❷ (*laws*) ■ **legalities** *pl* gesetzliche Bestimmungen

le·gali·za·tion [ˌliːgəlaɪˈzeɪʃən] *n no pl* Legalisierung *f geh*

le·gal·ize ['liːgəlaɪz] *vt* legalisieren *geh*

le·gal·ly ['liːgəli] *adv* ❶ (*permissible by law*) legal ❷ (*required by law*) ~ **obliged/ required** gesetzlich verpflichtet/vorgeschrieben ❸ (*according to the law*) rechtmäßig ❹ (*concerning the law*) rechtlich

leg·ate ['legət] *n* ❶ HIST (*of Roman province*) Legat *m* ❷ (*clergy member*) Legat *m*

le·ga·tion [lɪˈgeɪʃən] *n* ❶ (*group*) Gesandtschaft *f* ❷ *no pl* (*sending of representative*) Entsendung *f geh* ❸ (*building*) Gesandtschaftsgebäude *nt*

leg·end ['ledʒənd] I. *n* ❶ (*old story*) Sage *f;* (*about saint*) Legende *f* ❷ (*famous person*) Legende *f* ❸ (*on coin, diagram, map, picture*) Legende *f* II. *adj pred* ■ **to be** ~ Legende sein

leg·end·ary ['ledʒəndəri] *adj* ❶ (*mythical*) sagenhaft; (*in legend*) legendär ❷ (*extremely famous*) legendär; ■ **to be** ~ **for sth** für etw *akk* berühmt sein

leg·er·demain [ˌle(d)ʒədəˈmeɪn] *n no pl* ❶ (*of conjuring*) Kniff *m* ❷ (*pej: deception*) Schwindelei *f*

leg·gings ['legɪnz] *npl* ❶ (*tight-fitting*) Leggings *pl* ❷ (*for protection*) Überhose *f;* (*for child*) Gamaschenhose *f*

leg·gy ['legi] *adj* ❶ (*of woman*) langbeinig, mit langen Beinen *nach n* ❷ (*of young animal, child*) staksig

leg·ible ['ledʒəbl] *adj* lesbar

le·gion ['liːdʒən] I. *n* ❶ + *sing vb* HIST Legion *f* ❷ + *sing vb* (*soldiers*) Armee *f;* **the** [**Foreign**] **L**~ die Fremdenlegion ❸ (*a large number*) ■ ~**s** *pl* Scharen *pl* II. *adj pred* (*form*) unzählig

le·gion·ary ['liːdʒənəri] I. *n* HIST Legionär *m* II. *adj* Legions-

le·gion·naire [ˌliːdʒəˈneəʳ] *n* (*Roman soldier*) Legionär *m;* (*member of foreign legion*) [Fremden]legionär *m;* (*of American, British Legion*) Mitglied des amerikanischen/britischen Kriegsveteranenverbands des ersten Weltkriegs

Le·gion·'naires' dis·ease *n no pl* Legionärskrankheit *f*

leg·is·late ['ledʒɪsleɪt] I. *vi* ein Gesetz erlassen (**against** gegen) II. *vt* gesetzlich regeln

leg·is·la·tion [ˌledʒɪˈsleɪʃᵊn] *n no pl*
❶ (*laws*) Gesetze *pl;* **a piece of ~** (*law*)
ein Gesetz *nt;* (*proposed law*) ein Gesetzentwurf *m* ❷ (*law-making*) Gesetzgebung *f*

leg·is·la·tive [ˈledʒɪslətɪv] *adj esp attr* ge-
setzgebend

leg·is·la·tor [ˈledʒɪsleɪtəʳ] *n* Gesetzgeber *m*

leg·is·la·ture [ˈledʒɪslətʃəʳ] *n* Legislative *f;*
member of the ~ Parlamentsmitglied *nt*

le·giti·ma·cy [lɪˈdʒɪtəməsi] *n no pl*
❶ (*rightness*) Rechtmäßigkeit *f* ❷ (*of
birth*) Ehelichkeit *f*

le·giti·mate I. *adj* [lɪˈdʒɪtəmət] ❶ (*legal*)
rechtmäßig ❷ (*reasonable*) *excuse, reason*
gerechtfertigt; *complaint, grievance* begründet ❸ (*born in wedlock*) *child* ehelich
II. *vt* [lɪˈdʒɪtəmeɪt] ❶ (*make legal*) für
rechtsgültig erklären ❷ (*make acceptable*)
anerkennen ❸ (*change status of birth*)
child rechtlich anerkennen

le·giti·mate·ly [lɪˈdʒɪtəmətli] *adv* ❶ (*legally*) legal, rechtmäßig ❷ (*justifiably*)
gerechtfertigterweise, zu Recht

le·giti·m[a·t]ize [lɪˈdʒɪtəm(ət)aɪz] *vt*
❶ (*make legal*) für rechtsgültig erklären ❷ (*make acceptable*) rechtfertigen
❸ (*change status of birth*) *child* rechtlich
anerkennen

leg·less [ˈlegləs] *adj pred* BRIT (*sl:
extremely drunk*) sternhagelvoll *fam*

'leg·room *n no pl* Beinfreiheit *f*

leg·ume [ˈlegjuːm] *n* BOT Hülsenfrucht *f*

le·gu·mi·nous [lɪˈgjuːmɪnəs] *adj* Hülsen-
frucht-; **~ plants** Hülsenfrüchtler *pl*

lei·sure [ˈleʒəʳ] *n no pl* Freizeit *f;* **to lead a
life of ~** ein müßiges Leben führen ▶ **at
[one's] ~** in aller Ruhe; **call me at your ~**
rufen Sie mich an, wenn es Ihnen gelegen
ist

'lei·sure cen·tre *n* BRIT, **'lei·sure com·
plex** *n* BRIT Freizeitcenter *nt*

lei·sured [ˈleʒəd] *adj* (*form*) ❶ (*having
much leisure*) müßig ❷ (*leisurely*) geruhsam

lei·sure·ly [ˈleʒəli] I. *adj* ruhig; **at a ~ pace**
gemessenen Schrittes *geh; picnic, break-
fast* gemütlich II. *adv* gemächlich

'lei·sure time *n* Freizeit *f* **'lei·sure·
wear** *n no pl* Freizeit[be]kleidung *f*

lem·ming [ˈlemɪŋ] *n* ZOOL Lemming *m*

lem·on [ˈlemən] I. *n* ❶ (*fruit*) Zitrone *f*
❷ *no pl* (*colour*) Zitronengelb *nt* ❸ BRIT,
AUS (*sl: fool*) Blödmann *m fam;* **to feel
[like] a ~** sich *dat* wie ein Idiot vorkommen *fam* II. *adj* ~ (**yellow**) zitronengelb

lem·on·ade [ˌleməˈneɪd] *n* Zitronenlimo-
nade *f*

'lem·on juice *n* Zitronensaft *m* **'lem·on
peel** *n,* **'lem·on rind** *n* Zitronenschale *f*

lem·on 'squash *n* BRIT, AUS ❶ *no pl*
(*concentrate*) Zitronensirup *m* ❷ (*drink*)
Zitronensaftgetränk *nt* **lem·on 'tea** *n*
Tee *m* mit Zitrone

lend <lent, lent> [lend] I. *vt* ❶ (*loan*) leihen ❷ (*impart*) ■ **to ~ sth to sb/sth** jdm/
etw etw verleihen ❸ (*be suitable*) ■ **to ~
itself** sich für etw *akk* eignen ▶ **to ~ an
ear to sb** jdm zuhören; **to ~ a hand** helfen
II. *vi* ■ **to ~ to sb** jdm Geld leihen; *bank*
jdm Kredit gewähren

lend·er [ˈlendəʳ] *n* Verleiher(in) *m(f);*
(*money lender*) Kreditgeber(in) *m(f)*

lend·ing [ˈlendɪŋ] *n no pl* Leihen *nt*

'lend·ing li·brary *n* Leihbibliothek *f*

length [ˈleŋ(k)θ] *n* ❶ *no pl* (*measurement*)
Länge *f;* **she planted rose bushes along
the whole ~ of the garden fence** sie
pflanzte Rosensträucher entlang dem
gesamten Gartenzaun; **to be 2 metres
in ~** 2 Meter lang sein ❷ (*piece*) Stück *nt;
of cloth/wallpaper* Bahn *f* ❸ (*winning distance*) Länge *f* [Vorsprung] ❹ (*in swimming pool*) Bahn *f* ❺ *no pl* (*duration*) Dauer *f;* **the ~ of an article/a book/a film**
die Länge eines Artikels/Buchs/Films; **[for]
any ~ of time** [für] längere Zeit; **at ~**
(*finally*) nach langer Zeit; (*in detail*) ausführlich; **at great ~** in aller Ausführlichkeit
▶ **to go to any ~s** vor nichts zurückschrecken; **to go to great ~s** sich *dat* alle Mühe
geben

length·en [ˈleŋ(k)θən] I. *vt* verlängern;
clothes länger machen II. *vi* [immer] länger
werden

length·ways [ˈleŋ(k)θweɪz], **length·
wise** [ˈleŋ(k)θwaɪz] I. *adv* der Länge nach
II. *adj* Längs-

lengthy [ˈleŋ(k)θi] *adj* ❶ (*lasting a long
time*) [ziemlich] lange; *applause* anhaltend;
delay beträchtlich ❷ (*tedious*) *treatment*
langwierig; *explanation* umständlich

le·ni·ence [ˈliːniən(t)s] *n,* **le·ni·en·cy**
[ˈliːniən(t)si] *n no pl* Nachsicht *f,* Milde *f*

le·ni·ent [ˈliːniənt] *adj* nachsichtig, milde

le·ni·ent·ly [ˈliːniəntli] *adv* nachsichtig, milde

lens <*pl* -es> [lenz] *n* ❶ (*optical instrument*) Linse *f;* (*in camera, telescope also*)
Objektiv *nt;* (*in glasses*) Glas *nt;* [**contact**] ~ Kontaktlinse *f* ❷ (*part of eye*) Linse *f*

lent [lent] *vt, vi pt, pp of* **lend**

Lent [lent] *n no pl, no art* Fastenzeit *f*

len·til [ˈlentᵊl] *n* Linse *f*

Leo [ˈliːəʊ] *n* ASTRON, ASTROL ❶ *no art* Löwe *m;* **to be born under ~** im Zeichen des

Löwen geboren sein ❷ (*person*) Löwe *m;* **she is a ~** sie ist Löwe

leo·nine [ˈliːə(ʊ)naɪn] *adj* (*form*) löwenartig, Löwen-

leop·ard [ˈlepəd] *n* Leopard(in) *m(f)*

leo·tard [ˈliːətɑːd] *n* Trikot *nt;* (*for gymnastics also*) Turnanzug *m*

lep·er [ˈlepəʳ] *n* MED Leprakranke(r) *f(m),* Aussätzige(r) *f(m)* a. *fig*

lep·ro·sy [ˈleprəsi] *n no pl* Lepra *f*

lep·rous [ˈleprəs] *adj* leprakrank

les·bian [ˈlezbiən] **I.** *n* Lesbe *f* **II.** *adj* lesbisch

les·bian·ism [ˈlezbiənɪzᵊm] *n no pl* lesbische Liebe

le·sion [ˈliːʒᵊn] *n* Verletzung *f*

Le·so·tho [ləˈsuːtuː] *n* Lesotho *nt*

less [les] **I.** *adv comp of* **little** ❶ (*to a smaller extent*) weniger; **the ~ ... the better** je weniger ..., umso besser; **much ~ complicated** viel einfacher; **~ expensive** billiger; **~ and ~** immer weniger ❷ (*not the least bit*) **~ than accurate/happy** nicht gerade genau/glücklich **II.** *adj* ❶ *comp of* **little** (*smaller amount of*) weniger ❷ (*nonstandard use of fewer*) weniger **III.** *pron indef* ❶ (*smaller amount*) weniger; **a little/lot ~** etwas/viel weniger; **I've been seeing ~ of her lately** ich sehe sie in letzter Zeit weniger; **~ of a problem** ein geringeres Problem ❷ (*non-standard use of fewer*) weniger ▸ **no ~ than ...** nicht weniger als ...; **~ than ...** nicht weniger als ..., beträchtlich mehr als ... **IV.** *prep* ■ **~ sth** minus [*o* abzüglich] einer S. *gen*

less·en [ˈlesᵊn] **I.** *vi* schwächer werden; *fever* sinken; *pain* nachlassen **II.** *vt* verringern

less·er [ˈlesəʳ] *adj attr* ❶ (*smaller in amount*) geringer; **to a ~ degree** in geringerem Maße; **the ~ of two evils** das kleinere Übel ❷ (*lower*) *work of art, artist* unbedeutend

less-is-more [lesɪzmɔːʳ] *adj* **a ~ attitude** eine neue Bescheidenheit

les·son [ˈlesᵊn] *n* ❶ (*teaching period*) Stunde *f;* ■ **~s** *pl* Unterricht *m kein pl;* **to take acting/guitar ~s** Schauspiel-/Gitarrenunterricht nehmen ❷ (*from experience*) Lehre *f,* Lektion *f;* **to teach sb a ~** jdm eine Lektion erteilen ❸ (*exercise in book*) Lektion *f* ❹ REL (*in Anglican church*) [Bibel]text *m*

lest [lest] *conj* ❶ (*for fear that*) damit ... nicht ... ❷ (*in case*) falls

let¹ [let] *n* SPORTS Netzball *m*

let² [let] **I.** *n no pl esp* BRIT Vermietung *f* **II.** *vt* <-tt-, let, let> ❶ (*allow*) ■ **to ~ sb do sth** jdn tun lassen; **to ~ one's hair grow**

sich *dat* die Haare [lang] wachsen lassen; **to ~ sb alone** jdn in Ruhe lassen; **to ~ sb go** (*allow to depart*) jdn gehen lassen; (*release from grip*) jdn loslassen; (*from captivity*) jdn freilassen; **to ~ sth go** (*neglect*) etw vernachlässigen; (*let pass*) etw durchgehen lassen ❷ (*give permission*) ■ **to ~ sb do sth** jdn etw tun lassen ❸ (*make*) ■ **to ~ sb do sth** jdn etw tun lassen; **to ~ sb know sth** jdn etw wissen lassen ❹ (*in suggestions*) **~ 's go out to dinner!** lass uns Essen gehen!; **~ 's face it!** sehen wir den Tatsachen ins Auge! ❺ (*when thinking, for examples, assumptions*) **~ 's see, ...** also, ...; **~ me think** Moment [mal], ... ❻ (*making a threat*) **don't ~ me catch you in here again!** dass ich dich hier nicht noch einmal erwische! ❼ (*expressing defiance*) **~ it rain** von mir aus kann es ruhig regnen; **~ there be no doubt about it!** das möchte ich [doch] einmal klarstellen! ❽ REL (*giving a command*) **~ us pray** lasset uns beten *form* ❾ *esp* BRIT, AUS (*rent out*) vermieten; **"to ~"** "zu vermieten" ▸ **~ alone ...** geschweige denn ... ◆ **let by** *vt* vorbeilassen ◆ **let down** *vt* ❶ (*disappoint*) enttäuschen; (*fail to support*) im Stich lassen ❷ (*lower slowly*) herunterlassen ❸ BRIT, AUS (*deflate*) **to ~ down a tyre** die Luft aus einem Reifen lassen ▸ **to ~ one's hair down** sich gehen lassen; **to ~ the side down** BRIT, AUS die anderen im Stich lassen ◆ **let in** *vt* ❶ (*allow to enter*) hereinlassen; ■ **to ~ oneself in** aufschließen; (*let through*) durchlassen ❷ (*allow to know*) ■ **to ~ sb in on sth** jdn in etw *akk* einweihen ❸ (*fam: get involved*) ■ **to ~ oneself in for sth** sich auf etw *akk* einlassen ◆ **let into** *vt* ❶ (*allow to enter*) ■ **to ~ sb/sth into sth** jdn/etw in etw *akk* lassen ❷ (*allow to know*) **to ~ sb into a secret** jdn in ein Geheimnis einweihen ◆ **let off** *vt* ❶ (*emit*) ausstoßen; *bad smell* verbreiten ❷ (*fire*) *gun* abfeuern; *bomb, fireworks* zünden; *shot, volley* abgeben ❸ (*not punish*) **you won't be ~ off so lightly the next time** das nächste Mal wirst du nicht so glimpflich davonkommen; **to ~ sb off with a warning** jdn mit einer Verwarnung davonkommen lassen ❹ (*excuse*) ■ **to ~ sb off sth** jdm etw erlassen ▸ **to ~ off steam** (*fam*) Dampf ablassen ◆ **let on I.** *vi* (*fam*) ■ **to ~ on about sth** [*to* sb] [jdm] etwas von etw *dat* verraten **II.** *vt* (*fam*) ■ **to ~ on that ...** ❶ (*divulge*) verraten, dass ... ❷ (*pretend*) so tun, als ob ... ◆ **let out I.** *vt* ❶ (*release*) herauslassen; **I'll ~ myself out** ich finde selbst hinaus ❷ (*emit*) aussto-

letters	
forms of address in letters	**Anrede in Briefen**
Dear Anne,/**Dear** Bill,	Liebe Anne,/**Lieber** Bill,
Hello, …!/**Hi**, …!	**Hallo**, …!/**Hi**, …!
Dear Mrs …,/**Dear** Mr …,	Sehr geehrte Frau …,/Sehr geehrter Herr …,
Dear Sir or Madam, *(form)*	Sehr geehrte Damen und Herren, *(form)*
ending a letter	**Schlussformeln in Briefen**
All the best!	Alles Gute!
With love from … *(fam)*/Love, … *(fam)*	Herzliche/Liebe Grüße *(fam)*
Best wishes,/Kind regards,	Viele Grüße
Yours,	Mit den besten Grüßen
Yours sincerely,	Mit freundlichen Grüßen
Yours faithfully, *(form)*	Hochachtungsvoll *(form)*

ßen; **to ~ out a groan** [auf]stöhnen; **to ~ out a shriek** aufschreien ❸ *(make wider) clothes* weiter machen; *seam* auslassen ❹ *esp* BRIT *(rent out)* ■**to ~ out** ⟳ **sth** [to sb] [jdm] etw vermieten **II.** *vi* AM enden; **when does school ~ out for the summer?** wann beginnen die Sommerferien? ◆**let through** *vt* durchlassen ◆**let up** *vi (fam)* ❶ *(decrease)* aufhören; *rain also* nachlassen; *fog, weather* aufklaren ❷ *(release)* **to ~ up on the accelerator** den Fuß vom Gas nehmen ❸ *(ease up)* nachlassen; *(give up)* lockerlassen *fam*
le·thal [ˈliːθəl] *adj (causing death)* tödlich
le·thar·gic [ləˈθɑːdʒɪk] *adj* ❶ *(lacking energy)* lethargisch ❷ *(apathetic)* lustlos
le·thar·gi·cal·ly [ləˈθɑːdʒɪkəli] *adv* lethargisch
leth·ar·gy [ˈleθədʒi] *n no pl* ❶ *(lacking energy)* Lethargie *f;* *(apathy)* Teilnahmslosigkeit *f* ❷ MED Lethargie *f fachspr*
let·ter [ˈletəʳ] *n* ❶ *(message)* Brief *m (from* von, **to** an); **a business/love ~** ein Geschäfts-/Liebesbrief *m;* **to inform sb by ~** jdn schriftlich verständigen ❷ *(of alphabet)* Buchstabe *m;* **in large ~s** in Großbuchstaben; **in small ~s** in Kleinbuchstaben
'let·ter bomb *n* Briefbombe *f* **'let·ter· box** *n esp* BRIT, AUS Briefkasten *m* **'let·ter· head** *n* ❶ *(at top of letter)* Briefkopf *m* ❷ *no pl (paper)* Geschäfts-/Firmenbriefpapier *nt*
let·ter·ing [ˈletəʳrɪŋ] *n no pl* Beschriftung *f*
let·tuce [ˈletɪs] *n* ❶ *(cultivated plant)* Blattsalat *m;* *(with firm head)* Kopfsalat *m* ❷ *no pl* BOT Lattich *m*

leu·co·cyte [ˈluːkə(ʊ)saɪt] *n* MED Leukozyt[en] *m[pl]* *fachspr*
leu·kae·mia [luːˈkiːmiə], AM **leu·ke·mia** *n* Leukämie *f*
lev·el [ˈlevəl] **I.** *adj* ❶ *(horizontal)* horizontal, waag[e]recht ❷ *(flat)* eben ❸ *pred (at an equal height)* ■**to be ~** [**with sth**] auf gleicher Höhe [mit etw *dat* sein] ❹ *pred esp* BRIT, AUS *(in a race)* gleichauf; *(equal in points)* punktegleich; *(equal in standard)* gleich gut ❺ *attr (to the edge)* gestrichen ❻ *(calm) voice* ruhig; *look* fest; **to keep a ~ head** einen kühlen Kopf bewahren; **in a ~ voice** mit ruhiger Stimme **II.** *n* ❶ *(quantity)* Niveau *nt;* *(height)* Höhe *f;* **at eye ~** in Augenhöhe; **above/below sea ~** über/unter dem Meeresspiegel; **to be on a ~** [**with sb/sth**] BRIT, AUS [mit jdm/etw] auf gleicher Höhe sein ❷ *(extent)* Ausmaß *nt* ❸ *(storey)* Stockwerk *nt;* **ground ~** Erdgeschoss *nt;* **at ~ four** im vierten Stock ❹ *no pl (rank)* Ebene *f* ❺ *(stage, proficiency)* Niveau *nt* ❻ *(social, intellectual, moral)* Niveau *nt* ❼ *(perspective, meaning)* Ebene *f* **III.** *vt* <BRIT -ll- *or* AM *usu* -l-> ❶ *(flatten) ground* [ein]ebnen; *wood* [ab]schmirgeln; *(raze) building, town* dem Erdboden gleichmachen ❷ *(direct)* **to ~ a pistol/ rifle at sb** eine Pistole/ein Gewehr auf jdn richten; **to ~ accusations/charges against sb** Beschuldigungen/Anklage gegen jdn erheben ◆**level off, level out I.** *vi* ❶ *(after dropping) plane* sich fangen; *pilot* das Flugzeug abfangen; *(after rising)* horizontal fliegen ❷ *(steady)* sich einpendeln; *(become equal)* sich angleichen

❸ *path, road* flach werden **II.** *vt* [ein]ebnen; *(fig)* ausgleichen ◆**level up I.** *vt* *(make equal)* angleichen; *(increase)* anheben **II.** *vi* AM *(confess)* gestehen; ■**to ~ up with sb about sth** jdm etw gestehen ◆**level with** *vi esp* AM *(fam)* ■**to ~ with sb** ehrlich zu jdm sein

lev·el 'cross·ing *n* BRIT, AUS Bahnübergang *m* **lev·el-'head·ed** *adj* ❶ *(sensible)* vernünftig ❷ *(calm)* ruhig **lev·el peg·ging** [-'pegɪŋ] *n esp* BRIT, AUS **to be** [on] **~** tabellengleich sein

lev·er ['liːvə^r] **I.** *n* ❶ TECH Hebel *m;* *(for heavy objects)* Brechstange *f* ❷ *(threat)* Druckmittel *nt* **II.** *vt* ❶ *(lift with a lever)* ■**to ~ sth up** etw aufstemmen ❷ *(move with effort)* ■**to ~ oneself** [up] sich hochstemmen ❸ *(fig: exert pressure)* ■**to ~ sth from sb** etw aus jdm herauspressen **III.** *vi* **to ~ at sth with a crowbar** etw *akk* mit einer Brechstange bearbeiten

lev·er·age ['liːv^ərɪdʒ] *n no pl* ❶ TECH Hebelkraft *f* ❷ *(influence)* Einfluss *m;* **to exert ~ on sb** Druck *m* auf jdn ausüben ❸ FIN Hebelwirkung *f*

lev·er·et ['levərɪt] *n* junger Hase

le·via·than *n,* **Le·via·than** [lɪ'vaɪəθ^ən] *n* ❶ *(liter: giant thing)* Gigant *m* ❷ *(biblical monster)* Leviathan *m*

levi·tate ['levɪteɪt] **I.** *vi* schweben **II.** *vt* schweben lassen

lev·ity ['levəti] *n no pl* Ungezwungenheit *f*

levy ['levi] **I.** *n* Steuer *f,* Abgaben *pl;* **to impose a ~ on sth** eine Steuer auf etw *akk* erheben **II.** *vt* <-ie-> erheben; **to ~ a fine on sb** jdm eine Geldstrafe auferlegen

levy·ing ['leviɪŋ] *n no pl* Erhebung *f*

lewd [luːd] *adj* ❶ *(indecent)* unanständig; *ballad, comments* anzüglich; *behaviour* anstößig; *gesture* obszön ❷ *(lecherous)* lüstern

lewd·ness ['luːdnəs] *n no pl* unzüchtiges Verhalten *f*

lexi·cal ['leksɪk^əl] *adj* lexikalisch

lexi·cog·ra·pher [ˌleksɪ'kɒgrəfə^r] *n* Lexikograph(in) *m(f)*

lexi·cog·ra·phy [ˌleksɪ'kɒgrəfi] *n no pl* Lexikographie *f*

lexi·col·ogy [ˌleksɪ'kɒlədʒi] *n no pl* Lexikologie *f*

lexi·con ['leksɪkən] *n* ❶ *(vocabulary)* Wortschatz *m* ❷ *(dictionary)* Wörterbuch *nt*

lex·is ['leksɪs] *n no pl* LING Lexik *f fachspr*

LF [ˌel'ef] *abbrev of* **low frequency** Niederfrequenz *f*

lia·bil·ities [ˌlaɪə'bɪlətiz] *npl* FIN Passiva *pl,* Schulden *pl*

lia·bil·ity [ˌlaɪə'bɪləti] *n* ❶ *no pl* *(financial responsibility)* Haftung *f* ❷ FIN ■**liabilities** *pl* Verbindlichkeiten *pl* ❸ *(handicap)* Belastung *f*

lia·ble ['laɪəbl] *adj* ❶ *(likely)* ■**to be ~ to do sth** Gefahr laufen, etw zu tun ❷ *(prone)* ■**to be ~ to sth** anfällig für etw *akk* sein; **to be ~ to flooding** überschwemmungsgefährdet sein ❸ LAW haftbar

li·aise [li'eɪz] *vi* ■**to ~ with sb/sth** ❶ *(establish contact)* eine Verbindung zu jdm/ etw herstellen; *(be go-between)* als Verbindungsstelle zu jdm/etw fungieren ❷ *(work together)* mit jdm/etw zusammenarbeiten

liai·son [li'eɪz^ən] *n* ❶ *no pl* *(contacts)* Verbindung *f;* **I work in close ~ with my opposite number in the USA** ich arbeite eng mit meinem Pendant in den USA zusammen ❷ AM *(person)* Kontaktperson *f* ❸ *(sexual affair)* Verhältnis *nt*

li·ai·son of·fic·er *n* Kontaktperson *f*

lia·na [li'ɑːnə] *n,* **li·ane** [li'ɑːnə] *n* BOT Liane *f*

liar ['laɪə^r] *n* Lügner(in) *m(f)*

lib [lɪb] *n no pl* *(dated fam) short for* **liberation** Befreiungsbewegung *f*

li·bel ['laɪb^əl] LAW **I.** *n no pl* Verleumdung *f* **II.** *vt* <BRIT -ll- *or* AM *usu* -l-> verleumden

li·bel·lous ['laɪb^ələs], AM **li·bel·ous** *adj* verleumderisch

lib·er·al ['lɪb^ər^əl] **I.** *adj* ❶ *(tolerant)* liberal; *attitude, church, person also* tolerant, aufgeschlossen ❷ *(progressive)* liberal, fortschrittlich ❸ *(generous)* großzügig; *portion* groß ❹ *(not exact)* **a ~ interpretation of a law** eine freie Auslegung eines Gesetzes **II.** *n* Liberale(r) *f(m)*

lib·er·al 'arts *n esp* AM ■**the ~** *pl* die Geisteswissenschaften *m* **lib·er·al·ism** ['lɪb^ər^əlɪz^əm] *n no pl* Liberalismus *m* **lib·er·al·ity** [ˌlɪb^ər^əlæləti] *n no pl* ❶ *(generosity)* Großzügigkeit *f,* Freigebigkeit *f* ❷ *(liberal nature)* Aufgeschlossenheit *f*

lib·er·ali·za·tion [ˌlɪb^ər^əlaɪ'zeɪʃ^ən] *n* Liberalisierung *f*

lib·er·al·ize ['lɪb^ər^əlaɪz] *vt* liberalisieren

lib·er·al·ly ['lɪb^ər^əli] *adv* großzügig, reichlich; **to give/donate ~** großzügig geben/ spenden; **to tip ~** ein großzügiges Trinkgeld geben

lib·er·ate ['lɪb^əreɪt] *vt* ❶ *(free)* befreien **(from** von**)** ❷ *(hum fam: steal)* ■**to ~ sth** etw mitgehen lassen

lib·era·tion [ˌlɪb^ə'reɪʃ^ən] *n no pl* Befreiung *f* **(from** von**)**

lib·e'ra·tion or·gani·za·tion *n* Befreiungsbewegung *f*

lib·era·tor ['lɪb^əreɪtə^r] *n* Befreier(in) *m(f)*

Li·be·ria [laɪ'bɪəriə] *n* Liberia *nt*

Li·berian [laɪˈbɪəriən] **I.** *adj* liberisch **II.** *n* Liberier(in) *m(f)*

lib·er·tine [ˈlɪbətiːn] *n* (*pej*) Casanova *m fam*

lib·er·ty [ˈlɪbəti] *n* ① *no pl* (*freedom*) Freiheit *f*; **to be at ~** frei sein; **to be at ~ to do sth** etw tun können; **are you at ~ to reveal any names?** dürfen Sie Namen nennen? ② (*incorrect behaviour*) **it's [a bit of] a ~** es ist [ein bisschen] unverschämt; **to take liberties with sb** sich *dat* bei jdm Freiheiten herausnehmen ③ (*form: legal rights*) ■ **liberties** *pl* Grundrechte *pl*

li·bidi·nous [lɪˈbɪdɪnəs] *adj* (*form*) triebhaft

li·bi·do [lɪˈbiːdəʊ] *n* Libido *f*

Li·bra [ˈliːbrə] *n* ASTRON, ASTROL ① *no art* Waage *f*; **to be born under ~** im Zeichen der Waage geboren sein ② (*person*) Waage *f*; **she is a ~** sie ist Waage

Li·bran [ˈliːbrən] **I.** *n* **to be a ~** Waage sein **II.** *adj* Waage-

li·brar·ian [laɪˈbreəriən] *n* Bibliothekar(in) *m(f)*

li·brary [ˈlaɪbrəri] *n* ① (*public*) Bibliothek *f*, Bücherei *f*; **public ~** Leihbücherei *f* ② (*private*) Bibliothek *f*

li·brary book *n* Leihbuch *nt* **li·brary tick·et** *n* Leseausweis *m*

li·bret·to [lɪˈbretəʊ] *n* Libretto *nt*

Libya [ˈlɪbiə] *n* Libyen *nt*

Liby·an [ˈlɪbiən] **I.** *adj* libysch **II.** *n* Libyer(in) *m(f)*

lice [laɪs] *n pl of* **louse**

li·cence [ˈlaɪsᵊn(t)s] *n* ① (*permit*) Genehmigung *f*, Erlaubnis *f*; (*formal permission*) Lizenz *f*; **driving** [*or* AM **driver's**] **~** Führerschein *m*; **under ~** in Lizenz ② *no pl* (*form*) Freiheit *f*; **to give sb/sth ~ to do sth** jdm/etw gestatten, etw zu tun

ˈli·cence num·ber *n* Kfz-Kennzeichen *nt*

li·cense [ˈlaɪsᵊn(t)s] **I.** *n* AM *see* **licence** **II.** *vt* ■ **to ~ sb to do sth** jdm die Lizenz erteilen, etw zu tun; ■ **to be ~d to do sth** berechtigt sein, etw zu tun

li·censed [ˈlaɪsᵊn(t)st] *adj* ① (*with official approval*) zugelassen ② BRIT (*serving alcohol*) **a ~ restaurant** ein Restaurant *nt* mit Schankerlaubnis

li·cen·see [ˌlaɪsᵊn(t)ˈsiː] *n* (*form*) Lizenznehmer(in) *m(f)*; **~ of a pub/bistro/restaurant** BRIT Inhaber(in) *m(f)* eines Pubs/Bistros/Restaurants [mit Schankerlaubnis]

li·cens·ing [ˈlaɪsᵊn(t)sɪŋ] *n no pl* Lizenzvergabe *f*

ˈli·cens·ing laws *npl* BRIT Schankgesetze *pl*

li·cen·tious [laɪˈsen(t)ʃəs] *adj* [sexuell] ausschweifend

li·chen [ˈlaɪkən] *n usu sing* BIOL, BOT Flechte *f*

lick [lɪk] **I.** *vt* ① (*with tongue*) lecken; *plate* ablecken; *stamp* [mit der Zunge] befeuchten; **to ~ a lollipop** an einem Lutscher schlecken ② (*touch*) belecken; **flames were ~ing the curtains** die Flammen züngelten an den Vorhängen hoch ③ *esp* AM (*fam: defeat*) ■ **to ~ sb** jdn [doch glatt] in die Tasche stecken ④ (*fam: thrash*) verprügeln **II.** *n* ① (*with tongue*) Lecken *nt kein pl*, Schlecken *nt kein pl* ② (*small quantity*) ■ **a ~ of ...** ein wenig ...

lickety-split [ˌlɪkəti'-] *adv* (*fam*) blitzschnell; **I want that job done ~, okay?** das wird jetzt ruckzuck erledigt, klar? *fam*

lick·ing [ˈlɪkɪŋ] *n* ① (*fam: beating*) **to give sb a ~** jdm eine Tracht Prügel verpassen ② (*defeat*) **to give sb a ~** jdn haushoch schlagen

lico·rice *n no pl esp* AM *see* **liquorice**

lid [lɪd] *n* ① (*covering*) Deckel *m* ② (*eyelid*) Lid *nt*

lie¹ [laɪ] *vi* <-y-> lügen; ■ **to ~ about sth** *intentions, plans* falsche Angaben über etw *akk* machen; ■ **to ~ about sb** über jdn die Unwahrheit erzählen; ■ **to ~ to sb** jdn belügen **II.** *vt* <-y-> ■ **to ~ one's way out of sth** sich aus etw *dat* herausreden **III.** *n* Lüge *f*; **to be an outright ~** glatt gelogen sein *fam*; **to tell ~s** Lügen erzählen

lie² [laɪ] **I.** *n* ① *no pl* (*position*) Lage *f* ② *no pl esp* BRIT, AUS (*shape*) **the ~ of the land** die Beschaffenheit des Geländes; (*fig*) die Lage; **to find out the ~ of the land** das Gelände erkunden; (*fig*) die Lage sondieren **II.** *vi* <-y-, lay, lain> ① (*be horizontal, resting*) liegen; **to ~ on one's back/in bed/on the ground** auf dem Rücken/im Bett/auf dem Boden liegen; **to ~ awake/still** wach/still [da]liegen ② (*be buried*) ruhen ③ (*become horizontal*) sich hinlegen ④ (*be upon a surface*) liegen ⑤ (*be in a particular state*) **to ~ in wait** auf der Lauer liegen; **to ~ dying** im Sterben liegen ⑥ (*be situated*) liegen; **to ~ to the east/north of sth** im Osten/Norden einer S. *gen* liegen; **the river ~s 40 km to the south of us** der Fluss befindet sich 40 km südlich von uns ⑦ (*weigh*) **to ~ heavily on sb's mind** jdn schwer bedrücken ⑧ (*be the responsibility of*) **the choice/decision ~s [only] with you** die Wahl/Entscheidung liegt [ganz allein] bei dir ⑨ (*be found*) **where do your interests ~?** wo liegen deine Interessen?; **the decision doesn't ~ in my power** die Entscheidung [darüber]

liegt nicht in meiner Macht ►**to ~ low** (*escape search*) untergetaucht sein; (*avoid being noticed*) sich unauffällig verhalten ◆**lie about** *vi*, **lie around** *vi* ❶ (*be situated*) herumliegen *fam* ❷ (*be lazy*) herumgammeln *fam* ◆**lie ahead** *vi* ❶ (*in space, position*) ■**to ~ ahead** [**of sb**] vor jdm liegen ❷ (*in time*) bevorstehen ◆**lie back** *vi* ❶ (*recline*) sich zurücklegen ❷ (*relax*) sich entspannen ◆**lie behind** *vi* ❶ (*be cause of*) ■**to ~ behind sth** etw *dat* zugrunde liegen ❷ (*be past*) ■**to ~ behind** [**sb**] hinter jdm liegen ◆**lie down** *vi* sich hinlegen ◆**lie in** *vi* BRIT (*fam: stay in bed*) im Bett bleiben ◆**lie over** *vi* (*remain unfinished*) liegen bleiben; (*be adjourned*) vertagt werden ◆**lie round** *vi* BRIT *see* **lie about** ◆**lie to** *vi* vor Anker liegen ◆**lie up** *vi* ❶ (*fam: be ill*) das Bett hüten ❷ (*fam: be out of use*) *car* stillliegen

'**lie de·tec·tor** *n* Lügendetektor *m*

lieu [lu:] *n no pl* **in ~ of sth** an Stelle einer S. *gen*

Lieut *n attr abbrev of* **Lieutenant** Lt.

lieu·ten·ant [lefˈtenənt] *n* ❶ (*deputy*) Stellvertreter(in) *m(f)* ❷ MIL Leutnant *m* ❸ AM LAW ≈ Polizeihauptwachtmeister(in) *m(f)*

life <*pl* lives> [laɪf, *pl* laɪvz] *n* ❶ (*existence*) Leben *nt*; **it's a matter of ~ and death!** es geht um Leben und Tod!; **to lose one's ~** ums Leben kommen; **to save sb's ~** jdm das Leben retten; **to take one's own ~** sich *dat* [selbst] das Leben nehmen ❷ *no pl* (*quality, force*) Leben *nt*; **I love ~** ich liebe das Leben ❸ *no pl* (*living things collectively*) Leben *nt*; **plant ~** Pflanzenwelt *f* ❹ *no pl* (*mode or aspect of existence*) Leben *nt*; **family ~** Familienleben *nt*; **love ~** Liebesleben *nt* ❺ *no pl* (*energy*) Lebendigkeit *f*; **to be full of ~** vor Leben [nur so] sprühen; **to bring sth to ~** etw lebendiger machen; **to come to ~** lebendig werden *fig* ❻ (*total circumstances of individual*) Leben *nt*; **she only wants two things in ~** sie wünscht sich nur zwei Dinge im Leben; **who's the man in your ~ now?** [und] wer ist der neue Mann in deinem Leben?; **to want sth out of ~** etw vom Leben erwarten ❼ (*human activities*) Leben *nt* ❽ (*biography*) Biografie *f* ❾ (*time until death*) Leben *nt*; ■**for ~** *friendship* lebenslang; **a job for ~** eine Stelle auf Lebenszeit ❿ (*duration*) *of device, battery* Lebensdauer *f*; *of contract* Laufzeit *f* ⓫ *no pl* (*fam: prison sentence*) **to be doing/get ~** lebenslänglich sitzen *fam*/bekommen ⓬ (*reality*) **true to ~** wirklichkeitsgetreu

►**to frighten the ~ out of sb** jdn zu Tode erschrecken; **for the ~ of me** (*fam*) um alles in der Welt; **larger than ~** *car, house* riesig; *person* energiegeladen und charismatisch; **that's ~!** so ist das Leben [eben]!

'**life an·nu·ity** *n* Leibrente *f* '**life as·sur·ance** *n no pl* BRIT Lebensversicherung *f* '**life·belt** *n* BRIT Rettungsring *m* '**life·boat** *n* Rettungsboot *nt* '**life·buoy** *n* Rettungsboje *f* '**life cy·cle** *n* Lebenszyklus *m* '**life draw·ing** *n* Aktzeichnung *f* '**life ex·pec·tan·cy** *n* Lebenserwartung *f* '**life form** *n* Lebewesen *f* '**life·guard** *n* (*in baths*) Bademeister(in) *m(f)*; (*on beach*) Rettungsschwimmer(in) *m(f)* **life im·** '**pris·on·ment** *n no pl* lebenslängliche Freiheitsstrafe '**life in·sur·ance** *n no pl* Lebensversicherung *f* '**life jack·et** *n* Schwimmweste *f*

life·less [ˈlaɪfləs] *adj* ❶ (*inanimate*) *body* leblos; *planet* unbelebt ❷ (*dull*) *game, story* langweilig; *person* teilnahmslos; *hair* stumpf; *performance* lahm *fam*

'**life·like** *adj* lebensecht; *imitation also* naturgetreu '**life·line** *n* ❶ (*life-saving rope*) Rettungsleine *f* ❷ (*used by diver*) Signalleine *f* ❸ (*essential thing*) [lebenswichtige] Verbindung ❹ (*in palmistry*) Lebenslinie *f* '**life·long** *adj attr* lebenslang **life** '**peer** *n* BRIT Peer *m* auf Lebenszeit '**life pre·serv·er** *n* ❶ BRIT (*stick*) Totschläger *m* ❷ AM (*life jacket*) Schwimmweste *f*; (*lifebuoy*) Rettungsboje *m*; (*lifebelt*) Rettungsring *m*

lif·er [ˈlaɪfər] *n* (*sl*) ❶ (*fam: prisoner*) Lebenslängliche(r) *f(m)* ❷ AM (*career person*) Berufssoldat(in) *m(f)*

'**life raft** *n* Rettungsfloß *nt*; (*rubber dinghy*) Schlauchboot *nt* '**life·sav·er** *n* ❶ (*fam: thing*) die Rettung *fig*; (*person*) [Lebens]retter(in) *m(f) fig* ❷ AUS, NZ (*on beach*) Rettungsschwimmer(in) *m(f)*; (*in baths*) Bademeister(in) *m(f)* '**life sen·tence** *n* lebenslängliche Freiheitsstrafe '**life-size(d)** *adj* lebensgroß '**life·span** *n* Lebenserwartung *f kein pl*; *of thing* Lebensdauer *f kein pl*; *of project* Laufzeit *f* '**life·style** *n* Lebensstil *m* '**life·style con·sult·ant** *n* Lifestyleberater(in) *m(f)* '**life·style con·sult·ing** *n no pl* Lifestyleberatung *f* '**life sup·port sys·tem** *n* MED ❶ (*machine*) lebenserhaltender Apparat ❷ (*biological network*) Lebenserhaltungssystem *nt* '**life-threat·en·ing** *adj disease, illness* lebensbedrohend; *situation* lebensgefährlich '**life·time** *n usu sing* ❶ (*time one is alive*) Lebenszeit *f*; **in one's ~** im Laufe seines Lebens; **once in a ~** einmal im Leben ❷ (*time sth exists*) Lebensdauer *f* *kein pl* ❸ *(fam: long time)* it seems like a ~ es kommt mir vor wie eine Ewigkeit; **to last a ~** *objects, devices* ein Leben lang halten; *memories, good luck* das ganze Leben [lang] andauern ▸ **the chance of a ~** eine einmalige Chance

lift [lɪft] **I.** *n* ❶ BRIT *(elevator)* Aufzug *m* ❷ *(for skiers)* Skilift *m* ❸ *(act of lifting)* [Hoch]heben *nt kein pl* ❹ *(increase)* Anstieg *m kein pl; (increase in amount)* Erhöhung *f* [eines Betrags]; *of person's voice* Heben *nt* der Stimme ❺ *(fam: plagiarizing) of ideas* Klauen *nt kein pl; of texts* Abkupfern *nt kein pl* ❻ *no pl* MECH Hubkraft *f;* AVIAT Auftrieb *m* ❼ *(weight)* [Hoch]heben *nt kein pl* ❽ *(ride)* Mitfahrgelegenheit *f;* **to give sb a ~** jdn [im Auto] mitnehmen ❾ *no pl (positive feeling)* **to give sb a ~** jdn aufmuntern; *prospects* jdm Auftrieb geben; *drugs* jdn aufputschen **II.** *vt* ❶ *(raise)* [hoch]heben; *(slightly)* anheben; ▪**to ~ sb/sth out of sth** jdn/etw aus etw *dat* [heraus]heben ❷ *(direct upward) eyes* aufschlagen; *head* heben; **to ~ one's eyes from sth** von etw *dat* aufsehen ❸ *(increase) amount, prices* erhöhen ❹ *(airlift)* fliegen; *supplies, troops* auf dem Luftweg transportieren ❺ *usu passive (in surgery) face, breasts* straffen lassen, liften ❻ *(dig up)* ausgraben; *potatoes* ernten ❼ *(elevate)* **to ~ sb's confidence** jds Vertrauen stärken; **to ~ sb's spirits** jds Stimmung heben ❽ *(end) ban, restrictions* aufheben ❾ *(fam: steal)* klauen ❿ *(fam: plagiarize) essay, song* klauen **III.** *vi* ❶ *(be raised)* sich heben ❷ *(disperse) cloud, fog* sich auflösen ❸ *(become happier) mood* sich heben ◆**lift down** *vt* BRIT, AUS herunterheben ◆**lift off** *vi* ❶ *(leave the earth)* abheben ❷ *(come off)* sich hochheben lassen ◆**lift up** *vt* hochheben

'lift-off *n* AEROSP Start *m*

liga·ment ['lɪɡəmənt] *n* ANAT Band *nt;* **to tear a ~** sich *dat* einen Bänderriss zuziehen

liga·ture ['lɪɡətʃər] **I.** *n* ❶ *(bandage)* Binde *f;* MED Ligaturfaden *m fachspr* ❷ MUS Ligatur *f fachspr* ❸ TYPO *(character)* Ligatur *f;* *(stroke)* [Feder-/Pinsel]strich *m* ❹ *(bond)* Band *nt* ❺ *(act of binding)* Abbinden *nt kein pl* **II.** *vt* abbinden

light¹ [laɪt] **I.** *n* ❶ *no pl (brightness)* Licht *nt; is* **there enough ~?** ist es hell genug?; **by the ~ of the candle** im Schein der Kerze ❷ *(light-giving thing)* Licht *nt;* *(lamp)* Lampe *f;* **to put the ~ on/off** das Licht einschalten/ausschalten ❸ *no pl (fire)* Feuer *nt; (flame)* [Kerzen]flamme *f;*

have you got a ~, please? Entschuldigung, haben Sie [vielleicht] Feuer?; **to set ~ to sth** BRIT etw anzünden ❹ *no pl (daylight)* [Tages]licht *nt* ❺ *usu pl (traffic light)* Ampel *f* ❻ *(sparkle)* Strahlen *nt kein pl* ❼ *(perspective)* **try to look at it in a new ~** versuch es doch mal, aus einer anderen Perspektive zu sehen; **to show sth in a bad/good ~** etw in einem schlechten/guten Licht erscheinen lassen ❽ *no pl (enlightenment)* Erleuchtung *f* ▸ **to come to ~** ans Licht kommen **II.** *adj* ❶ *(bright)* hell; **it's slowly getting ~** es wird allmählich hell ❷ *(pale)* hell; *(stronger)* blass- **III.** *vt* <lit *or* lighted, lit *or* lighted> ❶ *(illuminate)* erhellen; *stage, room* beleuchten ❷ *(guide with light)* leuchten ❸ *(ignite) candle, match, fire* anzünden **IV.** *vi* <lit *or* lighted, lit *or* lighted> ❶ *(burn)* brennen ❷ *(become animated) eyes, etc.* aufleuchten *fig;* **her face lit with pleasure** sie strahlte vor Freude über das ganze Gesicht ◆**light up** **I.** *vt* ❶ *(illuminate) hall, room* erhellen; *street* beleuchten ❷ *(start smoking) cigar, cigarette, pipe* anzünden ❸ *(make animated)* **to ~ up** ◯ **sb's eyes** jds Augen aufleuchten lassen; **to ~ up** ◯ **sb's face** jds Gesicht erhellen **II.** *vi* ❶ *(become illuminated)* aufleuchten ❷ *(start smoking)* sich *dat* eine [Zigarette] anstecken *fam* ❸ *(become animated) eyes* aufleuchten *fig;* **her face lit up with pleasure** sie strahlte vor Freude

light² [laɪt] **I.** *adj* ❶ *(not heavy)* leicht ❷ *(not sturdily built)* leicht ❸ *(for small loads)* Klein-; **~ aircraft/lorry** Kleinflugzeug *nt/*-lastwagen *m* ❹ MIL **~ infantry** leichte Infanterie ❺ *(of food and drink)* leicht; *(low in fat)* fettarm; *pastry* locker ❻ *(porous) soil* locker ❼ *(low in intensity) breeze, rain* leicht ❽ *(easily disturbed) sleep* leicht ❾ *(easily done) sentence* mild; *housework* leicht ❿ *(gentle)* leicht; *kiss* zart; *(soft) touch* sanft ⓫ *(not serious)* leicht *attr;* **~ reading** Unterhaltungslektüre *f* ⓬ *(cheerful)* **with a ~ heart** leichten Herzens ▸ **to make ~ of sth** etw bagatellisieren **II.** *adv* ❶ *(with little luggage)* **to travel ~** mit leichtem Gepäck reisen ❷ *(with no severe consequences)* **to get off ~** glimpflich davonkommen

'light bulb *n* Glühbirne *f*

light·en¹ ['laɪtən] **I.** *vt* ❶ *(make less heavy)* leichter machen ❷ *(make easier to bear)* erleichtern; **to ~ sb's burden** jdm etw abnehmen ❸ *(make less serious)* aufheitern; *situation* auflockern; **to ~ sb's mood** jds

Stimmung heben **II.** vi ❶ (*become less heavy or severe*) leichter werden ❷ (*cheer up*) bessere Laune bekommen; **his heart ~ed** ihm wurde leichter ums Herz

light·en² ['laɪtᵊn] **I.** vi heller werden, sich aufhellen **II.** vt **to ~ one's hair** sich dat die Haare heller färben ◆ **lighten up** vi ~ **up, would you!** entspann dich!

light·er¹ ['laɪtə'] n Feuerzeug nt

light·er² ['laɪtə'] n NAUT Leichter m

light-'fin·gered adj ❶ (*thievish*) langfing[e]rig oft hum ❷ (*dexterous*) geschickt

light-'foot·ed adj leichtfüßig **light-'head·ed** adj (*faint*) benommen; (*dizzy*) schwind[e]lig; (*ebullient*) aufgekratzt fam **light-'heart·ed** adj (*carefree*) unbeschwert; (*happy*) heiter

'**light·house** n Leuchtturm m

light·ing ['laɪtɪŋ] n no pl Beleuchtung f; (*equipment*) Beleuchtungsanlage f

light·ly ['laɪtli] adv ❶ (*not seriously*) leichtfertig; **accusations like these are not made ~** solche Anschuldigungen erhebt man nicht so einfach; **not to take sth ~** etw nicht leichtnehmen ❷ (*gently*) leicht; (*not much*) wenig; **I tapped ~ on the door** ich klopfte leise an [die Tür] ❸ (*not deeply*) leicht; **to sleep ~** einen leichten Schlaf haben ❹ (*slightly*) leicht; **~ cooked vegetables** Gemüse, das nur ganz kurz gegart wird ❺ LAW (*without much punishment*) mild; **to get off ~** glimpflich davonkommen

'**light me·ter** n PHOT Belichtungsmesser m

light·ness¹ ['laɪtnəs] n no pl Helligkeit f

light·ness² ['laɪtnəs] n no pl ❶ (*lack of heaviness*) Leichtheit f ❷ (*gracefulness*) Leichtigkeit f ❸ (*lack of seriousness*) Leichtigkeit f ❹ (*cheerfulness*) Unbeschwertheit f

light·ning ['laɪtnɪŋ] METEO **I.** n no pl Blitz m; **thunder and ~** Blitz und Donner; **to be quick as ~** blitzschnell sein fam; **to be struck by ~** vom Blitz getroffen werden **II.** adj attr **to do sth with ~ speed** etw in Windeseile machen; **~ quick** blitzschnell

'**light·ning con·duc·tor** n BRIT, '**light·ning rod** n AM Blitzableiter m a. fig

'**light·ning strike** n BRIT, AUS Blitzstreik m

'**light pen** n ❶ COMPUT Lichtstift m ❷ (*for reading bar codes*) Codeleser m '**light-powered** adj solarzellenbetrieben '**light·ship** n NAUT Feuerschiff nt '**light-weight I.** n ❶ no pl SPORTS Leichtgewicht nt ❷ (*boxer*) Leichtgewichtler(in) m(f) ❸ (*lightly build person*) Leichtgewicht nt fam; (*pej: lacking endurance*) Schwächling m fam **II.** adj ❶ (*weighing little*) leicht

❷ (*trivial*) trivial ❸ (*pej: unimportant*) bedeutungslos '**light year** n ❶ ASTRON Lichtjahr nt ❷ (*fam: long distance*) **to be ~s away/ahead** Lichtjahre entfernt/voraus sein

lig·nite ['lɪgnaɪt] n no pl (*spec*) Braunkohle f

lik·able adj AM, AUS see likeable

like¹ [laɪk] **I.** prep ❶ (*similar to*) wie; **~ most people** wie die meisten Leute; **~ father, ~ son** wie der Vater, der Sohn; **what does it taste ~?** wie schmeckt es?; **what's it ~ to be a fisherman?** wie ist das Leben als Fischer?; **it feels ~ ages since we last spoke** ich habe das Gefühl, wir haben schon ewig nicht mehr miteinander gesprochen; **he looks ~ his brother** er sieht seinem Bruder ähnlich; **there's nothing ~ a good cup of coffee** es geht doch nichts über eine gute Tasse Kaffee; **or something ~ that** oder etwas in der Richtung; **that's just ~ him!** das sieht ihm ähnlich! ❷ *after* n (*such as*) wie; **why are you talking to me ~ that?** warum sprichst du so mit mir? ▸**it looks ~ rain/snow** es sieht nach Regen/Schnee aus; **that's more ~ it!** das ist schon besser! **II.** conj (*fam*) ❶ (*the same as*) wie; **let's go swimming in the lake ~ we used to** lass uns im See schwimmen gehen wie früher ❷ (*as if*) als ob; **she acts ~ she's the boss** sie tut so, als sei sie die Chefin **III.** n **I have not seen his ~ for many years** [so] jemanden wie ihn habe ich schon seit vielen Jahren nicht mehr gesehen; **have you ever seen the ~?** hast du so was schon gesehen? **IV.** adj ❶ attr (*similar*) ähnlich; **to be of [a] ~ mind** gleicher Meinung sein ❷ pred (*true to original*) ähnlich; *statue, painting* naturgetreu **V.** adv ❶ (*sl: somehow*) irgendwie; **it was kind of funny ~** es war irgendwie schon komisch, ne [o SÜDD gell] ❷ (*sl: in direct speech*) **everybody called her Annie, but my mom was ~ "it's Anne"** alle sagten zu ihr Annie, aber meine Mutter meinte: „sie heißt Anne!"; **I was ~, "what are you guys doing here?"** ich sagte nur, „was macht ihr hier eigentlich?"

like² [laɪk] **I.** vt ❶ (*enjoy*) mögen; **how do you ~ my new shoes?** wie gefallen dir meine neuen Schuhe?; ▪**to ~ doing sth** etw gern tun ❷ (*want*) **whether you ~ it or not** ob es dir passt oder nicht; **I would ~ the salad, please** ich hätte gerne den Salat, bitte; **would you ~ a drink?** möchten Sie etwas trinken?; **I'd ~ to go to Moscow for my holidays** ich würde gern[e] nach Moskau in Urlaub fahren; **you can drink a pint in two seconds? I'd ~ to see that!** du kannst einen halben Liter in zwei Sekunden austrinken? na, das möchte ich [doch mal] sehen! ❸ (*prefer*) **I ~ to get up early** ich stehe gerne früh auf ❹ (*feel*) **how would you ~ to have a big boy pull your hair?** wie würde es dir denn gefallen, wenn ein großer Junge dich am Haar ziehen würde? **II.** *vi* **as you ~** wie Sie wollen; **we can leave now if you ~** wir können jetzt gehen, wenn du möchtest **III.** *n* ∎**~s** *pl* Neigungen *pl*

like·able ['laɪkəbl] *adj* liebenswert

like·li·hood ['laɪklihʊd] *n no pl* Wahrscheinlichkeit *f;* **there's a great ~ that ...** es ist sehr wahrscheinlich, dass...; **in all ~** aller Wahrscheinlichkeit nach

like·ly ['laɪkli] **I.** *adj* <-ier, -iest *or* more ~, most ~> wahrscheinlich; **do remind me because I'm ~ to forget** erinnere mich bitte unbedingt daran, sonst vergesse ich es wahrscheinlich **II.** *adv* <more likely, most likely> **most/very ~** höchstwahrscheinlich/sehr ~; **as ~ as not** höchstwahrscheinlich; **I'll ~ not go to the dance** AM (*fam*) ich gehe wahrscheinlich nicht zum Tanzen

like-'mind·ed *adj* gleich gesinnt

lik·en ['laɪkən] *vt* ∎**to ~ sb/sth to sb/sth** jdn/etw mit jdm/etw vergleichen

like·ness <*pl* -es> ['laɪknəs] *n* ❶ (*resemblance*) Ähnlichkeit *f* (**to** mit) ❷ (*semblance*) Gestalt *f* ❸ (*portrait*) Abbild *nt;* (*painting*) Bild *nt;* **he makes very good ~es of the people he draws** er trifft die Personen, die er zeichnet, sehr gut

like·wise ['laɪkwaɪz] *adv* ebenfalls, gleichfalls; **to do ~** es genauso machen

lik·ing ['laɪkɪŋ] *n no pl* Vorliebe *f;* (*for person*) Zuneigung *f;* **to develop/have a ~ for sth** eine Vorliebe für etw *akk* entwickeln/haben ▶**for one's ~** für jds Geschmack

li·lac ['laɪlək] **I.** *n* ❶ (*bush*) Flieder *m* ❷ *no pl* (*colour*) Lila *nt* **II.** *adj* lila

lilo® ['laɪləʊ] *n* BRIT Luftmatratze *f*

lilt [lɪlt] **I.** *n* ❶ *of the voice* singender Tonfall ❷ (*rhythm*) munterer Rhythmus ❸ (*song*) fröhliches Lied **II.** *vt, vi* trällern

lily ['lɪli] *n* Lilie *f*

'lily-livered ['lɪlilɪvəd] *adj* (*liter*) feig[e]

'lily pad *n* Seerosenblatt *nt*

limb¹ [lɪm] *n* ❶ ANAT Glied *nt;* ∎**~s** Gliedmaßen *pl* ❷ BOT Ast *m* ▶**to risk life and ~ [to do sth]** Kopf und Kragen riskieren [um etw zu tun] *fam;* **to be out on a ~** [ganz] allein dastehen; **to go out on a ~ to do sth**

sich in eine prekäre Lage bringen, um etw zu tun

limb² [lɪm] *n* ❶ ASTRON (*edge*) Rand *m* ❷ BOT (*blade*) Spreite *f*

lim·ber ['lɪmbər] **I.** *adj* <-er, -est *or* more ~, most ~> ❶ (*supple*) *movements* geschmeidig ❷ (*flexible*) *body* gelenkig **II.** *vi* ∎**to ~ up** sich warm machen **III.** *vt* lockern

lim·bo¹ ['lɪmbəʊ] *n no pl* ❶ REL Vorhölle *f* ❷ (*waiting state*) Schwebezustand *m;* **to be in ~** *plan, project* in der Schwebe sein; *person* in der Luft hängen *fam*

lim·bo² ['lɪmbəʊ] **I.** *n* Limbo **II.** *vi* Limbo tanzen

lime¹ [laɪm] **I.** *n no pl* Kalk *m* **II.** *vt* kalken

lime² [laɪm] *n* (*fruit*) Limette *f;* (*tree*) Limonenbaum *m*

lime³ [laɪm] *n* Linde *f*

'lime·light *n no pl* Rampenlicht *nt*

lim·er·ick ['lɪmªrɪk] *n* Limerick *m*

'lime·stone *n no pl* Kalkstein *m*

lim·it ['lɪmɪt] **I.** *n* ❶ (*utmost point*) [Höchst]grenze *f;* **there's no ~ to her ambition** ihr Ehrgeiz kennt keine Grenzen; **to put a ~ on sth** etw begrenzen; **to overstep the ~** zu weit gehen; **to reach the ~ of one's patience** mit seiner Geduld am Ende sein ❷ (*boundary*) Grenze *f* ❸ (*of a person*) Grenze[n] *f[pl]*; **to know no ~s** keine Grenzen kennen; **to know one's ~s** seine Grenzen kennen; **to reach one's ~** an seine Grenze[n] kommen ❹ (*restriction*) Beschränkung *f;* **age ~** Altersgrenze *f;* **weight ~** Gewichtsbeschränkung *f* ❺ (*speed*) [zulässige] Höchstgeschwindigkeit; **to drive above the ~** die Geschwindigkeitsbegrenzung überschreiten ❻ (*blood alcohol level*) Promillegrenze *f* ❼ MATH (*value*) Grenzwert *m* ▶**to be the ~** die Höhe sein; **to be off ~s [to sb]** *esp* AM [für jdn] gesperrt sein; **within ~s** in Grenzen; **without ~s** ohne Grenzen **II.** *vt* ❶ (*reduce*) einschränken ❷ (*restrict*) ∎**to ~ oneself to sth** sich auf etw *akk* beschränken; ∎**to ~ sth to sth** etw auf etw *akk* begrenzen; ∎**to ~ sb** jdn einschränken

limi·ta·tion [ˌlɪmɪˈteɪʃªn] *n* ❶ *no pl* (*restriction*) Begrenzung *f,* Beschränkung *f* ❷ *usu pl* (*pej: shortcomings*) Grenzen *pl* ❸ *no pl* (*action*) Begrenzung *f*

lim·it·ed ['lɪmɪtɪd] *adj* ❶ (*restricted*) *choice, intelligence* begrenzt; **she's had very ~ movement in her legs since the accident** seit dem Unfall kann sie ihre Beine nur sehr eingeschränkt bewegen ❷ (*having limits*) begrenzt (**to** auf) ❸ BRIT **Smith and Jones L~** Smith and Jones

GmbH

lim·it·ed 'com·pa·ny *n* BRIT Gesellschaft *f* mit beschränkter Haftung

lim·it·ing ['lɪmɪtɪŋ] *adj* einschränkend *attr;* begrenzend *attr*

lim·it·less ['lɪmɪtləs] *adj* grenzenlos

lim·ou·sine [ˌlɪmə'ziːn] *n* **①** (*car*) [Luxus]limousine *f* **②** AM, AUS (*van*) Kleinbus *m*

limp¹ [lɪmp] **I.** *vi* hinken; (*fig*) mit Müh und Not vorankommen **II.** *n* no pl Hinken *nt;* **to walk with a ~** hinken

limp² [lɪmp] *adj* **①** (*not stiff*) schlaff; *cloth, material* weich; *leaves, flowers* welk; *voice* matt **②** (*weak*) schlapp; *efforts* halbherzig; *handshake* lasch; *response* schwach

lim·pet ['lɪmpɪt] *n* **①** (*mollusc*) Napfschnecke *f* **②** AM (*limpet mine*) Haftmine *f*

lim·pid ['lɪmpɪd] *adj* (*liter*) *eyes, water* klar

limp·ly ['lɪmpli] *adv* **①** (*not stiffly*) schlaff, lasch; **he shook her hand ~** er gab ihr lasch die Hand **②** (*weakly*) schlapp, kraftlos; **"...," she conceded ~** „...", sagte sie mit matter Stimme

limy ['laɪmi] *adj* kalkhaltig

linch·pin ['lɪn(t)ʃpɪn] *n* **①** (*pin*) Achsnagel *m* **②** (*essential part*) Stütze *f,* das A und O *fam;* **California was the ~ state in the last presidential elections** bei den letzten Präsidentschaftswahlen entschied sich letztlich alles in Kalifornien

lin·den *n esp* AM Linde *f*

line¹ [laɪn] **I.** *n* **①** (*mark*) Linie *f;* **dividing ~** Trennungslinie *f;* **straight ~** gerade Linie; MATH Gerade *f;* **to draw a ~** eine Linie ziehen **②** SPORTS Linie *f* **③** (*wrinkle*) Falte *f* **④** (*contour*) Linie *f* **⑤** (*boundary*) Grenze *f;* **to cross the ~** die Grenze überschreiten, zu weit gehen **⑥** (*cord*) Leine *f;* (*string*) Schnur *f* **⑦** TELEC (*Telefon*)leitung *f;* (*connection to network*) Anschluss *m;* **please hold the ~!** bitte bleiben Sie am Apparat! **⑧** (*row of words, also in poem*) Zeile *f;* **to drop sb a ~** jdm ein paar Zeilen schreiben **⑨** (*false account, talk*) **I've heard that ~ before** die Platte kenne ich schon in- und auswendig! *fam* **⑩** (*row of things / people*) Reihe *f;* **to be first in ~** an erster Stelle stehen; (*fig*) ganz vorne dabei sein; **to be next in ~** als Nächster/Nächste dran sein **⑪** (*succession*) Linie *f* **⑫** *esp* AM (*queue*) Schlange *f;* **to get in ~** sich anstellen **⑬** (*product type*) Sortiment *nt;* FASHION Kollektion *f* **⑭** (*course*) **~ of argument** Argumentation *f;* **what ~ shall we take?** wie sollen wir vorgehen? **⑮** (*direction*) **my sister works in publishing and I'm hoping to do something along the same ~s** meine Schwester arbeitet im Ver-

lagswesen und ich würde gerne etwas Ähnliches tun **⑯** (*policy*) Linie *f;* **party ~** Parteilinie *f;* **to fall into ~ with sth** mit etw *dat* konform gehen ►**right down the ~** *esp* AM voll und ganz; **to put sth on the ~** etw aufs Spiel setzen; **to be on the ~** auf dem Spiel stehen **II.** *vt* **①** (*mark*) *paper* linieren **②** (*stand at intervals*) **to ~ the streets** die Straßen säumen *geh* ◆**line up I.** *vt* **①** (*put in row*) ▪**to ~ up ⟳ sth** etw in einer Reihe aufstellen **②** (*organize*) **have you got anyone ~d up to do the catering?** haben Sie jemanden für das Catering engagiert?; **I've got a nice little surprise ~d up for you!** ich habe noch eine nette kleine Überraschung für dich! **II.** *vi* **①** (*stand in row*) sich [in einer Reihe] aufstellen; MIL, SPORTS antreten **②** AM (*wait*) sich anstellen

line² [laɪn] *vt* **①** (*cover*) *clothing* füttern; *drawers* von innen auslegen; *pipes* auskleiden **②** (*fam: fill*) **to ~ one's pockets [with sth]** sich *dat* die Taschen [mit etw *dat*] füllen; **to ~ one's stomach** sich *dat* den Magen vollschlagen *fam*

lin·eage ['lɪniːdʒ] *n* Abstammung *f*

lin·eal ['lɪniəl] *adj descent* direkt

lin·ear ['lɪniə'] *adj* **①** (*relating to lines*) Linien- **②** (*relating to length*) Längen- **③** (*sequential*) geradlinig

lin·ear e'qua·tion *n* lineare Gleichung

lined [laɪnd] *adj* **①** *paper* liniert, liniert ÖSTERR, SCHWEIZ **②** (*wrinkled*) *face, hand, skin* faltig **③** *curtains, garment* gefüttert

lin·en ['lɪnɪn] *n no pl* Leinen *nt;* **bed ~** Bettwäsche *f*

'lin·en bas·ket *n* Wäschekorb *m*

lin·er ['laɪnə'] *n* **①** (*lining*) Einsatz *m;* [**dust**]**bin** [*or* AM **garbage can**] **~** Müllsack *m* **②** NAUT Liniendampfer *m;* **ocean ~** Ozeandampfer *m*

'lines·man *n* SPORTS Linienrichter *m*

'line-up *n* **①** *of experience* Besetzung *f* **②** SPORTS [Mannschafts]aufstellung *f;* AM (*in baseball*) Lineup *f fachspr* **③** *esp* AM LAW Gegenüberstellung *f* **④** AM, CAN Schlange *f*

lin·ger ['lɪŋɡə'] *vi* **①** (*remain*) **after the play, we ~ed in the bar** nach dem Stück blieben wir noch eine ganze Weile in der Bar sitzen; **the smell ~ed in the kitchen for days** der Geruch hing tagelang in der Küche; **to ~ in the memory** im Gedächtnis bleiben **②** (*persist*) anhalten

lin·ge·rie ['lɒ(n)ʒ°ri] *n no pl* [Damen]unterwäsche *f*

lin·ger·ing ['lɪŋɡ°rɪŋ] *adj attr* **①** (*lasting*) verbleibend; *fears* [fort]bestehend; *regrets* nachhaltig; *suspicion* [zurück]bleibend;

I **still have ~ doubts** ich habe noch immer so meine Zweifel ❷ (*long*) lang, ausgedehnt; *illness* langwierig; *kiss* innig

lin·go <*pl* -s *or* -es> ['lɪŋgəʊ] *n* (*fam*) ❶ (*foreign language*) Sprache *f* ❷ (*jargon*) Jargon *m*

lin·guist ['lɪŋgwɪst] *n* ❶ LING Linguist(in) *m(f)* ❷ (*sb who speaks languages*) Sprachkundige(r) *f(m)*

lin·guis·tic [lɪŋˈgwɪstɪk] *adj* sprachlich; *science* linguistisch

lin·guis·tics [lɪŋˈgwɪstɪks] *n* + *sing vb,* ❶ Sprachwissenschaft *f,* Linguistik *f*

lini·ment ['lɪnɪmənt] *n no pl* MED Einreibemittel *nt*

lin·ing ['laɪnɪŋ] *n* ❶ (*fabric*) Futter *nt; of coat, jacket* Innenfutter *nt; of dress, skirt* Unterrock *m* ❷ *of stomach* Magenschleimhaut *f; of digestive tract* Darmschleimhaut *f; of brake* Bremsbelag *m*

link [lɪŋk] I. *n* ❶ (*connection*) Verbindung *f* (**between** zwischen); (*between people, nations*) Beziehung *f* (**between** zwischen) ❷ RADIO, TELEC Verbindung *f;* INET, COMPUT Link *m* ❸ TRANSP **rail ~** Bahnverbindung *f* ❹ *of chain* [Ketten]glied *nt;* **a ~ in a chain** [**of events**] (*fig*) ein Glied in der Kette [der Ereignisse] II. *vt* ❶ (*connect*) verbinden ❷ (*clasp*) **to ~ arms** sich unterhaken; **to ~ hands** sich an den Händen fassen III. *vi* (*connect*) sich zusammenfügen lassen

'link·man *n* BRIT ❶ RADIO, TV Moderator *m* ❷ SPORTS Mittelfeldspieler *m*

links [lɪŋks] *npl* ❶ (*golf course*) Golfplatz *m* ❷ SCOT GEOG (*area near seashore*) Dünen *pl*

'link-up *n* Verbindung *f* (**between** zwischen)

link·wom·an *n* BRIT ❶ RADIO, TV Moderatorin *f* ❷ SPORTS Mittelfeldspielerin *f*

lin·net ['lɪnɪt] *n* ORN [Blut]hänfling *m*

li·no·leum [lɪˈnəʊliəm] *n no pl* Linoleum *nt*

Li·no·type® ['laɪnəʊtaɪp] *n,* **Li·no·type ma·chine** *n* TYPO (*hist*) Linotype® *f*

lin·seed ['lɪnsiːd] *n no pl* Leinsamen *m*

lin·seed 'oil *n no pl* Leinöl *nt*

lint [lɪnt] *n no pl* ❶ BRIT MED Mull *m* ❷ *esp* AM (*fluff*) Fussel *f,* Fluse *f* NORDD

lin·tel ['lɪntəl] *n* ARCHIT Sturz *m; of door* Türsturz *m; of window* Fenstersturz *m*

lion ['laɪən] *n* ❶ ZOOL Löwe *m* ❷ ASTROL Löwe *m* ❸ (*celebrity*) Berühmtheit *f* ▸ **the ~'s den** die Höhle des Löwen; **the ~'s share** der Löwenanteil

li·on·ess <*pl* -es> ['laɪənes] *n* Löwin *f*

lion-'heart·ed *adj* (*liter*) furchtlos

li·on·ize ['laɪənaɪz] *vt* ■ **to ~ sb** jdn feiern

lip [lɪp] I. *n* ❶ ANAT Lippe *f* ❷ (*rim*) Rand *m; of jug* Schnabel *m* ❸ *no pl* (*fam: cheek*) Unverschämtheiten *pl* ▸ **to bite one's ~** sich *dat* etw verbeißen; **to keep a stiff upper ~** Haltung bewahren II. *vt* <-pp-> **to ~ a hole** (*in golf*) der Golfball bleibt am Rande des Loches liegen

'lip·gloss *n no pl* Lipgloss *m* **'lip·lin·er** *n* [Lippen]konturenstift *m*

lipo·suc·tion ['lɪpə(ʊ)ˌsʌkʃ⁰n] *n no pl* Fettabsaugen *nt*

'lip-read <-read, -read> I. *vi* von den Lippen ablesen II. *vt* ■ **to ~ sb** jdm von den Lippen ablesen **'lip salve** *n no pl* BRIT MED ❶ (*cream*) Lippenpflege *f;* (*stick*) Lippenpflegestift *m* ❷ (*stick*) Lippenpomade *f* **'lip ser·vice** *n no pl* (*pej*) Lippenbekenntnis *nt;* **to pay ~ to sth** ein Lippenbekenntnis zu etw *dat* ablegen **'lip·stick** *n no pl* Lippenstift *m*

liq·ue·fy <-ie-> ['lɪkwɪfaɪ] I. *vt* ❶ CHEM verflüssigen ❷ FIN **to ~ assets** Vermögenswerte verfügbar machen II. *vi* CHEM sich verflüssigen

li·queur [lɪˈkjʊəʳ] *n* Likör *m*

liq·uid ['lɪkwɪd] I. *adj* ❶ (*water-like*) flüssig, Flüssig-; ~ **soap** Seifenlotion *f* ❷ (*translucent*) **eyes** glänzend; *lustre* schimmernd ❸ *attr* CHEM verflüssigt ❹ FIN [frei] verfügbar II. *n* Flüssigkeit *f*

liq·ui·date ['lɪkwɪdeɪt] I. *vt* ❶ ECON *company, firm* auflösen ❷ FIN **to ~ assets** Mittel verfügbar machen; **to ~ debts** Schulden tilgen ❸ (*kill*) ■ **to ~ sb** jdn liquidieren *geh* II. *vi* ECON liquidieren

liq·ui·da·tion [ˌlɪkwɪˈdeɪʃ⁰n] *n* ❶ FIN *of company* Auflösung *f; of debts* Tilgung; **to go into ~** in Liquidation gehen *f* ❷ (*killing*) Liquidierung *f geh*

liq·uid crys·tal 'tele·vi·sion *n* Fernseher *m* mit LCD-Flachbildschirm

liq·uid·ity [lɪˈkwɪdəti] *n no pl* ❶ CHEM Flüssigkeit *f* ❷ FIN Liquidität *f fachspr*

liq·uid·ize ['lɪkwɪdaɪz] *vt* pürieren

liq·uid·iz·er ['lɪkwɪdaɪzəʳ] *n* Mixgerät *nt,* Mixer *m fam*

li·quid 'soap *n no pl* Flüssigseife *f*

liq·uor ['lɪkəʳ] I. *n* ❶ AM, Aus Alkohol *m;* **he can't hold his ~** er verträgt keinen Alkohol; **hard ~** Schnaps *m* II. *vi* AM (*fam*) ■ **to ~ up** sich besaufen III. *vt* AM (*fam*) ■ **to ~ sb up** jdn betrunken machen

liq·uo·rice ['lɪkʰrɪs] *n no pl* ❶ FOOD Lakritze *f* ❷ (*plant*) Süßholz *nt*

Lis·bon ['lɪzbən] *n* Lissabon *nt*

lisp [lɪsp] I. *n no pl* Lispeln *nt;* **to have a ~** lispeln II. *vi, vt* lispeln

lis·som(e) ['lɪsəm] *adj* (*liter*) *person* graziös; *animal* geschmeidig

list¹ [lɪst] I. *n* Liste *f;* ~ **of names** Namensliste *f;* (*in books*) Namensverzeichnis *nt;* **shopping** ~ Einkaufszettel *m;* **to put sb/sth on a** ~ jdn/etw auf eine Liste setzen; **to take sb/sth off a** ~ jdn/etw von einer Liste streichen II. *vt* auflisten; **to be** ~**ed in the phone book** im Telefonbuch stehen III. *vi* **to** ~ **at $700/£15** $700/£15 kosten

list² [lɪst] NAUT I. *vi* Schlagseite haben II. *n* Schlagseite *f*

list·en [ˈlɪsᵊn] I. *vi* ❶ (*pay attention*) zuhören; ■**to** ~ **to sb/sth** jdm/etw zuhören; ~ **to this!** hör dir das an! *fam;* **to** ~ **carefully** [ganz] genau zuhören; **to** ~ **to music/the news/the Radio** Musik/Nachrichten/Radio hören ❷ (*pay heed*) zuhören; **don't** ~ **to them** hör nicht auf sie ❸ (*attempt to hear*) **will you** ~ [out] **for the phone?** könntest du bitte aufpassen, ob das Telefon klingelt? II. *interj* hör mal!; ~, **we really need to ...** [jetzt] hör mal, wir müssen ... III. *n no pl* **have a** ~ **to this!** hör dir das an! ◆**listen in** *vi* (*secretly*) mithören; (*without participating*) mitanhören; (*to radio*) mithören

list·en·er [ˈlɪsᵊnər] *n* ❶ (*in a conversation*) Zuhörer(in) *m(f);* **to be a good** ~ gut zuhören können ❷ (*to lecture, concert*) Hörer(in) *m(f);* (*to radio*) [Radio]hörer(in) *m(f)*

lis·teria [lɪˈstɪəriə] *n no pl* MED Listeria *f*

list·ing [ˈlɪstɪŋ] *n* ❶ (*inventory*) Auflistung *f* ❷ (*entry in inventory*) Eintrag *m* ❸ (*programme*) ■~**s** *pl* Veranstaltungskalender *m;* **television** ~**s** Fernsehprogramm *nt*

list·less [ˈlɪs(t)ləs] *adj* ❶ (*lacking energy*) *person* teilnahmslos; *economy* stagnierend ❷ (*lacking enthusiasm*) lustlos; *performance* ohne Schwung *nach n*, schlaff

list·less·ly [ˈlɪs(t)ləsli] *adv* teilnahmslos, lustlos

list·less·ness [ˈlɪs(t)ləsnəs] *n no pl* Teilnahmslosigkeit *f;* MED Apathie *f*

lit¹ [lɪt] *vi, vt pt, pp of* **light**

lit² [lɪt] *n no pl* (*fam*) *short for* **literature** Literatur *f*

lita·ny [ˈlɪtᵊni] *n* REL Litanei *f a. fig*

li·tchi *n* FOOD *see* **lychee**

lite [laɪt] *adj* (*fam*) *literature, TV* leicht *pej,* anspruchslos *pej*

li·ter *n* AM *see* **litre**

lit·era·cy [ˈlɪtᵊrəsi] *n no pl* Lese- und Schreibfähigkeit *f;* **computer** ~ Computerkenntnisse *pl;* **the** ~ **level is low in that country** dieses Land hat eine hohe Analphabetenquote

lit·er·al [ˈlɪtᵊrᵊl] I. *adj* ❶ (*not figurative*) wörtlich ❷ (*word-for-word*) *translation, transcript* wörtlich ❸ (*not exaggerated*) buchstäblich; *truth* rein ❹ (*fam: for emphasis*) **fifteen years of** ~ **hell** fünfzehn Jahre lang die reinste Hölle; **a** ~ **avalanche of mail** eine wahre Flut von Zusendungen II. *n* BRIT TYPO Schreib-/Tipp-/Druckfehler *m*

lit·er·al·ly [ˈlɪtᵊrᵊli] *adv* ❶ (*in a literal manner*) [wort]wörtlich ❷ (*actually*) buchstäblich; **quite** ~ in der Tat; ~ **speaking** ungelogen ❸ (*fam: for emphasis*) echt

lit·er·ary [ˈlɪtᵊrᵊri] *adj attr* (*of literature*) *criticism, prize* Literatur-; *language, style* literarisch; **a** ~ **career** eine Schriftstellerkarriere

lit·er·ary ˈcriti·cism *n no pl* Literaturkritik *f*

lit·er·ate [ˈlɪtᵊrət] *adj* ❶ (*able to read and write*) ■**to be** ~ lesen und schreiben können ❷ (*well-educated*) gebildet; **to be computer** ~ sich mit Computern auskennen

lit·era·ture [ˈlɪtrətʃər] *n no pl* ❶ (*written works*) Literatur *f;* **nineteenth-century** ~ die Literatur des 19. Jahrhunderts ❷ (*specialist texts*) Fachliteratur *f* (**on/about** über) ❸ (*printed matter*) Informationsmaterial *nt*

lithe [laɪð] *adj* geschmeidig

lith·ium [ˈlɪθiəm] *n no pl* Lithium *nt*

litho·graph [ˈlɪθə(ʊ)grɑːf] I. *n* Lithographie *f* II. *vt* lithographieren

li·thog·ra·phy [lɪˈθɒɡrəfi] *n no pl* Lithographie *f*

Lithua·nia [ˌlɪθjuˈeɪniə] *n* Litauen *nt*

Lithua·nian [ˌlɪθjuˈeɪniən] I. *n* ❶ (*person*) Litauer(in) *m(f)* ❷ *no pl* (*language*) Litauisch *nt* II. *adj* litauisch

liti·gant [ˈlɪtɪgənt] *n* prozessführende Partei

liti·gate [ˈlɪtɪgeɪt] I. *vi* prozessieren II. *vt* ■**to** ~ **sth** um etw *akk* prozessieren

liti·ga·tion [ˌlɪtɪˈgeɪʃᵊn] *n no pl* Prozess *m*

li·ti·gious [lɪˈtɪdʒəs] *adj* LAW prozessfreudig *iron*

lit·mus [ˈlɪtməs] *n no pl* Lackmus *m o nt*

ˈlit·mus pa·per *n no pl* Lackmuspapier *nt*

ˈlit·mus test *n* ❶ CHEM Lackmustest *m* ❷ (*fam: decisive indication*) entscheidendes [An]zeichen (**of** für)

li·tre [ˈliːtər] *n* Liter *m o nt;* **two** ~**s** [of milk/beer] zwei Liter [Milch/Bier]; **per** ~ pro Liter

lit·ter [ˈlɪtər] I. *n* ❶ *no pl* (*rubbish*) Müll *m*, Abfall *m* ❷ *no pl* (*disorder*) Durcheinander *nt* ❸ + *sing/pl vb* ZOOL Wurf *m;* **a** ~ **of**

kittens ein Wurf kleiner Kätzchen ❹ *no pl* (*for animals*) Streu *f* II. *vt* ❶ (*make untidy*) **dirty clothes** ~ed **the floor** dreckige Wäsche lag über den Boden verstreut ❷ *usu passive* (*fill*) ▪to be ~ed with sth mit etw *dat* übersät sein

'lit·ter tray *n* Katzenklo *nt*

lit·tle ['lɪtl̩] I. *adj* ❶ (*small*) klein; (*for emphasis*) richtige(r, s) kleine(r, s); **my sister is a ~ monster** meine Schwester ist ein richtiges kleines Monster ❷ (*young*) klein; ~ **brother/sister** kleiner Bruder/kleine Schwester ❸ *attr* (*short in distance*) kurz; (*short in duration*) wenig, bisschen ❹ *attr* (*unimportant*) klein; **every ~ detail** jede Kleinigkeit II. *adv* ❶ (*somewhat*) ▪a ~ ein wenig (*hardly*) wenig; ~ **did she know that ...** sie hatte ja keine Ahnung davon, dass ...; ~ **more than an hour ago** vor kaum einer Stunde; **to ~ understand sth** etw kaum verstehen III. *pron sing* ❶ (*small quantity*) ▪a ~ ein wenig (of von) ❷ (*not much*) wenig; **as ~ as possible** möglichst wenig; **there is ~ sb can do** jd kann wenig machen; **the ~ ...** das wenige ... ❸ (*short distance*) **let's walk a ~ after dinner** lass uns nach dem Essen einen kurzen Spaziergang machen ❹ (*short time*) **it's a ~ after six** es ist kurz nach sechs ▶ **precious** ~ herzlich wenig

li·tur·gi·cal [lɪ'tɜːdʒɪkəl] *adj* liturgisch

lit·ur·gy ['lɪtɜːdʒɪ] *n* Liturgie *f*

live¹ [laɪv] I. *adj* ❶ *attr* (*living*) lebend; ~ **animals** echte Tiere ❷ MUS, RADIO, TV live; ~ **audience** Live-Publikum *nt;* ~ **broadcast** Liveübertragung *f* ❸ ELEC geladen; ~ **wire** Hochspannungskabel *nt* ❹ (*unexploded*) scharf ❺ (*burning*) glühend II. *adv* MUS, RADIO, TV live

live² [lɪv] I. *vi* ❶ (*be alive*) leben; **will she ~?** wird sie überleben?; **she ~d to be 97 years old** sie wurde 97 Jahre alt ❷ (*spend life*) leben; **to ~ in fear/luxury** in Angst/Luxus leben ❸ (*subsist*) leben (**by** von) ❹ (*be remembered*) weiterleben; **his music will ~ for ever** seine Musik ist unvergänglich ❺ (*have interesting life*) **to ~ a little** das Leben genießen ❻ (*reside*) wohnen; **where do you ~?** wo wohnst du?; **to ~ in the country/in town** auf dem Land/in der Stadt wohnen ▶ **to ~ to regret sth** etw noch bereuen werden II. *vt* **to ~ [one's] life to the full** das Leben in vollen Zügen genießen; **to ~ one's own life** sein eigenes Leben leben ▶ **to ~ a lie** mit einer Lebenslüge leben ◆ **live down** *vt* ▪to ~ **down** ⟳ **sth** über etw *akk* hinwegkommen; *mistakes* über etw *akk* Gras wachsen

lassen ◆ **live for** *vi* ▪to ~ **for sth** für etw *akk* leben ▶ **to ~ for the moment** ein sorgloses Leben führen ◆ **live in** *vi* [mit] im selben Haus wohnen; *student, nurse* im Wohnheim wohnen ◆ **live off**, Am *also* **live off of** *vi* ❶ (*depend*) ▪to ~ **off sb** auf jds Kosten leben ❷ (*support oneself*) ▪to ~ **off sth** *inheritance, pension* von etw *dat* leben ❸ (*eat*) ▪to ~ **off sth** von etw *dat* leben; (*exclusively*) sich ausschließlich von etw *dat* ernähren ◆ **live on** *vi* ❶ (*continue*) weiterleben; *tradition* fortbestehen; **to ~ on in memory** in Erinnerung bleiben ❷ (*support oneself*) ▪to ~ **on sth** von etw *dat* leben ❸ (*eat*) ▪to ~ **on sth** von etw *dat* leben; (*exclusively*) sich ausschließlich von etw *dat* ernähren ◆ **live out** *vt* ▪to ~ **out** ⟳ **one's dreams/fantasies** seine [Wunsch]träume/Vorstellungen verwirklichen; **to ~ out** ⟳ **one's life/one's days** sein Leben/seine Tage verbringen ◆ **live through** *vi* übersehen; **to ~ through an experience** eine Erfahrung durchmachen ◆ **live together** *vi* zusammenleben; *residents* zusammenwohnen ◆ **live up** *vt* **to ~ it up** (*fam*) die Puppen tanzen lassen ◆ **live up to** *vi* ▪to ~ **up to sb's expectations** jds Erwartungen gerecht werden; **to ~ up to one's reputation** seinem Ruf gerecht werden; **to ~ up to a promise** ein Versprechen erfüllen ◆ **live with** *vi* ❶ (*cohabit*) ▪to ~ **with each other** zusammenleben ❷ (*tolerate*) ▪to ~ **with sth** sich mit etw *dat* abfinden

live·li·hood ['laɪvlihʊd] *n* Lebensunterhalt *m;* **to lose one's ~** seine Existenzgrundlage verlieren

live·li·ness ['laɪvlinəs] *n no pl of child, person* Lebhaftigkeit *f*

live·ly ['laɪvli] *adj* ❶ (*full of energy*) *city, child, street* lebhaft; *child, eyes, tune* munter; *nature* aufgeweckt; ~ **place** ein Ort, an dem immer etwas los ist ❷ (*bright*) *colour* hell; (*pej*) grell ❸ (*lifelike*) lebendig; *description* anschaulich ❹ (*enduring*) *tradition* lebendig ❺ (*brisk*) rege; *pace* flott ❻ (*stimulating*) *discussion, style* lebhaft; *imagination* rege(r, s); *mind* wach

liv·en ['laɪvən] I. *vt* ▪to ~ **up** ⟳ **sth** Leben in etw *akk* bringen; **to ~ up a room** ein Zimmer etwas aufpeppen *fam;* ▪to ~ **up** ⟳ **sb** jdn aufmuntern II. *vi person* aufleben; *party, sports match* in Schwung kommen

liv·er ['lɪvə'] *n* FOOD, ANAT Leber *f*

'liv·er com·plaint *n* Leberschaden *m*

liv·er·ish ['lɪvªrɪʃ] *adj* ❶ (*dated: ill*) leberkrank ❷ (*hum: peevish*) übellaunig

'liv·er sau·sage n no pl Leberwurst f
liv·ery ['lɪvᵊri] n ❶ FASHION Livree f ❷ BRIT (design) Firmenfarben pl
'live·stock n no pl Vieh nt
liv·id ['lɪvɪd] adj (fam: furious) wütend; absolutely ~ fuchsteufelswild
liv·ing ['lɪvɪŋ] I. n ❶ usu sing (livelihood) Lebensunterhalt m; is he really able to make a ~ as a translator? kann er von der Übersetzerei wirklich leben?; to do sth for a ~ mit etw dat seinen Lebensunterhalt verdienen ❷ no pl (lifestyle) Lebensstil m; standard of ~ Lebensstandard m ❸ pl ■the ~ (people) die Lebenden pl II. adj ❶ (alive) lebend attr; we didn't see a ~ soul on the streets wir sahen draußen auf der Straße keine Menschenseele; ~ creatures Lebewesen pl ❷ (exact) to be the ~ image of sb jdm wie aus dem Gesicht geschnitten sein ❸ (still used) lebendig; language lebend ▸ to scare the ~ daylights out of sb jdn zu Tode erschrecken; to be in ~ memory [noch] in [lebendiger] Erinnerung sein
'liv·ing con·di·tions n Lebensbedingungen pl 'liv·ing quar·ters npl Wohnbereich m; MIL Quartier nt 'liv·ing roof n see ecoroof 'liv·ing room n Wohnzimmer nt 'liv·ing space n no pl (for personal accommodation) Wohnraum m; (for a nation) Lebensraum m liv·ing 'wage n no pl Existenzminimum nt
liz·ard ['lɪzəd] n Eidechse f
lla·ma ['lɑ:mə] n Lama nt
load [ləʊd] I. n ❶ (amount carried) Ladung f; the maximum ~ for this elevator is eight persons der Aufzug hat eine Tragkraft von maximal acht Personen; with a full ~ of passengers mit Passagieren [voll] besetzt ❷ (burden) Last f; a heavy/ light ~ ein hohes/niedriges Arbeitspensum ❸ (fam: lots) what a ~ of rubbish! was für ein ausgemachter Blödsinn!; a ~ of work ein Riesenberg an Arbeit ❹ (fam: plenty) ■ ~ s jede Menge ▸ get a ~ of this! (sl) hör dir das an! II. adv ■ ~ s pl (sl) tausendmal fam III. vt ❶ (fill) laden; container beladen; dishwasher einräumen; washing machine füllen ❷ (burden) aufladen; to ~ sb with responsibilities jdm sehr viel Verantwortung aufladen ❸ (supply excessively) ■ to ~ sb/sth with sth jdn/etw mit etw dat überhäufen ❹ (fill) canon laden; (insert) cassette, film einlegen ❺ (bias) to ~ a roulette wheel das Roulette präparieren IV. vi [ver]laden
◆load down vt schwer beladen; ■ to ~ sb down jdm zu viel aufbürden ◆load up I. vt aufladen; to ~ up a container einen Container beladen; let's ~ up the car and then we can go lass uns schnell die Sachen ins Auto laden, dann können wir gehen II. vi beladen
load·ed ['ləʊdɪd] adj ❶ (carrying sth) beladen ❷ (with ammunition) geladen ❸ (having excess) überladen (with mit); to be ~ with calories eine Kalorienbombe sein ❹ pred (fam: rich) steinreich ❺ pred esp AM (sl: drunk) besoffen fam ❻ AM AUTO (with all the extras) voll ausgestattet ❼ (biased) to be ~ in favour of sb/sth für jdn/etw eingenommen sein; ~ question Fangfrage f
load·stone n see lodestone
loaf¹ <pl loaves> [ləʊf] n ❶ (bread) Brot nt; (unsliced) Brotlaib m ❷ (bread-shaped food) Kasten-
loaf² [ləʊf] vi faulenzen; to ~ about herumgammeln fam
loaf·er ['ləʊfə'] n ❶ (person) Faulenzer(in) m(f) pej ❷ FASHION [leichter] Halbschuh
loam [ləʊm] n no pl ❶ (soil) Lehmerde f ❷ (for making bricks) Lehm m
loan [ləʊn] I. n ❶ (money) Kredit m, Darlehen nt; a $50,000 ~ ein Darlehen über $50,000; to take out a ~ ein Darlehen aufnehmen ❷ (act) Ausleihe f kein pl, Verleihen nt kein pl; to be on ~ verliehen sein II. vt leihen
'loan·word n Lehnwort nt
loath [ləʊθ] adj pred (form) ■ to be ~ to do sth etw ungern tun
loathe [ləʊð] I. adj AM see loath II. vt nicht ausstehen können; stronger verabscheuen
loath·ing ['ləʊðɪŋ] n no pl (hate) Abscheu m; (hatred) Hass m; fear and ~ Angst und Abscheu; to fill sb with ~ jdn mit Ekel erfüllen; to have a ~ for sb/sth jdn/etw verabscheuen
loath·some ['ləʊðsəm] adj abscheulich; suggestion, action abstoßend
loaves [ləʊvz] n pl of loaf
lob [lɒb] I. vt <-bb-> lobben; to ~ a ball im Lob spielen II. n ❶ (ball) Lob m ❷ (stroke) Lobspiel nt kein pl
lob·by ['lɒbi] I. n ❶ ARCHIT Eingangshalle f; hotel/theatre ~ Hotel-/Theaterfoyer nt ❷ POL Lobby f; the anti-abortion ~ die Lobby der Abtreibungsgegner II. vi <-ie-> ■ to ~ for/against sth seinen Einfluss [mittels eines Interessenverbandes] für/gegen etw akk geltend machen; local residents lobbied to have the factory shut down die Anwohner schlossen sich zu-

L

sammen und forderten die Stilllegung der Fabrik **III.** *vt* <-ie-> ■**to ~ sb/sth** [**to do sth**] jdn/etw beeinflussen [etw zu tun]

lob·by·ist [ˈlɒbiɪst] *n* Lobbyist(in) *m(f)*

lobe [ləʊb] *n* Lappen *m; of ear* Ohrläppchen *nt; of brain* Gehirnlappen *m; of liver* Leberlappen *m*

lob·ster [ˈlɒbstəʳ] *n* zool, food Hummer *m*

'lob·ster pot *n* Hummerfangkorb *m*

lo·cal [ˈləʊkᵊl] **I.** *adj* ❶ *(neighbourhood)* hiesig, örtlich; ~ **politics** Kommunalpolitik *f;* ~ **radio station** Lokalsender *m;* ~ **branch** Filiale *f; of bank, shop* Zweigstelle *f* ❷ MED lokal **II.** *n* ❶ *usu pl (inhabitant)* Ortsansässige(r) *f(m)* ❷ BRIT *(fam: pub)* Stammkneipe *f* ❸ AM *(trade union)* örtliches Gewerkschaftsbüro

lo·cal an·aes·'thet·ic *n* örtliche Betäubung **lo·cal au'thor·ity** *n* BRIT *of community* Kommunalverwaltung *f; of city* Stadtverwaltung *f* **'lo·cal call** *n* Ortsgespräch *nt*

lo·cale [lə(ʊ)ˈkɑːl] *n* Örtlichkeit *f*

lo·cal 'gov·ern·ment *n of towns* Stadtverwaltung *f; of counties* Bezirksverwaltung *f*

lo·cal·ity [lə(ʊ)ˈkæləti] *n* Gegend *f*

lo·cali·za·tion [ˌləʊkᵊlaɪˈzeɪʃᵊn] *n no pl* Lokalisation *f*

lo·cal·ize [ˈləʊkᵊlaɪz] *vt* ❶ *(restrict)* lokalisieren *geh* ❷ *(pinpoint)* lokalisieren *geh* ❸ *(give local characteristics)* etw örtlich genau definieren

lo·cal·ly [ˈləʊkᵊli] *adv* am [*o* vor] Ort; **fruit and vegetables are grown** ~ Obst und Gemüse werden hier in dieser Gegend angebaut; ~ **produced** vor Ort hergestellt [*o* produziert]

lo·cal 'news·pa·per *n* Lokalblatt *nt* **'lo·cal time** *n* Ortszeit *f* **lo·cal 'train** *n* Nahverkehrszug *m*

lo·cate [lə(ʊ)ˈkeɪt] **I.** *vt* ❶ *(find)* ausfindig machen; *plane, sunken ship* orten ❷ *(situate)* bauen; **our office is ~d at the end of the road** unser Büro befindet sich am Ende der Straße; **to be centrally ~d** zentral liegen **II.** *vi* AM sich niederlassen

lo·ca·tion [lə(ʊ)ˈkeɪʃᵊn] *n* ❶ *(place)* Lage *f; company* Standort *m* ❷ FILM Drehort *m* ❸ *no pl (act)* Positionsbestimmung *f; of tumour* Lokalisierung *f*

loc. cit. [ˌlɒkˈsɪt] *abbrev of* **loco citato** l.c. *geh*, a.a.O.

loch [lɒk, SCOT lɒx] *n* SCOT ❶ *(lake)* See *m* ❷ *(fjord)* Meeresarm *m*

lock¹ [lɒk] **I.** *n* ❶ *(fastening device)* Schloss *nt;* **bicycle** ~ Fahrradschloss *nt* ❷ NAUT Schleuse *f* ❸ *(in wrestling)* Fesselgriff *m* ▶**to be under** ~ **and key** hinter

Schloss und Riegel sitzen *fam;* **to have a** ~ **on sth** AM *(fam)* etw fest in der Hand haben **II.** *vt* ❶ *(fasten)* abschließen; **he ~ed the documents in his filing cabinet** er schloss die Dokumente in den Aktenschrank; *suitcase* verschließen ❷ *usu passive (entangle)* sich verhaken; **to be ~ed in an embrace** sich eng umschlungen halten **III.** *vi* ❶ *(become secured)* schließen ❷ *(become fixed)* binden ❸ NAUT eine Schleuse passieren ◆**lock away** *vt* ❶ *(secure)* wegschließen ❷ *(for peace and quiet)* ■**to ~ oneself away** [**in one's office**] sich [in seinem Büro] einschließen; ■**to ~ away** ↻ **sb** jdn einsperren *fam* ◆**lock on** *vi* MIL **to ~ on to a target** ein genaues Ziel ausmachen ◆**lock out** *vt* aussperren ◆**lock up I.** *vt* ❶ *(secure)* abschließen; *documents, money* wegschließen ❷ *(put in custody)* ■**to ~ up** ↻ **sb** LAW jdn einsperren *fam;* MED jdn in eine geschlossene Anstalt bringen; ■**to ~ oneself up** sich einschließen **II.** *vi* abschließen, zuschließen

lock² [lɒk] *n* ❶ *(curl)* [Haar]locke *f* ❷ *(hair)* **long, flowing ~s** langes, wallendes Haar

lock·able [ˈlɒkᵊbl] *adj* abschließbar, verschließbar

lock·er [ˈlɒkəʳ] *n* Schließfach *nt;* MIL Spind *m*

lock·et [ˈlɒkɪt] *n* Medaillon *nt*

'lock·jaw *n no pl* MED *(dated fam)* Wundstarrkrampf *m* **'lock·out** *n (esp pej)* Aussperrung *f* **'lock·smith** *n* Schlosser(in) *m(f)* **'lock·up** *n* ❶ *(jail)* Gefängnis *nt;* (*for drunks*) Ausnüchterungszelle *f* ❷ *esp* BRIT *(garage)* [angemietete] Garage ❸ *no pl* AUTO Blockierung *f*

lo·co·mo·tion [ˌləʊkəˈməʊʃᵊn] *n no pl* Fortbewegung *f*

lo·co·mo·tive [ˌləʊkəˈməʊtɪv] **I.** *n* ❶ Lokomotive *f;* **steam ~** Dampflokomotive *f* **II.** *adj attr* Fortbewegungs-

lo·cum *n,* **lo·cum te·nens** <*pl* -tenentes> [ˌləʊkəmˈtenenz, *pl* -tiˈnentiːz] *n esp* BRIT, AUS *(spec)* Vertreter(in) *m(f) (eines Arztes oder Geistlichen)*

lo·cus <*pl* -ci> [ˈləʊkəs, *pl* -saɪ] *n* ❶ *(form: location)* Zentrale *f* ❷ MATH geometrischer Ort ❸ BIOL Genort *m*

lo·cust [ˈləʊkəst] *n* Heuschrecke *f*

lo·cu·tion [lə(ʊ)ˈkjuːʃᵊn] *n* ❶ *no pl (style of speech)* Ausdrucksweise *f* ❷ *(expression)* Redensart *f*

lode [ləʊd] *n* MIN Ader *f*

'lode·star *n usu sing* ❶ *(star)* Leitstern *m;* (*Pole Star*) Polarstern *m* ❷ *(guiding principle)* Leitbild *nt*

lodge [lɒdʒ] **I.** n ❶ (house) Hütte f; **gate-keeper's ~** Pförtnerhaus nt ❷ (in a resort) Lodge f **II.** vt ❶ (present formally) appeal, objection, complaint einlegen; protest erheben ❷ esp BRIT, AUS (form: store) ■ **to ~ sth with sb/sth** etw bei jdm/etw hinterlegen ❸ (make fixed) hineinstoßen ❹ (give sleeping quarters to) ■ **to ~ sb** jdn [bei sich dat] unterbringen **III.** vi ❶ (become fixed) stecken bleiben ❷ (form: reside) logieren; ■ **to ~ with sb** bei jdm [zur Untermiete] wohnen

lodg·er ['lɒdʒəʳ] n Untermieter(in) m(f); **to take in ~s** Zimmer [unter]vermieten

lodg·ing ['lɒdʒɪŋ] n ❶ no pl (form: accommodation) Unterkunft f; **board and ~** Kost und Logis f ❷ esp BRIT (dated fam: rented room) ■ **~s** pl möbliertes Zimmer

'lodg·ing house n Pension f

loft [lɒft] **I.** n ❶ (attic) Speicher m, Estrich m SCHWEIZ; (for living) Dachwohnung f, Loft m ❷ (gallery in church) **organ/choir ~** Empore f (für die Orgel/den [Kirchen]chor) ❸ (pigeon house) Taubenschlag m **II.** vt ball hochschlagen (**over** über)

lofty ['lɒfti] adj (form) ❶ (liter: soaring) hoch [aufragend]; heights schwindelnd ❷ (noble) erhaben; aims hoch gesteckt; ambitions hochfliegend; ideals hohe(r, s) ❸ (pej: haughty) überheblich

log¹ [lɒg] n (fam) short for **logarithm** Logarithmus m

log² [lɒg] **I.** n ❶ (branch) [gefällter] Baumstamm; (tree trunk) [Holz]block m; (for firewood) [Holz]scheit nt ❷ (record) NAUT Logbuch nt; AVIAT Bordbuch nt ❸ (systematic record) Aufzeichnungen pl; **police ~** Polizeibericht m **II.** vt <-gg-> ❶ (enter into record) aufzeichnen; phone calls registrieren ❷ (achieve) **to ~** [up] **a distance** eine Strecke zurücklegen; **to ~** [up] **a speed** eine Geschwindigkeit erreichen ❸ forest abholzen; trees fällen **III.** vi <-gg-> Bäume fällen ◆**log in** vi sich einloggen ◆**log off** vi sich ausloggen ◆**log on** vi sich einloggen (**to** in) ◆**log out** vi sich ausloggen

lo·gan·ber·ry ['ləʊgᵊnbᵊri] n FOOD ❶ (fruit) Loganbeere f ❷ (plant) Loganbeerstrauch m

loga·rithm ['lɒgᵊrɪðᵊm] n Logarithmus m

loga·rith·mic [ˌlɒgᵊr'ɪðmɪk] adj logarithmisch

'log book n ❶ NAUT Logbuch nt; AVIAT Bordbuch nt ❷ BRIT AUTO Kraftfahrzeugbrief m

log 'cab·in n Blockhaus nt

log·ger ['lɒgəʳ] n Holzfäller(in) m(f)

log·ger·heads ['lɒgəhedz] npl ■ **to be at ~** [**with sb**] [mit jdm] im Streit liegen

log·ic ['lɒdʒɪk] n no pl ❶ (chain of reasoning) Logik f; **flawed ~** unlogischer Gedankengang; **internal ~** innere Logik; **to defy ~** gegen jede Logik verstoßen ❷ (formal thinking) also COMPUT, ELEC Logik f ❸ (justification) Vernunft f

logi·cal ['lɒdʒɪkᵊl] adj ❶ (according to laws of logic) logisch ❷ (correctly reasoned) vernünftig ❸ (to be expected) **it was the ~ thing to do** es war das Vernünftigste, was man tun konnte ❹ (capable of clear thinking) **I was incapable of ~ thought** ich konnte keinen klaren Gedanken fassen

lo·gis·tics [lə'dʒɪstɪks] n + sing/pl vb Logistik f

'log·jam n ❶ (mass of logs) Anstauung f von Floßholz ❷ (deadlock) toter Punkt; **to break a ~** wieder aus einer Sackgasse herauskommen

logo ['ləʊgəʊ] n Logo m o nt

logo-'cen·tric adj product range mit gut sichtbarem Firmenlogo nach n; **a ~ design ethos** ein auf dem Firmenlogo beruhendes Design-Ethos

'log·roll·ing n no pl AM ❶ POL (fam) Kuhhandel m ❷ (sport) sportlicher Wettkampf mit dem Ziel, sich gegenseitig von im Wasser treibenden Baumstämmen zu stoßen

loin [lɔɪn] n ❶ usu sing ANAT, FOOD Lende f ❷ (liter, poet: sexual organs) ■ **~s** pl Lenden pl liter

'loin·cloth n Lendenschurz m

loi·ter ['lɔɪtəʳ] vi ❶ (hang about idly) **to ~ about** herumhängen sl; (pej) herumlungern fam ❷ (travel lazily) [herum]trödeln

loi·ter·er ['lɔɪtᵊrəʳ] n Herumtreiber(in) m(f) fam

loll [lɒl] **I.** vi (be lazy) lümmeln; (sit lazily) faul dasitzen; (lie lazily) faul daliegen; (stand lazily) faul herumstehen **II.** vt **to ~ out one's tongue** die Zunge herausstrecken

lol·li·pop ['lɒlipɒp] n Lutscher m, ÖSTERR a. Schlecker m

'lol·li·pop lady n BRIT, AUS (fam) ≈ Schülerlotsin f **'lol·li·pop man** n BRIT, AUS (fam) ≈ Schülerlotse m

lol·lop ['lɒləp] vi (fam) trotten; rabbit hoppeln

lol·ly ['lɒli] n ❶ BRIT, AUS (lollipop) Lutscher m; **~ ice** ≈ Eis nt am Stiel ❷ AUS, NZ (boiled sweet) Bonbon m o nt

lone [ləʊn] adj attr ❶ (solitary) einsam ❷ (uninhabited) place unbewohnt ❸ (unmarried) allein stehend; father, parent allein erziehend

lone·li·ness ['ləʊnlɪnəs] *n no pl* Einsamkeit *f* **lone·ly** <-ier, -iest *or* more ~, most ~> ['ləʊnli] *adj* ❶ (*unhappy*) einsam; **to feel ~** sich einsam fühlen ❷ (*solitary*) einsam ❸ (*unfrequented*) abgeschieden; *street* still

lon·er ['ləʊnəʳ] *n* (*usu pej*) Einzelgänger(in) *m(f)*

lone·some ['ləʊnsəm] *adj* ❶ *esp* AM (*unhappy*) einsam; **to feel ~** sich einsam fühlen ❷ (*unfrequented*) abgelegen ❸ (*causing lonely feeling*) einsam ▸ **by one's ~** *esp* AM (*fam*) ganz allein; **I was just sitting here all by my ~** ich saß hier einsam und allein

long¹ [lɒŋ] **I.** *adj* ❶ (*in space*) lang; (*over great distance*) weit; (*elongated*) lang, länglich; (*fam: tall*) groß, lang *fam; journey* weit; (*fig*) **there was a list of complaints as ~ as your arm** es gab eine ellenlange Liste von Beschwerden; **to have come a ~ way** (*distance*) von weit her gekommen sein; (*positive development*) es weit geschafft haben ❷ (*in time*) lang; (*tedious*) lang[wierig]; *friendship* langjährig; *memory* gut; **each session is an hour ~** jede Sitzung dauert eine Stunde; **we go back a ~ way** wir kennen uns schon seit ewigen Zeiten; **a ~ day** ein langer [und anstrengender] Tag; **it was a ~ time before I received a reply** es dauerte lange, bis [eine] Antwort bekam; **to work ~ hours** einen langen Arbeitstag haben ❸ (*in scope*) lang; *book* dick ❹ *pred* (*fam: ample*) ▪**to be ~ on sth** etw reichlich haben ❺ (*improbable*) *chance* gering ▸ **in the ~ run** auf lange Sicht [gesehen] **II.** *adv* ❶ (*for a long time*) lang[e]; **have you been waiting ~?** wartest du schon lange?; **the authorities have ~ known that ...** den Behörden war seit langem bekannt, dass ...; **I won't be ~** (*before finishing*) ich bin gleich fertig; (*before appearing*) ich bin gleich da; **it won't take ~** es wird nicht lange dauern; **take as ~ as you like** lass dir Zeit ❷ (*at a distant time*) lange; **~ ago** vor langer Zeit; **not ~ before ...** kurz davor ❸ (*after implied time*) lange; **how much ~er will it take?** wie lange wird es noch dauern?; **I'm not going to wait any ~er** ich werde nicht länger warten; **he no ~er wanted to go there** er wollte nicht mehr dorthin ❹ (*throughout*) **all day/night/summer ~** den ganzen Tag/die ganze Nacht/den ganzen Sommer [lang] ▸ **as ~ as ...** (*during*) solange ...; (*provided that*) vorausgesetzt, dass ... **III.** *n* ❶ *no pl* (*long time*) eine lange Zeit; **have you**

been waiting for ~? wartest du schon lange? ❷ (*in Morse*) lang; **one short and three ~s** einmal kurz und dreimal lang ▸ **before** [**very**] **~** schon [sehr] bald; **the ~ and the short of it** kurz gesagt

long² [lɒŋ] *vi* sich sehnen (**for** nach); ▪**to ~ to do sth** sich danach sehnen, etw zu tun

long³ *n* GEOG *abbrev of* **longitude** Länge *f*

'long·boat *n* NAUT Großboot *nt* **long-'dis·tance I.** *adj attr* ❶ (*between distant places*) Fern-, Weit-; **~ flight** Langstreckenflug *m;* ~ **relationship** Fernbeziehung *f* ❷ SPORTS Langstrecken-; **~ race** Langstreckenlauf *m* **II.** *adv* **to phone ~** ein Ferngespräch führen; **to travel ~** eine Fernreise machen **long-e's·tab·lished** *adj* ▪**to be ~** [schon] seit Langem bestehen; **we have a ~ policy ...** es ist bei uns seit Langem die Regel ...

lon·gev·ity [lɒn'dʒevəti] *n no pl* Langlebigkeit *f*

'long-haired <longer-, longest-> *adj* langhaarig; *animals* Langhaar- **'long·hand** *n no pl* Langschrift *f;* **to write sth in ~** etw mit der Hand schreiben **long 'haul** *n* ❶ (*long distance*) Langstreckentransport *m;* ~ **flight** Langstreckenflug *m* ❷ (*prolonged effort*) Anstrengung *f* über eine lange Zeit hinweg ❸ *esp* AM (*long time*) **to be in sth for the ~** sich langfristig für etw *akk* engagieren; **over the ~** auf lange Sicht

long·ing ['lɒŋɪŋ] **I.** *n* Sehnsucht *f,* Verlangen *nt* (**for** nach) **II.** *adj attr* (*showing desire*) sehnsüchtig

long·ing·ly ['lɒŋɪŋli] *adv* sehnsüchtig, voll[er] Sehnsucht [*o* Verlangen]

long·ish ['lɒŋɪʃ] *adj* (*fam*) ziemlich lang

lon·gi·tude ['lɒŋɪtjuːd] *n* GEOG Länge *f*

lon·gi·tu·di·nal [ˌlɒndʒɪ'tjuːdɪnᵊl]] *adj* ❶ (*lengthwise*) Längs-; **~ extent** längenmäßige Ausdehnung ❷ GEOG Längen-

'long johns *npl* (*fam*) lange Unterhose **'long jump** *n* SPORTS ❶ (*sports discipline*) ▪**the ~** *no pl* der Weitsprung ❷ (*action*) ▪**~s** *pl* Weitsprünge *pl* **'long-life** *adj* ❶ (*specially treated*) haltbar; **~ milk** H-Milch *f* ❷ (*specially made*) langlebig **long-'lived** <longer-, longest-> *adj* langlebig; *feud* [seit langem] bestehend **'long-lost** *adj attr* lang verloren geglaubt *attr; person* ~ lang vermisst geglaubt **long-'range** *adj* ❶ (*in distance*) Langstrecken- ❷ (*long-term*) langfristig **'long shot** *n* ▪**to be a ~** ziemlich aussichtslos sein; [**not**] **by a ~** (*fam*) bei weitem [nicht] **long-'sight·ed** *adj* ❶ (*having long sight*) weitsichtig ❷ *esp* AM (*fig: having foresight*) vorausschauend; ■ **to be ~** Weitsicht besitzen **long-'stand·ing** *adj* seit langem bestehend; *argument* seit langem anhaltend; *friendship, relationship* langjährig; *quarrel* lang während **long-'suf·fer·ing** *adj* langmütig **'long-term** *adj attr* langfristig; **~ memory** Langzeitgedächtnis *nt;* **~ strategy** Langzeitstrategie *f;* **the ~ unemployed** die Langzeitarbeitslosen *pl* **'long wave** *n* RADIO Langwelle *f* **'long·ways** *adv* der Länge nach, längs **long-'wind·ed** *adj* langatmig

loo [luː] *n* BRIT, AUS (*fam*) Klo *nt*

loo·fah [ˈluːfə] *n* ❶ (*sponge*) Luffaschwamm *m* ❷ (*plant*) Luffa *f*

look [lʊk] **I.** *n* ❶ *usu sing* (*glance*) Blick *m;* **to get a good ~ at sb/sth** jdn/etw genau sehen können; **to give sb a ~** jdn ansehen; (*glimpse*) jdm einen Blick zuwerfen; **to give sb a ~ of disbelief** jdn ungläubig Abneigung ansehen; **to have a ~ round** sich umsehen ❷ (*facial expression*) [Gesichts]ausdruck *m* ❸ *no pl* (*examination*) Betrachtung *f;* **may I have a ~?** darf ich mal sehen?; **to have a ~ at sth** sich *dat* etw ansehen; **to take a [good,] hard ~ at sb/sth** sich *dat* jdn/etw genau ansehen ❹ *no pl* (*search*) **to have a ~** nachsehen; **to have a ~ for sb/sth** nach jdm/etw suchen ❺ *no pl* (*appearance*) Aussehen *nt;* **I don't like the ~ of it** das gefällt mir [gar] nicht; **by the ~[s] of things** [so] wie es aussieht ❻ (*person's appearance*) ■~**s** *pl* Aussehen *nt kein pl;* **good ~s** gutes Aussehen ❼ FASHION Look *m* ► **if ~s could kill** wenn Blicke töten könnten **II.** *interj* (*explanatory*) schau mal *fam,* pass mal auf *fam;* (*protesting*) hör mal *fam* **III.** *vi* ❶ (*glance*) schauen; **to ~ away** [*or* **the other way**] wegsehen ❷ (*search*) suchen; (*in an encyclopedia*) nachschlagen; **to keep ~ing** weitersuchen ❸ (*appear*) **she doesn't ~ her age** man sieht ihr ihr Alter nicht an; **to ~ bad/tired/gut** schlecht/ müde/gut aussehen; **it ~s very unlikely that ...** es scheint sehr unwahrscheinlich, dass ...; ■**to ~ like sb/sth** (*resemble*) jdm/etw ähnlich sehen; **he ~ed like a friendly sort of person** er schien ein netter Mensch zu sein; **it ~s like rain** es sieht nach Regen aus ❹ (*pay attention*) **~ where you're going!** pass auf, wo du hintrittst!; **~ what you're doing!** pass [doch] auf, was du machst! ❺ (*face*) **to ~ north/east** nach Norden/Osten [hin] liegen; *room, window also* nach Norden/Osten [hinaus]gehen; ■**to ~ onto sth** auf etw

akk blicken; *room, window* auf etw *akk* [hinaus]gehen **IV.** *vt* **to ~ sb in the eye/ face** jdm in die Augen/ins Gesicht sehen ► **to ~ daggers at sb** jdn mit Blicken durchbohren ◆**look about** *vi* ■**to ~ about for sth** sich nach etw *dat* umsehen ◆**look after** *vi* ❶ (*glance*) nachsehen ❷ (*take care of*) ■**to ~ after sb/sth** sich um jdn/etw kümmern; **to ~ after one's own interests** seine eigenen Interessen verfolgen; **~ after yourself!** pass auf dich auf! ❸ (*keep an eye on*) ■**to ~ after sb/ sth** auf jdn/etw aufpassen ◆**look ahead** *vi* ❶ (*glance*) nach vorne sehen ❷ (*plan*) vorausschauen ◆**look around** *vi see* **look round** ◆**look at** *vi* ❶ (*glance*) ansehen ❷ (*examine*) ■**to ~ at sb/sth** sich *dat* jdn/etw ansehen ❸ (*regard*) ■**to ~ at sth** etw betrachten; **he ~s at things differently than you do** er sieht die Dinge anders als du ◆**look away** *vi* wegsehen ◆**look back** *vi* ❶ (*glance*) zurückschauen ❷ (*remember*) zurückblicken (**on/at** auf) ► **sb never ~ed back** (*fam*) für jdn ging es bergauf ◆**look down** *vi* ❶ (*glance*) nach unten sehen; ■**to ~ down at/on sb/sth** zu jdm/etw hinuntersehen ❷ (*despise*) ■**to ~ down [up]on sb/sth** auf jdn/etw herabsehen ❸ (*examine*) **to ~ down a list/page** eine Liste/ Seite von oben bis unten durchgehen ❹ ECON sich verschlechtern ◆**look for** *vi* ❶ (*seek*) ■**to ~ for sb/sth** nach jdm/etw suchen; **to ~ for a job** Arbeit suchen; **to ~ for trouble** (*consciously*) Streit suchen; (*not consciously*) sich *dat* Ärger einhandeln *fam* ❷ (*anticipate*) ■**to ~ for sb/sth** jdn/etw erwarten ◆**look forward** *vi* ❶ (*glance*) nach vorne sehen ❷ (*anticipate, enjoy*) ■**to ~ forward to sth** sich auf etw *akk* freuen ◆**look in** *vi* ❶ (*glance*) hineinsehen ❷ (*visit*) ■**to ~ in [on sb]** bei jdm vorbeischauen *fam* ◆**look into** *vi* ■**to ~ into sth** ❶ (*glance*) in etw *akk* [hinein]sehen ❷ **to ~ into sb's eyes/face** jdm in die Augen/ins Gesicht sehen ❷ (*examine*) etw untersuchen; **to ~ into a case/ claim/complaint** einen Fall/einen Anspruch/eine Beschwerde prüfen ◆**look on** *vi* ❶ (*glance*) betrachten ❷ (*regard*) betrachten; **to ~ on sth with disquiet/ favour** etw mit Unbehagen/Wohlwollen betrachten ❸ (*watch*) zusehen ► **to ~ on the bright side [of sth]** die positiven Seiten [einer S. *gen*] sehen ◆**look out I.** *vi* ❶ (*search, wait*) ■**to ~ out for sb/sth** nach jdm/etw Ausschau halten ❷ (*be careful*) aufpassen; ■**to ~ out for sb/sth** sich vor jdm/etw in Acht nehmen ❸ (*care for*) ■to ~ **out for oneself** seine eigenen Interessen verfolgen ❹ (*face a particular direction*) ■to ~ **out on sth** auf etw *akk* blicken; *room, window* auf etw *akk* hinausgehen II. *vt* Brit ■to ~ **out** ↻ **sth** etw heraussuchen; ■to ~ **out** ↻ **sb** jdn aussuchen ◆**look over** I. *vi* ❶ (*glance*) ■to ~ **over sth** über etw *akk* blicken; **to ~ over to sb/sth** zu jdm/etw hinübersehen ❷ (*offer a view*) **to ~ over sth** über etw *akk* blicken; *window, room* auf etw *akk* [hinaus]gehen II. *vt* ❶ (*view*) besichtigen; (*inspect, survey*) inspizieren ❷ (*examine briefly*) durchsehen; *letter* überfliegen; ■to ~ **over** ↻ **sb** jdn mustern ◆**look round** *vi* Brit, Aus ❶ (*glance*) sich umsehen ❷ (*search*) ■to ~ **round for sb/sth** sich nach jdm/etw umsehen ❸ (*examine*) ■to ~ **round sth** sich *dat* etw ansehen; *house* besichtigen ◆**look through** *vi* ❶ (*glance*) ■to ~ **through sth** durch etw *akk* [hindurch]sehen; **to ~ through a window** aus einem Fenster sehen ❷ (*understand*) ■to ~ **through sb/sth** jdn/sth durchschauen ❸ (*ignore*) ■to ~ [**straight**] **through sb** [einfach] durch jdn hindurchschauen ❹ (*peruse*) ■to ~ **through sth** etw durchsehen; *article* [kurz] überfliegen; *magazine* durchblättern ◆**look to** *vi* ❶ (*consider*) ■to ~ **to sth** sich um etw *akk* kümmern; **to ~ to one's motives** seine Motive [genau] prüfen ❷ (*rely on*) ■to ~ **to sb** auf jdn bauen ❸ (*regard with anticipation*) **to ~ to the future** in die Zukunft blicken ◆**look towards** *vi* ❶ (*glance*) ■to ~ **towards sb/sth** zu jdm/etw sehen ❷ (*face*) ■to ~ **towards sth** auf etw *akk* blicken; *room, window* auf etw *akk* [hinaus]gehen; **to ~ towards the east/north** nach Norden/Osten [hin] liegen; *room, window also* nach Norden/Osten [hinaus]gehen ❸ (*aim*) anstreben ◆**look up** I. *vi* ❶ (*glance*) ■to ~ **up at sb/sth** zu jdm/etw hinaufsehen; ■to ~ **up** [**from sth**] [von etw *dat*] aufsehen ❷ (*improve*) besser werden; *increase, rise* steigen II. *vt* ❶ (*fam: visit*) ■to ~ **up** ↻ **sb** bei jdm vorbeischauen ❷ (*search for*) nachschlagen; *telephone number* heraussuchen ◆**look upon** *vi see* **look on 2** ◆**look up to** *vi* ❶ (*glance*) ■to ~ **up to sth/sb** zu jdm/etw hinaufsehen ❷ (*admire*) ■to ~ **up to sb** zu jdm aufsehen

'look·a·like *n* Doppelgänger(in) *m(f)*

look·er ['lʊkə'] *n* (*fam*) **to be a ~** gut aussehen

'look-in *n no pl* Brit, Aus (*fam*) Chance *f*;

to get a ~ eine Chance bekommen **'look·ing glass** *n* Spiegel *m* **'look·out** *n* ❶ (*observation post*) Beobachtungsposten *m* ❷ (*person*) Wache *f* ❸ *esp* Brit (*fam: outlook*) Aussichten *pl* ❹ (*be alert for*) **to keep a ~** [**for sb/sth**] [nach jdm/etw] Ausschau halten; (*keep searching for*) auf der Suche [nach jdm/etw] sein **'look-over** *n* kurze Prüfung

loom¹ [luːm] I. *vi* ❶ (*come into view*) [drohend] auftauchen ❷ (*be ominously near*) sich drohend abzeichnen; *storm* sich zusammenbrauen *a. fig; difficulties* sich auftürmen; **to ~ large** eine große Rolle spielen II. *n* **the ~ of the land** das Auftauchen des Landes [am Horizont]

loom² [luːm] *n* Webstuhl *m*

loony ['luːni] (*fam*) I. *n* (*mad person*) Irre(r) *f(m)* II. *adj* verrückt

loop [luːp] I. *n* ❶ (*shape*) Schleife *f; of string, wire* Schlinge *f; of river* Schleife *f; of belt* Schlaufen *pl* ❷ Aviat Looping *m* ❸ (*in skating*) Schleife *f* ❹ (*contraceptive*) Spirale *f* ❺ *of tape, film* Schleife *f* ❻ Comput [Programm]schleife *f* II. *vt* (*form into loop*) **~ the rope over the bar** schling das Seil um die Stange; **he ~ed his arms around her body** er schlang seine Arme um sie III. *vi* ❶ (*form a loop*) eine Schleife machen; *road, stream* sich schlängeln ❷ Aviat einen Looping drehen

'loop·hole I. *n* ❶ Law Gesetzeslücke *f* ❷ (*slit*) Schießscharte *f* II. *vt* **to ~ a wall** eine Scharte in einer Wand anbringen

loose [luːs] I. *adj* ❶ (*not tight*) locker; *skin* schlaff; **~ cash/coins** Kleingeld *nt;* **~ sheets of paper** lose Blätter Papier; **to hang ~** lose herabhängen; **to work itself ~** sich lockern; (*sth glued*) sich lösen ❷ *hair* offen ❸ (*not confined*) frei; **to break ~** *person, dog* sich losreißen; **to let an animal ~** ein Tier loslassen (**on** auf) ❹ (*not exact*) ungefähr *attr;* (*not strict*) lose; *adaptation, translation* frei; *discipline* mangelhaft ❻ *clothing* weit, locker ❻ (*relaxed*) locker ❼ (*indiscreet*) **~ tongue** loses Mundwerk *fam* ❽ (*pej dated: immoral*) lose ▸**to hang ~** Am (*sl*) cool bleiben II. *n no pl* Law **to be on the ~** frei herumlaufen III. *vt* ❶ (*set free*) freilassen; **~ the dogs!** lass die Hunde los! ❷ (*untie*) *knot, rope* lösen ❸ (*relax*) **to ~ one's hold** loslassen

'loose-leaf *adj attr* Loseblatt-; **~ binder** Ringbuch *nt*

loose·ly ['luːsli] *adv* ❶ (*not tightly*) lose; **to hang ~** schlaff herunterhängen ❷ (*not exactly*) ungefähr; **~ speaking** grob gesagt; ~ **translated** frei übersetzt ❸ (*not strictly*) locker ❹ (*not closely*) lose; ~ **related** entfernt verwandt

loos·en ['luːsᵊn] I. *vt* ❶ (*make less tight*) **to ~ one's collar** seinen [Hemd]kragen aufmachen; **to ~ one's tie** seine Krawatte lockern ❷ (*make more lax*) *policy, rules* lockern ❸ (*relax*) *grip, muscles* lockern ❹ (*make weaker*) *ties* lockern; *relationship* [langsam] lösen ▸ **to ~ sb's tongue** jdm die Zunge lösen II. *vi* sich lockern

loose·ness ['luːsnəs] *n no pl* ❶ (*not tightness*) Lockerheit *f* ❷ (*inexactitude*) Ungenauigkeit *f,* Vagheit *f* ❸ (*laxity*) Lockerheit *f; of morals* Laxheit *f*

loot [luːt] I. *n no pl* ❶ MIL Kriegsbeute *f* ❷ (*plunder*) [Diebes]beute *f* ❸ (*hum fam: money*) Zaster *m; (valued objects)* Geschenke *pl* II. *vt* ❶ (*plunder*) [aus]plündern ❷ (*steal*) *goods* stehlen III. *vi* plündern

loot·ing ['luːtɪŋ] *n no pl* Plünderei *f*

lop¹ <-pp-> [lɒp] *vi* AM ❶ (*droop*) schlaff herunterhängen ❷ (*move in droopy manner*) *drunkard* torkeln

lop² [lɒp] I. *n no pl* abgehackte Äste/ Zweige II. *vt* <-pp-> ❶ (*to prune*) stutzen ❷ (*eliminate*) streichen; *budget* kürzen ◆**lop off** *vt* ❶ (*chop off*) *branch* abhacken ❷ (*remove*) *budget* kürzen; (*reduce*) verkürzen

lope [ləʊp] *vi* (*person*) in großen Sprüngen rennen

lop·'sid·ed *adj* schief; (*fig*) einseitig

lo·qua·cious [lə(ʊ)'kweɪʃᵊs] *adj* (*form*) redselig

lord [lɔːd] *n* ❶ (*nobleman*) Lord *m* ❷ (*ruler*) **~ of the manor** Gutsherr *m;* (*pej*) Herr *m* im Haus ❸ (*fam: powerful man*) Herr *m*

Lord 'Chan·cel·lor *n* BRIT Lordkanzler *m*

lord·ly ['lɔːdli] *adj* ❶ (*suitable for lord*) fürstlich ❷ (*imperious*) hochmütig

Lord 'May·or *n* BRIT Oberbürgermeister(in) *m(f)*

lord·ship ['lɔːdʃɪp] *n* (*form*) ❶ *no pl* (*dominion*) Herrschaft *f* ❷ BRIT (*form of address*) **His/Your L~** Seine/Euer Lordschaft; (*bishop*) Seine/Eure Exzellenz; *judge* Seine/Euer Ehren

lore [lɔːʳ] *n no pl* [überliefertes] Wissen; **common ~** [alte] Volksweisheit *f*

lor·ry ['lɒri] *n* BRIT Last[kraft]wagen *m*

lose <lost, lost> [luːz] I. *vt* ❶ (*forfeit*) verlieren; ■**to ~ sth to sb** etw an jdn verlieren; **to ~ one's breath** außer Atem kommen; **to ~ trade** Geschäftseinbußen erleiden ❷ (*through death*) **she lost her son in the fire** ihr Sohn ist beim Brand umge-

kommen; **to ~ one's life** sein Leben verlieren ❸ *usu passive* ■**to be lost** *things* verschwunden sein; *victims* umgekommen sein; *plane, ship* verloren sein ❹ (*waste*) *opportunity* versäumen; *time* verlieren; **to ~ no time in doing sth** etw sofort tun ❺ *watch, clock* **to ~ time** nachgehen ❻ (*not find*) *person, thing* verlieren; (*mislay*) verlegen; **to ~ one's way** sich verirren ❼ AM (*fam: get rid of*) abschütteln; *pursuer, car* abhängen ❽ (*fam: confuse*) **you've lost me there** da kann ich dir nicht ganz folgen ❾ (*not win*) verlieren ❿ (*forget*) *language, skill* verlernen ▸ **to ~ heart** den Mut verlieren; **to ~ one's heart to sb** sein Herz [an jdn] verlieren; **to ~ it** (*fam*) durchdrehen; **to ~ one's marbles** [*or* **mind**] (*hum*) nicht mehr alle Tassen im Schrank haben *fam;* **to have nothing to ~** nichts zu verlieren haben; **to ~ sleep over sth** sich *dat* wegen einer S. Sorgen machen; **to be lost in thought** in Gedanken versunken sein; **to ~ touch [with sb]** den Kontakt [zu jdm] verlieren; **to ~ track [of sth]** (*not follow*) [etw *dat*] [geistig] nicht folgen können; (*not remember*) **I've lost track of the number of times he's asked me for money** ich weiß schon gar nicht mehr, wie oft er mich um Geld gebeten hat II. *vi* ❶ (*be beaten*) verlieren (**to** gegen) ❷ (*flop*) ein Verlustgeschäft sein ❸ (*invest badly*) Verlust machen (**on** bei) ▸ **you can't ~** du kannst nur gewinnen ◆**lose out** *vi* ❶ (*be deprived*) schlecht wegkommen *fam;* ■**to ~ out in sth** bei etw *dat* den Kürzeren ziehen *fam* ❷ (*be beaten*) ■**to ~ out to sb/sth** jdm/etw unterliegen

los·er ['luːzəʳ] *n* ❶ (*defeated person*) Verlierer(in) *m(f)* ❷ (*person at disadvantage*) Verlierer *m* ❸ (*fam: habitually unsuccessful person*) Verlierer[typ] *m*

los·ing ['luːzɪŋ] *adj attr* Verlierer-

loss <*pl* -es> [lɒs] *n* Verlust *m* ▸ **to be at a ~** nicht mehr weiterwissen

'loss-lead·er *n* Lockvogelangebot *nt*

'loss-mak·ing *adj* **~ business** Verlustbetrieb *m*

lost [lɒst] I. *pt, pp of* **lose** II. *adj* ❶ (*unable to find way*) ■**to be ~** sich verirrt haben; (*on foot*) sich verlaufen haben; (*using vehicle*) sich verfahren haben; **to get ~** sich verirren ❷ (*no longer to be found*) **~ articles** abhandengekommene Artikel; **to get ~** verschwinden ❸ *pred* (*helpless*) **to feel ~** sich verloren fühlen; ■**to be ~** (*not understand*) nichts verstehen; ■**to be ~ without sb/sth** ohne jdn/etw verloren sein ❹ (*preoccupied*) **to be ~ in contemplation** [völlig] in Gedanken versunken sein ❺ (*wasted*) verpasst; *time* verschwendet ❻ (*perished, destroyed*) soldiers gefallen; *planes, ships, tanks* zerstört ❼ (*not won*) *battle, contest* verloren ▶ **to be ~ on sb the joke's ~ on him** er versteht den Witz nicht; **get ~!** (*fam!*) hau ab!

lost 'prop·er·ty *n no pl* ❶ (*articles*) Fundsachen *pl* ❷ BRIT, AUS (*office*) Fundbüro *nt*

lot [lɒt] **I.** *pron* ❶ (*much, many*) ■ **a ~** viel ❷ (*everything*) ■ **the ~** alles **II.** *adv* (*fam*) ■ **a ~** viel; **thanks a ~!** vielen Dank!; **your sister looks a ~ like you** deine Schwester sieht dir sehr ähnlich; **we go on holidays a ~** wir machen oft Urlaub **III.** *n* ❶ + *sing/pl vb* BRIT, AUS (*group*) Trupp *m fam;* BRIT (*usu pej fam: group of people*) Haufen *m;* **another ~ of visitors will be here this afternoon** heute Nachmittag kommt ein neuer Schwung Besucher; **are you ~ coming to lunch?** kommt ihr alle zum Essen? ❷ (*chance*) **to choose [sb/sth] by ~** [jdn/etw] durch Losentscheid bestimmen ❸ *no pl* (*fate*) Los *nt geh* ❹ *esp* AM, AUS (*land*) Stück *nt* Land; **building ~** Bauplatz *m;* **parking ~** Parkplatz *m* **IV.** *vt* <-tt-> [für eine Auktion in einzelne Stücke] aufteilen

loth *adj see* **loath**

lo·tion ['ləʊʃ°n] *n no pl* Lotion *f;* **suntan ~** Sonnenöl *nt/*-creme *f*

lotta ['lɒtə] (*fam*) *short for* **lot of** eine Menge

lot·tery ['lɒt°ri] *n* Lotterie *f*

lo·tus <*pl* -es> ['ləʊtəs] *n* BOT Lotos *m*

'lo·tus po·si·tion *n,* **'lo·tus pos·ture** *n no pl* Lotossitz *m*

loud [laʊd] **I.** *adj* ❶ (*audible*) laut ❷ (*pej: insistent*) [aufdringlich] laut ❸ (*pej: garish*) auffällig; *colours* grell, schreiend **II.** *adv* laut; **~ and clear** laut und deutlich; **this novel made me laugh out ~** als ich den Roman las, musste ich lauthals loslachen

loud·hail·er [-'heɪləʳ] *n* BRIT, AUS Megaphon *nt*

loud·ly ['laʊdli] *adv* ❶ (*audibly*) laut; **to speak/talk ~** laut sprechen/reden ❷ (*pej: insistently*) **to complain ~** sich lautstark beschweren ❸ (*pej: garishly*) auffällig, grell, schrill; **to dress ~** sich auffällig anziehen

'loud·mouth *n* (*fam*) Großmaul *nt*

loud·ness ['laʊdnəs] *n no pl* Lautstärke *f*

loud·'speak·er *n* Lautsprecher *m*

lounge [laʊndʒ] **I.** *n* ❶ (*public room*) Lounge *f; of hotel* Hotelhalle *f;* **depar·ture ~** Abflughalle *f* ❷ BRIT (*sitting room*) Wohnzimmer *nt* ❸ BRIT (*period of loung-*

ing) Faulenzen *nt* **II.** *vi* (*lie*) [faul] herumliegen; (*sit*) [faul] herumsitzen; (*stand*) [faul] herumstehen ◆ **lounge about, lounge around** *vi* (*lie*) [faul] herumliegen; (*sit*) [faul] herumsitzen; (*stand*) [faul] herumstehen

'lounge bar *n* BRIT *der vornehmere Teil eines Pubs mit eigener Bar* '**lounge chair** *n* Klubsessel *m* '**lounge liz·ard** *n* (*fam*) Salonlöwe *m* '**lounge suit** *n* BRIT Straßenanzug *m*

louse I. *n* [laʊs] ❶ <*pl* lice> (*parasite*) Laus *f* ❷ <*pl* -s> (*fam: person*) miese Type *pej* **II.** *vt* [laʊz] (*fam*) ■ **to ~ up** ⟳ sth etw vermasseln

lousy ['laʊzi] *adj* ❶ (*fam: bad*) lausig; **~ weather** Hundewetter *nt* ❷ (*meagre*) lausig ❸ *pred* (*ill*) **to feel ~** sich hundeelend fühlen ❹ (*infested with lice*) verlaust

lout [laʊt] *n* (*fam*) Flegel *m;* **lager ~s** BRIT (*pej*) Saufköpfe *pl derb*

lout·ish ['laʊtɪʃ] *adj* (*fam*) rüpelhaft

lout·ish·ness ['laʊtɪʃnəs] *n no pl* (*pej*) Pöbelhaftigkeit *f,* Rüpelhaftigkeit *f*

lov·able ['lʌvəbl] *adj* liebenswert

love [lʌv] **I.** *n* ❶ *no pl* (*affection*) Liebe *f;* **to show sb lots of ~** jdm viel Liebe geben; ■ **to be in ~ with sb** in jdn verliebt sein; **to be head over heels in ~** bis über beide Ohren verliebt sein; **to fall in ~ with sb** sich in jdn verlieben; **to make ~ to sb** mit jdm schlafen ❷ (*interest*) Leidenschaft *f;* (*with activities*) Liebe *f;* **she has a great ~ of music** sie liebt die Musik sehr; **to do sth for the ~ of it** etw aus Spaß machen ❸ *esp* BRIT (*fam: darling*) Schatz *m;* (*amongst strangers*) **can I help you, love?** was darf ich für Sie tun? ❹ *no pl* TENNIS null **II.** *vt* ❶ (*be in love with*) lieben; (*greatly like*) sehr mögen; **I would ~ a cup of tea** ich würde [sehr] gerne eine Tasse Tee trinken ❷ (*iron fam*) **he's going to ~ you for this!** na, der wird sich bei dir bedanken! **III.** *vi* verliebt sein; **I would ~ for you to come to dinner tonight** ich würde mich freuen, wenn du heute zum Abendessen kämst

love·able ['lʌvəbl] *adj* liebenswert

'love af·fair *n* [Liebes]affäre *f* '**love·bird** *n* ❶ ORN Unzertrennliche(r) *f(m)* ❷ (*fig, hum*) ■ **~s** *pl* Turteltauben *pl*

'loved-up *adj* verliebt; **I sat next to this ~ couple** ich saß neben diesem Zärtlichkeiten austauschenden Paar

love-'hate re·la·tion·ship *n* Hassliebe *f*

love·less ['lʌvləs] *adj* (*unloving*) lieblos; (*unloved*) *childhood, marriage* ohne Liebe *nach n*

'love let·ter *n* Liebesbrief *m* **'love·life** *n* Liebesleben *nt kein pl*

love·li·ness ['lʌvlɪnəs] *n no pl* Schönheit *f*

love·ly ['lʌvli] **I.** *adj* ❶ (*beautiful*) schön; *house* wunderschön; **to look ~** reizend aussehen ❷ (*fam: pleasant*) wunderbar, herrlich; *present* toll; **how ~ to see you!** wie schön, dich zu sehen!; **to be ~ and cool/warm/quiet** schön kühl/warm/ruhig sein ❸ (*charming*) nett, liebenswürdig **II.** *n* Schönheit *f*

'love-mak·ing *n no pl* [körperliche] Liebe

lov·er ['lʌvə^r] *n* ❶ (*person in love*) Liebende(r) *f(m)* ❷ (*sexual partner*) Liebhaber(in) *m(f)*; ■~s *pl* Liebespaar *nt sing* ❸ (*enthusiast*) Liebhaber(in) *m(f)* (**of** von); **sports ~** Sportfan *m*

'love·sick *adj* **to be ~** Liebeskummer haben **'love song** *n* Liebeslied *nt* **'love sto·ry** *n* Liebesgeschichte *f*

lov·ey ['lʌvi] *n* Brit (*fam*) Schatz *m*

lov·ing ['lʌvɪŋ] *adj* (*feeling love*) liebend; (*showing love*) liebevoll

lov·ing·ly ['lʌvɪŋli] *adv* liebevoll, zärtlich

low¹ [ləʊ] **I.** *adj* ❶ (*in height*) niedrig; *neckline* tief; *slope* flach ❷ (*in number*) gering, wenig; *blood pressure* niedrig; **to be ~ in calories/cholesterol** kalorien-/cholesterinarm sein ❸ (*depleted*) knapp; *stocks* gering; **to be ~** zur Neige gehen ❹ (*not loud*) leise; **~ groaning** verhaltenes Stöhnen; **in a ~ voice** mit leiser Stimme ❺ (*not high-pitched*) *voice* tief ❻ (*not intense*) niedrig; *light* gedämpft ❼ (*not good*) *morale* schlecht; *quality* minderwertig; **to have a ~ opinion of sb** von jdm nicht viel halten; **to hold sth in ~ regard** etw gering schätzen; **~ self-esteem** geringe Selbstachtung; **~ standards** schlechter Standard; (*in tests, etc.*) niedriges Niveau; **~ visibility** schlechte Sicht ❽ (*not important*) niedrig, gering; **to be a ~ priority** nicht so wichtig sein ❾ (*unfair, mean*) gemein ❿ (*sad*) **in ~ spirits** niedergeschlagen; **to feel ~** niedergeschlagen sein **II.** *adv* ❶ (*in height*) niedrig; **to be cut ~** *dress, blouse* tief ausgeschnitten sein ❷ (*to a low level*) tief; **to turn the music ~er** die Musik leiser stellen; **turn the oven on ~** stell den Ofen auf kleine Hitze ❸ (*cheap*) billig ❹ (*not loudly*) leise ❺ (*not high-pitched*) tief **III.** *n* ❶ (*low level*) Tiefpunkt *m* ❷ METEO Tief *nt* ❸ AUTO erster Gang ❹ AM (*person*) ■**to be in ~** schlapp sein *fam*

low² [ləʊ] **I.** *n* Muhen *nt* **II.** *vi cow* muhen

low-'al·co·hol *adj* alkoholarm **'low·born** *adj* von niedriger Geburt *nach n, präd veraltet* **'low·brow** (*esp pej*) **I.** *adj book, film*

geistig anspruchslos, seicht; *person* einfach **II.** *n* Banause *m* **low-cal** ['ləʊkæl] *adj* (*fam*), **low-'calo·rie** *adj* kalorienarm **'low-cost** *adj* billig **'low-cut** *adj dress* tief ausgeschnitten **low de-'mand** *n* niedrige Nachfrage

'low·down *n no pl* (*fam*) ■**the ~** ausführliche Informationen; **to give sb the ~** [on **sb/sth**] jdn ausführlich [über jdn/etw] informieren; **to get the ~ on sth** über etw *akk* aufgeklärt werden

low·er¹ ['ləʊə^r] **I.** *adj* ❶ (*less high*) niedriger; (*situated below*) untere(r, s), Unter- ❷ (*less in hierarchy*) *status, rank* niedere(r, s), untere(r, s); *animal* niedere(r, s) **II.** *vt* ❶ (*move downward*) herunterlassen; *hem* herauslassen; *lifeboat* zu Wasser lassen; **she ~ed herself into a chair** sie ließ sich auf einem Stuhl nieder; **to ~ one's arm/ hands** den Arm/die Hände senken; **to ~ one's eyes** die Augen niederschlagen ❷ (*decrease*) verringern; *interest rates* senken; *quality* mindern; **to ~ one's expectations/sights** seine Erwartungen/ Ansprüche zurückschrauben; **to ~ one's voice** seine Stimme senken ❸ (*demean*) ■**to ~ oneself to do sth** sich herablassen, etw zu tun **III.** *vi* sinken; *voice* leiser werden

low·er² [laʊə^r] *vi person* ein finsteres Gesicht machen; *light* dunkler werden; *sky* sich verfinstern; ■**to ~ at sb** jdn finster ansehen

lower-'case *n* **in ~** in Kleinbuchstaben **Low·er 'House** *n* Unterhaus *nt*

low·er·ing ['ləʊə^ərɪŋ] *n no pl* Senkung *f*, Reduzierung *f*; **~ of prices** Preissenkung *f*; **~ of standards** Herabsetzung *f* von [Qualitäts]normen; **~ of trade barriers** Abbau *m* von Handelsschranken

low-'fat *adj* fettarm **low-'key** *adj* zurückhaltend; *colour* gedämpft; **to keep sth ~** vermeiden, dass etw Aufsehen erregt; **to take a ~ approach to sth** etw ganz gelassen angehen **low·land** ['ləʊlənd] *n* ❶ *no pl* (*low-lying land*) Flachland *nt* ❷ (*area*) ■**the ~s** *pl* das Tiefland **'low-lev·el** *adj* ❶ (*not high*) tief ❷ (*of low status*) niedrig, auf unterer Ebene *nach n*; (*unimportant*) nebensächlich; *infection* leicht; *job* niedrig; *official* klein *meist pej* ❸ COMPUT niedere(r, s)

low·ly ['ləʊli] *adj* ❶ (*ordinary*) einfach; *status* niedrig ❷ (*modest*) bescheiden ❸ BIOL *organism, animal* niedere(r, s)

low-'ly·ing *adj* tief liegend, tief gelegen; **~ land** Tiefland *nt* **low-'mind·ed** *adj* primitiv *pej*, gewöhnlich **low·ness**

['ləʊnəs] *n no pl* ❶ (*in height*) Niedrigkeit *f;* *of the neckline* Tiefe *f* ❷ (*low-pitch*) *of note* Tiefe *f;* *of voice* Gedämpftheit *f* ❸ (*shortage*) Knappheit *f* ❹ (*meanness*) Niederträchtigkeit *f* ❺ (*depression*) Niedergeschlagenheit *f* **low-'pitched** *adj voice, note* tief **low-power FM, LPFM** [,elpi:ef'em] *n no pl* AM ~ **radio** Low-Power-FM-Radio *nt,* Mikroradio *nt* **low 'pressure** *n* PHYS Niederdruck *m;* METEO Tiefdruck *m* **low 'pro·file** *n* Zurückhaltung *f;* **to keep a** ~ sich zurückhalten; (*fig*) im Hintergrund bleiben **low-'rent** *adj* (*lit or pej*) gewöhnlich, schäbig **low-rise** *adj attr* ~ **trousers** auf den Hüften sitzende Hosen **low sea·son** *n* Nebensaison *f* **low-'spir·it·ed** *adj* niedergeschlagen **low-'tech** *adj* [technisch] einfach, Lowtech· **low 'tide** *n,* **low 'wa·ter** *n no pl* Niedrigwasser *nt; of sea* Ebbe *f*

loy·al [lɔɪəl] *adj* treu; (*correct*) loyal; ▪ **to be** ~ **to sb/sth** jdm/etw treu sein; (*behave correctly*) sich jdm/etw gegenüber loyal verhalten

loy·al·ist [lɔɪəlɪst] I. *n* ❶ (*government supporter*) Loyalist(in) *m(f)* ❷ BRIT, IRISH (*Unionist*) ▪ **L~** Befürworter der politischen Union zwischen GB und Nordirland II. *adj attr* loyal[istisch] *geh,* regierungstreu

loy·al·ly [lɔɪəli] *adv* treu; (*correctly*) loyal

loy·al·ty [lɔɪəlti] *n* ❶ *no pl* (*faithfulness*) Treue *f* (**to** zu); (*correctness*) Loyalität *f* (**to** gegenüber) ❷ (*feelings*) ▪ **loyalties** *pl* Loyalitätsgefühle *pl*

loz·enge ['lɒzɪndʒ] *n* ❶ MATH Raute *f* ❷ MED Pastille *f*

LP [,el'pi:] *n abbrev of* **long-playing record** LP *f*

LPG [,elpi:'dʒi:] *n abbrev of* **liquid petroleum gas** Flüssiggas *nt*

LSD *n no pl abbrev of* **lysergic acid diethylamide** LSD *nt*

Ltd. *adj after n abbrev of* **limited** GmbH *f*

lub·ri·cant ['lu:brɪkənt] *n* TECH Schmiermittel *nt;* MED, TECH Gleitmittel *nt*

lu·bri·cate ['lu:brɪkeɪt] *vt* ❶ (*grease*) schmieren ❷ (*make slippery*) [ein]ölen

lu·bri·ca·tion [,lu:brɪ'keɪʃ°n] *n no pl* Schmieren *nt*

lu·bri·ca·tor ['lu:brɪkeɪtər] *n* TECH ❶ (*substance*) Abschmierfett *nt* ❷ (*device*) Schmiergerät *nt*

lu·cern(e) [lu:'sɜ:n] *n no pl esp* BRIT BOT Luzerne *f*

Lu·cerne [lu:'sɜ:n] *n* Luzern *nt*

lu·cid ['lu:sɪd] *adj* ❶ (*unambiguous*) klar; (*easy to understand*) einleuchtend

❷ (*clear-thinking*) klar

Lu·ci·fer ['lu:sɪfər] *n* Luzifer *m;* **to be as proud as** ~ so stolz wie eine Rose sein

luck [lʌk] I. *n no pl* ❶ (*fortune*) Glück *nt;* **as** ~ **would have it** wie es der Zufall wollte; **just my** ~! Pech gehabt!; **no such** ~! (*fam*) schön wär's!; **a stroke of** ~ ein Glücksfall *m;* **bad** ~ [**on sb**] Pech *nt* [für jdn]; **to be in/out of** ~ Glück/kein Glück haben ❷ (*success*) Erfolg *m;* **any** ~ **with booking your flight?** hat es mit der Buchung deines Fluges geklappt? II. *vi* AM (*fam*) ▪ **to** ~ **into sth** etw durch Zufall ergattern

lucki·ly ['lʌkɪli] *adv* glücklicherweise; ~ **for them** zu ihrem Glück

luck·less ['lʌkləs] *adj* (*unfortunate*) glücklos; (*unsuccessful*) erfolglos

lucky ['lʌki] *adj* ❶ (*fortunate*) glücklich; **you** ~ **thing!** (*fam*) du Glückliche(r)!; ~ **her!** die Glückliche!; **we'll be** ~ **if ...** wir können von Glück sagen, wenn ...; **to count oneself** ~ sich glücklich schätzen ❷ (*bringing fortune*) Glück bringend, Glücks-

luc·ra·tive ['lu:krətɪv] *adj* einträglich

lu·di·crous ['lu:dɪkrəs] *adj* (*ridiculous*) lächerlich; (*absurd*) absurd

ludo ['lu:dəʊ] *n* BRIT Mensch-ärgere-dich-nicht[-Spiel] *nt*

lug[1] [lʌg] I. *vt* <-gg-> (*fam: carry*) schleppen; (*pull*) zerren; ▪ **to** ~ **sb along** jdn mitschleppen; ▪ **to** ~ **sth along** etw herumschleppen II. *n* AM (*fam*) Schatz *m*

lug[2] [lʌg] *n* ❶ BRIT, AUS (*hum sl: ear*) Löffel *m meist pl fam* ❷ (*protrusion*) Halterung *f* ❸ AM (*sl: bore*) Blödmann *m pej fam*

lug·gage ['lʌgɪdʒ] *n no pl* [Reise]gepäck *nt;* **a piece of** ~ ein Gepäckstück *nt*

'lug·gage rack *n esp* BRIT Gepäckablage *f; of bicycle* Gepäckträger *m* **'lug·gage van** *n* BRIT, AUS RAIL Gepäckwagen *m*

lug·ger ['lʌgər] *n* NAUT Logger *m*

'lug·hole *n* BRIT (*hum sl*) Löffel *m meist pl fam*

lu·gu·bri·ous [lu:'gu:briəs] *adj* schwermütig

luke·warm [,lu:k'wɔ:m] *adj* ❶ (*tepid*) lau[warm] ❷ (*not enthusiastic*) mäßig

lull [lʌl] I. *vt* ❶ (*soothe*) **to** ~ **sb to sleep** jdn in den Schlaf lullen ❷ (*trick*) einlullen *fig;* **to** ~ **sb into a false sense of security** jdn in trügerischer Sicherheit wiegen ❸ (*dispel*) *suspicions, fears* zerstreuen II. *vi* sich legen; *storm* nachlassen; *sea* sich beruhigen III. *n* [Ruhe]pause *f;* ECON Flaute *f*

lulla·by ['lʌləbaɪ] *n* Schlaflied *nt*

lum·ba·go [lʌmˈbeɪgəʊ] *n no pl* Hexen-
schuss *m*
lum·bar [ˈlʌmbəʳ] *adj attr* MED Lenden-
ˈlum·bar punc·ture *n* MED Lumbalpunkti-
on *f*
lum·ber¹ [ˈlʌmbəʳ] *vi person* schwerfällig
gehen; *tank* rollen; *cart* [dahin]rumpeln;
animal trotten; *bear* [behäbig] tapsen
lum·ber² [ˈlʌmbəʳ] **I.** *n no pl* ❶ *esp* BRIT
(*junk*) Krempel *m pej fam* ❷ *esp* AM, AUS
(*timber*) Bauholz *nt* **II.** *vt* BRIT, AUS (*fam*)
■**to ~ sth with sth** etw mit etw *dat* vollstopfen; ■**to ~ sb with sth** jdm etw aufhalsen **III.** *vi* Holz fällen
lum·ber·er [ˈlʌmbəʳrəʳ] *n,* **lum·ber·jack**
[ˈlʌmbədʒæk] *n* Holzfäller(in) *m(f)* ˈlum·
ber jack·et *n* Lumberjack *m* ˈlum·ber
room *n* BRIT Abstellkammer *f* ˈlum·ber
trade *n no pl esp* AM Holzhandel *m* ˈlum·
ber·yard *n esp* AM Holzlager *nt*
lu·mi·nary [ˈluːmɪnəʳri] *n* ❶ (*liter: in sky*)
Himmelskörper *m* ❷ (*in an industry*) Koryphäe *f geh;* (*in film, theatre*) Berühmtheit *f*
lu·mi·nos·ity [ˌluːmɪˈnɒsəti] *n no pl*
❶ (*brightness*) Helligkeit *f; of lamp*
Leuchtkraft *f;* PHYS Lichtstärke *f* ❷ (*fig*) *of
artist* Brillanz *f*
lu·mi·nous [ˈluːmɪnəs] *adj* ❶ (*bright*)
leuchtend *a. fig,* strahlend *a. fig* ❷ (*phos-
phorescent*) phosphoreszierend, Leucht-
❸ (*brilliant*) genial
lump [lʌmp] **I.** *n* ❶ (*chunk*) Klumpen *m;*
three ~s of sugar drei Stück Zucker ❷ (*sl:
heap*) Haufen *m fam* ❸ MED (*swelling*)
Schwellung *f;* (*in breast*) Knoten *m;* (*inside
body*) Geschwulst *f* ❹ (*fam: person*) Brocken *m* ▶ **to have a ~ in one's throat** einen Kloß im Hals haben **II.** *vt* ❶ (*combine*)
■**to ~ sth with sth** etw mit etw *dat* zusammentun *fam* ❷ (*sl: endure*) **to ~ it** etw
hinnehmen; **you'll just have to like it or
~ it** damit musst du dich eben abfinden
III. *vi* FOOD *flour, sauce* klumpen
lump ˈpay·ment *n* Einmalzahlung *f* **lump
ˈsug·ar** *n no pl* Würfelzucker *m* ˈlump
sum *n* Pauschalbetrag *m*
lumpy [ˈlʌmpi] *adj liquid* klumpig; *figure*
plump; *person* pummelig; *sea* unruhig;
surface uneben
lu·na·cy [ˈluːnəsi] *n no pl* ❶ (*dated: mental
condition*) Wahnsinn *m pej* ❷ (*foolishness*) *of action, statement* Wahnsinn *m
fam;* **sheer ~** heller Wahnsinn
lu·nar [ˈluːnəʳ] *adj* Mond-
lu·na·tic [ˈluːnətɪk] **I.** *n* ❶ (*dated: mentally
ill person*) Irre(r) *f(m) pej;* MED Geistesge-
störte(r) *f(m)* ❷ (*crazy person*) Verrück-
te(r) *f(m) fam* **II.** *adj* verrückt *pej;* MED geis-

tesgestört
ˈlu·na·tic asy·lum *n* (*hist*) Irrenanstalt *f
pej veraltend fam*
lunch [lʌn(t)ʃ] **I.** *n* <*pl* -es> ❶ (*midday
meal*) Mittagessen *nt;* **what's for ~?** was
gibt's zu Mittag?; **to have ~** zu Mittag essen ❷ (*midday break*) Mittagspause *f;* **to
be out to ~** in der Mittagspause sein
❸ (*light meal*) Imbiss *m* **II.** *vi* zu Mittag essen; ■**to ~ on sth** etw zu Mittag essen
ˈlunch break *n* Mittagspause *f*
lunch·eon [ˈlʌn(t)ʃən] *n* (*form*) Mittagessen *nt*
ˈlunch·eon meat *n* Frühstücksfleisch *nt*
ˈlunch·eon vouch·er *n* BRIT Essensmarke *f*
ˈlunch hour *n* Mittagspause *f* ˈlunch·
time *n* (*midday*) Mittagszeit *f;* (*lunch-
break*) Mittagspause *f;* **at ~** mittags
lung [lʌŋ] *n* Lungenflügel *m;* ■**the ~s** *pl*
die Lunge
ˈlung can·cer *n no pl* Lungenkrebs *m*
lunge [lʌndʒ] **I.** *n* (*sudden jump forwards*)
Satz *m* nach vorn; (*in fencing*) Ausfall *m;*
to make a ~ at sb/sth sich auf jdn/etw
stürzen **II.** *vi* ■**to ~ at sb** sich auf jdn stürzen; ■**to ~ forward** einen Satz nach vorne
machen; (*in fencing*) einen Ausfall machen
lu·pin(e) [ˈluːpɪn] *n* Lupine *f*
lurch¹ [lɜːtʃ] *n* **to leave sb in the ~** jdn im
Stich lassen
lurch² [lɜːtʃ] **I.** *n* <*pl* -es> Ruck *m a. fig; of
ship* Schlingern *nt; of person* Torkeln *nt; of
train* Ruckeln *nt* **II.** *vi crowd, person* torkeln; *car, ship* schlingern; *train* ruckeln;
■**to ~ away from sth** von etw *dat* abrücken
lurch·er [ˈlɜːtʃəʳ] *n* BRIT *Kreuzung zwischen
einem Windhund und einem anderen Ras-
sehund*
lure [lʊəʳ] **I.** *vt* [an]locken; ■**to ~ sb away
from sth** jdn von etw *dat* weglocken **II.** *n*
❶ *no pl* (*power of attraction*) Reiz *m*
❷ (*decoy*) Köder *m a. fig;* HUNT Lockvogel *m*
lu·rid [ˈljʊəʳrɪd] *adj* ❶ (*glaring*) grell [leuch-
tend]; *colours* schreiend ❷ (*sensational*)
reißerisch *pej; cover, article* reißerisch aufgemacht *pej;* (*terrible*) grässlich; *details*
schmutzig; **to describe sth in ~ detail**
etw drastisch schildern
lurk [lɜːk] *vi* lauern *a. fig;* (*fig*) ■**to ~
behind sth** hinter etw *dat* stecken; **to ~
beneath the surface** (*fig*) unter der Oberfläche schlummern
lus·cious [ˈlʌʃəs] *adj* ❶ (*sweet*) *taste, smell*
[herrlich] süß; *fruit* saftig [süß]; *cake, wine*
köstlich; *colour* satt ❷ (*fam: voluptuous*)

girl appetitlich; *curves* üppig; *lips* voll ❸ *(growing vigorously)* üppig

lush [lʌʃ] **I.** *adj* ❶ *grass* saftig [grün]; *growth, vegetation* üppig ❷ *(luxurious) car, hotel* luxuriös; *(voluptuous) colour* satt; *woman* sinnlich **II.** *n* ‹*pl* -es› AM *(sl)* Säufer(in) *m(f) fam*

lust [lʌst] **I.** *n* ❶ *(sexual drive)* Lust *f* (**for** nach) ❷ *(desire)* Begierde *f* (**for** nach); *(greed)* Gier *f* (**for** nach); **~ for money/power** Geld-/Machtgier *f* **II.** *vi* ■to **~ after sb** jdn begehren *geh* ◇ *o hum;* ■to **~ after sth** gierig nach etw *dat* sein

lus·ter *n no pl* AM *see* **lustre**

lust·ful ['lʌstfʊl] *adj* lüstern *geh*

lus·tre ['lʌstə^r] *n* ❶ *no pl (shine)* Glanz *m* ❷ *no pl (grandeur)* Glanz *m* ❸ *(pendant)* Lüster *m;* *(chandelier)* Kronleuchter *m*

lusty ['lʌsti] *adj* *(strong and healthy) person* gesund [und munter]; *man* stark; *appetite* herzhaft; *(energetic) children* lebhaft; *worker* tüchtig; *cry* laut; *kick, punch, voice* kräftig

lute [luːt] *n* Laute *f*

Lu·ther·an ['luːðə^rrən] REL **I.** *n* Lutheraner(in) *m(f)* **II.** *adj* lutherisch

Lux·em·bourg ['lʌksəmbɜːg] *n* Luxemburg *nt*

Lux·em·bourg·er ['lʌksəmbɜːgə^r] *n* Luxemburger(in) *m(f)*

Lux·em·bour·gian [ˌlʌksəm'bɜːgiən] *n* Luxemburgisch *nt*

luxu·ri·ant [lʌgˈʒʊəriənt] *adj* *(abundant)* üppig; *(adorned)* prunkvoll; *hair* voll; *imagination* blühend

luxu·ri·ate [lʌgˈʒʊərieɪt] *vi* sich aalen

luxu·ri·ous [lʌgˈʒʊəriəs] *adj* ❶ *(with luxuries)* luxuriös, Luxus- ❷ *(self·indulgent)* genüsslich; *(decadent)* genusssüchtig

luxu·ri·ous·ly [lʌgˈʒʊəriəsli] *adv* ❶ *(with luxuries)* luxuriös; **to furnish sth ~** etw prunkvoll ausstatten; **to live ~** auf großem Fuß leben ❷ *(self·indulgently)* genüsslich, genießerisch

luxu·ry ['lʌkʃ^əri] *n* ❶ *no pl (self·indulgence)* Luxus *m* ❷ *(luxurious item)* Luxus[artikel] *m*

LW *n abbrev of* **long wave** LW

ly·chee [ˌlaɪˈtʃiː] *n* Litschi *f*

Ly·cra® ['laɪkrə] *n no pl* Lycra® *nt*

lye [laɪ] *n no pl* Lauge *f*

ly·ing[1] ['laɪɪŋ] *vi present participle of* **lie**

ly·ing[2] ['laɪɪŋ] **I.** *adj attr* verlogen, lügnerisch **II.** *n no pl* Lügen *nt*

lymph [lɪmf] *n no pl* Lymphe *f*

lym·phat·ic [lɪmˈfætɪk] **I.** *adj* lymphatisch *fachspr,* Lymph[o]·; **~ drainage** Lymphdrainage *f* **II.** *n* Lymphgefäß *nt*

ˈ**lymph gland** *n,* ˈ**lymph node** *n* Lymphknoten *m*

lynch [lɪn(t)ʃ] *vt* lynchen

lynx ‹*pl* -es *or* -> [lɪŋks] *n* Luchs *m*

ˈ**lynx-eyed** *adj* **to be ~** Augen wie ein Luchs haben

lyre [laɪə^r] *n* Leier *f*

lyr·ic ['lɪrɪk] **I.** *adj* lyrisch **II.** *n* ❶ *(poem)* lyrisches Gedicht ❷ *(words for song)* ■ **~s** *pl* [Lied]text *m*

lyri·cal ['lɪrɪk^əl] *adj* ❶ *poetry* lyrisch ❷ *(emotional)* gefühlvoll

lyri·cism ['lɪrɪsɪz^əm] *n* ❶ *no pl* LIT, MUS Lyrik *f;* *(passage)* Lyrismus *m fachspr* ❷ *(sentiment)* Gefühlsregung *f*

lyri·cist ['lɪrɪsɪst] *n* ❶ *(writer of texts)* Texter(in) *m(f)* ❷ *(poet)* Lyriker(in) *m(f)*

M m

M <*pl* -'s *or* -s>, **m** <*pl* -'s> [em] *n* ❶ (*letter*) M *nt*, m *nt*; *see also* **A** 1 ❷ (*Roman numeral*) M *nt*, m *nt*

M [em] **I.** *adj* FASHION *abbrev of* **medium** M **II.** *n* BRIT *abbrev of* **motorway** ≈ A *f*

m I. *n* <*pl* -> ❶ *abbrev of* **metre** m ❷ *abbrev of* **mile** ❸ *abbrev of* **million** Mill., Mio. ❹ *abbrev of* **minute** Min. **II.** *adj* ❶ *abbrev of* **male** männl. ❷ *abbrev of* **masculine** m ❸ *abbrev of* **married** verh.

ma [mɑː] *n* ❶ (*fam: mother*) Mama *f* ❷ *esp* AM (*title*) **M~ Johnson** Mama Johnson

MA [ˌemˈeɪ] *n abbrev of* **Master of Arts**

ma'am[1] [mæm] *n short for* **madam** gnädige Frau *form*

ma'am[2] [mɑːm] *n* BRIT Majestät *f*

mac [mæk] *n esp* BRIT (*fam*) *short for* **macintosh** Regenmantel *m*

Mac[1] [mæk] *n* ❶ (*Scotsman*) Schotte *m* ❷ AM (*fam*) **hallo, ~!** hallo, Alter!

Mac[2] [mæk] *n* COMPUT (*fam*) *short for* **Macintosh**® Mac *m*

ma·ca·bre [məˈkɑːbr(ə)] *adj* makaber

mac·ad·am [məˈkædəm] *n* Schotter *m*

maca·ro·ni [ˌmækəˈrəʊni] *n no pl* Makkaroni *pl*

maca·ro·ni and 'cheese *n*, **maca·ro·ni 'cheese** *n* Käsemakkaroni *pl*

maca·roon [ˌmækəˈruːn] *n* Makrone *f*

mace[1] [meɪs] *n* ❶ BRIT (*staff*) Amtsstab *m* ❷ (*hist: weapon*) Keule *f;* (*with spikes*) Morgenstern *m*

mace[2] [meɪs] *n no pl* BOT, FOOD Mazis *m*

Mace® [meɪs] **I.** *n no pl* ≈ Tränengas *nt* **II.** *vt* mit Tränengas besprühen

Mac·edo·nia [ˌmæsɪˈdəʊniə] *n* Makedonien *nt*, Mazedonien *nt*

Mac·edo·nian [ˌmæsɪˈdəʊniən] **I.** *n* Makedonier(in) *m(f)*, Mazedonier(in) *m(f)* **II.** *adj* makedonisch, mazedonisch

Mach [mæk] *n no pl* AEROSP, PHYS Mach *nt*

ma·chete [məˈ(t)ʃeti] *n* Machete *f*

ma·chine [məˈʃiːn] **I.** *n* ❶ (*mechanical device*) Maschine *f*, Apparat *m;* (*fig: person*) Maschine *f;* **by ~** maschinell ❷ (*automobile, plane*) Apparat *m fig* **II.** *vt* (*produce*) maschinell herstellen; **to ~ the hem** den Saum [mit der Nähmaschine] umnähen

ma·'chine gun *n* Maschinengewehr *nt* **ma·'chine lan·guage** *n* COMPUT Maschinensprache *f* **ma·chine-'made** *adj* maschinell hergestellt **ma·chine-'read·able** *adj* COMPUT (*by device*) maschinenlesbar; (*by computer*) computerlesbar

ma·chin·ery [məˈʃiːnəri] *n no pl* ❶ (*machines*) Maschinen *pl* ❷ (*mechanism*) Mechanismus *m;* (*system*) Apparat *m*

ma·'chine tool *n* Werkzeugmaschine *f*

ma·chin·ist [məˈʃiːnɪst] *n* ❶ (*operator*) Maschinist(in) *m(f); of sewing machine* Maschinennäher(in) *m(f)* ❷ (*builder, repairer*) Maschinenbauer(in) *m(f)*

ma·cho [ˈmætʃəʊ] **I.** *adj* (*pej fam*) machohaft, Macho- **II.** *n* Macho *m pej*

macke·rel <*pl* -s *or* -> [ˈmækərəl] *n* Makrele *f*

mack·in·tosh [ˈmækɪntɒʃ] *n* BRIT Regenmantel *m*

macro [ˈmækrəʊ] *n* COMPUT Makro *nt*

macro·bi·ot·ic [ˌmækrə(ʊ)baɪˈɒtɪk] *adj* makrobiotisch **macro·cosm** [ˈmækrə(ʊ)ˌkɒzəm] *n* Makrokosmos *m* **macro·eco·nom·ics** [ˌmækrə(ʊ)iːkəˈnɒmɪks] *n* + *sing vb* Makroökonomie *f*

mad <-dd-> [mæd] *adj* ❶ *esp* BRIT (*fam: insane*) wahnsinnig, verrückt; **to go ~** den Verstand verlieren; **to drive sb ~** jdn um den Verstand bringen, jdn verrückt machen ❷ *esp* BRIT (*fam: foolish*) verrückt; **I must have been ~** ich war wohl nicht ganz bei Verstand; **[stark] raving ~** total verrückt ❸ (*frantic*) wahnsinnig *fam;* **I'm in a ~ rush** ich hab's wahnsinnig eilig; **like ~** wie verrückt; **to be ~ with anxiety** wahnsinnige Angst haben ❹ (*fam: enthusiastic*) verrückt (**about** nach) ❺ AM (*fam: angry*) sauer; **he's ~ as hell at you** er ist stinksauer auf dich; **to drive sb ~** jdn rasend machen ❻ AM (*sl*) mega-

Mada·gas·can [ˌmædəˈgæskən] **I.** *adj* madagassisch **II.** *n* Madagasse, Madagassin *m, f* **Mada·gas·car** [ˌmædəˈgæskəʳ] *n* Madagaskar *nt*

mad·am [ˈmædəm] *n* ❶ *no pl* (*form of address*) gnädige Frau *veraltet;* (*in titles*) **M~ President** Frau Präsidentin; **Dear M~, ...** (*in letter*) Sehr geehrte gnädige Frau, ... ❷ (*pej fam: girl*) Prinzesschen *nt iron* ❸ (*of brothel*) Bordellwirtin *f*

mad·cap [ˈmædkæp] **I.** *adj attr* (*dated*) verrückt; **~ idea** ausgeflippte Idee *fam* **II.** *n* (*eccentric person*) Ausgeflippte(r) *f(m) fam*

mad 'cow dis·ease *n* Rinderwahnsinn *m* **mad·den** [ˈmædən] *vt* (*drive crazy*) um den Verstand bringen; (*anger*) maßlos ärgern

mad·den·ing ['mædᵊnɪŋ] *adj* äußerst ärgerlich; *habit* nervend; *pain* unerträglich; *slowness, recklessness* provozierend; **her absent-mindedness is ~ at times** ihre Zerstreutheit ist manchmal zum Verrücktwerden

made [meɪd] **I.** *pp, pt of* **make II.** *adj* **to have** [got] **it ~** es geschafft haben *fam*

Ma·dei·ra [məˈdɪərə] *n* ➊ *no pl* GEOG Madeira *nt* ➋ (*wine*) Madeira[wein] *m* ➌ (*cake*) ~ [**cake**] ≈ Sandkuchen *m*

made-to-'meas·ure *adj* maßgeschneidert **made-'up** *adj* ➊ (*imaginary*) ausgedacht ➋ (*wearing make-up*) geschminkt ➌ (*prepared*) fertig, Fertig- ➍ *road* befestigt

'mad·house *n* ➊ (*pej fam or hist: mental hospital*) Irrenanstalt *nt* ➋ (*pej fam: chaotic household*) Irrenhaus *nt*

mad·ly ['mædli] *adv* ➊ (*insanely*) wie verrückt ➋ (*fam: frantically*) wie ein Verrückter/eine Verrückte ➌ (*fam: very much*) wahnsinnig

'mad·man *n* ➊ (*dated: insane*) Irrer *m fam* ➋ (*pej: frantic*) Verrückter *m fam;* **to drive like a ~** wie ein Irrer fahren

mad·ness ['mædnəs] *n no pl* ➊ (*insanity*) Wahnsinn *m*, Geisteskrankheit *f geh* ➋ (*folly*) Wahnsinn *m fam*, Verrücktheit *f;* **sheer ~** heller Wahnsinn

Ma·don·na [məˈdɒnə] *n* ➊ REL (*name*) Madonna *f* ➋ ART (*picture*) Madonnenbild *nt;* (*statue*) Madonnenfigur *f;* ■**the ~** die Madonna

'mad·wom·an *n* ➊ (*dated: insane*) Irre *f fam* ➋ (*pej: frantic*) Verrückte *f fam*

mael·strom ['meɪlstrɒm] *n* METEO, NAUT Ma[h]lstrom *m;* (*fig*) Strudel *m*

maes·tro <*pl* -tri> ['maɪstrəʊ, *pl* -stri] *n* (*also hum*) Maestro *m*

MAFF [mæf] *n* BRIT *abbrev of* **Ministry of Agriculture, Fisheries and Food** Ministerium *nt* für Landwirtschaft, Fischerei und Lebensmittel

ma·fia ['mæfiə] *n* + *sing/pl vb* Mafia *f*

mag [mæg] *n* (*fam*) *short for* **magazine** Blatt *nt*

maga·zine [ˌmægəˈziːn] *n* ➊ (*publication*) Zeitschrift *f* ➋ (*gun part*) Magazin *nt* ➌ MIL (*depot*) Depot *nt;* HIST Magazin *nt*

mag·got ['mægət] *n* Made *f*

mag·goty ['mægəti] *adj* madig; **~ carcass** von Maden zerfressener Leichnam

Magi ['meɪdʒaɪ] *npl* ■**the ~** die Weisen aus dem Morgenland, die Heiligen Drei Könige

mag·ic ['mædʒɪk] **I.** *n no pl* ➊ (*sorcery*) Magie *f*, Zauber *m;* **as if by ~** wie von Zauberhand ➋ (*tricks*) Zaubertrick[s] *m*[*pl*]; **to do ~** zaubern ➌ (*extraordinariness*) Zauber *m* ➍ (*effects*) Magie *f* **II.** *adj* ➊ (*supernatural*) magisch, Zauber-; **they had no ~ solution** sie konnten keine Lösung aus dem Ärmel zaubern ➋ (*extraordinary*) *moment* zauberhaft, wundervoll; *powers* magisch

magi·cal ['mædʒɪkᵊl] *adj* ➊ (*magic*) magisch, Zauber- ➋ (*extraordinary*) *moment* zauberhaft, wundervoll; *powers* magisch

magi·cal·ly ['mædʒɪkli] *adv* ➊ (*by magic*) wie von Zauberhand, wie durch ein Wunder ➋ (*extraordinarily*) wundervoll, zauberhaft

mag·ic 'car·pet *n* fliegender Teppich

ma·gi·cian [məˈdʒɪʃᵊn] *n* Zauberer *m*/Zauberin *f*, Magier(in) *m(f) geh;* (*on stage*) Zauberkünstler(in) *m(f)*

mag·is·te·rial [ˌmædʒɪˈstɪəriəl] *adj* (*form*) ➊ (*authoritative*) richtungweisend, autoritativ *geh* ➋ (*pej*) *tone, manner* herrisch ➌ (*of a magistrate*) *office, robes* richterlich

mag·is·trate ['mædʒɪstreɪt] *n* **to appear before a ~** vor einem Schiedsgericht erscheinen

mag·ma ['mægmə] *n no pl* GEOL Magma *nt*

mag·na·nim·ity [ˌmægnəˈnɪməti] *n no pl* Großzügigkeit *f*

mag·nani·mous [mægˈnænɪməs] *adj* großmütig *geh; generosity* überwältigend

mag·nani·mous·ly [mægˈnænɪməsli] *adv* großzügig, großmütig *geh*

mag·nate ['mægneɪt] *n* Magnat *m*

mag·ne·sia [mægˈniːʃə] *n no pl* Magnesiumoxid *nt*

mag·ne·sium [mægˈniːziəm] *n no pl* Magnesium *nt*

mag·net ['mægnət] *n* Magnet *m*

mag·net·ic [mægˈnetɪk] *adj* ➊ *iron, steel* magnetisch; **~ strip** Magnetstreifen *m* ➋ *effect, attraction* unwiderstehlich; *smile, charms* anziehend

mag·net·ic 'field *n* Magnetfeld *nt* **mag·net·ic 'pole** *n* Magnetpol *m*

mag·net·ism ['mægnətɪzᵊm] *n no pl* ➊ (*phenomenon*) Magnetismus *m;* (*charge*) magnetische Kräfte ➋ *of person* Ausstrahlung *f*

mag·net·ize ['mægnətaɪz] **I.** *vt* ➊ PHYS magnetisieren ➋ (*fig*) faszinieren **II.** *vi* magnetisch werden

mag·ne·to [mægˈniːtəʊ] *n* TECH, AUTO Magnetzünder *m*

mag·ni·fi·ca·tion [ˌmægnɪfɪˈkeɪʃᵊn] *n no pl* Vergrößerung *f*

mag·nifi·cence [mægˈnɪfɪsᵊn(t)s] *n no pl* Großartigkeit *f*, Größe *f;* **His/Her/Your M~** Seine/Ihre Magnifizenz

mag·nifi·cent [mægˈnɪfɪsᵊnt] *adj house, concert* wunderbar, großartig; *food* ausgezeichnet; **to look** ~ wunderschön aussehen

mag·nifi·cent·ly [mægˈnɪfɪsᵊntli] *adv* (*well*) hervorragend; (*surprisingly well*) bewundernswert; **she seems to be coping** ~ sie hält sich hervorragend

mag·ni·fy <-ie-> [ˈmægnɪfaɪ] *vt* (*make bigger*) vergrößern; (*make worse*) *problem* verschlimmern

'**mag·ni·fy·ing glass** *n* Lupe *f*

mag·ni·tude [ˈmægnɪtjuːd] *n* ❶ (*size*) Größe *f*; *of project, loss* Ausmaß *nt*; *of earthquake* Stärke *f*; *of problem* Tragweite *f* ❷ *no pl* (*importance*) Bedeutung *f*

mag·no·lia [mægˈnəʊliə] *n* Magnolie *f*

mag·pie [ˈmægpaɪ] *n* (*bird*) Elster *f*

ma·ha·ra·ja(h) [ˌmɑː(h)əˈrɑːdʒə] *n* (*hist*) Maharadscha *m*

ma·hoga·ny [məˈhɒgᵊni] *n* ❶ (*tree*) Mahagonibaum *m* ❷ *no pl* (*wood*) Mahagoni[holz] *nt*

maid [meɪd] *n* ❶ (*servant*) Dienstmädchen *nt*; (*in hotel*) Zimmermädchen *nt* ❷ (*old: girl*) Maid *f*; (*unmarried woman*) Mägdelein *nt*

maid·en [ˈmeɪdᵊn] **I.** *n* (*old*) Jungfer *f* **II.** *adj attr* ❶ (*unmarried*) unverheiratet ❷ (*first*) Jungfern-; ~ **voyage** Jungfernfahrt *f*

'**maid·en·hair** *n*, **maid·en·hair 'fern** *n* Frauenfarn *m* '**maid·en name** *n* Mädchenname *m* **maid·en 'speech** *n* Jungfernrede *f*

mail¹ [meɪl] **I.** *n no pl* Post *f*; **today's/this morning's** ~ die Post von heute; **to come in the** ~ mit der Post kommen; **to send sth through the** ~ etw mit der Post [ver]schicken **II.** *vt* **to** ~ **a letter/package** (*at post office*) einen Brief/ein Paket aufgeben; (*in mail box*) einen Brief/ein Paket einwerfen; ▪**to** ~ **sth to sb** jdm etw [mit der Post] schicken

mail² [meɪl] *n no pl* ❶ (*armour*) Panzer *m*; **chain** ~ Kettenpanzer *m* ❷ *of animal* Panzer *m*

'**mail·bag** *n* Postsack *m*; **since the controversial programme the BBC's** ~ **has been bulging** seit der umstrittenen Sendung quillt der Briefkasten der BBC über '**mail·box** *n* Am Briefkasten *m*, Postkasten *m bes* NORDD '**mail·ing list** *n* Adressenliste *f*, Mailinglist(e) *f* '**mail·man** *n* Am Briefträger(in) *m/f*, Postbote(in) *m/f* '**mail or·der** *n* [Direkt]versand *m*; (*by catalogue*) Katalogbestellung *f* '**mail·shot** *n esp* BRIT Hauswurfsendung *f*

maim [meɪm] *vt* (*mutilate*) verstümmeln; (*cripple*) zum Krüppel machen

main [meɪn] **I.** *n* ❶ TECH (*pipe*) Hauptleitung *f*; (*cable*) Hauptkabel *nt*; (*switch*) Hauptschalter *m*; (*of house*) Haupthahn *m* ❷ BRIT ELEC, TECH (*supply network*) ▪**the** ~ **s** *pl* das Versorgungsnetz; (*for electricity*) das [Strom]netz; **switch off the electricity at the** ~ **s before starting work** vor Arbeitsbeginn die Stromversorgung am Hauptschalter ausschalten ▶**in the** ~ im Allgemeinen **II.** *adj attr* Haupt-; ~ **concern** wichtigstes Anliegen

'**main·frame** *n* Hauptrechner *m* '**main·land** **I.** *n no pl* ▪**the** ~ das Festland **II.** *adj attr* ~ **Britain** die britische Hauptinsel; ~ **China** China *nt*; ~ **Europe** europäisches Festland '**main·line** (*fam*) **I.** *vt* **to** ~ **heroin** fixen *sl* **II.** *vi* fixen *sl*

main·ly [ˈmeɪnli] *adv* hauptsächlich, in erster Linie

main 'of·fice *n* Hauptverwaltung *f* **main 'road** *n* Hauptstraße *f* '**main·sail** *n* Hauptsegel *nt*, Großsegel *nt*

mains elec·tric·ity *n* Hauptstromschalter *m*

'**main·spring** *n* ❶ (*in clock, watch*) Triebfeder *f* ❷ (*fig: motivating factor*) **the** ~ **of sb's success** die Triebfeder jds Erfolges '**main·stay** *n of boat* Hauptstag *m*; *of economy* Stütze *f* '**main·stream** **I.** *n no pl* ▪**the** ~ (*society, lifestyle*) der Mainstream; **to enter the** ~ **of life/politics** am alltäglichen Leben/politischen Alltag[sgeschäft] teilnehmen **II.** *adj* Mainstream-; *book, film, music* kommerziell; **this party was not a part of** ~ **Austria until the last election** diese Partei war bis zur letzten Wahl nicht Teil des österreichischen Mainstreams; **to go** ~ (*fam*) sich an ein breites Publikum wenden; ECON sich an eine breite Käuferschicht wenden, ART, MUS in den Mainstream kommen

main·tain [meɪnˈteɪn] *vt* ❶ (*keep*) [bei]behalten; *blockade* aufrechterhalten; **to** ~ **one's dignity/sanity** seine Würde/geistige Gesundheit bewahren; **to** ~ **law and order/the status quo** Gesetz und Ordnung/den Status quo aufrechterhalten; **to** ~ **the lead** in Führung bleiben; **to** ~ **close links** in engem Kontakt bleiben ❷ (*in good condition*) instand halten; *garden* pflegen ❸ (*provide for*) *child, family* unterhalten ❹ (*claim*) behaupten; **to** ~ **one's innocence** seine Unschuld beteuern ❺ (*support*) *statement, theory* vertreten

main·te·nance [ˈmeɪntᵊnən(t)s] **I.** *n no pl* ❶ *of relations, of peace* Beibehaltung *f*,

Wahrung *f* ❷ *of car, garden* Pflege *f; of building, monument* Instandhaltung *f; of machine* Wartung *f* ❸ (*in hotel, factory*) Wartungsabteilung *f* ❹ (*maintenance costs*) Unterhaltung *f* ❺ (*alimony*) Unterhalt *m* **II.** *adj attr* Wartungs-, Instandhaltungs-; ~ **check** Wartung *f*

mai·son·ette [ˌmeɪzˈnˈet] *n* BRIT Maiso[n]nette *f*

maize [meɪz] *n no pl esp* BRIT Mais *m*

ma·jes·tic [məˈdʒestɪk] *adj* majestätisch; *proportions* stattlich; *movement* gemessen; *music, march* getragen

ma·jes·ti·cal·ly [məˈdʒestɪkli] *adv* majestätisch

maj·es·ty [ˈmædʒəsti] *n* ❶ (*royal title*) [**Her/His/Your**] **M~** [Ihre/Seine/Eure] Majestät ❷ *of sunset* Herrlichkeit *f; of person* Würde *f; of music* Erhabenheit *f,* Anmut *f*

ma·jor [ˈmeɪdʒəʳ] **I.** *adj* ❶ *attr* (*important*) bedeutend, wichtig; (*main*) Haupt-; (*large*) groß; **your car is going to need a ~ overhaul** ihr Auto muss von Grund auf überholt werden; ~ **roadworks** größere Straßenbauarbeiten ❷ *attr* (*serious*) *crime* schwer; **to have ~ depression** eine starke Depression haben; *illness* schwerwiegend; **to undergo ~ surgery** sich einer größeren Operation unterziehen ❸ (*in music*) Dur *nt* **II.** *n* ❶ MIL (*officer rank*) Major(in) *m(f)* ❷ AM, AUS UNIV (*primary subject*) Hauptfach *nt* ❸ (*in music*) Dur *nt* **III.** *vi* UNIV **to ~ in German/physics/biology** Deutsch/Physik/Biologie als Hauptfach studieren

Ma·jor·ca [məˈjɔːkə] *n no pl* Mallorca *nt*

ma·jor ˈgen·er·al *n* Generalmajor(in) *m(f)*

ma·jor·ity [məˈdʒɒrəti] **I.** *n* ❶ + *sing/pl vb* (*greater part*) Mehrheit *f;* **in the ~ of cases** in der Mehrzahl der Fälle; **a large ~ of people** eine große Mehrheit; **the ~ of the votes** die Stimmenmehrheit ❷ POL (*winning margin*) [Stimmen]mehrheit *f* ❸ *no pl* (*full legal age*) Volljährigkeit *f* **II.** *adj attr* POL Mehrheits-

make [meɪk] **I.** *n* ❶ ECON (*brand*) Marke *f* ❷ (*pej*) **to be on the ~** (*for sex*) auf sexuelle Abenteuer aus sein; (*for money*) geldgierig sein **II.** *vt* <made, made> ❶ (*produce*) machen; *company, factory* herstellen; *movie* drehen; *peace* schließen; **this sweater is made of wool** dieser Pullover ist aus Wolle; **to ~ coffee/soup/supper** Kaffee/Suppe/das Abendessen kochen; **to show what one's [really] made of** zeigen, was in einem steckt; ▪**to be made for sth** für etw *akk* [wie] geschaffen

sein ❷ (*become*) **I don't think he will ever ~ a good lawyer** ich glaube, aus ihm wird nie ein guter Rechtsanwalt [werden]; **she'll ~ a great mother** sie wird eine tolle Mutter abgeben; **to ~ fascinating reading** faszinierend zu lesen sein ❸ (*cause*) machen; **the wind is making my eyes water** durch den Wind fangen meine Augen an zu tränen; **the dark colours make the room look smaller** die dunklen Farben lassen das Zimmer kleiner wirken; **what made you change your mind?** wodurch hast du deine Meinung geändert?; **to ~ sb laugh** jdn zum Lachen bringen ❹ (*force*) ▪**to ~ sb do sth** jdn zwingen, etw zu tun ❺ + *adj* (*cause to be*) machen; **to ~ sth public** etw veröffentlichen; **to ~ oneself understood** sich verständlich machen ❻ (*transform to*) **the recycled paper will be made into cardboard** das Recyclingpapier wird zu Karton weiterverarbeitet; **this experience will ~ you into a better person** diese Erfahrung wird aus dir einen besseren Menschen machen; **we've made the attic into a spare room** wir haben den Speicher zu einem Gästezimmer ausgebaut ❼ (*perform*) *mistake, progress, suggestion* machen; *appointment* vereinbaren; **to ~ a call** anrufen; **to ~ a deal** einen Handel schließen; **to ~ a decision** eine Entscheidung fällen; **to ~ an effort** sich anstrengen; **to ~ a good job of sth** bei etw *dat* gute Arbeit leisten; **to ~ a move** (*in game*) einen Zug machen; *body* sich bewegen; **to ~ a promise** etw versprechen; **to ~ smalltalk** Smalltalk machen; *speech, presentation* halten; **to ~ a start** anfangen; **to ~ way** den Weg frei machen ❽ (*amount to*) **five plus five ~s ten** fünf und fünf ist zehn ❾ (*earn, get*) **he ~s £50,000 a year** er verdient 50.000 Pfund im Jahr; **to ~ enemies** sich *dat* Feinde machen; **to ~ friends** Freundschaften schließen; **to ~ a killing** einen Riesengewinn machen; **to ~ a living** seinen Lebensunterhalt verdienen; **to ~ a name for oneself** sich *dat* einen Namen machen ❿ (*appoint*) ▪**to ~ sb president/ambassador** jdn zum Präsidenten/Botschafter ernennen ⓫ (*consider important*) **don't ~ too much of his grumpiness** gib nicht zu viel auf seine mürrische Art ⓬ (*fam: reach*) **could you ~ a meeting at 8 a.m.?** schaffst du ein Treffen um 8 Uhr morgens?; **the fire made the front page** das Feuer kam auf die Titelseite; **he made captain/sergeant** AM er hat es bis zum Kapitän/Feldwebel gebracht; **to ~ the bus/one's**

train/one's plane den Bus/seinen Zug/ sein Flugzeug kriegen; **to ~ the finals/a team** sich für das Finale/ein Team qualifizieren; **to ~ it** es schaffen ⑬ (*render perfect*) **this film has ~ his career** der Film machte ihn berühmt; **that's made my day!** das freut mich unheimlich!; **you've got it made!** du hast ausgesorgt! ⑭ (*have sex*) **to ~ love** miteinander schlafen **III.** *vi* <made, made> ① (*be about to*) **just as we made to leave the phone rang** gerade als wir gehen wollten, klingelte das Telefon ② (*pretend*) **he made as if to leave the room** er machte Anstalten, das Zimmer zu verlassen; ■ **to ~ like …** AM so tun, als ob … ▸ **to ~ do without sth** ohne etw auskommen ◆ **make after** *vi* ■ **to ~ after sb** jdm hinterherjagen; *police* jdn verfolgen ◆ **make away** *vi* (*fam*) abhauen ◆ **make away with** *vt* (*fam*) ① (*steal*) ■ **to ~ away with sth** sich mit etw *dat* davonmachen ② (*kill*) ■ **to ~ away with sb** jdn um die Ecke bringen *fam;* ■ **to ~ away with oneself** sich umbringen ◆ **make for, make towards** *vi* ① (*head for*) ■ **to ~ for sth** auf etw *akk* zugehen; (*by car or bus*) auf etw *akk* zufahren; **the kids made for the woods to hide** die Kinder rannten auf den Wald zu, um sich zu verstecken ② (*be*) **constant arguing doesn't ~ for a good relationship** ständiges Streiten ist einer guten Beziehung nicht gerade förderlich; **Kant ~s for hard reading** Kant ist schwer zu lesen ◆ **make of** *vt* ① (*understand*) **I can't ~ anything of this book** ich verstehe dieses Buch nicht; **can you ~ anything of this message?** kannst du mit dieser Nachricht etwas anfangen?; **I don't know what to ~ of it** ich weiß nicht, wie ich das deuten soll ② (*think*) **what do you ~ of his speech?** was hältst du von seiner Rede?; **I don't know what to ~ of her** ich weiß nicht, wie sie einzuschätzen soll ◆ **make off** *vi* (*fam*) ① (*leave*) abhauen ② (*steal*) ■ **to ~ off with sth** etw mitgehen lassen *fam* ◆ **make out I.** *vi* (*fam*) ① (*manage*) *person* zurechtkommen; *business* sich [positiv] entwickeln ② (*have sex*) rummachen *sl;* ■ **to ~ out with sb** *esp* AM mit jdm rummachen *sl* **II.** *vt* ① (*write out*) ausschreiben; *cheque* ausstellen; *schedule* erstellen; *will* verfassen ② (*see*) *writing, numbers* entziffern; *distant object* ausmachen; (*hear*) verstehen; (*understand*) **she's so strange — I can't ~ her out at all** sie ist so seltsam – ich werde ganz und gar nicht schlau aus ihr ③ (*fam: claim*) **the British weather is not as bad as it is**

made out [to be] das britische Wetter ist nicht so schlecht, wie es immer heißt; **she made out that she was sleeping** sie tat so, als ob sie schlafen würde ◆ **make over** *vt* ① LAW (*transfer ownership*) **to ~ over ○ a house/a business/land to sb** jdm ein Haus/ein Geschäft/Land überschreiben ② (*redo*) umändern; *manuscript* überarbeiten ◆ **make up I.** *vt* ① (*invent*) **she made the whole thing up** sie hat das alles nur erfunden; **stop making up the rules as you go along!** hör auf, dir deine eigenen Regeln zu machen! ② (*prepare*) fertig machen; *medicine* zusammenstellen; **to ~ up a bed** das Bett machen; **to ~ up the fire** BRIT, AUS das Feuer schüren ③ (*put on make-up*) ■ **to ~ oneself up** sich schminken ④ (*produce*) **to ~ up ○ curtains/a dress** Vorhänge/ein Kleid machen ⑤ (*compensate*) **if you can save half the money, we'll ~ up the difference** wenn du die Hälfte sparen kannst, bezahlen wir die Differenz; **to ~ up a deficit** ein Defizit ausgleichen; **to ~ up time** Zeit wiedergutmachen; *train* Zeit wieder herausfahren ⑥ (*comprise*) ■ **to ~ up ○ sth** etw ausmachen; **the book is made up of a number of different articles** das Buch besteht aus vielen verschiedenen Artikeln ⑦ (*decide*) **to ~ up one's mind** sich entscheiden ⑧ (*reconcile*) **to ~ it up with sb** sich mit jdm versöhnen; **to ~ it up to sb** jdm etw wiedergutmachen **II.** *vi* sich versöhnen; **kiss and ~ up** küsst euch und vertragt euch wieder ◆ **make up for** *vt* ■ **to ~ up for sth** für etw *akk* entschädigen; ECON etw wiedergutmachen; **to ~ up for lost time** verlorene Zeit wiederaufholen ◆ **make up to** *vt* AUS, BRIT ■ **to ~ up to sb** sich bei jdm lieb Kind machen *fam*

'**make-be·lieve I.** *n no pl* Fantasie *f,* Illusion *f* **II.** *adj* Fantasie- **III.** *vi* <made-, made-> ■ **to ~ [that]** … sich *dat* vorstellen, dass …

mak·er ['meɪkəʳ] *n* ① (*manufacturer*) ■ **the ~** [*or* BRIT *usu* **the ~s**] Hersteller(in) *m(f),* Produzent(in) *m(f)* ② (*God*) **to meet one's M~** seinem Schöpfer gegenübertreten

'**make·shift I.** *adj* Not-, behelfsmäßig **II.** *n* [Not]behelf *m*

'**make-up** *n* ① *no pl* (*cosmetics*) Make-up *nt;* **to put on ~** sich schminken ② *of group, population* Zusammensetzung *f* ③ (*character*) Persönlichkeit *f*

'**make-up art·ist** *n* Visagist(in) *m(f)*

mak·ing ['meɪkɪŋ] *n* ① *no pl* (*production*) Herstellung *f;* **her problems with that**

child are of her own ~ ihre Probleme mit diesem Kind hat sie selbst verschuldet; **the book was several years in the ~** es dauerte mehrere Jahre, das Buch zu schreiben ❷ *no pl* (*success*) it was the ~ of her das hat sie zu dem gemacht, was sie [heute] ist; (*development*) **to be an engineer in the ~** ein angehender Ingenieur/eine angehende Ingenieurin sein ❸ (*qualities/ingredients*) ■ ~**s** *pl* Anlagen *pl;* **she has the ~s of a great violinist** sie hat das Zeug zu einer großartigen Geigerin

mal·ad·just·ed [ˌmælə'dʒʌstɪd] *adj* verhaltensgestört

mal·ad·min·is·tra·tion [ˌmæləd,mɪn-ɪ'streɪʃ°n] *n no pl* (*form*) schlechte Verwaltung

mala·droit [ˌmælə'drɔɪt] *adj* unbeholfen

Mala·gasy [ˌmælə'gæsi] **I.** *adj* madagassisch **II.** *n* Madagasse, Madagassin *m, f*

ma·laise [mə'leɪz] *n no pl* Unbehagen *nt*

mala·prop·ism ['mæləprɒpɪz°m] *n* Malapropismus *m*

ma·laria [mə'leərɪə] *n no pl* Malaria *f*

Ma·la·wi [mə'lɑ:wi] *n no pl* Malawi *nt*

Ma·la·wian [mə'lɑ:wiən] **I.** *n* Malawier(in) *m(f)* **II.** *adj* malawisch

Ma·lay·an [mə'leɪən] *adj* malaiisch

Ma·lay·sia [mə'leɪzɪə] *n no pl* Malaysia *nt*

Ma·lay·sian [mə'leɪzɪən] **I.** *n* Malaysier(in) *m(f)* **II.** *adj* malaysisch

mal·con·tent ['mælkən,tent] *n* (*pej*) Querulant(in) *m(f) pej geh*

Mal·dives ['mɔ:ldiːvz] *npl* ■ **the ~** die Malediven

male [meɪl] **I.** *adj* männlich; ~ **choir** Männerchor *m;* ~ ~**dominated** von Männern dominiert **II.** *n* (*person*) Mann *m;* (*animal*) Männchen *nt*

male·dic·tion [ˌmælɪ'dɪkʃ°n] *n* Verwünschung *f*

ma·levo·lence [mə'lev°lən(t)s] *n no pl* (*evil quality*) Bosheit *f,* Heimtücke *f;* (*spitefulness*) Gehässigkeit *f*

ma·levo·lent [mə'lev°lənt] *adj* (*liter: evil*) bösartig; (*spiteful*) gehässig

ma·levo·lent·ly [mə'lev°ləntli] *adv* (*evil*) boshaft, heimtückisch; (*spitefully*) gehässig

mal·for·ma·tion [ˌmælfɔː'meɪʃ°n] *n* Missbildung *f*

mal·formed [ˌmæl'fɔːmd] *adj* MED missgebildet

mal·func·tion [ˌmæl'fʌŋ(k)ʃ°n] **I.** *vi* (*not work properly*) nicht funktionieren; (*stop working*) ausfallen; *liver, kidney* nicht richtig arbeiten; *social system* versagen **II.** *n* Ausfall *m; of liver, kidney* Funktionsstörung *f; of social system* Versagen *nt*

Mali ['mɑːli] *n no pl* Mali *nt*

Ma·lian ['mɑːliən] **I.** *n* Malier(in) *m(f)* **II.** *adj* malisch

mal·ice ['mælɪs] *n no pl* Boshaftigkeit *f*

ma·li·cious [mə'lɪʃəs] *adj* boshaft, niederträchtig; *look* hasserfüllt; ~ **wounding** LAW böswillige Körperverletzung

ma·li·cious·ly [mə'lɪʃəsli] *adv* boshaft, niederträchtig

ma·lign [mə'laɪn] **I.** *adj* (*form*) verderblich; (*evil*) unheilvoll **II.** *vt* verleumden

ma·lig·nan·cy [mə'lɪgnən(t)si] *n no pl* MED Bösartigkeit *f*

ma·lig·nant [mə'lɪgnənt] *adj* MED bösartig

ma·lin·ger [mə'lɪŋgə'] *vi* sich krank stellen

ma·lin·ger·er [mə'lɪŋg°rə'] *n* Simulant(in) *m(f)*

mall [mɔːl] *n* (*covered row of shops*) [große] Einkaufspassage; (*indoor shopping centre*) [überdachtes] Einkaufszentrum

mal·lard <*pl* -s *or* -> ['mælɑːd] *n* Stockente *f*

mal·le·able ['mæliəbl] *adj metal* formbar; *clay* geschmeidig; (*fig*) *person* gefügig

mal·let ['mælɪt] *n* (*hammer*) [Holz]hammer *m;* (*in croquet*) Krockethammer *m;* (*in polo*) Poloschläger *m*

mal·low ['mæləʊ] *n* Malve *f*

mal·nu·tri·tion [ˌmælnjuː'trɪʃ°n] *n no pl* Unterernährung *f*

mal·odor·ous [ˌmæl'əʊd°rəs] *adj* (*form*) ❶ (*smelling bad*) übel riechend ❷ (*pej: offensive*) widerlich

mal·prac·tice [ˌmæl'præktɪs] *n no pl* (*faulty work*) Berufsvergehen *nt;* (*criminal misconduct*) [berufliches] Vergehen; *of civil servants* Amtsmissbrauch *m;* **medical ~** ärztlicher Kunstfehler

malt [mɔːlt] **I.** *n no pl* ❶ (*grain*) Malz *nt* ❷ (*whisky*) Malzwhisky *m* ❸ AM (*malted milk*) Malzmilch *f* **II.** *vt* **to ~ barley** Gerste mälzen

Mal·ta ['mɔːltə] *n no pl* Malta *nt*

Mal·tese [ˌmɔː'tiːz] **I.** *adj* maltesisch **II.** *n* ❶ (*person*) Malteser(in) *m(f)* ❷ *no pl* (*language*) Maltesisch *nt,* das Maltesische

mal·treat [ˌmæl'triːt] *vt usu passive* misshandeln

mal·treat·ment [ˌmæl'triːtmənt] *n no pl* Misshandlung *f*

mam·mal ['mæm°l] *n* Säugetier *nt,* Säuger *m*

'mam·ma·ry gland *n* Milchdrüse *f*

mam·mog·ra·phy [mæm'ɒgrəfi] *n no pl* Mammographie *f*

mam·moth ['mæməθ] **I.** *n* Mammut *nt* **II.** *adj* (*fig*) Mammut-, riesig

man [mæn] **I.** *n* <*pl* men> ❶ (*male adult*)

Mann *m;* **men's clothing** Herrenklei-dung *f;* **the men's [room]** die Herrentoilet-te ❷ (*brave person*) Mann *m;* **to be ~ enough [to do sth]** Manns genug sein[, etw zu tun]; **to take sth like a ~** etw wie ein [richtiger] Mann ertragen ❸ (*person*) Mensch *m;* **to be sb's right-hand ~** jds rechte Hand sein; **every ~ for himself** jeder für sich; **to be one's own ~** sein eigener Herr sein ❹ *no pl, no art* (*man-kind*) der Mensch, die Menschheit; **this is one of the most dangerous substances known to ~** das ist eine der gefährlichs-ten Substanzen, die bisher bekannt sind ❺ (*particular type*) **he's a ~ of his word** er ist jemand, der zu seinem Wort steht; **he's not a ~ to ...** er ist nicht der Typ, der ...; **you've come to the right ~** da sind Sie bei mir richtig; **to be a ~ of action** ein Mann der Tat sein; **to be a family ~** ein Familienmensch *m* sein; **to be a ladies' ~** ein Frauenheld *m* sein; **a ~ of letters** *writer* ein Schriftsteller *m; scholar* ein Ge-lehrter *m;* **the ~ in the street** der kleine Mann; **the odd ~ out** der Außenseiter ❻ *pl* (*soldier, worker*) Männer *pl,* Leute *pl* ❼ (*fam: form of address*) Mann *m,* Mensch *m;* **hey, old ~!** he, alter Junge! ❽ (*fam: husband*) Mann *m;* (*boyfriend*) Freund *m* ❾ (*in board games*) [Spiel]figur *f;* (*in draughts*) [Spiel]stein *m* II. *interj* (*fam: to emphasize*) Mensch, Mann; (*in enthusi-asm*) Mann, Manometer; (*in anger*) Mann III. *vt* <-nn-> ❶ (*operate*) bedienen; **~ the pumps!** alle Mann an die Pumpen! ❷ (*staff*) *fortress, picket* besetzen; *ship* be-mannen

mana·cle ['mænəkl] I. *n* ■~s *pl* Hand-schellen *pl,* Ketten *pl* II. *vt* in Ketten legen

man·age ['mænɪdʒ] I. *vt* ❶ (*run*) leiten ❷ (*control*) steuern; (*administer*) verwal-ten; (*organize*) organisieren; **to ~ one's time/resources** sich *dat* seine Zeit/Res-sourcen richtig einteilen ❸ (*promote*) ma-nagen ❹ (*accomplish*) schaffen; *distance, task* bewältigen; **can you ~ 8 o'clock?** ginge es um 8 Uhr?; **you ~d it very well** das hast du sehr gut gemacht; **to ~ a smile** ein Lächeln zustande bringen; **she can't ~ more than $350 per month rent** sie kann sich nicht mehr als 350 Dollar Miete pro Monat leisten ❺ (*cope with*) ■**to ~ sb/sth** mit jdm/etw *dat* zurechtkommen ❻ (*wield*) handhaben; (*operate*) bedienen II. *vi* ❶ (*succeed*) es schaffen; (*cope, sur-vive*) zurechtkommen; **can you ~?** — **thank you, I can ~!** geht's? – danke, es geht schon; **we'll ~!** wir schaffen das

schon!; **how can you ~ without a car?** wie kommst du ohne Auto zurecht? ❷ (*get by*) ■**to ~ on/without sth** mit etw *dat*/ ohne etw *akk* auskommen

man·age·able ['mænɪdʒəbl] *adj* ❶ (*do-able*) ■**to be ~** *job* leicht zu bewältigen sein; *task* überschaubar sein ❷ (*control-lable*) ■**to be ~** kontrollierbar sein; **the baby-sitter found the children per-fectly ~** der Babysitter kam gut mit den Kindern zurecht; **~ hair** leicht zu frisie-rendes Haar ❸ (*feasible*) erreichbar; *dead-line* realistisch; ■**to be ~** machbar sein ❹ (*easy to carry*) handlich

man·age·ment ['mænɪdʒmənt] *n* ❶ *no pl of business* Management *nt,* [Geschäfts]führung *f,* [Unternehmens]lei-tung *f* ❷ + *sing/pl vb* (*managers*) [Unternehmens]leitung *f,* Management *nt; of hospital, theatre* Direktion *f;* **junior ~** untere Führungsebene; (*trainees*) Führungsnachwuchs *m;* **middle ~** mittlere Führungsebene; **senior ~** oberste Füh-rungsebene, Vorstand *m* ❸ *no pl* (*han-dling*) Umgang *m* (**of** mit); *of finances* Ver-walten *nt*

man·age·ment 'buy-out *n* Management-buyout *nt* (*Übernahme einer Firma durch die leitenden Direktoren*) **man·age·ment con·'sult·ant** *n* Unternehmensbe-rater(in) *m(f)* **man·age·ment ne·'go-tia·tor** *n* Verhandlungsführer(in) *m(f)* der Arbeitgeber **management 'skills** *npl* Führungsqualitäten *pl* **'man·age·ment studies** *n* + *sing/pl vb* Betriebswirt-schaft[slehre] *f* **'man·age·ment team** *n* + *sing/pl vb* Führungsspitze *f*

man·ag·er ['mænɪdʒəʳ] *n* ❶ (*business executive*) Geschäftsführer(in) *m(f);* (*in big business*) Manager(in) *m(f);* (*of depart-ment*) Abteilungsleiter(in) *m(f);* **bank ~** Filialleiter(in) *m(f)* einer Bank; **junior/ middle/senior ~** Manager(in) *m(f)* auf der unteren/mittleren/oberen Führungs-ebene ❷ SPORTS (*coach*) [Chef]trainer(in) *m(f)* ❸ (*of band, boxer*) Manager(in) *m(f)*

man·ag·er·ess <*pl* -es> [ˌmænɪdʒəʳˈres] *n* (*dated*) Geschäftsführerin *f* (*in einem La-den oder Café*)

mana·gerial [ˌmænəˈdʒɪəriəl] *adj* Mana-ger-; **~ conference/meeting** Konferenz *f*/Meeting *nt* der Unternehmensführung; **at ~ level** auf Führungsebene; **~ position** Führungsposten *m;* **~ skills** Führungsqua-litäten *pl*

man·ag·ing di·'rec·tor *n* [Haupt]ge-schäftsführer(in) *m(f)*

'man-bag *n* (*fam*) Herrenhandtasche *f*

Man·cu·nian [mæŋ'kjuːnɪən] **I.** *n* Einwohner(in) *m(f)* der Stadt Manchester **II.** *adj* aus Manchester

man·da·rin ['mændərɪn] *n* ❶ (*fruit*) Mandarine *f* ❷ (*hist: Chinese official*) Mandarin *m* ❸ (*esp pej: bureaucrat*) Bürokrat(in) *m(f)*

Man·da·rin ['mændərɪn] *n no pl* LING Mandarin *nt*

man·date **I.** *n* ['mændeɪt] ❶ *usu sing* (*authority*) Mandat *nt;* (*command*) Verfügung *f;* **electoral ~** Wählerauftrag *m* ❷ (*territory*) Mandat[sgebiet] *nt* **II.** *vt* [mæn'deɪt] (*order*) ▪ **to ~ sth** etw anordnen; (*authorize*) ein Mandat für etw *akk* erteilen

man·da·tory ['mændətˀri] *adj* ❶ (*required by law*) gesetzlich vorgeschrieben; **to make sth ~** etw gesetzlich vorschreiben ❷ (*obligatory*) obligatorisch; **to be ~ for sb** jds Pflicht sein

man·di·ble ['mændɪbl] *n of insect* [Ober]kiefer *m; of bird* Unterschnabel *m; of mammal, fish* Unterkiefer *m*

man·do·lin [ˌmændəˀ'lɪn] *n* MUS Mandoline *f*

man·drake ['mændreɪk] *n* Mandragore *f*

man·drill ['mændrɪl] *n* Mandrill *m*

mane [meɪn] *n* Mähne *f*

'man-eat·er *n* ❶ (*animal*) Tier, das Menschen tötet ❷ (*hum fam: woman*) männermordender Vamp

ma·neu·ver AM *see* **manoeuvre**

ma·neu·ver·abil·ity *n* AM *see* **manoeuvrability**

ma·neu·ver·able *adj* AM *see* **manoeuvrable**

man·ful·ly ['mænfˀli] *adv* mutig

man·ga·nese ['mæŋgəniːz] *n no pl* Mangan *nt*

mange [meɪndʒ] *n no pl* Räude *f*

man·ger ['meɪndʒəʳ] *n* (*old*) Futtertrog *m;* (*in bible*) Krippe *f*

mange·tout [ˌmɑ̃(n)ʒ'tuː] *n* BRIT Zuckererbse *f*

man·gle¹ ['mæŋgl] *vt* ❶ *usu passive* (*crush*) zerstören; ▪ **to be ~d** *limbs* verstümmelt werden; *car, metal* zerdrückt werden ❷ (*ruin*) entstellen

man·gle² ['mæŋgl] *n* ❶ BRIT (*hist: wringer*) [Wäsche]mangel *f* ❷ AM (*ironing machine*) [Heiß]mangel *f*

man·go <*pl* -s *or* -es> ['mæŋgəʊ] *n* Mango *f*

man·grove ['mæŋgrəʊv] *n* Mangrovenbaum *m*

man·gy ['meɪndʒi] *adj* ❶ (*suffering from mange*) räudig ❷ (*fam: shabby*) schäbig *pej*

man·han·dle ['mænˌhændl] *vt* ❶ (*handle roughly*) grob behandeln ❷ (*heave*) [hoch]heben

'man·hole *n* Einstieg *m;* (*shaft*) Einstiegsschacht *m; of container, tank* Mannloch *nt* **'man·hole cov·er** *n* Einstiegsverschluss *m; of canal* Kanaldeckel *m; of shaft* Schachtdeckel *m; of container, tank* Mannlochdeckel *m* **man·hood** ['mænhʊd] *n no pl* ❶ (*adulthood*) Erwachsenenalter *nt* (*eines Mannes*) ❷ (*manliness*) Männlichkeit *f* ❸ (*euph or hum: male genitals*) Männlichkeit *f euph* **'man-hour** *n* Arbeitsstunde *f* **'man·hunt** *n* [Ring]fahndung *f;* (*after criminal*) Verbrecherjagd *f*

ma·nia ['meɪnɪə] *n* ❶ (*pej: obsessive enthusiasm*) Manie *f,* Besessenheit *f* ❷ *no pl* MED (*obsessive state*) Wahn[sinn] *m;* (*state of excessive activity*) Manie *f*

ma·ni·ac ['meɪnɪæk] *n* (*fam: crazy person*) Verrückte(r) *f(m),* Irre(r) *f(m)*

ma·nia·cal [mə'naɪəkˀl] *adj* ❶ (*crazy*) verrückt, irrsinnig; *scream* wild ❷ (*fam: very enthusiastic*) fanatisch

man·ic ['mænɪk] *adj* erregt, manisch; (*hum: highly energetic*) wild

man·ic de·'pres·sion *n no pl* manische Depression **man·ic de·'pres·sive I.** *n* Manisch-Depressive(r) *f(m)* **II.** *adj* manisch-depressiv **man·ic psy·'cho·sis** *n* manische Psychose

mani·cure ['mænɪkjʊəʳ] **I.** *n* Maniküre *f;* **to have a ~** sich maniküren lassen **II.** *vt* **to ~ one's hands/nails** sich *dat* die Hände/ Nägel maniküren

'mani·cure set *n* Maniküreset *nt*

mani·cur·ist ['mænɪkjʊərɪst] *n* Handpflegerin *f*

mani·fest ['mænɪfest] **I.** *adj* offenkundig, deutlich erkennbar **II.** *vt* zeigen; **the illness ~ed itself as ...** die Krankheit äußerte sich durch ... **III.** *n* TRANSP ❶ (*cargo list*) [Ladungs]manifest *nt* ❷ (*list of passengers*) Passagierliste *f;* (*list of railway wagons*) Wagenladeschein *m*

mani·fes·ta·tion [ˌmænɪfes'teɪʃˀn] *n* ❶ (*sign*) Zeichen *nt* (**of** für) ❷ *no pl* (*displaying*) Zeigen *nt;* (*voicing*) Bekundung *f geh;* MED Manifestation *f fachspr* ❸ *usu pl* (*form*) Erscheinungsform *f*

mani·fest·ly ['mænɪfestli] *adv* offenkundig, offensichtlich

mani·fes·to <*pl* -s *or* -es> [ˌmænɪ'festəʊ] *n* Manifest *nt*

mani·fold ['mænɪfəʊld] **I.** *adj* (*liter*) vielfältig, vielseitig **II.** *n* TECH Verteilerrohr *nt;* AUTO **[exhaust] ~** [Abgas]krümmer *m*

mani·kin ['mænɪkɪn] *n* ❶ (*model*) Glie

derpuppe *f;* MED anatomisches Modell ❷ *(dwarf)* Zwerg *m*

ma·nil(·l)a 'en·ve·lope [mə'nɪlə-] *n* Briefumschlag *m* aus Manilapapier

ma·nil(·l)a 'pa·per [mə'nɪlə-] *n no pl* Packpapier *nt*

mani·oc ['mæniɒk] *n* ❶ *(cassava)* Maniok *m* ❷ *(flour)* Mandioka *f*

ma·nipu·late [mə'nɪpjəleɪt] *vt* ❶ *(esp pej: manage cleverly)* ■**to ~ sb/sth** geschickt mit jdm/etw umgehen; *(influence)* jdn/ etw beeinflussen, jdn/etw manipulieren ❷ *(with hands)* handhaben; *(adjust)* einstellen; *machine* bedienen ❸ MED *bones* einrenken; *muscles* massieren ❹ COMPUT bearbeiten

ma·nipu·la·tion [mə,nɪpjə'leɪʃ°n] *n* ❶ *(esp pej: clever management)* Manipulation *f;* *(falsification)* Verfälschung *f* ❷ *(handling)* Handgriff *m;* *(adjustment)* Einstellung *f* **(of** an) ❸ MED chiropraktische Behandlung; *of bones* Einrenken *nt kein pl* ❹ COMPUT *(by person)* Bearbeiten *nt kein pl*

ma·nipu·la·tive [mə'nɪpjələtɪv] *adj (esp pej)* manipulativ

ma·nipu·la·tor [mə'nɪpjəleɪtə°] *n (esp pej)* Manipulant(in) *m(f)*

man·kind [mæn'kaɪnd] *n no pl* Menschheit *f*

manky ['mæŋki] *adj* BRIT *(fam: dirty)* dreckig; *(worn-out)* alt

man·li·ness ['mænlɪnəs] *n no pl* Männlichkeit *f*

man·ly ['mænli] *adj* männlich

man-'made *adj* künstlich

man·na ['mænə] *n no pl* Manna *nt;* **~ from heaven** ein wahrer Segen

manned [mænd] *adj* AEROSP bemannt

man·ne·quin ['mænɪkɪn] *n* ❶ *(in shop window)* Schaufensterpuppe *f;* ART Modell *nt* ❷ *(dated: fashion model)* Mannequin *nt*

man·ner ['mænə°] *n no pl* ❶ *(way)* Weise *f,* Art *f;* **in a ~ of speaking** sozusagen ❷ *no pl (behaviour to others)* Betragen *nt,* Verhalten *nt;* **his cold ~** seine kalte Art ❸ *(polite behaviour)* ■**~s** *pl* Manieren *pl;* **it's bad ~s to ...** es gehört sich nicht, ... ❹ *(form: type)* Typ *m,* Art *f*

man·nered ['mænəd] *adj (pej)* ❶ *(affected)* affektiert ❷ *(in art)* gekünstelt

man·ner·ism ['mæn°rɪz°m] *n* Eigenart *f*

man·ni·kin *n see* **manikin**

man·nish ['mænɪʃ] *adj (esp pej: of woman)* männlich

ma·noeu·vrabil·ity [mə,nu:v°rə'bɪləti] *n no pl* Beweglichkeit *f,* Manövrierfähigkeit *f*

ma·noeu·vrable [mə'nu:v°rəbl] *adj* beweglich; *ship, vessel* manövrierfähig

ma·noeu·vre [mə'nu:və°] **I.** *n* ❶ *usu pl* *(military exercise)* Manöver *nt* ❷ *(planned move)* Manöver *nt;* *(fig)* Schachzug *m* ❸ *no pl* **to have room for ~** Spielraum haben **II.** *vt* ❶ *(move)* manövrieren; **to ~ a trolley** einen Einkaufswagen lenken ❷ *(pressure sb)* ■**to ~ sb into sth** jdn [durch geschickte Manöver] zu etw *dat* bringen; **to ~ sb into a compromise** jdn geschickt zu einem Kompromiss zwingen **III.** *vi* ❶ *(move)* manövrieren; **this car ~s well at high speed** dieses Auto lässt sich bei hoher Geschwindigkeit gut fahren ❷ *(scheme)* taktieren ❸ MIL *(hold exercises)* Manöver abhalten

ma·nom·eter [mə'nɒmɪtə°] *n* Manometer *nt fachspr*

man·or ['mænə°] *n* ❶ *(country house)* Landsitz *m,* Herrenhaus *nt* ❷ BRIT HIST *(territory)* Lehnsgut *nt*

'man·pow·er *n no pl* Arbeitskräfte *pl*

man·qué ['mã(ŋ)keɪ] *adj after n (form)* verkannt

manse [mæn(t)s] *n* SCOT Pfarrhaus *nt*

'man·serv·ant <*pl* **menservants**> *n (old)* Diener *m*

man·sion ['mæn(t)ʃ°n] *n* Villa *f;* *(of ancient family)* Herrenhaus *nt*

'man-sized *n* riesig, Riesen-

'man·slaugh·ter *n no pl* Totschlag *m*

man·tel ['mænt°l] *n (old),* **man·tel·piece** ['mænt°lpi:s] *n* Kaminsims *m o nt*

man·tis ['mæntɪs] *n* Fangheuschrecke *f;* [**praying**] **~** Gottesanbeterin *f*

man·tle ['mænt°l] *n* ❶ *no pl (form: position)* Amt *nt,* Posten *m;* **to take on the ~ of power** die Macht übernehmen ❷ *(usu liter: covering)* Decke *f,* Schicht *f;* **a ~ of snow** eine Schneedecke

'man-to-man *adj* von Mann zu Mann

man·tra ['mæntrə] *n* ❶ *(for meditation)* Mantra *f* ❷ *(catchphrase)* Slogan *m*

manu·al ['mænjuəl] **I.** *adj* ❶ *(done with hands)* manuell, Hand-; **~ labour** körperliche Arbeit; *(craftsmanship)* Handarbeit *f;* **to be a ~ labourer** körperlich arbeiten; *(as a crafts[wo]man)* handwerklich arbeiten ❷ *(hand-operated)* manuell, Hand-; **~ transmission** AUTO Schaltgetriebe *nt* **II.** *n* ❶ *(book)* Handbuch *nt;* **~ of instructions** Bedienungsanleitung *f;* **training ~** Lehrbuch *nt* ❷ AUTO *(vehicle)* Auto *nt* mit Gangschaltung

manu·al·ly ['mænjuəli] *adv* manuell

manu·fac·ture [,mænjə'fæktʃə°] **I.** *vt* ❶ *(produce commercially)* herstellen

❷ (*fabricate*) erfinden **II.** *n no pl* Herstellung *f*

manu·fac·tur·er [ˌmænjəˈfæktʃᵊrər] *n* Hersteller *m*

manu·fac·tur·ing [ˌmænjəˈfæktʃᵊrɪŋ] **I.** *adj* Herstellungs-, Produktions-; ~ **industry** verarbeitende Industrie **II.** *n no pl* Fertigung *f*

ma·nure [məˈnjʊər] **I.** *n no pl* Dung *m* **II.** *vt* düngen (*mit Mist*)

manu·script [ˈmænjəskrɪpt] *n* ❶ (*author's script*) Manuskript *nt*; (*of famous person*) Autograph *nt fachspr* ❷ (*handwritten text*) Manuskript *nt*, Handschrift *f*

many [ˈmeni] **I.** *pron* (*a great number*) viele; **too** ~ zu viele; **as** ~ genauso viele; **as** ~ **as ...** so viele wie ...; **as** ~ **as 6,000 people may have been infected with the disease** bereits 6.000 Menschen können mit der Krankheit infiziert sein; **the solution to** ~ **of our problems** die Lösung zu vielen von unseren Problemen; **a good** ~ **of us** viele von uns; ■ ~ **a/an ...** manch ein ...; ~ **a time** oft **II.** *n* (*the majority*) ■ **the** ~ *pl* die Mehrheit *sing*; **music for the** ~ Musik für die breite Masse

many-ˈsid·ed *adj* vielseitig; (*complex*) vielschichtig

Mao·ism [ˈmaʊɪzᵊm] *n no pl* Maoismus *m*

Mao·ist [ˈmaʊɪst] **I.** *n* Maoist(in) *m(f)* **II.** *adj* maoistisch

Mao·ri [ˈmaʊ(ə)ri] **I.** *n* Maori *m o f* **II.** *adj* Maori-, maorisch

map [mæp] **I.** *n* ❶ GEOG [Land]karte *f; of town, city* Stadtplan *m; road* ~ Straßenkarte *f;* ~ **of the world** Weltkarte *f;* **large-scale** ~ Karte *f* mit großem Maßstab ❷ (*simple diagram*) Plan *m,* Zeichnung *f* ▸ **to put sb/sth on the** ~ jdn/etw bekannt machen **II.** *vt* <-pp-> kartographieren *fachspr* ◆ **map out** *vt* genau festlegen; **his future is all ~ped out for him** seine ganze Zukunft ist bereits fest vorgeplant; *route* planen

ma·ple [ˈmeɪpl] *n* ❶ (*tree*) Ahorn *m* ❷ *no pl* (*wood*) Ahorn *m,* Ahornholz *nt*

ˈma·ple leaf *n* Ahornblatt *nt* **ma·ple ˈsug·ar** *n no pl* Ahornzucker *m* **ma·ple ˈsyr·up** *n no pl* Ahornsirup *m*

ˈmap mak·er *n* Kartograph(in) *m(f)*

mar <-rr-> [mɑːr] *vt* stören; **to** ~ **the beauty of sth** etw verunstalten

Mar *n abbrev of* **March**

mara·schi·no cher·ry [ˌmærəˈskiːnəʊ-] *n* Maraschinokirsche *f*

mara·thon [ˈmærəθᵊn] *n* ❶ (*race*) Marathon[lauf] *m* ❷ (*very long event*) Marathon *nt fam*

ˈmara·thon run·ner *n* Marathonläufer(in) *m(f)*

ma·raud [məˈrɔːd] **I.** *vi* plündern **II.** *vt* [aus]plündern

ma·raud·er [məˈrɔːdər] *n* ❶ (*raider*) Plünderer(in) *m(f)* ❷ (*animal*) Räuber *m*

ma·raud·ing [məˈrɔːdɪŋ] *adj attr* plündernd; *animal* auf Raubzug *nach n*

mar·ble [ˈmɑːbl] **I.** *n* ❶ *no pl* (*stone*) Marmor *m* ❷ (*for games*) Murmel *f* ▸ **to lose one's** ~**s** (*fam*) verrückt werden **II.** *vt* marmorieren

ˈmar·ble cake *n* Marmorkuchen *m*

mar·bled [ˈmɑːbld] *adj* marmoriert

march [mɑːtʃ] **I.** *n* <*pl* -es> ❶ MIL Marsch *m; a* **20 km** ~ ein Marsch *m* über 20 km; (*fig*) **it is impossible to stop the forward** ~ **of progress** es ist unmöglich, den Fortschritt aufzuhalten; **to be on the** ~ marschieren ❷ (*demonstration*) Demonstration *f;* **to go on a** ~ demonstrieren gehen **II.** *vi* marschieren **III.** *vt* ❶ (*walk in step*) **to** ~ **12 miles** 12 Meilen marschieren ❷ (*force to walk*) ■ **to** ~ **sb off** jdn wegführen; *police* jdn abführen; **to** ~ **sb into/out of the room** jdn in das Zimmer/ aus dem Zimmer führen

March <*pl* -es> [mɑːtʃ] *n* März *m; see also* **February**

ˈmarch·ing or·ders *n* Marschbefehl *m;* **to get one's** ~ (*fam: job, flat*) die Kündigung bekommen; (*relationship*) den Laufpass bekommen

Mar·di Gras [ˌmɑːdiˈɡrɑː] *n* ❶ (*carnival on Shrove Tuesday*) ≈ Fastnachtsdienstag *m,* Karneval *m* ❷ Aus, NZ *Karneval oder Jahrmarkt, der jederzeit stattfinden kann und an keinen festen Jahres- oder Feiertag gebunden ist*

mare [meər] *n* Stute *f*

ˈmare's nest *n* Schwindel *m*

mar·ga·rine [ˌmɑːdʒəˈriːn] *n no pl* Margarine *f*

marge [mɑːdʒ] *n* BRIT (*fam*) *short for* **margarine** Margarine *f*

mar·gin [ˈmɑːdʒɪn] *n* ❶ (*outer edge*) Rand *m;* TYPO [Seiten]rand *m* ❷ (*amount*) Differenz *f,* Abstand *m;* **to win by a wide/ narrow** ~ mit einem großen/knappen Vorsprung gewinnen ❸ (*provision*) Spielraum *m;* SCI Streubereich *m; a* ~ **of error** eine Fehlerspanne ❹ ECON **[profit]** ~ Gewinnspanne *f;* **narrow** ~ geringe Gewinnspanne

mar·gin·al [ˈmɑːdʒɪnᵊl] **I.** *adj* ❶ (*slight*) geringfügig; **to be of** ~ **importance** relativ unbedeutend sein; **to be of** ~ **interest** [nur] von geringem Interesse sein ❷ (*insig-*

nificant) nebensächlich ❸ BRIT, AUS POL ~ **constituency/seat** mit knapper Mehrheit gewonnener Wahlkreis/Parlamentssitz ❹ (*on borderline*) Rand-; **a ~ existence** eine Existenz am Rande der Gesellschaft ❺ PSYCH ~ **behaviour** deviantes Verhalten II. *n* BRIT, AUS POL knapp gewonnener Wahlkreis

mar·gin·al·ize ['mɑ:dʒɪnəˈlaɪz] *vt* an den Rand drängen

mari·gold ['mærɪɡəʊld] *n* Studentenblume *f*

ma·ri·hua·na, ma·ri·jua·na [ˌmærɪˈwɑː-nə] *n no pl* Marihuana *nt*

ma·ri·na [məˈriːnə] *n* Jachthafen *m*

mari·nade [ˌmærɪˈneɪd] *n* Marinade *f*

mari·nate ['mærɪneɪt] *vt* marinieren

ma·rine [məˈriːn] I. *adj attr* ❶ (*of sea*) Meeres-, See- ❷ (*of shipping*) Schiffs- ❸ (*naval*) Marine- II. *n* Marineinfanterist *m*; ◼ **the ~s** die Marineinfanterie

ma·rine bi·ˈolo·gist *n* Meeresbiologe, Meeresbiologin *m, f* **Ma·ˈrine Corps** *n* Marineinfanteriekorps *nt*

mari·ner ['mærɪnəʳ] *n* (*old liter*) Seemann *m*

mari·on·ette [ˌmæriəˈnet] *n* Marionette *f*

mari·tal ['mærɪtəl] *adj* ehelich, Ehe-

mari·tal ˈsta·tus *n* Familienstand *m*

mari·time ['mærɪtaɪm] *adj* ❶ (*form: of sea*) Meer[es]-, See-; (*of ships*) Schifffahrts- ❷ (*near coast*) Küsten-; ~ **province** Küstenregion *f*; (*in Canada*) Küstenprovinz *f*

mari·time ˈlaw *n* Seerecht *nt*

mar·jo·ram ['mɑ:dʒəʳrəm] *n no pl* Majoran *m*

mark [mɑ:k] I. *n* ❶ (*spot, stain*) Fleck *m*; (*on the skin*) Mal *nt*; (*when burnt*) Brandmal *nt*; (*scratch*) Kratzer *m*; (*trace*) Spur *f*; (*scar*) Narbe *f*; (*fingerprint, footprint*) Abdruck *m* ❷ (*identifying feature*) [Kenn]zeichen *nt,* Merkmal *nt;* ZOOL Kennung *f*; (*on fur*) ◼ **~s** *pl* Zeichnung *f*; **distinguishing ~s** unverwechselbare Kennzeichen ❸ (*indication*) Zeichen *nt;* **a ~ of appreciation/respect** ein Zeichen *nt* der Wertschätzung/des Respekts ❹ (*sign to indicate position*) Markierung *f*; ❺ (*sign to distinguish*) TECH Einstellmarke *f* ❺ (*sign to distinguish*) Zeichen *nt;* ~ **of origin** Herkunftszeichen *nt;* **trade ~** Warenzeichen *nt* ❻ (*signature*) Kreuz *nt* ❼ (*for punctuation*) Satzzeichen *nt;* **quotation ~s** Anführungszeichen *pl* ❽ SCH (*grade*) Note *f,* Zensur *f;* **no ~s for guessing who did this** (*fam*) es ist nicht schwer zu erraten, wer das gemacht hat; **to get full ~s** [**for sth**] BRIT, AUS die Bestnote [für etw *akk*] erhalten ❾ (*point*)

Marke *f*; **to be over the halfway ~** über die Hälfte geschafft haben ❿ (*also fig: target*) Ziel *nt,* Zielscheibe *f*; **to be wide of the ~** das Ziel um Längen verfehlen; **to hit the ~** [genau] ins Schwarze treffen ⓫ (*in a race*) Start *m;* **on your ~s, get set, go!** auf die Plätze, fertig, los! ▸ **to leaves its/one's ~ on sb/sth** seine Spuren bei jdm/etw hinterlassen II. *vt* ❶ (*stain*) schmutzig machen ❷ *usu passive* (*scar*) **his face was ~ed for life** er hat bleibende Narben im Gesicht zurückbehalten ❸ (*indicate*) markieren ❹ (*label*) beschriften; (*indicate the price of*) auszeichnen ❺ (*characterize*) kennzeichnen; (*mean*) bedeuten; **to ~ a turning point** einen Wendepunkt darstellen ❻ (*commemorate*) ◼ **to ~ sth** an etw *akk* erinnern; **a concert to ~ the 10th anniversary** ein Konzert aus Anlass des zehnten Jahrestages ❼ SCH benoten; (*correct*) korrigieren ❽ (*clearly identify*) kennzeichnen, auszeichnen ❾ SPORTS decken III. *vi* ❶ (*get dirty*) schmutzig werden; (*scratch*) Kratzer bekommen ❷ SCH (*give marks*) Noten vergeben; (*correct*) korrigieren ✦ **mark down** *vt* ❶ (*reduce the price of*) heruntersetzen ❷ (*give a lower grade*) ◼ **to ~ down** ○ **sb** jdm eine schlechtere Note geben ❸ (*jot down*) notieren ❹ (*assess*) ◼ **to ~ sb** ○ **down as sth** jdn als etw *akk* einschätzen ✦ **mark off** *vt* ❶ (*separate off*) abgrenzen ❷ (*cross off*) durchstreichen; (*tick off*) abhaken ✦ **mark out** *vt* ❶ (*outline*) abstecken, markieren ❷ BRIT, AUS (*distinguish*) unterscheiden; (*identify*) kennzeichnen (**as** als) ✦ **mark up** *vt* (*increase the price of*) heraufsetzen; *shares* aufwerten

marked [mɑ:kt] *adj* ❶ (*clear*) deutlich, ausgeprägt; (*striking*) auffallend, markant; *characteristic* herausstechend; **in ~ contrast to sth** im krassen Gegensatz zu etw *dat;* **a ~ improvement** eine deutliche Verbesserung ❷ (*with distinguishing marks*) markiert, gekennzeichnet

mark·ed·ly ['mɑ:kɪdli] *adv* deutlich; **to be ~ different** sich deutlich unterscheiden

mark·er ['mɑ:kəʳ] *n* ❶ (*sign or symbol*) [Kenn]zeichen *nt,* Marke *f* ❷ SCH (*of work, exam*) Korrektor(in) *m(f)* ❸ (*felt-tipped pen*) Filzstift *m*

mar·ket ['mɑ:kɪt] I. *n* ❶ (*place*) Markt *m* ❷ (*demand*) Markt *m;* **housing ~** Wohnungsmarkt *m;* **job ~** Stellenmarkt *m* ❸ (*trade*) Handel *m kein pl,* Markt *m* (**on** auf); **stock ~** Börse *f;* **the open ~** der freie Markt; **to put sth on the ~** etw auf den Markt bringen; **to put a house on the ~**

ein Haus zum Verkauf anbieten **II.** *vt* (*sell*) vermarkten, verkaufen; (*put on market*) auf den Markt bringen

mar·ket·able ['mɑːkɪtəbl] *adj* marktfähig; *commodities* marktgängig

'mar·ket day *n esp* BRIT Markttag *m* **mar·ket 'forces** *npl* Marktkräfte *pl* **mar·ket 'gar·den** *n* BRIT, AUS [kleiner] Gemüseanbaubetrieb **mar·ket 'gar·den·er** *n* BRIT, AUS Gemüseanbauer(in) *m(f)*

mar·ket·ing ['mɑːkɪtɪŋ] *n no pl* ❶ (*selling*) Marketing *nt*, Vermarktung *f* ❷ AM (*shopping*) Einkaufen *nt;* **to go ~** einkaufen [gehen]

'mar·ket·ing de·part·ment *n* Marketingabteilung *f*

mar·ket 'lead·er *n* Marktführer *m* **'mar·ket·place** *n* ❶ (*place*) Marktplatz *m* ❷ (*commercial environment*) Markt *m* **mar·ket re·'search** *n no pl* Marktforschung *f* **mar·ket re·'search·er** *n* Marktforscher(in) *m(f)* **'mar·ket town** *n* BRIT Marktort *m* **'mar·ket trad·er** *n* Markthändler(in) *m(f);* (*woman*) Marktfrau *f*

mark·ing ['mɑːkɪŋ] *n* ❶ (*identifying marks*) ■ **~s** *pl* Markierungen *pl*, Kennzeichnungen *pl; on animals* Zeichnung *f kein pl* ❷ *no pl* SCH (*work*) Korrigieren *nt;* (*scripts*) Korrekturen *pl*

'mark·ing ink *n* Wäschetinte *f*

marks·man ['mɑːksmən] *n* Schütze *m;* **police ~** Scharfschütze *m*

marks·man·ship ['mɑːksmənʃɪp] *n no pl* Treffsicherheit *f*

marks·wom·an ['mɑːks,wʊmən] *n* Schützin *f;* **police ~** Scharfschützin *f*

mark·up ['mɑːkʌp] *n* [Kalkulations]aufschlag *m*

mar·ma·lade ['mɑːmᵊleɪd] *n no pl* Orangenmarmelade *f*

mar·ma·lade 'cat *n* BRIT orangefarbene Katze

mar·mo·set ['mɑːməzet] *n* Krallenaffe *m*

mar·mot <*pl - or -s*> ['mɑːmət] *n* ZOOL Murmeltier *nt*

ma·roon[1] [məˈruːn] **I.** *n no pl* (*colour*) Kastanienbraun *nt*, Rötlichbraun *nt* **II.** *adj* kastanienbraun, rötlichbraun

ma·roon[2] [məˈruːn] *vt* (*abandon*) aussetzen; ■ **to be ~ed** von der Außenwelt abgeschnitten sein; **many people were ~ed in their cars by the blizzard** viele Menschen wurden von dem Schneesturm in ihren Autos eingeschlossen

mar·quee [mɑːˈkiː] *n* ❶ BRIT, AUS (*tent*) Festzelt *nt* ❷ AM (*door canopy*) Vordach *nt*

mar·riage ['mærɪdʒ] *n* ❶ (*wedding*) Hei-

rat *f;* (*at the church*) Trauung *f* ❷ (*relationship*) Ehe *f* (**to** mit); **she has two daughters by her first ~** sie hat zwei Töchter aus erster Ehe; **after the break-up of her ~ ...** nachdem ihre Ehe gescheitert war, ...; **to have a happy ~** eine glückliche Ehe führen ❸ *no pl* (*state*) Ehe *f;* **related by ~** miteinander verschwägert ❹ (*fusion*) Verbindung *f;* (*of companies*) Zusammenschluss *m*, Fusion *f*

mar·riage·able ['mærɪdʒəbl] *adj* heiratsfähig

'mar·riage bro·ker *n* Heiratsvermittler(in) *m(f)* **'mar·riage bu·reau** *n esp* BRIT Eheanbahnungsinstitut *nt* **'mar·riage cer·tifi·cate** *n* Heiratsurkunde *f* **'mar·riage con·tract** *n* Ehevertrag *m* **mar·riage 'guid·ance** *n* BRIT, AUS Eheberatung *f* **mar·riage 'guid·ance coun·sel·lor** *n* BRIT Eheberater(in) *m(f)* **mar·riage 'guid·ance of·fice** *n* BRIT Eheberatungsstelle *f* **'mar·riage li·cence** *n* Heiratserlaubnis *f* **'mar·riage of con·'veni·ence** *n* ❶ (*between people*) Vernunftehe *f;* (*not consummated*) Scheinehe *f* ❷ (*between business associates*) Vernunftehe *f* **'mar·riage vow** *n usu pl* Ehegelübde *nt geh*

mar·ried ['mærɪd] *adj* ❶ (*in wedlock*) verheiratet; **~ couple** Ehepaar *nt;* **to be a ~ man/woman** verheiratet sein; **~ name** Ehename *m;* **to get ~** [to sb] [jdn] heiraten ❷ (*very involved*) ■ **to be ~ to sth** mit etw *dat* verheiratet sein

mar·row ['mærəʊ] *n* ❶ BRIT, AUS (*vegetable*) Markkürbis *m* ❷ *no pl* (*of bone*) [Knochen]mark *nt*

'mar·row bone *n* Markknochen *m* **'mar·row·fat** *n*, **mar·row·fat 'pea** *n* Markerbse *f*

mar·ry ['mæri] **I.** *vt* ❶ (*wed*) heiraten ❷ (*officiate at ceremony*) trauen, verheiraten ❸ (*marry off*) verheiraten (**to** mit) ❹ (*combine*) verbinden (**to/with** mit) **II.** *vi* heiraten; **to ~ into a wealthy family** in eine reiche Familie einheiraten

Mars [mɑːz] *n no pl, no art* Mars *m*

marsh <*pl -es*> [mɑːʃ] *n* Sumpf *m*, Sumpfland *nt*

mar·shal ['mɑːʃᵊl] **I.** *n* ❶ (*official at event*) Ordner(in) *m(f);* SPORTS Platzwärter(in) *m(f)* ❷ AM (*federal agent*) Gerichtsdiener(in) *m(f);* (*police officer*) Polizeidirektor(in) *m(f);* (*fire officer*) Branddirektor(in) *m(f)* ❸ AM (*parade leader*) Leiter(in) *m(f)* eines Festumzugs ❹ MIL (*army officer*) Marschall *m* **II.** *vt* <BRIT **-ll-** *or* AM *usu* **-l-**> (*bring together*) supporters mobilisieren;

to ~ one's forces MIL die Streitkräfte zusammenziehen; (*fig*) seine Kräfte mobilisieren

'marsh gas *n no pl* Sumpfgas *nt* **'marsh·land** *n* Sumpfland *nt* **marsh·mal·low** [ˌmɑːʃˈmæləʊ] *n* ❶ (*food*) Marshmallow *nt* ❷ (*weak person*) Versager(in) *m(f)*

marshy ['mɑːʃi] *adj* sumpfig

mar·su·pial [mɑːˈsuːpiəl] *n* Beuteltier *nt*

mar·ten ['mɑːtɪn] *n* Marder *m*

mar·tial ['mɑːʃəl] *adj* kriegerisch, Kriegs-; ~ **music** Militärmusik *f*

mar·tial 'arts *npl* SPORTS Kampfsport *m kein pl*, Kampfsportarten *pl* **mar·tial 'law** *n no pl* Kriegsrecht *nt;* **to declare [a state of]** ~ das Kriegsrecht ausrufen

Mar·tian ['mɑːʃən] I. *adj* Mars- II. *n* Marsmensch *m*

mar·tin ['mɑːtɪn] *n* Mauerschwalbe *f*, Hausschwalbe *f*

mar·ti·net [ˌmɑːtɪˈnet] *n* (*form*) ❶ (*very strict person*) Zuchtmeister *m veraltet* ❷ (*military disciplinarian*) [strenger] Regimentsführer

Mar·ti·nique [ˌmɑːtɪˈniːk] *n* Martinique *nt*

mar·tyr ['mɑːtər] I. *n* Märtyrer(in) *m(f)* II. *vt usu passive* ■ **to be ~ed [for sth]** [für etw *akk*] [den Märtyrertod] sterben

mar·tyr·dom ['mɑːtədəm] *n no pl* (*being a martyr*) Märtyrertum *nt;* (*suffering*) Martyrium *nt a. fig;* (*death*) Märtyrertod *m*

mar·vel ['mɑːvəl] I. *n* (*wonderful thing*) Wunder *nt* II. *vi* <BRIT -ll- *or* AM *usu* -l-> ■ **to ~ at sb/sth** (*wonder*) sich über jdn/ etw wundern; (*admire*) jdn/etw bewundern; ■ **to ~ that ...** staunen, dass ...

mar·vel·lous ['mɑːvələs] *adj*, **mar·vel·ous** AM wunderbar, großartig

mar·vel·lous·ly ['mɑːvələsli] *adv* wunderbar, großartig; **to get on ~** sich großartig verstehen

Marx·ism ['mɑːksɪzəm] *n no pl* Marxismus *m*

Marx·ist ['mɑːksɪst] I. *n* Marxist(in) *m(f)* II. *adj* marxistisch

mar·zi·pan ['mɑːzɪpæn] *n no pl* Marzipan *nt o m*

masc *adj abbrev of* **masculine**

mas·cara [məˈskɑːrə] *n no pl* Wimperntusche *f*

mas·car·po·ne [ˌmæskɑːˈpəʊneɪ] *n no pl* Mascarpone *m* (*italienischer Frischkäse*)

mas·cot ['mæskɒt] *n* Maskottchen *nt*

mas·cu·line ['mæskjəlɪn] *adj* ❶ (*male*) männlich, maskulin ❷ LING männlich, maskulin

mas·cu·lin·ity [ˌmæskjəˈlɪnəti] *n no pl* Männlichkeit *f*

mash [mæʃ] I. *n* ❶ *no pl* BRIT (*fam: from potatoes*) Kartoffelbrei *m*, Püree *nt* ❷ (*mixture*) Brei *m;* (*animal food*) Mischfutter *nt;* (*brewing*) Maische *f* II. *vt* zerdrücken, [zer]stampfen ◆ **mash up** *vt* ❶ (*crush after cooking*) zerdrücken ❷ *esp* AM (*fig: damage*) zerstören; (*crush*) zerdrücken; **his face was badly ~ed up in the accident** sein Gesicht wurde bei dem Unfall schwer verletzt

mask [mɑːsk] I. *n* ❶ (*for face*) Maske *f* ❷ (*pretence*) Maske *f*, Fassade *f* II. *vt* verbergen, verstecken ◆ **mask out** *vt* PHOT, TYPO retuschieren

masked [mɑːskt] *adj* maskiert

masked 'ball *n* Maskenball *m*

mask·ing tape ['mɑːskɪŋ-] *n no pl* Abdeckband *nt*

maso·chism ['mæsəkɪzəm] *n no pl* Masochismus *m*

maso·chist ['mæsəkɪst] *n* Masochist(in) *m(f)*

maso·chis·tic [ˌmæsəˈkɪstɪk] *adj* masochistisch

ma·son ['meɪsən] *n* ❶ (*stonemason*) Steinmetz(in) *m(f)* ❷ AM (*bricklayer*) Maurer(in) *m(f)*

Ma·son·ic [məˈsɒnɪk] *adj* Freimaurer-, freimaurerisch

Ma·son·ic 'lodge *n* (*place*) Freimaurerloge *f;* (*members*) [Freimaurer]loge *f* **Ma·son·ic 'or·der** *n* Bruderschaft *f* der Freimaurer

ma·son·ry ['meɪsənri] *n no pl* ❶ (*bricks*) Mauerwerk *nt* ❷ (*work*) Maurerhandwerk *nt*

mas·quer·ade [ˌmæskəˈreɪd] I. *n* Maskerade *f* II. *vi* ■ **to ~ as sb/sth** sich als jdn/ etw ausgeben

mass [mæs] I. *n* ❶ *usu sing* (*formless quantity*) Masse *f;* **a ~ of dough** ein Teigklumpen *m;* **a ~ of rubble** ein Haufen *m* Schutt ❷ *usu sing* (*large quantity*) Menge *f;* **a ~ of contradictions** eine Reihe von Widersprüchen; **the ~ of the people** die breite Masse ❸ *no pl* PHYS Masse *f* II. *vi crowd* sich ansammeln; *troops* aufmarschieren

Mass [mæs] *n* REL, MUS Messe *f*

mas·sa·cre ['mæsəkər] I. *n* ❶ (*killing*) Massaker *nt*, Blutbad *nt* ❷ (*defeat*) [verheerende] Niederlage, Desaster *nt* II. *vt* ❶ (*kill*) massakrieren ❷ (*defeat*) vernichtend schlagen; (*hum*) auseinandernehmen *sl* ❸ (*hum: perform badly*) verderben

mas·sage ['mæsɑː(d)ʒ] I. *n* Massage *f;* **to give sb a ~** jdn massieren; **to have a ~** sich massieren lassen II. *vt* ❶ (*rub*) massieren;

to ~ **cream/oil into the skin** Creme/Öl einmassieren; **to** ~ **sb's ego** (*fig*) jdm schmeicheln ❷ (*alter*) *figures, statistics* manipulieren

'**mas·sage par·lour** *n* ❶ (*for treatment*) Massagepraxis *f*; (*one room*) Massageraum *m* ❷ (*for sex*) Massagesalon *m euph*

mas·seur [mæsˈɜːʳ] *n* Masseur *m*

mas·seuse [mæsˈɜːz] *n* Masseurin *f*

mas·sif [mæsˈiːf] *n* [Gebirgs]massiv *nt*

mas·sive ['mæsɪv] *adj* riesig, enorm; *heart attack* schwer

mass 'mar·ket *n* Massenmarkt *m* **mass-'mar·ket** *adj attr* Massen- **mass 'me·dia** *n* + *sing/pl vb* ■ **the** ~ die Massenmedien *pl* **mass 'meet·ing** *n* Massenversammlung *f*; (*at an event*) Massenveranstaltung *f* **mass 'mur·der** *n* Massenmord *m* **mass 'mur·der·er** *n* Massenmörder(in) *m(f)* **mass-pro·'duce** *vt* serienmäßig herstellen **mass pro·'duc·tion** *n* Massenproduktion *f* **mass 'tour·ism** *n no pl* Massentourismus *m* **mass un·em·'ploy·ment** *n no pl* Massenarbeitslosigkeit *f*

mast¹ [mɑːst] *n* ❶ NAUT [Schiffs]mast *m* ❷ (*flag pole*) [Fahnen]mast *m* ❸ RADIO, TV Sendeturm *m*

mast² [mɑːst] *n no pl* (*food for wild pigs*) Mast *f*

mas·tec·to·my [mæsˈtektəmi] *n* Mastektomie *f fachspr*

mas·ter ['mɑːstəʳ] **I.** *n* ❶ (*of slave, servant*) Herr *m*; (*of dog*) Herrchen *nt*; **to be ~ of one's fate** sein Schicksal in der Hand haben; **to be ~ of the situation** Herr der Lage sein ❷ (*expert*) Meister(in) *m(f)*; **he was a ~ of disguise** er war ein Verwandlungskünstler ❸ (*specialist instructor*) Lehrer *m*; BRIT (*dated: male schoolteacher*) Lehrer *m* ❹ (*dated: title for young boy*) Anrede für einen Jungen oder Jugendlichen, heute noch bei Adressen auf Briefen ❺ (*master copy*) Original *nt* **II.** *vt* ❶ (*cope with*) meistern; **to ~ one's fear of flying** seine Flugangst überwinden ❷ (*become proficient*) beherrschen

mas·ter 'bed·room *n* großes Schlafzimmer **mas·ter 'buil·der** *n* Baumeister(in) *m(f)* **mas·ter 'chef** *n* Meisterkoch, Meisterköchin *m, f* '**mas·ter class** *n* Meisterklasse *f* '**mas·ter copy** *n* Original *nt* **mas·ter 'crafts·man** *n* Handwerksmeister(in) *m(f)*

mas·ter·ful ['mɑːstəfᵊl] *adj* ❶ (*authoritative*) bestimmend, dominant ❷ (*skilful*) meisterhaft, meisterlich

mas·ter·ful·ly ['mɑːstəfᵊli] *adv* ❶ (*with authority*) bestimmend, dominant ❷ (*skilfully*) meisterhaft, gekonnt

'**mas·ter key** *n* Generalschlüssel *m*

mas·ter·ly ['mɑːstəli] *adj* meisterhaft, Meister-

'**mas·ter·mind I.** *n* führender Kopf **II.** *vt* federführend leiten; **she ~ed the takeover bid** das Übernahmeangebot war von ihr geplant worden

Mas·ter of 'Arts *n* ❶ (*degree*) ≈ Magister Artium *m* ❷ (*person*) Magister *m* **Master of 'Cer·emo·nies** *n* ❶ (*at celebration*) Zeremonienmeister *m* ❷ TV Showmaster(in) *m(f)* **Mas·ter of 'Sci·ence** ■ **to be a ~** ≈ ein Diplom *nt* in einer Naturwissenschaft haben

'**mas·ter·piece** *n* Meisterwerk *nt*, Meisterstück *nt* '**mas·ter plan** *n* Grundplan *m* '**mas·ter race** *n* Herrenrasse *f*

Mas·ter's ['mɑːstəz] *n*, **Mas·ter's de·gree** *n* ≈ Magister *m*; **to take one's ~** ≈ seinen Magister machen

'**mas·ter·stroke** *n* Glanzstück *nt* '**mas·ter switch** *n* Hauptschalter *m* '**mas·ter·work** *n* Meisterwerk *nt*, Meisterstück *nt*

mas·tery ['mɑːstᵊri] *n no pl* ❶ (*domination*) Herrschaft *f* ❷ (*expertise*) Meisterschaft *f* (*of sth*)

mas·ti·cate ['mæstɪkeɪt] *vt* (*form*) [zer]kauen

mas·ti·ca·tion [ˌmæstɪˈkeɪʃᵊn] *n no pl* (*form*) [Zer]kauen *nt*

mas·tiff ['mæstɪf] *n* englische Dogge

mas·ti·tis [mæsˈtaɪtɪs] *n no pl* Brustdrüsenentzündung *f*, Mastitis *f fachspr*

mas·tur·bate ['mæstəbeɪt] *vi* masturbieren

mas·tur·ba·tion [ˌmæstəˈbeɪʃᵊn] *n no pl* Masturbation *f*

mat [mæt] **I.** *n* ❶ (*for floor*) Matte *f*; (*for furniture*) Untersetzer *m*; (*decorative mat*) Deckchen *nt*; **beer** ~ Bierdeckel *m*; **place** ~ Set *nt* ❷ (*thick layer*) **a** ~ **of hair** dichtes Haar; (*on the head*) eine Mähne *fam* **II.** *vt* <-tt-> *usu passive* ■ **to be ~ted with sth** mit etw *dat* bedeckt sein

mata·dor ['mætədɔːʳ] *n* Matador(in) *m(f)*

match¹ <*pl* -es> [mætʃ] *n* Streichholz *nt*; **a box of ~es** eine Schachtel Streichhölzer

match² [mætʃ] **I.** *n* <*pl* -es> ❶ SPORTS Spiel *nt*; CHESS Partie *f*; **boxing** ~ Boxkampf *m*; **football** ~ Fußballspiel *nt* ❷ *usu sing* (*complement*) **the new tablecloth is a perfect ~ for the carpet** die neue Tischdecke passt ideal zum Teppich; **to be a good** ~ gut zusammenpassen ❸ (*one of pair*) Gegenstück *nt* ❹ *usu sing* (*equal*) ebenbürtiger Gegner/ebenbürtige Gegnerin (**for** für); **to meet one's ~** (*meet equal*) einen ebenbürtigen Gegner/eine ebenbürtige Gegnerin finden; (*lose*) seinen Meister finden; **to be no ~ for sb** sich mit jdm nicht messen können ❺ (*marriage*) Ehe *f;* (*couple*) Paar *nt;* (*person*) Partie *f* ❻ COMPUT (*hit*) Treffer *m* **II.** *vi* (*harmonize*) zusammenpassen; (*make pair*) zusammengehören; **a dress with accessories to ~** ein Kleid mit dazu passenden Accessoires **III.** *vt* ❶ (*complement*) ▪**to ~ sth** zu etw *dat* passen ❷ (*find complement*) ▪**to ~ sth** [**with sth**] etw [auf etw *akk*] abstimmen; **match the correct opposites** bilden Sie Paare aus den zusammengehörigen Gegensätzen; **I'm trying to ~ the names on the list with the faces on the photograph** ich versuche die Namen auf dieser Liste den Gesichtern auf dem Foto zuzuordnen ❸ (*equal*) ▪**to ~ sb/sth** jdm/ etw gleichkommen ❹ *usu passive* (*in contest*) ▪**to be ~ed against sb** gegen jdn antreten ❺ (*correspond to*) ▪**to ~ sth** etw *dat* entsprechen, zu etw *dat* passen ◆**match up I.** *vi* ❶ (*make sense*) Sinn ergeben ❷ (*be aligned*) aufeinander abgestimmt sein ❸ (*meet standard*) ▪**to ~ up to sth** an etw *akk* heranreichen, etw *dat* entsprechen **II.** *vt* (*find complement*) **to ~ up** ⟳ **socks** die zusammengehörigen Socken finden

'**match·box** *n* Streichholzschachtel *f*
match·ing ['mætʃɪŋ] *adj attr* [zusammen]passend
match·less ['mætʃləs] *adv* unvergleichlich, einzigartig
'**match·mak·er** *n* (*marriage broker*) Heiratsvermittler(in) *m(f)*
match 'point *n* TENNIS Matchball *m*
'**match·stick** *n* Streichholz *nt; ~* **arms** sehr dünne Arme '**match·wood** *n no pl* Kleinholz *nt*

mate[1] [meɪt] **I.** *n* ❶ BRIT, AUS (*friend*) Freund(in) *m(f)* ❷ BRIT, AUS (*fam: form of address*) Kumpel *m;* **what's the time, ~?** hey du, wie spät ist es denn? ❸ (*sexual partner*) Partner(in) *m(f);* BIOL Sexualpartner(in) *m(f)* ❹ (*one of a pair*) Gegenstück *nt* ❺ (*ship's officer*) Schiffsoffizier *m;* **first/second ~** Erster/Zweiter Offizier **II.** *vi* ❶ BIOL *animals* sich paaren (**with** mit) ❷ (*join or connect mechanically*) ▪**to ~ to sth** sich an etw *akk* ankuppeln **III.** *vt* **to ~ two animals** zwei Tiere miteinander paaren

mate[2] [meɪt] *n* CHESS [Schach]matt *nt*
ma·terial [məˈtɪəriəl] **I.** *n* ❶ (*substance*) Material *nt a. fig; building ~* Baumateri-

al *nt; raw ~* Rohmaterial *nt;* (*hum*) **to be university ~** das Zeug zum Studieren haben ❷ *no pl* (*cloth*) Stoff *m* ❸ (*type of cloth*) Stoffart *f* ❹ *no pl* (*information*) [Informations]material *nt,* Unterlagen *pl* ❺ (*equipment*) ▪**~s** *pl* Material *nt;* **writing ~s** Schreibzeug *nt* **II.** *adj* ❶ (*physical*) materiell; **~ damage** Sachschaden *m* ❷ (*important*) wesentlich, wichtig; ▪**to be ~ to sth** für etw *akk* relevant sein
ma·teri·al·ism [məˈtɪəriəlɪzᵊm] *n no pl* Materialismus *m*
ma·teri·al·ist [məˈtɪəriəlɪst] *n* Materialist(in) *m(f)*
ma·teri·al·is·tic [məˌtɪəriəˈlɪstɪk] *adj* materialistisch
ma·teri·al·ize [məˈtɪəriəlaɪz] *vi* ❶ (*become fact*) hope, dream sich verwirklichen, in Erfüllung gehen; *plan, promise* in die Tat umgesetzt werden ❷ (*take physical form*) erscheinen ❸ (*appear suddenly*) [plötzlich] auftauchen
ma·terial 'wit·ness *n* ❶ BRIT (*witness of fact*) Tatzeuge(in) *m(f)* ❷ AM (*connected with case*) Hauptzeuge(in) *m(f)*
ma·ter·nal [məˈtɜːnᵊl] *adj* ❶ (*motherly*) mütterlich, Mutter- ❷ (*of mother's family*) mütterlicherseits *nach n*
ma·ter·nity [məˈtɜːnəti] *n no pl* Mutterschaft *f*
ma·ter·nity clothes *npl* Umstandskleidung *f kein pl* **ma·ter·nity dress** *n* Umstandskleid *nt* **ma·ter·nity hos·pi·tal** *n* Entbindungsklinik *f* **ma·ter·nity leave** *n no pl* Mutterschaftsurlaub *m* **ma·ter·nity ward** *n* Entbindungsstation *f*
matey ['meɪti] BRIT, AUS **I.** *adj* (*fam*) ▪**to be ~** sich gut verstehen **II.** *n* (*fam*) Kumpel *m*
math [mæθ] *n* AM (*fam*) *short for* **mathematics** Mathe *f*
math·emati·cal [ˌmæθᵊmˈætɪkᵊl] *adj* mathematisch
math·ema·ti·cian [ˌmæθᵊməˈtɪʃᵊn] *n* Mathematiker(in) *m(f)*
math·emat·ics [mæθᵊmˈætɪks] *n + sing vb* Mathematik *f*
maths [mæθs] *n + sing vb* BRIT, AUS (*fam*) *short for* **mathematics** Mathe *f*
mati·née, mati·nee ['mætɪneɪ] *n* Matinee *f;* (*afternoon performance*) Frühvorstellung *f*
mat·ing ['meɪtɪŋ] *n* Paarung *f*
'**mat·ing sea·son** *n* Paarungszeit *f*
ma·tri·ar·chy ['meɪtrɪɑːki] *n* Matriarchat *nt*
ma·tric [məˈtrɪk] *n* SA *short for* **matriculation** ≈ Abi *nt*

ma·tri·ces ['meɪtrɪsiːz] *n pl of* **matrix**

ma·tricu·late [mə'trɪkjəleɪt] *vi* ❶ (*enter university*) sich immatrikulieren ❷ SA (*pass exams*) ≈ das Abitur machen

ma·tricu·la·tion [mə,trɪkjə'leɪʃᵊn] *n* ❶ (*at university*) Immatrikulation *f* ❷ SA (*school qualification*) ≈ Abitur *nt*

mat·ri·mo·nial [,mætrɪ'məʊniəl] *adj* (*form*) Ehe-, ehelich

mat·ri·mo·ny ['mætrɪməni] *n no pl* Ehe *f;* **to be joined in holy ~** in den heiligen Stand der Ehe treten

ma·trix <*pl* -es *or* -ices> ['meɪtrɪks, *pl* -ɪsiːz] *n* ❶ (*mould*) Matrize *f,* Gießform *f* ❷ (*rectangular arrangement*) Matrix *f* ❸ (*form: conditions*) Rahmen *m,* Grundlage *f*

'ma·trix print·er *n* Matrixdrucker *m*

ma·tron ['meɪtrᵊn] *n* ❶ (*dated: senior nurse*) Oberschwester *f;* (*at school*) Hausmutter *f* ❷ *esp* AM (*in prison*) Gefängnisaufseherin *f* ❸ (*hum: middle-aged woman*) Matrone *f meist pej*

ma·tron·ly ['meɪtrᵊnli] *adj* (*esp hum*) matronenhaft *meist pej*

matt, AM **matte** [mæt] *adj* matt

mat·ted ['mætɪd] *adj* verflochten; *hair* verfilzt

mat·ter ['mætəʳ] **I.** *n* ❶ *no pl* (*material*) Materie *f;* **organic/vegetable ~** organische/pflanzliche Stoffe *pl;* **printed ~** Gedrucktes *nt,* Drucksache[n] *f[pl];* **reading ~** Lesestoff *m* ❷ (*affair*) Angelegenheit *f,* Sache *f;* **this is a ~ for the police** das sollte man der Polizei übergeben; **the ~ at hand** die Angelegenheit, um die es geht; **to get to the heart of the ~** zum Kern der Sache vordringen; **the truth of the ~ is ...** in Wirklichkeit ist/wird/sollte etc. ...; **a ~ of urgency** etwas Dringendes; **to be no easy ~ doing sth** nicht einfach sein, etw zu tun; **family ~s** Familienangelegenheiten *pl* ❸ *no pl* (*question*) Frage *f;* **as a ~ of fact** (*by the way*) übrigens; (*expressing agreement or disagreement*) in der Tat; **as a ~ of interest** interessehalber; **it's a ~ of life and death** es geht um Leben und Tod; **that's a ~ of opinion** das ist Ansichtssache; **a ~ of taste** eine Geschmacksfrage; **a ~ of time** eine Frage der Zeit ❹ *no pl* (*topic*) Thema *nt;* **the subject ~ of the book** das Thema des Buches; **it's no laughing ~** das ist nicht zum Lachen; **that's another ~ altogether** das ist [wieder] etwas völlig anderes; **to let the ~ drop** etwas auf sich beruhen lassen; (*in a conversation*) das Thema fallen lassen ❺ (*problem*) **is anything the ~?** stimmt

etwas nicht?; **there's nothing the ~** es ist alles in Ordnung; **what's the ~ with you?** was ist los mit dir?; **no ~ what/when/ who ...** egal, was/wann/wer ... ❻ (*state of affairs*) ■**~s** *pl* die Situation [*o* Lage]; **that's how ~s stand at the moment** so sieht es im Moment aus; **to make ~s worse, it then started to rain heavily** zu allem Überfluss fing es auch noch an, in Strömen zu regnen; **to take ~s into one's own hands** die Dinge selbst in die Hand nehmen ❼ *no pl* (*amount*) **~ of seconds he was by her side** es dauerte nur Sekunden bis er bei ihr war; **it was all over in a ~ of minutes** nach wenigen Minuten war alles vorbei ❽ LAW **~ of fact** Tatfrage *f;* **~ of law** Rechtsfrage *f* **II.** *vi* (*be of importance*) von Bedeutung sein; **what ~s now is that ...** worauf es jetzt ankommt, ist, dass ...; **that's the only thing that ~s** das ist das Einzige, was zählt; **it really ~s to me** das ist mir wirklich wichtig für mich; ■**it ~s that ...** es macht etwas aus, dass ...; ■**it doesn't ~** das ist egal, das macht nichts

mat·ter-of-fact *adj* ❶ (*emotionless*) sachlich, nüchtern ❷ (*straightforward*) geradeheraus *präd,* direkt **mat·ter-of-factly** *adv* ❶ (*without emotion*) sachlich, nüchtern ❷ (*straightforwardly*) direkt, geradeheraus

mat·ting ['mætɪŋ] *n no pl* ❶ (*floor covering*) Matten *pl* ❷ (*tangling*) Verflechten *nt;* (*of wool*) Verfilzen *nt*

mat·tress <*pl* -es> ['mætrəs] *n* Matratze *f*

ma·ture [mə'tjʊəʳ] **I.** *adj* ❶ (*adult*) erwachsen; *animal* ausgewachsen; (*like an adult*) reif ❷ (*ripe*) reif; *wine* ausgereift ❸ FIN (*payable*) fällig, zahlbar **II.** *vi* ❶ (*physically*) erwachsen werden, heranreifen; (*mentally and emotionally*) reifer werden ❷ (*ripen*) [heran]reifen ❸ FIN (*become payable*) fällig werden ❹ (*develop fully*) *idea, plan* ausreifen **III.** *vt* FOOD reifen lassen

ma·tur·ity [mə,tjʊərəti] *n no pl* ❶ (*adulthood*) Erwachsensein *nt;* (*wisdom*) Reife *f;* **of animals** Ausgewachsensein *nt;* **to reach ~** (*of person*) erwachsen werden; (*of animal*) ausgewachsen sein ❷ (*developed form*) Reife *f,* Vollendung *f* ❸ (*ripeness*) Reife *f* ❹ FIN Fälligkeit *f*

maud·lin ['mɔːdlɪn] *adj* [weinerlich] sentimental

maul [mɔːl] *vt* ❶ (*wound*) verletzen; (*attack*) anfallen ❷ (*criticize*) heruntermachen, verreißen *fam*

Maun·dy 'Thurs·day ['mɔːndi-] *n* BRIT Gründonnerstag *m*

Mau·ri·ta·nia [ˌmɒrɪ'teɪnɪə] *n* Mauretanien *nt*

Mau·ri·ta·nian [ˌmɒrɪ'teɪnɪən] **I.** *n* Mauretanier(in) *m(f)* **II.** *adj* mauretanisch

Mau·ri·tian [mə'rɪʃən] **I.** *n* Mauritier(in) *m(f)* **II.** *adj* mauritisch

Mau·ri·tius [mə'rɪʃəs] *n* Mauritius *nt*

mau·so·leum [ˌmɔːsə'liːəm] *n* Mausoleum *nt*

mauve [məʊv] *adj* mauve

mav·er·ick ['mævərɪk] *n* ❶ (*unorthodox independent person*) Einzelgänger(in) *m(f)*, Alleingänger(in) *m(f)* ❷ AM ZOOL Vieh *nt* ohne Brandzeichen

mawk·ish ['mɔːkɪʃ] *adj* rührselig, sentimental

max [mæks] **I.** *n* (*fam*) *short for* **maximum** max. **II.** *adv* (*fam*) **it'll cost you £40 ~** das wird Sie maximal £40 kosten

max [mæks] *vt* AM (*fam*) ■**to ~ out** ◌ **sth** credit card etw ausschöpfen

max·im ['mæksɪm] *n* Maxime *f*

max·i·mal ['mæksɪməl] *adj* maximal

max·im·ize ['mæksɪmaɪz] *vt* maximieren

maxi·mum ['mæksɪməm] **I.** *adj attr* maximal, Höchst- **II.** *n* <*pl* -ima *or* -s> [-ɪmə] Maximum *nt* **III.** *adv* maximal

maxi·mum se·'cu·rity pris·on *n* Hochsicherheitsgefängnis *nt*

may¹ <3rd pers. sing may, might, might> [meɪ] *aux vb* ❶ (*indicating possibility*) können; **there ~ be side effects from the drug** diese Arznei kann Nebenwirkungen haben; **if George is going to be that late we ~ as well start dinner without him** wenn George so spät dran ist, können wir auch genauso gut schon ohne ihn mit dem Essen anfangen; **I ~ be overreacting, but ...** mag sein, dass ich überreagiere, aber ...; **be that as it ~** wie dem auch [immer] sei ❷ (*be allowed*) dürfen, können; **~ I ask you a question?** darf ich Ihnen [mal] eine Frage stellen? ❸ (*expressing wish*) mögen; **~ she rest in peace** möge sie in Frieden ruhen *form*

may² [meɪ] *n no pl* Hagedornblüte *f*

May [meɪ] *n* Mai *m*; *see also* **February**

may·be ['meɪbi] *adv* ❶ (*perhaps*) vielleicht, möglicherweise; **~ we should start again** vielleicht sollten wir noch mal anfangen ❷ (*approximately*) circa, ungefähr

'may·day *n* Mayday *kein art, internationaler Notruf*

'May Day *n* der Erste Mai, Maifeiertag *m*

'may·fly *n* Eintagsfliege *f*

may·hem ['meɪhem] *n no pl* Chaos *nt*

mayo ['meɪəʊ] *n* (*fam*) *short for* **mayonnaise** Mayo *f*

may·on·naise ['meɪə'neɪz] *n* Mayonnaise *f*

mayor ['meəʳ] *n* Bürgermeister(in) *m(f)*

mayor·ess <*pl* -es> [ˌmeə'res] *n esp* BRIT ❶ (*woman mayor*) Bürgermeisterin *f* ❷ (*mayor's wife*) Frau *f* des Bürgermeisters

'may·pole *n* Maibaum *m*

may've ['meɪəv] (*fam*) = **may have** *see* **may¹**

maze [meɪz] *n* Labyrinth *nt*, Irrgarten *m*

MB [ˌem'biː] *n* BRIT *abbrev of* **Bachelor of Medicine** ≈ zweites medizinisches Staatsexamen

MBA [ˌembiː'eɪ] *n abbrev of* **Master of Business Administration** MBA *m*

MC [ˌem'siː] *n abbrev of* **Master of Ceremonies**

MD [ˌem'diː] *n* AM, AUS *abbrev of* **Doctor of Medicine** Dr. med.

me [miː, mɪ] *pron object* ❶ (*1st person singular*) mir *in dat*, mich *in akk*; **why are you looking at ~?** warum siehst du mich an?; **wait for ~!** warte auf mich!; **between you and ~** unter uns [gesagt]; **it wasn't ~ who offered to go, it was him** ich wollte nicht gehen, er wollte; **hi, it's ~** hallo, ich bin's; **you have more than ~** du hast mehr als ich ❷ AM (*fam: myself*) mir *in dat*, mich *in akk*; **I've got ~ a job** ich habe einen Job gefunden ▸ **goodness ~!** du lieber Himmel!; **dear ~!** du liebe Güte!; **silly ~!** bin ich dumm!

mead·ow ['medəʊ] *n* Wiese *f*

mea·gre ['miːgəʳ] *adj, AM* **mea·ger** *adj* mager, dürftig

meal¹ [miːl] *n* Mahlzeit *f*, Essen *nt*; **to go out for a ~** essen gehen

meal² [miːl] *n* [grobes] Mehl

'meal tick·et *n* ❶ *esp* AM, AUS (*voucher*) Essensmarke *f* ❷ (*means of living*) Einnahmequelle *f* ❸ (*partner of money*) Ernährer(in) *m(f)* **'meal·time** *n* Essenszeit *f*

mealy ['miːli] *adj* mehlig

mealy-'mouthed *adj* (*pej*) ausweichend; *excuses* fadenscheinig; *expressions* schönfärberisch

mean¹ [miːn] *adj* ❶ *esp* BRIT (*miserly*) geizig, knauserig ❷ (*unkind*) gemein, fies *fam* ❸ AM (*vicious*) aggressiv; (*dangerous*) gefährlich; *dog* bissig ❹ (*bad*) schlecht; **he's no ~ cook** er ist kein schlechter Koch; **no ~ feat** eine Meisterleistung ❺ AM (*sl: good*) super *fam*, toll *fam*; **he plays a ~ guitar** er spielt supergeil Gitarre *sl*

mean² <meant, meant> [miːn] *vt* ❶ (*signify*) *word, symbol* bedeuten; **no ~s no** nein heißt nein; **does that name ~ anything to you?** sagt dir der Name etwas? ❷ (*intend to convey*) *person* meinen;

what do you ~ by that? was willst du damit sagen?; **now I see what you ~** jetzt weiß ich, was du meinst ❸ (*be sincere*) **I ~ what I say** ich meine es ernst, was ich sage; **he said a lot of things he didn't really ~** er sagte eine Menge Dinge, die er nicht so gemeint hat ❹ (*intend*) wollen; **he didn't ~ any harm** er wollte nichts Böses; **I really didn't ~ to offend you** ich wollte dich wirklich nicht kränken; **I've been ~ing to phone you for weeks** ich will dich schon seit Wochen anrufen; **you ~t to fill in a tax form every year** Sie müssen jedes Jahr eine Steuererklärung ausfüllen; **to be ~t for each other** füreinander bestimmt sein; **it was ~t to be a surprise** das sollte eine Überraschung sein; **to ~ business** es ernst meinen; **to ~ well** es gut meinen ❺ (*result in*) bedeuten, heißen *fam* ❻ (*have significance*) bedeuten; **it was just a kiss, it didn't ~ anything** es war nur ein Kuss, das hatte nichts zu bedeuten; **to ~ a lot/nothing/something to sb** jdm viel/nichts/etwas bedeuten

mean³ [miːn] **I.** *n* (*average*) Mittel *nt;* (*average value*) Mittelwert *m;* (*fig*) Mittelweg *m* **II.** *adj* durchschnittlich

me·ander [miˈændəʳ] **I.** *n* Windung *f,* Krümmung *f* **II.** *vi* ❶ (*flow in curves*) sich schlängeln [*o* winden] ❷ (*wander*) [umher]schlendern ❸ (*digress*) abschweifen

me·ander·ing [miˈændəʳɪŋ] **I.** *adj* ❶ (*flowing in curves*) gewunden ❷ (*rambling*) abschweifend **II.** *n* ■ **~s** *pl* Gefasel *nt kein pl*

meanie [ˈmiːni] *n* (*fam*) ❶ *esp* BRIT (*miserly person*) Geizhals *m* ❷ (*unkind person*) **to be a ~** gemein sein

mean·ing [ˈmiːnɪŋ] *n* ❶ (*sense*) Bedeutung *f;* **the ~ of life** der Sinn des Lebens; **to give sth a whole new ~** (*esp hum*) etw in einem ganz neuen Licht erscheinen lassen; **what is the ~ of this?** was soll das heißen?; **it was impossible to misunderstand his ~** es war unmöglich, ihn misszuverstehen ❷ (*importance*) Bedeutung *f,* Sinn *m;* **to have ~ for sb** jdm etwas bedeuten

mean·ing·ful [ˈmiːnɪŋfəl] *adj* ❶ (*important*) bedeutsam, wichtig; **she seems to find it difficult to form a ~ relationship** sie hat Schwierigkeiten, sich auf eine tiefer gehende Beziehung einzulassen ❷ (*implying something*) bedeutungsvoll, viel sagend

mean·ing·ful·ly [ˈmiːnɪŋfəli] *adv* bedeutsam, viel sagend

mean·ing·less [ˈmiːnɪŋləs] *n* (*without importance*) bedeutungslos; (*nonsensical*) sinnlos; (*empty*) nichts sagend

mean·ing·less·ness [ˈmiːnɪŋləsnəs] *n no pl* Bedeutungslosigkeit *f,* Sinnlosigkeit *f*

mean·ness [ˈmiːnnəs] *n no pl* ❶ *esp* BRIT (*lack of generosity*) Kleinlichkeit *f,* Geiz *m* ❷ (*unkindness*) Gemeinheit *f,* Gehässigkeit *f*

means <*pl* -> [miːnz] *n* ❶ (*method*) Weg *m;* (*possibility*) Möglichkeit *f;* (*device*) Mittel *nt;* **ways and ~** Mittel und Wege; **to try by all [possible] ~ to do sth** auf jede erdenkliche Art und Weise versuchen, etw zu erreichen; **~ of communication** Kommunikationsmittel *nt;* **~ of transport** Transportmittel *nt;* **~ of support** Einkommen *nt;* **to use all ~ at one's disposal** alle verfügbaren Mittel nutzen ❷ (*income*) ■ **~** *pl* Geldmittel *nt pl;* **private ~** Privatvermögen *nt;* **to live beyond one's ~** über seine Verhältnisse leben ▶ **a ~ to an end** ein Mittel zum Zweck; **the end justifies the ~** (*prov*) der Zweck heiligt die Mittel; **they made their escape by ~ of a rope ladder** sie entkamen mit [Hilfe] einer Strickleiter; **by all ~** (*form*) unbedingt; (*of course*) selbstverständlich; **by no ~** keineswegs, auf keinen Fall

'means test *n* FIN (*of income*) Einkommensüberprüfung *f;* (*of property*) Ermittlung *f* der Vermögensverhältnisse; BRIT (*for social benefit*) Bedürftigkeitsprüfung *f*

meant [ment] *pt, pp of* **mean**

'mean·time *n* **for the ~** vorerst; **in the ~** inzwischen, in der Zwischenzeit

mean·while [ˌmiːnˈ(h)waɪl] *adv* inzwischen, unterdessen, mittlerweile

meany *n* (*fam*) *see* **meanie**

mea·sles [ˈmiːzlz] *n + sing vb* Masern *pl*

mea·sly [ˈmiːzli] *adj* (*pej*) mickrig, schäbig

meas·ur·able [ˈmeʒʳrəbl] *adj* messbar; *perceptible* nachweisbar, erkennbar, merklich

meas·ure [ˈmeʒəʳ] **I.** *n* ❶ (*unit*) Maß *nt,* Maßeinheit *f;* **a ~ of length** ein Längenmaß *nt* ❷ (*degree*) Maß *nt,* Grad *m;* **there was some ~ of truth in what he said** an dem, was er sagte, war etwas Wahres dran; **in large ~** in hohem Maß ❸ (*measuring instrument*) Messgerät *nt;* (*ruler*) Messstab *m;* (*container*) Messbecher *m* ❹ (*indicator*) Maßstab *m* ❺ *usu pl* (*action*) Maßnahme *f* ❻ POL (*bill*) gesetzliche Maßnahme, Bestimmung *f* ▶ **for good ~** (*in addition*) zusätzlich, noch dazu; (*to ensure success*) sicherheitshalber **II.** *vt* [ab]messen **III.** *vi* messen ♦ **measure out** *vt* ❶ (*take* *measured amount*) abmessen ❷ (*discover size*) ausmessen ◆ **measure up** I. *vt* einschätzen II. *vi* ❶ (*be same size*) zusammenpassen ❷ (*reach standard*) den Ansprüchen genügen; ■ **to ~ up to sth** an etw *akk* heranreichen

meas·ured ['meʒəd] *adj* gemäßigt; *voice, tone* bedächtig; *response* wohl überlegt; *pace* gemäßigt; *tread* gemessen

meas·ure·ment ['meʒəmənt] *n* ❶ (*size*) ■ **sb's ~s** *pl* jds Maße, jds Größe; **chest ~** Brustumfang *m;* **to take sb's ~s** bei jdm Maß nehmen ❷ *no pl* (*measuring*) Messung *f,* Messen *nt*

meas·ur·ing cup ['meʒ'rɪŋ-] *n esp* AM, AUS (*measuring jug*) Messbecher *m*

'**meas·ur·ing jug** *n* BRIT Messbecher *m*

'**meas·ur·ing spoon** *n* Messlöffel *m*

meat [mi:t] *n* Fleisch *nt;* (*fig: subject matter*) Substanz *f*

meat-and-po·'ta·toes *adj* AM (*fam*) grundlegend '**meat·ball** *n* Fleischklößchen *nt* '**meat cleav·er** *n* Fleischerbeil *nt* '**meat grind·er** *n* AM Fleischwolf *m* '**meat hook** *n* Fleischerhaken *m* '**meat loaf** *n* Hackbraten *m* '**meat prod·ucts** *npl* Fleischwaren *f pl*

Mec·ca ['mekə] *n* ❶ REL Mekka *nt* ❷ (*centre of attraction*) ■ **a ~** Mekka *nt fig*

me·chan·ic [mɪ'kænɪk] *n* Mechaniker(in) *m(f)*

me·chani·cal [mɪ'kænɪkəl] *adj* ❶ *machines* mechanisch, Maschinen-; (*technical*) technisch; (*by machine*) maschinell ❷ (*machine-like*) mechanisch, automatisch

me·chani·cal en·gi·'neer *n* Maschinenbauer(in) *m(f);* (*engineer*) Maschinenbauingenieur(in) *m(f)* **me·chani·cal en·gi·'neer·ing** *n no pl* Maschinenbau *m*

me·chani·cal·ly [mɪ'kænɪkəli] *adv* ❶ (*by machine*) maschinell ❷ (*without thinking*) mechanisch

me·chani·cal 'pen·cil *n* AM (*propelling pencil*) Drehbleistift *m*

me·chan·ics [mɪ'kænɪks] *n* ❶ + *sing vb* AUTO, TECH Technik *f,* Mechanik *f* ❷ + *pl vb* (*fam: practicalities*) Mechanismus *m*

mecha·nism ['mekənɪzəm] *n* ❶ (*working parts*) Mechanismus *m* ❷ (*method*) Mechanismus *m,* Methode *f;* **defence ~** Abwehrmechanismus *m*

mecha·ni·za·tion [,mekənaɪ'zeɪʃən] *n* Mechanisierung *f*

mecha·nize ['mekənaɪz] *vt* mechanisieren

Med [med] *n* (*fam*) *short for* **Mediterranean sea** Mittelmeer *nt*

med I. *n abbrev of* **medicine** II. *adj*

❶ (*fam*) *abbrev of* **medical** ❷ *abbrev of* **medieval** ma. ❸ *abbrev of* **medium**

med·al ['medəl] *n* [Ehren]medaille *f,* Orden *m,* Auszeichnung *f;* SPORTS Medaille *f*

med·al·ist *n* AM *see* **medallist**

me·dal·lion [mɪ'dæliən] *n* Medaillon *nt*

med·al·list ['medəlɪst] *n* Medaillengewinner(in) *m(f)*

med·dle ['medl] *vi* sich einmischen (**in** in); ■ **to ~ with sth** sich mit etw *dat* abgeben

med·dle·some ['medlsəm] *adj* **to be ~** sich in alles einmischen; (*annoying*) aufdringlich sein

me·dia ['mi:diə] *n* ❶ *pl of* **medium** ❷ + *sing/pl vb* (*the press*) ■ **the ~** die Medien *pl;* **the news ~** (*tv, radio*) Nachrichtensender *m;* (*magazines*) Nachrichtenmagazin *nt;* (*newspaper*) [aktuelle] Zeitung; **in the ~** in den Medien; **~ coverage** Berichterstattung *f;* **a ~ event** ein Medienereignis *nt;* **~ hype** Medienrummel *m*

me·di·aeval *adj see* **medieval**

me·dian ['mi:diən] I. *adj* durchschnittlich II. *n* AM, AUS (*central reservation*) Mittelstreifen *m*

me·dian 'strip *n* AM, AUS (*central reservation*) Mittelstreifen *m*

'**me·dia studies** *npl* ≈ Kommunikationswissenschaft *f*

me·di·ate ['mi:dieɪt] I. *vi* vermitteln II. *vt* aushandeln

me·dia·tion [,mi:di'eɪʃən] *n no pl* Vermittlung *f*

me·dia·tor ['mi:dieɪtər] *n* Vermittler(in) *m(f)*

med·ic ['medɪk] *n* (*fam*) ❶ (*doctor*) Doktor *m fam* ❷ (*student*) Mediziner(in) *m(f)* ❸ AM MIL, NAUT Sanitäter(in) *m(f)*

Med·ic·aid ['medɪkeɪd] *n no pl* AM *Gesundheitsfürsorgeprogramm in den USA für einkommensschwache Gruppen*

medi·cal ['medɪkəl] I. *adj facilities, research* medizinisch; *advice, care, treatment* ärztlich; **~ attention** ärztliche Behandlung; **~ staff** Angestellte *pl* im Gesundheitswesen II. *n* (*fam*) ärztliche Untersuchung; **to have a ~** sich ärztlich untersuchen lassen

medi·cal cer·'tifi·cate *n* ärztliches Attest **medi·cal ex·ami·'na·tion** *n* ärztliche Untersuchung **medi·cal 'his·tory** *n* Krankengeschichte *f*

medi·cal·ly ['medɪkəli] *adv* medizinisch

me·dica·ment [mɪ'dɪkəmənt, 'mədɪ-] *n* Medikament *nt*

Medi·care ['medɪkeər] *n* ❶ AM (*for elderly*) staatliche Gesundheitsfürsorge [für Senioren] ❷ AUS, CAN (*for all*) staatliche

Gesundheitsfürsorge

medi·cate ['medɪkeɪt] *vt usu passive* (*treat with drug*) ▪**to be ~d** medikamentös behandelt werden

medi·cat·ed ['medɪkeɪtɪd] *adj* medizinisch; **~ gauze** imprägnierter Mull

medi·ca·tion [ˌmedɪˈkeɪʃⁿn] *n* MED ❶ *no pl* (*course of drugs*) Medikamente *pl;* **to be on ~ for sth** Medikamente gegen etw *akk* [ein]nehmen ❷ (*drug*) Medikament *nt* ❸ *no pl* (*treatment*) medikamentöse Behandlung

me·dici·nal [məˈdɪsɪnⁿl] **I.** *adj* medizinisch; **~ drug** Medikament *nt;* **~ herbs** Heilkräuter *pl;* **~ properties** Heilkräfte *pl* **II.** *n* Heilmittel *nt*

medi·cine ['medsⁿn] *n* ❶ *no pl* (*for illness*) Medizin *f,* Medikamente *pl;* **to take [one's] ~** [seine] Medizin einnehmen ❷ (*substance*) Medikament *nt;* **cough ~** Hustenmittel *nt* ❸ *no pl* (*medical science*) Medizin *f;* **herbal/natural ~** Kräuter-/Naturheilkunde *f;* **to practise ~** den Arztberuf ausüben ❹ (*fig: remedy*) Heilmittel *nt* '**medi·cine ball** *n* Medizinball *m* '**medi·cine chest** *n* Hausapotheke *f* '**medi·cine man** *n* ❶ (*tribal healer*) Medizinmann *m* ❷ (*hum fam: doctor*) Medizinmann *m*

me·di·eval [ˌmedɪˈiːvⁿl] *adj* mittelalterlich

me·dio·cre [ˌmiːdɪˈəʊkəʳ] *adj* mittelmäßig

me·di·oc·rity [ˌmiːdɪˈɒkrəti] *n* ❶ *no pl* (*state*) Mittelmäßigkeit *f* ❷ (*person*) Null *f pej*

medi·tate ['medɪteɪt] **I.** *vi* ❶ (*think deeply*) nachdenken (**on** über) ❷ (*as spiritual exercise*) meditieren **II.** *vt* (*form: plan*) planen; (*consider*) erwägen

medi·ta·tion [ˌmedɪˈteɪʃⁿn] *n* ❶ *no pl* (*spiritual exercise*) Meditation *f* ❷ *no pl* (*serious thought*) Nachdenken *nt,* Überlegen *nt* (**on** über) ❸ (*reflections*) ▪**~s** *pl* Überlegungen *pl* ❹ (*discourse*) Betrachtung[en] *f[pl]*

Medi·ter·ra·nean [ˌmedɪtʳⁿˈeɪniən] **I.** *n* Mittelmeer *nt* **II.** *adj* *climate* mediterran; **~ cooking** Mittelmeerküche *f;* **~ looks** südländisches Aussehen

me·dium ['miːdiəm] **I.** *adj* ❶ (*average*) durchschnittlich, mittel; **of ~ height** von mittlerer Größe ❷ FOOD *steak* halb durch **II.** *n* <*pl* -s *or* -dia> ❶ (*means*) Medium *nt,* Mittel *nt;* PUBL, TV Medium *nt;* **advertising ~** Werbeträger *m;* **a ~ of communication** ein Kommunikationsmittel *nt* ❷ (*art material*) Medium *nt* ❸ <*pl* -s> (*spiritualist*) Medium *nt* ❹ (*nutritive substance*) Träger *m;* **culture ~** künstlicher

Nährboden

me·dium-'dry *adj* *wine* halbtrocken **me·dium-'rare** *adj* FOOD englisch **me·dium-'size(d)** *adj* mittelgroß '**me·dium-term** *adj* mittelfristig '**me·dium wave** *n esp* BRIT Mittelwelle *f*

Med·jool date ['meddʒuːl-] *n* FOOD Medjooldattel *f*

med·ley ['medli] *n* ❶ (*mixture*) Gemisch *nt* ❷ (*of tunes*) Medley *nt* ❸ (*swimming race*) Lagenstaffel *f*

meek [miːk] **I.** *adj* ❶ (*gentle*) sanftmütig ❷ (*pej: submissive*) unterwürfig; **~ compliance** blinde Ergebenheit **II.** *n* REL ▪**the ~** die Sanftmütigen

meet [miːt] **I.** *n* ❶ (*sporting event*) Sportveranstaltung *f* ❷ BRIT (*fox hunt*) Jagdtreffen *nt* (*zur Fuchsjagd*) **II.** *vt* <met, met> ❶ (*by chance*) treffen; **I met her in the street** ich bin ihr auf der Straße begegnet; **I happened to ~ him** ich habe ihn zufällig getroffen ❷ (*by arrangement*) ▪**to ~ sb** sich mit jdm treffen ❸ (*collect*) abholen; **a bus ~s every train** zu jedem Zug gibt es einen Anschlussbus ❹ (*make acquaintance of*) kennen lernen; **I'd like you to ~ my best friend Julia** ich möchte dir meine beste Freundin Julia vorstellen; **Peter, ~ Judith** Peter, darf ich dir Judith vorstellen? ❺ (*come into contact*) ▪**to ~ sth** auf etw *akk* treffen; **his eyes met hers** ihre Blicke trafen sich; **I met his gaze** ich hielt seinem Blick stand; **where the mountains ~ the sea** wo das Meer an die Berge heranreicht ❻ (*fulfil*) erfüllen; *deadline* einhalten; *demand* befriedigen; *obligation* nachkommen ❼ (*experience*) ▪**to ~ sth** mit etw *dat* konfrontiert sein; **the troops met stiff opposition** die Truppen stießen auf starke Gegenwehr ▸**to ~ one's death** den Tod finden; **to make ends ~** über die Runden kommen; **there's more to this than ~s the eye** es steckt mehr dahinter, als es den Anschein hat; **to ~ one's match** seinen Meister finden; **to ~ sb halfway** jdm auf halbem Weg entgegenkommen **III.** *vi* <met, met> ❶ (*by chance*) sich begegnen ❷ (*by arrangement*) sich treffen; **to ~ for a drink/for lunch** sich auf einen Drink/zum Mittagessen treffen ❸ (*get acquainted*) sich kennen lernen; **no, we haven't met** nein, wir kennen uns noch nicht; **I've mistrusted him from the day we met** ich habe ihm vom ersten Tag [unserer Bekanntschaft] an misstraut ❹ (*congregate*) zusammenkommen ❺ SPORTS aufeinandertreffen ❻ (*join*) zusammentreffen; *roads, lines* zusammenlaufen; *counties,*

states aneinandergrenzen ◆**meet with**
I. *vi* ❶ *esp* AM (*have meeting*) treffen
❷ (*experience*) ■**to** ~ **with sth** *problems*
auf etw *akk* stoßen; **to** ~ **with approval**
Beifall finden; **to** ~ **with failure** einen
Misserfolg erleiden; **to** ~ **with success** Erfolg haben **II.** *vt* ❶ (*respond to*) **the**
announcement was met with loud
applause die Ankündigung wurde mit lautem Beifall aufgenommen ❷ (*match*) **to** ~
force with force auf Gewalt mit Gewalt
reagieren

meet·ing ['miːtɪŋ] *n* ❶ (*organized gather-*
ing) Versammlung *f*, Sitzung *f*, Besprechung *f*; **business** ~ geschäftliche Besprechung; **to attend a** ~ an einer Besprechung
teilnehmen; **to call a** ~ eine Besprechung
einberufen; **to hold a** ~ eine Besprechung
abhalten ❷ (*coming together of friends*)
Treffen *nt*; **chance** ~ zufälliges Treffen
❸ SPORTS Veranstaltung *f*, [sportliche] Begegnung ❹ (*assembly for worship*) Versammlung *f* (*bei den Quäkern*)

'**meet·ing point** *n* ❶ (*point of contact*)
Schnittpunkt *m* ❷ (*public space*) Treffpunkt *m*

mega ['megə] *adj* ❶ (*fam: huge*) Riesen-,
Mega- ❷ (*fam: excellent*) super

mega- ['megə] *in compounds* (*fam*) + *adj*
mega- *fam*; ~**cool** megacool *sl*, geil *sl*

'**mega·bucks** *npl* (*fam*) Schweinegeld *nt*
kein pl sl '**mega·byte** *n* Megabyte *nt*
'**mega·hertz** *n* Megahertz *nt*

mega·lo·ma·nia [ˌmegᵊlə(ʊ)'meɪnɪə] *n*
no pl ❶ PSYCH Größenwahn *m* ❷ (*lust for*
power) Größenwahn *m pej*

mega·lo·ma·ni·ac [ˌmegᵊlə(ʊ)'meɪnɪæk]
I. *n* ❶ PSYCH Größenwahnsinnige(r) *f(m)*,
Megalomane(in) *m(f)* *fachspr* ❷ (*power-*
hungry person) Größenwahnsinnige(r)
f(m) pej **II.** *adj attr* größenwahnsinnig *pej*

'**mega·phone** *n* Megaphon *nt* '**mega·**
plex *n* Megaplex-Kino *nt* '**mega·store** *n*
Megastore *m* '**mega·watt** *n* Megawatt *nt*

mel·an·cho·lia [ˌmelən'kəʊlɪə] *n no pl*
❶ (*form: gloomy sadness*) Schwermut *f*
❷ (*dated: mental illness*) Melancholie *f*

mel·an·chol·ic [ˌmelən'kɒlɪk] *adj* melancholisch

mel·an·choly ['melənkᵊli] **I.** *n no pl* Melancholie *f*, Schwermut *f* **II.** *adj* melancholisch, schwermütig; ~ **day** trüber Tag *fig*

me·lee ['meleɪ] *n usu sing* ❶ (*confused*
fight) Handgemenge *nt* ❷ (*muddle*) Gedränge *nt*

mel·low ['meləʊ] **I.** *adj* <-er, -est *or* more
~, most ~> ❶ (*relaxed*) *person* locker
fam, heiter, umgänglich ❷ (*fam: slightly*

drunk) angeheitert ❸ (*not harsh*) sanft;
colour dezent; *light* gedämpft ❹ FOOD
(*smooth*) *flavour* mild; *wine* lieblich **II.** *vi*
❶ (*become more easy-going*) umgäng-
licher werden ❷ *esp* AM (*fam: relax*) **to** ~
out sich entspannen ❸ (*become softer*)
colours weicher werden; *flavour* milder
werden **III.** *vt* ❶ (*make more easy-going*)
■**to** ~ **sb** jdn umgänglicher machen
❷ (*make softer*) abschwächen

me·lod·ic [mə'lɒdɪk] *adj* melodisch

me·lodi·cal·ly [mə'lɒdɪkᵊli] *adv* melodisch

me·lo·dious [mə'ləʊdɪəs] *adj* (*form*) me-
lodiös *geh*

melo·dra·ma ['melə(ʊ)ˌdrɑːmə] *n* THEAT
(*also fig*) Melodrama *nt*

melo·dra·mat·ic [ˌmelə(ʊ)drə'mætɪk] *adj*
melodramatisch

melo·dra·mati·cal·ly
[ˌmelə(ʊ)drə'mætɪkᵊli] *adv* melodramatisch

melo·dy ['melədi] *n* Melodie *f*

mel·on ['melən] *n* Melone *f*

melt [melt] **I.** *n* ❶ (*thaw*) Schneeschmelze *f*
❷ AM FOOD *Sandwich mit geschmolzenem*
Käse **II.** *vi* ❶ (*turn into liquid*) schmelzen;
to ~ **in the mouth** auf der Zunge zergehen ❷ (*become tender*) dahinschmelzen
❸ (*change gradually*) ■**to** ~ **into sth** in
etw *akk* übergehen; (*disappear*) sich in
etw *dat* auflösen **III.** *vt* ❶ (*make liquid*)
schmelzen ❷ (*make tender*) erweichen

'**melt·down** *n* ❶ TECH [Ein]schmelzen *nt*;
(*in nuclear power station*) Durchbrennen *nt* ❷ (*fam: collapse*) Zusammenbruch *m*

'**melt·ing point** *n* Schmelzpunkt *m* '**melt·**
ing pot *n* (*fig*) Schmelztiegel *m*; **cul-**
tural ~ Schmelztiegel *m* der Kulturen

mem·ber ['membəʳ] *n* ❶ (*of group*) Ange-
hörige(r) *f(m)*; *of club, party* Mitglied *nt*;
~ **of staff** (*employee*) Mitarbeiter(in) *m(f)*;
SCH Angehörige(r) *f(m)* des Lehrkörpers
form ❷ BRIT (*Member of Parliament*)
■M~ Parlamentsmitglied *nt*, Abgeord-
nete(r) *f(m)* ❸ (*dated form: limb*) Glied-
maße *f meist pl*

Mem·ber of 'Par·lia·ment *n* Abgeord-
nete(r) *f(m)*, Parlamentsmitglied *nt* **Mem·**
ber of the Euro·pean 'Par·lia·ment *n*
Abgeordnete(r) *f(m)* des Europaparlaments

mem·ber·ship ['membəʃɪp] *n* ❶ (*people*)
■**the** ~ + *sing/pl vb* die Mitglieder *pl*
❷ (*number of people*) Mitgliederzahl *f*
❸ *no pl* (*being member*) Mitgliedschaft *f*
❹ (*fee*) Mitgliedsbeitrag *m*

'**mem·ber·ship card** *n* Mitgliedsaus-
weis *m*

mem·brane ['membreɪn] *n* Membran *f*, Häutchen *nt; of cell* Zellmembran *f*
me·men·to <*pl* -s *or* -es> [mɪ'mentəʊ] *n* Andenken *nt* (**of** an)
memo¹ ['meməʊ] *n short for* **memorandum** Memo *nt*
memo² ['meməʊ] *vt* ■**to ~ sb** jdm ein Memo schicken
mem·oir ['memwɑːʳ] *n* ❶ (*personal account*) Erinnerungen *pl* ❷ (*autobiography*) ■**~s** *pl* Memoiren *pl*
'**memo pad** *n* Notizblock *m*
memo·ra·bilia [ˌmemᵊrə'bɪliə] *npl* Souvenirs *pl*
memo·rable ['memᵊrəbl̩] *adj* unvergesslich; *achievement* beeindruckend
memo·ran·dum <*pl* -s *or* -da> [ˌmemᵊ'rændəm, *pl* -də] *n* ❶ (*form: message*) Mitteilung *f* ❷ (*document*) Memorandum *nt* ❸ LAW (*informal legal agreement*) Vereinbarung *f*
me·mo·rial [mə'mɔːriəl] *n* Denkmal *nt;* MIL Ehrenmal *nt*
Me·'mo·rial Day *n* AM Volkstrauertag *m*
memo·rize ['memᵊraɪz] *vt* ■**to ~ sth** sich *dat* etw einprägen; *poem, song* auswendig lernen
memo·ry ['memᵊri] *n* ❶ *no pl* (*ability to remember*) Gedächtnis *nt* (**for** für); **if my ~ serves me right** wenn mein Gedächtnis mich nicht täuscht; **loss of ~** Gedächtnisschwund *m;* **within living/sb's ~** soweit man/jd zurückdenken kann; **to recite sth from ~** etw aus dem Gedächtnis rezitieren ❷ *no pl* (*remembrance*) Andenken *nt;* **in ~ of sb/sth** zum Gedenken an jdn/etw ❸ (*remembered event*) Erinnerung *f* (**of** an); **to bring back memories** Erinnerungen wachrufen ❹ *no pl* COMPUT Speicher *m*
'**memo·ry bank** *n* ❶ COMPUT Speicherbank *f* ❷ (*human memory*) Gedächtnis *nt*
men [men] *n pl of* **man**
men·ace ['menɪs] **I.** *n* ❶ (*threat*) Drohung *f* ❷ (*danger*) Bedrohung *f* ❸ (*annoying person*) Nervensäge *f fam* **II.** *vt* (*form*) bedrohen
men·ac·ing ['menɪsɪŋ] *adj attr* drohend
men·ac·ing·ly ['menɪsɪŋli] *adv* drohend
mend [mend] **I.** *vt* ❶ (*repair*) reparieren; *torn clothes* flicken; *broken object* kleben; *socks* stopfen ❷ (*fig: improve*) verbessern; *situation* in Ordnung bringen ▶**to ~ fences** (*prov*) Unstimmigkeiten ausräumen; **to ~ one's ways** sich bessern **II.** *vi* gesund werden *a. fig; bone* heilen **III.** *n* (*repair*) Flickstelle *f* ▶**to be on the ~** (*fam*) auf dem Weg der Besserung sein
men·da·cious [men'deɪʃᵊs] *adj* (*form*) verlogen
men·dac·ity [men'dæsəti] *n no pl* (*form*) Verlogenheit *f*
mend·ing ['mendɪŋ] *n no pl* Flickarbeit *f*
me·nial ['miːniəl] *adj* niedrig; **~ work** Hilfsarbeit *f*
men·in·gi·tis [ˌmenɪn'dʒaɪtɪs] *n no pl* Gehirnhautentzündung *f*, Meningitis *f fachspr*
meno·pause ['menə(ʊ)pɔːz] *n no pl* Wechseljahre *pl*, Menopause *f fachspr*
'**men's room** *n esp* AM, '**men's toilet** *n* Herrentoilette *f*
men·strual ['men(t)strʊəl] *adj* (*form*) Menstruations-
men·stru·ate ['men(t)strueɪt] *vi* menstruieren *geh*
men·strua·tion [ˌmen(t)stru'eɪʃᵊn] *n no pl* Menstruation *f geh*, Periode *f*
'**mens·wear** *n no pl* ❶ (*men's clothing*) Herrenbekleidung *f* ❷ (*part of shop*) **~ [department]** Herrenabteilung *f*
men·tal ['mentᵊl] *adj* ❶ (*of the mind*) geistig, mental; **~ process** Denkprozess *m* ❷ (*psychological*) psychisch, seelisch; **to suffer a [complete] ~ collapse** einen [völligen] Nervenzusammenbruch erleiden; **~ cruelty** seelische Grausamkeit; **~ illness** Geisteskrankheit *f;* **~ state** seelische Verfassung ❸ (*fam: crazy*) verrückt, übergeschnappt; ■**to be ~ about sth** nach etw *dat* verrückt sein
men·tal a'rith·me·tic *n no pl* Kopfrechnen *nt* '**men·tal hos·pi·tal** *n* psychiatrische Klinik
men·tal·ity [men'tæləti] *n* Mentalität *f*
men·tal·ly ['mentᵊli] *adv* ❶ (*psychologically*) psychisch; **~ deranged/stable** psychisch gestört/stabil ❷ (*intellectually*) geistig; **~ disabled** geistig behindert
men·thol ['men(t)θɒl] *n no pl* Menthol *nt*
men·tion ['men(t)ʃᵊn] **I.** *n* ❶ (*reference*) Erwähnung *f;* **no ~ was made of sb/sth** jd/etw wurde nicht erwähnt; **to get a ~** erwähnt werden ❷ (*honour*) lobende Erwähnung **II.** *vt* erwähnen; **don't ~ it!** gern geschehen!; **I'll ~ it to Jane** ich werde es Jane sagen; **not to ~ ...** ganz zu schweigen von ...
menu ['menjuː] *n* ❶ (*in restaurant*) Speisekarte *f* ❷ COMPUT Menü *nt*
'**menu bar** *n* COMPUT Menüleiste *f* '**menu-driv·en** *adj* COMPUT menügesteuert
meow *n, vi* AM *see* **miaow**
MEP [ˌemiː'piː] *n* BRIT *abbrev of* **Member of the European Parliament**
mer·ce·nary ['mɜːsᵊnᵊri] **I.** *n* ❶ (*soldier*) Söldner *m* ❷ (*pej: mercenary person*)

Gewinnsüchtige(r) *f(m)* **II.** *adj* ❶ (*pej: motivated by gain*) gewinnsüchtig, geldgierig ❷ MIL Söldner-

mer·chan·dise ECON **I.** *n* ['mɜ:tʃ³ndaɪs] *no pl* Handelsware *f* **II.** *vt* ['mɜ:tʃ³ndaɪz] vermarkten

mer·chant ['mɜ:tʃ³nt] *n* Händler(in) *m(f)*, Kaufmann, Kauffrau *m, f*

mer·chant 'bank *n* Handelsbank *f* **'mer·chant·man** *n* Handelsschiff *nt* **mer·chant ma·'rine** *n* AM, **mer·chant 'navy** *n* BRIT Handelsmarine *f* **'mer·chant ship** *n* Handelsschiff *nt*

mer·ci·ful ['mɜ:sɪf³l] *adj* ❶ (*forgiving*) gnädig ❷ (*fortunate*) **her death came as a ~ release** der Tod war für sie eine Erlösung

mer·ci·less ['mɜ:sɪləs] *adj* ❶ (*showing no mercy*) gnadenlos, mitleidlos ❷ (*relentless*) unnachgiebig

mer·ci·less·ly ['mɜ:sɪləsli] *adv* gnadenlos, erbarmungslos

mer·cu·rial [mɜ:'kjʊəriəl] *adj* Quecksilber-; (*fig*) launisch; *mood* unbeständig

mer·cury ['mɜ:kj³ri] *n no pl* ❶ (*metal*) Quecksilber *nt* ❷ (*dated fam: temperature*) Quecksilbersäule *f*

Mer·cury ['mɜ:kj³ri] *n no art, no pl* Merkur *m*

mer·cy ['mɜ:si] *n* ❶ *no pl* (*compassion*) Mitleid *nt,* Erbarmen *nt;* (*forgiveness*) Gnade *f;* **to beg for ~** um Gnade bitten; **to have ~ on sb** mit jdm Erbarmen haben; **to show |no| ~** [kein] Erbarmen haben ❷ (*blessing*) Segen *m* ▸ **to be at the ~ of sb** jdm auf Gnade oder Ungnade ausgeliefert sein

mere [mɪə^r] *adj* nur, nichts als **mere·ly** ['mɪəli] *adv* nur, bloß *fam*

merge [mɜ:dʒ] **I.** *vi* ❶ (*join*) zusammenkommen; *roads* zusammenlaufen ❷ ECON *companies, organizations* fusionieren ❸ (*fuse*) verschmelzen (**with/into** mit); **to ~ into the landscape/surroundings** sich in die Landschaft/Umgebung einfügen; ▪**to ~ into each other** ineinander übergehen **II.** *vt* zusammenlegen; *companies* zusammenschließen

mer·ger ['mɜ:dʒə^r] *n* ECON Fusion *f*

me·rid·ian [mə'rɪdiən] *n* ❶ GEOG (*line of longitude*) Meridian *m,* Längenkreis *m* ❷ (*in body*) Meridian *m*

me·ringue [mə'ræŋ] *n* Baiser *nt,* Meringe *f,* Meringue *f* SCHWEIZ

mer·it ['merɪt] **I.** *n* ❶ *no pl* (*worthiness*) Verdienst *nt;* **the film has little artistic ~** der Film ist künstlerisch nicht besonders wertvoll; **she won her promotion on ~** sie ist auf Grund ihrer Leistung befördert

worden ❷ (*good quality*) gute Eigenschaft, Vorzug *m* ❸ (*intrinsic nature*) ▪**on its own ~s** für sich *akk* betrachtet; **to judge sth on its own ~s** etw für sich *akk* genommen beurteilen ❹ (*advantage*) Vorteil *m* **II.** *vt* verdienen

meri·toc·ra·cy [ˌmerɪ'tɒkrəsi] *n* Leistungsgesellschaft *f*

mer·maid ['mɜ:meɪd] *n* Seejungfrau *f*

mer·ri·ly ['mer³li] *adv* (*fam*) fröhlich, vergnügt *a. iron*

mer·ri·ment ['merimənt] *n no pl* ❶ (*laughter and joy*) Fröhlichkeit *f* ❷ (*amusement*) Heiterkeit *f*

mer·ry ['meri] *adj* ❶ (*happy*) fröhlich; **M~ Christmas** Frohe [*o* Fröhliche] Weihnachten ❷ BRIT (*fam: slightly drunk*) angesäuselt

'mer·ry-go-round *n* ❶ (*fairground ride*) Karussell *nt* ❷ (*fig: bustling activities*) Hoch-Zeit *f*

mesh [meʃ] **I.** *n no pl* Geflecht *nt* **II.** *vi* ❶ (*join*) *gears* ineinandergreifen ❷ (*mix*) sich mischen **III.** *vt* **to ~ gears** Zahnräder in Eingriff bringen

mes·mer·ic [mez'merɪk] *adj* mesmerisch *geh;* (*fig*) faszinierend

mes·mer·ism ['mezm³rɪzᵊm] *n* (*dated*) Hypnotisieren *nt*

mes·mer·ize ['mezm³raɪz] *vt* faszinieren

mess [mes] *n* <*pl* -es> ❶ *usu sing* (*untidy state*) Unordnung *f,* Durcheinander *nt;* (*dirty state*) Schweinerei *f;* **you look a complete ~!** du siehst ja schlimm aus!; **to be in a ~** in Unordnung sein ❷ *usu sing* (*disorganized state*) Chaos *nt;* ▪**to be a ~** chaotisch sein; *person also* ein Chaot/eine Chaotin sein; **to be in a ~** sich in einem schlimmen Zustand befinden; **to sort out the ~** Ordnung in das Chaos bringen; **he made a right ~ of the invitations** (*fam*) he hat die Einladungen total vermasselt ❸ *usu sing* (*dirt*) Dreck *m* ❹ (*excrement*) **dog ~** Hundedreck *m* ❺ (*troubled person*) **he desperately needs help, he's a complete ~** er braucht dringend Hilfe - ihm geht's gar nicht gut ◆**mess about, mess around I.** *vi* ❶ (*play the fool*) herumblödeln *fam* ❷ (*waste time*) herumspielen ❸ (*tinker*) ▪**to ~ about with sth** an etw *dat* herumspielen ❹ (*be unfaithful*) ▪**to ~ about with sb** sich mit jdm einlassen ❺ AM (*make fool of*) ▪**to ~ around with sb** jdn verarschen *derb* **II.** *vt* schikanieren ◆**mess up** *vt* (*fam*) ❶ (*botch up*) verpfuschen; *plan* vermasseln ❷ (*make untidy*) in Unordnung bringen ❸ (*fam: trouble*) ▪**to ~ up ○ sb** jdn verkorksen

♦**mess with** *vi* ❶ (*get involved with*) ■**to** ~ **with sb** sich mit jdm einlassen; (*cause trouble to*) jdn schlecht behandeln; **don't** ~ **with me!** verarsch mich bloß nicht! *derb* ❷ (*play with*) ■**to** ~ **with sth** mit etw *dat* herumspielen; (*tamper*) an etw *dat* herumspielen ❸ (*fam: muddle*) durcheinanderbringen; **to** ~ **with sb's plans** jds Pläne durchkreuzen

mes·sage ['mesɪdʒ] *n* (*communication*) Nachricht *f*, Botschaft *f*; **are there any** ~**s for me?** hat jemand eine Nachricht für mich hinterlassen?; **could you give him a** ~ **from me, please?** könntest du ihm bitte etwas [*o* eine Nachricht] von mir ausrichten?; **to get/leave a** ~ eine Nachricht erhalten/hinterlassen ▸**to get the** ~ (*fam*) kapieren

mes·sen·ger ['mesɪndʒər] *n* Bote(in) *m(f)*

'**mes·sen·ger boy** *n* Botenjunge *m*

mes·si·ah [mə'saɪə] *n usu sing* ■**M**~ Messias *m*, Erlöser *m*

'**mess-up** *n* (*fam*) Durcheinander *nt*

messy ['mesi] *adj* ❶ (*untidy*) unordentlich; *person* schlampig ❷ (*dirty*) schmutzig, dreckig ❸ (*unpleasant*) unerfreulich

met[1] [met] *vt, vi pt of* **meet**

met[2] [met] *adj* BRIT (*fam*) *short for* **meteorological** meteorologisch

Met [met] *n* BRIT ■**the** ~ *short for* **Metropolitan Police**

meta·bol·ic [ˌmetə'bɒlɪk] *adj* metabolisch *fachspr*, Stoffwechsel-

me·tabo·lism [mə'tæbəlɪzᵊm] *n* Stoffwechsel *m*, Metabolismus *m fachspr*

met·al ['metᵊl] **I.** *n* Metall *nt*; **precious** ~ Edelmetall *nt* **II.** *adj* aus Metall *nach n*

me·tal·lic [mə'tælɪk] *adj* ❶ (*like metal*) metallisch; ~ **paint** Metalleffektlack *m* ❷ (*containing metal*) metallhaltig; ~ **alloy** Metalllegierung *f*

met·al·lur·gy [met'ælədʒi] *n no pl* Metallurgie *f*

'**met·al·work** *n no pl* ❶ (*craft*) Metallarbeit *f* ❷ (*objects*) Metallarbeiten *pl* ❸ (*metal parts*) Metallteile *pl* '**met·al·work·er** *n* Metallarbeiter(in) *m(f)*

meta·mor·pho·sis <*pl* -phoses> [ˌmetə'mɔːfəsɪs, *pl* -fəsiːz] *n* Metamorphose *f geh*, Verwandlung *f*

meta·phor ['metəfər] *n* ❶ (*figure of speech*) Metapher *f* (**for** für) ❷ *no pl* (*figurative language*) bildhafte Sprache

meta·phor·ic(al) [ˌmetə'fɒrɪk(ᵊl)] *adj* metaphorisch

meta·physi·cal [ˌmetə'fɪzɪkᵊl] *adj* metaphysisch

meta·phys·ics [ˌmetə'fɪzɪks] *n no pl,*

+ *sing vb* Metaphysik *f*

me·ta·sta·sis <*pl* -stases> [met'æstəsɪs, *pl* -stəsiːz] *n* Metastase *f*

mete [miːt] *vt* ■**to** ~ **out** ↻ sth [*to* sb] [jdm] etw auferlegen; **to** ~ **out punishment to sb** jdn bestrafen; (*physical*) jdn züchtigen

me·teor ['miːtiər] *n* Meteor *m*

me·teor·ic [ˌmiːti'ɒrɪk] *adj* ❶ ASTRON Meteor-, meteorisch ❷ (*rapid*) kometenhaft

me·teor·ite ['miːtiᵊraɪt] *n* Meteorit *m*

me·teoro·logi·cal [ˌmiːtiᵊrə'lɒdʒɪkᵊl] *adj* meteorologisch

me·teor·olo·gist [ˌmiːtiᵊr'ɒlədʒɪst] *n* Meteorologe, Meteorologin *m, f* **me·teor·ol·ogy** [ˌmiːtiᵊr'ɒlədʒi] *n no pl* Meteorologie *f*

me·ter[1] ['miːtər] *n* Messuhr *f*, Zähler *m*; [*parking*] ~ Parkuhr *f*; [*taxi*] ~ Taxameter *nt o m*; **to read the** ~ den Zähler ablesen

me·ter[2] *n* AM *see* **metre**

metha·done ['meθədəʊn] *n no pl* Methadon *nt*

me·thane ['miːθeɪn] *n* Methan *nt*

meth·od ['meθəd] *n* ❶ (*way of doing sth*) Methode *f*, Art und Weise *f*; TECH Verfahren *nt*; ~ **of transport** Fortbewegungsart *f* ❷ *no pl* (*order*) System *nt*

me·thodi·cal [mə'θɒdɪkᵊl] *adj* ❶ (*ordered*) methodisch, systematisch ❷ (*careful*) sorgfältig

me·thodi·cal·ly [mə'θɒdɪkᵊli] *adv* methodisch, mit System

Meth·od·ism ['meθədɪzᵊm] *n no pl* Methodismus *m*

Meth·od·ist ['meθədɪst] **I.** *n* Methodist(in) *m(f)* **II.** *adj* methodistisch; ~ **church** Methodistenkirche *f*

meth·od·ol·ogy [ˌmeθə'dɒlədʒi] *n* ❶ *no pl* (*theory of methods*) Methodologie *f geh* ❷ (*system*) Methodik *f*

me·thyl al·co·hol [ˌmeθᵊl'ælkəhɒl] *n* Methanol *nt*

meth·yl·at·ed 'spir·its *n no pl* ❶ (*cleaning product*) denaturierter Alkohol ❷ (*fuel*) Brennspiritus *m*

me·ticu·lous [mə'tɪkjələs] *adj* peinlich genau, akribisch *geh*; ~ **care** höchste Sorgfalt; ~ **detail** kleinstes Detail

me·ticu·lous·ly [mə'tɪkjələsli] *adv* (*approv*) bis ins kleinste Detail, akribisch *geh*

me·ticu·lous·ness [mə'tɪkjələsnəs] *n no pl* (*approv*) peinliche Genauigkeit, Akribie *f geh*

me·tre ['miːtər] *n* ❶ (*unit of measurement*) Meter *m*; **the 100/200/400/1500** ~**s** der 100-/200-/400-/1500-Meter-Lauf; **cubic/square** ~ Kubik-/Quadratmeter *m*

❷ (*poetic rhythm*) Metrum *nt fachspr;* Versmaß *nt*

met·ric ['metrɪk] *adj* metrisch

met·ri·cal ['metrɪkᵊl] *adj* metrisch

met·ro ['metrəʊ] *n no pl esp* CAN U-Bahn *f;* (*in Paris*) Metro *f*

met·ro·nome ['metrənəʊm] *n* Metronom *nt geh*

met·ropo·lis [məˈtrɒpəlɪs] *n* (*form*) ❶ (*large city*) Metropole *f geh* ❷ (*chief city*) Hauptstadt *f*

met·ro·poli·tan [ˌmetrəˈpɒlɪtᵊn] *adj* ❶ (*of large city*) weltstädtisch ❷ (*of chief city*) hauptstädtisch

Met·ro·poli·tan Po·ˈlice *n no pl* BRIT
■ **the** ~ die Londoner Polizei

met·tle ['metl] *n no pl* (*form*) ❶ (*inner strength*) Durchhaltevermögen *nt;* **to prove/show one's** ~ beweisen/zeigen, was in einem steckt ❷ (*best form*) Höchstform *f*

mew [mju:] **I.** *n* Miauen *nt* **II.** *vi* miauen

Mexi·can ['meksɪkᵊn] **I.** *n* (*person*) Mexikaner(in) *m(f)* **II.** *adj* mexikanisch

Mexi·co ['meksɪkəʊ] *n* Mexiko *nt*

Mexi·co ˈCity *n* Mexiko City *nt*

mg *n* <*pl* -> *abbrev of* **milligram** mg

MHR [ˌemeɪtʃˈɑ:r] *n* AM *abbrev of* **Member of the House of Representatives** Mitglied *nt* des Repräsentantenhauses

MHz *n* <*pl* -> *abbrev of* **megahertz** MHz

miaow [ˌmiːˈaʊ] **I.** *n* Miauen *nt* **II.** *vi* miauen

mica ['maɪkə] *n no pl* Glimmererde *f*

mice [maɪs] *n pl of* **mouse**

Mich·ael·mas   ['mɪkᵊlməs]   *n* Michael[i]stag *m* (*29. September*)

mickey ['mɪki] *n* BRIT, AUS (*fam*) **to take the** ~ **out of sb** jdn aufziehen *fam,* sich über jdn lustig machen; **you're taking the** ~ **now, aren't you?** du willst mich wohl auf den Arm nehmen, was?

'**Mickey Mouse** *adj attr* (*pej fam*) Scherzfam; ~ **company** Amateurfirma *f;* ~ **computer** Spielzeugcomputer *m;* **a** ~ **job** ein Witz *m* von einem Job

mi·crobe ['maɪkrəʊb] *n* Mikrobe *f*

micro·bi·ˈol·ogy [ˌmaɪkrəʊ-] *n no pl* Mikrobiologie *f* '**micro·browser** *n* COMPUT, INET, TELEC Microbrowser *m* '**micro·chip** *n* Mikrochip *m* '**micro·cli·mate** *n* Mikroklima *nt* '**micro·com·put·er** *n* Mikrocomputer *m*

micro·cosm ['maɪkrə(ʊ)kɒzᵊm] *n* Mikrokosmos *m*

micro·elec·ˈtron·ics *n* + *sing vb* Mikroelektronik *f* '**micro·fiche** *n* Mikrofiche *nt o m* '**micro·film** *n* Mikrofilm *m* **mi·**

crom·eter [maɪˈkrɒmɪtᵊʳ] *n* (*measuring device*) Mikrometer *nt* '**micro·phone** *n* Mikrofon *nt* '**micro·pro·ces·sor** *n* Mikroprozessor *m*

micro·scope ['maɪkrəskəʊp] *n* Mikroskop *nt;* **to put sth under the** ~ (*fig*) etw unter die Lupe nehmen

micro·scop·ic [ˌmaɪkrəˈskɒpɪk] *adj* ❶ (*fam: tiny*) winzig; **to look at sth in** ~ **detail** etw haargenau prüfen ❷ (*visible with microscope*) mikroskopisch klein ❸ (*using microscope*) *analysis, examination* mikroskopisch

micro·scopi·cal·ly [ˌmaɪkrəˈskɒpɪkᵊli] *adv* ❶ (*fam: extremely*) winzig; ~ **small** winzig klein ❷ (*in detail*) genauestens ❸ (*under microscope*) mikroskopisch; ~ **visible** nur unter dem Mikroskop sichtbar

'**micro·wave I.** *n* ❶ (*oven*) Mikrowellenherd *m,* Mikrowelle *f* ❷ (*wave*) Mikrowelle *f* **II.** *vt* in der Mikrowelle kochen/erwärmen

mid [mɪd] *prep* (*liter*) *see* **amid(st)**

mid·ˈday *n no pl* Mittag *m;* **at** ~ mittags, um die Mittagszeit

mid·dle ['mɪdl] **I.** *n* ❶ (*centre*) Mitte *f; of fruit, nuts* Innere[s] *nt;* (*centre part*) *of book, film, story* Mittelteil *m* ❷ (*in time, space*) mitten; **in the** ~ **of the road/ room/table** mitten auf der Straße/im Zimmer/auf dem Tisch; **in the** ~ **of the afternoon/morning** mitten am Nachmittag/Morgen; **in the** ~ **of the night** mitten in der Nacht; **in the** ~ **of nowhere** (*fig*) am Ende der Welt; **in the** ~ **of summer/ March** mitten im Sommer/März; **in the** ~ **of 1985/the century** Mitte 1985/des Jahrhunderts; **to be in one's** ~ **forties/ sixties** in den Mittvierzigern/-sechzigern sein; **to be in the** ~ **of eating/cooking/ writing a letter** (*busy with*) mitten dabei sein zu essen/kochen/einen Brief zu schreiben ❸ (*fam: waist*) Taille *f;* (*belly*) Bauch *m* ❹ (*between things*) Mitte *f;* **let's split the cost down the** ~ lass uns die Kosten teilen; **the issue of a single European currency divided the country down the** ~ das Problem einer einheitlichen europäischen Währung spaltete das Land **II.** *adj attr* mittlere(r, s)

mid·dle ˈage *n no pl* mittleres Alter; **in** ~ *after n* mittleren Alters **mid·dle-ˈaged** *adj* mittleren Alters *nach n* **Mid·dle ˈAges** *n* ~ *pl* das Mittelalter '**mid·dle·brow** (*pej*) **I.** *adj* für den [geistigen] Durchschnittsmenschen **II.** *n* [geistiger] Durchschnittsmensch **mid·dle ˈclass** *n*

❶ (*with average income*) Mittelstand *m;* **lower/upper** ~ unterer/gehobener Mittelstand ❷ (*as a whole*) ■ **the** ~ der Mittelstand **mid·dle-·class** *adj* Mittelstands-, mittelständisch; (*pej*) spießig **mid·dle 'ear** *n* Mittelohr *nt* **Mid·dle 'East** *n* ■ **the** ~ der Nahe Osten **'mid·dle·man** *n* ❶ ECON (*person*) Zwischenhändler(in) *m(f);* (*wholesaler*) ■ **the** ~ der Zwischenhandel ❷ (*in disagreement*) Mittelsmann *m* **mid·dle 'name** *n* zweiter Vorname **mid·dle-of-the-'road** *adj* ❶ (*moderate*) opinions, views gemäßigt ❷ (*pej: boring*) film, music mittelmäßig **'mid·dle·weight** *n* SPORTS ❶ *no pl* (*category*) Mittelgewicht *nt* ❷ (*boxer*) Mittelgewichtler(in) *m(f)*

mid·dling ['mɪdlɪŋ] *adj* (*fam*) ❶ (*average*) mittlere(r, s); **to be of** ~ **height/weight** mittlerer Größe/mittleren Gewichts sein; (*moderate*) gemäßigt ❷ (*not very good*) mittelmäßig ❸ (*persons health*) einigermaßen

'Mid·east *n* AM (*Middle East*) ■ **the** ~ der Nahe [*o* Mittlere] Osten

'mid·field *n* ❶ (*area on sports field*) Mittelfeld *nt;* [**to play**] **in** ~ im Mittelfeld [spielen] ❷ (*team members*) Mittelfeld *nt*

midge [mɪdʒ] *n* [kleine] Mücke

midg·et ['mɪdʒɪt] I. *n* (*dwarf*) Liliputaner(in) *m(f);* (*child*) Knirps *m fam,* Zwerg *m hum* II. *adj attr* (*small*) winzige(r, s), Mini-; CAN (*for children*) ~ **sports** Kindersport *m*

mid-life 'cri·sis *n* Midlife-Crisis *f*

'mid·night *n no pl* Mitternacht *f* (**at** um)

'mid·point *n usu sing* Mittelpunkt *m;* MATH Mittelwert *m*

mid·riff ['mɪdrɪf] *n,* AM *also* **'mid·sec·tion** *n* Taille *f*

mid·ship·man ['mɪdʃɪpmən] *n* BRIT (*officer*) Leutnant *m* zur See; AM (*cadet*) Seeoffiziersanwärter *m*

mid·ships ['mɪdʃɪps] *adv* mittschiffs

midst [mɪdst] I. *n no pl* (*presence*) **he was lost in their** ~ er kam sich unter ihnen verloren vor; **I am honoured to be in your** ~ **this evening** ich bin geehrt, heute Abend in eurer Mitte zu sein; (*in middle of*) **in the** ~ **of chaos/a crisis** mitten im Chaos/in einer Krise; (*busy with*) **to be in the** ~ **of a discussion/meeting** gerade mitten in einer Diskussion/Sitzung sein II. *prep* (*old liter*) *see* **amid(st)**

mid·'sum·mer *n no pl* Hochsommer *m* **Mid·sum·mer('s) 'Day** *n* Johannistag *m* **mid·'term** I. *n* ❶ *no pl* (*mid-point*) *of political office* Halbzeit *f* der Amtsperiode;

of school year Schulhalbjahr *nt; of pregnancy* Hälfte *f* der Schwangerschaftszeit; UNIV *of semester* Semesterhälfte *f; of trimester* Trimesterhälfte *f* ❷ AM (*midterm exams*) ■ ~**s** *pl* Halbjahresprüfungen *pl* II. *adj* ~ **elections** Zwischenwahlen *pl;* ~ **exams** SCH Prüfungen *pl* in der Mitte eines Schuljahres/Semesters **mid·'way** I. *adv* [ˌmɪd'weɪ] auf halbem Weg; **this fruit has a unique taste** ~ **between a pear and an apple** diese Frucht hat einen einzigartigen Geschmack, halb Birne und halb Apfel; ~ **through the film the projector broke** mitten im Film ging der Projektor kaputt II. *adj* [ˌmɪd'weɪ] *attr* auf halbem Weg III. *n* ['mɪdweɪ] AM *Mittelweg einer Ausstellung oder eines Jahrmarktes, an dem sich die Hauptattraktionen befinden* **mid·'week** I. *n no pl* Wochenmitte *f;* **by** ~ bis Mitte der Woche II. *adv* mitten in der Woche; **I'll be home** ~ Mitte der Woche bin ich wieder zu Hause

mid·wife ['mɪdwaɪf] *n* Hebamme *f*

mid·wife·ry [mɪd'waɪfᵊri] *n no pl* Geburtshilfe *f*

mid·'win·ter *n no pl* Mitte *f* des Winters; (*winter solstice*) Wintersonnenwende *f*

might¹ [maɪt] I. *pt of* **may** II. *aux vb* ❶ (*expressing possibility*) **that old bridge** ~ **be dangerous** die alte Brücke könnte gefährlich sein; **I** ~ **go to the cinema tonight** vielleicht gehe ich heute Abend ins Kino; (*could*) **someone phoned at six, it** ~ **have been him** um sechs rief jemand an, das könnte er gewesen sein; (*will be able to*) **he is closing his door so that he** ~ **have a little peace and quiet** er schließt seine Tür, damit er etwas Ruhe hat; (*expressing probability*) **if he keeps studying so hard he** ~ **even get a first in his final exams** wenn er weiterhin so eifrig lernt, könnte er sogar die Bestnote bei den Abschlussprüfungen bekommen ❷ (*conceding a fact*) **Leeds** ~ **be an excellent team, but ...** Leeds mag eine hervorragende Mannschaft sein, aber ... ❸ *esp* BRIT (*form: polite form of may*) ~ **I ...?** dürfte ich [vielleicht] ...?; **how** ~ **I help you?** wie kann ich Ihnen behilflich sein?; (*when offended*) **I ask what you think you're doing in my room?** könnten Sie mir vielleicht sagen, was sie in meinem Zimmer zu suchen haben? ❹ (*form: making a suggestion*) ~ **I make a suggestion?** dürfte ich vielleicht einen Vorschlag machen?; **I thought you** ~ **like to join me for dinner** ich dachte, du hättest vielleicht Lust, mit mir zu Abend zu essen; **she**

~ **as well tell the truth** — **they'll find it out anyway** sie könnte ebenso gut die Wahrheit sagen – sie werden es ohnehin herausfinden ❺ (*when reproaching*) **you ~ have at least made an effort** du hättest zumindest einen Versuch machen können; **you ~ have told me about the job!** du hättest mir eigentlich von dem Job erzählen müssen!; **I ~ have known that you'd lie to me** ich hätte es eigentlich wissen müssen, dass du mich anlügen würdest

might² [maɪt] *n no pl* ❶ (*authority*) Macht *f* ❷ (*strength*) Kraft *f;* MIL Stärke *f*

mighti·ly ['maɪtɪli] *adv* ❶ (*with effort*) mit aller Kraft [*o* Macht]; (*fig: majestically, imposingly*) gewaltig ❷ (*fam: extremely*) überaus, sehr

mighty ['maɪti] **I.** *adj* ❶ (*powerful*) *river, dinosaur* gewaltig; *king, country* mächtig; *warrior, giant* stark; (*using strength*) *punch* kraftvoll ❷ (*large in number*) *army, fleet* gewaltig **II.** *adv* AM (*fam*) sehr; **that was ~ nice of you** das war wirklich nett von dir

mi·graine ['miːɡreɪn] *n* Migräne *f*

mi·grant ['maɪɡrənt] **I.** *n* ❶ (*person*) Zuwanderer, Zuwanderin *m, f* ❷ (*bird*) Zugvogel *m* **II.** *adj* ~ **birds** Zugvögel *pl;* ~ **worker** Wanderarbeiter(in) *m(f);* (*in EU*) Gastarbeiter(in) *m(f)*

mi·grate [maɪ'ɡreɪt] *vi* ❶ (*change habitat*) wandern, umherziehen; **to ~ to the north/south** *birds* nach Norden/Süden ziehen ❷ (*move*) *populations, customers* abwandern; *cells, chemicals* gelangen (**into** in)

mi·gra·tion [maɪ'ɡreɪʃ°n] *n* ❶ (*change of habitat*) Wanderung *f; of birds* Zug *m* ❷ (*for work*) *people* Abwanderung *f;* (*permanent*) Umzug *m*

mi·gra·tory ['maɪɡrət°ri] *adj* ❶ *animals* Wander-; ~ **bird** Zugvogel *m* ❷ (*of behaviour*) Wander-; ~ **patterns** Migrationsverhalten *nt*

mike [maɪk] *n* (*fam*) *short for* **microphone** Mikro *nt*

mild [maɪld] **I.** *adj* ❶ (*gentle*) *person* sanft; *soap, laundry detergent* schonend; (*not severe*) leicht; *criticism* schwach; *punishment* mild; *reproach* leise; **with ~ shock/ surprise** leicht geschockt/überrascht ❷ MED (*not strong*) leicht, schwach; (*not serious*) *fever, infection* leicht ❸ *cheese, whiskey* mild; *cigarette* leicht ❹ *weather, climate* mild; *breeze* sanft **II.** *n no pl* BRIT *mild schmeckendes, dunkles Bier*

mil·dew ['mɪldjuː] **I.** *n no pl* Schimmel *m;* (*on plants*) Mehltau *m* **II.** *vi* schimmeln;

(*plants*) von Mehltau befallen sein

mil·dewed ['mɪldjuːd] *adj* verschimmelt; BOT von Mehltau befallen

mild·ly ['maɪldli] *adv* ❶ (*gently*) leicht; *speak, smile* sanft; *clean* schonend; (*not severely*) milde ❷ (*slightly*) *surprised, worried, annoyed* leicht ❸ (*as an understatement*) **to put it ~** um es [*mal*] milde auszudrücken

mild·ness ['maɪldnəs] *n no pl* ❶ *of person* Sanftmut *f* ❷ *of criticism, soap* Milde *f;* MED *of disease, symptoms* Leichtigkeit *f* ❸ *of cheese, beer* Milde *f* ❹ *of weather* Milde *f*

mile [maɪl] *n* ❶ (*distance*) Meile *f;* **we could see for ~s and ~s** wir konnten meilenweit sehen; **a nautical ~** eine Seemeile; **to be ~s away** (*fig*) meilenweit entfernt sein; **to be ~ from anywhere** völlig abgeschieden sein; **to miss sth by a ~** etw meilenweit verfehlen ❷ (*fam: far from*) **to be ~s from apologizing/accepting a deal** meilenweit von einer Entschuldigung/einem Geschäftsabschluss entfernt sein; **to be ~s from the truth** weit von der Wahrheit entfernt sein; **to be ~s better** bei weitem besser sein; **to be a ~ off** meilenweit danebenliegen ❸ (*fam: daydreaming*) **to be ~s away** ganz woanders sein

mile·age ['maɪlɪdʒ] *n no pl* ❶ (*petrol efficiency*) Kraftstoffverbrauch *m;* **he gets bad/good ~ from his car** sein Auto verbraucht viel/wenig Kraftstoff ❷ (*distance travelled*) Meilenstand *m* **'mile·post** *n* Meilenpfosten *m;* (*fig*) Meilenstein *m* **'mile·stone** *n* (*also fig*) Meilenstein *m*

mili·tant ['mɪlɪt°nt] **I.** *adj* militant **II.** *n* Kämpfer(in) *m(f);* POL militantes Mitglied

mili·tar·ism ['mɪlɪt°rɪz°m] *n no pl* Militarismus *m;* (*when overly aggressive*) Kriegstreiberei *f*

mili·tar·ist ['mɪlɪt°rɪst] *n* Militarist(in) *m(f)*

mili·tar·is·tic [ˌmɪlɪt°r'ɪstɪk] *adj* militaristisch

mili·ta·rize ['mɪlɪt°raɪz] *vt* militarisieren

mili·tary ['mɪlɪtri] *n pl* ■**the ~** das Militär

mili·tary a'cad·emy *n* ❶ (*for cadets*) Militärakademie *f* ❷ AM (*for pupils*) *sehr strenge Privatschule* **mili·tary po·'lice** *npl* ■**the ~** die Militärpolizei **mili·tary 'ser·vice** *n no pl* Wehrdienst *m*

mi·li·tia [mɪ'lɪʃə] *n* Miliz *f*

milk [mɪlk] **I.** *n no pl* ❶ (*product of lactation*) Milch *f;* (*breast milk*) Muttermilch *f;* (*in coconuts*) Kokosmilch *f;* **goat's/ sheep's/cow's ~** Ziegen-/Schafs-/Kuhmilch *f* ❷ (*drink*) Milch *f;* **chocolate-fla-**

voured ~ Schokoladenmilch *f;* **full fat** [*or* Am **whole**] ~ Vollmilch *f;* **long-life** ~ H-Milch *f;* **skimmed** ~ entrahmte Milch **II.** *vt* **❶** (*get milk*) cow, goat melken **❷** (*exploit*) melken, schröpfen *fam;* **to ~ a story** JOURN eine Story ausschlachten

'**milk bar** *n* **❶** (*snack bar*) Milchbar *f* **❷** Aus (*shop*) Milchladen *m* **milk** '**choco·late** *n no pl* Milchschokolade *f* '**milk float** *n* Brit Milchwagen *m*

milk·ing ma·chine ['mɪlkɪŋ-] *n* Melkmaschine *f*

'**milk·maid** *n* (*dated*) Milchmädchen *nt* '**milk·man** *n* Milchmann *m* '**milk shake** *n* Milchshake *m* '**milk·sop** *n* (*pej*) Schlappschwanz *m pej fam* '**milk tooth** *n* Milchzahn *m*

milky ['mɪlki] *adj* **❶** (*with milk*) mit Milch nach *n;* ~ **coffee/tea** Milchkaffee/-tee *m* **❷** (*not clear*) glass, water milchig; skin sanft; eyes trüb

Milky 'Way *n no pl* ■ **the** ~ die Milchstraße **mill** [mɪl] **I.** *n* **❶** (*building*) Mühle *f* **❷** (*machine*) Mühle *f* **❸** (*factory*) Fabrik *f;* **cot·ton** ~ Baumwollspinnerei *f;* **steel** ~ Stahlwerk *nt* ▶ **to put sb through the** ~ jdn in die Mangel nehmen *sl* **II.** *vt* grain, coffee mahlen; *metal* walzen

mil·len·nium <*pl* -s *or* -nia> [mɪ'leniəm, *pl* -niə] *n* **❶** (*1000 years*) Jahrtausend *nt,* Millennium *nt geh* **❷** (*anniversary*) Jahrtausendfeier *f* **❸** REL (*reign of Christ*) Tausendjähriges Reich

mil·ler ['mɪlə^r] *n* (*dated*) Müller(in) *m(f)* **mil·let** ['mɪlɪt] *n no pl* Hirse *f*

mil·li·bar ['mɪlɪbɑː^r] *n* Millibar *nt* **mil·li·gramme** ['mɪlɪgræm] *n,* Am **mil·li·gram** *n* Milligramm *nt* **mil·li·li·tre** ['mɪlɪˌliːtə^r] *n,* Am **mil·li·li·ter** *n* Milliliter *m* **mil·li·metre** ['mɪlɪˌmiːtə^r] *n,* Am **mil·li·me·ter** *n* Millimeter *m*

mil·li·ner ['mɪlɪnə^r] *n* (*dated*) **❶** (*hat maker*) Hutmacher(in) *m(f)* **❷** (*hat seller*) Hutverkäufer(in) *m(f)*

mil·li·nery ['mɪlɪn^əri] *n* (*dated*) **❶** *no pl* (*industry*) Hutmacherhandwerk *nt* **❷** (*shop*) Hutladen *m*

mil·lion ['mɪljən] *n* **❶** (*1,000,000*) Million *f;* **a ~ pounds** eine Million Pfund; **eight** ~ [**people**] acht Millionen [Menschen]; **half a** ~ eine halbe Million **❷** (*fam: countless number*) **I've already heard that story a** ~ **times** diese Geschichte habe ich schon tausendmal gehört; **you're going to make** ~**s on this deal** du wirst Millionen an diesem Handel verdienen; ~**s of people/houses/trees** Unmengen von Menschen/Häusern/Bäumen; ~**s and** ~**s**

of years ago vor Millionen und Abermillionen von Jahren

mil·lion·aire [ˌmɪljə'neə^r] *n* Millionär *m* **mil·lion·air·ess** <*pl* -es> [ˌmɪljəneə'res] *n* Millionärin *f*

mil·li·pede ['mɪlɪpiːd] *n* Tausendfüßler *m* '**mill·pond** *n* **❶** (*at a mill*) Mühlteich *m* **❷** (*calm water*) ruhiges Gewässer '**mill·stone** *n* Mühlstein *m* '**mill wheel** *n* Mühlrad *nt*

mil·om·eter [maɪ'lɒmɪtə^r] *n* Brit, Aus auto Meilenzähler *m,* ≈ Kilometerzähler *m*

mime [maɪm] **I.** *n* **❶** *no pl* (*technique*) Pantomime *f* **❷** THEAT (*actor*) Pantomime(in) *m(f);* (*performance*) Pantomime *f;* **by ordinary person** Nachahmung *f* **II.** *vi* **to** ~ **to a song** zu einem Lied die Lippen bewegen **III.** *vt* THEAT pantomimisch darstellen; (*mimic*) mimen

'**mime art·ist** *n* Pantomime(in) *m(f)*

mim·ic ['mɪmɪk] **I.** *vt* <-ck-> **❶** (*imitate*) nachahmen; (*when teasing*) nachäffen *pej* **❷** (*be similar*) plant, animal nachahmen; *drug, disease* ähneln, gleichen **II.** *n* Imitator(in) *m(f)*

mim·ic·ry ['mɪmɪkri] *n* **❶** *no pl* Nachahmung *f;* (*by plant, animal*) Mimikry *f fachspr;* (*by disease, drug*) Ähnlichkeit *f* **❷** (*instance*) Nachahmung *f*

mi·mo·sa [mɪ'məʊzə] *n* Mimose *f*

min I. *n* **❶** *abbrev of* **minimum** min. **❷** *abbrev of* **minute** min **II.** *adj abbrev of* **minimum** min.

mina·ret [ˌmɪnə'ret] *n* Minarett *nt*

mince [mɪn(t)s] **I.** *vt* FOOD meat hacken; (*in grinder*) durch den Fleischwolf drehen; *garlic, onions* klein schneiden ▶ **to not** ~ [**one's**] **words** kein Blatt vor den Mund nehmen **II.** *vi* trippeln, tänzeln **III.** *n no pl* Brit, Aus Hackfleisch *nt*

'**mince·meat** *n no pl* Brit süße Gebäckfüllung aus Dörrobst und Gewürze **mince** '**pie** *n* Brit Kleines Törtchen mit Füllung aus Dörrobst und Gewürze, das traditionell in der Weihnachtszeit gegessen wird

minc·er ['mɪn(t)sə^r] *n* Fleischwolf *m*

minc·ing ['mɪn(t)sɪŋ] *adj* **❶** (*not to the point*) ausweichend, indirekt **❷** (*affected*) ~ **walk** trippelnder Gang; ~ **steps** Trippelschritte *pl*

mind [maɪnd] **I.** *n* **❶** (*brain, intellect*) Geist *m,* Verstand *m;* **she's one of the greatest** ~**s of today** sie ist einer der größten Köpfe unserer Zeit; **frame of** ~ seelische Verfassung; **to have a logical** ~ logisch denken können; **to use one's** ~ seinen Verstand gebrauchen **❷** (*sanity*) Verstand *m;* **to be in one's right** ~ noch ganz richtig im Kopf sein; **to be out of one's ~** den Verstand verloren haben; **to drive sb out of his/her ~** jdn wahnsinnig machen ❸ (*thoughts*) Gedanken *pl;* **the idea never entered my ~** auf diesen Gedanken wäre ich gar nicht gekommen; **I can't get that song out of my ~** das Lied will mir einfach nicht mehr aus dem Kopf gehen!; **you're always on my ~** ich denke die ganze Zeit an dich; **what's on your ~?** woran denkst du?; **to bear sth in ~** etw nicht vergessen; **bearing in ~ that ...** angesichts der Tatsache, dass ...; **to have sb/ sth in ~** an jdn/etw denken; **to have a lot of things on one's ~** viele Sorgen haben; **to read sb's ~** jds Gedanken lesen; **to take sb's ~ off sth** jdn auf andere Gedanken bringen ❹ (*intention*) **nothing could be further from my ~ than ...** nichts läge mir ferner als ...; **to know one's [own] ~** wissen, was man will; **to make up one's ~** sich entscheiden; **to set one's ~ on sth** sich *dat* etw in den Kopf setzen ❺ *usu sing* (*opinion*) Meinung *f;* **to give sb a piece of one's ~** jdm seine Meinung sagen; **to be of the same ~** der gleichen Meinung sein; **to be in two ~s about sth** sich *dat* über etw *akk* nicht im Klaren sein; **to change one's ~s** es sich *dat* anders überlegen ▸ **to be** _bored_ **out of one's ~** sich zu Tode langweilen **II.** *vt* ❶ (*be careful of*) ■ **to ~ sth** auf etw *akk* aufpassen; **~ your head** pass auf, dass du dir nicht den Kopf stößt; **~ the step!** Vorsicht Stufe! ❷ (*care about*) ■ **to ~ sb** sich um jdn kümmern; **don't ~ me** kümmer dich nicht um mich; **don't ~ what she says** kümmer dich nicht darum, was sie sagt; **never ~ her!** vergiss sie doch einfach!; **~ your own business!** kümmer dich um deine eigenen Angelegenheiten!; **I don't ~ the heat** die Hitze macht mir nichts aus!; **I don't ~ what she does** es ist mir egal, was sie macht ❸ (*make certain*) ■ **to ~ that ...** denk daran, dass ...; ▸ **you close the door when you leave** vergiss nicht, die Tür zuzumachen, wenn du gehst; **~ you get this done before she gets home** sieh zu, dass du damit fertig wirst, bevor sie nach Hause kommt ❹ (*look after*) ■ **to ~ sb/sth** auf jdn/etw aufpassen; **I'm ~ing the shop** ich kümmere mich hier um den Laden *fam* ❺ (*fam: object*) **would you ~ holding this for me?** würden Sie das [kurz] für mich halten?; **do you ~ my asking you a question?** stört es Sie, wenn ich eine Frage stellen?; **do you ~ my smoking?** stört es Sie, wenn ich rauche?; **I wouldn't ~ a new**

car/a cup of tea gegen ein neues Auto/eine Tasse Tee hätte ich nichts einzuwenden! ▸ **to ~ one's p's and q's** sich gut benehmen; **~** _you_ allerdings **III.** *vi* ❶ (*care*) sich *dat* etwas daraus machen; **I don't ~** das ist mir egal; **never ~!** [ist doch] egal!; **never ~, I'll do it myself!** vergiss es, ich mach's selbst!; **never ~ about her — what about you?** jetzt vergiss sie doch mal – was ist mit dir? ❷ (*object*) etwas dagegen haben; **do you ~ if I ...?** stört es Sie, wenn ich ...?; **nobody will ~** das wird niemanden stören; **if you don't ~ ...** wenn du nichts dagegen hast, ... ▸ **never ~ ...** geschweige denn ...

'**mind-bend·ing** *adj* (*fam*) *puzzle* knifflig
'**mind-blow·ing** *adj* (*sl*) irre *fam*
mind·ed ['maɪndɪd] *adj pred* ❶ (*inclined*) **to be mathematically/scientifically ~** eine mathematische/wissenschaftliche Neigung haben ❷ (*enthusiastic*) begeistert; **to be romantically and q's** romantisch veranlagt sein
mind·er ['maɪndəʳ] *n* ❶ *esp* BRIT (*caretaker*) Aufpasser(in) *m(f)* ❷ (*bodyguard*) Leibwächter(in) *m(f)*
mind·ful ['maɪnd(f)əl] *adj pred* ❶ (*be concerned about*) **to be ~ of sb's feelings/ condition** jds Gefühle/Zustand berücksichtigen; **ever ~ of her comfort, ...** stets auf ihr Wohl bedacht, ... ❷ (*have understanding*) **to be ~ of the disadvantages/ problems/risks** sich *dat* der Nachteile/ Probleme/Risiken bewusst sein
mind·less ['maɪnd(l)ləs] *adj* ❶ (*pointless*) sinnlos; *violence, jealousy* blind ❷ (*not intellectual*) *job, talk, work* geistlos; *entertainment* anspruchslos ❸ (*heedless*) hirnlos, ohne Verstand
mind·less·ness ['maɪnd(l)ləsnəs] *n no pl* ❶ (*without consideration*) Gedankenlosigkeit *f* ❷ (*without a reason*) *of violence, destruction* Sinnlosigkeit *f*
'**mind read·er** *n* Gedankenleser(in) *m(f)*
mine¹ [maɪn] *pron poss* ❶ (*belonging to me*) meine(r, s); **you go your way and I'll go ~** du gehst deinen Weg und ich den meinigen; **she's an old friend of ~** sie ist eine alte Freundin von mir ❷ *det* (*old: my*) meine(r, s)
mine² [maɪn] **I.** *n* ❶ (*excavation*) Bergwerk *nt;* (*fig: valuable source*) Fundgrube *f;* **a coal ~** eine Kohlengrube; **to work in the ~s** unter Tage arbeiten ❷ MIL (*explosive*) Mine *f* **II.** *vt* ❶ (*obtain resources*) *coal, iron, diamonds* abbauen, fördern; *gold* schürfen ❷ (*plant mines*) **to ~ an area** ein Gebiet verminen **III.** *vi* **to ~ for**

coal/diamonds/silver/gold nach Kohle/Diamanten/Silber/Gold graben

'mine·de·tec·tor n Minensuchgerät nt

'mine·field n Minenfeld nt; (fig) gefährliches Terrain

min·er ['maɪnəʳ] n Bergarbeiter(in) m(f)

min·er·al ['mɪnᵊrᵊl] n ❶ (inorganic substance) Mineral nt ❷ (when obtained by mining) [Gruben]erz nt, Mineral nt ❸ (in nutrition) Mineral nt

'min·er·al de·po·sits npl Erzlagerstätten pl

min·er·al·ogi·cal [ˌmɪnᵊrəˈlɒdʒɪkᵊl] adj mineralogisch

min·er·alo·gist [ˌmɪnᵊrˈælədʒɪst] n Mineraloge(in) m(f)

min·er·al·ogy [ˌmɪnᵊrˈælədʒi] n no pl Mineralogie f

'min·er·al re·sour·ces npl Bodenschätze pl 'min·er·al wa·ter n no pl Mineralwasser nt; carbonated/still ~ kohlensäurehaltiges/stilles Mineralwasser

'mine·sweep·er n NAUT (fam) Minenräumer m

min·gle ['mɪŋgl̩] I. vt usu passive mischen; excitement at starting a new job is always ~ed with a certain amount of fear Aufregung beim Beginn in einem neuen Job ist immer mit einer gewissen Portion Angst vermischt II. vi ❶ (socialize) sich untereinander vermischen; to ~ with the guests sich unter die Gäste mischen ❷ (mix) sich vermischen

mini- ['mɪni] in compounds (library, shop) Mini-

Mini ['mɪni] n AUTO, TRANSP (small car) Mini m

minia·ture ['mɪnətʃəʳ] I. adj attr Miniatur- f II. n ❶ (painting, model) Miniatur f ❷ (bottle) Miniflasche f

minia·ture 'rail·way n Liliputbahn f

'mini·bar n Minibar f 'mini·bus n Kleinbus m 'mini·cab n BRIT Kleintaxi nt

min·im ['mɪnɪm] n BRIT, AUS MUS halbe Note

mini·mal ['mɪnɪmᵊl] adj minimal, Mindest-; with ~ effort mit möglichst wenig Anstrengung

mini·mal·ly ['mɪnɪmᵊli] adv minimal; the story was only ~ covered in the papers die Geschichte wurde in den Zeitungen nur am Rande erwähnt

mini·mize ['mɪnɪmaɪz] vt ❶ (reduce) auf ein Minimum beschränken, minimieren ❷ (underestimate) schlechtmachen; to ~ sb's feelings/concerns/anger jds Gefühle/Sorgen/Ärger herunterspielen

mini·mum ['mɪnɪməm] I. n <pl -s or -ima> Minimum nt; a ~ of 3 hours mindestens 3 Stunden; to keep sth to a ~ etw so niedrig wie möglich halten II. adj ❶ (lowest possible) Mindest-; ~ requirements Mindestanforderungen pl ❷ (very low) Minimal-, minimal

min·ing ['maɪnɪŋ] I. n no pl Bergbau m II. adj attr Bergbau-, Bergwerks-

'min·ing en·gi·neer n Bergbauingenieur(in) m(f)

min·ion ['mɪnjən] n (pej) Speichellecker(in) m(f)

'mini·skirt n Minirock m

min·is·ter ['mɪnɪstəʳ] I. n ❶ (in government) Minister(in) m(f) ❷ (diplomat) Gesandte(r) f(m) ❸ (protestant priest) Pfarrer(in) m(f) II. vi (be of service) ■to ~ to sb jdm zu Diensten sein; (take care of) to ~ to sb's needs sich um jdn kümmern

min·is·terial [ˌmɪnɪˈstɪəriəl] adj Minister-, ministeriell; ~ responsibilities Aufgaben eines Ministers

mini·stra·tions [ˌmɪnɪˈsteɪʃᵊnz] npl (liter or hum) liebevolle Fürsorge

min·is·try ['mɪnɪstri] n ❶ (in government) Ministerium nt; ~ of agriculture/defence/transport Landwirtschafts-/Verteidigungs-/Verkehrsministerium nt ❷ POL (period of government) Amtszeit f ❸ no pl (priesthood) ■the ~ der geistliche Stand ❹ (tenure as pastor) geistliches Amt

mink [mɪŋk] n ❶ no pl (animal, fur) Nerz m ❷ (coat) Nerz[mantel] m

mi·nor ['maɪnəʳ] I. adj ❶ (small) detail, criticism nebensächlich; character, plot unbedeutend; crime, violation geringfügig; improvement, repair unwichtig; accident, incident leicht; interest, hobby klein; ~ road Nebenstraße f; to be of ~ importance von geringer Bedeutung sein ❷ (low-ranking) official, supervisor untergeordnet ❸ MED (not serious) leicht; operation klein ❹ MUS Moll-; a ~ note ein Ton in Moll II. n ❶ (underage person) Minderjährige(r) f(m) ❷ MUS Moll nt ❸ SPORTS (minor leagues) ■the ~s pl niedrige Klassen ❹ AM, AUS UNIV (secondary study) Nebenfach m III. vi AM, AUS UNIV to ~ in biology/linguistics/math Biologie/Linguistik/Mathematik im Nebenfach studieren

Mi·nor·ca [mɪˈnɔːkə] n Menorca nt

Mi·nor·can [mɪˈnɔːkən] I. adj menorquinisch II. n Menorquiner(in) m(f)

mi·nor·ity [maɪˈnɒrəti] n ❶ (the smaller number) Minderheit f; in a ~ of cases in wenigen Fällen; a ~ of people eine Minderheit; to be in the ~ in der Minderheit sein ❷ (*racial/ethnic group*) Minderheit *f*

min·ster ['mɪnstə^r] *n* Münster *nt*

min·strel ['mɪn(t)str^əl] *n* (*hist: entertainer*) Spielmann *m*; (*singer*) Minnesänger *m*

mint[1] [mɪnt] **I.** *n* ❶ (*coin factory*) Münzanstalt *f*, Prägeanstalt *f* ❷ (*fam: lots of money*) **to make/cost a ~** einen Haufen Geld machen/kosten *fam* **II.** *vt money* prägen; *gold, silver* münzen **III.** *adj attr coin* neu geprägt; (*fig*) nagelneu *fam*; **in ~ condition** in tadellosem Zustand

mint[2] [mɪnt] *n* ❶ *no pl* (*herb*) Minze *f* ❷ (*sweet*) Pfefferminz[bonbon] *nt*

mint 'tea *n* Pfefferminztee *m*

minu·et [ˌmɪnju'et] *n* Menuett *nt*

mi·nus ['maɪnəs] **I.** *prep* MATH minus; **what is 57 ~ 39?** was ist 57 minus 39? **II.** *n* <*pl* -es> ❶ (*minus sign*) Minus[zeichen] *nt* ❷ (*disadvantage*) Minus *nt* **III.** *adj attr* ❶ (*disadvantage*) ~ **point** Minuspunkt *m* ❷ (*number*) minus; ~ **ten Celsius** minus zehn Grad Celsius ❸ *after n* SCH (*in grading*) **a B ~** eine Zwei minus

mi·nus·cule ['mɪnəskjuːl] **I.** *n* Kleinbuchstabe *m* **II.** *adj* winzig

min·ute[1] ['mɪnɪt] **I.** *n* ❶ (*sixty seconds*) Minute *f*; **this ~** sofort ❷ (*short time*) Moment *m*, Minute *f*; **wait here, I'll only be a ~!** warte hier, ich bin gleich soweit!; [**wait**] **just a ~!** (*for delay*) einen Moment noch!; (*in disbelief*) Moment mal! ❸ (*soon*) **Mr Smith will be here any ~ now** Herr Smith wird jeden Augenblick hier sein; **at any ~** jede Minute; **in a ~** gleich, sofort ❹ (*specific point in time*) Minute *f*; **tell me the ~ that he arrives** sag mir sofort Bescheid, wenn er kommt!; **I disliked him the ~ I saw him!** er war mir vom ersten Augenblick an unsympathisch; **to do sth at the last ~** etw in letzter Minute tun **II.** *adj attr* Instant·

min·ute[2] [maɪ'njuːt] *adj* ❶ (*small*) winzig; **in ~ detail** bis ins kleinste Detail ❷ (*meticulous*) minuziös

'min·ute hand *n* Minutenzeiger *m*

mi·nute·ly [maɪ'njuːtli] *adv* minuziös, bis ins kleinste Detail

min·utes ['mɪnɪts] *npl* Protokoll *nt*; ~ **of order** Verfügungsentwurf *m*; **to do/take the ~** Protokoll führen; **to read out the ~** das Protokoll verlesen

mi·nu·tiae [maɪ'njuːʃiaɪ] *npl* nebensächliche Details

mira·cle ['mɪrəkl] *n* Wunder *nt*; **to perform a ~** ein Wunder vollbringen; **don't expect me to work ~s** erwarte keine Wunder von mir; **by some ~** wie durch ein Wunder

'mira·cle play *n* (*hist*) THEAT Mirakelspiel *nt fachspr*

mi·racu·lous [mɪ'rækjələs] *adj* wunderbar; **to make a ~ recovery** wie durch ein Wunder genesen

mi·racu·lous·ly [mɪ'rækjələsli] *adv* wunderbarerweise, wie durch ein Wunder

mi·rage ['mɪrɑːʒ] *n* Fata Morgana *f*; (*fig*) Trugbild *nt*, Illusion *f*

mire [maɪə^r] *n* ❶ (*swamp*) Sumpf *m* ❷ *no pl* (*mud*) Morast *m*, Schlamm *m* ❸ (*confusing situation*) Morast *m*; (*unpleasant situation*) Sumpf *m*

mir·ror ['mɪrə^r] **I.** *n* ❶ (*looking-glass*) Spiegel *m* ❷ (*reflection*) Spiegelbild *nt* **II.** *vt* widerspiegeln

mir·ror 'im·age *n* Spiegelbild *nt*

mirth [mɜːθ] *n no pl* (*merriment*) Fröhlichkeit *f*; (*laughter*) Heiterkeit *f*

mirth·ful ['mɜːθf^əl] *adj* fröhlich

mirth·less ['mɜːθləs] *adj* freudlos

mis·ad·ven·ture [ˌmɪsəd'ventʃə^r] *n* ❶ (*form, liter: unlucky event*) Missgeschick *nt* ❷ *no pl* (*bad luck*) Pech *nt* ❸ BRIT LAW (*unintentional act*) **death by ~** Tod durch Unfall; **homicide by ~** fahrlässige Tötung

mis·al·li·ance [ˌmɪsə'laɪən(t)s] *n* Mesalliance *f geh*

mis·an·thrope ['mɪs^ənθrəʊp] *n* (*hater*) Menschenfeind(in) *m(f)*; (*loner*) Einzelgänger(in) *m(f)*

mis·an·throp·ic [ˌmɪs^ən'θrɒpɪk] *adj* menschenfeindlich, misanthropisch *geh*

mis·an·thro·py [mɪ'sænθrəpi] *n no pl* Menschenhass *m*, Misanthropie *f geh*

mis·ap·ply <-ie-> [ˌmɪsə'plaɪ] *vt* missbrauchen; **to ~ funds** Kapital fehlleiten; (*embezzle*) Gelder veruntreuen

mis·ap·pre·hend [ˌmɪsæprɪ'hend] *vt* missverstehen

mis·ap·pre·hen·sion [ˌmɪsæprɪ'hen(t)ʃ^ən] *n* Missverständnis *nt*

mis·ap·pro·pri·ate [ˌmɪsə'prəʊprieɪt] *vt funds* veruntreuen

mis·ap·pro·pria·tion [ˌmɪsə.prəʊpri-'eɪʃ^ən] *n no pl of money* Unterschlagung *f*, Veruntreuung *f*

mis·be·have [ˌmɪsbɪ'heɪv] *vi* ❶ (*behave badly*) *adult* sich schlecht benehmen; *child* ungezogen sein; (*malfunction*) *machine* nicht richtig funktionieren ❷ (*be dishonest*) krumme Geschäfte machen *fam*

mis·be·hav·iour [ˌmɪsbɪ'heɪvjə^r], AM **mis·be·hav·ior** *n no pl by adult* schlechtes Benehmen; *by child* Ungezogenheit *f*

misc. *adj short for* **miscellaneous** verschiedene

mis·cal·cu·late [ˌmɪsˈkælkjəleɪt] *vt* ❶ (*in math*) falsch berechnen ❷ (*misjudge*) falsch einschätzen

mis·cal·cu·la·tion [ˌmɪsˌkælkjəˈleɪʃ³n] *n* ❶ (*in math*) Fehlkalkulation *f* ❷ (*in planning*) Fehleinschätzung *m;* **to make a ~ in sth** etw falsch einschätzen

mis·car·riage [mɪˈskærɪdʒ] *n* Fehlgeburt *f*

mis·car·ry <-ie-> [mɪˈskæri] *vi* ❶ (*in pregnancy*) eine Fehlgeburt haben ❷ (*fail*) *plan, project* scheitern

mis·cast [mɪˈskɑːst] *vt* <-cast, -cast> *usu passive* ■ **to ~ sb** jdn falsch besetzen; **to ~ a play/film** ein Theaterstück/einen Film fehlbesetzen

mis·cel·la·neous [ˌmɪs³lˈeɪniəs] *adj* verschiedene(r, s), diverse(r, s); *collection, crowd* bunt; *short stories, poems* vermischt, verschiedenerlei; **~ expenditure** sonstige Ausgaben

mis·cel·la·ny [mɪˈseləni] *n* ❶ (*mixture*) Auswahl *f*, [An]sammlung *f* (**of** von) ❷ (*book*) Sammelband *m*, Auswahl *f*

mis·chance [mɪsˈtʃɑːn(t)s] *n* (*form*) ❶ *no pl* (*bad luck*) Pech *nt* ❷ (*unlucky event*) Zwischenfall *m*

mis·chief [ˈmɪstʃɪf] *n* ❶ *no pl* (*troublesome behaviour*) Unfug *m;* **to get up to ~** Unfug anstellen wollen; **to be full of ~** nur Unfug im Kopf haben; **to keep sb out of ~** jdn davon abhalten, Dummheiten zu machen ❷ *no pl* (*problems*) **to mean ~** Unfrieden stiften wollen ❸ BRIT (*fam: injury*) **to do oneself a ~** sich verletzen

mis·chie·vous [ˈmɪstʃɪvəs] *adj* ❶ (*naughty*) immer zu Streichen aufgelegt; **~ antics** Streiche *pl;* **~ child** Schlingel *m;* **~ grin** spitzbübisches Grinsen ❷ (*malicious*) boshaft; *rumours* bösartig

mis·con·ceive [ˌmɪskənˈsiːv] *vt* ❶ (*form: misunderstand*) falsch verstehen ❷ (*misjudge*) falsch einschätzen, verkennen; *purpose, situation* missdeuten ❸ (*design poorly*) schlecht konzipieren

mis·con·ceived [ˌmɪskənˈsiːvd] *adj* ❶ (*misunderstood*) falsch verstanden; **~ notion** falsche Vorstellung ❷ (*ill-judged*) falsch eingeschätzt, missdeutet ❸ (*ill-designed*) schlecht konzipiert

mis·con·cep·tion [ˌmɪskənˈsepʃ³n] *n* falsche Vorstellung (**about** von), Irrglaube *m;* **a popular ~** ein verbreiteter Irrglaube

mis·con·duct I. *n* [ˌmɪˈskɒndʌkt] *no pl* ❶ (*bad behaviour*) schlechtes Benehmen *n*, MIL schlechte Führung; **professional ~** standeswidriges Verhalten; **sexual ~** sexu-

elle Verfehlung; **~ in office** Amtsvergehen *nt* ❷ (*poor organization*) schlechte Verwaltung; **~ of financial affairs** unzulängliche Finanzverwaltung II. *vt* [ˌmɪskənˈdʌkt] ❶ (*behave badly*) ■ **to ~ oneself** sich schlecht benehmen ❷ (*organize badly*) schlecht führen

mis·con·struc·tion [ˌmɪskənˈstrʌkʃ³n] *n* (*form*) Missdeutung *f*, Missverständnis *nt*, falsche Auslegung

mis·con·strue [ˌmɪskənˈstruː] *vt* missdeuten, missverstehen, falsch auslegen; **to ~ sth as sth** etw fälschlicherweise als etw auslegen

mis·count I. *n* [ˈmɪskaʊnt] falsche Zählung; POL *of votes* falsche Auszählung II. *vi* [mɪˈskaʊnt] sich verzählen III. *vt* [mɪˈskaʊnt] ■ **to ~ sth** etw falsch [ab]zählen; **to ~ votes** POL Stimmen falsch auszählen

mis·deed [mɪsˈdiːd] *n* (*form*) Untat *f*

mis·de·mean·our, AM **mis·de·mean·or** *n* ❶ (*minor bad action*) [leichtes] Vergehen, [leichter] Verstoß, [geringfügige] Verfehlung ❷ AM LAW geringgiges Vergehen, Bagatelldelikt *nt*

mis·di·rect [ˌmɪsdɪˈrekt] *vt* ❶ (*send in wrong direction*) in die falsche Richtung schicken; *letter* falsch adressieren; *luggage, shipment* fehlleiten ❷ (*aim wrongly*) in die falsche Richtung lenken; **to ~ a free kick** FBALL einen Freistoß vergeben ❸ *usu passive* (*misapply*) ■ **to be ~ed** *energies, resources* falsch eingesetzt werden; *criticism, praise* unangebracht sein ❹ LAW (*instruct wrongly*) falsch unterrichten; *jury* falsch belehren

mi·ser [ˈmaɪzə³] *n* Geizhals *m*, Geizkragen *m*

mis·er·able [ˈmɪz³rəbl] *adj* ❶ (*unhappy*) unglücklich, elend; **to feel ~** sich elend fühlen; **a ~ time** eine schreckliche Zeit; **to make life ~ [for sb]** [jdm] das Leben unerträglich machen ❷ *attr* (*bad-tempered*) griesgrämig; (*repulsive*) unausstehlich; (*fam: as insult*) mies, Mist-; **~ old git** alter Miesepeter ❸ (*very unpleasant*) schauderhaft, grässlich ❹ (*inadequate*) armselig, dürftig; **a ~ £20** lumpige 20 Pfund ❺ *attr* (*wretched*) erbärmlich, jämmerlich; **to be a ~ failure** ein kompletter Misserfolg sein ❻ AUS, NZ (*stingy*) geizig, knauserig

mis·er·ably [ˈmɪz³rəbli] *adv* ❶ (*unhappily*) traurig, niedergeschlagen ❷ (*extremely*) schrecklich, furchtbar ❸ (*utterly*) jämmerlich, kläglich; **to fail ~** jämmerlich versagen

mi·ser·li·ness [ˈmaɪz³lɪnəs] *n* Geiz *m*

mi·ser·ly [ˈmaɪz³li] *adj* geizig

mis·ery ['mɪzᵊri] *n* ❶ *no pl* (*suffering*) Elend *nt*, Not *f* ❷ *no pl* (*unhappiness*) Jammer *m* ❸ (*strain*) ▪**miseries** *pl* Qualen *fpl*, Strapazen *fpl* ▶ **to make sb's life a** ~ jdm das Leben zur Qual [*o* Hölle] machen; **to put an animal out of its** ~ ein Tier von seinen Leiden erlösen

mis·fire *vi* [mɪs'faɪəʳ] *weapon* versagen; *engine* eine Fehlzündung haben; *plan* schiefgehen, danebengehen, misslingen **II.** *n* [mɪs'faɪəʳ] (*of gun*) Ladehemmung *f*; (*of engine*) Fehlzündung *f*, Aussetzer *m fam*

mis·fit ['mɪsfɪt] *n* Außenseiter(in) *m(f)*, Eigenbrötler(in) *m(f)*; **a social** ~ ein gesellschaftlicher Außenseiter/eine gesellschaftliche Außenseiterin

mis·for·tune [mɪs'fɔːtʃuːn] *n* ❶ *no pl* (*bad luck*) Pech *nt*, Unglück *nt* ❷ (*mishap*) Missgeschick *nt kein pl*

mis·giv·ing [mɪs'gɪvɪŋ] *n* ❶ (*doubt*) Befürchtung *f*, Bedenken *nt meist pl* (**about** wegen) ❷ *no pl* ungutes Gefühl; **to be filled with** ~ böse Ahnungen haben

mis·gov·ern [mɪs'gʌvᵊn] *vt* schlecht regieren

mis·gov·ern·ment [mɪs'gʌvᵊnmənt] *n no pl* schlechte Regierung

mis·guid·ed [mɪs'gaɪdɪd] *adj attempt, measure* unsinnig; *effort, policy* verfehlt; *enthusiasm, idealism* falsch, unangebracht; *people* fehlgeleitet, irregeleitet; **to be** ~ **in sth** mit etw *dat* falschliegen

mis·han·dle [mɪs'hændl] *vt* ❶ (*mismanage*) falsch behandeln; *business* schlecht führen; **to** ~ **an investigation** bei einer Untersuchung [grobe] Fehler machen; **to** ~ **a situation** mit einer Situation falsch umgehen ❷ (*handle roughly*) misshandeln

mis·hap ['mɪshæp] *n* Unfall *m*, Panne *f*

mis·hear [mɪs'hɪəʳ] **I.** *vt* <-heard, -heard> falsch hören **II.** *vi* <-heard, -heard> sich verhören

mish·mash ['mɪʃmæʃ] *n* Mischmasch *m fam*, Durcheinander *nt* (**of** von)

mis·in·form [ˌmɪsɪn'fɔːm] *vt* falsch informieren

mis·in·ter·pret [ˌmɪsɪn'tɜːprɪt] *vt* missverstehen; *evidence, statement, text* falsch interpretieren; *gesture, remark* falsch deuten

mis·in·ter·pre·ta·tion [ˌmɪsɪnˌtɜːprɪ-'teɪʃᵊn] *n* Missverständnis *nt*, Fehlinterpretation *f*

mis·judge [mɪs'dʒʌdʒ] *vt prospects, situation* falsch einschätzen [*o* beurteilen]; *amount, distance* falsch schätzen

mis·judg(e)·ment [mɪs'dʒʌdʒmənt] *n* ❶ *no pl* (*wrong assessment*) falsche Einschätzung [*o* Beurteilung]; *of damage, size, sum* falsche Schätzung ❷ (*wrong decision*) Fehlentscheidung *f*, Fehlurteil *nt*

mis·lay <-laid, -laid> [mɪs'leɪ] *vt* verlegen

mis·lead <-led, -led> [mɪs'liːd] *vt* ❶ (*deceive*) täuschen, irreführen ❷ (*lead astray*) verführen, verleiten; ▪**to** ~ **sb into** [doing] **sth** jdn zu etw *dat* verleiten

mis·lead·ing [mɪs'liːdɪŋ] *adj* irreführend

mis·man·age [ˌmɪs'mænɪdʒ] *vt* ▪**to** ~ **sth** mit etw *dat* falsch umgehen; *business* etw schlecht führen; *an estate, finances* etw schlecht verwalten

mis·man·age·ment [ˌmɪs'mænɪdʒmənt] *n* schlechte Verwaltung [*o* Führung]; ~ **of the economy** schlechte Wirtschaftspolitik

mis·name [mɪs'neɪm] *vt* ❶ (*call wrongly*) falsch benennen ❷ (*call inappropriately*) unzutreffend bezeichnen

mis·no·mer [mɪ'snəʊməʳ] *n* ❶ (*wrong name*) falscher Name; LAW *in document* falsche Benennung ❷ (*inappropriate name*) unzutreffender Name, unzutreffende Bezeichnung

mi·sogy·nist [mɪ'sɒdʒᵊnɪst] **I.** *n* Frauenfeind *m* **II.** *adj* frauenfeindlich

mis·place [mɪs'pleɪs] *vt* verlegen

mis·placed [mɪs'pleɪst] *adj* ❶ (*fig: misdirected*) unangebracht; **to be** ~ fehl am Platz[e] sein ❷ (*incorrectly positioned*) *comma, decimal point, semicolon* falsch gesetzt

mis·print ['mɪsprɪnt] *n* Druckfehler *m*

mis·pro·nounce [ˌmɪsprə'naʊn(t)s] *vt* falsch aussprechen

mis·pro·nun·cia·tion [ˌmɪsprəˌnʌn(t)siˈeɪʃᵊn] *n* ❶ *no pl* (*incorrectness*) falsche Aussprache ❷ (*mistake*) Aussprachefehler *m*

mis·read <-read, -read> [mɪs'riːd] *vt* ❶ (*read incorrectly*) *word, text* falsch lesen ❷ (*misinterpret*) *instruction, signal* falsch verstehen, missverstehen

mis·rep·re·sent [ˌmɪsreprɪ'zent] *vt* falsch darstellen; ▪**to** ~ **sb as sb/sth** jdn fälschlicherweise als jd/etw hinstellen; **to** ~ **facts** Tatsachen entstellen; LAW falsche Tatsachen vorspiegeln

mis·rep·re·sen·ta·tion [ˌmɪsreprɪzen'teɪʃᵊn] *n* ❶ (*false account*) falsche Darstellung; LAW falsche Angabe; **a** ~ **of facts** LAW eine Vorspiegelung falscher Tatsachen; **a** ~ **of the truth** eine Entstellung der Wahrheit ❷ *no pl* (*false representation*) falsche Wiedergabe

miss¹ [mɪs] *n* ❶ (*young unmarried woman*) Fräulein *nt veraltend* ❷ (*title*)

■M~ Fräulein *nt veraltend;* M~ **America** Miss Amerika ❸Brit (*address for* [*unmarried*] *teacher*) ■M~ Fräulein *nt veraltet* **miss²** [mɪs] I. *n* <*pl* -es> ❶(*failure*) Fehlschlag *m,* Misserfolg *m;* sports (*hit*) Fehltreffer *m;* (*shot*) Fehlschuss *m;* (*throw*) Fehlwurf *m;* auto Fehlzündung *f;* **I've never had a car accident, but I've had a few near ~es** ich hatte noch nie einen Unfall, aber ein paar Beinahezusammenstöße ❷Brit, Aus (*fam: skip*) **to give sth a ~** *dance, dessert* etw auslassen; (*avoid*) *meeting, practice* etw sausen lassen II. *vi* ❶(*not hit*) nicht treffen; *projectile also* danebengehen; *person, weapon also* danebenschießen ❷(*be unsuccessful*) missglücken, fehlschlagen ❸*engine* aussetzen III. *vt* ❶(*not hit*) verfehlen, nicht treffen ❷(*not meet*) *bus, train* verpassen; *deadline* nicht [ein]halten ❸(*be absent*) versäumen, verpassen; **to ~ school** in der Schule fehlen ❹(*not use*) *opportunity* verpassen; **his new film is too good to ~** seinen neuen Film darf man sich einfach nicht entgehen lassen ❺(*avoid*) vermeiden; **I narrowly ~ed being run over** ich wäre fast überfahren worden ❻(*not see*) übersehen ❼(*not hear*) nicht mitbekommen; (*deliberately*) überhören ❽(*not notice*) nicht bemerken; (*deliberately*) übersehen; **Susan doesn't ~ much** Susan entgeht einfach nichts ❾(*not have*) **I've ~ed my period** ich habe meine Tage nicht bekommen; **I decided to ~ breakfast** ich beschloss, nicht zu frühstücken ❿(*long for*) vermissen; **I ~ having you here to talk to** du fehlst mir hier zum Reden ⓫(*notice loss*) vermissen ► **to ~ the point** nicht verstehen, worum es geht ◆**miss out** I. *vt* ❶(*accidentally*) vergessen, übersehen ❷(*deliberately*) [absichtlich] übersehen, weglassen II. *vi* zu kurz kommen; **don't ~ out — get involved!** lass dir das nicht entgehen – mach mit!; **you really ~ed out** da ist dir echt was entgangen *fam;* ■**to ~ out on sth** *opportunity* sich *dat* etw entgehen lassen

mis·shap·en [mɪs'ʃeɪpⁿn] *adj* ❶(*out of shape*) unförmig ❷anat missgebildet

mis·sile ['mɪsaɪl] *n* ❶mil (*explosive weapon*) Flugkörper *m,* Rakete *f* ❷mil (*fired object*) [Raketen]geschoss *nt,* Projektil *nt* ❸(*thrown object*) Wurfgeschoss *nt* '**mis·sile base** *n* Raketenstützpunkt *m* **mis·sile de·'fence sys·tem** *n* Raketenabwehrsystem *nt* '**mis·sile launch·er** *n* [Raketen]abschussrampe *f;* (*vehicle*) Raketenwerfer *m*

mis·sing ['mɪsɪŋ] *adj* ❶(*disappeared*) *thing* verschwunden; *person* vermisst; (*not there*) fehlend; **when did you notice that the money was ~ from your account?** wann haben Sie bemerkt, dass das Geld nicht mehr auf Ihrem Konto war?; **to go ~** Brit, Aus *money, person* verschwinden; **to report sb/sth ~** jdn/etw als vermisst melden ❷mil (*absent*) verschollen; **~ in action** [nach Kampfeinsatz] vermisst

mis·sing 'link *n* ❶(*in evolution*) unbekannte Zwischenstufe; (*in investigation*) fehlendes Beweisstück ❷(*connector*) Bindeglied *nt* (**between** zwischen) **mis·sing 'per·son** *n* Vermisste(r) *f(m);* ■M~ **P~s** Vermisstenabteilung *f* (*bei der Polizei*)

mis·sion ['mɪʃⁿn] *n* ❶(*task*) Einsatz *m,* Mission *f* ❷(*goal*) Ziel *nt* ❸(*group sent*) Delegation *f* ❹(*church activity*) Mission *f;* **foreign/home ~** äußere/innere Mission ❺(*space project*) [Raumflug]mission *f*

mis·sion·ary ['mɪʃⁿn³ri] *n* Missionar(in) *m(f)* '**mis·sion·ary po·si·tion** *n* Missionarsstellung *f*

mis·sion con·'trol *n* Bodenkontrolle *f*

mis·sis ['mɪsɪz] *n* (*hum sl: wife*) ■**the ~** die bessere Hälfte

mis·sive ['mɪsɪv] *n* (*form*) Sendschreiben *nt geh o veraltet,* Missiv *nt fachspr;* (*hum*) ellenlanger Brief *hum*

mis·spell <-spelt *or* Am -spelled, -spelt> [mɪs'spel] *vt* ❶(*spell wrongly*) falsch buchstabieren ❷(*write wrongly*) falsch schreiben

mis·spell·ing [mɪs'spelɪŋ] *n* ❶(*spelling mistake*) Rechtschreibfehler *m* ❷*no pl* (*wrong spelling*) falsches Buchstabieren ❸(*wrong writing*) falsche Schreibung

mis·spent [mɪs'spent] *adj* verschwendet, vergeudet

mis·state [mɪs'steɪt] *vt* falsch angeben, darstellen

mis·sus *n see* **missis**

mist [mɪst] I. *n* ❶*no pl* (*light fog*) [leichter] Nebel, Dunst *m* ❷(*blur*) Schleier *m* ❸(*condensation*) Beschlag *m;* **there was a ~ on the windows** die Fenster waren beschlagen; (*vapour*) Hauch *m* II. *vi glass, tiles* [sich] beschlagen, anlaufen; *eyes* feucht werden; *vision* sich trüben ◆**mist up** I. *vi glass, tiles* [sich] beschlagen, anlaufen II. *vt vision* trüben

mis·tak·able [mɪ'steɪkəbl] *adj usu pred* verwechselbar, leicht zu verwechseln

mis·take [mɪ'steɪk] I. *n* Fehler *m,* Irrtum *m,* Versehen *nt;* **there must be**

some ~ da kann etwas nicht stimmen; **spelling** ~ Rechtschreibfehler *m;* **to learn from one's** ~**s** aus seinen Fehlern lernen; **by** ~ aus Versehen, versehentlich; **my** ~ meine Schuld **II.** *vt* <-took, -taken> falsch verstehen; **you can't** ~ **their house — it's got a bright yellow front door** ihr könnt ihr Haus nicht verfehlen — es hat eine hellgelbe Eingangstür; **sorry, I mistook you for an acquaintance of mine** Entschuldigung, ich hielt Sie für einen meiner Bekannten; **there's no mistaking a painting by Picasso** ein Gemälde von Picasso ist unverwechselbar

mis·tak·en [mɪˈsteɪkⁿn] **I.** *pp of* **mistake II.** *adj* irrtümlich, falsch; ▪**to be** ~ sich irren (**about** in); *accusation* falsch; *announcement, arrest* irrtümlich; ~ **belief** Irrglaube *m;* ~ **identity** Personenverwechslung *f;* ~ **policy** verfehlte Politik; **to be very much** ~ sich sehr täuschen; **unless I'm very much** ~ ... wenn mich nicht alles täuscht ...

mis·tak·en·ly [mɪˈsteɪkⁿnli] *adv* irrtümlich[erweise], fälschlich[erweise]; **to believe** ~ irrtümlich annehmen

Mis·ter [ˈmɪstəʳ] *n* ❶ (*Mr*) [mein] Herr *m* ❷ (*also iron, pej fam: form of address*) Chef *m;* **hey,** ~**!** he, Sie da! *fam;* ~**!** hör mal zu, mein Freund! ❸ (*also iron, pej fam: prefixed title*) ~ **Big** der große Chef; ~ **Know-it-all** der Klugscheißer

mis·time [mɪsˈtaɪm] *vt* (*misjudge timing*) zeitlich falsch berechnen; SPORTS schlecht timen *fam*

mis·tle·toe [ˈmɪsl̩təʊ] *n* Mistel *f*

mis·took [mɪˈstʊk] *pt of* **mistake**

mis·trans·late [ˌmɪstrænˈsleɪt] *vt* falsch übersetzen

mis·treat [mɪsˈtriːt] *vt* misshandeln

mis·treat·ment [mɪsˈtriːtmənt] *n* Misshandlung *f*, schlechte Behandlung

mis·tress <*pl* -es> [ˈmɪstrəs] *n* ❶ (*sexual partner*) Geliebte *f* ❷ (*woman in charge*) Herrin *f;* **the** ~ **of the house** die Frau des Hauses ❸ BRIT (*dated: schoolteacher*) **German** ~ Deutschlehrerin *f* ❹ (*dog owner*) Frauchen *nt*

mis·trial [mɪˈstraɪl] *n* ❶ (*misconducted trial*) fehlerhaftes Gerichtsverfahren ❷ AM (*inconclusive trial*) Gerichtsverfahren *nt* ohne Urteilsspruch

mis·trust [mɪsˈtrʌst] **I.** *n no pl* Misstrauen *nt* **II.** *vt* misstrauen

mis·trust·ful [mɪsˈtrʌstfəl] *adj* misstrauisch (**of** gegenüber)

mis·trust·ful·ly [mɪsˈtrʌstfəli] *adv* misstrauisch, argwöhnisch

misty [ˈmɪsti] *adj* ❶ (*slightly foggy*) [leicht] neblig, dunstig ❷ (*blurred*) undeutlich, verschwommen; *eyes* verschleiert ❸ (*vague*) nebelhaft

mis·under·stand <-stood, -stood> [ˌmɪsʌndəˈstænd] **I.** *vt* missverstehen **II.** *vi* sich irren

mis·under·stand·ing [ˌmɪsʌndəˈstændɪŋ] *n* ❶ (*misinterpretation*) Missverständnis *nt* ❷ (*quarrel*) Meinungsverschiedenheit *f*

mis·use I. *n* [ˌmɪsˈjuːs] ❶ *no pl* (*wrong use*) *of funds, position* Missbrauch *m,* falscher Gebrauch [*o* Umgang]; *of machinery* falsche Bedienung; ~ **of power** Machtmissbrauch *m* ❷ (*excessive consumption*) ~ **of alcohol** Alkoholmissbrauch *m* **II.** *vt* [ˌmɪsˈjuːz] ❶ (*use wrongly*) *funds, position* missbrauchen, falsch gebrauchen ❷ (*handle wrongly*) *machinery* falsch bedienen ❸ (*consume to excess*) im Übermaß gebrauchen

mite [maɪt] *n* ❶ (*insect*) Milbe *f* ❷ *esp* BRIT (*fam: small child*) Würmchen *nt; girl* kleines Ding

mi·ter *n* AM *see* **mitre**[1], [2]

miti·gate [ˈmɪtɪgeɪt] *vt* (*form*) *misery, pain* lindern; *anger, sentence* mildern; ECON *loss* mindern

miti·gat·ing [ˈmɪtɪgeɪtɪŋ] *adj* (*form*) lindernd, mildernd; **to allow** ~ **circumstances** LAW mildernde Umstände zubilligen

miti·ga·tion [ˌmɪtɪˈgeɪʃⁿn] *n no pl* Linderung *f*, Milderung *f*

mi·tre[1] [ˈmaɪtəʳ] *n* Mitra *f*, Bischofsmütze *f*

mi·tre[2] [ˈmaɪtəʳ] **I.** *n* Gehrung *f* **II.** *vt* auf Gehrung schneiden

mit·ten [ˈmɪtⁿn] *n* Fäustling *m*

mix [mɪks] **I.** *n* ❶ (*combination*) Mischung *f;* **a** ~ **of people** eine bunt gemischte Gruppe ❷ (*pre-mixed ingredients*) Fertigmischung *f;* **bread** ~ Brotbackmischung *f;* **sauce** ~ Fertigsauce *f* ❸ MUS Potpourri *nt fachspr* **II.** *vi* ❶ (*combine*) sich mischen [lassen]; (*go together*) zusammenpassen ❷ (*make contact with people*) unter Leute gehen; *host* sich unter die Gäste mischen **III.** *vt* ❶ (*blend ingredients*) [miteinander] [ver]mischen; *dough* anrühren; *drink* mixen; *ingredients* miteinander verrühren; *paint* mischen; **to** ~ **a dough with cocoa** Kakao unter einen Teig mischen ❷ (*combine*) **to** ~ **love with toughness** Liebe und Strenge miteinander verbinden ❸ *sound tracks* mischen ◆**mix in I.** *vi* sich einfügen **II.** *vt* untermischen ◆**mix up** *vt* ❶ (*mistake for another*) verwechseln ❷ (*put in wrong order*) durcheinanderbringen ❸ (*bewilder*) durcheinanderbringen ❹ (*combine ingredients*) vermischen; *dough* anrühren ❺ *usu passive* (*be involved with*) ▪ **to be/get ~ed up in sth** in etw *akk* verwickelt sein/werden ▶ **to ~ it up with sb** AM (*sl: fight*) sich mit jdm prügeln; (*quarrel*) mit jdm aneinandergeraten ◆ **mix with** *vi* (*associate with*) ▪ **to ~ with sb** mit jdm verkehren [*o* Umgang haben]

mixed [mɪkst] *adj* ❶ (*mingled*) gemischt ❷ (*for both sexes*) gemischt ❸ (*positive and negative*) gemischt, unterschiedlich; **~ blessing** kein reiner Segen

mixed 'dou·bles *npl* SPORTS gemischtes Doppel **mixed e'cono·my** *n* gemischte Wirtschaftsform **mixed 'farm·ing** *n* Landwirtschaft *f* mit Ackerbau und Viehzucht **mixed 'grill** *n* gemischte Grillplatte

mix·er ['mɪksəʳ] *n* ❶ (*machine*) Mixer *m*, Mixgerät *nt* ❷ (*drink*) **~** [**drink**] Mixgetränk *nt*

mix·ture ['mɪkstʃəʳ] *n* ❶ (*combination*) Mischung *f; of ingredients* Gemisch *nt* ❷ (*mixed fluid substance*) Mischung *f,* Mixtur *f;* AUTO Gemisch *nt;* **cough ~** Hustensaft *m* ❸ *no pl* (*act of mixing*) Mischen *nt,* Vermengen *nt;* (*state after mixing*) Gemisch *nt,* Gemenge *nt*

'mix-up *n* ❶ (*confused state*) Durcheinander *nt,* Verwirrung *f* ❷ AM (*fight*) Schlägerei *f*

Mk *n abbrev of* **mark**

ml <*pl - or* mls> *n abbrev of* **millilitre** ml

MLR [ˌemel'ɑːʳ] *n abbrev of* **minimum lending rate** Mindestdiskontsatz *m*

mm *n abbrev of* **millimetre** mm

MMR [ˌemem'ɑːʳ] *n* MED *abbrev of* **measles, mumps and rubella** MMR

MMS [ˌemem'es] *n* TELEC *abbrev of* **multimedia messaging service** MMS

mne·mon·ic [nɪ'mɒnɪk] *n,* **mne·mon·ic de·vice** *n* Gedächtnisstütze *f,* Eselsbrücke *f fam*

mo¹ *n* AM *abbrev of* **month**

mo² [məʊ] *n* (*fam*) *short for* **moment** Moment *m;* **wait a ~!** Moment mal!

MO [ˌem'əʊ] *n* ❶ *abbrev of* **Medical Officer** Stabsarzt *m/*Stabsärztin *f* ❷ *esp* AM *abbrev of* **money order**

moan [məʊn] I. *n* ❶ (*groan*) Stöhnen *nt; of the wind* Heulen ❷ (*complaint*) Klage *f,* Beschwerde *f* II. *vi* ❶ (*groan*) stöhnen; *wind* heulen ❷ (*complain*) klagen, sich beschweren; ▪ **to ~ about sth** über etw *akk* jammern; ▪ **to ~ at sb** sich bei jdm beschweren; ▪ **to ~ that ...** darüber jam-

mern, dass ...

moan·er ['məʊnəʳ] *n* Nörgler(in) *m(f)*

moan·ing ['məʊnɪŋ] *n* ❶ (*sound*) Stöhnen *nt,* Ächzen *nt* ❷ (*complaining*) Nörgelei *f,* Quengelei *f fam*

moat [məʊt] *n* Burggraben *m*

mob [mɒb] I. *n + sing/pl vb* ❶ (*usu pej: crowd*) Mob *m;* **angry ~** aufgebrachte Menge; **a lynch ~** ein lynchender Mob; **a ~ of angry fans** eine Horde wütender Fans; **a ~ of protesters** eine protestierende Menschenmenge ❷ POL (*pej: the common people*) ▪ **the ~** die breite Masse; (*the lowest classes*) der Mob, der Pöbel ❸ (*criminal gang*) Verbrecherbande *f,* Gang *f;* ▪ **the M~** AM die Mafia ❹ BRIT (*sl: group*) Bande *f,* Sippschaft *f* ❺ AUS (*herd*) Herde *f* II. *vt* <-bb-> ❶ (*surround*) umringen; ▪ **to be ~bed** umringt sein/werden ❷ AM (*crowd around*) ▪ **to ~ sth** *courtroom, entrance* etw umlagern; (*crowd into*) *fairground, park* in etw *akk* strömen

mo·bile¹ ['məʊbaɪl] I. *adj* ❶ (*able to move*) beweglich ❷ (*flexible*) beweglich, wendig ❸ (*able to change*) mobil, flexibel ❹ (*changeable*) lebhaft, wechselhaft ❺ (*in a vehicle*) mobil, fahrbar; ▪ **to be ~** motorisiert sein; **~ canteen** Kantine *f* auf Rädern II. *n* Mobiltelefon *nt,*

mo·bile² ['məʊbaɪl] *n* ART Mobile *nt*

mo·bile 'dat·ing *n no pl* Handy-Dating *nt* **mo·bile 'home** *n* Wohnwagen *m* **mo·bile 'phone** *n esp* BRIT Mobiltelefon *nt,* Handy *nt*

mo·bil·ity [mə(ʊ)'bɪləti] *n no pl* ❶ (*ability to move*) *of the body* Beweglichkeit *f,* Mobilität *f* ❷ (*social mobility*) Mobilität *f*

mo·'bil·ity scoot·er *n* Elektromobil *nt* (*für Senioren*)

mo·bili·za·tion [ˌməʊbɪlaɪ'zeɪʃ ᵊn] *n* ❶ (*for war*) Mobilmachung *f,* Mobilisierung *f* ❷ (*organization*) Mobilisierung *f,* Aktivierung *f*

mo·bi·lize ['məʊbɪlaɪz] I. *vt* ❶ (*prepare for war*) *army* mobilisieren ❷ (*organize*) *supporters, support* aktivieren, mobilisieren ❸ (*put to use*) einsetzen; *helicopters, snowploughs* zum Einsatz bringen ❹ COMM *capital* flüssigmachen II. *vi* MIL mobil machen

mob 'law *n* Lynchjustiz *f* **mob 'rule** *n* Herrschaft *f* der Straße

moc·ca·sin ['mɒkəsɪn] *n* Mokassin *m*

mo·cha ['mɒkə] *n no pl* Mokka *m*

mock [mɒk] I. *adj* ❶ (*not real*) nachgemacht, Schein-; **~ baroque** Pseudobarock *m o adj;* **~ facade** Kulisse *f; fear, horror, sympathy* gespielt; **~ leather** Lederimitat *nt* ❷ (*practice*) Probe-, simuliert **II.** *n* BRIT (*fam*) Probeexamen *nt* **III.** *vi* spotten, höhnen **IV.** *vt* (*ridicule*) lächerlich machen, verspotten

mock·er ['mɒkəʳ] *n* Spötter(in) *m(f)* ▸ **to put the ~ s on sth** BRIT (*fam*) etw vermasseln

mock·ery ['mɒk²ri] *n no pl* ❶ (*ridicule*) Spott *m*, Hohn *m* ❷ (*travesty*) Farce *f* ▸ **to make a ~ of sb/sth** jdn/etw zum Gespött machen

mock·ing ['mɒkɪŋ] *adj laugh, laughter* spöttisch, höhnisch

'**mock·ing·bird** *n* ORN Spottdrossel *f*

mock·ing·ly ['mɒkɪŋli] *adv* spöttisch, höhnisch

'**mock-up** *n* Attrappe *f*

MoD [ˌemaʊ'diː] *n* BRIT *abbrev of* **Ministry of Defence** Verteidigungsministerium *nt*

mod·al ['məʊd²l] *adj* Modal-

mode [məʊd] *n* ❶ (*way*) Weise *f*, Methode *f*; ~ **of operation/transport** Betriebs-/Beförderungsart *f* ❷ (*type*) *heat* [Erscheinungs]form *f* ❸ COMPUT, TECH (*operation*) Betriebsart *f*, Modus *m*; **automatic ~** Automatikbetrieb *m* ❹ LING Modus *m* *fachspr*

mod·el ['mɒd²l] **I.** *n* ❶ (*representation*) Modell *nt*; COMPUT [schematische] Darstellung, Nachbildung *f*, Simulation *f* ❷ (*example*) Modell *nt*, Vorbild *nt* ❸ (*perfect example*) Muster *nt*; **to be the very ~ of sth** (*fig*) der Inbegriff von etw *dat* sein ❹ (*mannequin*) Model *nt* ❺ (*for painter*) Modell *nt* ❻ (*version*) Modell *nt* **II.** *vt* <-ll-> ❶ (*make figure*) modellieren ❷ (*on computer*) [schematisch] darstellen, nachbilden, simulieren ❸ (*show clothes*) vorführen

mod·el·ling ['mɒd²lɪŋ] *n no pl* ❶ FASHION Modeln *nt* ❷ (*making 3D models*) Modellbau *m*

'**mod·el mak·er** *n* Modellbauer(in) *m(f)*

mo·dem ['məʊdəm] *n* Modem *nt*

mod·er·ate I. *adj* ['mɒd²rət] ❶ (*neither large nor small*) *amount, quantity, size* mittlere(r, s); *improvement, increase* leicht, nicht allzu groß; *price, speed* angemessen, normal; *income* durchschnittlich ❷ (*not excessive*) mäßig, gemäßigt; *drinker, eater* mäßig, maßvoll; LAW *sentence* mild ❸ POL gemäßigt ❹ (*reasonable*) angemessen, vernünftig **II.** *n* ['mɒd²rət] POL Gemäßigte(r) *f(m)* **III.** *vt* ['mɒd²reɪt] (*make less extreme*) mäßigen; **to ~ one's voice** seine Stimme senken; **to have a moderating influence on sb/sth** einen mäßigenden Einfluss auf jdn/etw haben

mod·er·ate·ly ['mɒd²rətli] *adv* mäßig;

~ **pleased/successful** einigermaßen zufrieden/erfolgreich; ~ **priced** preisgünstig

mod·era·tion [ˌmɒd²r'eɪʃ²n] *n no pl* ❶ (*restraint*) Mäßigung *f*; **in ~** in Maßen; **to show ~** Maß halten ❷ (*making moderate*) *demands* Abschwächung *f*; *sentence* Milderung *f*; *voice* Senkung *f*

mod·era·tor ['mɒd²reɪtəʳ] *n* ❶ (*mediator*) Vermittler(in) *m(f)* ❷ AM (*of discussion*) Moderator(in) *m(f)* ❸ BRIT SCH Prüfungsvorsitzende(r) *f(m)* ❹ SCOT (*presiding minister*) Vorsitzende(r) *f(m)*

mod·ern ['mɒd²n] *adj* ❶ (*contemporary*) modern ❷ (*not ancient or medieval*) modern, neuzeitlich; ~ **Europe** Europa *nt* der Neuzeit; ~ **times** Neuzeit *f*, Moderne *f*; **the ~ world** die heutige Welt

mod·erni·za·tion [ˌmɒd²naɪ'zeɪʃ²n] *n no pl* Modernisierung *f*

mod·ern·ize ['mɒd²naɪz] **I.** *vt* modernisieren **II.** *vi* modern werden

mod·est ['mɒdɪst] *adj* ❶ (*not boastful*) bescheiden, zurückhaltend ❷ (*fairly small*) *income, increase* bescheiden, mäßig ❸ (*not elaborate*) *furniture, house* einfach

mod·est·ly ['mɒdɪstli] *adv* ❶ (*approv: without boastfulness*) bescheiden, zurückhaltend ❷ (*chastely*) dezent; **to dress ~** sich dezent kleiden ❸ (*not expensively*) ~ **priced** preisgünstig

mod·es·ty ['mɒdɪsti] *n* ❶ (*without boastfulness*) Bescheidenheit *f*, Zurückhaltung *f* ❷ (*chasteness*) Anstand *m*, Sittsamkeit *f*

modi·cum ['mɒdɪkəm] *n no pl* ■ **a ~** ein bisschen [*o* wenig]; **a ~ of decency** eine Spur von Anstand; **a ~ of truth** ein Körnchen Wahrheit

modi·fi·able ['mɒdɪfaɪəbl] *adj* modifizierbar, [ab]änderbar

modi·fi·ca·tion [ˌmɒdɪfɪ'keɪʃ²n] *n* ❶ (*change*) Modifikation *f*, [Ab]änderung *f*; **to make a few ~s to sth** einige Änderungen an etw *dat* vornehmen ❷ *no pl* (*alteration*) *of engine* Modifikation *f* ❸ BIOL nichterbliche Änderung, Modifikation *f* *fachspr*

modi·fi·er ['mɒdɪfaɪəʳ] *n* LING näher bestimmendes Wort; (*as an adjective*) Beiwort *nt*; (*as an adverb*) Umstandswort *nt*

modi·fy <-ie-> ['mɒdɪfaɪ] *vt* ❶ (*change*) [ver]ändern ❷ (*alter*) *engine* modifizieren ❸ LING lautlich verändern, umlauten

mod·ish ['məʊdɪʃ] *adj* (*form*) modisch

modu·lar ['mɒdjələʳ] *adj* modular, Baukasten-; ~ **system** UNIV Kursmodulsystem *nt*

modu·late ['mɒdjəleɪt] **I.** *vt* ❶ (*regulate*) anpassen, abstimmen ❷ (*adjust pitch*) *tone, voice* modulieren ❸ (*soften*) *noise,*

M

voice dämpfen; *effect, impression* abschwächen ❹ ELEC, RADIO (*mix signals*) modulieren **II.** *vi* MUS [die Tonart] wechseln, modulieren *fachspr*

modu·la·tion [ˌmɒdjəˈleɪʃən] *n* ❶ (*adaptation*) Anpassung *f*, Abstimmung *f* ❷ ELEC, RADIO Modulation *f*, Aussteuerung *f* ❸ MUS [Tonart]wechsel *m*, Modulation *f fachspr*

mod·ule [ˈmɒdjuːl] *n* ❶ (*unit*) Modul *nt*, Baustein *m* ❷ (*part of course*) Einheit *f*

mo·hair [ˈməʊheəʳ] *n* Mohair *m*

moist [mɔɪst] *adj* feucht; *cake* saftig

mois·ten [ˈmɔɪsən] **I.** *vt* anfeuchten **II.** *vi* feucht werden

mois·ture [ˈmɔɪstʃəʳ] *n* Feuchtigkeit *f*

mois·tur·ize [ˈmɔɪstʃəraɪz] *vt* befeuchten; **to ~ one's skin** seine Haut mit Feuchtigkeitscreme einreiben

mois·tur·iz·er [ˈmɔɪstʃəraɪzəʳ] *n*, **ˈmois·tur·iz·ing cream** *n* Feuchtigkeitscreme *f*

ˈmois·tur·iz·ing lo·tion *n* Feuchtigkeitslotion *f*

mojo [ˈməʊdʒəʊ] *n no pl* (*fam*) Reize *pl*

mo·lar[1] [ˈməʊləʳ] *n* ❶ (*tooth*) Backenzahn *m* ❷ ZOOL Mahlzahn *m*

mo·lar[2] [ˈməʊləʳ] *adj* CHEM, PHYS Molar-, Mol-; *concentration* molar

mo·las·ses [məˈlæsɪz] *n no pl* Melasse *f*

mold AM *see* **mould**

mold·er *vi* AM *see* **moulder**

mold·ing *n* AM *see* **moulding**

moldy *adj* AM *see* **mouldy**

mole[1] [məʊl] *n* Maulwurf *m*

mole[2] [məʊl] *n* [kleines] Muttermal

mole[3] [məʊl] *n* Mole *f*

mo·lecu·lar [məˈ(ʊ)lekjələʳ] *adj* molekular, Molekular-

mol·ecule [ˈmɒlɪkjuːl] *n* Molekül *nt*

mole·hill [ˈməʊlhɪl] *n* Maulwurfshügel *m*

mo·lest [məˈ(ʊ)lest] *vt* ❶ (*annoy*) belästigen ❷ (*harass*) schikanieren ❸ (*attack sexually*) [sexuell] belästigen

moll [mɒl] *n* ❶ (*sl: female companion of criminal*) Gangsterbraut *f sl* ❷ AUS (*female companion*) Braut *f fam*

mol·li·fy <-ie-> [ˈmɒlɪfaɪ] *vt* ❶ (*pacify*) besänftigen, beschwichtigen ❷ (*reduce*) *demands* mäßigen; *anger* mildern

mol·lusc [ˈmɒləsk], AM **mol·lusk** *n* Molluske *f*, Weichtier *nt*

mol·ly·cod·dle [ˈmɒliˌkɒdl] *vt* (*pej fam*) verhätscheln

Molotov cock·tail [ˌmɒlətɒfˈkɒkteɪl] *n* Molotowcocktail *m*

molt AM *see* **moult**

mol·ten [ˈməʊltən] *adj* geschmolzen; **~ bath** TECH Schmelzbad *nt*

mom [mɒm] *n* AM (*mum*) Mama *f*

mo·ment [ˈməʊmənt] *n* ❶ (*very short time*) Moment *m*, Augenblick *m*; **just a ~, please** nur einen Augenblick, bitte; **this will only take a ~** das dauert nur einen Augenblick; **the phone rang the ~ she came home** das Telefon klingelte in dem Augenblick, als sie nach Hause kam; **not a ~ too soon** gerade noch rechtzeitig; **at any ~** jeden Augenblick; **in a ~** gleich, sofort ❷ (*specific time*) Zeitpunkt *m*; **a ~ in time** ein historischer Augenblick; **the ~ of truth** die Stunde der Wahrheit; ▪ **at the ~** im Augenblick, momentan ▸ **to have one's ~s** [auch] seine guten Augenblicke haben

mo·men·tari·ly [ˈməʊməntərəli] *adv* ❶ (*briefly*) kurz, eine Weile; **to pause ~** kurz innehalten ❷ (*for some time*) momentan, vorübergehend ❸ (*instantly*) augenblicklich ❹ AM (*very soon*) gleich, in wenigen Augenblicken ❺ (*at any moment*) jederzeit, jeden Augenblick

mo·men·tary [ˈməʊməntəri] *adj* ❶ (*brief*) kurz ❷ (*transitory*) momentan, vorübergehend

mo·men·tous [məˈ(ʊ)mentəs] *adj* bedeutsam, weitreichend, folgenschwer; *day* bedeutend

mo·men·tum [məˈ(ʊ)mentəm] *n no pl* ❶ (*force*) Schwung *m*, Wucht *f*; **to gain ~** in Schwung kommen; **to give ~ to sth** etw in Schwung bringen ❷ PHYS Moment *nt*, Impuls *m fachspr*

mom·ma [ˈmɑːmə] *n* AM (*childspeak*) Mama *f*

mom·my [ˈmɑːmi] *n* AM (*childspeak*) Mama *f*, Mami *f*

Mona·co [ˈmɒnəkəʊ] *n* Monaco *nt*

mon·arch [ˈmɒnək] *n* Monarch(in) *m(f)*, Herrscher(in) *m(f)*

mo·nar·chic(al) [mɒnˈɑːkɪk(əl)] *adj* ❶ (*a monarch[y]*) monarchisch, königlich ❷ (*of monarchism*) monarchistisch

mon·arch·ism [ˈmɒnəkɪzəm] *n no pl* Monarchismus *m*

mon·arch·ist [ˈmɒnəkɪst] *n* Monarchist(in) *m(f)*

mon·ar·chy [ˈmɒnəki] *n* Monarchie *f*

mon·as·tery [ˈmɒnəstəri] *n* [Mönchs]kloster *nt*

mo·nas·tic [məˈnæstɪk] *adj* ❶ REL (*concerning monks*) mönchisch, Mönchs-; (*concerning monasteries*) klösterlich, Kloster- ❷ (*austere*) enthaltsam; (*secluded*) zurückgezogen

Mon·day [ˈmʌndeɪ] *n* Montag *m; see also* **Tuesday**

mon·etary [ˈmʌnɪtəri] *adj* ECON Geld-,

Währungs-

mon·ey ['mʌni] *n no pl* ❶ (*cash*) Geld *nt;* **to be short of ~** knapp bei Kasse sein *fam;* **to put ~ into sth** Geld in etw *akk* stecken *fam;* **to raise ~** Geld aufbringen; **to spend ~** Geld ausgeben ❷ (*fam: pay*) Bezahlung *f,* Verdienst *m;* **they earn good ~ in that company** bei dieser Firma verdient man gutes Geld ▶~ **doesn't** grow **on trees** (*prov*) Geld wächst nicht einfach nach; **to be in the ~** in Geld schwimmen; **to be [not] made of ~** [k]ein Krösus sein 'mon·ey·bags *n* <*pl* -> (*hum, pej fam*) Geldsack *m* 'mon·ey·box *n* BRIT Sparbüchse *f; for collection* Sammelbüchse *f* 'mon·ey-chang·er *n* ❶ (*person*) [Geld]wechsler(in) *m(f)* ❷ (*device*) tragbarer Münzwechsler

mon·eyed ['mʌnid] *adj* (*form*) vermögend, wohlhabend

'mon·ey-mak·ing **I.** *adj* einträglich, gewinnbringend **II.** *n* Gelderwerb *m* 'mon·ey mar·ket *n* Geldmarkt *m* 'mon·ey or·der *n esp* AM, AUS Postanweisung *f,* Zahlungsanweisung *f* 'mon·ey-spin·ner *n* BRIT ❶ (*profitable business*) Bombengeschäft *nt fam* ❷ (*profitable product*) Renner *m fam*

mon·gol ['mɒŋgəl] *n* MED (*dated or pej!*) Mongoloide(r) *f/m)*

Mon·gol ['mɒŋgəl] **I.** *n* ❶ (*person*) Mongole(in) *m(f);* MED (*dated or pej!*) Mongoloide(r) *f/m)* ❷ *no pl* (*language*) Mongolisch *nt,* das Mongolische **II.** *adj* mongolisch

Mon·go·lia [mɒŋ'gəʊliə] *n* Mongolei *f*

Mon·go·lian [mɒŋ'gəʊliən] **I.** *adj* mongolisch **II.** *n* ❶ (*person*) Mongole(in) *m(f)* ❷ (*language*) Mongolisch *nt*

mon·gol·ism ['mɒŋgəˈlɪzᵊm] *n no pl* MED (*dated or pej!*) Mongolismus *m*

mon·grel ['mʌŋgrəl] **I.** *n* ❶ BOT, ZOOL (*result of crossing*) Kreuzung *f* ❷ (*esp pej: dog breed*) Promenadenmischung *f hum o pej;* Töle *f* NORDD ❸ (*person*) Mischling *m oft pej;* (*cross between things*) Zwischending *nt* **II.** *adj* Misch-; **~ species** Kreuzung *f*

moni·tor ['mɒnɪtə'] **I.** *n* ❶ (*screen*) Bildschirm *m,* Monitor *m;* **colour ~** Farbbildschirm *m,* Farbmonitor *m* ❷ POL (*observer*) Beobachter(in) *m(f)* ❸ (*device*) Anzeigegerät *nt,* Monitor *m* ❹ SCH (*dated: in school*) Aufsichtsschüler(in) *m(f)* ❺ ZOOL (*lizard*) Waran *m* **II.** *vt* ❶ (*check*) beobachten, kontrollieren, überprüfen ❷ RADIO, TELEC, TV (*view/listen in on*) device, person abhören, mithören ❸ (*maintain qual-*

ity) *person, device* überwachen; **~ing sta·tion** Überwachungsstation *f* ❹ (*keep under surveillance*) *person, device* überwachen

moni·tor·ing ['mɒnɪtᵊrɪŋ] *n no pl* Überwachung *f,* Aufsicht *f;* **~ system** Überwachungssystem *nt*

monk [mʌŋk] *n* Mönch *m*

mon·key ['mʌŋki] **I.** *n* ❶ (*animal*) Affe *m* ❷ (*fam: mischievous child*) Schlingel *m* ▶ **I don't** give **a ~'s [what]** ... BRIT (*sl*) es interessiert mich einen Dreck [was] ... *fam* **II.** *vt* AM nachäffen

'mon·key busi·ness *n no pl* ❶ (*silliness*) Blödsinn *m,* Unfug *m* ❷ (*trickery*) krumme Touren, faule Tricks 'mon·key nut *n* BRIT Erdnuss *f* 'mon·key wrench *n esp* AM Universal[schrauben]schlüssel *m*

'monk·fish *n* Seeteufel *m*

mono ['mɒnəʊ] **I.** *n no pl* MUS Mono *nt* **II.** *adj* Mono-

mono·chrome ['mɒnəkrəʊm] *adj* ❶ PHOT (*black and white*) Schwarzweiß- ❷ (*using one colour*) einfarbig, monochrom ❸ (*unexciting*) eintönig **mono·cle** ['mɒnəkḷ] *n* (*hist*) Monokel *nt*

mo·noga·mous [mə'nɒgəməs] *adj* monogam

mo·noga·my [mə'nɒgəmi] *n no pl* Monogamie *f*

mono·gram ['mɒnəgræm] *n* Monogramm *nt* **mono·graph** ['mɒnəgrɑ:f] *n* Monographie *f fachspr,* Einzeldarstellung *f*

mono·lin·gual [ˌmɒnə(ʊ)'lɪŋgwᵊl] *adj* einsprachig

mono·lith ['mɒnə(ʊ)lɪθ] *n* ❶ ARCHEOL (*single block*) Monolith *m* ❷ (*fig: sth huge*) Koloss *m; building* monumentales Gebäude; *organization* gigantische Organisation ❸ (*fig: sth unchangeable*) *movement, society* Monolith *m*

mono·lith·ic [ˌmɒnə(ʊ)lɪθɪk] *adj* ❶ ARCHEOL monolithisch ❷ (*fig: huge*) *building, structure* monumental ❸ (*pej: unchangeable*) monolithisch, starr

mono·log *n* AM *see* **monologue**

mono·logue ['mɒnᵊlɒg] *n also* THEAT Monolog *m*

mo·nopo·lize [mə'nɒpᵊlaɪz] *vt* ❶ ECON (*control*) monopolisieren, [allein] beherrschen ❷ (*keep for oneself*) ▬**to ~ sb/sth** jdn/etw ganz für sich *akk* beanspruchen, jdn/etw mit Beschlag belegen; **to ~ the conversation** das Gespräch an sich reißen

mo·nopo·ly [mə'nɒpᵊli] *n* Monopol *nt;* ▬**to have a ~ of/on sth** ein Monopol auf etw *akk* haben

mono·rail ['mɒnə(ʊ)reɪl] *n* Einschienenbahn f **mono·so·dium glu·ta·mate** [ˌmɒnə(ʊ)səʊdiəm'gluːtəmeɪt] n no pl CHEM [Mono]natriumglutamat nt, Glutamat nt **mono·syl·lab·ic** [ˌmɒnə(ʊ)sɪ'læbɪk] adj ❶ LING einsilbig ❷ (pej: taciturn) wortkarg, kurz angebunden **mono·tone** ['mɒnətəʊn] n no pl ❶ (tone) gleich bleibende Stimmlage, monotoner Klang ❷ (single tone) gleich bleibender Ton; **to speak in a ~** monoton sprechen ❸ (delivery) monotone Rezitation **mo·noto·nous** [mə'nɒtʰnəs] adj eintönig, monoton **mo·noto·nous·ly** [mə'nɒtʰnəsli] adv ❶ (repetitiously) immer wieder, unablässig ❷ (without variation) eintönig, monoton **mo·noto·ny** [mə'nɒtʰni] n no pl Monotonie f, Eintönigkeit f **mono·type** ['mɒnə(ʊ)taɪp] n ❶ TYPO (single print) einzelner Abdruck; (single type) Einzelbuchstabe m, Monotype f fachspr ❷ BIOL (type) einzige Art (einer Gattung) **mono·un·'satu·rat·ed** adj einfach-ungesättigt **mo·no·xide** [məˌnɒksaɪd] n Monoxid nt **mon·soon** [mɒn'suːn] n ❶ (wind) Monsun m ❷ (season of heavy rain) ▪the ~[s] der Monsun kein pl **mon·ster** ['mɒn(t)stəʳ] I. n ❶ (imaginary creature) Monster nt, Ungeheuer nt ❷ (unpleasant person) Scheusal nt, Ungeheuer nt a. hum, Monster nt; (inhuman person) Unmensch m ❸ (fam: huge thing) Ungetüm nt, Monstrum nt II. adj attr (fam: huge) ungeheuer, Mords- fam; **~ meeting** Mammutsitzung f **mon·stros·ity** [mɒn'strɒsəti] n ❶ (awfulness) Scheußlichkeit f; (outrageousness) Ungeheuerlichkeit f; (hugeness) Riesengröße f ❷ (huge thing) Ungetüm nt, Monstrum nt **mon·strous** ['mɒn(t)strəs] adj ❶ (huge) ungeheuer, monströs ❷ (outrageous) ungeheuerlich ❸ (awful) scheußlich; cruelty abscheulich ❹ (misshapen) missgestaltet **mon·tage** [mɒn'tɑːʒ] n Montage f **month** [mʌn(t)θ] n Monat m; **to take a two ~ holiday** zwei Monate Urlaub nehmen; **a ~'s notice** eine einmonatige Kündigungsfrist; **to be three ~s old** drei Monate alt sein **month·ly** ['mʌn(t)θli] I. adj monatlich, Monats- II. adv monatlich, einmal im Monat III. n Monatsschrift f, monatlich erscheinende Zeitschrift **monu·ment** ['mɒnjəmənt] n ❶ (fig: memorial) Mahnmal nt fig ❷ (historical structure) Denkmal nt, Monument nt; his-

toric ~ Baudenkmal nt **monu·men·tal** [ˌmɒnjə'mentʰl] adj ❶ (tremendous) gewaltig, kolossal, eindrucksvoll ❷ ART (large-scale) monumental ❸ (on monuments) Gedenk-, Denkmal- f ❹ (built as monuments) als Denkmal errichtet **moo** [muː] I. n Muhen nt kein pl II. interj muh III. vi muhen **mood¹** [muːd] n Laune f, Stimmung f; **in a bad/good ~** gut/schlecht gelaunt; **the public ~** die allgemeine Stimmung; **to be in a talkative ~** zum Erzählen aufgelegt sein; ▪**to not be in the ~ to do sth** zu etw dat keine Lust haben; **he'll cooperate or not, as the ~ takes him** mal ist er kooperativ, mal nicht, je nach Lust und Laune **mood²** [muːd] n LING Modus m fachspr **moodi·ness** ['muːdɪnəs] n no pl ❶ (sullenness) Missmut m, Verdrossenheit f; (bad-temperedness) Übellaunigkeit f; (gloominess) Trübsinnigkeit f ❷ PSYCH (capriciousness) Unausgeglichenheit f **moody** ['muːdi] adj ❶ (sullen) missmutig, verdrossen; (bad-tempered) übel [o schlecht] gelaunt ❷ (temperamental) launisch **moon** [muːn] I. n no pl ASTRON Mond m; **full ~** Vollmond m; **new ~** Neumond m ▸**to be over the ~ about sth** über etw akk überglücklich sein II. vt (sl) ▪**to ~ sb** jdm den blanken Hintern [in der Öffentlichkeit] zeigen III. vi ❶ (sl) ▪**to ~ [at sb]** [jdm] seinen nackten Hintern zeigen ❷ (remember nostalgically) ▪**to ~ over sb/sth** von jdm/etw träumen ◆**moon about, moon around** vi [ziellos] herumlaufen **'moon·beam** n Mondstrahl m **'moon boots** npl Moonboots pl (dicke Synthetik-Winterstiefel) **'moon·calf** n Mondkalb nt **'moon·light** I. n no pl (moonshine) Mondlicht nt II. vi <-lighted> (fam: work at a second job) schwarzarbeiten **'moon·lit** adj attr (lighted) mondhell; **~ room** Zimmer nt im Mondlicht **'moon·shine** n no pl ❶ (moonlight) Mondschein m ❷ (fam: liquor) schwarz gebrannter Alkohol **'moon·stone** n Mondstein m **moor¹** [mɔːʳ] n Heideland nt, [Hoch]moor nt **moor²** [mɔːʳ] NAUT I. vt festmachen, vertäuen fachspr II. vi festmachen **moor·hen** ['mɔːhen] n [weibliches] Moorhuhn **moor·ing** ['mɔːrɪŋ] n NAUT ❶ (berth) Liegeplatz m ❷ (ropes) ▪~s pl Vertäuung f fachspr **moose** <pl -> [muːs] n AM Elch m

moot [muːt] **I.** *adj* (*open to debate*) strittig; **~ point** Streitfrage *f* **II.** *vt* **①** (*form: present*) *issue, subject* anschneiden; **to ~ a point** einen Punkt zur Sprache bringen; ■ **to be ~ed** angesprochen werden **②** (*discuss*) erörtern

mop [mɒp] **I.** *n* **①** (*for cleaning*) Mopp *m* **②** *no pl* (*wiping*) **to give sth a ~** etw moppen **③** (*mass of hair*) **she tied back her unruly ~ with a large ribbon** sie hielt ihr widerspenstiges Wuschelhaar hinten mit einem großen Band zusammen; Am (*sl: hairdo*) Frisur *f* **II.** *vt* <-pp-> **①** (*clean with mop*) feucht wischen **②** (*wipe*) **to ~ one's face/brow** sich *dat* den Schweiß vom Gesicht/von der Stirn wischen

mope [məʊp] *vi* Trübsal blasen, dumpf vor sich *akk* hinbrüten ◆ **mope about, mope around** *vi* trübsinnig herumschleichen

mo·ped ['məʊped] *n* Moped *nt*

mo·raine [mɒˈreɪn] *n* Moräne *f*

mor·al ['mɒrᵊl] **I.** *adj* **①** (*ethical*) moralisch, ethisch; **on ~ grounds** aus moralischen Gründen **②** (*virtuous*) *person* moralisch, anständig **II.** *n* **①** (*of story*) Moral *f* **②** (*standards of behaviour*) ■ **~s** *pl* Moralvorstellungen *pl,* moralische Grundsätze; **a person of loose ~s** jd mit lockerem Lebenswandel

mo·rale [məˈrɑːl] *n no pl* Moral *f,* Stimmung *f;* **~ is high/low** die Stimmung ist gut/schlecht

mor·al·ist ['mɒrᵊlɪst] *n* Moralist(in) *m(f)*

mo·ral·ity [məˈræləti] *n* **①** *no pl* (*moral principles*) moralische Grundsätze **②** (*moral system*) Ethik *f* **③** (*conformity*) Sittlichkeit *f* **④** *no pl* (*justifiability*) moralische Berechtigung

mor·al·ize ['mɒrᵊlaɪz] *vi* moralisieren; ■ **to ~ about sth** über etw *akk* Moral predigen

mor·al·ly ['mɒrᵊli] *adv* **①** (*ethically*) moralisch, ethisch, sittlich; **~ right/superior/wrong** moralisch richtig/überlegen/falsch **②** (*virtuously*) [moralisch] einwandfrei, anständig

mo·rass [məˈræs] *n usu sing* **①** (*bog*) Morast *m* **②** (*fig: complex situation*) Wirrwarr *m;* **to be caught in a ~ of debt** tief in Schulden stecken

mora·to·rium <*pl* -s *or* -ria> [ˌmɒrə-ˈtɔːriəm, *pl* -riə] *n* **①** (*suspension*) befristete Einstellung (**on**) **②** (*period of waiting*) Wartefrist *f* **③** COMM (*period of delay*) Moratorium *nt*

mor·bid ['mɔːbɪd] *adj* **①** (*unhealthy*) morbid, krankhaft; (*gruesome*) makaber **②** MED (*of disease*) pathologisch *fachspr;* (*induced by disease*) krank

mor·bid·ity [mɔːˈbɪdəti] *n no pl* **of imagination, mind** Krankhaftigkeit *f,* Morbidität *f*

mor·bid·ly ['mɔːbɪdli] *adv* krankhaft

more [mɔːʳ] **I.** *adj comp of* **many, much** noch mehr; **two ~ days until Christmas** noch zwei Tage bis Weihnachten; **we can't take on any ~ patients** wir können keine weiteren Patienten mehr aufnehmen; **some ~ coffee?** noch etwas Kaffee?; **you need a lot ~ money than that** du brauchst viel mehr Geld als das; **~ and ~ people buy things on the internet** immer mehr Leute kaufen Sachen im Internet; **just one ~ thing before I go** nur noch eins, bevor ich gehe; **I'd be ~ than happy to oblige** es wäre mir ein Vergnügen **II.** *pron* **①** (*greater amount*) mehr; **tell me ~** erzähl mir mehr; **~ and ~ came** es kamen immer mehr; **we see ~ of him these days** wir sehen ihn zur Zeit öfter; **she's ~ of a poet than a musician** sie ist eher Dichterin als Musikerin; **the noise was ~ than I could bear** ich konnte den Lärm nicht ertragen; **is there any ~?** ist noch etwas da?; **no ~** nichts weiter; (*countable*) keine mehr **②** **all the ~ ...** umso mehr ...; **the ~ the better** je mehr desto besser; **the ~ he drank, the ~ violent he became** je mehr er trank, desto gewalttätiger wurde er **III.** *adv* **①** (*forming comparatives*) **let's find a ~ sensible way of doing it** wir sollten eine vernünftigere Lösung finden; **you couldn't be ~ wrong** du könntest nicht mehr danebenliegen! *fam;* **play that last section ~ passionately** spiele den letzten Teil leidenschaftlicher; **~ importantly** wichtiger noch; **it's becoming ~ and ~ likely that she'll resign** es wird immer wahrscheinlicher, dass sie zurücktritt; **vacancies were becoming ~ and ~ rare** es gab immer weniger freie Stellen **②** (*to a greater extent*) mehr; **you should listen ~ and talk less** du solltest besser zuhören und weniger reden; **they like classical music ~ than pop** sie mögen klassische Musik lieber als Pop; **I couldn't agree with you ~ , Professor** ganz meine Meinung, Herr Professor; **each diamond was worth £10,000 or ~** jeder Diamant war mindestens 10.000 Pfund wert; **we'll be ~ than happy to help** wir helfen sehr gerne; **she's now all the ~ determined to succeed** sie ist jetzt umso entschlossener, erfolgreich zu sein; **to think ~ of sb** eine höhere Meinung von jdm haben **③** (*longer*) **to be no ~** *times* vorüber sein;

person gestorben sein; **I don't do yoga any** ~ ich habe mit Yoga aufgehört ❹ *(rather)* eher; **it's not so much a philosophy,** ~ **a way of life** es ist nicht so sehr eine Philosophie, als eine Lebensart; ~ **dead than alive** mehr tot als lebendig ▶ ~ **or** <u>less</u> *(all in all)* mehr oder weniger; *(approximately)* ungefähr; **that's** ~ **like it** *(fam)* schon besser; ~ **often than not** meistens

mo·rel·lo [mə'reləʊ] *n* Morelle *f*

more·over [mɔː'rəʊvər] *adv (form)* zudem, ferner

morgue [mɔːg] *n esp* Am, Aus *(mortuary)* Leichen|schau|haus *nt*

mori·bund ['mɒrɪbʌnd] *adj (form)* ❶ *(near death) person* dem Tode geweiht; med im Sterben liegend *attr* ❷ *(near extinction) custom, species* im Aussterben begriffen; *civilization, nation, people* dem Untergang geweiht *geh*

Mor·mon ['mɔːmən] **I.** *n* Mormone(in) *m(f)* **II.** *adj* mormonisch, Mormonen-

morn·ing ['mɔːnɪŋ] **I.** *n* Morgen *m,* Vormittag *m;* **all** ~ den ganzen Vormittag; **at four in the** ~ um vier Uhr früh; |**from**| ~ **till night** von morgens bis abends; **tomorrow** ~ morgen Vormittag; **yesterday** ~ gestern Morgen **II.** *interj (fam)* Morgen!; **good** ~! guten Morgen!

morn·ing-'af·ter pill *n* ■**the** ~ die Pille danach **'morn·ing coat** *n* Cut|away| *m fachspr* **morn·ing 'news·pa·per** *n,* **morn·ing 'pa·per** *n* Morgenzeitung *f* **Morn·ing 'Prayer** *n usu pl* Frühgottesdienst *m (in der anglikanischen und protestantischen Kirche),* Frühmesse *f (in der römisch-katholischen Kirche)* **'morn·ing sick·ness** *n no pl* morgendliche Übelkeit **morn·ing 'star** *n* ❶ astron *(planet)* Morgenstern *m* ❷ hist *(weapon)* Morgenstern *m*

Mo·roc·can [mə'rɒkən] **I.** *n* Marokkaner(in) *m(f)* **II.** *adj* marokkanisch

Mo·roc·co [mə'rɒkəʊ] *n* Marokko *nt*

mor·on ['mɔːrɒn] *n (pej fam)* Trottel *m*

mo·ron·ic [mɔː'rɒnɪk] *adj (pej fam)* blöde

mo·rose [mə'rəʊs] *adj* mürrisch, griesgrämig

mo·rose·ness [mə'rəʊsnəs] *n* Verdrießlichkeit *f,* Grant *m* österr

mor·pheme ['mɔːfiːm] *n* Morphem *nt*

mor·phia ['mɔːfiə] *n (dated),* **mor·phine** ['mɔːfiːn] *n* Morphium *nt*

mor·pho·logi·cal [ˌmɔːfə'lɒdʒɪkəl] *adj* biol, geol, ling morphologisch

mor·phol·ogy [ˌmɔː'fɒlədʒi] *n* biol, geol, ling Morphologie *f*

mor·ris dance ['mɒrɪs,-] *n,* **mor·ris danc·ing** *n* brit Moriskentanz *m*

Morse [mɔːs] *n,* **Morse 'code** *n no pl* Morsezeichen *pl,* Morsealphabet *nt*

mor·sel ['mɔːsəl] *n* ❶ *(of food)* Bissen *m,* Happen *m* ❷ *(tasty dish)* Leckerbissen *m* ❸ *(fig: small bit)* ■**a** ~ ein bisschen

mor·tal ['mɔːtəl] **I.** *adj* ❶ *(subject to death)* sterblich ❷ *(human)* menschlich ❸ *(temporal)* irdisch, vergänglich ❹ *(fatal)* tödlich ❺ *(implacable)* Tod-, tödlich, erbittert ❻ *(extreme)* Todes-, höchste(r, s); **to be in** ~ **fear** sich zu Tode ängstigen **II.** *n (liter)* Sterbliche(r) *f/m;* **ordinary** ~ *(hum)* Normalsterbliche(r) *f/m*

mor·tal·ity [mɔː'tæləti] *n no pl* ❶ *(condition)* Sterblichkeit *f* ❷ *(character)* Vergänglichkeit *f* ❸ *(humanity)* |sterbliche| Menschheit *f* ❹ *(frequency)* Sterblichkeit *f*

mor·tar ['mɔːtər] *n* ❶ *no pl* archit, tech *(mixture)* Mörtel *m* ❷ chem, mil Mörser *m* **'mor·tar·board** *n* ❶ archit, tech *(board)* Mörtelmischtisch *m* ❷ univ *(cap)* |quadratisches| Barett

mort·gage ['mɔːgɪdʒ] **I.** *n* comm, law ❶ *(conveyance of property)* Verpfändung *f fachspr* ❷ *(amount)* Hypothek *f;* **to pay the** ~ die Hypothek abtragen; **to pay off a** ~ eine Hypothek tilgen **II.** *vt* hypothekarisch belasten

mor·tice *n see* **mortise**

mor·ti·cian [mɔː'tɪʃən] *n* Am *(undertaker)* Leichenbestatter(in) *m(f)*

mor·ti·fi·ca·tion [ˌmɔːtɪfɪ'keɪʃən] *n no pl (form)* ❶ *(humiliation)* Kränkung *f,* Demütigung *f* ❷ *(shame)* Beschämung *f,* Scham *f*

mor·ti·fy <-ie-> ['mɔːtɪfaɪ] *vt usu passive* ■**to be mortified** *(be humiliated)* gedemütigt sein; *(be ashamed)* sich schämen; *(be embarrassed)* sich ärgern

mor·tise ['mɔːtɪs] **I.** *n* tech *(hole)* in carpentry Stemmloch *nt fachspr* **II.** *vt* tech ■**to** |**tenon and**| ~ **sth** etw verzapfen **'mor·tise lock** *n* |Ein|steckschloss *nt*

mor·tu·ary ['mɔːtʃʊəri] *n* Leichen|schau|haus *nt*

mo·sa·ic [mə(ʊ)'zeɪɪk] *n* Mosaik *nt*

Mos·cow ['mɒskəʊ] *n* Moskau *nt*

Mos·lem ['mɒzləm] *adj, n see* **Muslim**

mosque [mɒsk] *n* Moschee *f*

mos·qui·to <*pl* -es *or* -s> [mɒs'kiːtəʊ] *n* Moskito *m*

mos·'qui·to net *n* Moskitonetz *nt*

moss <*pl* -es> [mɒs] *n* ❶ *(plant)* Moos *m* ❷ brit, scot *(bog)* ■**the** ~**es** das |Torf|moor *kein pl*

mossy ['mɒsi] *adj* ❶ *(overgrown with moss)* bemoost, moosbedeckt ❷ *(resem-*

bling moss) moos-, moosartig

most [məʊst] **I.** *pron* ❶ (*largest quantity*) ■**the ~** am meisten; **what's the ~ you've ever won at cards?** was war das meiste, das du beim Kartenspielen gewonnen hast?; **at the** [**very**] **~** [aller]höchstens; **I spent ~ of the winter on the coast** ich verbrachte einen Großteil des Winters an der Küste ❷ *pl* (*the majority*) die Mehrheit ❸ (*best*) ■**the ~** höchstens; **the ~ I can do is try** ich kann nicht mehr tun als es versuchen; **to get the ~ out of life** das meiste aus dem Leben machen; **to make the ~ of sth** das Beste aus etw *dat* machen; **it's a lovely day — we must make the ~ of it** was für ein schöner Tag – wir müssen ihn nutzen **II.** *adj det* ❶ (*greatest in amount, degree*) am meisten ❷ (*majority of, nearly all*) die meisten **III.** *adv* ❶ (*forming superlative*) *im Deutschen durch Superlativ ausgedrückt;* **that's what I'm ~ afraid of** davor habe ich die meiste Angst; **~ easily/rapidly/thoroughly** am leichtesten/schnellsten/gründlichsten ❷ (*form: extremely*) höchst, äußerst, überaus *geh;* **~ certainly** ganz bestimmt; **~ likely** höchstwahrscheinlich; **~ unlikely** höchst unwahrscheinlich ❸ (*to the greatest extent*) am meisten; **at ~** höchstens; **~ of all, I hope that ...** ganz besonders hoffe ich, dass ... ❹ AM (*fam: almost*) beinah[e], fast

most·ly ['məʊs(t)li] *adv* ❶ (*usually*) meistens ❷ (*in the main*) größtenteils, im Wesentlichen ❸ (*chiefly*) hauptsächlich, in der Hauptsache

MOT[1] [ˌeməʊˈtiː] *n* BRIT (*fam*) *abbrev of* **Ministry of Transport** Verkehrsministerium *nt*

MOT[2] [ˌeməʊˈtiː] **I.** *n* ~ [test] TÜV *m;* **has your car had its ~ yet?** war dein Auto schon beim TÜV?; **~** [certificate] TÜV-Bescheinigung *f* **II.** *vt* <MOT'd, MOT'd> *usu passive* (*fam*) **to ~ a car** ein Auto zum TÜV bringen

mo·tel ['məʊtel] *n* Motel *nt*

moth [mɒθ] *n* Motte *f,* Nachtfalter *m*

moth·ball I. *n* Mottenkugel *f* **II.** *vt usu passive* ❶ (*put in disuse*) *clothes* einmotten ❷ (*postpone*) auf Eis legen **'moth·eat·en** *adj* ❶ (*eaten into*) mottenzerfressen ❷ (*outmoded*) *ideas, theories* verstaubt

moth·er ['mʌðəʳ] **I.** *n* (*female parent*) Mutter *f* ▶**the ~ of all ...** der/die/das allergrößte ...; (*the most extreme: worst*) der/die/das Schlimmste aller *gen* ...; (*best*) herausragend; **the ~ of all battles** die

Mutter aller Schlachten; **the ~ of all storms** der Sturm der Stürme **II.** *vt* bemuttern

moth·er 'coun·try *n* ❶ (*country of origin*) Mutterland *nt* ❷ (*home country*) Vaterland *nt,* Heimatland *nt*

moth·er·hood ['mʌðəhʊd] *n no pl* Mutterschaft *f*

moth·er·ing ['mʌðərɪŋ] *adj attr skills* Mutter-, mütterlich

'moth·er-in-law <*pl* mothers- *or* -s> *n* Schwiegermutter *f*

moth·er·ly ['mʌðəli] *adj* mütterlich; **~ love** Mutterliebe *f*

moth·er-of-'pearl *n* Perlmutt *nt*

'Moth·er's Day *n* Muttertag *m*

'moth·er tongue *n* Muttersprache *f*

mo·tif [məʊˈtiːf] *n* ❶ (*design*) Motiv *nt* ❷ LIT, MUS (*theme*) [Leit]motiv *nt* ❸ (*feature*) Leitgedanke *m*

mo·tion ['məʊʃⁿn] **I.** *n* ❶ *no pl* (*movement*) Bewegung *f,* Gang *m;* **in slow ~** in Zeitlupe; **to put sth in ~** etw in Gang bringen ❷ (*gesture*) Bewegung *f,* Zeichen *nt* ❸ POL (*proposal*) Antrag *m fachspr;* **to defeat a ~** einen Antrag ablehnen; **to pass a ~** einen Antrag annehmen **II.** *vt* ■**to ~ sb to do sth** jdn durch einen Wink auffordern, etw zu tun; **she ~ed us to sit down** sie bedeutete uns, Platz zu nehmen **III.** *vi* ■**to ~ to sb to do sth** jdn durch einen Wink auffordern, etw zu tun

mo·tion·less ['məʊʃⁿnləs] *adj* bewegungslos, reg[ungs]los **mo·tion 'pic·ture** *n* AM [Spiel]film *m*

mo·ti·vate ['məʊtɪveɪt] *vt* ❶ (*provide with motive*) **they are ~d by a desire to help people** ihre Handlungsweise wird von dem Wunsch bestimmt, anderen zu helfen; **what ~d their sudden change of heart?** was war der innere Anlass für ihren plötzlichen Sinneswandel?; **I don't quite understand what ~s the actions of such people** ich kann die Beweggründe für die Handlungsweise dieser Leute nicht ganz nachvollziehen ❷ (*arouse interest*) motivieren, anregen; ■**to ~ sb to do sth** jdn dazu bewegen [*o* veranlassen], etw zu tun; **motivating force** treibende Kraft

mo·ti·va·tion [ˌməʊtɪˈveɪʃⁿn] *n* ❶ (*reason*) Begründung *f,* Veranlassung *f* (**for** für) ❷ *no pl* (*drive*) Antrieb *m,* Motivation *f*

mo·tive ['məʊtɪv] **I.** *n* Motiv *nt,* Beweggrund *m* (**for** für); **ulterior ~** tieferer Beweggrund **II.** *adj attr* ❶ PHYS, TECH (*creating motion*) bewegend, Antriebs- ❷ (*motivating*) *force, spirit* treibend

mot·ley ['mɒtli] *adj attr* ❶ (*of different*

colours) bunt, vielfarbig ❷(_also pej: heterogeneous_) bunt [gemischt]; ~ **bunch** bunt gemischter Haufen

mo·tor ['məʊtə^r] **I.** _n_ ❶(_engine_) Antriebsmaschine _f_, [Verbrennungs]motor _m_, Triebwerk _nt_ ❷ BRIT (_fam: car_) Auto _nt_ ❸ ANAT (_motor nerve_) motorischer Nerv _fachspr_; (_organ_) Muskel _m_ **II.** _adj attr_ ❶ BRIT, AUS (_of motor vehicles_) Auto- ❷ ANAT Bewegungs-, Muskel-, motorisch _fachspr_ **III.** _vi_ (_drive_) [Auto] fahren

'**mo·tor·bike** _n_ (_fam_) Motorrad _nt_ '**mo·tor·boat** _n_ Motorboot _nt_ '**mo·tor car** _n_ ❶ BRIT (_dated: car_) Automobil _nt_ ❷ AM RAIL Draisine _f_ '**mo·tor·cy·cle** _n_ Motorrad _nt_ '**mo·tor·cy·cling** _n no pl_ Motorradfahren _nt_ '**mo·tor·cy·clist** _n_ Motorradfahrer(in) _m(f)_ '**mo·tor·driv·en** _adj_ Motor-, mit Motorantrieb _nach n_

mo·tor·ing ['məʊtər^ərɪŋ] **I.** _adj attr_ BRIT Fahr-; ~ **offence** LAW Verkehrsdelikt _nt;_ ~ **organization** Automobilklub _m_ **II.** _n_ Fahren _nt_

'**mo·tor·ing school** _n_ Fahrschule _f_

mo·tor·ist ['məʊt^ərɪst] _n_ Kraftfahrer(in) _m(f)_, Automobilist(in) _m(f)_ ÖSTERR, SCHWEIZ

mo·tor·ized ['məʊt^əraɪzd] _adj_ ❶ MIL motorisiert _fachspr_ ❷(_with a motor_) ~ **wheelchair** elektrisch betriebener Rollstuhl

'**mo·tor rac·ing** _n_ BRIT Autorennsport _m_ '**mo·tor scoot·er** _n_ Motorroller _m_ '**mo·tor ve·hi·cle** _n_ Kraftfahrzeug _nt_ '**mo·tor·way** _n_ BRIT Autobahn _f_

mott·led ['mɒtld] _adj_ ❶(_colourfully patterned_) [bunt] gesprenkelt ❷(_diversified in shade_) _wood, marble_ gemasert ❸(_pej: blotchy_) _complexion, skin_ fleckig ❹ GEOL (_coloured_) _clay, sandstone_ Bunt-

mot·to <_pl_ -s _or_ -es> ['mɒtəʊ] _n_ Motto _nt_

mould¹ [məʊld] _n no pl_ BOT Schimmel _m_

mould² [məʊld] **I.** _n_ ❶(_shape_) Form _f_ ❷(_fig_) Typ _m;_ **to be out of the same ~** sich _dat_ gleichen wie ein Ei dem anderen; **to be cast in the same**/**a different ~** aus dem gleichen/einem anderen Holz geschnitzt sein; **to break the ~** [**of sth**] neue Wege in etw _dat_ gehen **II.** _vt_ formen; ■**to ~ sb into sth** jdn zu etw _dat_ machen

mould·er ['məʊldə^r] _vi_ schimmeln; (_fig_) vergammeln _fam_ **mould·ing** ['məʊldɪŋ] _n_ ARCHIT Fries _m;_ (_stucco_) Stuck _m kein pl;_ ART [Zier]leiste _f_

mouldy ['məʊldi] _adj food_ schimmelig, verschimmelt; ■**to go ~** [ver]schimmeln

moult [məʊlt] _vi birds_ [sich] mausern; _snakes, insects, crustaceans_ sich häuten; _cats, dogs_ haaren

mound [maʊnd] _n_ ❶(_pile_) Haufen _m;_ (_small hill_) Hügel _m;_ (_in baseball: pitcher's mound_) [erhöhtes] Wurfmal ❷(_large quantity_) Masse _f_, Haufen _m fam_

mount [maʊnt] **I.** _n_ ❶(_horse_) Pferd _nt_ ❷(_backing, setting_) _of picture, photo_ Halterung _f; of jewel_ Fassung _f_ **II.** _vt_ ■**to ~ sth** ❶(_support for equipment_) etw aufhängen; (_get on to ride_) auf etw _akk_ [auf]steigen; **to ~ a camera on a tripod** eine Kamera auf ein Stativ montieren ❷(_go up_) etw hochsteigen; _stairs_ etw hochgehen ❸(_organize_) etw organisieren; _attack, campaign_ etw starten ❹(_fix for display_) etw befestigen; **to ~ sth in a frame** etw rahmen ❺(_mate_) etw bespringen **III.** _vi_ ❶(_increase_) wachsen, [an]steigen, größer werden ❷(_get on a horse_) aufsteigen

moun·tain ['maʊntɪn] _n_ Berg _m;_ (_group of mountains_) Gebirge _nt_

'**moun·tain chain** _n_ Gebirgskette _f_, Bergkette _f_ **moun·tain·eer** [ˌmaʊntɪ'nɪə^r] _n_ Bergsteiger(in) _m(f)_ **moun·tain·eer·ing** [ˌmaʊntɪ'nɪərɪŋ] _n no pl_ Bergsteigen _nt_ **moun·tain·ous** ['maʊntɪnəs] _adj_ gebirgig, bergig; (_fig_) riesig '**moun·tain range** _n_ Gebirgszug _m_

mount·ed ['maʊntɪd] _adj_ beritten _geh;_ **to be ~ on a horse** auf einem Pferd sitzen

mount·ing ['maʊntɪŋ] **I.** _n_ ❶(_on a horse_) Besteigen _nt_ ❷(_display surface_) _of photograph, picture_ Halterung _f; of machine_ Sockel _m;_ (_frame_) Rahmen _m;_ (_arrangement on display surface_) Arrangement _m_ **II.** _adj attr_ wachsend, steigend

mourn [mɔːn] **I.** _vi_ trauern (**for** um) **II.** _vt_ ❶(_feel sorrow_) ■**to ~ sb**/**sth** um jdn/etw trauern ❷(_regret_) beklagen

mourn·er ['mɔːnə^r] _n_ Trauernde(r) _f(m);_ (_at a funeral_) Trauergast _m_ **mourn·ful** ['mɔːnf^əl] _adj_ (_sad_) traurig, melancholisch; (_gloomy_) trübsinnig; _lamenting_ klagend **mourn·ing** ['mɔːnɪŋ] _n no pl_ ❶(_grieving_) Trauer _f;_ ■**to be in ~ for sb** um jdn trauern; (_wear black clothes_) Trauer tragen ❷(_wailing_) Klagegeschrei _nt_

mouse <_pl_ mice> [maʊs, _pl_ maɪs] _n_ ❶(_animal_) Maus _f_ ❷ COMPUT Maus _f_

'**mouse-hole** _n_ Mauseloch _nt_ '**mouse mat** _n_ BRIT, AM '**mouse pad** _n_ COMPUT Mauspad _nt_ '**mouse-trap** _n_ Mausefalle _f_

mousse [muːs] _n_ ❶ FOOD Mousse _f_ ❷(_cosmetics_) Schaum _m;_ **styling ~** Schaumfestiger _m_

mous·tache [mə'stɑːʃ] _n_ Schnurrbart _m_

mousy ['maʊsi] _adj_ (_shy_) schüchtern; (_uncharismatic_) unscheinbar; (_dull colour_) farblos; ~ **girl** Mauerblümchen _nt pej;_ **to have ~ hair** mausgraue Haare haben

mouth *n* [maʊθ] ❶ (*of human*) Mund *m; of animal* Maul *nt; to* **have a big ~** ein großes Mundwerk haben *fam;* **to keep one's ~ shut** seinen Mund halten *fam* ❷ (*opening*) Öffnung *f; of cave* Eingang *m; of volcano* Krater *m; of river* Mündung *f*

mouth·ful ['maʊθfʊl] *n* ❶ *of food* Bissen *m; of drink* Schluck *m* ❷ (*hum fam: unpronounceable word*) Zungenbrecher *m* ❸ (*fam*) **to give sb a ~** jdn herunterputzen

'**mouth or·gan** *n* Mundharmonika *f*

'**mouth·piece** *n* ❶ *of telephone* Sprechmuschel *f; of musical instrument, snorkel etc.* Mundstück *nt;* BOXING Mundschutz *m* ❷ POL (*fig, usu pej*) Sprachrohr *nt* **mouth-to-'mouth** *n,* **mouth-to-mouth re·sus·ci·'ta·tion** *n* Mund-zu-Mund-Beatmung *f* '**mouth·wash** *n* Mundwasser *nt* '**mouth·wa·ter·ing** *adj* [sehr] appetitlich, köstlich

mov·able ['muːvəbl] *adj* beweglich; *heavy objects* verschiebbar

move [muːv] **I.** *n* ❶ *no pl* (*movement*) Bewegung *f;* **she made a sudden ~ towards me** plötzlich bewegte sie sich auf mich zu; **to be on the ~** unterwegs sein; (*fig*) *country* sich im Umbruch befinden; **to make a ~** (*fam: leave*) sich auf den Weg machen; (*act*) etwas unternehmen; (*start*) loslegen *fam;* **to make no ~** sich nicht rühren ❷ (*step*) Schritt *m;* (*measure*) Maßnahme *f;* **to make the first ~** den ersten Schritt tun ❸ (*in games*) Zug *m;* CHESS [Schach]zug *m;* **it's your ~** du bist dran ❹ (*strategy*) [Schach]zug *m* ❺ (*change of residence*) Umzug *m;* (*change of job*) Stellenwechsel *m;* (*transfer*) Versetzung *f* ▸ **to get a ~ on** (*fam*) sich beeilen; **to** <u>make</u> **a ~ on sb** (*fam*) jdn anmachen; **to** <u>make</u> **one's ~ on sb** (*fam*) sich an jdn heranmachen **II.** *vi* ❶ (*change position*) sich bewegen; (*go*) gehen; (*drive*) fahren; **no one ~d** keiner rührte sich; **keep moving!** bitte gehen Sie weiter!; **to ~** [out of the way] aus dem Weg gehen; **to begin to ~** sich in Bewegung setzen ❷ (*change*) **that's my final decision, and I am not going to ~** [on it] das ist mein letztes Wort und dabei bleibt es; **to ~ off a subject** das Thema wechseln ❸ (*progress*) vorankommen; **to ~ with the times** mit der Zeit gehen; **to ~ forward** Fortschritte machen ❹ (*change address*) umziehen; (*change job*) [den Arbeitsplatz] wechseln ❺ (*fam: leave*) gehen, aufbrechen; **we have to get moving** wir müssen los ❻ (*fam: hurry*) sich beeilen; **~!** nun mach schon! ❼ (*fam: start*) **to get moving** [on sth] [mit etw *dat*] loslegen

III. *vt* ❶ (*change position of*) bewegen; (*place somewhere else*) woanders hinstellen; (*push somewhere else*) verrücken; (*clear*) wegräumen; (*rearrange*) *furniture* umstellen; (*transport*) befördern; *furniture* wegrücken ❷ (*reschedule*) verlegen, verschieben ❸ (*transfer*) verlegen; (*to another job, class*) versetzen; (*change*) **to ~ house** umziehen; **to ~ office** in ein anderes Büro ziehen ❹ (*cause emotions*) bewegen; (*stronger*) ergreifen; **to ~ sb to tears** jdn zu Tränen rühren ❺ (*drive*) *mechanism, wheel* antreiben ❻ (*cause change of mind*) umstimmen; ▪**to ~ sb to do sth** jdn [dazu] bringen, etw zu tun ◆**move about I.** *vi* ❶ (*go around*) herumgehen ❷ (*travel*) umherreisen ❸ (*change jobs*) oft wechseln ❹ (*move house*) oft umziehen **II.** *vt* ❶ (*change position of*) [hin und her] bewegen; (*place somewhere else*) hin und her räumen; *furniture* umstellen ❷ (*fam: at work*) **to ~ sb** ⟳ **about** jdn oft versetzen ◆**move along I.** *vt* ▪**to ~ sb** ⟳ **along** jdn zum Weitergehen bewegen; **to ~ a car along** ein Auto vorbeiwinken **II.** *vi* ❶ (*walk further on*) weitergehen; (*run further on*) weiterlaufen; (*drive further on*) weiterfahren ❷ (*make room*) aufrücken, Platz machen ◆**move around** *vt, vi see* **move about** ◆**move away I.** *vi* ❶ (*leave*) weggehen; *vehicle* wegfahren ❷ (*move house*) wegziehen; **to ~ away from home** von zu Hause ausziehen **II.** *vt* wegräumen; (*push away*) wegrücken ◆**move down I.** *vi* ❶ (*change position*) sich nach unten bewegen; (*slip down*) runterrutschen *fam;* (*make room*) aufrücken ❷ (*change value*) *shares, prices* fallen ❸ SCH **to ~ down a class** [*or* AM **grade**] eine Klasse zurückgestuft werden ❹ SPORTS **to ~ down** [a division] absteigen **II.** *vt* ❶ (*change position of*) nach unten bewegen; (*place lower down*) nach unten stellen; (*clear*) nach unten räumen ❷ SCH **to ~ sb** ⟳ **down** [a class/to the third class] jdn [eine Klasse/in die dritte Klasse] zurückstufen ◆**move in I.** *vi* ❶ (*enter a new home*) einziehen; ▪**to ~ in with sb** zu jdm ziehen ❷ (*take control*) **government officials have ~d in to settle the dispute** man hat Regierungsbeamte eingesetzt, um den Streit zu beenden ❸ (*advance to attack*) anrücken; **to ~ in on enemy territory** auf feindliches Gebiet vorrücken ❹ (*arrive*) **the painters are moving in next week** (*fam*) nächste Woche kommen die Maler; **to ~ in on a new market** sich auf einem neuen Markt etablieren **II.** *vt* ❶ (*change* *position of*) nach innen bewegen; (*push in*) nach innen rücken; (*take inside*) hineinbringen ❷(*send*) einsetzen; *troops, police* einrücken lassen ◆**move off I.** *vi* sich in Bewegung setzen; (*walk*) losgehen; (*run*) loslaufen, losrennen; (*drive*) losfahren **II.** *vt* wegräumen ◆**move on I.** *vi* ❶(*continue a journey*) sich wieder auf den Weg machen; (*walk*) weitergehen; (*run*) weiterlaufen; (*drive*) weiterfahren ❷(*advance*) sich weiterentwickeln; (*progress in career*) beruflich weiterkommen ❸(*pass*) *time* vergehen, verstreichen ❹(*change subject*) ■**to ~ on to sth** zu etw *dat* übergehen **II.** *vt* (*cause to leave*) zum Weitergehen auffordern; (*in a vehicle*) zum Weiterfahren auffordern; (*force to leave*) vertreiben ◆**move out I.** *vi* ❶(*stop inhabiting*) ausziehen; **to ~ out of a flat/house** aus einer Wohnung/einem Haus ausziehen ❷(*cease involvement*) ■**to ~ out** [**of sth**] sich [von etw *dat*] zurückziehen ❸(*leave*) *troops* abziehen; *train etc.* abfahren **II.** *vt* ❶(*clear*) wegräumen; (*take outside*) hinausbringen ❷(*make leave*) **we were all ~d out of the danger zone** wir mussten alle das Gefahrengebiet räumen; **to ~ out** ⟳ **a tenant** einem Mieter kündigen; **to ~ one's troops out** [**of an area**] seine Truppen [aus einem Gebiet] abziehen ◆**move over I.** *vi* ❶(*make room*) Platz machen, aufrücken ❷(*switch*) ■**to ~ over to sth** zu etw *dat* übergehen **II.** *vt* herüberschieben; (*put aside*) zur Seite räumen; (*push aside*) zur Seite rücken; (*turn*) umdrehen ◆**move round** *vt, vi see* **move about** ◆**move towards** *vi* ■**to ~ towards sth** sich etw *dat* [an]nähern ◆**move up I.** *vi* ❶(*advance*) aufrücken; (*to the next form*) versetzt werden; (*professionally, socially*) aufsteigen ❷(*make room*) Platz machen, aufrücken ❸(*increase*) *prices* steigen **II.** *vt* ❶(*change position of*) nach oben bewegen; (*put in a higher place*) etw nach oben räumen ❷(*promote at work*) versetzen; **they ~d him up to head of sales** er wurde zum Verkaufsleiter befördert

moved [muːvd] *adj pred* bewegt; **~ to tears** zu Tränen gerührt

move·ment ['muːvmənt] *n* ❶(*change of position*) Bewegung *f;* **after the accident he had no ~ in his legs** nach seinem Unfall konnte er seine Beine nicht bewegen ❷*no pl* (*general activity*) Bewegung *f;* FIN, STOCKEX Schwankung[en] *f*[*pl*] ❸MUS (*part of symphony*) Satz *m* ❹*no pl* (*tendency*) Tendenz *f,* Trend *m* (**towards** [hin] zu)

❺(*interest group*) Bewegung *f* ❻(*mechanism*) *of clock, watch* Uhrwerk *nt*

mov·er ['muːvə^r] *n* ❶(*sb or sth in motion*) **to be a good ~** sich gut bewegen können ❷(*instigator*) Antragsteller(in) *m(f);* **to be a key ~** [**in sth**] [bei etw *dat*] eine Schlüsselrolle spielen [*o sein*]

movie ['muːvi] *n esp* AM, AUS (*film*) [Kino]film *m;* ■**the ~s** *pl* das Kino; **to be in the ~s** (*fam*) im Filmgeschäft sein

'**movie cam·era** *n* Filmkamera *f* '**movie·goer** *n esp* AM, AUS Kinogänger(in) *m(f)* '**movie star** *n* Filmstar *m* '**movie thea·ter** *n* AM Kino *nt*

mov·ing ['muːvɪŋ] **I.** *n no pl* Umziehen *nt* **II.** *adj* ❶*attr* MECH beweglich ❷*attr* (*motivating*) Antriebs-; **the ~ force** die treibende Kraft ❸(*causing emotion*) bewegend, ergreifend

mow <mowed, mown *or* mowed> [məʊ] **I.** *vi* (*cut grass, grain*) mähen **II.** *vt field* abmähen; **to ~ the lawn** den Rasen mähen

mow·er ['məʊə^r] *n* Rasenmäher *m;* (*on a farm*) Mähmaschine *f*

mown [məʊn] **I.** *pp of* **mow II.** *adj* gemäht; *field* abgemäht

Mo·zam·bi·can [ˌməʊzæm'biːkən] **I.** *n* Mosambikaner(in) *m(f)* **II.** *adj* mosambikanisch

Mo·zam·bique [ˌməʊzæm'biːk] *n* Mosambik *nt*

MP [ˌem'piː] BRIT, CAN POL *abbrev of* **Member of Parliament**

mpg [ˌempiː'dʒiː] *abbrev of* **miles per gallon: to do 40 ~** 40 Meilen pro Gallone fahren

mph [ˌempiː'eɪtʃ] *abbrev of* **miles per hour: to do 50 ~** 50 Meilen pro Stunde fahren

Mr ['mɪstə^r] *n no pl* (*title for man*) Herr *m*

Mrs ['mɪsɪz] *n no pl* (*title for married woman*) Frau, Fr.

ms [ˌem'es] *n abbrev of* **manuscript** Mskr.

Ms [məz] *n no pl* (*title for woman, married or unmarried*) Fr., Frau (*Alternativbezeichnung zu Mrs und Miss, die sowohl für verheiratete wie unverheiratete Frauen zutrifft*)

MS [ˌem'es] *n no pl abbrev of* **Multiple sclerosis** MS *f*

MSc [ˌemes'siː] *n abbrev of* **Master of Science**

MSG [ˌemes'dʒiː] *n no pl* CHEM *abbrev of* **monosodium glutamate**

Mt *n abbrev of* **Mount**

much [mʌtʃ] **I.** *adj* <more, most> + *sing* viel; **there wasn't ~ post** es kam nicht viel Post; **how ~ ...?** wie viel ...?; **half/**

twice as ~ halb/doppelt so viel; [~] **too ~** [viel] zu viel **II.** *pron* ❶ *(relative amount)* viel; **this ~ is certain** so viel ist sicher; **he left without so ~ as an apology** er ging ohne auch nur ein Wort der Entschuldigung; **half/twice as ~** halb/doppelt so viel ❷ *(great deal)* viel; **~ of what you say is right** vieles von dem, was Sie sagen, ist richtig; **my new stereo isn't up to ~** meine neue Anlage taugt nicht viel *fam* ❸ *with neg* *(pej: poor example)* **I've never been ~ of a dancer** ich habe noch nie gut tanzen können; **he's not ~ to look at** er sieht nicht gerade umwerfend aus ❹ *(larger part)* **~ of the day** der Großteil des Tages ❺ *(be redundant)* **so ~ for ...** das war's dann wohl mit ... ❻ *with interrog* **how ~ is it?** was kostet das? **III.** *adv* <more, most> ❶ *(greatly)* sehr; **she would ~ rather have her baby at home than in the hospital** sie würde ihr Kind viel lieber zu Hause als im Krankenhaus zur Welt bringen; **~ to our surprise** zu unserer großen Überraschung; **to not be ~ good at sth** in etw *dat* nicht sehr gut sein ❷ *(by far)* bei weitem; **she's ~ the best person for the job** sie ist bei weitem die Beste für den Job ❸ *(nearly)* fast; **~ the same** fast so ❹ *(specifying degree)* **I like him as ~ as you do** ich mag ihn genauso sehr wie du; **I wanted so ~ to meet you** ich wollte dich unbedingt treffen; **thank you very ~** herzlichen Dank ❺ *(exactly that)* genau das; **I had expected as ~** so etwas hatte ich schon erwartet ❻ *(often)* häufig; **do you see ~ of her?** siehst du sie öfters? ❼ *(setting up a contrast)* **they're not so ~ lovers as friends** sie sind eher Freunde als ein Liebespaar **IV.** *conj* *(although)* auch wenn, wenngleich *geh*; **~ as I like you, ...** so gern ich dich auch mag, ...; **~ as I would like to help you, ...** so gerne ich euch auch helfen würde, ...; **however ~ you dislike her ...** wie unsympathisch sie dir auch sein mag, ...

much·ness ['mʌtʃnəs] *n no pl* *(fam)* **to be much of a ~** so ziemlich das Gleiche sein

muck [mʊk] *n no pl* BRIT ❶ *(dirt)* Dreck *m fam*; *(waste)* Müll *m*; [to be] **common as ~** *(fam)* furchtbar ordinär [sein] *pej* ❷ *(euph: excrement)* Haufen *m fam*; AGR Dung *m*; *(liquid)* Jauche *f* ◆ **muck about, muck around** *(fam)* **I.** *vi* Unfug treiben; ■ **to ~ about with sth** an etw *dat* herumfummeln **II.** *vt* ■ **to ~ sb about** mit jdm umspringen[, wie es einem gefällt]; **stop ~ing me about!** sag mir endlich, was Sache ist! ◆ **muck out** *vt, vi* ausmisten

◆ **muck up** *vt* BRIT *(fam)* vermasseln; **exam** versieben

'**muck·heap** *n* Haufen *m* [Dreck] **muck·rak·er** [-reɪkəʳ] *n* *(pej)* Skandalreporter(in) *m(f)* '**muck-up** *n* *(fam)* Reinfall *m*

mucky ['mʊki] *adj* ❶ *(dirty)* schmutzig, dreckig ❷ *(fam: sordid)* **joke, comment** schlüpfrig, unanständig; *(stronger)* säuisch *pej sl*

mu·cous ['mju:kəs] *adj no pl* *(relating to mucus)* Schleim- *m*; *(producing mucus)* schleim bildend

mu·cus ['mju:kəs] *n no pl* Schleim *m*

mud [mʌd] *n no pl* Schlamm *m* ▶ **to drag sb's name through the ~** jds Namen in den Schmutz ziehen

'**mud·bath** *n* Schlammbad *nt*

mud·dle ['mʌdl] **I.** *n* ❶ *usu sing (confused state)* Durcheinander *nt*; **to get in a ~** durcheinandergeraten; **to get sth in[to] a ~** etw durcheinanderbringen; ■ **to be in a ~** durcheinander sein ❷ *no pl (confusion)* Durcheinander *nt*, Kuddelmuddel *nt* **II.** *vi* ■ **to ~ along** vor sich *akk* hin wurs[ch]teln *fam*

mud·dled ['mʌdld] *adj* verworren

mud·dle-'head·ed *adj* verwirrt, konfus

mud·dy ['mʌdi] **I.** *vt* ❶ *(make dirty)* verschmutzen, schmutzig machen ❷ *(confuse)* undurchsichtig machen **II.** *adj* schlammig; *(dirty)* schmutzig; **ground, snow** matschig

'**mud·guard** *n of car* Kotflügel *m; of bicycle* Schutzblech *nt* '**mud·pack** *n* Gesichtsmaske *f* **mud-sling·ing** ['mʌdslɪŋɪŋ] *n no pl* Schlammschlacht *f fam*

mues·li ['mju:zli] *n no pl* Müsli *nt*, Müesli *nt* SCHWEIZ

muff [mʌf] **I.** *n* ❶ FASHION Muff *m* ❷ *(vulg, sl: vagina)* Muschi *f* **II.** *vt* *(fam)* vermasseln

muf·fin ['mʌfɪn] *n* ❶ BRIT *flaches rundes Hefebrötchen, das halbiert getoastet und anschließend mit Butter* (und ggf. Marmelade) *gegessen wird* ❷ AM Muffin *nt* (*kleiner, hoher, runder, meist süßer Kuchen aus Rührteig*)

muf·fle ['mʌfl] *vt* dämpfen; *(fig)* [ab]schwächen ◆ **muffle up** *vt* ■ **to ~ up** ⟳ **oneself** sich warm anziehen **II.** *vi* sich warm anziehen, sich einmummeln *fam*

muf·fled ['mʌfld] *adj attr* gedämpft, leise; **bells** umwickelt; **~ screams** erstickte Schreie

muf·fler ['mʌfləʳ] *n* *(silencer) of gun* Schalldämpfer *m; of car* Auspufftopf *m*

muf·ti ['mʌfti] *n* ❶ *no pl (dated)* zivile Kleidung; ■ **in ~** in Zivil ❷ REL *(Muslim legal*

M

expert) Mufti *m*

mug [mʌg] **I.** *n* **❶** (*cup*) Becher *m* (*mit Henkel*) **❷** *esp* BRIT (*fam: foolish person*) Trottel *m*, Simpel *m* DIAL **❸** (*pej: face*) Visage *f*, Fresse *f sl* **II.** *vt* <-gg-> überfallen und ausrauben

mug·ger ['mʌgəʳ] *n* [Straßen]räuber(in) *m(f)*

mug·ging ['mʌgɪŋ] *n* [Straßen]raub *m*, Überfall *m* (*auf offener Straße*)

mug·gins ['mʌgɪnz] *n no pl* BRIT (*hum*) Dumm[er]chen *nt fam* (*oft zu sich selbst gesagt*)

mug·gy ['mʌgi] *adv weather* schwül

mug·wump ['mʌgwʌmp] *n* AM **❶** (*boss*) Big Boss *m fam* **❷** (*stubborn person*) Querkopf *m*

mul·berry ['mʌlbʳri] *n* **❶** (*fruit*) Maulbeere *f* **❷** (*tree*) Maulbeerbaum *m*

mule¹ [mjuːl] *n* (*animal*) Maultier *nt*

mule² [mjuːl] *n* (*shoe*) halboffener Schuh; (*slipper*) Pantoffel *m*

mull [mʌl] *vt* **❶** (*sweeten*) ~ed wine Glühwein *m* **❷** (*ponder*) ▪ to ~ sth *dat* etw durch den Kopf gehen lassen

mul·let¹ ['mʌlɪt] *n* (*fish*) Meeräsche *f*

mul·let² ['mʌlɪt] *n* (*hairstyle*) Vokuhila *m sl* (*vorne kurz, hinten lang*)

mul·lion ['mʌljən] *n* ARCHIT Längspfosten *m*; ▪ ~s *pl* Stabwerk *nt*

multi·'col·oured *adj*, AM **multi·'col·ored** *adj* bunt; (*lots of colours*) mehrfarbig

multi·'cul·tur·al *adj* multikulturell

multi·fari·ous [ˌmʌlti'feəriəs] *adj attr* (*form*) vielfältig

multi·'func·tion·al *adj* multifunktional

multi·'lat·er·al *adj* POL multilateral *geh*

multi·'layered *adj* vielschichtig **multi·'lin·gual** *adj* mehrsprachig **multi·'me·dia** **I.** *n no pl* Multimedia *f* **II.** *adj* multimedial **multi·mil·lion·'aire** *n* Multimillionär(in) *m(f)* **multi·'na·tion·al I.** *n* multinationaler Konzern, Multi *m fam* **II.** *adj* multinational

multi·ple ['mʌltɪpl] **I.** *adj attr* vielfach, vielfältig **II.** *n* **❶** (*number*) Vielfache[s] *nt*; **to count in ~s of 6/10** das Sechser-/Zehnereinmaleins rechnen **❷** (*shop with many branches*) [Laden]kette *f*

multi·plex ['mʌltɪpleks] *n* Multiplex-Kino *nt*

multi·pli·ca·tion [ˌmʌltɪplɪ'keɪʃʳn] *n no pl* Multiplikation *f*

multi·plic·ity [ˌmʌltɪ'plɪsɪti] *n no pl* (*form*) Vielzahl *f* (*of* von), Vielfalt *f* (*of* an)

multi·pli·er ['mʌltɪplaɪəʳ] *n* Multiplikator *m*

multi·ply <-ie-> ['mʌltɪplaɪ] **I.** *vt* multiplizieren (**by** mit) **II.** *vi* sich vermehren;

(*through reproduction also*) sich fortpflanzen

multi·'pur·pose *adj* multifunktional

multi·'ra·cial *adj* gemischtrassig; ~ **society** Gesellschaft, die aus den Angehörigen verschiedener Rassengruppen besteht **multi·'stage** *adj* a ~ theatre ein Theater mit mehreren Bühnen **multi·'sto·rey** *adj* mehrstöckig, mehrgeschossig **multi·'task·ing I.** *n* COMPUT Ausführen *nt* mehrerer Programme, Multitasking *nt* **II.** *adj attr* (*fig*) gleichzeitig mehreren Aufgaben nachkommend *attr;* **she is a hardworking, ~ singer, actor, dancer and producer** sie arbeitet hart und ist gleichzeitig Sängerin, Schauspielerin, Tänzerin und Produzentin

multi·tude ['mʌltɪtjuːd] *n* **❶** (*numerous sum*) Vielzahl *f* **❷** (*crowd*) ▪ **the ~s** *pl* die Allgemeinheit; ~**s of people** eine Vielzahl von Personen

mum¹ [mʌm] *n* (*fam: mother*) Mama *f*, Mutti *f bes* NORDD

mum² [mʌm] *adj* (*fam: silent*) still; ... — ~**'s the word** (*as a response*) ... – von mir erfährt keiner was; (*telling sb*) ... – und kein Wort darüber; **to keep ~** den Mund halten

mum·ble ['mʌmbl] *vi* (*quietly*) murmeln; (*unclearly*) nuscheln

mum·bo jum·bo [ˌmʌmbəʊ'dʒʌmbəʊ] *n no pl* (*fam*) Quatsch *m*

mum·mi·fy <-ie-> ['mʌmɪfaɪ] *vt* mumifizieren

mum·my¹ ['mʌmi] *n* (*fam: mother*) Mama *f*, Mami *f*, Mutti *f bes* NORDD

mum·my² ['mʌmi] *n* (*corpse*) Mumie *f*

mumps [mʌmps] *n + sing vb* Mumps *m*

munch [mʌn(t)ʃ] *vi, vt* mampfen

mun·dane [mʌn'deɪn] *adj* (*worldly*) profan *geh;* (*unexciting*) *problem, question* banal; (*routine*) *activity, task* alltäglich

Mu·nich ['mjuːnɪk] *n* München *nt*

mu·nici·pal [mjuː'nɪsɪpʳl] *adj* städtisch, Stadt-, kommunal, Kommunal-; ~ **elections** Kommunalwahlen *pl*, Gemeinderatswahlen *pl;* ~ **government** Stadtrat *m*, Gemeinderat *m*

mu·nici·pal·ity [mjuːˌnɪsɪ'pæləti] *n* (*political unit*) Gemeinde *f*, Kommune *f;* (*town-size also*) Stadt *f*

mu·ni·tions [mjuː'nɪʃʳnz] *npl* (*weapons*) Waffen *pl;* (*weapons and ammunition*) Kriegsmaterial *nt kein pl;* (*ammunition*) Munition *f kein pl*

mu·ral ['mjʊərʳl] **I.** *n* Wandgemälde *nt* **II.** *adj* Wand-

mur·der ['mɜːdəʳ] **I.** *n* **❶** (*crime*) Mord *m*,

Ermordung *f* (**of** an); **mass** ~ Massenmord *m;* **to commit** ~ einen Mord begehen; **to be convicted of** ~ wegen Mordes verurteilt werden ❷ (*fig: difficult thing*) **it's** ~ **trying to find a parking space around here** es ist wirklich schier unmöglich, hier in der Gegend einen Parkplatz zu finden II. *vt* ermorden, umbringen *a. fig*

mur·der·er ['mɜːdᵊrəʳ] *n* Mörder(in) *m(f)*

mur·der·ess ['mɜːdᵊrɪs] *n* (*dated*) Mörderin *f*

mur·der·ous ['mɜːdᵊrəs] *adj* ❶ (*cruel*) mordlüstern, blutrünstig; (*evil*) *look, hatred* tödlich ❷ (*unpleasant*) mörderisch *fam*

murky ['mɜːki] *adj* düster; *night* finster; (*fig*) *past* dunkel; *water* trübe

mur·mur ['mɜːməʳ] I. *vi* murmeln; ■**to** ~ **about sth** (*complain*) wegen einer S. *gen* murren II. *vt* murmeln III. *n* Gemurmel *nt kein pl*, Raunen *nt kein pl;* **a** ~ **of agreement** ein zustimmendes Raunen

mur·mur·ing ['mɜːmᵊrɪŋ] *n* ❶ (*low or indistinct sound*) Murmeln *nt* ❷ *usu pl* (*expression of dissatisfaction*) Gemurmel *nt kein pl* ❸ *usu pl* (*insinuation*) Andeutung *f*

mus·cle ['mʌsl] *n* ❶ (*contracting tissue*) Muskel *m* ❷ (*fig: influence*) Stärke *f;* **to flex a** ~ Stärke zeigen ◆ **muscle in** *vi* sich [rücksichtslos] einmischen; ■**to** ~ **in on sth** sich irgendwo [mit aller Gewalt] hineindrängeln

'**mus·cle-bound** *adj* [äußerst] muskulös

'**mus·cle·man** *n* Muskelprotz *m*

Mus·co·vite ['mʌskəvaɪt] *n* Moskowiter(in) *m(f) veraltend*, Moskauer(in) *m(f)*

mus·cu·lar ['mʌskjələʳ] *adj* ❶ (*relating to muscles*) muskulär, Muskel- ❷ (*with well-developed muscles*) muskulös

muse [mjuːz] I. *vi* nachgrübeln, nachdenken (**about/on** über) II. *n* ❶ (*esp liter: mythical figure*) Muse *f;* (*artistic inspiration*) Inspiration *f* ❷ (*female inspirer*) Muse *f*

mu·seum [mjuː'ziːəm] *n* Museum *nt*

mush [mʌʃ] *n no pl* (*fam*) ❶ FOOD Brei *m*, Mus *nt;* **to turn to** ~ zu Brei werden; **I panicked and my brain turned to** ~ ich geriet in Panik und konnte einfach nicht mehr vernünftig denken ❷ (*sentimentality*) **that film was just romantic** ~ der Film war so eine richtige Schnulze

mush·room ['mʌʃrʊm, -ruːm] *n* Pilz *m;* **edible/poisonous** ~ essbarer/giftiger Pilz

mushy ['mʌʃi] *adj* ❶ (*pulpy*) breiig ❷ (*soppily romantic*) schnulzig

mu·sic ['mjuːzɪk] *n no pl* ❶ (*pattern of sounds*) Musik *f;* **classical** ~ klassische Musik; **to put on** ~ [etwas] Musik auflegen ❷ (*notes*) Noten *pl*

mu·si·cal ['mjuːzɪkᵊl] I. *adj* musikalisch, Musik- II. *n* Musical *nt*

mu·si·cal·ly ['mjuːzɪkᵊli] *adv* musikalisch; **to be** ~ **gifted** musikalisch sein

'**mu·sic hall** *n* (*dated*) Konzerthalle *f*

mu·si·cian [mjuːˈzɪʃᵊn] *n* Musiker(in) *m(f)*

'**mu·sic stand** *n* Notenständer *m*

musk [mʌsk] *n no pl* Moschus *m*

mus·ket ['mʌskɪt] *n* Muskete *f*

mus·ket·eer [ˌmʌskɪˈtɪəʳ] *n* HIST Musketier *m*

musk·rat ['mʌskræt] *n* Moschusratte *f*

Mus·lim ['mʊslɪm] I. *n* Moslem(in) *m(f)*, Muslim(in) *m(f)* II. *adj* moslemisch, muslimisch

mus·lin ['mʌzlɪn] *n* Musselin *m*

muss [mʌs] *esp* AM I. *n no pl* Unordnung *f*, Durcheinander *nt* II. *vt* durcheinanderbringen; *wind* zerzausen

mus·sel ['mʌsᵊl] *n* [Mies]muschel *f*

must [mʌst] I. *aux vb* ❶ (*be obliged*) müssen; **all handbags** ~ **be left at the cloakroom for security reasons** lassen Sie bitte aus Sicherheitsgründen alle Handtaschen in der Garderobe; ■~ **not** [*or* ~ **n't**] nicht dürfen; **you** ~ **n't say anything to anyone about this matter** darüber darfst du mit niemandem sprechen ❷ (*be required*) müssen; ~ **you leave so soon?** müssen Sie schon so früh gehen? ❸ (*should*) **you really** ~ **read this book** dieses Buch sollten Sie wirklich einmal lesen; **you** ~ **come and visit us** Sie sollten uns bald einmal besuchen kommen ❹ (*be certain to*) müssen; **she** ~ **be wondering where I've got to** sie wird sich bestimmt fragen, wo ich abgeblieben bin; **you** ~ **be joking!** du machst wohl Witze!; **you** ~ **be out of your mind!** du hast wohl den Verstand verloren! *fam* ❺ (*be necessary*) müssen; **you** ~ **n't worry too much about it** jetzt mach dir deswegen nicht so viele Sorgen ❻ (*show irritation*) müssen; **smoke if you** ~ **then** dann rauche, wenn es [denn] unbedingt sein muss ❼ (*intend to*) müssen; **I** ~ **n't forget to put the bin out tonight** ich darf nicht vergessen, heute Abend den Mülleimer rauszustellen II. *n no pl* Muss *nt kein pl;* ■**to be a** ~ ein Muss *nt* sein; **this book is a** ~! dieses Buch muss man gelesen haben! III. *in compounds* -*see*, -*do* **this film is a** ~-**see** diesen Film muss man einfach gesehen haben

mus·tache *n* AM *see* **moustache**

mus·tang ['mʌstæŋ] n Mustang m
mus·tard ['mʌstəd] n no pl Senf m
mus·ter ['mʌstə'] **I.** n [zum Appell angetretene] Truppe **II.** vt ❶ (gather) aufbringen ❷ (bring together) soldiers [zum Appell] antreten lassen **III.** vi (come together) sich versammeln, antreten; troop [zum Appell] antreten
'**must-have** adj attr (fam) unentbehrlich; **be fashionable this autumn with this pair of ~ boots** gehen Sie diesen Herbst mit der Mode - dazu gehören unbedingt diese Stiefel!
mustn't ['mʌsᵊnt] see **must not** see **must**
'**must-see I.** n this film is a ~ diesen Film muss man gesehen haben **II.** adj sehenswert; ~ **TV** Fernsehsendung, die man unbedingt sehen muss
musty ['mʌsti] adj book mod[e]rig; room, smell muffig
mu·tant ['mju:tᵊnt] n Mutant(e) m(f); (fig, hum) Mutant m
mu·ta·tion [mju:'teɪʃᵊn] n Veränderung f, Mutation f fachspr
mute [mju:t] **I.** n ❶ MUS (quieting device) Dämpfer m ❷ (dated: person) Stumme(r) f(m) **II.** vt sound, noise dämpfen **III.** adj stumm
mut·ed ['mju:tɪd] adj ❶ (not loud) gedämpft; (fig) schweigend, stumm; colours gedeckt ❷ LING (not pronounced) stumm
mu·ti·late ['mju:tɪleɪt] vt verstümmeln; (fig) verschandeln
mu·ti·la·tion [ˌmju:tɪ'leɪʃᵊn] n Verstümmelung f; (fig) Verschandelung f
mu·ti·neer [ˌmju:tɪ'nɪə'] n Meuterer(in) m(f)
mu·ti·nous ['mju:tɪnəs] adj meuterisch; shareholders rebellisch
mu·ti·ny ['mju:tɪni] **I.** n ❶ no pl (act) Meuterei f ❷ (instance) Meuterei f **II.** vi <-ie-> meutern
mutt [mʌt] n esp AM (fam) ❶ (silly person) Trottel m pej fam ❷ (mongrel) [Straßen]köter m pej
mut·ter ['mʌtə'] **I.** vi ❶ (mumble) ■ to ~ [away to oneself] irgendetwas [vor sich akk hin]murmeln ❷ (spread rumour) ■ to ~ about sth etw munkeln **II.** vt (complain softly) brummen, murmeln; to ~ sth to sb under one's breath jdm etw zuraunen
mut·ton ['mʌtᵊn] n no pl Hammel m, Hammelfleisch nt
'**mut·ton chops** npl, **mut·ton chop** 'whisk·ers npl Koteletten pl
mu·tu·al ['mju:tʃu:əl] adj gegenseitig, beiderseitig; friends, interests gemeinsam; **the feeling is** ~ das [Gefühl] beruht auf

Gegenseitigkeit; ~ **agreement** wechselseitige Übereinkunft
mu·tu·al 'fund n AM FIN offener Investmentfond
mu·tu·al·ly ['mju:tʃu:əli] adv gegenseitig, für beide [Seiten]; **to be ~ exclusive** sich gegenseitig ausschließen
mu·zak® ['mju:zæk] n no pl Musikberieselung f
muz·zle ['mʌzl] **I.** n ❶ (animal mouth) Schnauze f, Maul nt ❷ (mouth covering) Maulkorb m ❸ (gun end) Mündung f **II.** vt ■ to ~ an animal einem Tier einen Maulkorb anlegen; ■ to ~ sb the press jdn/die Presse mundtot machen
muz·zy ['mʌzi] adj ❶ (hazy) benommen, benebelt ❷ (unclear) unklar, verschwommen, verzerrt; objectives diffus
MW n RADIO abbrev of **medium wave** MW f
my [maɪ] **I.** adj poss mein(e); **my brother and sister** mein Bruder und meine Schwester; **one of my friends** einer meiner Freunde/eine meiner Freundinnen; **I've hurt my foot** ich habe mir den Fuß verletzt; **she was surprised at ~ coming** sie war überrascht, dass ich gekommen war; **I need a car of ~ own** ich brauche ein eigenes Auto **II.** interj ach, oh; ~ ~ na, so was
myo·pia [maɪ'əupi:ə] n no pl (spec) Kurzsichtigkeit f
my·op·ic [maɪ'ɒpɪk] adj (form or fig) kurzsichtig
myri·ad ['mɪriəd] n (form) Myriade f; ~ **s of ...** unzählige ...
myrrh [mɜ:'] n no pl Myrrhe f
myr·tle ['mɜ:tl] n Myrthe f
my·self [maɪ'self] pron reflexive ❶ (direct object of verb) mich +dat, mich +akk; **let me introduce ~ — I'm Caitlin Milne** ich möchte mich vorstellen – ich bin Caitlin Milne; **I caught sight of ~ in the mirror** ich sah mich im Spiegel; **yes, I thought to ~, it's time to take a holiday** ja, dachte ich mir, es ist Zeit für einen Urlaub; **I strolled around, muttering to ~** ich wanderte umher und murmelte vor mich hin ❷ (emph form: I, me) ich; **people like ~** Menschen wie ich ❸ (emph: me personally) ich persönlich; **I wrote it ~** ich schrieb es selbst; ■ **to do see/taste/try/hear for ~** etw selbst sehen/kosten/versuchen/hören ❹ (me alone) **I never get an hour to ~** ich habe nie eine Stunde für mich; [all] **by ~** [ganz] alleine; **I live by ~** ich lebe alleine ❺ (my normal self) **I haven't felt ~ lately — I guess I feel a little depressed or something** ich war in

letzter Zeit nicht ganz ich selbst – ich glaube, ich war ein wenig deprimiert oder so;
I didn't look ~ in my sister's clothes ich
sah in der Kleidung meiner Schwester
nicht wie ich selbst aus

mys·teri·ous [mɪˈstɪəriəs] *adj* geheimnisvoll, mysteriös; **in ~ circumstances** unter
mysteriösen Umständen

mys·teri·ous·ly [mɪˈstɪəriəsli] *adv* rätsel-
hafterweise, geheimnisvollerweise; **she ~
disappeared one morning** eines Morgens verschwand sie auf mysteriöse Art
und Weise

mys·tery [ˈmɪstəri] *n* (*secret*) Geheimnis *nt;* (*puzzle*) Rätsel *nt;* **that's a ~ to me**
das ist mir schleierhaft

mys·tic [ˈmɪstɪk] **I.** *n* Mystiker(in) *m(f)*
II. *adj* ❶ (*inspiring sense of mystery*) geheimnisvoll, mysteriös ❷ (*relating to mysticism*) mystisch ❸ (*occult, for the initiate*)
esoterisch

mys·ti·cal [ˈmɪstɪkᵊl] *adj* mystisch

mys·ti·cism [ˈmɪstɪsɪzᵊm] *n no pl* ❶ (*consciousness of God's reality*) Mystik *f* ❷ (*belief in hidden realities*) das Mystische
❸ (*pej: vague speculation*) Mystizismus *m*

mys·ti·fi·ca·tion [ˌmɪstɪfɪˈkeɪʃᵊn] *n no pl*
❶ (*puzzlement*) Verwunderung *f,* Verblüffung *f* ❷ (*intentional confusion*) Verwirrung *f,* Verwirrspiel *nt*

mys·ti·fy <-ie-> [ˈmɪstɪfaɪ] *vt* ■**to ~ sb** jdn
vor ein Rätsel stellen

mys·tique [mɪˈstiːk] *n no pl* (*form*) Zauber *m*

myth [mɪθ] *n* ❶ (*ancient story*) Mythos *m;*
creation ~ Schöpfungsmythos *m* ❷ (*pej:
false idea*) Ammenmärchen *nt*

mythi·cal [ˈmɪθɪkᵊl] *adj* ❶ (*fictional*) sagenhaft, legendär ❷ (*supposed*) gedacht,
imaginär

mytho·logi·cal [ˌmɪθəˈlɒdʒɪkᵊl] *adj* mytho-
logisch

my·thol·ogy [mɪˈθɒlədʒi] *n no pl* Mytholo-
gie *f;* (*fig*) Ammenmärchen *nt*

N_n

N <*pl* -'s *or* -s>, **n** <*pl* -'s> *n* N *nt*, n *nt*; *see also* **A 1**

N I. *n abbrev of* **North** N *m* **II.** *adj abbrev of* **North, Northern** nördl.

n¹ *n* ❶ MATH (*unknown number*) x ❷ (*fam: endless amount*) x

n² *n* ❶ *abbrev of* **noun** Subst. ❷ *abbrev of* **neuter** nt

nab <-bb-> [næb] *vt* (*fam*) stibitzen; **could you ~ me a seat?** könntest du mir vielleicht einen Platz freihalten?

na·dir ['neɪdɪəʳ, næd-] *n* (*form*) Tiefpunkt *m*

naff [næf] BRIT **I.** *adj* (*sl*) geschmacklos **II.** *vi* (*sl*) ■**to ~ off** Leine ziehen

nag¹ [næg] *n* |alte Schind|mähre

nag² [næg] **I.** *vi* <-gg-> [herum]nörgeln (**at** an) **II.** *vt* <-gg-> ■**to ~ sb** (*urge*) jdm [ständig] zusetzen; (*annoy*) jdn nicht in Ruhe lassen **III.** *n* (*fam*) ❶ (*person*) Nörgler(in) *m(f)*; (*annoying*) Nervensäge *f* ❷ (*feeling*) **he felt a little ~ of doubt** eine Spur des Zweifels machte sich ihm bemerkbar

nag·ging ['nægɪŋ] **I.** *n no pl* Nörgelei *f* **II.** *adj* ❶ (*criticizing*) nörgelnd ❷ (*continuous*) quälend

nail [neɪl] **I.** *n* ❶ (*metal fastener*) Nagel *m* ❷ (*body part*) [Finger-/Zeh]nagel *m;* **to bite one's ~s** an den Fingernägeln kauen; **to cut one's ~s** sich *dat* die Nägel schneiden **II.** *vt* ❶ (*fasten*) nageln (**to** an) ❷ (*sl: catch*) *police* schnappen *fam; newspapers* drankriegen *fam*

'nail-bit·ing I. *n no pl* Nägelkauen *nt* **II.** *adj* nervenzerreißend; *film* spannend **'nail brush** *n* Nagelbürste *f* **'nail clip·pers** *npl* Nagelknipser *m* **'nail enam·el re·mov·er** *n* AM *see* **nail varnish remover 'nail file** *n* Nagelfeile *f* **'nail pol·ish** *n* Nagellack *m* **'nail scis·sors** *npl* Nagelschere *f* **'nail var·nish** *n* Nagellack *m* **'nail var·nish re·mov·er** *n* Nagellackentferner *m*

na·ïve, na·ive [naɪˈiːv] *adj* (*esp pej*) naiv **na·ïve·té** [naɪˈiːvᵊteɪ], **na·ive·ty** [naɪˈiːvᵊti] *n no pl* Naivität *f a. pej*

na·ked ['neɪkɪd] *adj* (*also fig*) nackt; *aggression* unverhüllt; *ambition* blank; **to the ~ eye** für das bloße Auge; *flame* offen **na·ked·ness** ['neɪkɪdnəs] *n no pl* Nacktheit *f*

nam·by-pam·by [,næmbi'pæmbi] *adj attr* (*pej fam: foolish*) dämlich; (*weak*) *person* verweichlicht

name [neɪm] **I.** *n* ❶ (*title*) Name *m;* **hello, my ~'s Peter** hallo, ich heiße Peter; **what's your ~?** wie heißen Sie?; **first ~** Vorname *m;* **last ~** Nachname *m;* **to call sb ~s** jdn beschimpfen; **in our ~** in unserem Namen; **in the ~ of ...** im Namen von ... ❷ *no pl* (*reputation*) Name *m*, Ruf *m;* **to give sb/sth a good ~** jdm/etw einen guten Ruf verschaffen; **to make a ~ for oneself** sich *dat* einen Namen machen **II.** *vt* ❶ (*call*) **they ~d their little boy Philip** sie nannten ihren kleinen Sohn Philip ❷ (*list*) nennen ❸ (*choose*) **gin, vodka, whisky, beer — you ~ it, I've got it** Gin, Wodka, Whisky, Bier – was [immer] Sie wünschen, ich führe es ❹ (*nominate*) ■**to ~ sb sth** jdn zu etw *dat* ernennen

'name day *n* Namenstag *m* **'name-drop·ping** *n no pl* Namedropping *nt* (*das Angeben mit berühmten Persönlichkeiten, die man kennt*)

name·less ['neɪmləs] *adj* namenlos; *author* unbekannt

name·ly ['neɪmli] *adv* nämlich

'name·plate *n of a person* Namensschild *nt;* (*on door of a house*) Türschild *nt;* *of company* Firmenschild *nt* **'name·sake** *n* Namensvetter *m*

Na·mibia [næˈmɪbiə] *n* Namibia *nt*

nan, naan [nɑːn] *n* indisches Fladenbrot **nan·ny** ['næni] *n* ❶ (*grandmother*) Oma *f* ❷ (*babyminder*) Kindermädchen *nt* ❸ (*animal*) Geiß *f* **'nan·ny goat** *n* Geiß *f*

na·no·sec·ond ['nænə(ʊ),sekᵊnd] *n* Nanosekunde *f*

nap¹ [næp] **I.** *n* Nickerchen *nt;* **to take a ~** ein Nickerchen machen **II.** *vi* <-pp-> ein Nickerchen machen

nap² [næp] *n no pl* Flor *m*

na·palm ['neɪpɑːm] *n no pl* Napalm *nt*

nape [neɪp] *n no pl* Nacken *m*

nap·kin ['næpkɪn] *n* Serviette *f*

nap·py ['næpi] **I.** *n* Windel *f;* **disposable ~** Wegwerfwindel *f* **II.** *adj* AM *hair* lockig

nar·cis·sism ['nɑːsɪsɪzᵊm] *n no pl* Narzissmus *m*

nar·cis·sus <*pl* -es *or* -issi *or* -> [nɑːˈsɪsəs] *n* Narzisse *f*

nar·co·sis [nɑːˈkəʊsɪs] *n* Narkose *f*

nar·cot·ic [nɑːˈkɒtɪk] **I.** *n* ❶ *esp* AM (*drug*) Rauschgift *nt* ❷ MED (*drug causing sleep-*

iness) Narkotikum *nt* **II.** *adj* ❶ (*affecting the mind*) berauschend ❷ MED narkotisch; (*sleep-inducing*) einschläfernd

nark [nɑːk] BRIT, AUS **I.** *vt* ärgern; **to be/ become ~ed with sb** auf jdn wütend sein/werden **II.** *n* ❶ (*annoying person*) unausstehliche Person *f* ❷ (*sl: police informer*) Spitzel *nt* ❸ AM (*narcotics agent*) Drogenfahnder(in) *m(f)*

nar·rate [nəˈreɪt] *vt* ❶ (*provide commentary*) erzählen ❷ (*give account of*) schildern

nar·ra·tion [nəˈreɪʃ³n] *n no pl* Schilderung *f; of story* Erzählung *f*

nar·ra·tive [ˈnærətɪv] *n* (*form*) ❶ (*story*) Erzählung *f* ❷ (*description of events*) Schilderung *f*

nar·ra·tor [nəˈreɪtə²] *n* Erzähler(in) *m(f)*

nar·row [ˈnærəʊ] **I.** *adj* ❶ (*thin*) eng, schmal ❷ (*pej: limited*) **to have a ~ mind** engstirnig sein ❸ (*small*) knapp **II.** *vi* enger werden, sich verengen; *gap, difference* sich schließen **III.** *vt* verengen; (*fig*) beschränken; **he ~ed his eyes in suspicion** er kniff argwöhnisch die Augen zusammen

'nar·row boat *n* Kahn *m* **'nar·row gauge** *n* Schmalspur *f*

nar·row·ly [ˈnærəʊli] *adv* ❶ (*barely*) knapp ❷ (*meticulously*) sehr gründlich

nar·row·'mind·ed *adj* engstirnig **nar·row·mind·ed·ness** [-ˈmaɪndɪdnəs] *n no pl* Engstirnigkeit *f*

nar·row·ness [ˈnærəʊnəs] *n no pl* Enge *f,* der schmale Durchgang

NASA [ˈnæsə] *n no pl abbrev of* **National Aeronautics and Space Administration** NASA *f*

na·sal [ˈneɪz³l] *adj* ❶ (*concerning nose*) Nasen- ❷ (*droning*) nasal

nas·cent [ˈneɪs³nt] *adj* (*form*) neu aufkommend

nas·ti·ly [ˈnɑːstɪli] *adv* gehässig, gemein; **to speak ~ to sb** gehässig zu jdm sein

nas·ti·ness [ˈnɑːstɪnəs] *n no pl* Gemeinheit *f*

nas·ty [ˈnɑːsti] *adj* ❶ (*bad*) scheußlich, widerlich; *fright* furchtbar; *insult* gemein; *joke* schäbig; *shock* furchtbar; *surprise* böse; ■**to be ~ to sb** zu jdm gemein sein; **he's a ~ piece of work** er ist ein fieser Zeitgenosse; **cheap and ~** billig und schlecht ❷ (*dangerous*) gefährlich ❸ (*serious*) schlimm, böse; **the situation could turn ~ at any moment** die Lage könnte jederzeit umschlagen

na·tal [ˈneɪt³l] *adj* Geburts-

na·tal·ity [nəˈtælɪti] *n* Geburtenziffer *f*

na·tion [ˈneɪʃ³n] *n* ❶ (*country, state*) Nation *f,* Land *nt;* **all across the ~** im ganzen Land ❷ (*people*) Volk *nt;* **the Apache/ Navajo ~** AM der Stamm der Apachen/ Navajos

na·tion·al [ˈnæʃ³n³l] **I.** *adj* ❶ (*of a nation*) *matter, organization* national; *flag, team, dish, hero* National-; **~ government** Landesregierung *f;* [**in the**] **~ interest** [im] Staatsinteresse *nt* ❷ (*particular to a nation*) Landes-, Volks- ❸ (*nationwide*) national; **~ organization** nationale (*o* überregionale] Organisation **II.** *n* Staatsangehörige(r) *f(m);* **foreign ~** Ausländer(in) *m(f)*

na·tion·al 'an·them *n* Nationalhymne *f*

na·tion·al 'debt *n* Staatsverschuldung *f* **Na·tion·al 'Front** *n* BRIT *rechtsradikale Partei* **na·tion·al 'grid** *n* BRIT, AUS nationales Verbundnetz **Na·tion·al 'Guard** *n* AM Nationalgarde *f* **Na·tion·al 'Health** BRIT, **Na·tion·al 'Health Ser·vice** *n* BRIT staatlicher Gesundheitsdienst **na·tion·al 'holi·day** *n* (*work-free*) gesetzlicher Feiertag; (*in celebration of a nation*) Nationalfeiertag *m* **Na·tion·al In·'sur·ance** *n* BRIT Sozialversicherung *f*

na·tion·al·ism [ˈnæʃ³n³lɪz³m] *n no pl* (*usu pej*) Nationalismus *m*

na·tion·al·ist [ˈnæʃ³n³lɪst] **I.** *adj* nationalistisch **II.** *n* Nationalist(in) *m(f)*

na·tion·al·is·tic [ˌnæʃ³n³lˈɪstɪk] *adj* (*usu pej*) nationalistisch

na·tion·al·ity [ˌnæʃ³nˈæləti] *n* ❶ (*esp cultural*) Nationalität *f* ❷ *no pl* (*legal*) Staatsangehörigkeit *f*

na·tion·ali·za·tion [ˌnæʃ³n³laɪˈzeɪʃ³n] *n no pl* Verstaatlichung *f*

na·tion·al·ize [ˈnæʃ³n³laɪz] *vt company, steel industry* verstaatlichen

na·tion·al 'park *n,* **Na·tion·al 'Park** *n* Nationalpark *m* **na·tion·al 'ser·vice** *n no pl* BRIT, AUS Wehrdienst *m* **na·tion·al 'so·cial·ism** *n no pl* (*hist*) Nationalsozialismus *m*

na·tion 'state *n* Nationalstaat *m*

'na·tion·wide I. *adv* landesweit, im ganzen Land **II.** *adj coverage, strike, campaign* landesweit

na·tive [ˈneɪtɪv] **I.** *adj* ❶ (*of one's birth*) beheimatet; **~ country** Heimatland *nt;* **~ language** Muttersprache *f* ❷ (*indigenous*) *customs, traditions* einheimisch; *population* eingeboren ❸ BOT, ZOOL *animal, plant* beheimatet, einheimisch ❹ (*innate*) angeboren **II.** *n* (*indigenous inhabitant*) Einheimische(r) *f(m);* **a ~ of Monaco** ein gebürtiger Monegasse/eine gebürtige Mo-

N

negassin; (*indigenous, aboriginal*) Eingeborene(r) *f(m)*

na·tive A'meri·can I. *n* amerikanischer Ureinwohner/amerikanische Ureinwohnerin **II.** *adj* ~ **history** Geschichte der amerikanischen Ureinwohner **na·tive-'born** *adj* gebürtig **na·tive 'speak·er** *n* Muttersprachler(in) *m(f)*

Na·tiv·ity [nəˈtɪvəti] *n no pl* ■ **the** ~ die Geburt Christi

na·'tiv·ity play *n* Krippenspiel *nt*

NATO, Nato [ˈneɪtəʊ] *n no pl, no art acr for* **North Atlantic Treaty Organisation** NATO *f*

nat·ter [ˈnætəʳ] *esp* BRIT **I.** *vi* (*fam*) quatschen **II.** *n* (*fam*) Schwatz *m*; **to have a** ~ [**with sb**] [mit jdm] quatschen

nat·ty [ˈnæti] *adj* (*fam: smart*) schick; **to be a** ~ **dresser** immer schick gekleidet sein; (*well-designed*) *tool, appliance* praktisch

natu·ral [ˈnætʃ*ə*r*ə*l] **I.** *adj* ❶ (*not artificial*) *flavour, ingredients, mineral water* natürlich; *colour, curls, dye, fertilizer* Natur-; ❷ (*as in nature*) *harbour, reservoir, camouflage* natürlich; *fabric, wood* naturbelassen; ~ **state** Naturzustand *m* ❸ (*caused by nature*) natürlich; **to die of** ~ **causes** eines natürlichen Todes sterben; ~ **disaster** Naturkatastrophe *f* ❹ (*inborn*) angeboren; *leader* geboren ❺ BIOL, SOCIOL *father, mother, parents* leiblich ❻ (*normal*) natürlich, normal ❼ *after n* MUS ohne Vorzeichen *nach n* **II.** *n* ❶ (*fam*) Naturtalent *nt* ❷ MUS Auflösungszeichen *nt*

natu·ral 'child·birth *n no pl* natürliche Geburt **natu·ral 'gas** *n no pl* Erdgas *nt* **natu·ral 'his·to·ry** *n no pl* Naturgeschichte *f*; (*as topic of study*) Naturkunde *f*

natu·ral·ism [ˈnætʃ*ə*r*ə*lɪz*ə*m] *n no pl* Naturalismus *m*

natu·ral·ist [ˈnætʃ*ə*r*ə*lɪst] **I.** *n* Naturforscher(in) *m(f)*; ART, LIT, PHILOS Naturalist(in) *m(f)* **II.** *adj* ❶ (*in natural history*) naturkundlich ❷ ART, LIT, PHILOS naturalistisch

natu·ral·is·tic [ˌnætʃ*ə*r*ə*lˈɪstɪk] *adj* ART, LIT, PHILOS naturalistisch

natu·rali·za·tion [ˌnætʃ*ə*r*ə*laɪˈzeɪʃ*ə*n] *n no pl* Einbürgerung *f*

natu·ral·ize [ˈnætʃ*ə*r*ə*laɪz] **I.** *vt* einbürgern **II.** *vi* BOT, ZOOL ■ **to become** ~**d** heimisch werden

natu·ral·ized [ˈnætʃ*ə*r*ə*laɪzd] *adj* eingebürgert

natu·ral 'lan·guage *n* natürliche Sprache **natu·ral·ly** [ˈnætʃ*ə*r*ə*li] *adv* ❶ (*of course*) natürlich; (*as expected*) verständlicherweise ❷ (*without aid*) natürlich ❸ (*by nature*) von Natur aus ❹ (*without special training*)

natürlich; **dancing comes** ~ **to him** Tanzen fällt ihm leicht; **driving doesn't come** ~ **to me** Autofahren liegt mir nicht

natu·ral·ness [ˈnætʃ*ə*r*ə*lnəs] *n no pl* Natürlichkeit *f*

natu·ral re·'sources *npl* Bodenschätze *pl* **natu·ral 'sci·ence** *n,* **natu·ral 'sci·ences** *npl* Naturwissenschaft *f* **natu·ral se·'lec·tion** *n* natürliche Auslese **natu·ral 'wast·age** *n* BRIT Personalreduzierung *f* per Einstellungsstopp

na·ture [ˈneɪtʃəʳ] *n no pl* ❶ *no art* (*natural environment*) Natur *f*; **to let** ~ **take its course** der Natur ihren Lauf lassen ❷ (*innate qualities*) Art *f*; **what is the** ~ **of your problem?** worum handelt es sich bei Ihrem Problem?; **by** ~ von Natur aus ❸ (*character*) Naturell *nt*, Art *f*

na·ture con·ser·'va·tion *n no pl,* **na·ture con·'serv·an·cy** *n no pl* BRIT (*form*) Naturschutz *m* **'na·ture lov·er** *n* Naturfreund(in) *m(f)* **'na·ture re·serve** *n* Naturschutzgebiet *nt* **'na·ture study** *n no pl* Naturkunde *f* **'na·ture trail** *n* Naturlehrpfad *m* **'na·ture wor·ship** *n no pl* ❶ (*love of nature*) Naturverehrung *f* ❷ REL Naturreligion *f*

na·tur·ism [ˈneɪtʃ*ə*rɪz*ə*m] *n no pl* BRIT Freikörperkultur *f*

na·tur·ist [ˈneɪtʃ*ə*rɪst] *n* BRIT Anhänger(in) *m(f)* der Freikörperkultur

naught [nɔːt] *n* ❶ *no pl* (*old: nothing*) Nichts *nt* ❷ AM, AUS *see* **nought**

naugh·ty [ˈnɔːti] *adj* ❶ (*badly behaved*) *children* ungezogen; (*iron*) *adults* ungehörig ❷ (*hum fam: erotic*) unanständig

nau·sea [ˈnɔːziə] *n no pl* Übelkeit *f*; (*fig*) Ekel *m*

nau·seate [ˈnɔːzieɪt] *vt usu passive* (*form*) ■ **to** ~ **sb** bei jdm Übelkeit verursachen; (*fig, pej*) ■ **to be** ~**d by sth** von etw *dat* angeekelt sein

nau·seat·ing [ˈnɔːzieɪtɪŋ] *adj* Übelkeit erregend *attr*; (*fig, pej*) Ekel erregend *attr*; (*esp iron, hum*) **it's quite** ~ **how good she is at everything** es ist geradezu widerlich, wie gut sie in allem ist

nau·seous [ˈnɔːziəs] *adj* ❶ (*having nausea*) **she's** [**feeling**] ~ ihr ist übel ❷ (*fig: causing nausea*) widerlich

nau·ti·cal [ˈnɔːtɪk*ə*l] *adj* nautisch; ~ **chart** Seekarte *f*

nau·ti·cal 'mile *n* Seemeile *f*

na·val [ˈneɪv*ə*l] *adj* (*of a navy*) Marine-; (*of ships*) Schiffs-, See-

na·val a'cad·emy *n* Marineakademie *f* **'na·val base** *n* Flottenstützpunkt *m* **na·val 'pow·er** *n* Seemacht *f* **na·val 'war·**

fare *n no pl* (*war*) Seekrieg *m;* (*warring*) Seekriegsführung *f*

nave [neɪv] *n* Hauptschiff *nt*

na·vel ['neɪvəl] *n* Nabel *m*

navi·gable ['nævɪgəbl] *adj* ❶ (*passable*) schiffbar ❷ (*seaworthy*) seetüchtig

navi·gate ['nævɪgeɪt] **I.** *vt* ❶ (*steer*) navigieren ❷ (*traverse*) befahren; (*pass through*) durchfahren ❸ (*pilot*) steuern; AUTO lenken ❹ (*get through*) sich *dat* einen Weg bahnen ❺ (*overcome*) durchstehen **II.** *vi* NAUT, AVIAT navigieren; AUTO *driver* fahren; *passenger* lotsen

navi·ga·tion [ˌnævɪ'geɪʃən] *n no pl* ❶ (*navigating*) Navigation *f* ❷ (*assisting driver*) Lotsen *nt* ❸ SCI, ART Navigationskunde *f*

navi·ga·tion·al [ˌnævɪ'geɪʃənəl] *adj* Navigations-

navi·ga·tor ['nævɪgeɪtəʳ] *n* Navigator(in) *m(f);* AUTO Beifahrer(in) *m(f)*

nav·vy ['nævi] *n* BRIT (*dated*) Bauarbeiter *m*

navy ['neɪvi] **I.** *n* ❶ + *sing/pl vb* (*armed forces*) ▪ **the N~** die Marine ❷ (*colour*) Marineblau *nt* **II.** *adj* marineblau

nay [neɪ] **I.** *adv* (*liter*) ja [sogar] **II.** *interj* DIAL (*old*) nein **III.** *n esp* AM Nein *nt;* (*negative vote*) Neinstimme *f*

Nazi ['nɑːtsi] *n* (*hist or pej*) Nazi *m*

Na·zi·ism *n no pl,* **Na·zism** ['nɑːtsɪz²m] *n no pl* (*hist*) Nazismus *m*

NB [ˌen'biː] *adv no pl abbrev of* **nota bene** NB

NCC [ˌensiː'siː] *n* BRIT *abbrev of* **Nature Conservancy Council** Naturschutzamt *nt*

NCO [ˌensiː'əʊ] *n abbrev of* **non-commissioned officer** Uffz. *m*

NE I. *n no pl abbrev of* **north-east** NO. **II.** *adj* ❶ *abbrev of* **north-east** NO- ❷ *abbrev of* **north-eastern** NO- **III.** *adv abbrev of* **north-east**

neap tide ['niːptaɪd] *n* Nipptide *f*

near [nɪəʳ] **I.** *adj* ❶ (*close in space*) nahe, in der Nähe; **where's the ~est phone box?** wo ist die nächste Telefonzelle? ❷ (*close in time*) nahe ❸ (*most similar*) **he rounded up the sum to the ~est dollar** er rundete die Summe auf den nächsten Dollar auf ❹ *attr* (*close to being*) **he was in a state of ~ despair** er war der Verzweiflung nahe; **that's a ~ certainty/ impossibility** das ist so gut wie sicher/unmöglich ❺ *attr* (*person*) nahe, eng; **~ relative** enge[r] Verwandte[r] ❻ *attr* BRIT, AUS AUTO, TRANSP (*left*) **to be a ~ miss** knapp danebengehen **II.** *adv* ❶ (*close in space*) nahe; **do you live somewhere ~?**

wohnst du hier irgendwo in der Nähe? ❷ (*close in time*) nahe; **the time is drawing ~** die Zeit rückt näher ❸ (*almost*) beinahe, fast; **I'm as ~ certain as can be** ich bin mir so gut wie sicher; **nowhere ~** bei weitem nicht **III.** *prep* ❶ (*in proximity to*) ▪ **~ [to]** nahe [bei]; **do you live ~ here?** wohnen Sie hier in der Nähe? ❷ (*almost time of*) **I'm nowhere ~ finishing the book** ich habe das Buch noch längst nicht ausgelesen; **details will be given ~ the date** die Einzelheiten werden kurz vor dem Termin bekannt gegeben ❸ (*close to a state*) nahe; **we came ~ to being killed** wir wären beinahe getötet worden ❹ (*similar in quantity or quality*) **he's ~er 70 than 60** er ist eher 70 als 60; **this colour is ~est [to] the original** diese Farbe kommt dem Original am nächsten ❺ (*about ready to*) ▪ **to be ~ to doing sth** nahe daran sein, etw *akk* zu tun ❻ (*like*) **what he said was nothing ~ the truth** was er sagte, entsprach nicht im Entferntesten der Wahrheit ❼ (*almost amount of*) annähernd, fast **IV.** *vt* ▪ **to ~ sth** sich etw *dat* nähern **V.** *vi* sich nähern, näher rücken

near·by [ˌnɪə'baɪ] **I.** *adj* nahegelegen **II.** *adv* in der Nähe

Near 'East *n* Naher Osten

near·ly ['nɪəli] *adv* fast, beinahe

near 'miss *n* ❶ (*accident*) Beinaheunfall *m;* AVIAT Beinahezusammenstoß *m* ❷ (*fig*) **to be a ~** knapp danebengehen

'near·side BRIT, AUS **I.** *n* Beifahrerseite *f* **II.** *adj attr* auf der Beifahrerseite *nach n*

near-'sight·ed *adj esp* AM kurzsichtig

near-'sight·ed·ness *n no pl esp* AM Kurzsichtigkeit *f*

neat [niːt] *adj* ❶ (*well-ordered*) ordentlich; *appearance, beard* gepflegt; **~ and tidy** sauber und ordentlich ❷ (*skilful*) geschickt ❸ (*undiluted*) pur ❹ *esp* AM, AUS (*sl: very good*) toll

neat·en ['niːtən] *vt* in Ordnung bringen

neat·ly ['niːtli] *adv* ❶ (*tidily*) sauber, ordentlich ❷ (*skilfully*) geschickt

neat·ness ['niːtnəs] *n no pl* Ordentlichkeit *f,* Sauberkeit *f*

nebu·la <*pl* -lae *or* -s> ['nebjələ, *pl* -liː] *n* Nebel *m*

nebu·lae ['nebjəliː] *n pl of* **nebula**

nebu·lar ['nebjələʳ] *adj* Nebel-

nebu·lous ['nebjələs] *adj* nebelhaft; *fear, promise* vage

nec·es·saries ['nesəs²riz] *npl* unbedingt notwendige Dinge

nec·es·sari·ly ['nesəs²r²li] *adv* (*consequently*) notwendigerweise; (*inevitably*) unbedingt; (*of necessity*) zwangsläufig

nec·es·sary ['nesəsªri] **I.** *adj* nötig, notwendig; **strictly** ~ unbedingt nötig; **it's not ~ [for you] to shout** du brauchst nicht zu schreien; **was it really ~ for you to say that?** musstest du das wirklich sagen? **II.** *n* ■**the** ~ das Nötige

ne·ces·si·tate [nə'sesɪteɪt] *vt* erfordern

ne·ces·sity [nə'sesəti] *n* ❶ *no pl* (*being necessary*) Notwendigkeit *f* ❷ (*indispensability*) Lebensnotwendige *nt kein pl*; **bare** ~ Grundbedarf *m*

neck [nek] *n* ❶ ANAT Hals; (*nape*) Nacken *m* ❷ FASHION Kragen *m*; (*garment*) Ausschnitt *m* ❸ (*narrow part*) Hals *m* ▸ **to be breathing down sb's** ~ jdm im Nacken sitzen; ~ **and** ~ Kopf an Kopf

'**neck·band** *n* Halsbündchen *nt* **neck·er·chief** <*pl* -s *or* -chieves> ['nekətʃɪf] *n* (*dated*) Halstuch *nt* **neck·lace** ['nekləs] *n* [Hals]kette *f* '**neck·line** *n* Ausschnitt *m* '**neck·tie** *n esp* AM Krawatte *f*

nec·ro·philia [ˌnekrə(ʊ)'fɪliə] *n no pl* PSYCH Nekrophilie *f*

nec·tar ['nektəʳ] *n no pl* Nektar *m*

nec·tar·ine ['nektəʳriːn] *n* Nektarine *f*

née [neɪ] *adj pred* geborene

need [niːd] **I.** *n* ❶ *no pl* (*requirement*) Bedarf *m* (**for** an); **your ~ is greater than mine** du brauchst es dringender als ich; **as the ~ arises** bei Bedarf; **to be [badly] in ~ of sth** etw [dringend] brauchen; **to have no ~ of sth** etw nicht brauchen ❷ *no pl* (*necessity*) Notwendigkeit *f*; **if ~ be** falls nötig ❸ (*yearning*) Bedürfnis *nt*; **I'm in ~ of some fresh air** ich brauche etwas frische Luft ❹ *no pl* (*requiring help*) **she helped him in his hour of ~** sie hat ihm in der Stunde der Not geholfen; **children in ~** Kinder in Not ❺ *no pl* (*poverty*) Not *f*; **those in ~** die Notleidenden **II.** *vt* ❶ (*require*) brauchen; **your trousers ~ washing** deine Hose müsste mal gewaschen werden ❷ (*must*) ■**to ~ to do sth** etw tun müssen; **you didn't ~ to invite him — he was sent an invitation weeks ago** du hättest ihn nicht einladen müssen — er hat schon vor Wochen eine Einladung zugeschickt bekommen ❸ (*not want to be subjected to*) **I don't ~ your comments, thank you** deine Kommentare kannst du dir sparen **III.** *aux vb* ❶ BRIT (*must*) ~ **I say more?** muss ich noch mehr sagen?; ~ **you ask?** (*iron*) da fragst du noch?; **you ~n't worry** du brauchst dir keine Gedanken zu machen ❷ BRIT (*didn't have to*) **you ~n't have washed all those dishes** du hättest nicht das ganze Geschirr abwaschen müs-

sen ❸ BRIT (*shouldn't*) **you ~n't laugh!** du brauchst gar nicht [so] zu lachen!

need·ed ['niːdɪd] *adj* notwendig, nötig; **much-~** dringend nötig

nee·dle ['niːdl̩] **I.** *n* ❶ (*for sewing*) Nadel *f*; **knitting ~** Stricknadel *f*; ~ **and thread** Nadel und Faden ❷ MED, BOT Nadel *f*; **to get a ~** AM, AUS (*fam*) geimpft werden ❸ (*pointer*) Nadel *f* ▸ **it is like looking for a ~ in a haystack** das ist, als würde man eine Stecknadel im Heuhaufen suchen **II.** *vt* ärgern

'**nee·dle match** *n* SPORTS (*fam*) erbitterter Kampf

need·less ['niːdləs] *adj* unnötig; ~ **to say ...** selbstverständlich ...

need·less·ly ['niːdləsli] *adv* unnötig[erweise]; **to die ~** sinnlos sterben

'**nee·dle·work** *n no pl* Handarbeit *f*

needn't ['niːdªnt] = **need not** *see* **need III**

needs [niːdz] *adv* (*old*) unbedingt; **I don't wish to work all weekend, but ~ must** ich möchte ungern das ganze Wochenende arbeiten, aber was sein muss, muss sein

needy ['niːdi] **I.** *adj* ❶ (*poor*) bedürftig, Not leidend *attr* ❷ PSYCH (*mentally weak*) bedürftig **II.** *n* ■**the** ~ *pl* die Bedürftigen *pl*

ne·fari·ous [nɪ'feəriəs] *adj* (*form*) ruchlos

ne·gate [nɪ'geɪt] *vt* (*nullify*) zunichtemachen; (*deny*) verneinen

ne·ga·tion [nɪ'geɪʃªn] *n no pl* ❶ (*usu form: antithesis*) *also* LING Verneinung *f* ❷ (*usu form: opposition*) Ablehnung *f*

nega·tive ['negətɪv] **I.** *adj* ❶ (*negation*) negativ, ablehnend ❷ LING negativ; *clause, form* verneint ❸ (*pessimistic, worrying*) negativ; ■**to be ~ about sth/sb** etw/jdm gegenüber negativ eingestellt sein ❹ ELEC, SCI negativ, minus ❺ MED *blood* negativ ❻ MATH, SCI negativ **II.** *n* ❶ (*negation*) Verneinung *f* ❷ PHOT Negativ *nt* **III.** *vt* (*say no to*) verneinen; (*reject/decline*) ablehnen

nega·tive·ly ['negətɪvli] *adv* negativ; (*saying no*) ablehnend

nega·tiv·ism ['negətɪvɪzªm] *n no pl*, **nega·tiv·ity** [ˌnegə'tɪvəti] *n no pl* Negativität *f*

ne·glect [nɪ'glekt] **I.** *vt* vernachlässigen; ■**to ~ to do sth** [es] versäumen, etw zu tun **II.** *n* (*lack of care*) Vernachlässigung *f*; (*disrepair*) Verwahrlosung *f*; **to be in a state of ~** verwahrlost sein

ne·glect·ed [nɪ'glektɪd] *adj* (*uncared for*) verwahrlost; (*overlooked*) vernachlässigt

ne·glect·ful [nɪ'glektfªl] *adj* nachlässig (**of** gegenüber); ~ **parents** pflichtvergessen; **to be ~ of sth** etw vernachlässigen

neg·li·gee *n,* **nég·li·gée** [ˈneglɪʒeɪ] *n* Negligee *nt*

neg·li·gence [ˈneglɪdʒən(t)s] *n no pl* (*lack of care*) Nachlässigkeit *f;* (*neglect*) Vernachlässigung *f;* LAW (*form*) Fahrlässigkeit *f*

neg·li·gent [ˈneglɪdʒənt] *adj* (*careless*) nachlässig; LAW fahrlässig

neg·li·gent·ly [ˈneglɪdʒəntli] *adv* (*carelessly*) nachlässig; LAW fahrlässig

neg·li·gible [ˈneglɪdʒəbl] *adj* unbedeutend; *amount* geringfügig

ne·go·tiable [nɪˈgəʊʃiəbl] *adj* ❶ (*discussable*) verhandelbar; **everything is ~ at this stage** in diesem Stadium kann [noch] über alles verhandelt werden ❷ (*traversable*) passierbar; *road* befahrbar ❸ FIN übertragbar

ne·go·tiate [nɪˈgəʊʃieɪt] I. *vt* ❶ (*discuss*) aushandeln; *loan, treaty* abschließen ❷ (*traverse*) passieren; (*fig: surmount*) *problems* überwinden II. *vi* verhandeln (**for/on** über)

ne·ˈgo·tiat·ing com·mit·tee *n* Verhandlungskommission *f* **ne·ˈgo·tiat·ing ta·ble** *n* (*fig*) Verhandlungstisch *m*

ne·go·tia·tion [nɪˌgəʊʃiˈeɪʃən] *n* Verhandlung *f*

ne·go·tia·tor [nɪˈgəʊʃieɪtəʳ] *n* Unterhändler(in) *m(f)*

Ne·gress <*pl* -es> [ˈniːgrəs] *n* (*pej! dated*) Negerin *f*

Ne·gro <*pl* -es> *n* (*pej! dated*), **ne·gro** [ˈniːgrəʊ] *n* (*pej! dated*) Neger *m*

Ne·groid [ˈniːgrɔɪd] *adj* (*pej! dated*) negroid

neigh [neɪ] I. *n* Wiehern *nt kein pl* II. *vi* wiehern

neigh·bor *n* AM *see* **neighbour**

neigh·bor·hood *n* AM *see* **neighbour·hood**

neigh·bor·ing *adj* AM *see* **neighbouring**

neigh·bor·li·ness *n* AM *see* **neighbourli·ness**

neigh·bor·ly *adj* AM *see* **neighbourly**

neigh·bour [ˈneɪbəʳ] I. *n* (*person*) Nachbar(in) *m(f);* (*country*) Nachbarland *nt;* (*fellow-citizen*) Nächste(r) *f(m);* **next-door ~** direkter Nachbar/direkte Nachbarin II. *vi* [an]grenzen (**on** an)

neigh·bour·hood [ˈneɪbəhʊd] *n* ❶ (*district*) Viertel *nt;* (*people*) Nachbarschaft *f* ❷ (*vicinity*) Nähe *f kein pl* ❸ (*approximately*) **we're hoping to get something in the ~ of £220,000 for the house** wir hoffen, dass wir um [die] £220.000 für das Haus bekommen werden

neigh·bour·hood ˈwatch *n* Nachbarschaftswachdienst *m*

neigh·bour·ing [ˈneɪbəʳrɪŋ] *adj attr* (*nearby*) benachbart, Nachbar-; (*bordering*) angrenzend

neigh·bour·li·ness [ˈneɪbəʳlɪnəs] *n no pl* gutnachbarliche Art

neigh·bour·ly [ˈneɪbəʳli] *adj* (*community-friendly*) gutnachbarlich; (*kindly*) freundlich

nei·ther [ˈnaɪðəʳ] I. *adv* ❶ (*not either*) weder; **~ ... nor ...** [**nor ...**] weder ... noch ... [oder ...] ❷ (*also not*) auch nicht; **he didn't remember, and ~ did I** er erinnerte sich nicht, und ich auch nicht ▸ **to be ~ here nor there** völlig nebensächlich sein II. *adj attr* keine(r, s) von beiden III. *pron* (*not either of two*) keine(r, s) von beiden; **we've got two TVs, but ~ works properly** wir haben zwei Fernseher, aber keiner funktioniert richtig IV. *conj* ■ **~ ... nor ...** weder ... noch

neme·sis <*pl* -ses> [ˈneməsɪs, *pl* -siːz] *n* ❶ (*liter: punishment*) gerechte Strafe ❷ (*goddess*) ■ **N~** Nemesis *f*

neo·clas·si·cal [ˌniːəʊˈklæsɪkəl] *adj* klassizistisch

neo·co·lo·ni·al·ist [ˌniːəʊkəˈləʊniəlɪst] *adj* neokolonialistisch

Neo·lith·ic [ˌniːə(ʊ)ˈlɪθɪk] *adj* neolithisch *fachspr;* ■ **~ Period** Neolithikum *nt;* (*fig, pej*) vorsintflutlich *fam*

ne·olo·gism [niˈɒlədʒɪzəm] *n* (*form*) Neuwort *nt,* Neologismus *m fachspr*

neon [ˈniːɒn] *n no pl* Neon *nt*

neo-Nazi [ˌniːə(ʊ)ˈnɑːtsi] I. *n* Neonazi *m* II. *adj group, newspaper* neonazistisch

neon ˈlamp *n* Neonlampe *f* **neon ˈsign** *n* Leuchtreklame *f*

Ne·pal [nəˈpɔːl] *n* Nepal *nt*

Nepa·lese [ˌnepəˈliːz] I. *adj* nepalesisch II. *n* <*pl* -> Nepalese, Nepalesin *m, f*

neph·ew [ˈnefjuː] *n* Neffe *m*

ne·phri·tis [nɪˈfraɪtɪs] *n no pl* Nephritis *f fachspr*

nepo·tism [ˈnepətɪzəm] *n no pl* (*pej*) Vetternwirtschaft *f*

Nep·tune [ˈneptjuːn] *n no art* Neptun *m*

nerd [nɜːd] *n* (*sl: gawky male*) Streber *m pej;* (*idiot*) Depp *m bes* SÜDD, ÖSTERR, SCHWEIZ *pej;* **computer ~** Computerfreak *m sl*

nerdy [ˈnɜːdi] *adj* (*fam*) doof

nerve [nɜːv] *n* ❶ ANAT Nerv *m* ❷ *no pl* (*courage*) Mut *m;* **to keep/lose one's ~** die Nerven behalten/verlieren ❸ (*nervousness*) ■ **~s** *pl* Nervosität *f kein pl;* (*stress*) Nerven *pl* ❹ (*impudence*) Frechheit *f;* **that man has such a ~!** der Mann hat [vielleicht] Nerven! ▸ **to be a bundle of ~s** ein

Nervenbündel *nt* sein; **to get on sb's ~s** (*fam*) jdm auf die Nerven gehen

'**nerve cell** *n* Nervenzelle *f* '**nerve cen·tre** *n,* ᴀᴍ '**nerve cen·ter** *n* ❶ ᴀɴᴀᴛ Nervenzentrum *nt* ❷ (*control centre*) Nervenzentrum *nt* '**nerve gas** *n* Nervengas *nt* '**nerve-jan·gling** *adj attr* (*fig*) nervenaufreibend **nerve·less** ['nɜːvləs] *adj* ❶ (*without nerves*) nervenstark ❷ (*lacking vigour*) kraftlos '**nerve-rack·ing** *adj,* '**nerve-wrack·ing** *adj* nervenaufreibend

nerv·ous ['nɜːvəs] *adj* (*highly-strung*) nervös; (*tense*) aufgeregt; (*fearful*) ängstlich; ■**to be ~ about sth** wegen etw *dat* nervös sein; ■**to be ~ of sb/sth** vor jdm/etw Angst haben

nerv·ous '**break·down** *n* Nervenzusammenbruch *m*

nerv·ous·ly ['nɜːvəsli] *adv* nervös; (*overexcitedly*) aufgeregt; (*timidly*) ängstlich

nerv·ous·ness ['nɜːvəsnəs] *n no pl* (*nervous state*) Nervosität *f;* (*fear*) Angst *f* (**about** vor)

'**nerv·ous sys·tem** *n* Nervensystem *nt*

nervy ['nɜːvi] *adj* ❶ ᴀᴍ (*pej: impudent*) unverschämt ❷ ᴀᴍ (*brave*) mutig ❸ ʙʀɪᴛ (*nervous*) nervös

nest [nest] **I.** *n* ❶ (*of animals*) Nest *nt* ❷ (*pej: den*) Schlupfwinkel *m;* (*of criminals*) Brutstätte *f fig* ❸ (*set*) Satz *m* **II.** *vi* ᴏʀɴ, sᴄɪ nisten

'**nest box** *n* ᴀᴍ Nistkasten *m* '**nest egg** *n* Notgroschen *m*

nest·ing ['nestɪŋ] *adj attr* ❶ (*of nests*) Nist- ❷ (*of sets*) ineinander stapelbar

'**nest·ing box** *n esp* ʙʀɪᴛ Nistkasten *m*

nes·tle ['nesl̩] **I.** *vt* **she ~d the baby lovingly in her arms** sie hielt das Baby liebevoll in ihren Armen **II.** *vi* ❶ (*person*) **she ~d amongst the cushions and pillows** sie schmiegte sich in die Kissen; ■**to ~ up to sb** sich an jdn anschmiegen ❷ (*object*) ■**to ~ in sth** in etw *akk* eingebettet sein

nes·tling ['neslɪŋ] *n* Nestling *m*

Net *n no pl* ɪɴᴇᴛ, ᴄᴏᴍᴘᴜᴛ ■**the ~** das Netz

net[1] [net] **I.** *n* ❶ (*also fig: mesh*) Netz *nt;* **fishing ~** Fischernetz *nt* ❷ sᴘᴏʀᴛs Netz *nt* **II.** *vt* <-tt-> ❶ (*catch*) *fish* mit einem Netz fangen; (*fig*) *criminals* fangen ❷ (*fig: get*) ■**to ~ oneself sth** sich *dat* etw angeln ❸ sᴘᴏʀᴛs **to ~ a return/volley** *tennis* einen Return/Volley ins Netz schlagen; **to ~ the ball/a goal** *soccer* den Ball ins Tor/ein Tor schießen

net[2] [net] **I.** *adj* ❶ ꜰɪɴ netto; *weight* netto, rein *attr;* Rein-; **~ profit/results** Reingewinn *m*/Endergebnis *nt;* **~ wages** Nettolöhne *pl* ❷ *attr* (*final*) End- **II.** *vt* ❶ (*after tax*) netto verdienen ❷ (*realize*) netto einnehmen

'**net·ball** *n* ʙʀɪᴛ *no pl* Korbball *m* '**Net-based** *adj* ɪɴᴇᴛ, ᴄᴏᴍᴘᴜᴛ netzbasiert **Net 'Book Agree·ment** *n* ʙʀɪᴛ Buchpreisbindung *f* **net 'cur·tain** *n* Tüllgardine *f*

neth·er ['neðəʳ] *adj attr* (*liter or hum: lower*) niedere(r, s); **~ regions** niedere Regionen *euph*

Neth·er·lands ['neðələn(d)z] *n* ■**the ~** die Niederlande *pl*

neti·quette ['netɪket] *n no pl* ᴄᴏᴍᴘᴜᴛ Netiquette *f*

'**Net·speak** *adj* ᴄᴏᴍᴘᴜᴛ Internet-Jargon *m*

nett *adj, vt* ʙʀɪᴛ *see* **net**[2]

net·ting ['netɪŋ] *n no pl* (*material*) Netzgewebe *nt;* (*structure*) Netzwerk *nt*

net·tle ['netl̩] *n* Nessel *f;* **stinging ~s** Brennnesseln *pl*

'**net·tle rash** *n* Nesselsucht *f kein pl*

net 'weight *n* Nettogewicht *nt*

net·work ['netˌwɜːk] **I.** *n* ❶ (*structure*) Netz[werk] *nt* ❷ (*fig: people*) Netz *nt* ❸ ᴛᴇʟᴇᴄ [Kommunikations]netzwerk *nt;* **cable ~** Kabelnetz *nt;* **telephone ~** Telefonnetz *nt* ❹ ᴇᴄᴏɴ Netz *nt* ❺ ᴛʀᴀɴsᴘ **rail[way] ~** [Eisen]bahnnetz *nt* **II.** *vt* (*link*) *also* ᴄᴏᴍᴘᴜᴛ vernetzen (**to** mit) **III.** *vi* Kontakte knüpfen; ■**to ~ with sb** mit jdm Kontakt knüpfen

'**net·work·er** *n* Networker(in) *m(f)*

net·work·ing ['netˌwɜːkɪŋ] *n no pl* ❶ (*making contacts*) Kontaktknüpfen *nt,* Networking *nt* ❷ ᴄᴏᴍᴘᴜᴛ Vernetzen *nt*

neu·ral ['njʊərəl] *adj attr* Nerven-, neural *fachspr*

neu·ral·gia [njʊəˈrældʒə] *n no pl* Neuralgie *f*

neu·ral·gic [njʊəˈrældʒɪk] *adj* neuralgisch

neu·ral 'net·work *n* ᴄᴏᴍᴘᴜᴛ Neuronennetz *nt*

neu·ri·tis [njʊəˈraɪtɪs] *n no pl* Neuritis *f fachspr*

neu·ro·logi·cal [ˌnjʊərəˈlɒdʒɪkᵊl] *adj* neurologisch

neu·rolo·gist [njʊəˈrɒlədʒɪst] *n* Neurologe, Neurologin *m, f*

neu·rol·ogy [njʊəˈrɒlədʒi] *n no pl* Neurologie *f*

neu·ron ['njʊərɒn] *n,* **neu·rone** ['njʊərəʊn] *n* Neuron *nt*

neu·ro·sci·ence [ˌnjʊərəʊˈsaɪən(t)s] *n* Neurobiologie *f*

neu·ro·sis <*pl* -ses> [njʊəˈrəʊsɪs, *pl* -siːz] *n* Neurose *f*

neu·ro·sur·geon [ˌnjʊərəʊˈsɜːdʒᵊn] *n* Neurochirurg(in) *m(f)*

neu·ro·sur·gery [ˌnjʊərəʊˈsɜːdʒᵊri] *n no pl*

Neurochirurgie *f*

neu·rot·ic [njʊəˈrɒtɪk] I. *n* Neurotiker(in) *m(f)* II. *adj* neurotisch

neu·ro·trans·mit·ter [ˌnjʊərəʊtrænzˈmɪtəʳ] *n* Neurotransmitter *m fachspr*

neu·ter [ˈnju:təʳ] I. *adj* sächlich; ~ **noun** Neutrum *nt* II. *vt* (*male animal*) kastrieren; *female animal* sterilisieren; (*fig: weaken*) neutralisieren

neu·tral [ˈnju:trəl] I. *adj* ❶ (*impartial*) *in a war, election* neutral ❷ (*characteristics*) neutral ❸ (*deadpan*) gleichgültig ❹ CHEM, ELEC neutral II. *n* ❶ (*country*) neutrales Land; (*person*) Neutrale(r) *f(m)* ❷ (*gears*) Leerlauf *m;* **in ~** im Leerlauf

neu·tral·ity [nju:ˈtræləti] *n no pl* Neutralität *f*

neu·trali·za·tion [ˌnju:trəlaɪˈzeɪʃən] *n no pl* Neutralisierung *f*

neu·tral·ize [ˈnju:trəlaɪz] *vt* (*nullify*) neutralisieren; *bomb* entschärfen; (*weaken*) *colour, smell* abschwächen; *strong taste* mildern

neu·tron [ˈnju:trɒn] *n* Neutron *nt*

neu·tron bomb *n* Neutronenbombe *f*

nev·er [ˈnevəʳ] *adv* ❶ (*not ever*) nie, niemals; ~ **again!** nie wieder!; ~ **in all my life** noch nie in meinem Leben; **it's** ~ **too late to do sth** es ist nie zu spät, um etw *akk* zu tun; ~ **before** noch nie [zuvor]; ~ **ever** nie im Leben; ~ **mind!** mach dir nichts draus! *fam,* macht nichts! ❷ (*not at all*) überhaupt nicht

nev·er-ˈend·ing *adj* endlos **nev·er-ˈfail·ing** *adj* unfehlbar **ˈnev·er·more** *adv* nie wieder **nev·er-ˈnev·er** *n* BRIT (*fam*) Ratenkauf *m;* **on the ~** auf Raten **nev·er-ˈnev·er land** *n* (*fam*) Fantasiewelt *f* **nev·er·the·less** [ˌnevəðəˈles] *adv* dennoch, nichtsdestotrotz

new [nju:] I. *adj* ❶ (*latest*) neu; **that's nothing ~!** das ist nichts Neues!; **what's ~ in the fashion world?** was gibt's Neues in der Welt der Mode? ❷ *attr* (*different*) neu; ~ **boy/girl/kid** (*in school*) Neue(r) *f(m)* ❸ *pred* (*unfamiliar*) neu; **she's ~ to the job** sie ist neu in dem Job; **I'm ~ around here** ich bin neu hier ❹ (*not second-hand*) (*fresh*) neu, frisch; **to feel like a ~ man/woman** sich wie neugeboren fühlen ❻ (*previously unknown*) neu; **to take a ~ twist** eine neue Wendung nehmen II. *n no pl* ■ **the ~** das Neue

New ˈAge *n* New Age *nt* **New ˈAg·er** *n* Anhänger(in) *m(f)* des New Age **New Age ˈTrav·el·ler** *n* BRIT Aussteiger(in) *m(f)*

new·bie [ˈnju:bi] *n* COMPUT Anfänger(in) *m(f)* **ˈnew·born** I. *adj attr* neugeboren II. *n* ■ **the ~** *pl* die Neugeborenen *pl* **New Bruns·wick** [-ˈbrʌnzwɪk] *n* New Brunswick *nt* **New Caledonia** [-ˌkælɪˈdəʊnɪə] *n* Neukaledonien *nt* **ˈnew·com·er** *n* (*new arrival*) Neuankömmling *m;* (*stranger*) Fremde(r) *f(m);* (*novice*) Neuling *m;* **I'm a ~ to Munich** ich bin neu in München

new·el [ˈnju:əl] *n* (*pillar*) Spindel *f;* (*supporting banister*) Pfosten *m*

New ˈEng·land *n* Neuengland *nt* **newˈfan·gled** [-ˈfæŋgld] *adj* (*fam*) neumodisch **new-ˈfash·ioned** *adj* modern **ˈnew-found** *adj* neu [entdeckt] **Newfound·land** [ˈnju:fən(d)lənd] *n* Neufundland *nt*

new·ish [ˈnju:ɪʃ] *adj* (*fam*) relativ neu **new-ˈlaid** *adj* frisch [gelegt]

new·ly [ˈnju:li] *adv* (*recently*) kürzlich, neulich; (*freshly*) frisch; (*differently*) neu; ~ **married** jung verheiratet

ˈnew·ly-wed I. *n* Jungverheiratete(r) *f(m)* II. *adj* jung verheiratet

New ˈMan *n* BRIT Neuer Mann **new ˈmoon** *n* Neumond *m* **New Or·ˈle·ans** [-ˈɔ:ˈli:nz] *n* New Orleans *nt* **new po·ˈta·toes** *pl* neue Kartoffeln *pl* **New ˈRight** *n* ■ **the ~** die Neue Rechte

news [nju:z] *n no pl* ❶ (*new information*) Neuigkeit *f;* **to break the ~ to sb** jdm die schlechte Nachricht überbringen; **really! that's ~ to me** tatsächlich! das ist mir neu ❷ (*media*) Nachrichten *pl;* **to be in the ~** in den Schlagzeilen sein

ˈnews agen·cy *n* Nachrichtenagentur *f* **ˈnews·agent** *n* BRIT, AUS ❶ (*shop*) Zeitschriftengeschäft *nt* ❷ (*person*) Zeitungshändler(in) *m(f)* **ˈnews·boy** *n* (*seller*) Zeitungsverkäufer(in) *m(f);* (*deliverer*) Zeitungsausträger(in) *m(f)* **ˈnews·cast** *n esp* AM Nachrichtensendung *f* **ˈnews·caster** *n* AM (*newsreader*) Nachrichtensprecher(in) *m(f)* **ˈnews con·fer·ence** *n* Pressekonferenz *f* **ˈnews deal·er** *n* AM (*newsagent*) *shop* Zeitschriftengeschäft *nt; person* Zeitungshändler(in) *m(f)* **ˈnews·flash** *n* Kurzmeldung *f* **ˈnews·group** *n* INET Newsgroup *f* **ˈnews·hound** *n* (*fam*) Reporter(in) *m(f)* **ˈnews item** *n* Nachricht *f* **ˈnews·let·ter** *n* Rundschreiben *nt;* INET Newsletter *m* **ˈnews·mon·ger** [-ˌmʌŋgəʳ] *n* ❶ (*profession*) Nachrichtenhändler(in) *m(f)* ❷ (*gossip*) Klatschmaul *nt pej sl* **ˈnews·pa·per** *n* ❶ (*journal*) Zeitung *f;* **daily ~** Tageszeitung *f* ❷ *no pl* (*material*) Zeitungspapier *nt* **ˈnew·**

N

speak *n no pl*, **'New·speak** *n no pl* (*pej*) Schönred[n]erei *f* **'news·print** *n no pl* ❶ (*material*) Zeitungspapier *nt* ❷ (*ink*) Druckerschwärze *f* **'news·read·er** *n* BRIT, AUS Nachrichtensprecher(in) *m(f)* **'news·reel** *n* Wochenschau *f* **'news re·lease** *n esp* AM Presseerklärung *f* **'news re·port** *n* Meldung *f* **'news·room** *n* Nachrichtenredaktion *f* **'news·stand** *n* Zeitungsstand *m* **'news·ven·dor** *n* Zeitungsverkäufer(in) *m(f)* **'news·wor·thy** *adj* berichtenswert

newsy ['nju:zi] *adj* informativ

newt [nju:t] *n* Wassermolch *m*

New Tes·ta·ment *n* the ~ das Neue Testament **'new town** *n* künstlich angelegte, nicht gewachsene Siedlung **new 'wave** *n* ❶ FILM, TV, THEAT (*movement*) ≈ neue Welle ❷ (*fresh outbreak*) **a ~ of redundancies/violence** eine neue Entlassungswelle/ Welle der Gewalt **new world 'or·der** *n*, **New World 'Or·der** *n* neue Weltordnung **New 'Year** *n* Neujahr *nt kein pl*; **Happy ~** gutes [*o* frohes] neues Jahr; ▪**the ~** das neue Jahr; (*first weeks*) der Jahresbeginn **New 'Year's** *n no pl esp* AM (*fam: 1 Jan*) Neujahrstag *m*; (*31 Dec*) Silvester *nt* **New Year's 'Day** *n* Neujahr *nt*, Neujahrstag *m* **New Year's 'Eve** *n* Silvester *nt* **New York** [-'jɔ:k] I. *n* New York *nt* II. *adj* New Yorker *attr* **New York·er** [-'jɔ:kə^r] *n* New Yorker(in) *m(f)* **New Zea·land** [-'zi:lənd] *n* Neuseeland *nt* **New Zealander** [-'zi:ləndə^r] *n* Neuseeländer(in) *m(f)*

next [nekst] I. *adj* ❶ (*coming immediately after*) nächste(r, s); **this time ~ year** nächstes Jahr um diese Zeit; **for the ~ couple of weeks** die nächsten paar Wochen; **~ month** nächsten Monat; **[the] ~ time** nächstes Mal ❷ (*next in order, space*) nächste(r, s), folgende(r, s); **the woman in the ~ room** die Frau im Raum nebenan; **as much as the ~ person** wie jede(r) andere [auch]; **the ~ but one** der/die/das Übernächste; **who's ~ please?** wer ist der/die Nächste?; **~ please!** der/die Nächste, bitte! II. *adv* ❶ (*subsequently*) dann, gleich darauf; **so what happened ~?** was geschah dann? ❷ (*again*) das nächste Mal ❸ (*second*) zweit-; **the ~ best thing** die zweitbeste Sache ❹ (*to one side*) ▪**~ to sth/sb** neben etw/jdm; **we sat ~ to each other** wir saßen nebeneinander ❺ (*following in importance*) ▪**~ to sth** nach etw *dat*; **~ to cheese I like chocolate best** nach Käse mag ich am liebsten Schokolade ❻ (*almost*) ▪**~ to ...** beinahe ..., fast ...;

~ to impossible beinahe unmöglich; **~ to nothing** fast gar nichts ❼ (*compared with*) ▪**~ to sb/sth** neben jdm/etw ▶**what**[**ever**] **~**! wo soll das hinführen? III. *n* (*following one*) der/die/das Nächste; **can we arrange a meeting for the week after ~?** können wir uns übernächste Woche treffen?; **~ in line** der/die/das Nächste

next 'door I. *adv* nebenan; **we live ~ to the airport** wir wohnen direkt neben dem Flughafen II. *adj pred buildings* nebenan nach *n*; *people* benachbart **next-door 'neigh·bour**, AM **next-door 'neigh·bor** *n* direkter Nachbar/direkte Nachbarin **'next-gen** *adj* (*fam*) *short for* **next-generation** futuristisch **next of 'kin** *n* + *sing/pl vb* nächste(r) Angehörige(r)

nex·us <*pl* - *or* -*es*> ['neksəs] *n usu sing* Nexus *m fachspr*

NF [,en'ef] *n* BRIT *abbrev of* **National Front**

NGO *n abbrev of* **non-governmental organization** NGO *f*

NHS [,eneɪtʃ'es] *n* BRIT *abbrev of* **National Health Service**

Ni·aga·ra Falls [naɪˌægərə'fɔ:lz] *n* ▪**the ~** die Niagarafälle *pl*

nib [nɪb] *n* [Schreib]feder *f*

nib·ble ['nɪbl̩] I. *n* ❶ (*bite*) Bissen *m* ❷ (*snack*) **~ s** *pl* BRIT (*fam*) Häppchen *pl* II. *vt* knabbern III. *vi* ❶ (*snack*) knabbern; ▪**to ~ at/on sth** an etw *dat* herumknabbern; **to ~ at the bait** anbeißen; (*fig: of trap*) den Köder schlucken *fam* ❷ (*eat into*) ▪**to ~ away at sth** an etw *dat* nagen

Nica·ra·gua [ˌnɪkə'rægjuə] *n* Nicaragua *nt* **Nica·ra·guan** [ˌnɪkə'rægjuən] I. *n* Nicaraguaner(in) *m(f)* II. *adj* nicaraguanisch

nice [naɪs] I. *adj* ❶ (*approv*) nett; (*pleasant*) schön, angenehm; *neighbourhood* freundlich; **did you have a ~ holiday?** war es schön im Urlaub?; **~ one!** (*fam*) nicht schlecht!; **~ to meet you!** es freut mich, Sie/dich kennen zu lernen!; **a ~ little earner** *esp* BRIT eine wahre Goldgrube; **~ work** (*fam*) gute Arbeit ❷ (*amiable*) nett, freundlich ❸ (*intensifier*) schön; **~ [and] big/long/warm** schön groß/ lang/warm II. *adv* sorgfältig

nice-'look·ing *adj* (*person*) gut aussehend; (*thing, woman also*) hübsch

nice·ly ['naɪsli] *adv* ❶ (*well*) gut, nett; **the patient is coming along ~** der Patient macht gute Fortschritte; **that'll do ~** das reicht völlig; **to do very ~** gut voran kommen ❷ (*pleasantly*) nett, hübsch; (*politely*) höflich

ni·cety ['naɪsəti] *n* ❶ *no pl* (*finer*

point) Feinheit *f;* (*precision*) Genauigkeit *f* ❷ (*fine details*) ■**niceties** *pl* Feinheiten *pl;* (*negatively*) Spitzfindigkeiten *pl;* (*etiquette*) Gepflogenheiten *pl*

niche [niːʃ] **I.** *n* ❶ (*recess*) Nische *f* ❷ (*job*) Stelle *f* **II.** *vt* ■**to ~ sb** jdn in eine Schublade stecken

'**niche mar·ket** *n* Nischenmarkt *m*

nick [nɪk] **I.** *n* ❶ (*chip*) Kerbe *f* ❷ BRIT (*sl: prison*) ■**the ~** *no pl* der Knast *fam* ❸ *no pl* BRIT, AUS (*sl: condition*) **in bad/good ~** schlecht/gut in Schuss *fam* ▸**in the ~ of time** gerade noch rechtzeitig **II.** *vt* ❶ (*chip*) einkerben; (*cut*) einschneiden ❷ BRIT, AUS (*fam: steal*) mitgehen lassen ❸ BRIT (*sl: arrest*) einlochen; (*catch*) schnappen *fam* ❹ AM (*fam: cheat*) ■**to ~ sb** jdn abzocken *sl* **III.** *vi* BRIT, AUS (*sl*) ■**to ~ in/off** hinein-/davonhuschen

nick·el ['nɪkl] *n* ❶ *no pl* (*metal*) Nickel *nt* ❷ AM (*coin*) Fünfcentstück *nt*

nick·el-'plat·ed *adj* vernickelt

nick-nack *n see* **knick-knack**

nick·name ['nɪkneɪm] **I.** *n* Spitzname *m;* (*affectionate*) Kosename *m* **II.** *vt* **the campsite has been ~d 'tent city' by visiting reporters** der Campingplatz wurde von besuchenden Reportern scherzhaft ‚Zeltstadt' genannt

Nico·sia [ˌnɪkə(ʊ)'siːə] *n* Nikosia *nt*

nico·tine ['nɪkətiːn] *n no pl* Nikotin *nt*

'**nico·tine patch** *n* Nikotinpflaster *nt*

niece [niːs] *n* Nichte *f*

niff [nɪf] *n usu sing* BRIT (*fam*) Mief *m kein pl*

niffy ['nɪfi] *adj* BRIT (*fam*) miefig

nif·ty ['nɪfti] *adj* (*fam: stylish*) elegant; (*skilful*) geschickt

Ni·ger ['naɪdʒə] *n* Niger *m*

Ni·geria [naɪ'dʒɪəriə] *n* Nigeria *nt*

Ni·gerian [naɪ'dʒɪəriən] **I.** *adj* nigerianisch **II.** *n* Nigerianer(in) *m(f)*

nig·gard·ly ['nɪɡədli] *adj* (*pej*) ❶ (*stingy*) geizig ❷ (*meagre*) dürftig; *donation, supply* armselig

nig·ger ['nɪɡə] *n* (*pej!*) Nigger *m*

nig·gle ['nɪɡl] **I.** *vi* ❶ (*find fault*) nörgeln ❷ (*worry*) beunruhigen, nagen (**at** an) **II.** *vt* ■**to ~ sb** (*nag*) an jdm herumnörgeln; (*worry*) jdn beschäftigen **III.** *n* ❶ (*doubt*) Zweifel *m* ❷ (*criticism*) Kritikpunkt *m*

nig·gling ['nɪɡlɪŋ] *adj attr* ❶ (*troubling*) nagend ❷ (*precise*) krittelig

nigh [naɪ] **I.** *adv* nahe; **she's written ~ on 100 books** sie hat an die 100 Bücher geschrieben **II.** *prep* (*old*) nahe

night [naɪt] *n* ❶ (*darkness*) Nacht *f; ~* **and day** Tag und Nacht; **to have an early ~** früh zu Bett gehen; **to spend the ~ with sb** (*as a friend, relation*) bei jdm übernachten; (*sexually*) die Nacht mit jdm verbringen; *~* **after ~** Nacht für Nacht; **at ~** nachts ❷ (*evening*) Abend *m;* **the other ~** neulich abends; **to have a ~ out** [abends] ausgehen; **by ~** abends; *~* **after ~** Abend für Abend ❸ THEAT, FILM **first ~** Premiere *f*

'**night·bird** *n* BRIT Nachteule *f hum fam*

'**night blind·ness** *n no pl* Nachtblindheit *f* '**night·cap** *n* ❶ (*hat*) Schlafmütze *f* ❷ (*drink*) Schlaftrunk *m* '**night·clothes** *npl* Nachtwäsche *f kein pl;* (*pyjama*) Schlafanzug *m* '**night·club** *n* Nachtklub *m* '**night cream** *n* Nachtcreme *f* '**night·dress** *n* Nachthemd *nt* '**night·fall** *n no pl* Einbruch *m* der Nacht '**night·gown** *n* Nachthemd *nt*

nightie ['naɪti] *n* (*fam*) Nachthemd *nt*

night·in·gale ['naɪtɪŋɡeɪl] *n* Nachtigall *f* '**night·life** *n no pl* Nachtleben *nt* '**night·light** *n* Nachtlicht *nt* '**night·long** (*liter*) **I.** *adv* die ganze Nacht [über] **II.** *adj* sich über die ganze Nacht hinziehend

night·ly ['naɪtli] **I.** *adv* jede Nacht **II.** *adj* (*each night*) [all]abendlich; (*nocturnal*) nächtlich

night·mare ['naɪtmeə] **I.** *n* Alptraum *m* **II.** *adj* (*fam*) alptraumhaft

night·mar·ish ['naɪtmeərɪʃ] *adj* (*horrific*) alptraumhaft; (*distressing*) grauenhaft

night-'night *interj* (*esp childspeak*) [gute] Nacht '**night-nurse** *n* Nachtschwester *f* '**night owl** *n* (*fam*) Nachteule *f hum* '**night-por·ter** *n* Nachtportier *m*

nights [naɪts] *adv* nachts; **to work ~** nachts arbeiten

'**night safe** *n* BRIT Nachttresor *m* '**night school** *n* Abendschule *f* '**night shift** *n* Nachtschicht *f* '**night·shirt** *n* Nachthemd *nt* '**night·spot** *n* (*fam*) Nachtklub *m* '**night stand** *n* AM (*bedside table*) Nachttisch *m* '**night·stick** *n* AM Schlagstock *m* '**night table** *n* AM (*bedside table*) Nachttisch *m* '**night-time** *n* Nacht[zeit] *f* '**night-watch** *n* Nachtwache *f* **night 'watch·man** *n* Nachtwächter *m no pl* Nachtwäsche *f*

ni·hil·ism ['naɪ(h)ɪlɪzᵊm] *n no pl* Nihilismus *m*

ni·hil·ist ['naɪ(h)ɪlɪst] *n* Nihilist(in) *m(f)*

ni·hil·is·tic [ˌnaɪ(h)ɪ'lɪstɪk] *adj* nihilistisch

Nik·kei [nɪ'keɪ] *n no pl,* **Nik·kei 'In·dex** *n no pl* Nikkei Index *m*

nil [nɪl] *n no pl* ❶ (*nothing*) Nichts *nt,* Null *f* ❷ *esp* BRIT SPORTS Null *f*

Nile [naɪl] *n* ■**the** [**river**] *~* der Nil

nim·ble ['nɪmbl̩] *adj* (*agile*) gelenkig, beweglich; (*quick*) flink; (*quick-witted*) [geistig] beweglich

nim·bly ['nɪmbli] *adv* (*usu approv: lithely*) flink, gewandt, behänd[e]; (*quick-witted*) schlagfertig

nim·bus <*pl* -bi *or* -es> ['nɪmbəs, *pl* -baɪ] *n* **①** (*cloud*) Nimbostratus *m fachspr* **②** (*halo*) Nimbus *m geh*

Nim·by *n*, **nim·by** <*pl* -s> ['nɪmbi] *n* (*pej*) *acr for* **not in my back yard** *Person, die sich gegen umstrittene Bauvorhaben in der eigenen Nachbarschaft stellt, aber nichts dagegen hat, wenn diese woanders realisiert werden*

nin·com·poop ['nɪŋkəmpuːp] *n* (*pej fam*) Trottel *m*

nine [naɪn] **I.** *n* (*number*) Neun *f; see also* **eight** ▶ **be** dressed [BRIT **up**] **to the ~s** (*fam*) in Schale [geworfen] sein **II.** *adj* (*9*) neun; **~ times out of ten** in neun von zehn Fällen; *see also* **eight**

9-11, 9/11 [naɪnɪˈlevᵊn] *n no pl, no art* der 11. September (*Terrorangriffe am 11.9.2001 auf das World Trade Center in New York und das Pentagon in Washington*)

'nine·fold *adj* neunfach **nine·pins** ['naɪnpɪnz] *npl* Kegeln *nt kein pl*

nine·teen [ˌnaɪn'tiːn] **I.** *n* Neunzehn *f; see also* **eight II.** *adj* neunzehn; *see also* **eight**

nine·teenth [ˌnaɪn'tiːn(t)θ] **I.** *n* ■ **the ~** der/die/das Neunzehnte **II.** *adj* neunzehnte(r, s) **III.** *adv* an neunzehnter Stelle

nine·teenth 'hole *n* SPORTS (*hum fam: golf club bar*) neunzehntes Loch

nine·ties ['naɪntiːz] *npl* **①** (*temperature*) **temperatures in the ~** Temperaturen um neunzig Grad Fahrenheit **②** (*decade*) die Neunziger *pl* **③** (*age*) **he's in his ~** er ist in den Neunzigern

nine·ti·eth ['naɪntiəθ] **I.** *n* **①** (*after 89th*) ■ **the ~** der/die/das Neunzigste **II.** *adj* neunzigste(r, s) **III.** *adv* an neunzigster Stelle

'nine-to-five I. *adv* **to work ~** von neun bis fünf [Uhr] arbeiten **II.** *adj* **a ~ schedule** ein Achtstunden[arbeits]tag *m*

nine·ty ['naɪnti] **I.** *n* Neunzig *f* **II.** *adj* neunzig

nin·ja ['nɪndʒə] *n* **①** HIST, MIL Ninja *m* **②** SPORTS Ninjutsu-Schüler(in) *m(f)*

ninth ['naɪn(t)θ] **I.** *n* **①** (*after 8th*) ■ **the ~** der/die/das Neunte **②** (*fraction*) Neuntel *nt* **II.** *adj* neunte(r, s) **III.** *adv* an neunter Stelle

nip¹ [nɪp] **I.** *vt* <-pp-> (*bite*) beißen; (*pinch*) zwicken; (*cut*) schneiden ▶ **to ~**

sth in the bud etw im Keim ersticken **II.** *vi* <-pp-> **①** (*bite*) beißen **②** BRIT, AUS (*fam: go quickly*) ■ **to ~ across to sth** schnell mal zu etw *dat* rüberspringen **III.** *n* **①** (*pinch*) Kniff *m;* (*bite*) Biss *m* **②** *no pl* (*chill*) Kälte *f;* **there's a ~ in the air** es ist frisch

nip² [nɪp] *n* (*fam*) Schluck *m*

nip·per ['nɪpə'] *n esp* BRIT (*fam*) Kleine(r) *f(m);* (*boy also*) Bengel *m;* (*girl also*) Göre *f* NORDD

nip·ple ['nɪpl̩] *n* **①** (*on breast*) Brustwarze *f* **②** AM (*for baby bottle*) Sauger *m*

nip·py ['nɪpi] *adj* **①** BRIT, AUS (*fam: quick*) schnell **②** (*fam: cold*) kühl

nir·va·na [nɪə'vɑːnə] *n no pl* Nirwana *nt;* (*fig*) Traumwelt *f*

Nissen hut ['nɪsᵊnˌhʌt] *n* Nissenhütte *f*

nit [nɪt] *n* **①** *esp* BRIT, AUS (*pej fam: idiot*) Blödmann *m* **②** (*egg*) Nisse *f*

ni·ter *n* AM *see* **nitre**

nit·pick ['nɪtpɪk] *vi* (*fam: quibble*) [herum]nörgeln; (*find fault*) kleinlich sein

nit·pick·er ['nɪtpɪkə'] *n* (*pej: quibbler*) Nörgler(in) *m(f);* (*fault-finder*) Kleinigkeitskrämer(in) *m(f)*

nit·pick·ing ['nɪtpɪkɪŋ] **I.** *adj* (*pej fam*) pingelig **II.** *n no pl* (*pej fam*) Krittelei *f*

nit·picky <-ier, -iest> ['nɪtpɪki] *adj* (*fam*) pedantisch

ni·trate ['naɪtreɪt] *n* Nitrat *nt*

ni·tre ['naɪtə'] *n no pl* Salpeter *m*

ni·tric ['naɪtrɪk] *adj* CHEM **①** (*of nitrogen*) Stickstoff- **②** (*of nitre*) Salpeter-

ni·tric 'acid *n no pl* CHEM Salpetersäure *f*

ni·trite ['naɪtraɪt] *n* CHEM Nitrit *nt*

ni·tro·gen ['naɪtrədʒən] *n no pl* Stickstoff *m*

ni·tro·glyc·er·in(e) [ˌnaɪtrə(ʊ)ˈglɪsᵊriːn] *n no pl* Nitroglyzerin *nt*

ni·trous ['naɪtrəs] *adj* **①** (*of nitrogen*) Stickstoff-, stickstoffhaltig **②** (*of nitre*) Salpeter-, salpetrig; **~ oxide** Lachgas *nt*

nit·ty-grit·ty [ˌnɪti'grɪti] *n no pl* (*fam*) ■ **the ~** das Wesentliche; **to get down to the ~** zur Sache kommen

nit·wit ['nɪtwɪt] *n* (*pej fam*) Schwachkopf *m*

nix [nɪks] AM **I.** *vt* (*fam*) ablehnen **II.** *adv* (*fam*) nichts, nix *fam;* **I suppose she will say ~ to us going to the movies** ich glaube, sie wird uns nicht ins Kino gehen lassen **III.** *n no pl* nichts, nix *fam*

NLP [ˌenel'piː] *n abbrev of* **Neuro-Linguistic Programming** NLP *nt*

NNE [ˌenen'iː] *abbrev of* **north-northeast** NNO

NNW [ˌenen'dʌblju:] *abbrev of* **north-north-west** NNW

no [nəʊ, nə] **I.** *adj* **①** (*not any*) kein(e);

~ one keiner; **in ~ time** im Nu; **to be of ~ interest/use** unwichtig/zwecklos sein ❷ *(in signs)* **'~ parking'** ,Parken verboten' ❸ *(not a)* kein ❹ *with gerund (impossible)* **there's ~ denying** es lässt sich nicht leugnen; **there's ~ knowing/telling** man kann nicht wissen/sagen **II.** *adv* ❶ *(not at all)* nicht; **~ less than sb/sth** nicht weniger als jd/etw ❷ *(alternative)* **or ~** *(form)* oder nicht ❸ *(negation)* nein; **do you want to come? - ~** willst du mitkommen? **- nein** ❹ *(doubt)* nein, wirklich nicht ❺ *(not)* nicht; **~ can do** *(fam)* geht nicht **III.** *n <pl -es or -s>* ❶ *(negation)* Nein *nt kein pl;* *(refusal)* Absage *f* ❷ *(negative vote)* Neinstimme *f* **IV.** *interj* ❶ *(refusal)* nein ❷ *(correcting oneself)* [ach] nein ❸ *(surprise)* **her husband ran off with the au pair — ~!** ihr Mann ist mit dem Au-pair-Mädchen durchgebrannt – nein! *fam* ❹ *(distress)* **oh ~!** oh nein!

No. *n, no.* *<pl Nos. or nos.>* *n see* **number** N~ **10** BRIT *(PM's residence)* Downing Street Nr. 10

Noah's ark [‚nəʊəz'-] *n no pl, no art* die Arche Noah

nob [nɒb] *n esp* BRIT *(hum, pej fam)* Betuchte(r) *f/m)*

nob·ble ['nɒbl] *vt* BRIT, AUS *(sl)* ❶ *(tamper with)* ▪**to ~ an animal** ein Tier durch Verabreichung von Drogen langsam machen ❷ *(bribe)* bestechen ❸ *(spoil)* ruinieren ❹ *(catch attention)* ▪**to ~ sb** sich *dat* jdn greifen

Nobel prize [‚nəʊ'bel-] *n* Nobelpreis *m*

Nobel 'prize win·ner *n* Nobelpreisträger(in) *m(f)*

no·bil·ity [nə(ʊ)'bɪləti] *n no pl* ❶ *+ sing/pl vb (aristocracy)* ▪**the ~** der Adel ❷ *(character)* hohe Gesinnung

no·ble ['nəʊbl] **I.** *adj* ❶ *(aristocratic)* ad[e]lig ❷ *(estimable)* *ideals, motives, person* edel, nobel ❸ *(impressive)* prächtig; *whiskey* ausgezeichnet; *horse* edel **II.** *n* Ad[e]lige(r) *f/m)*

'no·ble·man *n* Ad[e]liger *m,* Edelmann *m hist* **no·ble-'mind·ed** *adj* edel gesinnt, von edler Gesinnung *nach n geh* **'no·ble·wom·an** *n* Ad[e]lige *f,* Edelfrau *f hist*

no·bly ['nəʊbli] *adv* nobel, edel

no·body ['nəʊbədi] **I.** *pron indef, sing (no people)* niemand; **~ else** niemand anderer **II.** *n <pl -dies> (sb of no importance)* Niemand *m kein pl,* Nobody *m*

no-'con·fi·dence vote *n* Misstrauensvotum *nt*

noc·tur·nal [nɒk'tɜːnəl] *adj (of the night)* nächtlich *attr,* Nacht-; ZOOL *(active at night)* nachtaktiv

noc·tur·nal·ly [nɒk'tɜːnəli] *adv* nachts, in der Nacht

nod [nɒd] **I.** *n usu sing* Nicken *nt kein pl;* **to get the ~** grünes Licht bekommen; **to give sb a ~** jdm zunicken **II.** *vt* <-dd-> ❶ *(as signal)* **to ~ one's head** mit dem Kopf nicken; **to ~ [one's] agreement** zustimmend nicken ❷ *(as greeting)* **to ~ a farewell to sb** jdm zum Abschied zunicken **III.** *vi* <-dd-> ❶ *(as signal)* nicken ❷ *esp* BRIT *(fam: sleep)* ein Nickerchen machen ◆**nod off** *vi* einnicken

nod·ding ['nɒdɪŋ] *adj* ❶ *(head)* nickend ❷ *(fleeting)* *acquaintance* flüchtig; **to have only a ~ acquaintance with sth** *(superficial)* sich nur oberflächlich in etw *dat* auskennen

node [nəʊd] *n* Knoten *m;* *(intersection)* Schnittpunkt *m;* COMPUT Schnittstelle *f*

nod·ule ['nɒdjuːl] *n* Knötchen *nt;* GEOL Klümpchen *nt*

no-'fault *adj attr esp* AM Vollkasko- **no-go 'area** *n* BRIT, **no-'go zone** *n* AM ❶ *(prohibited)* verbotene Zone ❷ MIL Sperrgebiet *nt* **no-holds-barred** [‚nəʊ‚-həʊldz'bɑːd] *adj attr* **to go for a ~ defense** bei der Verteidigung *f* aufs Ganze gehen **no-'hop·er** *n* BRIT, AUS Taugenichts *m*

no·how ['nəʊhaʊ] *adv esp* AM *(fam)* keinesfalls, auf gar keinen Fall

noise [nɔɪz] *n* ❶ *no pl (loudness)* Lärm *m,* Krach *m;* **deafening ~** ohrenbetäubender Lärm; **to make a ~** Krach *m* machen ❷ *(sound)* Geräusch *nt* ❸ *no pl* ELEC *(interference)* Rauschen *nt* ▸**to make a ~** Aufsehen *nt* erregen

'noise bar·ri·er *n* Lärmschutzwand *f*

noise·less ['nɔɪzləs] *adj breath, flight* geräuschlos, lautlos

noise·less·ly ['nɔɪzləsli] *adv* geräuschlos, lautlos

'noise pol·lu·tion *n no pl* Lärmbelästigung *f* **noise pre·ven·tion** *n no pl* Lärmvermeidung *f*

noisi·ly ['nɔɪzɪli] *adv* geräuschvoll

noi·some ['nɔɪsəm] *adj (liter)* ❶ *(fetid)* *smell* übel riechend ❷ *(offensive)* *man* unangenehm; *manner* abstoßend

noisy ['nɔɪzi] *adj* ❶ *(making noise)* laut ❷ *(full of noise)* laut ❸ *(attention-seeking)* Aufmerksamkeit suchend *attr* ❹ ELEC rauschend

'no-jump *n* SPORTS Fehlsprung *m*

no·mad ['nəʊmæd] *n* Nomade(in) *m(f);* *(fig)* Wandervogel *m hum*

no·mad·ic [nə(ʊ)'mædɪk] *adj* nomadisch,

Nomaden-

'no-man's-land n no pl MIL Niemandsland nt ❷ (limbo) Schwebezustand m

no·men·cla·ture [nə(ʊ)'meŋklətʃər] n SCI ❶ no pl (system) Nomenklatur f geh ❷ (form: term) Begriff m

nomi·nal ['nɒmɪnəl] adj ❶ (titular) dem Namen nach nach n, nominell ❷ (small) sum of money gering ❸ (stated) angegeben

nomi·nal·ly ['nɒmɪnəli] adv dem Namen nach, nominell

nomi·nate ['nɒmɪneɪt] vt ❶ (propose) nominieren ❷ (appoint) ■to ~ sb [as] sth jdn zu etw dat ernennen ❸ (fix a date) festlegen

nomi·na·tion [ˌnɒmɪ'neɪʃən] n ❶ (proposal) Nominierung f (for für) ❷ (appointment) Ernennung f (to zu)

nomi·na·tive ['nɒmɪnətɪv] I. n ■the ~ der Nominativ II. adj Nominativ-; **to be in the ~ case** im Nominativ stehen

nomi·nee [ˌnɒmɪ'niː] I. n Kandidat(in) m(f); **Oscar ~s** Oscar-Anwärter pl II. adj attr nominiert

non-ac·'cept·ance n no pl ❶ (rejection) Nichtakzeptanz f; (disrespect) of conditions Nichteinhaltung f ❷ STOCKEX Annahmeverweigerung f

no·na·genar·ian [ˌnəʊnədʒə'neəriən] I. n ■to be a ~ in den Neunzigern sein II. adj in den Neunzigern nach n

non-ag·'gres·sion n no pl Gewaltverzicht m **non-ag·'gres·sion pact** n, **non-ag·'gres·sion treaty** n Nichtangriffspakt m **non-al·co·'hol·ic** adj drink alkoholfrei **non-a'ligned** adj neutral; POL blockfrei **non-a'lign·ment** n no pl Neutralität f; POL Blockfreiheit f

'no-name adj esp AM product No-Name-; **~ cigarettes** Billigzigaretten

non-ap·'pear·ance n no pl LAW Nichterscheinen nt vor Gericht **non-at·'tend·ance** n no pl (at school, hearing) Abwesenheit f **non-bel·'lig·er·ent** I. adj ~ **country** Land, das keinen Krieg führt II. n Kriegsunbeteiligte(r) f(m)

'nonce word ['nɒns-] n ad hoc gebildetes Wort

non·cha·lant ['nɒn(t)ʃələnt] adj gleichgültig

non-com [ˌnɒn'kɒm] n MIL (fam) short for **non-commissioned officer** Unteroffizier(in) m(f)

non-'com·bat·ant n MIL Zivilist(in) m(f) **non-com·'bust·ible** adj nicht brennbar **non-com·mis·sioned 'of·fic·er** n MIL Unteroffizier(in) m(f) **non-com·mit·tal**

[ˌnɒnkə'mɪtəl]] adj letter, tone unverbindlich **non-com·pli·ance** n no pl with order Nichtbeachtung f; with wish Nichterfüllung f **non com·pos** adj, **non com·pos men·tis** [ˌnɒnˌkɒmpəs'mentɪs] adj pred ❶ LAW nicht im Vollbesitz seiner geistigen Kräfte ❷ (hum: insane) nicht ganz richtig fig fam **non-con·'form·ist** I. adj ❶ (independent) nonkonformistisch ❷ BRIT REL ■N~ nonkonformistisch II. n ❶ (eccentric) Nonkonformist(in) m(f) ❷ BRIT REL ■N~ Nonkonformist(in) m(f) **non-con·'form·ity** n no pl ❶ (refusal) Nonkonformismus m (in/to gegenüber) ❷ BRIT REL ■N~ Nonkonformismus m **non-con·'tribu·tory** adj beitragsfrei **non-co·op·e·'ra·tion** n no pl Kooperationsverweigerung f (with in Bezug auf) **non-de·pos·it 'bot·tle** n Einwegflasche f **non·de·script** ['nɒndɪskrɪpt] adj person, building unscheinbar; colour, taste undefinierbar **non-'du·rables** npl Verbrauchsgüter pl

none [nʌn] I. pron ❶ (not any) keine(r, s); **~ of it matters anymore** das spielt jetzt keine Rolle mehr; **she tried to persuade him to retire, but he would have ~ of it** (form) sie versuchte ihn zu überreden, sich pensionieren zu lassen, aber er wollte nichts davon hören; **~ of the brothers/staff** + sing/pl vb keiner der Brüder/Angestellten; **~ of us** + sing/pl vb niemand von uns; **~ at all** gar keine(r, s) ❷ (no person, no one) **~ could match her looks** niemand sah so gut aus wie sie; **~ other than ...** kein Geringerer/keine Geringere als ... ▸ **to be ~ of sb's business** jdn nichts angehen; **to be second to ~** unvergleichlich sein II. adv kein bisschen; **~ too intelligent/pleased** (form) nicht sonderlich intelligent/erfreut

non-en·tity [nɒn'entəti] n (pej) ❶ (nobody) ■a ~ ein Niemand m ❷ no pl (insignificance) Bedeutungslosigkeit f **non-es·'sen·tial** I. adj überflüssig, unnötig II. n unnötige Sache

none·the·less [ˌnʌnðə'les] adv nichtsdestoweniger, trotzdem

non-e'vent n (fam) in one's life Enttäuschung f; party Reinfall m **non-ex·'ist·ence** n no pl Nichtvorhandensein nt **non-ex·'ist·ent** adj nicht vorhanden **non-'fic·tion** n no pl Sachliteratur f **non-'fiction author** n Sachbuchautor(in) m(f) **non-'fiction book** n Sachbuch nt **non-'flam·mable** adj material nicht entflammbar **non-gov·ern·'men·tal** adj organization regierungsunabhängig **non·gov·ern·men·tal or·gani·'za·tion** *n* POL Nichtregierungsorganisation *f* **non-in·'fec·tious** *adj disease* nicht ansteckend **non-'iron** *adj* bügelfrei **non-'mem·ber** *n* Nichtmitglied *nt* **non-mem·ber 'coun·try** *n* POL Nichtmitgliedsland *nt* **non-ne·'go·tiable** *adj* ❶ LAW *terms, conditions* nicht verhandelbar ❷ FIN *document, bill of exchange* nicht übertragbar **non·pa·reil** [ˌnɒnpə'reɪl] (*liter*) **I.** *adj person* einzigartig, ohnegleichen *nach n* **II.** *n* ❶ (*thing*) Einzigartigkeit *f* ❷ (*person*) unerreichter Meister **non·plus** <-ss-> [ˌnɒn'plʌs] *vt* verblüffen **non-pol·'lut·ing** *adj by-product* ungiftig **non-pro·'duc·tive** *adj* unproduktiv; (*ineffective*) unwirksam; FIN *investment* nicht Gewinn bringend *attr* **non-'prof·it** *adj esp* AM, **non-'prof·it-mak·ing** *adj* nicht auf Gewinn ausgerichtet; **~ organization** gemeinnützige Organisation **non-pro·lif·e·'ra·tion** POL **I.** *n no pl* Nichtverbreitung *f* **II.** *adj attr* Nichtverbreitungs- **non-pro·lif·e·'ra·tion trea·ty** *n* POL Nichtverbreitungsvertrag *m* **non-re·'fund·able** *adj payment* nicht zurückzahlbar **non-'resi·dent** **I.** *adj* ❶ (*non local*) auswärtig ❷ COMPUT nicht resident **II.** *n* Nichtortsansässige(r) *f(m)*; (*in hotel*) Nichthotelgast *m* **non-re·'turn·able** *adj bottle, packaging* Einweg-; *payment* nicht rückzahlbar **non-'sched·uled** *adj* unplanmäßig **non·sense** ['nɒnsᵊn(t)s] **I.** *n no pl* ❶ (*absurdity*) Unsinn *m*, Quatsch *m;* **to make ~ of a claim/plan** BRIT, AUS eine Behauptung widerlegen/einen Plan verderben; **to talk ~** Unsinn reden ❷ *no pl* (*misbehaviour*) Unfug *m* ❸ (*showing disapproval*) Blödsinn *m* **II.** *adj attr* ❶ LIT Blödel- ❷ (*meaningless*) unsinnig, sinnlos **III.** *interj* ■~! Quatsch!, Unsinn! **non·sen·si·cal** ['nɒnsen(t)sɪkl] *adj idea, plan* unsinnig **non-'shrink** *adj material, clothing* einlaufsicher **non-'skid** *adj,* **non-'slip** *adj surface* rutschfest **non-'smok·er** *n* ❶ (*person*) Nichtraucher(in) *m(f)* ❷ BRIT (*fam: in train*) Nichtraucherabteil *nt* **non-'smok·ing** *adj area* Nichtraucher- **non-'start·er** *n* (*fam*) ❶ (*person*) Niete *f* ❷ (*idea*) Reinfall *m* **non-'stick** *adj* mit Antihaftbeschichtung **non-'stop** **I.** *adj* Nonstop-; ~ **flight/train** Direktflug/-zug *m* **II.** *adv* nonstop; *talk, rain* ununterbrochen **non-'swim·mer** *n* Nichtschwimmer(in) *m(f)* **non-'tax·able** *adj income* steuerfrei **non-'tox·ic** *adj substance* ungiftig **non-'ver·bal** *adj commu-*

nication nonverbal **non-'vio·lent** *adj* gewaltfrei **non-'vot·ing** *adj shares* nicht stimmberechtigt
noo·dle ['nuːdl] **I.** *n* Nudel *f;* AM Pasta *f* **II.** *vi* AM (*fam*) herumpfuschen; ■**to ~ [around] with sth** mit etw *dat* herummachen
nook [nʊk] *n* Nische *f,* Ecke *f*
noon [nuːn] *n no pl* Mittag *m;* ■**by ~** bis Mittag; ■**about ~** um die Mittagszeit
no one ['nəʊwʌn] *pron see* **nobody**
noose [nuːs] *n* Schlinge *f;* **to have a ~ around one's neck** (*fig*) den Kopf in der Schlinge [stecken] haben
nope [nəʊp] *adv* (*sl*) nö *fam*
nor [nɔːʳ, nəʳ] *conj* ❶ (*and not*) noch; **neither ... ~ ...** weder ... noch ... ❷ *after neg esp* BRIT (*neither*) noch; **I can't be at the meeting and ~ can Andrew** ich kann nicht zum Treffen kommen und Andrew auch nicht
Nor·dic ['nɔːdɪk] *adj* nordisch
norm [nɔːm] *n* Norm *f*
nor·mal ['nɔːmᵊl] **I.** *adj* ❶ (*ordinary*) *person, day* normal ❷ (*usual*) *behaviour* normal (**for** für), üblich; **as [is] ~** wie üblich ❸ (*fit*) gesund; **to be absolutely ~** völlig gesund sein ❹ MATH senkrecht (**to** zu) **II.** *n* ❶ *no pl* Normalzustand *m;* **the temperature was above ~** die Temperatur war höher als normal; **she was back to ~ within a week of the accident** sie war innerhalb einer Woche nach dem Unfall wieder in Ordnung; **to return to ~** *situation* sich normalisieren ❷ MATH Senkrechte *f,* Normale *f fachspr*
nor·mal·cy ['nɔːmᵊlsi] *n* AM Normalität *f*
nor·mal·ity [nɔː'mæləti] *n no pl* Normalität *f;* **to get back to ~** zur Normalität zurückkehren
nor·mali·za·tion [ˌnɔːmᵊlaɪ'zeɪʃᵊn] *n no pl* Normalisierung *f*
nor·mal·ize ['nɔːmᵊlaɪz] **I.** *vt* ❶ (*make normal*) *blood pressure* normalisieren ❷ *esp* COMPUT abgleichen **II.** *vi situation, relations* sich normalisieren
nor·mal·ly ['nɔːmᵊli] *adv* ❶ (*usually*) normalerweise, üblicherweise ❷ (*in a normal way*) normal
Nor·man·dy ['nɔːməndi] *n no pl* (*hist*) die Normandie
north [nɔːθ] **I.** *n* ❶ *no pl* (*direction*) Norden *m;* ■**in the ~** im Norden; ■**to the ~** nach Norden [hin] ❷ (*region*) ■**the N~** BRIT (*North England*) Nordengland *nt;* AM der Norden, die Nordstaaten *pl* **II.** *adj* nördlich, Nord-; **~ of Manchester** nördlich von Manchester **III.** *adv* nordwärts;

■**up** ~ (*fam*) im Norden
North 'Af·ri·ca *n* Nordafrika *nt* **North 'Af·ri·can I.** *n* Nordafrikaner(in) *m(f)* **II.** *adj history, culture* nordafrikanisch
North A'meri·ca *n* Nordamerika *nt*
North A'meri·can I. *n* Nordamerikaner(in) *m(f)* **II.** *adj* nordamerikanisch
North Caro·li·na [-ˌkærəˈlaɪnə] *n* Nordcarolina *nt* **North Da·ko·ta** [-dəˈkəʊtə] *n* Norddakota *nt* **north-'east I.** *n no pl* ❶ (*direction*) Nordosten *m;* ■**to the** ~ [of ...] nordöstlich [von ...] ❷ (*region*) ■**the N~** *of state* der Nordosten **II.** *adj* nordöstlich, Nordost-; ~ **wind** Wind *m* von Nordost **III.** *adv* nordostwärts (**of** von) **north-'east·ern** *adj attr* nordöstlich, Nordost-
nor·ther·ly [ˈnɔːðəli] *adj* nördlich, Nord-
north·ern [ˈnɔːðən] *adj attr* nördlich
north·ern·er [ˈnɔːðənəʳ] *n* Nordlicht *nt fig, hum;* BRIT Nordengländer(in) *m(f);* AM Nordstaatler(in) *m(f)*
North·ern 'Ire·land *n* Nordirland *nt*
North·ern Maria·nas [-ˌmæriˈænəz] *n* die Nordmarianen *pl* **north·ern·most** [ˈnɔːðənməʊst] *adj* nördlichste(r, s)
North·ern Ter·ri·tory *n* Nordterritorium *nt* **North 'Pole** *n* ■**the** ~ der Nordpol **North 'Sea** *n* ■**the** ~ die Nordsee
North-South di·'vide *n* ■**the** ~ das Nord-Süd-Gefälle
north·ward [ˈnɔːθwəd] **I.** *adj migration* nach Norden *nach n,* Nord-; ~ **direction** nördliche Richtung **II.** *adv* nach Norden
north·wards [ˈnɔːθwədz] *adv* nach Norden
north-'west I. *n no pl* Nordwesten *m;* ■**to the** ~ [of sth] nordwestlich [von etw *dat*] **II.** *adj* nordwestlich, Nordwest-; ~ **wind** Wind *m* von Nordwest **III.** *adv* nach Nordwesten **north-'west·er·ly** *adj* nordwestlich, Nordwest-; ~ **wind** Wind *m* aus Nordwest
Northwest 'Ter·ri·tories *npl* Nordwestterritorien *pl*
Nor·way [ˈnɔːweɪ] *n* Norwegen *nt*
Nor·we·gian [nɔːˈwiːdʒən] **I.** *n* ❶ (*person*) Norweger(in) *m(f)* ❷ *no pl* (*language*) Norwegisch *nt* **II.** *adj* norwegisch, Norwegisch-
nose [nəʊz] **I.** *n* ❶ (*organ*) Nase *f;* **runny** ~ laufende Nase; **to blow one's** ~ sich *dat* die Nase putzen ❷ (*front*) Schnauze *f fam; of aircraft* Flugzeugnase *f;* ~ **to tail** dicht an dicht ❸ *no pl* (*smell*) Geruchssinn *m* ▸ **to keep/put one's** ~ **to the grindstone** (*fam*) sich dahinter klemmen; **to get up sb's** ~ BRIT, AUS (*fam*) jdm auf den Wecker gehen; **to have a** [good] ~ **for sth** (*fam*)

einen [guten] Riecher für etw *akk* haben; **to poke one's** ~ **into sth** (*fam*) seine Nase in etw *akk* hineinstecken; **on the** ~ AM (*fam*) genau **II.** *vi* **to** ~ **forwards** sich vorsichtig vorwärtsbewegen **III.** *vt* **to** ~ **one's way forwards/in/out/up** sich vorsichtig seinen Weg vorwärts/hinein-/hinaus-/hinaufbahnen ◆**nose about I.** *vi* (*fam*) herumstöbern **II.** *vt* ■**to** ~ **about sth** in etw *dat* herumstöbern ◆**nose out I.** *vt* ❶ (*discover*) *secrets, details* herausfinden ❷ (*outdo*) ■**to** ~ **sb** ⟳ **out** jdn ausstechen **II.** *vi* sich langsam hervorwagen
'nose·bag *n* Hafersack *m* **'nose·bleed** *n* Nasenbluten *nt* **'nose cone** *n* AVIAT Rumpfspitze *f* **'nose-dive I.** *n* ❶ AVIAT Sturzflug *m;* **to go into a** ~ zum Sturzflug ansetzen ❷ (*fig*) Einbruch *m;* **sb/sth takes a** ~ etw/jd erlebt einen Einbruch **II.** *vi* ❶ AVIAT im Sturzflug heruntergehen ❷ FIN *prices, economy* einbrechen **'nose·gay** *n* (*old*) Gebinde *nt* **'nose job** *n* MED (*fam*) Nasenkorrektur *f* **'nose wheel** *n* AVIAT Bugrad *nt*
nosey [ˈnəʊzi] *adj* (*pej*) neugierig
nosh [nɒʃ] **I.** *n* ❶ *no pl* BRIT, AUS (*sl: food*) Fressalien *pl fam* ❷ BRIT, AUS (*sl: meal*) Imbiss *m* ❸ AM (*snack*) Häppchen *nt* **II.** *vi* ■**to** ~ **on sth** etw futtern **III.** *vt* futtern *sl*
no-show *n* No-Show *m;* (*spec*) (*Fluggast, der nicht erscheint*)
'nosh-up *n* BRIT, AUS (*sl*) Gelage *nt fam*
nos·tal·gia [nɒsˈtældʒə] *n no pl* Nostalgie *f*
nos·tal·gic [nɒsˈtældʒɪk] *adj* nostalgisch
no-'strike agree·ment *n* Streikverbotsabkommen *nt*
nos·tril [ˈnɒstrəl] *n of person* Nasenloch *nt; of horse* Nüster *f*
nosy [ˈnəʊzi] *adj* (*pej*) neugierig
nosy 'par·ker *n esp* BRIT (*fam*) neugierige Person
not [nɒt] *adv* ❶ *after aux vb* nicht; **it's** ~ **unusual** das ist nicht ungewöhnlich; **isn't she beautiful?** ist sie nicht schön? ❷ *in tag question* **it's cold, is it** ~ [*or* **isn't it**]? es ist kalt, nicht [wahr]? ❸ *before n* kein, nicht; **it's a girl,** ~ **a boy** es ist ein Mädchen, kein Junge ❹ *before infin* nicht; **he's asked me** ~ **to do it** er hat mich gebeten, es nicht zu tun ❺ *before predeterminer* nicht; ~ **all children like swimming** nicht alle Kinder schwimmen gerne ❻ *before pron* nicht; ~ **me!** ich nicht! ❼ (*less than*) keine(r, s), weniger als; ~ **one of my answers was right** keine einzige meiner Antworten war richtig ❽ *before adj, adv* (*meaning opposite*) nicht; ~ **always** nicht immer; ~ **much** nicht viel ❾ *before adj*

(*hum, iron: emphasizing opposite*) nicht; **he's ~ bad-looking** er sieht [gar] nicht schlecht aus ❿ (*substituting negative*) nicht; **I hope ~!** ich hoffe nicht! ▶ **~ at all!** (*polite answer*) überhaupt nicht!; (*when thanked*) gern geschehen!; (*denying vehemently*) überhaupt nicht!

no·table ['nəʊtəbl] I. *adj* ❶ (*eminent*) *collection, philosopher* bedeutend; **with one ~ exception** mit einer besonderen Ausnahme ❷ (*remarkable*) *achievement, success* beachtlich, bemerkenswert II. *n* Berühmtheit *f*

no·tab·ly ['nəʊtəbli] *adv* ❶ (*particularly*) insbesondere, vor allem ❷ (*perceptibly*) merklich, auffallend

no·tar·ial [nəʊ'teəriəl] *adj* LAW notariell, Notariats-; **~ fee** Notar[iats]gebühr *f*

no·ta·ry ['nəʊtᵊri] *n*, **no·ta·ry 'pub·lic** <*pl* -ies public> *n* Notar(in) *m(f)*

no·ta·tion [nə(ʊ)'teɪʃᵊn] *n* ❶ MATH, MUS Notation *f fachspr;* **system of ~** Zeichensystem *nt* ❷ (*note*) Notiz *f*

notch [nɒtʃ] *n* <*pl* -es> ❶ (*indentation*) Einkerbung *f* ❷ (*in belt*) Loch *nt* ❸ (*for comparison*) Grad *m;* ■ **a ~ above/below sb/sth** eine Klasse besser/schlechter als jd/etw ❹ (*valley*) Tal *nt*

note [nəʊt] I. *n* ❶ (*record*) Notiz *f;* **to leave a ~** eine Nachricht hinterlassen; **to make a ~ [of sth]** [sich *dat*] eine Notiz [von etw *dat*] machen; **to write sb a ~** jdm eine Nachricht hinterlassen ❷ (*attention*) **to take ~ of sth** von etw *dat* Notiz nehmen ❸ LIT (*annotation*) Anmerkung *f* ❹ MUS Note *f* ❺ (*sound*) Ton *m;* **to strike the right ~** den richtigen Ton treffen ❻ *esp* BRIT, AUS (*money*) [Geld]schein *m* ❼ (*form*) ■ **of ~** von Bedeutung II. *vt* ❶ (*notice*) wahrnehmen; (*pay attention to*) beachten; ■ **to ~ that ...** zur Kenntnis nehmen, dass ... ❷ (*remark*) anmerken; (*point out*) feststellen

'note·book *n* ❶ (*book*) Notizbuch *nt* ❷ COMPUT Notebook *nt*

not·ed ['nəʊtɪd] *adj attr* bekannt (**for** für)

'note·pad *n* ❶ (*pad*) Notizblock *m* ❷ COMPUT Notepad *nt* **'note·paper** *n no pl* Briefpapier *nt*

notes [nəʊts] *npl* Notizen *pl;* **to speak from/without ~** vom Blatt/frei sprechen; **to take ~** [sich *dat*] Notizen machen

note·wor·thy ['nəʊt͵wɜːði] *adj* conclusions, results beachtenswert; **nothing/ something ~** nichts/etwas Besonderes

not-for-'profit *adj* organization, company non-Profit-, gemeinnützig

noth·ing ['nʌθɪŋ] I. *pron indef* ❶ (*not any-*

thing) nichts; **there is ~ like a good cup of coffee** es geht nichts über eine gute Tasse Kaffee; **all or ~** alles oder nichts; ■ **~ but** nichts als; **~ of the kind** nichts dergleichen; **to count for ~** nichts gelten; **~ else** nichts weiter, sonst nichts ❷ (*of no importance*) nichts; **~ much** nicht viel; **to be ~ to sb** jdm nichts bedeuten; **it's ~** (*fam*) nicht der Rede wert; **it's ~ to do with me** das hat nichts mit mir zu tun ❸ (*zero*) Null *f* ❹ AM SPORTS (*no points*) null ▶ **come to ~** sich zerschlagen; [**all**] **for ~** [vollkommen] umsonst; **not for ~** nicht umsonst; **you ain't heard/seen ~ yet** (*fam*) das hast du noch nicht gehört/gesehen; **there's ~ in it** es ist nichts dran; **to be ~ less/more than ...** nichts Geringeres/ weiter sein, als ...; **there's ~ to it** (*easy*) dazu gehört nicht viel; (*not true*) da ist nichts dran *fam* II. *n* (*fam*) ❶ (*person*) Niemand *m* ❷ (*thing*) Unwichtigkeit *f* III. *adv* ❶ (*not*) überhaupt nicht; **to look ~ like sb/sth** jdm/etw nicht ähnlich sehen ❷ *after n* AM (*fam: emphatically not*) wahrlich nicht IV. *adj attr* (*fam*) persons, activities belanglose(r, s)

noth·ing·ness ['nʌθɪŋnəs] *n no pl* ❶ (*emptiness*) Nichts *nt* ❷ (*worthlessness*) Bedeutungslosigkeit *f*

'no-throw *n* SPORTS Fehlwurf *m*

no·tice ['nəʊtɪs] I. *vt* ❶ (*see*) bemerken; (*catch*) mitbekommen; (*perceive*) wahrnehmen ❷ (*pay attention to*) beachten; (*take note of*) zur Kenntnis nehmen; (*realize*) [be]merken; (*become aware of*) ■ **to ~ sb/sth** auf jdn/etw aufmerksam werden II. *n* ❶ *no pl* (*attention*) Beachtung *f;* **it came to my ~ that ...** es ist mir zu Ohren gekommen, dass ...; **it escaped my ~ that ...** es ist mir entgangen, dass ...; **to bring sth to sb's ~** jdn auf etw *akk* aufmerksam machen; **to take ~ of sb/sth** von jdm/etw Notiz nehmen; **don't take any ~ of what she says** kümmere dich nicht um das, was sie sagt; **to take no ~ of the fact that ...** die Tatsache ignorieren, dass ... ❷ (*poster*) Plakat *nt* ❸ (*in a newspaper*) Anzeige *f* ❹ *no pl* (*information in advance*) **to give sb ~** jdn [vorab] informieren; **at a day's/four days' ~** binnen eines Tages/vier Tagen; **at a moment's ~** jederzeit; **until further ~** bis auf weiteres ❺ (*written notification*) Benachrichtigung *f* ❻ *no pl* (*to end an arrangement*) **to give [in] one's ~** kündigen; **to give sb his/ her ~** jdm kündigen

no·tice·able ['nəʊtɪsəbl] *adj* improvement, increase merklich

no·tice·ably ['nəʊtɪsəbli] *adv* merklich, wahrnehmbar

'**no·tice·board** *n* Aushang *m,* schwarzes Brett

no·ti·fi·able ['nəʊtɪfaɪəbl̩] *adj disease* meldepflichtig

no·ti·fi·ca·tion [ˌnəʊtɪfɪ'keɪʃⁿn] *n* Mitteilung *f*

no·ti·fy <-ie-> ['nəʊtɪfaɪ] *vt* ▪ **to ~ sb** [of sth] jdn [über etw *akk*] unterrichten; ▪ **to ~ sb that ...** jdn benachrichtigen, dass ...; ▪ **to ~ sb how/what/where ...** jdm mitteilen, wie/was/wo ...

no·tion ['nəʊʃⁿn] *n* ❶ (*belief*) Vorstellung *f*; (*vague idea*) Ahnung *f* (**of** von) ❷ (*whim*) Vorstellung *f*

no·tion·al ['nəʊʃⁿnᵊl] *adj* (*form*) fiktiv; *payment* nominell

no·to·ri·ety [ˌnəʊtᵊr'aɪəti] *n no pl* [traurige] Berühmtheit (**for** wegen)

no·to·ri·ous [nə(ʊ)'tɔːriəs] *adj temper, thief* notorisch; *criminals* berüchtigt; **to be ~ for sth** berüchtigt für etw *akk* sein

no·to·ri·ous·ly [nə(ʊ)'tɔːriəsli] *adv* notorisch, bekanntlich; **~ difficult** bekanntlich schwierig

'**no-touch** *adj attr taps, switches* kontaktlos

not·with·stand·ing [ˌnɒtwɪθ'stændɪŋ] (*form*) **I.** *prep* ungeachtet **II.** *adv* trotzdem **III.** *conj* ▪ **~ that ...** obwohl, ...

nou·gat ['nuːgɑː] *n no pl* Nougat *nt*

nought [nɔːt] *n* ❶ *esp* BRIT Null *f* ❷ *no pl see* **naught**

nough·ties, Nough·ties ['nɔːtiz] *npl* (*fam*) das Jahrzehnt von 2000 bis 2010

noun [naʊn] *n* Hauptwort *nt,* Substantiv *nt*

nour·ish ['nʌrɪʃ] *vt* ❶ (*feed*) ernähren ❷ (*enrich*) *skin* pflegen ❸ (*form: cherish*) **to ~ ambitions** Ambitionen haben; **to ~ the hope that ...** die Hoffnung hegen, dass ...

nour·ish·ing ['nʌrɪʃɪŋ] *adj* ❶ (*healthy*) *food, drink* nahrhaft ❷ (*rich*) *cream* reichhaltig

nour·ish·ment ['nʌrɪʃmənt] *n no pl* ❶ (*food*) Nahrung *f* ❷ (*vital substances*) Nährstoffe *pl* ❸ (*feeding*) Ernährung *f*

nous [naʊs] *n no pl* BRIT, AUS (*fam*) Grips *m;* **business ~** Geschäftssinn *m*

Nova Sco·tia [ˌnəʊvə'skəʊʃə] *n* Neuschottland *nt*

nov·el[1] ['nɒvᵊl] *n* (*book*) Roman *m;* **detective ~** Kriminalroman *m*

nov·el[2] ['nɒvᵊl] *adj* (*new*) neuartig; *approach, idea* kreativ, erfinderisch

nov·el·ette [ˌnɒvᵊ'let] *n* ❶ LIT Novelette *f* *fachspr* ❷ (*esp pej*) Kitschroman *m*

nov·el·ist ['nɒvᵊlɪst] *n* Romanautor(in) *m(f)*

nov·el·ty ['nɒvᵊlti] *n* ❶ (*new thing*) Neuheit *f* ❷ *no pl* (*newness*) Neuartigkeit *f;* **to have ~ value** den Reiz des Neuen haben ❸ (*trinket*) Krimskrams *m;* (*funny*) Scherzartikel *m;* (*surprising*) Überraschung *f;* **~ goods** Scherzartikel *pl;* **~ shop** Laden, *in dem allerlei Krimskrams verkauft wird*

No·vem·ber [nəʊ'vembᵊr] *n* November *m; see also* **February**

nov·ice ['nɒvɪs] **I.** *n* ❶ (*learner*) Anfänger(in) *m(f)* ❷ REL Novize(in) *m(f)* **II.** *adj* ❶ (*learner*) *pilot, skier* unerfahren ❷ REL **~ monk/nun** Mönch *m*/Nonne *f* in der Ausbildung

now [naʊ] **I.** *adv* ❶ (*at present*) jetzt; **he's in the bath just ~, can he call you back?** er ist jetzt gerade im Bad, kann er zurückrufen?; **until ~** bis jetzt ❷ (*at once*) [**right**] **~** jetzt, sofort, gleich ❸ (*till today*) jetzt [schon] ❹ (*hence*) jetzt ❺ (*soon*) demnächst; **the puppies will be born any day ~** die Hundewelpen können jetzt jeden Tag zur Welt kommen; **just ~** SA (*in a little while*) bald, gleich ❻ (*short time ago*) **just ~** gerade eben ❼ (*after repetition*) **what do you want ~?** was willst du denn nun? ❽ (*occasionally*) [**every**] **~ and then** ab und zu ❾ (*as introduction*) **and ~ for something completely different** und nun zu etwas völlig anderem ❿ (*before request, command, suggestion*) **~, where did I put my hat?** wo habe ich denn jetzt nur meinen Hut hingelegt? ⓫ (*in irony*) **~, ~ so, so** ⓬ (*soothing*) **~, ~, don't cry** aber, aber, nicht weinen; (*warning*) **~, ~, children, stop fighting!** na, na, Kinder, hört auf zu streiten! ▸ [**it's/it was**] **~ or never** (*saying*) jetzt oder nie; **~ you're talking!** (*saying*) schon besser! **II.** *n* Jetzt *nt;* **~ isn't a good time to speak to him** augenblicklich ist keine gute Zeit, mit ihm zu reden; **that's all for ~** das ist für den Augenblick alles; **by ~** mittlerweile; **from ~ on** ab sofort **III.** *conj* **~** [**that**] **...** jetzt, wo ...

nowa·days ['naʊədeɪz] *adv* heutzutage

no·where ['nəʊ(h)weᵊr] **I.** *adv* nirgends, nirgendwo; **she was ~ to be seen** sie war nirgends zu sehen; **without your help he would be ~** ohne deine Hilfe wäre er nichts; **I'm trying to persuade her to come but I'm getting ~** ich versuche ja, sie zum Mitkommen zu überreden, aber ich stoße nur auf Granit; **from ~** aus dem Nichts *a. fig* **II.** *n* Nirgendwo *nt* **III.** *adj attr* (*fam*) ausweglos

nowt [naʊt] *pron* Brit, dial nix *fam*

nox·ious ['nɒkʃəs] *adj* (*form*) ❶ (*toxic*) giftig ❷ (*unpleasant*) übel

noz·zle ['nɒzl] *n* Düse *f; of petrol pump* [Zapf]hahn *m*

nu·ance ['nju:ɑ:n(t)s] *n* Nuance *f; of meaning* Bedeutung *f*

nub [nʌb] *n* ❶ (*small lump*) Stückchen *nt* ❷ (*crux*) Kernpunkt *m;* **the ~ of the matter** der springende Punkt

nu·bile ['nju:baɪl] *adj* (*hum*) [sehr] anziehend

nu·clear ['nju:kliər] *adj* ❶ (*of energy*) Kern-, Atom- ❷ MIL nuklear, atomar; **~-free zone** atomwaffenfreie Zone ❸ NUCL Kern-

nu·clear 'medi·cine *n no pl* Nuklearmedizin *f* **nu·clear non·pro·lif·e·ra·tion trea·ty** *n* Nichtverbreitungsabkommen *nt* über Atomwaffen **nu·clear 'pow·er** *n* Atomenergie *f* **nu·clear 'pow·er plant** *n,* **nu·clear 'pow·er sta·tion** *n* Kernkraftwerk *nt,* Atomkraftwerk *nt* **nu·clear re·'ac·tor** *n* Atomreaktor *m*

nu·cleic acid [nju:ˌkliːɪk'-] *n* BIOL, CHEM Nukleinsäure *f*

nu·cleus <*pl* -clei *or* -es> ['nju:kliəs] *n also* BIOL, NUCL Kern *m*

nude [nju:d] I. *adj* nackt; **~ model** Aktmodel *nt; ~* **sunbathing** Nacktbaden *nt* II. *n* ❶ ART Akt *m* ❷ (*nakedness*) **in the ~** nackt; **to sunbathe/swim in the ~** nackt sonnenbaden/schwimmen

nudge [nʌdʒ] I. *vt* ❶ (*push*) stoßen ❷ (*urge*) ■**to ~ sb into sth** jdn zu etw *dat* drängen ❸ (*approach*) **he must be nudging 60 now** er geht bestimmt auch schon auf die 60 zu II. *vi* Brit **prices have ~d downward/upward** die Preise sind gesunken/gestiegen III. *n* ❶ (*push*) Schubs *m* ❷ (*encouragement*) Anstoß *m*

nud·ism ['nju:dɪzəm] *n no pl* Freikörperkultur *f*

nud·ist ['nju:dɪst] *n* Nudist(in) *m(f)* **'nud·ist beach** *n* FKK-Strand *m* **'nud·ist camp** *n* FKK-Lager *nt fam*

nu·dity ['nju:dəti] *n no pl* Nacktheit *f*

nu·ga·tory ['nju:gətəri] *adj* (*form*) belanglos

nug·get ['nʌgɪt] *n* ❶ (*lump*) Klumpen *m;* **gold ~** Goldklumpen *m* ❷ FOOD **chicken ~** Hähnchennugget *nt* ❸ (*esp hum: fact*) Weisheit *f*

nui·sance ['nju:s³n(t)s] *n* ❶ (*pesterer*) Belästigung *f,* Plage *f* ❷ (*annoyance*) Ärger *m;* **what a ~!** wie ärgerlich!; **to make a ~ of oneself** lästig werden ❸ LAW Belästigung *f;* **public ~** öffentliches Ärgernis

nuke [nju:k] (*sl*) I. *vt* ❶ MIL atomar angreifen ❷ *esp* Am, Aus (*in microwave*) warm machen II. *n* ❶ (*power station*) Atomkraftwerk *nt* ❷ (*bomb*) Atombombe *f*

null [nʌl] *adj,* **null and 'void** *adj pred* LAW null und nichtig

nul·li·fi·ca·tion [ˌnʌlɪfɪˈkeɪʃ³n] *n of agreement, law, treaty* Ungültigkeitserklärung *f; of marriage* Annullierung *f*

nul·li·fy <-ie-> ['nʌlɪfaɪ] *vt* ❶ (*invalidate*) für ungültig erklären ❷ (*make useless*) *one's work* zunichtemachen

nul·lity ['nʌləti] *n no pl* LAW *of marriage* Ungültigkeit *f*

numb [nʌm] I. *adj* ❶ *limbs* taub; **~ with cold** taub vor Kälte; **to feel ~** sich taub anfühlen; **to go ~** einschlafen ❷ (*torpid*) benommen; **to feel ~** sich benommen fühlen ❸ (*shocked*) **to be ~ with disbelief** ungläubig starren; **to be ~ with grief** vor Schmerz wie betäubt sein II. *vt* ❶ (*deprive of feeling*) *limbs* taub machen; **~ed with grief** vor Schmerz ganz starr ❷ (*desensitize*) ■**to be ~ed by sth** durch etw *akk* abgestumpft sein ❸ (*lessen*) **to ~ the pain** den Schmerz betäuben

num·ber¹ ['nʌmbər] I. *n* ❶ MATH Zahl *f* ❷ (*symbol*) Zahl *f* ❸ (*sums*) ■**~s** *pl* Rechnen *nt kein pl,* Zahlen *pl fam* ❹ (*identifying number*) Nummer *f* ❺ *no pl,* + *sing/pl vb* (*amount*) [An]zahl *f;* **any ~ of things could go wrong** alles Mögliche könnte schiefgehen; **in enormous/huge/large ~s** in enormen/riesigen/großen Stückzahlen [*o* Mengen] ❻ *no pl,* + *sing/pl vb* (*several*) **for a ~ of reasons** aus vielerlei Gründen ❼ (*members*) Gruppe *f* ❽ (*issue*) Ausgabe *f;* **back ~** frühere Ausgabe ❾ (*performance*) Auftritt *m;* (*music*) Stück *nt* ❿ Am (*sl: person*) Nummer *f fam* ⓫ Am (*sl: tale*) Nummer *f fam* ▶ **by** [sheer] force of **~s** [allein] aufgrund zahlenmäßiger Überlegenheit; **to look out for ~ one** (*fam*) sich nur um sich selbst kümmern II. *vt* ❶ (*mark in series*) nummerieren ❷ (*count*) abzählen ❸ (*comprise*) zählen ❹ (*form: include*) ■**to ~ sb among sth** jdn zu etw *dat* zählen

num·ber² ['nʌmər] *adj comp of* **numb**

num·ber·ing ['nʌmbərɪŋ] *n no pl* Nummerierung *f*

num·ber·less ['nʌmbələs] *adj* (*esp liter*) zahllos, unzählig

'num·ber plate *n* Brit Nummernschild *nt*

numb·ness ['nʌmnəs] *n no pl* ❶ *of limbs* Taubheit *f* ❷ (*torpor*) Benommenheit *f;* (*because of shock, grief*) Starre *f*

nu·mera·cy ['nju:m³rəsi] *n no pl* MATH Rechnen *nt*

nu·mer·al [ˈnjuːmərᵊl] n Ziffer f

nu·mer·ate [ˈnjuːmᵊrət] adj rechenfähig

nu·mera·tion [ˌnjuːmᵊrˈeɪʃᵊn] n no pl (form) Nummerierung f

nu·mera·tor [ˈnjuːmᵊreɪtᵊr] n MATH Zähler m

nu·meri·cal [njuːˈmerɪkl] adj numerisch; **in ~ order** in numerischer Reihenfolge; **~ skills** rechnerische Fähigkeiten

nu·mer·ic 'key·pad [njuːˈmerɪk-] n COMPUT Ziffernblock m

nu·mer·ous [ˈnjuːmᵊrəs] adj zahlreich

nu·mis·mat·ics [ˌnjuːmɪzˈmætɪks] n no pl Numismatik f

num·skull [ˈnʌmskʌl] n Hohlkopf m pej fam

nun [nʌn] n Nonne f

nun·cio [ˈnʌn(t)siəʊ, -ʃiəʊ] n REL Nuntius m

nun·nery [ˈnʌnᵊri] n (dated) [Nonnen]kloster nt

nup·tial [nʌpʃᵊl] adj (form, liter) ehelich; **~ vows** Ehegelöbnis n

nurse [nɜːs] I. n ❶ (at hospital) [Kranken]schwester f; (male) Krankenpfleger m ❷ (nanny) Kindermädchen nt II. vt ❶ (care for) pflegen; **to ~ sb/an animal back to health** jdn/ein Tier wieder gesund pflegen ❷ (heal) [aus]kurieren ❸ (nurture) plant, plan hegen ❹ (harbour) feeling, grudge hegen (**against** gegen) ❺ (cradle) [vorsichtig] im Arm halten ❻ (suckle) child stillen III. vi in der Krankenpflege arbeiten

nurse·ry [ˈnɜːsᵊri] n ❶ (crèche) Kindergarten m; (school) Vorschule f; **~ facilities** Betreuungsmöglichkeiten pl für Kleinkinder; **~ teacher** (at crèche) Kindergärtner(in) m(f); (at school) Vorschullehrer(in) m(f) ❷ (room) Kinderzimmer nt ❸ HORT Gärtnerei f; (for trees) Baumschule f

'nurse·ry rhyme n Kinderreim m; (song) Kinderlied nt **'nurse·ry school** n Vorschule f **'nurse·ry slopes** npl BRIT SKI Anfängerhügel m

nurs·ing [ˈnɜːsɪŋ] I. n no pl ❶ (taking care) [Kranken]pflege f; **to go into ~** Krankenpfleger/Krankenpflegerin werden ❷ (feeding) Stillen nt II. adj ❶ (caring) Krankenpflege-; **~ profession** Krankenpflegeberuf m ❷ (feeding) **~ mothers** stillende Mütter

'nurs·ing home n ❶ (for old people) Pflegeheim nt ❷ (for convalescents) Genesungsheim nt

nur·ture [ˈnɜːtʃᵊr] I. vt (form) ❶ (raise) aufziehen; plant hegen ❷ (encourage) fördern ❸ (harbour) ambitions, dream hegen II. n no pl ❶ (upbringing) Erziehung f ❷ (nourishing) Nahrung f a. fig

nut [nʌt] I. n ❶ (fruit) Nuss f ❷ TECH Mutter f ❸ (fam: madman) Bekloppte(r) f(m) sl ❹ (fam: fool) Verrückte(r) f(m) ❺ (fam: fan) Fanatiker(in) m(f) ❻ (fam: head) Schädel m; **to do one's ~** BRIT, AUS durchdrehen; **to use one's ~** sein Hirn benutzen ❼ AM (fam: costs) Geldbedarf m ▸ **the ~s and bolts of sth** die fundamentalen Grundlagen einer S. gen; **a hard ~ to crack** (problem) eine harte Nuss; (person) eine schwierige Person II. vt <-tt-> (fam) ■ **to ~ sb** jdm eine Kopfnuss geben

'nut·crack·er n Nussknacker m **'nut·hatch** n ORN Kleiber m **'nut·house** n (sl) Klapsmühle f fam

nut·meg [ˈnʌtmeg] n ❶ no pl (spice) Muskat m ❷ (fruit) Muskatnuss f

nu·tri·ent [ˈnjuːtriənt] I. n Nährstoff m II. adj ❶ BIOL, FOOD Nährstoff- ❷ (nourishing) nahrhaft

nu·tri·tion [njuːˈtrɪʃᵊn] n no pl ❶ (eating) Ernährung f; **~ content** Nährstoffgehalt m ❷ (science) Ernährungswissenschaft f

nu·tri·tion·ist [njuːˈtrɪʃᵊnɪst] n Ernährungswissenschaftler(in) m(f)

nu·tri·tious [njuːˈtrɪʃəs] adj nährstoffreich; (nourishing) nahrhaft

nuts [nʌts] I. npl esp AM (fam!) Eier pl vulg II. adj pred ❶ (foolish) ■ **to be ~** verrückt sein ❷ (angry) **to go ~** ausrasten ❸ (enthusiastic) ■ **to be ~ about sb/sth** verrückt nach jdm/etw sein

'nut·shell n no pl Nussschale f ▸ **in a ~** kurz gesagt

nut·ty [ˈnʌti] adj ❶ (full of nuts) mit vielen Nüssen nach n ❷ (tasting like nuts) taste, aroma nussig ❸ (fam: crazy) idea, person verrückt ❹ (fam: enthusiastic) ■ **to be ~ about sb/sth** ganz verrückt nach jdm/auf etw akk sein

nuz·zle [ˈnʌzl] I. vt mit der Nase und dem Mund [sanft] berühren II. vi ■ **to ~ [up] against sb/sth** [sich] an jdn/etw ankuscheln; ■ **to ~ in[to] sth** dogs, horses die Schnauze in etw akk drücken

NW I. n no pl abbrev of **north-west** NW. II. adj ❶ abbrev of **north-west** NW- ❷ abbrev of **north-western** NW- III. adv abbrev of **north-west**

N.Y. AM abbrev of **New York**

ny·lon [ˈnaɪlɒn] n ❶ no pl Nylon nt ❷ (dated: stockings) ■ **~s** pl Nylonstrümpfe pl

nymph [nɪm(p)f] n Nymphe f

nym·pho·ma·nia [ˌnɪm(p)fə(ʊ)ˈmeɪniə] n

no pl Nymphomanie *f*
nym·pho·ma·ni·ac
[ˌnɪm(p)fə(ʊ)ˈmeɪniæk] (*pej*) **I.** *n* Nym-

phomanin *f* **II.** *adj* nymphomanisch
NZ *n no pl abbrev of* **New Zealand**

O o

O <pl -'s or -s>, **o** <pl -'s> [əʊ] n ❶(letter) O nt, o nt; see also **A 1** ❷(blood type) O ❸(zero) Null f; **my phone number is three, ~, five, one** meine Telefonnummer ist drei, null, fünf, eins

oaf [əʊf] n (pej fam) ❶(clumsy person) Tölpel m ❷(stupid person) Dummkopf m

oaf·ish ['əʊfɪʃ] adj (pej fam) ❶(rude) person, behaviour rüpelhaft ❷(clumsy) person tölpelig

oak [əʊk] **I.** n ❶(tree) Eiche f ❷no pl (wood) Eiche f, Eichenholz nt **II.** adj ❶(wooden) furniture aus Eichenholz nach n ❷(of tree) leaves Eichen-

OAP [ˌəʊeɪ'piː] n BRIT abbrev of **old age pensioner**

oar [ɔːʳ] n (paddle) Ruder nt

'oars·man n Ruderer m **'oars·wom·an** n Ruderin f

oasis <pl -ses> [əʊ'eɪsɪs, pl -siːz] n (also fig) Oase f

oat [əʊt] n Hafer m; ■ ~**s** pl (hulled grain) Haferkörner pl; (rolled) Haferflocken pl

'oat·cake n Haferplätzchen nt

oath [əʊθ] n ❶(promise) Eid m; **to declare under ~** unter Eid aussagen; **to take an ~ on sth** einen Eid auf etw akk schwören; **to be under ~** unter Eid stehen ❷(liter: curse) Fluch m

'oat·meal ['əʊtmiːl] **I.** n no pl ❶(flour) Hafermehl nt ❷AM (porridge) Haferbrei m **II.** adj (containing oatmeal) Hafer-

OAU [ˌəʊeɪ'juː] n abbrev of **Organization of African Unity**

ob·du·ra·cy ['ɒbdjʳrəsi] n no pl (pej form) Hartnäckigkeit f

ob·du·rate ['ɒbdjʳrət] adj (pej form) ❶(stubborn) hartnäckig; person stur ❷(difficult) problem hartnäckig

OBE [ˌəʊbiː'iː] n BRIT abbrev of **Order of the British Empire** britischer Verdienstorden

obedi·ence [ə(ʊ)'biːdiən(t)s] n no pl Gehorsam m (**to** gegenüber)

obedi·ent [ə(ʊ)'biːdiənt] adj gehorsam; child, dog also folgsam

obedi·ent·ly [ə(ʊ)'biːdiəntli] adv gehorsam, folgsam; **to act ~** gehorsam sein

ob·elisk ['ɒbʳlɪsk] n Obelisk m

obese [ə(ʊ)'biːs] adj fett pej; esp MED fettleibig

obesity [ə(ʊ)'biːsəti] n no pl Fettheit f pej; esp MED Fettleibigkeit f

obey [ə(ʊ)'beɪ] **I.** vt (comply with) gehor-

chen +dat; **to ~ the law** sich an das Gesetz halten; order, rules befolgen **II.** vi gehorchen

obi·tu·ary [ə(ʊ)'bɪtʃʊəri] n Nachruf m

object¹ ['ɒbdʒɪkt] n ❶(thing) also LING Objekt nt ❷usu sing (aim) Zweck m ❸usu sing (form: focus) Gegenstand m ❹(obstacle) Hinderungsgrund m; **money is no ~** Geld spielt keine Rolle

object² [ɒb'dʒekt] **I.** vi ❶(oppose, disapprove) dagegen sein; (mind, dislike) etwas dagegen haben; ■**to ~ to sth** (oppose, disapprove) gegen etw akk sein; (dislike, mind) etwas gegen etw akk haben; (stronger) sich dat etw verbitten ❷(protest) protestieren **II.** vt einwenden

ob·jec·tion [əb'dʒekʃʳn] n Einwand m, Widerspruch m

ob·jec·tion·able [əb'dʒekʃʳnʳbl] adj (form) unangenehm; (offensive) anstößig; smell, sight übel

ob·jec·tive [əb'dʒektɪv] **I.** n ❶(aim) Ziel nt ❷PHOT Objektiv nt **II.** adj ❶(unbiased) objektiv ❷(actual) sachlich; ~ **fact** Tatsache f

ob·jec·tive·ly [əb'dʒektɪvli] adv ❶(impartially) objektiv ❷(in fact) sachlich

ob·jec·tiv·ity [ˌɒbdʒɪk'tɪvəti] n no pl ❶(impartiality) Objektivität f ❷(actuality) Sachlichkeit f

'ob·ject les·son n (approv) Paradebeispiel nt (**in** für)

ob·jec·tor [əb'dʒektəʳ] n Gegner(in) m(f) (**to** +gen)

ob·li·gat·ed ['ɒblɪgeɪtɪd] adj pred esp AM (form) ■**to be ~ to do sth** dazu verpflichtet sein, etw zu tun

ob·li·ga·tion [ˌɒblɪ'geɪʃʳn] n Verpflichtung f (**to** gegenüber)

ob·liga·tory [ə'blɪgətʳri] adj obligatorisch

oblige [ə'blaɪdʒ] **I.** vt ❶(force) ■**to be/ feel ~d to do sth** verpflichtet sein/sich akk verpflichtet fühlen, etw zu tun ❷(please) ■**to ~ sb [by doing sth]** jdm [durch etw akk] einen Gefallen erweisen ❸(to thank) **much ~d!** herzlichen Dank! **II.** vi helfen; **to be happy to ~** bereitwillig helfen

oblig·ing [ə'blaɪdʒɪŋ] adj (approv) behaviour entgegenkommend; character, person zuvorkommend

oblig·ing·ly [ə'blaɪdʒɪŋli] adv entgegenkommenderweise, freundlicherweise, liebenswürdigerweise

oblique [ə(ʊ)'bliːk] **I.** adj ❶(indirect) indirekt ❷ *(slanting)* *line* schief ❸ MATH *angle* schief **II.** *n* Schrägstrich *m*

oblit·erate [əˈblɪtəreɪt] *vt* ❶ *(destroy)* vernichten ❷ *(efface)* verwischen; **centuries of wind and rain had ~d the words carved on the gravestones** jahrhundertelanger Wind und Regen hatten die Worte auf den Grabsteinen so gut wie verschwinden lassen ❸ *(forget)* *thought* verdrängen; **to ~ the past** die Vergangenheit aus dem Gedächtnis tilgen

oblit·era·tion [əˌblɪtəˈreɪʃən] *n no pl* ❶ *(destruction)* Auslöschung *f*, Vernichtung *f* ❷ *(effacing)* Verwischung *f* ❸ *(suppression)* *of memories* Verdrängung *f*

oblivi·on [əˈblɪviən] *n no pl* ❶ *(obscurity)* Vergessenheit *f*; **to fall into ~** in Vergessenheit geraten ❷ *(unconsciousness)* Besinnungslosigkeit *f* ❸ *(extinction)* Verwüstung *f*; **the planes bombed the city into ~** die Flugzeuge haben die Stadt in Schutt und Asche gelegt

oblivi·ous [əˈblɪviəs] *adj* ▪**to be ~ of sth** sich *dat* einer S. *gen* nicht bewusst sein; *(not noticing)* etw gar nicht bemerken

ob·long [ˈɒblɒŋ] **I.** *n* Rechteck *nt* **II.** *adj* rechteckig

ob·nox·ious [əbˈnɒkʃəs] *adj* *(pej)* widerlich; *person also* unausstehlich

oboe [ˈəʊbəʊ] *n* Oboe *f*

obo·ist [ˈəʊbəʊɪst] *n* Oboist(in) *m(f)*

ob·scene [əbˈsiːn] *adj* ❶ *(offensive)* obszön; *joke* zotig; *language* vulgär ❷ *(immoral)* schamlos ❸ *(repulsive)* Ekel erregend

ob·scen·ity [əbˈsenɪti] *n* ❶ *no pl of behaviour, language* Obszönität *f* ❷ *of situation* Perversität *f* ❸ *(swear-word)* Obszönität *f*; **to use an ~** einen ordinären Ausdruck benutzen

ob·scure [əbˈskjʊəʳ] **I.** *adj* ❶ *(unknown)* *author, place, origins* unbekannt ❷ *(unclear)* unbestimmt; *reasons, comment, text* schwer verständlich; **for some ~ reason** aus irgendeinem unerfindlichen Grund ❸ *(not important)* unbedeutend **II.** *vt* ❶ *(block)* *view* versperren; **heavy clouds were obscuring the sun** schwere Wolken verdunkelten die Sonne ❷ *(suppress)* *truth* verschleiern ❸ *(make unclear)* unklar machen

ob·scu·rity [əbˈskjʊərəti] *n no pl* ❶ *(anonymity)* Unbekanntheit *f*; *(of no importance)* Unbedeutendheit *f*; **to sink into ~** in Vergessenheit geraten ❷ *(difficulty) of language, texts* Unverständlichkeit *f*, Unklarheit *f*

ob·se·qui·ous [əbˈsiːkwiːəs] *adj* *(pej*

form) person, manner unterwürfig; ▪**to be ~ to sb** sich jdm gegenüber unterwürfig verhalten

ob·serv·able [əbˈzɜːvəbl] *adj* wahrnehmbar

ob·ser·vance [əbˈzɜːvən(t)s] *n* *(form)* ❶ REL *(practice)* Einhaltung *f*; *(celebration)* Kirchenfeier *nt*; **religious ~s** religiöse Gebote ❷ *(obedience)* Beachtung *f*; *law* Befolgung *f*

ob·ser·vant [əbˈzɜːvənt] *adj* *(approv)* ❶ *(sharp-eyed)* aufmerksam ❷ *(heeding religious rule)* praktizierend *attr*

ob·ser·vant·ly [əbˈzɜːvəntli] *adv* *(approv)* aufmerksam

ob·ser·va·tion [ˌɒbzəˈveɪʃən] *n* ❶ *no pl* *(watching closely)* Beobachtung *f*; *by police* Überwachung *f* ❷ *no pl* *(noticing things)* Beobachtung *f* ❸ *(form: thought)* Überlegung *f* ❹ *(remark)* Bemerkung *f* *(about über)*

ob·ser·'va·tion car *n*, BRIT *also* **ob·ser·'va·tion coach** *n* Aussichtswagen *m* **ob·ser·'va·tion post** *n* Beobachtungsposten *m* **ob·ser·'va·tion tow·er** *n* Aussichtsturm *m*

ob·ser·va·tory [əbˈzɜːvətri] *n* Observatorium *nt*

ob·serve [əbˈzɜːv] **I.** *vt* ❶ *(watch closely)* beobachten; *by police* überwachen ❷ *(form: notice)* bemerken; ▪**to ~ that ...** feststellen, dass ... ❸ *(form: remark)* bemerken ❹ *(form: obey)* *ceasefire, neutrality* einhalten; *law, order* befolgen; **to ~ a rule/speed limit** sich an eine Regel/Geschwindigkeitsbegrenzung halten ❺ *(maintain)* **to ~ silence** Stillschweigen bewahren ❻ *(celebrate)* feiern; **to ~ the Sabbath** den Sabbat einhalten **II.** *vi* zusehen; ▪**to ~ how ...** beobachten, wie ...

ob·serv·er [əbˈzɜːvəʳ] *n* *(person who observes without participating)* Beobachter(in) *m(f)*; *(spectator)* Zuschauer(in) *m(f)*

ob·sess [əbˈses] *vt* verfolgen; **to be ~ed with sth/sb** von etw/jdm besessen sein

ob·ses·sion [əbˈseʃən] *n* ❶ *(preoccupation)* Manie *f*, Besessenheit *f*; **with cleanliness** Sauberkeitsfimmel *m fam*; **to have an ~ with sth** von etw *dat* besessen sein ❷ PSYCH *(distressing idea)* Zwangsvorstellung *f*

ob·ses·sive [əbˈsesɪv] **I.** *adj* zwanghaft; **~ behaviour** Zwangsverhalten *nt*; **~ compulsive disorder (OCD)** Zwangsneurose *f*; ▪**to be ~ about sth** von etw *dat* besessen sein **II.** *n* Besessene(r) *f(m)*

ob·so·les·cence [ˌɒbsəˈlesən(t)s] *n no pl*

Veralten *nt; law* Überalterung *f;* **to fall into** ~ veralten

ob·so·les·cent [ˌɒbsəˈlesᵊnt] *adj* ▪**to be ~** außer Gebrauch kommen

ob·so·lete [ˈɒbsᵊliːt] *adj* veraltet; *design* altmodisch; *law* nicht mehr gültig; *method* überholt; **record players are becoming ~** Schallplattenspieler kommen außer Gebrauch

ob·stacle [ˈɒbstəkl] *n* Hindernis *nt*

'ob·sta·cle race *n* Hindernisrennen *nt*

ob·ste·tri·cian [ˌɒbstəˈtrɪʃᵊn] *n* Geburtshelfer(in) *m(f)*

ob·stet·rics [ɒbˈstetrɪks] *n no pl* Geburtshilfe *f,* Obstetrik *f fachspr*

ob·sti·na·cy [ˈɒbstɪnəsi] *n no pl* Hartnäckigkeit *f*

ob·sti·nate [ˈɒbstɪnət] *adj* hartnäckig; *person* eigensinnig; *refusal* stur; *resistance* erbittert

ob·sti·nate·ly [ˈɒbstɪnətli] *adv* hartnäckig; **why do you always have to behave so ~?** warum musst du immer so stur sein?

ob·strep·er·ous [əbˈstrepᵊrəs] *adj (form)* aufmüpfig *fam; child* aufsässig; *customer* schwierig

ob·struct [əbˈstrʌkt] *vt* ❶ *(block)* blockieren; **to ~ sb's airways** jds Atemwege *pl* verstopfen; *path* versperren; *pipe* verstopfen; *progress* behindern; *reform* im Wege stehen; ▪**to ~ sb from doing sth** jdn daran hindern, etw zu tun ❷ *(interfere with)* **to ~ the course of justice** die Rechtsfindung behindern ❸ SPORTS ▪**to ~ sb** jdn sperren

ob·struc·tion [əbˈstrʌkʃᵊn] *n* ❶ *(blockage)* Blockierung *f; pipes* Verstopfung *f; traffic* [Verkehrs]stau *m;* MED Verstopfung *f;* **to cause an ~** *traffic* den Verkehr behindern ❷ LAW Behinderung *f;* **~ of justice** Behinderung *f* der Rechtspflege ❸ SPORTS Sperre *f*

ob·struc·tive [əbˈstrʌktɪv] *adj (pej)* hinderlich; ▪**~ tactics** Verschleppungstaktik *f;* ▪**to be ~** *thing* hinderlich sein; *person* sich querstellen *fam*

ob·tain [əbˈteɪn] *(form)* I. *vt* ▪**to ~ sth [from sb]** *(to be given)* etw [von jdm] bekommen; *(to go and get)* sich *dat* etw [von jdm] verschaffen; **iron is ~ed from iron ore** Eisen wird aus Eisenerz gewonnen; **to ~ information** sich *dat* Informationen verschaffen; *permission* erhalten; **impossible to ~** nicht erhältlich II. *vi conditions* herrschen; *rules* gelten

ob·tain·able [əbˈteɪnəbl] *adj* erhältlich

ob·trude [əbˈtruːd] *vi (form)* ❶ *(be obtrusive)* sich aufdrängen ❷ *(project)* hervortreten

ob·tru·sive [əbˈtruːsɪv] *adj* ❶ *(conspicuous)* zu auffällig ❷ *(importunate)* aufdringlich; *question* indiskret; *smell* penetrant

ob·tru·sive·ness [əbˈtruːsɪvnəs] *n no pl* Aufdringlichkeit *f*

ob·tuse [əbˈtjuːs] *adj* ❶ MATH *(angle)* stumpf ❷ *(form) person* begriffsstutzig; *remark, behaviour* dumm

ob·vi·ate [ˈɒbvieɪt] *vt (form)* vermeiden

ob·vi·ous [ˈɒbviəs] I. *adj* offensichtlich; *comparison, objection, solution* naheliegend; *displeasure* deutlich; *distress* sichtlich; *hints* eindeutig; *lie* offenkundig; **it was the ~ thing to do** es war das Naheliegendste; **for ~ reasons** aus ersichtlichen Gründen; **to make sth ~** etw deutlich werden lassen; ▪**to be ~ |that|** ... offenkundig sein, dass ...; **it's quite ~ that ...** man merkt sofort, dass ... II. *n* ▪**the ~** das Offensichtliche; **to state the ~** etw längst Bekanntes sagen

ob·vi·ous·ly [ˈɒbviəsli] *adv* offensichtlich; **he was ~ very upset** er war sichtlich sehr aufgebracht; **they're ~ American** sie sind eindeutig Amerikaner; **this camera is ~ defective** diese Kamera ist offenbar defekt

oc·ca·sion [əˈkeɪʒᵊn] I. *n* ❶ *(particular time)* Gelegenheit *f,* Anlass *m;* [*(appropriate time)* [passende] Gelegenheit *f; (event)* Ereignis *nt;* **on this particular ~** dieses eine Mal; **on another ~** ein anderes Mal; **on one ~** einmal; **on several ~s** mehrmals; **on ~** gelegentlich ❷ *(reason)* Grund *m;* **should the ~ arise** sollte es nötig sein ❸ *(opportunity)* Gelegenheit *f;* **to take the ~ to do sth** eine Gelegenheit ergreifen, etw zu tun II. *vt (form)* hervorrufen

oc·ca·sion·al [əˈkeɪʒᵊnᵊl] *adj* gelegentlich

oc·ca·sion·al·ly [əˈkeɪʒᵊnᵊli] *adv* gelegentlich; **to hear from sb ~** hin und wieder [etw] von jdm hören; **to see sb ~** jdn ab und zu treffen

oc·'ca·sion·al ta·ble *n* Beistelltisch *m*

Oc·ci·dent [ˈɒksɪdᵊnt] *n no pl* ▪**the ~** das Abendland

oc·ci·den·tal [ˌɒksɪˈdentᵊl] *adj* abendländisch

oc·cult [ˈɒkʌlt, əˈkʌlt] I. *n no pl* ▪**the ~** das Okkulte II. *adj* okkult; *book* okkultistisch; *powers* übersinnlich; **~ group** Geheimbund *m*

oc·cult·ism [ˈɒkʌltɪzᵊm] *n no pl* Okkultismus *m*

oc·cu·pan·cy [ˈɒkjəpən(t)si] *n no pl (form)* Bewohnen *nt; of hotel rooms* Belegung *f*

'oc·cu·pan·cy rate *n* Belegrate *f*

oc·cu·pant [ˈɒkjəpənt] *n (form)* ❶ *(ten-*

ant) Bewohner(in) *m(f)*; (*passenger*) Insasse(in) *m(f)* ❷ (*title holder*) Inhaber(in) *m(f)*

oc·cu·pa·tion [ˌɒkjəˈpeɪʃ⁰n] *n* ❶ (*form: profession*) Beruf *m* ❷ (*form: pastime*) Beschäftigung *f* ❸ *no pl* MIL Besetzung *f*; *of a country also* Okkupation *f geh*

oc·cu·pa·tion·al [ˌɒkjəˈpeɪʃ⁰n⁰l] *adj* Berufs-, beruflich

oc·cu·pa·tion·al dis·'ease *n* Berufskrankheit *f* **oc·cu·pa·tional 'haz·ard** *n* Berufsrisiko *nt* **oc·cu·pa·tion·al 'pen·sion scheme** *n* betriebliche Altersversorgung **oc·cu·pa·tion·al 'thera·py** *n* Beschäftigungstherapie *f*

oc·cu·pied [ˈɒkjəpaɪd] *adj* ❶ (*foreign-controlled*) ~ **territory** besetztes Gebiet ❷ (*taken*) besetzt; **the bathroom's** ~ das Badezimmer ist besetzt; **are those seats** ~? sind die Sitzplätze dort schon belegt? ❸ (*preoccupied*) beschäftigt; **to keep sb** ~ jdn beschäftigen

oc·cu·pi·er [ˈɒkjəpaɪə⁰] *n* ❶ (*tenant*) Bewohner(in) *m(f)* ❷ (*conquerer*) Besatzer(in) *m(f)*

oc·cu·py <-ie-> [ˈɒkjəpaɪ] *vt usu passive* ❶ (*fill*) ausfüllen; *position* bekleiden; *throne* innehaben; **to** ~ **a niche in the market** eine Marktlücke füllen; **to** ~ **a post** einen Posten haben ❷ (*live in*) bewohnen; *room* belegen; **to** ~ **a small space** (*form*) wenig Platz einnehmen ❸ (*preoccupy*) **sb's time** jds Zeit *f* in Anspruch nehmen; ▪**to** ~ **oneself** sich beschäftigen ❹ (*take control of*) besetzen; ~**ing forces** Besatzungstruppen *pl*

oc·cur <-rr-> [əˈkɜːʳ] *vi* ❶ (*take place*) geschehen; *accident* sich ereignen; *change* stattfinden; *symptom* auftreten; **that** ~ **s very rarely** das kommt sehr selten vor; **an opportunity like that seldom** ~**s** eine Gelegenheit wie diese ergibt sich nicht oft ❷ (*exist*) vorkommen ❸ (*come to mind*) ▪**to** ~ **to sb** jdm einfallen; ▪**to** ~ **to sb that** ... jdm in den Sinn kommen, dass ...

oc·cur·rence [əˈkʌrⁿ(t)s] *n* ❶ (*event*) Vorfall *m*, Vorkommnis *nt*, Ereignis *nt* ❷ *no pl* (*incidence*) Vorkommen *nt*; *of disease* Auftreten *nt*

ocean [ˈəʊʃⁿn] *n* Meer *nt*; **Indian** ~ Indischer Ozean

'ocean·go·ing *adj* hochseetauglich

Oceania [ˌəʊʃiˈɑːniə] *n no pl* Ozeanien *nt*

ocean·ic [ˌəʊʃiˈænɪk] *adj* Meeres-; ~ **voy·age** Seereise *f*

ocean 'lin·er *n* Ozeandampfer *m*

ocean·og·ra·phy [ˌəʊʃⁿnˈɒɡrəfi] *n no pl* Ozeanographie *f*

oc·elot [ˈɒsⁿlɒt, ˈəʊ-] *n* Ozelot *m*

ocher *n* AM *see* **ochre**

ochre [ˈəʊkəʳ] *n no pl* Ocker *m* o *nt*

o'clock [əˈklɒk] *adv* **it's two** ~ es ist zwei Uhr

OCR [ˌəʊsiːˈɑːʳ] *n no pl abbrev of* **optical character recognition** OCR

oc·ta·gon [ˈɒktəɡən] *n* Achteck *nt*

oc·tago·nal [ɒkˈtæɡⁿn⁰l] *adj* achteckig

oc·tane [ˈɒkteɪn] *n* (*chemical*) Oktan *nt*; (*number*) Oktanzahl *f*

oc·tave [ˈɒktɪv] *n* Oktave *f*

oc·tet [ɒkˈtet] *n* MUS ❶ + *sing/pl vb* (*group of eight*) Oktett *nt* ❷ (*composition for eight*) Oktett *nt*

Oc·to·ber [ɒkˈtəʊbəʳ] *n* Oktober *m*; *see also* **February**

oc·to·genar·ian [ˌɒktə(ʊ)dʒəˈneəriən] *n* Achtzigjährige(r) *f(m)*

oc·to·pus <*pl* -es *or* -pi> [ˈɒktəpəs, *pl* -pəsɪz, -paɪ] *n* Tintenfisch *m*; (*large*) Krake *f*

OD [ˌəʊˈdiː] (*sl*) *abbrev of* **overdose I.** *vi* ▪**to** ~ **on sth** eine Überdosis einer S. *gen* nehmen **II.** *n esp* AM Überdosis *f*

odd [ɒd] **I.** *adj* ❶ (*strange*) merkwürdig, seltsam; *person, thing also* eigenartig; **the** ~ **thing about it is that** ... das Komische daran ist, dass ... ❷ *attr shoes, socks* einzeln; **guess which number of the following sequence is the** ~ **one out** rate mal, welche der folgenden Zahlen nicht dazugehört; **she was always the** ~ **one out at school** sie war immer eine Außenseiterin in der Schule ❸ MATH ungerade ❹ *attr* (*occasional*) gelegentlich, Gelegenheits-; **she does the** ~ **teaching job but nothing permanent** sie unterrichtet gelegentlich, hat aber keinen festen Job; **to score the** ~ **goal** hin und wieder einen Treffer landen; ~ **visitor** vereinzelter Besucher/vereinzelte Besucherin **II.** *n* ▪~**s** *pl* (*probability*) ▪**the** ~ **s are ...** es ist sehr wahrscheinlich, dass ...; **what are the** ~**s on him being late again?** wie stehen die Chancen, dass er wieder zu spät kommt?; **to give long** ~**s on/against sth** etw *dat* große/sehr geringe Chancen einräumen ▶~**s and ends** Krimskrams *m kein pl*; **against all** [the] ~**s** entgegen allen Erwartungen; **to be** ***at*** ~**s with sb** mit jdm uneins sein; **to be** ***at*** ~**s with sth** mit etw *dat* nicht übereinstimmen

odd·ball [ˈɒdbɔːl] (*fam*) **I.** *n* Verrückte(r) *f(m)*; **his eldest sister is something of an** ~ seine älteste Schwester ist etwas merkwürdig **II.** *adj attr* verrückt

odd·ity [ˈɒdɪti] *n* ❶ (*strange person*)

komischer Kauz *fam* ❷ (*strange thing*) Kuriosität *f*

odd-'job·ber *n*, **odd-'job man** *n* Gelegenheitsarbeiter(in) *m(f)*

odd·ly ['ɒdli] *adv* seltsam; ~ **enough** merkwürdigerweise

odd·ment ['ɒdmənt] *n usu pl* Rest[posten] *m*

odd·ness ['ɒdnəs] *n no pl* Merkwürdigkeit *f,* Seltsamkeit *f*

odds-'on *adj* sehr wahrscheinlich; **the ~ favourite** der aussichtsreichste Favorit/die aussichtsreichste Favoritin

ode [əʊd] *n* Ode *f* (**to** an)

odi·ous ['əʊdiəs] *adj* (*form*) *crime* abscheulich; *person* abstoßend

odom·eter [əʊ'dɒmɪtə'] *n* Kilometerzähler *m*

odor *n* AM *see* **odour**

odor·less *adj* AM *see* **odourless**

odour ['əʊdə'] *n* ❶ (*certain smell*) Geruch *m;* **sweet ~** Duft *m* ❷ *no pl* (*smells in general*) Gerüche *pl*

odour·less ['əʊdələs] *adj* (*form*) geruchlos

od·ys·sey ['ɒdɪsi] *n usu sing* (*liter*) Odyssee *f a. fig*

OECD [ˌəʊiːsiː'diː] *n abbrev of* **Organization for Economic Cooperation and Development** OECD *f*

oecu·meni·cal *adj* BRIT *see* **ecumenical**

oesopha·gus <*pl* -agi *or* -es> [iː'sɒfəgəs] *n* Speiseröhre *f*

oes·tro·gen ['iːstrə(ʊ)dʒ³n] *n no pl* Östrogen *nt*

of [ɒv, əv] *prep* ❶ *after n* (*belonging to*) von +*dat;* **the language ~ this country** die Sprache dieses Landes; **the cause ~ the disease** die Krankheitsursache; **the colour ~ her hair** ihre Haarfarbe; **the government ~ India** die indische Regierung; **a friend ~ mine** ein Freund von mir; **the smell ~ roses** der Rosenduft ❷ *after n* (*expressing relationship*) von +*dat;* **an admirer ~ Picasso** ein Bewunderer Picassos ❸ *after n* (*expressing a whole's part*) von +*dat;* **five ~ her seven kids are boys** fünf ihrer sieben Kinder sind Jungen; **there were ten ~ us on the trip** wir waren auf der Reise zu zehnt; **I don't want to hear any more ~ that!** ich will nichts mehr davon hören!; **best ~ all, I liked the green one** am besten gefiel mir der grüne; **a third ~ the people** ein Drittel der Leute; **the days ~ the week** die Wochentage; **all ~ us** wir alle; **both ~ us** wir beide; **most ~ them** die meisten von ihnen; **one ~ the cleverest** eine(r) der Schlauesten ❹ *after n*

(*expressing quantities*) **a bunch ~ parsley** ein Bund Petersilie *nt;* **a clove ~ garlic** eine Knoblauchzehe; **a cup ~ tea** eine Tasse Tee; **a drop ~ rain** ein Regentropfen; **a kilo ~ apples** ein Kilo Äpfel *nt;* **a litre ~ water** ein Liter Wasser *m;* **a lot ~ money** eine Menge Geld; **a piece ~ cake** ein Stück Kuchen ❺ *after vb, n* (*consisting of*) aus +*dat* ❻ *after n* (*containing*) mit +*dat* ❼ *after adj* (*done by*) von +*dat;* **that was stupid ~ me** das war dumm von mir ❽ *after n* (*done to*) **the massacre ~ hundreds ~ people** das Massaker an Hunderten von Menschen; **the destruction ~ the rain forest** die Zerstörung des Regenwalds ❾ *after n* (*suffered by*) von +*dat* ❿ (*expressing cause*) **to die ~ sth** an etw *dat* sterben ⓫ (*expressing origin*) **the works ~ Shakespeare** die Werke Shakespeares ⓬ *after vb* (*concerning*) **he was accused ~ fraud** er wurde wegen Betrugs angeklagt; **let's not speak ~ this matter** lass uns nicht über die Sache reden; **speaking ~ sb/sth, ...** wo wir gerade von jdm/ etw sprechen, ...; (*after adj*) **she's often unsure ~ herself** sie ist sich ihrer selbst oft nicht sicher; **I am certain ~ that** ich bin mir dessen sicher; **to be afraid ~ sb/ sth** vor jdm/etw Angst haben; **to be fond ~ swimming** gerne schwimmen; **to be jealous ~ sb** auf jdn eifersüchtig sein; **to be sick ~ sth** etw satthaben; (*after n*) **it's a problem ~ space** das ist ein Raumproblem; **the memories ~ her school years** die Erinnerungen an ihre Schuljahre; **to be in search ~ sb/sth** auf der Suche nach jdm/etw sein; **thoughts ~ revenge** Rachegedanken *pl;* **what ~ it?** na und? ⓭ *after n* (*expressing condition*) **to be on the point ~ doing sth** kurz davor sein, etw zu tun ⓮ *after n* (*expressing position*) von +*dat;* **in the back ~ the car** hinten im Auto; **on the corner ~ the street** an der Straßenecke; **on the left ~ the picture** links auf dem Bild; **a lake north/south ~ the city** ein See im Norden/Süden der Stadt; **I've never been north ~ Edinburgh** ich war noch nie nördlich von Edinburgh ⓯ *after n* (*with respect to scale*) von +*dat* ⓰ (*expressing age*) von +*dat;* **he's a man ~ about 50** er ist um die 50 Jahre alt ⓱ *after n* (*denoting example of category*) **I hate this kind ~ party** ich hasse diese Art von Party ⓲ *after n* (*typical of*) **she has the face ~ an angel** sie hat ein Gesicht wie ein Engel; **the grace ~ a dancer** die Anmut einer Tänzerin ⓳ *after n* (*expressing characteristic*) **I want a few minutes**

~ **quiet!** ich will ein paar Minuten Ruhe! ⑳ *after n* (*away from*) von +*dat;* **she came within two seconds ~ beating the world record** sie hat den Weltrekord nur um zwei Sekunden verfehlt ㉑ *after n* (*in time phrases*) **I got married back in June ~ 1957** ich habe im Juni 1957 geheiratet; **the eleventh ~ March** der elfte März; **the first ~ the month** der erste [Tag] des Monats ㉒ *after vb* (*expressing removal*) **they were robbed ~ all their savings** ihnen wurden alle Ersparnisse geraubt; **his mother had deprived him ~ love** seine Mutter hat ihm ihre Liebe vorenthalten; **to get rid ~ sb** jdn loswerden; *after adj;* **free ~ charge** kostenlos ㉓ Am (*to*) vor; **it's quarter ~ five** es ist viertel vor fünf ▸ ~ **all** gerade; **today ~ all days** ausgerechnet heute; **this work is ~ great interest and value** diese Arbeit ist sehr wichtig und wertvoll; **to be ~ the opinion that** glauben, [dass]

off [ɒf] **I.** *prep* ① (*indicating removal*) von +*dat;* **keep your dog ~ my property!** halten Sie Ihren Hund von meinem Grundstück fern!; **that cherry stain won't come ~ the shirt** dieser Kirschfleck geht nicht aus dem Hemd heraus; **he cut a piece ~ the cheese** er schnitt ein Stück Käse ab; **to be ~ the air** RADIO, TV nicht mehr senden ② *after vb* (*moving down*) hinunter [von]; (*towards sb*) herunter [von]; **they jumped ~ the cliff** sie sprangen von der Klippe; **the coat slipped ~ his arms** der Mantel rutschte von seinen Armen ③ *after vb* (*moving away*) [weg] von; **let's get ~ the bus at the next stop** lass uns bei der nächsten Bushaltestelle aussteigen ④ (*away from*) weg von; **they live just ~ the main street** sie wohnen gleich an der Hauptstraße; **he managed to stay ~ alcohol** er schaffte es, keinen Alkohol mehr anzurühren; **~ the point** nicht relevant; **~ the record** nicht für die Öffentlichkeit bestimmt; **~ the subject** nicht zum Thema gehörend; **a long way ~ doing sth** weit davon entfernt, etw zu tun; **far ~** weit entfernt ⑤ (*at sea*) vor; **two miles ~ Portsmouth** zwei Meilen vor Portsmouth ⑥ (*absent from*) **he's been ~ work for over six months** er war seit sechs Monaten nicht mehr bei der Arbeit ⑦ (*fam: stop liking*) **to be ~ one's food** keinen Appetit haben; **to go ~ sb/sth** jdn/etw nicht mehr mögen ⑧ (*not taking*) ▪**to be ~ sth** etw nicht mehr einnehmen müssen ⑨ (*subsisting*) **they live ~ a small inheritance** sie leben von einer kleinen Erbschaft ⑩ (*from*

source) **the girl bought the boy's old bike ~ him** das Mädchen kaufte dem Jungen sein altes Rad ab; **to get sth ~ sb** (*fam*) etw von jdm bekommen ⑪ *after n* (*minus*) weniger; **I'll take $10 ~ the price of the jeans for you** ich lasse Ihnen für die Jeans 10 Dollar vom Preis nach ▸ ~ **the top of one's head** aus dem Stegreif; **~ the wall** ausgeflippt **II.** *adv* ① (*not on*) aus; **to switch/turn sth ~** etw ausschalten ② (*away*) weg-; **someone's run ~ with my pen** jemand hat mir meinen Stift geklaut *fam;* **I didn't get ~ to a very good start this morning** der Tag hat für mich nicht gut angefangen; **I'm ~ now — see you tomorrow** ich gehe jetzt – wir sehen uns morgen; **she's ~ to Canada next week** sie fährt nächste Woche nach Kanada; **to see sb ~** jdn verabschieden ③ (*removed*) ab-; **I'll take my jacket ~** ich ziehe meine Jacke aus; **one of my buttons has come ~** einer von meinen Knöpfen ist abgegangen ④ (*completely*) **between us we managed to finish ~ four bottles of wine** (*fam*) zusammen schafften wir es, vier Flaschen Wein zu leeren; **to burn ~ ○ sth** etw verbrennen; **to kill ~ ○ sth** etw vernichten; **to pay ~ ○ sth** etw abbezahlen ⑤ (*in bad shape*) schlecht; **to go ~** sich verschlechtern; *food* schlecht werden ⑥ (*distant in time*) entfernt; **your birthday is only one week ~** dein Geburtstag ist schon in einer Woche; **to be far ~** weit weg sein ⑦ (*stopped*) abgesagt; **to call sth ~** etw absagen ⑧ (*discounted*) reduziert; **there's 40% ~ this week on all winter coats** diese Woche gibt es einen Preisnachlass von 40 % auf alle Wintermäntel; **to get money ~** Rabatt bekommen ⑨ (*separated*) **to shut ~ streets** Straßen sperren; **to fence sth ~** etw abzäunen ⑩ (*expressing riddance*) **we went out to walk ~ some of our dinner** wir ging raus, um einen Verdauungsspaziergang zu machen; **to laugh sth ~** etw mit einem Lachen abtun **III.** *adj* ① (*not working*) außer Betrieb; (*switched off*) aus[geschaltet]; *tap* zugedreht; *heating* abgestellt ② *pred* FOOD (*bad*) verdorben; *milk* sauer ③ (*not at work*) ▪**to be ~** freihaben; **to have/take some time ~** einige Zeit freibekommen/ freinehmen ④ *pred* (*fam: in bad shape*) schlecht; **I'm having an ~ day today** ich habe heute einen schlechten Tag ⑤ (*provided for*) **sb is badly/well ~** jdm geht es [finanziell] schlecht/gut ⑥ *pred* FOOD (*no longer on the menu*) aus[gegangen] ⑦ *pred esp* BRIT (*fam: rude*) *behaviour* da-

O

offering and responding

asking people what they want, offering something	nach Wünschen fragen, etwas anbieten
Would you like anything?	Haben Sie irgendeinen Wunsch?
Can I help you?	Kann ich Ihnen helfen?
What'll it be? *(fam)*	Was darf's sein?
What would you like?/do you fancy? *(fam)*	Was hättest du denn gern?
What would you like to eat/drink?	Was möchtest/magst du essen/trinken?
How about a cup of coffee?	Wie wär's mit einer Tasse Kaffee?
May I offer you a glass of wine?	Darf ich Ihnen ein Glas Wein **anbieten**?
You're welcome to use my phone.	Sie können gern mein Telefon benutzen.

accepting offers	Angebote annehmen
Yes, please.	Ja, bitte./Ja, gern.
Thanks, that's kind of you.	Danke, das ist nett von dir/Ihnen.
Yes, that would be nice.	Ja, das wäre nett.
Oh, that's nice of you!/Oh, how kind of you!	Oh, das ist aber nett!

turning down offers	Angebote ablehnen
No, thanks.	Nein, danke.
But that's not necessary!/You shouldn't have!	Aber das ist doch nicht nötig!
I can't (possibly) accept this!	Das kann ich doch nicht annehmen!

neben **IV.** *n no pl* **to be ready for the ~** bereit zum Gehen sein **V.** *vt* Am (*sl*) ■**to ~ sb** jdn umlegen

of·fal ['ɒfəl] *n no pl* Innereien *pl*

'**off·beat** *adj* unkonventionell; *music* synkopisch; *sense of humour* ausgefallen; *taste* extravagant **off-'cen·tre** *adj*, Am **off-'cen·ter** *adj* nicht in der Mitte *präd* '**off-chance** *n* ■**on the ~** auf gut Glück **off-'col·our** *adj*, Am **off-'col·or** *adj* ❶ (*somewhat sick*) unpässlich ❷ (*somewhat obscene*) schlüpfrig '**off-day** *n* schlechter Tag **off-'duty** *adj* ■**to be ~** dienstfrei haben; **an ~ police officer** ein Polizist *m* außer Dienst

of·fence [ə'fen(t)s] *n* ❶ Law (*crime*) Straftat *f*; **serious ~** schweres Vergehen; **to convict sb of an ~** jdn einer Straftat für schuldig erklären ❷ *no pl* (*upset feelings*) Beleidigung *f*; **no ~ intended** nimm es mir nicht übel; **to cause ~** Anstoß erregen; **to cause ~ to sb** (*hurt*) jdn kränken; (*insult*) jdn beleidigen; **to take ~ [at sth]** [wegen einer S. *gen*] gekränkt/beleidigt sein ❸ Am

Sports (*attack*) Angriff *m*

of·fend [ə'fend] **I.** *vi* ❶ (*commit a criminal act*) eine Straftat begehen ❷ (*form: infringe*) verstoßen (**against** gegen) **II.** *vt* (*insult*) beleidigen; (*hurt*) kränken; **I hope your sister won't be ~ed if ...** ich hoffe, deine Schwester nimmt es mir nicht übel, wenn ...; **to be easily ~ed** schnell beleidigt sein

of·fend·er [ə'fendər] *n* [Straf]täter(in) *m(f)*

of·fense *n esp* Am *see* **offence**

of·fen·sive [ə'fen(t)sɪv] **I.** *adj* ❶ (*causing offence*) anstößig; *joke* anzüglich; *remark* unverschämt; **~ language** Anstoß erregende Ausdrucksweise ❷ *smell* übel ❸ (*attack*) Angriffs- **II.** *n* Mil Angriff *m*; **to go on the ~** in die Offensive gehen; **to launch an ~** eine Offensive starten

of·fen·sive·ly [ə'fen(t)sɪvli] *adv* beleidigend, kränkend; **to act ~** unverschämt sein; **to speak ~** sich beleidigend ausdrücken

of·fen·sive 'weap·on *n* Offensivwaffe *f*

of·fer ['ɒfər] **I.** *n* ❶ (*proposal*) Angebot *nt*

❷ ECON Angebot *nt;* **the house is under ~** BRIT man hat ein Angebot für das Haus unterbreitet; **to make an ~ for sth** ein Gebot für etw *akk* abgeben; **to be on** [**special**] **~** BRIT, AUS im Angebot sein **II.** *vt* ❶ (*present for acceptance*) anbieten ❷ (*put forward*) vorbringen; *congratulations* aussprechen; *explanation* abgeben; *information* geben; *suggestion* unterbreiten ❸ (*provide*) bieten; *proof* erbringen; *resistance* leisten; **to ~ an incentive** einen Anreiz geben ❹ (*bid*) bieten **III.** *vi* sich bereit erklären

of·fer·ing ['ɒfᵊrɪŋ] *n usu pl* Spende *f;* **sacrificial ~** Opfergabe *f*

off·'hand I. *adj* ❶ (*uninterested*) gleichgültig ❷ (*informal*) lässig; **~ remark** nebenbei fallen gelassene Bemerkung **II.** *adv* ohne weiteres, aus dem Stand

of·fice ['ɒfɪs] *n* ❶ (*room*) Büro *nt;* (*firm*) Geschäftsstelle *f; of lawyer* Kanzlei *f* ❷ BRIT POL (*government department*) **Foreign~/Home O~** Außen-/Innenministerium *nt* ❸ POL (*authoritative position*) Amt *nt;* **to be in ~** an der Macht sein; **to come into ~** sein Amt antreten

of·fice auto·'ma·tion *n* COMPUT Büroautomatisierung *f* '**of·fice block** *n* BRIT, AUS Bürogebäude *nt* '**of·fice boy** *n* Laufbursche *m* '**of·fice build·ing** *n* Bürohaus *nt,* Bürogebäude *nt* '**of·fice equip·ment** *n no pl* Büroeinrichtung *f* '**of·fice hours** *npl* Geschäftszeit[en] *f* [*pl*]

of·fic·er ['ɒfɪsᵊr] *n* ❶ MIL Offizier(in) *m(f)* ❷ (*authoritative person*) Beamte(r) *m,* Beamte [*o* -in] *f;* **~!** Herr Wachtmeister!; **personnel ~** Personalreferent(in) *m(f);* [**police**] **~** Polizeibeamte(r) *f(m),* Polizist(in) *m(f)*

'**of·fice staff** *n + sing/pl vb* Büropersonal *nt* '**of·fice sup·plies** *npl* Bürobedarf *m kein pl* '**of·fice work·er** *n* Büroangestellte(r) *f(m)*

of·fi·cial [əˈfɪʃᵊl] **I.** *n* ❶ (*holding public office*) Amtsperson *f,* Beamte(r) *m,* Beamte [*o* -in] *f* ❷ (*responsible person*) Funktionsträger(in) *m(f);* **trade-union ~** Gewerkschaftsfunktionär(in) *m(f)* ❸ (*referee*) Schiedsrichter(in) *m(f)* **II.** *adj* ❶ (*relating to an office*) offiziell, amtlich; (*on business*) dienstlich; **~ residence** Amtssitz *m* ❷ (*authorized*) offiziell; *inquiry, record* amtlich; *publication, transcript* autorisiert *geh;* *strike* regulär ❸ (*officially announced*) amtlich bestätigt

of·fi·cial·dom [əˈfɪʃᵊldəm] *n* ❶ *no pl* (*pej: bureaucracy*) Bürokratie *f* ❷ *+ sing/pl vb* (*officials collectively*) Beamtentum *nt*

of·fi·cial·ese *n no pl* Beamtensprache *f oft pej*

of·fi·cial·ly [əˈfɪʃᵊli] *adv* offiziell

of·fi·ci·ate [əˈfɪʃɪeɪt] *vi* (*form*) amtieren (**at** bei); **to ~ at a match** SPORTS ein Spiel pfeifen; **to ~ at a wedding** eine Trauung vornehmen

of·fi·cious [əˈfɪʃəs] *adj* (*pej*) ❶ (*bossy*) schikanierend ❷ (*interfering*) aufdringlich

of·fing ['ɒfɪŋ] *n no pl* ■ **to be in the ~** bevorstehen

off 'key I. *adv* falsch **II.** *adj* ❶ (*out of tune*) verstimmt ❷ (*fig: inopportune*) unangebracht

'**off-li·cence** *n* BRIT Wein- und Spirituosengeschäft *f* '**off-'lim·its** *adj pred* ■ **to be ~ to sb** für jdn tabu sein **off-'line** *n* offline

off-'load *vt* ❶ (*unload*) ausladen ❷ (*get rid of*) loswerden *fam;* **to ~ the blame/responsibility** [**onto sb**] die Schuld/Verantwortung [auf jdn] abladen ❸ COMPUT *Daten* umladen **off-'peak I.** *adj* ❶ *telephone call* außerhalb der Hauptsprechzeiten *nach n* ❷ *electricity supply* Schwachlastzeit- ❸ TOURIST **~ prices/travel** Preise *pl/*Reise *f* außerhalb der Hauptreisezeit **II.** *adv* ❶ (*of telephone call*) außerhalb der Hauptsprechzeiten ❷ TOURIST **to travel ~** außerhalb der Hauptsaison verreisen **off-'piste** *adj, adv esp* BRIT abseits der Skipiste **off-'put·ting** *adj* abschreckend; *appearance, manner* abstoßend; *experience* schrecklich; (*unpleasant*) unangenehm; *smell* ek[e]lig '**off-sales** *npl* BRIT Verkauf *m* von Alkohol zum Mitnehmen '**off sea·son** *n* ■ **the ~** die Nebensaison

off·set[1] <-set, -set> [ˌɒfˈset] *vt usu passive* ■ **to be ~ by sth** durch etw *akk* ausgeglichen werden

off·set[2] ['ɒfset] **I.** *vt* <-set, -set> ❶ FIN ausgleichen; **to ~ sth against tax** AUS, BRIT etw von der Steuer absetzen ❷ (*print*) im Offsetverfahren drucken **II.** *n* ❶ HORT Ableger *m* ❷ GEOG Ausläufer *m*

off·'shore I. *adj* ❶ (*at sea*) küstennah ❷ (*of wind, current*) ablandig ❸ FIN Auslands- **II.** *adv* (*of wind movement*) von der Küste her; **to drop anchor ~** vor der Küste ankern; **to fish ~** vor der Küste fischen **off·'side I.** *adj* ❶ SPORTS abseits ❷ *attr esp* BRIT AUTO auf der Fahrerseite *nach n* **II.** *adv* SPORTS abseits **III.** *n* SPORTS Abseits *nt* **off·spring** <*pl* -> ['ɒfsprɪŋ] *n* ❶ (*animal young*) Junge(s) *nt* ❷ (*also hum: person's child*) Nachkomme *m* **off·'stage I.** *adj* ❶ (*behind the stage*) hinter der Bühne *nach n* ❷ (*private*) **~ life** Privatleben *nt*

O

II. *adv* ❶ *(privately)* privat ❷ *(away from the stage)* hinter der Bühne; **to walk ~** von der Bühne abgehen **off-street 'park·ing** *n no pl* Parken auf Parkplätzen außerhalb des Stadtzentrums **off-the-'cuff I.** *adv* spontan *II. adv* aus dem Stegreif **off-the-job 'train·ing** *n no pl* außerbetriebliche Fortbildung **off-the-'peg** BRIT, AM **off-the-'rack** *adj* Konfektions-, von der Stange *nach n* **off-'white** *n no pl* gebrochenes Weiß

of·ten ['ɒfᵊn] *adv* oft; ▪**it's not ~ that ...** es kommt selten vor, dass ...; **as ~ as not** meistens; **every so ~** gelegentlich

ogle ['əʊgl] **I.** *vi* gaffen *pej* **II.** *vt* angaffen *pej*

ogre ['əʊgəʳ] *n* Menschenfresser *m;* *(fig fam)* Scheusal *nt pej*

ogress <*pl* -es> ['əʊgrəs] *n* Menschenfresserin *f;* *(fig fam)* Scheusal *nt pej*

oh¹ *interj* ❶ *(to show surprise, disappointment, pleasure)* oh; **~ damn!** verdammt! *pej fam;* **~ dear!** oje!; **~ well** na ja; **~ yes?** ach ja? ❷ *(by the way)* ach [übrigens]

oh² [əʊ] *n* BRIT *(in phone numbers)* Null *f*

OHMS [ˌəʊeɪtʃem'es] BRIT *abbrev of* **On Her/His Majesty's Service** Aufdruck auf amtlichen Briefen

oil [ɔɪl] **I.** *n* ❶ *(lubricant)* Öl *nt* ❷ *no pl* *(petroleum)* [Erd]öl *nt* ❸ FOOD [Speise]öl *nt* ❹ *(for cosmetic use)* **suntan ~** Sonnenöl *nt* ❺ *pl* *(oil-based paints)* Ölfarben *pl* **II.** *vt* ❶ *(treat)* ölen ❷ *usu passive* *(be polluted)* ▪**to be ~ed** mit Öl verschmutzt sein

'oil·can *n* Ölkännchen *nt* **'oil change** *n* Ölwechsel *m* **'oil·cloth** *n* Wachstuch *nt* **'oil com·pa·ny** *n* Ölfirma *f* **'oil con·sump·tion** *n no pl* Ölverbrauch *m* **'oil cri·sis** *n* Ölkrise *f* **'oil-ex·port·ing** *adj attr* [Erd]öl exportierend **'oil·field** *n* Ölfeld *nt* **'oil-fired** *adj* ölbeheizt; *central heating* ölbetrieben

oili·ness ['ɔɪlɪnəs] *n no pl* ❶ *of food, hair, skin* Fettigkeit *f* ❷ *(fig: of behaviour)* aalglatte Art *pej*

'oil lamp *n* Öllampe *f* **'oil lev·el** *n* TECH Ölstand *m* **'oil paint·ing** *n* Ölbild *nt* **'oil pipe·line** *n* Ölpipeline *f* **'oil-pro·duc·ing** *adj attr* [Erd]öl produzierend **'oil pro·duc·tion** *n no pl* [Erd]ölförderung *f* **'oil rig** *n* Bohrinsel *f* **'oil sheik** *n* Ölscheich *m* **'oil·skin** *n* ❶ *no pl* *(waterproof cloth)* Öltuch *nt* ❷ *(waterproof clothing)* ▪**~s** *pl* Ölzeug *nt kein pl* **'oil slick** *n* Ölteppich *m* **'oil tank·er** *n* Öltanker *m* **'oil well** *n* Ölquelle *f*

oily ['ɔɪli] *adj* ❶ *(oil-like)* ölig ❷ FOOD ölig ❸ *hair, skin* fettig ❹ *objects* schmierig

❺ *(fig: obsequious)* schmierig *pej fam*

oint·ment ['ɔɪntmənt] *n* Salbe *f*

OK, okay [ˌə(ʊ)'keɪ] *(fam)* **I.** *adj* ❶ *pred* *(acceptable)* okay; **if it's ~ with you, ...** wenn es dir recht ist, ... ❷ *pred* *(healthy)* *person* in Ordnung; **are you ~? you look a bit pale** alles in Ordnung? du siehst etwas blass aus ❸ *pred* *(not outstanding)* ganz gut, nicht schlecht ❹ *pred* *(understanding)* ▪**to be ~ about sth** mit etw *dat* einverstanden sein ❺ *pred* *(have no problems with)* **are you ~ for money or shall I give you some?** hast du genug Geld oder soll ich dir etwas geben?; **to be ~ for work** genug Arbeit haben ❻ *(pleasant)* **to be an ~ bloke** ein prima Kerl sein **II.** *interj* okay; **~ then** also gut **III.** *vt* ▪**to ~ sth** zu etw *dat* sein Okay geben **IV.** *n* **to get the ~** das Okay bekommen; **to give [sth] the ~** das Okay [zu etw *dat*] geben **V.** *adv* gut; **I just phoned to make sure that you got there ~** ich habe nur kurz angerufen, um sicherzugehen, dass du dort gut angekommen bist; **he was doing ~ until his mother arrived and interfered** er machte seine Sache gut, bis seine Mutter kam und sich einmischte

okra ['ɒkrə] *n no pl* Okra *f*

old [əʊld] **I.** *adj* ❶ *person, animal, object* alt ❷ *after n* *(denoting an age)* alt ❸ *attr* *(former)* ehemalig; *job* alt ❹ *attr* *(long known)* altbekannt ❺ *attr* *(fam: expression of affection)* [gute(r)] alte(r); **I hear poor ~ Frank's lost his job** ich habe gehört, dem armen Frank wurde gekündigt ❻ *attr* *(fam: any)* **I don't want to eat in just any ~ place — I want to go to a romantic restaurant!** ich möchte nicht einfach nur irgendwo essen — ich möchte in ein romantisches Restaurant gehen!; **any ~ present/rubbish/thing** irgendein Geschenk/irgendeinen Unsinn/irgendwas; **a load of ~ rubbish!** *(pej)* nichts als blanker Unsinn! ▸**to be as tough as ~ boots** hart im Nehmen sein; **you can't teach an ~ dog new tricks** *(prov)* der Mensch ist ein Gewohnheitstier; **money for ~ rope** leicht verdientes Geld **II.** *n* ▪**the ~** *pl* die Alten *pl;* **young and ~** Jung und Alt **III.** *in compounds* **a twenty-one-year-~** ein Einundzwanzigjähriger/eine Einundzwanzigjährige

old 'age *n no pl* Alter *nt* **old age 'pen·sion·er** *n* AUS, BRIT Rentner(in) *m(f)* **old-'fash·ioned** *adj* *(esp pej)* altmodisch **old 'girl** *n* ❶ *(old woman)* alte Frau ❷ *esp* BRIT *(fam: patronizing address)* altes Mädchen ❸ *esp* BRIT *(fam: affectionate address)*

Schätzchen *nt*

old·ie ['əʊldi] *n* (*fam: older person, song*) Oldie *m fam*

old·ish ['əʊldɪʃ] *adj* ältlich

old 'lady *n* ❶ (*elderly female*) alte Dame ❷ (*fam: one's wife, mother*) ■ the/sb's ~ die/jds Alte **old 'man** *n* ❶ (*elderly male*) alter Mann, Greis *m* ❷ (*sl: husband, father*) ■ the/sb's ~ der Alte/jds Alter *fam* **old 'mas·ter** *n* alter Meister **old 'peo·ple's home** *n* Seniorenheim *nt* **'old school I.** *n* (*approv*) **he's one of the ~** er ist [noch] einer der alten Schule **II.** *adj* der alten Schule *nach n* **old 'stag·er** *n* ❶ (*old man*) Oldie *m hum fam* ❷ (*long-time worker*) alter Hase *fam;* (*long-time resident*) Alteingesessene(r) *f(m)* **'old-style** *adj pred* im alten Stil *nach n* **Old 'Tes·ta·ment** *n* ■ the ~ das Alte Testament **old-'tim·er** *n* (*fam*) ❶ (*old man*) Oldie *m hum fam* ❷ (*long-time worker*) alter Hase *fam;* (*long-time resident*) Alteingesessene(r) *f(m)* **old 'wives' tale** *n* Ammenmärchen *nt*

olean·der [ˌəʊliˈændəʳ] *n* Oleander *m*

ol·fac·to·ry [ɒlˈfæktəri] *adj* Geruchs-, olfaktorisch *fachspr*

oli·gar·chy ['ɒlɪɡɑːki] *n* Oligarchie *f*

ol·ive ['ɒlɪv] *n* ❶ (*fruit*) Olive *f* ❷ (*tree*) Olivenbaum *m* ❸ (*dish*) **beef/veal ~** Kalbs-/Rindsroulade *f*

'ol·ive branch *n* ❶ HORT Olivenzweig *m* ❷ (*fig: symbol of peace*) Ölzweig *m* **'ol·ive grove** *n* Olivenhain *m* **ol·ive 'oil** *n no pl* Olivenöl *nt*

Olym·pi·ad [əˈ(ʊ)lɪmpiæd] *n* Olympiade *f*

Olym·pian [əˈ(ʊ)lɪmpiən] **I.** *adj* olympisch **II.** *n* ❶ (*of gods*) Olympier(in) *m(f)* ❷ (*Olympic Games competitor*) Olympionike(in) *m(f)*

Olym·pic [əˈ(ʊ)lɪmpɪk] *adj attr* olympisch; **~ champion** Olympiasieger(in) *m(f)*; **~ stadium** Olympiastadion *nt*

om·buds·man ['ɒmbʊdzmən] *n* Ombudsmann *m*

ome·let(te) ['ɒmlət] *n* Omelett *nt*

omen ['əʊmən] *n* Omen *nt*

omi·nous ['ɒmɪnəs] *adj* unheilvoll

omis·sion [əˈ(ʊ)ˈmɪʃən] *n* Auslassung *f*

omit <-tt-> [əˈ(ʊ)mɪt] **I.** *vt* auslassen; (*ignore*) übergehen **II.** *vi* ■ to ~ to do sth es unterlassen, etw zu tun

om·ni·bus <*pl* -es> ['ɒmnɪbəs] *n* ❶ (*dated form: bus*) Omnibus *m* ❷ (*collection of texts*) Sammelband *m;* (*anthology*) Anthologie *f;* (*on radio, TV*) Zusammenfassung einzelner Wochensendungen in einem Sammelprogramm ► **the man/**

woman on the Clapham ~ der Mann/ die Frau von der Straße

om·nipo·tence [ɒmˈnɪpət^ən(t)s] *n no pl* Allmächtigkeit *f*

om·nipo·tent [ɒmˈnɪpət^ənt] *adj* allmächtig

om·ni·pres·ent [ˌɒmnɪˈprez^ənt] *adj* ❶ REL allgegenwärtig ❷ (*widespread*) omnipräsent *geh;* (*everywhere*) überall; *noise* ständig

om·nis·ci·ence [ɒmˈnɪsiən(t)s] *n no pl* Allwissenheit *f*

om·ni·sci·ent [ɒmˈnɪsiənt] *adj* allwissend

om·ni·vore ['ɒmnɪvɔːʳ] *n* ZOOL Allesfresser *m*

om·ni·vor·ous [ɒmˈnɪv^ərəs] *adj* ❶ (*eating plants and meat*) alles fressend *attr;* **~ animal** Allesfresser *m* ❷ (*fig: voracious*) unstillbar

on [ɒn] **I.** *prep* ❶ (*on top of*) auf +*dat;* **~ the table** auf dem Tisch ❷ *with verbs of motion* (*onto*) auf +*akk;* **let's hang a pic·ture ~ the wall** lass uns ein Bild an die Wand hängen ❸ (*situated on*) an, auf +*dat;* **they lay ~ the beach** sie lagen am Strand; **~ the left/right** auf der linken/ rechten Seite ❹ (*from*) an +*dat;* **a huge chandelier hung ~ the ceiling** ein großer Kronleuchter hing von der Decke herab ❺ (*clothing*) an +*dat;* **with shoes ~ his feet** mit Schuhen an den Füßen ❻ (*hurt by*) an +*dat;* **she tripped ~ the wire** sie blieb an dem Kabel hängen; **to stumble ~ sth** über etw *akk* stolpern ❼ (*supported by a part of the body*) auf +*dat;* **to lie ~ one's back** auf dem Rücken liegen ❽ (*in possession of*) bei +*dat;* **I thought I had my driver's licence ~ me** ich dachte, ich hätte meinen Führerschein dabei ❾ (*marking surface of*) auf +*dat;* **he had a scratch ~ his arm** er hatte einen Kratzer am Arm ❿ (*about*) über +*akk;* **he needs some advice ~ how to dress** er braucht ein paar Tipps, wie er sich anziehen soll; **he commented ~ the allegations** er nahm Stellung zu den Vorwürfen; **I'll say more ~ that subject later** ich werde später mehr dazu sagen; **they settled ~ a price** sie einigten sich auf einen Preis; **to congratulate sb ~ sth** jdn zu etw *dat* gratulieren; **essays ~ a wide range of issues** Aufsätze zu einer Vielzahl von Themen ⓫ (*based on*) auf +*akk* ... hin; **he reacted ~ a hunch** er reagierte auf eine Ahnung hin; **~ account of** wegen +*gen;* **~ purpose** absichtlich; **to be based ~ sth** auf etw *dat* basieren; **to rely ~ sb** sich auf jdn verlassen ⓬ (*as member of*) in +*dat;* **how many**

people are ~ your staff? wie viele Mitarbeiter haben Sie?; **whose side are you ~ in this argument?** auf welcher Seite stehst du in diesem Streit? ⓭ (*against*) auf +*akk;* **don't be so hard ~ him!** sei nicht so streng mit ihm!; **he didn't know it but the joke was ~ him** er wusste nicht, dass es ein Witz über ihn war; **they placed certain restrictions ~ large companies** großen Unternehmen wurden bestimmte Beschränkungen auferlegt; **there is a new ban ~ the drug** die Droge wurde erneut verboten; **to place a limit ~ sth** etw begrenzen; **to force one's will ~ sb** jdm seinen Willen aufzwingen ⓮ (*through device of*) an +*dat;* **he's ~ the phone** er ist am Telefon; **Chris is ~ drums** Chris ist am Schlagzeug ⓯ (*through medium of*) auf +*dat;* **what's ~ TV tonight?** was kommt heute abend im Fernsehen?; **a 10-part series ~ Channel 3** eine zehnteilige Serie im 3. Programm; **to put sth down ~ paper** etw aufschreiben; **to come out ~ video** als Video herauskommen ⓰ (*in the course of*) auf +*dat; ~* **the way to town** auf dem Weg in die Stadt ⓱ (*travelling with*) in, mit +*dat; ~* **foot/horseback** zu Fuß/auf dem Pferd ⓲ (*on day of*) an +*dat;* **what are you doing ~ Friday?** was machst du am Freitag?; **we always go bowling ~ Thursdays** wir gehen donnerstags immer kegeln ⓳ (*at time of*) bei +*dat; ~* **the count of three, start running!** bei drei lauft ihr los!; **trains to London leave ~ the hour every hour** die Züge nach London fahren jeweils zur vollen Stunde; **~ receiving her letter** als ich ihren Brief erhielt; **~ the dot** [auf die Sekunde] pünktlich ⓴ (*engaged in*) bei +*dat;* **we were ~ page 42** wir waren auf Seite 42; **he was out ~ errands** er machte ein paar Besorgungen; **~ business** geschäftlich; **to work ~ sth** an etw *dat* arbeiten ㉑ (*regularly taking*) **my doctor put me ~ antibiotics** mein Arzt setzte mich auf Antibiotika; **he lived ~ berries and roots** er lebte von Beeren und Wurzeln; **to be ~ drugs** unter Drogen stehen; **to be ~ medication** Medikamente einnehmen ㉒ (*paid by*) auf +*dat;* **this meal is ~ me** das Essen bezahle ich; **to buy sth ~ credit/hire purchase** etw auf Kredit/Raten kaufen ㉓ (*sustained by*) mit, von +*dat;* **does this radio run ~ batteries?** läuft dieses Radio mit Batterien?; **I've only got £50 a week to live ~** ich lebe von nur 50 Pfund pro Woche ㉔ (*as payment for*) für +*akk;* **how much interest are you paying ~ the loan?** wie viel

Zinsen zahlst du für diesen Kredit? ㉕ (*added to*) zusätzlich zu +*dat* ㉖ (*connected to*) an +*dat;* **dogs should be kept ~ their leads** Hunde sollten an der Leine geführt werden; **to be ~ the phone** Aus, Brit telefonisch erreichbar sein ㉗ (*according to*) auf +*dat; ~* **the whole** insgesamt ㉘ (*burdening*) auf +*dat;* **it's been ~ my mind** ich muss immer daran denken ㉙ (*experiencing*) **crime is ~ the increase again** die Verbrechen nehmen wieder zu; **he's out ~ a date** er hat gerade eine Verabredung; **to set sth ~ fire** etw anzünden ㉚ (*compared with*) **I can't improve ~ my final offer** dieses Angebot ist mein letztes Wort; **sales are up ~ last year** der Umsatz ist höher als im letzten Jahr ㉛ *after n* (*following*) **the government suffered defeat ~ defeat** die Regierung erlitt eine Niederlage nach der anderen ㉜ Aus, Brit sports (*having points*) **Clive's team is ~ five points while Joan's is ~ seven** das Team von Clive hat fünf Punkte, das von Joan hat sieben ►**to have time ~ one's hands** noch genug Zeit haben; **what are you ~?** (*fam*) bist du noch bei Sinnen? **II.** *adv* ❶ (*in contact with*) auf; **to screw sth ~** etw anschrauben ❷ (*on body*) an; **get your shoes ~!** zieh dir die Schuhe an!; **to have/try sth ~** etw anhaben/anprobieren; **with nothing ~** nackt ❸ (*indicating continuance*) weiter; **if the phone's engaged, keep ~ trying!** wenn besetzt ist, probier es weiter!; **the noise just went ~ and ~** der Lärm hörte gar nicht mehr auf; **he talked ~ and ~** er redete pausenlos ❹ (*in forward direction*) vorwärts; **would you pass it ~ to Paul?** würdest du es an Paul weitergeben?; **from that day ~** von diesem Tag an; **what are you doing later ~?** was hast du nachher vor?; **to move ~** (*move forward*) weitergehen; (*transfer to another place*) weiter; **to urge sb ~** jdn anspornen ❺ (*being shown*) **there's a good film ~ this afternoon** heute Nachmittag kommt ein guter Film ❻ (*scheduled*) geplant; **I've got nothing ~ next week** ich habe nächste Woche nichts vor; **I've got a lot ~ this week** ich habe mir für diese Woche eine Menge vorgenommen ❼ (*functioning*) an; **to put the kettle ~** das Wasser aufsetzen; **to leave the light ~** das Licht anlassen; **to switch/turn sth ~** etw einschalten ❽ (*aboard*) **to get ~** *bus, train* einsteigen; *horse* aufsitzen ❾ (*due to perform*) **you're ~!** du bist dran! ►**to be ~ about sth** Aus, Brit dauernd über etw *akk* reden; **what are you ~**

about? wovon redest du denn nun schon wieder?; **he knows what he's ~ about** er weiß, wovon er redet; **to be ~ at sb** jdm in den Ohren liegen; **to hang ~** warten; **that's not ~** BRIT, AUS (*fam*) das ist nicht in Ordnung; **~ and off** und zu; **to be ~ to something** (*fam*) etw spitz gekriegt haben; **you're ~!** abgemacht! *fam* III. *adj attr* ❶ AM (*good*) gut ❷ ELEC, TECH **~ switch** Einschalter *m*

once [wʌn(t)s] I. *adv* ❶ (*one time*) einmal; **~ in a lifetime** einmal im Leben; **~ a week** einmal pro Woche; [**every**] **~ in a while** hin und wieder; **~ and for all** ein für alle Mal; **~ again** wieder einmal; **just for ~** nur einmal; **just this ~** nur dieses eine Mal; **~ or twice** ein paar Mal; ■**for ~** ausnahmsweise ❷ (*in the past*) einst *geh*, früher; **~ upon a time ...** (*liter*) es war einmal ... ❸ (*some point in time*) **~ more** (*one more time*) noch einmal; (*again, as before*) wieder; **~ at ~** (*simultaneously*) auf einmal; (*immediately*) sofort ▶**~ bitten, twice shy** (*prov*) ein gebranntes Kind scheut das Feuer II. *conj* (*as soon as*) sobald

'once-over *n* (*fam*) ❶ (*cursory examination*) **to give sb/sth a/the ~** jdn/etw flüchtig ansehen ❷ (*cursory cleaning*) **to give sth a/the ~** etw rasch putzen

on·com·ing ['ɒnˌkʌmɪŋ] *adj attr* ❶ (*approaching*) [heran]nahend; *vehicle* entgegenkommend; **~ traffic** Gegenverkehr *m* ❷ (*fig: in near future*) bevorstehend

one [wʌn] I. *n* ❶ (*unit*) eins; **a hundred and ~** einhundert[und]eins; *see also* **eight** ❷ (*figure*) Eins *f*; *see also* **eight** ❸ (*size of garment, merchandise*) Größe eins ❹ *no pl* (*unity*) ■**to be ~** eins sein II. *adj* ❶ *attr* (*not two*) ein(e); **~ hundred/thousand** einhundert/-tausend; **~ million** eine Million; **~ third/fifth** ein Drittel/Fünftel *nt; see also* **eight** ❷ *attr* (*one of a number*) ein(e); **he can't tell ~ wine from another** er schmeckt bei Weinen keinen Unterschied ❸ *attr* (*single, only*) einzige(r, s); **we should paint the bedroom all ~ colour** wir sollten das Schlafzimmer nur in einer Farbe streichen ❹ *attr* (*some future*) irgendein(e); **~ day** irgendwann ❺ *attr* (*some in the past*) ein(e); **~ moment he says he loves me, the next moment he's asking for a divorce** einmal sagt er, er liebt mich, und im nächsten Moment will er die Scheidung; **~ day/evening/ night** eines Tages/Abends/Nachts ❻ *attr* (*form: a certain*) ein gewisser/eine gewisse ❼ *attr esp* AM (*emph fam: note-*

worthy) **his mother is ~ generous woman** seine Mutter ist eine wirklich großzügige Frau; **that's ~ big ice cream you've got there** du hast aber ein großes Eis! ❽ (*identical*) ein(e); **to be of ~ mind** einer Meinung sein; **~ and the same** ein und der-/die-/dasselbe ❾ (*age*) ein Jahr ❿ (*time*) **~** [**o'clock**] eins, ein Uhr; **at ~** um eins ▶**what with ~ thing and another** (*fam*) weil alles zusammenkommt; **~ way or another** (*for or against*) für oder gegen; (*somehow*) irgendwie III. *pron* ❶ (*single item*) eine(r, s); **which cake would you like? — the ~ at the front** welchen Kuchen möchten Sie? – den vorderen; **I'd rather eat French croissants than English ~s** ich esse lieber französische Croissants als englische; **not all instances fall neatly into ~ or other of these categories** nicht alle Vorkommnisse fallen genau unter eine dieser Kategorien; **not a single ~** kein Einziger/keine Einzige/kein Einziges; **~ at a time** immer nur eine(r, s); [**all**] **in ~** [alles] in einem; **~ after another** eine(r, s) nach dem/der anderen; **~** [**thing**] **after another** eines nach dem anderen; **this/that ~** diese(r, s)/jene(r, s); **these/ those ~s** diese/jene ❷ (*single person*) eine(r); **she thought of her loved ~s** sie dachte an ihre Lieben; **to [not] be ~ to do sth** (*nature*) [nicht] der Typ sein, der etw tut; (*liking*) etw [nicht] gerne tun; **~ and all** (*liter*) alle; **~ after another** eine/einer nach dem/der anderen; **~ by ~** nacheinander; **she's ~ of my favourite writers** sie ist eine meiner Lieblingsautoren; **to be ~ of many/a few** eine(r) von vielen/ wenigen sein; **Chris is the ~ with curly brown hair** Chris ist der mit den lockigen braunen Haaren ❸ (*expressing alternatives, comparisons*) **they look very similar and it's difficult to distinguish ~ from the other** sie sehen sich sehr ähnlich, und es ist oft schwer sie auseinanderzuhalten; **~ or the other** der/die/das eine oder der/die/das andere ❹ (*form: any person*) man; **~ must admire him** er ist zu bewundern ❺ (*form: I*) ich; (*we*) wir; **~ gets the impression that ...** ich habe den Eindruck, dass ...; **I for ~** ich für meinen Teil ❻ (*question*) Frage *f*; **what's the capital of Zaire? — oh, that's a difficult ~** wie heißt die Hauptstadt von Zaire? – das ist eine schwierige Frage ❼ (*fam: joke, story*) Witz *m;* **that was a good ~!** der war gut! ❽ BRIT, AUS (*fam: sb who is lacking respect, is rude, or amusing*) **you are a ~!** du bist mir vielleicht einer! ▶**to**

O

be ~ **of the** <u>family</u> zur Familie gehören; **to** <u>get</u> ~ **up** on sb jdn übertrumpfen; **to be** ~ **of a** <u>kind</u> zur Spitze gehören; **in** ~**s and twos** (*in small numbers*) immer nur ein paar; (*alone or in a pair*) allein oder paarweise

'**one-armed** *adj* einarmig; ~ **bandit** (*fam*) einarmiger Bandit '**one-eyed** *adj attr* einäugig **one-'hand·ed** I. *adv* mit einer Hand II. *adj attr* einhändig '**one-horse** *adj attr* einspännig **one-'leg·ged** *adj attr* einbeinig **one-'lin·er** *n* Einzeiler *m* '**one-man** *adj attr* ❶ (*consisting of one person*) Einmann- ❷ (*designed for one person*) für eine Person *nach n* **one-night 'stand** *n* ❶ (*performance*) einmaliges Gastspiel ❷ (*sexual relationship*) Abenteuer *nt* für eine Nacht ❸ (*person*) Liebhaber(in) *m(f)* für eine Nacht '**one-off** I. *n esp* BRIT (*fam*) ❶ (*event*) einmalige Sache; ■**to be a** ~ einmalig sein ❷ (*person*) einzigartige Person II. *adj* einmalig; ~ **situation** außergewöhnliche Situation '**one-piece, one-piece 'swim·suit** *n* Einteiler *m*

on·er·ous ['əʊnᵊrəs] *adj* (*form*) ❶ (*very difficult*) *duty* schwer; *responsibility* schwerwiegend ❷ LAW [er]drückend

one·self [wʌn'self] *pron reflexive* ❶ *after vb, prep* (*direct object*) sich ❷ (*emph: myself*) selbst ❸ (*personally*) selbst; **to see/taste/read/feel sth for** ~ etw selbst sehen/kosten/lesen/fühlen ❹ (*alone*) **to have sth to** ~ etw für sich allein haben; **to keep sth for** ~ sich *dat* etw behalten; [**all**] **by** ~ [ganz] alleine ❺ (*normal*) **to** [just] **be** ~ [ganz] man selbst sein; **to not be/ seem** ~ nicht man selbst sein/zu sein scheinen

one-'sid·ed *adj* einseitig '**one-time** *adj attr* ❶ (*former*) ehemalig ❷ (*happening only once*) einmalig **one-track 'mind** *n* **to have a** ~ immer nur eins im Kopf haben **one-'up·man·ship, one-'up·ping** *n no pl* (*fam*) *die Kunst, anderen immer um eine Nasenlänge voraus zu sein* **one-way 'street** *n* Einbahnstraße *f* **one-way 'tick·et** *n* einfache Fahrkarte, Einzelfahrschein *m*

on·go·ing ['ɒnˌgəʊɪŋ] *adj* laufend *attr*; im Gang *präd*

on·ion *n* Zwiebel *f* ▶**to** <u>know</u> **one's** ~**s** sich auskennen

on·line [ˌɒn'laɪn] *adj, adv* online; ~ **gaming** Online-Spiel *nt*

on·look·er ['ɒnˌlʊkəʳ] *n* (*also fig*) Zuschauer(in) *m(f)*; (*after accident*) Schaulustige(r) *f(m)*

only ['əʊnli] I. *adj attr* einzige(r, s); **the** ~

one der/die/das Einzige; **the** ~ **thing** das Einzige; **the** ~ **way** die einzige Möglichkeit II. *adv* ❶ (*exclusively*) nur; **for members** ~ nur für Mitglieder ❷ (*just*) erst; ~ **the other day** erst neulich; ~ **just** gerade erst ❸ (*merely*) nur, bloß; **he has** ~ **just enough money to pay the rent** er hat gerade genug Geld, um die Miete zu zahlen; **the situation can** ~ **get worse** die Situation kann sich nur verschlechtern; **not** ~ ..., **but also** ... nicht nur ..., sondern auch ... ❹ (*extremely*) **if you invite me, I assure you I'll be** ~ **too pleased to come** wenn du mich einlädst, versichere ich dir, dass ich nur zu gerne kommen werde ❺ (*to express wish*) **if** ~ ... wenn nur ... ❻ (*indicating a surprising development*) **he rushed into the office,** ~ **to find that everyone had gone home** er stürzte ins Büro, nur um festzustellen, dass alle [schon] nach Hause gegangen waren ▶**you** ~ <u>live</u> **once** (*saying*) man lebt nur einmal III. *conj* ❶ (*however*) aber, jedoch; **he's a good athlete,** ~ **he smokes too much** er ist ein guter Sportler, bloß raucht er zu viel ❷ (*in addition*) **not** ~ **can she sing and dance, she can act and play the piano too** sie kann nicht nur singen und tanzen, sie kann auch schauspielern und Klavier spielen

o.n.o *adv* BRIT, AUS COMM *abbrev of* **or nearest offer**: **for sale: baby's cot £30** ~ zu verkaufen: Babybett 30 Pfund oder nächstbestes Angebot

on·rush <*pl* -**es**> ['ɒnrʌʃ] *n* ❶ (*of emotion*) Ansturm *m* ❷ + *sing/pl vb* (*of people*) Ansturm *m* ❸ (*of liquid*) **an** ~ **of the sea/water** ein Heranströmen *nt* des Meeres/ein Schwall *m* Wasser

on·set ['ɒnset] *n no pl* Beginn *m* (**of** +*gen*); ~ **of winter** Wintereinbruch *m*

on·shore [ˌɒn'ʃɔːʳ] I. *adj* Küsten-; ~ **wind** auflandiger Wind II. *adv* an Land; (*blow*) landwärts

on·side [ˌɒn'saɪd] *adj* SPORTS nicht abseits; ■**to be** ~ nicht im Abseits stehen

on·slaught ['ɒnslɔːt] *n* ❶ (*also fig: attack*) Ansturm *m* (**on** auf) ❷ (*large amount*) Unmenge *f* (**of** an/von)

on-the-job 'train·ing *n no pl* Ausbildung *f* am Arbeitsplatz

onto, on to ['ɒntuː] *prep* ❶ *after vb* (*to inside*) **to get** ~ **a bus/plane/train** in einen Bus/ein Flugzeug/einen Zug einsteigen; **to get** ~ **a horse/bike/motorcycle** auf ein Pferd/Fahrrad/Motorrad [auf]steigen ❷ *after vb* (*to surface of*) auf +*akk* ❸ *after vb* (*connected to*) auf +*akk*; **the**

door opened out ~ a beautiful patio die Tür führte auf eine herrliche Terrasse ❹ (*progress to*) how did we get ~ this subject? wie sind wir auf dieses Thema gekommen?; can we move ~ the next item? können wir zum nächsten Punkt kommen? ❺ (*in pursuit of*) to be ~ sb/sth jdm/etw auf der Spur sein ❻ (*in touch with*) to be ~ a good thing with sth mit etw *dat* an einer guten Sache dran sein ❼ (*fam: in reminder to*) to get/be ~ sb about sth jdm wegen etw *dat* in den Ohren liegen

onus ['əʊnəs] *n no pl* (*form*) Verantwortung *f* (**of** für)

on·ward ['ɒnwəd] **I.** *adj attr* (*of journey*) Weiter-; ~ and upward steil nach oben **II.** *adv* ❶ (*into the future*) from that day/time ~ von diesem Tag/dieser Zeit an ❷ (*of direction*) weiter

onyx ['ɒnɪks] *n no pl* Onyx *m*

oodles ['uːd|z] *npl* (*fam*) Unmengen *pl* (**of** an/von)

oomph [ʊm(p)f] *n no pl* (*fam*) ❶ (*power*) Kraft *f*; *of a car* Leistung *f* ❷ (*pizzazz*) Pep *m*

ooze [uːz] **I.** *n no pl* Schlamm *m* **II.** *vi* (*seep out*) tropfen (**from** aus); *blood, water* sickern; *mud* quellen; to ~ with blood/oil vor Blut/Öl triefen **III.** *vt* ❶ (*seep out*) absondern ❷ (*fig: overflow with*) *charisma, charm* ausstrahlen; *sex appeal* versprühen

opac·ity [ə(ʊ)'pæsəti] *n no pl* ❶ (*non-transparency*) Lichtundurchlässigkeit *f* ❷ (*fig: obscurity*) Undurchsichtigkeit; (*incomprehensibility*) Unverständlichkeit *f*

opal ['əʊp°l] *n* Opal *m*

opal·es·cent [ˌəʊp°l'es°nt] *adj* schillernd; (*like an opal*) opalisierend

opaque [ə(ʊ)'peɪk] *adj* ❶ (*not transparent*) undurchsichtig; *of wax* lichtundurchlässig; *of window, liquid* trüb ❷ (*fig: obscure*) undurchsichtig; (*incomprehensible*) unverständlich

OPEC ['əʊpek] *n no pl, + sing/pl vb acr for* **Organization of Petroleum Exporting Countries** OPEC *f*

open ['əʊp°n] **I.** *adj* ❶ (*not closed*) *container, eyes, garment, door, window* offen, auf *präd fam; pass also* geöffnet; *book* aufgeschlagen; *flower* aufgeblüht; *map* auseinandergefaltet; **wide ~** [sperrangel]weit geöffnet; **to burst ~** *bag, case* aufgehen; **to push sth ~** etw aufstoßen; (*violently*) etw mit Gewalt öffnen ❷ *pred* (*for customers, visitors*) *shop, bar, museum* geöffnet, offen; **is the supermarket ~ yet?** hat der

Supermarkt schon auf? *fam* ❸ (*not yet decided*) *case, decision, question* offen; **the race is still wide ~** bei dem Rennen ist noch alles drin; **to be ~ to interpretation** Interpretationsspielraum bieten; **to have/keep an ~ mind** unvoreingenommen sein/bleiben; **to keep one's options ~** sich *dat* alle Möglichkeiten offenhalten; **~ ticket** Ticket *nt* mit offenem Reisedatum ❹ (*not enclosed*) offen; **to be in the ~ air** an der frischen Luft sein; **on the ~ road** auf freier Strecke ❺ (*accessible to all*) offen, öffentlich zugänglich; **this library is not ~ to the general public** dies ist keine öffentliche Bibliothek; **the competition is ~ to anyone over the age of sixteen** an dem Wettbewerb kann jeder teilnehmen, der älter als 16 Jahre ist; **to have ~ access to sth** freien Zugang zu etw *dat* haben ❻ (*not concealed*) offen; *resentment* unverhohlen; *scandal* öffentlich ❼ *pred* (*frank*) *person* offen; ■ **to be ~ with sb** offen zu jdm sein ❽ *pred* (*willing to accept*) ■ **to be ~ to sth** für etw *akk* offen sein ❾ (*available*) frei, verfügbar; *offer* freibleibend; **there are still lots of opportunities ~ to you** dir stehen noch viele Möglichkeiten offen ❿ *pred* (*exposed*) offen, ungeschützt; MIL ungedeckt; **to be ~ to attack** Angriffen ausgesetzt sein; **to be ~ to criticism** kritisierbar sein; **to be ~ to doubt** zweifelhaft sein ⓫ SPORTS offen; **~ champion** Sieger(in) *m/f* einer offenen Meisterschaft ⓬ SPORTS (*unprotected*) *game, style of play* ungedeckt ⓭ (*letting in air*) durchlässig, porös ► **to be an ~ book** *person* [wie] ein offenes Buch sein; *thing* ein Kinderspiel sein **II.** *n* ❶ *no pl* (*out of doors*) ■ **[out] in the ~** draußen; (*in the open air*) im Freien ❷ *no pl* (*not secret*) **to bring sth out into the ~** etw publik machen; **to come out into the ~** ans Licht kommen ❸ SPORTS (*competition*) ■ **O~** [offene] Meisterschaft **III.** *vi* ❶ (*from closed*) sich öffnen, aufgehen; **the door ~s much more easily now** die Tür lässt sich jetzt viel leichter öffnen; **I can't get the door to ~!** ich kann die Tür nicht aufkriegen! ❷ (*give access*) ■ **to ~ onto sth** [direkt] zu etw *dat* führen ❸ *cafe, shop, museum* öffnen ❹ (*start*) *piece of writing or music, story* beginnen, anfangen; *film* anlaufen; *play* Premiere haben; **who's going to ~?** (*in cards*) wer kommt raus? ❺ (*become visible*) sich zeigen ❻ (*start new business*) eröffnen, aufmachen **IV.** *vt* ❶ (*change from closed*) *book, magazine, newspaper* aufschlagen; *box, window, bot-*

tle aufmachen; *curtains* aufziehen; *eyes, letter* öffnen; *map* auffalten; (*also fig*) *mouth* aufmachen ❷ (*begin*) *meeting, rally* eröffnen; **to ~ fire** MIL das Feuer eröffnen ❸ (*set up*) *bank account, business* eröffnen ❹ (*for customers, visitors*) *shop, museum* öffnen ❺ (*declare ready for use*) *building* einweihen; **to ~ a road/tunnel** eine Straße/einen Tunnel für den Verkehr freigeben ❻ (*break new ground*) erschließen ▶ **to ~ sb's <u>eyes</u> to sb/sth** jdm die Augen über jdn/etw öffnen; **to ~ the <u>floodgates</u> [to sb/sth]** [jdm/etw] Tür und Tor öffnen ◆ **open out** I. *vi* ❶ (*move apart*) sich ausbreiten ❷ (*unfold*) *map* sich auffalten lassen; *flower* aufblühen, sich öffnen ❸ (*grow wider*) sich erweitern; *street, river* breiter werden; (*grow bigger*) sich vergrößern; *group* anwachsen (**into** zu) ❹ (*become more confiding*) *person* sich öffnen; **to ~ out to sb** sich jdm gegenüber öffnen II. *vt* (*unfold*) **to ~ out** ⟳ **a folding bed** [*or* AM **cot**] ein Feldbett aufschlagen; **to ~ out** ⟳ **a map/newspaper** eine [Land]karte auseinanderfalten/eine Zeitung aufschlagen ◆ **open up** I. *vi* ❶ (*start business*) *shop* eröffnen; *radio station* auf Sendung gehen ❷ (*become more confiding*) *person* sich öffnen ❸ (*shoot*) das Feuer eröffnen ❹ (*accelerate*) Gas geben ▶ **to wish the earth would ~ up** am liebsten in den [Erd]boden versinken wollen II. *vt* ❶ (*from closed*) *car, house, shop* aufschließen; *door, window* aufmachen; *canal, pipe* passierbar machen ❷ (*make available*) ◼ **to ~ up** ⟳ **sth [to sb/sth]** [jdm/etw] etw zugänglich machen ❸ (*expand*) erweitern ❹ MED (*fam: operate on*) aufschneiden

'open-air *adj* im Freien attr; **~ concert** Open-Air-Konzert *nt;* **~ stage** Freilichtbühne *f;* **~ swimming pool** Freibad *nt* **'open-cast** *adj* BRIT über Tage *nach n;* **~ mining** Tagebau *m* **open 'cred·it** *n no pl* offener Kredit **open-'end·ed** *adj* mit offenem Ausgang *nach n; question* ungeklärt

open·er ['əʊpᵊnə'] *n* ❶ (*opening device*) Öffner *m* ❷ (*remark*) Anfang *m* ❸ AM (*fam: at first*) **for ~s** für den Anfang

open-'eyed *adv* mit großen Augen **open-heart 'sur·gery** *n no pl* Operation *f* am offenen Herzen

open·ing ['əʊpᵊnɪŋ] I. *n* ❶ *no pl* (*action*) Öffnen *nt,* Aufmachen *nt;* (*of shop*) **hours of ~** Öffnungszeiten *pl* ❷ (*hole*) Öffnung *f;* (*in traffic*) Lücke *f;* (*in woods*) Lichtung *f* ❸ (*opportunity*) günstige Gelegenheit; (*job*) freie Stelle ❹ (*vulnerable spot*) Blöße *f* ❺ (*introduction*) Einführung *f; of a*

novel Einleitung *f; of a film* Anfang *m; of a trial* [Verhandlungs]eröffnung *f* ❻ (*inauguration*) Eröffnung *f* ❼ (*first performance*) Premiere *f* II. *adj attr* (*at beginning*) Anfangs-, Eröffnungs·

open·ing 'bal·ance *n* Eröffnungsbilanz *f* **open·ing 'bid** *n* Eröffnungsgebot *nt* **'open·ing hours** *npl* Öffnungszeiten *pl* **open·ing 'night** *n* THEAT Premierenabend *m* **'open·ing time** *n* Öffnungszeit *f* **open·ly** ['əʊpᵊnli] *adv* ❶ (*frankly*) offen ❷ (*publicly*) öffentlich

open 'mar·ket *n* offener Markt **open-'mind·ed** *adj* (*to new ideas*) aufgeschlossen; (*not prejudiced*) unvoreingenommen **open-'mouthed** *adj* ❶ *pred* (*with open mouth*) mit offenem Mund ❷ *attr* (*shocked*) [sichtlich] betroffen

open·ness ['əʊpᵊnnəs] *n no pl* ❶ (*frankness*) Offenheit *f* ❷ (*publicness*) Öffentlichkeit *f* ❸ (*in character*) offenes Wesen ❹ (*lack of obstruction*) *of view, expanse* Weitläufigkeit *f; of a room* Geräumigkeit *f* **open-'plan** *adj room* offen angelegt **open 'pris·on** *n* BRIT offenes Gefängnis **Open Uni·'ver·sity** *n no pl esp* BRIT ≈ Fernuniversität *f*

op·era ['ɒpᵊrə] *n* Oper *f*

op·er·able ['ɒpᵊrəbl] *adj* ❶ (*functioning*) funktionsfähig; AUTO fahrtüchtig ❷ MED *tumour, cancer* operabel

'op·era glasses *npl* Opernglas *nt* **'op·era house** *n* Opernhaus *nt* **'op·era sing·er** *n* Opernsänger(in) *m(f)*

op·er·ate ['ɒpᵊreɪt] I. *vi* ❶ (*work, run*) funktionieren ❷ (*act*) vorgehen; MIL operieren; (*criminal*) *mind* arbeiten ❸ (*produce an effect*) [be]wirken ❹ (*perform surgery*) ◼ **to ~ on sb/sth** jdn/etw operieren ❺ (*do business*) operieren *geh* II. *vt* ❶ (*work*) bedienen ❷ (*manage*) betreiben ❸ (*perform*) ausführen

op·er·at·ing ['ɒpᵊreɪtɪŋ] I. *n no pl* MED Operieren *nt* II. *adj attr* ❶ (*in charge*) Dienst habend ❷ MED Operations- ❸ COMPUT **~ system (OS)** Betriebssystem *nt*

op·era·tion [ˌɒpᵊr'eɪʃᵊn] *n* ❶ *no pl* (*way of functioning*) Funktionsweise *f; of a theory* Umsetzung *f;* **day-to-day ~** gewöhnlicher Betriebsablauf ❷ *no pl* (*functioning state*) Betrieb *m;* LAW Wirksamkeit *f;* **to come into ~** *machine* in Gang kommen; *plan, rule, law* in Kraft treten; **to put sth into ~** *machine* etw in Betrieb nehmen; *regulations* etw anwenden; *scheme, plan* etw in die Tat umsetzen ❸ (*process*) Vorgang *m* ❹ (*business*) Geschäft *nt* ❺ (*activity*) Unternehmung *f;* MIL Operation *f;* **humanitar-**

opinions

expressing opinions/views	Meinungen/Ansichten ausdrücken
I think she should apologize for her behaviour.	**Ich finde/meine,** sie sollte sich für Ihr Verhalten entschuldigen.
In my opinion he was a highly gifted artist.	Er war **meiner Meinung nach** ein begnadeter Künstler.
I believe/am of the opinion/take the view that everyone should receive a minimum income.	**Ich glaube,/Ich bin der Meinung,/Ich bin der Ansicht, dass** jeder ein Mindesteinkommen erhalten sollte.
The purchase of more machinery is, **in my opinion**, not a sensible option.	Die Anschaffung weiterer Maschinen ist **meines Erachtens** nicht sinnvoll.

asking for opinions and assessments	Meinungen erfragen, um Beurteilung bitten
What's your opinion?	**Was ist Ihre Meinung?**
What do you think (about it)?	**Was meinen Sie (dazu)?**
How do **you think** we should proceed?	Wie sollten wir **Ihrer Meinung nach** vorgehen?
What do you think of the new government?	**Was halten Sie von** der neuen Regierung?
Do you find this game boring?	**Findest du** das Spiel langweilig?
Do you think I can go like this?	**Denkst du,** so kann ich gehen?
What do you think of her new boyfriend?	**Was sagst du zu** ihrem neuen Freund?
How do you like my new hair colour?	**Wie gefällt dir** meine neue Haarfarbe?
Does this theory **mean anything to you**?	**Kannst du mit** dieser Theorie **etwas anfangen?**
What's your opinion of our new product?	**Wie beurteilen Sie** unser neues Produkt?

O

ian ~ humanitärer Einsatz; **rescue** ~ Rettungsaktion *f;* **undercover** ~ MIL verdeckte Operation ❻ (*surgery*) Operation *f*

op·era·tion·al [ˌɒpəˈreɪʃənəl] *adj* ❶ (*in business*) betrieblich, Betriebs- ❷ (*functioning*) betriebsbereit

op·era·tion·al·ly [ˌɒpəˈreɪʃənəli] *adv* abwicklungstechnisch, die Durchführung betreffend

op·era·tive [ˈɒpərətɪv] **I.** *n* ❶ (*in a factory*) [Fach]arbeiter(in) *m(f)* ❷ (*detective*) Privatdetektiv(in) *m(f);* (*secret agent*) Geheimagent(in) *m(f)* **II.** *adj* ❶ (*functioning*) in Betrieb *präd; regulations* gültig ❷ *attr* (*surgical*) operativ

op·era·tor [ˈɒpəreɪtəʳ] *n* ❶ (*worker*) Bediener(in) *m(f);* **machine** ~ Maschinist(in) *m(f)* ❷ (*switchboard worker*) Telefonist(in) *m(f);* (*at telephone company*) ≈ Vermittlung *f* ❸ (*company*) Unternehmer(in) *m(f);* **tour** ~ Reiseveranstalter(in) *m(f)* ❹ (*fam: clever person*) gewiefte Person; **he is a canny** ~ **in wage negotia-**

tions er ist ein schlauer Verhandlungspartner bei Lohnverhandlungen; **smooth** ~ Schlawiner *m fam*

op·er·et·ta [ˌɒpəˈretə] *n* Operette *f*

oph·thal·mic [ɒfˈθælmɪk] *adj attr* Augen-, ophthalmisch *fachspr;* ~ **optician** Augenoptiker(in) *m(f)*

oph·thal·mo·gist [ˌɒfθælˈmɒlədʒɪst] *n* Augenarzt *m,* Augenärztin *m*

opi·ate [ˈəʊpiət] *n* Opiat *nt*

opin·ion [əˈpɪnjən] *n* ❶ (*belief*) Meinung *f,* Ansicht *f;* **popular** ~ weit verbreitete Meinung; **public** ~ die öffentliche Meinung ❷ (*view on topic*) Einstellung *f,* Standpunkt *m* (**on** zu); **difference of** ~ Meinungsverschiedenheit *f;* **just a matter of** ~ reine Ansichtssache; **sb's** ~ **on sb changes** jdn ändert seine Meinung über jdn; **to have a high/bad** ~ **of sb/sth** von jdm/etw eine hohe/keine gute Meinung haben; **to have a high** ~ **of oneself** sehr von sich *dat* überzeugt sein; **to express an** ~ **on sth** seine Meinung zu etw *dat* äußern; **to form an ~** sich *dat* eine Meinung bilden; **in my ~** meiner Meinung nach

opin·ion·at·ed [əˈpɪnjəneɪtɪd] *adj* (*pej*) rechthaberisch

o'pin·ion poll *n* Meinungsumfrage *f*

opium [ˈəʊpiəm] *n no pl* Opium *nt; ~* **den** Opiumhöhle *f*

opos·sum <*pl* -s *or* -> [əˈpɒsəm] *n* Opossum *nt*

op·po·nent [əˈpəʊnənt] *n* POL Widersacher(in) *m(f);* SPORTS Gegner(in) *m(f)*

op·por·tune [ˈɒpətjuːn] *adj* angebracht; *chance* passend; *moment* geeignet

op·por·tun·ism [ˌɒpəˈtjuːnɪzᵊm] *n no pl* Opportunismus *m*

op·por·tun·ist [ˌɒpəˈtjuːnɪst] I. *n* Opportunist(in) *m(f)* II. *adj* (*pej*) opportunistisch

op·por·tun·is·ti·cal·ly [ˌɒpətjuːˈnɪstɪkᵊli] *adv* opportunistisch *geh*

op·por·tu·nity [ˌɒpəˈtjuːnəti] *n* ❶ (*occasion*) Gelegenheit *f;* **a window of ~** eine Chance; **at the earliest ~** bei der erstbesten Gelegenheit; **at every ~** bei jeder Gelegenheit; **to get the ~ of doing sth** die Chance erhalten, etw zu tun; **to grab an ~** eine Gelegenheit ergreifen ❷ (*for advancement*) Möglichkeit *f*

op·pose [əˈpəʊz] *vt* ❶ (*disapprove*) ablehnen ❷ (*resist*) ■**to ~ sb/sth** sich jdm/etw widersetzen; (*actively*) gegen jdn/etw vorgehen ❸ SPORTS ■**to ~ sb** gegen jdn antreten ❹ POL ■**to ~ sb** jds Gegenspieler(in) *m(f)* sein; (*election*) jds Herausforderer(in) *m(f)* sein

op·posed [əˈpəʊzd] *adj pred* ❶ (*against*) ■**to be ~ to sth** gegen etw *akk* sein ❷ (*contrary*) ■**as ~ to** im Gegensatz zu +*dat*

op·pos·ing [əˈpəʊzɪŋ] *adj attr* entgegengesetzt; (*in conflict*) einander widersprechend; *opinion* gegensätzlich; *team* gegnerisch

op·po·site [ˈɒpəzɪt] I. *n* Gegenteil *nt;* **they are complete ~s** sie sind einander total gegensätzlich II. *adj* ❶ (*contrary*) *interests* gegensätzlich ❷ (*facing*) gegenüberliegend; *direction* entgegengesetzt; (*after n*) **who owns that shop ~?** wem gehört der Laden gegenüber? III. *adv* gegenüber; **she asked the man sitting ~ what time it was** sie fragte den ihr gegenübersitzenden Mann nach der Uhrzeit IV. *prep* ❶ (*across from*) gegenüber +*dat* ❷ FILM, TV, THEAT (*acting with*) **to play ~ sb** jds Gegenrolle spielen

op·po·si·tion [ˌɒpəˈzɪʃᵊn] *n* ❶ *no pl* (*resistance*) Widerstand *m* (**to** gegen) ❷ + *sing/ pl vb* (*party not in power*) Oppositi-

on[spartei] *f;* **leader of the O~** Oppositionsführer(in) *m(f)* ❸ (*contrast*) Gegensatz *m;* ■**in ~ to sth** im Gegensatz zu etw *dat* ❹ (*opposing player*) Gegner(in) *m(f)* ❺ + *sing/pl vb* (*opposing team*) gegnerische Mannschaft ❻ ASTROL Opposition *f*

op·press [əˈpres] *vt* ❶ (*subjugate*) unterdrücken ❷ (*overburden*) bedrücken

op·pres·sion [əˈpreʃᵊn] *n no pl* ❶ (*subjugation*) Unterdrückung *f* ❷ (*burden*) Druck *m*

op·pres·sive [əˈpresɪv] *adj* ❶ (*harsh*) *regime* unterdrückerisch; *taxes* drückend ❷ (*hard to bear*) erdrückend; *atmosphere* bedrückend ❸ (*stifling*) *heat, weather* drückend

op·pres·sive·ly [əˈpresɪvli] *adv* ❶ (*harshly*) grausam, hart ❷ (*hard to bear*) bedrückend; **her worries weighed on her ~** ihre Sorgen belasteten sie sehr; **~ humid** drückend schwül

op·pres·sor [əˈpresəʳ] *n* Unterdrücker(in) *m(f)*

opt [ɒpt] *vi* ■**to ~ for sth** sich für etw *akk* entscheiden ◆**opt in** *vi* sich beteiligen ◆**opt out** *vi* nicht mitmachen; (*withdraw*) aussteigen *fam*

op·tic [ˈɒptɪk] I. *n* PHOT optisches Teil (*in einem Gerät*) II. *adj attr* Seh-

op·ti·cal [ˈɒptɪkᵊl] *adj* optisch

op·ti·cal·ly [ˈɒptɪkᵊli] *adv* optisch

op·ti·cian [ɒpˈtɪʃᵊn] *n* Optiker(in) *m(f)*

op·tics [ˈɒptɪks] *npl* + *sing vb* Optik *f kein pl*

op·ti·mal [ˈɒptɪmᵊl] *adj* optimal

op·ti·mism [ˈɒptɪmɪzᵊm] *n no pl* Optimismus *m*

op·ti·mist [ˈɒptɪmɪst] *n* Optimist(in) *m(f)*

op·ti·mis·tic [ˈɒptɪmɪstɪk] *adj* optimistisch

op·ti·mis·ti·cal·ly [ˈɒptɪmɪstɪkᵊli] *adv* optimistisch

op·ti·mi·za·tion [ˌɒptɪmaɪˈzeɪʃᵊn] *n no pl* Optimierung *f*

op·ti·mize [ˈɒptɪmaɪz] *vt* optimieren

op·ti·mum [ˈɒptɪməm] I. *n* <*pl* -tima *or* -s> Optimum *nt* II. *adj* optimal

op·tion [ˈɒpʃᵊn] *n* ❶ (*choice*) Wahl *f;* (*possibility*) Möglichkeit *f;* **to not be an ~** nicht in Frage kommen ❷ (*freedom to choose*) Wahlmöglichkeit *f* ❸ (*right to buy or sell*) Option *f* ❹ *usu pl* (*stock option*) Option *f*

op·tion·al [ˈɒpʃᵊnᵊl] *adj* wahlfrei

op·tome·trist [ɒpˈtɒmətrɪst] *n esp* AM, AUS ≈ Optiker(in) *m(f)*

opu·lence [ˈɒpjələn(t)s] *n no pl* ❶ (*wealth*) Wohlstand *m* ❷ (*abundance*) Überfluss *m*

opu·lent ['ɒpjəlent] *adj* ❶ (*affluent*) wohlhabend; *lifestyle* aufwendig ❷ (*luxurious*) luxuriös ❸ (*abundant*) üppig

or [ɔː'] *conj* ❶ (*as a choice*) oder ❷ (*otherwise*) sonst; ~ **else** sonst; ■ **either** ... ~ ... entweder...[,] oder ❸ (*and also not*) ■ **not** ... ~ ... weder ... noch ... ❹ (*also called*) beziehungsweise ❺ (*being non-specific or unsure*) someone/something/somewhere/sometime ~ other [irgend]jemand/[irgend]etwas/irgendwo/irgendwann; **meet me at 10:00 ~ so at the cafe** treffen wir uns so gegen zehn im Café *fam*

ora·cle ['ɒrəkl] *n* ❶ (*place*) Orakel *nt* ❷ (*person*) Seher(in) *m(f)* ❸ (*response*) Orakelspruch *m* ❹ (*fig: adviser*) Autorität *f*

oracu·lar [ɒr'ækjələ'] *adj* ❶ (*mysterious*) orakelhaft ❷ (*of an oracle*) Orakel-

oral ['ɔːrəl] I. *adj* ❶ (*spoken*) mündlich ❷ MED, PSYCH oral II. *n* mündliches Examen

oral·ly ['ɔːrəli] *adv* ❶ (*spoken*) mündlich ❷ (*with mouth*) oral; **to take a medicine** ~ ein Medikament oral einnehmen

or·ange ['ɒrɪndʒ] I. *n* ❶ (*fruit*) Orange *f*, Apfelsine *f* ❷ (*colour*) Orange *nt* II. *adj* ❶ (*drink, tree*) Orangen- ❷ (*colour*) orange[farben]

or·ange·ade [,ɒrɪndʒ'eɪd] *n* BRIT Orangenlimonade *f* 'or·ange juice *n* no *pl* Orangensaft *m* Or·ange·man ['ɒrɪndʒmən] *n* Mitglied *nt* des Oranierordens 'or·ange peel *n* Orangenschale *f*

orang-outang [ɔː'ræŋuːtæn] *n*, **orang-utan** *n* Orang-Utan *m*

ora·tion [ɔː'reɪʃⁿn] *n* (*speech*) [feierliche] Rede; (*address*) [förmliche] Ansprache

ora·tor ['ɒrətə'] *n* Redner(in) *m(f)*

ora·tori·cal [,ɒrə'tɒrɪkⁿl] *adj* rednerisch

ora·to·rio [,ɒrə'tɔːriəʊ] *n* MUS Oratorium *nt*

orb [ɔːb] *n* (*hist: of a king*) Reichsapfel *m*

or·bit ['ɔːbɪt] I. *n* ❶ (*constant course*) Umlaufbahn *f* ❷ (*trip around*) Umkreisung *f* ❸ (*fig: influence*) [Einfluss]bereich *m* ❹ (*eye socket*) Augenhöhle *f* II. *vi* kreisen III. *vt* ❶ (*circle around*) umkreisen ❷ (*put into orbit*) *rocket, satellite* in die Umlaufbahn bringen

or·bit·al ['ɔːbɪtⁿl] I. *n* PHYS Orbital *nt* o *m* fachspr II. *adj* orbital

or·chard ['ɔːtʃəd] *n* Obstgarten *m*

or·ches·tra ['ɔːkɪstrə] *n* ❶ + *sing/pl vb* (*musicians*) Orchester *nt* ❷ (*orchestra pit*) Orchestergraben *m*

or·ches·tral [ɔː'kestrⁿl] *adj* Orchester-, orchestral

'or·ches·tra pit *n* Orchestergraben *m* or· ches·tra 'stalls *npl* BRIT Parkett *nt*

or·ches·trate ['ɔːkɪstreɪt] *vt* ❶ MUS orchestrieren ❷ (*fig*) organisieren

or·ches·tra·tion [,ɔːkɪ'streɪʃⁿn] *n* ❶ (*of music*) Orchestration *f* ❷ (*of an event*) Organisation *f*

or·chid ['ɔːkɪd] *n* Orchidee *f*

or·dain [ɔː'deɪn] *vt* ❶ REL ordinieren ❷ (*decree*) bestimmen

or·deal [ɔː'diːl] *n* ❶ (*hist*) Gottesurteil *nt* ❷ (*fig: painful decision*) Zerreißprobe *f* ❸ (*torture*) Qual *f*

or·der ['ɔːdə'] I. *n* ❶ *no pl* (*being tidy, organized*) Ordnung *f;* **to put sth in** ~ etw ordnen ❷ *no pl* (*sequence*) Reihenfolge *f;* **running** ~ BRIT Programmablauf *m;* **word** ~ Wortstellung *f* ❸ (*command*) Befehl *m;* LAW Verfügung *f;* **doctor's** ~s ärztliche Anweisung ❹ (*in a restaurant*) Bestellung *f;* (*portion*) Portion *f* ❺ COMM (*request*) Bestellung *f;* (*to make sth also*) Auftrag *m;* **to put in an** ~ eine Bestellung aufgeben; (*to make sth also*) einen Auftrag erteilen ❻ FIN Zahlungsanweisung *f* ❼ STOCKEX Order *m* ❽ *no pl* (*observance of rules, correct behaviour*) Ordnung *f;* (*discipline*) Disziplin *f;* ~! [~!] **please quieten down!** Ruhe bitte! Seien Sie bitte leise!; **to be in** ~ in Ordnung sein; **to be out of** ~ BRIT (*fam*) *person* sich danebenbenehmen; *behaviour* aus dem Rahmen fallen; **to restore** ~ die Ordnung wiederherstellen ❾ *no pl* POL, ADMIN (*prescribed procedure*) Verfahrensweise *f;* (*in the House of Commons*) Geschäftsordnung *f* ❿ *no pl* (*condition*) Zustand *f;* **to be in good** ~ in einem guten Zustand sein; (*work well*) gut funktionieren; **to be in working** ~ (*ready for use*) funktionsbereit sein; (*functioning*) funktionieren; **to be out of** ~ (*not ready for use*) nicht betriebsbereit sein; (*not working*) nicht funktionieren; **"out of ~"** „außer Betrieb" ⓫ *no pl* (*intention*) ■ **in** ~ **to do sth** um etw zu tun; ■ **in** ~ **for** ... damit ... ⓬ (*type*) Art *f;* (*dimension*) ~ [of magnitude] Größenordnung *f;* **of the highest** ~ (*quantity*) hochgradig; (*quality*) von höchster Qualität; **of the** ~ **of sth** in der Größenordnung einer S. *gen* ⓭ (*system, constitution*) Ordnung *f* ⓮ *usu pl* BRIT (*social class*) Schicht *f;* (*social rank*) [gesellschaftlicher] Rang ⓯ BIOL Ordnung *f* ⓰ REL (*society*) [geistlicher] Orden *m* ⓱ (*medal*) Orden *m* ⓲ MATH Ordnung *f* ⓳ REL ■ ~s *pl* Weihe *f* ▶ **to be the** ~ **of the day** an der Tagesordnung sein II. *vi* bestellen; **are you ready to** ~? möchten Sie schon bestellen? III. *vt* ❶ (*decide, decree*) anordnen ❷ (*command*) befehlen ❸ (*in a* *restaurant*) bestellen ❹ COMM (*request*) bestellen; (*to be made also*) in Auftrag geben ❺ (*arrange*) ordnen ◆ **order about**, **order around** *vt* herumkommandieren *fam*

'**or·der book** *n* Auftragsbuch *nt* '**or·der form** *n* Bestellformular *nt*

or·der·ly ['ɔːdəli] **I.** *n* ❶ (*hospital attendant*) ≈ [Kranken]pfleger(in) *m(f)*; (*unskilled*) Hilfskraft *f* (*in Betreuungseinrichtungen*) ❷ MIL (*carrier of orders*) Ordonnanz *f geh*; (*medical sergeant*) Sanitätsunteroffizier *m* **II.** *adj* ❶ (*methodical*) geordnet; (*tidy*) ordentlich; *room* aufgeräumt ❷ (*well-behaved*) gesittet; *demonstration* friedlich

or·ders ['ɔːdəz] *npl* ❶ LAW Rechtsverordnungen *pl* ❷ REL Weihen *pl*; **holy ~** heilige Weihen; **to take [holy] ~** in den geistlichen Stand eintreten, die Weihen empfangen

or·di·nal ['ɔːdɪnəl] *n*, **or·di·nal 'number** *n* Ordinalzahl *f*

or·di·nance ['ɔːdɪnən(t)s] *n* ❶ (*law*) Verordnung *f* ❷ (*rite*) Ritus *m*

or·di·nary ['ɔːdənəri] **I.** *adj* gewöhnlich, normal **II.** *n* ❶ *no pl* (*normal state*) ■ **the ~** das Übliche; **out of the ~** außergewöhnlich; **nothing out of the ~** nichts Ungewöhnliches ❷ BRIT (*judge*) ordentlicher Richter/ordentliche Richterin ❸ (*archbishop, bishop*) Ordinarius *m*

or·di·nary 'sea·man *n* BRIT Leichtmatrose *m* **or·di·nary 'share** *n* Stammaktie *f*

ord·nance ['ɔːdnən(t)s] *n no pl* MIL Geschütze *pl*

Ord·nance 'Sur·vey *n*, **OS** *n* BRIT amtliche Landvermessung

or·dure ['ɔːdjʊəʳ] *n no pl* Mist *m*; (*fig*) Schund *m*

ore [ɔːʳ] *n* Erz *nt*

orega·no [ˌɒrɪˈɡɑːnəʊ] *n no pl* Oregano *nt*

or·gan ['ɔːɡən] **I.** *n* ❶ MUS Orgel *f* ❷ ANAT Organ *nt* ❸ (*fig: mouthpiece*) Organ *nt* **II.** *adj* MUS (*music, player*) Orgel-

'**or·gan do·nor** *n* Organspender(in) *m(f)* '**or·gan grind·er** *n* Drehorgelspieler(in) *m(f)*

or·gan·ic [ɔːˈɡænɪk] *adj* ❶ (*of bodily organs*) organisch ❷ (*living*) organisch ❸ AGR **~ fruits** Obst *nt* aus biologischem Anbau; **~ farming methods** biodynamische Anbaumethoden

or·gani·cal·ly [ɔːˈɡænɪkəli] *adv* organisch; AGR biologisch, biodynamisch; **~ grown** biologisch angebaut

or·gan·ism ['ɔːɡənɪzəm] *n* Organismus *m*

or·gan·ist ['ɔːɡənɪst] *n* Organist(in) *m(f)*

or·gani·za·tion [ˌɔːɡənaɪˈzeɪʃən] *n* ❶ *no pl* (*action*) Organisation *f* ❷ + *sing/pl vb* (*association, company*) Organisation *f* ❸ *no pl* (*tidiness*) Ordentlichkeit *f* ❹ *no pl* (*composition*) Anordnung *f*; *of a painting* Aufbau *m*; *of a room* Aufteilung *f*

or·gani·za·tion·al [ˌɔːɡənaɪˈzeɪʃənəl] *adj* organisatorisch

or·gani·'za·tion chart *n* ECON Organisationsplan *m*

Or·gani·za·tion of Pe·tro·leum Ex·port·ing Coun·tries (OPEC) *n no pl*, + *sing/pl vb* die Organisation Erdöl exportierender Länder

or·gan·ize ['ɔːɡənaɪz] *vt* ❶ (*into a system*) *activities* organisieren; *books, files* ordnen; *space* aufteilen ❷ POL [politisch] organisieren ❸ (*prepare*) vorbereiten; *committee, search party, team* zusammenstellen

or·gan·ized ['ɔːɡənaɪzd] *adj* organisiert

or·gan·iz·er ['ɔːɡənaɪzəʳ] *n* ❶ (*book*) Terminplaner *m* ❷ (*person*) Organisator(in) *m(f)*

or·gasm ['ɔːɡæzəm] **I.** *n* Orgasmus *m* **II.** *vi* einen Orgasmus haben

or·gas·mic [ɔːˈɡæzmɪk] *adj* orgastisch *geh*; (*fig fam*) aufregend

orgy ['ɔːdʒi] *n* Orgie *f*

ori·ent *vt esp* AM ❶ (*position*) ■ **to ~ sth** etw *dat* eine Richtung geben ❷ (*determine position*) ■ **to ~ oneself** sich orientieren ❸ (*gear*) ■ **to ~ oneself to[ward] sb/sth** sich auf jdn/etw einstellen

ori·en·tal [ˌɔːriˈentəl] *adj* orientalisch

ori·en·tate ['ɔːriənteɪt] *vt* ❶ (*determine position*) ■ **to ~ oneself [by sth]** sich [nach etw *dat*] orientieren ❷ (*make familiar*) ■ **to ~ oneself** sich zurechtfinden ❸ (*gear*) ■ **to ~ oneself to[ward] sb/sth** sich nach jdm/etw richten; ■ **to ~ sth to[wards] sth** etw auf etw *akk* hin ausrichten

ori·en·ta·tion [ˌɔːriənˈteɪʃən] *n* ❶ *no pl* (*being oriented*) Orientierung *f*; **to get one's ~** sich orientieren können; **to lose one's ~** die Orientierung verlieren ❷ (*tendency*) Ausrichtung *f* ❸ (*attitude*) Orientierung *f*; **political ~** politische Gesinnung; **sexual ~** sexuelle Neigung ❹ (*introduction*) Einweisung *f* ❺ (*direction*) *of a ship* Kursbestimmung *f*; *of rocks* Ausrichtung *f*; *of atoms, radicals* Orientierung *f*

ori·en·teer·ing [ˌɔːriənˈtɪərɪŋ] *n no pl* Orientierungslauf *m*

ori·fice ['ɒrɪfɪs] *n* Öffnung *f*

ori·gin ['ɒrɪdʒɪn] *n* ❶ (*beginning, source*) Ursprung *m*; *of a river* Quelle *f*; ■ **in ~** ursprünglich ❷ (*place sth/sb comes from*)

Herkunft *f kein pl;* (*ancestry also*) Abstammung *f kein pl* ❸ MATH [Koordinaten]ursprung *m*

origi·nal [əˈrɪdʒɪnəl] **I.** *n* Original *nt* **II.** *adj* ❶ (*first*) ursprünglich; **the ~ version** die Originalversion; *of a book* die Originalausgabe ❷ (*unique*) originell; (*innovative*) bahnbrechend; (*creative*) kreativ ❸ (*from creator*) original; **is this an ~ Rembrandt?** ist das ein echter Rembrandt?; **~ painting** Original *nt*

origi·nal·ity [ə͵rɪdʒɪˈnæləti] *n no pl* Originalität *f*

origi·nal·ly [əˈrɪdʒɪnəli] *adv* ❶ (*at first*) ursprünglich ❷ (*uniquely*) außergewöhnlich

origi·nate [əˈrɪdʒɪneɪt] **I.** *vi* entstehen, seinen Anfang nehmen; **I think the rumour ~d with Janet** ich glaube, Janet hat das Gerücht in die Welt gesetzt; **to ~ in Stuttgart/London** aus Stuttgart/London kommen; *aeroplane* von Stuttgart/London starten; *train, bus* von Stuttgart/London losfahren **II.** *vt* hervorbringen; (*invent*) erfinden; **to ~ a rumour** ein Gerücht in die Welt setzen; **to ~ a story** eine Geschichte in Umlauf bringen

origi·na·tor [əˈrɪdʒɪneɪtəʳ] *n* Urheber(in) *m(f);* (*founder*) Gründer(in) *m(f);* (*inventor*) Erfinder(in) *m(f);* **to be the ~ of an idea** als Erster/Erste eine Idee haben

Ork·ney Is·lands [ˈɔːkniːˌaɪləndz], **Ork·neys** *npl* ■ **the ~** die Orkneyinseln *pl*

or·na·ment **I.** *n* [ˈɔːnəmənt] ❶ (*pretty object*) Ziergegenstand *m;* (*figurine*) Figürchen *nt;* **Christmas ~s** Weihnachtsschmuck *m* ❷ *no pl* (*adornment*) Schmuck *m;* (*decoration*) Dekoration *f* ❸ (*fig: adding beauty or honour*) Zierde *f* ❹ *usu pl* (*in music*) Ornament *nt* **II.** *vt* dekorieren

or·na·men·tal [͵ɔːnəˈmentəl] *adj* Zier-, dekorativ

or·na·men·ta·tion [͵ɔːnəmənˈteɪʃən] *n* (*form*) ❶ (*thing*) Verzierung *f;* ART Ornament *nt* ❷ *no pl* (*act*) Verzieren *nt;* (*of a room, text*) Ausschmückung *f*

or·nate [ɔːˈneɪt] *adj object* prunkvoll; *music* ornamentreich; *language, style* kunstvoll; (*pej*) geschraubt

or·nate·ly [ɔːˈneɪtli] *adv* kunstvoll

or·ni·tholo·gist [͵ɔːnɪˈθɒlədʒɪst] *n* Ornithologe, Ornithologin *m, f*

or·ni·thol·ogy [͵ɔːnɪˈθɒlədʒi] *n no pl* Ornithologie *f*

or·phan [ˈɔːfən] **I.** *n* Waise *f* **II.** *adj* Waisen-, verwaist *f* **III.** *vt* ■ **to be ~ed** [zur] Waise werden

or·phan·age [ˈɔːfənɪdʒ] *n* Waisenhaus *nt*

ortho·don·tist [͵ɔːθə(ʊ)ˈdɒntɪst] *n* Kieferorthopäde(in) *m(f)*

ortho·dox [ˈɔːθədɒks] *adj* ❶ (*generally accepted*) herkömmlich; (*not innovative*) starr ❷ (*strictly religious*) strenggläubig ❸ (*of the Orthodox Church*) orthodox

ortho·doxy [ˈɔːθədɒksi] *n* ❶ (*practice*) verbreitete Denkweise ❷ *no pl* (*quality*) Rechtgläubigkeit *f* ❸ REL (*group*) die Orthodoxen *pl*

or·thogo·nal [ɔːˈθɒɡənəl] *adj* MATH orthogonal

ortho·graph·ic [͵ɔːθə(ʊ)ˈɡræfɪk] *adj* orthographisch *geh,* Rechtschreib-

ortho·graphi·cal·ly [͵ɔːθə(ʊ)ˈɡræfɪkəli] *adv* orthographisch *geh*

or·thog·ra·phy [ɔːˈθɒɡrəfi] *n no pl* Orthographie *f geh*

ortho·pae·dic [͵ɔːθə(ʊ)ˈpiːdɪk] *adj* orthopädisch

ortho·pae·dics [͵ɔːθə(ʊ)ˈpiːdɪks] *n + sing vb* Orthopädie *f kein pl*

ortho·pae·dist [͵ɔːθə(ʊ)ˈpiːdɪst] *n* Orthopäde(in) *m(f)*

ortho·pe·dic *adj* AM *see* **orthopaedic**

ortho·pe·dics *adj* AM *see* **orthopaedics**

ortho·ped·ist *n* AM *see* **orthopaedist**

OS¹ [͵əʊˈes] *n* COMPUT *abbrev of* **operating system**

OS² [͵əʊˈes] *n* BRIT *abbrev of* **Ordnance Survey**

os·cil·late [ˈɒsɪleɪt] **I.** *vi* ❶ (*swing*) schwingen ❷ (*fig: fluctuate*) [hin und her] schwanken **II.** *vt* ■ **to ~ sth** etw pendeln lassen

os·cil·la·tion [͵ɒsɪˈleɪʃən] *n* ❶ (*movement*) Schwingung *f* ❷ (*fig: fluctuation of moods*) Schwankung *nt*

os·cil·lo·scope [əˈsɪləskəʊp] *n* Schwingungsmesser *m*

osier [ˈəʊziəʳ] **I.** *n* BOT (*tree*) Korbweide *f;* (*branch*) Weidenrute *f* **II.** *adj* (*basket*) Weiden-; (*chair, table*) Korb-

os·mo·sis [ɒzˈməʊsɪs] *n no pl* BIOL, CHEM Osmose *f;* ■ **by ~** durch Osmose

os·prey [ˈɒspreɪ] *n* Fischadler *m*

os·si·fy <-ie-> [ˈɒsɪfaɪ] **I.** *vi* (*also fig: become bone*) verknöchern **II.** *vt* ■ **to ~ sth** etw erstarren lassen *fig*

os·ten·sible [ɒˈsten(t)sɪbl] *adj attr* angeblich

os·ten·ta·tion [͵ɒstenˈteɪʃən] *n no pl* Großtuerei *f*

os·ten·ta·tious [͵ɒstenˈteɪʃəs] *adj* prahlerisch; *lifestyle* protzig; *gesture* demonstrativ

os·teo·ar·thri·tis [͵ɒstiəʊɑːˈθraɪtɪs] *n no pl* Arthrose *f,* Osteoarthritis *f fachspr*

os·teo·path [ˈɒstɪə(ʊ)pæθ] *n* MED Osteopath(in) *m(f)*

os·teo·poro·sis [ˌɒstɪəʊpəˈrəʊsɪs] *n no pl* MED Osteoporose *f*

os·tra·cism [ˈɒstrəsɪzᵊm] *n no pl* Ächtung *f*

os·tra·cize [ˈɒstrəsaɪz] *vt* ❶ (*exclude*) ächten ❷ (*banish*) verbannen

os·trich [ˈɒstrɪtʃ] **I.** *n* ORN Strauß *m* **II.** *adj* (*egg, feather, meat, nest*) Straußen-

OT *n abbrev of* **Old Testament** AT *nt*

oth·er [ˈʌðəʳ] **I.** *adj* ❶ (*different*) andere(r, s); **there's no ~ way** anders geht es nicht; **some ~ time** ein anderes Mal; **in ~ words** mit anderen Worten ❷ (*not long ago*) **the ~ day** neulich; **the ~ evening/morning/night** neulich abends/morgens/nachts ❸ (*additional*) andere(r, s), weitere(r, s) ❹ (*alternative*) andere(r, s); **one's ~ half** (*euph*) meine bessere Hälfte; **on the ~ hand** andererseits; **every ~** jede(r, s) zweite; **one or ~** eine(r, s) von beiden ❺ (*not being exact*) **some man or ~** irgendein Mann *m*; **some time or ~** irgendwann [einmal]; **somehow or ~** irgendwie; **someone or ~** irgendwer; **something or ~** irgend[et]was ❻ *after n* (*except*) **I've never told this to any person ~ than you** außer dir habe ich das noch nie jemandem erzählt; **there was no choice ~ than to walk home** es blieb uns nichts anderes übrig, als nach Hause zu laufen **II.** *pron* ❶ (*the remaining*) ▪ **the ~** der/die/das andere; **one from the ~** voneinander; **one or the ~** eines davon ❷ + *sing vb* (*either, or*) **one or [the] ~ of sth** eine(r, s) von etw *dat*

oth·ers [ˈʌðəz] *pron pl* ❶ (*people*) andere; **any ~ for coffee?** noch jemand Kaffee? ❷ (*different ones*) andere

oth·er·wise [ˈʌðəwaɪz] *adv* ❶ (*differently*) anders; **the police believe he is the thief, but all the evidence suggests ~** die Polizei hält ihn für den Dieb, aber das Beweismaterial spricht dagegen; **unless you let me know ~, ...** sofern ich nichts Gegenteiliges von dir höre, ... ❷ (*except for this*) sonst ❸ (*alternatively*) **Marion Morrison, ~ known as the film star John Wayne, ...** Marion Morrison, auch bekannt als der Filmstar John Wayne, ...; **to be ~ engaged** anderweitig zu tun haben

OTT [ˌəʊtiːˈtiː] BRIT (*fam*) *abbrev of* **over the top: her outfit was a bit ~** also diesmal ist sie mit ihrem Outfit definitiv zu weit gegangen!

ot·ter [ˈɒtəʳ] *n* Otter *m*

ot·to·man [ˈɒtə(ʊ)mən] *n* ❶ (*couch*) Ottomane *f* ❷ (*stool*) Polsterschemel *m* (*oft mit eingebauten Schubladen*) ❸ *no pl* (*cloth*) Ottoman *m*

Ot·to·man [ˈɒtə(ʊ)mən] **I.** *n* HIST Osmane, Osmanin *m, f*, Ottomane, Ottomanin *m, f* *selten* **II.** *adj* HIST osmanisch

OU [ˌəʊˈjuː] *n abbrev of* **Open University**

ouch [aʊtʃ] *interj* aua, autsch

ought [ɔːt] *aux vb* ❶ (*indicating duty*) ▪ **sb ~ to do sth** jd sollte etw tun; **we ~ not to have agreed** wir hätten nicht zustimmen sollen; **it ~ not to be allowed** das sollte nicht erlaubt sein ❷ (*indicating probability*) **they ~ to have arrived at lunchtime** sie hätten eigentlich um die Mittagszeit ankommen sollen; **ten minutes ~ to be enough time** zehn Minuten müssten eigentlich genügen; **will dinner be ready on time? — yes, it ~ to be** wird das Essen rechtzeitig fertig? – ja, das müsste hinhauen *fam* ❸ (*indicating advice*) ▪ **sb ~ to do sth** jd sollte etw tun

ounce [aʊn(t)s] *n* Unze *f*; **if he's got an ~ of common sense, ...** wenn er auch nur einen Funken gesunden Menschenverstand hat, ...; **there's not an ~ of truth to the rumour** an dem Gerücht ist aber auch überhaupt nichts dran

our [aʊəʳ] *adj poss* unser(e)

ours [aʊəz] *pron poss* (*belonging to us*) unsere(r, s); **he's a cousin of ~** er ist ein Cousin von uns

our·selves [aʊəˈselvz] *pron reflexive* ❶ *after vb, prep* (*direct object*) uns; **we enjoyed ~ at the party very much** wir hatten großen Spaß bei der Party ❷ (*form: we, us*) wir ❸ (*emph: personally*) wir persönlich; **we invented it ~** wir erfanden das selbst; **to see/taste/hear/feel sth for ~** etw selbst sehen/kosten/hören/fühlen ❹ (*alone*) **we always do our taxes ~** wir machen immer selbst die Steuererklärung; **to have sth [all] to ~** etw [ganz] für uns haben; ▪ **[all] by ~** [ganz] allein ❺ (*normal*) **to [just] be ~** [ganz] wir selbst sein; **to not be/feel/seem ~** nicht wir selbst sein/zu sein scheinen

oust [aʊst] *vt* (*expel*) vertreiben; (*by taking their position*) verdrängen

out [aʊt] **I.** *adj pred* ❶ ▪ **to be ~** (*absent*) abwesend sein; (*on strike*) sich im Ausstand befinden; (*demonstrating*) auf die Straße gehen; (*for consultation*) jury sich zurückgezogen haben; (*borrowed from the library*) entliehen sein ❷ (*outside*) ▪ **to be ~** [somewhere] [irgendwo] draußen sein; *sun, moon, stars* am Himmel stehen; *prisoner* [wieder] draußen sein *fam* ❸ (*on the move*) ▪ **to be ~** unterwegs sein; *army* ausgerückt sein; **to be ~ on one's rounds** seine Runde machen; **to be ~ and about** unterwegs sein; (*after an illness*) wieder auf den Beinen sein **④** (*in blossom*) ■**to be ~** blühen; *tree also* in Blüte stehen **⑤** (*available*) ■**to be ~** erhältlich sein; (*on the market*) auf dem Markt sein **⑥** (*fam: existing*) **he's the best footballer ~** er ist der beste Fußballer, den es zurzeit gibt **⑦** (*known*) ■**to be ~** heraus sein; *secret* gelüftet sein; *news* bekannt sein; [**the**] **truth will ~** die Wahrheit wird ans Licht kommen **⑧** ■**to be ~** (*asleep*) schlafen; (*unconscious*) bewusstlos sein **⑨** (*finished*) ■**to be ~** aus sein; **school will be ~ in June** die Schule endet im Juni; **before the month/year is ~** vor Ende des Monats/Jahres **⑩** SPORTS ■**to be ~** (*not playing*) nicht [mehr] im Spiel sein; (*in cricket, baseball*) aus sein; (*outside a boundary*) *ball, player* im Aus sein **⑪** (*fam*) ■**to be ~** *team, player* draußen sein; (*expelled, dismissed*) [raus]fliegen; **to be ~ on the streets** *unemployed* auf der Straße stehen; *homeless* obdachlos sein **⑫** (*fam*) ■**to be ~** (*unacceptable*) unmöglich sein; (*unfashionable*) out sein **⑬** (*not possible*) ■**to be ~** unmöglich sein **⑭** (*off*) ■**to be ~** *light, TV* aus sein; *fire also* erloschen sein **⑮** (*inaccurate*) ■**to be ~** falsch sein; *watch* falsch gehen **⑯** *homosexual* ■**to be ~** sich geoutet haben *fam* **⑰** *tide* **the tide is ~** es ist Ebbe **II.** *adv* **①** (*not in sth*) außen; (*not in a room, flat*) draußen; (*outdoors*) draußen, im Freien; **"keep ~!"** „betreten verboten!"; **to keep sb/sth ~** jdn/etw nicht hereinlassen; **to keep the cold ~** die Kälte abhalten **②** (*outwards*) heraus; (*seen from inside*) hinaus; (*facing the outside*) nach außen; (*out of a room, building also*) nach draußen; **get ~!** raus hier! *fam;* **can you find your way ~?** finden Sie selbst hinaus?; **~ with it** heraus damit! *fam;* **to turn sth inside ~** etw umstülpen; *clothes* etw auf links drehen **③** (*away from home, for a social activity*) **to ask sb ~** [**for a drink/meal**] jdn [auf einen Drink/zum Essen] einladen; **to eat ~** im Restaurant essen; **to go ~** ausgehen **④** (*removed*) [he]raus; (*extinguished*) aus; **to put a fire ~** ein Feuer löschen; **to cross sth ~** etw ausstreichen **⑤** (*fully, absolutely*) **burnt ~** (*also fig*) ausgebrannt; *fuse* durchgebrannt; *candle* heruntergebrannt; *tired* **~** völlig erschöpft; **~ and away** AM bei weitem **⑥** (*aloud*) **she called ~** to **him to stop** sie rief ihm zu, er solle anhalten; **to cry ~ in pain** vor Schmerzen aufschreien; **to laugh**

~ [**loud**] [laut] auflachen **⑦** (*to an end, finished*) **"over and ~"** AVIAT „Ende"; **to die ~** aussterben; (*fig*) *applause* verebben; **to fight sth ~** etw [untereinander] austragen **⑧** (*out of prison*) **to let sb ~** jdn freilassen **⑨** (*unconscious*) **to knock sb ~** jdn bewusstlos schlagen; **to pass ~** in Ohnmacht fallen **⑩** (*dislocated*) **to put one's back/shoulder ~** sich *dat* den Rücken verrenken/die Schulter ausrenken **⑪** (*open*) **to open sth ~** (*unfold*) etw auseinanderfalten; (*spread out*) etw ausbreiten; (*extend*) *furniture* etw ausziehen **⑫** (*outdated*) **to go ~** aus der Mode kommen **⑬** (*time off*) **to take ten minutes ~** eine Auszeit von zehn Minuten nehmen **⑭** *tide* **the tide is going ~** die Ebbe setzt ein **⑮** (*at a distant place*) draußen; **~ at sea** vor dem See; **~ west** im Westen; AM (*west coast*) an der Westküste **III.** *vt* ■**to ~ sb** **①** (*eject*) jdn rausschmeißen *fam;* SPORTS jdn vom Platz stellen **②** BOXING jdn k.o. schlagen **③** *homosexual* jdn outen *fam* **IV.** *prep* (*fam*) aus; **to run ~ the door** zur Tür hinausrennen

'out-and-out *adj attr* ausgemacht, durch und durch *nach n* **'out·back** *n no pl* Hinterland *nt* [Australiens]; **to live in the ~** im [australischen] Busch leben **out·'bid** <-bid, -bid> *vt* überbieten **'out·board, out·board 'mo·tor** *n* Außenbordmotor *m* **'out·break** *n of a disease, hostilities, a war* Ausbruch *m* **'out·build·ing** *n* Nebengebäude *nt* **'out·burst** *n* Ausbruch *m;* **an ~ of anger** ein Wutanfall *m* **'out·cast I.** *n* Ausgestoßene(r) *f(m);* **social ~** gesellschaftlicher Außenseiter/gesellschaftliche Außenseiterin **II.** *adj* ausgestoßen **out·'class** *vt* in den Schatten stellen **'out·come** *n* Ergebnis *nt* **'out·crop** *n* GEOL Felsnase *f* **'out·cry** *n* lautstarker Protest (**over** gegen); **to provoke a public ~** einen Sturm der Entrüstung in der Öffentlichkeit auslösen **out·'dat·ed** *adj* veraltet; *ideas, views* überholt **out·'dis·tance** *vt* ■**to ~ sb** jdn hinter sich *dat* lassen **out·'do** <-did, -done> *vt* übertreffen **'out·door** *adj* **he's very much an ~ person** er hält sich gern und viel im Freien auf; **~ concert** Open-Air-Konzert *nt;* **~ clothes** Kleidung *f* für draußen; **~ sports** Sportarten *pl* im Freien **out·doors** [ˌaʊtˈdɔːz] **I.** *n* + *sing vb* **in the great ~** in der freien Natur **II.** *adv* im Freien

out·er [ˈaʊtəʳ] **I.** *n* BRIT SPORTS äußerster Ring (*einer Zielscheibe*) **II.** *adj* **①** (*external*) äußerlich, Außen- **②** (*far from centre*) äußere(r, s), Außen-; **one's ~ circle of**

friends jds weiterer Bekanntenkreis

out·er·most ['aʊtəməʊst] *adj attr* äußerste(r, s); *layer* oberst

'**out·field** *n no pl* Außenfeld *nt*

'**out·fit** **I.** *n* ❶ (*clothes*) Kleidung *f;* **cowboy** ~ Cowboykostüm *nt;* **wedding** ~ Hochzeitsgarderobe *f* ❷ (*fam: group*) Verein *m;* (*company*) Laden *m;* (*musicians, sports team*) Truppe *f* ❸ (*equipment*) Ausrüstung *f* **II.** *vt* <-tt-> ■**to** ~ **sb with sth** jdn mit etw *dat* ausrüsten

'**out·fit·ter** *n* ❶ BRIT (*for clothing*) ■ ~**s** *pl* Ausstatter *m;* **schools'** ~**s** Fachgeschäft *nt* für Schuluniformen ❷ AM (*for outdoor pursuits*) **sports'** ~ Sportgeschäft *nt*

'**out·flow** *n* Ausfluss *m* **out·'go·ing** *adj* ❶ (*approv: extroverted*) kontaktfreudig ❷ *attr* (*retiring from office*) [aus]scheidend ❸ (*outward bound*) ausgehend **out·'grow** <-grew, -grown> *vt* ❶ (*become too big for*) ■**to** ~ **sth** aus etw *dat* herauswachsen ❷ (*leave behind*) ■**to** ~ **sth** einer S. *gen* entwachsen; **she has outgrown dolls already** für Puppen ist sie schon zu groß; **to** ~ **a habit** eine Gewohnheit ablegen ❸ (*become bigger than*) **to** ~ **one's brother/mother** seinem Bruder/seiner Mutter über den Kopf wachsen '**out·growth** *n* Auswuchs *m a. fig;* (*development*) *of an idea, a theory* Weiterentwicklung *f* '**out·house** *n* ❶ (*building*) Außengebäude *nt;* (*joined*) Nebengebäude *nt* ❷ AM (*toilet*) Außentoilette *f*

out·ing ['aʊtɪŋ] *n* ❶ (*trip*) Ausflug *m;* **to go on an** ~ einen Ausflug machen ❷ (*fam: appearance*) [öffentlicher] Auftritt ❸ *no pl* (*revealing homosexuality*) Outing *nt*

out·land·ish [ˌaʊt'lændɪʃ] *adj* sonderbar; *behaviour, ideas also* bizarr; *clothing* skurril; *prices* horrend

out·'last *vt* überdauern; ■**to** ~ **sb** jdn überleben

out·law ['aʊtlɔː] **I.** *n* (*criminal*) Bandit(in) *m(f);* (*fugitive from law*) Geächtete(r) *f(m)* **II.** *vt* für ungesetzlich erklären

'**out·lay** **I.** *n* Aufwendungen *pl* **II.** *vt* <-laid, -laid> AM ■**to** ~ **sth [on sth]** etw [für etw *akk*] ausgeben

'**out·let** *n* ❶ (*exit*) Ausgang *m; for water* Abfluss *m;* (*chimney*) Abzug *m* ❷ AUTO, TECH Abluftstutzen *m* ❸ (*means of expression*) Ventil *nt fig,* Ausdrucksmöglichkeit *f* ❹ (*store*) Verkaufsstelle *f;* **fast-food** ~ Schnellrestaurant *nt* ❺ (*market*) [Absatz]markt *m* ❻ AM (*power point*) Steckdose *f*

'**out·line** **I.** *n* ❶ (*brief description*) Übersicht *f* (**of** über); *in novel-writing* Ent-

wurf *m;* (*general summary*) Zusammenfassung *f* ❷ (*contour*) Umriss *m; against fading light* Silhouette *f* **II.** *vt* ■**to** ~ **sth** ❶ (*draw*) die Umrisse von etw *dat* zeichnen ❷ (*summarize*) etw [kurz] umreißen **out·'live** *vt* ❶ (*live longer than*) ■**to** ~ **sb** jdn überleben; ■**to** ~ **sth** etw überdauern ❷ (*survive*) ■**to** ~ **sth** etw überleben *a. fig* '**out·look** *n* ❶ (*view*) Aussicht *f* ❷ (*future prospect*) Aussicht[en] *f[pl]* ❸ (*attitude*) Einstellung *f* ❹ METEO [Wetter]aussichten *pl*

'**out·ly·ing** *adj attr area, region, village* abgelegen **out·ma·'noeu·vre,** AM **out·ma·'neu·ver** *vt* ausmanövrieren **out·mod·ed** [ˌaʊt'məʊdɪd] *adj* (*pej*) altmodisch; *ideas* überholt **out·most** ['aʊtməʊst] *adj* äußerste(r, s); *place* weit entlegen **out·'num·ber** *vt* zahlenmäßig überlegen sein; ■**to be ~ed** in der Unterzahl sein; (*in vote*) überstimmt sein

'**out of** *prep* ❶ *after vb* (*towards outside*) aus +*dat* ❷ *after vb, n* (*situated away from*) außerhalb +*gen;* **he is ~ town this week** er ist diese Woche nicht in der Stadt; **Mr James is ~ the country until July 4th** Herr James hält sich bis zum 4. Juli außer Landes auf; **she's ~ the office at the moment** sie ist zurzeit nicht an ihrem [Arbeits]platz; **five miles ~ San Francisco** fünf Meilen außerhalb von San Francisco ❸ *after vb* (*taken from*) von +*dat;* **he copied his essay straight ~ a textbook** er schrieb seinen Aufsatz wörtlich aus einem Lehrbuch ab; **she had to pay for it ~ her own pocket** sie musste es aus der eigenen Tasche bezahlen; **they get a lot of fun ~ practising dangerous sports** das Betreiben gefährlicher Sportarten macht ihnen einen Riesenspaß ❹ (*excluded from*) aus +*dat;* **I'm glad to have** ~ ich bin froh, dass ich das hinter mir habe; **giving up is ~ the question** Aufgeben kommt überhaupt nicht infrage; **he talked her ~ going back to smoking** er redete es ihr aus, wieder mit dem Rauchen anzufangen ❺ (*spoken by*) aus +*dat;* **I couldn't get the secret ~ her** ich konnte ihr das Geheimnis nicht entlocken ❻ (*made from*) aus +*dat* ❼ (*motivated by*) aus +*dat* ❽ *after n* (*ratio of*) von +*dat;* **no one got 20 ~ 20 for the test** niemand bekam alle 20 möglichen Punkte für den Test ❾ (*without*) **they were ~ luck** sie hatten kein Glück [mehr]; **you're ~ time** Ihre Zeit ist um; **they had run ~ cash** sie hatten kein Bargeld mehr; **I'm sorry sir, we're ~ the salmon** tut mir leid, der Lachs ist aus; **[all]** ~ **breath** [völlig] außer Atem; **to be ~ work** ohne

Arbeit sein ⑩ (*beyond*) außer +*dat;* **the photo is ~ focus** das Foto ist unscharf; **the delay is ~ our control** die Verspätung entzieht sich unserer Kontrolle; **he's been ~ touch with his family for years** er hat seit Jahren keinen Kontakt mehr zu seiner Familie; **get ~ the way!** aus dem Weg!; **~ order** außer Betrieb ⑪ (*sheltered from*) **he was so cold he had to come ~ the snow** ihm war so kalt, dass er dem Schnee entfliehen musste ⑫ *after vb* (*not connected, fashionable*) aus +*dat;* **she's really ~ touch with reality** sie hat jeglichen Bezug zur Realität verloren ▶ **to get ~ hand** außer Kontrolle geraten; **he must be ~ his mind!** er muss den Verstand verloren haben!; **~ place** fehl am Platz

out-of-court 'set·tle·ment *n* LAW außergerichtliche Einigung **out of 'date** *adj pred,* **'out-of-date** *adj attr* veraltet; *clothing* altmodisch; *furniture* antiquiert; *ideas* überholt **out of the 'way** *adj pred,* **'out-of-the-way** *adj attr* spot, place abgelegen

'out-pa·tient *n* ambulanter Patient/ambulante Patientin **out·'play** *vt* ▪ **to ~ sb** besser spielen als jd **'out·post** *n* ❶ MIL (*guards*) Außenposten *m;* (*base*) Stützpunkt *m* ❷ (*remote branch*) Außenposten *m; of a company* Außenstelle *f* **'out·pour·ing** *n* ❶ (*of emotion*) Ausbruch *m* ❷ (*of products*) Flut *f fig* ❸ (*of gases*) Ausströmen *nt* **'out·put I.** *n no pl* ECON Ausstoß *m;* COMPUT Ausgabe *f;* ELEC Leistung *f;* MIN Förderleistung *f* **II.** *vt image, data* ausgeben **'out·put de·vice** *n* COMPUT Ausgabegerät *nt*

'out·rage I. *n* ❶ *no pl* Empörung *f* (**at** über); **to express ~** sich entsetzt zeigen ❷ (*deed*) Schandtat *f;* (*crime*) Verbrechen *nt;* (*disgrace*) Schande *f kein pl* **II.** *vt* ▪ **to ~ sb** jdn erzürnen; ▪ **[to be]** ~**d by sth** entrüstet über etw *akk* [sein]

out·ra·geous [ˌaʊtˈreɪdʒəs] *adj* ❶ (*terrible*) empörend; (*unacceptable*) unerhört; (*shocking*) schockierend ❷ (*unusual and shocking*) außergewöhnlich; *outfit also* gewagt ❸ (*exaggerated*) ungeheuerlich; *story, statement also* unwahrscheinlich; *lie* schamlos; *prices* horrend; **an ~ demand** eine völlig überzogene Forderung ❹ (*approv sl: excellent*) super *fam*

out·ra·geous·ly [ˌaʊtˈreɪdʒəsli] *adv* (*terribly*) fürchterlich; (*unacceptably*) unverschämt, maßlos, haarsträubend; (*strangely*) außergewöhnlich; **~ funny** haarsträubend komisch; **to be ~ dressed** gewagt gekleidet sein; **to lie ~** schamlos lügen

outré [ˈuːtreɪ] *adj* (*form*) ausgefallen

'out·rig·ger *n* NAUT Ausleger *m;* (*boat*) Auslegerboot *nt*

'out·right I. *adj attr* ❶ (*total*) total; *disaster* absolut; *nonsense* komplett ❷ (*undisputed*) offensichtlich; *winner, victory* eindeutig ❸ (*direct*) direkt; *hostility* offen; *lie, refusal* glatt **II.** *adv* ❶ (*totally*) total ❷ (*clearly*) eindeutig ❸ (*directly*) offen; **you have been ~ lying to me** AM du hast mich frech angelogen; **to reject/refuse sth ~** etw glattweg zurückweisen/ablehnen ❹ (*immediately*) sofort; **to be killed ~** auf der Stelle tot sein

out·'run <-ran, -run, -nn-> *vt* ▪ **to ~ sb** jdm davonlaufen; ▪ **to ~ sth** über etw *akk* hinausgehen **'out·set** *n no pl* Anfang *m;* ▪ **at the ~** am Anfang; ▪ **from the ~** von Anfang an **out·'shine** <-shone, -shone> *vt* ❶ (*shine more brightly*) überstrahlen ❷ (*be better*) ▪ **to ~ sb** jdn in den Schatten stellen; SPORTS über jdn triumphieren

out·'side I. *n* ❶ (*exterior*) Außenseite *f; of a fruit* Schale *f;* ▪ **from the ~** von außen ❷ (*external appearance*) ▪ **on the ~** äußerlich ❸ (*of pavement*) Straßenseite *f* ❹ (*not within boundary*) ▪ **on the ~** draußen; (*out of prison*) in Freiheit **II.** *adj attr* ❶ (*outer*) *door, entrance* äußere(r, s); **~ seat** Sitz *m* am Gang; **~ wall** Außenmauer *f* ❷ (*external*) außenstehend; **the ~ world** die Außenwelt ❸ (*very slight*) *chance, possibility* minimal ❹ (*highest, largest*) höchste(r, s) *attr,* äußerste(r, s) *attr* **III.** *adv* ❶ (*not in building*) außen ❷ (*in open air*) im Freien ❸ (*sl: not imprisoned*) draußen; **the world ~** die Welt draußen **IV.** *prep* ❶ (*beyond*) außerhalb (**of** von) ❷ (*apart from*) ausgenommen

out·side 'broad·cast *n* Außenübertragung *f* (*eines Radiosenders oder des Fernsehens*) **out·side 'lane** *n* ❶ AUTO äußere Fahrbahn, Überholspur *f* ❷ SPORTS Außenbahn *f* **out·side 'left** *n* linke Außenbahn **out·side 'line** *n* Telefonleitung *f* für externe Gespräche

out·sid·er [ˌaʊtˈsaɪdəʳ] *n* ❶ (*not a member*) Außenstehende(r) *f(m)* ❷ (*outcast*) Außenseiter(in) *m(f)* ❸ SPORTS Außenseiter(in) *m(f)*

out·side 'right *n* rechte Außenseite

'out·size *adj attr* ❶ (*very large*) übergroß; **~ clothes** Kleidung *f* in Übergrößen ❷ (*fig*) überragend, herausragend **'out·skirts** [ˈaʊtskɜːts] *npl* Stadtrand *m* **out·'smart** *vt* (*fam*) ▪ **to ~ sb** jdn austricksen **'out·sourc·ing** [ˌaʊtˈsɔːsɪŋ] *n no pl* Outsourcing *nt fachspr; of staff* Beschäftigung *f* betriebsfremden Personals; *of services* Nutzung *f* externer Dienstleistungen; *of production* Produktionsauslagerung *f* **out·spo·ken** [ˌaʊtˈspəʊkᵊn] *adj* offen; *criticism* unverblümt; *opponent* entschieden **out·'stand·ing** [ˌaʊtˈstændɪŋ] *adj* ❶ (*excellent*) außergewöhnlich; *effort, contribution* bemerkenswert; *actor, student, performance* brilliant; *ability* außerordentlich; *achievement* überragend ❷ (*clearly noticeable*) auffallend ❸ FIN (*unpaid*) ausstehend ❹ (*not solved*) unerledigt; *problems* ungelöst **out·'stay** *vt* to ~ **a competitor** einen Rivalen/eine Rivalin abhängen; **to ~ one's welcome** länger bleiben, als man erwünscht ist **out·stretched** [ˌaʊtˈstretʃt] *adj* ausgestreckt **out·'strip** <-pp-> *vt* ❶ (*surpass*) übertreffen; (*go faster*) überholen ❷ (*be greater*) übersteigen **'out·there** *adj attr clothes* ultramodisch; *fashion* Trend-, allerneuste **'out-tray** *n* Ablage *f* für Ausgangspost **out·'vote** *vt* überstimmen

out·ward [ˈaʊtwəd] **I.** *adj attr* ❶ (*exterior*) äußere(r, s), Außen-; (*superficial*) äußerlich; **an ~ show of confidence/toughness** ein demonstratives Zurschaustellen von Zuversicht/Stärke ❷ (*going out*) ausgehend; **~ flight** Hinflug *m* **II.** *adv* nach außen; **the door opens ~** die Tür geht nach außen auf

out·ward·ly [ˈaʊtwədli] *adv* äußerlich, nach außen hin

out·wards [ˈaʊtwədz] *adv* nach außen

out·'weigh [ˌaʊtˈweɪ] *vt* ❶ (*in weight*) ▪to ~ **sb** schwerer sein als jd ❷ (*in importance*) ▪to ~ **sth** etw wettmachen **out·'wit** <-tt-> [ˌaʊtˈwɪt] *vt* austricksen **'out·work** *n* ❶ MIL Vorwerk *nt* ❷ *no pl* (*work*) Arbeit *f* außerhalb der Firmengebäude; (*at home*) Heimarbeit *f* **'out·work·er** *n* ▪to **be an ~** außerhalb der Firma arbeiten; (*at home*) Heimarbeiter(in) sein

oval [ˈəʊvᵊl] **I.** *n* Oval *nt* **II.** *adj* oval

Oval 'Of·fice *n* AM POL ▪the **~** das Oval Office (*Büro des US-Präsidenten*)

ova·ry [ˈəʊvᵊri] *n* Eierstock *m*

ova·tion [ˌə(ʊ)ˈveɪʃᵊn] *n* Applaus *m*

oven [ˈʌvᵊn] *n* [Back]ofen *m*, Backrohr *nt* ÖSTERR; **microwave ~** Mikrowelle *f*

'oven glove *n* BRIT, **'oven mitt** *n* AM, AUS Topfhandschuh *m* **'oven·proof** *adj* hitzebeständig **'oven-ready** *adj* bratfertig, backfertig

over [ˈəʊvəʳ] **I.** *adv pred* ❶ (*across*) hinüber; **come ~ here** komm hierher; **why don't you come ~ for dinner on Thurs-** **day?** kommt doch am Donnerstag zum Abendessen zu uns; **they walked ~ to us** sie liefen zu uns herüber; **~ here** hier herüber; (*on the other side*) drüben; **~ there** dort drüben; **to move [sth] ~** [etw] [beiseite]rücken ❷ (*another way up*) **the dog rolled ~ onto its back** der Hund rollte sich auf den Rücken; **to turn ~** umdrehen; **to turn a page ~** [eine Seite] umblättern ❸ (*downwards*) **to fall ~** hinfallen; **to knock sth ~** etw umstoßen ❹ (*changing hands*) **could you two change ~, please** würdet ihr beiden bitte die Plätze tauschen; **to change ~ to sth** auf etw *akk* umsteigen *fam;* **to hand sth ~** etw übergeben ❺ (*finished*) ▪to **be ~** vorbei sein; **the game was ~ by 5 o'clock** das Spiel war um 5 Uhr zu Ende; **to get sth ~ and done with** etw hinter sich *akk* bringen ❻ (*remaining*) übrig; **left ~** übrig gelassen ❼ (*thoroughly, in detail*) **to talk sth ~** etw durchsprechen; **to think sth ~** etw überdenken ❽ AM (*again*) noch einmal; **all ~** alles noch einmal; **~ and ~** immer wieder ❾ AVIAT, TELEC (*signalling end of speech*) over ❿ (*more*) mehr; **this shirt cost me ~ £50!** dieses Hemd hat mich über £50 gekostet!; **people who are 65 and ~** Menschen, die 65 Jahre oder älter sind **II.** *prep* ❶ (*across*) über; (*indicating position*) über +*dat;* (*indicating motion*) über +*akk* ❷ (*on the other side of*) über +*dat;* **the village is just ~ the next hill** das dorf liegt hinter dem nächsten Hügel; **the diagram is ~ the page** das Diagramm ist auf der nächsten Seite; **~ the way** BRIT auf der anderen Straßenseite ❸ (*above*) über +*dat;* (*moving above*) über +*akk;* **a flock of geese passed ~** eine Schar von Gänsen flog über uns hinweg ❹ (*everywhere*) [überall] in +*dat;* (*moving everywhere*) durch +*akk;* **all ~** überall in +*dat;* **all ~ the world** in der ganzen Welt; **she had blood all ~ her hands** sie hatte die Hände voller Blut ❺ (*during*) in +*dat,* während +*gen;* **~ the years he became more and more depressed** mit den Jahren wurde er immer deprimierter; **shall we talk about it ~ a cup of coffee?** sollen wir das bei einer Tasse Kaffee besprechen?; **she fell asleep ~ her homework** sie nickte bei ihren Hausaufgaben ein ❻ (*more than, longer than*) über +*dat;* **~ and above that** darüber hinaus ❼ (*through*) **he told me ~ the phone** er sagte es mir am Telefon; **we heard the news ~ the radio** wir hörten die Nachricht im Radio ❽ (*in superiority to*) über +*dat* ❾ (*about*) über +*akk;* **don't**

fret ~ him — he'll be alright mach dir keine Sorgen um ihn — es wird ihm schon gut gehen ⑩ *after vb* (*to change*) durch +*akk;* **could you go ~ my essay again?** kannst du nochmal meinen Aufsatz durchschauen ⑪ (*past*) **is he ~ the flu yet?** hat er seine Erkältung auskuriert?; **to be/get ~ sb** über jdm hinweg sein/kommen ⑫ MATH (*in fraction*) durch

over·a·'bun·dant *adj* übermäßig **over·'act** **I.** *vi* THEAT übertreiben **II.** *vt* ▪**to ~ sth** etw überziehen **over·all** **I.** *n* ['əʊvərɔːl] ① BRIT (*smock*) [Arbeits]kittel *m* ② BRIT (*protective suit*) ▪**~s** *pl* Overall *m* ③ AM (*dungarees*) ▪**~s** *pl* Latzhose *f* **II.** *adj* [ˌəʊvər'ɔːl] *attr* ① (*general*) Gesamt-, allgemein ② (*over all others*) Gesamt-; *majority* absolut; **~ average** Durchschnittsnote(r) *f/m)* **III.** *adv* [ˌəʊvər'ɔːl] insgesamt **over·'anx·ious** *adj* ① (*too fearful*) überängstlich (**about** über) ② (*very eager*) begierig; ▪**to be ~ to do sth** etw unbedingt tun wollen **over·'awe** *vt usu passive* ▪**to be ~d by sb/sth** (*be impressed*) von jdm/etw überwältigt sein; (*be intimidated*) von jdm/etw eingeschüchtert sein; ▪**to ~ sb** jdm Ehrfurcht einflößen **over·'bal·ance** **I.** *vi person* das Gleichgewicht verlieren; *object* umkippen; *boat* kentern **II.** *vt* ▪**to ~ sb** jdn aus dem Gleichgewicht bringen; ▪**to ~ sth** etw umkippen; *boat* zum Kentern bringen **over·'bear·ing** *adj* (*pej: arrogant*) anmaßend; (*authoritative*) herrisch **over·'blown** *adj* ① (*overdone*) geschraubt ② *flower* verblühend **overboard** *adv* über Bord; **to fall ~** über Bord gehen **over·'book** **I.** *vt usu passive* ▪**to be ~ed** überbucht sein **II.** *vi* zu viele Buchungen vornehmen **over·'book·ing** *n no pl* Überbuchen *nt* **over·'bur·den** *vt* überlasten **over·ca·'pac·ity** *n* Überkapazität *f*

over·'cast *adj sky* bedeckt; *weather* trüb **over·'cau·tious** *adj* übervorsichtig **over·'charge** **I.** *vt* ① (*charge too much*) ▪**to ~ sb** [**for sth**] jdm [für etw *akk*] zu viel berechnen ② ELEC *electrical device* überlasten; *battery* überladen **II.** *vi* zu viel berechnen **'over·coat** *n* Mantel *m* **over·'come** <-came, -come> **I.** *vt* ① (*cope with*) bewältigen; *crisis, opposition, fear* überwinden; *temptation* widerstehen ② *usu passive* (*render powerless*) ▪**to be ~ by sth** *sleep, emotion, grief* von etw *dat* überwältigt werden; *fumes, exhausts* von etw *dat* ohnmächtig werden ③ (*defeat*) besiegen **II.** *vi* siegen **over·'con·fi·dent** *adj* (*extremely self-assured*) übertrieben selbst-

bewusst; (*too optimistic*) übertrieben zuversichtlich **over·'cook** *vt* (*in water*) verkochen; (*in oven*) verbraten **over·'crowd·ed** *adj* ① (*with people*) überfüllt; **~ region** Ballungsgebiet *nt;* **~ town** übervölkerte Stadt ② (*with things*) überladen **over·de·'vel·oped** *adj also* PHOT überentwickelt **over·'do** <-did, -done> *vt* ① (*overexert oneself*) **to ~ it** sich überanstrengen; (*overindulge*) es übertreiben; (*go too far*) zu weit gehen ② (*use too much*) ▪**to ~ sth** von etw *dat* zu viel verwenden ③ (*exaggerate*) übertreiben ④ (*overcook*) *in water* verkochen; *in oven* verbraten **over·'done** *adj* ① (*exaggerated*) übertrieben ② (*overcooked*) *in water* verkocht; *in oven* verbraten **over·dose** **I.** *n* ['əʊvədəʊs] Überdosis *f;* **drugs ~** Überdosis *f* an Drogen **II.** *vi* [ˌəʊvə'dəʊs] eine Überdosis nehmen **'over·draft** *n* Kontoüberziehung *f* **over·draft fa·'cil·ity** *n* BRIT Dispositionskredit *nt;* (*exceeding fixed limit*) Überziehungskredit *m* **over·'draw** <-drew, -drawn> *vi, vt* **to ~** [**one's account**] [sein Konto] überziehen **over·'dress** *vi* sich zu fein anziehen **'over·drive** *n no pl* ① AUTO, TECH Schongang *m* ② (*fig: effort*) ▪**to be in ~** auf Hochtouren laufen; **to go into ~** sich ins Zeug legen *fam* **over·'due** *adj usu pred* überfällig **over·'eat** <-ate, -eaten> *vi* zu viel essen **over·'em·pha·size** *vt* überbetonen **over·es·ti·mate** **I.** *n* [ˌəʊvər'estɪmət] Überbewertung *f* **II.** *vt* [ˌəʊvər'estɪmeɪt] ① (*value too highly*) überbewerten ② (*estimate too much*) überschätzen **over·ex·'cit·ed** *adj usu pred* ▪**to be/become ~** ganz aufgeregt sein/werden **over·ex·'ert** *vt* ▪**to ~ oneself** sich überanstrengen **over·ex·'pose** *vt* ▪**to be ~d** ① PHOT überbelichtet sein ② *usu passive* (*overpublicize*) *person* zu sehr im Rampenlicht der Öffentlichkeit stehen; *subject* zu sehr in den Medien breitgetreten werden; **to be ~d to risks** zu starken Risiken ausgesetzt sein **over·ex·'po·sure** *n no pl* ① PHOT Überbelichtung *f* ② (*in the media*) *of person* zu große Präsenz; *of subject* zu häufige Diskussion **over·ex·'tend** *vt* ▪**to ~ oneself** [**on sth**] sich [bei etw *dat*] [finanziell] übernehmen **over·flow** **I.** *n* ['əʊvəfləʊ] ① *no pl* (*act of spilling*) Überlaufen *nt* ② (*overflowing liquid*) überlaufende Flüssigkeit ③ (*outlet*) Überlauf *m* ④ (*surplus*) Überschuss *m* (**of** an) **II.** *vi* [ˌəʊvə'fləʊ] *river, tank* überlaufen; **his room is ~ing with books** sein Zimmer quillt vor Büchern über; **to be ~ing with ideas** vor

Ideen sprühen **III.** *vt* [ˌəʊvəˈfləʊ] ■**to ~ sth** *container, tank* etw zum Überlaufen bringen; (*fig*) *area* etw überschwemmen **over·'fly** <-flew, -flown> *vt* überfliegen **over·'grown** *adj* ❶ (*with plants*) überwuchert ❷ (*usu pej: childish*) **he is just an ~ schoolboy** er ist wie ein großer Schuljunge **over·hang I.** *n* [ˈəʊvəhæŋ] Überhang *m*; TECH vorspringender Teil **II.** *vt* <-hung, -hung> [ˌəʊvəˈhæŋ] ❶ (*project over*) ■**to ~ sth** über etw *akk* hinausragen; ARCHIT über etw *akk* hervorstehen ❷ (*fig: loom over*) überschatten **over·haul I.** *n* [ˈəʊvəhɔːl] [General]überholung *f;* (*revision*) Überarbeitung *f* **II.** *vt* [ˌəʊvəˈhɔːl] ❶ (*repair*) überholen ❷ (*improve*) überprüfen; (*reform*) überarbeiten ❸ BRIT (*overtake*) überholen; (*catch up with*) einholen **over·head.** *n* [ˈəʊvəhed] ❶ (*running costs of business*) ■**~s** *pl* BRIT, AUS, ■**~** AM laufende Geschäftskosten ❷ (*fam: projector*) Overheadprojektor *m*; (*transparency*) Folie *f* **II.** *adj* [ˈəʊvəhed] *attr* ❶ (*above head level*) Hoch-; ELEC oberirdisch ❷ (*of running costs of business*) laufend ❸ (*taken from above*) von oben nach *u* ❹ SPORTS Überkopf- **III.** *adv* [ˌəʊvəˈhed] in der Luft; **a plane circled ~** ein Flugzeug kreiste über uns **over·'hear** <-heard, -heard> **I.** *vt* ■**to ~ sth** etw zufällig mithören; ■**to ~ sb** jdn unabsichtlich belauschen **II.** *vi* unabsichtlich mithören; **I'm sorry — I couldn't help ~ing** tut mir leid – ich wollte euch nicht belauschen **over·'heat I.** *vt* überhitzen **II.** *vi* sich überhitzen *a. fig; motor also* heiß laufen **over·in·'dulge I.** *vt* ■**to ~ sb** jdm zu viel durchgehen lassen; ■**to ~ oneself** sich zu sehr gehen lassen **II.** *vi* (*overdo*) es übertreiben; (*eat too much*) sich *dat* den Bauch vollschlagen *fam;* (*drink too much*) sich voll laufen lassen *fam;* ■**to ~ in sth** etw im Übermaß genießen **over·joyed** [ˌəʊvəˈdʒɔɪd] *adj pred* überglücklich (**at** über) **'over·kill** *n no pl* ❶ MIL Overkill *m* ❷ (*pej: excessiveness*) Übermaß *nt* **over·land** [ˈəʊvəlænd] **I.** *adj attr* Überland-, Land-; **~ journey** Reise *f* auf dem Landweg **II.** *adv* auf dem Landweg **over·lap I.** *n* [ˈəʊvəlæp] ❶ (*overlapping part*) Überlappung *f;* GEOL, PHYS Überlagerung *f* ❷ (*similarity*) Überschneidung *f* ❸ *no pl* (*common ground*) Gemeinsamkeit *f* ❹ NAUT Überlappung *f* **II.** *vi* <-pp-> [ˌəʊvəˈlæp] ❶ (*lie edge over edge*) sich überlappen ❷ (*be partly similar*) sich überschneiden; ■**to ~ with sth** sich teilweise mit etw *dat* decken **III.** *vt* <-pp->

[ˌəʊvəˈlæp] ■**to ~ sth** ❶ (*place edge over edge*) etw *akk* überlappen lassen ❷ (*extend over*) etw überschneiden lassen ❸ (*partly duplicate*) etw ineinander übergehen lassen **over·'leaf** *adv* auf der Rückseite; **see ~** siehe umseitig! **over·load I.** *n* [ˈəʊvˀləʊd] ❶ ELEC Überlast[ung] *f;* TRANSP Übergewicht *nt* ❷ *no pl* (*excess*) Überlastung *f; information ~* Überangebot *nt* an Informationen **II.** *vt* [ˌəʊvˀl'əʊd] ❶ (*overburden*) *vehicle* überladen; *road, system, person* überlasten ❷ COMPUT, ELEC überlasten **over·'long I.** *adj usu pred* überlang **II.** *adv* zu lange **over·look I.** *n* AM Aussichtspunkt *m* **II.** *vt* [ˌəʊvəˈlʊk] ❶ (*look out onto*) überblicken; **a room ~ the sea** ein Zimmer mit Blick auf das Meer ❷ (*not notice*) übersehen; (*ignore*) übergehen; (*forget*) vergessen ❸ (*disregard*) ■**to ~ sth** über etw *akk* hinwegsehen **over·ly** [ˈəʊvˀli] *adv* allzu **over·'man·ning** *n no pl* Übersetzung *f* **over·'much I.** *adj attr* allzu viel **II.** *adv* übermäßig **over·'night I.** *adj* ❶ *attr* (*for a night*) Nacht-, Übernachtungs-; **~ stay** Übernachtung *f* ❷ (*sudden*) ganz plötzlich; **~ success** Blitzerfolg *m* ❸ SPORTS (*from previous day*) **~ leader** Vortagessieger(in) *m(f)* **II.** *adv* ❶ (*till next day*) in der Nacht, über Nacht ❷ (*fig: suddenly*) in kurzer Zeit, über Nacht **over·'op·ti·mism** *n no pl* unbezwingbarer [*o* übertriebener] Optimismus **'over·pass** *n* AM Überführung *f* **over·'pay** <-paid, -paid> *vt* ❶ (*overremunerate*) überbezahlen ❷ (*pay more than required*) ■**to ~ sth** für etw *akk* zu viel bezahlen **over·'popu·lat·ed** *adj* überbevölkert **over·popu·'la·tion** *n no pl* Überbevölkerung *f* **over·'pow·er** *vt* überwältigen; SPORTS bezwingen **over·'pow·er·ing** *adj* überwältigend; *smell* durchdringend **over·pro·'duce I.** *vi* überproduzieren **II.** *vt* ■**to ~ sth** von etw *dat* zu viel produzieren **over·'rate** *vt* überbewerten **over·'reach** *vt* ■**to ~ oneself** sich übernehmen **over·re·'act** *vi* überreagieren; ■**to ~ to sth** auf etw *akk* unangemessen reagieren **over·re·'ac·tion** *n* Überreaktion *f* (**to** auf) **over·'ride I.** *n* ❶ (*device*) Übersteuerung *f;* **manual ~** Automatikabschaltung *f* ❷ AM (*overruling*) Außerkraftsetzen *nt* **II.** *vt* <-rid, -ridden> ❶ (*disregard*) ■**to ~ sb/sth** sich über jdn/etw hinwegsetzen ❷ POL, LAW ■**to be overridden** aufgehoben werden ❸ (*control*) abschalten **III.** *vi* <-rid, -ridden> weiter fahren als erlaubt **over·'rid·ing I.** *adj attr* vorrangig **II.** *n no pl* Fahrt *f* über das Fahrziel hinaus **over·'rule** *vt* überstimmen; ▪to ~ sth etw ablehnen; *decision* aufheben; *objection* zurückweisen **over·'run** **I.** *n* Kostenüberschreitung *f* **II.** *vt* <-ran, -run> ❶ MIL (*occupy*) überrollen ❷ (*spread over*) sich in etw *dat* ausbreiten; ▪to be ~ with sth von etw *dat* wimmeln; *market* von etw *dat* überschwemmt werden ❸ (*go beyond*) über etw *akk* hinausgehen; *budget* überschreiten **III.** *vi* <-ran, -run> ❶ (*exceed time*) überziehen ❷ (*financially*) überschreiten **over·seas** **I.** *adj* [ˈəʊvəsiːz] *attr* (*abroad*) Übersee-, in Übersee *nach n;* (*destined for abroad*) Übersee-, nach Übersee *nach n;* (*from abroad*) Übersee-, aus Übersee *nach n;* ~ **assignment** Auslandseinsatz *m;* ~ **student** BRIT ausländischer Student/ausländische Studentin **II.** *adv* [ˌəʊvəˈsiːz] (*in foreign country*) im Ausland; (*to foreign country*) ins Ausland **over·'see** <-saw, -seen> *vt* beaufsichtigen; *project* leiten **over·seer** [ˈəʊvəˌsiːəʳ] *n* (*hist*) Aufseher(in) *m(f)* **over·'sell** <-sold, -sold> *vt* ▪to ~ sth ❶ (*sell too many*) von etw *dat* zu viel verkaufen; ECON etw über den Bestand verkaufen ❷ (*overhype*) etw zu sehr anpreisen **over·'sen·si·tive** *adj* überempfindlich, übersensibel **over·'shad·ow** *vt* ❶ (*cast shadow over*) überschatten ❷ (*make insignificant*) in den Schatten stellen ❸ (*cast gloom over*) überschatten **'over·shoe** *n* Überschuh *m* **over·'shoot** <-shot, -shot> *vt* ▪to ~ sth über etw *akk* hinausschießen ▸to ~ the mark über das Ziel hinausschießen **'over·sight** *n* ❶ (*mistake*) Versehen *nt;* ▪by an ~ aus Versehen ❷ *no pl* (*form: surveillance*) Aufsicht *f* **over·'sim·pli·fy** <-ie-> *vt* grob vereinfachen **'over·size** *adj, esp* AM **'over·sized** *adj* überdimensional **over·'sleep** <-slept, -slept> *vi* verschlafen **over·'spend** <-spent, -spent> **I.** *vi* zuviel [Geld] ausgeben; **to ~ on a budget** ein Budget überschreiten **II.** *vt* überziehen; *budget, target* überschreiten **'over·spill** *n* Bevölkerungsüberschuss *m* **over·'staffed** *adj* überbesetzt **over·'state** *vt* übertreiben **over·'stay** *vt* ▪to ~ **a visa** ein Visum überschreiten; **to ~ one's welcome** jds Gastfreundschaft *f* überbeanspruchen **over·'step** <-pp-> *vt* überschreiten ▸to ~ the mark zu weit gehen **over·sub·'scribe** *vt usu passive* ▪to be ~d mehr als ausgebucht sein; *share* verzeichnet sein überzeichnet **over·'sup·ply** **I.** *n no pl* (*supply*) Überangebot *nt* (*of* an); (*inventory*) Überbestand *m* (*of* an) **II.** *vt* <-ie-> *usu passive* ▪to be oversup-

plied **with sth** einen zu großen Vorrat an etw *dat* haben

overt [ə(ʊ)ˈvɜːt] *adj* offenkundig; *racism, sexism* unverhohlen

over·'take <-took, -taken> **I.** *vt* ❶ *esp* BRIT, AUS (*pass from behind*) überholen; (*catch up*) einholen ❷ (*surpass*) überholen *fig* ❸ (*befall*) überraschen; **to be ~n by events** von den Ereignissen überholt werden ❹ (*affect*) überkommen **II.** *vi esp* BRIT überholen **over·'tax** *vt* ❶ FIN ▪to ~ **sb** jdn überbesteuern; **to ~ sth** etw zu hoch besteuern ❷ (*exhaust*) überfordern **over-the-'count·er** *adj attr* ❶ (*without prescription*) *drugs, medication* rezeptfrei ❷ FIN außerbörslich **over·throw** **I.** *n* [ˈəʊvəθrəʊ] ❶ (*removal from power*) Sturz *m* ❷ SPORTS zu weiter Wurf; **four ~s** (*in cricket*) vier extra Punkte **II.** *vt* <-threw, -thrown> [ˌəʊvəˈθrəʊ] ❶ (*topple*) *dictator, government* stürzen; *enemy* aus dem Weg räumen; *plans* über den Haufen werfen ❷ AM, AUS SPORTS ▪to ~ **sb** für jdn zu weit werfen **'over·time** *n no pl* ❶ (*extra work*) Überstunden *pl;* **to do ~** Überstunden machen ❷ (*pay*) Überstundenvergütung *f* ❸ AM SPORTS (*extra time*) Verlängerung *f* **over·'tired** *adj* übermüdet **'over·tone** *n* ❶ (*implication*) Unterton *m* ❷ MUS Oberton *m*

over·ture [ˈəʊvətjʊəʳ] *n* ❶ (*introductory music*) Ouvertüre *f* (**to** zu) ❷ (*initial contact*) Angebot *nt* ❸ (*approach*) ▪~s *pl* Annäherungsversuche *pl*

over·'turn **I.** *vi* umstürzen; *car* sich überschlagen; *boat* kentern **II.** *vt* ❶ (*turn upside down*) umstoßen; *boat* zum Kentern bringen ❷ (*reverse*) *judgement* aufheben **over·'value** *vt* überbewerten **'over·view** *n* Überblick *m* (**of** über) **over·ween·ing** [ˌəʊvəˈwiːnɪŋ] *adj* (*pej form*) maßlos **over·weight** **I.** *n* [ˈəʊvəˌweɪt] *no pl* AM Übergewicht *nt* **II.** *adj* [ˌəʊvəˈweɪt] zu schwer; *person also* übergewichtig

over·whelm [ˌəʊvəˈ(h)welm] *vt* ❶ (*affect powerfully*) überwältigen ❷ (*overpower*) überwältigen; *enemy* besiegen ❸ (*flood*) überschwemmen

over·whelm·ing [ˌəʊvəˈ(h)welmɪŋ] *adj* ❶ (*very powerful*) überwältigend; *desire, need* unwiderstehlich; *grief* unermesslich; *joy* groß; *rage* unbändig ❷ (*very large*) überwältigend

over·work **I.** *n* [ˈəʊvəwɜːk] *no pl* Überarbeitung *f* **II.** *vi* [ˌəʊvəˈwɜːk] sich überarbeiten **III.** *vt* [ˌəʊvəˈwɜːk] ❶ (*give too much work*) ▪to ~ **sb** jdn [mit Arbeit] überlasten ❷ (*overuse*) ▪to ~ **sth** etw überstrapazie-

ren **over·'write** <-wrote, -written> *vt*
■ **to ~ sth** etw überschreiben **over-**
'wrought *adj* überreizt **over·'zeal·ous**
adj übereifrig

ovi·duct ['əʊvɪdʌkt] *n* Eileiter *m*

ovipa·rous [əʊ'vɪpᵊrəs] *adj* BIOL, ZOOL Eier
legend

ovu·late ['ɒvjəleɪt] *vi* [einen] Eisprung haben

ovu·la·tion [ˌɒvjə'leɪʃᵊn] *n no pl* Eisprung *m*

ovum <*pl* -va> ['əʊvəm, *pl* -və] *n* Eizelle *f*

owe [əʊ] *vt* ❶ (*be in debt*) ■ **to ~**
it to oneself to do sth es sich *dat* schuldig
sein, etw zu tun; **to ~ sb an explanation**
jdm eine Erklärung schuldig sein; **to ~ sb**
thanks/gratitude jdm zu Dank verpflichtet sein; **to ~ sb one** (*fam*) jdm noch was
schuldig sein ❷ (*be indebted*) ■ **to ~ sb**
sth jdm etw verdanken

ow·ing ['əʊɪŋ] *adj pred* ausstehend

'ow·ing to *prep* (*form*) ■ ~ **sth** wegen einer S. *gen*

owl [aʊl] *n* Eule *f*; **barn ~** Schleiereule *f*;
tawny ~ Waldkauz *m*

owl·ish ['aʊlɪʃ] *adj* eulenhaft

own [əʊn] **I.** *pron* ❶ (*belonging, relating*
to) ■ **sb's ~** jds eigene(r, s); **his time is**
his ~ er kann über seine Zeit frei verfügen;
she's got too many problems of her ~
sie hat zu viele eigene Probleme; **to have**
ideas of one's ~ eigene Ideen haben; **to**
have money of one's ~ selbst Geld haben; **to make sth [all] one's ~** sich *dat*
etw [ganz] zu eigen machen ❷ (*people*)
our/their ~ unsere/ihre Leute *fam;*
(*family*) die Unseren/Ihren *geh* ▸ **to be in**
a <u>class</u> of one's ~ eine Klasse für sich *akk*
sein; **to <u>come</u> into one's ~** (*show qual-*
ities) zeigen, was in einem steckt; (*get rec-*
ognition) die verdiente Anerkennung erhalten; **to <u>get</u> one's ~ back [on sb]** *esp*
BRIT sich an jdm rächen; [all] **<u>on</u> one's/**
its ~ [ganz] allein[e] **II.** *adj attr* ❶ (*belong-*
ing to) eigene(r, s) ❷ (*individual*) eigene(r,
s) ❸ (*for oneself*) **you'll have to get your**
~ dinner du musst dich selbst um das
Abendessen kümmern; **she makes all her**
~ bread sie bäckt ihr ganzes Brot selbst;
you'll have to make up your ~ mind das
musst du für dich alleine entscheiden ▸ **to**
<u>do</u> one's ~ thing tun, was man will; **sb's**
~ <u>flesh</u> and blood jds eigen[es] Fleisch
und Blut *geh*; **to be one's ~ <u>man</u>/**
<u>woman</u>/person sein eigener Herr sein; **in**
one's ~ <u>right</u> (*not due to others*) aus eigenem Recht; (*through one's talents*) aufgrund der eigenen Begabung; **to do sth in**
one's ~ <u>time</u> (*outside working hours*) etw

in seiner Freizeit tun; (*take one's time*)
sich Zeit lassen **III.** *vt* ❶ (*possess*) besitzen;
to be privately ~ed im Privatbesitz sein;
■ **to be ~ed by sb** jdm gehören ❷ (*form:*
admit) ■ **to ~ that ...** zugeben, dass ...
IV. *vi* (*form*) ■ **to ~ to sth** eingestehen
◆ **own up** es zugeben; ■ **to ~ up to sth**
etw zugeben

own·er ['əʊnə'] *n* Besitzer(in) *m(f)*

own·er·less ['əʊnələs] *adj* herrenlos

own·er-'oc·cu·pied *adj* vom Eigentü-
mer/von dem Eigentümerin selbst bewohnt

own·er-'oc·cu·pi·er *n* Bewohner(in)
m(f) und Eigentümer(in) *m(f)* in einer Person **own·er·ship** ['əʊnəʃɪp] *n no pl*
❶ (*have power over*) Besitz *m* (*of* +*gen*)
❷ LAW Eigentum *nt* (*of* an)

own 'goal *n* (*also fig*) Eigentor *nt*

own 'la·bel *n* BRIT Hausmarke *f* **'own-**
label *adj* BRIT Hausmarken-

ox <*pl* -en> [ɒks] *n* Ochse *m;* ~ **cart** Och-
senkarren *m*

Ox·bridge ['ɒksbrɪdʒ] **I.** *n no pl* die Universitäten Oxford und Cambridge **II.** *adj*
der Universitäten Oxford und Cambridge
nach n; **she's an ~ student** sie studiert in
Oxford/Cambridge

Ox·fam ['ɒksfæm] *n no pl acr for* **Oxford**
Committee for Famine Relief Oxfam;
~ **shop** BRIT Oxfam-Laden *m,* ≈
Dritte-Welt-Laden *m*

oxi·da·tion [ˌɒksɪ'deɪʃᵊn] *n* Oxidation *f*

ox·ide ['ɒksaɪd] *n* Oxyd *nt*

oxi·dize ['ɒksɪdaɪz] *vi, vt* oxidieren

'ox·tail *n* Ochsenschwanz *m*

ox·tail 'soup *n* Ochsenschwanzsuppe *f*

oxy·acety·lene [ˌɒksɪə'setᵊliːn] *n no pl*
Azetylensauerstoff *m*

oxy·gen ['ɒksɪdʒən] *n no pl* Sauerstoff *m*

oxy·gen·ate ['ɒksɪdʒəneɪt] *vt* ■ **to ~ sth**
etw mit Sauerstoff anreichern

'oxy·gen cyl·in·der *n* Sauerstoffflasche *f*
'oxy·gen mask *n* Sauerstoffmaske *f*
'oxy·gen tent *n* Sauerstoffzelt *nt*

oxy·mo·ron [ˌɒksɪ'mɔːrɒn] *n* Oxymoron *nt*

oys·ter ['ɔɪstə'] *n* ❶ (*shellfish*) Auster *f*
❷ (*in poultry*) sehr zartes Fleisch neben
dem Rückgrat ▸ **the <u>world</u> is sb's ~** jdm
steht die Welt offen

'oys·ter bank *n,* **'oys·ter bed** *n* Austern-
bank *f* **'oys·ter·catch·er** *n* ORN Austernfi-
scher *m*

oz <*pl* -> *n abbrev of* **ounce**

ozone ['əʊzəʊn] *n no pl* ❶ (*chemical*)
Ozon *m* ❷ (*fam: clean air*) saubere [fri-
sche] Luft

'ozone lay·er *n* Ozonschicht *f*

P p

P <*pl* -'s *or* -s>, **p** <*pl* -'s> [pi:] *n* p *nt*, P *nt; see also* **A** 1

p [pi:] **I.** *n* ❶ <*pl* -> *abbrev of* **penny**, **pence** ❷ <*pl* pp> *abbrev of* **page** S. **II.** *adv* MUS *abbrev of* **piano** p

pa¹ [pɑ:] *n* (*dated fam: father*) Papa *m*

pa² [ˌpiːˈeɪ] *adv abbrev of* **per annum** p.a.

pace¹ [peɪs] **I.** *n* ❶ (*speed*) Tempo *nt;* **to set the ~** das Tempo vorgeben ❷ (*step*) Schritt *m;* **to keep ~ with sb/sth** mit jdm/etw Schritt halten **II.** *vt* (*walk up and down*) **he ~d the room nervously** er ging nervös im Zimmer auf und ab **III.** *vi* gehen

pace² [peɪsɪ] *prep* (*form*) entgegen

'pace·mak·er *n* ❶ SPORTS (*speed setter*) Schrittmacher(in) *m(f)* ❷ (*for heart*) [Herz]schrittmacher *m* **'pace·set·ter** *n* Schrittmacher(in) *m(f)*

pachy·derm ['pækɪdɜːm] *n* Dickhäuter *m*

Pa·cif·ic [pəˈsɪfɪk] **I.** *n no pl* ■ **the ~** der Pazifik **II.** *adj* pazifisch, Pazifik-

paci·fi·ca·tion [ˌpæsɪfɪˈkeɪʃᵊn] *n no pl* Befriedung *f*

paci·fi·er ['pæsɪfaɪər] *n* ❶ (*peacemaker*) Friedensstifter(in) *m(f)* ❷ (*calmer of emotions*) Schlichter(in) *m(f)* ❸ AM (*baby's dummy*) Schnuller *m*

paci·fism ['pæsɪfɪzᵊm] *n no pl* Pazifismus *m*

paci·fist ['pæsɪfɪst] **I.** *n* Pazifist(in) *m(f)* **II.** *adj* pazifistisch

paci·fy <-ie-> ['pæsɪfaɪ] *vt* ❶ (*establish peace*) *area, country* befrieden ❷ (*calm*) beruhigen

pack [pæk] **I.** *n* ❶ (*backpack*) Rucksack *m;* (*bundle*) Bündel *nt;* (*bag*) Beutel *m* ❷ (*packet*) Packung *f;* (*box*) Schachtel *f* ❸ *of cards* [Karten]spiel *nt* ❹ + *sing/pl vb* (*group*) Gruppe *f; of wolves* Rudel *nt; of hounds* Meute *f* a. *fig,* *pej* ❺ (*polar ice*) [Pack]eisdecke *f* **II.** *vi* ❶ (*for a journey*) packen ❷ (*fit in*) passen (**into** in) ► **to send sb ~ing** (*fam: send away*) jdn fortschicken; (*dismiss*) jdn entlassen **III.** *vt* ❶ (*put into a container*) *articles, goods* [ein]packen; (*for transport*) verpacken; (*in units for sale*) abpacken ❷ (*fill*) *bag, suitcase, trunk* packen; *box, container* vollpacken ❸ (*put in wrapping*) einpacken (**in** in) ❹ (*use as wrapping*) wickeln (**around** um) ❺ (*make*) *parcel* packen ❻ (*also fig: cram*) vollpacken (**with** mit); ■ **to be ~ed** [**with people**] gerammelt voll [mit Leuten]

sein *fam* ❼ (*compress*) zusammenpressen; COMPUT verdichten ❽ (*contain*) enthalten ◆ **pack away** *vt* ❶ (*put away*) wegpacken ❷ (*fam: eat*) vertilgen *hum* **II.** *vi* sich verstauen lassen; ■ **to ~ away into sth** sich in etw *dat* verstauen lassen ◆ **pack in** **I.** *vt* ❶ (*put in*) einpacken; (*for transport*) verpacken; (*in units for sale*) abpacken ❷ (*cram in*) hineinstopfen; *people, animals* hineinpferchen ❸ (*attract*) *audience* anziehen ❹ (*fam*) ■ **to ~ in sth** (*stop*) mit etw *dat* aufhören; (*give up*) etw hinschmeißen *fig sl* **II.** *vi* (*throng*) scharenweise kommen ◆ **pack into** **I.** *vt* ❶ (*put*) [ein]packen; (*for transport*) verpacken; (*in units for sale*) abpacken ❷ (*cram*) [hinein]stopfen ❸ (*fig: fit*) [hinein]packen **II.** *vi* ❶ (*fit*) hineinpassen *akk* ❷ (*throng*) hineindrängen *akk* ◆ **pack off** *vt* (*fam*) wegschicken; **to ~ sb off to bed** jdn ins Bett schicken; **to ~ sb off to boarding school** jdn in ein Internat stecken ◆ **pack out** *vt usu passive* BRIT (*fam*) ■ **to be ~ed out** gerammelt voll sein ◆ **pack up** **I.** *vt* ❶ (*put away*) zusammenpacken ❷ (*fam*) ■ **to ~ up sth** (*stop*) mit etw *dat* aufhören; (*give up*) etw hinschmeißen *fig sl* **II.** *vi* (*fam*) ❶ (*stop work*) Feierabend machen ❷ BRIT (*malfunction*) den Geist aufgeben *hum*

pack·age ['pækɪdʒ] **I.** *n* ❶ (*parcel*) Paket *nt* ❷ AM (*packet*) Packung *f* ❸ (*set*) Paket *nt* ❹ (*comprehensive offer*) Paket *nt* **II.** *vt* ❶ (*pack*) verpacken ❷ (*fig: present*) präsentieren

'pack·age deal *n* Pauschalangebot *nt* **pack·age 'holi·day** *n* BRIT Pauschalurlaub *m* **'pack·age store** *n* AM (*off-licence*) Spirituosenladen *m* **'pack·age tour** *n,* AM *also* **'pack·age trip** *n* Pauschalurlaub *m*

pack·ag·ing ['pækɪdʒɪŋ] *n no pl* ❶ (*materials*) Verpackungsmaterial *nt* ❷ (*activity*) Verpackung *f* ❸ (*presentation*) Präsentation *f*

pack·er ['pækər] *n* [Ver]packer(in) *m(f);* (*of furniture*) Möbelpacker(in) *m(f);* (*machine*) Verpackungsmaschine *f*

pack·et ['pækɪt] *n* ❶ (*container*) Packung *f,* Schachtel *f;* **a ~ of biscuits** eine Packung Kekse; **a ~ of cigarettes** eine Schachtel Zigaretten; **a ~ of crisps** eine Tüte Chips ❷ BRIT, AUS (*fam: a lot of money*) ■ **a ~** ein

Haufen *m* Geld

'**pack·horse** *n* Packpferd *nt*

pack·ing ['pækɪŋ] *n no pl* ❶ (*action*) Packen *nt* ❷ (*protective wrapping*) Verpackung *f*

'**pack·ing rou·tine** *n* COMPUT Packroutine *f*

'**pack·ing** [pækt] *n* Pakt *m*

pad¹ [pæd] *vi* trotten; (*walk softly*) tappen

pad² [pæd] I. *n* ❶ (*wad*) Pad *m o nt;* **cotton wool ~** Wattebausch *m;* **stamp ~** Stempelkissen *nt* ❷ SPORTS (*protector*) Polster *nt;* **knee ~** Knieschoner *m* ❸ (*for shaping*) **shoulder ~** Schulterpolster *nt* ❹ (*of paper*) Block *m* ❺ (*on animal's foot*) Ballen *m* ❻ AEROSP, AVIAT Abflug- und Landeplatz *m;* **launch ~** Abschussrampe *f* ❼ (*sl: house, flat*) Bude *f fam* II. *vt* <-dd-> [aus]polstern ◆ **pad out** *vt* (*also iron*) ausschmücken

pad·ded ['pædɪd] *adj* [aus]gepolstert; *bra* wattiert; *envelope* gefüttert

pad·ding ['pædɪŋ] *n no pl* ❶ (*protective material*) Polsterung *f* ❷ (*shaping material*) Polster *nt* ❸ (*superfluous material*) Füllwerk *nt*

pad·dle¹ ['pædl] I. *n* ❶ (*oar*) Paddel *nt* ❷ NAUT (*on paddle wheel*) Schaufel *f;* (*paddle wheel*) Schaufelrad *nt* ❸ SPORTS (*bat*) Schläger *m* II. *vt* (*row*) to ~ **a boat** ein Boot mit Paddeln vorwärtsbewegen III. *vi* ❶ (*row*) paddeln ❷ (*swim*) paddeln

pad·dle² ['pædl] I. *n* Planschen *nt kein pl* II. *vi* planschen

'**pad·dle boat** *n,* '**pad·dle steam·er** *n* [Schaufel]raddampfer *m*

'**pad·dling pool** *n esp* BRIT, AUS Planschbecken *nt*

pad·dock ['pædək] *n* ❶ (*for animals*) Koppel *f* ❷ AUS (*farm field*) Feld *nt* ❸ (*in horse racing*) Sattelplatz *m* ❹ (*in motor racing*) Fahrerlager *nt*

pad·dy¹ ['pædi] *n* BRIT (*dated*) Wutausbruch *m*

pad·dy² ['pædi] *n* Reisfeld *nt*

'**pad·dy wag·on** *n* AM, AUS (*fam*) grüne Minna *hum*

pad·lock ['pædlɒk] I. *n* Vorhängeschloss *nt* II. *vt* [mit einem Vorhängeschloss] verschließen

pae·di·at·ric [ˌpiːdiˈætrɪk] *adj* pädiatrisch; ~ **hospital** Kinderkrankenhaus *nt*

pae·dia·tri·cian [ˌpiːdiəˈtrɪʃən] *n* Kinderarzt, Kinderärztin *m, f*

pae·di·at·rics [ˌpiːdiˈætrɪks] *npl + sing vb* Kinderheilkunde *f*

pae·do·phile [ˌpiːdə(ʊ)ˈfaɪl] *n* Pädophile(r) *m*

pa·el·la [paɾˈelə] *n no pl* FOOD Paella *f*

pa·gan ['peɪɡən] I. *n* ❶ (*polytheist*) Heide(in) *m(f)* ❷ (*unbeliever*) Ungläubige(r) *f(m)* II. *adj* heidnisch

pa·gan·ism ['peɪɡənɪzəm] *n* ❶ *no pl* (*polytheism*) Heidentum *nt* ❷ (*unbelief*) Unglaube *m*

page¹ [peɪdʒ] I. *n* ❶ (*single sheet*) Blatt *nt;* (*single side*) Seite *f* ❷ COMPUT Seite *f* ❸ (*fig: important event*) Kapitel *nt* II. *vi* ❶ (*read*) *book, magazine* durchblättern ❷ COMPUT ■ **to ~ up/down** auf der Seite nach oben/ unten gehen

page² [peɪdʒ] I. *n* ❶ (*hist: knight's attendant*) Knappe *m* ❷ (*hotel worker*) Page *m* II. *vt* (*over loudspeaker*) ausrufen; (*by pager*) anpiepsen

pag·eant ['pædʒənt] *n* ❶ (*play*) Historienspiel *nt* ❷ (*procession*) Festzug *m*

pag·eant·ry ['pædʒəntri] *n no pl* Pomp *m*

page·boy ['peɪdʒbɔɪ] *n* ❶ (*in hotel*) Page *m* ❷ (*at wedding*) Brautführer *m*

'**page lay·out** *n* Seitenlayout *m* '**page proof** *n* Korrekturfahne *f*

pag·er ['peɪdʒər] *n* Pager *m*

pagi·na·tion [ˌpædʒɪˈneɪʃən] *n no pl* Seitennummerierung *f*

pa·go·da [pəˈɡəʊdə] *n* Pagode *f*

paid [peɪd] I. *pt, pp of* **pay** II. *adj attr* bezahlt ▶ **to put ~ to sth** BRIT, AUS etw zunichtemachen

paid-'up *adj* BRIT ❶ (*subscribing*) voll eingezahlt ❷ (*fig: enthusiastic*) [sehr] begeistert

pail [peɪl] *n* Eimer *m*

pain [peɪn] I. *n* ❶ (*feeling*) Schmerz *m;* **a ~ in one's leg/side** Schmerzen *pl* im Bein/ in der Seite ❷ *no pl* (*physical suffering*) Schmerz[en] *m[pl];* **to be in ~** Schmerzen haben ❸ *no pl* (*mental suffering*) Leid *nt* ❹ (*effort*) ■ **~s** *pl* Mühe *f;* **to go to great ~s to do sth** keine Mühe scheuen, etw zu tun ❺ (*fam: nuisance*) **it's such a ~ having to go shopping** Einkaufen gehen zu müssen finde ich sehr lästig; **that child is a real ~** das Kind ist eine Nervensäge ▶ **no gain without ~** ohne Fleiß kein Preis II. *vt* ■ **it ~s sb to do sth** es tut jdm leid, etw zu tun

'**pain bar·ri·er** *n* Schmerzgrenze *f*

pained [peɪnd] *adj expression, look* gequält

pain·ful ['peɪnfəl] *adj* ❶ (*causing physical pain*) schmerzhaft; *death* qualvoll ❷ (*upsetting*) schmerzlich

pain·ful·ly ['peɪnfəli] *adv* ❶ (*suffering pain*) unter Schmerzen ❷ (*unpleasantly*) schmerzlich ❸ (*extremely*) furchtbar *fam* ❹ (*with great effort*) quälend

'**pain·kill·er** *n* Schmerzmittel *nt*

pain·less ['peɪnləs] *adj* ❶ (*without pain*) schmerzlos ❷ (*fig: without trouble*) schmerzlos; *solution* einfach

pain 'man·age·ment *n* MED Palliativmedizin *f*; Schmerztherapie *f*

pains·tak·ing ['peɪnz,teɪkɪŋ] *adj* [sehr] sorgfältig; *care* äußerst; *effort* groß; *research* gewissenhaft; *search* gründlich

pains·tak·ing·ly ['peɪnz,teɪkɪŋli] *adv* [sehr] sorgfältig

paint [peɪnt] I. *n* ❶ *no pl* (*substance*) Farbe *f*; (*on car, furniture also*) Lack *m* ❷ (*art colour*) ▪ ~s *pl* Farben *pl*; oil ~s Ölfarben *pl* II. *vi* ❶ ART malen; **to ~ in oils/watercolours** mit Öl-/Wasserfarben malen ❷ (*decorate rooms*) streichen III. *vt* ❶ (*make picture*) malen ❷ (*decorate*) *house* anstreichen; *room, wall* streichen ❸ (*apply make-up*) **she ~ed her nails a bright red** sie lackierte ihre Nägel knallrot ❹ (*fig: describe*) beschreiben; **to ~ a picture of sth** etw schildern

'**paint·box** *n* Malkasten *m* '**paint·brush** *n* [Farb]pinsel *m*

paint·ed ['peɪntɪd] *adj* bemalt; ZOOL, BOT bunt

paint·er[1] ['peɪntər] *n* ❶ (*artist*) [Kunst]maler(in) *m(f)* ❷ (*decorator*) Maler(in) *m(f)*; ~ **and decorator** Maler *m* und Tapezierer

paint·er[2] ['peɪntər] *n* NAUT Fangleine *f*

paint·ing ['peɪntɪŋ] *n* ❶ (*picture*) Bild *nt* ❷ *no pl* (*art*) Malerei *f* ❸ *no pl* (*house decorating*) Streichen *nt*

'**paint pot** *n* Farbtopf *m* '**paint roll·er** *n* Farbroller *m* '**paint strip·per** *n* Abbeizmittel *nt* '**paint·work** *n* *no pl* *of a house, room, wall* Anstrich *m*; *of a car* Lackierung *f*

pair [peər] I. *n* ❶ (*two items*) Paar *nt*; **a ~ of gloves/socks** ein Paar *nt* Handschuhe/Socken ❷ (*two-part item*) Paar *nt*; **a ~ of glasses** eine Brille; **a ~ of scissors** eine Schere; **a ~ of trousers** eine Hose ❸ + *sing/pl vb* (*two people, also couple in relationship*) Paar *nt*; **in ~s** paarweise ❹ + *sing/pl vb* ZOOL Pärchen *nt* II. *vi* *animals* sich paaren III. *vt usu passive* ▪ **to be ~ed with sb/sth** mit jdm/etw ein Paar bilden ◆ **pair off** I. *vi* einen Partner/eine Partnerin finden II. *vt* ▪ **to ~ sb off [with sb]** jdn [mit jdm] verkuppeln *fam*

pair·ing ['peərɪŋ] *n* *no pl* Paarung *f*

'**pair-skat·ing** *n* *no pl* Paarlaufen *nt*

pa·jam·as *npl* AM *see* **pyjamas**

Pa·ki·stan [,pɑ:kɪ'stɑ:n] *n* Pakistan *nt*

Pa·ki·stani [,pɑ:kɪ'stɑ:ni] I. *n* Pakistani *m*, Pakistaner(in) *m(f)* II. *adj* pakistanisch

pal [pæl] I. *n* (*fam*) Kumpel *m* II. *vi* <-ll-> AM ▪ **to ~ around [with sb]** [mit jdm] befreundet sein ◆ **pal up** *vi esp* BRIT, AUS (*dated*) sich anfreunden

pal·ace ['pælɪs] *n* Palast *m*

pal·at·able ['pælətəbl] *adj* ❶ (*of food, drink*) schmackhaft ❷ (*fig: acceptable*) akzeptabel

pal·ate ['pælət] *n* Gaumen *m* a. *fig*

pa·la·tial [pə'leɪʃᵊl] *adj* prachtvoll

pa·la·ver [pə'lɑ:vər] *n* (*fam*) Theater *nt*

pale[1] [peɪl] I. *adj* blass II. *vi* ❶ (*go white*) bleich werden ❷ (*seem unimportant*) **to ~ into insignificance** unwichtig erscheinen

pale[2] [peɪl] *n* (*post*) Pfosten *m* ▶ **beyond the ~** indiskutabel

'**pale·face** *n* (*pej!*) Bleichgesicht *nt pej o hum*

pale·ness ['peɪlnəs] *n* *no pl* Blässe *f*

Pal·es·tine ['pæləstaɪn] *n* Palästina *nt*

Pal·es·tin·ian [,pælə'stɪnɪən] I. *n* Palästinenser(in) *m(f)* II. *adj* palästinensisch

pal·ette ['pælət] *n* ART ❶ (*for mixing paint*) Palette *f* ❷ (*range of colours*) [Farb]palette *f*

pali·sade [,pælɪ'seɪd] *n* ❶ (*fence*) Palisade *f* ❷ (*cliffs*) ▪ ~s *pl* Steilufer *nt*

pal·ish ['peɪlɪʃ] *adj* blässlich; **the sky was a ~ blue** der Himmel war blassblau

pall[1] [pɔ:l] *vi* an Reiz verlieren

pall[2] [pɔ:l] *n* ❶ (*for coffin*) Sargtuch *nt* ❷ AM (*coffin*) Sarg *m* ❸ (*cloud*) [Rauch]wolke *f*

'**pall·bear·er** *n* Sargträger(in) *m(f)*

pal·let ['pælɪt] *n* ❶ (*for goods*) Palette *f* ❷ (*bed*) Pritsche *f*

pal·lia·tive ['pælɪətɪv] I. *n* ❶ (*drug*) Schmerzmittel *nt* ❷ (*fig: problem-easer*) Beschönigung *f* II. *adj* ❶ (*pain-relieving*) schmerzstillend *attr*, palliativ *fachspr* ❷ (*fig: problem-easing*) beschönigend

pal·lid ['pælɪd] *adj* ❶ (*very pale*) fahl ❷ (*lacking verve*) fad[e]

pal·lor ['pælər] *n* Blässe *f*

pal·ly ['pæli] *adj esp* BRIT (*fam*) kumpelhaft; ▪ **to be ~ with sb** mit jdm [sehr] gut befreundet sein

palm[1] [pɑ:m] *n* (*tree*) Palme *f*

palm[2] [pɑ:m] *n* Handfläche *f*; **to read sb's ~** jdm aus der Hand lesen ◆ **palm off** *vt* ▪ **to ~ off ↻ sth on sb** jdm etw andrehen *fam*; ▪ **to ~ sb off with sth** jdn mit etw *dat* abspeisen *fam*

palm·ist ['pɑ:mɪst] *n* Handleser(in) *m(f)*

'**palm leaf** *n* Palmenblatt *nt* **Palm 'Sun·day** *n* Palmsonntag *m*

'**palm·top** *n* COMPUT Palmtop *m*

pal·pable ['pælpəbl] *adj* ❶ (*obvious*) offenkundig, deutlich ❷ (*tangible*) spürbar, greifbar

pal·pi·tate ['pælpɪteɪt] *vi heart* [schnell]

klopfen (**with** vor)

pal·pi·ta·tions [ˌpælpɪˈteɪʃ⁰nz] *npl* Herzklopfen *nt kein pl;* **to have ~** (*fig*) einen [Herz]anfall bekommen

pal·sy [ˈpɔːlzi] *n* Lähmung *f;* **cerebral ~** Kinderlähmung *f*

pal·try [ˈpɔːltri] *adj* ❶ (*small*) armselig; *sum* lächerlich; **wage** kärglich ❷ (*contemptible*) billig *pej*

pam·pas [ˈpæmpəs] *n* + *sing/pl vb* Pampa *f*

pam·per [ˈpæmpəʳ] *vt* verwöhnen; ■**to ~ oneself with sth** sich *dat* etw gönnen

pam·phlet [ˈpæmflɪt] *n* (*kleine*) Broschüre *f,* Faltblatt *nt;* POL Flugblatt *nt*

pan [pæn] **I.** *n* ❶ (*for cooking*) Pfanne *f;* AM (*for oven cooking*) Topf *m* ❷ BRIT (*toilet bowl*) Toilettenschüssel *f* ▸ **to go down the ~** den Bach runtergehen *fam* **II.** *vt* <-nn-> ❶ AM (*cook*) [in der Pfanne] braten ❷ (*fam: criticize*) verreißen **III.** *vi* <-nn-> **to ~ for gold** Gold *nt* waschen ◆ **pan out** *vi* ❶ (*develop*) sich entwickeln ❷ (*succeed*) klappen *fam*

pana·cea [ˌpænəˈsiːə] *n* Allheilmittel *nt;* (*fig*) Patentlösung *f*

pa·nache [pəˈnæʃ] *n no pl* Elan *m,* Schwung *m*

Pana·ma [ˌpænəˈmɑː] *n* Panama *nt*

Pana·ma Ca·ˈnal *n no pl* ■**the ~** der Panamakanal **Pana·ma ˈCity** *n* Panama City *nt*

Pana·ma·nian [ˌpænəˈmeɪniən] **I.** *n* Panamaer(in) *m(f)* **II.** *adj* panamaisch

Pan-Ameri·can [ˌpænəˈmerɪk⁰n] *adj* panamerikanisch

ˈpan·cake *n* Pfannkuchen *m*

ˈPan·cake Day *n* BRIT (*fam*) Fastnachtsdienstag *m,* Faschingsdienstag *m*

pan·cre·as <*pl* -es> [ˈpæŋkriəs] *n* Bauchspeicheldrüse *f*

pan·cre·at·ic [ˌpæŋkriˈætɪk] *adj* Pankreas-

pan·da [ˈpændə] *n* Panda *m*

ˈpan·da car *n* BRIT Streifenwagen *m*

pan·dem·ic [pænˈdemɪk] **I.** *n* Seuche *f,* Pandemie *f* fachspr; **~ of influenza** Grippepandemie *f* **II.** *adj* pandemisch; (*fig*) weit verbreitet

pan·de·mo·nium [ˌpændəˈməʊniəm] *n no pl* ❶ (*noisy confusion*) Chaos *nt* ❷ (*fig: uproar*) Tumult *m*

pan·der [ˈpændəʳ] *vi* (*pej*) ■**to ~ to sth** etw *dat* nachgeben; **to ~ to sb's whims** auf jds Launen *pl* eingehen

P & P [ˌpiːⁿ(d)ˈpiː] *n no pl* BRIT *abbrev of* **postage and packing** Porto und Verpackung

pane [peɪn] *n* [Fenster]scheibe *f*

pan·el [ˈpæn⁰l] **I.** *n* ❶ (*wooden*) [Holz]paneel *nt* ❷ (*metal*) Blech *nt* ❸ FASHION (*part of garment*) [Stoff]streifen *m* ❹ (*on page*) Feld *nt* ❺ + *sing/pl vb* (*team*) Team *nt* ❻ (*instrument board*) Tafel *f;* **control ~** Schalttafel *f* **II.** *vt* <BRIT -ll- *or* AM *usu* -l-> täfeln (**in** mit)

ˈpan·el beat·er *n* BRIT Autoschlosser(in) *m(f)* **ˈpan·el dis·cus·sion** *n* Podiumsdiskussion *f* **ˈpan·el game** *n* BRIT TV Ratespiel *nt*

pan·el·ing *n* AM *see* **panelling**

pan·el·ist *n* AM *see* **panellist**

pan·el·ling [ˈpæn⁰lɪŋ] *n no pl* [Holz]täfelung *f*

pan·el·list [ˈpæn⁰lɪst] *n* ❶ (*in expert team*) Mitglied *nt* [einer Expertengruppe] ❷ (*in quiz team*) Teilnehmer(in) *m(f)* (*an einer Quizshow*)

pang [pæŋ] *n* [plötzliches] Schmerzgefühl; **~ of guilt/jealousy/remorse** Anwandlung *f* von Schuldgefühlen/Eifersucht/Reue

ˈpan·han·dle I. *n* ❶ (*on pan*) Pfannenstiel *m* ❷ GEOG Zipfel *m* **II.** *vi* schnorren **III.** *vt* **to ~ money** Geld schnorren

ˈpan·han·dler *n* (*fam*) Schnorrer(in) *m(f)*

pan·ic [ˈpænɪk] *n no pl* ❶ (*overwhelming fear*) Panik *f* ❷ (*hysterical fear*) panische Angst; **to get in**[**to**] **a ~** in Panik geraten **II.** *vi* <-ck-> in Panik geraten **III.** *vt* ■**to ~ sb** unter jdm Panik auslösen

pan·icky [ˈpænɪki] *adj* panisch; **~ action** Kurzschlusshandlung *f*

ˈpan·ic room *n* Panikraum *m* **pan·ic·strick·en** [ˌstrɪk⁰n] *adj* von Panik ergriffen

pan·jan·drum [pændʒændrəm] *n* Autorität *f,* Koryphäe *f*

pan·ni·er [ˈpæniəʳ] *n* (*bag*) Satteltasche *f;* (*basket*) Tragkorb *m*

pano·ra·ma [ˌpænəʳˈɑːmə] *n* Panorama *nt;* (*fig*) Überblick *m*

pano·ram·ic [ˌpænəʳˈɑːmɪk] *adj* Panorama-

ˈpan pipes *npl* Panflöte *f*

ˈpan scour·er *n esp* BRIT Topfkratzer *m*

pan·sy [ˈpænzi] *n* ❶ (*flower*) Stiefmütterchen *nt* ❷ (*pej dated fam: male homosexual*) Homo *m;* (*effeminate male*) Waschlappen *m*

pant¹ [pænt] **I.** *vi* ❶ (*breathe*) keuchen ❷ (*crave*) **to ~ for breath** nach Luft schnappen ❸ (*liter: throb*) **heart** pochen **II.** *n* ❶ (*breath*) Keuchen *nt kein pl* ❷ (*liter: throb*) Pochen *nt kein pl*

pant² [pænt] *n* FASHION ■**~s** *pl* **a pair of ~s** *esp* BRIT eine Unterhose; AM eine [lange]

Hose ▶ **to** <u>bore</u> **the ~s off sb** (*fam*) jdn zu Tode langweilen; **to** <u>scare</u> **the ~s off sb** jdm einen Riesenschrecken einjagen; **to be caught with one's ~** <u>down</u> (*fam*) auf frischer Tat ertappt werden

pan·the·ism ['pæn(t)θiɪzᵊm] *n no pl* Pantheismus *m geh*

pan·the·is·tic(al) [ˌpæn(t)θi'ɪstɪk(ᵊl)] *adj* pantheistisch *geh*

pan·the·on ['pæn(t)θiən] *n* (*form*) Pantheon *nt*

pan·ther <*pl* - *or* -s> ['pæn(t)θəʳ] ❶ (*leopard*) Panther *m* ❷ AM *also* (*cougar*) Puma *m*

panties ['pæntiz] *npl* (*fam*) [Damen]slip *m*

pan·to ['pæntəʊ] *n* BRIT (*fam*) *short for* **pantomime I** ❶

pan·to·mime ['pæntəmaɪm] **I.** *n* ❶ BRIT (*play*) [Laien]spiel *nt;* (*for Christmas*) Weihnachtsspiel *nt* ❷ (*mime*) Pantomime *f;* **to do a ~ of sth** etw pantomimisch darstellen **II.** *vt* pantomimisch darstellen

pan·try ['pæntri] *n* Vorratskammer *f*

'panty gir·dle *n* Miederhöschen *nt*

'pan·ty·hose *npl* AM, AUS Strumpfhose *f*

'panty lin·er *n* Slipeinlage *f*

pap [pæp] *n no pl* ❶ (*esp pej: food*) Babybrei *m* ❷ (*pej fam: entertainment*) Schund *m*

papa ['pɑːpə] *n* BRIT (*dated*) Papa *m*

pa·pa·cy ['peɪpəsi] *n* ❶ (*pope's jurisdiction*) ▪**the ~** das Pontifikat ❷ *usu sing* (*pope's tenure*) Pontifikat *nt* ❸ (*system of government*) Papsttum *nt*

pa·pal ['peɪpᵊl] *adj* päpstlich, Papst-

pa·pa·raz·zi [ˌpæpᵊr'ætsi] *npl* Paparazzi *pl,* Sensationsreporter(innen) *mpl(fpl)*

pa·pa·raz·zo [ˌpæpᵊr'ætsəʊ] *n sing of* **paparazzi**

pa·pa·ya [pə'paɪjə] *n* Papaya *f*

pa·per ['peɪpəʳ] **I.** *n* ❶ *no pl* (*for writing*) Papier *nt;* **a piece of ~** ein Blatt *nt* Papier; **recycled ~** Altpapier *nt* ❷ (*newspaper*) Zeitung *f* ❸ (*wallpaper*) Tapete *f* ❹ *usu pl* (*document*) Dokument *nt* ❺ (*credentials*) ▪**~s** *pl* [Ausweis]papiere *pl* ❻ BRIT, AUS UNIV **to write a ~** eine Hausarbeit schreiben **II.** *vt* tapezieren ◆ **paper over** *vt* **to ~ over a problem** ein Problem vertuschen

'pa·per·back *n* Taschenbuch *nt*

'pa·per·back edi·tion *n* Taschenbuchausgabe *f*

pa·per 'bag *n* Papiertüte *f* **'pa·per boy** *n* Zeitungsjunge *m* **'pa·per·chase** *n* BRIT Schnitzeljagd *f* **'pa·per clip** *n* Büroklammer *f* **pa·per 'cup** *n* Pappbecher *m* **'pa·per cut·ter** *n* Papierschneider *m* **'pa·per**

girl *n* Zeitungsmädchen *nt* **'pa·per·knife** *n* Brieföffner *m* **'pa·per mill** *n* Papierfabrik *f* **'pa·per mon·ey** *n no pl* Papiergeld *nt* **pa·per 'nap·kin** *n* [Papier]serviette *f* **'pa·per prof·it** *n* rechnerischer Gewinn **'pa·per round** *n* BRIT, AM **'pa·per route** *n* Zeitungszustellung *f;* **to have a ~** Zeitungen austragen **pa·per-'thin** *adj* hauchdünn **pa·per 'ti·ger** *n* (*pej*) Papiertiger *m* **pa·per 'tis·sue** *n* Papiertaschentuch *nt* **pa·per 'tow·el** *n* BRIT Papierhandtuch *nt* **'pa·per** AM Küchenrolle *f* **'pa·per trail** *n esp* AM belastende Unterlagen **'pa·per·weight** *n* Briefbeschwerer *m* **'pa·per·work** *n no pl* Schreibarbeit *f;* **to do ~** [den] Papierkram machen *fam*

pa·pery ['peɪpᵊri] *adj plaster* bröckelig; *skin* pergamenten

pa·pier mâché [ˌpæpieɪ'mæʃeɪ] *n no pl* Pappmaschee *nt*

pa·pist ['peɪpɪst] (*pej*) **I.** *n* Papist(in) *m(f)* **II.** *adj* papistisch

pap·py ['pæpi] *n* AM Papi *m fam*

pap·ri·ka ['pæprɪkə] *n no pl* Paprika *m*

'Pap smear *n* AM, AUS, **'Pap test** *n* AM, AUS MED Abstrich *m*

Pa·pua New Guinea [ˌpæpuənjuː'gɪni] *n* Papua-Neuguinea *nt*

pa·py·rus <*pl* -es *or* -ri> [pə'paɪ(ə)rəs, *pl* -raɪ] *n* ❶ Papyrusstaude *f* ❷ (*paper*) Papyrus *m*

par [pɑːʳ] **I.** *n* ❶ *no pl* (*standard*) **below/above ~** unter/über dem Standard; **to feel under ~** sich nicht auf der Höhe fühlen ❷ (*equality*) ▪**to be on a ~ with sb/each other** jdm/einander ebenbürtig sein ❸ (*in golf*) Par *nt;* **below/above ~** unter/über Par ▶ **it's ~ for the** <u>course</u> (*fam*) das war [ja] zu erwarten **II.** *vt* SPORTS **to ~ a hole** ein Loch innerhalb des Pars spielen

par. *short for* **paragraph** Abs.

para ['pærə] **I.** *n* (*fam*) ❶ MIL *short for* **paratrooper** Fallschirmjäger(in) *m(f)* ❷ (*text*) *short for* **paragraph** Absatz *m* **II.** *adj pred* BRIT *short for* **paranoid** paranoid

para·ble ['pærəbl] *n* Parabel *f*

pa·rabo·la <*pl* -s *or* -lae> [pə'ræbᵊlə, *pl* -liː] *n* MATH Parabel *f*

para·bol·ic [ˌpærə'bɒlɪk] *adj* ❶ (*like a parabola*) parabolisch, Parabol- ❷ (*expressed using parable*) gleichnishaft

pa·ra·ceta·mol® <*pl* - *or* -s> [ˌpærə'siːtəmɒl] *n* BRIT, AUS Paracetamol® *nt*

para·chute ['pærəʃuːt] **I.** *n* Fallschirm *m* **II.** *vi* mit dem Fallschirm abspringen

'para·chute jump *n* Fallschirmabsprung *m*

para·chut·ing ['pærəʃuːtɪŋ] *n no pl* Fallschirmspringen *nt*

para·chut·ist ['pærəʃuːtɪst] *n* Fallschirmspringer(in) *m(f)*

pa·rade [pə'reɪd] **I.** *n* ❶ (*procession*) Parade *f*; **victory ~** Siegeszug *m* ❷ MIL [Truppen]parade *f* ❸ BRIT *of shops* Geschäftsstraße *f* **II.** *vi* ❶ (*walk in procession*) einen Umzug machen ❷ MIL marschieren ❸ (*show off*) ▪**to ~ about** auf und ab stolzieren **III.** *vt* ❶ (*march*) **to ~ the streets** durch die Straßen marschieren; (*during a procession*) durch die Straßen ziehen ❷ (*exhibit*) vorführen ❸ (*fig: show off*) stolz vorführen; (*fig*) *knowledge, wealth* zur Schau tragen

pa·'rade ground *n* MIL Exerzierplatz *m*

para·digm ['pærədaɪm] *n* (*form*) ❶ (*model*) Muster *nt*; (*example*) Beispiel *nt* ❷ LING Paradigma *nt fachspr*

para·dig·mat·ic [ˌpærədɪg'mætɪk] *adj* (*form*) paradigmatisch *geh*

para·digm 'shift *n* Paradigmenwechsel *m geh*

para·dise ['pærədaɪs] *n no pl* Paradies *nt*; ▪**P~** das Paradies

para·di·sia·cal [ˌpærədɪ'saɪəkᵊl] *adj*, **para·disi·cal** [ˌpærə'dɪsɪkᵊl] *adj* paradiesisch

para·dox <*pl* -es> ['pærədɒks] *n* Paradox[on] *nt geh*; *no pl* Paradoxie *f*; ▪**it is a ~ that ...** es ist paradox, dass ...

para·doxi·cal [ˌpærə'dɒksɪkᵊl] *adj* paradox

para·doxi·cal·ly [ˌpærə'dɒksɪkᵊli] *adv* paradoxerweise

par·af·fin ['pærəfɪn] *n no pl* ❶ BRIT (*fuel*) Kerosin *nt* ❷ (*wax*) Paraffin *nt*

par·af·fin 'heat·er *n* BRIT Kerosinofen *m*

par·af·fin 'lamp *n* BRIT Kerosinlampe *f*

par·af·fin 'wax *n no pl* Paraffin *nt*

para·glid·ing ['pærəˌglaɪdɪŋ] *n no pl* Paragliding *nt*

para·gon ['pærəgən] *n* ❶ (*perfect example*) Muster[beispiel] *nt*; **a ~ of virtue** (*iron*) ein Ausbund *m* an Tugend ❷ (*diamond*) hundertkarätiger Solitär

para·graph ['pærəɡrɑːf] **I.** *n* ❶ (*text*) Absatz *m* ❷ (*newspaper article*) [kurze] Zeitungsnotiz **II.** *vt* **to ~ a text** Absätze [in einem Text] machen

Para·guay ['pærəgwaɪ] *n* Paraguay *nt*

Para·guay·an [ˌpærə'gwaɪən] *adj* paraguayisch

para·keet [ˌpærə'kiːt] *n* Sittich *m*

par·al·lel ['pærəlel] **I.** *adj* ❶ *lines* parallel ❷ (*corresponding*) **~ example** Parallelbeispiel *nt* **II.** *n* ❶ (*similarity*) Parallele *f*; ▪**without ~** ohnegleichen; **to draw a ~** einen Vergleich ziehen ❷ MATH Parallele *f*

❸ *esp* AM GEOG **~** [**of latitude**] Breitenkreis *m* **III.** *vt* (*correspond to*) entsprechen; (*be similar to*) ähneln; **not ~ed** beispiellos **IV.** *adv* parallel; **to run ~ to sth** zu etw *dat* parallel verlaufen

par·al·lel 'bars *npl* (*in gymnastics*) Barren *m*

par·al·lel·ism ['pærəlelɪzᵊm] *n no pl* Parallelität *f*

par·al·lel 'line *n* Parallele *f*

par·al·lelo·gram [ˌpærə'leləgræm] *n* Parallelogramm *nt fachspr*

Para·lym·pic Games *npl*, **Para·lym·pics** [ˌpærə'lɪmpɪks] *npl* ▪**the ~** die Paralympischen Spiele *pl*

para·lyse ['pærəlaɪz] *vt* BRIT, AUS ❶ MED (*also fig*) lähmen ❷ (*bring to halt*) lahmlegen

para·lysed ['pærəlaɪzd] *adj* BRIT, AUS ❶ MED gelähmt ❷ (*stupefied*) wie gelähmt präd, handlungsunfähig ❸ (*brought to halt*) lahmgelegt; (*blocked*) blockiert

pa·raly·sis <*pl* -ses> [pə'ræləsɪs, *pl* -siːz] *n* Lähmung *f a. fig*

para·lyt·ic [ˌpærə'lɪtɪk] **I.** *adj* ❶ MED paralytisch, Lähmungs- ❷ *esp* BRIT (*fam: drunk*) stockbetrunken **II.** *n* Paralytiker(in) *m(f) fachspr*

para·lyze *vt* AM *see* **paralyse**

para·lyzed *adj* AM *see* **paralysed**

para·med·ic [ˌpærə'medɪk] *n* Sanitäter(in) *m(f)*

pa·ram·eter [pə'ræmɪtəʳ] *n usu pl* ❶ SCI Bestimmungsfaktor *m* ❷ (*set of limits*) ▪**~s** *pl* Leitlinien *pl*

para·mili·tary [ˌpærə'mɪlɪtᵊri] **I.** *adj* paramilitärisch **II.** *n* Milizionär(in) *m(f)*

para·mount ['pærəmaʊnt] *adj* (*form: have priority*) vorrangig

para·noia [ˌpærə'nɔɪə] *n* ❶ PSYCH Paranoia *f geh*, Verfolgungswahn *m* ❷ (*anxiousness*) Hysterie *f*

para·noi·ac [ˌpærə'nɔɪæk] **I.** *adj* paranoisch *geh* **II.** *n* Paranoiker(in) *m(f) geh*

para·noid [ˌpærə'nɔɪd] **I.** *adj* ❶ PSYCH paranoid ❷ (*mistrustful*) wahnhaft; ▪**to be ~ about sth/sb** in ständiger Angst vor etw/ jdm leben **II.** *n* Paranoiker(in) *m(f) geh*

para·noid schizo·'phre·nia *n* paranoide Schizophrenie *fachspr*

para·nor·mal [ˌpærə'nɔːməl] **I.** *adj* übernatürlich; *powers* übersinnlich **II.** *n no pl* ▪**the ~** übernatürliche Erscheinungen

para·pet ['pærəpɪt] *n* Geländer *nt*

para·pher·na·lia [ˌpærəfə'neɪliə] *n pl,* + *sing/pl vb* Zubehör *nt kein pl*; (*pej*) Brimborium *nt kein pl fam*

para·phrase ['pærəfreɪz] **I.** *vt* umschreiben; ■**to ~ sb** jdn frei zitieren **II.** *n* Paraphrase *f geh*

para·plegia [ˌpærəˈpliːdʒə] *n no pl* MED Querschnittslähmung *f*

para·plegic [ˌpærəˈpliːdʒɪk] **I.** *adj* doppelseitig gelähmt **II.** *n* doppelseitig Gelähmte(r) *f(m)*

para·psy·chol·ogy [ˌpærəsaɪˈkɒlədʒi] *n no pl* Parapsychologie *f*

para·site [ˈpærəsaɪt] *n* Parasit *m a. fig*

para·sit·ic(al) [ˌpærəˈsɪtɪkəl] *adj* ❶ BIOL parasitär ❷ *(fig, pej) person* schmarotzerhaft

para·sol [ˈpærəsɒl] *n* Sonnenschirm *m*

para·thy·roid [ˌpærəˈθaɪ(ə)rɔɪd] *n*, **para·thy·roid gland** *n* Nebenschilddrüse *f*

para·troop·er [ˈpærəˌtruːpəʳ] *n* Fallschirmjäger(in) *m(f)*

para·troops [ˈpærətruːps] *npl* Fallschirmtruppen *pl*

para·ty·phoid [ˌpærəˈtaɪfɔɪd] MED **I.** *n no pl* Paratyphus *m fachspr* **II.** *adj attr* paratyphoid *fachspr*

par·boil [ˈpɑːbɔɪl] *vt* **to ~ food** Lebensmittel kurz vorkochen (*um sie dann weiterzuverarbeiten*)

par·cel [ˈpɑːsəl] **I.** *n (for mailing)* Paket *nt;* (*small parcel*) Päckchen *nt* **II.** *vt* <BRIT *-ll-* or AM *usu -l-*> einpacken ◆**parcel out** *vt* aufteilen ◆**parcel up** *vt* einpacken

'**par·cel bomb** *n* BRIT Paketbombe *f* '**par·cel of·fice** *n* BRIT Paketabfertigung *f* **par·cel 'post** *n* Paketpost *f*

parch [pɑːtʃ] **I.** *vt* ❶ *(make dry)* austrocknen ❷ *(roast) corn, grain* rösten **II.** *vi* *(become dry)* austrocknen, ausdörren

parched [pɑːtʃt] *adj* ❶ *(dried out)* vertrocknet, verdorrt; *throat* ausgedörrt ❷ *attr* *(fig fam: very thirsty)* ■**to be ~** [**with thirst**] am Verdursten sein ❸ *(roasted) corn, grain* geröstet

parch·ment [ˈpɑːtʃmənt] *n* ❶ *no pl* *(animal skin, manuscript)* Pergament *nt* ❷ *no pl* *(paper)* Pergamentpapier *nt* ❸ *(fam: document)* Urkunde *f*

par·don [ˈpɑːdən] **I.** *n no pl* LAW Begnadigung *f* **II.** *vt* ❶ *(forgive)* verzeihen, entschuldigen ❷ LAW begnadigen **III.** *interj* *(apology)* **I beg your ~!** [*or* AM *also* **~ me!**] Entschuldigung!, tut mir leid!; *(request for repetition)* wie bitte?; *(reply to offensiveness)* na, hören Sie mal!

par·don·able [ˈpɑːdənəbl] *adj* verzeihlich

pare [peəʳ] *vt* ❶ *(trim)* [ab]schneiden; *fruit* schälen ❷ *(reduce gradually)* reduzieren ◆**pare down** *vt* reduzieren ◆**pare off** *vt* [ab]schälen

par·ent [ˈpeərənt] **I.** *n* ❶ *of a child* Elternteil *m;* ■**~s** Eltern *pl;* **single ~** Alleinerzie-

hende(r) *f(m)* ❷ *of an animal* Elterntier *nt;* *of a plant* Mutterpflanze *f* ❸ *(parent company)* Muttergesellschaft *f* **II.** *vt* großziehen

par·ent·age [ˈpeərəntɪdʒ] *n no pl* ❶ *(descent)* Abstammung *f* ❷ *(relation)* Elternschaft *f* ❸ *(fig: origin)* Herkunft *f*

pa·ren·tal [pəˈrentəl] *adj* elterlich, Eltern-; **~ control/neglect** Beaufsichtigung *f*/Vernachlässigung *f* durch die Eltern

par·ent 'com·pa·ny *n* Muttergesellschaft *f*

pa·ren·thesis [pəˈren(t)θəsɪs, *pl* -siːz] *n* ❶ *(explanation)* eingeschobener Satz[teil] ❷ *usu pl esp* AM, AUS *(round brackets)* [runde] Klammern

par·en·thet·ic(al) [ˌpærənˈθetɪk(əl)] *adj* *(form)* parenthetisch; *remark* beiläufig

pa·ren·theti·cal·ly [ˌpærənˈθetɪkəli] *adv* *(form)* parenthetisch

par·ent·hood [ˈpeərənthʊd] *n no pl* Elternschaft *f*

par·ent·ing [ˈpeərəntɪŋ] *n no pl* Verhalten *nt* als Eltern, Kindererziehung *f;* **~ skills** elterliches Geschick

par·ent·less [ˈpeərəntləs] *adj* elternlos

Par·ents and 'Citi·zens *n* AUS, **pa·rent·'teach·er as·so·cia·tion** *n*, **pa·rent·'teacher or·gani·za·tion** *n esp* AM Eltern-Lehrer-Organisation *f*

pa·ri·ah [pəˈraɪə] *n* ❶ *(in India)* Paria *m* ❷ *(fig)* Außenseiter(in) *m(f)*

par·ing [ˈpeərɪŋ] *n usu pl of fruit, vegetable* Schale *f*

'**par·ing knife** *n* Schälmesser *nt*

Par·is [ˈpærɪs] *n no pl* Paris *nt*

par·ish [ˈpærɪʃ] *n* ❶ REL [Pfarr]gemeinde *f* ❷ BRIT POL Gemeinde *f*

par·ish 'church *n* Pfarrkirche *f* **par·ish 'clerk** *n* Küster(in) *m(f)* **par·ish 'coun·cil** *n* BRIT Gemeinderat *m* **pa·rish·ion·er** [pəˈrɪʃənəʳ] *n* Gemeindemitglied *nt* **par·ish 'priest** *n* Pfarrer(in) *m(f)* **par·ish·pump 'poli·tics** *n* + *sing/pl vb* BRIT Kirchturmpolitik *f* **par·ish 'reg·is·ter** *n* Kirchenbuch *nt*

Pa·ris·ian [pəˈrɪziən] **I.** *adj* Pariser, pariserisch **II.** *n* Pariser(in) *m(f)*

par·ity [ˈpærəti] *n no pl* ❶ *(equality)* Gleichheit *f* ❷ FIN, MATH, PHYS Parität *f fachspr*

park [pɑːk] **I.** *n* ❶ *(for recreation)* Park *m* ❷ BRIT *(surrounding house)* Parkanlagen *pl* ❸ *esp* BRIT SPORTS *(fam)* ■**the ~** der [Sport]platz ❹ *esp* BRIT AUTO Parkplatz *m;* **car ~** PKW-Parkplatz *m* **II.** *vt* ❶ AUTO [ein]parken ❷ *(fig fam: position)* abladen; **to ~ oneself** sich [irgendwo] hinpflanzen **III.** *vi* parken

P

par·ka ['pɑːkə] n Parka m
park 'bench n Parkbank f
parked [pɑːkt] adj geparkt
park·ing ['pɑːkɪŋ] n no pl ❶ (action) Parken nt ❷ (space) Parkplatz m
'**park·ing area** n Parkplatz m '**park·ing at·tend·ant** n Parkwächter(in) m(f) '**park·ing bay** n Parkbucht f '**park·ing brake** n AM Feststellbremse f '**park·ing disc** n Parkscheibe f '**park·ing fine** n Geldstrafe f für unerlaubtes Parken '**park·ing gar·age** n Parkhaus nt '**park·ing lot** n esp AM Parkplatz m '**park·ing me·ter** n Parkuhr f '**park·ing of·fence** n Parkvergehen nt '**park·ing of·fend·er** n Parksünder(in) m(f) '**park·ing per·mit** n Parkerlaubnis f '**park·ing place** n, '**park·ing space** n Parkplatz m '**park·ing tick·et** n Strafzettel m für unerlaubtes Parken
Parkinson's ['pɑːkɪnsᵊnz] n, **Parkinson's dis·ease** n no pl Parkinsonkrankheit f
'**Parkinson's law** n no art, no pl (hum) das parkinsonsche Gesetz
'**park keep·er** n BRIT Parkaufseher(in) m(f) '**park·land** n no pl Parklandschaft f '**park·way** n ❶ AM, AUS (highway) Autobahn f ❷ BRIT RAIL Parkmöglichkeiten in der Nähe eines Bahnhofs
parky ['pɑːki] adj BRIT (fam) weather frisch
Parl. abbrev of **Parliament** Parlament nt
par·lance ['pɑːlən(t)s] n no pl (form) Ausdrucksweise f
par·lia·ment ['pɑːləmənt] n ❶ no art, no pl (institution) ■ P~ Parlament nt; ■ in P~ im Parlament ❷ (period) Legislaturperiode f
par·lia·men·tar·ian [ˌpɑːləmən'teəriən] I. n (Member of Parliament) [Parlaments]abgeordnete(r) f(m), Mitglied nt des britischen Unterhauses II. adj parlamentarisch
par·lia·men·tary [ˌpɑːlə'mentᵊri] adj ~ **bill** parlamentarischer Gesetzentwurf; ~ **candidate** Kandidat(in) m(f) für das Parlament; ~ **election/session** Parlamentswahl f/ -sitzung f
par·lia·men·tary 'cham·ber n Kammer f des Parlaments **par·lia·men·tary de·'bate** n Parlamentsdebatte f **par·lia·men·tary de·'moc·ra·cy** n parlamentarische Demokratie **par·lia·men·tary 'gov·ern·ment** n parlamentarische Regierung
par·lour ['pɑːləʳ] n, AM **par·lor** n ❶ esp AM (shop) Salon m; **ice-cream** ~ Eisdiele f; **funeral** ~ Bestattungsinstitut nt ❷ (dated: room) Salon m

'**par·lour game** n Gesellschaftsspiel nt
Par·me·san ['pɑːmɪˌzæn] n, **Par·me·san cheese** n no pl Parmesan[käse] m
pa·ro·chial [pə'rəʊkiəl] adj ❶ REL Gemeinde-, Pfarr- ❷ (pej: provincial) provinziell; (narrow-minded) kleinkariert
pa·ro·chial·ism [pə'rəʊkiəlɪzᵊm] n no pl (pej) Provinzialismus m geh; (narrow-mindedness) Engstirnigkeit f
pa·ro·chial 'school n AM Konfessionsschule f
paro·dist ['pærədɪst] n Parodist(in) m(f)
paro·dy ['pærədi] I. n (also pej: imitation) Parodie f (**of** auf) II. vt <-ie-> parodieren
pa·role [pə'rəʊl] I. n no pl bedingte Haftentlassung II. vt usu passive Hafturlaub gewähren; ■ **to be ~ d** bedingt [aus der Haft] entlassen werden
par·ox·ysm ['pærəksɪzᵊm] n ❶ (outburst) ~ **of joy** Freudentaumel m ❷ MED Anfall m
par·quet ['pɑːkeɪ] I. n no pl ❶ (outburst) Parkett nt ❷ AM THEAT Parkett nt II. vt **to ~ a room** in einem Zimmer Parkettfußboden [ver]legen
par·ri·cide ['pærɪsaɪd] n LAW ❶ no pl (murder) of both parents Elternmord m; of mother Muttermord m; of father Vatermord m ❷ (murderer) of both parents Elternmörder(in) m(f); of mother Muttermörder(in) m(f); of father Vatermörder(in) m(f)
par·rot ['pærət] I. n (bird) Papagei m II. vt (pej) nachplappern; ■ **to ~ sb** jdn nachäffen
'**par·rot-fash·ion** adv **to repeat sth** ~ etw wie ein Papagei nachplappern fam
par·ry ['pæri] I. vt <-ie-> ❶ (avert) abwehren ❷ (fig: deal with) questions [geschickt] ausweichen; criticism [schlagfertig] abwehren II. vi <-ie-> parieren III. n ❶ of an attack Parade f ❷ (fig) of a question Ausweichmanöver nt
parse [pɑːz] vt ❶ (analyse grammatically) **to ~ a sentence** einen Satz grammatisch analysieren ❷ COMPUT **to ~ a text** einen Text parsen fachspr
Par·see adj, **Par·si** [ˌpɑː'siː] REL I. n Parse(in) m(f) II. adj parsisch
par·si·mo·ni·ous [ˌpɑːsɪ'məʊniəs] adj (pej form) knauserig
par·si·mo·ni·ous·ly [ˌpɑːsɪ'məʊniəsli] adv (pej form) geizig
par·si·mo·ni·ous·ness [ˌpɑːsɪ'məʊniəsnəs] n, **par·si·mo·ny** ['pɑːsɪməʊni] n no pl (pej form) Knauserigkeit f
pars·ley ['pɑːsli] n no pl Petersilie f
pars·nip ['pɑːsnɪp] n Pastinak m
par·son ['pɑːsᵊn] n (dated) Pastor(in) m(f)

par·son·age ['pɑːsᵊnɪdʒ] *n* Pfarrhaus *nt*

par·son's 'nose *n* (*fam*) Bürzel *m* (*von Geflügel*)

part [pɑːt] **I.** *n* **❶** (*not the whole*) Teil *m;* **she's** ~ **of the family** sie gehört zur Familie; **it's all** ~ **of growing up** das gehört [alles] zum Erwachsenwerden dazu; **to be an essential** ~ **of sth** ein wesentlicher Bestandteil einer S. *gen* sein; **in** ~ teilweise; **for the most** ~ zum größten Teil **❷** *also* TECH (*component*) Teil *nt; of a machine* Bauteil *nt;* [**spare**] ~**s** Ersatzteile *pl* **❸** (*unit*) [An]teil *m* **❹** FILM, TV Folge *f* **❺** ANAT **body** ~ Körperteil *m* **❻** *usu pl* GEOG Gegend *f;* **around these** ~**s** (*fam*) in dieser Gegend; **in our/your** ~ **of the world** bei uns/Ihnen; **in this** ~ **of the world** hierzulande **❼** THEAT (*also fig*) Rolle *f;* **leading/supporting** ~ Haupt-/Nebenrolle *f* **❽** MUS Part *m,* Stimme *f* **❾** *no pl* (*involvement*) Beteiligung *f* (**in** an); **to take** ~ **in sth** an etw *dat* teilnehmen **❿** *no pl* (*task*) Pflicht *f* **⓫** *no pl* (*side*) **it was a mistake on Julia's** ~ es war Julias Fehler; **any questions on your** ~? haben Sie ihrerseits/hast du deinerseits noch Fragen? **⓬** AM (*parting*) Scheitel *m* ▸ **for my** ~, **...** was mich betrifft, ...; **to look the** ~ entsprechend aussehen; **to be** ~ **and parcel of sth** zu etw *dat* einfach dazugehören **II.** *adj attr* teilweise **III.** *vi* **❶** (*separate*) sich trennen **❷** (*become separated*) *curtains, seams* aufgehen; *lips* sich öffnen; *paths* sich trennen **❸** (*form: say goodbye*) sich verabschieden **❹** (*euph: die*) sterben **IV.** *vt* **❶** (*separate*) trennen (**from** von) **❷** (*comb*) **to** ~ **one's hair** [sich] einen Scheitel ziehen ▸ **to** ~ **company** sich trennen ♦ **part with** *vt* ▪ **to** ~ **with sth** sich von etw *dat* trennen

par·take [pɑːˈteɪk] *vi* <-took, -taken> **❶** (*form: in activity*) ▪ **to** ~ **in sth** an etw *dat* teilnehmen **❷** (*form or hum: food, drink*) **to** ~ **of drink/food** etw mittrinken/mitessen **❸** (*have*) ▪ **to** ~ **of sth** etw [an sich *akk*] haben

part·ed ['pɑːtɪd] *adj* **❶** (*opened*) ~ **lips** leicht geöffnete Lippen **❷** (*separated*) ▪ **to be** ~ **from sb/sth** von jdm/etw getrennt sein **❸** *hair* **her hair is** ~ **on the side** sie trägt einen Seitenscheitel

part ex·'change *n esp* BRIT Inzahlungnahme *f* (**for** gegen)

par·theno·gen·esis [ˌpɑːθənə(ʊ)ˈdʒenɪsɪs] *n no pl* Parthenogenese *f fachspr*

par·tial ['pɑːʃᵊl] **I.** *adj* **❶** (*incomplete*) Teil-; **their success was only** ~ sie hatten nur teilweise Erfolg; *paralysis* partiell **❷** (*biased*) parteiisch **❸** *pred* (*be fond of*) ▪ **to be** ~ **to sth** eine Vorliebe für etw *akk* haben **II.** *n* MUS Oberton *m*

par·tial e'clipse *n* partielle Finsternis

par·tial·ity [ˌpɑːʃiˈæləti] *n* **❶** *no pl* (*bias*) Parteilichkeit *f,* Voreingenommenheit *f* **❷** (*liking*) ▪ **to have a** ~ **for sth** eine Vorliebe für etw *akk* haben

par·tial·ly ['pɑːʃᵊli] *adv* teilweise

par·tial·ly 'sight·ed *adj* halbblind

par·tici·pant [pɑːˈtɪsɪpᵊnt] *n* Teilnehmer(in) *m(f)*

par·tici·pate [pɑːˈtɪsɪpeɪt] *vi* teilnehmen

par·tici·pa·tion [pɑːˌtɪsɪˈpeɪʃᵊn] *n no pl* Teilnahme *f* (**in** an)

par·tici·pa·tor [pɑːˈtɪsɪpeɪtəʳ] *n* Teilnehmer(in) *m(f)*

par·tici·pa·tory [pɑːˈtɪsɪpətᵊri] *adj* teilnehmend; POL auf Mitbestimmung ausgerichtet

par·tici·pa·tory de·'moc·ra·cy *n* partizipatorische Demokratie *fachspr*

par·ti·ci·ple [pɑːˈtɪsɪpl] *n* Partizip *nt*

par·ti·cle ['pɑːtɪkl] *n* **❶** (*minute amount*) Teilchen *nt;* ~ **of dust** Staubkörnchen *nt* **❷** (*fig: smallest amount*) Spur *f* **❸** LING Partikel *f fachspr*

par·ti·cle ac·'cel·era·tor *n* Teilchenbeschleuniger *m* **par·ti·cle 'phys·ics** *n* [Elementar]teilchenphysik *f*

par·ticu·lar [pɑːˈtɪkjələʳ] **I.** *adj* **❶** *attr* (*individual*) bestimmt **❷** *attr* (*special*) besondere(r, s); **no** ~ **reason** kein bestimmter Grund **❸** *pred* (*fussy*) eigen; (*demanding*) anspruchsvoll (**about** hinsichtlich); **to be** ~ **about one's appearance** sehr auf sein Äußeres achten **II.** *n* (*form*) **❶** (*detail*) Einzelheit *f;* **in every** ~ bis ins Detail **❷** (*information*) ▪ ~**s** *pl* Einzelheiten *pl;* **to take down sb's** ~ jds Personalien aufnehmen **❸** *no pl* (*example*) **the** ~ die Details *pl* ▸ **nothing in** ~ nichts Besonderes; **in** ~ insbesondere

par·ticu·lar·ity [pəˌtɪkjəˈlærəti] *n* (*form*) **❶** *no pl* (*detailedness*) Genauigkeit *f* **❷** (*small details*) ▪ **particularities** *pl* Einzelheiten *pl*

par·ticu·lar·ize [pɑːˈtɪkjəˈraɪz] *vt* (*form*) **❶** (*itemize*) spezifizieren **❷** (*focus on*) sich konzentrieren (**on** auf)

par·ticu·lar·ly [pɑːˈtɪkjələli] *adv* besonders, vor allem

par·ticu·late [pɑːˈtɪkjʊlət, -ˌleɪt] *adj* partikulär; ~ **fluid bed** CHEM homogene Wirbelschicht; ~ **radiation** PHYS Korpuskularstrahlung *f*

par·'ticu·late trap *n* Partikelfilter *m*

part·ing ['pɑːtɪŋ] **I.** *n* **❶** (*farewell*) Ab-

schied *m; (separation)* Trennung *f* ➋ BRIT, AUS *of hair* Scheitel *m;* **centre∼/side ∼** Mittel-/Seitenscheitel *m* **II.** *adj attr* Abschieds-
part·ing 'shot *n* letztes [sarkastisches] Wort
par·ti·san [ˌpɑːtɪˈzæn] **I.** *n* ➊ *(supporter) of a party* Parteigänger(in) *m(f); of a person* Anhänger(in) *m(f)* ➋ MIL Partisan(in) *m(f)* **II.** *adj* parteiisch, voreingenommen
par·ti·san·ship [ˌpɑːtɪˈzænʃɪp] *n no pl* Parteilichkeit *f*
par·ti·tion [pɑːˈtɪʃⁿn] **I.** *n* ➊ *no pl* POL Teilung *f* ➋ *(structure)* Trennwand *f* **II.** *vt* ➊ POL [auf]teilen ➋ *(divide)* [unter]teilen
part·ly [ˈpɑːtli] *adv* zum Teil, teils, teilweise
part·ner [ˈpɑːtnəʳ] **I.** *n* ➊ *(owner)* Teilhaber(in) *m(f); (in a law firm)* Sozius *m* ➋ *(accomplice)* **∼ in crime** Komplize *m(f)* ➌ *(in dancing)* [Tanz]partner(in) *m(f); (in sports)* Partner(in) *m(f)* ➍ *(spouse)* Ehepartner(in) *m(f); (unmarried)* [Lebens]partner(in) *m(f)* **II.** *vt usu passive* **to ∼ sb** jds Partner sein; ▪ **to be ∼ed by sb** jdn als Partner haben
part·ner·ship [ˈpɑːtnəʃɪp] *n* ➊ *no pl (condition)* Partnerschaft *f* ➋ *(company)* [offene] Handelsgesellschaft; *of lawyers* Sozietät *f*
'part·ner·ship agree·ment *n* Gesellschaftsvertrag *m*
part of 'speech *<pl* parts-*>* LING Wortart *f*
part 'own·er *n* Miteigentümer(in) *m(f)* **part 'own·er·ship** *n* Miteigentümerschaft *f* **part 'pay·ment** *n* Teilzahlung *f*
par·tridge *<pl - or -s>* [ˈpɑːtrɪdʒ] *n* Rebhuhn *nt*
'part·song *n* mehrstimmiges Lied **part-'time I.** *adj* Teilzeit-, Halbtags-; **∼ staff** Teilzeitkräfte *pl* **II.** *adv* **to work ∼** halbtags arbeiten **part-time 'job** *n* Teilzeitarbeit *f* **part-'tim·er** *n* Halbtagskraft *f*
par·ty [ˈpɑːti] **I.** *n* ➊ *(celebration)* Party *f* ➋ *+ sing/pl vb* POL Partei *f;* **opposition ∼** Oppositionspartei *f* ➌ *+ sing/pl vb (group)* [Reise]gruppe *f;* **coach ∼** Gruppe *f* von Busreisenden; **school ∼** Schülergruppe *f;* **search ∼** Suchtrupp *m* ➍ *(person involved)* Partei *f* ➎ *(fam: person)* Person *f* **II.** *vi <-ie-> (fam)* feiern
par·ty 'con·fer·ence *n* BRIT, AM **par·ty 'con·gress** *n* Parteitag *m* **par·ty head·'quar·ters** *n* Parteizentrale *f* **par·ty 'lead·er** *n* Parteivorsitzende(r) *f/m/* **par·ty 'line** *n* ➊ POL Parteilinie *f* ➋ TELEC Gemeinschaftsanschluss *m* **par·ty 'poli·tics** *n + sing/pl vb* Parteipolitik *f* **'par·ty pop·per** *n* BRIT Partyknaller *m*

par·venu [ˈpɑːvənjuː] **I.** *n (pej form)* Parvenü *m* **II.** *adj* nach Art eines Emporkömmlings
pash·mi·na [pæʃˈmiːnə] *n* Pashminaschal *m*
pass [pɑːs] **I.** *n <pl -es>* ➊ *(road)* Pass *m;* **mountain ∼** [Gebirgs]pass *m* ➋ SPORTS *(of a ball)* Pass *m* **(to auf)**, Vorlage *f (für ein Tor)* ➌ *(fam: sexual advance)* **to make a ∼ at sb** sich an jdn ranmachen ➍ BRIT SCH, UNIV *(exam success)* Bestehen *nt* einer Prüfung; AM *(grade)* „Bestanden" ➎ *(permit)* Passierschein *m; (for a festival)* Eintritt *m; (for public transport)* [Wochen-/Monats-/Jahres-]karte *f* ➏ *esp* AM SCH *(letter of excuse)* Entschuldigung *f (für das Fernbleiben vom Unterricht)* ➐ *(in fencing)* Ausfall *m fachspr* **II.** *vt* ➊ *(go past)* ▪ **to ∼ sb/sth** an jdm/etw vorbeigehen; *(in car)* an jdm/etw vorbeifahren ➋ *(overtake)* überholen ➌ *(cross)* überqueren; **not a word ∼ed his lips** kein Wort kam über seine Lippen ➍ *(exceed)* **don't buy goods which have ∼ed their sell-by date** kauf keine Waren, deren Verfallsdatum bereits abgelaufen ist; **to ∼ a limit** eine Grenze überschreiten ➎ *(hand to)* ▪ **to ∼ sth to sb** jdm etw geben; ▪ **to ∼ed to sb** auf jdn übergehen ➏ SPORTS **to ∼ the ball** den Ball abgeben; **to ∼ the ball to sb** jdm den Ball zuspielen ➐ *(succeed) exam, test* bestehen ➑ *(of time)* **to ∼ one's time doing sth** seine Zeit mit etw dat verbringen; **to ∼ the time** sich *dat* die Zeit vertreiben ➒ *usu passive esp* POL *(approve)* ▪ **to be ∼ed** *law* verabschiedet werden ➓ *(utter)* **to ∼ a comment** einen Kommentar abgeben; **to ∼ judgement on sb/sth** über jdn/etw ein Urteil abgeben ⑪ MED *(form: excrete)* **to ∼ water** Wasser lassen ▸ **to ∼ the buck to sb/sth** *(fam)* die Verantwortung auf jdn/etw abwälzen **III.** *vi* ➊ *(move by)* vorbeigehen, vorbeikommen; *road* vorüberführen; *parade* vorbeiziehen; *car* vorbeifahren; **a momentary look of anxiety ∼ed across his face** *(fig)* für einen kurzen Moment überschattete ein Ausdruck der Besorgnis seine Miene; **to ∼ unnoticed** unbemerkt bleiben; ▪ **to ∼ over sth** *plane* über etw *akk* hinwegfliegen ➋ *(overtake)* überholen ➌ *(enter)* eintreten; **to allow sb to ∼** jdn durchlassen ➍ *(go away)* vorübergehen, vorbeigehen ➎ *(change)* ▪ **to ∼ from sth to sth** von etw dat zu etw dat übergehen ➏ *(exchange)* **no words have ∼ed between us since our divorce** seit unserer Scheidung haben wir kein einziges Wort miteinander gewechselt; **the looks**

~ing between them suggested that ... die Blicke, die sie miteinander wechselten, ließen darauf schließen, dass ... ❼ SPORTS (*of a ball*) zuspielen ❽ SCH (*succeed*) bestehen ❾ (*go by*) *time* vergehen ❿ (*not answer*) passen [müssen] ⓫ (*forgo*) ■ **to ~ on** sth auf etw *akk* verzichten ⓬ (*be accepted as*) **I don't think you'll ~ as 18** keiner wird dir abnehmen, dass du 18 bist ⓭ CARDS passen ◆ **pass along** I. *vt* ■ **to ~ along** ↻ sth etw weitergeben II. *vi* vorbeigehen ◆ **pass around** *vt* herumreichen ◆ **pass away** I. *vi* ❶ (*euph: die*) entschlafen *geh* ❷ (*fade*) nachlassen; *anger* verrauchen II. *vt* **we ~ed away the evening watching TV** wir verbrachten den Abend mit Fernsehen ◆ **pass by** I. *vi* ❶ *time* vergehen ❷ (*go past*) [an jdm/etw] vorbeigehen; (*in vehicle*) [an jdm/etw] vorbeifahren II. *vt* ❶ (*miss sb*) ■ sth **~es** sb by etw geht an jdm vorbei ❷ (*go past*) ■ **to ~ by** ↻ sb/sth an jdm/etw vorübergehen ◆ **pass down** *vt* ❶ *usu passive* (*bequeath*) ■ **to be ~ed down** *tradition* weitergegeben werden; *songs, tales* überliefert werden ❷ (*hand down*) hinunterreichen ◆ **pass off** I. *vt* ❶ (*hide*) abtun; **to ~ off one's embarrassment** seine Verlegenheit überspielen ❷ (*pretend*) ■ **to ~ oneself off as** sb sich als jd ausgeben II. *vi* ❶ (*take place*) verlaufen ❷ (*fade*) nachlassen ◆ **pass on** I. *vi* ❶ (*proceed*) fortfahren, weitermachen ❷ (*euph: die*) entschlafen *geh* II. *vt* ❶ BIOL weitergeben (**to** an) ❷ (*forward*) *information, news* weitergeben ❸ (*infect*) *disease* übertragen ❹ *usu passive* (*hand down*) ■ **to be ~ed on** *clothes, traditions* weitergegeben werden; *fortune, jewellery* [weiter]vererbt werden; *stories* überliefert werden ◆ **pass out** I. *vi* ❶ (*faint*) in Ohnmacht fallen, bewusstlos werden ❷ (*leave*) hinausgehen; ■ **to ~ out of sth** etw verlassen II. *vt* AM (*hand out*) verteilen ◆ **pass over** I. *vt* ❶ *usu passive* (*not promote*) ■ **to be ~ed over** [**for promotion**] [bei der Beförderung] übergangen werden ❷ (*overlook*) übergehen ❸ (*move overhead*) ■ **to ~ over** sb/sth *plane, birds* über jdn/etw fliegen II. *vi* entschlafen *euph* ◆ **pass round** *vt* BRIT *see* **pass around** ◆ **pass through** I. *vi* durchreisen; **we were only ~ing through** wir waren nur auf der Durchreise II. *vt* **the cook ~ed the carrots through the mixer** der Koch pürierte die Karotten im Mixer ◆ **pass up** *vt* ■ **to ~ up** ↻ sth sich *dat* etw entgehen lassen

pass·able ['pɑːsəbl] *adj* ❶ (*traversable*) passierbar, befahrbar ❷ (*satisfactory*) [ganz]

passabel; **only** ~ nur so leidlich

pas·sage ['pæsɪdʒ] *n* ❶ (*narrow corridor*) Gang *m*, Flur *m*; **underground** ~ Unterführung *f* ❷ (*long path*) Durchgang *m* ❸ LIT (*excerpt*) [Text]passage *f;* MUS Stück *nt* ❹ (*onward journey*) Durchfahrt *f* ❺ (*way of escape*) Durchlass *m* ❻ *no pl* (*progression*) Voranschreiten *nt; of troops* Durchzug *m; of a plane* Überfliegen *nt; of fire* ungehindertes Sichausbreiten ❼ POL (*passing*) *of a law* Verabschiedung *f; of a resolution* Annahme *f*

'**pas·sage·way** *n* Korridor *m*, [Durch]-gang *m*

'**pass·book** *n* Sparbuch *nt*

pas·sé [pæs'eɪ] *adj* (*pej*) passé, veraltet, out *sl;* **to look** ~ altmodisch aussehen

pas·sen·ger ['pæsɪndʒəʳ] *n* (*on a bus, tube*) Fahrgast *m; (of an airline*) Passagier(in) *m(f); (on a train*) Reisende(r) *f(m); (in a car*) Mitfahrer(in) *m(f)*, Insasse(in) *m(f)*

'**pas·sen·ger list** *n* Passagierliste *f*

pass·er-by <*pl* passers-> [ˌpɑːsəˈbaɪ] *n* Passant(in) *m(f)*

pass·ing ['pɑːsɪŋ] I. *adj attr* ❶ (*going past*) *vehicle* vorbeifahrend; *person* vorbeikommend; **with each** ~ **day** mit jedem weiteren Tag[, der vergeht] ❷ (*fleeting*) *glance, thought* flüchtig; **a** ~ **fancy** nur so eine Laune ❸ (*casual*) *remark* beiläufig ❹ (*slight*) *resemblance* gering II. *n no pl* ❶ (*death*) *Ableben nt geh* ❷ (*end*) Niedergang *m;* **the** ~ **of an era** das Ende einer Ära ❸ (*going by*) Vergehen *nt;* **with the** ~ **of the years** [*or* time] im Lauf der Jahre ❹ SPORTS Passen *nt*

pass·ing-'out *n* BRIT, AUS MIL, UNIV Abschlussfeier *f* **pass·ing-'out cer·emo·ny** *n* BRIT, AUS, **pass·ing-'out pa·rade** *n* BRIT, AUS MIL, UNIV Abschlusszeremonie *f*

'**pass·ing place** *n* Ausweichstelle *f*

pas·sion ['pæʃən] *n* ❶ (*love*) Leidenschaft *f* ❷ (*fancy*) Vorliebe *f;* **to have a** ~ **for doing** sth etw leidenschaftlich gerne tun ❸ (*strong emotion*) **crime of** ~ Verbrechen *nt* aus Leidenschaft; **to hate** sb/sth **with a** ~ jdn/etw aus tiefstem Herzen hassen

pas·sion·ate ['pæʃənət] *adj* leidenschaftlich

pas·sion·ate·ly ['pæʃənətli] *adv* ❶ (*intensely*) leidenschaftlich, begeistert; **to argue** ~ heftig streiten; **to believe** ~ **in** sth mit allen Fasern seines Herzens an etw *akk* glauben ❷ (*amorously*) **to embrace/ kiss** ~ sich leidenschaftlich umarmen/küssen

'pas·sion flow·er n Passionsblume f
'pas·sion fruit n Passionsfrucht f
pas·sion·less ['pæʃ³nləs] adj (pej) leiden-
schaftslos
'pas·sion play n Passionsspiel nt 'Pas·
sion Week n Karwoche f
pas·sive ['pæsɪv] I. n no pl LING Passiv nt
II. adj ❶ (inactive) role passiv; victim hilflos ❷ (indifferent) spectator teilnahmslos;
audience lahm ❸ (submissive) unterwürfig; to be too ~ sich dat zu viel gefallen lassen ❹ LING passiv, passivisch
pas·sive·ly ['pæsɪvli] adv passiv; (indifferently) teilnahmslos; (without resisting) wi-
derstandslos
pas·sive·ness ['pæsɪvnəs] n no pl (inactivity) Passivität f; (apathy) Teilnahmslosigkeit f
pas·siv·ity [pæs'ɪvəti] n no pl (inactivity)
Passivität f, Untätigkeit f; (apathy) Teilnahmslosigkeit f; to give the impression
of helpless ~ den Eindruck eines hilflosen
Opfers vermitteln
'pass key n Hauptschlüssel m 'pass
mark n BRIT, AUS Ausreichend nt kein pl
(Mindestnote für das Bestehen einer Prüfung) Pass·over [,pɑːs'əʊvə'] n Pas-
sah[fest] nt pass·port ['pɑːspɔːt] n [Rei-
se]pass m; (fig) Schlüssel m (to zu) 'pass·
port con·trol n no pl Passkontrol-
le f 'pass·port hold·er n [Rei-
se]passinhaber(in) m(f) 'pass·word n Parole f, Losungswort nt; FIN Kennwort nt;
COMPUT Passwort nt
past [pɑːst] I. n no pl ❶ (not present) Vergangenheit f; (past life) Vorleben nt; in
the ~ in der Vergangenheit ❷ LING (in
grammar) Vergangenheit[sform] f II. adj
❶ attr (preceding) vergangen; (former)
frühere(r, s); over the ~ two days während der letzten beiden Tage; for the ~
five weeks während der letzten fünf
Wochen ❷ (over) vorüber, vorbei III. adv
to go ~ sb/sth an jdm/etw vorbeigehen;
vehicle an jdm/etw vorbeifahren IV. prep
❶ (to other side) an ... vorbei; to go/
drive/walk ~ vorbeigehen/-fahren/-lau-
fen; (at other side) hinter, nach; just ~ the
post office gleich hinter der Post ❷ (after
the hour of) nach; it's quarter ~ five es ist
Viertel nach Fünf ❸ (beyond) the meat
was ~ the expiry date das Fleisch hatte
das Verfallsdatum überschritten; to be ~ it
(pej, hum) zu alt sein ❹ (further than)
über ... hinaus; he can't see ~ the issue
er kann einfach nicht über die Sache hinaus sehen; I just can't get ~ the idea ich
werde den Gedanken einfach nicht los

pas·ta ['pæstə] n no pl Nudeln pl
past con·tinu·ous n no pl Verlaufsform f
der Vergangenheit
paste [peɪst] I. n no pl ❶ (soft substance)
Paste f ❷ (sticky substance) Kleister m
❸ FOOD (mixture) Teig m ❹ FOOD (product)
Paste f II. vt ❶ (affix) kleben (on|to) auf)
❷ COMPUT einfügen
'paste·board n no pl Karton m, Pappe f
pas·tel ['pæst³l] I. n ❶ ART (material) Pas-
tellkreide f; (drawing) Pastell nt ❷ (colour)
Pastellton m II. adj pastellfarben; the ~
greens and blues die grünen und blauen
Pastelltöne
'paste-up n Montage f
pas·teuri·za·tion [,pæstʃ³raɪ'zeɪʃ³n] n no
pl Pasteurisation f
pas·teur·ize [,pæstʃ³raɪz] vt usu passive
pasteurisieren
pas·tille ['pæst³l] n Pastille f; fruit ~
Fruchtbonbon m o nt; throat ~ Halspas-
tille f
pas·time ['pɑːstaɪm] n Zeitvertreib m
pas·tor ['pɑːstə'] n Pfarrer m, Pastor m
pas·to·ral ['pɑːst³r³l] adj ❶ REL pastoral,
seelsorgerisch ❷ LIT, ART idyllisch, Schäfer-;
scene ländlich
past par·ti·ci·ple n Partizip Perfekt nt
past per·fect n no pl, past 'per·fect
tense n no pl Plusquamperfekt nt
pas·try ['peɪstri] n ❶ no pl (dough) [Ku-
chen]teig m; choux/puff/shortcrust ~
Brand-/Blätter-/Mürbeteig m ❷ (cake)
Gebäckstück nt
'past tense n Vergangenheit f
pas·ture ['pɑːstʃə'] n Weide f; to put
animals out to ~ Tiere auf die Weide treiben; ~s new BRIT (fig), new ~s AM (fig)
neue Aufgaben, etwas Neues
'pas·ture land n no pl Weideland nt
pasty¹ ['pæsti] n BRIT, CAN Pastete f
pasty² ['peɪsti] adj (pej) complexion
bleich, käsig fam
pat [pæt] I. vt <-tt-> tätscheln; to ~ sb/
oneself on the back (fig) jdm/sich selbst
auf die Schulter klopfen; to ~ vegetables
dry Gemüse trocken tupfen II. n ❶ (tap)
[freundlicher] Klaps, Tätscheln nt kein pl; a
~ on the back (fig) ein [anerkennendes]
Schulterklopfen; to give sb/an animal a ~
jdm/einem Tier einen liebevollen Klaps geben ❷ (dab) a ~ of butter eine [kleine]
Portion Butter
patch [pætʃ] I. n <pl -es> ❶ (spot)
Fleck[en] m; ■in ~es stellenweise; fog ~
Nebelfeld nt; vegetable ~ [kleines]
Gemüsebeet ❷ BRIT (fam: phase) Phase f;
to go through a bad ~ eine schwere Zeit

durchmachen ❸BRIT (*work area*) *of the police* [Polizei]revier *nt; of a social worker* Bereich *m* ❹(*fabric*) Flicken *m;* (*for an eye*) Augenklappe *f;* (*plaster*) Pflaster *nt* ▶ **to not be a ~ on sb/sth** BRIT, AUS (*fam*) jdm/etw nicht das Wasser reichen können II. *vt* ◆ **patch up** *vt* ❶ (*repair*) zusammenflicken *fam* ❷(*fig: conciliate*) **to ~ up one's marriage** seine Ehe kitten *fam;* **to ~ up a quarrel** einen Streit beilegen

'**patch·work** I. *n* ❶ *no pl* (*needlework*) Patchwork *nt* ❷(*fig: mishmash*) Flickwerk *nt* II. *adj* Flicken-; **~ cushion/ jacket/quilt** Patchworkkissen *nt/*-jacke *f/*-decke *f*

patchy ['pætʃi] *adj* ❶ METEO ungleichmäßig; **~ cloud/rain** stellenweise wolkig/Regen ❷(*fig: inconsistent*) großen Qualitätsschwankungen unterworfen, von sehr unterschiedlicher Qualität *nach n, präd;* (*incomplete*) unvollständig; *knowledge* lückenhaft

pâté ['pæteɪ] *n* Pastete *f*

pa·tent ['peɪtᵊnt, 'pæt-] I. *n* LAW Patent *nt* (**on** auf); **to take out a ~ on sth** [sich *dat*] etw patentieren lassen II. *adj* ❶ *attr* (*copyrighted*) Patent-, patentiert ❷(*form: blatant*) offenkundig III. *vt* **to ~ an/one's invention** eine Erfindung/sich *dat* seine Erfindung patentieren lassen

pa·tent·ed ['peɪtᵊntɪd, 'pæt-] *adj* ❶ (*copyrighted*) patentiert ❷(*characteristic*) typisch

pa·tentee [ˌpeɪtᵊn'tiː, ˌpæt-] *n* Patentinhaber(in) *m(f)*

pa·tent 'leath·er *n* Lackleder *nt* **pa·tent 'medi·cine** *n* [patentrechtlich] geschütztes Arzneimittel '**pa·tent of·fice** *n* Patentamt *nt*

pa·ter·nal [pə'tɜ:nᵊl] *adj* ❶ *attr* (*on the father's side*) väterlich; **~ ancestors/relatives** Vorfahren *pl/*Verwandte *pl* väterlicherseits ❷(*fatherly*) väterlich

pa·ter·nal·ism [pə'tɜ:nᵊlɪzᵊm] *n no pl* Paternalismus *m*

pa·ter·nal·is·tic [pəˌtɜ:nᵊl'ɪstɪk] *adj* paternalistisch

pa·ter·nity [pə'tɜ:nəti] *n no pl* (*form*) ❶ (*fatherhood*) Vaterschaft *f* ❷(*fig: origin*) Urheberschaft *f*

pa·'ter·nity leave *n no pl* Vaterschaftsurlaub *m* **pa·'ter·nity suit** *n* Vaterschaftsprozess *m*

path [pɑːθ] *n* ❶ (*way*) Weg *m*, Pfad *m;* **to clear a ~** einen Weg bahnen ❷(*direction*) Weg *m; of a bullet* Bahn *f;* **to block sb's ~** jdm den Weg verstellen ❸(*fig: course*) Weg *m; of a person* Lebensweg *m;* **to cross sb's ~** jdm über den Weg laufen ❹(*fig: development*) Weg *m*

pa·thet·ic [pə'θetɪk] *adj* ❶ (*heart-rending*) Mitleid erregend; **a ~ sight** ein Bild des Jammers ❷(*pej: pitiful*) jämmerlich; *attempt* kläglich; *answer, reply* dürftig; *excuse* schwach; **don't be so ~!** sei nicht so ein Jammerlappen! *fam*

'**path·find·er** *n* (*person*) Wegbereiter(in) *m(f);* (*thing*) bahnbrechende Neuerung

patho·gen ['pæθə(ʊ)dʒən] *n* Krankheitserreger *m*

patho·gen·ic [ˌpæθə(ʊ)'dʒenɪk] *adj* krankheitserregend, pathogen *fachspr*

patho·logi·cal [ˌpæθə'lɒdʒɪkᵊl] *adj* ❶ (*fam*) krankhaft; *liar* notorisch ❷UNIV, MED Pathologie-; *analysis, examination* pathologisch

patho·logi·cal·ly [ˌpæθə'lɒdʒɪkli] *adv* (*abnormally*) krankhaft, pathologisch *fachspr;* **~ jealous** krankhaft eifersüchtig; **~ protective** überbeschützend

pa·tholo·gist [pə'θɒlədʒɪst] *n* Pathologe, Pathologin *m, f*

pa·thol·ogy [pə'θɒlədʒi] *n no pl* ❶ (*study of illnesses*) Pathologie *f* ❷(*disease characteristics*) Krankheitsbild *nt* ❸(*fig: abnormal behaviour*) krankhaftes Verhalten

pa·thos ['peɪθɒs] *n no pl* Pathos *nt geh*

'**path·way** *n* ❶ (*also fig: routeway*) Weg *m a. fig* ❷MED, BIOL Leitungsbahn *f*

pa·tience ['peɪʃᵊn(t)s] *n no pl* ❶ (*endurance*) Geduld *f* ❷BRIT, AUS CARDS Patience *f*

pa·tient ['peɪʃᵊnt] I. *adj* geduldig; **just be ~!** hab noch etwas Geduld!; ■ **to be ~ with sb** mit jdm Geduld haben II. *n* MED Patient(in) *m(f)*

pati·na ['pætɪnə] *n no pl* ❶ CHEM, SCI, TECH Film *m;* (*on copper, brass*) Patina *f;* (*verdigris*) Grünspan *m;* (*sheen*) Firnis *m* ❷(*fig form: veneer*) Fassade *f*

pa·tio ['pætiəʊ] *n* ❶ (*courtyard*) Innenhof *m;* ■ **on the ~** im Innenhof ❷(*veranda*) Terrasse *f*, Veranda *f*

pa·tis·serie [pə'tiːsᵊri] *n* ❶ (*shop*) Konditorei *f*, Patisserie *f* ❷*no pl* (*cakes*) feines Gebäck

pa·tri·arch ['peɪtriɑːk] *n* ❶ (*bishop*) Patriarch *m* ❷(*father figure*) Familienoberhaupt *nt* ❸(*founder*) Vater *m*

pa·tri·ar·chal [ˌpeɪtri'ɑːkᵊl] *adj* patriarchalisch

pa·tri·ar·chy ['peɪtriɑːki] *n* Patriarchat *nt*

pa·tri·cian [pə'trɪʃᵊn] I. *n* ❶ (*hist: member of Roman aristocracy*) Patrizier(in) *m(f)* ❷(*aristocrat*) Aristokrat(in) *m(f);* (*pej*) Großtuer(in) *m(f)* II. *adj* ❶ (*hist: of Roman* *aristocracy*) patrizisch, Patrizier· ❷ (*aristocratic*) aristokratisch; (*pej*) vornehm *iron*

pat·ri·cide ['pætrɪsaɪd] *n no pl* Vatermord *m*

pa·tri·ot ['pætriət, 'peɪ-] *n* Patriot(in) *m(f)*

pat·ri·ot·ic [ˌpætri'ɒtɪk, ˌpeɪ-] *adj* patriotisch

pat·ri·oti·cal·ly [ˌpætri'ɒtɪkli, ˌpeɪ-] *adj* patriotisch

pa·tri·ot·ism ['pætriətɪzᵊm, ˌpeɪ-] *n no pl* Patriotismus *m*

pa·trol [pə'trəʊl] **I.** *vi* <-ll-> patrouillieren **II.** *vt* <-ll-> ■**to ~ sth** etw abpatrouillieren; **to ~ one's beat** (*police*) auf Streife sein; (*watchman*) seine Runde machen **III.** *n* Patrouille *f*; **highway ~** Am *Polizei, die die Highways überwacht*

pa·'trol car *n* Streifenwagen *m* **pa·'trol duty** *n* Streifendienst *m* **pa·'trol·man** *n* Am, Aus Streifenpolizist(in) *m(f)* **pa·'trol wag·on** *n* Am, Aus Gefangenenwagen *m* (*der Polizei*)

pa·tron ['peɪtrᵊn] *n* ❶ (*form: customer*) [Stamm]kunde *m* ❷ (*benefactor*) Schirmherr *m;* **~ of the arts** Mäzen(in) *m(f)* der [schönen] Künste; **~ of the needy** Wohltäter(in) *m(f)* der Bedürftigen

pat·ron·age ['pætrᵊnɪʤ, 'peɪ-] *n no pl* ❶ (*support*) Schirmherrschaft *f;* **by the kind ~ of sb/sth** durch die freundliche Unterstützung einer Person/einer S. *gen* ❷ ECON (*form*) Kundschaft *f*

pat·ron·ess <*pl* -es> [ˌpeɪtrə'nes, 'pæt-] *n* ❶ (*benefactress*) Schirmherrin *f;* **~ of the arts/sciences** Förderin *f* der [schönen] Künste/Wissenschaften ❷ REL Schutzpatronin *f*

pat·ron·ize ['pætrᵊnaɪz] *vt* ❶ (*form: frequent*) ■**to ~ sth** [Stamm]kunde bei etw *dat* sein ❷ (*pej: treat condescendingly*) ■**to ~ sb** jdn herablassend behandeln ❸ (*support*) unterstützen

pat·ron·iz·ing ['pætrᵊnaɪzɪŋ] *adj* (*pej*) *attitude* herablassend; *look, tone* gönnerhaft, von oben herab *präd*

pat·ron·iz·ing·ly ['pætrᵊnaɪzɪŋli] *adv* herablassend, gönnerhaft

pa·tron 'saint *n* Schutzpatron(in) *m(f)*

pat·ter ['pætəʳ] **I.** *n no pl* (*sound*) *of rain* Prasseln *nt; of feet* Getrippel *nt* **II.** *vi feet* trippeln; *rain* prasseln

pat·ter mer·chant *n* (*fam*) Sprücheklopfer(in) *m(f) fam*

pat·tern ['pætən] **I.** *n* ❶ (*structure, design*) *also* ECON Muster *nt* ❷ FASHION (*for sewing*) Schnitt *m* ❸ *usu sing* (*standard*) Maßstab *m* **II.** *vt* ■**to ~ sth on sth** etw nach dem Vorbild einer S. *gen* gestalten; ■**to ~**

oneself on sb jdm nacheifern

'pat·tern book *n* Musterbuch *nt*

pat·terned ['pætənd] *adj* gemustert

paunch <*pl* -es> [pɔːn(t)ʃ] *n* Bauch *m,* Wanst *m fam*

paunchy ['pɔːn(t)ʃi] *adj* dickbäuchig

pau·per ['pɔːpəʳ] *n* Arme(r) *f(m)*

pause [pɔːz] **I.** *n* Pause *f* **II.** *vi* eine (*kurze*) Pause machen; *speaker* innehalten; (*hesitate*) zögern; **to ~ for thought** eine Denkpause einlegen

pave [peɪv] *vt usu passive* ❶ (*cover*) pflastern; (*fig*) **the streets are ~d with gold** das Geld liegt auf der Straße ❷ (*fig: path-find*) **to ~ the way for sth** etw *dat* den Weg ebnen

pave·ment ['peɪvmənt] *n* ❶ BRIT (*footway*) Gehsteig *m,* Bürgersteig *m* ❷ *no pl* Am, Aus (*road surface*) Asphalt *m*

'pave·ment art·ist *n* BRIT Pflastermaler(in) *m(f)*

pa·vil·ion [pə'vɪljən] *n* ❶ BRIT SPORTS Klubhaus *nt* ❷ Am (*block*) Gebäudeflügel *m* ❸ Am (*venue*) Pavillon *m* ❹ (*at an exhibition*) [Messe]pavillon *m*

pav·ing ['peɪvɪŋ] *n no pl* ❶ (*paved area*) Pflaster *nt* ❷ *esp* BRIT (*material*) Pflastersteine *pl;* Am Asphalt *m*

'pav·ing stone *n esp* BRIT Pflasterstein *m*

paw [pɔː] **I.** *n* Pfote *f; of a big cat, bear* Pranke *f;* (*hum fam*) Pfote *f sl* **II.** *vt* ❶ (*scrape*) **to ~ the ground** scharren ❷ (*fam: touch*) begrabschen **III.** *vi dog* scharren; *bull, horse* mit den Hufen scharren

pawn¹ [pɔːn] *n* CHESS Bauer *m;* (*fig*) Marionette *f*

pawn² [pɔːn] **I.** *vt* verpfänden **II.** *n* ■**to be in ~** im Pfandhaus sein

'pawn·bro·ker *n* Pfandleiher(in) *m(f)*

'pawn·bro·king *n no pl* Pfandleihe *f*

'pawn·shop *n* Pfandleihe *f*

pay [peɪ] **I.** *n no pl* (*wages*) Lohn *m;* (*salary*) Gehalt *nt; of a civil servant* Bezüge *pl; of a soldier* Sold *m* **II.** *vt* <paid, paid> ❶ (*give*) [be]zahlen; ■**~ out** etw [aus]zahlen; **to ~ cash/dollars/money** [in] bar/in Dollar/Geld [be]zahlen; **to ~ dividends** *investment* Dividenden ausschütten; *firm* Dividenden ausbezahlen; (*fig*) sich auszahlen ❷ (*give money for, settle*) bezahlen; **to ~ one's dues** (*debts*) seine Schulden bezahlen; (*fig: obligations*) seine Schuldigkeit tun ❸ (*put, deposit*) **to ~ sth into an account** etw auf ein Konto einzahlen ❹ (*give money to*) ■**to ~ sb** jdn bezahlen ❺ (*fig: suffer the consequences*) **to ~ the price** [**for sth**] [für etw *akk*] bezahlen

❻ (*bestow*) **to ~ attention** Acht geben; **to ~ [sb] a compliment** [jdm] ein Kompliment machen; **to ~ tribute to sb/sth** jdm/etw Tribut zollen ▶ **to ~ one's way** finanziell unabhängig sein **III.** *vi* <paid, paid> **❶** (*give money*) [be]zahlen **❷** (*be worthwhile*) sich auszahlen; (*be profitable*) rentabel sein; ■**it ~s to do sth** es lohnt sich, etw zu tun **❸** (*fig: suffer*) ■**to ~ [for sth]** [für etw *akk*] bezahlen; **to ~ with one's life** mit dem Leben bezahlen ◆**pay back** *vt* **❶** (*give back*) zurückzahlen; *debts* bezahlen; *money* zurückgeben **❷** (*fig: for revenge*) ■**to ~ sb back for sth** jdm etw heimzahlen ◆**pay down** *vt* anzahlen ◆**pay in I.** *vi* **❶** LAW Geld bei Gericht hinterlegen **❷** (*to a scheme*) einzahlen **II.** *vt* einzahlen ◆**pay off I.** *vt* **❶** (*repay*) abbezahlen; (*settle*) begleichen; *mortgage* tilgen **❷** (*give money to*) aus[be]zahlen **❸** (*fam: bribe*) ■**to ~ off** ⟳ **sb** jdn kaufen **II.** *vi* (*fig fam*) sich auszahlen ◆**pay out** *vt* **❶** (*spend*) ausgeben **❷** (*give out*) aus[be]zahlen **❸** BRIT (*take revenge*) **I'll ~ you out for this!** das wirst du mir [noch] büßen! **II.** *vi* **❶** FIN **to ~ out [on a policy]** [be]zahlen **❷** (*fig: be worthwhile*) sich auszahlen ◆**pay over** *vt* BRIT aushändigen ◆**pay up I.** *vi* [be]zahlen **II.** *vt* [vollständig] zurückzahlen; **to ~ up a debt** eine Schuld [vollständig] begleichen

pay·able ['peɪəbl] *adj attr* zahlbar; (*due*) fällig

pay as you 'earn *n* BRIT *Steuerverfahren, bei dem der Arbeitgeber die Lohnsteuer direkt an das Finanzamt weiterleitet*

'**pay award** *n* Lohnerhöhung *f* '**pay·back clause** *n* Rückzahlungsklausel *f* '**pay·back pe·ri·od** *n* Amortisationszeit *f fachspr* '**pay cheque** *n*, AM '**pay check** *n* Lohnscheck *m* '**pay claim** *n* BRIT, AUS Lohnforderung *f* '**pay day** *n no pl* Zahltag *m* '**pay deal** *n* Lohnvereinbarung *f* '**pay desk** *n* Kasse *f*

PAYE [ˌpiːeɪwaɪˈiː] *n no pl* BRIT *abbrev of* **pay as you earn**

payee [peɪˈiː] *n* Zahlungsempfänger(in) *m(f)*

pay·er ['peɪə'] *n* Zahler(in) *m(f)*; **fee ~** Gebührenzahler(in) *m(f)*

'**pay freeze** *n* Lohnstopp *m*

pay·ing ['peɪɪŋ] *adj attr* zahlend

'**pay·load** *n* **❶** TRANSP, AEROSP Nutzlast *f* **❷** MIL Bombenlast *f* '**pay·mas·ter** *n* Zahlmeister(in) *m(f)*

pay·ment ['peɪmənt] *n* **❶** (*sum*) Zahlung *f*; (*fig*) Lohn *m*; **one-off ~** BRIT einmalige Zahlung **❷** (*act of paying*) Bezahlung *f*

'**pay ne·go·tia·tions** *npl* Tarifverhandlungen *pl* '**pay-off** *n* **❶** (*bribe*) Bestechung *f*; **to accept a ~** Bestechungsgelder annehmen; **to receive a ~ from sb** von jdm bestochen werden **❷** (*fam: positive result*) Lohn *m*; (*as punishment*) Quittung *f* **❸** (*on leaving a job*) Abfindung *f* **❹** (*sum payment*) **mortgage ~** Tilgung *f* einer Hypothek '**pay of·fice** *n* Lohnbüro *nt* '**pay·out** *n* FIN Ausschüttung *f* '**pay pack·et** *n* BRIT, AUS (*for blue-collar worker*) Lohntüte *f*; (*for white-collar worker*) Gehalt *m* **pay-per-'call** *n* Pay-per-Call *kein art* **pay-per-'click** *n* Pay-per-Click *kein art* **pay-per-'view** *n no pl* Pay-per-view *nt* (*System, bei dem der Zuschauer nur für die Sendungen zahlt, die er auch tatsächlich gesehen hat*) '**pay·phone** *n* Münzfernsprecher *m* '**pay rise** *n*, AM '**pay raise** *n* (*for blue-collar worker*) Lohnerhöhung *f*; (*for white-collar worker*) Gehaltserhöhung *f* '**pay·roll** *n usu sing* (*for white-collar worker*) Gehaltsliste *f*; (*for blue-collar worker*) Lohnliste *f* '**pay round** *n* Tarifrunde *f* '**pay set·tle·ment** *n* Tarifvereinbarung *f* '**pay·slip** *n* Gehaltsstreifen *m*; (*for blue-collar worker*) Lohnzettel *m* '**pay sta·tion** *n* BRIT [öffentliche] Telefonzelle '**pay talks** *npl* Tarifverhandlungen *pl* **pay TV** *n no pl* (*fam*) Pay-TV *nt*

PBS [ˌpiːbiːˈes] *n no pl, no art abbrev of* **Public Broadcasting Service** *amerikanischer Fernsehsender*

PC [ˌpiːˈsiː] **I.** *n* **❶** *abbrev of* **personal computer** PC *m* **❷** BRIT *abbrev of* **police constable** **❸** *abbrev of* **political correctness** **II.** *adj abbrev of* **politically correct** pc

pc [ˌpiːˈsiː] *n abbrev of* **per cent** p.c.

PE [ˌpiːˈiː] *n no pl abbrev of* **physical education**

pea [piː] **I.** *n* Erbse *f* **II.** *adj* (*colour*) **~ green** erbsengrün

peace [piːs] *n no pl* **❶** (*no war*) Frieden *m*; **to make ~** Frieden schließen **❷** (*social order*) Ruhe *f*, Frieden *m*; **to make one's ~ with sb** sich mit jdm versöhnen **❸** (*tranquillity*) **~ of mind** Seelenfrieden *m*; **~ and quiet** Ruhe und Frieden *m*; **to leave sb in ~** jdn in Frieden lassen; ■**to be at ~** in Frieden ruhen; **to be at ~ with the world** mit sich und der Welt im Einklang sein **❹** REL **~ be with you** Friede sei mit dir

peace·able ['piːsəbl] *adj* friedlich; *person* friedliebend '**peace ac·tiv·ist** *n* Friedensaktivist(in) *m(f)* '**peace con·fer·ence** *n* Friedenskonferenz *f* '**peace en·force·ment** *n* Friedensvermittlung *f*

peace·ful ['piːsfᵊl] *adj* friedlich; *nation also* friedfertig; (*calm*) ruhig; *person* friedliebend

peace·ful·ly ['piːsfᵊli] *adv* friedlich; **to be able to sleep ~ again** wieder ruhig schlafen können; **to coexist ~** in Frieden miteinander leben

'**peace ini·tia·tive** *n* Friedensinitiative *f* '**peace'keep·ing** I. *n no pl* Friedenssicherung *f* II. *adj* Friedens-; **~ force** Friedenstruppe *f* '**peace-lov·ing** *adj* friedliebend '**peace·mak·er** *n* Frieden[s]stifter(in) *m(f)* '**peace·mak·ing** *n* Befriedung *f geh* '**peace march** *n* Friedensdemonstration *f* '**peace move·ment** *n* Friedensbewegung *f* '**peace ne·go·tia·tions** *npl* Friedensverhandlungen *pl* '**peace of·fer** *n*, '**peace of·fer·ing** *n* Friedensangebot *nt* '**peace pipe** *n* Friedenspfeife *f* '**peace set·tle·ment** *n* Friedensabkommen *nt* '**peace sign** *n* Friedenszeichen *nt* (*mit dem Zeige- und Mittelfinger gebildetes V*) '**peace·time** *n no pl* Friedenszeiten *pl* '**peace trea·ty** *n* Friedensvertrag *m*

peach [piːtʃ] I. *n* <*pl* -es> (*fruit*) Pfirsich *m*; (*tree*) Pfirsichbaum *m* II. *adj* pfirsichfarben

pea·cock ['piːkɒk] *n* Pfau *m*

pea-'green I. *n no pl* Erbsengrün *nt* II. *adj* erbsengrün '**pea·hen** *n* Pfauenhenne *f*

peak [piːk] I. *n* ❶ (*mountain top*) Gipfel *m* ❷ FOOD **beat the egg whites until they form firm ~s** das Eiweiß steif schlagen, bis ein Messerschnitt sichtbar bleibt ❸ (*highest point*) Gipfel *m*; *of a curve, line* Scheitelpunkt *m*; **to be at the very ~ of one's fitness** in Topform sein; **to reach a ~** den Höchststand erreichen II. *vi career* den Höhepunkt erreichen; *athletes* [seine] Höchstleistung erbringen; *skill* zur Perfektion gelangen; *figures, rates, production* den Höchststand erreichen III. *adj attr* ❶ (*busiest*) Haupt-; **~ viewing time** Hauptsendezeit *f* ❷ (*best, highest*) Spitzen-; **~ productivity** maximale Produktivität

peak ca·'pac·ity *n usu sing* Auslastung *f kein pl*; **to maintain ~** mit der maximalen Produktionsleistung arbeiten; **to reach ~** voll ausgelastet sein **peak de-'mand** *n* Spitzenbedarf *m kein pl* (**for** an)

peaked [piːkt] *adj* ❶ (*pointed*) hat spitz ❷ AM (*tired, sick*) kränklich, abgespannt '**peak hours** *npl* Stoßzeit *f* '**peak lev·el** *n no pl* Höchststand *m* '**peak load** *n* Maximalladung *f*; *of lorries, elec also* Spitzenlast *f* '**peak pe·ri·od** *n* Stoßzeit *f*; **~ for**

travel Hauptreisezeit *f* '**peak pow·er** *n no pl* Höchstleistung *f* '**peak sea·son** *n usu sing* Hochsaison *f*

peaky [piːki] *adj pred* BRIT kränklich; **to feel ~** sich nicht gut fühlen

peal [piːl] I. *n* ❶ (*sound*) Dröhnen *nt kein pl*; **~ of bells** Glockengeläut[e] *nt kein pl* ❷ (*set*) **~ of bells** Glockenspiel *nt* II. *vi thunderstorm* dröhnen; *bells* läuten ◆ **peal out** *vi* ertönen; *laughter also* erschallen; *thunder* dröhnen

pea·nut ['piːnʌt] *n* ❶ (*nut*) Erdnuss *f* ❷ (*fam: very little*) ■ **~s** *pl* Klacks *m*; **to pay ~s** einen Hungerlohn zahlen

pea·nut 'but·ter *n no pl* Erdnussbutter *f*

pear [peə] *n* Birne *f*; **~ tree** Birnbaum *m*

pearl [pɜːl] I. *n* ❶ (*jewel*) Perle *f*; **string of ~s** Perlenkette *f* ❷ (*fig: a drop*) Tropfen *m*, Perle *f* ❸ (*fig: fine example*) Juwel *nt* ► **~ of wisdom** Weisheit *f* II. *adj* perlweiß

pearl 'bar·ley *n no pl* Perlgraupen *pl* **pearl 'but·ton** *n* Perlmuttknopf *m* '**pearl div·er** *n*, '**pearl fish·er** *n* Perlentaucher(in) *m(f)*

pearl·es·cent [pɜːl'esᵊnt] *adj car paintwork, nail polish* Perlmutt-

'**pearl fish·ing** *n no pl* Perlenfischen *nt*

pearly ['pɜːli] *adj* perlmuttartig; (*adorned with pearls*) mit Perlen besetzt; **~ white teeth** perlweiße Zähne

'**pear-shaped** *adj figure, bottle* birnenförmig ► **to go ~** BRIT (*sl*) schiefgehen, schieflaufen

peas·ant ['pezᵊnt] *n* ❶ (*small farmer*) [Klein]bauer, [Klein]bäuerin *m, f*; **~ revolt** Bauernaufstand *m*; **~ tradition** bäuerliches Brauchtum ❷ (*pej! fam*) Bauer *m*

peas·ant·ry ['pezᵊntri] *n no pl* [Klein]bauernstand *m*

'**peas·ant skirt** *n* langer, geraffter, bunter Rock mit Bordürenstickerei

peat [piːt] *n no pl* Torf *m*

'**peat bog** *n* Torfmoor *nt*

peb·ble ['pebl] I. *n* Kieselstein *m* II. *vt* ■ **to ~ sth** Kies auf etw *akk* schütten

peb·bly ['pebli] *adj* steinig

pe·can [piːkæn] *n* Pecannuss *f*

pec·ca·dil·lo <*pl* -s *or* -es> [ˌpekə'dɪləʊ] *n* kleine Sünde

peck[1] [pek] *n* (*old*) ❶ (*dry measure*) Viertelscheffel *m* ❷ (*large amount*) **to have a ~ of troubles** in großen Schwierigkeiten stecken

peck[2] [pek] I. *n* ❶ (*bite*) Picken *nt kein pl*; **to give sb/sth a ~** nach jdm/etw hacken ❷ (*quick kiss*) Küsschen *nt* II. *vt* ❶ (*bite*) ■ **to ~ sb/sth** nach jdm/etw hacken; **to ~ a hole** ein Loch picken ❷ (*kiss quickly*) **to**

~ **sb on the cheek** jdn flüchtig auf die Wange küssen **III.** *vi* ❶ (*with the beak*) picken; ■**to ~ at sth** etw aufpicken ❷ (*with pointed tool*) ■**to ~ at sth** gegen etw *akk* hämmern ❸ (*nibble*) **to ~ at one's food** in seinem Essen herumstochern ❹ AM (*nag*) ■**to ~ at sb** jdn sticheln

peck·er ['pekə'] *n* ❶ AM (*vulg: penis*) Schwanz *m* ❷ AM (*fam: insult*) Arschloch *nt vulg*

'**peck·ing or·der** *n* Hackordnung *f*

peck·ish ['pekɪʃ] *adj* BRIT, AUS **to feel a bit ~** den kleinen Hunger verspüren

pec·tin ['pektɪn] *n no pl* Pektin *nt*

pec·to·ral ['pektə'rəl] *adj* Brust-, pektoral *fachspr*

pe·cu·liar [pɪ'kju:liə'] *adj* ❶ (*strange*) seltsam, merkwürdig ❷ (*nauseous*) unwohl; **to have a ~ feeling** sich eigenartig fühlen ❸ (*belonging to, special*) ■**to be ~ to sb** typisch für jdn sein; ■**to be ~ to sth** etw *dat* eigen[tümlich] sein; **of ~ interest** von besonderem Interesse

pe·cu·li·ar·ity [pɪ,kju:li'ærəti] *n* ❶ *no pl* (*strangeness*) Eigenartigkeit *f* ❷ (*strange habit*) Eigenheit *f* ❸ (*idiosyncrasy*) Besonderheit *f*, Eigenart *f*

pe·cu·liar·ly [pɪ'kju:liə'li] *adv* ❶ (*strangely*) eigenartig, seltsam ❷ (*specially*) typisch ❸ (*especially*) besonders

pe·cu·ni·ary [pɪ'kju:niə'i] *adj* (*form*) pekuniär *attr*; **~ consideration** finanzielle Erwägungen *pl*

peda·gog·ic [,pedə'gɒdʒɪk] *adj* pädagogisch

peda·gogue ['pedəgɒg] *n* (*old*) Schulmeister(in) *m(f) pej*; (*teacher*) Pädagoge(in) *m(f)*

peda·go·gy ['pedə'gɒdʒi] *n no pl* Pädagogik *f*

ped·al ['pedəl] **I.** *n* Pedal *nt* **II.** *vt* <BRIT, AUS -ll- *or* AM *usu* -l-> **to ~ a bicycle** Rad fahren **III.** *vi* <BRIT, AUS -ll- *or* AM *usu* -l-> Rad fahren; **she ~ed through the city** sie radelte durch die Stadt

'**ped·al bin** *n* Treteimer *m* '**ped·al boat** *n*, **peda·lo** ['pedələʊ] *n* Tretboot *nt*

ped·ant ['pedənt] *n* Pedant(in) *m(f)*

pe·dan·tic [pɪ'dæntɪk] *adj* pedantisch

pe·dan·ti·cal·ly [pɪ'dæntɪkəli] *adv* pedantisch *pej*

ped·ant·ry ['pedəntri] *n* Pedanterie *f a. pej*

ped·dle ['pedl] *vt* ■**to ~ sth** ❶ (*esp pej: sell*) etw verscherbeln *pej*; **to ~ sth door to door** mit etw *dat* hausieren gehen ❷ (*pej: spread*) mit etw *dat* hausieren gehen

ped·dler *n* AM *see* **pedlar**

ped·er·ast ['pedə'ræst] *n* Päderast *m*

ped·er·as·ty ['pedə'ræsti] *n no pl* Päderastie *f*

ped·es·tal ['pedɪstəl] *n* Sockel *m* ▶**to knock sb off his/her ~** jdn von seinem hohen Ross holen; **to put sb on a ~** jdn auf ein Podest stellen

pe·des·trian [pɪ'destriən] *n* Fußgänger(in) *m(f)*

pe·des·trian 'cross·ing *n* BRIT Fußgängerübergang *m*

pe·des·tri·an·ize [pɪ'destriənaɪz] *vt* ■**to ~ sth** etw in eine Fußgängerzone umwandeln

pe·des·tri·an·ized [pɪ'destriənaɪzd] *adj* Fußgänger-; **~ area** Fußgängerzone *f*

pe·di·at·ric *adj* AM *see* **paediatric**

pe·dia·tri·cian *n* AM *see* **paediatrician**

pe·di·at·rics *npl* + *sing vb* AM *see* **paediatrics**

pedi·cure ['pedɪkjʊə'] *n* Pediküre *f*

pedi·cur·ist ['pedɪkjʊrɪst] *n* Fußpfleger(in) *m(f)*

pedi·gree ['pedigri:] **I.** *n* ❶ (*genealogy*) Stammbaum *m* ❷ (*background*) Laufbahn *f* ❸ (*history of idea*) Geschichte *f* ❹ (*criminal record*) Vorstrafenregister *nt* **II.** *adj* **dog, cattle, horse** reinrassig, mit Stammbaum *nach n*

ped·lar ['pedlə'] *n* BRIT, AUS ❶ (*drug dealer*) Drogenhändler(in) *m(f)* ❷ (*dated: travelling salesman*) Hausierer(in) *m(f)* ❸ (*pej*) **~ of gossip** Klatschmaul *nt*; **~ of lies** Lügenmaul *nt*

pe·dom·eter [pɪ'dɒmɪtə'] *n* Pedometer *nt*

pe·do·phile *n* AM *see* **paedophile**

pee [pi:] (*fam*) **I.** *n no pl* ❶ (*urine*) Pipi *nt Kindersprache* ❷ (*act*) Pinkeln *nt*; **to go ~** (*childspeak*) Pipi machen gehen **II.** *vi* pinkeln *fam*; **to ~ in one's pants** in die Hose[n] machen **III.** *vt* ■**to ~ oneself** sich voll pinkeln

peek [pi:k] **I.** *n* (*brief look*) flüchtiger Blick; (*furtive look*) heimlicher Blick; **to have a ~ [at sth/sb]** einen kurzen Blick auf etw/jdn werfen **II.** *vi* blinzeln; ■**to ~ into sth** in etw *akk* hineinspähen; ■**to ~ over sth** über etw *akk* gucken ◆**peek out** *vi* hervorgucken; ■**to ~ out from behind sth** *person* hinter etw *dat* hervorgucken

peel [pi:l] **I.** *n* (*skin of fruit*) Schale *f* **II.** *vt fruit* schälen; **to ~ the paper off sth** etw auswickeln ▶**to keep one's eyes ~ed for sth** (*fam*) nach etw *dat* die Augen offen halten **III.** *vi paint, rust, wallpaper* sich lösen; *skin* sich schälen ◆**peel off I.** *vt* schälen; *clothing* abstreifen; **to ~ off an adhesive strip** ein Klebeband abziehen **II.** *vi*

P

❶ (*come off*) *poster, wallpaper* sich lösen
❷ (*veer away*) *car, motorbike* ausscheren

peel·er ['pi:lə�r] *n* ❶ (*utensil*) Schäler *m* ❷ Brit (*old sl: policeman*) Schutzmann *m*

peel·ings ['pi:lɪŋz] *npl* Schalen *pl*

peep¹ [pi:p] **I.** *n usu sing* ❶ (*answer, statement*) Laut *m;* **to not give a ~** keinen Laut von sich *dat* geben; **so much as| a ~ from sb** keinen Mucks von jdm hören ❷ (*bird sound*) Piep[ser] *m;* **to make a ~** piepsen **II.** *vt* flüstern **III.** *vi* piepsen; **to ~ at sth/sb** etw/jdn anpiepsen

peep² [pi:p] **I.** *n* (*look*) [verstohlener] Blick; **to have a ~ at sth** auf etw *akk* einen kurzen Blick werfen **II.** *vi* ❶ (*look*) ■**to ~ at sth/sb** verstohlen auf etw/jdn blicken; ■**to ~ into sth** einen Blick in etw *akk* werfen; ■**to ~ through sth** durch etw *akk* spähen ❷ (*appear*) hervorkommen ◆**peep out** *vi toe, finger* herausgucken

'**peep·hole** *n* Guckloch *nt* **peep·ing** 'Tom **I.** *n* Voyeur *m,* Spanner *m fam* **II.** *adj attr* (*photographer, journalist*) voyeuristisch '**peep·show** *n* Peepshow *f*

peer¹ [pɪə⁽ʳ⁾] *vi* (*look closely*) spähen; **to ~ into the distance** in die Ferne starren; **to ~ over one's glasses** über die Brille schauen; **to ~ over sb's shoulder** jdm über die Schulter gucken

peer² [pɪə⁽ʳ⁾] *n* ❶ (*equal*) Gegenstück *nt;* **to have no ~s** unvergleichlich sein; **to be liked by one's ~s** unter seinesgleichen beliebt sein ❷ Brit (*noble*) Angehöriger *m* des britischen Hochadels; pol Peer *m*

peer·age ['pɪərɪdʒ] *n no pl* Brit (*peers*) Peerage *f;* (*rank*) Peerswürde *f;* **to be elevated to the ~** in den Adelsstand erhoben werden ❷ (*book*) Adelskalender *m*

peer·ess ['pɪəres] *n* Brit Peeress *f*

peer·less ['pɪələs] *adj* (*form*) unvergleichlich

peeve [pi:v] *vt* ärgern

peeved [pi:vd] *adj* (*fam*) **she was ~ to discover they had gone without her** sie war sauer, als sie merkte, dass die anderen ohne sie gegangen waren; ■**to be ~ at sb for sth** wegen einer S. *gen* auf jdn sauer sein

peev·ish ['pi:vɪʃ] *adj* mürrisch

peev·ish·ly ['pi:vɪʃli] *adv* mürrisch, gereizt

pee·wit ['pi:wɪt] *n* ❶ (*bird*) Kiebitz *m* ❷ (*bird's call*) Kiwitt *nt*

peg [peg] **I.** *n* ❶ (*hook*) Haken *m;* (*stake*) Pflock *m;* (*for a barrel*) Spund *m;* **clothes ~** Wäscheklammer *f;* **tent ~** Hering *m;* **to buy off the ~** (*fig*) von der Stange kaufen ❷ (*excuse*) Ausrede *f;* (*reason*) Grund (**for** für) ❸ Am sports Peg *m* ▶ **to** take **sb down**

a peg or two jdn demütigen **II.** *vt* <-gg->
■**to ~ sth** ❶ (*bind down*) etw mit Haken sichern ❷ (*hold at certain level*) etw fixieren; **to ~ emissions at a certain level** die Emissionshöhe auf einen bestimmten Wert begrenzen; **to ~ prices** Preise stützen ❸ Am (*throw*) etw werfen ❹ Am (*fig: guess correctly*) etw erfassen; **you ~ged it right on the head!** du hast den Nagel auf den Kopf getroffen! ❺ (*mark*) ■**to ~ sb as sth** jdn als etw *akk* abstempeln ◆**peg away** *vi* (*fam*) schuften; ■**to ~ away at sth** sich in etw *akk* hineinknien ◆**peg out I.** *vt* ❶ (*hang out*) ■**to ~ out clothes** Wäsche aufhängen ❷ (*mark*) ■**to ~ sth ⟳ out** etw markieren **II.** *vi* Brit, Aus ❶ (*fig fam: die*) den Löffel abgeben ❷ (*stop working*) *car, machine* den Geist aufgeben

'**peg leg** *n* (*dated fam*) Holzbein *nt*

pe·jo·ra·tive [pɪ'dʒɒrətɪv] (*form*) **I.** *adj* abwertend **II.** *n* abwertender Ausdruck

pe·jo·ra·tive·ly [pɪ'dʒɒrətɪvli] *adv* abwertend

Pe·kin·ese [ˌpi:kɪ'ni:z], **Pe·king·ese** [ˌpi:kɪŋ'i:z] **I.** *n* <*pl* - *or* -s> ❶ (*person*) Pekinger(in) *m(f)* ❷ (*dialect*) Pekinger Dialekt *m* **II.** *adj* aus Peking *nach n;* **~ architecture/dialect** Pekinger Architektur *f/* Dialekt *m*

peli·can ['pelɪkⁿn] *n* Pelikan *m*

pel·let ['pelɪt] *n* ❶ (*ball*) Kugel *f* ❷ (*excrement*) Kötel *m* ❸ (*gunshot*) Schrot *nt o m kein pl*

pell-mell [ˌpel'mel] *adv* (*dated*) chaotisch; **the kids ran ~ for the ice cream van** ein wilder Haufen Kinder stürmte auf den Eiswagen zu

pelt¹ [pelt] *n* (*animal skin*) Fell *nt;* (*fur*) Pelz *m*

pelt² [pelt] **I.** *vt* (*bombard*) ■**to ~ sb with sth** jdn mit etw *dat* bewerfen **II.** *vi* ❶ *impers* (*rain heavily*) ■**it's ~ing** es schüttet ❷ (*run*) umhertollen; **to ~ across the yard/into the room** über den Hof/in das Zimmer rennen; ■**to ~ after sth** *dat* hinterherjagen **III.** *n no pl* ▶ **to drive at full ~** mit Höchstgeschwindigkeit fahren

pel·vic ['pelvɪk] *adj attr* Becken-

pel·vis <*pl* -es> ['pelvɪs] *n* Becken *nt*

pen¹ [pen] **I.** *n* (*writing utensil*) Feder *f;* **ballpoint ~** Kugelschreiber *m;* **felt-tip ~** Filzstift *m;* **fountain ~** Füller *m,* Füllfeder *f* ÖSTERR, SÜDD, SCHWEIZ **II.** *vt* <-nn-> schreiben

pen² [pen] **I.** *n* ❶ (*enclosed area*) Pferch *m;* mil Bunker *m* ❷ Am (*fig sl: jail*) Knast *m fam* **II.** *vt* <-nn-> *usu passive* ■**to be ~ned** eingesperrt sein ◆**pen in** *vt* ❶ (*en-*

cage) ■ **to ~ in an animal** ein Tier einsperren; ■ **to be ~ned in** *people* eingeschlossen sein; (*in car*) eingeklemmt sein ❷ *usu passive* (*fig: restrict*) **to feel ~ned in by sth** sich von etw *dat* eingeengt fühlen

pe·nal ['piːnᵊl] *adj* ❶ *attr* (*of punishment*) Straf- ❷ (*severe*) belastend

pe·nal·ize ['piːnᵊlaɪz] *vt* ❶ (*punish*) ■ **to ~ sb** [**for sth**] jdn [für etw *akk*] bestrafen ❷ (*cause disadvantage*) benachteiligen

pen·al·ty ['penᵊlti] *n* ❶ LAW Strafe *f;* **on ~ of arrest** unter Androhung einer Haftstrafe; **maximum/minimum ~** Höchst-/Mindeststrafe *f* ❷ (*fig: punishment*) Strafe *f;* **a heavy ~** eine hohe Strafe ❸ (*disadvantage*) Preis *m* ❹ (*fine*) [Extra]gebühr *f* ❺ FBALL **to award a ~** einen Elfmeter geben

'pen·al·ty area *n* Strafraum *m* **'pen·al·ty box** *n* ❶ FBALL Strafraum *m* ❷ (*in ice hockey*) Strafbank *f* **'pen·al·ty clause** *n* [restriktive] Vertragsklausel **'pen·al·ty kick** *n* SPORTS Strafstoß *m;* FBALL Elfmeter *m*

pen·ance ['penən(t)s] *n no pl* Buße *f*

pence [pen(t)s] *n pl of* **penny**

pen·chant ['pɑ̃ː(ŋ)ʃɑ̃ː(ŋ)] *n usu sing* (*usu pej*) Neigung *f;* **to have a ~ for sth** einen Hang zu etw *dat* haben

pen·cil ['pen(t)sᵊl] I. *n* (*writing utensil*) Bleistift *m;* **coloured ~** Farbstift *m;* **eyeliner/eyeshadow ~** Eyeliner-/Lidschattenstift *m;* **to sharpen a ~** einen Bleistift spitzen II. *vt* <BRIT -ll- *or* AM *usu* -l-> mit Bleistift schreiben ◆ **pencil in** *vt* vormerken

'pen·cil box *n* Federkasten *m veraltend* **'pen·cil case** *n* Federmäppchen *nt,* Federpenal *nt* ÖSTERR **'pen·cil push·er** *n* AM (*pej fam*) Bürohengst *m* **'pen·cil sharp·en·er** *n* [Bleistift]spitzer *m*

pen·dant ['pendənt] I. *n* Anhänger *m;* **to wear a ~** eine Halskette mit Anhänger tragen II. *adj* herabhängend *attr*

pen·dent ['pendənt] *adj* (*form*) ❶ (*dangling*) herabhängend ❷ LAW (*to be decided*) anhängig; *case, lawsuit* schwebend ❸ (*incomplete*) *sentence* abgebrochen

pend·ing ['pendɪŋ] I. *adj* LAW anhängig; *deal* bevorstehend; *lawsuit* schwebend II. *prep* (*form*) **~ an investigation** bis zu einer Untersuchung

pen·du·lous ['pendjᵊləs] *adj* (*form*) herabhängend *attr*

pen·du·lum ['pendjᵊləm] *n* Pendel *nt*

pen·etrate ['penɪtreɪt] *vt* ■ **to ~ sth** ❶ (*move into*) in etw *akk* eindringen ❷ (*spread through*) *smell* etw durchdrin-

gen ❸ (*fig: see through*) etw ergründen; **to ~ sb's mind** jdn durchschauen ❹ MED *vein* etw durchstechen

pen·etrat·ing ['penɪtreɪtɪŋ] *adj* durchdringend *attr; analysis* eingehend; *observation* scharfsinnig; *scream* markerschütternd; *voice* schrill; **to give sb a ~ look** jdn mit einem bohrenden Blick ansehen; *mind* scharf

pen·etra·tion [ˌpenɪ'treɪʃᵊn] *n* ❶ (*act*) Eindringen *nt kein pl* (**of** in) ❷ (*sexual act*) Penetration *f* ❸ (*fig: insight*) Ergründung *f*

'pen·friend *n* BRIT, AUS Brieffreund(in) *m(f)*

pen·guin ['peŋgwɪn] *n* Pinguin *m*

'pen·hold·er *n* ❶ (*shaft*) Federhalter *m* ❷ (*rack*) Behälter *m* für Schreibutensilien

peni·cil·lin [ˌpenɪ'sɪlɪn] *n* Penicillin *nt*

pen·in·su·la [pə'nɪn(t)sjələ] *n* Halbinsel *f*

pen·in·su·lar [pə'nɪn(t)sjələʳ] *adj* Halbinsel-

pe·nis <*pl* -es *or* -nes> [piːnɪs, *pl* -niːz] *n* Penis *m*

peni·tence ['penɪtᵊn(t)s] *n no pl* ❶ (*repentance*) Reue *f* ❷ REL Buße *f*

peni·tent ['penɪtᵊnt] I. *n* REL reuiger Sünder/reuige Sünderin II. *adj* (*form*) reumütig

peni·ten·tial [ˌpenɪ'ten(t)ʃᵊl] *adj* reuig; **~ act** Bußtat *f*

peni·ten·tia·ry [ˌpenɪ'ten(t)ʃᵊri] I. *n* AM Gefängnis *nt* II. *adj* ❶ (*repenting*) *mood, act* reumütig ❷ AM LAW **~ crime** Straftat *f* (*auf die Gefängnisstrafe steht*)

'pen·knife *n* Taschenmesser *nt*

'pen·name *n* Pseudonym *nt*

pen·nant ['penənt] *n* (*flag*) Wimpel *m;* AM SPORTS Siegeswimpel *m*

pen·ni·less ['penɪləs] *adj* mittellos

pen·non ['penən] *n* Militärfahne *f*

pen·ny <*pl* -nies *or* BRIT pence> ['peni, *pl* pen(t)s] *n* Penny *m;* **to not cost a ~** nichts kosten ▸ **to be worth every ~** sein Geld wert sein; **the ~** [**has**] **dropped** BRIT der Groschen ist gefallen; **to spend a ~** pinkeln gehen *fam*

'pen·ny-pinch·ing I. *n no pl* Pfennigfuchserei *f pej fam* II. *adj* geizig **'pen·ny whis·tle** *n* Blechflöte *f* **pen·ny 'wise** *adj* **to be ~ and pound-foolish** am falschen Ende sparen

'pen pal *n* Brieffreund(in) *m(f)* **'pen-push·er** *n* BRIT, AUS (*pej fam*) Bürohengst *m*

pen·sion ['pen(t)ʃᵊn] *n* ❶ (*retirement money*) Rente *f;* (*for civil servants*) Pension *f;* **to draw a ~** Rente beziehen; **to live on a ~** von der Rente leben ❷ (*boarding*

house) Pension *f*

pen·sion·able ['pen(t)ʃ°nəbl] *adj* BRIT pensionsberechtigt; **of ~ age** im Pensions-/Rentenalter

pen·sion·er ['pen(t)ʃ°nə'] *n* BRIT Rentner(in) *m(f)*; (*for civil servants*) Pensionär(in) *m(f)*, Pensionist(in) *m(f)* ÖSTERR

'**pen·sion fund** *n* Pensionskasse *f* '**pen·sion plan** *n* Altersversorgungsplan *m* '**pen·sion re·serves** *npl* Pensionsrückstellungen *pl* '**pen·sion scheme** *n* BRIT, AUS Rentenversicherung *f*

pen·sive ['pen(t)sɪv] *adj* nachdenklich; *person* ernsthaft; *silence* gedankenverloren; ■**to become ~** schwermütig werden

pen·ta·gon ['pentəg°n] *n* Fünfeck *nt*

pen·tame·ter [pen'tæmɪtə'] *n usu sing* LIT Pentameter *m fachspr*

pen·tath·lete [pen'tæθliːt] *n* Fünfkämpfer(in) *m(f)*

pen·tath·lon [pen'tæθlɒn] *n* Fünfkampf *m*

Pen·te·cost ['pentɪkɒst] *n no pl* REL ❶ (*Jewish*) jüdisches Erntefest ❷ (*Christian*) Pfingsten *nt*

pent·house ['penthaʊs] *n* Penthaus *nt*

'**pent-in** *adj*, '**pent-up** *adj emotions* aufgestaut

pe·nul·ti·mate [pə'nʌltɪmət] (*form*) I. *n* ■**the ~** der/die/das Vorletzte II. *adj attr* vorletzte(r, s)

pe·nu·ri·ous [pə'njʊəriəs] *adj* (*form*) arm; *accommodation* karg; *conditions* ärmlich

penu·ry ['pənjəri] *n no pl* (*form*) Armut *f*; *of a company* finanzielle Schwierigkeiten *pl*

peo·ny ['piːəni] *n* Pfingstrose *f*

peo·ple ['piːpl] *n* ❶ *pl* (*persons*) Leute *pl*, Menschen *pl*; **rich ~** die Reichen *pl*; **the right ~** die richtigen Leute ❷ *pl* (*comprising a nation*) Volk *nt* ❸ *pl* (*ordinary citizens*) ■**the ~** das Volk, die breite Masse ❹ (*comprising a race, tribe*) ■**~s** *pl* Völker *pl*

pep [pep] I. *n no pl* (*fam*) Elan *m*, Schwung *m* II. *vt* <-pp-> ■**to ~ sb** ○ **up** jdn in Schwung bringen; ■**to ~ sth** ○ **up with sth** etw mit etw *dat* aufpeppen; **to ~ up business** das Geschäft ankurbeln

pep·per ['pepə'] I. *n* ❶ *no pl* (*spice*) Pfeffer *m*; **black/ground/white ~** schwarzer/gemahlener/weißer Pfeffer ❷ (*vegetable*) Paprika *f* II. *vt* ❶ (*add pepper*) pfeffern ❷ (*pelt*) ■**to ~ sth/sb with sth** etw/jdn mit etw *dat* bombardieren; **to ~ sb with bullets** jdn mit Kugeln durchsieben; ■**to be ~ed with sth** *speech, comments* mit etw *dat* gespickt sein; *landscape, hill* mit etw *dat* übersät sein; **to be ~ed with**

mistakes vor Fehlern strotzen

pep·per-and-'salt *adj attr* graumeliert '**pep·per·box** *n* AM Pfefferstreuer *m* '**pep·per·corn** *n* Pfefferkorn *nt* **pep·per·corn 'rent** *n no pl* BRIT, AUS symbolische Miete '**pep·per mill** *n* Pfeffermühle *f* '**pep·per·mint** *n* ❶ *no pl* (*plant*) Pfefferminze *f* ❷ (*sweet*) Pfefferminz[bonbon] *nt* '**pep·per pot** *n* BRIT, AUS, '**pep·per shak·er** *n* AM Pfefferstreuer *m*

pep·pery ['pep°ri] *adj* ❶ (*with pepper flavour*) pfeffrig; (*full of pepper*) gepfeffert; *dish* scharf ❷ (*fig: irritable*) aufbrausend

'**pep pill** *n* Aufputschmittel *nt* '**pep talk** *n* Motivationsgespräch *nt*

pep·tic ['peptɪk] *adj* ANAT Verdauungs-, peptisch *fachspr*

per [pɜː', pə'] *prep* ❶ (*for a*) pro ❷ (*in a*) pro ❸ (*through means of*) ~ **mail/telephone/fax** per Post/Telefon/Fax ❹ (*as stated in*) **as ~ sth** gemäß etw *dat*; **as ~ usual** (*normal*) wie gewöhnlich

per·am·bu·la·tor [pə'ræmbjəleɪtə'] *n* (*dated*) Kinderwagen *m*

per an·num [pə''ænəm] *adv* (*form*) per annum **per capi·ta** [pə''kæpɪtə] (*form*) I. *adv* pro Person II. *adj attr* Pro-Kopf-

per·ceiv·able [pə'siːvəbl] *adj* wahrnehmbar

per·ceive [pə'siːv] *vt* ❶ (*see*) wahrnehmen; (*sense*) empfinden; ■**to ~ that ...** fühlen, dass ... ❷ (*regard*) betrachten; **how do the French ~ the British?** wie sehen die Franzosen die Engländer?

per·ceived [pə'siːvd] *adj attr loss, danger* empfunden

per cent [pə'sent], AM **per·cent** I. *n* Prozent *nt*; **what ~ ...?** wie viel Prozent ...? II. *adv* -prozentig; **I'm 100 ~ sure that ...** ich bin mir hundertprozentig sicher, dass ... III. *adj attr* **25/50 ~** 25-/50-prozentig

per·cent·age [pə'sentɪdʒ] *n* ❶ (*rate*) Prozentsatz *m*; **what ~ ...?** wie viel Prozent ...? ❷ AM, AUS (*advantage*) Vorteil *m*

per·cent·age 'point *n* Prozentpunkt *m* **per·cep·tible** [pə'septəbl] *adj* wahrnehmbar

per·cep·tion [pə'sepʃ°n] *n usu sing* Wahrnehmung *f kein pl*; *of a conception* Auffassung *f kein pl*

per·cep·tive [pə'septɪv] *adj* einfühlsam; (*attentive*) aufmerksam; *analysis, remark* scharfsinnig; *observer* aufmerksam

per·cep·tive·ly [pə'septɪvli] *adv* scharfsinnig; (*attentive*) aufmerksam, umsichtig; **to speak/write ~ on sth** etw kritisch beleuchten/

perch[1] [pɜːtʃ] I. *n* <*pl* -es> ❶ (*for birds*)

Sitzstange *f* ❷ (*high location*) Hochsitz *m* **II.** *vi* ■to ~ **on sth** *bird* auf etw *dat* sitzen; *person* auf etw *dat* thronen **III.** *vt* ■**to ~ sth somewhere** etw auf etw *akk* stecken; ■**to ~ oneself on sth** sich auf etw *dat* niederlassen

perch² <*pl* - *or* -es> [pɜːtʃ] *n* (*fish*) Flussbarsch *m*

per·co·late ['pɜːkəleɪt] **I.** *vt* filtrieren; **to ~ coffee** Filterkaffee zubereiten **II.** *vi* ❶ (*filter through*) *water* durchsickern; *sand* durchrieseln; *coffee* durchlaufen ❷ (*fig: spread*) durchsickern

per·co·la·tor ['pɜːkəleɪtəʳ] *n* Kaffeemaschine *f*

per·cus·sion [pəˈkʌʃən] *n no pl* Percussion *f*, Schlagzeug *nt*

per·cus·sion·ist [pəˈkʌʃənɪst] *n* Schlagzeuger(in) *m(f)*

per·di·tion [pəˈdɪʃən] *n no pl* ❶ (*liter: damnation*) [ewige] Verdammnis ❷ (*fig: ruin*) Verderben *nt*

per·egrine ['perəɡrɪn] **I.** *n* Wanderfalke *m* **II.** *adj attr* (*old*) fremdländisch

per·egrine ˈfal·con *n* Wanderfalke *m*

per·emp·tori·ly [pəˈrem(p)təʳrɪli] *adv* gebieterisch

per·emp·tory [pəˈrem(p)təʳri] *adj* ❶ (*autocratic*) gebieterisch ❷ LAW End-; ~ **challenge** Ablehnung eines Geschworenen ohne Angabe der Gründe; ~ **decision** Endurteil *nt*

per·en·nial [pəˈreniəl] **I.** *n* mehrjährige Pflanze **II.** *adj attr* ❶ (*not annual*) mehrjährig ❷ (*constant*) immer während; (*repeated*) immer wiederkehrend *attr*; *beauty, truth* unsterblich

per·fect I. *adj* ['pɜːfɪkt] vollkommen, perfekt **II.** *vt* [pəˈfekt] perfektionieren **III.** *n* ['pɜːfɪkt] *no pl* LING Perfekt *nt*; **future** ~ vollendete Zukunft; **past** ~ Plusquamperfekt *nt*; [**present**] ~ Perfekt *nt*

per·fect·ible [pəˈfektɪbl] *adj* vervollkommnungsfähig

per·fec·tion [pəˈfekʃən] *n no pl* Perfektion *f*, Vollkommenheit *f*; **to attain ~** Perfektion erlangen

per·fec·tion·ism [pəˈfekʃənɪzəm] *n no pl* Perfektionismus *m*; **obsessive ~** zwanghafter Perfektionismus

per·fec·tion·ist [pəˈfekʃənɪst] *n* Perfektionist(in) *m(f)*

per·fect·ly ['pɜːfɪktli] *adv* vollkommen, perfekt; **you know ~ well what I'm talking about** du weißt ganz genau, wovon ich rede; ~ **clear** absolut klar *fam*; **to be ~ honest ...** ehrlich gesagt, ...; **to stand ~ still** völlig regungslos dastehen

per·fidi·ous [pəˈfɪdiəs] *adj* (*liter*) perfid[e] *geh*; *attack* heimtückisch; *lie* gemein

per·fo·rate ['pɜːfəʳreɪt] *vt* perforieren; (*once*) durchstechen

per·fo·rat·ed ['pɜːfəʳreɪtɪd] *adj* perforiert; ~ **eardrum** geplatztes Trommelfell

per·fo·ra·tion [ˌpɜːfəʳˈreɪʃən] *n* ❶ (*hole in sth*) Loch *nt* ❷ *also* MED (*set of holes*) Perforation *f* ❸ *no pl* (*act*) Perforieren *nt*

per·form [pəˈfɔːm] **I.** *vt* ❶ (*entertain*) vorführen; *play, opera* aufführen; (*sing*) singen; (*on an instrument*) spielen ❷ (*do*) **to ~ one's duty/a function** seine Pflicht/eine Funktion erfüllen; **to ~ a task** eine Aufgabe verrichten ❸ MED, SCI (*carry out*) durchführen ❹ REL *a ceremony, ritual* vollziehen **II.** *vi* ❶ (*on stage*) auftreten; (*sing*) singen; (*play*) spielen ❷ (*function*) funktionieren; *car* laufen; (*respond*) sich fahren; **to ~ poorly/well** schlecht/gut funktionieren ❸ (*do, act*) **how did she ~?** wie war sie?; **to ~ badly/well** schlecht/gut sein

per·for·mance [pəˈfɔːməns] *n* ❶ (*entertaining, showing*) Vorführung *f*; *of a play, opera, ballet, symphony* Aufführung *f*; *of a part* Darstellung *f*; *of a song, musical piece* Darbietung *f*; (*show, event*) Vorstellung *f*; **to put on a ~ of a play** ein Stück aufführen; **to give a ~** eine Vorstellung geben ❷ (*capability, effectiveness*) Leistung *f*; **high/poor** ~ hohe/niedrige Leistung ❸ (*level of achievement*) Leistung *f*; **to give a good/poor ~** eine starke/schwache Leistung zeigen ❹ *no pl* (*execution*) ■**the ~ of sth** die Ausführung einer S. *gen*; **the ~ of a duty/task** die Erfüllung einer Pflicht/Aufgabe ❺ (*fam: fuss*) Theater *nt kein pl fig, pej* ❻ BRIT (*fam: difficult job*) **to be quite/such a ~** eine Heidenarbeit sein ❼ LING Performanz *f fachspr*

per·ˈfor·mance-en·hanc·ing *adj attr* *drugs, substances* leistungssteigernd, zur Leistungsverbesserung *nach n* **per·ˈfor·mance lev·el** *n* ❶ (*achievement*) Leistungsniveau *nt*, Leistung *f* ❷ ECON, MECH (*output*) Leistung *f*; (*efficiency*) Wirkungsgrad *m* **per·ˈfor·mance re·port** *n* Leistungsbericht *m*

per·form·er [pəˈfɔːməʳ] *n* ❶ (*artist*) Künstler(in) *m(f)*; **accomplished** ~ talentierter Künstler/talentierte Künstlerin; (*actor*) Darsteller(in) *m(f)* ❷ (*achiever*) **to be a poor** ~ [**in school**] ein schlechter Schüler/eine schlechte Schülerin sein

per·form·ing [pəˈfɔːmɪŋ] **I.** *n no pl* THEAT Theaterspielen *nt*; MUS Spielen *nt* **II.** *adj attr* ❶ (*doing tricks*) *animals* dressiert ❷ LAW ~ **party** Leistende(r) *f(m)*

per·fume I. *n* ['pɜ:fju:m] ❶ (*scented liquid*) Parfüm *nt* ❷ *of a flower* Duft *m* **II.** *vt* [pə'fju:m] parfümieren

per·fum·ery <*pl* -ries> [pə'fju:məri] *n* ❶ *no pl* (*production of perfumes*) Parfümherstellung *f* ❷ (*shop*) Parfümerie *f* ❸ (*manufacturer of perfumes*) Parfümhersteller *m*

per·func·tory [pə'fʌŋ(k)təri] *adj* flüchtig; *examination* oberflächlich; **~ manner** abweisende Art

per·go·la ['pɜ:gələ] *n* Pergola *f*

per·haps [pə'hæps, præps] *adv* ❶ (*maybe*) vielleicht; **~ so** ja, vielleicht ❷ (*about*) etwa, ungefähr

per·il ['perəl] *n* (*form: danger*) Gefahr *f*; (*risk*) Risiko *nt*; **to be in ~** in Gefahr sein; **at one's ~** auf eigene Gefahr

peri·lous ['perələs] *adj* (*form: dangerous*) gefährlich; (*risky*) riskant

pe·rim·eter [pə'rɪmɪtər] *n* ❶ (*border*) Grenze *f* ❷ MATH Umfang *m*

pe·rim·eter 'fence *n* Umzäunung *f*

pe·ri·od ['pɪəriəd] **I.** *n* ❶ (*length of time*) Zeitspanne *f*, Periode *f*; **he was unemployed for a long ~ [of time]** er war lange [Zeit] arbeitslos; **for a ~ of three months** für die Dauer von drei Monaten ❷ (*lesson*) Stunde *f* ❸ (*time in life, history, development*) Zeit *f*; (*distinct time*) Zeitabschnitt *m*; (*phase*) Phase *f*; **incubation ~** Inkubationszeit *f*; **~ of office** Amtszeit *f*; **colonial ~** Kolonialzeit *f* ❹ GEOL Periode *f* geh; **Precambrian ~** Präkambrium *nt* fachspr ❺ (*fam: menstruation*) Periode *f* ❻ AM LING (*also fig: full stop*) Punkt *m* **II.** *adj* ❶ (*of an earlier period*) *chair, vase, drama* historisch ❷ (*concerning menstruation*) *cramps, pains* Menstruations-

pe·ri·od 'fur·ni·ture *n no pl* (*antique*) antike Möbel; (*reproduction*) Stilmöbel *pl*

pe·ri·od·ic [,pɪəri'ɒdɪk] *adj attr* ❶ (*reoccurring*) periodisch geh, regelmäßig wiederkehrend ❷ CHEM **~ law** Gesetz *nt* der Periodizität fachspr; **~ system** Periodensystem *nt* fachspr

pe·ri·odi·cal [,pɪəri'ɒdɪkəl] **I.** *n* Zeitschrift *f*; (*specialist journal also*) Periodikum *nt* fachspr **II.** *adj attr* periodisch geh, regelmäßig wiederkehrend

pe·ri·odi·cal·ly [,pɪəri'ɒdɪkəli] *adv* periodisch, in regelmäßigen Abständen

pe·ri·od·ic 'ta·ble *n no pl* CHEM Periodensystem *nt* fachspr

pe·riph·er·al [pə'rɪfərəl] **I.** *adj* ❶ (*minor*) unbedeutend, unwesentlich ❷ MED peripher fachspr ❸ (*at the edge*) Rand-, peripher geh **II.** *n* COMPUT Peripherie *f* fachspr

pe·riph·ery [pə'rɪfəri] *n usu sing* Rand *m*; *of a town, an area* Peripherie *f*; **on the ~ of one's vision** am Rand des Blickfelds

peri·scope ['perɪskəʊp] *n* Periskop *nt*

per·ish ['perɪʃ] **I.** *vi* ❶ (*form, liter: die*) sterben, umkommen; (*be destroyed*) untergehen *a. fig* ❷ BRIT, AUS (*deteriorate*) *rubber, leather* brüchig werden; *food* verderben **II.** *vt* zugrunde richten

per·ish·able ['perɪʃəbl] *adj* ❶ *food* [leicht] verderblich ❷ (*transitory*) vergänglich

per·ish·er ['perɪʃər] *n* BRIT (*fam*) Teufelsbraten *m*

per·ish·ing ['perɪʃɪŋ] *adj* ❶ BRIT, AUS (*fam: extremely cold*) bitterkalt ❷ *attr* BRIT, AUS (*dated: damn*) verdammt pej fam

peri·to·ni·tis [,perɪtə(ʊ)'naɪtɪs] *n no pl* MED Peritonitis *f* fachspr

per·jure ['pɜ:dʒər] *vt* ■ **to ~ oneself** einen Meineid schwören

per·jur·er ['pɜ:dʒərər] *n* Meineidige(r) *f(m)*

per·jury ['pɜ:dʒri] *n* Meineid *nt*; **to commit ~** einen Meineid schwören

perk¹ [pɜ:k] *n* ❶ (*additional benefit*) Vergünstigung *f* ❷ (*advantage*) Vorteil *m*

perk² [pɜ:k] **I.** *vt* (*fam*) **to ~ coffee** Kaffee machen **II.** *vi* (*fam*) durchlaufen ◆ **perk up I.** *vi* ❶ (*cheer up*) aufleben, munter werden ❷ (*become more awake, livelier*) munter werden ❸ (*increase, recover*) steigen, sich erholen; *share prices* fester tendieren **II.** *vt* ❶ (*cheer up*) aufheitern ❷ (*energize*) aufmuntern ❸ (*cause increase*) ■ **to ~ up ↻ sth** etw steigern

perky ['pɜ:ki] *adj* ❶ (*lively*) munter ❷ (*cheeky*) keck

perm¹ [pɜ:m] *n* (*fam*) *short for* **permanent wave** Dauerwelle *f*

perm² [pɜ:m] *vt* **to ~ hair** Dauerwellen machen; **~ed hair** Dauerwellen *pl*

per·ma·frost ['pɜ:məfrɒst] *n no pl* Dauerfrost[boden] *m*

per·ma·nence ['pɜ:mənən(t)s] *n*, **per·ma·nen·cy** ['pɜ:mənən(t)si] *n no pl* Beständigkeit *f*

per·ma·nent ['pɜ:mənənt] **I.** *adj* ❶ (*lasting indefinitely*) permanent, ständig; *agreement* unbefristet; *relationship* dauerhaft; **~ abode** fester Wohnsitz; **~ appointment** Ernennung *f* auf Lebenszeit; **~ damage/ hearing loss** bleibender Schaden/Hörverlust; **~ resident** Staatsbürger mit unbeschränkter Aufenthaltserlaubnis ❷ (*continual*) ständig, permanent **II.** *n* Dauerwelle *f*

per·ma·nent·ly ['pɜ:mənəntli] *adv* ❶ (*all the time*) ständig, immer ❷ (*long term*) auf Dauer; **are you working here ~?** sind Sie hier fest angestellt?; **to damage sb's**

permission

asking for permission	um Erlaubnis bitten
May I interrupt for a moment?	**Darf ich** Sie kurz stören?
Would you mind if I opened the window?	**Stört es Sie, wenn** ich das Fenster aufmache?
Is it all right with you if I take my holidays in July?	**Sind Sie damit einverstanden, dass** ich im Juli Urlaub nehme?

granting permission	erlauben
You can go out to play when you have finished your homework.	Wenn du mit deinen Hausaufgaben fertig bist, **darfst du** raus spielen.
You are welcome to come in.	**Sie dürfen gern** hereinkommen.
You may smoke in this area.	In diesem Bereich **dürfen** Sie rauchen.
You can park here **if you like**.	**Wenn Sie möchten, können Sie** hier parken.

health ~ jds Gesundheit dauerhaft schädigen
per·ma·nent 'wave n Dauerwelle f
per·man·ga·nate [pɜːˈmæŋɡəneɪt] n CHEM Permanganat nt fachspr
per·ma·tan [ˈpɜːmətæn, AM ˈpɜːrmətæn] n (pej fam) Dauerbräune f
per·me·able [ˈpɜːmiəbl] adj (also fig form) durchlässig a. fig; ~ **to water** wasserdurchlässig
per·me·ate [ˈpɜːmieɪt] I. vt durchdringen II. vi (form) ■**to** ~ **into/through sth** etw durchdringen
per·mis·sible [pəˈmɪsəbl] adj gestattet, zulässig; **is it** ~ **to park my car here?** ist hier Parken erlaubt?
per·mis·sion [pəˈmɪʃən] n no pl Erlaubnis f; (from an official body) Genehmigung f; **with your** ~, **I'd like to ...** wenn Sie gestatten, würde ich gerne ...; **with sb's written** ~ mit jds schriftlichem Einverständnis; **to ask for [sb's]** ~ [jdn] um Erlaubnis fragen
per·mis·sive [pəˈmɪsɪv] adj (pej) nachgiebig; (sexually) freizügig
per·mis·sive·ness [pəˈmɪsɪvnəs] n no pl Toleranz f; [**sexual**] ~ sexuelle Freizügigkeit
per·mit I. n [ˈpɜːmɪt] Genehmigung f; **export** ~ Exporterlaubnis f; **hunting** ~ Jagdschein m; **residence** ~ Aufenthaltsgenehmigung f; **work** ~ Arbeitserlaubnis f II. vt <-tt-> [pəˈmɪt] ❶ (allow, give permission) gestatten, erlauben ❷ (make possible) ■~ **sb to do sth** jdm ermöglichen, etw zu tun III. vi [pəˈmɪt] ❶ (allow) erlauben, gestatten; **circumstances ~ting**

wenn die Umstände es erlauben; **weather ~ting** vorausgesetzt, das Wetter spielt mit ❷ (form) ■**to** ~ **of sth** etw zulassen
per·mit·ted [pəˈmɪtɪd] adj zulässig
per·mu·ta·tion [ˌpɜːmjʊˈteɪʃən] n ❶ also MATH (possible ordering) Umstellung f ❷ BRIT SPORTS (combination) Kombination f
per·ni·cious [pəˈnɪʃəs] adj ❶ (form) schädlich ❷ MED bösartig, perniziös fachspr
per·nick·ety [pəˈnɪkəti] adj (pej) ❶ (fussy) pingelig fam, kleinlich ❷ (tricky) heikel
per·ox·ide [pəˈrɒksaɪd] I. n no pl Peroxyd nt II. vt mit Peroxyd behandeln; hair bleichen
per·ox·ide 'blonde (pej) I. n Wasserstoffblondine f pej II. adj wasserstoffblond
per·pen·dicu·lar [ˌpɜːpənˈdɪkjʊləʳ] I. adj senkrecht (**to** zu), perpendikular fachspr II. n Senkrechte f; MATH, ARCHIT ■**the** ~ das Lot; **to be out of the** ~ nicht im Lot sein
per·pe·trate [ˈpɜːpɪtreɪt] vt (form) begehen
per·pe·tra·tion [ˌpɜːpɪˈtreɪʃən] n LAW (form) Begehen nt; of crime also Verübung f
per·pe·tra·tor [ˈpɜːpɪtreɪtəʳ] n (form) Täter(in) m(f); ~ **of fraud** Betrüger(in) m(f); ~ **of violence** Gewalttäter(in) m(f)
per·pet·ual [pəˈpetʃʊəl] adj attr ❶ (everlasting) immer während, ständig ❷ (repeated) fortgesetzt, wiederholt
per·petu·ate [pəˈpetʃʊeɪt] vt aufrechterhalten
per·pe·tu·ity [ˌpɜːpɪˈtjuːəti] n no pl (form) Ewigkeit f; **in** ~ auf ewig; LAW lebenslänglich

per·plex [pə'pleks] *vt* ❶ (*confuse*) verwirren; (*puzzle*) verblüffen ❷ (*complicate*) verkomplizieren

per·plexed [pə'plekst] *adj* perplex; (*confused also*) verwirrt; (*puzzled also*) verblüfft

per·plex·ity [pə'pleksəti] *n* ❶ (*puzzlement*) Verblüffung *f*; (*confusion*) Verwirrung *f*; **to look/stare at sth in ~** etw verständnislos ansehen/anstarren ❷ *usu pl* (*complicated situation*) Verwicklungen *pl*

per·qui·site ['pɜːkwɪzɪt] *n* (*form: additional benefit*) Vergünstigung *f*

per·se·cute ['pɜːsɪkjuːt] *vt usu passive* verfolgen; ■**to be ~d for sth** wegen einer S. *gen* verfolgt werden

per·se·cu·tion [ˌpɜːsɪ'kjuːʃᵊn] *n usu sing* Verfolgung *f*

per·se·'cu·tion com·plex *n*, **per·se·'cu·tion ma·nia** *n no pl* Verfolgungswahn *m*

per·se·cu·tor ['pɜːsɪkjuːtəʳ] *n* Verfolger(in) *m(f)*

per·se·ver·ance [ˌpɜːsɪ'vɪərᵊn(t)s] *n no pl* Beharrlichkeit *f*, Ausdauer *f*

per·se·vere [ˌpɜːsɪ'vɪəʳ] *vi* nicht aufgeben, beharrlich bleiben; ■**to ~ with sth** an etw *dat* festhalten; (*continue*) mit etw *dat* weitermachen; *project, crusade, programme* etw [unbeirrt] fortsetzen

per·se·ver·ing [ˌpɜːsɪ'vɪərɪŋ] *adj* beharrlich, ausdauernd

Per·sia ['pɜːʃə] *n no pl* Persien *nt*

Per·sian ['pɜːʃən] **I.** *adj* persisch **II.** *n* ❶ (*person*) Perser(in) *m(f)* ❷ (*language*) Persisch *nt*

per·sist [pə'sɪst] *vi* ❶ (*continue to exist*) andauern; *cold, heat, rain* anhalten; *habit, tradition* fortbestehen; MED persistieren *fachspr* ❷ (*to not give up*) beharrlich bleiben; ■**to ~ in sth** an etw *dat* festhalten ❸ (*continue*) ■**to ~ in doing sth** nicht aufhören, etw zu tun; ■**to ~ with sth** mit etw *dat* weitermachen; *project, crusade, programme* etw unbeirrt fortsetzen

per·sis·tence [pə'sɪstᵊn(t)s] *n no pl* ❶ (*continuation*) Anhalten *nt* ❷ (*perseverance*) Hartnäckigkeit *f*

per·sis·tent [pə'sɪstᵊnt] *adj* ❶ (*long lasting*) *difficulties* anhaltend; *cough, rumour* hartnäckig ❷ (*constant*) unaufhörlich; *demand* ständig ❸ (*persevering*) beharrlich, hartnäckig; **he is very ~ in his requests** er ist sehr hartnäckig, wenn er etwas möchte

per·sis·tent·ly [pə'sɪstᵊntli] *adv* ständig, andauernd; **to knock ~ [on the door]** hartnäckig an die Tür klopfen; **to warn sb ~** jdn immer wieder warnen

per·son <*pl* people *or form* -s> ['pɜːsᵊn] *n* ❶ (*human*) Person *f*, Mensch *m*; **not a single ~ came** kein Mensch kam; **cat/dog ~** Katzen-/Hundeliebhaber(in) *m(f)*; **morning/night ~** Morgen-/Nachtmensch *m*; **people ~** geselliger Mensch ❷ LING (*verb form*) Person *f*

per·so·na <*pl* -nae *or* -s> [pə'səʊnə, *pl* -niː] *n* Fassade *f meist pej*

per·son·able ['pɜːsᵊnəbl] *adj* sympathisch

per·son·age ['pɜːsᵊnɪdʒ] *n* (*form or hum*) Persönlichkeit *f*

per·son·al ['pɜːsᵊnᵊl] *adj* ❶ (*of a particular person*) persönlich; **~ belongings** persönliches Eigentum; **~ data** Personalien *pl* ❷ (*direct, done in person*) persönlich; **to make a ~ appearance** persönlich erscheinen ❸ (*private*) privat, persönlich ❹ (*offensive*) persönlich; **nothing ~, but ...** es geht nicht gegen Sie persönlich, aber ...; **I didn't mean to be ~** ich wollte nicht persönlich werden ❺ (*bodily*) körperlich; **~ appearance** äußeres Erscheinungsbild ❻ (*human*) Charaktereigenschaft *f*; **~ quality** Charaktereigenschaft *f*

per·son·al com·'put·er *n* Personal Computer *m* **'per·son·al day** *n* AM (*fam*) **to take a ~** aus persönlichen Gründen einen Tag frei nehmen **per·son·al di·gi·tal as·'sis·tant** *n* PDA *m*, [handflächengroßer] Taschencomputer

per·son·al·ity [ˌpɜːsᵊn'æləti] *n* ❶ (*character*) Persönlichkeit *f*, Charakter *m*; **to have a strong ~** eine starke Persönlichkeit sein ❷ (*celebrity*) ■**a ~** eine Persönlichkeit

per·son·'al·ity-al·ter·ing *adj* **~ drug** persönlichkeitsverändernde Droge

per·son·al·ly ['pɜːsᵊnᵊli] *adv* persönlich

per·son·al 'pro·noun *n* Personalpronomen *nt*

per·son·al·ty ['pɜːsᵊnᵊlti] *n* Privatvermögen *nt*

per·soni·fi·ca·tion [pəˌsɒnɪfɪ'keɪʃᵊn] *n* LIT Personifikation *f a. fig geh*

per·soni·fy [pə'sɒnɪfaɪ] *vt* personifizieren; (*be the personification of also*) verkörpern

per·son·nel [ˌpɜːsᵊn'el] *n* ❶ *pl* (*employees*) Personal *nt kein pl* ❷ *no pl* (*human resources department*) Personalabteilung *f*

per·son·nel de·part·ment *n* Personalabteilung *f* **per·son·nel di·rec·tor** *n* Personalchef(in) *m(f)* **per·son·nel 'man·ag·er** *n* Personalchef(in) *m(f)*

per·spec·tive [pə'spektɪv] *n* ❶ (*viewpoint*) Perspektive *f*; ■**~ on sth** Einschätzung *f* einer S. *gen*; **from a historical ~** aus geschichtlicher Sicht; **to see sth in a new ~** etw aus einem neuen Blickwinkel

sehen; **to get sth in** ~ etw nüchtern betrachten ❷ (*method of representation*) Perspektive *f;* **in** ~ perspektivisch
per·spi·ca·cious [ˌpɜːspɪˈkeɪʃəs] *adj* (*form: astute*) scharfsinnig; (*far-sighted*) weitblickend
per·spi·cac·ity [ˌpɜːspɪˈkæsəti] *n no pl* (*form: astuteness*) Scharfsinn *m;* (*insight*) Scharfblick *m;* (*far-sightedness*) Weitblick *m*
per·spi·cu·ity [ˌpɜːspɪˈkjuːəti] *n no pl* (*form*) Klarheit *f*
per·spic·u·ous [pəˈspɪkjuəs] *adj* (*form*) klar
per·spi·ra·tion [ˌpɜːspəˈreɪʃən] *n no pl* Schweiß *m*
per·spire [pəˈspaɪəʳ] *vi* schwitzen
per·suade [pəˈsweɪd] *vt* (*talk into*) überreden; (*convince*) überzeugen; ▪ **to** ~ **sb into sth** jdn zu etw *dat* überreden; ▪ **to** ~ **sb of sth** jdn von etw *dat* überzeugen
per·sua·sion [pəˈsweɪʒən] *n usu sing* ❶ (*talking into*) Überredung *f;* (*convincing*) Überzeugung *f* ❷ (*conviction*) Überzeugung *f;* (*hum*) **to be of the Catholic/Protestant** ~ katholischen/protestantischen Glaubens sein
per·sua·sive [pəˈsweɪsɪv] *adj* überzeugend
per·sua·sive·ness [pəˈsweɪsɪvnəs] *n no pl* (*ability to talk into*) Überredungskünste *pl;* (*to convince*) Überzeugungskraft *f*
pert [pɜːt] *adj* ❶ (*attractively small*) wohl geformt ❷ (*impudent*) frech ❸ (*neat and jaunty*) adrett
per·tain [pəˈteɪn] *vi* (*form*) ▪ **to** ~ **to sth/sb** etw/jdn betreffen
per·ti·nent [ˈpɜːtɪnənt] *adj* (*form*) relevant; *argument* stichhaltig; *question* sachdienlich; ▪ **to be** ~ **to sth** für etw *akk* relevant sein; *remark* treffend
per·turb [pəˈtɜːb] *vt* (*form*) beunruhigen
per·tur·ba·tion [ˌpɜːtəˈbeɪʃən] *n* (*form*) ❶ (*uneasiness*) Unruhe *f* ❷ PHYS, ASTRON Störung *f*
Peru [pəˈruː] *n* Peru *nt*
pe·rus·al [pəˈruːzəl] *n no pl* (*form*) Durchlesen *nt*
pe·ruse [pəˈruːz] *vt* (*form: read*) durchlesen; (*check*) durchsehen; (*study*) studieren
Peru·vian [pəˈruːvɪən] **I.** *adj* peruanisch **II.** *n* Peruaner(in) *m(f)*
per·vade [pəˈveɪd] *vt* (*form*) erfüllen; (*quality, philosophy, attitude*) durchziehen
per·va·sive [pəˈveɪsɪv] *adj* (*form: penetrating*) durchdringend *attr;* (*widespread*) weit verbreitet; **all-~** alles beherrschend

per·verse [pəˈvɜːs] *adj* (*pej: deliberately unreasonable*) abwegig; *person* eigensinnig; *delight* diebisch; *pride* widernatürlich
per·verse·ness [pəˈvɜːsnəs] *n no pl* (*pej: unreasonableness*) of a person Eigensinn *m; of a situation;* **the** ~ **of it all is that I love being scared to death in movies** das Perverse ist, dass ich es sogar genieße, wenn ich bei einem Film richtig Angst kriege *fam*
per·ver·sion [pəˈvɜːʃən] *n* (*pej*) ❶ (*unnatural behaviour*) Perversion *f* ❷ (*corruption*) Pervertierung *f geh;* ~ **of justice** Rechtsbeugung *f*
per·ver·sity [pəˈvɜːsəti] *n* (*pej*) ❶ (*unreasonable behaviour*) Eigensinn *m kein pl* ❷ (*unnatural behaviour*) Perversität *f*
per·vert I. *n* [ˈpɜːvɜːt] (*pej*) ❶ (*sexual deviant*) Perverse(r) *f(m)* ❷ (*creepy person*) Perversling *m pej fam* **II.** *vt* [pəˈvɜːt] (*pej*) ❶ (*corrupt*) ▪ **to** ~ **sb** jdn verderben ❷ (*distort*) ▪ **to** ~ **sth** etw verdrehen
per·vert·ed [pəˈvɜːtɪd] *adj* ❶ (*sexually deviant*) pervers ❷ (*distorted*) verdreht
pervy [ˈpɜːvi] *adj* (*sl*) *short for* **perverted**
pes·sa·ry [ˈpesəri] *n* ❶ (*contraceptive*) Pessar *nt* ❷ (*suppository*) Vaginalzäpfchen *nt*
pes·si·mism [ˈpesɪmɪzəm] *n no pl* Pessimismus *m*
pes·si·mist [ˈpesɪmɪst] *n* Pessimist(in) *m(f)*
pes·si·mis·tic [ˌpesɪˈmɪstɪk] *adj* pessimistisch
pes·si·mis·ti·cal·ly [ˌpesɪˈmɪstɪkəli] *adv* pessimistisch
pest [pest] *n* ❶ (*destructive animal*) Schädling *m* ❷ (*fig fam: annoying person*) Nervensäge *f fam;* (*annoying thing*) Plage *f*
'pest con·trol *n* ❶ *no pl* (*removal*) Schädlingsbekämpfung *f* ❷ (*service*) Kammerjäger *m*
pes·ter [ˈpestəʳ] *vt* belästigen; ▪ **to** ~ **sb for sth** jdm mit etw *dat* keine Ruhe lassen; (*beg*) jdn um etw *akk* anbetteln; ▪ **to** ~ **sb to do sth** jdn drängen, etw zu tun
pes·ti·cide [ˈpestɪsaɪd] *n* Schädlingsbekämpfungsmittel *nt*
pes·ti·lent [ˈpestɪlənt] *adj,* **pes·ti·len·tial** [ˌpestɪˈlen(t)ʃəl] *adj* ❶ (*deadly*) tödlich ❷ (*fig: morally destructive*) verderblich ❸ (*troublesome*) lästig
pes·tle [ˈpesl] *n* Stößel *m;* ~ **and mortar** Stößel und Mörser
pet [pet] **I.** *n* ❶ (*animal*) Haustier *nt* ❷ (*pej: favourite*) Liebling *m* ❸ (*fam: nice person*) Schatz *m* ❹ AUS, BRIT (*fam: darling*) Schatz *m* **II.** *adj* ❶ (*concerning*

animals) Tier-; **~ cat** Hauskatze *f;* **~ snake** Schlange *f* als Haustier **②** (*favourite*) *project, theory* Lieblings-; **to be one's ~ hate** jdm ein Gräuel sein **III.** *vi* <-tt-> (*fam*) fummeln *fam* **IV.** *vt* <-tt-> streicheln

peta·byte ['petəbaɪt] *n* COMPUT Petabyte *m*

pet·al ['petəl] *n* **①** (*flower part*) Blütenblatt *nt* **②** BRIT (*fam: darling*) Schatz *m*

pe·tard [pet'ɑːd] *n* **①** (*bomb*) Sprengkörper *m* **②** (*fire cracker*) Feuerwerkskörper *m*

pe·ter ['piːtə^r] **I.** *n* AM (*sl: willy*) Zipfel *m fam* **II.** *vi* ■**to ~ out** zu Ende gehen; *conversation, interest* sich totlaufen; *storm* abklingen; *trail, track, path* sich verlieren

pe·tite [pə'tiːt] *adj* (*approv*) *person* zierlich

pe·ti·tion [pə'tɪʃᵊn] **I.** *n* **①** (*signed document*) Petition *f* (*against* gegen, **for** für) **②** LAW (*written request*) Gesuch *nt* **II.** *vi* **①** (*start a written action*) ■**to ~ about sth** für etw *akk* Unterschriften sammeln **②** LAW (*request formally*) ■**to ~ for sth** einen Antrag auf etw *akk* stellen; **to ~ for divorce** eine Scheidungsklage einreichen **III.** *vt* ■**to ~ sb for sth** jdn um etw *akk* ersuchen *form*

pe·ti·tion·er [pə'tɪʃᵊnə^r] *n* **①** (*collecting signatures*) Unterschriftensammler(in) *m(f)* **②** LAW Kläger(in) *m(f)*

'**pet name** *n* Kosename *m*

pet·rel ['petrᵊl] *n* Sturmvogel *m*

Petri dish ['petri,-] *n* Petrischale *f*

pet·ri·fac·tion [,petrɪ'fækʃᵊn] *n*, **pet·ri·fi·ca·tion** [,petrɪfɪ'keɪʃᵊn] *n* **①** (*changing to stone*) Versteinerung *f* **②** (*state of terror*) Lähmung *f fig*

pet·rified ['petrɪfaɪd] *adj* **①** (*fossilized*) versteinert **②** (*terrified*) gelähmt *fig;* ■**to be ~ of sth** vor etw *dat* panische Angst haben; **to be ~ with fear** vor Angst wie gelähmt sein **③** *attr* (*liter: old and unchanging*) aus grauer Vorzeit *nach n*

pet·ri·fy ['petrɪfaɪ] **I.** *vi* versteinern **II.** *vt* ■**to ~ sb** jdm schreckliche Angst einjagen

pet·ro·chemi·cal [,petrə(ʊ)'kemɪkᵊl] **I.** *n* petrochemisches Produkt **II.** *adj attr* petrochemisch

pet·ro·dol·lar ['petrəʊ,dɒlə^r] *n* Petrodollar *m*

pet·rol ['petrᵊl] *n no pl* BRIT, AUS Benzin *nt;* **unleaded ~** bleifreies Benzin

'**pet·rol can** *n* BRIT, AUS Benzinkanister *m*

'**pet·rol com·pa·ny** *n* Erdölgesellschaft *f*

'**pet·rol con·sump·tion** *n no pl* BRIT, AUS Benzinverbrauch *m*

pe·tro·leum [pə'trəʊliəm] *n* Erdöl *m*

'**pet·rol gauge** *n* Benzinuhr *f* '**pet·rol pipe** *n* BRIT, AUS Benzinleitung *f* '**pet·rol**

pump *n* BRIT, AUS Zapfsäule *f;* (*nozzle*) Zapfhahn *m* '**pet·rol sta·tion** *n* BRIT, AUS Tankstelle *f* '**pet·rol tank** *n* BRIT, AUS Benzintank *m*

pet·ti·coat ['petɪkəʊt] *n* (*dated*) Unterrock *m,* Unterkleid *nt*

pet·ti·ness ['petɪnəs] *n no pl* **①** (*insignificance*) Belanglosigkeit *f;* (*triviality*) Trivialität *f* **②** (*small-mindedness*) Kleinlichkeit *f pej*

pet·ting ['petɪŋ] *n no pl* **①** (*stroking*) Streicheln *nt* **②** (*sexual fondling*) Petting *nt*

pet·ty ['peti] *adj* (*pej*) **①** (*insignificant*) unbedeutend; (*trivial*) trivial **②** (*small-minded*) kleinkariert **③** LAW (*on a small scale*) geringfügig

'**pet·ty of·fic·er** *n* NAUT ≈ Marineunteroffizier *m*

petu·lant ['pejələnt] *adj* (*pej*) verdrießlich; *child* bockig; *look* verdrossen

pe·tu·nia [pɪ'tjuːniə] *n* Petunie *f*

pew [pjuː] *n* Kirchenbank *f*

pew·ter ['pjuːtə^r] *n no pl* Zinn *nt*

PG [,piː'dʒiː] *abbrev of* **parental guidance I.** *adj* **to be rated ~** nicht jugendfrei sein; **~-13** frei ab 13 **II.** *n* **the film's a ~** der Film ist nicht jugendfrei

PGCE [,piːdʒiːsiː'iː] BRIT *abbrev of* **Postgraduate Certificate in Education**

pH [,piː'eɪtʃ] *n usu sing* pH-Wert *m;* **~ value** pH-Wert *m*

pha·lanx <*pl* -es *or* phalanges> ['fælæŋ(k)s, *pl* fæl'ændʒiːz] *n* (*form*) Phalanx *f*

phal·lic ['fælɪk] *adj* phallisch

phal·lus <*pl* -es *or* -li> ['fæləs, *pl* -laɪ] *n* Phallus *m geh*

phan·tas·mal [fæn'tæzmᵊl] *adj* (*liter*) **①** (*imaginary*) erfunden, Fantasie- **②** (*ghost-like*) fantastisch, geisterhaft

phan·tom ['fæntəm] **I.** *n* Geist *m,* Gespenst *nt* **II.** *adj attr* **①** (*ghostly*) Geister- **②** (*caused by mental illusion*) Phantom- **③** (*for show*) Schein-

phar·aoh ['feərəʊ] *n* Pharao *m*

phari·sa·ic(al) [,færɪ'seɪk(ᵊl)] *adj* **①** (*of Jewish sect*) pharisäisch *geh* **②** (*fig, pej: hypocritical*) pharisäerhaft

Phari·see ['færɪsiː] *n* **①** (*Jewish tribe*) ■**the ~s** *pl* die Pharisäer *pl* **②** (*fig liter: hypocrite*) Pharisäer(in) *m(f) geh*

phar·ma·ceu·tic [,fɑːmə'sjuːtɪk] *adj* pharmazeutisch

phar·ma·ceu·ti·cal [,fɑːmə'sjuːtɪkᵊl] *adj attr* pharmazeutisch

phar·ma·ceu·tics [,fɑːmə'sjuːtɪks] *n no pl* Pharmazie *f*

phar·ma·ceu·tics in·dus·try *n no pl*

Pharmaindustrie *f*

phar·ma·cist [ˈfɑːməsɪst] *n* Apotheker(in) *m(f)*

phar·ma·co·logi·cal [ˌfɑːməkəˈlɒdʒɪkəl] *adj* pharmakologisch

phar·ma·colo·gist [ˌfɑːməˈkɒlədʒɪst] *n* Pharmakologe, Pharmakologin *m, f*

phar·ma·col·ogy [ˌfɑːməˈkɒlədʒi] *n no pl* Pharmakologie *f*

phar·ma·co·poeia [ˌfɑːməkəˈpiːə] *n usu sing* ❶ (*drugs book*) Pharmakopöe *f fachspr* ❷ (*stock of medicine*) Arzneimittellager *nt*

phar·ma·cy [ˈfɑːməsi] *n* ❶ (*store*) Apotheke *f* ❷ *no pl* (*study*) Pharmazie *f*

phar·yn·gi·tis [ˌfærɪnˈdʒaɪtɪs] *n no pl* Pharyngitis *f fachspr*

phar·ynx <*pl* pharynges> [ˈfærɪŋks, *pl* færˈɪndʒiːz] *n* MED Pharynx *m fachspr*

phase [feɪz] **I.** *n* Phase *f;* **moon ~** Mondphase *f;* **developmental ~** Entwicklungsphase *f;* **to go through a ~** eine Phase durchlaufen **II.** *vt usu passive* (*implement*) stufenweise durchführen; (*introduce*) stufenweise einführen; (*coordinate*) synchronisieren ◆ **phase in** *vt* stufenweise einführen ◆ **phase out** *vt* ❶ ECON (*gradually stop*) auslaufen lassen ❷ (*fig: get rid of*) ▪ **to ~ sb out** jdn abservieren *fam*

phat [fæt] *adj* (*sl: Black English: cool, hip*) krass *sl*, abgefahren *sl*, fett *sl*

PhD [ˌpiːeɪtʃˈdiː] *n abbrev of* **Doctor of Philosophy** Dr., Doktor *m;* **~ student** Doktorand(in) *m(f);* **~ thesis** Doktorarbeit *f*

pheas·ant <*pl* -s *or* -> [ˈfezənt] *n* Fasan *m*

phe·nom·ena [fɪˈnɒmɪnə] *n pl of* **phenomenon**

phe·nom·enal [fɪˈnɒmɪnəl] *adj* (*great*) phänomenal

phe·nom·enon <*pl* -mena *or* -s> [fɪˈnɒmɪnən, *pl* -mɪnə] *n* Phänomen *nt geh*

phew [fjuː] *interj* (*fam*) puh

phi·lan·der [fɪˈlændər] *vi* (*pej dated*) tändeln

phi·lan·der·er [fɪˈlændərər] *n* (*pej dated*) Schürzenjäger *m fam*

phil·an·throp·ic [ˌfɪlənˈθrɒpɪk] *adj* philanthropisch *geh*

phil·an·thro·pist [fɪˈlæn(t)θrəpɪst] *n* (*donor*) Philanthrop(in) *m(f) geh*

phil·an·thro·py [fɪˈlæn(t)θrəpi] *n no pl* Wohltätigkeit *f*

phila·tel·ic [ˌfɪləˈtelɪk] *adj* philatelistisch *geh*

phi·lat·elist [fɪˈlætəlɪst] *n* Philatelist(in) *m(f) geh*

phi·lat·ely [fɪˈlætəli] *n no pl* Philatelie *f*

phil·har·mon·ic [ˌfɪl(h)ɑːˈməʊnɪk] *adj attr* philharmonisch; **the Vienna ~ Orchestra** die Wiener Philharmoniker *pl*

Phil·ip·pines [ˈfɪlɪpiːnz] *npl* ▪ **the ~** die Philippinen *pl*

phil·is·tine [ˈfɪlɪstaɪn] (*pej*) **I.** *n* Banause *m* **II.** *adj* banausisch

philo·logi·cal [ˌfɪləˈlɒdʒɪkəl] *adj* (*dated*) philologisch

phi·lolo·gist [fɪˈlɒlədʒɪst] *n* Philologe, Philologin *m, f*

phi·lol·ogy [fɪˈlɒlədʒi] *n no pl* Philologie *f*

phi·loso·pher [fɪˈlɒsəfər] *n* Philosoph(in) *m(f)*

philo·soph·ic(al) [ˌfɪləˈsɒfɪk(əl)] *adj* ❶ PHILOS philosophisch ❷ (*calm*) gelassen

phi·loso·phize [fɪˈlɒsəfaɪz] *vi* philosophieren; (*make excuses*) sich herausreden

phi·loso·phy [fɪˈlɒsəfi] *n no pl* Philosophie *f*

phish [fɪʃ] *vi* phischen, *im Internet persönliche Daten und Passwörter auskundschaften, um von den Betroffenen Geld zu stehlen*

phish·er [ˈfɪʃər] *n* INET Phisher(in) *m(f)* (*Betrüger, der mit gefälschten E-Mails Passwörter und persönlichen Benutzerdaten ausspioniert*)

phish·ing [ˈfɪʃɪŋ] *n* INET Phishing *nt* (*betrügerisches Ausspionieren von Passwörtern und persönlichen Benutzerdaten*)

phle·bi·tis [flɪˈbaɪtɪs] *n* MED Phlebitis *f fachspr*

phlegm [flem] *n no pl* ❶ (*mucus*) Schleim *m* ❷ (*calmness*) Gleichmut *m* ❸ (*apathetic temperament*) Phlegma *nt geh*

phleg·mat·ic [flegˈmætɪk] *adj* ❶ (*calm*) gleichmütig ❷ (*apathetic*) phlegmatisch

pho·bia [ˈfəʊbiə] *n* Phobie *f*

phoe·nix [ˈfiːnɪks] *n usu sing* Phönix *m*

phone [fəʊn] **I.** *n* Telefon *nt;* **she put the ~ down on me** sie hat [bei unserem Gespräch] einfach aufgelegt; **to answer the ~** ans Telefon gehen; **to hang up the ~** auflegen; **to pick up the ~** abheben; **to speak [to sb] on the ~** [mit jdm] telefonieren; **on the ~** am Telefon; BRIT **to be on the ~** telefonieren **II.** *vt* anrufen **III.** *vi* telefonieren ◆ **phone back** *vt* zurückrufen ◆ **phone in I.** *vi* anrufen; **to ~ in ill** sich telefonisch krank melden **II.** *vt* (*information*) telefonisch durchgeben *vi* BRIT herumtelefonieren *fam* ◆ **phone up** *vt* anrufen

'**phone book** *n* Telefonbuch *nt* '**phone booth** *n* Telefonzelle *f* '**phone box** *n* BRIT Telefonzelle *f* '**phone·card** *n* Telefonkarte f **'phone-in I.** n Sendung, bei der sich das Publikum telefonisch beteiligen kann **II.** adj attr ~ **programme** Sendung mit telefonischer Publikumsbeteiligung

pho·neme ['fəuni:m] n LING Phonem nt fachspr

'phone num·ber n Telefonnummer f

pho·net·ic [fə(ʊ)'netɪk] adj LING phonetisch fachspr

pho·neti·cal·ly [fə(ʊ)'netɪkᵊli] adv LING phonetisch fachspr

pho·neti·cian [ˌfəʊnɪ'tɪʃᵊn] n LING Phonetiker(in) m(f) fachspr

pho·net·ics [fə(ʊ)'netɪks] n + sing vb LING Phonetik f kein pl fachspr

pho·ney ['fəʊni] (pej) **I.** adj (fam) accent, smile aufgesetzt, künstlich; address falsch; documents gefälscht **II.** n (impostor) Hochstapler(in) m(f); (pretender) Schwindler(in) m(f); (fake) Fälschung f

phon·ic ['fɒnɪk] adj LING phonisch fachspr

pho·nol·ogy [fə(ʊ)'nɒlədʒi] n no pl LING Phonologie f fachspr

pho·ny adj AM see **phoney**

phoo·ey ['fu:i] interj (hum fam) pfui

phos·phate ['fɒsfeɪt] n Phosphat nt

phos·pho·res·cence [ˌfɒsfᵊr'esᵊn(t)s] n no pl Phosphoreszenz f

phos·pho·res·cent [ˌfɒsfᵊr'esᵊnt] adj phosphoreszierend

phos·phor·ic [fɒs'fɒrɪk] adj, **phos·pho·rous** ['fɒsfᵊrəs] adj CHEM phosphorig fachspr

phos·pho·rus ['fɒsfᵊrəs] n no pl Phosphor m

pho·to ['fəʊtəʊ] n short for **photograph** Foto nt

photo-'age·ing n no pl Hautalterung f durch Sonnenstrahlen **'pho·to·call** n Fototermin m **'photo·cell** n Fotozelle f **photo·'chrom·ic** adj PHOT lenses phototrop **'photo·copi·er** n [Foto]kopierer m **'photo·copy I.** n [Foto]kopie f **II.** vt [foto]kopieren **photo·e'lec·tric** adj photoelektrisch **pho·to 'fin·ish** n SPORTS Fotofinish nt fachspr **'photo·flash** ['fəʊtəʊˌflæʃ] n Blitzlicht nt **photo·gen·ic** [ˌfəʊtə(ʊ)'dʒenɪk] adj fotogen

photo·graph ['fəʊtəgrɑ:f] **I.** n Fotografie f, Foto nt; aerial ~ Luftaufnahme f; colour/black-and-white ~ Farbfotografie/Schwarz-Weiß-Fotografie f; to take a ~ [of sb/sth] [jdn/etw] fotografieren, ein Foto [von jdm/etw] machen **II.** vt fotografieren **III.** vi to ~ well/badly gut/schlecht auf Fotos aussehen

'photo·graph al·bum n Fotoalbum nt

pho·tog·ra·pher [fə'tɒgrəfəʳ] n Fotograf(in) m(f)

photo·graph·ic [ˌfəʊtə'græfɪk] adj fotografisch; ~ **equipment** Fotoausrüstung f

pho·to·graphi·cal·ly [ˌfəʊtə'græfɪᵊli] adv fotografisch

pho·tog·ra·phy [fə'tɒgrəfi] n no pl Fotografie f

pho·to·'jour·nal·ism n no pl Fotojournalismus m

pho·tom·eter [fə(ʊ)'tɒmɪtəʳ] n Photometer nt fachspr

pho·to·mon·tage [ˌfəʊtə(ʊ)mɒn'tɑ:ʒ] n Fotomontage f

pho·ton ['fəʊtɒn] n Photon nt

pho·to op·por·'tu·nity n Fototermin m **photo re·'port·er** n Fotoreporter(in) m(f) **photo·'sen·si·tive** adj lichtempfindlich **'photo·set·ting** n no pl PUBL Lichtsatz m **'photo·shoot** n Fototermin m

photo·stat <-tt-> ['fəʊtə(ʊ)stæt] vt fotokopieren

photo·'syn·the·sis n no pl BIOL, CHEM Photosynthese f

phras·al 'verb n LING Phrasal Verb nt (Grundverb mit präpositionaler oder adverbialer Ergänzung)

phrase [freɪz] **I.** n ❶ (words) Satz m; (idiomatic expression) Ausdruck m ❷ MUS (series of notes) Phrase f fachspr **II.** vt formulieren

'phrase book n Sprachführer m

phra·seol·ogy [ˌfreɪzi'ɒlədʒi] n no pl Ausdrucksweise f; LING Phraseologie f fachspr

phre·net·ic adj see **frenetic**

phut [fʌt] interj BRIT, AUS peng; **to go ~** (fam) kaputtgehen

pH value ['pi:eɪtʃ,-] n pH-Wert m

physi·cal ['fɪzɪkᵊl] **I.** adj ❶ (of the body) condition, strength, weakness körperlich, physisch geh; **to have a ~ disability** körperbehindert sein; ~ **contact** Körperkontakt m; ~ **exercise** sportliche Betätigung ❷ (sexual) contact, love, relationship körperlich; ~ **attraction** körperliche Anziehung ❸ (material) physisch; object, world stofflich ❹ (of physics) physikalisch **II.** n MED Untersuchung f

physi·cal edu·'ca·tion n no pl Sport[unterricht] m

physi·cal·ly ['fɪzɪkᵊli] adv ❶ (concerning the body) körperlich; **it's just not ~ possible** das ist schon rein physisch nicht möglich; ~ **disabled** körperbehindert ❷ (not imagined) wirklich ❸ (structurally) **Britain is ~ isolated from the mainland** Großbritannien ist geographisch vom Festland abgeschnitten

phy·si·cian [fɪˈzɪʃⁿn] n esp AM (GP) Arzt, Ärztin m, f

physi·cist [ˈfɪzɪsɪst] n Physiker(in) m(f)

phys·ics [ˈfɪzɪks] n + sing vb Physik f

physio [ˈfɪziəʊ] n ❶ BRIT, AUS (fam) short for **physiotherapist** Physiotherapeut(in) m(f) ❷ no pl esp BRIT short for **physiotherapy** Physiotherapie f

physio·ball [ˈfɪziəʊbɔːl] n Gymnastikball m

physi·og·no·my [ˌfɪziˈɒnəmi] n (form) Physiognomie f

physio·logi·cal [ˌfɪziəˈlɒdʒɪkəl] adj physiologisch

physi·olo·gist [ˌfɪziˈɒlədʒɪst] n Physiologe, Physiologin m, f

physi·ol·ogy [ˌfɪziˈɒlədʒi] n no pl Physiologie f

physio·thera·pist [ˌfɪziə(ʊ)ˈθerəpɪst] n esp BRIT Physiotherapeut(in) m(f) fachspr, Krankengymnast(in) m(f)

physio·thera·py [ˌfɪziə(ʊ)ˈθerəpi] n no pl esp BRIT Physiotherapie f fachspr

phy·sique [fɪˈziːk] n Körperbau m; (appearance) Figur f

pi [paɪ] n no pl MATH Pi nt fachspr

pia·nist [ˈpiːənɪst] n Klavierspieler(in) m(f); (professional) Pianist(in) m(f)

pi·ano [piˈænəʊ] n Klavier nt, Piano nt; to **play** [the] ~ Klavier spielen; ▪ at the ~ am Klavier

pi·'ano re·cit·al n Klavierkonzert nt **pi·'ano stool** n Klavierstuhl m

pi·az·za [piˈætsə] n Marktplatz m

pica·resque [ˌpɪkəˈresk] adj LIT pikaresk

pic·ca·nin·ny [ˌpɪkəˈnɪni] n (pej!) abwertender Ausdruck für ein schwarzes Kind

pic·co·lo [ˈpɪkələʊ] n Pikkoloflöte f

pick [pɪk] I. n ❶ (choice) Auswahl f; to **have first** ~ die erste Wahl haben; to **take one's** ~ sich dat etw aussuchen ❷ + sing/ pl vb (best) ▪ the ~ of the ~ **of things** das Beste; of people die Elite ❸ (pickaxe) Spitzhacke f ❹ MUS Plättchen nt II. vt ❶ (select) aussuchen; to ~ sth/sb at random jdn/etw [völlig] willkürlich aussuchen ❷ (fam: start) to ~ a fight with sb mit jdm einen Streit anzetteln ❸ (harvest) pflücken; mushrooms sammeln ❹ (scratch) ▪ to ~ sth an etw dat kratzen; stop ~ing your spots! hör auf, an deinen Pickeln herumzudrücken!; to ~ one's nose in der Nase bohren ❺ (take) ▪ to ~ sth from/off [of] sth etw aus/von etw dat nehmen ❻ MUS (play) zupfen III. vi ❶ (be choosy) aussuchen ❷ (toy with) ▪ to ~ at **one's food** in seinem Essen herumstochern ❸ (scratch) ▪ to ~ at sth an etw dat

[herum]kratzen ◆ **pick off** vt ❶ (shoot) ▪ **to** ~ **off** ◯ sb/sth jdn/etw einzeln abschießen ❷ (fig: take best) ▪ **to** ~ **off** ◯ **sth** sich dat das Beste herauspicken ◆ **pick on** vi ❶ (select) ▪ **to** ~ **on sb/sth** jdn/etw aussuchen ❷ (victimize) ▪ **to** ~ **on sb** auf jdm herumhacken ◆ **pick out** vt ❶ (select) aussuchen ❷ (recognize) erkennen ❸ (highlight) hervorheben ❹ MUS **to** ~ **out a tune on an instrument** auf einem Instrument improvisieren ◆ **pick over, pick through** vt ▪ **to** ~ **sth** ◯ **over** etw gut durchsehen ◆ **pick up** I. vt ❶ (lift) aufheben; **to** ~ **up the phone** [den Hörer] abnehmen; (make phone call) anrufen ❷ (stand up) ▪ **to** ~ **oneself up** aufstehen; (collect oneself) sich aufrappeln fam ❸ (acquire) erwerben; **to** ~ **up a bargain** ein Schnäppchen machen; **to** ~ **up an illness** sich mit einer Krankheit anstecken ❹ (learn) aufschnappen ❺ (collect) abholen; **to** ~ **up passengers** Fahrgäste aufnehmen ❻ (fam: for sexual purposes) ▪ **to** ~ **up** ◯ **sb** jdn abschleppen ❼ (detect) wahrnehmen; **he's awfully quick to** ~ **up any mistakes in your grammar** er reagiert immer wie der Blitz darauf, wenn man einen grammatischen Fehler macht ❽ (on radio) **to** ~ **up a signal** ein Signal empfangen ❾ (increase) **to** ~ **up speed** schneller werden; (fig) sich verstärken ❿ BRIT, AUS (correct) ▪ **to** ~ **sb up on sth** jdn auf etw akk aufmerksam machen ⓫ (fam: earn) verdienen ⓬ (resume) ▪ **to** ~ **up** ◯ **sth** an etw akk anknüpfen II. vi ❶ (improve) sich bessern, besser werden; numbers steigen ❷ (resume) **to** ~ **up where one left off** da weitermachen, wo man aufgehört hat ❸ (notice) ▪ **to** ~ **up on sb/sth** jdn/etw bemerken; (react to) auf etw akk reagieren ❹ esp AM (clean up) ▪ **to** ~ **up after sb** jdm hinterherräumen

picka·back n (fam) see **piggyback**

'pick·axe n, AM **'pick·ax** n Spitzhacke f

pick·er [ˈpɪkə'] n (of crops) Erntehelfer(in) m(f); **cotton** ~ Baumwollpflücker(in) m(f)

pick·et [ˈpɪkɪt] I. n ❶ (striker) Streikposten m; (blockade) Streikblockade f ❷ (stake) Palisade f II. vt ▪ **to** ~ **sth** (in a strike) vor etw dat Streikposten aufstellen; (demonstrate at) vor etw dat demonstrieren; (blockade) etw blockieren III. vi demonstrieren

'pick·et fence n Palisadenzaun m

'pick·et line n Streikpostenkette f

'pick·ing list n AM ❶ COMM Entnahmeliste f ❷ COMPUT Pickliste f

pick·ings [ˈpɪkɪŋz] npl **rich** ~ schnelles

Geld

pick·le ['pɪkl] I. n ❶ no pl [Mixed] Pickles pl; (sauce) Relish nt ❷ Am (conserved gherkin) saure Gurke ❸ (brine) Salzlake f ❹ (solution with vinegar) Essigbrühe f II. vt einlegen

pick·led ['pɪkld] adj ❶ (preserved) eingelegt ❷ (fig fam: drunk) besoffen

'**pick·lock** n (burglar) Einbrecher(in) m(f); (instrument) Dietrich m

'**pick-me-up** n Muntermacher m

'**pick·pock·et** n Taschendieb(in) m(f)

'**pick·up** n ❶ (on gramophone) Tonabnehmer m ❷ (fam: collection) Abholen nt kein pl ❸ (fam: collection point) Treffpunkt m ❹ (fam: passenger) Passagier(in) m(f); (in a private car) Mitfahrer(in) m(f) ❺ (fam: casual sexual acquaintance) Eroberung f hum ❻ (increase) Zunahme f ❼ (van) Kleintransporter m

'**pick·up point** n Treffpunkt f; (for bus) Haltestelle f

picky ['pɪki] adj (pej fam) pingelig; eater wählerisch

pic·nic ['pɪknɪk] I. n Picknick nt; **to go on a** ~ ein Picknick machen; **to be no** ~ kein Spaziergang sein II. vi <-ck-> picknicken

pic·nick·er ['pɪknɪkər] n jd, der ein Picknick macht

pic·to·gram ['pɪktə(ʊ)græm] n Piktogramm nt fachspr

pic·to·rial [pɪk'tɔːriəl] adj (done as picture) Bild-; (done like picture) bildhaft; book, brochure illustriert

pic·ture ['pɪktʃər] I. n ❶ (painting, drawing) Bild nt ❷ (photograph) Bild nt, Foto nt; ~ **wedding** ~ Hochzeitsfoto nt; **to take a** ~ ein Foto machen ❸ (on TV screen) [Fernseh]bild nt ❹ (film) Film m; **to make a** ~ einen Film drehen ❺ (cinema) ▪**the** ~**s** pl das Kino ❻ (fig: impression) Bild nt; **this is not an accurate** ~ das ist eine Verdrehung der Tatsachen; **mental** ~ Vorstellung f; **to paint a** ~ **of sth** ein Bild von etw dat zeichnen; **to paint a gloomy/rosy** ~ **of sth** etw in düsteren/rosigen Farben ausmalen ❼ (embodiment) ▪**the** ~ **of sth** der Inbegriff einer S. gen ▸ **to be in the** ~ (informed) im Bilde sein; (involved) beteiligt sein; (in the public sphere) im Rampenlicht stehen; **to get the** ~ etw verstehen II. vt ▪**to** ~ **sth** sich dat etw vorstellen; (depict) etw darstellen III. vi ▪**to** ~ **to oneself how ...** sich dat vorstellen, wie ...

'**pic·ture book** n (for children) Bilderbuch nt; (for adults) Buch nt mit Illustrationen '**pic·ture frame** n Bilderrahmen m

'**pic·ture gal·lery** n [Kunst]galerie f '**picture-goer** n Kinogänger(in) m(f) '**picture li·brary** n Bildarchiv nt '**pic·ture mes·sag·ing** n Picture Messaging nt '**pic·ture 'post·card** n Ansichtskarte f '**pic·ture puz·zle** n Puzzle nt

pic·tur·esque [ˌpɪktʃərˈesk] adj scenery malerisch, pittoresk geh; language bildhaft

pic·tur·esque·ly [ˌpɪktʃərˈeskli] adv malerisch, pittoresk geh

'**pic·ture tube** n Bildröhre f **pic·ture** '**win·dow** n Panoramafenster nt

pid·dle ['pɪdl] (fam!) I. n (esp childspeak) ❶ no pl (urine) Pipi nt ❷ usu sing esp Brit (action) Pinkeln nt II. interj (expresses irritation) Mist! III. vi pinkeln

pid·dling ['pɪdlɪŋ] adj (pej fam!) lächerlich

pidg·in ['pɪdʒɪn] I. n ling Pidgin nt fachspr II. adj attr Pidgin-; ~ **German** gebrochenes Deutsch

pie [paɪ] n Pastete f

pie·bald ['paɪbɔːld] I. adj scheckig, gescheckt II. n Schecke f o m

piece [piːs] I. n ❶ (bit) Stück nt; (part) Teil nt o m; of bread Scheibe f; of cake Stück nt; of glass; ▪**a** ~ **of broken glass** eine Glasscherbe; [all] **in one** ~ heil; **to break/smash/tear sth in[to]** ~**s** etw in Stücke brechen/schlagen/reißen; **to go to** ~**s** (fig) person zusammenbrechen; marriage zerbrechen; **to take sth to** ~**s** Brit etw zerlegen; ▪~ **by** ~ Stück für Stück ❷ (item) Stück nt; ~ **of baggage** Gepäckstück nt; ~ **of paper** Blatt nt Papier ❸ (non-physical item) **a** ~ **of advice** ein Rat m; **a** ~ **of evidence** ein Beweis m; **a** ~ **of information** eine Information; **a** ~ **of legislation** ein Gesetz nt ❹ (in chess) Figur f; (in backgammon, draughts) Stein m ❺ art, lit, mus, theat Stück nt, Werk nt; **a** ~ **of writing** ein literarisches Werk ❻ journ Beitrag m ❼ (coin) Stück nt ❽ Am (sl: gun) Knarre f fam ▸ **a** ~ **of the** **action** esp Am ein Stück nt des Kuchens; **to be a** ~ **of cake** (fam) kinderleicht sein; **to give sb a** ~ **of one's mind** (fam) jdm [mal gehörig] die Meinung sagen II. vt ▪**to** ~ **together sth** etw zusammensetzen; (reconstruct) etw rekonstruieren

'**piece·meal** I. adv (bit by bit) Stück für Stück, stück[chen]weise; (in fits and starts) unsystematisch II. adj (bit by bit) stück[chen]weise; (in fits and starts) unsystematisch '**piece price** n Stückpreis m '**piece rate** n Akkordlohn m '**piece·work** n no pl Akkordarbeit f '**piece·work·er** n Akkordarbeiter(in) m(f)

pied [paɪd] adj attr zool gescheckt, gefleckt

pie-'eyed *adj* (*fam*) [völlig] besoffen

pier [pɪəʳ] *n* ❶ NAUT Pier *m o fachspr f,* Hafendamm *m;* (*landing stage*) Landungsbrücke *f* ❷ ARCHIT (*wall support*) Trumeau *m;* (*pillar*) Pfeiler *m*

pierce [pɪəs] **I.** *vt* (*make hole in*) ■ **to ~ sth** etw durchstechen; (*penetrate*) in etw *akk* eindringen; (*forcefully*) etw durchstoßen; (*break through*) etw durchbrechen; **to have ~d ears** Ohrlöcher haben **II.** *vi* (*drill*) ■ **to ~ into sth** sich in etw *akk* bohren

pierced [pɪəst] *adj* durchstochen, gepierct *sl*

pierc·ing ['pɪəsɪŋ] **I.** *adj* ❶ (*loud*) durchdringend; (*pej*) *voice also* schrill ❷ (*cold*) eisig ❸ (*penetrating*) *eyes, gaze, look* durchdringend, stechend; (*question, reply, wit*) scharf; *sarcasm* beißend ❹ (*liter: deeply felt*) tief **II.** *n no pl* (*body-piercing*) Piercing *nt*

pierc·ing·ly ['pɪəsɪŋli] *adv* durchdringend

pi·ety ['paɪəti] *n no pl* Frömmigkeit *f;* (*deep loyalty*) Achtung *f*

pif·fling ['pɪflɪŋ] *adj* (*dated fam*) lächerlich

pig [pɪg] *n* ❶ (*animal*) Schwein *nt* ❷ (*fam: greedy person*) Vielfraß *m* ❸ (*pej fam: bad person*) Schwein *nt* ◆ **pig out** *vi* (*fam*) ■ **to ~ out** [**on sth**] sich [mit etw *dat*] vollstopfen

pi·geon ['pɪdʒən] *n* Taube *f*

'pi·geon fan·ci·er *n* BRIT, AUS Brieftaubenbenfreund(in) *m(f)* **'pi·geon-hole I.** *n* [Post]fach *nt,* Ablage *f;* **to put sb/sth in a ~** (*fig*) jdn/etw in eine Schublade stecken **II.** *vt* ❶ (*categorize*) ■ **to ~ sb/sth** jdn/etw in eine Schublade stecken ❷ (*defer*) **to ~ a project** ein Projekt auf Eis legen **pi·geon-'toed** *adj* mit einwärts gerichteten Füßen *nach n;* ■ **to be ~** über den großen Onkel gehen *veraltend fam*

pig·gery ['pɪgəri] *n* ❶ AGR Schweinezucht *f* ❷ *no pl* (*pej: unpleasant behaviour*) Widerwärtigkeit *f;* (*gluttony*) Verfressenheit *f pej fam*

pig·gish ['pɪgɪʃ] *adj* (*pej*) *behaviour, manners* schweinisch

pig·gy ['pɪgi] (*fam*) **I.** *n* (*childspeak*) Schweinchen *nt* **II.** *adj esp* BRIT (*pej*) schweinisch; (*in appetite*) verfressen; (*unhygienic*) schweinisch *fam*

pig·gy·back I. *n* **to give sb a ~** jdn huckepack nehmen **II.** *vi* huckepack machen **'pig·gy bank** *n* Sparschwein *nt*

pig·'head·ed *adj* (*pej*) stur, starrköpfig

'pig iron *n no pl* Roheisen *nt*

pig·let ['pɪglət] *n* Ferkel *nt*

pig·ment ['pɪgmənt] *n* Pigment *nt*

pig·men·ta·tion [ˌpɪgmən'teɪʃən] *n no pl* Pigmentation *f*

Pig·my *n, adj see* **pygmy**

'pig·skin *n* ❶ (*hide*) Schweinshaut *f* ❷ *no pl* (*leather*) Schweinsleder *nt* ❸ AM SPORTS (*fam*) Leder *nt* (*Ball beim American Football*) **'pig·sty** *n* (*pej, also fig*) Schweinestall *m* **'pig·swill** *n no pl* Schweinefutter *nt* (*aus Essensresten*); (*pej: very unpleasant food*) [Schweine]fraß *m pej fam* **'pig·tail** *n* (*tied at back*) Pferdeschwanz *m;* (*braided*) Zopf *m*

pike[1] [paɪk] *n* ZOOL Hecht *m*

pike[2] [paɪk] *n* ❶ MIL, HIST (*weapon*) Spieß *m,* Pike *f* ❷ NBRIT (*hill*) spitze Erhebung

pike[3] [paɪk] *n* AM Mautstraße *f* ▸ **sth comes down the ~** etw kommt auf uns zu; **looks like there's a whole lot of trouble coming down the ~** sieht so aus, als ob da gewaltig Ärger auf uns zukommt

pike·staff ['paɪkstɑːf] *n* BRIT ▸ **as plain as a ~** glasklar

pi·las·ter [pɪ'læstəʳ] *n* ARCHIT Pilaster *m fachspr*

Pi·la·tes ['pɪlɑːteɪz] *n no pl* SPORTS Pilates *nt*

pil·chard ['pɪltʃəd] *n* Sardine *f*

pile[1] [paɪl] *n* ARCHIT Pfahl *m*

pile[2] [paɪl] *n no pl* Flor *m*

pile[3] [paɪl] **I.** *n* ❶ (*stack*) Stapel *m;* (*heap*) Haufen *m* ❷ (*fam: large amount*) Haufen *m* ❸ (*esp hum: big building*) Palast *m* **II.** *vt* stapeln (**on**|**to**) auf) **III.** *vi* ❶ (*fam: crowd into*) ■ **to ~ into the car/onto the bus/up the stairs** sich ins Auto zwängen/in den Bus reindrücken/die Treppen raufquetschen ❷ (*collide*) ■ **to ~ into sth** ineinanderrasen ◆ **pile in** *vi* in etw *akk* [hinein]strömen; (*forcefully*) sich in etw *akk* [hinein]drängen ◆ **pile on** *vt* anhäufen; **you're really piling it on with the compliments tonight** du bist ja heute Abend so großzügig mit Komplimenten *hum* ◆ **pile up I.** *vi debts, problems* sich anhäufen; (*get more frequent*) sich häufen **II.** *vt* anhäufen

'pile-driv·er *n* Ramme *f fachspr*

piles [paɪlz] *npl* (*fam*) Hämorrhoiden *pl*

'pile-up *n* ❶ AUTO (*crash*) Massenkarambolage *f* ❷ (*accumulation*) Anhäufung *f,* Berg *m fig;* (*backlog*) Rückstand *m*

pil·fer ['pɪlfəʳ] *vt, vi* klauen

pil·fer·ing ['pɪlfərɪŋ] *n no pl* Bagatelldiebstahl *m form*

pil·grim ['pɪlgrɪm] *n* Pilger(in) *m(f)*

pil·grim·age ['pɪlgrɪmɪdʒ] *n* REL Pilgerfahrt *f;* (*esp Christian*) Wallfahrt *f* (**to** nach)

pill [pɪl] *n* ❶ *(tablet)* Tablette *f* ❷ *(contraceptive)* ▪ **the ~** die Pille; **to be on the ~** die Pille nehmen

pil·lage ['pɪlɪʤ] **I.** *vt, vi (form)* plündern **II.** *n no pl (form)* Plündern *nt*

pil·lar ['pɪlə'] *n* ❶ *(column)* Pfeiler *m,* Säule *f; ~ of flame/smoke* Flammen-/Rauchsäule *f* ❷ *(fig: mainstay)* Stütze *f*

'pil·lar box *n* Brit Briefkasten *m*

'pill·box *n* ❶ *(for tablets)* Pillendose *f* ❷ Mil Bunker *m* ❸ *(hat)* Pillbox *f o m fachspr*

pil·lion ['pɪliən] **I.** *n (seat)* Soziussitz *m* **II.** *adj attr* Brit, Aus Beifahrer· **III.** *adv* Brit, Aus **to ride/sit ~** auf dem Beifahrersitz mitfahren/sitzen

pil·lock ['pɪlək] *n* Brit *(pej fam!)* Idiot(in) *m(f) fam;* **a complete ~** ein Volltrottel *m fam*

pil·lo·ry ['pɪlǝri] **I.** *vt* <-ie-> an den Pranger stellen *a. fig* **II.** *n* Pranger *m*

pil·low ['pɪləʊ] **I.** *n* ❶ *(for bed)* [Kopf]kissen *nt* ❷ Am *(cushion)* Kissen *nt* **II.** *vt* **to ~ one's head on sth** seinen Kopf auf etw *akk* legen

'pil·low·case *n,* **'pil·low cov·er** *n,* **'pil·low·slip** *n* [Kopf]kissenbezug *m* **'pil·low pack** *n* Food Pillow-Pack-Beutel *m (aromadichte Verpackung für Salat oder Gemüse)*

pi·lot ['paɪlət] **I.** *n* ❶ Aviat Pilot(in) *m(f);* Naut Lotse(in) *m(f)* ❷ TV Pilotfilm *m* ❸ Tech *(pilot light)* Kontrolllampe *f; (flame)* Zündflamme *f* **II.** *vt* ❶ Aviat, Naut *aircraft* fliegen; *ship* lotsen ❷ *(fig: guide)* durchbringen ❸ *(test)* **to ~ a project** ein Pilotprojekt durchführen **III.** *adj usu attr* Pilot·; **a ~ test** ein erster Test

'pi·lot boat *n* Lotsenboot *nt* **'pi·lot·fish** *n* Zool Lotsenfisch *m*

pi·lot·less ['paɪlətləs] *adj* führerlos

'pi·lot light *n* ❶ *(monitoring light)* Kontrolllampe *f* ❷ *(flame)* Zündflamme *f* **'pi·lot plant** *n* Versuchsanlage *f* **'pi·lot's li·cence,** Am **'pi·lot's li·cense** *n* Pilotenschein *m* **'pi·lot sur·vey** *n* Pilotuntersuchung *f* **'pilot-test** *vt* ▪ **to ~ sth** eine erste Testreihe von etw *dat* durchführen **'pilot-test·ing** *n no pl* Durchführung *f* einer ersten Testreihe

pi·men·to [pɪˈmentəʊ], Am *usu* **pi·mien·to** *n* ❶ *(sweet red pepper)* [rote] Paprika ❷ *(spice)* Piment *m o nt*

pimp [pɪmp] **I.** *n* Zuhälter *m* **II.** *vi* als Zuhälter arbeiten; ▪ **to ~ for sb** jds Zuhälter *m* sein

pim·ple ['pɪmpl] *n* Pickel *m*

pim·ply ['pɪmpli] *adj* pickelig

pin [pɪn] **I.** *n* ❶ *(sharp object)* Nadel *f;*

drawing ~ Reißzwecke *f* ❷ *(for clothing)* [Ansteck]nadel *f;* Am *(brooch)* Brosche *f* **II.** *vt* <-nn-> ❶ *(attach with pin)* befestigen ([up]on/to an); **to ~ back one's ears** *esp* Brit *(fig fam)* die Ohren spitzen; **to ~ all one's hopes on sth** *(fig)* seine ganze Hoffnung auf etw *akk* setzen ❷ *(hold firmly)* **she was ~ned under a fallen beam from the roof** sie saß unter einem vom Dach gefallenen Balken fest; **to ~ sb against the door/in a corner/to the floor** jdn gegen die Tür/in eine Ecke drücken/auf den Boden drücken ❸ *(fix blame unfairly)* ▪ **to ~ sth on sb** etw auf jdn schieben ◆ **pin down** *vt* ❶ *(define exactly)* genau definieren; *(locate precisely)* genau bestimmen ❷ *(make decide)* ▪ **to ~ down** ○ **sb** [**to sth**] jdn [auf etw *akk*] festnageln ❸ *(hold fast)* ▪ **to ~ down** ○ **sb** jdn fest halten ◆ **pin up** *vt* anstecken; **to ~ up one's hair** die Haare hochstecken; **to ~ up a picture on the wall** ein Bild an die Wand hängen

PIN [pɪn] *n abbrev of* **personal identification number** PIN

pina·fore ['pɪnəfɔː'] *n* ❶ *(apron)* [große] Schürze ❷ *esp* Brit, Aus Trägerkleid *nt*

'pina·fore dress *n esp* Brit Trägerkleid *nt*

'pin·ball *n no pl* Flipper *m*

'pin·ball ma·chine *n* Flipper *m*

pin·cer ['pɪn(t)sə'] *n* ❶ *usu pl* Zool Schere *f,* Zange *f* ❷ *(tool)* ▪ **~s** *pl* [Kneif]zange *f,* [Beiß]zange *f*

pinch [pɪn(t)ʃ] **I.** *vt* ❶ *(nip)* kneifen, zwicken *bes* südD, österr; *(squeeze)* quetschen ❷ *(fam: steal)* klauen **II.** *vi* kneifen, zwicken; *boots, shoes, slippers* drücken **III.** *n* <*pl* -es> ❶ *(nip)* Kneifen *nt,* Zwicken *nt;* **to give sb a ~** jdn kneifen ❷ *(small quantity)* Prise *f;* **a ~ of salt/ sugar/dried thyme** eine Prise Salz/Zucker/getrockneter Thymian ▸ **to take sth with a ~ of** salt etw mit Vorsicht genießen

pinched [pɪn(t)ʃt] *adj* verhärmt

'pin·cush·ion *n* Nadelkissen *nt*

pine¹ [paɪn] *n* ❶ *(tree)* Kiefer *f* ❷ *no pl (wood)* Kiefer *f,* Kiefernholz *nt* ❸ Brit *(stone pine)* Pinie *f* ❹ *no pl* Brit *(wood of stone pine)* Pinienholz *nt*

pine² [paɪn] *vi* sich vor Sehnsucht verzehren *liter;* ▪ **to ~ for sb/sth** sich nach jdm/ etw sehnen ◆ **pine away** *vi* sich vor Sehnsucht verzehren *liter*

pin·eal ['pɪniəl] *adj* zapfenähnlich

'pin·eal body *n,* **'pin·eal gland** *n* Zirbeldrüse *f*

pine·ap·ple ['paɪnæpl] *n* Ananas *f*

'pine cone *n* Kiefernzapfen *m;* Brit *(of*

stone pine) Pinienzapfen *m* '**pine grove** *n* Kiefernwäldchen *nt;* BRIT (*with stone pines*) Pinienhain *m* '**pine needle** *n* Kiefernnadel *f;* BRIT (*of stone pine*) Piniennadel *f* '**pine-wood** *n no pl* Kiefernholz *nt;* BRIT (*of stone pine*) Pinienholz *nt*

ping [pɪŋ] **I.** *n* [kurzes] Klingeln; *of glass* Klirren *nt;* (*click*) Klicken *nt* **II.** *vi* ❶ (*make sound*) [kurz] klingeln; *glass* klirren; (*click*) klicken ❷ AM, AUS AUTO *engine* klingeln

ping-pong ['pɪŋ‚pɒŋ] *n no pl* (*fam*) Tischtennis *nt,* Pingpong *nt*

'**pin·head** *n* ❶ (*of pin*) Stecknadelkopf *m* ❷ (*pej fam: simpleton*) Blödmann *m*

pin·ion[1] ['pɪnjən] *vt* ∎**to ~ sb** jdn fest halten; **he was ~ed to the wall** er wurde gegen die Mauer gedrückt

pin·ion[2] ['pɪnjən] *n* TECH Ritzel *nt*

pink[1] [pɪŋk] **I.** *n* ❶ Rosa *nt,* Pink *nt* **II.** *adj* (*pale red*) rosa, pink; *cheeks* rosig; *face, nose* gerötet

pink[2] [pɪŋk] *n* BOT [Garten]nelke *f*

pinkie ['pɪŋki] *n* (*fam*) kleiner Finger

pink·ing shears ['pɪŋkɪŋ-] *npl* Zickzackschere *f*

pin·na·cle ['pɪnəkl] *n* ❶ *usu pl of a mountain* Berggipfel *m* ❷ ARCHIT (*on a building*) Fiale *f fachspr* ❸ *usu sing* (*culmination*) Höhepunkt *m*

'**pin·point I.** *vt* [genau] feststellen **II.** *adj attr* sehr genau, haargenau; **~ accuracy** hohe Genauigkeit; *of missile, shot* hohe Zielgenauigkeit **III.** *n* winziger Punkt '**pin·prick** *n* Nadelstich *m;* (*fig: cause of irritation*) [kleine] Widrigkeit **pin-'sharp** *adj photograph, image* gestochen scharf; (*fig*) *comments, assessments* akkurat, scharfsinnig '**pin·stripe** *n* ❶ *no pl* (*pattern*) Nadelstreifen *m* ❷ (*suit*) Nadelstreifenanzug *m*

pint [paɪnt] *n* ❶ (*measurement*) Pint *nt* (*0,568 l*) ❷ BRIT (*fam: beer*) ≈ eine Halbe **pin·ta** ['paɪntə] *n* BRIT (*dated fam*) Pint *nt* Milch

'**pint-size(d)** *adj* (*fam*) winzig; (*fig*) unbedeutend

'**pin-up I.** *n* ❶ (*picture*) [Star]poster *nt o m* ❷ (*fam: person*) **he's the latest teenage ~** er ist der neueste Teenagerschwarm **II.** *adj attr* Pin-up-; **~ magazine** Zeitschrift mit vielen Postern zum Aufhängen

pio·neer [‚paɪə'nɪər] **I.** *n* Pionier(in) *m(f)* **II.** *adj* Pionier-, bahnbrechend; (*innovative*) innovativ **III.** *vt* ∎**to ~ sth** den Weg für etw *akk* bereiten

pio·neer·ing [‚paɪə'nɪərɪŋ] *adj* bahnbre-

chend; (*innovative*) innovativ

pi·ous ['paɪəs] *adj* ❶ REL (*devout*) fromm ❷ (*iron: well-intentioned*) gut gemeint ❸ (*pej: hypocritical*) scheinheilig

pip[1] [pɪp] *n* HORT Kern *m*

pip[2] [pɪp] *n usu pl esp* BRIT Piep *m*

pip[3] <-pp-> [pɪp] *vt* BRIT (*fam*) ∎**to ~ sb** jdn [knapp] besiegen; **to ~ sb to the post** jdn um Haaresbreite schlagen

pipe [paɪp] **I.** *n* ❶ TECH (*tube*) Rohr *nt;* (*small tube*) Röhre *f; for gas, water* Leitung *f* ❷ (*for smoking*) Pfeife *f* ❸ MUS (*instrument*) Flöte *f;* (*in organ*) [Orgel]pfeife *f* **II.** *vt* ❶ (*transport*) *gas, oil, water* leiten ❷ (*speak shrilly*) piepsen; *esp women* zwitschern *oft hum;* (*loudly*) kreischen **III.** *vi* piepsen; *esp women* zwitschern *oft hum;* (*loudly*) kreischen ◆**pipe down** *vi* (*fam: be quiet*) den Mund halten; (*be quieter*) leiser sein ◆**pipe up** *vi* den Mund aufmachen

'**pipe clean·er** *n* Pfeifenreiniger *m* '**pipe dream** *n* [Tag]traum *m* '**pipe-fit·ter** *n* Installateur(in) *m(f)* (*von Rohrleitungen*) '**pipe·line** *n* Pipeline *f;* **in the ~** (*fig*) in Planung

pip·er ['paɪpər] *n* Dudelsackspieler(in) *m(f)*

pi·pette [pɪ'pet] *n* Pipette *f,* Saugröhrchen *nt*

pip·ing ['paɪpɪŋ] **I.** *n no pl* Paspel *f;* (*on furniture*) Kordel *f;* FOOD Spritzgussverzierung *f* **II.** *adv* **~ hot** kochend heiß

pip·squeak ['pɪpskwiːk] *n* (*pej fam*) Würstchen *nt*

pi·quant ['piːkənt] *adj* pikant; (*fig: stimulating*) interessant; (*with sexual overtones*) pikant

pi·quant·ly ['piːkəntli] *adv* interessant, faszinierend; **to speak/talk ~ about sth** etw unterhaltsam erzählen

pique [piːk] **I.** *n no pl* Ärger *m* **II.** *vt* verärgern; **to ~ sb's curiosity/interest** jds Neugier *f*/Interesse *nt* wecken

pi·ra·cy ['paɪ(ə)rəsi] *n no pl* ❶ (*at sea*) Piraterie *f,* Seeräuberei *f,* Freibeuterei *f* ❷ (*of copyrights*) Raubkopieren *nt;* **software/ video ~** Software-/Videopiraterie *f*

pi·ran·ha <*pl* -s *or* -> [pɪ'rɑːnə] *n* Piranha *m*

pi·rate ['paɪ(ə)rət] **I.** *n* ❶ (*buccaneer*) Pirat(in) *m(f),* Seeräuber(in) *m(f)* ❷ (*plagiarizer*) Raubkopierer(in) *m(f)* **II.** *adj attr video, CD* raubkopiert **III.** *vt* ∎**to ~ sth** eine Raubkopie von etw *dat* machen

pirou·ette [‚pɪru'et] **I.** *n* Pirouette *f* **II.** *vi* eine Pirouette drehen

Pi·sces <*pl* -> ['paɪsiːz] *n* ASTROL ❶ *no pl* (*sign*) Fische *pl* ❷ (*person*) Fisch *m*

P

piss [pɪs] (*fam!*) **I.** *n no pl* Pisse *f derb* ▸ **to take** the ~ [out of sb] BRIT jdn verarschen *derb* **II.** *vi* ❶ (*urinate*) pinkeln *fam* ❷ *impers* BRIT, AUS (*sl: rain*) gießen **III.** *vt* ■**to** ~ **oneself** in die Hose machen; (*laugh*) sich *dat* vor Lachen in die Hosen machen ◆**piss about, piss around** BRIT, AUS **I.** *vi* (*fam!: be silly*) Blödsinn machen; (*waste time*) herumtrödeln; **stop ~ing about!** hör auf mit dem Blödsinn! **II.** *vt* (*fam!*) ■**to** ~ **sb about** (*mess about*) jdm auf die Nerven gehen; (*waste time*) jds Zeit *f* verschwenden; **stop ~ing me about** jetzt komm endlich zur Sache

pissed [pɪst] *adj* (*fam!*) ❶ BRIT, AUS besoffen *fam;* **to be** ~ **out of one's head** sternhagelvoll sein ❷ AM [stink]sauer

'**piss-up** *n* BRIT, AUS (*fam!*) Besäufnis *nt*

pis·ta·chio [pɪˈstɑːʃiəʊ] *n* Pistazie *f*

piste [piːst] *n* Piste *f*

pis·til [ˈpɪstɪl] *n* BOT Stempel *m*

pis·tol [ˈpɪstəl] *n* Pistole *f*

'**pis·tol shot** *n* [Pistolen]schuss *m*

pis·ton [ˈpɪstən] *n* Kolben *m*

'**pis·ton en·gine** *n* Kolbenmotor *m* '**pis· ton ring** *n* Kolbenring *m fachspr*

pit[1] [pɪt] *n* ❶ (*in ground*) Grube *f;* (*scar*) Narbe *f;* TECH (*hollow*) Loch *nt;* MED (*in body*) Grube *f,* Höhle *f* ❷ (*mine*) Bergwerk *nt* ❸ (*pej fam: untidy place*) Schweinestall *m* ❹ *esp* BRIT THEAT (*seating area*) Parkett *nt* ❺ MUS (*orchestral area*) Orchestergraben *m* ❻ SPORTS ■**the** ~**s** *pl* die Boxen *pl*

pit[2] [pɪt] **I.** *n esp* AM (*stone*) Kern *m* **II.** *vt* <-tt-> ❶ FOOD entkernen ❷ (*in competition*) ■**to** ~ **sth against sth** products etw gegen etw *akk* ins Rennen schicken; **a war that** ~**ted neighbour against neighbour** ein Krieg, in dem der Nachbar gegen den Nachbarn kämpfte; ■**to** ~ **oneself against sb/sth** sich mit jdm/etw messen

pit-a-pat [ˌpɪtəˈpæt] **I.** *adv feet* tapsend; *heart, rain* klopfend **II.** *n no pl of feet* Getrappel *nt; of the heart, rain* Klopfen *nt; of water* Plätschern *nt*

pitch[1] *n no pl* Pech *nt*

pitch[2] [pɪtʃ] **I.** *n* <*pl* -es> ❶ BRIT, AUS (*sports field*) [Spiel]feld *nt;* BRIT (*for camping*) [Zelt]platz *m* ❷ (*baseball throw*) Wurf *m* ❸ *no pl* (*tone*) Tonhöhe *f;* (*of a voice*) Stimmlage *f;* (*of an instrument*) Tonlage *f;* (*volume*) Lautstärke *f* ❹ (*fig: level*) **to be at fever** ~ (*worked-up*) [furchtbar] aufgeregt sein; *children* [völlig] aufgedreht sein ❺ *no pl* (*persuasion*) [**sales**] ~ [Verkaufs]sprüche *pl a. pej fam* ❻ *esp* BRIT (*sales area*) Platz *m* ❼ (*slope*)

Schräge *f,* Neigung *f* **II.** *vt* ❶ (*throw*) werfen ❷ (*set up*) aufstellen; **to** ~ **a tent** ein Zelt aufschlagen ❸ SPORTS **to** ~ **a ball** einen Ball werfen ❹ MUS *instrument* stimmen; *song* anstimmen; *note* treffen ❺ (*target*) ■**to** ~ **sth at sb** etw auf jdn ausrichten; ■**to be** ~**ed at sb** *book, film* sich an jdn richten ❻ (*set*) **to** ~ **sth at a certain level** etw auf einem bestimmten Niveau ansiedeln ❼ *usu passive* (*slope*) **to be** ~**ed at 30°** eine Neigung von 30° haben; ~**ed roof** Schrägdach *nt* ❽ (*advertise*) propagieren **III.** *vi* ❶ (*move*) ship stampfen *fachspr;* AVIAT absacken ❷ SPORTS (*in baseball*) werfen ❸ SPORTS (*in cricket*) [auf den Boden] aufkommen ❹ (*slope*) sich [nach unten] neigen ❺ (*aim*) ■**to** ~ **for sth** etw anstreben ❻ (*attack*) ■**to** ~ **into sb** jdn angreifen ❼ (*start*) ■**to** ~ **into sth** etw [entschlossen] angehen ◆**pitch in** *vi* (*fam: contribute*) mit anpacken; (*financially*) zusammenlegen; ■**to** ~ **in with sth** sich mit etw *dat* einbringen; **everyone** ~**ed in with comments** jeder machte seine Bemerkungen ◆**pitch up** *vi* BRIT (*fam*) auftauchen

'**pitch-black** *adj* pechschwarz

pitched [pɪtʃt] *adj* ❶ (*with tar*) geteert ❷ (*sloping*) ~ **roof** Dachschräge *f*

pitched '**bat·tle** *n* MIL offene [Feld]schlacht; (*fig: confrontation*) offener Schlagabtausch

pitch·er[1] [ˈpɪtʃə] *n* ❶ BRIT (*container*) Henkelkrug *m* ❷ *esp* AM (*jug*) Krug *m*

pitch·er[2] [ˈpɪtʃə] *n* SPORTS (*in baseball*) Pitcher(in) *m(f) fachspr*

'**pitch·fork I.** *n* (*for hay*) Heugabel *f;* (*for manure*) Mistgabel *f* **II.** *vt* (*fig*) ■**to** ~ **sb into sth** jdn unerwartet mit etw *dat* konfrontieren '**pitch pine** *n* Pechkiefer *f*

pit·eous [ˈpɪtiəs] *adj* Mitleid erregend, herzzerreißend

'**pit·fall** *n usu pl* Falle *f; of a language, subject* Hauptschwierigkeit *f*

pith [pɪθ] *n no pl* ❶ (*of orange, grapefruit etc.*) weiße Innenhaut ❷ (*in plants*) Mark *nt* ❸ (*fig: essence*) Kern *m* ❹ (*fig: substance of speech*) Substanz *f*

'**pit·head I.** *n usu sing* MIN (*entrance*) Zecheneinstieg *m;* (*buildings*) Übertageanlagen *pl* **II.** *adj attr* Tagebau-, Übertage-

pith '**hel·met** *n* (*esp hist*) Tropenhelm *m*

pithy [ˈpɪθi] *adj* ❶ (*succinct*) prägnant ❷ (*of citrus fruits*) dickschalig

piti·able [ˈpɪtiəbl] *adj* ❶ (*arousing pity*) bemitleidenswert; (*terrible*) schrecklich ❷ (*despicably*) lächerlich

piti·ful [ˈpɪtifəl] *adj* ❶ (*arousing pity*) bemitleidenswert; (*terrible*) *conditions etc.* schrecklich; *sight* traurig ❷ (*unsatisfactory*) jämmerlich

piti·ful·ly ['pɪtɪfəli] *adv* ❶ (*distressingly*) bemitleidenswert; (*terribly*) erschreckend, fürchterlich ❷ (*despicably*) lächerlich, erbärmlich

piti·less ['pɪtɪləs] *adj* erbarmungslos, unbarmherzig

piti·less·ly ['pɪtɪləsli] *adv* erbarmungslos, unbarmherzig

pi·ton ['pɪtɒn] *n* SPORTS (*for rock*) Felshaken *m;* (*for ice*) Eishaken *m*

pit·ta ['pɪtə] *n,* **pit·ta bread** *n no pl* Pittabrot *nt*

pit·tance ['pɪtᵊn(t)s] *n usu sing* (*pej*) Hungerslohn *m*

pi·tui·tary [pɪˈtjuːɪtᵊri] *n,* **pi·tui·tary gland** *n* ANAT Hirnanhangsdrüse *f*

pity ['pɪti] **I.** *n* ❶ *no pl* (*compassion*) Mitleid *nt;* **for ~'s sake** um Himmels willen; **to feel ~ for sb** mit jdm Mitleid haben ❷ (*shame*) **what a ~!** wie schade!; **more's the ~** *esp* BRIT leider; ▪**to be a ~** schade sein **II.** *vt* <-ie-> ▪**to ~ sb** Mitleid mit jdm haben

pity·ing ['pɪtiɪŋ] *adj* mitleidig; (*condescending*) herablassend

pity·ing·ly ['pɪtiɪŋli] *adv* mitleidig; (*condescendingly*) herablassend

piv·ot ['pɪvət] **I.** *n* ❶ MECH, TECH (*shaft*) [Dreh]zapfen *m;* (*fig: focal point*) Dreh- und Angelpunkt *m* ❷ (*fig: key person*) Schlüsselfigur *f* **II.** *vi* ▪**to ~ around sth** ❶ (*also fig: revolve*) um etw *akk* kreisen ❷ (*fig: depend on*) von etw *dat* abhängen

piv·ot·al ['pɪvətᵊl] *adj* Schlüssel-, Haupt-

pix·el ['pɪksᵊl] *n* Pixel *nt fachspr*

pixie ['pɪksi] *n* Kobold *m*

piz·za ['piːtsə] *n* Pizza *nt*

plac·ard ['plækɑːd] *n* Plakat *nt;* (*at demonstrations also*) Transparent *nt*

pla·cate [pləˈkeɪt] *vt* (*soothe*) beruhigen; (*appease*) beschwichtigen

placa·tory [pləˈkeɪtᵊri] *adj* (*calming*) beschwichtigend; (*appeasing*) versöhnlich

place [pleɪs] **I.** *n* ❶ (*location*) Ort *m;* **this is the exact ~!** das ist genau die Stelle!; **Scotland is a very nice ~** Schottland ist ein tolles Land *fam;* **that café is a nice ~** dieses Café ist echt nett *fam;* **please put this book back in its ~** bitte stell dieses Buch wieder an seinen Platz zurück; **this is the ~ my mother was born** hier wurde meine Mutter geboren; **sorry, I can't be in two ~s at once** tut mir leid, ich kann nicht überall gleichzeitig sein; **~ of birth** Geburtsort *m;* **~ of residence**

Wohnort *m;* **~ of work** Arbeitsplatz *m;* **to go ~s** AM viel sehen; **in ~s** stellenweise ❷ *no pl* (*appropriate setting*) [geeigneter] Ort; **that bar is no ~ for a woman like you** Frauen wie du haben in solch einer Bar nichts verloren ❸ (*home*) **I'm looking for a ~ to live** ich bin auf Wohnungssuche; **we'll have a meeting at my ~/Susan's ~** wir treffen uns bei mir/bei Susan; **your ~ or mine?** zu dir oder zu mir? ❹ (*fig: position, rank*) Stellung *f;* **to keep sb in their ~** jdn in seine Schranken weisen; **to put sb in his/her ~** jdm zeigen, wo es lang geht *fam* ❺ (*instead of*) ▪**in ~ of** stattdessen ❻ (*proper position*) ▪**to be in ~** an seinem Platz sein; (*fig: completed*) fertig sein; **the chairs were all in ~** die Stühle waren alle dort, wo sie sein sollten; (*fig*) **the arrangements are all in ~ now** die Vorbereitungen sind jetzt abgeschlossen; (*fig*) **the new laws are now in ~** die neuen Gesetze gelten jetzt; (*fig*) **suddenly it all fell into ~** plötzlich machte alles Sinn; **to be out of ~** nicht an der richtigen Stelle sein; *person* fehl am Platz[e] sein; (*fig*) **the large desk was totally out of ~ in such a small room** der große Schreibtisch war in solch einem kleinen Zimmer völlig deplatziert ❼ MATH (*in decimals*) Stelle *f* ❽ (*job, position*) Stelle *f;* (*in team*) Platz *m;* (*at university*) Studienplatz *m;* **to take the ~ of sb** jds Platz *m* einnehmen ❾ (*in book*) Stelle *f* ❿ (*seat*) Platz *m;* **to change ~s with sb** mit jdm die Plätze tauschen; **to keep sb's ~** jdm den Platz freihalten ⑪ (*position*) Stelle *f;* **just put yourself in my ~** versetzen Sie sich doch mal in meine Lage!; **if I were in your ~ ...** ich an deiner Stelle ... ⑫ (*ranking*) Platz *m,* Position *f;* **to take first/second ~** (*fig*) an erster/zweiter Stelle kommen ⑬ AM (*fam: somewhere*) **I know I left that book some ~** ich weiß, dass ich das Buch irgendwo gelassen habe ▸ **there is a ~ and time for everything** alles zu seiner Zeit; **all over the ~** (*everywhere*) überall; (*badly organized*) [völlig] chaotisch; (*spread around*) in alle Himmelsrichtungen zerstreut; **in the first ~** (*at first*) zuerst; (*at all*) überhaupt; **in the first/second ~** (*firstly, secondly*) erstens/zweitens; **to go ~s** (*fam*) auf dem Weg nach oben sein; **to take ~** stattfinden **II.** *vt* ❶ (*position*) ▪**to ~ sth somewhere** etw irgendwohin stellen; (*lay*) etw irgendwohin legen; **to ~ an advertisement in the newspaper** eine Anzeige in die Zeitung setzen; **to ~ sth on the agenda** etw auf die Tagesordnung setzen; **to ~ a bet on sth** auf etw *akk* wetten; **to ~ sb under sb's care** jdn in jds Obhut *f* geben; **to ~ one foot in front of the other** einen Fuß vor den anderen setzen; ■**to be ~d** *shop, town* liegen ❷ (*impose*) **to ~ an embargo on sb/sth** über jdn/etw ein Embargo verhängen; **to ~ a limit on sth** etw begrenzen ❸ (*ascribe*) **to ~ the blame on sb** jdm die Schuld geben; **to ~ one's faith in sb/sth** sein Vertrauen in jdn/etw setzen; **to ~ one's hopes on sb/sth** seine Hoffnungen auf jdn/etw setzen; **to ~ importance on sth** auf etw *akk* Wert legen ❹ (*arrange for*) **to ~ sth at sb's disposal** jdm etw überlassen ❺ (*appoint or a position*) ■**to ~ sb/sth somewhere** jdn/etw irgendwo unterbringen [*o* SCHWEIZ platzieren]; **to ~ sb on [the] alert** jdn in Alarmbereitschaft versetzen; **to ~ sb under arrest** jdn festnehmen; **to ~ sb in charge [of sth]** jdm die Leitung [von etw *dat*] übertragen; **to ~ sb under pressure** jdn unter Druck setzen; **to ~ a strain on sb/sth** jdn/etw belasten; **to ~ sb under surveillance** jdn unter Beobachtung stellen ❻ (*recognize*) *face, person, voice, accent* einordnen ❼ ECON *goods* absetzen; **to ~ an order for sth** etw bestellen ❽ *passive* (*good position*) ■**to be well ~d for sth** für etw *akk* eine gute Ausgangsposition haben **III.** *vi* SPORTS sich platzieren; AM *also* (*finish second*) Zweite(r) werden

pla·ce·bo [pləˈsiːbəʊ] *n* MED Placebo *nt;* (*fig*) Ablenkungsmanöver *nt*

'**place card** *n* Tischkarte *f* '**place kick** *n* SPORTS Platztritt *m* '**place mat** *n* Set *nt o m,* Platzdeckchen *nt*

place·ment [ˈpleɪsmənt] **I.** *n* ❶ (*being placed*) Platzierung *f; of building* Lage *f* ❷ (*by job service*) Vermittlung *f;* (*job itself*) Stelle *f* **II.** *adj attr* Einstufungs-; **~ service** Stellenvermittlung *f*

'**place name** *n* Ortsname *m*

pla·cen·ta <*pl* -s *or* -tae> [pləˈsentə, *pl* -tiː] *n* Plazenta *f*

plac·id [ˈplæsɪd] *adj* ruhig, friedlich; *person also* gelassen

pla·gia·rism [ˈpleɪdʒᵊrɪzᵊm] *n no pl* geistiger Diebstahl

pla·gia·rist [ˈpleɪdʒᵊrɪst] *n* Plagiator(in) *m(f) geh*

pla·gia·rize [ˈpleɪdʒᵊraɪz] **I.** *vt* ■**to ~ sth** etw plagiieren *form* **II.** *vi* abschreiben (**from** aus)

plague [pleɪg] **I.** *n* ❶ (*disease*) Seuche *f;* ■**the ~** die Pest; **to avoid sb/sth like the ~** jdn/etw wie die Pest meiden ❷ *of insects* Plage *f;* (*fig*) **a ~ of journalists**

descended on the town ein Schwarm von Journalisten fiel in die Stadt ein **II.** *vt* bedrängen; (*irritate*) ärgern; ■**to be ~d with sth** von etw *dat* geplagt werden; **to be ~d with bad luck** vom Pech verfolgt sein

plaice <*pl* -> [pleɪs] *n* Scholle *f*

plaid [plæd] **I.** *n no pl esp* AM FASHION Schottenmuster *nt* **II.** *adj attr* kariert

plain [pleɪn] **I.** *adj* ❶ (*simple*) einfach; (*not flavoured*) natur *nach n;* **~ food** einfaches Essen ❷ (*uncomplicated*) einfach; **~ and simple** ganz einfach ❸ (*clear*) klar, offensichtlich; **her meaning was ~** es war klar, was sie meinte; **to be perfectly ~** ganz offensichtlich sein; **to make sth ~** etw klarstellen; **have I made myself ~ to you?** habe ich mich klar ausgedrückt? ❹ *attr* (*sheer*) rein, pur ❺ (*unattractive*) unscheinbar **II.** *adv* ❶ (*simply*) ohne großen Aufwand; **the fish had been grilled and served ~** der Fisch war gegrillt und kam ohne weitere Zutaten auf den Tisch ❷ (*fam: downright*) einfach **III.** *n* ❶ (*area of flat land*) Ebene *f* ❷ (*in knitting*) rechte Masche

plain ˈclothes *npl* Zivilkleidung *f kein pl;* **in ~** in Zivil

plain·ly [ˈpleɪnli] *adv* ❶ (*simply*) einfach, schlicht ❷ (*clearly*) deutlich, klar; (*obviously*) offensichtlich

plain·ness [ˈpleɪnnəs] *n no pl* ❶ (*simplicity*) Einfachheit *f,* Schlichtheit *f* ❷ (*obviousness*) Eindeutigkeit *f,* Klarheit *f* ❸ (*unattractiveness*) Unscheinbarkeit *f,* Unansehnlichkeit *f*

plain ˈsail·ing *n no pl* (*fig*) ■**to be ~** wie geschmiert laufen *fam;* (*on motorway*) freie Fahrt haben **plain-ˈspo·ken** *adj* ■**to be ~** eine deutliche Sprache sprechen; **he's very ~** er ist sehr direkt

plain·tiff [ˈpleɪntɪf] *n* Kläger(in) *m(f)*

plain·tive [ˈpleɪntɪv] *adj* klagend; (*wistful*) melancholisch; *voice* traurig

plait [plæt] *esp* BRIT **I.** *n* ❶ (*hair*) Zopf *m;* (*material*) Flechtwerk *nt* **II.** *vt, vi* flechten

plan [plæn] **I.** *n* ❶ (*detailed scheme*) Plan *m;* **the best-laid ~s** die ausgefeiltesten Pläne; **to go according to ~** wie geplant verlaufen ❷ (*intention*) Plan *m,* Absicht *f;* **what are your ~s for this weekend?** was hast du diese Wochenende vor?; **to change ~s** umdisponieren ❸ (*diagram*) Plan *m* ❹ (*drawing*) ■**~s** *pl* Pläne *pl* **II.** *vt* <-nn-> ❶ (*draft*) planen ❷ (*prepare*) vorbereiten ❸ (*envisage*) planen ❹ (*intend*) vorhaben **III.** *vi* ❶ (*prepare*) planen; **to ~ carefully** sorgfältig planen; **to**

~ **for one's old age** Vorkehrungen für das Alter treffen ❷ ■ **to** ~ **on sth** (expect) mit etw dat rechnen; (intend) etw vorhaben

plane[1] [pleɪn] **I.** n ❶ (surface) Fläche f; MATH Ebene f ❷ (level) Ebene f; Niveau nt ❸ (aircraft) Flugzeug nt; **to board the** ~ das Flugzeug besteigen; **by** ~ mit dem Flugzeug **II.** vi gleiten **III.** adj attr flach, eben; ~ **angle** MATH gestreckter Winkel fachspr

plane[2] [pleɪn] **I.** n Hobel m **II.** vt hobeln; (until smooth) abhobeln

plane[3] [pleɪn] n Platane f

'**plane crash** n Flugzeugunglück nt

plan·et ['plænɪt] n Planet m; **to be on a different** ~ (fig) in einer anderen Welt sein

plan·etar·ium <pl -s or -ria> [ˌplæn-ɪ'teəriəm, pl -riə] n Planetarium nt

plan·etary ['plænɪtᵊri] adj planetarisch geh

'**plane tree** n Platane f

plank [plæŋk] n ❶ (timber) Brett nt, Latte f; (in house) Diele f; NAUT Planke f ❷ (fig: element) Pfeiler m

plank·ing ['plæŋkɪŋ] n no pl Bretter pl; NAUT Planken pl; **floor** ~ Dielenboden m

plank·ton ['plæŋktən] n no pl Plankton nt

plan·ner ['plænəʳ] n Planer(in) m(f)

plan·ning ['plænɪŋ] n no pl Planung f; ~ **application** BRIT Bauantrag m; **at the** ~ **stage** in der Planung[sphase]

'**plan·ning board** n Planungsgremium nt; **town** ~ Stadtplanungsamt nt '**plan·ning per·mis·sion** n no pl BRIT Baugenehmigung f

plant [plɑːnt] **I.** n ❶ (organism) Pflanze f; **indoor** ~ Zimmerpflanze f ❷ (factory) Werk nt, Betrieb m ❸ no pl (machinery) Maschinen pl **II.** vt ❶ (put in earth) pflanzen ❷ (lodge) platzieren; **to** ~ **oneself on the sofa** (fam) sich aufs Sofa pflanzen ❸ (circulate) verbreiten; **to** ~ **doubts about sth** Zweifel an etw dat hervorrufen; **to** ~ **a rumour** ein Gerücht in die Welt setzen ❹ (fam: frame) [heimlich] platzieren; ■ **to** ~ **sth on sb** jdm etw unterschieben

plan·tain[1] ['plæntɪn] n FOOD, BOT Kochbanane f

plan·tain[2] ['plæntɪn] n (weed) Wegerich m

plan·ta·tion [ˌplæn'teɪʃᵊn] n ❶ (estate) Plantage f ❷ (plants) Pflanzung f; (trees) Schonung f

plant·er ['plɑːntəʳ] n ❶ (plantation owner) Pflanzer(in) m(f) ❷ (container) Blumentopf m; (stand) Blumenständer m ❸ (machine) Pflanzmaschine f; (for sowing) Sämaschine f

plaque [plɑːk, plæk] n ❶ (plate) Tafel f; **brass** ~ Messingschild nt; **stone** ~ Steintafel f; **blue** ~ BRIT Schild an einem Gebäu-

de, das auf den früheren Wohnort einer bedeutenden Persönlichkeit hinweist; **commemorative** ~ Gedenktafel f ❷ no pl MED [Zahn]belag m

plasm ['plæzᵊm] n Plasma nt

plas·ma ['plæzmə] n no pl MED, PHYS, ASTRON Plasma nt

plas·ter ['plɑːstəʳ] **I.** n no pl ❶ (in building) [Ver]putz m ❷ MED Gips[verband] m ❸ BRIT (for cuts) Pflaster nt; **sticking** ~ Heftpflaster nt **II.** vt ❶ (mortar) verputzen; (fig) **the rain had** ~**ed her hair to her head** durch den Regen klebte ihr das Haar am Kopf ❷ (fam: put all over) voll kleistern; ~ **ed with mud** voller Schlamm

'**plas·ter·board** n no pl Gipskarton m

'**plas·ter cast** n Gipsverband m; ART Gipsabguss m

plas·tered ['plɑːstəd] adj pred (fam) stockbesoffen; **to get** ~ sich zusaufen

plas·ter·er ['plɑːstᵊrəʳ] n Gipser(in) m(f)

plas·tic ['plæstɪk] **I.** n ❶ (material) Plastik nt kein pl ❷ (industry) ■ ~ **s** pl Kunststoffindustrie f ❸ no pl (fam: credit cards) Plastikgeld nt **II.** adj ❶ (of plastic) Plastik- ❷ (pej: artificial) künstlich; (false also) unecht; smile aufgesetzt ❸ ART (malleable) formbar; (fig: impressionable) leicht formbar

plas·tic '**bag** n Plastiktüte f **plas·tic** '**bomb** n Plastikbombe f **plas·tic** '**bul·let** n Gummigeschoss nt **plas·tic ex·** '**plo·sive** n Plastiksprengstoff m

Plas·ti·cine® ['plæstəsiːn] n no pl BRIT Plastilin nt

plas·tic·ity [plæs'tɪsəti] n no pl Formbarkeit f

plas·tic '**money** n no pl Plastikgeld nt fam '**plas·tics in·dus·try** n Kunststoffindustrie f

plas·tic '**sur·gery** n no pl Schönheitschirurgie f

plate [pleɪt] **I.** n ❶ (dish) Teller m ❷ (panel) Platte f ❸ (sign) Schild nt ❹ AUTO Nummernschild nt; **licence** ~ Nummernschild nt ❺ no pl (metal layer) Überzug m; **chrome** ~ Verchromung f; **gold** ~ Vergoldung f ❻ no pl (objects made of precious metal) Silber und Gold; (silver cutlery) Tafelsilber nt ❼ TYPO (illustration) [Bild]tafel f **II.** vt überziehen

plat·eau <pl -x or AM, AUS -s> ['plætəʊ] n ❶ GEOG (upland) [Hoch]plateau nt ❷ ECON (flat period) Stagnation f; (stabilization) Stabilisierung f; **to reach a** ~ stagnieren; (become stable) sich einpendeln

plat·ed ['pleɪtɪd] adj überzogen; ~ **with**

chrome/gold/silver verchromt/vergoldet/versilbert

plate·ful ['pleɪtfʊl] *n* Teller *m;* **a ~ of lasagna** ein Teller *m* [voll] Lasagne

plate 'glass *n no pl* Flachglas *nt fachspr*

plate·let ['pleɪtlət] *n* [Blut]plättchen *nt*

'plate rack *n* Geschirrständer *m* **'plate-warm·er** *n* Tellerwärmer *m*

plat·form ['plætfɔːm] *n* ❶ (*elevated area*) Plattform *f;* (*raised structure*) Turm *m* ❷ (*on station*) Bahnsteig *m* ❸ (*stage*) Podium *nt* ❹ (*opportunity to voice views*) Plattform *f* ❺ (*policies*) [Partei]programm *nt*

plat·form 'shoes *npl* Plateauschuhe *pl*

plat·ing ['pleɪtɪŋ] *n* Überzug *m; ~ of* **chrome/gold/silver** Verchromung/Vergoldung/Versilberung *f*

plati·num ['plætɪnəm] *n no pl* Platin *nt*

plati·tude ['plætɪtjuːd] *n* (*pej*) Platitüde *f geh*

pla·ton·ic [pləˈtɒnɪk] *adj* platonisch

pla·toon [pləˈtuːn] *n* + *sing/pl vb* MIL Zug *m*

plat·ter ['plætər] *n* ❶ (*food selection*) Platte *f* ❷ AM, AUS (*main course*) Teller *m*

platy·pus <*pl* -es> ['plætɪpəs] *n* Schnabeltier *nt*

plau·sibil·ity [ˌplɔːzɪˈbɪləti] *n no pl* Plausibilität *f; of an argument* Schlagkraft *f*

plau·sible ['plɔːzɪbl] *adj* plausibel; *person* glaubhaft

play [pleɪ] **I.** *n* ❶ *no pl* (*recreation*) Spiel *nt;* **to be at ~** spielen ❷ *no pl* SPORTS (*during game*) Spiel *nt* ❸ AM SPORTS (*move*) Spielzug *m* ❹ THEAT [Theater]stück *nt; radio ~* Hörspiel *nt;* **to go to see a ~** ins Theater gehen ❺ *no pl* (*change*) **the ~ of light** [on sth] das Spiel des Lichts [auf etw *dat*] ❻ (*freedom to move*) Spielraum *m* ❼ *no pl* (*interaction*) Zusammenspiel *nt;* **to bring sth into ~** etw ins Spiel bringen; **to come into ~** eine Rolle spielen **II.** *vi* ❶ (*amuse oneself*) spielen ❷ SPORTS spielen; **to ~ in the match** am Spiel teilnehmen ❸ THEAT *actor* spielen ❹ MUS spielen ❺ (*move*) **a smile ~ed across his lips** ein Lächeln spielte um seine Lippen ❻ (*gamble*) spielen; **to ~ for fun** zum Spaß spielen; **to ~ for money** um Geld spielen ▸ **to ~ for time** versuchen, Zeit zu gewinnen **III.** *vt* ❶ (*take part in*) spielen; **to ~ cards/darts/tag** Karten/Darts/Fangen spielen ❷ (*compete against*) ■ **to ~ sb** gegen jdn spielen ❸ (*execute*) **to ~ a shot** schießen; (*in snooker*) stoßen; ■ **to ~ the ball** den Ball spielen ❹ (*have*) **to ~ a part** eine Rolle spielen ❺ (*act as*) spielen; **to ~ the lead** die Hauptrolle spielen; **to ~ host to sb** jds

Gastgeber/Gastgeberin sein; **to ~ host to sth** *event* etw ausrichten ❻ MUS spielen; **to ~ the bagpipes/piano/violin** Dudelsack/Klavier/Geige spielen ❼ (*operate*) *CD, tape* [ab]spielen; **to ~ the radio** Radio hören; **to ~ one's stereo** seine Anlage anhaben ❽ MUS, THEAT (*perform at*) **to play Berlin/London/San Francisco** in Berlin/London/San Francisco spielen ❾ (*gamble*) **to ~ a slot machine** an einem Spielautomaten spielen; **to ~ the stock market** an der Börse spekulieren ❿ (*perpetrate*) **to ~ a trick on sb** jdn hochnehmen *fig fam;* (*practical joke*) [jdm] einen Streich spielen ⓫ CARDS (*put down*) **to ~ an ace/a king** ein Ass/einen König [aus]spielen ▸ **to ~ [with] one's <u>cards</u> close to one's chest** seine Karten nicht offenlegen *fig;* **to ~ one's <u>cards</u> right** geschickt taktieren; **to ~ the <u>game</u>** BRIT sich an die [Spiel]regeln halten; **to ~ <u>hardball</u>** *esp* AM andere Saiten aufziehen *fig;* **to ~ <u>havoc</u> with sth** etw durcheinanderbringen; **to ~ <u>hook</u>(e)y** *esp* AM, AUS blaumachen *fam;* **to ~ <u>truant</u> [from school]** BRIT schwänzen *fam;* **to ~ <u>dumb</u>** sich taub stellen; **to ~ [it] <u>safe</u>** auf Nummer sicher gehen ◆ **play about** *vi see* **play around** ◆ **play along I.** *vi* ■ **to ~ along with it** gute Miene zum bösen Spiel machen; ■ **to ~ along with sth** etw [zum Schein] mitmachen **II.** *vt* (*pej*) ■ **to ~ sb along** jdn hinhalten ◆ **play around** *vi* ❶ (*mess around*) *children* spielen; **stop ~ing around!** hör mir den Blödsinn auf! *fam* ❷ (*pej fam: be unfaithful*) fremdgehen *fam* ❸ (*experiment*) ■ **to ~ around with sth** mit etw *dat* [herum]spielen; (*try out*) etw ausprobieren; **to ~ around with ideas** etw in Gedanken durchspielen ❹ (*pej: tamper with*) herumspielen *dat* ◆ **play at** *vi* ❶ (*play game*) ■ **to ~ at sth** etw spielen ❷ (*pretend*) ■ **to ~ at being sb** so tun, als wäre man jd ❸ (*pej: do*) ■ **to ~ at sth** etw treiben *oft iron fam* ◆ **play back** *vt* noch einmal abspielen; (*rewind*) zurückspulen ◆ **play down** *vt* herunterspielen ◆ **play off I.** *vi* ■ **to ~ off for sth** um etw *akk* spielen **II.** *vt* ■ **to ~ off** ↻ **sb against sb** jdn gegen jdn ausspielen ◆ **play on** *vi* ❶ (*exploit*) ■ **to ~ on sth** etw ausnutzen ❷ (*liter: develop cleverly*) **to ~ on a phrase/word** mit einem Ausdruck/einem Wort spielen ❸ MUS, SPORTS (*keep playing*) weiterspielen ◆ **play out I.** *vt* ❶ *usu passive* (*take place*) ■ **to be ~ed out** *scene* sich abspielen ❷ (*act out*) umsetzen ❸ (*play to end*) THEAT *a play, scene* [zu Ende] spielen; **to ~ out the last few** seconds/the rest of the first half SPORTS die letzten Sekunden/den Rest der ersten Halbzeit spielen ❹ (*blow over*) ■ to ~ itself out von selbst verschwinden II. *vi esp* AM bekannt werden; (*make itself felt*) sich manifestieren ◆ play through I. *vt* MUS [von Anfang bis Ende] [durch]spielen; to ~ through a series of pieces eine Reihe von Stücken spielen II. *vi* SPORTS *auf dem Golfplatz eine langsamer spielende Gruppe überholen* ◆ play up I. *vt* ❶ (*emphasize*) hochspielen ❷ BRIT (*fam*) ■ to ~ sb (*cause trouble*) jdm zu schaffen machen; (*cause pain*) jdm Schmerzen bereiten ❸ BRIT (*fam: annoy*) nerven II. *vi* (*fam*) ❶ (*flatter*) ■ to ~ up to sb sich bei jdm einschmeicheln ❷ BRIT (*misbehave*) sich danebenbenehmen *fam;* (*throw a tantrum*) Theater machen *fig fam; children also* ungezogen sein ❸ BRIT, AUS (*malfunction*) verrückt spielen *fam* ❹ BRIT, AUS (*hurt*) weh tun *fam* ◆ play with *vi* ❶ (*form*) spielen ❷ (*play together*) ■ to ~ with sb mit jdm spielen ❸ (*manipulate nervously*) ■ to ~ with sth mit etw *dat* herumspielen *fam* ❹ (*consider*) to ~ with an idea mit einem Gedanken spielen ❺ (*treat insincerely*) ■ to ~ with sb (*pej*) mit jdm spielen ❻ (*have available*) to have sth to ~ with etw zur Verfügung haben

play·able ['pleɪəbl] *adj* MUS spielbar; SPORTS zu spielen; (*in tennis*) unhaltbar

'play-act *vi* (*pretend emotion*) Theater spielen *fig;* (*make fuss*) Theater machen *fig*

'play·back *n* ❶ (*pre-recorded version*) Playback *nt* ❷ *no pl* (*replaying*) Wiederholung *f* einer Aufnahme 'play·bill *n* ❶ (*poster*) Theaterplakat *nt* ❷ AM Theaterprogramm *nt* 'play·boy *n* (*usu pej*) Playboy *m* 'play date *n* Spieltermin *m;* to make ~s feste Zeiten zum Spielen ausmachen

play·er ['pleɪəʳ] *n* ❶ SPORTS Spieler(in) *m(f);* football/tennis ~ Fußball-/Tennisspieler(in) *m(f);* a key ~ ein wichtiger Spieler/ eine wichtige Spielerin ❷ (*musical performer*) Spieler(in) *m(f);* cello ~ Cellist(in) *m(f)* ❸ (*dated: actor*) Schauspieler(in) *m(f)* ❹ (*playback machine*) CD ~ CD-Player *m;* video ~ Videorecorder *m* ❺ POL (*participant*) ~ ein wichtige Rolle spielen; a key ~ Schlüsselfigur *f*

'play·fel·low *n* (*dated*) Spielkamerad(in) *m(f)*

play·ful ['pleɪfʊl] *adj* ❶ (*not serious*) spielerisch, scherzhaft ❷ (*frolicsome*) verspielt;

he was in a ~ mood er war zum Spielen/ Scherzen aufgelegt

play·ful·ly ['pleɪfʊli] *adv* scherzhaft; (*in play*) spielerisch, im Spiel

'play·ground *n* Spielplatz *m* 'play·group *n* Spielgruppe *f;* (*kindergarten*) Kindergarten *m* 'play·house *n* ❶ (*theatre*) Theater *nt* ❷ (*toy house*) Spielhaus *nt* (*für Kinder*)

play·ing card ['pleɪɪŋ-] *n* Spielkarte *f* **play·ing field** *n* Sportplatz *m* 'play·mate *n* ❶ (*for child*) Spielkamerad(in) *m(f)* ❷ (*fam: for adult*) Geliebte(r) *f(m),* Gespiele(in) *m(f) iron* 'play-off *n* Play-off *nt;* ~ game Entscheidungsspiel *nt* 'play·pen *n* Laufstall *m* 'play·room *n* Spielzimmer *nt* 'play·school *n* BRIT Kindergarten *m* 'play·suit *n* Spielanzug *m* 'play·thing *n* ❶ (*toy*) Spielzeug *nt* ❷ (*pej: exploited person, thing*) of force, power Spielball *m fig;* to treat sb as a ~ jdn wie eine Sache behandeln; (*as sex object*) jdn zum Sexualobjekt machen 'play·time *n no pl* ❶ (*in school*) Pause *f* ❷ (*for recreation*) Freizeit *f* 'play·wright *n* Dramatiker(in) *m(f)*

pla·za ['plɑːzə] *n* ❶ (*open square*) Marktplatz *m* ❷ (*to shop*) [shopping] ~ Einkaufszentrum *nt*

plc [,piːel'siː] *n esp* BRIT *abbrev of* public limited company AG *f*

plea [pliː] *n* ❶ (*appeal*) Appell *m;* (*entreaty*) [flehentliche] Bitte; to make a ~ for help/mercy um Hilfe/Gnade bitten ❷ LAW [Sach]einwand *m;* to put in a ~ eine Einrede erheben ❸ (*form: reason*) Grund *m;* (*pretext*) Vorwand *m*

'plea bar·gain·ing *n no pl* LAW *Vereinbarung zwischen Staatsanwalt und Angeklagtem, der sich zu einem geringeren Straftatbestand bekennen soll*

plead <pleaded, pleaded *or* SCOT, AM *also* pled, pled> [pliːd] I. *vi* ❶ (*implore*) [flehentlich] bitten, flehen; to ~ for forgiveness/justice/mercy um Verzeihung/Gerechtigkeit/Gnade bitten; ■ to ~ with sb [to do sth] jdn anflehen[, etw zu tun] ❷ LAW (*as advocate*) plädieren; (*speak for*) ■ to ~ for sb jdn verteidigen ❸ *+ adj* LAW (*answer charge*) to ~ guilty sich schuldig bekennen; to ~ not guilty sich für nicht schuldig erklären II. *vt* ❶ (*claim*) behaupten; to ~ one's ignorance sich auf Unkenntnis berufen; to ~ insanity LAW auf Unzurechnungsfähigkeit plädieren ❷ (*argue for*) to ~ sb's cause jds Fall vortragen; to ~ a case LAW eine Sache vor Gericht vertreten

plead·ing ['pliːdɪŋ] *adj* flehend

pleasure	
expressing pleasure	**Freude ausdrücken**
It's great of you to come!	**Wie schön, dass** du gekommen bist!
I'm so glad to see you again.	**Ich freue mich sehr, dass** wir uns wieder sehen.
You have made me very happy (by doing that).	**Sie haben mir** damit **eine große Freude bereitet.**
I could jump for joy!	**Ich könnte vor lauter Freude in die Luft springen.**
expressing enthusiasm	**Begeisterung ausdrücken**
Fantastic!	**Fantastisch!**
Great!/Amazing! *(fam)*/**Super!** *(fam)*/**Cool!** *(fam)*/**Wicked!** *(sl)*	**Toll!** *(fam)*/**Super!** *(fam)*/**Cool!** *(sl)*/**Wahnsinn!** *(fam)*/**Krass!** *(sl)*
That's wonderful!	**Das ist ja wunderbar/großartig!**
I'm really into this guy. *(fam)*	**Auf** diesen Typen **fahre ich voll ab.** *(sl)*
I'm completely bowled over. *(fam)*	**Ich bin ganz hin und weg.** *(fam)*
I got really carried away by her performance.	Ihre Darbietung **hat mich richtig mitgerissen.**

plead·ing·ly ['pliːdɪŋli] *adv* flehentlich

pleas·ant ['plezᵊnt] *adj* ❶ (*pleasing*) *day, experience, sensation, time* angenehm, schön; *chat, smile* nett ❷ (*friendly*) freundlich (**to** zu), liebenswürdig

pleas·ant·ly ['plezᵊntli] *adv* ❶ (*nicely*) freundlich; **to treat sb ~** jdn freundlich behandeln ❷ (*causing pleasure*) angenehm; **~ surprised** angenehm überrascht ❸ (*nice-looking*) hübsch

pleas·ant·ry ['plezᵊntri] *n usu pl* Kompliment *nt*

please [pliːz] I. *interj* ❶ (*in requests*) bitte ❷ (*when accepting sth*) ja, bitte; **more potatoes? — ~** noch Kartoffeln? – gern; **may I ...? — ~ do** darf ich ...? – selbstverständlich ❸ Brit sch (*to attract attention*) **~, Miss/Sir, I know the answer!** bitte, ich weiß die Antwort! II. *vt* ■**to ~ sb** jdm gefallen; **I'll do it to ~ you** ich mache es, nur dir zuliebe; **it ~s me to see ...** es freut mich, ... zu sehen; **to be hard/easy to ~** schwer/leicht zufrieden zu stellen sein; (*fam*) **oh well, ~ yourself** bitte, wie du meinst III. *vi* ❶ (*be agreeable*) **eager to ~** [unbedingt] gefallen wollen; **he's a bit too eager to ~ if you ask me** er ist ein bisschen übereifrig, wenn du mich fragst ❷ (*wish*) **to do as one ~s** machen, was man möchte; **come whenever you ~** kommt, wann immer ihr wollt

pleased [pliːzd] *adj* ❶ (*happy*) froh, erfreut; (*content*) zufrieden; ■**to be ~ about sth** sich über etw *akk* freuen; ■**to be ~ that ...** froh sein, dass ...; ■**to be ~ with oneself** mit sich *dat* selbst zufrieden sein ❷ (*willing*) **I'm only too ~ to help** ich helfe wirklich gerne

pleas·ing ['pliːzɪŋ] *adj* angenehm; **it's ~ that so many people could come** es ist schön, dass so viele Leute kommen konnten; **to be ~ to the ear/eye** hübsch klingen/aussehen

pleas·ur·able ['pleʒᵊrəbl] *adj* angenehm

pleas·ure ['pleʒᵊr] *n* ❶ *no pl* (*enjoyment*) Freude *f*, Vergnügen *nt*; **to give sb ~** jdm Freude bereiten; **to take ~ in doing sth** Vergnügen daran finden, etw *akk* zu tun ❷ (*source of enjoyment*) Freude *f*; **please don't mention it, it was a ~** nicht der Rede wert, das habe ich doch gern getan ❸ (*form: desire*) Wunsch *m*

'**pleas·ure boat** *n* Vergnügungsdampfer *m* '**pleas·ure prin·ci·ple** *n no pl* Lustprinzip *nt* '**pleas·ure trip** *n* Vergnügungsreise *f*

pleat [pliːt] *n* Falte *f*

pleb [pleb] *n usu pl* Brit (*pej fam*) short for **plebeian** Proll *m;* ■**the ~s** der Mob

pleb·by ['plebi] *adj* Brit (*pej fam*) proletenhaft *pej,* prollig brd

ple·beian ['pləbiːən] I. *adj* (*pej form*) primitiv II. *n* hist Plebejer(in) *m(f);* (*fig*) Prolet(in) *m(f) pej;* ■**the ~s** das gemeine Volk

plebi·scite ['plebɪsaɪt] *n* Volksentscheid *m*
pled [pled] *vi, vt esp* Am, Scot *pt, pp of*
plead
pledge [pledʒ] **I.** *n* ❶ (*promise*) Versprechen *nt;* **to fulfil a ~** ein Versprechen halten; **to make a ~ that ...** geloben, dass ... ❷ (*token*) **a ~ of friendship/good faith/loyalty** ein Unterpfand *nt* der Freundschaft/des Vertrauens/der Treue ❸ (*promise of donation*) Spendenzusage *f* ❹ (*sth pawned*) Pfand *nt* ❺ Am univ (*of fraternity*) jemand, der die Zusage zur Mitgliedschaft in einer Studentenverbindung erhalten hat, der aber noch nicht initiiert worden ist; (*of a man*) ≈ Fuchs *m* (*in einer Burschenschaft*) **II.** *vt* ❶ (*solemnly promise*) versprechen; **I've been ~d to secrecy** ich bin zur Verschwiegenheit verpflichtet worden; **to ~ allegiance to one's country** den Treueid auf sein Land leisten; **to ~ loyalty** Treue schwören ❷ (*promise to contribute*) money versprechen ❸ (*form: drink health of*) ▪**to ~ sb/sth** auf jdn/etw trinken ❹ Am univ (*promise to join*) **to ~ a fraternity/sorority** einer Studentenverbindung/[weiblichen] Verbindung beitreten wollen
ple·na·ry ['pli:nəri] **I.** *adj* ❶ (*attended by all members*) **~ assembly** Vollversammlung *f*, Plenarversammlung *f* ❷ (*form: unqualified*) unbeschränkt **II.** *n* Vollversammlung *f*
pleni·po·ten·ti·ary [ˌplenɪpə(ʊ)'ten(t)ʃᵊri] **I.** *n* pol (*dated form*) Bevollmächtigte(r) *f(m)* **II.** *adj* pol (*dated form*) bevollmächtigt
plen·ti·ful ['plentɪfᵊl] *adj* reichlich *präd;* **~ supply** großes Angebot
plen·ty ['plenti] **I.** *n no pl* (*form: abundance*) Reichtum *m;* **to live in ~** im Überfluss leben **II.** *adv* (*fam*) **I'm ~ warm enough, thank you** mir ist warm genug, fast schon zu warm, danke; **~ more** noch viel mehr; **she has ~ more ideas** sie hat noch viele Ideen; **~ good/bad** Am sehr gut/schlecht **III.** *pron* ❶ (*more than enough*) mehr als genug; **he's had ~ of opportunities to apologize** er hatte genügend Gelegenheiten, sich zu entschuldigen; **~ of money/time** viel Geld/Zeit ❷ (*a lot*) genug; **do we have problems? — yeah, we've got ~** haben wir Probleme? — ja, allerdings!; **~ to do/see** viel zu tun/sehen; Am (*fam*) **this car cost me ~** dieses Auto hat mich eine Stange Geld gekostet
ple·num ['pli:nəm] *n* (*spec*) Plenum *nt*
pletho·ra ['pleθᵊrə] *n no pl* ▪**a ~ of sth** ei-

ne Fülle von etw *dat;* (*oversupply*) ein Übermaß *nt* an etw *dat*
pleu·ri·sy ['plʊərəsi] *n no pl* med Rippenfellentzündung *f*
plex·us <*pl* -es *or* -> ['pleksəs] *n* ❶ anat Plexus *m;* **solar ~** Solarplexus *m fachspr* ❷ (*network*) Netzwerk *nt*
pli·abil·ity [ˌplaɪə'bɪləti] *n no pl* Biegsamkeit *f;* (*fig*) *of personality* Fügsamkeit *f;* (*conformity*) Überangepasstheit *f*
pli·able ['plaɪəbl] *adj* biegsam; (*fig: easily influenced*) gefügig
pli·ers ['plaɪəz] *npl* Zange *f;* **a pair of ~** eine Zange
plight [plaɪt] *n* Not[lage] *f,* schwierige Lage; **to be in a dreadful/sad/sorry ~** in einer schrecklichen/traurigen/erbärmlichen Lage sein
plim·soll ['plɪm(p)sᵊl] *n* Brit Turnschuh *m*
'Plim·soll line *n,* **'Plim·soll mark** *n* naut Kiellinie *f*
plinth [plɪn(t)θ] *n* Plinthe *f*
PLO [ˌpi:el'əʊ] *n no pl abbrev of* **Palestine Liberation Organization:** ▪**the ~** die PLO
plod [plɒd] **I.** *n* Marsch *m* **II.** *vi* <-dd-> ❶ (*walk slowly*) stapfen ❷ (*work slowly*) ▪**to ~ through sth** sich durch etw *akk* hindurcharbeiten ◆**plod away** *vi* vor sich *akk* hin arbeiten; **to ~ away at sth** etw [freudlos] tun; (*work hard*) schuften *pej fam;* **for years, he's ~ded away at the same routine job** seit Jahren macht er dieselbe stumpfe Routinearbeit ◆**plod on** *vi* ❶ (*continue walking*) weiterstapfen ❷ (*continue working*) weiterarbeiten
plod·der ['plɒdəʳ] *n* Arbeitstier *nt fam*
plonk¹ [plɒŋk] *n no pl esp* Brit, Aus (*fam: wine*) Gesöff *nt pej*
plonk² [plɒŋk] **I.** *n* (*fam: sound*) Ploppen *nt* **II.** *adv* (*fam*) dumpf knallend; **I heard something go ~** ich hörte, wie etwas dumpf machte **III.** *vt* (*fam*) ❶ (*set down heavily*) ▪**to ~ sth somewhere** etw irgendwo hinknallen ❷ (*sit heavily*) **to ~ oneself down on a chair/sofa** sich auf einen Stuhl/ein Sofa plumpsen lassen ◆**plonk down** (*fam*) **I.** *vt* ▪**to ~ down** ⟳ **sth** etw hinknallen; ▪**to ~ oneself down** sich hinplumpsen lassen **II.** *vi* sich fallen lassen
plonk·er ['plɒŋkəʳ] *n* Brit (*sl*) Blödmann *m fam,* Trottel *m fam*
plop [plɒp] **I.** *n* Platsch[er] *m fam;* **it fell into the water with a ~** es platschte ins Wasser **II.** *adv* platschend **III.** *vi* <-pp-> ❶ (*fall into liquid*) platschen *fam* ❷ (*drop heavily*) plumpsen *fam*

plot [plɒt] I. *n* ❶ (*conspiracy*) Verschwörung *f;* **to foil a ~** einen Plan vereiteln; **to hatch a ~** einen Plan aushecken; ■ **a ~ against sb/sth** eine Verschwörung gegen jdn/etw ❷ LIT (*storyline*) Handlung *f* ❸ (*of land*) Parzelle *f;* **garden-/vegetable ~** Garten-/Gemüsebeet *nt* II. *vt* <-tt-> ❶ (*conspire*) [im Geheimen] planen *a.* hum ❷ (*mark out*) ■ **to ~ sth** etw [graphisch] darstellen ❸ (*create storyline*) ■ **to ~ sth** novel, play, scene sich *dat* die Handlung für etw *akk* ausdenken III. *vi* <-tt-> ■ **to ~ against sb/sth** sich gegen jdn/etw verschwören; ■ **to ~ to do sth** (*also hum*) planen, etw zu tun ◆ **plot out** *vt* ❶ route [grob] planen ❷ scene, story umreißen

plot·ter ['plɒtə‍ʳ] *n* ❶ (*conspirator*) Verschwörer(in) *m(f)* ❷ COMPUT Plotter *m*

plough [plaʊ] I. *n* Pflug *m* II. *vt* ❶ AGR pflügen ❷ (*move with difficulty*) **to ~ one's way through sth** sich *dat* seinen Weg durch etw *akk* bahnen; (*fig*) sich durch etw *akk* [hindurch] wühlen *fig* III. *vi* ❶ AGR pflügen ❷ (*move with difficulty*) ■ **to ~ through sth** sich durch etw *akk* durchkämpfen; (*fig*) sich durch etw *akk* [hindurch] wühlen *fig* ◆ **plough back** *vt* ■ **to ~ back ⟳ sth** plants etw unterpflügen; **to ~ back profits** (*fig*) Profite reinvestieren ◆ **plough into** I. *vi* ■ **to ~ into sth** in etw *akk* hineinrasen II. *vt* ■ **to ~ sth into sth** etw in etw *akk* investieren ◆ **plough up** *vt* **to ~ up fields/land** Felder/Land umpflügen; **to ~ up sb's lawn** jds Rasen umgraben

Plough [plaʊ] *n no pl* ■ **the ~** der Große Wagen

plow *n, vt, vi* AM *see* **plough**

ploy [plɔɪ] *n* Plan *m,* Strategie *f;* (*trick*) Trick *m*

pluck [plʌk] I. *n* Mut *m,* Schneid *m o* ÖSTERR *f* fam II. *vt* ❶ (*pick*) ■ **to ~ sth** [from sth] *fruit, flower etw* [von etw *dat*] abpflücken; *grass, dead leaves, loose thread etw* [von etw *dat*] abzupfen ❷ (*remove*) *feathers* ausrupfen; *hair* entfernen; (*with pincers*) auszupfen; *chicken, goose* rupfen ❸ (*pull*) **he ~ed the letter out of my hand** er riss mir den Brief aus der Hand ❹ (*remove from situation*) ■ **to ~ sb from sth** jdn aus etw *dat* herausholen ❺ MUS zupfen III. *vi* zupfen (*at* an) ◆ **pluck out** *vt* auszupfen; *feathers* ausrupfen ◆ **pluck up** *vt* **to ~ up one's courage** [to do sth] allen Mut zusammennehmen[, um etw zu tun]

plucky ['plʌki] *adj* schneidig

plug [plʌg] I. *n* ❶ (*connector*) Stecker *m;*

to pull the ~ [**on sth**] den Stecker [aus etw *dat*] herausziehen; (*fig*) **the Administration has pulled the ~ on this project** die Verwaltung hat diesem Projekt ihre Unterstützung aufgekündigt ❷ (*socket*) Steckdose *f* ❸ (*for basin, sink*) Stöpsel *m* ❹ (*stopper*) Pfropfen *m;* cask Spund *m;* (*bung*) Zapfen *m* ❺ (*fam: publicity*) Werbung; **to give sb/sth a ~** Werbung für jdn/etw machen ❻ (*spark plug*) Zündkerze *f* II. *vt* <-gg-> ❶ (*stop up*) hole, leak stopfen; ■ **to ~ sth with sth** etw mit etw *dat* [zu]stopfen ❷ (*publicize*) anpreisen ❸ AM (*sl: shoot*) treffen (*mit einer Gewehr-, Pistolenkugel*); **to ~ sb in the arm/leg** jdm in den Arm/ins Bein schießen ◆ **plug away** *vi* verbissen arbeiten (*at* an), sich abmühen (*at* mit) ◆ **plug in** I. *vt* einstöpseln II. *vi* (*electrical device*) sich anschließen lassen ◆ **plug up** *vt* zustopfen

'**plug·hole** *n* Abfluss *m*

'**plug-in** *n* Plug-in *nt* (*Erweiterung für ein existierendes Softwareprogramm*)

plum [plʌm] I. *n* ❶ (*fruit*) Pflaume *f* ❷ (*tree*) ~ [**tree**] Pflaumenbaum *m* ❸ (*colour*) Pflaumenblau *nt* II. *adj* ❶ (*colour*) pflaumenfarben ❷ <plummer, plummest> *attr* (*exceptionally good*) traumhaft fam; **~ job** Traumberuf *m*

plum·age ['pluːmɪdʒ] *n no pl* Federkleid *nt*

plumb[1] [plʌm] I. *vt* ❶ (*determine depth*) [aus]loten ❷ (*fig: fathom*) ergründen II. *adj pred* senkrecht, im Lot fachspr III. *adv* ❶ (*fam: exactly*) genau ❷ AM (*fam: completely*) **~ crazy** total verrückt IV. *n* Lot *nt*

plumb[2] [plʌm] *vt* **our house isn't ~ed properly** die Installationen in unserem Haus sind schlecht gemacht; ■ **to ~ sth into sth** etw an etw *akk* anschließen ◆ **plumb in** *vt* washing machine, dishwasher etw anschließen

plumb·er ['plʌmə‍ʳ] *n* Klempner(in) *m(f),* Sanitär(in) *m(f)* SCHWEIZ

plumb·ing ['plʌmɪŋ] I. *n no pl* Wasserleitungen *pl* II. *adj attr* **~ contractor** beauftragter Installateur/beauftragte Installateurin; **a ~ fixture** Installationszubehör *nt*

plume [pluːm] *n* ❶ (*large feather*) Feder *f;* **tail ~** Schwanzfeder *f;* (*as ornament*) Federbusch *m* ❷ (*cloud*) **~ of smoke** Rauchwolke *f*

plum·met ['plʌmɪt] I. *vi* ❶ (*plunge*) fallen; (*with loud noise*) [herunter]donnern ❷ (*be reduced*) **house prices have ~ed** die Häuserpreise sind in den Keller gefallen; **morale has absolutely ~ed** die Stimmung ist auf den Nullpunkt gesunken II. *n* Lot *nt*

plum·my ['plʌmi] *adj* ❶ (*resembling plum*) pflaumenartig ❷ (*of plum colour*) pflaumenfarben ❸ (*exceptionally desirable*) toll *fam;* ~ **job** Traumjob *m fam* ❹ (*rich-toned*) sonor; (*high-brow*) affektiert *pej*

plump [plʌmp] **I.** *adj* (*rounded*) rund; (*euph*) *person* füllig, mollig; *arms* rundlich; *cheeks* rund **II.** *vi* ■**to** ~ **for sb/sth** sich für jdn/etw entscheiden **III.** *vt* ~ **a cushion/pillow** ein Kissen/Kopfkissen aufschütteln ◆**plump down** (*fam*) **I.** *vt* ■**to** ~ **down** ⟳ **sth** etw hinplumpsen lassen *fam;* **to** ~ **oneself down in a chair/ on the sofa** sich in einen Stuhl/aufs Sofa fallen lassen **II.** *vi* **to** ~ **down in a chair/ on the sofa** sich auf einen Stuhl/ein Sofa fallen lassen ◆**plump up** *vt cushion, pillow* aufschütteln

plump·ness ['plʌmpnəs] *n no pl* Fülligkeit *f; fruit* Größe *f*

plum 'pud·ding *n* BRIT Plumpudding *m*
'plum tree *n* Pflaumenbaum *m*

plun·der ['plʌndə̣ʳ] **I.** *vt gold, treasure* plündern; *church, palace, village* [aus]plündern; (*fig*) *the planet, environment* ausbeuten **II.** *vi* plündern **III.** *n no pl* ❶ (*booty*) Beute *f* ❷ (*act of plundering*) Plünderung *f; of planet* Ausbeutung *f*

plun·der·er ['plʌndᵊrəʳ] *n* Plünderer, Plünderin *m, f*

plunge [plʌndʒ] **I.** *n* ❶ (*drop*) Sprung *m;* (*fall*) Sturz *m*, Fall *m;* (*dive*) **to make a** ~ tauchen ❷ (*swim*) ~ [**in the pool**] Schwimmen [im Pool] *nt kein pl* ❸ (*sharp decline*) Sturz *m;* **a** ~ **in value** dramatischer Wertverlust **II.** *vi* ❶ (*fall*) stürzen (**into** in); **to** ~ **to one's death** in den Tod stürzen ❷ (*dash*) stürzen (**into** in); **she** ~**d forward** sie warf sich nach vorne ❸ (*decrease dramatically*) dramatisch sinken ❹ (*fig: begin abruptly*) ■**to** ~ **into sth** sich in etw *akk* [hinein]stürzen *fig* **III.** *vt* ❶ (*immerse*) ■**to** ~ **sth into sth** etw in etw *akk* eintauchen; (*in cooking*) etw in etw *akk* geben ❷ (*thrust*) **to** ~ **a dagger/knife/ needle into sth** jdn mit einem Dolch/einem Messer/einer Nadel stechen ◆**plunge in I.** *vi* ❶ (*dive in*) eintauchen ❷ (*fig: get involved*) sich einmischen; (*do without preparation*) ins kalte Wasser springen *fig* **II.** *vt* ■**to** ~ **sth in** *knife* etw reinstechen; *hand* etw reinstecken

'plunge pool *n* kleiner Swimmingpool; (*in sauna*) Tauchbecken *nt*

plung·er ['plʌndʒəʳ] *n* Saugpumpe *f*

plunk [plʌŋk] *n, adv, vt* AM *see* **plonk²**

plu·per·fect [ˌpluːˈpɜːfɪkt] **I.** *adj* LING Plusquamperfekt-; **the** ~ **tense** das Plusquam-

perfekt **II.** *n* LING ■**the** ~ das Plusquamperfekt

plu·ral ['plʊərᵊl] **I.** *n* ■**the** ~ der Plural; **in the** ~ im Plural **II.** *adj* ❶ LING Plural-, pluralisch ❷ (*pluralistic*) pluralistisch ❸ (*multiple*) mehrfach *attr*

plu·ral·ism ['plʊərᵊlɪzᵊm] *n no pl* Pluralismus *m geh*

plu·ral·is·tic [ˌplʊərᵊlˈɪstɪk] *adj* pluralistisch *geh*

plu·ral·ity [plʊəˈræləti] *n* ❶ *no pl* (*variety*) ■**a** ~ **of sth** eine Vielfalt an etw *dat* ❷ AM POL (*of votes*) Mehrheit *f* ❸ *no pl* (*plural condition*) Pluralität *f geh*

plus [plʌs] **I.** *prep* plus **II.** *n* <*pl* -es *or pl* -ses> Plus *nt kein pl fam;* MATH *also* Pluszeichen *nt;* (*advantage also*) Pluspunkt *m* **III.** *adj* ❶ *attr* (*above zero*) plus; ~ **two degrees** zwei Grad plus ❷ *pred* (*or more*) mindestens; **20/30/250** ~ mindestens 20/30/250 ❸ (*slightly better than*) **A** ~ ≈ Eins plus *f* ❹ (*positive*) **the** ~ **side** [**of sth**] das Positive an etw *dat*

plush [plʌʃ] **I.** *adj* ❶ (*luxurious*) exklusiv; ~ **restaurant** Nobelrestaurant *nt* ❷ (*made of plush*) Plüsch- **II.** *n* Plüsch *m*

'plus sign *n* Pluszeichen *nt* **'plus-size** *adj attr person* übergroß; *clothing* in Übergrößen, Übergröße-

Pluto ['pluːtəʊ] *n* Pluto *m*

plu·toc·ra·cy [pluːˈtɒkrəsi] *n* Plutokratie *f geh;* (*fig: wealthy elite*) die oberen Zehntausend

plu·to·crat ['pluːtə(ʊ)kræt] *n* ❶ (*rich and powerful person*) Plutokrat(in) *m(f) geh* ❷ (*pej, hum: very wealthy person*) Krösus *m oft hum*

plu·to·crat·ic [ˌpluːtə(ʊ)ˈkrætɪk] *adj* plutokratisch *geh*

plu·to·nium [pluːˈtəʊniəm] *n no pl* Plutonium *nt*

ply¹ [plaɪ] *n no pl* ❶ (*thickness*) Stärke *f*, Dicke *f* ❷ (*layer*) Schicht *f* ❸ (*strand*) **two-~ rope** zweilagiges Seil; **three-~ wool** dreifädige Wolle ❹ *no pl* (*fam: plywood*) Sperrholz *nt*

ply² <-ie-> [plaɪ] **I.** *vt* ❶ (*work steadily*) **to** ~ **a trade** ein Gewerbe betreiben; **to** ~ **one's work** seiner Arbeit nachgehen ❷ (*manipulate*) benutzen ❸ (*sell*) *drugs* handeln; *wares* anpreisen ❹ (*supply continuously*) ■**to** ~ **sb with sth** jdn mit etw *dat* versorgen; **to** ~ **sb with whisky** jdn mit Whisky abfüllen *fam* **II.** *vi* ❶ BRIT ECON **to** ~ **for business** für sich *akk* Werbung machen ❷ (*travel*) **to** ~ **between two cities** *ship, train* zwischen zwei Städten verkehren

P

'ply·wood ['plaɪwʊd] *n no pl* Sperrholz *nt*

pm *adv*, **p.m.** [ˌpiː'em] *adv abbrev of* **post meridian: one** ~ ein Uhr mittags, dreizehn Uhr; **eight** ~ acht Uhr abends, zwanzig Uhr

PM [ˌpiː'em] *n* BRIT *abbrev of* **Prime Minister** Premierminister(in) *m(f)*

PMS [ˌpiːem'es] *n* MED *abbrev of* **premenstrual syndrome** PMS *nt*

pneu·mat·ic [njuː'mætɪk] *adj* pneumatisch

pneu·mo·nia [njuː'məʊniːə] *n no pl* Lungenentzündung *f*

PO [ˌpiː'əʊ] *n abbrev of* **Post Office**

poach¹ [pəʊtʃ] *vt* pochieren

poach² [pəʊtʃ] **I.** *vt* ❶ (*catch illegally*) wildern ❷ (*steal*) ■**to** ~ **sth** sich *dat* etw unrechtmäßig aneignen; **Caroline always** ~**es my ideas** Caroline stiehlt mir immer meine Ideen ❸ (*lure away*) ■**to** ~ **sb** [**from sb**] jdn [jdm] abwerben **II.** *vi* ❶ (*catch illegally*) wildern ❷ (*steal*) stehlen

poach·er¹ ['pəʊtʃəʳ] *n* Dünster *m;* **egg** ~ Eierkocher *m*

poach·er² ['pəʊtʃəʳ] *n* Wilderer *m*

poach·ing ['pəʊtʃɪŋ] *n no pl* ❶ HUNT Wilderei *f* ❷ (*taking unfairly*) Wegnehmen *nt*

POB [ˌpiːəʊ'biː] *n abbrev of* **post office box** Postfach *nt*

P'O box *n abbrev of* **Post Office Box:** ~ **3333** Postfach 3333

pock [pɒk] *n usu pl* Pockennarbe *f*

pock·et ['pɒkɪt] **I.** *n* ❶ (*in clothing*) Tasche *f;* **coat**/**jacket**/**trouser** ~ Mantel-/Jacken-/Hosentasche *f* ❷ (*on bag, in car*) Fach *nt* ❸ (*fig: financial resources*) Geldbeutel *m;* **to pay for sth out of one's own** ~ etw aus eigener Tasche bezahlen; **to be out of** ~ Geld verlieren ❹ (*small area*) Insel *f fig;* ~ **of resistance** vereinzelter Widerstand ❺ SPORTS (*on snooker table*) Loch *nt* **II.** *vt* ❶ (*put in one's pocket*) in die Tasche stecken ❷ (*keep sth for oneself*) behalten ❸ SPORTS (*in snooker, billiards*) **to** ~ **a ball** einen Ball ins Loch spielen **III.** *adj* (*pocket-sized*) knife, phone, calculator Taschen-; ~ **edition** Taschenbuchausgabe *f*

'pock·et·book *n* AM ❶ (*woman's handbag*) Handtasche *f* ❷ (*paperback*) Taschenbuch *nt* ❸ (*fig: ability to pay*) Brieftasche *f* **pock·et 'cal·cu·la·tor** *n* Taschenrechner *m* **'pock·et-cam** *n short for* **pocket camera** Pocketkamera *f* **pock·et 'cam·era** *n* Pocketkamera *f* **'pock·et·ful** *n* ~**s of candy** Taschen voller Süßigkeiten; **a** ~ **of money** (*fig*) Unmengen *pl* von Geld

pock·et 'hand·ker·chief *n* (*dated*) Taschentuch *f* **'pock·et knife** *n* Taschenmesser *nt* **'pock·et mon·ey** *n no pl* Taschengeld *nt* **Pock·et PC** *n* COMPUT, INET Pocket PC *m* **'pock·et-size(d)** *adj* im Taschenformat *nach n;* ~ **television** Fernseher im Taschenformat

pod [pɒd] *n* ❶ (*seed container*) Hülse *f;* **pea, vanilla** Schote *f* ❷ (*on aircraft*) Gondel *f;* (*to hold jet*) Düsenaggregat *nt*

podgy ['pɒdʒi] *adj* (*esp pej*) fett; ~ **face** Mondgesicht *nt hum fam*

po·dia·trist [pə(ʊ)'daɪətrɪst] *n esp* AM, AUS (*chiropodist*) Fußspezialist(in) *m(f)*

po·dium <*pl* -dia> ['pəʊdiəm, *pl* -diə] *n* Podium *nt*

poem ['pəʊɪm] *n* (*also fig*) Gedicht *nt*

poet ['pəʊɪt] *n* Dichter(in) *m(f)*

po·et·ic(al) [pəʊ'etɪk(ᵊl)] *adj* ❶ (*relating to poetry*) dichterisch; ~ **language** Dichtersprache *f;* **to have a** ~ **temperament** Sinn für Poesie haben ❷ (*like poetry*) poetisch

po·eti·cal·ly [pəʊ'etɪkᵊli] *adv* dichterisch, poetisch

po·et·ry ['pəʊɪtri] *n no pl* ❶ (*genre*) Dichtung *f,* Lyrik *f* ❷ (*poetic quality*) Poesie *f*

pog·rom ['pɒɡrəm] *n* Pogrom *nt*

poign·ant ['pɔɪnjənt] *adj* bewegend; (*distressing*) erschütternd; *memories* melancholisch

poin·set·tia [ˌpɔɪn(t)'setiə] *n* Weihnachtsstern *m*

point [pɔɪnt] **I.** *n* ❶ (*sharp end*) Spitze *f; of a star* Zacke *f* ❷ (*dot*) Punkt *m;* ~ **of light** Lichtpunkt *m* ❸ (*punctuation mark*) Punkt ❹ (*decimal point*) Komma ❺ (*position*) Stelle *f,* Punkt *m;* ~ **of contact** Berührungspunkt *m;* **starting** ~ Ausgangspunkt *m a. fig* ❻ (*particular time*) Zeitpunkt *m;* **she was on the** ~ **of collapse** sie stand kurz vor dem Zusammenbruch; **I was completely lost at one** ~ an einer Stelle hatte ich mich komplett verlaufen; **at this**/**that** ~ **in time** zu dieser/jener Zeit; **at that** ~ zu diesem Zeitpunkt; (*then*) in diesem Augenblick; **from that** ~ **on ...** von da an ... ❼ (*about to do*) **I was on the** ~ **of leaving** ich war kurz davor, ihn zu verlassen ❽ (*argument, issue*) Punkt *m;* **ok ok, you've made your** ~! ja, ich hab's jetzt verstanden! *fam;* **what** ~ **are you trying to make?** worauf wollen Sie hinaus?; **she does have a** ~ **though** so ganz Unrecht hat sie nicht; **she made the** ~ **that ...** sie wies darauf hin, dass ...; (*stress*) betonte, dass ...; **my** ~ **exactly** das sag ich ja *fam;* **ok,** ~ **taken** ok, ich hab schon begriffen *fam;* ~ **of law** Rechtsfrage *f* ❾ *no pl* (*most important idea*) **the ~ is ...** der Punkt ist nämlich der, ...; **that's beside the ~!** darum geht es doch gar nicht!; **to come to the ~** auf den Punkt kommen; **to keep to the ~** beim Thema bleiben ⑩ *no pl* (*purpose*) Sinn *m*, Zweck *m*; **but that's the whole ~!** aber das ist doch genau der Punkt!; **what's the ~ of waiting for them?** warum sollten wir auf sie warten?; **but that's the whole ~ of doing it!** aber deswegen machen wir es ja gerade!; **what's the ~ anyway?** was soll's? ⑪ (*stage in process*) Punkt *m;* **from that ~ on ...** von diesem Moment an ...; **the high ~ of the evening ...** der Höhepunkt des Abends ...; **... when it came to the ~ ...** ... als es soweit war, ...; **up to a ~** bis zu einem gewissen Grad ⑫ (*important characteristic*) Merkmal *nt;* **bad/good ~s** schlechte/gute Seiten; **sb's strong ~s** jds Stärken *pl;* **sb's weak ~s** jds Schwächen ⑬ (*in sports*) Punkt *m;* **to win on ~s** nach Punkten siegen ⑭ (*unit*) STOCKEX Punkt *m;* (*with prices*) [Prozent]punkt *m* ⑮ (*on compass*) Strich *m;* (*on thermometer*) Grad *m* ⑯ (*in ballet*) Spitze *f* ⑰ BRIT, AUS (*socket*) Steckdose *f* ⑱ BRIT RAIL **~s** *pl* Weichen *pl* ⑲ TYPO Punkt *m* ⑳ (*punch line*) *of a story* Pointe *f* **II.** *vi* ❶ (*with finger*) deuten, zeigen (**at/to** auf) ❷ (*be directed*) weisen; **to ~ east/west** nach Osten/Westen zeigen ❸ (*indicate*) hinweisen (**to** auf) ❹ (*use as evidence*) verweisen (**to** auf) ❺ HUNT *dog* vorstehen **III.** *vt* ❶ (*aim*) ■**to ~ sth at sb/ sth** *weapon* etw [auf jdn/etw] richten; *stick, one's finger* mit etw *dat* auf jdn/etw zeigen ❷ (*direct*) **to ~ sb in the direction of sth** jdm den Weg zu etw *dat* beschreiben ❸ (*extend*) **to ~ one's toes** die Zehen strecken ◆**point out** *vt* ❶ (*show*) ■**to ~ out** ○ *sth* auf etw hinweisen; (*with finger*) etw zeigen ❷ (*inform*) **to ~ out that ...** darauf aufmerksam machen, dass ... ◆**point up** *vt* (*form*) hervorheben; (*show*) zeigen

point-'blank I. *adv* ❶ (*at very close range*) aus nächster Nähe ❷ (*bluntly*) geradewegs, unumwunden **II.** *adj attr* ❶ (*very close*) nah; **to shoot sb/sth at ~ range** auf jdn/ etw aus nächster Nähe schießen ❷ (*blunt*) unverhohlen; *question* unverblümt

point·ed ['pɔɪntɪd] *adj* ❶ (*with sharp point*) spitz ❷ (*emphatic*) pointiert *geh;* *criticism* scharf; *question* unverblümt; *remark* spitz; *reminder* eindrücklich

point·er ['pɔɪntə'] *n* ❶ (*on dial*) Zeiger *m* ❷ (*rod*) Zeigestock *m* ❸ *usu pl* (*fam: tip*) Tipp *m;* (*instructions*) Hinweis *m* ❹ (*indi-*

cator) Gradmesser *m* *fig* ❺ (*dog*) Vorstehhund *m;* (*breed*) Pointer *m*

point·less ['pɔɪntləs] *adj* sinnlos, zwecklos; *remark* überflüssig

point·less·ness ['pɔɪntləsnəs] *n no pl* Sinnlosigkeit *f*

point of 'view <*pl* points of view> *n* Ansicht *f,* Einstellung *f;* **from a purely practical ~** rein praktisch betrachtet

'points·man *n* BRIT RAIL Weichensteller(in) *m(f)* ❷ ADMIN (*with point duty*) Verkehrspolizist(in) *m(f)*

point-to-'point *n,* **point-to-'point race** *n* SPORTS Jagdrennen *nt*

pointy ['pɔɪnti] *adj* spitz

poise [pɔɪz] **I.** *n no pl* Haltung *f* **II.** *vt usu passive* ❶ (*balance*) balancieren; **to be ~d to jump** sprungbereit sein; (*hover*) ■**to be ~d** schweben ❷ (*fig*) ■**to be ~d to do sth** (*about to*) nahe daran sein, etw zu tun

poised [pɔɪzd] *adj* beherrscht

poi·son ['pɔɪzᵊn] **I.** *n* Gift *nt;* (*fig*) **to lace sth with ~** etw mit Gift präparieren **II.** *vt* **to poison sb/sth** jdn/etw vergiften; (*fig*) **to ~ sb's mind against sb/sth** jdn gegen jdn/etw einnehmen

poi·son 'gas *n no pl* Giftgas *nt* **poi·son·ing** ['pɔɪzᵊnɪŋ] *n* ❶ *no pl* (*act*) Vergiften *nt* ❷ (*condition*) Vergiftung *f;* (*individual case*) Fall *m* von Vergiftung; **blood/lead ~** Blut-/Bleivergiftung *f;* **food ~** Lebensmittelvergiftung *f* **poi·son·ous** ['pɔɪzᵊnəs] *adj* ❶ (*containing poison*) giftig; **~ mushroom** Giftpilz *m;* **~ snake** Giftschlange *f* ❷ (*malicious*) giftig *fig*, boshaft

poke[1] [pəʊk] *n* ❶ *esp* SCOT (*bag*) Beutel *m* ❷ AM (*fam: purse*) Portmonee *nt*

poke[2] [pəʊk] **I.** *n* ❶ (*jab*) Stoß *m* ❷ (*vulg, sl: sex*) Fick *m* **II.** *vt* ❶ (*prod*) anstoßen; (*with umbrella, stick*) stechen; **to ~ sb in the arm/ribs** jdn in den Arm/die Rippen knuffen; **to ~ a hole in sth** ein Loch in etw *akk* bohren ❷ ■**to ~ sth into/through sth** (*prod with*) etw in/durch etw *akk* stecken; (*thrust*) etw in/durch etw *akk* stoßen ❸ (*stir*) **to ~ [up] a fire** ein Feuer schüren ❹ (*extend*) **to ~ one's head up/ through the window** den Kopf in die Höhe/durch das Fenster strecken ❺ AM (*fam: hit*) ■**to ~ sb [on the nose]** jdn [auf die Nase] hauen ► **to ~ fun at sb** sich über jdn lustig machen; **to ~ one's nose into sb's business** (*fam*) seine Nase in jds Angelegenheiten stecken **III.** *vi* ❶ (*jab repeatedly*) herumfummeln *fam* (**at** an); **to ~ at sth with one's finger/a stick** mit einem Finger/Stock an etw *akk* stoßen; **to ~ at one's food** in seinem Essen herumstochern

❷ (*break through*) ■**to ~ through** durchscheinen ◆**poke about, poke around** *vi* (*fam*) herumstöbern; (*without permission*) herumschnüffeln ◆**poke out I.** *vi* ■**to ~ out** [of sth] [aus etw *dat*] hervorgucken [*o* SÜDD, ÖSTERR herausschauen] **II.** *vt* ❶ (*stick out*) **to ~ one's head out** den Kopf herausstecken; **to ~ one's tongue out** die Zunge herausstrecken ❷ (*remove*) herausschieben; **to ~ out sb's eyes** jdm die Augen ausstechen ◆**poke round** *vi* BRIT *see* **poke around** ◆**poke up I.** *vi* hervorragen; ■**to ~ up over sth** über etw *dat* herausragen **II.** *vt* **to ~ up a fire** ein Feuer schüren

pok·er¹ ['pəʊkə'] *n* (*card game*) Poker *m o nt;* **a game of ~** eine Runde Poker

pok·er² ['pəʊkə'] *n* (*fireplace tool*) Schürhaken *m*

pok·ey ['pəʊki] *adj,* **poky** ['pəʊki] *adj* (*pej*) ❶ (*small*) winzig ❷ AM (*slow*) lahm

Po·land ['pəʊlənd] *n* Polen *nt*

po·lar ['pəʊlə'] *adj attr* ❶ (*near pole*) polar; **~ explorer** Polarforscher(in) *m(f)* ❷ (*opposite*) gegensätzlich, polar *geh; opposites* diametral *geh*

po·lar 'bear *n* Eisbär *m* **po·lar 'cir·cle** *n* Polarkreis *m* **po·lar 'front** *n* METEO Polarfront *f*

po·lar·ity [pə(ʊ)'lærɪti] *n* SCI Polarität *f;* (*fig also*) Gegensätzlichkeit *f*

po·lari·za·tion [ˌpəʊl²raɪ'zeɪʃ²n] *n no pl* Polarisierung *f*

po·lar·ize ['pəʊl²raɪz] **I.** *vt* polarisieren **II.** *vi* sich polarisieren

po·lar 'lights *npl* Polarlicht *nt* '**po·lar zone** *n* Polarzone *f*

pole¹ [pəʊl] *n* Stange *f;* (*pointed at one end*) Pfahl *m;* **fishing ~** *esp* AM Angelrute *f;* **flag~** Fahnenmast *m*

pole² [pəʊl] *n* ❶ GEOG, ELEC Pol *m;* **the magnetic ~** der Magnetpol; **the North/ South P~** der Nord-/Südpol; **the minus/ positive ~** der Minus-/Pluspol ❷ (*extreme*) Extrem *nt;* **to be ~s apart** Welten voneinander entfernt sein

pole·axe ['pəʊlæks] **I.** *n* Schlächterbeil *nt* **II.** *vt* ❶ (*strike powerfully*) zusammenschlagen ❷ (*shock strongly*) schockieren

pole·cat ['pəʊlkæt] *n* BRIT (*wild cat*) Iltis *m* '**pole danc·ing** *n no pl* Vorführung von fast unbekleideten Tänzerinnen in Bars: erotische Bewegungen, bei denen ein vertikaler Stab als Mittelpunkt und Accessoire dient

po·lem·ic [pə'lemɪk] **I.** *n* Polemik *f* **II.** *adj* polemisch

po·lemi·cal [pə'lemɪk²l] *adj* polemisch

pole po·'si·tion *n no pl* SPORTS Poleposition *f fachspr;* **to be in ~** die Poleposition haben; (*fig*) an der Spitze stehen '**Pole Star** *n no pl* Polarstern *m;* (*fig liter: guiding principle*) Leitgedanke *m* '**pole vault** *n* Stabhochsprung *m kein pl* '**pole-vault·er** *n* Stabhochspringer(in) *m(f)*

po·lice [pə'li:s] **I.** *n + pl vb* ❶ (*force*) ■**the ~** die Polizei *kein pl;* **to call the ~** die Polizei rufen ❷ (*police officers*) Polizisten(innen) *mpl(fpl)* **II.** *vt* ❶ (*guard*) überwachen ❷ (*regulate*) ■**to ~ sb/sth/ oneself** jdn/etw/sich selbst kontrollieren ❸ AM MIL ■**to ~ sth** *an event* irgendwo Wache halten

po·'lice car *n* Polizeiauto *nt* **po·lice 'con·sta·ble** *n* BRIT Polizeiwachtmeister(in) *m(f)* **po·'lice court** *n* ≈ Amtsgericht *nt* **po·'lice de·part·ment** *n* Polizeidienststelle *f* **po·'lice dog** *n* Polizeihund *m* **po·lice 'es·cort** *n* Polizeieskorte *f* **po·'lice force** *n* ❶ *no pl* (*the police*) ■**the ~** die Polizei ❷ (*unit of police*) Polizeieinheit *f* **po·lice in·'form·er** *n* Informant(in) *m(f)* [der Polizei], Polizeispitzel(in) *m(f) pej* **po·lice 'mag·is·trate** *n* Polizeirichter(in) *m(f)* **po·'lice·man** *n* Polizist *m* **po·'lice of·fic·er** *n* Polizeibeamte(r) *m,* Polizeibeamte [*o* -in] *f* **po·'lice raid** *n* Razzia *f* **po·lice 'rec·ord** *n* ❶ (*dossier*) Polizeiakte *f* ❷ (*history of convictions*) Vorstrafenregister *nt* **po·'lice re·port·er** *n* Polizeireporter(in) *m(f)* **po·'lice state** *n* (*pej*) Polizeistaat *m* **po·'lice sta·tion** *n* Polizeiwache *f* **po·'lice·wom·an** *n* Polizistin *f*

poli·cy¹ ['pɒləsi] *n* ❶ (*plan*) Programm *nt,* Strategie *f;* (*principle*) Grundsatz *m* ❷ *no pl* Politik *f;* **a change in ~** ein Richtungswechsel *m* in der Politik; **company ~** Firmenpolitik *f;* **domestic ~** Innenpolitik *f;* **economic ~** Wirtschaftspolitik *f;* **to make ~ on sth** Richtlinien *pl* für etw *akk* festlegen

poli·cy² ['pɒləsi] *n* (*in insurance*) Police *f,* Polizze *f* ÖSTERR

'**poli·cy·hold·er** *n* Versicherungsnehmer(in) *m(f)* '**poli·cy mak·er** *n* Parteiideologe, -ideologin *m, f* '**poli·cy-mak·ing** *n no pl* Festsetzen *nt* von Richtlinien '**poli·cy num·ber** *n* Versicherungsnummer *f,* Polizzennummer *f* ÖSTERR '**poli·cy own·er** *n* Versicherungsnehmer(in) *m(f)*

po·lio ['pəʊliəʊ] *n,* **po·lio·my·eli·tis** [ˌpəʊliə(ʊ)maɪə'laɪtɪs] *n* (*spec*) Kinderlähmung *f*

'**po·lio vac·cine** *n* Polioimpfstoff *m*

pol·ish ['pɒlɪʃ] **I.** *n* ❶ (*substance*) Politur *f;*

shoe ~ Schuhcreme *f* ❷ *usu sing* (*act*) Polieren *nt kein pl* ❸ (*fig: refinement*) [gesellschaftlicher] Schliff **II.** *vt* ❶ (*rub*) polieren; *shoes, silver* putzen ❷ (*fig: refine*) aufpolieren ◆ **polish off** *vt* ❶ (*eat up*) *food* verdrücken *fam* ❷ (*deal with*) ▪ **to ~ off** ◯ **sth** etw schnell erledigen ◆ **polish up** *vt* aufpolieren; (*fig*) auffrischen

Po·lish ['pəʊlɪʃ] **I.** *n* Polnisch *nt* **II.** *adj* polnisch

pol·ished ['pɒlɪʃt] *adj* ❶ (*gleaming*) glänzend *attr* ❷ (*showing great skill*) formvollendet; *performance* großartig ❸ (*refined*) gebildet; *manners* geschliffen

pol·it·bu·ro ['pɒlɪt͵bjʊərəʊ] *n* (*hist*) Politbüro *nt hist*

po·lite [pə'laɪt] *adj* ❶ (*courteous*) höflich ❷ (*cultured*) vornehm; *society* gehoben

po·lite·ly [pə'laɪtli] *adv* höflich; ~ **but firmly** höflich aber bestimmt

po·lite·ness [pə'laɪtnəs] *n no pl* Höflichkeit *f*

poli·tic ['pɒlɪtɪk] *adj* ❶ (*prudent*) [taktisch] klug ❷ POL **the body ~** der Staat

po·liti·cal [pə'lɪtɪkᵊl] *adj* ❶ (*of politics*) politisch; ~ **leaders** politische Größen *pl* ❷ *esp* AM (*pej: tactical*) taktisch

po·liti·cal cor·'rect·ness *n*, **PC** *n no pl* politische Korrektheit *f*

po·liti·cal·ly [pə'lɪtɪkᵊli] *adv* (*of politics*) politisch; ~ **aware** politisch gebildet

po·liti·cal·ly cor·'rect *adj*, **PC** politisch korrekt

poli·ti·cian [͵pɒlɪ'tɪʃᵊn] *n* Politiker(in) *m(f)*

po·liti·cize [pə'lɪtɪsaɪz] **I.** *vt* politisieren *geh* **II.** *vi* politisieren *geh,* sich politisch engagieren

poli·tics ['pɒlətɪks] *npl* ❶ + *sing vb* Politik *f kein pl;* **global/local** ~ Welt-/Lokalpolitik *f kein pl;* **to go into** ~ in die Politik gehen ❷ + *pl vb* (*political beliefs*) politische Ansichten *pl* ❸ + *sing vb* (*within group*) **office** ~ Büroklüngelei *f pej;* **to play** ~ Winkelzüge machen ❹ + *sing vb* BRIT (*political science*) Politologie *f kein pl*

pol·ka ['pɒlkə] **I.** *n* Polka *f* **II.** *vi* Polka tanzen

poll [pəʊl] **I.** *n* ❶ (*public survey*) Erhebung *f;* **a** [**public**] **opinion** ~ eine [öffentliche] Meinungsumfrage ❷ (*voting places*) ▪ **the ~s** *pl* die Wahllokale *pl;* **to go to the** ~**s** wählen [gehen] ❸ (*result of vote*) [Wähler]stimmen *pl* ❹ (*number of votes cast*) Wahlbeteiligung *f* **II.** *vt* ❶ (*canvass in poll*) befragen ❷ (*receive*) **the party ~ed 67% of the vote** die Partei hat 67 % der Stimmen erhalten

pol·lard ['pɒləd] **I.** *n* ❶ (*tree*) gekappter

Baum ❷ (*animal*) hornloses Tier **II.** *vt* **to ~ a tree/an animal** einen Baum/ein Tier kappen

pol·len ['pɒlən] *n no pl* Blütenstaub *m*

'pol·len count *n* Pollenflug *m kein pl*

pol·li·nate ['pɒləneɪt] *vt* bestäuben

pol·li·na·tion [͵pɒlə'neɪʃᵊn] *n no pl* BOT Bestäubung *f*

poll·ing ['pəʊlɪŋ] *n no pl* (*election*) Wahl *f;* (*referendum*) Abstimmung *f*

'poll·ing booth *n* BRIT, AUS Wahlkabine *f* **'poll·ing card** *n* BRIT, AUS Wahlbenachrichtigung *f form* **'poll·ing day** *n no art* BRIT, AUS Wahltag *m* **'poll·ing sta·tion** *n* BRIT, AUS, AM **'poll·ing place** *n* Wahllokal *nt*

poll·ster ['pəʊlstəʳ] *n* Meinungsforscher(in) *m(f)*

pol·lu·tant [pə'lu:tᵊnt] *n* Schadstoff *m*

pol·lute [pə'lu:t] *vt* ❶ (*contaminate*) verschmutzen ❷ (*fig: corrupt*) besudeln *fig, pej;* **to ~ sb's mind** jds Charakter verderben

pol·lut·er [pə'lu:təʳ] *n* Umweltverschmutzer(in) *m(f)*

pol·lu·tion [pə'lu:ʃᵊn] *n no pl* ❶ (*polluting*) Verschmutzung *f;* **air** ~ Luftverschmutzung *f;* **environmental** ~ Umweltverschmutzung *f* ❷ (*pollutants*) Schadstoffe *pl* ❸ (*corruption*) Besudelung *f fig, pej*

polo ['pəʊləʊ] *n* ❶ *no pl* SPORTS Polo *nt* ❷ (*shirt*) Polohemd *nt*

'polo neck *n* Rollkragen *m* **'polo shirt** *n* Polohemd *nt*

poly ['pɒli] *n* BRIT (*fam*) *short for* **polytechnic** Fachhochschule *f*

poly·am·ide [͵pɒli'æmaɪd] *n no pl* Polyamid *nt*

poly·chrome ['pɒlɪkrəʊm] **I.** *adj* polychrom *fachspr* **II.** *n* ART (*statue*) polychrome Statue *fachspr;* (*sculpture*) polychrome Skulptur *fachspr*

poly·clin·ic [͵pɒlɪ'klɪnɪk] *n* Poliklinik *f*

poly·es·ter [͵pɒli'estəʳ] *n no pl* (*polymer*) Polyester *m*

po·lyga·mist [pə'lɪɡəmɪst] *n* Polygamist(in) *m(f) geh*

po·lyga·mous [pə'lɪɡəməs] *adj* polygam *geh*

po·lyga·my [pə'lɪɡəmi] *n no pl* Polygamie *f geh*

poly·glot ['pɒlɪɡlɒt] **I.** *adj* (*form*) polyglott **II.** *n* (*form*) Polyglotte(r) *f(m)*

poly·gon ['pɒlɪɡən] *n* Vieleck *nt,* Polygon *nt fachspr*

po·lygo·nal [pə'lɪɡᵊnᵊl] *adj* vieleckig, polygonal *fachspr*

poly·graph ['pɒlɪɡrɑ:f] *n esp* AM Lügendetektor *m*

poly·mer·ic [ˌpɒlɪˈmerɪk] *adj* polymer *fachspr*

poly·mor·phic [ˌpɒlɪˈmɔːfɪk] *n*, **poly·mor·phous** [ˌpɒlɪˈmɔːfəs] *adj* (*spec*) polymorph *fachspr*

Poly·nesia [ˌpɒlɪˈniːʒə] *n* Polynesien *nt*

Poly·nesian [ˌpɒlɪˈniːʒən] **I.** *adj* polynesisch **II.** *n* ❶ (*native of Polynesia*) Polynesier(in) *m(f)* ❷ (*language group*) polynesische Sprachen *pl*

pol·yp [ˈpɒlɪp] *n* MED, ZOOL Polyp *m*

poly·phon·ic [ˌpɒlɪˈfɒnɪk] *adj* polyphon *fachspr*

po·lypho·ny [pəˈlɪfəni] *n no pl* Polyphonie *f fachspr*

poly·sty·rene [ˌpɒlɪˈstaɪ(ə)riːn] *n no pl* BRIT, AUS Styropor® *nt*

poly·syl·lab·ic [ˌpɒlɪsɪˈlæbɪk] *adj* mehrsilbig, polysyllabisch *fachspr*

poly·syl·la·ble [ˌpɒlɪˈsɪləbl] *n* LING mehrsilbiges Wort, Polysyllabum *nt fachspr*

poly·tech·nic [ˌpɒlɪˈteknɪk] *n esp* BRIT Fachhochschule *f*

poly·the·ism [ˈpɒlɪθiːɪzᵊm] *n no pl* Polytheismus *m*

poly·the·is·tic [ˌpɒlɪθiːˈɪstɪk] *adj* polytheistisch

poly·thene [ˈpɒlɪθiːn] *n no pl* BRIT, AUS Polyäthylen *nt*; ~ **bag** Plastiktüte *f*

poly·un·satu·rat·ed [ˌpɒlɪʌnˈsætʃᵊreɪtɪd] *adj* mehrfach ungesättigt

poly·un·satu·rat·ed fats *n*, **poly·un·satu·rates** [ˌpɒlɪʌnˈsætʃᵊreɪts] *npl* (*fatty acids*) mehrfach ungesättigte Fettsäuren; (*fats*) Fette mit einem hohen Anteil an mehrfach ungesättigten Fettsäuren

poly·urethane [ˌpɒlɪˈjuərəθeɪn] *n no pl* Polyurethan *nt*

poly·va·lent [ˌpɒlɪˈveɪlənt] *adj* polyvalent

po·made [pəˈ(ʊ)meɪd] (*dated*) **I.** *n no pl* Pomade *f* **II.** *vt* to ~ **sb's hair** jdm Pomade ins Haar streichen

pom·egran·ate [ˈpɒmɪɡrænɪt] *n* Granatapfel *m*

pomp [pɒmp] *n no pl* Pomp *m*, Prunk *m*

pom·pos·ity [pɒmˈpɒsəti] *n no pl* Selbstgefälligkeit *f*

pomp·ous [ˈpɒmpəs] *adj* ❶ (*self-important*) *person* selbstgefällig ❷ (*pretentious*) *language* geschraubt *pej*

pomp·ous·ly [ˈpɒmpəsli] *adv manner* aufgeblasen *pej*; *choice of words* geschraubt *pej*

ponce [pɒn(t)s] **I.** *n* ❶ BRIT, AUS (*pej fam*) Softie *m oft pej sl* ❷ BRIT (*fam: pimp*) Zuhälter *m* **II.** *vi* ■ to ~ **about** ❶ BRIT, AUS (*behave effeminately*) herumtänzeln *fam*

❷ BRIT (*muck about*) herumhängen *fam*

pon·cho [ˈpɒntʃəʊ] *n* Poncho *m*

poncy [ˈpɒn(t)ʃi] *adj* BRIT, AUS (*pej fam*) affig

pond [pɒnd] *n* ❶ (*body of water*) Teich *m* ❷ (*hum: Atlantic Ocean*) ■ **the** ~ der große Teich

pon·der [ˈpɒndəʳ] **I.** *vt* ■ to ~ **sth** etw durchdenken **II.** *vi* nachdenken (**on** über); **he appeared to be** ~**ing deeply** er schien tief in Gedanken versunken; ■ **to** ~ **whether/why** ... sich fragen, ob/warum ...

pon·der·ous [ˈpɒndᵊrəs] *adj* (*pej*) ❶ (*heavy and awkward*) mühsam ❷ (*laborious*) schwerfällig

pone [pəʊn] *n* AM [**corn**] ~ Maisbrot *nt*

pong [pɒŋ] BRIT, AUS **I.** *n* (*fam*) Mief *m pej* **II.** *vi* (*fam*) ■ **to** ~ **of sth** nach etw *dat* miefen *pej*

pon·tiff [ˈpɒntɪf] *n* (*form*) ■ **the** ~ der Papst

pon·tifi·cal [pɒnˈtɪfɪkᵊl] REL **I.** *adj* päpstlich **II.** *n* (*form*) ❶ (*vestments*) ■ ~**s** *pl* Pontifikalien *pl fachspr* ❷ (*book of liturgy*) Pontifikale *nt fachspr*

pon·tifi·cate [pɒnˈtɪfɪkət] **I.** *vi* (*pej*) ■ **to** ~ **about sth** sich über etw *akk* auslassen **II.** *n* (*form*) Pontifikat *m o nt fachspr*

pon·toon [pɒnˈtuːn] *n* ❶ (*floating device*) Ponton *m* ❷ *no pl* BRIT (*blackjack*) Siebzehnundvier *nt*

pon·toon 'bridge *n* Pontonbrücke *f*

pony [ˈpəʊni] *n* (*small horse*) Pony *nt*

'pony·tail *n* Pferdeschwanz *m*; (*braided*) Zopf *m* **'pony-trek·king** *n no pl* Ponyreiten *nt*

poo *n* BRIT, AUS (*childspeak*) *see* **pooh**

poo·dle [ˈpuːdl] *n* Pudel *m*

poof¹ [pʊf] *n* BRIT, AUS (*pej! sl*) Tunte *f meist pej fam*

poof² [pʊf] *interj* (*fam*) hui!

poof·ter [ˈpʊftəʳ] *n* BRIT, AUS (*pej! sl*) Tunte *f meist pej fam*

pooh [puː] (*fam*) **I.** *n usu pl* (*childspeak*) Aa *nt kein pl* **II.** *vi* (*childspeak*) Aa machen **III.** *interj* ❶ (*in disgust*) pfui!, igitt! ❷ (*in impatience*) ach was

pooh-pooh [puːˈpuː] *vt* (*fam*) abtun

pool¹ [puːl] **I.** *n* ❶ (*natural*) Tümpel *m* ❷ (*of liquid*) Lache *f*; ~ **of blood** Blutlache *f*; (*fig*) **the shrubbery illuminated in a** ~ **of moonlight** die Büsche, die im Mondlicht gebadet waren ❸ (*construction*) Becken *nt*; **ornamental** ~ Zierteich *m*; [**swimming**] ~ Schwimmbecken *nt*; (*private*) Swimmingpool *m*; (*public*) Schwimmbad *nt* **II.** *vi liquid* sich stauen

pool[2] [puːl] **I.** *n* ❶ (*spec*) Pool *m fachspr*; **gene ~** Erbmasse *f* ❷ *no pl* SPORTS Poolbillard *nt;* **to shoot ~** *esp* AM (*fam*) Poolbillard spielen ❸ (*in card games*) Jackpot *m;* AM (*in gambling*) Wetteinsatz *m* ❹ *pl* BRIT ■ **the ~s** Toto *nt o m;* **to do the ~s** Toto spielen ▸ **that is** dirty **~** AM (*fam*) das ist unfair **II.** *vt* zusammenlegen

'**pool hall** *n,* '**pool room** *n* Billardzimmer *nt* '**pool table** *n* Poolbillardtisch *m*

poop[1] [puːp] *n* (*of ship*) Heck *nt*

poop[2] [puːp] *n no pl* AM (*fam*) [Insider]informationen *pl*

poop[3] [puːp] **I.** *n no pl* (*esp childspeak*) Aa *nt;* **dog ~** Hundedreck *m fam* **II.** *vi* (*fam*) Aa machen *Kindersprache;* **he ~ed in his pants** er hat in die Hose gekackt *fam*

poop·er scoop·er [ˈpuːpəˌskuːpər] *n,* **poop scoop** *n* Schaufel *zum Entfernen von Hundedreck*

poop '**out** *vi* AM, AUS (*fam*) ❶ (*become tired*) schlappmachen ❷ (*not persevere*) sich geschlagen geben

'**poop sheet** *n* AM JOURN (*fam: information sheet*) Infoblatt *nt*

poor [pɔːʳ] **I.** *adj* ❶ (*lacking money*) arm ❷ (*inadequate*) unzureichend, schlecht; **their French is still quite ~** ihr Französisch ist noch ziemlich bescheiden; *attendance* gering; *excuse* faul; **to be in ~ health** in schlechtem gesundheitlichen Zustand sein; **to make a ~ job of** [doing] **sth** bei etw *dat* schlechte Arbeit leisten; **~ showing** armselige Vorstellung ❸ *attr* (*deserving of pity*) arm ❹ *pred* (*lacking*) ■ **to be ~ in sth** arm an etw *dat* sein **II.** *n* ■ **the ~** *pl* die Armen *pl*

'**poor box** *n* Almosenbüchse *f* '**poor·house** *n* (*hist*) Armenhaus *nt*

poor·ly [ˈpɔːli] **I.** *adv* ❶ (*not rich*) arm; ■ **to be ~ off** arm [dran] sein *fam;* **~ dressed** ärmlich gekleidet ❷ (*inadequately*) schlecht **II.** *adj pred* **to feel ~** sich schlecht fühlen; BRIT, AUS **the doctor described his condition as ~** die Ärztin beschrieb seinen Zustand als kritisch

poor·ness [ˈpɔːnəs] *n no pl* ❶ (*inadequacy*) Dürftigkeit *f,* Mangelhaftigkeit *f* ❷ (*poverty*) Armut *f*

poor re·'**la·tion** *n* arme(r) Verwandte(r) *f(m);* (*fig*) Stiefkind *nt*

pop[1] [pɒp] **I.** *n* ❶ (*noise*) Knall *m* ❷ *no pl* (*dated fam: effervescent drink*) Brause *f* ❸ *usu sing* AM, AUS COMM ■ **a ~** pro Stück **II.** *adv* **to go ~** (*make noise*) einen Knall machen; (*toy gun*) peng machen; (*burst*) explodieren **III.** *vi* <-pp-> ❶ (*make noise*)

knallen; **to let the cork ~** den Korken knallen lassen ❷ (*burst*) platzen ❸ (*go quickly*) ■ **to ~ out** hinausgehen; ■ **to ~ over** vorbeikommen; **to ~ upstairs** die Treppen hinaufspringen **IV.** *vt* <-pp-> ❶ (*burst*) platzen lassen ❷ (*put quickly*) **~ the pizza in the oven** schieb die Pizza in den Ofen ❸ AM (*fam: shoot*) abknallen; (*hit*) schlagen ▸ **to ~ one's** clogs BRIT (*fam*) den Löffel abgeben; **to ~ pills** Pillen schlucken ◆ **pop in** *vi* vorbeischauen; **to keep ~ping in** dauernd rein und rauslaufen ◆ **pop off** *vi* ❶ (*hum fam: die*) abkratzen *derb* ❷ (*fam: leave*) abhauen; **to ~ off home** nach Hause düsen ◆ **pop out** *vi* ❶ (*come out*) herausspringen ❷ (*leave*) kurz weg sein; ■ **to ~ out for sth** schnell etw besorgen ◆ **pop up** *vi* ❶ (*appear unexpectedly*) auftauchen; **to ~ up out of nowhere** aus dem Nichts auftauchen ❷ (*in pop-up book*) sich aufrichten ❸ AM SPORTS (*hit a short fly ball*) einen Ball im Flug berühren

pop[2] [pɒp] **I.** *n no pl* (*music*) Pop *m* **II.** *adj attr* ❶ (*popular*) populär; **~ culture** Popkultur *f* ❷ (*also pej: popularized*) populär

pop[3] [pɒp] *n esp* AM (*esp childspeak fam*) Papa *m*

'**pop art** *n no pl* Pop-Art *f* '**pop con·cert** *n* Popkonzert *nt* '**pop·corn** *n no pl* Popcorn *nt*

pope [pəʊp] *n* Papst *m*

Pope·mo·bile [ˈpəʊpməˌ(ʊ)biːl] *n* Papstmobil *nt,* Papamobil *nt*

pop-'**eyed** *adj* ❶ (*with surprise*) mit Stielaugen *fam;* ■ **to be ~** Stielaugen bekommen ❷ (*with bulging eyes*) mit Glupschaugen *nach n,* glupschäugig '**pop group** *n* Popgruppe *f* '**pop·gun** *n* Spielzeugpistole *f*

pop·lar [ˈpɒpləʳ] *n* Pappel *f*

pop·lin [ˈpɒplɪn] *n no pl* Popelin *m*

'**pop mu·sic** *n no pl* Popmusik *f*

pop·per [ˈpɒpəʳ] *n* BRIT (*fam*) Druckknopf *m*

pop·pet [ˈpɒpɪt] *n esp* BRIT, AUS (*fam*) Schatz *m;* (*form of address also*) Schätzchen *nt*

pop·py [ˈpɒpi] *n* Mohn *m kein pl,* Mohnblume *f*

'**pop·py·cock** *n no pl* (*pej dated fam*) Quatsch *m* '**Pop·py Day** *n* BRIT *Sonntag, der dem 11. November am nächsten kommt, an dem insbesondere der Gefallenen der beiden Weltkriege gedacht wird* '**pop·py seed** *n usu pl* Mohnsamen *m,* Mohn *m kein pl*

'**pop sing·er** *n* Popsänger(in) *m(f)* '**pop**

song *n* Popsong *m* '**pop star** *n* Popstar *m*
popu·lace ['pɒpjələs] *n no pl* ■ the ~ die breite Masse [der Bevölkerung]
popu·lar ['pɒpjələʳ] *adj* ❶ (*widely liked*) beliebt, populär; ■to be ~ with sb bei jdm beliebt sein ❷ *attr* (*not high-brow*) populär; **the ~ press** die Massenmedien *pl* ❸ *attr* (*widespread*) weit verbreitet; **it is a ~ belief that ...** viele glauben, dass ... ❹ *attr* (*of the people*) Volks-; **by ~ request** auf allgemeinen Wunsch; **~ support** Unterstützung *f* durch breite Schichten der Bevölkerung
popu·lar·ity [,pɒpjʊ'lærəti] *n no pl* Beliebtheit *f*, Popularität *f*
popu·lar·ize ['pɒpjələʳraɪz] *vt* ❶ (*make liked*) populär machen; **to ~ an artist** einem Künstler/einer Künstlerin zum Durchbruch verhelfen ❷ (*make accessible*) breiteren Kreisen zugänglich machen
popu·lar·ly ['pɒpjələli] *adv* ❶ (*commonly*) allgemein; **as is ~ believed** wie man allgemein annimmt; **to be ~ thought of as sth** allgemein für etw *akk* gehalten werden ❷ (*by the people*) vom Volk
popu·late ['pɒpjəleɪt] *vt* ❶ *usu passive* (*inhabit*) ■to be ~d bevölkert sein; *island* bewohnt sein (**by/with** von) ❷ (*provide inhabitants*) besiedeln
popu·la·tion [,pɒpjə'leɪʃⁿn] *n* ❶ *usu sing* (*inhabitants*) Bevölkerung *f kein pl;* **the civilian ~** die Zivilbevölkerung ❷ *no pl* (*number of people*) Einwohnerzahl *f;* **a ~ of 1.2 million** 1,2 Millionen Einwohner ❸ BIOL Population *f fachspr,* Bestand *m;* **the deer ~** der Hirschbestand
popu·la·tion 'den·sity *n no pl* Bevölkerungsdichte *f* **popu·'la·tion drift** *n no pl* Bevölkerungsbewegung *f,* demographischer Wandel **popu·la·tion ex·'plo·sion** *n* Bevölkerungsexplosion *f*
popu·lous ['pɒpjələs] *adj* (*form*) bevölkerungsreich; *region, area* dicht besiedelt
porce·lain ['pɔːsⁿlɪn] *n no pl* Porzellan *nt*
porch <*pl* -es> [pɔːtʃ] *n* ❶ (*without walls*) Vordach *nt;* (*with walls*) Vorbau *m;* of a *church* Portal *nt* ❷ AM (*veranda*) Veranda *f*
por·cu·pine ['pɔːkjəpaɪn] *n* Stachelschwein *nt*
pore¹ [pɔːʳ] *n* Pore *f*
pore² [pɔːʳ] *vi* brüten (**over** über); **to ~ over books** über Büchern hocken *fam;* **to ~ over a map/newspaper** eine Landkarte/Zeitung eingehend studieren
pork [pɔːk] *n no pl* Schweinefleisch *nt*
pork 'chop *n* Schweinekotelett *nt*
pork·er ['pɔːkəʳ] *n* Mastschwein *nt*
porkie ['pɔːki] *n usu pl* BRIT (*hum rhyming sl*) Lüge[ngeschichte] *f*

pork 'pie *n* BRIT ❶ (*food*) Schweinefleischpastete *f* ❷ (*hum rhyming sl*) *see* **porkie**
pork-pie 'hat *n* flacher Hut mit Krempe
porky ['pɔːki] **I.** *adj* (*pej fam*) fett **II.** *n* ❶ AM (*fam*) Stachelschwein *nt* ❷ BRIT (*hum rhyming sl*) *see* **porkie**
porn [pɔːn] (*fam*) **I.** *n no pl short for* **pornography** Porno *m* **II.** *adj attr short for* **pornographic** Porno-
por·no·graph·ic [,pɔːnə'græfɪk] *adj* ❶ (*containing pornography*) pornografisch, Porno- ❷ (*obscene*) obszön
por·nog·ra·phy [pɔː'nɒgrəfi] *n no pl* Pornografie *f*
po·rous ['pɔːrəs] *adj* ❶ (*permeable*) porös ❷ (*not secure*) durchlässig
por·poise ['pɔːpəs] *n* Tümmler *m*
por·ridge ['pɒrɪdʒ] *n no pl* ❶ (*boiled oats*) Porridge *m o nt,* Haferbrei *m* ❷ BRIT (*fam: time in prison*) **to do ~** [im Knast] sitzen
por·ridge 'oats *npl* BRIT Haferflocken *pl*
port¹ [pɔːt] *n* ❶ (*harbour*) Hafen *m* ❷ (*town*) Hafenstadt *f*
port² [pɔːt] *n no pl* AVIAT, NAUT Backbord *nt* ÖSTERR *a. m*
port³ [pɔːt] *n* ❶ COMPUT Anschluss *m,* Port *m fachspr* ❷ NAUT (*porthole*) Bullauge *nt* ❸ NAUT, MIL (*gun port*) Geschützpforte *f*
port⁴ [pɔːt] *n no pl* (*wine*) Portwein *m*
port⁵ [pɔːt] *n* AUS (*fam: travelling bag*) Reisetasche *f*
port·able ['pɔːtəbl] *adj* tragbar; **~ radio** Kofferradio *nt*
por·ta·cab·in *n* BRIT Wohncontainer *m*
por·tage ['pɔːtɪdʒ] *n* ❶ *no pl* TRANSP, NAUT (*carrying*) Transport *m* über Land ❷ *no pl* (*costs*) Transportkosten *pl* ❸ (*place*) Portage *f*
por·tal ['pɔːtⁿl] *n* ❶ (*form*) Portal *nt* ❷ COMPUT Portal *nt*
port au'thor·ity *n* Hafenbehörde *f*
port 'charges *npl,* **port 'dues** *npl* Hafengebühr[en] *f[pl]*
port·cul·lis <*pl* -es> [,pɔːt'kʌlɪs] *n* Fallgitter *nt*
por·ten·tous [pɔː'tentəs] *adj* ❶ (*form: highly significant*) bedeutungsvoll; (*ominous*) unheilvoll; (*grave*) schicksalhaft ❷ (*pej: pompous*) hochtrabend
por·ter¹ ['pɔːtəʳ] *n* ❶ (*baggage-carrier*) Gepäckträger *m;* (*on expedition*) Träger *m* ❷ *no pl* (*beer*) Porter *nt*
por·ter² ['pɔːtəʳ] *n* ❶ *esp* BRIT (*doorkeeper*) Portier, Portiersfrau *m, f* ❷ AM RAIL (*on sleeping car*) [Schlafwagen]schaffner(in) *m(f)*

port·fo·lio [ˌpɔːtˈfəʊliəʊ] *n* ❶ (*case*) Aktenmappe *f* ❷ (*of drawings, designs*) Mappe *f* ❸ FIN Portefeuille *nt fachspr* ❹ POL (*ministerial position*) Geschäftsbereich *m*

'**port·hole** *n* NAUT Bullauge *nt;* AVIAT Kabinenfenster *nt*

por·ti·co <*pl* -es *or* -s> [ˈpɔːtɪkəʊ] *n* Säulengang *m*, Portikus *m fachspr*

por·tion [ˈpɔːʃ^ən] **I.** *n* ❶ (*part*) Teil *m* ❷ (*share*) Anteil *m* ❸ (*serving*) Portion *f;* (*piece*) Stück *nt* **II.** *vt* ■**to** ~ **out** ⟳ **sth** etw aufteilen; (*fig*) [die] Schuld zuweisen

port·ly [ˈpɔːtli] *adj* (*esp hum*) korpulent

por·trait [ˈpɔːtrɪt] *n* ❶ (*picture*) Porträt *nt*, Bildnis *nt;* **to paint a ~ of sb** jds Porträt malen ❷ (*fig: description*) Bild *nt* ❸ *no art* TYPO (*format*) Hochformat *nt*

por·trait·ist [ˈpɔːtrɪtɪst] *n*, **por·trait paint·er** *n* Porträtmaler(in) *m(f)*

por·trai·ture [ˈpɔːtrɪtʃər] *n no pl* Porträtmalerei *f*

por·tray [pɔːˈtreɪ] *vt* ❶ (*paint*) porträtieren ❷ (*describe*) darstellen

por·tray·al [pɔːˈtreɪəl] *n* Darstellung *f;* (*in literature*) Schilderung *f*

Por·tu·gal [ˈpɔːtʃəgəl] *n* Portugal *nt*

Por·tu·guese [ˌpɔːtʃəˈgiːz] **I.** *n* ❶ <*pl* -> (*person*) Portugiese(in) *m(f)* ❷ *no pl* (*language*) Portugiesisch *nt* **II.** *adj* ❶ (*of Portugal*) portugiesisch ❷ (*of language*) course, teacher Portugiesisch-

pose [pəʊz] **I.** *n* ❶ (*bodily position*) Haltung *f*, Pose *f* ❷ *usu sing* (*pretence*) Getue *nt* **II.** *vi* ❶ (*adopt position*) posieren, eine Haltung einnehmen; ■**to** ~ **for sb** für jdn Modell sitzen; **to** ~ **for one's photograph** sich fotografieren lassen ❷ (*pretend*) ■**to** ~ **as sth** sich als etw ausgeben ❸ (*behave affectedly*) sich geziert benehmen **III.** *vt* ❶ (*cause*) aufwerfen; **to** ~ **difficulties** Schwierigkeiten mit sich *dat* bringen; **to** ~ **a threat to sb/sth** eine Bedrohung für jdn/etw darstellen ❷ (*ask*) **to** ~ **a question** eine Frage stellen

pos·er [ˈpəʊzər] *n* (*fam*) ❶ (*problem*) schwierige Frage ❷ (*pej: person*) Angeber(in) *m(f)*

posh [pɒʃ] (*fam*) **I.** *adj* ❶ (*stylish*) vornehm, piekfein; ~ **car** Luxusschlitten *m fam;* ~ **hat** todschicker Hut *fam* ❷ *esp* BRIT (*upper-class*) vornehm; **a** ~ **woman** eine feine Dame **II.** *adv* BRIT vornehm; **she talks dead** ~ sie spricht so furchtbar gestelzt

pos·it [ˈpɒzɪt] *vt* (*form*) postulieren

po·si·tion [pəˈzɪʃ^ən] **I.** *n* ❶ (*place*) Platz *m*, Stelle *f; building* Lage *f* ❷ (*appointed place*) Platz *m;* **to be in** ~ an seinem/ihrem Platz sein; **to get into** ~ seinen/ihren Platz einnehmen; **to move sth into** ~ etw zurechtrücken ❸ (*in navigation*) Position *f*, Standort *m* ❹ (*posture*) Stellung *f*, Lage *f;* **yoga** ~ Yogahaltung *f;* **lying/sitting** ~ liegend/sitzend; **to change one's** ~ eine andere Stellung einnehmen ❺ SPORTS (*in team*) [Spieler]position *f* ❻ (*rank*) Position *f*, Stellung *f* ❼ BRIT, AUS (*in race, competition*) Platz *m* ❽ (*job*) Stelle *f;* **a** ~ **of responsibility** ein verantwortungsvoller Posten ❾ *usu sing* (*situation*) Situation *f*, Lage *f;* **put yourself in my** ~ versetz dich in meine Lage; **to put sb in an awkward** ~ jdn in eine unangenehme Lage bringen ❿ *usu sing* (*form: opinion*) Haltung *f*, Standpunkt *m* ⓫ *usu pl* MIL Stellung *f* **II.** *vt* platzieren

posi·tive [ˈpɒzətɪv] *adj* ❶ (*certain*) sicher, bestimmt; ■**to be** ~ **about sth** sich *dat* einer S. *gen* sicher sein ❷ (*optimistic*) positiv; *criticism* konstruktiv ❸ MED positiv ❹ *attr* (*complete*) wirklich, absolut; **a** ~ **disadvantage/miracle** ein echter Nachteil/ein echtes Wunder ❺ MATH (*above zero*) positiv ❻ ELEC (*carried by protons*) Plus-, positiv

posi·tive·ly [ˈpɒzətɪvli] *adv* ❶ (*definitely*) bestimmt; *say, promise* fest ❷ (*optimistically*) positiv ❸ (*fam: completely*) völlig, absolut

poss [pɒs] *adj pred* (*fam*) *short for* **possible** möglich

pos·se [ˈpɒsi] *n* ❶ (*group of people*) Gruppe *f* ❷ (*sl: group of friends*) Clique *f fam* ❸ (*hist: summoned by sheriff*) [Hilfs]trupp *m*

pos·sess [pəˈzes] *vt* ❶ (*own, have*) besitzen ❷ LAW (*carry illegally*) [illegal] besitzen ❸ (*fam: cause*) **what ~ed you?** was ist denn [bloß] in dich gefahren?; **whatever ~ed him to ...** wie ist er bloß auf den Gedanken gekommen, ... ❹ *usu passive* (*control*) **to be ~ed by demons/the Devil** von Dämonen/vom Teufel besessen sein; **to be ~ed by the urge to do sth** von dem Drang besessen sein, etw tun zu müssen

pos·ses·sion [pəˈzeʃ^ən] *n* ❶ *no pl* (*having*) Besitz *m;* ■**to be in sb's** ~ sich in jds Besitz befinden ❷ *usu pl* (*something owned*) Besitz *m kein pl* ❸ POL (*area of land*) Besitzung[en] *f[pl]* ❹ *no pl* SPORTS **to regain** ~ [**of the ball**] wieder in den Ballbesitz gelangen

pos·ses·sive [pəˈzesɪv] *adj* ❶ (*not sharing*) eigen ❷ (*jealous*) besitzergreifend; **he's very** ~ **towards his wife** was seine Frau angeht, ist er sehr besitzergreifend

❸ LING (*showing possession*) possessiv

pos·ses·sor [pəˈzesəʳ] *n usu sing* (*form*) Besitzer(in) *m(f)*

pos·sibil·ity [ˌpɒsəˈbɪləti] *n* ❶ (*event or action*) Möglichkeit *f;* **there's a ~ that ...** es kann sein, dass ...; **there is every ~ that ...** es ist sehr wahrscheinlich, dass ... ❷ *no pl* (*likelihood*) Möglichkeit *f,* Wahrscheinlichkeit *f;* **is there any ~** [that] ...? besteht irgendeine Möglichkeit, dass ...?; **there's not much ~ of that happening** die Wahrscheinlichkeit, dass das passiert, ist sehr gering; **it's not beyond the bounds of ~ that ...** es ist nicht völlig auszuschließen, dass ... ❸ (*potential*) ▪ **possibilities** *pl* Möglichkeiten *pl*

pos·sible [ˈpɒsəbl] *adj* ❶ *usu pred* (*feasible*) möglich; **it's just not ~** das ist einfach nicht machbar; **the best/cheapest ~ ...** der/die/das allerbeste/allerbilligste ...; **as much/soon as ~** so viel/bald wie möglich ❷ (*that could happen*) möglich, vorstellbar; **to make sth ~** etw ermöglichen

pos·sibly [ˈpɒsəbli] *adv* ❶ (*feasibly*) **he can't ~ have drunk all that on his own!** das kann er doch unmöglich alles allein getrunken haben!; **to do all that one ~ can** alles Menschenmögliche tun ❷ (*perhaps*) möglicherweise, vielleicht; **very ~** durchaus möglich; (*more likely*) sehr wahrscheinlich ❸ (*in polite use*) möglicherweise; **could I ~ ask you to ...?** dürfte ich Sie vielleicht bitten, ...?

pos·sum <*pl - or* -s> [ˈpɒsəm] *n* Gleitbeutler *m*

post [pəʊst] **I.** *n* ❶ (*pole*) Pfosten *m,* Pfahl *m;* **concrete/iron/wooden ~** Beton-/Eisen-/Holzpfosten *m* ❷ (*in a race*) ▪ **the finishing ~** der Zielpfosten ❸ (*fam: goalpost*) [Tor]pfosten *m* **II.** *vt* ❶ (*send*) [per Post] schicken ❷ (*give notice*) [durch Aushang] bekannt geben; **to ~ sth on the** [**Inter**]**net** etw über das Internet bekannt geben

post-9-11 [ˈpəʊstnaɪnɪˌlevᵊn], **post-Sept. 11** [ˈpəʊstsepˌtembəʳɪˌlevᵊn] *adj* nach dem 11. September *nach n*

post·age [ˈpəʊstɪdʒ] *n no pl* Porto *nt*

ˈ**post·age me·ter** *n* AM (*franking machine*) Frankiermaschine *f* **post·age** ˈ**paid** *adj* [porto]frei ˈ**post·age rate** *n* Porto *nt,* Postgebühren *pl* ˈ**post·age stamp** *n* (*form*) Postwertzeichen *nt*

post·al [ˈpəʊstᵊl] *adj attr* Post-, postalisch *geh*

ˈ**post·al code** *n* BRIT, AUS Postleitzahl *f* ˈ**post·al or·der** *n esp* BRIT Postanweisung *f* **post·al** ˈ**vote** *n* BRIT Briefwahl *f*

post-apoca·lyp·tic [ˌpəʊstəˌpɒkəˈlɪptɪk] *adj book or film setting, society* post-apokalyptisch

ˈ**post·bag** *n* BRIT ❶ (*letters*) Zuschriften *pl;* (*by readers*) Leserzuschriften *pl;* (*by viewers*) Zuschauerzuschriften *pl;* (*by listeners*) Hörerzuschriften *pl* ❷ (*bag*) Postsack *m* ˈ**post·box** *n esp* BRIT, AUS Briefkasten *m* ˈ**post·card** *n* Postkarte *f* ˈ**post·code** *n* BRIT, AUS Postleitzahl *f*

post-ˈdate *vt* ❶ (*give later date*) vordatieren ❷ (*happen after*) ▪ **to ~ sth** sich später ereignen

post·er [ˈpəʊstəʳ] *n* ❶ (*advertisement*) [Werbe]plakat *nt* ❷ (*large picture*) Poster *nt*

poste res·tante [ˌpəʊstˈrestɑːnt] **I.** *n usu sing* Aufbewahrungs- und Abholstelle *f* für postlagernde Briefe und Sendungen; (*on envelopes*) '~' ‚postlagernd' **II.** *adv* postlagernd, poste restante

pos·teri·or [pɒsˈtɪəriəʳ] **I.** *n* (*hum*) Hinterteil *nt hum* **II.** *adj attr* (*form*) ❶ (*later in time*) spätere(r, s) ❷ (*towards the back*) hintere(r, s)

pos·ter·ity [pɒsˈterəti] *n no pl* (*form*) Nachwelt *f geh*

pos·tern [ˈpɒstən] *n* (*old: at back*) Hintertür *f;* (*at side*) Seitentür *f*

ˈ**post-free** BRIT **I.** *adj* gebührenfrei **II.** *adv* portofrei, gebührenfrei

post-ˈgradu·ate I. *n* Postgraduierte(r) *f(m) fachspr,* Student(in) *m(f)* im Aufbaustudium (*nach Erreichen des ersten akademischen Grades*) **II.** *adj attr* weiterführend, Postgraduierten-*fachspr,* Aufbau-

Post·gradu·ate Cer·tifi·cate in Edu·ˈ**ca·tion** *n,* **PGCE** *n* BRIT *in Großbritannien für Lehramtskandidaten/-kandidatinnen vorgeschriebenes einjähriges Referendariat nach Ablegen des ersten Examens*

post-ˈhaste *adv* (*dated form*) schnellstens **post·hu·mous** [ˈpɒstjəməs] *adj* (*form*) post[h]um

post·ing [ˈpəʊstɪŋ] *n esp* BRIT ❶ (*appointment to job*) Versetzung *f;* MIL Abkommandierung *f* ❷ (*location*) Ort, an den jd versetzt wird

ˈ**post·man** *n* Postbote *m,* Briefträger *m* ˈ**post·mark I.** *n* Poststempel *m* **II.** *vt usu passive* ▪ **to be ~ed** abgestempelt sein ˈ**post·mas·ter** *n* Leiter *m* einer Postdienststelle

post me·rid·iem [ˌpəʊs(t)məˈrɪdiəm] *adv see* **p.m.**

post-ˈmod·ern *adj* post-modern **post·mod·ern·ism** *n no pl* Postmoderne *f* **post-mor·tem** [ˌpəʊs(t)ˈmɔːtem] **I.** *n*

❶ MED (*examination*) Autopsie *f* ❷ (*fam: discussion*) Manöverkritik *f hum* **II.** *adj attr* (*done after death*) nach dem Tod *nach n,* postmortal *fachspr;* ~ **report** Obduktionsbericht *m* **post-'na·tal** *adj* nach der Geburt *nach n,* postnatal *fachspr*

'**Post Of·fice** *n* ■**the** ~ die Post *kein pl* **post of·fice** '**box** *n* Postfach *nt* **post-'paid I.** *adj* portofrei, gebührenfrei; *reply card* frankiert **II.** *adv* gebührenfrei, portofrei

post·pone [pəʊs(t)'pəʊn] *vt* verschieben

post·pone·ment [pəʊs(t)'pəʊnmənt] *n* ❶ (*delay*) Verschiebung *f* ❷ *no pl* (*deferment*) Aufschub *m; of a court case* Vertagung *f*

'**post·script** *n* ❶ (*to a letter*) Postskript[um] *nt* ❷ (*to piece of writing*) Nachwort *nt* ❸ (*sequel*) Fortsetzung *f*

post-trau·'mat·ic *adj* posttraumatisch

pos·tu·late (*form*) **I.** *vt* ['pɒstjəleɪt] postulieren *geh;* ■**to** ~ **that ...** die These vertreten, dass ... **II.** *n* ['pɒstjələt] Postulat *nt geh*

pos·ture ['pɒstʃəʳ] **I.** *n* ❶ *no pl* (*natural*) [Körper]haltung *f;* (*pose also*) Stellung *f,* Pose *f* ❷ *no pl* (*attitude*) Haltung *f* (**on** zu) **II.** *vi* (*pej*) sich in Pose werfen

post·vi·ral [ˌpəʊs(t)'vaɪrəl] *adj* MED postviral; ~ [**fatigue**] **syndrome** Erschöpfungssyndrom *nt* **post-'war** *adj* Nachkriegs-, der Nachkriegszeit *nach n*

posy ['pəʊzi] *n* Sträußchen *nt*

pot[1] *n no pl* (*sl*) Pot *nt*

pot[2] [pɒt] **I.** *n* ❶ (*for cooking*) Topf *m* ❷ (*container*) Topf *m;* (*glass*) Glas *nt;* **coffee** ~/**tea**~ Kaffee-/Teekanne *f* ❸ (*amount*) **a** ~ **of** *coffee/tea* eine Kanne Kaffee/Tee; **two** ~**s of** *sour cream/yoghurt* BRIT zwei Becher *pl* saure Sahne/Joghurt ❹ (*for plants*) Blumentopf *m* ❺ (*clay container*) Keramikgefäß *nt* ❻ (*fam: a lot*) ■~**s** *pl* jede Menge **II.** *vt* <-tt-> ❶ (*put in pot*) *plants* eintopfen; *food* in Töpfe füllen ❷ (*shoot*) abschießen ❸ SPORTS (*in billiards, snooker*) einlochen **III.** *vi* ■**to** ~ **at sth** auf etw *akk* schießen

pot·ash ['pɒtæʃ] *n no pl* Pottasche *f*

po·tas·sium [pə'tæsiəm] *n no pl* Kalium *nt*

po·tas·sium '**chlo·ride** *n no pl* Kaliumchlorid *nt* **po·tas·sium** '**cya·nide** *n no pl* Kaliumzyanid *nt fachspr* **po·tas·sium** **per·'man·ga·nate** *n no pl* Kaliumpermanganat *nt*

po·ta·to <*pl* -es> [pə'teɪtəʊ] *n* Kartoffel *f,* Erdapfel *m* ÖSTERR; **baked** ~ Ofenkartoffel *f;* **fried/roasted** ~**es** Brat-/Röstkartoffeln *pl;* **mashed** ~**es** Kartoffelbrei *m*

po·'ta·to bee·tle *n,* **po·'ta·to bug** *n* AM Kartoffelkäfer *m* **po·ta·to** '**crisp,** AM, AUS **po·ta·to** '**chip** *n usu pl* Kartoffelchip *m* **po·'ta·to mash·er** *n* Kartoffelstampfer *m* **po·'ta·to peel·er** *n* Kartoffelschäler *m*

pot-bel·lied ['pɒtˌbelid] *adj* dickbäuchig

pot '**bel·ly** *n* dicker Bauch, Wampe *f fam;* (*sign of illness*) Blähbauch *m*

'**pot·boil·er** *n* (*pej: music*) rein kommerzielles Stück; (*novel*) rein kommerzieller Roman

po·teen [pɒt'i:n] *n* IRISH *illegal gebrannter irischer Schnaps*

po·ten·cy ['pəʊtⁿn(t)si] *n no pl* ❶ (*strength*) Stärke *f; of evil, temptation, a spell* Macht *f; of a drug, poison* Wirksamkeit *f; of a weapon* Durchschlagskraft *f* ❷ (*sexual*) Potenz *f*

po·tent ['pəʊtⁿnt] *adj* ❶ (*strong*) mächtig; *antibiotic, drink, poison* stark; *argument* schlagkräftig; *symbol* aussagekräftig; *weapon* durchschlagend ❷ (*sexual*) potent

po·ten·tate ['pəʊtⁿnteɪt] *n* (*esp pej liter*) Potentat(in) *m(f) geh*

po·ten·tial [pə(ʊ)'ten(t)ʃəl] **I.** *adj* potenziell *geh,* möglich **II.** *n no pl* Potenzial *nt geh;* **to have** [**a lot of**] ~ *building, idea* [vollkommen] ausbaufähig sein; *person* [großes] Talent haben; *song* viel versprechend sein

po·ten·ti·al·ity [pə(ʊ)ˌten(t)ʃi'æləti] *n no pl* (*form: ability*) Potenzial *nt;* (*capacity*) Leistungsfähigkeit *f*

po·ten·tial·ly [pə(ʊ)'ten(t)ʃⁿli] *adv* potenziell *geh;* ~ **disastrous/successful** möglicherweise verheerend/erfolgreich; **sth is** ~ **fatal** etw kann tödlich sein

'**pot hold·er** *n esp* AM, AUS Topflappen *m* '**pot·hole** *n* ❶ (*in road*) Schlagloch *nt* ❷ (*underground hole*) Höhle *f* '**pot·hol·er** *n esp* BRIT *jd, der als Hobby Höhlen erforscht*

po·tion ['pəʊʃən] *n* Trank *m;* (*esp pej: medicine*) Mittelchen *nt hum o pej*

pot '**luck** *n no pl* Zufallstreffer *m;* **to take** ~ nehmen, was es gerade gibt **pot·pour·ri** [ˌpəʊ'pʊəri] *n no pl* Potpourri *nt* '**pot roast** *n* Schmorbraten *m* '**pot·shot** *n* (*with gun*) blinder Schuss; (*fig: verbal attack*) Seitenhieb *m;* **to take a** ~ **at sb/sth** [aufs Geratewohl] auf jdn/etw schießen; (*fig*) Seitenhiebe gegen jdn/etw austeilen

pot·ted ['pɒtɪd] *adj attr* ❶ (*in a pot*) Topf- ❷ (*preserved*) eingelegt ❸ BRIT (*fam: shorter*) gekürzt, Kurz-

pot·ter[1] ['pɒtəʳ] *n* Töpfer(in) *m(f)*

pot·ter[2] ['pɒtəʳ] *esp* BRIT **I.** *n no pl* (*stroll*)

Bummel *m;* (*around town*) Stadtbummel *m* **II.** *vi* ❶ (*unhurriedly*) bummeln ❷ (*do nothing in particular*) vor sich *akk* hin werkeln *fam*

pot·tery ['pɒtᵊri] *n* ❶ *no pl* (*activity*) Töpfern *nt* ❷ (*objects*) Keramik *f kein pl* ❸ (*factory*) Töpferei *f*

pot·ty ['pɒti] **I.** *adj esp* Brit (*fam*) verrückt; ■**to be ~ about** sb/sth nach jdm/etw verrückt sein; **to drive** sb ~ jdn zum Wahnsinn treiben **II.** *n* Töpfchen *nt*

pouch <*pl* -es> [paʊtʃ] *n* ❶ (*small bag*) Beutel *m* ❷ zool (*of kangaroo, koala*) Beutel *m;* (*of hamster*) Tasche *f*

pouf¹ [puːf] *n* Puff *m*

pouf² *n esp* Brit, Aus (*pej sl*) *see* **poof**

pouffe *n* Puff *m,* gepolsterter Hocker

poul·ter·er ['pəʊltᵊrəʳ] *n* Brit Geflügelhändler(in) *m(f)*

poul·tice ['pəʊltɪs] *n* MED Breiumschlag *m*

poul·try ['pəʊltri] *n* ❶ *pl* (*birds*) Geflügel *nt kein pl* ❷ *no pl* (*meat*) Geflügel[fleisch] *nt*

'**poul·try farm** *n* Geflügelfarm *f* '**poul·try farm·ing** *n no pl* Geflügelzucht *f*

pounce [paʊn(t)s] *vi* ❶ (*jump*) losspringen; *attacker, animal* einen Satz machen; *bird of prey* niederstoßen ❷ (*fig: seize opportunity*) *police, journalist* zuschlagen, zuschnappen *fam; interrogator* sich auf sein Opfer stürzen *fig*

pound¹ [paʊnd] *n* Pfund *nt;* (*coin*) Pfundmünze *f*

pound² [paʊnd] *n* ≈ Pfund *nt* (*454 g*)

pound³ [paʊnd] **I.** *vt* ❶ (*hit repeatedly*) ■**to ~ sth** auf etw *akk* hämmern; **to ~ the door** gegen die Tür hämmern ❷ MIL (*bombard*) **to ~ the enemy positions/town** die feindlichen Stellungen/Stadt bombardieren; (*fig*) **the storm ~ed southern France** der Sturm peitschte über Südfrankreich hinweg ❸ *esp* Brit *esp* FOOD (*crush*) zerstampfen **II.** *vi* ❶ (*strike repeatedly*) hämmern (**on** an/gegen/auf) ❷ (*run noisily*) stampfen ❸ (*beat*) *pulse* schlagen; *heart also* pochen

pound·ing ['paʊndɪŋ] **I.** *n* ❶ *no pl* (*noise*) *of guns* Knattern *nt; of heart* Schlagen *nt;* (*in head*) Pochen *nt; of music, drum* Dröhnen *nt; of waves* Brechen *nt* ❷ (*attack*) Beschuss *m kein pl;* (*from air*) Bombardement *nt;* **to take a ~** unter schweren Beschuss geraten; (*fig*) ziemlich unter Beschuss geraten ❸ (*defeat*) Niederlage *f;* (*in election, match*) Schlappe *f* **II.** *adj drum, music* dröhnend; *head, heart* pochend

pour [pɔːʳ] **I.** *vt* ❶ (*cause to flow*) gießen (**into** in, **onto** auf); ■**to ~ sth onto** sb/oneself (*accidently*) etw über jdn/sich kippen; ■**to ~** sb/oneself sth jdm/sich etw einschenken; (*as refill*) jdm/sich etw nachschenken; **~ yourself a drink** nimm dir was zu trinken ❷ (*fig: give in large amounts*) ■**to ~ sth into** sth *money, resources* etw in etw *akk* fließen lassen; *energies* etw in etw *akk* stecken **II.** *vi* ❶ (*fill glasses, cups*) eingießen, einschenken ❷ (*flow*) fließen (**into** in, **out** aus); **the sunlight came ~ing into the room** das Sonnenlicht durchströmte den Raum ❸ *impers* (*rain*) **it's ~ing [with rain]** es schüttet *fam* ◆**pour in** *vi* hereinströmen, hineinströmen; *letters, donations* massenweise eintreffen ◆**pour out I.** *vt* ❶ (*serve from a container*) *liquids* ausgießen; *solids* ausschütten ❷ (*fig: recount*) **to ~ out one's problems/thoughts/worries** sich *dat* Probleme/Gedanken/Sorgen von der Seele reden ❸ (*produce quickly*) ausstoßen **II.** *vi* ❶ (*come out*) ausströmen; *smoke* herausquellen ❷ (*be expressed*) *words etc.* herauskommen *fig*

pout [paʊt] **I.** *vi* einen Schmollmund machen; (*sulk*) schmollen **II.** *vt* **to ~ one's lips** die Lippen spitzen **III.** *n* Schmollmund *m*

pov·er·ty ['pɒvᵊti] *n no pl* ❶ (*state of being poor*) Armut *f* ❷ (*form: lack*) Mangel *m* (**of** an)

'**pov·er·ty line** *n* ■**the ~** die Armutsgrenze '**pov·er·ty-strick·en** *adj* bitterarm

POW [ˌpiːəʊˈdʌblju:] *n,* Brit *also* **PoW** *n* (*hist*) *abbrev of* **prisoner of war** KG

pow·der ['paʊdəʳ] **I.** *n* ❶ *no pl* Pulver *nt* ❷ *no pl* (*make-up*) Puder *m* ❸ Brit (*washing powder*) Waschpulver *nt* **II.** *vt* pudern; ■**to be ~ed with** sth mit etw *dat* bestreut sein

'**pow·der com·pact** *n* Puderdose *f*

pow·dered ['paʊdəd] *adj* ❶ (*in powder form*) Pulver-, pulverisiert ❷ (*covered with powder*) gepudert

'**pow·der keg** *n* Pulverfass *nt* '**pow·der puff** *n* Puderquaste *f* '**pow·der room** *n* (*dated*) Damentoilette *f*

pow·dery ['paʊdᵊri] *adj* pulvrig; (*finer*) pudrig

pow·er ['paʊəʳ] **I.** *n* ❶ *no pl* (*control*) Macht *f;* (*influence*) Einfluss *m;* **to have** sb **in one's ~** jdn in seiner Gewalt haben ❷ *no pl* (*political control*) Macht *f;* **to come to ~** an die Macht kommen; **executive/legislative ~** die exekutive/legislative Gewalt; **to seize ~** die Macht ergreifen ❸ (*nation*) [Führungs]macht *f* ❹ (*person, group*) Macht *f;* (*person also*) treibende Kraft; *pl* (*group also*) ■**~s** Kräfte *pl* ❺ *no* *pl* (*right*) Berechtigung *f* ➏ (*authority*) ■ ~s *pl* Kompetenz[en] *f*[*pl*] ➐ *no pl* (*ability*) Vermögen *nt;* **it is beyond my ~ to ...** es steht nicht in meiner Macht, ...; **to do everything in one's ~** alles in seiner Macht Stehende tun ➑ *no pl* (*strength*) Kraft *f;* (*of sea, wind, explosion*) Gewalt *f;* (*of nation, political party*) Stärke *f,* Macht *f* ➒ *no pl* (*emotion*) Intensität *f; of words* Macht *f* ➓ *no pl* (*electricity*) Strom *m,* Elektrizität *f;* **nuclear ~** Atomenergie *f* ⑪ *no pl* (*output*) Leistung *f,* Kraft *f* ⑫ *no pl* MATH Potenz *f;* **two to the ~** [of] **four** zwei hoch vier ▸ **the ~s that** be die Mächtigen II. *vt* antreiben ◆**power down** *vt* ELEC, TECH abschalten; *computer* herunterfahren ◆**power up** I. *vt* ELEC, TECH einschalten; *computer* hochfahren II. *vi* TECH, COMPUT hochfahren

pow·er·as·'sist·ed *adj attr* Servo- **'pow·er·boat** *n* Rennboot *nt* **pow·er 'brakes** *npl* Servobremsen *pl* **'pow·er cable** *n* Stromkabel *nt* **'pow·er cut** *n* BRIT, AUS (*accidental*) Stromausfall *m;* (*deliberate*) Stromsperre *f* **'pow·er-driven** *adj* Motor-; (*by electricity*) elektrisch, Elektro-

pow·er·ful ['paʊəfʰl] *adj* ➊ (*mighty*) mächtig; (*influential*) einflussreich ➋ (*physically strong*) stark, kräftig ➌ (*having physical effect*) stark; *explosion* heftig ➍ (*compelling*) *effect, influence* stark; *argument* schlagkräftig; *evidence* überzeugend; *gaze* durchdringend ➎ (*emotionally moving*) mitreißend; *literature, music also* ausdrucksvoll; *speech also* bewegend; *language, painting* ausdrucksstark ➏ TECH, TRANSP leistungsstark ➐ *lens, microscope, telescope* stark

pow·er·ful·ly ['paʊəfʰli] *adv* ➊ (*strongly*) stark; (*very much*) sehr ➋ (*using great force*) kraftvoll, mit Kraft; *argue* schlagkräftig

'pow·er·house *n* treibende Kraft, Motor *m* *fig;* (*of ideas, suggestions*) unerschöpfliche Quelle; **to be an academic ~** eine Hochburg der Wissenschaft sein

pow·er·less ['paʊələs] *adj* machtlos (**against** gegen); (*without authority*) *monarchy* ohne Machtbefugnis; ■**to be ~ to do sth** unfähig sein, etw zu tun

pow·er·less·ness ['paʊələsnəs] *n no pl* Machtlosigkeit *f*

'pow·er line *n* Stromkabel *nt* **'pow·er mow·er** *n* (*electric*) elektrischer Rasenmäher; (*petrol-driven*) Benzinrasenmäher *m* **'pow·er plant** *n* ➊ *esp* AM Kraftwerk *nt* ➋ TECH (*engine*) Triebwerk *nt;* (*equipment*) Triebwerkanlage *f* **'pow·er**

point *n* BRIT, AUS Steckdose *f* **'pow·er sta·tion** *n* Kraftwerk *nt* **pow·er 'steer·ing** *n no pl* Servolenkung *f* **'pow·er tool** *n* Motorwerkzeug *nt;* (*electric*) Elektrowerkzeug *nt*

pow·wow ['paʊwaʊ] *n* Powwow *nt* (*indianische Versammlung*); (*fig fam*) Versammlung *f*

pox [pɒks] *n no pl* (*dated fam*) ■**the ~** die Syphilis

poxy ['pɒksi] *adj* BRIT (*fam*) verflixt; (*stupid*) blöd

pp *npl* (*form*) *abbrev of* **pages** S.

PR¹ [ˌpiːˈɑːʳ] *n no pl abbrev of* **public relations** PR; **a ~ campaign/exercise** eine PR-Kampagne/PR-Maßnahme

PR² [ˌpiːˈɑːʳ] *n abbrev of* **proportional representation** Verhältniswahlsystem *nt*

prac·ti·ca·ble ['præktɪkəbl] *adj* (*form*) durchführbar, machbar

prac·ti·cal ['præktɪkʰl] I. *adj* ➊ (*not theoretical*) praktisch ➋ (*suitable*) praktisch; ■**to be ~ for sth** sich zu etw *dat* eignen ➌ (*approv: good at doing things*) praktisch [veranlagt] ➍ (*possible*) realisierbar, praktikabel; **~ method/technique** [in der Praxis] anwendbare Methode/Technik ➎ (*fam: virtual*) praktisch II. *n* praktische Prüfung

prac·ti·cal·ity [ˌpræktɪˈkæləti] *n* ➊ *no pl* (*feasibility*) Durchführbarkeit *f,* Machbarkeit *f;* (*practical gain*) praktischer Nutzen ➋ (*not theoretically*) ■**the practicalities** *pl* die praktische Seite ➌ *no pl* (*usability*) Nützlichkeit *f* ➍ (*approv*) *of a person* praktische Veranlagung

prac·ti·cal·ly ['præktɪkʰli] *adv* ➊ (*almost*) praktisch; **we're ~ home** wir sind fast zu Hause ➋ (*not theoretically*) praktisch; **to be ~ minded** praktisch denken; **~ speaking** praktisch betrachtet

prac·tice ['præktɪs] I. *n* ➊ *no pl* (*preparation*) Übung *f;* ■**to be out of/in ~** aus der/in Übung sein ➋ (*training session*) [Übungs]stunde *f;* SPORTS Training *nt* ➌ *no pl* (*actual performance*) Praxis *f;* ■**in ~** in der Praxis; **to put sth into ~** etw [in die Praxis] umsetzen ➍ *no pl* (*usual procedure*) Praxis *f* ➎ (*regular activity*) Praktik *f,* Gewohnheit *f;* (*custom*) Sitte *f* ➏ (*business*) Praxis *f* ➐ *no pl* (*work*) Praktizieren *nt* II. *vt* AM *see* **practise**

prac·ticed *adj* AM *see* **practised**

prac·tic·ing *adj attr* AM *see* **practising**

prac·tise ['præktɪs] I. *vt* ➊ (*rehearse*) ■**to ~** [**doing**] **sth** etw üben; (*improve particular skill*) an etw *dat* arbeiten; **to ~ the flute/piano/violin** Flöte/Klavier/Geige

praise

giving praise	loben, positiv bewerten
Excellent!/Outstanding!	Ausgezeichnet!/Hervorragend!
You did (that) very well.	Das hast du sehr gut gemacht.
You've made a great job of that. *(fam)*	Das hast du prima hingekriegt. *(fam)*
That's (really) something to be proud of!	Das kann sich aber (wirklich) sehen lassen!
That's an example worth following.	Daran kann man sich ein Beispiel nehmen.
I couldn't have done better myself.	Das hätte ich auch nicht besser machen können.

expressing regard	Wertschätzung ausdrücken
I think it's great how he looks after the children.	**Ich finde es super,** wie er sich um die Kinder kümmert.
I think this professor's lectures **are very good.**	**Ich finde** die Vorlesungen dieses Professors **sehr gut.**
I (really) appreciate your dedication.	**Ich schätze** Ihren Einsatz **(sehr).**
I very much appreciate your work.	**Ich weiß** Ihre Arbeit **sehr zu schätzen.**
Where would we be without your good advice?	**Ich möchte nicht auf** Ihre guten Ratschläge **verzichten müssen.**
I don't know what we would do without your help.	**Ich wüsste nicht, was wir ohne** Ihre Hilfe **tun sollten.**

üben ➋ (*do regularly*) praktizieren; *a religion* ausüben ➌ (*work in*) praktizieren **II.** *vi* ➊ (*improve skill*) üben; SPORTS trainieren ➋ (*work in a profession*) praktizieren

prac·tised ['præktɪst] *adj* ➊ (*experienced*) erfahren; ▪ to be ~ **in** sth in etw *dat* geübt sein; ▪ to be ~ **at doing** sth sich mit etw *dat* auskennen; ~ **ear/eye** geübtes Ohr/ Auge ➋ (*form: obtained by practice*) gekonnt

prac·tis·ing ['præktɪsɪŋ] *adj attr* praktizierend

prac·ti·tion·er [præk'tɪʃⁱnəʳ] *n* (*form*) ▪ to be a ~ [of sth] [etw] praktizieren; *of a job, profession* etw ausüben; **medical** ~ praktischer Arzt/praktische Ärztin

prag·mat·ic [præg'mætɪk] *adj person, attitude* pragmatisch; *idea, reason* vernünftig

prag·mati·cal·ly [præg'mætɪkⁱli] *adv* pragmatisch

prag·ma·tism ['prægmətɪzⁱm] *n no pl* Pragmatismus *m*

Prague [prɑːg] *n* Prag *nt*

prai·rie ['preəri] *n* [Gras]steppe *f*; (*in North America*) Prärie *f*

praise [preɪz] **I.** *vt* ➊ (*express approval*) loben ➋ (*worship*) **to ~ God/the Lord**

Gott/den Herrn preisen *geh* **II.** *n no pl* ➊ (*approval*) Lob *nt;* **to heap** ~ **on** sb jdn mit Lob überschütten; **to win** ~ **for** sth für etw *akk* [großes] Lob ernten ➋ (*form: worship*) Lobpreis *m*

praise·wor·thy ['preɪzˌwɜːði] *adj* lobenswert

pram [præm] *n* BRIT, AUS Kinderwagen *m*

prance [prɑːn(t)s] *vi person* stolzieren; (*horse*) tänzeln; ▪ to ~ **around** herumhüpfen; *children* umhertollen

prang [præŋ] **I.** *vt esp* BRIT, AUS (*fam*) ramponieren **II.** *n* BRIT, AUS (*fam*) Rums *m;* **to have a** ~ in einen Unfall verwickelt sein; (*cause an accident*) einen Unfall bauen

prank [præŋk] *n* Streich *m*

prat [præt] **I.** *n* BRIT (*fam*) Trottel *m pej;* **to make a** ~ **of oneself** sich zum Narren machen **II.** *vi* <-tt-> BRIT (*fam*) ▪ to ~ **about** herumspinnen

prate [preɪt] *vi* (*pej form*) schwadronieren

prat·tle ['prætl] **I.** *vi* ➊ (*talk foolishly*) plappern; ▪ to ~ **away** ununterbrochen plappern ➋ (*talk at length*) labern *pej fam;* ▪ to ~ **on about** sth von nichts anderem als etw *dat* reden **II.** *n no pl* ➊ (*foolish talk*) Geplapper *nt* ➋ (*inconsequential talk*) Geschwafel *nt pej*

prawn [prɔːn] *n* Garnele *f,* Krabbe *f fam*
prawn 'cock·tail *n* Krabbencocktail *m*
pray [preɪ] I. *vi* ❶ REL beten; **let us ~** lasset uns beten ❷ (*fig: hope*) ■ **to ~ for sth** auf etw *akk* hoffen II. *adv* ❶ (*old form: please*) **~ take a seat** nehmen Sie doch bitte Platz *form* ❷ (*iron form*) **and what, ~, is that supposed to mean?** und was, bitte, soll das heißen?
prayer ['preəʳ] *n* ❶ (*request to a god*) Gebet *nt;* **to answer sb's ~[s]** jds Gebet[e] erhören; **to say a ~ for sb** für jdn beten ❷ *no pl* (*action of praying*) Gebet *nt,* Beten *nt* ❸ (*fig: hope*) Hoffnung *f;* **to not have a ~** (*fam*) kaum Chancen haben ❹ (*service*) ■ **~ s** *pl* Andacht *f*
'prayer book *n* Gebetbuch *nt* **'prayer meet·ing** *n* Gebetsstunde *f* **'prayer rug** *n* Gebetsteppich *m*
pray·ing 'man·tis *n* Gottesanbeterin *f*
pre- [priː] *in compounds* prä-
pre-9-11 ['priːˌnaɪnɪˌlevⁿn], **pre-Sept. 11** ['priːsepˌtembəˈrɪˌlevⁿn] *adj vor dem* 11. September *nach m* (*bezieht sich auf die Zeit vor dem 11. September 2001, dem Tag der Terrorangriffe auf New York und Washington*)
preach [priːtʃ] I. *vi* ❶ (*give a sermon*) predigen; ■ **to ~ to sb** vor jdm predigen ❷ (*pej: lecture*) ■ **to ~ at sb** jdm eine Predigt halten *fig* II. *vt* ❶ (*give*) **to ~ a sermon** eine Predigt halten ❷ (*advocate*) predigen *fig*
preach·er ['priːtʃəʳ] *n* ❶ (*priest*) Geistliche(r) *f(m),* Pfarrer(in) *m(f)* ❷ *esp* AM Prediger(in) *m(f)*
pre·am·ble ['priːæmbl] *n* (*form*) ❶ (*introduction*) Einleitung *f,* Vorwort *nt;* (*to a lecture*) Einführung *f* ❷ *no pl* (*fig: introductory material*) Einleitung *f*
pre·ar·range [ˌpriːəˈreɪndʒ] *vt usu passive* vorplanen
pre·ar·ranged [ˌpriːəˈreɪndʒd] *adj* vorher vereinbart
preb·end ['prebənd] *n* ❶ (*stipend*) Präbende *f* ❷ (*prebendary*) Pfründner(in) *m(f)*
'pre-board·ing *adj attr* AVIAT vor dem Einsteigen [ins Flugzeug] *nach n*
pre·cari·ous [prɪˈkeəriəs] *adj* (*hazardous*) gefährlich; (*insecure*) *hold, balance* unsicher; *peace* unstabil
pre·cast [ˌpriːˈkɑːst] *adj* vorgefertigt
pre·cau·tion [prɪˈkɔːʃⁿn] *n* Vorkehrung *f;* **fire ~s** Brandschutzmaßnahmen *pl;* **to take the ~ of doing sth** etw sicherheitshalber tun
pre·cau·tion·ary [prɪˈkɔːʃⁿnᵊri] *adj* Vor-

sichts-
pre·cede [priːˈsiːd] *vt* ❶ (*in time*) vorausgehen *dat* ❷ (*in space*) vorangehen; ■ **sb/ sth is ~ d by sb/sth** jd/etw geht jdm/etw voran
prec·edence ['presɪdⁿn(t)s] *n no pl* ❶ (*priority*) Priorität *f,* Vorrang *m;* **to give ~ to sb/sth** jdm/etw den Vorrang geben; **to take ~ [over sth/sb]** Priorität [gegenüber jdm/etw] haben ❷ (*form: order of priority*) Rangordnung *f*
prec·edent ['presɪdⁿnt] *n* ❶ (*example*) vergleichbarer Fall, Präzedenzfall *m geh;* **to set a ~** einen Präzedenzfall schaffen; **without ~** noch nie da gewesen, ohne Beispiel ❷ *no pl* (*past procedure*) Tradition *f;* **to break with ~ [by doing sth]** [durch etw *akk*] mit der Tradition brechen
pre·ced·ing [priːˈsiːdɪŋ] *adj attr* vorhergehend, vorangegangen; **the ~ page** die vorige Seite; **the ~ year** das Jahr davor
pre·cept ['priːsept] *n* (*form: rule*) Regel *f;* (*principle*) Prinzip *nt,* Grundsatz *m*
pre·cinct ['priːsɪŋ(k)t] *n* ❶ (*boundaries*) ■ **~ s** *pl* Bereich *m* ❷ BRIT (*restricted traffic zone*) verkehrsberuhigte Zone; **pedestrian ~** Fußgängerzone *f;* **shopping ~** Einkaufszone *f* ❸ AM (*police district*) Polizeirevier *nt;* (*electoral district*) Wahlbezirk *m*
pre·cious ['preʃəs] I. *adj* ❶ (*of great value*) wertvoll, kostbar; ■ **to be ~ to sb** jdm viel bedeuten ❷ (*pej: affected*) *manner, style* geziert; *person* affektiert *geh* ❸ *attr* (*iron fam: with annoyance*) **a ~ lot he cares about it!** es kümmert ihn einen Dreck! II. *adv* (*fam*) **~ little** herzlich wenig
pre·cious·ness ['preʃəsnəs] *n no pl* ❶ (*value*) Kostbarkeit *f* ❷ (*pej*) Affektiertheit *f*
preci·pice ['presɪpɪs] *n* (*steep drop*) Abgrund *m;* (*cliff face*) Steilhang *m;* **to stand at the edge of the ~** am Abgrund stehen; **to fall over a ~** in einen Abgrund stürzen
pre·cipi·tate [prɪˈsɪpɪteɪt] I. *vt* ❶ (*form: trigger*) auslösen ❷ *usu passive* (*form: throw*) schleudern ❸ (*force suddenly*) stürzen (**into** in) II. *vi* [prɪˈsɪpɪteɪt] ■ **to ~ [out]** CHEM ausfallen *fachspr;* METEO einen Niederschlag bilden III. *n* [prɪˈsɪpɪteɪt] METEO Niederschlag *m*
pre·cipi·ta·tion [prɪˌsɪpɪˈteɪʃⁿn] *n no pl* ❶ (*forming into a solid*) Setzen *nt;* GEOL, MED Sedimentieren *nt fachspr;* METEO Niederschlag *m* ❷ (*triggering*) **the ~ of a conflict/crisis** das Auslösen eines Konflikts/ einer Krise
pre·cipi·tous [prɪˈsɪpɪtəs] *adj* ❶ (*very*

steep) steil, abschüssig, steil abfallend *attr* ❷ (*fig: abrupt*) abrupt ❸ (*form: precipitate*) voreilig, übereilt

pré·cis ['preɪsiː] I. *n <pl ->* Zusammenfassung *f* II. *vt* (*form*) [kurz] zusammenfassen

pre·cise [prɪˈsaɪs] *adj* ❶ (*exact*) genau, präzise ❷ (*approv: careful*) sorgfältig, genau; *movement* [ziel]sicher; *pronunciation, spelling* korrekt; ■to be ~ about doing sth etw sehr genau nehmen

pre·cise·ly [prɪˈsaɪsli] *adv* ❶ (*exactly*) genau, präzise ❷ (*just*) genau; ~ because eben wegen ❸ (*approv: carefully*) sorgfältig

pre·ci·sion [prɪˈsɪʒⁿn] I. *n no pl* ❶ (*accuracy*) Genauigkeit *f*, Präzision *f* ❷ (*approv: meticulous care*) Sorgfalt *f* II. *adj attr* exakt, präzise

pre·clude [prɪˈkluːd] *vt* (*form*) ausschließen; ■to ~ sb from doing sth (*form*) jdn davon abhalten, etw zu tun

pre·co·cious [prɪˈkəʊʃəs] *adj* ❶ (*developing early*) frühreif; ~ talent frühe Begabung ❷ (*pej: maturing too early*) altklug

pre·co·cious·ness [prɪˈkəʊʃəsnəs] *n no pl*, **pre·coc·ity** [prɪˈkɒsəti] *n no pl* (*form*) ❶ (*early development*) Frühreife *f* ❷ (*pej: maturing too early*) Altklugheit *f*

pre·con·ceived [ˌpriːkənˈsiːvd] *adj* (*esp pej*) vorgefasst

pre·con·cep·tion [ˌpriːkənˈsepʃⁿn] *n* (*esp pej*) vorgefasste Meinung

pre·con·di·tion [ˌpriːkənˈdɪʃⁿn] *n* Vorbedingung *f*, Voraussetzung *f*

pre·cook [ˌpriːˈkʊk] *vt* vorkochen

pre·cooked [ˌpriːˈkʊkt] *adj* vorgekocht

pre·cur·sor [ˌpriːˈkɜːsəʳ] *n* (*form*) ❶ (*forerunner*) Vorläufer *m*; (*preparing way for sth*) Wegbereiter *m* ❷ (*harbinger*) Vorbote *m*

pre·date [ˌpriːˈdeɪt] *vt* (*form*) zeitlich vorausgehen

preda·tor ['predətəʳ] *n* ❶ (*animal*) Raubtier *nt*; (*bird*) Raubvogel *m*; (*fish*) Raubfisch *m* ❷ (*pej: person*) Profiteur(in) *m(f)*; (*vulture*) Aasgeier *m fig fam*

preda·tory ['predətᵊri] *adj* ❶ (*preying*) Raub-, räuberisch ❷ (*esp pej: exploitative*) raubtierhaft, rücksichtslos; (*greedy*) [raff]gierig ❸ (*in business*) expansionistisch *geh*

pre·de·ces·sor [ˌpriːdɪˈsesəʳ] *n* Vorgänger(in) *m(f)*

pre·des·ti·na·tion [ˌpriːdestɪˈneɪʃⁿn] *n no pl* REL Vor[her]bestimmung *f*

pre·des·tine [ˌpriːˈdestɪn] *vt* vor[her]bestimmen

pre·de·ter·mine [ˌpriːdɪˈtɜːmɪn] *vt usu*

passive (*form*) vor[her]bestimmen; at a ~d signal auf ein verabredetes Zeichen hin

pre·dica·ment [prɪˈdɪkəmənt] *n* Notlage *f*; to be in a ~ sich in einer misslichen Lage befinden

predi·cate I. *n* ['predɪkət] LING Prädikat *nt* II. *vt* ['predɪkeɪt] (*form*) ❶ (*assert*) ■to ~ that ... behaupten, dass ... ❷ *usu passive* (*base*) ■to be ~d on sth auf etw *dat* basieren

pre·dica·tive [prɪˈdɪkətɪv] *adj* LING prädikativ

pre·dict [prɪˈdɪkt] *vt* vorhersagen; *sb's future etc.* prophezeien

pre·dict·abil·ity [prɪˌdɪktəˈbɪləti] *n no pl* Vorhersagbarkeit *f*

pre·dict·able [prɪˈdɪktəbl̩] *adj* ❶ (*foreseeable*) vorhersehbar, voraussagbar ❷ (*pej: not very original*) berechenbar; her answer was so ~ es war von vornherein klar, was sie antworten würde

pre·dic·tion [prɪˈdɪkʃⁿn] *n* (*form*) ❶ (*forecast*) Vorhersage *f*, Voraussage *f*; ECON, POL Prognose *f*; to make a ~ about sth etw vorhersagen; ECON, POL eine Prognose zu etw *dat* abgeben ❷ *no pl* (*act of predicting*) Vorhersagen *nt*

pre·di·lec·tion [ˌpriːdɪˈlekʃⁿn] *n* (*form*) Vorliebe *f*, Schwäche *f*, Faible *nt* (for für)

pre·dis·pose [ˌpriːdɪˈspəʊz] *vt* ❶ (*form: influence*) ■to ~ sb to sth jdn zu etw *dat* neigen lassen; ■to be ~d to sth zu etw *dat* neigen ❷ (*make susceptible*) ■to ~ sb to sth jdn für etw *akk* anfällig machen

pre·dis·po·si·tion [ˌpriːdɪspəˈzɪʃⁿn] *n* ❶ (*form: tendency*) Neigung *f* (to zu); ■to have a ~ against sth/sb eine Abneigung gegen etw/jdn haben ❷ MED (*susceptibility*) ■a ~ to sth eine Anfälligkeit für etw

pre·domi·nance [prɪˈdɒmɪnən(t)s] *n no pl* ❶ (*greater number*) zahlenmäßige Überlegenheit ❷ (*predominant position*) Vorherrschaft *f* (in bei)

pre·domi·nant [prɪˈdɒmɪnənt] *adj* vorherrschend, beherrschend; ■to be ~ führend sein

pre·domi·nant·ly [prɪˈdɒmɪnəntli] *adv* überwiegend

pre·domi·nate [prɪˈdɒmɪneɪt] *vi* ❶ (*be most important*) vorherrschen ❷ (*be more numerous*) überwiegen

pre·emi·nence [ˌpriːˈemɪnən(t)s] *n no pl* (*form*) Überlegenheit *f*, überragende Bedeutung

pre·emi·nent [ˌpriːˈemɪnənt] *adj* (*form*) herausragend, überragend

pre·empt [ˌpriːˈem(p)t] *vt* ❶ (*form: act in advance*) ■to ~ sb/sth jdm/etw zuvorkommen ❷ *(form: appropriate in advance)* mit Beschlag belegen ❸ AM LAW **to ~ pub-lic land** staatlichen Grundbesitz aufgrund eines Vorkaufsrechts erwerben

pre-emp·tion [ˌpriːˈem(p)ʃᵊn] *n* *no pl* ❶ LAW *(purchase)* Vorkaufsrecht *nt* ❷ *(form: pre-empting)* Vorkauf *m* ❸ MIL präventive Kriegsführung

pre-emp·tive [ˌpriːˈem(p)tɪv] *adj* ❶ *(preventive)* vorbeugend, Präventiv- ❷ LAW, ECON zum Vorkauf berechtigend ❸ MIL *(forestalling the enemy)* präventiv, Präventiv-

preen [priːn] I. *vi* ❶ *bird* sich putzen ❷ *(pej)* person sich auftakeln ❸ *(esp pej: congratulate oneself)* **to ~ and posture** sich in die Brust werfen II. *vt* ❶ *(of bird)* ■**to ~ its feathers** sein Gefieder putzen ❷ *(pej: groom)* ■**to ~ oneself** sich auftakeln ❸ *(esp pej: congratulate)* ■**to ~ one-self** sich in die Brust werfen

pre-ex·ist [ˌpriːɪɡˈzɪst] *(form)* I. *vi* vorher existieren; PHILOS, REL präexistieren II. *vt* vorausgehen

pre-fab [ˈpriːfæb] *(fam)* I. *n short for* **pre-fabricated house** Fertighaus *nt* II. *adj short for* **prefabricated** vorgefertigt

pre-fab·ri·cate [ˌpriːˈfæbrɪkeɪt] *vt* vor-fertigen

pre-fab·ri·cat·ed [ˌpriːˈfæbrɪkeɪtɪd] *adj* vorgefertigt

pref·ace [ˈprefɪs] I. *n* ❶ *(introduction)* Ein-leitung *f; to a novel, play, collection of poems* Vorwort *nt* (**to** zu) ❷ *(fig: preced-ing event)* ■**as a ~** als Einstieg; *(to enter-tainment etc.)* zur Einstimmung II. *vt* ❶ *(provide with preface)* ■**to ~ sth** eine Einleitung zu etw *dat* verfassen; ■**to be ~d by sth** durch etw *akk* eingeleitet wer-den; ■**to ~ sth with sth** etw mit etw *dat* einleiten ❷ *(lead up to)* einleiten

prefa·tory [ˈprefətᵊri] *adj* *(form)* einleitend *attr;* zur Einleitung *nach n*

pre·fect [ˈpriːfekt] *n* ❶ *(official)* Präfekt(in) *m(f)* ❷ *esp* BRIT, AUS SCH *Schüler, der die Jüngeren beaufsichtigen muss*

pre·fer <-rr-> [prɪˈfɜːʳ] *vt* *(like better)* vor-ziehen, bevorzugen; **she ~s Daniel to his brother** sie mag Daniel lieber als seinen Bruder; ■**to ~ doing sth [to doing sth]** etw lieber [als etw] tun; ■**to ~ sb to do sth** es vorziehen, dass jd etw tut; **I'd ~ you not to smoke, please** ich möchte Sie bit-ten, hier nicht zu rauchen

pref·er·able [ˈprefᵊrəbl] *adj* besser

pref·er·ably [ˈprefᵊrəbli] *adv* am besten, vorzugsweise

pref·er·ence [ˈprefᵊrᵊn(t)s] *n* ❶ *no pl*

(priority) Priorität *f,* Vorzug *m;* **to be given ~** Vorrang haben ❷ *no pl* *(greater liking)* Vorliebe *f* (**for** für) ❸ *(preferred thing)* Vorliebe *f;* **what are your ~s in music?** welche Musik hören Sie am liebs-ten?; **which is your personal ~?** was ist Ihnen persönlich lieber? ❹ *(advantage)* Vergünstigung *f*

pref·er·en·tial [ˌprefᵊrˈen(t)ʃᵊl] *adj attr* Vorzugs-, Präferenz-; **to get ~ treatment** bevorzugt behandelt werden

pre·ferred [prɪˈfɜːd] *adj attr* bevorzugt, Lieblings-; **the ~ choice** die erste Wahl

pre·fig·ure [priːˈfɪɡəʳ] *vt* *(form)* anzeigen

pre·fix I. *n* <*pl* -es> [ˈpriːfɪks] ❶ LING Prä-fix *nt fachspr,* Vorsilbe *f* ❷ *(something pre-fixed)* Namensvorsatz *m;* **to add sth as a ~** etw voranstellen ❸ *(title)* Anrede *f; (Dr etc.)* Titel *m* ❹ BRIT *(dialling code)* Vor-wahl *f* II. *vt* [ˌpriːˈfɪks] ■**to ~ sth with sth** etw einer S. *dat* voranstellen

preg·nan·cy [ˈpreɡnən(t)si] *n* Schwanger-schaft *f;* ZOOL Trächtigkeit *f*

'**preg·nan·cy test** *n* Schwangerschafts-test *m*

preg·nant [ˈpreɡnənt] *adj* ❶ *(with child)* *woman* schwanger; *animal* trächtig; **she's eight months ~** sie ist im achten Monat [schwanger]; **my sister is ~ with twins** meine Schwester erwartet Zwillinge ❷ *(fig: meaningful)* *pause, remark* bedeutungs-voll; *(tense)* spannungsgeladen

pre·hen·sile [prɪˈhen(t)saɪl] *adj* ZOOL Greif-

pre·his·tor·ic [ˌprɪ(h)rˈstɒrɪk] *adj* ❶ *(be-fore written history)* prähistorisch; **~ man** der prähistorische Mensch ❷ *(pej fam: out-dated)* steinzeitlich *fig,* völlig veraltet

pre·his·to·ry [ˌpriːˈhɪstᵊri] *n no pl* Prähisto-rie *f geh,* Vorgeschichte *f*

pre·judge [ˌpriːˈdʒʌdʒ] *vt* ■**to ~ sb/sth** vorschnell ein Urteil über jdn/etw fällen, eine vorgefasste Meinung über jdn/etw ha-ben

preju·dice [ˈpredʒədɪs] I. *n* ❶ *(precon-ceived opinion)* Vorurteil *nt* ❷ *no pl* *(bias)* Vorurteil *nt* (**against** gegen); **racial ~** Ras-senvorurteil *nt* ❸ *no pl* LAW [Rechts]nach-teil *m* II. *vt* ❶ *(harm)* schädigen; **to ~ sb's chances** jds Chancen beeinträchtigen ❷ *(bias)* ■**to ~ sb [against sth]** jdn [gegen etw] einnehmen; **to ~ a case** LAW den Aus-gang eines Prozesses beeinflussen

preju·diced [ˈpredʒədɪst] *adj* voreinge-nommen; **he is racially ~** er hat Rassenvor-urteile; ■**to be ~ against sb/sth** Vorur-teile gegen jdn/etw haben; ■**to be ~ in favour of sb/sth** gegenüber jdm/etw positiv eingestellt sein; *attitude, opinion, judgment* vorgefasst

preju·di·cial [ˌpredʒəˈdɪʃ⁰l] *adj* (*form*) abträglich; ■**to be ~ to sb/sth** jdm/etw abträglich sein; **to have a ~ effect on sth** eine nachteilige Wirkung auf etw *akk* haben; **to be ~ to sb's health/safety** jds Gesundheit/Sicherheit beeinträchtigen

pre·lim [ˈpriːlɪm] *n* (*fam*) ❶ *usu pl* (*preliminary exam*) *short for* **preliminary** Vorprüfung *f* ❷ SPORTS *short for* **preliminary** Vorrunde *f*

pre·limi·nary [prɪˈlɪmɪn⁰ri] I. *adj attr* einleitend; (*preparatory*) vorbereitend; **~ arrangements** Vorbereitungen *pl;* **a ~ draft/step** ein erster Entwurf/Schritt; **a ~ selection/stage/study** eine Vorauswahl/Vorstufe/Vorstudie II. *n* ❶ (*introduction*) Einleitung *f;* (*preparation*) Vorbereitung *f* ❷ SPORTS (*heat*) Vorrunde *f* ❸ (*form: preliminary exam*) Vorprüfung *f*

prel·ude [ˈpreljuːd] I. *n* ❶ *usu sing* (*preliminary*) Vorspiel *nt,* Auftakt *m* ❷ MUS Prélude *nt* II. *vt* einleiten

pre·mari·tal [ˌpriːˈmærɪt⁰l] *adj* vorehelich *attr*

prema·ture [ˈpremətʃⁱʳ] *adj* ❶ (*too early*) verfrüht, vorzeitig; *announcement, criticism, decision* voreilig ❷ MED **~ baby** Frühgeburt *f*

prema·ture ejacu·'la·tion *n* vorzeitiger Samenerguss

prema·ture·ly [ˈpremətʃəli] *adv* ❶ (*too early*) verfrüht; **to age ~** vorzeitig altern; **to die/leave ~** frühzeitig sterben/gehen ❷ MED **to be born ~** eine Frühgeburt sein

pre·medi·tat·ed [ˌpriːˈmedɪteɪtɪd] *adj* vorsätzlich, geplant; *act* überlegt

pre·medi·ta·tion [ˌpriːmedɪˈteɪʃⁿ] *n no pl* (*form*) [wohl durchdachtes] Planen; **with/without ~** mit/ohne Absicht; *of a crime* mit/ohne Vorsatz

pre·men·stru·al [ˌpriːˈmen(t)struəl] *adj attr* prämenstruell

pre·men·stru·al 'syn·drome *n,* **pre·men·stru·al 'ten·sion** *n no pl* BRIT prämenstruelles Syndrom

prem·ier [ˈpremiⁱʳ] I. *n* Premierminister(in) *m(f);* CAN, AUS Ministerpräsident(in) *m(f)* II. *adj attr* führend; **the ~ sport arena** das bedeutendste Stadion

prem·ière [ˈpremieⁱʳ] I. *n* Premiere *f,* Uraufführung *f* II. *vt* uraufführen III. *vi* **to ~ in New York/London** in New York/London uraufgeführt werden

prem·ise I. *n* [ˈpremɪs] Prämisse *f geh,* Voraussetzung *f;* ■**on the ~ that ...** unter der Voraussetzung, dass ...; **to start from the ~ that ...** von der Voraussetzung ausgehen, dass ... II. *vt* [prɪˈmaɪz] (*form*) ❶ (*base*) ■**to ~ sth on sth** etw auf etw *akk* [auf]bauen; ■**to be ~d on sth** auf etw *dat* basieren ❷ AM (*preface*) einleiten

prem·ises [ˈpremɪsɪz] *npl* ❶ (*building[s]*) Gebäude *nt;* **business ~** Geschäftsgebäude *nt;* **school ~** Schulgelände *nt;* **off the ~** außerhalb des Gebäudes/Geländes ❷ (*personal property*) Land *nt,* Grundstück *nt*

pre·mium [ˈpriːmiəm] I. *n* ❶ (*insurance payment*) [Versicherungs]prämie *f* ❷ (*extra charge*) Zuschlag *m;* ■**a ~ on sth** ein Preisaufschlag auf etw *akk* ❸ (*bonus*) Prämie *f;* **to earn a ~ for sth** eine Prämie für etw *akk* bekommen ❹ *no pl* AM (*petrol*) Super[benzin] *nt* II. *adj attr* ❶ (*high*) hoch ❷ (*top-quality*) Spitzen-; **the ~ brand** die führende Marke; *fruit* erstklassig

pre·mium 'qual·ity *n* Spitzenqualität *f*

premo·ni·tion [ˌpreməˈnɪʃⁿ] *n* [böse] Vorahnung

pre·na·tal [ˌpriːˈneɪt⁰l] *adj attr* AM, AUS vorgeburtlich, pränatal *fachspr*

pre·oc·cu·pa·tion [priːˌɒkjəˈpeɪʃⁿ] *n* ❶ (*dominant concern*) Sorge *f;* **main ~** Hauptsorge *f* ❷ *no pl* (*state of mind*) ■**[a] ~ with sth** ständige [gedankliche] Beschäftigung mit etw *dat;* **to have a ~ with sth** von etw *dat* besessen sein

pre·oc·cu·pied [priːˈɒkjəpaɪd] *adj* ❶ (*distracted*) gedankenverloren; (*absorbed*) nachdenklich; ■**to be ~ with sb/sth** sich mit jdm/etw stark beschäftigen ❷ (*worried*) besorgt

pre·oc·cu·py <-ie-> [priːˈɒkjəpaɪ] *vt* ■**to ~ sb** jdn [sehr stark] beschäftigen

pre·or·dain [ˌpriːɔːˈdeɪn] *vt usu passive* (*form*) ■**to be ~ed** vorherbestimmt sein; *path* vorgezeichnet; **to be ~ed to fail** zum Scheitern verurteilt sein; **sb/sth is ~ to succeed** der Erfolg ist jdm/etw sicher

pre·owned [ˈpriːəʊnd] *adj* AM AUTO *short for* **previously owned** *car* Gebraucht[wagen]-

prep¹ [prep] *n no pl* (*fam*) ❶ (*preparation*) Vorbereitung *f* ❷ BRIT (*homework*) Hausaufgaben *pl* ❸ BRIT (*time for homework*) Hausaufgabenstunde *f;* (*at school*) Übungs- und Lernstunde *f* ❹ AM (*prep school*) private Vorbereitungsschule vor dem College

prep² [prep] *n* LING *abbrev of* **preposition** Präp.

pre·pack [ˌpriːˈpæk] *vt esp* BRIT abpacken

pre·paid [ˌpriːˈpeɪd] *adj* im Voraus bezahlt, bereits bezahlt

pre·paid re·'ply *n* frankierte Rückantwortkarte

prepa·ra·tion [ˌprepəˈreɪʃᵊn] *n* ❶ *no pl* (*getting ready*) Vorbereitung *f*; *of food* Zubereitung *f*; **to do a lot of/very little ~** [**for sth**] sich sehr gut/kaum [auf etw *akk*] vorbereiten; **in ~ for sth** als Vorbereitung auf etw *akk* ❷ (*measures*) ■~s *pl* Vorbereitungen *pl* (**for** für); (*precautions*) Vorkehrungen *pl* ❸ (*substance*) Präparat *nt*, Mittel *nt*

pre·para·tory [prɪˈpærətᵊri] *adj* vorbereitend *attr*; Vorbereitungs-; **to be ~** [**to sth**] als Vorbereitung [auf etw *akk*] dienen

pre·ˈpara·tory school *n* BRIT (*for public school*) *private Vorbereitungsschule auf eine Public School*; AM (*form: mixed private school*) *private Vorbeitungsschule auf das College*

pre·pare [prɪˈpeə^r] I. *vt* ❶ (*get ready*) vorbereiten (**for** auf); **you need to ~ yourself for a long wait** Sie sollten sich auf eine lange Wartezeit einstellen; **I hadn't ~d myself for such a shock** auf einen solchen Schock war ich nicht gefasst; **to ~ the way** [**for sb/sth**] den Weg [für jdn/etw] bereiten ❷ (*make*) zubereiten; **to ~ breakfast/dinner/lunch** das Frühstück/Abendessen/Mittagessen machen II. *vi* ■**to ~ for sth** sich auf etw *akk* vorbereiten; **to ~ for take-off** sich zum Start bereit machen

pre·pared [prɪˈpeəd] *adj* ❶ *pred* (*ready*) bereit, fertig *fam*; ■**to be ~ for sb/sth** auf jdn/etw vorbereitet sein; **they were ~ for the worst** sie waren auf das Schlimmste gefasst ❷ *pred* (*willing*) ■**to be ~ to do sth** bereit sein, etw zu tun ❸ (*arranged previously*) vorbereitet; **the room had been specially ~** das Zimmer war extra zurechtgemacht worden; **~ meal** Fertiggericht *nt*

pre·pared·ness [prɪˈpeədnəs] *n no pl* (*form*) Bereitschaft *f*

pre·pay <-paid, -paid> [ˌpriːˈpeɪ] *vt* im Voraus bezahlen

pre·pay·ment [ˌpriːˈpeɪmənt] *n* Vorauszahlung *f*

pre·pon·der·ance [ˌpriːˈpɒndᵊrᵊn(t)s] *n no pl* (*form*) [überwiegende] Mehrheit; (*fact of being in majority*) zahlenmäßiges Übergewicht

pre·pon·der·ant [ˌpriːˈpɒndᵊrᵊnt] *adj* (*form*) vorherrschend *attr*; ■**to be ~** [**in sth**] [bei etw *dat*] eine vorherrschende Rolle spielen; (*in numbers*) [bei etw *dat*] überwiegen

prepo·si·tion [ˌprepəˈzɪʃᵊn] *n* Verhältniswort *nt*, Präposition *f*

pre·pos·ses·sing [ˌpriːpəˈzesɪŋ] *adj usu neg* einnehmend, anziehend; **to be not very ~** nicht sehr ansprechend sein; *person* nicht sehr einnehmend sein

pre·pos·ter·ous [prɪˈpɒstᵊrəs] *adj* absurd, unsinnig

prep·pie, prep·py [ˈprepi] AM I. *n* Schüler(in) *einer privaten „prep school", der/die großen Wert auf gute Kleidung und das äußere Erscheinungsbild legt* II. *adj* *appearance* adrett; *clothes, look* popperhaft *meist pej fam*

pre·requi·site [ˌpriːˈrekwɪzɪt] *n* (*form*) [Grund]voraussetzung *f*, Vorbedingung *f* (**of/to** für)

pre·roga·tive [prɪˈrɒgətɪv] *n usu sing* (*form*) ❶ (*right*) Recht *nt*; (*privilege*) Vorrecht *nt*, Privileg *nt* ❷ (*responsibility*) Zuständigkeit *f*

pres·age [ˈpresɪdʒ] *vt* (*form: predict*) ankündigen; (*intuit*) ahnen

Pres·by·ter·ian [ˌprezbɪˈtɪəriən] I. *n* Presbyterianer(in) *m(f)* II. *adj* presbyterianisch

pres·by·tery [ˈprezbɪtᵊri] *n* REL ❶ (*sanctuary*) Altarraum *m*, Presbyterium *nt fachspr* ❷ (*administrative body*) Kirchenvorstand *m*, Presbyterium *nt fachspr* ❸ (*Catholic priest's residence*) Pfarrhaus *nt*

pre·school [ˈpriːskuːl] I. *n* AM, AUS Kindergarten *m* II. *adj attr* vorschulisch, Vorschul-

pre·scribe [prɪˈskraɪb] *vt* ❶ (*medical*) ■**to ~ sth** [**for sb**] [jdm] etw verschreiben; ■**to be ~d sth** etw verschrieben bekommen ❷ (*recommend*) ■**to ~ sth** [**to sb**] *a special diet* [jdm] etw verordnen; *fresh air, exercise* [jdm] etw empfehlen ❸ (*form: state*) vorschreiben

pre·scrip·tion [prɪˈskrɪpʃᵊn] *n* ❶ (*medical*) Rezept *nt* (**for** für); **to be only available on ~** verschreibungspflichtig sein ❷ (*form: rule*) Vorschrift *f* (**for** für); (*instruction*) Belehrung *f meist pej*

pre·ˈscrip·tion charge *n* BRIT Rezeptgebühr *f*

pre·scrip·tive [prɪˈskrɪptɪv] *adj* (*pej form*) normativ; *guidelines* bindend; LING präskriptiv *fachspr*

pre·scrip·tive ˈgram·mar *n no pl* LING präskriptive Grammatik *fachspr*

pres·ence [ˈprezᵊn(t)s] *n* ❶ *no pl* (*attendance*) Anwesenheit *f*; (*occurrence*) Vorhandensein *nt*; **in my ~** in meiner Gegenwart ❷ (*approv: dignified bearing*) Haltung *f*, Auftreten *nt* ❸ (*supernatural*) Gegenwart *f kein pl*; **to feel sb's ~** jds Gegenwart [förmlich] spüren können ❹ (*representation*) Präsenz *f kein pl*

P

pres·ent[1] ['prezᵊnt] **I.** *n* ❶ *no pl* (*now*) ◼**the ~** die Gegenwart; **at ~** zurzeit, gegenwärtig; **for the ~** vorläufig; **up to the ~** bis jetzt ❷ *no pl* LING Präsens *nt* **II.** *adj* ❶ *attr* (*current*) derzeitig, gegenwärtig; **down to the ~ day** bis zum heutigen Tag; **at the ~ moment** im Moment; **the ~ month** der laufende Monat ❷ *attr* (*being dealt with*) betreffend; **in the ~ case** im vorliegenden Fall ❸ *usu pred* (*in attendance*) anwesend (**at** bei); **counting those ~** Anwesende eingeschlossen ❹ *usu pred* (*existing*) vorhanden; ◼**to be ~** [**in sth**] [in etw *dat*] vorkommen

pres·ent[2] ['prezᵊnt] *n* Geschenk *nt*; **birthday/Christmas/wedding ~** Geburtstags-/Weihnachts-/Hochzeitsgeschenk *nt*; **to get sth as a ~** etw geschenkt bekommen

pres·ent[3] [prɪ'zent] *vt* ❶ (*give formally*) ◼**to ~ sth** [**to sb**] *gift* [jdm] etw schenken; *award, medal, diploma* [jdm] etw überreichen ❷ (*express*) **to ~ ones apologies** (*form*) [vielmals] um Entschuldigung bitten; **to ~ one's thoughts/view** seine Gedanken/Ansichten darlegen ❸ (*hand over, show*) ◼**to ~ sth** [**to sb**] [jdm] etw vorlegen; **to ~ a united front** *organization, people* sich geeint zeigen ❹ (*put forward*) ◼**to ~ sth** [**to sb**] [jdm] etw präsentieren; **to ~ an argument** ein Argument anführen; **to ~ a proposal** einen Vorschlag unterbreiten ❺ (*face, confront*) ◼**to ~ sb with a challenge** jdn vor eine Herausforderung stellen; **to ~ sb with** [**the**] **facts** jdm die Fakten vor Augen führen; **to ~ sb with a problem** jdn vor ein Problem stellen ❻ (*be*) darstellen; (*offer, provide*) bieten; (*cause*) mit sich bringen ❼ (*form: introduce*) ◼**to ~ sb** [**to sb**] jdn [jdm] vorstellen ❽ (*compere*) *TV programme* moderieren; (*show*) *film* zeigen; *product* vorstellen ❾ (*arise*) ◼**to ~ itself** *opportunity, solution* sich bieten; *problem* sich zeigen

pres·ent·able [prɪ'zentəb**l**] *adj person* vorzeigbar; *thing* ansehnlich; **to make sth ~** etw herrichten

pres·en·ta·tion [ˌprezᵊn'teɪʃᵊn] *n* ❶ (*giving*) Präsentation *f*; *of a theory* Darlegung *f*; *of a dissertation, thesis* Vorlage *f*; *of gifts* Überreichung *f*; (*awarding*) Verleihung *f* ❷ (*lecture, talk*) Präsentation *f* (**on** zu), Vortrag *f* (**on** über) ❸ *no pl* (*display*) *of photographs, works* Ausstellung *f* ❹ (*exhibition, theatre*) Inszenierung *f*

pres·en·ta·tion 'copy *n* PUBL Widmungsexemplar *nt*

pres·ent-'day *adj usu attr* heutig *attr*;

~ London das heutige London

pre·sent·er [prɪ'zentə**r**] *n* BRIT, AUS RADIO, TV Moderator(in) *m(f)*

pre·sen·ti·ment [prɪ'zentɪmənt] *n* (*form*) Vorahnung *f*; **to have a ~ of danger** eine Gefahr voraussehen

pres·ent·ly ['prezᵊntli] *adv* ❶ (*soon*) bald, gleich ❷ *esp* BRIT, AUS (*now*) zurzeit, gegenwärtig

pres·ent par·'ti·ci·ple *n* LING Partizip *nt* Präsens **pres·ent 'tense** *n* LING Präsens *nt*, Gegenwartsform *f*

pres·er·va·tion [ˌprezə'veɪʃᵊn] **I.** *n* *no pl* ❶ (*upkeep*) Erhaltung *f* ❷ (*conservation*) Bewahrung *f*; *of order* Aufrechterhaltung *f*; (*protection*) Schutz *m*; *of* [*national*] *interests* Wahrung *f* ❸ FOOD Konservierung *f* **II.** *adj attr* Konservierungs-

pre·serva·tive [prɪ'zɜ:vətɪv] *n* Konservierungsstoff *m*

pre·serve [prɪ'zɜ:v] **I.** *vt* ❶ (*maintain*) erhalten; *customs, tradition* bewahren; **to ~ one's right to do sth** sich *dat* das Recht vorbehalten, etw zu tun ❷ (*conserve*) konservieren; *wood* [mit Holzschutzmittel] behandeln; *fruit and vegetables* einmachen; *gherkins* einlegen ❸ (*protect*) schützen **II.** *n* ❶ *usu pl* (*food*) Eingemachte(s) *nt kein pl*; **apricot/strawberry ~** eingemachte Aprikosen/Erdbeeren ❷ (*domain*) Domäne *f*; (*responsibility*) Wirkungsbereich *m*; *of a department* Ressort *nt*; (*property*) Besitztum *nt* ❸ *esp* AM (*reserve*) Reservat *nt*; **nature/wildlife ~** Naturschutzgebiet *nt*

pre·served [prɪ'zɜ:vd] *adj* ❶ (*maintained*) konserviert; *building* erhalten ❷ FOOD eingemacht, eingelegt; **~ food** konservierte Lebensmittel

pre-shrunk [ˌpri:'ʃrʌŋk] *adj clothes* vorgewaschen

pre·side [prɪ'zaɪd] *vi* ❶ (*be in charge*) *of meeting, rally* den Vorsitz haben; ◼**to ~ over sth** etw leiten; **to ~ over a change/dissolution** für eine Änderung/Auflösung verantwortlich sein ❷ (*dominate*) ◼**to ~ over sth** (*iron, hum*) etw beherrschen *fig*

presi·den·cy ['prezɪdᵊn(t)si] *n* ❶ (*office*) Präsidentschaft *f*; **to stand for the ~** für das Amt des Präsidenten/der Päsidentin kandidieren ❷ (*tenure*) Präsidentschaft *f*; (*of company*) Aufsichtsratsvorsitz *m*

presi·dent ['prezɪdᵊnt] *n* ❶ (*head of state*) Präsident(in) *m(f)* ❷ (*head*) *of society* Präsident(in) *m(f)*; *of company, corporation* [Vorstands-]vorsitzende(r)

presi·den·tial [ˌprezɪ'den(t)ʃᵊl] *adj* ❶ *usu attr* POL (*of president*) Präsidenten-; (*of* *office*) Präsidentschafts-; **~ race** Rennen *nt* um die Präsidentschaft ❷ *attr (of head of organization)* **~ address** Ansprache *f* des/ der Vorsitzenden

presi·den·tial ˈcan·di·date *n* Präsidentschaftskandidat(in) *m(f)*

ˈPresi·dents' Day *n no pl* Am *amerikanischer Feiertag am dritten Montag im Februar zum Gedenken an die Geburtstage von Washington und Lincoln*

press [pres] **I.** *n* <*pl* -es> ❶ *(push)* Druck *m*; **at the ~ of a button** auf Knopfdruck ❷ *(ironing)* Bügeln *nt kein pl* ❸ *(instrument)* Presse *f* ❹ *(news media, newpapers)* ▪ **the ~** + *sing/pl vb* die Presse ❺ *(publicity)* Presse *f*; **to have a bad/ good ~** eine schlechte/gute Presse bekommen ❻ *(publishing house)* Verlag *m* **II.** *vt* ❶ *(push)* ▪ **to ~ sth** [auf] etw *akk* drücken; **Sammy ~ed his nose against the windowpane** Sammy drückte die Nase gegen die Fensterscheibe; **to ~ on the brake pedal** auf das Bremspedal treten; ▪ **to ~ sth** ⟳ **down** etw herunterdrücken; ▪ **to ~ sth into sth** etw in etw *akk* hineindrücken ❷ *(flatten)* zusammendrücken; *flowers* pressen ❸ *(extract juice from)* auspressen; *grapes* keltern ❹ *(iron)* bügeln, glätten SCHWEIZ, plätten NORDD *a.* ❺ *(manufacture)* CD, *record* pressen ❻ *(fig: urge, impel)* bedrängen; **to ~ sb for an answer/decision** jdn zu einer Antwort/Entscheidung drängen; **to ~ sb into a role** jdn in eine Rolle hineindrängen ❼ *(forcefully promote)* forcieren; **to ~ one's case** seine Sache durchsetzen wollen; **to ~ one's point** beharrlich seinen Standpunkt vertreten ❽ *(insist on giving)* ▪ **to ~ sth** [up]on sb *gift, offer* jdm etw aufdrängen ❾ *usu passive (face difficulty)* **they'll be hard ~ed to complete the assignment** wenn sie den Auftrag ausführen wollen, müssen sie sich aber ranhalten ❿ LAW *(bring)* **to ~ charges** Anklage erheben *(against* gegen) **III.** *vi* ❶ *(push)* drücken ❷ *(be urgent)* drängen ◆ **press ahead** *vi* ▪ **to ~ ahead** [with sth] etw vorantreiben ◆ **press on I.** *vi* ▪ **to ~ on** [with sth] [mit etw *dat*] [zügig] weitermachen; **to ~ on with one's journey** seine Reise fortsetzen; **to ~ on with one's plans** seine Pläne vorantreiben; **to ~ on with one's work** sich bei der Arbeit ranhalten *fam;* **to ~ on regardless** trotzdem weitermachen **II.** *vt* ▪ **to ~ sth on sb** jdm etw aufdrängen ◆ **press upon** *vt see* **press on II**

ˈ**press ag·en·cy** *n* Presseagentur *f* ˈ**press bar·on** *n* Pressezar *m* ˈ**press-but·ton**

adj, n see **push-button** ˈ**press campaign** *n* Pressekampagne *f* ˈ**press card** *n* Presseausweis *m* ˈ**press clip·ping** *n* Zeitungsausschnitt *m* ˈ**press con·ference** *n* Pressekonferenz *f* ˈ**press cov·erage** *n* ❶ *(scale of reporting)* Berichterstattung *f (in der Presse)* ❷ *(footage)* [Fernseh]übertragung *f* ˈ**press gal·lery** *n* Pressetribüne *f* ˈ**press gang I.** *n (hist)* Werber *pl fachspr* **II.** *vt* ▪ **to press-gang sb into doing sth** jdn [dazu] zwingen, etw zu tun

press·ing [ˈpresɪŋ] **I.** *adj (urgent) issue, matter* dringend; *requests* nachdrücklich **II.** *n (manufacture of CD, record)* Pressung *f; (series made together)* Auflage *f*

ˈ**press·man** *n* Zeitungsmann, Zeitungsfrau *m, f* ˈ**press of·fice** *n* Pressestelle *f* ˈ**press of·fic·er** *n* Pressereferent(in) *m(f)* **press pho·ˈtog·ra·pher** *n* Pressefotograf(in) *m(f)* ˈ**press re·lease** *n* Pressemitteilung *f*, Pressemeldung *f* ˈ**press re·port** *n* Pressebericht *m* ˈ**press stud** *n* BRIT, AUS Druckknopf *m* ˈ**press-up** *n* BRIT Liegestütz *m*

pres·sure [ˈpreʃər] **I.** *n* ❶ *no pl (physical force)* Druck *m*; **to apply ~** Druck ausüben; **to put ~ on sth** auf etw *akk* drücken ❷ PHYS Druck *m* ❸ *no pl (stress)* Druck *m*, Stress *m*, Belastung *f; (stronger)* Überlastung *f;* **to be under ~ to do sth** unter Druck stehen, etw zu tun; **there is a lot of ~ on sb** jd hat Stress ❹ *no pl (insistence)* Druck *m;* **to do sth under ~ from sb** etw auf jds Drängen *nt* hin tun; **to put ~ on sb** [to do sth] jdn unter Druck setzen[, damit er/sie etw tut] ❺ *(demands, stress)* ▪ **~s** *pl* Druck *m kein pl,* Belastung[en] *f [pl]* **II.** *vt esp* AM ▪ **to ~ sb to do sth** jdn dazu drängen, etw zu tun

ˈ**pres·sure cab·in** *n* [Über]druckkabine *f* ˈ**pres·sure cook·er** *n* Schnellkochtopf *m* ˈ**pres·sure gauge** *n* Druckmesser *m* ˈ**pres·sure group** *n* Pressuregroup *f*

pres·sur·ize [ˈpreʃəraɪz] *vt* ❶ *(control air pressure)* druckfest halten ❷ *(persuade by force)* ▪ **to ~ sb to do sth** jdn [massiv] dazu drängen, etw zu tun

pres·tige [presˈtiːʒ] **I.** *n no pl* Prestige *nt,* Ansehen *nt* **II.** *adj* angesehen; *hotel* vornehm

pres·tig·ious [presˈtɪdʒəs] *adj* angesehen, Prestige-

pre·stressed [ˌpriːˈstrest] *adj* TECH vorgespannt

pre·sum·ably [prɪˈzjuːməbli] *adv* vermutlich

pre·sume [prɪˈzjuːm] **I.** *vt (suppose,*

believe) annehmen, vermuten; **to be ~d innocent** als unschuldig gelten; **I ~ so/ not** ich denke ja/nein; **she's ~d to have shot him in cold blood** man sagt ihr nach, sie hätte ihn kaltblütig erschossen **II.** *vi* ❶ (*be rude*) anmaßend sein ❷ (*take advantage of*) ■**to ~ on sth** etw überbeanspruchen ❸ (*dare*) ■**to ~ to do sth** sich *dat* erlauben, etw zu tun

pre·sump·tion [prɪˈzʌmpʃ³n] *n* ❶ (*assumption*) Annahme *f,* Vermutung *f* ❷ *no pl* (*form: arrogance*) Überheblichkeit *f*

pre·sump·tive [prɪˈzʌmptɪv] *adj* attitude, reasoning vermutlich, mutmaßlich

pre·sump·tuous [prɪˈzʌmptʃuəs] *adj* (*arrogant*) person, behaviour anmaßend; attitude überheblich; (*forward*) unverschämt

pre·sup·pose [ˌpri:səˈpəʊz] *vt* (*form*) voraussetzen

pre·sup·po·si·tion [ˌpri:sʌpəˈzɪʃ³n] *n* Voraussetzung *f,* Annahme *f*

pre-tax [ˌpri:ˈtæks] *adj* unversteuert, vor Abzug der Steuern *nach n,* Brutto-

pre·tence [prɪˈten(t)s] *n no pl* ❶ (*false behaviour, insincerity*) Vortäuschung *f;* **under the ~ of friendship** dem Deckmantel der Freundschaft; **under false ~s** *also* LAW unter Vorspiegelung falscher Tatsachen; **to keep up a ~ of sth** etw vortäuschen ❷ (*story, excuse*) Vorwand *m;* **under the ~ of doing sth** unter dem Vorwand, etw zu tun ❸ (*claim*) **I make no ~ to having any athletic skill** ich behaupte gar nicht, sportlich zu sein ❹ (*imagination*) Vorstellungskraft *f,* Fantasie *f*

pre·tend [prɪˈtend] **I.** *vt* ❶ (*behave falsely*) vorgeben, vortäuschen; **to ~ surprise** so tun, als ob man überrascht wäre; **to ~ that one is asleep** sich schlafend stellen ❷ (*imagine*) ■**to ~ to be sb/sth** so tun, als sei man jd/etw; **I'll just ~ that I didn't hear that** ich tue einfach so, als hätte ich das nicht gehört **II.** *vi* ❶ (*feign*) sich *dat* etw vormachen; ■**to ~ to sb** jdm etw vormachen ❷ (*form: claim*) **I don't ~ to remember all the details** ich behaupte nicht, mich an alle Einzelheiten zu erinnern **III.** *adj attr* (*fam: in deception, game*) Spiel-; **this doll is Katie's ~ baby** mit dieser Puppe spielt Katie Baby

pre·tend·ed [prɪˈtendɪd] *adj attr* vorgetäuscht, geheuchelt, gespielt

pre·tend·er [prɪˈtendəʳ] *n* to position, title Anwärter, Anwärterin (**to** auf)

pre·tense *n no pl esp* AM *see* **pretence**

pre·ten·sion [prɪˈten(t)ʃ³n] *n* ❶ *usu pl* (*claim*) Anspruch *m* (**to** auf); (*aspiration*)

Ambition *f* ❷ *no pl* (*pej*) *see* **pretentiousness**

pre·ten·tious [prɪˈten(t)ʃəs] *adj* (*pej: boastful*) person großspurig; (*pompous*) manner, speech, style hochgestochen; (*ostentatious*) protzig *meist pej fam;* house, style pompös

pre·ten·tious·ly [prɪˈten(t)ʃəsli] *adv* (*pej: ostentatious*) attitude protzig *meist pej fam;* (*boastfully*) person angeberisch *fam*

pre·ten·tious·ness [prɪˈten(t)ʃəsnəs] *n no pl* (*arrogance*) Überheblichkeit *f,* Anmaßung *f;* (*boastfulness*) Angeberei *f fam*

pret·er·it(e) [ˈpret³rɪt] LING **I.** *n* Präteritum *nt,* Imperfekt *nt* **II.** *adj attr* Präteritums-; **~ form** Präteritum *nt,* Imperfekt *nt*

pre·ter·natu·ral [ˌpri:təˈnætʃ³r³l] *adj* (*form*) ❶ (*exceptional*) außergewöhnlich ❷ (*supernatural*) übernatürlich

pre·text [ˈpri:tekst] *n* Vorwand *m* (**for** für); **on the ~ of doing sth** unter dem Vorwand, etw zu tun

pret·ti·fy <-ie-> [ˈprɪtɪfaɪ] *vt* room etc. verschönern

pret·ty [ˈprɪti] **I.** *adj* ❶ (*attractive*) person hübsch; thing nett; **not a ~ sight** kein schöner Anblick ❷ (*iron: not good*) schön, prima *fam* **II.** *adv* (*fam*) ❶ (*fairly*) ziemlich; **~ good** (*fam*) ganz gut; **~ damn good/quick** (*fam*) verdammt gut/schnell ❷ (*almost*) **~ well everything** beinah alles; **~ much** fast, nahezu **III.** *vt* ■**to ~ oneself** ○ **up** sich zurechtmachen; ■**to ~ up** ○ **sth** (*enhance*) etw verschönern; (*enliven*) etw aufpeppen

pret·zel [ˈprets³l] *n* Brezel *f* ÖSTERR *a. nt*

pre·vail [prɪˈveɪl] *vi* ❶ (*triumph*) justice, good siegen; person sich durchsetzen ❷ (*induce*) ■**to ~ on sb to do sth** jdn dazu bewegen, etw zu tun ❸ (*exist, be widespread*) custom weit verbreitet sein; opinion geläufig sein

pre·vail·ing [prɪˈveɪlɪŋ] *adj attr* wind vorherrschend; weather derzeit herrschend; **under the ~ circumstances** unter den gegebenen Umständen; **under ~ law** nach geltendem Recht [und Gesetz]; **~ mood** momentane Stimmung; **~ opinion** aktuelle Meinungslage

preva·lence [ˈprev³lən(t)s] *n no pl* (*common occurrence*) of crime, disease Häufigkeit *f;* of bribery, of drugs Überhandnehmen *nt;* (*predominance*) Vorherrschen *nt*

preva·lent [ˈprev³lənt] *adj* (*common*) vorherrschend; disease weit verbreitet; opinion geläufig; (*frequent*) besonders häufig

pre·vari·cate [prɪˈværɪkeɪt] *vi* (*form*) **Jane**

is **prevaricating over whether to buy a new house** Jane kann sich einfach nicht zu dem Kauf eines neuen Hauses entscheiden

pre·vari·ca·tion [prɪˌværɪˈkeɪʃən] *n no pl* (*form*) Ausflüchte *pl*, Ausweichmanöver *nt meist pl*

pre·vent [prɪˈvent] *vt* verhindern; MED vorbeugen; *crime* verhüten; ■**to ~ sb/sth** [**from**] **doing sth** jdn/etw daran hindern, etw zu tun; **there's nothing to ~ us from doing it** davon kann uns überhaupt nichts abhalten

pre·ven·ta·tive [prɪˈventətɪv] *adj see* **preventive**

pre·ven·tion [prɪˈven(t)ʃən] *n no pl of disaster* Verhinderung *f*; *of accident* Vermeidung *f*; *of crime* Verhütung *f*

pre·ven·tive [prɪˈventɪv] *adj* vorbeugend, Präventiv-; ■**to be ~** zur Vorbeugung dienen

pre·view [ˈpriːvjuː] **I.** *n of a film, play* Vorpremiere *f*; *of a trailer* Vorschau *f*; *of an exhibition* Vernissage *f*; *of new products* Vor[ab]besichtigung *f* **II.** *vt* ❶ (*detail in advance*) *film, theatre, TV* vorab ankündigen; *book* vorab besprechen; *report* vorab besprechen ❷ (*see in advance*) *film, theatre* schon vorher sehen; (*read in advance*) schon vorher lesen **III.** *vi* eine Voraufführung geben

pre·vi·ous [ˈpriːviəs] *adj attr* ❶ (*former*) vorig, vorausgegangen; (*prior*) vorherig; **~ conviction** Vorstrafe *f*; **no ~ experience required** keine Vorkenntnisse erforderlich; **~ holder/owner** Vorbesitzer(in) *m(f)* ❷ (*preceding*) vorig, vorhergehend; **on the ~ day** am Tag davor; **the ~ evening/week** der Abend/die Woche zuvor; **on my ~ visit to Florida** bei meinem letzten Besuch in Florida; **the ~ ten years** die vergangenen zehn Jahre

pre·vi·ous·ly [ˈpriːviəsli] *adv* (*beforehand*) zuvor, vorher; (*formerly*) früher; **~ unknown/unreleased** bisher unbekannt/unveröffentlicht

pre-war [ˌpriːˈwɔːʳ] *adj* Vorkriegs-

pre-wash <*pl* -es> [ˌpriːˈwɒʃ] *n* vor dem Waschen

prey [preɪ] **I.** *n no pl* ❶ (*food*) Beute *f* ❷ (*fig: victim*) Beute *f*; **to be easy ~ for sb** leichte Beute für jdn sein **II.** *vi* ❶ (*kill*) ■**to ~ on sth** Jagd auf etw *akk* machen ❷ (*exploit*) ■**to ~ on sb** jdn ausnutzen; (*abuse*) jdn ausnehmen; **to ~ on old people** sich *dat* alte Menschen als Opfer [aus]suchen

price [praɪs] **I.** *n* ❶ (*money*) Preis *m*; (*monetary sum*) [Geld]preis *m*; **computer**

~s Computerpreise *pl*; **the ~ of oil** der Ölpreis ❷ (*forfeit*) Preis *m kein pl fig*; **to pay a** [**heavy/small**] **~** einen [hohen/geringen] Preis zahlen *fig*; **not at any ~** um keinen Preis **II.** *vt* ■**to ~ sth** (*mark with price*) etw auszeichnen; (*set value*) den Preis für etw *akk* festsetzen; **to be reasonably ~d** einen angemessenen Preis haben

'**price brack·et** *n* Preisklasse *f* '**price con·trol** *n* Preiskontrolle *f* '**price cut** *n* Preissenkung *f* '**price fix·ing** *n no pl* Preisabsprache *f* '**price freeze** *n* Preisstopp *m* '**price-goug·ing** *n no pl* überhöhte Preise, Preistreiberei *f* '**price index** *n* Preisindex *m* '**price-led** *adj attr marketing strategy* preisfixiert; *supermarket chain* Billig-, Niedrigpreis-

price·less [ˈpraɪsləs] *adj* ❶ (*invaluable*) unbezahlbar, von unschätzbarem Wert nach *n* ❷ (*fig fam: funny*) *remark, situation* köstlich; *of person* unbezahlbar *hum* '**price list** *n* Preisliste *f* '**price range** *n* Preislage *f* '**price tag** *n,* '**price tick·et** *n* ❶ (*label*) Preisschild *nt* ❷ (*fam: cost*) Preis *m* (**for** für) '**price war** *n* Preiskrieg *m*

pricey [ˈpraɪsi] *adj* (*fam*) teuer

pric·ing [ˈpraɪsɪŋ] *n no pl* Preisgestaltung *f*

prick [prɪk] **I.** *n* ❶ (*act of piercing*) Stechen *nt*; (*pierced hole, mark*) Stich *m*; (*fig: sharp pain*) Stich *m*; **a ~ of anxiety/resentment** ein Anflug *m* von Angst/Groll ❷ (*vulg: penis*) Schwanz *m* ❸ (*vulg: idiot*) Arsch *m* **II.** *vt* stechen; **to ~ one's finger** sich *dat or akk* in den Finger stechen; **to ~ a potato with a fork** eine Kartoffel mit einer Gabel einstechen ◆**prick out** *vt* ❶ HORT auspflanzen ❷ (*draw, decorate*) *design, pattern, shape* punktieren ◆**prick up I.** *vt* **to ~ up one's ears** die Ohren spitzen **II.** *vi* sb's ears ~ up [at sth] jd spitzt die Ohren [bei etw *dat*]

prick·le [ˈprɪkl] **I.** *n* ❶ (*thorn*) *of plant* Dorn *m*; *of animal* Stachel *m* ❷ (*sensation*) *by beard, wool* Kratzen *nt*; (*fig*) Kribbeln *nt a. fig fam* **II.** *vi of beard, wool* jucken, kratzen; (*fig*) kribbeln, prickeln **III.** *vt wool sweater etc.* kratzen

prick·ly [ˈprɪkli] *adj* ❶ (*thorny*) stachelig ❷ (*scratchy*) kratzig ❸ (*fam: easily offended*) *person* [leicht] reizbar; (*stronger*) kratzbürstig; *subject* heikel

prick·ly 'pear *n* ❶ (*plant*) Feigenkaktus *m* ❷ (*fruit*) Kaktusfeige *f*

pride [praɪd] **I.** *n* ❶ *no pl* (*arrogance*) Hochmut *m*, Überheblichkeit *f*; (*satisfaction*) Stolz *m*; **to feel great ~** besonders stolz sein; **to take ~ in sb/sth** stolz auf jdn/etw sein; (*self-respect*) Stolz *m*; **to**

have too much ~ to do sth zu stolz sein, um etw zu tun ❷ *no pl* (*object of satisfaction*) Stolz *m* ❸ (*animal group*) **a ~ of lions** ein Rudel *nt* Löwen ►~ **comes before a** <u>fall</u> (*prov*) Hochmut kommt vor dem Fall; **to** <u>swallow</u> **one's ~** seinen Stolz überwinden **II.** *vt* ■**to ~ oneself on sth** auf etw *akk* |besonders| stolz sein

priest [priːst] *n* Priester *m*, Geistlicher *m*

priest·ess <*pl* -es> [ˌpriːˈstes] *n* Priesterin *f* **priest·hood** [ˈpriːsthʊd] *n no pl* ❶ (*position, office*) Priestertum *nt;* **to enter the ~** Priester/Priesterin werden ❷ (*body of priests*) Priesterschaft *f* **priest·ly** [ˈpriːstli] *adj* priesterlich, Priester·

prig [prɪg] *n* (*pej: moralist*) Tugendbold *m;* (*pedant*) Erbsenzähler *m*

prig·gish [ˈprɪgɪʃ] *adj* (*pej: self-righteous*) selbstgefällig; (*prudish*) übertrieben tugendhaft

prim <-mm-> [prɪm] *adj* (*pej: stiffly formal*) steif; (*prudish*) prüde; (*neat*) **house** mustergültig, untadelig; *clothes* streng

pri·ma·cy [ˈpraɪməsi] *n no pl* (*form*) Vorrang *m*, Primat *m o nt geh*

pri·ma don·na [ˌpriːməˈdɒnə] *n* (*also fig*) Primadonna *f*

pri·mae·val *adj esp* Brit *see* **primeval**

pri·mal [ˈpraɪml] *adj* ursprünglich, Ur·

pri·mari·ly [praɪˈmerəli] *adv* vorwiegend, hauptsächlich, in erster Linie

pri·ma·ry [ˈpraɪməri] **I.** *adj* ❶ (*principal*) primär *geh*, Haupt·; **~ concern** Hauptanliegen *nt* ❷ (*not derivative*) roh gewonnen, Roh· ❸ *esp* Brit, Aus (*education*) Grundschul|s|· **II.** *n* Am Pol (*election*) Vorwahl *f*

pri·ma·ry 'col·our *n*, Am **pri·ma·ry 'col·or** *n* Grundfarbe *f* **pri·ma·ry edu·'ca·tion** *n no pl esp* Brit Grundschul|aus|bildung *f*

pri·mate [ˈpraɪmeɪt] *n* ❶ Zool (*mammal*) Primat *m* ❷ (*priest*) Primas *m fachspr*

prime [praɪm] **I.** *adj attr* ❶ (*main*) wesentlich, Haupt·; **of ~ importance** von äußerster Wichtigkeit; **~ objective** oberstes Ziel; **~ suspect** Hauptverdächtige(r) *f(m)* ❷ (*best*) erstklassig; *example* ausgezeichnet **II.** *n no pl* Blütezeit *f fig;* **to be in one's ~** im besten Alter sein; **to be past one's ~** die besten Jahre hinter sich *dat* haben **III.** *vt* ❶ (*prepare*) vorbereiten ❷ Tech, Mil (*for exploding*) scharfmachen; (*for firing*) schussbereit machen; (*undercoat*) *canvas, metal, wood* grundieren ❸ *usu passive* Med, Biol **the immune system is ~d to attack diseased cells** das Immunsystem ist darauf ausgerichtet, kranke Zellen anzugreifen

prime 'cost *n* Econ Selbstkosten *pl* **prime me·'ridi·an** *n* Nullmeridian *m* **prime 'min·is·ter** *n* Premierminister(in) *m(f)* **prime 'mov·er** *n* treibende Kraft; *also* Philos bewegende Kraft, Triebfeder *f* **prime 'num·ber** *n* Primzahl *f*

prim·er [ˈpraɪmə^r] *n* (*paint*) Grundierfarbe *f;* (*coat*) Grundierung *f*

'prime time *n* Hauptsendezeit *f*

pri·meval [ˌpraɪˈmiːvᵊl] *adj* urzeitlich, Ur·

primi·tive [ˈprɪmɪtɪv] *adj* ❶ (*early stage*) primitiv; Zool urzeitlich; **~ mammal** Säugetier *nt* aus der Urzeit; (*unsophisticated, unreasoned*) *society, tribe, behaviour, emotion* primitiv ❷ (*pej: simple*) primitiv

primi·tive·ness [ˈprɪmɪtɪvnəs] *n no pl* (*in development*) Primitivität *f;* (*simplicity*) Einfachheit *f*

pri·mo·geni·ture [ˌpraɪməʊˈdʒenɪtʃə^r] *n no pl* (*spec*) Primogenitur *f*

pri·mor·dial [praɪˈmɔːdiəl] *adj* (*form*) ❶ Astron (*primeval*) Ur·, ursprünglich ❷ (*basic, fundamental*) Ur·, ureigen *attr*

prim·rose [ˈprɪmrəʊz] *n* |gelbe| Schlüsselblume

primu·la [ˈprɪmjələ] *n* Primel *f*

Pri·mus® [ˈpraɪməs] *n*, **Pri·mus stove®** *n* Campingkocher *m*

prince [prɪn(t)s] *n* ❶ (*royal*) Prinz *m;* (*head of principality*) Fürst *m* ❷ (*fig: one of best*) **to be a ~** |among sb| eine herausragende Persönlichkeit |unter jdm| sein

prince 'con·sort *n* Prinzgemahl *m*

prince·ly [ˈprɪn(t)sli] *adj* (*approv*) fürstlich

prin·cess <*pl* -es> [prɪnˈses] *n* Prinzessin *f*

prin·ci·pal [ˈprɪn(t)səpᵊl] **I.** *adj attr* ❶ (*most important*) Haupt·, hauptsächlich; **one of the ~ towns** eine der bedeutendsten Städte ❷ Fin (*original sum*) Kapital· **II.** *n* ❶ Am, Aus (*head person*) *in a school* Direktor(in) *m(f);* *in a company* Vorgesetzte(r) *f(m);* *in a play* Hauptdarsteller(in) *m(f);* *in an orchestra* Solist(in) *m(f);* (*person responsible for crime*) Hauptschuldige(r) *f(m)* ❷ (*client of lawyer*) Mandant(in) *m(f)* ❸ *usu sing* (*of investment*) Kapitalsumme *f;* (*of loan*) Kreditsumme *f*

prin·ci·pal·ity [ˌprɪn(t)sɪˈpæləti] *n* Fürstentum *nt*

prin·ci·pal·ly [ˈprɪn(t)səpli] *adv* hauptsächlich, vorwiegend, in erster Linie

prin·ci·ple [ˈprɪn(t)səpl] *n* ❶ (*basic concept*) Prinzip *nt;* **basic ~** Grundprinzip *nt* ❷ (*fundamental*) Grundlage *f* ❸ (*approv: moral code*) Prinzip *nt*, Grundsatz *m;* **to stick to one's ~s** an seinen Prinzipien festhalten ❹ Chem Grundbestandteil *m* ►**on** ~ aus Prinzip; **in** ~ im Prinzip

print [prɪnt] **I.** n ❶ (*lettering*) Gedruckte(s) nt; **the small** ~ das Kleingedruckte ❷ no pl (*printed form*) Druck m; **to appear in** ~ veröffentlicht werden; **to be in/out of** ~ erhältlich/vergriffen sein ❸ (*printed media*) ▪in ~ in der Presse ❹ (*photo*) Abzug m; (*film*) Kopie f; (*reproduction*) Kopie f; (*copy of artwork*) Druck m ❺ (*pattern*) [Druck]muster nt; **floral** ~ Blumenmuster nt ❻ (*footprint*) Fußabdruck m; (*fam: fingerprint*) Fingerabdruck m **II.** vt ❶ TYPO drucken; **to** ~ **a magazine/newspaper** eine Zeitschrift/ Zeitung herausgeben ❷ PUBL veröffentlichen; (*in magazine, newspaper*) abdrucken ❸ COMPUT ausdrucken ❹ PHOT abziehen ❺ (*on fabric*) bedrucken; **~ed by hand** handbedruckt ❻ (*write by hand*) in Druckschrift schreiben **III.** vi ❶ (*be in preparation*) sich im Druck befinden ❷ (*make copy*) drucken ❸ (*write in unjoined letters*) in Druckschrift schreiben

print·able ['prɪntəbl̩] adj druckfähig, druckbar; *manuscript* druckfertig

print·ed cir·cuit board n Leiterplatte f

print·er ['prɪntər] n ❶ (*person*) Drucker(in) m(f) ❷ (*machine*) Drucker m

'**print·er driv·er** n Druckertreiber m

'**print·ing** ['prɪntɪŋ] n ❶ no pl (*act*) Drucken nt ❷ (*print run*) Auflage f ❸ no pl (*handwriting*) Druckschrift f

'**print·ing ink** n Druckerschwärze f, Druckfarbe f '**print·ing press** n Druckerpresse f '**print·out** n Ausdruck m '**print run** n ❶ TYPO Auflage f ❷ COMPUT Drucklauf m '**print shop** n ❶ (*factory*) Druckmaschinensaal m ❷ (*copy store*) Druckerei f ❸ (*shop*) Grafikhandlung f

pri·or¹ ['praɪər] **I.** adv ▪~ **to sth** vor etw dat **II.** adj attr ❶ (*earlier*) frühere(r, s), vorherige(r, s); ~ **engagement** vorher getroffene Verabredung; ~ **conviction** LAW Vorstrafe f ❷ (*having priority*) vorrangig **III.** n AM (*prior conviction*) Vorstrafe f

pri·or² ['praɪər] n (*of abbey/priory*) Prior m

pri·ori·tize [praɪˈɒrɪtaɪz] esp AM **I.** vt ▪to ~ **sth** ❶ (*order*) etw der Priorität nach ordnen ❷ (*give preference to*) etw vorrangig behandeln **II.** vi Prioritäten setzen

pri·or·ity [praɪˈɒrəti] **I.** n ❶ (*deserving greatest attention*) vorrangige Angelegenheit; **first/top** ~ Angelegenheit f von höchster Priorität; **my first** ~ **is to find somewhere to live** für mich ist es vorrangig, eine Wohnung zu finden; **to get one's priorities right** seine Prioritäten richtig setzen ❷ no pl (*great importance*) Priorität f ❸ no pl (*precedence*) Vorrang m; **to**

give ~ **to sb/sth** jdm/etw den Vorzug geben ❹ no pl (*right of way*) Vorfahrt f **II.** adj ❶ (*urgent*) *task* vordringlich; ~ **mail** AM Expresszustellung f ❷ (*preferential*) vorrangig

pri·ory ['praɪəri] n Priorat nt

prise [praɪz] vt esp BRIT, AUS ▪to ~ **sth open** etw [mit einem Hebel] aufbrechen; **to** ~ **sb's hand open** jds Hand [mit Gewalt] öffnen

prism ['prɪzəm] n Prisma nt

pris·mat·ic [prɪzˈmætɪk] adj ❶ (*shape*) prismatisch ❷ (*formed by a prism*) Prismen-; ~ **colours** Spektralfarben pl

pris·on ['prɪzən] n (*also fig: jail*) Gefängnis nt a. fig; **to be in** ~ im Gefängnis sitzen; **to go to** ~ ins Gefängnis kommen

'**pris·on camp** n (*for POWs*) [Kriegs]gefangenenlager nt; (*for political prisoners*) Straflager nt '**pris·on cell** n Gefängniszelle f

pris·on·er ['prɪzənər] n (*also fig*) Gefangene(r) f(m) a. fig, Häftling m; (*fig*) **political** ~ politischer Häftling; **to hold sb** ~ jdn gefangen halten; **to take sb** ~ jdn gefangen nehmen

pris·on·er of '**war** <pl prisoners-> n Kriegsgefangene(r) f(m)

'**pris·on guard** n Gefängniswärter(in) m(f) **pris·on in·**'**mate** n Gefängnisinsasse(in) m(f), Häftling m **pris·on** '**riot** n Gefängnisaufstand m '**pris·on yard** n Gefängnishof m

pris·tine ['prɪstiːn] adj (*approv: original*) ursprünglich; *nature* unberührt; (*perfect*) tadellos, makellos

pri·va·cy ['prɪvəsi] n no pl ❶ (*personal realm*) Privatsphäre f; **in the** ~ **of one's home** in den eigenen vier Wänden fam ❷ (*time alone*) Zurückgezogenheit f, Abgeschiedenheit f ❸ (*secret*) Geheimhaltung f; **in strict** ~ streng vertraulich

'**pri·va·cy glass** n no pl (*in cars*) ~ **windows** abgedunkelte Scheiben

pri·vate ['praɪvɪt] **I.** adj ❶ (*personal*) privat, Privat-; ~ **joke** Insiderwitz m fam; **sb's** ~ **opinion** jds persönliche Meinung ❷ (*not open to public*) privat, Privat-; *discussion, meeting* nicht öffentlich ❸ (*confidential*) vertraulich; **to keep sth** ~ etw für sich akk behalten ❹ (*not social*) zurückhaltend, introvertiert ❺ (*secluded*) abgelegen; (*undisturbed*) ungestört ❻ (*not governmental*) privat, Privat- ❼ (*not as official*) **as a** ~ **person** als Privatperson **II.** n ❶ no pl (*not in public*) ▪in ~ privat; LAW unter Ausschluss der Öffentlichkeit; **to speak to sb in** ~ jdn [o mit jdm] unter vier Augen sprechen ❷ *(fam: genitals)* ◼~s *pl* Geschlechtsteile *pl* ❸ *(soldier)* Gefreiter *m*

pri·va·teer [ˌpraɪvə'tɪə'] *n* *(hist)* Freibeuter *m*

pri·vate·ly ['praɪvɪtli] *adv* ❶ *(not in public)* privat; **to speak ~ with sb** mit jdm unter vier Augen sprechen ❷ *(secretly)* heimlich, insgeheim ❸ *(personally)* persönlich

pri·va·tion [praɪ'veɪʃ°n] *n* *(form)* ❶ *no pl* Armut *f*, Not *f* ❷ *(hardship)* Entbehrung *f*

pri·vati·za·tion [ˌpraɪvɪtaɪ'zeɪʃ°n] *n* *no pl* Privatisierung *f*

pri·va·tize ['praɪvɪtaɪz] *vt* privatisieren

priv·et ['prɪvɪt] *n* Liguster *m*

privi·lege ['prɪvᵊlɪdʒ] I. *n* ❶ *(special right)* Privileg *nt*, Vorrecht *nt* ❷ *(honour)* Ehre *f*; *(iron)* Vergnügen *nt*; ◼**it is a ~ [for sb] to do sth** es ist [jdm] eine Ehre, etw zu tun ❸ *no pl (advantage)* Sonderrecht *nt*, Privileg *nt* ❹ LAW **attorney-client ~** Anwaltsgeheimnis *nt* II. *vt usu passive* ❶ *(give privileges to)* privilegieren ❷ *(exempt from)* ◼**to be ~d from sth** von etw *dat* befreit sein

privi·leged ['prɪvᵊlɪdʒd] *adj* ❶ *(with privileges)* privilegiert ❷ LAW *communication, information* vertraulich

privy ['prɪvi] I. *adj (form)* ◼**to be ~ to sth** in etw *akk* eingeweiht sein II. *n* ❶ *(old: toilet)* Retriade *f* ❷ LAW Mitinteressent(in) *m(f)*

prize¹ [praɪz] I. *n* ❶ *(sth won)* Preis *m*; *(in lottery)* Gewinn *m* ❷ *(reward)* Lohn *m* II. *adj attr* ❶ *(iron: first-rate)* erstklassig; **~ idiot** Vollidiot(in) *m(f) pej sl* ❷ *(prize-winning)* preisgekrönt III. *vt usu passive* schätzen; ◼**to ~ sth above sth** etw über etw *dat* stellen; **sb's ~d possession** jds wertvollster Besitz; **to ~ sth highly** etw hoch schätzen

prize² *vt* AM *see* **prise**

'**prize·fight** *n* Profiboxkampf *m* '**prize·fight·er** *n* Profiboxer(in) *m(f)* '**prize·fight·ing** *n no pl* Profiboxen *nt* '**prize·giv·ing** *n* Preisverleihung *f* '**prize list** *n* Gewinnerliste *f* '**prize mon·ey** *n no pl* Geldpreis *m*; SPORTS Preisgeld *nt* '**prize·win·ner** *n* Gewinner(in) *m(f)*, Preisträger(in) *m(f)* '**prize-win·ning** *adj attr* preisgekrönt

pro¹ [prəʊ] *(fam)* I. *n* Profi *m* II. *adj attr* Profi-

pro² [prəʊ] I. *adv* dafür II. *n* Pro *nt*; ◼**the ~s of sth** die Vorteile *pl* einer S. *gen*; **the ~s and cons of sth** das Pro und Kontra einer S. *gen*; **to weigh the ~s and cons of sth** die Vor- und Nachteile einer S. *gen* gegeneinander abwägen III. *prep (in favour*

of) für IV. *adj* pro-; **a measure's ~ arguments** die Argumente *pl* für eine Maßnahme

pro·ac·tive [ˌprəʊ'æktɪv] *adj* initiativ *geh*; **some firms should be taking a more ~ attitude towards exporting** manche Firmen sollten, was den Export betrifft, mehr Eigeninitiative zeigen

prob·abil·ity [ˌprɒbə'bɪləti] *n* Wahrscheinlichkeit *f*; **high/strong ~** hohe/große Wahrscheinlichkeit; **in all ~** höchstwahrscheinlich

prob·able ['prɒbəbl] I. *adj* wahrscheinlich II. *n* POL, ECON Kandidat(in) *m(f)*

prob·ably ['prɒbəbli] *adv* wahrscheinlich

pro·bate ['prəʊbeɪt] I. *n no pl* ❶ LAW gerichtliche Testamentsbestätigung [und Erbscheinerteilung] ❷ AUS *(tax)* Erbschaftssteuer *f* II. *vt* AM gerichtlich bestätigen

pro·ba·tion [prə(ʊ)'beɪʃ°n] *n no pl* ❶ *(trial period)* Probezeit *f*; **to be on ~** Probezeit haben ❷ LAW Bewährung *f*; **to be [out] on ~** auf Bewährung [draußen] sein ❸ AM SCH, UNIV *(disciplinary period)* Besserungsfrist *f*; **to place sb on ~** jdm eine Besserungsfrist einräumen

pro·ba·tion·ary [prə(ʊ)'beɪʃ°nᵊri] *adj* Probe-; LAW Bewährungs-

pro·ba·tion·er [prə(ʊ)'beɪʃ°nə'] *n* ❶ *(ex-convict)* auf Bewährung Freigelassene(r) *f(m)* ❷ *(employee)* Angestellte(r) *f(m)* auf Probe

pro-'ba·tion of·fic·er *n* Bewährungshelfer(in) *m(f)*

probe [prəʊb] I. *vi* ❶ *(investigate)* forschen **(for** nach); *(pester)* bohren *pej fam*; **to ~ into sb's past/private life** in jds Vergangenheit/Privatleben herumschnüffeln *pej fam* ❷ *(physically search)* Untersuchungen durchführen II. *vt* ❶ *(investigate)* untersuchen; *mystery* ergründen; *scandal* auf den Grund gehen ❷ MED untersuchen III. *n* ❶ *(investigation)* Untersuchung *f*; **~ into a murder/scandal** Untersuchung *f* eines Mordes/Skandals; **~ into sb's past/private life** Herumschnüffeln *nt* in jds Vergangenheit/Privatleben *pej fam* ❷ MED Sonde *f*

prob·ing ['prəʊbɪŋ] I. *adj attr* prüfend; *question* bohrend; **~ glance** forschender Blick II. *n* *(investigation)* Untersuchung *f*; **~ into sb's activities** eine Überprüfung der Aktivitäten einer Person *gen*

pro·bi·otic [prəʊbaɪ'ɒtɪk] *adj bacteria* probiotisch

pro·bity ['prəʊbəti] *n no pl (form)* Rechtschaffenheit *f*

prob·lem ['prɒbləm] *n* ❶ *(difficulty)*

Schwierigkeit *f*; Problem *nt*; **it's not my ~!** das ist [doch] nicht mein Problem!; **he had no ~ in getting the job** er bekam die Arbeit ohne Probleme; (*fam*) **no ~ (sure)** kein Problem; (*don't mention it*) keine Ursache; **what's your ~?** was ist [mit dir] los?; **to face a ~** vor einem Problem stehen; **to pose a ~ [for sb]** [für jdn] ein Problem sein ❷ (*task*) Aufgabe *f*; **that's her ~!** das ist ihre Sache! ❸ MED Problem *nt* ❹ MATH [Rechen]aufgabe *f*

prob·lem·at·ic(al) [ˌprɒbləˈmætɪk(əl)] *adj* ❶ (*difficult*) problematisch ❷ (*questionable*) fragwürdig

'prob·lem child *n* Problemkind *nt*

pro·bos·cis <*pl* -sces> [prəˈʊ)bɒsɪs, *pl* -siːz] *n* ❶ ZOOL Rüssel *m* ❷ (*hum: person's nose*) Rüssel *m fam*

pro·cedur·al [prəˈsiːdʒərəl] *adj* verfahrenstechnisch; LAW verfahrensrechtlich, Verfahrens-

pro·cedure [prəˈʊ)siːdʒə] *n* ❶ (*particular course of action*) Verfahren *nt*; **standard ~** übliche Vorgehensweise ❷ (*operation*) Vorgang *m*, Prozedur *f* ❸ LAW Verfahren *nt*, Prozess *m*; **court ~** Gerichtsverfahren *nt*

pro·ceed [prəˈʊ)siːd] *vi* (*form*) ❶ (*make progress*) fortschreiten, vorangehen ❷ (*advance*) vorrücken ❸ (*continue*) fortfahren, weiterfahren SÜDD, SCHWEIZ ❹ **to ~ from sth** (*come from*) von etw *dat* kommen; (*be caused by*) von etw *dat* herrühren ❺ (*form: drive*) [weiter]fahren; (*walk*) [weiter]gehen ❻ (*continue speaking*) fortfahren [zu sprechen] ❼ (*go on*) ▪ **to ~ to do sth** sich anschicken, etw zu tun ❽ LAW ▪ **to ~ against sb** gegen jdn gerichtlich vorgehen

pro·ceed·ing [prəˈʊ)siːdɪŋ] *n* ❶ (*action*) Vorgehen *nt kein pl*; (*manner*) Vorgehensweise *f* ❷ LAW (*legal action*) ▪ ~**s** *pl* Verfahren *nt* ❸ (*event*) ▪ ~**s** *pl* Veranstaltung *f*

pro·ceeds [ˈprəʊsiːdz] *npl* Einnahmen *pl*

pro·cess[1] [ˈprəʊses] I. *n* <*pl* -es> ❶ (*set of actions*) Prozess *m* ❷ (*method*) Verfahren *nt* ❸ *no pl* (*going on*) Verlauf *m*; ▪ **in ~** im Gange; **in the ~** dabei ❹ (*summons*) gerichtliche Verfügung II. *vt* ❶ (*deal with*) bearbeiten; ▪ **to ~ sb** jdn abfertigen ❷ COMPUT verarbeiten ❸ (*fig: comprehend*) verstehen ❹ (*treat*) bearbeiten, behandeln; *food* haltbar machen, konservieren ❺ PHOT *film* entwickeln

pro·cess[2] [prəˈʊ)ses] *vi* (*form*) [in einer Prozession] mitgehen

'pro·cess chart *n* Arbeitsablaufdiagramm *nt* **pro·cess en·gi·'neer·ing** *n*

no pl Verfahrenstechnik *f*

pro·cess·ing [ˈprəʊsesɪŋ] *n no pl* ❶ (*dealing with*) *of application* Bearbeitung *f* ❷ (*treatment*) TECH Weiterverarbeitung *f*; FOOD Konservierung *f*; *of milk* Sterilisierung *f* ❸ COMPUT Verarbeitung *f* ❹ PHOT Entwicklung *f*

pro·ces·sion [prəˈsefən] *n* ❶ (*line*) Umzug *m*; REL Prozession *f*; **funeral ~** Trauerzug *m*; ▪ **in ~** hintereinander; **to go in ~** einen Umzug machen; REL eine Prozession machen ❷ (*fig: group*) Schlange *f*, Reihe *f*

pro·ces·sor [ˈprəʊsesə] *n* ❶ (*company*) [Weiter]verarbeitungsbetrieb *m* ❷ (*machine*) **food ~** Küchenmaschine *f* ❸ COMPUT Prozessor *m*

pro·claim [prəˈʊ)kleɪm] *vt* ❶ (*form: announce*) verkünden, erklären ❷ (*liter: signify*) zum Ausdruck bringen

proc·la·ma·tion [ˌprɒkləˈmeɪfən] *n* ❶ (*form: act of proclaiming*) Verkündigung *f*, öffentliche Bekanntmachung; **~ of the republic** Ausrufung *f* der Republik ❷ (*decree*) Erlass *m* ❸ (*liter: sign*) Ausdruck *m* (**of**)

pro·cliv·ity [prəˈʊ)klɪvəti] *n* (*form*) Hang *m kein pl*, Neigung *f* (**for** zu), Schwäche *f* (**for** für)

pro·cras·ti·nate [prəˈʊ)kræstɪneɪt] *vi* (*form*) zögern, zaudern

pro·cras·ti·na·tion [prəˈʊ)kræstɪˈneɪfən] *n no pl* (*form*) Zögern *nt*, Zaudern *nt*

pro·cre·ate [ˈprəʊkrieɪt] I. *vi* sich fortpflanzen II. *vt* (*also fig*) zeugen; ▪ **to ~ sth** etw hervorbringen

pro·crea·tion [ˌprəʊkriˈeɪfən] *n no pl* Fortpflanzung *f*; (*fig*) Erzeugung *f*, Hervorbringen *nt*

proc·tor [ˈprɒktə] I. *n* ❶ AM (*for exam*) [Prüfungs]aufsicht *f* ❷ BRIT UNIV Disziplinarbeamte(r) *m*, Disziplinarbeamte [*o* -in] *f* II. *vi* AM Aufsicht führen III. *vt* AM **to ~ an exam** eine Prüfung beaufsichtigen

pro·cur·able [prəˈkjʊərəbl] *adj* erhältlich, beschaffbar

procu·ra·tor [ˈprɒkjʊ(ə)reɪtə] *n* ❶ (*representative*) Bevollmächtigte(r) *f(m)* ❷ SCOT (*attorney*) Anwalt, Anwältin *m, f*

procu·ra·tor 'fis·cal *n* SCOT Staatsanwalt, Staatsanwältin *m, f*

pro·cure [prəˈkjʊə] (*form*) I. *vt* ❶ (*obtain*) beschaffen, besorgen; *sb's release* erreichen ❷ (*form: pimp*) **to ~ women for prostitution** Zuhälterei betreiben II. *vi* (*form*) Zuhälterei treiben

pro·cure·ment [prəˈkjʊəmənt] *n* (*form*) ❶ (*acquisition*) Beschaffung *f*, Besorgung *f* ❷ *no pl* (*system*) Beschaffungswesen *nt*

P

pro·cur·er [prəˈkjʊərə^r] *n* (*form*) Zuhälter *m*, Kuppler *m pej*

prod [prɒd] **I.** *n* ❶ (*tool*) Ahle *f*; **cattle ~** [elektrischer] Viehtreibstab ❷ (*poke*) Schubs *m fam*, [leichter] Stoß; **to give sb a ~** jdm einen Stoß versetzen ❸ (*fig: incitation*) Anstoß *m fig*; (*reminder*) Gedächtnisanstoß *m* **II.** *vt* <-dd-> ❶ (*poke*) stoßen; **to ~ a horse with a stick** ein Pferd mit einem Stock vorwärtstreiben ❷ (*fig: encourage*) antreiben; **to ~ sb into action** jdn auf Trab bringen *fam*

prodi·gal [ˈprɒdɪg^əl] *adj* verschwenderisch

pro·di·gious [prəˈdɪdʒəs] *adj* (*form*) ❶ (*enormous*) gewaltig, ungeheuer ❷ (*wonderful*) wunderbar, erstaunlich

prodi·gy [ˈprɒdɪdʒi] *n* ❶ (*person*) außergewöhnliches Talent; **child ~** Wunderkind *nt*; **mathematical ~** Mathematikgenie *nt* ❷ (*accomplishment*) Wunder *nt*

pro·duce I. *vt* [prəˈdjuːs] ❶ (*make*) herstellen, produzieren; *coal, oil* fördern; *electricity* erzeugen ❷ (*bring about*) bewirken, hervorrufen; *effect* erzielen; *profits, revenue* erzielen; **to ~ results** zu Ergebnissen führen ❸ ZOOL (*give birth to*) zur Welt bringen; **to ~ kittens/puppies/young** [Katzen]junge/Welpen/Junge bekommen ❹ FILM, MUS *film, programme* produzieren; THEAT *play, opera* inszenieren ❺ (*show*) hervorholen; **to ~ identification/one's passport** seinen Ausweis/Pass zeigen **II.** *vi* [prəˈdjuːs] ❶ (*bring results*) Ergebnisse erzielen; ECON einen Gewinn erwirtschaften ❷ (*give output*) produzieren; *mine* fördern ❸ (*be fertile*) *humans* Nachwuchs bekommen; *plant* Früchte tragen; *land* ertragreich sein ❹ FILM einen Film produzieren; THEAT ein Stück inszenieren **III.** *n* [ˈprɒdjuːs] *no pl* ❶ AGR Erzeugnisse *pl*, Produkte *pl* ❷ AM (*fruit and vegetables*) Obst *nt* und Gemüse *nt*

pro·duc·er [prəˈdjuːsə^r] *n* ❶ (*manufacturer*) Hersteller *m*, Produzent *m*; AGR Erzeuger *m* ❷ FILM, TV Produzent(in) *m(f)*; THEAT Regisseur(in) *m(f)*; MUS [Musik]produzent(in) *m(f)*

prod·uct [ˈprɒdʌkt] *n* ❶ (*sth produced*) Produkt *nt*, Erzeugnis *nt* ❷ (*result*) Ergebnis *nt*, Folge *f* ❸ MATH Produkt *nt*

pro·duc·tion [prəˈdʌkʃ^ən] *n* ❶ *no pl* (*process*) Produktion *f*, Herstellung *f*; *of coal* Förderung *f*; *of energy* Erzeugung *f* ❷ *no pl* (*yield*) Produktion *f* ❸ *no pl* FILM, TV, RADIO, MUS Produktion *f*; THEAT Inszenierung *f* ❹ *no pl* (*form: presentation*) Vorweisen *nt*

pro·duc·tion ca·ˈpac·ity *n no pl* Produk-

tionskapazität *f* **pro·ˈduc·tion costs** *npl* Produktionskosten *pl* **pro·duc·tion ˈdi·rec·tor** *n* RADIO Sendeleiter(in) *m(f)* **pro·ˈduc·tion line** *n* Fließband *nt* **pro·duc·tion ˈman·ag·er** *n* Produktionsleiter(in) *m(f)* **pro·ˈduc·tion time** *n* Produktionszeit *f* **pro·ˈduc·tion vol·ume** *n* Fertigungsvolumen *nt*

pro·duc·tive [prəˈdʌktɪv] *adj* ❶ (*with large output*) produktiv; *land, soil* fruchtbar, ertragreich; *mine, well* ergiebig; (*fig*) *conversation* fruchtbar; *discussion, meeting* ergiebig ❷ (*profitable*) *business* rentabel ❸ (*efficient*) leistungsfähig ❹ (*useful*) sinnvoll

prod·uc·tiv·ity [ˌprɒdʌkˈtɪvəti] *n no pl* ❶ (*output*) Produktivität *f*; **high/low ~** hohe/niedrige Produktivität ❷ (*effectiveness*) Effektivität *f*, Effizienz *f* ❸ (*profitability*) Rentabilität *f*

prod·uc·ˈtiv·ity agree·ment *n* BRIT Produktivitätsvereinbarung *f* **prod·uc·ˈtiv·ity bo·nus** *n* Leistungszulage *f*

prof [prɒf] *n* (*hum fam*) *short for* **professor** Prof *m*

pro·fane [prəˈfeɪn] **I.** *adj* ❶ (*blasphemous*) gotteslästerlich, frevelhaft ❷ (*form: secular*) weltlich, profan *geh* **II.** *vt* entweihen

pro·fan·ity [prəˈfænəti] *n* ❶ *no pl* (*blasphemy*) Gotteslästerung *f* ❷ (*swearing*) Fluch *m* ❸ (*word*) Kraftausdruck *m* ❹ (*behaviour*) Lasterhaftigkeit *f*, Verderbtheit *f*

pro·fess [prəˈfes] *vt* ❶ (*claim*) erklären; (*insistingly*) beteuern; **to ~ little enthusiasm** wenig Begeisterung zeigen ❷ (*affirm*) sich zu etw *dat* bekennen

pro·fessed [prəˈfest] *adj attr* ❶ (*openly declared*) *Marxist, communist* erklärt ❷ (*alleged*) angeblich

pro·fes·sion [prəˈfeʃ^ən] *n* ❶ (*field of work*) Beruf *m*; **teaching ~** Lehrberuf *m*; **to enter a ~** einen Beruf ergreifen; **by ~** von Beruf ❷ (*body of workers*) Berufsstand *m* ❸ (*claim*) Bekundung *f*, Erklärung *f*

pro·fes·sion·al [prəˈfeʃ^ən^əl] **I.** *adj* ❶ (*of a profession*) beruflich, Berufs- ❷ (*not tradesman*) freiberuflich, akademisch; **~ people** Angehörige *pl* der freien [*o* akademischen] Berufe ❸ (*expert*) fachmännisch; **is that your personal or ~ opinion?** ist das Ihre private Meinung oder Ihre Meinung als Fachmann? ❹ (*approv: businesslike*) professionell, fachmännisch; **to do a ~ job** etw fachmännisch erledigen; **~ manner** professionelles Auftreten ❺ (*not amateur*) Berufs-; SPORTS Profi- ❻ (*fam: habitual*) notorisch **II.** *n* ❶ (*not an* *amateur*) Fachmann, Fachfrau *m, f;* SPORTS Profi *m* ❷ (*not a tradesman*) Akademiker(in) *m(f),* Angehörige(r) *f/m)* der freien [*o* akademischen] Berufe

pro·fes·sion·al·ism [prə'feʃᵊnᵊlɪzᵊm] *n no pl* ❶ (*skill and experience*) Professionalität *f;* (*attitude*) professionelle Einstellung; **to handle sth with ~** mit etw *dat* professionell [*o* fachmännisch] umgehen ❷ SPORTS Profitum *nt*

pro·fes·sion·al·ly [prə'feʃᵊnᵊli] *adv* ❶ (*by a professional*) von einem Fachmann/einer Fachfrau; **to do sth ~** etw fachmännisch erledigen ❷ (*not as an amateur*) berufsmäßig; **to do sth ~** etw beruflich betreiben

pro·fes·sor [prə'fesər] *n* ❶ (*at university*) Professor(in) *m(f);* **~ of history/mathematics** Professor(in) *m(f)* für Geschichte/Mathematik; AM (*teacher at university*) Dozent(in) *m(f)* ❷ (*affirmer*) Bekenner(in) *m(f)*

pro·fes·so·rial [ˌprɒfɪ'sɔ:riəl] *adj* Professoren-

pro·fes·sor·ship [prə'fesəʃɪp] *n* Professur *f,* Lehrstuhl *m*

prof·fer ['prɒfər] *vt* (*form*) anbieten; **to ~ sb one's hand** jdm seine Hand reichen

pro·fi·cien·cy [prə'fɪʃᵊn(t)si] *n no pl* Tüchtigkeit *f,* Können *nt;* **~ in a language** Sprachkenntnisse *pl*

pro·fi·cient [prə'fɪʃᵊnt] *adj* fähig, tüchtig; **to be ~ in a language** eine Sprache beherrschen

pro·file ['prəʊfaɪl] I. *n* ❶ (*side view*) Profil *nt* ❷ (*description*) Porträt *nt fig;* (*restricted in scope*) Profil *nt* ❸ (*public image*) **to raise sb's ~** jdn hervorheben; **to be in a high-~ position** eine bedeutende Position innehaben ▶ **to keep a <u>low</u> ~** sich zurückhalten II. *vt* ❶ (*write*) porträtieren *fig* ❷ (*draw*) im Profil zeichnen

prof·it ['prɒfɪt] I. *n* ❶ (*money earned*) Gewinn *m;* **gross/net ~** Brutto-/Reingewinn *m* ❷ (*advantage*) Nutzen *m,* Vorteil *m* II. *vi* ❶ (*gain financially*) profitieren (**by/from** von), Gewinn machen ❷ (*benefit*) profitieren (**by/from** von)

prof·it·abil·ity [ˌprɒfɪtə'bɪləti] *n no pl* Rentabilität *f*

prof·it·able ['prɒfɪtəbl] *adj* ❶ (*in earnings*) Gewinn bringend, rentabel, profitabel ❷ (*advantageous*) nützlich, vorteilhaft

prof·it·ably ['prɒfɪtəbli] *adv* ❶ (*at a profit*) Gewinn bringend, rentabel ❷ (*advantageously*) nutzbringend, vorteilhaft; **to spend one's time ~** seine Zeit sinnvoll nutzen

profi·teer [ˌprɒfɪ'tɪər] I. *n* (*pej*) Profitjäger(in) *m(f)* II. *vi* ❶ (*make excessive profit*) riesige Gewinne erzielen; (*make unfair profit*) sich bereichern ❷ (*earn money on black market*) Schwarzhandel treiben

profi·teer·ing [ˌprɒfɪ'tɪərɪŋ] *n no pl* ❶ (*profit-seeking*) Geschäftemacherei *f pej* ❷ (*selling at too high prices*) Wucher *m pej*

'**prof·it-mak·ing** *adj* Gewinn bringend, rentabel '**prof·it mar·gin** *n* Gewinnspanne *f* **prof·it-'ori·en·tat·ed** [-ˌɔ:rienteɪtɪd] BRIT, *esp* AM **prof·it-'ori·ent·ed** [-ˌɔ:rientɪd] *adj* gewinnorientiert '**prof·it-shar·ing** *n no pl* Gewinnbeteiligung *f* '**prof·it·tak·ing** *n no pl* Gewinnmitnahme *f*

prof·li·gate ['prɒflɪgət] I. *adj* (*form*) ❶ (*wasteful*) verschwenderisch ❷ (*without moral*) lasterhaft, ausschweifend II. *n* ❶ (*wasteful person*) Verschwender(in) *m(f)* ❷ (*immoral person*) lasterhafter Mensch; (*rake*) Wüstling *m pej*

pro·found [prə'faʊnd] *adj* ❶ (*extreme*) tief gehend; *change* tief greifend; *effect* nachhaltig; *impression* tief; *interest* lebhaft, stark; *ignorance* völlig ❷ (*strongly felt*) tief, heftig; *compassion, gratification, gratitude* tief empfunden; *respect, reverence, veneration, love* groß; *anger* tief sitzend; *distress* groß ❸ (*intellectual*) tiefsinnig *a. iron,* tiefgründig; *knowledge* umfassend; *truth, wisdom* tief

pro·fund·ity [prə'fʌndəti] *n* (*form*) ❶ *no pl* (*great depth*) Tiefe *f* ❷ *no pl* (*intellectual depth*) Tiefgründigkeit *f* ❸ (*deep remark*) Weisheit *f*

pro·fuse [prə'fju:s] *adj* überreichlich; *bleeding, perspiration* stark; *praise, thanks* überschwänglich

pro·fu·sion [prə'fju:ʒᵊn] *n no pl* (*form*) Überfülle *f*

pro·geni·tor [prə(ʊ)'dʒenɪtər] *n* (*form: ancestor*) Ahn(in) *m(f);* (*predecessor*) Vorläufer(in) *m(f);* (*intellectual ancestor*) geistiger Vater/geistige Mutter

prog·eny ['prɒdʒəni] *n* + *sing/pl vb* (*form*) Nachkommenschaft *f*

prog·no·sis <*pl* -ses> [prɒg'nəʊsɪs, *pl* -si:z] *n also* MED Prognose *f;* **to make a ~** eine Prognose stellen

prog·nos·ti·cate [prɒg'nɒstɪkeɪt] *vt* prognostizieren

pro·gram ['prəʊgræm] I. *n* ❶ COMPUT Programm *nt* ❷ *esp* AM, AUS *see* **programme** II. *vt* <-mm-> ❶ COMPUT programmieren ❷ *esp* AM, AUS *see* **programme**

pro·gram·er *n* AM *see* **programmer**

Ⓟ

pro·gramme ['prəʊgræm] **I.** *n* ❶ RADIO, TV Programm *nt;* (*single broadcast*) Sendung *f* ❷ (*list of events*) Programm *nt;* THEAT (*for all plays*) Spielplan *m;* (*for one play*) Programmheft *nt* ❸ (*plan*) Programm *nt,* Plan *m;* **what's on the ~ for today?** was steht heute auf dem Programm? **II.** *vt* <-mm-> ❶ (*instruct*) programmieren ❷ *usu passive* (*mentally train*) ■**to ~ sb to do sth** jdn darauf programmieren, etw zu tun

pro·gram·mer ['prəʊgræmə'] *n* ❶ (*operator*) Programmierer(in) *m(f)* ❷ (*component*) Programmiergerät *nt*

pro·gram·ming ['prəʊgræmɪŋ] *n no pl* ❶ COMPUT Programmieren *nt,* Programmierung *f* ❷ RADIO, TV Programm[e] *nt[pl]*, Programmgestaltung *f*

pro·gress I. *n* ['prəʊgres] *no pl* ❶ (*onward movement*) Vorwärtskommen *nt;* **to make slow/good ~** langsam/gut vorwärtskommen ❷ (*development*) Fortschritt *m* ❸ (*to be going*) **to be in ~** im Gange sein ❹ *no art* (*general improvement*) Fortschritt *m* **II.** *vi* [prə(ʊ)'gres] ❶ (*develop*) Fortschritte machen; **how's the work ~ing?** wie geht's mit der Arbeit voran? ❷ (*move onward*) *in space* vorankommen; *in time* fortschreiten

pro·gres·sion [prə(ʊ)'greʃ⁰n] *n no pl* ❶ (*development*) Entwicklung *f* ❷ MATH (*series*) Reihe *f*

pro·gres·sive [prə(ʊ)'gresɪv] **I.** *adj* ❶ (*gradual*) fortschreitend; (*gradually increasing*) zunehmend; **a ~ change/ increase/decline** eine allmähliche Veränderung/Zunahme/ein allmählicher Verfall ❷ (*reformist, forward-looking*) progressiv; POL fortschrittlich ❸ LING (*verb form*) **~ form** Verlaufsform *f* **II.** *n* ❶ (*reformist*) Progressive(r) *f(m)* ❷ LING ■**the ~** die Verlaufsform

pro·gres·sive·ly [prə(ʊ)'gresɪvli] *adv* zunehmend; **my eyesight has got ~ worse over the years** mein Sehvermögen hat sich im Lauf der Zeit immer mehr verschlechtert

pro·hib·it [prə(ʊ)'hɪbɪt] *vt* ❶ (*forbid*) verbieten; **to be ~ed by law** gesetzlich verboten sein; ■**to ~ sb from doing sth** jdm verbieten, etw zu tun ❷ (*prevent*) verhindern

pro·hi·bi·tion [ˌprəʊ(h)ɪ'bɪʃ⁰n] *n* ❶ (*ban*) Verbot *nt* (**of/on** gegen) ❷ *no pl* (*banning*) Verbieten *nt* ❸ (*hist: US alcohol ban*) ■P~ *no art* die Prohibition

pro·hibi·tive [prəʊ'hɪbətɪv] *adj* ❶ (*too expensive*) *price* unerschwinglich ❷ (*prohibiting*) **~ measures** Verbotsmaßnahmen *pl*

proj·ect I. *n* ['prɒdʒekt] ❶ (*undertaking*) Projekt *nt* ❷ (*plan*) Plan *m* **II.** *vt* [prə(ʊ)'dʒekt] ❶ (*forecast*) vorhersagen; *profit, expenses, number* veranschlagen ❷ (*propel*) schleudern ❸ *slides, film* projizieren (**onto** auf) ❹ (*display*) darstellen; **to ~ a tougher image** ein härteres Image vermitteln **III.** *vi* [prə(ʊ)'dʒekt] (*protrude*) hervorragen, [hinaus]ragen (**over** über)

pro·jec·tile [prə(ʊ)'dʒektaɪl] *n* (*thrown object*) Wurfgeschoss *nt;* (*bullet, shell*) Geschoss *nt;* (*missile*) Rakete *f*

pro·jec·tion [prə(ʊ)'dʒekʃ⁰n] *n* ❶ (*forecast*) Prognose *f;* *of expenses* Voranschlag *m* ❷ (*protrusion*) Vorsprung *m* ❸ *no pl* (*on screen*) Vorführung *f;* (*projected image*) Projektion *f* ❹ *no pl* PSYCH (*unconscious transfer*) Projektion *f;* (*mental image*) Projektion *f* ❺ *no pl* (*presentation*) Darstellung *f*

pro·jec·tion·ist [prə(ʊ)'dʒekʃ⁰nɪst] *n* Filmvorführer(in) *m(f)*

proj·ect 'man·age·ment *n* Projektmanagement *nt* **proj·ect 'man·ag·er** *n* Projektmanager(in) *m(f)*

pro·jec·tor [prə(ʊ)'dʒektə'] *n* Projektor *m*

pro·lapse ['prəʊlæps] *n* MED Prolaps *m fachspr*

prole [prəʊl] (*pej or hum*) **I.** *n short for* **proletarian** Prolet(in) *m(f)* **II.** *adj short for* **proletarian** proletenhaft

pro·letar·ian [ˌprəʊlɪ'teəriən] **I.** *n* Proletarier(in) *m(f)* **II.** *adj* proletarisch

pro·letari·at [ˌprəʊlɪ'teəriət] *n no pl* Proletariat *nt*

pro·lif·er·ate [prəʊ'lɪf⁰reɪt] *vi* stark zunehmen; (*animals*) sich stark vermehren

pro·lif·era·tion [prəʊˌlɪf⁰r'eɪʃ⁰n] *n no pl* starke Zunahme; (*of animals*) starke Vermehrung

pro·lif·ic [prə(ʊ)'lɪfɪk] *adj* ❶ (*productive*) produktiv ❷ (*producing many offspring*) fruchtbar ❸ *pred* (*abundant*) ■**to be ~** in großer Zahl vorhanden sein

pro·lix ['prəʊlɪks] *adj* (*pej form*) weitschweifig

pro·logue ['prəʊlɒg] *n,* AM **pro·log** *n* ❶ (*introduction*) Vorwort *nt;* THEAT Prolog *m* ❷ (*fig fam: preliminary event*) Vorspiel *nt* (**to** zu)

pro·long [prə(ʊ)'lɒŋ] *vt* verlängern

pro·lon·ga·tion [ˌprə(ʊ)lɒŋ'geɪʃ⁰n] *n no pl* Verlängerung *f*

pro·longed [prə(ʊ)'lɒŋd] *adj* [lang] anhaltend, langwierig *pej;* **~ applause** anhaltender Applaus

prom [prɒm] *n* ❶ AM (*school dance*) *Ball am Ende des Jahres in einer amerikanischen High School* ❷ BRIT (*concert*) **the P~s** *Konzertreihe in London in der Albert Hall, deren Parkettsitze dafür entfernt werden, so dass die meisten Zuschauer stehen* ❸ BRIT (*seaside walkway*) [Strand]promenade *f*

prom·enade [ˌprɒməˈnɑːd] **I.** *n* ❶ (*walkway*) [Strand]promenade *f* ❷ (*form or dated: walk*) Spaziergang *m*; (*in vehicle*) Spazierfahrt *f* **II.** *vi* (*dated*) promenieren

prom·enade ˈcon·cert *n* BRIT Konzert *nt*

prom·eˈnade deck *n* Promenadendeck *nt*

promi·nence [ˈprɒmɪnən(t)s] *n* ❶ *no pl* (*projecting nature*) Auffälligkeit *f* ❷ *no pl* (*conspicuousness*) Unübersehbarkeit *f*; **to give sth ~** etw in den Vordergrund stellen ❸ *no pl* (*importance*) Bedeutung *f* ❹ (*projection*) Vorsprung *m*

promi·nent [ˈprɒmɪnənt] *adj* ❶ (*projecting*) vorstehend *attr*; *chin* vorspringend ❷ (*conspicuous*) auffällig ❸ (*distinguished*) prominent; *position* führend

promis·cu·ity [ˌprɒmɪˈskjuːəti] *n no pl* Promiskuität *f geh*

pro·mis·cu·ous [prəˈmɪskjuəs] *adj* (*pej*) promisk

prom·ise [ˈprɒmɪs] **I.** *vt* ❶ (*pledge*) versprechen ❷ (*have the potential*) versprechen **II.** *vi* ❶ (*pledge*) versprechen; **I ~!** ich verspreche es! ❷ (*be promising*) **to ~ well** viel versprechen **III.** *n* ❶ (*pledge*) Versprechen *nt*; **to break/keep one's ~** [**to sb**] sein Versprechen [gegenüber jdm] brechen/halten ❷ *no pl* (*potential*) **to show ~** aussichtsreich sein; (*person*) viel versprechend sein

prom·is·ing [ˈprɒmɪsɪŋ] *adj* viel versprechend

prom·is·sory note [ˌprɒmɪsᵊriˈnəʊt] *n* Schuldschein *m*

pro·mo [ˈprəʊməʊ] **I.** *n* ❶ (*fam*) *short for* **promotional film** Werbevideo *nt* ❷ AM, AUS *short for* **promotion** Werbung *f* **II.** *adj short for* **promotional** Werbe-

prom·on·tory [ˈprɒməntᵊri] *n* GEOG Vorgebirge *nt*

pro·mote [prəˈməʊt] *vt* ❶ (*raise in rank*) befördern (**to** zu) ❷ SPORTS **to be ~d** aufsteigen ❸ SCH **to be ~d** versetzt werden ❹ (*encourage*) fördern; **to ~ awareness of sth** etw ins Bewusstsein rufen ❺ (*advertise*) für etw *akk* werben

pro·mot·er [prəˈməʊtəʳ] *n* ❶ (*encourager*) Förderer(in) *m(f)* ❷ (*organizer*) Veranstal-

ter(in) *m(f)*

pro·mo·tion [prəˈməʊʃᵊn] *n* ❶ *no pl* (*in rank*) Beförderung *f* (**to** zu) ❷ (*raise in status*) Beförderung *f* ❸ SPORTS Aufstieg *m* ❹ (*advertising campaign*) Werbekampagne *f* ❺ (*encouragement*) Förderung *f*

pro·mo·tion·al maˈterial *n* Werbematerial *nt*

prompt [prɒm(p)t] **I.** *vt* ❶ (*spur*) veranlassen; ▪**to ~ sb** [**to do sth**] jdn [dazu] veranlassen, etw zu tun ❷ (*remind of lines*) soufflieren ❸ COMPUT auffordern **II.** *adj* ❶ (*swift*) prompt; ▪**to be ~ in doing sth** etw schnell tun; *action* sofortig; *delivery* unverzüglich ❷ (*punctual*) pünktlich **III.** *adv* pünktlich **IV.** *n* ❶ COMPUT Prompt *m fachspr* ❷ THEAT (*reminder*) Stichwort *nt* ❸ THEAT (*fam: prompter*) Souffleur, Souffleuse *m, f*

ˈprompt box *n* Souffleurkasten *m*

prompt·er [ˈprɒm(p)təʳ] *n* Souffleur, Souffleuse *m, f*

promp·ti·tude [ˈprɒm(p)tɪtjuːd] *n no pl* (*form*) Promptheit *f*

prompt·ly [ˈprɒm(p)tli] *adv* ❶ (*quickly*) prompt ❷ (*fam: immediately afterward*) gleich danach, unverzüglich ❸ (*in time*) pünktlich

prompt·ness [ˈprɒm(p)tnəs] *n no pl* Promptheit *f*

prom·ul·gate [ˈprɒmᵊlɡeɪt] *vt* (*form*) ❶ (*spread*) verbreiten ❷ *law, decree* verkünden

prom·ul·ga·tion [ˌprɒmᵊlˈɡeɪʃᵊn] *n no pl* (*form*) ❶ (*spread*) Verbreitung *f* ❷ LAW (*proclamation*) Verkündung *f*

prone [prəʊn] *adj* (*disposed*) ▪**to be ~ to sth** zu etw *dat* neigen; ▪**to be ~ to do sth** dazu neigen, etw zu tun

prong [prɒŋ] *n* Zacke *f*

pro·nomi·nal [prəˈʊˈnɒmɪnᵊl] *adj* Pronominal- *fachspr*

pro·noun [ˈprəʊnaʊn] *n* Pronomen *nt*

pro·nounce [prəˈnaʊn(t)s] **I.** *vt* ❶ (*speak*) aussprechen ❷ (*announce*) verkünden ❸ (*declare*) erklären; **the jury ~d him guilty** die Geschworenen erklärten ihn für schuldig **II.** *vi* Stellung nehmen (**on/upon** zu)

pro·nounce·able [prəˈnaʊn(t)səbl̩] *adj* aussprechbar

pro·nounced [prəˈnaʊn(t)st] *adj* deutlich; *accent* ausgeprägt

pro·nounce·ment [prəˈʊˈnaʊn(t)smənt] *n* Erklärung *f* (**on** zu)

pron·to [ˈprɒntəʊ] *adv* (*fam*) fix

pro·nun·cia·tion [prəˌnʌn(t)siˈeɪʃᵊn] *n*

usu no pl Aussprache *f*
proof [pru:f] **I.** *n* **①** *no pl* (*confirmation*) Beweis *m* (**of** für) **②** (*evidence*) Beweis *m* **③** TYPO (*trial impression*) Korrekturfahne *f;* PHOT Probeabzug *m* **④** MATH Beweis *m* **⑤** *no pl* (*degree of strength*) Volumenprozent *nt,* Vol.- % *nt; of alcohol* Alkoholgehalt *m* **II.** *adj* unempfindlich (**against** gegen); **to be ~ against temptation** gegen Versuchungen immun sein; **to be ~ against burglars** einbruchssicher sein **III.** *vt* (*treat*) imprägnieren; (*make waterproof*) wasserdicht machen

'**proof-read** <-read, -read> *vt, vi* Korrektur lesen '**proof-read·er** *n* Korrektor(in) *m(f)* '**proof-read·ing I.** *n* *no pl* Korrekturlesen *nt* **II.** *adj attr* Korrektur-

prop¹ [prɒp] *n usu pl* Requisite *f*

prop² [prɒp] **I.** *n* (*support*) Stütze *f;* (*fig*) Halt *m* **II.** *vt* <-pp-> ◼**to ~ sth against sth** etw gegen etw *akk* lehnen; ◼**to ~ sth on sth** etw auf etw *akk* stützen

propa·gan·da [ˌprɒpəˈgændə] *n no pl* (*usu pej*) Propaganda *f*

propa·gand·ist [ˌprɒpəˈgændɪst] **I.** *n* (*usu pej*) Propagandist(in) *m(f)* **II.** *adj* propagandistisch

propa·gate [ˈprɒpəgeɪt] **I.** *vt* **①** (*breed*) züchten; (*plants*) vermehren **②** (*form: disseminate*) verbreiten **II.** *vi* sich fortpflanzen; *plants* sich vermehren

propa·ga·tion [ˌprɒpəˈgeɪʃ°n] *n no pl* **①** (*reproduction*) Fortpflanzung *f;* **the ~ of plants** die Vermehrung von Pflanzen **②** (*spread*) *of rumour, lie* Verbreitung *f*

pro·pane [ˈprəʊpeɪn] *n no pl* Propan *nt*

pro·pel <-ll-> [prəˈpel] *vt* antreiben; (*fig*) **the country was being ~led towards civil war** das Land wurde in den Bürgerkrieg getrieben

pro·pel·lant [prəˈpelənt] *n* **①** (*fuel*) Treibstoff *m* **②** (*gas*) Treibgas *nt*

pro·pel·ler [prəˈpelə*ʳ*] *n* Propeller *m*

pro·'pel·ler shaft *n* Antriebswelle *f*

pro·pel·ling pen·cil [prəˌpelɪŋ'-] *n* BRIT, AUS Drehbleistift *m*

pro·pen·sity [prəˈpen(t)səti] *n no pl* (*form*) Neigung *f* (**for** zu)

prop·er [ˈprɒpə*ʳ*] **I.** *adj* **①** (*real*) echt, richtig **②** (*correct*) richtig; **she likes everything to be in its ~ place** sie hat gern alles an seinem angestammten Platz **③** (*socially respectable*) anständig **④** BRIT (*fam: total*) absolut **II.** *adv* BRIT (*fam*) **①** (*very*) richtig *fam* **②** (*usu hum: genteelly*) vornehm

prop·er 'frac·tion *n* echter Bruch

prop·er·ly [ˈprɒp°li] *adv* **①** (*correctly*) rich-

tig; **to be dressed ~** korrekt gekleidet sein; **~ speaking** genau genommen **②** (*socially respectably*) anständig **③** BRIT (*thoroughly*) ganz schön *fam*

prop·er 'name *n,* **prop·er 'noun** *n* Eigenname *m*

prop·er·tied [ˈprɒpətid] *adj* begütert *attr*

prop·er·ty [ˈprɒpəti] *n* **①** *no pl* (*things owned*) Eigentum *nt* **②** *no pl* (*owned buildings*) Immobilienbesitz *m;* (*owned land*) Grundbesitz *m;* **private ~** Privatbesitz *m* **③** (*piece of real estate*) Immobilie *f* **④** (*attribute*) Eigenschaft *f*

'**prop·er·ty de·vel·op·er** *n* Immobilienmakler(in) *m(f)* '**prop·er·ty de·vel·op·ment** *n* Grundstückserschließung *f* '**prop·er·ty in·sur·ance** *n no pl* Gebäudeversicherung *f* '**prop·er·ty man** *n,* '**prop·er·ty man·ag·er** *n* THEAT Requisiteur *m* '**prop·er·ty mar·ket** *n no pl* Immobilienmarkt *m* '**prop·er·ty room** *n* THEAT Requisitenkammer *f* '**prop·er·ty specu·la·tion** *n no pl* Immobilienspekulation *f* '**prop·er·ty tax** *n* AM (*on land*) ≈ Grundsteuer *f;* (*general*) Vermögenssteuer *f*

proph·ecy [ˈprɒfəsi] *n* **①** (*prediction*) Prophezeiung *f* **②** *no pl* (*ability*) Weissagen *nt*

prophe·sy <-ie-> [ˈprɒfəsaɪ] **I.** *vt* prophezeien **II.** *vi* Prophezeiungen machen

proph·et [ˈprɒfɪt] *n* **①** (*also fig: religious figure*) Prophet *m* **②** (*precursor*) Vorkämpfer(in) *m(f)*

proph·et·ess <*pl* -es> [ˌprɒfɪˈtes] *n* Prophetin *f*

pro·phet·ic [prəˈʊˈfetɪk] *adj* prophetisch

prophy·lac·tic [ˌprɒfɪˈlæktɪk] **I.** *adj* MED prophylaktisch *fachspr;* vorbeugend *attr* **II.** *n* **①** (*medicine*) Prophylaktikum *nt* *fachspr* **②** *esp* AM (*condom*) Präservativ *nt*

prophy·lax·is [ˌprɒfɪˈlæksɪs] *n no pl* Prophylaxe *f fachspr*

pro·pin·quity [prəˈʊˈpɪŋkwəti] *n no pl* (*form*) **①** (*proximity*) Nähe *f* **②** (*similarity, kinship*) Verwandtschaft *f*

pro·pi·tious [prəˈpɪʃəs] *adj* (*form*) günstig

prop jet [ˈprɒpdʒet] *n* (*plane*) Turbo-Prop-Flugzeug *nt;* (*engine*) Turbo-Prop-Triebwerk *nt*

pro·po·nent [prəˈʊˈpəʊnənt] *n* Befürworter(in) *m(f)*

pro·por·tion [prəˈpɔːʃ°n] *n* **①** (*part*) Anteil *m* **②** *no pl* (*relation*) Proportion *f,* Verhältnis *nt* (**to** zu); **to be in/out of ~ [to sth]** im/in keinem Verhältnis zu etw *dat* stehen **③** (*balance*) Verhältnis *nt;* **to have/ keep a sense of ~** bei etw *dat* den richtigen Maßstab anlegen; **to blow sth out of**

[**all**] ~ etw maßlos übertreiben; **to keep sth in** ~ etw im richtigen Verhältnis sehen ❹ (*size*) ■~**s** *pl* Ausmaße *pl*

pro·por·tion·al [prə'pɔ:ʃ°n°l] *adj* proportional (**to** zu); **inversely** ~ umgekehrt proportional

pro·por·tion·al·ity [prə͵pɔ:ʃ°n'æləti] *n no pl* Verhältnismäßigkeit *f*

pro·por·tion·al rep·re·sen·'ta·tion *n no pl* Verhältniswahlsystem *nt*

pro·por·tion·ate [prə'pɔ:ʃ°nət] *adj* proportional

pro·por·tion·ate·ly [prə'pɔ:ʃ°nətli] *adv* proportional

pro·por·tioned [prə'pɔ:ʃ°nd] *adj* **beautifully/finely** ~ ebenmäßig/anmutig proportioniert

pro·po·sal [prə'pəʊz°l] *n* ❶ (*suggestion*) Vorschlag *m* ❷ (*offer of marriage*) Antrag *m*

pro·pose [prə'pəʊz] **I.** *vt* ❶ (*suggest*) vorschlagen ❷ (*intend*) ■**to** ~ **to do/doing sth** beabsichtigen, etw zu tun ❸ (*nominate*) vorschlagen ❹ (*put forward*) **motion** stellen; **to** ~ **a toast** einen Toast ausbringen **II.** *vi* ■**to** ~ [**to sb**] [jdm] einen [Heirats]antrag machen

pro·pos·er [prə'pəʊzə˚] *n* (*of motion*) Antragsteller(in) *m(f)*; (*of candidate*) Vorschlagende(r) *f(m)*

propo·si·tion [͵prɒpə'zɪʃ°n] **I.** *n* ❶ (*assertion*) Aussage *f* ❷ (*proposal*) Vorschlag *m*; *business* ~ geschäftliches Angebot ❸ (*matter*) Unternehmen *nt*; **a difficult** ~ ein schwieriges Unterfangen **II.** *vt* ■**to** ~ **sb** jdm ein eindeutiges Angebot machen *euph*

pro·pound [prə'paʊnd] *vt* (*form*) darlegen

pro·pri·etary [prə'praɪət°ri] *adj* ❶ ECON, LAW (*with legal right*) urheberrechtlich geschützt ❷ (*owner-like*) besitzergreifend

pro·pri·etor [prə'praɪətə˚] *n* Inhaber(in) *m(f)*

pro·pri·etor·ship [prə'praɪətəʃɪp] *n* Besitz *m*

pro·pri·etress <*pl* -es> [prə'praɪətrɪs] *n* Inhaberin *f*

pro·pri·ety [prə'praɪəti] *n* ❶ *no pl* (*decency*) Anstand *m* ❷ *no pl* (*correctness*) Richtigkeit *f*

pro·pul·sion [prə'pʌlʃ°n] *n no pl* Antrieb *m*

pro rata [͵prə(ʊ)'rɑ:tə] *adj, adv* (*form*) anteilmäßig

pro·rate [͵prəʊ'reɪt] *vt* AM anteilmäßig aufteilen

pro·sa·ic [prə(ʊ)'zeɪɪk] *adj* nüchtern, prosaisch *geh*

pro·scenium <*pl* -s *or* -nia> [prə(ʊ)'si:niəm, *pl* -niə] *n* THEAT Prosze-

nium *nt*

pro·scribe [prə(ʊ)'skraɪb] *vt* (*form*) verbieten

pro·scrip·tion [prə(ʊ)'skrɪpʃ°n] *n no pl* (*form*) Verbot *nt*

prose [prəʊz] *n no pl* Prosa *f*

pros·ecut·able [͵prɒsɪ'kju:təbl] *adj* strafbar

pros·ecute ['prɒsɪkju:t] **I.** *vt* ❶ LAW ■**to** ~ **sb** [**for sth**] jdn [wegen einer S. *gen*] strafrechtlich verfolgen ❷ (*form: carry on*) **to** ~ **an enquiry/investigation** eine Untersuchung/Ermittlung durchführen **II.** *vi* ❶ (*bring a charge*) Anzeige erstatten, gerichtlich vorgehen ❷ (*in court*) für die Anklage zuständig sein

pros·ecut·ing ['prɒsɪkju:tɪŋ] *adj attr* Anklage-; ~ **attorney** Staatsanwalt, Staatsanwältin *m, f*

pros·ecu·tion [͵prɒsɪ'kju:ʃ°n] *n* ❶ *no pl* (*legal action*) strafrechtliche Verfolgung ❷ (*case*) Anklage[erhebung] *f* (**for** wegen), Gerichtsverfahren *nt* (**for** gegen) ❸ *no pl* (*legal team*) ■**the** ~ die Anklagevertretung ❹ *no pl* (*form: pursuance*) Verfolgen *nt; of inquiry, investigation* Durchführung *f*

pros·ecu·tor ['prɒsɪkju:tə˚] *n* Ankläger(in) *m(f)*

pros·elyte ['prɒsəlaɪt] *n* REL (*form*) Neubekehrte(r) *f(m)*

pros·elyt·ize ['prɒs°lɪtaɪz] **I.** *vt* bekehren **II.** *vi* bekehren

proso·dy ['prɒsədi] *n no pl* ❶ LING Prosodie *f fachspr* ❷ LIT Verslehre *f*

pros·pect *n* ['prɒspekt] ❶ (*idea*) Aussicht *f* (**of** auf) ❷ (*likelihood*) Aussicht *f,* Wahrscheinlichkeit *f* (**of** auf); **what are the** ~**s of success in this venture?** wie steht es um die Erfolgsaussichten bei diesem Unternehmen? ❸ (*opportunities*) ■~**s** *pl* Aussichten *pl,* Chancen *pl;* **to have no** ~**s** keine Zukunft haben

pro·spec·tive [prə'spektɪv] *adj* voraussichtlich; *candidate* möglich; *customer* potenziell

pro·spec·tor [prə'spektə˚] *n* MIN Prospektor(in) *m(f) fachspr*

pros·pec·tus [prə'spektəs] *n* Prospekt *m*

pros·per ['prɒspə˚] *vi* ❶ (*financially*) florieren ❷ (*physically*) gedeihen

pros·per·ity [prɒs'perəti] *n no pl* Wohlstand *m*

pros·per·ous ['prɒsp°rəs] *adj* ❶ (*well off*) wohlhabend, reich; *business* gut gehend; *economy* blühend ❷ (*successful*) erfolgreich

pros·tate ['prɒsteɪt] *n* Prostata *f*

pros·the·sis <*pl* -ses> ['prɒsθɪsɪs, *pl*

-si:z] *n* Prothese *f*

pros·ti·tute ['prɒstɪtjuːt] **I.** *n* Prostituierte *f* **II.** *vt* ❶ (*sexually*) ■ **to ~ oneself** sich prostituieren ❷ (*debase*) **to ~ one's talents** seine Talente verschleudern

pros·ti·tu·tion [ˌprɒstɪ'tjuːʃᵊn] *n no pl* Prostitution *f*

pros·trate I. *adj* ['prɒstreɪt] ❶ (*face downward*) ausgestreckt ❷ (*overcome*) überwältigt (**with** von) **II.** *vt* [prɒs'treɪt] ■ **to ~ oneself** sich zu Boden werfen

pro·tago·nist [prəʊ'tægᵊnɪst] *n* ❶ (*main character*) Protagonist(in) *m(f)* ❷ (*advocate*) Verfechter(in) *m(f)* (**of** von)

pro·tect [prə'tekt] *vt* schützen (**against** gegen, **from** vor); **to ~ one's interests** seine Interessen wahren

pro·tec·tion [prə'tekʃᵊn] *n* ❶ (*defence*) Schutz *m* (**against** gegen); *of interests* Wahrung *f*; **to be under sb's ~** unter jds Schutz stehen ❷ *no pl* (*paid to criminals*) Schutzgeld *nt*

pro·'tec·tion dog *n* Wachhund *m* **pro·'tec·tion fac·tor** *n* Lichtschutzfaktor *m*

pro·tec·tion·ism [prə'tekʃᵊnɪzᵊm] *n no pl* Protektionismus *m*

pro·tec·tion·ist [prə'tekʃᵊnɪst] **I.** *adj* (*pej*) protektionistisch **II.** *n* Protektionist(in) *m(f)*

pro·'tec·tion rack·et *n* Erpresserorganisation *f*

pro·tec·tive [prə'tektɪv] *adj* ❶ (*affording protection*) Schutz- ❷ (*wishing to protect*) fürsorglich (**of/towards** gegenüber)

pro·tec·tor [prə'tektər] *n* ❶ (*person*) Beschützer *m* ❷ (*device*) Schutzvorrichtung *f*

pro·tec·tor·ate [prə'tektᵊrət] *n* Protektorat *nt*

pro·té·gé *n*, **pro·té·gée** ['prɒtɪʒeɪ] *n* Protegé *m geh*

pro·tein ['prəʊtiːn] *n* ❶ *no pl* (*collectively*) Eiweiß *nt* ❷ (*specific substance*) Protein *nt*

pro·test I. *n* ['prəʊtest] ❶ (*strong complaint*) Protest *m*; **to make a ~** eine Beschwerde einreichen ❷ (*demonstration*) Protestkundgebung *f* ❸ (*legal document*) Protest *m* **II.** *vi* [prə(ʊ)'test] protestieren **III.** *vt* [prə(ʊ)'test] ❶ (*assert*) beteuern ❷ AM (*object to*) ■ **to ~ sth** gegen etw *akk* protestieren

Prot·es·tant ['prɒtɪstᵊnt] **I.** *n* Protestant(in) *m(f)* **II.** *adj* protestantisch; (*in Germany*) evangelisch

Prot·es·tant·ism ['prɒtɪstᵊntɪzᵊm] *n no pl* Protestantismus *m*

pro·tes·ta·tion [ˌprɒtes'teɪʃᵊn] *n usu pl* ❶ (*strong objection*) Protesterklärung *f* ❷ (*strong affirmation*) Beteuerung *f*

pro·test·er [prə'testər] *n* (*objector*) Protestierende(r) *f(m)*; (*demonstrator*) Demonstrant(in) *m(f)*

'pro·test march *n* Protestmarsch *m* **'pro·test vote** *n* Proteststimme *f*

proto·col ['prəʊtəkɒl] *n* ❶ *no pl* (*system of rules*) Protokoll *nt* ❷ (*international agreement*) Protokoll *nt*

pro·ton ['prəʊtɒn] *n* PHYS Proton *nt*

proto·plasm ['prəʊtə(ʊ)plæzᵊm] *n no pl* Protoplasma *nt*

proto·type ['prəʊtə(ʊ)taɪp] *n* Prototyp *m* (**for** für)

proto·zoan <*pl* -s *or* -zoa> [ˌprəʊtə(ʊ)-'zəʊən, *pl* -zəʊə] *n* Protozoon *m fachspr*; Urtierchen *nt*

pro·tract [prəʊ'trækt] *vt* (*form*) in die Länge ziehen

pro·tract·ed [prəʊ'træktɪd] *adj* langwierig

pro·trac·tion [prəʊ'trækʃᵊn] *n* ❶ *no pl* (*prolonging*) Ausdehnung *f* ❷ (*muscle action*) Streckung *f*

pro·trac·tor [prəʊ'træktər] *n* ❶ MATH Winkelmesser *m* ❷ (*muscle*) Streckmuskel *m*

pro·trude [prəʊ'truːd] **I.** *vi jaw* vorstehen; *branch, ears* abstehen; ■ **to ~ from sth** aus etw *dat* hervorragen **II.** *vt* vorstrecken

pro·trud·ing [prəʊ'truːdɪŋ] *adj attr* herausragend; *jaw* vorstehend; *ears* abstehend

pro·tru·sion [prəʊ'truːʒᵊn] *n* ❶ *no pl* (*sticking out*) Vorstehen *nt* ❷ (*bump*) Vorsprung *m*

pro·tu·ber·ance [prəʊ'tjuːbᵊrᵊn(t)s] *n* (*form*) Beule *f*

pro·tu·ber·ant [prəʊ'tjuːbᵊrᵊnt] *adj* (*form*) vorstehend; *eyes* vortretend

proud [praʊd] **I.** *adj* ❶ (*pleased*) stolz (**of** auf) ❷ (*having self-respect*) stolz ❸ (*pej: arrogant*) eingebildet ❹ BRIT (*protrude*) **to stand ~** [**of sth**] [von etw *dat*] abstehen **II.** *adv* **to do sb ~** BRIT, AUS (*dated: treat well*) jdn verwöhnen; AM (*please by doing well*) jdn mit Stolz erfüllen

proud·ly ['praʊdli] *adv* ❶ (*with pride*) stolz ❷ (*pej: haughtily*) hochnäsig *fam*

prov·able ['pruːvəbl] *adj* beweisbar; *theory* nachweisbar

prove <-d, -d *or* AM *usu* proven> [pruːv] **I.** *vt* ❶ (*establish*) beweisen; **to ~ the truth of sth** die Richtigkeit von etw *dat* nachweisen ❷ (*show*) **during the rescue she ~d herself to be a highly competent climber** während der Rettungsaktion erwies sie sich als sehr geübte Kletterin **II.** *vi + n or adj* sich erweisen; **to ~ successful** sich als erfolgreich erweisen

prov·en ['pruːvᵊn] **I.** *vt, vi esp* AM *pp of* **prove II.** *adj* nachgewiesen; *remedy* erprobt

prov·enance ['prɒvᵊnən(t)s] *n no pl*
(*form*) Herkunft *f*; **to be of unknown ~**
unbekannter Herkunft sein

prov·erb ['prɒvɜ:b] *n* ❶ (*saying*) Sprichwort *nt* ❷ (*fig: well-known for*) ■**to be a
~ for sth** für etw *akk* berühmt sein ❸ REL
■**P~s** + *sing vb* Sprüche *pl*

pro·ver·bial [prə(ʊ)'vɜ:biəl] *adj* ❶ (*from
a proverb*) sprichwörtlich ❷ (*fig: well-
known*) sprichwörtlich

pro·vide [prə(ʊ)'vaɪd] I. *vt* zur Verfügung
stellen, bereitstellen; *evidence, explanation* liefern; ■**to ~ sb/sth with sth**
(*supply*) jdn/etw mit etw *dat* versorgen;
(*offer*) jdm/etw etw bieten II. *vi* ❶ (*form:
anticipate*) ■**to ~ for sth** für etw *akk* vorsorgen; ■**to ~ against sth** Vorkehrungen
gegen etw *akk* treffen ❷ (*look after*) ■**to ~
for sb/oneself** für jdn/sich selbst sorgen
❸ (*form: enable*) ■**to ~ for sth** etw ermöglichen; *law* etw erlauben

pro·vid·ed [prə(ʊ)'vaɪdɪd] I. *adj* mitgelie-
fert, beigefügt II. *conj see* **providing** [that]

provi·dence ['prɒvɪdᵊn(t)s] *n no pl* Vorse-
hung *f*

provi·den·tial [ˌprɒvɪ'den(t)ʃᵊl] *adj* (*form*)
günstig, glücklich

pro·vid·er [prə(ʊ)'vaɪdə^r] *n* ❶ (*supplier*)
Lieferant(in) *m(f)* ❷ (*breadwinner*) Ernäh-
rer(in) *m(f)*

pro·vid·ing [prə(ʊ)'vaɪdɪŋ] *conj* ■**~ that**
... sofern, vorausgesetzt, dass ...

prov·ince ['prɒvɪn(t)s] *n* ❶ (*territory*) Provinz *f* ❷ *no pl* (*area of knowledge*)
[Fach]gebiet *nt*; (*area of responsibility*) Zuständigkeitsbereich *m*

pro·vin·cial [prə(ʊ)'vɪn(t)ʃᵊl] I. *adj* ❶ (*of a
province*) Provinz- ❷ (*pej: unsophisticated*) provinziell II. *n* ❶ (*province inhabitant*) Provinzbewohner(in) *m(f)* ❷ (*pej:
unsophisticated person*) Provinzler(in)
m(f)

'**prov·ing ground** *n* Versuchsgelände *nt*

pro·vi·sion [prə(ʊ)'vɪʒᵊn] *n* ❶ *no pl* (*providing*) Versorgung *f*; (*financial precaution*) Vorkehrung *f* ❷ (*something supplied*) Vorrat *m* (**of** an) ❸ (*stipulation*)
Auflage *f*; **with the ~ that** ... unter der Bedingung, dass ...

pro·vi·sion·al [prə(ʊ)'vɪʒᵊnᵊl] *adj* vorläufig

pro·vi·sion·al 'li·cence *n* BRIT, AUS Führerschein *m* auf Probe

pro·vi·sions [prə(ʊ)'vɪʒᵊnz] *npl* Vorräte *pl*;
to be low on ~ [nur noch] wenig Vorräte
haben

pro·vi·so [prə(ʊ)'vaɪzəʊ] *n* Auflage *f*, Be-

dingung *f* (**with/on** unter)

provo·ca·tion [ˌprɒvə'keɪʃᵊn] *n* Provokation *f*

pro·voca·tive [prə'vɒkətɪv] *adj* ❶ (*provoking*) provokativ *geh* ❷ (*sexually arousing*)
provokant *geh*, provozierend *attr*

pro·voca·tive·ly [prə'vɒkətɪvli] *adv*
❶ (*provokingly*) provokativ *geh* ❷ (*sexually arousing*) provokant *geh*, provozierend *attr*

pro·voke [prə'vəʊk] *vt* ❶ (*vex*) ■**to ~ sb
[into doing sth]** jdn [zu etw *dat*] provozieren ❷ (*give rise to*) *worries, surprise, outrage* hervorrufen

pro·vok·ing [prə'vəʊkɪŋ] *adj* provozierend
attr; question provokativ *geh; statement*
provokant *geh*

prov·ost ['prɒvəst] *n* ❶ BRIT UNIV Hoch-
schulleiter(in) *m(f)*; AM [hoher] Verwal-
tungsbeamte(r), [hohe] Verwaltungsbeamte
[*o* -in] ❷ SCOT (*mayor*) Bürgermeister(in)
m(f)

prow [praʊ] *n* Bug *m*

prow·ess ['praʊɪs] *n no pl* (*esp form*) Können *nt*, Leistungsfähigkeit *f*

prowl [praʊl] I. *n* (*fam*) Streifzug *m* (**on**
auf) II. *vt* durchstreifen III. *vi* ■**to ~
[around]** umherstreifen

'**prowl car** *n* AM (*patrol car*) Streifenwagen *m*

prowl·er ['praʊlə^r] *n* Herumtreiber(in)
m(f) fam

'**prowl·ing** *n* Herumtreiben *nt*

prox·im·ity [prɒk'sɪməti] *n no pl* Nähe *f*

proxy ['prɒksi] *n* Bevollmächtigte(r) *f(m)*;
to sign Zeichnungsbevollmächtigte(r)

prude [pru:d] *n* prüder Mensch

pru·dence ['pru:dᵊn(t)s] *n no pl* Vorsicht *f*,
Besonnenheit *f*

pru·dent ['pru:dᵊnt] *adj* vorsichtig, umsichtig; *action* klug

pru·dent·ly ['pru:dᵊntli] *adv* vorsichtig,
umsichtig

prud·ery ['pru:dᵊri] *n* Prüderie *f*

prud·ish ['pru:dɪʃ] *adj* prüde

prune¹ [pru:n] *vt* HORT [be]schneiden; (*fig*)
reduzieren; *costs* kürzen

prune² [pru:n] *n* ❶ (*plum*) Dörrpflaume *f*
❷ (*fam: person*) Miesepeter *m*

prun·ing ['pru:nɪŋ] I. *adj* Schneide- II. *n
no pl* HORT Zurückschneiden *nt*, Stutzen *nt*

'**prun·ing hook** *n* Schneidehaken *m*

'**prun·ing saw** *n* Baumsäge *f* '**prun·ing
shears** *npl* AM (*secateurs*) Gartenschere *f*

pru·ri·ence ['prʊəriən(t)s] *n no pl* (*pej
form: obsession*) *with sexual matters* Lüsternheit *f*; *with unpleasantness* Abartigkeit *f*

pru·ri·ent ['prʊərɪənt] adj (pej form) lüstern; *inclination* abartig

Prus·sia ['prʌʃə] n HIST Preußen nt

Prus·sian ['prʌʃən] I. n (hist) Preuße(in) m(f) II. adj HIST preußisch

prus·sic 'acid n no pl (dated) Blausäure f

pry¹ <-ie-> [praɪ] vi neugierig sein; ■to ~ about herumschnüffeln *fam;* ■to ~ into sth seine Nase in etw *akk* stecken *fam*

pry² <-ie-> [praɪ] vt esp AM (prise) ■to ~ sth open etw aufbrechen; to ~ a secret out of sb jdm ein Geheimnis entlocken

pry·ing ['praɪɪŋ] adj (pej) neugierig

PS [ˌpiː'es] n abbrev of **postscript** PS nt

psalm [sɑːm] n REL Psalm m

pse·phol·ogy [(p)sɪ'fɒlədʒi] n no pl Wahlanalyse f

pseud [sjuːd] BRIT I. n (pej) Möchtegern m *fam* II. adj (pej) angeberisch

pseu·do ['sjuːdəʊ] I. adj ➊ (false) Pseudo-, Möchtegern- ➋ (insincere) heuchlerisch, verlogen II. n Heuchler(in) m(f)

pseudo·nym ['sjuːdənɪm] n Pseudonym nt

psit·ta·co·sis [ˌ(p)sɪtə'kəʊsɪs] n no pl Psittakose f fachspr

pso·ria·sis [psə'raɪəsɪs] n no pl Schuppenflechte f, Psoriasis f fachspr

psych [saɪk] vt (fam) ➊ (psychoanalyse) ■to ~ sb jdn psychiatrisch behandeln ➋ (prepare) ■to ~ oneself/sb up sich *akk*/jdn [psychisch] aufbauen ◆**psych out** vt (fam) ➊ (intimidate) ■to ~ out ⟲ sb jdn psychologisch schwächen ➋ (analyse) ■to ~ sth ⟲ out etw analysieren

psyche¹ [saɪk] vt see **psych**

psyche² ['saɪki] n Psyche f

psychedel·ic [ˌsaɪkɪ'delɪk] adj psychedelisch

psy·chi·at·ric [ˌsaɪki'ætrɪk] adj psychiatrisch

psy·chia·trist [saɪ'kaɪətrɪst] n Psychiater(in) m(f)

psy·chia·try [saɪ'kaɪətri] n no pl Psychiatrie f

psy·chic ['saɪkɪk] I. n Medium nt II. adj ➊ (supernatural) übernatürlich ➋ (of the mind) psychisch, seelisch

psycho·ana·lyse [ˌsaɪkəʊ'ænəlaɪz] vt psychoanalysieren

psycho·analy·sis [ˌsaɪkəʊə'næləsɪs] n no pl Psychoanalyse f

psycho·ana·lyst [ˌsaɪkəʊ'ænəlɪst] n Psychoanalytiker(in) m(f)

psycho·ana·lyt·ic(al) [ˌsaɪkəʊˌænə'lɪtɪk(əl)] adj psychoanalytisch

psycho·logi·cal [ˌsaɪkə'lɒdʒɪkəl] adj ➊ (of the mind) psychisch ➋ (of psychology) psychologisch ➌ (not physical) psychisch

psy·cholo·gist [saɪ'kɒlədʒɪst] n Psychologe, Psychologin m, f

psy·chol·ogy [saɪ'kɒlədʒi] n Psychologie f

psycho·path ['saɪkə(ʊ)pæθ] n Psychopath(in) m(f)

psycho·path·ic [ˌsaɪkə(ʊ)'pæθɪk] adj psychopathisch

psy·cho·sis <pl -ses> [saɪ'kəʊsɪs, pl -siːz] n Psychose f

psycho·so·mat·ic [ˌsaɪkə(ʊ)sə(ʊ)'mætɪk] adj psychosomatisch

psycho·thera·pist [ˌsaɪkə(ʊ)'θerəpɪst] n Psychotherapeut(in) m(f)

psycho·thera·py [ˌsaɪkə(ʊ)'θerəpi] n no pl Psychotherapie f

psy·chot·ic [saɪ'kɒtɪk] I. adj psychotisch II. n Psychotiker(in) m(f)

PT [ˌpiː'tiː] n no pl ➊ (dated) abbrev of **physical training** Leibesübungen pl ➋ MED abbrev of **physical therapy** Physiotherapie f

ptar·mi·gan ['tɑːmɪgən] n Schneehuhn nt

pto [ˌpiːtiː'əʊ] abbrev of **please turn over** b.w.

pub [pʌb] n (fam) short for **public house** Kneipe f

'pub crawl n esp BRIT (fam) Kneipentour f

pu·ber·ty ['pjuːbəti] n no pl Pubertät f

pu·bes·cent [pjuː'besənt] adj pubertierend attr

pu·bic ['pjuːbɪk] adj attr Scham-

pu·bis <pl -bes> ['pjuːbɪs, pl -biːz] n Schambein nt

pub·lic ['pʌblɪk] I. adj öffentlich II. n + sing/pl vb ➊ (the people) ■the ~ die Öffentlichkeit, die Allgemeinheit ➋ (patrons) Anhängerschaft f; of newspapers Leser pl; of TV Zuschauer pl, Publikum nt ➌ (not in private) Öffentlichkeit f; in ~ in der Öffentlichkeit, öffentlich

pub·lic ac·'count·ant n AM (licensed by state) Buchprüfer(in) m(f); (chartered) ≈ Wirtschaftsprüfer(in) m(f) **pub·lic ad·'dress** n, **pub·lic ad·'dress sys·tem** n Lautsprecheranlage f **pub·lic af·'fairs** npl öffentliche Angelegenheiten

pub·li·can ['pʌblɪkən] n BRIT, AUS Kneipenbesitzer(in) m(f)

pub·lic ap·'pear·ance n öffentlicher Auftritt **pub·lic ap·'point·ment** n POL, ADMIN öffentliche Bestellung **pub·lic as·'sist·ance** n AM staatliche Fürsorge

pub·li·ca·tion [ˌpʌblɪ'keɪʃən] n ➊ no pl (publishing) Veröffentlichung f ➋ (published work) Publikation f

pub·lic 'bar n BRIT [Steh]ausschank m **pub·lic con·'veni·ence** n BRIT, AUS (*euph form*) öffentliche Toilette **pub·lic de·'fend·er** n AM LAW Pflichtverteidiger(in) m/f) **pub·lic do·'main** n ❶ (*government property*) öffentliches Eigentum, Staatsbesitz m ❷ (*not subject to copyright*) **to be in the ~** zum Allgemeingut gehören **pub·lic 'en·emy** n Staatsfeind m **pub·lic ex·'pen·di·ture** n Staatsausgaben pl **pub·lic 'funds** npl öffentliche Gelder **pub·lic 'health** n no pl Volksgesundheit f veraltend **pub·lic 'health ser·vice** n [staatliches] Gesundheitssystem **pub·lic 'holi·day** n gesetzlicher Feiertag **pub·lic 'house** n BRIT (*form*) Kneipe f fam **pub·lic in·for·'ma·tion of·fic·er** n Pressesprecher(in) m/f) **pub·lic 'in·ter·est** n öffentliches Interesse

pub·li·cist ['pʌblɪsɪst] n ❶ (*agent*) Publizist(in) m/f) ❷ (*pej: attention-seeker*) **self·~** Selbstdarsteller(in) m/f)

pub·lic·ity [pʌb'lɪsəti] I. n no pl ❶ (*promotion*) Publicity f, Reklame f ❷ (*attention*) Aufsehen nt, Aufmerksamkeit f II. adj Publicity-, Werbe-

pub·'lic·ity agent n Werbeagent(in) m/f) **pub·'lic·ity cam·paign** n Werbekampagne f **pub·'lic·ity de·part·ment** n Werbeabteilung f

pub·li·cize ['pʌblɪsaɪz] vt bekannt machen **pub·lic 'law** n öffentliches Recht **pub·lic 'li·brary** n öffentliche Bibliothek **pub·lic lim·it·ed 'com·pa·ny** n BRIT Aktiengesellschaft f **pub·lic 'loan** n Staatsanleihe f **pub·lic·ly** ['pʌblɪkli] adv ❶ (*not privately*) öffentlich ❷ (*by the state*) staatlich **pub·lic 'nui·sance** n ❶ (*act*) öffentliches Ärgernis ❷ (*fam: person*) Störenfried m **pub·lic o'pin·ion** n öffentliche Meinung **pub·lic 'prop·er·ty** n no pl Staatseigentum nt **pub·lic pros·e'cu·tion** n Staatsanwaltschaft f **pub·lic 'pros·ecu·tor** n Staatsanwalt, Staatsanwältin m, f **pub·lic 'rec·ords** npl staatliche Archive **pub·lic re·'la·tions** npl MEDIA, POL Public Relations pl, Öffentlichkeitsarbeit f kein pl; **~ con·sultant** PR-Berater(in) m/f); **~ officer** Öffentlichkeitsreferent(in) m/f) **pub·lic 'school** n BRIT Privatschule f; AM, AUS, SCOT staatliche Schule **pub·lic 'sec·tor** n öffentlicher Sektor **pub·lic 'space** n öffentlicher Raum **pub·lic·'spir·it·ed** adj (*approv*) von Gemeinsinn zeugend attr; **she's a very ~ person** sie hat viel Gemeinsinn **pub·lic 'tele·phone** n esp BRIT öffentlicher Fernsprecher **pub·lic 'trans·port** n BRIT, esp AM **pub·lic trans·por·'ta·tion** n öffentliche Verkehrsmittel **pub·lic u'til·ity** n Leistungen pl der öffentlichen Versorgungsbetriebe; (*company*) öffentlicher Versorgungsbetrieb **pub·lic 'view·ing** n no pl öffentliche Besichtigung; SPORTS Public Viewing nt **pub·lic 'works** npl öffentliche Bauprojekte

pub·lish ['pʌblɪʃ] vt article, result veröffentlichen; book, magazine, newspaper herausgeben

pub·lish·er ['pʌblɪʃə'] n MEDIA ❶ (*company*) Verlag m ❷ (*person*) Verleger(in) m/f) ❸ (*newspaper owner*) Herausgeber(in) m/f)

pub·lish·ing ['pʌblɪʃɪŋ] I. n no pl, no art Verlagswesen nt II. adj attr Verlags- **'pub·lish·ing house** n Verlag m, Verlagshaus nt

puck [pʌk] n SPORTS Puck m

puck·er ['pʌkə'] I. vt in Falten legen; **to ~ [up] one's lips** seine Lippen spitzen II. vi ◼**to ~ [up]** cloth sich kräuseln; lips sich spitzen; eyebrows sich runzeln

pud·ding ['pʊdɪŋ] n ❶ BRIT (*dessert course*) Nachspeise f ❷ no pl AM (*blancmange*) Pudding m ❸ esp BRIT (*with suet pastry*) [Fleisch]pastete f

pud·dle ['pʌdl] n Pfütze f

pu·den·da [pjuː'dendə] npl (*form*) Genitalien pl

pudgy ['pʌdʒi] adj esp AM rundlich; face schwammig; person pummelig

pu·er·ile ['pjʊəraɪl] adj kindlich, kindisch pej

pu·er·il·ity [pjʊə'rɪləti] n no pl ❶ (*child-likeness*) kindliches Wesen ❷ (*pej: child-ishness*) Albernheit f

Puer·to Ri·can [ˌpwɜːtə(ʊ)'riːkən] I. n Puertorikaner(in) m/f) II. adj puertorikanisch

Puer·to Rico [ˌpwɜːtə(ʊ)'riːkəʊ] n Puerto Rico nt

puff [pʌf] I. n ❶ (*fam: short blast*) Windstoß m; of breath Atemstoß m; of vapour Wolke f ❷ AM, CAN (*quilt*) Federbett nt ❸ no pl BRIT (*fam: breath*) Puste f fam ❹ (*drag*) Zug m ❺ (*savoury snack*) [Mais]flips pl, [Erdnuss]flips pl II. vi ❶ (*breathe heavily*) schnaufen ❷ (*smoke*) paffen III. vt ❶ (*smoke*) paffen ❷ (*fam: praise*) aufbauschen ◆**puff out** vt ❶ (*expand*) aufblähen; feathers aufplustern ❷ BRIT (*exhaust*) erschöpfen ◆**puff up** I. vt ❶ (*make swell*) [an]schwellen lassen ❷ (*fig*) ◼**to ~ oneself up** person sich aufblasen II. vi [an]schwellen

'puff ad·der n Puffotter f **'puff·ball** n BOT Bovist m **'puff·ball skirt** n Ballonrock m

puf·fin ['pʌfɪn] n Papageientaucher m

puff 'pas·try n no pl Blätterteig m

puf·fy ['pʌfi] *adj* geschwollen, verschwollen

pug [pʌg] *n* Mops *m*

pu·gi·lism ['pju:dʒɪlɪzᵊm] *n* ❶ SPORTS (*dated: boxing*) Boxen *nt*; (*fight*) Faustkampf *m geh* ❷ (*fam: enjoying hitting*) Prügellust *f*

pu·gi·list ['pju:dʒɪlɪst] *n* ❶ (*dated: boxer*) Boxkämpfer *m* ❷ (*fam: one who enjoys hitting*) Schläger *m fam*

pug·na·cious [pʌg'neɪʃəs] *adj* (*form*) kampflustig

pug·nac·ity [pʌg'næsəti] *n no pl* (*form*) Kampflust *f*

'pug nose *n* Stupsnase *f*

puke [pju:k] I. *vt* (*fam!*) ■to ~ sth ⟳ [up] etw [aus]kotzen *sl* II. *vi* (*sl*) ■to ~ [up] kotzen *sl*, spucken DIAL *fam* III. *n no pl* (*sl*) Kotze *f sl*

puk·ka ['pʌkə] *adj* (*dated fam: genuine*) echt; (*of good quality*) ausgezeichnet

pull [pʊl] I. *n* ❶ (*tug*) Zug *m*, Ziehen *nt* ❷ *no pl* (*force*) Zugkraft *f*; *of the earth, moon* Anziehungskraft *f*; *of the water* Sog *m* ❸ (*on a cigarette*) Zug *m*; (*on a bottle*) Schluck *m* ❹ (*attraction*) *of an event, a thing* Anziehung *f*; *of a person* Anziehungskraft *f* ❺ *no pl* (*fam: influence*) Einfluss *m* ❻ (*handle*) [Hand]griff *m* ❼ *no pl* (*effort*) Anstrengung *f* ❽ BRIT, AUS (*sl: seek partner*) ■to be on the ~ (*for a woman*) auf Weiberjagd sein *sl*; (*for a man*) auf Männerfang sein *sl* ❾ MED Zerrung *f* II. *vt* ❶ (*draw*) ziehen; **to ~ the curtains** die Vorhänge zuziehen; **to ~ the trigger** abdrücken ❷ (*put on*) **to ~ sth over one's head** *clothes* sich *dat* etw über den Kopf ziehen ❸ MED (*strain*) *muscle, tendon* zerren ❹ (*fam: take out*) *gun, knife, tooth* ziehen ❺ (*attract*) **to ~ a crowd** eine Menschenmenge anziehen ❻ BRIT, AUS (*sl: attract sexually*) aufreißen ❼ (*help through*) ■to ~ sb through sth jdn durch etw *akk* durchbringen ❽ (*fam: cancel*) *event* absagen; *advertisement* zurückziehen ❾ BRIT (*draw beer*) **to ~ [sb/oneself] a pint** BRIT [jdm/sich *dat*] ein Bier zapfen ❿ AM (*withdraw*) **to ~ a player** SPORTS einen Spieler aus dem Spiel nehmen ▸ **to ~ a face** [at sb] [jdm] eine Grimasse schneiden; **to ~ a fast one** (*sl*) einen [gerissenen] Trick anwenden; **to ~ sb's leg** (*fam*) jdn auf den Arm nehmen; **to ~ strings** Beziehungen spielen lassen; **to ~ one's weight** (*fam*) seinen [An]teil beitragen III. *vi* ❶ (*draw*) ■to ~ [at sth] [an etw *dat*] ziehen; "**~**" „Ziehen" ❷ (*drive*) ■to ~ into sth in etw *akk* hineinfahren ❸ BRIT (*sl:*

attract sexually) jdn aufreißen ◆**pull about** *vt* herumzerren ◆**pull ahead** *vi* ❶ (*overtake*) **to ~ ahead of sb** jdn überholen ❷ SPORTS in Führung gehen ❸ (*make a career*) weiterkommen ◆**pull apart** *vt* ❶ (*break*) zerlegen ❷ (*separate*) auseinanderziehen ❸ (*criticize*) *book, play* zerpflücken ◆**pull around** I. *vt* herumzerren II. *vi* sich erholen ◆**pull aside** *vt* ■to ~ sb aside jdn zur Seite nehmen ◆**pull away** I. *vi* ■to ~ away from sb/sth ❶ (*leave*) sich von jdm/etw wegbewegen; **the bus ~ed away** der Bus fuhr davon ❷ (*leave behind*) jdn/etw zurücklassen ❸ SPORTS *runner* sich vom Feld absetzen ❹ (*recoil*) vor jdm/etw zurückweichen II. *vt* wegreißen; ■to ~ sth away ⟳ from sb/sth jdm/etw etw entreißen ◆**pull back** I. *vi* ❶ (*recoil*) zurückschrecken ❷ MIL sich zurückziehen ❸ (*back out*) ■to ~ back [from sth] [von etw *dat*] einen Rückzieher machen; (*from policies*) sich [von etw *dat*] distanzieren II. *vt* ❶ (*draw back*) zurückziehen; *bed sheets* zurückschlagen; *curtains* aufziehen ❷ (*score*) [wieder] aufholen ◆**pull down** *vt* ❶ (*move down*) herunterziehen ❷ (*demolish*) *building* abreißen ❸ (*fig: hold back*) ■to ~ down ⟳ sb jdn [moralisch] runterziehen *fam* ❹ AM (*fam: earn*) kassieren ◆**pull in** I. *vi* TRANSP ❶ (*arrive*) einfahren ❷ (*move over*) [wieder] einscheren II. *vt* ❶ (*attract*) anziehen ❷ (*fam: arrest*) einkassieren ❸ BRIT (*fam: earn*) [ab]kassieren ❹ (*suck in*) einziehen ◆**pull off** I. *vt* ❶ (*take off*) [schnell] ausziehen ❷ (*fam: succeed*) durchziehen; *deal* zustande bringen; *order* an Land ziehen; *victory* davontragen II. *vi* losfahren, abfahren ◆**pull on** *vt* [schnell] überziehen ◆**pull out** I. *vi* ❶ (*move out*) *vehicle* ausscheren; **to ~ out of a road** von einer Straße abfahren ❷ (*leave*) ausfahren ❸ (*withdraw*) aussteigen *fam*; ■to ~ out of sth sich aus etw *dat* zurückziehen ❹ MIL abziehen II. *vt* ❶ MIL **to ~ out troops** Truppen abziehen ❷ (*get out*) ■to ~ sth out of sth etw aus etw *dat* [heraus]ziehen ❸ (*take out*) herausziehen ◆**pull over** I. *vt* ❶ (*make fall*) umreißen ❷ (*stop*) anhalten II. *vi* *vehicle* zur Seite fahren ◆**pull round** BRIT I. *vi* sich erholen II. *vt* [her]umdrehen ◆**pull through** I. *vi* (*survive*) durchkommen II. *vt* ■to ~ sb through [sth] jdn [durch etw *akk*] durchbringen ◆**pull to** *vt door, window* zuziehen ◆**pull together** I. *vt* ❶ (*regain composure*) ■to ~ oneself together sich zusammennehmen ❷ (*organize*) auf die

Beine stellen *fig fam* **II.** *vi* zusammenarbeiten ◆**pull under** *vt* herunterziehen ◆**pull up I.** *vt* ❶ (*raise*) hochziehen; *chair* heranziehen ❷ (*fam: reprimand*) ▪**to ~ sb up** jdn zurechtweisen ▶**to ~ one's socks up** (*fam*) sich zusammenreißen **II.** *vi* *vehicle* [heranfahren und] anhalten

pull-down 'menu *n* Pulldown-Menü *nt*

pul·let ['pʊlɪt] *n* Junghenne *f*

pul·ley ['pʊli] *n* Flaschenzug *m*

Pull·man ['pʊlmən] *n* (*dated*) Pullman-waggon *m*

'**pull-out I.** *n* ❶ MIL Rückzug *m* ❷ MEDIA [Sonder]beilage *f* **II.** *adj* herausziehbar

'**pull·over** *n esp* BRIT Pullover *m* '**pull-up** *n* ❶ (*exercise*) Klimmzug *m* ❷ BRIT (*service area*) Raststätte *f*

pul·mo·nary ['pʌlmənəri] *adj* Lungen-

pulp [pʌlp] **I.** *n* ❶ (*mush*) Brei *m;* **to beat sb to a ~** (*fig fam*) jdn zu Brei schlagen ❷ (*in paper-making*) [Papier]brei *m* ❸ FOOD Fruchtfleisch *nt kein pl* **II.** *vt* ❶ (*mash*) zu Brei verarbeiten; *food* zerstampfen ❷ (*destroy printed matter*) einstampfen

pul·pit ['pʊlpɪt] *n* Kanzel *f*

pulpy ['pʌlpi] *adj* matschig; *fruit* fleischig

pul·sar ['pʌlsɑː] *n* Pulsar *m*

pul·sate [pʌl'seɪt] *vi* pulsieren; (*with noise*) *building, loudspeaker* vibrieren; (*move rhythmically*) sich rhythmisch bewegen

pul·sa·tion [pʌl'seɪʃⁿn] *n* Pulsieren *nt*

pulse¹ [pʌls] **I.** *n* ❶ (*heartbeat*) Puls *m;* **to take sb's ~** jds Puls fühlen ❷ (*vibration*) [Im]puls *m* ❸ (*fig: mood*) **to take the ~ of sth** etw sondieren *geh;* **to have/keep one's finger on the ~** am Ball sein/bleiben **II.** *vi* pulsieren

pulse² [pʌls] *n* FOOD Hülsenfrucht *f*

pul·ver·ize ['pʌlvəraɪz] *vt* ❶ (*crush*) pulverisieren ❷ (*fam: damage*) demolieren ❸ (*fig fam: thrash*) ▪**to ~ sb** jdn zu Brei schlagen; SPORTS jdn vernichtend schlagen

puma ['pjuːmə] *n* Puma *m*

pum·ice ['pʌmɪs] *n,* **pum·ice stone** *n no pl* Bimsstein *m*

pum·mel <BRIT -ll- *or* AM *usu* -l-> ['pʌmⁿl] *vt* ❶ (*hit*) ▪**to ~ sb** auf jdn einprügeln ❷ (*fam: defeat*) ▪**to ~ sb** jdn fertigmachen *fam* ❸ (*criticize*) niedermachen

pump¹ [pʌmp] *n* ❶ BRIT, AUS (*for gymnastics*) Gymnastikschuh *m;* (*for dancing*) Tanzschuh *m;* (*for ballet*) Balletschuh *m* ❷ AM, AUS (*court shoe*) Pumps *m*

pump² [pʌmp] **I.** *n* Pumpe *f* **II.** *vt* pumpen

pump-and-'run *n* AM (*fam*) Tankbetrug *m* (*Tanken ohne zu bezahlen*)

pum·per·nick·el ['pʌmpə,nɪk!] *n no pl*

Pumpernickel *nt*

pump·ing ['pʌmpɪŋ] **I.** *n no pl* Pumpen *nt* **II.** *adj attr* Pump-

'**pump·ing sta·tion** *n* Pumpstation *f*

pump·kin ['pʌmpkɪn] *n* ❶ (*vegetable*) [Garten]kürbis *m* ❷ AM (*fig: term of endearment for child*) Schatz *m,* Mäuschen *nt*

pun [pʌn] **I.** *n* Wortspiel *nt* **II.** *vi* <-nn-> Wortspiele machen

punch¹ [pʌn(t)ʃ] *n hot or cold* Punsch *m; cold* Bowle *f*

punch² [pʌn(t)ʃ] **I.** *n* <*pl* -es> ❶ (*hit*) [Faust]schlag *m;* (*in boxing*) Punch *m kein pl fachspr;* **to give sb a ~** jdn boxen ❷ (*perforation*) Lochen *nt kein pl* ❸ (*piercing tool*) Stanzwerkzeug *nt;* [*hole*] ~ (*for paper*) Locher *m* ❹ (*strong effect*) Durchschlagskraft *f kein pl; of arguments* Überzeugungskraft *f kein pl; of a speech/of music* Schwung *m; of criticism* Biss *m fam; of a presentation* Pep *m fam* **II.** *vt* ❶ (*hit*) schlagen; **to ~ sb in the eye/nose** jdm aufs Auge/auf die Nase schlagen; **to ~ sb in the stomach** jdn in den Bauch boxen ❷ (*stamp*) *coin, ring* stempeln; (*pierce*) *metal, leather* [aus]stanzen; *paper* lochen ❸ AM, CAN AGR (*drive*) *cattle, a herd* treiben

'**punch·bag** *n* BRIT ❶ (*for boxers*) Sandsack *m* ❷ (*person*) Opfer *nt fig* '**punch·bowl** *n* Punschschüssel *f,* Bowlengefäß *nt*

'**punch·card** *n* COMPUT (*hist*) Lochkarte *f*

punch-'drunk *adj* ❶ (*of boxers*) hirngeschädigt ❷ (*unstable*) wack[e]lig [auf den Beinen] ❸ (*fig: dazed*) benommen sein ❹ (*fig: overwhelmed*) [tief] erschüttert

'**punch·ing bag** *n* AM SPORTS Sandsack *m*

'**punch·line** *n* Pointe *f* '**punch-up** *n* BRIT Schlägerei *f*

punc·tili·ous [pʌŋk'tɪliəs] *adj* (*also pej form*) ❶ (*thorough*) *in observing rules* [peinlich] genau, penibel *a. pej* ❷ (*formal*) *in clothing* korrekt; *in conduct* [sehr] steif *pej*

punc·tu·al ['pʌŋktʃuəl] *adj* pünktlich; ▪**to be ~ in doing sth** etw pünktlich tun

punc·tu·al·ity [,pʌŋktʃu'æləti] *n no pl* Pünktlichkeit *f*

punc·tu·al·ly ['pʌŋktʃuəli] *adv* pünktlich

punc·tu·ate ['pʌŋktʃueɪt] *vt* ❶ LING (*mark*) *written matter* mit Satzzeichen versehen ❷ (*fig form: accentuate*) unterstreichen ❸ (*intersperse*) [hier und da] einfügen; (*interrupt*) [immer wieder] unterbrechen

punc·tua·tion [,pʌŋktʃu'eɪʃⁿn] *n no pl* Zeichensetzung *f*

P

punc·tu·a·tion mark *n* Satzzeichen *nt*

punc·ture ['pʌŋktʃər] I. *vt* ❶ (*pierce*) *card-board, leather* durchstechen ❷ (*fig: make collapse*) *dream, hope* zerstören; *mood* verderben II. *vi* (*burst*) *tyre* ein Loch bekommen; *plastic* einreißen III. *n* Reifenpanne *f*

pun·dit ['pʌndɪt] *n* ❶ REL (*scholar*) Pandit *m fachspr* (*Ehrentitel indischer Gelehrter, hauptsächlich von Brahmanen geführt*) ❷ ECON, POL (*also pej: authority*) Koryphäe *f*, Guru *m hum, pej* ❸ (*pej: commentator*) autoritärer Kritiker/autoritäre Kritikerin

pung·en·cy ['pʌndʒən(t)si] *n of smell, taste* Schärfe *f*; (*fig*) *of criticism, wit* Schärfe *f kein pl* a. *pej; of comments, remarks* Bissigkeit *f kein pl*

pun·gent ['pʌndʒənt] *adj* ❶ (*also pej: strong*) *smell* scharf, beißend *pej; taste* scharf, pikant ❷ (*fig: biting*) *wit, words* scharf a. *pej; comment, remark* bissig *pej;* (*pointed*) *comment, expression* treffend; *style* pointiert

pun·gent·ly ['pʌndʒəntli] *adv* beißend, ätzend

pun·ish ['pʌnɪʃ] *vt* ❶ (*penalize*) bestrafen; **to ~ sb heavily/severely** jdn hart/streng bestrafen; **to ~ sb with a fine** jdn mit einer Geldstrafe belegen ❷ (*treat roughly*) strapazieren; (*treat badly*) malträtieren; *in a fight* übel zurichten ❸ (*exert oneself*) ■ **to ~ oneself** sich [ab]quälen

pun·ish·able ['pʌnɪʃəbl] *adj* LAW strafbar; **murder is ~ by life imprisonment** Mord wird mit lebenslanger Haft bestraft

pun·ish·ing ['pʌnɪʃɪŋ] I. *adj attr* (*fig*) ❶ (*heavy*) *pace, workload* Mords-, mörderisch *fig fam* ❷ (*brutal*) mörderisch *fig, fam,* gnadenlos ❸ (*tough*) hart, schwer, anstrengend II. *n* TECH (*severe handling*) Strapazierung *f;* (*rough treatment*) Malträtierung *f;* **to take a ~** *device, equipment* stark beansprucht werden; (*be damaged*) malträtiert werden; *boxer* Prügel beziehen

pun·ish·ment ['pʌnɪʃmənt] *n* ❶ (*penalty*) Bestrafung *f*, Strafe *f;* **capital ~** Todesstrafe *f;* **corporal ~** Prügelstrafe *f* ❷ TECH (*severe handling*) Strapazierung *f;* (*rough treatment*) grobe Behandlung; **to take ~** *in boxing* schwer einstecken müssen *fig fam* ❸ (*strain*) Strapaze *f;* **to take a lot of ~** *device, equipment* stark strapaziert werden

pu·ni·tive ['pju:nətɪv] *adj* (*form*) ❶ (*penalizing*) Straf-; **to take ~ action** [**against sb**] Strafmaßnahmen [gegen jdn] treffen; **~ damages** LAW *in case of libel, slander*

verschärfter Schaden[s]ersatz ❷ ECON, FIN (*severe*) streng, rigoros, einschneidend ❸ FIN (*extreme*) unverhältnismäßig [hoch]

punk [pʌŋk] *n* ❶ *esp* AM (*pej sl: worthless person*) Dreckskerl *m* ❷ *esp* AM (*pej sl: troublemaker*) Rabauke *m fam* ❸ (*pej: young rebel*) Revoluzzer(in) *m(f)* ❹ *no pl* (*music*) Punk[rock] *m;* (*fan*) Punker(in) *m(f)*

pun·net ['pʌnɪt] *n* BRIT, AUS [Obst]körbchen *nt*

punt[1] [pʌnt] SPORTS I. *vt* **to ~ the ball** *in American football* einen Befreiungsschlag ausführen *fachspr; in rugby* einen Falltritt ausführen *fachspr* II. *n* (*kick*) *in American football* Befreiungsschlag *m fachspr; in rugby* Falltritt *m fachspr*

punt[2] [pʌnt] NAUT I. *vt* staken *fachspr* II. *vi* staken *fachspr;* **to go ~ing** Stechkahn fahren III. *n* Stechkahn *m fachspr*

punt[3] [pʌnt] I. *vi* ❶ (*bet against bank*) *at card game* gegen die Bank setzen ❷ (*bet*) *at horse races* wetten ❸ (*gamble on stocks*) [an der Börse] spekulieren II. *n* Wette *f*

punt[4] [pʌnt] *n* irisches Pfund

punt·er[1] ['pʌntər] *n* BRIT ❶ (*gambler*) [Glücks]spieler(in) *m(f); in lottery, pools* Tipper(in) *m(f); at horse races* [kleiner] Wetter-/[kleine] Wetterin (*das Wetten wird berufsmäßig betrieben*)*; on stocks* [Börsen]spekulant(in) *m(f)* ❷ (*fam: customer*) Kunde(in) *m(f); of a casino* Besucher(in) *m(f);* **the average ~** (*fam*) Otto Normalverbraucher; *newspaper reader* Leser(in) *m(f)* ❸ (*fam: prostitute's customer*) Freier *m sl*

punt·er[2] ['pʌntər] *n* Stechkahnfahrer(in) *m(f)*

puny ['pju:ni] *adj* ❶ (*pej: sickly*) *person* schwächlich ❷ (*small*) *person* winzig *pej* ❸ (*fig, pej: lacking in power*) schwach; *attempt* schüchtern; *excuse* billig ❹ (*minor*) belanglos, unmaßgeblich

pup [pʌp] I. *n* ❶ (*baby dog*) junger Hund, Welpe *m* ❷ (*baby animal*) *of a fox, otter, seal* Junge(s) *nt* ❸ AM (*fig, pej sl: stupid person*) Blödmann *m* II. *vi* <-pp-> [Junge] werfen

pupa <*pl* -s *or* -pae] ['pju:pə, *pl* -pi:] *n* BIOL ❶ (*covering*) Puppe *f fachspr* ❷ (*stage*) Puppenstadium *nt fachspr*

pu·pate ['pju:peɪt] *vi* BIOL sich verpuppen *fachspr*

pu·pil[1] ['pju:pəl] *n* ❶ (*schoolchild*) Schüler(in) *m(f)* ❷ (*follower*) Schüler(in) *m(f)*

pu·pil[2] ['pju:pəl] *n* ANAT Pupille *f*

pup·pet ['pʌpɪt] *n* (*theatre doll*)

[Hand]puppe *f*; (*on strings*) Marionette *f* a. *pej, fig*

pup·pet·eer [ˌpʌpɪˈtɪəʳ] *n* ① THEAT (*entertainer using puppets*) Puppenspieler(in) *m(f)* ② (*pej: manipulator*) **to be the ~ of sth** der Drahtzieher/die Drahtzieherin einer S. *gen* sein

pup·pet ˈgov·ern·ment *n* Marionettenregierung *f* **ˈpup·pet show** *n* Puppenspiel *nt*, Marionettentheater *nt*

pup·py [ˈpʌpi] *n* ① (*baby dog*) junger Hund, Welpe *m* ② (*baby animal*) Junge(s) *nt*

pur·chase [ˈpɜːtʃəs] **I.** *vt* ① (*form: buy*) kaufen, erstehen *geh* ② FIN, LAW (*form: acquire*) etw [käuflich] erwerben ③ (*pej: by bribery*) **to ~ sth** career, success sich *dat* etw erkaufen **II.** *n* (*form*) ① (*something to be bought*) [Handels]ware *f*; (*something bought*) Kauf *m*; **to make a ~** einen Kauf tätigen; *bulky goods* eine Anschaffung machen ② (*act of buying*) Kauf *m* ③ FIN, LAW (*acquisition*) Erwerb *m kein pl* ④ *no pl* (*spec: hold*) Halt *m*; TECH (*grip*) Haftung *f fachspr* ⑤ TECH (*power*) Hebelwirkung *f*; *device* [einfaches] Hebezeug *fachspr*; (*fig*) Einfluss *m*

pur·chas·er [ˈpɜːtʃəsəʳ] *n* ① (*buyer*) Käufer(in) *m(f)*; FIN, LAW Erwerber(in) *m(f)* ② (*purchasing agent*) Einkäufer(in) *m(f)*

pur·chas·ing [ˈpɜːtʃəsɪŋ] *n no pl* (*form*) Erwerb *m geh*, [Ein]kaufen *nt*, [Ein]kauf *m* **ˈpur·chas·ing de·part·ment** *n* Einkaufsabteilung *f* **ˈpur·chas·ing man·ag·er** *n* Einkaufsleiter(in) *m(f)* **ˈpur·chas·ing pow·er** *n* Kaufkraft *f kein pl*

pure [pjʊəʳ] *adj* ① (*unmixed*) rein, pur; ZOOL (*purebred*) reinrassig *fachspr* ② (*clean*) air, water sauber, klar ③ (*fig: utter*) rein, pur ④ (*free of evil*) unschuldig, rein; *intentions* ehrlich; *motives* uneigennützig ⑤ (*non-sexual*) rein *geh*, keusch ⑥ (*virginal*) unberührt

ˈpure-bred I. *n* reinrassiges Tier **II.** *adj* reinrassig

pu·rée [ˈpjʊəreɪ] **I.** *vt* <puréed, puréeing> pürieren **II.** *n no pl* Püree *nt*

pure·ly [ˈpjʊəli] *adv* ① (*completely*) rein, ausschließlich ② (*merely*) bloß, lediglich; **~ and simply** schlicht und einfach ③ (*free of evil*) unschuldig ④ (*virtuously*) keusch

pur·ga·tive [ˈpɜːɡətɪv] **I.** *n* MED Abführmittel *nt* **II.** *adj* ① MED abführend, Abführ- ② (*fig liter*) befreiend

pur·ga·tory [ˈpɜːɡətʳri] *n no pl* ① REL **P~** das Fegefeuer ② (*fig: unpleasant experience*) **this is sheer ~!** das ist die reinste Hölle!

purge [pɜːdʒ] **I.** *vt* ① (*also fig: cleanse*) **to ~ sb/sth of sth** jdn/etw von etw *dat* reinigen a. *fig*; **to ~ oneself/sb of sth** guilt, suspicion sich/jdn von etw *dat* rein waschen ② LAW *offence* sühnen **II.** *vi* MED **to binge and ~** sich vollstopfen und [anschließend] erbrechen **III.** *n* ① (*cleaning out*) Reinigung *f* ② POL (*getting rid of*) Säuberung[saktion] *f*

pu·ri·fi·ca·tion [ˌpjʊərɪfɪˈkeɪʃᵊn] *n no pl* ① (*cleansing*) Reinigung *f* ② REL (*spiritual cleansing*) Reinigung *f*

pu·ri·fy [ˈpjʊərɪfaɪ] *vt* ① (*cleanse*) air, metal, water reinigen (**of/from** von) ② REL (*cleanse morally*) reinigen, läutern; **to ~ oneself of/from sth** sich von etw *dat* befreien

pur·ist [ˈpjʊərɪst] *n* Purist(in) *m(f)*

pu·ri·tan [ˈpjʊərɪtᵊn] **I.** *n* (*Protestant*) Puritaner(in) *m(f)*; **the P~s** *pl* die Puritaner *pl* **II.** *adj* ① (*of Puritans*) puritanisch ② (*fig, usu pej: strict*) puritanisch

pu·ri·tani·cal [ˌpjʊərɪˈtænɪkᵊl] *adj* (*usu pej*) puritanisch

Pu·ri·tan·ism [ˈpjʊərɪtᵊnɪzᵊm] *n no pl* Puritanismus *m*

pur·ity [ˈpjʊərəti] *n no pl* ① (*cleanness*) Sauberkeit *f* ② (*freedom from admixture*) Reinheit *f* ③ REL (*moral goodness*) Reinheit *f*; (*innocence*) Unschuld *f*

purl [pɜːl] **I.** *n* linke Masche **II.** *adj attr* linke(r, s); **~ stitch** linke Masche **III.** *vt, vi* links stricken

pur·loin [pɜːˈlɔɪn] *vt* (*form*) entwenden; (*hum fam: pinch*) mitgehen lassen

pur·ple [ˈpɜːpl] **I.** *adj* ① (*red/blue mix*) violett; (*more red*) lila[farben]; (*crimson*) purpurrot ② (*darkly coloured*) **to go ~** [in the face] hochrot [im Gesicht] anlaufen **II.** *n* ① (*blue/red mix*) Violett *nt*; (*more red*) Lila *nt*; (*crimson*) Purpur *m kein pl* ② (*robe*) Purpur *m kein pl* **III.** *vt* violett [*o* lila] [*o* purpurrot] [ein]färben **IV.** *vi* violett [*o* lila] [*o* purpurrot] werden

pur·port [pəˈpɔːt] **I.** *vi* (*form*) ① (*claim*) **to ~ to do sth** vorgeben, etw tun zu wollen ② (*convey meaning*) **to ~ that ...** bedeuten, dass ... **II.** *n* (*form*) ① (*meaning*) Inhalt *m* ② (*object*) Zweck *m*

pur·pose [ˈpɜːpəs] **I.** *n* ① (*reason*) Grund *m*; **to do sth for financial/humanitarian ~s** etw aus finanziellen/humanitären Gründen tun ② (*goal*) Absicht *f*, Ziel *nt*; **to have a ~ in life** ein Lebensziel haben; **to all intents and ~s** in jeder Hinsicht; **for that very ~** eigens zu diesem Zweck; **on ~** absichtlich ③ (*resoluteness*) Entschlossenheit *f*; **lack of ~** Unentschlossenheit *f* **II.** *vi* (*form*) ∎**to ~ to do sth** (*intend*) vorhaben, etw zu tun; (*resolve*) beschließen, etw zu tun

pur·pose-'built *adj* ❶ (*manufactured*) *part of machinery* speziell gefertigt, Spezial- ❷ (*erected*) speziell gebaut, Zweck-

pur·pose·ful ['pɜːpəsfᵊl] *adj* ❶ (*single-minded*) zielstrebig ❷ (*resolute*) entschlossen ❸ (*meaningful*) *existence* sinnvoll ❹ (*useful*) zweckdienlich ❺ (*intentional*) absichtlich

pur·pose·ful·ly ['pɜːpəsfᵊli] *adv* ❶ (*single-mindedly*) zielstrebig, zielbewusst ❷ (*resolutely*) entschlossen; **to act ~** entschlossen handeln ❸ (*intentionally*) absichtlich

pur·pose·less ['pɜːpəsləs] *adj* ❶ (*lacking goal*) ziellos ❷ (*lacking meaning*) sinnlos ❸ (*useless*) unzweckmäßig

pur·pose·ly ['pɜːpəsli] *adv* ❶ (*intentionally*) absichtlich, bewusst ❷ (*expressly*) ausdrücklich, gezielt

purr [pɜːʳ] **I.** *vi* ❶ (*cat*) schnurren ❷ (*engine*) surren **II.** *n* ❶ (*cat's sound*) Schnurren *nt kein pl* ❷ (*engine noise*) Surren *nt kein pl*

purse [pɜːs] **I.** *n* ❶ BRIT (*for money*) Geldbeutel *m,* Geldbörse *f* ❷ AM (*handbag*) Handtasche *f* ❸ (*financial resources*) **public ~** Staatskasse *f* **II.** *vt* **to ~ one's lips/mouth** die Lippen schürzen/den Mund spitzen; (*sulkily*) die Lippen aufwerfen/einen Schmollmund machen **III.** *vi* **under stress her lips would ~ slightly** wenn sie angespannt war, verzog sich ihr Mund ein wenig

purs·er ['pɜːsəʳ] *n* AVIAT Purser *m;* NAUT Zahlmeister(in) *m(f) fachspr*

pur·su·ance [pəˈsjuːən(t)s] *n no pl* (*form*) ❶ (*seeking after*) *of freedom, ideal, truth* Streben *nt* ❷ (*execution*) *of a plan* Ausführung *f;* *of instructions* Befolgung *f;* *of duties* Erfüllung *f* ❸ (*accordance*) Übereinstimmung *f*

pur·su·ant [pəˈsjuːənt] *adv* LAW (*form*) ∎**~ to sth** laut einer S.

pur·sue [pəˈsjuː] *vt* ❶ (*follow*) verfolgen ❷ (*fig: seek to achieve*) **to ~ one's goals** seine Ziele verfolgen ❸ (*fig, pej: repeatedly attack*) verfolgen ❹ (*investigate*) weiterverfolgen ❺ (*engage in*) betreiben; *career* ausüben; **to ~ one's studies** seinem Studium nachgehen ❻ (*fig: admire*) *film star* anhimmeln

pur·su·er [pəˈsjuːəʳ] *n* Verfolger(in) *m(f)*

pur·suit [pəˈsjuːt] *n* ❶ (*chase*) Verfolgung[sjagd] *f;* *of knowledge, fulfilment* Streben *nt* (**of** nach); (*hunt*) Jagd *f a. pej* (**of** nach) ❷ (*activity*) Aktivität *f,* Beschäfti-

gung *f;* **indoor/outdoor ~s** Innen-/Außenaktivitäten *pl*

pu·ru·lent ['pjʊərʊlənt] *adj* MED eitrig

pur·vey [pəˈveɪ] *vt* (*form*) ❶ (*trade*) ∎**to ~ sth** *food* mit etw *dat* handeln ❷ (*provide*) ∎**to ~ sth to sb** *food* jdm etw liefern ❸ (*supply*) ∎**to ~ sth** *service* etw anbieten; *information* etw liefern; (*spread*) *news* etw verbreiten

pur·vey·or [pəˈveɪəʳ] *n* (*form*) ❶ (*trader*) *in food* Händler(in) *m(f)* ❷ (*supplier*) Lieferant(in) *m(f),* Versorger(in) *m(f)*

pus [pʌs] *n no pl* Eiter *m*

push [pʊʃ] **I.** *n* <*pl* -es> ❶ (*shove*) Stoß *m;* (*slight push*) Schubs *m fam;* **to give sb/sth a ~** jdm/etw einen Stoß versetzen ❷ (*press*) Druck *m;* **at the ~ of a button** auf Knopfdruck *a. fig* ❸ (*fig: motivation*) Anstoß *m* ❹ (*concerted effort*) Anstrengung[en] *f[pl],* Kampagne *f* ❺ (*publicity*) **to get a ~** gepusht werden *sl* ❻ (*military attack*) Vorstoß *m* **II.** *vt* ❶ (*shove*) schieben; (*in a crowd*) drängeln; (*violently*) stoßen, schubsen; **to ~ sth to the back of one's mind** (*fig*) etw verdrängen ❷ (*move forcefully*) schieben; (*give a push*) stoßen; **to ~ things to the limit** (*fig*) etw bis zum Äußersten treiben ❸ (*manoeuvre*) ∎**to ~ sb towards sth** jdn in eine Richtung drängen ❹ (*impose*) ∎**to ~ sth [on sb]** [jdm] etw aufdrängen ❺ (*pressure*) ∎**to ~ sb into doing sth** jdn [dazu] drängen, etw zu tun; (*force*) jdn zwingen, etw zu tun; (*persuade*) jdn überreden, etw zu tun ❻ (*press*) ∎**to ~ sth** auf etw *akk* drücken ❼ (*demand a lot*) ∎**to ~ oneself** sich *dat* alles abverlangen; **to not ~ oneself** sich nicht überanstrengen *iron* ❽ (*find sth difficult*) ∎**to be [hard] ~ed to do sth** *esp* BRIT [große] Schwierigkeiten haben, etw zu tun ❾ *esp* BRIT (*be short of*) **to be ~ed for money/time** wenig Geld/Zeit haben ❿ (*sl: promote*) propagieren; ECON pushen *sl* ⓫ (*sl: sell illegal drugs*) pushen ⓬ (*approach*) **to be ~ing 30/40** (*age*) auf die 30/40 zugehen; (*drive at*) fast 30/40 fahren ⓭ (*fam: overdo*) **to ~ sth too far** etw übertreiben **III.** *vi* ❶ (*exert force*) dränge[l]n; (*press*) drücken; (*move*) schieben; **to ~ and pull** hin- und herschieben ❷ (*manoeuvre through*) sich durchdrängen; MIL vorstoßen; ∎**to ~ past sb** sich an jdm vorbeidrängen ♦ **push along I.** *vi* (*fig fam: leave* [*one's host*]) sich [wieder] auf die Socken machen, [wieder] los müssen **II.** *vt* vorantreiben ♦ **push around** *vt* ❶ (*move around*) herumschieben; (*violently*) herumstoßen; ∎**to ~ sb around** (*in* *a wheelchair*) jdn herumfahren ❷ (*fig, pej: bully*) ■**to ~ sb** ⟳ **around** jdn herumkommandieren ◆**push away** *vt* wegschieben ◆**push back** *vt* ❶ (*move backwards*) zurückschieben, zurückdrängen ❷ (*fig: delay*) *date* verschieben; ■**to ~ sb back** jdn zurückwerfen ❸ (*fig, pej: ignore*) verdrängen ◆**push down** *vt* ❶ (*knock down*) umstoßen ❷ (*press down*) *lever* hinunterdrücken ❸ ECON (*fig, pej: cause decrease*) *prices* [nach unten] drücken; *value* mindern ◆**push forward** I. *vt* ❶ (*approv, fig: advance*) *development, process* [ein großes Stück] voranbringen ❷ (*present forcefully*) in den Vordergrund stellen; **to ~ forward a claim** eine Forderung geltend machen ❸ (*draw attention*) ■**to ~ oneself forward** sich vordrängen II. *vi* ❶ (*continue*) weitermachen ❷ (*continue travelling*) weiterfahren ◆**push in** I. *vt* ❶ (*destroy*) eindrücken ❷ (*fig, also pej: force in*) **to ~ one's way in** sich hineindrängen II. *vi* ❶ (*fig, also pej: force way in*) sich hineindrängen ❷ (*fig, pej: jump queue*) sich vordränge[l]n ◆**push off** I. *vi* ❶ (*fig, also pej fam: leave*) sich verziehen; **well, I have to ~ off now** also, ich muss jetzt los ❷ NAUT (*set sail*) abstoßen II. *vt* NAUT abstoßen ◆**push on** I. *vi* ❶ (*continue despite trouble*) ■**to ~ on with sth** *plan, project* mit etw *dat* weiterkommen ❷ (*take the lead*) sich bis zur Spitze vorarbeiten; (*in a race*) sich an die Spitze setzen ❸ (*continue travelling*) [noch] weiterfahren II. *vt* [energisch] vorantreiben ◆**push out** I. *vt* ❶ (*force out*) *person, cat, dog* hinausjagen ❷ (*dismiss*) hinauswerfen; (*reject*) ausstoßen ❸ ECON (*produce*) ausstoßen II. *vi* HORT *buds, flowers* sprießen; *buds, trees* austreiben; *bushes, trees* ausschlagen ◆**push over** *vt* umwerfen, umstoßen ◆**push through** I. *vi* (*manoeuvre through*) ■**to ~ through sth** sich durch etw *akk* drängen II. *vt* ❶ POL (*make pass*) *bill, motion* durchdrücken *fam* ❷ (*help to succeed*) **the school manages to ~ most of its students through their exams** die Schule bringt die meisten ihrer Schüler durch die Prüfungen ◆**push up** I. *vt* ❶ (*move higher*) **to ~ a bike up a hill** ein Fahrrad den Hügel hinaufschieben; ■**to ~ sb** ⟳ **up** jdn hochheben ❷ ECON (*cause increase*) *demand* steigern; *prices* hochtreiben II. *vi* ❶ (*fig: grow*) *weeds* [nach oben] schießen ❷ (*fig fam: move*) [rüber]rutschen

'**push·bike** *n* BRIT, AUS (*fam*) [Fahr]rad *nt*
'**push-but·ton** I. *adj* ❶ (*automated*)

Druckknopf-, [Druck]tasten-, [voll]automatisch ❷ (*using complex weapons*) mit modernsten Waffensystemen [*o* modernster Elektronik] *nach n* II. *n* Druckknopf *m*, [Druck]taste *f* '**push·cart** *n* ❶ (*barrow*) Schubkarren *m* ❷ (*trolley*) Einkaufswagen *m* '**push·chair** *n* BRIT [Kinder]sportwagen *m*

push·er ['pʊʃə'] *n* (*pej*) Dealer(in) *m(f)*
'**push-fit** *adj* TECH *pipes, connections* Steck-

pushi·ness ['pʊʃɪnəs] *n no pl* (*fig*) ❶ (*pej fam: aggressiveness*) Rücksichtslosigkeit *f* ❷ (*pej fam: obnoxiousness*) Aufdringlichkeit *f*

push·ing ['pʊʃɪŋ] I. *n no pl* Gedränge[l] *nt*; **~ and shoving** [großes] [Geschiebe und] Gedränge II. *adj* (*fig*) ❶ (*ambitious*) tatkräftig ❷ (*pej: forceful*) rücksichtslos ❸ (*pej: obnoxious*) aufdringlich

'**push·over** *n* ❶ (*approv, fig fam: easy success*) Kinderspiel *nt kein pl* ❷ (*fig, pej fam: easily defeated opponent*) leichter Gegner/leichte Gegnerin; (*easily influenced*) Umfaller(in) *m(f) fig, pej fam;* **to be a real ~** echt leicht rumzukriegen sein *fam* '**push·pin** *n* AM Reißzwecke *f* '**push·start** I. *vt* ❶ (*jump-start*) *car* anschieben ❷ (*fig: begin improvement*) **to ~ the economy** die Wirtschaft ankurbeln II. *n* ❶ (*jump-start*) *of a car* Anschieben *nt kein pl* ❷ (*fig: helpful prompt*) Starthilfe *f* '**push-up** *n* Liegestütz *m*

pushy ['pʊʃi] *adj* (*fig fam*) ❶ (*ambitious*) tatkräftig ❷ (*pej: aggressive*) aggressiv ❸ (*pej: obnoxious*) aufdringlich

puss <*pl* -es> [pʊs] *n* ❶ (*fam*) Mieze[katze] *f* ❷ AM (*fig, also pej fam: female*) Puppe *f* ❸ IRISH, SCOT, AM (*sl: face*) Visage *f fam;* (*mouth*) Fresse *f derb*

pussy ['pʊsi] *n* ❶ (*cat*) Mieze[katze] *f fam* ❷ *no pl* (*fig, pej vulg: woman's genitals*) Muschi *f* ❸ AM (*fig, pej sl: effeminate male*) Waschlappen *m fam*
'**pussy·foot** *vi* (*fig, pej fam*) ❶ (*move cautiously*) schleichen; ■**to ~ around** herumschleichen *fam* ❷ (*be evasive*) sich [herum]drücken; ■**to ~ around** herumreden *fam* '**pussy wil·low** *n* Salweide *f*

pus·tule ['pʌstjuːl] MED I. *n* Eiterbläschen *nt,* Pustel *f* II. *vi* eitern

put <-tt-, put, put> [pʊt] I. *vt* ❶ (*place*) ■**to ~ sth somewhere** etw irgendwohin stellen; (*lay down*) etw irgendwohin legen; (*push in*) etw irgendwohin stecken; **~ your clothes in the closet** häng deine Kleider in den Schrank; **she ~ some milk in her coffee** sie gab etwas Milch in ihren Kaffee;

this ~s me in a very difficult position das bringt mich in eine schwierige Situation; **to ~ oneself in sb's place** sich in jds Situation versetzen; **~ the cake into the oven** schieb den Kuchen in den Backofen; **I ~ clean sheets on the bed** ich habe das Bett frisch bezogen; **she ~ her arm round him** sie legte ihren Arm um ihn; **to ~ sb to bed** jdn ins Bett bringen; **to stay ~** *person* sich nicht von der Stelle rühren; *object* liegen/stehen/hängen bleiben ❷ (*invest*) **to ~ effort/energy/money/time into sth** Mühe/Energie/Geld/Zeit in etw *akk* stecken ❸ (*impose*) **to ~ the blame on sb** jdm die Schuld geben; **to ~ an embargo on sth** ein Embargo über etw *akk* verhängen; **to ~ faith in sth** sein Vertrauen in etw *akk* setzen; **to ~ pressure on sb** jdn unter Druck setzen; **to ~ sb/sth to the test** jdn/etw auf die Probe stellen ❹ (*present*) **to ~ sth to a discussion** etw zur Diskussion stellen; **to ~ a question to sb** jdm eine Frage stellen; **to ~ sth to a vote** etw zur Abstimmung bringen ❺ (*include*) ■**to ~ sth in|to] sth** etw in etw *akk or dat* aufnehmen; **to ~ sth on the agenda** etw auf die Tagesordnung setzen ❻ (*indicating change of condition*) **to ~ sb at risk** jdn in Gefahr bringen; **to ~ sb in a good/bad mood** jds Laune heben/verderben; **to ~ one's affairs in order** seine Angelegenheiten in Ordnung bringen; **to ~ sb/an animal out of his/its misery** jdn/ein Tier von seinen Qualen erlösen; **to ~ sb to shame** jdn beschämen; **to ~ a stop to sth** etw beenden; **to ~ sth right** etw in Ordnung bringen ❼ (*express*) **how should I ~ it?** wie soll ich mich ausdrücken?; **to ~ it bluntly** um es deutlich zu sagen; **that's ~ting it mildly** das ist ja noch milde ausgedrückt ❽ (*write*) **to ~ a cross/tick next to sth** etw ankreuzen/abhaken ❾ (*estimate, value*) **she ~s her job above everything else** für sie geht ihr Beruf allem anderen vor; **to ~ sb/sth in a category** jdn/etw in eine Kategorie einordnen ❿ (*install*) **to ~ heating/a kitchen into a house** eine Heizung/Küche in einem Haus installieren ⓫ MED (*prescribe*) **to ~ sb on sth** jdm etw verschreiben **II.** *vi* NAUT **to ~ to sea in** See stechen ◆**put about I.** *vt* ❶ (*scatter within*) verteilen ❷ (*spread rumour*) verbreiten ❸ BRIT (*fam: be promiscuous*) ■**to ~ it about** mit jedem/jeder ins Bett gehen ❹ (*fam: be extroverted*) ■**to ~ oneself about** sich in Szene setzen **II.** *vi* NAUT wenden ◆**put across** *vt* ❶ (*make understood*) vermitteln ❷ (*fam: trick*) **to ~ one**

across sb jdn hintergehen ◆**put aside** *vt* ❶ (*save*) auf die Seite legen ❷ (*postpone*) ■**to ~ aside** ⟳ **sth** *activity* mit etw *dat* aufhören; *book etc.* etw beiseitelegen ❸ (*fig: abandon*) aufgeben; *plan* über Bord werfen ◆**put away** *vt* ❶ (*tidy up*) wegräumen; (*in storage place*) einräumen ❷ (*set aside*) *book, game, glasses* beiseitelegen ❸ (*save*) *money, savings* zurücklegen ❹ (*fam: eat a lot*) ■**to ~ away** ⟳ **sth** etw in sich *akk* hineinstopfen ❺ (*fam: have institutionalized*) ■**to ~ sb away** (*in an old people's home*) jdn in Pflege geben; (*in prison*) jdn einsperren; **to ~ sb away for life** jdn lebenslänglich einsperren ❻ AM (*fam: kill*) ■**to ~ sb away** jdn umlegen ◆**put back** *vt* ❶ (*replace*) zurückstellen ❷ (*reassemble*) ■**to ~ sth back together** etw wieder zusammensetzen; ■**to ~ sth back on** *clothes* etw wieder anziehen ❸ (*postpone*) verschieben; *time, clock* zurückstellen ❹ SCH (*not progress*) ■**to ~ sb back** um eine Klasse zurückstufen ◆**put by** *vt* zurücklegen; *money also* auf die hohe Kante legen ◆**put down I.** *vt* ❶ (*set down*) ablegen, abstellen ❷ (*put to bed*) **to ~ a child down** ein Kind ins Bett bringen ❸ (*lower*) *arm, feet* herunternehmen; **to ~ down the [tele]phone** [den Hörer] auflegen; ■**to ~ sb** ⟳ **down** jdn runterlassen ❹ (*drop off*) ■**to ~ down** ⟳ **sb** jdn rauslassen ❺ (*spread*) **to ~ down poison** Gift auslegen; **to ~ down roots** (*also fig*) Wurzeln schlagen ❻ (*write*) aufschreiben; **we'll ~ your name down on the waiting list** wir setzen Ihren Namen auf die Warteliste; ■**to ~ sb down for sth** jdn für etw *akk* eintragen ❼ ECON (*leave as deposit*) *money* anzahlen ❽ (*stop*) *rebellion* niederschlagen; *crime* besiegen; *rumour* zum Verstummen bringen ❾ (*deride*) ■**to ~ down** ⟳ **sb/oneself** jdn/ sich schlechtmachen ❿ (*have killed*) *an animal* einschläfern lassen ⓫ (*give as cause*) ■**to ~ sth down to sth** etw auf etw *akk* zurückführen; **to ~ sth down to experience** etw als Erfahrung mitnehmen **II.** *vi* AVIAT landen ◆**put forward** *vt* ❶ (*propose*) *idea, plan* vorbringen; **to ~ forward a proposal** einen Vorschlag machen; *candidate* vorschlagen ❷ (*make earlier*) vorverlegen (**to** auf) ❸ (*set later*) **to ~ the clock/time forward** die Uhr vorstellen ◆**put in I.** *vt* ❶ (*place in*) hineinsetzen/·legen/·stellen ❷ (*add*) *food, ingredients* hinzufügen; *plants* [ein]pflanzen ❸ (*install*) installieren ❹ (*enter, submit*) ■**to ~ sb/sth** ⟳ **in for sth** *exam, school,* *competition* jdn/etw für etw anmelden; **to ~ in an order for sth** etw bestellen ➎ (*invest*) *time, work* investieren; **I ~ in a good day's work today** ich habe heute ein ordentliches Arbeitspensum erreicht ➏ (*cause to be*) **to ~ sb in a rage** jdn wütend machen **II.** *vi* ➊ NAUT anlegen; **to ~ into Hamburg/harbour** in Hamburg/im Hafen einlaufen ➋ **to ~ in for sth** *job* sich um etw *akk* bewerben; *pay rise, transfer* etw beantragen ◆ **put off** *vt* ➊ (*delay*) verschieben; (*avoid*) **we've been ~ting off the decision about whether to have a baby** wir haben die Entscheidung, ob wir ein Kind haben wollen, vor uns her geschoben ➋ (*fob off*) vertrösten; **you're not going to ~ me off with excuses** ich lasse mich von dir nicht mit Ausreden abspeisen ➌ (*deter*) abschrecken ➍ (*distract*) ablenken; **you're ~ting me right off** du bringst mich völlig raus ➎ BRIT TRANSP (*drop off*) aussteigen lassen; (*forcibly*) hinauswerfen ➏ ELEC (*turn off*) ausmachen ◆ **put on** *vt* ➊ (*wear*) *clothes, shoes* anziehen; **to ~ on make-up** Make-up auflegen; **to ~ on a smile** (*fig*) ein Lächeln aufsetzen ➋ (*pretend*) vorgeben; **it's all ~ on** es ist alles nur Schau ➌ (*turn on*) einschalten; **to ~ on the brakes** bremsen; **to ~ on Mozart** Mozart auflegen ➍ (*provide*) bereitstellen; **to ~ on an exhibition** eine Ausstellung veranstalten; **to ~ on a play** ein Theaterstück aufführen; **to ~ sth on the market** etw auf den Markt bringen ➎ (*increase*) **to ~ on weight** zunehmen ➏ (*bet*) **to ~ money on a horse** Geld auf ein Pferd setzen; (*fig*) **I wouldn't ~ my money on it** darauf würde ich nichts geben ➐ (*start cooking*) aufsetzen ➑ (*allow to speak on phone*) **to ~ sb on |the telephone|** jdm den Hörer weitergeben ◆ **put out I.** *vt* ➊ (*place outside*) **to ~ the washing out |to dry|** die Wäsche draußen aufhängen; **to ~ sb/sth out of business** jdn/etw aus dem Geschäft drängen; **to ~ sb out of a job** jdn entlassen; **to ~ sb/sth out of one's mind** jdn/etw vergessen ➋ (*extend*) *hand, foot* ausstrecken; **she ~ her head out of the window** sie lehnte den Kopf aus dem Fenster ➌ MEDIA (*publish, circulate*) veröffentlichen ➍ (*produce*) herstellen; (*sprout*) *leaves, roots* austreiben ➎ (*place ready*) ■ **to ~ sth out |for sb/sth|** *cutlery, plate, dish* |jdm/etw| etw hinstellen ➏ (*inconvenience*) ■ **to ~ sb out** jdm Umstände machen ➐ (*bother*) ■ **to be ~ out by sth** über etw *akk* verärgert sein ➑ (*extinguish*) *fire* löschen; *candle, ciga-*

rette ausmachen; (*turn off*) *lights* ausschalten ➒ (*hurt*) **he ~ his back out** er hat seinen Rücken verrenkt ➓ (*knock out*) narkotisieren ⓫ (*eliminate*) **to ~ sb out of the competition** jdn aus dem Rennen werfen **II.** *vi* NAUT (*set sail*) in See stechen ◆ **put over** *vt* ➊ (*make understood*) verständlich machen ➋ (*fool*) **to ~ one over on sb** sich mit jdm einen Scherz erlauben ◆ **put through** *vt* ➊ (*insert through*) ■ **to ~ sth through sth** etw durch etw *akk* schieben; (*pierce*) etw durch etw *akk* stechen ➋ TELEC (*connect*) ■ **to ~ sb through to sb** jdn mit jdm verbinden ➌ (*cause to undergo*) **to ~ sb through hell** jdm das Leben zur Hölle machen ➍ (*support*) **to ~ sb through college/school** jdn zum College/zur Schule schicken ➎ (*carry through*) *bill, plan, proposal* durchbringen; *claim* weiterleiten ◆ **put together** *vt* ➊ (*assemble*) zusammensetzen; *machine, model, radio* zusammenbauen ➋ (*place near*) zusammenschieben ➌ (*make*) zusammenstellen; **to ~ together a dinner/snack** ein Mittagessen/einen Imbiss fertig machen; **to ~ together a list** eine Liste aufstellen ➍ MATH (*add*) **to ~ 10 and 15 together** 10 und 15 zusammenzählen; (*fig*) **she earns more than all the rest of us ~ together** sie verdient mehr als wir alle zusammengenommen ➎ FOOD (*mix*) mischen ◆ **put up I.** *vt* ➊ (*hang up*) *decorations, curtains, notice* aufhängen; *flag, sail* hissen ➋ (*raise*) hochheben; **to ~ one's feet up** die Füße hochlegen; **to ~ one's hair up** sich *dat* das Haar aufstecken ➌ (*build*) bauen; *fence* errichten; *tent* aufstellen ➍ (*increase*) *numbers, price, sales, blood pressure* erhöhen ➎ (*offer*) *Summe* bezahlen; **to ~ up bail** eine Kaution zahlen; **to ~ up a reward** eine Belohnung aussetzen; **to ~ sth up for sale** etw zum Verkauf anbieten ➏ (*give shelter*) unterbringen ➐ (*propose*) vorschlagen ➑ (*cause to do*) ■ **to ~ sb up to sth** jdn zu etw *dat* verleiten ➒ (*resist*) **to ~ up a struggle** kämpfen; **the villagers did not ~ up any resistance** die Dorfbewohner leisteten keinen Widerstand **II.** *vi* (*stay*) **to ~ up in a hotel/at sb's place** in einem Hotel/bei jdm unterkommen ◆ **put up with** *vi* **I don't know why she ~s up with him** ich weiß nicht, wie sie es mit ihm aushält; **they have a lot to ~ up with** sie haben viel zu ertragen; **I'm not ~ing up with this any longer** ich werde das nicht länger dulden

pu·ta·tive ['pjuːtətɪv] *adj attr* (*form*) ➊ (*re-*

puted) *efficiency, superiority* angeblich ❷ (*supposed*) *father, leader, offender* mutmaßlich

'put-off *n* ❶ (*delay*) Aufschub *m* ❷ (*fam: excuse*) Ausrede *f* **'put-on** *n* AM (*fam*) ❶ (*act of teasing*) Scherz *m* ❷ (*affected manner*) Schau *f fig fam*, Getue *nt fam*

pu·tre·fac·tion [ˌpjuːtrɪ'fækʃ*ə*n] *n no pl* (*form*) ❶ (*decay*) MED *of a body* Verwesung *f*; BIOL *of organic matter* Fäulnis *f* ❷ (*fig: corruption*) *of a culture, morals* Verfall *m*

pu·tre·fy <-ie-> ['pjuːtrɪfaɪ] *vi* ❶ *body* verwesen; *organic matter* [ver]faulen ❷ (*fig: become corrupt*) verrotten

pu·trid ['pjuːtrɪd] *adj* (*form*) ❶ (*decayed*) MED *corpse* verwest; BIOL *organic matter* verfault; *water* faul ❷ (*foul*) *smell* faulig ❸ (*fig: corrupt*) verdorben ❹ (*fig: objectionable*) *behaviour* widerlich; (*horrible*) scheußlich; **that was a pretty ~ trick!** das war ein ziemlich übler Trick! ❺ (*fig: worthless*) *effort, achievement* armselig

putsch <*pl* -es> [pʊtʃ] *n* Putsch *m*

putt [pʌt] SPORTS I. *vt, vi* putten II. *n* Putt *m*

put·tee [ˈpʌti] *n* ❶ MIL (*hist: strip of cloth*) *worn by soldier* Wickelgamasche *f* ❷ AM (*legging*) *worn by rider* [Leder]gamasche *f*

putt·er[1] ['pʌtər] *n* SPORTS ❶ *golf club* Putter *m* ❷ (*golfer*) Einlocher(in) *m/f*

putt·er[2] ['pʌtər] *vi* AM ❶ (*busy oneself*) geschäftig sein, werkeln SÜDD ❷ (*move slowly*) [herum]trödeln ❸ (*idle*) die Zeit mit Nichtstun verbringen

put·ty ['pʌti] I. *n no pl* [Dichtungs]kitt *m* II. *vt* <-ie-> [ver]kitten, [ver]spachteln

'put·ty-knife *n of a glazier* Kittmesser *nt; of a plasterer* Spachtelmesser *nt*

'put-up *adj* (*fam*) abgekartet **'put-upon** *adj* (*fam*) ausgenutzt

puz·zle ['pʌzl] I. *n* ❶ (*test of ingenuity*) Rätsel *nt;* **jigsaw ~** Puzzle *nt* ❷ (*test of patience*) Geduldsspiel *nt* ❸ (*question*) Rätsel *nt* ❹ (*mystery*) Rätsel *nt* ❺ (*confusion*) Verwirrung *f* II. *vt* vor ein Rätsel stellen III. *vi* ▪ **to ~ about sth** über etw *akk* nachgrübeln

puz·zled ['pʌzld] *adj* ❶ (*helpless*) *expres-*

sion ratlos ❷ (*confused*) verwirrt ❸ (*surprised*) [sehr] überrascht ❹ (*disconcerted*) *expression* irritiert

puz·zler ['pʌzlər] *n* ❶ (*usu fam: question*) harte Nuss *fig* ❷ (*fig: difficult person*) Rätsel *nt fig* ❸ (*thinker*) Puzzler(in) *m/f*

puz·zling ['pʌzlɪŋ] *adj* ❶ (*mysterious*) *mechanism, story* rätselhaft ❷ (*difficult*) *question, situation* schwierig ❸ (*confusing*) verwirrend ❹ (*surprising*) *outcome, success* verblüffend

PVC [ˌpiːviːˈsiː] CHEM I. *n abbrev of* **polyvinyl chloride** PVC *nt* II. *adj attr abbrev of* **polyvinyl chloride** PVC-, aus PVC *nach n*

PVR [ˌpiːviːɑːˈ] *n abbrev of* **personal video recorder** Personal Video Recorder *m*

pyg·my ['pɪgmiː] I. *n* (*pej, also fig*) Zwerg(in) *m/f* II. *adj attr* Zwerg-

py·ja·mas [pɪ'dʒɑːməz] *npl* Pyjama *m;* **a pair of ~** ein Pyjama *m*

py·lon ['paɪlɒn] *n* ❶ ELEC (*power lines pole*) freitragender Leitungsmast; [*electricity*] **~** Hochspannungsmast *m* ❷ AVIAT (*guidance pole*) *in gliding* Orientierungsturm *m*

pyra·mid ['pɪrəmɪd] *n* Pyramide *f*

pyra·mid 'sell·ing *n no pl* ECON, LAW Vertrieb *m* nach dem Schneeballprinzip

pyre ['paɪər] *n* Scheiterhaufen *m*

Pyr·enees [ˌpɪrə'niːz] *npl* ▪ **the ~** die Pyrenäen *pl*

Py·rex® ['paɪ(ə)reks] I. *n* Pyrex-Glas® II. *adj attr baking dish, pan* Pyrex-®, aus Pyrex-Glas® *nach n*

py·rites [paɪ(ə)'raɪtiːz] *n + sing vb* Pyrit *m fachspr*

pyro·ma·nia [ˌpaɪ(ə)rə(ʊ)'meɪniə] *n no pl* Pyromanie *f fachspr*

pyro·ma·ni·ac [ˌpaɪ(ə)rə(ʊ)'meɪniæk] *n* PSYCH Brandstifter(in) *m/f* [aus krankhafter Veranlagung], Pyromane, Pyromanin *m, f fachspr*

pyro·tech·nic [ˌpaɪ(ə)rə(ʊ)'teknɪk] *adj attr* ❶ (*fireworks*) pyrotechnisch ❷ (*fig: sensational*) *musical performance, rhetoric* brillant

py·thon <*pl* -s *or* -> ['paɪθ*ə*n] *n* Python *m*

Q q

Q <*pl* -'s *or* -s>, **q** <*pl* -'s> [kju:] *n* Q *nt*, q *nt; see also* **A** 1

Q [kju:] *n* ❶ *abbrev of* **Queen** Königin *f* ❷ SCH, UNIV *abbrev of* **question** Frage *f* ❸ ECON *abbrev of* **quarter** Quartal *nt*

Qa·tar [kə'tɑːɐ] *n* Katar *nt*

QC [ˌkjuːˈsiː] *n* BRIT *abbrev of* **Queen's Counsel**

QED [ˌkjuːiːˈdiː] *n* *abbrev of* **quod erat demonstrandum** q.e.d.; (*fig: and that's the solution*) ganz einfach

qtr *abbrev of* **quarter** Viertel *nt*

quack[1] [kwæk] **I.** *n* (*duck's sound*) Quaken *nt* **II.** *vi* quaken

quack[2] [kwæk] *n* (*pej: fake doctor*) Quacksalber(in) *m(f) pej;* BRIT, AUS (*sl: doctor*) Doktor *m fam;* ~ **treatment** Kurpfuscherei *f*

quad[1] [kwɒd] *n* ❶ (*fam*) *abbrev of* **quadruplet** Vierling *m* ❷ *abbrev of* **quadrangle** (*block of buildings*) Geviert *nt;* (*on a campus*) Hof; (*on school grounds*) viereckiger Schulhof

quad[2] [kwɒd] *n* ❶ MEDIA (*space*) *in printing* Geviert *nt* ❷ PHYS (*energy unit*) Quad *nt* ❸ ELEC, TELEC (*cable*) Vierer *m* ❹ MED (*fam: paralysed person*) Tetraplegiker(in) *m(f)*

quad·ran·gle ['kwɒdræŋgl] *n* (*form*) ❶ (*figure*) Viereck *nt* ❷ (*square*) *of buildings* Geviert *nt;* *on a campus* von Gebäuden umschlossener viereckiger Hof (*z.B. in Oxford*); *of a court* [viereckiger] Innenhof; *on school grounds* viereckiger Schulhof ❸ AM GEOG *in surveying* Landkartenviereck *nt*

quad·ran·gu·lar [kwɒdˈræŋgjələʳ] *adj* viereckig

quad·rant ['kwɒdrªnt] *n* ❶ MATH (*quarter*) *of a circle/two axes also* Quadrant *m fachspr; of a sphere* Viertelkugel *f* ❷ ASTRON, NAUT (*instrument*) Quadrant *m fachspr*

quad·ra·phon·ic [ˌkwɒdrəˈfɒnɪk] *adj* MUS quadrophon[isch]

quad·rat·ic [kwɒdˈrætɪk] **I.** *adj* quadratisch; ~ **equation** quadratische Gleichung **II.** *n* quadratische Gleichung

quad·ri·lat·er·al [ˌkwɒdrɪˈlætªrªl] **I.** *adj* vierseitig **II.** *n* (*shape*) Viereck *nt*

quad·ri·par·tite [ˌkwɒdrɪˈpɑːtaɪt] *adj* (*form*) vierteilig, Vier[er]-

quad·ru·ped ['kwɒdrʊped] **I.** *adj* ZOOL vierfüßig **II.** *n* Vierfüßer *m*

quad·ru·ple ['kwɒdrʊpl] **I.** *vt* vervierfa-

chen **II.** *vi* sich vervierfachen **III.** *adj* vierfach *attr; amount, number* vierfach; ~ **time** MUS Viervierteltakt *m* **IV.** *adv* vierfach [ausgelegt]

quad·ru·plet ['kwɒdrʊplət] *n* ❶ (*child*) Vierling *m* ❷ MUS (*fugue*) Quadrupelfuge *f* fachspr

quaff [kwɒf] **I.** *vt* (*hum liter*) [in großen Zügen] trinken **II.** *vi* zechen

quag·mire ['kwɒgmaɪəʳ] *n* ❶ (*muddy ground*) Morast[boden] *m* ❷ (*fig: difficult situation*) Patsche *f fig;* **to be caught in a ~** in der Patsche sitzen; **a ~ of corruption** ein Morast der Korruption ❸ (*fig: mess*) Wust *m*

quail[1] <*pl* -s *or* -> [kweɪl] *n* (*bird*) Wachtel *f*

quail[2] [kweɪl] *vi* bangen *geh;* **she ~ed with fear** ihr war Angst und Bange

quaint [kweɪnt] *adj* ❶ (*charming*) reizend; *landscape, village* malerisch; *cottage, pub* urig ❷ (*also pej: strangely old-fashioned*) *customs, way of speaking, name* altertümlich *a. pej* ❸ (*usu pej: strange*) *person, views* verschroben; *customs, ideas, sight* eigenartig ❹ (*pleasantly unusual*) *encounter, sound* wundersam

quaint·ness ['kweɪntnəs] *n no pl* ❶ (*charm*) Reiz *m; of landscape, village* idyllischer Charakter; *of pub* Urigkeit *f* ❷ (*usu pej: strangeness*) *of a person, of views* Verschrobenheit *f; of customs, ideas, sight* Merkwürdigkeit *f; of way of speaking* Seltsamkeit *f*

quake [kweɪk] **I.** *n* (*fam*) [Erd]beben *nt* **II.** *vi* ❶ (*move*) *earth* beben ❷ (*fig: shake*) zittern; **her voice ~d with emotion** ihre Stimme bebte vor Erregung

Quak·er ['kweɪkəʳ] **I.** *n* Quäker(in) *m(f)* **II.** *adj attr* Quäker-

quali·fi·ca·tion [ˌkwɒlɪfɪˈkeɪʃªn] *n* ❶ (*skill*) Qualifikation *f;* (*document*) Abschlusszeugnis *nt;* **he left school with no ~s** er verließ die Schule ohne einen Abschluss ❷ *no pl* (*completion of training*) Abschluss *m* seiner Ausbildung; *from school* [Schul]abschluss *m; from university* [Studien]abschluss *m* ❸ (*restriction*) Einschränkung *f* ❹ (*change*) [Ab]änderung *f* ❺ (*condition*) [notwendige] Voraussetzung *f* (**for/of** für); ~ **for an examination** AM UNIV Zulassung zu einer Prüfung *f;* ~ **procedure** AM UNIV Zulassungsverfahren *nt* ❻ (*eligibility*) Berechtigung *f* ❼ SPORTS (*preliminary* *test*) Qualifikation *f*

quali·fied [ˈkwɒlɪfaɪd] *adj* ❶ (*competent*) qualifiziert; **well ~** gut geeignet ❷ (*certified*) ausgebildet, -meister [*o* -meisterin]; **~ mason** Maurermeister(in) *m(f)*; **~ radiologist** ausgebildeter Radiologe/ausgebildete Radiologin; (*at university*) graduiert; (*by the state*) staatlich anerkannt; **~ medical practitioner** approbierter praktischer Arzt/approbierte praktische Ärztin ❸ (*restricted*) bedingt; **to make a ~ statement** eine Erklärung unter Einschränkungen abgeben; **to be a ~ success** ein mäßiger Erfolg sein ❹ (*eligible*) berechtigt

quali·fi·er [ˈkwɒlɪfaɪəʳ] *n* ❶ (*restriction*) Einschränkung *f*; (*condition*) Bedingung *f* ❷ SPORTS (*test*) Qualifikationsspiel *nt* ❸ LING (*modifier*) nähere Bestimmung

quali·fy <-ie-> [ˈkwɒlɪfaɪ] I. *vt* ❶ (*make competent*) qualifizieren ❷ (*make eligible*) ■**to ~ sb** [**for sth**] jdm das Recht [auf etw *dat*] geben; ■**to ~ sb to do sth** jdn berechtigen, etw zu tun ❸ (*restrict*) *criticism, judgement* einschränken; **to ~ an opinion/remark** eine Meinung/Bemerkung unter Vorbehalt äußern II. *vi* ❶ (*complete training*) die Ausbildung abschließen; UNIV das Studium abschließen ❷ (*prove competence*) ■**to ~** [**for sth**] sich [für etw *akk*] qualifizieren ❸ (*meet requirements*) ■**to ~** [**for sth**] *citizenship, membership, an office* [für etw *akk*] die [nötigen] Voraussetzungen erfüllen; (*be eligible for*) *benefits, a job* für etw *akk* in Frage kommen

quali·fy·ing [ˈkwɒlɪfaɪɪŋ] I. *n no pl* ❶ (*meeting requirement*) Qualifizierung *f* ❷ (*restricting*) Einschränkung *f* ❸ SPORTS (*preliminary testing*) Qualifizierung *f* II. *adj attr* ❶ (*restrictive*) einschränkend ❷ (*testing standard*) Qualifikations-, Eignungs-; **~ test** SCH, UNIV Aufnahmeprüfung *f* ❸ LING (*modifying*) *adjective, adverb* bestimmend ❹ SPORTS *round* Qualifikations-

quali·ta·tive [ˈkwɒlɪtətɪv] *adj* qualitativ, Qualitäts-; **~ classification** Einteilung *f* nach Güte

qual·ity [ˈkwɒləti] I. *n* ❶ (*standard*) Qualität *f*; MECH, TECH Gütegrad *m fachspr*; **~ of life** Lebensqualität *f* ❷ (*character*) Art *f*; **the unique ~ of their relationship** die Einzigartigkeit ihrer Beziehung ❸ (*feature*) Merkmal *nt*; **managerial qualities** Führungsqualitäten *pl*; **the school has many excellent qualities** die Schule hat viele Vorzüge; **this cheese has a rather rubbery ~ to it** dieser Käse hat etwas ziemlich Gummiartiges an sich II. *adj* [qualitativ] hochwertig, Qualitäts-; **~ control** Quali-

tätskontrolle *f*; **~ time** *no pl die Zeit, die man dafür aufbringt, familiäre Beziehungen zu entwickeln und zu pflegen*

qualm [kwɑːm] *n* ❶ (*doubt*) ■**~s** *pl* Bedenken *pl* ❷ (*uneasiness*) ungutes Gefühl; **without the slightest ~** ohne die geringsten Skrupel

quan·da·ry [ˈkwɒndəʳi] *n usu sing* ❶ (*indecision*) Unentschiedenheit *f*; **to be in a ~** sich nicht entscheiden können ❷ (*difficult situation*) verzwickte Lage; **to put sb in a ~** jdn in große Verlegenheit bringen

quan·go [ˈkwæŋɡəʊ] *n* BRIT (*usu pej*) *acr for* **quasi-autonomous non-governmental organization** halbautonome nichtstaatliche Organisation

quan·ti·fi·able [ˈkwɒntɪfaɪəbl] *adj* mengenmäßig messbar

quan·ti·fi·ca·tion [ˌkwɒntɪfɪˈkeɪʃᵊn] *n* mengenmäßige Messung

quan·ti·fy <-ie-> [ˈkwɒntɪfaɪ] *vt* mengenmäßig messen

quan·ti·ta·tive [ˈkwɒntɪtətɪv] *adj* quantitativ

quan·tity [ˈkwɒntəti] I. *n* ❶ (*amount*) Menge *f*; **you can buy the paper plates in quantities of 10, 100, and 1000** Sie können Papierteller in Stückzahlen von 10, 100 oder 1000 kaufen ❷ (*large amount*) große Menge[n] *f*[*pl*] ❸ *pl* (*huge amount*) Unmenge[n] *f*[*pl*] ❹ MATH (*magnitude*) [direkt messbare] Größe II. *adj* in großen Mengen *nach n*; ECON en gros *nach n*; **~ theory** ECON Quantitätstheorie *f*

quan·tity 'dis·count *n* Mengenrabatt *m*

'quan·tity sur·vey·or *n* BRIT ARCHIT, FIN Kostenplaner(in) *m(f)*

quan·tum <*pl* -ta> [ˈkwɒntəm, *pl* -tə] *n* ❶ (*form: amount*) Menge *f* (**of** an) ❷ (*portion*) [An]teil *m* ❸ PHYS (*unit*) Quant[um] *nt*; **~ mechanics** + *sing vb* Quantenmechanik *f kein pl*

quar·an·tine [ˈkwɒrᵊntiːn] I. *n* Quarantäne *f*; **to place sb under ~** jdn unter Quarantäne stellen II. *vt* unter Quarantäne stellen

quark [kwɑːk] *n* PHYS Quark *nt*

quar·rel [ˈkwɒrᵊl] I. *n* ❶ (*argument*) Streit *m*; **to have a ~** sich streiten; **to patch up a ~** einen Streit beilegen; **to pick a ~ with sb** einen Streit vom Zaun brechen ❷ (*cause of complaint*) Einwand *m* II. *vi* <-ll-> ❶ (*argue*) sich streiten; **what did you ~ about?** worüber habt ihr gestritten? ❷ (*disagree with*) ■**to ~ with sth** etw an etw *dat* aussetzen; **you can't ~ with that** daran gibt es nichts auszusetzen

quar·rel·some [ˈkwɒrᵊlsəm] *adj* (*pej*)

streitsüchtig

quar·ry[1] [ˈkwɒri] **I.** n ❶ (*rock pit*) Steinbruch m; (*fig*) Fundgrube f ❷ (*square stone*) Quader|stein| m **II.** vt <-ie-> ❶ (*obtain*) marble, stone brechen ❷ (*fig: make visible*) contradictions, secrets zutage fördern ❸ (*fig: gather*) data, information zusammentragen

quar·ry[2] [ˈkwɒri] n ❶ (*hunted animal*) Jagdbeute f ❷ (*pursued person*) criminal gejagte Person; (*fig: victim*) Opfer nt

quart [kwɔːt] n Quart nt (*1,14 l in England, 0,95 l in Amerika*); **a ~ of beer/ water** ein Quart nt Bier/Wasser

quar·ter [ˈkwɔːtəʳ] **I.** n ❶ (*one fourth*) Viertel nt; **the bottle was a ~ full** es war noch ein Viertel in der Flasche; **for a ~ of the price** zu einem Viertel des Preises; **a ~** |of a pound| of tea ein Viertel|pfund| Tee; **to divide sth into ~s** etw in vier Teile teilen ❷ (*time*) Viertel nt; **a ~ of a century** ein Vierteljahrhundert nt; **a ~ of an hour** eine Viertelstunde; **an hour and a ~** eineinviertel Stunden; **a ~ to** |or AM of|/**past** |or AM after| **three** Viertel vor/nach drei ❸ (*1/4 of year*) Quartal nt; AM (*school term*) Quartal nt ❹ (*1/4 of a game*) Viertel nt ❺ AM (*25 cents*) Vierteldollar m ❻ (*area*) Gegend f; (*neighbourhood*) Viertel nt ❼ (*unspecified place*) Seite f; (*place*) Stelle f; **help came from a totally unexpected ~** Hilfe kam von völlig unerwarteter Seite ❽ pl (*lodgings*) Wohnung f; MIL Quartier nt ▸ **at close ~s** aus der Nähe **II.** vt ❶ (*cut into four*) vierteln ❷ (*give housing*) ■**to ~ sb somewhere** jdn irgendwo unterbringen **III.** adj Viertel-

'**quar·ter·back** n AM ❶ SPORTS (*in American Football*) Quarterback m ❷ (*leader*) Gruppenleiter(in) m(f) '**quar·ter day** n BRIT Quartalstag m |für fällige Zahlungen|; *for rent* Mietzahltag m; FIN *for interest* Zinstag m; MIL *for pay* Zahltag m '**quar·ter·deck** n NAUT Quarterdeck nt **quar·ter·'fi·nal** n SPORTS Viertelfinale nt **quar·ter·ing** [ˈkwɔːtᵊrɪŋ] n ❶ no pl (*dividing into fourths*) Vierteln nt ❷ no pl (*lodging*) Unterbringung f; MIL Einquartierung f fachspr **quar·ter·ly** [ˈkwɔːtᵊli] **I.** adv vierteljährlich; **to be paid ~** vierteljährlich gezahlt werden **II.** adj vierteljährlich, Vierteljahres-, Quartals- **quar·ter·mas·ter** [ˈkwɔːtə,mɑːstəʳ] n ❶ MIL (*army officer*) Quartiermeister m ❷ NAUT (*steersman*) in merchant marine Quartermeister m; rank in navy Steuermannsmaat m '**quar·ter·tone** n MUS Viertelton m

quar·tet n, **quar·tette** [kwɔːˈtet] n MUS

Quartett nt; **string ~** Streichquartett nt

quartz [kwɔːts] n no pl Quarz m; **rose ~** Rosenquarz m

quartz 'clock n Quarzuhr f **quartz iod·ine 'lamp** n, **quartz 'lamp** n Quarz|halogen|lampe f; MED künstliche Höhensonne

qua·sar [ˈkweɪzɑːʳ] n Quasar m

quash [kwɒʃ] vt ❶ hopes, plans zunichtemachen; rebellion, revolt niederschlagen; objection zurückweisen; rumours zum Verstummen bringen ❷ LAW (*annul*) aufheben; a law für ungültig erklären

quasi- [ˈkweɪzaɪ] in compounds ❶ (*resembling*) religion, science Quasi-; philosophical, spiritual quasi-; official halb-; legislative -ähnlich; LAW partner, partnership Schein- ❷ (*pej: seeming*) intellectual, scientific pseudo-

quat·rain [ˈkwɒtreɪn] n LIT Vierzeiler m

qua·ver [ˈkweɪvəʳ] **I.** vi ❶ (*shake*) person, voice zittern; voice beben ❷ (*utter*) mit zitternder Stimme sprechen ❸ MUS tremolieren fachspr **II.** n ❶ (*shake*) Zittern nt kein pl, Beben nt kein pl ❷ BRIT, AUS MUS (*note*) Achtelnote f fachspr; (*sound*) Tremolo nt fachspr

quay [kiː] n Kai m, Kaje f NORDD

quea·sy [ˈkwiːzi] adj ❶ (*easily upset*) person, stomach |über|empfindlich ❷ (*upset*) übel nach n; **he feels ~** ihm ist übel ❸ (*fig: uneasy*) conscience schlecht; **with a ~ conscience** mit Gewissensbissen; **to feel ~ about sth** ein ungutes Gefühl bei etw dat haben

Que·bec [kwɪˈbek] n Quebec nt

queen [kwiːn] **I.** n ❶ (*female monarch*) Königin f; **the ~ of England** die englische Königin f ❷ (*fig: top lady*) Königin f; **beauty ~** Schönheitskönigin f ❸ (*in cards, chess*) Dame f ❹ (*pej fam: flamboyant gay man*) Tunte f oft pej sl; **drag ~** Transvestit m **II.** vt |zur Königin| krönen

queen 'bee n ZOOL Bienenkönigin f **queen 'dowa·ger** n Königinwitwe f **queen·ly** [ˈkwiːnli] adj königlich **Queen 'Moth·er** n Königinmutter f **Queen's 'Coun·sel** n BRIT LAW Kronanwalt m, Kronanwältin f **Queen's 'Eng·lish** n no pl BRIT Standardenglisch nt

queer [kwɪəʳ] **I.** adj ❶ (*strange*) seltsam; **to have ~ ideas** schräge Ideen haben; **to have a ~-sounding name** einen merkwürdig klingenden Namen haben ❷ (*usu pej: homosexual*) schwul fam ❸ (*suspicious*) merkwürdig **II.** n (*pej fam: homosexual*) Schwule(r) m oft pej; female Lesbe f oft pej **III.** vt (*spoil*) bargain, deal verderben ▸ **to ~ sb's pitch** AUS, BRIT jdm

Q

asking questions

obtaining information	Informationen erfragen
Can you tell me what time it is, please?	Können Sie mir bitte sagen, wie spät es ist?
What's the best way to the station?	Wie komme ich am besten zum Bahnhof?
Is there a café anywhere round here?	Gibt es hier in der Nähe ein Café?
Is the flat still available?	Ist die Wohnung noch zu haben?
Can you recommend a good dentist?	Kannst du mir einen guten Zahnarzt empfehlen?
Do you know anything about cars?	Kennst du dich mit Autos aus?
Do you have any details on this story?	Weißt du Näheres über diese Geschichte?

asking permission	um Erlaubnis bitten
May I come in?	Darf ich hereinkommen?
Am I disturbing you?	Störe ich gerade?

asking someone's opinion	nach Meinungen fragen
What do you think of the new law?	Was hältst du von dem neuen Gesetz?
Do you think that's right?	Glaubst du, das ist so richtig?
Is that possible, in your opinion?	Hältst du das für möglich?

die Suppe versalzen

quell [kwel] *vt* ❶ (*suppress*) *opposition, protest* [gewaltsam] unterdrücken; *rebellion, revolt* niederschlagen ❷ (*fig: subdue*) **to ~ one's anger** seinen Zorn zügeln; (*overcome*) **to ~ one's fear** seine Angst überwinden ❸ (*fig: quiet*) beschwichtigen; **to ~ sb's anxieties/doubts/fears** jds Befürchtungen/Zweifel/Ängste zerstreuen

quench [kwen(t)ʃ] *vt* ❶ (*also fig: put out*) *fire, flames* löschen; (*fig*) dämpfen ❷ (*also fig: satisfy*) befriedigen; *thirst* löschen

queru·lous ['kwerʊləs] *adj* ❶ (*peevish*) missmutig; **in a ~ voice** in gereiztem Ton ❷ (*complaining*) nörg[e]lig

que·ry ['kwɪəri] **I.** *n* (*also fig: question*) Rückfrage *f* **II.** *vt* <-ie-> (*form*) ❶ (*question*) in Frage stellen; ■**to ~ whether ...** bezweifeln, dass ...; **"but is that really the case?" he queried** „aber ist das wirklich so?" fragte er ❷ AM (*put questions to*) befragen

quest [kwest] **I.** *n* (*also fig*) Suche *f* (**for** nach); **a ~ for a treasure** eine Schatzsuche; **in ~ of sth** auf der Suche nach etw *dat* **II.** *vi* (*liter*) ■**to ~ after sb/sth** nach jdm/etw suchen

ques·tion ['kwestʃən] **I.** *n* ❶ (*inquiry*) Frage *f*; **to put a ~ to sb** jdm eine Frage stellen; **to beg the ~** die Frage aufwerfen; **in**

answer to your ~ um Ihre Frage zu beantworten; **direct/indirect ~** LING direkte/indirekte Frage; **to pop the ~** (*fam*) jdm einen [Heirats]antrag machen ❷ *no pl* (*doubt*) Zweifel *m;* **there's no ~ about it** keine Frage; **the time/place in ~** LAW die besagte Zeit/der besagte Ort; **to be beyond ~** außer Zweifel stehen; **to call sth into ~** etw bezweifeln; **without ~** zweifellos ❸ (*matter*) Frage *f;* **it's a ~ of life or death** es geht um Leben und Tod; **there's no ~ of a general strike** von einem Streik kann keine Rede sein; **to be out of the ~** nicht in Frage kommen ❹ SCH, UNIV (*test problem*) Frage *f* **II.** *vt* ❶ (*ask*) ■**to ~ sb about sth** jdn über etw *akk* befragen ❷ (*interrogate*) ■**to ~ sb [about sth]** jdn [zu etw *dat*] verhören ❸ (*doubt*) bezweifeln; *facts, findings* anzweifeln ❹ SCH (*test*) **to ~ sb on sth** jdn in etw *akk* prüfen

ques·tion·able ['kwestʃənəbl] *adj* ❶ (*uncertain*) zweifelhaft; *future* ungewiss; **it is ~ how reliable those statements are** es ist fraglich, wie glaubwürdig diese Aussagen sind ❷ (*not respectable*) fragwürdig, zweifelhaft; **to do ~ business** bedenkliche Geschäfte machen; **some of his jokes were in ~ taste** manche seiner Witze waren von etwas zweideutiger Natur

ques·tion·er ['kwestʃənəʳ] *n* Fragesteller(in) *m/f*

ques·tion·ing ['kwestʃənɪŋ] **I.** *n no pl* Befragung *f*; *by police* Verhör *nt*; **to be brought in for** ~ ins Verhör genommen werden **II.** *adj* forschend; *look* fragend; **in a** ~ **voice** in fragendem Ton

'**ques·tion mark** *n* (*also fig*) Fragezeichen *nt* '**ques·tion mas·ter** *n* BRIT Quizmaster *m*

ques·tion·naire [ˌkwestʃəˈneəʳ] *n* Fragebogen *m*; ~ **analysis/construction** die Analyse/Erstellung von Fragebögen

'**ques·tion time** *n* Zeit *f* für Fragen, Diskussionszeit *f*; POL *in parliament* Fragestunde *f*

queue [kju:] **I.** *n* BRIT, AUS ❶ (*line*) Schlange *f*; **a** ~ **of people** eine Menschenschlange; **to join the** ~ sich mit anstellen; (*fig*) mit von der Partie sein; **to jump the** ~ sich vordränge[l]n; *driver* aus der Kolonne ausscheren; **to stand in a** ~ Schlange stehen ❷ (*number*) [ganze] Anzahl **II.** *vi* anstehen

quib·ble ['kwɪbl] **I.** *n* ❶ (*pej: petty argument*) haarspalterisches Argument; (*petty arguments*) Haarspalterei *f* ❷ (*also pej: minor criticism*) Krittelei *f* (*about/over* an) **II.** *vi* ■**to** ~ **about sth** sich über etw *akk* streiten; **no one would** ~ **with that** das würde niemand bestreiten

quib·bler ['kwɪblə'] *n* ❶ (*pej: petty arguer*) Querulant(in) *m/f* ❷ (*over-critical person*) Nörgler(in) *m/f*

quib·bling ['kwɪblɪŋ] **I.** *n* (*pej*) Streiterei *f* **II.** *adj* (*pej: petty*) spitzfindig; (*quarrelsome*) streitsüchtig

quiche <*pl* -> [ki:ʃ] *n* Quiche *f*

quick [kwɪk] **I.** *adj* ❶ (*also fig: fast*) schnell; **to be** ~ **about sth** sich mit etw *dat* beeilen; **to have a** ~ **drink/meal** [noch] schnell etw trinken/essen; **to have a** ~ **one** (*fig fam: drink*) einen auf die Schnelle kippen; **in** ~ **succession** in schneller [Ab]folge; **to have a** ~ **temper** (*fig, pej*) ein rasch aufbrausendes Temperament haben; **he is always** ~ **to criticize** mit Kritik ist er rasch bei der Hand ❷ (*short*) kurz; **to give sb a** ~ **call** jdn kurz anrufen; **to have a** ~ **look at sth** sich *dat* etw kurz ansehen; **could I have a** ~ **word with you?** könnte ich Sie kurz sprechen? ❸ (*hurried*) noch schnell ❹ (*alert*) [geistig] gewandt; ~ **wit** Aufgeweckheit *f*; *in replying* Schlagfertigkeit *f* *fig* **II.** *adv* schnell, rasch **III.** *interj* schnell **IV.** *n to* **bite/cut nails to the** ~ die Nägel bis auf das Nagelbett abbeißen/schneiden; **to cut**

sb to the ~ (*fig*) jdn bis ins Mark treffen

'**quick-act·ing** *adj* schnell wirksam **quick-'change art·ist** *n* THEAT Verwandlungskünstler(in) *m/f*; (*fig*) Lebenskünstler(in) *m/f*

quick·en ['kwɪkᵊn] **I.** *vt* ❶ (*make faster*) beschleunigen ❷ (*fig: awaken*) anregen; **to** ~ **sb's curiosity/interest** jds Neugier/Interesse wecken **II.** *vi* schneller werden; **his pulse** ~**ed** sein Pulsschlag erhöhte sich

quick-'freeze <-froze, -frozen> *vt* tiefgefrieren

quick·ie ['kwɪki] **I.** *n* ❶ (*fam: fast thing*) kurze Sache, Quickie *m*; **to make it a** ~ es kurz machen ❷ (*fam: fast drink*) Schluck *m* auf die Schnelle **II.** *adj* (*also pej fam*) Schnell-, schnell [hingehauen]; **a** ~ **divorce** eine schnelle und unkomplizierte Scheidung

quick·ly ['kwɪkli] *adv* schnell, rasch

quick-n-'easy *adj* kinderleicht; **a** ~ **way** die [aller]einfachste Art

quick·ness ['kwɪknəs] *n no pl* ❶ (*speed*) Schnelligkeit *f* ❷ (*fig, pej: temper*) Hitzigkeit *f* ❸ (*approv: alertness*) [geistige] Beweglichkeit; ~ **of mind** scharfer Verstand

'**quick·sand** *n no pl* Treibsand *m* '**quick·sil·ver** *n no pl* Quecksilber *nt* '**quick·step** **I.** *n no pl* (*dance*) Quickstep ■**the** ~ der Quickstep **II.** *vi* <-pp-> Quickstep tanzen **quick-'tem·pered** *adj* hitzköpfig

quick-'win *adj attr* (*fam*) *investment* mit schnellem Gewinn nach n; *strategy* kurzfristig **quick-'wit·ted** *adj* (*alert*) aufgeweckt; (*quick in replying*) schlagfertig; *reply* schlagfertig

quid¹ <*pl* -> [kwɪd] *n* BRIT (*fam: money*) Pfund *nt*; **could you lend me twenty** ~, **mate?** kannst du mir zwanzig Piepen leihen? *fam*; **to not be the full** ~ AUS (*fig, pej*) nicht ganz dicht sein

quid² [kwɪd] *n* Stück *nt* Kautabak

quid pro quo [ˌkwɪdprəʊˈkwəʊ] *n* (*form*) Gegenleistung *f*

qui·es·cent [kwiːˈesᵊnt, kwaɪˈ-] *adj* (*form*) ruhig

qui·et [kwaɪət] **I.** *adj* <-er, -est *or* more ~, most ~> ❶ (*not loud*) *voice, appliance, machine* leise ❷ (*silent*) ruhig; **please be** ~ Ruhe bitte!; **to keep** ~ ruhig sein; **give the baby a bottle to keep her** ~ gib mal dem Baby die Flasche, damit es nicht schreit ❸ (*not talkative*) still; *person* schweigsam; *child* ruhig; **to keep** ~ **about sth** über etw *akk* Stillschweigen bewahren ❹ (*secret*) heimlich; **to feel a** ~ **satisfaction** eine stille Genugtuung empfinden; **to have a** ~ **word with sb** mit jdm ein Wört-

requesting quiet	
asking for silence	**zum Schweigen auffordern**
Quiet, please!	Ruhe, bitte!/Ich bitte um Ruhe! *(form)*
Quieten down now please! *(to pupils)*	Wenn ihr jetzt bitte mal ruhig sein könnt! *(an Schüler)*
Shh!/Shush! *(fam)*	Psst! *(fam)*
Shut up! *(fam)*/Shut your gob *(sl)*/face! *(sl)*	Halt's Maul! *(sl)*/Schnauze! *(sl)*
Do be quiet a minute!	Jetzt sei doch mal still!
Now just listen to me!	Jetzt hör mir aber mal zu!
Could you stop talking, please?	Könnten Sie bitte ruhig sein?
I'd like to get a word in too!	Ich möchte auch noch etwas sagen!
Thank you! I think …	Danke! ICH meine dazu, …

chen im Vertrauen reden *fam;* **to keep sth ~** etw für sich *akk* behalten ❺ *(not ostentatious)* schlicht; *clothes* dezent; *colour* gedämpft ❻ *(not exciting)* geruhsam; *(not busy) street, town* ruhig ▶ **as ~ as a mouse** mucksmäuschenstill **II.** *n no pl* ❶ *(silence)* Stille *f* ❷ *(lack of excitement)* Ruhe *f;* **peace and ~** Ruhe und Frieden ▶ **on the ~** heimlich **III.** *vt esp* Am besänftigen; **to ~ children** Kinder zur Ruhe bringen **IV.** *vi esp* Am sich beruhigen

qui·et·en ['kwaɪətⁿn] **I.** *vi* ❶ *(become quiet)* sich beruhigen ❷ *(become calm)* ruhiger werden **II.** *vt* ❶ *(make quiet)* beruhigen ❷ *(calm)* beruhigen; **to ~ sb's fears** jds Ängste zerstreuen; *tension* lösen ◆ **qui·eten down I.** *vi* ❶ *(become quiet)* leiser werden ❷ *(become calm)* sich beruhigen **II.** *vt* ❶ *(make less noisy)* zur Ruhe bringen; **go and ~ those children down** stell die Kinder mal ruhig! ❷ *(calm [down])* beruhigen

qui·et·ly ['kwaɪətli] *adv* ❶ *(not loudly)* leise; **he is a ~ spoken, thoughtful man** er ist ein nachdenklicher Mann, der mit leiser Stimme spricht ❷ *(silently)* still; **to wait ~** ruhig warten ❸ *(unobtrusively)* unauffällig; **the plan has been ~ dropped** der Plan wurde stillschweigend fallen gelassen; **to chuckle/laugh ~ to oneself** in sich hineinkichern/-lachen; **to be ~ confident** insgeheim überzeugt sein

qui·et·ness ['kwaɪətnəs] *n no pl* Ruhe *f;* *(silence)* Stille *f*

qui·etude ['kwaɪətjuːd] *n no pl (form)* Ruhe *f*, Frieden *m*

quiff [kwɪf] *n* [Haar]tolle *f*

quill [kwɪl] *n* ❶ *(feather)* Feder *f* ❷ *(of porcupine)* Stachel *m* ❸ *(pen)* Federkiel *m;*

(fig, hum) Feder *f*

quilt [kwɪlt] **I.** *n* Steppdecke *f;* **patchwork ~** Quilt *m* **II.** *vt* [ab]steppen

quin [kwɪn] *n* Brit *(fam) short for* **quintuplet** Fünfling *m*

quince [kwɪn(t)s] **I.** *n* Quitte *f;* *(tree also)* Quittenbaum *m* **II.** *adj jam, jelly, tart* Quitten-

qui·nine ['kwɪniːn] *n no pl* Chinin *nt*

quin·tess·ence [kwɪn'tesⁿn(t)s] *n no pl* Quintessenz *f geh;* *(embodiment)* Inbegriff *m;* **to be the ~ of sth** etw verkörpern

quin·tes·sen·tial [ˌkwɪntɪ'sen(t)ʃ³l] *adj (form)* essentiell; **this is the ~ English village** dies ist der Inbegriff eines englischen Dorfes

quin·tet(te) [kwɪn'tet] *n* Quintett *nt*

quin·tu·plet [kwɪn'tjuːplət] *n* Fünfling *m*

quip [kwɪp] **I.** *n* witzige Bemerkung **II.** *vi* <-pp-> witzeln

quirk [kwɜːk] *n* ❶ *(odd habit)* Marotte *f* ❷ *(oddity)* Merkwürdigkeit *f kein pl;* **by some strange ~ of fate** durch eine [merkwürdige] Laune des Schicksals

quirky ['kwɜːki] *adj* schrullig *fam*

quit <-tt-, quit *or* quitted, quit *or* quitted> [kwɪt] **I.** *vi* ❶ *(resign) worker* kündigen; *manager, official* zurücktreten ❷ *(leave rented flat)* kündigen; **to give sb notice to ~** jdm kündigen ❸ comput *(exit)* aussteigen ❹ *(give up)* aufgeben; Am *(fam: stop)* **~!** hör [damit] auf! **II.** *vt* ❶ *esp* Am *(stop)* **will you ~ that!** wirst du wohl damit aufhören!; ▪ **to ~ doing sth** aufhören etw zu tun; **~ wasting my time** hör auf meine Zeit zu verschwenden; **to ~ smoking** das Rauchen aufgeben ❷ *(give up)* aufgeben; **to ~ one's job** kündigen ❸ *(leave) building, place* verlassen; *flat, room* kündigen

④ COMPUT (*end*) **to ~ the program** aus dem Programm aussteigen **III.** *adj pred* (*rid*) ■**to be ~ of sth/sb** jdn/etw loswerden

quite [kwaɪt] *adv* **❶** (*fairly*) ziemlich; **we had ~ a pleasant evening in the end** schließlich war es doch noch ein recht netter Abend; **I'm feeling ~ a bit better, thank you** es geht mir schon viel besser, danke; (*fam*) **that girl's ~ something!** das Mädchen ist wirklich klasse!; **I had to wait ~ a time** ich musste ganz schön lange warten *fam* **❷** (*completely*) ganz, völlig; **I don't ~ know what to say** ich weiß nicht so recht, was ich sagen soll; **~ honestly, ...** ehrlich gesagt ...

quits [kwɪts] *adj pred* quitt; (*fam*) **to be ~** [**with sb**] [mit jdm] quitt sein; **to call it ~** es gut sein lassen

quit·tance [ˈkwɪtⁿn(t)s] *n* (*form*) **❶** (*settlement of debt*) Schulderfüllung *f* **❷** (*receipt*) Quittung *f*

quiv·er¹ [ˈkwɪvəʳ] **I.** *n* (*shiver*) Zittern *nt kein pl;* **a ~ went down my spine** mir lief ein kalter Schauder über den Rücken **II.** *vi* zittern; **to ~ with rage** vor Wut beben

quiv·er² [ˈkwɪvəʳ] *n* (*arrow holder*) Köcher *m*

quix·ot·ic [kwɪkˈsɒtɪk] *adj* (*liter*) *personality* schwärmerisch; *idea, suggestion, vision* unrealistisch; *attempt* naiv

quiz [kwɪz] **I.** *n* <*pl* -es> **❶** (*question game*) Quiz *nt* **❷** AM SCH, UNIV (*test*) [kurze] Prüfung **II.** *adj* **❶** *question* Quiz-; **~ night** BRIT Quizabend *m;* **~ team** Rateteam *nt* **❷** AM SCH, UNIV *question, results* Prüfungs- **III.** *vt* **❶** (*question*) befragen (**about** zu) **❷** AM SCH, UNIV prüfen (**on** über)

ˈ**quiz·mas·ter** *n* Quizmaster *m* ˈ**quiz show** *n* Quizsendung *f*

quiz·zi·cal [ˈkwɪzɪkəl] *adj* **❶** (*questioning*) fragend **❷** (*teasing*) spöttisch

quor·ate [ˈkwɔːreɪt] *adj* handlungsfähig

quor·um [ˈkwɔːrəm] *n* Quorum *nt*

quo·ta [ˈkwəʊtə] *n* **❶** (*fixed amount*) Quote *f* **❷** (*fig: proportion*) Quantum *nt*

quot·able [ˈkwəʊtəbl] *adj* **❶** (*suitable for quoting*) zitierbar **❷** POL (*on the record*) für die Öffentlichkeit bestimmt

quo·ta·tion [kwə(ʊ)ˈteɪʃⁿn] *n* **❶** (*from book, person*) Zitat *nt;* ■**a ~ from sb/sth** ein Zitat *nt* von jdm/aus etw *dat* **❷** *no pl* (*quoting*) Zitieren *nt* **❸** (*estimate*) Kostenvoranschlag *m* **❹** STOCKEX (*price of stock*) [Kurs]notierung *f*

quo·ˈta·tion marks *npl* Anführungszeichen *pl;* **to close/open ~** Anführungszeichen oben/unten setzen

quote [kwəʊt] **I.** *n* **❶** (*fam: quotation*) Zitat *nt* **❷** (*fam: quotation marks*) ■**~s** *pl* Gänsefüßchen *pl fam* **❸** (*fam: estimate*) Kostenvoranschlag *m* ►**~** [**unquote**] **Mr Brown stated that, ~, ...** Hr. Brown meinte, ich zitiere ...; (*implying disbelief*) **they are ~, 'just good friends'** sie sind – in Anführungszeichen – ‚nur gute Freunde‘ **II.** *vt* **❶** (*say words of*) zitieren; ■**to ~ sb on sth** jdn zu etw *dat* zitieren; **but don't ~ me on that!** aber sag's nicht weiter! *fam* **❷** (*give*) ■**to ~ a price** einen Preis nennen **❸** STOCKEX notieren **❹** (*name*) nennen **III.** *vi* zitieren; ■**to ~ from sb** jdn zitieren; ■**to ~ from sth** aus etw *dat* zitieren

quo·tid·ian [kwə(ʊ)ˈtɪdiən] *adj* (*form*) [all]täglich

quo·tient [ˈkwəʊʃⁿnt] *n also* MATH Quotient *m*

qwerty key·board [ˌkwɜːtiˈ-] *n,* **QWERTY key·board** *n* englische Standard-Computertastatur

Q

R r

R <*pl* -'s *or* -s>, r <*pl* -'s> [ɑːʳ] *n* R *nt*, r *nt*; *see also* A 1

r *adv abbrev of* right re.

R¹ [ɑːʳ] I. *n* no pl ❶ (*Queen*) *abbrev of* Regina Regina ❷ (*King*) *abbrev of* Rex Rex ❸ *abbrev of* river II. *adj* ❶ *abbrev of* right re. ❷ *abbrev of* Royal königl.

R² *adv* AM FILM *abbrev of* Restricted: rated ~ nicht für Jugendliche unter 16 Jahren

rab·bi ['ræbaɪ] *n* Rabbiner *m*

rab·bit ['ræbɪt] I. *n* ❶ (*animal*) Kaninchen *nt* ❷ no pl (*meat*) Hase *m* kein pl II. *vi* BRIT, AUS (*pej fam*) schwafeln (**about** über)

'rab·bit hole *n* Kaninchenbau *m* 'rab·bit hutch *n* Kaninchenstall *m* 'rab·bit punch *n* Nackenschlag *m*

rab·ble ['ræbl] *n no pl* (*pej*) ❶ (*disorderly group*) ungeordneter Haufen ❷ (*mob*) ■the ~ der Mob

'rab·ble-rous·er *n* Aufwiegler(in) *m(f)* 'rab·ble-rous·ing *adj* Hetz-, [auf]hetzerisch

rab·id ['ræbɪd] *adj* ❶ (*esp pej: fanatical*) fanatisch; *critic* scharf; *nationalist* radikal ❷ (*having rabies*) tollwütig

ra·bies ['reɪbiːz] *n* + *sing vb* Tollwut *f*

RAC <*pl* -> [ˌɑːʳeɪˈsiː] *n abbrev of* Royal Automobile Club: ■the ~ der RAC, ≈ ADAC *m*

rac·coon [rəˈkuːn, ræ-] *n* Waschbär(in) *m(f)*

race¹ [reɪs] I. *n* ❶ (*competition*) Rennen *nt* ❷ (*fig: contest*) Rennen *nt*; (*competition*) Wettkampf *m* ❸ no pl (*rush*) Hetze *f* ❹ SPORTS a day at the ~s ein Tag *m* beim Pferderennen II. *vi* ❶ (*compete*) *people* Rennen laufen; *vehicles* Rennen fahren ❷ (*rush*) rennen ❸ (*pass quickly*) ■to ~ by schnell vergehen ❹ (*beat fast*) *heart* heftig schlagen; *pulse* rasen III. *vt* ❶ ■to ~ sb (*in competition*) gegen jdn antreten; (*for fun*) mit jdm ein Wettrennen machen ❷ (*enter for races*) to ~ a greyhound/horse einen Greyhound/ein Pferd Rennen laufen lassen ❸ (*transport fast*) ■to ~ sb somewhere jdn schnellstmöglich irgendwohin bringen

race² [reɪs] *n* ❶ (*ethnic grouping*) Rasse *f* ❷ (*species*) the human ~ die menschliche Rasse; (*of animals, plants*) Spezies *f* ❸ + *sing/pl vb* (*people*) Volk *nt*; (*fig*) Gruppe *f*

race 'con·flict *n* no pl Rassenkonflikt *m* 'race·course *n* Rennbahn *f*

race 'ha·tred *n* no pl Rassenhass *m* 'race·horse *n* Rennpferd *nt*

rac·er ['reɪsəʳ] *n* ❶ (*runner*) [Renn]läufer(in) *m(f)*; (*horse*) Rennpferd *nt* ❷ (*boat*) Rennboot *nt*; (*cycle*) Rennrad *nt*; (*car*) Rennwagen *m*; (*yacht*) Rennjacht *f*

race re·'la·tions *npl* Beziehungen *pl* zwischen den Rassen 'race riot *n* Rassenunruhen *pl*

'race·track *n* ❶ (*racecourse*) Rennbahn *f*; *esp* AM (*for horses also*) Rennstrecke *f* ❷ (*racing complex*) Rennplatz *m*

ra·cial ['reɪʃl] *adj* ❶ (*to do with race*) rassisch, Rassen- ❷ (*motivated by racism*) rassistisch; ~ discrimination/segregation Rassendiskriminierung *f*/-trennung *f*

ra·cial·ism ['reɪʃ(ə)lɪz(ə)m] *n no pl* BRIT Rassismus *m*

ra·cial·ist ['reɪʃ(ə)lɪst] BRIT I. *n* Rassist(in) *m(f)* II. *adj* rassistisch

ra·cial 'pro·fil·ing *n* no pl Profiling *nt* aufgrund der Rassenzugehörigkeit

rac·ing ['reɪsɪŋ] *n no pl* ❶ (*in horse racing: event*) Pferderennen *nt*; (*sport*) Pferderennsport *m* ❷ (*conducting races*) Rennen *nt*

'rac·ing bi·cy·cle *n*, 'rac·ing bike *n* (*fam*) Rennrad *nt* 'rac·ing car *n* Rennwagen *m* 'rac·ing driv·er *n* Rennfahrer(in) *m(f)* 'rac·ing yacht *n* Rennjacht *f*

rac·ism ['reɪsɪz(ə)m] *n no pl* Rassismus *m*

rac·ist ['reɪsɪst] I. *n* Rassist(in) *m(f)* II. *adj* rassistisch

rack¹ [ræk] *n no pl* to go to ~ and ruin verkommen, vor die Hunde gehen *fam*

rack² [ræk] *vt* to ~ [off] wine/beer Wein/Bier abfüllen

rack³ [ræk] I. *n* ❶ (*for storage*) Regal *nt*; clothes ~ AM Kleiderständer *m*; magazine/newspaper ~ Zeitschriften-/Zeitungsständer *m* ❷ (*for torture*) Folterbank *f*; to be on the ~ (*fig*) Höllenqualen ausstehen *fam* ❸ FOOD ~ of lamb Lammrippchen *pl* II. *vt* (*hurt*) quälen; at the end, his cancer ~ed his body am Ende zerfraß der Krebs seinen Körper; to be ~ed with doubts/pain von Zweifeln/Schmerzen gequält werden ▶to ~ one's brains sich das Hirn zermartern

rack·et¹ ['rækɪt] *n* ❶ SPORTS Schläger *m* ❷ (*game*) ■~s *pl* Racketball *nt* kein pl

rack·et² ['rækɪt] *n* (*fam*) ❶ no pl (*din*)

Krach m ❷ (*pej: dishonest scheme*) unsauberes Geschäft; **protection** ~ Schutzgelderpressung f ❸ (*hum: business*) Geschäft nt
rack·et·eer [ˌrækɪˈtɪəʳ] n (*pej*) Gangster m
'rack rent n Wuchermiete f pej
ra·coon n see **raccoon**
rac·quet n see **racket**[1] **1**
racy ['reɪsi] adj ❶ (*risqué*) behaviour, novel anzüglich ❷ (*sexy*) clothing gewagt ❸ (*lively and vigorous*) person, image draufgängerisch; wine, car, yacht rassig
ra·dar ['reɪdɑːʳ] n no pl Radar m o nt; ~ **screen** Radarschirm m; ~ **trap** Radarfalle f ▸ **to go** [or **fall**] **off the** ~ aus dem Blickfeld verschwinden; Person abtauchen fam
ra·dial ['reɪdiəl] **I.** adj ❶ (*radiating*) strahlenförmig ❷ TECH radial, Radial-; ~ **tyre** Gürtelreifen m **II.** n Gürtelreifen m
ra·di·ance ['reɪdiən(t)s] n no pl ❶ (*glowing beauty*) Strahlen nt; **the** ~ **of her smile** ihr strahlendes Lächeln ❷ (*heat and light*) Leuchten nt; of sun strahlendes Licht
ra·di·ant ['reɪdiənt] adj ❶ (*happy*) strahlend attr fig ❷ (*splendid*) weather, day wunderschön, strahlend attr fig ❸ attr PHYS (*shining*) Strahlungs-
ra·di·ate ['reɪdieɪt] **I.** vi ❶ (*spread out*) ■ **to** ~ [**from sth**] strahlenförmig [von etw dat] ausgehen ❷ (*be given off*) ■ **to** ~ **from sth** von etw dat abstrahlen; light, energy ausstrahlen **II.** vt (*also fig*) ausstrahlen; heat abgeben
ra·dia·tion [ˌreɪdiˈeɪʃᵊn] n no pl ❶ (*radiated energy*) Strahlung f ❷ (*emitting*) Abstrahlen nt
ra·di'a·tion sick·ness n no pl Strahlenkrankheit f **ra·di'a·tion thera·py** n Strahlentherapie f
ra·dia·tor ['reɪdieɪtəʳ] n ❶ (*heating device*) Heizkörper m ❷ (*to cool engine*) Kühler m
radi·cal ['rædɪkᵊl] **I.** adj ❶ POL radikal ❷ (*fundamental*) fundamental ❸ MED radikal **II.** n ❶ (*person*) Radikale(r) f(m) ❷ CHEM Radikal nt
radi·cal·ism ['rædɪkᵊlɪzᵊm] n no pl Radikalismus m
radi·cal·ly ['rædɪkᵊli] adv radikal, völlig; (*fundamentally*) grundlegend; ~ **new ideas** völlig neue Ideen; **to change sth** ~ etw von Grund auf ändern
ra·dii ['reɪdiaɪ] n pl of **radius**
ra·dio ['reɪdiəʊ] **I.** n ❶ (*receiving device*) Radio nt SÜDD, ÖSTERR, SCHWEIZ a. m; **to turn the** ~ **on/off** das Radio an-/ausmachen ❷ (*transmitter and receiver*) Funkgerät nt; **on/over the** ~ über Funk ❸ no pl (*broad-*

casting) Radio nt, [Rund]funk m; **to listen to the** ~ Radio hören; **what's on the** ~? was kommt im Radio? ❹ no pl (*medium*) Funk m **II.** adj ❶ (*of communications*) frequency, receiver Funk- ❷ (*of broadcasting*) broadcast, commercial Radio- **III.** vt ❶ (*call on radio*) base, shore anfunken ❷ (*send by radio*) funken **IV.** vi **to** ~ **for help/assistance** über Funk Hilfe/Unterstützung anfordern
ra·dio·ac·tive [ˌreɪdiəʊˈæktɪv] adj radioaktiv **ra·dio·ac·tiv·ity** [ˌreɪdiəʊæktˈɪvəti] n no pl Radioaktivität f **'ra·dio a·larm** n, **ra·dio a'larm clock** n Radiowecker m
'ra·dio bea·con n Funkfeuer nt
ra·dio·car·bon 'dat·ing n no pl Radiokarbonmethode f
ra·dio cas·'sette re·cord·er n Radiorecorder m
ra·dio·gram ['reɪdiə(ʊ)græm] n short for **radio telegram** Funktelegramm nt
ra·dio·graph ['reɪdiə(ʊ)grɑːf] n Röntgenbild nt
ra·di·og·ra·pher [ˌreɪdiˈɒɡrəfəʳ] n Röntgenassistent(in) m(f)
ra·di·og·ra·phy [ˌreɪdiˈɒɡrəfi] n Röntgenographie f; **I was sent to the** ~ **unit** ich wurde zum Röntgen geschickt
'ra·dio ham n Funkamateur(in) m(f)
ra·di·olo·gist [ˌreɪdiˈɒlədʒɪst] n Radiologe, Radiologin m, f
ra·di·ol·ogy [ˌreɪdiˈɒlədʒi] n no pl Radiologie f
ra·dio 'micro·phone n Funkmikrofon nt
'ra·dio op·era·tor n Funker(in) m(f) **'ra·dio·pag·er** n Piepser m fam **'ra·dio play** n Hörspiel nt **'ra·dio pro·gramme** n Rundfunkprogramm nt, Radioprogramm nt
ra·di·os·co·py [ˌreɪdiˈɒskəpi] n no pl Radioskopie f fachspr
'ra·dio set n Radioapparat m **'ra·dio sta·tion** n ❶ (*radio channel*) Radiosender m ❷ (*building*) Rundfunkstation f **ra·dio·te'lepho·ny** n no pl Funktelefonie f **ra·dio 'tele·scope** n Radioteleskop nt **ra·dio·'thera·py** n no pl Strahlentherapie f **'ra·dio wave** n Radiowelle f
rad·ish <pl -es> ['rædɪʃ] n Rettich m
ra·dium ['reɪdiəm] n no pl Radium nt; ~ **therapy** [or **treatment**] Radiumtherapie f
ra·dius <pl -dii> ['reɪdiəs, pl -diaɪ] n ❶ (*distance from centre*) also MATH Radius m ❷ ANAT Speiche f
RAF [ˌɑːˈreɪˈef] n abbrev of **Royal Air Force**: ■ **the** ~ die R.A.F.
raf·fia ['ræfiə] n no pl Raphia[bast] m

raff·ish ['ræfɪʃ] *adj* ❶ (*rakish*) flott *fam*, verwegen ❷ (*disreputable*) *area, place* verrufen, mit schlechtem Ruf *nach n*

raf·fle ['ræfl] I. *n* Tombola *f* II. *vt* verlosen

raft¹ [rɑːft] I. *n* (*vessel*) Floß *nt* II. *vi* an einem Rafting teilnehmen III. *vt* ■ **to ~ sth** etw auf einem Floß transportieren

raft² [rɑːft] *n esp* Am (*large number*) ■ **a ~ of sth** eine [ganze] Menge einer S. *gen*

raft·er¹ ['rɑːftəʳ] *n* ARCHIT Dachsparren *m*

raft·er² ['rɑːftəʳ] *n* (*sb using a raft*) Rafter(in) *m(f)*

raft·ing ['rɑːftɪŋ] *n no pl* Rafting *nt*

rag¹ [ræg] *n* ❶ (*old cloth*) Lumpen *m;* (*for cleaning*) Lappen *m,* ÖSTERR Fetzen *m;* (*for dust*) Staubtuch *nt* ❷ *pl* (*worn-out clothes*) Lumpen *pl pej* ❸ (*pej fam: newspaper*) Käseblatt *nt,* Schmierblatt *nt* ÖSTERR

rag² [ræg] I. *n* BRIT (*students' fund-raising event*) studentische karnevalistische Veranstaltung, um Spenden für wohltätige Zwecke zu sammeln II. *vi* <-gg-> Am (*pej sl*) ■ **to ~ on sb** jdn nerven *sl;* (*scold*) auf jdm herumhacken *fam*

rag³ [ræg] *n* Ragtime *m*

raga·muf·fin ['rægə,mʌfɪn] *n* (*fam*) Dreckspatz *m*

'rag·bag *n* ~ |**collection**| Sammelsurium *nt*

rage [reɪdʒ] I. *n* ❶ *no pl* (*violent anger*) Wut *f,* Zorn *m* ❷ (*fit of anger*) **to get in a ~** sich aufregen (**about** über) ❸ (*mania*) **to be** |**all**| **the ~** der letzte Schrei sein *fam* ❹ Aus (*fam: lively event*) **the party was a ~** auf der Party ging's echt ab *sl* II. *vi* ❶ (*express fury*) toben; ■ **to ~ at sb** jdn anschreien; ■ **to ~ at sth** sich über etw *akk* aufregen ❷ (*continue violently*) *argument, battle, storm* toben; *epidemic, fire* wüten

rag·ged ['rægɪd] *adj* ❶ (*torn*) *clothes* zerlumpt; *cuffs, hem* ausgefranst ❷ (*wearing worn clothes*) *children* zerlumpt ❸ (*jagged*) ~ **coastline** zerklüftete Küste; (*irregular*) abgehackt ❹ (*disorderly*) *people, group* unorganisiert; *esp in sports* stümperhaft; *rooms* unordentlich; *hair* zottig

rag·ing ['reɪdʒɪŋ] *adj* ❶ GEOG (*flowing fast*) reißend *attr* ❷ (*burning fiercely*) *fire* lodernd *attr; inferno* flammend *attr* ❸ METEO (*very violent*) tobend *attr* ❹ (*severe*) rasend; *fever* wahnsinnig *fam; thirst* schrecklich ❺ (*fam: extreme*) äußerst; *bore* total *fam; success* voll

ra·gout [ræˈɡuː] *n no pl* FOOD Ragout *nt*

rag 'rug *n* Flickenteppich *m,* Fleckerlteppich *m* SÜDD, ÖSTERR **'rag·tag** *n* Pöbel *m kein pl pej,* Gesindel *nt kein pl pej* **'ragtime** *n no pl* Ragtime *m* **'rag trade** *n* (*sl*)

her dad's in the ~ ihr Vater hat irgendwas mit Klamotten zu tun

raid [reɪd] I. *n* ❶ (*military attack*) Angriff *m* ❷ (*robbery*) Überfall *m* (**on** auf) ❸ (*by police*) Razzia *f* II. *vt* ❶ MIL (*attack*) überfallen; (*bomb*) bombardieren; *town* plündern ❷ (*by police*) **police ~ed the bar looking for drugs** die Polizei führte eine Drogenrazzia in einer Bar durch ❸ (*steal from*) ausplündern; *bank, post office* überfallen; (*fig*) *fridge, piggybank* plündern *hum* III. *vi* ❶ (*steal*) einen Diebstahl begehen ❷ MIL (*make incursions*) einfallen

rail¹ [reɪl] *vi* wettern (**against**/**at** gegen), schimpfen (**against**/**at** über)

rail² [reɪl] *n* (*bird*) Ralle *f*

rail³ [reɪl] I. *n* ❶ *no pl* (*transport system*) Bahn *f;* **by ~** mit der Bahn ❷ (*railway track*) Schiene *f* ❸ (*on stairs*) Geländer *nt;* (*on fence*) Stange *f;* (*on ship*) Reling *f* ❹ (*to hang things on*) |**hanging**| ~ Halter *m,* Stange *f;* **off the ~** von der Stange II. *adj pass, strike, worker* Bahn-

'rail·car ['reɪlkɑːʳ] *n* BRIT RAIL Triebwagen *m* **'rail·card** *n* BRIT Bahnkarte *f* **'rail·head** *n* ❶ (*end of track*) Gleisstutzen *m,* Gleisabschluss *m* ❷ (*depot*) Kopfbahnhof *m*

rail·ing ['reɪlɪŋ] *n* ❶ (*fence*) Geländer *nt* ❷ (*on a ship*) Reling *f*

'rail net·work *n* Bahnnetz *nt* **'rail·road** I. *n* Am ❶ (*train track*) Schienen *pl,* Gleise *pl;* (*stretch of track*) Strecke *f* ❷ (*railway system*) |Eisen|bahn *f kein pl* II. *adj* Am *bridge, tunnel* |Eisen|bahn- III. *vt* zwingen; ■ **to have been ~ed into sth** gezwungen worden sein, etw zu tun **'rail·way** ['reɪlweɪ] I. *n esp* BRIT ❶ (*train tracks*) Gleise *pl,* Schienen *pl* ❷ (*rail system*) ■ **the ~**|**s**| die |Eisen|bahn II. *adj museum, tunnel* |Eisen|bahn-; ~ **yard** Rangierbahnhof *m* **'rail·way bridge** *n* ❶ (*carrying railway line*) Eisenbahnbrücke *f* ❷ (*over railway*) Brücke *f* über einen Bahndamm **'rail·way car·riage** *n* Personenwagen *m* **'rail·way cross·ing** *n* Bahnübergang *m* **'rail·way en·gine** *n* Lokomotive *f* **'rail·way line** *n* ❶ (*train track*) Bahnlinie *f* ❷ (*stretch of track*) Bahnstrecke *f* **'rail·way·man** *n* Eisenbahner *m* **'rail·way sta·tion** *n* Bahnhof *m*

rain [reɪn] I. *n* ❶ *no pl* (*precipitation*) Regen *m;* **pouring ~** strömender Regen; **in the ~** im Regen ❷ (*rainy season*) ■ **the ~s** *pl* die Regenzeit *f* II. *vi impers* regnen; **it's ~ing** es regnet ◆ **rain off** BRIT, **rain out** *vt passive* Am ■ **to be ~ed off** wegen Regens abgesagt werden

rain·bow ['reɪnbəʊ] *n* Regenbogen *m*

'rain cloud n Regenwolke f 'rain·coat n Regenmantel m 'rain·drop n Regentropfen m 'rain·fall n no pl ❶ (period of rain) Niederschlag m ❷ (quantity of rain) Niederschlagsmenge f 'rain for·est n Regenwald m 'rain gauge n, Am 'rain gage n Regenmesser m 'rain·proof adj wasserdicht 'rain·storm n starke Regenfälle pl
rainy ['reɪni] adj regnerisch
raise [reɪz] I. n Am, Aus (rise) Gehaltserhöhung f II. vt ❶ (lift) heben; anchor lichten; to ~ one's arm/hand/leg den Arm/die Hand/das Bein heben; blinds hochziehen; to ~ one's eyebrows die Augenbrauen hochziehen; flag, sail hissen ❷ (cause to rise) drawbridge hochziehen ❸ (stir up) dust aufwirbeln ❹ (increase) to ~ public awareness das öffentliche Bewusstsein schärfen ❺ (improve) anheben; morale heben; quality verbessern ❻ (arouse) auslösen; a cheer, a laugh, a murmur hervorrufen; doubts, hopes wecken; suspicions erregen ❼ (moot) vorbringen; an issue, a question aufwerfen; an objection erheben ❽ capital, money aufbringen ❾ (bring up) children aufziehen ❿ esp Am (breed) züchten; (look after) aufziehen ⓫ (end) embargo, sanctions aufheben
rai·sin ['reɪzɪn] n Rosine f
rake [reɪk] I. n ❶ (garden tool) Harke f, Rechen m ❷ (incline) Neigung f ❸ (pej: dissolute man) Windhund m II. vt ❶ (treat) soil harken ❷ (gather up) [zusammen]rechen; leaves, the lawn rechen ❸ (sweep) with the eyes durchstreifen; with gunfire beharken; with a searchlight absuchen III. vi ◼ to ~ through sth etw durchsuchen ◆**rake in** vt ❶ (work in) rechen ❷ (fam: of money) kassieren ◆**rake up** vt ❶ (gather up) zusammenrechen; (fig) einstreichen ❷ (fig: revive) she's always raking up the past ständig muss sie die alten Geschichten wieder aufwärmen ❸ (get together) see if you can ~ up a few costumes for the carnival sieh zu, ob du ein paar Faschingskostüme auftreiben kannst
rake-off ['reɪkɒf] n (fam) Anteil m
rak·ish ['reɪkɪʃ] adj ❶ (jaunty) flott, keck, frech ❷ (dissolute) ausschweifend; charm verwegen
ral·ly ['ræli] I. n ❶ (motor race) Rallye f; ~ driver Rallyefahrer(in) m(f) ❷ SPORTS (in tennis) Ballwechsel m ❸ (meeting) [Massen]versammlung f, Treffen nt, Zusammenkunft f ❹ (recovery) of prices Erholung f II. vt <-ie-> sammeln; support gewinnen; supporters mobilisieren; ◼ to ~ sb

against/in favour of sth jdn gegen/für etw akk mobilisieren III. vi <-ie-> ❶ (support) ◼ to ~ behind sb sich geschlossen hinter jdn stellen ❷ MED, FIN, STOCKEX sich erholen; SPORTS sich fangen fam ◆**ral·ly 'round** vi (support) ◼ to ~ round sb jdn unterstützen ❷ (display) to ~ round the flag Patriotismus zeigen
ram [ræm] I. n ❶ (sheep) Widder m, Schafbock m ❷ (implement) Rammbock m, Ramme f ❸ TECH Presskolben m, Stoßheber m ❹ ASTROL the sign of the ~ das Sternzeichen Widder II. vt <-mm-> ❶ (hit) rammen ❷ (push in) he ~med the sweets into his mouth er stopfte sich die Süßigkeiten in den Mund ❸ (push down) to ~ down the soil den Boden feststampfen ❹ (slam in) to ~ sth home bolt etw zuknallen; to ~ one's point home seinen Standpunkt [mit Vehemenz] klar machen III. vi <-mm-> ◼ to ~ into sth gegen etw akk prallen; (with car also) gegen etw akk fahren
RAM [ræm] n COMPUT acr for **Random Access Memory** RAM m o nt
Rama·dan [ˌræmə'dæn] n no pl Ramadan m
ram·ble ['ræmbl̩] I. n Wanderung f, Spaziergang m II. vi ❶ (walk) wandern, umherstreifen (**through** durch) ❷ (spread) sich ranken ❸ (meander) stream sich winden ❹ (be incoherent) faseln fam; (be too detailed) vom Hundersten ins Tausendste kommen
ram·bler ['ræmblə'] n ❶ (walker) Wanderer m, Wanderin f ❷ HORT, BOT (rose) Kletterrose f ❸ (incoherent talker) Schwafler(in) m(f) fam
ram·bling ['ræmblɪŋ] I. n ◼ ~s pl Gefasel nt kein pl pej II. adj ❶ (sprawling) building weitläufig ❷ BOT, HORT rankend attr, Kletter- ❸ (incoherent) unzusammenhängend, zusammenhanglos
ram·ekin ['ræmɪkɪn] n [kleine] Auflaufform
rami·fi·ca·tion [ˌræmɪfɪ'keɪʃ°n] n usu pl (consequences) Auswirkung f, Konsequenz f; (subdivision of a structure) Verzweigung f
rami·fy <-ie-> ['ræmɪfaɪ] vi sich verzweigen
ramp [ræmp] n ❶ (slope) Rampe f; AVIAT Gangway f ❷ BRIT (speed deterrent) Bodenwelle f ❸ Am (slip road) Auffahrt f, Ausfahrt f
ram·page I. n ['ræmpeɪdʒ] Randale f; on the ~ angriffslustig II. vi [ræm'peɪdʒ] randalieren
ram·pant ['ræmpənt] adj ❶ (unrestrained)

R

ungezügelt; *inflation* galoppierend *attr;* *nationalism, racism* zügellos ❷ (*spreading*) *epidemic* ■to be ~ grassieren ❸ *after n* (*rearing*) *lion* sprungbereit

ram·part ['ræmpɑːt] *n* [Schutz]wall *m,* Befestigungswall *m*

'**ram·rod** *n* Ladestock *m;* **he stood as stiff as a** ~ er stand so steif da, als hätte er einen Besenstiel verschluckt

ram·shack·le ['ræmʃækl] *adj* ❶ (*dilapidated*) klapp[e]rig; *building* baufällig ❷ (*fig, pej: disorganized*) chaotisch

ran [ræn] *pt of* **run**

ranch [rɑːn(t)ʃ] AM I. *n* <*pl* -es> Farm *f,* Ranch *f* II. *vi* Viehwirtschaft treiben III. *vt cattle, mink, salmon* züchten

ranch·er ['rɑːn(t)ʃərr] *n* AM ❶ (*ranch owner*) Viehzüchter(in) *m(f)* ❷ (*ranch worker*) Farmarbeiter(in) *m(f)*

ran·cid ['ræn(t)sɪd] *adj* ranzig; **to go** ~ ranzig werden

ran·cor *n* AM, AUS *see* **rancour**

ran·cor·ous ['ræŋkərəs] *adj* bitter; *quarrel* erbittert; *tone* giftig

ran·cour ['ræŋkər] *n no pl* (*bitterness*) Verbitterung *f,* Groll *m* (**towards** gegenüber); (*hatred*) Hass *m*

R and B [ˌɑːrən(d)'biː] *n abbrev of* **rhythm and blues** R & B *m*

R and D [ˌɑːrən(d)'diː] *n abbrev of* **research and development** Forschung *f* und Entwicklung *f*

ran·dom ['rændəm] I. *n no pl* **at** ~ (*aimlessly*) willkürlich, wahllos; (*by chance*) zufällig II. *adj* zufällig, wahllos; **a** ~ **sample** eine Stichprobe

ran·dom·ly ['rændəmli] *adv* zufällig, willkürlich; ~ **chosen/selected** zufällig gewählt/ausgesucht

randy ['rændi] *adj* (*fam*) geil

rang [ræŋ] *pt of* **ring**

range¹ [reɪndʒ] I. *n* ❶ *no pl* (*limit*) Reichweite *f;* (*area*) Bereich *m;* **to be out of** ~ außer Reichweite sein ❷ (*series of things*) Reihe *f;* **narrow/wide** ~ **of sth** kleine/ große Auswahl an etw *dat* ❸ (*selection*) Angebot *nt,* Sortiment *nt* ❹ MUS *of a voice* Stimmumfang *m; of an instrument* Tonumfang *m* ❺ (*distance*) Entfernung *f; of a gun* Schussweite *f; of a missile* Reichweite *f* ❻ MIL (*practice area*) **firing** ~ Schießplatz *m* II. *vi* ❶ (*vary*) schwanken ❷ (*roam*) umherstreifen ❸ ■**to** ~ **from sth to sth** von etw *dat* bis [zu etw *dat*] reichen; **a wide-ranging investigation** eine umfassende Ermittlung

range² [reɪndʒ] *n* ❶ (*of mountains*) Hügelkette *f,* Bergkette *f* ❷ AM (*pasture*) Weide *f,*

Weideland *nt*

range³ [reɪndʒ] *n* (*for cooking*) [Koch]herd *m*

'**range find·er** *n* Entfernungsmesser *m*

rang·er ['reɪndʒər] *n* Aufseher(in) *m(f);* AM (*mounted soldier*) Ranger(in) *m(f);* BRIT (*Girl Guide*) Pfadfinderin *f*

rangy ['reɪndʒi] *adj* hoch aufgeschossen

rank¹ [ræŋk] I. *n* ❶ *no pl* POL (*position*) Position *f* ❷ MIL Dienstgrad *m,* Rang *m;* ■**the** ~**s** *pl* (*non-officers*) einfache Soldaten *mpl;* **to close** ~ **s** die Reihen schließen; (*fig*) sich zusammenschließen ❸ (*membership*) ■**the** ~**s** Mitglieder *pl* ❹ (*row*) Reihe *f;* **cab** ~ Taxistand *m* II. *vi* ❶ (*hold a position*) ■**to** ~ **above sb** einen höheren Rang als jd einnehmen ❷ (*be classified as*) **he currently** ~**s second in the world** er steht derzeit auf Platz zwei der Weltrangliste; **she** ~**s among the theatre's greatest actors** sie gehört mit zu den größten Theaterschauspielern III. *vt* ❶ (*classify*) einstufen; ■**to** ~ **sb among sb/sth** jdn zu jdm/etw zählen ❷ (*arrange*) anordnen; **to** ~ **sb/sth in order of size** jdn/etw der Größe nach aufstellen

rank² [ræŋk] *adj* ❶ (*growing thickly*) *of a plant* üppig wuchernd ❷ (*overgrown*) verwildert, überwuchert ❸ (*rancid*) stinkend *attr;* ■**to be** ~ **with sth** nach etw *dat* stinken ❹ (*absolute*) absolut, ausgesprochen; *outsider* total; *stupidity* rein

ran·kle ['ræŋkl] *vi* ■**to** ~ **[with sb]** jdn wurmen

ran·sack ['rænsæk] *vt* ❶ (*search*) *cupboard* durchwühlen ❷ (*also fig, hum: plunder*) plündern; (*rob*) ausrauben

ran·som ['ræn(t)sˀm] I. *n* Lösegeld *nt* II. *adj amount, demand, pickup* Lösegeld- III. *vt* auslösen

rant [rænt] I. *n* ❶ *no pl* (*angry talk*) Geschimpfe *nt,* Gezeter *nt fam* ❷ (*tirade*) Schimpfkanonade *f* II. *vi* [vor sich *akk* hin] schimpfen

rap¹ [ræp] I. *n* ❶ (*knock*) Klopfen *nt kein pl,* Pochen *nt kein pl* ❷ (*fam: rebuke*) Anpfiff *m fam* ❸ AM (*sl: criticism*) Verriss *m fam* ❹ AM (*sl: punishment*) Knast *m* II. *vt* <-pp-> ❶ (*strike*) ■**to** ~ **sth** an etw *akk* klopfen ❷ (*fig: criticize*) ■**to** ~ **sb** jdn scharf kritisieren

rap² [ræp] I. *n* ❶ *no pl* MUS Rap *m* ❷ (*sl: conversation*) Plausch *m kein pl* DIAL, SÜDD, Plauderei *f* II. *vi* MUS rappen

ra·pa·cious [rəˈpeɪʃəs] *adj* (*form*) ❶ (*grasping*) habgierig; *landlord, businessman* raffgierig; ~ **appetite** Wolfshunger *m* ❷ (*plundering*) plündernd *attr*

ra·pac·ity [rə'pæsəti] *n no pl* Habgier *f*

rape¹ [reɪp] I. *n* ① *no pl* (*sexual assault*) Vergewaltigung *f* ② *no pl* (*fig: destruction*) Zerstörung *f* II. *vt* vergewaltigen III. *vi* eine Vergewaltigung begehen

rape² [reɪp] *n no pl* AGR Raps *m*

'rape·seed oil *n* Rapsöl *nt*

rap·id ['ræpɪd] *adj* ① (*quick*) schnell; *change, growth, expansion* rasch; *increase, rise* steiler ② (*sudden*) plötzlich

rap·id·ity [rə'pɪdəti] *n no pl* ① (*suddenness*) Plötzlichkeit *f* ② (*speed*) Geschwindigkeit *f*; Schnelligkeit *f*

rap·id·ly ['ræpɪdli] *adv* schnell, rasch; **to speak ~** schnell sprechen; **~ growing** wachstumsstark

rap·ids ['ræpɪdz] *npl* Stromschnellen *pl*

ra·pi·er ['reɪpɪə'] I. *n* Rapier *nt* II. *adj attr* (*fig*) schlagfertig, scharfzüngig; *wit* scharf

rap·ist ['reɪpɪst] *n* Vergewaltiger(in) *m(f)*

rap·port [ræp'ɔːʳ] *n no pl* Übereinstimmung *f*, Harmonie *f*

rap·proche·ment [ræp'rɒʃmã(ŋ)] *n* (*form*) Annäherung *f*

rapt [ræpt] *adj* (*engrossed*) versunken, selbstvergessen; **with ~ attention** gespannt

rap·ture ['ræptʃəʳ] *n* ① *no pl* (*bliss*) Verzückung *f*, Entzücken *nt* ② *pl* (*expression of joy*) **to be in ~s about sth** entzückt über etw *akk* sein

rap·tur·ous ['ræptʃ³rəs] *adj* ① (*delighted*) entzückt, hingerissen; *smile* verzückt ② (*enthusiastic*) begeistert; *applause* stürmisch

rare¹ [reəʳ] *adj* ① (*uncommon*) rar, selten ② (*thin*) *atmosphere* dünn

rare² [reəʳ] *adj meat* nicht durch[gebraten] präd, blutig

rare·bit ['reəbɪt] *n* **Welsh ~** überbackene Käseschnitte

rar·efy ['reərɪfaɪ] *vt* verdünnen

rare·ly ['reəli] *adv* selten

rar·ing ['reərɪŋ] *adj* ▪**to be ~ to do sth** großes Verlangen haben, etw zu tun; **to be ~ to go** startbereit sein

rar·ity ['reərəti] *n* Rarität *f*, Seltenheit *f*

ras·cal ['rɑːskəl] *n* ① (*scamp*) Schlingel *m*; (*child*) Frechdachs *m* ② (*hist: dishonest person*) Schurke(in) *m(f)*

rash [ræʃ] I. *n* <*pl* -es> ① (*skin condition*) Ausschlag *m* ② *no pl* (*spate*) ▪**a ~ of sth** Unmengen *pl* von etw *dat* II. *adj* übereilt, hastig, vorschnell

rash·er ['ræʃəʳ] *n* **~ [of bacon]** Speckscheibe *f*

rash·ly ['ræʃli] *adv* unbedacht, unbesonnen, übereilt

rash·ness ['ræʃnəs] *n no pl* Unbedachtheit *f*, Unbesonnenheit *f*

rasp [rɑːsp] I. *n* ① (*tool*) Raspel *f* ② (*noise*) schneidendes Geräusch II. *vt* ① (*file*) feilen ② (*rub roughly*) wegschaben; *skin* aufreiben III. *vi* ① (*of a noise*) kratzen ② (*talk roughly*) krächzen, schnarren

rasp·berry ['rɑːzbᵊri] I. *n* ① (*fruit*) Himbeere *f* ② (*fam: disapproving noise*) verächtliches Schnauben; **to get a ~** Buhrufe bekommen II. *adj cake, jam, syrup, vinegar* Himbeer-

rasp·ing ['rɑːspɪŋ] *adj* krächzend; *breath* rasselnd

Ras·ta·far·ian [ˌræstə'feəriən] I. *n* Rastafari *m* II. *adj* Rasta-

rat [ræt] I. *n* Ratte *f a. fig, pej* II. *vi* <-tt-> ▪**to ~ on sb** ① (*inform on*) jdn verraten ② (*let down*) jdn im Stich lassen

rat·able *adj see* **rateable**

ratch·et ['rætʃɪt] *n* TECH Ratsche *f* ◆**ratchet up** *vt* (*fam*) ▪**to ~ up** ⟲ **sth** etw Schritt für Schritt hochfahren

rate [reɪt] I. *n* ① (*speed*) Geschwindigkeit *f*; **at one's own ~** in seinem eigenen Rhythmus ② (*measure*) Maß *nt*, Menge *f*; **unemployment ~** Arbeitslosenrate *f* ③ (*payment*) Satz *m* ④ (*premium payable*) Zinssatz *m*; (*excise payable*) Steuersatz *m* ▶**at any ~** (*whatever happens*) auf jeden Fall; (*at least*) zumindest, wenigstens II. *vt* ① (*regard*) einschätzen; **she is ~d very highly by the people she works for** die Leute, für die sie arbeitet, halten große Stücke auf sie; **she ~s him among her closest friends** sie zählt ihn zu ihren engsten Freunden ② (*be worthy of*) **to ~ a mention** erwähnenswert sein III. *vi* ▪**that ~s as the worst film I've ever seen** das war so ziemlich der schlechteste Film, den ich jemals gesehen habe

rate·able ['reɪtəbl] *adj* BRIT steuerpflichtig

ra·ther ['rɑːðəʳ] *adv* ① (*somewhat*) ziemlich; **I ~ doubt ...** ich bin nicht ganz sicher, ob ...; **to be ~ more expensive than sb was expecting** um einiges teurer sein als erwartet ② (*very*) ziemlich, recht; **it's a ~ shame that ...** es ist wirklich schade, dass ... ③ (*on the contrary*) eher ④ (*in preference to*) **I'd like to stay at home this evening ~ than going out** ich möchte heute Abend lieber zu Hause bleiben und nicht ausgehen ⑤ (*more exactly*) genauer [*o* besser] gesagt

rati·fi·ca·tion [ˌrætɪfɪ'keɪʃᵊn] *n no pl* Ratifizierung *f*

rati·fy <-ie-> ['rætɪfaɪ] *vt* ratifizieren

rat·ing ['reɪtɪŋ] *n* ① *no pl* (*assessment*)

R

Einschätzung *f* ❷ (*regard*) Einstufung *f* ❸ (*audience*) ■~s *pl* [Einschalt]quoten *pl*

ra·tio ['reɪʃiəʊ] *n* Verhältnis *nt*

ra·tion ['ræʃⁿ] I. *n* ❶ (*fixed amount*) Ration *f;* ~ **of food** Essensration *f* ❷ (*food supplies*) ■~s *pl* [Lebensmittel]marken *pl* II. *vt* rationieren, beschränken (**to** auf)

ra·tion·al ['ræʃⁿⁿl] *adj* rational

ra·tion·ale [ˌræʃəˈnɑːl] *n* Gründe *pl*

ra·tion·al·ism ['ræʃⁿⁿlɪzⁿm] *n no pl* Rationalismus *m*

ra·tion·al·ist ['ræʃⁿⁿlɪst] I. *n* Rationalist(in) *m(f)* II. *adj* rationalistisch

ra·tion·al·is·tic [ˌræʃⁿⁿlˈɪstɪk] *adj* rationalistisch

ra·tion·al·ity [ˌræʃⁿⁿˈæləti] *n no pl* ❶ (*clear reasoning*) Rationalität *f geh,* Vernunft *f* ❷ (*sensibleness*) Vernünftigkeit *f*

ra·tion·ali·za·tion [ˌræʃⁿⁿˈlaɪˈzeɪʃⁿn] *n no pl* Rationalisierung *f*

ra·tion·al·ize ['ræʃⁿⁿlaɪz] I. *vt* rationalisieren II. *vi* rationalisieren, Rationalisierungsmaßnahmen *pl* durchführen

ra·tion·ing ['ræʃⁿnɪŋ] *n no pl* Rationierung *f*

'**rat poi·son** *n* Rattengift *nt* '**rat race** *n* erbarmungsloser Konkurrenzkampf; **to join the** ~ sich ins Heer der arbeitenden Bevölkerung einreihen '**rat run** *n* (*fam*) Schleichweg *m*

rat·tle ['rætl] I. *n* ❶ *no pl* (*sound*) Klappern *nt;* (*of chains*) Rasseln *nt;* (*of hail*) Prasseln *nt* ❷ MUS Rassel *f* ❸ (*of a rattlesnake*) Klapper *f* II. *vi* ❶ (*make noise*) klappern; *keys* rasseln; *hail* prasseln; *engine* knattern; *bottles* [*in a crate*] klirren; *coins* klingen ❷ (*move noisily*) rattern ❸ (*talk*) ■**to ~ on** [drauflos]quasseln *fam* III. *vt* ❶ ■**to ~ sth** *windows* etw zum Klirren bringen; *keys* mit etw *dat* rasseln; *crockery* mit etw *dat* klappern ❷ (*make nervous*) ■**to ~ sb** jdn durcheinanderbringen

'**rat·tle·snake** *n* Klapperschlange *f*

rat·tling ['rætlɪŋ] *adj* ❶ (*making a noise*) klappernd *attr; car, engine* ratternd *attr; windows* klirrend *attr; keys* rasselnd *attr* ❷ (*fast*) [rasend] schnell, geschwind DIAL

rat·ty ['ræti] *adj* (*fam*) ❶ BRIT (*ill-tempered*) gereizt ❷ (*shabby*) *house, chair* verlottert; *hair* verknotet

rau·cous ['rɔːkəs] *adj* ❶ (*loud and harsh*) rau, heiser; *call of the crows* krächzend; ~ **laughter** heiseres Lachen; ❷ (*boisterous*) kreischendes Gelächter ❸ (*noisy*) lärmend *attr,* wild

raun·chy ['rɔːn(t)ʃi] *adj conversation* schlüpfrig; *film* scharf *fam; video* heiß *fam*

rav·age ['rævɪdʒ] *vt* verwüsten; *face* verun-

stalten

rave [reɪv] I. *n* BRIT (*fam*) Fete *f,* Rave *m* o *nt* (*mit Technomusik*) II. *adj attr* begeistert, enthusiastisch; *reviews* glänzend III. *vi* ❶ (*talk wildly*) toben, wüten; **to rant and ~** toben ❷ (*fam: praise*) schwärmen; **to ~ about sth** von etw *dat* schwärmen

rav·el <BRIT -ll- *or* AM *usu* -l-> ['rævⁿl] I. *vi* sich verwickeln; *thread* sich verheddern II. *vt* verwickeln; *thread* verheddern

ra·ven ['reɪvⁿn] I. *n* Rabe *m* II. *adj attr* (*liter*) rabenschwarz

rav·en·ous ['rævⁿnəs] *adj* (*very hungry*) ausgehungert; (*predatory*) räuberisch; *appetite* unbändig

rav·en·ous·ly ['rævⁿnəsli] *adv* [heiß]hungrig, völlig ausgehungert; **I'm ~ hungry** ich habe einen Bärenhunger

ra·vine [rəˈviːn] *n* Schlucht *f,* Klamm *f*

rav·ing ['reɪvɪŋ] I. *n* ❶ *no pl* (*delirium*) wirres Gerede ❷ *pl* (*ramblings*) Hirngespinste *pl* II. *adj attr* absolut, total *fam; nightmare* echt III. *adv* völlig

ra·vio·li [ˌrævɪˈəʊli] *n* Ravioli *pl*

rav·ish ['rævɪʃ] *vt* ❶ (*delight*) entzücken ❷ (*old: rape*) vergewaltigen

rav·ish·ing ['rævɪʃɪŋ] *adj* ❶ (*beautiful*) hinreißend; *countryside* atemberaubend ❷ (*delicious*) wundervoll

raw [rɔː] *adj* ❶ (*unprocessed*) roh, unbehandelt; ~ **sewage** ungeklärte Abwässer *pl* ❷ (*uncooked*) roh ❸ (*of information*) Roh-; ~ **figures** Schätzungen *pl* ❹ (*inexperienced*) unerfahren ❺ (*unbridled*) rein; *energy* pur; *power* roh ❻ (*outspoken*) offen ❼ (*sore*) wund; (*fig*) *nerves, emotions* empfindlich ❽ (*cold*) rau

'**raw·hide** *n no pl* ungegerbtes Leder

Rawl·plug® ['rɔːl,plʌg] *n* BRIT Dübel *m*

raw·ness ['rɔːnəs] *n no pl* ❶ (*harshness*) Rauheit *f* ❷ (*soreness*) Wundsein *nt*

ray¹ [reɪ] *n* ❶ (*beam*) Strahl *m* ❷ (*trace*) Spur *f* ❸ PHYS (*radiation*) Strahlung *f*

ray² [reɪ] *n* (*fish*) Rochen *m*

ray·on ['reɪɒn] *n no pl* Viskose *f*

raze [reɪz] *vt* [völlig] zerstören; MIL schleifen

ra·zor ['reɪzəʳ] I. *n* Rasierapparat *m,* Rasierer *m fam;* (*cutthroat*) Rasiermesser *nt* II. *vt hair* [ab]rasieren

'**ra·zor·back** *n* ❶ (*rorqual*) Finnwal *m* ❷ AM (*hog*) [halbwildes] spitzrückiges Schwein ❸ (*narrow ridge*) schmaler Grat '**ra·zor·bill** *n* ORN Tordalk *m* '**ra·zor blade** *n* Rasierklinge *f* '**ra·zor sharp** *adj pred,* '**ra·zor-sharp** *adj attr* ❶ (*sharp*) scharf wie ein Rasiermesser; *teeth* messerscharf ❷ (*fig: intelligent*) *person* [äußerst] scharfsinnig; *brain* [messer]scharf '**ra·zor**

wire *n no pl* Nato-Draht *m fam*

raz·zle ['ræzl] *n no pl* BRIT (*fam*) **to be |out| on the ~** einen draufmachen

RC [,ɑː'siː] *n* ❶ REL *abbrev of* **Roman Catholic** r.-k., röm.-kath. ❷ (*organization*) *abbrev of* **Red Cross** RK *nt*

RCMP [,ɑːsiːem'piː] *n* + *pl vb* CAN *abbrev of* **Royal Canadian Mounted Police** *berittene Polizeieinheit*

Rd *n abbrev of* **road** Str.

RE[1] [,ɑː'iː] *n* BRIT + *pl vb* MIL *abbrev of* **Royal Engineers** Pionierkorps der britischen Armee

RE[2] [,ɑː'rʲiː] *n* BRIT *no pl* REL, SCH *abbrev of* **religious education** Religionslehre *f*

reach [riːtʃ] **I.** *n* <*pl* -es> ❶ *no pl* (*arm length*) Reichweite *f* ❷ *no pl* (*distance to travel*) **to be within** [easy] **~** [ganz] in der Nähe sein ❸ *no pl* (*power*) Reichweite *f* ❹ *no pl* TV, RADIO [Sende]bereich *m* ❺ ■ **~es** *pl* (*part*) Abschnitt *m;* (*land*) Gebiet *nt;* (*river*) [Fluss]abschnitt *m;* (*fig: circles*) Kreise *pl* **II.** *vi* ❶ (*stretch*) greifen, langen *fam* ❷ (*touch*) herankommen, [d]rankommen *fam* ❸ (*extend*) reichen (**to** bis zu) **III.** *vt* ❶ (*arrive at*) erreichen; **I've ~ed chapter five** ich bin bis Kapitel fünf gekommen; **to ~ one's destination** an seinem Bestimmungsort ankommen ❷ (*attain*) erreichen; *agreement, consensus* erzielen; **to ~ the conclusion/decision that ...** zu dem Schluss/der Entscheidung kommen, dass ... ❸ (*extend to*) ■ **to ~ sth** *road* bis zu etw *dat* führen; *hair, clothing* bis zu etw *dat* reichen ❹ (*touch*) **to be able to ~ sth** an etw *akk* herankommen ❺ (*give*) hinüberreichen ❻ (*contact*) erreichen; (*phone*) [telefonisch] erreichen ❼ TV, RADIO *an audience* erreichen ❽ (*influence*) erreichen ◆ **reach across** *vt, vi see* **reach over** ◆ **reach down** *vi* ❶ (*stretch*) hinuntergreifen, hinunterlangen *fam;* ■ **to ~ down for sth** nach etw *dat* greifen ❷ (*extend*) hinabreichen ◆ **reach out I.** *vt* **to ~ out** ⊃ **one's hand** die Hand ausstrecken **II.** *vi* die Hand ausstrecken; ■ **to ~ out for sth** nach etw *dat* greifen ◆ **reach out to** *vi* ■ **to ~ out to sb** ❶ (*stretch*) die Hand nach jdm ausstrecken ❷ (*appeal to*) sich [Hilfe suchend] an jdn wenden ❸ (*help*) für jdn da sein ◆ **reach over** *vi* hinübergreifen, hinüberlangen *fam;* ■ **to ~ over for sth** nach etw *dat* greifen ◆ **reach up** *vi* ❶ (*stretch*) nach oben greifen, hinauflangen *fam;* ■ **to ~ up for sth** nach etw *dat* greifen ❷ (*extend*) hinaufreichen

re·act [ri'ækt] *vi* ❶ (*respond*) reagieren (**to** auf); **to be slow to ~** langsam reagieren

❷ MED reagieren (**to** auf) ❸ CHEM reagieren (**with** mit)

re·ac·tion [ri'ækʃⁿn] *n* ❶ (*response*) Reaktion *f* (**to** auf) ❷ *pl* (*reflexes*) Reaktionsvermögen *nt kein pl* ❸ MED, CHEM, PHYS Reaktion *f* ❹ *no pl* POL (*pej form*) Reaktion *f pej* ❺ (*opposite response*) [Gegen]reaktion *f*

re·ac·tion·ary [ri'ækʃⁿnⁿri] **I.** *adj* POL (*pej*) reaktionär **II.** *n* POL (*pej*) Reaktionär(in) *m(f)*

re·ac·ti·vate [ri'æktɪveɪt] **I.** *vt* reaktivieren **II.** *vi* wieder aktiv werden

re·ac·tive [ri'æktɪv] *adj* ❶ (*showing response*) gegenwirkend ❷ (*acting in response*) ■ **to be ~** als Gegenreaktion erfolgen ❸ PSYCH, MED reaktiv *fachspr,* Abwehr- ❹ CHEM reaktiv, reaktionsfähig ❺ ELEC Blind-

re·ac·tor [ri'æktəʳ] *n* ❶ (*sb or sth that reacts*) **to be a quick/slow ~** schnell/langsam reagieren ❷ NUCL Reaktor *m;* **nuclear ~** Kernreaktor *m*

read[1] [riːd] **I.** *n usu sing* ❶ BRIT, AUS (*act of reading*) Lesen *nt* ❷ (*fam: book*) **to be a good ~** sich gut lesen [lassen] ❸ AM (*interpretation*) Lesart *f* **II.** *vt* <read, read> ❶ (*understand written material*) lesen; *handwriting* entziffern ❷ MUS **to ~ music** Noten lesen ❸ (*speak aloud*) vorlesen ❹ (*discern*) *emotion* erraten; **to ~ sth in sb's face** jdm etw vom Gesicht ablesen ❺ (*interpret*) interpretieren, deuten ❻ POL, LAW **to ~ a bill/measure** eine Gesetzesvorlage/gesetzliche Verfügung lesen ❼ (*inspect and record*) ablesen ❽ (*show information*) anzeigen ❾ BRIT UNIV (*form*) *chemistry, English, history* studieren ❿ RADIO, TELEC ■ **to ~ sb** jdn verstehen; (*fig: understand sb's meaning*) jdn verstehen; **to ~ sb like a book** in jdm lesen können, wie in einem [offenen] Buch **III.** *vi* <read, read> ❶ (*understand written material*) lesen ❷ (*speak aloud*) **to ~ aloud** laut vorlesen ❸ (*create impression*) **to ~ well** *book, letter, article, magazine* sich gut lesen ❹ THEAT, FILM **to ~ for a part** für eine Rolle vorlesen ❺ *esp* BRIT UNIV (*form*) ■ **to ~ for sth** etw studieren ◆ **read off** *vt* ❶ (*note exactly*) *measurements, technical readings* ablesen ❷ (*enumerate*) herunterlesen ◆ **read out** *vt* ❶ (*read aloud*) laut vorlesen ❷ COMPUT auslesen ❸ *esp* AM (*expel*) **to ~ sb out of a body/an organization** jdn aus einem Gremium/einer Organisation ausschließen ◆ **read over, read through** *vt* [schnell] durchlesen ◆ **read up** *vi* nachlesen; ■ **to ~ up on sth** sich über etw informieren

read² [red] I. *vt*, *vi pt*, *pp of* **read** II. *adj*
▸ **to take sth as** ~ etw als selbstverständlich voraussetzen

read·abil·ity [ˌriːdəˈbɪləti] *n no pl* Lesbarkeit *f*

read·able [ˈriːdəbl] *adj* ❶ (*legible*) lesbar, leserlich ❷ (*enjoyable to read*) lesenswert ❸ (*easy to read*) [gut] lesbar

read·er [ˈriːdəʳ] *n* ❶ (*person who reads*) Leser(in) *m(f)* ❷ (*person who reads aloud*) Vorleser(in) *m(f)* ❸ (*in library*) Leser(in) *m(f)* ❹ (*proof-corrector*) Lektor(in) *m(f)* ❺ (*book of extracts*) Aufsatzsammlung *f*; SCH Lesebuch *nt*; UNIV Reader *m* ❻ (*device*) **microfilm/microfiche** ~ Mikrofilm-/Mikrofichelesegerät *nt*

read·er·ship [ˈriːdəʃɪp] *n* + *sing/pl vb* ❶ (*readers*) Leserschaft *f* ❷ BRIT UNIV Dozentenstelle *f*

readi·ly [ˈredɪli] *adv* ❶ (*willingly*) bereitwillig ❷ (*easily*) einfach, ohne weiteres

readi·ness [ˈredɪnəs] *n no pl* ❶ (*willingness*) Bereitwilligkeit *f*, Bereitschaft *f* ❷ (*preparedness*) Bereitschaft *f* ❸ (*quickness*) Schnelligkeit *f*

read·ing [ˈriːdɪŋ] *n* ❶ *no pl* (*activity*) Lesen *nt* ❷ *no pl* (*material to be read*) Lesestoff *m*; **to catch up on one's** ~ den Stoff nachholen ❸ *no pl* (*with indication of quality*) **compulsory** ~ Pflichtlektüre *f* ❹ (*recital, also religious*) Lesung *f* ❺ (*interpretation*) *of a literary work* Deutung *f*, Interpretation *f*, *of a situation, the facts* Einschätzung *f* ❻ (*amount shown*) Anzeige *f*; **meter** ~ Zählerstand *m* ❼ POL Lesung *f*

'read·ing book *n* Lesebuch *nt* **'read·ing glasses** *npl* Lesebrille *f* **'read·ing lamp** *n* Leselampe *f* **'read·ing list** *n* Lektüreliste *f* **'read·ing room** *n* Lesesaal *m*

re·ad·just [ˌriːəˈdʒʌst] I. *vt* ❶ (*correct*) [wieder] neu anpassen; **he** ~**ed his tie** er rückte seine Krawatte zurecht ❷ *machine* neu einstellen II. *vi* ❶ (*adjust again*) *objects, machines* sich neu einstellen; *clock* sich neu stellen ❷ (*readapt*) ▪**to** ~ **to sth** sich wieder an etw *akk* gewöhnen

re·ad·just·ment [ˌriːəˈdʒʌstmənt] *n* ❶ TECH Neueinstellung *f*, Korrektur *f* ❷ POL Neuorientierung *f*

read-only 'memo·ry *n* COMPUT Festspeicher *m*

read-'write head *n* COMPUT Schreib-Lese-Kopf *m*

ready [ˈredi] *adj* ❶ *pred* (*prepared*) fertig, bereit; **to get** ~ sich fertig machen; **to get sth** ~ etw fertig machen ❷ (*willing*) **he is always** ~ **with compliments** er verteilt gerne Komplimente ❸ (*on verge of*) **he**

looked ~ **to collapse** er sah aus, als würde er gleich zusammenbrechen ❹ (*immediately available*) verfügbar ❺ *attr* (*esp approv: quick*) prompt, schnell; *mind* wach ❻ (*fam: desirous*) **to be** ~ **for a drink** etw zum Trinken brauchen; **to be** ~ **for a fight** kämpfen wollen ▸~, **steady, go!** BRIT SPORTS auf die Plätze, fertig, los!

ready-'made *adj* ❶ (*ready for use*) gebrauchsfertig; FOOD fertig ❷ FASHION Konfektions- ❸ (*available immediately*) vorgefertigt **'ready-to-wear** *adj* Konfektions-

re·af·firm [ˌriːəˈfɜːm] *vt* bestätigen

re·af·for·est [ˌriːəˈfɒrɪst] *vt* BRIT, AUS *see* **reforest**

re·af·for·esta·tion [ˌriːəˌfɒrɪˈsteɪʃ⁰n] *n no pl* BRIT, AUS *see* **reforestation**

real [rɪəl] I. *adj* ❶ (*not imaginary*) wirklich, real ❷ (*genuine*) echt; *beauty, pleasure* wahr ❸ (*for emphasis*) ~ **bargain** echt günstiges Angebot; **to be a** ~ **dump** die reinste Müllkippe sein *fam* ❹ (*hum: proper*) *man* richtig; *gentleman* wahr ❺ (*fam: utter*) *disaster* echt ❻ *attr* FIN effektiv; ~ **wages** Reallohn *m* ▸ **the** ~ **thing** (*not fake*) das Wahre; (*true love*) die wahre Liebe; **get** ~! *esp* AM (*fam*) mach dir doch nichts vor!; **for** ~ (*fam*) echt, wahr; **is this letter a joke or is it for** ~? ist dieser Brief ein Scherz oder [ist er] ernst gemeint? II. *adv esp* AM (*fam*) wirklich *fam*, total *sl*, echt *sl*

'real es·tate *n no pl esp* AM, AUS Immobilien *pl*

re·align·ment [ˌriːəˈlaɪnmənt] *n* ❶ (*new alignment*) Neuordnung *f*; TECH [neuerliches] Fluchten; AUTO [neuerliche] Spureinstellung *f* ❷ POL Neuordnung *f*, Neugruppierung *f*

re·al·ism [ˈrɪəlɪz⁰m] *n no pl* Wirklichkeitssinn *m*; *also* ART, LIT, PHILOS Realismus *m*

re·al·ist [ˈrɪəlɪst] I. *n also* ART, LIT Realist(in) *m(f)* II. *adj* ART, LIT realistisch

re·al·is·tic [ˌrɪəˈlɪstɪk] *adj also* ART, LIT realistisch

re·al·is·ti·cal·ly [ˌrɪəˈlɪstɪkli] *adv* realistisch

re·al·ity [riˈæləti] *n* ❶ *no pl* (*the actual world*) Realität *f*, Wirklichkeit *f*; **to face** ~ den Tatsachen ins Auge sehen ❷ (*fact*) Tatsache *f*; **to become a** ~ wahr werden ▸ **in** ~ in Wirklichkeit

re·al·ity show *n* Reality Show *f* **re·al·ity 'tele·vi·sion** *n*, **re·al·ity T'V** *n* Reality-Fernsehen *nt*

re·al·iz·able [ˌrɪəˈlaɪzəbl] *adj* realisierbar

re·ali·za·tion [ˌrɪəlaɪˈzeɪʃ⁰n] *n* ❶ (*awareness*) Erkenntnis *f*; **the** ~ **was dawning on them that ...** allmählich dämmerte ihnen, dass ... ❷ *no pl* (*fulfilment*) Realisierung *f*, Verwirklichung *f* ❸ *no pl* FIN Realisierung *f*; ~ **of assets** Veräußerung *f* von Vermögenswerten

re·al·ize ['rɪəlaɪz] *vt* ❶ (*be aware of*) ▪ **to ~ sth** sich *dat* einer S. *gen* bewusst sein; (*become aware of*) etw erkennen; **I ~ how difficult it's going to be** mir ist klar, wie schwierig das sein wird ❷ (*make real*) verwirklichen; (*come true*) *fears* sich bewahrheiten ❸ *film, play* [künstlerisch] umsetzen ❹ FIN veräußern, realisieren *fachspr*

re·al·ly ['rɪəli] **I.** *adv* ❶ (*in fact*) wirklich, tatsächlich ❷ (*used to stress sth*) wirklich; **the film was ~ good** der Film war echt stark ❸ (*seriously*) ernsthaft; **did you ~ believe that ...** haben Sie im Ernst geglaubt, dass ... **II.** *interj* ❶ (*indicating surprise, disbelief*) wirklich, tatsächlich; **I'm getting married to Fred — ~? when?** Fred und ich werden heiraten – nein, wirklich? wann denn? ❷ (*indicating annoyance*) also wirklich, [also] so was ❸ AM (*indicating agreement*) in der Tat

realm [relm] *n* ❶ (*liter: kingdom*) [Königreich *nt* ❷ (*sphere of interest*) Bereich *m*

re·al·tor ['rɪəltə*r*] *n* AM Immobilienmakler(in) *m(f)*

re·al·ty ['rɪəlti] *n no pl* AM Immobilien *pl*

re·ani·mate [ri'ænɪmeɪt] *vt* ❶ (*revive*) wiederbeleben ❷ (*give fresh activity to*) [neu] beleben

reap [riːp] *vt* ❶ (*gather*) **to ~ the crops** ernten; *a field* abernten ❷ (*fig: receive*) ernten; **to ~ the benefits** [**of sth**] [für etw *akk*] entlohnt werden; *profits* realisieren

reap·er ['riːpə*r*] *n* (*person*) Mäher(in) *m(f)*; (*machine*) Mähmaschine *f* ▶ **the Grim R~** der Sensenmann *euph*

re·ap·pear [ˌriːə'pɪə*r*] *vi* wiederauftauchen; *moon, sun* wieder zum Vorschein kommen

re·ap·ply <-ie-> [ˌriːə'plaɪ] **I.** *vi* ▪ **to ~ for sth** sich nochmals um etw *akk* bewerben **II.** *vt* ❶ (*apply differently*) **to ~ a principle/rule** ein Prinzip/eine Regel anders anwenden ❷ (*spread again*) erneut auftragen

re·ap·point [ˌriːə'pɔɪnt] *vt* ▪ **to ~ sb** jdn wieder einstellen

re·ap·prais·al [ˌriːə'preɪz*ə*l] *n* ❶ (*new assessment*) Neubewertung *f* ❷ FIN Neuschätzung *f*

rear[1] [rɪə*r*] **I.** *n* ❶ (*back*) ▪ **the ~** der hintere Teil ❷ ANAT (*fam: buttocks*) Hintern *m* **II.** *adj attr* ❶ (*backward*) hintere(r, s), Hinter- ❷ AUTO Heck-; **~ axle/wheel** Hinterachse *f*/-rad *nt*

rear[2] [rɪə*r*] **I.** *vt* ❶ *usu passive* (*bring up*) an

animal aufziehen; *a child* großziehen ❷ (*breed*) *livestock* züchten ❸ (*raise*) **to ~ one's head** den Kopf heben **II.** *vi* ❶ (*rise up on hind legs*) *horse, pony* sich aufbäumen ❷ (*rise high*) ▪ **to ~ above sth** *building, mountain* etw überragen

rear 'ad·mi·ral *n* MIL Konteradmiral(in) *m(f)*

rear·guard ['rɪəgɑːd] *n no pl* MIL Nachhut *f*

re·arm [ˌriː'ɑːm] **I.** *vt* ▪ **to ~ sb** jdn wiederaufrüsten **II.** *vi* sich wiederbewaffnen

re·arma·ment [ri'ɑːməmənt] *n no pl* Wiederbewaffnung *f*; *of a country* Wiederaufrüstung *f*

rear·most ['rɪəməʊst] *adj attr* ▪ **the ~ ...** der/die/das hinterste ...

re·ar·range [ˌriːə'reɪndʒ] *vt* ❶ (*arrange differently*) umstellen ❷ (*change*) ▪ **to ~ sth** *meeting, appointment* etw [zeitlich] verlegen; **to ~ the order of sth** die Reihenfolge von etw *dat* ändern

re·ar·range·ment [ˌriːə'reɪndʒmənt] *n* Umstellen *nt kein pl*; CHEM Umlagerung *f*

rear view 'mir·ror *n* AUTO Rückspiegel *m*

rear·ward ['rɪəwəd] **I.** *adj* hintere(r, s), rückwärtige(r, s) **II.** *adv* nach hinten **III.** *n* (*liter*) Rückseite *f*

rear-wheel 'drive *n* Hinterradantrieb *m*

rea·son ['riːz*ə*n] **I.** *n* ❶ (*cause*) Grund *m* (**for** für); **there is every ~ to believe that ...** es spricht alles dafür, dass ...; **for some ~** aus irgendeinem Grund ❷ *no pl* (*good cause*) Grund *m*; **she was furious, and with ~** sie war wütend, und das aus gutem Grund ❸ *no pl* (*power to think*) Denkvermögen *nt* ❹ *no pl* (*common sense*) Vernunft *f*; **to be beyond all ~** vollkommen unsinnig sein; **to see ~** auf die Stimme der Vernunft hören ❺ *no pl* (*sanity*) Verstand *m* **II.** *vi* ❶ (*form judgments*) ▪ **to ~ from sth** von etw *dat* ausgehen ❷ (*persuade*) ▪ **to ~ with sb** vernünftig mit jdm reden **III.** *vt* (*deduce*) ▪ **to ~ that ...** schlussfolgern, dass ... ◆ **reason out** *vt* (*deduce*) [schluss]folgern; (*work out*) herausfinden

rea·son·able ['riːz*ə*nəbl] *adj* ❶ (*sensible*) *person, answer* vernünftig ❷ (*understanding*) *person* einsichtig, verständig; **be ~!** sei [doch] vernünftig! ❸ (*justified*) angebracht ❹ (*decent*) relativ gut, [ganz] passabel; *chance* reell; *compromise* vernünftig ❺ (*inexpensive*) annehmbar

rea·son·ably ['riːz*ə*nəbli] *adv* ❶ (*in a sensible manner*) vernünftig ❷ (*justifiably*) **to ~ believe** vernünftigerweise glauben ❸ (*fairly*) ziemlich, ganz ❹ (*inexpensively*) **~ priced** preiswert

R

rebuking somebody	
rebuking somebody	jemanden zurechtweisen
Don't you dare!	Untersteh dich!
How dare you!	Was erlaubst du dir!
Oh, how could you!	Wie konnten Sie nur!
What do you think you're doing!	Was fällt dir ein!
I will not be spoken to in that tone of voice!	Ich verbitte mir diesen Ton!
I don't like your attitude.	Mir missfällt Ihre Art.
I don't have to put up with that from you!	Das brauche ich mir von dir nicht bieten zu lassen!
Your behaviour leaves a lot to be desired.	Dein Benehmen lässt einiges zu wünschen übrig.

rea·son·ing [ˈriːzᵊnɪŋ] *n no pl* logisches Denken, Logik *f*; ~ **ability** logisches Denkvermögen

re·as·sem·ble [ˌriːəˈsembl] **I.** *vi* sich wieder versammeln **II.** *vt* wieder zusammenbauen

re·as·sess [ˌriːəˈses] *vt* neu bewerten; FIN neu schätzen

re·as·sign [ˌriːəˈsaɪn] *vt* ❶ (*reappoint*) **to ~ sb to a different post** jdn versetzen; **to ~ sb to a different task** jdm eine andere Aufgabe zuweisen ❷ (*distribute differently*) **to ~ resources/work** Ressourcen/Arbeit neu verteilen

re·as·sur·ance [ˌriːəˈʃʊərᵊn(t)s] *n* ❶ *no pl* (*action*) Bestärkung *f* ❷ (*statement*) Versicherung *f*, Beteuerung *f*

re·as·sure [ˌriːəˈʃʊəʳ] *vt* ■ **to ~ sb** jdn [wieder] beruhigen

re·as·sur·ing [ˌriːəˈʃʊərɪŋ] *adj* beruhigend

re·as·sur·ing·ly [ˌriːəˈʃʊərɪŋli] *adv* beruhigend

re·badge [riːˈbædʒ] *vt product range, model of car* mit einem neuen Markenzeichen versehen [auf den Markt bringen]

re·bate [ˈriːbeɪt] *n* ❶ (*refund*) Rückzahlung *f*, Rückvergütung *f* ❷ (*discount*) [Preis]nachlass *m*

re·bel **I.** *n* [ˈrebᵊl] Rebell(in) *m(f)* **II.** *adj* [ˈrebᵊl] *army, guerrillas, forces* aufständisch, rebellierend; *person* rebellisch **III.** *vi* <-ll-> [rɪˈbel] (*also fig*) rebellieren (**against** gegen)

re·bel·lion [rɪˈbeliən] *n no pl* Rebellion *f*

re·bel·lious [rɪˈbeliəs] *adj* ❶ (*insubordinate*) *child* aufsässig, widerspenstig; *troops, youth* rebellisch ❷ POL rebellierend, aufständisch ❸ (*unmanageable*) *hair* widerspenstig

re·birth [ˌriːˈbɜːθ] *n no pl* ❶ (*reincarnation*) Wiedergeburt *f* ❷ (*revival*) Wiederaufleben *nt*

re·boot [ˌriːˈbuːt] COMPUT **I.** *vt computer system* neu starten **II.** *vi* rebooten *fachspr* **III.** *n* Rebooten *nt kein pl fachspr*

re·bound **I.** *vi* [rɪˈbaʊnd] ❶ (*bounce back*) abprallen, zurückprallen; ■ **to ~ off sth** von etw *dat* abprallen ❷ (*recover in value*) *stocks* wieder [stark] an Wert gewinnen ❸ (*have negative effect*) ■ **to ~ on sb** auf jdn zurückfallen **II.** *n* [ˈriːbaʊnd] ❶ *no pl* (*ricochet*) Abprallen *nt* ❷ (*increase*) *of profits* Ansteigen *nt*

re·brand [ˌriːˈbrænd] *vt* ■ **to ~ sth** einer Firma ein anderes Markenimage verschaffen

re·broad·cast [ˌriːˈbrɔːdkɑːst] *n* Wiederholung[ssendung] *f*

re·buff [rɪˈbʊf] **I.** *vt* [schroff] zurückweisen **II.** *n* Zurückweisung *f*

re·build <rebuilt, rebuilt> [ˌriːˈbɪld] *vt* ❶ (*build again*) wiederaufbauen; **to ~ one's life** (*fig*) sein Leben neu ordnen ❷ TECH umbauen ❸ (*restructure*) umstrukturieren

re·buke [rɪˈbjuːk] **I.** *vt* ■ **to ~ sb** jdn rügen **II.** *n* ❶ (*reproof*) Zurechtweisung *f* ❷ *no pl, no art* (*censure*) Verweis *m*

re·but <-tt-> [rɪˈbʌt] *vt* widerlegen

re·but·tal [rɪˈbʌtᵊl] *n* Widerlegung *f*

re·cal·ci·trant [rɪˈkælsɪtrənt] **I.** *adj* ❶ (*defiant*) aufmüpfig; *child* aufsässig ❷ (*not responsive*) widerspenstig, hartnäckig ❸ (*resisting restraint*) *animal* störrisch **II.** *n* Widerspenstige(r) *f(m)*

re·call **I.** *vt* [rɪˈkɔːl] ❶ (*remember*) ■ **to ~ sth** sich an etw *akk* erinnern ❷ COMPUT *data* abrufen ❸ (*order to return*) *person,* *product* zurückrufen **II.** *n* [rɪˈkɔːl] **❶** (*instance of recalling*) Zurückrufung *f* **❷** AM (*dismissal*) *of an elected official* Abberufung *f*, Absetzung *f* **❸** COMM *of a product* Rückruf *m*

re·cant [rɪˈkænt] **I.** *vi* widerrufen **II.** *vt* widerrufen; **to ~ one's belief/faith** seiner Überzeugung/seinem Glauben abschwören

re·cap¹ [ˈriːkæp] **I.** *vt, vi* <-pp-> *short for* **recapitulate** [kurz] zusammenfassen **II.** *n short for* **recapitulation** [kurze] Zusammenfassung

re·cap² [ˈriːkæp] *vt* AM AUTO *tyres* runderneuern

re·ca·pitu·late [ˌriːkəˈpɪtjəleɪt] *vt, vi* [kurz] zusammenfassen

re·ca·pitu·la·tion [ˌriːkə͵pɪtjəˈleɪʃ°n] **❶** (*summary*) [kurze] Zusammenfassung, Rekapitulation *f* geh **❷** MUS, THEAT, FILM Reprise *f*

re·cap·ture [ˌriːˈkæptʃəʳ] **I.** *vt* **❶** (*capture again*) *animal* wieder einfangen; *an escapee* wieder ergreifen; MIL zurückerobern **❷** (*fig: re-experience*) noch einmal erleben; (*recreate*) wieder lebendig werden lassen; *emotion* wieder aufleben lassen; *the past, one's youth* heraufbeschwören; *a style* wiederbeleben **II.** *n* MIL Rückeroberung *f*

re·cast <recast, recast> [ˌriːˈkɑːst] *vt* **❶** (*change form*) **to ~ a metal object** einen Metallgegenstand in eine andere Form gießen **❷** (*arrange differently*) neu arrangieren; (*rewrite*) *play, novel* umschreiben **❸** THEAT, FILM *role* neu besetzen

re·cede [rɪˈsiːd] *vi* **❶** (*move farther away*) *sea, tide* zurückgehen; *fog* sich auflösen **❷** (*appear farther off*) **to ~ into the distance** in der Ferne verschwinden **❸** (*fig: diminish*) weniger werden; *memories* verblassen; *prices, hopes* sinken **❹** (*stop growing*) *hair* aufhören zu wachsen; (*go bald*) kahl[köpfig] werden

re·ced·ing ˈchin *n* fliehendes Kinn

re·ced·ing ˈhair·line *n* einsetzende Stirnglatze

re·ceipt [rɪˈsiːt] **I.** *n* **❶** *no pl* (*act of receiving*) Eingang *m*, Erhalt *m;* **on ~** bei Erhalt **❷** (*statement acknowledging payment*) Quittung *f*; (*statement acknowledging acquisition*) Empfangsbestätigung *f* **❸** *pl* (*money*) Einnahmen *pl* **II.** *vt bill* quittieren

re·ˈceipt book *n* Quittungsbuch *nt*

re·ceiv·able [rɪˈsiːvəbl] **I.** *adj pred* ausstehend **II.** *n* FIN ◼ **~s** *pl* Außenstände *pl*

re·ceive [rɪˈsiːv] **I.** *vt* **❶** (*get*) erhalten; *pension, salary* beziehen; **to ~ Communion** die heilige Kommunion empfangen; **to ~ a clean bill of health** eine gute Gesundheit attestiert bekommen **❷** (*be awarded*) *degree, knighthood* erhalten; *prize, reward* [verliehen] bekommen **❸** (*get in writing*) erhalten; (*take delivery of*) annehmen, entgegennehmen; *ultimatum* gestellt bekommen **❹** RADIO, TV empfangen **❺** *confession, oath* abnehmen; *petition* entgegennehmen **❻** (*be receptacle for*) auffangen **❼** (*suffer*) *blow, shock* erleiden **❽** (*react to*) *criticizm, suggestions* aufnehmen **❾** (*admit to membership*) **to ~ sb into an organization** jdn in eine Organisation aufnehmen **II.** *vi* (*in tennis*) den Ball bekommen

re·ceived [rɪˈsiːvd] *adj attr* allgemein akzeptiert; *opinion* landläufig

re·ceiv·er [rɪˈsiːvəʳ] *n* **❶** (*telephone component*) Hörer *m* **❷** RADIO, TV Empfänger *m* **❸** (*person*) Empfänger(in) *m(f)* **❹** *esp* BRIT, AUS *of stolen goods* Hehler(in) *m(f)* **❺** (*in bankruptcy cases*) **to be put in the hands of the ~** liquidiert werden

re·cent [ˈriːs°nt] *adj* kürzlich; **~ developments** die neuesten Entwicklungen; **~ events** die jüngsten Ereignisse; **in ~ times** in der letzten Zeit

re·cent·ly [ˈriːs°ntli] *adv* kürzlich, vor kurzem, neulich; **have you seen any good films ~?** hast du in letzter Zeit irgendwelche guten Filme gesehen?

re·cep·ta·cle [rɪˈsept°kl] *n* [Sammel]behälter *m*

re·cep·tion [rɪˈsepʃ°n] *n* **❶** *no pl* (*receiving*) Aufnehmen *nt* **❷** (*response*) Aufnahme *f* **❸** *no pl* RADIO, TV Empfang *m* **❹** *no pl* (*receiving people*) Empfang *m* **❺** *no pl* (*formal welcoming*) offizieller Empfang **❻** (*social occasion*) Empfang *m* **❼** *no pl, no art* (*area for greeting guests*) Rezeption *f* **❽** BRIT SCH *see* **reception class**

re·ˈcep·tion area *n* TOURIST Rezeption *f*, Empfang *m* **re·ˈcep·tion cen·tre** *n* BRIT Aufnahmelager *nt* **re·ˈcep·tion class** *n* BRIT SCH erste Klasse **re·ˈcep·tion desk** *n* Rezeption *f*

re·cep·tion·ist [rɪˈsepʃ°nɪst] *n* (*in hotels*) Empfangschef *m;* (*female*) Empfangsdame *f;* (*with offices*) Empfangssekretärin *f;* (*in hospitals*) Herr *m*/Dame *f* an der Anmeldung

re·cep·tive [rɪˈseptɪv] *adj* empfänglich (**to** für)

re·cep·tive·ness [rɪˈseptɪvnəs], **re·cep·tiv·ity** [ˌriːsepˈtɪvəti] *n no pl* Empfänglichkeit *f*, Aufnahmebereitschaft *f*

re·cess [ˈriːses, rɪˈses] **I.** *n* <*pl* -es> **❶** LAW,

POL [Sitzungs]pause *f* ❷ *esp* AM, AUS SCH
Pause *f* ❸ ARCHIT Nische *f* **II.** *vt* ❶ ARCHIT *fit-
ment* aussparen ❷ (*suspend*) *proceedings*
vertagen **III.** *vi esp* AM, AUS [eine] Pause
machen; LAW, POL sich vertagen

re·ces·sion [rɪˈseʃᵊn] *n* Rezession *f*

re·ces·sive [rɪˈsesɪv] *adj* rezessiv

re·charge [ˌriːˈtʃɑːdʒ] **I.** *vt battery* [neu] aufladen; *gun* nachladen; **to ~ one's bat-
teries** (*fig*) neue Kräfte tanken **II.** *vi battery* sich [neu] aufladen; (*fig*) *person* neue
Kräfte tanken

re·charge·able [ˌriːˈtʃɑːdʒəbl] *adj* [wie-
der]aufladbar

re·cidi·vism [rəˈsɪdɪvɪzᵊm] *n no pl* Rück-
fälligkeit *f*

re·cidi·vist [rəˈsɪdɪvɪst] **I.** *n* Rückfalltä-
ter(in) *m(f)* **II.** *adj* rückfällig

reci·pe [ˈresɪpi] *n* ❶ (*in cooking*) Rezept *nt*
(**for** für) ❷ (*for producing sth*) **a ~ for success** ein Erfolgsrezept *nt*

re·cipi·ent [rəˈsɪpiənt] *n* Empfänger(in)
m(f)

re·cip·ro·cal [rəˈsɪprək²l] **I.** *adj* ❶ (*mutual*)
beidseitig; *favour, help* gegenseitig ❷ (*reverse*) umgekehrt ❸ MATH, LING reziprok
fachspr **II.** *n* MATH reziproker Wert *fachspr*

re·cip·ro·cate [rəˈsɪprəkeɪt] **I.** *vt* **to ~
help/a favour** sich für die Hilfe/einen Gefallen revanchieren; *love, trust* erwidern
II. *vi* sich revanchieren (**with** mit)

reci·proc·ity [resɪˈprɒsəti] *n no pl* Gegenseitigkeit *f*, Wechselseitigkeit *f*

re·cit·al [rɪˈsaɪt²l] *n* ❶ (*performance*) *of
poetry, music* Vortrag *m; of dance* Aufführung *f;* **piano ~** Klavierkonzert *nt; vocal ~**
Liederabend *m* ❷ (*description*) Schilderung *f; of facts, details* Aufzählung *f*

reci·ta·tion [resɪˈteɪʃᵊn] *n* LIT Rezitation *f*

reci·ta·tive [resɪtəˈtiːv] *n* MUS Rezitativ *nt*

re·cite [rɪˈsaɪt] **I.** *vt* ❶ (*say aloud*) *lesson,
oath* vortragen; *monologue, poem* [aus-
wendig] aufsagen ❷ (*tell*) *one's adventures, a story* vortragen ❸ (*enumerate*)
arguments, complaints aufzählen; *dates,
facts* hersagen **II.** *vi* rezitieren, vortragen

reck·less [ˈrekləs] *adj* (*not cautious*) unbesonnen, leichtsinnig; *disregard, speed*
rücksichtslos; LAW grob fahrlässig

reck·less·ness [ˈrekləsnəs] *n no pl* Leichtsinn *m; of sb's driving* Rücksichtslosigkeit *f;
of speed* Gefährlichkeit *f; in sports*
Gewagtheit *f*

reck·on [ˈrekᵊn] **I.** *vt* ❶ (*calculate*) berechnen ❷ (*judge*) **she is ~ed to be among
the greatest professional ice skaters of
all time** sie zählt zu den größten Prof-
schlittschuhläuferinnen aller Zeiten; **I**

don't **~ much to their chances of winning** bei ihnen rechne ich nicht wirklich
mit Gewinnchancen; **I ~ you won't see
her again** ich denke nicht, dass du sie je
wiedersehen wirst **II.** *vi* (*fam*) meinen
◆**reckon in** *vt* [mit] einrech-
nen ◆**reckon on** *vt* ■**to ~ on sth/sb**
(*need*) auf etw/jdn zählen; (*hope*) mit
etw/jdm rechnen; **I don't ~ on him ever
coming back** ich rechne nicht damit, dass
er jemals zurückkommt ◆**reckon up** *vt*
bill, costs, estimate zusammenrechnen
◆**reckon with** *vt* (*take into account*)
■**to ~ with sth/sb** mit etw/jdm rechnen;
**I didn't ~ with having to re-type the
whole document** ich habe nicht damit
gerechnet, das ganze Schriftstück noch mal
tippen zu müssen ◆**reckon without** *vt*
■**to ~ without sth/sb** mit etw/jdm nicht
rechnen

reck·on·ing [ˈrekᵊnɪŋ] *n* ❶ *no pl* (*calculation*) Berechnung *f;* **by sb's ~** nach jds
Rechnung ❷ (*opinion*) **to be out in
one's ~** falschliegen ❸ (*vengeance*) Abrechnung *f*

re·claim [rɪˈkleɪm] *vt* ❶ (*claim back*) zurückverlangen; *luggage* abholen ❷ (*make
usable*) *land* urbar machen; **to ~ land
from the sea** dem Meer Land abgewinnen

re·cla·ma·tion [rekləˈmeɪʃᵊn] *n no pl*
❶ (*demanding*) Rückforderung *f;* (*receiving*) Rückgewinnung *f* ❷ *of land, resources* Kultivierung *f; land ~* Landgewin-
nung *f* ❸ (*form: redemption*) *person* Besserung *f*

re·cline [rɪˈklaɪn] **I.** *vi person* sich zurücklehnen; **to ~ on a bed/sofa/in a chair**
sich auf einem Bett/Sofa/in einem Stuhl
ausruhen **II.** *vt* **to ~ one's chair/seat** die
Rückenlehne seines Stuhls/Sitzes nach
hinten stellen; **to ~ one's head against
sth** den Kopf an etw *akk* lehnen

re·clin·er [rɪˈklaɪnəʳ] *n* [verstellbarer] Lehnstuhl

re·clin·ing 'chair, re·clin·ing 'seat *n*
[verstellbarer] Lehnstuhl; (*in a bus, car,
plane*) Liegesitz *m*

re·cluse [rɪˈkluːs] *n* Einsiedler(in) *m(f)*

re·clu·sive [rɪˈkluːsɪv] *adj* einsiedlerisch,
zurückgezogen

rec·og·ni·tion [rekəgˈnɪʃᵊn] *n no pl*
❶ (*act, instance*) [Wieder]erkennung *f;* **to
change beyond ~** nicht wiederzuerkennen sein ❷ (*appreciation, acknowledgement*) Anerkennung *f*

rec·og·niz·able [rekəgˈnaɪzəbl] *adj* erkennbar

re·cog·ni·zance [rɪˈkɒɡnɪzᵊn(t)s] *n* LAW

schriftliche Verpflichtung (*vor Gericht*)

rec·og·nize ['rekəgnaɪz] *vt* ❶ (*identify*) *person, symptoms* erkennen; (*know again*) *person, place* wiedererkennen ❷ (*demonstrate appreciation*) anerkennen ❸ (*acknowledge*) *country, regime, state* anerkennen; ■ **to be ~d as sth** als etw gelten ❹ LAW (*allow to speak*) ■ **to ~ sb** jdm das Wort erteilen

rec·og·nized ['rekəgnaɪzd] *adj attr* anerkannt

re·coil I. *vi* [rɪ'kɔɪl] ❶ (*spring back*) zurückspringen; (*draw back*) zurückweichen; **to ~ in horror** zurückschrecken; (*mentally*) ■ **to ~ at sth** vor etw *dat* zurückschrecken ❷ (*be driven backwards*) *gun* einen Rückstoß haben; *rubber band, spring* zurückschnellen II. *n* ['ri:kɔɪl] Rückstoß *m*

rec·ol·lect [ˌrekə'lekt] I. *vt* ■ **to ~ sth/sb** sich an etw/jdn erinnern II. *vi* sich erinnern

rec·ol·lec·tion [ˌrekə'lekʃ³n] *n* ❶ (*memory*) Erinnerung *f;* **to have no ~ of sth** sich an etw *akk* nicht erinnern können ❷ *no pl* (*ability to remember*) **power of ~** Erinnerungsvermögen *nt*

rec·om·mend [ˌrekə'mend] *vt* empfehlen; **to highly/strongly ~ sth** etw wärmstens empfehlen; **the doctor ~s** [**that**] **I take more exercise** der Arzt rät, dass ich mich mehr bewege

rec·om·mend·able [ˌrekə'mendəbl̩] *adj* empfehlenswert

rec·om·men·da·tion [ˌrekəmen'deɪʃ³n] *n* ❶ (*suggestion*) Empfehlung *f* ❷ (*advice*) Empfehlung *f,* Rat *m*

rec·om·pense ['rekəmpen(t)s] I. *n no pl* ❶ (*reward*) Belohnung *f;* **in ~ for** als Belohnung für ❷ (*retribution*) Entschädigung *f* (**for** für) II. *vt* ■ **to ~ sb** (*pay back*) jdm eine Entschädigung zahlen; (*for damages*) jdn entschädigen (**for** für)

rec·on·cile ['rekənsaɪl] *vt* ❶ (*make friends*) versöhnen; **my brother and I were finally ~d with each other** mein Bruder und ich haben uns schließlich versöhnt ❷ (*make compatible*) *conflict* schlichten; *differences* beilegen; **it's difficult to ~ different points of view** es ist schwierig, verschiedene Standpunkte unter einen Hut zu bringen; ■ **to ~ sth with sth** etw mit etw *dat* vereinbaren; AM **to ~ accounts/one's checkbook** FIN Konten/sein Scheckbuch abgleichen ❸ (*accept*) ■ **to ~ oneself to sth** sich mit etw *dat* abfinden

rec·on·cilia·tion *n* ❶ (*of good relations*) Aussöhnung *f,* Versöhnung *f* ❷ *no pl* (*making compatible*) Beilegung *f;* **the ~ of the**

facts with the theory is not always easy das Vereinbaren von Fakten mit der Theorie ist nicht immer einfach

re·con·di·tion [ˌriːkən'dɪʃ³n] *vt engine, ship* [general]überholen; **a ~ed engine** ein Austauschmotor *m*

re·con·nais·sance [rɪ'kɒnɪs³n(t)s] I. *n* MIL Aufklärung *f;* **to be on ~** auf Spähpatrouille sein II. *adj attr* MIL Aufklärungs-; **~ patrol** Spähpatrouille *f*

rec·on·noi·tre, AM **rec·on·noi·ter** [ˌrekə'nɔɪtər] I. *vt* MIL *enemy territory* auskundschaften II. *vi* MIL das Gelände erkunden III. *n* (*fam*) Aufklärungseinsatz *m*

re·con·sid·er [ˌriːkən'sɪdər] I. *vt* ■ **to ~ sth** etw [noch einmal] überdenken; *facts* etw neu erwägen; *case* etw wieder aufnehmen II. *vi* sich *dat* etw [noch einmal] überlegen

re·con·struct [ˌriːkən'strʌkt] *vt* ❶ (*build again*) wiederaufbauen; *economy, a government* wiederherstellen ❷ (*reorganize*) *company* umstrukturieren; **after the divorce, it took him almost a year to ~ his life** nach der Scheidung brauchte er fast ein Jahr, um sein Leben wieder in den Griff zu bekommen ❸ (*in an investigation*) *crime, events* rekonstruieren

re·con·struc·tion [ˌriːkən'strʌkʃ³n] *n* ❶ *no pl* (*rebuilding*) Rekonstruktion *f;* *of a country* Wiederaufbau *m* ❷ (*reorganization*) *system* Neustrukturierung *f,* Neuaufbau *m* ❸ *of crime, events* Rekonstruktion *f*

rec·ord I. *n* ['rekɔːd] ❶ (*information*) Aufzeichnungen *pl,* Unterlagen *pl;* (*document*) Akte *f;* *of attendance* Liste *f;* (*minutes*) Protokoll *nt,* Niederschrift *f;* **to keep ~s** (*register*) Buch führen; (*list*) eine Liste führen; *historian* Aufzeichnungen machen; **for the ~** (*for the minutes*) für das Protokoll; (*as a matter of form*) der Ordnung halber ❷ *no pl* (*past history*) Vorgeschichte *f;* **criminal ~** Vorstrafenregister *nt;* **to have a criminal ~** vorbestraft sein; **to have an excellent ~** *worker, employee* ausgezeichnete Leistungen vorweisen können; **to have a good/bad ~** einen guten/schlechten Ruf haben; **medical ~** Krankenblatt *nt* ❸ (*music*) [Schall]platte *f* ❹ SPORTS Rekord *m;* **world ~** Weltrekord *m;* **to break a ~** einen Rekord brechen; **to set a ~** einen Rekord aufstellen ❺ LAW (*court report*) [Gerichts]protokoll *nt* ▸ **to put the ~ straight** alle Missverständnisse aus dem Weg räumen; **to say sth on/off the ~** etw offiziell/inoffiziell sagen II. *adj* ['rekɔːd] Rekord-; **to reach a ~ high/low** ein Rekordhoch/Rekordtief *nt* erreichen; **to do sth in ~ time** etw in Rekordzeit erledigen

III. vt [ɪˈkɔːd] ❶ (store) facts, events aufzeichnen; birth, death, marriage registrieren; one's feelings, ideas, thoughts niederschreiben ❷ (register) speed, temperature messen ❸ (for later reproduction) FILM, MUS aufnehmen; event dokumentieren; speech aufzeichnen **IV.** vi [ɪˈkɔːd] (on tape, cassette) Aufnahmen machen; person eine Aufnahme machen; machine aufnehmen

'**rec·ord-break·er** n (performance) Rekordleistung f, Rekordergebnis nt; (person) Rekordler(in) m(f) fam '**rec·ord-break·ing** adj attr Rekord-

re·cord·ed [ɪˈkɔːdɪd] adj ❶ (appearing in records) verzeichnet, dokumentiert, belegt ❷ (stored electronically) aufgenommen, aufgezeichnet

re·cord·er [ɪˈkɔːdəʳ] n ❶ (record-keeper) Registriergerät nt ❷ (machine) Rekorder m ❸ MUS (instrument) Blockflöte f ❹ BRIT LAW (judge) Anwalt m/Anwältin f in Richterfunktion

'**rec·ord hold·er** n Rekordhalter(in) m(f)

re·cord·ing [ɪˈkɔːdɪŋ] n ❶ no pl (process) Aufnahme f ❷ (of sound) Aufnahme f; (of programme) Aufzeichnung f

re·'cord·ing ses·sion n Aufnahme f **re·'cord·ing stu·dio** n Aufnahme-/Tonstudio nt

'**rec·ord la·bel** n Plattenlabel nt '**rec·ord li·brary** n Plattenverleih m; archives Phonothek f; (collection) Plattensammlung f '**rec·ord play·er** n [Schall]plattenspieler m '**rec·ord to·ken** n [Schall]plattengutschein m

re·count¹ **I.** vt [ˌriːˈkaʊnt] (count again) nachzählen **II.** vi [ˌriːˈkaʊnt] POL eine erneute Stimmenauszählung durchführen **III.** n ['riːkaʊnt] POL erneute Stimmenauszählung

re·count² [ɪˈkaʊnt] vt (tell) [ausführlich] erzählen

re·coup [ɪˈkuːp] **I.** vt ❶ (regain) costs, one's investment wiedereinbringen; one's losses wettmachen; **to ~ one's strength** wieder zu Kräften kommen ❷ (reimburse) ▪**to ~ sb for sth** jdn für etw akk entschädigen **II.** vi sich erholen; ▪**to ~ from sth** sich von etw dat erholen

re·course [ɪˈkɔːs] n no pl Zuflucht f; **to have ~ to sb** sich an jdn wenden können; **to have ~ to sth** Zuflucht zu etw dat nehmen können; ▪**without ~ to sth/sb** ohne etw/jdn in Anspruch zu nehmen

re·cov·er [ɪˈkʌvəʳ] **I.** vt ❶ (get back) one's health zurückerlangen; sth lent zurückbekommen; one's appetite wiedergewinnen; stolen goods sicherstellen; one's balance/composure wiederfinden; **to ~ consciousness** wieder zu Bewusstsein kommen; **to ~ data** Daten wiederherstellen; **to ~ one's hearing/sight** wieder hören/sehen können; **to ~ one's strength** wieder zu Kräften kommen ❷ (obtain) coal, ore gewinnen; **to ~ compensation/damages** LAW eine Entschädigung/Schadenersatz erhalten; **to ~ possession** den Besitz wiedererlangen **II.** vi sich erholen; ▪**to ~ from sth** sich von etw dat erholen

re·cov·er [ˌriːˈkʌvəʳ] vt chair, sofa neu beziehen

re·cov·er·able [ɪˈkʌvəʳəbl] adj FIN costs erstattungsfähig; damage, loss ersetzbar; debt eintreibbar; COMPUT wiederherstellbar

re·cov·ery [ɪˈkʌvəri] n ❶ no pl (action) MED Erholung f; of sight/hearing Wiedererlangung f; **to make a full/quick/slow ~ from sth** sich völlig/schnell/langsam von etw dat erholen; **to show signs of ~** [erste] Zeichen einer Besserung zeigen; ECON [Anzeichen für] einen Aufschwung erkennen lassen; **to be beyond ~** nicht mehr zu retten sein ❷ no pl (getting back) also FIN Wiedererlangung f, Zurückgewinnung f; of a body, an object Bergung f; **cost ~** Kostendeckung f; **~ of damages** Erlangung f eines Schaden[s]ersatzes

re·'cov·ery ser·vice n Abschleppdienst m **re·'cov·ery ship** n Bergungsschiff nt **re·'cov·ery ve·hi·cle** n Abschleppwagen m

re·cre·ate [ˌriːkriˈeɪt] vt ❶ (create again) wiederherstellen; of friendship wiederbeleben ❷ (reproduce) nachstellen

re·crea·tion¹ [ˌriːkriˈeɪʃ°n] n ❶ no pl (creation again) Wiedergestaltung f ❷ (reproduction) Nachstellung f

re·crea·tion² [ˌrekriˈeɪʃ°n] n ❶ (hobby) Freizeitbeschäftigung f, Hobby nt ❷ no pl (fun) Erholen nt, Entspannen nt; **to do sth for ~** etw zur Erholung tun

rec·rea·tion·al [ˌrekriˈeɪʃ°n°l] adj Freizeit-, Erholungs-; **~ drug** weiche Droge

rec·rea·tion·al 've·hi·cle n AM Caravan m, Wohnwagen m

rec·re·'a·tion ground n BRIT Freizeitgelände nt **rec·re·'a·tion room** n Aufenthaltsraum m

rec·rea·tive [ˌrekriˈeɪtɪv] adj erholsam, entspannend

re·crimi·nate [rəˈkrɪmɪneɪt] vi gegenseitige Anschuldigungen vorbringen

re·crimi·na·tion [rəˌkrɪmɪˈneɪʃ°n] n usu pl Gegenbeschuldigung f; LAW Gegenklage f

re·cruit [ɪˈkruːt] **I.** vt employees einstellen;

members werben; *soldiers* rekrutieren; **to ~ volunteers** Freiwillige finden **II.** *vi army* Rekruten anwerben; *company* Neueinstellungen vornehmen; *club, organization* neue Mitglieder werben **III.** *n* MIL Rekrut(in) *m(f); to party, club* neues Mitglied; *staff* neu eingestellte Arbeitskraft

re·cruit·ing [rɪ'kruːtɪŋ] **I.** *n no pl* MIL Rekrutierung *f;* (*in business*) [An]werben *nt* [von Arbeitskräften] **II.** *adj attr* (*in army*) Rekrutierungs-; (*in business*) Einstellungs-; **~ agent** [Personal]anwerber(in) *m(f)*

re·cruit·ment [rɪ'kruːtmənt] **I.** *n no pl of soldiers* Rekrutierung *f; of employees* Neueinstellung *f; of members, volunteers* Anwerbung *f* **II.** *adj attr* Anwerbungs-; **~ agency** Personal|vermittlungs|agentur *f;* **~ consultant** Angestellte(r) *f(m)* einer Personalagentur; **~ drive** Anwerbungskampagne *f*

rec·tan·gle ['rektæŋgl] *n* Rechteck *nt*

rec·tan·gu·lar [rek'tæŋgjələ^r] *adj* rechteckig; *coordinates* rechtwinklig

rec·ti·fi·ca·tion [ˌrektɪfɪ'keɪʃ^ən] *n* **❶** *no pl of a mistake, situation* Berichtigung *f,* Korrektur *f; of a statement* Richtigstellung *f* **❷** ELEC *of current* Gleichrichtung *f*

rec·ti·fy <-ie-> ['rektɪfaɪ] *vt* **❶** (*set right*) korrigieren; *omission* nachholen **❷** ELEC *current* gleichrichten **❸** CHEM (*refine*) *liquor* rektifizieren

rec·ti·lin·ear [ˌrektɪ'lɪniə^r] *adj* g[e]radlinig

rec·ti·tude ['rektɪtjuːd] *n no pl* (*form*) Rechtschaffenheit *f*

rec·tor ['rektə^r] *n* **❶** BRIT REL (*parish priest*) Pfarrer *m* **❷** SCOT UNIV (*student rep*) Rektor(in) *m(f);* AM (*head of school*) Rektor(in) *m(f)*

rec·tory ['rekt^əri] *n* Pfarrhaus *nt*

rec·tum <*pl* -ta *or* -s> ['rektəm, *pl* -tə] *n* MED Rektum *nt fachspr,* Mastdarm *m*

re·cum·bent [rɪ'kʌmbənt] *adj* (*liter*) liegend, ruhend; **to be ~** liegen; *plant* kleinwüchsig sein

re·cu·per·ate [rɪ'kjuː:p^əreɪt] **I.** *vi* **to ~ from the flu/an operation** sich von der Grippe/einer Operation erholen **II.** *vt* wettmachen

re·cu·pera·tion [rɪˌkjuː:p^ə'eɪʃ^ən] *n no pl* Erholung *f;* MED Gesundung *f geh* (**from** von); **powers of ~** Heilkräfte *pl*

re·cur <-rr-> [rɪ'kɜː^r] *vi* **❶** (*happen again*) *event* wieder passieren, sich wiederholen; *opportunity* wieder sich bieten; *pain, symptoms* wieder auftreten; *problem, theme* wiederauftauchen **❷** (*come to mind*) ■**to ~ to sb** jdm wieder einfallen

re·cur·rence [rɪ'kʌr^ən(t)s] *n* Wiederholung *f,* erneutes Auftreten

re·cur·rent [rɪ'kʌrənt] *adj attr,* **re·cur·ring** [rɪ'kɜː:rɪŋ] *adj attr* sich wiederholend; *dream, nightmare* [ständig] wiederkehrend; *bouts, problems* wiederholt auftretend; **~ costs** laufende Kosten

re·cur·ring 'deci·mal *n* MATH periodischer Dezimalbruch

re·cy·clable [rɪ'saɪkləbl] *adj* recycelbar, wiederverwertbar

re·cy·cle [rɪ'saɪkl] *vt* **❶** (*convert into sth new*) recyceln, wiederaufbereiten **❷** (*fig: use again*) wiederverwenden

re·cy·cling [rɪ'saɪklɪŋ] **I.** *n no pl* Recycling *nt,* Wiederverwertung *f* **II.** *adj attr* Recycling-; **~ bin** Wertstofftonne *f*

red [red] **I.** *adj* <-dd-> **❶** (*colour*) rot **❷** (*fig: flushing*) **she's gone bright ~ with embarrassment/anger** sie ist ganz rot vor Verlegenheit/Wut [geworden] **❸** (*bloodshot*) *eyes* rot, gerötet **❹** POL (*Socialist*) rot; *Communist* kommunistisch **II.** *n* **❶** (*colour*) Rot *nt;* (*shade*) Rotton *m;* [*dressed*] **all in ~** ganz in Rot gekleidet **❷** *no pl* FIN **to be in the ~** in den roten Zahlen sein **❸** POL (*pej fam: left-winger*) Rote(r) *f(m) fam*

Red 'Army *n no pl* ■**the ~** die Rote Armee

red-'blood·ed *adj* heißblütig **'red·cap** *n* **❶** BRIT MIL (*sl: policeman*) Militärpolizist *m* **❷** AM (*dated: at railway*) Gepäckträger *m*

Red 'Cres·cent *n* ■**the ~** der Rote Halbmond **Red 'Cross** *n* ■**the ~** das Rote Kreuz **red-'cur·rant** **I.** *n* [rote] Johannisbeere **II.** *adj* Johannisbeer- **red 'deer** *n* **❶** (*animal*) Rothirsch *m* **❷** *no pl* (*species*) Rotwild *nt*

red·den ['red^ən] **I.** *vi face, eyes* sich röten; *person* rot werden; *leaves, sky, water* sich rot färben **II.** *vt* rot färben

red·dish ['redɪʃ] *adj* rötlich

re·deco·rate [ˌriː'dekəreɪt] **I.** *vt* (*by painting*) neu streichen; (*by wallpapering*) neu tapezieren **II.** *vi* renovieren

re·deco·ra·tion [ˌriːdekə'reɪʃ^ən] *n* Renovierung *f;* (*with paint*) Neuanstrich *m;* (*with wallpaper*) Neutapezieren *nt*

re·deem [rɪ'diːm] *vt* **❶** (*compensate for*) *fault, mistake* wettmachen **❷** (*save*) **to ~ one's good name/reputation** seinen guten Namen/Ruf wiederherstellen; **he tried to ~ himself by giving her a huge bunch of flowers** er versuchte, sie mit einem riesigen Strauß Blumen wieder versöhnlich zu stimmen; ■**to ~ sb** REL jdn erlösen **❸** FIN (*convert*) *bond, coupon* einlösen; (*from pawnshop*) [gegen Zahlung] zurückerhalten **❹** FIN (*pay off*) ab[be]zah-

R

len; **to ~ a mortgage** eine Hypothek tilgen ❺ (*fulfil*) erfüllen; *promise* einlösen

re·deem·able [rɪ'diːməbl] *adj* ❶ (*financially*) *coupon, savings certificate, voucher* einlösbar; *mortgage* tilgbar; *loan* rückzahlbar ❷ (*by compensation*) ▪ **to be ~** *faux pas, fault* wieder gutzumachen sein

Re·deem·er [rɪ'diːmə'] *n* REL ▪ **the ~** der Erlöser

re·deem·ing [rɪ'diːmɪŋ] *adj attr* ausgleichend; **the only ~ feature of the dull film was the soundtrack** das einzig Positive an dem langweiligen Film war die Filmmusik; **he has absolutely no ~ qualities** er hat aber auch gar nichts Gewinnendes an sich

re·de·fine [ˌriːdɪ'faɪn] *vt* ▪ **to ~ sb/sth** jdn/etw neu definieren

re·demp·tion [rɪ'dem(p)ʃən] *n no pl* ❶ (*from blame, guilt*) Wiedergutmachung *f*, Ausgleich *m*; REL (*from sin*) Erlösung *f* ❷ (*rescue*) **to be beyond ~** nicht mehr zu retten sein ❸ FIN (*conversion*) *of a bond, coupon* Einlösen *nt*; *of a debt, loan* Tilgung *f*

re·de·ploy [ˌriːdɪ'plɔɪ] *vt* *workers, staff, troops* verlegen

re·de·ploy·ment [ˌriːdɪ'plɔɪmənt] *n* *of workers, staff, troops* Verlegung *f*

re·de·vel·op [ˌriːdɪ'veləp] *vt* *neighbourhood, area* sanieren; *machine* neu entwickeln

re·de·vel·op·ment [ˌriːdɪ'veləpmənt] I. *n* Sanierung *f* II. *adj* *fund, loan* Sanierungs-

red-'haired *adj* rothaarig **red-'hand·ed** *adj* **to catch sb ~** jdn auf frischer Tat ertappen **'red·head** *n* Rothaarige(r) *f(m)*, Rotschopf *m* **red-'head·ed** *adj* ❶ (*person*) rothaarig ❷ (*bird*) mit roter Haube **red 'her·ring** *n* ❶ (*fish*) Räucherhering *m* ❷ (*sth misleading*) Ablenkungsmanöver *nt* **red-'hot** *adj* ❶ (*glowing*) **to be ~** [rot] glühen; (*fig*) glühend heiß sein ❷ (*brand new*) *news, data* brandaktuell, brandheiß *fam*

Red 'In·dian *n* (*pej! dated*) Indianer(in) *m(f)*

re·di·rect [ˌriːdɪ'rekt] *vt* **to ~ one's interests** seine Interessen neu ausrichten; **to ~ a letter/package** einen Brief/ein Paket nachsenden; **to ~ resources** Mittel umverteilen; **to ~ traffic** Verkehr umleiten

re·dis·cov·er [ˌriːdɪs'kʌvə'] *vt* ▪ **to ~ sth** etw wiederentdecken

re·dis·tri·bute [ˌriːdɪ'strɪbjuːt] *vt* *land, resources wealth* umverteilen

re·dis·tri·bu·tion [ˌriːdɪstrɪ'bjuːʃən] *n no pl* Umverteilung *f*

red-'let·ter day *n* ein besonderer Tag, den man sich im Kalender rot anstreichen muss **red 'light** *n* rote Ampel **red-'light dis·trict** *n* Rotlichtviertel *nt* **red 'meat** *n no pl* dunkles Fleisch (*wie Rind, Lamm und Reh*) **'red·neck** *n esp* AM (*pej fam*) weißer Arbeiter aus den am. Südstaaten, oft mit reaktionären Ansichten

red·ness ['rednəs] *n no pl* Röte *f*

re·do <-did, -done> [ˌriː'duː] *vt* ❶ (*do again*) ▪ **to ~ sth** etw noch einmal machen; *task* mit etw *dat* von vorn beginnen ❷ (*redecorate*) renovieren

redo·lent ['redələnt] *adj pred* (*form*) ▪ **to be ~ of sth** ❶ (*smelling*) nach etw *dat* duften ❷ (*suggestive*) [stark] an etw *akk* erinnern

re·dou·ble [ˌriː'dʌbl] I. *vt* verdoppeln II. *vi* sich verdoppeln

re·doubt·able [rɪ'daʊtəbl] *adj person* Respekt einflößend; (*hum*) gefürchtet

red 'pep·per *n* ❶ (*fresh*) rote(r) Paprika ❷ *no pl* (*powdered*) Paprikagewürz *nt*; (*Cayenne*) Cayennepfeffer *m*

re·draft [ˌriː'drɑːft] I. *vt* *contract, law, proposal* neu entwerfen; *map* überarbeiten II. *n* überarbeiteter Entwurf

re·dress [rɪ'dres] I. *vt* ❶ *mistake* wiedergutmachen; *situation* bereinigen; *grievance* beseitigen II. *n no pl* Wiedergutmachung *f*, Abhilfe *f*; *of an imbalance* Behebung *f*; *of a grievance* Beseitigung *f*; LAW **to seek ~** einen Regressanspruch geltend machen

Red 'Sea *n* ▪ **the ~** das Rote Meer **red 'tape** *n no pl* Bürokratie *f*

re·duce [rɪ'djuːs] I. *vt* ❶ (*make less*) verringern, reduzieren; *price* heruntersetzen; *backlog* aufholen; *taxes* senken; *wages* kürzen ❷ (*make smaller*) *drawing, photo* verkleinern; MATH *fraction* kürzen; *liquids, a sauce* einkochen lassen ❸ (*bring down*) **when he lost his job, they were ~d to begging help from his parents** als er seine Arbeit verlor, waren sie gezwungen, seine Eltern um Hilfe zu bitten; **to ~ sb to tears** jdn zum Weinen bringen ❹ MED (*repair*) **to ~ a dislocated arm/joint** einen ausgekugelten Arm/ein Gelenk einrenken II. *vi* AM abnehmen; **to be reducing** eine Diät machen

re·duced [rɪ'djuːst] *adj attr* ❶ (*in price*) reduziert, heruntergesetzt ❷ (*in number, size, amount*) reduziert, verringert; **to be in ~ circumstances** in verarmten Verhältnissen leben; **~ risk** niedriges Risiko; **on a ~ scale** in kleinerem Umfang; **~ [jail] sentence** herabgesetzte [Gefängnis]strafe

re·duc·er [rɪ'duːsə, -'djuː-] *n* AM *Person,*

die eine Diät macht

re·duc·tion [rɪ'dʌkʃ⁽ə⁾n] *n* **❶** *no pl* (*action*) Reduzierung *f*, Reduktion *f*, Verringerung *f*; *in taxes* Senkung *f*; *of staff* Abbau *m* **❷** (*decrease*) Reduzierung *f*, Verminderung *f*; ~ **in taxes** Steuersenkung *f*; *in production, output* Drosselung *f*; *in expense, salary* Reduzierung *f*, Senkung *f*; **a ~ in traffic** ein verringertes Verkehrsaufkommen **❸** *of drawing, photo* Verkleinerung *f* **❹** (*simplification*) Vereinfachung *f*

re·dun·dan·cy [rɪ'dʌndənsi] *n* **❶** *no pl* Brit, Aus econ (*downsizing*) Entlassung *f* (*aus Arbeitsmangel oder Rationalisierungsgründen*); (*unemployment*) Arbeitslosigkeit *f*; **voluntary ~** freiwilliges Ausscheiden **❷** Brit, Aus econ (*instance*) Entlassung *f* **❸** *no pl* ling Redundanz *f* **❹** ling (*instance*) Überflüssigkeit *f*

re·'dun·dan·cy pay·ment *n* Brit, Aus Entlassungsgeld *nt*

re·dun·dant [rɪ'dʌndənt] *adj* **❶** (*superfluous*) überflüssig; ling redundant **❷** Brit, Aus (*unemployed*) arbeitslos; (*fig*) überflüssig; **to make sb ~** jdn entlassen

re·du·pli·cate [rɪ'dju:plɪkeɪt] *vi* ling reduplizieren

re·du·pli·ca·tion [rɪ,dju:plɪ'keɪʃ⁽ə⁾n] *n* ling Reduplikation *f*

red 'wine *n* Rotwein *m* **'red·wood** *n* bot **❶** (*tree*) Mammutbaum *m* **❷** *no pl* (*wood*) Redwood *nt*, Rotholz *nt*

reed [ri:d] **I.** *n* **❶** bot (*plant*) Schilf[gras] *nt* **❷** Brit (*straw*) Stroh *nt* (*zum Decken von Strohdächern*) **❸** mus (*of an instrument*) Rohrblatt *nt* **II.** *adj curtain* aus Schilfrohr

reed 'in·stru·ment *n* Rohrblattinstrument *nt*

re·edu·cate [,ri:'edʒʊkeɪt] *vt* umerziehen

reedy ['ri:di] *adj* **❶** (*full of reeds*) schilfig, schilfbedeckt **❷** *voice* durchdringend, grell **❸** (*thin*) *person* dünn

reef [ri:f] **I.** *n* **❶** geog Riff *nt*; *coral ~* Korallenriff *nt*; (*of gold ore*) [Gold]ader *f* **❷** naut (*of a sail*) Reff *nt* **II.** *vt* **to ~ the sails** die Segel reffen

reef·er ['ri:fə⁽r⁾] *n* **❶** (*jacket*) [kurze] Seemannsjacke **❷** (*sl: joint*) Joint *m fam*

'reef knot *n* Reffknoten *m*; (*square knot*) Kreuzknoten *m*

reek [ri:k] **I.** *n* Gestank *m* **II.** *vi* **❶** (*smell bad*) übel riechen **❷** (*fig: be pervaded with*) **to ~ of corruption/favouritism/racism** nach Korruption/Vetternwirtschaft/Rassismus stinken

reel [ri:l] **I.** *n* **❶** (*device*) Rolle *f*; (*for film, yarn, tape*) Spule *f*; (*for fishing line*) Angelrolle *f* **❷** (*unit*) ~ **of film** Filmrolle *f*; ~ **of**

thread Fadenspule *f* **II.** *vt* **to ~ thread** Faden *m* aufspulen

re-elect [,ri:ɪ'lekt] *vt* wiederwählen

re-elec·tion [,ri:ɪ'lekʃⁿn] *n* Wiederwahl *f*

re-em·'ploy *vt* **to ~ sb** jdn wieder einstellen

re-en·'gage *vt* wieder einstellen; *artist* wieder engagieren

re-en·ter [,ri:'entə⁽r⁾] *vt* **❶** (*go in again*) *bus, car* wieder einsteigen in +*akk*; *country* wieder einreisen in +*akk*; *house, store* wieder hineingehen in +*akk*; *room* wieder betreten; **to ~ the [earth's] atmosphere** wieder in die [Erd]atmosphäre eintreten **❷** (*enrol*) ▪**to ~ sth** sich wieder an etw *dat* beteiligen; **to ~ a club** einem Verein wieder beitreten; **to ~ Parliament** wieder ins Parlament einziehen; **to ~ politics** sich wieder an der Politik beteiligen **❸** comput (*type in*) nochmals eingeben

re-en·try [,ri:'entri] *n* **❶** *no pl* (*going in*) Wiedereintritt *m*; (*in a car*) Wiedereinstieg *m*; (*into a country*) Wiedereinreise *f* **❷** law Wiederinbesitznahme *f*

re-es·tab·lish [,ri:ɪ'stæblɪʃ] *vt* ▪**to ~ sth** etw wieder einführen; *contact, order, peace* wiederherstellen; **to ~ oneself [in a field]** sich [auf einem Gebiet] wieder behaupten

re-es·tab·lish·ment [,ri:ɪ'stæblɪʃmənt] *n* Wiederherstellung *f*, Wiedereinführung *f*; *state, enterprise* Neu[be]gründung *f*

ref [ref] *n* **❶** (*fam*) *abbrev of* **referee** Schieri *m* **❷** *abbrev of* **reference** AZ

re·fec·tory [rɪ'fektⁿri] *n of a school* Speisesaal *m*; *of a university* Mensa *f*; *of a monastery* Refektorium *nt*

re·fer <-rr-> [rɪ'fɜ:⁽r⁾] *vt* (*to hospital*) verlegen ◆**refer to** *vt* **❶** (*to an authority, expert*) **the patient was ~red to a specialist** der Patient wurde an einen Facharzt überwiesen; **to ~ a decision to sb** jdm eine Entscheidung übergeben; **to ~ an application/a letter/a request** eine Bewerbung/einen Brief/eine Bitte weiterleiten **❷** (*allude*) **who are you ~ring to?** wen meinst du?; **he always ~s to his wife as 'the old woman'** er spricht von seiner Frau immer als ,der Alten'; **~ring to your letter/phone call, ...** Bezug nehmend auf Ihren Brief/Anruf ... **❸** (*consult*) ▪**to ~ to sb** sich an jdn wenden; ▪**to ~ to sth** etw zu Hilfe nehmen

ref·eree [,refⁿ'ri:] **I.** *n* **❶** (*umpire*) Schiedsrichter(in) *m(f)* **❷** (*arbitrator*) Schlichter(in) *m(f)* **❸** Brit (*endorser*) Referenz *f* **II.** *vt* **to ~ a match** bei einem Spiel Schiedsrichter(in) sein **III.** *vi* Schiedsrichter(in) sein

ref·er·ence ['refᵊrᵊn(t)s] *n* **❶** (*to an authority*) Rücksprache *f*; (*to a book, article*) Verweis *m*; **I cut out the article for future ~** ich schnitt den Artikel heraus, um ihn später verwenden zu können; **to make ~ to sth** etw erwähnen **❷** (*responsibility*) **terms of ~** Aufgabenbereich *m* **❸** (*allusion*) *indirect* Anspielung *f*; *direct* Bemerkung *f*; (*direct mention*) Bezugnahme *f*; **with particular ~ to sth** unter besonderer Berücksichtigung einer S. *gen*; **in ~ to sb/ sth** mit Bezug auf jdn/etw **❹** (*citation*) Verweis *m*; **list of ~s** Anhang *m*; (*information*) Hinweis *m*; **for future ~ please note that we do need your account number** für die Zukunft bitten wir Sie, zur Kenntnis zu nehmen, dass wir Ihre Kontonummer benötigen **❺** (*in correspondence*) Aktenzeichen *nt* **❻** (*in library*) Ansicht *f*; **the books in that section of the library are for ~ only** die Bücher in diesem Teil der Bibliothek sind nur zum Nachschlagen gedacht **❼** (*recommendation*) Empfehlungsschreiben *nt*, [Arbeits]zeugnis *nt*, Referenz *f geh*

'ref·er·ence book *n* Nachschlagewerk *nt* **'ref·er·ence li·brary** *n* Präsenzbibliothek *f* **'ref·er·ence num·ber** *n* (*in letters*) Aktenzeichen *nt*; (*on goods*) Artikelnummer *f*

ref·er·en·dum <*pl* -s *or* -da> [ˌrefᵊr'endəm, *pl* -də] *n* POL Referendum *nt*

re·fer·ral [rɪ'fɜːrᵊl] *n* **❶** (*case*) Überweisung *f*; (*to the hospital*) Einweisung *f* **❷** *no pl* (*action*) Einweisung *f*

re·fill I. *n* ['riːfɪl] Auffüllen *nt*, Nachfüllen *nt*; *for fountain pen* Nachfüllpatrone *f*; *for ballpoint* Nachfüllmine **II.** *vt* [ˌriː'fɪl] **to ~ a cup/glass** eine Tasse/ein Glas wieder füllen

re·fine [rɪ'faɪn] *vt* **❶** (*from impurities*) raffinieren **❷** (*fig: improve*) verfeinern

re·fined [rɪ'faɪnd] *adj* **❶** (*processed*) raffiniert; *foods* aufbereitet; *metal* veredelt **❷** (*approv: sophisticated*) [hoch] entwickelt, verfeinert; **~ methods** ausgeklügelte Methoden; **~ tastes** feiner Geschmack **❸** (*well-mannered*) *person* gebildet, kultiviert

re·fine·ment [rɪ'faɪnmənt] *n* **❶** *no pl* (*processing*) Raffinieren *nt*, Raffination *f*; *of metal* Veredelung *f* **❷** (*improvement*) Verbesserung *f*; *of ideas, methods* Überarbeitung *f*, Verbesserung *f*; **with all the latest ~s** mit den neuesten technischen Raffinessen **❸** *no pl* (*good manners*) Gebildetheit *f*, Kultiviertheit *f*

re·fin·ery [rɪ'faɪnᵊri] *n* Raffinerie *f*

re·fit I. *vi* <BRIT -tt- *or* AM *usu* -t-> [ˌriː'fɪt] NAUT überholt werden **II.** *vt* <BRIT -tt- *or* AM *usu* -t-> [ˌriː'fɪt] *factory* neu ausstatten; *ship* überholen **III.** *n* ['riːfɪt] NAUT Überholung *f*

re·flate [ˌriː'fleɪt] **I.** *vt* **to ~ a currency** eine Währung [bewusst] inflationieren; **to ~ the economy** die Wirtschaft ankurbeln **II.** *vi* [bewusst] inflationieren

re·fla·tion [ˌriː'fleɪʃᵊn] *n* Reflation *f*, Konjunkturbelebung *f*

re·flect [rɪ'flekt] **I.** *vt* **❶** (*throw back*) *heat, light, sound* reflektieren; ▪**to be ~ed in sth** sich in etw *dat* spiegeln **❷** (*show*) ▪**to ~ sth** *hard work, one's views* etw zeigen [*o* zum Ausdruck bringen]; *honesty, generosity* für etw *akk* sprechen **❸** (*think*) ▪**to ~ that ...** denken, dass ... **II.** *vi* **❶** *light, mirror* reflektieren **❷** (*ponder*) nachdenken (**on/upon** über) **❸** (*make impression*) **will the accident ~ on his ability to do his job?** wird der Unfall seine Arbeitsfähigkeit beeinträchtigen?; **it ~ed badly on his character** es warf ein schlechtes Licht auf seinen Charakter

re·flect·ing [rɪ'flektɪŋ] *adj attr* reflektierend

re·flec·tion [rɪ'flekʃᵊn] *n* **❶** (*reflecting*) Reflexion *f* **❷** (*mirror image*) Spiegelbild *nt* **❸** (*fig: sign*) Ausdruck *m*; **his unhappiness is a ~ of ...** seine Unzufriedenheit ist ein Zeichen für ... **❹** *no pl* (*consideration*) Betrachtung *f*, Überlegung *f* (**on/about** über); **on ~** nach reiflicher Überlegung **❺** (*thought, comment*) Betrachtung *f* (**on/ about** über) **❻** (*discredit*) ▪**to be a ~ on sb/sth** ein Licht auf jdn/etw werfen; **to cast a ~ upon sb's abilities** jds Fähigkeiten in Frage stellen; **it's no ~ on your character** es geht nicht gegen Sie persönlich

re·flec·tive [rɪ'flektɪv] *adj* **❶** *glass, clothing* reflektierend **❷** *person* nachdenklich

re·flec·tor [rɪ'flektər] *n* **❶** (*device*) Reflektor *m*; *on a bicycle, car* Rückstrahler *m*, Katzenauge *nt* **❷** (*telescope*) Spiegelteleskop *nt* **❸** AM (*on road*) Reflektor *m*

re·flex ['riːfleks] *n* <*pl* -es> Reflex *m* **'re·flex ac·tion** *n* Reflexhandlung *f* **'re·flex cam·era** *n* Spiegelreflexkamera *f*

re·flex·ive [rɪ'fleksɪv] **I.** *adj* AM **❶** (*involuntary*) reflexartig **❷** LING reflexiv **II.** *n* LING Reflexiv *nt*

re·flex·olo·gist [ˌriːflek'sɒlədʒɪst] *n* MED Reflexologe, Reflexologin *m, f*

re·flex·ol·ogy [ˌriːflek'sɒlədʒi] *n no pl* Reflexologie *f*

re·flux <*pl* -es> ['riːflʌks] *n* Rückfluss *m*

re·for·est [ˌriːˈfɒrɪst] *vt esp* AM *land, an area* aufforsten

re·for·esta·tion [ˌriːfɒrɪˈsteɪʃ^ən] I. *n no pl esp* AM Aufforstung *f* II. *adj attr* ~ **programme** Aufforstungsprogramm *nt*

re·form [rɪˈfɔːm] I. *vt institution, system* reformieren; *criminal, drug addict* bessern II. *vi person* sich bessern III. *n* Reform *f; of self, a criminal* Besserung *f;* ■**to be beyond** ~ nicht reformierbar sein

re·form [ˌriːˈfɔːm] I. *vt* umformen II. *vi clouds* eine neue Form annehmen; *police, troops* sich neu formieren; *committee, management* sich wiederbilden

ref·or·ma·tion [ˌrefəˈmeɪʃ^ən] *n* ❶ *of an institution* Reformierung *f; of a person* Besserung *f* ❷ (*hist*) ■**the R~** die Reformation

re·for·ma·tory [rɪˈfɔːmət^əri] I. *n* AM Jugendhaftanstalt *f* II. *adj attr* reformatorisch, Reform-

re·form·er [rɪˈfɔːmə^r] *n* Reformer(in) *m(f);* REL Reformator *m*

re·form·ist [rɪˈfɔːmɪst] I. *n* Reformist(in) *m(f)* II. *adj* reformistisch

re·ˈform school *n* Erziehungsheim *nt*

re·fract [rɪˈfrækt] *vt* PHYS **to** ~ **a ray of light** einen Lichtstrahl brechen

re·frac·tion [rɪˈfrækʃ^ən] *n no pl* Refraktion *f fachspr*, Brechung *f*

re·frac·tory [rɪˈfrækt^əri] *adj person* starrsinnig *geh*, stur; *disease* hartnäckig; *metal* hitzebeständig

re·frain¹ [rɪˈfreɪn] *n* (*in a song*) Refrain *m;* (*in a poem*) Kehrreim *m;* (*comment*) häufiger Ausspruch

re·frain² [rɪˈfreɪn] *vi* sich zurückhalten; **kindly** ~ **from smoking/talking** wir bitten, das Rauchen/Sprechen zu unterlassen

re·fresh [rɪˈfreʃ] *vt* ❶ (*reinvigorate*) *sleep, a holiday* erfrischen ❷ (*cool*) abkühlen; *food* abschrecken ❸ (*fig*) *one's knowledge, skills* auffrischen; **to** ~ **one's memory** seinem Gedächtnis auf die Sprünge helfen ❹ AM (*refill*) **to** ~ **sb's coffee/glass/lemonade** jds Kaffee/Glas/Limonade nachfüllen

re·fresh·er [rɪˈfreʃə^r] *n* ❶ (*course*) Auffrischungskurs *m* ❷ (*drink*) Erfrischung *f* ❸ BRIT LAW (*fee*) zusätzliches Honorar (*für einen Anwalt bei längerer Prozessdauer*)

re·fresh·ing [rɪˈfreʃɪŋ] *adj* ❶ (*rejuvenating*) *air, colour, drink* erfrischend ❷ (*pleasing*) [herz]erfrischend; *thought* wohltuend; **a** ~ **change** eine willkommene Abwechslung

re·fresh·ment [rɪˈfreʃmənt] *n* ❶ (*rejuvenation*) Erfrischung *f*, Belebung *f* ❷ ■ ~**s** *pl*

(*drink*) Erfrischungen *pl;* (*food*) Snacks *pl;* **light** ~**s** Erfrischungsgetränke und Snacks

re·frig·er·ant [rɪˈfrɪdʒ^ər^ənt] *n* Kühlmittel *nt*

re·frig·er·ate [rɪˈfrɪdʒ^əreɪt] I. *vt food, drink* im Kühlschrank aufbewahren II. *vi* ~ **after opening** nach dem Öffnen kühl aufbewahren

re·frig·era·tion [rɪˌfrɪdʒ^ərˈeɪʃ^ən] *n no pl* Kühlung *f*

re·frig·era·tor [rɪˈfrɪdʒ^əreɪtə^r] *n* Kühlschrank *m*

re·fuel <BRIT -ll- *or* AM *usu* -l-> [ˌriːˈfjuːəl] I. *vi plane* auftanken II. *vt airplane, lorry* auftanken; (*fig*) *controversy, speculation* anheizen

ref·uge ['refjuːdʒ] *n* ❶ (*secure place*) Zuflucht *f*, Zufluchtsort *m;* **women's** ~ Frauenhaus *nt;* **to take** ~ **in sth** in etw *dat* Zuflucht suchen ❷ (*from reality*) **to seek** ~ **in sth** in etw *dat* Zuflucht suchen; **to take** ~ **in sth** sich in etw *akk* flüchten

refu·gee [ˌrefjʊˈdʒiː] *n* Flüchtling *m;* **economic** ~ Wirtschaftsflüchtling *m;* **political** ~ politischer Flüchtling; ~ **camp** Flüchtlingslager *nt*

re·fund I. *vt* [ˌriːˈfʌnd] **to** ~ **expenses/money** Auslagen/Geld zurückerstatten; ■**to** ~ **sth** jdm etw *akk* zurückerstatten II. *n* ['riːfʌnd] Rückzahlung *f;* **I'd like a** ~ **on this shirt, please** ich hätte gern mein Geld für dieses Hemd zurück

re·fund·ing [ˌriːˈfʌndɪdʒ] *n no pl* Umfinanzierung *f*

re·fur·bish [ˌriːˈfɜːbɪʃ] *vt* aufpolieren; *furniture* verschönern; *house* renovieren

re·fus·al [rɪˈfjuːz^əl] *n* Ablehnung *f; of offer* Zurückweisung *f; of invitation* Absage *f; of food, visa* Verweigerung *f;* ~ **of an application/planning permission** Ablehnung *f* eines Antrags/einer Baugenehmigung

re·fuse¹ [rɪˈfjuːz] I. *vi* ablehnen; *horse* verweigern II. *vt* ablehnen, zurückweisen; **to** ~ **sb credit** jdm keinen Kredit gewähren; **the horse** ~**d the obstacle** das Pferd hat am Hindernis verweigert; **to** ~ **an offer** ein Angebot ausschlagen; **to** ~ **a request** eine Bitte abschlagen

re·fuse² ['refjuːs] *n* (*form*) Abfall *m*, Müll *m* **'ref·use bin** *n* Mülltonne *f* **'ref·use col·lec·tion** *n no pl* Müllabfuhr *f* **'ref·use col·lec·tor** *n* (*form*) Müllwerker *m geh* **'ref·use dis·pos·al** *n no pl* Müllbeseitigung *f* **'ref·use dump** *n* Mülldeponie *f*

re·fuse·nik [rɪˈfjuːznɪk] *n* POL ❶ (*hist*) Flüchtling *m* (*ursprünglicher Ausdruck für russische Juden, denen die Emigration aus einem Land verweigert wird*) ❷ (*pro-*

refusing to answer	
refusing to answer	**die Antwort verweigern**
Not telling! *(fam)*	Sag ich nicht! *(fam)*
(I'm afraid) I can't tell you.	Das kann ich dir (leider) nicht sagen.
I don't want to say anything about it.	Dazu möchte ich nichts sagen.
No comment!	Kein Kommentar!
I don't wish to comment on the matter. *(form)*	Ich möchte mich zu dieser Angelegenheit nicht äußern. *(form)*

testor) Verweigerer(in) *m(f) pej*

refu·ta·tion [ˌrefjʊˈteɪʃᵊn] *n* Widerlegung *f*

re·fute [rɪˈfjuːt] *vt* widerlegen, entkräften

re·gain [rɪˈgeɪn] *vt* wiederbekommen, zurückbekommen; *consciousness* wiedererlangen; **to ~ one's footing** wieder Halt finden; **to ~ [lost] ground** [verlorenen] Boden zurückgewinnen; **to ~ one's health** wieder gesund werden; **to ~ lost time** verlorene Zeit einholen; **to ~ the use of one's legs/fingers** seine Beine/Finger wieder gebrauchen können

re·gal [ˈriːgᵊl] *adj* königlich, majestätisch

re·gale [rɪˈgeɪl] *vt* ■ **to ~ sb with sth** *stories, jokes* jdn mit etw *dat* aufheitern; *food, drink* jdn mit etw *dat* verwöhnen

re·ga·lia [rɪˈgeɪliə] *n + sing/pl vb* Kostüme *pl*, Aufmachung *f kein pl hum;* (*of royalty*) Insignien *pl*

re·gard [rɪˈgɑːd] **I.** *vt* ❶ (*consider*) betrachten; ■ **to ~ sb/sth as sth** jdn/etw als etw betrachten; **she is ~ed as a talented actress** sie wird für eine talentierte Schauspielerin gehalten; **to ~ sb with great respect** jdn sehr schätzen; **to ~ sb highly** jdn hoch schätzen; (*be considerate of*) große Rücksicht auf jdn nehmen; **to not ~ sb's needs/situation/wishes** jds Bedürfnisse/Situation/Wünsche nicht berücksichtigen ❷ (*look at*) ■ **to ~ sb/sth** jdn/etw betrachten ❸ (*concerning*) ■ **as ~s ...** was ... angeht, **II.** *n* ❶ (*consideration*) Rücksicht *f;* **without ~ for sb/sth** ohne Rücksicht auf jdn/etw; **without ~ to race or colour** egal welcher Rasse und Hautfarbe; **to pay no ~ to a warning** eine Warnung in den Wind schlagen ❷ (*respect*) Achtung *f* (**for** vor); **to hold sb/sth in high ~** Hochachtung vor jdm/etw haben; **to hold sb/sth in low ~** jdn/etw gering schätzen; **to lose one's ~ for sb** seine Achtung vor jdm verlieren ❸ (*gaze*) Starren *nt* ❹ (*aspect*) **in this ~** in dieser Hinsicht ❺ (*concerning*) ■ **with ~ to ...** in Bezug auf ... +*akk;* **there is no problem as**

~s **the financial arrangements** es gibt kein Problem, was die finanziellen Vereinbarungen angeht

re·gard·ful [rɪˈgɑːdfᵊl] *adj pred* ■ **to be ~ of sth** auf etw *akk* Rücksicht nehmen

re·gard·ing [rɪˈgɑːdɪŋ] *prep* bezüglich +*gen;* ~ **your inquiry** bezüglich Ihrer Anfrage

re·gard·less [rɪˈgɑːdləs] *adv* trotzdem; ~ **of age/consequences/danger** trotz des Alters/der Konsequenzen/der Gefahr; ~ **of the expense** ungeachtet der Kosten; ~ **of sb's opposition** gegen jds Widerstand; **to press on** ~ trotzdem weitermachen

re·gards [rɪˈgɑːdz] *n pl* Grüße *mpl;* **kind** [*or* best] ~ viele Grüße; **please give my ~ to your mother** bitte grüße deine Mutter von mir; **Jim sends his** ~ Jim lässt grüßen

re·gat·ta [rɪˈgætə] *n* Regatta *f*

re·gen·cy [ˈriːdʒᵊn(t)si] *I. n* Regentschaft *f;* (*period of rule*) Regentschaft[szeit] *f* **II.** *adj attr* Régence-

re·gen·er·ate [rɪˈdʒenᵊreɪt] **I.** *vt* ❶ (*revive*) erneuern; **to ~ [inner] cities** [Innen]städte neu gestalten; **to ~ sb's spirit** REL jdn/ jds Geist erneuern ❷ ELEC rückkoppeln ❸ (*grow again*) *claw, tissue* neu bilden **II.** *vi* BIOL sich regenerieren *geh; tissue* sich neu bilden

re·gen·era·tion [rɪˌdʒenᵊrˈeɪʃᵊn] *n no pl* ❶ (*improvement*) Erneuerung *f,* Regeneration *f; urban* ~ Stadtsanierung *f; of spirit* Erholung *f,* REL Erneuerung *f* ❷ ELEC Rückkoppelung *f* ❸ BIOL (*regrowth*) Neubildung *f*

re·gent [ˈriːdʒᵊnt] *I. n* Regent(in) *m(f)* **II.** *adj after* **Prince R**~ Prinzregent *m*

reg·gae [ˈregeɪ] *n no pl* Reggae *m*

regi·cide [ˈredʒɪsaɪd] *n* (*person*) Königsmörder(in) *m(f);* (*act*) Ermordung *f* eines Königs; (*crime*) Königsmord *m*

re·gime [reɪˈʒiːm] *n* ❶ (*government*) Regime *nt* ❷ (*in management*) Leitung *f* ❸ (*procedure*) Behandlungsweise *f*

regi·men [ˈredʒɪmən] *n* ❶ (*plan for*

health) Gesundheitsplan *m* (*entsprechend ärztlichen Anweisungen*) ❷ (*routine*) geregelter Tagesablauf

regi·ment I. *n* ['redʒɪmənt] + *sing/pl vb* ❶ MIL Regiment *nt* ❷ (*fig: group of people*) Schar *f* II. *vt* ['redʒɪment] ❶ MIL **to ~ troops** Truppen in Gruppen einordnen ❷ (*regulate*) ▪**to ~ sb** jdn kontrollieren; ▪**to ~ sth** etw reglementieren

regi·men·ta·tion [,redʒɪmen'teɪʃ°n] *n* Reglementierung *f*

re·gion ['riːdʒ°n] *n* ❶ (*geographical*) Region *f;* **the Birmingham ~** die Region um Birmingham ❷ (*administrative*) [Verwaltungs]bezirk *m*, Provinz *f* ❸ (*of the body*) Gegend *f;* **in the ~ of the head** im Bereich des Kopfes; **the stomach ~** die Magengegend ❹ (*approximately*) ▪**in the ~ of ...** etwa bei ..., im Bereich von ..

re·gion·al ['riːdʒ°n°l] I. *adj* regional II. *n* ▪**the ~s** *pl* SPORTS regionaler Wettbewerb

re·gion·al·ism ['riːdʒ°n°lɪz°m] *n* ❶ *no pl* Regionalismus *m* ❷ LING Regionalismus *m;* (*word*) nur regional verwendeter Ausdruck

re·gion·al·ly ['riːdʒ°n°li] *adv* regional

reg·is·ter ['redʒɪstə'] I. *n* ❶ (*official list*) Register *nt*, Verzeichnis *nt* ❷ (*device*) Registriergerät *nt;* AM (*till*) Kasse *f* ❸ (*range*) Stimmumfang *m;* (*part of span*) Stimmlage *f* ❹ LING Register *nt fachspr* II. *vt* ❶ (*report*) registrieren; **to ~ a birth/death** eine Geburt/einen Tod anmelden; *car* zulassen; *copyright, trademark* eintragen ❷ (*measure*) anzeigen ❸ (*at post office*) *letter, parcel* per Einschreiben schicken ❹ (*notice*) ▪**to ~ sth** sich *dat* etw merken ❺ (*show*) **to ~ disappointment/shock/surprise** sich enttäuscht/schockiert/überrascht zeigen; **to ~ protest** Protest zum Ausdruck bringen III. *vi* ❶ (*person*) sich melden; (*to vote*) sich eintragen; (*at university*) sich einschreiben [*o* immatrikulieren]; **to ~ with the authorities/police** sich behördlich/polizeilich anmelden; **to ~ at a hotel** sich in einem Hotel anmelden; **to ~ as unemployed** sich arbeitslos melden ❷ *machine, measuring device* angezeigt werden ❸ (*show*) sich zeigen

reg·is·tered ['redʒɪstəd] *adj* registriert, gemeldet; *charity* eingetragen; *vehicle* amtlich zugelassen; **~ nurse** *esp* AM staatlich anerkannte Krankenschwester

reg·is·trar [,redʒɪ'strɑː'] *n* ❶ (*for the state*) Standesbeamte(r) *m*, Standesbeamtin [*o* -in] *f* ❷ UNIV (*office*) Studentensekretariat *nt; person* höchste(r) Verwaltungsbeamte(r)/ höchste Verwaltungsbeamtin ❸ BRIT, AUS (*at hospital*) Assistenzarzt, Assistenz-

ärztin *m, f*

reg·is·tra·tion [,redʒɪ'streɪʃ°n] *n* ❶ (*action*) Anmeldung *f;* (*at university*) Einschreibung *f;* **car ~** Autozulassung *f* ❷ AUTO (*certificate*) Kraftfahrzeugbrief *m;* (*number*) Kraftfahrzeugkennzeichen *nt*

reg·is·'tra·tion docu·ment *n* BRIT Kraftfahrzeugbrief *m* **reg·is·'tra·tion fee** *n* Anmeldegebühr *f;* UNIV Einschreibegebühr *f* **reg·is·'tra·tion num·ber** *n* Kraftfahrzeugkennzeichen *nt*

reg·is·try ['redʒɪstri] *n* BRIT Standesamt *nt; business ~* Handelsregister *nt;* **land ~** Katasteramt *nt*

'reg·is·try office *n* BRIT Standesamt *nt*

re·gress [rɪ'gres] *vi* (*lose ability*) sich verschlechtern; (*deteriorate*) *person* sich zurückentwickeln; (*word*) sich rückläufig entwickeln; PSYCH regredieren *fachspr*

re·gres·sion [rɪ'greʃ°n] *n no pl* ❶ MED (*physical*) Regression *f fachspr*, Verschlechterung *f;* (*mental*) Zurückentwicklung *f* ❷ MATH Regression *f*

re·gres·sive [rɪ'gresɪv] *adj* ❶ (*becoming worse*) rückschrittlich ❷ (*tax type*) regressiv ❸ (*in philosophy*) rückläufig

re·gret [rɪ'gret, re-] I. *vt* <-tt-> bedauern; **they ~ted pouring paint on the neighbour's car** es tat ihnen leid, dass sie Farbe auf das Auto des Nachbarn geschüttet hatten II. *vi* <-tt-> ▪**to ~ to do sth** bedauern, etw tun zu müssen; **I ~ to have to inform you that ...** leider muss ich Ihnen mitteilen, dass ... III. *n* Bedauern *nt kein pl;* **my only ~ is that ...** das Einzige, was ich bedaure, ist, dass ...; **a pang of ~** ein Anflug *m* von Reue; **much to my ~** zu meinem großen Bedauern; **to have no ~s about sth** etw nicht bereuen; **to send one's ~s** sich entschuldigen [lassen]

re·gret·ful [rɪ'gretf°l, re-] *adj* bedauernd; *smile* wehmütig; ▪**to be ~ about sth** etw bedauern

re·gret·ful·ly [rɪ'gretf°li, re-] *adv* mit Bedauern; **I left New York ~** schweren Herzens verließ ich New York

re·gret·table [rɪ'gretəbl, re-] *adj* bedauerlich

re·group [,riː'gruːp] I. *vt* neu gruppieren; **to ~ one's forces** die Streitkräfte neu formieren II. *vi troops, demonstrators* sich neu formieren

regu·lar ['regjələ'] I. *adj* ❶ (*routine*) regelmäßig; *price* regulär; **to do sth on a ~ basis** etw regelmäßig tun; **~ customer** Stammkunde(in) *m(f);* **~ income** geregeltes Einkommen; **~ procedure** übliche Vorgehensweise ❷ (*steady in time*) regel-

R

mäßig; **to keep ~ hours** sich an feste Zeiten halten; **to eat ~ meals** regelmäßig essen ❸(*well-balanced*) regelmäßig; *surface* gleichmäßig; (*geometry*) symmetrisch ❹(*not unusual*) üblich, normal; **my ~ doctor was on vacation** mein Hausarzt hatte Urlaub; **~ gas** AM Normalbenzin *nt* ❺*attr* AM (*size*) **~ fries** normale Portion Pommes Frites; (*of clothing*) **~ size** Normalgröße *f* ❻LING regelmäßig ❼(*approv: nice*) nett, umgänglich II. *n* (*customer*) Stammgast *m*

regu·lar·ity [ˌregjə'lærəti] *n no pl* (*in time*) Regelmäßigkeit *f*; Gleichmäßigkeit *f*; (*in shape*) Ebenmäßigkeit *f*

regu·lar·ize ['regjəl ͣraiz] I. *vt* ❶(*make consistent*) *a language, work hours* standardisieren, vereinheitlichen ❷(*normalize*) *status, relationship* normalisieren II. *vi* *breathing, heart beat* sich regulieren

regu·lar·ly ['regjələli] *adv* ❶(*evenly*) regelmäßig ❷(*frequently*) regelmäßig ❸(*equally*) gleichmäßig ❹AM COMM, ECON (*normally*) regulär

regu·late ['regjəleit] *vt* ❶(*supervise*) regeln, steuern; ■**to ~ whether/how/ when ...** festlegen, ob/wie/wann ... ❷(*adjust*) regulieren; **to ~ the flow of input/supplies/water** den Eingabe-/ Versorgungs-/Wasserfluss regeln

regu·la·tion [ˌregjə'leiʃ ͤn] I. *n* ❶(*rule*) Vorschrift *f*, Bestimmung *f* (**on** über); **in accordance with the ~s** vorschriftsmäßig; **fire ~s** Brandschutzbestimmungen *pl*; **health ~s** Gesundheitsverordnungen *pl*; **rules and ~s** Regeln und Bestimmungen ❷*no pl* (*supervision*) Überwachung *f* II. *adj* vorgeschrieben; **the ~ pin-stripe suit** der obligatorische Nadelstreifenanzug

regu·la·tor ['regjəleit ͤr] *n* ❶TECH Regler *m* ❷(*person*) aufsichtsführende Person

regu·la·tory ['regjələt ͤri] *adj* Aufsichts-, Kontroll-; **~ enzymes/hormones** Regulierungsenzyme/-hormone *pl*; **~ powers** ordnungspolitische Instrumente

re·gur·gi·tate [ri'gɜ:dʒiteit] *vt* ❶(*throw up*) *food* wieder hochwürgen ❷(*pej: repeat*) *facts, information* nachplappern

re·ha·bili·tate [ˌri:hə'biliteit] *vt* ❶(*have therapy*) rehabilitieren; *criminal* resozialisieren; **to ~ victims of accidents** Unfallopfer wieder ins normale Leben eingliedern ❷(*restore reputation*) rehabilitieren

re·ha·bili·ta·tion [ˌri:hə,bili'teiʃ ͤn] I. *n no pl* ❶*of criminals* Resozialisierung *f*; *of drug addicts* Rehabilitation *f geh*; *of victims* Wiedereingliederung *f* ins normale Leben ❷(*of reputation*) Rehabilitation *f*; **to be**

given a ~ rehabilitiert werden ❸(*renovation*) Instandsetzung *f*, Sanierung *f* II. *adj* Rehabilitations-; **drug ~ centre** Entziehungsanstalt *f*

re·hash I. *vt* [ˌri:'hæʃ] ❶(*pej fam: offer as new*) aufwärmen ❷(*discuss*) wiederkäuen; **to ~ events** Ereignisse noch einmal durchsprechen II. *n* <*pl* **-es**> ['ri:hæʃ] (*fam*) Aufguss *m*

re·hears·al [ri'hɜ:s ͤl] *n* ❶THEAT Probe *f*; ■**to be in ~** geprobt werden ❷(*recital*) **a ~ of arguments/complaints/criticisms** eine Aufzählung von Argumenten/Beschwerden/Kritiken

re·hearse [ri'hɜ:s] I. *vt* ❶THEAT, MUS (*practise*) proben; (*in thought*) [in Gedanken] durchgehen ❷(*prepare*) ■**to ~ sb** jdn vorbereiten ❸(*repeat*) ■**to ~ sth** *arguments, old theories* etw aufwärmen *fig* II. *vi* proben

re·hy·dra·tion [ˌri:hai'dreiʃ ͤn] *n* Flüssigkeitsersatz *m*, Rehydration *f*

reign [rein] I. *vi* ❶(*be king, queen*) regieren, herrschen; (*be head of state*) regieren; **to ~ over a country** ein Land regieren ❷(*be dominant*) dominieren; ■**to ~ over sb/sth** jdn/etw beherrschen; **confusion/ peace/silence ~s** es herrscht Verwirrung/Frieden/Stille II. *n* Herrschaft *f*; **during the ~ of Queen Victoria** unter der Herrschaft von Königin Victoria

re·im·burse [ˌri:im'bɜ:s] *vt* ■**to ~ sb** jdn entschädigen; ■**to ~ sth** etw ersetzen; *expenses* [rück]erstatten

re·im·burse·ment [ˌri:im'bɜ:smənt] *n* Rückzahlung *f*; *of expenses* Erstattung *f*; *of loss* Entschädigung *f*

rein [rein] I. *n usu pl* (*for horse*) Zügel *m*; BRIT (*for children*) Laufgurt *m* ▶**to give free ~ to sb** jdm freie Hand lassen; **to keep a tight ~ on sb/sth** jdn/etw an der kurzen Leine halten II. *vt* **to ~ a horse** ⟳ **in** ein Pferd zügeln; (*fig*) ■**to ~ sb in** jdn an die Kandare nehmen

re·in·car·na·tion [ˌri:inkɑ:'neiʃ ͤn] *n* ❶(*rebirth*) Reinkarnation *f geh*, Wiedergeburt *f*; (*fig*) *product* Nachbau *m* ❷*no pl* (*philosophy*) Reinkarnation[slehre] *f*

rein·deer <*pl* -> ['reindiə ͬ] *n* Rentier *nt*

re·in·force [ˌri:in'fɔ:s] *vt* ❶(*strengthen*) verstärken; *concrete* armieren; *findings, opinion, prejudice* bestätigen; *impression* verstärken; **that just ~s what I've been saying** das unterstreicht genau das, was ich gesagt habe; **to ~ an argument with sth** ein Argument mit etw *dat* untermauern ❷MIL **to ~ a border/one's position/troops** eine Grenze/seine Position/

Truppen verstärken

re·in·force·ment [ˌriːɪnˈfɔːsmənt] *n* ❶ *no pl* Verstärkung *f*, Armierung *f fachspr;* **steel ~** Stahlträger *m meist pl* ❷ ■ **~s** *pl* (*troops*) Verstärkungstruppen *pl;* (*equipment*) Verstärkung *f*

re·in·state [ˌriːɪnˈsteɪt] *vt* ❶ (*at job*) ■ **to ~ sb** jdn wieder einstellen; **to ~ sb in a position** jdn in eine Position wieder einsetzen ❷ (*re-establish*) ■ **to ~ sth** *death penalty, sales tax etw* wieder einführen; **to ~ law and order** die öffentliche Ordnung wiederherstellen

re·in·sure [ˌriːɪnˈʃʊəʳ] *vi, vt* rückversichern

re·in·te·grate [ˌriːˈɪntɪgreɪt] *vt* **to ~ a criminal into society** einen Kriminellen resozialisieren; **to ~ a patient** einen Patienten wieder [in die Gesellschaft] eingliedern

re·in·te·gra·tion [ˌriːˌɪntɪˈgreɪʃ°n] *n of a criminal* Resozialisierung *f; of a patient* Wiedereingliederung *f*

re·in·tro·duce [ˌriːɪntrəˈdjuːs] *vt* wieder einführen; **to ~ an animal into the wild** ein Tier in die Wildnis zurückführen

re·is·sue [ˌriːˈɪʃuː] **I.** *vt novel, recording* neu herausgeben **II.** *n* Neuauflage *f*, Neuausgabe *f*

re·it·er·ate [riˈɪtʰreɪt] *vt* wiederholen

re·it·era·tion [riˌɪtʰrˈeɪʃ°n] *n* Wiederholung *f*

re·ject **I.** *vt* [rɪˈdʒekt] ❶ (*decline*) ablehnen, zurückweisen; **to ~ an excuse** eine Entschuldigung nicht annehmen ❷ (*snub*) ■ **to ~ sb** jdn abweisen; **to feel ~ed** sich als Außenseiter(in) fühlen ❸ MED **to ~ a drug** ein Medikament nicht vertragen; **to ~ a transplant** ein Transplantat abstoßen ❹ (*not accept*) *token, bill, coin, card* nicht annehmen **II.** *n* [ˈriːdʒekt] (*product*) Fehlerware *f*, Ausschussware *f;* (*person*) Außenseiter(in) *m(f)*

re·jec·tion [rɪˈdʒekʃ°n] *n* ❶ (*dismissing*) Ablehnung *f*, Absage *f; fear of ~* Furcht *f* vor Ablehnung; **to meet with ~** auf Ablehnung stoßen ❷ MED Abstoßung *f*

re·joice [rɪˈdʒɔɪs] *vi* sich freuen; ■ **to ~ at sth** sich an etw *dat* erfreuen *geh;* ■ **to ~ in doing sth** genießen, etw zu tun

re·joic·ing [rɪˈdʒɔɪsɪŋ] *n no pl* Freude *f* (**at** über)

re·join¹ [riːˈdʒɔɪn] *vt* (*reunite with*) ■ **to ~ sb/sth** sich mit jdm/etw wiedervereinigen; **to ~ the motorway** wieder auf die Autobahn fahren; **to ~ a political party** wieder in eine Partei eintreten

re·join² [rɪdʒɔɪn] *vt* (*form: reply*) erwidern *geh*

re·join·der [rɪˈdʒɔɪndəʳ] *n* (*form*) Erwiderung *f geh;* **~ to a question** Antwort *f* auf eine Frage

re·ju·venate [rɪˈdʒuːvªneɪt] *vt* ❶ (*energize*) revitalisieren *geh;* **to feel ~d** (*after a rest, holiday*) sich frisch und munter fühlen ❷ (*make younger, modernize*) verjüngen; **since he fell in love, he has felt ~d** seit er sich verliebt hat, fühlt er sich Jahre jünger; **to ~ a factory/firm/town** eine Fabrik/Firma/Stadt modernisieren

re·ju·vena·tion [rɪˌdʒuːvªnˈeɪʃ°n] *n no pl* (*enlivening*) Revitalisierung *f geh; of youthful feelings* Verjüngung *f; of a company, factory* Modernisierung *f*

re·kin·dle [ˌriːˈkɪndl̩] *vt* (*also fig*) wieder entfachen

re·lapse **I.** *n* [ˈriːlæps] MED Rückfall *m;* (*in economy*) Rückschlag *m* **II.** *vi* [rɪˈlæps] ❶ MED (*after improvement*) einen Rückfall haben; *economy* einen Rückschlag erleiden; **to ~ into alcoholism/drug abuse** wieder dem Alkoholismus/Drogenkonsum verfallen ❷ (*to previous state*) **to ~ into coma/sleep** in ein Koma/einen Schlaf verfallen; **to ~ into silence** in Schweigen verfallen

re·late [rɪˈleɪt] **I.** *vt* ❶ (*show relationship*) ■ **to ~ sth with sth** etw mit etw *dat* in Verbindung bringen ❷ (*narrate*) erzählen; ■ **to ~ sth to sb** jdm etw berichten **II.** *vi* ❶ (*fam: get along*) ■ **to ~ to sb/sth** eine Beziehung zu jdm/etw finden; **can you ~ to country music?** hast du etwas für Countrymusic übrig? ❷ (*be about*) ■ **to ~ to sb/sth** von jdm/etw handeln; (*be relevant to*) **chapter nine ~s to the effect of inflation** in Kapitel neun geht es um die Auswirkungen der Inflation; **I fail to see how your proposal ~s to me** es ist mir nicht klar, inwiefern Ihr Vorschlag mich betrifft

re·lat·ed [rɪˈleɪtɪd] *adj* ❶ (*connected*) verbunden; **we discussed inflation, unemployment and ~ issues** wir diskutierten über Inflation, Arbeitslosigkeit und damit zusammenhängende Themen; **to be directly ~ to sth** in direktem Zusammenhang mit etw *dat* stehen ❷ *species, language* verwandt (**to** mit); **to be ~ by blood** blutsverwandt sein; **to be ~ by marriage** durch Heirat verwandt sein; **closely/distantly ~** nah/entfernt verwandt

re·lat·ing to [rɪˈleɪtɪŋ-] *prep* in Zusammenhang mit +*dat*

re·la·tion [rɪˈleɪʃ°n] *n* ❶ *no pl* (*connection*) Verbindung *f*, Bezug *m; in ~ to* in Bezug auf +*akk;* **I haven't understood what this question is in** ~ **to** ich verstehe nicht, worauf sich diese Frage bezieht; **to bear no** ~ keinerlei Beziehung haben; (*in appearance*) **to bear no** ~ **to sb** jdm überhaupt nicht ähnlich sehen ❷ (*relative*) Verwandte(r) *f(m);* **is Hans any** ~ **to you?** ist Hans irgendwie mit dir verwandt?; ~ **by marriage** angeheirateter Verwandter/ angeheiratete Verwandte; **closest living** ~ nächster lebender Verwandter/nächste lebende Verwandte ❸ (*between people, countries*) ■~s *pl* Beziehungen *pl,* Verhältnis *nt* (**between** zwischen); **to break off** ~**s with sb/sth** den Kontakt zu jdm/ etw abbrechen

re·la·tion·ship [rɪˈleɪʃᵊnʃɪp] *n* ❶ (*connection*) Beziehung *f;* **to establish a** ~ **between sth and sth** zwischen etw *dat* und etw *dat* eine Verbindung herstellen ❷ (*in family*) Verwandtschaftsverhältnis *nt* ❸ (*association*) Verhältnis *nt,* Beziehung *f* (**to/with** zu); **business** ~ Geschäftsbeziehung *f;* (*romantic*) Beziehung *f;* ■**to be in a** ~ **with sb** mit jdm eine feste Beziehung haben

rela·tive [ˈrelətɪv] **I.** *adj* ❶ (*connected to*) relevant (**to** für); (*relevant*) sich auf etw *akk* beziehen ❷ (*corresponding*) jeweilige(r, s); ■**to be** ~ **to sth** von etw *dat* abhängen; **petrol consumption is** ~ **to a car's speed** der Benzinverbrauch hängt von der Geschwindigkeit des Autos ab ❸ (*comparative*) relative(r, s), vergleichbare(r, s); (*not absolute*) evil, happiness relativ **II.** *adv* ■~ **to** sich beziehend auf +*akk* **III.** *n* Verwandte(r) *f(m);* ~ **by marriage** angeheirateter Verwandter/angeheiratete Verwandte; **distant** ~ entfernter Verwandter/entfernte Verwandte

rela·tive 'clause *n* Relativsatz *m*

rela·tive·ly [ˈrelətɪvli] *adv* relativ

rela·tiv·ity [ˌreləˈtɪvəti] *n no pl* Relativität *f;* [**Einstein's**] **Theory of R~** [Einsteins] Relativitätstheorie *f*

re·launch I. *vt* [rɪˈlɔːn(t)ʃ] ❶ AEROSP **to** ~ **a rocket** eine Rakete erneut starten ❷ ECON **to** ~ **a product** ein Produkt erneut auf den Markt bringen **II.** *n* [ˈriːlɔːn(t)ʃ] ❶ AEROSP, TRANSP ~ **of a rocket** Zweitstart *m* einer Rakete; ~ **of a ship** zweiter Stapellauf eines Schiffes ❷ ECON ~ **of a brand/a product** Wiedereinführung *f* einer Marke/eines Produkts

re·lax [rɪˈlæks] **I.** *vi* sich entspannen; ~**!** entspann dich!; (*don't worry*) beruhige dich!; **to** ~ **with a cup of tea** sich bei einer Tasse Tee entspannen **II.** *vt* rules, supervision lo-

ckern; **to** ~ **one's grip on sth** seinen Griff um etw *akk* lockern; **to** ~ **one's muscles** (*by resting*) die Muskeln entspannen; (*by massage or movement*) die Muskeln lockern; **to** ~ **security** die Sicherheitsmaßnahmen einschränken

re·laxa·tion [ˌriːlækˈseɪʃᵊn] **I.** *n* ❶ (*recreation*) Entspannung *f* ❷ (*liberalizing*) ~ **of discipline** Nachlassen *nt* der Disziplin; ~ **of laws** Liberalisierung *f* von Gesetzen; ~ **of the rules** Lockerung *f* der Vorschriften **II.** *adj attr* Entspannungs-

re·laxed [rɪˈlækst] *adj* ❶ (*at ease*) entspannt; **to feel** ~ sich entspannt fühlen ❷ (*easy-going*) locker, gelassen; *manner* lässig; **to be** ~ **about sth** etw gelassen sehen; **to take a** ~ **approach to sth** gelassen an etw *akk* herangehen

re·lax·ing [rɪˈlæksɪŋ] *adj* entspannend, erholsam; ~ **day** Tag *m* zum Ausspannen; ~ **holidays** [*or* AM **vacation**] erholsame Ferien; ~ **place** Ort *m* der Erholung

re·lay [ˈriːleɪ] **I.** *vt* **to** ~ **sth to sb** jdm etw mitteilen; **to** ~ **a message** eine Meldung weiterleiten; **to** ~ **TV pictures** Fernsehbilder übertragen; **to** ~ **the news to sb** jdm die Neuigkeiten weitererzählen **II.** *n* ❶ (*group*) Ablösung *f;* *of workers* Schicht *f* ❷ SPORTS ~ [**race**] Staffellauf *m* ❸ ELEC (*device*) Relais *nt*

re·lay <-laid, -laid> [ˌriːˈleɪ] *vt carpet* neu verlegen; *floor* neu auslegen

re·lease [rɪˈliːs] **I.** *vt* ❶ (*set free*) freilassen ❷ LAW ■**to** ~ **sb** jdn [aus der Haft] entlassen; **to** ~ **sb on bail** jdn gegen Kaution auf freien Fuß setzen; **to** ~ **sb from prison** jdn aus dem Gefängnis entlassen; **to** ~ **sb on probation** jdn auf Bewährung entlassen ❸ (*fig: free from suffering*) ■**to** ~ **sb from sth** jdn von etw *dat* befreien ❹ (*move sth from fixed position*) *brake* lösen; PHOT *shutter* betätigen ❺ (*detonate, drop*) *bomb* abwerfen; *missile* abschießen ❻ (*allow to escape*) *gas, steam* freisetzen; **to** ~ **sth into the atmosphere** etw in die Atmosphäre entweichen lassen ❼ (*relax pressure*) loslassen; **to** ~ **one's grip** seinen Griff lockern ❽ (*make public, circulate*) verbreiten; (*issue*) veröffentlichen; *film, CD* herausbringen; **to be** ~**d** erscheinen, auf den Markt kommen **II.** *n no pl* ❶ (*setting free*) Entlassung *f;* ~ **of a hostage** Freilassung *f* einer Geisel ❷ (*mechanism*) Auslöser *m;* **brake/clutch** ~ Brems-/ Kupplungsausrückmechanismus *m;* ~ **cord** Reißleine *f* ❸ (*action*) *of a handbrake* Lösen *nt* ❹ (*items on hold*) *of funds, goods* Freigabe *f* ❺ (*relaxation*) Entspannung *f;* of

relief	
expressing relief	**Erleichterung ausdrücken**
I'm so glad things turned out the way they did!	**Ich bin sehr froh, dass** es nun so gekommen ist!
I'm so relieved!	**Bin ich froh!**
That's a weight off my mind!	**Mir fällt ein Stein vom Herzen!**
It's lucky you came!	**Ein Glück, dass** du gekommen bist!
Thank goodness!/Thank God!	**Gott sei Dank!**
Done it! *(fam)*/**Finished!** *(fam)*	**Geschafft!** *(fam)*
At last!	**Endlich!**

tension Nachlassen *nt;* (*freeing from unpleasant feeling*) Erleichterung *f* ❻ (*escape of gases*) Entweichen *nt* ❼ *no pl* (*publication*) Veröffentlichung *f* ❽ (*information document*) Verlautbarung *f;* **press** ~ Pressemitteilung *f* ❾ (*new CD*) Neuerscheinung *f*

rel·e·gate [ˈrelɪgeɪt] *vt usu passive* ❶ (*lower in status*) **the story was ~d to the middle pages of the paper** die Story wurde in den Mittelteil der Zeitung verschoben; **to ~ sb to the background** jdn in den Hintergrund drängen ❷ BRIT SPORTS **to ~ a team** eine Mannschaft absteigen lassen (**from** aus)

rel·e·ga·tion [ˌrelɪˈgeɪʃ³n] *n no pl* BRIT SPORTS Abstieg *m;* ~ **struggle** Abstiegskampf *m*

re·lent [rɪˈlent] *vi people* nachgeben; *wind, rain* nachlassen

re·lent·less [rɪˈlentləs] *adj* (*unwilling to compromise*) unnachgiebig; (*without stopping*) unablässig; *persecution* gnadenlos; *pressure* unaufhörlich; ~ **summer heat** anhaltende sommerliche Hitze; ▪**to be ~ in doing sth** etw unermüdlich tun

rele·vance [ˈreləvən(t)s] *n no pl,* **rele·van·cy** [ˈreləvən(t)si] *n no pl* ❶ (*appropriateness*) Relevanz *f geh,* Bedeutsamkeit *f* (**to** für); **I don't quite understand the ~ of your question** ich weiß nicht so recht, worauf Sie mit Ihrer Frage hinauswollen; **to have ~ to sth** Bezug auf etw *akk* haben ❷ (*significance*) Bedeutung *f* (**to** für); **to have ~ for sb/sth** für jdn/etw relevant sein

rele·vant [ˈreləvənt] *adj* ❶ (*appropriate*) relevant; **for further information please refer to the ~ leaflet** weitere Informationen entnehmen Sie bitte der entsprechenden Broschüre; **to be [hardly] ~ to sth** für etw *akk* [kaum] von Bedeutung sein; **the question is not ~ to the case**

die Frage gehört nicht zur Sache; **please bring all the ~ documents** bitte bringen Sie die nötigen Papiere mit ❷ (*important*) wichtig, bedeutend; **highly ~** höchst bedeutungsvoll ❸ (*appropriate to modern life*) gegenwartsbezogen; **to remain ~** seine Aktualität bewahren

re·li·abil·ity [rɪˌlaɪəˈbɪləti] *n no pl* ❶ (*dependability*) Zuverlässigkeit *f* ❷ (*trustworthiness*) Vertrauenswürdigkeit *f*

re·li·able [rɪˈlaɪəbl] *adj* ❶ (*dependable*) verlässlich, zuverlässig ❷ (*credible*) glaubwürdig; *criterion* sicher ❸ (*trustworthy*) vertrauenswürdig, seriös

re·li·ance [rɪˈlaɪən(t)s] *n no pl* ❶ (*dependence*) Verlass *m* (**on** auf); **sb cannot avoid ~ on sth** jd ist auf etw *akk* angewiesen ❷ (*trust*) Vertrauen *nt;* **to place ~ on sb/sth** Vertrauen in jdn/etw setzen

re·li·ant [rɪˈlaɪənt] *adj* ▪**to be ~ on sb/sth** von jdm/etw abhängig sein; ▪**to be ~ on sb/sth to do sth** abhängig davon sein, dass jd/etw etw tut

rel·ic [ˈrelɪk] *n* ❶ (*object*) Relikt *nt,* Überbleibsel *nt,* Überrest *m* ❷ (*pej: survival from past*) Relikt *nt;* (*hum: sth old-fashioned*) altmodisches Ding, Ding *nt* von anno dazumal ❸ (*saintly remains*) Reliquie[n] *f[,pl]*

re·lief¹ [rɪˈliːf] *n* ❶ *no pl* (*assistance for poor*) Hilfsgüter *pl;* **to be on ~** AM *(fam)* von der Sozialhilfe leben; **disaster/famine** ~ Katastrophen-/Hungerhilfe *f* ❷ (*diminution*) Entlastung *f;* ~ **of hunger/suffering** Linderung *f* von Hunger/Leid; **tax ~** Steuerermäßigung *f* ❸ (*release from tension*) Erleichterung *f;* **to feel an incredible sense of ~** sich unglaublich erleichtert fühlen; **to breathe a sigh of ~** erleichtert aufatmen ❹ (*substitute*) Ersatz *m,* Vertretung *f*

re·lief² [rɪˈliːf] *n* ❶ (*three-dimensional representation*) Reliefdruck *m* ❷ (*sculpture*)

Relief *nt* ❸ *no pl* (*sharpness of image*) Kontrast *m;* ■ **to be in ~ against sth** sich von etw *dat* abheben; **to stand out in sharp ~** sich deutlich von etw *dat* abheben

re·'lief work·er *n* Mitarbeiter(in) *m(f)* einer Hilfsorganisation; (*in third-world countries*) Entwicklungshelfer(in) *m(f)*

re·lieve [rɪˈliːv] *vt* ❶ (*assist*) ■ **to ~ sb** jdm [in einer Notsituation] helfen; ■ **to ~ sth** etw lindern ❷ (*take burden from*) ■ **to ~ sb of sth** jdm etw abnehmen; (*hum: steal*) jdn um etw *akk* erleichtern ❸ (*take over*) ■ **to ~ sb** jdn ablösen; ■ **to ~ sb of a position** jdn eines Amtes entheben *geh* ❹ (*weaken negative feelings*) erträglicher machen; **to ~ boredom** gegen die Langeweile angehen; **to ~ the pressure** den Druck verringern; **to ~ the tension** die Spannung abbauen ❺ (*alleviate*) *pain, suffering* lindern ❻ (*improve*) bessern; **to ~ pressure on sth** etw entlasten ❼ (*euph form: urinate*) **to ~ oneself** sich erleichtern

re·lieved [rɪˈliːvd] *adj* erleichtert (**at** über); **to be ~ to hear/see sth** etw mit Erleichterung hören/sehen; **to feel ~** sich erleichtert fühlen

re·li·gion [rɪˈlɪdʒən] *n* ❶ *no pl* (*faith in god*(*s*)) Religion *f;* (*set of religious beliefs*) Glaube *m* ❷ (*system of worship*) Kult *m* ❸ (*fig: sth done with devotion*) Kult *m;* **to make a ~ of sth** einen Kult mit etw *dat* treiben ❹ (*also hum: personal set of beliefs*) Glaube *m,* Überzeugung *f*

re·li·gious [rɪˈlɪdʒəs] *adj* ❶ (*of religion*) religiöse(r, s), Religions-; **~ creed/organization** Glaubensbekenntnis *nt/*-gemeinschaft *f;* **~ education/practice** Religionsunterricht *m/*-ausübung *f;* **~ freedom** Religionsfreiheit *f;* **~ holiday** religiöser Feiertag; **~ service** Gottesdienst *m* ❷ (*pious*) religiös, fromm; **deeply ~** tief religiös ❸ (*fig: meticulous*) gewissenhaft

re·lin·quish [rɪˈlɪŋkwɪʃ] *vt* (*form*) ❶ (*abandon*) aufgeben; **to ~ a right** auf ein Recht verzichten; ■ **to ~ sth to sb** jdm etw überlassen; *responsibility* jdm etw übertragen ❷ (*lose*) **to ~ one's hold on reality** den Bezug zur Realität verlieren; **to ~ the lead** die Führung verlieren ❸ (*weaken grip*) **to ~ one's grip** seinen Griff lockern

reli·quary [ˈrelɪkwəri] *n* Reliquiar *nt*

rel·ish [ˈrelɪʃ] **I.** *n* ❶ *no pl* (*enjoyment*) Genuss *m;* ■ **with ~** genüsslich ❷ FOOD Relish *nt* **II.** *vt* genießen; ■ **to ~ doing sth** etw sehr gern tun; **to ~ the thought that** ... sich darauf freuen, dass ...

re·load [ˌriːˈləʊd] **I.** *vt* gun, pistol nachla-

den; *camera, software* neu laden; *ship* wiederbeladen **II.** *vi weapon* nachladen

re·lo·cate [ˌriːlə(ʊ)ˈkeɪt] **I.** *vi* umziehen **II.** *vt* ■ **to ~ sb** jdn versetzen; ■ **to ~ sth** etw verlegen

re·lo·ca·tion [ˌriːlə(ʊ)ˈkeɪʃən] *n of a company* Verlegung *f; of a person* Versetzung *f*

re·luc·tance [rɪˈlʌkt(ə)n(t)s] *n no pl* Widerwillen *m,* Widerstreben *nt;* ■ **with ~** widerwillig, ungern

re·luc·tant [rɪˈlʌkt(ə)nt] *adj* widerwillig, widerstrebend; ■ **to be ~ to do sth** sich dagegen sträuben, etw zu tun, etw nur ungern tun; **to be a ~ participant in sth** an etw *dat* nur ungern teilnehmen

re·luc·tant·ly [rɪˈlʌkt(ə)ntli] *adv* widerwillig; **I say it ~ but ...** ich sage es ungern, aber ...; **to accept sth ~** etw widerstrebend akzeptieren; **to agree ~** widerwillig zustimmen

rely [rɪˈlaɪ] *vi* ❶ (*have confidence in*) ■ **to ~ on sb/sth** sich auf jdn/etw verlassen; ■ **to ~ on sb/sth to do sth** sich darauf verlassen, dass jd/etw etw tut ❷ (*depend on*) ■ **to ~ on sb/sth** von jdm/etw abhängen; ■ **to ~ on sb/sth doing sth** darauf angewiesen sein, dass jd/etw etw tut

REM [ˌɑːriːˈem, rem] *abbrev of* **Rapid Eye Movement** REM; **~ sleep** REM-Phase *f*

re·main [rɪˈmeɪn] *vi* ❶ (*stay*) bleiben; **to ~ in bed** im Bett bleiben; **to ~ behind** zurückbleiben ❷ *+ n or adj* (*not change*) bleiben; **the epidemic has ~ed unchecked** die Epidemie hält unvermindert an; **to ~ aloof** Distanz wahren; **to ~ undecided** sich nicht entscheiden können; **to ~ unpunished** ungestraft davonkommen; **to ~ untreated** nicht behandelt werden ❸ (*survive, be left over*) übrig bleiben; *person* überleben; **much ~s to be done** es muss noch vieles getan werden; **the fact ~s that ...** das ändert nichts an der Tatsache, dass ...; **it ~s to be seen** [**who/what/how ...**] es bleibt abzuwarten[, wer/was/wie ...]

re·main·der [rɪˈmeɪndəʳ] **I.** *n no pl also* MATH Rest *m* **II.** *vt* **to ~ books** Bücher billig verkaufen re·main·ing [rɪˈmeɪnɪŋ] *adj attr* übrig, restlich; **our only ~ hope** unsere letzte Hoffnung

re·mains [rɪˈmeɪnz] *npl* ❶ (*leftovers*) Überbleibsel *pl,* Überreste *pl* ❷ (*form: corpse*) sterbliche Überreste; **animal/human ~** tierische/menschliche Überreste

re·make **I.** *vt* <-made, -made> [ˌriːˈmeɪk] **to ~ a film** einen Film neu drehen **II.** *n* [ˈriːmeɪk] Neuverfilmung *f,* Remake *nt*

re·mand [rɪˈmɑːnd] **I.** *vt usu passive* (*form*) ■ **to ~ sb on sth** jdn wegen einer S.

gen in Untersuchungshaft nehmen; **to ~ on bail** auf Kaution freilassen; **to ~ sb in custody** jdn in Untersuchungshaft behalten **II.** *n no pl* **custodial** ~ Untersuchungshaft *f;* **to be on** ~ in Untersuchungshaft sitzen *fam;* **to hold sb on** ~ jdn in Untersuchungshaft behalten

re·'mand cen·tre *n* BRIT, AUS Untersuchungsgefängnis *nt*

re·mark [rɪˈmɑːk] **I.** *vt* äußern, bemerken; **sb once ~ed** [**that**] ... jd hat einmal gesagt, dass ... **II.** *vi* eine Bemerkung machen; ■ **to ~ on sb/sth** sich über jdn/etw äußern; **it has often been ~ed upon that ...** es ist oft darauf hingewiesen worden, dass ... **III.** *n* Bemerkung *f* (**about** über), Äußerung *f*

re·mark·able [rɪˈmɑːkəbl] *adj* ❶ (*approv: extraordinary*) bemerkenswert, erstaunlich; *ability* beachtlich ❷ (*surprising*) merkwürdig; ■ **to be ~ for sth** sich durch etw *akk* auszeichnen; **it's ~** [**that**] ... es ist erstaunlich, dass ...

re·mark·ably [rɪˈmɑːkəbli] *adv* ❶ (*strikingly*) bemerkenswert, auffällig ❷ (*surprisingly*) überraschenderweise, erstaunlicherweise

re·mar·ry <-ie-> [ˌriːˈmæri] **I.** *vt* wieder heiraten **II.** *vi* sich wieder verheiraten

re·medial [rɪˈmiːdiəl] *adj* (*form*) ❶ (*relief*) Hilfs- ❷ SCH Förder- ❸ MED Heil-

rem·edy [ˈremədi] **I.** *n* ❶ (*medicinal agent*) Heilmittel *nt* (**for** gegen) ❷ (*solution*) Mittel *nt* (**for** zu), Lösung *f* (**for** für) ❸ (*legal redress*) [**legal**] ~ Rechtsmittel *nt* **II.** *vt* in Ordnung bringen; *a mistake* berichtigen; **poverty** beseitigen

re·mem·ber [rɪˈmembər] **I.** *vt* ❶ (*recall*) ■ **to ~ sb/sth** sich an jdn/etw erinnern; (*memorize*) ■ **to ~ sth** sich *dat* etw merken; **I never ~ her birthday** ich denke nie an ihren Geburtstag; **she will be ~ed for her courage** ihr Mut wird für immer im Gedächtnis bleiben; ■ **to ~ doing sth** sich daran erinnern, etw getan zu haben ❷ (*commemorate*) ■ **to ~ sb/sth** einer Person/einer S. *gen* gedenken ❸ (*form: send greetings*) ■ **to ~ sb to sb** jdn von jdm grüßen; **~ me to your parents** grüß deine Eltern von mir **II.** *vi* ❶ (*recall*) sich erinnern; **I can't ~** ich kann mich nicht erinnern; **it was a night to ~** es war eine Nacht, die man nicht vergisst; ■ **to ~** [**that**] ... sich daran erinnern, [**dass**] ...; ■ **to ~ what/who/why ...** sich daran erinnern, was/wer/warum ... ❷ (*fam: indicating prior knowledge*) **we had tea in the little cafe — you ~, the one next to the bookshop** wir tranken Tee in dem kleinen Cafe – du weißt schon, das neben der Buchhandlung

re·mem·brance [rɪˈmembrən(t)s] *n* (*form*) ❶ *no pl* (*act of remembering*) Gedenken *nt geh;* ■ **in** ~ **of sb/sth** zum Gedenken an jdn/etw ❷ (*a memory, recollection*) Erinnerung *f* (**of** an)

Re·'mem·brance Day *n* BRIT, CAN Volkstrauertag *m* (*11. Nov.: Gedenktag für die Gefallenen der beiden Weltkriege*)

re·mind [rɪˈmaɪnd] *vt* erinnern; **that ~s me!** das erinnert mich an etwas!; ■ **to ~ sb to do sth** jdn daran erinnern, etw zu tun; ■ **to ~ sb about sth** jdn an etw *akk* erinnern; ■ **to ~ sb of sb/sth** jdn an jdn/etw erinnern

re·mind·er [rɪˈmaɪndər] *n* ❶ (*prompting recall*) Mahnung *f;* **to give sb a gentle ~** [**that**] ... jdn freundlich darauf hinweisen, dass ...; **as a ~ to oneself that ...** um sich *akk* daran zu erinnern, dass ... ❷ (*awakening memories*) Erinnerung *f* (**of** an)

remi·nisce [ˌremɪˈnɪs] *vi* (*form*) in Erinnerungen schwelgen; ■ **to ~ about sb/sth** von jdm/etw erzählen

remi·nis·cence [ˌremɪˈnɪs(ə)n(t)s] *n* (*form*) ❶ *no pl* (*reflection on past*) Erinnerung *f* ❷ (*memory*) Erinnerung *f* (**of/about** an) ❸ LIT (*form: book of memoirs*) ■ **~s** Memoiren *pl*

remi·nis·cent [ˌremɪˈnɪs(ə)nt] *adj* ❶ (*suggestive, evocative*) ■ **to be ~** [**of sb/sth**] Erinnerungen [an jdn/etw] hervorrufen ❷ (*recalling the past*) **to be in a ~ mood** in Erinnerungen schwelgen

re·miss [rɪˈmɪs] *adj pred* (*form*) nachlässig

re·mis·sion [rɪˈmɪʃən] *n no pl* ❶ BRIT LAW (*reduction in sentence*) Straferlass *m* ❷ FIN (*cancellation of debt*) Erlass *m* ❸ MED (*form: lessening of pain*) Nachlassen *nt; of symptoms* Remission *f fachspr*

re·mit **I.** *vt* <-tt-> [rɪˈmɪt] (*form*) ❶ (*shorten prison sentence*) **to ~ a sentence** eine Strafe erlassen ❷ (*tender money*) **to ~ money** Geld überweisen ❸ (*pass on*) weiterleiten; **to ~ a case to sb/sth** jdm/etw einen Fall übertragen **II.** *n* [ˈriːmɪt] *no pl* Aufgabengebiet *nt*

re·mit·tance [rɪˈmɪt(ə)n(t)s] *n* (*form*) Überweisung *f*

re·mix MUS **I.** *vt* [ˌriːˈmɪks] ❶ (*mix tracks again*) **to ~ songs** einen Remix von Liedern machen ❷ (*re-record*) **to ~ songs** Lieder neu aufnehmen **II.** *n* <*pl* -es> [ˈriːmɪks] Remix *m*

rem·nant [ˈremnənt] *n* Rest *m; ~* **sale** Resteverkauf *m*

R

re·mod·el <BRIT -ll- or AM usu -l-> [ˌriːˈmɒdᵊl] vt umgestalten

re·mold n, vt AM see **remould**

re·mon·strance [rɪˈmɒn(t)strᵊn(t)s] n (form) Protest m

re·mon·strate [ˈremənstreɪt] vi (form) protestieren; ■to ~ against sb/sth sich über jdn/etw beschweren; ■to ~ with sb about sth jdm wegen einer S. gen Vorhaltungen machen

re·morse [rɪˈmɔːs] n no pl (form) Reue f; feeling of ~ Gefühl nt der Reue; to feel ~ for sth etw bereuen; ■without ~ erbarmungslos; the defendant was without ~ der Angeklagte zeigte keine Reue

re·morse·ful [rɪˈmɔːsfᵊl] adj (form: filled with regret) reuevoll geh; sinner reuig geh; (apologetic) schuldbewusst; to be ~ for sth etw bereuen

re·morse·ful·ly [rɪˈmɔːsfᵊli] adv (form) reumütig geh, voller Reue

re·morse·less [rɪˈmɔːsləs] adj (form) ❶ (relentless) unerbittlich ❷ (callous) gnadenlos, unbarmherzig; attack brutal

re·mote <-er, -est or more ~, most ~> [rɪˈməʊt] adj ❶ (distant in place) fern, entfernt; (isolated) abgelegen ❷ (distant in time) lang vergangen; past, future fern ❸ (standoffish) distanziert, unnahbar ❹ (slight) gering; resemblance entfernt

re·mote con·trol n ❶ (control from distance) Fernsteuerung f ❷ (device) Fernbedienung f **re·mote-con·trolled** adj ferngesteuert

re·mote·ness [rɪˈməʊtnəs] n no pl ❶ (inaccessibility) Abgelegenheit f ❷ (aloofness) Distanziertheit f

re·mould I. vt [ˌriːˈməʊld] neu gestalten; tyre runderneuern II. n [ˈriːməʊld] of a tyre Runderneuerung f

re·mount [ˌriːˈmaʊnt] vt to ~ a bicycle/horse/motorbike wieder auf ein Fahrrad/Pferd/Motorrad steigen

re·mov·able [rɪˈmuːvəbl] adj ❶ (cleanable) ink abwaschbar ❷ (detachable) sleeves abnehmbar, zum Abnehmen nach n

re·mov·al [rɪˈmuːvᵊl] n ❶ esp BRIT (changing address) Umzug m; ~ expenses Umzugskosten pl; ~ firm Umzugsfirma f; ~ man Möbelpacker m; ~ van Möbelwagen m ❷ no pl (expulsion) Beseitigung f; of a dictator Absetzung f; (abolition) of customs duties Abschaffung f ❸ no pl (cleaning) Entfernung f ❹ no pl (taking off) Abnahme f, Entfernung f

re·move [rɪˈmuːv] vt ❶ (take away) entfernen, wegräumen; obstacle beseitigen; wrecked vehicle abschleppen; to ~ a mine MIL eine Mine räumen; to ~ a roadblock eine Straßensperre beseitigen ❷ (get rid of) entfernen; (cancel) streichen; to ~ the film from the camera den Film aus der Kamera nehmen; to ~ one's make-up/a stain sein Make-up/einen Fleck entfernen ❸ (form: dismiss) to ~ sb [from office] jdn [aus dem Amt] entlassen

re·mov·er [rɪˈmuːvə] n ❶ BRIT (sb doing home removals) Möbelpacker m ❷ (cleaning substance) Reinigungsmittel nt; nail-varnish ~ Nagellackentferner m; stain ~ Fleckenentferner m

re·mu·ner·ate [rɪˈmjuːnᵊreɪt] vt (form) ■to ~ sb for sth jdn für etw akk bezahlen

re·mu·nera·tion [rɪˌmjuːnᵊrˈeɪʃᵊn] n (form) Vergütung f, Remuneration f ÖSTERR

re·mu·nera·tive [rɪˈmjuːnᵊrətɪv] adj (form) lukrativ

Re·nais·sance [rəˈneɪsᵊn(t)s] n ■the ~ die Renaissance; ~ art Kunst f der Renaissance; ~ music/painting Renaissancemusik f/-malerei f

re·nal [ˈriːnᵊl] adj Nieren-; ~ dialysis Dialyse f

re·name [ˌriːˈneɪm] vt umbenennen

ren·der [ˈrendə] vt (form) ❶ (cause to become) she was ~ed unconscious by the explosion sie wurde durch die Explosion ohnmächtig; to ~ sb speechless jdn sprachlos machen ❷ (interpret) wiedergeben; song vortragen ❸ (offer) aid, service leisten ❹ (submit) vorlegen; to ~ a report on sth to sb/sth jdm/etw einen Bericht über etw akk vorlegen ❺ (translate) übersetzen ❻ (put plaster on wall) verputzen

ren·der·ing [ˈrendᵊrɪŋ] n ❶ (performance of art work) Interpretation f; song Vortrag m; of a part Darstellung f ❷ (translation) Übersetzung f ❸ (account) Schilderung f ❹ (plaster) Putz m

ren·dez·vous [ˈrɒndɪvuː] I. n <pl -> ❶ (meeting) Rendezvous nt, Treffen nt ❷ (meeting place) Treffpunkt m, Treff m fam II. vi sich heimlich treffen

ren·di·tion [renˈdɪʃᵊn] n Wiedergabe f; of a song Interpretation f

ren·egade [ˈrenɪɡeɪd] I. n Abtrünnige(r) f(m) pej II. adj attr priest, province abtrünnig(e, s)

re·nege [rɪˈneɪɡ] vi to ~ on a deal sich nicht an ein Abkommen halten; to ~ on a promise ein Versprechen nicht halten

re·new [rɪˈnjuː] vt ❶ (resume) erneuern; to ~ a relationship with sb/sth eine Beziehung zu jdm/etw wieder aufnehmen; to ~ pressure erneut Druck ausüben ❷ (revalidate) book, membership, visa verlängern lassen ❸ (*grant continued validity*) *passport* verlängern ❹ (*repair*) reparieren; (*to mend in places*) ausbessern

re·new·able [rɪˈnjuːəbl] *adj* ❶ *energy sources* erneuerbar ❷ *contract, documents, passport* verlängerbar

re·new·al [rɪˈnjuːəl] *n* ❶ (*extension*) *of a passport* Verlängerung *f* ❷ (*process of renewing*) Erneuerung *f* ❸ MECH Austausch *m* ❹ (*urban regeneration*) Erneuerung *f*, Entwicklung *f*

re·newed [rɪˈnjuːd] *adj* erneuert *attr;* ~ **interest** wieder erwachtes Interesse; ~ **relationship** wieder aufgenommene Beziehung

ren·net [ˈrenɪt] *n*, **ren·nin** [ˈrenɪn] *n no pl* Lab *nt*

re·nounce [rɪˈnaʊn(t)s] *vt* ▪ **to ~ sth** ❶ (*formally give up*) *right* auf etw *akk* verzichten; **to ~ one's citizenship** seine Staatsbürgerschaft aufgeben; **to ~ one's family** seine Familie aufgeben; **to ~ one's faith/religion** seinem Glauben/seiner Religion abschwören ❷ (*deny sb's authority*) **to ~ sb's authority** die Autorität einer Person *gen* ablehnen

reno·vate [ˈrenəveɪt] *vt* renovieren

reno·va·tion [ˌrenəˈveɪʃən] *n* (*small and large scale*) Renovierung *f*; (*large scale only*) Sanierung *f*; **to make ~s** Renovierungsarbeiten durchführen; **to be under ~** gerade renoviert werden

re·nown [rɪˈnaʊn] *n no pl* (*form, liter*) Ruhm *m*; **to win ~** sich *dat* Ansehen verschaffen; **she was a woman of ~** sie war eine angesehene Frau

re·nowned [rɪˈnaʊnd] *adj* (*form, liter*) berühmt (**as** als, **for** für)

rent [rent] **I.** *n* Miete *f*; (*esp for land and business*) Pacht *f*; ▪ **for ~** zu vermieten **II.** *vt* ❶ (*hire as tenant*) mieten (**from** von); *land, business* pachten ❷ (*let, rent out as landlord*) vermieten **III.** *vi* AM *house, apartment, car* vermietet werden; ▪ **to ~ at sth** gegen etw *akk* zu mieten sein

rent·al [ˈrentəl] **I.** *n* Miete *f*; **video and television ~** Leihgebühr *f* für Video- und Fernsehgeräte **II.** *adj attr* Miet-; ~ **agency** Verleih *m;* ~ **library** AM Leihbücherei *f*

'rent boy *n* BRIT (*fam*) Stricher *m pej* **rent-'free** *adj* mietfrei

re·nun·cia·tion [rɪˌnʌn(t)siˈeɪʃən] *n no pl* Verzicht *m* (**of** auf)

re·oc·cur <-rr-> [ˌriːəˈkɜːʳ] *vi* sich wiederholen; *cancer, illness* erneut auftreten

re·open [ˌriːˈəʊpən] **I.** *vt* ❶ (*open again*) *door, window* wieder aufmachen; *shop* wieder eröffnen ❷ (*start again*) *negotia-*

tions wieder aufnehmen **II.** *vi* wieder eröffnen

re·or·der [ˌriːˈɔːdəʳ] **I.** *n* Nachbestellung *f* **II.** *vt* ❶ (*order again*) nachbestellen ❷ (*rearrange*) umordnen; *priorities* neu festlegen

re·or·gani·za·tion [riːˌɔːgənaɪˈzeɪʃən] *n* Reorganisation *f*, Umstrukturierung *f*, Sanierung *f*; LAW Neuordnung *f*

re·or·gan·ize [riːˈɔːgənaɪz] **I.** *vt* umorganisieren, reorganisieren **II.** *vi* reorganisieren, eine Umstrukturierung vornehmen

re·ori·en·ta·tion [riːˌɔːriənˈteɪʃən] *n* ❶ (*new direction*) Umorientierung *f*, Neuausrichtung *f* ❷ (*personal adjustment*) Eingewöhnung *f*

rep [rep] **I.** *n* ❶ (*fam: salesperson*) *short for* **representative** Vertreter(in) *m(f)* ❷ *no pl* THEAT (*fam*) *short for* **repertory company/theatre** (*single*) Repertoireensemble *nt*, Repertoiretheater *nt*; (*in general*) Repertoiretheater *nt* **II.** *vi* <-pp-> (*fam*) Klinken putzen *pej*

re·paint [ˌriːˈpeɪnt] *vt* neu streichen

re·pair [rɪˈpeəʳ] **I.** *vt* ❶ (*restore*) reparieren; *road* ausbessern; *car puncture* beheben; *tyre* flicken ❷ (*put right*) [wieder] in Ordnung bringen; *damage* wiedergutmachen; *friendship* kitten *fam* **II.** *n* ❶ (*overhaul*) Reparatur *f*; ▪ ~ **s** *pl* Reparaturarbeiten *pl* (**to** an); (*specific improvement*) ausgebesserte Stelle; **in need of ~** reparaturbedürftig; **to do ~ s** Reparaturen durchführen; **to make ~ s to sth** etw ausbessern; **beyond ~** irreparabel ❷ (*state*) Zustand *m;* **to be in good/bad ~** in gutem/schlechtem Zustand sein; **to keep sth in good ~** etw instand halten

re·pair·able [rɪˈpeərəbl] *adj* reparabel

re·'pair kit *n* Flickzeug *nt kein pl* **re·'pair·man** *n* (*for domestic installations*) Handwerker *m;* (*for cars*) Mechaniker *m;* **TV ~** Fernsehtechniker *m* **re·'pair shop** *n* Reparaturwerkstatt *f*

re·pa·per [ˌriːˈpeɪpəʳ] *vt* neu tapezieren

repa·rable [ˈrepərəbl] *adj* reparabel; ~ **loss** LAW ersetzbarer Schaden

repa·ra·tion [ˌrepəˈreɪʃən] *n* (*form*) Entschädigung *f*; ▪ ~ **s** *pl* (*for war victims*) Wiedergutmachung *f kein pl*; (*for a country*) Reparationen *pl*

rep·ar·tee [ˌrepɑːˈtiː] *n no pl* schlagfertige Antwort

re·pat·ri·ate [riːˈpætrieɪt] *vt* ▪ **to ~ sb** jdn [in sein Heimatland] zurückschicken [*o geh* repatriieren]

re·pat·ria·tion [riːˌpætriˈeɪʃən] *n no pl* Repatriierung *f geh*, Rückführung *f*

R

re·pay <-paid, -paid> [,ri:'peɪ] vt ❶ (pay back) zurückzahlen; debts, a loan tilgen; ■to ~ sb jdm Geld zurückzahlen ❷ (fig) to ~ a kindness sich für eine Gefälligkeit erkenntlich zeigen; ■to ~ sth by sth etw mit etw dat vergelten

re·pay·able [,ri:'peɪəbl] adj rückzahlbar

re·pay·ment [,ri:'peɪmənt] n of a loan Rückzahlung f, Tilgung f

re·peal [rɪ'pi:l] I. vt decree, a law aufheben II. n no pl of a decree, law Aufhebung f

re·peat [rɪ'pi:t] I. vt ❶ (say again) wiederholen; ~ after me bitte mir nachsprechen ❷ (communicate) don't ~ this but ... sag es nicht weiter, [aber] ... ❸ (emphasizing) I am not, ~ not, going to allow you to hitchhike by yourself ich werde dir nicht, ich betone nicht, erlauben, allein zu trampen ❹ (do again) wiederholen; his·tory ~s itself die Geschichte wiederholt sich; to ~ a class/a year eine Klasse/ein Schuljahr wiederholen II. vi ❶ (recur) sich wiederholen ❷ (fam) cucumber always ~s on me Gurke stößt mir immer auf III. n Wiederholung f IV. adj attr Wiederholungs-; ~ business Stammkundschaft f; ~ pattern sich wiederholendes Muster; (on material, carpets) Rapport m fachspr

re·peat·ed [rɪ'pi:tɪd] adj wiederholte(r, s)

re·peat·ed·ly [rɪ'pi:tɪdli] adv wiederholt; (several times) mehrfach

re·'peat or·der n Nachbestellung f **re·peat per·'for·mance** n ❶ (repetition of show) Wiederholungsvorstellung f ❷ (pat·tern) Wiederholung f

re·pel <-ll-> [rɪ'pel] vt ❶ (ward off) zurückweisen, abweisen ❷ MIL (form: repulse) abwehren ❸ magnets abstoßen ❹ (disgust) ■sb is ~led by sth etw stößt jdn ab

re·pel·lent [rɪ'pelənt] I. n Insektenspray nt II. adj abstoßend, widerwärtig

re·pent [rɪ'pent] vi, vt (form) bereuen; ■to ~ of sth etw bereuen; ■to ~ doing sth bereuen, etw getan zu haben

re·pen·tance [rɪ'pentən(t)s] n no pl Reue f

re·pen·tant [rɪ'pentənt] adj (form) reuig; to feel ~ reumütig sein

re·per·cus·sion [,ri:pə'kʌʃ°n] n usu pl Auswirkung f meist pl; far-reaching ~s weit reichende Konsequenzen

rep·er·toire ['repətwɑ:ʳ] n Repertoire nt (of an)

'rep·er·tory com·pa·ny n Repertoireensemble nt

'rep·er·tory thea·tre n, AM **'rep·er·tory thea·ter** n Repertoiretheater nt

rep·eti·tion [,repɪ'tɪʃ°n] n Wiederholung f; sth is full of ~ etw ist voll von Wiederholungen

rep·eti·tious [,repɪ'tɪʃəs] adj, **re·peti·tive** [rɪ'petətɪv] adj sich wiederholend attr, monoton pej

re·place [rɪ'pleɪs] vt ❶ (take the place of) ersetzen (with durch) ❷ (put back) ■to ~ sth etw [an seinen Platz] zurücklegen [o zurückstellen]; to ~ the receiver den Hörer wieder auflegen ❸ (substitute) ersetzen; bandage wechseln; a loss ersetzen

re·place·able [rɪ'pleɪsəbl] adj ersetzbar

re·place·ment [rɪ'pleɪsmənt] I. n ❶ (sub·stitute) Ersatz m; (person) Vertretung f ❷ no pl (substituting) Ersetzung f II. adj attr Ersatz-; ~ hip/knee joint künstliches Hüft-/Kniegelenk

re·plant [,ri:'plɑ:nt] vt ■to ~ sth ❶ trees, plants etw neu pflanzen; (plant sth again) etw umpflanzen ❷ land etw neu bepflanzen

re·play I. vt [,ri:'pleɪ] ❶ (game) match, game wiederholen ❷ (recording) video nochmals abspielen; to ~ sth over and over again in one's mind (fig) etw in Gedanken immer wieder durchspielen II. n ['ri:pleɪ] ❶ (match) Wiederholungsspiel nt ❷ (recording) Wiederholung f

re·plen·ish [rɪ'plenɪʃ] vt (form) glass wieder füllen; supplies [wieder] auffüllen

re·plen·ish·ment [rɪ'plenɪʃmənt] n no pl (form) of stocks, supplies Auffüllung f

re·plete [rɪ'pli:t] adj pred (form) ❶ (no longer hungry) person satt, voll fam ❷ (provided) ■to be ~ with sth mit etw dat großzügig ausgestattet sein

re·ple·tion [rɪ'pli:ʃ°n] n no pl (form) ❶ (satisfying of hunger) Sättigung f ❷ (fill·ing of something) Füllen nt

rep·li·ca ['replɪkə] n Kopie f; painting Replik f geh; ~ of a car/ship Auto-/Schiffsmodell nt

rep·li·cate ['replɪkeɪt] I. vt (form) reproduzieren geh; experiment wiederholen; ■to ~ oneself BIOL sich replizieren fachspr II. vi BIOL sich replizieren fachspr

re·ply [rɪ'plaɪ] I. vi <-ie-> ❶ (respond) antworten, erwidern; to ~ to letters/a question Briefe/eine Frage beantworten ❷ (fig: react) ■to ~ to sth auf etw akk reagieren II. n Antwort f (to auf); (verbal also) Erwiderung f; we advertised the job but received very few replies wir haben die Stelle ausgeschrieben, bekamen aber nur sehr wenige Zuschriften; in ~ to your letter of ... in Beantwortung Ihres Schreibens vom ...

re·'ply cou·pon n BRIT Antwortcoupon m

re·ply-'paid *adj* Brit ~ **envelope** Frei-umschlag *m*

re·port [rɪ'pɔːt] **I.** *n* ❶ (*news*) Meldung *f* (**on** über); ~**s in the newspaper/press** Zeitungs-/Presseberichte *pl* ❷ (*formal statement*) Bericht *m* (**on** über); |**school**| ~ Brit Schulzeugnis *nt;* **stock market/weather** ~ Börsen-/Wetterbericht *m* ❸ (*unproven claim*) Gerücht *nt;* **according to** ~**s** ... Gerüchten zufolge ... **II.** *vt* ❶ (*communicate information*) ▪**to** ~ **sth** etw berichten [*o* melden]; **he was** ~**ed missing in action** er wurde als vermisst gemeldet; **to** ~ **a crime/break-in/theft** ein Verbrechen/einen Einbruch/einen Diebstahl anzeigen ❷ (*denounce*) ▪**to** ~ **sb** jdn melden; **to** ~ **sb to the police** jdn anzeigen ❸ (*claim*) **the new management are** ~**ed to be more popular among the staff** es heißt, dass die neue Geschäftsleitung bei der Belegschaft beliebter sei ❹ (*give account*) wiedergeben **III.** *vi* ❶ (*make public*) Bericht erstatten; **to** ~ **on sth to sb** (*once*) jdm über etw *akk* Bericht erstatten; (*ongoing*) jdm über etw *akk* auf dem Laufenden halten; ▪**to** ~ |**that**| ... mitteilen, |dass| ... ❷ admin (*be accountable to sb*) ▪**to** ~ **to sb** jdm unterstehen ❸ (*arrive at work*) **to** ~ **for duty/work** sich zum Dienst/zur Arbeit melden; **to** ~ **sick** *esp* Brit sich krankmelden ❹ (*present oneself formally*) **some young offenders have to** ~ **to the police station once a month** manche jugendliche Straftäter müssen sich einmal im Monat bei der Polizei melden ◆**report back I.** *vt* (*communicate results*) ▪**to** ~ **back sth** |**to sb**| |jdm| über etw *akk* berichten **II.** *vi* Bericht erstatten; ▪**to** ~ **back on sth** über etw *akk* Bericht erstatten; ▪**to** ~ **back to sb** jdm Bericht erstatten

re·'port card *n* Am |Schul|zeugnis *nt*

re·port·er [rɪ'pɔːtəʳ] *n* Reporter(in) *m(f)*

re·port·ing [rɪ'pɔːtɪŋ] *n no pl* ❶ (*documenting*) Berichterstattung *f;* (*in-house also*) Reporting *nt* ❷ fin (*accounting*) Rechnungslegung *f*

re·pose [rɪ'pəʊz] **I.** *vi* (*form*) ❶ (*rest*) sich ausruhen [*o* (*lie*) liegen ❸ (*be buried*) ruhen *geh* **II.** *vt* (*form*) **to** ~ **hope/trust in sb/sth** Hoffnung/Vertrauen auf jdn/etw setzen **III.** *n no pl* (*form*) Ruhe *f*

re·posi·tory [rɪ'pɒzɪtˀri] *n* (*form*) ❶ (*place*) Aufbewahrungsort *m;* (*fig*) **my diary is a** ~ **for all my secret thoughts** in meinem Tagebuch bewahre ich all meine geheimen Gedanken auf ❷ (*container*) Behältnis *nt;* (*fig*) Quelle *f*

re·pos·sess [ˌriːpə'zes] *vt* wieder in Besitz nehmen

re·pos·ses·sion [ˌriːpə'zeʃˀn] *n* Wiederinbesitznahme *f*

rep·re·hen·sible [ˌreprɪ'hen(t)səbl] *adj* (*form*) verurteilenswert; *act* verwerflich

rep·re·sent [ˌreprɪ'zent] *vt* ❶ (*act on behalf of*) repräsentieren, vertreten ❷ (*depict*) darstellen, zeigen ❸ (*be a symbol of*) symbolisieren ❹ (*be the result of*) darstellen; **this book** ~**s ten years of research** dieses Buch ist das Ergebnis von zehn Jahren Forschung ❺ (*be typical of*) widerspiegeln

rep·re·sen·ta·tion [ˌreprɪzen'teɪʃˀn] *n* ❶ *no pl* (*acting on behalf of a person*) |Stell|vertretung *f;* pol, law Vertretung *f* ❷ (*something that depicts*) Darstellung *f* ❸ *no pl* (*act of depicting*) Darstellung *f*

rep·re·sen·ta·tive [ˌreprɪ'zentətɪv] **I.** *adj* ❶ pol repräsentativ; ~ **democracy/government** parlamentarische Demokratie/Regierung ❷ (*like others*) *cross section, result* repräsentativ ❸ (*typical*) typisch (**of** für) **II.** *n* ❶ (*person*) |Stell|vertreter(in) *m(f);* econ Vertreter(in) *m(f)* ❷ pol Abgeordnete(r) *f(m);* **elected** ~ gewählter Vertreter/gewählte Vertreterin ❸ Am (*member of House of Representatives*) Mitglied *nt* des Repräsentantenhauses

re·press [rɪ'pres] *vt* unterdrücken

re·pressed [rɪ'prest] *adj* ❶ (*hidden*) unterdrückt; psych verdrängt ❷ (*unable to show feelings*) gehemmt, verklemmt *fam*

re·pres·sion [rɪ'preʃˀn] *n no pl* ❶ pol Unterdrückung *f* ❷ psych Verdrängung *f*

re·pres·sive [rɪ'presɪv] *adj* repressiv *geh; regime* unterdrückerisch

re·prieve [rɪ'priːv] **I.** *vt* begnadigen; (*fig*) verschonen **II.** *n* ❶ law (*official order*) Begnadigung *f* ❷ (*fig: respite*) Schonfrist *f*

rep·ri·mand ['reprɪmɑːnd] **I.** *vt* rügen, tadeln **II.** *n* Rüge *f;* **to give sb a** ~ **for doing sth** jdn rügen, weil er/sie etw getan hat

re·print I. *vt* [ˌriː'prɪnt] nachdrucken **II.** *vi* [ˌriː'prɪnt] nachgedruckt werden **III.** *n* ['riːprɪnt] Nachdruck *m*

re·pris·al [rɪ'praɪzˀl] *n* Vergeltungsmaßnahme *f;* **to take** ~**s against sb** Vergeltungsmaßnahmen gegenüber jdm ergreifen

re·proach [rɪ'prəʊtʃ] **I.** *vt* ▪**to** ~ **sb** jdm Vorwürfe machen; ▪**to** ~ **sb for doing sth** jdm wegen einer S. *gen* Vorwürfe machen; ▪**to** ~ **sb with sth** jdm etw vorwerfen; ▪**to** ~ **oneself** sich *dat* Vorwürfe machen **II.** *n* <*pl* -es> Vorwurf *m*

re·proach·ful [rɪ'prəʊtʃfˀl] *adj* vorwurfsvoll

R

request	
requesting something	**bitten**
Can/Could you please take the rubbish down?	**Kannst/Könntest du bitte** den Müll runterbringen?
Be an angel/a love/a darling and bring me my jacket.	**Bitte sei doch so lieb und** bring mir meine Jacke.
Would you be good enough to bring me back a paper?	**Wärst du so nett und würdest** mir die Zeitung mitbringen?
Would you mind moving your luggage slightly to one side?	**Würden Sie bitte so freundlich sein und** Ihr Gepäck etwas zur Seite rücken?
Could I ask you to turn your music down a little?	**Darf ich Sie bitten,** Ihre Musik etwas leiser zu stellen?
asking for help	**um Hilfe bitten**
Could you help me, please?	**Könnten Sie mir bitte helfen?**
Could you give me a hand, please?	**Könnten Sie mir bitte behilflich sein?**
Could you do me favour, please?	**Kannst du mir bitte einen Gefallen tun?**
Can/Could I ask you a favour?	**Darf/Dürfte ich dich um einen Gefallen bitten?**
I would be grateful if you could help me out with this.	**Ich wäre Ihnen dankbar, wenn** Sie mir dabei helfen könnten.

re·proach·ful·ly [rɪˈprəʊtʃfᵊli] *adv* vorwurfsvoll

rep·ro·bate [ˈreprə(ʊ)beɪt] *n* (*form*) Gauner *m*, Halunke *m*

re·pro·cess [ˌriːˈprəʊses] *vt* wiederaufbereiten

re·pro·cess·ing [ˌriːˈprəʊsesɪŋ] *n no pl* Wiederaufbereitung *f*; ~ **plant** Wiederaufbereitungsanlage *f*

re·pro·duce [ˌriːprəˈdjuːs] I. *vi* ❶ (*produce offspring*) sich fortpflanzen; (*multiply*) sich vermehren ❷ (*be copied*) sich kopieren lassen II. *vt* ❶ (*produce offspring*) ■ **to ~ oneself** sich fortpflanzen; (*multiply*) sich vermehren ❷ (*produce a copy*) reproduzieren; (*in large numbers*) vervielfältigen ❸ (*repeat sth*) wiederholen ❹ (*recreate*) neu erstehen lassen

re·pro·duc·tion [ˌriːprəˈdʌkʃᵊn] I. *n* ❶ *no pl* (*producing offspring*) Fortpflanzung *f*; (*multiplying*) Vermehrung *f* ❷ *no pl* (*copying*) Reproduktion *f*, Vervielfältigung *f* ❸ (*repeating*) Wiederholung *f* ❹ (*quality of sound*) Wiedergabe *f* ❺ (*copy*) Reproduktion *f*, Kopie *f*; *of construction* Nachbau *m* II. *adj* ❶ (*concerning the production of offspring*) *process, rate* Fortpflanzungs- ❷ (*copying an earlier style*) *chair, desk, furniture* nachgebaut; ~ **furniture** Stilmöbel *pl*

re·pro·duc·tive [ˌriːprəˈdʌktɪv] *adj* Fortpflanzungs-

re·proof¹ [rɪˈpruːf] *n* (*form*) ❶ (*words expressing blame*) Tadel *m geh* ❷ *no pl* (*blame*) Vorwurf *m;* **to look at sb with ~** jdn vorwurfsvoll ansehen

re·proof² [ˌriːˈpruːf] *vt* neu imprägnieren

re·prove [rɪˈpruːv] *vt* (*form*) zurechtweisen

re·prov·ing [rɪˈpruːvɪŋ] *adj* (*form*) tadelnd, vorwurfsvoll

rep·tile [ˈreptaɪl] *n* Reptil *nt*

rep·til·ian [repˈtɪliən] *adj* ❶ (*of reptiles*) Reptilien-, reptilienartig ❷ (*pej: unpleasant*) *person* unangenehm; *stare* stechend

re·pub·lic [rɪˈpʌblɪk] *n* Republik *f*

Re·pub·li·can [rɪˈpʌblɪkən] I. *n* AM, IRISH POL Republikaner(in) *m(f)* II. *adj* AM, IRISH POL republikanisch

re·pub·li·ca·tion [ˌriːˌpʌblɪˈkeɪʃᵊn] *n no pl* Neuveröffentlichung *f*

re·pu·di·ate [rɪˈpjuːdieɪt] *vt* (*form*) zurückweisen; *suggestion* ablehnen

re·pu·dia·tion [rɪˌpjuːdiˈeɪʃᵊn] *n no pl* Zurückweisung *f*; *of a suggestion* Ablehnung *f*; LAW Erfüllungsverweigerung *f*; *of a treaty* Nichtanerkennung *f*

re·pug·nance [rɪˈpʌgnən(t)s] *n no pl* (*form*) Abscheu *m o f*

re·pug·nant [rɪˈpʌgnənt] *adj* (*form*) wi-

requiring and demanding	
asking someone	**jemanden auffordern**
Can you just come here for a minute?	**Kannst du mal** kurz herkommen?
Don't forget to phone me this evening.	**Denk dran**, mich heute Abend anzurufen.
Do come and visit me.	Besuchen Sie/Besuch mich **doch einmal**.
I must ask you to leave the room.	**Ich muss Sie bitten**, den Raum zu verlassen.
inviting a shared activity	**zu gemeinsamem Handeln auffordern**
Let's go!	**Auf geht's!**
(Let's get) to work!/Let's get down to work!	**An die Arbeit!/Fangen wir** mit der Arbeit **an!**
Let's just talk about it calmly.	**Lasst uns mal** in Ruhe darüber reden.
Shall we finally make a start on it?	**Wollen wir jetzt nicht endlich einmal** damit anfangen?
demanding	**verlangen**
I want you to go/**insist (that)** you go.	**Ich will, dass/bestehe darauf, dass** Sie gehen/du gehst.
I demand an explanation from you.	**Ich verlange** eine Erklärung von Ihnen.
That is the least one can expect.	**Das ist das Mindeste,** das man erwarten kann.

derlich; *behaviour* abstoßend; ■**to be ~ to sb** jdm zuwider sein, jdn anwidern

re·pulse [rɪˈpʌls] **I.** *vt* ❶ MIL abwehren; *an offensive* zurückschlagen ❷ *(reject)* zurückweisen ❸ *(disgust)* abstoßen, anwidern **II.** *n (form)* Abwehr *f*

re·pul·sion [rɪˈpʌlʃⁿn] *n no pl* ❶ *(disgust)* Abscheu *m*, Ekel *m* ❷ PHYS Abstoßung *f*, Repulsion *f fachspr*

re·pul·sive [rɪˈpʌlsɪv] *adj* abstoßend

re·pur·chase [ˌriːˈpɜːtʃəs] *vt* zurückkaufen

repu·table [ˈrepjətəbl] *adj* angesehen, achtbar

repu·ta·tion [ˌrepjəˈteɪʃⁿn] *n no pl* ❶ *(general estimation)* Ruf *m;* **to have a ~ for sth** für etw *akk* bekannt sein; **to have a ~ as sth** einen Ruf als etw haben; **to make a ~ for oneself** sich *dat* einen Namen machen; **to live up to one's ~** seinem Ruf gerecht werden ❷ *(being highly regarded)* Ansehen *nt*, guter Ruf ❸ *(being known for sth)* Ruf *m*

re·pute [rɪˈpjuːt] *n no pl* Ansehen *nt;* **of ~** angesehen; **sth of ill/good ~** etw von zweifelhaftem/gutem Ruf

re·put·ed [rɪˈpjuːtɪd] *adj* ❶ *(believed)* angenommen, vermutet ❷ *attr (supposed)* mutmaßlich

re·quest [rɪˈkwest] **I.** *n* ❶ *(act of asking)* Bitte *f* (**for** um), Anfrage *f* (**for** nach); **at sb's ~** auf jds Bitte [*o* Wunsch] hin; **on ~** auf Anfrage [*o* Wunsch] ❷ *(formal entreaty)* Antrag *m;* **to submit a ~ that ...** beantragen, dass ... ❸ RADIO *(requested song)* [Musik]wunsch *m* **II.** *vt* ❶ *(ask for)* ■**to ~ sth** (*form*) um etw *akk* bitten; **I ~ed a taxi for 8 o'clock** ich bestellte ein Taxi für 8 Uhr; **as ~ed** wie gewünscht ❷ RADIO *(ask for song)* ■**to ~ sth** [sich *dat*] etw wünschen

requi·em [ˈrekwiəm] *n,* **requi·em ˈmass** *n* Requiem *nt*

re·quire [rɪˈkwaɪəʳ] *vt* ❶ *(need)* brauchen; **the house ~s painting** das Haus müsste mal gestrichen werden *fam;* ■**to be ~d for sth** für etw *akk* erforderlich sein ❷ *(demand)* ■**to ~ sth** [**of sb**] etw [von jdm] verlangen ❸ *(officially order)* ■**to ~ sb to do sth** von jdm verlangen, etw zu tun; **the rules ~ that ...** die Vorschriften besagen, dass ... ❹ *(form: wish to have)* wünschen

re·quire·ment [rɪˈkwaɪəmənt] *n* Voraussetzung *f* (**for** für); **it is a legal ~ that ...** es ist gesetzlich vorgeschrieben, dass ...; **minimum ~** Grundvoraussetzung *f;* **to meet the ~s** die Voraussetzungen erfül-

R

len; **I do hope that the new computer will meet your ~s** ich hoffe, der neue Computer wird Ihren Anforderungen gerecht

requi·site ['rekwɪzɪt] **I.** *adj attr* (*form*) erforderlich **II.** *n usu pl* Notwendigkeit *f*

requi·si·tion [ˌrekwɪ'zɪʃᵊn] **I.** *vt* beschlagnahmen (**from** von) **II.** *n* ❶ *no pl* (*official request*) Ersuchen *nt*, Aufforderung *f* ❷ (*written request*) Anforderung *f*, Antrag *m* (**for** auf); **to make a ~ for sth** etw anfordern

re·route [ˌriː'ruːt] *vt demonstration, flight, phone call* umleiten

re·run I. *vt* <-ran, -run> [ˌriː'rʌn] wiederholen; *film* noch einmal zeigen; *play* noch einmal aufführen **II.** *n* ['riːrʌn] ❶ FILM, TV (*repeated programme*) Wiederholung *f* ❷ (*fig: repeat of*) Wiederholung *f*; *of an event, situation* Wiederkehr *f*

re·sale ['riːseɪl] *n* Wiederverkauf *m*

re·sched·ule [ˌriː'ʃedjuːl] *vt* ❶ (*rearrange time*) *date* verschieben; *an event* verlegen ❷ (*postpone payment*) *debts* stunden

re·scind [rɪ'sɪnd] *vt esp* LAW (*form*) aufheben; **to ~ a contract** von einem Vertrag zurücktreten

res·cue ['reskjuː] **I.** *vt* (*save*) retten; (*free*) befreien; **to ~ sb from danger** jdn aus einer Gefahr retten **II.** *n* Rettung *f*; **to come to sb's ~** jdm zu Hilfe kommen **III.** *adj attempt, helicopter* Rettungs-

res·cu·er ['reskjuːəʳ] *n* Retter(in) *m(f)*

re·search [rɪ'sɜːtʃ] **I.** *n* ❶ *no pl* (*general*) Forschung *f*; (*particular*) Erforschung *f*; **~ in human genetics** Forschungen *pl* auf dem Gebiet der Humangenetik; **to carry out ~** [**into sth**] [einer er]forschen ❷ (*studies*) ■**~es** *pl* Untersuchungen *pl* (**in** über) **II.** *adj centre, programme, project, unit, work* Forschungs-; **~ assistant** wissenschaftlicher Mitarbeiter/wissenschaftliche Mitarbeiterin; **~ scientist** Forscher(in) *m(f)* **III.** *vi* forschen; ■**to ~ in[to] sth** etw erforschen [*o* untersuchen] **IV.** *vt* ❶ SCI erforschen ❷ JOURN recherchieren

re·search·er [rɪ'sɜːtʃəʳ] *n*, **re·'search work·er** *n* Forscher(in) *m(f)*

re·sem·blance [rɪ'zembləⁿ(t)s] *n no pl* Ähnlichkeit *f*; **to bear a ~ to sb/sth** jdm/ etw ähnlich sehen; **this account bears no ~ to the truth** diese Darstellung hat nichts mit der Wahrheit zu tun

re·sem·ble [rɪ'zembl] *vt* ähneln

re·sent [rɪ'zent] *vt* ■**to ~ sb/sth** sich [sehr] über jdn/etw ärgern; ■**to ~ doing sth** etw [äußerst] ungern tun

re·sent·ful [rɪ'zentfᵊl] *adj* ❶ (*feeling resentment*) verbittert, verärgert; ■**to be ~ of sb/sth** sich über jdn/etw ärgern ❷ (*showing resentment*) nachtragend

re·sent·ment [rɪ'zentmənt] *n* Verbitterung *f*, Groll *m*; **to feel [a] ~ against sb** einen Groll gegen jdn hegen

res·er·va·tion [ˌrezə'veɪʃᵊn] *n* ❶ *usu pl* (*doubt*) Bedenken *pl*; **to have ~s about sth** wegen einer S. *gen* Bedenken haben ❷ TOURIST (*act and result*) Reservierung *f*; **to make a ~** [etw] reservieren ❸ (*area of land*) Reservat *nt*

re·serve [rɪ'zɜːv] **I.** *n* ❶ *no pl* (*form: doubt*) Zurückhaltung *f*; **with ~** mit Vorbehalt ❷ (*store*) Reserve *f*, Vorrat *m*; **to put sth on ~** [**for sb**] etw [für jdn] reservieren ❸ (*area*) Reservat *nt*; **wildlife ~** Naturschutzgebiet *nt* ❹ SPORTS Ersatzspieler(in) *m(f)* ❺ MIL Reserve *f* ❻ *no pl* (*self-restraint*) Reserviertheit *f* **II.** *vt* ❶ (*keep*) aufheben ❷ (*save*) reservieren; **to ~ the right to do sth** sich *dat* das Recht vorbehalten, etw zu tun ❸ (*book*) *room, table, ticket* vorbestellen, reservieren

re·serve 'cur·ren·cy *n* Leitwährung *f*

re·served [rɪ'zɜːvd] *adj* ❶ (*booked*) reserviert ❷ (*restrained*) *person* reserviert; *smile* verhalten

re·'serve price *n* (*at auctions*) Mindestpreis *m*

re·serv·ist [rɪ'zɜːvɪst] *n* MIL Reservist(in) *m(f)*

res·er·voir ['rezəvwɑːʳ] *n* ❶ (*large lake*) Wasserreservoir *nt* ❷ (*fig: supply of*) Reservoir *nt*

re·set <-tt-, -set, -set> [ˌriː'set] *vt* ❶ (*set again*) *clock, a timer* neu stellen ❷ MED *broken bone* [ein]richten ❸ COMPUT neu starten; **~ button** Resettaste *f*

re·set·tle [ˌriː'setl] **I.** *vi* sich neu niederlassen **II.** *vt* umsiedeln

re·shuf·fle [ˌriː'ʃʌfl] **I.** *vt* POL *cabinet, organization* umbilden **II.** *n* POL Umbildung *f*

re·side [rɪ'zaɪd] *vi* (*form*) ❶ (*be living*) residieren, wohnhaft sein ❷ (*form: be kept*) aufbewahrt werden ❸ (*form: have the right*) **the power to sack employees ~s in the Board of Directors** nur der Vorstand hat das Recht, Angestellte zu entlassen

resi·dence ['rezɪdᵊn(t)s] *n* ❶ (*form: domicile*) Wohnsitz *m*; **to take up ~ in a country** sich in einem Land niederlassen ❷ *no pl* (*act of residing*) Wohnen *nt*; ■**to be in ~** wohnen; *monarch* residieren ❸ (*building*) Wohngebäude *nt*; *of a monarch* Residenz *f* ❹ UNIV (*for research*)

Forschungsaufenthalt *m;* (*for teaching*) Lehraufenthalt *m*

'**resi·dence per·mit** *n* Aufenthaltserlaubnis *f*

resi·dent ['rezɪdᵊnt] **I.** *n* ❶ (*person living in a place*) Bewohner(in) *m(f);* *of a hotel* [Hotel]gast *m;* **local** ~ Anwohner(in) *m(f);* '~**s only**' ‚Anlieger frei' ❷ POL **is she a** ~ **of Canada?** lebt sie in Canada? **II.** *adj* ❶ (*residing*) ansässig, wohnhaft ❷ *attr* (*living where one is employed*) im Haus lebend *nach n;* ~ **doctor** Arzt/Ärztin im Haus ❸ (*employed in a particular place*) hauseigen

resi·den·tial [ˌrezɪ'den(t)ʃᵊl] *adj* ❶ (*housing area*) Wohn-; ~ **district** Wohngebiet *nt* ❷ (*job requiring person to live in*) mit Wohnung im Haus *nach n;* **my job is** ~ ich wohne an meinem Arbeitsplatz ❸ (*used as a residence*) *hotel* Wohn- ❹ (*concerning residence*) *requirements* Aufenthalts-

re·sid·ual [rɪ'zɪdjuəl] *adj* restlich; *opposition* vereinzelt; ~ **moisture/warmth** Restfeuchtigkeit *f/*-wärme *f*

resi·due ['rezɪdju:] *n usu sing* ❶ (*form: remainder*) Rest *m* ❷ CHEM Rückstand *m* ❸ LAW restlicher Nachlass

re·sign [rɪ'zaɪn] **I.** *vi* (*leave one's job*) kündigen; **to** ~ **from an office/post** von einem Amt/einem Posten zurücktreten **II.** *vt* ❶ (*give up*) aufgeben; *office, post* niederlegen ❷ (*accept*) **to** ~ **oneself to a fact/one's fate/the inevitable** sich mit einer Tatsache/seinem Schicksal/dem Unvermeidlichen abfinden

res·ig·na·tion [ˌrezɪg'neɪʃᵊn] *n* ❶ (*official letter*) Kündigung *f;* **to hand in one's** ~ seine Kündigung einreichen ❷ *no pl* (*act of resigning*) Kündigung *f; from office, post* Rücktritt *m* ❸ *no pl* (*acceptance*) Resignation *f*

re·signed [rɪ'zaɪnd] *adj* resigniert; ■ **to be** ~ **to sth** sich mit etw *dat* abgefunden haben

re·sili·ence [rɪ'zɪliən(t)s] *n no pl,* **re·sili·en·cy** [rɪ'zɪliən(t)si] *n no pl* ❶ (*ability to regain shape*) *of material* Elastizität *f* ❷ (*ability to recover*) *of person* Widerstandskraft *f,* Durchhaltevermögen *nt*

re·sili·ent [rɪ'zɪliənt] *adj* ❶ (*able to keep shape*) *material* elastisch ❷ (*fig: able to survive setbacks*) unverwüstlich, zäh; *health* unverwüstlich

res·in ['rezɪn] *n no pl* Harz *nt*

res·in·ous ['rezɪnəs] *adj* harzig

re·sist [rɪ'zɪst] **I.** *vt* ❶ (*fight against*) ■ **to** ~ **sth** etw *dat* Widerstand leisten; **to** ~ **arrest** LAW sich der Verhaftung widersetzen

❷ (*refuse to accept*) ■ **to** ~ **sth** sich gegen etw *akk* wehren, sich etw *dat* widersetzen ❸ (*be unaffected by*) widerstehen +*dat* ❹ (*not give into*) widerstehen +*dat;* **she couldn't** ~ **laughing** sie musste einfach loslachen *fam* **II.** *vi* ❶ (*fight an attack*) sich wehren ❷ (*refuse sth*) widerstehen

re·sis·tance [rɪ'zɪstᵊn(t)s] *n* ❶ *no pl* (*military opposition*) Widerstand *m* (**to** gegen) ❷ (*organization*) ■ **the R**~ der Widerstand; **the** [French] **R**~ die [französische] Résistance ❸ (*refusal to accept*) Widerstand *m* (**to** gegen); **to offer no** ~ [to sb/ sth] [jdm/etw] keinen Widerstand leisten; **to put up** [**a**] **determined** ~ erbitterten Widerstand leisten ❹ *no pl* (*ability to withstand illness*) Widerstandskraft *f;* ~ **to a disease/an infection** Resistenz *f* gegen eine Krankheit/eine Infektion ❺ *no pl* (*force*) *also* PHYS, ELEC Widerstand *m*

re·'sis·tance fight·er *n* Widerstandskämpfer(in) *m(f)*

re·sis·tant [rɪ'zɪstᵊnt] *adj* ❶ (*refusing to accept*) ablehnend; ■ **to be** ~ **to sth** etw *dat* ablehnend gegenüberstehen ❷ (*hardened against damage*) resistent (**to** gegen)

re·sis·tor [rɪ'zɪstəʳ] *n* ELEC Widerstand *m*

re·sit *esp* BRIT **I.** *vt* <-tt-, -sat, -sat> [ˌri:'sɪt] *examination* wiederholen **II.** *n* ['ri:sɪt] SCH, UNIV Wiederholungsprüfung *f*

reso·lute ['rezᵊlu:t] *adj* (*form*) entschlossen; *belief, stand* fest; *person* energisch; ■ **to be** ~ **in sth** hartnäckig in etw *dat* sein

reso·lute·ly ['rezᵊlu:tli] *adv* resolut, entschlossen; **to** ~ **refuse to do sth** sich hartnäckig weigern, etw zu tun

reso·lute·ness ['rezᵊlu:tnəs] *n no pl* (*approv*) Resolutheit *f,* Entschlossenheit *f*

reso·lu·tion [ˌrezᵊl'u:ʃᵊn] *n* ❶ *no pl* (*approv: determination*) Entschlossenheit *f* ❷ *no pl* (*form: solving*) Lösung *f; of crises* Überwindung *f; of a question* Klärung *f* ❸ POL (*proposal*) Beschluss *m,* Resolution *f;* **to pass/reject a** ~ eine Resolution verabschieden/ablehnen ❹ (*decision*) Entscheidung *f;* (*intention*) Vorsatz *m;* **to make a** ~ eine Entscheidung treffen ❺ *no pl* CHEM, TECH Aufspaltung *f* ❻ *no pl* COMPUT, PHOT, TV (*picture quality*) Auflösung *f*

re·solv·able [rɪ'zɒlvəbl] *adj* lösbar

re·solve [rɪ'zɒlv] **I.** *vt* ❶ (*solve*) lösen ❷ (*settle*) *differences* beilegen; **the crisis** ~**d itself** die Krise legte sich von selbst ❸ (*separate*) zerlegen (**into** in) ❹ (*form: decide*) ■ **to** ~ **that ...** beschließen, dass ... **II.** *vi* ❶ (*decide*) beschließen; ■ **to** ~ **on doing sth** beschließen, etw zu tun ❷ (*separate into*) sich auflösen **III.** *n* Entschlossen-

R

heit *f*

re·solved [rɪ'zɒlvd] *adj pred* entschlossen

reso·nance ['rezᵊnən(t)s] *n* ❶ *no pl* (*echo*) [Nach]hall *m*, Resonanz *f geh* ❷ (*form: association*) Erinnerung *f*

reso·nant ['rezᵊnənt] *adj* |wider|hallend; ■**to be ~ with sth** von etw *dat* widerhallen

reso·nate ['rezᵊneɪt] **I.** *vi* ❶ (*resound*) hallen ❷ (*fig: be important*) ■**to ~ with sth** etw ausstrahlen; ■**to ~ with sb** bei jdm Echo finden ❸ *esp* AM (*fig: share an understanding*) einer Meinung sein; ■**to ~ with sth** mit etw *dat* im Einklang sein **II.** *vt* ■**to ~ sth** mit etw *dat* Resonanzen erzeugen

re·sort [rɪ'zɔːt] **I.** *n* ❶ (*place for holidays*) Urlaubsort *m* ❷ *no pl* (*recourse*) Einsatz *m*, Anwendung *f*; **without ~ to violence** ohne Gewaltanwendung; **as a last ~** als letzten Ausweg; **you're my last ~!** du bist meine letzte Hoffnung! **II.** *vi* ■**to ~ to sth** auf etw *akk* zurückgreifen, etw anwenden

re·sound [rɪ'zaʊnd] *vi* ❶ (*resonate*) |wider|hallen ❷ (*fig: cause sensation*) Furore machen; **the rumour ~ed through the whole world** das Gerücht ging um die ganze Welt

re·sound·ing [rɪ'zaʊndɪŋ] *adj pred* ❶ (*very loud*) schallend; *applause* tosend ❷ (*emphatic*) unglaublich; *defeat* schwer; *success* durchschlagend

re·source [rɪ'zɔːs] **I.** *n* ❶ *usu pl* (*asset*) Ressource *f* ❷ *pl* (*source of supply*) Ressourcen *pl;* **natural ~s** Bodenschätze *pl* ❸ *pl* (*wealth*) [finanzielle] Mittel ❹ (*approv form: resourcefulness*) Einfallsreichtum *m* **II.** *vt* ausstatten

re·source·ful [rɪ'zɔːsfᵊl] *adj* (*approv*) einfallsreich

re·spect [rɪ'spekt] **I.** *n* ❶ *no pl* (*esteem*) Respekt *m*, Achtung *f* (**for** vor) ❷ *no pl* (*consideration*) Rücksicht *f*; **to have ~ for sb/sth** Rücksicht auf jdn/etw nehmen; **to have no ~ for sth** etw nicht respektieren; **out of ~ for sb's feelings** aus Rücksicht auf jds Gefühle ❸ (*form: polite greetings*) ■**~s** *pl* Grüße *pl;* **to pay one's ~s** [**to sb**] jdm einen Besuch abstatten; **to pay one's last ~s to sb** jdm die letzte Ehre erweisen ▶ **in all/many/some ~s** in allen/vielen/einigen Punkten; **in every ~** in jeglicher Hinsicht **II.** *vt* respektieren; **to ~ sb's decision/wishes/privacy** jds Entscheidung/Wünsche/Privatsphäre respektieren

re·spect·abil·ity [rɪ,spektə'bɪləti] *n no pl* Ansehen *nt*, Seriosität *f*; **to achieve ~** Ansehen gewinnen

re·spect·able [rɪ'spektəbl] *adj* ❶ (*decent*) anständig, ehrbar ❷ (*presentable*) anständig, ordentlich ❸ (*acceptable*) *salary, sum* anständig *fam*, ordentlich *fam*, ansehnlich ❹ (*deserving respect*) respektabel; *person* angesehen ❺ (*hum: be dressed*) **to make oneself ~** sich *dat* was anziehen *fam*

re·spect·ably [rɪ'spektəbli] *adv* ❶ (*in a respectable manner*) anständig, ordentlich ❷ (*reasonably well*) passabel *fam*

re·spect·ed [rɪ'spektɪd] *adj* angesehen

re·spect·ful [rɪ'spektfᵊl] *adj* respektvoll; **to be ~ of sth** etw respektieren

re·spect·ful·ly [rɪ'spektfᵊli] *adv* respektvoll; **R~ yours** hochachtungsvoll, Ihr(e)

re·spect·ing [rɪ'spektɪŋ] *prep* (*form*) bezüglich +*gen*

re·spec·tive [rɪ'spektɪv] *adj attr* jeweilig

re·spec·tive·ly [rɪ'spektɪvli] *adv* beziehungsweise, bzw.; **the two pens cost £3 and £4 respectively** die beiden Stifte kosten 3 bzw. 4 Pfund

res·pi·ra·tion [,respᵊr'eɪʃᵊn] *n no pl* (*spec*) Atmung *f*; **artificial ~** künstliche Beatmung

res·pi·ra·tor ['respᵊreɪtəʳ] *n* ❶ MED (*breathing equipment*) Beatmungsgerät *nt* ❷ (*air-filtering mask*) Atem[schutz]gerät *nt*

re·spira·tory [rɪ'spɪrətᵊri] *adj attr* (*form*) Atem-

res·pite ['respaɪt] *n no pl* (*form: pause*) Unterbrechung *f*, Pause *f*; **the injection provided only a temporary ~ from the pain** die Spritze befreite nur vorübergehend von den Schmerzen; **without ~** pausenlos

re·splen·dent [rɪ'splendənt] *adj* (*form or liter*) prächtig, prachtvoll

re·spond [rɪ'spɒnd] **I.** *vt* ■**to ~ that ...** erwidern, dass ... **II.** *vi* ❶ (*answer*) antworten (**to** auf) ❷ (*react*) reagieren (**to** auf) ❸ MED (*react*) **to ~ to treatment** auf eine Behandlung ansprechen

re·spon·dent [rɪ'spɒndənt] *n* ❶ (*person who answers*) Befragte(r) *f(m)* ❷ LAW Angeklagte(r) *f(m)*

re·sponse [rɪ'spɒn(t)s] *n* ❶ (*answer*) Antwort *f* (**to** auf) ❷ (*act of reaction*) Reaktion *f*; **to meet with a bad/good ~** eine schlechte/gute Resonanz finden; **in ~ to sth** in Erwiderung auf etw *akk* ❸ *no pl* (*sign of reaction*) Reaktion *f* ❹ (*part of church service*) Responsorium *nt*

re·spon·sibil·ity [rɪ,spɒn(t)sə'bɪləti] *n* ❶ *no pl* (*being responsible*) Verantwortung *f* (**for** für); **to claim ~ for sth** sich für etw *akk* verantwortlich erklären; **to take full ~ for sth** die volle Verantwortung für etw *akk* übernehmen; **sense of ~** Verant-

responsibility	
asking about responsibility	**nach Zuständigkeit fragen**
Are you in charge/the person responsible?	Sind Sie dafür zuständig?
Are you the doctor in attendance?	Sind Sie die behandelnde Ärztin/der behandelnde Arzt?
expressing responsibility	**Zuständigkeit ausdrücken**
Yes, you've come to the right person.	Ja, bei mir sind Sie richtig.
I am responsible for organizing the party.	Ich bin für die Organisation des Festes verantwortlich/zuständig.
expressing lack of responsibility	**Nicht-Zuständigkeit ausdrücken**
I'm not responsible for that (, I'm afraid).	Dafür bin ich (leider) nicht zuständig.
That isn't our responsibility.	Dafür sind wir nicht zuständig.
You've come to the wrong person./I'm not the one you want.	Da sind Sie bei mir an der falschen Adresse.
I'm not entitled/authorized to do that (, I'm afraid).	Dazu bin ich (leider) nicht berechtigt/befugt.

wortungsbewusstsein *nt;* **to act on one's own ~** auf eigene Verantwortung handeln; **to carry a lot of ~** eine große Verantwortung tragen ❷ (*duty*) Verantwortlichkeit *f,* Zuständigkeit *f*

re·spon·sible [rɪ'spɒn(t)səbl] *adj* ❶ (*accountable*) verantwortlich (**for** für); **to hold sb ~** jdn verantwortlich machen; LAW jdn haftbar machen ❷ (*in charge*) verantwortlich (**for** für), zuständig ❸ (*sensible*) verantwortungsbewusst ❹ (*requiring responsibility*) *job, task* verantwortungsvoll

re·spon·sive [rɪ'spɒn(t)sɪv] *adj* gut reagierend; **I always found him very ~** ich fand ihn immer sehr entgegenkommend; **we had a wonderfully ~ audience for last night's performance** das Publikum ging bei der Vorstellung gestern Abend sehr gut mit; **to be ~ to treatment** auf eine Behandlungsmethode ansprechen

rest¹ [rest] *n* + *sing/pl vb* ■ **the ~** der Rest

rest² [rest] **I.** *n* ❶ (*period of repose*) [Ruhe]pause *f;* **to have a ~** eine Pause machen ❷ *no pl* (*repose*) Erholung *f;* **for a ~** zur Erholung ❸ MUS Pause *f;* (*symbol*) Pausenzeichen *nt* ❹ (*support*) Stütze *f,* Lehne *f;* (*in billiards*) Führungsqueue *m o nt* **II.** *vt* ❶ (*repose*) **to ~ one's eyes/legs** seine Augen/Beine ausruhen; **to ~ oneself** sich ausruhen ❷ (*support*) lehnen ❸ LAW (*conclude evidence*) **to ~ one's case** seine Be-

weisführung abschließen **III.** *vi* ❶ (*cease activity*) [aus]ruhen, sich ausruhen; **to not ~ until ...** [so lange] nicht ruhen, bis ... ❷ (*not to mention sth*) **to let sth ~** etw ruhen lassen; (*fam*) **let it ~!** lass es doch auf sich beruhen! ❸ (*be supported*) ruhen ❹ (*depend on*) ■ **to ~ on sb/sth** auf jdm/etw ruhen; (*be based on*) ■ **to ~ on sth** auf etw *dat* beruhen ❺ (*form or liter: alight on*) ■ **to ~ [up]on sb/sth** *gaze* auf jdm/etw ruhen ▸ **to ~ on one's laurels** sich auf seinen Lorbeeren ausruhen; **[you can] ~ assured [that ...]** seien Sie versichert, dass ...

re·state [ˌriː'steɪt] *vt* ■ **to ~ sth** etw noch einmal [mit anderen Worten] sagen

res·tau·rant ['restᵊrɔ̃(ŋ)] *n* Restaurant *nt,* Gaststätte *f*

'res·tau·rant car *n* BRIT Speisewagen *m*

res·tau·ra·teur [ˌrestərə'tɜː'] *n* Gastwirt(in) *m(f)*

'rest cure *n* Erholungskur *f* **'rest day** *n* Ruhetag *m*

rest·ful ['restfᵊl] *adj* erholsam; *sound* beruhigend; *atmosphere* entspannt; *place* friedlich

'rest home *n* Altersheim *nt*

'rest·ing place ['restɪŋ-] *n* ❶ (*euph: burial place*) **sb's [final] ~** jds [letzte] Ruhestätte ❷ (*place to relax*) Rastplatz *m*

res·ti·tu·tion [ˌrestɪ'tjuːʃᵊn] *n no pl* ❶ (*return*) Rückgabe *f; of sb's rights* Wiederherstellung *f; of money* [Zu]rückerstattung *f; of a house, estates* [Zu]rückgabe *f* ❷ (*compensation*) Entschädigung *f; (financial usu*) Schaden[s]ersatz *m*

res·tive ['rɛstɪv] *adj* ❶ (*restless and impatient*) unruhig, nervös ❷ (*stubborn*) widerspenstig; *horse* störrisch

rest·less ['rɛstləs] *adj* ❶ (*agitated*) unruhig ❷ (*uneasy*) rastlos; **to get ~** anfangen, sich unwohl zu fühlen ❸ (*wakeful*) ruhelos; *night* schlaflos

rest·less·ly ['rɛstləsli] *adv* unruhig

rest·less·ness ['rɛstləsnəs] *n no pl* ❶ (*agitation*) Unruhe *f* ❷ (*impatience*) Rastlosigkeit *f*

re·stock [ˌriːˈstɒk] **I.** *vt* ■ **to ~ sth** etw wieder auffüllen; **to ~ a lake** einen See wieder mit Fischen besetzen **II.** *vi* Vorräte erneuern

res·to·ra·tion [ˌrɛstəˈreɪʃ(ə)n] *n* ❶ *no pl* (*act of restoring*) Restaurieren *nt* ❷ (*instance of restoring*) Restaurierung *f* ❸ *no pl* (*reestablishment*) Wiederherstellung *f;* **the ~ of the death penalty** die Wiedereinführung der Todesstrafe ❹ *no pl* (*form: return to owner*) Rückgabe *f* ❺ *no pl* (*return to position*) Wiedereinsetzung *f* (**to** in)

re·stora·tive [rɪˈstɔːrətɪv] **I.** *n* Stärkungsmittel *nt* **II.** *adj* stärkend *attr;* **~ powers** [**of sth**] (*strengthening*) kräftigende Wirkung [von etw *dat*]; (*healing*) heilende Wirkung [von etw *dat*]

re·store [rɪˈstɔːʳ] *vt* ❶ (*renovate*) restaurieren ❷ (*re-establish*) wiederherstellen; **to ~ sb's faith in sth** jdm sein Vertrauen in etw *akk* zurückgeben; **to ~ a law** ein Gesetz wieder einführen; **to ~ sb to life** jdn ins Leben zurückbringen ❸ (*form: return to owner*) ■ **to ~ sth to sb** jdm etw zurückgeben; ■ **to ~ sb to sb** jdn [zu] jdm zurückbringen ❹ (*reinstate*) **to ~ sb to their former position** jdn in seine/ihre frühere Position wieder einsetzen; **to ~ sb to power** jdn wieder an die Macht bringen

re·stor·er [rɪˈstɔːrəʳ] *n* ❶ ARCHIT, ART (*person*) Restaurator(in) *m(f)* ❷ (*hair growth treatment*) **hair ~** Haarwuchsmittel *nt*

re·strain [rɪˈstreɪn] *vt* zurückhalten; (*forcefully*) bändigen; ■ **to ~ sb from** [**doing**] **sth** jdn davon abhalten, etw zu tun; ■ **to ~ oneself** sich beherrschen; **she ~ed her impulse to smile** sie unterdrückte ein Lächeln

re·strained [rɪˈstreɪnd] *adj* beherrscht; *criticism* verhalten; *manners* gepflegt; *policy* zurückhaltend

re·straint [rɪˈstreɪnt] *n* ❶ *no pl* (*self-control*) Beherrschung *f;* **to exercise ~** Zu-

rückhaltung *f* üben ❷ (*restriction*) Einschränkung *f;* **~s on imports** Einfuhrbeschränkungen *pl* ❸ LAW **to place/keep sb under ~** jdn in Gewahrsam nehmen/ behalten

re·strict [rɪˈstrɪkt] *vt* ❶ (*limit*) beschränken, einschränken; *number* begrenzen (**to** auf) ❷ (*deprive of right*) ■ **to ~ sb from sth** jdm etw untersagen

re·strict·ed [rɪˈstrɪktɪd] *adj* ❶ (*limited*) *choice, vocabulary* begrenzt; *view* eingeschränkt ❷ (*subject to limitation*) eingeschränkt; *number* beschränkt (**to** auf) ❸ (*spatially confined*) eng

re·stric·tion [rɪˈstrɪkʃ(ə)n] *n* ❶ (*limit*) Begrenzung *f,* Beschränkung *f,* Einschränkung *f;* **to be subject to ~s** Beschränkungen unterliegen; **to impose a ~ on sth** etw mit Restriktionen belegen; **to lift ~s** Restriktionen aufheben ❷ *no pl* (*action of limiting*) Einschränken *nt*

re·stric·tive [rɪˈstrɪktɪv] *adj* (*esp pej*) einschränkend, einengend; *measure* restriktiv

re·string <-strung, -strung> [rɪˈstrɪŋ] *vt instrument* neu besaiten; *pearls* neu aufziehen; *sports racket* neu bespannen

'rest·room *n esp* AM (*toilet*) Toilette *f*

re·struc·ture [ˌriːˈstrʌktʃəʳ] *vt* umstrukturieren

re·struc·tur·ing [ˌriːˈstrʌktʃ(ə)rɪŋ] *n* Umstrukturierung *f*

re·sult [rɪˈzʌlt] **I.** *n* ❶ (*consequence*) Folge *f;* ■ **with the ~ that ...** mit dem Ergebnis, dass ...; ■ **as a ~ of sth** als Folge einer S. *gen* ❷ (*outcome*) Ergebnis *nt;* **the ~ of the match was 4 - 2** das Spiel ist 4 zu 2 ausgegangen ❸ (*satisfactory outcome*) Erfolg *m,* Resultat *nt;* **to have good ~s with sth** gute Ergebnisse mit etw *dat* erzielen ❹ BRIT (*fam: a win*) Sieg *m* ❺ MATH *of a calculation, a sum* Resultat *nt,* Ergebnis *nt* **II.** *vi* ❶ (*ensue*) resultieren, sich ergeben ❷ (*cause*) ■ **to ~ in sth** etw zur Folge haben

re·sult·ant [rɪˈzʌltənt] *adj attr* (*form*), **re·sult·ing** [rɪˈzʌltɪŋ] *adj attr* resultierend *attr,* sich daraus ergebend *attr*

re·sume [rɪˈzjuːm] **I.** *vt* ❶ (*start again*) wieder aufnehmen; *journey* fortsetzen; ■ **to ~ doing sth** fortfahren, etw zu tun ❷ (*form: reoccupy*) *one's seat* wieder einnehmen **II.** *vi* wieder beginnen; (*after short interruption*) weitergehen

ré·su·mé [ˈrezjuːmeɪ] *n* ❶ (*summary*) Zusammenfassung *f* (**of** über), Resümee *nt geh* ❷ AM, AUS (*curriculum vitae*) Lebenslauf *m*

re·sump·tion [rɪˈzʌm(p)ʃ(ə)n] *n* ❶ *no pl*

(act) of a game, talks Wiederaufnahme f ❷ (instance) Wiederbeginn m kein pl

re·sur·face [ˌriːˈsɜːfɪs] I. vi ❶ (rise to surface) submarine, diver wieder auftauchen ❷ (reappear) wieder zum Vorschein kommen; memories, topic aufkommen II. vt ▪to ~ sth die Oberfläche einer S. gen erneuern; **to ~ a road** den Straßenbelag erneuern

re·sur·gence [ˌriːˈsɜːdʒən(t)s] n no pl (form) Wiederaufleben nt

re·sur·gent [ˌriːˈsɜːdʒənt] adj usu attr (form) wieder auflebend attr

res·ur·rect [ˌrezəˈrekt] vt ❶ (revive) ▪to ~ sth etw wieder aufleben lassen; a fashion etw wiederbeleben ❷ (bring back to life) **to ~ sb** jdn auferstehen lassen; **to ~ the dead** die Toten wieder zum Leben erwecken

res·ur·rec·tion [ˌrezəˈrekʃən] n no pl Wiederbelebung f; of a law Wiedereinführung f

re·sus·ci·tate [rɪˈsʌsɪteɪt] I. vt ❶ MED wiederbeleben ❷ (fig) [neu] beleben

re·sus·ci·ta·tion [rɪˌsʌsɪˈteɪʃən] n MED (revival) Wiederbelebung f; **mouth-to-mouth ~** Mund-zu-Mund-Beatmung f

re·tail [ˈriːteɪl] I. n Einzelhandel m, Detailhandel m SCHWEIZ II. vt im Einzelhandel verkaufen III. vi **this model of computer is ~ing at £650** im Einzelhandel kostet dieses Computermodell 650 Pfund

're·tail busi·ness n ECON Einzelhandel m; (shop) Einzelhandelsgeschäft nt

re·tail·er [ˈriːteɪləʳ] n Einzelhändler(in) m(f)

're·tail out·let n Einzelhandelsgeschäft nt **'re·tail price** n Einzelhandelspreis m **re·tail 'price(s) in·dex** n BRIT ECON ▪**the ~** der Einzelhandelspreisindex **'re·tail trade** n ECON Einzelhandel m

re·tain [rɪˈteɪn] vt ❶ (keep) behalten; **to ~ sb's attention** jds Aufmerksamkeit halten; **to ~ the championship** SPORTS Meister/ Meisterin bleiben; **to ~ one's composure** die Haltung bewahren; **to ~ control of sth** etw weiterhin in der Gewalt haben; **to ~ one's dignity/independence** seine Würde/Unabhängigkeit wahren; **to ~ the right to do sth** LAW sich das Recht vorbehalten, etw zu tun ❷ (not alter) ▪to ~ sth etw beibehalten, bei etw dat bleiben ❸ (not lose) speichern ❹ (remember) ▪to ~ sth sich dat etw merken ❺ (hold in place) zurückhalten

re·tain·er [rɪˈteɪnəʳ] n (fee) Vorschuss m **re·ˈtain·ing wall** n Stützmauer f

re·take I. vt <-took, -taken> [ˌriːˈteɪk] ❶ (take again) exam wiederholen ❷ (re-

gain) wiedergewinnen; **to ~ the lead** SPORTS sich wieder an die Spitze setzen; (in a race) wieder die Führung übernehmen ❸ (film again) **to ~ a scene** eine Szene nochmals drehen II. n [ˈriːteɪk] ❶ esp BRIT (exam) Wiederholungsprüfung f ❷ (filming again) Neuaufnahme f

re·tali·ate [rɪˈtælieɪt] vi Vergeltung üben; for insults sich revanchieren

re·talia·tion [rɪˌtæliˈeɪʃən] n no pl Vergeltung f; (in fighting) Vergeltungsschlag m; **in ~ for sth** als Vergeltung für etw akk

re·talia·tory [rɪˈtæliətəri] adj attr Vergeltungs-

re·tard I. vt [rɪˈtɑːd] (form) verzögern, verlangsamen; **to ~ economic growth** das Wirtschaftswachstum bremsen II. n [ˈriːtɑːd] AM (pej! fam) Idiot m

re·tar·da·tion [ˌriːtɑːˈdeɪʃən] n no pl (form) Verzögerung f

retch [retʃ] vi würgen; **to make sb ~** jdn zum Würgen bringen

re·ten·tion [rɪˈten(t)ʃən] n no pl ❶ (keeping) Beibehaltung f; **~ of power** Machterhalt m; SPORTS of a title Verteidigung f ❷ (preservation) Erhaltung f; of rights Wahrung f; **staff ~** Personalerhaltung f ❸ (not losing) Speicherung f; MED Retention f fachspr; **~ of heat** Hitzespeicherung f ❹ (form: memory) Gedächtnis nt; **powers of ~** Merkfähigkeit f ❺ esp LAW (securing sb's services) **~ of a lawyer** Mandat nt [nach geleisteter Vorauszahlung]

re·ten·tive [rɪˈtentɪv] adj aufnahmefähig

re·think I. vt <-thought, -thought> [ˌriːˈθɪŋk] überdenken II. vi <-thought, -thought> [ˌriːˈθɪŋk] überlegen III. n [ˈriːθɪŋk] no pl Überdenken nt; **to have a ~** etw noch einmal überdenken

reti·cence [ˈretɪsən(t)s] n no pl Zurückhaltung f; (taciturnity) Wortkargheit f

reti·cent [ˈretɪsənt] adj (form) zurückhaltend; (taciturn) wortkarg

reti·na <pl -s or -nae> [ˈretɪnə, pl -niː] n Netzhaut f, Retina f fachspr

reti·nue [ˈretɪnjuː] n + sing/pl vb Gefolge nt kein pl

re·tire [rɪˈtaɪəʳ] I. vi ❶ (stop working) in den Ruhestand treten; worker in Rente gehen; civil servant in Pension gehen; self-employed person sich zur Ruhe setzen; soldier aus der Armee ausscheiden; SPORTS seine Karriere beenden ❷ (form: withdraw) sich zurückziehen; **the jury ~d to consider the verdict** die Jury zog sich zur Urteilsfindung zurück ❸ (form: go to bed) sich zu Bett begeben II. vt (cause to stop working) ▪to ~ sb jdn in den Ruhestand versetzen; *worker* jdn verrenten

re·tir·ed [rɪ'taɪəd] *adj* (*no longer working*) im Ruhestand *präd;* *worker* in Rente *präd;* *civil servant* pensioniert

re·tire·ment [rɪ'taɪəmənt] *n* **①** (*from job*) Ausscheiden *nt* aus dem Arbeitsleben; *of a civil servant* Pensionierung *f; of a soldier* Verabschiedung *f* **②** *no pl esp* SPORTS (*ceasing to compete*) Ausscheiden *nt* **③** *no pl* (*period after working life*) Ruhestand *m* **④** *no pl* (*form: seclusion*) Zurückgezogenheit *f*

re·'tire·ment age *n* (*of a worker*) Rentenalter *nt; (of a civil servant*) Pensionsalter *nt*

re·'tire·ment pen·sion *n* (*for worker*) [Alters]rente *f; (for civil servant*) [Alters]ruhegeld *nt,* Pension *f*

re·tir·ing [rɪ'taɪərɪŋ] *adj* **①** *attr* (*stopping work*) ausscheidend **②** (*reserved*) zurückhaltend

re·tort [rɪ'tɔ:t] **I.** *vt* ▪to ~ that ... scharf erwidern, dass ...; "**no need to be so rude,**" she ~ed "kein Grund so unhöflich zu sein", gab sie zurück **II.** *vi* scharf antworten **III.** *n* scharfe Anwort [*o* Erwiderung]

re·touch [ˌriː'tʌtʃ] *vt* retuschieren

re·trace [rɪ'treɪs] *vt* zurückverfolgen; *in mind* [geistig] nachvollziehen; **to ~ one's steps** denselben Weg zurückgehen

re·tract [rɪ'trækt] **I.** *vt* **①** (*withdraw*) zurückziehen; *offer, statement* zurücknehmen **②** (*draw back*) zurückziehen; (*into body*) einziehen **II.** *vi* **①** (*withdraw words*) einen Rückzieher machen *fam* **②** (*be drawn back*) eingezogen werden

re·tract·able [rɪ'træktəbl] *adj* einziehbar

re·trac·tion [rɪ'trækʃ⁰n] *n* (*form*) Zurücknahme *f kein pl*

re·train [rɪ'treɪn] **I.** *vt* umschulen **II.** *vi* umgeschult werden

re·train·ing [rɪ'treɪnɪŋ] *n no pl* Umschulung *f*

re·tread *vt* [ˌriː'tred] AUTO *tyre* runderneuern **II.** *n* ['riːtred] runderneuerter Reifen

re·treat [rɪ'triːt] **I.** *vi* **①** MIL sich zurückziehen **②** (*move backwards*) zurückweichen; (*become smaller*) *flood waters* zurückgehen, fallen; *ice* schmelzen; *shares* fallen **③** (*withdraw*) sich zurückziehen; (*hide*) sich verstecken; ▪to ~ into oneself sich in sich selbst zurückziehen **④** (*fail to uphold*) einen Rückzieher machen; **to ~ from one's principles** von seinen Prinzipien abweichen; **to ~ from one's promises/proposals** seine Versprechen/Vorschläge zurücknehmen **II.** *n* **①** MIL (*withdrawal*) Rückzug *m;* ▪**to be in ~** sich auf dem Rückzug befinden **②** *no pl* (*withdrawal*) Abwendung *f,* Abkehr *f* (**from** von) **③** (*private place*) Zufluchtsort *m* **④** (*period of seclusion*) Zeit *f* der Ruhe und Abgeschiedenheit; **to go on ~** REL in Klausur gehen **⑤** (*failure to uphold*) Abweichung *f* (**from** von)

re·trench [rɪ'tren(t)ʃ] **I.** *vi* (*form*) sich einschränken, sparen **II.** *vt* AUS (*make redundant*) einsparen; *personnel* abbauen

re·trench·ment [rɪ'tren(t)ʃmənt] *n* **①** (*form: financial cut*) Kürzung *f* **②** *no pl* (*reducing spending*) Einschränken *nt* **③** AUS (*dismissal from employment*) Stellenstreichung *f; ~* **of personal** Personalabbau *m*

re·trial [ˌriː'traɪəl] *n* LAW Wiederaufnahmeverfahren *nt*

ret·ri·bu·tion [ˌretrɪ'bjuːʃⁿn] *n no pl* (*form*) Vergeltung *f*

re·tribu·tive [rɪ'trɪbjuːtɪv] *adj attr* (*form*) Vergeltungs-; **~ justice** ausgleichende Gerechtigkeit

re·triev·al [rɪ'triːvəbl] *n no pl* **①** (*regaining*) Wiedererlangen *nt* **②** (*rescuing*) Rettung *f; (of wreckage*) Bergung *f;* **to be beyond ~** hoffnungslos verloren sein **③** COMPUT **data/information ~** Daten-/Informationsabruf *m;* (*when lost*) Retrieval *nt fachspr,* Daten-/Informationsrückgewinnung *f*

re·trieve [rɪ'triːv] *vt* **①** (*get back*) wiederfinden; **to ~ forgotten memories** sich wieder erinnern können **②** (*fetch*) heraus-/herunter-/zurückholen **③** (*rescue*) retten; (*from wreckage*) bergen **④** COMPUT *data* abrufen **⑤** (*by dog*) apportieren

re·triev·er [rɪ'triːvə⁰] *n* Retriever *m*

retro·ac·tive [ˌretrəʊ'æktɪv] *adj* rückwirkend

retro·grade ['retrəʊgreɪd] *adj* **①** (*form: regressive*) *development* rückläufig; *policy* rückschrittlich; **~ step** Rückschritt *m* **②** GEOL, ASTRON rückläufig, retrograd *fachspr*

retro·gres·sive [ˌretrəʊ'gresɪv] *adj* (*form*) *policy, reforms* rückschrittlich; *development* rückläufig

retro·spect ['retrəʊspekt] *n no pl* **in ~** im Rückblick [*o* Nachhinein], rückblickend

retro·spec·tive [ˌretrəʊ'spektɪv] **I.** *adj* **①** (*looking back*) rückblickend; *mood* nachdenklich **②** *esp* LAW (*form*) rückwirkend **II.** *n* Retrospektive *f*

retro·spec·tive·ly [ˌretrəʊ'spektɪvli] *adv* **①** (*with hindsight*) im Nachhinein **②** *esp* LAW (*form: retroactively*) rückwirkend, retrospektiv *fachspr*

re·turn [rɪ'tɜ:n] **I.** *n* **❶** (*to a place/time*) Rückkehr *f* (**to** zu); ~ **home** Heimkehr *f*; **his ~ to power** POL seine Wiederwahl; ~ **to school** Schulbeginn *m* **❷** (*reoccurrence*) *of an illness* Wiederauftreten *nt* **❸** (*giving back*) Rückgabe *f*; **by ~** [**of post**] BRIT, AUS postwendend **❹** (*recompense*) Gegenleistung *f* **❺** BRIT, AUS (*ticket*) Hin- und Rückfahrkarte *f* **❻** SPORTS (*stroke*) Rückschlag *m;* ~ **of serve** Return *m* **❼** (*proceeds*) Gewinn *m;* ~ **s on capital** Rendite *f* **❽** AM POL ■**the ~s** *pl* die Wahlergebnisse **❾** *no pl* (*key on keyboard*) Returntaste *f* **II.** *adj attr postage, flight, trip* Rück- **III.** *vi* **❶** (*go/come back*) zurückkehren, zurückkommen; (*fig*) **to ~ home** (*come back home*) nach Hause kommen; (*go back home*) nach Hause gehen; (*after long absence*) heimkehren; ■**to ~ to somewhere** irgendwohin zurückkehren; ~ **to sender** zurück an Absender **❷** (*reoccur*) *pain, illness* wiederkommen **❸** (*revert to*) ■**to ~ to sth** etw wieder aufnehmen; **to ~ to a problem** sich einem Problem wieder zuwenden; **to ~ to a subject** auf ein Thema zurückkommen; **to ~ to a task** sich einer Aufgabe wieder widmen; **to ~ to normal** *things* sich wieder normalisieren; *person* wieder zu seinem alten Ich zurückfinden **IV.** *vt* **❶** (*give back*) zurückgeben; ■**to ~ sth to sb** (*in person*) jdm etw zurückgeben; (*by post*) jdm etw zurückschicken; **to ~ sth to its place** etw wieder an seinen Platz zurückstellen **❷** (*reciprocate*) erwidern; **to ~ a blow/a salute/a wave** zurückschlagen/-grüßen/-winken; **to ~ sb's call** jdn zurückrufen; **to ~ a favour** sich revanchieren **❸** (*place back*) ■**to ~ sth somewhere** etw irgendwohin zurückstellen [*o* zurücklegen] **❹** FIN **to ~ a profit** einen Gewinn abwerfen **❺** LAW (*pronounce*) **to ~ a verdict of guilty/not guilty** einen Schuldspruch/Freispruch aussprechen **❻** TENNIS **to ~ a volley** einen Volley annehmen

re·turn·able [rɪ'tɜ:nəbl] *adj* **❶** (*recyclable*) wiederverwendbar, Mehrweg- **❷** (*accepted back*) umtauschbar

re·'turn fare *n* Preis *m* für eine Rückfahrkarte; AVIAT Preis *m* für ein Rückflugticket

re·'turn·ing of·fic·er *n* BRIT, CAN POL Wahlleiter(in) *m(f)*

re·'turn key *n* Eingabetaste *f* **re·'turn match** *n* Rückspiel *nt* **re·'turn tick·et** *n* **❶** BRIT, AUS (*ticket there and back*) Hin- und Rückfahrkarte *f;* AVIAT Hin- und Rückflugticket *nt* **❷** AM (*ticket for return*) Rückfahrkarte *f*

re·uni·fi·ca·tion [ˌri:ju:nɪfɪ'keɪʃ°n] *n no pl* Wiedervereinigung *f*

re·uni·fy <-ie-> [ˌri:'ju:nɪfaɪ] *vt* ■**to ~ sth** wiedervereinigen

re·union [ˌri:'ju:niən] *n* **❶** (*gathering*) Treffen *nt,* Zusammenkunft *f* **❷** *no pl* (*form: bringing together*) Wiedervereinigung *f;* (*coming together*) Wiedersehen *nt;* ~ **of people** Zusammenführung *f* von Menschen

re·unite [ˌri:ju:'naɪt] **I.** *vt* ■**to ~ sb with sb** jdn mit jdm [wieder] zusammenbringen; **to ~ families** Familien wieder zusammenführen **II.** *vi* sich wiedervereinigen; *people* wieder zusammenkommen

re·us·able [ˌri:'ju:zəbl] *adj* (*in the same shape*) wiederverwendbar; (*reprocessed*) wiederverwertbar

re·use [ˌri:'ju:z] *vt* **❶** (*use again*) wiederverwenden **❷** (*recycle by processing*) *waste material* wiederverwerten

rev¹ [rev] *n* (*fam*) *short for* **revolution** Drehzahl *f;* ■**~s** *pl* Umdrehungen *pl* [pro Minute]

rev² <-vv-> [rev] *vt* **to ~ an engine** einen Motor auf Touren bringen; (*noisily*) einen Motor aufheulen lassen ◆**rev up** *vi engine* auf Touren kommen; (*make noise*) aufheulen; (*fig*) *person* aufdrehen

re·valua·tion [ri:ˌvælju'eɪʃ°n] *n* **❶** (*value again*) Neubewertung *f* **❷** (*change in value*) *of a currency* Aufwertung *f*

re·value [ˌri:'vælju:] *vt* neu bewerten; *an asset* neu schätzen lassen; *currency* aufwerten

re·vamp [ˌri:'væmp] *vt* (*fam*) aufpeppen; *room* aufmöbeln; **to ~ a department** eine Abteilung auf Vordermann bringen; **to ~ one's image/a play** sein Image/ein Theaterstück aufpolieren

'rev count·er *n* Drehzahlmesser *m*

Revd *n abbrev of* **Reverend**

re·veal [rɪ'vi:l] *vt* **❶** (*allow to be seen*) zeigen, zum Vorschein bringen; *a talent* erkennen lassen **❷** (*disclose*) enthüllen, offenlegen; *particulars* preisgeben; *secret* verraten; ■**to ~ that ...** enthüllen, dass ...; (*admit*) zugeben, dass ...; ■**to ~ how/where/why ...** verraten, wie/wo/warum ...; **to ~ sb's identity** jds Identität zu erkennen geben **❸** REL (*make known*) ■**to ~ sth** etw offenbaren

re·veal·ing [rɪ'vi:lɪŋ] *adj* **❶** (*displaying body*) freizügig; *dress* gewagt **❷** (*divulging sth*) *comment, interview* aufschlussreich; **his scathing review was all too ~ of his own envy of the author's success** seine beißende Kritik zeigt nur allzu deutlich, dass er auf den Erfolg des Autors einfach neidisch ist

re·veil·le [rɪ'væli] *n no pl* MIL Reveille *f veraltet*, Wecksignal *nt*

rev·el <BRIT -ll- *or* AM *usu* -l-> ['revᵊl] *vi* feiern

rev·ela·tion [ˌrevᵊl'eɪʃᵊn] *n* ❶ *no pl* (*act of revealing*) Enthüllung *f*, Aufdeckung *f* ❷ (*sth revealed*) Enthüllung *f* ❸ *no pl* REL (*supernatural revealing*) Offenbarung *f*; **divine ~** göttliche Offenbarung ▸ **to be a ~ to sb** jdm die Augen öffnen, jdn umhauen *fam*

rev·el·ler ['revᵊlər], AM **rev·el·er** *n* Feiernde(r) *f(m)*

rev·el·ry ['revᵊlri] *n* ❶ *no pl* (*noisy merrymaking*) [ausgelassenes] Feiern ❷ *usu pl* (*festivity*) [ausgelassene] Feier

re·venge [rɪ'vendʒ] **I.** *n no pl* ❶ (*retaliation*) Rache *f*; **to get one's ~** sich rächen ❷ (*desire for retaliation*) Rachedurst *m* **II.** *adj attack, bombing, raid* aus Rache *nach n*; **~ killing** Vergeltungsmord *m* **III.** *vt* rächen

rev·enue ['revᵊnju:] *n* ❶ *no pl* (*income*) Einkünfte *pl* (**from** aus) ❷ *no pl* (*of a state*) öffentliche Einnahmen, Staatseinkünfte *pl* ❸ *pl* (*instances of income*) **sales ~s** Verkaufseinnahmen *pl*; **tax ~s** Steueraufkommen *nt*

'**rev·enue of·fic·er** *n* Finanzbeamte(r), -beamtin *m, f* '**rev·enue stamp** *n* AM Steuermarke *f*

re·ver·ber·ate [rɪ'vɜ:bᵊreɪt] *vi* ❶ (*echo*) widerhallen, nachhallen; ■**to ~ through-[out] sth** durch etw *akk* [hindurch]hallen ❷ (*be recalled*) **his terrible childhood experiences ~d throughout the whole of his life** die schlimmen Kindheitserfahrungen wirkten sein ganzes Leben lang nach ❸ (*be widely heard*) **news of the disaster ~d through the company** die Nachricht von der Katastrophe ging wie ein Lauffeuer durch die Firma

re·ver·bera·tion [rɪˌvɜ:bᵊr'eɪʃᵊn] *n* (*form*) ❶ *no pl* (*echoing*) Widerhallen *nt*, Nachhallen *nt* ❷ *usu pl* (*an echo*) Widerhall *m*, Nachhall *m* ❸ *usu pl* (*long-lasting effects*) Nachwirkungen *pl*

re·vere [rɪ'vɪər] *vt* (*form*) verehren (**for** für), achten; **to ~ sb's work** jds Arbeit hoch schätzen

rev·er·ence ['revᵊrᵊn(t)s] *n no pl* Verehrung *f* (**for** für); **to feel ~ for sb** jdn hoch schätzen; **to treat sth/sb with ~** etw/jdn ehrfürchtig behandeln

rev·er·end ['revᵊrᵊnd] *n* ≈ Pfarrer *m*, ≈ Pastor *m*

rev·er·ent ['revᵊrᵊnt] *adj* ehrfürchtig, ehrfurchtsvoll; *behaviour* ehrerbietig

rev·er·en·tial [ˌrevᵊr'en(t)ʃᵊl] *adj* (*form*) ehrfürchtig, ehrfurchtsvoll

rev·er·ent·ly ['revᵊrᵊntli] *adv* (*form*) ehrfürchtig, ehrfurchtsvoll; **you ought to behave more ~ in church!** Sie sollten in der Kirche mehr Ehrfurcht zeigen!

rev·erie ['revᵊri] *n* ❶ (*liter: daydream*) Träumerei *f* (**about** über) ❷ *no pl* (*liter: daydreaming*) Tagträumen *nt* ❸ MUS (*instrumental piece*) Reverie *f fachspr*

re·ver·sal [rɪ'vɜ:sᵊl] *n* ❶ (*changing effect*) Wende *f*; **~ of a trend** Trendwende *f* ❷ (*changing situation*) Umkehrung *f*; **role ~** Rollentausch *m* ❸ (*misfortune*) Rückschlag *m* ❹ (*annulment*) Aufhebung *f*

re·verse [rɪ'vɜ:s] **I.** *vt* ❶ *esp* BRIT, AUS (*move sth backwards*) zurücksetzen ❷ (*change to opposite*) umkehren; *judgement* aufheben; **to ~ the charges** ein R-Gespräch führen; **to ~ the order of sth** die Reihenfolge von etw *dat* vertauschen ❸ (*turn sth over*) umdrehen; *coat* wenden **II.** *vi esp* BRIT, AUS (*move backwards*) rückwärtsfahren; (*short distance*) zurücksetzen; **to ~ into a parking space** rückwärts einparken **III.** *n* ❶ *no pl* (*opposite*) ■**the ~** das Gegenteil; **no, quite the ~!** nein, ganz im Gegenteil!; **to do sth in ~** etw umgekehrt tun ❷ (*gear*) Rückwärtsgang *m*; **to go into ~** in den Rückwärtsgang schalten; (*fig*) rückläufig sein ❸ (*back*) Rückseite *f*; *of a coin, medal also* Kehrseite *f* **IV.** *adj* umgekehrt; *direction* entgegengesetzt

re·verse-charge 'call *n* BRIT R-Gespräch *nt* **re·verse** 'gear *n* Rückwärtsgang *m*; **to go into ~** den Rückwärtsgang einlegen

re·ver·sible [rɪ'vɜ:səbl] *adj* ❶ (*inside out*) zum Wenden *nach n*; **~ coat** Wendejacke *f* ❷ (*alterable*) umkehrbar

re·ver·sion [rɪ'vɜ:ʃᵊn] *n no pl* ❶ (*form: return to earlier position*) Umkehr *f* (**to** zu); (*to bad state*) Rückfall (**to** in) ❷ LAW Rückfallsrecht *nt fachspr*

re·vert [rɪ'vɜ:t] *vi* ❶ (*go back*) ■**to ~ to sth** zu etw *dat* zurückkehren; *bad state* in etw *akk* zurückfallen; **to ~ to a method** auf eine Methode zurückgreifen ❷ LAW (*become sb's property*) ■**to ~ to sb** an jdn zurückfallen

re·view [rɪ'vju:] **I.** *vt* ❶ (*examine*) [erneut] [über]prüfen; (*reconsider*) überdenken; **to ~ a contract** einen Vertrag einer Revision unterziehen; **to ~ salaries** die Gehälter revidieren ❷ (*look back over*) auf etw *akk* zurückblicken; **let's ~ what has hap-**

pened so far führen wir uns vor Augen, was bis jetzt passiert ist ❸ (*read again*) **to ~ one's notes** seine Notizen noch einmal durchgehen ❹ (*produce a criticism*) besprechen; *book, film, play* rezensieren ❺ MIL **to ~ the troops** eine Parade abnehmen ❻ AM (*study again*) wiederholen **II.** *n* ❶ (*assessment*) Überprüfung *f;* **to come under ~** überprüft werden; LAW *case* wieder aufgenommen werden; **this decision is subject to ~** dieser Beschluss gilt unter Vorbehalt ❷ (*summary*) Überblick *m* (**of** über); **month/year under ~** ECON Berichtsmonat *m*/Berichtsjahr *nt;* **wage** [*or* **salary**] **~** Gehaltsrevision *f* ❸ (*criticism*) *of a book, play* Kritik *f,* Rezension *f;* **film ~** Filmbesprechung *f* ❹ MEDIA [**pro-gramme**] RADIO, TV Magazin *nt;* **~** [**section**] JOURN Nachrichtenteil *m* ❺ MIL Truppenschau *f,* Parade *f* ❻ THEAT Revue *f*

re·view·er [rɪˈvjuːəʳ] *n* Kritiker(in) *m(f); of plays, literature also* Rezensent(in) *m(f)*

re·vise [rɪˈvaɪz] **I.** *vt* ❶ (*reread*) überarbeiten; *book* redigieren ❷ (*reconsider*) überdenken ❸ BRIT, AUS (*increase/decrease*) ■ **to ~ sth upwards/downwards** *estimates, number* etw nach oben/unten korrigieren ❹ BRIT, AUS (*study again*) wiederholen **II.** *vi* BRIT, AUS **to ~ for an exam** auf eine Prüfung lernen

re·vised [rɪˈvaɪzd] *adj attr* ❶ (*reread*) revidiert; **~ edition** überarbeitete Ausgabe ❷ (*reconsidered*) abgeändert

re·vi·sion [rɪˈvɪʒᵊn] *n* ❶ *no pl* (*act of revising*) Revision *f,* Überarbeitung *f* ❷ (*reconsidered version*) Neufassung *f;* **~ of a book** überarbeitete Ausgabe; **~ of a contract** Neufassung *f* eines Vertrages *f* ❸ (*alteration*) Änderung *f* ❹ *no pl* BRIT, AUS (*studying a subject again*) Wiederholung *f* [des Stoffs]; **~ for an exam** Prüfungsvorbereitung *f;* **to do ~** den Stoff wiederholen

re·vi·sion·ist [rɪˈvɪʒᵊnɪst] POL **I.** *n* Revisionist(in) *m(f)* **II.** *adj* revisionistisch

re·vi·tal·ize [ˌriːˈvaɪtᵊlaɪz] *vt person* neu beleben; *trade* wiederbeleben

re·viv·al [rɪˈvaɪvᵊl] *n* ❶ *no pl* (*restoration to life*) Wiederbelebung *f* ❷ *no pl* (*coming back of an idea*) Wiederaufleben *f,* Comeback *nt; of a custom, fashion also* Renaissance *f;* **economic ~** wirtschaftlicher Aufschwung; **to undergo a ~** eine Renaissance erleben; *person* ein Comeback feiern ❸ (*new production*) Neuauflage *f; of a film* Neuverfilmung *f; of a play* Neuaufführung *f* ❹ REL Erweckung *f*

re·vive [rɪˈvaɪv] **I.** *vt* ❶ (*bring back to life*) wiederbeleben ❷ (*give new energy*) bele-

ben ❸ (*resurrect*) wiederaufleben lassen; *economy* ankurbeln; *idea* wiederaufgreifen; **to ~ sb's hopes** jdm neue Hoffnungen machen; **to ~ interest in sb/sth** das Interesse an jdm/etw wieder wecken; **to ~ sb's spirits** jds Stimmung wieder heben **II.** *vi* ❶ (*be restored to consciousness*) wieder zu sich *dat* kommen ❷ (*be restored to health*) *person, animal, plant* sich erholen ❸ (*be resurrected*) sich erholen; *economy also* wiederaufblühen; *custom, tradition* wiederaufleben; *confidence, hopes* zurückkehren; *suspicions* wiederaufkeimen

revo·ca·tion [ˌrevəʊˈkeɪʃᵊn] *n* Widerruf *m,* Aufhebung *f*

re·voke [rɪˈvəʊk] *vt* (*form*) aufheben; *decision* widerrufen; *licence* entziehen; *order* zurückziehen

re·volt [rɪˈvəʊlt] **I.** *vi* rebellieren, revoltieren **II.** *vt* ■ **to ~ sb** jdn abstoßen; ■ **to be ~ed by sth** von etw *dat* angeekelt sein **III.** *n* ❶ (*rebellion*) Revolte *f,* Aufstand *m;* **~ against the government** Regierungsputsch *m* ❷ *no pl* (*insurrection*) **to rise in ~** einen Aufstand machen (**against** gegen)

re·volt·ing [rɪˈvəʊltɪŋ] *adj* abstoßend; *person* widerlich; *smell* ekelhaft; ■ **it is ~ that ...** es ist widerlich, dass ...

revo·lu·tion [ˌrevᵊlˈuːʃᵊn] *n* ❶ (*also fig: overthrow*) Revolution *f* ❷ ASTRON Umlauf *m* ❸ TECH Umdrehung *f;* **~s per minute** Drehzahl *f,* Umdrehungen *pl* pro Minute

revo·lu·tion·ary [ˌrevᵊlˈuːʃᵊnᵊri] **I.** *n* Revolutionär(in) *m(f)* **II.** *adj* revolutionär *a. fig;* (*fig*) bahnbrechend

revo·lu·tion·ize [ˌrevᵊlˈuːʃᵊnaɪz] *vt* revolutionieren

re·volve [rɪˈvɒlv] **I.** *vi* sich drehen; **to ~ on an axis** sich um eine Achse drehen **II.** *vt* drehen ◆ **revolve around** *vt* (*also fig*) ■ **to ~ around sth** sich um etw *akk* drehen

re·volv·er [rɪˈvɒlvəʳ] *n* Revolver *m*

re·volv·ing [rɪˈvɒlvɪŋ] *adj attr* rotierend, Dreh-; **~ door** Drehtür *f*

re·vue [rɪˈvjuː] *n* Revue *f*

re·vul·sion [rɪˈvʌlʃᵊn] *n no pl* Abscheu *f;* **in ~ at** mit Abscheu gegen *+akk;* **to fill sb with ~** jdn mit Abscheu erfüllen

re·ward [rɪˈwɔːd] **I.** *n* ❶ (*recompense*) Belohnung *f; for merit, service* Anerkennung *f* (**for** für); (*return of sth lost*) Finderlohn *m;* **to offer a ~** eine Belohnung aussetzen **II.** *vt* belohnen

re·ward·ing [rɪˈwɔːdɪŋ] *adj* befriedigend;

experience lohnend; **a ~ task** eine dankbare Aufgabe

re·wind I. *vt* <-wound, -wound> [ˌriːˈwaɪnd] *cable* aufwickeln; *cassette, tape* zurückspulen; *watch* aufziehen II. *vi* <-wound, -wound> [ˌriːˈwaɪnd] *cassette, tape* zurückspulen III. *n* [ˈriːwaɪnd] *of a cassette, tape* Zurückspulen *nt* IV. *adj* [ˈriːwaɪnd] *button, control* Rückspul-

re·wire [ˌriːˈwaɪəʳ] *vt* **to ~ a building/ house** ein Gebäude/Haus neu verkabeln; **to ~ a plug** einen Stecker neu anschließen

re·word [ˌriːˈwɜːd] *vt* umschreiben, umformulieren; *contract* neu abfassen

re·work [ˌriːˈwɜːk] *vt* überarbeiten; *speech* umschreiben

re·write <-wrote, -written> I. *vt* [ˌriːˈraɪt] neu schreiben; (*revise*) überarbeiten; (*recast*) umschreiben; **to ~ history** die Geschichte neu schreiben; (*fig*) **you can't ~ history** Vergangenes lässt sich nicht ändern; **to ~ the rules** (*fig*) die Regeln neu schreiben II. *n* [ˈriːraɪt] Überarbeitung *f*

Rhaeto-Romanic [ˌriːtəʊrə(ʊ)ˈmænɪk] I. *n* Rätoromanisch *nt* II. *adj* rätoromanisch

rhap·so·dy [ˈræpsədi] *n* ❶ (*piece of music*) Rhapsodie *f* ❷ (*form: great enthusiasm*) Schwärmerei *f*

'rhe·sus fac·tor *n*, **'Rh fac·tor** *n no pl* Rhesusfaktor *m*

rheto·ric [ˈretəʳrɪk] *n no pl* ❶ (*persuasive language*) Redegewandtheit *f* ❷ (*bombastic language*) Phrasendrescherei *f pej*; **empty ~** leere Worte ❸ (*effective use of language*) Rhetorik *f geh*, Redekunst, f

rhe·tori·cal [rɪˈtɒrɪkᵊl] *adj* ❶ (*relating to rhetoric*) rhetorisch ❷ (*overdramatic*) *gesture* übertrieben dramatisch; *commitment* plakativ *geh*

rhe·tori·cal·ly [rɪˈtɒrɪkᵊli] *adv* ❶ (*not expecting answer*) rhetorisch ❷ (*overdramatically*) *speak, write* schwülstig *pej*

rheu·mat·ic [ruːˈmætɪk] I. *adj* rheumatisch; *joint also* rheumakrank; **he is ~** er hat Rheuma II. *n* ❶ (*person*) Rheumatiker(in) *m(f)* ❷ (*fam*) ■ **~s** *usu + sing vb* Rheuma *nt kein pl*

rheu·ma·tism [ˈruːmətɪzᵊm] *n no pl* Rheuma *nt*, Rheumatismus *m*

rheu·ma·toid ar·thri·tis [ˌruːmətɔɪd-] *n no pl* rheumatoide Arthritis

Rhine [raɪn] *n GEOG* ■ **the ~** der Rhein

rhi·no [ˈraɪnəʊ] *n* (*fam*) *short for* **rhinoceros** Nashorn *nt*, Rhinozeros *nt*

rhi·noc·er·os <*pl* -es *or* -> [raɪˈnɒsᵊrəs] *n* Nashorn *nt*, Rhinozeros *nt*

Rhodes [rəʊdz] *n no pl* Rhodos *nt*

rho·do·de·ndron [ˌrəʊdəˈdendrən] *n* Rhododendron *m*

rhom·bus <*pl* -es *or* -bi> [ˈrɒmbəs, *pl* -baɪ] *n* Rhombus *m*, Raute *f*

rhu·barb [ˈruːbɑːb] *n no pl* Rhabarber *m*

rhyme [raɪm] I. *n* ❶ *no pl* (*identity in sound*) Reim *m*; ■ **in ~** gereimt, in Reimform ❷ (*poem*) Reim[vers] *m* ❸ (*word*) Reimwort *nt* II. *vi* ■ **to ~** [**with sth**] *poem, song, words* sich [auf etw *akk*] reimen III. *vt* reimen

rhym·ing [ˈraɪmɪŋ] *adj* Reim-

rhythm [ˈrɪðᵊm] *n* Rhythmus *m*, Takt *m*; **the ~ of the seasons** der Wechsel der Jahreszeiten; **sense of ~** Rhythmusgefühl *nt*

rhyth·mic(al) [ˈrɪðmɪk(ᵊl)] *adj* rhythmisch

rib [rɪb] I. *n* ❶ *ANAT* Rippe *f*; **to break a ~** sich *dat* eine Rippe brechen ❷ *FOOD* ■ **~s** Rippchen *pl* ❸ *of a boat, roof* Spant *m* ❹ *of a lute, violin* Zarge *f* ❺ *of an umbrella* Speiche *f* ❻ (*in aerofoil*) Stab *m* ❼ *of an insect's wing, a leaf* Rippe *f* ❽ *of land, rock* Grat *m* ❾ *no pl* (*in knitting*) Rippung *f* ❿ *esp* AM (*fam: joke*) Scherz *m* II. *vt* <-bb-> ❶ *usu passive* (*mark with ridges*) mit Speichen versehen ❷ (*fam: tease*) aufziehen

rib·bon [ˈrɪbᵊn] *n* ❶ (*strip of fabric*) Band *nt*; (*fig*) Streifen *m* ❷ *MIL* Ordensband *nt* ❸ (*rag*) ■ **in ~s** in Fetzen; **to cut sb/sth to ~s** jdn/etw zerfetzen; (*fig*) jdn/ etw in der Luft zerreißen ❹ *of a typewriter* Farbband *nt*

'rib cage *n* Brustkorb *m*

ri·bo·nu·cleic acid [ˌraɪbə(ʊ)njuː-ˌkliːɪk-] *n no pl* Ribonukleinsäure *f*

rice [raɪs] I. *n no pl* Reis *m*; **brown ~** Naturreis *m* II. *vt* AM **to ~ potatoes/vegetables** Kartoffeln/Gemüse passieren

'rice field *n* Reisfeld *nt* **'rice-grow·ing** *n no pl* Reisanbau *m* **'rice pad·dy** *n* Reisfeld *nt* **rice 'pud·ding** *n no pl* Milchreis *m*

rich [rɪtʃ] I. *adj* ❶ (*wealthy*) reich; **to get ~ quick** schnell zu Reichtum kommen ❷ (*abounding*) reich (**in** an); **~ in detail** sehr detailliert; **~ in vitamins** vitaminreich ❸ (*very fertile*) *land* fruchtbar; *earth, soil also* fett; *harvest* reich; *vegetation* üppig ❹ (*opulent*) *carvings, furniture* prachtvoll ❺ (*valuable*) *offerings* reich; *reward* großzügig ❻ (*of food*) gehaltvoll; (*hard to digest*) schwer; *meal* opulent ❼ (*intense*) *colour* satt; *flavour* reich; *smell* schwer; *taste, tone* voll ❽ *AUTO* **~ mixture** fettes Gemisch ❾ (*interesting*) reich; *life also* erfüllt; *experience* wertvoll; *history* bedeutend ❿ *mine* ergiebig ⓫ *pred* (*fam: causing* *amusement*) *criticism, remark* lächerlich; **that's ~ coming from him!** das muss gerade er sagen! **II.** *n* ▪**the ~** *pl* die Reichen *pl*

riches ['rɪtʃɪz] *npl* (*material wealth*) Reichtümer *pl*

rich·ly ['rɪtʃli] *adv* ❶ (*lavishly*) prachtvoll, prächtig; **~ decorated** reich verziert ❷ (*generously*) **~ illustrated** reich bebildert; **~ rewarded** reich belohnt

rich·ness ['rɪtʃnəs] *n no pl* ❶ (*wealth*) Reichtum *m;* **~ of detail** (*fig*) Detailgenauigkeit *f* ❷ (*fattiness*) Reichhaltigkeit *f* ❸ (*intensity*) Stärke *f; of a colour* Sattheit *f*

rick[1] [rɪk] **I.** *n* Heuhaufen *m* **II.** *vt* AGR *hay* schobern, schöbern ÖSTERR; *wood* stapeln

rick[2] [rɪk] MED **I.** *n* Verzerrung *f* **II.** *vt* (*fam*) **to ~ one's back/neck** sich *dat* eine Zerrung im Rücken/Nacken zuziehen

rick·ets ['rɪkɪts] *npl + sing/pl vb* MED Rachitis *f*

rick·ety ['rɪkəti] *adj* ❶ (*likely to collapse*) wack[e]lig; *bus* klapp[e]rig; *wooden stairs* morsch ❷ (*decrepit*) *person* alt und klapp[e]rig; (*tottering*) gebrechlich ❸ MED (*suffering from rickets*) rachitisch

rick·sha(w) ['rɪkʃɔː] *n* Rikscha *f*

rico·chet ['rɪkəʃeɪ] **I.** *n no pl* (*action*) Abprallen *nt kein pl*, Abprall *m kein pl* ❷ (*a rebounding ball*) Abpraller *m; bullet* Querschläger *m* **II.** *vi* abprallen (**off** von)

rid <-dd-, rid, rid> [rɪd] *vt* ▪**to ~ sth/sb of sth** etw/jdn von etw *dat* befreien; ▪**to be ~ of sb/sth** jdn/etw los sein; **to get ~ of sb/sth** jdn/etw loswerden; **the cream got ~ of my skin rash** durch die Creme bin ich meinen Hautausschlag losgeworden

rid·dance ['rɪdən(t)s] *n no pl* Loswerden *nt* ▸ **good ~** [to **bad rubbish**] Gott sei Dank [, dass wir den/die/das los sind]; **to bid sb good ~** jdn dahin wünschen, wo der Pfeffer wächst

rid·den ['rɪdən] *pp of* **ride**

rid·dle[1] ['rɪdl] **I.** *n* Rätsel *nt a. fig* **II.** *vi* in Rätseln sprechen **III.** *vt* enträtseln

rid·dle[2] ['rɪdl] **I.** *vt usu passive* ❶ (*perforate*) durchlöchern; (*fig: permeate*) durchdringen ❷ (*sift through sieve*) [aus]sieben **II.** *n* [Schüttel]sieb *nt*

ride [raɪd] **I.** *n* ❶ (*journey*) Fahrt *f* (**on** mit); (*on a horse*) Ritt *m; bus ~* Busfahrt *f;* **to go for a ~** eine Fahrt machen; (*with horse*) ausreiten ❷ AM (*person*) Fahrer(in) *m(f)* ❸ (*trip costing nothing*) Mitfahrgelegenheit *f;* **to give sb a ~** jdn [im Auto] mitnehmen ❹ AM (*fam: motor vehicle*) fahrbarer Untersatz ❺ (*at a fair*) [Karussell]fahrt *f* ▸ **to take sb for a ~** (*fam*) jdn

übers Ohr hauen **II.** *vt* <rode, ridden> ❶ (*sit on*) *bicycle, motorcycle* fahren; *horse* reiten; **I ~ my bicycle to work** ich fahre mit dem Fahrrad zur Arbeit; **they rode their horses into town** sie ritten auf ihren Pferden in die Stadt ein ❷ (*as a passenger*) **to ~ the bus/train** Bus/Zug fahren ❸ (*prevent blow*) **to ~ a blow** einen Schlag abfangen ❹ AM (*pester*) antreiben *fam* ❺ *usu passive* (*full of*) **to be ridden with anger** wutentbrannt sein; **to be ridden with guilt** von [schweren] Schuldgefühlen geplagt werden **III.** *vi* <rode, ridden> ❶ (*as a sport*) reiten ❷ (*travel on animal*) reiten; ▪**to ~ by** vorbeireiten ❸ (*travel on vehicle*) fahren ◆ **ride out** *vt* überstehen; *crisis* durchstehen ◆ **ride up** *vi* *T-shirt, skirt* hochrutschen

rid·er ['raɪdə[r]] *n* ❶ *of a horse* Reiter(in) *m(f); of a vehicle* Fahrer(in) *m(f)* ❷ (*form: amendment*) Zusatzklausel *f* ❸ POL (*to a bill*) [Gesetzes]novelle *f;* BRIT LAW (*to a verdict*) zusätzliche Empfehlung

ridge [rɪdʒ] *n* ❶ GEOG Grat *m* ❷ *of a roof* Dachfirst *m* ❸ METEO **~ of high/low pressure** Hoch-/Tiefdruckkeil *m*

'ridge·pole *n* Firststange *f* **'ridge·way** *n* Gratweg *m*

ridi·cule ['rɪdɪkjuːl] **I.** *n no pl* Spott *m,* Hohn *m;* **to lay oneself open to ~** sich lächerlich machen; **to hold sb/sth up to ~** sich über jdn/etw lustig machen **II.** *vt* verspotten

ri·dicu·lous [rɪ'dɪkjələs] **I.** *adj* ❶ (*comical*) lächerlich, albern; **to make oneself look ~** sich lächerlich machen ❷ (*inane*) absurd ❸ BRIT (*approv sl: incredible*) unglaublich **II.** *n no pl* ▪**the ~** das Absurde

ri·dicu·lous·ly [rɪ'dɪkjələsli] *adv* ❶ (*laughably*) lächerlich; **to behave** [*or fam* act] **~** sich zum Narren machen ❷ (*unbelievably*) unglaublich, wahnsinnig; **~ easy** unglaublich [*o fam* total] einfach

ri·dicu·lous·ness ['rɪdɪkjələsnəs] *n no pl* Lächerlichkeit *f*

rid·ing ['raɪdɪŋ] *n* ❶ *no pl* (*sport*) Reiten *nt* ❷ CAN POL (*constituency*) Wahlbezirk *m*

'rid·ing breeches *npl* Reithose *f* **'rid·ing crop** *n* Reitgerte *f* **'rid·ing school** *n* Reitschule *f* **'rid·ing whip** *n* Reitpeitsche *f*

rife [raɪf] *adj pred* ❶ (*widespread*) weit verbreitet ❷ (*full of*) **~ with** voller +*gen;* **the office was ~ with rumours** im Büro kursierten jede Menge Gerüchte

rif·fle ['rɪfl] **I.** *vt* ❶ (*leaf through*) durchblättern ❷ (*ruffle*) zerzausen ❸ (*shuffle*) mischen **II.** *vi* **to ~ through a book** ein Buch durchblättern **III.** *n* ❶ *usu sing* (*search*)

Durchsuchung *f* ❷ (*rustle of paper*) Rascheln *nt kein pl* ❸ CARDS Mischen *nt kein pl* ❹ *esp* AM *of a stream* seichte Stelle

riff-raff ['rɪfræf] *n no pl, + sing/pl vb* (*pej*) Gesindel *nt kein pl*

ri·fle¹ ['raɪfl] *n* ❶ (*gun*) Gewehr *nt* ❷ (*troops*) ▪~s *pl* Schützen(innen) *mpl(fpl)*

ri·fle² ['raɪfl] **I.** *vi* durchwühlen **II.** *vt* plündern

'ri·fle butt *n* Gewehrkolben *m* **'ri·fle·man** *n* Schütze *m* **'ri·fle range** *n* ❶ (*for practice*) Schießstand *m* ❷ (*shooting distance*) ▪within ~ in Schussweite [eines Gewehrs] **'ri·fle shot** *n* ❶ (*shot*) Gewehrschuss *m* ❷ *no pl* (*distance*) Schussweite *f* ❸ (*person*) Gewehrschütze(in) *m(f)*

rift [rɪft] *n* ❶ (*open space*) Spalt *m* ❷ GEOL [Erd]spalt *m* ❸ (*fig: disagreement*) Spaltung *f* (**between** zwischen); (*in friendship*) Bruch *m;* **to heal a ~** eine Kluft überbrücken

rig [rɪg] **I.** *n* ❶ NAUT Takelage *f* ❷ (*apparatus*) Vorrichtung *f* ❸ (*for fishing tackle*) [Vorfach]montage *f* ❹ TECH **drilling ~** Bohrinsel *f;* **gas/oil ~** Gas-/Ölbohrinsel *f* ❺ *esp* AM TRANSP (*semi-trailer*) [mehrachsiger] Sattelschlepper **II.** *vt* <-gg-> ❶ NAUT *boat* takeln; *sails, shrouds, stays* anschlagen *fachspr* ❷ AVIAT aufrüsten ❸ (*set up*) [behelfsmäßig] zusammenbauen ❹ (*falsify*) *results, prices* manipulieren

rig·ger ['rɪgə'] *n* ❶ NAUT Takler(in) *m(f)* ❷ (*scaffolder*) Gerüstbauer(in) *m(f)* ❸ (*on oil rig*) Arbeiter(in) *m(f)* auf einer Bohrinsel

rig·ging ['rɪgɪŋ] *n no pl* ❶ NAUT (*action*) Auftakeln *nt;* (*ropes and wires*) Takelung *f* ❷ AVIAT Aufrüstung *f* ❸ POL (*manipulating*) Manipulation *f;* **ballot ~** Wahlmanipulation *f*

right [raɪt] **I.** *adj* ❶ (*morally good*) richtig; (*fair*) gerecht; **you're ~ to be annoyed** du bist zu Recht verärgert; **to do the ~ thing** das Richtige tun ❷ (*correct*) *answer, direction, order, position* richtig; *time* genau; **were you given the ~ change?** hat man dir richtig herausgegeben?; **is your watch ~?** geht deine Uhr richtig?; **the ~ way round** richtig herum; **to get sth ~** etw richtig machen; **to put sth ~** etw richtigstellen; **to put sb ~** jdn berichtigen ❸ *pred* (*correct in opinion*) **am I ~ in thinking that ...** gehe ich recht in der Annahme, dass ...; **you were ~ about him** was ihn angeht haben Sie Recht gehabt ❹ (*interrog*) oder, richtig ❺ (*best*) richtig; **he's the ~ person for the job** er ist der Richtige für

den Job; **to be in the ~ place at the ~ time** zur rechten Zeit am rechten Ort sein ❻ (*important*) *people, places* richtig ❼ *pred* (*working correctly*) in Ordnung ❽ (*healthy*) **to be not [quite] ~ in the head** (*fam*) nicht [ganz] richtig im Kopf sein ❾ (*not left,*) rechte(r, s); **to make a ~ turn** rechts abbiegen ❿ (*conservative*) rechte(r, s) ⓫ *attr esp* BRIT (*fam: complete*) total ⓬ BRIT (*fam: foolish*) **a ~ one** ein Dummkopf *m* **II.** *adv* ❶ (*completely*) völlig, ganz; **she walked ~ past me** sie lief direkt an mir vorbei; **~ through** durch und durch; **to be ~ behind sb** voll [und ganz] hinter jdm stehen ❷ (*all the way*) ganz; (*directly*) genau, direkt ❸ (*fam: immediately*) gleich; **I'll be ~ with you** ich komme sofort; **~ away** sofort ❹ (*morally good*) **to do ~ by sb** sich jdm gegenüber anständig verhalten ❺ (*properly*) gut; **things have been going ~ for me** es läuft gut für mich ❻ (*not left*) rechts; **to turn ~** [nach] rechts abbiegen ❼ BRIT (*form: in titles*) **the R~ Honourable Sarah Bast, MP** die sehr Ehrenwerte Sarah Bast, Mitglied des Parlaments; **the R~ Reverend John Jones** Bischof John Jones **III.** *n* ❶ *no pl* (*goodness*) Recht *nt* ❷ (*morally correct thing*) das Richtige; **to discuss the ~s and wrongs of sth** [über] das Für und Wider einer S. *gen* diskutieren ❸ (*claim, entitlement*) Recht *nt;* **~ of free speech** Recht *nt* auf freie Meinungsäußerung; **women's ~s** die Rechte *pl* der Frau[en]; **to be within one's ~s to do sth** das Recht haben, etw zu tun ❹ *pl* (*authority, ownership*) Rechte *pl* ❺ *no pl* (*right side*) rechte Seite; **on the ~** rechts, auf der rechten Seite; **on my/her ~** rechts [von mir/ihr] ❻ *no pl* (*road*) **the first/second ~** die erste/zweite [Straße] rechts; **take the second ~** fahren Sie die zweite rechts [rein *fam*] ❼ + *sing/pl vb* POL ▪**the R~** die Rechte; **the far ~** die Rechtsextremen *pl* **IV.** *vt* ❶ (*correct position*) aufrichten; (*correct condition*) in Ordnung bringen ❷ (*rectify*) *mistake, wrong* wiedergutmachen **V.** *interj* (*fam*) ❶ (*okay*) in Ordnung, okay *fam;* **~ you are!** in Ordnung! ❷ BRIT (*fam: agreed*) **too ~!** wohl [*o* nur zu] wahr! ❸ (*fam: filler word*) also; **so we were on our way to work, ~, when ...** also, wir waren auf dem Weg zur Arbeit, als ... ❹ (*as introduction*) **~, let's go** also, nichts wie los *fam* ❺ AUS (*reassuring*) nur keine Sorge

'right an·gle *n* rechter Winkel **'right-an·gled** *adj* rechtwinklig

right·eous ['raɪtʃəs] (*form*) **I.** *adj* ❶ (*virtuous*) *person* rechtschaffen ❷ (*justifiable*) *anger, indignation* berechtigt, gerechtfertigt ❸ (*pej, iron: self-righteous*) selbstgerecht **II.** *n* ◼**the ~** *pl* die Gerechten *pl*

right·ful ['raɪtfəl] *adj attr* rechtmäßig

'right-hand *adj attr* ❶ (*on the right*) rechte(r, s) ❷ (*with the right hand*) mit der Rechten *nach n;* **~ punch** rechter Haken

right-hand 'drive *n no pl* Rechtslenkung *f*

right-'hand·ed *adj* rechtshändig **right-'hand·er** *n* ❶ (*person*) Rechtshänder(in) *m(f)* ❷ (*in boxing*) rechter Haken

right·ist ['raɪtɪst] **I.** *n* POL Rechte(r) *f(m)* **II.** *adj* rechtsgerichtet

right·ly ['raɪtli] *adv* ❶ (*correctly*) richtig ❷ (*justifiably*) zu Recht; **quite ~** völlig zu Recht

right-'mind·ed *adj* (*approv*) vernünftig

right of 'way <*pl* rights-> *n* ❶ *no pl* (*right to pass*) Durchgangsrecht *nt* ❷ (*path*) Wegerecht *nt* ❸ AUTO, AVIAT, NAUT Vorfahrt *f*

'rights is·sue *n* BRIT STOCKEX Bezugsrechtsemission *f*

right-'wing *adj* rechts *präd*, rechte(r, s)

rig·id ['rɪdʒɪd] *adj* ❶ (*inflexible*) starr, steif; **to be ~ with fear/pain** gelähmt vor Angst/Schmerzen sein; **to be bored ~** BRIT (*fam*) zu Tode gelangweilt sein ❷ (*fig: unalterable*) *routine, rules* starr; (*overly stringent*) streng, hart

ri·gid·ity [rɪ'dʒɪdəti] *n no pl* ❶ (*inflexibility*) Starrheit *f*, Steifheit *f; of concrete* Härte *f* ❷ (*fig, pej: intransigence*) Starrheit *f*, Unbeugsamkeit *f*

rig·ma·role ['rɪgməˌrəʊl] *n usu sing* (*pej*) ❶ (*procedure*) Prozedur *f* ❷ (*rambling story*) Gelabere *nt pej*

rig·or *n* AM *see* **rigour**

rig·or mor·tis [ˌrɪgə'mɔːtɪs] *n no pl* Leichenstarre *f*

rig·or·ous ['rɪgᵊrəs] *adj* ❶ (*approv: thorough*) [peinlich] genau, präzise ❷ (*disciplined*) strikt, streng ❸ (*physically demanding*) hart ❹ (*harsh*) rau

rig·our ['rɪgəʳ] *n* ❶ *no pl* (*approv: thoroughness*) Genauigkeit *f*, Präzision *f* ❷ *no pl* (*strictness*) Strenge *f*, Härte *f*

rile [raɪl] *vt* (*fam*) ❶ (*annoy*) ärgern; **to get sb ~d** jdn verärgern ❷ AM (*stir up*) *water* verschmutzen

rim [rɪm] **I.** *n* ❶ (*brim*) *of a cup, plate* Rand *m* ❷ (*boundary*) Rand *m;* **on the Pacific ~** am Rande des Pazifiks ❸ *of a wheel* Felge *f* ❹ *usu pl* (*spectacle frames*) Fassung *f* **II.** *vt* <-mm-> umgeben; (*frame*) umrahmen

rime¹ [raɪm] (*liter*) **I.** *n no pl* [Rau]reif *m* **II.** *vt* mit [Rau]reif bedecken

rime² *n* (*hist*) *see* **rhyme**

'rim·less ['rɪmləs] *adj* randlos

rind [raɪnd] *n no pl* Schale *f; (of a tree)* [Baum]rinde *f;* **bacon ~** [Speck]schwarte *f;* **[grated] lemon ~** [geriebene] Zitronenschale

ring¹ [rɪŋ] **I.** *n* ❶ (*jewellery*) Ring *m* ❷ (*circular object*) Ring *m* ❸ ASTRON Ring *m* ❹ BRIT (*cooking device*) Kochplatte *f* ❺ (*arena*) Ring *m;* **circus ~** Manege *f* ❻ + *sing/pl vb* (*circle of people*) Kreis *m* ❼ + *sing vb* (*circle of objects*) Kreis *m* ❽ + *sing/pl vb* (*clique*) Kartell *nt*, Syndikat *nt;* **drug/spy ~** Drogen-/Spionagering *m* **II.** *vt* ❶ *usu passive* (*surround*) umringen ❷ BRIT (*draw*) einkreisen

ring² [rɪŋ] **I.** *n* ❶ (*act of sounding bell*) Klingeln *nt kein pl* ❷ (*sound made*) Klingeln *nt kein pl*, Läuten *nt kein pl* ❸ *usu sing esp* BRIT (*telephone call*) **to give sb a ~** jdn anrufen ❹ (*loud sound*) Klirren *nt kein pl* ❺ *usu sing* (*quality*) Klang *m;* **your name has a familiar ~** Ihr Name kommt mir bekannt vor ❻ (*set of bells*) Glockenspiel *nt; of a church* Läut[e]werk *nt* **II.** *vi* <rang, rung> ❶ (*produce bell sound*) *telephone* klingeln, läuten; (*cause bell sound*) klingen ❷ (*have humming sensation*) *ears* klingen ❸ (*reverberate*) **the room rang with laughter** der Raum war von Lachen erfüllt; (*fig*) **his voice rang with anger** seine Stimme bebte vor Zorn ❹ (*appear*) **to ~ false/true** unglaubhaft/glaubhaft klingen ❺ *esp* BRIT (*call on telephone*) anrufen **III.** *vt* <rang, rung> ❶ (*make sound*) *bell* läuten; **to ~ the alarm** Alarm auslösen ❷ (*of a church*) **to ~ the hour** die Stunde schlagen ❸ *esp* BRIT (*call on telephone*) anrufen; ◼**to ~ sb back** jdn zurückrufen ◆**ring in I.** *vi* BRIT sich telefonisch melden; **to ~ in sick** sich telefonisch krankmelden **II.** *vt* ◼**to ~ in** ⟳ **sb** nach jdm klingeln; ◼**to ~ in** ⟳ **sth** etw einläuten ◆**ring off** *vi* BRIT auflegen ◆**ring out I.** *vi* ertönen **II.** *vt* ausläuten ◆**ring up I.** *vt* ❶ *esp* BRIT (*telephone*) anrufen ❷ COMM **to ~ up an amount** einen Betrag [in die Kasse] eintippen **II.** *vi* BRIT anrufen

'ring bind·er *n* Ringbuch *nt*

ring·er¹ ['rɪŋəʳ] *n* ❶ *esp* AM SPORTS (*fam*) Spieler, der unerlaubt an einem Wettkampf teilnimmt oder gegen das Reglement eingewechselt wird; (*in horseracing*) Ringer *m* (*vertauschtes Pferd*) ❷ (*impostor*) Schwindler(in) *m(f)* ❸ (*person*) Glöckner(in) *m(f)* ▸ **to be a** <u>dead</u> **~ for sb** jdm

R

aufs Haar gleichen

ring·er² ['rɪŋəʳ] n ❶ AUS, NZ (shearer) [Schaf]scherer(in) m(f) ❷ AUS (stockman) Farmarbeiter(in) m(f); (employed in droving) Viehtreiber(in) m(f)

'**ring fin·ger** n Ringfinger m

ring·ing ['rɪŋɪŋ] I. adj attr ❶ (resounding) schallend; ~ **cheer** lauter Jubel; ~ **crash** ohrenbetäubendes Krachen ❷ (unequivocal) eindringlich II. n no pl Klingeln nt

'**ring·lead·er** n Anführer(in) m(f)

ring·let ['rɪŋlɪt] n usu pl Locke f

'**ring road** n BRIT, AUS Ringstraße f '**ring·side** n (in boxing) Sitzreihe f am Boxring; (in a circus) Sitzreihe an der Manege; ~ **seat** (in boxing) Ringplatz m; (in a circus) Manegenplatz m '**ring·worm** n no pl MED Flechte f

rink [rɪŋk] n Bahn f; **ice** ~ Eisbahn f

rinse [rɪns] I. n ❶ (action) Spülung f; **to give a bottle/one's mouth a** ~ eine Flasche/sich dat den Mund ausspülen; **to give clothes/one's hair a** ~ Kleidungsstücke/sich dat die Haare spülen ❷ (for mouth) Mundspülung f ❸ (conditioner) [Haar]spülung f; (for tinting hair) Tönung f II. vt spülen; **to quickly** ~ **one's hands** sich dat kurz die Hände abspülen; **to** ~ **one's mouth** sich dat den Mund ausspülen III. vi spülen

riot ['raɪət] I. n ❶ (disturbance) Krawall m, Unruhen pl; (uproar) Aufstand m a. fig ❷ no pl (fig approv: display) **a** ~ **of colour**[s] eine Farbenpracht ❸ no pl (fig: outburst) **a** ~ **of emotions** ein Gefühlsausbruch m ▸ **to run** ~ (behave uncontrollably) people Amok laufen; emotions verrückt spielen; (spread uncontrollably) prejudices um sich akk greifen; **my imagination ran** ~ die Fantasie ist mit mir durchgegangen II. vi ❶ (act violently) randalieren ❷ (fig: behave uncontrollably) wild feiern

ri·ot·ous ['raɪətəs] adj ❶ (involving disturbance) aufständisch ❷ (boisterous) ausschweifend; party wild ❸ (vivid) **a** ~ **display** eine hemmungslose Zurschaustellung

'**riot po·lice** n + sing/pl vb Bereitschaftspolizei f

rip¹ [rɪp] n GEOG, NAUT Kabbelung f

rip² [rɪp] I. n ❶ (tear) Riss m ❷ usu sing (act) Zerreißen nt; (with knife) Zerschlitzen nt II. vt <-pp-> zerreißen; **to** ~ **sth into shreds** etw zerfetzen; **to** ~ **sth open** etw aufreißen; (with knife) etw aufschlit-

zen; ▪ **to** ~ **sth apart** etw auseinanderreißen III. vi <-pp-> ❶ (tear) reißen; seams of clothing platzen ❷ (rush) ▪ **to** ~ **through sth** durch etw akk fegen ◆**rip off** vt ❶ (take off fast) abreißen ❷ (fam: overcharge) ▪ **to** ~ **off** ⟲ **sb** jdn übers Ohr hauen ❸ (fam: steal) mitgehen lassen; **to** ~ **off ideas** Ideen klauen ◆**rip out** vt herausreißen ◆**rip up** vt zerreißen; **to** ~ **the carpets up** den Teppichboden herausreißen

RIP [ˌɑːraɪˈpiː] abbrev of **rest in peace** R.I.P.

'**rip·cord** n Reißleine f

ripe [raɪp] adj ❶ (ready to eat) fruit, grain reif ❷ (matured) cheese, wine ausgereift ❸ (intense) flavour, smell beißend ❹ ZOOL insect, fish reif für die Eiablage präd ❺ pred (prepared) ▪ **to be** ~ **for sth** reif für etw akk sein ❻ pred (full of) ▪ **to be** ~ **with sth** von etw dat erfüllt sein ❼ attr (advanced) fortgeschritten; **to live to a** ~ **old age** ein hohes Alter erreichen

rip·en ['raɪpən] I. vi [heran]reifen a. fig II. vt fruit reifen lassen

ripe·ness ['raɪpnəs] n no pl Reife f

'**rip-off** n (fam) Wucher m kein pl pej; (fraud) Schwindel m, Beschiss m kein pl derb; **that's just a** ~ **of my idea!** da hat doch bloß einer meine Idee geklaut! fam

ri·poste [rɪˈpɒst] I. n ❶ (usu approv liter: reply) [schlagfertige] Antwort ❷ (in fencing) Riposte f II. vt (usu approv) ▪ **to** ~ **that ...** [schlagfertig] kontern, dass ... III. vi (in fencing) ripostieren

rip·ple ['rɪpl] I. n ❶ (in water) leichte Welle ❷ (sound) Raunen nt kein pl; **a** ~ **of applause** ein kurzer Applaus; **a** ~ **of laughter** ein leises Lachen ❸ (feeling) Schauer m ❹ (reaction) Wirkung f ❺ no pl ELEC Brummstrom m ❻ no pl (ice cream) **chocolate/raspberry** ~ [Vanille]eiscreme, die marmorartig mit Schokoladen-/Himbeersirup durchzogen ist II. vi ❶ (form waves) water sich kräuseln ❷ (flow with waves) plätschern ❸ (move with waves) grain wogen; **his muscles** ~**d under his skin** man sah das Spiel seiner Muskeln [unter der Haut] ❹ (spread) feeling sich breit machen; sound ertönen III. vt ❶ (produce wave in) **to** ~ **the water** das Wasser kräuseln ❷ (make wavy) **to** ~ **muscles** die Muskeln spielen lassen

rip-'roar·ing adj attr (fam) match sagenhaft, mitreißend; person Aufsehen erregend

'**rip tide** n GEOG, NAUT Stromkabbelung f

rise [raɪz] I. n ❶ (upward movement) of

theatre curtain Hochgehen *nt kein pl,* Heben *nt kein pl; of the sun* Aufgehen *nt kein pl* ❷ *(in fishing)* Steigen *nt kein pl* ❸ MUS *of a pitch, sound* Erhöhung *f* ❹ *(in society)* Aufstieg *m;* ~ **to power** Aufstieg *m* an die Macht ❺ *(hill)* Anhöhe *f,* Erhebung *f;* *(in a road)* [Straßen]kuppe *f* ❻ *(height) of an arch, step* Höhe *f* ❼ *(increase)* Anstieg *m kein pl,* Steigen *nt kein pl;* [pay] ~ BRIT Gehaltserhöhung *f* **II.** *vi* <rose, risen> ❶ *(ascend)* steigen; *curtain* aufgehen, hochgehen ❷ *(become visible) moon, sun* aufgehen ❸ *voice* höher werden ❹ *(improve position)* aufsteigen; **to ~ to fame** berühmt werden; **to ~ in sb's esteem** in jds Ansehen *nt* steigen ❺ *(from a chair)* sich erheben ❻ *(get out of bed)* aufstehen ❼ *(be reborn)* auferstehen ❽ *wind* aufkommen ❾ *(rebel)* ■ **to ~ against sb/sth** sich gegen jdn/etw auflehnen ❿ *(incline upwards) ground* ansteigen ⓫ FOOD *yeast, dough* aufgehen ⓬ *(increase)* [an]steigen; *(in height) river, prices* steigen ⓭ *of emotion* sich erhitzen; **tempers were rising at the meeting** auf der Besprechung erhitzten sich die Gemüter ⓮ *(become louder) voice* lauter werden, sich erheben ⓯ *mood, spirits* steigen ⓰ *barometer, thermometer* steigen ▶ ■ **to the bait** anbeißen; ~ **and shine!** aufstehen!, los, raus aus den Federn! ◆ **rise above** *vi* ■ **to ~ above sth** ❶ *(protrude) skyscraper* sich über etw *dat* erheben ❷ *(be superior to)* über etw *dat* stehen; **to ~ above difficulties/poor conditions** Schwierigkeiten/Notlagen überwinden ◆ **rise up** *vi* ❶ *(mutiny)* ■ **to ~ up** sich auflehnen (**against** gegen) ❷ *(be visible)* aufragen ❸ *(become present in mind)* aufsteigen; **to ~ up in sb's mind** jdm in den Sinn kommen
ris·en ['rɪzᵊn] *pp of* **rise**
ris·er ['raɪzə^r] *n* ❶ *(person)* **early ~** Frühaufsteher(in) *m(f);* **late ~** Spätaufsteher(in) *m(f)* ❷ AM *(platform)* ■ **~ s** *pl* Tribüne *f*
ris·ible ['rɪzəbl] *adj (pej form)* lächerlich
ris·ing ['raɪzɪŋ] **I.** *adj attr* ❶ *(increasing in status) author, politician* aufstrebend ❷ *(getting higher) flood waters* steigend; *sun* aufgehend ❸ *(increasing) costs* steigend; *wind* aufkommend; *fury* wachsend ❹ *(advancing to adulthood)* heranwachsend ❺ *(angled upwards) ground* [auf]steigend ❻ LING ~ **intonation** Anhebung *f* der Stimme **II.** *n* Aufstand *m,* Erhebung *f*
risk [rɪsk] **I.** *n* Risiko *nt;* ■ **at the ~ of doing sth** auf die Gefahr hin, etw zu tun; **fire** ~ Brandgefahr *f;* ~ **to health** Gesundheitsrisiko *nt;* **to take a ~** ein Risiko einge-

hen; ■ **to be at** ~ einem Risiko ausgesetzt sein **II.** *vt* riskieren; **to ~ life and limb** Leib und Leben riskieren
'**risk capi·tal** *n no pl* ECON Risikokapital *nt* '**risk-free** *adj (approv)* risikolos '**risk lia·bil·ity** *n* Risikohaftung *f*
risky ['rɪski] *adj* riskant
ris·qué ['rɪskeɪ] *adj* gewagt
ris·sole ['rɪsəʊl] *n* Rissole *f*
rite [raɪt] *n usu pl* Ritus *m;* **funeral ~** Bestattungsritual *nt;* **last ~ s** Sterbesakramente *pl*
ritu·al ['rɪtjʊəl] **I.** *n* Ritual *nt,* Ritus *m;* **mating ~** ZOOL Balzritual *nt* **II.** *adj attr* rituell, Ritual-; ~ **bath** rituelle Waschung
ritzy ['rɪtsi] *adj (fam)* nobel
ri·val ['raɪvᵊl] **I.** *n* Rivale(in) *m(f);* ECON, COMM Konkurrent *m;* **arch** ~ Erzrivale(in) *m(f);* **bitter ~ s** scharfe Rivalen; **closest ~** größter Rivale/größte Rivalin **II.** *adj* rivalisierend *attr,* konkurrierend *attr;* ~ **brand** Konkurrenzmarke *f;* ~ **camp/team** gegnerisches Lager/gegnerische Mannschaft **III.** *vt* <BRIT -ll- *or* AM *usu* -l-> **to ~ sb/sth** mit jdm/etw konkurrieren; ■ **to be ~ led by sth/sb** von etw/jdm übertroffen werden
ri·val·ry ['raɪvᵊlri] *n* ❶ *no pl (competition)* Rivalität *f* (**among** unter); *esp* ECON, SPORTS Konkurrenz *f* (**for** um) ❷ *(incidence)* Rivalität *f;* **friendly ~** freundschaftlicher Wettstreit
riv·er ['rɪvə^r] *n (water)* Fluss *m;* **the R~ Thames** die Themse; **down** ~ stromabwärts; **up** ~ stromaufwärts; **down by the ~** unten am Fluss
'**riv·er ba·sin** *n* Flussbecken *nt* '**riv·er bed** *n* Flussbett *nt* '**riv·er fish** *n* Flussfisch *m* '**riv·er po·lice** *n no pl,* + *sing/pl vb* Wasserschutzpolizei *f* '**riv·er·side** *n* [Fluss]ufer *nt*
riv·et ['rɪvɪt] **I.** *n* Niete *f* **II.** *vt* ❶ *(join)* ■ **to ~ sth** [**together**] etw [zusammen]nieten ❷ *(fix firmly)* fesseln; **to be ~ ed to the spot** wie angewurzelt stehen bleiben ❸ *(engross)* fesseln
riv·et·ing ['rɪvɪtɪŋ] *adj (fam)* fesselnd
rivi·era [ˌrɪvi'eərə] *n* Riviera *f*
rivu·let ['rɪvjələt] *n* Bächlein *nt; (fig)* ~ **s of** sweat ran down his face der Schweiß lief ihm in Rinnsalen übers Gesicht
RN [ˌɑːr'en] *n* ❶ BRIT MIL *abbrev of* **Royal Navy** ❷ AM *abbrev of* **registered nurse** examinierte Krankenschwester; *(male)* examinierter Krankenpfleger
RNA [ˌɑːren'eɪ] *n no pl abbrev of* **ribonucleic acid** RNS *f*
RNLI [ˌɑːrenel'aɪ] *n* BRIT *abbrev of* **Royal**

R

National Lifeboat Institution ≈ DLRG *f*
roach[1] <*pl* -> [rəʊtʃ] *n* (*fish*) Rotauge *nt*
roach[2] <*pl* -es> [rəʊtʃ] *n* (*fam*) ❶ AM ZOOL
(*cockroach*) Küchenschabe *f* ❷ (*sl: of a
joint*) eingedrehter Pappfilter
road [rəʊd] *n* ❶ (*way*) Straße *f*; **on this/
the other side of the** ~ auf dieser/der
anderen Straßenseite; **busy** ~ stark
befahrene Straße; **main** ~ Hauptstraße *f*; **to
cross the** ~ die Straße überqueren ❷ *no pl*
(*street name*) Straße *f* ❸ MIN Tunnel *m*,
Förderstrecke *f*❹ AM (*railroad*) Eisenbahn *f*
❺ BRIT (*railway track*) Schiene *f* ❻ (*fig:
course*) Weg *m*; **to be on the** ~ **to recovery** sich auf dem Wege der Besserung befinden ❼ *usu pl* NAUT Reede *f*
'**road ac·ci·dent** *n* Verkehrsunfall *m*
'**road·block** *n* Straßensperre *f* '**road
haul·age** *n no pl* BRIT Güterverkehr *m*
(*auf den Straßen*) '**road hog** *n* (*pej fam*)
Verkehrsrowdy *m* '**road·house** *n* AM
Raststätte *f*
roadie ['rəʊdi] *n* (*fam*) Roadie *m*
'**road map** *n* Straßenkarte *f* '**road rage** *n
no pl* aggressives Verhalten im Straßenverkehr **road 'safe·ty** *n no pl* Verkehrssi-
cherheit *f* '**road sense** *n no pl* BRIT ver-
antwortungsvolles Verhalten im Straßenverkehr '**road·show** *n* ❶ RADIO, TV Direkt-
übertragung *f* vom Drehort ❷ POL Kampagne *f* ❸ MUS, THEAT Tournee *f*; (*people*)
Musikgruppe *f*/Theatertruppe *f* auf Tournee '**road·side I.** *n no pl* Straßenrand *m*
II. *adj* Straßen-, am Straßenrand gelegen
'**road sign** *n* Verkehrsschild *nt* '**road
sur·face** *n* Straßenbelag *m* '**road
sweep·er** *n* Straßenkehrer(in) *m(f)*, Stra-
ßenfeger(in) *m(f)* SÜDD '**road-test** *vt car*
Probe fahren '**road traf·fic** *n no pl* Straßenverkehr *m* **road 'trans·port** *n no pl*
BRIT Güterverkehr *m* '**road us·er** *n* Ver-
kehrsteilnehmer(in) *m(f)* '**road·way** *n no
pl* Fahrbahn *f* '**road·works** *npl* Straßenbauarbeiten *pl*
roam [rəʊm] **I.** *vi* ❶ (*travel aimlessly*) **to
** ~ **about/around/over/through** umherstreifen, umherziehen ❷ *mind, thoughts*
abschweifen **II.** *vt* **to** ~ **the streets** durch
die Straßen ziehen *fam; dog* herumstreu-
nen **III.** *n* [Herum]wandern *nt kein pl*
roan[1] [rəʊn] **I.** *adj horse, calf* rötlich grau
II. *n* Rotschimmel *m*
roan[2] [rəʊn] *n no pl* (*for bookbinding*)
Schafleder *nt*
roar [rɔːʳ] **I.** *n* ❶ (*bellow*) *of a lion, person*
Brüllen *nt kein pl*, Gebrüll *nt kein pl*;
❷ (*loud noise*) *of an aircraft, a cannon*
Donnern *nt kein pl; of an engine* [Auf]heu-

len *nt kein pl*, Dröhnen *nt kein pl; of a fire*
Prasseln *nt kein pl; of thunder* Rollen *nt
kein pl*, Grollen *nt kein pl; of waves* Tosen *nt kein pl; of wind* Heulen *nt kein pl*
❸ (*laughter*) schallendes Gelächter **II.** *vi*
❶ (*bellow*) *lion, person* brüllen; ▪**to** ~ **at
sb** jdn anbrüllen ❷ (*make a loud noise*)
aircraft, cannon donnern; *engine* [auf]heu-
len, dröhnen; *fire* prasseln; *thunder* rollen, grollen; *waves* tosen; *wind* heulen
❸ (*laugh*) **to** ~ **with laughter** in schallendes Gelächter ausbrechen **III.** *vt* brüllen
roar·ing ['rɔːrɪŋ] *adj attr* ❶ (*noisy*) *animal,
crowd, person* brüllend; *inanimate object*
lärmend; *aircraft, cannon* donnernd;
engine, wind heulend; *fire* prasselnd; *traffic, waves* tosend; *thunder* rollend ❷ (*fam:
for emphasis*) **to be a** ~ **success** ein Bombenerfolg sein; **to do a** ~ **trade** ein Bombengeschäft machen
roast [rəʊst] **I.** *vt* ❶ (*heat*) rösten; *meat*
braten ❷ (*criticize*) ▪**to** ~ **sb** mit jdm hart
ins Gericht gehen **II.** *vi* braten *a. fig*, (*vor
Hitze*) fast umkommen *fam* **III.** *adj attr*
Brat-; ~ **beef** Roastbeef *nt*, Rinderbraten *m;*
~ **chicken** Brathähnchen *nt;* ~ **lamb/
pork** Lamm-/Schweinebraten *m* **IV.** *n*
❶ FOOD Braten *m* ❷ *no pl* (*process*) Rösten *nt* ❸ (*of coffee*) Röstung *f*❹ AM (*party*)
Grillparty *f*
roast·er ['rəʊstəʳ] *n* ❶ (*device*) Röstappa-
rat *m; for metal ore* Röstofen *m* ❷ (*oven*)
Bratofen *m*, Bratröhre *f* ❸ (*chicken*) Brathähnchen *nt;* (*pig*) Spanferkel *nt*
roast·ing ['rəʊstɪŋ] **I.** *adj attr* ❶ (*for roasting*) zum Braten *nach* ~ ❷ (*being roasted*)
~ **coffee** Röstkaffee *m* ❸ (*fam: hot*) knall-
heiß **II.** *n* ❶ *no pl* (*action of cooking*) Braten *nt* ❷ *no pl* (*fam: criticism*) Standpauke *f;* **to give sb a** ~ jdm eine Standpauke halten; **to give sth a** ~ etw verreißen
rob <-bb-> [rɒb] *vt* ❶ (*steal from*) ▪**to** ~
sb jdn bestehlen; (*violently*) jdm rauben;
to ~ **a bank** eine Bank ausrauben ❷ *usu
passive* (*fam: overcharge*) ▪**to** ~ **sb** jdn
ausnehmen ❸ (*deprive*) ▪**to** ~ **sb of sth**
jdn um etw *akk* bringen
rob·ber ['rɒbəʳ] *n* Räuber(in) *m(f)*
rob·bery ['rɒbᵊri] *n* ❶ *no pl* (*action*)
Raubüberfall *m* ❷ (*theft*) Raub[überfall] *m;*
bank ~ Bankraub *m;* **armed** ~ bewaffneter
Raubüberfall ❸ (*fam: overcharging*) **daylight** [*or* AM **highway**] ~ Halsabschneide-
rei *f pej fam*
robe [rəʊb] *n* ❶ (*long garment*) langes
Kleid, Abendkleid *nt* ❷ *usu pl* (*formal
gown*) Talar *m* ❸ (*dressing gown*) Mor-
genmantel *m*

rob·in ['rɒbɪn] *n, liter* **rob·in 'red· breast** *n* ORN ❶ (*European bird*) Rotkehl- chen *nt* ❷ (*American bird*) Wanderdrossel *f*

ro·bot ['rəʊbɒt] *n* ❶ (*machine*) Roboter *m* *a. fig* ❷ SA (*traffic light*) Ampel *f*

ro·bot·ics [rə(ʊ)'bɒtɪks] *n* + *sing vb* Robo- tik *f kein pl*

ro·bust [rə(ʊ)'bʌst] *adj* ❶ (*healthy*) kräftig, robust; *appetite* gesund; **to be in ~ health** kerngesund sein ❷ (*sturdy*) *material* ro- bust, widerstandsfähig ❸ ECON stabil ❹ (*down-to-earth*) *approach, view* boden- ständig ❺ (*physical*) hart ❻ (*full-bodied*) *food* deftig; *wine* kernig

ro·bust·ness [rə(ʊ)'bʌstnəs] *n no pl* ❶ (*vitality, sturdiness*) Widerstandsfähig- keit *f*, Robustheit *f* ❷ ECON (*stability*) Stabi- lität *f* ❸ (*determination*) Entschlossenheit *f*

rock[1] [rɒk] *n* ❶ *no pl* (*mineral material*) Stein *m* ❷ (*sticking out of ground*) Fels[en] *m;* (*sticking out of sea*) Riff *nt;* (*boulder*) Felsbrocken *m* ❸ GEOL Gestein *nt* ❹ (*Gibraltar*) ▪ **the R~** der Felsen von Gi- braltar ❺ AM, AUS (*a stone*) Stein *m* ❻ (*fig: firm support*) Fels *m* in der Brandung ❼ *no pl* BRIT **stick of ~** Zuckerstange *f* ❽ (*fam: diamond*) Klunker *m* ❾ (*fam: piece of crack cocaine*) Crack *nt kein pl* ▶ **on** the **~s** (*fam: in disastrous state*) am Ende; *relationship, marriage* kaputt *fam;* (*served with ice*) mit Eis

rock[2] [rɒk] I. *n* ❶ *no pl* Rockmusik *f* ❷ (*movement*) Schaukeln *nt kein pl*, Wie- gen *nt kein pl* II. *vt* ❶ (*cause to move*) schaukeln; (*gently*) wiegen; **to ~ sb to sleep** jdn in den Schlaf wiegen ❷ (*also fig: sway*) erschüttern III. *vi* ❶ (*move*) schau- keln; **to ~ back and forth** hin und her schaukeln ❷ (*dance*) rocken *fam;* (*play music*) Rock[musik] spielen ❸ (*fam: be excellent*) **he really ~s!** er ist ein Super- typ!; **this party really ~s!** diese Party bringt's!

rock and 'roll *n no pl* Rock and Roll *m* **'rock band** *n* Rockband *f* **rock 'bot· tom** *n* Tiefpunkt *m;* **to be at ~** am Tief- punkt [angelangt] sein; *person also* am Bo- den zerstört sein **'rock bun** *n* BRIT, AUS, **'rock cake** *n* BRIT, AUS [kleiner] Rosinen- kuchen **'rock climb·er** *n* Bergsteiger(in) *m(f)* **'rock climb·ing** *n no pl* Klettern *nt*

rock·er ['rɒkə[r]] *n* ❶ (*musician*) Rockmu- siker(in) *m(f);* (*fan*) Rockfan *m* ❷ (*song*) Rocksong *m* ❸ (*hist: in '60s motor- cycle cult*) Rocker(in) *m(f)* ❹ (*chair*) Schaukelstuhl *m;* (*rocking horse*) Schau- kelpferd *nt* ❹ (*curved bar*) *of a chair* [Roll]kufe *f; of a cradle* [Wiegen]kufe *f*

❺ TECH Wippe *f;* (*in dynamo*) Kipphebel *m*

rock·ery ['rɒk°ri] *n* Steingarten *m*

rock·et[1] ['rɒkɪt] I. *n* ❶ (*missile*) [Marsch]flugkörper *m;* (*for space travel*) Rakete *f* ❷ (*firework*) [Feuerwerks]rakete *f* ❸ (*engine*) Raketentriebwerk *nt* II. *vi* ▪ **to ~** [**up**] *costs, prices* hochschnellen, in die Höhe schnellen; **to ~ to fame** über Nacht berühmt werden

rock·et[2] ['rɒkɪt] *n no pl* BOT Rauke *f*

'rock·et launch·er *n* MIL Raketenwerfer *m*

'rock face *n* Felswand *f*

'rock fes·ti·val *n* Rockfestival *nt*

'rock gar·den *n esp* AM Steingarten *m*

Rockies ['rɒkiz] *n* ▪ **the ~** die Rocky Mountains *pl*

rock·ing ['rɒkɪŋ] *adj* schaukelnd, Schau- kel-

'rock·ing chair *n* Schaukelstuhl *m* **'rock· ing horse** *n* Schaukelpferd *nt*

'rock mu·sic *n no pl* Rockmusik *f*

'rock plant *n* Steingartenpflanze *f* **'rock salt** *n no pl* Steinsalz *nt*

'rock star *n* Rockstar *m*

rocky[1] ['rɒki] *adj* ❶ (*characterized by rocks*) felsig ❷ (*full of rocks*) *soil* steinig

rocky[2] ['rɒki] *adj* ❶ (*tottering*) wack[e]lig *fam* ❷ (*full of difficulties*) schwierig; *future* unsicher

Rocky 'Moun·tains *n* ▪ **the ~** die Rocky Mountains *pl*

ro·co·co [rə(ʊ)'kəʊkəʊ] I. *adj* Rokoko- *f* II. *n no pl* Rokoko *nt*

rod [rɒd] *n* ❶ (*bar*) Stange *f* ❷ (*staff*) Stab *m;* (*symbol of authority*) Zepter *nt* ❸ (*for punishing*) Rute *f;* (*cane*) Rohr- stock *m* ❹ (*for fishing*) [Angel]rute *f;* (*angler*) Angler(in) *m(f)* ▶ to **rule** sb/sth **with a ~ of iron** jdn/etw mit eiserner Hand regieren

rode [rəʊd] *pt of* **ride**

ro·dent ['rəʊd°nt] I. *n* Nagetier *nt* II. *adj* nagend, Nage-

ro·deo [rə(ʊ)'deɪəʊ] I. *n* ❶ (*for cowboys*) Rodeo *nt;* (*for motorcyclists*) Motorrad-/ Autorodeo *nt* ❷ (*cattle round-up*) Zusam- mentreiben *nt* des Viehs ❸ (*enclosure*) umzäunter Sammelplatz *für das Zusam- mentreiben des Viehs* II. *vi* an einem Ro- deo teilnehmen

roe[1] [rəʊ] *n no pl of female fish* Rogen *m; of male fish* Milch

roe[2] <*pl* -s *or* -> [rəʊ] *n* (*deer*) Reh *nt* **'roe·buck** *n* Rehbock *m*

rog·er ['rɒdʒə[r]] *interj* ~! verstanden!, roger! *sl*

rogue [rəʊg] I. *n* (*pej*) Gauner(in) *m(f);* (*rascal*) Spitzbube *m* II. *adj company,*

R

organization skrupellos; **~ state** Schurkenstaat *m;* **~ regime** Unrechtsregime *nt*

ro·guery ['rəʊɡ°ri] *n* (*pej*) ❶ (*dishonesty*) Gaunerei *f* ❷ (*mischief*) Unfug *m kein pl,* Unsinn *m kein pl*

ro·guish ['rəʊɡɪʃ] *adj* ❶ (*dishonest*) schurkisch ❷ (*mischievous*) schelmisch; *smile, twinkle* spitzbübisch

role [rəʊl] *n* ❶ FILM, THEAT, TV Rolle *f;* **leading ~** Hauptrolle *f;* **supporting ~** Nebenrolle *f* ❷ (*function*) Rolle *f,* Funktion *f*

'**role mod·el** *n* Rollenbild *nt* '**role play** *n,* '**role play·ing** *n no pl* Rollenspiel *nt* '**role re·ver·sal** *n* Rollentausch *m kein pl*

roll [rəʊl] **I.** *n* ❶ (*cylinder*) Rolle *f;* **a ~ of film/paper** eine Rolle Film/Papier ❷ (*cylindrical mass*) Rolle *f; of cloth* Ballen *m* ❸ (*list*) [Namens]liste *f;* (*register*) Verzeichnis *nt;* **electoral ~** Wählerverzeichnis *nt;* **to call** [*or* **take**] **the ~** die Anwesenheit überprüfen ❹ (*bread*) Brötchen *nt* ❺ (*meat*) Roulade *f;* (*cake, pastry*) Rolle *f* ❻ AM, AUS (*money*) Bündel *nt* Banknoten ❼ *no pl* (*movement*) Rollen *nt;* (*turning over*) Herumrollen *nt;* (*wallowing*) Herumwälzen *nt* ❽ *no pl* (*unsteady movement*) *of a car, plane, ship* Schlingern *nt* ❾ SPORTS, AVIAT Rolle *f;* **a backward ~** eine Rolle rückwärts ❿ *usu sing* (*sound*) *of thunder* [G]rollen *nt kein pl; of an organ* Brausen *nt kein pl;* **drum ~** Trommelwirbel *m* ▶ **to be on a ~** (*fam*) eine Glückssträhne haben **II.** *vt* ❶ (*cause to move around axis*) rollen; **to ~ one's eyes** die Augen verdrehen ❷ (*turn over*) drehen; **to ~ one's car** sich mit dem Auto überschlagen ❸ (*push on wheels*) rollen; (*when heavier*) schieben ❹ (*shape*) ▪**to ~ sth into sth** etw zu etw *dat* rollen; **he ~ed the clay into a ball** er formte den Ton zu einer Kugel ❺ (*wind*) aufrollen; **the hedgehog ~ed itself into a ball** der Igel rollte sich zu einer Kugel zusammen; **to ~ a cigarette** eine Zigarette drehen; **to ~ wool into a ball** Wolle aufwickeln ❻ (*wrap*) ▪**to ~ sth in sth** etw in etw *akk* einwickeln ❼ (*flatten*) walzen; *pastry* ausrollen ❽ *dice* würfeln ❾ LING **to ~ one's r's** das R rollen **III.** *vi* ❶ (*move around axis*) rollen (**off** von); (*turn over*) sich herumrollen; (*wallow*) sich [herum]wälzen ❷ (*flow*) *drop, waves* rollen; *tears* kullern ❸ (*move on wheels*) rollen ❹ (*oscillate*) *ship, plane* schlingern; (*person*) schwanken ❺ *planet* kreisen ❻ SPORTS, AVIAT eine Rolle machen ❼ (*operate*) laufen; **to keep sth ~ing** etw in Gang halten ❽ (*fig: elapse*) *years* **to ~ by** vorbeiziehen ❾ (*un-*

dulate) wallen ❿ (*reverberate*) widerhallen; *thunder* [g]rollen ⓫ (*curl up*) **to ~ into a ball** sich zu einer Kugel zusammenrollen ⓬ (*be uttered effortlessly*) **to ~ off sb's tongue** leicht über die Lippen kommen ◆**roll about** *vi* ❶ (*move around axis, turn over*) herumrollen; (*wallow*) sich herumwälzen ❷ (*move unsteadily*) *ship* schlingern ◆**roll along** *vi* ❶ (*move by turning*) dahinrollen ❷ (*move*) *flood* dahinströmen; *clouds* dahinziehen ❸ (*fam: arrive*) eintrudeln ◆**roll back** *vt* ❶ (*move back*) zurückrollen; (*push back*) zurückschieben; (*fold back*) zurückschlagen ❷ (*fig: reverse development*) *advances* umkehren; **to ~ back the years** die Uhr zurückdrehen *fig* ❸ AM (*lower*) *costs, prices, wages* senken **II.** *vi* ❶ (*move backwards*) zurückrollen ❷ ECON, FIN *prices, wages* sinken ◆**roll down I.** *vt* ❶ (*move around axis*) hinunterrollen; (*bring down*) herunterrollen ❷ (*turn*) *window* herunterkurbeln; **to ~ down ○ one's sleeves** die Ärmel herunterkrempeln **II.** *vi* hinunterrollen; (*come down*) herunterrollen; *tears also* herunterlaufen ◆**roll in I.** *vi* (*fam*) ❶ (*move*) hineinrollen; (*come in*) hereinrollen ❷ (*be received*) *offers* [massenhaft] eingehen; *money* reinkommen *fam* ❸ (*arrive*) hereinplatzen *fam* ▶ **to be ~ing in money** (*fam*) im Geld schwimmen **II.** *vt* (*bring in*) hereinrollen; (*take in*) hineinrollen ◆**roll off I.** *vt* he quickly ~ed off some copies on the duplicating machine er machte schnell ein paar Kopien am Kopierer **II.** *vi* ❶ (*fall*) herunterrollen ❷ (*set off*) davonrollen ◆**roll on I.** *vi* ❶ (*move further*) weiterrollen ❷ (*continue*) weitergehen; *time* verfliegen ▶**~ on the holidays/ weekend!** BRIT, AUS (*fam*) wenn doch nur schon Ferien wären/Wochenende wäre! **II.** *vt* (*apply*) aufwalzen ◆**roll out I.** *vt* ❶ (*take out*) hinausrollen; (*bring out*) herausrollen ❷ *dough* ausrollen; *metal* auswalzen ❸ AM ECON *new product* herausbringen ❹ (*unroll*) ausrollen **II.** *vi* ❶ (*move outside*) hinausrollen; (*come out*) herausrollen ❷ AM ECON *new product* herauskommen ◆**roll over I.** *vi* herumrollen; *person, animal* sich umdrehen; *car* umkippen; *boat* kentern; **to ~ over onto one's side** sich auf die Seite rollen **II.** *vt* ❶ (*turn over*) umdrehen; **~ him over onto his back** dreh ihn auf den Rücken ❷ FIN *credit* erneuern; *debt* umschulden ◆**roll up I.** *vt* ❶ (*move up, around axis*) hochrollen; *clothes* hochkrempeln; *window* hochkurbeln ❷ (*coil*) aufrollen; *string* aufwickeln ❸ FIN, ECON *credit* verlängern **II.** *vi* ❶ (*move up*) hochrollen ❷ (*fam: arrive*) aufkreuzen; *crowds* herbeiströmen ❸ BRIT, AUS (*participate*) **~ up!** treten Sie näher! ❹ (*fam: make a cigarette*) sich *dat* eine drehen

'roll bar *n* Überrollbügel *m* **'roll-call** *n* Namensaufruf *m kein pl*

roll·er ['rəʊlə'] *n* ❶ TECH Walze *f* ❷ (*for paint*) Rolle *f*, Roller *m* ❸ (*for hair*) Lockenwickler *m* ❹ MED Rollbinde *f* ❺ (*wave*) Brecher *m*

'roll·er bear·ing *n* TECH Rollenlager *nt* **'Roll·er·blade**® **I.** *n* SPORTS Rollerblade® *m*, Inlineskater *m* **II.** *vi* inlineskaten **'roll·er blind** *n esp* BRIT, AUS Rollo *nt* **'roll·er coast·er** *n* Achterbahn *f*; (*fig*) **he's been on an emotional ~ for the past few weeks** in den letzten Wochen fahren seine Gefühle mit ihm Achterbahn **'roll·er skate** *n* Rollschuh *m* **'roll·er·skate** *vi* Rollschuh laufen [*o* fahren] **'roll·er skat·er** *n* Rollschuhläufer(in) *m(f)*

rol·lick·ing¹ ['rɒlɪkɪŋ] *adj attr* (*approv*) *party* ausgelassen; *film* lustig; **~ fun** Riesenspaß *m*

rol·lick·ing² ['rɒlɪkɪŋ] *n usu sing* BRIT (*pej fam*) Anpfiff *m*

roll·ing ['rəʊlɪŋ] *adj attr* ❶ (*not immediate*) *implementation* allmählich ❷ (*moderately rising*) *hills* sanft ansteigend ❸ (*undulating*) *gait* wankend, schwankend

'roll·ing mill *n* ❶ (*machine*) Walzmaschine *f* ❷ (*factory*) Walzwerk *nt* **'roll·ing pin** *n* Nudelholz *nt* **'roll·ing stock** *n no pl* ❶ RAIL (*vehicles used*) Waggons *pl* im Einsatz, rollendes Material ❷ AM TRANSP Fuhrpark *m*

'roll·neck *n* Rollkragen *m*; (*sweater*) Rollkragenpullover *m* **'roll-on** **I.** *adj attr* Rollon-; **~ deodorant** Deoroller *m* **II.** *n* ❶ (*deodorant*) Deoroller *m* ❷ BRIT (*corset*) Korselett *nt* **roll-on roll-off** **'fer·ry** *adj attr* Roll-on-roll-off-Fähre *f*

roly-poly [,rəʊli'pəʊli] **I.** *n* ❶ *no pl esp* BRIT FOOD englischer Rollpudding; ≈ Strudel *m* (*gebacken oder gedämpft*) ❷ AUS BOT Steppenläufer *m* ❸ (*childspeak: somersault*) Purzelbaum *m* **II.** *adj* (*hum fam*) rundlich; *baby* moppelig, *child* pummelig

ROM [rɒm] *n no pl abbrev of* **Read Only Memory** ROM *m o nt*

Ro·man ['rəʊmən] **I.** *adj* römisch **II.** *n* Römer(in) *m(f)*

Ro·man candle *n* (*firework*) ≈ Goldregen *m* **Ro·man 'Catho·lic** **I.** *adj* römisch-katholisch **II.** *n* Katholik(in) *m(f)*

ro·mance [rə(ʊ)'mæn(t)s] **I.** *n* ❶ *no pl* (*romanticism*) Romantik *f*; (*love*) romanti-

sche Liebe ❷ (*love affair*) Romanze *f*, Liebesaffäre *f*; (*fig*) **whirlwind ~** heftige Liebesaffäre ❸ (*movie*) Liebesfilm *m*; (*remote from reality*) Fantasiegeschichte *f*; (*book*) Liebesroman *m*; (*medieval tale*) Ritterroman *m* ❹ MUS Romanze *f* **II.** *vt* ❶ (*liter: court*) umwerben ❷ (*fam: flatter*) anschwärmen ❸ (*glamourize*) romantisieren **III.** *vi* schwärmen (**about** von)

Ro·mance [rə(ʊ)'mæn(t)s] *adj* LING **~ languages** romanische Sprachen

Ro·man·esque [,rəʊmə^n'esk] ARCHIT **I.** *adj* romanisch **II.** *n no pl* ■ **the ~** die Romanik

Ro·ma·nia [ʊ'meɪnɪə] *n* Rumänien *nt*

Ro·ma·nian [ʊ'meɪnɪən] **I.** *adj* rumänisch **II.** *n* ❶ (*person*) Rumäne(in) *m(f)* ❷ *no pl* (*language*) Rumänisch *nt*

ro·man·tic [rə(ʊ)'mæntɪk] **I.** *adj* romantisch **II.** *n* Romantiker(in) *m(f)*

ro·man·ti·cism *n*, **Ro·man·ti·cism** [rə(ʊ)'mæntɪsɪz^m] *n no pl* ART, LIT Romantik *f*

Roma·ny ['rɒmənɪ] **I.** *n* ❶ *no pl* (*language*) Romani *nt* ❷ (*gypsy*) Roma *pl* **II.** *adj* Roma-

Rome [rəʊm] *n* Rom *nt*

romp [rɒmp] **I.** *vi* (*play*) *children, young animals* tollen; **~ around** herumtollen **II.** *n* ❶ (*play*) Tollerei *f kein pl* ❷ (*book, film, play*) Klamauk *m kein pl*

romp·ers ['rɒmpəz] *npl*, **romp·er suit** *n* Strampelanzug *m*

roof [ruːf] **I.** *n* ❶ (*top of house*) Dach *nt* ❷ (*attic*) Dachboden *m* ❸ (*ceiling*) *of a cave* Decke *f*; *of mouth* Gaumen *m*; *of a tree* Krone *f* ❹ (*upper limit*) Obergrenze *f*, [oberes] Limit **II.** *vt* überdachen

roof·er ['ruːfə'] *n* Dachdecker(in) *m(f)*

'roof gar·den *n* Dachgarten *m*

roof·ing ['ruːfɪŋ] **I.** *n no pl* ❶ (*material*) Material *nt* zum Dachdecken ❷ (*job*) Dachdecken *nt* **II.** *adj* Dach-; **~ company** Dachdeckerfirma *f*; **~ material** Bedachungsmaterial *nt*

'roof rack *n* Dachgepäckträger *m* **'roof·top** *n* Dach *nt*; **~ view** Aussicht *f* vom Dach aus

rook [rʊk] *n* ❶ (*bird*) Saatkrähe *f* ❷ CHESS Turm *m*

rook·ery ['rʊk^ri] *n* Saatkrähenkolonie *f*; (*of penguins, seals*) Kolonie *f*

rookie ['rʊki] *n esp* AM, AUS (*fam*) Neuling *m*; MIL Rekrut(in) *m(f)*

room [ruːm] **I.** *n* ❶ *no pl* (*space*) Platz *m*, Raum *m* ❷ (*scope*) Raum *m*; **his cooking has got better but there is still ~ for improvement** seine Kochkünste haben sich gebessert, sind aber noch verbesse-

R

rungswürdig; **~ for manoeuvre** Bewegungsspielraum *m* ❸ *(in a building)* Zimmer *nt*, Raum *m*; **double/single ~** Doppel-/Einzelzimmer *nt* ❹ *(people present)* **the whole ~ turned around and stared at him** alle, die im Zimmer waren, drehten sich um und starrten ihn an **II.** *vi esp* Am wohnen; ■**to ~ with sb** mit jdm zusammen wohnen

room·ful ['ru:mfʊl] *n usu sing* **a ~ of boxes/people** ein Zimmer *nt* voller Kisten/Leute

'**room·ing house** *n* Am *(boarding house)* Pension *f*

'**room-mate** *n,* Am *usu* '**room·mate** *n* ❶ *(sharing room)* Zimmergenosse(in) *m(f)* ❷ Am *(sharing flat or house)* Mitbewohner(in) *m(f)* '**room ser·vice** *n no pl* Zimmerservice *m* **room 'tem·pera·ture** *n no pl* Zimmertemperatur *f*

roomy ['ru:mi] *adj (approv)* geräumig

roost [ru:st] **I.** *n* Rastplatz *m*; *(for sleep)* Schlafplatz *m* **II.** *vi* rasten

roost·er ['ru:stər] *n* Am, Aus *(cockerel)* Hahn *m*

root [ru:t] **I.** *n* ❶ *(embedded part)* Wurzel *f*; *(of a celery)* Knolle *f*; *(of a tulip)* Zwiebel *f*; **to take ~ s** Wurzeln schlagen ❷ *(fig: basic cause)* Wurzel *f*, Ursprung *m*; *(essential substance)* Kern *m kein pl* ❸ *pl (fig: origins)* Wurzeln *pl*, Ursprung *m* ❹ LING Stamm *m* ❺ MATH Wurzel *f*; **square ~** Quadratwurzel *f* **II.** *vt cuttings, plant* einpflanzen **III.** *vi* ❶ *plant* wurzeln, Wurzeln schlagen ❷ *(fam: support)* ■**to ~ for sb** jdm die Daumen drücken; **to ~ for a team** eine Mannschaft anfeuern ❸ *(search)* ■**to ~ for sth** nach etw *dat* wühlen; ■**to ~ through sth** etw durchstöbern ◆**root about, root around** *vi (fam)* herumwühlen; ■**to ~ about in sth** in etw *dat* herumwühlen; ■**to ~ about for sth** nach etw *dat* wühlen ◆**root out** *vt* ❶ BOT *plant, weeds* ausgraben ❷ *(eliminate)* ausrotten ❸ *(find)* aufstöbern

'**root beer** *n no pl* Am *colaartiges alkoholfreies Getränk aus verschiedenen Pflanzenwurzeln* **root 'cause** *n* Grundursache *f,* Wurzel *f fig*

root·ed ['ru:tɪd] *adj* verwurzelt; **to be [firmly] ~ in sth** *distrust, problems* in etw *dat* [tief] verwurzelt sein ▸**to be ~ to the spot** wie angewurzelt dastehen

root·less ['ru:tləs] *adj* ❶ *(without home)* heimatlos ❷ BOT wurzellos

'**root sign** *n* MATH Wurzelzeichen *nt*

root 'veg·eta·ble *n (beets, carrots)* Wurzel *f,* Wurzelgemüse *nt; (celery, potatoes)* Knolle *f*

rope [rəʊp] **I.** *n* ❶ *(cord)* Seil *nt,* Strick *m;* NAUT Tau *nt* ❷ Am *(lasso)* Lasso *nt* **II.** *vt* anseilen, festbinden **(to** an); **to ~ calves** Kälber mit dem Lasso [ein]fangen ◆**rope in** *vt (fam)* einspannen ◆**rope off** *vt* **to ~ off** ↻ *an area* ein Gebiet [mit Seilen/einem Seil] absperren ◆**rope up** *vi* ❶ *(connect)* sich anseilen ❷ *(climb up)* angeseilt hinaufklettern

rope 'lad·der *n* Strickleiter *f* '**rope·way** *n* RAIL Kabelbahn *f*

ropey *adj,* **ropy** ['rəʊpi] *adj* ❶ *(rope-like)* seilartig ❷ BRIT, Aus *(pej fam: ill)* elend; **~ tyres** schlechte Reifen

ro-ro ['rəʊrəʊ] *adj* BRIT *short for* **roll-on-roll-off:** **~ ferry** Ro-Ro-Fähre *f*

ro·sary ['rəʊzⁱri] *n* Rosenkranz *m*

rose[1] [rəʊz] **I.** *n* ❶ *(flower)* Rose *f; (bush)* Rosenbusch *m; (tree)* Rosenbäumchen *nt* ❷ *(nozzle)* Brause *f* ❸ *no pl (colour)* Rosa *nt* ▸**to come up [smelling of] ~s** bestens laufen *fam* ❹ *adj* rosa

rosé ['rəʊzeɪ] *n no pl wine* Rosé *m*

rose[2] [rəʊz] *pt of* **rise**

'**rose·bud** *n* Rosenknospe *f* '**rose bush** *n* Rosenstrauch *m* '**rose gar·den** *n* Rosengarten *m* '**rose hip I.** *n* Hagebutte *f* **II.** *adj* *syrup, wine* Hagebutten-

rose·mary ['rəʊzmⁱri] *n no pl* Rosmarin *m*

ro·sette [rəˈ(ʊ)zet] *n* Rosette *f*

'**rose wa·ter** *n no pl* Rosenwasser *nt* **rose 'win·dow** *n* ARCHIT Fensterrose *f*

ros·in ['rɒzɪn] MUS **I.** *n no pl* Kolophonium *nt* **II.** *vt* **to ~ a violin bow/string** einen Geigenbogen/eine Geigensaite mit Kolophonium einreiben

ros·ter ['rɒstər] **I.** *n esp* Am, Aus ❶ *(list)* Liste *f; (plan)* Plan *m; duty* **~** Dienstplan *m* ❷ SPORTS Spielerliste *f* **II.** *vt usu passive* ■**to ~ sb/sth** jdn/etw auf den Dienstplan setzen

ros·trum <*pl* **-s** *or* **-tra**> ['rɒstrəm, *pl* -trə] *n* ❶ *(raised platform)* Tribüne *f,* Podium *nt; (for public speaker also)* Rednerpult *nt; (for conductor)* Dirigentenpult *nt* ❷ ZOOL *(beak)* Rostrum *nt*

rosy ['rəʊzi] *adj* rosig *a. fig*

rot [rɒt] **I.** *n no pl* ❶ *(process)* Fäulnis *f* ❷ *(decayed matter)* Verfaultes *nt,* Verwestes *nt* ❸ BRIT *(fig: process of deterioration)* ■**the ~** der Verfall ❹ BOT Fäule *f* **II.** *vi* <-tt-> ❶ *(decay)* verrotten; *teeth, meat* verfaulen; *woodwork* vermodern ❷ *(deteriorate) institution, society* verkommen **III.** *vt* <-tt-> ■**to ~ sth** etw vermodern lassen ◆**rot away I.** *vi* verfaulen **II.** *vt* verfaulen lassen

rota ['rəʊtə] *n* ❶ *esp* BRIT (*list*) Liste *f;* (*plan*) Plan *m;* ~ **system** Dienstplan *m* ❷ REL ■ **the R~** die Rota

ro·tary ['rəʊtəri] I. *adj* kreisend, rotierend, Dreh-; ~ **pump** Rotationspumpe *f* II. *n* ❶ TECH Rotationsmaschine *f* ❷ AM TRANSP Kreisverkehr *m*

ro·tate [rə(ʊ)'teɪt] I. *vi* ❶ (*revolve*) rotieren (**around** um) ❷ (*alternate*) wechseln II. *vt* ❶ (*cause to turn*) drehen ❷ (*alternate*) to ~ **duties** Aufgaben turnusmäßig [abwechselnd] verteilen; *troops* auswechseln ❸ AGR to ~ **crops** im Fruchtwechsel anbauen ❹ AUTO to ~ **tyres** Reifen turnusmäßig wechseln

ro·ta·tion [rə(ʊ)'teɪʃən] *n* Rotation *f,* Umdrehung *f;* crop ~ AGR Fruchtwechsel *m;* **the earth's** ~ die Erdumdrehung; **in** ~ im Wechsel

ro·ta·tory ['rəʊtətəri] *adj* rotierend, Rotations-

rote [rəʊt] *n no pl* (*usu pej*) **to learn sth by** ~ etw auswendig lernen

ro·tor ['rəʊtə] *n* Rotor *m*

rot·ten ['rɒtən] I. *adj* ❶ (*decayed*) verfault; *fruit* verdorben; *tooth* faul; *wood* modrig ❷ (*corrupt*) korrupt, völlig verdorben *fig* ❸ (*fam: very bad*) mies; **I'm a ~ cook** ich bin ein hundsmiserabler Koch; **to feel ~** sich mies fühlen ❹ (*fam: nasty*) *trick, joke* gemein II. *adv* (*fam*) total *fam;* **to be spoiled ~** *child* völlig verzogen sein

ro·tund [rə(ʊ)'tʌnd] *adj* ❶ (*plump*) *person* massig ❷ BRIT (*fig, pej*) *literary style* bombastisch; *speech* hochtrabend ❸ (*spherical*) kreisförmig

ro·tun·da [rə(ʊ)'tʌndə] *n* Rotunde *f*

rou·ble ['ruːbl] *n* Rubel *m*

rouge [ruːʒ] I. *n no pl* ❶ (*makeup*) Rouge *nt* ❷ (*polish*) Polierrot *nt fachspr* II. *vt* to ~ **one's cheeks** Rouge auflegen

rough [rʌf] I. *adj* ❶ (*uneven*) rau; *ground, terrain* uneben; *landscape* rau, unwirtlich; *road* holprig; *fur, hair* struppig ❷ (*not soft*) *accent, sound, voice* rau, hart; (*in taste*) *wine* sauer; *brandy* hart ❸ (*harsh*) rau, hart ❹ (*fam: difficult*) hart, schwer; **to give sb a ~ time** jdm das Leben ganz schön schwer machen ❺ BRIT (*fam: ill*) **to look ~** mitgenommen aussehen; **to feel ~** sich elend fühlen ❻ (*plain*) *furniture* unbearbeitet ❼ (*makeshift*) einfach, primitiv ❽ (*unrefined*) rau, ungehobelt ❾ (*imprecise*) grob; **to give sb a ~ idea of sth** jdm eine ungefähre Vorstellung von etw *dat* geben II. *adv* (*fam*) rau ▶ **to sleep** ~ BRIT im Freien schlafen III. *n* ❶ *no pl* (*in golf*) ■ **the** ~ das Rough *fachspr* ❷ (*sketch*) Ent-

wurf *m;* **in** ~ skizzenhaft ▶ **to take the** ~ **with the smooth** die Dinge nehmen, wie sie kommen IV. *vt* (*fam*) **to** ~ **it** [ganz] primitiv leben

rough·age ['rʌfɪdʒ] *n no pl* ❶ (*fibre*) Ballaststoffe *pl* ❷ (*fodder*) Raufutter *nt*

rough and 'ready *adj pred,* **'rough-and-ready** *adj attr* behelfsmäßig; *plan also* provisorisch; (*unrefined*) *person* raubeinig **'rough-and-tum·ble** *adj attr* ~ **atmosphere** raue Atmosphäre **rough 'dia·mond** *n* ungeschliffener Diamant; BRIT, AUS (*fig*) **he's a** ~ er ist rau, aber herzlich

rough·en ['rʌfən] I. *vt* aufrauen II. *vi* *skin, voice* rau werden; *society* verrohen; *weather* stürmisch werden

rough-'hewn *adj carving, pillar* grob; (*fig*) *person, style* ungehobelt **'rough house** *n usu sing esp* AM (*fam*) Radau *m* **'rough·house** I. *vi* ❶ (*be boisterous*) Radau machen *fam* ❷ BRIT (*have a fight*) sich prügeln ❸ AM (*have playful fight*) sich raufen II. *vt* grob behandeln; (*playfully*) sich mit jdm raufen

rough·ly ['rʌfli] *adv* ❶ (*harshly*) grob, roh ❷ (*without refinement*) ~ **built** grob zusammengezimmert ❸ (*approximately*) grob; ~ **speaking** ganz allgemein gesagt; ~ **the same** ungefähr gleich

'rough·neck *n* ❶ *esp* AM, AUS (*fam: rude person*) Rohling *m pej,* Grobian *m pej* ❷ (*oil rig worker*) Bohrarbeiter(in) *m(f)*

rough·ness ['rʌfnəs] *n no pl* ❶ (*not smoothness*) Rauheit *f;* *of ground, terrain* Unebenheit *f* ❷ (*harshness*) Rauheit *f;* *of a game also* Härte *f*

'rough·shod I. *adj horse* scharf beschlagen II. *adv* **to ride a horse** ~ ein unbeschlagenes Pferd reiten; **to ride** ~ **over sb** (*fig*) jdn unterdrücken **rough-'spok·en** *adj* sprachlich ungewandt

rou·lette [ru:'let] *n* Roulette *nt*

round [raʊnd] I. *adj* <-er, -est> ❶ (*circular*) rund; *face* rundlich; *vowel* gerundet ❷ (*even number*) rund; **to make sth a** ~ **hundred** (*bring up*) etw auf hundert aufrunden; (*bring down*) etw auf hundert abrunden II. *adv esp* BRIT ❶ (*in circular motion*) **to go** ~ sich umdrehen; *wheel* sich drehen ❷ (*here and there*) **to run** ~ herumrennen *fam* ❸ (*to a specific place*) **to come** ~ vorbeikommen *fam;* **to go** ~ *virus, rumours* umgehen; **there aren't enough pencils to go** ~ es sind nicht genügend Stifte für alle vorhanden; **to show sb** ~ jdn herumführen ❹ (*surrounding*) rundherum; **all year** ~ das ganze Jahr hindurch ⑤(*towards other direction*) **the right/wrong way** ~ richtig/falsch herum; **to turn** ~ *person* sich umdrehen; (*go back*) umdrehen ⑥(*circa*) ungefähr; ~ **about 4 o'clock** gegen 4 Uhr ⑦(*in girth*) **the temple is 20 metres high and 50 metres** ~ der Tempel ist 20 Meter hoch und hat einen Umfang von 50 Metern **III.** *prep* ❶(*surrounding*) um +*akk;* **he put his arms** ~ **her** er legte seine Arme um sie ❷(*circling*) um +*akk;* **the moon goes** ~ **the earth** der Mond kreist um die Erde ❸(*curving to other side of*) um +*akk;* **to be just** ~ **the corner** gleich um die Ecke sein ❹(*within*) um +*akk;* **she looked** ~ **the house** sie sah sich im Haus um ▶**to be/go** ~ **the bend/twist** den Verstand verloren haben/verlieren; **to get** ~ **sth** um etw *akk* herumkommen **IV.** *n* ❶(*of drinks*) Runde *f;* (*of toast*) Scheibe *f;* **a** ~ **of sandwiches** ein Sandwich *m o nt* (*in 2 od 4 geschnitten*) ❷(*series*) Folge *f;* ~ **of talks** Gesprächsrunde *f* ❸(*salvo*) ~ **of applause** Beifall *m* ❹(*route*) **to be** [out] **on one's** ~ **s** seine Runden drehen; *doctor* Hausbesuche machen ⑤*esp* Brit, Aus (*delivery route*) Runde *f;* **to do a paper** ~ Zeitungen austragen ⑥(*routine*) Trott *m pej* ⑦sports Runde *f* ⑧(*song*) Kanon *m* ⑨(*of ammunition*) Ladung *f* **V.** *vt* ❶(*make round*) umrunden ❷(*go around*) **to** ~ **the corner** um die Ecke biegen ◆**round down** *vt number, sum* abrunden ◆**round off** *vt* abrunden ◆**round out** *vt story* abrunden ◆**round up** *vt* ❶(*increase*) *figure* aufrunden ❷(*gather*) *people* zusammentrommeln *fam; things* zusammentragen; *cattle* zusammentreiben; *support* holen

round·about ['raʊndəˌbaʊt] **I.** *n* ❶Brit, Aus (*traffic*) Kreisverkehr *m* ❷Brit (*for funfair*) Karussell *nt* **II.** *adj* umständlich; **to take a** ~ **route** einen Umweg machen; **to give a** ~ **statement** eine unklare Aussage machen; **to ask sb in a** ~ **way** jdn durch die Blume fragen

round·ed ['raʊndɪd] *adj* rund; *edges* abgerundet

round·ers ['raʊndəz] *npl* + *sing vb* Brit sports *ein dem Baseball ähnliches Spiel,* ≈ Schlagball *m*

round·ly ['raʊndli] *adv* (*form*) gründlich; *criticize* heftig kritisieren; *defeat* haushoch besiegen

round 'rob·in *n* ❶(*letter*) Petition *f* (*mit oft kreisförmig angeordneten Unterschriften*) ❷(*competition format*) Wettkampf, *in dem jeder gegen jeden antritt* **round-**

'shoul·dered *adj* mit runden Schultern *nach n;* **to be** ~ runde Schultern haben **round-'ta·ble** *adj attr* ~ **conference/ discussion** Konferenz *f*/Gespräch *nt* am runden Tisch 'round-the-clock *adj, adv* rund um die Uhr; **to be open** ~ *shops* durchgehend geöffnet haben; **to work** ~ rund um die Uhr arbeiten **round 'trip I.** *n* Rundreise *f* **II.** *adv* Am **to fly** ~ ein Rückflugticket haben 'round·up *n* ❶(*gathering*) Versammlung *f; of criminals, suspects* Festnahme *f; of cattle* Zusammentreiben *nt* ❷(*summary*) Zusammenfassung *f* 'round·worm *n* Spulwurm *m*

rouse [raʊz] *vt* ❶(*waken*) wecken; **to** ~ **sb out of their apathy** jdn aus seiner Apathie reißen ❷(*activate*) ▪**to** ~ **sb to do sth** jdn dazu bewegen, etw zu tun; **to** ~ **sb to action** jdn zum Handeln bewegen

rous·ing ['raʊzɪŋ] *adj* mitreißend; *cheer, reception* stürmisch; **to receive a** ~ **welcome** überschwänglich empfangen werden

roust·about ['raʊstəˈbaʊt] *n* Hilfsarbeiter *m* (*bes. auf einer Bohrinsel*)

rout[1] [raʊt] **I.** *vt* (*form: defeat*) besiegen **II.** *n* ❶(*defeat*) Niederlage *f* ❷(*disorderly retreat*) ungeordneter Rückzug

rout[2] [raʊt] **I.** *vi pigs* herumwühlen **II.** *vt* ❶(*root*) *the ground* umwühlen ❷tech ausfräsen ◆**rout out** *vt* herausjagen; (*find*) aufstöbern

route [ruːt] **I.** *n* ❶(*way*) Strecke *f*, Route *f;* **of a parade** Verlauf *m;* **the** ~ **to success** der Weg zum Erfolg ❷transp Linie *f* ❸Am (*delivery path*) Runde *f;* **to have a paper** ~ Zeitungen austragen ❹Am (*road*) Route *f* **II.** *vt* schicken; *deliveries* liefern

rou·tine [ruːˈtiːn] **I.** *n* ❶(*habit*) Routine *f* ❷(*dancing*) Figur *f;* (*gymnastics*) Übung *f* ❸theat Nummer *f* ❹comput Programm *nt* **II.** *adj* ❶(*regular*) routinemäßig; ~ **enquiry/inspection/search** Routinebefragung/-untersuchung/-durchsuchung *f;* **to become** ~ zur Gewohnheit werden ❷(*pej: uninspiring*) routinemäßig; *performance* durchschnittlich

rou·tine·ly [ruːˈtiːnli] *adv* routinemäßig

roux <*pl* ->> [ruː] *n* Mehlschwitze *f,* Einbrenne *f* süDD, öSTERR

rove [rəʊv] **I.** *vi person* umherwandern; *gaze* [umher]schweifen **II.** *vt* **to** ~ **the world** durch die Welt ziehen

rov·er ['rəʊvə'] *n* Vagabund(in) *m(f)*

rov·ing ['rəʊvɪŋ] *adj* umherstreifend *attr;* ~ **ambassador** Botschafter(in) *m(f)* für mehrere Vertretungen; *musicians* umherziehend

row¹ [rəʊ] *n* ❶ (*line*) Reihe *f;* ~s of people Menschenschlangen *pl;* in ~s reihenweise ❷ (*street*) Straße *f* ❸ (*in succession*) in a ~ hintereinander

row² [raʊ] **I.** *n esp* Brit, Aus ❶ (*quarrel*) Streit *m,* Krach *m fam* ❷ (*noise*) Lärm *m,* Krach *m kein pl* **II.** *vi esp* Brit (*fam*) sich streiten

row³ [rəʊ] **I.** *vi* rudern **II.** *vt boat* rudern (**across** über) **III.** *n usu sing* Rudern *nt kein pl*

ro·wan ['rəʊən] *n* Eberesche *f*

ro·wan·ber·ry ['rəʊən‚beri] *n* Vogelbeere *f*

row·boat ['rəʊbəʊt] *n* Am (*rowing boat*) Ruderboot *nt*

row·dy ['raʊdi] (*pej*) **I.** *adj* laut, rüpelhaft; *party* wild **II.** *n* Krawallmacher *m,* Rowdy *m*

row·er ['rəʊəʳ] *n* Ruderer *m,* Ruderin *f*

row·ing ['rəʊɪŋ] *n no pl* Rudern *nt*

'**row·ing boat** *n* Brit Ruderboot *nt* '**row·ing club** *n* Ruderklub *m*

row·lock ['rɒlək] *n* Dolle *f*

roy·al ['rɔɪəl] **I.** *adj* <-er, -est> ❶ (*of a monarch*) königlich ❷ (*fig*) fürstlich ❸ *esp* Am (*fam: big*) gewaltig **II.** *n* (*fam*) Angehörige(r) *f(m)* der königlichen Familie

Roy·al 'High·ness *n* Your/His/Her ~ Eure/Seine/Ihre Königliche Hoheit

roy·al·ist ['rɔɪəlɪst] **I.** *n* Royalist(in) *m(f)* **II.** *adj* royalistisch

roy·al 'jel·ly *n no pl* Gelée royale *nt* **Roy·al 'Navy** *n,* RN *n no pl,* + *sing/pl vb* Brit ■ the ~ die Königliche Marine **roy·al·ty** ['rɔɪəlti] *n* ❶ *no pl,* + *sing/pl vb* (*sovereignty*) Königshaus *nt;* to treat sb like ~ jdn fürstlich behandeln ❷ PUBL ■ royalties *pl* Tantiemen *pl*

RP [‚ɑ:'pi:] *n no pl* LING *abbrev of* received pronunciation britische Standardaussprache

RPI [‚ɑ:pi:'aɪ] *n* Brit *abbrev of* retail price index

rpm <*pl* -> [‚ɑ:pi:'em] *n* AUTO, AVIAT *abbrev of* revolutions per minute U/min

RR *n* Am *abbrev of* railroad

RRP [‚ɑ:ɑ:'pi:] *n* Brit PUBL *abbrev of* recommended retail price unverbindliche Preisempfehlung

RSI [‚ɑ:es'aɪ] *n* MED *abbrev of* repetitive strain injury RSI-Syndrom *f* (*chronische Beschwerden durch einseitige Belastung*)

RSPCA [‚ɑ:es‚pi:si:'eɪ] *n no pl,* + *sing/pl vb* Brit *abbrev of* Royal Society for the Prevention of Cruelty to Animals ≈ Tierschutzverein *m*

RSVP [‚ɑ:esvi:'pi:] *abbrev of* répondez s'il vous plaît u. also w. g.

Rt Hon *adj attr abbrev of* Right Honourable: the ~ ... der sehr ehrenwerte ...

rub [rʌb] **I.** *n* Reiben *nt kein pl;* to give sth a ~ *hair* etw trocken rubbeln; *material* etw polieren **II.** *vt* <-bb-> einreiben; *furniture* behandeln; (*polish*) polieren; to ~ one's eyes sleepily sich *dat* verschlafen die Augen reiben; to ~ one's hands together sich *dat* die Hände reiben; to ~ sth clean etw sauber wischen **III.** *vi* <-bb-> reiben; *shoes, collar* scheuern ◆ **rub along** *vi* Brit (*fam*) ■ to ~ along [together] mehr schlecht als recht [miteinander] auskommen ◆ **rub down** *vt* to ~ down a surface (*smooth*) eine Fläche abreiben; (*clean*) eine Fläche abwischen; ■ to ~ down ⟳ sb jdn abfrottieren; to ~ down a dog einen Hund trocken reiben ◆ **rub in** *vt* ❶ (*spread*) einreiben ❷ (*fam: keep reminding*) ■ to ~ it in auf etw *dat* herumreiten ▸ to ~ sb's <u>nose</u> in it jdm etw unter die Nase reiben *fam* ◆ **rub off I.** *vi* ❶ (*become clean*) wegreiben; *stains* rausgehen ❷ (*fam: affect*) ■ sth ~s off on sb etw färbt auf jdn ab **II.** *vt* wegwischen ◆ **rub out I.** *vt* ❶ (*erase*) ausradieren ❷ Am (*sl: murder*) ■ to ~ out ⟳ sb jdn abmurksen *sl* **II.** *vi stain* herausgehen; (*erase*) sich ausradieren lassen

rub·ber¹ ['rʌbəʳ] *n* ❶ *no pl* (*elastic substance*) Gummi *m o nt* ❷ Brit, Aus (*eraser*) Radiergummi *m* ❸ *esp* Am (*sl: condom*) Gummi *m* ❹ Am (*shoes*) ■ ~s *pl* Überschuhe *pl* (*aus Gummi*)

rub·ber² ['rʌbəʳ] *n* CARDS Robber *m*

rub·ber 'band *n* Gummiband *nt* **rub·ber 'boot** *n* Gummistiefel *m* **rub·ber 'cheque** *n* (*sl*) ungedeckter Scheck **rub·ber·neck** ['rʌbənek] **I.** *n* Gaffer(in) *m(f) pej fam* **II.** *vi* gaffen *fam* '**rub·ber plant** *n* Gummibaum *m* **rub·ber·'stamp I.** *vt* (*often pej*) genehmigen; *decision* bestätigen **II.** *n* Stempel *m;* (*fig*) Genehmigung *f* '**rub·ber tree** *n* Kautschukbaum *m*

rub·bery ['rʌbᵊri] *adj* (*rubber-like*) gummiartig; *meat* zäh ❷ (*fam: weak*) *legs* wack[e]lig

rub·bing ['rʌbɪŋ] *n no pl* ❶ (*action*) Reiben *nt;* (*polishing*) Polieren *nt;* (*using a towel*) Frottieren *nt* ❷ ART Durchreiben eines Reliefs auf ein Blatt Papier mit Bleistift, Kreide oder Wachsmalstift

rub·bish ['rʌbɪʃ] **I.** *n no pl esp* Brit ❶ (*waste*) Müll *m* ❷ (*fig fam: nonsense*) Quatsch *m;* to talk ~ Blödsinn reden ❸ (*fam: junk*) Gerümpel *nt* **II.** *vt* Brit, Aus (*fam*) als Unsinn abtun **III.** *adj* Brit (*fam*) I'm ~ at maths in Mathe bin ich eine abso-

R

lute Null

'**rub·bish bin** n Abfalleimer m '**rub·bish chute** n Müllschlucker m '**rub·bish col·lec·tion** n Müllabfuhr f '**rub·bish con·tain·er** n Müllcontainer m '**rub·bish dump** n, '**rub·bish tip** n Mülldeponie f

rub·bishy ['rʌbɪʃi] adj esp Brit, Aus (fam) mies; ■ **to be ~** Mist sein

rub·ble ['rʌbl̩] n no pl ❶ (smashed rock) Trümmer pl; **to reduce sth to ~** (fig) etw in Schutt und Asche legen ❷ (for building) Bauschutt m

'**rub·down** n no pl Abreiben nt

ru·bel·la [ruːˈbelə] n no pl (spec) Röteln pl

ru·bric ['ruːbrɪk] n (form) Anweisungen pl

ruby ['ruːbi] I. n Rubin m II. adj ❶ (made of rubies) ring, necklace, bracelet Rubin- ❷ (colour) rubinrot

ruck [rʌk] I. n ❶ + sing/pl vb (average crowd) die breite Masse ❷ sports (in rugby) offenes Gedränge ❸ (fold) Falte f II. vt ■ **to ~ up** ⟳ sth clothes etw |zer|knittern

ruck·sack ['rʌksæk] n Brit Rucksack m

ruck·us n esp Am (fam) Krawall m

ruc·tions ['rʌkʃᵊns] npl esp Brit, Aus (fam) Krach m kein pl

rud·der ['rʌdə^r] n |Steuer|ruder nt

rud·der·less ['rʌdələs] adj ohne Ruder präd, nach n; (fig) führerlos; boat ruderlos; plane steuerlos

rud·dy ['rʌdi] I. adj ❶ (approv: red) rot; (liter) rötlich; cheeks gerötet ❷ attr Brit, Aus (dated fam: bloody) verdammt II. adv Brit, Aus (dated fam: bloody) verdammt

rude [ruːd] adj ❶ (impolite) unhöflich; behaviour unverschämt; gesture ordinär; joke unanständig; manners ungehobelt ❷ attr (sudden) unerwartet; awakening, surprise böse

rude·ly ['ruːdli] adv unhöflich; **he pushed past me ~** er drängte sich rüde an mir vorbei

rude·ness ['ruːdnəs] n no pl Unhöflichkeit f; (obscenity) Unanständigkeit f

ru·di·men·ta·ry [ˌruːdɪˈmentᵊri] adj (form) ❶ (basic) elementar ❷ (not highly developed) primitiv; method einfach

ru·di·ments ['ruːdɪmənts] npl ■ **the ~** die Grundlagen pl

rue [ruː] vt (liter) bereuen

rue·ful ['ruːfᵊl] adj (liter) reuevoll

ruff [rʌf] n on clothing, of an animal Halskrause f

ruf·fian ['rʌfiən] n Schlingel m

ruf·fle ['rʌfl̩] I. vt ❶ (agitate) durcheinanderbringen; hair zerzausen ❷ (fig: upset) aus der Ruhe bringen; **nothing ever ~s her self-confidence** ihr Selbstbewusstsein lässt sich durch nichts erschüttern ▸ **to ~ sb's** feathers jdn auf die Palme bringen fam II. n Rüsche f

rug [rʌg] n ❶ (carpet) Teppich m ❷ Am (sl: hairpiece) Haarteil nt

rug·by ['rʌgbi] n no pl Rugby nt

rug·ged ['rʌgɪd] adj ❶ (uneven) terrain, ground uneben; cliff, mountain zerklüftet; landscape, coast wild ❷ (robust) kräftig; looks, features markant ❸ (solid) fest; constitution unverwüstlich; honesty unerschütterlich ❹ (sturdy) kräftig; vehicle robust

ruin ['ruːɪn] I. vt (destroy) zerstören; dress, reputation ruinieren; **to ~ sb's day** jdm den Tag vermiesen; **to ~ one's eyesight** sich dat die Augen verderben; **to ~ sb's hopes** jds Hoffnungen zunichtemachen; **to ~ sb's plans** jds Pläne durchkreuzen II. n ❶ (destroyed building) Ruine f ❷ ■ **~s** pl of building Ruinen pl; of reputation Reste pl; of career, hopes Trümmer pl; **to be in ~s** eine Ruine sein; (after bombing, fire) in Schutt und Asche liegen; (fig) zerstört sein; **to fall into ~s** zu einer Ruine verfallen ❸ no pl (bankruptcy) Ruin m; **to face |financial| ~** vor dem |finanziellen| Ruin stehen ❹ (downfall) Untergang m

ru·ina·tion [ˌruːɪˈneɪʃᵊn] n no pl Ruin m

ruined ['ruːɪnd] adj ■ **to be ~** ruiniert sein; **a ~ castle/house** ein verfallenes Schloss/Haus; **a ~ city** eine Stadt, die in Ruinen liegt

ru·in·ous ['ruːɪnəs] adj ruinös

rule [ruːl] I. n ❶ (instruction) Regel f; **~s and regulations** Regeln und Bestimmungen; **according to the ~s** nach den Regeln, den Regeln entsprechend; **to be against the ~s** gegen die Regeln verstoßen ❷ no pl (control) Herrschaft f; **the ~ of law** die Rechtsstaatlichkeit ▸ **as a |general| ~** in der Regel II. vt ❶ (govern) regieren ❷ (control) beherrschen ❸ (draw) line ziehen ❹ (decide) ■ **to ~ that ...** entscheiden, dass ... III. vi ❶ (control) herrschen; king, queen regieren ❷ law ■ **to ~ on sth** in etw dat entscheiden ◆ **rule off** vt ausmessen; margin ziehen ◆ **rule out** vt ausschließen

'**rule book** n Vorschriftenbuch nt

rul·er ['ruːlə^r] n ❶ (person) Herrscher(in) m(f) ❷ (device) Lineal nt

rul·ing ['ruːlɪŋ] I. adj attr ❶ (governing) herrschend ❷ (primary) hauptsächlich; ambition, passion größte(r, s) II. n law Entscheidung f

rum [rʌm] n (drink) Rum m

Ru·ma·nia [rʊ'meɪnɪə] *see* **Romania**
rum·ba ['rʌmbə] *n* Rumba *m*
rum·ble ['rʌmbl̩] **I.** *n* ❶ (*sound*) Grollen *nt kein pl; of stomach* Knurren *nt; ~ s* of discontent (*fig*) Anzeichen *pl* von Unzufriedenheit ❷ *esp* AM, AUS (*fam*) Schlägerei *f* **II.** *vi* rumpeln; *stomach* knurren; *thunder* grollen **III.** *vt* BRIT (*fam*) auffliegen lassen; *plot* aufdecken; *scheme* durchschauen
rum·bling ['rʌmbl̩ɪŋ] **I.** *n* ❶ (*indication*) ■*~ s pl* [erste] Anzeichen *pl* ❷ (*sound*) Grollen *nt; of distant guns* Donnern *nt* **II.** *adj* grollend *attr*
rum·bus·tious [rʌm'bʌstɪəs] *adj esp* BRIT (*fam*) wild; *behaviour* ungehobelt
ru·mi·nant ['ru:mɪnənt] **I.** *n* ZOOL Wiederkäuer *m* **II.** *adj attr* wiederkäuend
ru·mi·nate ['ru:mɪneɪt] *vi* ❶ (*form: meditate*) nachgrübeln (**over/on** über) ❷ *cows* wiederkäuen
ru·mi·na·tive ['ru:mɪnətɪv] *adj* (*form*) grübelnd *attr; look* nachdenklich
rum·mage ['rʌmɪdʒ] **I.** *vi* ■**to ~ through** sth etw durchstöbern **II.** *n* Durchstöbern *nt*
'rum·mage sale *n esp* AM Flohmarkt *m*
rum·my ['rʌmi] *n no pl* CARDS Rommé *nt*
ru·mour ['ru:mə'ʳ], AM **ru·mor** **I.** *n* Gerücht *nt; ~* **has it** [**that**] ... es geht das Gerücht um, dass ...; **to spread a ~ that** ... das Gerücht verbreiten, dass ... **II.** *vt passive* **the president is ~ed to be seriously ill** der Präsident soll angeblich ernsthaft krank sein; **it is ~ed that** ... es wird gemunkelt, dass ...
rump [rʌmp] *n* ❶ *of an animal* Hinterbacken *pl* ❷ (*beef*) Rumpsteak *nt* ❸ (*hum: buttocks*) Hinterteil *nt fam*
rum·ple ['rʌmpl̩] *vt* zerknittern; **to ~ sb's hair** jdm das Haar zerzausen
rump 'steak *n* Rumpsteak *nt*
rum·pus ['rʌmpəs] *n no pl* (*fam*) Krawall *m*, Krach *m*
run [rʌn] **I.** *n* ❶ (*jog*) Lauf *m;* **to break into a ~** zu laufen beginnen; **to go for a ~** laufen gehen ❷ (*journey*) Strecke *f* ❸ (*period*) Dauer *f; ~* **of bad/good luck** Pech-/ Glückssträhne *f* ❹ ECON **test ~** Probelauf *m* ❺ (*enclosed area*) Gehege *nt;* **chicken ~** Hühnerhof *m* ❻ SPORTS (*point*) Treffer *m;* (*sailing*) Vorwindkurs *m;* (*in cricket, baseball*) Run *m* ❼ (*fam: diarrhoea*) ■**to have the ~ s** Dünnpfiff haben *sl* ▶ **in the long ~** auf lange Sicht gesehen; **in the short ~** kurzfristig; **on the ~** (*escaped*) auf der Flucht; (*extremely busy*) auf Trab *fam* **II.** *vi* <ran, run> ❶ (*move fast*) laufen, rennen; **to ~ for the bus** dem Bus nachlaufen; **to ~ for cover** schnell in Deckung gehen; **to ~**

for one's life um sein Leben rennen ❷ (*operate*) fahren, verkehren; *engine* laufen; *machine* in Betrieb sein; (*fig*) **work is ~ning smoothly at the moment** die Arbeit geht im Moment glatt von der Hand; **to keep the economy ~ning** die Wirtschaft am Laufen halten ❸ (*travel*) laufen; (*go*) verlaufen; *ski* gleiten; **the route ~s through the mountains** die Strecke führt durch die Berge; **a shiver ran down my spine** mir lief ein Schauder über den Rücken ❹ (*extend*) **there's a beautiful cornice ~ning around the ceiling** ein wunderschönes Gesims verläuft um die Decke ❺ (*last*) [an]dauern; **the film ~ s for two hours** der Film dauert zwei Stunden ❻ (*be*) **inflation is ~ning at 10%** die Inflationsrate beträgt 10 % ❼ (*flow*) fließen; **my nose is ~ning** meine Nase läuft; **the river ~ s [down] to the sea** der Fluss mündet in das Meer; **don't cry, or your make-up will ~** weine nicht, sonst verwischt sich dein Make-up ❽ POL (*enter an election*) kandidieren; **to ~ for President** für das Präsidentenamt kandidieren ❾ (*in tights*) **oh no, my tights have ~** oh nein, ich habe eine Laufmasche im Strumpf ▶ **to ~ amok** Amok laufen; **to ~ in the family** in der Familie liegen; **feelings are ~ning high** die Gefühle gehen hoch; **to ~ low** *supplies* [langsam] ausgehen **III.** *vt* <ran, run> ❶ (*drive*) **to ~ sb to the station** jdn zum Bahnhof bringen ❷ (*pass*) **he ran a vacuum cleaner over the carpet** er saugte den Teppich ab; **to ~ one's fingers through one's hair** sich *dat* mit den Fingern durchs Haar fahren ❸ (*operate*) *machine* bedienen; *computer program, engine, dishwasher* laufen lassen; **to ~ additional trains** zusätzliche Züge einsetzen ❹ (*manage*) *business* leiten; *farm* betreiben; *government, household* führen; **don't tell me how to ~ my life!** erklär mir nicht, wie ich mein Leben leben soll! ❺ (*conduct*) *course* anbieten; *experiment, test* durchführen ❻ (*let flow*) *water* laufen lassen; *a bath* einlaufen lassen ❼ (*in newspaper*) **to ~ a story about sth** über etw *akk* berichten; **to ~ an article/a series** einen Artikel/eine Serie bringen *fam* ❽ (*incur*) **to ~ a risk** ein Risiko eingehen ❾ (*perform*) **to ~ errands** Botengänge machen ▶ **to let sth ~ its course** etw seinen Lauf nehmen lassen; **to ~ the show** verantwortlich sein ◆**run about** *vi see* **run around** ◆**run across** *vi* zufällig treffen; **to ~ across a problem** auf ein Problem stoßen ◆**run after** *vi* hinterherlaufen

R

◆**run along** *vi* (*fam*) ◼ ~! troll dich!
◆**run around** *vi* ❶ (*bustle*) herumrennen *fam* ❷ (*run freely*) herumlaufen ❸ (*spend time with*) ◼**to ~ around with sb** sich mit jdm herumtreiben *fam* ◆**run away** *vi person* weglaufen; *liquid* abfließen; ◼**to ~ away from sb** jdn verlassen; **to ~ away from home** von zu Hause weglaufen; **to ~ away together** gemeinsam durchbrennen *fam* ◆**run down** I. *vt* ❶ (*fam: criticize*) runtermachen ❷ BRIT (*reduce*) reduzieren; *production* drosseln; *supplies* einschränken ❸ (*hit*) überfahren; *boat* rammen ❹ (*exhaust*) ◼**to ~ oneself down** sich auslaugen *fam;* **to ~ down a car battery** eine Autobatterie völlig leer machen II. *vi* ❶ BRIT (*become reduced*) reduziert werden ❷ (*lose power*) *battery* leer werden ◆**run in** *vt* ❶ (*fam: arrest*) einlochen ❷ BRIT, AUS (*break in*) *engine, car* einfahren ◆**run into** *vi* ❶ (*hit*) ◼**to ~ into sb/ sth** in jdn/etw hineinrennen; **he ran into a tree on his motorbike** er fuhr mit seinem Motorrad gegen einen Baum ❷ (*bump into*) ◼**to ~ into sb** jdm über den Weg laufen; ◼**to ~ into sth** (*fig*) auf etw *akk* stoßen; **to ~ into debt** sich in Schulden stürzen; **to ~ into difficulties** auf Schwierigkeiten stoßen; **to ~ into bad weather** in schlechtes Wetter geraten ❸ (*reach*) **the repairs will probably ~ into thousands of pounds** die Reparaturen werden sich wahrscheinlich auf Tausende von Pfund belaufen ◆**run off** *vi* ❶ (*fam: leave*) abhauen; ◼**to ~ off with sb/sth** mit jdm/ etw durchbrennen ❷ (*branch off*) *path, track* abbiegen ❸ (*drain*) *liquid* ablaufen ◆**run on** *vi* ❶ (*continue talking*) weiterreden; (*continue*) **the game ran on for too long** das Spiel zog sich zu lange hin ❷ (*pass by*) *time* vergehen ❸ (*power with*) ◼**to ~ on sth** mit etw *dat* betrieben werden ◆**run over** I. *vt* überfahren II. *vi* ❶ (*exceed*) **~ over time** überziehen ❷ (*overflow*) *water, bath, sink* überlaufen ❸ (*review*) durchgehen ◆**run out** *vi* ❶ (*finish*) ausgehen; **the milk has ~ out** die Milch ist alle; **time/money is ~ning out** die Zeit/das Geld wird knapp ❷ (*expire*) *passport* ablaufen; *licence* auslaufen ❸ (*leave*) ◼**to ~ out on sb** jdn verlassen ◆**run through** I. *vt* ◼**to ~ sb through** jdn durchbohren II. *vi* ❶ (*examine*) ◼**to ~ through sth** etw durchgehen ❷ (*practise*) durchspielen ❸ (*spend, consume*) verbrauchen; (*use*) benutzen ◆**run up** I. *vt* ❶ (*increase*) **to ~ up a debt** Schulden machen ❷ (*produce*) **to ~ up a dress** ein Kleid nähen II. *vi* **to ~ up against opposition/problems** auf Widerstand/Probleme stoßen

'**run·about** *n* (*car*) [kleiner] Stadtflitzer *fam*
'**run·around** *n no pl* (*fig*) **to get the ~** im Dunkeln gelassen werden; **to give sb the ~** jdm keine klare Auskunft geben '**run·away** I. *adj attr* ❶ (*out of control*) *economy, vehicle* außer Kontrolle geraten; *prices* galoppierend ❷ (*escaped*) *animal, prisoner* entlaufen; *horse* durchgegangen; *criminal* flüchtig ❸ (*enormous*) **~ success** Riesenerfolg *m fam* II. *n* Ausreißer(in) *m(f) fam* '**run·down** I. *n* ['rʌndaʊn] ❶ (*report*) zusammenfassender Bericht ❷ *no pl* (*reduction*) Kürzung *f* II. *adj* [,rʌn'daʊn] ❶ (*dilapidated*) verwahrlost, heruntergekommen *fam;* *building* baufällig ❷ (*worn out*) abgespannt

rune [ruːn] *n* ❶ (*letter*) Rune *f* ❷ (*mark*) Geheimzeichen *nt* ❸ (*charm*) Zauberwort *nt*

rung[1] [rʌŋ] *n* (*of ladder*) Sprosse *f;* (*fig*) Stufe *f*

rung[2] [rʌŋ] *pp of* **ring**

'**run-in** ['rʌnɪn] *n* ❶ (*fam: argument*) Krach *m* ❷ (*prelude*) Vorlauf *m*

run·ner ['rʌnəʳ] *n* ❶ (*person*) Läufer(in) *m(f);* (*horse*) Rennpferd *nt* ❷ AUS (*plimsoll*) Turnschuh *m* ❸ (*messenger*) Bote(in) *m(f)* ❹ BOT (*stem*) Ausläufer *m* ❺ (*carpet*) Läufer *m*

run·ner·'bean *n* BRIT Stangenbohne *f* **run·ner-'up** *n* Zweite(r); **to be the ~** den zweiten Platz belegen

run·ning ['rʌnɪŋ] I. *n no pl* ❶ (*not walking*) Laufen *nt*, Rennen *nt* ❷ (*management*) *of a business* Leitung *f; of a machine* Bedienung *f,* Überwachung *f* ▸ **to be in/out of the ~** (*as a competitor*) mit/nicht mit im Rennen sein; (*as a candidate*) noch/nicht mehr im Rennen sein II. *adj* ❶ *after n* (*in a row*) nacheinander *nach n,* hintereinander *nach n* ❷ (*ongoing*) [fort]laufend ❸ (*operating*) betriebsbereit ❹ *attr* (*flowing*) fließend

'**run·ning back** *n* FBALL Angriffsspieler(in) *m(f)* '**run·ning costs** *npl* Betriebskosten *pl; of a car* Unterhaltskosten *pl* '**run·ning or·der** *n* Sendefolge *f*

run·ny ['rʌni] *adj* nose laufend *attr; jam, sauce* dünnflüssig

'**run-off** *n* ❶ (*in an election*) Stichwahl *f* ❷ (*in a race*) Entscheidungslauf *m,* Entscheidungsrennen *nt* ❸ (*of rainfall*) Abfluss *m; (of a blast furnace*) Abstich *m*

run-of-the-'mill *adj* durchschnittlich, mittelmäßig

runt [rʌnt] *n* ❶ (*animal*) *of a litter* zurück-gebliebenes Jungtier; (*cattle*) Zwergrind *nt* ❷ (*pej sl: person*) Wicht *m*

'**run-through** *n* ❶ (*examination*) Durchgehen *nt,* Überfliegen *nt* ❷ (*outline*) kurze Zusammenfassung, Kurzbericht *m* ❸ THEAT Durchlaufprobe *f* '**run-up** *n* ❶ SPORTS Anlauf *m* [zum Absprung] ❷ *esp* BRIT (*fig: prelude*) Vorlauf *m,* Endphase *f* der Vorbereitungszeit ❸ AM (*increase*) [An]steigen *nt,* Anziehen *nt* '**run·way** *n* AVIAT Start- und Landebahn *f;* SPORTS Anlaufbahn *f*

rup·ture ['rʌptʃəʳ] I. *vi* zerreißen; *appendix* durchbrechen; *artery, blood vessel* platzen; *muscle* reißen; (*tear muscle*) sich *dat* einen Muskelriss zuziehen II. *vt* (*also fig*) zerreißen *a. fig;* **to ~ an artery/a blood vessel** eine Arterie/ein Blutgefäß zum Platzen bringen III. *n* (*also fig*) Zerreißen *nt a. fig,* Zerbrechen *nt a. fig,* Bruch *m a. fig; of an artery, blood vessel* Platzen *nt;* (*hernia*) Bruch *m;* (*torn muscle*) [Muskel]riss *m*

ru·ral ['rʊərəl] *adj* ländlich, Land-

ruse [ru:z] *n* List *f*

rush[1] [rʌʃ] *n* BOT Binse *f*

rush[2] [rʌʃ] I. *n* ❶ (*hurry*) Eile *f;* **slow down! what's the ~?** wozu die Eile?; **to be in a ~** in Eile sein; **to leave in a ~** sich eilig auf den Weg machen ❷ (*rapid movement*) Losstürzen *nt,* Ansturm *m;* (*press*) Gedränge *nt,* Gewühl *nt;* **I hate driving during the afternoon ~** ich hasse das Autofahren im nachmittäglichen Verkehrsgewühl ❸ (*also fig: surge*) Schwall *m,* Woge *f; of emotions* [plötzliche] Anwandlung, Anfall *m* ❹ (*migration*) **gold ~** Goldrausch *m* ❺ (*in Am football*) Durchstoßversuch *m* II. *vi* ❶ (*hurry*) eilen, hetzen; **stop ~ing!** hör auf zu hetzen!; **~ed to buy tickets for the show** wir besorgten uns umgehend Karten für die Show; **we shouldn't ~ to blame them** wir sollten sie nicht voreilig beschuldigen; ▪**to ~ about** herumhetzen; ▪**to ~ in** hineinstürmen; *water* hineinschießen; ▪**to ~ out** hinausstürzen; *water* herausschießen; ▪**to ~ towards sb** auf jdn zueilen; **to ~ up the hill/the stairs** den Berg/die Treppe hinaufeilen ❷ (*hurry into*) ▪**to ~ into sth** *decision, project* etw überstürzen ❸ (*in Am football*) einen Durchbruchsversuch unternehmen III. *vt* ❶ (*send quickly*) **she was ~ed to hospital** sie wurde auf schnellstem Weg ins Krankenhaus gebracht; **the United Nations has ~ed food to the famine zone** die Vereinten Nationen haben ei-

lends Lebensmittel in die Hungerregion geschickt ❷ (*pressure*) ▪**to ~ sb [into sth]** jdn [zu etw *dat*] treiben; **don't ~ me!** dräng mich nicht! ❸ (*do hurriedly*) **to ~ one's food** hastig essen; **let's not ~ things** lass uns nichts überstürzen ◆**rush at** *vi* [sich] stürzen auf +*akk* ◆**rush out** *vt* COMM schnell auf den Markt bringen

rushed [rʌʃt] *adj* gehetzt; **~ decisions** übereilte Entscheidungen

'**rush hour** *n* Hauptverkehrszeit *f* **rush** '**or·der** *n* Eilauftrag *m*

rusk [rʌsk] *n* Zwieback *m*

rus·set ['rʌsɪt] I. *n* (*apple*) Boskop *m* II. *adj* (*esp liter*) rotbraun, gelbbraun III. *n no pl* Rotbraun *nt,* Gelbbraun *nt*

Rus·sia ['rʌʃə] *n* Russland *nt*

Rus·sian ['rʌʃən] I. *adj* russisch II. *n* ❶ (*person*) Russe(in) *m(f)* ❷ (*language*) Russisch *nt*

rust [rʌst] I. *n no pl* ❶ (*decay*) Rost *m* ❷ (*colour*) Rostbraun *nt* ❸ BOT, HORT Rost *m,* Brand *m* II. *vi* rosten; ▪**to ~ away/through** ver-/durchrosten III. *vt* rostig machen; (*fig*) einrosten lassen

'**rust-col·oured** *adj,* AM '**rust-col·ored** *adj* rostfarben

rus·tic ['rʌstɪk] *adj* ❶ (*of the country*) ländlich, rustikal ❷ (*simple*) grob [zusammen]gezimmert; (*fig*) schlicht, einfach

rus·tle ['rʌsl] I. *vi leaves, paper* rascheln; *silk* rauschen, knistern II. *vt* ❶ (*make noise*) **to ~ paper** mit Papier rascheln ❷ *esp* AM, AUS (*steal*) *cattle, horses* stehlen III. *n of paper, leaves* Rascheln *nt; of silk* Knistern *nt*

rus·tler ['rʌsləʳ] *n esp* AM, AUS Viehdieb(in) *m(f)*

'**rust·proof** I. *adj* rostbeständig; **~ paint** Rostschutzfarbe *f* II. *vt* rostbeständig machen

rusty ['rʌsti] *adj* ❶ (*covered in rust*) rostig, verrostet ❷ (*fig: out of practice*) eingerostet; **my Russian is a bit ~** ich bin mit meinem Russisch etwas aus der Übung

rut[1] [rʌt] *n* (*track*) [Rad]spur *f,* [Wagen]spur *f; furrow* Furche *f; (fig)* Trott *m* ▶**to be [stuck] in a ~** in einen [immer gleichen] Trott geraten sein

rut[2] [rʌt] *n no pl* ZOOL Brunst *f;* HUNT Brunft *f*

ru·ta·ba·ga [ˌru:təˈbeɪɡə] *n* AM BOT Steckrübe *f*

ruth·less ['ru:θləs] *adj action, behaviour* rücksichtslos, skrupellos; *criticism* schonungslos; *decision, measure* hart; *dictatorship* erbarmungslos; *treatment* mitleid[s]los

ruth·less·ly ['ru:θləsli] *adv* unbarmherzig, erbarmungslos; **the kidnapper acted ~**

R

der Kidnapper ging skrupellos vor; **to criticize sb** ~ jdn schonungslos kritisieren

ruth·less·ness ['ru:θləsnəs] *n no pl of a person* Unbarmherzigkeit *f,* Erbarmungslosigkeit *f; of sb's behaviour* Rücksichtslosigkeit *f; of an action* Skrupellosigkeit *f*

RV [ˌɑːr'viː] *n* Am *abbrev of* **recreational vehicle**

rye [raɪ] *n no pl* Roggen *m;* ~ [**bread**] Roggenbrot *nt;* ~ [**whiskey**] Roggenwhiskey *m*

R

S S

S <pl -'s or -s>, **s** <pl -'s> [es] n S nt, s nt;
see also **A 1**
S n no pl, adj ❶ GEOG abbrev of **south,
southern** S ❷ FASHION abbrev of **small** S
s <pl -> abbrev of **second** s, sek., Sek.
Sab·bath ['sæbəθ] n Sabbat m
sab·bati·cal [sə'bætɪk³l] **I.** n UNIV [ein-
jährige] Freistellung, Sabbatjahr nt **II.** adj
❶ REL Sabbat- ❷ UNIV ~ **term** Forschungsse-
mester nt
sa·ber n AM see **sabre**
sa·ble ['seɪbl] n no pl ❶ ZOOL Zobel m;
(marten) [Fichten]marder m ❷ (fur) Zobel-
fell nt ❸ (clothing) Zobelpelz m
sabo·tage ['sæbətɑ:(d)ʒ] **I.** vt efforts, plan
sabotieren; **to ~ sb's chances of success**
jds Erfolgsaussichten zunichtemachen **II.** n
Sabotage f; **act of ~** Sabotageakt m; **eco-
nomic/industrial ~** Wirtschafts-/Indus-
triesabotage f
sabo·teur [ˌsæbə'tɜ:ʳ] n Saboteur(in) m(f)
sa·bre ['seɪbəʳ] **I.** n esp BRIT, AUS
❶ (sword) Säbel m ❷ SPORTS Säbel m **II.** adj
SPORTS Säbel-
'sa·bre-rat·tling n (pej) Säbelrasseln nt
sac [sæk] n BOT, ZOOL Beutel f; **air ~** Luft-
sack m; **amniotic ~** Fruchtblase f
sac·cha·rin ['sæk³rɪn] n no pl Süßstoff m
sac·cha·rine ['sæk³raɪn, -ɪn] adj Saccha-
rin-; (fig, pej) süßlich
sa·chet ['sæʃeɪ] n [kleiner] Beutel; **~ of
sugar** Zuckertütchen nt
sack¹ [sæk] **I.** n ❶ (bag) Beutel m, Tüte f
❷ no pl AM, AUS (fam: bed) **to hit the ~**
sich in die Falle hauen fam ❸ no pl (dismissal) Laufpass m fam; **to get the ~** raus-
geschmissen werden; **to give sb the ~** jdn
rausschmeißen fam **II.** vt rausschmeißen
fam
sack² [sæk] **I.** n no pl Plünderung f **II.** vt
plündern
'sack·cloth n no pl Sackleinen nt
'sack·ful n Sack m kein pl
sack·ing ['sækɪŋ] n ❶ no pl (material)
Sackleinen nt ❷ (dismissal) Entlassung f
❸ (looting) Plünderung f
'sack race n Sackhüpfen nt
sac·ra·ment ['sækrəmənt] n REL Sakrament nt; ▪**the ~** (in Roman Catholic
Church) die [heilige] Kommunion; (in Protestant Church) das [heilige] Abendmahl
sac·ra·men·tal [ˌsækrə'mənt³l] adj sakra-
mental; **~ wine** liturgisch geweihter Wein;
(in Roman Catholic Church) Messwein m

sa·cred ['seɪkrɪd] adj ❶ (holy) place heilig;
tradition geheiligt ❷ (pertaining to religion) poetry, music geistlich ❸ (venerable)
ehrwürdig ❹ (solemnly binding) duty heilig; **~ promise** feierliches Versprechen
❺ (inviolable) right unverletzlich ❻ (also
hum: sacrosanct) heilig a. hum, unantast-
bar
sac·ri·fice ['sækrɪfaɪs] **I.** vt ❶ (kill) opfern
❷ (give up) opfern, aufgeben **II.** vi **to ~ to
the gods** den Göttern Opfer bringen **III.** n
❶ (offering to a god) Opfer nt ❷ (sth given
up) Opfer nt; **at great personal ~** unter
großem persönlichen Verzicht ▶ **to make
the ultimate ~ for sb/sth** für jdn/etw das
höchste Opfer bringen
sac·ri·lege ['sækrɪlɪdʒ] n Sakrileg nt geh;
(fig) Verbrechen nt
sac·ri·legious [ˌsækrɪ'lɪdʒəs] adj frevelhaft; (fig) verwerflich; **~ act** frevelhafte Tat
sac·ris·ty ['sækrɪsti] n Sakristei f
sac·ro·sanct ['sækrə(ʊ)sæŋ(k)t] adj (esp
hum) sakrosankt geh; right, treaty unverletzlich; **my weekends are ~** meine
Wochenenden sind mir heilig
sa·crum ['seɪkrəm] n Kreuzbein nt
SAD [ˌeseɪ'di:] n abbrev of **seasonal affec-
tive disorder** Winterdepression f

sad <-dd-> [sæd] adj ❶ (unhappy) traurig;
to look ~ betrübt aussehen; **to make sb ~**
jdn betrüben [o traurig machen] ❷ (unsatisfactory) traurig, bedauerlich ❸ (depressing) news traurig; incident betrüblich;
weather trist ❹ (deplorable) bedauerns-
wert, beklagenswert; (hum, pej) jämmerlich, erbärmlich, elend; **give sb some flowers some water — they're looking a
bit ~** gib den Blumen da etwas Wasser – sie
sehen etwas mitgenommen aus; **what a ~
person — still living with his parents at
the age of 45** was für ein Jammerlappen –
lebt mit 45 Jahren immer noch bei seinen
Eltern

sad·den ['sæd³n] vt usu passive traurig machen; **to be deeply ~ed** tieftraurig sein
sad·dle ['sædl] **I.** n ❶ (seat) Sattel m; **to be
in the ~** (riding) im Sattel sein; (fig: in
charge) im Amt sein ❷ FOOD Rücken m
❸ GEOG [Berg]sattel m **II.** vt ❶ (put saddle
on) satteln ❷ (fam: burden) ▪**to ~ sb/
oneself with sth** jdm/sich etw aufhalsen;
to be ~d with sth etw am Hals haben
'sad·dle·bag n Satteltasche f
sad·dler ['sædləʳ] n Sattler m

sadness and disappointment

expressing sadness	Traurigkeit ausdrücken
It upsets me that we don't get on.	Ich finde es sehr schade, dass wir uns nicht verstehen.
It's such a shame he's letting himself go like that.	Es ist so schade/traurig, dass er sich derart gehen lässt.
I find these events very depressing.	Ich finde diese Ereignisse sehr deprimierend.

expressing disappointment	Enttäuschung ausdrücken
I am (very) disappointed by his reaction.	Seine Reaktion hat mich (sehr) enttäuscht.
You have (deeply) disappointed me.	Sie haben/Du hast mich (schwer) enttäuscht.
I wouldn't have expected that of her.	Das hätte ich von ihr nicht erwartet.
It's not what I hoped for.	Ich hätte mir etwas anderes gewünscht.

expressing dismay	Bestürzung ausdrücken
That's unbelievable!	Das ist ja unglaublich/nicht zu fassen!
That's outrageous!	Das ist ja ungeheuerlich!
That's the limit!	Das ist ja wohl die Höhe!
You cannot be serious!	Das kann doch nicht Ihr/dein Ernst sein!
I don't believe it!	Ich fass es nicht!
That can't (possibly) be true!	Das kann (doch wohl) nicht wahr sein!

'**sad·dle-sore** *adj horse* [am Rücken] wund gerieben; *rider* wund geritten

sad·ism ['seɪdɪzᵊm] *n no pl* Sadismus *m*

sad·ist ['seɪdɪst] *n* Sadist(in) *m(f)*

sa·dis·tic [sə'dɪstɪk] *adj* sadistisch

sa·dis·ti·cal·ly [sə'dɪstɪkli] *adv* sadistisch

sad·ly ['sædli] *adv* ❶ (*unhappily*) traurig, bekümmert ❷ (*regrettably*) bedauerlicherweise, leider ❸ (*badly*) arg ❹ (*completely*) völlig; **to be ~ mistaken** völlig daneben liegen *fam*

sad·ness ['sædnəs] *n no pl* Traurigkeit *f* (**about/at** über)

sae *n,* **SAE** [ˌeseɪ'iː] *n abbrev of* **stamped addressed envelope** frankierter Rückumschlag

sa·fa·ri [sə'fɑːri] *n* Safari *f*

sa·'fa·ri park *n* Safaripark *m*

safe [seɪf] **I.** *adj* ❶ (*secure*) sicher; **~ journey!** gute Reise! ❷ (*protected*) sicher; **your secret's ~ with me** bei mir ist dein Geheimnis sicher aufgehoben; **to keep sth in a ~ place** etw sicher aufbewahren; **to feel ~** sich sicher fühlen ❸ (*certain*) [relativ] sicher; **it's a ~ bet that ...** man kann

davon ausgehen, dass ... ❹ (*avoiding risk*) vorsichtig; **to make the ~ choice** auf Nummer Sicher gehen *fam;* **~ driver** vorsichtiger Fahrer/vorsichtige Fahrerin; **~ play** Spiel *nt* auf Sicherheit ❺ (*dependable*) verlässlich, zuverlässig ▶ **to be in ~ hands** in guten Händen sein; **to be as ~ as houses** BRIT bombensicher sein *fam;* [just] **to be on the ~ side** [nur] zur Sicherheit; **it is better to be ~ than sorry** (*prov*) Vorsicht ist besser als Nachsicht; **~ and sound** gesund und wohlbehalten; **to play it ~** auf Nummer Sicher gehen *fam* **II.** *n* Tresor *m,* Safe *m*

safe-de-'pos·it box *n* Tresorfach *nt,* [Bank]schließfach *nt* **'safe·guard** ['seɪfgɑːd] **I.** *vt* (*form*) schützen (**against** vor); **to ~ sb's interests/rights** jds Interessen/Rechte wahren **II.** *n* Schutz *m* (**against** vor), Vorsichtsmaßnahme *f* (**against** gegen); TECH Sicherung *f* **safe·'keep·ing** *n no pl* [sichere] Aufbewahrung; **to be in sb's ~** in jds Gewahrsam sein

safe·ly ['seɪfli] *adv* ❶ (*securely*) sicher; **the bomb was ~ defused** die Bombe wurde gefahrlos entschärft; **you can ~ take six tablets a day** Sie können bedenkenlos sechs Tabletten täglich einnehmen ❷ (*avoiding risk*) vorsichtig; **drive ~!** fahr vorsichtig! ❸ (*without harm*) *person* wohlbehalten; *object* heil; **the parcel arrived ~** das Paket kam heil an; **to land ~** sicher landen ❹ (*with some certainty*) mit ziemlicher Sicherheit

safe ˈ**sex** *n no pl* Safer Sex *m*

safe·ty [ˈseɪfti] *n no pl* ❶ (*condition of being safe*) Sicherheit *f*; **place of ~** sicherer Ort; **to guarantee sb's ~** für jds Sicherheit garantieren; **for ~[ˈs sake]** sicherheitshalber, aus Sicherheitsgründen ❷ (*freedom from harm*) Sicherheit *f*; *of a medicine* Unbedenklichkeit *f* ❸ (*safety catch*) *of a gun* Sicherung *f* ▶ **there's a ~ in numbers** (*saying*) in der Gruppe ist man sicherer

ˈ**safe·ty belt** *n* Sicherheitsgurt *m;* NAUT Rettungsgürtel *m* ˈ**safe·ty catch** *n* Sicherung *f;* **is the ~ on?** ist die Waffe gesichert? ˈ**safe·ty cur·tain** *n* THEAT eiserner Vorhang ˈ**safe·ty glass** *n no pl* Sicherheitsglas *nt* ˈ**safe·ty mar·gin** *n* Sicherheitsabstand *m;* ECON, STOCKEX Sicherheitsmarge *f* ˈ**safe·ty mea·sures** *npl* Sicherheitsmaßnahmen *pl* ˈ**safe·ty net** *n* ❶ (*protective net*) Sicherheitsnetz *nt* ❷ (*fig*) soziales Netz ˈ**safe·ty pin** *n* ❶ (*covered pin*) Sicherheitsnadel *f* ❷ (*on grenade*) Sicherungssplint *m* ❸ NAUT Sicherungsbolzen *m* ˈ**safe·ty ra·zor** *n* Rasierapparat *m* ˈ**safe·ty regu·la·tions** *npl* Sicherheitsvorschriften *pl* ˈ**safe·ty valve** *n* Sicherheitsventil *nt*

saf·fron [ˈsæfrən] **I.** *n no pl* Safran *m* **II.** *adj* safrangelb

sag [sæg] **I.** *vi* <-gg-> ❶ (*droop*) [herab]hängen; *bed, roof, rope* durchhängen ❷ (*weaken*) *courage* sinken; **her spirits ~ged** ihre Stimmung wurde gedrückt ❸ (*decline*) *support* nachlassen; *support* nachlassen **II.** *n no pl* ❶ (*droop*) Durchhängen *nt* ❷ (*fall*) [Ab]sinken *nt*, Abschwächung *f*

saga [ˈsɑːɡə] *n* ❶ LIT (*medieval story*) Saga *f;* (*long family novel*) Familienroman *m* ❷ (*pej: long involved story*) Geschichte *f*

sa·ga·cious [səˈɡeɪʃəs] *adj* (*form*) gescheit; *remark* scharfsinnig

sa·gac·ity [səˈɡæsəti] *n no pl* (*form*) Scharfsinn *m*

sage [seɪdʒ] *n no pl* Salbei *m*

sag·ging [ˈsæɡɪŋ] *adj* ❶ (*drooping*) *shoulders* herabhängend *attr; bed, roof, rope* durchhängend *attr;* **~ breasts** Hängebusen *m* ❷ (*fig: declining*) *demand* sin-

kend *attr;* *support* nachlassend *attr*

Sag·it·ta·rius [ˌsædʒɪˈteəriəs] *n* ASTROL Schütze *m*

said [sed] **I.** *pp, pt of* **say II.** *adj attr* LAW besagt; **where were you on the ~ evening?** wo waren Sie an besagtem Abend?

sail [seɪl] **I.** *n* ❶ *no pl* (*journey*) [Segel]törn *m* ❷ (*material*) Segel *nt;* **to hoist/ lower the ~s** die Segel setzen/einholen ❸ (*of windmill*) Flügel *m* ▶ **to set ~** in See stechen **II.** *vi* ❶ (*by ship*) fahren, reisen; (*by yacht*) segeln ❷ (*start voyage*) auslaufen ❸ (*move effortlessly*) gleiten; **the ball ~ed over the wall** der Ball segelte über die Mauer *fam* ❹ (*do easily*) ■**to ~ through sth** etw mit Leichtigkeit schaffen; **I ~ed through my first pregnancy** bei meiner ersten Schwangerschaft verlief alles glatt ▶ **to ~ close to the wind** sich hart an der Grenze des Erlaubten bewegen; **to ~ against the wind** Wind von vorn bekommen **III.** *vt* ❶ (*navigate*) *ship* steuern; *yacht* segeln ❷ (*travel*) **to ~ the Pacific** den Pazifik befahren

ˈ**sail·board** *n* Surfbrett *nt* ˈ**sail·boat** *n* AM Segelboot *nt*

sail·ing [ˈseɪlɪŋ] *n* ❶ (*going for a sail*) Segeln *nt* ❷ SPORTS Segelsport *m,* Segeln *nt* ❸ (*departure*) Abfahrt *f*

ˈ**sail·ing boat** *n* BRIT, AUS Segelboot *nt* ˈ**sail·ing ship** *n,* ˈ**sail·ing ves·sel** *n* Segelschiff *nt*

sail·or [ˈseɪlə*r*] *n* ❶ (*member of ship's crew*) Matrose *m,* Seemann *m* ❷ (*person who sails*) Segler(in) *m(f)*

ˈ**sail·or suit** *n* Matrosenanzug *m*

saint [seɪnt, sᵊnt] *n* ❶ (*holy person*) Heilige(r) *f(m);* **to make sb a ~** jdn heiligsprechen; **S~ Peter** der heilige Petrus; **S~ Paul's Cathedral** Paulskathedrale *f* ❷ (*fam: very good person*) Heilige(r) *f(m);* **to be no ~** (*hum*) nicht gerade ein Heiliger/eine Heilige sein

saint·ed [ˈseɪntɪd] *adj* ❶ (*canonized*) heiliggesprochen ❷ (*holy*) geheiligt; *place* geweiht ❸ (*dead*) selig

saint·li·ness [ˈseɪntlɪnəs] *n no pl* Heiligkeit *f*

saint·ly [ˈseɪntli] *adj* heilig, fromm

ˈ**saint's day** *n* Heiligenfest *nt*

sake[1] [seɪk] *n* ❶ (*purpose*) **for the ~ of sth** um einer S. *gen* willen; **for the ~ of peace** um des [lieben] Friedens willen ❷ (*benefit*) **for sb's ~** jdm zuliebe; **I hope for both of our ~s that you're right!** ich hoffe für uns beide, dass du Recht hast; **to stay together for the ~ of the children**

S

der Kinder wegen zusammenbleiben ▸ **for Christ's** [*or* **God's**] ~ (*pej! fam!*) Himmelherrgott noch mal! *sl;* **for goodness** [*or* **heaven's**] ~ um Gottes [*o* Himmels] willen

sake² ['sɑːki] *n* Sake *m*

sal·able ['seɪləbl] *adj esp* Am (*saleable*) verkäuflich

sa·la·cious [sə'leɪʃəs] *adj* (*pej*) *joke, poem* obszön; *comment* anzüglich; *person* geil

sal·ad ['sæləd] *n* Salat *m*

'sal·ad bowl *n* Salatschüssel *f* **'sal·ad cream** *n* Brit [Salat]mayonnaise *f* **'sal·ad dress·ing** *n* Dressing *nt*

sala·man·der ['sæləmændə'] *n* Salamander *m*

sa·la·mi [sə'lɑːmi] *n* Salami *f*

sal am·mo·ni·ac [ˌsælə'məʊniæk] *n* Ammoniaksalz *nt*

sala·ried ['sælʳriːd] *adj* bezahlt; ~ **employee** Gehaltsempfänger(in) *m(f);* ~ **post** Stelle *f* mit festem Gehalt

sala·ry ['sælʳri] *n* Gehalt *nt;* **annual** ~ Jahresgehalt *nt;* **to raise sb's** ~ jds Gehalt erhöhen

'sala·ry cut *n* Gehaltskürzung *f* **'sala·ry scale** *n* Gehaltsskala *f*

sale [seɪl] *n* **❶** (*act of selling*) Verkauf *m;* **to make a** ~ ein Verkaufsgeschäft abschließen; ■**for** ~ zu verkaufen; **to put sth up for** ~ etw zum Verkauf anbieten **❷** (*amount sold*) Absatz *m;* ~**s of cars were down/up this week** die Verkaufszahlen für Autos gingen diese Woche nach unten/oben **❸** (*at reduced prices*) Ausverkauf *m;* **to be in the** [*or* Am **on**] ~ im Angebot sein; ■**the** ~**s** *pl* der Schlussverkauf *kein pl;* **clearance** ~ Räumungsverkauf *m;* **in** [*or* **at**] **the January/summer** ~**s** im Winter-/Sommerschlussverkauf **❹** (*auction*) Auktion *f* **❺** *pl* (*department*) ■**S~s** Verkaufsabteilung *f*

sale·able ['seɪləbl] *adj* verkäuflich; **to be easily/to not be very** ~ sich gut/schlecht verkaufen **'sale price** *n* Verkaufspreis *m* **'sale·room** *n esp* Brit Auktionsraum *m*

'sales analy·sis *n* Verkaufsanalyse *f*

'sales as·sist·ant *n* Brit, Aus Verkäufer(in) *m(f)* **'sales book** *n* Warenausgangsbuch *nt* **'sales cam·paign** *n* Verkaufskampagne *f* **'sales clerk** *n* Am Verkäufer(in) *m(f)* **'sales con·fer·ence** *n* Vertreterkonferenz *f* **'sales de·part·ment** *n* Verkaufsabteilung *f* **'sales di·rec·tor** *n* Verkaufsdirektor(in) *m(f)* **'sales drive** *n* Verkaufskampagne *f* **'sales ex·ecu·tive** *n* Vertriebsleiter(in) *m(f)* **'sales fig·ures** *npl* Verkaufszahlen *pl* **'sales fore·cast** *n* Absatzprognose *f*

'sales·girl *n* Verkäuferin *f* **'sales in·voice** *n* Verkaufsrechnung *f* **'sales lady** *n* Verkäuferin *f* **'sales ledg·er** *n* Warenausgangsbuch *nt* **'sales lit·era·ture** *n* Verkaufsprospekte *pl* **'sales·man** *n* Verkäufer *m,* Handelsvertreter *m;* **door-to-door** ~ *m* **sales 'man·ag·er** *n* Verkaufsleiter(in) *m(f)* **'sales·man·ship** *n no pl* (*technique*) Verkaufstechnik *f;* (*skill*) Verkaufsgeschick *nt* **'sales·per·son** *n* Verkäufer(in) *m(f)* **'sales pitch** *n* **❶** (*high-pressure approach*) mit [allem] Nachdruck geführtes Verkaufsgespräch; **he's got a good** ~ er führt ein Verkaufsgespräch rhetorisch geschickt **❷** (*specific approach*) Verkaufstaktik *f* **'sales re·ceipt** *n* Kassenzettel *m* **'sales rep** *n* (*fam*), **'sales rep·re·senta·tive** *n* Vertreter(in) *m(f)* **'sales·room** *n* Verkaufsraum *m;* (*auction*) Auktionsraum *m* **'sales talk** *n no pl* Verkaufsgespräch *nt* **'sales tax** *n no pl esp* Am Umsatzsteuer *f* **'sales·wom·an** *n* Verkäuferin *f*

sa·li·ent ['seɪliənt] *adj* **❶** (*important*) bedeutend; **the** ~ **facts** die wichtigsten Fakten; **the** ~ **points** die Hauptpunkte *pl* **❷** (*prominent*) herausragend

sa·line ['seɪlaɪn] **I.** *adj* salzig; ~ **deposits** Salzablagerungen *pl* **II.** *n* Salzlösung *f;* Med Kochsalzlösung *f*

sa·li·va [sə'laɪvə] *n no pl* Speichel *m;* ~ **test** Speichelprobe *f*

sali·vate ['sælɪveɪt] *vi* Speichel produzieren; **the thought of all that delicious food made me** ~ beim Gedanken an all das köstliche Essen lief mir das Wasser im Mund zusammen

sal·low¹ <-er, -est *or* more ~, most ~> ['sæləʊ] *adj* blassgelb; *complexion* fahl; *skin* bleich

sal·low² ['sæləʊ] *n* Bot Salweide *f*

sal·ly ['sæli] **I.** *n* **❶** Mil **to make a** ~ einen Ausfall machen **❷** (*excursion, attempt*) Ausflug *m,* Versuch *m* **II.** *vi* <-ie-> (*form, liter*) ■**to** ~ **forth** [**to do sth**] aufbrechen[, um etw zu tun]

salm·on ['sæmən] **I.** *n* <*pl* - *or* -s> *no pl* Lachs *m;* **smoked** ~ Räucherlachs *m* **II.** *adj* lachsfarben

sal·mo·nel·la [ˌsælmə'nelə] *n no pl* Salmonelle[n] *f*[*pl*]

'salm·on lad·der *n* Lachsleiter *f* **salm·on 'trout** *n* Lachsforelle *f*

sa·lon ['sælɔ̃ː(ŋ)] *n* **❶** (*dated: reception room*) Salon *m* **❷** (*establishment*) **beauty** ~ Schönheitssalon *m;* **hairdressing** ~ Frisiersalon *m*

sa·loon [sə'luːn] *n* ❶ BRIT (*car*) Limousine *f* ❷ *esp* AM (*dated: public bar*) Saloon *m*

sal·sa ['sælsə] *n no pl* ❶ (*spicy sauce*) Salsasoße *f* ❷ (*music*) Salsamusik *f*

sal·si·fy ['sælsɪfi] *n no pl* Haferwurz *f;* **black ~** Schwarzwurzel *f*

salt [sɔːlt] **I.** *n* ❶ *no pl* (*seasoning*) Salz *nt;* **a pinch of ~** eine Prise Salz ❷ (*chemical compound*) Salz *nt* ❸ (*granular substance*) Salz *nt;* **bath ~** Badesalz *nt* ▸ **the ~ of the earth** rechtschaffene Leute; REL **das Salz der Erde** *liter;* **to take sth with a grain of ~** etw mit Vorsicht genießen *fam;* **to rub ~ in sb's wound** Salz in jds Wunde streuen; **to be worth one's ~** sein Geld wert sein **II.** *vt* ❶ (*season food*) salzen ❷ (*sprinkle*) mit Salz bestreuen; **to ~ the roads** Salz [auf die Straßen] streuen

'**salt cel·lar** *n* Salzstreuer *m* **salt 'lake** *n* Salzsee *m* '**salt mine** *n* Salzmine *f* '**salt·shak·er** *n* AM, AUS Salzstreuer *m* '**salt so·lu·tion** *n* Kochsalzlösung *f* **salt 'wa·ter** *n no pl* Salzwasser *nt* '**salt-wa·ter** *adj attr* Salzwasser-; **~ fish** Meeresfisch *m;* **~ lake** Salzsee *m*

salty ['sɔːlti] *adj* salzig

sa·lu·bri·ous [sə'luːbriəs] *adj* ❶ *place* vornehm ❷ (*healthy*) gesund

salu·tary ['sæljətəri] *adj* heilsam

salu·ta·tion [ˌsæljə'teɪʃⁿn] *n* ❶ (*dated form: greeting*) Gruß *m* ❷ (*in letter*) Anrede *f*

sa·lute [sə'luːt] **I.** *vt* ❶ (*form: greet*) grüßen; (*welcome*) begrüßen ❷ MIL **to ~ sb** vor jdm salutieren ❸ (*praise*) **to ~ sb [for sth]** jdn [für etw *akk*] würdigen **II.** *vi* MIL salutieren **III.** *n* ❶ (*gesture*) Gruß *m* ❷ MIL Salut *m;* **to give a ~** salutieren ❸ (*firing of guns*) Salut[schuss] *m*

sal·vage ['sælvɪdʒ] **I.** *vt* ❶ (*rescue*) *cargo* bergen ❷ (*preserve*) *reputation* wahren **II.** *n no pl* ❶ (*rescue*) Bergung *f* ❷ (*sth saved*) Bergungsgut *nt*

'**sal·vage value** *n* Wert *m* der geretteten Sachen '**sal·vage ves·sel** *n* Bergungsschiff *nt*

sal·va·tion [sæl'veɪʃⁿn] *n no pl* ❶ (*rescue*) Rettung *f;* **to be beyond ~** nicht mehr zu retten sein ❷ (*sth that saves*) Rettung *f* ❸ REL Erlösung *f*

Sal·va·tion 'Army *n no pl* Heilsarmee *f*

salve [sælv] *n* ❶ (*ointment*) Heilsalbe *f* ❷ (*sth that soothes*) Linderung *f*

sal·ver ['sælvə] *n* (*form*) Tablett *nt*

sal·vo <*pl* -s *or* -es> ['sælvəʊ] *n* ❶ MIL Salve *f* ❷ (*verbal attack*) Salve *f* ❸ (*round of applause*) donnernder Applaus; **~ of laughter** Lachsalve *f*

SAM [sæm] *n* MIL *acr for* **surface-to-air missile** Boden-Luft-Rakete *f*

Sa·mari·tan [sə'mærɪtⁿn] *n* ❶ (*kindly person*) Samariter(in) *m(f)*, barmherziger Mensch ❷ BRIT (*organization*) ■ **the ~s** *pl* die Telefonseelsorge *kein pl*

sam·ba ['sæmbə] **I.** *n* Samba *f o m* **II.** *vi* Samba tanzen

same [seɪm] **I.** *adj attr* ❶ (*exactly similar*) ■ **the ~ ...** der/die/das gleiche ...; (*identical*) der-/die-/dasselbe; **she's the ~ age as me** sie ist genauso alt wie ich; **it all amounts to the ~ thing** es läuft alles auf dasselbe hinaus; **~ difference** (*fam*) ein und dasselbe ❷ (*not another*) ■ **the ~ ...** der/die/das gleiche ...; **our teacher always wears the ~ pullover** unser Lehrer trägt stets denselben Pullover; **in the ~ breath** im gleichen [*o* selben] Atemzug; **at the ~ time** gleichzeitig, zur gleichen Zeit; (*nevertheless*) trotzdem; **by the ~ token** (*fig*) ebenso ❸ (*monotonous*) eintönig; **it's the ~ old story** es ist die alte Geschichte ▸ **to be in the ~ boat** im gleichen Boot sitzen; **lightning never strikes in the ~ place twice** (*saying*) der Blitz schlägt nicht zweimal an derselben Stelle ein **II.** *pron* ■ **the ~** der-/die-/dasselbe; **people say I look just the ~ as my sister** die Leute sagen, ich sähe genauso aus wie meine Schwester; **they realized that things would never be the same again** es wurde ihnen klar, dass nichts mehr so sein würde wie früher; **all the ~:** **men are all the ~** die Männer sind alle gleich; **it's all the ~ to me** das macht für mich keinen Unterschied; **to be one and the ~** ein und der-/die-/dasselbe sein ▸ **all the ~** trotzdem; **~ to you** danke, gleichfalls **III.** *adv* ■ **the ~** gleich; **these two machines are operated the ~** diese beiden Maschinen werden auf dieselbe Art bedient; **I feel just the ~ as you do** mir geht es genauso wie dir

same·ness ['seɪmnəs] *n no pl* (*identity*) Gleichheit *f;* (*uniformity*) Gleichförmigkeit *f*

Sa·moa [sə'məʊə] *n* Samoa *nt*

sam·ple ['sɑːmpl] **I.** *n* ❶ (*small quantity*) Probe *f*, Muster *nt;* MED Probe *f;* **blood/urine ~** Blut-/Urinprobe *f;* **fabric ~s** Stoffmuster *pl;* **~s of work** Arbeitsproben *pl;* **free ~** Gratisprobe *f* ❷ (*representative group*) *of people* Querschnitt *m; of things* Stichprobe *f* **II.** *vt* ❶ (*try*) [aus]probieren; *food* kosten, probieren ❷ (*survey*) stichprobenartig untersuchen ❸ MUS (*record*) mischen

'**sam·ple book** *n* Musterheft *nt*

S

sam·pler ['sɑːmpləʳ] *n* ❶ (*embroidery*) Stickmustertuch *nt* ❷ Am (*collection*) Probeset *nt* ❸ mus (*recording equipment*) Mischpult *nt*

sam·pling ['sɑːmplɪŋ] *n* ❶ (*surveying*) Stichprobenerhebung *f* ❷ *no pl* (*testing*) stichprobenartige Untersuchung ❸ *no pl* mus Mischen *nt*

sana·to·rium <*pl* -s *or* -ria> [ˌsænəˈtɔː-riəm, *pl* -riə] *n* Sanatorium *nt*

sanc·ti·fy <-ie-> ['sæŋ(k)tɪfaɪ] *vt* ❶ rel (*consecrate*) weihen, heiligen *geh* ❷ rel (*divinely justify*) rechtfertigen ❸ (*form: sanction*) sanktionieren

sanc·ti·mo·ni·ous [ˌsæŋ(k)tɪˈməʊniəs] *adj* (*pej*) scheinheilig

sanc·tion ['sæŋ(k)ʃ³n] **I.** *n* ❶ *no pl* (*approval*) Sanktion *f* geh, Zustimmung *f* ❷ (*to enforce compliance*) Strafmaßnahme *f*; law, pol Sanktion *f*; **to impose/lift ~s** Sanktionen verhängen/aufheben **II.** *vt* ❶ (*allow*) sanktionieren *geh* ❷ (*impose penalty*) unter Strafe stellen

sanc·tity ['sæŋ(k)təti] *n no pl* ❶ rel Heiligkeit *f* ❷ (*inviolability*) Unantastbarkeit *f*

sanc·tu·ary ['sæŋ(k)tʃʊəri] *n* ❶ (*holy place*) Heiligtum *nt;* (*near altar*) Altarraum *m* ❷ *no pl* (*refuge*) Zuflucht *f* ❸ (*peaceful haven*) Zufluchtsort *m* ❹ (*for animals*) Schutzgebiet *nt;* **wildlife ~** Wildschutzgebiet *nt*

sand [sænd] **I.** *n* ❶ *no pl* (*substance*) Sand *m;* **to be built on ~** (*fig*) *idea, plan* auf Sand gebaut sein ❷ (*expanse*) ▪ ~**s** *pl* (*beach*) Sandstrand *m; of desert* Sand *m kein pl;* **sinking ~s** Treibsand *m* **II.** *vt* ❶ (*with sandpaper*) [ab]schmirgeln; (*smooth*) abschleifen ❷ (*sprinkle*) mit Sand bestreuen

san·dal ['sænd³l] *n* Sandale *f*

'**san·dal·wood** *n no pl* Sandelholz *nt*

'**sand·bag I.** *n* Sandsack *m* **II.** *vt* <-gg-> ❶ (*protect*) mit Sandsäcken schützen ❷ (*hit*) niederschlagen '**sand·bank** *n* Sandbank *f* '**sand·bar** *n* [schmale] Sandbank '**sand·blast** *vt* sandstrahlen '**sand·box** *n* Am (*sandpit*) Sandkasten *m* '**sand·cas·tle** *n* Sandburg *f* '**sand dune** *n* Sanddüne *f*

sand·er ['sændəʳ] *n* Schleifmaschine *f*

'**sand flea** *n* Sandfloh *m* '**sand·glass** *n* Sanduhr *f* '**sand mar·tin** *n* Uferschwalbe *f* '**sand·pa·per I.** *n no pl* Schmirgelpapier *nt* **II.** *vt* abschmirgeln '**sand·pip·er** *n* orn Strandläufer *m* '**sand·pit** *n esp* Brit Sandkasten *m* '**sand·shoe** *n* ❶ (*for beach*) Strandschuh *m* ❷ Aus (*sneaker*) Freizeitschuh *m* '**sand·stone** *n no pl*

Sandstein *m* '**sand·storm** *n* Sandsturm *m*

sand·wich ['sænwɪdʒ] **I.** *n* <*pl* -es> Sandwich *m o nt;* **sub[marine] ~** Am Riesensandwich *m o nt fam* ▶ **to be one ~ short of a picnic** (*hum fam*) völlig übergeschnappt sein **II.** *vt* ❶ (*fit together*) aufeinanderschichten ❷ (*squeeze*) einklemmen; **on the train I was ~ed between two very large men** ich war im Zug zwischen zwei riesigen Männern eingequetscht

'**sand·wich board** *n* Reklametafel *f* (*mittels verbindendem Schulterriemen von einer Person auf Brust und Rücken als doppelseitiges Werbeplakat getragen*) '**sand·wich course** *n* Brit univ Ausbildung, bei der theoretische und praktische Abschnitte abwechseln

sandy ['sændi] *adj* ❶ (*containing sand*) sandig ❷ *texture* körnig ❸ *colour* sandfarben

sane [seɪn] *adj* ❶ *person* geistig gesund; law zurechnungsfähig; **no ~ person would ...** niemand, der auch nur einigermaßen bei Verstand ist, würde ... ❷ *action* vernünftig

sang [sæŋ] *pt of* **sing**

san·gria ['sæŋgriːə] *n no pl* Sangria *f*

san·guine ['sæŋgwɪn] *adj* ❶ (*form: hopeful*) zuversichtlich ❷ (*liter: blood-red*) blutrot

sani·ta·rium <*pl* -s *or* -ria> [ˌsænɪˈteːriəm] *n* Am Sanatorium *nt*

sani·tary ['sænɪt³ri] *adj* ❶ (*relating to health conditions*) hygienisch; *installations* sanitär ❷ (*hygienic*) hygienisch

'**sani·tary pad** *n,* Brit '**sani·tary tow·el** *n,* Am '**sani·tary nap·kin** *n* Damenbinde *f*

sani·ta·tion [ˌsænɪˈteɪʃ³n] *n no pl* ❶ (*health conditions*) Hygiene *f;* (*toilets*) sanitäre Anlagen ❷ (*water disposal*) Abwasserkanalisation *f*

san·ity ['sænəti] *n no pl* ❶ (*mental health*) gesunder Verstand; law Zurechnungsfähigkeit *f;* (*hum*) Verstand *m fam;* **to doubt sb's ~** an jds Verstand zweifeln; **to lose/ preserve one's ~** seinen Verstand verlieren/bei Verstand bleiben ❷ (*sensibleness*) Vernünftigkeit *f*

sank [sæŋk] *pt of* **sink**

San·ta *n,* **San·ta Claus** [ˌsæntəˈklɔːz] *n no pl* (*Father Christmas*) Weihnachtsmann *m;* (*on December 6*) Nikolaus *m*

sap[1] [sæp] *n no pl* (*of tree*) Saft *m*

sap[2] [sæp] *vt* <-pp-> ❶ (*drain*) ▪ **to ~ sb of sth** jdm etw nehmen; **to ~ sb's energy** an jds Energie zehren ❷ (*undermine*) unterhöhlen

sap[3] [sæp] *n* (*sl*) Trottel *m pej fam*

sap·ling ['sæplɪŋ] *n* junger Baum

sap·per ['sæpə'] *n* MIL Pionier *m;* BRIT *Soldat der Royal Engineers*

sap·phire ['sæfaɪə'] **I.** *n* Saphir *m* **II.** *adj* saphirfarben; ~ **blue** saphirblau

sar·casm ['sɑːkæzəm] *n no pl* Sarkasmus *m* ▶~ **is the lowest form of wit** (*saying*) Sarkasmus ist die niedrigste Form der Schlagfertigkeit

sar·cas·tic [sɑː'kæstɪk] *adj person, remark* sarkastisch; *tongue* scharf

sar·cas·ti·cal·ly [sɑː'kæstɪkli] *adv* sarkastisch

sar·copha·gus <*pl* -es *or* -gi> [sɑː'kɒfəgəs, *pl* -gaɪ] *n* Sarkophag *m*

sar·dine [sɑː'diːn] *n* Sardine *f;* **to be squashed like** ~**s** wie die Ölsardinen zusammengepfercht sein

Sar·di·nia [sɑː'dɪnɪə] *n no pl* GEOG Sardinien *nt*

Sar·di·nian [sɑː'dɪnɪən] **I.** *adj* sardi[ni]sch **II.** *n* ❶ (*person*) Sarde, Sardin *m, f,* Sardinier(in) *m(f)* ❷ *no pl* (*language*) Sardi[ni]sch *nt*

sar·don·ic [sɑː'dɒnɪk] *adj* höhnisch; **a** ~ **smile** ein süffisantes Lächeln *geh*

sari ['sɑːri] *n* Sari *m*

SARS, Sars [sɑːz] *n no pl, no art* MED *acr for* **severe acute respiratory syndrome** SARS *kein art*

sar·to·rial [sɑː'tɔːriəl] *adj attr* (*form: relating to clothing*) Kleidungs-; (*relating to tailoring*) Schneider-

SAS [ˌeseɪ'es] *n* BRIT MIL *abbrev of* **Special Air Service** Speziallufteinheit *f*

SASE [ˌeseɪes'iː] *n* AM *abbrev of* **self-addressed stamped envelope** adressierter und frankierter Rückumschlag

sash[1] <*pl* -es> [sæʃ] *n* Schärpe *f*

sash[2] <*pl* -es> [sæʃ] *n* (*in windows*) Fensterrahmen *m;* (*in doors*) Türrahmen *m*

sash 'win·dow *n* Schiebefenster *nt*

sat [sæt] *pt, pp of* **sit**

Satan ['seɪtən] *n no pl* Satan *m*

sa·tan·ic [sə'tænɪk] *adj* teuflisch; ~ **cult/ rite** Satanskult *m/*-ritus *m*

Sa·tan·ism ['seɪtᵊnɪzᵊm] *n no pl* Satanismus *m*

satch·el ['sætʃᵊl] *n* [Schul]ranzen *m*

sate [seɪt] *vt* (*form*) **to** ~ **one's desire/ hunger** seine Begierde/seinen Hunger/ stillen

sat·el·lite ['sætᵊlaɪt] *n* ❶ ASTRON Trabant *m* ❷ AEROSP, TECH Satellit *m* ❸ (*form: hanger-on*) Anhänger(in) *m(f)*

sat·el·lite 'broad·cast·ing *n no pl* Satel-

litenübertragung *f;* RADIO Satellitenfunk *m;* TV Satellitenfernsehen *nt* **'sat·el·lite dish** *n* Satellitenschüssel *f fam* **sat·el·lite 'state** *n* Satellitenstaat *m* **sat·el·lite 'tele·vi·sion** *n no pl* Satellitenfernsehen *nt* **'sat·el·lite town** *n* Trabantenstadt *f*

sa·ti·ate ['seɪʃieɪt] *vt usu passive curiosity, hunger, thirst* stillen; *demand* befriedigen

sa·ti·ety [sə'taɪəti] *n no pl* (*form*) Sättigung *f*

sat·in ['sætɪn] *n* Satin *m*

sat·ire ['sætaɪə'] *n* LIT Satire *f*

sa·tiri·cal [sæ'tɪrɪkᵊl] *adj literature, film* satirisch; (*mocking, joking*) ironisch

sati·rist ['sætᵊrɪst] *n* Satiriker(in) *m(f)*

sati·rize ['sætᵊraɪz] *vt* satirisch darstellen

sat·is·fac·tion [ˌsætɪs'fækʃᵊn] *n no pl* ❶ (*fulfilment*) Zufriedenheit *f;* **sb derives** ~ **from** [**doing**] **sth** etw bereitet jdm [große] Befriedigung ❷ (*sth producing fulfilment*) Genugtuung *f geh;* **to my great** ~ zu meiner großen Genugtuung ❸ (*state of being convinced*) Zufriedenheit *f;* ▪**to the** ~ **of sb** zu jds Zufriedenheit

sat·is·fac·tory [ˌsætɪs'fæktᵊri] *adj* befriedigend; UNIV, SCH ≈ befriedigend; MED zufriedenstellend

sat·is·fied ['sætɪsfaɪd] *adj* zufrieden

sat·is·fy <-ie-> ['sætɪsfaɪ] **I.** *vt* ❶ (*meet needs*) zufriedenstellen; *curiosity, need* befriedigen ❷ (*fulfil*) *demand* befriedigen; *requirements* genügen ❸ (*comply with*) *condition, requirement* erfüllen ❹ (*convince*) ▪**to** ~ **sb that ...** jdn überzeugen, dass ... ▶**to** ~ **the examiners** BRIT SCH, UNIV (*form*) eine Prüfung bestehen **II.** *vi* (*form*) befriedigen

sat·is·fy·ing ['sætɪsfaɪɪŋ] *adj* zufriedenstellend, befriedigend

sat·su·ma [ˌsæt'suːmə] *n* Satsuma *f*

satu·rate ['sætʃᵊreɪt] *vt* ❶ (*make wet*) ▪**to be** ~**d** [**with sth**] [von etw dat] durchnässt sein ❷ (*fill to capacity*) [völlig] auslasten; CHEM sättigen ❸ (*over-supply*) *market* sättigen ❹ (*imbue*) **to be** ~**d in tradition** der Tradition verhaftet sein

satu·ra·tion [ˌsætʃᵊr'eɪʃᵊn] *n no pl* CHEM, ECON Sättigung *f*

satu·'ra·tion point *n* Sättigungspunkt *m;* **to reach** ~ den Sättigungspunkt erreichen

Sat·ur·day ['sætədeɪ] *n* Samstag *m,* Sonnabend *m* NORDD; *see also* **Tuesday**

Sat·urn ['sætən] *n no pl* ASTRON Saturn *m*

sa·tyr ['sætə'] *n* ❶ (*mythical figure*) Satyr *m* ❷ (*liter: man*) Satyr *m,* lüsterner Mann

sauce [sɔːs] **I.** *n* ❶ (*liquid*) Soße *f* ❷ (*of fruit*) **apple** ~ Apfelmus *nt,* Apfelkompott *nt* ❸ AM *(pej sl: alcohol)* Alkohol *m* ❹ *(fam: impertinence)* Unverschämtheit *f* **II.** *vt* ❶ *(dated fam: be cheeky)* ■ **to ~ sb** zu jdm frech sein ❷ *(fam: add interest)* ■ **to ~ sth up** etw würzen *fig* ❸ *usu passive (with sauce)* mit Soße servieren

'sauce·boat *n* Sauciere *f* **'sauce·pan** *n* Kochtopf *m*

sauc·er ['sɔːsəʳ] *n* Untertasse *f*; **to have eyes like ~s** große Augen haben

sauci·ly ['sɔːsɪli] *adv (dated)* frech

sauci·ness ['sɔːsɪnəs] *n no pl (dated)* ❶ *(impertinence)* Frechheit *f* ❷ BRIT *(smuttiness)* Freizügigkeit *f*

saucy ['sɔːsi] *adj* ❶ *(impertinent)* frech ❷ BRIT *(pej: smutty)* freizügig; **~ underwear** Reizwäsche *f*

Saudi ['saʊdi] **I.** *n (male)* Saudi[-Araber] *m; (female)* Saudi-Araberin *f* **II.** *adj* saudisch

Saudi A'ra·bia *n no pl* Saudi-Arabien *nt* **Saudi A'ra·bian I.** *n* Saudi-Araber(in) *m(f)* **II.** *adj* saudi-arabisch

sauer·kraut ['saʊəkraʊt] *n no pl* Sauerkraut *nt*

sau·na ['sɔːnə, 'saʊnə] *n* ❶ *(facility)* Sauna *f* ❷ *(activity)* Saunagang *m*

saun·ter ['sɔːntəʳ] **I.** *vi (stroll)* bummeln *fam; (amble)* schlendern; **to ~ along** herumschlendern **II.** *n usu sing* Bummel *m*

sau·sage ['sɒsɪdʒ] *n no pl* Wurst *f; (small)* Würstchen *nt*

'sau·sage dog *n* BRIT *(fam)* Dackel *m* **'sau·sage meat** *n no pl* Wurstfüllung *f* **sau·sage 'roll** *n* BRIT, AUS ≈ Würstchen *nt* im Schlafrock

sau·té ['səʊteɪ] **I.** *vt* <sautéed *or* sautéd> [kurz] [an]braten **II.** *n (in ballet)* Sauté *nt* **III.** *adj attr* sautiert *fachspr; ~* **potatoes** Bratkartoffeln *pl*

sav·age ['sævɪdʒ] **I.** *adj* ❶ *(primitive)* wild ❷ *(fierce)* brutal ❸ *(fam: mood)* **in a ~ mood** übel gelaunt **II.** *n* ❶ *(pej: barbarian)* Barbar(in) *m(f)* ❷ *(usu pej: primitive person)* Wilde(r) *f(m) pej* **III.** *vt* anfallen; *(fig)* attackieren

sav·age·ly ['sævɪdʒli] *adv* brutal **sav·age·ry** ['sævɪdʒ³ri] *n no pl* Brutalität *f*

sa·van·na(h) [sə'vænə] *n* Savanne *f*

save [seɪv] **I.** *vt* ❶ *(rescue)* retten *(from* vor); **to ~ the day** die Situation retten; **to ~ sb's life** jds Leben retten ❷ *(keep for future use)* aufheben; **to ~ money** Geld sparen ❸ *(collect)* sammeln ❹ *(avoid wasting)* sparen; **to ~ one's breath** sich *dat* seine Worte sparen; **to ~ one's energy/ strength** seine Energie sparen/mit seinen Kräften haushalten; **to ~ time** Zeit sparen ❺ *(reserve)* ■ **to ~ sb sth** jdm etw aufhe-

ben; **~ my seat — I'll be back in five minutes** halte meinen Platz frei – ich bin in fünf Minuten wieder da ❻ *(spare from doing)* ■ **to ~ sb [doing] sth** jdm etw ersparen ❼ COMPUT sichern, speichern ❽ SPORTS **to ~ a goal** ein Tor verhindern; **to ~ a penalty kick** einen Strafstoß abwehren ▸ **to ~ sb's** <u>bacon</u> jds Hals retten; **to ~** <u>face</u> das Gesicht wahren; **not to be able to do sth to ~ one's** <u>life</u> etw beim besten Willen nicht tun können; **a** <u>stitch</u> **in time ~s nine** *(prov)* was du heute kannst besorgen, das verschiebe nicht auf morgen *prov* **II.** *vi* ❶ *(keep money for the future)* sparen **(for** für); **I ~ with the Cooperative Bank** ich habe ein Sparkonto bei der Cooperative Bank ❷ *(conserve sth)* ■ **to ~ on sth** bei etw *dat* sparen **III.** *n (in football)* Abwehr *f* **IV.** *prep (form)* außer +*dat;* **they found all the documents ~ one** sie fanden alle Dokumente bis auf ein[e]s; ■ **~ for ...** außer +*dat* ...

sav·er ['seɪvəʳ] *n* ❶ *(person saving money)* Sparer(in) *m(f); (investor)* Anleger(in) *m(f)* ❷ *(train fare)* Sparticket *nt*

sav·ing ['seɪvɪŋ] **I.** *n* ❶ *usu pl (money)* Ersparte(s) *nt kein pl;* ■ **~s** *pl* Ersparnisse *pl* ❷ *no pl (result of economizing)* Ersparnis *f; (act)* Einsparung *f* ❸ *no pl (rescue, preservation)* Rettung *f* **II.** *adj* rettend

'sav·ings ac·count ['seɪvɪŋz-] *n* Sparkonto *nt*

'sav·ings bank *n* Sparkasse, *die nicht auf Profitbasis arbeitet und auch für kleine Einlagen Zinsen bietet* **'sav·ings book** *n* Sparbuch *nt* **'sav·ings cer·tifi·cate** *n* BRIT Staatspapier *nt* **'sav·ings de·pos·it** *n* Einzahlung *f*

sav·iour ['seɪvjəʳ] *n*, AM **sav·ior** *n* Retter(in) *m(f);* ■ **the S~** REL der Erlöser

sa·vour ['seɪvəʳ], AM **sa·vor** **I.** *n* ❶ *(taste)* Geschmack *m* ❷ *(quality)* Reiz *m* **II.** *vt* auskosten, genießen

sa·voury ['seɪv³ri], AM **sa·vory** **I.** *adj* ❶ *(not sweet)* pikant; *(salty)* salzig ❷ *(appetizing)* appetitanregend ❸ *(socially acceptable)* **to have a ~ reputation** angesehen sein **II.** *n* BRIT [pikantes] Häppchen

sa·voy [sə'vɔɪ] *n*, **sa·voy cab·bage** *n no pl* Wirsing *m*

sav·vy ['sævi] **I.** *adj (fam: shrewd)* ausgebufft *sl* **II.** *n no pl (fam)* Köpfchen *nt; (practical knowledge)* Können *nt*

saw¹ [sɔː] *pt of* **see**

saw² [sɔː] **I.** *n* Säge *f;* **chain ~** Kettensäge *f;* **circular ~** Kreissäge *f* **II.** *vt* <-ed, sawn *or esp* AM -ed> [zer]sägen; **to ~ a tree down** einen Baum umsägen [*o* fällen] ▸ **to ~**

wood (sl) schnarchen, sägen fam **III.** vi ❶ (operate a saw) sägen ❷ (pej: play stringed instrument) ■to ~ at sth auf etw dat [herum]sägen fam

'**saw·dust** n no pl Sägemehl nt

'**sawed-off** adj AM see **sawn-off**

'**saw·mill** n Sägemühle f

sawn ['sɔːn] pp of **saw**

'**sawn-off** adj attr ~ **shotgun** abgesägte Schrotflinte

sax <pl -es> [sæks] n short for **saxo-phone** Saxophon nt

Sax·on ['sæksᵊn] **I.** n ❶ (hist: member of Germanic people) [Angel]sachse, -sächsin m, f ❷ (person) Sachse, Sächsin m, f ❸ no pl (language) Sächsisch nt **II.** adj ❶ (of Saxony) sächsisch ❷ (hist: in England) [angel]sächsisch

Saxo·ny ['sæksᵊni] n no pl Sachsen nt

saxo·phone ['sæksəfəʊn] n Saxophon nt

sax·opho·nist ['sæksəfəʊnɪst] n Saxopho-nist(in) m(f)

say [seɪ] **I.** vt <said, said> ❶ (utter) sagen; **how do you ~ your name in Japanese?** wie spricht man deinen Namen auf Japanisch aus?; **I'm sorry, what did you ~?** Entschuldigung, was hast du gesagt?; **when all is said and done** letzten Endes ❷ (state) sagen; **what did you ~ to him?** was hast du ihm gesagt?; **you can ~ that again!** (fam) das kannst du laut sagen; **to ~ goodbye to sb** sich von jdm verabschieden; **to ~ the least** um es [einmal] milde auszudrücken; **to ~ yes/no to sth** etw annehmen/ablehnen; **having said that, ...** abgesehen davon ... ❸ (put into words) sagen; **what are you ~ing, exactly?** was willst du eigentlich sagen?; **~ no more!** alles klar!; **to have a lot/nothing to ~** viel/nicht viel reden; **to ~ nothing of sth** ganz zu schweigen [o ganz abgesehen] von etw dat ❹ (think) **it is said [that] he's over 100** er soll über 100 Jahre alt sein ❺ (recite aloud) aufsagen; **prayer** sprechen ❻ (give information) sagen; **the sign ~s ...** auf dem Schild steht ...; **my watch ~s 3 o'clock** auf meiner Uhr ist es 3 [Uhr] ❼ (convey inner/artistic meaning) ausdrücken; **the look on his face said he knew what had happened** der Ausdruck auf seinem Gesicht machte deutlich, dass er wusste, was geschehen war ❽ (fam: suggest) vorschlagen; **what do you ~ we sell the car?** was hältst du davon, wenn wir das Auto verkaufen? ❾ (tell, command) ■to ~ when/where etc. sagen, wann/wo usw.; **to ~ when** sagen, wenn es genug ist ❿ (for instance) [let's] ~ ... sagen wir

[mal] ...; (assuming) angenommen ▸**to ~ cheese** ,cheese' sagen; **to be unable to ~ boo to a goose** ein Hasenfuß sein; **before sb could ~ Jack Robinson** bevor jd bis drei zählen konnte; **to ~ uncle** AM aufgeben; **you don't ~ [so]!** was du nicht sagst!; **you said it!** (fam) du sagst es! **II.** vi <said, said> ❶ (state) sagen; **where was he going? — he didn't ~** wo wollte er hin? – das hat er nicht gesagt; **I can't ~ for certain, but ...** ich kann es nicht mit Sicherheit sagen, aber ...; **hard to ~** schwer zu sagen ❷ (believe) sagen; **is Spanish a difficult language to learn? — they ~ not** ist Spanisch schwer zu lernen? – angeblich nicht ❸ (to be explicit) **our friends, that is to ~ our son's friends** unsere Freunde, genauer gesagt, die Freunde unseres Sohnes; **that is not to ~** das soll nicht heißen **III.** n no pl Meinung f; **to have one's ~** seine Meinung sagen; **to have a/no ~ in sth** bei etw dat ein/kein Mitspracherecht haben **IV.** adj attr (form) ■**the said ...** der/die/das erwähnte ... **V.** interj ❶ AM (fam: to attract attention) sag mal ...; **~, how about going out tonight?** sag mal, was hältst du davon, wenn wir heute Abend ausgehen? ❷ (fam: to express doubt) **~s you!** das glaubst du aber auch nur du!; **~s who?** wer sagt das? ❸ AM (expresses positive reaction) sag mal fam; **~, that's really a great idea!** Mensch, das ist ja echt eine tolle Idee! fam

say·ing ['seɪɪŋ] n ❶ no pl (act) Sprechen nt; **there's no ~ what ...** es lässt sich nicht sagen, was ...; **it goes without ~** es versteht sich von selbst ❷ (adage) Sprichwort nt; **as the ~ goes** wie es so schön heißt

'**say-so** n no pl (fam) ❶ (approval) Erlaubnis f ❷ (assertion) Behauptung f

scab [skæb] **I.** n ❶ of wound Kruste f, Schorf m ❷ (pej fam: strike-breaker) Streikbrecher(in) m(f) **II.** vi ❶ (act as blackleg) ein Streikbrecher/eine Streikbrecherin sein ❷ BRIT (cadge) schnorren sl

scab·bard ['skæbəd] n [Schwert]scheide f

scab·by ['skæbi] adj ❶ (having scabs) schorfig ❷ (pej fam: reprehensible) schäbig

sca·bies ['skeɪbiːz] n no pl Krätze f

sca·brous ['skeɪbrəs] adj ❶ (covered with scabs) schorfig ❷ (pej: unpleasant) schäbig

scaf·fold ['skæfəʊld] **I.** n (hist: for executions) Schafott nt **II.** vt **to ~ a building** ein Gebäude mit einem Gerüst versehen

scaf·fold·ing ['skæfᵊldɪŋ] n no pl [Bau]ge-

S

rüst *nt*

scala·wag ['skæləwæg] *n* Am ⟨*scallywag*⟩ Schlingel *m hum*

scald [skɔːld] I. *vt* ❶ ⟨*burn*⟩ verbrühen ❷ ⟨*clean*⟩ auskochen ❸ ⟨*heat*⟩ erhitzen; *fruit* dünsten; *milk* abkochen ▸ **like a ~ed cat** wie ein geölter Blitz *fam* II. *n* ❶ MED Verbrühung *f* ❷ HORT Brand *m kein pl*

scald·ing ['skɔːldɪŋ] *adj* ❶ *liquid* kochend ❷ ⟨*extreme*⟩ **~ criticism** scharfe Kritik

scale[1] [skeɪl] I. *n* ❶ ⟨*on skin*⟩ Schuppe *f* ❷ *no pl* ⟨*mineral coating*⟩ Ablagerung *f* ▸ **the ~s fall from sb's eyes** ⟨*liter*⟩ es fällt jdm wie Schuppen von den Augen II. *vt* ❶ ⟨*remove scales*⟩ abschuppen ❷ ⟨*remove tartar*⟩ **to ~ sb's teeth** bei jdm den Zahnstein entfernen III. *vi skin* sich schuppen; *paint* abblättern

scale[2] [skeɪl] *n* ❶ *usu pl* ⟨*weighing device*⟩ Waage *f*; **to tip the ~s [at sth]** [etw] auf die Waage bringen; **to tip the ~s** ⟨*fig*⟩ den [entscheidenden] Ausschlag geben ❷ AS·TROL ■ **the ~s** *pl* Waage *f kein pl* ▸ **to throw sth into the ~** etw in die Waagschale werfen

scale[3] [skeɪl] I. *n* ❶ ⟨*system of gradation*⟩ Skala *f*; *of map* Maßstab *m*; **remuneration is on a sliding ~** die Bezahlung ist gestaffelt ❷ *no pl* ■ **to be to ~** *building, drawing* maßstab[s]getreu sein ❸ ⟨*relative degree/extent*⟩ Umfang *m*; **on a national ~** auf nationaler Ebene; **on a large/small ~** im großen/kleinen Rahmen ❹ *no pl* ⟨*size*⟩ Ausmaß *nt* ❺ MUS Tonleiter *f* II. *vt* ❶ ⟨*climb*⟩ erklimmen *geh;* **to ~ a mountain** einen Berg besteigen ❷ TECH, ARCHIT maßstab[s]getreu zeichnen; ⟨*make*⟩ maßstab[s]getreu anfertigen ◆ **scale down** I. *vt* reduzieren; ECON einschränken; ⟨*make smaller in proportion*⟩ [vom Maßstab her] verkleinern II. *vi* verkleinern

scale 'draw·ing *n* maßstab[s]getreue Zeichnung **scale 'mod·el** *n* maßstab[s]getreues Modell

scal·lop ['skæləp] *n* ⟨*edible shellfish*⟩ Kammmuschel *f*; ⟨*esp in gastronomy*⟩ Jakobsmuschel *f*

scal·ly·wag ['skæliwæg] *n* ⟨*fam*⟩ Schlingel *m hum*

scalp [skælp] I. *n* ⟨*head skin*⟩ Kopfhaut *f* II. *vt* ❶ ⟨*hist: remove head skin*⟩ skalpieren ❷ Am, Aus ⟨*fam: resell*⟩ zu einem Wucherpreis weiterverkaufen ❸ Am ⟨*iron fam: defeat*⟩ haushoch schlagen

scal·pel ['skælpəl] *n* Skalpell *nt*

scaly ['skeɪli] *adj* ❶ ZOOL, MED schuppig ❷ TECH verkalkt

scam [skæm] *n* ⟨*fam*⟩ Betrug *m*

scamp [skæmp] *n* ⟨*fam*⟩ Schlingel *m hum*

scamp·er ['skæmpə[r]] I. *vi* flitzen *fam* II. *n no pl* Flitzen *nt fam*

scam·pi ['skæmpi] *npl* Scampi *pl*

scan [skæn] I. *vt* <-nn-> ❶ ⟨*scrutinize*⟩ absuchen (**for** nach) ❷ ⟨*glance through*⟩ überfliegen ❸ COMPUT einlesen, einscannen ❹ LIT bestimmen; *verse* festlegen II. *vi* <-nn-> ❶ ⟨*glance through*⟩ [flüchtig] durchsehen ❷ LIT ⟨*conform to verse*⟩ das korrekte Versmaß haben III. *n* ❶ ⟨*glancing through*⟩ [flüchtige] Durchsicht ❷ MED Abtastung *f*, Scan *m*; **brain ~** Computertomographie *f* des Schädels; **ultrasound ~** Ultraschalluntersuchung *f* ❸ ⟨*image*⟩ Scannerergebnis *nt*

scan·dal ['skændəl] *n* ❶ ⟨*cause of outrage*⟩ Skandal *m* ❷ *no pl* ⟨*gossip*⟩ Skandalgeschichte *f* ❸ *no pl* ⟨*outrage*⟩ Empörung *f* ❹ ⟨*sth shocking*⟩ Skandal *m*; ⟨*disgrace*⟩ Schande *f*

scan·dal·ize ['skændəlaɪz] *vt* schockieren; ■ **to be ~d by sth** von etw *dat* schockiert sein; ⟨*offended*⟩ über etw *akk* empört sein

scan·dal·mon·ger ['skændəl,mʌŋgə[r]] *n* ⟨*pej*⟩ Lästermaul *nt sl*

scan·dal·ous ['skændələs] *adv* ❶ ⟨*causing scandal*⟩ skandalös ❷ ⟨*disgraceful*⟩ skandalös; ⟨*shocking*⟩ schockierend

Scan·di·na·via [,skændɪ'neɪviə] *n no pl* Skandinavien *nt*

Scan·di·na·vian [,skændɪ'neɪviən] I. *adj* skandinavisch II. *n* Skandinavier(in) *m(f)*

scan·ner ['skænə[r]] *n* COMPUT, MED Scanner *m*

'scan·ning *n* COMPUT, MED Scannen *nt*

scant [skænt] I. *adj attr* ❶ ⟨*not enough*⟩ unzureichend; **to pay ~ attention to sth** etw kaum beachten; **~ evidence** unzureichende Beweise ❷ ⟨*almost*⟩ **a ~ litre/metre** ein knapper Liter/Meter II. *vt* ❶ ⟨*neglect*⟩ vernachlässigen ❷ *esp* Am ⟨*be grudging with*⟩ ■ **to ~ sth** mit etw *dat* hadern *geh*

scanti·ly ['skæntili] *adv* spärlich; **~ clad** freizügig gekleidet

scanty ['skænti] *adj* ❶ ⟨*very small*⟩ knapp ❷ ⟨*barely sufficient*⟩ unzureichend; *evidence* unzulänglich

scape·goat ['skeɪpgəʊt] *n* Sündenbock *m*; **to make a ~ of sb** jdn zum Sündenbock machen

scapu·la <*pl* -s *or* -lae> ['skæpjələ, *pl* -liː] *n* ANAT Schulterblatt *nt*

scar [skɑː[r]] I. *n* ❶ MED Narbe *f*; **every village bears the ~s of war** jeder Ort ist vom Krieg gezeichnet; **~ tissue** Narbengewebe *nt* ❷ GEOL blanker Fels II. *vt* <-rr->

■**to be ~red** [**by sth**] [von etw *dat*] gezeichnet sein; **to be ~red for life** [ganze] Leben gezeichnet sein **III.** *vi* ■**to ~** [**over**] vernarben

scar·ab ['skærəb] *n* ❶ ZOOL Skarabäus *m* ❷ (*hist: Egyptian gem*) Skarabäus *m*

scarce [skeəs] *adj* knapp; (*rare*) rar; **to make oneself ~** sich aus dem Staub machen *fam*

scarce·ly ['skeəsli] *adv* ❶ (*barely*) kaum ❷ (*certainly not*) **he would ~ have said a thing like that** er hätte so etwas wohl kaum behauptet

scar·city ['skeəsəti] *n no pl* Knappheit *f;* **~ value** Seltenheitswert *m*

scare [skeə[r]] **I.** *n* ❶ (*fright*) Schreck[en] *m;* **to give sb a ~** jdm einen Schreck[en] einjagen ❷ (*public panic*) Hysterie *f;* **bomb ~** Bombendrohung *f* **II.** *adj attr* Panik-; **~ tactic** Panikmache *f* **III.** *vt* ■**to ~ sb** jdm Angst machen ▸ **to ~ the** living **daylights out of sb** jdn zu Tode erschrecken; **to ~ sb to** death [*or* **out of his** wits] jdn zu Tode ängstigen **IV.** *vi* erschrecken ◆**scare away**, **scare off** *vt* ❶ (*frighten into leaving*) verscheuchen ❷ (*discourage*) abschrecken

scare·crow ['skeəkrəʊ] *n* Vogelscheuche *f*

scared [skeəd] *adj* verängstigt; ■**to be ~ of sth/sb** vor etw/jdm Angst haben; ■**to be ~ of doing sth** Angst davor haben, etw zu tun; ■**to be ~ that ...** [be]fürchten, dass ...; **to be ~ stiff** Todesängste ausstehen

scare·mon·ger ['skeə,mʌŋgə[r]] *n* Panikmacher(in) *m(f)*

scare·mon·ger·ing ['skeə,mʌŋgə[r]ɪŋ] **I.** *n no pl* (*usu pej*) Panikmache *f pej* **II.** *adj attr* Panik-; **~ tactics** Panikmache *f*

scarf <*pl* -s *or* scarves> [skɑ:f] *n* Schal *m;* **silk ~** Seidentuch *nt*

scar·let ['skɑ:lət] **I.** *n no pl* Scharlachrot *nt* **II.** *adj* scharlachrot

scar·let 'fe·ver *n no pl* Scharlach *m*

scarp [skɑ:p] *n* Steilhang *m;* MIL innere Grabenböschung

scarp·er [skɑ:pə[r]] *vi* BRIT, AUS (*sl*) sich verziehen

scary ['skeəri] *adj* ❶ (*frightening*) Furcht erregend ❷ (*uncanny*) unheimlich

scat [skæt] *interj* (*fam*) ■ **~!** hau ab!

scath·ing ['skeɪðɪŋ] *adj* versengend; *criticism* scharf; *remark* bissig

scato·logi·cal [,skætə'lɒdʒɪk[ə]l] *adj* (*form*) skatologisch

scat·ter ['skætə[r]] **I.** *vt* verstreuen; PHYS streuen **II.** *vi crowd, protesters* sich zerstreuen **III.** *n* ❶ (*small amount*) [vereinzeltes] Häufchen ❷ *no pl* PHYS Streuung *f*

'scat·ter·brain *n* zerstreute Person **'scat·ter·brained** *adj* zerstreut **'scat·ter cush·ion** *n* BRIT, AUS Sofakissen *nt*

scat·tered ['skætəd] *adj* ❶ (*strewn about*) verstreut ❷ (*far apart*) weit verstreut ❸ (*sporadic*) vereinzelt

scat·ter·ing ['skætə[r]ɪŋ] *n* ❶ (*amount*) vereinzeltes Häufchen; **a ~ of people were still strolling around the park** noch ein paar Leute gingen vereinzelt im Park spazieren ❷ (*act of strewing*) Streuen *nt* ❸ *no pl* PHYS, NUCL Streuung *f*

scat·ty ['skæti] *adj* BRIT, AUS (*fam*) schusselig; **to drive sb ~** jdn wahnsinnig machen

scav·enge ['skævɪndʒ] **I.** *vi* ❶ (*search*) stöbern (**for** nach); ■**to ~ through sth for sth** etw nach etw *dat* durchstöbern ❷ (*feed*) Aas fressen **II.** *vt* (*find*) aufstöbern; (*get*) ergattern *fam*

scav·en·ger ['skævɪndʒə[r]] *n* ❶ (*animal*) Aasfresser *m* ❷ (*person*) jd, der nach ausrangierten, aber noch verwendbaren Sachen sucht; (*pej*) Aasgeier *m fam*

sce·nario [sɪ'nɑ:rɪəʊ] *n* ❶ (*imaginary sequence*) Szenario *nt;* **in the worst-case ~** im schlimmsten Fall ❷ THEAT, LIT Szenario *nt*

scene [si:n] *n* ❶ THEAT, FILM (*part of drama*) Szene *f* ❷ THEAT, FILM (*setting*) Schauplatz *m;* (*scenery*) Kulisse *f;* **change of ~** Szenenwechsel *m;* (*fig*) Tapetenwechsel *m;* **behind the ~s** (*also fig*) hinter den Kulissen ❸ LAW Tatort *m* ❹ (*real-life event*) Szene *f;* **a ~ of horrifying destruction** ein schreckliches Bild der Verwüstung ❺ ART Szene *f;* **he paints street ~s** er malt Straßenszenen ❻ (*milieu*) Szene *f;* **opera isn't really my ~** die Oper ist nicht ganz mein Fall; **art/drugs/jazz ~** Kunst-/Drogen-/Jazzszene *f*

'scene change *n* Szenenwechsel *m* **'scene paint·er** *n* Bühnenmaler(in) *m(f)* **scen·ery** ['si:n[ə]ri] *n no pl* ❶ (*landscape*) Landschaft *f* ❷ THEAT, FILM Bühnenbild *nt* **'scene-shift·er** *n* THEAT Bühnenarbeiter(in) *m(f)*

sce·nic ['si:nɪk] *adj* ❶ *attr* THEAT Bühnen- ❷ *landscape* landschaftlich schön; **~ attractions** landschaftliche Reize

scent [sent] **I.** *n* ❶ (*aroma*) Duft *m* ❷ (*animal smell*) Fährte *f;* ■**to be on the ~ of sb/sth** (*also fig*) jdm/etw auf der Fährte sein *a. fig;* **to throw sb off the ~** (*also fig*) jdn abschütteln ❸ *no pl* BRIT (*perfume*) Parfüm *nt* **II.** *vt* ❶ (*smell*) wittern ❷ (*detect*) ahnen; **to ~ danger** Gefahr ahnen ❸ (*apply perfume*) parfümieren

'scent bot·tle *n* Parfümfläschchen *nt*

scent·less ['sentləs] *adj* geruchlos

scep·ter *n* Am *see* **sceptre**

scep·tic ['skeptɪk] *n* (*sb inclined to doubt*) Skeptiker(in) *m(f)*

scep·ti·cal ['skeptɪkəl] *adj* skeptisch

scep·ti·cal·ly, Am **skep·ti·cal·ly** ['skeptɪkəli] *adv* skeptisch

scep·ti·cism ['skeptɪsɪzəm] *n no pl* Skepsis *f*

scep·tre ['septər] *n* Zepter *nt*

sched·ule ['ʃedjuːl] I. *n* ❶ (*timetable*) Zeitplan *m;* TRANSP Fahrplan *m;* **to draw up a ~** einen Plan erstellen; **to keep to a ~** sich an einen Zeitplan halten ❷ (*plan of work*) Zeitplan *m;* (*plan of event*) Programm *nt;* **ahead of ~** früher als geplant II. *vt meeting* ansetzen; **they've ~d him to speak at three o'clock** sie haben seine Rede für drei Uhr geplant

sched·uled ['ʃedjuːld] *adj attr* ❶ (*as planned*) geplant; TRANSP planmäßig ❷ BRIT (*listed*) denkmalgeschützt; **a ~ building** ein Gebäude, das unter Denkmalschutz steht

sche·mat·ic [skiː'mætɪk] *adj* schematisch

scheme [skiːm] I. *n* ❶ (*pej: plot*) [finsterer] Plan; LAW, POL Verschwörung *f* ❷ *esp* BRIT (*official plan*) Projekt *nt;* ECON Plan *m;* **pension ~** Altersversorgung *f* ❸ (*overall pattern*) Gesamtbild *nt;* **it fits into his ~ of things** das passt in sein Bild; **colour ~** Farb[en]zusammenstellung *f* II. *vi* ❶ (*pej: plan deviously*) planen ❷ SA (*fam: suppose*) ▪**to ~ that ...** annehmen, dass ...

schem·er ['skiːmər] *n* (*pej*) Intrigant(in) *m(f) geh*

schem·ing ['skiːmɪŋ] I. *adj attr* (*pej*) intrigant *geh;* (*in a clever way*) raffiniert II. *n no pl* Intriganten *fpl*

schism ['skɪzəm] *n* ❶ (*division*) Spaltung *f* ❷ REL (*hist*) Kirchenspaltung *f*

schis·mat·ic ['skɪzmætɪk] REL I. *adj* schismatisch II. *n* Schismatiker(in) *m(f)*

schist [ʃɪst] *n no pl* Schiefer *m*

schizo·phre·nia [ˌskɪtsə(ʊ)'friːniə] *n no pl* ❶ MED Schizophrenie *f* ❷ (*fam: of behaviour*) schizophrenes Verhalten *geh*

schizo·phren·ic [ˌskɪtsə(ʊ)'frenɪk] I. *adj* schizophren II. *n* Schizophrene(r) *f(m)*

schnapps [ʃnæps] *n no pl* Schnaps *m*

schol·ar ['skɒlər] *n* UNIV ❶ (*academic*) Gelehrte(r) *f(m)* ❷ (*good learner*) fleißiger Student/fleißige Studentin ❸ (*holder of scholarship*) Stipendiat(in) *m(f)*

schol·ar·ly ['skɒləli] *adj* ❶ (*academic*) wissenschaftlich ❷ (*erudite*) gelehrt

schol·ar·ship ['skɒləʃɪp] *n* ❶ *no pl* (*academic achievement*) **her book is a work**
of great ~ ihr Buch ist eine großartige wissenschaftliche Arbeit ❷ (*financial award*) Stipendium *nt*

'schol·ar·ship hold·er *n* Stipendiat(in) *m(f)*

scho·las·tic [skə'læstɪk] *adj* (*relating to education*) Bildungs-; (*academic*) wissenschaftlich

school[1] [skuːl] I. *n* ❶ (*for children*) Schule *f;* **graduate/undergraduate ~** Am hohe/niedrige Stufe innerhalb des Hochschulsystems; **primary** [*or* Am **elementary**] **~** Grundschule *f;* **public ~** Am staatliche Schule; BRIT Privatschule *f;* **secondary ~** ≈ weiterführende Schule; **to attend** [*or go to*] **~** zur Schule gehen; **to start ~** eingeschult werden; **to leave ~** von der Schule [ab]gehen; (*with diploma*) die Schule beenden; **to teach ~** Am [an der Schule] unterrichten ❷ Am (*fam: university*) Universität *f* ❸ (*university division*) Fakultät *f;* (*smaller division*) Institut *nt,* Seminar *nt* ❹ (*for learning one subject*) Schule *f;* **dancing/driving ~** Tanz-/Fahrschule *f* ❺ ART, PHILOS Schule *f* II. *vt* ❶ (*educate*) erziehen ❷ (*train*) schulen; *dog* dressieren

school[2] [skuːl] I. *n* ZOOL Schule *f;* (*shoal*) Schwarm *m* II. *vi* ZOOL einen Schwarm bilden

'school age *n* schulpflichtiges Alter **'school at·tend·ance** *n* Schulbesuch *m;* **~ is low** viele Schüler fehlen häufig **'school bag** *n* Schultasche *f* **'school board** *n* Am Schulbehörde *f* **'school·book** *n* Schulbuch *nt* **'school·boy** *n* Schuljunge *m,* Schüler *m* **school caf·eteria** *n* Schülercafeteria *f* **'school·child** *n* Schulkind *nt* **'school·days** *npl* Schulzeit *f kein pl* **school 'din·ner** *n* Schulessen *nt* **'school fees** *npl* Schulgeld *nt kein pl* **'school·girl** *n* Schulmädchen *nt,* Schülerin *f* **'school·house** *n esp* Am (*dated*) Schulgebäude *nt*

school·ing ['skuːlɪŋ] *n no pl* (*education*) Ausbildung *f;* (*for young people*) Schulbildung *f*

school 'leav·er *n* BRIT, AUS Schulabgänger(in) *m(f)* **school-leav·ing cer·'tifi·cate** *n* BRIT Abschlusszeugnis *nt* **school maga·'zine** *n* Schülerzeitung *f* **'school·mas·ter** *n* (*dated*) Lehrer *m* **'school·mate** *n* Schulfreund(in) *m(f),* Schulkamerad(in) *m(f)* **'school·mis·tress** *n* (*dated*) Lehrerin *f* **'school 'pa·per** *n* Schülerzeitung *f* **'school re·port** *n* [Schul]zeugnis *nt* **'school·room** *n* Klassenzimmer *nt* **'school run** *n* ▪**to do the ~** die Kinder von der Schule abholen/

zur Schule bringen **'school sys·tem** *n* Schulsystem *nt* **'school·teach·er** *n* Lehrer(in) *m(f)* **'school·work** *n no pl* Schularbeiten *pl* **'school·yard** *n* Schulhof *m*

schoon·er ['sku:nəʳ] *n* ❶ NAUT Schoner *m* ❷ AM, AUS (*tall beer glass*) [großes] Bierglas; **~ of sherry** BRIT doppelter Sherry

sci·at·ic [saɪ'ætɪk] *adj* MED Ischias-; **~ nerve** Ischiasnerv *m*

sci·ati·ca [saɪ'ætɪkə] *n no pl* MED Ischias *m o nt;* **she suffers from ~** sie hat Ischiasbeschwerden

sci·ence ['saɪən(t)s] *n* ❶ *no pl* (*study of physical world*) [Natur]wissenschaft *f;* **applied/pure ~** angewandte/reine Wissenschaft ❷ (*discipline*) Wissenschaft *f*

sci·ence 'fic·tion I. *n no pl* LIT, FILM Sciencefiction *f* **II.** *adj attr* Sciencefiction- **'sci·ence park** *n esp* BRIT Technologiepark *m*

sci·en·tif·ic [ˌsaɪən'tɪfɪk] *adj* ❶ (*relating to exact science*) naturwissenschaftlich ❷ (*relating to science*) wissenschaftlich; **~ community** Wissenschaftsgemeinde *f* ❸ (*fam: systematic*) systematisch

sci·en·tifi·cal·ly [ˌsaɪən'tɪfɪkᵊli] *adv* wissenschaftlich; **~ proven** wissenschaftlich erwiesen

sci·en·tist ['saɪəntɪst] *n* Wissenschaftler(in) *m(f);* **research ~** Forscher(in) *m(f)*

sci fi ['saɪ.faɪ] *n* LIT, FILM *short for* **science fiction** Sciencefiction *f*

scin·til·late ['sɪntɪleɪt] *vi* ❶ (*form: be witty*) vor Geist/Witz sprühen *geh* ❷ ASTRON funkeln, szintillieren *fachspr*

scin·til·lat·ing ['sɪntɪleɪtɪŋ] *adj wit* sprühend *fig; conversation* angeregt

sci·on ['saɪən] *n* ❶ (*form: descendant*) Spross *m geh* ❷ HORT Spross *m*

'scis·sors ['sɪzəz] *npl* Schere *f;* **a pair of ~** eine Schere

scle·ro·sis [sklə'rəʊsɪs] *n no pl* MED Sklerose *f*

scoff[1] [skɒf] **I.** *vi* spotten; (*laugh*) lachen; ▪ **to ~ at sb/sth** sich über jdn/etw lustig machen **II.** *n* Spott *m*

scoff[2] [skɒf] *vt esp* BRIT (*fam: eat*) verschlingen

scold [skəʊld] *vt* ausschimpfen

scold·ing ['skəʊldɪŋ] *n* Schimpfen *nt;* **to get a ~** furchtbar ausgeschimpft werden

scone [skɒn] *n* brötchenartiges Gebäck, das lauwarm mit einer Art dicker Sahne und Marmelade gegessen wird

scoop [sku:p] **I.** *n* ❶ (*utensil*) Schaufel *f,* Schippe *f* NORDD, MITTELD; (*ladle*) Schöpflöffel *m;* **ice-cream ~** Eisportionierer *m;* **measuring ~** Messlöffel *m* ❷ (*amount*)

Löffel *m; of ice cream* Kugel *f* ❸ JOURN Knüller *m fam* **II.** *vt* ❶ (*move*) *sand, dirt* schaufeln; *ice cream, pudding* löffeln ❷ JOURN ausstechen; **we were ~ed by a rival paper** eine konkurrierende Zeitung kam uns zuvor ◆ **scoop up** *vt* hochheben

scoot [sku:t] *vi* (*fam*) rennen, springen DIAL; **I'll have to ~ or ...** ich muss schnell machen, sonst ...; ▪ **to ~ over** AM zur Seite rutschen

scoot·er ['sku:təʳ] *n* [Tret]roller *m; motor ~* Motorroller *m*

scope [skəʊp] *n no pl* ❶ (*range*) Rahmen *m* ❷ (*possibility*) Möglichkeit *f;* (*freedom to act*) Spielraum *m*

scorch [skɔ:tʃ] **I.** *vt* ❶ (*burn*) versengen ❷ (*sl: reject*) *idea, plan* ablehnen **II.** *vi* (*become burnt*) versengt werden **III.** *n* <*pl -es*> versengte Stelle; **~ mark** Brandfleck *m*

scorch·er ['skɔ:tʃəʳ] *n* (*fam*) sehr heißer Tag

scorch·ing ['skɔ:tʃɪŋ] *adj* sengend

score [skɔ:ʳ] **I.** *n* ❶ (*of points*) Punktestand *m;* (*of game*) Spielstand *m;* **at half time, the ~ stood at two all** zur Halbzeit stand es zwei zu zwei; **final ~** Endstand *m* ❷ SCH Punktzahl *f* ❸ (*act of getting point*) Treffer *m* ❹ (*esp form*) ▪ **~s** *pl* Dutzende *pl;* **there have been ~s of injuries** es hat Dutzende von Verletzten gegeben ❺ (*fam: reason*) Grund *m;* **there's nothing to worry about on that ~** darüber brauchst du dir nicht den Kopf zu zerbrechen ❻ (*dispute*) Streit[punkt] *m;* **to settle a ~** eine Rechnung begleichen ❼ MUS Partitur *f* ▸ **to know the ~** wissen, wie der Hase läuft *fam;* **what's the ~?** (*fam*) wie sieht's aus? **II.** *vt* ❶ (*gain*) *goal* schießen; *point* machen ❷ (*achieve result*) erreichen; **to ~ points** (*fig*) sich *dat* einen Vorteil verschaffen ❸ (*mark, cut*) einkerben ❹ (*fam: obtain, esp illegally*) beschaffen **III.** *vi* ❶ (*make a point*) einen Punkt machen ❷ (*achieve result*) abschneiden ❸ (*record*) aufschreiben ❹ (*fam: gain advantage*) punkten; **this new CD player really ~s in terms of sound quality** dieser neue CD-Spieler ist in punkto Klangqualität eindeutig überlegen ❺ (*sl: obtain illegal drugs*) [sich *dat*] Stoff beschaffen ◆ **score out** *vt* durchstreichen

'score·board *n* Anzeigetafel *f* **'score·card** *n* Spielstandskarte *f*

scor·er ['skɔ:rəʳ] *n* ❶ (*scorekeeper*) Punktezähler(in) *m(f)* ❷ (*player who scores*) Torschütze, -schützin *m, f*

scorn [skɔ:n] **I.** *n* ❶ (*contempt*) Verach-

S

tung *f* ❷ (*object of contempt*) ■to be the ~ of sb von jdm verachtet werden II. *vt* ❶ (*feel contempt*) verachten ❷ (*refuse*) ablehnen ▶hell hath no <u>fury</u> like a woman ~ed (*saying*) die Hölle kennt keinen schlimmeren Zorn als den einer verlachten Frau

scorn·ful ['skɔːnfəl] *adj* verächtlich; ■to be ~ of sth verachten

scorn·ful·ly ['skɔːnfəli] *adv* verächtlich; *laugh* spöttisch

Scor·pio ['skɔːpiəʊ] *n* Skorpion *m*

scor·pi·on ['skɔːpiən] *n* Skorpion *m*

Scot [skɒt] *n* Schotte, Schottin *m, f*

Scotch [skɒtʃ] I. *n* <*pl* -es> ❶ *no pl* (*whisky*) Scotch *m*; a double ~ ein doppelter Scotch ❷ (*dated: people*) ■the ~ *pl* die Schotten *pl* II. *adj* (*old*) schottisch

Scotch 'broth *n no pl* Eintopf aus Rindfleisch oder Hammel, Graupen und Gemüse

scot-'free *adv* ❶ (*without punishment*) straffrei; to get off ~ straffrei davonkommen ❷ (*unchallenged*) unbehelligt; (*unharmed*) ungeschoren

Scot·land ['skɒtlənd] *n* Schottland *nt*

Scots [skɒts] I. *adj* schottisch II. *n no pl* Schottisch *nt*

'Scots·man *n* Schotte *m* **'Scots·wom·an** *n* Schottin *f*

Scot·tish ['skɒtɪʃ] I. *adj* schottisch II. *n* ■the ~ *pl* die Schotten *pl*

scoun·drel ['skaʊndrəl] *n* (*dishonest person*) Schuft *m pej*

scour[1] ['skaʊəʳ] *vt* ■to ~ sth [for sb/sth] *town, area* etw [nach jdm/etw] absuchen; *newspaper* etw [nach jdm/etw] durchforsten

scour[2] ['skaʊəʳ] I. *n no pl* Scheuern *nt* II. *vt* ❶ (*clean*) scheuern ❷ (*remove by the force of water*) auswaschen; (*by the force of wind*) abtragen

scour·er ['skaʊərəʳ] *n* Topfreiniger *m*

scourge [skɜːdʒ] I. *n* ❶ *usu sing* (*cause of suffering*) Geißel *f geh* ❷ (*critic*) Kritiker(in) *m(f)* II. *vt usu passive* (*inflict suffering on*) ■to be ~d by sb/sth von jdm/etw geplagt sein

'scour·ing pad *n esp* AM, AUS Topfreiniger *m*

scout [skaʊt] I. *n* ❶ (*boy scout*) Pfadfinder *m*; AM (*girl scout*) Pfadfinderin *f*; ~'s honour [*or* AM honor] Pfadfinderehrenwort *nt*; (*fig*) großes Indianerehrenwort *fam* ❷ (*organization*) ■the ~s [*or* S~s] *pl* die Pfadfinder *pl* ❸ (*soldier*) Kundschafter(in) *m(f)* ❹ (*talent searcher*) Talentsucher(in) *m(f)* ❺ *no pl* (*search*) to have a

~ around [for sth] sich [nach etw *dat*] umsehen II. *vi* ❶ (*reconnoitre*) kundschaften ❷ (*search*) to ~ for new talent nach neuen Talenten suchen III. *vt* (*reconnoitre*) auskundschaften

'scout·mas·ter *n,* **'Scout·mas·ter** *n* Pfadfinderführer(in) *m(f)*

scowl [skaʊl] I. *n* mürrischer [Gesichts]ausdruck II. *vi* mürrisch [drein]blicken

scrab·ble ['skræbl] *vi* ❶ (*grope*) [herum]wühlen (for nach, through in) ❷ (*claw for grip*) ■to ~ for sth nach etw *dat* greifen ❸ (*crawl quickly*) krabbeln; ■to ~ up sth etw hochklettern

Scrab·ble® ['skræbl] *n no pl* Scrabble® *nt*; a game of ~ eine Runde Scrabble

scrag·gy ['skrægi] *adj* ❶ (*pej: thin and bony*) klapperdürr *fam* ❷ (*pej*) *meat* mager

scram <-mm-> [skræm] *vi* (*fam*) abhauen

scram·ble ['skræmbl] I. *n* ❶ *no pl* (*scrambling*) Kletterpartie *f* ❷ *no pl* (*rush*) Gedrängel *nt fam* (for um) ❸ *no pl* (*struggle*) Kampf *m* (for um) II. *vi* ❶ (*climb*) klettern; (*over difficult terrain also*) kraxeln *bes* SÜDD, ÖSTERR *fam* ❷ (*move hastily and awkwardly*) hasten; to ~ for the exit zum Ausgang stürzen; to ~ to one's feet sich hochrappeln *fam* ■to ~ for sth sich um etw *akk* reißen III. *vt* ❶ (*beat and cook*) *eggs* verrühren; to ~ eggs Rührei machen ❷ (*encode*) verschlüsseln

scram·bler ['skræmbləʳ] *n* ❶ TECH (*device*) Verschlüsselungsgerät *nt* ❷ BRIT (*motorcycle*) Geländemotorrad *nt*

scrap[1] [skræp] I. *n* ❶ (*small piece, amount*) Stück[chen] *nt; of cloth, paper* Fetzen *m;* not a ~ kein bisschen ❷ (*leftover pieces of food*) ■~s *pl* Speisereste *pl* ❸ *no pl* (*old metal*) Schrott *m* II. *vt* <-pp-> ❶ (*get rid of*) wegwerfen; (*use for scrap metal*) verschrotten ❷ (*fam: abandon*) aufgeben; (*abolish*) abschaffen

scrap[2] [skræp] *n* (*fam: fight*) Gerangel *nt;* (*verbal*) Streit *m;* to have a ~ [with sb] sich [mit jdm] in der Wolle haben

'scrap·book *n* [Sammel]album *nt* **'scrap deal·er** *n* Schrotthändler(in) *m(f)*

scrape [skreɪp] I. *n* ❶ *no pl* (*for cleaning*) [Ab]kratzen *nt* ❷ (*graze on skin*) Abschürfung *f*; (*scratch*) Kratzer *m* ❸ (*sound*) Kratzen *nt* ❹ (*fam: difficult situation*) Klemme *f*; to be in a ~ in der Klemme stecken II. *vt* ❶ (*remove outer layer*) [ab]schaben; (*remove excess dirt*) [ab]kratzen ❷ (*graze*) to ~ sth sich *dat* etw aufschürfen; (*scratch*) *car* etw verkratzen ❸ (*just manage to obtain*) he managed to ~ a C in

the test mit Ach und Krach schaffte er in der Klausur eine 3; **to ~ a living doing sth** sich mit etw *dat* über Wasser halten **III.** *vi* ❶ (*rub*) reiben; (*brush*) bürsten; (*scratch*) kratzen ❷ (*economize*) sparen ❸ (*barely*) **to ~ into university** es mit Ach und Krach auf die Uni schaffen *fam* ◆ **scrape along** *vi see* **scrape by** ◆ **scrape away** *vt* abkratzen ◆ **scrape by** *vi* mit Ach und Krach durchkommen *fam* ◆ **scrape through** *vi* gerade [mal] so durchkommen *fam*

scrap·er ['skreɪpəʳ] *n* (*for paint, wallpaper*) Spachtel *m o f;* (*for windscreens*) Kratzer *m;* (*for shoes, boots*) Abkratzer *m;* (*grid*) Abstreifer *m*

'**scrap heap** *n cars* Schrotthaufen *m;* **to be on the ~** (*fig*) zum alten Eisen gehören *fam; plan, idea* verworfen worden sein

scrap·ing ['skreɪpɪŋ] **I.** *adj attr* kratzend **II.** *n* ❶ *no pl* (*sound*) Kratzen *nt* ❷ (*small amount*) Rest[e] *m[pl]* ❸ (*bits peeled off*) ■**~s** *pl* Schabsel *pl; of vegetable* Schalen *pl*

'**scrap iron** *n no pl* Alteisen *nt,* Schrott *m*
'**scrap mer·chant** *n* BRIT Schrotthändler(in) *m(f)*

scrap·py ['skræpi] *adj* (*haphazard*) zusammengestückelt; (*lacking consistency*) unausgewogen; (*incomplete*) *education, report* lückenhaft; (*unsystematic*) unsystematisch; (*uneven in quality*) *handwriting* krakelig *fam*

scratch [skrætʃ] **I.** *n* <*pl* -es> ❶ (*cut on skin*) Kratzer *m,* Schramme *f* ❷ (*mark on surface*) Kratzer *m,* Schramme *f* ❸ *no pl* (*acceptable standard*) **to not be up to ~** zu wünschen übriglassen; **to bring sb/sth up to ~** jdn/etw auf Vordermann bringen *fam* ❹ (*beginning state*) **to learn sth from ~** etw von Grund auf lernen; **to start** [**sth**] **from ~** [mit etw *dat*] bei null anfangen **II.** *adj attr* ❶ (*hastily got together*) improvisiert ❷ (*without handicap*) ohne Vorgabe *nach n* **III.** *vt* ❶ (*cut slightly*) ■**to ~ sth** etw zerkratzen; ■**to ~ sb** jdn kratzen ❷ (*mark by scraping*) verkratzen ❸ (*relieve an itch*) kratzen; **to ~ one's head** sich am Kopf kratzen ❹ AM (*fam: cancel*) abblasen *fam* ►**you ~ my** back **and I'll ~ yours** eine Hand wäscht die andere *prov* **IV.** *vi* ❶ (*use claws, nails*) kratzen ❷ (*relieve an itch*) sich kratzen ❸ (*cause itchy feeling*) kratzen ◆ **scratch about, scratch around** *vi* ❶ *animals* herumscharren; ■**to ~ about for sth** nach etw *dat* scharren ❷ (*search hard*) herumsuchen *fam;* ■**to ~ about for sth** nach etw

dat suchen ◆ **scratch out** *vt* ❶ (*strike out*) auskratzen; *line, passage, word* durchstreichen ❷ (*write hurriedly*) hinkritzeln *fam* ❸ (*fam: labour to get*) aufbauen
'**scratch card** *n* Rubbellos *nt* '**scratch pa·per** *n no pl* AM (*scrap paper*) Schmierpapier *nt;* (*for draft notes*) Konzeptpapier *nt*

scratchy ['skrætʃi] *adj* ❶ (*scratched*) verkratzt ❷ (*irritating to skin*) *pullover* kratzig

scrawl [skrɔ:l] **I.** *vt* [hin]kritzeln *fam* **II.** *n* ❶ *no pl* (*untidy writing*) Gekritzel *nt* ❷ (*of note, message*) hingekritzelte Notiz *fam*

scrawny ['skrɔ:ni] *adj human, animal* dürr; *vegetation* mager

scream [skri:m] **I.** *n* ❶ (*loud shrill cry*) Schrei *m;* **a ~ of fear/for help** ein Auf-/Hilfeschrei *m* ❷ *of animal* Gekreisch[e] *nt kein pl* ❸ *no pl of engine, siren* Heulen *nt; of jet plane* Dröhnen *nt* ❹ *no pl* (*fam: sth or sb very funny*) **to be a ~** zum Brüllen sein **II.** *vi* ❶ (*cry out with fear, pain, rage*) schreien; (*with joy, delight*) kreischen; ■**to ~ at sb** jdn anschreien; **to ~ for help** [gellend] um Hilfe schreien; **to ~ with laughter** vor Lachen brüllen ❷ *animals* schreien ❸ *engine, siren* heulen; *jet plane* dröhnen ❹ (*fam: glaringly obvious*) ■**to ~ at sb** jdm ins Auge springen **III.** *vt* ❶ (*cry loudly*) schreien, brüllen *bes* SÜDD *fam* ❷ (*express forcefully*) lauthals schreien

scream·ing ['skri:mɪŋ] **I.** *adj attr person* schreiend; *engine* heulend; **a ~ brat** ein Schreihals *m* **II.** *n no pl of people* Geschrei *nt oft pej; of animals* Gekreisch[e] *nt; of an engine* Heulen *nt*

scree [skri:] *n no pl* Geröll *nt*

screech [skri:tʃ] **I.** *n* <*pl* -es> *of person* Schrei *m; of animal* Kreischen *nt kein pl; of brakes, tyres* Quietschen *nt kein pl* **II.** *vi person* schreien; *animal* kreischen; *brakes, tyres* quietschen; **to ~ to a halt** mit quietschenden Reifen zum Stillstand kommen
'**screech owl** *n* Kreischeule *f*

screed [skri:d] *n* ❶ (*speech, writing*) Roman *m;* (*book*) Wälzer *m fam* ❷ TECH (*layer of plaster*) Estrich *m*

screen [skri:n] **I.** *n* ❶ (*in cinema, for slides*) Leinwand *f;* (*of television, computer*) Bildschirm *m;* (*for radar, sonar*) Schirm *m* ❷ *no pl* ■**the ~** (*cinema*) das Kino; (*fam: television*) das Fernsehen; **the big/small ~** das Kino/Fernsehen ❸ (*panel for privacy*) Trennwand *f;* (*decorative*) Paravent *m;* (*for protection*) Schutzschirm *m;* (*against insects*) Fliegengitter *nt;* (*fire screen*) Ofenschirm *m* ❹ (*on car*) Windschutzscheibe *f* ❺ *no pl* (*sth that conceals*)

Tarnung *f* ⑥ (*test*) Kontrolle *f*; **health ~** Vorsorgeuntersuchung *f* **II.** *vt* ❶ (*conceal*) ▪ **to ~ sth [from sth]** etw [gegen etw *akk*] abschirmen; **to ~ sth from view** etw vor Einblicken schützen ❷ (*shield*) ▪ **to ~ sb/ sth [from sth]** jdn/etw [vor etw *dat*] schützen ❸ (*examine closely*) überprüfen; MIL einer Auswahlprüfung unterziehen; ▪ **to ~ sb for sth** MED jdn auf etw *akk* hin untersuchen; **to ~ one's calls** nur bei bestimmten Anrufen das Telefon abnehmen ❹ (*show*) vorführen; TV senden ◆ **screen off** *vt* abtrennen (**from** von)

screen·ing ['skri:nɪŋ] *n* ❶ (*in cinema*) Filmvorführung *f* ❷ *no pl* (*process of showing*) *of films* Vorführen *nt*; *of TV programmes* Ausstrahlung *f* ❸ *no pl* (*testing*) Überprüfung *f* ❹ MED (*examination*) Untersuchung *f*; (*X-ray*) Röntgenuntersuchung *f*

'**screen·play** *n* Drehbuch *nt* '**screen·sav·er** *n* Bildschirmschoner *m* '**screen·shot** *n* COMPUT Screen Shot *m* '**screen·test** *n* FILM, TV Probeaufnahmen *pl* '**screen·writ·er** *n* Drehbuchautor(in) *m(f)*

screw [skru:] **I.** *n* ❶ (*metal fastener*) Schraube *f* ❷ *no pl* (*turn*) Drehung *f* ❸ (*propeller*) Schraube *f* ❹ *no pl* (*vulg, sl: sex*) Fick *m* ❺ (*sl: prison guard*) [Gefängnis]wärter(in) *m(f)*, Schließer(in) *m(f)* ▶ **to have a ~ loose** (*hum fam*) nicht ganz dicht sein *pej*; **to tighten the ~[s] [on sb]** den Druck [auf jdn] verstärken **II.** *vt* ❶ (*with a screw*) ▪ **to ~ sth [on]to sth** etw an etw *akk* schrauben ❷ (*by twisting*) **to ~ sth tight** etw fest zudrehen; ▪ **to ~ sth on[to] sth** etw auf etw *akk* schrauben ❸ (*fam: cheat*) reinlegen; ▪ **to ~ sb for sth** jdm etw abzocken *fam* ❹ (*vulg, sl: have sex with*) bumsen *sl*, vögeln *derb* **III.** *vi* (*vulg, sl: have sex*) bumsen *sl*, vögeln *derb* ◆ **screw down** *vt* ❶ (*with screws*) festschrauben ❷ (*by twisting*) fest zudrehen ◆ **screw up I.** *vt* ❶ (*with screws*) zuschrauben ❷ (*by turning*) zudrehen ❸ (*twist and crush*) zusammenknüllen ❹ (*twist into a shape*) **to ~ up one's eyes** blinzeln; **to ~ up one's face/mouth** das Gesicht/den Mund verziehen ❺ (*sl: spoil, do badly*) vermasseln *fam;* **to ~ it** [*or* **things**] **up** Mist bauen *fam* **II.** *vi* ❶ (*tighten*) sich zuschrauben lassen; *nut* sich anziehen lassen ❷ (*sl: fail, make a mess*) ▪ **to ~ up [on sth]** [bei etw *dat*] Mist bauen *fam*

'**screw·ball** *n* ❶ AM (*in baseball*) angeschnittener Ball ❷ *esp* AM (*fam: person*) Spinner(in) *m(f) pej* '**screw·driv·er** *n*

❶ (*tool*) Schraubenzieher *m* ❷ (*cocktail*) Screwdriver *m*

screwed [skru:d] *adj pred* (*sl: stymied*) festgefahren; (*in a hopeless situation*) geliefert

screwed-'up *adj* (*fam: neurotic*) neurotisch; (*messed up*) verkorkst *fam* '**screw top** *n* Schraubverschluss *m*

screwy ['skru:i] *adj* (*fam*) verrückt; (*dangerously mad*) idea hirnrissig

scrib·ble ['skrɪbl] **I.** *vt* [hin]kritzeln **II.** *vi* ❶ (*make marks, write*) kritzeln ❷ (*hum: write*) schriftstellern *fam* **III.** *n* ❶ (*mark, words*) Gekritzel *nt kein pl pej* ❷ *no pl* (*handwriting*) Klaue *f pej sl*

scrib·bler ['skrɪblə^r] *n* (*pej or hum*) Schreiberling *m pej*

'**scrib·bling block** *n*, '**scrib·bling pad** *n* Schreibblock *m*

scrim·mage ['skrɪmɪdʒ] *n* ❶ SPORTS (*in US football*) Gedränge *nt fachspr* ❷ (*confused fight*) Gerangel *nt kein pl fam*

scrimp [skrɪmp] *vi* sparen; **to ~ and save** knausern *pej fam*

script [skrɪpt] *n* ❶ *of film* Drehbuch *nt; of play* Regiebuch *nt; of broadcast* Skript *nt;* **to read from a ~** ablesen ❷ (*style of writing*) Schrift *f;* TYPO *also* Schriftart *f;* **italic ~** Kursivschrift *f* ❸ AUS (*prescription*) Rezept *nt* ❹ COMPUT Script *nt*

'**script-girl** *n* Skriptgirl *nt*

scrip·tur·al ['skrɪptʃ^ər^əl] *adj* biblisch

scrip·ture *n,* **Scrip·ture** ['skrɪptʃ^ər] *n* ❶ *no pl* (*the Bible*) die Bibel ❷ (*sacred writings*) ▪ **the ~s** [*or* **the S~s**] *pl* die heiligen Schriften

'**script·writ·er** *n* FILM, TV Drehbuchautor(in) *m(f)*; RADIO Rundfunkautor(in) *m(f)*

scroll [skrəʊl] *n* ❶ (*roll of paper*) [Schrift]rolle *f* ❷ ARCHIT Schnecke *f fachspr* **II.** *vi* COMPUT scrollen *fachspr*

'**scroll-find** *vt* ▪ **to ~ sth** etw durch Blättern suchen, etw runter scrollen *fam*

Scrooge [skru:dʒ] *n* (*pej*) Geizhals *m*

scro·tum <*pl* -s *or* -ta> ['skrəʊtəm, *pl* -tə] *n* Hodensack *m*

scrounge [skraʊndʒ] (*fam*) **I.** *n no pl* (*pej or hum*) **to be on the ~** schnorren **II.** *vt* (*pej*) ▪ **to ~ sth [off sb]** etw [von jdm] schnorren **III.** *vi* (*pej*) ▪ **to ~ [off sb]** [bei jdm] schnorren

scroung·er ['skraʊndʒə^r] *n* (*pej fam*) Schnorrer(in) *m(f)*

scrub[1] [skrʌb] *n no pl* ❶ (*trees and bushes*) Gestrüpp *nt* ❷ (*area*) Busch *m*

scrub[2] [skrʌb] **I.** *n* **to give sth a [good] ~** etw [gründlich] [ab]schrubben *fam* **II.** *vt* <-bb-> ❶ (*clean*) [ab]schrubben *fam*

S

❷ (*fam: cancel, abandon*) fallen lassen; *project* abblasen **III.** *vi* <-bb-> schrubben *fam*

scrub·ber ['skrʌbəʳ] *n*, '**scrub·bing brush** *n* Schrubber *m*; (*smaller*) Scheuerbürste *f*

scruff [skrʌf] *n of neck* Genick *nt*; **by the ~ of the** [*or* sb's] **neck** am Genick

scruffy ['skrʌfi] *adj clothes* schmuddelig *pej fam*; *person* vergammelt *pej fam*; *place* heruntergekommen *fam*

scrum [skrʌm] **I.** *n* ❶ (*in rugby*) Gedränge *nt fachspr* ❷ BRIT (*fam: disorderly crowd*) Getümmel *nt* **II.** *vi* <-mm-> (*in rugby*) ▪**to ~ down** ein Gedränge bilden *fachspr*

scrum 'half *n* (*in rugby*) Gedrängehalbspieler(in) *m(f) fachspr*

scrum·mage ['skrʌmɪdʒ] *n* (*in rugby*) Gedränge *nt fachspr*

scrump·tious ['skrʌm(p)ʃəs] *adj* (*fam*) lecker

scrumpy ['skrʌmpi] *n no pl* BRIT starker Cidre

scrunch [skrʌn(t)ʃ] **I.** *n no pl* Knirschen *nt* **II.** *vi* (*make noise*) knirschen; (*with the mouth*) geräuschvoll kauen **III.** *vt* ❶ (*crunch*) knirschen ❷ (*crush up*) zerknüllen

scru·ple ['skru:pl] **I.** *n* ❶ *no pl* (*moral responsibility*) Skrupel *m meist pl*; **to be** [entirely] **without ~** [völlig] skrupellos sein ❷ (*principles*) ▪**~s** *pl* Skrupel *pl*, Bedenken *pl* **II.** *vi* Bedenken [*o* Skrupel] haben

scru·pu·lous ['skru:pjələs] *adj* ❶ (*extremely moral*) gewissenhaft ❷ (*extremely careful*) [peinlich] genau; ▪**to be ~ about** [*or* in] **sth** es mit etw *dat* sehr genau nehmen

scru·ti·neer [ˌskru:tɪˈnɪəʳ] *n esp* BRIT, AUS Wahlprüfer(in) *m(f)*

scru·ti·nize ['skru:tɪnaɪz] *vt* [genau] untersuchen [*o* prüfen]; *text* studieren

scru·ti·ny ['skru:tɪni] *n no pl* [genaue] [Über]prüfung [*o* Untersuchung]

'**scu·ba div·ing** *n no pl* Sporttauchen *nt*

scud <-dd-> [skʌd] *vi* eilen; *clouds* [schnell] ziehen

scuff [skʌf] **I.** *vt* ❶ (*mark*) verschrammen; (*wear away*) abwetzen ❷ (*drag along the ground*) **to ~ one's feet** schlurfen **II.** *vi* ❶ (*wear away*) sich abwetzen ❷ (*shuffle*) schlurfen

scuf·fle ['skʌfl] **I.** *n* ❶ (*short fight*) Handgemenge *nt* ❷ (*sound, movement*) Schlurfen *nt* **II.** *vi* ▪**to ~** [with sb] sich [mit jdm] balgen

scull [skʌl] **I.** *vi* rudern **II.** *n* SPORTS Skullboot *nt fachspr*

scul·lery ['skʌl³ri] *n esp* BRIT Spülküche *f*

sculpt [skʌlpt] **I.** *vt* (*create from stone*) [heraus|meißeln; (*in clay*) modellieren; (*reshape, work*) formen; **to have beautifully/finely ~ed features** (*fig*) schön/fein geformte Züge haben **II.** *vi* bildhauern *fam*

sculp·tor ['skʌlptəʳ] *n* Bildhauer(in) *m(f)*

sculp·tur·al ['skʌlptʃ³r³l] *adj* bildhauerisch, plastisch; *facial features, form, feel* plastisch; **~ works** Skulpturen *pl*

sculp·ture ['skʌlptʃəʳ] **I.** *n* ❶ *no pl* (*art*) Bildhauerei *f* ❷ (*object*) Skulptur *f*, Plastik *f* **II.** *vt* (*make with a chisel*) [heraus|meißeln; (*in clay*) modellieren; (*reshape, work*) formen; (*model*) modellieren **III.** *vi* bildhauern *fam*

scum [skʌm] *n no pl* ❶ (*foam*) Schaum *m*; (*residue*) Rand *m*; (*layer of dirt*) Schmutzschicht *f* ❷ (*pej: evil people*) Abschaum *m*

'**scum·bag** *n* (*pej sl: man*) Mistkerl *m fam*; (*woman*) Miststück *nt fam*

scup·per ['skʌpəʳ] *vt* BRIT ❶ (*sink deliberately*) versenken ❷ (*fam: thwart*) vereiteln; **to ~ sb's plan** jds Plan über den Haufen werfen

scurf [skɜ:f] *n no pl* (*bits of skin*) Schuppen *pl*

scur·ril·ous ['skʌrələs] *adj* (*pej form: damaging to sb's reputation*) verleumderisch; (*insulting*) unflätig *geh*

scur·ry ['skʌri] **I.** *vi* <-ie-> *small animal* huschen; *person* eilen **II.** *n no pl* (*hurry*) Eilen *nt*; **the ~ of feet/footsteps** das Getrappel von Füßen/Schritten

scur·vy ['skɜ:vi] *n no pl* Skorbut *m*

scut·tle[1] ['skʌtl] *vi person* hasten, flitzen *fam*; *small creature* huschen

scut·tle[2] ['skʌtl] *vt* ❶ (*sink*) versenken ❷ (*put an end to*) zunichtemachen

scuttle away *vi*, **scuttle off** *vi* (*run*) davoneilen

scythe [saɪð] **I.** *n* Sense *f* **II.** *vt* ❶ (*with a scythe*) [mit der Sense] [ab]mähen ❷ (*with swinging blow*) ▪**to ~ sb/sth** [down] jdn/etw niedermähen *fam* **III.** *vi* preschen (**through** durch)

SDI [ˌesdi:ˈaɪ] *n abbrev of* **Strategic Defense Initiative** SDI *f*

SE I. *n no pl abbrev of* **south-east** SO. **II.** *adj* ❶ *abbrev of* **south-east** SO- ❷ *abbrev of* **south-eastern** SO- **III.** *adv abbrev of* **south-east**

sea [si:] *n* ❶ *no pl* (*salt water surrounding land*) ▪**the ~** das Meer, die See; **at the bottom of the ~** auf dem Meeresboden;

S

the open ~ das offene Meer, die hohe See; by [or beside] the ~ am Meer, an der See; the high ~s die hohe See ❷(*specific area*) See *f kein pl,* Meer *nt;* the Dead ~ das Tote Meer; the seven ~s die sieben Meere ❸(*state of sea*) Seegang *m kein pl;* a calm/high/rough ~ ein ruhiger/hoher/schwerer Seegang; choppy/heavy ~s kabbelige *fachspr/*schwere See ❹(*wide expanse*) Meer *nt;* a ~ of flames/people ein Flammen-/Menschenmeer *nt* ▸ to be [all] at ~ [ganz] ratlos sein

sea 'air *n no pl* Seeluft *f* sea a'nemo·ne *n* Seeanemone *f* 'sea·bed *n no pl* ▪the ~ der Meeresgrund 'sea·bird *n* Seevogel *m* 'sea·board *n* Küste *f;* the Atlantic/Eastern ~ of the United States die Atlantik-/Ostküste der Vereinigten Staaten 'sea·borne *adj attr* See-; ~ goods Seefrachtgüter *pl* sea 'breeze *n* Seewind *m,* Meeresbrise *f* 'sea-calf *n* Seehund *m* 'sea change *n* große Veränderung 'sea dog *n* ❶(*sailor*) Seebär *m fam* ❷(*seal*) Seehund *m* sea·far·er ['siːˌfeərəʳ] *n* (*liter*) Seemann *m* sea·far·ing ['siːˌfeərɪŋ] *adj attr* (*esp liter*) seefahrend 'sea·food *n no pl* Meeresfrüchte *pl* 'sea·front *n* (*promenade*) Strandpromenade *f;* (*beach*) Strand *m* 'sea·go·ing *adj attr* vessel Hochsee-, hochseetüchtig 'sea·grass *n* Seegras *nt* 'sea·gull *n* Möwe *f* 'sea·horse *n* Seepferdchen *nt*

seal¹ [siːl] *n* zool Seehund *m,* Robbe *f* seal² [siːl] I. *n* ❶(*insignia, stamp*) Siegel *nt* ❷(*on goods*) Verschluss *m;* (*on doors*) Siegel *nt* ❸(*air-, watertight join*) Verschluss *m* ❹(*guarantee*) to give sth one's ~ of approval etw seine Zustimmung geben II. *vt* ❶(*stamp*) siegeln ❷(*prevent from being opened*) [fest] verschließen; (*with a seal*) versiegeln; (*for customs*) plombieren; (*with adhesive*) zukleben ❸(*make airtight*) luftdicht verschließen; (*make watertight*) wasserdicht verschließen; window, gaps abdichten ❹(*block access to*) versiegeln; border schließen ❺(*confirm and finalize*) besiegeln; we won't celebrate until the contract has been signed, ~ed and delivered wir feiern erst, wenn der Vertrag auch wirklich unter Dach und Fach ist; to ~ sb's fate jds Schicksal besiegeln ◆seal up *vt* ❶(*close*) [fest] verschließen; (*with a seal*) versiegeln; (*with adhesive*) zukleben ❷(*close permanently*) verschließen; shaft, mine zuschütten ❸ door, window, gaps abdichten

seal·ant ['siːlənt] *n* (*for surfaces*) Dichtungsmittel *nt;* (*for gaps*) Kitt *m*

'sea legs *npl* to find one's ~ naut seefest werden *fachspr* 'sea lev·el *n no pl* Meeresspiegel *m;* above/below ~ über/unter dem Meeresspiegel; at ~ auf Meereshöhe seal·ing ['siːlɪŋ] *n no pl* hunt Robbenjagd *f* 'seal·ing wax *n no pl* Siegelwachs *nt* 'sea lion *n* Seelöwe *m* 'seal·skin *n no pl* Robbenfell *nt*

seam [siːm] *n* ❶(*join in garment*) Naht *f;* to be bursting at the ~s (*fig*) aus allen Nähten platzen *fam;* to fall apart at the ~s aus den Nähten gehen; marriage scheitern; plan fehlschlagen ❷(*line of junction*) Naht *f;* naut Fuge *f* ❸(*mineral layer*) Schicht *f*

'sea·man ['siːmən] *n* (*sailor*) Seemann *m;* (*rank*) Matrose *m;* able [*or* able-bodied] ~ brit Vollmatrose *m;* leading ~ brit Erster Matrose; ordinary ~ brit Leichtmatrose *m* sea 'mile *n* (*old*) Seemeile *f*

seam·less [siːmləs] *adj* ❶(*without a seam*) stockings nahtlos; garment, robe ohne Nähte ❷(*smooth*) nahtlos, problemlos

seam·stress <*pl* -es> ['sem(p)strɪs] *n* Näherin *f*

seamy ['siːmi] *adj* ❶(*run down*) heruntergekommen ❷(*dodgy*) district zwielichtig; the ~ side of life die Schattenseite des Lebens

sé·ance ['seɪɑː(nt)s] *n* Séance *f geh* 'sea·plane *n* Wasserflugzeug *nt* 'sea·port *n* Seehafen *m* 'sea pow·er *n* ❶ *no pl* (*naval strength*) Stärke *f* zu Wasser ❷(*state with strong navy*) Seemacht *f*

sear [sɪəʳ] *vt* ❶(*scorch*) verbrennen; (*singe*) versengen ❷(*cause painful sensation*) a pain ~ed his chest ein Schmerz durchzuckte seine Brust ❸food (*fry quickly*) kurz [an]braten ❹(*cauterize*) wound ausbrennen

search [sɜːtʃ] I. *n* ❶(*for object, person*) Suche *f* (for nach); to go off in ~ of sth sich auf die Suche nach etw dat machen ❷(*for drugs, stolen property, etc.*) Durchsuchung *f;* of person Leibesvisitation *f* ❸ comput Suchlauf *m;* to do a ~ for sth etw suchen II. *vi* suchen; to ~ high and low [for sth] überall [nach etw dat] suchen; ▪to ~ through sth etw durchsuchen III. *vt* ❶(*try to find in*) building, bag durchsuchen; place, street absuchen ❷law durchsuchen ❸(*examine carefully*) absuchen; conscience, heart prüfen; to ~ one's memory sein Gedächtnis durchforschen ▸ ~ me! (*fam*) was weiß ich!? ◆search out *vt* ausfindig machen

'search en·gine *n* comput Suchmaschine *f*

search·er ['sɜːtʃə'] *n* Suchende(r) *f/m)*
'**search func·tion** *n* COMPUT Suchfunktion *f*
search·ing ['sɜːtʃɪŋ] *adj* gaze, look forschend; *inquiry* eingehend; *question* tief gehend
'**search·light** *n* Suchscheinwerfer *m*
'**search op·era·tion** *n* Suchaktion *f*
'**search par·ty** *n* Suchtrupp *m* '**search war·rant** *n* Durchsuchungsbefehl *m*
sear·ing ['sɪə'ɪŋ] *adj attr* ❶ *(scorching)* sengend ❷ *(painfully burning) pain* brennend ❸ *(intense) passion* glühend *geh; emotion* leidenschaftlich; *criticism* schonungslos
'**sea salt** *n* Meersalz *nt* '**sea·scape** *n* ❶ *(picture)* Seestück *nt* ❷ *(view)* Blick *m* auf das Meer '**sea shan·ty** *n esp* BRIT Seemannslied *nt* '**sea·shell** *n* Muschel *f* '**sea·shore** *n no pl (beach)* Strand *m;* *(land near sea)* [Meeres]küste *f* '**sea·sick** *adj* seekrank '**sea·sick·ness** *n no pl* Seekrankheit *f* '**sea·side** *esp* BRIT **I.** *n no pl* ■**the** ~ die [Meeres]küste; ■**at the** ~ am Meer **II.** *adj attr* See-; **a** ~ **holiday** Ferien *pl* am Meer; ~ **resort** Seebad *nt*
sea·son ['siːzªn] **I.** *n* ❶ *(period of year)* Jahreszeit *f;* **the** ~ **of Advent/Lent** die Advents-/Fastenzeit; **the Christmas/ Easter** ~ die Weihnachts-/Osterzeit; ~'**s greetings** fröhliche Weihnachten und ein glückliches neues Jahr; **the dry/rainy/ monsoon** ~ die Trocken-/Regen-/Monsunzeit ❷ *(period of ripeness)* Saison *f;* **oysters are out of** ~ **at the moment** zur Zeit gibt es keine Austern; **apple/strawberry** ~ Apfel-/Erdbeerzeit *f;* **flowering** ~ Blüte *f* ❸ ZOOL fruchtbare Zeit; **mating** ~ Paarungszeit *f;* **to be in** ~ brünstig sein ❹ *(business period)* Saison *f;* Hauptzeit *f;* **at the height of the** ~ in der Hochsaison; **high** ~ Hochsaison *f;* **in/out of** ~ während/außerhalb der Saison ❺ SPORTS Saison *f;* **fishing/hunting** ~ Angel-/Jagdzeit *f* ❻ *(period of entertainment)* Saison *f;* THEAT Spielzeit *f* ❼ BRIT *(fam: season ticket)* Dauerkarte *f;* SPORTS Saisonkarte *f;* THEAT Abonnement *nt* **II.** *vt* ❶ *(add flavouring)* würzen **(with** mit); **the stew's done, but it needs to be** ~**ed** der Eintopf ist fertig, aber er muss noch abgeschmeckt werden ❷ *(dry out) wood* ablagern lassen ❸ *(mature) tobacco, wine* [aus]reifen lassen **III.** *vi* ❶ FOOD würzen, abschmecken ❷ *(dry out) wood* [ab]lagern ❸ *(mature) tobacco, wine* [aus]reifen
sea·son·able ['siːzªnəbl] *adj* ❶ *(expected for time of year)* der Jahreszeit angemessen ❷ *(liter: appropriate)* angebracht

sea·son·al ['siːzªnªl] *adj* ❶ *(connected with time of year)* jahreszeitlich bedingt; ~ **adjustment** Saisonbereinigung *f;* ~ **unemployment** saisonbedingte Arbeitslosigkeit; ~ **work** Saisonarbeit *f* ❷ *(grown in a season)* Saison-
sea·soned ['siːzªnd] *adj* ❶ *usu attr (experienced)* erfahren ❷ *(properly dried) timber* abgelagert ❸ *(spiced)* gewürzt
sea·son·ing ['siːzªnɪŋ] *n* ❶ *no pl (salt and pepper)* Würze *f* ❷ *(herb or spice)* Gewürz *nt* ❸ *no pl (drying out)* Ablagern *nt*
'**sea·son tick·et** *n* Dauerkarte *f;* *(for public transport)* Monatskarte *f;* *(for one year)* Jahreskarte *f;* SPORTS Saisonkarte *f;* THEAT Abonnement *nt* '**sea·son tick·et hold·er** *n* *(for train, bus)* Inhaber(in) *m(f)* einer Monatskarte *[o* Jahreskarte]; *(for sports)* Besitzer(in) *m(f)* einer Saisonkarte; *(for theatre, opera)* Abonnent(in) *m(f)*
seat [siːt] **I.** *n* ❶ *(sitting place)* [Sitz]platz *m;* *(in a car)* Sitz *m;* *(in bus, plane, train)* Sitzplatz *m;* *(in a theatre)* Platz *m;* **is this** ~ **free/taken?** ist dieser Platz frei/besetzt?; **back** ~ Rücksitz *m;* **to book** *[or* **reserve] a** ~ *(for concert, film, play)* eine Karte reservieren lassen; *(on bus, train)* einen Platz reservieren lassen; **to take a seat** sich [hin]setzen ❷ *usu sing (part to sit on) of chair* Sitz *m; of trousers, pants* Hosenboden *m* ❸ *(form: buttocks)* Gesäß *nt* ❹ POL Sitz *m;* **marginal/safe** ~ knappes/sicheres Mandat; **to lose/win a** ~ einen Sitz verlieren/gewinnen ❺ *(location)* Sitz *m; of company* Sitz *m; of aristocrat* [Wohn]sitz *m;* ~ **of government** Regierungssitz *m* **II.** *vt* ❶ *(provide seats)* setzen; ■**to** ~ **oneself** *(form)* sich setzen ❷ *(seating capacity)* **to** ~ **2500** 2500 Menschen fassen; **his car** ~**s five** in seinem Auto haben fünf Leute Platz ❸ TECH *(fix in base)* einpassen
'**seat belt** *n* Sicherheitsgurt *m;* **to fasten one's** ~ sich anschnallen; **to be wearing a** ~ angeschnallt sein
seat·ing ['siːtɪŋ] *n no pl* ❶ *(seats)* Sitzgelegenheiten *pl;* ~ **for 6/2000** Sitzplätze *pl* für 6/2000 Personen ❷ *(sitting arrangement)* Sitzordnung *f*
'**seat·ing ar·range·ments** *npl,* '**seat·ing plan** *n* Sitzordnung *f*
SEATO ['siːtəʊ] *n no pl acr for* **South-East Asia Treaty Organization** SEATO *f*
'**sea ur·chin** *n* Seeigel *m*
sea·ward ['siːwəd] **I.** *adv* ❶ *(facing towards sea)* dem Meer zugewandt ❷ *(moving towards sea)* auf das Meer hinaus **II.** *adj* ❶ *(facing towards sea)* dem Meer zugewandt ❷ *(moving towards sea)* auf das Meer hinaus *nach n*
'**sea·wa·ter** *n no pl* Meerwasser *nt* '**sea-**

S

way *n* ❶ (*channel for large ships*) Wasserstraße *f* ❷ (*route*) Seeweg *m* '**sea·weed** *n* no pl [See]tang *m* '**sea·wor·thy** *adj* seetauglich

se·ba·ceous gland [sɪ'beɪʃəs,glænd] *n* ANAT Talgdrüse *f*

sec [sek] *n short for* **second** Sek.; **I'll be with you in a ~!** (*fam*) Sekunde, ich komme gleich!

seca·teurs [,sekə'tɜːz] *npl esp* BRIT Gartenschere *f*

se·cede [sɪ'siːd] *vi* POL sich abspalten (**from** von)

se·ces·sion [sɪ'seʃⁿn] *n no pl* Abspaltung *f*

se·clude [sɪ'kluːd] *vt* abschließen (**from** von)

se·clud·ed [sɪ'kluːdɪd] *adj spot, house* abgelegen; *area* abgeschieden; **to live a ~ life** zurückgezogen leben

se·clu·sion [sɪ'kluːʒⁿn] *n no pl* ❶ (*quiet and privacy*) Zurückgezogenheit *f*; *of place* Abgelegenheit *f*, Abgeschiedenheit *f* ❷ (*keeping separate*) Absonderung *f*

sec·ond¹ ['sekⁿnd] I. *adj* ❶ *usu attr* (*next after first*) zweite(r, s); **Brian's going first, who wants to be ~?** Brian ist Erster, wer möchte der Nächste sein?; **he was the ~ person to qualify** er hat sich als Zweiter qualifiziert; **the ~ time** das zweite Mal ❷ (*next after winner*) zweite(r, s); **to finish ~** Zweite(r) werden; **to be in ~ place** auf Platz zwei sein ❸ (*not first in importance, size*) zweit-; **Germany's ~ city** Deutschlands zweitwichtigste Stadt; **the ~ biggest town** die zweitgrößte Stadt; **to be ~ only to sb/sth** gleich nach jdm/etw kommen *fam;* **to be ~ to none** unübertroffen sein ❹ *attr* (*another*) zweite(r, s), Zweit-; **~ car** Zweitwagen *m;* **to give sb a ~ chance** jdm eine zweite Chance geben; **to have ~ thoughts** es sich *dat* noch einmal überlegen; **without a ~ thought** ohne lange zu überlegen ▶ **to play ~ fiddle to sb** in jds Schatten stehen; **to be ~ nature to sb** jdm in Fleisch und Blut übergegangen sein II. *n* ❶ BRIT UNIV ≈ Zwei *f;* **an upper/a lower ~** eine Zwei plus/minus ❷ *no pl* AUTO zweiter Gang ❸ (*extra helping*) ■ **~s** *pl* Nachschlag *m kein pl* ❹ BRIT (*fam: dessert*) ■ **~s** *pl* Nachtisch *m kein pl* ❺ (*imperfect item*) Ware *f* zweiter Wahl III. *adv* zweitens IV. *vt* (*support, back up*) *proposal* unterstützen, befürworten

sec·ond² ['sekⁿnd] *n* ❶ (*sixtieth of a minute*) Sekunde *f;* **to be** [**only**] **~s to spare** in [aller]letzter Sekunde ❷ (*very short time*) Sekunde *f*, Augenblick *m;* **you go on, I'll only be a ~** geh du weiter, ich komme gleich nach; **for a split ~** für den Bruchteil einer Sekunde

sec·ond·ary ['sekⁿndⁿri] I. *adj* ❶ (*not main*) zweitrangig; **to be of ~ importance** von untergeordneter Bedeutung sein; **to play a ~ role** eine untergeordnete Rolle spielen ❷ (*education*) höher; **~ education** höhere Schulbildung; **~ modern school** BRIT ≈ Hauptschule *f;* (*more advanced*) ≈ Realschule *f* ❸ MED Sekundär- II. *n* ❶ MED Metastase *f* ❷ (*secondary school*) höhere [*o* weiterführende] Schule ❸ *no pl* (*education*) ≈ Hauptschule *f;* (*more advanced level*) ≈ Realschule *f*

'**sec·ond·ary school** *n* ❶ (*school*) höhere [*o* weiterführende] Schule ❷ *no pl* (*education*) ≈ Hauptschule *f;* (*more advanced level*) ≈ Realschule *f*

sec·ond '**best** *adj* zweitbeste(r, s); **to come off ~** (*fig*) den Kürzeren ziehen *fam;* **to settle for ~** sich mit weniger zufriedengeben **sec·ond** '**cham·ber** *n* POL zweite Kammer **sec·ond** '**class I.** *n no pl* (*mail*) gewöhnliche Post; (*in travel*) zweite Klasse II. *adv* ❶ TRANSP **to travel ~** zweiter Klasse reisen ❷ BRIT (*by second-class mail*) auf dem gewöhnlichen Postweg **sec·ond** '**cous·in** *n* Cousin *m*/Cousine *f* zweiten Grades **sec·ond-de·gree** '**burn** *n* Verbrennung *f* zweiten Grades

sec·ond·er [,sekⁿndə͡ʳ] *n of motion* Befürworter(in) *m(f)*

sec·ond-'**guess** *vt esp* AM ❶ (*forecast*) vorhersagen; ■ **to ~ sb** vorhersagen, was jd tun wird ❷ (*criticize with hindsight*) im Nachhinein kritisieren '**sec·ond-hand** I. *adj* ❶ (*used*) gebraucht; *clothes* secondhand; **~ car** Gebrauchtwagen *m* ❷ *attr* (*for second-hand goods*) Gebraucht-, secondhand-; **~ bookshop** Antiquariat *nt;* **~ shop** Secondhandladen *m* ❸ (*obtained from sb else*) *information, experience* aus zweiter Hand *nach n* II. *adv* ❶ (*in used condition*) gebraucht ❷ (*from third party*) aus zweiter Hand *nach n* **sec·ond** '**hand** *n* Sekundenzeiger *m* **sec·ond lieu·**'**ten·ant** *n* Leutnant *m*

sec·ond·ly ['sekⁿndli] *adv* zweitens

se·cond·ment [sɪ'kɒn(d)mənt] *n* BRIT, AUS ❶ *no pl* (*temporary transfer*) zeitweilige Versetzung; MIL Abkommandierung *f* ❷ (*period of secondment*) Versetzungszeit *f;* **to be on a one-year ~** für ein Jahr versetzt werden

sec·ond-'**rate** *adj* (*pej*) zweitklassig

se·cre·cy ['siːkrəsi] *n no pl* ❶ (*act of keeping secret*) Geheimhaltung *f* ❷ (*ability of keeping secret*) Verschwiegenheit *f;*

(*secretiveness*) Heimlichtuerei *f pej* (**about** um); ∎**in** ~ im Geheimen

se·cret ['siːkrət] **I.** *n* ❶ (*undisclosed information*) Geheimnis *nt;* **a closely guarded** ~ ein streng gehütetes Geheimnis; **open** ~ offenes Geheimnis; **to keep a** ~ ein Geheimnis für sich *akk* behalten; ∎**in** ~ im Geheimen, insgeheim; **to do sth in** ~ etw heimlich tun; **it's no** ~ **that ...** es ist kein Geheimnis, dass ... ❷ (*special knack*) **the** ~ **of success** das Geheimnis des Erfolgs **II.** *adj* ❶ (*known to few people*) geheim, Geheim-; (*hidden*) verborgen; **to keep sth** ~ etw geheim halten ❷ (*doing sth secretly*) heimlich

se·cret 'agent *n* Geheimagent(in) *m/f*

sec·re·tar·ial [ˌsekrə'teəriəl] *adj* Sekretariats-, Büro-; ~ **staff** Bürokräfte *pl*

sec·re·tari·at [ˌsekrə'teəriət] *n* Sekretariat *nt*

sec·re·tary ['sekrətᵊri] *n* ❶ (*office assistant*) Sekretär(in) *m/f* ❷ ECON Assistent(in) *m/f* der Geschäftsführung; **company** ~ BRIT *ranghöchster Angestellter einer Kapitalgesellschaft* ❸ BRIT (*assistant ambassador*) ~ [**of embassy**] Botschaftsrat, -rätin *m, f;* **first** ~ erster Botschaftsrat/ erste Botschaftsrätin ❹ BRIT POL Staatssekretär(in) *m/f;* AM Minister(in) *m/f*

Sec·re·tary 'Gen·er·al <*pl* Secretaries General> *n* Generalsekretär(in) *m/f*

se·crete[1] [sɪ'kriːt] *vt* BIOL, MED absondern

se·crete[2] [sɪ'kriːt] *vt* (*form*) verbergen

se·cre·tion [sɪ'kriːʃᵊn] *n* ❶ BIOL, MED (*secreted substance*) Sekret *nt;* (*secreting*) Absonderung *f* ❷ *no pl* (*hiding*) Absonderung *f*

se·cre·tive ['sɪkrətɪv] *adj behaviour* geheimnisvoll; *character* verschlossen

se·cre·tive·ness ['sɪkrətɪvnəs] *n no pl* Geheimnistuerei *f pej fam*

se·cret·ly ['siːkrətli] *adv* heimlich; **to** ~ **admire sth** etw im Stillen bewundern; **to** ~ **hope/wish** insgeheim hoffen/wünschen

sect [sekt] *n* ❶ (*religious group*) Sekte *f* ❷ (*denomination*) Konfession *f*

sec·tar·ian [sek'teəriən] **I.** *adj* ❶ (*relating to sect*) Sekten- ❷ (*relating to denomination*) konfessionell [bedingt]; ~ **differences** Konfessionsunterschiede *pl;* ~ **violence** religiöse Unruhen **II.** *n* Anhänger(in) *m/f* einer Sekte

sec·tion ['sekʃᵊn] **I.** *n* ❶ (*component part*) Teil *nt;* *of road* Teilstrecke *f; of railway* Streckenabschnitt *m;* TECH [Bau]teil *nt* ❷ (*subdivision*) Paragraph *m; of book* Abschnitt *m; of document* Absatz *m* ❸ (*part of newspaper*) Teil *m* ❹ (*part of an area*) Bereich *m;* **non-smoking** ~ (*in restaurant*) Nichtraucherbereich *m;* (*in railway carriage*) Nichtraucherabteil *nt* ❺ (*department*) Abteilung *f* ❻ (*group of instruments*) Gruppe *f;* **brass/woodwind** ~ Blech-/Holzbläser *pl* ❼ (*military unit*) Abteilung *f* ❽ BIOL (*thin slice for examination*) Schnitt *m* ❾ (*profile*) Schnitt *m* ❿ (*surgical cut*) Schnitt *m;* [**Caesarean**] ~ Kaiserschnitt *m* **II.** *vt* ❶ (*to separate*) [unter]teilen ❷ (*cut*) zerschneiden; BIOL segmentieren *fachspr;* MED sezieren *fachspr* ❸ BRIT (*send to hospital*) in eine psychiatrische Klinik einweisen ◆ **section off** *vt* abteilen

sec·tion·al ['sekʃᵊnᵊl] **I.** *adj* ❶ (*usu pej: limited to particular group*) partikular *geh* ❷ (*done in section*) Schnitt- ❸ *esp* AM (*made in sections*) zusammensetzbar; ~ **furniture** Anbaumöbel *pl;* ~ **sofa** zerlegbares Sofa **II.** *n* AM Anbaumöbel *pl*

sec·tor ['sektəʳ] *n* ❶ (*part of economy*) Sektor *m,* Bereich *m;* **the private/public** ~ der private/öffentliche Sektor ❷ (*area of land*) Sektor *m,* Zone *f* ❸ MATH Sektor *m*

secu·lar ['sekjələʳ] *adj* ❶ (*non-religious*) säkular *geh* ❷ (*non-monastic*) welt|geist]lich

secu·lar·ize ['sekjəlᵊraɪz] *vt* säkularisieren *geh*

se·cure [sɪ'kjʊəʳ] **I.** *adj* <-r, -st *or* more ~, the most -> ❶ (*certain, permanent*) sicher; **financially** ~ finanziell abgesichert ❷ *usu pred* (*safe, confident*) sicher ❸ (*safely guarded*) bewacht; (*safe against interception*) abhörsicher; ~ **against theft** diebstahlsicher; ∎**to be** ~ **against sth** vor etw *dat* sicher sein ❹ *usu pred* (*fixed in position*) fest; *door* fest verschlossen **II.** *vt* ❶ (*obtain*) sich *dat* sichern ❷ (*make safe*) [ab]sichern; **to** ~ **sb/sth against sth** jdn/ etw vor etw *dat* schützen ❸ (*fasten*) befestigen (**to** an); *door, window* fest schließen ❹ (*guarantee repayment of*) absichern; **to** ~ **a loan against sth** einen Kredit durch etw *akk* abdecken

se·cu·ri·ties [sɪ'kjʊərətiz] *npl* STOCKEX (*stock or share*) Wertpapiere *pl;* **long-dated/medium-dated/short-dated** ~ langfristige/mittelfristige/kurzfristige Anleihen

se·'cu·ri·ties mar·ket *n no pl* STOCKEX Wertpapierbörse *f*

se·cu·ri·ty [sɪ'kjʊərəti] *n* ❶ *no pl* (*protection, safety*) Sicherheit *f;* **maximum-~ prison** Hochsicherheitsgefängnis *nt;* **lax/ tight** ~ lasche/strenge Sicherheitsvorkehrungen; **national** ~ nationale Sicherheit; **to tighten ~** die Sicherheitsmaßnahmen verschärfen ❷ *no pl* (*guards*) Sicherheitsdienst *m* ❸ *no pl* (*permanence, certainty*) Sicherheit *f* ❹ *usu sing* (*safeguard*) Sicherheit *f*, Schutz *m* (**against** gegen) ❺ *no pl* (*guarantee of payment*) Kaution *f* ❻ FIN ■**securities** *pl* (*investments*) Wertpapiere *pl*

Se·'cu·ri·ty Coun·cil *n* Sicherheitsrat *m* **se·'cu·ri·ty forces** *npl* MIL Sicherheitskräfte *pl* **se·'cu·ri·ty guard** *n* Sicherheitsbeamte(r), -beamtin *m, f*

se·dan [sɪ'dæn] *n* AM, AUS Limousine *f* **se·dan 'chair** *n* Sänfte *f*

se·date [sɪ'deɪt] **I.** *adj person* ruhig; *pace* gemächlich; (*pej*) *place* verschlafen **II.** *vt* MED ein Beruhigungsmittel geben

se·da·tion [sɪ'deɪʃ°n] *n no pl* MED Ruhigstellung *f;* **to be under ~** unter dem Einfluss von Beruhigungsmitteln stehen

seda·tive ['sedətɪv] **I.** *adj* beruhigend **II.** *n* Beruhigungsmittel *nt*

sed·en·tary ['sed°nt°ri] *adj* sitzend

sedge [sedʒ] *n no pl* Riedgras *nt*

sedi·ment ['sedɪmənt] *n* ❶ *no pl* (*dregs at bottom*) Sediment *nt;* (*in river*) Ablagerung *f;* (*in wine*) [Boden]satz *m* ❷ (*deposited substance*) Sediment *nt*

sedi·men·tary [ˌsedɪ'ment°ri] *adj* **~ layer** Sedimentschicht *f;* **~ deposits** sedimentäre Ablagerungen

sedi·men·ta·tion [ˌsedɪmen'teɪʃ°n] *n no pl* Ablagerung *f*, Sedimentation *f fachspr*

se·di·tion [sɪ'dɪʃ°n] *n no pl* Aufwiegelung *f*

se·di·tious [sɪ'dɪʃəs] *adj* aufwieglerisch

se·duce [sɪ'dju:s] *vt* ❶ (*persuade to have sex*) verführen ❷ (*win over*) ■**to ~ sb into doing sth** jdn dazu verleiten, etw zu tun

se·duc·er [sɪ'dju:sər] *n* Verführer *m*

se·duc·tion [sɪ'dʌkʃ°n] *n* ❶ *no pl* (*persuasion into sex*) Verführung *f* ❷ (*act of seducing particular person*) Verführung *f* ❸ *usu pl* (*seductive quality*) Verlockung *f geh*

se·duc·tive [sɪ'dʌktɪv] *adj* ❶ (*sexy*) verführerisch ❷ (*attractive*) *argument, offer* verlockend

sedu·lous ['sedjʊləs] *adj* (*liter*) unermüdlich; *worker* fleißig

see[1] <saw, seen> [si:] **I.** *vt* ❶ (*perceive with eyes*) sehen; **I've never ~n anything quite like this before** so etwas habe ich ja noch nie gesehen; **have you ever ~n this man before?** haben Sie diesen Mann schon einmal gesehen?; **I'll believe it when I ~ it** das glaube ich erst, wenn ich es mit eigenen Augen gesehen habe; **I saw her coming** ich habe sie kom-

men sehen; **to ~ sth with one's own eyes** etw mit eigenen Augen sehen ❷ (*watch as a spectator*) *film, play* [sich *dat*] [an]sehen; **this film is really worth ~ing** dieser Film ist echt sehenswert ❸ (*visit place*) *famous building, place* ansehen; **I'd love to ~ Salzburg again** ich würde Salzburg gern wieder einmal besuchen; **to ~ the sights** die Sehenswürdigkeiten besichtigen ❹ (*understand*) verstehen, begreifen; (*discern mentally*) erkennen; **I ~ what you mean** ich weiß, was du meinst; **I can't ~ why I should do it** ich sehe einfach nicht ein, warum ich es machen sollte; **I really can't ~ what difference it makes** ich weiß wirklich nicht, was es für einen Unterschied machen soll; **~ what I mean?** siehst du? ❺ (*consider*) sehen; **as I ~ it ...** so wie ich das sehe ...; **this is how I ~ it** so sehe ich die Sache; **to ~ sth in a new light** etw mit anderen Augen sehen ❻ (*learn, find out*) feststellen; **I'll ~ what I can do** ich schaue mal, was ich tun kann; **I'll ~ who it is** ich schaue mal nach, wer es ist; **let me ~ if I can help you** mal sehen, ob ich Ihnen helfen kann; **that remains to be ~n** das wird sich zeigen ❼ (*meet socially*) sehen; (*by chance*) [zufällig] treffen [*o* sehen]; **we're ~ing friends at the weekend** wir treffen uns am Wochenende mit Freunden; **I'll ~ you around** bis dann!; **~ you later!** (*fam: when meeting again later*) bis später!; (*goodbye*) tschüs! *fam;* **~ you on Monday** bis Montag!; **to go and ~ sb** jdn besuchen [gehen] ❽ (*have meeting with*) sehen; (*talk to*) sprechen; (*receive*) empfangen; **Ms Miller can't ~ you now** Ms Miller ist im Moment nicht zu sprechen; **to ~ a doctor/a solicitor** zum Arzt/zu einem Anwalt gehen ❾ (*have relationship with*) ■**to be ~ing sb** mit jdm zusammen sein *fam;* **I'm not ~ing anyone at the moment** ich habe im Moment keine Freundin ❿ (*envisage, foresee*) sich *dat* vorstellen; **I can't ~ him getting the job** ich kann mir nicht vorstellen, dass er den Job bekommt; **to ~ it coming** es kommen sehen ⓫ (*witness, experience*) [mit]erleben; **1997 saw a slackening off in the growth of the economy** 1997 kam es zu einer Verlangsamung des Wirtschaftswachstums; **I've ~n it all** mich überrascht nichts mehr; ■**to ~ sb do sth** [mit]erleben, wie jd etw tut; **to live to ~ sth** etw [noch] erleben ⓬ (*accompany*) begleiten; **to ~ sb to the door** [*or* out]/**home** jdn zur Tür/nach Hause bringen [*o geh* begleiten] ⓭ (*inspect*) *licence,* *passport* sehen, prüfen ⑭ *in impers* (*refer to*) ■~ ... siehe ...; ~ **below/page 23** siehe unten/Seite 23 ⑮ (*perceive*) ■**to ~ sth in sb** etw in jdm sehen; **I don't know what she ~s in him** ich weiß nicht, was sie an ihm findet ⑯ (*ensure*) **to ~ sb right** BRIT, AUS (*fam: help*) jdm helfen; ■**to ~ that sth happens** dafür sorgen, dass etw passiert; ~ **that this doesn't happen again** sieh zu, dass das nicht noch einmal passiert ▸**to have ~n better days** schon [einmal] bessere Tage gesehen haben; **to not ~ further than the end of one's nose** nicht weiter sehen als die Nasenspitze reicht; **to ~ the last** [*or* BRIT, AUS **the back**] **of sb** [endlich] jdn los sein *fam;* **to ~ the last** [*or* BRIT, AUS **the back**] **of sth** endlich etw überstanden haben; **to be ~ing things** sich *dat* etw einbilden; **to not ~ the wood** [*or* AM **the forest**] **for the trees** den Wald vor [lauter] Bäumen nicht sehen *hum* II. *vi* ① (*use eyes*) sehen; **I can't ~ very well without my glasses** ohne Brille kann ich nicht sehr gut sehen; **... but ~ing is believing** ... doch ich habe es mit eigenen Augen gesehen!; **as far as the eye can ~** so weit das Auge reicht ② (*look*) **let me ~!** lass mich mal sehen!; ~ **for yourself!** sieh doch selbst!; (*in theatre etc.*) **can you ~?** können Sie noch sehen?; ~**, Grandad's mended it for you** schau mal, Opa hat es dir wieder repariert! ③ (*understand, realize*) **...** — **oh, I ~!** ... – aha!; **I ~** ich verstehe; **you ~! it wasn't that difficult was it?** na siehst du, das war doch nicht so schwer!; ~**?!** siehst du?!; **I ~ from your report ...** Ihrem Bericht entnehme ich, ... ④ (*find out*) nachsehen; (*in the future*) herausfinden; **wait and ~** abwarten und Tee trinken; **let me ~** lass mich mal überlegen; **you'll ~** du wirst schon sehen! ▸**to not ~ eye to eye** [**with sb**] nicht derselben Ansicht sein [wie jd]; **to ~ fit to do sth** es für angebracht halten, etw zu tun; **to ~ red** rotsehen *fam* ◆**see about** *vi* ① (*fam: deal with*) ■**to ~ about sth** sich um etw *akk* kümmern; **I've come to ~ about the TV** ich soll mir den Fernseher ansehen; **I think we'd better ~ about getting home** ich glaube, wir sehen jetzt besser zu, dass wir nach Hause kommen ② (*consider*) **I'll ~ about it** ich will mal sehen ▸**we'll ~ about that!** (*fam*) das werden wir ja sehen! ◆**see in** I. *vi* hineinsehen II. *vi* hineinbringen; **to ~ the New Year in** das neue Jahr begrüßen ◆**see into** *vi* ① (*look into*) hineinsehen ② (*find out about*) **to ~**

into the future in die Zukunft schauen ◆**see off** *vt* ① (*say goodbye*) verabschieden; **to ~ sb off at the airport/station** jdn zum Flughafen/Bahnhof bringen ② (*drive away*) verjagen ③ (*get the better of*) ■**to ~ off** ↻ sb/sth mit jdm/etw fertigwerden *fam* ◆**see out** I. *vt* ① (*escort to door*) hinausbegleiten; **I can ~ myself out, thanks** danke, ich finde alleine hinaus ② (*continue to end of*) durchstehen; (*last until end of*) überleben, überstehen II. *vi* hinaussehen ◆**see over** *vi* BRIT, AUS *building* besichtigen ◆**see round** *vt* BRIT, AUS sich umsehen ◆**see through** I. *vt* ① (*look through*) ■**to ~ through sth** durch etw *akk* hindurchsehen ② (*not be deceived by*) durchschauen II. *vi* ① (*sustain*) ■**to ~ sb through** jdm über die Runden helfen *fam;* (*comfort*) jdm beistehen; **we've got enough coffee to ~ us through until the end of the week** unser Kaffee reicht noch bis Ende der Woche; **will £30 be enough to ~ you through?** reichen dir 30 Pfund?; **to ~ sb through a difficult time** jdm über eine schwierige Zeit hinweghelfen ② (*continue to the end of*) zu Ende bringen ◆**see to** *vi* ■**to ~ to sb/sth** sich um jdn/ etw kümmern; ■**to ~ to it that ...** dafür sorgen, dass ... ◆**see up** I. *vi* hinaussehen II. *vt* hinaufbringen

see² [si:] *n* (*of bishop or archbishop*) [Erz]bistum *nt;* **the Holy S~** der Heilige Stuhl

seed [si:d] I. *n* ① (*source of plant*) Same[n] *m; of grain* Korn *nt;* ■~**s** *pl* AGR Saat *f kein pl* ② *no pl* (*seeds*) Samen *pl;* **to go to ~** Samen bilden; *salad, vegetables* schießen ③ (*small beginning of sth*) Keim *m;* **to sow the ~s of sth** etw säen ④ *no pl* (*liter: semen*) Samen *m* ⑤ (*seeded player*) Platzierte(r) *f(m);* **top** [*or* **number one**] ~ Erstplatzierte(r) *f(m)* ▸**to go** [*or* **run**] **to ~** herunterkommen *fam* II. *vt* ① (*sow with seed*) besäen ② (*drop its seed*) ■**to ~ oneself** sich aussäen ③ (*help start*) bestücken ④ (*remove seeds from*) entkernen ⑤ *usu passive* SPORTS **to be ~ed** gesetzt [*o* platziert] sein

'seed bed *n* ① (*area of ground*) Samenbeet *nt* ② (*fig*) Grundlage *f*

seed·less ['si:dləs] *adj* kernlos

seed·ling ['si:dlɪŋ] *n* Setzling *m*

'seed po·ta·to *n* Saatkartoffel *f*

seedy [si:di] *adj* ① (*dirty and dubious*) *district, hotel* zwielichtig; *character, reputation* zweifelhaft; *clothes, appearance* schäbig ② *usu pred* (*slightly unwell*) unwohl ③ (*full of seeds*) *bread* mit ganzen

Getreidekörnern *nach n; fruits* voller Kerne *nach n*

see·ing ['si:ɪŋ] *conj* ~ **that** [*or* **as** [**how**]] ... da ...

seek <sought, sought> [si:k] I. *vt* ❶ (*form: look for*) suchen ❷ (*try to obtain or achieve*) erstreben; **to ~ asylum/refuge/shelter** Asyl/Zuflucht/Schutz suchen; **to ~ employment** eine Stelle suchen; **to ~ justice/revenge** nach Gerechtigkeit/Rache streben ❸ (*ask for*) erbitten *geh;* **to ~ advice from sb** jdn um Rat bitten; **to ~ approval from sb** jds Zustimmung einholen; **to ~ permission from sb** jdn um Erlaubnis bitten II. *vi* ❶ (*form: search*) suchen ❷ (*form: attempt*) ◾**to ~ to do sth** danach trachten, etw zu tun *geh* ◆**seek out** *vt* ausfindig machen; *opinion, information* herausfinden; **to ~ out new talent** auf Talentsuche sein

seek·er [si:kər] *n* Suchende(r) *f(m);* **asylum ~** Asylsuchende(r) *f(m); (more formally)* Asylbewerber(in) *m(f);* **job ~** Arbeitssuchende(r) *f(m)*

seem [si:m] *vi* ❶ (*appear to be*) scheinen; **he's sixteen, but he ~s younger** er ist sechzehn, wirkt aber jünger; **it ~s like ages since we last saw you** es kommt mir wie eine Ewigkeit vor, seit wir dich das letzte Mal gesehen haben; **it ~ed like a good idea at the time** damals hielt ich das für eine gute Idee; **what ~s to be the problem?** wo liegt denn das Problem?; ◾**to ~ as if ...** so scheinen, als ob ... ❷ (*appear*) **there ~s to have been some mistake** da liegt anscheinend ein Irrtum vor; ◾**it ~s** [**that**] ... anscheinend ...; **it ~s to me that he isn't the right person for the job** ich finde, er ist nicht der Richtige für den Job; ◾**it ~s as if** [*or* **as though**] ... es scheint, als ob ...

seem·ing ['si:mɪŋ] *adj attr* (*form*) scheinbare(r, s)

seem·ing·ly ['si:mɪŋli] *adv* scheinbar

seem·ly ['si:mli] *adj* (*old*) schicklich *geh*

seen [si:n] *pp of* **see**

seep [si:p] *vi* sickern; (*fig*) *information, truth* durchsickern ◆**seep away** *vi* versickern

seep·age ['si:pɪdʒ] *n no pl* ❶ (*process of seeping*) *of oil, water* Aussickern *nt;* (*fig*) *of information* Durchsickern *nt* ❷ (*lost fluid*) versickernde Flüssigkeit

seer ['si:ər] *n* (*liter*) Seher *m;* (*fig*) Prophet *m*

seer·suck·er ['sɪə͵sʌkər] *n no pl* (*material*) Seersucker *m*

see-saw ['si:sɔ:] I. *n* ❶ (*for children*) Wippe *f* ❷ (*vacillating situation*) Auf und Ab *nt* II. *vi* ❶ (*play*) wippen ❷ (*fig*) sich auf und ab bewegen; *prices* steigen und fallen; *mood* schwanken

seethe [si:ð] *vi* ❶ (*be very angry*) kochen *fam* ❷ (*move about violently*) *river, sea* schäumen; *liquid* brodeln ❸ (*be crowded*) wimmeln (**with** von)

'see-through *adj* ❶ (*transparent*) durchsichtig ❷ (*of very light material*) durchscheinend

seg·ment ['segmənt] I. *n* ❶ (*part, division*) Teil *m; of population* Gruppe *f; of orange* Schnitz *m* ❷ RADIO, TV (*allocated time*) Sendezeit *f* ❸ MATH Segment *nt* ❹ (*of worm*) Segment *nt* II. *vt* zerlegen III. *vi* sich teilen

seg·men·ta·tion [͵segmen'teɪʃ⁰n] *n no pl* Segmentierung *f geh;* BIOL Zellteilung *f*

seg·re·gate ['segrɪgeɪt] *vt* absondern; *races, sexes* trennen

seg·re·ga·tion [͵segrɪ'geɪʃ⁰n] *n no pl* Trennung *f;* **racial ~** Rassentrennung *f*

seis·mic ['saɪzmɪk] *adj* ❶ GEOL seismisch; **~ waves** Erdbebenwellen *pl* ❷ (*extremely damaging*) verheerend

seis·mo·graph ['saɪzmə(ʊ)grɑ:f] *n* Seismograph *m*

seis·mol·o·gist [saɪz'mɒlədʒɪst] *n* Seismologe, Seismologin *m, f*

seis·mol·ogy [saɪz'mɒlədʒi] *n no pl* Seismologie *f*

seize [si:z] *vt* ❶ (*grab*) ergreifen, packen; ◾**to ~ sb** jdn packen ❷ *usu passive* (*fig: overcome*) ◾**to be ~d with sth** von etw *dat* ergriffen werden; **to be ~d with panic** von Panik erfasst werden ❸ (*make use of*) *initiative, opportunity* ergreifen ❹ (*capture*) einnehmen; *criminal* festnehmen; *hostage* nehmen; **to ~ power** die Macht ergreifen; (*more aggressively*) die Macht an sich *akk* reißen ❺ (*confiscate*) beschlagnahmen ◆**seize on** *vi idea* aufgreifen; **to ~ on an excuse** zu einer Ausrede greifen ◆**seize up** *vi engine, machine* stehen bleiben; *brain* aussetzen; *back, muscles* steif [*o* unbeweglich] werden

sei·zure ['si:ʒər] *n* ❶ *no pl* (*taking*) Ergreifung *f; of drugs* Beschlagnahmung *f;* **~ of power** Machtergreifung *f* ❷ MED (*fit*) Anfall *m;* (*dated: stroke*) Schlaganfall *m* ❸ *usu sing* MECH Stillstand *m*

sel·dom ['seldəm] *adv* selten; **~ if ever** fast nie

se·lect [sɪ'lekt] I. *adj* ❶ (*high-class*) *hotel, club* exklusiv ❷ (*carefully chosen*) ausgewählt; *team* auserwählt; *fruit, cuts of meat* ausgesucht; **a ~ few** einige Auserwählte

II. *vt* aussuchen; ■to ~ **sb** jdn auswählen; **to** ~ **a team** SPORTS eine Mannschaft aufstellen **III.** *vi* ■to ~ **from sth** aus etw *dat* [aus]wählen

se·lect com·'mit·tee *n* Sonderausschuss *m* (**on** für)

se·lec·tion [sɪ'lekʃ°n] *n* ❶ *no pl* (*choosing*) Auswahl *f;* BIOL Selektion *f geh;* **to make one's** ~ seine Wahl treffen ❷ *no pl* (*being selected*) Wahl *f;* (*for candidacy*) Aufstellung *f* ❸ *usu sing* (*range*) Auswahl *f,* Sortiment *nt* ❹ (*chosen player*) Spieler[aus]wahl *f*

se·lec·tive [sɪ'lektɪv] *adj* ❶ (*careful about choosing*) wählerisch; *reader, shopper* kritisch; **to have a** ~ **memory** (*pej, hum*) ein selektives Erinnerungsvermögen haben ❷ (*choosing the best*) ausgewählt; ~ **breeding** Zuchtwahl *f* ❸ (*discriminately affecting*) *process, agent* gezielt

se·lec·tive·ly [sɪ'lektɪvli] *adv* selektiv; **to order** ~ gezielt bestellen

se·lec·tive·ness [sɪ'lektɪvnəs] *n no pl,* **se·lec·tiv·ity** [ˌsɪlek'tɪvəti] *n no pl* ❶ (*careful choice*) [sorgfältiges] Auswählen ❷ (*discriminately affect*) *process, agent* Gezieltheit *f*

se·lec·tor [sɪ'lektə'] *n* ❶ (*chooser*) Auswählende(r) *f(m)* ❷ (*switch*) Wählschalter *m;* BRIT (*in car*) Schalthebel *m;* ~ **lever** Automatikschalthebel *m*

se·lenium [sɪ'liːniəm] *n no pl* CHEM Selen *nt*

self <*pl* selves> [self] *n* (*personality*) ■one's ~ das Selbst [*o* Ich]; **to be** [like] **one's former** ~ wieder ganz der/die Alte sein; **to find one's true** ~ sein wahres Ich [*o* sich selbst] finden

self-a'base·ment [-ə'beɪsmənt] *n no pl* Selbsterniedrigung *f* **self-a'buse** *n no pl* (*harm*) Selbstzerstörung *f* **self-ad·dressed 'en·velope** *n* adressierter Rückumschlag **self-ad·'he·sive** *adj stamps, envelopes, labels* selbstklebend **self-ap·'point·ed** *adj manager, experts, critic* selbst ernannt **self-as·'sur·ance** *n no pl* Selbstvertrauen *nt,* Selbstsicherheit *f* **self-as·'sured** *adj* selbstbewusst, selbstsicher **self-'ca·ter·ing** *n no pl* BRIT, AUS Selbstverpflegung *f;* ~ **flat** [*or* AM **apart·ment**| [*or* **accommodation**| Ferienwohnung *f* **self-'cen·tred** *adj,* AM **self-'centered** *adj* (*pej*) egozentrisch; ~ **person** Egozentriker(in) *m(f)* **self-com·'pla·cent** *adj* selbstzufrieden **self-com·'posed** *adj* beherrscht; **to remain** ~ gelassen bleiben **self-con·'ceit·ed** *adj* eingebildet **self-con·'fessed** *adj attr* erklärt; **she's a** ~ **thief** sie bezeichnet sich selbst

als Diebin **self-'con·fi·dence** *n no pl* Selbstvertrauen *nt* **self-'con·scious** *adj* gehemmt; *laugh, smile* verlegen **self-con·'tained** *adj* ❶ (*complete*) selbstgenügsam; ~ **community** autarke Gemeinschaft ❷ (*separate*) ~ **apartment** separate Wohnung **self-contra·'dic·tory** *adj* (*form*) paradox *geh* **self-con·'trol** *n no pl* Selbstbeherrschung *f;* **to exercise** ~ Selbstdisziplin üben; **to lose/regain one's** ~ die Fassung verlieren/wiedergewinnen **self-'criti·cal** *adj* selbstkritisch **self-'criti·cism** *n no pl* Selbstkritik *f* **self-de·'ceit,** **self-de·'cep·tion** *n no pl* Selbstbetrug *m* **self-de·'feat·ing** *adj* kontraproduktiv **self-de·'fence,** AM **self-de·'fense** *n no pl* Selbstverteidigung *f;* **in** ~, **I have to say that ...** zu meiner Verteidigung muss ich sagen, dass ...; **to kill sb in** ~ jdn in Notwehr töten **self-de·'ni·al** *n no pl* Selbsteinschränkung *f* **self-de·'struct** *vi* sich selbst zerstören; *materials* zerfallen; *missile* [zer]bersten **self-de·ter·mi·'na·tion** *n no pl* POL Selbstbestimmung *f* **self-'dis·ci·pline** *n no pl* Selbstdisziplin *f* **self-'edu·cat·ed** *adj* autodidaktisch; **he's** ~ er ist ein Autodidakt **self-ef·'fac·ing** *adj* bescheiden **self-em·'ployed** **I.** *adj* selbständig; **he is** ~ er ist selbständig; ~ **builder** Bauunternehmer(in) *m(f);* ~ **lawyer** Anwalt, Anwältin *m, f* mit eigener Kanzlei **II.** *n* ■**the** ~ *pl* die Selbständigen *pl* **self-em·'ploy·ment** *n no pl* Selbständigkeit *f* **self-es·'teem** *n no pl* Selbstwertgefühl *nt;* **to have no/high/low** ~ kein/ein hohes/ein geringes Selbstwertgefühl haben **self-'evi·dent** *adj* offensichtlich; ■**it is** ~ **that ...** es liegt auf der Hand, dass ... **self-ex·'plana·tory** *adj* ■**to be** ~ klar sein, keiner weiteren Erklärung bedürfen **self-ex·'pres·sion** *n no pl* Selbstdarstellung *f* **self-ful·'fill·ing** *adj* ■**to be** ~ sich selbst bewahrheiten **self-'gov·ern·ing** *adj* selbst verwaltet; ~ **school** Privatschule *f* **self-'gov·ern·ment** *n no pl* Selbstverwaltung *f* **self-'help** *n no pl* Selbsthilfe *f;* ~ **group** Selbsthilfegruppe *f* **self-im·'port·ance** *n no pl* Selbstgefälligkeit *f* **self-im·'port·ant** *adj* selbstgefällig **self-im·'posed** *adj* selbst verordnet **self-in·'dul·gence** *n* ❶ *no pl* (*hedonism*) Luxus *m* ❷ (*act*) Hemmungslosigkeit *f* **self-in·'dul·gent** *adj* genießerisch **self-in·'flict·ed** *adj* selbst zugefügt [*o* beigebracht] **self-'in·ter·est** *n no pl* Eigeninteresse *f*

self·ish ['selfɪʃ] *adj* selbstsüchtig; *motive* eigennützig

self·ish·ly ['selfɪʃli] *adv* selbstsüchtig, eigennützig

self·ish·ness ['selfɪʃnəs] *n no pl* Selbstsucht *f*

self-jus·ti·fi·'ca·tion *n* Rechtfertigung *f*

self·less ['selfləs] *adj* selbstlos

self-'made *adj* selbst gemacht; **~ man** Selfmademan *m* **self-o'pin·ion·at·ed** *adj* starrköpfig **self-'pity** *n no pl* Selbstmitleid *nt* **self-'por·trait** *n* Selbstbildnis *nt;* **to draw** [*or* **paint**] **a ~** sich selbst porträtieren **self-pos·'sessed** *adj* selbstbeherrscht **self-pre·ser·'va·tion** *n no pl* Selbsterhaltung *f* **self-rais·ing** 'flour *n no pl* Brit, Aus *Mehl, dem Backpulver beigemischt ist* **self-re·ali·'za·tion** *n no pl* Selbstverwirklichung *f* **self-re·'li·ance** *n no pl* Selbstvertrauen *nt* **self-re·'li·ant** *adj* selbständig **self-re·'spect** *n no pl* Selbstachtung *f* **self-re·'spect·ing** *adj attr* ❶ (*having self-respect*) ■to be ~ Selbstachtung besitzen; **~ government** ernst zu nehmende Regierung ❷ (*esp hum: good*) anständig; **no ~ person** niemand, der was auf sich hält **self-'right·eous** *adj* selbstgerecht **self-ris·ing** 'flour *n no pl* Am *Mehl, dem Backpulver beigemischt ist* **self-'sac·ri·fice** *n no pl* Selbstaufopferung *f;* **to require ~** Opferbereitschaft verlangen **self-sac·ri·fic·ing** [-'sækrɪfaɪsɪŋ] *adj* hingebungsvoll **self-sat·is·'fac·tion** *n no pl* Selbstzufriedenheit *f* **self-'sat·is·fied** *adj* selbstzufrieden **self-'seek·ing** (*form*) I. *n no pl* Selbstsucht *f* II. *adj* selbstsüchtig **self-'ser·vice** *n no pl* Selbstbedienung *f;* **~ res·taurant** Selbstbedienungsrestaurant *nt* **self-suf·'fi·cien·cy** *n no pl* Selbstversorgung *f;* **economic ~** Autarkie *f geh* **self-suf·'fi·cient** *adj* selbständig **self-'taught** *adj* ❶ (*educated*) selbst erlernt ❷ (*acquired*) autodidaktisch **self-willed** [-'wɪld] *adj* starrköpfig **self-wind·ing** 'watch *n* Armbanduhr *f* mit Selbstaufzug **sell** [sel] I. *vt* <sold, sold> ❶ (*for money*) verkaufen; **I sold him my car for £600** ich verkaufte ihm mein Auto für 600 Pfund; **to ~ sth** [**for sb**] **on consignment** Am etw [für jdn] in Zahlung nehmen; **to ~ property** Besitz veräußern; **to ~ sth retail/wholesale** etw im Einzel-/Großhandel verkaufen ❷ (*persuade*) ■to ~ sth [to sb] jdn für etw *akk* gewinnen; **she's really sold on the idea of buying a new car** sie ist echt begeistert von der Idee, ein neues Auto zu kaufen; **to ~ an idea to sb** jdm eine Idee schmackhaft machen ▶to ~ one's soul [to the devil] [dem Teufel] sei-

ne Seele verkaufen; **to ~ oneself short** das eigene Licht unter den Scheffel stellen II. *vi* <sold, sold> ❶ (*give for money*) verkaufen ❷ (*attract customers*) sich verkaufen ▶to ~ like hot cakes wie warme Semmeln weggehen III. *n* ❶ *no pl* Ware *f;* **to be a hard** [*or* **tough**]/**soft ~** schwer/leicht verkäuflich sein ❷ *no pl* STOCKEX ■to be a ~ *shares* zum Verkauf stehen ◆sell off *vt* verkaufen ◆sell out I. *vi* ❶ (*sell entire stock*) ausverkaufen; **I'm sorry, we've sold out** es tut mir leid, aber wir sind ausverkauft ❷ (*be completely booked*) ■to be sold out *performance* ausverkauft sein ❸ FIN ■to ~ out to sb an jdn verkaufen ❹ (*do what others want*) ■to ~ out to sb sich jdm verkaufen II. *vt* ❶ *stock* ■to be sold out ausverkauft sein ❷ (*pej fam: betray*) verraten ❸ (*sell*) veräußern; **to ~ out one's interests/shares** seine Anteile/Aktien verkaufen ◆sell up Brit, Aus I. *vi* verkaufen II. *vt* verkaufen

sell·able ['seləbl] *adj* [gut] verkäuflich; **I'm convinced that my idea is ~** ich bin mir sicher, dass sich meine Idee verkaufen lässt

'sell-by date *n esp* Brit Mindesthaltbarkeitsdatum *nt;* **past the ~** nach Ablauf des Mindesthaltbarkeitsdatums; **to be past one's ~** (*hum fam*) seine besten Jahre hinter sich *dat* haben

sell·er ['selə'] *n* ❶ (*person*) Verkäufer(in) *m(f)* ❷ (*product*) Verkaufsschlager *m*

sell·ing ['selɪŋ] *n no pl* Verkaufen *nt* **'sell·ing point** *n* Kaufattribut *nt* **'sell·ing price** *n* Kaufpreis *m*

'sell-off *n* ❶ *of shares* Verkauf *m* ❷ (*privatization*) Aktienverkauf *m*

Sel·lo·tape® ['seləʊteɪp] *n no pl* Brit Tesafilm® *m*

'sell-out *n* ❶ (*sales*) Ausverkauf *m;* **the concert was a ~** das Konzert war ausverkauft ❷ (*betrayal*) Auslieferung *f*

selves [selvz] *n pl of* self

se·man·tic [sɪ'mæntɪk] *adj* semantisch

se·man·tics [sɪ'mæntɪks] *n* ❶ + *sing vb* (*science*) Semantik *f* ❷ (*meaning*) *of word, text* Bedeutung *f*

sema·phore ['seməfɔː'] I. *n* ❶ *no pl* (*system of communication*) Semaphor *nt o* ÖSTERR *m* (*eine Signalsprache*) ❷ (*apparatus*) Semaphor *nt o* ÖSTERR *m* II. *vt* signalisieren

sem·blance ['semblən(t)s] *n no pl* (*form*) Anschein *m;* **~ of normality** Anschein *m* von Normalität

se·men ['siːmən] *n no pl* Sperma *nt*

se·mes·ter [sɪ'mestə'] *n esp* Am, Aus Semester *nt*

semi <*pl* -s> ['semi] *n* (*fam*) ❶ BRIT, AUS (*house*) Doppelhaushälfte *f* ❷ AM, AUS (*truck*) Sattelschlepper *m* ❸ SPORTS Halbfinale *nt*

semi-auto·'mat·ic *adj* ❶ MIL ~ **weapons** halbautomatische Waffen ❷ TECH halbautomatisch; ~ **gearbox** halbautomatische Schaltung **'semi·breve** ['semibriːv] *n esp* BRIT, AUS MUS ganze Note **'semi·cir·cle** *n* Halbkreis *m* **semi·'cir·cu·lar** *adj* *formation* halbkreisförmig **semi·'co·lon** *n* Semikolon *nt,* Strichpunkt *m* **semi·con·'duc·tor** *n* Halbleiter *m* **semi·'con·scious** *adj* halb bewusstlos; *feeling, memory* teilweise unbewusst; ▪**to be ~** halb bei Bewusstsein sein **semi·de·'tached I.** *n* Doppelhaushälfte *f* **II.** *adj* Doppelhaus· **semi·'fi·nal** *n* Halbfinale *nt;* **to reach the ~** das Halbfinale erreichen **semi·'fi·nal·ist** *n* SPORTS Halbfinalist(in) *m(f)*

semi·nal ['semɪnəl] *adj* ❶ (*form: important*) *role* tragend *geh; work, article* bedeutend ❷ *attr* ANAT Samen·

semi·nar ['semɪnɑːʳ] *n* ❶ UNIV Seminar *nt* ❷ (*workshop*) Seminar *nt; ~* **on communication skills** Rhetorikkurs *m;* **training ~** Übung *f*

semi·nary ['semɪnəri] *n* Priesterseminar *nt*

semi-of·'fi·cial *adj* halboffiziell

se·mi·ot·ics [ˌsemiˈɒtɪks] *n* + *sing vb* LING Semiotik *f*

semi-'pre·cious *adj* ~ **stone** Halbedelstein *m* **'semi·qua·ver** *n esp* BRIT, AUS Sechzehntel[note] *f* **semi-'skilled** *adj* angelernt; ~ **work** Anlerntätigkeit *f;* ~ **worker** angelernte Arbeitskraft

Se·mite ['siːmaɪt] *n* Semit(in) *m(f)*

Se·mit·ic [səˈmɪtɪk] *adj* semitisch

'semi·tone *n* Halbton[schritt] *m*

semi-'trail·er *n* AM, AUS ❶ (*truck*) Sattelschlepper *m* ❷ (*trailer*) Anhänger *m* (*für Sattelschlepper*) **semi-'tropi·cal** *adj see* **subtropical** **'semi·vow·el** *n* Halbvokal *m*

semo·'li·na [ˌseməˈliːnə] *n no pl* Gries *m*

Sen *n* POL *abbrev of* **senator**

sen·ate ['senɪt] *n no pl,* + *sing/pl vb* POL, LAW, UNIV Senat *m;* **the US S~** der US-Senat; **the French S~** der oberste Gerichtshof Frankreichs

sena·tor ['senətəʳ] *n* ❶ (*member*) Senator(in) *m(f)* ❷ (*title*) ▪**S~** Senator

sena·to·rial [ˌsenəˈtɔːriəl] *adj esp* AM (*form*) Senats-

send <sent, sent> [send] *vt* ❶ (*forward*) ▪**to ~** [**sb**] **sth** jdm etw [zu]schicken; **to ~ sth by airmail/post** etw per Luftpost/mit der Post schicken; **to ~ invitations** Einla-

dungen verschicken; **to ~ sb a message/ warning** jdm eine Nachricht/Warnung zukommen lassen; **to ~ a signal to sb** jdm etw signalisieren ❷ (*pass on*) ▪**to ~ sb sth** jdm etw übermitteln [lassen]; **Maggie ~s her love** Maggie lässt dich grüßen; **be sure to ~ them my regrets** bitte entschuldige mich bei ihnen ❸ (*dispatch*) schicken; ▪**to ~ sb for sth** jdn nach etw *dat* [los]schicken; **to ~ sb to prison** jdn ins Gefängnis stecken; **to ~ reinforcements** Verstärkung schicken ❹ (*transmit*) senden; **to ~ a message in Morse code** eine Nachricht morsen; **to ~ a signal** ein Signal aussenden ❺ (*propel*) bewegen ❻ (*cause*) versetzen; **watching television always ~s me to sleep** beim Fernsehen schlafe ich immer ein; **to ~ sb into a panic** jdn in Panik versetzen; **to ~ shivers down sb's spine** jdm Schauer über den Rücken jagen ▸**to ~ sb to Coventry** jdn schneiden; **to ~ sb flying** jdn zu Boden schicken; **to ~ sb packing** (*fam*) sagen, dass jd verschwinden soll ◆**send away I.** *vi* ▪**to ~ away for sth** sich *dat* etw zuschicken lassen **II.** *vt* wegschicken ◆**send back** *vt* zurückschicken ◆**send down I.** *vt* ❶ BRIT UNIV ▪**to ~ sb down** jdn relegieren [*o von* der Hochschule verweisen] *geh* ❷ BRIT LAW verurteilen; **he was sent down for five years** er wurde zu fünf Jahren Gefängnis verurteilt ❸ (*reduce level*) senken **II.** *vi* ▪**to ~ down for sth** nach etw *dat* schicken ◆**send for** *vi* ❶ (*summon*) rufen ❷ (*ask*) *brochure, information* anfordern; **to ~ for help** Hilfe holen ◆**send forth** *vt* ❶ (*liter: dispatch*) fortschicken ❷ (*form: emit*) aussenden ◆**send in I.** *vt* ❶ (*submit*) *bill* einsenden, einreichen; *report* einschicken; *order* aufgeben ❷ (*dispatch*) einsetzen; **to ~ in reinforcements** Verstärkung einsetzen **II.** *vi* ▪**to ~ in for sth** sich *dat* etw zuschicken lassen; **to ~ in for information** Informationen anfordern ◆**send off I.** *vt* ❶ (*post*) abschicken; **to ~ off a parcel** ein Paket aufgeben ❷ BRIT, AUS SPORTS des Platzes verweisen; **to get sent off** einen Platzverweis bekommen ❸ (*dismiss*) wegschicken ❹ (*dispatch*) fortschicken **II.** *vi* ▪**to ~ off for sth** etw anfordern ◆**send on** *vt letters* nachsenden ◆**send out I.** *vi* ▪**to ~ out for sth** etw telefonisch bestellen; **to ~ out for pizza** Pizza bestellen **II.** *vt* ❶ (*emit*) aussenden, abgeben ❷ (*post*) verschicken (**to** an) ❸ (*dispatch*) aussenden ◆**send up** *vt* ❶ (*bring up*) zuschicken ❷ AM (*incarcerate*) inhaftieren ❸ (*fam: parody*) ▪**to ~ up**

○ **sb** jdn nachäffen ➍ *(force up)* ▪ **to ~ up** ○ **sth** etw ansteigen lassen

send·er ['sendə^r] *n* Einsender(in) *m/f)*, Absender(in) *m/f);* **return to ~** — **not known at this address** Empfänger unbekannt verzogen

'**send-off** *n* Verabschiedung *f;* **to give sb a ~** jdn verabschieden '**send-up** *n (fam)* Parodie *f*

Sen·egal [,senɪ'gɔ:l] *n* Senegal *m*

Sen·ega·lese [,senɪgə'li:z] I. *adj* senegalesisch II. *n* <pl -> Senegalese, Senegalesin *m, f*

se·nile ['si:naɪl] *adj* senil

se·nile de·'men·tia *n no pl* senile Demenz

se·nil·ity [sɪ'nɪləti] *n no pl* Senilität *f*

sen·ior ['si:niə^r] I. *adj* ➊ *(form: older)* älter ➋ *attr (chief)* Ober-; ➌ *employee* vorgesetzt ➍ *attr* SCH Senior- *(Einteilung der Schüler in Altersklassen in britischen und amerikanischen Schulen)* II. *n* ➊ *(older person)* Senior(in) *m/f);* **she's my ~ by three years** sie ist drei Jahre älter als ich ➋ *(employee)* Vorgesetzte(r) *f/m)* ➌ AM *(pensioner)* Rentner(in) *m/f)* ➍ *(pupil)* Oberstufenschüler(in) *m/f) (in Großbritannien und USA Bezeichnung für Schüler einer Highschool oder einer Collegeabgangsklasse)*

sen·ior 'citi·zen *n* ▪ **~s** *pl* ältere Menschen, Senioren *pl* **sen·ior 'high school** *n + sing/pl vb* AM *(Schulform nach der Junior High School, die die Stufen 10, 11 und 12 enthält)*

sen·ior·ity [,si:ni'ɒrəti] *n no pl* ➊ *(age)* Alter *nt* ➋ *(rank)* Dienstalter *nt*

sen·ior 'of·fic·er *n* ➊ *(chief)* Vorgesetzte(r) *f/m)* ➋ MIL Reserveoffizier(in) *m/f)* **sen·ior 'part·ner** *n* Seniorpartner(in) *m/f)*

sen·sa·tion [sen'seɪʃ^ən] *n* ➊ *(physical)* Gefühl *nt;* **~ of cold/heat** Kälte-/Hitzeempfindung *f;* **~ of pain** Schmerzempfinden *nt;* **burning ~** Brennen *nt* ➋ *(mental)* Gefühl *nt;* **to have the ~ that ...** das Gefühl haben, dass ... ➌ *(stir)* Sensation *f;* **to be an overnight ~** einschlagen wie eine Bombe; **to cause a ~** Aufsehen erregen

sen·sa·tion·al [sen'seɪʃ^ən^əl] *adj* sensationell; *(very good also)* fantastisch; *(shocking also)* spektakulär

sen·sa·tion·al·ism [sen'seɪʃ^ən^əlɪz^əm] *n no pl (pej) of the media* Sensationsmache *f pej*

sen·sa·tion·al·ly [sen'seɪʃ^ən^əli] *adv* ➊ *(excitingly)* fantastisch, sensationell ➋ *(very)* unwahrscheinlich, extrem; **the book sold**

~ **well** das Buch verkaufte sich unwahrscheinlich gut; ~ **popular/successful** enorm beliebt/erfolgreich

sense [sen(t)s] I. *n* ➊ *no pl (judgement)* Verstand *m;* **I hope they'll have the [good] ~ to shut the windows before they leave** ich hoffe, sie sind so klug, die Fenster zu schließen, bevor sie gehen; **to make [good] ~** sinnvoll sein; **there's no ~ in doing sth** es hat keinen Sinn, etw zu tun ➋ *(reason)* ▪ **one's ~s** *pl* jds gesunder Menschenverstand; **it's time you came to your ~s** es wird Zeit, dass du zur Vernunft kommst; **to take leave of one's ~s** den Verstand verlieren ➌ *(faculty)* Sinn *m;* ~ **of hearing** Gehör *nt;* ~ **of sight** Sehvermögen *nt;* ~ **of smell/taste/touch** Geruchs-/Geschmacks-/Tastsinn *m;* **the five ~s** die fünf Sinne; **sixth ~** sechster Sinn ➍ *(feeling)* Gefühl *nt;* ~ **of direction** Orientierungssinn *m;* ~ **of duty** Pflichtgefühl *nt;* ~ **of justice** Gerechtigkeitssinn *m;* ~ **of time** Zeitgefühl *nt* ➎ *(meaning)* Bedeutung *f,* Sinn *m;* **in the broad[est]** ~ **of the term** im weitesten Sinne des Wortes; **figurative/literal ~** übertragene/wörtliche Bedeutung; **to make ~** einen Sinn ergeben ➏ *(way)* Art *f;* **in a ~** in gewisser Weise; **in every ~** in jeder Hinsicht ➐ *(aptitude)* **to have a ~ of fun** Spaß verstehen können; **to have a ~ of humour** Sinn für Humor haben II. *vt* wahrnehmen; ▪ **to ~ that ...** spüren, dass ...; **to ~ danger** Gefahr wittern

sense·less ['sen(t)sləs] *adj* ➊ *(pointless)* *violence, waste* sinnlos ➋ *(foolish) argument* töricht ➌ *(unconscious)* besinnungslos; **to beat sb ~** jdn k.o. schlagen

'**sense or·gan** *n* Sinnesorgan *nt*

sen·sibil·ity [,sen(t)sɪ'bɪləti] *n* ➊ *no pl (sensitiveness)* Einfühlungsvermögen *nt* ➋ *no pl (understanding)* Verständnis *nt* ➌ *(delicate sensitivity)* ▪ **sensibilities** *pl* Gefühle *pl*

sen·sible ['sen(t)sɪbl] *adj* ➊ *(rational)* vernünftig; ~ **decision** weise Entscheidung; ~ **person** kluger Mensch ➋ *(suitable) clothes* angemessen ➌ *(form: aware)* ▪ **to be ~ of sth** sich *dat* einer S. *gen* bewusst sein; **to be ~ of the fact that ...** sich *dat* darüber im Klaren sein, dass ...

sen·sibly ['sen(t)sɪbli] *adv* ➊ *(rationally)* vernünftig ➋ *(suitably)* angemessen; ~ **dressed** passend gekleidet

sen·si·tive ['sen(t)sɪtɪv] *adj* ➊ *(kind)* verständnisvoll; ▪ **to be ~ to sth** für etw *akk* Verständnis haben ➋ *(precarious)* heikel; *time* kritisch ➌ *(touchy)* empfindlich; ▪ **to**

be ~ to sth empfindlich auf etw *akk* reagieren ④ (*secret*) vertraulich ⑤ (*responsive*) empfindlich (**to** gegenüber); **to be ~ to cold** kälteempfindlich sein; **~ feelings** verletzliche Gefühle

sen·si·tive·ly ['sen(t)sɪtɪvli] *adv* verständnisvoll; **this is a very delicate situation and it needs to be handled ~** dies ist eine sehr heikle Situation, und man muss hier Fingerspitzengefühl beweisen

sen·si·tive·ness ['sen(t)sɪtɪvnəs] *no pl*, **sen·si·tiv·ity** [ˌsen(t)sɪˈtɪvəti] *n* ❶ *no pl* (*understanding*) Verständnis *nt* ❷ (*touchiness*) ■**sensitivities** *pl* Empfindsamkeit *f* (**about** gegenüber) ❸ *no pl* (*confidentiality*) Vertraulichkeit *f* ❹ (*reaction*) Überempfindlichkeit *f* (**to** gegen); **~ to cold** Kälteempfindlichkeit *f*; **~ to light** Licht[über]empfindlichkeit *f*

sen·si·tize ['sen(t)sɪtaɪz] *vt* ❶ (*make aware*) ■**to ~ sb to sth** jdn für etw *akk* sensibilisieren; **to ~ sb to a problem** jdn auf ein Problem aufmerksam machen ❷ (*make sensitive*) sensibilisieren

sen·sor ['sen(t)səʳ] *n* Sensor *m*

sen·so·ry ['sen(t)səʳi] *adj* sensorisch; **~ perception** Sinneswahrnehmung *f*

sen·su·al ['sen(t)sjʊəl] *adj* sinnlich

sen·su·al·ity [ˌsen(t)sjuˈæləti] *n no pl* Sinnlichkeit *f*

sen·su·ous ['sen(t)sjʊəs] *adj* ❶ *see* **sensual** ❷ (*of senses*) sinnlich

sen·su·ous·ly ['sen(t)sjʊəsli] *adv* sinnlich; **~ appealing** anziehend

sent [sent] *pp*, *pt of* **send**

sen·tence ['sentən(t)s] **I.** *n* ❶ (*court decision*) Urteil *nt*; (*punishment*) Strafe *f*; **death ~** Todesstrafe *f*; **jail** [*or* **prison**] **~** Gefängnisstrafe *f*; **life ~** lebenslängliche Haftstrafe; **to serve a ~** eine Strafe verbüßen ❷ (*word group*) Satz *m* **II.** *vt* verurteilen (**to** zu)

sen·ten·tious [senˈtən(t)ʃəs] *adj* (*pej form: moralizing*) moralisierend; (*affectedly formal*) salbungsvoll

sen·ti·ent ['sentiənt, 'sen(t)ʃənt] *adj* (*form: having feelings*) fühlend *attr*; (*sensitive*) empfindsam; **~ being** empfindsames Wesen

sen·ti·ment ['sentɪmənt] *n* (*form*) ❶ *usu pl* (*attitude*) Ansicht *f*, Meinung *f*; **my ~s exactly!** ganz meine Meinung!; **to share sb's ~s** jds Ansichten teilen ❷ *no pl* (*general opinion*) **popular/public ~** allgemeine/öffentliche Meinung ❸ *no pl* (*excessive emotion*) Rührseligkeit *f*

sen·ti·men·tal [ˌsentɪˈment⁹l] *adj* ❶ (*emotional*) *mood, person* gefühlvoll; **~ value**

ideeller Wert; ■**to be ~ about sth** an etw *dat* hängen ❷ (*pej: overly emotional*) *person* sentimental; *music, style* kitschig; *song* schnulzig; *story* rührselig

sen·ti·men·tal·ity [ˌsentɪmenˈtæləti] *n no pl* (*pej*) Sentimentalität *f*

sen·ti·men·tal·ize [ˌsentɪˈment⁹laɪz] *vt* gefühlvoll darstellen

sen·try ['sentri] *n* Wache *f*

'sen·try box *n* Wachhäuschen *nt*

SEO [ˌesiːˈoʊ] *n abbrev of* **search engine optimizer** Suchmaschinenoptimierer *m*

sepa·rable ['sepʳəbl] *adj* ❶ (*form: able to separate*) [ab]trennbar ❷ LING trennbar

sepa·rate **I.** *adj* ['sepʳət] (*not joined*) getrennt, separat; (*independent*) einzeln *attr*; **to go ~ ways** eigene Wege gehen; **to keep sth ~** etw auseinanderhalten **II.** *n* ['sepʳət] ■**~s** *pl* ≈ Einzelteile *pl*; **ladies' ~s** Röcke, Blusen, Hosen **III.** *vt* ['sepʳeɪt] trennen; **they look so alike I can't ~ them in my mind** sie sehen sich so ähnlich, ich kann sie einfach nicht auseinanderhalten **IV.** *vi* ['sepʳeɪt] ❶ (*become detached*) sich trennen; CHEM sich scheiden ❷ (*of cohabiting couple*) sich trennen; (*divorce*) sich scheiden lassen; **she is ~d from her husband** sie lebt von ihrem Mann getrennt

sepa·rate·ly ['sepʳətli] *adv* (*apart*) getrennt; (*individually*) gesondert, einzeln

sepa·ra·tion [ˌsepʳʳeɪʃⁿn] *n* ❶ (*act of separating*) Trennung *f* ❷ (*living apart*) [eheliche] Trennung ❸ CHEM Scheidung *f*; TECH Abtrennung *f*

sepa·rat·ism ['sepʳrətɪzⁿm] *n no pl* Separatismus *m*

sepa·rat·ist ['sepʳrətɪst] **I.** *n* Separatist(in) *m(f)* **II.** *adj* separatistisch

sepa·ra·tor ['sepʳreɪtəʳ] *n* TECH Separator *m*

se·pia ['siːpiə] *adj* sepia[farben]

sep·sis ['sepsɪs] *n no pl* MED Blutvergiftung *f*

Sep·tem·ber [sepˈtembəʳ] *n* September *m*; *see also* **February**

sep·tic ['septɪk] *adj* septisch; **to go ~** eitern

sep·ti·cae·mia [ˌseptɪˈsiːmiə], AM **sep·ti·ce·mia** *n no pl* MED Blutvergiftung *f*

sep·tua·gen·ar·ian [ˌseptjʊədʒəˈneəriən] *n* Siebzigjährige(r) *f(m)*

sep·ul·cher *n* AM *see* **sepulchre**

se·pul·chral [sɪˈpʌlkrⁿl] *adj* (*liter: of burial, tombs*) Grab-; (*gloomy*) düster; **~ silence** Grabesstille *f*

sep·ul·chre ['sepⁿlkəʳ] *n* (*old: tomb*) Grab *nt*, Grabstätte *f*; (*monument*) Grabmal *nt*

S

se·quel ['si:kwəl] *n* ❶ (*continuation*) Fortsetzung *f* ❷ (*follow-up*) Nachspiel *nt*

se·quence ['si:kwən(t)s] *n* ❶ (*order of succession*) Reihenfolge *f*; (*connected series*) Abfolge *f*; **to be in chronological ~** in chronologischer Reihenfolge sein ❷ (*part of film*) Sequenz *f*; **opening/closing ~** Anfangs-/Schlussszene *f* ❸ MATH Reihe *f*; MUS Sequenz *f*

se·quen·tial [sɪ'kwen(t)ʃəl] *adj* (*form*) [aufeinander]folgend *attr*

se·ques·trate ['si:kwəstreɪt] *vt* ❶ LAW (*temporarily confiscate*) beschlagnahmen ❷ AM (*isolate*) isolieren

se·ques·tra·tion [ˌsi:kwes'treɪʃᵊn] *n no pl* ❶ LAW (*temporary confiscation*) Beschlagnahme *f* ❷ AM (*isolation*) Isolation *f*

se·quin ['si:kwɪn] *n* Paillette *f*

se·quoia [sɪ'kwɔɪə] *n* BOT Mammutbaum *m*

Serb [sɜːb], **Ser·bian** ['sɜːbiən] **I.** *adj* serbisch **II.** *n* ❶ (*person*) Serbe, Serbin *m, f* ❷ *no pl* (*language*) Serbisch *nt*

Ser·bia ['sɜːbiə] *n* Serbien *nt*

Serbo-Croat [ˌsɜːbəʊ'krəʊæt] *n* LING Serbokroatisch *nt*

ser·enade [ˌserə'neɪd] **I.** *n* ❶ (*classical music*) Serenade *f* ❷ (*music of lover*) Ständchen *nt* **II.** *vt* (*sing*) ein Ständchen bringen

se·rene <-r, -st *or* more ~, most ~> [sə'ri:n] *adj* (*calm*) ruhig; (*untroubled*) gelassen

se·ren·ity [sə'renɪti] *n no pl* (*calmness*) Ruhe *f*; (*untroubled state*) Gelassenheit *f*

serf [sɜːf] *n* (*hist*) Leibeigene(r) *f(m) hist*

serf·dom ['sɜːfdəm] *n no pl* (*hist*) Leibeigenschaft *f hist*

ser·geant ['sɑːdʒᵊnt] *n* ❶ (*military officer*) Unteroffizier *m* ❷ (*police officer*) ≈ Polizeimeister(in) *m(f)*

ser·geant 'ma·jor *n* Oberfeldwebel *m*

se·rial ['sɪəriəl] **I.** *n* MEDIA, PUBL Fortsetzungsgeschichte *f* **II.** *adj* ❶ (*broadcasting, publishing*) Serien-; **~ rights** Rechte *pl* zur Veröffentlichung in Fortsetzungen ❷ (*repeated*) Serien-

se·rial·ize ['sɪəriᵊlaɪz] *vt usu passive in newspapers* in Fortsetzungen veröffentlichen; *on TV, radio etw* in Fortsetzungen senden

'se·rial kill·er *n* Serienmörder(in) *m(f)* **'se·rial num·ber** *n* Seriennummer *f* **'se·rial port** *n* COMPUT serielle Schnittstelle *f*

se·ries <*pl* -> ['sɪəri:z] *n* ❶ (*set of events*) Reihe *f*; (*succession*) Folge *f* ❷ SPORTS Serie *f* ❸ RADIO, TV Serie *f* ❹ PUBL Reihe *f* (**on** über) ❺ (*line of products*) Serie *f* ❻ ELEC Reihe *f*

se·ri·ous ['sɪəriəs] *adj* ❶ (*earnest*) *person* ernst; (*solemn, not funny*) *comment, situation* ernst; **a ~ threat** eine ernsthafte Bedrohung ❷ (*grave*) *accident, crime* schwer; (*dangerous*) gefährlich; (*not slight*) [*medical*] *condition, problem* ernst; *allegation* schwerwiegend; *argument, disagreement* ernsthaft; **~ trouble** ernsthafte Schwierigkeiten *pl* ❸ *attr* (*careful*) ernsthaft; **to give sth a ~ thought** ernsthaft über etw *akk* nachdenken ❹ *pred* (*determined*) ernst; ▪**to be ~ about sb/sth** es mit jdm/etw ernst meinen; **is she ~ about going to live abroad?** ist das ihr Ernst, im Ausland leben zu wollen? ❺ (*fam: substantial*) gründlich; (*excellent*) super; **that's a ~ jacket, man!** eh, das ist eine starke Jacke! *fam* ❻ (*significant*) bedeutend; (*thought-provoking*) tiefgründig; *literature, writer* anspruchsvoll

se·ri·ous·ly ['sɪəriəsli] *adv* ❶ (*in earnest*) ernst; **to take sb/sth ~** jdn/etw ernst nehmen ❷ (*gravely, badly*) schwer; (*dangerously*) ernstlich; **~ ill/wounded** schwer krank/verletzt ❸ (*really*) im Ernst; **no, ~, ...** nein, [ganz] im Ernst, ... ❹ (*fam: very, extremely*) äußerst; **~ funny** urkomisch

se·ri·ous·ness ['sɪəriəsnəs] *n no pl* ❶ (*serious nature*) *of person* Ernst *m*; (*critical state*) *of problem, threat* Ernst *m*; *of situation* Ernsthaftigkeit *f* ❷ (*sincerity*) Ernsthaftigkeit *f*; *of offer* Seriosität *f geh*; **in all ~** ganz im Ernst

ser·mon ['sɜːmən] *n* ❶ (*religious speech*) Predigt *f* (**on** über); **to deliver a ~** eine Predigt halten ❷ (*pej: moral lecture*) [Moral]predigt *f oft pej*

ser·pent ['sɜːpᵊnt] *n* (*old*) Schlange *f*

ser·pen·tine ['sɜːpᵊntaɪn] *adj* (*liter*) ❶ (*snake-like*) schlangenförmig; (*twisting, winding*) *movement* sich windend *attr*; *path, river* gewunden; *road* kurvenreich ❷ (*complicated, subtle*) gewunden; (*cunning*) tückisch

ser·rat·ed [sə'reɪtɪd] *adj* gezackt; **~ knife** Sägemesser *nt*; **knife with a ~ edge** Messer *nt* mit Wellenschliff

ser·ried ['serɪd] *adj* (*liter*) dicht

se·rum <*pl* -s *or* sera> ['sɪərəm, *pl* -rə] *n* ❶ MED [Blut]serum *nt*; (*infection-fighting agent*) [Heil]serum *nt* ❷ (*for hair*) Haarserum *nt*

serv·ant ['sɜːvᵊnt] *n* ❶ (*household helper*) Bediensteter *m*; (*female*) Bedienstete *f*, Dienstmädchen *nt* ❷ (*for public*) Angestellte(r) *f(m)* (*im öffentlichen Dienst*)

serve [sɜːv] **I.** *n* (*in tennis*) Aufschlag *m*; (*in volleyball*) Angabe *f* **II.** *vt* ❶ (*in hotel, restaurant, shop*) bedienen ❷ (*present food,* *drink*) servieren; (*make ready to eat*) anrichten; *wine* reichen ❸ (*be enough for*) reichen; **this ~s 4 to 5** das ergibt 4 bis 5 Portionen ❹ (*work for*) ■**to ~ sth** etw *dat* dienen; **to ~ the public** im Dienste der Öffentlichkeit stehen ❺ (*complete due period*) ableisten; **to ~ five years as president** eine fünfjährige Amtszeit als Präsident/Präsidentin durchlaufen; **to ~ a prison sentence** eine Haftstrafe absitzen *fam* ❻ (*provide for*) versorgen ❼ (*perform a function*) **to ~ a purpose** einen Zweck erfüllen; **if my memory ~s me right** wenn ich mich recht erinnere ❽ SPORTS **to ~ the ball** Aufschlag haben; (*in volleyball*) Angabe haben ▶**to ~ time** [**for sth**] (*fam*) eine Haftstrafe [wegen einer S. *gen*] absitzen; **this ~s him right** (*fam*) das geschieht ihm recht **III.** *vi* ❶ (*provide food, drink*) servieren ❷ (*work for*) dienen; ■**to ~ as sth** als etw fungieren; **to ~ in the army** in der Armee dienen; **to ~ on the council** im Stadtrat sein; **to ~ on a jury** Geschworene(r) *f/m)* sein ❸ (*function*) ■**to ~ as sth** als etw dienen ❹ (*be acceptable*) seinen Zweck erfüllen; (*suffice*) genügen; (*be of use*) helfen ❺ (*in tennis, etc.*) aufschlagen; (*in volleyball*) angeben ◆**serve out** *vt* ❶ (*in restaurant, pub*) servieren; *drink* ausschenken; *food* ausgeben ❷ (*complete a due period*) ableisten; *jail sentence* absitzen *fam; term of office* beenden ◆**serve up** *vt* servieren

serv·er ['sɜːvəʳ] *n* ❶ (*utensil*) Vorlegebesteck *nt;* (*spoon*) Vorlegelöffel *m;* (*fork*) Vorlegegabel *f* ❷ (*central computer*) Server *m* ❸ REL Ministrant(in) *m(f)*

serv·er-sav·vy ['sɜːvəsævi] *adj* COMPUT, INET interneterfahren

ser·vice ['sɜːvɪs] **I.** *n* ❶ *no pl* (*help for customers*) Service *m;* (*in hotels, restaurants, shops*) Bedienung *f;* **customer ~** Kundendienst *m* ❷ (*act of working*) Dienst *m,* Dienstleistung *f* ❸ (*form: assistance*) Unterstützung *f;* (*aid, help*) Hilfe *f;* ■**to be of ~** [**to sb**] [jdm] von Nutzen sein; **to need the ~s of a surveyor** einen Gutachter/eine Gutachterin brauchen; **to do sb a ~** jdm einen Dienst erweisen ❹ (*public or government department*) Dienst *m;* **civil/diplomatic ~** öffentlicher/diplomatischer Dienst *m* ❺ (*system for public*) Dienst *m;* (*organization for public*) Beratungsdienst *m;* **ambulance ~** Rettungsdienst *m;* **bus/train ~** Bus-/Zugverbindung *f;* [**public**] **transport ~** [öffentliches] Transportwesen ❻ (*operation*) Betrieb *m;* **postal ~** Postwesen *nt;* **to operate a** [**normal/**

reduced] **~** *bus, train* eine [normale/ eingeschränkte] Verbindung unterhalten ❼ (*roadside facilities*) ■**~s** *pl* Raststätte *f* ❽ (*tennis, etc.*) Aufschlag *m* ❾ (*armed forces*) Militär *nt;* ■**the ~s** das Militär *nt* kein *pl;* **military ~** Militärdienst *m* ❿ (*religious ceremony*) Gottesdienst *m;* **funeral ~** Trauergottesdienst *m;* **morning/evening ~** Frühmesse *f*/Abendandacht *f* ⓫ *esp* BRIT (*maintenance check*) Wartung *f;* AUTO Inspektion *f* ⓬ (*set of crockery*) Service *nt* ▶**to be in ~** (*employed as servant*) in Stellung sein; (*be in use, in operation*) im Einsatz sein **II.** *vt* warten

ser·vice·able ['sɜːvɪsəbl] *adj* strapazierfähig

'ser·vice area *n* ❶ (*on motorway*) Raststätte *f* ❷ RADIO, TV Sendegebiet *nt* **'ser·vice bus,** **'ser·vice car** *n* AUS, NZ Linienbus *m* **'ser·vice cen·tre** *n,* AM **'ser·vice cen·ter** *n* ❶ AM (*on freeway*) Raststätte *f* ❷ (*for repairs*) Reparaturwerkstatt *f;* (*garage*) Werkstatt *f* **'ser·vice charge** *n* Bedienungsgeld *nt* **'ser·vice de·part·ment** *n* Kundendienstabteilung *f* **'ser·vice el·eva·tor** *n* AM (*for employees*) Personalaufzug *m;* (*for goods*) Warenaufzug *m* **'ser·vice en·trance** *n* Personaleingang *m* **'ser·vice hatch** *n* Durchreiche *f* **'ser·vice in·dus·try** *n* Dienstleistungsindustrie *f;* (*company*) Dienstleistungsbetrieb *m* **'ser·vice lift** *n* (*for employees*) Personalaufzug *m;* (*for goods*) Warenaufzug *m* **'ser·vice·man** *n* Militärangehöriger *m* **'ser·vice road** *n* (*subsidiary road*) Nebenstraße *f;* (*access road*) Zufahrtsstraße *f;* (*for residents only*) Anliegerstraße *f* **'ser·vice sec·tor** *n* Dienstleistungsindustrie *f* **'ser·vice sta·tion** *n* Tankstelle *f* **'ser·vice·wom·an** *n* MIL Militärangehörige *f*

ser·vic·ing ['sɜːvɪsɪŋ] *n no pl esp* AM Wartung *f*

ser·vi·ette [ˌsɜːviˈet] *n esp* BRIT Serviette *f*

ser·vile ['sɜːvaɪl] *adj* (*pej*) *manner* unterwürfig; *obedience* sklavisch

ser·vil·ity [sɜːˈvɪləti] *n no pl* (*pej form*) Unterwürfigkeit *f*

serv·ing ['sɜːvɪŋ] **I.** *n of food* Portion *f* (**of**) **II.** *adj attr* ❶ (*person working*) dienend; **the longest-~ minister** der dienstälteste Minister/die dienstälteste Ministerin ❷ (*imprisoned*) inhaftiert

'serv·ing spoon *n* Vorlegelöffel *m*

ser·vi·tude ['sɜːvɪtjuːd] *n no pl* (*form*) Knechtschaft *f*

ser·vo ['sɜːvəʊ] *n* AUTO, TECH ❶ *short for*

S

servomechanism Servomechanismus *m* ❷ *short for* **servomotor** Servomotor *m*

sesa·me ['sesəmi] *n no pl* Sesam *m*

ses·sion ['seʃ⁹n] *n* ❶ *(formal meeting of organization)* Sitzung *f;* *(period for meetings)* Sitzungsperiode *f;* *(term of office)* Legislaturperiode *f;* **to meet in ~** zu einer Sitzung zusammenkommen ❷ *(period for specific activity)* Stunde *f;* **recording ~** Aufnahme *f;* **training ~** Trainingsstunde *f* ❸ MUS Session *f* ❹ AM, SCOT *(period for classes)* SCH Unterricht *m;* UNIV Seminar *nt;* *(teaching year)* SCH Schuljahr *nt;* UNIV Vorlesungszeit *f;* *(of two terms)* Semester *nt;* *(of three terms)* Trimester *nt*

set [set] **I.** *adj* ❶ *pred (ready)* bereit, fertig; **ready, get ~, go!** auf die Plätze, fertig, los!; ▪ **to be [all] ~ [for sth]** [für etw *akk*] bereit sein ❷ *(fixed)* *pattern, time* fest[gesetzt]; **~ meal** Tagesgericht *nt;* **~ menu** Tageskarte *f;* **~ phrase** feststehender Ausdruck; **~ price** Festpreis *m* ❸ *(expression of face)* starr ❹ *(unlikely to change)* **to have a ~ idea about sth** eine feste Vorstellung von etw *dat* haben; **to be ~ in one's ways** in seinen Gewohnheiten festgefahren sein ❺ *(likely)* **Manchester United looks ~ for victory** es sieht ganz so aus, als würde Manchester United gewinnen; **the rain is ~ to continue all week** der Regen wird wohl noch die ganze Woche andauern ❻ *attr (assigned)* *number, pattern* vorgegebene(r, s); *subject also* bestimmte(r, s); **~ book** Pflichtlektüre *f* ❼ *(determined)* ▪ **to be [dead] ~ against sth** [vollkommen] gegen etw *akk* sein; ▪ **to be [dead] ~ on sth** zu etw *akk* [wild] entschlossen sein **II.** *n* ❶ *(collection, group)* Satz *m;* *(of two items)* Paar *nt;* *of clothes* Garnitur *f;* **he's got a complete ~ of Joyce's novels** er hat eine Gesamtausgabe der Romane von Joyce; **box[ed] ~** Box-Set *nt* *(ein komplettes Set etwa von CDs oder Videokassetten, das in einem Schuber o.Ä. erhältlich ist);* *chess* ~ Schachspiel *nt;* **a ~ of chromosomes** ein Chromosomensatz *m;* **~ of encyclopaedias** Enzyklopädiereihe *f;* **~ of rules** Regelwerk *nt;* **tea ~** Teeservice *nt;* **~ of teeth** Gebiss *nt* ❷ + *sing/pl vb (group of people)* Kreis *m,* Clique *f fam* ❸ THEAT Bühnenbild *nt;* FILM Szenenaufbau *m;* *(film location)* Drehort *m;* **on the ~** bei den Dreharbeiten; *(location)* am Set ❹ *(appliance)* Gerät *nt;* *(television)* Fernseher *m;* *(radio)* Radio[gerät] *nt* ❺ SPORTS Satz *m* ❻ MATH Menge *f* ❼ MUS Block *m* ❽ COMPUT **data ~** Datensatz *m;* *(file)* Datei *f* ❾ *no pl of eyes,*

jaw Stellung *f;* *of shoulders* Haltung *f* ❿ *no pl (hair arrangement)* **to have a shampoo and ~** sich *dat* die Haare waschen und legen lassen **III.** *vt* <set, set> ❶ *(place)* stellen, setzen; *(on its side)* legen; **to ~ foot in** [*or* on] **sth** etw betreten; **to ~ sb on his/her way** *(fig)* jdn losschicken ❷ *usu passive (take place in, be located)* **'West Side Story' is ~ in New York** ,West Side Story' spielt in New York; **their house is ~ on a hill** ihr Haus liegt auf einem Hügel ❸ *(cause to be)* **his remarks ~ me thinking** seine Bemerkungen gaben mir zu denken; **to ~ a boat afloat** ein Boot zu Wasser lassen; **to ~ one's mind at ease** sich beruhigen; **to ~ sth on fire** etw in Brand setzen; **to ~ sth in motion** etw in Bewegung setzen [*o fig a.* ins Rollen bringen]; **to ~ sb loose** jdn freilassen; **to ~ sth right** etw [wieder] in Ordnung bringen; **to ~ sb straight** jdn berichtigen ❹ *(prepare)* vorbereiten; **to ~ the table** den Tisch decken; **to ~ the scene for sth** *(create conditions)* die Bedingungen für etw *akk* schaffen; *(facilitate)* den Weg für etw *akk* frei machen; **to ~ a trap** eine Falle aufstellen ❺ *(adjust)* einstellen; *alarm, clock* stellen ❻ *(fix)* festsetzen; *budget* festlegen; *date, time* ausmachen; *deadline* setzen, festlegen; **to ~ oneself a goal** sich *dat* ein Ziel setzen; **to ~ a limit** eine Grenze setzen ❼ *(establish)* *record* aufstellen; **to ~ a good example to sb** jdm ein Vorbild sein; **to ~ the pace** das Tempo vorgeben ❽ ANAT einrenken; *broken bone* einrichten ❾ *(arrange)* *hair* legen ❿ MUS **to ~ sth to music** etw vertonen ⓫ *esp* BRIT, AUS *(assign)* *homework* aufgeben; **to ~ sb in charge of sth** jdn mit etw *dat* betrauen; **to ~ a task for sb** jdm eine Aufgabe stellen ⓬ COMPUT *(give variable a value)* setzen; *(define value)* einstellen ⓭ TYPO *(compose)* setzen ⓮ *(sail)* **to ~ course for sth** auf etw *akk* Kurs nehmen; **to ~ sail for/from ...** nach/von ... losfahren ⓯ *(see)* **to ~ eyes on sb/sth** jdn/etw sehen ⓰ *(concentrate on)* **to ~ one's mind on sth** sich auf etw *akk* konzentrieren; *(approach with determination)* ▶ **to ~ the world ablaze** die Welt aus den Angeln heben **IV.** *vi* <set, set> ❶ *(grow together)* *bones* zusammenwachsen ❷ *(become firm)* *concrete, jelly* fest werden ❸ *(sink)* *moon, sun* untergehen ❹ *(become fixed)* *eyes* verharren; *features* [sich] versteinern

◆ **set about** *vi* ❶ *(start work upon)* ▪ **to ~ about sth** *job, task* sich an etw *akk* machen; ▪ **to ~ about doing sth** sich daranmachen, etw zu tun ➋ (*fam: attack*) ■ **to ~ about sb** [**with sth**] [mit etw *dat*] über jdn herfallen ◆ **set against** *vt* ➊ (*balance*) gegenüberstellen; **to ~ the disadvantages against the advantages** die Vor- und Nachteile abwägen ➋ (*make oppose*) ■ **to ~ sb against sb else** jdn gegen jdn anderen aufhetzen ➌ ECON ■ **to ~ sth** [**off**] **against sth** etw mit etw *dat* verrechnen ◆ **set apart** *vt* ➊ (*distinguish*) ■ **sth ~s sb/sth** ⊂ **apart from sb/sth** etw unterscheidet jdn/etw von jdm/etw ➋ (*reserve*) ■ **to be ~ apart for sth** für etw *akk* reserviert sein ◆ **set aside** *vt* ➊ (*put to side*) beiseitelegen [*o* stellen]; *clothes* sich *dat* zurücklegen lassen ➋ (*keep for special use*) *money* auf die Seite legen; *time* einplanen ➌ (*ignore*) *differences, hostilities, quarrels* begraben; *work, personal feelings* zurückstellen ➍ LAW (*annul*) aufheben ◆ **set back** *vt* ➊ (*delay*) zurückwerfen; *deadline* verschieben ➋ (*position*) zurücksetzen (**from** von); **their garden is ~ back from the road** ihr Garten liegt nicht direkt an der Straße ➌ (*fam: cost*) ■ **to ~ sb back** jdn eine [schöne] Stange Geld kosten ◆ **set down** *vt* ➊ (*drop off*) absetzen ➋ (*put down*) absetzen ➌ (*land*) *plane* landen ➍ (*write down*) aufschreiben ➎ *usu passive* (*esteem*) ■ **to be ~ down as sth** für etw *akk* gehalten werden ➏ *usu passive* LAW (*arrange trial*) **to be ~ down for 3 August** für den 3. August anberaumt sein ➐ (*establish as a rule*) ■ **to ~ down codes of practise** Verhaltensregeln aufstellen ◆ **set forth I.** *vt* (*form*) *plan* darlegen **II.** *vi* (*liter*) aufbrechen ◆ **set in I.** *vt* *sleeve* einsetzen **II.** *vi* *bad weather* einsetzen; *complications* sich einstellen; **the rain has ~ in** es hat angefangen zu regnen ◆ **set off I.** *vi* sich auf den Weg machen; (*in car*) losfahren **II.** *vt* ➊ (*initiate*) *alarm, blast, reaction* auslösen; *bomb* zünden ➋ (*cause to do*) ■ **to ~ sb off doing sth** jdn dazu bringen, etw zu tun ➌ (*attractively contrast*) hervorheben ➍ (*oppose*) ■ **to ~ off** ⊂ **sth against sth** etw etw *dat* gegenüberstellen ➎ ECON ■ **to ~ off** ⊂ **sth against sth** etw mit etw *dat* verrechnen ◆ **set on** *vt* ➊ (*cause to attack*) ■ **to ~ an animal on sb** ein Tier auf jdn hetzen [*o* ansetzen] ➋ *usu passive* (*attack*) ■ **to be ~ on by an animal** von einem Tier angefallen werden ◆ **set out I.** *vt* ➊ (*arrange*) *goods* auslegen; *chairs, chess pieces* aufstellen ➋ (*explain*) *idea, point* darlegen **II.** *vi* ➊ (*begin journey*) sich auf den Weg machen; (*in car*) losfahren ➋ (*intend*) ■ **to**

~ out to do sth beabsichtigen, etw zu tun ◆ **set to** *vi* (*begin work*) loslegen *fam;* **to ~ to work** sich an die Arbeit machen ◆ **set up** *vt* ➊ (*erect*) *camp* aufschlagen; *roadblock* errichten ➋ (*institute*) *business* einrichten; **to ~ up a public enquiry** eine öffentliche Untersuchung einleiten ➌ (*establish*) ■ **to ~ oneself up** [**as sth**] sich als etw niederlassen; **to ~ oneself up in business** ein Geschäft eröffnen; **to ~ up shop** sich niederlassen ➍ (*arrange*) *meeting* vereinbaren ➎ (*provide*) versorgen (**with** mit) ➏ (*fam: deceive, frame*) übers Ohr hauen *fam* ➐ COMPUT *program* installieren; *system* konfigurieren ◆ **set upon** *vt* ➊ (*cause to attack*) ■ **to ~ sb upon sb** jdn auf jdn ansetzen; ■ **to ~ an animal upon sb** ein Tier auf jdn hetzen ➋ *usu passive* ■ **to be ~ upon by an animal** von einem Tier angefallen werden

'set·back *n* Rückschlag *m;* **to suffer a ~** einen Rückschlag erleiden

'set·square *n* AUS, BRIT [Zeichen]dreieck *nt*

sett [set] *n* ➊ (*burrow of a badger*) Bau *m* ➋ (*granite paving block*) Pflasterstein *m*

set·tee [set'iː] *n* Sofa *nt*, Couch *f*

set·ter ['setəʳ] *n* Setter *m*

set·ting ['setɪŋ] *n usu sing* ➊ (*location*) Lage *f;* (*immediate surroundings*) Umgebung *f* ➋ (*in film, novel, play*) Schauplatz *m* ➌ (*adjustment on appliance*) Einstellung *f* ➍ (*place at table*) Gedeck *nt* ➎ (*frame for jewel*) Fassung *f* ➏ MUS Vertonung *f*

'set·ting lo·tion *n* [Haar]festiger *m*

set·tle ['setl] **I.** *vi* ➊ (*get comfortable*) es sich *dat* bequem machen ➋ (*calm down*) *person* sich beruhigen; *anger, excitement* sich legen; *weather* beständig werden ➌ (*end dispute*) einigen ➍ (*form: pay*) begleichen; ■ **to ~ with sb** mit jdm abrechnen ➎ (*take up residence*) sich niederlassen ➏ (*get used to*) ■ **to ~ into sth** sich an etw *akk* gewöhnen ➐ (*alight on surface*) sich niederlassen; (*build up*) sich anhäufen; (*sink*) [ab]sinken; **do you think the snow will ~?** glaubst du, dass der Schnee liegen bleibt? **II.** *vt* ➊ (*calm down*) beruhigen ➋ (*decide*) entscheiden; (*deal with*) regeln ➌ (*bring to conclusion*) erledigen; (*resolve*) *argument* beilegen; **that ~s that** damit hat sich das erledigt; **to ~ one's affairs** (*form*) seine Angelegenheiten regeln; **to ~ a lawsuit** einen Prozess durch einen Vergleich beilegen; **to ~ a matter** eine Angelegenheit regeln ➍ (*pay*) begleichen *geh;* ■ **to ~ sth on sb** (*bequeath*) jdm etw hinterlassen; **to ~ an account** ein Konto ausgleichen ➎ (*colonize*) besiedeln

▶to ~ a <u>score</u> [or <u>old</u> scores] [with sb] [mit jdm] abrechnen ◆**settle down** I. vi ❶(get comfortable) es sich dat bequem machen ❷(adjust) sich eingewöhnen ❸(calm down) sich beruhigen ❹(adopt steady lifestyle) sich [häuslich] niederlassen II. vt ■to ~ **oneself down** es sich dat bequem machen ◆**settle for** vt ■to ~ **for sth** mit etw dat zufrieden sein ◆**settle in** I. vi people sich einleben; things sich einpendeln II. vt ■to ~ **in** ⟳ sb jdm helfen, sich einzuleben ◆**settle on** vt ■to ~ **on sth** ❶(decide on) sich für etw akk entscheiden ❷(agree on) sich auf etw akk einigen; **to ~ on a name** sich für einen Namen entscheiden ◆**settle up** vi abrechnen

set·tled ['setld] adj ❶pred (comfortable, established) ■to be ~ sich eingelebt haben; **to feel** ~ sich heimisch fühlen ❷(calm) ruhig ❸(steady) life geregelt

set·tle·ment ['setlmənt] n ❶(resolution) Übereinkunft f; (agreement) Vereinbarung f; LAW Vergleich m; of conflict Lösung f; of matter Regelung f; of strike Schlichtung f; **they reached an out-of-court** ~ sie einigten sich außergerichtlich; **pay** ~ esp BRIT Tarifvereinbarung f; **to negotiate a** ~ eine Einigung erzielen ❷FIN, ECON Bezahlung f ❸(colony) Siedlung f; (colonization) Besiedlung f; (people) Ansiedlung f ❹no pl (subsidence) Absinken nt

set·tler ['setlə^r] n Siedler(in) m(f)

'**set-to** n (fam) Streit m

set-top '**box** n TV Set-Top-Box, f (für den Empfang des digitalen Fernsehens über Kabel)

'**set-up** n ❶(way things are arranged) Aufbau m; (arrangement) Einrichtung f ❷(fam: act of deception) abgekartetes Spiel

sev·en ['sevn] I. adj sieben; see also **eight** II. n Sieben f; see also **eight**

'**sev·en·fold** adj siebenfache

sev·en·teen ['sevnti:n] I. adj siebzehn; see also **eight** II. n Siebzehn f; see also **eight**

sev·en·teenth ['sevnti:n(t)θ] I. adj siebzehnte(r, s) II. n ❶(date) ■the ~ der Siebzehnte ❷(fraction) Siebzehntel nt

sev·enth ['sevn(t)θ] I. adj siebte(r, s) ▶**to be in** ~ <u>heaven</u> im siebten Himmel sein II. n ❶(date) ■the ~ der Siebte ❷(fraction) Siebtel nt

sev·en·ti·eth ['sevntiəθ] I. adj siebzigste(r, s) II. n ❶(ordinal number) Siebzigste(r, s) ❷(fraction) Siebzigstel nt

sev·en·ty ['sevnti] I. adj siebzig II. n Siebzig f

sev·er ['sevə^r] vt ❶(separate) abtrennen; (cut through) durchtrennen ❷(end) links, connection abbrechen; ties lösen

sev·er·al ['sev^ərəl] I. adj ❶(some) einige, mehrere; (various) verschiedene; **to have** ~ **reasons for doing sth** verschiedene Gründe haben, etw zu tun ❷attr (form, liter: respective) einzeln; (separate) getrennt; (distinct) verschieden II. pron ein paar, mehrere, einige; **I offered him one piece of candy but he took** ~ ich bot ihm ein Bonbon an, aber er nahm mehrere

sev·er·al·ly ['sev^ərəli] adv (form, liter: respectively) einzeln; (separately) getrennt

sev·er·ance ['sev^ərən(t)s] n no pl (form) ❶(act of ending) Abbruch m (of +gen) ❷(separation) Trennung f ❸(payment by employer) Abfindung f

'**sev·er·ance deal**, '**sev·er·ance pack·age** n Abfindungsübereinkunft f, Abfindungsabkommen nt '**sev·er·ance pay** n no pl Abfindung f

se·vere [sə'vɪə^r] adj ❶(very serious) schwer, schlimm; pain heftig, stark; cutback drastisch; blow, concussion, injury schwer; **to be under** ~ **strain** unter starkem Druck stehen ❷(harsh) criticism, punishment hart; (strict) streng; METEO (harsh) rau; (extreme) heftig, stark; frost, winter streng; (violent) gewaltig; ~ **cold** eisige Kälte; ~ **reprimand** scharfer Tadel; ~ **storm** heftiger Sturm ❸(very plain) building, dress schlicht

se·vere·ly [sə'vɪəli] adv ❶(seriously) schwer; **to be** ~ **restricted** enorm eingeschränkt sein ❷(harshly) hart; (extremely) heftig, stark ❸(strictly) streng; **to frown** ~ streng die Stirn runzeln ❹(in a plain manner) schlicht

se·ver·ity [sə'verəti] n no pl ❶(seriousness) Schwere f; (of situation, person) Ernst m ❷(harshness) Härte f; (strictness) Strenge f; of criticism Schärfe f; (extreme nature) Rauheit f ❸(plainness) Schlichtheit f

Se·ville [sə'vɪl] n Sevilla nt

sew <sewed, sewn or sewed> [səʊ] I. vt nähen; **to ~ a button on** einen Knopf annähen; **to ~ on a patch** einen Flicken aufnähen II. vi nähen ◆**sew up** vt ❶(repair) zunähen; wound nähen ❷(fam: complete successfully) zum Abschluss bringen ❸(fam: make sure of winning) sich dat sichern; **the Democrats appear to have the election** ~**n up** die Demokraten scheinen die Wahl bereits für sich entschieden zu haben ❹ *(gain control of)* sich einer Sache *gen* bemächtigen

'sew·age ['suːɪdʒ] *n no pl* Abwasser *nt;* **raw** [*or* **untreated**] **~** ungeklärte Abwässer *pl*

'sew·age farm *n,* **'sew·age plant** *n* ECOL Rieselfeld *nt*

sew·er¹ ['suːəʳ] *n* Abwasserkanal *m* ▸**to have a mind like a ~** ein Gemüt wie ein Fleischerhund haben

sew·er² ['səʊəʳ] *n* Näher(in) *m(f)*

sew·er·age ['suːərɪdʒ] *n no pl* Kanalisation *f;* **~ system** Kanalisation *f*

'sew·er rat *n* Kanalratte *f*

sew·ing ['səʊɪŋ] **I.** *n no pl* ❶ *(activity)* Nähen *nt* ❷ *(things to sew)* Näharbeit *f* **II.** *adj attr* Näh-

'sew·ing bas·ket *n* Nähkorb *m* **'sew·ing ma·chine** *n* Nähmaschine *f*

sewn [səʊn] *pp of* **sew**

sex [seks] **I.** *n* <pl -es> ❶ *(gender)* Geschlecht *nt;* **the battle of the ~es** *(fig)* der Kampf der Geschlechter; **the male/ female ~** das männliche/weibliche Geschlecht; **the opposite ~** das andere Geschlecht ❷ *no pl (intercourse)* Sex *m,* Geschlechtsverkehr *m;* **casual ~** gelegentlicher Sex; **extra-/premarital ~** außer-/ vorehelicher Geschlechtsverkehr; **unprotected ~** ungeschützter Geschlechtsverkehr; **to have ~** Sex haben; **to have ~ with sb** mit jdm schlafen **II.** *vt (determine gender of)* das Geschlecht bestimmen

'sex ap·peal *n no pl* Sexappeal *m* **'sex dis·crimi·na·tion** *n no pl* Diskriminierung *f* aufgrund des Geschlechts **'sex edu·ca·tion** *n no pl* Sexualerziehung *f*

sex·ism ['seksɪzᵊm] *n no pl* Sexismus *m* **sex·ist** ['seksɪst] **I.** *adj (pej)* sexistisch **II.** *n* Sexist(in) *m(f)*

sex·less ['seksləs] *adj* ❶ *(without gender)* geschlechtslos ❷ *(without physical attractiveness)* unerotisch ❸ *(without sexual desire)* sexuell desinteressiert

'sex life *n* Sexualleben *nt* **sex se·lec·tion** *n* MED Geschlechtswahl *f* des Kindes **'sex sym·bol** *n* Sexsymbol *nt*

sex·tant ['sekstənt] *n* Sextant *m*

sex·tet(te) [sek'stet] *n* Sextett *nt*

sex·ton ['sekstᵊn] *n* Küster *m*

sex·ual ['sekʃʊəl] *adj* ❶ *(referring to gender)* geschlechtlich; **~ discrimination** Diskriminierung *f* aufgrund des Geschlechts; **~ equality** Gleichheit *f* der Geschlechter ❷ *(erotic)* sexuell; **~ attraction/promiscuity** sexuelle Anziehung/ Freizügigkeit; **~ desire** sexuelles Verlan-

gen; **~ relations/relationship** sexuelle Beziehungen/Beziehung

sex·ual 'har·ass·ment *n no pl* sexuelle Belästigung **sex·ual 'inter·course** *n no pl* Geschlechtsverkehr *m*

sex·ual·ity [ˌsekʃu'æləti] *n no pl* Sexualität *f*

sex·ual·ly ['sekʃʊəli] *adv* ❶ *(referring to gender)* geschlechtlich ❷ *(erotically)* sexuell; **~ aroused** sexuell erregt; **~ attractive** sexy

sexy ['seksi] *adj (fam)* ❶ *(physically appealing)* sexy ❷ *(aroused)* erregt ❸ *(exciting)* aufregend, heiß

Sey·chelles [seɪ'ʃelz] *n* ▪ **the Seychelles** die Seychellen *pl*

SGML [ˌesdʒiː'emel] COMPUT *abbrev of* **Standard General Markup Language** SGML

Sgt *n abbrev of* **sergeant** Uffz.

shab·by ['ʃæbi] *adj* ❶ *(worn)* schäbig ❷ *(poorly dressed)* ärmlich gekleidet ❸ *(unfair)* schäbig; *excuse* fadenscheinig; *trick* billig

shack [ʃæk] *n* Hütte *f* ◆**shack up** *vi (fam)* ▪ **to ~ up with sb** mit jdm zusammenziehen

shacked up [ˌʃækt'ʌp] *adj pred* ▪ **to be ~ up with sb** mit jdm zusammenleben

shack·le ['ʃækl] *vt* ❶ *(chain)* [mit Ketten] fesseln ❷ *(fig: restrict)* behindern

shack·les ['ʃæklz] *npl (also fig)* Fesseln *pl;* **the ~ of censorship** die Beschränkungen durch die Zensur; **the ~ of convention** gesellschaftliche Zwänge; **to shake off one's ~** seine Fesseln abstreifen

shade [ʃeɪd] **I.** *n* ❶ *no pl (area out of sunlight)* Schatten *m;* **a patch of ~** ein schattiges Plätzchen; **in** [*or* **under**] **the ~** im Schatten **(of** +*gen)* ❷ *no pl (darker area of picture)* Schatten *m* ❸ *(lampshade)* [Lampen]schirm *m* ❹ AM *(roller blind)* Rollladen *m* ❺ *(variation of colour)* [Farb]ton *m,* Zwischenton *m;* **~s of grey** Grautöne *pl;* **pastel ~s** Pastellfarben *pl* ❻ *(variety)* Nuance *f;* **~[s] of meaning** Bedeutungsnuancen *pl* ❼ *(a little)* ▪ **a ~** ein wenig; **a ~ over/under three hours** knapp über/unter drei Stunden ❽ *(fam: sunglasses)* ▪ **~s** *pl* Sonnenbrille *f* ▸**to put sb/sth in the ~** jdn/etw in den Schatten stellen **II.** *vt* ❶ *(protect from brightness)* [vor der Sonne] schützen; **to ~ one's eyes** seine Augen beschirmen ❷ *(in picture)* schattieren **III.** *vi* ❶ *(alter colour)* ▪ **to ~** [**off**] **into sth** allmählich in etw *akk* übergehen ❷ *(gradually become)* ▪ **to ~ [away] into sth** allmählich in etw *akk* übergehen ❸ *(be very similar)* ▪ **to ~ into**

sth kaum von etw *dat* zu unterscheiden sein

shad·ed [ˈʃeɪdɪd] *adj* ❶ *(in shadow)* schattig, beschattet ❷ *(with shading)* dunkel getönt

shad·ing [ˈʃeɪdɪŋ] *n no pl* Schattierung *f*

shad·ow [ˈʃædəʊ] I. *n* ❶ *(produced by light)* Schatten *m;* **to cast a ~ over sb/sth** [s]einen Schatten auf jdn/etw werfen *a. fig* ❷ *(under eye)* Augenring *m* ❸ *(on X-ray)* Schatten *m* ❹ *(smallest trace)* Hauch *m,* Anflug *m;* **there isn't even a ~ of doubt** es besteht nicht der leiseste Zweifel ❺ *(secret follower)* Beschatter(in) *m(f); (constant follower)* ständiger Begleiter/ständige Begleiterin ❻ *(trainee observing employee)* Auszubildender, der einem bestimmten Angestellten zugeordnet ist und durch Beobachtung von ihm lernt ▶ **to be a ~ of one's former self** [nur noch] ein Schatten seiner selbst sein; **to be scared of one's own ~** sich vor seinem eigenen Schatten fürchten II. *vt* ❶ *(overshadow)* verdunkeln ❷ *(follow secretly)* beschatten ❸ SPORTS *(stay close to)* decken ❹ FIN *(be closely linked to)* ■**to ~ sth** mit etw *dat* verknüpft sein

ˈ**shad·ow-box·ing** *n no pl* Schattenboxen *nt* **Shad·ow ˈCabi·net** *n* POL ■**the ~** das Schattenkabinett

shad·owy [ˈʃædəʊi] *adj* ❶ *(out of sun)* schattig; *(dark)* düster; **~ figure** schemenhafte Figur; *(fig)* rätselhaftes Wesen; **~ outline** Schattenriss *m* ❷ *(dubious)* zweifelhaft

shady [ˈʃeɪdi] *adj* ❶ *(in shade)* schattig ❷ *(fam: dubious)* fragwürdig; **~ character** fragwürdiger Charakter

shaft [ʃɑːft] I. *n* ❶ *(hole)* Schacht *m;* **lift** [*or* AM **elevator**] **~** Aufzugsschacht *m;* **ventilation ~** Lüftungsschacht *m* ❷ *of tool, weapon* Schaft *m* ❸ *(in engine)* Welle *f* ❹ *(ray)* Strahl *m;* **~ of sunlight** Sonnenstrahl *m* ❺ *(esp liter: witty remark)* treffende Bemerkung; **a scornful ~** ein Pfeil *m* des Spottes ❻ AM *(fam: unfair treatment)* **to get the ~** leer ausgehen II. *vt* betrügen

shag[1] [ʃæg] BRIT, AUS I. *n* ❶ *(sl: act)* **to have a ~** [**with sb**] [mit jdm] eine Nummer schieben ❷ *(sl: sex partner)* Bettgenosse, -genossin *m, f* II. *vi* <-gg-> *(sl)* bumsen *derb* III. *vt* <-gg-> *(sl)* vögeln *derb*

shag[2] [ʃæg] I. *adj attr* **~ carpet** Veloursteppich *m;* **~ pile** Flor *m* II. *n no pl (tobacco)* Shag *m*

shagged out [ˌʃæɡˈaʊt] *adj pred* BRIT, AUS *(sl, fam!)* ausgepumpt *fam*

shag·gy [ˈʃæɡi] *adj* ❶ *(hairy)* struppig;

a lion's ~ mane die Zottelmähne eines Löwen ❷ *(unkempt)* zottelig; **~ hair** Zottelhaar *nt*

Shah [ʃɑː] *n (hist)* Schah *m*

shake [ʃeɪk] I. *n* ❶ *(action)* Schütteln *nt kein pl;* **she gave the box a ~** sie schüttelte die Schachtel; **a ~ of one's head** ein Kopfschütteln *nt* ❷ *(nervousness)* **to get the ~s** *(fam)* Muffensausen kriegen ❸ *esp* AM *(fam: milkshake)* Shake *m* ▶ **in two ~s** *(fam)* sofort; **to be no great ~s at sth** bei etw *dat* nicht besonders gut sein II. *vt* <shook, shaken> ❶ *(vibrate)* schütteln; **~ well before using** vor Gebrauch gut schütteln; ■**to ~ oneself** sich schütteln; ■**to ~ sth over sth** etw über etw *akk* streuen; **to ~ one's fist** [**at sb**] [jdm] mit der Faust drohen; **to ~ hands with sb** jdm die Hand schütteln; **to ~ one's head** den Kopf schütteln ❷ *(undermine)* erschüttern ❸ *(shock)* erschüttern; **the news has ~n the whole country** die Nachricht hat das ganze Land schwer getroffen ❹ *(fam: get rid of)* loswerden ▶ **to ~ a leg** *(fam)* sich beeilen III. *vi* <shook, shaken> ❶ *(quiver)* beben; ■**to ~ with sth** vor etw *dat* beben [*o* zittern]; **his voice shook with emotion** seine Stimme zitterte vor Rührung ❷ *(shiver with fear)* zittern, beben ❸ *(fam: agree)* ■**to ~** [**on sth**] sich *dat* [in einer Sache] die Hand reichen ▶ **to ~ like a leaf** [*or* BRIT, AUS **like jelly**] wie Espenlaub zittern ◆**shake down** *(fam)* I. *vt* AM *(take money)* ausnehmen; *(threaten)* erpressen II. *vi* ❶ *(achieve harmony)* person sich einleben; *situation* sich einpendeln ❷ BRIT *(spend the night)* **can I ~ down with you for a couple of nights?** kann ich mich für ein paar Nächte bei dir einquartieren? ◆**shake off** *vt* ❶ *(remove)* abschütteln ❷ *(get rid of)* überwinden; ■**to ~ off ⟳ sb** jdn loswerden; *pursuer* jdn abschütteln; **to ~ off a habit** eine Angewohnheit ablegen; **to ~ off an illness** eine Krankheit besiegen; **to ~ off an image/a reputation** ein Image/einen Ruf loswerden ◆**shake out** *vt* ausschütteln ◆**shake up** *vt* ❶ *(mix)* mischen ❷ *(shock)* aufwühlen ❸ *(significantly alter)* umkrempeln; *(significantly reorganize)* umstellen

ˈ**shake·down** [ˈʃeɪkdaʊn] AM I. *n (fam)* ❶ *(tests and trials)* Erprobung *f; of machinery* Testlauf *m; of aircraft* Testflug *m; of vehicle* Testfahrt *f* ❷ *(extortion by tricks)* Abzocken *nt sl; (by threats)* Erpressung *f* ❸ *(police search)* Razzia *f* ❹ *(bed)* Notbett *nt* II. *adj attr* ❶ *(settling* *down*) Eingewöhnungs- ❷ (*trial*) Test-, Probe-

shak·en ['ʃeɪkᵊn] **I.** *vi, vt pp of* **shake** **II.** *adj* erschüttert

shak·er ['ʃeɪkəʳ] *n* ❶ (*for mixing liquids*) Mixbecher *m* ❷ (*dispenser*) **salt/pepper ~** Salz-/Pfefferstreuer *m* ❸ (*for dice*) Würfelbecher *m*

'**shake-up** ['ʃeɪkʌp] *n* Veränderung *f,* Umstrukturierung *f*

shaki·ly ['ʃeɪkɪli] *adv* ❶ (*unsteadily*) wack[e]lig; *voice, hands* zittrig ❷ (*uncertainly*) unsicher

'**shak·ing I.** *n* (*jolting*) Schütteln *nt;* (*trembling*) Zittern *nt* **II.** *adj* zitternd; **with ~ hands/knees** mit zitternden Händen/Knien

shaky ['ʃeɪki] *adj* ❶ (*unsteady*) *hands, voice, handwriting* zittrig; *ladder, table* wack[e]lig; **to be ~ on one's feet** unsicher auf den Beinen sein; **to feel a bit ~** (*physically*) noch etwas wack[e]lig auf den Beinen sein; (*emotionally*) beunruhigt sein ❷ (*unstable*) *basis, foundation* unsicher; *economy, government* instabil; **his English is rather ~** sein Englisch ist etwas holprig; **on ~ ground** auf unsicherem Boden; **to get off to a ~ start** mühsam in Gang kommen

shale [ʃeɪl] *n no pl* Schiefer *m*

shall [ʃæl, ʃᵊl] *aux vb* ❶ *usu* BRIT (*future*) ■ **I ~ ...** ich werde ... ❷ *esp* BRIT (*ought to, must*) ■ **I/he/she ~ ...** ich/er/sie soll ... ❸ (*expressing what is mandatory*) **it ~ be unlawful ...** es ist verboten, ...

shal·lot [ʃə'lɒt] *n* Schalotte *f*

shal·low ['ʃæləʊ] *adj* ❶ (*not deep*) seicht; *ditch, grave, pan* flach; **~ pool** Kinderbecken *nt* ❷ (*light*) **~ breathing** flacher Atem ❸ (*superficial*) oberflächlich; *film* seicht

shal·low·ness ['ʃæləʊnəs] *n no pl* ❶ (*shallow depth*) Seichtheit *f* ❷ (*superficiality*) Oberflächlichkeit *f*

sham [ʃæm] (*pej*) **I.** *n* ❶ *usu sing* (*fake thing*) Trug *m kein pl geh*, Betrug *m kein pl;* **the American dream is a ~** der amerikanische Traum ist nur ein schöner Schein ❷ *no pl* (*pretence*) Verstellung *f* **II.** *adj* gefälscht; **~ marriage** Scheinehe *f* **III.** *vt* <-mm-> vortäuschen **IV.** *vi* <-mm-> sich verstellen

sham·an ['ʃæmən] *n* ❶ (*ethnic priest*) Schamane *m* ❷ (*guru*) Guru *m*

sham·ble ['ʃæmbl̩] *vi* (*walk*) watscheln; (*shuffle*) schlurfen

sham·bles ['ʃæmbl̩z] *n* + *sing vb* (*fam*) ■ **a ~** ein heilloses Durcheinander; **to be in**

a ~ sich in einem chaotischen Zustand befinden

sham·bol·ic [ʃæm'bɒlɪk] *adj* BRIT (*fam*) chaotisch

shame [ʃeɪm] **I.** *n no pl* ❶ (*feeling*) Scham *f,* Schamgefühl *nt;* **have you no ~?** schämst du dich nicht?; **~ on you!** (*also hum*) schäm dich!; **your cooking puts mine to ~** deine Kochkünste lassen meine dilettantisch erscheinen; **to feel no ~** sich nicht schämen ❷ (*disgrace*) Schande *f;* **to bring ~ on sb** Schande über jdn bringen ❸ (*a pity*) Jammer *m;* **what a ~!** wie schade!; **it's a |great| ~ that ...** es ist jammerschade, dass ... **II.** *vt* ❶ (*make ashamed*) beschämen ❷ (*bring shame on*) ■ **to ~ sb/sth** jdm/etw Schande machen ❸ (*put to shame*) weit übertreffen; **our neighbour's garden ~s ours** gegen den Garten unseres Nachbarn sieht der unsrige alt aus *fam*

shame·faced [ʃeɪm'feɪst] *adj* verschämt

shame·ful ['ʃeɪmfᵊl] *adj* ❶ (*causing shame*) *treatment* schimpflich; *defeat* schmachvoll ❷ (*disgraceful*) empörend; ■ **it's ~ that ...** es ist eine Schande, dass ...

shame·ful·ly ['ʃeɪmfᵊli] *adv* schändlich; **to be ~ neglected** sträflich vernachlässigt werden

shame·less ['ʃeɪmləs] *adj* schamlos

sham·my ['ʃæmi] *n* (*fam*), **sham·my 'leath·er** *n no pl* Sämischleder *nt*

sham·poo [ʃæm'pu:] **I.** *n* ❶ *no pl* (*for hair*) Shampoo *nt* ❷ (*wash*) **my hair needs a ~** ich muss mir die Haare waschen; **a ~ and set** Waschen und Legen **II.** *vt hair* shamponieren; **to ~ a sofa** ein Sofa mit einem Shampoo reinigen

sham·rock ['ʃæmrɒk] *n* weißer Feldklee; ■ **the ~** der Shamrock (*Kleeblatt als Symbol Irlands*)

shan·dy ['ʃændi] *n esp* BRIT, AUS Radler *nt bes* SÜDD, Alsterwasser *nt* NORDD

shank [ʃæŋk] *n* (*of tool*) Schaft *m*

shan·ty¹ ['ʃænti] *n* [Elends]hütte *f*

shan·ty² ['ʃænti] *n* Seemannslied *nt*

'**shan·ty town** *n* Barackensiedlung *f*

shape [ʃeɪp] **I.** *n* ❶ (*outline*) Form *f;* BIOL Gestalt *f;* MATH Figur *f,* Form *f;* **in any ~ or form** (*fig*) in jeder Form; **all ~s and sizes** alle Formen und Größen; **to be oval/square in ~** eine ovale/quadratische Form haben; **to lose its ~** die Form verlieren; **to take ~** Form annehmen ❷ *no pl* (*nature*) Form *f,* Art *f;* **to show the ~ of things to come** das Gepräge der Zukunft tragen ❸ *no pl* (*condition*) **to be in bad/good ~** *things* in schlechtem/gutem Zustand sein; *people* in schlechter/guter Verfassung sein; SPORTS nicht in Form/in Form sein; **to be in great ~** in Hochform sein; **to knock sth into ~** etw in Ordnung bringen; **to knock sb into ~** jdn zurechtstutzen *fam* **II.** *vt* ❶ (*mould*) [aus]formen ❷ (*influence*) prägen; **to ~ sb's character/personality** jds Charakter/Persönlichkeit formen; **to ~ one's destiny** sein Schicksal [selbst] gestalten **III.** *vi* sich entwickeln

shape·less ['ʃeɪpləs] *adj* ❶ (*not shapely*) unförmig; **a ~ dress** ein Kleid *nt* ohne Form ❷ (*without shape*) formlos; *ideas* vage

shape·less·ly ['ʃeɪpləsli] *adv* formlos; **her clothes hung ~ on her** die Kleider hingen ihr lose am Körper

shape·ly ['ʃeɪpli] *adj* wohlgeformt; *figure, legs* schön; *woman* gut gebaut

shard [ʃɑːd] *n* Scherbe *f*; *of metal* Splitter *m*

share [ʃeəʳ] **I.** *n* ❶ (*part*) Teil *m*, Anteil *m*; *of food* Portion *f*; **he should take his ~ of the blame for what happened** er sollte die Verantwortung für seine Mitschuld am Geschehenen übernehmen; **the lion's ~ of sth** der Löwenanteil von etw *dat*; **~ of the market** Marktanteil *m*; **~ of the vote** Stimmenanteil *m*; **to have had one's fair ~ of sth** (*iron*) etw reichlich abbekommen haben; **to give sb a ~ in sth** jdn an etw *dat* beteiligen; **to have a ~ in sth** an etw *dat* teilhaben; **to have more than one's ~ of sth** mehr von etw *dat* haben, als einem zusteht ❷ *usu pl* (*in company*) Anteil *m*, Aktie *f*; **stocks and ~s** Wertpapiere *pl* **II.** *vi* ❶ (*with others*) teilen; ■ **to ~ with sb** mit jdm teilen ❷ (*have part of*) ■ **to ~ in sth** an etw *dat* teilhaben; **to ~ in sb's joy/sorrow/triumph** jds Freude/Kummer/Triumph teilen ❸ (*participate*) ■ **to ~ in sth** an etw *dat* beteiligt sein **III.** *vt* ❶ (*divide*) teilen; **shall we ~ the driving?** sollen wir uns beim Fahren abwechseln?; **to ~ the expenses** sich *dat* die Kosten teilen; **to ~ resources** Mittel gemeinsam nutzen; **to ~ responsibility** Verantwortung gemeinsam tragen ❷ (*have in common*) gemeinsam haben; **to ~ a birthday** am gleichen Tag Geburtstag haben; **to ~ sb's concern** jds Besorgnis teilen; **to ~ an interest** ein gemeinsames Interesse haben; **to ~ sb's opinion** jds Ansicht teilen ❸ (*communicate*) ■ **to ~ sth with sb** *information* etw an jdn weitergeben; **to ~ one's problems/thoughts with sb** jdm seine Probleme/Gedanken anvertrauen; **to ~ a secret [with sb]** jdn in ein Geheimnis einweihen ▸ **a problem ~d is a problem halved** (*prov*) geteiltes Leid ist halbes Leid

prov ◆ **share out** *vt* aufteilen

share cer·'tifi·cate *n* Aktienzertifikat *nt*

'share·crop·per *n* AM *Pächter einer kleinen Farm, der die Pacht teilweise in Naturalien begleicht* '**share·hold·er** *n* Aktionär(in) *m(f)* '**share in·dex** *n* Aktienindex *m* '**share is·sue** *n* Aktienausgabe *f* '**share-out** *n* (*distribution*) Verteilung *f*; (*division*) Aufteilung *f* '**share price** *n* Aktienkurs *m* '**share·ware** *n no pl* COMPUT Shareware *f*

shark <*pl* -s *or* -> [ʃɑːk] *n* ❶ (*fish*) Hai[fisch] *m* ❷ (*pej fam: person*) **local property ~** Immobilienhai *m*

sharp [ʃɑːp] **I.** *adj* ❶ (*cutting*) *blade, knife* scharf ❷ (*pointed*) *end, point, nose, pencil* spitz; *features* kantig ❸ (*acute*) **~ angle** spitzer Winkel; **~ bend** scharfe Kurve ❹ (*severe*) *attack, rebuff, rebuke* scharf; **~ criticism** beißende Kritik; **to have a ~ tongue** eine scharfe Zunge haben ❺ (*stabbing*) stechend; **~ stab [of pain]** [schmerzhaftes] Stechen ❻ (*sudden*) *drop in temperature* plötzlich; (*marked*) drastisch; *fall, rise* stark ❼ (*clear-cut*) scharf, deutlich, klar; **to bring sth into ~ focus** etw klar und deutlich herausstellen ❽ (*perceptive*) scharfsinnig; **~ eyes/ears** scharfe Augen/Ohren; **~ mind** scharfer Verstand ❾ (*fam: trendy*) elegant; **to be a ~ dresser** immer schick angezogen sein ❿ (*piquant*) *taste* scharf [gewürzt] ⓫ (*penetrating*) *noise, voice* schrill ⓬ MUS **C ~** Cis *nt*; **F ~** Fis *nt*; ■ **to be ~** zu hoch intonieren **II.** *adv* ❶ (*exactly*) genau; **the performance will start at 7.30 ~** die Aufführung beginnt um Punkt 7.30 Uhr ❷ (*suddenly*) **to turn ~ left/right** scharf links/rechts abbiegen ❸ MUS zu hoch **III.** *n* MUS Kreuz *nt*

sharp·en ['ʃɑːpən] *vt* ❶ (*make sharp*) schärfen; *pencil* spitzen; *scissors, knife* schleifen ❷ (*intensify*) verschärfen ❸ (*make more distinct*) scharf einstellen ❹ (*improve*) schärfen; **to ~ one's mind** den Verstand schärfen; **to ~ the senses** die Sinne schärfen ❺ MUS um einen Halbton erhöhen

sharp·en·er ['ʃɑːpənəʳ] *n* *pencil ~* Bleistiftspitzer *m*; *knife ~* Messerschleifgerät *nt*

sharp·er ['ʃɑːpəʳ] *n* (*fam: cheat*) Betrüger(in) *m(f)*; (*at cards*) Falschspieler(in) *m(f)*

sharp-'eyed *adj* scharfsichtig

sharp·ly ['ʃɑːpli] *adv* ❶ (*having an edge*) **~ pointed** scharf [zu]gespitzt ❷ (*severely*) scharf; **to criticize sb/sth ~** jdn/etw scharf kritisieren; **a ~ worded letter** ein Brief in schneidenden Tönen ❸ (*abruptly*) abrupt; (*suddenly*) plötzlich; **she looked up** ~ sie blickte unvermittelt auf; **to brake** ~ voll auf die Bremse treten; **to bend** ~ **to the left** eine scharfe Linksbiegung machen ❹ (*markedly*) drastisch; **to deteriorate** ~ sich drastisch verschlechtern ❺ (*fashionably*) ~ **dressed** elegant gekleidet **sharp·ness** ['ʃɑːpnəs] *n no pl* ❶ *of blade, point, curve* Schärfe *f* ❷ *of pain* Heftigkeit *f*, Stärke *f* ❸ (*acerbity*) Schärfe *f* ❹ (*markedness*) Heftigkeit *f* ❺ (*clarity*) Schärfe *f* ❻ (*perceptiveness*) Scharfsinn *m* ❼ (*stylishness*) Eleganz *f* ❽ (*of taste*) Würzigkeit *f*, Würze *f* **sharp 'prac·tice** *n no pl* üble Geschäftspraktiken *pl* **'sharp·shoot·er** *n* Scharfschütze *m* **sharp-'sight·ed** *adj* ❶ (*very observant*) scharfsichtig ❷ (*alert*) scharfsinnig **sharp-'tem·pered** *adj* leicht erregbar **sharp-'tongued** *adj* scharfzüngig **sharp-'wit·ted** *adj* scharfsinnig

shat [ʃæt] *vi esp* BRIT *pt, pp of* **shit**

shat·ter ['ʃætəʳ] **I.** *vi* zerspringen; **the glass ~ed into a thousand tiny pieces** das Glas zerbrach in tausend winzige Stücke **II.** *vt* ❶ (*smash*) zertrümmern; *health, nerves* zerrütten ❷ (*fig*) vernichten; **to ~ the calm** die Ruhe zerstören; **to ~ sb's dreams/illusions** jds Träume/Illusionen zunichtemachen ❸ BRIT (*fam: exhaust*) schlauchen

shat·tered ['ʃætəd] *adj* (*fam*) ❶ (*upset*) am Boden zerstört ❷ BRIT (*exhausted*) völlig erschöpft, fix und fertig *präd fam*

shat·ter·ing ['ʃætᵊrɪŋ] *adj* (*fam*) ❶ (*very upsetting*) erschütternd ❷ (*destructive*) vernichtend ❸ BRIT (*exhausting*) aufreibend

shat·ter·proof ['ʃætəpruːf] *adj* bruchsicher; *windscreen* splitterfrei

shave [ʃeɪv] **I.** *n* Rasur *f*; **I need a ~** ich muss mich rasieren; **a close ~** eine Glattrasur ▸ **a close** ~ ein knappes Entkommen; **to have a close** ~ gerade noch davonkommen **II.** *vi* sich rasieren; **to ~ under one's arms** sich *dat* die Achselhaare rasieren **III.** *vt* ❶ (*remove hair*) rasieren; **to ~ one's legs** sich *dat* die Beine rasieren ❷ (*decrease by stated amount*) verringern

shav·en ['ʃeɪvᵊn] *adj* rasiert; *head* kahl geschoren

shav·er ['ʃeɪvəʳ] *n* Rasierapparat *m*

shav·ing ['ʃeɪvɪŋ] **I.** *adj attr* Rasier- **II.** *n usu pl* Hobelspan *m*

'shav·ing brush *n* Rasierpinsel *m* **'shav·ing cream** *n* Rasiercreme *f* **'shav·ing foam** *n no pl* Rasierschaum *m* **'shav·ing mir·ror** *n* Rasierspiegel *m*

shawl [ʃɔːl] *n* Schultertuch *nt*

she [ʃiː, ʃi] **I.** *pron* ❶ (*female person, animal*) sie; ■ ~ **who ...** (*particular person*) diejenige, die ...; (*any person*) wer ❷ (*inanimate thing*) es; (*for country*) es; (*for ship with name*) sie; (*for ship with no name*) es ❸ AUS, NZ (*fam: it*) es ▸ **who's ~, the cat's mother?** BRIT (*fam*) und wer soll sie sein? **II.** *n usu sing* ■ **a ~** (*person*) eine Sie; (*animal*) ein Weibchen *nt*

sheaf <*pl* **sheaves**> [ʃiːf] *n* Bündel *nt; of corn* Garbe *f*

shear <-ed, -ed *or* **shorn**> [ʃɪəʳ] **I.** *vt* ❶ (*remove fleece*) scheren ❷ (*hum fam: cut hair short*) ■ **to ~ sb** jds Haare kurz scheren **II.** *vi* TECH abbrechen ◆ **shear off I.** *vt* ❶ (*cut off*) abscheren ❷ *usu passive* (*tear off*) **the wing of the plane had been ~ed off** die Tragfläche des Flugzeugs wurde abgerissen **II.** *vi* abbrechen

shears [ʃɪəz] *npl* TECH [große] Schere; *metal* Metallschere *f*; [**garden**] ~ Gartenschere *f*

sheath [ʃiːθ] *n* ❶ (*for knife, sword*) Scheide *f* ❷ (*casing*) Hülle *f*; (*case*) Futteral *nt*; **nerve ~s** MED Nervenhüllen *pl* ❸ BRIT (*condom*) Kondom *nt* ❹ FASHION ~ [**dress**] enges Kleid

sheathe [ʃiːð] *vt* ❶ (*put into sheath*) **to ~ a knife/sword** ein Messer/Schwert in die Scheide stecken ❷ (*cover*) ■ **to ~ sth in** [*or* **with**] **sth** etw mit etw *dat* umhüllen

'sheath knife *n* Dolch *m*

she-bang [ʃɪ'bæŋ] *n no pl esp* AM (*fam*) Drum und Dran *nt;* **the whole ~** der ganze Kram

shed¹ [ʃed] *n* Schuppen *m;* **garden ~** Gartenhäuschen *nt;* **tool ~** Geräteschuppen *m*

shed² <-dd-, shed, shed> [ʃed] **I.** *vt* ❶ (*cast off*) ablegen; *antlers, leaves* abwerfen; *hair* verlieren; **to ~ a few kilos/pounds** ein paar Kilo/Pfund abnehmen; **to ~ one's skin** sich häuten; **to ~ one's winter coat** das Winterfell verlieren ❷ (*get rid of*) ablegen; **to ~ one's inhibitions/insecurity** seine Hemmungen/Unsicherheit verlieren ❸ (*generate*) *blood, tears* vergießen; *light* verbreiten ❹ BRIT (*drop accidentally*) **a lorry has ~ a load of gravel across the road** ein LKW hat eine Ladung Kies auf der Straße verloren **II.** *vi snakes* sich häuten; *cats* haaren

'shed·load *n* (*sl*) ■ **a ~** [*or* ~**s**] **of sth** Unmengen von etw *dat;* ~ **of cash** Unsummen Geld

sheen [ʃiːn] *n no pl* ❶ (*gloss*) Glanz *m* ❷ (*aura*) Ausstrahlung *f*

sheep <*pl* -> [ʃiːp] *n* Schaf *nt;* **flock of ~** Schafherde *f* ▸ **to separate the ~ from**

the goats die Schafe von den Böcken trennen

'**sheep dip** *n* AGR Desinfektionsbad *nt* für Schafe '**sheep·dog** *n* Schäferhund *m* '**sheep·fold** *n* Schafhürde *f*

sheep·ish ['ʃiːpɪʃ] *adj* unbeholfen; *smile* verlegen

sheep·ish·ly ['ʃiːpɪʃli] *adv* verlegen, betreten

'**sheep·skin** *n* Schaffell *nt*

sheer[1] [ʃɪəʳ] I. *adj* **①** (*utter*) pur, rein; **the ~ size of the thing takes your breath away** schon allein die Größe von dem Ding ist atemberaubend; **~ bliss** eine wahre Wonne; **~ coincidence** reiner [*o* purer] Zufall; **~ lunacy** purer [*o* schierer] Wahnsinn; **~ nonsense** blanker Unsinn **②** (*vertical*) *cliff, drop* steil **③** (*thin*) *material* hauchdünn; (*diaphanous*) durchscheinend II. *adv* (*liter*) steil

sheer[2] [ʃɪəʳ] *vi* ■ **to ~ off** [*or* **away**] **①** NAUT abscheren **②** (*avoid*) ausweichen

sheet [ʃiːt] *n* **①** (*for bed*) Laken *nt* **②** *of paper* Blatt *nt; of heavy paper* Bogen *m;* **a ~ of paper** ein Blatt *nt* Papier **③** *of material* Platte *f* **④** (*large area*) **the rain is coming down in ~s** es regnet in Strömen; **~ of flame** Flammenwand *f;* **~ of ice** Eisschicht *f;* **~ of water** ausgedehnte Wasserfläche

'**sheet feed** *n* COMPUT Einzelblatteinzug *m* '**sheet light·ning** *n no pl* Wetterleuchten *nt* '**sheet met·al** *n* Blech *nt* '**sheet mu·sic** *n* Noten *pl*

sheik(h) [ʃeɪk, ʃiːk] *n* Scheich *m*

shelf <*pl* **shelves**> [ʃelf] *n* **①** (*for storage*) [Regal]brett *nt,* Bord *nt;* (*set of shelves*) Regal *nt;* **to buy sth off the ~** etw ab Lager kaufen; *clothing* etw von der Stange kaufen **②** GEOL (*horizontal portion of rock*) Schelf *m o nt* ▸ **to be** [*left*] **on the ~** (*fam*) sitzen geblieben sein

'**shelf life** *n no pl* Haltbarkeit *f;* **to have a short ~** eine kurze Haltbarkeit haben; (*fig*) bald wieder in Vergessenheit geraten

shell [ʃel] I. *n* **①** (*exterior case*) *of egg, nut* Schale *f; of tortoise* Panzer *m; of pea* Hülse *f; of insect wing* Flügeldecke *f;* (*on beach*) Muschel *f* **②** *of a building* Mauerwerk *nt* **③** (*for artillery*) Granate *f;* AM (*cartridge*) Patrone *f* **④** (*boat*) Rennruderboot *nt* **⑤** FOOD [**pastry**] **~** [Mürbteig]boden *m* ▸ **to bring sb out of his/her ~** jdn aus der Reserve locken; **to come out of one's ~** aus sich *dat* herausgehen; **to crawl** [*back*] **into one's ~** sich in sein Schneckenhaus zurückziehen II. *vt* **①** (*remove shell*) schälen; *nut* knacken; *pea*

enthülsen **②** (*bombard*) [mit Granaten] bombardieren ◆ **shell out** (*fam*) I. *vt* ■ **to ~ sth** ⟳ **out** für etw *akk* blechen II. *vi* ■ **to ~ out for sb/sth** für jdn/etw bezahlen

shel·lac [ʃə'læk] *n* Schellack *m*

'**shell·fire** *n no pl* Geschützfeuer *nt,* Granatenbeschuss *m;* **to come under heavy ~** unter schweren Beschuss geraten '**shell·fish** <*pl* ->* *n* Schalentier *nt*

shell·ing ['ʃelɪŋ] *n no pl* (*bombardment*) Bombardierung *f;* (*shellfire*) Geschützfeuer *nt*

'**shell shock** *n no pl* Kriegsneurose *f* '**shell-shocked** *adj* **①** (*after battle*) kriegsneurotisch **②** (*fam: dazed*) völlig geschockt

shel·ter ['ʃeltəʳ] I. *n* **①** *no pl* Schutz *m;* **to find/take ~** Schutz finden/suchen **②** (*structure*) Unterstand *m;* (*sth to sit in*) Häuschen *nt;* (*building for the needy*) Heim *nt;* **air raid ~** Luftschutzraum *m;* **bus ~** Bushäuschen *nt;* **a ~ for the homeless/battered wives** ein Obdachlosenheim *nt*/Frauenhaus *nt* II. *vi* Schutz suchen III. *vt* **①** (*protect*) schützen (**from** vor) **②** AM (*from tax*) **to ~ income from tax** Einkommen steuerlich nicht abzugsfähig machen

shel·tered ['ʃeltəd] *adj* **①** (*against weather*) geschützt **②** (*pej: overprotected*) [über]behütet **③** AM (*tax-protected*) steuerfrei

shelve[1] [ʃelv] *vt* **①** (*postpone*) aufschieben; POL vertagen **②** (*erect shelves*) mit Regalen ausstatten

shelve[2] [ʃelv] *vi* GEOL abfallen

shelves [ʃelvz] *n pl of* **shelf**

shelv·ing ['ʃelvɪŋ] *n no pl* Regale *pl*

she·nani·gans [ʃɪ'nænɪɡənz] *npl* (*pej fam*) **①** (*fraud*) Betrug *m kein pl;* (*trickery*) krumme Dinger **②** (*pranks*) [derbe] Späße

shep·herd ['ʃepəd] I. *n* Schäfer(in) *m(f);* (*fig*) [Seelen]hirte *m;* **the Lord is my ~** der Herr ist mein Hirte II. *vt* **①** (*look after*) hüten **②** (*guide*) **to ~ sb towards the door** jdn zur Tür führen

shep·herd·ess <*pl* -es> [ˌʃepə'des] *n* Schäferin *f*

shep·herd's '**pie** *n* Auflauf aus Hackfleisch und Kartoffelbrei

sher·bet *n,* **sher·bert** ['ʃɜːbət] *n no pl* BRIT, AUS (*sweet powder*) Brausepulver *nt*

sher·iff ['ʃerɪf] *n* **①** AM (*law officer*) Sheriff *m* **②** BRIT (*county official*) Grafschaftsvogt, -vögtin *m, f* **③** SCOT (*judge*) Amtsrichter(in) *m(f)*

sher·ry ['ʃeri] *n* Sherry *m*

Shet·land Is·lands *npl,* **Shet·lands**

['ʃetləndz] *npl* ■**the** ~ die Shetlandin-seln *pl*

shield [ʃiːld] **I.** *n* ❶ (*defensive weapon*) [Schutz]schild *m* ❷ (*with coat of arms*) [Wappen]schild *m o* nt ❸ (*protective device*) Schutz *m kein pl*; (*screen*) Schutz-schirm *m*; ELEC Abschirmung *f* ❹ (*protection*) Schutz *m kein pl* (*against* gegen); **the ozone layer acts as a ~ protecting the earth from the sun's radiation** die Ozonschicht schirmt die Erde vor der Son-neneinstrahlung ab ❺ SPORTS Trophäe *f* **II.** *vt* beschützen (*from* vor); **to ~ one's eyes** die Augen schützen

shift [ʃɪft] **I.** *vt* ❶ (*move*) [weg]bewegen; (*move slightly*) *furniture* verschieben ❷ (*transfer elsewhere*) **to ~ the blame onto sb** die Schuld auf jdn abwälzen; **to ~ the emphasis** die Betonung verlagern ❸ *esp* AM MECH **to ~ gears** schalten ❹ BRIT, AUS (*fam: get rid of*) wegmachen **II.** *vi* ❶ (*move*) sich bewegen; (*change position*) die [*o* seine] Position verändern; **it won't ~** es lässt sich nicht bewegen; **she ~ed uneasily from one foot to the other** sie trat unruhig von einem Fuß auf den anderen; **media attention has ~ed recently onto environmental issues** die Medien haben ihr Interesse neuerdings den Umweltthemen zugewandt ❷ *esp* AM AUTO ■**to ~ up/down** hinauf-/hinunterschal-ten; **to ~ into reverse** den Rückwärtsgang einlegen ❸ BRIT (*sl: move over*) **would you ~** rutsch mal rüber *fam* **III.** *n* ❶ (*alteration*) Wechsel *m*, Änderung *f*; **a ~ in the balance of power** eine Verlagerung im Gleichgewicht der Kräfte; **a ~ in opinion** ein Meinungsumschwung *m* ❷ LING Laut-verschiebung *f*; *consonant/vowel* ~ Kon-sonanten-/Vokalverschiebung *f* ❸ (*period of work*) Schicht *f*; **day/night** ~ Tag-/Nachtschicht *f*; **to work in ~s** Schicht ar-beiten ❹ + *sing/pl vb* (*people working a shift*) Schicht *f* ❺ (*type of dress*) Hänger *m*

shift·i·ly ['ʃɪftɪli] *adv* (*evasively*) auswei-chend; (*suspiciously*) verdächtig

shift·i·ness ['ʃɪftɪnəs] *n no pl* Unaufrichtig-keit *f*; *of person, character* Fragwürdigkeit *f*

shift·ing ['ʃɪftɪŋ] *adj attr* sich verändernd

'**shift key** *n of a typewriter* Umschalter *m*; COMPUT Shifttaste *f*

'**shift work** *n no pl* Schichtarbeit *f* '**shift work·er** *n* Schichtarbeiter(in) *m(f)*

shifty ['ʃɪfti] *adj* hinterhältig; ~ **eyes** unsteter Blick; **to look** ~ verdächtig ausse-hen

Shi·ite ['ʃiːaɪt] **I.** *n* Schiit(in) *m(f)* **II.** *adj* schiitisch

shil·ling ['ʃɪlɪŋ] *n* (*hist*) Schilling *m* (*alte britische Münze im Wert von 5 Pence*)

shilly-shal·ly <-ie-> ['ʃɪliˌʃæli] *vi* (*pej fam*) schwanken

shim·mer ['ʃɪmər] **I.** *vi* schimmern **II.** *n usu sing* Schimmer *m*

shim·my ['ʃɪmi] **I.** *n* ❶ (*dance*) ■**the** ~ der Shimmy; **to do the** ~ den Shimmy tanzen ❷ *no pl* TECH Flattern *nt* **II.** *vi* <-ie-> ❶ (*dance the shimmy*) den Shimmy tan-zen; (*walk with sway*) sich beim Gehen in den Hüften wiegen; **she shimmied through the door** mit einem eleganten Hüftschwung ging sie durch die Tür ❷ TECH (*shake*) *wheel* flattern; (*vibrate*) *wheel* vi-brieren

shin [ʃɪn] **I.** *n* ❶ (*of leg*) Schienbein *nt* ❷ *no pl of beef* Hachse *f* **II.** *vi* <-nn-> ■**to ~ down/up** [*sth*] [rasch] [etw] hinunter-/hi-naufklettern

shin·dig ['ʃɪndɪg] *n*, **shin·dy** ['ʃɪndi] *n* (*fam*) ❶ (*loud party*) [wilde] Fete ❷ (*argu-ment*) Krach *m fam*

shine [ʃaɪn] **I.** *n no pl* Glanz *m* ▶|**come**| **rain or** ~ komme, was da wolle; **to take a** ~ **to sb** jdn ins Herz schließen **II.** *vi* <shone *or* shined, shone *or* shined> ❶ (*give off light*) *moon, sun* scheinen; *stars* leuchten; *gold, metal* glänzen; *light* leuchten, scheinen ❷ (*be gifted*) glänzen ❸ (*show happiness*) **her eyes shone with happiness** ihre Augen strahlten vor Glück **III.** *vt* <shone *or* shined, shone *or* shined> ❶ (*point light*) **to ~ a beam of light at sb/sth** jdn/etw anstrahlen; **to ~ a torch** [*or* AM **flashlight**] **into sth** [mit ei-ner Taschenlampe] in etw *akk* hineinleuch-ten ❷ (*polish*) polieren ◆ **shine down** *vi* herabscheinen ◆ **shine out** *vi* ❶ (*be easily seen*) [auf]leuchten ❷ (*excel, stand out*) herausragen

shin·er ['ʃaɪnər] *n* (*fam: black eye*) Veil-chen *nt*

shin·gle ['ʃɪŋgl] *n* ❶ *no pl* (*pebbles*) Kies *m* ❷ (*tile*) Schindel *f*

shin·gles ['ʃɪŋglz] *npl + sing vb* MED Gür-telrose *f*

shin·ing ['ʃaɪnɪŋ] *adj* ❶ (*gleaming*) glän-zend ❷ (*with happiness*) strahlend ❸ (*out-standing*) hervorragend; *example* leuch-tend ▶ **a knight** in ~ **armour** ein edler Ritter

shiny ['ʃaɪni] *adj* glänzend; (*very clean*) *surface, metal* [spiegel]blank; ■**to be** ~ glänzen

ship [ʃɪp] **I.** *n* Schiff *nt*; **cargo/passenger** ~ Fracht-/Passagierschiff *nt*; **merchant** ~ Handelsschiff *nt*; **naval** ~ Schiff *nt* der Marine; **sailing** ~ Segelschiff *nt;* ■ **by** ~ mit dem Schiff; (*goods*) per Schiff **II.** *vt* <-pp-> ❶ (*send by boat*) verschiffen ❷ (*transport*) transportieren ◆ **ship off** *vt* ❶ (*send by ship*) verschiffen; *goods* per Schiff verschicken ❷ (*fam: send away*) wegschicken ◆ **ship out I.** *vt* per Schiff senden **II.** *vi* (*fam*) sich verziehen

'**ship·board** *adj attr* Bord- '**ship·build·er** *n* ❶ (*person*) Schiff[s]bauer(in) *m(f)* ❷ (*business*) Werft *f* '**ship·build·ing** *n no pl* Schiffbau *m* '**ship·load** *n* Schiffsladung *f* '**ship·mate** *n* Schiffskamerad(in) *m(f)*

ship·ment ['ʃɪpmənt] *n* ❶ (*consignment*) Sendung *f* ❷ *no pl* (*dispatching*) Transport *m*

'**ship·own·er** *n* ❶ (*inland navigation*) Schiffseigner(in) *m(f)* ❷ (*ocean navigation*) Reeder(in) *m(f)*

ship·per ['ʃɪpəʳ] *n* ❶ (*person*) Spediteur(in) *m(f)* ❷ (*business*) Spediteur *m;* **wine** ~ Weinlieferant *m*

ship·ping ['ʃɪpɪŋ] *n no pl* ❶ (*ships*) Schiffe *pl* [eines Landes]; **weather forecast for** ~ Seewetterbericht *m* ❷ (*transportation of goods*) Versand *m;* (*by ship*) Verschiffung *f* '**ship·ping agen·cy** *n* Schiffsagentur *f;* (*courier*) Zustelldienst *m;* (*for packages also*) Paketdienst *m* '**ship·ping agent** *n* ❶ (*courier*) Zustelldienst *m* ❷ (*shipper*) Schiffsagent(in) *m(f);* (*company also*) Seehafenspediteur *m* '**ship·ping de·part·ment** *n* Versandabteilung *f* '**ship·ping lane** *n* Schifffahrtsweg *m* '**ship·ping of·fice** *n* ❶ (*of shipping master*) Seemannsamt *nt* ❷ (*of shipping agent*) Schiffsmaklerbüro *nt* ❸ (*courier*) Kurierdienst *m;* (*for packages also*) Paketdienst *m*

ship's 'chan·dler *n* ❶ (*person*) Schiffsausrüster(in) *m(f)* ❷ (*business*) Schiffsausrüster *m*

'**ship·shape** *adj pred* (*fam*) aufgeräumt; **to get sth** ~ etw aufräumen '**ship·way** *n* NAUT Stapel *m* '**ship·wreck I.** *n* ❶ (*accident*) Schiffbruch *m* ❷ (*remains*) [Schiffs]wrack *nt* **II.** *vt usu passive* ■ **to be** ~**ed** ❶ NAUT Schiffbruch erleiden ❷ (*fail*) scheitern **ship·wright** ['ʃɪpraɪt] *n* Schiffszimmermann *m* '**ship·yard** *n* [Schiffs]werft *f*

shire ['ʃaɪəʳ] *n* BRIT (*hist*) Grafschaft *f* '**shire horse** *n schweres englisches Zugpferd*

shirk [ʃɜːk] (*pej*) **I.** *vt* meiden; **to** ~ **one's responsibilities** sich seiner Verantwortung entziehen **II.** *vi* ■ **to** ~ **from sth** sich etw *dat* entziehen **shirk·er** ['ʃɜːkəʳ] *n* (*pej*) Drückeberger(in)

m(f) fam

shirt [ʃɜːt] *n* Hemd *nt* ▶ **to give sb the** ~ **off one's** back sein letztes Hemd für jdn hergeben; **keep your** ~ **on!** reg dich ab! '**shirt col·lar** *n* Hemdkragen *m* '**shirt front** *n* Hemdbrust *f* '**shirt·sleeve** *n usu pl* Hemdsärmel *m* ▶ **to** roll **up one's** ~**s** die Ärmel hochkrempeln

shirty ['ʃɜːti] *adj* BRIT, AUS (*pej fam*) sauer *sl;* **don't get** ~ **with me!** sei nicht so griesgrämig!

shit [ʃɪt] (*fam!*) **I.** *n* ❶ *no pl* (*faeces*) Scheiße *f derb,* Kacke *f derb;* **dog** ~ Hundekacke *f fam* ❷ (*diarrhoea*) ■ **the** ~**s** *pl* Dünnschiss *m kein pl derb* ❸ *no pl* (*nonsense*) Scheiße *m derb;* **a load of** ~ ein einziger Mist ❹ *no pl* (*unfairness*) **Jackie doesn't take any** ~ **from anyone** Jackie lässt sich von niemandem was gefallen *fam* ❺ *no pl* AM (*anything*) **he doesn't know** ~ **about what's going on** er hat keinen blassen Schimmer, was los ist *fam* ▶ **to be up** ~|**s** creek [**without a paddle**] [tief] in der Scheiße stecken *derb;* **to** beat **the** ~ **out of sb** aus jdm Hackfleisch machen *fam;* [**the**] ~ hits **the fan** es gibt Ärger **II.** *interj* Scheiße *derb* **III.** *vi* <-tt-, shit *or* shitted *or* BRIT *also* shat, shit *or* shitted *or* BRIT *also* shat> scheißen *derb* **IV.** *vt* <-tt-, shit *or* shitted *or* BRIT *also* shat, shit *or* shitted *or* BRIT *also* shat> (*scare*) **to** ~ **bricks** sich *dat* vor Angst in die Hosen machen *fam;* ■ **to** ~ **oneself** sich *dat* in die Hosen machen *fam*

shite [ʃaɪt] BRIT **I.** *n* ❶ *no pl* (*fam!: shit*) Scheiße *f derb,* Kacke *f derb* ❷ *no pl* (*fam!: rubbish*) Scheiße *f derb* **II.** *interj* (*fam!*) Scheiße *derb*

shit·ty ['ʃɪti] *adj* (*fam!*) ❶ (*nasty*) beschissen *derb* ❷ (*ill*) ■ **to feel** ~ sich beschissen fühlen *derb*

shiv·er ['ʃɪvəʳ] **I.** *n* ❶ (*shudder*) Schauder *m;* **a** ~ **went up and down my spine** mir lief es kalt den Rücken hinunter ❷ MED ■ **the** ~**s** *pl* Schüttelfrost *m kein pl;* **to give sb the** ~**s** (*fig fam*) jdn das Fürchten lehren **II.** *vi* zittern; **to** ~ **with cold** frösteln; **to** ~ **like a leaf** wie Espenlaub zittern **shiv·ery** ['ʃɪv³ri] *adj* fröstelnd; **to feel** ~ frösteln

shoal¹ [ʃəʊl] *n* ❶ (*of fish*) Schwarm *m* ❷ (*many*) Massen *pl;* ~ **s of letters** Massen *pl* von Briefen; ■ **in** ~**s** in Massen

shoal² [ʃəʊl] *n* ❶ (*area of shallow water*) seichte Stelle ❷ (*sand bank*) Sandbank *f* **II.** *vi water* flacher werden

shock¹ [ʃɒk] **I.** *n* ❶ (*unpleasant surprise*) Schock *m;* **prepare yourself for a** ~ mach dich auf etwas Schlimmes gefasst; **to give sb the ~ of his/her life** jdn zu Tode erschrecken; **a ~ to the system** eine schwierige Umstellung; **to come as a ~** ein Schock sein ❷ (*fam: electric shock*) elektrischer Schlag ❸ *no pl* (*serious health condition*) Schock|zustand| *m;* **to be in** |a **state of|** ~ unter Schock stehen ❹ *no pl* (*impact*) Aufprall *m* ▶**~, horror!** (*iron*) oh Schreck, oh Graus! *hum* **II.** *vt* schockieren; **to ~ sb deeply** jdn zutiefst erschüttern **III.** *vi* schockieren; (*deeply*) erschüttern **IV.** *adj attr esp* BRIT, AUS (*surprising*) überraschend

shock² [ʃɒk] *n* ~ **of hair** |Haar|schopf *m*

'**shock ab·sorb·er** *n* AUTO Stoßdämpfer *m*

shocked [ʃɒkt] *adj* schockiert, entsetzt; **a ~ silence** erschrockenes Schweigen

shock·er ['ʃɒkə'] *n* (*fam*) ❶ (*shocking thing*) Schocker *m;* **the Sun's headline was a deliberate ~** die Schlagzeile der Sun sollte schockieren ❷ (*very bad thing*) Katastrophe *f* ❸ (*crazy person*) abgedrehter Typ *sl*

shock·ing ['ʃɒkɪŋ] *adj* ❶ (*distressing*) schockierend ❷ *esp* AM (*surprising*) völlig überraschend ❸ (*offensive*) schockierend; **~ crime** abscheuliches Verbrechen ❹ *esp* BRIT (*fam: appallingly bad*) schrecklich, furchtbar; *weather* scheußlich; **my memory is ~** ich habe ein furchtbar schlechtes Gedächtnis

shock·ing·ly ['ʃɒkɪŋli] *adv* ❶ (*distressingly*) erschreckend ❷ (*extremely*) extrem; **they charge ~ high prices** sie verlangen unverschämt hohe Preise

'**shock·proof** *adj* ❶ (*undamageable*) bruchsicher ❷ (*not producing electric shock*) berührungssicher '**shock thera·py** *n,* '**shock treat·ment** *n* Schocktherapie *f* '**shock troops** *npl* Stoßtruppen *pl* '**shock wave** *n* ❶ PHYS Druckwelle *f* ❷ (*fig*) **the news sent ~s through the financial world** die Nachricht erschütterte die Finanzwelt

shod [ʃɒd] **I.** *pt, pp of* **shoe II.** *adj* beschuht; **~ in boots** in Stiefeln

shod·dy ['ʃɒdi] *adj* (*pej*) ❶ (*poorly produced*) schlampig |gearbeitet| *fam;* (*run down*) schäbig; *goods* minderwertig ❷ (*inconsiderate*) schäbig

shoe [ʃu:] **I.** *n* ❶ (*for foot*) Schuh *m;* **a pair of ~s** ein Paar *nt* Schuhe ❷ (*horseshoe*) Hufeisen *nt* ❸ TRANSP |**brake**| ~ |Brems|backe *f* ▶**I wouldn't like to be in your/ her ~s** ich möchte nicht in deiner/ihrer Haut stecken; **to put oneself in sb's ~s** sich in jds Lage versetzen; **if I were in**

your ~s (*fam*) wenn ich du wäre, an deiner Stelle **II.** *vt* <shod *or* AM *also* shoed, shod *or* AM *also* shoed> **to ~ a horse** ein Pferd beschlagen

'**shoe·horn I.** *n* Schuhlöffel *m* **II.** *vt usu passive* ■**to ~ sb/sth into sth** jdn/etw in etw *akk* hineinzwängen '**shoe·lace** *n usu pl* Schnürsenkel *m;* **to do up one's ~s** sich *dat* die Schuhe zubinden '**shoe·mak·er** *n* Schuster(in) *m(f)* '**shoe pol·ish** *n no pl* Schuhcreme *f* **shoe-re·'pair shop** *n* Schusterwerkstatt *f* '**shoe·shine** *n esp* AM Schuhputzen *nt kein pl* '**shoe·shine boy** *n esp* AM Schuhputzer *m* '**shoe shop** *n,* '**shoe store** *n* Schuhgeschäft *nt* '**shoe size** *n* Schuhgröße *f* '**shoe·string** *n usu pl* AM Schnürsenkel *m* ▶**to do sth on a ~** (*fam*) etw mit wenig Geld tun '**shoe tree** *n* Schuhspanner *m*

shone [ʃɒn] *pt, pp of* **shine**

shoo [ʃu:] (*fam*) **I.** *interj* (*to child*) husch |husch| **II.** *vt* wegscheuchen

shook [ʃʊk] *n pt of* **shake**

shoot [ʃu:t] **I.** *n* ❶ (*on plant*) Trieb *m;* **green ~s** (*fig*) erste |hoffnungsvolle| Anzeichen ❷ (*hunt*) Jagd *f* ❸ PHOT Aufnahmen *pl* **II.** *vi* <shot, shot> ❶ (*discharge weapon*) schießen (at auf); **to ~ to kill** mit Tötungsabsicht schießen ❷ SPORTS schießen ❸ + *adv/prep* (*move rapidly*) **to ~ to fame** über Nacht berühmt werden; ■**to ~ past** *car* vorbeischießen ❹ (*film*) filmen, drehen; (*take photos*) fotografieren ❺ AM (*aim*) ■**to ~ for** |*or* at| **sth** etw anstreben ❻ (*say it*) **~!** schieß los! *fam* **III.** *vt* <shot, shot> ❶ (*fire*) ■**to ~ sth** *bow, gun* mit etw *dat* schießen; *arrow* etw abschießen; *bullet* etw abfeuern ❷ (*hit*) anschießen; (*dead*) erschießen; **to be shot in the head/leg** in den Kopf/ins Bein getroffen werden ❸ PHOT *film* drehen; *picture* machen ❹ (*direct*) **to ~ a glance at sb** einen schnellen Blick auf jdn werfen; **to ~ questions at sb** jdn mit Fragen bombardieren ❺ (*score*) schießen ❻ *esp* AM (*fam: play*) **to ~ baskets** Basketball spielen ❼ (*sl: inject illegally*) **to ~ heroin** sich *dat* Heroin spritzen ◆**shoot down** *vt* ❶ (*kill*) erschießen ❷ AVIAT, MIL abschießen ❸ (*fam: refute*) niedermachen ◆**shoot off I.** *vt usu passive* wegschießen ▶**to ~ one's mouth off** (*sl*) sich *dat* das Maul zerreißen *derb* **II.** *vi vehicle* schnell losfahren; *people* eilig aufbrechen ◆**shoot out I.** *vi* ❶ (*emerge suddenly*) plötzlich hervorschießen ❷ (*gush forth*) *water* herausschießen; *flames* hervorbrechen **II.** *vt* ❶ (*extend*) **he shot out a hand to catch**

the **cup** er streckte blitzschnell die Hand aus, um die Tasse aufzufangen ❷ (*have gunfight*) ■**to ~ it out** etw [mit Schusswaffen] austragen ◆**shoot up** I. *vi* ❶ (*increase rapidly*) schnell ansteigen; *skyscraper* in die Höhe schießen ❷ (*fam: grow rapidly*) *child* schnell wachsen ❸ (*sl: inject narcotics*) sich *dat* einen Schuss verpassen *sl* II. *vt* (*inject illegally*) sich *dat* spritzen

shoot·ing ['ʃuːtɪŋ] I. *n* ❶ (*attack with gun*) Schießerei *f*; (*from more than one side*) Schusswechsel *m*; (*killing*) Erschießung *f* ❷ *no pl* (*firing guns*) Schießen *nt* ❸ *no pl* (*sport*) Jagen *nt*; **grouse ~** Moorhuhnjagd *f* ❹ *no pl* FILM Drehen *nt* II. *adj attr* **~ pain** stechender Schmerz

'**shoot·ing gal·lery** *n* ❶ (*for target practice*) Schießstand *m* ❷ (*sl: for narcotics users*) Ort, an dem man sich Rauschgift spritzt '**shoot·ing jack·et** *n* Jägerjacke *f* '**shoot·ing lodge** *n* Jagdhütte *f* '**shoot·ing range** *n* Schießstand *m* '**shoot·ing sea·son** *n* Jagdzeit *f* '**shoot·ing star** *n* ❶ (*meteor*) Sternschnuppe *f* ❷ (*person*) Shootingstar *m* '**shoot·ing stick** *n* Jagdstock *m*

'**shoot-out** *n* Schießerei *f*

shop [ʃɒp] I. *n* ❶ (*store*) Geschäft *nt*, Laden *m*; **baker's ~** *esp* BRIT Bäckerei *f*; **betting ~** BRIT Wettbüro *nt*; **to go to the ~s** einkaufen gehen; **to set up ~** (*open a shop*) ein Geschäft eröffnen; (*start out in business*) ein Unternehmen eröffnen ❷ BRIT, AUS (*shopping*) Einkauf *m*; **to do the ~** einkaufen [gehen] ▸**to be all over the ~** BRIT (*fam*) ein [völliges] Durcheinander sein; **to talk ~** über die Arbeit reden, fachsimpeln *fam* II. *vi* <-pp-> einkaufen; **to ~ for bargains** auf Schnäppchenjagd sein *fam*; **to ~ till you drop** (*hum*) eine Shoppingorgie veranstalten

shopaholic [ˌʃɒpə'hɒlɪk] *n* Einkaufssüchtige(r) *f(m)*

'**shop as·sis·tant** *n* Verkäufer(in) *m(f)* '**shop·fit·ter** *n* Ladenausstatter(in) *m(f)* **shop 'floor** *n* ❶ (*work area*) Produktionsstätte *f* ❷ + *sing/pl vb* (*manual workers*) ■**the ~** die Belegschaft '**shop·front** *n* Ladenfront *f* '**shop girl** *n* (*dated*) Verkäuferin *f* '**shop·keep·er** *n* Ladeninhaber(in) *m(f)* '**shop·keep·ing** *n no pl* Führen *nt* eines Geschäfts '**shop·lift·er** *n* Ladendieb(in) *m(f)* '**shop·lift·ing** *n no pl* Ladendiebstahl *m*

shop·per ['ʃɒpə'] *n* Käufer(in) *m(f)*

shop·ping ['ʃɒpɪŋ] *n no pl* ❶ (*buying in shops*) Einkaufen *nt*; **late night ~** langer, verkaufsoffener Abend; **to do the ~** ein-

kaufen [gehen]; **to do the Christmas ~** die Weihnachtseinkäufe erledigen; **to go ~** einkaufen gehen ❷ (*purchases*) Einkäufe *pl*; **bags of ~** volle Einkaufstaschen; **Christmas ~** Weihnachtseinkäufe *pl*

'**shop·ping ar·cade** *n* Einkaufspassage *f* '**shop·ping bag** *n* Einkaufstasche *f*; AM (*carrier bag*) Tragetasche *f*; **plastic ~** Plastiktragetasche *f* '**shop·ping bas·ket** *n* Einkaufskorb *m* '**shop·ping cart** *n* AM Einkaufswagen *m* '**shop·ping cen·tre** *n*, AM '**shop·ping cen·ter** *n* Einkaufszentrum *nt* '**shop·ping list** *n* ❶ (*of goods to be purchased*) Einkaufsliste *f* ❷ (*agenda*) Katalog *m* der geplanten Maßnahmen '**shop·ping mall** *n esp* AM, AUS überdachtes Einkaufszentrum '**shop·ping street** *n* Geschäftsstraße *f* '**shop·ping trol·ley** *n* BRIT Einkaufswagen *m*

'**shop-soiled** *adj* BRIT, AUS leicht beschädigt **shop** '**stew·ard** *n* Gewerkschaftsvertreter(in) *m(f)* '**shop talk** *n no pl* Fachsimpelei *f fam* '**shop·walk·er** *n* BRIT [Kaufhaus]abteilungsleiter(in) *m(f)* **shop** '**win·dow** *n* ❶ (*display area*) Schaufenster *nt* ❷ (*showcase*) Schaufenster *nt* '**shop·worn** *adj* ❶ AM (*shop-soiled*) leicht beschädigt ❷ (*overused*) abgedroschen

shore[1] [ʃɔː'] *n* ❶ (*coast*) Küste *f*; *of river, lake* Ufer *nt*; (*beach*) Strand *m*; **off [the] ~** vor der Küste; **on ~** an Land ❷ (*country*) ■**~s** *pl* Land *nt*

shore[2] [ʃɔː'] *n* Strebebalken *m* ◆**shore up** *vt* abstützen; (*fig*) aufbessern

'**shore leave** *n no pl* Landurlaub *m* '**shore·line** *n* Küstenlinie *f*

shorn [ʃɔːn] *pp of* **shear**

short [ʃɔːt] I. *adj* ❶ (*not long*) kurz; **Bob's ~ for Robert** Bob ist die Kurzform von Robert ❷ (*not tall*) klein ❸ (*not far*) kurz; **~ distance** kurze Strecke; **at ~ range** aus kurzer Entfernung ❹ (*brief*) kurz; **to have a ~ memory** ein kurzes Gedächtnis haben; **at ~ notice** kurzfristig; **in the ~ term** kurzfristig; **~ and sweet** kurz und schmerzlos ❺ (*not enough*) **we're still one person ~** uns fehlt noch eine Person; ■**sb is ~ of sth** jdm mangelt es an etw *dat*; **we're a bit ~ of coffee** wir haben nur noch wenig Kaffee; **to be ~ of breath** außer Atem sein; **to be ~ [of cash]** (*fam*) knapp bei Kasse sein; **to be ~ of space/time** wenig Platz/Zeit haben; **to be in ~ supply** schwer zu beschaffen sein ❻ LING **~ vowel** kurzer Vokal ❼ *pred* (*not friendly*) ■**to be ~ [with sb]** [jdm gegenüber] kurz angebunden sein ▸**to not be ~ of a bob**

or two BRIT, AUS (*fam*) reich sein; **to have a ~ fuse** schnell wütend werden; **to have sb by the ~ and curlies** *esp* BRIT (*sl*) jdn in der Hand haben; **to make ~ shrift of sth** mit etw *dat* kurzen Prozess machen; **to draw the ~ straw** den Kürzeren ziehen **II.** *n* ❶ FILM Kurzfilm *m* ❷ ELEC (*fam*) Kurzer *m* ❸ BRIT (*fam: alcoholic drink*) Kurzer *m* **III.** *adv* **to cut sth ~** etw abkürzen; **they never let the children go ~** sie ließen es den Kindern an nichts fehlen; **to fall ~ of sth** etw nicht erreichen; **to fall ~ of expectations** den Erwartungen nicht entsprechen; **to stop sb ~** jdn unterbrechen; **to stop sth ~** etw abbrechen; **she stopped ~ of accusing him of lying** beinahe hätte sie ihm vorgeworfen, dass er log ▶ **in ~** kurz gesagt

short·age ['ʃɔːtɪdʒ] *n* Mangel *m kein pl* (**of** an); **water ~** Wassermangel *m*

'**short·bread** *n no pl* Shortbread *nt* (*Buttergebäck*) '**short·cake** *n* ❶ (*biscuit*) Shortbread *nt* (*Buttergebäck*) ❷ *esp* AM (*layer cake*) Kuchen *m* mit Belag; (*with fruit*) [Torten]boden *m* **short·'change** *vt* ■ **to ~ sb** (*after purchase*) jdm zu wenig Wechselgeld herausgeben **short·'cir·cuit** *vt* (*shorten or avoid*) abkürzen **short·'com·ing** *n usu pl* Mangel *m; of person* Fehler *m; of system* Unzulänglichkeit *f* '**short·crust** *n*, **short·crust 'pas·try** *n no pl* Mürbeteig *m* '**short cut** *n* Abkürzung *f* '**short·cut key** *n* COMPUT Tastenkombination *f* **short·'dat·ed** *n* FIN kurzfristig [zahlbar]

short·en ['ʃɔːtⁿn] **I.** *vt* (*make shorter*) kürzen; *name* abkürzen **II.** *vi* ❶ (*become shorter*) kürzer werden ❷ (*reduce odds*) **the odds have ~ed on the German team winning the European Championship** die Chancen des deutschen Teams, die Europameisterschaft zu gewinnen, sind gestiegen

short·en·ing ['ʃɔːtⁿnɪŋ] *n no pl* AM, AUS Backfett *nt*

'**short·fall** *n* ❶ (*shortage*) Mangel *m kein pl* ❷ FIN (*deficit*) Defizit *nt* '**short·hand** *n no pl* Kurzschrift *f*, Stenografie *f;* **to do ~** stenografieren **short·'hand·ed** *adj* unterbesetzt; ■ **to be ~** zu wenig Personal haben **short·hand 'typ·ist** *n* BRIT, AUS Stenotypist(in) *m(f)* '**short·haul** *adj attr* ❶ (*covering a short distance*) Kurzstrecken-; **~ flight** Kurzstreckenflug *m; ~* **trip** kurze Fahrt ❷ (*short-term*) Kurzzeit- '**short list** *n* Liste *f* der aussichtsreichsten Bewerber/Bewerberinnen; **to be on the ~** in der engeren Wahl sein '**short-list** *vt* in die

engere Wahl ziehen **short-lived** [-'lɪvd] *adj* kurzlebig; *happiness, triumph* kurz; ■ **to be ~** von kurzer Dauer sein

short·ly ['ʃɔːtli] *adv* ❶ (*soon*) in Kürze, bald; **~ after** .../**afterwards** kurz nachdem .../danach ❷ (*curtly*) kurz angebunden

short·ness ['ʃɔːtnəs] *n no pl* ❶ (*in length, brevity*) Kürze *f* ❷ (*insufficiency*) Knappheit *f;* MED Insuffizienz *f;* **~ of breath** Atemnot *f*

short 'or·der *n* AM ❶ (*order*) Bestellung *f* (*eines Schnellgerichts*) ❷ (*food*) Schnellgericht *nt* '**short-range** *adj* ❶ MIL Kurzstrecken- ❷ (*short-term*) kurzfristig; **~ weather forecast** Wettervorhersage *f* für die nächsten Tage

shorts [ʃɔːts] *n pl* ❶ (*short trousers*) kurze Hose, Shorts *pl* ❷ AM (*underpants*) Unterhose *f*

short-'sight·ed *adj* kurzsichtig *a. fig* **short-sleeved** [-ˌsliːvd] *adj* kurzärmelig **short-staffed** [-'stɑːft] *adj* unterbesetzt **short 'sto·ry** *n* Kurzgeschichte *f* **short-'tem·pered** [-'tempəd] *adj* cholerisch '**short-term** *adj* kurzfristig; **~ memory** Kurzzeitgedächtnis *nt; ~* **outlook** Aussichten *pl* für die nächste Zeit **short-term·ism** [ʃɔːt'tɜːmɪzᵃm] *n no pl* kurzfristiges Denken **short 'time** *n no pl* Kurzarbeit *f;* **to be on ~** kurzarbeiten '**short wave** *n* ❶ (*radio wave*) Kurzwelle *f* ❷ (*radio*) Kurzwellenempfänger *m* **short-wind·ed** [-'wɪndɪd] *adj* kurzatmig

shot¹ [ʃɒt] **I.** *n* ❶ *of weapon* Schuss *m* ❷ SPORTS (*heavy metal ball*) Kugel *f* ❸ SPORTS (*in tennis, golf*) Schlag *m;* (*in handball, basketball*) Wurf *m;* (*in football, ice hockey*) Schuss *m* ❹ *no pl* (*ammunition*) Schrot *m o nt* ❺ (*photograph*) Aufnahme *f;* FILM Einstellung *f;* **to take a ~** ein Foto machen [*o* schießen] ❻ (*fam: injection*) Spritze *f;* (*fig*) Schuss *m sl* ❼ (*fam: attempt*) Gelegenheit *f,* Chance *f;* **to give it a ~** es mal versuchen *fam* ❽ *of alcohol* Schuss *m* ▶ **like a ~** (*fam*) wie der Blitz **II.** *vt, vi pp, pt of* **shoot**

shot² [ʃɒt] *adj* ❶ (*with colour*) schillernd *attr;* **~ silk** changierende Seide; **to be ~ with silver** silbrig glänzen ❷ (*fam: worn out*) ausgeleiert *fam;* **my nerves are ~** ich bin mit meinen Nerven am Ende ▶ **to be/ get ~ of sb/sth** jdn/etw los sein/loswerden

'**shot·gun** *n* Schrotflinte *f* ▶ **to ride ~** AM (*fam*) vorne sitzen (*im Auto*) '**shot put** *n* SPORTS ■ **the ~** Kugelstoßen *nt kein pl* '**shot put·ter** *n* Kugelstoßer(in) *m(f)*

should [ʃʊd] *aux vb* ❶ (*expressing advisability*) ▪**sb/sth ~ ...** jd/etw sollte ...; **he said that I ~ see a doctor** er meinte, ich soll[t]e zum Arzt gehen; **you ~ be ashamed of yourselves** ihr solltet euch [was] schämen; **how kind! you really ~n't have!** wie nett! das war doch [wirklich] nicht nötig! ❷ (*asking for advice*) ▪**~ sb/sth ...?** soll[te] jd/etw ...?; **~ I apologize to him?** soll[te] ich mich bei ihm entschuldigen? ❸ (*expressing expectation*) ▪**sb/sth ~ ...** jd/etw sollte [o müsste] [eigentlich] ...; **you ~ find this guidebook helpful** dieser Führer wird dir sicher nützlich sein; **there ~n't be any problems** es dürfte eigentlich keine Probleme geben; **that ~ be safe enough** das dürfte [o müsste eigentlich] sicher genug sein; **could you have the report ready by Friday? — yes, I ~ think so** könnten Sie den Bericht bis Freitag fertig haben? – ja, ich glaube schon; **I don't like to drink more than one bottle of wine in an evening — I ~ think not!** ich mag pro Abend nicht mehr als eine Flasche Wein trinken – das will ich wohl meinen!; **I ~ be so lucky** (*fam*) schön wär's! ❹ (*expressing futurity*) ▪**sb/sth ~ ...** jd/etw würde ... ❺ (*form: expressing a possibility*) **it seems very unlikely to happen, but if it ~, we need to be well-prepared** es scheint unwahrscheinlich, aber für den Fall, dass es doch passieren sollte, müssen wir gut vorbereitet sein; **he would be most welcome, ~ he be coming at all** er wäre höchst willkommen, falls er überhaupt kommt; **in case sb/sth ~ do sth** falls jd/etw etw tun sollte ❻ (*rhetorical*) ▪**why ~ sb/sth ...?** warum sollte jd/etw ...? ❼ (*expressing surprise*) **I was just getting off the bus when who ~ I see but my old school friend Pat!** was glaubst du, wen ich gesehen habe, als ich aus dem Bus ausstieg – niemand anderen als meinen alten Schulfreund Pat! ❽ (*could*) **where's Stuart? — how ~ I know?** wo ist Stuart? – woher soll[te] ich das wissen? ❾ (*dated form: would*) **I ~ like a whisky before the meal** ich hätte vor dem Essen gern einen Whisky; **I ~n't worry about it if I were you** ich würde mir deswegen an deiner Stelle keine Sorgen machen

shoul·der ['ʃəʊldə^r] I. *n* ❶ (*joint*) Schulter *f;* **to lift a burden from sb's ~s** (*fig*) eine Last von jds Schultern nehmen; **a ~ to cry on** (*fig*) eine Schulter zum Ausweinen; **to glance over one's ~** einen Blick über die Schulter werfen; **to hunch one's ~s** die Schultern hochziehen; **to shrug one's ~s** mit den Achseln zucken ❷ FASHION (*in clothing*) Schulter *f* ❸ (*meat*) Schulter *f; of beef* Bug *m* ❹ *of road* Bankett *nt;* **hard/ soft ~** befestigtes/unbefestigtes Bankett **II.** *vt* ❶ (*push*) [mit den Schultern] stoßen; **to ~ one's way somewhere** sich irgendwohin drängen ❷ (*carry*) schultern; ▪**to ~ sb** jdn auf die Schultern nehmen ❸ (*accept*) auf sich *akk* nehmen; **to ~ the cost of sth** die Kosten für etw *akk* tragen; **to ~ responsibility** Verantwortung übernehmen

'**shoul·der bag** *n* Umhängetasche *f*
'**shoul·der blade** *n* Schulterblatt *nt*
'**shoul·der pad** *n* Schulterpolster *nt o* ÖSTERR *m;* SPORTS *also* Schulterschoner *m*
'**shoul·der strap** *n* Riemen *m* '**shoul·der surf·ing** *n no pl* (*sl*) visuelle Datenausspähung (*Ausspähen von Passwörtern oder PIN-Nummern, indem man jdm bei der Eingabe über die Schulter sieht*)

shout [ʃaʊt] I. *n* ❶ (*loud cry*) Ruf *m,* Schrei *m;* **a ~ from the audience** ein Zuruf *m* aus dem Publikum; **a ~ of joy** ein Freudenschrei *m;* **a ~ of laughter** lautes Gelächter ❷ BRIT, AUS (*fam: round of drinks*) Runde *f; whose ~ is it?* wer schmeißt die nächste Runde? **II.** *vi* schreien; ▪**to ~ at sb** jdn anschreien; ▪**to ~ to sb** jdm zurufen; **to ~ for help** um Hilfe rufen **III.** *vt* ❶ (*yell*) rufen, schreien; **to ~ abuse at sb** jdn lautstark beschimpfen ❷ BRIT, AUS (*fam: treat to*) **to ~ [sb] a drink** [jdm] ein Getränk ausgeben
◆**shout down** *vt* niederschreien *fam*
◆**shout out** *vt* [aus]rufen

shout·ing ['ʃaʊtɪŋ] I. *n no pl* Schreien *nt,* Geschrei *nt* **II.** *adj* **within ~ distance** in Rufweite; (*fig*) nahe [an +*dat*]

shove [ʃʌv] I. *n* Ruck *m;* **to give sth a ~** etw [weg]rücken **II.** *vt* ❶ (*push*) schieben; ▪**to ~ sb around** jdn herumstoßen *fam;* ▪**to ~ sth aside** etw beiseiteschieben ❷ (*place*) **to ~ sth into a bag** etw in eine Tasche stecken; ▪**to ~ sth [down] somewhere** etw irgendwohin stellen ▸**~ it [up your arse]**! (*fam!, sl*) steck dir das sonst wohin! **III.** *vi* ❶ (*push*) drängen ❷ (*fam: move aside*) ▪**to ~ along** [*or over*] beiseiterücken ◆**shove off** *vi* ❶ (*fam!, sl: go away*) abhauen *sl* ❷ NAUT (*push away*) [vom Ufer] abstoßen

shov·el ['ʃʌvəl] I. *n* ❶ (*tool*) Schaufel *f; of earthmoving machine* Baggerschaufel *f* ❷ (*shovelful*) **a ~ of coal/dirt/snow** eine Schaufel [voll] Kohle/Erde/Schnee **II.** *vt* <BRIT -ll- *or* AM *usu* -l-> schaufeln *a. fig;* **to**

~ **food into one's mouth** sich *dat* Essen in den Mund schaufeln **III.** *vi* <BRIT -ll- *or* AM *usu* -l-> schaufeln

show [ʃəʊ] **I.** *n* ❶ (*showing*) Demonstration *f geh;* **his refusal was a childish ~ of defiance** seine Weigerung war eine kindische Trotzreaktion; **~ of kindness** Geste *f* der Freundlichkeit; **~ of solidarity** Solidaritätsbekundung *f geh;* **~ of strength/unity** Demonstration *f* der Stärke/Einigkeit *geh* ❷ *no pl* (*display, impression*) Schau *f;* **just for ~** nur zur Schau wegen; **to make a ~ of sth** etw zur Schau stellen ❸ *no pl* (*impressive sight*) Schauspiel *nt geh;* **a ~ of colour/flowers** eine Farben-/Blumenpracht ❹ (*exhibition, event*) Schau *f,* Ausstellung *f;* **slide ~** Diavortrag *m;* ▪ **to be on ~** ausgestellt sein ❺ (*entertainment*) Show *f;* (*on TV also*) Unterhaltungssendung *f;* (*at a theatre*) Vorstellung *f;* **puppet ~** Puppenspiel *nt;* **quiz ~** Quizsendung *f,* Quizshow *f;* **radio ~** Radioshow *f* ❻ *no pl* (*fam: activity, affair*) Sache *f;* (*situation*) Situation *f;* **who will run the ~ when she retires?** wer wird den Laden schmeißen, wenn sie in Pension geht? *fam;* **who's running the ~?** wer ist hier der Boss? *fam* ▶ **good/poor ~!** (*dated fam*) gut [gemacht]!/schwache Leistung!; **let's get this ~ on the road** (*fam*) lasst uns die Sache [endlich] in Angriff nehmen; **the ~ must go on** (*saying*) die Show muss weitergehen; **~ of hands** [Abstimmung *f* per] Handzeichen *nt* **II.** *vt* <showed, shown *or* showed> ❶ (*display, project*) zeigen; (*exhibit*) ausstellen; (*perform*) vorführen; (*produce*) vorzeigen; **to ~ a film** einen Film zeigen; **to ~ one's passport at the border** seinen Pass an der Grenze vorzeigen ❷ (*expose*) sehen lassen; **this carpet ~s all the dirt** bei dem Teppich kann man jedes bisschen Schmutz sehen ❸ (*reveal*) zeigen; **he started to ~ his age** man konnte ihm langsam sein Alter sehen; **to ~ common sense/courage/initiative** gesunden Menschenverstand/Mut/Unternehmungsgeist beweisen; **to ~ promise** viel versprechend sein ❹ (*express*) zeigen; **to ~ compassion [for sb]** [mit jdm] Mitleid haben; **to ~ sb respect** jdm Respekt erweisen ❺ (*point out*) zeigen; (*represent*) darstellen; **it's ~ing signs of rain** es sieht nach Regen aus ❻ (*explain*) ▪ **to ~ sb sth** jdm etw zeigen; **to ~ sb the way** jdm den Weg zeigen ❼ (*record*) anzeigen; **statistics** [auf]zeigen; **to ~ a loss/profit** einen Verlust/Gewinn aufweisen ❽ (*prove*) beweisen; ▪ **to ~ [sb] how/why ...** [jdm] zeigen,

wie/warum ...; ▪ **to ~ oneself [to be] sth** sich als etw erweisen ❾ (*escort*) ▪ **to ~ sb into/out of sth** jdn in etw *akk*/aus etw *dat* führen; ▪ **to ~ sb around a place** jdm einen Ort zeigen ▶ **to ~ sb the <u>door</u>** jdm die Tür weisen; **to dare [to] ~ one's <u>face</u>** es wagen, aufzukreuzen *fam;* **to ~ one's <u>true</u> colours** Farbe bekennen; **that <u>will</u> ~ you/her** (*fam*) das wird dir/ihr eine Lehre sein **III.** *vi* <showed, shown *or* showed> ❶ (*be visible*) zu sehen sein, erscheinen; **she's four months pregnant and starting to ~** sie ist im vierten Monat schwanger, und allmählich sieht man es auch; **to let sth ~** sich *dat* etw anmerken lassen ❷ *esp* AM, AUS (*fam: arrive*) auftauchen ❸ (*be shown*) *film* laufen *fam;* **now ~ing at a cinema near you!** jetzt in Ihrem Kino! ❹ (*exhibit*) ausstellen ◆**show around** *vt* AM *see* **show round** ◆**show in** *vt* (*bring*) hereinführen; (*take*) hineinführen ◆**show off I.** *vt* ▪ **to ~ off** ↻ sb/sth mit jdm/etw angeben **II.** *vi* angeben ◆**show out** *vt* hinausführen; **will you ~ Ms Nester out please?** würden Sie Frau Nester bitte zur Tür bringen?; **I'll ~ myself out** ich finde schon allein hinaus ◆**show round** *vt* ❶ (*escort*) herumführen; **to ~ sb round the house** jdm das Haus zeigen ❷ (*pass round*) herumzeigen ◆**show through** *vi* durchschimmern ◆**show up I.** *vi* ❶ (*appear*) sich zeigen; **the drug does not ~ up in blood tests** das Medikament ist in Blutproben nicht nachweisbar ❷ (*fam: arrive*) auftauchen **II.** *vt* ❶ (*make visible*) zeigen ❷ (*expose*) aufdecken; ▪ **to ~ up** ↻ sb jdn entlarven ❸ (*embarrass*) bloßstellen

show·biz [ˈʃəʊbɪz] *n no pl* (*fam*) *short for* **show business** Showbiz *nt* **'show·boat** AM **I.** *n* ❶ (*ship*) Theaterschiff *nt* ❷ (*fam: show-off*) Angeber(in) *m(f)* **II.** *adj* (*fam*) angeberisch **III.** *vi* (*fam*) angeben **'show busi·ness** *n no pl* Showbusiness *nt,* Showgeschäft *nt* **'show·case I.** *n* ❶ (*container*) Schaukasten *m,* Vitrine *f* ❷ (*place/opportunity for presentation*) Schaufenster *nt* **II.** *vt* ausstellen **'show·down** *n* Showdown *m*

show·er [ˈʃaʊəʳ] **I.** *n* ❶ (*brief fall*) Schauer *m;* **~ of rain/snow** Regen-/Schneeschauer *m* ❷ (*spray*) Regen *m;* **to bring a ~ of praise upon sb** (*fig*) jdm viel Lob einbringen; **~ of sparks** Funkenregen *m* ❸ (*for bathing*) Dusche *f;* **to have a ~** duschen ❹ AM (*party*) *Frauenparty vor einer Hochzeit, Geburt etc., bei der Geschenke überreicht werden* **II.** *vt* ❶ (*with liquid*) be-

S

spritzen; **to ~ sb with champagne** jdn mit Champagner bespritzen ❷ (fig) **to ~ sb with compliments/presents** jdn mit Komplimenten/Geschenken überhäufen; **to ~ a town with missiles** eine Stadt unter Raketenbeschuss nehmen III. vi (take a shower) duschen

'**show·er cap** n Duschhaube f '**show·er cur·tain** n Duschvorhang m '**show·er gel** n Duschgel nt

show·ery ['ʃaʊəri] adj mit vereinzelten Regenschauern nach n; ~ **weather** regnerisches Wetter

'**show flat** n Musterwohnung f '**show·girl** n Revuegirl nt '**show·ground** n Veranstaltungsgelände nt '**show home**, '**show house** n Brit Musterhaus nt

show·ing ['ʃəʊɪŋ] n usu sing ❶ (exhibition) Ausstellung f ❷ (broadcasting) Übertragung f ❸ (performance in competition) Vorstellung f

'**show jump·ing** n no pl Springreiten nt '**show·man** n Showman m

show·man·ship ['ʃəʊmənʃɪp] n no pl publikumswirksames Auftreten

shown ['ʃəʊn] vt, vi pp of **show**

'**show-off** n Angeber(in) m(f) '**show·piece** n Paradebeispiel nt '**show·room** n Ausstellungsraum m '**show trial** n Schauprozess m

showy ['ʃəʊi] adj auffällig

shrank [ʃræŋk] vt, vi pt of **shrink**

shrap·nel ['ʃræpnəl] n no pl Granatsplitter m

shred [ʃred] I. n ❶ usu pl (thin long strip) Streifen m; **to leave sb's reputation in ~s** jds Ruf ruinieren; **to be in ~s** zerfetzt sein; **to rip sth to ~s** etw in Fetzen reißen; **to tear sb to ~s** (fig) jdn in Stücke reißen ❷ no pl (tiny bit) of hope Funke m; **there isn't a ~ of evidence** es gibt nicht den geringsten Beweis; **without a ~ of clothing on** splitter[faser]nackt II. vt <-dd-> paper, textiles zerkleinern; vegetables hacken

shred·der ['ʃredəʳ] n Reißwolf m, Shredder m; **garden ~** Häcksler m

shrew [ʃru:] n ❶ (animal) Spitzmaus f ❷ (pej: woman) Hexe f

shrewd [ʃru:d] adj schlau, klug; eye scharf; move geschickt; **to make a ~ guess** gut raten

shrewd·ly ['ʃru:dli] adv (approv) schlau, klug; **she ~ predicted the stock market crash** sie sah den Zusammenbruch des Börsenmarkts scharfsinnig voraus

shrewd·ness ['ʃru:dnəs] n no pl (approv) Klugheit f

shrew·ish ['ʃru:ɪʃ] adj (pej) zänkisch

shriek [ʃri:k] I. n [schriller, kurzer] Schrei; of seagull Kreischen nt kein pl; ~ **of delight** Freudenschrei m II. vi kreischen; (with laughter) brüllen; (with pain) schreien III. vt schreien; **to ~ abuse at sb** jdn lauthals beschimpfen

shrift [ʃrɪft] n ▶ **to get short ~ from sb** von jdm wenig Mitleid bekommen; **to give sb short ~** jdn kurz abfertigen; **to make short ~ of sth** mit etw dat kurzen Prozess machen

shrill [ʃrɪl] adj schrill

shrimp [ʃrɪmp] n ❶ <pl -s or -> (crustacean) Garnele f, Shrimp m ❷ (pej fam: very short person) Zwerg m hum

shrine [ʃraɪn] n Heiligtum nt; (casket for relics) Schrein m a. fig; (tomb) Grabmal nt; (place of worship) Pilgerstätte f

shrink [ʃrɪŋk] I. vi <shrank or esp Am shrunk, shrunk or Am also shrunken> ❶ (become smaller) schrumpfen; sweater eingehen ❷ (liter: cower) sich ducken; ▪**to ~ at sth** bei etw dat zusammenzucken ❸ (pull back) ▪**to ~ away** zurückweichen ❹ (show reluctance) ▪**to ~ from [doing] sth** sich vor etw dat drücken fam II. vt <shrank or Am esp shrunk, shrunk or Am also shrunken> schrumpfen lassen; **I shrank another shirt today** mir ist heute schon wieder ein Hemd eingelaufen; **to ~ costs** die Kosten senken III. n (fam) Psychiater(in) m(f)

shrink·age ['ʃrɪŋkɪdʒ] n no pl Schrumpfen nt; of sweater Eingehen nt

'**shrink-wrap** I. n Plastikfolie f II. vt **to ~ food** Nahrungsmittel in Frischhaltefolie einpacken; **to ~ a book** ein Buch einschweißen

shriv·el <Brit -ll- or Am usu -l-> ['ʃrɪvəl] I. vi [zusammen]schrumpfen; fruit schrumpeln; plants welken; skin faltig werden; (fig) profits schwinden II. vt zusammenschrumpfen lassen; **to ~ the crops** die Ernte vertrocknen lassen ◆**shrivel up** vi zusammenschrumpfen; fruit schrumpeln ▶ **to want to ~ up and die** in den Boden versinken wollen

shriv·elled, Am **shriv·eled** ['ʃrɪvəld] adj fruit verschrumpelt; leaf verwelkt; skin faltig

shroud [ʃraʊd] I. n ❶ (burial wrapping) Leichentuch nt ❷ (covering) Hülle f; ~ **of dust** Staubschicht f; **a ~ of secrecy** (fig) ein Mantel m der Verschwiegenheit II. vt einhüllen; **to ~ed in darkness** in Dunkelheit gehüllt; **to ~ sth in secrecy** etw geheim halten

Shrove Tues·day [ʃrəʊv'tju:zdeɪ] n no

art Fastnachtsdienstag *m,* Faschingsdienstag *m* SÜDD, ÖSTERR

shrub [ʃrʌb] *n* Strauch *m,* Busch *m*

shrub·bery [ˈʃrʌbəri] *n no pl* ❶ *(area planted with bushes)* Gebüsch *nt* ❷ *(group of bushes)* Sträucher *pl*

shrug [ʃrʌg] I. *n of one's shoulders* Achselzucken *nt kein pl* II. *vi* <-gg-> die Achseln zucken III. *vt* <-gg-> **to ~ one's shoulders** die Achseln zucken; *(fig)* tatenlos zusehen ◆**shrug aside** *vt* ■**to ~ aside** ◯ **sth** etw mit einem Achselzucken abtun ◆**shrug off** *vt* ❶ *see* **shrug aside** ❷ *(get rid of)* loswerden

shrunk [ʃrʌŋk] *vt, vi pp, pt of* **shrink**

shrunk·en [ˈʃrʌŋkən] I. *adj* geschrumpft II. *vt, vi* AM *pp of* **shrink**

shuck [ʃʌk] I. *vt* AM ❶ FOOD *corn* schälen; *beans* enthülsen; *oysters* aus der Schale herauslösen ❷ *(remove)* **to ~ one's clothes** seine Kleider ausziehen

shucks [ʃʌks] *interj* AM *(fam)* **~, I wish I could have gone to the party** ach Mensch, hätte ich doch nur zur Party gehen können

shud·der [ˈʃʌdər] I. *vi* zittern; *ground* beben; **I ~ to think what would have happened if ...** mir graut vor dem Gedanken, was passiert wäre, wenn ...; **to ~ with disgust/horror/loathing** vor Ekel/Grauen/Abscheu erschaudern *geh;* **to ~ to a halt** mit einem Rucken zum Stehen kommen II. *n* Schaudern *nt kein pl;* **Wendy gave a ~ of disgust** Wendy schüttelte sich vor Ekel; **to send a ~ through sb** jdn erschaudern lassen *geh*

shuf·fle [ˈʃʌfl] I. *n* ❶ CARDS Mischen *nt kein pl (von Karten);* **to give the cards a ~** die Karten mischen ❷ *(rearrangement)* Neuordnung *f kein pl* ❸ *esp* AM, AUS, CAN *(shake-up)* **cabinet ~** Kabinettsumbildung *f* ❹ *no pl of feet* Schlurfen *nt* II. *vt* ❶ *(mix) cards* mischen ❷ *(move around)* ■**to ~ sth** [**around**] etw hin- und herschieben ❸ *(drag)* **to ~ one's feet** schlurfen III. *vi* ❶ CARDS Karten mischen ❷ *(sort through)* ■**to ~ through sth** etw durchblättern ❸ *(drag one's feet)* schlurfen; ■**to ~ along** *(fig)* sich dahinschleppen; ■**to ~ around** herumzappeln *fam* ◆**shuffle off** *vt* abschütteln

shun <-nn-> [ʃʌn] *vt* meiden; ■**to ~ sb** jdm aus dem Weg gehen

shunt [ʃʌnt] I. *vt* ❶ RAIL rangieren ❷ *(move)* abschieben; ■**to ~ sb** jdn schieben; *(get rid of)* jdn abschieben *fam* II. *n* ❶ RAIL Rangieren *nt kein pl* ❷ BRIT AUTO *(fam)* Bums *m*

shunt·ing [ˈʃʌntɪŋ] *n* Rangieren *nt kein pl*

'shunt·ing en·gine *n* Rangierlok[omotive] *f*

shush [ʃʊʃ] I. *interj* sch!, pst! II. *vt (fam)* ■**to ~ sb** jdm sagen, dass er/sie still sein soll

shut [ʃʌt] I. *adj* geschlossen; *curtains* zugezogen; **to slam a door ~** eine Tür zuschlagen; **to slide ~** sich automatisch schließen ▶**to be ~ of sb/sth** jdn/etw loswerden II. *vt* <-tt-, shut, shut> ❶ *(close)* schließen, zumachen; *book* zuklappen ❷ COMM *(stop operating)* schließen ❸ *(pinch)* **to ~ one's finger/hand in sth** sich *dat* den Finger/die Hand in etw *dat* einklemmen ▶**~ your face** [*or* **mouth**]**!** *(fam!)* halt die Klappe! *fam;* **~ it!** *(fam!)* Klappe! *sl* III. *vi* <-tt-, shut, shut> ❶ *(close)* schließen, zumachen ❷ COMM *(stop operating)* schließen ◆**shut away** *vt* einschließen, einsperren; ■**to ~ oneself away** sich einschließen ◆**shut down** I. *vt* ❶ *(stop operating)* schließen ❷ *(turn off)* abstellen; *computer, system* herunterfahren II. *vi business, factory* zumachen; *engine* sich abstellen ◆**shut in** *vt* einschließen, einsperren; ■**to ~ oneself in** sich einsperren ◆**shut off** *vt* ❶ *(isolate)* ■**to ~ off** ◯ **sb/sth** [**from sth**] jdn/etw [von etw *dat*] isolieren; *(protect)* jdn/etw [von etw *dat*] abschirmen; **to ~ oneself off** sich zurückziehen ❷ *(turn off)* abstellen, ausmachen; *computer, system* herunterfahren ❸ *(stop providing)* einstellen; *funds* sperren; **to ~ off signals** Signale verhindern ◆**shut out** *vt* ❶ *(block out)* ausschließen; *(fig) thoughts* verdrängen; **to ~ out the light** das Licht abschirmen; **to ~ out pain** Schmerz ausschalten ❷ *(exclude)* ■**to ~ out sb** [**from sth**] jdn [von etw *dat*] ausschließen *a. fig* ❸ SPORTS *(prevent from scoring)* ■**to ~ out** ◯ **sb** jdn zu Null schlagen ◆**shut up** I. *vt* ❶ *(confine)* einsperren ❷ AUS, BRIT *(close)* schließen; **to ~ up shop** das Geschäft schließen; *(fig: stop business)* seine Tätigkeit einstellen ❸ *(fam: cause to stop talking)* zum Schweigen bringen; **to ~ sb up for good** jdn für immer zum Schweigen bringen II. *vi* ❶ AUS, BRIT *(close)* [seinen Laden] zuschließen ❷ *(fam: stop talking)* den Mund halten

'shut·down *n* Schließung *f* **'shut·eye** *n no pl esp* AM *(fam)* Nickerchen *nt* **'shut·off** *n* Abschaltmechanismus *m* **'shut·out** *n* AM SPORTS Niederlage *f* ohne Punkt

shut·ter [ˈʃʌtər] *n* ❶ PHOT [Kamera]verschluss *m,* Blende *f;* **to open the ~** die Blende öffnen ❷ *usu pl (window cover)*

S

Fensterladen *m*

'shut·ter·bug *n* AM (*fam*) begeisterter Fotograf, begeisterte Fotografin, Fotofanatiker(in) *m(f)*

shut·tle ['ʃʌtl] **I.** *n* ❶ (*train*) Pendelzug *m;* (*plane*) Pendelmaschine *f;* **air ~** [**service**] Shuttleflug *m;* **space ~** Raumfähre *f* ❷ (*weaving bobbin*) Weberschiffchen *nt;* (*sewing-machine bobbin*) Schiffchen *nt* ❸ (*fam*) Federball *m* **II.** *vt* hin- und zurückbefördern **III.** *vi* hin- und zurückfahren

'shut·tle·cock [-kɒk] *n* Federball *m* **'shut·tle flight** *n* Shuttleflug *m* **'shut·tle ser·vice** *n* Shuttleservice *m*

shy [ʃaɪ] **I.** *adj* ❶ (*timid*) schüchtern; **~ smile** scheues Lächeln ❷ *after n* (*lacking*) **we're only £100 ~ of the total amount** uns fehlen nur noch 100 Pfund vom Gesamtbetrag **II.** *vi* <-ie-> *horse* scheuen ◆ **shy away** *vt* ■ **to ~ away from** [**doing**] **sth** vor etw *dat* zurückschrecken

shy² [ʃaɪ] *n* (*dated fam*) Wurf *m*

shy·ly [ʃaɪli] *adv* schüchtern; **to smile ~** scheu lächeln

shy·ness ['ʃaɪnəs] *n no pl* Schüchternheit *f; esp of horses* Scheuen *nt*

Sia·mese [ˌsaɪəˈmiːz] **I.** *n* <*pl* -> ❶ (*person*) Siamese, Siamesin *m, f;* (*cat*) Siamkatze *f* ❷ *no pl* (*language*) Siamesisch *nt* **II.** *adj* siamesisch

Sia·mese 'twins *npl* siamesische Zwillinge

Si·beria [saɪˈbiəriə] *n no pl* GEOG Sibirien *nt*

Si·berian [saɪˈbɪəriən] **I.** *n* Sibir[i]er(in) *m(f)* **II.** *adj* sibirisch; **~ cold** sibirische Kälte

sib·ling ['sɪblɪŋ] *n* Geschwister *nt meist pl*

Si·cil·ian [sɪˈsɪliən] **I.** *n* Sizilianer(in) *m(f)* **II.** *adj* sizilianisch

Sici·ly ['sɪsɪli] *n no pl* Sizilien *nt*

sick [sɪk] **I.** *adj* ❶ (*physically*) krank; (*in poor condition*) *machine, engine* angeschlagen; **to be off ~** krankgemeldet sein; **to call in ~** sich krankmelden ❷ (*mentally*) geisteskrank; (*fig*) krank ❸ *pred* (*in stomach*) **to be ~** sich erbrechen, spucken *fam;* **to feel ~** sich schlecht fühlen; **I feel ~** mir ist schlecht [*o* übel]; **it makes me ~ to my stomach when I think of it** mir dreht sich der Magen um, wenn ich daran denke ❹ *pred* (*fam: fed up*) **to be ~ and tired of sth** etw [gründlich] satthaben; ■ **to be ~ of sb/sth** von jdm/etw die Nase voll haben ❺ (*angry*) [wahnsinnig] wütend; **it makes me ~** es regt mich auf ❻ (*fam: cruel and offensive*) geschmacklos; *person* pervers;

mind abartig ▸ **to feel** [**as**] **~ as a dog** AM, AUS sich hundeelend fühlen; **to be ~ as a parrot** BRIT (*hum*) völlig fertig sein; **to be worried ~** (*fam*) krank vor Sorge sein **II.** *n* ❶ (*ill people*) ■ **the ~** *pl* die Kranken *pl* ❷ *no pl* BRIT (*fam: vomit*) Erbrochene(s) *nt*

'sick bag *n* MED, AVIAT Speibeutel *m* **'sick·bay** *n* MIL Krankenstation *f* **'sick·bed** *n* Krankenbett *nt*

sick·en ['sɪkən] **I.** *vi* erkranken **II.** *vt* (*upset greatly*) krank machen *fam;* (*turn sb's stomach*) anekeln; **it ~s me to think that** ... mir dreht sich der Magen um, wenn ich daran denke, dass ...

sick·en·ing ['sɪkənɪŋ] *adj* (*repulsive*) *cruelty* entsetzlich; *smell* widerlich, ekelhaft; *prices, frequency* unerträglich; (*annoying*) [äußerst] ärgerlich

sick·le ['sɪkl] *n* Sichel *f*

'sick leave *n no pl* MED **to be on ~** krankgeschrieben sein **'sick list** *n* MED Krankenliste *f*

sick·ly ['sɪkli] *adj* ❶ (*not healthy*) kränklich; (*pale*) *complexion, light* blass ❷ (*causing nausea*) ekelhaft ❸ (*full of emotion*) schmalzig *pej*

sick·ness <*pl* -es> ['sɪknəs] *n* ❶ (*illness*) Krankheit *f;* (*nausea*) Übelkeit *f* ❷ (*fig*) Schwäche *f* ❸ *no pl* (*vomiting*) Erbrechen *nt* ❹ *no pl* (*perverseness*) Abartigkeit *f*

'sick·ness ben·efit *n* BRIT, AUS Krankengeld *nt*

'sick note *n* Krankmeldung *f* **'sick pay** *n* *no pl* ADMIN, MED Krankengeld *nt* **'sick·room** *n* Krankenzimmer *nt*

side [saɪd] **I.** *n* ❶ (*vertical surface*) *of car, box* Seite *f; of hill, cliff* Hang *m;* (*wall*) *of house, cave, caravan* [Seiten]wand *f;* ■ **at the ~ of sth** neben etw *dat* ❷ *of somebody* Seite *f;* **to stay at sb's ~** jdm zur Seite stehen; **~ by** nebeneinander, Seite an Seite ❸ (*face, surface*) *of coin, record, box* Seite *f;* **this ~ up!** (*on a parcel*) oben!; **the right/wrong ~ of the fabric** [*or* **material**] die rechte/linke Seite des Stoffes ❹ (*page*) Seite *f* ❺ (*edge, border, line*) *of plate, clearing, field* Rand *m; of table, square, triangle* Seite *f; of river* [Fluss]ufer *nt; of road* [Straßen]rand *m;* **at** [*or* **on**] **the ~ of the road** am Straßenrand; **on all ~s** auf allen Seiten; **from ~ to ~** von rechts nach links ❻ (*half*) *of bed, house* Hälfte *f; of town, road, brain, room* Seite *f;* **in Britain, cars drive on the left ~ of the road** in Großbritannien fahren die Autos auf der linken Straßenseite; **three ~s of lamb** drei Lammhälften ❼ *no pl* (*part*) *of* *deal, agreement* Anteil *m;* **this is the best pizza I've tasted this ~ of Italy** das ist die beste Pizza, die ich diesseits von Italien gegessen habe; **we don't expect to see him this ~ of Christmas** wir erwarten nicht, ihn vor Weihnachten zu sehen; **to keep one's ~ of a bargain** seinen Anteil an einem Geschäftes behalten ❽ *(direction)* Seite *f;* **to put sth to one ~** etw beiseitelassen; **to take sb to one ~** jdn auf die Seite nehmen ❾ + *sing/pl vb (opposing party) of dispute, contest* Partei *f,* Seite *f;* **whose ~ are you on anyway?** auf wessen Seite stehst du eigentlich?; **to change** [*or* **switch**] **~s** sich auf die andere Seite schlagen; **to take ~s** Partei ergreifen ❿ + *sing/pl vb (team)* Mannschaft *f,* Seite *f* ⓫ *(aspect)* Seite *f;* **I've listened to your ~ of the story** ich habe jetzt deine Version der Geschichte gehört; **to be on the right/wrong ~ of the law** auf der richtigen/falschen Seite des Gesetzes stehen; **to look on the bright[er] ~ of life** zuversichtlich sein ⓬ *esp* AM *(side dish)* Beilage *f;* **with a ~ of broccoli/french fries/rice** mit Brokkoli/Pommes frites/Reis als Beilage ▶ **the other ~ of the coin** die Kehrseite der Medaille; **to get on the wrong ~ of sb** es sich *dat* mit jdm verderben; **to keep on the right ~ of sb** es sich *dat* mit jdm nicht verderben; **to have a bit on the ~** *(fam: have an affair)* noch nebenher etwas laufen haben; *(have savings)* etw auf der hohen Kante haben; **to be on the large/small ~** zu groß/klein sein; **to let the ~ down** *esp* BRIT *(fail)* alle im Stich lassen; *(disappoint)* alle enttäuschen **II.** *adj* Neben-; **~ job** Nebenbeschäftigung *f,* Nebenjob *m fam* **III.** *vi* ■ **to ~ against sb** sich gegen jdn stellen; ■ **to ~ with sb** zu jdm halten

'**side·arm** *n* an der Seite getragene Waffe
'**side·board** *n* ❶ *(buffet)* Anrichte *f,* Sideboard *nt* ❷ BRIT *(fam: sideburns)* ■ **~s** *pl* Koteletten *pl* '**side·burns** *npl (hair)* Koteletten *pl* '**side·car** *n* AUTO Seitenwagen *m*
'**side dish** *n* FOOD Beilage *f* '**side effect** *n* Nebenwirkung *f* '**side is·sue** *n* Nebensache *f* '**side·kick** *n (fam)* ❶ *(subordinate)* Handlanger *m* ❷ *(friend)* Kumpel *m fam* '**side·light** *n* ❶ BRIT AUTO Standlicht *nt* ❷ *(extra information)* Streiflicht *nt;* **what he said threw an interesting ~ on what had happened** was er sagte, beleuchtete die Ereignisse von einem interessanten Blickwinkel aus '**side·line I.** *n* ❶ *(secondary job)* Nebenbeschäftigung *f;* *(money)* Nebenerwerb *m* ❷ *esp* AM SPORTS

(boundary line) Begrenzungslinie *f;* *(area near field)* Seitenlinie *f* ❸ *(fig)* **to watch sth from the ~s** etw als unbeteiligter Außenstehender beobachten **II.** *vt* ❶ SPORTS *(keep from playing)* auf die Ersatzbank schicken ❷ *(fig: ignore opinions)* kaltstellen *fam* '**side·long I.** *adj* seitlich **II.** *adv* seitlich '**side road** *n* Seitenstraße *f* '**side-sad·dle I.** *n* Damensattel *m* **II.** *adv* **to ride ~** im Damensattel reiten '**side sal·ad** *n* Beilagensalat *m* '**side·show** *n (not main show)* Nebenaufführung *f;* *(fig)* Ablenkung *f;* *(exhibition)* Sonderausstellung *f* '**side-slip I.** *n* AUTO Schleudern *nt;* AVIAT seitliches Abrutschen **II.** *vi* <-pp-> AUTO schleudern; AVIAT seitlich abrutschen '**side·step I.** *vt* <-pp-> ■ **to ~ sb/sth** jdm/etw ausweichen **II.** *vi* <-pp-> ausweichen **III.** *n* Schritt *m* zur Seite; *(fig)* Ausweichmanöver *nt;* *(in dancing)* Seitenschritt *m;* *(in sports)* Ausfallschritt *m* '**side street** *n* Seitenstraße *f* '**side ta·ble** *n* Beistelltisch *m* '**side·track** *n* **I.** *vt* ❶ *(distract)* ablenken ❷ *(put on ice)* auf Eis legen ❸ RAIL rangieren **II.** *n* ❶ *(distraction)* Abschweifung *f* ❷ RAIL *(siding)* Rangiergleis *nt* '**side view** *n* Seitenansicht *f* '**side·walk** *n esp* AM *(pavement)* Bürgersteig *m*
side·ward ['saɪdwəd] *adj* seitlich
side·wards ['saɪdwədz], **side·ways** ['saɪdweɪz] **I.** *adv* ❶ *(to, from a side)* seitwärts; **the fence is leaning ~** der Zaun steht schief ❷ *(facing a side)* seitwärts **II.** *adj* seitlich; **he gave her a ~ glance** er sah sie von der Seite an
'**side whisk·ers** *npl* Koteletten *pl* '**side wind** *n* Seitenwind *m* '**side·wind·er** ['saɪdwaɪndəʳ] *n* ❶ ZOOL *(rattlesnake)* Klapperschlange *f* ❷ AM *(punch)* Seitenhieb *m*
sid·ing ['saɪdɪŋ] *n* ❶ RAIL Rangiergleis *nt;* *(dead end)* Abstellgleis *nt* ❷ *no pl* AM *(wall covering)* Außenverkleidung *f*
si·dle ['saɪdl] *vi* schleichen; **she ~d past him** sie schlich sich an ihm vorbei; ■ **to ~ up** sich anschleichen
siege [si:dʒ] *n* ❶ MIL Belagerung *f;* **to lay ~ to sth** etw belagern; **to be under ~** unter Belagerung stehen
Si·er·ra Le·one [si͵eərəli'əʊn] *n no pl* Sierra Leone *nt*
Si·er·ra Le·on·ean [si͵eərəli'əʊniən] **I.** *n* Sierra-Leoner(in) *m(f)* **II.** *adj* sierra-leonisch
si·es·ta [si'estə] *n* Siesta *f;* **to take a ~** eine Siesta machen
sieve [sɪv] **I.** *n* Sieb *nt* ▶ **to have a memory like a ~** ein Gedächtnis wie ein Sieb

haben **II.** *vt* sieben **III.** *vi* (*fig*) **to ~ through a contract** einen Vertrag genau durchgehen

sift [sɪft] **I.** *n usu sing* Sieben *nt* **II.** *vt* ❶ (*using sieve*) **~ some icing sugar over the top of the cake** bestäuben Sie den Kuchen mit Puderzucker; **to ~ flour/sand** Mehl/Sand sieben ❷ (*examine closely*) durchsieben; *evidence, documents* [gründlich] durchgehen **III.** *vi* **to ~ through archives** Archive durchsehen

sigh [saɪ] **I.** *n* Seufzer *m;* **a ~ of relief** ein Seufzer *m* der Erleichterung; **to heave a ~** seufzen **II.** *vi person* seufzen; *wind* säuseln; **to ~ with relief** vor Erleichterung [auf]seufzen

sight [saɪt] **I.** *n* ❶ *no pl* (*ability to see*) [sense of] Sehvermögen *nt;* (*strength of vision*) Sehkraft *f;* **his ~ is deteriorating** seine Sehkraft lässt nach; **to lose one's ~** das Sehvermögen verlieren ❷ *no pl* (*visual access*) Sicht *f;* (*visual range*) Sichtweite *f,* Sicht *f;* **don't let the baby out of your ~** behalte das Baby im Auge; **get out of my ~!** (*fam*) geh mir aus den Augen!; **to be in ~** in Sichtweite sein; **to come into ~** in Sicht kommen; **to disappear from ~** außer Sicht geraten; **out of ~** außer Sichtweite; **to keep out of ~** sich nicht sehen lassen ❸ *no pl* (*act of seeing*) Anblick *m;* **they can't stand the ~ of each other** sie können einander nicht ertragen; **she faints at the ~ of blood** sie wird beim Anblick von Blut ohnmächtig; **love at first ~** Liebe auf den ersten Blick; **to be sick of the ~ of sb/sth** den Anblick einer Person/ einer S. *gen* nicht mehr ertragen; **to know sb by ~** jdn vom Sehen [her] kennen ❹ *no pl* (*image, spectacle*) Anblick *m;* **to not be a pretty ~** kein schöner Anblick sein; **to be a ~** (*fam: ridiculous*) lächerlich aussehen; (*terrible*) furchtbar aussehen; **to be a ~ to behold** (*beautiful*) ein herrlicher Anblick sein; (*funny*) ein Bild für die Götter sein ▸ **a. hum** *fam* ❺ (*attractions*) ▪ **~s** *pl* Sehenswürdigkeiten *pl* ❻ (*on gun*) Visier *nt* ❼ *no pl* (*fam: a lot*) ▪ **a ~** deutlich; **food is a darn ~ more expensive than it used to be** Essen ist um einiges teurer, als es früher war ▸ **to lower one's ~s** seine Ziele zurückschrauben; **out of ~, out of mind** (*prov*) aus den Augen, aus dem Sinn *prov;* **to set one's ~s on sth** sich *dat* etw zum Ziel machen; **to be within ~ of sth** kurz vor etw *dat* stehen **II.** *vt* (*see*) sichten

sight·ed ['saɪtɪd] **I.** *adj* sehend *attr* **II.** *n* ▪ **the ~** *pl* die Sehenden *pl*

sight·ing ['saɪtɪŋ] *n* Sichten *nt;* **at the first**

~ of land als zum ersten Mal Land gesichtet wurde

sight·less ['saɪtləs] *adj* blind

sight·ly ['saɪtli] *adj* ansehnlich

'sight-read I. *vi* MUS vom Blatt spielen **II.** *vt* vom Blatt spielen **'sight·see·ing I.** *n no pl* Besichtigungen *pl,* Sightseeing *nt* **II.** *adj attr* Sightseeing- **sight·seer** ['saɪtˌsiːə^r] *n* Tourist(in) *m(f)*

sign [saɪn] **I.** *n* ❶ (*gesture*) Zeichen *nt;* **to make the ~ of the cross** sich bekreuzigen; **a rude ~** eine unverschämte Geste ❷ (*notice*) [Straßen]schild *nt,* Verkehrsschild *nt;* (*signboard*) Schild *nt;* **stop ~** Stoppschild *nt* ❸ (*symbol*) Zeichen *nt,* Symbol *nt* ❹ ASTROL (*of the zodiac*) Sternzeichen *nt* ❺ (*indication*) [An]zeichen *nt;* (*from God*) Zeichen *nt;* (*trace*) Spur *f;* **~ of life** Lebenszeichen *nt;* **a ~ of the times** ein Zeichen *nt* der Zeit; **a sure ~ of sth** ein sicheres Zeichen für etw *akk;* **to show ~s of improvement** Anzeichen der Besserung erkennen lassen ❻ *no pl* (*sign language*) Gebärdensprache *f* ❼ (*in maths*) Zeichen *nt* **II.** *vt* ❶ (*with signature*) *letter* unterschreiben; *contract, document, cheque* unterzeichnen; *book, painting* signieren; **~ your name on the dotted line** unterschreiben Sie auf der gestrichelten Linie ❷ (*employ under contract*) *athlete, musician* [vertraglich] verpflichten ❸ (*in sign language*) in der Gebärdensprache ausdrücken ▸ **~ed, sealed and delivered** unter Dach und Fach **III.** *vi* ❶ (*write signature*) unterschreiben; **~ here, please** unterschreiben Sie bitte hier ❷ (*accept*) **to ~ for a delivery** eine Lieferung gegenzeichnen ❸ (*use sign language*) die Zeichensprache benutzen ❹ (*make motion*) gestikulieren; ▪ **to ~ to sb** jdm ein Zeichen geben ◆**sign away** *vt* ▪ **to ~ away** ↻ **sth** auf etw *akk* verzichten; **to ~ away rights** auf Rechte [*o* Ansprüche] verzichten ◆**sign in I.** *vi* sich eintragen **II.** *vt* eintragen ◆**sign off I.** *vi* ❶ RADIO, TV (*from broadcast*) sich verabschieden; (*end a letter*) zum Schluss kommen; (*end work*) Schluss machen ❷ AM (*fam: support*) ▪ **to ~ off on sth** sich etw *dat* verschreiben **II.** *vt* krankschreiben ◆**sign on I.** *vi* ❶ (*for work*) sich verpflichten; (*for a course*) einschreiben (**for** für) ❷ (*begin broadcasting*) *station* auf Sendung gehen; *disc jockey* sich melden ❸ BRIT (*fam: register unemployment*) sich melden **II.** *vt* verpflichten ◆**sign out I.** *vi* sich austragen; (*at work*) sich abmelden **II.** *vt* **to ~ out books** Bücher ausleihen ◆**sign over** *vt*

übertragen ◆**sign up I.** *vi* (*for work*) sich verpflichten; (*for a course*) sich einschreiben **II.** *vt* verpflichten; (*for course*) jdn für einen Kurs anmelden

sig·nal ['sɪgnəl] **I.** *n* ❶ (*gesture*) Zeichen *nt*, Signal *nt* (**for** für) ❷ (*indication*) [An]zeichen *nt* ❸ (*traffic light*) Ampel *f*; (*for trains*) Signal *nt* ❹ ELEC, RADIO (*transmission*) Signal *nt*; (*reception*) Empfang *m* ❺ AM AUTO (*indicator*) Blinker *m* **II.** *vt* <BRIT -ll- *or* AM *usu* -l-> ❶ (*indicate*) signalisieren; **he ~led left, but turned right** er blinkte nach links, bog aber nach rechts ab ❷ (*gesticulate*) ▪**to ~ sb to do sth** jdm signalisieren, etw zu tun **III.** *vi* <BRIT -ll- *or* AM *usu* -l-> signalisieren; **she ~led to them to be quiet** sie gab ihnen ein Zeichen, ruhig zu sein **IV.** *adj attr* (*form*) *achievement, success* bemerkenswert

'**sig·nal box** *n* RAIL Stellwerk *nt* '**sig·nal lamp** *n* Signallampe *f*

sig·nal·ly ['sɪgnəli] *adv* eindeutig

'**sig·nal·man** *n* RAIL Bahnwärter *m*

sig·na·tory ['sɪgnətəri] *n* Unterzeichner(in) *m(f)*

sig·na·ture ['sɪgnətʃər] *n* ❶ (*person's name*) Unterschrift *f*; *of artist* Signatur *f*; **to give sth one's ~** etw unterschreiben ❷ (*characteristic*) Erkennungszeichen *nt* ❸ AM (*on prescriptions*) Signatur *f* ❹ (*in printing*) Signatur *f*

'**sign·board** *n* [Firmen]schild *nt*

sig·net ring ['sɪgnət₁-] *n* Siegelring *m*

sig·nifi·cance [sɪg'nɪfɪkən(t)s] *n no pl* ❶ (*importance*) Wichtigkeit *f*; **to be of great ~ for sb/sth** von großer Bedeutung für jdn/etw sein; **to be of no ~** bedeutungslos sein ❷ (*meaning*) Bedeutung *f*

sig·nifi·cant [sɪg'nɪfɪkənt] *adj* ❶ (*considerable*) beachtlich, bedeutend; (*important*) bedeutsam; *date, event* wichtig; *difference* deutlich; *increase* beträchtlich; **~ other** (*fig*) Partner(in) *m(f)*; (*hum*) bessere Hälfte *fam* ❷ (*meaningful*) bedeutsam; **do you think it's ~ that ...** glaubst du, es hat etwas zu bedeuten, dass ...; **a ~ look** ein viel sagender Blick

sig·ni·fy <-ie-> ['sɪgnɪfaɪ] **I.** *vt* ❶ (*form: mean*) bedeuten ❷ (*indicate*) andeuten **II.** *vi* ❶ (*make known*) es zeigen ❷ (*form: matter*) eine Rolle spielen

sign·ing ['saɪnɪŋ] *n* ❶ *no pl of a document* Unterzeichnung *f* ❷ *no pl* SPORTS *of an athlete* Verpflichten *nt* ❸ (*book signing*) Buchsignierung *f*

'**sign lan·guage** *n* Gebärdensprache *f*

'**sign paint·er** *n* Plakatmaler(in) *m(f)*

'**sign·post I.** *n* Wegweiser *m*; (*fig: advice*) Hinweis *m* **II.** *vt usu passive* aufzeigen; *route* beschildern, ausschildern; ▪**to ~ sth** (*fig*) etw aufzeigen [*o* darlegen]

Sikh [si:k] *n* Sikh *m*

sil·age ['saɪlɪdʒ] *n no pl* AGR Silage *f*

si·lence ['saɪlən(t)s] **I.** *n no pl* (*absolute*) Stille *f*; (*by an individual*) Schweigen *nt*; (*on a confidential matter*) Stillschweigen *nt*; (*calmness*) Ruhe *f*; **a minute of ~** eine Schweigeminute; **to eat/sit/work in ~** still essen/sitzen/arbeiten; **to be reduced to ~** verstummen; **to reduce sb to ~** jdn zum Schweigen bringen ▸**~ is golden** (*prov*) Schweigen ist Gold **II.** *vt* zum Schweigen bringen; *doubts* verstummen lassen

si·lenc·er ['saɪlən(t)sər] *n* ❶ (*on gun*) Schalldämpfer *m* ❷ BRIT (*on car*) [Auspuff]schalldämpfer *m*

si·lent ['saɪlənt] *adj* ❶ (*without noise*) still; (*not active*) ruhig; **to keep ~** still sein ❷ (*not talking*) schweigsam, still; ▪**to be ~** schweigen; **to go ~** verstummen

si·lent·ly ['saɪləntli] *adv* (*quietly*) lautlos; (*without talking*) schweigend; (*with little noise*) leise

sil·hou·ette [ˌsɪlu'et] **I.** *n* (*shadow*) Silhouette *f*; (*picture*) Schattenriss *m*; (*outline*) Umriss *m* **II.** *vt* ▪**to be ~d against sth** sich von etw *dat* abheben

sili·ca ['sɪlɪkə] *n no pl* Kieselerde *f*

sili·cate ['sɪlɪkət] *n* Silikat *nt*

sili·con ['sɪlɪkən] *n no pl* Silizium *nt*

sili·con 'chip *n* COMPUT, ELEC Siliziumchip *m*

sili·cone ['sɪlɪkəʊn] *n no pl* Silikon *nt*

sili·co·sis [ˌsɪlɪ'kəʊsɪs] *n no pl* MED Staublunge *f*

silk [sɪlk] *n* ❶ (*material*) Seide *f* ❷ BRIT LAW (*Queen's, King's Counsel*) Kronanwalt, -anwältin *m*, *f* ❸ (*racing colours*) ▪**~s** *pl* [Renn]farben *pl*

silk·en ['sɪlkən] *adj* (*silk-like*) seiden *liter*; (*dated: made of silk*) seiden; **~ voice** (*fig*) samtige Stimme

silk 'hat *n* Zylinder *m* '**silk moth** *n* Seidenspinner *m* **silk 'pa·per** *n* Seidenpapier *nt* **silk-screen 'print·ing** *n no pl* Siebdruck *m* '**silk·worm** *n* Seidenraupe *f*

silky ['sɪlki] *adj* seidig; **~ voice** (*fig*) samtige Stimme

sill [sɪl] *n of door* Türschwelle *f*; *of window* Fensterbank *f*

sil·ly ['sɪli] **I.** *adj* ❶ (*foolish*) albern, dumm; **don't be ~!** (*make silly suggestions*) red keinen Unsinn!; (*do silly things*) mach keinen Quatsch! *fam*; **to look ~** albern aussehen ❷ *pred* (*senseless*) **to be bored ~** zu Tode gelangweilt sein; **to be worried ~** außer sich *dat* vor Sorge sein **II.** *n* Dussel *m*

silo ['saɪləʊ] *n* ❶ AGR Silo *m o nt* ❷ MIL [Raketen]silo *m o nt*

silt [sɪlt] **I.** *n no pl* Schlick *m* **II.** *vi* ▪**to ~ [up]** verschlammen **III.** *vt* **to ~ a canal** einen Kanal verschlammen

sil·ver ['sɪlvə^r] **I.** *n no pl* ❶ (*metal*) Silber *nt* ❷ (*coins*) Münzgeld *nt* ❸ (*cutlery*) ▪**the ~** das [Tafel]silber ▶**to be born with a ~ spoon in one's mouth** mit einem silbernen Löffel im Mund geboren sein **II.** *vt cutlery, candlesticks* versilbern; *hair* silbergrau werden lassen

sil·ver 'birch *n* Weißbirke *f* **sil·ver 'fir** *n* Weißtanne *f*, Edeltanne *f* **'sil·ver·fish** <*pl* -> *n* ZOOL Silberfischchen *nt* **'sil·ver foil** *n* Silberfolie *f*, Alufolie *f* **sil·ver 'ju·bi·lee** *n* silbernes Jubiläum **sil·ver 'lin·ing** *n* Lichtblick *m*; **to look for the ~** die positive Seite sehen ▶**every cloud has a ~** (*saying*) jedes Unglück hat auch sein Gutes **sil·ver 'pa·per** *n no pl* Silberpapier *nt* **sil·ver 'plate** *n no pl* ❶ (*coating*) Versilberung *f* ❷ (*object*) versilberter Gegenstand **sil·ver·'plate** *vt* versilbern **sil·ver 'screen** *n* FILM ▪**the ~** die Leinwand **sil·ver 'ser·vice** *n no pl* Servieren nach allen Regeln der Kunst **'sil·ver·side** *n no pl* BRIT, AUS FOOD *Stück vom Rind, das vom oberen, äußeren Teil der Keule geschnitten wird* **'sil·ver·smith** *n* Silberschmied(in) *m(f)* **'sil·ver·ware** *n no pl* ❶ (*articles*) Silberwaren *pl* ❷ (*cutlery*) Silberbesteck *nt*, Silber *nt* **sil·ver 'wed·ding an·ni·ver·sa·ry** *n* silberne Hochzeit

sil·very ['sɪlvə^{r}i] *adj* (*in appearance*) silbrig; (*in sound*) silbern

sim·ian ['sɪmiən] (*form*) **I.** *n* Menschenaffe *m* **II.** *adj* ❶ (*monkey-like*) affenartig ❷ (*of monkeys*) Affen-

simi·lar ['sɪmɪlə^r] *adj* ähnlich; ▪**to be ~ to sb/sth** jdm/etw ähnlich sein

simi·lar·ity [ˌsɪmɪ'lærəti] *n* Ähnlichkeit *f* (**to** mit)

simi·lar·ly ['sɪmɪləli] *adv* (*almost the same*) ähnlich; (*likewise*) ebenso; **~, you could maintain ...** genauso gut könnten Sie behaupten, ...

simi·le ['sɪmɪli] *n* LIT, LING Gleichnis *nt*

si·mili·tude [sɪ'mɪlɪtjuːd] *n* ❶ (*similarity*) Ähnlichkeit *f* ❷ (*comparison*) Vergleich *m*

sim·mer ['sɪmə^r] **I.** *n usu sing* Sieden *nt* **II.** *vi* ❶ (*not quite boil*) sieden; **to ~ with anger** vor Wut kochen ❷ (*fig: build up*) sich anbahnen **III.** *vt food* auf kleiner Flamme kochen lassen; *water* sieden lassen

◆**simmer down** *vi* sich beruhigen

sim·per ['sɪmpə^r] **I.** *vi* ▪**to ~ at sb** jdn albern anlächeln **II.** *n* Gehabe *nt*

sim·ple <-r, -st *or* more ~, most ~> ['sɪmpl] *adj* ❶ (*not elaborate*) *food, dress* einfach ❷ (*not difficult*) einfach ❸ *attr* (*not complex*) einfach ❹ *attr* (*honest*) schlicht; **that's the truth, pure and ~** das ist die reine Wahrheit; **the ~ fact is that ...** Tatsache ist, dass ...; **for the ~ reason that ...** aus dem schlichten Grund, dass ... ❺ (*ordinary*) einfach; **the ~ things in life** die einfachen Dinge im Leben ❻ (*foolish*) naiv

sim·ple-'mind·ed *adj* (*fam*) ❶ (*dumb*) einfach ❷ (*naive*) einfältig

sim·ple·ton ['sɪmpl̩tən] *n* (*pej fam*) Einfaltspinsel *m*

sim·plic·ity [sɪm'plɪsəti] *n no pl* ❶ (*plainness*) Einfachheit *f*, Schlichtheit *f* ❷ (*easiness*) Einfachheit *f*; **to be ~ itself** die Einfachheit selbst sein ❸ (*humbleness*) Bescheidenheit *f*

sim·pli·fi·ca·tion [ˌsɪmplɪfɪ'keɪʃ^{ə}n] *n* Vereinfachung *f*

sim·pli·fy <-ie-> ['sɪmplɪfaɪ] *vt* vereinfachen

sim·plis·tic [sɪm'plɪstɪk] *adj* simpel; **am I being ~?** sehe ich das zu einfach?

sim·ply ['sɪmpli] *adv* ❶ (*not elaborately*) einfach ❷ (*just*) nur; (*absolutely*) einfach; **I ~ don't know what happened** ich weiß schlichtweg nicht, was passiert ist; **you ~ must try this!** du musst das einfach versuchen! ❸ (*in a natural manner*) einfach, schlicht; (*humbly*) bescheiden

simu·late ['sɪmjəlet] *vt* ❶ (*resemble*) nachahmen ❷ (*feign*) vortäuschen ❸ COMPUT (*on computer*) simulieren

simu·la·tion [ˌsɪmjə'leɪʃ^{ə}n] *n of leather, a diamond* Imitation *f*; *of a feeling* Vortäuschung *f*; COMPUT Simulation *f*

simu·la·tor ['sɪmjəleɪtə^r] *n* COMPUT, TECH Simulator *m*

sim·ul·ta·neous [ˌsɪm^{ə}l'teɪniəs] *adj* gleichzeitig

sim·ul·ta·neous·ly [ˌsɪm^{ə}l'teɪniəsli] *adv* gleichzeitig, simultan *fachspr geh*

sin [sɪn] **I.** *n* Sünde *f*; **he's** [as] **ugly as ~** er ist unglaublich hässlich; **to commit/confess a ~** eine Sünde begehen/beichten; **to live in ~** in wilder Ehe leben **II.** *vi* <-nn-> sündigen

since [sɪn(t)s] **I.** *adv* ❶ (*from that point on*) seitdem; **ever ~** seitdem ❷ (*ago*) **long ~** seit langem, schon lange; **not long ~** vor kurzem [erst] **II.** *prep* seit; **~ Saturday/last week** seit Samstag/letzter Woche **III.** *conj* ❶ (*because*) da, weil

② (*from time that*) seit, seitdem

sin·cere [sɪnˈsɪəʳ] *adj person* ehrlich; *congratulations, gratitude* aufrichtig

sin·cere·ly [sɪnˈsɪəli] *adv* **①** (*in a sincere manner*) ehrlich, aufrichtig **②** (*ending letter*) [**yours**] ~ mit freundlichen Grüßen

sin·cer·ity [sɪnˈserəti] *n no pl* Ehrlichkeit *f;* **in all ~,** ... ganz ehrlich, ...

sine [saɪn] *n* MATH Sinus *m*

si·necure [ˈsaɪnɪkjʊəʳ] *n* Pfründe *f*

sine qua non [ˌsɪnɪkwɑːˈnəʊn] *n* (*form*) unabdingbare Voraussetzung

sin·ew [ˈsɪnjuː] *n* **①** (*tendon*) Sehne *f* **②** (*constituent parts*) ∎~**s** *pl* Kräfte *pl;* **the ~s of war** Kriegsmaterial *nt*

sin·ewy [ˈsɪnjuːi] *adj* **①** (*muscular*) sehnig **②** (*tough*) zäh; *meat* sehnig

sin·ful [ˈsɪnfᵊl] *adj* **①** (*immoral*) sündig, sündhaft **②** (*deplorable*) *waste* sündhaft **③** (*fam: bad for one*) **to be absolutely ~** die reinste Sünde sein *hum, iron*

sing¹ LING **I.** *n abbrev of* **singular** Sg., Sing. **II.** *adj abbrev of* **singular** im Sing. [*o* Sg.] *nach n*

sing² <sang *or* AM *also* sung, sung> [sɪŋ] **I.** *vi* **①** (*utter musical sounds*) singen **②** (*high-pitched noise*) *kettle* pfeifen; *locusts* zirpen; *wind* pfeifen **③** (*ringing noise*) dröhnen **④** (*sl: confess*) singen **II.** *vt* (*utter musical sounds*) singen; **to ~ the praises of sb/sth** ein Loblied auf jdn/ etw singen ▸ **to ~ a different tune** (*to be less friendly*) einen anderen Ton anschlagen; (*change opinion*) seine Meinung ändern ◆ **sing out I.** *vi* **①** (*sing loudly*) laut singen **②** (*fam: call out*) schreien **II.** *vt* (*fam*) ∎**to ~ out ⟳ sth** ausrufen ◆ **sing up** *vi esp* BRIT, AUS lauter singen

sing·along [ˈsɪŋəlɒŋ] *n* gemeinsames Liedersingen

Sin·ga·pore [ˌsɪŋəˈpɔːʳ] *n* Singapur *nt*

Sin·ga·po·rean [ˌsɪŋəpɔːˈriːən] **I.** *adj* aus Singapur *nach n* **II.** *n* Singapurer(in) *m/f*

singe [sɪndʒ] **I.** *vt* **①** (*burn surface of*) ansengen; (*burn sth slightly*) versengen **②** (*burn off deliberately*) absengen **II.** *vi* (*burn*) *hair, fur* angesengt werden; (*burn lightly*) versengt werden **III.** *n* Brandfleck *m*

sing·er [ˈsɪŋəʳ] *n* Sänger(in) *m/f*

sing·er·-'song·writ·er *n* Liedermacher(in) *m/f*

sing·ing [ˈsɪŋɪŋ] *n no pl* Singen *nt*

'sing·ing les·son *n* Gesang[s]stunde *f* **'sing·ing teach·er** *n* Gesang[s]lehrer(in) *m/f* **'sing·ing voice** *n* Singstimme *f*

sin·gle [ˈsɪŋgl̩] **I.** *adj* **①** *attr* (*one only*) ein-

zige(r, s); **she didn't say a ~ word all evening** sie sprach den ganzen Abend kein einziges Wort; **with a ~ blow** mit nur einem Schlag; **not a ~ soul** keine Menschenseele; **every ~ thing** [absolut] alles; **every ~ time** jedes Mal **②** (*having one part*) einzelne(r, s); *in* ~ **figures** im einstelligen [Zahlen]bereich **③** (*unmarried*) ledig **④** (*raising child alone*) allein erziehend; **~ father/mother** allein erziehender Vater/allein erziehende Mutter **II.** *n* **①** BRIT, AUS (*one-way ticket*) Einzelfahrkarte *f* **②** (*one-unit dollar note*) Eindollarschein *m* **③** (*record*) Single *f* **④** SPORTS (*in cricket*) Schlag für einen Lauf; (*in baseball*) Lauf zum ersten Base **⑤** (*single measure of drink*) Einheit *f* (*eine Maßeinheit eines alkoholischen Getränks*) **⑥** (*single room*) Einzelzimmer *nt* **III.** *vi* SPORTS mit einem Schlag das erste Base erreichen ◆ **single out** *vt* (*for positive characteristics*) auswählen; (*for negative reasons*) herausgreifen; **to ~ sb out for special treatment** jdm eine Sonderbehandlung zukommen lassen

sin·gle·-'breast·ed *adj* einreihig; **~ suit** Einreiher *m* **sin·gle 'cur·ren·cy** *n* FIN gemeinsame Währung **sin·gle·-'deck·er** *n* Bus *m* (*mit einem Deck*)

sin·gle·dom [ˈsɪŋgl̩dəm] *n* (*hum*) Single-Dasein *nt*

sin·gle·-'en·gined *adj* einmotorig **sin·gle·-en·try 'book·keep·ing** *n* einfache Buchführung **Sin·gle Euro·pean 'Mar·ket** *n* Europäischer Binnenmarkt **sin·gle·-'gen·der** *adj* nach Geschlechtern getrennt; **~ school** Mädchenschule *f* [*o* Jungenschule] *f* **sin·gle·-'hand·ed I.** *adv* [ganz] allein; **he sailed round the world ~** er segelte als Einhandsegler um die Welt **II.** *adj* allein **sin·gle·-'hand·er** *n* **①** (*boat*) Einhandsegler *m* **②** (*person*) Einhandsegler(in) *m/f)* **sin·gle·-lens 're·flex 'cam·era** *n* einäugige Spiegelreflexkamera **sin·gle·-'mind·ed** *adj* zielstrebig **sin·gle·-'mind·ed·ly** *adv* zielstrebig, zielbewusst; (*unwaveringly*) unbeirrbar **sin·gle·-'mind·ed·ness** *n* Zielstrebigkeit *f;* (*pursuing sth unwaveringly*) Unbeirrbarkeit *f* **sin·gle·-par·ent 'fami·ly** *n* Familie *f* mit [nur] einem Elternteil

'sin·gles bar *n* Singlekneipe *f*

sin·gle·-'seat·er *n* Einsitzer *m* **sin·gle·-'sex** *adj* nach Geschlechtern getrennt; **~ school for boys/girls** reine Jungen-/ Mädchenschule

'sin·gles holi·day *n* Singleurlaub *m*

sin·glet [ˈsɪŋglɪt] *n esp* BRIT, AUS ärmelloses

S

Trikot; (*underwear*) Unterhemd *nt*

sin·gle·ton ['sɪŋɡltən] *n* Single *m*

sin·gle-'track *adj* ❶ RAIL eingleisig ❷ BRIT (*road*) einspurig

sin·gly ['sɪŋɡli] *adv* einzeln

sing·song ['sɪŋsɒn] I. *n* ❶ BRIT, AUS (*singing session*) **to have a ~** gemeinsam Lieder singen ❷ *no pl* (*way of speaking*) Singsang *m* II. *adj attr* **to speak in a ~ voice** in einem Singsang sprechen

sin·gu·lar ['sɪŋɡjələ^r] I. *adj* ❶ LING Singular-; **to be ~** im Singular stehen; **~ form** Singularform *f*; **~ noun** Substantiv *nt* im Singular; **the third person ~** die dritte Person Singular ❷ (*form: extraordinary*) einzigartig ❸ (*form: strange*) eigenartig II. *n no pl* LING Singular *m*

sin·gu·lar·ity [ˌsɪŋɡjəˈlærəti] *n no pl* (*form*) Eigenartigkeit *f*

sin·gu·lar·ly ['sɪŋɡjələli] *adv* (*form*) ❶ (*extraordinarily*) außerordentlich ❷ (*strangely*) eigenartig

Sin·ha·lese [ˌsɪn(h)əˈliːz] I. *adj* singhalesisch II. *n* ❶ *no pl* (*language*) Singhalesisch *nt* ❷ <*pl* -> (*person*) Singhalese, Singhalesin *m, f*

sin·is·ter ['sɪnɪstə^r] *adj* ❶ (*scary*) unheimlich ❷ (*fam: ominous*) unheilvoll; *forces* dunkel

sink [sɪŋk] I. *n* ❶ (*kitchen sink*) Spüle *f*, Spülbecken *nt* ❷ (*washbasin*) Waschbecken *nt* ❸ (*cesspool*) Senkgrube *f* ❹ (*sewer*) Abfluss *m* ❺ GEOL Senke *f* ❻ TELEC [Nachrichten]senke *f* II. *vi* <sank *or* sunk, sunk>, *vi* ❶ (*not float*) untergehen, sinken ❷ (*in mud, snow*) einsinken ❸ (*go downward*) sinken; *sun, moon* versinken, untergehen; **to ~ to the bottom** auf den Boden sinken; *sediments* sich auf dem Boden absetzen ❹ (*become lower*) *terrain* absinken, abfallen ❺ (*move to a lower position*) *surface, house, construction* sich senken; *level also* sinken ❻ (*become limp*) *arm, head* herabsinken; **to ~ to one's knees** auf die Knie sinken; **to ~ to the ground** zu Boden sinken ❼ (*decrease*) *amount, value* sinken; *demand, sales, numbers also* zurückgehen; **the yen sank to a new low against the dollar** der Yen hat gegenüber dem Dollar einen neuen Tiefstand erreicht ❽ (*become lower in pitch*) sich senken ❾ (*decline*) *standard, quality* nachlassen; *moral character* sinken; **you are ~ing to his level!** du begibst dich auf das gleiche niedrige Niveau wie er! ❿ (*decline in health*) ■ **to be ~ing [fast]** [gesundheitlich] stark abbauen ▶ **sb's heart** ~**s** (*gets sadder*) jdm wird das Herz

schwer; (*becomes discouraged*) jd verliert den Mut; **we'll ~ or swim together** wir werden gemeinsam untergehen oder gemeinsam überleben; **sb's spirits ~** jds Stimmung sinkt [auf Null] III. *vt* <sank *or* sunk, sunk> ❶ (*cause to submerge*) versenken ❷ (*ruin*) *hopes, plans* zunichtemachen ❸ SPORTS versenken; **to ~ a ball** (*into a hole*) einen Ball einlochen; (*into a pocket*) einen Ball versenken ❹ (*settle*) *differences* beilegen ❺ (*dig*) *shaft* abteufen *fachspr*; *well* bohren ❻ (*lower*) senken ▶ **to ~ one's <u>worries</u> in drink** seinen Kummer im Alkohol ertränken ◆ **sink back** *vi* ❶ (*lean back*) zurücksinken; **to ~ back on the sofa** aufs Sofa sinken ❷ (*relapse*) ■ **to ~ back into sth** [wieder] in etw *akk* verfallen ◆ **sink down** *vi* ❶ (*descend gradually*) sinken; *sun* versinken ❷ (*go down*) zurücksinken; (*on the ground*) zu Boden sinken ◆ **sink in** I. *vi* ❶ (*into a surface*) einsinken ❷ (*be absorbed*) *liquid, cream* einziehen ❸ (*be understood*) ins Bewusstsein dringen; **I had to tell him several times before it finally sank in** ich musste es ihm mehrere Male sagen, bis er es endlich begriff II. *vt* ❶ (*force into*) **to ~ a knife in sth** ein Messer in etw *akk* rammen; **to ~ one's teeth in sth** seine Zähne in etw *akk* schlagen ❷ (*invest*) **to ~ one's money in sth** sein Geld in etw *akk* stecken *fam* ❸ (*engrave*) eingravieren ◆ **sink into** I. *vi* ■ **to ~ into sth** ❶ (*go deeper into*) in etw *dat* einsinken ❷ (*be absorbed*) in etw *akk* einziehen ❸ (*lie back in*) in etw *akk* [hinein]sinken; **to ~ into an armchair** in einen Sessel sinken; **to ~ into bed** sich ins Bett fallen lassen ❹ (*pass gradually into*) in etw *akk* sinken; **he sank into deep despair** er fiel in tiefe Verzweiflung; **to ~ into a coma** ins Koma fallen II. *vt* ❶ (*put*) ■ **to ~ sth into sth** etw in etw *akk or dat* versenken; **I'd love to ~ my teeth into a nice juicy steak** ich würde gern in ein schönes, saftiges Steak beißen ❷ (*embed*) **to ~ a post into the ground** einen Pfosten in den Boden schlagen ❸ FIN **to ~ one's money into sth** sein Geld in etw *dat* anlegen

sink·er ['sɪŋkə^r] *n* Senker *m*

sink·ing ['sɪŋkɪŋ] *adj attr* ❶ (*not floating*) sinkend ❷ (*emotion*) **a ~ feeling** ein flaues Gefühl [in der Magengegend]; **with a ~ heart** resigniert ❸ *attr* (*declining*) sinkend ▶ **to leave the ~ ship** das sinkende Schiff verlassen

'sink unit *n* Spüle *f*

sin·ner ['sɪnə^r] *n* Sünder(in) *m(f)*

sinu·ous ['sɪnjuəs] *adj* ❶ (*winding*) gewunden; *path* verschlungen ❷ (*curving and twisting*) geschmeidig

si·nus <*pl* -es> ['saɪnəs] *n* ANAT Nasennebenhöhle *f*

si·nusi·tis [ˌsaɪnəˈsaɪtɪs] *n no pl* MED Nasennebenhöhlenentzündung *f*

Sioux [suː] I. *adj* (*tribe*) Sioux- II. *n* ❶ <*pl* -> (*person*) Sioux *m o f* ❷ *no pl* (*language*) Sioux *nt*

sip [sɪp] I. *vt* <-pp-> ▪ **to ~ sth** an etw *dat* nippen; (*drink carefully*) etw in kleinen Schlucken trinken II. *vi* <-pp-> ▪ **to ~ at sth** an etw *dat* nippen III. *n* Schlückchen *nt;* **to have a ~** einen kleinen Schluck nehmen

si·phon ['saɪfⁿn] I. *n* ❶ (*bent pipe*) Saugheber *m* ❷ BRIT (*soda siphon*) Siphon *m* II. *vt* [mit einem Saugheber] absaugen ◆ **siphon off** *vt* ❶ (*remove*) absaugen ❷ FIN *money* abziehen; *profits* abschöpfen

sir [sɜːʳ, səʳ] *n no pl* ❶ BRIT (*fam: reference to schoolteacher*) ~! Herr Lehrer! ❷ (*form of address*) Herr *m;* **can I see your driving licence, ~?** kann ich bitte ihren Führerschein sehen? ❸ (*not at all*) **no, ~!** AM (*fam*) auf keinen Fall!

sire [saɪəʳ] *n* (*old: form of address*) Majestät *f*

si·ren ['saɪ(ə)rən] *n* ❶ (*warning device*) Sirene *f* ❷ (*in mythology*) Sirene *f*

sir·loin ['sɜːlɔɪn] *n no pl* Lendenfilet *nt*

si·roc·co [sɪˈrɒkəʊ] *n* METEO Schirokko *m*

sis [sɪs] *n esp* AM (*fam*) *short for* **sister** Schwesterherz *nt* AM

si·sal ['saɪsⁿl] *n no pl* ❶ (*tropical plant*) Sisal *m* ❷ (*strong fibre*) Sisal *m*

sis·sy ['sɪsi] I. *n* (*pej fam*) Waschlappen *m* II. *adj* (*pej fam*) verweichlicht

sista ['sɪstə] *n* AM (*sl*) hauptsächlich von Schwarzafrikanern gebrauchte Anrede für eine weibliche Person

sis·ter ['sɪstəʳ] *n* ❶ (*female sibling*) Schwester *f* ❷ (*fellow feminist*) Schwester *f*; (*trade unionist*) Kollegin *f* ❸ (*nun*) [Ordens]schwester *f* ❹ BRIT, AUS (*nurse*) [Kranken]schwester *f*; **S~ Jones** Schwester Jones *f* ❺ AM (*dated fam: form of address to woman*) Schwester *f sl*

sis·ter·hood ['sɪstəhʊd] *n* ❶ *no pl* (*sisterly bond*) Zusammenhalt *m* unter Schwestern ❷ *no pl* (*female solidarity*) Solidarität *f* unter Frauen ❸ + *sing/pl vb* (*feminists*) ▪ **the ~** die Frauenbewegung ❹ REL (*religious society*) Schwesternorden *m*

'sis·ter-in-law <*pl* sisters- *or* -s> *n* Schwägerin *f*

sis·ter·ly ['sɪstⁿli] *adj* schwesterlich

sit <-tt-, sat, sat> [sɪt] I. *vi* ❶ (*seated*) sitzen; **to ~ at the desk/table** am Schreibtisch/Tisch sitzen; **to ~ for one's portrait** jdm Porträt sitzen; **to ~ for an exam** *esp* BRIT eine Prüfung ablegen ❷ (*fam: babysit*) babysitten (**for** für) ❸ (*sit down*) sich hinsetzen; (*to a dog*) ~! Platz!, Sitz!; **he sat [down] next to me** er setzte sich neben mich ❹ (*perch*) hocken, sitzen ❺ (*on a nest*) brüten ❻ (*be located*) liegen ❼ (*remain undisturbed*) stehen; **to ~ on sb's desk/the shelf** auf jds Schreibtisch liegen/im Regal stehen ❽ (*in session*) tagen; *court* zusammenkommen ◆ AM (*in office*) einen Sitz haben; ▪ **to ~ for sth** Abgeordnete(r) *f/m* für etw *akk* sein ❿ (*fit*) passen; *clothes* sitzen ▸ **to ~ on the fence** sich nicht entscheiden können; **to ~ on one's hands** die Finger krummmachen *fam;* **to be ~ting pretty** fein heraus sein; **to ~ tight** (*not move*) sich nicht rühren; (*not change opinion*) stur bleiben II. *vt* ❶ (*put on seat*) setzen ❷ BRIT (*take exam*) **to ~ an exam** eine Prüfung ablegen ◆ **sit about** *esp* BRIT, **sit around** *vi* herumsitzen ◆ **sit back** *vi* ❶ (*lean back in chair*) sich zurücklehnen ❷ (*do nothing*) die Hände in den Schoß legen ◆ **sit down** I. *vi* ❶ (*take a seat*) sich [hin]setzen; **to ~ down to dinner** sich zum Essen an den Tisch begeben ❷ (*be sitting*) sitzen ❸ (*take time*) sich [in Ruhe] hinsetzen; **I need time to ~ down and think about this** ich brauche Zeit, um in Ruhe darüber nachzudenken; ▪ **to ~ down with sb** mit jdm zusammensetzen II. *vt* ❶ (*put in a seat*) setzen ❷ (*take a seat*) ▪ **to ~ oneself down** sich hinsetzen ◆ **sit in** *vi* ❶ (*attend*) dabeisitzen; **to ~ in on a conference/meeting** einer Konferenz/einem Treffen beisitzen ❷ (*represent*) ▪ **to ~ in for sb** jdn vertreten ❸ (*hold sit-in*) einen Sitzstreik veranstalten ◆ **sit on** *vi* ❶ (*be member of*) **to ~ on a board/a committee** Mitglied eines Ausschusses/Komitees sein ❷ (*fam: not act on sth*) ▪ **to ~ on sth** auf etw *dat* sitzen ❸ (*fam: unaware of value*) ▪ **to be ~ting on sth** auf etw *dat* sitzen ❹ (*fam: rebuke*) ▪ **to ~ on sb** jdm einen Dämpfer verpassen ❺ (*feel heavy*) **to ~ on sb's stomach** jdm schwer im Magen liegen ◆ **sit out** I. *vi* ❶ (*sit outdoors*) draußen sitzen ❷ (*not dance*) einen Tanz auslassen II. *vt* ❶ (*not participate*) auslassen; (*in game, competition*) aussetzen ❷ (*sit until end*) bis zum Ende ausharren ◆ **sit through** *vi* über sich *akk* ergehen lassen ◆ **sit up** I. *vi* ❶ (*sit erect*) aufrecht sitzen;

to ~ **up straight** sich gerade hinsetzen ❷ (*fam: pay attention*) **to ~ up and take notice** ❸ (*remain up*) aufbleiben II. *vt* aufrichten

sit·com ['sɪtkɒm] *n* (*fam*) *short for* **situation comedy** Sitcom *f*

sit-down 'strike *n* Sitzstreik *m*, Sit-in *nt*

site [saɪt] I. *n* ❶ (*place*) Stelle *f*, Platz *m*, Ort *m*; *of crime* Tatort *m* ❷ (*plot*) Grundstück *nt*; **archaeological ~** archäologische Fundstätte; **building ~** Baugelände *nt*; **caravan** [*or* Am **camping**] **~** Campingplatz *m* ❸ (*building location*) Baustelle *f*; **on ~** vor Ort ❹ (*on Internet*) [**web**] **~** Website *f*; **fan ~** Fanpage *f* II. *vt* einen Standort bestimmen; **to be ~d out of town** außerhalb der Stadt liegen

'sit-in *n* Sit-in *nt*; **to stage a ~** ein Sit-in veranstalten

sit·ter ['sɪtə[r]] *n* ❶ (*model for portrait*) Modell *nt* ❷ (*babysitter*) Babysitter(in) *m(f)* ❸ SPORTS ■**a ~** (*fam: easy catch*) ein leichter Ball; (*easy shot*) ein todsicherer Treffer

sit·ting ['sɪtɪŋ] *n* ❶ (*meal session*) Ausgabe *f* ❷ (*session*) Sitzung *f*

sit·ting 'duck *n* leicht zu treffendes Ziel; (*fig*) leichte Beute **sit·ting** 'mem·ber *n* BRIT POL derzeitiger Abgeordneter/derzeitige Abgeordnete 'sit·ting room *n esp* BRIT Wohnzimmer *nt* **sit·ting** 'tar·get *n* leicht zu treffendes Ziel; **to be a ~ for sb/sth** (*easy prey*) eine leichte Beute für jdn/etw abgeben **sit·ting** 'ten·ant *n* derzeitiger Mieter/derzeitige Mieterin

situ·ate ['sɪtjueɪt] *vt* ❶ (*form: position*) platzieren; *patch, bed* anlegen ❷ (*form: place in context*) im Zusammenhang sehen (**in** zu)

situ·at·ed ['sɪtjueɪtɪd] *adj pred* ❶ (*located*) gelegen; **to be ~ near the church** in der Nähe der Kirche liegen ❷ (*in a state*) **to be well/badly ~** [finanziell] gut/schlecht gestellt sein; **to be well ~ to do sth** gute Voraussetzungen besitzen, etw zu tun

situa·tion [ˌsɪtju'eɪʃən] *n* ❶ (*circumstances*) Situation *f*, Lage *f* ❷ (*location*) Lage *f*, Standort *m* ❸ (*old: job*) Stelle *f*

'sit-up *n* SPORTS Bauchmuskelübung; **to do ten ~s** sich zehnmal aufsetzen

six [sɪks] I. *adj* sechs; **he is over ~ feet tall** er ist über 1 Meter 80; *see also* **eight** ▸ **to be ~ feet under** (*hum*) sich *dat* die Radieschen von unten anschauen *sl* II. *pron* sechs; *see also* **eight** ▸ **~ of one and half a dozen of the other** gehupft wie gesprungen *fam*; **to knock sb for ~** BRIT (*amaze*) jdn umhauen *fam*; (*defeat com-*

pletely) jdn vernichtend schlagen III. *n* ❶ (*number*) Sechs *f*; *see also* **eight** ❷ (*in cricket*) Sechserschlag *m* (*durch einen Schlag sechs Läufe erzielen*) ▸ **to be at ~es and sevens** völlig durcheinander sein

'six·fold *adj* sechsfach **six-'foot·er** *n* (*tall male person*) Zweimetermann *m*; (*tall, powerful man*) Hüne *m*; (*tall female*) Zweimeterfrau *f* 'six-pack *n* (*package of six*) Sechserpack *m*; *of beer* Sixpack *m* ❷ (*well-toned stomach*) Waschbrettbauch *m*

six·teen [ˌsɪk'stiːn] I. *adj* sechzehn; *see also* **eight** II. *n* Sechzehn *f*; *see also* **eight**

six·teenth [ˌsɪk'stiːnθ] I. *adj* sechzehnte(r, s) II. *pron* ■**the ~ ...** der/die/das sechzehnte ... III. *adv* als sechzehnte(r, s) IV. *n* Sechzehntel *nt o* SCHWEIZ *a. m*

sixth [sɪksθ] I. *adj* sechste(r, s) II. *pron* ■**the ~ ...** der/die/das sechste ... III. *adv* als sechste(r, s) IV. *n* Sechstel *nt o* SCHWEIZ *a. m*

'sixth form *n* BRIT SCH Abschlussklasse *f* (*das letzte Schuljahr, das mit A-Levels abgeschlossen wird*) **sixth form 'col·lege** *n* BRIT SCH College, das Schüler auf den A-Level-Abschluss vorbereitet

six·ti·eth ['sɪkstiəθ] I. *adj* sechzigste(r, s) II. *pron* ■**the ~** der/die/das sechzigste III. *adv* als sechzigste(r, s) IV. *n* Sechzigstel *nt o* SCHWEIZ *a. m*

six·ty ['sɪksti] I. *adj* sechzig II. *pron* sechzig III. *n* Sechzig *f*

size [saɪz] I. *n* ❶ *usu sing* (*magnitude*) Größe *f*; *amount, debt* Höhe *f*; **a company of that ~** eine Firma dieser Größenordnung; **six metres in ~** sechs Meter lang; **the ~ of a thumbnail** daumennagelgroß; **to be a good ~** (*quite big*) ziemlich groß sein; (*suitable size*) die richtige Größe haben; **to be the same ~** genauso groß sein; **to double in ~** seine Größe verdoppeln; **to increase/decrease in ~** größer/kleiner werden ❷ (*measurement*) Größe *f*; **the shirt is a couple of ~s too big** das Hemd ist ein paar Nummern zu groß; **what ~ are you? — I'm a ~ 10** welche Größe haben Sie? – ich habe Größe 36; **collar/shoe ~** Kragenweite *f*/Schuhgröße *f*; **economy ~ pack** Sparpackung *f*; **to try sth** [*on*] **for ~** etw anprobieren, ob es passt ▸ **that's about the ~ of it** so könnte man sagen II. *vt* nach der Größe ordnen ♦ **size up** *vt* [prüfend] abschätzen; **to ~ each other up** sich gegenseitig taxieren

size·able ['saɪzəbl] *adj* ziemlich groß; **a ~ amount** eine beträchtliche Summe

siz·zle ['sɪzl] I. *vi* brutzeln II. *n no pl* Zischen *nt*

siz·zler ['sɪzlə'] *n* (*fam*) knallheißer Tag

skate¹ [skeɪt] *n* (*flat fish*) Rochen *m*

skate² [skeɪt] **I.** *n* ❶ (*ice skate*) Schlittschuh *m* ❷ (*roller skate*) Rollerskate *m;* (*with stopper*) Rollerskate *m* ▸ **to put one's ~s on** BRIT (*fam*) einen Zahn zulegen *sl* **II.** *vi* ❶ (*on ice*) Schlittschuh laufen ❷ (*on roller skates*) Rollschuh fahren; (*on skates with stopper*) Rollerskate fahren ▸ **to be skating on thin ice** sich auf dünnem Eis bewegen **III.** *vt* **to ~ a figure** eine Figur laufen

skate·board ['skeɪtbɔːd] *n* Skateboard *nt*

skate·board·er ['skeɪt‚bɔːdə'] *n* Skateboardfahrer(in) *m(f)*

skat·er ['skeɪtə'] *n* ❶ (*on ice*) Schlittschuhläufer(in) *m(f);* **figure ~** Eiskunstläufer(in) *m(f);* **speed ~** Eisschnellläufer(in) *m(f)* ❷ (*on roller skates*) Rollschuhfahrer(in) *m(f)* ❸ (*on roller blades*) Skater(in) *m(f)*

skat·ing ['skeɪtɪŋ] *n no pl* ❶ (*ice*) Eislaufen *nt;* **figure ~** Eiskunstlauf *m;* **speed ~** Eisschnelllauf *m;* **to go ~** eislaufen gehen ❷ (*roller skates*) Rollschuh laufen *nt;* (*with modern rollerskates*) Rollerskaten *nt*

'**skat·ing rink** *n* ❶ (*ice skating*) Eisbahn *f* ❷ (*roller skating*) Rollschuhbahn *f*

ske·dad·dle [skɪ'dædl̩] *vi* (*fam*) sich verdünnisieren *sl*

skein [skeɪn] *n* ❶ (*coil*) Strang *m* ❷ (*birds*) Schwarm *m;* **~ of geese** Gänseschar *f*

skel·eton ['skelɪtᵊn] *n* ❶ (*bones*) Skelett *nt* ❷ (*thin person*) [wandelndes] Gerippe *fam* ❸ (*framework*) of boat, plane Gerippe *nt; of building* Skelett *nt* ❹ (*outline sketch*) *of book, report* Entwurf *m* ▸ **to have ~s in the cupboard** [*or* AM *also* **closet**] eine Leiche im Keller haben *fam*

skel·eton 'key *n* Dietrich *m* **skel·eton 'staff** *n* Minimalbesetzung *f*

skep·tic *n* AM, AUS *see* **sceptic**

skep·ti·cal *adj* AM, AUS *see* **sceptical**

skep·ti·cism *n no pl* AM, AUS *see* **scepticism**

sketch [sketʃ] **I.** *n* <*pl* -es> ❶ (*rough drawing*) Skizze *f* ❷ (*written piece*) Skizze *f* ❸ (*outline*) Überblick *m* ❹ (*performance*) Sketch *m* **II.** *vt* ❶ (*rough drawing*) skizzieren ❷ (*write in outline*) umreißen **III.** *vi* Skizzen machen ◆ **sketch in** *vt* ❶ (*draw in*) [andeutungsweise] einzeichnen ❷ (*outline*) umreißen ◆ **sketch out** *vt* ❶ (*draw roughly*) [in groben Zügen] skizzieren ❷ (*outline*) umreißen

'**sketch·book** *n* Skizzenbuch *nt*

sketchy ['sketʃi] *adj* ❶ (*not detailed*) flüchtig; (*incomplete*) lückenhaft; **to have a ~**

idea of sth eine vage Vorstellung von etw *dat* haben ❷ (*not fully realized*) skizzenhaft dargestellt

skew [skjuː] **I.** *vt* ❶ (*give slant to*) krümmen; TECH abschrägen ❷ (*distort*) verdrehen **II.** *vi* **to ~ around** sich drehen **III.** *adj pred* schräg, schief **IV.** *adv* schräg, schief

skew·bald ['skjuːbɔːld] *n* Schecke *m o f*

skewed ['skjuːd] *adj* schief

skew·er ['skjuːə'] **I.** *n* Spieß *m* **II.** *vt* ❶ (*pierce*) aufspießen ❷ (*pierce with skewer*) anstechen

skew-whiff [‚skjuː'(h)wɪf] BRIT, AUS **I.** *adj pred* (*fam*) schief **II.** *adv* (*fam*) schief

ski [skiː] **I.** *n* ❶ Ski *m;* **on ~s** auf Skiern **II.** *vi* Ski fahren [*o* laufen]; **to ~ down the slope** die Piste hinunterfahren

'**ski boot** *n* Skischuh *m*

skid [skɪd] **I.** *vi* <-dd-> (*on foot*) rutschen; (*in a vehicle*) schleudern; **to ~ to a halt** schlitternd zum Stehen kommen; **to ~ on the wet road** auf der nassen Straße ins Rutschen kommen **II.** *n* (*on foot*) Rutschen *nt;* (*skewing round*) Schleudern *nt;* **to go into a ~** ins Schleudern geraten

'**skid mark** *n* Reifenspur *f;* (*from braking*) Bremsspur *f*

skid 'row *n no pl esp* AM Pennerviertel *nt fam;* **to end up on ~** auf der Straße enden

ski·er ['skiːə'] *n* Skifahrer(in) *m(f)*

skiff [skɪf] *n* ❶ (*rowing boat*) Skiff *nt* ❷ (*sailing boat*) Einer *m*

'**ski gog·gles** *npl* Skibrille *f*

ski·ing ['skiːɪŋ] *n no pl* Skifahren *nt*

'**ski·ing holi·day** *n* Skiurlaub *m*

'**ski in·struc·tor** *n* Skilehrer *m* '**ski in·struc·tress** *n* Skilehrerin *f* '**ski jump** *n* ❶ (*runway*) Sprungschanze *f* ❷ *no pl* (*jump*) Skisprung *m;* (*event*) Skispringen *nt*

skil·ful ['skɪlfᵊl] *adj* ❶ (*adroit*) geschickt ❷ (*showing skill*) gekonnt

skil·ful·ly ['skɪlfᵊli] *adv* geschickt, gekonnt

'**ski lift** *n* Skilift *m*

skill [skɪl] *n* ❶ *no pl* (*expertise*) Geschick *nt;* **to involve some ~** einige Geschicklichkeit erfordern ❷ (*particular ability*) Fähigkeit *f;* (*technique*) Fertigkeit *f;* **communication ~s** Kommunikationsfähigkeit *f;* **language ~s** Sprachkompetenz *f;* **negotiating ~s** Verhandlungsgeschick *nt*

skilled [skɪld] **I.** *adj* ❶ (*trained*) ausgebildet; (*skilful*) geschickt ❷ (*requiring skill*) Fach-; **a highly ~ job** eine hoch qualifizierte Tätigkeit; **semi-~ occupation** Anlernberuf *m* **II.** *n* ▪ **the ~** *pl* qualifiziertes [Fach]personal

'**skil·let** ['skɪlɪt] *n* ❶ BRIT (*saucepan*) Topf *m* ❷ AM (*frying pan*) Bratpfanne *f*

skill·ful adj AM see **skilful**
skill·ful·ly adv AM see **skilfully**
'skills base n Arbeitskräftepotential nt
skim <-mm-> [skɪm] I. vt ❶ (move lightly above) streifen; **to ~ the surface of sth** (fig) nur an der Oberfläche von etw dat kratzen ❷ (bounce off water) **to ~ stones on the water** Steine über das Wasser hüpfen lassen ❸ (read) überfliegen ❹ FOOD (remove from surface) abschöpfen; **to ~ the cream from the milk** die Milch entrahmen II. vi ▪**to ~ over sth** über etw akk hinwegstreifen
'ski mask n Skimaske f
skimmed milk [ˌskɪmd'-] n, **skim 'milk** n no pl entrahmte Milch, Magermilch f
skim·mer ['skɪmə^r] n Schaumlöffel m
skimp [skɪmp] I. vt nachlässig erledigen; **to ~ the work** schlud[e]rig arbeiten II. vi sparen (on an)
skimpy ['skɪmpi] adj ❶ (not big enough) dürftig; meal karg ❷ (small and tight-fitting) knapp
skin [skɪn] I. n ❶ usu sing (on body) Haut f; **to be soaked to the ~** nass bis auf die Haut sein; **to have a thin ~** dünnhäutig sein; **to have thick ~** ein dickes Fell haben ❷ (animal hide) Fell nt ❸ (rind) of fruit, potato Schale f; of boiled potato Pelle f; of sausage [Wurst]haut f; of almonds, tomatoes Haut f; **to cook potatoes in their ~ s** Pellkartoffeln kochen ❹ (outer covering) aircraft, ship [Außen]haut f ❺ usu sing (film on hot liquid) Haut f ❻ (sl: neo-Nazi) Skinhead m ▶ **to be nothing but ~ and bone**[s] nur noch Haut und Knochen sein; **it's no ~ off my nose** [or AM also back] das ist nicht mein Problem; **by the ~ of one's teeth** mit knapper Not; **to get under sb's ~** (irritate or annoy sb) jdm auf die Nerven gehen fam; (move or affect sb) jdm unter die Haut gehen II. vt <-nn-> ❶ (remove skin) häuten; fruit schälen; **to ~ sb alive** (hum) Hackfleisch aus jdm machen fam ❷ (graze) **to ~ one's elbow/ knees** sich dat den Ellbogen/die Knie aufschürfen
'skin can·cer n no pl Hautkrebs m **'skin· care** n no pl Hautpflege f **skin-'deep** adj pred oberflächlich; **beauty is only ~** man darf nicht nur nach den Äußerlichkeiten urteilen **'skin dis·ease** n Hautkrankheit f **'skin-div·er** n SPORTS Taucher(in) m(f) (ohne Anzug) **'skin-div·ing** n no pl Tauchen nt (ohne Anzug) **'skin flick** n (fam) Porno m **'skin·flint** n (pej) Geizkragen m fam
skin·ful ['skɪnfʊl] n no pl BRIT (sl) **to have**

had a ~ einen sitzen haben
'skin graft n MED ❶ (skin transplant) Hauttransplantation f ❷ (skin section) Hauttransplantat nt **'skin·head** n Skinhead m
skin·ny ['skɪni] adj mager
'skin-ny-dip <-pp-> vi (fam) im Adams-/ Evakostüm baden
skint [skɪnt] adj pred BRIT (sl) ▪**to be ~** pleite sein fam
'skin-tight adj hauteng
skip¹ [skɪp] I. vi <-pp-> ❶ (hop) hüpfen ❷ BRIT, AUS (hop with rope) seilspringen ❸ (jump) gramophone needle springen ❹ (omit) springen; ▪**to ~ over sth** etw überspringen; **let's ~ to the interesting bits** lasst uns direkt zu den interessanten Dingen übergehen ❺ (fam: go quickly) **to ~ over to France** eine Spritztour nach Frankreich machen; **to ~ across to a shop** kurz bei einem Geschäft vorbeigehen II. vt <-pp-> ❶ AM (hop with rope) **to ~ rope** seilspringen ❷ (leave out) überspringen, auslassen ❸ (not participate in) ▪**to ~ sth** an etw dat nicht teilnehmen; **to ~ break·fast** das Frühstück auslassen; **to ~ classes** den Unterricht schwänzen fam ❹ AM, AUS (bounce off water) **to ~ stones on the lake** Steine über das Wasser hüpfen lassen III. n Hüpfer m; **to give a ~ of joy** einen Freudensprung machen
skip² [skɪp] n BRIT, AUS (rubbish container) [Müll]container m
'ski pants npl Skihose f **'ski pass** n Skipass m **'ski-plane** n Kufenflugzeug nt **'ski pole** n Skistock m
skip·per ['skɪpə^r] I. n NAUT Kapitän m [zur See]; AVIAT [Flug]kapitän m; SPORTS [Mannschafts]kapitän m; (form of address) Kapitän m II. vt befehligen; **to ~ a ship** Kapitän eines Schiffes sein; **to ~ an aircraft** Flugkapitän sein; **to ~ a team** Mannschaftsführer sein
'skip·ping rope n BRIT, AM **'skip rope** n Springseil nt
'ski rack n Skiträger m **'ski re·sort** n Wintersportort m
skir·mish <pl -es> ['skɜ:mɪʃ] I. n MIL Gefecht nt; (argument) Wortgefecht n II. vi MIL sich dat Gefechte liefern (with mit); (fig: argue) sich heftig streiten (with mit)
skirt [skɜ:t] I. n ❶ (garment) Rock m; (part of coat) Schoß m ❷ TECH (on hovercraft) Schürzen pl II. vt ❶ (encircle) umgeben; (proceed around edge of) umfahren ❷ (avoid) questions [bewusst] umgehen
skirt·ing ['skɜ:tɪŋ] n Fußleiste f, **skirt·ing board** n BRIT, AUS Fußleiste f
'ski run n Skipiste f **'ski school** n Ski-

schule f 'ski slope n Skipiste f 'ski stick n BRIT Skistock m 'ski suit n Skianzug m

skit [skɪt] n [satirischer] Sketch (on über), Parodie f (on auf)

'ski tow n Schlepplift m

skit·ter ['skɪtə'] vi umherschwirren; papers flattern

skit·tish ['skɪtɪʃ] adj ❶ (nervous) horse, person nervös ❷ (playful) person übermütig

skit·tle ['skɪtl] n esp BRIT ❶ (target) Kegel m ❷ (bowling game) ■~s pl Kegeln nt kein pl

skive [skaɪv] vi BRIT (fam) sich drücken ◆ skive off vi BRIT (fam) sich verdrücken; to ~ off school die Schule schwänzen sl; to ~ off work blau machen fam

skiv·er ['skaɪvə'] n BRIT (fam) Drückeberger(in) m(f)

skiv·vy ['skɪvi] I. n ❶ BRIT (low-grade servant) Dienstmädchen nt a. pej ❷ AM (fam: men's underwear) ■skivvies pl Unterwäsche f II. vi BRIT niedere Arbeiten erledigen

ski·zil·lion [sk'zɪljən] adj eine Unmenge, abertausend

skul·dug·gery [skʌl'dʌɡəri] n no pl üble Tricks pl; (dishonesty) Hinterlist f

skulk [skʌlk] vi ❶ (lurk) herumlungern fam ❷ (move furtively) schleichen

skull [skʌl] n Schädel m; to get sth into one's/sb's [thick] ~ (fam) etw in seinen/ jds Schädel hineinbekommen

'skull·cap n ❶ (top of skull) Schädeldecke f ❷ REL Scheitelkäppchen nt; (for Jews) Kippa[h] f; (for jockeys) Kopfschutz m

skunk [skʌŋk] n ❶ (animal) Stinktier nt ❷ (fam: person) Schweinehund m ❸ no pl (sl: marijuana) Shit m o nt

sky [skaɪ] n ❶ (the sky) Himmel m; in the ~ am Himmel ❷ (area above earth) ■skies pl Himmel m; sunny skies sonniges Wetter; cloudy skies bewölkter Himmel ▶ the ~'s the limit alles ist möglich; red ~ at night, shepherd's delight (prov) Abendrot Schönwetterbot' prov; red ~ in the morning, shepherd's warning (prov) Morgenrot Schlechtwetterbot' prov

'sky-blue adj attr himmelblau 'sky-div·ing n no pl Fallschirmspringen nt sky-'high I. adv (direction) [hoch] in die Luft; (position) [hoch] am Himmel; to blow a building ~ ein Gebäude in die Luft sprengen; to go ~ prices in die Höhe schnellen II. adj (fig) prices, premiums Schwindel erregend hoch 'sky·jack I. vt entführen II. n Flugzeugentführung f 'sky·lark n

Feldlerche f 'sky·light n Oberlicht nt; (in roof) Dachfenster nt 'sky·line n of city Skyline f; (horizon) Horizont m 'sky·rock·et I. vi cost, price in die Höhe schießen; person [auf einen Schlag] berühmt werden II. vt to ~ sb to fame/to power jdn [mit einem Schlag] berühmt machen/ zur Macht verhelfen 'sky·scrap·er n Wolkenkratzer m

slab [slæb] n ❶ of rock Platte f; of wood Tafel f; (in mortuary) Tisch m; paving ~ Pflasterstein m ❷ of food [dicke] Scheibe f; a ~ of cake ein [großes] Stück Kuchen; a ~ of chocolate eine Tafel Schokolade ❸ (foundation of house) Plattenfundament nt

slack [slæk] I. adj ❶ (not taut) schlaff ❷ (pej: lazy) person träge; discipline has become very ~ lately die Disziplin hat in letzter Zeit sehr nachgelassen ❸ (not busy) ruhig; market flau II. adv schlaff III. n no pl ❶ (looseness) Schlaffheit f; the men pulled on the rope to take up the ~ die Männer zogen am Seil, um es zu spannen; to cut sb some ~ AM (fam) jdm Spielraum einräumen ❷ (coal) [Kohlen]grus m IV. vi (fam) faulenzen ◆ slack off vi see slacken off

slack·en ['slækən] I. vt ❶ (make less tight) locker lassen; to ~ one's grip seinen Griff lockern ❷ (reduce) pace verlangsamen II. vi ❶ (become less tight) sich lockern ❷ (diminish) langsamer werden; demand, intensity nachlassen ◆ slacken off I. vi ❶ (at work) person es langsamer angehen lassen ❷ (move slower) person langsamer gehen; car langsamer fahren; speed, pace langsamer werden II. vt reduzieren; speed drosseln

slack·en·ing ['slækənɪŋ] n no pl ❶ (loosening) Lockern nt ❷ of speed Verlangsamung f; of demand Nachlassen nt

slack·er ['slækə'] n (fam) Faulenzer(in) m(f)

slack·ly ['slækli] adv ❶ (not tightly) schlaff, locker; to hang ~ schlaff herunterhängen ❷ (pej: lazily) träge

slack·ness ['slæknəs] n no pl ❶ (looseness) Schlaffheit f ❷ (lack of activity) Nachlassen nt; (in demand) Flaute f ❸ (pej: laziness) Trägheit f

slacks [slæks] npl Hose f; a pair of ~ eine Hose

slag [slæg] I. n ❶ no pl (in mining) Schlacke f ❷ BRIT (pej fam!: slut) Schlampe f II. vt <-gg-> (fam) ■to ~ [off] ⟳ sb/sth über jdn/etw herziehen

'slag·heap ['slæghiːp] n Schlackehügel m

slain [sleɪn] I. vi, vt pp of slay II. n (liter)

■**the ~** *pl* die Gefallenen *pl*

slake [sleɪk] *vt needs, wants* befriedigen; *thirst* stillen

sla·lom ['sla:ləm] *n* Slalom *m*

slam [slæm] **I.** *n* ❶ (*sound*) Knall *m; of door* Zuschlagen *nt* ❷ (*punch*) Schlag *m;* (*push*) harter Stoß ❸ (*insult*) vernichtende Kritik **II.** *vt* <-mm-> ❶ (*close*) *door* zuschlagen, zuknallen *fam;* **to ~ the door in sb's face** jdm die Tür vor der Nase zuschlagen ❷ (*hit hard*) schlagen ❸ (*fam: criticize*) heruntermachen **III.** *vi* <-mm-> ❶ (*shut noisily*) zuschlagen ❷ (*hit hard*) **to ~ into a car/tree/building** ein Auto/einen Baum/ein Gebäude rammen; **to ~ on the brakes** voll auf die Bremsen treten

slam·mer ['slæmər] *n* (*sl: prison*) ■**the ~** das Kittchen *fam*

slan·der ['sla:ndər] LAW **I.** *n* ❶ *no pl* (*action*) üble Nachrede, Verleumdung *f* ❷ (*statement*) Verleumdung *f* **II.** *vt* verleumden

slan·der·er ['sla:ndʳrər] *n* Verleumder(in) *m(f)*

slan·der·ous ['sla:ndʳrəs] *adj* verleumderisch

slang [slæŋ] **I.** *n* ❶ *no pl* Slang *m;* **army ~** Militärjargon *m;* **teenage ~** Jugendsprache *f* **II.** *adj attr* Slang-; **~ term** [*or* **word**] Slangausdruck *m*

'**slang·ing match** *n esp* BRIT, AUS Schlagabtausch *m*

slangy ['slæŋi] *adj* (*fam*) salopp

slant [sla:nt] **I.** *vi* sich neigen; **the evening sun ~ed through the narrow window** die Abendsonne fiel schräg durch das schmale Fenster ein; **to ~ down/to the right** sich nach unten/nach rechts neigen **II.** *vt* ❶ (*make diagonal*) ausrichten ❷ (*present for*) zuschneiden; (*pej: in biased way*) zurechtbiegen *fig fam* **III.** *n* ❶ (*slope*) Neigung *f;* **the kitchen floor has a distinct ~ towards the outer wall** der Küchenboden fällt zur Außenwand hin deutlich ab ❷ (*perspective*) Tendenz *f;* **to have a right-wing ~** *newspaper* rechtsgerichtet sein

slant·ed ['sla:ntɪd] *adj* ❶ (*sloping*) geneigt; *eyes* schräg gestellt; *handwriting* geneigt ❷ (*pej: biased*) gefärbt *fig; report* frisierter

slant·ing ['sla:ntɪŋ] *adj* schräg; **~ roof** Schrägdach *nt*

slap [slæp] **I.** *n* ❶ (*with hand*) Klaps *m fam;* **to give sb a ~ on the back** jdm [anerkennend] auf den Rücken klopfen; (*fig*) jdn loben; **a ~ in the face** eine Ohrfeige; (*fig*) ein Schlag ins Gesicht; **to get a ~ on the**

wrist (*fig*) eine Verwarnung bekommen ❷ (*noise*) Klatschen *nt* **II.** *adv* (*fam*) genau; **the child sat down ~ in the middle of the floor** das Kind setzte sich mitten auf den Boden **III.** *vt* <-pp-> ❶ (*with hand*) schlagen; **to ~ sb in the face** jdn ohrfeigen; **to ~ sb on the back** jdn auf den Rücken schlagen; (*in congratulation*) jdm [anerkennend] auf die Schulter klopfen; **to ~ sb's wrist** jdn zurechtweisen ❷ (*strike*) schlagen (**against** gegen) ❸ (*fam: do quickly*) **she ~ped a couple pieces of salami between some bread** sie klatschte ein paar Scheiben Salami zwischen zwei Scheiben Brot ❹ (*fam: impose*) **to ~ a fine/tax on sth** eine Geldstrafe/eine Steuer auf etw *akk* draufschlagen **IV.** *vi water* ■**to ~ against sth** gegen etw *akk* schlagen ◆**slap down** *vt* ❶ (*put down*) hinknallen *fam* ❷ (*silence rudely*) ■**to ~ sb down** jdn zusammenstauchen *fam*

slap-'bang *adv* BRIT (*fam*) genau '**slap·dash** *adj* (*pej fam*) schlampig '**slap·head** *n* BRIT (*pej sl*) Glatzkopf *m fam* '**slap·stick I.** *n* ❶ *pl* Slapstick *m* **II.** *adj attr* Slapstick-; **~ comedy** Slapstickkomödie *f* '**slap-up** *adj attr* BRIT, AUS **a ~ meal** ein Essen mit allem Drum und Dran *fam*

slash [slæʃ] **I.** *vt* ❶ (*cut deeply*) **to ~ a painting/a seat/sb's tyres** [*or* AM **tires**] ein Gemälde/einen Sitz/jds Reifen aufschlitzen *fam;* **to ~ one's wrists** sich *dat* die Pulsadern aufschneiden ❷ (*reduce*) *budget* kürzen; *price* senken; *staff* abbauen; *workforce* verringern **II.** *vi* (*with a knife*) ■**to ~ at sb/sth** [mit einem Messer] auf jdn/etw losgehen **III.** *n* <*pl* -es> ❶ (*cut on person*) Schnittwunde *f;* (*in object*) Schnitt *m* ❷ (*in prices, costs*) Reduzierung *f;* (*in budget*) Kürzung *f* ❸ FASHION (*in clothing*) Schlitz *m* ❹ (*punctuation mark*) Schrägstrich *m*

slat [slæt] *n* Leiste *f;* (*in grid*) Stab *m;* **plastic/wooden ~** Plastik-/Holzlatte *f*

slate [sleɪt] **I.** *n* ❶ *no pl* (*rock*) Schiefer *m* ❷ (*on roof*) [Dach]schindel *f* ❸ (*dated: for writing*) Schiefertafel *f* ❹ AM, AUS POL (*list of candidates*) Kandidatenliste *f* ❺ (*in film production*) Klappe *f* ▸ **to have a clean ~** eine weiße Weste haben; **to wipe the ~ clean** reinen Tisch machen **II.** *adj* Schiefer- **III.** *vt* ❶ (*cover with slates*) decken ❷ *usu passive* AM, AUS (*assign*) **she's been ~d to lose her job** sie wird wahrscheinlich ihren Job verlieren; ■**to be ~d for sth** für etw *akk* vorgesehen sein ❸ BRIT, AUS (*fam: criticize severely*) zusammenstauchen;

book verreißen

slat·tern ['slætən] *n* (*pej*) Schlampe *f fam*

slat·tern·ly ['slætənli] *adj* (*pej*) schlampig

slaugh·ter ['slɔːtə^r] I. *vt* ❶ (*kill*) abschlachten; *animal* schlachten ❷ SPORTS (*fam*) vom Platz fegen II. *n no pl* ❶ (*killing*) *of people* Abschlachten *nt; of animals* Schlachten *nt* ❷ (*fam: in sports*) Schlappe *f*

slaugh·ter·er ['slɔːtərə^r] *n* Schlächter(in) *m(f)*

'**slaugh·ter·house** *n* Schlachthaus *nt*, Schlachthof *m*

Slav [slɑːv] I. *n* Slawe, Slawin *m, f* II. *adj* slawisch

slave [sleɪv] I. *n* Sklave, Sklavin *m, f* II. *vi* schuften; ■ **to ~** [**away**] **at sth** sich mit etw *dat* herumschlagen; **to ~ over a hot stove** (*hum*) [den ganzen Tag] am Herd stehen

'**slave driv·er** *n* Sklaventreiber(in) *m(f)*

slav·er¹ ['slævə^r] I. *vi* ❶ (*drool*) *animal* geifern; *person* speicheln ❷ (*pej: show excitement*) gieren (**over** nach) II. *n no pl animal* Geifer *m; person* Speichel *m*

slav·er² ['sleɪvə^r] *n* (*hist*) ❶ (*ship*) Galeere *f hist* ❷ (*trader*) Sklavenhändler(in) *m(f)*

slav·ery ['sleɪvəri] *n no pl* Sklaverei *f; (fig)* sklavische Abhängigkeit

'**slave trade** *n* (*hist*) Sklavenhandel *m*

Slav·ic ['slɑːvɪk] *adj* slawisch

slav·ish ['sleɪvɪʃ] *adj* ❶ (*without originality*) sklavisch ❷ (*servile*) sklavisch

slav·ish·ly ['sleɪvɪʃli] *adv* ❶ (*without change*) sklavisch ❷ (*with dependence*) sklavisch; **to be ~ devoted to sb/sth** jdm/etw unterwürfig ergeben sein

Sla·von·ic [slə'vɒnɪk] *adj* slawisch

slay [sleɪ] *vt* ❶ <slew, slain> (*liter or old: kill*) *dragon* erlegen; *enemy* bezwingen ❷ <slew, slain> AM (*murder*) ■ **to be slain** ermordet werden

sleaze [sliːz] *n* ❶ *no pl* (*immorality*) Korruption *f* ❷ AM (*fam: person*) schmieriger Typ ❸ (*fam*) Schmutzkampagne *f*

sleazy ['sliːzi] *adj* anrüchig; *area* zweifelhaft; **~ bar** Spelunke *f fam*

sled [sled] AM I. *n* Schlitten *m* II. *vi* <-dd-> **to go ~ding** Schlittenfahren [*o* DIAL Rodeln] gehen III. *vt* <-dd-> mit dem Schlitten transportieren

sledge [sledʒ] I. *n* ❶ (*for snow*) Schlitten *m* ❷ (*fam: sledgehammer*) Vorschlaghammer *m* II. *vi esp* BRIT **to go sledging** Schlittenfahren [*o* DIAL Rodeln] gehen III. *vt* mit dem Schlitten transportieren

'**sledge·ham·mer** *n* Vorschlaghammer *m* ▶ **to use a ~ to crack a nut** mit Kanonen auf Spatzen schießen

sleek [sliːk] I. *adj* ❶ (*glossy*) *fur, hair* geschmeidig; (*streamlined*) elegant; *car* schnittig ❷ (*fig: in manner*) [aal]glatt *pej* ❸ (*well-groomed*) gepflegt II. *vt* glätten; *horse* striegeln

sleek·ness ['sliːknəs] *n no pl* Glattheit *f;* (*of style*) Geschliffenheit *f*

sleep [sliːp] I. *n* ❶ *no pl* (*resting state*) Schlaf *m;* (*nap*) Nickerchen *nt;* **I didn't get to ~ until 4 a.m.** ich bin erst um 4 Uhr morgens eingeschlafen; **to go** [**back**] **to ~** [wieder] einschlafen; **to lose ~ over sth** wegen einer S. *gen* schlaflose Nächte haben; **to put an animal to ~** ein Tier einschläfern; **to send sb to ~** jdn einschlafen lassen *fig* ❷ *no pl* (*in eyes*) Schlaf *m* ▶ **to be able to do sth in one's ~** etw im Schlaf beherrschen II. *vi* <slept, slept> schlafen; (*fig: be buried*) ruhen; **~ tight!** schlaf schön!; **we'll be ~ing at Steve's on Saturday night** Samstagnacht werden wir bei Steve übernachten; **to ~ like a log** [*or* **baby**] (*fam*) wie ein Stein [*o* Baby] schlafen; **to ~ late** lange schlafen, ausschlafen; **to ~ sound**[**ly**] [tief und] fest schlafen; **to ~ rough** BRIT auf der Straße schlafen; ■ **to ~ with sb** mit jdm schlafen ▶ **to ~ on it** eine Nacht darüber schlafen III. *vt* **to ~ two/ ten** zwei/zehn Personen beherbergen können; **to ~ the night with sb** bei jdm übernachten ◆**sleep around** *vi* (*fam*) herumschlafen ◆**sleep in** *vi* ❶ (*sleep late*) ausschlafen ❷ (*sleep at work*) im Hause wohnen ◆**sleep off** *vt hangover* ausschlafen; *cold, headache* sich gesund schlafen; **to ~ it off** seinen Rausch ausschlafen ◆**sleep out** *vi* draußen schlafen ◆**sleep through** *vi* weiterschlafen; **I must have slept through the alarm** ich muss den Wecker verschlafen haben ◆**sleep together** *vi* (*have sex*) miteinander schlafen; (*share bedroom*) zusammen [in einem Zimmer] schlafen

sleep·er ['sliːpə^r] *n* ❶ (*person*) Schläfer(in) *m(f);* (*pill*) Schlaftablette *f;* (*sofa*) Bettsofa *nt;* **to be a heavy/** einen festen/ leichten Schlaf haben ❷ *esp* AM (*pyjamas*) ■ **~s** *pl* Schlafanzug *m* ❸ (*train*) Zug *m* mit Schlafwagenabteil; (*sleeping car*) Schlafwagen *m;* (*berth*) Schlafwagenplatz *m* ❹ BRIT, AUS (*on railway track*) Schwelle *f* ❺ (*earring*) Kreole *f* ❻ PUBL (*unexpected success*) Sensationserfolg *m*

'**sleep·er cell** *n* MIL, POL Schläferzelle *f*

sleepi·ly ['sliːpɪli] *adv* schläfrig

sleepi·ness ['sliːpɪnəs] *n no pl* Schläfrigkeit *f*

sleep·ing ['sliːpɪŋ] *adj attr* schlafend *attr* ▶ **let ~ dogs lie** (*prov*) schlafende Hunde

S

soll man nicht wecken *prov*

'**sleep·ing bag** *n* Schlafsack *m* **Sleep·ing** '**Beau·ty** *nt* '**sleep·ing car** *n* Schlafwagen *m* '**sleep·ing part· ner** *n* BRIT COMM stiller Teilhaber '**sleep· ing pill** *n* Schlaftablette *f* **sleep·ing po·** '**lice·man** *n* BRIT Bodenschwelle *f* '**sleep· ing sick·ness** *n no pl* Schlafkrankheit *f* '**sleep·ing tab·let** *n* Schlaftablette *f*

sleep·less ['sli:pləs] *adj* schlaflos

sleep·less·ness ['sli:lkəsnəs] *n no pl* Schlaflosigkeit *f*

'**sleep·walk** *vi* schlafwandeln '**sleep· walk·er** *n* Schlafwandler(in) *m(f)*

sleepy ['sli:pi] *adj* ❶ *(drowsy)* schläfrig; **to feel ~** müde sein ❷ *(quiet) town* verschlafen *fam*

'**sleepy·head** ['sli:pihed] *n* (*fam*) Schlafmütze *f*

sleet [sli:t] **I.** *n no pl* Eisregen *m* **II.** *vi impers* **it is ~ing** es fällt Eisregen

sleeve [sli:v] *n* ❶ *(on clothing)* Ärmel *m;* **to roll up one's ~s** *(for hard work)* die Ärmel hochkrempeln *a. fig* ❷ *(for rod, tube)* Manschette *f* ❸ *(for record)* [Schallplatten]hülle *f* ▶ **to have sth up one's ~** etw im Ärmel haben

sleeve·less ['sli:vləs] *adj* ärmellos *attr*

sleigh [sleɪ] *n* Pferdeschlitten *m*

sleight of '**hand** *n no pl* (*in tricks*) Fingerfertigkeit *f;* (*fig*) Trick *m*

slen·der ['slendə^r] *adj* ❶ *legs, waist* schlank; *railings, poles* schmal ❷ *means, resources, majority* knapp

slen·der·ize ['slendəraɪz] AM **I.** *vi* (*fam*) abnehmen **II.** *vt* (*fam*) **to ~ one's figure** seine Figur trimmen; ■**to ~ sb** (*colours*) jdn schlank machen; **to ~ a budget** (*fig: reduce*) ein Budget kürzen

slen·der·ness ['slendənəs] *n no pl* ❶ *(slimness) of legs, waist* Schlankheit *f* ❷ *(smallness)* Knappheit *f;* **the ~ of her income** ihr geringes Einkommen

slept [slept] *pt, pp of* **sleep**

slew [slu:] *pt of* **slay**

slice [slaɪs] **I.** *n* ❶ *of bread, ham* Scheibe *f; of cake, pizza* Stück *nt* ❷ *(portion)* Anteil *m* ❸ *(tool)* Pfannenwender *m;* **cake ~** Tortenheber *m* ▶ **a ~ of the cake** ein Stück vom großen Kuchen; **a ~ of life** eine Milieuschilderung **II.** *vt* ❶ *(cut in slices)* in Scheiben schneiden; *cake, pizza* in Stücke schneiden ❷ SPORTS **to ~ the ball** (*in golf, cricket*) den Ball verschlagen; (*in tennis*) den Ball anschneiden ▶ **any way** [*or* AM **no matter how**] **you ~ it** wie man es auch dreht und wendet **III.** *vi* ❶ *(food)* sich schneiden lassen ❷ *(cut)* ■**to ~ through**

sth etw durchschneiden ◆ **slice off** *vt* abschneiden ◆ **slice up** *vt* ❶ *(make slices)* in Scheiben schneiden; *bread* aufschneiden; *cake, pizza* in Stücke schneiden ❷ *(divide) profits* aufteilen

sliced [slaɪst] *adj* geschnitten; *bread* aufgeschnitten

slic·er ['slaɪsə^r] *n* (*machine*) Schneidemaschine *f;* (*knife*) Bratenmesser *nt*

slick [slɪk] **I.** *adj* ❶ *(skillful)* gekonnt; *(great)* geil *sl; performance* tadellos ❷ *(pej: overly-polished) answer, manner* glatt; *(clever)* gewieft ❸ *(shiny) hair* geschniegelt *fam;* AM *(slippery) road, floor* glatt **II.** *n* ❶ *(oil slick)* Ölteppich *m* ❷ AM *(glossy)* Hochglanzmagazin *nt* **III.** *vt* **to ~ back/down one's hair** sich *dat* die Haare nach hinten klatschen/anklatschen

slick·er ['slɪkə^r] *n* AM ❶ *(city slicker)* feiner Pinkel aus der [Groß]stadt *fam* ❷ *(raincoat)* Regenmantel *m*

slick·ness ['slɪknəs] *n no pl* ❶ *(deftness)* Routine *f; ~* **of a performance/show** routinierter Ablauf einer Aufführung/Show ❷ *(pej: glibness)* Gewieftheit *f fam*

slide [slaɪd] **I.** *vi* <slid, slid> ❶ *(glide)* rutschen; *(smoothly)* gleiten; **to ~ down the banisters** das Geländer herunterrutschen ❷ *(decline in value) currency* sinken ❸ *(get into)* **to ~ into chaos** in ein Chaos geraten; **to ~ into recession** in die Rezession abrutschen ▶ **to let sth/things ~** etw/die Dinge schleifen lassen **II.** *vt* <slid, slid> **can you ~ your seat forward a little?** können Sie mit Ihrem Sitz etwas nach vorne rutschen?; **she slid the hatch open** sie schob die Luke auf **III.** *n* ❶ *(act of sliding)* Rutschen *nt* ❷ *(on ice)* Eisbahn *f* ❸ *(at playground)* Rutsche *f* ❹ GEOG *(landslide)* **earth ~** Erdrutsch *m;* **mud/ rock ~** Schlamm-/Felslawine *f* ❺ *usu sing (decline)* Sinken *nt; of a currency* Wertverlust *m* ❻ *(in photography)* Dia *nt* ❼ *(for microscope)* Objektträger *m* ❽ *(moving part) of trombone* Zug *m; of machine* Schlitten *m* ❾ MUS *(glissando)* Glissando *nt* ❿ BRIT *(hair clip)* Haarspange *f*

'**slide pro·jec·tor** *n* Diaprojektor *m* '**slide rule** *n* Rechenschieber *m*

slid·ing ['slaɪdɪŋ] *adj attr* Schiebe-

slid·ing '**scale** *n* FIN gleitende Skala

slight [slaɪt] **I.** *adj* ❶ *(small)* gering; **there's been a ~ improvement in the situation** die Situation hat sich geringfügig gebessert; **to not have the ~est idea** nicht die geringste Idee haben; **the ~est thing** die kleinste Kleinigkeit; **not in the ~est** nicht im Geringsten ❷ *(barely notice-*

able) klein; **there was a ~ smell of onions in the air** es roch ein wenig nach Zwiebeln; **to have a ~ accent** einen leichten Akzent haben ❸ (*minor*) leicht; **he has a ~ tendency to exaggerate** er neigt etwas zu Übertreibungen ❹ (*slim and delicate*) *person* zierlich **II.** *n* Beleidigung *f* **III.** *vt* beleidigen

slight·ly ['slaɪtli] *adv* ein wenig, etwas; **I feel ~ peculiar** ich fühle mich irgendwie komisch; **I think he may have been exaggerating ever so ~** ich denke, er hat wohl ein klein wenig übertrieben; **to know sb ~** jdn flüchtig kennen

slim [slɪm] **I.** *adj* <-mm-> ❶ *person, figure* schlank; *waist* schmal; *object* dünn ❷ *chance, possibility* gering; *profits, income* mager; **~ pickings** magere Ausbeute **II.** *vi* <-mm-> abnehmen ◆ **slim down I.** *vi* abnehmen **II.** *vt* *workforce* reduzieren; **to ~ one's hips/waist down** an den Hüften/der Taille abnehmen

slime [slaɪm] *n no pl* ❶ (*substance*) Schleim *m* ❷ (*pej fam: person*) Schleimer(in) *m(f)*

'**slime·bag** *n* (*pej fam*) Schleimer(in) *m(f)*
'**slime ball** *n* (*pej fam*) Schleimer(in) *m(f)*

slim·mer ['slɪmə^r] *n* Person, die eine Diät macht

slim·ming ['slɪmɪŋ] **I.** *n no pl* Abnehmen *nt* **II.** *adj* ❶ (*for slimmers*) schlank machend *attr*; **~ pill** Schlankheitspille *f* ❷ (*fam: non-fattening*) schlank machend *attr*; **have a salad — that's ~** nimm einen Salat – das hält schlank; **~ food** Diätkost *f* ❸ (*in appearance*) *colours* schlank machend

slim·ness ['slɪmnəs] *n no pl of body* Schlankheit *f; of chances, profits* Geringfügigkeit *f*

slimy ['slaɪmi] *adj* ❶ (*covered in slime*) *slug, pond, seaweed* schleimig ❷ (*pej fam*) *character, person* schleimig

sling [slɪŋ] **I.** *n* ❶ (*for broken arm*) Schlinge *f; (for baby*) Tragetuch *nt; (for camera, gun*) Tragegurt *m; (for lifting*) Schlinge *f* ❷ (*weapon*) Schleuder *f* **II.** *vt* <slung, slung> ❶ (*fling*) werfen, schleudern; **to ~ sb in prison** jdn ins Gefängnis werfen ❷ (*hang*) **soldiers with rifles slung over their shoulders** Soldaten mit geschulterten Gewehren; **she sat next to him on the sofa, her legs slung over his** sie saß neben ihm auf dem Sofa, ihre Beine über seine geschlagen ❸ (*suspend*) **to be slung from sth** von etw *dat* herunterhängen ◆ **sling out** *vt* (*fam*) ▣ **to ~ out** ⟳

sb/sth jdn/etw rauswerfen

'**sling·shot** ['slɪŋʃɑːt] *n* Am, Aus (*catapult*) [Stein]schleuder *f*

slink <slunk, slunk> [slɪŋk] *vi* schleichen; ▣ **to ~ away** [sich] davonschleichen

slinky ['slɪŋki] *adj* verführerisch

slip [slɪp] **I.** *n* ❶ (*fall*) **to have a ~** ausrutschen und hinfallen; (*in price, value*) Fall *m* ❷ (*for ordering*) Formular *nt; (sales slip*) Kassenzettel *m; a* **~ of paper** ein Stück *nt* Papier ❸ (*mistake*) Flüchtigkeitsfehler *m; a* **~ of the tongue** ein Versprecher *m* ❹ (*petticoat*) Unterrock *m* ❺ (*in cricket*) **the ~s** *pl Bereich neben dem Torwächter* ❻ *no pl* (*in pottery*) geschlämmter Ton ▶ **to give sb the ~** jdn abhängen **II.** *vi* <-pp-> ❶ (*lose position*) *person* ausrutschen; *knife, hand* abrutschen; *tyres* wegrutschen; *clutch* schleifen ❷ (*move quietly*) **to ~ into the house** ins Haus schleichen; **to ~ through a gap** durch ein Loch schlüpfen ❸ (*decline*) *dollar, price, productivity* sinken; **the song has ~ped to number 17 this week** das Lied ist diese Woche auf Platz 17 gefallen ❹ (*make mistake*) *person* sich versprechen; **to let sth ~** *secret* etw ausplaudern; **he let his guard ~ for just a moment** er war nur für einen Moment unaufmerksam ❺ (*start to have*) ▣ **to ~ into sth** sich *dat* etw angewöhnen; **everything seemed to ~ into place** alles schien [plötzlich] zusammenzupassen; **to ~ into bad habits** sich *dat* schlechte Gewohnheiten aneignen ❻ (*change clothing*) ▣ **to ~ out of sth** etw ausziehen; ▣ **to ~ into sth** in etw *akk* schlüpfen ▶ **to ~ through sb's fingers** jdm entkommen; **to let sth ~ through one's fingers** sich *dat* etw entgehen lassen **III.** *vt* <-pp-> ❶ (*put smoothly*) **he ~ped his arm around her waist** er legte seinen Arm um ihre Taille; **she ~ped the key under the mat** sie schob den Schlüssel unter die Matte; **he ~ped the letter into his pocket** er steckte den Brief in seine Tasche; **to ~ sb money/a note** jdm Geld/eine Nachricht zustecken ❷ (*escape from*) ▣ **to ~ sth** sich aus etw *dat* befreien; *chain[s]* sich von etw *dat* befreien; **to ~ sb's attention** jds Aufmerksamkeit entgehen; **sth ~s sb's mind** jd vergisst etw ❸ AUTO **to ~ the car into gear** den Gang schnell einlegen; **to ~ the clutch** die Kupplung lösen ❹ NAUT *anchor* lichten ❺ MED **to ~ a disk** sich *dat* einen Bandscheibenschaden zuziehen ◆ **slip away** *vi* ❶ (*leave unnoticed*) *person* sich wegstehlen ❷ (*not be kept*) ▣ **to ~ away [from sb]**

control, power [jdm] entgleiten; **they wouldn't let this chance of victory ~ away from them** sie würden sich diese Siegeschance nicht entgehen lassen ❸ *(time)* verstreichen *geh* ❹ *(euph: be dying)* im Sterben liegen ◆**slip by** *vi* ❶ *(pass quickly)* years verfliegen ❷ *(move past)* person vorbeihuschen ❸ *(go unnoticed)* mistake, remark durchgehen ◆**slip down** *vi* ❶ trousers, socks herunterrutschen ❷ *(food, drink)* **a cool beer ~s down wonderfully easily** ein kühles Bier geht runter wie nichts ◆**slip in** I. *vt* einbringen II. *vi* person sich hereinschleichen ◆**slip off** I. *vi* ❶ *(leave unnoticed)* sich davonstehlen ❷ *(fall off)* herunterrutschen II. *vt* abstreifen ◆**slip on** *vt* anziehen; *ring* sich *dat* anstecken ◆**slip out** *vi* ❶ *(for short time)* **I'm just ~ping out to get a paper** ich geh nur kurz eine Zeitung holen; **to ~ out for a moment** kurz weggehen ❷ *words, secret* herausrutschen ◆**slip up** *vi* einen Fehler begehen

'**slip·case** *n* Schuber *m* '**slip·knot** *n* Schlaufe *f* '**slip-on** I. *adj attr* ~ **shoes** Slipper *pl* II. *n* ■~s *pl* Slipper *pl*

slip·page ['slɪpɪʤ] *n no pl* ❶ *(in popularity, price)* Sinken *nt* ❷ *(delay)* Verzögerung *f*

slip·pers ['slɪpəz] *npl* Hausschuhe *pl*

slip·pery ['slɪpəri] *adj* ❶ *surface, object* rutschig; *(fig)* situation unsicher; *road* glatt ❷ *(pej: untrustworthy)* windig *fam;* **a ~ person** eine unzuverlässige Person, ein Windhund *m* ▸**to be as ~ as an eel** aalglatt sein

'**slip road** *n* BRIT Zubringer *m* '**slip·shod** *adj* schludrig *fam* '**slip·stream** *n* AUTO Windschatten *m;* AVIAT Sog *m* '**slip-up** *n* Fehler *m* '**slip·way** *n* NAUT Ablaufbahn *f*

slit [slɪt] I. *vt* <-tt-, slit, slit> aufschlitzen; **to ~ one's wrist** sich *dat* die Pulsadern aufschneiden II. *n* ❶ *(tear)* Schlitz *m* ❷ *(narrow opening)* of eyes Schlitz *m;* of door Spalt *m*

slith·er ['slɪðəʳ] *vi* lizard, snake kriechen; person rutschen

slith·ery ['slɪðəri] *adj* kriechend *attr;* animal Kriech-

sliv·er ['slɪvəʳ] *n* ❶ *(shard)* Splitter *m;* **a ~ of light** ein Lichtschimmer *m* ❷ *(small piece)* **a ~ of cheese** ein Scheibchen *nt* Käse; **a ~ of cake** ein Stückchen *nt* Kuchen

slob [slɒb] I. *n (pej fam)* Gammler(in) *m(f)* II. *vi* ■**to ~ about** herumgammeln *pej fam*

slob·ber ['slɒbəʳ] I. *vi* sabbern; ■**to ~ over sb** *(fig fam)* von jdm schwärmen; ■**to ~**

over sth etw anschmachten II. *n no pl* Sabber *m*

slob·bery ['slɒbəʳi] *adj (wet)* feucht; *(slobbered on)* voll gesabbert *fam;* **~ kiss** feuchter Kuss

sloe [sləʊ] *n* Schlehe *f*

slog [slɒg] I. *n* ❶ *no pl (fam: hard work)* Schufterei *f; (strenuous hike)* [Gewalt]marsch *m* ❷ *(hit)* wuchtiger Schlag II. *vi* <-gg-> *(fam)* ❶ *(walk)* **to ~ up the hill** sich auf den Hügel schleppen ❷ *(work)* sich durcharbeiten (**through** durch) III. *vt* <-gg-> *(fam)* **to ~ the ball** SPORTS den Ball schleudern; *(in fighting)* **to ~ sb in the belly/face** jdn in den Bauch/ins Gesicht schlagen

slo·gan ['sləʊgən] *n* Slogan *m;* **campaign ~** Wahlspruch *m*

sloop [slu:p] *n* NAUT Slup *f*

slop [slɒp] I. *n* ❶ *(waste)* ■~s *pl* Abfälle *pl; (food waste)* Essensreste *pl* ❷ *no pl (pej fam: food)* Schlabber *m* ❸ *(sentimental material)* rührseliges Zeug *fam* II. *vt* <-pp-> *(fam)* verschütten III. *vi* <-pp-> *(fam)* a liquid überschwappen ◆**slop out** *vi* BRIT *(in prison)* den/die Toiletteneimer [aus]leeren

slope [sləʊp] I. *n* ❶ *(hill)* Hang *m;* **ski ~** Skipiste *f* ❷ *no pl (angle)* **~ of a roof** Dachschräge *f;* **to be at a ~** eine Schräge haben ❸ MATH *(on graph)* Gefälle *nt* ❹ AM, AUS *(pej! sl: Asian person)* Schlitzauge *nt* II. *vi* ❶ *(incline/decline)* ground abfallen; *roof* geneigt sein; ■**to ~ down/up** abfallen/ansteigen ❷ *(lean)* sich neigen III. *vt* roof, path schräg anlegen ◆**slope off** *vi* sich verziehen *fam*

slop·ing ['sləʊpɪŋ] *adj attr* schräg; *(upwards)* ansteigend; *(downwards)* abfallend; **~ shoulders** hängende Schultern

slop·pi·ly ['slɒpɪli] *adv* dressed, written schlampig

slop·pi·ness ['slɒpɪnəs] *n no pl* Schlampigkeit *f*

slop·py ['slɒpi] *adj* ❶ *(careless)* schlampig ❷ *(hum or pej: overly romantic)* kitschig; **~ love song** Schnulze *f fam* ❸ *(pej: too wet)* triefend *attr;* kiss feucht ❹ *(fam: loose-fitting)* clothing schlabb[e]rig

slosh [slɒʃ] *(fam)* I. *vt* ❶ *(pour carelessly)* **I ~ed some water on my face** ich habe mir etwas Wasser ins Gesicht geworfen ❷ BRIT *(sl: hit)* ■**to ~ sb** jdm eine verpassen II. *vi* ❶ *(splash around)* a liquid [herum]schwappen; person [herum]planschen ❷ *(move through water)* waten ◆**slosh about, slosh around** *(fam)* I. *vi* herumspritzen; person herumplanschen; *(in con-*

tainer) herumschwappen **II.** *vt* umrühren
sloshed [slɒʃt] *adj pred* (*fam*) besoffen *sl;*
to get ~ sich besaufen
slot [slɒt] **I.** *n* ❶ (*narrow opening*)
Schlitz *m;* (*groove*) Rille *f;* (*for money*)
Geldeinwurf *m;* (*for mail*) Briefschlitz *m*
❷ (*in TV programming*) Sendezeit *f;*
advertising ~ Werbepause *f* **II.** *vt* <-tt->
[hinein]stecken (**into** in) **III.** *vi* <-tt-> ▪**to
~ into sth** in etw *akk* hineinpassen
sloth [sləʊθ] *n* ❶ *no pl* (*laziness*) Trägheit *f*
❷ (*animal*) Faultier *nt;* (*pej: person*) Faultier *nt a. hum o iron*
sloth·ful ['sləʊθfʰl] *adj* faul
'**slot ma·chine** *n* ❶ (*for gambling*) Spielautomat *m* ❷ BRIT, AUS (*vending machine*)
[Münz]automat *m* '**slot me·ter** *n* Münzautomat *m*
slouch [slaʊtʃ] **I.** *n* <*pl* -es> (*bad posture*)
krumme Haltung **II.** *vi* (*have shoulders
bent*) gebeugt stehen; (*with sadness*) sich
hängen lassen *fig;* **she sat ~ed over her
desk** sie hing über ihrem Schreibtisch
slouchy [slaʊtʃi] *adj* sweater, trousers
weit, schlabbrig *fam o pej*
slough[1] [slaʊ] *n* (*depressed state*) **a ~ of
despair/self-pity** ein Sumpf *m* der Verzweiflung/des Selbstmitleids *liter*
slough[2] [slʌf] *vt* **to ~ old skin** sich häuten
Slo·vak [sləʊvæk] **I.** *n* ❶ (*person*) Slowake, Slowakin *m, f* ❷ *no pl* (*language*) Slowakisch *nt* **II.** *adj* slowakisch
Slo·vakia [slə(ʊ)ˈvækiə] *n no pl* die Slowakei
Slo·vak·ian [slə(ʊ)ˈvækiən] **I.** *n* ❶ (*person*) Slowake, Slowakin *m, f* ❷ *no pl* (*language*) Slowakisch *nt* **II.** *adj* slowakisch
slov·en ['slʌvʰn] *n* (*dated: messy*) schlampige Person; (*unkempt*) ungepflegte Person
Slo·vene [sləʊ] **I.** *n* ❶ (*person*) Slowene, Slowenin *m, f* ❷ *no pl* (*language*)
Slowenisch *nt* **II.** *adj* slowenisch
Slo·venia [slə(ʊ)ˈviːniə] *n no pl* Slowenien *nt*
Slo·ven·ian [slə(ʊ)ˈviːniən] **I.** *n* ❶ (*person*) Slowene, Slowenin *m, f* ❷ *no pl* (*language*) Slowenisch *nt* **II.** *adj* slowenisch
slov·en·ly ['slʌvʰnli] *adj* schlampig; **a ~
appearance** ein ungepflegter Eindruck
slow [sləʊ] **I.** *adj* ❶ (*without speed*) langsam; business, market flau; ▪**to be ~ to
do sth** lange brauchen, um etw zu tun; **to
make ~ progress** [nur] langsam vorankommen ❷ (*not quick-witted*) begriffsstutzig; **to be ~ on the uptake** schwer von
Begriff sein ❸ (*behind the correct time*) **to
be** [*or* run] [**10 minutes**] ~ clock, watch
[10 Minuten] nachgehen ▶ **~ and steady**

wins the race (*prov*) langsam, aber sicher
II. *vi* langsamer werden; **to ~ to a crawl**
fast zum Stillstand kommen **III.** *vt* verlangsamen ◆**slow down I.** *vt* verlangsamen;
**I don't like working with him, he ~s
me down** ich arbeite nicht gerne mit ihm,
er hält mich auf **II.** *vi* ❶ (*reduce speed*)
langsamer werden; (*speak*) langsamer
sprechen; (*walk*) langsamer laufen ❷ (*relax
more*) kürzertreten *fam*
'**slow·coach** *n* BRIT, AUS (*fam*) lahme Ente
slow 'cook·er *n* (*a large electric pot
used for cooking food very slowly*) Crock-
Pot® *m* (*elektrischer Kochtopf mit Keramiktopfeinsatz, in dem der Inhalt bei konstant niedriger Temperatur gegart wird*)
'**slow·down** *n* ❶ ECON (*business activity*)
Verlangsamung *f;* **economic ~** Konjunkturabschwächung *f* ❷ AM ECON (*go-slow*)
Bummelstreik *m*
slow·ly ['sləʊli] *adv* langsam; **~ but surely**
langsam, aber sicher
slow 'mo·tion **I.** *n* *no pl* FILM Zeitlupe *f*
II. *adj* Zeitlupen- **slow-'mov·ing** <slower-, slowest-> *adj* sich [nur] langsam bewegend; story, film, plot langatmig; traffic
zähflüssig
slow·ness ['sləʊnəs] *n no pl* ❶ (*lack of
speed*) Langsamkeit *f* ❷ (*lack of intelligence*) Begriffsstutzigkeit *f*
'**slow·poke** *n* AM (*childspeak fam: slowcoach*) lahme Ente *fam* '**slow train** *n*
TRANSP Bummelzug *m fam* **slow-'wit·ted**
adj begriffsstutzig, schwer von Begriff
nach *n* '**slow-worm** *n* Blindschleiche *f*
SLR [ˌesel'ɑːʳ], **SLR cam·era** *n* PHOT
abbrev of **single lens reflex (camera)**
Spiegelreflexkamera *f*
sludge [slʌdʒ] *n no pl* Schlamm *m*
slug ['slʌg] **I.** *vt* <-gg-> (*fam*) ❶ (*hit with
hard blow*) ▪**to ~ sb** jdm eine verpassen *sl*
❷ (*fight physically or verbally*) **to ~ it out**
es untereinander ausfechten **II.** *n* ❶ (*mollusc*) Nacktschnecke *f* ❷ (*swig*) Schluck *m*
slug·gish ['slʌgɪʃ] *adj* träge; market flau;
engine lahm
slug·gish·ness ['slʌgɪʃnəs] *n no pl* Trägheit *f;* ECON Flaute *f*
sluice [sluːs] **I.** *n* Schleuse *f* **II.** *vi* ▪**to ~
out** [**from sth**] *water* herausschießen [aus
etw *dat*] **III.** *vt* ▪**to ~ sth down** etw [mit
dem Schlauch] abspritzen
'**sluice gate** *n* Schleusentor *nt* '**sluice·
way** *n* [Schleusen]kanal *m*
slum [slʌm] **I.** *n* Slum *m*, Elendsviertel *nt*
II. *vi* <-mm-> **to go ~ming** sich unters
gemeine Volk mischen **III.** *vt* <-mm-> **to ~
it** (*iron*) primitiv leben

S

slum·ber ['slʌmbə'] **I.** *vi* schlummern *geh* **II.** *n* ❶(*sleep*) Schlummer *m geh;* (*fig*) Dornröschenschlaf *m;* ~ **party** AM Party *f* mit Übernachtung ❷(*dreams*) ■~**s** *pl* Träume *pl*

slum 'clear·ance *n no pl* Beseitigung *f* der Slums **'slum 'dwell·er** *n* Slumbewohner(in) *m(f)*

slump [slʌmp] **I.** *n* ECON ❶(*decline*) [plötzliche] Abnahme; ~ **in prices** Preissturz *m* ❷(*recession*) Rezession *f;* **economic** ~ Wirtschaftskrise *f* **II.** *vi* ❶(*fall dramatically*) *prices* stürzen; *numbers, sales* zurückgehen ❷(*fall heavily*) fallen

slung [slʌŋ] *pt, pp of* **sling**

slunk [slʌŋk] *pt, pp of* **slink**

slur [slɜː'] **I.** *vt* <-rr-> ❶(*pronounce unclearly*) undeutlich artikulieren; (*because of alcohol*) lallen ❷(*damage sb's reputation*) verleumden **II.** *n* Verleumdung *f;* **to cast a** ~ **on sb/sth** jdn/etw in einem schlechten Licht erscheinen lassen

slurp [slɜːp] (*fam*) **I.** *vi* ❶(*drink noisily*) schlürfen ❷(*move slowly and loudly*) schwappen **II.** *vt* schlürfen **III.** *n* Schlürfen *nt*

slur·ry ['slʌri] *n no pl* TECH Brei *m*

slush [slʌʃ] *n no pl* ❶(*melting snow*) [Schnee]matsch *m* ❷(*pej: very sentimental language*) Gefühlsduselei *f*

'slush fund *n* (*pej*) Schmiergeldfonds *m*

slushy ['slʌʃi] *adj* ❶(*melting*) matschig ❷(*very sentimental*) kitschig

slut [slʌt] *n* (*pej*) ❶(*promiscuous woman*) Schlampe *f derb* ❷(*lazy, untidy woman*) [liederliche] Schlampe *sl*

slut·tish ['slʌtɪʃ] *adj* (*pej*) schlampig

sly [slaɪ] *adj* ❶(*secretive*) verstohlen; *smile* verschmitzt; **on the** ~ heimlich ❷(*cunning*) gerissen ▸ **as** ~ **as a fox** schlau wie ein Fuchs

sly·ly ['slaɪli] *adv* ❶(*secretively*) verstohlen; *grin* verschmitzt ❷(*deceptively*) gerissen

smack¹ [smæk] **I.** *n* ❶(*slap*) [klatschender] Schlag; **a** ~ **on the bottom** ein fester Klaps auf den Hintern ❷(*hearty kiss*) Schmatz *m* ❸(*loud noise*) Knall *m* **II.** *adv* ❶(*exactly*) direkt; **his shot landed** ~ **in the middle of the target** sein Schuss landete haargenau im Zentrum der Zielscheibe ❷(*forcefully*) voll *fam;* **I walked** ~ **into a lamp post** ich lief voll gegen einen Laternenpfahl **III.** *vt* ❶(*slap*) ■**to** ~ **sb** jdm eine knallen *fam;* **to** ~ **sb's bottom** jdm den Hintern versohlen ❷(*slap sth against sth*) ■**to** ~ **sth on sth** etw auf etw *akk* knallen *fam*

smack² [smæk] *n no pl* (*sl*) Heroin *nt*

smack·er ['smækə'] *n* (*sl*) ❶ *usu pl* BRIT (*pound*) Pfund *nt;* AM (*dollar*) Dollar *m* ❷(*loud kiss*) Schmatz[er] *m fam*

small [smɔːl] **I.** *adj* ❶(*not large*) klein; *amount also* gering; ~ **circulation** MEDIA niedrige Auflage; ~ **percentage** geringe Prozentzahl; ~ **quantities** in kleinen Mengen; ~ **town** Kleinstadt *f;* ~ **turnout** geringe Beteiligung ❷(*young*) klein; ~ **child** Kleinkind *nt* ❸(*insignificant*) unbedeutend; ~ **consolation** ein schwacher Trost; **no** ~ **feat** keine schlechte Leistung; ~ **wonder** kein Wunder; **to make sb look** ~ jdn niedermachen *fam* ▸ **to be grateful for** ~ **mercies** mit wenig zufrieden sein; **it's a** ~ **world!** (*prov*) die Welt ist klein! **II.** *n no pl* **the** ~ **of the back** das Kreuz

'small ad *n* Kleinanzeige *f* **'small arms** *npl* Handfeuerwaffen *pl* **small 'beer** *n no pl* BRIT Kleinigkeit *f* **small 'busi·ness** *n* Kleinunternehmen *nt* **small 'bus·iness·man** *n* Kleinunternehmer *m* **small 'change** *n no pl* Kleingeld *nt;* (*fig: small amount*) Klacks *m fam* **small 'claims** *npl* LAW Bagatellsachen *pl* **'small fry** *n no pl,* + *sing/pl vb* (*fam*) ❶(*children*) junges Gemüse *hum* ❷(*unimportant people*) kleine Fische **'small·hold·er** *n* BRIT Kleinbauer, -bäuerin *m, f* **'small·hold·ing** *n* BRIT kleiner Landbesitz **'small hours** *npl* **the** [wee] ~ die frühen Morgenstunden **small in·'tes·tine** *n* Dünndarm *m*

small·ish ['smɔːlɪʃ] *adj* [eher] klein

small-'mind·ed *adj* (*pej*) engstirnig

small·ness ['smɔːlnəs] *n no pl* Kleinheit *f* **'small·pox** *n no pl* Pocken *pl* **small 'print** *n no pl* ■**the** ~ das Kleingedruckte **'small-scale** <smaller-, smallest-> *adj* ~ **map** Karte *f* in einem kleinen Maßstab; **a** ~ **operation** (*fig*) ein kleiner Betrieb **small 'screen** *n no pl* [Fernseh]bildschirm *m* **'small talk** *n no pl* Smalltalk *m o nt* **'small-time** *adj* mickerig *fam; person* unbedeutend; ~ **crook** kleiner Gauner

smarmy ['smɑːmi] *adj* (*pej*) schmeichlerisch; ~ **charm** schmieriger Charme

smart [smɑːt] **I.** *adj* ❶(*intelligent*) schlau, clever *fam;* (*fig*) intelligent; **to make a** ~ **move** klug handeln; **to get** ~ **with sb** (*pej*) jdm gegenüber frech werden ❷(*stylish*) schick ❸(*quick and forceful*) [blitz]schnell **II.** *n* ❶ AM (*sl: intelligence*) ■**the** ~**s** *pl* die [nötige] Intelligenz ❷(*sharp pain*) Schmerz *m* **III.** *vi eyes, wound* brennen; ■**to** ~ **from sth** unter etw *dat* leiden

smart alec(k) ['smɑːtˌælek] n (pej fam) Schlauberger(in) m(f) fam '**smart arse** BRIT, AUS, AM '**smart ass** n (pej fam!) Klugscheißer(in) m(f) sl '**smart bomb** n MIL [laser]gelenkte Bombe '**smart card** n COMPUT Chipkarte f

smart·en ['smɑːtᵊn] I. vt ▪to ~ sth ◯ up etw herrichten; house, town etw verschönern; ▪to ~ oneself ◯ up sich in Schale werfen fam; to ~ up one's act sich ins Zeug legen fam II. vi ▪to ~ up mehr Wert auf sein Äußeres legen

smart·ly ['smɑːtli] adv ❶ (stylishly) schick ❷ (quickly) [blitz]schnell

smart·ness ['smɑːtnəs] n no pl ❶ BRIT, AUS (neatness) Schick m ❷ (intelligence) Schlauheit f

smash [smæʃ] I. n <pl -es> ❶ (crashing sound) Krachen nt; I was awakened by the ~ of glass ich wurde durch das Geräusch von splitterndem Glas geweckt ❷ (traffic or rail accident) Unfall m; rail ~ Zugunglück nt ❸ SPORTS Schlag m; TENNIS Schmetterball m ❹ (smash hit) Superhit m fam II. vt ❶ (break into pieces) zerschlagen; window einschlagen ❷ (strike against) schmettern (against gegen) ❸ POL (destroy) zerschlagen ❹ SPORTS record brechen; ball schmettern III. vi ❶ (break into pieces) zerbrechen ❷ (strike against) prallen (into gegen); ▪to ~ through sth etw durchbrechen ◆**smash in** vt einschlagen ◆**smash up** vt zertrümmern; to ~ up a car ein Auto zu Schrott fahren

smash-and-'grab raid n BRIT, AUS Schaufenstereinbruch m

smashed [smæʃt] adj pred sternhagelvoll fam; to get ~ sich voll laufen lassen

smash·er ['smæʃəʳ] n BRIT (dated fam: man) toller Typ; (woman) Klassefrau f

smash 'hit n Superhit m fam

smash·ing ['smæʃɪŋ] adj BRIT (dated fam) klasse

'**smash-up** n schwerer Unfall; (pile-up) Karambolage f

smat·ter·ing ['smætᵊrɪŋ] n usu sing ❶ (very small amount) a ~ of applause [ein] schwacher Applaus ❷ (slight knowledge) to have a ~ of English/a language ein paar Brocken Englisch/einer Sprache können

smear [smɪəʳ] I. vt ❶ (spread messily) ▪to ~ sth on sth etw mit etw dat beschmieren ❷ (attack reputation) verunglimpfen; to ~ sb's good name jds guten Namen beschmutzen II. n ❶ (blotch) Fleck m ❷ (public accusations) Verleumdung f; ~ campaign Verleumdungskampagne f

❸ MED (smear test) Abstrich m '**smear tac·tics** npl Verleumdungstaktik f '**smear test** n MED Abstrich m

smell [smel] I. n ❶ (sense of smelling) Geruch m; sense of ~ Geruchssinn m; to have a ~ of sth an etw dat riechen ❷ (characteristic odour) Geruch m; of perfume Duft m; to enjoy the sweet ~ of success seinen Erfolg genießen; delicious ~ herrlicher Duft ❸ (pej: bad odour) Gestank m II. vi <smelt or AM -ed, smelt or AM -ed> ❶ (perceive) riechen ❷ + adj (give off odour) riechen; (pleasantly) duften; ▪to ~ of [or like] sth nach etw dat riechen; evil-~ing übel riechend, stinkend; sweet-~ing duftend, wohlriechend ❸ (pej: smell bad) stinken ▶to ~ fishy verdächtig sein; to come out of sth ~ing of roses frei von jedem Verdacht aus etw dat hervorgehen III. vt <smelt or AM -ed, smelt or AM -ed> riechen ▶to ~ sth a mile off etw schon von weitem riechen; to ~ a rat den Braten riechen fam ◆**smell out** vt ❶ (also fig: discover by smelling) aufspüren ❷ (pej: cause to smell bad) verpesten

'**smell·ing bot·tle** n, '**smell·ing salts** npl Riechfläschchen nt

smelly ['smeli] adj (pej) stinkend attr

smelt¹ [smelt] vi, vt BRIT, AUS pt, pp of smell

smelt² [smelt] vt metal erschmelzen; to ~ iron from its ores Eisenerze zu Eisen verhütten

smelt³ <pl - or -s> [smelt] n ZOOL Stint m

smid·gen ['smɪdʒᵊn], **smid·geon**, **smid·gin** n ▪a ~ ... ein [klitzekleines] bisschen ...; of liquid ein winziges Schlückchen

smile [smaɪl] I. n Lächeln nt; wipe that ~ off your face! hör auf, so zu grinsen!; to bring a ~ to sb's face jdn zum Lächeln bringen; to be all ~s über das ganze Gesicht strahlen; to give sb a ~ jdm zulächeln II. vi ❶ (produce a smile) lächeln; ▪to ~ at sb jdn anlächeln; ▪to ~ to oneself in sich akk hineinlächeln; to ~ in the face of disaster sich nicht unterkriegen lassen ❷ (look favourably upon) ▪to ~ on sb es gut mit jdm meinen III. vt the hostess ~d a welcome die Gastgeberin lächelte einladend

smiley ['smaɪli] adj immer lächelnd attr

smil·ing ['smaɪlɪŋ] adj lächelnd, strahlend

smirk [smɜːk] (pej) I. vi grinsen; ▪to ~ at sb jdn süffisant anlächeln II. n Grinsen nt

smite <smote, smitten> [smaɪt] vt (liter) schlagen; to ~ sb dead (dated) jdn totschlagen

smith [smɪθ] n Schmied m

smith·er·eens [ˌsmɪðəˈriːnz] npl **to blow/smash sth to ~** etw in tausend Stücke sprengen/schlagen

smithy ['smɪði] n Schmiede f

smit·ten ['smɪtᵊn] I. adj pred (in love) ■ **to be ~ with sb/sth** in jdn/etw vernarrt sein II. pp of **smite**

smock [smɒk] n Kittel m

smock·ing ['smɒkɪŋ] n no pl FASHION Smokarbeit f

smog [smɒg] n no pl Smog m

smoke [sməʊk] I. n ① no pl (from burning) Rauch m; **drifts of ~** Rauchschwaden pl; **a puff of ~** ein Rauchwölkchen nt ② (act of smoking) **to have a ~** eine rauchen fam ③ (fam: cigarettes) ■ **~s** pl Glimmstängel pl ▶ **there's no ~ without fire** BRIT, AUS (prov), **where there's ~, there's fire** AM (prov) wo Rauch ist, da ist auch Feuer prov; **to go up in ~** in Rauch [und Flammen] aufgehen II. vt ① (use tobacco) rauchen ② FOOD räuchern ③ (sl: defeat) besiegen ▶ **to ~ the peace pipe** AM die Friedenspfeife rauchen; **put that in your pipe and ~ it!** schreib dir das hinter die Ohren! III. vi rauchen ◆ **smoke out** vt ausräuchern; ■ **to ~ sb out** (fig) jdn entlarven

'**smoke bomb** n MIL Rauchbombe f

smoked [sməʊkt] adj geräuchert; **~ fish** Räucherfisch m

'**smoke de·tec·tor** n Rauchmelder m

smoke·less ['sməʊkləs] adj ① (without smoke) rauchfrei ② AM **~ tobacco** Kautabak m

smok·er ['sməʊkəʳ] n ① (person) Raucher(in) m/f; **~'s cough** Raucherhusten m ② (compartment in train) Raucherabteil nt ③ (device) Räuchergefäß nt

'**smoke·screen** n ① (pretext) Vorwand m; **to hide behind a ~** sich hinter einem Deckmantel verstecken ② MIL (smoke cloud) Rauchvorhang m '**smoke sig·nal** n Rauchzeichen nt '**smoke·stack** n Schornstein m

smok·ing ['sməʊkɪŋ] I. n no pl Rauchen nt; **~ ban** Rauchverbot nt II. adj **non-~** Nichtraucher-

'**smok·ing com·part·ment** n, AM '**smok·ing car** n Raucherabteil nt '**smok·ing jack·et** n (dated) Hausjacke f

smoky ['sməʊki] adj ① (filled with smoke) verraucht ② (producing smoke) rauchend attr ③ (appearing smoke-like) rauchartig ④ (tasting of smoke) rauchig

smol·der vi AM see **smoulder**

smooch [smuːtʃ] I. vi (fam) ① (kiss vigorously) knutschen; (tenderly) schmusen ② BRIT (dance closely) eng umschlungen tanzen II. n usu sing (fam) ① (vigorous) Knutschen nt; (tender) Schmusen nt ② BRIT (intimate dance) Schieber m

smooth [smuːθ] I. adj ① (not rough) glatt; sea ruhig; **as ~ as silk** seidenweich ② (well-mixed) sämig; **~ sauce** glatte Soße ③ (free from difficulty) problemlos; **~ flight** ruhiger Flug; **~ landing** sanfte Landung ④ (mild flavour) mild; **~ wine** Wein m mit einem weichen Geschmack ⑤ (polished, suave) [aal]glatt pej; **~ operator** gewiefte Person II. vt ① (make less difficult) **to ~ the path [to sth]** den Weg [zu etw dat] ebnen ② (rub in evenly) ■ **to ~ sth into sth** etw in etw akk einmassieren ◆ **smooth down** vt glatt streichen ◆ **smooth over** vt in Ordnung bringen

smoothie ['smuːθi] n ① (pej: charmer) Charmeur m ② esp AM, AUS, NZ (drink) Smoothie m (Getränk aus Yoghurt und Früchten)

smooth·ly ['smuːθli] adv ① (without difficulty) reibungslos; **to go ~** glattlaufen fam ② (suavely) aalglatt pej

smooth·ness ['smuːθnəs] n no pl ① (evenness) Glätte f; of silk Weichheit f; of skin Glattheit f ② (lack of difficulty) problemloser Verlauf ③ (pleasant consistency) of taste Milde f; of texture Glätte f

smooth-'shav·en adj glatt rasiert

'**smooth-talk** vi (fam) sich einschmeicheln

smote [sməʊt] pt of **smite**

smoth·er ['smʌðəʳ] vt ① (suffocate) ersticken (with mit) ② (prevent from growing) unterdrücken ③ (suppress) hopes zerstören ④ (cover) ■ **to be ~ed in sth** von etw dat völlig bedeckt sein

smoul·der ['sməʊldəʳ] vi ① (burn slowly) schwelen; cigarette glimmen; (fig) dispute schwelen ② (repressed emotions) **to ~ with desire/jealousy/rage** vor Verlangen/Eifersucht/Zorn glühen

smudge [smʌdʒ] I. vt ① (smear) lipstick verwischen ② (soil) beschmutzen II. vi verlaufen; ink klecksen; **her mascara had ~d** ihre Wimperntusche war verschmiert III. n (also fig) Fleck m

smudge-proof ['smʌdʒpruːf] adj lipstick kussecht; mascara wischfest

smudgy ['smʌdʒi] adj verschmiert

smug <-gg-> [smʌg] adj selbstgefällig

smug·gle ['smʌgl] vt schmuggeln

smug·gler ['smʌgləʳ] n Schmuggler(in) m/f

smug·gling ['smʌglɪŋ] n no pl Schmuggel *m*

smut [smʌt] *n* ❶ *no pl* (*pej: indecent material*) Schweinereien *pl* ❷ (*soot from burning*) Rußflocke *f* ❸ *no pl* (*fungal disease*) [Getreide]brand *m*

smut·ty ['smʌti] *adj* (*pej*) schmutzig; *joke* dreckig *fam*

snack [snæk] I. *n* Snack *m*, Imbiss *m;* **to have a ~** eine Kleinigkeit essen II. *vi* naschen

'**snack bar** *n* Imbissstube *f*

snaf·fle ['snæfl] *vt* BRIT, AUS (*fam*) sich *dat* unter den Nagel reißen *fam*

snag [snæg] I. *n* ❶ (*hidden disadvantage*) Haken *m fam* (**with** an); **to hit a ~** auf Schwierigkeiten stoßen ❷ (*damage to textiles*) gezogener Faden II. *vt* <-gg-> ❶ (*cause problems*) belasten ❷ (*damage by catching*) **be careful not to ~ your coat on the barbed wire** pass auf, dass du mit deiner Jacke nicht am Stacheldraht hängen bleibst ❸ AM (*get*) sich *dat* schnappen *fam* III. *vi* <-gg-> ■**to ~ on sth** durch etw *akk* belastet sein

snail [sneɪl] *n* Schnecke *f;* **at a ~'s pace** im Schneckentempo

'**snail mail** *n no pl* (*hum fam*) Schneckenpost *f* '**snail shell** *n* Schneckenhaus *nt*

snake [sneɪk] I. *n* ❶ (*reptile*) Schlange *f* ❷ (*pej: untrustworthy person*) **a ~ in the grass** eine falsche Schlange II. *vi* sich schlängeln

'**snake bite** *n* Schlangenbiss *m* '**snake charm·er** *n* Schlangenbeschwörer(in) *m(f)* '**snake·skin** *n* ❶ (*skin*) Schlangenhaut *f* ❷ FASHION Schlangenleder *nt* '**snake ven·om** *n no pl* Schlangengift *nt*

snap [snæp] I. *n* ❶ *usu sing* (*act*) Knacken *nt;* (*sound*) Knacks *m* ❷ (*photograph*) Schnappschuss *m* ❸ AM (*snap fastener*) Druckknopf *m* ❹ AM (*fam: very easy*) **to be a ~** ein Kinderspiel sein ❻ *no pl* BRIT (*game*) Schnippschnapp *nt* II. *interj* (*fam: game*) schnippschnapp! III. *vt* <-pp-> ❶ (*break cleanly*) auseinanderbrechen; **her patience finally ~ped** (*fig*) ihr riss schließlich der Geduldsfaden ❷ (*spring into position*) einrasten; **to ~ to attention** MIL [zackig] Haltung annehmen ❸ (*make a whip-like motion*) peitschen ❹ (*sudden bite*) schnappen (**at** nach); **to ~ at sb's heels** nach jds Fersen schnappen; (*fig*) jdm auf den Fersen sein ❺ (*speak sharply*) bellen *fam;* ■**to ~ at sb** jdn anfahren ❻ (*take many photographs*) ■**to ~ away** knipsen *fam* ►**to it!** ein bisschen dalli! *fam* IV. *vt* <-pp-> ❶ (*break cleanly*) entzweibrechen; ■**to ~ sth ⟳ off** etw abbrechen

❷ (*close sharply*) **to ~ sth shut** etw zuknallen; **to ~ a book shut** ein Buch zuklappen ❸ (*attract attention*) **to ~ one's fingers** mit den Fingern schnippen ❹ (*speak sharply*) **to ~ sb's head off** jdm den Kopf abreißen *fam* ❺ (*take photograph*) ein Bild schießen ◆**snap out** *vi* ❶ (*in anger*) brüllen ❷ (*get over*) ■**to ~ out of sth** etw überwinden; **~ out of it!** krieg dich wieder ein! ◆**snap up** *vt* schnell kaufen

'**snap·drag·on** *n* HORT Löwenmaul *nt* '**snap fast·en·er** *n* BRIT Druckknopf *m* **snap·pish** ['snæpɪʃ] *adj* gereizt

snap·py ['snæpi] *adj* ❶ (*fam: smart, fashionable*) schick; **to be a ~ dresser** immer schick gekleidet sein ❷ (*quick*) zackig; **make it ~!** mach fix! *fam* ❸ (*eye-catching*) peppig *fam* ❹ (*pej: irritable*) gereizt '**snap·shot** *n* PHOT Schnappschuss *m*

snare [sneəʳ] I. *n* ❶ (*animal trap*) Falle *f;* (*noose*) Schlinge *f* ❷ (*trap*) Falle *f* II. *vt* ❶ (*catch animals*) [mit einer Falle] fangen ❷ (*capture*) fangen

'**snare drum** *n* MUS Schnarrtrommel *f*

snarl[1] [snɑːl] I. *vi* ❶ (*growl*) *dog* knurren ❷ (*speak angrily*) ■**to ~ at sb** jdn anknurren II. *n* ❶ (*growl*) Knurren *nt* ❷ (*angry utterance*) **to say sth with a ~** etw knurren ❸ (*growling sound*) Knurren *nt*

snarl[2] [snɑːl] I. *n* (*knot*) Knoten *m;* (*tangle*) Gewirr *nt* II. *vi* (*become tangled*) sich verheddern ◆**snarl up** *vi usu passive* durcheinandergeraten; **traffic was ~ed up for several hours after the accident** nach dem Unfall herrschte ein stundenlanges Verkehrschaos

'**snarl-up** *n* **traffic ~** Verkehrschaos *nt*

snatch [snætʃ] *n* <*pl* -es> ❶ (*sudden grab*) schneller Griff; **to make a ~ at sth** nach etw *dat* greifen ❷ (*theft*) Diebstahl *m* (*durch Entreißen*) ❸ (*fragment*) Fetzen *m* ❹ (*spell of activity*) **to do sth in ~es** etw mit Unterbrechungen tun II. *vt* ❶ (*grab quickly*) schnappen ❷ (*steal*) sich *dat* greifen; (*fig*) **he ~ed the gold medal from the Canadian champion** er schnappte dem kanadischen Champion die Goldmedaille weg ❸ (*kidnap*) entführen ❹ (*take quick advantage of sth*) ergattern ►**to ~ victory from the jaws of defeat** eine drohende Niederlage in einen Sieg verwandeln III. *vi* (*grab quickly*) greifen (**at** nach) ◆**snatch up** *vt* sich *dat* schnappen

snaz·zy ['snæzi] *adj* (*sl*) schick *fam*

sneak [sniːk] I. *vi* <-ed *or esp* AM snuck, -ed *or esp* AM snuck> ❶ (*move stealthily*) schleichen; **to ~ off** sich davonstehlen; **to**

~ **up on sb/sth** sich an jdn/etw heran-
schleichen ❷ BRIT (*pej fam: denounce*) petzen; ▪ **to ~ on sb** jdn verpetzen II. *vt* <-ed
or esp AM snuck, -ed *or esp* AM snuck>
❶ (*view secretly*) **to ~ a look at sb/sth** einen verstohlenen Blick auf jdn/etw werfen
❷ (*move secretly*) ▪ **to ~ sb/sth in/out**
jdn/etw hinein-/herausschmuggeln III. *n*
BRIT (*pej fam*) Petze(r) *f(m)*

sneak·er ['sniːkə^r] *n usu pl* AM (*shoe*)
Turnschuh *m*

sneak·ing ['sniːkɪŋ] *adj attr* heimlich;
~ **feeling** leises Gefühl; ~ **suspicion** leiser
Verdacht

sneak 'pre·view *n* FILM [inoffizielle] Vorschau **'sneak thief** *n* [Taschen]dieb(in)
m(f)

sneaky ['sniːki] *adj* raffiniert

sneer [snɪə^r] I. *vi* ❶ (*smile derisively*) spöttisch grinsen ❷ (*express disdain*) spotten
(**at** über) II. *n* spöttisches Lächeln

sneer·ing ['snɪərɪŋ] *adj* spöttisch

sneer·ing·ly ['snɪərɪŋli] *adv* höhnisch,
spöttisch

sneeze [sniːz] I. *vi* niesen ▸ **not to be ~d
at** nicht zu verachten sein II. *n* Niesen *nt*

snick [snɪk] *vt* BRIT, AUS SPORTS **to ~ a ball**
einen Ball auf Kante schlagen (*beim Kricket*)

snick·er *vi, n* AM *see* **snigger**

snide [snaɪd] *adj* (*pej*) *remark* abfällig

sniff [snɪf] I. *n* ❶ (*smell deliberately*) Riechen *nt; dog* Schnüffeln *nt* ❷ (*smell a
trace*) **to catch a ~ of sth** etw wittern II. *vi*
❶ (*inhale sharply*) die Luft einziehen;
animal wittern; ▪ **to ~ at sth** an etw *dat*
schnuppern; *animal* die Witterung von etw
dat aufnehmen ❷ (*show disdain*) ▪ **to ~ at
sth** über etw *akk* die Nase rümpfen ▸ **not
to be ~ed at** nicht zu verachten sein III. *vt*
(*test by smelling*) ▪ **to ~ sth** an etw *dat*
riechen ◆ **sniff out** *vt* aufspüren; (*fig*) entdecken

'sniff·er dog *n* Spürhund *m*

snif·fle ['snɪfl] I. *vi* schniefen II. *n* ❶ (*repeated sniffing*) Schniefen *nt* ❷ MED ▪ **the
~s** *pl* leichter Schnupfen

snif·fy ['snɪfi] *adj* (*fam*) ▪ **to be ~ about
sth** über etw *akk* die Nase rümpfen

snif·ter ['snɪftə^r] *n* ❶ *esp* AM (*glass*)
Schwenker *m* ❷ (*drink of alcohol*) Gläs-
chen *nt hum*

snig·ger ['snɪɡə^r] I. *vi* kichern (**at** über)
II. *n* Kichern *nt*, Gekicher *nt*

snip [snɪp] I. *n* ❶ (*cut*) Schnitt *m; to give
sth a ~* etw [ab]schneiden ❷ (*piece*) **a ~ of
cloth** ein Stück *nt* Stoff ❸ BRIT (*fam: bargain*) Schnäppchen *nt* II. *vt* schneiden

snipe [snaɪp] I. *vi* ❶ MIL aus dem Hinterhalt
schießen ❷ (*criticize*) ▪ **to ~ at sb** jdn attackieren II. *n* <*pl* - *or* -es> Schnepfe *f*

snip·er ['snaɪpə^r] *n* MIL Heckenschütze *m*

'snip·ing *n* (*criticism*) scharfes Kritisieren

snip·pet ['snɪpɪt] *n* ❶ (*small piece*) Stückchen *nt;* ~**s of paper** Papierschnipsel *pl*
❷ (*information*) Bruchstück *nt; of gossip,
information, knowledge also* Brocken *m;*
~**s of a conversation** Gesprächsfetzen *pl*
❸ LIT *of a text* Ausschnitt *m* (**from** aus)

snitch [snɪtʃ] I. *vt* (*fam*) klauen II. *vi* (*pej
sl*) petzen; ▪ **to ~ on sb** jdn verpfeifen *fam*
III. *n* <*pl* -es> ❶ (*fam: thief*) Dieb(in)
m(f) ❷ (*pej sl: informer*) Petze *f*

sniv·el ['snɪvəl] I. *vi* <BRIT -ll- *or* AM *usu*
-l-> ❶ (*sniffle*) schniefen *fam* ❷ (*cry*) flennen *pej fam* II. *n* ❶ *no pl* AM (*snivelling*)
Geplärre *nt pej fam* ❷ (*sad sniffle*) Schniefen *nt*

sniv·el·ling ['snɪvəlɪŋ], AM **sniv·el·ing** I. *n*
no pl Geheul *nt pej fam* II. *adj attr person,
manner* weinerlich

snob [snɒb] *n* Snob *m*

snob·bery ['snɒbəri] *n* ❶ *no pl* (*self-superi-
ority*) Snobismus *m* ❷ (*act of snobbery*)
Snobismus *m*

snob·bish ['snɒbɪʃ] *adj* snobistisch

snob·by ['snɒbi] *adj* (*fam*) snobistisch,
versnobt

snog [snɒɡ] I. *vi* <-gg-> BRIT (*fam*)
[rum]knutschen (**with** mit) II. *vt* <-gg->
BRIT (*fam*) küssen III. *n* (*fam*) Kuss *m; to
have a ~* rumknutschen

snook [snuːk] *n no pl* ▸ **to cock a ~ at sb/
sth** sich über jdn/etw lustig machen

snook·er ['snuːkə^r] I. *vt* ❶ *usu passive* ▪ **to
be ~ed** BRIT, AUS (*be defeated*) festsitzen
❷ AM (*fam: trick*) übers Ohr hauen ❸ (*in
snooker*) abblocken; ▪ **to ~ oneself** sich
selbst ausmanövrieren II. *n* Snooker *nt*

snoop [snuːp] I. *n* (*fam*) ❶ (*look*) Herumschnüffeln *nt kein pl;* **to have a ~** sich
[mal] ein bisschen umschauen ❷ (*interloper*) Schnüffler(in) *m(f);* (*spy*) Spion(in)
m(f); (*investigator*) Schnüffler(in) *m(f)*
II. *vi* (*fam*) ❶ (*look secretly*) [he-
rum]schnüffeln; (*pry*) [herum]spionieren
❷ (*spy on*) ▪ **to ~ on sb** jdn ausspionieren
❸ (*investigate*) sich umsehen

snoop·er ['snuːpə^r] *n* (*fam*) ❶ (*interloper*)
Schnüffler(in) *m(f)* ❷ (*spy*) Spion(in) *m(f)*
❸ (*investigator*) Schnüffler(in) *m(f)*

snooti·ly ['snuːtɪli] *adv* (*fam*) hochnäsig

snooty ['snuːti] *adj* (*fam*) hochnäsig

snooze [snuːz] (*fam*) I. *vi* ein Nickerchen
machen II. *n* Nickerchen *nt*

'snooze but·ton *n* Schlummertaste *f* (*am*

Wecker)

snore [snɔːʳ] **I.** *vi* schnarchen **II.** *n* Schnarchen *nt kein pl*

snor·ing [ˈsnɔːrɪŋ] *n no pl* Schnarchen *nt*

snor·kel [ˈsnɔːkəl] SPORTS **I.** *n* Schnorchel *m* **II.** *vi* <BRIT -ll- *or* AM *usu* -l-> schnorcheln

snor·kel·ing *n,* **snor·kell·ing** [ˈsnɔː-kəlɪŋ] *n no pl* SPORTS Schnorcheln *nt;* **to go** ~ schnorcheln gehen

snort [snɔːt] **I.** *vi* schnauben; **to** ~ **with laughter** vor Lachen [los]prusten **II.** *vt* ❶ (*sl: inhale*) **to** ~ **cocaine/heroin/ speed** Kokain/Heroin/Speed schnupfen ❷ (*disapprovingly*) [verächtlich] schnauben **III.** *n* (*noise*) Schnauben *nt kein pl*

snot [snɒt] *n no pl* (*fam: mucus*) Rotz *m* **ˈsnot-rag** *n* (*sl*) Rotzfahne *f fam*

snot·ty [ˈsnɒti] *adj* (*fam*) ❶ (*full of mucus*) Rotz-; ~ **handkerchief** vollgerotztes Taschentuch ❷ (*pej: rude*) rotzfrech *sl; answer* pampig; *look, manner* unverschämt

snout [snaʊt] *n* (*nose*) *of animal* Schnauze *f; of pig, insect* Rüssel *m; of person* Rüssel *m sl;* **pig's** ~ Schweinerüssel *m*

snow [snəʊ] **I.** *n* ❶ *no pl* (*frozen vapour*) Schnee *m;* **a blanket of** ~ **lay on the ground** der Boden war schneebedeckt ❷ (*snowfall*) Schneefall *m* **II.** *vi impers* **it's** ~**ing** es schneit **III.** *vt* AM (*fam*) ▪**to** ~ **sb** jdm Honig ums Maul schmieren ◆**snow in** *vt usu passive* **to be/get** ~**ed in** eingeschneit sein/werden ◆**snow under** *vt usu passive* **to be** ~**ed under with work** mit Arbeit eingedeckt sein

ˈsnow·ball I. *n* Schneeball *m* ▶**to not have a** ~**'s chance** in hell [of doing sth] (*fam*) Null Chancen haben[, etw zu tun] **II.** *vi* lawinenartig anwachsen; **to keep** ~**ing** eskalieren **ˈsnow·ball ef·fect** *n no pl* Schneeballeffekt *m* **ˈsnow bank** *n esp* AM (*snow drift*) Schneewehe *f* **ˈsnow blind·ness** *n no pl* Schneeblindheit *f* **ˈsnow·board** *n* Snowboard *nt* **ˈsnow·board·ing** *n* Snowboarding *nt,* Snowboardfahren *nt* **ˈsnow·bound** *adj* (*snowed-in*) eingeschneit; *road* wegen Schnees gesperrt **ˈsnow-capped** *adj* schneebedeckt **ˈsnow chains** *npl* AUTO Schneeketten *pl* **ˈsnow·drift** *n* Schneewehe *f* **ˈsnow·drop** *n* Schneeglöckchen *nt* **ˈsnow·fall** *n* ❶ *no pl* (*amount*) Schneemenge *f* ❷ (*snowstorm*) Schneefall *m* **ˈsnow·flake** *n* Schneeflocke *f* **ˈsnow gog·gles** *npl* Schneebrille *f* **ˈsnow·line** *n* Schneefallgrenze *f* **ˈsnow·man** *n* Schneemann *m* **snow·mo·bile** [ˈsnəʊməˌbiːl] *n* Schneemobil *nt* **ˈsnow·**

plough *n* ❶ (*vehicle*) Schneepflug *m* ❷ SKI [Schnee]pflug *m* **ˈsnow·shoe I.** *n usu pl* Schneeschuh *m* **II.** *vi* mit Schneeschuhen gehen **ˈsnow·storm** *n* Schneesturm *m* **ˈsnow·suit** *n* Schneeanzug *m* **ˈsnow tyre** *n,* AM **ˈsnow tire** *n* Winterreifen *m* **snow-ˈwhite** **I.** *adj* schneeweiß; *blouse, sheets also* blütenweiß; *face* kalkweiß **II.** *n no pl* Schneeweiß *nt* **Snow ˈWhite** *n no pl* Schneewittchen *nt*

snowy [ˈsnəʊi] *adj* ❶ (*with much snow*) *region, month* schneereich ❷ (*snow-covered*) verschneit; *mountain* schneebedeckt ❸ (*colour*) schneeweiß

snub [snʌb] **I.** *vt* <-bb-> (*offend by ignoring*) brüskieren; (*insult*) beleidigen **II.** *n* Brüskierung *f*

snub ˈnose *n* Stupsnase *f* **ˈsnub-nosed** *adj attr* ❶ *person* stupsnasig ❷ MIL *gun* mit kurzem Lauf *nach n*

snuff [snʌf] **I.** *n* Schnupftabak *m* **II.** *vt* **to** ~ **it** BRIT, AUS (*fam*) abkratzen *sl* ◆**snuff out** *vt* ❶ (*extinguish*) auslöschen ❷ (*end*) **to** ~ **out sb's hopes** jds Hoffnungen zunichtemachen ❸ AM (*die*) **to** ~ **one's life out** sein Leben aushauchen *geh*

ˈsnuff box *n* Schnupftabak[s]dose *f*

snuf·fle [ˈsnʌfl] **I.** *vi* ❶ (*sniffle*) schniefen *fam* ❷ (*speak nasally*) ▪**to** ~ [out] näseln **II.** *n* ❶ (*runny nose*) laufende Nase ❷ (*noisy breathing*) Schnüffeln *nt kein pl*

snug [snʌg] **I.** *adj* ❶ (*cosy*) kuschelig, gemütlich; (*warm*) mollig warm ❷ FASHION (*tight*) eng; **to be a** ~ **fit** eng anliegen ❸ *esp* AM (*adequate*) passend; *salary* gut ▶**to feel as** ~ **as a** <u>bug</u> **in a rug** es so richtig mollig warm und gemütlich haben **II.** *n* BRIT kleines, gemütliches Nebenzimmer (*in einem Pub oder Gasthaus*)

snug·gle [ˈsnʌgl] **I.** *vi* sich kuscheln; ▪**to** ~ **with sb** mit jdm kuscheln; ▪**to** ~ **into sth** sich in etw *akk* kuscheln **II.** *vt* ❶ (*hold*) an sich *akk* drücken ❷ *usu passive* (*nestle*) ▪**to be** ~**d** sich schmiegen **III.** *n* (*sl*) Umarmung *f*

so [səʊ] **I.** *adv* ❶ (*to an indicated degree*) so; **he's quite nice, more** ~ **than I was led to believe** er ist ganz nett, viel netter als ich angenommen hatte; **look, the gap was about** ~ **wide** schau mal, die Lücke war ungefähr so groß ❷ (*to a great degree*) **what are you looking** ~ **pleased about?** was freut dich denn so [sehr]?; **I am** ~ **cold** mir ist so kalt; **what's** ~ **wrong with that?** was ist denn daran so falsch? ❸ (*in such a way*) so; **gently fold in the eggs like** ~ rühren Sie die Eier auf diese Weise vorsichtig unter ❹ (*perfect*) [to be] **just** ~ genau richtig [sein]; **I want everything just** ~ ich will, dass alles perfekt ist ❺ (*also, likewise*) auch; **I've got an enormous amount of work to do — ~ have I** ich habe jede Menge Arbeit – ich auch; **I** [**very much**] **hope ~!** das hoffe ich doch sehr! ❻ (*yes*) ja; **can I watch television? — I suppose ~** darf ich fernsehen? – na gut, meinetwegen [*o* von mir aus]; **I'm afraid ~** ich fürchte ja ❼ Am (*fam: contradicting*) doch; **haha, you don't have a bike — I do ~** haha, du hast ja gar kein Fahrrad – hab ich wohl! ❽ (*that*) das; ~ **they say** so sagt man; **I'm sorry I'm late — ~ you should be** es tut mir leid, dass ich mich verspätet habe – das will ich auch schwer hoffen; **I told you ~** ich habe es dir ja gesagt; **he looks like James Dean — ~ he does** er sieht aus wie James Dean – stimmt! ❾ (*as stated*) so; (*true*) wahr; **is that ~?** stimmt das?; ~ **it is** das stimmt; **if ~ ...** wenn das so ist ... ❿ (*this way, like that*) so; **and ~ it was** und so kam es dann auch; **and ~ it was that ...** und so kam es, dass ...; **it ~ happened that I was in the area** ich war zufällig [gerade] in der Nähe; **and ~ forth** [*or* **on**] und so weiter; ~ **to speak** sozusagen ▸ ~ **far** ~ **good** so weit, so gut; ~ **long** bis dann [*o* später]; ~ **what?** na und? *fam* **II.** *conj* ❶ (*therefore*) deshalb, daher; **I couldn't find you ~ I left** ich konnte dich nicht finden, also bin ich gegangen ❷ (*fam: whereupon*) **he said he wanted to come along,** ~ **I told him that ...** er sagte, er wolle mitfahren, worauf ich ihm mitteilte, dass ... ❸ (*introducing a sentence*) also; ~ **we leave on the Thursday** wir fahren also an diesem Donnerstag; ~ **where have you been?** wo warst du denn die ganze Zeit?; ~ **what's the problem?** wo liegt denn das Problem? ❹ (*in order to*) damit; **be quiet ~ she can concentrate** sei still, damit sie sich konzentrieren kann ▸ ~ **long as ...** (*if*) sofern; (*for the time*) solange; ~ **long as he doesn't go too far, ...** solange er nicht zu weit geht, ...; ~ **there!** (*hum*) ätsch! **III.** *adj* (*sl*) typisch *fam;* **that's ~ 70's** das ist typisch 70er

soak [səʊk] **I.** *n* (*immersion*) Einweichen *nt kein pl;* **there's nothing like a good long ~ in the bath** (*hum*) es geht doch nichts über ein genüssliches langes Bad **II.** *vt* ❶ (*immerse*) einweichen; (*in alcohol*) einlegen ❷ (*make wet*) durchnässen **III.** *vi* (*immerse*) einweichen lassen ♦**soak in I.** *vi* ❶ (*absorb*) einziehen ❷ (*understand*) in den Schädel gehen *fam;* **will it ever ~ in?** ob er/sie das wohl je-

mals kapiert? *fam* **II.** *vt* einsaugen; (*fig*) in sich *akk* aufnehmen ♦**soak off** *vt* [mit Wasser] ablösen ♦**soak up** *vt* ❶ (*absorb*) aufsaugen; (*fig*) [gierig] in sich *akk* aufnehmen ❷ (*bask in*) **to ~ up the atmosphere** die Atmosphäre in sich *akk* aufnehmen; **to ~ up the sun**[**shine**] sich in der Sonne aalen *fam* ❸ (*use up*) **to ~ up money/ resources** Geld/Mittel aufbrauchen; **to ~ up sb's time** jds Zeit in Anspruch nehmen

soaked [səʊkt] *adj* ❶ (*wet*) ▪**to be ~** pitschnass sein *fam;* **to be ~ in sweat** schweißgebadet sein; *shirt* völlig durchgeschwitzt sein ❷ (*fam: drunk*) stockbetrunken

soak·ing [ˈsəʊkɪŋ] **I.** *n* ❶ (*immersion*) Einweichen *nt kein pl* ❷ (*becoming wet*) Nasswerden *nt kein pl;* **to get a ~** patschnass werden *fam* **II.** *adj* ~ [**wet**] klatschnass *fam*

so-and-so [ˈsəʊən(d)səʊ] *n* (*fam*) ❶ (*unspecified person*) Herr/Frau Soundso; (*unspecified thing*) das und das ❷ (*pej fam: disliked person*) **oh, he was a right old ~ that Mr Baker** ja, dieser Mr. Baker war ein richtiger alter Fiesling *sl*

soap [səʊp] **I.** *n* ❶ *no pl* (*substance*) Seife *f;* **liquid ~** Flüssigseife *f* ❷ TV, MEDIA (*soap opera*) Seifenoper *f* **II.** *vt* einseifen

'**soap·box** *n* ❶ (*hist: container*) Seifenkiste *f* ❷ (*cart*) Seifenkiste *f* ❸ (*pedestal*) Obstkiste *f* (*improvisierte Rednerbühne, z.B. in Speaker's Corner im Hyde Park*) ▸ **to get on/off one's ~** anfangen/aufhören, große Reden zu schwingen '**soap bub·ble** *n* Seifenblase *f* '**soap dish** *n* Seifenschale *f* '**soap dis·pens·er** *n* Seifenspender *m* '**soap flakes** *npl* Seifenflocken *pl* '**soap op·era** *n* TV, MEDIA Seifenoper *f* '**soap pow·der** *n no pl* Seifenpulver *nt* '**soap·suds** *npl* Seifenschaum *m kein pl*

soapy [ˈsəʊpi] *adj* ❶ (*lathery*) seifig; ~ **water** Seifenwasser *nt* ❷ (*like soap*) seifig ❸ (*pej: flattering*) schmeichlerisch; *smile, voice* ölig

soar [sɔːʳ] *vi* ❶ (*rise*) aufsteigen; *mountain peaks* sich erheben ❷ (*increase*) *temperature, prices, profits* in die Höhe schnellen ❸ (*glide*) *bird* [*of prey*] [in großer Höhe] segeln; *glider, hang-glider* gleiten ❹ (*excel*) sehr erfolgreich sein

soar·ing [ˈsɔːrɪŋ] *adj attr* ❶ (*flying*) segelnd, schwebend ❷ (*increasing*) rasch steigend

sob [sɒb] **I.** *n* Schluchzen *nt kein pl* **II.** *vi* <-bb-> schluchzen **III.** *vt* <-bb-> ❶ (*cry*) **to ~ one's heart out** sich *dat* die Seele aus dem Leib weinen; **to ~ oneself to sleep** sich in den Schlaf weinen ❷ (*say while crying*) schluchzen

so·ber [ˈsəʊbəʳ] **I.** *adj* ❶ (*not drunk*) nüchtern; **I've been ~ for 5 years now** ich bin jetzt seit fünf Jahren trocken; **to be stone cold ~** stocknüchtern sein ❷ (*unemotional*) *thought, judgement* sachlich, nüchtern; *person* nüchtern ❸ (*plain*) *colour* gedeckt; (*simple*) *truth* einfach **II.** *vt* ernüchtern **III.** *vi person* ruhiger werden ◆ **sober up I.** *vi* ❶ (*become less drunk*) nüchtern werden ❷ (*become serious*) zur Vernunft kommen **II.** *vt* ❶ (*make less drunk*) nüchtern machen ❷ (*make serious*) zur Vernunft bringen

so·ber·ing [ˈsəʊbᵊrɪŋ] *adj effect, thought* ernüchternd

so·ber·ness [ˈsəʊbənəs] *n no pl* ❶ (*sobriety*) Nüchternheit *f* ❷ (*seriousness*) Ernst *m* ❸ (*plainness*) Schlichtheit *f*

so·bri·ety [sə(ʊ)ˈbraɪəti] *n no pl* (*form or hum*) ❶ (*soberness*) Nüchternheit *f*; (*life without alcohol*) Abstinenz *f* ❷ (*seriousness*) Ernst *m*

so·bri·quet [ˈsəʊbrɪkeɪ] *n* (*form*) Spitzname *m*

'sob sto·ry *n* (*fam*) ❶ (*story*) rührselige Geschichte ❷ (*excuse*) Ausrede *f*

so-called [ˈsəʊkɔ:ld] *adj attr* ❶ (*supposed*) so genannt ❷ (*with neologisms*) so genannt

soc·cer [ˈsɒkəʳ] *n no pl* Fußball *m*

so·cia·bil·ity [ˌsəʊʃəˈbɪləti] *n no pl* Geselligkeit *f*

so·cia·ble [ˈsəʊʃəbl] **I.** *adj* ❶ (*keen to mix*) gesellig ❷ (*friendly*) freundlich, umgänglich ❸ (*of an event*) gesellig **II.** *n* Am (*party*) Treffen *nt*; **church ~** Gemeindefest *nt*

so·cial [ˈsəʊʃᵊl] *adj* ❶ (*of human contact*) Gesellschafts-, gesellschaftlich; **I'm a ~ drinker** ich trinke nur, wenn ich in Gesellschaft bin ❷ sociol (*concerning society*) gesellschaftlich, Gesellschafts-; **~ differences/problems** soziale Unterschiede/Probleme; **~ science** Gesellschaftswissenschaften *pl* ❸ sociol (*of human behaviour*) sozial, Sozial-; **~ skills** soziale Fähigkeiten ❹ (*concerning the public*) Sozial-, sozial; **~ policy** Sozialpolitik *f* ❺ zool, biol (*living together*) Herden-; **~ animal** Herdentier *nt*

So·cial 'Demo·crat *n* Sozialdemokrat(in) *m(f)*; Brit (*hist*) Mitglied der britischen Sozialdemokratischen Partei

so·cial·ism [ˈsəʊʃᵊlɪzᵊm] *n no pl* Sozialismus *m*

so·cial·ist [ˈsəʊʃᵊlɪst] **I.** *n* Sozialist(in) *m(f)*

II. *adj* sozialistisch

so·cial·ite [ˈsəʊʃᵊlaɪt] *n* Persönlichkeit *f* des öffentlichen Lebens

so·cial·ize [ˈsəʊʃᵊlaɪz] **I.** *vi* unter Leuten sein; ■**to ~ with sb** mit jdm gesellschaftlich verkehren **II.** *vt* ❶ sociol, biol sozialisieren; *offender* [re]sozialisieren; *animal* zähmen ❷ pol sozialistisch machen; (*nationalize*) verstaatlichen

so·cial·ly [ˈsəʊʃᵊli] *adv* ❶ (*convivially*) gesellschaftlich ❷ (*behaviourally*) **~ she's a disaster** sie fällt in Gesellschaft immer unangenehm auf ❸ (*privately*) **to meet sb ~** jdn privat treffen ❹ (*of the public*) gesellschaftlich

so·cial 'sci·ence *n* Sozialwissenschaft *f*

so·cial se·'cur·ity *n no pl* ❶ Brit, Aus (*welfare*) Sozialhilfe *f* ❷ Am (*pension*) Sozial[versicherungs]rente *f* **so·cial 'ser·vice** *n* ❶ (*community help*) gemeinnützige Arbeit ❷ (*welfare*) ■**~s** *pl* staatliche Sozialleistungen **'so·cial work** *n no pl* Sozialarbeit *f* **'so·cial work·er** *n* Sozialarbeiter(in) *m(f)*

so·ci·etal [səˈsaɪətᵊl] *adj* gesellschaftlich

so·ci·ety [səˈsaɪəti] *n* ❶ (*all people*) Gesellschaft *f* ❷ (*elite*) die [feine] Gesellschaft ❸ (*form: company*) Gesellschaft *f* ❹ (*organization*) Verein *m*, Vereinigung *f*

so·cio·cul·tur·al [ˌsəʊʃiəʊˈkʌltʃᵊrəl, -si-] *adj* soziokulturell

so·cio-eco·nom·ic [ˌsəʊʃiəʊˌi:kəˈnɒmɪk, -si-] *adj* sozioökonomisch

so·cio·lin·guis·tics [ˌsəʊʃiəʊlɪŋˈgwɪstɪks] *n* Soziolinguistik *f*

so·cio·logi·cal [ˌsəʊʃiəˈlɒdʒɪkᵊl, -si-] *adj* soziologisch

so·ci·olo·gist [ˌsəʊʃiˈɒlədʒɪst, -si-] *n* Soziologe, Soziologin *m, f*

so·ci·ol·ogy [ˌsəʊʃiˈɒlədʒi, -si-] *n no pl* Soziologie *f*

sock¹ [sɒk] *n* Socke *f*

sock² [sɒk] *vt* ❶ (*dated fam: punch*) **to ~ sb in the eye** jdm eins aufs Auge geben ❷ Am sports **to ~ the ball** den Ball schlagen

sock·et [ˈsɒkɪt] *n* ❶ elec (*for a plug*) Steckdose *f*; (*for lamps*) Fassung *f*; mech Sockel *m* ❷ anat, med **arm/hip/knee ~** Arm-/Hüft-/Kniegelenkpfanne *f*; **eye ~** Augenhöhle *f*

sod¹ [sɒd] **I.** *n* Grassode *f*, Grasnarbe *f* **II.** *vt* <-dd-> mit Gras bedecken

sod² [sɒd] *n* Brit ❶ (*sl: mean person*) Sau *f* *derb*; (*vexing thing*) blödes Ding *fam*, Mist *m fam* ❷ (*fam: person*) **lucky ~** Glückspilz *m*; **poor ~** armes Schwein ◆ **sod off** *vi* Brit **~ off!** zieh Leine! *sl*

soda [ˈsəʊdə] n ❶ no pl (water) Sodawasser nt ❷ Am (sweet drink) Limonade f

ˈsoda bread n no pl mit Backpulver gebackenes Brot **ˈsoda founˈtain** n esp Am (device) Siphon m **ˈsoda siˈphon** n Siphon m **ˈsoda waˈter** n no pl Sodawasser nt

sodˈden [ˈsɒdən] adj ❶ (soaked) durchnässt; grass durchweicht ❷ Am (sl: not interesting) fad

sodˈding [ˈsɒdɪŋ] adj attr Brit (sl) verdammt

soˈdium [ˈsəʊdiəm] n no pl Natrium nt

soˈdium biˈcarˈbonˈate n no pl Natriumhydrogenkarbonat nt; (baking soda) Natron nt **soˈdium ˈcarˈbonˈate** n no pl Natriumkarbonat nt **soˈdium ˈchloˈride** n no pl Natriumchlorid nt

sodoˈmize [ˈsɒdəmaɪz] vt usu passive ■ to ~ sb Analverkehr mit jdm haben

sodoˈmy [ˈsɒdəmi] n no pl (form) Sodomie f

sodˈs ˈlaw n, **Sodˈs ˈlaw** n no pl (hum) Gesetz, nach dem alles, was danebengehen kann, auch danebengeht; that's ~ das musste ja passieren

sofa [ˈsəʊfə] n Sofa nt

ˈsofa bed n Schlafcouch f

soft [sɒft] adj ❶ (not hard) weich ❷ (smooth) weich; cheeks, skin zart; leather geschmeidig; hair seidig ❸ (weak) weich, schlaff ❹ (subtle) colour zart ❺ (not loud) music gedämpft; sound, voice leise; words sanft ❻ (lenient) nachgiebig ❼ (compassionate) weich; to be a ~ touch (fam) leicht rumzukriegen sein ▶ to have a ~ spot for sb eine Schwäche für jdn haben

ˈsoftˈball n Softball m **soft-ˈboiled** adj weich [gekocht]

sofˈten [ˈsɒfən] I. vi ❶ (melt) weich werden; ice cream schmelzen ❷ (moderate) nachgiebiger werden II. vt ❶ (melt) weich werden lassen ❷ (moderate) mildern; colour, light dämpfen ❸ (alleviate) erträglicher machen ◆ **soften up** I. vt ❶ (make less hard) weicher machen ❷ (win over) erweichen; (persuade) rumkriegen fam II. vi weich werden

sofˈtenˈer [ˈsɒfənəʳ] n ❶ (softening agent) Weichmacher m; fabric ~ Weichspüler m ❷ (mineral reducer) Enthärter m **sofˈtenˈing** [ˈsɒfənɪŋ] I. n no pl ❶ (making less hard) Weichmachen nt; of clothes Weichspülen nt; of leather Geschmeidigmachen nt; of a voice Dämpfen nt; of an attitude, opinion Mäßigen nt; of a manner Mäßigung f ❷ (making less bright) of a colour, light Dämpfen nt; of a contrast Abschwächen nt II. adj attr Enthärtungs-, enthärtend

soft ˈfurnˈishˈings n Brit, Aus, **ˈsoft goods** npl Am Heimtextilien pl **soft-ˈheadˈed** adj (fam) blöd, doof **soft-ˈheartˈed** adj ❶ (compassionate) weichherzig ❷ (gullible) leichtgläubig

softie [ˈsɒfti] n (fam) Softie m

softˈly [ˈsɒftli] adv ❶ (not hard) sanft ❷ (quietly) leise ❸ (dimly) schwach ❹ (leniently) nachsichtig, nachgiebig

softˈness [ˈsɒftnəs] n no pl ❶ (not hardness) Weichheit f ❷ (smoothness) Weichheit f; of skin Glätte f; of hair Seidigkeit f ❸ (subtlety) of lighting Gedämpftheit f; of colours Zartheit f ❹ (wishy-washyness) Schwächlichkeit f, Laschheit f pej fam

ˈsoft-soap vt (fig fam) ■ to ~ sb jdm Honig ums Maul schmieren **soft-ˈspokˈen** adj sound leise gesprochen; person; ■ to be ~ leise sprechen; ~ manner freundliche und sanfte Art **soft ˈtoy** n Brit Plüschtier nt

softˈware [ˈsɒf(t)weəʳ] comput I. n no pl Software f II. adj company, development, publisher Software-; ~ writer Programmierer(in) m(f)

ˈsoftˈware enˈgiˈneer n Programmierer(in) m(f) **ˈsoftˈware pack·age** n Softwarepaket nt **softˈware ˈpiˈraˈcy** n no pl Software-Piraterie f

ˈsoftˈwood n ❶ no pl (wood) Weichholz nt ❷ (tree) immergrüner Baum, Baum m mit weichem Holz

softy n see **softie**

sogˈgy [ˈsɒgi] adj ❶ (sodden) durchnässt; (boggy) glitschig fam; soil aufgeweicht ❷ food matschig, pappig fam

soil¹ [sɔɪl] vt ❶ (form) (dirty) verschmutzen ❷ (foul) verunreinigen ❸ usu passive (fig: ruin) to ~ sb's name/reputation jds Namen/guten Ruf beschmutzen

soil² [sɔɪl] n no pl ❶ (earth) Boden m, Erde f ❷ (territory) Boden m

soiˈrée [ˈswɑːreɪ] n, **soiree** n (form or hum) Soiree f

soˈjourn [ˈsɒdʒɜːn] I. vi (liter) ■ to ~ somewhere irgendwo [ver]weilen geh II. n (liter or hum) [vorübergehender] Aufenthalt

solˈace [ˈsɒləs] I. n no pl Trost m II. vt ■ to ~ oneself with sth sich mit etw dat trösten; to ~ sb's anxiety/fear jd's Sorgen/Angst zerstreuen

soˈlar [ˈsəʊləʳ] adj ❶ (relating to sun) Solar-, Sonnen-; ~ calculator Rechner m mit Solarzellen ❷ astron ~ day/time Sonnentag *m*/-zeit *f*

so·lar 'bat·tery *n* Solarbatterie *f* **so·lar 'cell** *n* Solarzelle *f* **so·lar e'clipse** *n* Sonnenfinsternis *f* **so·lar 'en·er·gy** *n no pl* Solarenergie *f* **so·lar·i·um** <*pl* -aria *or* -s> [sə(ʊ)'leəriəm, *pl* -iə] *n* ❶ (*tanning room*) Solarium *nt* ❷ Am (*conservatory*) Glashaus *nt* **so·lar 'pan·el** *n* Sonnenkollektor *m* **so·lar plex·us** [ˌsəʊlə'pleksəs] *n no pl* ANAT, MED Solarplexus *m* **so·lar 'pow·er** *n no pl* Sonnenkraft *f* **so·lar ra·di'a·tion** *n no pl* Sonnenstrahlung *f* **'so·lar sys·tem** *n* Sonnensystem *nt* **so·lar 'wind** *n no pl* ASTRON Sonnenwind *m*

sold [səʊld] *pt, pp of* **sell**

sol·der ['səʊldə^r] **I.** *vt* löten; ■**to ~ sth on/together** etw an-/zusammenlöten **II.** *n no pl* Lötmetall *nt*

sol·der·ing iron ['səʊldə^rrɪŋ-] *n* Lötkolben *m*

sol·dier ['səʊldʒə^r] *n* Soldat(in) *m/f* ◆ **sol·dier on** *vi* sich durchkämpfen

sold 'out *adj* ausverkauft

sole[1] [səʊl] *adj attr* ❶ (*only*) einzig, alleinig ❷ (*exclusive*) Allein-

sole[2] [səʊl] *n* ❶ FASHION [Schuh]sohle *f* ❷ ANAT [Fuß]sohle *f*

sole[3] <*pl* - *or* -s> [səʊl] *n* ZOOL, FOOD Seezunge *f*

sol·ecism ['sɒlɪsɪz^əm] *n* (*form*) ❶ LING (*mistake*) Fehler *m* ❷ (*faux pas*) Fauxpas *m*

sole·ly ['səʊlli] *adv* einzig und allein, nur

so·lemn ['sɒləm] *adj* ❶ (*ceremonial*) feierlich; *oath, promise* heilig ❷ (*grave*) ernst; *voice* getragen

so·lem·nity [sə'lemnəti] *n* ❶ *no pl* (*gravity*) Feierlichkeit *f*, Erhabenheit *f* ❷ (*ceremony*) ■**solemnities** *pl* Trauerfeierlichkeiten *pl;* REL [kirchliche] Feierlichkeiten

so·lem·nize ['sɒləmnaɪz] *vt* (*form*) feiern

so·lemn·ly ['sɒləmli] *adv* ❶ (*ceremonially*) feierlich; **to ~ promise sth** etw hoch und heilig versprechen; **to ~ swear sth** etw bei allem, was einem heilig ist, schwören ❷ (*gravely*) ernst

so·lenoid ['səʊlənɔɪd] *n* ELEC Magnetspule *f*

so·lic·it [sə'lɪsɪt] *vt* (*form*) ❶ (*ask for*) ■**to ~ sth** um etw *akk* bitten; **to ~ votes** um [Wähler]stimmen werben ❷ (*sell*) **to ~ sex** sich anbieten

so·lic·it·ing [sə'lɪsɪtɪŋ] *n no pl* Ansprechen *nt* von Männern (*durch Prostituierte*)

so·lici·tor [sə'lɪsɪtə^r] *n* ❶ *esp* BRIT, AUS LAW Rechtsanwalt, -anwältin *m, f* (*der/die seine/ihre Mandanten nur in den unteren Instanzen vertreten darf, im Gegensatz*

zum barrister) ❷ Am POL Rechtsreferent(in) *m(f)* (*einer Stadt*)

so·lici·tous [sə'lɪsɪtəs] *adj* (*form*) ❶ (*anxious*) besorgt ❷ (*careful*) sorgfältig ❸ (*attentive*) aufmerksam

so·lici·tude [sə'lɪsɪtjuːd] *n* (*form*) ❶ *no pl* (*attentiveness*) of a waiter zuvorkommende Art ❷ (*anxiety*) Sorge *f* (**about** um), Besorgtheit *f* (**about** über)

sol·id ['sɒlɪd] **I.** *adj* ❶ (*hard*) fest; *chair, wall* solide; *foundation* stabil; *punch* kräftig; *rock* massiv ❷ (*not hollow*) massiv ❸ (*not liquid*) fest ❹ (*completely*) ganz; ~ **silver** massives [*o* reines] Silber ❺ (*substantial*) verlässlich; *argument* stichhaltig; *evidence* handfest; *grounding* solide ❻ (*concrete*) *plan* konkret ❼ (*uninterrupted*) *line, wall* durchgehend; *month, week* ganz ❽ (*dependable*) *person* solide, zuverlässig; *marriage, relationship* stabil ❾ ECON (*financially sound*) *investment* solide, sicher ❿ (*sound*) solide, gut **II.** *n* ❶ PHYS fester Stoff, Festkörper *m* ❷ MATH Körper *m* ❸ FOOD ■~s *pl* feste Nahrung *kein pl*

soli·dar·ity [ˌsɒlɪ'dærəti] *n no pl* ❶ (*unity*) Solidarität *f* (**with** mit) ❷ (*movement*) **S~** Solidarität *f*

sol·id 'fuel *n* ❶ *no pl* (*power source*) fester Brennstoff ❷ (*pieces*) feste Brennstoffe *pl*

so·lidi·fy <-ie-> [sə'lɪdɪfaɪ] **I.** *vi* ❶ (*harden*) fest werden; *lava* erstarren; *cement* hart werden; *water* gefrieren ❷ (*fig: take shape*) *plans* sich konkretisieren; *project* [konkrete] Gestalt annehmen; *idea, thought* konkret[er] werden **II.** *vt* ❶ (*harden*) fest werden lassen; *water* gefrieren lassen ❷ (*fig: reinforce*) festigen; *plan* konkretisieren

so·lid·ity [sə'lɪdɪti] *n no pl* ❶ (*hardness*) fester Zustand; *of wood* Härte *f; of a foundation, table* Stabilität *f* ❷ (*reliability*) Zuverlässigkeit *f; of facts, evidence* Zuverlässigkeit *f; of an argument, reasoning* Stichhaltigkeit *f; of a judgement* Fundiertheit *f; of commitment* Verlässlichkeit *f* ❸ (*strength*) Stabilität *f* ❹ (*soundness*) Gediegenheit *f* ❺ (*financial soundness*) *of an investment* Solidität *f; (financial strength*) *of a company* finanzielle Stärke

sol·id·ly ['sɒlɪdli] *adv* ❶ (*sturdily*) solide; **to be ~ built** solide gebaut sein ❷ (*uninterruptedly*) *work* ununterbrochen

'sol·id-state *adj* Festkörper-

so·lilo·quy [sə'lɪləkwi] *n* Selbstgespräch *nt;* THEAT Monolog *m*

soli·taire [ˌsɒlɪ'teə^r] *n* ❶ (*jewel*) Solitär *m* ❷ *no pl esp* Am (*card game*) Patience *f*

S

soli·tary ['sɒlɪtªri] *adj* ❶ (*single*) einzelne(r, s) *attr;* ZOOL solitär *fachspr* ❷ (*lonely*) einsam; (*remote*) abgeschieden, abgelegen; **to go for a ~ stroll** allein spazieren gehen

soli·tary con·'fine·ment *n* Einzelhaft *f*

soli·tude ['sɒlɪtjuːd] *n* ❶ *no pl* (*being alone*) Alleinsein *nt;* **in ~** alleine ❷ *no pl* (*loneliness*) Einsamkeit *f*

solo ['səʊləʊ] **I.** *adj attr* (*unaccompanied*) Solo- **II.** *adv* (*single-handed*) allein; MUS solo **III.** *n* MUS Solo *nt* **IV.** *vi* (*play unaccompanied*) solo spielen; (*sing unaccompanied*) solo singen

solo·ist ['səʊləʊɪst] *n* Solist(in) *m(f)*

Solo·mon Is·lands ['sɒləmən,aɪləndz] *n* ▪the ~ die Salomonen *pl*

sol·stice ['sɒlstɪs] *n* Sonnenwende *f*

sol·uble ['sɒljəbl] *adj* ❶ (*that dissolves*) löslich ❷ (*solvable*) lösbar

so·lu·tion [səˈljuːʃªn] *n* ❶ (*to problem*) Lösung *f;* (*to riddle/puzzle*) [Auf]lösung *f* ❷ *no pl* (*act of solving*) Lösen *nt* ❸ (*in business*) Vorrichtung *f;* **software ~s** Softwareanwendungen *pl* ❹ CHEM (*liquid*) Lösung *f*

solve [sɒlv] *vt* lösen; *crime* aufklären; *mystery* aufdecken

sol·ven·cy ['sɒlvªn(t)si] *n no pl* FIN Zahlungsfähigkeit *f*

sol·vent ['sɒlvªnt] **I.** *n* CHEM Lösungsmittel *nt* **II.** *adj* ❶ FIN zahlungsfähig ❷ (*fam: having sufficient money*) flüssig

'sol·vent abuse *n esp* BRIT Missbrauch *m* von Lösungsmitteln (*als Rauschgift*)

So·ma·li [səˈmɑːli] **I.** *n* <*pl* - *or* -s> ❶ (*person*) Somalier(in) *m(f)* ❷ *no pl* (*language*) Somali *nt* **II.** *adj* somalisch

So·ma·lia [səˈmɑːliə] *n* Somalia *nt*

som·ber *adj* AM, **som·bre** ['səʊmbəʳ] *adj* ❶ (*sad*) düster; *setting* ernst ❷ (*dark-coloured*) dunkel; *day* trüb, finster

some [sʌm, sªm] **I.** *adj attr* ❶ (*unknown amount:* + *pl*) einige, ein paar; (+ *sing n*) etwas; **there's ~ cake in the kitchen** es ist noch Kuchen in der Küche ❷ (*certain:* + *pl*) gewisse ❸ (*general, unknown*) irgendein(e); **he's in ~ kind of trouble** er steckt in irgendwelchen Schwierigkeiten; **~ day or another** irgendwann ❹ (*noticeable*) gewiss; **to ~ extent** bis zu einem gewissen Grad ❺ (*slight, small amount*) etwas; **there is ~ hope that he will get the job** es besteht noch etwas Hoffnung, dass er die Stelle bekommt ❻ (*considerable amount, number*) beträchtlich; (*fam: intensifies noun*) ziemlich; **we discussed the problem at ~ length** wir diskutierten

das Problem ausgiebig ❼ (*fam: showing annoyance*) ~ **hotel that turned out to be!** das war vielleicht ein Hotel! **II.** *pron* ❶ (*unspecified number of persons or things*) welche; **have you got any drawing pins? — if you wait a moment, I'll get you** ~ haben Sie Reißnägel? – wenn Sie kurz warten, hole ich [Ihnen] welche ❷ (*unspecified amount of sth*) welche(r, s); **if you need money, I can lend you** ~ wenn du Geld brauchst, kann ich dir gerne welches leihen ❸ (*at least a small number*) einige, manche ❹ + *pl* (*proportionate number*) einige, ein paar; ~ **of you have already met Imran** einige von euch kennen Imran bereits ❺ (*certain people*) ~ **just never learn!** gewisse Leute lernen es einfach nie! ❻ + *sing vb* (*proportionate number*) ein bisschen; **have ~ of this champagne, it's very good** trink ein wenig von dem Champagner, er ist sehr gut **III.** *adv* (*roughly*) ungefähr, in etwa; ~ **twenty or thirty metres deep/high** ungefähr zwanzig oder dreißig Meter tief/hoch

some·body ['sʌmbədi] *pron indef* ❶ (*anyone*) jemand ❷ (*one person*) irgendwer; **surely ~ knows where the documents are** sicher weiß jemand, wo die Dokumente sind ❸ (*unnamed, unknown person*) jemand; ~ **or other** irgendwer ❹ (*some non-specified person of a group*) irgendwer; ~ **else** jemand anders; ~ **or other** jemand anders **some·how** ['sʌmhaʊ] *adv* irgendwie **some·one** ['sʌmwʌn] *pron see* **somebody some·place** ['sʌmpleɪs] *adv* AM irgendwo; ~ **else** (*in a different place*) woanders, irgendwo anders; (*to a different place*) woandershin, irgendwo anders hin; ~ **around here** irgendwo hier

som·er·sault ['sʌməsɔːlt] **I.** *n* (*on ground*) Purzelbaum *m;* (*in air*) Salto *m* **II.** *vi* einen Purzelbaum schlagen; (*in air*) einen Salto machen; *vehicle, car* sich überschlagen

some·thing ['sʌm(p)θɪŋ] *pron indef* ❶ (*object*) etwas; **I need ~ to write with** ich brauche etwas zum Schreiben; ~ **else** etwas anderes ❷ (*message*) etwas; **is there ~ you'd like to say?** möchtest du mir etwas sagen? ❸ (*action*) etwas; **to do ~ [about sb/sth]** etwas [gegen jdn/etw] unternehmen ❹ (*unknown thing*) etwas; ~ **about her frightened me** etwas an ihr machte mir Angst ❺ (*outstanding quality*) etwas; **there's ~ about her** sie hat etwas an sich *dat* ❻ (*not exact*) **it was ~ of a surprise** es war eine kleine Überraschung;

the building materials cost ~ **under $4500** das Baumaterial kostet etwas unter $4.500; **... or ~** (*fam: similar*) ... oder so; **she works for a bank or ~** sie arbeitet für eine Bank oder so was ▶**that's ~** das ist schon was; **there's ~ in sth** an etw *dat* ist etwas dran; **there's ~ in catching the earlier train** es macht in der Tat Sinn, den früheren Zug zu nehmen **some·time** ['sʌmtaɪm] *adv* irgendwann; **come up and see me ~** komm mich mal besuchen; **~ soon** demnächst irgendwann, bald einmal **some·times** ['sʌmtaɪmz] *adv* manchmal **some·what** ['sʌm(h)wɒt] *adv* etwas, ein wenig [*o* bisschen] **some·where** ['sʌm(h)weəʳ] *adv* ❶ (*in unspecified place*) irgendwo; **~ else** woanders, irgendwo anders ❷ (*to unspecified place*) irgendwohin; **~ else** woandershin, irgendwo anders hin ❸ (*roughly*) ungefähr; **~ between 30 and 40** so zwischen 30 und 40 ▶**to get ~** Fortschritte machen, weiterkommen

som·nam·bu·lism [sɒm'næmbjəlɪzᵊm] *n no pl* MED Somnambulismus *m*

som·no·lent ['sɒmnᵊlənt] *adj* ❶ (*sleepy*) schläfrig; *village* verschlafen ❷ (*inducing drowsiness*) einschläfernd

son [sʌn] *n* (*male offspring*) Sohn *m*

so·nar ['səʊnɑːʳ] *n no pl* Sonar[gerät] *nt*

so·na·ta [sə'nɑːtə] *n* Sonate *f*

song [sɒŋ] *n* ❶ MUS Lied *nt* ❷ (*singing*) Gesang *m* ❸ *of bird* Gesang *m*; *of cricket* Zirpen *nt*

'**song·bird** *n* Singvogel *m* '**song·book** *n* Liederbuch *nt* '**song-trading**, '**song-swapping** *n no pl* INET, MUS Musikaustausch *m* '**song·writ·er** *n* Texter(in) *m(f)* und Komponist(in) *m(f)*; **singer·~** Liedermacher(in) *m(f)*

son·ic ['sɒnɪk] *adj* Schall-

son·ic 'boom *n* Überschallknall *m*

'**son-in-law** <*pl* sons- *or* -s> *n* Schwiegersohn *m*

son·net ['sɒnɪt] *n* Sonett *nt*

son·ny ['sʌni] *n no pl* (*fam*) Kleiner *m*

son·or·ous ['sɒnᵊrəs] *adj* klangvoll; *voice* sonor, volltönend

soon [suːn] *adv* ❶ (*in a short time*) bald; **~ after sth** kurz nach etw *dat*; **no ~er said than done** gesagt, getan; **how ~** wie bald [*o* schnell]; **~er or later** früher oder später; **~er rather than later** lieber früher als später; **as ~ as possible** so bald wie möglich ❷ (*early*) früh; **Monday is the ~est we can deliver the chairs** wir können die Stühle frühestens am Montag liefern; **the ~er the better** je eher, desto bes-

ser; **not a moment too ~** gerade noch rechtzeitig ❸ (*rather*) lieber; **I'd ~er not speak to him** ich würde lieber nicht mit ihm sprechen

soot [sʊt] *n no pl* Ruß *m*

soothe [suːð] *vt* ❶ (*calm*) beruhigen ❷ (*relieve*) lindern

sooth·ing ['suːðɪŋ] *adj* ❶ (*calming*) beruhigend; *bath* entspannend ❷ (*pain-relieving*) [Schmerz] lindernd

sooth·ing·ly ['suːðɪŋli] *adv* beruhigend, besänftigend

sooth·say·er ['suːθˌseɪəʳ] *n* (*hist*) Wahrsager(in) *m(f)*

sooty ['sʊti] *adj* rußig, verrußt

sop [sɒp] **I.** *n* (*pej*) Beschwichtigungsmittel *nt* **II.** *vt* ■**to ~ up** ⟳ **sth** etw aufsaugen

so·phis·ti·cat·ed [sə'fɪstɪkeɪtɪd] *adj* (*approv*) ❶ (*urbane*) [geistig] verfeinert; (*cultured*) kultiviert, gebildet; *audience, readers* niveauvoll, anspruchsvoll; *restaurant* gepflegt ❷ (*highly developed*) hoch entwickelt, ausgeklügelt; *method* raffiniert; (*complex*) *approach* differenziert

so·phis·ti·ca·tion [səˌfɪstɪ'keɪʃ°n] *n no pl* (*approv*) ❶ (*urbanity*) Kultiviertheit *f*; (*finesse*) Gepflegtheit *f*, Feinheit *f* ❷ (*complexity*) hoher Entwicklungsstand

soph·ist·ry ['sɒfɪstri] *n* (*form*) ❶ *no pl* (*pej: nitpicking*) Sophisterei *f* ❷ (*sophistical argument*) Augenwischerei *f*

sopho·more ['sɑːfəmɔːr] *n* AM (*in college*) Student(in) *m(f)* im zweiten Studienjahr; (*at high school*) Schüler(in) *m(f)* einer Highschool im zweiten Jahr

sopo·rif·ic [ˌsɒpᵊr'ɪfɪk] *adj* einschläfernd *a. fig*

sop·ping ['sɒpɪŋ] (*fam*) **I.** *adj* klatschnass **II.** *adv* **~ wet** klatschnass

sop·py ['sɒpi] *adj* (*fam*) gefühlsdus[e]lig *pej*; *story, film* schmalzig

so·pra·no [sə'prɑːnəʊ] **I.** *n* ❶ (*vocal range*) Sopran *m* ❷ (*singer*) Sopranistin *f* **II.** *adj* Sopran- **III.** *adv* **to sing ~** Sopran singen

sor·bet ['sɔːbeɪ] *n* Sorbet *nt o selten m*

sor·cer·er ['sɔːsᵊrəʳ] *n* (*esp liter*) Zauberer *m*, Hexenmeister *m*

sor·cer·ess <*pl* -es> ['sɔːsᵊrɪs] *n* (*esp liter*) Zauberin *f*

sor·cery ['sɔːsᵊri] *n no pl* (*esp liter*) Zauberei *f*, Hexerei *f*

sor·did ['sɔːdɪd] *adj* ❶ (*dirty*) schmutzig; (*squalid*) schäbig; *apartment* verkommen, heruntergekommen ❷ (*pej: disreputable*) schmutzig *fig*

sore [sɔːʳ] **I.** *adj* ❶ (*hurting*) schlimm, weh; (*through overuse*) wund [gescheuert], ent-

S

zündet; **all the dust has made my eyes ~** von den ganzen Staub brennen mir die Augen; **~ muscles** Muskelkater *m;* **~ point** (*fig*) wunder Punkt ❷ (*liter: serious*) **to be in ~ need of sth** etw dringend benötigen **II.** *n* wunde Stelle; **to open an old ~** (*fig*) alte Wunden aufreißen

sore·ly ['sɔːli] *adv* sehr, arg; **to be ~ tempted to do sth** stark versucht sein, etw zu tun

so·ror·ity [səˈrɔːrəti] *n* Am Studentinnenvereinigung *f*

sor·rel ['sɒrəl] *n no pl* Sauerampfer *m*

sor·row ['sɒrəʊ] *n* (*form*) ❶ (*feeling*) Kummer *m,* Betrübnis *f,* Traurigkeit *f* ❷ (*sad experience*) Leid *nt*

sor·row·ful ['sɒrə(ʊ)fəl] *adj* (*form*) traurig, betrübt (**at** über)

sor·ry ['sɒri] **I.** *adj* ❶ *pred* (*regretful*) **I'm/ she's ~** es tut mir/ihr leid; **you'll be ~** das wird dir noch leid tun; ■ **to be ~ about sth** etw bedauern; **to say ~** [**to sb**] sich [bei jdm] entschuldigen ❷ *pred* (*sad*) traurig; **we were ~ to hear** [**that**] **you've not been well** es tat uns leid zu hören, dass es dir nicht gut ging; ■ **to be ~ for oneself** (*esp pej*) sich selbst bemitleiden; **sb feels ~ for sb/sth** jd/etw tut jdm leid ❸ *pred* (*polite preface to remark*) **I'm ~** [**but**] **I don't agree** [es] tut mir leid, aber da bin ich anderer Meinung ❹ *attr* (*wretched*) traurig, armselig, jämmerlich **II.** *interj* ❶ (*expressing apology*) ■ **~!** Verzeihung!, Entschuldigung! ❷ (*prefacing refusal*) **~ you can't go in there** bedaure, aber Sie können da nicht hinein ❸ *esp* Brit, Aus (*asking sb to repeat sth*) ■ **~?** wie bitte?

sort [sɔːt] **I.** *n* ❶ (*type*) Sorte *f,* Art *f* ❷ (*fam: expressing vagueness*) **I had a ~ of feeling that ...** ich hatte so ein Gefühl, dass ...; **it's a ~ of machine for peeling vegetables and things** es ist so eine Art Maschine, mit der man Gemüse und anderes schälen kann ❸ (*person*) **I know your ~!** Typen wie euch kenne ich [zur Genüge]! *fam* ▸ **nothing of the ~** nichts dergleichen; **something of the ~** so etwas in der Art; **sth of ~s** eine Art von etw *dat* **II.** *adv* (*fam*) ■ **~ of** ❶ (*rather*) irgendwie; **that's ~ of difficult to explain** das ist nicht so einfach zu erklären ❷ (*not exactly*) mehr oder weniger, so ungefähr, sozusagen **III.** *vt* ❶ (*classify*) sortieren ❷ *usu passive* Brit (*fam: restore to working order*) in Ordnung bringen **IV.** *vi* ■ **to ~ through sth** etw sortieren ◆ **sort out** *vt* ❶ (*arrange*) ordnen, sortieren; (*choose, select*) aussuchen; (*for throwing or giving away*) aussor-

tieren ❸ (*tidy up mess*) in Ordnung bringen ❸ (*resolve*) klären, regeln; **problem lösen** ❹ (*help*) ■ **to ~ out** ↻ **sb** jdm [weiter]helfen ❺ (*fam: beat up*) ■ **to ~ sb out** jdm zeigen, wo es lang geht

'sort code *n* Fin ≈ Bankleitzahl *f*

sort·er ['sɔːtə'] *n* ❶ Am (*postal employee*) Sortierer(in) *m(f)* ❷ (*machine*) Sortiermaschine *f*

sor·tie ['sɔːtiː] *n* Mil. Ausfall *m;* (*flight*) Einsatz *m*

'sort·ing of·fice *n* Sortierstelle *f;* (*central office*) Verteilerpostamt *nt*

SOS [ˌesəʊˈes] *n* SOS *nt;* (*fig*) Hilferuf *m*

so-so ['səʊsəʊ] (*fam*) **I.** *adj* so lala *präd,* mittelprächtig *hum* **II.** *adv* so lala

souf·flé ['suːfleɪ] *n* Soufflé *nt,* Soufflee *nt*

sought [sɔːt] *pt, pp of* **seek**

'sought-after *adj* begehrt

soul [səʊl] *n* ❶ (*spirit*) Seele *f* ❷ *no pl* (*approv: profound feeling*) Seele *f,* Gefühl *nt* ❸ (*person*) Seele *f fig;* **not a ~** keine Menschenseele ❹ *no pl* Mus Soul *m*

'soul-de·stroy·ing *adj esp* Brit (*pej*) nervtötend; *work* geisttötend; (*destroying sb's confidence*) zermürbend

soul·ful ['səʊlfəl] *adj* gefühlvoll

soul·less ['səʊlləs] *adj* (*pej*) seelenlos; *building, town, person* kalt; (*dull*) öde

'soul mate *n* Seelenverwandte(r) *f(m)*

'soul mu·sic *n* Soulmusik *f,* Soul *m*

'soul-search·ing *n no pl* Prüfung *f* des Gewissens **'soul-stir·ring** *adj* aufwühlend, bewegend

sound¹ [saʊnd] *n* (*sea channel*) Meerenge *f;* (*inlet*) Meeresarm *m*

sound² [saʊnd] **I.** *n* ❶ (*noise*) Geräusch *nt;* (*musical tone*) *of a bell* Klang *m;* (*verbal, TV, film*) Ton *m;* **don't make a ~!** sei still! ❷ Ling Laut *m* ❸ *no pl* Phys Schall *m* ❹ *no pl* Radio, TV (*volume*) Ton *m* ❺ *no pl* (*on film*) Sound *m* ❻ *no pl* (*impression*) **I don't like the ~ of it** das klingt gar nicht gut; **by the ~ of it** so wie sich das anhört **II.** *vi* ❶ (*resonate*) erklingen; *alarm* ertönen; *alarm clock* klingeln; *bell* läuten ❷ (*fam: complain*) ■ **to ~ off** herumtönen ❸ **+** *adj* (*seem*) klingen, sich anhören **III.** *vt* (*produce sound from*) **to ~ the alarm** den Alarm auslösen; **to ~ the** [**car**] **horn** hupen

sound³ [saʊnd] **I.** *adj* ❶ (*healthy*) gesund; (*in good condition*) intakt, in gutem Zustand; *animal, person* kerngesund; **to be of ~ mind** bei klarem Verstand sein ❷ (*trustworthy*) solide; (*reasonable*) vernünftig; *advice* gut; *argument* schlagend; *economy* gesund ❸ (*undisturbed*) *sleep* tief **II.** *adv* **to be ~ asleep** tief [und fest] schlafen ◆ **sound out** *vt* ▪ **to ~ out ↻ sb** bei jdm vorfühlen; (*ask*) bei jdm anfragen

'**sound ar·chives** *npl* Tonarchiv *nt*
'**sound bar·ri·er** *n* Schallmauer *f*
'**sound bite** *n* prägnanter Ausspruch (*eines Politikers*) '**sound·board** *n* MUS Resonanzboden *m* '**sound·box** *n* Resonanzkörper *m* '**sound card** *n* COMPUT Soundkarte *f* '**sound en·gi·neer** *n* Toningenieur(in) *m(f)*

sound·ing ['saʊndɪŋ] *n usu pl* NAUT [Aus]loten *nt*
'**sound·ing board** *n* ❶ (*resonator*) Resonanzboden *m* ❷ (*fig*) Gruppe von Testpersonen für eine erste Meinungssondierung
sound·less ['saʊndləs] *adj* lautlos, geräuschlos
sound·ly ['saʊndli] *adv* ❶ (*thoroughly*) gründlich, ordentlich; (*clearly*) eindeutig, klar; (*severely*) schwer *fam* ❷ (*reliably*) fundiert *geh* ❸ (*deeply*) **to sleep ~** tief schlafen
sound·ness ['saʊndnəs] *n no pl* Solidität *f geh,* Verlässlichkeit *f,* Zuverlässigkeit *f*
'**sound·proof I.** *adj* schalldicht, schallisoliert **II.** *vt* schalldicht machen '**sound sys·tem** *n* Stereoanlage *f* '**sound·track** *n* ❶ (*on film*) Tonspur *f* ❷ (*film music*) Filmmusik *f,* Soundtrack *m* '**sound wave** *n* Schallwelle *f*

soup [suːp] *n* ❶ (*fluid food*) Suppe *f;* **oxtail/vegetable ~** Ochsenschwanz-/Gemüsesuppe *f;* **packet ~** Tütensuppe *f* ❷ *esp* AM (*fig: fog*) Suppe *f*
soup·çon ['suːpsɔ̃:(ŋ)] *n no pl* Spur *f,* Hauch *m*
'**soup kit·chen** *n* Armenküche *f* '**soup plate** *n* Suppenteller *m* '**soup spoon** *n* Suppenlöffel *m*
sour ['saʊəʳ] **I.** *adj* ❶ (*in taste*) sauer ❷ (*fig: bad-tempered*) griesgrämig, missmutig; (*embittered*) verbittert **II.** *n esp* AM *saures,* alkoholisches Getränk; **whisky ~** Whisky *m* mit Zitrone **III.** *vt* ❶ (*give sour taste*) sauer machen ❷ (*fig: make unpleasant*) trüben, beeinträchtigen **IV.** *vi* ❶ (*become sour*) sauer werden ❷ (*fig*) getrübt werden
source [sɔːs] **I.** *n* ❶ (*origin*) Quelle *f;* (*reason*) Grund *m* (**of** for) ❷ (*of information*) [Informations]quelle *f;* ▪ **~s** *pl* LIT (*for article, essay*) Quellen[angaben] *pl* ❸ *usu pl* (*person*) Quelle *f;* **according to Government ~s** wie in Regierungskreisen verlautete ❹ (*spring*) Quelle *f* **II.** *vt usu passive* ▪ **to be ~d** ❶ (*have origin stated*) belegt sein ❷ ECON (*be obtained*) stammen
sour·ly ['saʊəli] *adv* (*fig*) griesgrämig *fam,* missmutig

sour·ness ['saʊənəs] *n no pl* ❶ (*acidity*) Säuerlichkeit *f,* saurer Geschmack ❷ (*fig: churlishness*) Griesgrämigkeit *f;* **to have a note of ~ in one's voice** einen bitteren Unterton in seiner Stimme haben
sour·puss <*pl* **-es**> ['saʊəpʊs] *n* (*fam*) Miesepeter *m*
souse [saʊs] *vt* ❶ (*drench*) übergießen (**in** mit) ❷ (*pickle*) einlegen
south [saʊθ] **I.** *n no pl* (*compass direction*) Süden *m;* **Canberra lies to the ~ of Sydney** Canberra liegt südlich von Sydney; **the ~ of England** der Süden von England; (*southern US states*) ▪ **the S~** die Südstaaten *pl* **II.** *adj* (*opposite of north*) Süd-, südlich **III.** *adv* (*toward the south*) **my room faces ~** mein Zimmer ist nach Süden ausgerichtet; **due ~** direkt nach Süden; **to drive ~** Richtung Süden [o südwärts] fahren

South 'Af·ri·ca *n* Südafrika *nt* **South 'Af·ri·can I.** *adj* südafrikanisch **II.** *n* Südafrikaner(in) *m(f)* **South A'meri·ca** *n* Südamerika *nt* **South A'meri·can I.** *adj* südamerikanisch **II.** *n* Südamerikaner(in) *m(f)*
'**south·bound** *adj* [in] Richtung Süden; **~ passengers** Richtung Süden reisende Passagiere
South Caro·li·na *n* [ˌkærəˈlaɪnə] Südkarolina *nt* **South Da·ko·ta** *n* [dəˈkəʊtə] Süddakota *nt* **south-'east I.** *n no pl* Südosten *m* **II.** *adj* Südost-, südöstlich **III.** *adv* südostwärts, nach Südosten **south-'east·er·ly** *adj* südöstlich **south-'east·ern** *adj* südöstlich **south-'east·ward(s) I.** *adj* südostwärts *präd;* **in a ~ direction** in südöstlicher Richtung **II.** *adv* südostwärts *präd,* nach Südosten zu
south·er·ly ['sʌðəli] **I.** *adj* südlich; **in a ~ direction** in südlicher Richtung **II.** *adv* südlich; (*going south*) südwärts; (*coming from south*) von Süden **III.** *n* Südwind *m;* NAUT Süd *m kein pl*
south·ern ['sʌðən] *adj* südlich, Süd-; **~ motorway** Autobahn *f* nach Süden
South·ern 'Cross *n* ASTRON Kreuz *nt* des Südens
south·ern·er ['sʌðənəʳ] *n* **to be a ~** aus dem Süden kommen; AM ein Südstaatler *m* sein
south·ern 'hemi·sphere *n* **the ~** die südliche [Erd]halbkugel **South·ern 'Lights** *npl* Südlicht *nt kein pl*
south·ern·most ['sʌðənməʊst] *adj* ▪ **the ~ ...** der/die/das südlichste ...
south-'fac·ing *adj* nach Süden gelegen [o ausgerichtet] **South Ko·'rea** *n* Südko-

rea *nt* **South Ko·'rean I.** *adj* südkoreanisch **II.** *n* Südkoreaner(in) *m(f)*

'south·paw *n* AM SPORTS (*fam*) Linkshänder(in) *m(f)*

South 'Pole *n* Südpol *m*

south·ward(s) ['saʊθwəd(z)] **I.** *adj* südlich; **in a ~ direction** in Richtung Süden **II.** *adv* südwärts, nach [*o* [in] Richtung] Süden

south·'west I. *n* *no pl* Südwesten *m* **II.** *adj* südwestlich, Südwest- **III.** *adv* südwestwärts, nach Südwesten **south·'west·er·ly I.** *adj* südwestlich, Südwest- **II.** *adv* südwestlich, nach Südwesten **south·'west·ern** *adj* südwestlich **south·'west·ward(s) I.** *adj* südwestlich **II.** *adv* südwestlich, nach Südwesten

sou·ve·nir [ˌsuːvən'ɪəʳ] *n* Andenken *nt* (**of** an)

sou'west·er [ˌsaʊ'westəʳ] *n* (*hat*) Südwester *m*

sov·er·eign ['sɒvʳrɪn] **I.** *n* ❶ (*ruler*) Herrscher(in) *m(f)* ❷ (*hist: British coin*) Zwanzigshillingmünze *f* **II.** *adj* *attr* ❶ (*chief*) höchste(r, s), oberste(r, s); **~ power** Hoheitsgewalt *f* ❷ POL (*independent*) *state* souverän ❸ (*good*) **~ remedy** Allheilmittel *nt*

sov·er·eign·ty ['sɒvrʳnti] *n* *no pl* (*supremacy*) höchste Gewalt, Oberhoheit *f*; (*right of self-determination*) Souveränität *f*; **to have ~ over sb/sth** oberste Herrschaftsgewalt über jdn/etw besitzen

so·vi·et ['səʊviət] *n* (*hist*) Sowjet *m*

So·vi·et 'Un·ion *n* *no pl* (*hist*) ▪ **the ~** die Sowjetunion

sow[1] <sowed, sown *or* sowed> [səʊ] **I.** *vt* ❶ (*plant*) säen; MIL *mines* legen ❷ (*fig: cause*) säen; *terror* hervorrufen; **to ~ doubts [in sb's mind]** Zweifel [in jdm] wecken **II.** *vi* säen

sow[2] [saʊ] *n* (*pig*) Sau *f*

sow·ing ['səʊɪŋ] *n* *no pl* Aussaat *f*; (*action also*) [Aus]säen *f*

'sow·ing ma·chine *n* Sämaschine *f*

sown [səʊn] *vt*, *vi* *pp of* **sow**[1]

sox [sɒks] *npl* (*fam*) Socken *pl*

soya ['sɔɪə], AM **soy** [sɔɪ] *n* *no pl* Soja *f*

'soya bean *n*, *esp* AM **'soy bean** *n* Sojabohne *f* **'soya 'sauce** *n*, *esp* AM **soy 'sauce** *n* Sojasoße *f*

soz·zled ['sɒzld] *adj* *pred* (*fam*) besoffen

spa [spɑː] *n* ❶ (*spring*) Heilquelle *f* ❷ (*place*) [Bade]kurort *m*, Bad *nt* ❸ AM (*health centre*) Heilbad *nt*

space [speɪs] *n* ❶ *no pl* (*expanse*) Raum *m* ❷ (*gap*) Platz *m*; (*between two things*) Zwischenraum *m*; **parking ~** Parklücke *f*

❸ *no pl* (*vacancy*) Platz *m*, Raum *m* ❹ (*seat*) [Sitz]platz *m* ❺ *no pl* (*country*) Land *nt*; (*bigger extent*) Fläche *f*; **wide open ~** das weite, offene Land ❻ *no pl* (*premises*) Fläche *f*; (*for living*) Wohnraum *m* ❼ *no pl* (*cosmos*) Weltraum *m* ❽ *no pl* (*interim*) Zeitraum *m* ❾ (*blank*) Platz *m*; (*for a photo*) freie Stelle; TYPO (*between words*) Zwischenraum *m*; **blank ~** Lücke *f* ❿ *no pl* (*fig: freedom*) [Frei]raum *m*, Freiheit *f* ◆ **space out** *vt* ❶ (*position at a distance*) in Abständen verteilen ❷ TYPO (*put blanks*) *page* auseinanderschreiben ❸ AM (*sl: forget*) verpennen *fam* ❹ *usu passive* (*sl*) ▪ **to be ~d out** (*in excitement*) geistig weggetreten sein *fam*; (*scatter-brained*) schusselig sein *fam*; (*drugged*) high sein *fam*

'space age *n* *no pl* ▪ **the ~** das Weltraumzeitalter **'space bar** *n* COMPUT Leertaste *f* **'space cap·sule** *n* Weltraumkapsel *f* **'space·craft** <*pl* -> *n* Raumfahrzeug *nt* **'space·man** *n* [Welt]raumfahrer *m* **'space probe** *n* Raumsonde *f*

spac·er ['speɪsəʳ] *n* ❶ TYPO Leerzeichen *nt* ❷ TECH Distanzstück *nt*

'space-sav·ing *adj* Platz sparend; *furniture* Raum sparend

'space·ship *n* Raumschiff *nt* **'space shut·tle** *n* [Welt]raumfähre *f* **'space sta·tion** *n* [Welt]raumstation *f*

spac·ing ['speɪsɪŋ] *n* *no pl* Abstände *pl*; TYPO **single/double/treble ~** TYPO einzeiliger/zweizeiliger/dreizeiliger Abstand

spa·cious ['speɪʃəs] *adj* (*approv*) *house, room* geräumig; *area* weitläufig

spa·cious·ly ['speɪʃəsli] *adv* (*approv*) weitläufig

spa·cious·ness ['speɪʃəsnəs] *n* *no pl* (*approv*) *of house, room* Geräumigkeit *f*; *of area* Weitläufigkeit *f*

spade [speɪd] *n* ❶ (*tool*) Spaten *m* ❷ CARDS Pik *nt*

spade·work ['speɪdwɜːk] *n* *no pl* Vorarbeit *f*

spa·ghet·ti [spə'geti] *n* *no pl* FOOD Spaghetti *pl*

spa·ghet·ti 'west·ern *n* (*fam*) Italowestern *m*

Spain [speɪn] *n* *no pl* Spanien *nt*

Spam® [spæm] *n* *no pl* Frühstücksfleisch *nt*

spam [spæm] *n* *no pl* COMPUT (*sl*) Spammail *f*, Spam *m*

spam·bot ['spæmbɒt] *n* COMPUT, INET Spambot-Programm *nt*

span[1] [spæn] **I.** *n* *usu sing* ❶ (*period of time*) Spanne *f*; **attention ~** Konzentrationsspanne *f*; **life ~** Lebensspanne *f*; **over**

a ~ **of several months** über einen Zeitraum von einigen Monaten ❷ (*distance*) Breite *f*; (*as measurement*) Spanne *f selten;* **wing** ~ Flügelspannweite *f* ❸ (*fig: scope*) Umfang *m*, Spannweite *f fig* ❹ AR-CHIT (*arch of bridge*) Brückenbogen *m*; (*full extent*) Spannweite *f* **II.** *vt* <-nn-> ❶ (*stretch over*) ■ **to** ~ **sth** *river* etw überspannen; (*cross*) über etw *akk* führen ❷ (*contain*) *knowledge* umfassen ❸ (*place hands round*) **to** ~ **sth with one's hands** etw mit den Händen umspannen **III.** *adj*
▶ **spick and** ~ blitzblank *fam*

span² [spæn] *vt, vi* BRIT *pt of* **spin**

span·gle ['spæŋgl] **I.** *n* Paillette *f* **II.** *vt* mit Pailletten besetzen

span·gled ['spæŋgld] *adj* ❶ (*with spangles*) mit Pailletten besetzt ❷ (*shiny*) glitzernd ❸ (*fig: covered*) ■ **to be** ~ **with sth** mit etw *dat* übersät sein

Span·iard ['spænjəd] *n* Spanier(in) *m(f)*

span·iel ['spænjəl] *n* Spaniel *m*

Span·ish ['spænɪʃ] **I.** *n* ❶ *no pl* (*language*) Spanisch *nt* ❷ + *pl vb* (*people*) ■ **the** ~ **die** Spanier *pl* **II.** *adj* spanisch

spank [spæŋk] **I.** *vt* (*slap*) ■ **to** ~ **sb** jdm den Hintern versohlen; (*sexually*) jdm einen Klaps auf den Hintern geben **II.** *n* Klaps *m fam;* **to give sb a** ~ jdm den Hintern versohlen; (*sexually*) jdm einen Klaps auf den Hintern geben

spank·ing [spæŋkɪŋ] **I.** *adj* (*fam or approv: fast*) schnell; **at a** ~ **pace** in einem hohen Tempo **II.** *adv* (*dated fam: very*) ~ **new** brandneu **III.** *n* Tracht *f* Prügel

span·ner [spænə^r] *n* BRIT, AUS Schraubenschlüssel *m*

spar¹ [spɑː^r] *n* ❶ NAUT Rundholz *nt*, Spiere *f fachspr* ❷ AVIAT Holm *m fachspr*

spar² [spɑː^r] **I.** *vi* <-rr-> ❶ BOXING sparren *fachspr* ❷ (*argue*) ■ **to** ~ [**with sb**] sich [mit jdm] zanken **II.** *n* Sparring *nt kein pl fachspr*

spar³ [spɑː^r] *n* GEOL Spat *m*

spare [speə^r] **I.** *vt* ❶ (*not kill*) verschonen ❷ (*go easy on*) schonen ❸ (*avoid*) ersparen; **to** ~ **sb embarrassment/worry** jdm Peinlichkeiten/Sorgen ersparen ❹ (*not use*) sparen; **to** ~ **no costs** keine Kosten scheuen ❺ (*do without*) entbehren; **can you** ~ **one of those apples?** kannst du mir einen dieser Äpfel geben? ❻ (*make free*) **there's no time to** ~ es ist keine Zeit übrig ❼ (*give*) **could you** ~ **me £10?** kannst du mir 10 Pfund leihen?; **to** ~ **a thought for sb** an jdn denken **II.** *adj* ❶ (*extra*) Ersatz-; ~ [**bed**]**room** Gästezimmer *nt;* **to have some** ~ **cash** noch etwas

Geld übrig haben ❷ (*liter: thin*) hager; (*meagre*) mager ❸ BRIT (*sl: crazy*) **to drive sb** ~ jdn wahnsinnig machen *fam* **III.** *n* ❶ (*reserve*) Reserve *f* ❷ (*parts*) ■ ~**s** *pl* Ersatzteile *pl*

spare·'ribs *npl* [Schäl]rippchen *pl* **spare 'time** *n no pl* Freizeit *f* **spare 'tyre** *n,* AM **spare 'tire** *n* ❶ AUTO Ersatzreifen *m* ❷ (*fam: fat*) Rettungsring *m*

spar·ing ['speərɪŋ] *adj* (*economical*) sparsam; ■ **to be** ~ **in sth** mit etw *dat* geizen

spar·ing·ly ['speərɪŋli] *adv* sparsam

spark [spɑːk] **I.** *n* ❶ (*fire, electricity*) Funke[n] *m* ❷ (*fig: trace*) **a** ~ **of hope** ein Fünkchen *nt* Hoffnung; **a** ~ **of inspiration** ein Hauch *m* an Inspiration ❸ (*fig: person*) **a bright** ~ ein Intelligenzbolzen *m fam* **II.** *vt* ❶ (*ignite, cause*) entfachen *a. fig; interest* wecken; *problems* verursachen ❷ (*provide stimulus*) **to** ~ **sb into action** jdn zum Handeln bewegen **III.** *vi* Funken sprühen ◆ **spark off** *vt* entfachen *a. fig*

spark·ing plug ['spɑːkɪŋˌplʌg] *n* BRIT (*dated*) Zündkerze *f*

spar·kle ['spɑːkl] **I.** *vi* ❶ (*also fig: glitter*) funkeln, glitzern; *fire* sprühen ❷ (*fig: be witty*) sprühen (**with** vor) **II.** *n no pl* ❶ (*also fig: light*) Funkeln *nt*, Glitzern *nt* ❷ (*fig: liveliness*) **sth lacks** ~ einer S. *dat* fehlt es an Schwung

spar·kler ['spɑːklə^r] *n* ❶ (*firework*) Wunderkerze *f* ❷ (*sl: diamond*) Klunker *m fam*

spar·kling ['spɑːklɪŋ] *adj* ❶ (*shining*) glänzend; *eyes* funkelnd, glitzernd ❷ (*fig, approv: lively*) *person* vor Leben sprühend ❸ (*bubbling*) *drink* mit Kohlensäure nach *n; lemonade* perlend; *wine, champagne* schäumend, moussierend

spar·kly ['spɑːkli] *adj* ❶ (*glittering*) glänzend, funkelnd ❷ (*vivacious*) quicklebendig, sprühend *fig*

'spark plug *n* Zündkerze *f*

'spar·ring match *n* ❶ BOXING [Trainings]boxkampf *m* ❷ (*fig: row*) Wortgefecht *nt* **'spar·ring part·ner** *n* ❶ BOX-ING Sparringspartner(in) *m(f)* ❷ (*fig: arguer*) Kontrahent(in) *m(f)*

spar·row ['spærəʊ] *n* Spatz *m*

spar·row·hawk ['spærəʊhɔːk] *n* ❶ (*in Europe*) Sperber *m* ❷ (*in North America*) Falke *m*

sparse [spɑːs] *adj* ❶ (*scattered, small*) spärlich ❷ (*meagre*) dünn, dürftig

sparse·ly ['spɑːsli] *adv* ❶ (*thinly*) spärlich ❷ (*meagrely*) dürftig

Spar·tan ['spɑːt^ən] **I.** *adj life* spartanisch; *meal* frugal *geh* **II.** *n* Spartaner(in) *m(f)*

spasm ['spæz^əm] *n* ❶ MED (*cramp*)

Krampf *m* ❷ (*surge*) Anfall *m;* **a ~ of coughing/pain** krampfartige Hustenanfälle/Schmerzen *pl*

spas·mod·ic [spæz'mɒdɪk] *adj* ❶ MED krampfartig ❷ (*fig: occasional*) sporadisch ❸ (*fig, pej: erratic*) schwankend

spas·tic ['spæstɪk] **I.** *adj* ❶ MED (*dated*) spastisch *fachspr* ❷ (*fig, pej! sl: stupid*) schwach **II.** *n* ❶ MED (*dated*) Spastiker(in) *m(f)* *fachspr* ❷ (*pej! sl*) Spastiker(in) *m(f)*

spat¹ [spæt] *vt, vi pt, pp of* **spit**

spat² [spæt] **I.** *n* (*fam*) Krach *m* **II.** *vi* <-tt-> [sich] streiten [*o* zanken]

spate [speɪt] *n no pl esp* BRIT (*flood*) **to be in full ~** Hochwasser führen ❷ (*fig: large number*) ■**a ~ of sth** eine Flut [*o* Reihe] von etw *dat*

spa·tial ['speɪʃ°l] *adj* räumlich

spa·tial·ly ['speɪʃ°li] *adv* räumlich

spat·ter ['spætə'] **I.** *vt* bespritzen; **to ~ sb with water** jdn nass spritzen **II.** *vi* *raindrops* prasseln **III.** *n* (*dirt*) Spritzer *m;* (*sound*) Prasseln *nt kein pl*

spatu·la ['spætjələ] *n* ❶ ART, FOOD Spachtel *m o f* ❷ MED (*doctor's instrument*) Spatel *m o f*

spawn [spɔːn] **I.** *vt* ❶ (*lay eggs*) *fish, frog* ablegen ❷ (*fig: produce*) hervorbringen, produzieren ❸ (*pej: offspring*) erzeugen **II.** *vi* ❶ *frog* laichen ❷ (*fig: grow*) entstehen **III.** *n* <*pl* -> ❶ *no pl* (*eggs*) Laich *m* ❷ (*liter or pej: offspring*) Brut *f*

spay [speɪ] *vt animal* sterilisieren

speak <spoke, spoken> [spiːk] **I.** *vi* ❶ (*say words*) sprechen ❷ (*converse*) sich unterhalten; ■**to ~ to** [*or esp* AM **with**] **sb** mit jdm reden; **to ~ on the telephone** telefonieren ❸ (*know language*) sprechen; **she ~ s with an American accent** sie spricht mit amerikanischem Akzent ❹ + *adv* (*view*) **broadly ~ing** im Allgemeinen; **scientifically ~ing** wissenschaftlich gesehen; **strictly ~ing** genau genommen **II.** *vt* ❶ (*say*) sagen; **to not ~ a word** kein Wort herausbringen ❷ (*language*) sprechen; **to ~ English fluently** fließend Englisch sprechen ❸ (*represent*) **to ~ one's mind** sagen, was man denkt; **to ~ the truth** die Wahrheit sagen ◆**speak against** *vi* ■**to ~ against sth** sich gegen etw *akk* aussprechen ◆**speak for** *vt* ❶ (*support*) ■**to ~ for sb/sth** jdn/etw unterstützen ❷ (*represent*) ■**to ~ for sb** in jds Namen sprechen; ■**to ~ for oneself** für sich selbst sprechen ❸ (*allocated*) ■**to be spoken for** [bereits] vergeben sein ▸**~ for yourself!** (*hum, pej fam*) du vielleicht! ◆**speak out** *vi* seine Meinung deutlich vertreten; ■**to ~ out against sth** sich gegen etw *akk* aussprechen; ■**to ~ out on sth** sich über etw *akk* äußern ◆**speak up** *vi* ❶ (*raise voice*) lauter sprechen ❷ (*support*) seine Meinung sagen; **to ~ up for sb/sth** für jdn/etw eintreten

speak·er ['spiːkə'] *n* ❶ (*orator*) Redner(in) *m(f)* ❷ *of language* Sprecher(in) *m(f);* **native ~** Muttersprachler(in) *m(f)* ❸ (*chair*) ■**S~** Sprecher(in) *m(f)* ❹ (*loudspeaker*) Lautsprecher *m*

speak·ing ['spiːkɪŋ] **I.** *n no pl* (*act*) Sprechen *nt;* (*hold a speech*) Reden *nt* **II.** *adj attr* (*able to speak*) sprechend ▸**to be on ~ terms** (*acquainted*) miteinander bekannt sein; **they are no longer on ~ with each other** sie reden nicht mehr miteinander

speak·ing 'clock *n* ❶ (*device*) sprechende Uhr ❷ BRIT (*service*) telefonische Zeitansage **'speak·ing part** *n* Sprechrolle *f*

spear [spɪə'] **I.** *n* ❶ (*weapon*) Speer *m,* Lanze *f* ❷ BOT (*leaf*) Halm *m;* (*shoot*) Stange *f* **II.** *vt* aufspießen, durchbohren

'spear·head I. *n* ❶ (*point of spear*) Speerspitze *f* ❷ (*fig: leading group or thing*) Spitze *f* **II.** *vt* (*also fig*) anführen **'spearmint** *n no pl* grüne Minze

spe·cial ['speʃ°l] **I.** *adj* ❶ (*more*) besondere(r, s); **to be in need of ~ attention** ganz besondere Aufmerksamkeit verlangen; **to pay ~ attention to sth** bei etw *dat* ganz genau aufpassen ❷ (*unusual*) besondere(r, s); *circumstances* außergewöhnlich; **~ case** Ausnahme *f;* **on ~ occasions** zu besonderen Gelegenheiten ❸ (*dearest*) beste(r, s); ■**to be ~ to sb** jdm sehr viel bedeuten ❹ *attr* (*for particular purpose*) speziell; (*for particular use*) *tyres, equipment* Spezial- ❺ (*extra*) gesondert; **~ rates** besondere Tarife ❻ *attr* SCH Sonder-; **~ education** (*fam*) Sonder[schul]erziehung *f* **II.** *n* ❶ *esp* AM, AUS (*meal*) Tagesgericht *nt* ❷ *pl esp* AM (*bargains*) ■**~ s** Sonderangebote *pl*

'Spe·cial Branch *n no pl usu* BRIT ■**the ~** der Sicherheitsdienst **spe·cial de·'liv·ery** *n* ❶ *no pl* (*service*) Eilzustellung *f* ❷ (*letter*) Eilbrief *m* **spe·cial e'di·tion** *n* Sonderausgabe *f* **spe·cial ef·'fect** *n usu pl* Spezialeffekt *m,* Special Effect *m fachspr*

spe·cial·ism ['speʃ°lɪz°m] *n* ❶ *no pl* (*studies*) Spezialisierung *f* ❷ (*speciality*) Spezialgebiet *nt*

spe·cial·ist ['speʃ°lɪst] **I.** *n* ❶ (*expert*) Fachmann, -frau *m, f,* Spezialist(in) *m(f)* (**in** für, **on** an) ❷ (*doctor*) Spezialist(in) *m(f)*, Facharzt, -ärztin *m, f* **II.** *adj attr* bookshop, knowledge Fach-

spe·ci·al·ity [ˌspeʃiˈæləti] *n esp* Brit ❶ *(product, quality)* Spezialität *f* ❷ *(feature)* besonderes Merkmal; *(iron or pej)* Spezialität *f iron* ❸ *(skill)* Fachgebiet *nt*

spe·ciali·za·tion [ˌspeʃəlaɪˈzeɪʃ^ən] *n* ❶ *no pl (studies)* Spezialisierung *f* **(in** auf) ❷ *(skill)* Spezialgebiet *nt*

spe·cial·ize [ˈspeʃ^əlaɪz] *vi* sich spezialisieren **(in** auf)

spe·cial·ized [ˈspeʃ^əlaɪzd] *adj* ❶ *(skilled)* spezialisiert; ~ **knowledge** Fachwissen *f*; ~ **skills** fachliche Fähigkeiten ❷ *(particular)* spezial; ~ **magazine** Fachzeitschrift *f*

spe·cial·ly [ˈspeʃ^əli] *adv* ❶ *(specifically)* speziell, extra; ~ **designed/made** speziell angefertigt/hergestellt ❷ *(particularly)* besonders, insbesondere ❸ *(very)* besonders

spe·cial ˈof·fer *n* Sonderangebot *nt;* ▪**on** ~ im Sonderangebot **spe·cial ˈplead·ing** *n no pl* ❶ Law Beibringung *f* neuen Beweismaterials ❷ *(unfair argument)* Berufung *f* auf einen Sonderfall

spe·cial·ty *n* Am, Aus *see* **speciality**

spe·cies <*pl* -> [ˈspiːʃiːz] *n* Biol Art *f*, Spezies *f fachspr*

spe·cif·ic [spəˈsɪfɪk] *adj* ❶ *(exact)* genau; **could you be a bit more ~?** könntest du dich etwas klarer ausdrücken? ❷ *attr (particular)* bestimmte(r, s), speziell; ~ **details** besondere Einzelheiten ❸ *(characteristic)* spezifisch, typisch

spe·cifi·cal·ly [spəˈsɪfɪkli] *adv* ❶ *(particularly)* speziell, extra ❷ *(clearly)* ausdrücklich

speci·fi·ca·tion [ˌspesɪfɪˈkeɪʃ^ən] *n* ❶ *(specifying)* Angabe *f* ❷ *(plan)* detaillierter Entwurf; *(for building)* Bauplan *m* ❸ *no pl (description)* genaue Angabe; *(for patent)* Patentschrift *f*; *(for machines)* Konstruktionsplan *m* ❹ *no pl (function)* detaillierter Entwurf

speci·fy <-ie-> [ˈspesɪfaɪ] *vt* angeben; *(list in detail)* spezifizieren; *(list expressly)* ausdrücklich angeben

speci·men [ˈspesəmɪn] *n* ❶ *(example)* Exemplar *nt;* ~ **of earth** Bodenprobe *f* ❷ Med Probe *f* ❸ *(usu pej fam: person)* Exemplar *nt*

spe·cious [ˈspiːʃəs] *adj (pej form) allegation, argument:* fadenscheinig

speck [spek] *n* ❶ *(spot)* Fleck *m; of blood, mud* Spritzer *m*, Sprenkel *m* ❷ *(stain)* Fleck *m* ❸ *(particle)* Körnchen *nt; (fig)* **not a ~ of truth** kein Fünkchen Wahrheit

speck·le [ˈspekl] *n* Tupfen *m*, Sprenkel *m*

speck·led [ˈspekld] *adj* gesprenkelt

specs¹ [speks] *npl (fam) short for* **specifications** technische Daten

specs² [speks] *npl esp* Brit *(fam) short for* **spectacles** Brille *f*

spec·ta·cle [ˈspektəkl] *n* ❶ *(display)* Spektakel *nt* ❷ *(event)* Schauspiel *nt geh,* Spektakel *nt pej; (sight)* Anblick *m*

ˈspec·ta·cle case *n* Brit Brillenetui *nt*

spec·ta·cled [ˈspektəkld] *adj esp* Brit bebrillt

spec·ta·cles [ˈspektəklz] *npl* Brit Brille *f*

spec·tacu·lar [spekˈtækjələ^r] *adj* ❶ *(wonderful) dancer, scenery* atemberaubend, großartig ❷ *(striking) increase, failure, success* spektakulär, sensationell

spec·ta·tor [spekˈteɪtə^r] *n* Zuschauer(in) *m(f)* **(at** bei)

spec·ter *n* Am *see* **spectre**

spec·tral [ˈspektr^əl] *adj (ghostly)* geisterhaft, gespenstisch

spec·tre [ˈspektə^r] *n* ❶ *(liter or old: ghost)* Gespenst *nt* ❷ *(fig liter: threat)* [Schreck]gespenst *nt*

spec·tro·scope [ˈspektrəskəʊp] *n* Phys Spektroskop *nt*

spec·trum <*pl* -tra *or* -s> [ˈspektrəm, *pl* -trə] *pl n* ❶ Phys *(band of colours)* Spektrum *nt* ❷ *(frequency band)* Palette *f*, Skala *f* ❸ *(fig: range)* Spektrum *nt*

specu·late [ˈspekjəleɪt] *vi* spekulieren

specu·la·tion [ˌspekjəˈleɪʃ^ən] *n* ❶ *(guess)* Spekulation *f*, Vermutung *f* **(about** über) ❷ *(trade)* Spekulation *f*

specu·la·tive [ˈspekjələtɪv] *adj* ❶ *(conjectural)* spekulativ *geh;* Philos hypothetisch *geh* ❷ *(risky)* spekulativ

specu·la·tor [ˈspekjəleɪtə^r] *n* Spekulant(in) *m(f)*

specu·lum <*pl* -ula> [ˈspekjələm, *pl* -jələ] *n* ❶ Med *(instrument)* Spekulum *nt* ❷ *(mirror)* [Metall]spiegel *m*

sped [sped] *pt, pp of* **speed**

speech <*pl* -es> [spiːtʃ] *n* ❶ *no pl (faculty of speaking)* Sprache *f*; *(act of speaking)* Sprechen *nt;* **in everyday** ~ in der Alltagssprache ❷ *no pl (spoken style)* Sprache *f*, Redestil *m* ❸ *(oration)* Rede *f*; *(shorter)* Ansprache *f* **(about/on** über); **acceptance** ~ Aufnahmerede *f;* **freedom of** ~ Pol Redefreiheit *f* ❹ *of actor* Rede *f*; *(longer)* Monolog *m* ❺ *no pl* Ling **direct/indirect** ~ direkte/indirekte Rede

ˈspeech act *n* Ling Sprechakt *m* **ˈspeech day** *n* Brit Schulfeier *f* **ˈspeech de·fect** *n* Sprachfehler *m*

speechi·fy <-ie-> [ˈspiːtʃɪfaɪ] *vi (pej or hum)* salbadern *pej fam;* **please talk normally, don't** ~**!** bitte sprich normal und halte keine langen Reden!

'**speech im·pedi·ment** n Sprachfehler m

speech·less ['spiːtʃləs] adj ❶ (shocked) sprachlos ❷ (mute) stumm

'**speech rec·og·ni·tion** n no pl COMPUT Spracherkennung f '**speech thera·pist** n Sprachtherapeut(in) m(f), Logopäde, Logopädin m, f '**speech thera·py** n Sprachtherapie f, Logopädie f '**speech writ·er** n Redenschreiber(in) m(f)

speed [spiːd] I. n ❶ (velocity) Geschwindigkeit f, Tempo nt; ~ **of light/sound** Licht-/Schallgeschwindigkeit f; **maximum** ~ Höchstgeschwindigkeit f; **to gain** ~ an Geschwindigkeit gewinnen; vehicle beschleunigen; person schneller werden; **to lower one's** ~ seine Geschwindigkeit verringern; vehicle langsamer fahren; person langsamer werden ❷ no pl (high velocity) hohe Geschwindigkeit; **at** ~ esp BRIT bei voller Geschwindigkeit; **at lightning** ~ schnell wie der Blitz ❸ no pl (quickness) Schnelligkeit f ❹ TECH (operating mode) Drehzahl f; **full – ahead/astern!** NAUT volle Kraft voraus/achteraus! ❺ (gear) Gang m ❻ no pl (sl: drug) Speed nt ▸ **to bring sb/sth up to** ~ esp BRIT (update) jdn/etw auf den neuesten Stand bringen; (repair) etw wieder zum Laufen bringen II. vi <sped, sped> ❶ (rush) sausen, flitzen; ■**to** ~ **along** vorbeisausen ❷ (drive too fast) rasen III. vt <-ed or sped, -ed or sped> ❶ (quicken) beschleunigen ❷ (transport) ■**to** ~ **sb somewhere** jdn schnell irgendwohin bringen ◆ **speed up** I. vt beschleunigen; ■**to** ~ **up** ↻ **sb** jdn antreiben II. vi ❶ (accelerate) beschleunigen, schneller werden; person sich beeilen ❷ (improve) sich verbessern, eine Steigerung erzielen

'**speed·boat** n Rennboot nt '**speed bump** n Bodenschwelle f '**speed cop** n (fam) Verkehrsbulle m pej sl '**speed dat·ing** n no pl, no art organisierte Partnersuche, wobei man mit jedem Kandidaten nur wenige Minuten spricht

speedi·ness ['spiːdɪnəs] n no pl Schnelligkeit f; ~ **of delivery** Lieferungsgeschwindigkeit f

speed·ing ['spiːdɪŋ] n no pl Geschwindigkeitsüberschreitung f, Rasen nt

'**speed lim·it** n Geschwindigkeitsbegrenzung f, Tempolimit nt

speed·om·eter [spiː'dɒmɪtəʳ] n Tachometer m o nt, Geschwindigkeitsmesser m '**speed skat·er** n Eisschnellläufer(in) m(f) '**speed skat·ing** n no pl Eisschnelllauf m '**speed trap** n Radarfalle f '**speed·**

'**speed·**
way n ❶ no pl (sport) Speedwayrennen nt ❷ (racetrack) Speedwaybahn f ❸ AM (highway) Schnellstraße f

speedy ['spiːdi] adj schnell; decision, solution, recovery also rasch; delivery, service prompt

spe·leolo·gist [ˌspiːli'ɒlədʒɪst] n Höhlenforscher(in) m(f)

spe·leol·ogy [ˌspiːli'ɒlədʒi] n no pl Höhlenkunde f

spell[1] [spel] n (state) Zauber m, Bann m geh; (words) Zauberspruch m; **to be under a** ~ unter einem Bann stehen; **to cast a** ~ **on sb** jdn verzaubern; **to be under sb's** ~ (fig) von jdm verzaubert sein, in jds Bann stehen

spell[2] [spel] n ❶ (period of time) Weile f; **to go through a bad** ~ eine schwierige Zeit durchmachen ❷ (period of weather) ~ **of sunny weather** Schönwetterperiode f; **cold/hot** ~ Kälte-/Hitzewelle f

spell[3] <spelled or BRIT also spelt, spelled or BRIT also spelt> [spel] I. vt ❶ (using letters) buchstabieren ❷ (signify) bedeuten II. vi (in writing) [richtig] schreiben; (aloud) buchstabieren; **to** ~ **incorrectly** Rechtschreibfehler machen ◆ **spell out** vt ❶ (using letters) buchstabieren ❷ (explain) klarmachen

spell·bind·ing ['spelbaɪndɪŋ] adj film, performance, speech fesselnd

spell·bound ['spelbaʊnd] adj gebannt, fasziniert; **to be** ~ **by sth** von etw dat wie verzaubert sein; **to hold sb** ~ jdn fesseln

'**spell-check·er** n COMPUT Rechtschreibhilfe f

spell·er ['speləʳ] n ❶ (person) **to be a good/weak** ~ gut/schlecht in Orthographie sein ❷ AM (spelling book) Rechtschreib[e]buch nt

spell·ing ['spelɪŋ] I. n ❶ no pl (orthography) Rechtschreibung f, Orthographie f ❷ (activity) Buchstabieren nt kein pl II. adj attr Rechtschreib-

spelt [spelt] pp, pt of **spell**

spend [spend] I. vt <spent, spent> ❶ (pay out) **to** ~ **money** Geld ausgeben (on für) ❷ (pass time) **to** ~ **time** Zeit verbringen; **my sister always** ~**s ages in the bathroom** meine Schwester braucht immer eine Ewigkeit im Bad; **to** ~ **time doing sth** Zeit damit verbringen, etw zu tun ❸ (dedicate to) **to** ~ **one's energy/one's money on sth** seine Energie/sein Geld in etw investieren II. vi <spent, spent> Geld ausgeben III. n BRIT Ausgabe f

spend·ing ['spendɪŋ] n no pl Ausgaben pl (on für)

'**spend·ing cuts** *npl* FIN Kürzungen *pl* '**spend·ing mon·ey** *n no pl* (*as allowance*) Taschengeld *nt*; (*for special circumstances*) frei verfügbares Geld '**spend·ing pow·er** *n no pl* ECON Kaufkraft *f* '**spending spree** *n* Großeinkauf *m*

spend·thrift ['spen(d)θrɪft] (*pej*) **I.** *adj* (*fam*) verschwenderisch **II.** *n* (*fam*) Verschwender(in) *m(f)*

spent [spent] **I.** *pp, pt of* **spend II.** *adj* ❶ (*used up*) *match, cartridge* verbraucht; *creativity* verbraucht, versiegt ❷ (*tired*) *person* ausgelaugt; **to feel ~** sich erschöpft fühlen ❸ (*without inspiration*) ■**to be ~** *poet, artist, musician* keine Ideen mehr haben

sperm <*pl - or* -s> [spɜːm] *n* ❶ (*male reproductive cell*) Samenzelle *f* ❷ (*fam: semen*) Sperma *nt*
'**sperm count** *n* Spermienzählung *f*
'**sperm do·nor** *n* Samenspender *m*
sper·mi·cide [ˌspɜːmɪˈsaɪd] *n* Spermizid *nt*
'**sperm whale** *n* Pottwal *m*

spew [spjuː] **I.** *vt* ❶ (*emit*) ausspeien; *lava* auswerfen, spucken *fam*; *exhaust* ausstoßen ❷ (*vomit*) erbrechen; *blood* spucken **II.** *vi* ❶ (*flow out*) *exhaust, lava, gas* austreten; *ash, dust* herausgeschleudert werden; *flames* hervorschlagen; *water* hervorsprudeln ❷ (*vomit*) erbrechen

sphere [sfɪəʳ] *n* ❶ (*round object*) Kugel *f*; (*representing earth*) Erdkugel *f*; (*celestial body*) Himmelskörper *m* ❷ (*area*) Bereich *m*, Gebiet *nt*; **social ~** soziales Umfeld

spheri·cal ['sferɪkəl] *adj* kugelförmig

sphinx <*pl - or* -es> [sfɪŋks] *n* Sphinx *f*

spice [spaɪs] **I.** *n* ❶ (*aromatic*) Gewürz *nt* ❷ *no pl* (*fig: excitement*) Pep *m* **II.** *vt* ❶ (*flavour*) würzen (**with** mit) ❷ (*fig: add excitement to*) aufpeppen *fam*

spici·ness ['spaɪsɪnəs] *n no pl* ❶ (*spicy quality*) Würzigkeit *f*; (*hotness*) Schärfe *f* ❷ (*fig: sensationalism*) Pikanterie *f*

spick and 'span *adj* (*fam*) *house, kitchen* blitzsauber

spicy ['spaɪsi] *adj* ❶ *food* würzig; (*hot*) scharf ❷ (*fig: sensational*) *tale, story* pikant

spi·der ['spaɪdəʳ] *n* Spinne *f*
'**spi·der's web**, '**spi·der·web** *n* Spinnennetz *nt*

spi·dery ['spaɪdᵊri] *adj* (*like a spider*) *writing* krakelig; *drawing, design* fein, spinnwebartig; *arms, legs* spinnenhaft

spiel [ʃpiːl] *n* (*pej fam*) Leier *f*; **marketing/sales ~** Marketing-/Verkaufsmasche *f*

spig·ot ['spɪɡət] *n* ❶ (*stopper*) Zapfen *m* ❷ AM (*faucet*) Wasserhahn *m*

spike [spaɪk] **I.** *n* ❶ (*nail*) Nagel *m; of a rail* Spitze *f; of a plant, animal* Stachel *m* ❷ (*on shoes*) Spike *m* ❸ (*running shoes*) ■**~s** *pl* Spikes *pl* ❹ AM (*stiletto heels*) ■**~s** *pl* Pfennigabsätze *pl*, Bleistiftabsätze *pl* ÖSTERR **II.** *vt* ❶ (*with pointy object*) aufspießen ❷ JOURN (*fam: reject*) *article, story* ablehnen; (*stop*) *plan, project* einstellen ❸ (*fam: secretly add alcohol*) **to ~ sb's drink** einen Schuss Alkohol in jds Getränk geben

spiky ['spaɪki] *adj* ❶ (*with spikes*) *railing, wall, fence* mit Metallspitzen *nach n; branch, plant* dornig; *animal, bush* stachelig ❷ (*pointy*) *grass, leaf* spitz; *handwriting* steil; **~ hair** Igelfrisur *f* ❸ (*fig: irritable*) *person* kratzbürstig *fam*

spill [spɪl] **I.** *n* (*spilled liquid*) Verschüttete(s) *nt*; (*pool*) Lache *f*; (*stain*) Fleck *m*; **oil ~** Ölteppich *m* **II.** *vt* <spilt *or* AM, AUS *usu* spilled, spilt *or* AM, AUS *usu* spilled> ❶ (*tip over*) verschütten ❷ (*scatter*) verstreuen ❸ (*fam: reveal*) ausplaudern ▸ **to ~ the beans** (*esp hum fam*) auspacken **III.** *vi* ❶ (*flow out*) *liquid* überlaufen; *flour, sugar* verschüttet werden ❷ (*fig: spread*) *crowd* strömen; *conflict, violence* sich ausbreiten ❸ (*fam: reveal secret*) auspacken ◆ **spill over** *vi* ❶ (*overflow*) überlaufen ❷ (*spread to*) ■**to ~ over into sth** *conflict, violence* sich auf etw *akk* ausdehnen

spill·age ['spɪlɪdʒ] *n* ❶ *no pl* (*action*) Verschütten *nt; of a liquid* Vergießen *nt*; **chemical ~** Austreten *nt* von Chemikalien ❷ (*amount spilled*) verschüttete Menge

spilt [spɪlt] **I.** *pp, pt of* **spill II.** *adj* ▸ **don't cry over ~ milk** (*saying*) was passiert ist, ist passiert

spin [spɪn] **I.** *n* ❶ (*rotation*) Drehung *f*; **to send a car into a ~** ein Auto zum Schleudern bringen ❷ (*in washing machine*) Schleudern *nt kein pl* ❸ (*sharp decrease*) Absturz *m;* **to go into a ~** abstürzen ❹ *no pl* (*fam: positive slant*) **to put a ~ on sth** etw ins rechte Licht rücken ❺ (*drive*) Spritztour *f fam* ❻ *no pl* (*fam: nonsense*) Erfindung *f* **II.** *vi* <-nn-, spun *or* BRIT *also* span, spun> ❶ (*rotate*) *earth, wheel* rotieren; *washing machine* schleudern; **to ~ out of control** außer Kontrolle geraten ❷ (*fig: be dizzy*) **my head is ~ning** mir dreht sich alles *fam* ❸ (*fam: drive*) ■**to ~ along** dahinsausen ❹ (*make thread*) spinnen **III.** *vt* <-nn-, spun *or* BRIT *also* span, spun> ❶ (*rotate*) drehen; *clothes* schleudern; *coin* werfen; *records* spielen ❷ (*give positive slant*) ins rechte Licht rücken ❸ (*make thread of*) spinnen ◆ **spin out I.** *vi* AM **to ~ out of control** *car* außer Kontrolle geraten **II.** *vt* (*prolong*) ■**to ~ out** ⟳ **sth** etw ausdehnen

spi·na bi·fi·da [ˌspaɪnəˈbɪfɪdə] *n no pl* MED Spina bifida *f*

spin·ach [ˈspɪnɪtʃ] *n no pl* Spinat *m*

spi·nal [ˈspaɪnəl] **I.** *adj muscle, vertebra* Rücken-; *injury* Rückgrat-, spinale(r, s) *fachspr*; *nerve, anaesthesia* Rückenmark[s]- **II.** *n* AM Spinalnarkose *f*

'**spi·nal col·umn** *n* Wirbelsäule *f* '**spi·nal cord** *n* Rückenmark *nt*

spin·dle [ˈspɪndl] *n* Spindel *f*

spin·dly [ˈspɪndli] *adj legs, stem* spindeldürr

'**spin doc·tor I.** *n* ≈ Pressesprecher(in) *m(f)*; POL *also* Spin-Doctor *m* **II.** *vt* (*fam*) ■**to ~ sth** das Image einer S. *gen* aufpolieren *fig* **spin-'dry** *vt clothes* schleudern **spin-'dry·er** *n* Wäscheschleuder *f*

spine [spaɪn] *n* ❶ (*spinal column*) Wirbelsäule *f*; **to send tingles up sb's ~** jdm wohlige Schauer über den Rücken jagen ❷ (*spike*) *of a plant, fish, hedgehog* Stachel *m* ❸ *of a book* [Buch]rücken *m* ❹ *no pl* (*fig: strength of character*) Rückgrat *nt*

spine-chil·ling [-ˌtʃɪlɪŋ] *adj film, tale* gruselig, Schauer- **spine·less** [ˈspaɪnləs] *adj* ❶ (*without backbone*) wirbellos; (*without spines*) *plant, fish* ohne Stacheln *nach n* ❷ (*fig, pej: weak*) *person* rückgratlos; **to be a ~ jellyfish** AM (*esp hum*) ein Mensch ohne Rückgrat sein

spin·ner [ˈspɪnəʳ] *n* ❶ (*for thread*) Spinner(in) *m(f)* ❷ (*spin-dryer*) Wäscheschleuder *f* ❸ (*in cricket*) Werfer, der den Bällen einen Drall gibt ❹ (*fish bait*) Spinnköder *m*

spin·ney [ˈspɪni] *n* BRIT Dickicht *nt*

spin·ning [ˈspɪnɪŋ] *n no pl* Spinnen *nt*; SPORTS Spinning *nt*

'**spin·ning top** *n* Kreisel *m* '**spin·ning wheel** *n* Spinnrad *nt*

'**spin-off I.** *n* ❶ (*by-product*) Nebenprodukt *nt* ❷ MEDIA, PUBL (*derived show*) Ableger *m*, Nebenprodukt *nt* ❸ ECON Firmenableger *m* **II.** *adj attr* ~ **effect** Folgewirkung *f*

spin·ster [ˈspɪn(t)stəʳ] *n* (*usu pej*) alte Jungfer *veraltet*

spiny [ˈspaɪni] *adj* ❶ BIOL stach[e]lig, Stachel-; *plant also* dornig ❷ (*fig: difficult*) heikel

spiny 'lob·ster *n* Gemeine Languste

spi·ral [ˈspaɪərəl] **I.** *n* Spirale *f* **II.** *adj attr* spiralförmig **III.** *vi* <BRIT -ll- *or* AM *usu* -l-> ❶ (*move up*) sich hochwinden; *smoke, hawk* spiralförmig aufsteigen; (*move down*) *smoke, hawk* spiralförmig absteigen ❷ (*fig: increase*) ansteigen

spire [spaɪəʳ] *n* Turmspitze *f*

spir·it [ˈspɪrɪt] *n* ❶ (*sb's soul*) Geist *m* ❷ (*ghost*) Geist *m*, Gespenst *nt* ❸ (*the Holy Spirit*) ■**the S~** der Heilige Geist ❹ *no pl* (*mood*) Stimmung *f*; **team ~** Teamgeist *m* ❺ (*mood*) **to lift sb's ~s** jds Stimmung heben ❻ (*person*) Seele *f* ❼ *no pl* (*character*) Seele *f*; **to have a broken ~** seelisch gebrochen sein; **to be young in ~** geistig jung geblieben sein ❽ *no pl* (*vitality*) Temperament *nt*; *of a horse* Feuer *nt*; **with ~** voller Enthusiasmus; *horse* feurig ❾ (*whisky, rum, etc.*) ■**~s** *pl* Spirituosen *pl* ❿ (*alcoholic solution*) Spiritus *m*

spir·it·ed [ˈspɪrɪtɪd] *adj* (*approv*) temperamentvoll; *discussion* lebhaft; *horse* feurig; *person* beherzt; *reply* mutig

spir·it·less [ˈspɪrɪtləs] *adj* (*pej*) schwunglos; *person, performance, book* saft- und kraftlos; *answer, defence, reply* lustlos

'**spir·it lev·el** *n* Wasserwaage *f*

spir·itu·al [ˈspɪrɪtʃuəl] **I.** *adj* ❶ (*relating to the spirit*) geistig, spirituell ❷ REL *leader* religiös **II.** *n* MUS Spiritual *nt*

spir·itu·al·ism [ˈspɪrɪtʃuəlɪzəm] *n no pl* ❶ (*communication with dead*) Spiritismus *m* ❷ PHILOS Spiritualismus *m*

spir·itu·al·is·tic [ˈspɪrɪtʃuəlɪstɪk] *adj* ❶ (*supernatural*) spiritistisch ❷ PHILOS spiritualistisch

spir·itu·al·ly [ˈspɪrɪtʃuəli] *adv* geistig

spit¹ [spɪt] *n* ❶ (*rod for roasting*) Bratspieß *m* ❷ (*beach*) Sandbank *f*

spit² [spɪt] **I.** *n* (*fam*) Spucke *f* **II.** *vi* <-tt-, spat *or* spit, spat *or* spit> ❶ (*expel saliva*) spucken; ■**to ~ at sb** jdn anspucken ❷ (*fig: be angry*) ■**to ~ with anger/frustration/fury** vor Ärger/Enttäuschung/ Wut schäumen ❸ *impers* (*fam: raining*) **it is ~ting [with rain]** es tröpfelt ❹ (*crackle*) *bacon, fat* brutzeln; *fire* zischen; (*hiss*) *cat* fauchen **III.** *vt* <-tt-, spat *or* spit, spat *or* spit> (*out of mouth*) ausspucken ◆**spit out** *vt* ❶ (*from mouth*) ausspucken ❷ (*fig: say angrily*) fauchen, pfauchen ÖSTERR, SÜDD; **come on, ~ it out!** (*fam*) jetzt spuck's schon aus!

spite [spaɪt] **I.** *n no pl* ❶ (*desire to hurt*) Bosheit *f* ❷ (*despite*) ■**in ~ of sth** trotz einer S. *gen* **II.** *vt* ärgern

spite·ful [ˈspaɪtfəl] *adj* gehässig

spite·ful·ly [ˈspaɪtfəli] *adv* gehässig

spit·ting 'im·age *n* Ebenbild *nt*

spit·tle [ˈspɪtl] *n no pl* Spucke *f fam*

spit·toon [spɪˈtuːn] *n* Spucknapf *m*

splash [splæʃ] **I.** *n* <*pl* -es> ❶ (*sound*) Platschen *nt kein pl* ❷ (*water*) Spritzer *m* ❸ (*small amount*) *of sauce, dressing, gravy*

Klecks *m fam; of water, lemonade, juice* Spritzer *m* **II.** *vt* ❶ (*scatter liquid*) verspritzen; ~ **a little paint on that wall** klatsch etwas Farbe auf die Wand *fam* ❷ (*spray*) bespritzen ❸ (*fig: print prominently*) **her picture was ~ed all over the newspapers** ihr Bild erschien groß in allen Zeitungen **III.** *vi* ❶ (*hit ground*) *rain, waves* klatschen; ❷ (*play in water*) ■**to ~** [**about**] [herum]planschen ❸ (*spill*) spritzen ◆**splash down** *vi* AEROSP wassern ◆**splash out** *vi* BRIT, AUS (*fam*) ■**to ~ out on sth** Geld für etw *akk* hinauswerfen

'**splash·board** *n* ❶ (*on vehicle, in kitchen*) Spritzschutz *m* ❷ (*on boat*) Wellenbrecher *m* '**splash·down** *n* AEROSP Wasserung *f*

splat [splæt] (*fam*) **I.** *n no pl* Klatschen *nt,* Platschen *nt* **II.** *adv* klatsch, platsch **III.** *vt* <-tt-> *bug, fly* totklatschen *fam*

splat·ter ['splætə⸓] **I.** *vt* bespritzen; **her photograph was ~ed across the front pages of newspapers** (*fig*) ihr Bild prangte groß auf allen Titelseiten **II.** *vi* spritzen

splay [spleɪ] **I.** *vt one's fingers, legs* spreizen **II.** *vi* ■**to ~ out** *legs, fingers* weggestreckt sein; *river, pipe* sich weiten **III.** *n* (*in road*) Abschrägung *f,* Neigung *f;* (*in window opening*) Ausschrägung *f*

spleen [spliːn] *n* ❶ ANAT Milz *f* ❷ *no pl esp* BRIT, AUS (*fig: anger*) Wut *f;* **to vent one's ~ on sb** seine Wut an jdm auslassen

splen·did ['splendɪd] *adj* großartig *a. iron*

splen·did·ly ['splendɪdli] *adv* großartig; (*magnificently*) herrlich; **the dinner went off ~** das Abendessen ging großartig über die Bühne

splen·dif·er·ous [splen'dɪfⁿrəs] *adj* (*hum fam*) prächtig

splen·dour ['splendə⸓] *n,* AM **splen·dor** *n* ❶ *no pl* (*beauty*) Pracht *f* ❷ (*beautiful things*) ■**~s** *pl* Herrlichkeiten *pl*

splice [splaɪs] **I.** *vt* ❶ (*unite*) DNA, wires verbinden; *rope* spleißen; ■**to ~ sth** ↻ **together** etw zusammenfügen ❷ (*fig fam*) **to get ~d** heiraten **II.** *n* Verbindung *f; of ropes* Spleiß *m*

splint [splɪnt] *n* ❶ MED Schiene *f* ❷ (*for lighting fire*) Splintkohle *f* ❸ (*for basket weaving*) Span *m*

splin·ter ['splɪntə⸓] **I.** *n* Splitter *m;* ~ [**of wood**] Holzsplitter *m,* Schiefer *m* ÖSTERR **II.** *vi* splittern; **the conservatives have ~ed into several smaller political parties** (*fig*) die Konservativen sind in mehrere kleinere Parteien zersplittert

'**splin·ter group**, '**splin·ter par·ty** *n* POL Splittergruppe *f*

split [splɪt] **I.** *n* ❶ (*crack*) Riss *m* (**in** in); (*in wall, cement, wood*) Spalt *m* ❷ (*division in opinion*) Kluft *f;* POL Spaltung *f* ❸ (*marital separation*) Trennung *f* ❹ (*share*) Anteil *m;* **a two/three/four-way ~** eine Aufteilung in zwei/drei/vier Teile ❺ (*with legs*) **to do the ~s** [einen] Spagat machen **II.** *vt* <-tt-, split, split> ❶ (*divide*) teilen; **to ~ sth in half** etw halbieren; **to ~ sth down the middle** etw in der Mitte [durch]teilen ❷ (*fig: create division*) *group, party* spalten; ■**to be ~ over sth** in etw *dat* gespalten sein ❸ (*rip, crack*) *seam* aufplatzen lassen; **to ~ one's head open** sich *dat* den Kopf aufschlagen **III.** *vi* <-tt-, split, split> ❶ (*divide*) *wood, stone* [entzwei]brechen; *seam, cloth* aufplatzen; *hair* splissen; **to ~ into groups** sich aufteilen; **to ~ open** aufplatzen, aufbrechen ❷ (*become splinter group*) ■**to ~ from sth** sich von etw *dat* abspalten ❸ (*end relationship*) sich trennen ◆**split off I.** *vt* (*break off*) abbrechen; (*with axe*) abschlagen; (*separate*) abtrennen **II.** *vi* ❶ (*become detached*) *rock, brick* sich lösen ❷ (*leave*) ■**to ~ off from sth** *party, group, faction* sich von etw *dat* abspalten ◆**split up I.** *vt* ❶ (*share*) *money, work* aufteilen ❷ (*separate*) *a group, team* teilen **II.** *vi* ❶ (*divide up*) sich teilen; **to ~ up into groups** sich in Gruppen aufteilen ❷ (*end relationship*) sich trennen; ■**to ~ up with sb** sich von jdm trennen

split in·'fini·tive *n* LING gespalteter Infinitiv '**split-lev·el I.** *adj* mit Zwischenschossen *nach n* **II.** *n* Haus *nt* mit Zwischengeschossen **split 'pea** *n* Schälerbse *f* **split per·son·'al·ity** *n* gespaltene Persönlichkeit **split 'screen** *n* geteilter Bildschirm

split·ting ['splɪtɪŋ] *n no pl* FIN Splitting *nt* **split·ting 'head·ache** *n* (*fam*) rasende Kopfschmerzen *pl* '**split-up** *n* Trennung *f*

splodge [splɒdʒ] **I.** *n esp* BRIT (*fam*) *of paint, colour* Klecks *m; of ketchup, blood, grease, mud* Fleck *m* **II.** *vt esp* BRIT (*fam*) bespritzen

splotch [splɒtʃ] *esp* AM, AUS **I.** *n* (*fam*) ❶ (*mark*) *of paint, colour* Klecks *m; of ketchup, blood* Fleck *m;* (*daub*) *of whipped cream* Klacks *m,* Klecks *m* ❷ (*rash*) Fleck *m* **II.** *vt* (*fam*) bespritzen

splurge [splɜːdʒ] (*fam*) **I.** *vt* **to ~ money/ one's savings/\$100 on sth** Geld/sein Gespartes/\$100 für etw *akk* verprassen

S

II. *vi* prassen *fam;* ■to ~ **on** sth viel Geld für etw *akk* ausgeben **III.** *n* Prasserei *f fam;* **to go on a ~** groß einkaufen gehen

splut·ter ['splʌtər] **I.** *vi* ❶ (*make noises*) stottern ❷ (*spit*) spucken ❸ (*backfire*) car, lorry stottern; (*make crackling noise*) fire zischen **II.** *vt* ❶ (*say*) **to ~ an excuse** eine Entschuldigung hervorstoßen; **"well I never!" she ~ed** „na so was!" platzte sie los ❷ (*spit out*) water ausspucken **III.** *n* of a person Prusten *nt kein pl;* of a car Stottern *nt kein pl;* of fire Zischen *nt kein pl*

spoil [spɔɪl] **I.** *n* ❶ *no pl* (*debris*) Schutt *m* ❷ (*profits*) ■~**s** *pl* Beute *f kein pl* ❸ Aм POL (*advantages*) ■~**s** *pl* Vorteile *pl* **II.** *vt* <spoiled *or* Brit *usu* spoilt, spoiled *or* Brit *usu* spoilt> ❶ (*ruin*) verderben; **to ~ sb's chances for sth** jds Chancen für etw *akk* ruinieren; **to ~ the coastline** die Küste verschandeln *fam* ❷ (*treat well*) verwöhnen; **to ~ a child** (*pej*) ein Kind verziehen; **to be spoilt for choice** eine große Auswahl haben **III.** *vi* <spoiled *or* Brit *usu* spoilt, spoiled *or* Brit *usu* spoilt> food schlecht werden, verderben; *milk* sauer werden

spoil·er ['spɔɪlər] *n* of aeroplane Unterbrecherklappe *f;* of car Spoiler *m*

'**spoil·sport** ['spɔɪlspɔːt] *n* (*pej fam*) Spielverderber(in) *m(f)*

spoilt [spɔɪlt] **I.** *vt, vi esp* Brit *pp, pt of* **spoil** **II.** *adj* appetite verdorben; *view, coastline* verschandelt *fam; meat, milk* verdorben; *child* verwöhnt; (*pej*) verzogen

spoke¹ [spəʊk] *n* Speiche *f* ▶ **to put a ~ in sb's wheel** Brit jdm einen Knüppel zwischen die Beine werfen

spoke² [spəʊk] *pt of* **speak**

spok·en [spəʊkən] **I.** *pp of* **speak** **II.** *adj* ❶ *attr* (*not written*) gesprochen ❷ *pred* (*sold*) ■**to be ~ for** verkauft sein ❸ *pred* (*involved in relationship*) ■**to be ~ for** person vergeben sein *hum*

spokes·man ['spəʊks-] *n* Sprecher *m*

'**spokes·per·son** <*pl* -**people**> *n* Sprecher(in) *m(f)*

'**spokes·wom·an** *n* Sprecherin *f*

sponge [spʌndʒ] **I.** *n* ❶ (*foam cloth*) Schwamm *m* ❷ (*soft cake*) Rührkuchen *m;* (*without fat*) Biskuit[kuchen] *m* ❸ (*fam: parasitic person*) Schnorrer(in) *m(f)* **II.** *vt* ❶ (*clean*) [mit einem Schwamm] abwischen ❷ (*get for free*) **to ~ cigarettes/lunch/money off of sb** von jdm Zigaretten/ein Mittagessen/Geld schnorren ◆ **sponge down, sponge off** *vt* ■**to ~ down** ↻ etw schnell [mit einem Schwamm] abwaschen; ■**to ~ down** ↻ **sth** etw schnell [mit einem Schwamm] abwaschen; ■**to ~ down** ↻

sb jdn schnell [mit einem Schwamm] waschen

'**sponge bag** *n* Brit, Aus Waschbeutel *m*

'**sponge bath** *n* Aм **to give oneself/sb a ~** sich/jdn mit einem Schwamm waschen '**sponge cake** *n* Biskuitkuchen *m*

spong·er ['spʌndʒər] *n* (*pej*) Schmarotzer(in) *m(f)*

spon·gy ['spʌndʒi] *adj* schwammig; *grass, moss* weich, nachgiebig; *pudding* locker

spon·sor ['spɒn(t)sər] **I.** *vt* ❶ (*support*) person sponsern; *government* unterstützen ❷ POL (*host*) **to ~ negotiations/talks** die Schirmherrschaft über Verhandlungen/Gespräche haben **II.** *n* ❶ (*supporter*) Sponsor(in) *m(f);* of a charity Förderer, Förderin *m, f;* of a match, event Sponsor(in) *m(f);* of a bill Befürworter(in) *m(f)* ❷ (*host*) Schirmherr(in) *m(f)* ❸ REL Pate, Patin *m, f*

spon·sor·ship ['spɒn(t)səʃɪp] *n no pl* (*by corporation, people*) Unterstützung *f;* (*at fund-raiser*) Förderung *f;* POL of a match, event Sponsern *nt;* of a bill Befürwortung *f;* of negotiations Schirmherrschaft *f;* **to get ~** gefördert werden

spon·ta·neity [ˌspɒntə'neɪəti] *n no pl* (*approv*) Spontaneität *f*

spon·ta·neous [spɒn'teɪniəs] *adj* ❶ (*unplanned*) spontan ❷ (*approv: unrestrained*) impulsiv ❸ MED Spontan-

spoof [spuːf] **I.** *n* ❶ (*satire*) Parodie *f* ❷ (*trick*) Scherz *m* **II.** *vt* ❶ (*do satire of*) parodieren ❷ (*fam: imitate mockingly*) nachäffen ❸ (*fam: trick*) ■**to ~ sb** jdn auf die Schippe nehmen

spook [spuːk] **I.** *n* ❶ (*fam: ghost*) Gespenst *nt* ❷ Aм (*spy*) Spion(in) *m(f)* **II.** *vt* *esp* Aм (*scare*) erschrecken; (*make uneasy*) beunruhigen

spooki·ness ['spuːkinəs] *n* (*fam*) gespenstische [o unheimliche] Stimmung

spooky ['spuːki] *adj* (*fam: scary*) schaurig; *house, woods, person* unheimlich; *story, film, novel* gespenstisch; *feeling* eigenartig; (*weird*) sonderbar, eigenartig

spool [spuːl] **I.** *n* Rolle *f* **II.** *vt* ❶ (*wind*) cassette, thread aufspulen ❷ COMPUT *file* spulen

spoon [spuːn] **I.** *n* ❶ (*for eating*) Löffel *m* ❷ (*spoonful*) Löffel *m* **II.** *vt* ❶ (*with a spoon*) löffeln ❷ SPORTS **to ~ the ball** den Ball schlenzen

'**spoon·bill** ['spuːnbɪl] *n* ORN Löffelreiher *m*

'**spoon-feed** <-fed, -fed> ['spuːnfiːd] *vt* ■**to ~ sb** ❶ (*feed with spoon*) jdn mit einem Löffel füttern ❷ (*supply*) jdm alles vorgeben

spoon·ful <*pl* -s *or* spoonsful> ['spu:nfʊl] *n* Löffel *m*

spo·rad·ic [spə'rædɪk] *adj* sporadisch

spore [spɔ:ʳ] *n* BIOL Spore *f*

spor·ran [spɒrən] *n* SCOT Felltasche *f* (*die über dem Schottenrock getragen wird*)

sport [spɔ:t] I. *n* ❶ (*game*) Sport *m; (type of*) Sportart *f;* **indoor ~** Hallensport *m;* **outdoor ~** Sport *m* im Freien ❷ *no pl* BRIT, AUS ▪AM **~s** *pl* (*athletic activity*) Sport *m;* **to be good/bad at ~** sportlich/unsportlich sein; **to play ~** Sport treiben ❸ (*fam: co-operative person*) **to be a bad ~** ein Spielverderber/eine Spielverderberin sein ❹ AUS (*form of address*) **hello ~** na, Sportsfreund *fam* II. *vt* (*esp hum*) ▪to **~ sth** (*wear*) etw tragen; **to ~ a black eye/a huge moustache** mit einem blauen Auge/einem riesigen Schnurrbart herumlaufen *fam*

sport·ing ['spɔ:tɪŋ] *adj* SPORTS ❶ *attr* (*involving sports*) Sport- ❷ (*approv dated: fair*) fair; (*nice*) anständig

'**sports car** *n* Sportwagen *m* '**sports·cast** *n esp* AM Sportübertragung *f* **sports·cast·er** *n esp* AM Sportreporter(in) *m(f)* '**sports day** *n* BRIT SCH Sportfest *nt* '**sports field**, '**sports ground** *n* Sportplatz *m* '**sports jack·et** *n* Sportsakko *nt* '**sports·man** *n* Sportler *m* '**sports·man·like** *adj* fair '**sports·man·ship** *n no pl* Fairness *f* '**sports page** *n* Sportseite *f* '**sports·wear** *n no pl* Sportkleidung *f* '**sports·wom·an** *n* Sportlerin *f* '**sports writ·er** *n* Sportjournalist(in) *m(f)*

sporty ['spɔ:ti] *adj* ❶ (*athletic*) sportlich ❷ (*fast*) *car* schnell

spot [spɒt] I. *n* ❶ (*mark*) Fleck *m* ❷ (*dot*) Punkt *m; (pattern*) Tupfen *m* ❸ BRIT (*pimple*) Pickel *m; (pustule*) Pustel *f* ❹ *esp* BRIT (*little bit*) ein wenig [*o* bisschen]; **shall we stop for a ~ of lunch?** sollen wir schnell eine Kleinigkeit zu Mittag essen? ❺ (*place*) Stelle *f;* **on the ~** an Ort und Stelle ❻ TV, RADIO Beitrag *m* ▸**to put sb on the ~** jdn in Verlegenheit bringen II. *vt* <-tt-> entdecken; ▪to **~ sb doing sth** jdn bei etw *dat* erwischen; (*notice*) ▪to **~ that ...** bemerken, dass ...

spot 'cash *n no pl* FIN, COMM Sofortliquidität *f* **spot 'check** *n* Stichprobe *f*

spot·less ['spɒtləs] *adj* ❶ (*clean*) makellos ❷ (*unblemished*) untadelig, makellos, tadellos

'**spot·light** I. *n* Scheinwerfer *m; to be in the ~** (*fig*) im Rampenlicht stehen II. *vt* <-lighted *or* -lit, -lighted *or* -lit> ▪to **~ sth** etw beleuchten; (*fig*) auf etw *akk* aufmerksam machen '**spot mar·ket** *n* FIN Lokomarkt *m fachspr* **spot-'on** *adj pred* BRIT, AUS (*fam*) ❶ (*exact*) haargenau; (*correct*) goldrichtig ❷ (*on target*) punktgenau '**spot price** *n* FIN Lokopreis *m fachspr*

spot·ted ['spɒtɪd] *adj* ❶ (*pattern*) getupft, gepunktet ❷ *pred* (*covered*) ▪to **be ~ with sth** mit etw *dat* gesprenkelt sein

spot·ter ['spɒtəʳ] *n* SPORTS Stütze *f*

spot·ty ['spɒti] *adj* ❶ BRIT, AUS (*pimply*) pickelig ❷ AM, AUS (*patchy*) bescheiden *iron*

spouse [spaʊs] *n* (*form*) [Ehe]gatte, -gattin *m, f*

spout [spaʊt] I. *n* ❶ (*opening*) Ausguss *m; of a teapot, jug* Schnabel *m* ❷ (*discharge*) Strahl *m* ▸**to be up the ~** BRIT, AUS (*sl: spoiled*) im Eimer sein II. *vt* ❶ (*pej: hold forth*) faseln *fam;* **to ~ facts and figures** mit Fakten und Zahlen um sich *akk* werfen *fam* ❷ (*discharge*) speien III. *vi* ❶ (*pej: hold forth*) Reden schwingen *fam* ❷ (*gush*) hervorschießen

sprain [spreɪn] I. *vt* ▪to **~ sth** sich *dat* etw verstauchen; **to ~ one's ankle** sich *dat* den Knöchel verstauchen II. *n* Verstauchung *f*

sprang [spræŋ] *vi, vt pt of* **spring**

sprat [spræt] *n* Sprotte *f*

sprawl [sprɔ:l] I. *n* ❶ *no pl* (*slouch*) **to lie in a ~** ausgestreckt daliegen ❷ *usu sing* (*expanse*) Ausdehnung *f;* **urban ~** (*town*) riesiges Stadtgebiet; (*area*) Ballungsraum *m* II. *vi* ❶ (*slouch*) ▪to **~ on sth** auf etw *dat* herumlümmeln *pej fam* ❷ (*expand*) sich ausbreiten

sprawl·ing ['sprɔ:lɪŋ] *adj* (*pej*) ❶ (*expansive*) ausgedehnt ❷ (*irregular*) unregelmäßig

spray[1] [spreɪ] I. *n* ❶ *no pl* (*mist, droplets*) Sprühnebel *m; of fuel, perfume* Wolke *f; of water* Gischt *m o f* ❷ (*spurt*) *of perfume* Spritzer *m; ~ of bullets* (*fig*) Kugelhagel *m* ❸ (*aerosol*) Spray *m o nt* ❹ (*sprinkler*) Sprühvorrichtung *f; (for irrigation*) Bewässerungsanlage *f* II. *vt* ❶ (*cover*) besprühen; *plants* spritzen; **the car was ~ed with bullets** (*fig*) das Auto wurde von Kugeln durchsiebt ❷ (*disperse in a mist*) sprühen; (*in a spurt*) spritzen ❸ (*draw, write*) ▪to **~ sth on sth** etw mit etw *dat* besprühen ❹ (*shoot all around*) **to ~ sb with bullets** jdn mit Kugeln durchsiebt III. *vi* spritzen

spray[2] [spreɪ] *n* ❶ (*branch*) Zweig *m* ❷ (*bouquet*) Strauß *m*

'**spray gun** *n* Spritzpistole *f*

spread [spred] I. *n* ❶ (*act of spreading*) Verbreitung *f* ❷ (*range*) Vielfalt *f* ❸ JOURN Doppelseite *f* ❹ (*soft food to spread*) Aufstrich *m* ⑤ AM (*ranch*) Ranch *f;* (*farm*) Farm *f* ⑥ BRIT, AUS (*dated fam: meal*) Mahl *nt* **II.** *vi* <spread, spread> ① (*extend over larger area*) *fire* sich ausbreiten; *news, panic* sich verbreiten; **to ~ like wildfire** sich wie ein Lauffeuer verbreiten ② (*stretch*) sich erstrecken ③ FOOD sich streichen lassen **III.** *vt* <spread, spread> ① (*open, extend*) *arms, papers, wings* ausbreiten; *net* auslegen ② (*cover with spread*) **to ~ toast with jam** Toast mit Marmelade bestreichen ③ (*distribute*) *sand* verteilen; *fertilizer* streuen; *disease* übertragen; *panic* verbreiten ④ (*make known*) *rumour* verbreiten; **to ~ the word** es allen mitteilen

spread-eagled [-ˈiːgld] *adj* ausgestreckt

'spread·sheet *n* Tabellenkalkulation *f*

spree [spriː] *n* Gelage *nt;* **killing ~** Gemetzel *nt;* **shopping ~** Einkaufstour *f*

sprig [sprɪg] *n* Zweig *nt*

spright·ly [ˈspraɪtli] *adj* munter; *old person* rüstig

spring [sprɪŋ] **I.** *n* ① (*season*) Frühling *m;* **in the ~** im Frühling ② TECH (*part in machine*) Feder *f* ③ (*elasticity*) Sprungkraft *f,* Elastizität *f;* **to have a ~ in one's step** beschwingt gehen ④ (*source of water*) Quelle *f* **II.** *vi* <sprang *or* AM *also* sprung, sprung> ① (*move quickly*) springen; **to ~ into action** den Betrieb aufnehmen; **to ~ open** aufspringen; **to ~ shut** zufallen ② (*suddenly appear*) auftauchen; **to ~ to mind** im Kopf schießen **III.** *vt* ① (*operate*) auslösen; **to ~ a trap** eine Falle zuschnappen lassen ② (*suddenly do*) **to ~ a trick on sb** jdm einen unverhofften Streich spielen ③ (*provide with springs*) federn ◆ **spring back** *vi* zurückschnellen

spring 'bal·ance *n* Federwaage *f* **'spring·board** *n* (*also fig*) Sprungbrett *nt a. fig* **spring-ˈclean I.** *vi* Frühjahrsputz machen **II.** *vt* **to ~ a house/room** in einem Haus/einem Zimmer Frühjahrsputz machen **spring-ˈclean·ing** *n no pl* Frühjahrsputz *m* **spring 'on·ion** *n* BRIT, AUS Frühlingszwiebel *f* **spring 'roll** *n* Frühlingsrolle *f* **'spring·time** *n no pl* Frühling *m;* **in** [**the**] ~ im Frühling

springy [ˈsprɪŋi] *adj* federnd *attr,* elastisch

sprin·kle [ˈsprɪŋkl] **I.** *vt* ① (*scatter*) streuen (**on** auf) ② (*cover*) bestreuen (**with** mit); (*with a liquid*) besprengen (**with** mit) ③ (*water*) **to ~ the lawn** den Rasen sprengen **II.** *n usu sing* **a ~ of rain/snow** leichter Regen/Schneefall

sprin·kler [ˈsprɪŋklə^r] *n* ① AGR Beregnungsanlage *f;* (*for a lawn*) Sprinkler *m* ② (*for*

fires) Sprinkler *m;* ■ ~s *pl* (*system*) Sprinkleranlage *f*

sprin·kling [ˈsprɪŋklɪŋ] *n* ① *see* **sprinkle** ② *usu sing* (*light covering*) **top each ice cream with a generous ~ of fresh mint** bestreuen Sie jedes Eis mit reichlich frischer Minze; **a ~ of salt** eine Prise Salz ③ *usu sing* (*smattering*) ■ **a ~ of ...** ein paar ...

sprint [sprɪnt] **I.** *vi* sprinten **II.** *n* ① SPORTS Sprint *m;* **100-metre ~** Hundertmeterlauf *m,* 100-m-Lauf *m* ② BRIT, AUS (*dash*) Sprint *m;* **to break into a ~** zu sprinten beginnen

sprint·er [ˈsprɪntə^r] *n* Sprinter(in) *m(f)*

sprite [spraɪt] *n* (*liter*) Naturgeist *m;* **sea** [*or* **water**] ~ Wassergeist *m*

spritz·er [ˈsprɪtsə^r] *n* Schorle *f,* Gespritzte(r) *m* ÖSTERR, SCHWEIZ

sprock·et [ˈsprɒkɪt], **sprock·et wheel** *n* Zahnrad *nt*

sprog [sprɒg] **I.** *n* BRIT, AUS (*sl*) Balg *m o nt meist pej fam* **II.** *vi* <-gg-> BRIT, AUS (*sl*) gebären

sprout [spraʊt] **I.** *n* ① (*shoot*) Spross *m* ② *esp* BRIT (*vegetable*) Rosenkohl *m kein pl* **II.** *vi* ① (*grow*) sprießen *geh,* wachsen ② (*germinate*) keimen **III.** *vt* **he's beginning to ~ a beard** er bekommt einen Bart; **to ~ buds/flowers/leaves** BOT Knospen/Blüten/Blätter treiben ◆ **sprout up** *vi* aus dem Boden schießen

spruce[1] [spruːs] *n* Fichte *f*

spruce[2] [spruːs] *adj* adrett

spruce up *vt* ① (*tidy*) auf Vordermann bringen *fam;* ■ **to ~ up** ⟳ **oneself** sich zurechtmachen ② (*improve*) aufpolieren *fam*

sprung [sprʌŋ] **I.** *adj* BRIT gefedert **II.** *pp, pt of* **spring**

spry [spraɪ] *adj* agil *geh;* *old person* rüstig

spud [spʌd] *n* BRIT (*fam*) Kartoffel *f,* Erdapfel *m* DIAL, ÖSTERR

spun [spʌn] *pp, pt of* **spin**

spunk [spʌŋk] *n* ① *no pl* (*dated fam: bravery*) Mumm *m fam* ② *no pl* (*vulg, sl: semen*) Sperma *nt* ③ AUS (*fam: hunk*) attraktiver Mann

spur [spɜː^r] **I.** *n* ① (*on a heel*) Sporn *m* ② (*fig: encouragement*) Ansporn *m kein pl* (**to** zu) ③ FIN (*incentive*) Anreiz *m* ▶ **on the ~ of the <u>moment</u>** spontan **II.** *vt* <-rr-> ① (*encourage*) anspornen; ■ **to ~ sb** [**to do sth**] (*persuade*) jdn bewegen[, etw zu tun]; (*incite*) jdn anstacheln[, etw zu tun]; **to ~ the economy** die Wirtschaft ankurbeln (*urge to go faster*) **to ~ a horse** einem Pferd die Sporen geben

spu·ri·ous [ˈspjʊəriəs] *adj* falsch

spurn [spɜːn] *vt* (*form*) zurückweisen; (*contemptuously*) verschmähen *geh*

spurt [spɜːt] **I.** *n* ❶ (*jet*) Strahl *m* ❷ (*surge*) Schub *m;* **to do sth in ~s** etw schubweise machen ❸ (*run*) **to put on a ~** einen Spurt hinlegen **II.** *vt* [ver]spritzen **III.** *vi* ❶ (*fig: increase by*) plötzlich steigen ❷ (*gush*) spritzen

sput·ter [ˈspʌtə^r] **I.** *n* Knattern *nt kein pl,* Stottern *nt kein pl;* **to give a ~** stottern **II.** *vi* zischen; (*car, engine*) stottern **III.** *vt* herausprudeln; (*stutter*) stottern

spu·tum [ˈspjuːtəm] *n no pl* MED Schleim *m,* Sputum *nt fachspr*

spy [spaɪ] **I.** *n* Spion(in) *m(f)* **II.** *vi* ❶ (*gather information*) spionieren; ▪**to ~ on sb** jdm nachspionieren ❷ (*peep*) ▪**to ~ into sth** in etw *akk* spähen **III.** *vt* (*see*) sehen; (*spot*) entdecken

ˈ**spy·glass** *n* Fernglas *nt* ˈ**spy·hole** *n* BRIT, AUS Guckloch *nt,* Spion *m* ˈ**spy sat·el·lite** *n* Spionagesatellit *m*

sq *n abbrev of* **square** Pl.

squab·ble [ˈskwɒbl] **I.** *n* Zankerei *f,* Streiterei *f* **II.** *vi* sich zanken (**over/about** um)

squad [skwɒd] *n* + *sing/pl vb* ❶ (*group*) Einheit *f* ❷ SPORTS Mannschaft *f* ❸ MIL Gruppe *f,* Trupp *m*

ˈ**squad car** *n* BRIT Streifenwagen *m*

squad·die [ˈskwɒdi] *n* BRIT (*sl*) Soldat *m,* Bundesheerler *m* ÖSTERR *pej fam*

squad·ron [ˈskwɒdrən] *n* + *sing/pl vb* (*cavalry*) Schwadron *f;* (*air force*) Staffel *f;* (*navy*) Geschwader *nt*

squal·id [ˈskwɒlɪd] *adj* ❶ (*pej: dirty*) schmutzig; (*neglected*) verwahrlost ❷ (*immoral*) verkommen

squall [skwɔːl] **I.** *n* ❶ (*gust*) Bö *f;* **~ of rain** Regenschauer *m* ❷ (*shriek*) Kreischen *nt kein pl* **II.** *vi* schreien

squally [ˈskwɔːli] *adj* böig

squal·or [ˈskwɒlə^r] *n no pl* ❶ (*foulness*) Schmutz *m* ❷ (*immorality*) Verkommenheit *f*

squan·der [ˈskwɒndə^r] *vt* verschwenden, vergeuden; **to ~ a chance/an opportunity** eine Chance vertun

square [skweə^r] **I.** *n* ❶ (*shape*) Quadrat *nt;* **to fold sth into a ~** etw zu einem Quadrat falten ❷ (*street*) Platz *m;* **town ~** zentraler Platz ❸ (*marked space*) Spielfeld *nt;* **to go back to ~ one** (*fam*) wieder von vorne beginnen ❹ AM, AUS (*tool*) Winkelmaß *nt* ❺ (*dated fam: boring person*) Langweiler(in) *m(f)* ❻ (*number times itself*) Quadratzahl *f* **II.** *adj* ❶ (*square-shaped*) *piece of paper, etc.* quadratisch; *face* kantig ❷ (*on each side*) im Quadrat; (*when*

squared) zum Quadrat; *metre, mile* Quadrat· ❸ (*fam: level*) plan; **to be [all] ~** auf gleich sein **III.** *adv* direkt, geradewegs **IV.** *vt* ❶ (*make square*) ▪**to ~ sth** etw quadratisch machen; (*make right-angled*) etw rechtwinklig machen; ▪**to ~ sth with sth** etw mit etw *dat* in Übereinstimmung bringen ❷ (*settle*) *matter* in Ordnung bringen ❸ MATH quadrieren ❹ SPORTS (*tie*) ausgleichen ◆ **square up** *vi* ❶ (*fam: settle debt*) abrechnen ❷ *esp* BRIT, AUS (*compete*) in die Offensive gehen ❸ BRIT (*deal with*) ▪**to ~ up to sth** mit etw *dat* zurande kommen *fam*

square ˈbrack·et *n* eckige Klammer

squared [skweəd] *adj* kariert

ˈ**square dance** *n* Squaredance *m*

square·ly [ˈskweəli] *adv* ❶ (*straight*) aufrecht ❷ (*directly*) direkt; **to look sb ~ in the eyes** jdm gerade in die Augen blicken

square ˈroot *n* MATH Quadratwurzel *f*

squash[1] [skwɒʃ] *n esp* AM (*pumpkin*) Kürbis *m*

squash[2] [skwɒʃ] **I.** *n* ❶ *no pl* (*dense pack*) Gedränge *nt* ❷ *no pl* (*racket game*) Squash *nt* ❸ BRIT, AUS (*diluted drink*) Fruchtsaftgetränk *nt* **II.** *vt* ❶ (*crush*) zerdrücken; **to ~ sth flat** etw platt drücken ❷ (*fig: end*) **to ~ a rumour** ein Gerücht aus der Welt schaffen ❸ (*push*) **can you ~ this into your bag for me?** kannst du das für mich in deine Tasche stecken?; **I should be able to ~ myself into this space** ich glaube, ich kann mich da hineinzwängen ❹ (*humiliate*) ▪**to ~ sb** jdn bloßstellen; (*silence*) jdm über den Mund fahren *fam*

ˈ**squash court** *n* Squashplatz *m* ˈ**squash rack·et**, ˈ**squash rac·quet** *n* Squashschläger *m*

squashy [ˈskwɒʃi] *adj* weich

squat [skwɒt] **I.** *vi* <-tt-> ❶ (*crouch*) hocken; ▪**to ~ [down]** sich hinhocken ❷ (*occupy land*) **to ~ [on land]** sich illegal ansiedeln; **to ~ [in a house/on a site]** [ein Haus/ein Grundstück] besetzen **II.** *n no pl* (*position*) Hocke *f;* **to get into a ~** in Hockstellung gehen ❷ SPORTS (*exercise*) Kniebeuge *f* ❸ (*abode*) besetztes Haus **III.** *adj* <-tt-> niedrig; *person* gedrungen, untersetzt

squat·ter [ˈskwɒtə^r] *n* (*illegal house-occupier*) Hausbesetzer(in) *m(f)*

squaw [skwɔː] *n* (*pej!*) Squaw *f*

squawk [skwɔːk] **I.** *vi* ❶ (*cry*) kreischen ❷ (*fam: complain*) ▪**to ~ about sth** lautstark gegen etw *akk* protestieren **II.** *n* ❶ (*cry*) Kreischen *nt kein pl* ❷ (*complaint*) Geschrei *nt kein pl fam*

S

squeak [skwiːk] I. *n* Quietschen *nt kein pl; of an animal* Quieken *nt kein pl; of a mouse* Pieps[er] *m fam; of a person* Quiekser *m fam; (fig)* **if I hear one more ~ out of you, there'll be trouble!** wenn ich noch einen Mucks[er] von dir höre, gibt's Ärger! *fam* II. *vi (make sound)* quietschen; *animal, person* quieken; *mouse* piepsen

squeaky ['skwiːki] *adj* ① *(high-pitched)* quietschend; *voice* piepsig *fam;* ■**to be ~** quietschen ② AM *(narrow)* äußerst knapp, hauchdünn *fig* ▶ **the ~ wheel gets the grease** AM *(prov)* nur wer am lautesten schreit wird gehört

'**squeaky-clean** *adj (also fig)* blitzsauber *fam*

squeal [skwiːl] I. *n* [schriller] Schrei; *of tyres* Quietschen *nt kein pl; of brakes* Kreischen *nt kein pl; of a pig* Quieken *nt kein pl* II. *vi (scream)* kreischen; *pig* quieken; *tyres* quietschen; *brakes* kreischen; **to ~ to a halt** mit quietschenden Reifen anhalten; **to ~ with pain** vor Schmerz schreien; **to ~ with pleasure** vor Vergnügen kreischen

squeam·ish ['skwiːmɪʃ] I. *adj* zimperlich *pej,* zart besaitet; ■**to be ~ about doing sth** sich vor etw *dat* ekeln; **he is ~ about seeing blood** er ekelt sich vor Blut II. *npl* **to not be for the ~** nichts für schwache Nerven sein

squee·gee ['skwiːdʒiː] I. *n* Gummiwischer *m* II. *vt* ■**to ~ sth** etw mit einem Gummiwischer putzen

squeeze [skwiːz] I. *n* ① *(press)* Drücken *nt kein pl;* **to give sth a ~** etw drücken ② ECON *(limit)* Beschränkung *f;* **a ~ on spending** eine Beschränkung der Ausgaben ③ *no pl (fit)* Gedränge *nt;* **it'll be a tight ~** es wird eng werden ④ *(fam: person)* Eroberung *f hum* II. *vt* ① *(press)* drücken; *a lemon, an orange* auspressen; *a sponge* ausdrücken ② *(extract)* **freshly ~d orange juice** frisch gepresster Orangensaft; **to ~ profit [from sth]** *(fig)* Profit [aus etw *dat*] schlagen ③ *(push in)* [hinein]zwängen; *(push through)* [durch]zwängen ④ *(constrict)* einschränken; **high interest rates are squeezing consumer spending** die hohen Zinsen wirken sich negativ auf das Kaufverhalten aus ⑤ *(fam: threaten)* ■**to ~ sb** jdn unter Druck setzen ▶ **to ~ sb dry** jdn ausnehmen wie eine Weihnachtsgans *fam* III. *vi (fit into)* ■**to ~ into sth** sich in etw *akk* [hinein]zwängen; ■**to ~ past sth** sich an etw *dat* vorbeizwängen; ■**to ~ through sth** sich durch etw *akk* [durch]zwängen

squeez·er ['skwiːzəʳ] *n* Fruchtpresse *f*

squelch [skweltʃ] I. *vi mud, water* patschen *fam;* ■**to ~ through sth** durch etw *akk* waten II. *vt* AM ■**to ~ sth** etw abwürgen; ■**to ~ sb** jdm den Mund stopfen *fam* III. *n usu sing* Gepatsche *nt kein pl fam*

squib [skwɪb] *n* ① *(satire)* Satire *f* ② AM *(filler)* Füllartikel *m* ③ *(firework)* Knallkörper *m*

squid <*pl - or -s*> [skwɪd] *n* Tintenfisch *m*

squig·gle ['skwɪgl] *n* Schnörkel *m*

squint [skwɪnt] I. *vi* ① *(close one's eyes)* blinzeln ② *(look)* ■**to ~ at sb/sth** einen Blick auf jdn/etw werfen II. *n* ① *(glance)* kurzer Blick; **to have a ~ at sth** einen kurzen Blick auf etw *akk* werfen ② *(eye condition)* Schielen *nt kein pl*

squire [skwaɪəʳ] *n (old)* ① *(landowner)* Gutsherr *m* ② BRIT *(dated fam: greeting)* gnädiger Herr; *(iron)* Chef *m*

squirm [skwɜːm] I. *vi* sich winden; **rats make him ~** er ekelt sich vor Ratten; **to ~ with embarrassment** sich vor Verlegenheit winden; **to ~ in pain** sich vor Schmerzen krümmen II. *n* Krümmen *nt kein pl;* **to give a ~** zusammenzucken; **to give a ~ of embarrassment** sich vor Verlegenheit winden

squir·rel ['skwɪrᵊl] *n* Eichhörnchen *nt*

squirt [skwɜːt] I. *vt* ① *(spray)* spritzen ② *(cover)* ■**to ~ sb with sth** jdn mit etw *dat* bespritzen; **to ~ oneself with perfume** ein paar Spritzer Parfüm auftragen II. *vi* ■**to ~ out** herausspritzen, herausschießen III. *n* ① *(quantity)* Spritzer *m* ② *(pej dated: jerk)* Nichts *nt; (boy)* Pimpf *m fam*

Sri Lan·ka [ˌsriːˈlæŋkə] *n* Sri Lanka *nt*

Sri Lan·kan [ˌsriːˈlæŋkən] I. *adj* sri-lankisch; **to be ~** aus Sri Lanka sein II. *n* Sri-Lanker(in) *m(f)*

SRP [ˌesɑːˈpiː] *n abbrev of* **suggested retail price** empfohlener Einzelhandelspreis

SSW *abbrev of* **south-southwest** SSW

St *n* ① *abbrev of* **saint** St. ② *abbrev of* **street** Str.

st <*pl -*> *n* BRIT *abbrev of* **stone** I 7

stab [stæb] I. *vt* <-bb-> ① *(pierce)* ■**to ~ sb** auf jdn einstechen; **the victim was ~bed** das Opfer erlitt eine Stichverletzung; **to ~ sb in the back** *(fig)* jdm in den Rücken fallen; **to ~ sb to death** jdn erstechen; **to ~ sth with a fork** mit einer Gabel in etw *dat* herumstochern ② *(make thrusting movement)* **to ~ the air [with sth]** [mit etw *dat*] in der Luft herumfuchteln II. *vi* <-bb-> ■**to ~ at sb/sth** auf jdn/etw einstechen; **to ~ at sth with one's finger**

mit dem Finger immer wieder auf etw *akk* drücken **III.** *n* ❶ (*with weapon*) Stich *m;* (*fig: attack*) Angriff *m* (**at** auf) ❷ (*wound*) Stichwunde *f* ❸ (*with object*) Stich *m* ❹ (*pain*) Stich *m; ~* **of envy** Anflug *m* von Neid ▸ **to** <u>have</u> **a ~ at** [doing] **sth** etw probieren

stab·bing ['stæbɪŋ] **I.** *n* (*assault*) Messerstecherei *f* **II.** *adj* pain stechend; *fear, memory* durchdringend

sta·bil·ity [stə'bɪlətɪ] *n no pl* Stabilität *f;* **mental ~** [seelische] Ausgeglichenheit

sta·bi·li·za·tion [ˌsteɪbəlaɪ'zeɪʃ³n] *n no pl* Stabilisierung *f*

sta·bi·lize ['steɪbəlaɪz] **I.** *vt* ❶ (*make firm*) stabilisieren ❷ (*maintain level*) festigen, stabilisieren **II.** *vi* sich stabilisieren; **his condition has now ~d** MED sein Zustand ist jetzt stabil

sta·bi·liz·er ['steɪbəlaɪzə'] *n* ❶ AM AVIAT Stabilisator *m* ❷ NAUT Stabilisierungsflosse *f* ❸ BRIT ■ ~**s** *pl* Stützräder *pl* ❹ (*substance*) Stabilisator *m*

sta·bi·liz·ing ['steɪbəlaɪzɪŋ] *adj* stabilisierend; **to have a ~ effect** [**on sth/sb**] eine stabilisierende Wirkung [auf etw/jdn] haben

sta·ble¹ <-r, -st *or* more ~, most ~> ['steɪbl] *adj* ❶ (*firmly fixed*) stabil ❷ MED, CHEM stabil ❸ PSYCH ausgeglichen ❹ (*steadfast*) stabil; **~ job/relationship** feste Anstellung/Beziehung

sta·ble² ['steɪbl] **I.** *n* ❶ (*building*) Stall *m* ❷ (*business*) Rennstall *m* ❸ (*horses*) Stall *m* **II.** *vt* **to ~ a horse** ein Pferd unterstellen

'**sta·ble lad** *n* BRIT Stallbursche *m veraltend*

stack [stæk] **I.** *n* ❶ *of videos* Stapel *m; of papers* Stoß *m* ❷ (*fam: large amount*) Haufen *m;* **we've got ~s of time** wir haben massenhaft Zeit ❸ *of hay, straw* Schober *m* ❹ MUS *of hi-fi equipment* Stereoturm *m* ❺ MIL [Gewehr]pyramide *f* ❻ (*chimney*) Schornstein *m,* Kamin *m* SCHWEIZ ❼ AUS (*fam: road accident*) Crash *m sl* **II.** *vt* ❶ (*arrange in pile*) [auf]stapeln ❷ (*fill*) **the fridge is ~ed with food** der Kühlschrank ist randvoll mit Lebensmitteln; **to ~ a dishwasher** eine Spülmaschine einräumen; **to ~ shelves** Regale auffüllen ▸ **the** <u>odds</u> **are ~ed against sb** es spricht alles gegen jdn

sta·dium <*pl* -s *or* -dia> ['steɪdɪəm, *pl* -ɪə] *n* Stadion *nt*

staff¹ [stɑːf] **I.** *n* ❶ + *sing/pl vb* (*employees*) Belegschaft *f;* **office ~** Bürobelegschaft *f;* **nursing ~** Pflegepersonal *nt* ❷ + *sing/pl vb* SCH,

UNIV Lehrkörper *m;* **teaching ~** Lehrpersonal *nt* ❸ + *sing/pl vb* MIL Stab *m* ❹ (*stick*) [Spazier]stock *m* ❺ (*flagpole*) Fahnenmast *m;* **to be at half ~** AM AUF Halbmast gesetzt sein ❻ (*for surveying*) Messstab *m* ❼ AM MUS Notensystem *nt* **II.** *vt usu passive* **many charities are ~ed with volunteers** viele Wohltätigkeitsvereine beschäftigen ehrenamtliche Mitarbeiter

staff² [stɑːf] *n no pl* ART Stange *f*

'**staff as·so·cia·tion** *n* + *sing/pl vb* Betriebsrat *m* '**staff nurse** *n* BRIT MED examinierte Krankenschwester '**staff of·fic·er** *n* MIL Stabsoffizier(in) *m(f)* '**staff·room** *n* SCH Lehrerzimmer *nt*

stag [stæg] *n* ZOOL Hirsch *m*

'**stag bee·tle** *n* Hirschkäfer *m*

stage [steɪdʒ] **I.** *n* ❶ (*period*) Etappe *f,* Station *f;* **crucial ~** entscheidende Phase; **early ~** Frühphase *f* ❷ *of a journey, race* Etappe *f,* Abschnitt *m* ❸ THEAT (*platform*) Bühne *f;* **to take centre ~** (*fig*) im Mittelpunkt [des Interesses] stehen ❹ ELEC Schaltstufe *f* ❺ (*scene*) Geschehen *nt kein pl;* **the world ~** die [ganze] Welt; **the political ~** die politische Bühne **II.** *vt* ❶ THEAT aufführen; **to ~ a concert** ein Konzert geben ❷ (*organize*) **to ~ a congress/meeting** einen Kongress/eine Tagung veranstalten; **to ~ a demonstration/a strike** eine Demonstration/einen Streik organisieren; **to ~ a match** ein Spiel austragen; **to ~ the Olympic Games** die Olympischen Spiele ausrichten ❸ MED **to ~ a disease/patient** eine Krankheit/einen Patienten diagnostisch einordnen

'**stage·coach** *n* (*hist*) Postkutsche *f* '**stage di·rec·tion** *n* Bühnenanweisung *f* '**stage 'door** *n* Bühneneingang *m* '**stage fright** *n no pl* Lampenfieber *nt* '**stage·hand** *n* Bühnenarbeiter(in) *m(f)* **stage·'man·age I.** *vt* inszenieren **II.** *vi* (*act as stage manager*) Regie führen **stage 'man·ag·er** *n* Bühnenmeister(in) *m(f),* Inspizient(in) *m(f) fachspr* '**stage name** *n* Künstlername *m* **stage 'whis·per** *n* ❶ THEAT Beiseitesprechen *nt* ❷ (*whisper*) unüberhörbares Flüstern

stag·fla·tion [stæg'fleɪʃ³n] *n no pl* ECON Stagflation *f*

stag·ger ['stægə'] **I.** *vi* ❶ (*totter*) ■**to ~ somewhere** irgendwohin wanken [*o* torkeln]; **to ~ to one's feet** sich aufrappeln ❷ (*waver*) schwanken, wanken **II.** *vt* ❶ (*shock*) ■**to ~ sb** jdn erstaunen ❷ (*arrange*) ■**to ~ sth** etw staffeln **III.** *n* ❶ (*lurch*) Wanken *nt kein pl,* Taumeln *nt*

S

kein pl ❷ (*arrangement*) Staffelung *f*
stag·gered ['stægəd] *adj* gestaffelt
stag·ger·ing ['stægᵊrɪŋ] *adj* ❶ (*amazing*) erstaunlich, umwerfend *fam; news* unglaublich ❷ (*shocking*) erschütternd
stag·ing ['steɪdʒɪŋ] *n* ❶ THEAT Inszenierung *f* ❷ (*scaffolding*) [Bau]gerüst *nt* ❸ BRIT (*shelf*) Regal *nt*
stag·nant ['stægnənt] *adj* (*not flowing*) stagnierend; ~ **air** stehende Luft; ~ **pool** stiller Teich; ~ **water** stehendes Wasser
stag·nate [stæg'neɪt] *vi* ❶ (*stop flowing*) sich stauen ❷ (*stop developing*) stagnieren
stag·na·tion [stæg'neɪʃᵊn] *n no pl* Stagnation *f*
'**stag night**, '**stag par·ty** *n* Junggesellenabschiedsparty *f*
stagy ['steɪdʒi] *adj* (*pej*) theatralisch
staid [steɪd] *adj* seriös, gesetzt; (*pej*) spießig
stain [steɪn] **I.** *vt* ❶ (*discolour*) verfärben; (*cover with spots*) Flecken auf etw *akk* machen ❷ (*blemish*) **to ~ sb's image/reputation** jds Image/Ruf schaden ❸ (*colour*) [ein]färben **II.** *vi* ❶ (*cause discolouration*) abfärben, Flecken machen ❷ (*discolour*) sich verfärben ❸ (*take dye*) Farbe annehmen, sich färben **III.** *n* ❶ (*discoloration*) Verfärbung *f,* Fleck *m* ❷ (*blemish*) Makel *m* ❸ (*dye*) Beize *f,* Färbemittel *nt*
stained [steɪnd] *adj* ❶ (*discoloured*) verfärbt; (*with spots*) fleckig ❷ (*dyed*) gefärbt, gebeizt ❸ (*blemished*) befleckt; ~ **reputa·tion** beschädigtes Ansehen
stained 'glass *n no pl* Buntglas *nt*
'**stained-glass win·dow** *n* Buntglasfenster *nt*
stain·less ['steɪnləs] *adj* makellos; *char·acter* tadellos
stain·less 'steel *n no pl* rostfreier Stahl
'**stain re·mov·er** *n* Fleckenentferner *m*
stair [steə^r] *n* ❶ (*set of steps*) ■~ **s** *pl* Treppe *f;* **a flight of** ~**s** eine Treppe ❷ (*step*) Treppenstufe *f*
'**stair·case** *n* (*stairs*) Treppenhaus *nt,* Treppenaufgang *m;* **spiral ~** Wendeltreppe *f* '**stair·lift** *n* Treppenlift *m* '**stair·way** *n* Treppe *f* '**stair·well** *n* Treppenhausschacht *m*
stake¹ [steɪk] **I.** *n* ❶ (*stick*) Pfahl *m,* Pflock *m* ❷ (*hist: for punishment*) **to be burnt at the ~** auf dem Scheiterhaufen verbrannt werden **II.** *vt* animal anbinden; *plant* hochbinden ▸**to ~ one's <u>claim</u> [to sth]** sein Recht [auf etw *akk*] einfordern
stake² [steɪk] **I.** *n* ❶ *usu pl* (*wager*) Einsatz *m;* (*in games*) [Wett]einsatz *m;* **to raise the** ~**s** (*fam*) den Einsatz erhö-

hen ❷ (*interest*) *also* FIN, ECON Anteil *m* ❸ (*prize money*) ■~**s** *pl* Preis *m* ❹ (*horse race*) ■~**s** *pl* Pferderennen *nt* ❺ (*fam: competitive situation*) **to be high in the popularity** ~**s** weit oben auf der Beliebtheitsskala stehen ▸**to <u>be</u> at ~** (*in question*) zur Debatte stehen; (*at risk*) auf dem Spiel stehen **II.** *vt* ❶ (*wager*) **to ~ money** Geld setzen; **to ~ one's future on sth** seine Zukunft auf etw *akk* aufbauen ❷ AM (*fig fam: support*) ■**to ~ sb to sth** jdm etw ermöglichen ◆**stake out** *vt* ❶ (*mark territory*) **to ~ out** ↻ **frontiers** Grenzen abstecken; **to ~ out a position** eine Position behaupten ❷ (*establish*) **to ~ out a posi·tion** eine Position einnehmen
'**stake·hold·er** *n* Teilhaber(in) *m(f)*
stal·ac·tite ['stæləktaɪt] *n* Tropfstein *m,* Stalaktit *m fachspr*
stal·ag·mite ['stæləgmaɪt] *n* Tropfstein *m,* Stalagmit *m fachspr*
stale [steɪl] *adj* ❶ (*not fresh*) fade, schal; *beer, lemonade* abgestanden; ~ **air** muffige Luft; ~ **bread** altbackenes Brot ❷ (*unoriginal*) fantasielos; ~ **idea** abgegriffene Idee *fam;* ~ **joke** abgedroschener Witz ❸ (*without zest*) abgestumpft; **to go ~** stumpfsinnig werden
stale·mate ['steɪlmeɪt] **I.** *n* ❶ CHESS Patt *nt* ❷ (*deadlock*) Stillstand *m;* **to be locked in ~** sich in einer Sackgasse befinden **II.** *vt* ❶ CHESS ■**to ~ sb** jdn patt setzen ❷ (*bring to deadlock*) ■**to ~ sth** etw zum Stillstand bringen
stalk¹ [stɔːk] *n* Stiel *m*
stalk² [stɔːk] **I.** *vt* ❶ (*hunt*) jagen; **to go** ~**ing** auf die Pirsch gehen ❷ (*harass*) ■**to ~ sb** jdm nachstellen **II.** *vi* ■**to ~ by** vorbeistolzieren **III.** *n* ❶ (*pursuit*) Pirsch *f* ❷ (*gait*) Stolzieren *nt*
stalk·er [stɔːkə^r] *n* ❶ (*hunter*) Jäger(in) *m(f)* ❷ *of people* jd, der prominente Personen verfolgt und belästigt
'**stalk·ing horse** *n* ❶ HUNT Jagdschirm *m* ❷ (*pretext*) Täuschungsmanöver *nt,* Vorwand *m* ❸ POL Strohmann *m*
stall [stɔːl] **I.** *n* ❶ (*for selling*) [Verkaufs]stand *m* ❷ (*for an animal*) Stall *m,* Verschlag *m* ❸ AM (*for parking*) [markierter] Parkplatz ❹ (*for racehorse*) Box *f* ❺ (*in a church*) Chorstuhl *m* ❻ BRIT, AUS (*in a theatre*) ■**the** ~**s** *pl* das Parkett *kein pl* **II.** *vi* ❶ (*stop running*) *motor* stehen bleiben; *aircraft* abrutschen ❷ (*come to standstill*) zum Stillstand kommen ❸ (*fam: delay*) zaudern, zögern; **to ~ for time** Zeit gewinnen **III.** *vt* ❶ (*cause to stop running*) **to ~ a car/a motor** ein Auto/einen Motor

abwürgen ❷ (*delay*) aufhalten, verzögern ❸ (*fam: keep waiting*) ■**to ~ sb** jdn hinhalten ❹ (*put in enclosure*) **to ~ an animal** ein Tier einsperren

'**stall hold·er** *n* BRIT Markthändler(in) *m(f)*; (*woman*) Marktfrau *f*

stal·lion ['stæljən] *n* Hengst *m*

stal·wart ['stɔːlwət] (*form*) I. *adj* ❶ (*loyal*) unentwegt; *supporter* treu ❷ (*sturdy*) robust, unerschütterlich II. *n* Anhänger(in) *m(f)*

sta·men <*pl* -s *or* -mina> ['steɪmən, *pl* -mənə] *n* Staubgefäß *nt*

stami·na ['stæmɪnə] *n no pl* Durchhaltevermögen *nt*, Ausdauer *f*

stam·mer ['stæmə^r] I. *n* Stottern *nt;* **to have a ~** stottern II. *vi* stottern, stammeln III. *vt* **to ~ words** Worte stammeln

stam·mer·er ['stæmərə^r] *n* Stotterer, Stotterin *m, f*

stamp [stæmp] I. *n* ❶ (*implement*) Stempel *m* ❷ (*mark*) Stempel *m; ~* **of approval** Genehmigungsstempel *m* ❸ (*quality*) Zug *m,* Stempel *m;* **to leave one's ~ on sb/sth** seine Spur bei jdm/etw hinterlassen ❹ (*adhesive*) **postage ~** Briefmarke *f* ❺ (*step*) Stampfer *m fam;* (*sound*) Stampfen *nt* II. *vt* ❶ (*crush*) zertreten; (*stomp*) **to ~ one's foot** mit dem Fuß aufstampfen ❷ (*mark*) [ab]stempeln ❸ (*impress on*) ■**to ~ sth on sth** etw auf etw *akk* stempeln; **that will be ~ed on her memory for ever** das wird sich ihr für immer einprägen ❹ (*affix postage to*) **to ~ a letter** einen Brief frankieren III. *vi* ❶ (*step*) stampfen; ■**to ~ [up]on sth** auf etw *akk* treten; **to ~ [up]on opposition** die Opposition niederknüppeln ❷ (*walk*) stampfen, stapfen ◆**stamp down** *vt* ■**to ~** ↻ **sth** etw niedertrampeln; *earth* etw festtreten ◆**stamp out** *vt* ■**to ~ out** ↻ **sth** (*eradicate*) etw ausmerzen; *crime, corruption* etw bekämpfen; *a disease* etw ausrotten; *a fire* etw austreten

'**stamp al·bum** *n* Briefmarkenalbum *nt*
'**stamp col·lec·tor** *n* Briefmarkensammler(in) *m(f)* '**stamp duty** *n* LAW Stempelgebühr *f*

stam·pede [stæm'piːd] I. *n* ❶ *of animals* wilde Flucht ❷ *of people* [Menschen]auflauf *m* II. *vi animals* durchgehen; *people* irgendwohin stürzen III. *vt* ❶ (*cause to rush*) aufschrecken ❷ (*force into action*) ■**to ~ sb into [doing] sth** jdn zu etw *dat* drängen

'**stamp·ing ground** *n usu pl* Schauplatz *m* der Vergangenheit

stance [stɑːn(t)s] *n* ❶ (*posture*) Haltung *f*

kein pl; AM SPORTS *Schlagpositur beim Baseball, Golf usw.* ❷ (*attitude*) Standpunkt *m,* Einstellung *f* (**on** zu)

stand [stænd] I. *n* ❶ (*physical position*) Stellung *f* ❷ (*position on an issue*) Einstellung *f* (**on** zu); **what's her ~ on sexual equality?** wie steht sie zur Gleichberechtigung?; **to make a ~ against sth** sich gegen etw *akk* auflehnen; **to take a ~ on sth** sich für etw *akk* einsetzen ❸ (*standstill*) Stillstand *m;* **to bring sb/sth to a ~** jdm/etw Einhalt gebieten ❹ *usu pl* (*raised seating for spectators*) [Zuschauer]tribüne *f* ❺ (*support*) Ständer *m* ❻ (*stall*) [Verkaufs]stand *m* ❼ (*for vehicles*) Stand *m* ❽ AM LAW ■**the ~** der Zeugenstand; **to take the ~** vor Gericht aussagen ❾ MIL (*resistance*) Widerstand *m;* **to make a ~** (*fig*) klar Stellung beziehen II. *vi* <stood, stood> ❶ (*be upright*) stehen; **~ against the wall** stell dich an die Wand; **to ~ to attention** MIL stillstehen; **to ~ clear** aus dem Weg gehen, beiseitetreten; **to ~ tall** gerade stehen ❷ FOOD (*remain untouched*) stehen ❸ (*be located*) liegen; **to ~ in sb's way** jdm im Weg stehen; **to ~ open** offen stehen ❹ + *adj* (*be in a specified state*) stehen; **I never know where I ~ with my boss** ich weiß nie, wie ich mit meinem Chef dran bin *fam;* **with the situation as it ~s right now …** so wie die Sache im Moment aussieht, …; **to ~ alone** beispiellos sein; **to ~ accused of murder** des Mordes angeklagt sein ❺ (*remain valid*) gelten, Bestand haben; **does that still ~?** ist das noch gültig? ❻ BRIT, AUS (*be a candidate for office*) ■**to ~ for sth** für etw *akk* kandidieren; **to ~ for election** sich *akk* zur Wahl stellen ▶ **to ~ on one's own two feet** auf eigenen Füßen stehen III. *vt* <stood, stood> ❶ (*place upright*) ■**to ~ sth somewhere** etw irgendwohin stellen; **to ~ sth on its head** etw auf den Kopf stellen ❷ (*refuse to be moved*) **to ~ one's ground** wie angewurzelt stehen bleiben ❸ (*bear*) ■**to ~ sth** etw ertragen [*o fam* aushalten]; **she can't ~ anyone touching her** sie kann es nicht leiden, wenn man sie anfasst; **to ~ the test of time** die Zeit überdauern ❹ (*fam*) **to ~ a chance of doing sth** gute Aussichten haben, etw zu tun ❺ LAW **to ~ trial** sich vor Gericht verantworten müssen ▶ **to ~ sb in good stead** jdm von Nutzen sein ◆**stand about, stand around** *vi* herumstehen

◆**stand aside** *vi* ❶ (*move aside*) zur Seite treten ❷ (*not get involved*) ■**to ~ aside [from sth]** sich [aus etw *dat*] heraushalten

❸(*resign*) zurücktreten ◆ **stand back** *vi* ❶(*move backwards*) zurücktreten ❷(*fig: take detached view*) ■ **to ~ back from sth** etw aus der Distanz betrachten ❸(*not get involved*) tatenlos zusehen ❹(*be located away from*) ■ **to ~ back from sth** abseits von etw *dat* liegen ◆ **stand by** *vi* ❶(*observe*) dabeistehen, zugucken *fam* ❷(*be ready*) bereitstehen ❸(*support*) ■ **to ~ by sb** zu jdm stehen ❹(*abide by*) **to ~ by one's promise** sein Versprechen halten; **to ~ by one's word** zu seinem Wort stehen ◆ **stand down** *I. vi* ❶ BRIT, AUS (*resign*) zurücktreten ❷(*relax*) entspannen ❸ LAW den Zeugenstand verlassen *II. vt* ■ **to ~ down** ↻ **sb** jdn entspannen ◆ **stand for** *vi* ❶(*tolerate*) ■ **to not ~ for sth** sich *dat* etw nicht gefallen lassen ❷(*represent*) ■ **to ~ for sth** für etw *akk* stehen ◆ **stand in** *vi* ■ **to ~ in for sb** für jdn einspringen ◆ **stand out** *vi* hervorragen; **to ~ out in a crowd** sich von der Menge abheben ◆ **stand up** *vi* ❶(*rise*) aufstehen; (*be standing*) stehen ❷(*endure*) ■ **to ~ up [to sth]** [etw *dat*] standhalten; **her claim didn't ~ up in court** ihr Anspruch ließ sich gerichtlich nicht durchsetzen

stand·ard ['stændəd] *I. n* ❶(*level of quality*) Standard *m*, Qualitätsstufe *f*; **to raise ~s** das Niveau heben ❷(*criterion*) Gradmesser *m*, Richtlinie *f* ❸(*principles*) ■ **~s** *pl* Wertvorstellungen *pl* ❹(*currency basis*) Währungsstandard *m* ❺(*flag*) Standarte *f* ❻ MUS Klassiker *m II. adj* ❶(*customary*) Standard- ❷(*average*) durchschnittlich ❸(*authoritative*) **~ book** [*or* **work**] Standardwerk *m* ❹ LING Standard-; **~ English** die englische Hochsprache ❺ AM (*manual*) **~ transmission** Standardgetriebe *nt*

'**stand·ard-bear·er** *n* ❶ MIL (*dated*) Standartenträger *m* ❷(*leader*) Vorkämpfer(in) *m(f)*

stand·ardi·za·tion [ˌstændədaɪˈzeɪʃ(ə)n] *n no pl* Standardisierung *f*

stand·ard·ize ['stændədaɪz] *I. vt* ❶(*make conform*) standardisieren ❷(*compare*) vereinheitlichen *II. vi* ■ **to ~ on sth** etw zum Vorbild nehmen

stand·ard·ized ['stændədaɪzd] *adj* standardisiert; **~ components** genormte Komponenten; **~ language** Standardsprache *f*

'**stand·ard lamp** *n* BRIT, AUS Stehlampe *f*

stand·ard 'size *n* Standardgröße *f*

stand·by <*pl* -s> ['stæn(d)baɪ] *I. n* ❶ *no pl* (*readiness*) **on ~** in Bereitschaft ❷(*backup*) Reserve *f* ❸(*plane ticket*) Stand-by-Ticket *nt* ❹(*traveller*) Fluggast *m* mit Stand-by-Ticket *II. adj attr* Ersatz-

III. adv AVIAT, TOURIST **to fly ~** mit einem Stand-by-Ticket fliegen

'**stand-in** *n* Vertretung *f*; FILM, THEAT Ersatz *m*

stand·ing ['stændɪŋ] *I. n no pl* ❶(*status*) Status *m*, Ansehen *nt* ❷(*duration*) Dauer *f*; **to be of long/short ~** von langer/kurzer Dauer sein *II. adj attr* ❶(*upright*) [aufrecht] stehend ❷(*permanent*) ständig ❸(*stationary*) stehend

stand·ing 'or·der *n* ❶ *esp* BRIT (*for money*) Dauerauftrag *m;* **to pay sth by ~** etw per Dauerauftrag bezahlen ❷(*for goods*) Vorbestellung *f* **stand·ing o'va·tion** *n* stehende Ovationen *pl* **stand·ing 'start** *n* Start *m* aus dem Stand heraus

stand-off·ish [-'ɒfɪʃ] *adj* (*pej fam*) kühl, reserviert

'**stand·pipe** *n* Steigrohr *nt* '**stand·point** *n* ❶(*attitude*) Standpunkt *m;* **depending on your ~, ...** je nachdem, wie man es betrachtet, ... ❷(*physical position*) [Stand]punkt *m* '**stand·still** *n no pl* Stillstand *m;* **to be at a ~** zum Erliegen kommen '**stand-up** *adj attr* ❶(*performed standing*) **~ comedy show** One-Man-Show *f; ~* **routine** Stegreifroutine *f* ❷(*performing while standing*) **~ comedian** Alleinunterhalter(in) *m(f)*

stank [stæŋk] *pt of* **stink**

stan·za ['stænzə] *n* Strophe *f*

sta·ple[1] ['steɪpl] *I. n* ❶(*for paper*) Heftklammer *f* ❷(*not for paper*) Krampe *f II. vt* ■ **to ~ sth together** etw zusammenheften

sta·ple[2] ['steɪpl] *I. n* ❶(*main component*) Grundstock *m;* FOOD Grundnahrungsmittel *nt* ❷ ECON Hauptprodukt *nt* ❸ *no pl* (*of cotton*) Rohbaumwolle *f; (of wool*) Rohwolle *f II. adj attr* Haupt-; **~ foods** Grundnahrungsmittel *pl*

'**sta·ple gun** *n* Heftmaschine *f*

sta·pler ['steɪplə'] *n* Hefter *m*, Tacker *m fam*

star [stɑː'] *I. n* ❶(*symbol*) *also* ASTRON Stern *m* ❷(*asterisk*) Sternchen *nt* ❸(*performer*) Star *m* ❹(*horoscope*) ■ **the ~s** *pl* die Sterne *pl,* das Horoskop *II. vt* <-rr-> ❶ THEAT, FILM **the new production of 'King Lear' will ~ John Smith as Lear** die neue Produktion von ‚King Lear' zeigt John Smith in der Rolle des Lear ❷(*mark with asterisk*) ■ **to ~ sth** etw mit einem Sternchen versehen *III. vi* <-rr-> THEAT, FILM **to ~ in a film/play** in einem Film/Theaterstück die Hauptrolle spielen *IV. adj attr* Star-; **Natalie is the ~ student in this year's ballet class** Natalie ist die beste

Schülerin der diesjährigen Ballettklasse; **~ witness** Hauptzeuge, -zeugin *m, f*

star 'bill·ing *n no pl* **to get ~** auf Plakaten groß herausgestellt werden

star·board ['stɑːbəd] *n* Steuerbord *nt kein pl*

starch [stɑːtʃ] **I.** *n no pl* ❶ FOOD, FASHION Stärke *f* ❷ (*fig: formality*) Steifheit *f* **II.** *vt* FASHION **to ~ a collar** einen Kragen stärken

starchy ['stɑːtʃi] *adj* ❶ FOOD stärkehaltig ❷ FASHION gestärkt ❸ (*pej fam: formal*) *people* reserviert; **~ image** angestaubtes Image

star·dom ['stɑːdəm] *n no pl* Leben *nt* als Star

stare [steəʳ] **I.** *n* Starren *nt;* **she gave him a long ~** sie starrte ihn unverwandt an; **accusing ~** vorwurfsvoller Blick **II.** *vi* ❶ (*look at*) starren; ■**to ~ at sb/sth** jdn/ etw anstarren ❷ (*eyes wide open*) große Augen machen ❸ (*be conspicuous*) ■**to ~ out at sb** jdm ins Auge stechen **III.** *vt* (*look at*) **to ~ sb in the eye** jdn anstarren; **to ~ sb up and down** jdn anstieren *fam* ▸ **to be** staring **sb in the face** (*be evident*) auf der Hand liegen

'star·fish *n* Seestern *m*

star·gaz·er [-ɡeɪzəʳ] *n* ❶ (*hum fam*) Sterngucker(in) *m(f)* ❷ AUS (*sl: horse*) Gaul *m* ❸ (*fish*) Seestern *m*

star·ing ['steərɪŋ] *adj eyes* starrend

stark [stɑːk] **I.** *adj* ❶ (*bare*) *landscape* karg; (*austere*) schlicht ❷ (*obvious*) krass; **~ reality** die harte Realität; **to be a ~ reminder** drastisch an etw *akk* erinnern ❸ *attr* (*sheer*) total **II.** *adv* **~ naked** splitterfasernackt *fam;* **~ raving mad** (*hum, iron*) völlig übergeschnappt *fam*

stark·ers ['stɑːkəz] *adj pred* BRIT, AUS (*fam*) im Adams-/Evakostüm *hum,* nackert ÖSTERR

star·let ['stɑːlət] *n* ❶ (*actress*) Starlet *nt* ❷ ASTRON Sternchen *nt*

'star·light *n no pl* Sternenlicht *nt*

star·ling ['stɑːlɪŋ] *n* (*bird*) Star *m*

star·lit ['stɑːlɪt] *adj* sternenklar

star·ry ['stɑːri] *adj* ❶ ASTRON sternenklar; **the ~ sky** der mit Sternen übersäte Himmel ❷ (*star-like*) sternförmig ❸ FILM, THEAT **~ cast** Starbesetzung *f*

'star·ry-eyed *adj idealist* blauäugig, verzückt; *lover* hingerissen

Stars and Stripes [ˌstɑːzəndˈstraɪps] *npl* + *sing vb* ■**the ~** die Stars and Stripes *pl* (*Nationalflagge der USA*)

'star sign *n* ASTROL Sternzeichen *nt* **Star-Span·gled 'Ban·ner** *n no pl* ■**the ~** ❶ (*US flag*) das Sternenbanner (*die Na-*

tionalflagge der USA) ❷ (*US national anthem*) der Star Spangled Banner (*die Nationalhymne der USA*) **'star-stud·ded** *adj* ❶ ASTRON mit Sternen übersät ❷ FILM, THEAT (*fam*) mit Stars besetzt; **~ cast** Starbesetzung *f;* **~ concert** Konzert *nt* mit großem Staraufgebot

start [stɑːt] **I.** *n usu sing* ❶ (*beginning*) Anfang *m,* Beginn *m;* **the race got off to an exciting ~** das Rennen fing spannend an; **at the ~ of the week** [am] Anfang der Woche; **promising ~** viel versprechender Anfang; **to make a ~ on sth** mit etw *dat* anfangen; **to make a fresh ~** einen neuen Anfang machen; **from the ~** von Anfang an; **from ~ to finish** von Anfang bis Ende; **for a ~** zunächst [einmal] ❷ (*foundation*) *of a company* Gründung *f* ❸ SPORTS (*beginning place*) Start *m* ❹ (*beginning time*) Start *m;* **false ~** Fehlstart *m* ❺ (*beginning advantage*) Vorsprung *m;* **to have a good ~ in life** einen guten Start ins Leben haben ❻ (*sudden movement*) Zucken *nt;* **he woke with a ~** er schreckte aus dem Schlaf hoch; **to give a ~** zusammenzucken; **to give sb a ~** jdn erschrecken **II.** *vi* ❶ (*begin*) anfangen; **we only knew two people in London to ~ with** anfangs kannten wir nur zwei Leute in London; **don't you ~!** jetzt fang du nicht auch noch an! *fam;* **let's get ~ed on this load of work** lasst uns mit der vielen Arbeit anfangen; **to ~ afresh** von neuem beginnen; ■**to ~ to do sth** anfangen[,] etw zu tun; **to ~ with, ...** (*fam*) zunächst einmal ... ❷ (*fam: begin harassing, attacking*) ■**to ~ on sb** sich *dat* jdn vornehmen ❸ (*begin a journey*) losfahren ❹ (*begin to operate*) *vehicle, motor* anspringen ❺ (*begin happening*) beginnen ❻ (*jump in surprise*) zusammenfahren, hochfahren **III.** *vt* ❶ (*begin*) ■**to ~ [doing] sth** anfangen[,] etw zu tun; **when do you ~ your new job?** wann fängst du mit deiner neuen Stelle an?; **he ~ed work at 16** mit 16 begann er zu arbeiten; **to ~ a family** eine Familie gründen ❷ (*set in motion*) ■**to ~ sth** etw ins Leben rufen; **to ~ a fight** Streit anfangen; **to ~ a fire** Feuer machen; **to ~ legal proceedings** gerichtliche Schritte unternehmen ❸ MECH einschalten; *machine* anstellen; *motor* anlassen; **to ~ a car** ein Auto starten ❹ ECON **to ~ a business** ein Unternehmen gründen ◆**start back** *vi* ❶ (*jump back*) zurückschrecken ❷ (*return*) sich auf den Rückweg machen ◆**start off I.** *vi* ❶ (*begin activity*) ■**to ~ off with sb/sth** bei jdm/etw anfangen;

S

they ~ed off by reading the script through zuerst lasen sie das Skript durch ② *(begin career)* ▪to ~ off as sth seine Laufbahn als etw beginnen ③ *(embark)* losfahren; they ~ed off in New Orleans sie starteten in New Orleans II. *vt* ① *(begin)* ▪to ~ sth ↻ off etw beginnen ② *(cause to begin)* ▪to ~ sb off on sth jdn zu etw *dat* veranlassen ③ *(upset)* don't ~ her off on the injustice of the class system gib ihr bloß nicht das Stichwort von der Ungerechtigkeit des Klassensystems ④ *(help to begin)* ▪to ~ sb off jdm den Start erleichtern ◆start out *vi* ① *(embark)* aufbrechen ② *(begin)* anfangen; ▪to ~ out as sth als etw beginnen; *(on a job)* als etw anfangen ③ *(intend)* our committee has achieved what we ~ed out to do unser Komitee hat erreicht, was wir uns zum Ziel gesetzt hatten ◆start up I. *vt* ① *(organize)* to ~ up a business/a club ein Unternehmen/einen Club gründen ② MECH to ~ up a motor einen Motor anlassen II. *vi* ① *(jump)* aufspringen ② *(occur)* beginnen ③ *(begin running)* *motorized vehicle* anspringen

START [stɑːt] *abbrev of* **Strategic Arms Reduction Talks** START-Vertrag *m*

start·er [ˈstɑːtəʳ] *n* ① *esp* BRIT FOOD *(fam)* Vorspeise *f* ② MECH Anlasser *m* ③ *(starting race)* Starter *m* ④ *(participant)* Wettkampfteilnehmer(in) *m(f)*; AM *(in baseball)* Starter *m* ⑤ *(sb who starts)* she is a slow ~ in the morning sie kommt morgens nur langsam in Schwung; to be a late ~ ein Spätzünder sein *fam*

start·ing [ˈstɑːtɪŋ] *adj attr* SPORTS Start-
ˈstart·ing line *n* SPORTS Startlinie *f* ˈstart·ing point *n* Ausgangspunkt *m*

star·tle [ˈstɑːtl] *vt* erschrecken; the noise ~d the birds der Lärm schreckte die Vögel auf

star·tling [ˈstɑːtlɪŋ] *adj* *(surprising)* überraschend, verblüffend; *(alarming)* erschreckend

ˈstart-up *n* ① COMM [Neu]gründung *f*, Existenzgründung *f* ② MECH Start *m*, Inbetriebnahme *f* ③ COMPUT Hochfahren *nt kein pl*, Start *m*; ~ disk Startdiskette *f*
ˈstart-up capi·tal *n no pl* Startkapital *nt*
ˈstart-up costs *npl* Anlaufkosten *pl*

star·va·tion [stɑːˈveɪʃ°n] *n no pl* ① *(death from hunger)* Hungertod *m*; to die of ~ verhungern ② *(serious malnutrition)* Unterernährung *f*
star·ˈva·tion diet *n* Hungerkur *f*

starve [stɑːv] I. *vi* ① *(die of hunger)* verhungern; to ~ to death verhungern ② *(suffer from hunger)* hungern; *(be malnourished)* unterernährt sein ③ *(fam: be very hungry)* ▪to be starving ausgehungert sein ④ *(crave)* ▪to ~ for sth nach etw *dat* hungern II. *vt* ① *(deprive of food)* aushungern; ▪to ~ oneself to death sich zu Tode hungern ② *usu passive (fig: deprive)* people ~d of sleep start to lose their concentration Menschen, die unter Schlafmangel leiden, können sich nicht mehr konzentrieren ③ *usu passive* AM *(fig: crave)* ▪to be ~d for sth sich nach etw *dat* sehnen

starv·ing [ˈstɑːvɪŋ] *adj* ① *(malnourished)* ausgehungert, unterernährt; ~ children hungernde Kinder ② *(fam: very hungry)* [ganz] ausgehungert; I'm ~! ich bin am Verhungern!

stash [stæʃ] I. *n <pl -es>* ① *(dated: hiding place)* Versteck *nt* ② *(cache)* [geheimes] Lager, Vorrat *m* II. *vt* *(fam)* verstecken; *money* bunkern

state [steɪt] I. *n* ① *(existing condition)* Zustand *m*; a sorry ~ of affairs traurige Zustände; ~ of siege/war Belagerungs-/Kriegszustand *m* ② *(physical condition)* körperliche Verfassung; ~ of exhaustion/fatigue Erschöpfungs-/Ermüdungszustand *m*; to be in a good/poor ~ of health in einem guten/schlechten Gesundheitszustand sein ③ PSYCH *(frame of mind)* Gemütszustand *m*; unconscious ~ Bewusstlosigkeit *f*; to be in a fit ~ to do sth in der Lage sein, etw zu tun ④ *(fam: upset state)* to be in a ~ mit den Nerven fertig sein; to get in[to] a ~ [about sth] [wegen einer S. *gen*] durchdrehen ⑤ CHEM solid/liquid/gaseous ~ fester/flüssiger/gasförmiger Zustand ⑥ *(nation)* Staat *m* ⑦ *(unit within nation: USA)* [Bundes]staat *m*; *(Germany)* Land *nt*; ▪the S~s *pl (fam: the United States of America)* die Staaten *pl* ⑧ *(civil government)* Staat *m*, Regierung *f* II. *adj attr* ① *(pertaining to a nation)* staatlich, Staats- ② *(pertaining to unit)* the ~ capital of Texas die Hauptstadt von Texas; ~ forest/park *von einem US-Bundesstaat finanzierter Wald/Park*; ~ police *Polizei eines US-Bundesstaates* ③ *(pertaining to civil government)* Regierungs-; ~ enrolled/registered nurse BRIT staatlich zugelassene/geprüfte Krankenschwester; ~ secret *(also fig)* Staatsgeheimnis *nt*; ~ subsidy [staatliche] Subvention ④ *(showing ceremony)* Staats- III. *vt* ① *(express)* aussprechen, äußern; to ~ one's case seine Sache vortragen; to ~ one's objections seine Einwände vorbringen; **to ~ the source** die Quelle angeben; ▪**to ~ that ...** erklären, dass ...; ▪**to ~ how/what/why ...** darlegen, wie/was/warum ... ➋(*specify, fix*) nennen, angeben; **to ~ demands** Forderungen stellen

state-con·'trol·led *adj* (*controlled by the government*) staatlich gelenkt [*o* kontrolliert], unter staatlicher Aufsicht *nach n, präd;* (*owned by the state*) staatseigene(r, s) *attr* '**state·craft** *n no pl* Staatskunst *f*

stat·ed ['steɪtɪd] *adj* ➊(*declared*) genannt, angegeben; **as ~ above** wie oben angegeben ➋(*fixed*) festgelegt, festgesetzt; **at the ~ time** zur festgesetzten Zeit

'**State De·part·ment** *n no pl, + sing/pl vb* AM ▪**the ~** das US-Außenministerium

state edu·'ca·tion *n no pl* staatliches Bildungswesen

state·less ['steɪtləs] *adj* staatenlos; **~ per·son** Staatenlose(r) *f(m)*

state·ly ['steɪtli] *adj* ➊(*formal and imposing*) würdevoll, majestätisch ➋(*splendid*) prächtig, imposant; **~ home** herrschaftliches Anwesen

state·ment ['steɪtmənt] *n* ➊(*act of expressing sth*) Äußerung *f,* Erklärung *f;* (*fig*) ▪**to make a ~** *lifestyle, values* viel aussagen; **a coloured telephone can make a ~ too** auch ein farbiges Telefon kann ein Signal setzen ➋(*formal declaration*) Stellungnahme *f;* **I have no further ~ to make at this time** ich habe dazu im Moment nichts mehr zu sagen; **to make a ~ to the press** eine Presseerklärung abgeben ➌LAW Aussage *f;* **to make a ~** [**in court**] [vor Gericht] aussagen ➍(*bank statement*) [Konto]auszug *m*

state of the 'art *adj pred,* **state-of-the-'art** *adj attr* auf dem neuesten Stand der Technik *nach n,* hoch entwickelt, hochmodern

state-owned [-ˌəʊnd] *adj* staatseigene(r, s) *attr,* staatlich, in Staatsbesitz *präd* **state 'pris·on** *n* ➊AM (*prison on the state level*) Staatsgefängnis *nt* (*eines US-Bundesstaates*) ➋(*prison for political offenders*) Gefängnis *nt* für politische Gefangene '**state·room** *n* ➊(*in a hotel*) Empfangszimmer *nt;* (*in a palace*) Empfangsaal *m* ➋NAUT Luxuskabine *f* ➌RAIL Luxusabteil *nt* '**state school** *n* öffentliche [*o* staatliche] Schule

'**state·side I.** *adj* in den Staaten *präd;* **a ~ newspaper** eine Zeitung aus den Staaten **II.** *adv* in die Staaten

'**states·man** *n* Staatsmann *m*

'**states·man·like** *adj* staatsmännisch

'**states·man·ship** ['steɪtsmənʃɪp] *n no pl* Staatskunst *f*

'**states·wom·an** *n* Staatsfrau *f*

state 'vis·it *n* Staatsbesuch *m*

stat·ic ['stætɪk] **I.** *adj* (*fixed*) statisch; (*not changing*) konstant; **to remain ~** stagnieren **II.** *n* ➊PHYS ▪**~s** + *sing vb* Statik *f kein pl* ➋*no pl* (*electrical charge*) statische Elektrizität; (*atmospherics*) atmosphärische Störungen

stat·ic elec·'tric·ity *n no pl* statische Elektrizität

sta·tion ['steɪʃⁿn] **I.** *n* ➊RAIL Bahnhof *m;* **tube** BRIT [*or* AM **subway**] ~ U-Bahn-Haltestelle *f* ➋(*for designated purpose*) -station *f;* **petrol** BRIT [*or* AM **gas**] ~ Tankstelle *f;* **police ~** Polizeiwache *f;* **power ~** Kraftwerk *nt* ➌(*broadcasting station*) Sender *m;* **radio/TV ~** Radio-/Fernsehsender *m* ➍(*position*) Position *f,* Platz *m;* **several destroyers are on ~ off the coast of Norway** mehrere Zerstörer liegen vor der Küste Norwegens ➎(*dated: social position*) Stellung *f;* **she married below her ~** sie heiratete unter ihrem Stand ➏AUS, NZ AGR (*large farm*) [große] Farm **II.** *vt* postieren, aufstellen; *soldiers, troops* stationieren

sta·tion·ary ['steɪʃⁿnᵊri] *adj* (*not moving*) ruhend; **we were ~ at a set of traffic lights** wir standen an einer Ampel; (*not changing*) unverändert

sta·tion·er ['steɪʃⁿnəʳ] *n* BRIT ➊(*person*) Schreibwarenhändler(in) *m(f)* ➋(*shop*) Schreibwarenladen *m*

sta·tion·ery ['steɪʃⁿnᵊri] *n no pl* Schreibwaren *pl;* (*writing paper*) Schreibpapier *nt*

'**sta·tion house** *n* AM Polizeiwache *f* '**sta·tion·mas·ter** *n* Stationsvorsteher(in) *m(f)* '**sta·tion wag·on** *n* AM, AUS Kombi[wagen] *m*

sta·tis·ti·cal [stə'tɪstɪkᵊl] *adj* statistisch

sta·tis·ti·cal·ly [stə'tɪstɪkᵊli] *adv* statistisch; **to analyse sth ~** etw statistisch auswerten; **to present sth ~** etw als Statistik darstellen

stat·is·ti·cian [ˌstætɪˈstɪʃⁿn] *n* Statistiker(in) *m(f)*

sta·tis·tics [stə'tɪstɪks] *npl* ➊+ *sing vb* (*science*) Statistik *f kein pl* ➋(*data*) Statistik *f*

statu·ary ['stætʃuᵊri] (*form*) **I.** *n no pl* ➊(*statues collectively*) Statuen *pl* ➋(*art of making statues*) Bildhauerei *f* **II.** *adj* statuarisch *geh*

statue ['stætʃuː] *n* Statue *f,* Standbild *nt*

Statue of 'Lib·er·ty *n* ▪**the ~** die Freiheitsstatue

statu·esque [ˌstætʃu'esk] *adj* (*approv*

form) stattlich

statu·ette [ˌstætʃuːˈet] *n* Statuette *f*

stat·ure ['stætʃə'] *n* **❶** (*height*) Statur *f*, Gestalt *f*; **large/short ~** großer/kleiner Wuchs **❷** (*reputation*) Geltung *nt*, Prestige *nt*

sta·tus ['steɪtəs] *n no pl* Status *m;* (*prestige also*) Prestige *nt;* **to have a high ~ in a company** in einem Unternehmen eine hohe Stellung haben; **legal ~** Rechtsposition *f*

'**sta·tus bar** *n* COMPUT Statusleiste *f* '**sta·tus line** *n* COMPUT Statuszeile *f* **sta·tus quo** [ˌsteɪtəsˈkwəʊ] *n no pl* Status quo *m* '**sta·tus re·port** *n* COMPUT Statusbericht *m* '**sta·tus sym·bol** *n* Statussymbol *nt*

stat·ute ['stætjuːt] *n* **❶** (*written rules*) Statut *nt meist pl*, Satzung *f*; **■by ~** satzungsgemäß **❷** (*law*) Gesetz *nt* **❸** LAW, ECON (*permanent corporate rule*) Betriebsverfassung *f*

'**stat·ute book** *n* Gesetzbuch *nt;* **to put a law on the ~** ein Gesetz durchbringen **stat·ute** '**law** *n* LAW **❶** *no pl* (*not common law*) geschriebenes Gesetz **❷** (*statute*) Statut *nt*, Satzung *f* **stat·ute of limi**'**ta·tions** *n* Verjährungsgesetz *nt*, Verjährungsvorschrift *f*

statu·tory ['stætjətəˈri] *adj* gesetzlich; **~ law** kodifiziertes Recht; **~ right** positives Recht

staunch[1] [stɔːntʃ] *adj* (*steadfastly loyal*) standhaft, zuverlässig; **~ Catholic** überzeugter Katholik/überzeugte Katholikin; **~ opponent** erbitterter Gegner/erbitterte Gegnerin; **~ refusal** strikte Weigerung

staunch[2] [stɔːntʃ] *vt* stauen; *blood* stillen; **to ~ a wound** eine Wunde abbinden

stave [steɪv] I. *n* **❶** (*musical staff*) Notenlinien *pl* **❷** (*in construction*) Sprosse *f*, Querholz *nt* II. *vt* **■to ~ in** ⟲ **sth** etw eindrücken; **to ~ a hole in sth** ein Loch in etw *akk* schlagen **♦stave off** *vt* **■to ~ off** ⟲ **sth** (*postpone*) etw hinauszögern [*o* aufschieben]; (*prevent*) etw abwenden [*o* abwehren]; **to ~ off hunger** den Hunger stillen; **■to ~ off** ⟲ **sb** jdn hinhalten *fam*

staves [steɪvz] *n* **❶** *pl of* **staff ❷** *pl of* **stave**

stay[1] [steɪ] *n* NAUT, TRANSP Stütztau *nt*

stay[2] [steɪ] I. *n* **❶** (*act of remaining*) Aufenthalt *m;* **overnight ~** Übernachtung *f* **❷** LAW Aussetzung *f* II. *vi* **❶** (*remain present*) bleiben; **to ~ in bed/at home** im Bett/zu Hause bleiben; **to ~ put** (*fam: keep standing*) stehen bleiben; (*not stand up*) sitzen bleiben; (*not move*) sich nicht vom Fleck rühren **❷** (*persevere*) **■to ~ with sth** bei der Sache bleiben **❸** (*reside temporarily*) untergebracht sein, wohnen;

the children usually **~** with their grandparents for a week in the summer die Kinder verbringen gewöhnlich im Sommer eine Woche bei ihren Großeltern; **to ~ overnight** übernachten **❹** + *n or adj* (*remain*) bleiben; **the shops ~ open until 8 p.m.** die Läden haben bis 20 Uhr geöffnet; **to ~ in touch** in Verbindung bleiben; **to ~ tuned** RADIO, TV, MEDIA am Apparat bleiben III. *vt* (*assuage*) **to ~ one's hunger/thirst** seinen Hunger/ Durst stillen **♦stay away** *vi* **❶** (*keep away*) wegbleiben, fernbleiben **❷** (*avoid*) **■to ~ away from sb/sth** jdn/etw meiden; **my boss told me to ~ away from company policy** mein Chef sagte mir, ich solle mich aus der Unternehmenspolitik heraushalten **♦stay behind** *vi* [noch] [da]bleiben; SCH nachsitzen **♦stay in** *vi* zu Hause bleiben **♦stay on** *vi* **❶** (*remain longer*) [noch] bleiben **❷** (*remain in place*) *lid, top* halten, darauf bleiben; *sticker* haften **❸** (*remain in operation*) *light* an bleiben; *device* eingeschaltet bleiben **♦stay out** *vi* **❶** (*not come home*) ausbleiben, wegbleiben **❷** (*continue a strike*) weiter streiken **❸** (*not go somewhere*) **~ out of the kitchen!** bleib aus der Küche!; **~ out of the water if nobody's around** geh nicht ins Wasser, wenn sonst keiner da ist **❹** (*not become involved*) **to ~ out of trouble** sich *dat* Ärger vom Hals halten *fam;* **to ~ out of sb's way** jdm aus dem Wege gehen **♦stay up** *vi* aufbleiben, wach bleiben

'**stay-at-home** I. *n* (*pej*) Stubenhocker(in) *m(f) fam* II. *adj* ungesellig, menschenscheu

stay·er ['steɪə'] *n* **❶** (*approv: persevering person*) ausdauernder Mensch; (*horse*) Steher *m* **❷** (*visitor*) Besucher(in) *m(f)*

stay·ing power ['steɪɪŋ-] *n no pl* **❶** (*physical stamina*) Durchhaltevermögen *nt*, Ausdauer *f* **❷** (*mental stamina*) Mut *m*, Durchsetzungsvermögen *nt*

STD[1] [ˌestiːˈdiː] *n* MED *abbrev of* **sexually transmitted disease** Geschlechtskrankheit *f*

STD[2] [ˌestiːˈdiː] *n no pl* BRIT, AUS TECH *abbrev of* **subscriber trunk dialling** Selbstwählferndienst *m*

stead [sted] *n no pl* Stelle *f* ▸ **to stand sb in good ~** [**for sth**] jdm [bei etw *dat*] zugutekommen

stead·fast ['stedfɑːst] *adj* fest, standhaft, unerschütterlich; *ally* loyal; *critic* unerbittlich; *friend* treu; **to prove oneself ~** sich als zuverlässig erweisen

stead·fast·ly ['stedfɑːstli] *adv* fest, standhaft, unerschütterlich; **to refuse ~ to do sth** kategorisch ablehnen, etw zu tun; **to remain ~ at sb's side** jdm treu zur Seite stehen

stead·fast·ness ['stedfɑːstnəs] *n no pl* Standhaftigkeit *f*, Loyalität *f*; **sb's ~ in the face of sth** jds Standhaftigkeit angesichts einer S. *gen*

steadi·ness ['stedɪnəs] *n no pl* ❶ (*stability*) *of prices* Stabilität *f*; (*firmness*) Festigkeit *f*; (*unwaveringness*) Standhaftigkeit *f* ❷ (*regularity*) Regelmäßigkeit *f*, Stetigkeit *f*; **the ~ of his pulse gives us grounds for hope** sein Puls ist stabil, und das gibt uns Grund zur Hoffnung

steady ['stedi] **I.** *adj* ❶ (*stable*) fest, stabil ❷ (*regular*) kontinuierlich, gleich bleibend; *breathing, flow, pulse* regelmäßig; *increase, decrease* stetig; *rain* anhaltend; *speed* konstant ❸ (*not wavering*) fest; *pain* permanent; **~ hand** ruhige Hand; **~ voice** feste Stimme ❹ (*calm and dependable*) verlässlich, solide; *nerves* stark ❺ (*regular*) regelmäßig; **~ boyfriend/girlfriend** fester Freund/feste Freundin **II.** *vt* <-ie-> ❶ (*stabilize*) stabilisieren; **to ~ oneself** ins Gleichgewicht kommen, Halt finden; **to ~ the ladder** die Leiter festhalten ❷ (*make calm*) **to ~ one's aim** sein Ziel fixieren; **to ~ one's nerves** seine Nerven beruhigen **III.** *adv* ❶ (*still*) **to hold ~ prices** stabil bleiben; **to hold sth ~** etw festhalten ❷ Brit (*be sparing*) **I'd like a gin and tonic, please, and go ~ on the ice** ich hätte gerne einen Gin Tonic, aber bitte mit wenig Eis **IV.** *interj* (*warning*) sachte!; **~ on!** Brit halt!

steak [steɪk] *n* ❶ *no pl* (*superior cut of beef*) zum Kurzbraten geeignetes Stück vom Rind; **rump ~** Rumpsteak *nt* ❷ *no pl* (*poorer-quality beef*) Rindfleisch *nt*; **braising ~** Schmorfleisch *nt* ❸ (*thick slice*) [Beef]steak *nt*; *of fish* Filet *nt*

steal [stiːl] **I.** *n esp* Am (*fam*) Schnäppchen *nt* **II.** *vt* <stole, stolen> ❶ (*take illegally*) stehlen; **to ~ [sb's] ideas** [jds] Ideen klauen *fam* ❷ (*gain artfully*) **to ~ sb's heart** jds Herz erobern ❸ (*do surreptitiously*) **she stole a glance at her watch** sie lugte heimlich auf ihre Armbanduhr ▶ **to ~ the show from sb** jdm die Schau stehlen; **to ~ sb's thunder** jdm den Wind aus den Segeln nehmen **III.** *vi* <stole, stolen> ❶ (*take things illegally*) stehlen ❷ (*move surreptitiously*) sich wegstehlen; **he stole out of the room** er stahl sich aus dem Zimmer

steal·ing ['stiːlɪŋ] *n no pl* Stehlen *nt*

stealth [stelθ] *n no pl* ❶ (*trick*) List *f* ❷ (*furtiveness*) Heimlichkeit *f*; ▪ **to do sth by ~** etw heimlich tun

stealthy ['stelθi] *adj* heimlich, verstohlen

steam [stiːm] **I.** *n no pl* Dampf *m;* **he ran out of ~** ihm ging die Puste aus; **to let off ~** Dampf ablassen *a. fig* **II.** *vi* dampfen **III.** *vt* **to ~ fish/vegetables** Fisch/Gemüse dämpfen; **to ~ open a letter** einen Brief über Wasserdampf öffnen ◆ **steam up I.** *vi* *mirror, window* beschlagen **II.** *vt* ❶ (*cause to become steamy*) **the windows are ~ed up** die Fenster sind beschlagen ❷ (*fam: cause to become excited*) **to get all ~ed up [about sth]** sich [über etw *akk*] unheimlich aufregen

'**steam bath** *n* Dampfbad *nt* '**steam·boat** *n* Dampfschiff *nt*, Dampfer *m* '**steam en·gine** *n* ❶ (*engine*) Dampfmaschine *f* ❷ (*locomotive*) Dampflok[omotive] *f*

steam·er ['stiːməʳ] *n* ❶ (*boat*) Dampfer *m*, Dampfschiff *nt* ❷ (*for cooking*) Dampfkochtopf *m*

'**steam iron** *n* Dampfbügeleisen *nt* '**steam·roll·er I.** *n* ❶ (*road machinery*) Dampfwalze *f* ❷ (*fig: extremely forceful person*) Agitator(in) *m(f)* geh **II.** *vt* ▪ **to ~ sb into doing sth** jdn unter Druck setzen, etw zu tun; **to ~ the opposition** die Opposition niederwalzen '**steam·ship** *n* Dampfschiff *nt*, Dampfer *m*

steamy ['stiːmi] *adj* ❶ (*full of steam*) dampfig, dunstig ❷ (*hot and humid*) feuchtheiß ❸ (*fam: torrid, sexy*) heiß, scharf; *love scene, novel also* prickelnd

steed [stiːd] *n* (*dated liter*) Ross *nt*

steel [stiːl] **I.** *n* ❶ *no pl* (*iron alloy*) Stahl *m* ❷ *no pl* (*firmness of character*) Härte *f*, Stärke *f*; **nerves of ~** Nerven *pl* wie Drahtseile ❸ (*knife sharpener*) Wetzstahl *m* **II.** *vt* ▪ **to ~ oneself against/for sth** sich gegen/für etw *akk* wappnen; ▪ **to ~ oneself [to do sth]** all seinen Mut zusammennehmen[, um etw zu tun]

steel 'band *n* Steelband *f* **steel 'grey I.** *adj* stahlgrau **II.** *n* Stahlgrau *nt* '**steel mill** *n* Stahl[walz]werk *nt* **steel 'wool** *n no pl* Stahlwolle *f* '**steel·work·er** *n* Stahlarbeiter(in) *m(f)* '**steel·works** *npl* + *sing/pl vb* Stahlwerk *nt*, Stahlfabrik *f*

steely ['stiːli] *adj* ❶ (*of steel*) stählern ❷ (*hard, severe*) stahlhart; **~ determination** eiserne Entschlossenheit; **~ expression** harter Ausdruck; **~ glance** stählerner Blick

steep¹ [stiːp] *adj* ❶ (*sharply sloping*) steil; *slope* abschüssig; **~ steps** hohe Stufen ❷ (*dramatic*) drastisch, dramatisch; *decline* deutlich ❸ (*unreasonably expensive*) überteuert

steep² [stiːp] **I.** *vt* ❶ (*soak in liquid*) tränken; *washing* einweichen ❷ *usu passive* (*imbue*) ■**to be ~ed in sth** von etw *dat* durchdrungen sein; **~ed in history** geschichtsträchtig **II.** *vi* einweichen; **she never lets the tea ~ long enough** sie lässt den Tee nie lang genug ziehen

steep·en [ˈstiːpⁿn] **I.** *vi* ❶ (*become steeper*) steiler werden; *road, slope* ansteigen ❷ (*fam: increase in cost*) steigen, sich erhöhen **II.** *vt* steps steiler machen

stee·ple [ˈstiːpl] *n* ARCHIT (*spire*) Turmspitze *f; of a church* Kirchturm *m*

'**stee·ple·chase** *n* ❶ (*for horses*) Hindernisrennen *nt* ❷ (*for runners*) Hindernislauf *m* '**stee·ple·jack** *n* Hochbauarbeiter(in) *m(f)*

steep·ly [ˈstiːpli] *adv* steil; (*dramatically*) drastisch; **to decline/rise ~** drastisch zurückgehen/steigen

steer [stɪəʳ] **I.** *n* ZOOL junger Ochse **II.** *vt* ❶ (*direct*) steuern ❷ (*follow*) **to ~ a course** einen Kurs einschlagen **III.** *vi* steuern, lenken; *vehicle* sich lenken lassen

steer·age [ˈstɪərɪdʒ] **I.** *n no pl* NAUT (*hist*) Zwischendeck *nt* **II.** *adj* NAUT (*hist*) Zwischendeck-

steer·ing [ˈstɪərɪŋ] **I.** *n no pl* AUTO Lenkung *f;* NAUT Steuerung *f* **II.** *adj attr* AUTO Lenk-; NAUT Ruder-, Steuerungs-

'**steer·ing com·mit·tee** *n* Lenkungsausschuss *m* '**steer·ing lock** *n* AUTO Lenkradschloss *nt* '**steer·ing wheel** *n* Steuer[rad] *nt; of a car also* Lenkrad *nt*

'**steers·man** *n* NAUT Steuermann *m*

stel·lar [ˈsteləʳ] *adj* ❶ ASTRON (*form*) stellar *fachspr* ❷ (*fam: exceptionally good*) grandios, phänomenal

stem [stem] **I.** *n* ❶ *of a tree, bush* Stamm *m; of a leaf, flower* Stiel *m*, Stängel *m; of grain, corn* Halm *m; of a glass* [Glas]stiel *m* ❷ LING (*Wort*)stamm *m* **II.** *vt* <-mm-> eindämmen, aufhalten; **to ~ the flow of blood** die Blutung stillen; **to ~ the tide** [*or* flow] **of sth** etw zum Stillstand bringen **III.** *vi* <-mm-> ❶ (*be traced back*) ■**to ~ back to sth** sich bis zu etw *dat* zurückverfolgen lassen, auf etw *akk* zurückgehen; ■**to ~ from sb/sth** auf jdn/etw zurückzuführen sein ❷ (*slide a ski outwards*) stemmen

stench [stentʃ] *n no pl* Gestank *m a. fig*

sten·cil [ˈsten(t)sᵊl] *n* Schablone *f;* (*picture*) Schablonenzeichnung *f*

ste·nog·ra·pher [stəˈnɒɡrəfəʳ] *n* AM

(*dated*) Stenograf(in) *m(f)*

ste·nog·ra·phy [stəˈnɒɡrəfi] *n no pl* AM (*dated*) Stenografie *f*

step¹ [step] *n no pl* SPORTS *short for* **step aerobics** Step-Aerobic *nt o f*

step² [step] **I.** *n* ❶ (*foot movement*) Schritt *m;* **to be/walk in ~** im Gleichschritt sein/laufen ❷ *no pl* (*manner of walking*) Gang *m;* **to watch one's ~** (*fig*) aufpassen ❸ (*dance movement*) [Tanz]schritt *m;* ■**in/out of ~** im/aus dem Takt; (*fig*) im/nicht im Einklang; **to keep in ~ with sth** (*fig*) mit etw *dat* Schritt halten ❹ (*stair*) Stufe *f; of a ladder* Sprosse *f;* "**mind the ~**" „Vorsicht, Stufe!"; **a flight of ~s** eine Treppe ❺ (*stage in a process*) Schritt *m;* **one ~ at a time** eins nach dem anderen; **to be one ~ ahead [of sb]** [jdm] einen Schritt voraus sein; **~ by ~** Schritt für Schritt ❻ (*measure, action*) Schritt *m,* Vorgehen *nt;* ■**to take ~s [to do sth]** Schritte unternehmen[, um etw zu tun]; **to take drastic ~s** zu drastischen Mitteln greifen ❼ BRIT (*stepladder*) ■**~s** *pl* Trittleiter *f* ❽ *esp* AM MUS (*tone, semitone*) Ton *m* **II.** *vi* <-pp-> ❶ (*tread*) ■**to ~ somewhere** irgendwohin treten; ■**to ~ over sth** über etw *akk* steigen; **to ~ on sb's foot** jdm auf den Fuß treten ❷ (*walk*) ■**to ~ somewhere** irgendwohin gehen; **would you care to ~ this way please, sir?** würden Sie bitte hier entlanggehen, Sir?; **she ~ped backwards** sie machte einen Schritt zurück; **to ~ aside** zur Seite gehen; **to ~ out of line** (*fig*) sich danebenbenehmen **III.** *vi* AUTO, TRANSP (*tread on accelerator, brake*) treten (**on** auf); **~ on it** gib Gas! *fam*

◆ **step aside** *vi* zur Seite treten, Platz machen ◆ **step back** *vi* ❶ (*move back*) zurücktreten ❷ (*gain a new perspective*) Abstand nehmen ❸ (*emotionally re-visit*) **to ~ back in time** sich in die Vergangenheit zurückversetzen ◆ **step down** *vi* ❶ (*resign*) zurücktreten, sein Amt niederlegen ❷ LAW *witness* den Zeugenstand verlassen ◆ **step in** *vi* ❶ (*enter building*) eintreten; (*enter vehicle*) einsteigen ❷ (*intervene*) eingreifen, einschreiten ◆ **step up** *vt* verstärken; **the pace of the reforms is being ~ped up** die Reformen werden jetzt beschleunigt

'**step·broth·er** *n* Stiefbruder *m* '**step·child** *n* Stiefkind *nt* '**step·daugh·ter** *n* Stieftochter *f* '**step·fa·ther** *n* Stiefvater *m* '**step-free** *adj attr* ohne Stufen *nach n* '**step·lad·der** *n* Stehleiter *f,* Trittleiter *f* '**step·moth·er** *n* Stiefmutter *f*

steppe [step] *n* Steppe *f*

'**step·ping stone** *n* ❶ (*stone*) [Tritt]stein *m*

2 (*fig: intermediate stage*) Sprungbrett *nt*

'**step·sis·ter** *n* Stiefschwester *f*

'**step·son** *n* Stiefsohn *m*

ste·reo[1] <*pl* -os> ['sterɪəʊ] *n* **1** *no pl* (*transmission*) Stereo *nt* **2** (*fam: unit*) Stereoanlage *f*; **car** ~ Autoradio *nt*

ste·reo[2] ['sterɪəʊ] *adj short for* **stereophonic** Stereo-

ste·reo·phon·ic [ˌsterɪə(ʊ)'fɒnɪk] *adj* MUS, MEDIA (*form*) stereophon *fachspr*; ~ **sound** Stereoklang *m*

ste·reo·scop·ic [ˌsterɪə(ʊ)'skɒpɪk] *adj* stereoskopisch

ste·reo·type ['sterɪə(ʊ)taɪp] **I.** *n* Stereotyp *nt*, Klischee *nt*; (*character*) stereotype Figur; **racist** ~**s** rassistische Vorurteile **II.** *vt* **to** ~ **sb/sth** jdn/etw in ein Klischee zwängen

ste·reo·typi·cal [ˌsterɪə(ʊ)'tɪpɪkəl] *adj* stereotyp; ~ **family** Durchschnittsfamilie *f*; ~ **male response** typisch männliche Antwort

ste·reo·typi·cal·ly [ˌsterɪə(ʊ)'tɪpɪkəli] *adv* stereotyp

ster·ile ['steraɪl] *adj* **1** MED (*unable to reproduce*) unfruchtbar, steril **2** AGR *soil* unfruchtbar **3** MED (*free from bacteria*) steril, keimfrei

ste·ril·ity [stə'rɪləti] *n no pl* **1** MED Unfruchtbarkeit *f*, Sterilität *f* **2** AGR Unfruchtbarkeit *f*

steri·li·za·tion [ˌsterəlaɪ'zeɪʃ°n] *n no pl* **1** (*operation*) Sterilisierung *f* **2** (*making sth chemically clean*) Desinfizierung *f*

steri·lize ['sterəlaɪz] *vt* MED **1** *usu passive* (*make infertile*) ■ **to be ~d** (*already*) sterilisiert sein; (*now, in future*) sterilisiert werden; **she decided to be ~d** sie entschloss sich, sich sterilisieren zu lassen **2** (*disinfect*) desinfizieren; **to ~ water** Wasser abkochen

ster·ling ['stɜːlɪŋ] **I.** *n no pl* **1** FIN Sterling *m*, [britisches] Pfund **2** (*metal*) Sterlingsilber *nt* **II.** *adj* (*approv*) gediegen, meisterhaft; **to make a ~ effort** beachtliche Anstrengungen unternehmen

stern[1] [stɜːn] *adj* (*severe*) ernst; (*strict*) streng, unnachgiebig; (*difficult*) *test* hart, schwierig; **to say sth in a ~ voice** etw nachdrücklich sagen; **a ~ warning** eine eindringliche Warnung

stern[2] [stɜːn] *n* NAUT Heck *nt*

stern·ness ['stɜːnnəs] *n no pl* **1** (*severity*) Strenge *f*, Härte *f* **2** (*earnestness*) Ernst *m*, Ernsthaftigkeit *f*

ster·num <*pl* -s *or* -na> ['stɜːnəm, *pl* -nə] *n* Brustbein *nt*

ster·oid ['sterɔɪd] *n* CHEM, MED, PHARM Stero-

ide *pl*

stetho·scope ['steθəskəʊp] *n* Stethoskop *nt*

ste·vedore ['stiːvədɔːʳ] *n* Stauer(in) *m(f)*

stew [stjuː] **I.** *n* Eintopf *m*; **Irish S~** *irischer Eintopf aus Kartoffeln, Fleisch und Gemüse* **II.** *vt meat* schmoren; **to ~ plums** Pflaumenkompott kochen **III.** *vi* **1** (*simmer*) *meat* [vor sich *akk* hin] schmoren; BRIT *tea* zu lange ziehen [und bitter werden] **2** (*fam: be upset*) schmollen

stew·ard ['stjuːəd] *n* **1** (*on flight*) Flugbegleiter *m*, Steward *m*; (*on cruise*) Schiffsbegleiter *m*, Steward *m* **2** (*at an event*) Ordner(in) *m(f)* **3** (*at a race*) ■ ~**s** *pl* die Rennleitung *kein pl*

stew·ard·ess <*pl* -es> ['stjuːədes] *n* (*on flight*) Flugbegleiterin *f*, Stewardess *f*; (*on cruise*) Schiffsbegleiterin *f*, Stewardess *f*

stick[1] [stɪk] *n* **1** (*small thin tree branch*) Zweig *m*; (*thin piece of wood*) Stock *m* **2** (*severe criticism*) **to get** ~ herbe Kritik einstecken müssen; **to give sb** ~ jdn heruntermachen **3** (*a piece of sth*) **carrot** ~**s** lange Mohrrübenstücke; **celery** ~**s** Selleriestangen *pl*; **a ~ of chewing gum** ein Stück Kaugummi **4** (*used in a certain function*) Stock *m*; **hockey/polo** ~ Hockey-/Poloschläger *m*; **walking** ~ Spazierstock *m* **5** MUS Taktstock *m* **6** AUTO, MECH Hebel *m*; **gear** ~ Hebel *m* der Gang[schaltung] **7** (*pej fam: remote area*) **out in the** ~**s** [ganz] weit draußen ► **to get the shit-end of the** ~ AM (*fam!*) immer [nur] den schlechten Rest abbekommen; **to up** ~**s** BRIT (*fam*) mit Sack und Pack umziehen

stick[2] <stuck, stuck> [stɪk] **I.** *vi* **1** (*fix by adhesion*) kleben; (*be fixed*) zugeklebt bleiben; **this glue won't ~** dieser Klebstoff hält nicht **2** (*fig: attach oneself*) ■ **to ~ to sb** [like a leech] an jdm kleben *fam* **3** (*be unable to move*) feststecken; *car* stecken bleiben; (*be unmovable*) festsitzen; *door, window, gear* klemmen; **help me up — I'm stuck** hilf mir mal — ich stecke fest! **4** (*fig: unable to continue*) nicht weiter wissen; (*unable to leave*) nicht weg können **5** (*endure*) hängen bleiben; **to ~ in sb's mind** jdm in Erinnerung bleiben **6** (*persevere*) ■ **to ~ at sth** an etw *dat* dranbleiben **7** (*keep within limits*) **to ~ to one's budget** sich an sein Budget halten; **to ~ to a diet** eine Diät einhalten **8** (*not give up*) **to ~ with traditions** an Traditionen festhalten **9** (*continue to support, comply with*) ■ **to ~ by sb/sth** zu jdm/etw halten; **I ~ by what I said** ich stehe zu meinem Wort **10** (*fam: need, be at a loss* *for*) **I'm stuck for money at the moment** im Moment bin ich ein bisschen knapp bei Kasse *fam;* **he was stuck for words** er suchte [vergeblich] nach Worten ▸**to ~ to one's guns** nicht lockerlassen; **I'm ~ing to my guns** ich stehe zu dem, was ich gesagt habe **II.** *vt* ❶ (*affix*) kleben (**to** an) ❷ (*fam: put*) **~ your things wherever you like** stellen Sie Ihre Sachen irgendwo ab; **to ~ one's head around the door** seinen Kopf durch die Tür stecken ▸**to ~ one's nose into sb's business** seine Nase in jds Angelegenheiten stecken ◆**stick around** *vi* (*fam*) da bleiben ◆**stick down** *vt* ❶ (*glue*) ■**to ~ sth ↻ down** etw festkleben ❷ (*fam: write hastily*) ■**to ~ sth down |on paper|** etw sofort aufschreiben ◆**stick in I.** *vi* dart stecken bleiben ▸**to get stuck in** BRIT (*fam: start*) anfangen; (*start eating*) [mit dem Essen] anfangen **II.** *vt* (*fam*) ❶ (*affix*) ■**to ~ sth in sth** etw in etw *akk* einkleben ❷ (*put into*) ■**to ~ sth in|to| sth** etw in etw *akk* hineinstecken ◆**stick out I.** *vt* ❶ (*make protrude*) **to ~ out one's hand** die Hand ausstrecken; **to ~ one's tongue out** die Zunge herausstrecken ❷ (*endure*) ■**to ~ it out** [bis zum Ende] durchhalten **II.** *vi* ❶ (*protrude*) [her]vorstehen; *hair, ears* abstehen; *nail* herausstehen ❷ (*fig: be obvious*) offensichtlich sein; **to ~ out a mile** wie ein bunter Pudel auffallen ❸ (*endure*) ■**to ~ out for sth** hartnäckig auf etw *dat* bestehen ▸**to ~ one's neck out** eine Menge riskieren *fam* ◆**stick together I.** *vt* zusammenkleben **II.** *vi* ❶ (*adhere*) zusammenkleben ❷ (*fig: not separate*) immer zusammen sein; (*inseparable*) unzertrennlich sein ❸ (*fig: remain loyal to each other*) zusammenhalten, zueinander stehen; (*help each other*) einander helfen ◆**stick up I.** *vt* (*fam*) ❶ (*attach*) **to ~ up a notice** einen Aushang machen ❷ (*raise*) **if you have a question, ~ your hand up** meldet euch, wenn ihr eine Frage habt ❸ (*armed robbery*) ■**to ~ up ↻ sb/sth** jdn/etw überfallen **II.** *vi* ❶ (*protrude*) hochragen, emporragen ❷ (*stand on end*) abstehen ❸ (*defend*) ■**to ~ up for sb/sth** sich für jdn/etw einsetzen ❹ (*support*) ■**to ~ up for sb** jdn unterstützen

stick·er ['stɪkə̯ʳ] *n* ❶ (*adhesive label*) Aufkleber *m;* (*for collecting*) Sticker *m;* **price ~** Preisschild[chen] *nt* ❷ (*persevering person*) **to be a ~** Durchhaltevermögen haben

'**stick·ing plaster** *n* BRIT [Heft]pflaster *nt*

'**stick in·sect** *n* Gespenstheuschrecke *f*

'**stick-in-the-mud I.** *n* (*fam*) Muffel *m*, Spaßverderber(in) *m(f) pej* **II.** *adj attr* altmodisch, rückständig

stick·le·back ['stɪklˌbæk] *n* ZOOL Stichling *m*

stick·ler ['stɪklə̯ʳ] *n* Pedant(in) *m(f) pej;* **to be a ~ for accuracy/punctuality** pingelig auf Genauigkeit/Pünktlichkeit achten

'**stick-on** *adj attr* Klebe- '**stick·pin** *n* AM (*tiepin*) Krawattennadel *f* '**stick-up** *n esp* AM (*fam*) Überfall *m*

sticky ['stɪki] *adj* ❶ (*texture*) klebrig; ■**to be ~ with sth** mit etw *dat* verklebt sein ❷ (*sugary*) klebrig ❸ (*sweaty*) *person* verschwitzt; (*humid*) *weather* schwül; *air* stickig ❹ (*fig: difficult*) *question, situation* heikel; *problem* kompliziert ▸**to come to a ~ end** ein böses Ende nehmen

stiff [stɪf] **I.** *n* (*fam: corpse*) Leiche *f* **II.** *adj* ❶ (*rigid*) steif (**with** vor); *paper, lid* fest; **his clothes were ~ with dried mud** seine Kleidung starrte vor angetrocknetem Schmutz ❷ (*sore*) *neck, joints* steif; *muscles* hart ❸ (*dense*) *paste* dick; *batter, mixture, dough* fest ❹ (*formal, reserved*) *manner* steif; *letter* unpersönlich; (*forced*) *smile* gezwungen; **to keep a ~ upper lip** Haltung bewahren ❺ (*strong*) *opposition* stark; *penalty, punishment* hart; **~ breeze** steife Brise; **~ criticism** herbe Kritik; **~ drink** harter Drink **III.** *adv* **I got frozen ~ waiting at the bus stop** ich wäre fast erfroren, als ich an der Bushaltestelle wartete; **to be scared ~** zu Tode erschrocken sein **IV.** *vt* AM (*fam: cheat*) ■**to be ~ed** betrogen werden

stiff·en ['stɪfən] **I.** *vi* ❶ (*tense up*) sich versteifen; *muscles* sich verspannen; (*with nervousness*) *person* sich verkrampfen; (*with fear, fright*) erstarren ❷ (*become denser*) *cream, egg whites* steif werden ❸ (*become stronger*) stärker werden, sich verstärken; *resistance* wachsen **II.** *vt* ❶ (*make rigid*) **to ~ one's arms/legs** die Arme/Beine versteifen; **to ~ a collar** einen Kragen stärken ❷ (*make more severe*) **to ~ a penalty/the rules** eine Strafe/die Regeln verschärfen ❸ (*strengthen*) [ver]stärken; **to ~ competition** den Wettbewerb verschärfen

stiff·en·ing ['stɪfənɪŋ] **I.** *n no pl* ❶ (*becoming rigid*) *of muscles, joints* Versteifung *f* ❷ FASHION (*rigid material*) Einlage *f* **II.** *adj attr* (*fig*) **~ resolve** zunehmende Entschlossenheit

stiff·ly ['stɪfli] *adv* ❶ (*rigidly*) **to sit/stand ~** steif dasitzen/dastehen; (*with difficulty*)

to move ~ sich steif bewegen ❷ (*fig: unfriendly*) steif; **a** ~ **worded letter** ein scharf formulierter Brief; **to smile** ~ gezwungen lächeln

stiff-necked [-'nekt] *adj* (*pej*) ❶ (*stubborn*) halsstarrig, stur ❷ (*arrogant*) hochnäsig, arrogant

stiff·ness ['stɪfnəs] *n no pl* ❶ (*rigidity*) Steifheit; *of brakes* Steifigkeit *f; of dough, batter* Festigkeit *f; of muscles* Verspanntheit *f* ❷ (*formal behaviour*) Steifheit *f*, Förmlichkeit *f* ❸ *of a punishment, penalty, sentence* Schwere *f; of taxes, fees* Höhe *f*

stif·fy ['stɪfi] *n* (*vulg*) **to get/have a** ~ einen Steifen kriegen/haben *vulg*

sti·fle ['staɪfl] **I.** *vi* ersticken **II.** *vt* ❶ (*smother*) ■**to** ~ **sb** jdn ersticken; **to** ~ **a fire/flames** ein Feuer/Flammen ersticken ❷ (*fig: suppress*) ■**to** ~ **sth** etw unterdrücken; **to** ~ **competition** die Konkurrenz ausschalten; **to** ~ **the urge to laugh** sich *dat* das Lachen verbeißen

sti·fling ['staɪflɪŋ] *adj* ❶ (*smothering*) *fumes, smoke* erstickend; *air* zum Ersticken *nach n, präd;* (*fig*) *heat, humidity* drückend; *room* stickig ❷ (*fig: repressive*) erdrückend

stig·ma ['stɪgmə] *n* ❶ MED *of a disease* Symptom *nt;* (*mark on skin*) Mal *nt* ❷ (*shame*) Stigma *nt geh;* **social** ~ gesellschaftlicher Makel

stig·ma·tize ['stɪgmətaɪz] *vt* ❶ (*mark*) brandmarken ❷ REL stigmatisieren

stile [staɪl] *n* Pfosten *m; of a door* Höhenfries *m*

sti·let·to <*pl* -os> [stɪ'letəʊ] *n* ❶ (*knife*) Stilett *nt* ❷ (*shoe*) Pfennigabsatz *m;* ■ ~ **s** *pl* Schuhe *pl* mit Pfennigabsätzen

sti·let·to 'heel *n* Pfennigabsatz *m*

still¹ [stɪl] **I.** *n* ❶ *no pl* (*peace and quiet*) Stille *f* ❷ *usu pl* (*photo of film scene*) Standfoto *nt* **II.** *adj* ❶ (*quiet and peaceful*) ruhig, friedlich; *lake, sea* ruhig ❷ (*motionless*) reglos, bewegungslos; **to keep** ~ still halten, sich nicht bewegen; **to sit/stand** ~ still sitzen/stehen ❸ (*not fizzy*) *drink* ohne Kohlensäure *nach n; mineral water* still, ohne Kohlensäure *nach n* **III.** *vt* (*calm*) **to** ~ **sb's doubts/fears/worries** jdm seine Ängste/Zweifel/Bedenken nehmen

still² [stɪl] *adv* ❶ (*continuing situation*) [immer] noch, noch immer; (*in future as in past*) nach wie vor; **there's** ~ **time for us to get to the cinema before the film starts** wir können es noch schaffen, ins Kino zu kommen, bevor der Film anfängt ❷ (*nevertheless*) trotzdem; **I know you don't like her but you** ~ **don't have to** be so rude to her ich weiß, du kannst sie nicht leiden, aber deswegen brauchst du nicht gleich so unhöflich zu ihr zu sein; ..., **but he's** ~ **your brother** ..., [aber] er ist immer noch dein Bruder ❸ (*greater degree*) noch; **to want** ~ **more** immer noch mehr wollen; **better/worse** ~ noch besser/schlimmer

still³ [stɪl] *n* ❶ (*distillery*) Brennerei *f* ❷ (*appliance*) Destillierapparat *m*

'still·birth *n* Totgeburt *f* ❶ **'still·born** *adj baby, animal young* tot geboren **still 'life** <*pl* -s> *n* ❶ (*painting*) Stillleben *nt* ❷ *no pl* (*style*) Stilllebenmalerei *f*

still·ness ['stɪlnəs] *n no pl* ❶ (*tranquillity*) Stille *f*, Ruhe *f* ❷ (*lack of movement*) *of the air, trees* Unbewegtheit *f*, Bewegungslosigkeit *f; of a person* Reglosigkeit *f*

stilt [stɪlt] *n usu pl* ❶ (*post*) Pfahl *m* ❷ (*for walking*) Stelze *f;* **a pair of** ~ **s** Stelzen *pl*

stilt·ed ['stɪltɪd] *adj* (*pej: stiff and formal*) *way of talking* gestelzt; (*not natural*) *behaviour* unnatürlich, gespreizt

stimu·lant ['stɪmjələnt] **I.** *n* ❶ (*boost*) Stimulanz *f*, Anreiz *m* ❷ MED (*drug*) Stimulans *nt;* SPORTS Aufputschmittel *nt* **II.** *adj attr* anregend, belebend

stimu·late ['stɪmjəleɪt] **I.** *vt* ❶ (*encourage*) beleben, ankurbeln ❷ (*excite*) ■**to** ~ **sb/ sth** jdn/etw stimulieren ❸ MED (*activate*) **the drugs** ~ **the damaged tissue into repairing itself** die Medikamente regen das beschädigte Gewebe dazu an, sich zu regenerieren **II.** *vi* begeistern, mitreißen

stimu·lat·ing ['stɪmjəleɪtɪŋ] *adj* ❶ (*mentally*) stimulierend; *conversation, discussion* anregend; *atmosphere, environment* animierend ❷ (*sexually*) erregend, stimulierend ❸ (*physically*) *shower, exercise* belebend; *drug* stimulierend

stimu·la·tion [ˌstɪmjə'leɪʃ^ən] *n no pl* ❶ (*mental*) Anregung *f;* (*physical*) belebende Wirkung; (*sexual*) Stimulieren *nt*, Erregen *nt* ❷ (*motivation*) *of the economy* Ankurbelung *f;* (*of interest, enthusiasm*) Erregung *f* ❸ MED *of a gland, the immune system* Stimulation *f; of a nerve* Reizen *nt*

stimu·lus <*pl* -li> ['stɪmjələs, *pl* -laɪ] *n* ❶ (*economic boost*) Stimulus *m geh* ❷ (*motivation*) Ansporn *m kein pl*, Antrieb *m kein pl* ❸ BIOL, MED Reiz *m*, Stimulus *m fachspr*

sting [stɪŋ] **I.** *n* ❶ BIOL *of a bee, hornet* Stachel *m; of a jellyfish* Brennfaden *m; of a plant* Brennhaar *nt* ❷ (*wound*) Stich *m;* (*caused by jellyfish*) Brennen *nt* ❸ *no pl* (*from antiseptic, ointment*) Brennen *nt;* (*from needle*) Stechen *nt* ❹ *no pl* (*harsh-*

S

ness) of a remark, satire Stachel *m; of a voice, criticism* Schärfe *f* **II.** *vi* <stung, stung> *bee, hornet* stechen; *disinfectant, sunburn* brennen; *wound, cut* schmerzen, weh tun; *(fig) words, criticism* schmerzen **III.** *vt* <stung, stung> ❶ *(insect)* stechen; *(jellyfish)* brennen ❷ *(cause pain)* **the vodka stung her throat** der Wodka brannte ihr im Hals; **to ~ sb's eyes** *sand, wind, hail* jdm in den Augen brennen ❸ *(upset)* **he was stung by her criticisms** ihre Kritik hat ihn tief getroffen

stin·gi·ness ['stɪndʒɪnəs] *n no pl* Geiz *m,* Knaus[e]rigkeit *f pej fam*

'**sting·ing net·tle** *n* Brennnessel *f*

sting·ray ['stɪŋreɪ] *n* Stachelrochen *m*

stin·gy ['stɪndʒi] *adj (fam)* geizig, knaus[e]rig *pej;* **to be ~ with compliments/praise** mit Komplimenten/Lob geizen; **to be ~ with money** mit Geld knausern

stink [stɪŋk] **I.** *n* ❶ *usu sing (smell)* Gestank *m* ❷ *usu sing (fam: trouble)* Stunk *m;* **to kick up a ~** [about sth] [wegen einer S. *gen*] Stunk machen **II.** *vi* <stank *or* stunk, stunk> ❶ *(smell bad)* stinken; ■**to ~ of sth** nach etw *dat* stinken ❷ *(fig fam: be bad)* **his acting ~s** er ist ein miserabler Schauspieler ❸ *(fig fam: be disreputable)* stinken; *(be wrong)* zum Himmel stinken *sl* ❹ *(fig fam: have a lot)* **to ~ of money** Geld wie Heu haben

'**stink bomb** *n* Stinkbombe *f*

stink·er ['stɪŋkəʳ] *n* ❶ *(pej fam: person)* Fiesling *m sl;* **what a ~ that man is!** was ist er nur für ein Ekel! ❷ *(fam: sth difficult)* harter Brocken ❸ *(fam!: fart)* Furz *m derb*

stint [stɪnt] **I.** *n* ❶ *(restricted amount of work)* [Arbeits]pensum *nt;* **to do one's ~** seinen Teil beitragen ❷ *(restricted time of work)* Zeit *f;* **her most productive period was her five-year ~ as a foreign correspondent** ihre produktivste Zeit waren die fünf Jahre, die sie als Auslandskorrespondentin verbrachte **II.** *vt* ■**to ~ sth** *money, resources* mit etw *dat* sparen **III.** *vi* ■**to ~ on sth** mit etw *dat* sparen [*o* geizen]

stipu·late ['stɪpjəleɪt] *vt (person)* verlangen, fordern, zur Bedingung machen; *(contract)* festlegen, stipulieren *fachspr; (law, legislation)* zur Auflage machen, vorschreiben

stipu·la·tion [ˌstɪpjə'leɪʃ°n] *n* Auflage *f,* Bedingung *f;* (*in contract*) Klausel *f*

stir [stɜː'] **I.** *n* ❶ *usu sing (with spoon)* [Um]rühren *nt* ❷ *(physical movement)* Bewegung *f; of emotion* Erregung *f* ❸ *(excitement)* Aufruhr *f;* **to cause a ~** Aufsehen

erregen **II.** *vt* <-rr-> ❶ *(mix)* rühren; ■**to ~ sth into sth** etw in etw *akk* [hin]einrühren ❷ *(physically move)* rühren, bewegen; ■**to ~ oneself** sich bewegen ❸ *(awaken)* **to ~ sb from a dream** jdn aus einem Traum reißen ❹ *(arouse)* ■**to ~ sb** jdn bewegen [*o* rühren]; **to ~ anger/curiosity** Ärger/Neugier erregen; **to ~ emotions** Emotionen aufwühlen ❺ *(inspire)* **to ~ sb into action** jdn zum Handeln bewegen **III.** *vi* <-rr-> ❶ *(mix)* rühren ❷ *(move)* sich regen; *person also* sich rühren; *grass, water, curtains* sich bewegen ❸ *(awaken)* wach werden, aufwachen; ■**to ~ within sb** *(fig) emotions* sich in jdm regen ❹ BRIT, AUS *(cause trouble)* Unruhe stiften; *(spread gossip)* Gerüchte in Umlauf bringen

'**stir-fry I.** *n* Chinapfanne *f,* Wok *m* **II.** *vi* <-ie-> kurz anbraten **III.** *vt* <-ie-> **to ~ chicken/pork/vegetables** Huhn/Schweinefleisch/Gemüse kurz anbraten

stir·ring ['stɜːrɪŋ] **I.** *n* Regung *f* **II.** *adj appeal, song, speech* bewegend, aufwühlend

stir·rup ['stɪrəp] *n* ❶ *(on saddle) also* ANAT Steigbügel *m* ❷ *(leggings)* ■**~s** *pl* Steghose *f*

stitch [stɪtʃ] **I.** *n* <*pl* -es> ❶ *(in sewing)* Stich *m;* (*in knitting, crocheting*) Masche *f;* **to cast on/off a ~** eine Masche anschlagen/abketten; **to drop a ~** eine Masche fallen lassen ❷ *(method)* Stichart *f;* **blanket/cross ~** Langetten-/Kreuzstich *m* ❸ *(knitting pattern)* Strickmuster *nt* ❹ *(for a wound)* Stich *m;* **to have one's ~es taken out** die Fäden gezogen bekommen ❺ *(pain)* Seitenstechen *nt kein pl;* **to be in ~es** *(fig)* sich schieflachen ▶**a ~ in time saves nine** *(prov)* was du heute kannst besorgen, das verschiebe nicht auf morgen **II.** *vi* sticken; *(sew)* nähen **III.** *vt* ❶ *(in sewing)* nähen; **to ~ a button onto sth** einen Knopf an etw *akk* ❷ MED nähen

stoat [stəʊt] *n* Hermelin *nt*

stock[1] [stɒk] *n no pl* FOOD Brühe *f;* **fish ~** Fischfond *m*

stock[2] [stɒk] **I.** *n* ❶ *(reserves)* Vorrat *m* (**of** an); **housing ~** Bestand *m* an Wohnhäusern; **a ~ of knowledge** *(fig)* ein Wissensschatz *m* ❷ *no pl (inventory)* Bestand *m;* **to be in/out of ~** vorrätig/nicht vorrätig sein; **to take ~** Inventur machen; **to take ~ of one's life** *(fig)* Bilanz aus seinem Leben ziehen ❸ ■**~s** *pl* AM *(shares in a company)* Aktien *pl;* BRIT *(government shares)* Staatspapiere *pl,* Staatsanleihen *pl;* **~ and shares** Wertpapiere *pl* ❹ *no pl (livestock)*

Viehbestand *m* **⑤** *no pl* (*line of descent*)
Herkunft *f;* (*breeding line*) Stammbaum
II. *adj attr* **①** (*in inventory*) Lager-, Vorrats-
② (*standard*) Standard- **III.** *vt* **①** (*keep in
supply*) ■**to ~ sth** etw führen [*o* vorrätig
haben] **②** (*fill up*) ■**to ~ sth** etw füllen;
his wine cellar is well-~ed sein Weinkel-
ler ist gut gefüllt; **to ~ the shelves** die
Regale auffüllen **③** (*supply goods to*) beliefern

stock·ade [stɒkˈeɪd] *n* **①** (*wooden fence*)
Palisade *f;* (*enclosed area*) umzäuntes Gebiet **②** Am (*prison*) Militärgefängnis *nt*

'**stock·bro·ker** *n* Börsenmakler(in) *m(f)*
'**stock·brok·ing** *n no pl* Wertpapierhan-
del *m*, Effektenhandel *m* '**stock car** *n*
Stockcar *m* '**stock com·pa·ny** *n* Am
① FIN Aktiengesellschaft *f* **②** THEAT Repertoiretheater *nt* '**stock con·trol** *n no pl*
Bestandskontrolle *f*, [regelmäßige] Be-
standsaufnahme '**stock cube** *n esp* BRIT
Brühwürfel *m*, Suppenwürfel *m* ÖSTERR
'**stock ex·change** *n* Börse *f* '**stock-
farm·er** *n* Viehhalter(in) *m(f)*
'**stock·fish** *n* Stockfisch *m*
'**stock·hold·er** *n* Am (*shareholder*) Aktio-
när(in) *m(f)*

stock·ing [ˈstɒkɪŋ] *n* **①** (*leg garment*) ■**~s**
pl Strümpfe *pl* **②** (*dated: sock*) Strumpf *m;*
(*knee-length*) Kniestrumpf *m* **③** (*on horse*)
Färbung *f* am Fuß; **white ~** weißer Fuß
stock-in-'trade *n no pl* **①** (*tools of trade*)
Handwerkszeug *nt;* (*fig*) Rüstzeug *nt*
② (*goods*) [Waren]bestand *m* **③** (*fig: typical characteristic*) Eigenart *f*
stock·ist [ˈstɒkɪst] *n* BRIT, AUS [Fach]händ-
ler(in) *m(f)*
'**stock mar·ket** *n* [Wertpapier]börse *f*
'**stock·pile I.** *n* Vorrat *m; ~* **of weapons**
Waffenlager *nt* **II.** *vt* ■**to ~ sth** Vorräte an
etw *dat* anlegen, etw horten *pej;* **to ~
weapons** ein Waffenarsenal anlegen
'**stock price** *n* Am (*share price*) Aktien-
preis *m* '**stock·room** *n* Lager *nt*, Lagerraum *m*
stock-'still *adj pred* stocksteif
'**stock·take** *n* BRIT Inventur *f*, Bestandsauf-
nahme *f* '**stock·tak·ing** *n no pl* Inventur *f;* (*fig*) [Selbst]besinnung *f*
stocky [ˈstɒki] *adj* stämmig, kräftig
'**stock·yard** *n* Am Viehhof *m;* (*at slaughterhouse*) Schlachthof *m*
stodge [stɒdʒ] *n no pl esp* BRIT (*pej fam*)
Pampe *f*
stodgy [ˈstɒdʒi] *adj* (*pej fam*) **①** *food*
schwer [verdaulich], pampig **②** (*dull*) langweilig, fad
stoic [ˈstəʊɪk] **I.** *n* (*reserved person*) sto-

isch; ■**S~** PHILOS Stoiker *m* **II.** *adj* (*in general*) stoisch; (*about sth specific*) gelassen;
to be ~ about sth etw gelassen aufnehmen

stoi·cal [ˈstəʊɪkᵊl] *adj* stoisch

stoi·cism [ˈstəʊɪsɪzᵊm] *n no pl* **①** (*in general*) stoische Ruhe; (*about sth specific*)
Gleichmut *m* **②** PHILOS ■**S~** Stoizismus *m*

stoke [stəʊk] *vt* **①** (*add fuel to*) **to ~ a fire**
ein Feuer schüren; **to ~ a furnace** einen
Hochofen beschicken **②** (*fig: encourage*)
to ~ sb's anger/hatred jds Zorn/Hass
schüren; **to ~ sb's prejudice** jds Vorurteil
Nahrung geben

stok·er [ˈstəʊkər] *n* RAIL Heizer(in) *m(f)*

stole¹ [stəʊl] *pt of* **steal**

stole² [stəʊl] *n* **①** (*scarf*) Stola *f* **②** (*priest's
vestments*) [Priester]stola *f*

stol·id [ˈstɒlɪd] *adj* (*not emotional*) *person*
stumpf *pej;* (*calm*) gelassen, phlegmatisch
pej; silence, determination beharrlich

stom·ach [ˈstʌmək] **I.** *n* **①** (*digestive
organ*) Magen *m;* **to have a pain in
one's ~** Magenschmerzen [*o* Bauchschmer-
zen] haben; **to have an upset ~** eine Magenverstimmung haben; **to churn sb's ~**
jdm Übelkeit verursachen **②** (*abdomen*)
Bauch *m;* **to have a big/flat ~** einen
dicken/flachen Bauch haben **③** (*appetite*)
to have no ~ for sth keinen Appetit auf
etw *akk* haben; (*fig: desire*) keine Lust haben, etw zu tun **II.** *adj cramp, operation*
Magen-; **~ muscles** Bauchmuskeln *pl*
III. *vt* (*fam*) **to not be able to ~ sb** jdn
nicht ausstehen können; **to be hard to ~**
schwer zu verkraften sein

'**stom·ach ache** *n usu sing* Magenschmerzen *pl*, Bauchschmerzen *pl* '**stom·ach
up·set** *n* Magenverstimmung *f*

stomp [stɒmp] **I.** *n* **①** (*with foot*) Stampfen *nt* **②** *no pl* (*jazz dance*) Stomp *m* **II.** *vi*
① (*walk heavily*) stapfen; (*intentionally*)
trampeln **②** *esp* Am (*kick*) ■**to ~ on sb/
sth** auf jdn/etw treten; (*fig: suppress*)
jdn/etw niedertrampeln **III.** *vt* Am **to ~
one's feet** mit den Füßen [auf]stampfen

stone [stəʊn] **I.** *n* **①** *no pl* GEOL Stein *m*
② ARCHIT [Bau]stein *m* **③** (*piece of rock*)
Stein *m;* **to be a ~'s throw away** [nur] einen Katzensprung [weit] entfernt sein
④ MED Stein *m* **⑤** (*jewel*) [Edel]stein *m*
⑥ (*in fruit*) Stein *m*, Kern *m* **⑦** <*pl ->* BRIT
(*14 lbs*) *britische Gewichtseinheit, die
6,35 kg entspricht* **II.** *adj attr floor, wall*
Stein-; **~ statue** Statue *f* aus Stein **III.** *vt*
① (*throw stones at*) **to ~ sb** [**to death**] jdn
steinigen **②** (*remove pit*) *cherries, olives*
entsteinen

S

'**Stone Age** n ■ **the ~** die Steinzeit **stone-**
'**broke** adj Am (*stony-broke*) völlig pleite
fam, total blank [o abgebrannt] *sl* **stone-**
'**cold** I. adj eiskalt II. adv **to be ~ sober**
stocknüchtern sein *fam*

stoned [stəʊnd] adj ❶ (*without pits*)
olives, cherries entsteint ❷ (*sl: drugged*)
high ❸ (*sl: drunk*) betrunken, besoffen

stone '**deaf** adj stocktaub *fam* '**stone-**
ma·son n Steinmetz(in) *m/f* **stone-**
'**wall** I. vi ❶ (*in answering questions*) ausweichen ❷ Brit pol obstruieren ❸ sports
mauern *fam* II. vt abblocken '**stone·ware**
['stəʊnweəʳ] n no pl Steingut nt '**stone·**
work n no pl Mauerwerk nt

stony ['stəʊni] adj ❶ (*with many stones*)
beach, ground steinig ❷ (*fig: unfeeling*)
look, eyes, face steinern; person kalt; welcome eisig, frostig

stony-'**broke** adj pred Brit, Aus (*fam*) völlig pleite, total blank [o abgebrannt] *sl*

stood [stʊd] pt, pp of **stand**

stooge [stu:dʒ] I. n ❶ (*comedian partner*)
Stichwortgeber(in) *m/f* ❷ (*fig, pej: puppet*) Handlanger(in) *m/f*, Marionette *f*
❸ Am (*fam: informer*) Spitzel *m* pej II. vi
❶ (*act for someone else*) ■ **to ~ for sb**
[nur] der Handlanger für jdn sein *pej*
❷ theat als Stichwortgeber(in) *m/f* fungieren

stool [stu:l] n ❶ (*seat*) Hocker *m*;
kitchen ~ Küchenschemel *m*; **piano ~**
Klavierstuhl *m* ❷ (*faeces*) Stuhl *m* ❸ Am
hunt Lockvogel *m*

stoolie ['stu:li] n Am, **stool pi·geon** n Am
(*pej fam*) Spitzel *m*

stoop[1] [stu:p] I. n usu sing krummer Rücken, Buckel *m* II. vi sich beugen; **we had**
to ~ to go through the doorway wir
mussten den Kopf einziehen, um durch die
Tür zu gehen; **my mother told me not**
to ~ meine Mutter sagte mir, ich solle
keinen Buckel machen; ■ **to ~ down** sich
bücken; **to ~ to sb's level** sich auf jds Niveau herablassen; **to ~ so low as to do**
sth so weit sinken, dass man etw tut

stoop[2] [stu:p] n Am (*porch*) offene Veranda

stop [stɒp] I. vt <-pp-> ❶ (*stop from moving*) **to ~ sb/a car** jdn/ein Auto anhalten;
to ~ one's car anhalten; **to ~ a thief/the**
traffic einen Dieb/den Verkehr aufhalten;
~ that man! haltet den Mann! ❷ (*make
cease*) stoppen, beenden; (*temporarily*)
unterbrechen; **this will ~ the pain** davon
gehen die Schmerzen weg *fam;* **~ it!** hör
auf [damit]!; **I just couldn't ~ myself** ich
konnte einfach nicht anders; **to ~ the**

bleeding die Blutung stillen; **to ~ the**
clock die Uhr anhalten; **to ~ a machine**
eine Maschine abstellen ❸ (*cease an activity*) ■ **to ~ sth** mit etw *dat* aufhören; **what**
time do you usually ~ work? wann hö-
ren Sie normalerweise auf zu arbeiten?
❹ (*prevent*) ■ **to ~ sb** [**from**] **doing sth**
jdn davon abhalten, etw zu tun ❺ (*refuse
payment*) **to ~ wages** keine Löhne mehr
zahlen ❻ (*block*) ■ **to ~ sth** etw verstopfen; gap, hole, leak etw [zu]stopfen; **to ~**
one's ears sich *dat* die Ohren zuhalten
II. vi <-pp-> ❶ (*cease moving*) person stehen bleiben; car [an]halten; **~!** halt!; **to ~**
dead abrupt innehalten; ■ **to ~ to do sth**
stehen bleiben, um etw zu tun; car anhalten, um etw zu tun ❷ (*cease, discontinue*)
machine nicht mehr laufen; clock, heart,
watch stehen bleiben; rain aufhören; pain
abklingen, nachlassen; production, payments eingestellt werden ❸ (*cease an
activity*) ■ **to ~** [**doing sth**] aufhören[, etw
zu tun]; **she ~ped drinking** sie trinkt
nicht mehr ❹ Brit (*stay*) bleiben; **I ~ped**
at a pub for some lunch ich habe an
einem Pub Halt gemacht und was zu Mittag gegessen; **to ~ for dinner/tea** zum
Abendessen/Tee bleiben; **to ~ at a hotel**
in einem Hotel übernachten ❺ transp bus,
train halten ▶ **to ~ at nothing** vor nichts
zurückschrecken III. n ❶ (*cessation of
movement, activity*) Halt *m;* **to bring a**
conversation to a ~ ein Gespräch beenden; **to come to a ~** stehen bleiben; car
also anhalten; rain aufhören; project, production eingestellt werden; **to put a ~ to**
sth etw *dat* ein Ende setzen ❷ (*break*)
Pause *f;* aviat Zwischenlandung *f;* (*halt*)
Halt *m* ❸ transp Haltestelle *f;* (*for ship*)
Anlegestelle *f* ❹ (*punctuation mark*) Satzzeichen nt ❺ mus (*knob on an organ*) Register nt ▶ **to pull out all the ~s** alle Register
ziehen ◆ **stop by** vi vorbeischauen
◆ **stop in** vi zuhause bleiben, daheim bleiben bes österr, schweiz, südd ◆ **stop off** vi
kurz bleiben, Halt machen; (*while travelling*) Zwischenstation machen ◆ **stop out**
vi Brit (*fam*) wegbleiben ◆ **stop over** vi
❶ (*stay overnight*) Zwischenstation machen ❷ Brit (*stay the night*) über Nacht
bleiben ❸ (*stay for a short time*) kurz vorbeikommen ◆ **stop up** I. vi ❶ Brit (*not go
to bed*) aufbleiben ❷ phot eine größere
Blende einstellen II. vt ■ **to ~ sth** ⟳ **up**
etw verstopfen; **to ~ up a hole** ein Loch
[zu]stopfen

'**stop·cock** n Absperrhahn *m* '**stop·gap**
I. n Notlösung *f,* Notbehelf *m* II. adj attr

Überbrückungs-; ~ **solution** Zwischenlösung *f* '**stop·light** *n* ❶ Am (*traffic lights*) [Verkehrs]ampel *f* ❷ (*brake light*) Bremslicht *nt* '**stop-off** *n* Unterbrechung *f*, Halt *m*; **to make a** ~ Rast machen, haltmachen '**stop·over** *n* of plane Zwischenlandung *f*; *of person* Zwischenstation *f*; (*length of break*) Zwischenaufenthalt *m*

stop·page ['stɒpɪdʒ] *n* ❶ (*act of stopping*) *of pay, a cheque* Sperrung *f* ❷ (*cessation of work*) Arbeitseinstellung *f* ❸ (*unintentional*) Unterbrechung *f*; ~ **in production** Produktionsstillstand *m* ❹ Brit (*deductions from pay*) ◼ ~**s** *pl* (*workers*) Lohnabzüge *pl*; (*employees*) Gehaltsabzüge *pl* ❺ (*blockage*) Verstopfung *f*; med Stauung *f*

'**stop·page time** *n* Brit sports Auszeit *f*

stop·per ['stɒpə'] I. *n* Stöpsel *m* II. *vt* zustöpseln

stop·ping ['stɒpɪŋ] I. *n no pl* Anhalten *nt* II. *adj attr* Nahverkehrs-

stop 'press *n no pl* ❶ (*last minute news*) letzte Meldungen ❷ (*space in newspaper*) für letzte Meldungen reservierte Spalte '**stop sign** *n* Stoppschild *nt* '**stop· watch** *n* Stoppuhr *f*

stor·age ['stɔːrɪdʒ] *n no pl* ❶ (*for future use*) *of food, goods* Lagerung *f*; *of books* Aufbewahrung *f*; *of water, electricity* Speicherung *f*; **to be in** ~ auf Lager sein; **to put sth into** ~ etw [ein]lagern ❷ comput *of data* Speicherung *f*

'**stor·age bat·tery** *n*, '**stor·age cell** *n* Akku[mulator] *m* '**stor·age ca·pac·ity** *n* (*in computer*) Speicherkapazität *f*; (*for furniture, books*) Lagerraum *m*; (*in tank*) Fassungsvermögen *nt* '**stor·age heat·er** *n* Brit [Nacht]speicherofen *m* '**stor·age room** *n*, '**stor·age space** *n no pl* (*capacity*) Stauraum *m* ❷ (*room in house*) Abstellraum *m*; (*in warehouse*) Lagerraum *m* '**stor·age tank** *n* Vorratstank *m*

store [stɔː'] I. *n* ❶ (*supply*) Vorrat *m* (**of** an); (*fig*) Schatz *m*; ◼ ~**s** *pl* Vorräte *pl*; ◼ **to be in** ~ [**for sb**] (*fig*) [jdm] bevorstehen; **we have a surprise in** ~ **for your father** wir haben für deinen Vater eine Überraschung auf Lager ❷ *esp* Am, Aus (*any shop*) Laden *m* ❸ *esp* Brit (*large shop*) Geschäft *nt*; (*department store*) Kaufhaus *nt* ❹ (*warehouse*) Lager *nt*; **grain** ~ Getreidespeicher *m* ❺ comput Speicher *m* II. *vt* ❶ (*keep for future use*) *heat, information, electricity* [auf]speichern; *furniture* unterstellen; *supplies* lagern ❷ comput (*file*) speichern; *data* [ab]speichern '**store de·tec·tive** *n* Kaufhausdetektiv(in) *m(f)* '**store·front** *n* Am ❶ (*shop front*)

Schaufenster *nt*; (*larger*) Schaufensterfront *f* ❷ (*front room*) Verkaufsraum *m* [eines Ladens], Ladenlokal *nt* '**store· house** *n* Am (*warehouse*) Kaufhaus *nt*, Warenhaus *nt*; (*fig form*) Fundgrube *f* '**store·keep·er** [-ˌkiːpə'] *n* ❶ (*in warehouse*) Lagerist(in) *m(f)*, Lagerverwalter(in) *m(f)* ❷ Am (*shopkeeper*) Ladenbesitzer(in) *m(f)*, Geschäftsinhaber(in) *m(f)* '**store·room** *n* Lagerraum *m*; (*for food*) Vorratskammer *f*, Speisekammer *f*; (*for personal items*) Abstellkammer *f*

sto·rey ['stɔːri] *n* Stockwerk *nt*, Stock *m*, Etage *f*; **a three-~ house** ein dreistöckiges Haus

sto·ried ['stɔːrid] *adj attr esp* Am (*liter: illustrious*) sagenumwoben *geh*

stork [stɔːk] *n* Storch *m*

storm [stɔːm] I. *n* ❶ (*strong wind*) Sturm *m*; (*with thunder*) Gewitter *nt*; (*with rain*) Unwetter *nt* ❷ (*fig: bombardment*) *of missiles* Hagel *m* (**of** von); *of arguments* [Protest]sturm *m*; **to die in a** ~ **of bullets** im Kugelhagel umkommen ❸ mil (*attack*) Sturm *m* (**on** auf) II. *vi* ❶ (*speak angrily*) toben ❷ (*move fast*) stürmen, jagen; ◼ **to** ~ **off** davonstürmen; ◼ **to** ~ **out** hinausstürmen ❸ *impers esp* Am *strong winds* stürmen III. *vt* stürmen '**storm cloud** *n* Gewitterwolke *f*; (*fig liter*) dunkle Wolken *pl* '**storm door** *n* Am zusätzliche Tür zur Sturmsicherung

storm-tossed [-ˌtɒst] *adj attr* (*liter*) sturmgepeitscht

stormy ['stɔːmi] *adj* ❶ *weather, night, sea* stürmisch ❷ (*fig: fierce*) stürmisch; *life* bewegt; *argument* heftig; *debate* hitzig

sto·ry¹ ['stɔːri] *n* ❶ (*tale*) Geschichte *f*; (*narrative*) Erzählung *f*; *plot* Handlung *f*; **short** ~ Kurzgeschichte *f*; **a tall** ~ eine unglaubliche Geschichte; **to read/tell [sb] a** ~ [jdm] eine Geschichte vorlesen/erzählen ❷ (*rumour*) Gerücht *nt*; **the** ~ **goes that ...** man erzählt sich, dass ... ❸ (*version*) Version *f*, Fassung *f*; **that's my** ~ **and I'm sticking to it!** so sehe ich die Sache, und dazu stehe ich!; **sb's side of the** ~ jds Version der Geschichte ❹ (*news report*) Beitrag *m*; (*in newspaper*) Artikel *m* ❺ (*lie*) Geschichte *f*, [Lügen]märchen *nt fam* ▸ **end of** ~**!** und damit Schluss!; **to cut a long** ~ **short** um es kurz zu machen

sto·ry² *n* Am *see* **storey**

'**sto·ry·book** *n* Geschichtenbuch *nt*, Buch *nt* mit Kindergeschichten '**sto·ry line** *n* Handlung *f* '**sto·ry·tell·er** *n* ❶ (*narrator*) Geschichtenerzähler(in) *m(f)* ❷ (*fam: liar*) Lügner(in) *m(f)*

S

stout¹ [staʊt] *n* Stout *m* (*dunkles Bier*)

stout² [staʊt] *adj* ❶ (*corpulent*) beleibt, korpulent *geh; woman* füllig *euph* ❷ (*stocky*) untersetzt, stämmig ❸ (*thick and strong*) kräftig, stabil; *door, stick* massiv; *shoes, boots* fest ❹ (*determined, brave*) *person* tapfer, mutig; *defence, opposition* tapfer, unerschrocken; *support* fest

stout-heart·ed [ˌstaʊtˈhɑːtɪd] *adj* (*dated form, liter*) wacker

stout·ly [ˈstaʊtli] *adv* ❶ (*of person*) ~ **built** stämmig gebaut ❷ (*strong*) stabil; ~ **made boots** feste Stiefel; ~ **built house** solide gebautes Haus ❸ (*firmly*) entschieden, steif und fest *fam; to believe* ~ **in sth** fest an etw *akk* glauben

stove [stəʊv] *n* ❶ (*heater*) Ofen *m* ❷ *esp* Am, Aus (*for cooking*) Herd *m*

'stove·pipe *n* Ofenrohr *nt*

stow [stəʊ] *vt* ❶ (*put away*) verstauen; (*hide*) verstecken ❷ (*fill*) voll machen; naut befrachten; *goods* verladen ◆**stow away I.** *vt* ■**to** ~ **away** ⟳ **sth** etw verstauen [*o* wegpacken]; (*hide*) etw verstecken **II.** *vi* (*travel without paying*) als blinder Passagier reisen

stow·age [ˈstəʊɪdʒ] *n no pl* ❶ (*stowing*) Verstauen *nt;* naut [Be]laden *nt* ❷ (*place*) Stauraum *m*

stow·away [ˈstəʊəˌweɪ] *n* blinder Passagier/blinde Passagierin

strad·dle [ˈstrædl̩] **I.** *vt* ❶ ■**to** ~ **sth** (*standing*) mit gespreizten Beinen über etw *dat* stehen; (*sitting*) rittlings auf etw *dat* sitzen; (*jumping*) [mit gestreckten Beinen] über etw *akk* springen ❷ (*bridge*) ■**to** ~ **sth** *a border* etw überbrücken [*o* geh überspannen]; (*fig*) *difficulties* etw überwinden ❸ (*part*) **to** ~ **one's legs** die Beine spreizen ❹ mil **to** ~ **a target** um ein Ziel herum einschlagen ❺ *esp* Am (*fig: equivocal position*) **to** ~ **an issue** bei einer Frage nicht klar Stellung beziehen **II.** *vi* (*stand*) breitbeinig [da]stehen; (*sit*) mit gegrätschten [*o* gespreizten] Beinen [da]sitzen **III.** *n* (*jump*) Scherensprung *m*

strag·gle [ˈstrægl̩] **I.** *vi* ❶ (*move as a disorganized group*) umherstreifen; (*neglect time*) [herum]bummeln ❷ (*come in small numbers*) sich sporadisch einstellen ❸ (*hang untidily*) *hair, beard* zottelig herunterhängen **II.** *n of things* Sammelsurium *nt; of people* Ansammlung *f*

strag·gler [ˈstræglə'] *n* Nachzügler(in) *m(f)*

strag·gly [ˈstrægli] *adj hair* zottelig, zerzaust; *beard* [wild] wuchernd, struppig;

eyebrows zersaust

straight [streɪt] **I.** *n* ❶ (*race track*) Gerade *f;* **in the home** ~ in der Zielgeraden ❷ cards Sequenz *f* **II.** *adj* ❶ (*without curve*) *line, back, nose* gerade; *hair* glatt; *skirt* gerade geschnitten; *road, row, furrow* [schnur]gerade; **the picture isn't** ~ das Bild hängt schief ❷ (*frank*) *advice, denial, refusal* offen, freimütig; (*honest*) ehrlich ❸ (*heterosexual*) heterosexuell, hetero *fam* ❹ (*plain*) einfach; (*undiluted*) pur ❺ (*simply factual*) tatsachengetreu, nur auf Fakten basierend *attr* ❻ (*clear, uncomplicated*) *answer* klar; (*in exams*) ~ **A's** glatte Einser ❼ (*fam: serious*) ernst[haft]; (*not laughing*) ernst; (*traditional*) traditionell, konventionell; **to keep a** ~ **face** ernst bleiben ❽ *pred* (*fam: quits*) ■**to be** ~ quitt sein ❾ *pred* (*in order*) in Ordnung; (*clarified*) geklärt; **to put things** ~ (*tidy*) Ordnung schaffen; (*organize*) etwas auf die Reihe kriegen *fam;* **let's get this** ~, **you need £500 tomorrow or else ...** stellen wir einmal klar: entweder du hast bis morgen 500 Pfund, oder ...; **to set sb** ~ **about sth** jdm Klarheit über etw *akk* verschaffen **III.** *adv* ❶ (*in a line*) gerade[aus]; **go** ~ **along this road** folgen Sie immer dieser Straße; **he drove** ~ **into the tree** er fuhr frontal gegen den Baum; **the village lay** ~ **ahead of us** das Dorf lag genau vor uns; **to look** ~ **ahead** geradeaus schauen ❷ (*directly*) direkt *fam* ❸ (*immediately*) sofort; **we've got to leave** ~ **away** wir müssen unverzüglich aufbrechen; **to get** ~ **to the point** sofort zur Sache kommen ❹ (*fam: honestly*) offen [und ehrlich]; ~ **up, I only paid £20 for the fridge** für den Kühlschrank habe ich echt nur 20 Pfund bezahlt ❺ (*clearly*) klar; **I'm so tired I can't think** ~ **any more** ich bin so müde, dass ich nicht mehr klar denken kann

straight·away [ˌstreɪtəˈweɪ] **I.** *adv* *esp* Brit sofort, auf der Stelle **II.** *n* Am (*straight*) Gerade *f*

straight·en [ˈstreɪtᵊn] **I.** *vt* ❶ (*make straight, level*) gerade machen; **to** ~ **one's hair** sein Haar glätten; **to** ~ **a river/road** einen Fluss/eine Straße begradigen ❷ (*arrange in place*) etw richten [*o* ordnen]; **to** ~ **one's tie** seine Krawatte zurechtrücken **II.** *vi person* sich aufrichten; *road, river* gerade werden; *hair* sich glätten ◆**straighten out I.** *vt* ❶ (*make straight*) etw gerade machen; **to** ~ **out one's clothes** seine Kleider glatt streichen; **to** ~ **out a wire** einen Draht ausziehen ❷ (*put right*) in Ordnung bringen; (*clarify*) klarstellen; **I think we should get matters ~ed out between us** ich finde, wir sollten die Dinge zwischen uns klären; **to ~ out a misunderstanding** ein Missverständnis aus der Welt schaffen **II.** *vi* gerade werden

◆**straighten up I.** *vi* ❶ (*stand upright*) sich aufrichten ❷ (*move straight*) *vehicle, ship* [wieder] geradeaus fahren; *aircraft* [wieder] geradeaus fliegen **II.** *vt* ∎**to ~ up** ⟳ **sth** ❶ (*make level*) etw gerade machen ❷ (*tidy up*) etw aufräumen; (*fig: put in order*) etw regeln [*o* in Ordnung bringen]

straight·for·ward [streɪtˈfɔːwəd] *adj* ❶ (*direct*) direkt; *explanation* unumwunden; *look* gerade ❷ (*honest*) *answer, person* aufrichtig, ehrlich ❸ (*easy*) einfach, leicht

straight·forward·ness [-ˈfɔːwədnəs] *n* ❶ (*candidness*) Freimütigkeit *f* ❷ (*simplicity*) Einfachheit *f* ❸ (*honesty*) Aufrichtigkeit *f*

'**straight-out** *adj esp* Am (*fam*) offen, unverblümt

strain¹ [streɪn] *n* BIOL (*breed*) *of animals* Rasse *f*; *of plants* Sorte *f*; *of virus* Art *f*

strain² [streɪn] **I.** *n usu sing* ❶ *no pl* (*physical pressure*) Druck *m*, Belastung *f*; **to put a ~ on sth** Druck auf etw *akk* ausüben ❷ (*fig: emotional pressure*) Druck *m*, Belastung *f*; **to be under a lot of ~** unter hohem Druck stehen ❸ (*overexertion*) [Über]beanspruchung *f*, [Über]belastung *f* ❹ *no pl* PHYS (*degree of distortion*) Zug *m*, Spannung *f*, [Über]dehnung *f*; **stress and ~** Zug und Druck ❺ (*pulled tendon, muscle*) Zerrung *f* **II.** *vi* ❶ (*pull*) ziehen; **the dog is ~ing at the leash** der Hund zerrt an der Leine ❷ (*try hard*) sich anstrengen **III.** *vt* ∎**to ~ sth** ❶ (*pull*) an etw *dat* ziehen; MED, SPORTS etw überdehnen [*o* zerren] ❷ (*overexert*) etw [stark] beanspruchen; **to ~ one's eyes** die Augen überanstrengen ❸ (*fig: tear at*) etw strapazieren [*o* belasten] ❹ (*remove solids from liquids*) *coffee* etw filtrieren; (*remove liquid from solids*) *vegetables* etw abgießen

strained [streɪnd] *adj* ❶ (*forced*) bemüht, angestrengt; (*artificial*) gekünstelt *pej*; **a ~ smile** ein gequältes Lächeln ❷ (*tense*) *relations* belastet, angespannt ❸ (*stressed*) abgespannt, mitgenommen, gestresst ❹ (*far-fetched*) *interpretation* weit hergeholt

strain·er [ˈstreɪnəʳ] *n* Sieb *nt*

strait [streɪt] *n* GEOG (*narrow sea*) Meerenge *f*, Straße *f*; **the S~s of Gibraltar** die Straße von Gibraltar

strait·ened [ˈstreɪtᵊnd] *adj* (*form: poor*)

knapp; (*restricted*) beschränkt, dürftig

'**strait·jack·et** *n* (*also fig*) Zwangsjacke *f*

strait-laced [-ˈleɪst] *adj* (*pej*) prüde, puritanisch

strand¹ [strænd] **I.** *vt* **to ~ a boat** ein Boot auf Grund setzen; **to ~ a whale** einen Wal stranden lassen **II.** *vi* stranden

strand² [strænd] *n* ❶ (*single thread*) Faden *m*; *of rope* Strang *m*; *of tissue* Faser *f*; *of hair* Strähne *f*; Am, Aus (*string*) Schnur *f*; **~ of pearls** Perlenkette *f* ❷ (*element of whole*) Strang *m*; **~ of the plot** Handlungsstrang *m*

strange [streɪndʒ] *adj* ❶ (*peculiar, odd*) sonderbar, merkwürdig; (*unusual*) ungewöhnlich, außergewöhnlich; (*weird*) unheimlich, seltsam; **~r things have happened** da sind schon ganz andere Dinge passiert ❷ (*exceptional*) erstaunlich, bemerkenswert; **a ~ twist of fate** eine besondere Laune des Schicksals ❸ (*uneasy*) komisch; (*unwell*) seltsam, unwohl ❹ (*not known*) fremd, unbekannt; (*unfamiliar*) nicht vertraut, ungewohnt

strange·ly [ˈstreɪndʒli] *adv* ❶ (*oddly*) merkwürdig, sonderbar ❷ (*unexpectedly*) **she was ~ calm** sie war auffällig still; **~ enough** seltsamerweise, sonderbarerweise

strange·ness [ˈstreɪndʒnəs] *n no pl* ❶ (*unfamiliarity*) Fremdheit *f* ❷ (*peculiarity*) Seltsamkeit *f*, Merkwürdigkeit *f*

strang·er [ˈstreɪndʒəʳ] *n* ❶ (*unknown person*) Fremde(r) *f(m)*; (*person new to a place*) Neuling *m a. pej*; **she is a ~ to me** ich kenne sie nicht; **are you a ~ here, too?** sind Sie auch fremd hier?; **hello, ~!** (*fam*) hallo, lange nicht gesehen! ❷ (*form*) **to be a ~ in sth** in etw *dat* unerfahren sein; **she is no ~ to hard work** sie ist [an] harte Arbeit gewöhnt

stran·gle [ˈstræŋgl] *vt* ❶ (*murder*) ∎**to ~ sb** jdn erdrosseln [*o* erwürgen] ❷ (*fig: suppress*) ∎**to ~ sth** etw unterdrücken [*o* ersticken]

'**strangle·hold** *n* ❶ (*grip*) Würgegriff *m* ❷ (*fig: complete control*) Vormacht[stellung] *f kein pl*

stran·gu·la·tion [ˌstræŋgjəˈleɪʃᵊn] *n no pl* ❶ (*strangling*) Erdrosselung *f*, Strangulierung *f*; (*death from throttling*) Tod *m* durch Erwürgen ❷ MED (*strangulating*) Abbinden *nt*

strap [stræp] **I.** *n* (*for fastening*) Riemen *m*; (*for safety*) Gurt *m*; (*for clothes*) Träger *m*; (*for hanging up*) Schlaufe *f*; (*hold in a vehicle*) Halteschlaufe *f*; **watch ~** Uhrarmband *nt* **II.** *vt* <-pp-> ❶ (*fasten*) ∎**to ~**

sth [**to sth**] etw [an etw *dat*] befestigen ❷ (*bandage*) ■**to ~ sb/sth** jdn/etw bandagieren; (*with plaster*) jdn/etw verpflastern

strap·less ['stræpləs] *adj* trägerlos

strap·ping ['stræpɪŋ] I. *n no pl* ❶ (*punishment*) Züchtigung *f* mit einem Lederriemen ❷ (*bandage*) Bandage *f* II. *adj* (*hum fam*) kräftig, stämmig; ~ **girl** dralles Mädchen; ~ **lad** strammer Bursche

Stras·bourg ['stræzbɔːg] *n* Straßburg *nt*

strata·gem ['strætədʒəm] *n* ❶ (*scheme*) [Einzel]strategie *f* ❷ *no pl* (*scheming*) List *f*; MIL Kriegslist *f*

stra·tegic [strə'tiːdʒɪk] *adj* strategisch, taktisch

stra·tegi·cal·ly [strə'tiːdʒɪkəli] *adv* taktisch, strategisch

strat·egist ['strætədʒɪst] *n* Stratege, Strategin *m, f*, Taktiker(in) *m(f)*

strat·egy ['strætədʒi] *n* ❶ (*plan of action*) Strategie *f*; (*less comprising scheme*) Taktik *f* ❷ *no pl* (*art of planning*) Taktieren *nt*; (*of war*) Kriegsstrategie *f*

strati·fy <-ie-> ['strætɪfaɪ] *vt* ❶ (*arrange in layers*) schichten ❷ *usu passive* GEOL ■**to be stratified** geschichtet sein ❸ (*place in groups*) ■**to ~ sb/sth** jdn/etw klassifizieren (**by** nach); **stratified society** mehrschichtige Gesellschaft

strato·sphere ['strætə(ʊ)ˌsfɪəʳ] *n* Stratosphäre *f*; **to go into the ~** (*fig*) astronomische Höhen erreichen

stra·tum <*pl* -ta> ['strɑːtəm, *pl* -tə] *n* ❶ (*layer*) Schicht *f* ❷ GEOL (*layer of rock*) [Gesteins]schicht *f* ❸ SOCIOL (*class*) Schicht *f*

straw [strɔː] *n* ❶ *no pl* (*crop, fodder*) Stroh *nt* ❷ (*single dried stem*) Strohhalm *m*; **to draw ~s** loosen ❸ (*drinking tube*) Strohhalm *m* ❹ (*fam: worthless thing*) Belanglosigkeit *f* ❺ (*fam: straw hat*) Strohhut *m* ▶**to be the final ~** das Fass zum Überlaufen bringen; **to draw the short ~** den Kürzeren ziehen

straw·berry ['strɔːbəʳri] *n* Erdbeere *f*

'**straw man** *n* ❶ (*cover person*) Strohmann *m* ❷ (*discussion tactic*) Scheinargument *nt* (*als rhetorischer Kniff*)

'**straw poll** *n,* '**straw vote** *n* Probeabstimmung *f*; (*test of opinion*) [Meinungs]umfrage *f*

stray [streɪ] I. *vi* ❶ (*wander*) streunen; (*escape from control*) frei herumlaufen; (*go astray*) sich verirren; **to ~ off course** vom Kurs abkommen ❷ (*move casually*) umherstreifen; **her eyes kept ~ing to the clock** ihre Blicke wanderten immer wieder zur Uhr ❸ (*fig: digress*) abweichen; *orator,*

thoughts abschweifen ❹ (*to be immoral*) person fremdgehen II. *n* ❶ (*animal*) streunendes [Haus]tier ❷ (*person*) Umherirrende(r) *f(m)*; (*homeless*) Heimatlose(r) *f(m)* III. *adj attr* ❶ (*homeless*) animal streunend, herrenlos; (*lost*) person herumirrend ❷ (*isolated*) vereinzelt; (*occasional*) gelegentlich; **to be hit by a ~ bullet** von einem Blindgänger getroffen werden; **a ~ lock of hair** eine widerspenstige Locke

streak [striːk] I. *n* ❶ (*line*) Streifen *m*; (*mark of colour*) Spur *f*; (*on window*) Schliere *f* ❷ (*strip*) Strahl *m* ❸ (*coloured hair*) ■**~s** *pl* Strähnen *pl*, Strähnchen *pl* ❹ (*character tendency*) [Charakter]zug *m*, Ader *f fig* ❺ (*run of fortune*) Strähne *f*; **losing ~** Pechsträhne *f*; **lucky** [*or* **winning**] **~** Glückssträhne *f* II. *vt usu passive* ■**to be ~ed** gestreift sein; ~**ed with grey** *hair* von grauen Strähnen durchzogen; ~**ed with mud** *clothes* von Dreck verschmiert III. *vi* ❶ (*move very fast*) flitzen *fam*; ■**to ~ ahead** (*fig*) eine Blitzkarriere machen; **to ~ across the street** über die Straße fegen; **to ~ past the window** am Fenster vorbeischießen ❷ (*fam: run naked in public*) flitzen

streak·er ['striːkəʳ] *n* (*fam*) Flitzer(in) *m(f)*

streaky ['striːki] *adj* ❶ (*with irregular stripes*) streifig; *pattern* gestreift; *face* verschmiert; *hair* strähnig; *window, mirror* schlierig ❷ BRIT FOOD **~ bacon** durchwachsener Speck

stream [striːm] I. *n* ❶ (*small river*) Bach *m*, Flüsschen *nt* ❷ (*flow*) *of liquid* Strahl *m*; *of people* Strom *m*; ~ **of consciousness** LIT Bewusstseinsstrom *m fachspr*; ~ **of light** breiter Lichtstrahl; ~ **of visitors** Besucherstrom *m* ❸ (*continuous series*) Flut *f*, Schwall *m*; **a ~ of abuse** eine Schimpfkanonade ❹ (*also fig: current*) Strömung *f a. fig*; **The Gulf S~** der Golfstrom ❺ + *sing/pl vb* BRIT, AUS SCH (*group*) Leistungsgruppe *f* ❻ POL, ADMIN (*civil service career*) Vorrücken *nt* (*in der Beamtenlaufbahn*) II. *vi* ❶ (*flow*) *blood, tears* strömen; *water* fließen, rinnen ❷ (*run*) *nose* laufen; *eyes* tränen ❸ (*move in numbers*) strömen ❹ (*shine*) *light, sun* strömen ❺ (*flutter*) *clothing* flattern; *hair* wehen III. *vt* BRIT, AUS SCH ■**to ~ sb** jdn in Leistungsgruppen einteilen

stream·er ['striːməʳ] *n* ❶ (*pennant*) Wimpel *m*, Fähnchen *nt* ❷ (*decoration*) *of ribbon* Band *nt*; *of paper* Luftschlange *f* ❸ (*heading*) ~ [**headline**] Schlagzeile *f*

stream·line ['striːmlaɪn] I. *vt* ■**to ~ sth**

❶ (*shape aerodynamically*) etw stromlinienförmig [aus]formen **❷** (*fig: improve efficiency*) etw rationalisieren; (*simplify*) etw vereinfachen **II.** *n* **❶** PHYS (*flow*) Stromlinie *f* **❷** (*shape*) Stromlinienform *f*

stream·lined ['striːmlaɪnd] *adj* **❶** (*aerodynamic*) stromlinienförmig; *car also* windschnittig **❷** (*efficient*) rationalisiert; (*simplified*) vereinfacht

stream·lin·ing ['striːmlaɪnɪŋ] *n* **❶** (*aerodynamic*) stromlinienförmige [Aus]gestaltung **❷** (*efficiency*) Rationalisierung[smaßnahme] *f*; **~ operations** Betriebsrationalisierungen *pl*

street [striːt] *n* **❶** (*road*) Straße *f*; ■ **in the ~** auf der Straße; **I live in** [*or* AM **on**] **King S~** ich wohne in der King Street; **the ~s were deserted** die Straßen waren wie leer gefegt; **main/side ~** Haupt-/Seitenstraße *f*; **to cross the ~** die Straße überqueren **❷** + *sing/pl vb* (*residents*) Straße *f* ▶ **the man/woman in the ~** der Mann/die Frau von der Straße; **to be ~s ahead** [of **sb/sth**] BRIT [jdm/etw] meilenweit voraus sein; **to be** [**right**] **up sb's ~** genau das Richtige für jdn sein

'**street bat·tle** *n* Straßenschlacht *f*

'**street·car** *n* AM (*tram*) Straßenbahn *f*

'**street cred** *n no pl* (*sl*) *short for* **street credibility** In-Sein *nt* **street cred·i'bil·ity** *n no pl* In-Sein *nt sl*; **that jacket won't do much for your ~** mit diesem Jackett bist du einfach nicht in **street di·'rec·tory** *n* Straßenverzeichnis *nt* '**street lamp** *n* Straßenlaterne *f* '**street light** *n* Straßenlicht *nt* '**street light·ing** *n no pl* Straßenbeleuchtung *f* '**street value** *n no pl* Verkaufspreis für illegale Waren, z.B. Drogen '**street·walk·er** *n* (*dated*) Straßendirne *f meist pej* '**street·wise** *adj* gewieft, raffiniert, ausgekocht

strength [streŋ(k)θ] *n* **❶** *no pl* (*muscle power*) Kraft *f*, Stärke *f*; **brute ~** schiere Muskelkraft; **physical ~** körperliche Kraft, Muskelkraft *f* **❷** *no pl* (*health and vitality*) Robustheit *f*, Lebenskraft *f*; **to gain ~** wieder zu Kräften kommen **❸** *no pl* (*effectiveness, influence*) Wirkungsgrad *m*, Stärke *f*; **to gather ~** an Stabilität gewinnen; **to go from ~ to ~** sich immer stärker entwickeln **❹** *no pl* (*mental firmness*) Stärke *f*; **to show great ~ of character** große Charakterstärke zeigen; **~ of will** Willensstärke *f*; **to draw ~ from sth** aus etw *dat* Kraft ziehen **❺** (*number of members*) [Mitglieder]zahl *f*; (*number of people*) [Personen]zahl *f*; MIL [Personal]stärke *f*; **to turn out in ~** in Massen anrücken **❻** (*potency*) of

tea Stärke *f*; *of alcoholic drink also* Alkoholgehalt *m*; *of a drug* Konzentration *f*; *of medicine* Wirksamkeit *f* **❼** (*attribute*) *of a person* Stärke *f* **❽** (*withstand force*) Widerstandskraft *f*, Belastbarkeit *f* **❾** (*intensity*) Intensität *f*; *of a colour* Leuchtkraft *f*; *of a feeling* Intensität *f*; *of belief* Stärke *f*, Tiefe *f* **❿** (*cogency*) **~ of an argument** Überzeugungskraft *f* eines Arguments **⓫** ECON **~ of prices** Preisstabilität *f* ▶ **on the ~ of sth** aufgrund einer S. *gen*

strength·en ['streŋ(k)θᵊn] **I.** *vt* **❶** (*make stronger*) kräftigen, stärken; (*fortify*) befestigen, verstärken **❷** (*increase*) [ver]stärken; (*intensify*) intensivieren; (*improve*) verbessern; **to ~ a currency** eine Währung stabilisieren **❸** (*support*) bestärken; ■ **to ~ sth** etw untermauern; **to ~ the case for sth** gute Gründe für etw *akk* beibringen **II.** *vi* **❶** (*become stronger*) stärker werden; *muscles* kräftiger werden; *wind* auffrischen **❷** FIN, STOCKEX (*increase in value*) *stock market* an Wert gewinnen; *currency* zulegen

streng·then·ing ['streŋ(k)θᵊnɪŋ] *n no pl* Festigung *f*, Stärkung *f*

strenu·ous ['strenjuəs] *adj* **❶** (*exhausting*) anstrengend **❷** (*energetic*) energisch, heftig; **despite ~ efforts** trotz angestrengter Bemühungen

strep·to·coc·cus <*pl* -cci> [ˌstreptə(ʊ)-'kɒkəs, *pl* -ksaɪ] *n usu pl* MED Streptokokkus *m*

stress [stres] **I.** *n* <*pl* -es> **❶** (*mental strain*) Stress *m*, Druck *m*, Belastung *f*; **to be under ~** starken Belastungen ausgesetzt sein; (*at work*) unter Stress stehen **❷** *no pl* (*emphasis*) Bedeutung *f*, Gewicht *nt* **❸** LING (*pronunciation*) Betonung *f*, Akzent *m fachspr* **❹** PHYS (*force causing distortion*) Belastung *f*; (*tension*) Spannung *f*; (*pressure*) Druck *m kein pl* **II.** *vt* **❶** (*emphasize*) betonen, hervorheben; **I'd just like to ~ that ...** ich möchte lediglich darauf hinweisen, dass ... **❷** (*strain*) belasten, beanspruchen; ■ **to ~ sb** jdn stressen

stressed [strest] *adj* **❶** (*under mental pressure*) gestresst **❷** (*forcibly pronounced*) betont, akzentuiert *fachspr*

'**stress frac·ture** *n* MED Ermüdungsbruch *m*; PHYS Spannungsriss *m* **stress-'free** *adj* stressfrei, ohne Stress *nach n*

stress·ful ['stresfʊl] *adj* stressig *fam*, anstrengend, aufreibend; **~ situation** Stresssituation *f*

'**stress mark** *n* LING Betonungszeichen *nt*, Akzent *m fachspr*

stretch [stretʃ] I. *n* <*pl* -es> ❶ *no pl* (*elasticity*) Dehnbarkeit *f*; *of fabric* Elastizität *f* ❷ (*muscle extension*) Dehnungsübungen *pl*, Strecken *nt kein pl*; **to have a ~** sich [recken und] strecken ❸ (*an extended area*) Stück *nt*; (*section of road*) Streckenabschnitt *m*, Wegstrecke *f*; **~ of coast** Küstenabschnitt *m*; **~ of railway** Bahnstrecke *f*; **~ of water** Wasserfläche *f* ❹ SPORTS (*stage of a race*) Abschnitt *m*; **the home ~** die Zielgerade ❺ AM (*straight part of a race track*) Gerade *f* ❻ (*period of time*) Zeitraum *m*, Zeitspanne *f* ❼ (*exertion*) Bemühung *f*, Einsatz *m*; **by every ~ of the imagination** unter Aufbietung aller Fantasie; **by no ~ of the imagination could he be seriously described as an artist** man konnte ihn beim besten Willen nicht als Künstler bezeichnen; **at full ~** mit Volldampf II. *adj attr* Stretch- III. *vi* ❶ (*become longer, wider*) *rubber, elastic* sich dehnen; *clothes* weiter werden ❷ (*extend the muscles*) Dehnungsübungen machen ❸ (*take time*) sich hinziehen; **this ancient tradition ~es back hundreds of years** diese alte Tradition reicht Hunderte von Jahren zurück ❹ (*cover an area*) sich erstrecken IV. *vt* ❶ (*extend*) [aus]dehnen, strecken; (*extend by pulling*) dehnen; (*tighten*) straff ziehen, straffen; **to ~ one's legs** sich *dat* die Beine vertreten ❷ (*increase number of portions*) strecken; *sauce, soup* verlängern ❸ (*demand a lot of*) ▪**to ~ sb/sth** jdn/etw bis zum Äußersten fordern; **we're already fully ~ed** wir sind schon voll ausgelastet; **to ~ sb's budget** jds Budget strapazieren; **to ~ sb's patience** jds Geduld auf eine harte Probe stellen ❹ SPORTS (*to improve*) **to ~ one's lead** seinen Vorsprung ausbauen; *football, rugby* mit noch mehr Toren in Führung gehen ❺ (*go beyond*) ▪**to ~ sth** über etw *akk* hinausgehen

stretch·er ['stretʃəʳ] I. *n* ❶ MED (*for carrying*) Tragbahre *f* ❷ (*in rowing boat*) Stemmbrett *nt* ❸ (*for chair legs*) Steg *m* ❹ ART (*for canvas*) Rahmen *m* II. *vt* ▪**to ~ sb [off]** jdn auf einer Tragbahre [weg]tragen

'stretch·er-bear·er *n* Krankenträger(in) *m(f)*

stretchy ['stretʃi] *adj* elastisch, dehnbar, Stretch-; **~ material** Elastik *nt o f*

strew <strewed, strewn *or* strewed> [struː] *vt* ❶ (*scatter*) [ver]streuen ❷ (*cover*) ▪**to ~ sth with sth** etw mit etw *dat* bestreuen; **the path to a lasting peace settlement is ~n with difficulties** (*fig*) der Weg zu einem dauerhaften Friedensab-

kommen ist mit Schwierigkeiten gepflastert

strick·en ['strɪkən] I. *vt, vi* (*old*) *pp of* **strike** II. *adj* ❶ (*be overcome*) geplagt; ▪**to be ~ by sth** von etw *dat* heimgesucht werden; **~ with guilt** von Schuld gequält; **to be ~ with an illness** mit einer Krankheit geschlagen sein *geh* ❷ (*liter: wounded*) versehrt *geh* ❸ (*distressed*) leidgeprüft

strict [strɪkt] *adj* ❶ (*severe*) streng; *boss* strikt, herrisch; *penalty* hart ❷ (*demanding compliance*) streng, genau; **there is ~ enforcement of the regulations here** hier wird streng auf die Einhaltung der Vorschriften geachtet; **~ time limit** festgesetzte Frist; **~ neutrality** strikte Neutralität ❸ (*absolute*) streng, absolut; **in its ~ sense 'frost' refers to …** streng genommen bezeichnet das Wort ‚Frost' …; **in the ~est confidence** streng vertraulich ❹ (*unswerving*) streng; **~ Catholics** strenggläubige Katholiken; **~ vegetarian** überzeugter Vegetarier/überzeugte Vegetarierin

strict·ly ['strɪktli] *adv* ❶ (*demanding compliance*) streng; **for a ~ limited period** für sehr kurze Zeit; **~ forbidden** streng verboten ❷ (*precisely*) **not ~ comparable** nicht ohne weiteres vergleichbar; **~ defined** genau definiert; **~ speaking** genau genommen ❸ (*absolutely*) streng; **~ confidential** streng vertraulich ❹ (*severely*) streng

strict·ness ['strɪktnəs] *n no pl* Strenge *f*; *precision* Genauigkeit *f*; *severity* Härte *f*

stride [straɪd] I. *vi* <strode, stridden> **to ~ purposefully up to sth** zielstrebig auf etw *akk* zugehen; ▪**to ~ across sth** über etw *akk* hinwegschreiten; ▪**to ~ forward** (*fig*) vorankommen, Fortschritte machen II. *n* ❶ (*step*) Schritt *m*; **to break one's ~** stehen bleiben, anhalten; **to get into** [*or* AM *usu* hit] **one's ~** (*fig*) in Schwung kommen, seinen Rhythmus finden; **to put sb off their ~** *esp* BRIT (*fig*) jdn aus dem Konzept bringen; **to take sth in** [BRIT **one's**] **~** (*fig*) mit etw *dat* gut fertigwerden ❷ (*approv: progress*) Fortschritt *m*; **to make ~s forward** Fortschritte machen

stri·dent ['straɪdənt] *adj* ❶ (*harsh*) grell, schrill, durchdringend ❷ (*forceful*) scharf, schneidend

strife [straɪf] *n no pl* Streit *m*, Zwist *m geh*; **industrial ~** Auseinandersetzungen *pl* in der Industrie

strike[1] [straɪk] I. *n* ❶ (*of labour*) Streik *m*, Ausstand *m*; **sit-down ~** Sitzstreik *m*; **to be [out] on ~** streiken; **to be on ~ against**

sb/sth Am jdn/etw bestreiken; **to call a ~** einen Streik ausrufen ❷ *(occurrence)* **one- ~-and-you're-out policy** Politik *f* des harten Durchgreifens **II.** *vi* streiken, in den Ausstand treten *form*

strike² [straɪk] **I.** *n* ❶ MIL Angriff *m,* Schlag *m* (**against** gegen); **pre-emptive ~** Präventivschlag *m;* (*fig*) vorbeugende Maßnahme ❷ *(discovery)* Fund *m* ❸ Am *(also fig: conviction)* Verurteilung *f* ❹ Am *(in baseball)* Fehlschlag *m* **II.** *vt* <struck, struck *or* Am *also* stricken> ❶ *(beat)* schlagen; *(bang against)* ■**to ~ sth** gegen etw *akk* schlagen ❷ *(send by hitting)* **to ~ a ball** einen Ball schlagen; FBALL einen Ball schießen ❸ *usu passive (reach, damage)* **to be struck by a bullet/lightning/a missile** von einer Kugel/vom Blitz/von einer Rakete getroffen werden ❹ ■**to ~ sth** *(meet, bump against)* gegen etw *akk* stoßen; *(drive against)* gegen etw *akk* fahren; *(collide with)* mit etw *dat* zusammenstoßen ❺ *(knock, hurt)* **to ~ one's fist against the door/on the table** mit der Faust gegen die Tür/auf den Tisch schlagen ❻ *(inflict)* **to ~ a blow** zuschlagen; **to ~ a blow against sb/sth** *(fig)* jdm/etw einen Schlag versetzen ❼ *(devastate)* ■**to ~ sb/sth** jdn/etw heimsuchen; **the flood struck Worcester** die Flut brach über Worcester herein ❽ *(give an impression)* ■**to ~ sb as ...** jdm ... scheinen; **she doesn't ~ me as [being] very motivated** sie scheint mir nicht besonders motiviert [zu sein] ❾ *(impress)* ■**to be struck by sth** von etw *dat* beeindruckt sein ❿ *(arouse, induce)* **to ~ fear into sb** jdn in Angst versetzen ⓫ *(achieve)* erreichen; **how can we ~ a balance between economic growth and environmental protection?** wie können wir einen Mittelweg zwischen Wirtschaftswachstum und Umweltschutz finden?; **to ~ a deal with sb** mit jdm eine Vereinbarung treffen ⓬ *(manufacture)* **to ~ coins/a medal** Münzen/ eine Medaille prägen ⓭ *(discover)* **to ~ gold** auf Gold stoßen ⓮ *(play)* **to ~ a chord/note** einen Akkord/Ton anschlagen; **to ~ the right note** den richtigen Ton treffen ⓯ *(adopt)* **to ~ the right note** den richtigen Ton treffen; **to ~ a pose** eine Pose einnehmen ⓰ *clock* **to ~ the hour/ midnight** die [volle] Stunde/Mitternacht schlagen ⓱ *(occur to)* **has it ever struck you that ...?** ist dir je der Gedanke gekommen dass ...?; **it's just struck me that ...** mir ist gerade eingefallen, dass ... ⓲ *(ignite)* **to ~ a match** ein Streichholz

anzünden ⓳ *(render)* **to be struck dumb** sprachlos sein **III.** *vi* <struck, struck *or* Am *also* stricken> ❶ *(reach aim, have impact)* treffen; *lightning* einschlagen; **to ~ at the heart of sth** etw vernichtend treffen; **to ~ home** ins Schwarze treffen ❷ *(act)* zuschlagen; *(attack)* angreifen; **the snake ~s quickly** die Schlange beißt schnell zu ❸ *(cause suffering)* *illness, disaster* ausbrechen; *fate* zuschlagen ❹ *clock* schlagen ❺ *(find)* ■**to ~ [up]on sth** etw finden; **she has just struck upon an idea** ihr ist gerade eine Idee gekommen ▶**to ~ lucky** BRIT, AUS *(fam)* einen Glückstreffer landen *fig* ◆**strike back** *vi (also fig)* zurückschlagen ◆**strike down** *vt usu passive* ❶ *(knock down)* ■**to ~ down** ⟳ sb jdn niederschlagen ❷ *(kill)* ■**to ~ sb down** jdn dahinraffen *geh;* **to be struck down by a bullet** von einer Kugel getötet werden ❸ *usu passive (become ill)* ■**to be struck down by** [*or* with] **sth** [schwer] an etw *dat* erkranken ❹ Am LAW **to ~ down** ⟳ **a law** ein Gesetz aufheben ◆**strike off** *vt usu passive* BRIT, AUS ■**to ~ sb off for sth** jdm wegen einer S. *gen* die Zulassung entziehen ◆**strike out I.** *vt* ❶ *(delete)* ■**to ~ out** ⟳ sth etw [aus]streichen ❷ Am *(in baseball)* ■**to ~ out** ⟳ sb jdn ausmachen **II.** *vi* ❶ *(hit out)* zuschlagen; ■**to ~ out at sb** nach jdm schlagen; *(fig)* jdn scharf angreifen ❷ *(start afresh)* neu beginnen; **to ~ out in a new direction** eine neue Richtung einschlagen; **to ~ out on one's own** eigene Wege gehen ❸ *(set off)* aufbrechen ◆**strike through** *vt* ■**to ~ sth through** etw [durch]streichen ◆**strike up I.** *vt* ❶ *(initiate)* anfangen; **to ~ up a conversation** ein Gespräch anfangen; **to ~ up a friendship with sb** sich mit jdm anfreunden ❷ *start playing* **to ~ up a song** ein Lied anstimmen **II.** *vi* beginnen, anfangen

'**strike ac·tion** *n no pl* Streikmaßnahmen *pl* '**strike com·mit·tee** *n* + *sing*/*pl vb* Streikausschuss *m* '**strike fund** *n* Streikkasse *f* '**strike pay** *n no pl* Streikgeld *nt* **strik·er** ['straɪkə^r] *n* ❶ *(in football)* Stürmer(in) *m(f)* ❷ *(worker)* Streikende(r) *f(m)* **strik·ing** ['straɪkɪŋ] *adj* ❶ *(unusual)* bemerkenswert, auffallend; **the most ~ aspect of sth** das Bemerkenswerteste an etw *dat; differences* erheblich; *feature* herausragend; *parallels* erstaunlich; *personality* beeindruckend; *result* erstaunlich ❷ *(good-looking)* umwerfend; **~ beauty** bemerkenswerte Schönheit ❸ *(close)* **within ~ distance** [**of sth**] in unmittelbarer Nähe

S

[einer S. *gen*]; (*short distance*) einen Katzensprung [von etw *dat*] entfernt

string [strɪŋ] **I.** *n* ❶ *no pl* (*twine*) Schnur *f*, Kordel *f*; **ball of ~** Knäuel *m o nt*; **piece of ~** Stück *nt* Schnur ❷ (*fig: controls*) **to pull ~s** seine Beziehungen spielen lassen; **with ~s attached** mit Bedingungen verknüpft; **with no ~s attached** ohne Bedingungen ❸ *usu pl of a puppet* Fäden *pl*; **puppet on ~s** Marionette *f* ❹ (*in music*) Saite *f*; **to pluck a ~** eine Saite zupfen ❺ (*in an orchestra*) ■**the ~s** *pl* (*instruments*) die Streichinstrumente *pl*; (*players*) die Streicher *pl* SPORTS (*on a racket*) Saite *f* ❼ (*chain*) Kette *f*; **~ of pearls** Perlenkette *f* ❽ (*fig: series*) Kette *f*, Reihe *f* ❾ COMPUT Zeichenfolge *f*; **search ~** Suchbegriff *m* **II.** *vt* <strung, strung> ❶ (*fit*) besaiten; **to ~ a racket** SPORTS einen Schläger bespannen ❷ (*attach*) auffädeln, aufziehen; *usu passive* (*arrange in a line*) aufreihen ◆**string along** *vt* (*fam*) ■**to ~ sb** ⟳ **along** ❶ (*deceive*) jdn täuschen [*o* übers Ohr hauen]; (*in relationships*) jdn an der Nase herumführen ❷ (*delay*) jdn hinhalten ◆**string out I.** *vi* sich verteilen **II.** *vt* ■**to ~ sth** ⟳ **out** etw verstreuen; (*prolong*) etw ausdehnen ◆**string up** *vt* ❶ (*hang*) ■**to ~ up** ⟳ **sth** etw aufhängen ❷ ■**to ~ up** ⟳ **sb** (*fam: execute*) jdn [auf]hängen; (*fig fam: punish*) jdn bestrafen

string '**bag** *n* Einkaufsnetz *nt* '**string band** *n* kleines Streichorchester **string** '**bean** *n* AM, AUS grüne Bohne

stringed in·stru·ment [ˌstrɪŋd'-] *n* Saiteninstrument *nt*

strin·gen·cy ['strɪndʒən(t)si] *n no pl* ❶ (*strictness*) Strenge *f* ❷ (*thriftiness*) Knappheit *f*, Verknappung *f*

strin·gent ['strɪndʒənt] *adj* ❶ (*strict*) streng, hart; **~ measures** drastische Maßnahmen ❷ (*thrifty*) hart, streng; (*financial situation*) angespannt

string·er ['strɪŋəʳ] *n* JOURN (*sl*) freiberuflicher Korrespondent/freiberufliche Korrespondentin

'**string-pull·ing** *n* Strippenziehen *nt*; **she did some ~ to get the job** sie hat ihre Beziehungen spielen lassen, um die Stelle zu bekommen '**string quar·tet** *n* Streichquartett *nt*

stringy ['strɪŋi] *adj* (*tough*) *food* faserig, voller Fäden; *consistence* zäh; (*wiry*) *person* sehnig, drahtig; *hair* strähnig

strip [strɪp] **I.** *n* ❶ (*narrow piece*) Streifen *m*; **narrow ~ of land** schmales Stück Land; **thin ~** schmaler Streifen ❷ BRIT, AUS (*soccer kit*) Trikot *nt* ❸ (*undressing*)

Strip[tease] *m* ❹ *esp* AM (*long road*) sehr lange, belebte Einkaufsstraße **II.** *vt* <-pp-> ❶ (*lay bare*) *house, cupboard* leer räumen, ausräumen; **~ped pine** abgebeizte Kiefer; **to ~ sth bare** etw kahl fressen ❷ (*undress*) ■**to ~ sb** jdn ausziehen ❸ (*dismantle*) ■**to ~ sth** etw auseinandernehmen ❹ *usu passive* (*remove*) ■**to ~ sb of sth** jdn einer S. *gen* berauben; **to ~ sb of his/ her office** jdn seines Amtes entheben; **to ~ sb of his/her title** jdm seinen Titel aberkennen **III.** *vi* <-pp-> AM, AUS sich ausziehen; **~ped to the waist** mit nacktem Oberkörper; **to ~** [**down**] **to one's underwear** sich bis auf die Unterwäsche ausziehen

'**strip car·toon** *n* BRIT Comic[strip] *m*

stripe [straɪp] *n* ❶ (*band*) Streifen *m* ❷ MIL (*chevron*) [Ärmel]streifen *m* ❸ AM (*type*) Schlag *m*; **of every ~** aller Art; *politician, government* jeder Richtung

striped [straɪpt] *adj clothes* gestreift, Streifen-

stripey *adj see* **stripy**

'**strip light** *n* BRIT Neonröhre *f* '**strip light·ing** *n no pl* Neonlicht *nt*, Neonbeleuchtung *f* '**strip min·ing** *n no pl* AM (*opencast mining*) Tagebau *m*

strip·per ['strɪpəʳ] *n* ❶ (*person*) Stripperin *f*, Stripteasetänzerin *f* ❷ *no pl* (*solvent*) Farbentferner *m*; (*for wallpaper*) Tapetenlöser *m* ❸ (*tool*) Kratzer *m*; *machine* Tapetenablösegerät *nt*

'**strip-search I.** *n* Leibesvisitation, *bei der sich der/die Durchsuchte ausziehen muss*; **to undergo a ~** sich zu einer Durchsuchung ausziehen müssen **II.** *vt* ■**to ~ sb** *jdn einer Durchsuchung unterziehen, bei der sich der Betreffende ausziehen muss* '**strip show** *n* Strip[tease]show *f* '**strip·tease** *n* Striptease *m*; **to do a ~** strippen *fam*

stripy ['straɪpi] *adj clothes* gestreift, Streifen-

strive <strove *or* -d, striven *or* -d> [straɪv] *vi* sich bemühen; ■**to ~ to do sth** sich bemühen [*o* bestrebt sein], etw zu tun; ■**to ~ after sth** nach etw *dat* streben, etw anstreben; ■**to ~ for sth** um etw *akk* ringen; ■**to ~ against sth** gegen etw *akk* ankämpfen

strobe [strəʊb] *n* (*fam*) *short for* **stroboscope** ❶ PHYS Stroboskop *nt* ❷ (*flashing lamp*) Stroboskoplicht *nt*

'**strobe light** *n* Stroboskoplicht *nt*

stro·bo·scope ['strəʊbəskəʊp] *n* ❶ PHYS Stroboskop *nt* ❷ (*flashing lamp*) Stroboskoplicht *nt*

strode [strəʊd] *pt of* **stride**

stroke [strəʊk] **I.** *vt* ❶ (*rub*) streicheln; **to ~ one's hair into place** sich das Haar glatt streichen ❷ (*hit*) **to ~ the ball** den Ball [leicht] streifen **II.** *n* ❶ (*rub*) Streicheln *nt kein pl;* **to give sb a ~** jdn streicheln; **to give sth a ~** über etw *akk* streichen ❷ MED (*attack*) Schlaganfall *m* ❸ (*mark*) Strich *m* ❹ (*hitting a ball*) Schlag *m* ❺ (*form: blow*) Schlag *m,* Hieb *m* ❻ *no pl* (*swimming style*) **breast ~** Brustschwimmen *nt* ❼ (*swimming movement*) Zug *m* ❽ (*piece*) **by a ~ of fate** durch eine Fügung des Schicksals; **a ~ of luck** ein Glücksfall *m;* **a ~ of bad luck** Pech *nt;* **by a ~ of [bad] luck** [un]glücklicherweise ❾ (*action*) [geschickter] Schachzug; **a ~ of genius** ein genialer Einfall ❿ *no pl, usu neg* (*fam: of work*) **she hasn't done a ~ of work** sie hat noch keinen Handschlag getan ⓫ *of a clock* Schlag *m;* **at the ~ of ten** um Punkt zehn Uhr

stroll [strəʊl] **I.** *n* Spaziergang *m;* **to go for a ~** einen Spaziergang machen, spazieren gehen **II.** *vi* (*amble*) schlendern, bummeln

stroll·er ['strəʊləʳ] *n* ❶ (*person*) Spaziergänger(in) *m(f)* ❷ *esp* AM, AUS (*pushchair*) Sportwagen *m*

strong [strɒŋ] **I.** *adj* ❶ (*powerful*) stark; *desire* brennend; *economy* gesund; *incentive, influence* groß; *reaction* heftig; *resistance* erbittert; *rivalry* ausgeprägt; **~ language** (*vulgar*) derbe Ausdrucksweise; **~ lenses** starke [Brillen]gläser; **~ smell** strenger Geruch; **~ winds** heftige Winde ❷ (*effective*) gut, stark; **tact is not her ~ point** Takt ist nicht gerade ihre Stärke ❸ (*physically powerful*) kräftig, stark; (*healthy*) gesund, kräftig; **to be as ~ as an ox** bärenstark sein ❹ (*robust*) stabil; (*tough*) *person* stark ❺ (*deep-seated*) überzeugt; *conviction* fest; *objections* stark; *tendency* deutlich; **to have ~ views on sth** eine Meinung über etw *akk* energisch vertreten ❻ (*very likely*) groß, hoch, stark; **~ likelihood** hohe Wahrscheinlichkeit ❼ *after n* (*in number*) stark; **our club is currently about eighty ~** unser Club hat derzeit 80 Mitglieder ❽ (*marked*) *accent* stark ❾ (*bright*) hell, kräftig; *light* grell ❿ (*pungent*) streng; *flavour* kräftig; *smell* beißend ⓫ FIN *currency* hart, stark **II.** *adv* (*fam*) **to come on ~** (*sexually*) rangehen *fam;* (*aggressively*) in Fahrt kommen *fam;* **to come on too ~** übertrieben reagieren; **still going ~** noch gut in Form

'strong-arm I. *adj attr* (*pej*) brutal, gewaltsam, Gewalt-; **~ method[s]** brutale Metho-

de[n]; **~ style of government** autoritärer Regierungsstil **II.** *vt* ▪**to ~ sb** jdn einschüchtern **'strong·box** *n* [Geld]kassette *f* **'strong·hold** *n* ❶ (*bastion*) Stützpunkt *m,* Bollwerk *nt,* Festung *f;* (*fig*) Hochburg *f,* Zentrum *nt* ❷ (*sanctuary*) Zufluchtsort *m,* Refugium *nt*

strong·ly ['strɒŋli] *adv* ❶ (*powerfully*) stark; **it is ~ doubted that ...** es bestehen erhebliche Zweifel, dass ...; **to ~ advise sb to do sth** jdm nachdrücklich dazu raten, etw zu tun; **to ~ criticize sb** jdn heftig kritisieren; **to ~ deny sth** etw energisch bestreiten; **to be ~ opposed to sth** entschieden gegen etw *akk* sein; **to ~ recommend sth** etw dringend empfehlen ❷ (*durably*) robust, stabil ❸ (*muscularly*) stark; **~ built** kräftig gebaut ❹ (*pungently*) stark; **to smell ~ of sth** stark nach etw *dat* riechen ❺ (*firmly*) nachdrücklich; **to ~ believe sth** von etw *dat* fest überzeugt sein; **to ~ feel that ...** den starken Verdacht haben, dass ...

strong-'mind·ed *adj* willensstark, entschlossen, energisch **'strong·room** *n* Stahlkammer *f,* Tresor[raum] *m* **strong-'willed** *adj* willensstark, entschlossen

stron·tium ['strɒntiəm] *n no pl* Strontium *nt*

strop [strɒp] *n* BRIT, AUS (*fam*) Schmollen *nt kein pl;* **to be in a ~** eingeschnappt sein *fam,* schmollen

strop·py ['strɒpi] *adj* BRIT, AUS (*fam*) muffig *fam,* gereizt; **to get ~** pampig werden *fam*

strove [strəʊv] *pt of* **strive**

struck [strʌk] *pt, pp of* **strike**

struc·tur·al ['strʌktʃᵊrᵊl] *adj* ❶ (*organizational*) strukturell, Struktur- ❷ (*of a construction*) baulich, Bau-, Konstruktions-; **the houses suffered ~ damage** die Struktur der Häuser wurde beschädigt

struc·tur·al·ly ['strʌktʃᵊrᵊli] *adv* ❶ (*organizationally*) strukturell ❷ (*of a construction*) baulich; **few buildings were left ~ safe after the earthquake** nach dem Erdbeben waren nur noch wenige Gebäude in einem sicheren baulichen Zustand

struc·tur·al un·em·'ploy·ment *n no pl* ECON, SOCIOL strukturelle Arbeitslosigkeit

struc·ture ['strʌktʃəʳ] **I.** *n* ❶ (*arrangement*) Struktur *f,* Aufbau *m* ❷ (*system*) Struktur *f* ❸ (*construction*) Bau[werk] *nt;* (*make-up of a construction*) Konstruktion *f* **II.** *vt* strukturieren; (*construct*) konstruieren; *life* regeln; **well-~d argument** gut aufgebaute [*o* gegliederte] Argumentation

strug·gle ['strʌgl] **I.** *n* ❶ (*great effort*)

Kampf *m* (**for** um); **to be a real ~** wirklich Mühe kosten, sehr anstrengend sein; **uphill ~** mühselige Aufgabe, harter Kampf; **without a ~** kampflos ❷ (*fight*) Kampf *m* (**against** gegen, **with** mit); **he put up a desperate ~ before his murder** er hatte sich verzweifelt zur Wehr gesetzt, bevor er ermordet wurde **II.** *vi* ❶ (*toil*) sich abmühen [*o* quälen]; ■**to ~ with sth** sich mit etw *dat* herumschlagen; **to ~ to make ends meet** Mühe haben, finanziell zurechtzukommen; **to ~ to one's feet** sich mühsam aufrappeln ❷ (*fight*) kämpfen, ringen; **to ~ for survival** ums Überleben kämpfen

strum [strʌm] MUS **I.** *vt* <-mm-> **to ~ a stringed instrument** auf einem Saiteninstrument herumzupfen *fam;* **to ~ a guitar** auf einer Gitarre herumklimpern *fam* **II.** *vi* <-mm-> [herum]klimpern *fam* **III.** *n usu sing* ❶ (*sound of strumming*) Klimpern *nt fam*, Geklimper *nt pej fam* ❷ (*act of strumming*) **she gave a few ~s of her guitar** sie schlug ein paar Akkorde auf ihrer Gitarre an

strung [strʌŋ] *pt, pp of* **string**

strut [strʌt] **I.** *vi* <-tt-> ■**to ~ about** herumstolzieren; ■**to ~ past** vorbeistolzieren **II.** *vt* <-tt-> **to ~ one's stuff** (*esp hum fam: dance*) zeigen, was man hat; (*showcase*) zeigen, was man kann **III.** *n* (*in a car, vehicle*) Strebe *f;* (*in a building, structure*) Verstrebung *f*

strych·nine ['strɪkni:n] *n no pl* Strychnin *nt*

stub [stʌb] **I.** *n of a ticket, cheque* [Kontroll]abschnitt *m*, Abriss *m; of a cigarette* [Zigaretten]stummel *m*, Kippe *f fam; of a pencil* Stummel *m* **II.** *vt* <-bb-> **to ~ one's toes** sich die Zehen anstoßen
◆**stub out** *vt* **to ~ out a/one's cigar/ cigarette** eine/seine Zigarre/Zigarette ausdrücken; *with one's foot* eine/seine Zigarette/Zigarre austreten

stub·ble ['stʌbl] *n no pl* Stoppeln *pl*

stub·bly ['stʌbli] *adj* ❶ (*bristly*) stoppelig, Stoppel- ❷ (*of crops*) Stoppel-

stub·born ['stʌbən] *adj* (*esp pej*) ❶ (*obstinate*) *of a person* stur *fam*, dickköpfig *fam*, starrköpfig, störrisch ❷ (*persistent*) hartnäckig; *problem* vertrackt; **~ hair** widerspenstiges Haar

stub·born·ly ['stʌbənli] *adv* (*esp pej*) ❶ (*obstinately*) stur, störrisch; **she ~ clings on to her outdated views** sie klammert sich verbissen an ihre veralteten Ansichten ❷ (*persistently*) *refuse* hartnäckig

stub·born·ness ['stʌbənnəs] *n no pl* (*esp pej*) Sturheit *f*, Starrköpfigkeit *f*

stub·by ['stʌbi] **I.** *adj* **~ fingers** Wurstfinger *pl fam;* **~ legs** stämmige Beine; **~ person** gedrungene Person; **~ tail** Stummelschwanz *m* **II.** *n* AUS *375 ml fassende Bierflasche*

stuc·co ['stʌkəʊ] *n no pl* (*fine plaster*) Stuck *m*

stuck [stʌk] **I.** *pt, pp of* **stick II.** *adj* ❶ (*unmovable*) fest; **the door is ~** die Tür klemmt ❷ *pred* (*trapped*) **I hate being ~ behind a desk** ich hasse Schreibtischarbeit; ■**to be ~ in sth** in etw *dat* feststecken; ■**to be ~ with sb** jdn am Hals haben ❸ *pred* (*at a loss*) ■**to be ~** nicht klarkommen *fam;* **I'm really ~** ich komme einfach nicht weiter ❹ *pred* BRIT, AUS (*fam: show enthusiasm for*) **to get ~ in[to] sth** sich in etw *akk* reinknien *fam;* **they got ~ into the job straight away** sie stürzten sich gleich in die Arbeit

stuck-'up *adj* (*pej fam*) hochnäsig *fam*, eingebildet, arrogant

stud¹ [stʌd] *n* ❶ (*horse*) Deckhengst *m*, Zuchthengst *m* ❷ (*breeding farm*) Gestüt *nt*, Stall *m* ❸ (*sl: man*) geiler Typ

stud² [stʌd] *n* ❶ (*jewellery*) Stecker *m* ❷ (*for a collar*) Kragenknopf *m;* (*for a shirt*) Hemdknopf *m;* (*for a cuff*) Manschettenknopf *m* ❸ TECH Stift *m* ❹ AM (*in a tyre*) Spike *m*

stu·dent ['stju:dⁿnt] *n* ❶ (*at university*) Student(in) *m(f);* (*pupil*) Schüler(in) *m(f);* **graduate ~** AM Doktorand *oder* Student *eines Magisterstudiengangs;* **postgraduate ~** Habilitand(in) *m(f);* **undergraduate ~** Student(in) *m(f)* ❷ (*unofficial learner*) **to be a ~ of sth** sich mit etw *dat* befassen

stu·dent 'teach·er *n* Referendar(in) *m(f)*

stu·dent 'un·ion *n*, **stu·dents' 'union** *n* Studentenvereinigung *f*

'stud farm *n* Gestüt *nt*

'stud horse *n* Zuchthengst *m*

stud·ied ['stʌdid] *adj* wohl überlegt, [gut] durchdacht; **she listened to his remarks with ~ indifference** sie hörte ihm mit gestellter Gleichgültigkeit zu; **~ elegance** kunstvolle Eleganz; **~ insult** gezielte Beleidigung; **~ politeness** gewollte Höflichkeit

studies ['stʌdiz] *npl* ❶ (*studying*) Studium *nt kein pl;* **he enjoys his ~** ihm macht sein Studium Spaß ❷ (*academic area*) **business ~** Betriebswirtschaft *f;* **social ~** Sozialwissenschaft *f*

stu·dio ['stju:diəʊ] *n* ❶ (*artist's room*) Atelier *nt* ❷ (*photography firm*) Studio *nt;*

graphics ~ Grafikstudio *nt* ❸ (*film-making location*) Studio *nt* ❹ (*film company*) Filmgesellschaft *f* ❻ (*recording area*) Studio *nt* ❻ *esp* AM (*studio flat*) Appartement *nt*

stu·dio a'part·ment *n esp* AM Appartement *nt* **stu·dio 'audi·ence** *n* + *sing/pl vb* Studiopublikum *nt* **'stu·dio couch** *n* Schlafcouch *f*, Bettcouch *f*

stu·di·ous ['stju:diəs] *adj* ❶ (*bookish*) *person* lernbegierig, lerneifrig; *environment* gelehrt; ~ **atmosphere** dem Lernen zuträgliche Atmosphäre ❷ (*earnest*) ernsthaft; (*intentional*) bewusst

study ['stʌdi] **I.** *vt* <-ie-> ❶ (*scrutinize*) ■ **to ~ sb/sth** jdn/etw studieren, sich mit etw/jdm befassen; (*look at*) jdn/etw eingehend betrachten; ■ **to ~ how/what/when/whether ...** erforschen [*o* untersuchen], wie/was/wann/ob ... ❷ (*learn*) studieren; (*at school*) lernen **II.** *vi* <-ie-> lernen; (*at university*) studieren **III.** *n* ❶ (*investigation*) Untersuchung *f*; (*academic investigation*) Studie *f*, wissenschaftliche Untersuchung ❷ *no pl* (*studying*) Lernen *nt*; (*at university*) Studieren *nt* ❸ (*room*) Arbeitszimmer *nt* ❹ (*pilot drawing*) Studie *f*, Entwurf *m* ❺ (*literary portrayal*) Untersuchung *f*, Studie *f* ❻ (*example*) **to be a ~ in sth** ein Musterbeispiel für etw *akk* sein

'study group *n* + *sing/pl vb* Arbeitsgruppe *f* **'study vis·it** *n* Studienreise *f*

stuff [stʌf] **I.** *n no pl* ❶ (*fam: indeterminate matter*) Zeug *nt oft pej fam;* **we've heard all this ~ before** das haben wir doch alles schon mal gehört!; **there is a lot of ~ about it on TV** im Fernsehen wird dauernd darüber berichtet; **his latest book is good** ~ sein neues Buch ist echt gut; **that's the ~!** BRIT (*fam*) so ist's richtig!; **to know one's ~** sich auskennen ❷ (*possessions*) Sachen *pl*, Zeug *nt oft pej fam* ❸ (*material*) Material *nt*, Stoff *m* ❹ (*characteristics*) **he's made of the same ~ as his father** er ist aus demselben Holz geschnitzt wie sein Vater; **the ~ of which heroes are made** der Stoff, aus dem Helden sind **II.** *vt* ❶ (*fam: gorge*) ■ **to ~ sb/oneself** jdn/sich vollstopfen; ■ **to ~ down** ⟳ **sth** etw in sich *akk* hineinstopfen; **to ~ one's face** sich *dat* den Bauch vollschlagen ❷ (*vulg: strong disapproval*) ~ **it!** Scheiß drauf! *derb; esp* BRIT, AUS ~ **him!** der kann mich mal! *derb;* BRIT, AUS **get ~ed!** du kannst mich mal! *derb* ❸ (*push inside*) stopfen; (*fill*) ausstopfen; (*in cookery*) füllen ❹ (*in taxidermy*) **to ~ animals** Tiere ausstopfen

stuffed 'shirt *n* (*pej fam*) Wichtigtuer(in) *m(f)*

stuff·ing ['stʌfɪŋ] *n no pl* Füllung *f*

stuffy ['stʌfi] *adj* (*pej*) ❶ (*prim*) spießig ❷ (*airless*) stickig, muffig

stul·ti·fy·ing ['stʌltɪfaɪɪŋ] *adj* (*pej form*) lähmend

stum·ble ['stʌmbl] *vi* ❶ (*trip*) stolpern, straucheln; ■ **to ~ on sth** über etw *akk* stolpern ❷ (*fig*) **the judges noticed the violinist** ~ die Schiedsrichter bemerkten, dass die Violinistin einen Fehler machte; **to ~ from one mistake to another** (*fig*) von einem Fehler zum nächsten stolpern ❸ (*stagger*) ■ **to ~ about** herumtappen ❹ (*falter: when talking*) stocken, holpern ❺ (*find*) ■ **to ~ across sb/sth** [zufällig] auf jdn/etw stoßen

'stum·bling block *n* Stolperstein *m*, Hemmschuh *m*, Hindernis *nt;* ■ **to be a ~ to sth** ein Hindernis für etw *akk* sein

stump [stʌmp] **I.** *n* ❶ (*part left*) *of a tree* Stumpf *m; of an arm* Armstumpf *m; of a leg* Beinstumpf *m; of a tooth* Zahnstummel *m* ❷ AM POL **out on the ~** im Wahlkampf **II.** *vt* ❶ (*usu fam: baffle*) ■ **to ~ sb** jdn verwirren [*o* durcheinanderbringen]; **we're all completely ~ed** wir sind mit unserem Latein am Ende ❷ *esp* AM POL **to ~ the country/a state** Wahlkampfreisen durch das Land/einen Staat machen **III.** *vi* ❶ (*stamp*) **she ~ed out of the room** sie stapfte aus dem Raum ❷ POL Wahlreden halten

stumpy ['stʌmpi] *adj* (*usu pej fam*) [klein und] gedrungen, untersetzt, stämmig; *fingers* dick; ~ **tail** Stummelschwanz *m*

stun <-nn-> [stʌn] *vt* ❶ (*shock*) betäuben, lähmen; (*amaze*) verblüffen, überwältigen; **news of the disaster** ~**ned the nation** die Nachricht von der Katastrophe schockte das Land; ~**ned silence** fassungsloses Schweigen ❷ (*make unconscious*) ■ **to ~ sb/an animal** jdn/ein Tier betäuben

stung [stʌŋ] *pp, pt of* **sting**

'stun gre·nade *n* MIL Blendgranate *f*

stunk [stʌŋk] *pt, pp of* **stink**

stunned [stʌnd] *adj* fassungslos, sprachlos, geschockt

stun·ner ['stʌnə'] *n* ❶ (*fam: man*) toller Mann; (*woman*) tolle Frau; (*thing, event*) tolle Sache ❷ (*surprise*) [Riesen]überraschung *f*

stun·ning ['stʌnɪŋ] *adj* ❶ (*approv: gorgeous*) toll *fam*, fantastisch, umwerfend, überwältigend, sensationell ❷ (*amazing*) unfassbar ❸ (*hard*) **a ~ blow/left hook/**

S

punch ein betäubender Schlag/linker Haken/Faustschlag

stunt[1] [stʌnt] *n* ❶ FILM Stunt *m;* **to perform a ~** einen Stunt vollführen ❷ *(for publicity)* Gag *m,* Trick *m pej;* **publicity ~** Werbegag *m;* **to pull a ~** *(fig fam)* etwas Verrücktes tun

stunt[2] [stʌnt] *vt* hemmen, beeinträchtigen, behindern

stunt·ed ['stʌntɪd] *adj (deteriorated)* verkümmert; *(limited in development)* unterentwickelt

'**stunt·man** *n* Stuntman *m*

stu·pe·fac·tion [ˌstjuːpɪˈfækʃᵊn] *n no pl* ❶ *(befuddled state)* Benommenheit *f;* **state of ~** benommener Zustand ❷ *(astonishment)* Verblüffung *f; (involving intense shock)* Bestürzung *f*

stu·pe·fy <-ie-> ['stjuːpɪfaɪ] *vt usu passive* ◾**to be stupefied by sth** ❶ *(render numb)* von etw *dat* benommen sein ❷ *(astonish)* über etw *akk* verblüfft sein; *(shocked)* über etw *akk* bestürzt sein; **we were stupefied by the news** die Nachricht hatte uns die Sprache verschlagen

stu·pen·dous [stjuːˈpendəs] *adj (immense)* gewaltig, enorm; *(amazing)* erstaunlich; *beauty* außergewöhnlich; *news* toll *fam*

stu·pid ['stjuːpɪd] I. *adj* <-er, -est *or* more ~, most ~> ❶ *(slow-witted)* dumm, blöd *fam,* einfältig; **don't be ~!** sei doch nicht blöd! *fam* ❷ *(silly)* blöd *fam;* **have your ~ book!** behalte doch dein blödes Buch! *fam;* **to drink oneself ~** sich bis zur Bewusstlosigkeit betrinken II. *n (fam)* Blödmann *m,* Dummkopf *m*

stu·pid·ity [stjuːˈpɪdəti] *n no pl* Dummheit *f,* Blödheit *f fam,* Einfältigkeit *f*

stu·pid·ly ['stjuːpɪdli] *adv* dummerweise, blöderweise *fam;* **I ~ forgot to bring a copy of my report** ich habe dummerweise vergessen, meinen Bericht mitzubringen; **he ~ refused** er war so dumm abzulehnen

stu·por ['stjuːpəʳ] *n usu sing* Benommenheit *f;* **in a drunken ~** im Vollrausch

stur·dy ['stɜːdi] *adj* ❶ *(robust) box, chair, wall* stabil; *material* robust; **~ shoes** festes Schuhwerk ❷ *(physically) arms, legs* kräftig; *body, person, legs also* stämmig ❸ *(resolute) opposition* standhaft, unerschütterlich

stur·geon ['stɜːdʒᵊn] *n* Stör *m*

stut·ter ['stʌtəʳ] I. *vi, vt* stottern II. *n* Stottern *nt kein pl;* **to have a bad ~** stark stottern

stut·ter·er ['stʌtᵊrəʳ] *n* Stotterer, Stotte-

rin *m, f*

sty [staɪ] *n* ❶ *(pig pen)* Schweinestall *m* ❷ MED *(in eye)* Gerstenkorn *nt*

stye <*pl* sties *or* -s> [staɪ] *n* MED Gerstenkorn *nt*

style [staɪl] I. *n* ❶ *(distinctive manner)* Stil *m,* Art *f;* **~ of teaching** Unterrichtsstil *m;* **in the ~ of sb/sth** im Stil einer Person/einer S. *gen;* **that's not my ~** *(fig fam)* das ist nicht mein Stil *fig;* **in the Gothic ~** ARCHIT, ART im gotischen Stil ❷ *(approv: stylishness)* Stil *m;* **to have real ~** Klasse haben; **to do things in ~** alles im großen Stil tun; **to live in ~** auf großem Fuß leben; **to travel in ~** mit allem Komfort [ver]reisen ❸ *(fashion)* Stil *m;* **the latest ~** die neueste Mode ❹ *(specific type)* Art *f,* Ausführung *f* II. *vt (arrange)* plan, design entwerfen; *(shape)* gestalten; **to ~ sb's hair** jdm die Haare frisieren; **elegantly ~d jackets** elegant geschnittene Jacken

'**style sheet** *n* COMPUT Stylesheet *nt*

styl·ing ['staɪlɪŋ] I. *n* Styling *nt,* Design *nt; of hair* Frisur *f* II. *adj attr* Styling-; **~ mousse** Schaumfestiger *m;* **~ aids** Stylingprodukte *pl*

styl·ish ['staɪlɪʃ] *adj (approv)* ❶ *(chic)* elegant; *(smart)* flott *fam; (fashionable)* modisch ❷ *(polished)* stilvoll, mit Stil *nach n*

styl·ish·ly ['staɪlɪʃli] *adv (approv: chic)* elegant; *(smartly)* flott *fam; (fashionably)* modisch

styl·ist ['staɪlɪst] *n* ❶ *(arranger of hair)* Friseur(in) *m(f),* Friseuse *f;* **hair ~** Friseur, Friseuse *m, f; (designer)* Designer(in) *m(f)* ❷ *(writer)* Stilist(in) *m(f)*

styl·is·tic ['staɪlɪstɪk] *adj* stilistisch, Stil-

styl·is·ti·cal·ly ['staɪlɪstɪkli] *adv* stilistisch

styl·is·tics [staɪˈlɪstɪks] *n + sing vb* Stilistik *f kein pl*

styl·ize ['staɪlaɪz] *vt* stilisieren

sty·lus <*pl* -es> ['staɪləs] *n* ❶ *(needle)* Abspielnadel *f* ❷ *(pen-like device)* [Licht]stift *m*

sty·mie <-y-> ['staɪmi] *vt* ◾**to ~ sb** jdn mattsetzen *fig;* ◾**to be ~d by sth** durch etw *akk* behindert werden [*o* nicht vorankommen]; ◾**to ~ sth** etw vereiteln; **to ~ sb's efforts** jds Bemühungen behindern

suave [swɑːv] *adj (urbane)* weltmännisch; *(polite)* verbindlich

sub I. *n* ❶ *(fam) short for* **substitute** Vertretung *f* ❷ *(fam) short for* **submarine** U-Boot *nt* ❸ AM *(fam) short for* **submarine sandwich** Jumbo-Sandwich *nt* ❹ *usu pl* BRIT, AUS *(fam) short for* **subscription** Abo *nt fam; (membership fee)*

[Mitglieds]beitrag *m* **II.** *vi* <-bb-> *short for* **substitute:** ■to ~ **for sb** für jdn einspringen, jdn vertreten

sub·agen·cy [ˌsʌb'eɪdʒ³n(t)si] *n esp* Aᴍ Unteragentur *f* **sub·agent** [ˌsʌb-'eɪdʒ³nt] *n* Unteragent(in) *m(f)*

sub·al·tern ['sʌb³ltən] *n* Bʀɪᴛ ᴍɪʟ Subalternoffizier *m fachspr*

sub·atom·ic [ˌsʌbə'tɒmɪk] *adj* ᴘʜʏꜱ subatomar **sub·class** ['sʌbklɑːs] *n* ʙɪᴏʟ Unterklasse *f* **sub·com·mit·tee** ['sʌbkəˌmɪti] *n* Unterausschuss *m* **sub·con·scious** [sʌb-'kɒn(t)ʃəs] **I.** *n no pl* Unterbewusstsein *nt*, Unterbewusste(s) *nt* **II.** *adj attr* unterbewusst **sub·con·scious·ly** [sʌb'kɒn(t)-ʃəsli] *adv* (*not wholly consciously*) unterbewusst; (*intuitively*) unterbewusst, intuitiv **sub·con·ti·nent** [sʌb'kɒntɪnənt] *n* ɢᴇᴏɢ Subkontinent *m* **sub·con·tract I.** *vt* [ˌsʌbkən'trækt] ■to ~ **sth to sb/sth** etw an jdn/etw untervergeben; ■to ~ **sth out to sb/sth** etw an jdn/etw als Untervertrag hinausgeben **II.** *n* ['sʌbˌkɒntækt] Subkontrakt *m*, Untervertrag *m* **sub·con·trac·tor** [ˌsʌbkən'træktə⁽ʳ⁾] *n* Subunternehmer(in) *m(f)* **sub·cul·ture** ['sʌbˌkʌltʃə⁽ʳ⁾] *n* Subkultur *f* **sub·cu·ta·neous** [ˌsʌbkjuː-'teɪnɪəs] *adj* ᴍᴇᴅ subkutan **sub·di·vide** [ˌsʌbdɪ'vaɪd] *vt* unterteilen (**into** in); ■to ~ **sth among persons** etw nochmals unter [mehreren] Personen aufteilen **sub·di·vi·sion** [ˌsʌbdɪ'vɪʒ³n] *n* ❶ (*secondary division*) erneute Teilung; (*in aspects of a whole*) Aufgliederung *f*, Unterteilung *f* ❷ Aᴍ, Aᴜꜱ (*housing estate*) Wohngebiet *nt*, Wohnsiedlung *f*

sub·due [sʌb'djuː] *vt* (*get under control*) unter Kontrolle bringen; (*bring into subjection*) unterwerfen; (*suppress*) unterdrücken; *animal, emotion* bändigen

sub·dued [sʌb'djuːd] *adj* (*controlled*) beherrscht; (*reticent*) zurückhaltend; (*toned down*) gedämpft; (*quiet*) leise, ruhig; *noise* gedämpft; *mood* gedrückt; **to speak in a ~ voice** mit gedämpfter Stimme sprechen

sub·edit [sʌb'edɪt] *vt* ᴊᴏᴜʀɴ, ᴘᴜʙʟ redigieren **sub·edi·tor** [sʌb'edɪtə⁽ʳ⁾] *n* ❶ (*assistant editor*) Redaktionsassistent(in) *m(f)* ❷ (*sb who edits copy for printing*) Redakteur(in) *m(f)* **sub·group** ['sʌbgruːp] *n* Untergruppe *f*, Unterabteilung *f* **sub·head** [sʌb'hed] *nt*, **sub·head·ing** ['sʌbˌhedɪŋ] *n* Untertitel *m*

sub·ject I. *n* ['sʌbdʒɪkt, -dʒekt] ❶ (*theme, topic*) Thema *nt;* **while we're on the ~** wo wir gerade beim Thema sind; **to change the ~** das Thema wechseln ❷ (*person*) Versuchsperson *f*, Testper-

son *f* ❸ (*field*) Fach *nt;* (*at school*) [Schul]fach *nt;* (*specific research area*) Spezialgebiet *nt* ❹ (*under monarchy*) Untertan(in) *m(f)* ❺ ʟɪɴɢ Subjekt *nt*, Satzgegenstand *m* **II.** *adj* ['sʌbdʒɪkt] ❶ *attr* ᴘᴏʟ (*dominated*) *people* unterworfen ❷ *pred* (*exposed to*) ■to be ~ **to sth** etw *dat* ausgesetzt sein; **to be ~ to depression** zu Depressionen neigen; **to be ~ to a high rate of tax** einer hohen Steuer unterliegen ❸ (*contingent on*) ■to be ~ **to sth** von etw *dat* abhängig sein; **to be ~ to approval** genehmigungspflichtig sein; ~ **to payment** vorbehaltlich einer Zahlung **III.** *adv* ['sʌbdʒɪkt] ■~ **to** wenn; ~ **to your consent** vorbehaltlich Ihrer Zustimmung **IV.** *vt* [səb'dʒekt] *usu passive* (*cause to undergo*) ■to ~ **sb/sth to sth** jdn/etw etw *dat* aussetzen; ■to be ~ed **to sb/sth** jdm/etw ausgesetzt sein; **to ~ sb to tor·ture** jdn foltern

'**sub·ject in·dex** *n* Sachregister *nt*

sub·jec·tion [səb'dʒek[³n] *n no pl* ᴘᴏʟ Unterwerfung *f*

sub·jec·tive [səb'dʒektɪv] *adj* subjektiv

sub·jec·tiv·ity [ˌsʌbdʒek'tɪvəti] *n no pl* Subjektivität *f*

'**sub·ject mat·ter** *n* Thema *nt;* *of a meeting* Gegenstand *m;* *of a book* Inhalt *m;* *of a film* Stoff *m*

sub ju·di·ce [ˌsʌb'dʒuːdɪsi] *adj pred* ʟᴀᴡ rechtshängig

sub·ju·gate ['sʌbdʒəgeɪt] *vt* ❶ (*make subservient*) unterwerfen, unterjochen ❷ (*make subordinate to*) ■to ~ **oneself to sb/sth** sich jdm/etw unterwerfen

sub·ju·ga·tion [ˌsʌbdʒə'geɪʃ³n] *n* Unterwerfung *f*, Unterjochung *f*

sub·junc·tive [səb'dʒʌŋ(k)tɪv] **I.** *n no pl* ʟɪɴɢ Konjunktiv *m* **II.** *adj* ʟɪɴɢ konjunktivisch, Konjunktiv-

sub·lease I. *vt* ['sʌbliːs] (*sublet*) untervermieten; (*give leasehold*) unterverpachten **II.** *n* [sʌb'liːs] (*sublet*) Untermiete *f*; (*give leasehold*) Unterverpachtung *f*

sub·let [sʌb'let] **I.** *vt* <-tt-, sublet, sublet> untervermieten **II.** *n* untervermietetes Objekt

sub lieu·ten·ant [ˌsʌblef'tenənt] *n* Bʀɪᴛ ᴍɪʟ Oberleutnant *m* zur See

sub·li·mate ['sʌblɪmeɪt] *vt* ᴘꜱʏᴄʜ sublimieren

sub·lime [sə'blaɪm] **I.** *adj* ❶ (*imposing, majestic*) erhaben ❷ (*usu iron: very great*) komplett *fam*, vollendet *iron* **II.** *n* ■the ~ das Erhabene

sub·limi·nal [sʌb'lɪmɪn³l] *adj* ᴘꜱʏᴄʜ (*covert*) unterschwellig; (*subconscious*) unterbewusst

sub·ma·chine gun [ˌsʌbməˈʃiːn,-] n Maschinenpistole f

sub·ma·rine [ˌsʌbməˈriːn] I. n ❶ (boat) U-Boot nt, Unterseeboot nt ❷ Am (doorstep sandwich) Jumbo-Sandwich nt II. adj Unterwasser-, unterseeisch, submarin fachspr

sub·menu [ˌsʌbˈmenjuː] n COMPUT Untermenü nt

sub·merge [səbˈmɜːdʒ] I. vt ❶ (place under water) tauchen (in in) ❷ (override) vereinnahmen ❸ (immerse) ■ to ~ oneself in sth sich in etw akk vertiefen ❹ (inundate) überschwemmen, überfluten II. vi abtauchen, untertauchen

sub·merged [səbˈmɜːdʒd] adj ❶ (under water) wreck unter Wasser nach n; (sunken) versunken; ~ **fields** überschwemmte Felder ❷ (hidden) versteckt, verborgen

sub·mers·ible [səbˈmɜːsəbl] n Tauchboot nt, Unterseeboot nt

sub·mer·sion [səbˈmɜːʃən] n no pl Eintauchen nt, [Unter]tauchen nt

sub·mis·sion [səbˈmɪʃən] n no pl ❶ (compliance) Unterwerfung f; (to orders, wishes etc.) Gehorsam m ❷ no pl (handing in) Einreichung f, Abgabe f ❸ (sth submitted) Vorlage f, Eingabe f ❹ LAW (form: hypothesis) Behauptung f; (petition) Antrag m; **in my ~** LAW (form) meiner Meinung nach

sub·mis·sive [səbˈmɪsɪv] adj (subservient) unterwürfig pej; (humble) demütig; (obedient) gehorsam

sub·mit <-tt-> [səbˈmɪt] I. vt ❶ (yield) ■ to ~ **oneself to sb/sth** sich jdm/etw unterwerfen; **to ~ oneself to the new rules** sich den neuen Regeln anpassen ❷ (agree to undergo) **to ~ oneself to a treatment** sich einer Behandlung unterziehen ❸ (hand in) einreichen; ■ to ~ **sth to sb** jdm etw vorlegen II. vi (resign) aufgeben; (yield) nachgeben; (yield unconditionally) sich unterwerfen; **to ~ to sb's will** jds Willen nachgeben

sub·nor·mal [ˌsʌbˈnɔːməl] adj ❶ (mentally) minderbegabt ❷ (below average) unterdurchschnittlich

sub·or·di·nate I. n [səˈbɔːdənət] Untergebene(r) f(m) II. vt [səˈbɔːdɪneɪt] unterordnen; ■ to be ~d to sb/sth jdm/etw untergeordnet sein; **to ~ one's private life to one's career** sein Privatleben seiner Karriere unterordnen III. adj [səˈbɔːdənət] ❶ (secondary) zweitrangig, nebensächlich ❷ (lower in rank) untergeordnet, rang-

niedriger

sub·or·di·nate 'clause n Nebensatz m

sub·or·di·na·tion [səˌbɔːdɪˈneɪʃən] n no pl ❶ (inferior status) Unterordnung f (**to** unter) ❷ (submission) Zurückstellung f

sub·orn [səˈbɔːn] vt LAW (spec) ■ to ~ **sb to do sth** jdn dazu anstiften, etw zu tun; **to ~ witnesses** Zeugen bestechen

sub·plot [ˈsʌbplɒt] n Nebenhandlung f

sub·poe·na [səbˈpiːnə] LAW I. n <-ed, -ed or -'d, -'d> vorladen II. n Ladung f; **to serve a ~ on sb** jdn vorladen

sub·scribe [səbˈskraɪb] I. vt ❶ PUBL (offer to buy) subskribieren fachspr ❷ (form: sign) unterzeichnen II. vi ❶ (pay regularly for) newspaper, magazine abonnieren; TV channels Gebühren bezahlen ❷ (donate) spenden; **to ~ to an appeal** sich an einer Spendenaktion beteiligen ❸ ■ to ~ **for sth** PUBL etw vorbestellen; ECON etw zeichnen ❹ (agree) beipflichten; **I cannot ~ to what you have just stated** ich kann Ihnen in diesem Punkt nicht zustimmen ❺ STOCKEX (offer to purchase) **to ~ shares** Aktien zeichnen

sub·scrib·er [səbˈskraɪbəʳ] n ❶ (regular payer) newspaper, magazine Abonnent(in) m(f) ❷ (form: signatory) Unterzeichnete(r) f(m), Unterzeichner(in) m(f) ❸ (to a fund) Spender(in) m(f) ❹ (to an opinion) Befürworter(in) m(f) ❺ (paying for service) Kunde, Kundin m, f ❻ STOCKEX of shares Zeichner(in) m(f)

sub·script [ˈsʌbskrɪpt] adj TYPO tiefgestellt

sub·scrip·tion [səbˈskrɪpʃən] n ❶ (to a newspaper, magazine) Abonnementgebühr f; (TV channels) Fernsehgebühr f ❷ (agreement to receive) Abonnement nt; **to cancel/renew a ~** ein Abonnement kündigen/verlängern; **to take out a ~ to sth** etw abonnieren ❸ (membership fee) [Mitglieds]beitrag m ❹ (money raised) Spende f ❺ PUBL (advance agreement to buy book) Subskription f fachspr, Vorbestellung f ❻ STOCKEX (agreement to purchase) **~ to shares** Zeichnung f von Aktien

sub·sec·tion [ˈsʌbˌsekʃən] n Unterabschnitt m; of legal text Paragraph m

sub·se·quent [ˈsʌbsɪkwənt] adj (resulting) [nach]folgend, anschließend; (later) später; ■ ~ **to sth** im Anschluss an etw akk, nach etw dat; ~ **treatment** Nachbehandlung f

sub·se·quent·ly [ˈsʌbsɪkwəntli] adv (later) später, anschließend, danach

sub·ser·vi·ent [səbˈsɜːviənt] adj ❶ (pej: servile) unterwürfig, servil geh ❷ (serving as means) ■ to be ~ **to sth** etw dat dienen

sub·set ['sʌbset] n (sub-classification) Untermenge f; MATH (special type of set) Teilmenge f

sub·side [səb'saɪd] vi ❶ (abate) nachlassen, sich legen, abklingen ❷ (into sth soft or liquid) absinken, einsinken, sich senken

sub·sid·ence [səb'saɪdᵊn(t)s] n no pl Senkung f, Absenken nt, Absacken nt

sub·sidi·ary [səb'sɪdiᵊri] **I.** adj untergeordnet, Neben-, subsidiär fachspr; ~ **company** ECON Tochtergesellschaft f; ~ **reasons** zweitrangige Gründe **II.** n ECON Tochtergesellschaft f

sub·si·dize ['sʌbsɪdaɪz] vt subventionieren, finanziell unterstützen

sub·si·dy ['sʌbsɪdi] n Subvention f (to für); **to receive a** ~ subventioniert werden

sub·sist [səb'sɪst] vi ❶ (exist) existieren ❷ (make a living) leben; ■ **to** ~ **on sth** von etw dat leben ❸ (nourish) sich ernähren

sub·sist·ence [səb'sɪstən(t)s] **I.** n ❶ (minimum for existence) [Lebens]unterhalt m ❷ (livelihood) **means of** ~ Lebensgrundlage f **II.** adj attr Existenz-; ~ **farming** Subsistenzwirtschaft f fachspr

sub·'sist·ence al·low·ance n esp BRIT Unterhaltszuschuss m **sub·'sist·ence lev·el** n Existenzminimum nt **sub·'sist·ence wage** n Mindestlohn m

sub·soil ['sʌbsɔɪl] n no pl Untergrund m

sub·stance ['sʌbstᵊn(t)s] n ❶ (material element) Substanz f, Stoff m; (material) Materie f kein pl; **chemical** ~ Chemikalie f; **illegal** ~ (form) Droge f ❷ no pl (essence) Substanz f, Gehalt m ❸ no pl (significance) Substanz f; (decisive significance) Gewicht nt; **the book lacks** ~ das Buch hat inhaltlich wenig zu bieten ❹ no pl (main point) Wesentliche(s) nt, Essenz f ❺ no pl (wealth) Vermögen nt

sub·stand·ard [sʌb'stændəd] adj unterdurchschnittlich, minderwertig

sub·stan·tial [səb'stæn(t)ʃᵊl] adj attr ❶ (significant) bedeutend; (contribution) wesentlich; (difference) erheblich; (improvement) deutlich; ~ **evidence** hinreichender Beweis ❷ (weighty) überzeugend, stichhaltig ❸ (amount) beträchtlich, erheblich; (breakfast) gehaltvoll; (fortune) bedeutend ❹ (of solid material or structure) solide; (physically also) kräftig, stark

sub·stan·tial·ly [səb'stæn(t)ʃᵊli] adv ❶ (significantly) beträchtlich, erheblich ❷ (in the main) im Wesentlichen

sub·stan·ti·ate [səb'stæn(t)ʃieɪt] vt bekräftigen, erhärten, untermauern; (report) bestätigen; **to** ~ **a claim** einen Anspruch begründen

sub·stan·tive ['sʌbstᵊntɪv] adj beträchtlich, wesentlich; (argument) stichhaltig; ~ **law** materielles Recht

sub·sta·tion ['sʌbˌsteɪʃᵊn] n ❶ (organisation branch) Nebenstelle f; **police** ~ AM Polizeidienststelle f ❷ ELEC (relay station) Hochspannungsverteilungsanlage f

sub·sti·tute ['sʌbstɪtjuːt] **I.** vt ersetzen, austauschen; ■ **to** ~ **sb for sb** FBALL, SPORTS jdn gegen jdn auswechseln **II.** vi (take over from) als Ersatz dienen, einspringen (**for** für); (deputize) als Stellvertreter fungieren (**for** für); ■ **to** ~ **for sb** jdn vertreten **III.** n ❶ (replacement) Ersatz m; **there's no** ~ **for sb/sth** es geht nichts über jdn/etw ❷ (replacement player) Ersatzspieler(in) m(f), Auswechselspieler(in) m(f)

sub·sti·tu·tion [ˌsʌbstɪ'tjuːʃᵊn] n ❶ (replacement) Ersetzung f ❷ SPORTS (action of replacing) Austausch m, [Spieler]wechsel m ❸ LAW (illegal switching) Vertauschen nt

sub·stra·tum [sʌb'strɑːtəm] n ❶ GEOL (deep[er] layer) Unterschicht f ❷ (fig: common basis) Grundlage f, Basis f

sub·sume [səb'sjuːm] vt usu passive (form) einordnen (**into** in); (several) zusammenfassen (**into** zu)

sub·ten·ant [sʌb'tenᵊnt] n Untermieter(in) m(f)

sub·ter·fuge ['sʌbtəfjuː(dʒ)] n List f, Trick m

sub·ter·ra·nean [ˌsʌbtᵊr'eɪniən] adj ❶ GEOL (below ground) unterirdisch ❷ (fig: sub-cultural, alternative) Untergrund-

sub·text ['sʌbtekst] n Botschaft f **sub·ti·tle** ['sʌbˌtaɪtl] **I.** vt ❶ (add captions) film untertiteln ❷ (add secondary book title) **to** ~ **a work** einem Werk einen Untertitel geben **II.** n ❶ (secondary title on book) Untertitel m ❷ (caption) ■ ~**s** pl Untertitel pl

sub·tle <-er, -est or more ~, most ~> ['sʌtl] adj ❶ (approv: understated) fein[sinnig], subtil; (irony) hintersinnig ❷ (approv: delicate) flavour, nuance fein; ~ **tact** ausgeprägtes Taktgefühl; (elusive) subtil; charm unaufdringlich ❸ (slight but significant) fein, subtil; ~ **hint** kleiner Hinweis ❹ (approv: astute) scharfsinnig, raffiniert; strategy geschickt

sub·tle·ty ['sʌtlti] n (approv) ❶ (discernment) Scharfsinnigkeit f, Raffiniertheit f ❷ (delicate but significant) Feinheit f, Subtilität f

sub·to·tal ['sʌbˌtəʊtᵊl] n Zwischensumme f

sub·tract [səb'trækt] vt ■ **to** ~ **sth [from sth]** etw [von etw dat] abziehen; **four** ~**ed from ten equals six** zehn minus vier

S

ergibt sechs

sub·trac·tion [səb'trækʃⁿn] *n no pl* Subtraktion *f*

sub·tropi·cal [sʌb'trɒpɪkⁿl] *adj* subtropisch; **~ regions** Subtropen *pl*

sub·urb ['sʌbɜːb] *n* (*outlying area*) Vorstadt *f*, Vorort *m*; ■**the ~s** *pl* der Stadtrand, die Randbezirke *pl*

sub·ur·ban [sə'bɜːbⁿn] *adj* ❶ (*of the suburbs*) Vorstadt-, Vorort-, vorstädtisch; **they live in ~ Washington** sie wohnen in einem Vorort von Washington ❷ (*pej: provincial*) spießig *pej*, kleinbürgerlich

sub·ur·bia [sə'bɜːbiə] *n no pl* (*esp pej*) ❶ (*areas*) Vororte *pl*, Randbezirke *pl*; **to live in the heart of ~** mitten in einem Vorort wohnen ❷ (*people*) Vorstadtbewohner *pl*

sub·ven·tion [səb'ven(t)ʃⁿn] *n* [staatliche] Subvention

sub·ver·sion [səb'vɜːʃⁿn] *n no pl* ❶ (*undermining*) Subversion *f geh*, Unterwanderung *f*; **~ of the state** Staatsgefährdung *f* ❷ (*successful putsch*) [Um]sturz *m*

sub·ver·sive [səb'vɜːsɪv] **I.** *adj* subversiv *geh*, umstürzlerisch, staatsgefährdend **II.** *n* Umstürzler(in) *m(f)*, subversives Element *pej*

sub·ver·sive·ly [səb'vɜːsɪvli] *adv* subversiv *geh*

sub·vert [sʌb'vɜːt] *vt* ❶ (*overthrow*) stürzen ❷ (*undermine principle*) unterminieren, untergraben ❸ (*destroy*) zunichtemachen

sub·way ['sʌbweɪ] *n* ❶ Brit, Aus (*subterranean walkway*) Unterführung *f* ❷ *esp* Am (*underground railway*) U-Bahn *f* **sub·zero** [sʌb'zɪərəʊ] *adj* unter Null [Grad] *nach n*, unter dem Gefrierpunkt *nach n*; **~ temperatures** Minusgrade *pl*

suc·ceed [sək'siːd] **I.** *vi* ❶ (*achieve purpose*) Erfolg haben, erfolgreich sein; ■**to ~ in sth** mit etw *dat* Erfolg haben; ■**to ~ in doing sth** etw mit Erfolg tun; **the plan ~ed** der Plan ist gelungen ❷ (*follow*) nachfolgen, die Nachfolge antreten; **to ~ to office** die Nachfolge in einem Amt antreten; **to ~ to the throne** die Thronfolge antreten **II.** *vt* **to ~ sb in office** jds Amt übernehmen; **to ~ sb in a post** jds Stelle antreten

suc·ceed·ing [sək'siːdɪŋ] *adj attr* ❶ (*next in line*) [nach]folgend ❷ (*subsequent*) aufeinanderfolgend; **~ generations** spätere Generationen; **in the ~ weeks** in den darauf folgenden Wochen

suc·cess <*pl* -es> [sək'ses] *n* ❶ *no pl* (*attaining goal*) Erfolg *m*; **to be a big ~**

with sb bei jdm einschlagen *fam*; **to achieve ~** erfolgreich sein; **to make a ~ of sth** mit etw *dat* Erfolg haben ❷ (*successful person or thing*) Erfolg *m*; **box-office ~** Kassenschlager *m fam*

suc·cess·ful [sək'sesⁿl] *adj* ❶ (*having success*) erfolgreich ❷ (*lucrative, profitable*) erfolgreich, einträglich, lukrativ ❸ (*effective*) gelungen, geglückt ❹ (*selected due to success*) erfolgreich; **~ candidate** ausgewählter Bewerber/ausgewählte Bewerberin

suc·ces·sion [sək'seʃⁿn] *n no pl* ❶ (*sequence*) Folge *f*, Reihe *f*; *of events, things also* Serie *f*; **a ~ of rulers** aufeinanderfolgende Herrscher; ■**in** [**close**] **~** [dicht] hintereinander ❷ (*line of inheritance*) Nachfolge *f*, Erbfolge *f*; **~ to the throne** Thronfolge *f*

suc·ces·sive [sək'sesɪv] *adj attr* aufeinanderfolgend; **the third ~ defeat** die dritte Niederlage in Folge; **six ~ weeks** sechs Wochen hintereinander

suc·ces·sor [sək'sesəʳ] *n* Nachfolger(in) *m(f)*; ■**~ to sb** jds Nachfolger/Nachfolgerin; **~ in office** Amtsnachfolger(in) *m(f)*; **~ to the throne** Thronfolger(in) *m(f)*

suc·cinct [sək'sɪŋ(k)t] *adj* (*approv*) knapp, prägnant, kurz [und bündig]

suc·cu·lent [sʌkjələnt] **I.** *adj* (*approv*) saftig **II.** *n* bot Sukkulente *f fachspr*

suc·cumb [sə'kʌm] *vi* ❶ (*surrender*) sich beugen, mil kapitulieren; (*be defeated*) unterliegen; (*yield to pressure*) ■**to ~ to sb/ sth** jdm/etw nachgeben, sich jdm/etw beugen; **to ~ to temptation** der Versuchung erliegen ❷ (*die from*) ■**to ~ to sth** an etw *dat* sterben; **to ~ to one's injuries** seinen Verletzungen erliegen

such [sʌtʃ, sətʃ] **I.** *adj* ❶ *attr* (*of that kind*) solcher(r, s); **I had never met ~ a person before** so ein Mensch war mir noch nie begegnet; **I have been involved in many ~ courses** ich habe [schon] viele Kurse dieser Art gemacht; **~ a thing** so etwas [*o fam* was]; **I said no ~ thing** so etwas habe ich nie gesagt; **there's no ~ thing as ghosts** so etwas wie Geister gibt es nicht ❷ (*so great*) solche(r, s), derartig; **he's ~ an idiot!** er ist so ein Idiot!; **why are you in ~ a hurry?** warum bist du derart in Eile? **II.** *pron* ❶ (*of that type*) solche(r, s); **we were second-class citizens and they treated us as ~** wir waren Bürger zweiter Klasse und wurden auch so [*o* als solche] behandelt; **~ is life** so ist das Leben; **the wound was ~ that ...** die Wunde war so groß, dass ... ❷ (*introducing examples*)

~ **as** wie ❸ (*suchlike*) dergleichen
❹ (*strictly speaking*) ■**as** ~ an [und für]
sich, eigentlich; **there was no vegetarian
food as** ~ es gab kein eigentlich vegetari-
sches Essen III. *adv* so; **she's** ~ **an arrogant person** sie ist dermaßen arrogant; ~ **a
big city!** was für eine große Stadt!; **I've
never had** ~ **good coffee** ich habe noch
nie [einen] so guten Kaffee getrunken; **it's**
~ **a long time ago** es ist [schon] so lange
her; **to be** ~ **a long way [away]** so weit
weg sein; ~ ... **that ...** so ..., dass ...

'**such and such** *adj attr* (*fam*) der und
der/die und die/das und das; **to arrive at**
~ **a time** um die und die Zeit ankommen;
to meet in ~ **a place** sich an dem und
dem Ort treffen **such·like** ['sʌtʃlaɪk]
I. *pron* derlei, dergleichen; **in the shop
they sell chocolates and** ~ in dem Laden
gibt es Schokolade und dergleichen II. *adj
attr* derlei; **food, drink, clothing and** ~
provisions Essen, Trinken, Kleidung und
Ähnliches

suck [sʌk] I. *n* ❶ (*draw in*) Saugen *nt;*
(*keep in the mouth*) Lutschen *nt* ❷ Can
(*fam!*) Heulsuse *f fam* II. *vt* ❶ (*draw into
mouth*) ■**to** ~ **sth** an etw *dat* saugen
❷ *sweets* lutschen; **to** ~ **one's thumb** [am]
Daumen lutschen ❸ (*strongly attract*) ■**to**
~ **sb/sth under** jdn/etw in die Tiefe ziehen; ■**to** ~ **sb into sth** (*fig*) jdn in etw *akk*
hineinziehen III. *vi* ❶ (*draw into mouth*)
saugen, nuckeln *fam;* ■**to** ~ **on sth** an etw
dat saugen ❷ *sweets* lutschen; **to** ~ **on a
pacifier** Am an einem Schnuller saugen
❸ (*be compelled to participate*) ■**to be**
~**ed into sth** in etw *akk* hineingezogen
werden ❹ *esp* Am (*sl: be disagreeable*) ätzend sein; **man this job** ~**s!** Mann, dieser
Job ist echt Scheiße! ◆**suck up** I. *vt* ■**to**
~ **up** ◯ **sth** ❶ (*consume*) etw aufsaugen
❷ (*absorb*) *liquid, moisture* aufsaugen; **to**
~ **up gases** Gase ansaugen II. *vi* (*pej fam*)
■**to** ~ **up to sb** sich bei jdm einschmeicheln

suck·er ['sʌkəʳ] I. *n* ❶ (*pej fam: gullible
person*) Einfaltspinsel *m,* Simpel *m* DIAL
❷ (*fam: sb finding sth irresistible*) Fan *m*
(**for** von); **to be a** ~ **for sth** nach etw *dat*
verrückt sein ❸ Am (*pej fam: nasty person*)
Widerling *m* ❹ ZOOL (*organ*) Saugnapf *m*
❺ BRIT, Aus (*fam: sticking device*) Saug-
fuß *m* ❻ Am, Aus (*fam: lollipop*) Lutscher *m*
❼ BOT (*part of plant*) Wurzelspross *m* II. *vt*
Am (*trick*) ■**to** ~ **sb into sth** jdn zu etw
dat verleiten; ■**to** ~ **sb into doing sth** jdn
dazu bringen, etw zu tun

suck·le ['sʌkl] I. *vt* säugen II. *vi* trinken,

saugen

suck·ling ['sʌklɪŋ] *n* Säugling *m*

'**suck·ling pig** *n* Am Frischling *m;* (*for
roasting*) Spanferkel *nt*

su·crose ['su:krəʊs] *n no pl* Rohr- und Rü-
benzucker *m*

suc·tion ['sʌkʃən] *n no pl* ❶ (*act of removal
by sucking*) [Ab]saugen *nt;* (*initiating act of
sucking*) Ansaugen *nt* ❷ (*force*) Saugwir-
kung *f,* Sog *m*

'**suc·tion ma·chine** *n,* '**suc·tion pump** *n*
Saugpumpe *f*

Su·dan [su:'dɑːn] *n* Sudan *m*

Su·da·nese [ˌsuːdəˈniːz] I. *n* Sudanese, Su-
danesin *m, f* II. *adj* sudanesisch, sudanisch

sud·den ['sʌdən] *adj* plötzlich, jäh; **so why
the** ~ **change?** wieso plötzlich diese Änderung?; **it was so** ~ es kam so überraschend; **it's all a bit** ~ (*fam*) das geht alles
ein bisschen schnell; ~ **departure** überhas-
tete Abreise; ~ **drop in temperature**
unerwarteter Temperatureinbruch; **to get
a** ~ **fright** plötzlich Angst bekommen;
~ **movement** abrupte Bewegung; **to put a**
~ **stop to sth** etw abrupt beenden; **all of
a** ~ (*fam*) [ganz] plötzlich, urplötzlich

sud·den·ly ['sʌdənli] *adv* plötzlich, auf einmal

su·do·ku [suːˈdəʊkuː] *n* Sudoku *kein art*
(*ursprünglich japanisches Zahlenrätsel*)

suds [sʌdz] *npl* (*soapy mixture*) Seifenwasser *nt kein pl;* (*mostly foam*) Schaum *m*
kein pl

sue [su:] I. *vt* verklagen; **to** ~ **sb for
damages/libel** jdn auf Schadenersatz/
wegen Beleidigung verklagen; **to** ~ **sb for
divorce** gegen jdn die Scheidung einreichen II. *vi* ❶ (*legal action*) klagen, prozessieren, Klage erheben; ■**to** ~ **for sth** etw
einklagen; **to** ~ **for damages** auf Schadenersatz klagen; **to** ~ **for libel** wegen Beleidigung klagen ❷ (*entreat*) **to** ~ **for peace**
um Frieden bitten

suede [sweɪd] *n* Wildleder *nt,* Veloursle-
der *nt*

suet ['suːɪt] *n no pl* Talg *m,* Nierenfett *nt*

suf·fer ['sʌfəʳ] I. *vi* ❶ (*experience trauma*)
leiden ❷ (*be ill with*) ■**to** ~ **from sth** an
etw *dat* leiden ❸ (*deteriorate*) leiden,
Schaden erleiden; **his work** ~**s from it**
seine Arbeit leidet darunter ❹ (*experience
sth negative*) ■**to** ~ **from sth** unter etw
dat zu leiden haben; **the economy** ~**ed
from the strikes** die Streiks machten der
Wirtschaft zu schaffen ❺ (*be punished*)
■**to** ~ **for sth** für etw *akk* büßen II. *vt* ■**to**
~ **sth** ❶ (*experience sth negative*) etw erleiden; **both sides** ~**ed considerable**

S

casualties auf beiden Seiten kam es zu erheblichen Opfern; **to ~ a breakdown** MED einen Zusammenbruch haben; **to ~ misfortune** Pech haben; **to ~ neglect** vernachlässigt werden ❷ (*put up with*) etw ertragen; **not to ~ fools gladly** mit dummen Leuten keine Geduld haben

suf·fer·ance [ˈsʌfᵊrᵊn(t)s] *n* **on ~** (*with unspoken reluctance*) stillschweigend geduldet; (*with unwilling tolerance*) nur geduldet; **I was there on ~** ich wurde dort nur geduldet

suf·fer·er [ˈsʌfᵊrəʳ] *n* (*with a chronic condition*) Leidende(r) *f(m)*; (*with an acute condition*) Erkrankte(r) *f(m)*; **AIDS ~** AIDS-Kranke(r) *f(m)*; **asthma ~** Asthmatiker(in) *m(f)*; **hay-fever ~s** an Heuschnupfen Leidende *pl*

suf·fer·ing [ˈsʌfᵊrɪŋ] *n* ❶ (*pain*) Leiden *nt* ❷ *no pl* (*distress*) Leid *nt*

suf·fice [səˈfaɪs] *vi* genügen, [aus]reichen; **~ [it] to say that ...** es genügt [*o* reicht] wohl, wenn ich sage, dass ...

suf·fi·cien·cy [səˈfɪʃᵊn(t)si] *n no pl* ❶ (*adequacy*) Hinlänglichkeit *f,* Zulänglichkeit *f* ❷ (*sufficient quantity*) ausreichende Menge

suf·fi·cient [səˈfɪʃᵊnt] **I.** *adj* genug, ausreichend, genügend, hinreichend; ■**to be ~ for sth/sb** für etw/jdn ausreichen [*o* genügen] **II.** *n* genügende Menge; **they didn't have ~ to live on** sie hatten nicht genug zum Leben

suf·fi·cient·ly [səˈfɪʃᵊntli] *adv* genug *nach adj,* ausreichend, genügend; **~ large** groß genug

suf·fix [ˈsʌfɪks] **I.** *n* ❶ LING Suffix *nt fachspr,* Nachsilbe *f* ❷ BRIT MATH Zusatz *m,* tief gestellte Zahl **II.** *vt* anfügen, anhängen

suf·fo·cate [ˈsʌfəkeɪt] **I.** *vi* ersticken *a. fig* **II.** *vt* ❶ (*asphyxiate*) ersticken; **to feel ~d** (*fig*) das Gefühl haben zu ersticken ❷ (*fig: suppress*) ersticken, erdrücken

suf·fo·cat·ing [ˈsʌfəkeɪtɪŋ] *adj* ❶ *usu attr* (*life-threatening*) erstickend ❷ (*fig: uncomfortable*) erstickend, zum Ersticken präd; *air* stickig; *atmosphere* erdrückend ❸ (*fig: stultifying*) erdrückend; *regulations, traditions* lähmend

suf·fo·ca·tion [ˌsʌfəˈkeɪʃᵊn] *n no pl* Erstickung *f;* **to die of ~** ersticken

suf·frage [ˈsʌfrɪdʒ] *n no pl* (*right to vote*) Wahlrecht *nt,* Stimmrecht *nt;* **female ~** Frauenwahlrecht *nt;* **male ~** Wahlrecht *nt* für Männer; **universal ~** allgemeines Wahlrecht

suf·fra·gette [ˌsʌfrəˈdʒet] *n* (*hist*) Suffragette *f hist,* Frauenrechtlerin *f*

sug·ar [ˈʃʊgəʳ] **I.** *n* ❶ *no pl* (*sweetener*) Zucker *m;* **caster ~** BRIT Streuzucker *f;* **icing** [*or* AM **powdered**] **~** Puderzucker *m* ❷ *esp* AM (*sl: term of affection*) Schätzchen *nt fam* ❸ CHEM Kohle[n]hydrat *nt* **II.** *vt* ❶ (*sweeten*) zuckern; *coffee, tea* süßen ❷ (*fig: make agreeable*) versüßen

'**sug·ar beet** *n no pl* Zuckerrübe *f* '**sug·ar bowl** *n* Zuckerdose *f* '**sug·ar cane** *n* Zuckerrohr *nt* '**sug·ar-coat·ed** *adj* ❶ FOOD mit Zucker überzogen, verzuckert ❷ (*fig, pej: acceptable*) viel versprechend, verheißungsvoll; *offer, promises* verführerisch ❸ (*sentimental*) sentimental '**sug·ar dad·dy** *n* wohlhabender älterer Mann, der ein junges Mädchen aushält '**sug·ar loaf** *adj* (*liter*) Zuckerhut *m* '**sug·ar lump** *n esp* BRIT Stück *nt* Zucker, Zuckerwürfel *m*

sug·ary [ˈʃʊgᵊri] *adj* ❶ (*sweet*) zuckerhaltig; **the cake was far too ~** der Kuchen war viel zu süß ❷ (*sugar-like*) zuckerig ❸ (*fig, pej: insincere*) zuckersüß; *smile* süßlich

sug·gest [səˈdʒest] *vt* ❶ (*propose*) ■**to ~ sth [to sb]** [jdm] etw vorschlagen; **what do you ~ we do with them?** was, meinst du, sollen wir mit ihnen machen?; ■**to ~ doing sth** vorschlagen, etw zu tun ❷ (*indicate*) ■**to ~ sth** auf etw *akk* hinweisen; **the footprints ~ that ...** die Fußspuren lassen darauf schließen, dass ... ❸ (*indirectly state*) ■**to ~ sth** etw andeuten [*o pej* unterstellen]; ■**to ~ that ...** darauf hindeuten, dass ...; **are you ~ing that ...?** willst du damit sagen, dass ...? ❹ (*come to mind*) ■**to ~ itself** *idea, thought* sich aufdrängen; *solution* sich anbieten; **does anything ~ itself?** fällt euch dazu etwas ein?

sug·gest·ible [səˈdʒestəbl] *adj* (*pej form*) beeinflussbar, zu beeinflussen; **highly ~** sehr leicht zu beeinflussen

sug·ges·tion [səˈdʒestʃᵊn] *n* ❶ (*idea*) Vorschlag *m;* **to be always open to ~** immer ein offenes Ohr haben; **at sb's ~** auf jds Vorschlag hin ❷ *no pl* (*hint*) Andeutung *f,* Anspielung *f* ❸ (*indication*) Hinweis *m* ❹ (*trace*) Spur *f fig* ❺ *no pl* (*association*) **the power of ~** die Macht der Suggestion ❻ *no pl* PSYCH Suggestion *f*

sug·'ges·tion box *n* Kasten *m* für Verbesserungsvorschläge

sug·ges·tive [səˈdʒestɪv] *adj* ❶ (*that suggests*) andeutend ❷ *usu pred* (*form: evocative*) hinweisend; ■**to be ~ of sth** auf etw *akk* hindeuten ❸ (*risqué*) anzüglich, zweideutig

sug·ges·tive·ly [səˈdʒestɪvli] *adv* ❶ (*evoca-*

suggestions	
making suggestions	**etwas vorschlagen**
How about/What about a cup of tea?	Wie wär's mit einer Tasse Tee?
Do you fancy going out for dinner? *(fam)*	Was hältst du davon, essen zu gehen?
Would you like to go for a walk?	Hättest du Lust, spazieren zu gehen?
I suggest we postpone the meeting.	Ich schlage vor, wir vertagen die Sitzung.

tively) eine suggestive Wirkung ausübend *attr* ❷ (*in a risqué manner*) anzüglich

sug·ges·tive·ness [səˈdʒestɪvnəs] *n no pl* ❶ (*informativeness*) Aufschlussreiche(s) *nt* ❷ (*ambiguousness*) Mehrdeutige(s) *nt*, Vieldeutige(s) *nt*

sui·cid·al [ˌsuːɪˈsaɪdəl] *adj* ❶ (*depressed*) Selbstmord-, selbstmörderisch *a. fig; person* selbstmordgefährdet; **to feel** ~ sich am liebsten umbringen wollen ❷ (*of suicide*) Selbstmord-; **to have** ~ **tendencies** selbstmordgefährdet sein ❸ (*disastrous*) [selbst]zerstörerisch; **that would be** ~ das wäre glatter Selbstmord

sui·cide [ˈsuːɪsaɪd] *n* ❶ (*killing*) Selbstmord *m a. fig;* **to attempt** ~ einen Selbstmordversuch machen [*o* unternehmen]; **to commit** ~ Selbstmord begehen ❷ (*form: person*) Selbstmörder(in) *m(f)* ❸ (*disastrous action*) selbstmörderische Aktion *fam;* **it would be** ~ **to ...** es wäre [glatter] Selbstmord, wenn ... *fam*

suit [suːt] **I.** *n* ❶ (*jacket and trousers*) Anzug *m;* **three-piece** ~ (*jacket and skirt*) Kostüm *nt* ❷ (*for sports*) Anzug *m;* **bathing/diving/ski** ~ Bade-/Taucher-/Skianzug *m* ❸ (*covering*) ~ **of armour** [Ritter]rüstung *f* ❹ CARDS Farbe *f* ❺ LAW Prozess *m,* Verfahren *nt;* **to bring a** ~ einen Prozess anstrengen, Klage erheben ▸ **to follow** ~ (*form*) dasselbe tun **II.** *vt* ❶ (*be convenient for*) ■**to** ~ **sb** jdm passen [*o* recht sein]; **what time** ~**s you best?** wann passt es Ihnen am besten?; **that** ~**s me fine** das passt mir gut ❷ (*choose*) ■**to** ~ **oneself** tun, was man will; **you can** ~ **yourself about when you work** man kann selbst bestimmen, wann man arbeitet; ~ **yourself** (*hum or pej*) [ganz,] wie du willst, mach, was du willst *pej* ❸ (*enhance*) ■**to** ~ **sb clothes** jdm stehen; ■**to** ~ **sth** zu etw *dat* passen ❹ (*be right*) ■**to** ~ **sb** jdm [gut] bekommen; ■**to** ~ **sth** sich für etw *akk* eignen **III.** *vi* angemessen sein, passen

suit·abil·ity [ˌsuːtəˈbɪləti] *n no pl of an object* Tauglichkeit *f; of a person* Eignung *f; of clothes* Angemessenheit *f*

suit·able [ˈsuːtəbl] *adj* geeignet, passend; *clothes* angemessen

'**suit·case** *n* Koffer *m*

suite [swiːt] *n* ❶ (*rooms*) Suite *f;* ~ **of offices** Reihe *f* von Büroräumen ❷ (*furniture*) Garnitur *f;* **bedroom** ~ Schlafzimmereinrichtung *f* ❸ MUS Suite *f* ❹ (*retinue*) Gefolge *nt*

suit·or [ˈsuːtər] *n* ❶ (*liter or hum: wooer*) Freier *m veraltend o hum,* Bewerber *m* ❷ LAW Kläger *m,* [Prozess]partei *f* ❸ ECON (*buyer*) Interessent *m* (*für einen Firmenkauf*)

sul·fate *n* AM *see* **sulphate**

sul·fide *n* AM *see* **sulphide**

sul·fur *n* AM *see* **sulphur**

sul·fu·ric *adj* AM *see* **sulphuric**

sul·fur·ous *adj* AM *see* **sulphurous**

sulk [sʌlk] **I.** *vi* schmollen, beleidigt [*o fam* eingeschnappt] sein **II.** *n* **to be in a** ~ beleidigt [*o fam* eingeschnappt] sein, schmollen; **to go into a** ~ einschnappen *fam*

sulky [ˈsʌlki] *adj person* beleidigt, eingeschnappt *fam; face* mürrisch, verdrießlich; *weather* trübe

sul·len [ˈsʌlən] *adj* ❶ (*pej: bad-tempered*) missmutig, mürrisch ❷ (*liter: dismal*) *sky* düster

sul·len·ness [ˈsʌlənnəs] *n no pl* Missmutigkeit *f*

sul·ly <-ie-> [ˈsʌli] *vt* (*liter*) beschmutzen *a. fig,* besudeln *geh*

sul·phate [ˈsʌlfeɪt] *n* Sulfat *nt*

sul·phide [ˈsʌlfaɪd] *n* Sulfid *nt*

sul·phur [ˈsʌlfər] *n* ❶ *no pl* CHEM Schwefel *m* ❷ (*colour*) Schwefelgelb *nt*

sul·phur di·ox·ide *n no pl* Schwefeldioxid *nt*

sul·phu·ric [sʌlˈfjʊərɪk] *adj* Schwefel-

sul·phu·ric '**acid** *n no pl* Schwefelsäure *f*

sul·phur·ous [ˈsʌlfərəs] *adj* ❶ CHEM schwefelhaltig, Schwefel- ❷ (*colour*) schwefelgelb ❸ (*angry*) wütend, zornig

sul·tan [ˈsʌltən] *n* Sultan *m*

sul·tana¹ [səˈltaːnə] *n* (*grape*) Sultanine *f*

sul·tana² [sʌlˈtaːnə] *n* (*sultan's wife*) Sultanin *f*

sul·tri·ness [ˈsʌltrɪnəs] *n* ❶ METEO Schwüle *f* ❷ *of a woman, a woman's voice* Erotik *f*

sul·try ['sʌltri] *adj* ❶ METEO schwül ❷ (*sexy*) *woman, woman's voice* erotisch, sinnlich

sum [sʌm] *n* ❶ (*money*) Summe *f*, Betrag *m;* **five-figure ~** fünfstelliger Betrag; **huge ~s of money** riesige Summen ❷ *no pl* (*total*) Summe *f*, Ergebnis *nt* ❸ *usu pl* (*calculation*) Rechenaufgabe *f;* **to do ~s** rechnen; **to get one's ~s right** BRIT richtig rechnen; **to get one's ~s wrong** BRIT sich verrechnen ◆ **sum up I.** *vi* ❶ (*summarize*) zusammenfassen ❷ LAW *judge* resümieren **II.** *vt* (*summarize*) zusammenfassen; (*evaluate*) einschätzen; **to ~ up a situation at a glance** eine Situation auf einen Blick erfassen

sum·mari·ly ['sʌmᵊrɪli] *adv* ohne viel Federlesen; LAW summarisch, beschleunigt; **to ~ dismiss sb** jdn fristlos entlassen

sum·ma·rize ['sʌmᵊraɪz] **I.** *vt* [kurz] zusammenfassen **II.** *vi* zusammenfassen, resümieren; **to ~, ...** kurz gesagt, ...

sum·mary ['sʌmᵊri] **I.** *n* Zusammenfassung *f; of a plot, contents* [kurze] Inhaltsangabe **II.** *adj* ❶ (*brief*) knapp, gedrängt; *dismissal* fristlos ❷ LAW *conviction, execution* im Schnellverfahren *nach n*

sum·ma·tion [sʌm'eɪʃᵊn] *n* (*form*) ❶ *no pl* (*addition*) Summierung *f* ❷ (*sum*) Summe *f* ❸ (*summary*) Zusammenfassung *f*

sum·mer ['sʌmᵊʳ] **I.** *n* ❶ (*season*) Sommer *m; a ~'s day* ein Sommertag *m;* **in [the] ~** im Sommer; **in the ~ of '68** im Sommer '68 ❷ ASTRON Sommer *m,* Sommerzeit *f* **II.** *vi* den Sommer verbringen; **to ~ outdoors** *animals, plants* im Sommer im Freien bleiben

sum·mer 'holi·day *n,* **sum·mer 'holi·days** *npl* Sommerurlaub *m;* SCH, UNIV Sommerferien *pl* '**sum·mer house** *n* Gartenhaus *nt,* Gartenlaube *f;* AM Ferienhaus *nt,* Sommerhaus *nt* **sum·mer 'slide** *n Abnehmen der Leistungen nach den Sommerferien* '**sum·mer·time** *n* Sommerzeit *f;* **in the ~** im Sommer

sum·mery ['sʌmᵊri] *adj weather* sommerlich

sum·ming-up <*pl* summings-> [ˌsʌmɪŋ'ʌp] *n* LAW (*by a judge*) Resümee *nt;* (*by a lawyer*) [Schluss]plädoyer *nt*

sum·mit ['sʌmɪt] *n* ❶ *of a mountain* Gipfel *m;* (*fig: highest point*) Gipfel *m,* Höhepunkt *m* ❷ POL Gipfel *m*

sum·mon ['sʌmən] *vt* ❶ (*call*) ■**to ~ sb** jdn rufen (zu zu sich *dat* bestellen); LAW jdn vorladen; **to ~ a council/meeting** einen Rat/eine Versammlung einberufen; **to be ~ed to appear in court** vor Gericht gela-

den werden ❷ (*demand*) **to ~ help** Hilfe holen ❸ (*gather*) **to ~ up the courage/ the strength to do sth** den Mut/die Kraft aufbringen, etw zu tun

sum·mons ['sʌmənz] **I.** *n* <*pl* -es> ❶ LAW [Vor]ladung *f;* **to issue a ~** [vor]laden, eine Ladung ergehen lassen ❷ (*call*) Aufforderung *f;* (*iron, hum*) Befehl *m* **II.** *vt* LAW ■**to ~ sb** jdn vorladen lassen

sump [sʌmp] *n* ❶ (*container*) [**collection**] ~ Sammelbehälter *m;* (*hole*) Senkgrube *f* ❷ AUTO Ölwanne *f*

sump·tu·ous ['sʌm(p)tʃuəs] *adj* luxuriös, kostspielig; *dinner* üppig; *gown* festlich, prächtig

sump·tu·ous·ness ['sʌm(p)tʃuəsnəs] *n no pl of a meal, dinner* Üppigkeit *f,* Opulenz *f geh;* **to be furnished with ~** luxuriös eingerichtet sein

sun [sʌn] **I.** *n* ❶ (*star*) Sonne *f;* **the rising/ setting ~** die aufgehende/untergehende Sonne ❷ *no pl* ■**the ~** (*sunshine*) die Sonne, der Sonnenschein; **to sit in the ~** in der Sonne sitzen ▶ **to think that the ~ shines out of sb's arse** BRIT (*fig fam!*) jdn für den Größten halten *fam;* **to try everything under the ~** alles Mögliche [*o* Erdenkliche] versuchen **II.** *vt* <-nn-> ❶ (*sit in sun*) ■**to ~ oneself** sich sonnen ❷ (*expose to sun*) ■**to ~ sth** etw der Sonne aussetzen **III.** *vi* sich sonnen

'**sun-baked** *adj* [von der Sonne] ausgedörrt '**sun·bath** *n* Sonnenbad *nt* '**sun·bathe** *vi* sonnenbaden '**sun·beam** *n* Sonnenstrahl *m* '**sun-beat·en** *adj* sonnenverbrannt; **to have ~ skin** einen Sonnenbrand haben '**sun·bed** *n esp* BRIT ❶ (*chair*) Liegestuhl *m* ❷ (*bed*) Sonnenbank *f* '**sun·blind** *n* BRIT Markise *f* '**sun·block** *n no pl* Sonnenblocker *m* '**sun·burn I.** *n no pl* Sonnenbrand *m;* **to get/prevent ~** einen Sonnenbrand bekommen/ vermeiden **II.** *vi* <-ed *or* -burnt, -ed *or* -burnt> sich verbrennen, sich *dat* einen Sonnenbrand holen *fam* '**sun·burned** *adj,* '**sun·burnt** *adj* (*tanned*) sonnengebräunt; (*red*) sonnenverbrannt, sonnverbrannt SCHWEIZ, von der Sonne verbrannt; **to be/get ~** einen Sonnenbrand haben/ bekommen

sun·dae ['sʌndeɪ] *n* Eisbecher *m*

Sun·day ['sʌndeɪ] *n* Sonntag *m; see also* **Tuesday**

Sun·day 'best *n no pl,* **Sun·day 'clothes** *npl* (*dated*) Sonntagsstaat *m kein pl veraltend o hum,* Sonntagskleider *pl veraltend* '**Sun·day school** *n* REL, SCH Sonntagsschule *f* '**sun deck** n ❶ NAUT Sonnendeck nt ❷ AM (balcony) Sonnenterrasse f '**sun·dial** n Sonnenuhr f '**sun·down** n esp AM, AUS Sonnenuntergang m (**at** bei, **before** vor) '**sun-dried** adj an der Sonne getrocknet **sun·dry** ['sʌndri] I. adj attr verschiedene(r, s) ▸ **all and ~** (fam) Hinz und Kunz pej, jedermann II. n Verschiedenes nt kein pl '**sun·flow·er** n Sonnenblume f '**sun·flow·er oil** n Sonnenblumenöl nt '**sun·flow·er seeds** npl Sonnenblumenkerne pl

sung [sʌŋ] pp of **sing**

sun·glasses npl Sonnenbrille f; **a pair of ~** eine Sonnenbrille; **to wear ~** eine Sonnenbrille tragen '**sun hat** n Sonnenhut m

sunk [sʌŋk] pp of **sink**

sunk·en ['sʌŋkən] adj ❶ attr (submerged) ship gesunken; ship, treasure versunken ❷ attr (below surrounding level) tief[er] liegend attr; ~ **bath** eingelassene Badewanne ❸ (hollow) cheeks eingefallen; ~ **eyes** tief liegende Augen

'**sun·lamp** n ❶ (for therapy) Höhensonne f ❷ FILM Jupiterlampe® f '**sun·light** n no pl Sonnenlicht m '**sun·lit** adj sonnenbeschienen; room sonnig

sun·ny ['sʌni] adj ❶ (bright) sonnig; ~ **intervals** Aufheiterungen pl; **a few ~ spells** einige sonnige Abschnitte ❷ (exposed to sun) plateau, room sonnig ❸ (cheery) person heiter, unbeschwert; character, disposition heiter, sonnig; **to have a ~ disposition** ein sonniges Gemüt haben

sun pro·'tec·tion fac·tor n Sonnenschutzfaktor m '**sun·ray** n Sonnenstrahl m '**sun·rise** n Sonnenaufgang m (**at** bei, **before** vor) **sun·rise 'in·dus·try** n Zukunftsindustrie f, Zukunftsbranche f '**sun·roof** n Schiebedach nt '**sun room** n AM, '**sun par·lor** n AM, '**sun porch** n AM Glasveranda f, Wintergarten m '**sun·screen** n ❶ no pl (cream) Sonnenschutzmittel nt ❷ (ingredient) Zusatzstoff m gegen Sonnenbrand '**sun·seek·er** n Sonnenhungrige(r) f/m/ '**sun·set** n ❶ (time) Sonnenuntergang m (**at** bei, **before** vor) ❷ (fig: final stage) Endphase f '**sun·shade** n ❶ (umbrella) Sonnenschirm m ❷ AM (awning) Markise f, Sonnenblende f '**sun·shine** ['sʌnʃaɪn] n no pl ❶ (sunlight) Sonnenschein m; **to bask in the ~** sich in der Sonne aalen fam ❷ METEO (sunny weather) sonniges Wetter ❸ (fig: cheerfulness) Freude f, Glück nt ❹ (fam: to express friendliness) Schatz m; BRIT (to express irritation) mein Lieber/meine Lie-

be '**sun·spot** n ASTRON Sonnenfleck m '**sun·stroke** n no pl Sonnenstich m '**sun·tan** I. n Sonnenbräune f; **deep ~** tiefe Bräune; **to get a ~** braun werden II. vi <-nn-> sich von der Sonne bräunen lassen '**sun·tan cream** n, '**sun·tan lo·tion** n Sonnencreme f '**sun·tanned** adj sonnengebräunt, braun gebrannt '**sun·tan oil** n Sonnenöl nt '**sun·trap** n BRIT, AUS sonniges Plätzchen '**sun·up** n AM Sonnenaufgang m '**sun vi·sor** n AUTO Sonnenblende f '**sun wor·ship·per** n (hum) Sonnenanbeter(in) m(f)

sup[1] [sʌp] I. vt <-pp-> esp NBRIT (hum) trinken; soup löffeln II. vi <-pp-> esp NBRIT trinken; ▪ **to ~ up** austrinken III. n Schluck m

sup[2] [sʌp] vi (dated: eat) zu Abend essen; ▪ **to ~ on sth** etw zu Abend essen

su·per ['su:pə^r] I. adj (fam: excellent) super, klasse, fantastisch II. interj super!, spitze! III. adv (fam) besonders IV. n (fam) ❶ BRIT (superintendent) Aufseher(in) m(f), Kommissar(in) m(f); AM Hausmeister(in) m(f) ❷ AUS (superannuation) Pension f, Ruhestand m ❸ (petrol) Super[benzin] nt

super·abun·dant [ˌsu:p^ərə'bʌndənt] adj überreichlich **super·an·nu·at·ed** [ˌsu:p^ər'ænjueɪtɪd] adj ❶ (part of superannuation scheme) pensioniert ❷ (hum: obsolete) überholt, veraltet **super·an·nua·tion** [ˌsu:p^ər,ænju'eɪʃ^ən] n no pl ❶ (payment) Rentenbeitrag m ❷ (pension) [Alters]rente f; of civil servants Pension f, Ruhegeld nt ❸ (process) Ruhestand m

su·perb [su:'pɜ:b] adj ❶ (excellent) ausgezeichnet, hervorragend ❷ (impressive) erstklassig; building, view großartig **su·perb·ly** [su:'pɜ:bli] adv ausgezeichnet, hervorragend

'**super·bug** n Superbakterium nt

super·charged ['su:pətʃɑ:dʒd] adj ❶ (more powerful) car mit Lader nach n; engine aufgeladen; **at a ~ pace** mit atemberaubender Geschwindigkeit ❷ (emotional) atmosphere gereizt **super·charg·er** ['su:pə,tʃɑ:dʒə^r] n AUTO Lader m, Aufladegebläse nt

super·cili·ous [ˌsu:pə'sɪliəs] adj (pej) hochnäsig **super·cili·ous·ly** [ˌsu:pə'sɪliəsli] adv (pej) hochnäsig

super·ego [ˌsu:p^ər'i:gəʊ] n Überich nt **super·fi·cial** [ˌsu:pə'fɪʃ^əl] adj ❶ (on the surface) oberflächlich; MED cuts, injury, wound oberflächlich; damage geringfügig ❷ (apparent) äußerlich ❸ (cursory) knowl-

S

edge oberflächlich; *treatment* flüchtig ④ (*pej: shallow*) *person* oberflächlich

super·fi·ci·al·ity [ˌsuːpəˌfɪʃɪˈæləti] *n no pl* Oberflächlichkeit *f*

super·fi·cial·ly [ˌsuːpəˈfɪʃˀli] *adv* ① (*cursorily*) oberflächlich betrachtet, auf den ersten Blick ② (*pej: in a shallow manner*) oberflächlich *pej*

super·flu·ous [suːˈpɜːfluəs] *adj* überflüssig

'super·glue® I. *n* Sekundenkleber *m;* (*fig*) **to stick like ~ to sb** an jdm wie eine Klette hängen II. *vt* festkleben **'super·grass** *n* BRIT (*fam*) Informant(in) *m(f),* Polizeispitzel *m* **'super·he·ro** *n* Superheld *m fam* **'super·high·way** *n* ① AM AUTO Autobahn *f* ② COMPUT [**information**] ~ Datenautobahn *f* **super·ˈhu·man** *adj* übermenschlich **super·im·pose** [ˌsuːpˀrɪmˈpəʊz] *vt* **to ~ images** Bilder überlagern **super·in·tend** [ˌsuːpˀrɪnˈtend] *vt* beaufsichtigen, überwachen; *department* leiten **super·in·ten·dent** [ˌsuːpˀrɪnˈtendˀnt] *n* ① (*person in charge*) Aufsicht *f; of schools* Oberschulrat, -rätin *m, f; of an office, department* Leiter(in) *m(f)* ② BRIT (*police officer*) Hauptkommissar(in) *m(f);* AM Polizeichef(in) *m(f)* ③ AM (*caretaker*) Hausverwalter(in) *m(f)*

su·peri·or [suːˈpɪəriəʳ] I. *adj* ① (*higher in rank*) höhergestellt, vorgesetzt; ▪ **to be ~** [**to sb**] [jdm] vorgesetzt sein ② (*excellent*) *artist* überragend; *taste* erlesen, gehoben ③ (*better*) überlegen; **to be ~ in numbers** in der Überzahl sein ④ *pred* (*not susceptible*) ▪ **to be ~ to sth** über etw *akk* erhaben sein ⑤ (*pej: arrogant*) überheblich, arrogant II. *n* ① (*higher person*) Vorgesetzte(r) *f(m)* ② REL **Father/Mother S~** Vater Abt/Mutter Oberin (*Anrede für den Vorsteher/die Vorsteherin eines Klosters oder Ordens*)

su·peri·or·ity [suːˌpɪəriˈɒrəti] *n no pl* ① (*position*) Überlegenheit *f* (**over** über) ② (*pej: arrogance*) Überheblichkeit *f,* Arroganz *f*

su·peri·ˈor·ity com·plex *n* PSYCH (*fam*) Superioritätskomplex *m fachspr*

super·la·tive [suːˈpɜːlətɪv] I. *adj* ① (*best*) unübertrefflich, sagenhaft ② LING superlativisch *fachspr;* ~ **form** Superlativ *m* II. *n* LING ① (*form*) Superlativ *m* ② *usu pl* (*hyperbole*) Übertreibung *f*

'super·man *n* ① PHILOS Übermensch *m* ② (*cartoon character*) **S~** Superman *m* ③ (*fam: exceptional man*) ▪ **a ~** ein Superman *m*

super·mar·ket [ˈsuːpəˌmɑːkɪt] *n* Supermarkt *m*

'super·mar·ket trol·ley *n* BRIT Einkaufswagen *m* **'super·mod·el** *n* FASHION Supermodel *nt* **super·natu·ral** [ˈsuːpəˌnætʃˀrˀl] I. *adj* ① (*mystical*) übernatürlich ② (*extraordinary*) außergewöhnlich II. *n* ▪ **the ~** das Übernatürliche **super·nu·mer·ary** [ˌsuːpəˈnjuːmˀrˀri] I. *adj* (*form*) ① (*extra*) zusätzlich ② (*not wanted*) überzählig ③ FILM, THEAT Statisten- II. *n* (*form*) ① (*employee*) [Aus]hilfskraft *f* ② (*person*) überzählige Person; (*thing*) überzählige Sache ③ FILM, THEAT Statist(in) *m(f)* **'super·pow·er** *n* Supermacht *f* **super·script** [ˈsuːpəskrɪpt] I. *adj* hochgestellt II. *n* hochgestelltes Zeichen

super·sede [ˌsuːpəˈsiːd] *vt* ersetzen, ablösen

super·son·ic [ˌsuːpəˈsɒnɪk] *adj* Überschall- **super·star** [ˈsuːpəstɑːʳ] *n* Superstar *m*

super·sti·tion [ˌsuːpəˈstɪʃˀn] *n* ① *no pl* (*belief*) Aberglaube[n] *m;* ▪ **according to ~** nach einem Aberglauben; ▪ **out of ~** aus Aberglauben ② (*practice*) Aberglaube *m kein pl*

super·sti·tious [ˌsuːpəˈstɪʃəs] *adj* abergläubisch

super·store [ˈsuːpəstɔːʳ] *n* Großmarkt *m,* Verbrauchermarkt *m* **super·struc·ture** [ˈsuːpəˌstrʌktʃəʳ] *n* ① (*upper structure*) Oberbau *m* ② NAUT [Deck]aufbauten *pl* ③ ARCHIT Oberbau *m* ④ PHILOS, SOCIOL Überbau *m* **super·tank·er** [ˈsuːpəˌtæŋkəʳ] *n* NAUT Riesentanker *m,* Supertanker *m*

super·vene [ˌsuːpəˈviːn] *vi* (*form*) dazwischenkommen

super·vise [ˈsuːpəvaɪz] *vt* beaufsichtigen **super·vi·sion** [ˌsuːpəˈvɪʒˀn] *n no pl of children* Beaufsichtigung *f; of prisoners, work* Überwachung *f;* ▪ **without ~** unbeaufsichtigt

super·vi·sor [ˈsuːpəvaɪzəʳ] *n* ① (*person in charge*) Aufsichtsbeamte(r), -beamtin *m, f;* (*in shop*) Abteilungsleiter(in) *m(f);* (*in factory*) Vorarbeiter(in) *m(f);* SCH Betreuungslehrer(in) *m(f);* UNIV Betreuer(in) *m(f);* (*for doctoral candidates*) Doktorvater *m;* BRIT Tutor(in) *m(f)* ② AM POL leitender Verwaltungsbeamter/leitende Verwaltungsbeamtin

super·vi·sory [ˌsuːpəˈvaɪzˀri] *adj* Aufsichts-

su·pine [ˈsuːpaɪn] *adj* ① (*lying on back*) **to be** [*or* **lie**] ~ auf dem Rücken liegen ② (*fig, pej: indolent*) träge, gleichgültig

sup·per [ˈsʌpəʳ] *n* FOOD (*meal*) Abendessen *nt,* Abendbrot *nt,* Nachtmahl *nt* ÖSTERR; **to have ~** zu Abend essen, das Nachtmahl einnehmen ÖSTERR

'**sup·per·time** ['sʌpətaɪm] *n no pl* Abendbrotzeit *f*, Abendessenszeit *f*

sup·plant [sə'plɑːnt] *vt* ersetzen, ablösen; **to feel ~ed** sich zurückgesetzt fühlen

sup·ple ['sʌpl] *adj* ❶ *(flexible) human body* gelenkig, geschmeidig; *(fig) mind* flexibel, beweglich ❷ *(not stiff) leather* geschmeidig; *skin* weich

sup·ple·ment I. *n* ['sʌplɪmənt] ❶ *(something extra)* Ergänzung *f* **(to** zu); *(book)* Supplement *nt*; *(information)* Nachtrag *m*, Anhang *m* ❷ MED **vitamin ~** Nahrungsmittelergänzung *f* ❸ *(section)* Beilage *f* ❹ BRIT *(surcharge)* Zuschlag *m* II. *vt* ['sʌplɪment] ergänzen; **to ~ one's income by doing sth** sein Einkommen aufbessern, indem man etw tut

sup·ple·men·ta·ry ['sʌpləment°ri] *adj*, AM **sup·ple·men·tal** *adj* ❶ *(additional)* ergänzend *attr*; zusätzlich, Zusatz- ❷ MATH supplementär

sup·ple·ness ['sʌplnəs] *n no pl* ❶ *(flexibility) of the human body* Gelenkigkeit *f*; *(fig) of mind* Flexibilität *f* ❷ *(softness) of leather* Geschmeidigkeit *f*; *of skin* Weichheit *f*

sup·pli·cant ['sʌplɪkənt] *n (form, liter)* Bittsteller(in) *m(f)*

sup·pli·ca·tion [ˌsʌplɪ'keɪʃ°n] *n (form, liter)* Flehen *nt kein pl* **(for** um)

sup·pli·er [sə'plaɪəʳ] *n* ❶ *(provider)* Lieferant(in) *m(f)*; **~ of services** Erbringer *m* von Dienstleistungen ❷ *(company)* Lieferfirma *f*, Zulieferbetrieb *m* ❸ *(drug peddler)* [Drogen]lieferant(in) *m(f)*

sup·ply [sə'plaɪ] I. *vt* <-ie-> ❶ *(provide sth)* ■**to ~ sth** für etw *akk* sorgen, etw bereitstellen; **to ~ information about sth** Informationen über etw *akk* geben; **to come supplied with sth** *car, radio* mit etw *dat* ausgestattet sein; ■**to ~ sth to sb** *arms, drugs* jdm etw beschaffen; **to be accused of ~ing drugs** des Drogenhandels beschuldigt werden ❷ *(provide sb with sth)* ■**to ~ sb** jdn versorgen; ECON jdn beliefern ❸ *(act as source)* liefern ❹ *(satisfy)* **to ~ a demand** eine Nachfrage befriedigen II. *n* ❶ *(stock)* Vorrat *m* **(of** an) ❷ *no pl (action)* Versorgung *f*; **oil-/petrol ~** Öl-/ Benzinzufuhr *f*; *(action of providing)* Belieferung *f* ❸ ECON Angebot *nt*; **~ and demand** Angebot und Nachfrage; **to be in plentiful ~** reichlich vorhanden sein; **to be in short ~** Mangelware sein ❹ ■**supplies** *pl (provision)* Versorgung *f kein pl*; *(amount needed)* Bedarf *m*; **to cut off supplies** die Lieferungen einstellen

❺ *(amount available)* ■**supplies** *pl* Vorräte *pl*; **food supplies** Lebensmittelvorräte *pl*; *(for camping, journey)* Proviant *m*

sup·'ply teach·er *n* BRIT, AUS Aushilfslehrer(in) *m(f)*, Vertretungslehrer(in) *m(f)*

sup·port [sə'pɔːt] I. *vt* ❶ *(hold up)* stützen; ■**to be ~ed on** *[or* **by]** **sth** von etw *dat* gestützt werden; ■**to ~ oneself on sth** sich auf etw *akk* stützen; **the ice is thick enough to ~ our weight** das Eis ist so dick, dass es uns trägt ❷ *(provide with money)* [finanziell] unterstützen; **to ~ one's lifestyle** seinen Lebensstil finanzieren ❸ *(provide with necessities)* ■**to ~ sb** für jds Lebensunterhalt aufkommen; ■**to ~ oneself** seinen Lebensunterhalt [selbst] bestreiten; **to ~ a family** eine Familie unterhalten ❹ *(comfort)* unterstützen **(in** bei) ❺ *(encourage)* unterstützen; *plan* befürworten; **to ~ a cause** für eine Sache eintreten ❻ *(corroborate)* belegen; *theory* beweisen ❼ SPORTS **to ~ a sportsman/team** für einen Sportler/ein Team sein ❽ COMPUT *device, language, program* unterstützen II. *n* ❶ *(prop)* Stütze *f*; ARCHIT Träger *m* ❷ *no pl (act of holding)* **to give sth ~** etw *dat* Halt geben ❸ *no pl (material assistance)* Unterstützung *f*; LAW Unterhalt *m* ❹ *no pl (comfort)* Stütze *f fig*; **to give sb a lot of ~** jdm großen Rückhalt geben; **to give sb moral ~** jdn moralisch unterstützen ❺ *no pl (encouragement)* Unterstützung *f*; *(proof of truth)* Beweis *m* ❻ COMPUT Support *m*

sup·port·er [sə'pɔːtəʳ] *n* ❶ *(encouraging person)* Anhänger(in) *m(f)*; *of a campaign, policy* Befürworter(in) *m(f)*; *of a theory* Verfechter(in) *m(f)* ❷ SPORTS Fan *m*

sup·port·ing [sə'pɔːtɪŋ] *adj attr* BRIT FILM **~ part** *[or* **role]** Nebenrolle *f*; **~ programme** Vorprogramm *nt*, Beiprogramm *nt*

sup·por·tive [sə'pɔːtɪv] *adj (approv)* ■**to be ~ of sb** jdm eine Stütze sein, jdn unterstützen; ■**to be ~ of sth** etw unterstützen; *[o* befürworten]

sup·pose [sə'pəʊz] *vt* ❶ *(think likely)* ■**to ~ [that]** ... annehmen *[o* vermuten], dass ...; **I ~ you think that's funny** du hältst das wohl auch noch für komisch; **that's not a very good idea — no, I ~ not** das ist keine sehr gute Idee – ja, glaube ich auch; **I don't ~ you could ...** Sie könnten mir nicht zufällig ... ❷ *(as a suggestion)* **~ we leave right away?** wie wär's, wenn wir jetzt gleich fahren würden? ❸ *(form: require)* voraussetzen ❹ *(believe)* glauben, vermuten; **her new book is ~d to be very good** ihr neues

S

Buch soll sehr gut sein; **it is commonly ~d that ...** es wird allgemein angenommen, dass ... ❺ *pred* (*expected*) **you're ~d to be asleep** du solltest eigentlich schon schlafen; **how am I ~d to find that much money?** woher soll ich nur das ganze Geld nehmen? ❻ *pred, usu neg* (*allowed*) **you're not ~d to park here** sie dürfen hier nicht parken ▸ **I ~ so** wahrscheinlich, wenn du meinst

sup·posed [sə'pəʊzd] *adj attr* vermutet, angenommen; *killer* mutmaßlich

sup·pos·ed·ly [sə'pəʊzɪdli] *adv* ❶ (*allegedly*) angeblich ❷ (*apparently*) anscheinend, scheinbar

sup·pos·ing [sə'pəʊzɪŋ] *conj* angenommen; **~ he doesn't show up?** was, wenn er nicht erscheint?; **but ~ ...** aber wenn ...; **always ~ ...** immer unter der Annahme, dass ...

sup·po·si·tion [ˌsʌpə'zɪʃᵊn] *n* ❶ *no pl* (*act*) Spekulation *f*, Mutmaßung *f* ❷ (*belief*) Vermutung *f*, Annahme *f*; **on the ~ that ...** vorausgesetzt, dass ...

sup·posi·tory [sə'pɒzɪtᵊri] *n* MED Zäpfchen *nt*

sup·press [sə'pres] *vt* ❶ (*end*) unterdrücken; *revolution* niederschlagen; *terrorism* bekämpfen ❷ (*restrain*) *feelings, impulses, urges* unterdrücken ❸ (*prevent from spreading*) *evidence, information* zurückhalten ❹ (*inhibit*) hemmen; *the immune system* schwächen; *a process, reaction* abschwächen ❺ ELEC *electrical interference* entstören ❻ PSYCH *ideas, memories* verdrängen

sup·pres·sion [sə'preʃᵊn] *n no pl* ❶ (*act of ending*) Unterdrückung *f*; *of an uprising, a revolution* Niederschlagung *f*; *of terrorism* Bekämpfung *f* ❷ *of anger, individuality* Unterdrückung *f* ❸ *of evidence, information* Zurückhaltung *f* ❹ MED Hemmung *f* ❺ ELEC Entstörung *f* ❻ PSYCH Verdrängung *f*

sup·pu·rate ['sʌpjəreɪt] *vi* eitern

su·prema·cy [suː'preməsi] *n no pl* Vormachtstellung *f*; SPORTS Überlegenheit *f*

su·preme [suː'priːm] **I.** *adj* ❶ (*superior*) höchste(r, s), oberste(r, s) ❷ (*strongest*) **to reign ~** absolut herrschen; (*fig*) [unangefochten] an erster Stelle stehen ❸ (*extreme*) äußerste(r, s), größte(r, s); (*causing great pleasure*) überragend, unübertroffen, unvergleichlich; *moment* einzigartig **II.** *n no pl* FOOD **turkey ~** ≈ Putengeschnetzeltes *nt* (*in Sahnesauce*)

sur·charge ['sɜːtʃɑːdʒ] **I.** *n* ❶ (*extra charge*) Zuschlag *m* (**for** für), Aufschlag *m* (**on** auf) ❷ (*penalty*) [Steuer]zuschlag *m*

❸ BRIT (*refund*) Rückerstattung *f* ❹ (*omission*) Zuschlag *m*, Aufschlag *m* ❺ (*mark on stamp*) Nachporto *nt*, Strafporto *nt* **II.** *vt usu passive* ▪ **to ~ sb** einen Zuschlag von jdm verlangen; ▪ **to ~ sth** einen Zuschlag auf etw *akk* erheben

sure [ʃʊəʳ] **I.** *adj* ❶ *pred* (*confident*) sicher; ▪ **to be ~** [**that**] ... [sich *dat*] sicher sein, dass ...; **are you ~?** bist du sicher?; **I'm not really ~** ich weiß nicht so genau; **to feel ~** [**that**] ... überzeugt [davon] sein, dass ... ❷ (*certain*) sicher, gewiss; **where are we ~ to have good weather?** wo werden wir aller Voraussicht nach gutes Wetter haben?; **we're ~ to see you again before we leave** bestimmt sehen wir Sie noch einmal, bevor wir abreisen ❸ (*true*) sicher; **one ~ way** [**of doing sth**] ein sicherer Weg [etw zu tun] ❹ *attr* (*reliable*) **a ~ sign of sth** ein sicheres Zeichen für etw *akk* ▸ [**as**] **~ as hell** (*sl*) todsicher *fam;* **~ thing** (*fam: certainty*) sicher!; *esp* AM (*of course*) [aber] natürlich!, [na] klar! *fam;* **~ enough** (*fam*) tatsächlich; **to be ~ of oneself** sehr von sich *dat* überzeugt sein *pej;* **to make ~** [**that**] ... darauf achten, dass ... **II.** *adv esp* AM (*fam: certainly*) echt; **I ~ am hungry!** hab ich vielleicht einen Hunger! **III.** *interj* (*fam: certainly!*) **oh ~!** [aber] natürlich! *iron,* na klar [doch]! *iron;* **~ I will!** natürlich!, aber klar doch!

'sure-fire *adj attr* (*fam*) todsicher *fam*

sure-'foot·ed *adj* ❶ (*able to walk*) trittsicher ❷ (*confident*) sicher, souverän *geh*

sure·ly ['ʃɔːli, 'ʃʊə-] *adv* ❶ (*certainly*) sicher[lich], bestimmt; **slowly but ~** langsam, aber sicher ❷ (*showing astonishment*) doch; **~ you don't expect me to believe that** du erwartest doch wohl nicht, dass ich dir das abnehme! *fam;* **~ not!** das darf doch wohl nicht wahr sein! ❸ (*confidently*) sicher ❹ *esp* AM (*yes, certainly*) [aber] natürlich

sure·ty ['ʃɔːrəti, 'ʃʊə-] *n* LAW ❶ (*person*) Bürge, Bürgin *m, f* ❷ (*money*) Bürgschaft *f*, Sicherheitsleistung *f* ❸ *no pl* (*certainty*) Gewissheit *f*

surf [sɜːf] **I.** *n* Brandung *f* **II.** *vi* ❶ (*on surfboard*) surfen ❷ (*windsurf*) windsurfen **III.** *vt* COMPUT **to ~ the Internet** im Internet surfen

sur·face ['sɜːfɪs] **I.** *n* ❶ (*top layer*) Oberfläche *f*; *of a lake, the sea* Spiegel *m;* **road ~** Straßenbelag *m;* **non-stick ~** Antihaftbeschichtung *f* ❷ SPORTS (*of playing area*) Untergrund *m* ❸ (*superficial qualities*) Oberfläche *f*; **on the ~** äußerlich betrachtet ▸ **to**

<u>**scratch**</u> **the ~** [**of sth**] *topic, problem* [etw] streifen **II.** *vi* ❶ (*rise to top*) auftauchen ❷ (*fig: become apparent*) auftauchen, aufkommen ❸ (*fig fam: get out of bed*) aufstehen **III.** *vt* ▪**to ~ sth** ❶ (*cover*) etw mit einem Belag versehen ❷ (*make even*) etw ebnen **IV.** *adj attr* ❶ (*of outer part*) oberflächlich; (*outward*) äußerlich ❷ (*not underwater*) Überwasser- ❸ MIN (*at ground level*) über Tage *nach n* ❹ (*superficial*) oberflächlich

'**sur·face mail** *n* Postsendung, die auf dem Land- bzw. Seeweg befördert wird **sur·face 'ten·sion** *n* PHYS Oberflächenspannung *f* **sur·face-to-air 'mis·sile** *n* MIL Boden-Luft-Rakete *f*

surf·board ['sɜːfbɔːd] *n* Surfbrett *nt*
sur·feit ['sɜːfɪt] (*form*) **I.** *n no pl* Übermaß *nt* (**of** an) **II.** *vt* ▪**to be ~ed with sth** etw satthaben *fam*
surf·er ['sɜːfə^r] *n,* Aus *fam* **surfie** ['sɜːfi] *n* Surfer(in) *m(f);* (*windsurfer*) Windsurfer(in) *m(f)*
surf·ing ['sɜːfɪŋ] *n no pl* Surfen *nt,* Wellenreiten *nt;* (*windsurfing*) Windsurfen *nt*
surge [sɜːdʒ] **I.** *vi* ❶ (*move powerfully*) *sea* branden; *waves* wogen, sich auftürmen; (*fig*) *people* wogen ❷ (*increase strongly*) *profits* [stark] ansteigen ❸ (*fig*) ▪**to ~** [**up**] (*well up*) *emotion* aufwallen; (*grow louder*) *cheer, roar* aufbrausen **II.** *n* ❶ (*sudden increase*) [plötzlicher] Anstieg ❷ (*large wave*) Woge *f;* (*breakers*) Brandung *f;* (*tidal breaker*) Flutwelle *f* ❸ *no pl* (*activity of water*) Wogen *nt,* [An]branden *nt* ❹ *no pl* (*fig: pressing movement*) Ansturm *m* ❺ (*fig: wave of emotion*) Welle *f,* Woge *f* ❻ ELEC Spannungsanstieg *m,* Spannungsstoß *m*
sur·geon ['sɜːdʒ^ən] *n* Chirurg(in) *m(f)*
sur·gery ['sɜːdʒ^əri] *n* ❶ BRIT, Aus (*doctor's premises*) [Arzt]praxis *f* ❷ BRIT, Aus (*treatment session*) Sprechstunde *f* ❸ *no pl* (*surgical treatment*) chirurgischer Eingriff ❹ BRIT POL (*discussion time*) Sprechzeit *f*
sur·gi·cal ['sɜːdʒɪk^əl] *adj* ❶ (*used by surgeons*) *gloves, instruments* chirurgisch ❷ (*orthopaedic*) medizinisch ❸ MIL (*very precise*) **~ strike** gezielter Angriff
sur·gi·cal·ly ['sɜːdʒɪkli] *adv* operativ, chirurgisch
sur·ly ['sɜːli] *adj* unwirsch, ruppig
sur·mise (*form*) **I.** *vt* [sɜːˈmaɪz] vermuten, annehmen **II.** *n* ['sɜːmaɪz] ❶ (*guess*) Vermutung *f* ❷ *no pl* (*guessing*) Vermutung *f,* Mutmaßung *f*
sur·mount [səˈmaʊnt] *vt* ❶ (*overcome*) **to ~ a challenge/difficulty/problem** eine

Herausforderung/eine Schwierigkeit/ein Problem meistern; **to ~ an obstacle/ opposition** ein Hindernis/Widerstand überwinden ❷ (*form: stand on top of*) überragen; ARCHIT krönen
sur·name ['sɜːneɪm] *n* Familienname *m,* Nachname *m*
sur·pass [səˈpɑːs] *vt* (*form*) übertreffen; ▪**to ~ oneself** sich selbst übertreffen
sur·plus ['sɜːpləs] **I.** *n* <*pl* -es> ❶ (*excess*) Überschuss *m* (**of** an) ❷ (*financial*) Überschuss *m* **II.** *adj* ❶ (*extra*) zusätzlich ❷ (*dispensable*) überschüssig; **to be ~ to requirements** BRIT nicht mehr benötigt werden
sur·prise [səˈpraɪz] **I.** *n* ❶ Überraschung *f; ~* **!** *~* **!** (*fam*) Überraschung! *a. iron;* **to come as a ~** [**to sb**] völlig überraschend [für jdn] kommen; **to express ~ at sth** seine Überraschung über etw *akk* zum Ausdruck bringen; **to take sb by ~** jdn überraschen; **to sb's** [**great**] **~** zu jds [großem] Erstaunen **II.** *vt* ❶ (*amaze*) überraschen; **well, you do ~ me** nun, das erstaunt mich! ❷ (*take unawares*) überraschen; ▪**to ~ sb doing sth** jdn bei etw *dat* überraschen [*o* ertappen] **III.** *adj attr* überraschend, unerwartet
sur·prised [səˈpraɪzd] *adj* ❶ (*taken unawares*) überrascht; (*amazed*) erstaunt (**at** über); **I wouldn't be ~ if it snowed tomorrow** es würde mich nicht wundern, wenn es morgen schneite; **you'd be ~ how many people were there** du würdest kaum glauben, wie viele Leute da waren; **pleasantly ~** angenehm überrascht ❷ *pred* (*disappointed*) enttäuscht (**at** von)
sur·pris·ing [səˈpraɪzɪŋ] *adj* überraschend
sur·pris·ing·ly [səˈpraɪzɪŋli] *adv* ❶ (*remarkably*) erstaunlich ❷ (*unexpectedly*) überraschenderweise
sur·re·al [səˈrɪəl] *adj* surreal *geh,* [traumhaft-]unwirklich
sur·re·al·ism [səˈrɪəlɪz^əm] *n no pl* Surrealismus *m*
sur·re·al·ist [səˈrɪəlɪst] **I.** *n* Surrealist(in) *m(f)* **II.** *adj* surrealistisch
sur·ren·der [s^əˈrendə^r] **I.** *vi* ❶ MIL aufgeben, kapitulieren; ▪**to ~ to sb** sich jdm ergeben ❷ (*fig: give in*) nachgeben, kapitulieren; **to ~ to temptation** der Versuchung erliegen **II.** *vt* (*form*) ❶ (*give*) ▪**to ~ sth** [**to sb**] [jdm] etw übergeben [*o* aushändigen]; **to ~ a claim** auf einen Anspruch verzichten; **to ~ a territory** ein Gebiet abtreten; **to ~ weapons** Waffen abgeben ❷ (*abandon*) ▪**to ~ oneself to sth** sich etw *dat* überlassen **III.** *n no pl* ❶ (*capitulation*) Kapitulation *f* (**to** vor) ❷ (*form: giv-*

ing up) Preisgabe *f* (**to** an)

sur·rep·ti·tious [ˌsʌrəpˈtɪʃəs] *adj* heimlich; *glance* verstohlen

sur·ro·ga·cy [ˈsʌrəgəsi] *n no pl* Leihmutterschaft *f*

sur·ro·gate [ˈsʌrəgɪt] **I.** *adj attr* Ersatz- **II.** *n* Ersatz *m,* Surrogat *nt geh* (**for** für)

sur·ro·gate 'moth·er *n* Leihmutter *f*

sur·round [səˈraʊnd] **I.** *vt* ❶ (*enclose*) umgeben ❷ (*encircle*) einkreisen; MIL umstellen, umzingeln ❸ (*fig: be associated with*) umgeben; **to be ~ed by controversy/speculation** Kontroversen/Spekulationen hervorrufen ❹ (*have as companions*) ■**to ~ oneself with sb** sich mit jdm umgeben **II.** *n esp* BRIT ❶ (*border*) Rahmen *m* ❷ (*area around sth*) Umrahmung *f,* Einfassung *f*

sur·round·ing [səˈraʊndɪŋ] *adj attr* umgebend; **~ area** Umgebung *f;* **the ~ buildings/gardens** die umliegenden Gebäude/Gärten

sur·round·ings *npl* ❶ (*area*) Umgebung *f* ❷ (*living conditions*) Umgebung *f,* [Lebens]verhältnisse *pl*

sur·tax <*pl* -es> [ˈsɜːtæks] *n* ❶ *no pl* FIN (*extra income tax*) Zusatzabgabe *f* (*zur Einkommensteuer*) ❷ FIN (*additional tax*) Sondersteuer *f*

sur·veil·lance [sɜːˈveɪlən(t)s] *n no pl* Überwachung *f,* Kontrolle *f;* **to be under ~** unter Beobachtung stehen, überwacht werden

sur·vey I. *vt* [səˈveɪ] ❶ *usu passive* (*carry out research*) befragen ❷ (*look at*) betrachten; (*carefully*) begutachten ❸ (*give overview*) umreißen ❹ (*map out*) vermessen ❺ BRIT *building, house* begutachten **II.** *n* [ˈsɜːveɪ] ❶ (*opinion poll*) Untersuchung *f;* (*research*) Studie *f;* **local/nationwide ~** örtliche/landesweite Umfrage ❷ (*overview*) Übersicht *f;* **of a topic** Überblick *m* (**of** über) ❸ *of land* Vermessung *f* ❹ BRIT *of building* [Grundstücks]gutachten *nt*

sur·vey·or [səˈveɪəʳ] *n* ❶ *of land* [Land]vermesser(in) *m(f)* ❷ BRIT *of buildings* Gutachter(in) *m(f)*

sur·viv·al [səˈvaɪvᵊl] *n no pl* (*not dying*) Überleben *nt;* **chance of ~** Überlebenschance *f* ▸ **the ~ of the fittest** das Überleben des Stärkeren

sur·'viv·al in·stinct *n* Überlebensinstinkt *m* **sur·'viv·al rate** *n* (*also fig*) Überlebenschance *f*

sur·vive [səˈvaɪv] **I.** *vi* ❶ (*stay alive*) überleben, am Leben bleiben; ■**to ~ on sth** sich mit etw *dat* am Leben halten ❷ (*fig: not be destroyed*) überleben, erhalten bleiben;

monument überdauern; *tradition* fortbestehen **II.** *vt* ❶ (*stay alive after*) ■**to ~ sth** *accident, crash* etw überleben; (*fig*) über etw *akk* hinwegkommen ❷ (*still exist after*) *fire, flood* überstehen ❸ (*outlive*) ■**to ~ sb** jdn überleben

sur·viv·ing [səˈvaɪvɪŋ] *adj* ❶ (*still living*) noch lebend; **the rhinoceros is one of the oldest ~ species** das Nashorn ist eine der ältesten noch existierenden Spezies ❷ (*outliving relative*) hinterblieben; **~ dependant** unterhaltspflichtiger Hinterbliebener/unterhaltspflichtige Hinterbliebene ❸ (*fig: still existing*) [noch] vorhanden

sur·viv·or [səˈvaɪvəʳ] *n* ❶ (*person still alive*) Überlebende(r) *f(m);* **she's a ~ of cancer** sie hat den Krebs besiegt ❷ (*fig: tough person*) Stehaufmännchen *hum fam,* Überlebenskünstler(in) *m(f);* **he's one of life's ~s** er lässt sich vom Leben nicht kleinkriegen *fam* ❸ (*person outliving relative*) Hinterbliebene(r) *f(m)*

sus·cep·tible [səˈseptəbl] *adj* ❶ *usu pred* (*easily influenced*) ■**to be ~ to sth** für etw *akk* empfänglich sein; **children are very ~ to TV** Kinder sind durch das Fernsehen leicht beeinflussbar ❷ MED anfällig ❸ *pred* (*form: open*) ■**to be ~ to sth** offen für etw *akk* sein

sus·pect I. *vt* [səˈspekt] ❶ (*think likely*) vermuten; **I ~ed as much** das habe ich mir gedacht ❷ (*consider guilty*) verdächtigen; ■**to be ~ed of sth** einer S. *gen* verdächtigt werden ❸ (*doubt*) ■**to ~ sth** etw anzweifeln; *motives* einer S. *dat* misstrauen **II.** *n* [ˈsʌspekt] Verdächtige(r) *f(m);* (*fig*) Verursacher(in) *m(f)* **III.** *adj* [ˈsʌspekt] ❶ *usu attr* (*possibly dangerous*) verdächtig, suspekt ❷ (*possibly defective*) zweifelhaft

sus·pect·ed [səˈspektɪd] *adj attr* ❶ (*under suspicion*) verdächtigt; **~ terrorists** mutmaßliche Terroristen ❷ MED **he has a ~ broken leg** es besteht bei ihm der Verdacht auf einen Beinbruch

sus·pend [səˈspend] *vt* ❶ (*stop temporarily*) [vorübergehend] aussetzen, einstellen; **to ~ judgement** mit seiner Meinung zurückhalten; **to ~ proceedings** LAW die Verhandlung unterbrechen ❷ LAW (*make temporarily inoperative*) **to ~ a constitution/right** eine Verfassung/ein Recht zeitweise außer Kraft setzen; **to ~ disbelief** (*fig*) die Vernunft [zeitweilig] ausschalten; **to ~ a sentence** eine Strafe [zur Bewährung] aussetzen ❸ *usu passive* (*from work*) suspendieren; (*from school*) [zeitweilig] [vom Unterricht] ausschließen; SPORTS sperren ④ *usu passive* (*hang*) herabhängen (**from** von) ⑤ *usu passive* CHEM ■**to be ~ed in sth** in etw *dat* gelöst sein

sus·pend·er [səˈspendəʳ] *n* ① (*for stockings*) Strumpfbandhalter *m* ② AM (*braces*) ■**~s** *pl* Hosenträger *pl*

sus·ˈpend·er belt *n* BRIT, AUS Strumpfbandhalter *m*

sus·pense [səˈspen(t)s] *n no pl* Spannung *f;* **to keep sb in ~** jdn im Ungewissen [*o fam* zappeln] lassen

sus·pen·sion [səˈspen(t)ʃ ʲn] *n* ① *no pl* (*temporary stoppage*) [zeitweilige] Einstellung ② (*from work, school*) Suspendierung *f;* SPORTS Sperrung *f* ③ CHEM Suspension *f fachspr* ④ AUTO Radaufhängung *f*

sus·ˈpen·sion bridge *n* Hängebrücke *f*

sus·ˈpen·sion points *npl* Auslassungspunkte *pl*

sus·pi·cion [səˈspɪʃ ʲn] *n* ① (*unbelief*) Verdacht *m* ② *no pl* (*being suspected*) Verdacht *m;* **to be above ~** über jeglichen Verdacht erhaben sein; **to be under ~** unter Verdacht stehen ③ *no pl* (*mistrust*) Misstrauen *nt;* **to have a ~ of sb/sth** jdm/etw gegenüber misstrauisch sein

sus·pi·cious [səˈspɪʃəs] *adj* ① (*causing suspicion*) verdächtig ② (*feeling suspicion*) misstrauisch, argwöhnisch; ■**to be ~ of sth** einer S. *dat* gegenüber skeptisch sein

sus·pi·cious·ly [səˈspɪʃəsli] *adv* ① (*so as to cause suspicion*) verdächtig; **to act ~** sich verdächtig benehmen ② (*mistrustfully*) *look, ask* misstrauisch, argwöhnisch

suss [sʌs] *vt esp* BRIT, AUS ■**to ~ [out]** ↻ **sb/sth** ① (*understand*) jdn/etw durchschauen ② (*discover*) jdm/etw auf die Spur kommen; ■**to ~ [out] how/what/ where/why ...** herauskriegen, wie/was/ wo/warum ... *fam;* ■**to ~ [out] that ...** herausfinden, dass ...

sus·tain [səˈsteɪn] *vt* ① (*form: suffer*) **to ~ damages** Schäden erleiden; (*object*) beschädigt werden ② (*maintain*) aufrechterhalten ③ (*keep alive*) [am Leben] erhalten; *a family* unterhalten ④ (*support emotionally*) unterstützen ⑤ AM LAW (*uphold*) zulassen ⑥ MUS **to ~ a note** eine Note halten

sus·tain·able [səˈsteɪnəbl] *adj* ① (*maintainable*) haltbar; *argument* stichhaltig; ■**sth is ~** etw kann aufrechterhalten werden ② ECOL *resources* erneuerbar

sus·tained [səˈsteɪnd] *adj* ① (*long-lasting*) anhaltend ② (*determined*) nachdrücklich; **to make a ~ effort to do sth** entschieden an etw *akk* herangehen

sus·te·nance [ˈsʌstɪnən(t)s] *n no pl* ① (*form: food*) Nahrung *f* ② (*form: nutritious value*) Nährwert *m* ③ (*emotional support*) Unterstützung *f;* **to find ~ in sth** eine Stütze an etw *dat* finden

su·ture [ˈsuːtʃəʳ] MED I. *n* Naht *f* II. *vt* [ver]nähen

svelte [ˈsvelt] *adj* (*approv*) *woman* schlank, grazil

SW I. *n no pl abbrev of* **south-west** SW. **II.** *adj* ① *abbrev of* **south-west** SW- ② *abbrev of* **south-western** SW- **III.** *adv abbrev of* **south-west**

swab [swɒb] **I.** *n* MED ① (*pad*) Tupfer *m* ② (*test sample*) Abstrich *m* **II.** *vt* <-bb-> ① MED (*clean*) abtupfen ② *esp* NAUT **to ~ the deck** das Deck schrubben

swad·dle [ˈswɒdl] *vt* (*dated*) einwickeln; *baby* wickeln

swad·dling clothes [ˈswɒdlɪŋ-] *npl* (*dated*) Windeln *pl*

swag·ger [ˈswægəʳ] **I.** *vi* ① (*walk boastfully*) stolzieren ② (*behave boastfully*) angeben *fam,* prahlen **II.** *n no pl* Angeberei *f fam,* Prahlerei *f*

swal·low[1] [ˈswɒləʊ] *n* Schwalbe *f*

swal·low[2] [ˈswɒləʊ] **I.** *n* ① (*action*) Schlucken *nt kein pl* ② (*quantity*) Schluck *m* **II.** *vt* ① (*eat*) [hinunter]schlucken; (*greedily*) verschlingen ② *usu passive* ECON (*fig: take over*) ■**to be ~ed [up] by sth** von etw *dat* geschluckt werden *fam* ③ (*fig: engulf*) ■**to ~ [up]** ↻ **sb/sth** jdn/etw verschlingen ④ (*fig: use up*) ■**to ~ [up]** ↻ **sth** etw aufbrauchen ⑤ (*fig fam: believe unquestioningly*) schlucken ⑥ (*fig: suppress*) *disappointment* hinunterschlucken *fam;* **to ~ one's pride** seinen Stolz überwinden; **to ~ one's words** sich *dat* eine böse Bemerkung verkneifen *fam* **III.** *vi* schlucken ◆**swallow down** *vt* ■**to ~ down** ↻ **sth** etw hinunterschlucken; (*gulp down*) etw hinunterschlingen

swam [swæm] *vi, vt pt of* **swim**

swamp [swɒmp] **I.** *vt* ① (*fill with water*) *boat, canoe* voll laufen lassen ② (*flood*) überschwemmen, unter Wasser setzen ③ (*fig: overwhelm*) überschwemmen; **I'm ~ed with work at the moment** im Moment ersticke ich in Arbeit ④ (*fig: cause to break down*) überlasten ⑤ BRIT (*fig fam: be too big for*) **the new dress absolutely ~s her** in dem neuen Kleid geht sie völlig unter **II.** *n* ① (*bog*) Sumpf *m* ② *no pl* (*boggy land*) Sumpfland *nt*

ˈswamp fe·ver *n no pl* Sumpffieber *nt*

ˈswamp·land *n,* **ˈswamp·lands** *npl* Sumpfland *nt,* Sumpfgebiet *nt*

swampy ['swɒmpi] *adj* sumpfig, morastig

swan [swɒn] **I.** *n* Schwan *m* **II.** *vi* <-nn-> Brit, Aus (*usu pej fam*) **to ~ down the street** die Straße hinunterschlendern; **to ~ into the room** ins Zimmer spaziert kommen

swank [swæŋk] (*pej*) **I.** *vi* (*fam*) herumprotzen (**about** mit) **II.** *n no pl* (*fam*) Prahlerei *f*, Protzerei *f*

swanky ['swæŋki] *adj* (*fam*) ❶ (*stylish*) schick ❷ (*pej: boastful*) protzig; *talk, manner* großspurig

'**swan·song** *n* (*fig*) Schwanengesang *m* geh

swap [swɒp] **I.** *n* ❶ (*exchange*) Tausch *m;* (*interchange*) Austausch *m* ❷ (*deal*) Tauschhandel *m* ❸ (*thing*) Tauschobjekt *nt* **II.** *vt* <-pp-> ❶ (*exchange*) tauschen; ■**to ~ sth for sth** etw gegen etw *akk* eintauschen ❷ (*tell one another*) austauschen **III.** *vi* <-pp-> tauschen; ■**to ~ with sb** (*exchange objects*) mit jdm tauschen; (*change places*) mit jdm [Platz] tauschen

swarm [swɔːm] **I.** *n* ❶ (*insects*) Schwarm *m* ❷ + *sing/pl vb* (*fig: people*) Schar *f* **II.** *vi* ❶ zool *insects* schwärmen ❷ (*fig*) *people* schwärmen ❸ (*be full of*) ■**to be ~ing with sth** von etw *dat* [nur so] wimmeln

swarthy ['swɔːði] *adj* dunkel[häutig]

swash·buck·ling ['swɒʃˌbʌklɪŋ] *adj attr hero, pirate* verwegen, säbelrasselnd; *pseudo-hero* großschnäuzig *pej*

swas·ti·ka ['swɒstɪkə] *n* Hakenkreuz *nt*

swat [swɒt] **I.** *vt* <-tt-> ❶ (*kill*) *insect* totschlagen, zerquetschen ❷ (*hit*) ■**to ~ sb/ sth** jdn/etw hart schlagen; *ball* schmettern ❸ (*fig: destroy*) ■**to ~ sth** etw treffen und zerstören **II.** *n* ❶ (*blow*) [heftiger] Schlag ❷ (*swatter*) Fliegenklatsche *f*

swatch <*pl* -es> [swɒtʃ] *n* [Textil]muster *nt*, [Textil]probe *f*

swathe [sweɪð] **I.** *vt* einwickeln **II.** *n* ❶ (*long strip*) Bahn *f*, Streifen *m* ❷ (*wide area*) Gebiet *nt*, Gegend *f*

sway [sweɪ] **I.** *vi person* schwanken; *trees* sich wiegen; **to ~ from side to side** hin und her schwanken **II.** *vt* ❶ (*swing*) schwenken; *wind* wiegen ❷ *usu passive* (*influence*) ■**to be ~ed by sb/sth** sich von jdm/etw beeinflussen lassen; (*change mind*) von jdm/etw umgestimmt werden ❸ (*fig: alter*) ändern **III.** *n no pl* (*liter: control*) [beherrschender] Einfluss; **to extend one's ~** seinen Einflussbereich ausdehnen

swear <swore, sworn> [sweə'] **I.** *vi* ❶ (*curse*) fluchen (**at** auf) ❷ (*take an oath*) schwören, einen Eid ablegen **II.** *vt* schwö-

ren; **to ~ an oath** einen Eid leisten [*o* ablegen] ♦**swear in** *vt usu passive* vereidigen ♦**swear off** *vt* ■**to ~ off sth** *alcohol, cigarettes, drugs* etw *dat* abschwören

'**swear·ing** *n* Fluchen *nt*

'**swear word** *n* derbes Schimpfwort, Fluch *m*

sweat [swet] **I.** *n no pl* ❶ (*perspiration*) Schweiß *m* ❷ (*fig fam: worried state*) **to work oneself into a ~ [about sth]** sich [wegen einer S. *dat*] verrückt machen *fam* ❸ (*fig*) **no ~** (*fam*) kein Problem! ❹ fashion (*fam*) Sweatshirt *nt* **II.** *vi* ❶ (*perspire*) schwitzen (**with** vor) ❷ (*fig: work hard*) schwitzen (**over** über) ❸ (*form condensation*) *wall* schwitzen **III.** *vt* ▸**to ~ blood** Blut [und Wasser] schwitzen *fam* ♦**sweat out** *vt* ❶ (*exercise hard*) **to ~ it out** sich verausgaben ❷ (*suffer while waiting*) **to ~ it out** zittern

'**sweat band** *n* Schweißband *nt*

sweat·ed ['swetɪd] *adj attr* **~ labour** [schlecht bezahlte] Schwerarbeit

sweat·er ['swetə'] *n* Pullover *m*, Sweater *m*

'**sweat·shirt** *n* Sweatshirt *nt* '**sweat·shop** *n* Ausbeuterbetrieb *m pej*

sweaty ['sweti] *adj* ❶ (*covered in sweat*) *person* verschwitzt ❷ (*causing sweat*) *work* schweißtreibend

swede [swiːd] *n* Brit, Aus Kohlrübe *f*

Swede [swiːd] *n* Schwede, Schwedin *m, f*

Swe·den ['swiːdⁿn] *n no pl* Schweden *nt*

Swe·dish ['swiːdɪʃ] **I.** *n no pl* Schwedisch *nt* **II.** *adj* schwedisch

sweep [swiːp] **I.** *n* ❶ *no pl* (*a clean with a brush*) Kehren *nt*, Fegen *nt* norddD ❷ (*dated: chimney sweep*) Schornsteinfeger(in) *m(f)* ❸ (*movement*) schwungvolle Bewegung, Schwingen *nt kein pl*; (*with sabre, scythe*) ausholender Hieb; (*all-covering strike*) Rundumschlag *m a. fig* ❹ (*range*) Reichweite *f a. fig*, Spielraum *m* ❺ (*fam*) see **sweepstake** **II.** *vt* <swept, swept> ❶ (*with a broom*) kehren, fegen norddD ❷ (*take in powerful manner*) **smiling, he swept me into his arms** lächelnd schloss er mich in seine Arme; **she swept the pile of papers into her bag** sie schaufelte den Stapel Papiere in ihre Tasche ❸ (*spread*) ■**to ~ sth** über etw *akk* kommen; **a 1970s fashion revival is ~ing Europe** ein Modetrend wie in den 70ern rollt derzeit über Europa hinweg ▸**to ~ the board** allen Gewinn einstreichen; **to ~ sth under the carpet** etw unter den Teppich kehren *fam;* **to ~ sb off his/her feet** jdm den Kopf verdrehen *fam* **III.** *vi* <swept, swept> (*move smoothly*) gleiten;

person rauschen *fam; eyes* gleiten; **the beam of the lighthouse swept across the sea** der Lichtstrahl des Leuchtturms strich über das Wasser ◆ **sweep aside** *vt* ❶ (*cause to move*) [hin]wegfegen ❷ (*fig: dismiss*) *doubts, objections* beiseiteschieben, abtun ◆ **sweep away** *vt* ❶ (*remove*) [hin]wegfegen; (*water*) fortspülen; (*fig*) *doubts, objections* beiseiteschieben ❷ (*fig: carry away*) mitreißen ◆ **sweep out** I. *vt* auskehren, ausfegen NORDD II. *vi* hinausstürmen ◆ **sweep up** I. *vt* ❶ (*brush and gather*) zusammenkehren, zusammenfegen NORDD ❷ (*gather*) zusammensammeln II. *vi* heranrauschen

sweep·er ['swiːpəʳ] *n* ❶ (*device*) Kehrmaschine *f* ❷ (*person*) [Straßen]feger(in) *m(f)*, [Straßen]kehrer(in) *m(f)* ❸ FBALL Libero *m*

sweep·ing ['swiːpɪŋ] *adj* ❶ (*large-scale*) weitreichend; *changes* einschneidend; ~ **cuts** drastische Einsparungen; **a ~ victory** ein Sieg *m* auf der ganzen Linie ❷ (*very general*) pauschal; *generalization* grob ❸ *attr* (*broad*) *curve* weit

sweep·stake ['swiːpsteɪk] *n* Art Lotterie, *wobei mit kleinen Einsätzen z. B. auf Pferde gesetzt wird und diese Einsätze an den Gewinner gehen*

sweet [swiːt] I. *adj* ❶ (*like sugar*) süß ❷ (*not dry*) *sherry, wine* lieblich ❸ (*fig: pleasant*) süß, angenehm; *sound* lieblich; *temper* sanft ❹ (*fig: endearing*) süß, niedlich; (*kind*) freundlich, lieb ❺ (*individual*) **in one's own ~ time** wenn es einem zeitlich passt; **in one's own ~ way** auf seine eigene Art II. *n* ❶ *esp* BRIT, AUS (*candy*) Süßigkeit *f meist pl;* **boiled ~** Bonbon *nt;* ■ **~ s** *pl* Süßigkeiten *pl* ❷ BRIT, AUS (*dessert*) Nachspeise *f* ❸ (*fam: term of endearment*) Schatz *m*

sweet-and-sour *adj* süßsauer **'sweet·bread** *n usu pl* Bries *nt* **sweet 'chest·nut** *n* Esskastanie *f* **'sweet·corn** *n no pl* [Zucker]mais *m*

sweet·en ['swiːtᵊn] *vt* ❶ (*make sweet*) süßen ❷ (*make more amenable*) ■ **to ~** [**up**] ↻ **sb** jdn günstig stimmen ❸ (*make more attractive*) versüßen, schmackhaft machen

sweet·en·er ['swiːtᵊnəʳ] *n* ❶ *no pl* (*sugar substitute*) Süßstoff *m* ❷ (*sweet pill*) Süßstofftablette *f* ❸ (*inducement*) Lockspeise *f geh*, Versuchung *f*

'sweet·heart *n* ❶ (*term of endearment*) Liebling *m*, Schatz *m fam* ❷ (*dated: girlfriend, boyfriend*) Freund(in) *m(f)*

sweet·ly ['swiːtli] *adv* süß; **to sing ~** schön singen; **to smile ~** nett lächeln

'sweet·meat *n* (*dated*) Zuckerwerk *nt kein pl*, Konfekt *nt*

sweet·ness ['swiːtnəs] *n no pl* ❶ (*sweet taste*) Süße *f* ❷ (*fig: pleasantness*) *of sb's nature* Freundlichkeit *f; of freedom, victory* süßes [*o* wohliges] Gefühl

sweet 'pea *n* Wicke *f* **sweet po·'ta·to** *n* Süßkartoffel *f* **'sweet-talk** *vt* ■ **to ~ sb** jdn einwickeln *fam;* ■ **to ~ sb into doing sth** jdn beschwatzen, etw zu tun **sweet 'wil·liam** *n* HORT [Bart]nelke *f*

swell <swelled, swollen *or* swelled> [swel] I. *vt* ❶ (*enlarge*) anwachsen lassen; *river* anschwellen lassen; *fruit* wachsen [und gedeihen] lassen ❷ (*fig: increase*) [an]steigen lassen; *sales* steigern II. *vi* ❶ (*become swollen*) ■ **to ~** [**up**] anschwellen ❷ (*increase*) zunehmen; *population* ansteigen ❸ (*get louder*) lauter werden, anschwellen III. *n no pl* ❶ (*increase in sound*) zunehmende Lautstärke; *of music* Anschwellen *nt kein pl* ❷ *of sea* Dünung *f*, Seegang *m* IV. *adj* AM (*dated fam*) spitze **'swell·head** *n esp* AM (*pej*) Angeber(in) *m(f)*

swell·ing ['swelɪŋ] *n* ❶ MED (*lump*) Schwellung *f*, Geschwulst *f*; (*sudden growth*) Beule *f* ❷ *no pl* (*activity*) Anschwellen *nt* ❸ (*lasting form*) Wölbung *f*, Ausbauchung *f*

swel·ter ['sweltəʳ] *vi* verschmachten, [vor Hitze] umkommen

swel·ter·ing ['sweltᵊrɪŋ] *adj* drückend heiß; *heat, weather* schwül

swept [swept] *vt, vi pt of* **sweep**

swerve [swɜːv] I. *vi* ❶ (*change direction*) [plötzlich] ausweichen; *horse* seitlich ausbrechen; *car* ausscheren ❷ (*fig liter: deviate*) eine Schwenkung vollziehen *geh;* **to ~ from one's policies/principles** von seiner Politik/seinen Grundsätzen abweichen II. *n* ❶ (*sudden move*) plötzliche Seitenbewegung, Schlenker *m;* (*evading move*) Ausweichbewegung *f;* **a ~ to the left/ right** ein Ausscheren *nt* nach links/rechts ❷ (*fig*) Abweichung *f;* POL Richtungswechsel *m* ❸ (*in billiards*) Effet *m*

swift[1] [swɪft] *adj* ❶ (*fast-moving*) schnell ❷ (*occurring quickly*) schnell, rasch

swift[2] [swɪft] *n* Mauersegler *m*

swift·ly ['swɪftli] *adv* schnell, rasch

swift·ness ['swɪftnəs] *n no pl* Schnelligkeit *f*

swig [swɪg] (*fam*) I. *vt* <-gg-> schlucken II. *n* Schluck *m*

swill [swɪl] I. *n no pl* ❶ (*pig feed*) Schweinefutter *nt;* (*fig, pej: unpleasant drink*) Gesöff *nt fam;* (*unpleasant food*) Fraß *m fam*

② (*long draught*) Schluck *m* **③** (*rinsing*) Spülung *f;* (*act of rinsing*) Spülen *nt* **II.** *vt* **①** (*usu pej fam: drink fast*) hinunterstürzen; *alcohol, beer* hinunterkippen **②** (*swirl a liquid*) ■**to ~ sth around** etw [hin und her] schwenken **③** (*rinse*) ■**to ~ sth out** etw ausspülen

swim [swɪm] **I.** *vi* <swam *or* Aus *also* swum, swum, -mm-> **①** SPORTS schwimmen; **to go ~ming** schwimmen gehen **②** (*whirl*) verschwimmen; (*be dizzy*) schwindeln **II.** *vt* <swam *or* Aus *also* swum, swum, -mm-> **①** (*cross*) durchschwimmen; **to ~ a channel/river** einen Kanal/Fluss durchschwimmen **②** (*do*) **to ~ a few strokes** ein paar Züge schwimmen **III.** *n* Schwimmen *nt kein pl*

swim·mer ['swɪmə^r] *n* **①** (*person*) Schwimmer(in) *m(f)* **②** Aus (*fam: clothes*) ■**~s** *pl* Schwimmsachen *pl*

swim·ming ['swɪmɪŋ] *n no pl* Schwimmen *nt*

'**swim·ming bath(s)** *n* BRIT Schwimmbecken *nt* '**swim·ming cap** *n* Badekappe *f,* Badehaube *f* ÖSTERR '**swim·ming cos·tume** *n* BRIT, Aus Badeanzug *m*

swim·ming·ly ['swɪmɪŋli] *adv* (*fam or dated*) glatt

'**swim·ming pool** *n* Schwimmbecken *nt;* (*private*) Swimmingpool *m;* (*public*) Schwimmbad *nt;* **indoor/outdoor ~** Hallen-/Freibad *nt* '**swim·ming trunks** *npl* Badehose *f*

'**swim·suit** *n esp* AM (*swimming costume*) Badeanzug *m;* (*swimming trunks*) Badehose *f*

swin·dle ['swɪndl] **I.** *vt* betrügen; ■**to ~ sb out of sth** jdn um etw *akk* betrügen **II.** *n* Betrug *m kein pl außer* SCHWEIZ

swin·dler ['swɪndlə^r] *n* (*pej*) Betrüger(in) *m(f)*

swine [swaɪn] *n* **①** <*pl -* or *-s*> (*pej fam: person*) Schwein *nt* **②** <*pl ->* (*liter or old: pig*) Schwein *nt*

swing [swɪŋ] **I.** *n* **①** (*movement*) Schwingen *nt kein pl* **②** (*punch*) Schlag *m* **③** (*hanging seat*) Schaukel *f* **④** (*change*) Schwankung *f;* POL Umschwung *m* **⑤** *no pl* MUS Swing *m* **⑥** AM (*in baseball*) Swing *m* ▶ **to get [back] into the ~ of things** (*fam*) [wieder] in etwas reinkommen; **to be in full ~** voll im Gang sein **II.** *vi* <swung, swung> **①** (*move*) [hin und her] schwingen; (*move circularly*) sich drehen; **the door swung open in the wind** die Tür ging durch den Wind auf **②** (*attempt to hit*) zum Schlag ausholen; ■**to ~ at sb** nach jdm schlagen **③** (*in playground*)

schaukeln **④** (*alternate*) *mood* schwanken **⑤** MUS swingen **⑥** (*fam: be exciting*) **you need music to make a party ~** man braucht Musik, um eine Party in Schwung zu bringen ▶ **to ~ into action** loslegen *fam* **III.** *vt* <swung, swung> **①** (*move*) [hin- und her]schwingen **②** MUS als Swing spielen **③** (*fam: arrange*) **do you think you could ~ the job for me?** glaubst du, du könntest die Sache für mich schaukeln?; **to ~ it** es deichseln; **to ~ an election** (*pej*) eine Wahl herumreißen **IV.** *adj voter, state* entscheidend ◆**swing around, swing round I.** *vi* **①** (*turn around*) sich schnell umdrehen; (*in surprise, fright*) herumfahren **②** (*go fast*) **she swung around the corner at full speed** sie kam mit vollem Tempo um die Ecke geschossen **II.** *vt* **①** (*turn round*) ■**to ~ sth around** etw [her]umdrehen; (*move in a circle*) etw herumschwingen **②** (*change*) **to ~ a conversation [a]round to sth** ein Gespräch auf etw *akk* bringen

'**swing bridge** *n* Drehbrücke *f* **swing** '**door** *n* BRIT, Aus Schwingtür *f,* Pendeltür *f*

swinge·ing ['swɪndʒɪŋ] *adj* BRIT (*form*) extrem; *penalty* exorbitant; **~ cuts/economic sanctions** drastische Kürzungen/Wirtschaftssanktionen

swing·ing ['swɪŋɪŋ] *adj* (*dated fam: fun, exciting*) schwungvoll; (*promiscuous*) freizügig

swin·ish ['swaɪnɪʃ] *adj* (*pej dated fam*) schweinisch

swipe [swaɪp] **I.** *vi* schlagen (**at** nach) **II.** *vt* **①** BRIT (*swat*) [hart] schlagen **②** *esp* AM (*graze*) *car* streifen **③** (*fam: steal*) klauen **④** (*pass through*) *magnetic card* durchziehen, einlesen **III.** *n* Schlag *m;* **to take a ~ at sb/sth** auf jdn/etw losschlagen

swirl [swɜːl] **I.** *vi* wirbeln **II.** *vt* **①** (*move circularly*) ■**to ~ sth around** etw herumwirbeln **②** (*twist together*) ■**to ~ sth together** etw miteinander vermischen **III.** *n of water* Strudel *m; of snow, wind* Wirbel *m; of dust* Wolke *f*

swish [swɪʃ] **I.** *vi* **①** (*make hissing noise*) zischen **②** (*make brushing noise*) rascheln **II.** *vt liquid* hin und her schwenken **III.** *adj* <-er, -est> (*fam*) **①** (*posh*) todschick **②** (*pej: too extravagant*) nobel *oft iron* **IV.** *n* **①** (*sound*) Rascheln *nt kein pl* **②** AM (*pej sl: effeminate man*) Schwuchtel *f*

Swiss [swɪs] **I.** *adj* Schweizer-, schweizerisch **II.** *n* **①** <*pl ->* Schweizer(in) *m(f)* **②** *no pl* FOOD Schweizer Käse *m*

switch [swɪtʃ] **I.** *n* <*pl -es*> **①** (*control*) Schalter *m;* **to flick a ~** (*turn on*) einen

Schalter anknipsen; (*turn off*) einen Schalter ausknipsen ❷ (*substitution*) Wechsel *m meist sing* ❸ (*alteration*) Änderung *f;* (*change*) Wechsel *m* ❹ (*thin whip*) Rute *f,* Gerte *f* ❺ AM RAIL (*points*) Weiche *f* **II.** *vi* ❶ wechseln, tauschen (**with** mit) **III.** *vt* ❶ (*adjust settings*) umschalten ❷ (*change abruptly*) wechseln ❸ (*substitute*) auswechseln, eintauschen ◆**switch off I.** *vt* ELEC ausschalten **II.** *vi* ❶ (*turn off*) ausschalten ❷ (*stop paying attention*) abschalten *fam* ◆**switch on I.** *vt* ❶ ELEC einschalten; *the TV* anmachen ❷ (*use*) einschalten; **to ~ on the charm** seinen ganzen Charme aufbieten **II.** *vi* einschalten, anschalten ◆**switch over** *vi* wechseln (**to** zu); TV umschalten (**to** auf)

'**switch·back** *n* (*road*) Serpentinenstraße *f;* (*path*) Serpentinenweg *m* '**switch·blade** *n* AM (*flick knife*) Klappmesser *nt* '**switch·board** *n* ELEC Schaltbrett *nt;* TELEC [Telefon]zentrale *f,* Vermittlung *f* '**switch·board op·era·tor** *n* Telefonist(in) *m(f)* '**switch·man** <-men> *n* AM Weichensteller(in) *m(f)* '**switch·yard** *n* AM Rangierbahnhof *m*

Swit·zer·land ['swɪtsᵊlənd] *n* Schweiz *f*

swiv·el ['swɪvᵊl] **I.** *n* Drehring *m,* Drehgelenk *nt* **II.** *vt* <BRIT, AUS -II- *or* AM *usu* -I-> drehen **III.** *vi* <BRIT, AUS -II- *or* AM *usu* -I-> sich drehen

swiv·el 'chair *n* Drehstuhl *m*

'**swiz·zle stick** *n* Sektquirl *m*

swol·len ['swəʊlən] **I.** *pp of* **swell II.** *adj* ❶ (*puffy*) geschwollen; *face* aufgequollen ❷ (*larger than usual*) angeschwollen

swol·len-head·ed [-'hedɪd] *adj* (*pej fam*) hochnäsig

swoon [swuːn] **I.** *vi* ❶ (*dated: faint*) ohnmächtig werden, in Ohnmacht fallen ❷ (*fig*) schwärmen (**over** für) **II.** *n* (*dated liter*) Ohnmacht *f*

swoop [swuːp] **I.** *n* ❶ (*dive*) Sturzflug *m* ❷ (*fam: attack*) Überraschungsangriff *m;* (*by police*) Razzia *f* **II.** *vi* ❶ (*dive*) niederstoßen, herabstoßen ❷ (*fam: attack*) ▪**to ~ on sb/sth** jdn/etw angreifen; *police* bei jdm/etw eine Razzia machen

swoopy [swuːpi] *adj* schön geschwungen

swop <-pp-> [swɒp] *vt, vi esp* BRIT, CAN *see* **swap**

sword [sɔːd] *n* Schwert *nt*

'**sword dance** *n* Schwert[er]tanz *m* '**sword·fish** *n* Schwertfisch *m* '**sword·play** *n no pl* ❶ (*fencing*) Fechten *nt* ❷ (*sparring*) Gefecht *nt* '**sword-point** *n no pl* Schwertspitze *f;* (*fig*) ▪**to do sth at ~** etw gezwungenermaßen tun

swords·man ['sɔːdzmən] *n* ❶ (*hist: sword fighter*) Schwertkämpfer *m* ❷ (*fencer*) Fechter *m*

swords·man·ship ['sɔːdzmənʃɪp] *n no pl* ❶ (*hist: in sword fighting*) Schwertkunst *f* ❷ (*in fencing*) Fechtkunst *f*

swore [swɔːʳ] *pt of* **swear**

sworn [swɔːn] **I.** *pp of* **swear II.** *adj attr* beschworen, beeidet; **a ~ statement** eine eidliche [*o* beschworene] Aussage

swot <-tt-> [swɒt] *vi* BRIT, AUS (*fam*) büffeln, pauken

swoz·zled [swɑːz|d] *adj pred* AM (*sl*) besoffen *derb*

swum [swʌm] *pp, also Aus pt of* **swim**

swung [swʌŋ] *pt, pp of* **swing**

syca·more ['sɪkəmɔːʳ] *n* Sykomore *f,* Maulbeerfeigenbaum *m;* AM Platane *f*

syco·phant ['sɪkəfænt, 'saɪkə-] *n* (*pej form*) Schmeichler(in) *m(f);* (*pej*) Schleimer(in) *m(f),* Kriecher(in) *m(f)*

syco·phan·tic [ˌsɪkə(ʊ)'fæntɪk, ˌsaɪkə-] *adj* (*pej form*) kriecherisch

syl·la·ble ['sɪləbl] *n* Silbe *f*

syl·la·bus <*pl* -es *or form* syllabi> ['sɪləbəs, *pl* -aɪ] *n* ❶ (*course outline*) Lehrplan *m* ❷ (*course reading list*) Leseliste *f*

sylph [sɪlf] *n* Sylphide *f geh*

sym·bio·sis [ˌsɪmbaɪ'əʊsɪs] *n no pl* Symbiose *f*

sym·bi·ot·ic [ˌsɪmbaɪ'ɒtɪk] *adj* symbiotisch

sym·bol ['sɪmbᵊl] *n also* MATH, SCI, MUS Symbol *nt,* Zeichen *nt*

sym·bol·ic [sɪm'bɒlɪk] *adj* symbolisch, symbolhaft

sym·boli·cal·ly [sɪm'bɒlɪkli] *adv* symbolisch

sym·bol·ism ['sɪmbᵊlɪzᵊm] *n no pl* Symbolik *f;* ▪**S~** ART, LIT Symbolismus *m*

sym·bol·ize ['sɪmbᵊlaɪz] *vt* symbolisieren

sym·met·ri·cal [sɪ'metrɪkᵊl] *adj* symmetrisch; *face* ebenmäßig

sym·met·ri·cal·ly [sɪ'metrɪkᵊli] *adv* symmetrisch

sym·me·try ['sɪmətri] *n no pl* (*balance*) Symmetrie *f;* (*evenness*) Ebenmäßigkeit *f;* (*correspondence*) Übereinstimmung *f;* MATH Symmetrie *f*

sym·pa·thet·ic [ˌsɪmpə'θetɪk] *adj* ❶ (*understanding*) verständnisvoll; ▪**to be ~ about sth** für etw *akk* Verständnis haben; (*sympathizing*) mitfühlend, teilnahmsvoll; **to lend a ~ ear to sb** ein offenes Ohr für jdn haben ❷ (*likeable*) *fictional characters* sympathisch ❸ (*approving*) wohlgesinnt; ▪**to be ~ to[wards] sb/sth** mit jdm/etw sympathisieren

S

sym·pa·theti·cal·ly [ˌsɪmpə'θetɪkᵊli] *adv* (*understanding*) verständnisvoll; (*sympathizing*) teilnahmsvoll

sym·pa·thize ['sɪmpəθaɪz] *vi* ❶ (*show understanding*) Verständnis haben; (*show compassion*) Mitleid haben, mitfühlen ❷ (*agree with*) sympathisieren

sym·pa·thiz·er ['sɪmpəθaɪzəʳ] *n* Sympathisant(in) *m(f)*

sym·pa·thy ['sɪmpəθi] *n* ❶ *no pl* (*compassion*) Mitleid *nt* (**for** mit); (*commiseration*) Mitgefühl *nt*; (*understanding*) Verständnis *nt* ❷ *no pl* (*agreement*) Übereinstimmung *f*; (*affection*) Sympathie *f* (**with** für) ❸ (*condolences*) ■**sympathies** *pl* Beileid *nt kein pl*

sym·phon·ic [sɪm'fɒnɪk] *adj* symphonisch, sinfonisch

sym·pho·ny ['sɪm(p)fəni] *n* Symphonie *f*, Sinfonie *f*; (*orchestra*) Symphonieorchester *nt*, Sinfonieorchester *nt*

'sym·pho·ny con·cert *n* Symphoniekonzert *nt*, Sinfoniekonzert *nt* **'sym·pho·ny or·ches·tra** *n* Symphonieorchester *nt*, Sinfonieorchester *nt*

sym·po·sium <*pl* -s *or* -sia> [sɪm-'pəʊziəm, *pl* -ziə] *n* (*form*) Symposium *nt*, Symposion *nt*

symp·tom ['sɪm(p)təm] *n* ❶ MED Symptom *nt*, Krankheitszeichen *nt* ❷ (*fig: indicator*) [An]zeichen *nt*, Symptom *nt geh*

symp·to·mat·ic [ˌsɪm(p)tə'mætɪk] *adj* symptomatisch

syna·gogue ['sɪnəgɒg] *n* Synagoge *f*

syn·chro·ni·za·tion [ˌsɪŋkrənaɪzeɪʃᵊn] *n no pl* ❶ (*state*) Synchronisation *f*, Übereinstimmung *f*; **to be in ~** völlig synchron sein, in völliger Übereinstimmung sein ❷ (*process*) Synchronisation *f*, zeitliches Zusammentreffen

syn·chro·nize ['sɪŋkrənaɪz] **I.** *vt* aufeinander abstimmen **II.** *vi* zeitlich zusammenfallen

syn·chro·nous ['sɪŋkrənəs] *adj* gleichzeitig, synchron

syn·co·pate ['sɪŋkəpeɪt] *vt* MUS synkopieren

syn·di·cate **I.** *n* ['sɪndɪkət] ❶ + *sing/pl vb* COMM, FIN Syndikat *nt*, Verband *m* ❷ JOURN Pressesyndikat *nt* **II.** *vt* ['sɪndɪkeɪt] ❶ JOURN an mehrere Zeitungen verkaufen ❷ (*finance*) über ein Syndikat finanzieren

syn·di·ca·tion [ˌsɪndɪ'keɪʃᵊn] *n no pl* ❶ JOURN Verkauf *m* an mehrere Zeitungen ❷ (*financing*) Finanzierung *f* durch ein Syndikat

syn·drome ['sɪndrəʊm] *n* MED (*also fig*) Syndrom *nt*

syn·er·gism ['sɪnədʒɪzᵊm], **syn·er·gy** ['sɪnədʒi] *n no pl* Synergismus *m*; (*energy*) Synergie *f*

syn·od ['sɪnəd] *n* Synode *f*

syno·nym ['sɪnənɪm] *n* Synonym *nt*

syn·ony·mous [sɪ'nɒnɪməs] *adj* synonym

syn·op·sis <*pl* -ses> [sɪ'nɒpsɪs, *pl* -siːz] *n* Zusammenfassung *f*

syn·tac·tic [sɪn'tæktɪk] *adj* syntaktisch, Syntax-

syn·tax ['sɪntæks] *n no pl* Syntax *f*

syn·the·sis <*pl* -theses> ['sɪn(t)θəsɪs, *pl* -siːz] *n* ❶ (*combination*) Synthese *f*, Verbindung *f* ❷ *no pl* SCI (*creation*) Synthese *f*

syn·the·size ['sɪn(t)θəsaɪz] *vt* künstlich herstellen, synthetisieren *fachspr*

syn·the·siz·er ['sɪn(t)θəsaɪzəʳ] *n* Synthesizer *m*

syn·thet·ic [sɪn'θetɪk] **I.** *adj* ❶ (*man-made*) synthetisch, künstlich; **~ fibre** Kunstfaser *f* ❷ (*fig, pej: fake*) künstlich, gekünstelt **II.** *n* synthetischer Stoff

syphi·lis ['sɪfɪlɪs] *n no pl* Syphilis *f*

syphi·lit·ic [ˌsɪfɪ'lɪtɪk] *adj* syphilitisch

sy·phon ['saɪfᵊn] *n see* **siphon**

Syria ['sɪriə] *n* Syrien *nt*

Syr·ian ['sɪriən] **I.** *adj* syrisch **II.** *n* Syr[i]er(in) *m(f)*

sy·ringe [sɪ'rɪndʒ] MED **I.** *n* Spritze *f* **II.** *vt* [aus]spülen

syr·up ['sɪrəp] *n no pl* ❶ (*sauce*) Sirup *m* ❷ (*medicine*) Saft *m*, Sirup *m*

syr·upy ['sɪrəpi] *adj* ❶ (*usu pej*) *food* süßlich ❷ (*pej: overly sweet*) zuckersüß *fig*; (*sentimental*) sentimental, rührselig

sys·tem ['sɪstəm] *n* System *nt*

sys·tem·at·ic [ˌsɪstə'mætɪk] *adj* systematisch

sys·tem·ati·cal·ly [ˌsɪstə'mætɪkᵊli] *adv* systematisch

sys·tema·tize ['sɪstəmətaɪz] *vt* systematisieren

'sys·tem check *n* Systemüberprüfung *f* **'sys·tem crash** *n* COMPUT Systemabsturz *m* **'sys·tem disk** *n* Systemdiskette *f* **'sys·tem er·ror** *n* Systemfehler *m* **'sys·tem reg·is·try** *n* Systemregistrierung *f*

sys·tems a·naly·sis *n* Systemanalyse *f* **sys·tems 'ana·lyst** *n* Systemanalytiker(in) *m(f)*

sys·tem 'soft·ware *n* Systemsoftware *f*

T t

T <*pl* -'s *or* -s>, **t** <*pl* -'s> [ti:] *n* T *nt*, t *nt;*
see also **A 1** ▸ **to a ~** (*fam*) **that fits him
to a ~** das passt ihm wie angegossen; **that's
Philip to a ~** das ist Philip, wie er leibt und
lebt

t *n abbrev of* **metric ton** t

ta [tɑ:] *interj* ❶ BRIT (*fam: thanks*) danke
❷ AM (*expression of disbelief*) echt

tab [tæb] **I.** *n* ❶ (*flap*) Lasche *f;* (*on file*)
[Kartei]reiter *m* ❷ COMPUT Schreibschutz *m*
❸ (*fam: bill*) Rechnung *f;* **to pick up the ~**
die Rechnung übernehmen ❹ AM (*ring
pull*) Dosenring *m* ▸ **to keep ~s on sth/
sb** etw/jdn [genau] im Auge behalten **II.** *vi*
<-bb-> COMPUT mit dem Tabulator sprin-
gen

tab·by ['tæbi] **I.** *adj* (*with stripes*) cat geti-
gert **II.** *n* (*striped*) Tigerkatze *f*

tab·er·nac·le ['tæbə͵nækl] *n* ❶ (*old form:
Jewish place of worship*) Stiftshütte *f*
❷ (*container*) Tabernakel *m* ❸ (*Christian
church*) Kirche *f*

'tab key *n* COMPUT Tabulatortaste *f*

ta·ble ['teɪbl] *n* ❶ (*furniture*) Tisch *m;* **to
lay the ~** den Tisch decken ❷ (*fig: people*)
Tischrunde *f* ❸ (*information*) Tabelle *f;*
(*list*) Verzeichnis *nt* ▸ **to drink someone
under the ~** jdn unter den Tisch trinken;
to lay sth on the ~ etw vorlegen; **to turn
the ~s on sb** jdm gegenüber den Spieß
umdrehen

'ta·ble·cloth *n* Tischtuch *nt* **'ta·ble·
land** *n* Hochebene *f* **'ta·ble lin·en** *n no
pl* Tischwäsche *f* **'ta·ble man·ners** *npl*
Tischmanieren *pl* **'ta·ble mat** *n* Platzdeckchen *nt* **'ta·ble·spoon** *n* (*for measuring*) Esslöffel *m;* (*for serving*) Servierlöf-
fel *m*

tab·let ['tɒblət] *n* ❶ (*pill*) Tablette *f;* **sleeping ~** Schlaftablette *f* ❷ (*flat slab*) Block *m;*
of metal Platte *f;* (*commemorative*)
[Gedenk]tafel *f;* **~ of soap** BRIT Stück *nt*
Seife ❸ (*writing pad*) Notizblock *m*

'ta·ble talk *n* Tischgespräch *nt* **'ta·ble
ten·nis** *n no pl* Tischtennis *nt*

Tab·let P'C *n* COMPUT, INET Tablet PC *m*

'ta·ble·ware *n no pl* (*form*) Tafelgeschirr,
Besteck und Gläser **'ta·ble wine** *n* Tafel-
wein *m*

tab·loid ['tæblɔɪd] *n* Boulevardzeitung *f*
tab·loid 'press *n no pl* Regenbogenpresse *f
fam*, Boulevardpresse *f*

ta·boo [təˈbu:], **tabu I.** *n* Tabu *nt;* **to
break a ~** gegen ein Tabu verstoßen **II.** *adj*

tabu, Tabu-; **a ~ subject** ein Tabuthema *nt*

tabu·lar ['tæbjələ^r] *adj* tabellarisch

tabu·late ['tæbjəleɪt] *vt* (*form*) tabellarisch
[an]ordnen

tabu·la·tor ['tæbjəleɪtə^r] *n* (*form*) ❶ (*tab
key*) Tabulator *m* ❷ (*processor*) Tabellen-
prozessor *m*

tacho·graph ['tækə(ʊ)grɑ:f] *n* Fahrten-
schreiber *m*

ta·chom·eter [tækˈɒmɪtə^r] *n* Tachometer *m*, Tacho *m fam*

tac·it ['tæsɪt] *adj agreement, approval, consent* stillschweigend

tac·it·ly ['tæsɪtli] *adv* stillschweigend

taci·turn ['tæsɪtɜ:n] *adj* schweigsam

taci·turn·ity [͵tæsɪˈtɜ:nɪti] *n no pl* (*form*)
Schweigsamkeit *f*

tack [tæk] **I.** *n* ❶ (*nail*) kurzer Nagel; (*pin*)
Reißzwecke *f* ❷ *no pl* (*riding gear*) Sattel-
und Zaumzeug *nt* ❸ NAUT Schlag *m* ❹ (*approach*) Weg *m;* **to try a different ~** eine
andere Richtung einschlagen ❺ (*loose
stitch*) Heftstich *m* **II.** *vt* ❶ (*nail down*)
festnageln ❷ (*sew loosely*) anheften; *hem*
heften **III.** *vi* NAUT wenden

tack·le ['tækl] **I.** *n no pl* ❶ (*gear*) Ausrüstung *f;* NAUT Tauwerk *nt;* **fishing ~** Angel-
ausrüstung *f* ❷ (*lifting device*) Winde *f;*
block and ~ Flaschenzug *m* ❸ SPORTS Angriff *m* ❹ AM (*line position*) Halbstür-
mer(in) *m(f)* ❺ BRIT (*sl: genitals*) Gehän-
ge *nt* **II.** *vt* ❶ (*deal with*) in Angriff nehmen; *problem* angehen; (*manage*) fertigwerden (mit); ■ **to ~ sb** [**about sth**] jdn
[wegen einer S. *gen*] zur Rede stellen
❷ SPORTS ■ **to ~ sb** jdn angreifen

tacky¹ ['tæki] *adj* (*sticky*) klebrig

tacky² ['tæki] *adj esp* AM (*pej fam*) ❶ (*in
bad taste*) billig ❷ (*shoddy*) schäbig

tact [tækt] *n no pl* (*diplomacy*) Taktgefühl *nt;* (*sensitiveness*) Feingefühl *nt*

tact·ful ['tæktfºl] *adj* taktvoll

tac·tic ['tæktɪk] *n* ❶ (*strategy*) Taktik *f;*
delaying ~s Verzögerungstaktik *f;* **dubious ~s** zweifelhafte Methoden ❷ MIL ■ **~s**
+ *sing/pl vb* Taktik *f kein pl*

tac·ti·cal ['tæktɪkºl] *adj also* MIL, POL taktisch; (*skilful*) geschickt

tac·ti·cal·ly ['tæktɪkºli] *adv* taktisch; **to
vote ~** POL taktisch wählen, eine Wahltak-
tik verfolgen

tac·ti·cian [tækˈtɪʃºn] *n* Taktiker(in) *m(f)*

tac·tile ['tæktaɪl] *adj* (*form*) ❶ BIOL Tast-;
~ sense Tastsinn *m* ❷ (*tangible*) tastbar

❸(*pleasing to touch*) ~ **materials** sich angenehm anfühlende Materialien

tact·less ['tæktləs] *adj* taktlos

tact·less·ness ['tæktləsnəs] *n no pl* Taktlosigkeit *f*

tad [tæd] *n no pl* (*fam*) **a ~ more/less** etwas mehr/weniger

tad·pole ['tædpəʊl] *n* Kaulquappe *f*

taf·fe·ta ['tæfɪtə] *n no pl* Taft *m*

tag [tæg] **I.** *n* ❶(*label*) Schild[chen] *nt;* (*on food, clothes*) Etikett *nt;* (*on suitcase*) [Koffer]anhänger *m;* (*fam*) **price ~** Preisschild *nt* ❷ AM (*number-plate*) Nummernschild *nt* ❸(*electronic device*) for person elektronische Fessel; *for thing* Sicherungsetikett *nt* ❹ *no pl* (*children's game*) Fangen *nt* **II.** *vt* <-gg-> ❶(*label*) mit einem Schild versehen; *suitcase* mit Anhänger versehen ❷(*electronically*) ▪**to ~ sb** jdm eine elektronische Fessel anlegen; ▪**to ~ sth** ein Sicherungsetikett an etw *akk* anbringen ❸ COMPUT markieren ◆**tag along** *vi* (*fam*) hinterherlaufen

ta·glia·tel·le [ˌtæljə'teli] *n no pl* Tagliatelle *pl*

tail [teɪl] **I.** *n* ❶(*of animal*) Schwanz *m; of horse also* Schweif *m geh; of bear, badger, wild boars* Bürzel *m;* **to wag one's ~** mit dem Schwanz wedeln ❷(*fig: rear*) Schwanz *m; of aeroplane also* Rumpfende *nt; of car* Heck *nt;* **to be/keep on sb's ~** jdm auf den Fersen sein/bleiben; **to have sb on one's ~** jdn auf den Fersen haben ❸ FASHION (*fam*) ▪**~s** *pl* Frack *m* ❹(*reverse of coin*) ▪**~s** *pl* Zahlseite *f;* **heads or ~s?** Kopf oder Zahl? ❺(*fam: person following sb*) Beschatter(in) *m(f);* **to put a ~ on sb** jdn beschatten lassen ▶**to not be able to make heads or ~s of sth** aus etw *dat* nicht schlau werden; **to go off with one's ~ between one's legs** sich mit eingezogenem Schwanz davonschleichen *fam* **II.** *vt* ❶(*remove the stalks of fruit*) putzen ❷(*fam*) beschatten ◆**tail back** *vi* BRIT sich stauen ◆**tail off** *vi* nachlassen; *sound, voice* schwächer werden; *interest* zurückgehen; *race participant* zurückfallen

'**tail·back** *n* BRIT [Rück]stau *m* '**tail·board** *n* BRIT Ladeklappe *f; of van* Laderampe *f* **tail 'end** *n* Ende *nt,* Schluss *m* '**tail·gate I.** *n* AM, AUS (*tailboard*) Heckklappe *f; of lorry* Ladeklappe *f; of van* Laderampe *f* **II.** *vt, vi esp* AM (*fam*) [zu] dicht auffahren **tail·less** ['teɪləs] *adj* schwanzlos '**tail light** *n* Rücklicht *nt*

tai·lor ['teɪlə'] **I.** *n* Schneider(in) *m(f);* ~**'s chalk** Schneiderkreide *f;* ~**'s dummy** Schneiderpuppe *f* **II.** *vt* ❶(*make clothes*) [nach Maß] schneidern ❷(*modify*) *to sb's needs* abstimmen

tai·lor-'made *adj* ❶(*made-to-measure*) maßgeschneidert; **to have sth ~** [sich *dat*] etw [maß]schneidern lassen ❷(*fig: suited*) ▪**to be ~ for sb/sth** für jdn/etw *akk* maßgeschneidert sein

'**tail·piece** *n* ❶(*addition*) Anhang *m* ❷ AVIAT Heck *nt* ❸ TYPO Schlussvignette *f* ❹ MUS Saitenhalter *m* '**tail·pipe** *n* AM AUTO Auspuffrohr *nt* '**tail·spin I.** *n* AVIAT (*also fig*) Trudeln *nt kein pl* **II.** *vi irreg* abtrudeln '**tail wind** *n* Rückenwind *m*

taint [teɪnt] **I.** *n no pl* (*flaw*) Makel *m;* (*trace*) Spur *f* **II.** *vt* (*also fig*) verderben; **to ~ sb's reputation** jds Ruf beflecken

Tai·wan [ˌtaɪ'wɒn] *n* Taiwan *nt*

Tai·wan·ese [ˌtaɪwə'niːz] **I.** *adj* taiwanisch **II.** *n* Taiwaner(in) *m(f)*

Ta·jiki·stan [tɑːˈdʒiːkiˈstɑːn] *n* Tadschikistan *nt*

take [teɪk] **I.** *n* ❶ *no pl* (*money received*) Einnahmen *pl* ❷(*filming of a scene*) Take *m o nt fachspr* ▶**to be on the ~** AM (*fam*) Bestechungsgelder nehmen **II.** *vt* <took, taken> ❶(*accept*) *advice, bet, offer* annehmen; *credit card, criticism* akzeptieren; **to ~ responsibility** [**for sth**] die Verantwortung [für etw *akk*] übernehmen; **to ~ sth badly/well** etw schlecht/gut aufnehmen; **to ~ sth seriously** etw ernst nehmen ❷(*transport*) bringen; **to ~ sb to hospital/the station/home** jdn ins Krankenhaus/zum Bahnhof/nach Hause fahren ❸(*seize*) nehmen; **to ~ sb by the hand/throat** jdn bei der Hand nehmen/am Kragen packen; **to ~ hold of sb** (*fig*) jdn ergreifen ❹(*tolerate*) ertragen; *abuse, insults* hinnehmen; **to be able to ~ a joke** einen Spaß verstehen ❺(*hold*) aufnehmen; **my car ~s five people** mein Auto hat Platz für fünf Leute ❻(*require*) erfordern; **I ~** [**a**] **size five** ich habe Schuhgröße fünf; ▪**it ~s ...** man braucht ...; **hold on, it won't ~ long** warten Sie, es dauert nicht lange; **to ~ one's time** sich *dat* Zeit lassen ❼(*receive*) erhalten, bekommen ❽(*remove*) [weg]nehmen; (*steal also*) stehlen; *chess piece* schlagen; MATH abziehen ❾(*travel by*) nehmen; **to ~ the bus/car/train** mit dem Bus/Auto/Zug fahren ❿(*eat, consume*) zu sich *dat* nehmen; *medicine* einnehmen; *city* einnehmen; *power* ergreifen ⓬(*assume*) **to ~ office** ein Amt antreten ⓭ BRIT, AUS (*teach*) unterrichten; **Mr Williams ~s us for geography** in

Erdkunde haben wir Herrn Williams ⓮(*have*) **to ~ a rest/walk** eine Pause/einen Spaziergang machen ⓯ BRIT (*sit exam*) **to ~ an exam** eine Prüfung ablegen ⓰(*feel*) **to ~ notice of sb/sth** jdn/etw beachten; **to ~ offence** beleidigt sein; **to ~ pity on sb/sth** mit jdm/etw *dat* Mitleid haben ⓱(*earn*) einnehmen ⓲(*write*) **to ~ notes** sich *dat* Notizen machen ⓳(*photograph*) **to ~ pictures** Bilder machen, fotografieren ⓴(*for example*) **~ last week/me, ...** letzte Woche/ich zum Beispiel ... ㉑(*assume to be*) **I ~ it** [**that**] ... ich nehme an, [dass] ... ㉒(*understand*) **to ~ sb's/the point** jds/den Standpunkt verstehen; **point ~n** [habe] verstanden ▸ **to ~ sb by surprise** jdn überraschen; **to ~ it as it comes** es nehmen, wie es kommt; **she's got what it ~s** sie kann was; **what do you ~ me for?** wofür hältst du mich? **III.** *vi* <took, taken> ❶(*have effect*) wirken; *plant* angehen; *dye* angenommen werden; *medicine* anschlagen ❷(*become*) **to ~ ill** krank werden ◆**take aback** *vt* (*surprise*) verblüffen; (*shock*) schockieren; ■**to be ~n aback** verblüfft sein ◆**take after** *vi* ■**to ~ after sb** nach jdm kommen ◆**take along** *vt* ■**to ~** mitnehmen ◆**take apart** **I.** *vt* ❶(*disassemble*) ■**to ~ apart** ○ **sth** etw auseinandernehmen ❷(*fam: analyse critically*) ■**to ~ apart** ○ **sb/sth** jdn/etw auseinandernehmen **II.** *vi* zerlegbar sein ◆**take away** *vt* ❶(*remove, deprive of*) [weg]nehmen; **to ~ away sb's fear/pain** jdm die Angst/den Schmerz nehmen ❷(*lead away*) ■**to ~ away** ○ **sb** jdn mitnehmen; *police* jdn abführen ❸ BRIT, AUS *food* mitnehmen; **to ~ away** zum Mitnehmen ❹(*subtract from*) ■**to ~ away** ○ **sth from sth** etw von etw *dat* abziehen; **10 ~ away 7** 10 weniger 7 ▸ **to ~ sb's breath away** jdm den Atem verschlagen ◆**take back** *vt* ❶(*retract*) zurücknehmen ❷(*return*) [wieder] zurückbringen; **to ~ sb back** [**home**] jdn nach Hause bringen ❸(*transmit in thought*) zurückversetzen (**to** in) ❹(*repossess*) [sich *dat*] zurückholen; *territory* zurückerobern ◆**take down** *vt* ❶(*write down*) [sich *dat*] notieren; *particulars* aufnehmen; **to ~ down notes** sich *dat* Notizen machen ❷(*remove*) abnehmen; (*remove from higher position*) herunternehmen; *curtains, picture* abhängen ❸(*disassemble*) *tent* abschlagen; *scaffolding* abbauen ❹(*bring downstairs*) hinunterbringen ❺(*lower*) *flag* einholen ◆**take in** *vt* ❶(*bring inside*) *person* hineinführen; *sth*

hineinbringen ❷(*accommodate*) aufnehmen; *child* zu sich *dat* nehmen; **to ~ in lodgers** Zimmer vermieten ❸(*admit*) *hospital* aufnehmen; *university* zulassen ❹(*bring to police station*) festnehmen; **they took the suspect in for questioning** sie nahmen den Verdächtigen zum Verhör mit auf die Wache ❺(*deceive*) hereinlegen; ■**to be ~n in** [**by sb/sth**] sich [von jdm/etw] täuschen lassen ❻(*understand*) aufnehmen; **to ~ in a situation** eine Situation erfassen ❼(*include*) einschließen ❽(*have examined or repaired*) zur Reparatur bringen ❾(*absorb*) aufnehmen; *nutrients, vitamins* zu sich *dat* nehmen ❿ FASHION enger machen ◆**take off** **I.** *vt* ❶(*remove*) abnehmen; *clothes* ausziehen; *coat also* ablegen; *hat* absetzen; **to ~ sth off the market** etw vom Markt nehmen; **to ~ sth off the menu** etw von der Speisekarte streichen; ■**to ~ sth off sb** (*fam*) jdm etw wegnehmen ❷(*bring away*) **he was ~n off to hospital** er wurde ins Krankenhaus gebracht ❸(*stop*) **to ~ sb off a diet** jdn von einer Diät absetzen; **to ~ a play off** ein Stück absetzen ❹(*not work*) **to ~ time off** [**work**] [sich *dat*] freinehmen ❺(*subtract*) abziehen ❻ BRIT (*imitate*) ■**to ~ off** ○ **sb** jdn nachmachen **II.** *vi* ❶(*leave the ground*) abheben ❷(*fam: leave*) verschwinden; (*flee*) abhauen ❸(*have sudden success*) *idea, plan, project* ankommen; *product also* einschlagen ◆**take on** *vt* ❶(*agree to do*) *responsibility* auf sich nehmen; *work, job* annehmen ❷(*assume*) *colour, expression* annehmen ❸(*employ*) einstellen ❹(*compete against*) antreten (gegen) ❺(*load*) *goods* laden; *passengers* aufnehmen ◆**take out** *vt* ❶(*remove*) herausnehmen ❷(*bring outside*) hinausbringen; **to ~ out the rubbish** [*or* AM **trash**] den Müll hinausbringen ❸(*invite*) ausführen; **to ~ sb out for dinner/for a drink** jdn zum Abendessen/auf einen Drink einladen ❹ AM (*take away*) mitnehmen ❺(*deduct*) herausnehmen; **to ~ time out** sich *dat* eine Auszeit nehmen ❻(*obtain*) *insurance* abschließen; *loan* aufnehmen; *money* abheben ❼(*vent anger*) ■**to ~ sth out on sb** etw an jdm auslassen *fam* ❽(*fam: exhaust*) ■**to ~ a lot out of sb** jdn sehr anstrengen ◆**take over** **I.** *vt* ❶(*seize control*) übernehmen; (*fig*) in Beschlag nehmen; *power* ergreifen; **to be ~n over by an idea/the devil** (*fig*) von einer Idee/vom Teufel besessen sein ❷(*assume*) ■**to ~ over** ○ **sth** [**for sb**] etw [für jdn] übernehmen **II.** *vi* (*assume responsibility*) ■to ~ over [from sb] jdn ablösen; **the night shift ~ s over at six o'clock** die Nachtschicht übernimmt um achtzehn Uhr ◆**take to** *vi* ❶ (*start to like*) ■to ~ to sb/sth an jdm/etw Gefallen finden ❷ (*begin as a habit*) anfangen; ■to ~ to doing sth anfangen etw zu tun; **to ~ to drink/drugs** anfangen zu trinken/ Drogen zu nehmen ❸ (*go to*) **to ~ to one's bed** sich ins Bett legen; **to ~ to the hills** in die Berge flüchten ▶**to ~ to sth like a <u>duck</u> to water** wie etw *dat* gleich in seinem Element sein ◆**take up I.** *vt* ❶ (*bring up*) hinaufbringen; *floorboards, carpet* herausreißen; (*shorten*) kürzen ❷ (*pick up*) aufheben; **to ~ up arms against sb** die Waffen gegen jdn erheben ❸ (*start doing*) anfangen; *job* antreten; **to ~ up the piano/fishing** anfangen Klavier zu spielen/zu angeln ❹ (*start to discuss*) ■to ~ sth up with sb etw mit jdm erörtern; **to ~ up a point/question** einen Punkt/eine Frage aufgreifen ❺ (*accept*) *challenge, offer* annehmen; *opportunity* wahrnehmen; **to ~ sb up on an invitation/offer/suggestion** auf jds Einladung/Angebot/Vorschlag zurückkommen ❻ (*continue*) fortführen; **he took up reading where he had left off last night** er las da weiter, wo er am Abend vorher aufgehört hatte ❼ (*occupy*) **my job ~ s up all my time** mein Beruf frisst meine ganze Zeit auf; **to ~ up room/space** Raum einnehmen **II.** *vi* (*start to associate with*) ■to ~ up with sb sich mit jdm einlassen *meist pej*

'**take·away** *n* BRIT, AUS ❶ (*shop*) Imbissbude *f* ❷ (*food*) Essen *nt* zum Mitnehmen; **Chinese ~** chinesisches Essen zum Mitnehmen **take-home** '**pay** *n no pl* Nettoeinkommen *nt; of employee* Nettogehalt *nt; of worker* Nettolohn *m*

tak·en ['teɪkⁿn] **I.** *vt, vi pp of* take **II.** *adj pred* begeistert; ■to be ~ with sb/sth von jdm/etw angetan sein

'**take-off** *n* ❶ AVIAT Start *m;* **to be ready for ~** startklar sein ❷ BRIT, AUS (*imitation*) Parodie *f* (**of** auf) ❸ SPORTS Absprungstelle *f* '**take-out** *n* AM *see* takeaway '**take-over** *n* Übernahme *f* '**take-over bid** *n* Übernahmeangebot *nt*

tak·er ['teɪkə'] *n* ❶ (*at betting*) Wettende(r) *f(m); any ~s?* wer nimmt die Wette an? ❷ (*at an auction*) Interessent(in) *m(f);* (*when buying*) Käufer(in) *m(f); any ~s?* wer bietet? ❸ (*fig: person interested in an offer*) Interessent(in) *m(f)*

tak·ing ['teɪkɪŋ] **I.** *n* MED (*consumption*)

Einnahme *f* ▶**to be <u>there</u> for the ~** (*for free*) zum Mitnehmen sein; (*not settled*) offen sein **II.** *adj* einnehmend

tak·ings ['teɪkɪŋz] *npl* Einnahmen *pl*

talc [tælk], **tal·cum** ['tælkəm] **I.** *n no pl* ❶ MED Talkpuder *m;* (*perfumed*) Körperpuder *m* ❷ (*mineral*) Talk *m* **II.** *vt* [ein]pudern

'**tal·cum pow·der** *n no pl* Körperpuder *m*

tale [teɪl] *n* ❶ (*story*) Geschichte *f;* LIT Erzählung *f;* (*true story*) Bericht *m;* **fairy ~** Märchen *nt* ❷ (*lie*) Märchen *nt;* (*gossip*) Geschichte[n] *f[pl];* **tall ~s** Lügenmärchen *pl;* **to tell ~s** petzen; (*dated: tell lies*) Märchen erzählen ▶**to <u>live</u> to tell the ~** (*also hum fam*) überleben; **to <u>tell</u> its own ~** für sich sprechen

tal·ent ['tælənt] *n* ❶ (*natural ability*) Talent *nt*, Begabung *f;* **of great ~** sehr talentiert ❷ *no pl* (*talented person*) Talente *pl;* **new/promising/young ~** neue/viel versprechende/junge Talente

tal·ent·ed ['tæləntɪd] *adj* begabt

Tali·ban ['tælɪbæn] *n no pl* Taliban *f*

tal·is·man <*pl* -s> ['tælɪzmən] *n* Talisman *m*

talk [tɔːk] **I.** *n* ❶ (*discussion*) Gespräch *nt;* (*conversation*) Unterhaltung *f;* (*private*) Unterredung *f;* **to have a ~ with sb** mit jdm reden; (*conversation*) sich mit jdm unterhalten; **heart-to-heart ~** offene Aussprache ❷ (*lecture*) Vortrag *m* ❸ *no pl* (*discussion*) Reden *nt;* (*things said*) Worte *pl;* **to make small ~** Konversation betreiben ❹ (*formal discussions*) ■~s *pl* Gespräche *pl;* **peace ~s** Friedensverhandlungen *pl* **II.** *vi* ❶ (*speak*) sprechen, reden (**about** über, **to** mit); (*converse*) sich unterhalten; **to ~ to sb on the phone** mit jdm telefonieren; ■to ~ to oneself Selbstgespräche führen ❷ (*imitate speech*) *parrot* plappern *fam* ▶**to be ~ing through one's <u>hat</u>** (*pej! fam*) nur so daherreden; **<u>look</u> who's ~ing** (*fam*) du hast es gerade nötig, etwas zu sagen; **~ <u>ing</u> of sb/sth ...** *esp* BRIT wo wir gerade von jdm/etw *dat* reden ... **III.** *vt* (*fam: discuss*) **to ~ business/money/politics** über Geschäfte/Geld/Politik sprechen ▶**to be able to ~ the hind leg[s] off a <u>donkey</u>** BRIT (*fam*) jdm ein Loch in den Bauch reden können; **to ~ <u>nonsense</u>** (*pej*) Unsinn reden; **to ~ a blue <u>streak</u>** AM ohne Punkt und Komma reden *fam;* **to ~ <u>turkey</u>** *esp* AM (*fam*) offen reden; **~ <u>about</u> ...** so was von ... *fam* ◆**talk back** *vi* eine freche Antwort geben ◆**talk down I.** *vt* (*dissuade*) ■to ~ sb down from sth jdm etw ausreden **II.** *vi* (*pej*) ■to ~ down to sb mit jdm herablassend reden ◆**talk out** vt ❶ (dis-cuss thoroughly) ■**to ~ out** ○ sth etw ausdiskutieren ❷ (be persuasive) **to ~ one's way out of sth** sich aus etw dat herausreden ❸ (convince not to) ■**to ~ sb out of sth** jdm etw ausreden ◆**talk over** vt durchsprechen ◆**talk round** I. vt (convince) ■**to ~ sb round** jdn überreden (**to** zu) II. vi ■**to ~** [a]**round sth** um etw akk herumreden ◆**talk through** vt ❶ (discuss thoroughly) durchsprechen ❷ (reassure with talk) ■**to ~ sb through sth** jdm bei etw dat gut zureden

talka·tive ['tɔːkətɪv] adj gesprächig, redselig

talka·tive·ness ['tɔːkətɪvnəs] n Gesprächigkeit f, Redseligkeit f

talk·er ['tɔːkə'] n (person who speaks) Sprechende(r) f(m); (talkative person) Schwätzer(in) m(f) pej

talk·ing ['tɔːkɪŋ] I. adj sprechend II. n no pl Sprechen nt; **"no ~, please!"** „Ruhe bitte!"; **to let sb** [**else**] **do the ~** das Reden jd anderem überlassen

'**talk·ing shop** n BRIT (fig fam) Gruppe von Personen, die nur redet und nicht handelt

'**talk·ing-to** n (pej) Standpauke f fam; **to give sb a** [**good**] **~** jdm eine [ordentliche] Standpauke halten

'**talk show** n Talkshow f

tall [tɔːl] adj ❶ (high) building, fence, grass, ladder, tree hoch; person groß; **to be six feet ~** 1,83 m groß sein; **to grow ~** groß werden ❷ (long) rod, stick, stalk lang ❸ (fig: considerable) amount, price ziemlich hoch ❹ (fig: confident) **to stand ~** selbstbewusst auftreten ❺ (fig: unlikely) unglaublich; **~ story** unglaubliche Geschichte ❻ (fig: difficult) problem schwer

'**tall·boy** n ❶ BRIT (chest) hohe Kommode; (chest on chest) Doppelkommode f; (closet) Kleiderschrank m ❷ (piece of chimney) Zugaufsatz m ❸ (glass) langstieliges Trinkglas

tall·ness ['tɔːlnəs] n no pl of person Größe f; of building, plant Höhe f; of stick Länge f

tal·low ['tæləʊ] n no pl Talg m; MECH, TECH Schmiere f

tal·ly¹ <-ie-> ['tæli] I. vi figures, statements, signatures übereinstimmen (**with** mit) II. vt COMM ❶ (count) ■**to ~** [**up**] **sth** amounts, sums etw zusammenzählen; ❷ (check off) goods, items nachzählen; NAUT (register) cargo, load, shipment kontrollieren; SPORTS point, score notieren ❸ (mark) goods auszeichnen

tal·ly² ['tæli] n usu sing ❶ (list for goods)

Stückliste f; (for single item) [Zähl]strich m; (account) Abrechnung f ❷ (mark on goods) Auszeichnung f ❸ (count) [zahlenmäßige] Aufstellung; **to keep a ~** eine [Strich]liste führen

tal·ly-ho [ˌtæli'həʊ] interj ■**~!** (when sighting game) halali!; (when facing a challenge) auf geht's!

tal·on ['tælən] n ❶ ORN (claw) Klaue f; ANAT (finger) Finger m ❷ BRIT STOCKEX Erneuerungsschein m ❸ CARDS Talon m fachspr; (in dealing also) Kartenrest m; (in gambling also) Kartenstock m ❹ ARCHIT (groove) Hohlkehle f

tama·rind ['tæmᵊrɪnd] n (tree) Tamarinde f; (fruit) Frucht f der Tamarinde

tama·risk ['tæmᵊrɪsk] n Tamariske f

tam·bour ['tæmbʊə'] n ❶ MUS (instrument) Trommel f; (musician) Trommler(in) m(f) ❷ ARCHIT Säulentrommel f

tam·bou·rine [ˌtæmbᵊr'iːn] n Tamburin nt

tame [teɪm] I. adj ❶ (domesticated) zahm; (harmless) friedlich ❷ (tractable) child folgsam; person fügsam; (under control) elements, river gezähmt ❸ (unexciting) book, joke, person lahm; criticism, report zahm II. vt (also fig) person, river, animal zähmen, bändigen; anger, curiosity, hunger bezähmen; impatience, passion zügeln

tam·er ['teɪmə'] n Tierbändiger(in) m(f); **lion-~** Löwenbändiger(in) m(f)

tamp [tæmp] vt ❶ (fill) [zu]stopfen; pipe stopfen; MIN verdämmen ❷ (compact) ■**to ~ sth** [**down**] etw [fest]stampfen; tobacco festklopfen; concrete, loam stampfen

tam·per ['tæmpə'] vi ■**to ~ with sth** ❶ (handle improperly) an etw dat herummachen fam ❷ (manipulate) etw [in betrügerischer Absicht] verändern

'**tam·per-proof** adj, **tam·per re·**'**sist·ant** adj Sicherheits-; **~ cap/lock** Sicherheitsverschluss m/-schloss nt

tam·pon ['tæmpɒn] n Tampon m

tan¹ [tæn] n <-nn-> braun werden II. vt <-nn-> ❶ (make brown) bräunen; **to be ~ned** braun gebrannt sein ❷ CHEM (convert) hides, leather gerben III. n ❶ (brown colour of skin) [Sonnen]bräune f; **to get a ~** braun werden ❷ (light brown) Gelbbraun nt ❸ CHEM (agent) Gerbstoff m; (bark) [Gerber]lohe f fachspr IV. adj clothing, shoes gelbbraun

tan² [tæn] MATH short for **tangent** tan

tan·dem ['tændəm] I. n ❶ (vehicle) as bicycle Tandem nt; as carriage [Wagen]gespann nt; as team of horses [Pferde]gespann nt ❷ TECH (arrangement) of cylinders, drives Reihe[nanordnung] f; **to oper-**

ate in ~ MECH, TECH im Tandembetrieb arbeiten; *of people* im Team arbeiten **II.** *adv* **to ride** ~ Tandem fahren

tang [tæŋ] *n* **❶** (*also pej: smell*) [scharfer] Geruch; (*taste*) [scharfer] Geschmack **❷** (*fig form: suggestion*) Andeutung *f*, Hauch *m*; **a ~ of autumn/jasmine/irony** ein Hauch von Herbst/Jasmin/Ironie

tan·gent ['tændʒ^ənt] *n* MATH Tangente *f* ▸ **to fly** [*or* AM, AUS *also* go] **off on a ~** [plötzlich] das Thema wechseln

tan·gen·tial [tæn'dʒen(t)ʃ^əl] *adj* nebensächlich

tan·ge·rine [ˌtændʒ^ər'iːn] **I.** *n* Mandarine *f* **II.** *adj* orangerot

tan·gible ['tændʒəbl] *adj* **❶** (*also fig: perceptible*) fassbar; *benefits, results, success* greifbar; *lack, loss, swelling, relief* fühlbar; *difference, disappointment, effects, improvement* spürbar **❷** (*real*) real; **~ advantage** echter Vorteil; **~ gain** realer Gewinn; **~ property** LAW Sachvermögen *nt* **❸** (*definite*) eindeutig; **to have ~ evidence** handfeste Beweise haben

Tan·gier [tæn'dʒɪə^r] *n* Tanger *nt*

tan·gle ['tæŋgl] **I.** *n* **❶** (*also fig, pej: mass*) *of hair, wool* [wirres] Knäuel; *of branches, roads, wires* Gewirr *nt*; ▪ **to be in a ~** *hair, wool* verfilzt sein **❷** (*also fig, pej: confusion*) Durcheinander *nt*; **a diplomatic/ political ~** diplomatische/politische Verwicklungen; **to get into a ~** sich verfangen **II.** *vt* (*also fig, pej*) durcheinanderbringen; *threads* verwickeln **III.** *vi* (*also fig, pej: knot up*) *wool* verfilzen; *threads, wires* sich verwickeln

tan·gled ['tæŋgld] *adj* (*also fig, pej*) *wool* verfilzt; *cord, threads, wires* verwickelt; *affair* verworren; *hair* zerzaust; *undergrowth* dicht ▸ **oh what a ~ web we weave, when first we practise to deceive** (*saying*) welche Netze wir doch spinnen, wenn erstmal wir auf Täuschung sinnen *prov*

tan·go ['tæŋgəʊ] **I.** *n* Tango *m* **II.** *vi* Tango tanzen

tangy ['tæŋi] *adj taste* scharf; *smell* durchdringend

tank [tæŋk] *n* **❶** (*container*) Tank *m*; (*sl: prison*) [Gemeinschafts]zelle *f*; (*for drunks*) Ausnüchterungszelle *f*; **fish ~** Aquarium *nt*; **hot-water ~** Heißwasserspeicher *m*; **storage ~** Sammelbehälter *m* **❷** MIL Panzer *m* **❸** (*tank top*) Pullunder *m*

tank·ard ['tæŋkəd] *n* [Bier]krug *m*

tanked up [tæŋkt'ʌp] *adj pred* AM, **'tanked-up** *adj attr* AM (*sl*) besoffen

tank·er ['tæŋkə^r] *n* **❶** (*ship*) Tanker *m*; **oil ~**

Öltanker *m* **❷** (*aircraft*) Tankflugzeug *nt* **❸** (*truck*) Tankwagen *m*

tanned [tænd] *adj* **❶** *skin* braun [gebrannt] **❷** *hides, leather* gegerbt

tan·ner ['tænə^r] *n* Gerber(in) *m(f)*

tan·nery ['tæn^əri] *n* Gerberei *f*

tan·nic 'acid *n* [Gallus]gerbsäure *f fachspr*

tan·nin ['tænɪn] *n* Tannin *nt*

tan·ning ['tænɪŋ] *n no pl* **❶** *of skin* Bräunen *nt* **❷** *of hides, leather* Gerben *nt*

tan·noy® *n* BRIT, **Tan·noy®** ['tænɔɪ] *n* BRIT [öffentliche] Lautsprecheranlage

tan·ta·lize ['tænt^əlaɪz] **I.** *vt* **❶** (*torment*) quälen **❷** (*excite*) reizen; (*fascinate*) in den Bann ziehen **❸** (*keep in suspense*) auf die Folter spannen **II.** *vi* **❶** (*torment*) quälen **❷** (*excite*) reizen

tan·ta·liz·ing ['tænt^əlaɪzɪŋ] *adj* **❶** (*painful*) quälend **❷** (*enticing*) verlockend; *smile* verführerisch

tan·ta·mount ['tæntəmaʊnt] *adj* ▪ **to be ~ to sth** mit etw *dat* gleichbedeutend sein

tan·trum ['tæntrəm] *n* Wutanfall *m*; **to throw a ~** einen Wutanfall bekommen

Tan·zania [ˌtænzə'niə] *n* Tansania *nt*

tap¹ [tæp] **I.** *n* **❶** BRIT Wasserhahn *m*; **to turn the ~ on/off** den Hahn auf-/zudrehen **❷** (*outlet*) Hahn *m*; **beer on ~** Bier *nt* vom Fass; **to be on ~** (*fig*) [sofort] verfügbar sein **❸** TELEC Abhörgerät *nt* **II.** *vt* <-pp-> **❶** (*intercept*) abhören **❷** (*make available*) *energy, sources* erschließen **❸** (*let out*) [ab]zapfen; *barrel* anstechen; *beer* zapfen **❹** MED punktieren **III.** *vi* (*fam: gain access*) vorstoßen; **to ~ into new markets** neue Märkte erschließen

tap² [tæp] **I.** *n* **❶** (*light hit*) [leichter] Schlag **❷** (*tap-dancing*) Stepp[tanz] *m* **II.** *adj attr* Stepp- **III.** *vt* <-pp-> **❶** (*strike lightly*) [leicht] klopfen; **to ~ sb on the shoulder** jdm auf die Schulter tippen **❷** MED *chest* abklopfen **IV.** *vi* <-pp-> [leicht] klopfen; **to ~ one's foot on the floor** mit dem Fuß [rhythmisch] auf den Boden klopfen

'tap dance *n* Stepptanz *m*

tape [teɪp] **I.** *n* **❶** (*strip*) Band *nt*; SPORTS Zielband *nt*; (*for measuring*) Maßband *nt*; (*adhesive*) Klebeband *nt*; TYPO Lochstreifen *m*; **insulating ~** Isolierband *nt*; **masking ~** Abdeckband *nt*; **Scotch ~®** AM Tesafilm® *m*, Tixo® *m* ÖSTERR; **sticky ~** BRIT, AUS Klebeband *nt* **❷** *for recording* [Ton-/ Magnet]band *nt*; **audio ~** Audiokassette *f*; **to record sth on ~** etw auf Band aufnehmen **II.** *vt* **❶** (*support*) **she ~d a note to the door** sie heftete eine Nachricht an die Tür **❷** (*record*) aufnehmen

'tape-cas·sette *n* Tonbandkassette *f*

'tape-deck n Tapedeck nt **'tape meas·ure** n Maßband nt

tap·er ['teɪpə^r] **I.** n ❶ (candle) [spitz zulaufende] Wachskerze ❷ of spire Verjüngung f ❸ of activities, interest Verringerung f **II.** vt column, spire verjüngen **III.** vi ❶ column, spire sich verjüngen (into zu) ❷ activities, interest [allmählich] abnehmen ◆ **taper off I.** vt (fig) production, series auslaufen lassen; enthusiasm, interest abklingen lassen **II.** vi ❶ (become pointed) sich verjüngen (into zu) ❷ (decrease) [allmählich] abnehmen; interest nachlassen

'tape-re·cord vt [auf Band] aufnehmen **'tape re·cord·er** n Tonbandgerät nt **'tape re·cord·ing** n Tonbandaufnahme f

ta·pered 'wing n AVIAT spitz zulaufender Flügel

tap·es·try ['tæpɪstri] n ❶ (fabric) Gobelingewebe nt; (for furniture) Dekorationsstoff m ❷ (carpet) Gobelin m ❸ (fig: illustration) bildliche Darstellung

'tape·worm n Bandwurm m

tapio·ca [ˌtæpɪ'əʊkə] n no pl Tapioka f (Stärkemehl aus den Wurzeln des Maniokstrauches)

ta·pir ['teɪpə^r] n Tapir m

tap·pet ['tæpɪt] n MECH Daumen m; (on car engine) [Ventil]stößel m fachspr

'tap·room n Schankstube f

'tap wa·ter n Leitungswasser nt

tar [tɑː^r] **I.** n no pl ❶ (for paving) Teer m, Asphalt m ❷ (in cigarettes) Teer m ▶ to **beat the ~ out of sb** AM (fam) jdn grün und blau schlagen **II.** vt <-rr-> (pave) teeren ▶ to **be ~red with the same brush** (pej) um kein Haar besser sein

ta·ran·tu·la [tə'ræntjələ] n Tarantel f

tar·dy ['tɑːdi] adj ❶ (slow) langsam; ~ **progress** schleppender Fortschritt ❷ (late) unpünktlich; (overdue) verspätet ❸ (sluggish) säumig

tare [teə^r] n Leergewicht nt

tar·get ['tɑːgɪt] **I.** n ❶ MIL Ziel nt; ▪ to **be on/off ~** bullet, shot das Ziel treffen/verfehlen; radar ein Ziel erfasst/nicht erfasst haben ❷ (mark aimed at) Ziel nt; ▪ to **be on ~** auf [Ziel]kurs liegen; analysis, description zutreffen; to **be a ~ for criticism/mockery** eine Zielscheibe der Kritik/des Spotts sein; to **hit the ~** ins Schwarze treffen ❸ ECON (goal) Zielsetzung f, [Plan]ziel nt; ▪ to **be on ~** im Zeitplan liegen; sales ~ Verkaufsziel nt; to **meet a ~** ein [Plan]ziel erreichen; to **miss a ~** ein Ziel verfehlen; to **set oneself a ~** sich dat ein Ziel setzen **II.** vt <BRIT -tt- or AM usu -t-> (address, direct) [ab]zielen (auf), sich

'tar·get date n (for completion) Stichtag m, Termin m; (for delivery) Liefertermin m; (for payment) Fälligkeitsdatum nt **'tar·get·ed** adj BRIT customer, market, group Ziel-; profit angestrebt; to **be ~** als Zielgruppe ausgewählt werden; **places ~ by terrorists** von Terroristen ins Visier genommene Orte **tar·get 'lan·guage** n Zielsprache f **'tar·get prac·tice** n MIL Übungsschießen nt, Zielschießen nt **'tar·get price** n Richtpreis m, Orientierungspreis m; (in process costing) Kostenpreis m

tar·iff ['tærɪf] n ❶ (form: table of charges) Preisliste f; of insurance [Versicherungs]tarif m; (for services) [Gebühren]satz m; esp BRIT (charges) Fahrpreis m; of hotel Preis m ❷ ECON, LAW (table of customs) Zolltarif m; (customs) Zoll m kein pl

'tar·iff bar·ri·ers npl ECON Zollschranken pl

tar·mac® ['tɑːmæk] **I.** n no pl ❶ BRIT (paving material) Asphalt m ❷ (paved surface) ▪ **the ~** (road) die Fahrbahn; AVIAT das Rollfeld nt **II.** vt <-ck-> BRIT asphaltieren

tarn n, **Tarn** [tɑːn] n GEOL Bergsee m

tar·nish ['tɑːnɪʃ] **I.** vi ❶ (dull) metal stumpf werden; (discolour) anlaufen ❷ (fig, pej: lose shine) an Glanz verlieren; (lose purity) honour, reputation beschmutzt werden **II.** vt ❶ (dull) metals trüben; (discolour) anlaufen lassen ❷ (fig, pej) ▪ to **~ sth** (diminish shine) success etw den Glanz nehmen; reputation beflecken **III.** n ❶ (dull condition) Stumpfheit f ❷ (coating) Belag m ❸ (fig, pej: loss of shine) Glanzlosigkeit m; (loss of purity) Makel m

tar·pau·lin [tɑː'pɔːlɪn] n ❶ no pl (fabric) [wasserdichtes] geteertes Leinwandgewebe ❷ (covering) [Abdeck]plane f; a **sheet of ~** eine Plane

tar·ra·gon ['tærəgən] n no pl Estragon m

tar·sus <pl -si> ['tɑːsəs, pl -saɪ] n ANAT Fußwurzel f

tart¹ [tɑːt] **I.** n ❶ (small pastry) [Obst]törtchen m; **jam ~** Marmeladentörtchen nt ❷ BRIT (cake) [Obst]torte f; **custard ~** Vanillecremetorte f **II.** adj ❶ (sharp) sauce, soup scharf; apples, grapes sauer ❷ (cutting) scharf; irony beißend; remark bissig

tart² [tɑːt] n (usu pej) ❶ (loose female) Schlampe f ❷ (prostitute) Nutte f ◆ **tart up** vt esp BRIT (fam) ▪ to **~ oneself up** sich aufdonnern

tar·tan ['tɑːt^ən] **I.** n ❶ no pl (cloth) Schottenstoff m ❷ (design) Schottenkaro nt **II.** adj Schotten-

tar·tar¹ ['tɑːtəʳ] *n no pl* ❶ MED (*on teeth*) Zahnstein *m* ❷ CHEM Weinstein *m*

tar·tar² *n,* **Tar·tar** ['tɑːtəʳ] *n* ❶ (*person*) Tatar(in) *m(f);* (*language*) Tatarisch *nt* ❷ (*dated: ill-tempered person*) Choleriker(in) *m(f)*

tar·tar(e) '**sauce** *n no pl* Remouladensoße *f*

tar·tar·ic [tɑː'tærɪk] *adj attr* CHEM Weinstein-; **~ acid** Wein|stein|säure *f*

task [tɑːsk] *n* ❶ (*work*) Aufgabe *f;* SCH [Prüfungs]aufgabe *f;* **~ in hand** zu erledigende Arbeit; **menial ~s** niedrige Arbeiten; **to set sb the ~ of doing sth** jdn [damit] beauftragen, etw zu tun ❷ *no pl* (*reprimand*) **to bring sb to ~** jdn zur Rede stellen

'**task force** *n* ❶ MIL Eingreiftruppe *f;* **in police** Spezialeinheit *f* ❷ COMM Arbeitsgruppe *f* '**task mas·ter** *n* ❶ (*superior*) [strenger] Vorgesetzter; **to be a hard ~** ein strenger Meister sein ❷ (*strain*) harte Arbeit

Tas·ma·nia [tæz'meɪnɪə] *n* Tasmanien *nt*

Tas·ma·nian [tæz'meɪnɪən] **I.** *n* (*person*) Tasmanier(in) *m(f)* **II.** *adj* (*of Tasmania*) tasmanisch

tas·sel ['tæsəl] *n* (*on caps, curtains, cushions*) Quaste *f;* (*on carpets, cloths, skirts*) Franse *f*

taste [teɪst] **I.** *n* ❶ *no pl* (*flavour*) Geschmack *m;* **sense of ~** Geschmackssinn *m;* **to leave a bad ~ in the mouth** einen üblen Nachgeschmack hinterlassen ❷ (*liking*) Vorliebe *f;* **I've never understood Liz's ~ in men** ich habe Liz' Geschmack, was Männer anbelangt, nie verstanden; **to acquire a ~ for sth** an etw *dat* Geschmack finden ❸ *no pl* (*aesthetic quality/discernment*) Geschmack *m;* **bad ~** schlechter Geschmack; **to be in poor ~** geschmacklos sein; **to have [good] ~** [einen guten] Geschmack haben ❹ *no pl* (*short encounter*) Kostprobe *f;* **to have a ~ of sth** einen Vorgeschmack von etw *dat* bekommen **II.** *vt* ❶ (*perceive flavour*) schmecken; (*test*) probieren ❷ (*experience briefly*) *luxury, success* [einmal] erleben **III.** *vi* schmecken; **to ~ of sth** nach etw *dat* schmecken; **to ~ bitter/salty/sweet** bitter/salzig/süß schmecken; **to ~ like sth** wie etw schmecken

'**taste bud** *n* ANAT Geschmacksknospe *f*

taste·ful ['teɪstfəl] *adj* ❶ (*appetizing*) schmackhaft ❷ (*decorous*) geschmackvoll, stilvoll

taste·ful·ly ['teɪstfəli] *adv* (*approv*) ❶ (*appetizingly*) schmackhaft, lecker; **~ cooked** schmackhaft zubereitet ❷ *dressed, furnished* geschmackvoll

taste·less ['teɪstləs] *adj* ❶ (*without physical taste*) geschmacksneutral; (*unappetizing*) *food* fad[e]; *beer, wine* schal ❷ (*pej: unstylish, offensive*) geschmacklos

taste·less·ly ['teɪstləsli] *adv* ❶ (*pej: unappetizingly*) wenig schmackhaft, fad[e] ❷ (*pej*) *dressed, furnished* geschmacklos

tast·er ['teɪstəʳ] *n* ❶ (*quality expert*) Koster(in) *m(f);* **wine-~** Weinkoster(in) *m(f)* ❷ (*sample*) Kostprobe *f*

tasty ['teɪsti] *adj* ❶ (*appetizing*) lecker ❷ BRIT (*fam: attractive*) gut aussehend *attr*

tat [tæt] *n no pl* BRIT (*pej fam*) Ramsch *m*

tat·ter ['tætəʳ] *n usu pl* ❶ (*pej*) *of cloth, a flag* Fetzen *m;* ■**to be in ~s** zerfetzt sein; (*fig*) **his reputation was in ~** sein Ruf war ruiniert ❷ (*pej: clothing*) ■**~s** abgerissene Kleidung

tat·tered ['tætəd] *adj clothing* zerlumpt; *cloth, flag* zerrissen; *reputation* ramponiert

tat·tle ['tætl] **I.** *n* (*pej*) Tratsch *m* **II.** *vi* AM (*esp childspeak*) ■**to ~ on sb** jdn verpetzen

tat·tler ['tætləʳ] *n* ❶ (*gossip*) Klatschmaul *nt* ❷ AM (*fam: informer*) Petzer(in) *m(f)*

tat·too¹ [tæt'uː] *n* ❶ MIL (*signal*) Zapfenstreich *m;* BRIT (*display*) [Musik]parade *f* ❷ (*noise*) Trommeln *nt kein pl*

tat·too² [tæt'uː] **I.** *n* Tattoo *m o nt,* Tätowierung *f* **II.** *vt* tätowieren

tat·ty ['tæti] *adj* (*pej*) ❶ (*tawdry*) geschmacklos [aufgemacht] ❷ (*showing wear*) zerfleddert; *book also* abgegriffen; *furnishing, room* schäbig; *clothing* zerschlissen

taught [tɔːt] *pt, pp of* **teach**

taunt [tɔːnt] **I.** *vt* ❶ (*mock*) verspotten ❷ (*tease*) **to ~ sb about sth** jdn wegen einer S. *gen* hänseln ❸ (*provoke*) sticheln (gegen) **II.** *n* spöttische Bemerkung; (*tease*) Hänselei *f;* (*provocation*) Stichelei *f*

Taurus ['tɔːrəs] *n* ASTROL, ASTRON Stier *m*

taut [tɔːt] *adj* ❶ (*tight*) *rope* straff [gespannt]; *elastic* stramm; *muscle, skin* gespannt ❷ (*pej: tense*) *expression, face, nerves* angespannt ❸ (*tidy*) schmuck, [sehr] gepflegt ❹ (*strict*) streng [geführt]

taut·ness ['tɔːtnəs] *n* Straffheit *f,* Spannung *f*

tau·to·logi·cal [ˌtɔːtə'lɒdʒɪkəl] *adj* doppelt gesagt *attr*

tau·tolo·gous [tɔː'tɒləgəs] *adj* tautologisch *fachspr*

tau·tol·ogy [tɔː'tɒlədʒi] *n* Doppelaussage *f,* Tautologie *f fachspr*

tav·ern ['tævən] *n* ❶ BRIT (*old: pub*) Schenke *f;* AM Bar *f* ❷ AM (*inn*) Gasthaus *nt*

taw·dry ['tɔ:dri] *adj* (*pej*) ❶ (*gaudy*) protzig ❷ (*cheap*) geschmacklos ❸ (*base*) niederträchtig

taw·ny ['tɔ:ni] *adj* lohfarben

'taw·ny owl *n* Waldkauz *m*

tax [tæks] I. *n* <*pl* -es> ❶ (*levy*) Steuer *f;* **income ~** Einkommenssteuer *f;* **to collect/levy ~es** Steuern einziehen/erheben; **to cut/increase ~es** Steuern senken/erhöhen; **to impose a ~ on sth** etw besteuern ❷ *no pl* (*levying*) Besteuerung *f;* **after/before ~** nach/vor Abzug von Steuern ❸ (*burden: on a person*) Belastung *f* (**on** für); (*on patience, resources, time*) Beanspruchung *f* (**on** +*gen*) II. *vt* ❶ (*levy*) besteuern; **to be ~ed** [**heavily/lightly**] [hoch/niedrig] besteuert werden ❷ (*burden*) belasten; (*make demands*) beanspruchen; (*confront*) ■ **to ~ sb with sth** jdn einer S. *gen* beschuldigen

tax·able ['tæksəbl] *adj* steuerpflichtig; **~ income** *n* zu versteuerndes Einkommen

'tax al·low·ance *n* Steuerfreibetrag *m*

taxa·tion [tæk'seɪʃən] *n no pl* ❶ (*levying*) Besteuerung *f* ❷ (*money obtained*) Steuereinnahmen *pl;* **direct/indirect ~** direkte/indirekte Steuern

'tax avoid·ance *n* [legale] Steuerumgehung **'tax brack·et** *n* Steuerklasse *f* **'tax col·lec·tor** *n* Steuerbeamte(r), -beamtin *m, f* **'tax con·sult·ant** *n* Steuerberater(in) *m(f)* **tax-de·'duc·tible** *adj* AM, AUS steuerlich absetzbar **'tax disc** *n* BRIT (*on motor vehicle*) Steuerplakette *f,* Vignette *f* ÖSTERR, SCHWEIZ **'tax dodg·er** *n* (*fam*) Steuerhinterzieher(in) *m(f)* **'tax evad·er** *n* Steuerhinterzieher(in) *m(f)* **'tax eva·sion** *n* Steuerhinterziehung *f* **'tax ex·emp·tion** *n* FIN Steuerbefreiung *f;* AM Freibetrag *m* **tax-'free** *adj* steuerfrei **'tax ha·ven** *n* Steueroase *f*

taxi ['tæksi] I. *n* Taxi *nt* II. *vi* ❶ (*ride*) mit dem Taxi fahren ❷ AVIAT (*move*) rollen

taxi·der·mist ['tæksidɜ:mɪst] *n* [Tier]präparator(in) *m(f)*

taxi·der·my ['tæksidɜ:mi] *n* Taxidermie *f* **'taxi-driv·er** *n* Taxifahrer(in) *m(f)* **taxi·me·ter** ['tæksi,mi:tər] *n* Taxameter *m*

tax·ing ['tæksɪŋ] *adj* ❶ (*burdensome*) anstrengend ❷ (*hard*) schwierig

'taxi·plane *n* Lufttaxi *nt* **'taxi rank** *n* BRIT, **'taxi stand** *n* AM Taxistand *m*

'tax·man *n* Finanzbeamte(r), -beamtin *m, f;* ■ **the ~** das Finanzamt

tax·ono·my [tæk'sɒnəmi] *n* BIOL Taxonomie *f;* COMPUT Systematik *f*

'tax·pay·er *n* Steuerzahler(in) *m(f)* **'tax**

re·bate *n* Steuernachlass *m* **'tax re·lief** *n* Steuervergünstigung *f* **'tax re·turn** *n* Steuererklärung *f* **'tax rev·enues** *npl* Steueraufkommen *nt* **tax-'sen·si·tive** *adj* steuerbegünstigt **'tax sys·tem** *n* Steuerwesen *nt* **'tax year** *n* Steuerjahr *nt*

TB [,ti:'bi:] *n no pl* MED *abbrev of* **tuberculosis** TB

'T-bar *n,* **T-bar 'lift** *n* ❶ ARCHIT T-Träger *m* ❷ (*on ski lift*) [Sicherheits]bügel *m* ❸ (*lift*) Schlepplift *m*

tbsp <*pl* -> *n abbrev of* **tablespoonful** Essl., EL

tea [ti:] *n* ❶ *no pl* (*plant*) Tee *m,* Teepflanze *f* ❷ (*drink*) Tee *m;* **fennel/peppermint ~** Fenchel-/Pfefferminztee *m* ❸ (*cup of tea*) Tasse *f* Tee; **two ~s, please** zwei Tee, bitte ❹ BRIT (*late afternoon meal*) Tee *m* (*mit Tee, Sandwiches, Kuchen*)*;* **afternoon ~** Fünfuhrtee *m* ❺ BRIT, AUS (*early evening meal*) [frühes] Abendessen, **high ~** [warmes] Abendessen (*mit warmer Mahlzeit, Brot, Butter und Tee*) ▸ **not for all the ~ in China** nicht um alles in der Welt; **to [not] be sb's cup of ~** [nicht] jds Fall sein

'tea bag *n* Teebeutel *m* **'tea break** *n* Teepause *f* **'tea cad·dy** *n* Teedose *f* **'tea·cake** *n* ❶ BRIT (*bun*) [getoastetes] Rosinenbrötchen ❷ (*biscuit*) Keks *m;* (*tart*) Teekuchen *m*

teach <taught, taught> [ti:tʃ] I. *vt* ❶ (*impart knowledge*) unterrichten; ■ **to ~ sb sth** jdm etw beibringen; **to ~ French/history** Französisch/Geschichte unterrichten; **to ~ school** AM Lehrer(in) *m(f)* sein ❷ (*show*) **this has taught him a lot** daraus hat er viel gelernt; **to ~ sb a lesson** jdm eine Lehre erteilen ▸ **you can't ~ an old dog new tricks** (*saying*) einen alten Menschen kann man nicht mehr ändern II. *vi* unterrichten

teach·er ['ti:tʃə^r] *n* Lehrer(in) *m(f);* **English/physics ~** Englisch-/Physiklehrer(in) *m(f);* **supply** [*or* AM **substitute**] **~** Aushilfslehrer(in) *m(f)*

teach·er 'train·ing *n* Lehrerausbildung *f* **teach·er 'train·ing col·lege** *n,* **'teach·er's col·lege** *n* pädagogische Hochschule **'tea chest** *n* Teekiste *f*

teach·ing ['ti:tʃɪŋ] I. *n* ❶ *no pl* (*imparting knowledge*) Unterrichten *nt* ❷ *no pl* (*profession*) Lehrberuf *m* ❸ *usu pl* (*precept*) Lehre *f;* **Buddha's ~s** die Lehren des Buddha II. *adj* aids, methods Lehr-, Unterrichts-

'teach·ing staff *n* + *sing/pl vb* Lehrerkollegium *nt*

'**tea cloth** *n* ➊ BRIT (*for dishes*) Geschirrtuch *nt* ➋ (*for table*) [kleine] Tischdecke
'**tea cosy** *n* Teewärmer *m* '**tea·cup** *n* Teetasse *f* '**tea-house** *n* Teehaus *nt*
teak [tiːk] *n no pl* ➊ (*wood*) Teak[holz] *nt* ➋ (*tree*) Teakbaum *m*
'**tea-leaves** *npl* [zurückgebliebene] Teeblätter *pl*
team [tiːm] I. *n* + *sing/pl vb* ➊ (*group of people*) Team *nt;* SPORTS *also* Mannschaft *f;* **research ~** Forschungsgruppe *f* ➋ (*harnessed animals*) Gespann *nt; ~* **of horses** Pferdegespann *nt* II. *vi* ➊ *usu* AM (*fam: gather*) ein Team bilden ➋ (*drive*) einen Lkw fahren ➌ (*match*) sich [in eine Gruppe] einfügen ◆**team up** *vi* ein Team bilden (**with** mit)
team 'cap·tain *n* Mannschaftskapitän *m* **team 'ef·fort** *n* Teamarbeit *f* '**team·mate** *n* Mitspieler(in) *m(f)* '**team play** *n* Mannschaftsspiel *nt* '**team spir·it** *n* Teamgeist *m* '**team work** *n* Teamarbeit *f*
'**tea·pot** *n* Teekanne *f*
tear[1] [tɪəʳ] *n* (*watery fluid*) Träne *f;* ■**to be in ~s** weinen; **~s of frustration/ remorse** Tränen *pl* der Enttäuschung/ Reue; **~s of happiness/joy** Glücks-/Freudentränen *pl;* **to burst into ~s** in Tränen ausbrechen
tear[2] [teəʳ] I. *n* Riss *m* II. *vt* <tore, torn> ➊ (*rip*) zerreißen; **to ~ a hole in one's trousers** sich *dat* ein Loch in die Hose reißen ➋ (*injure*) **to ~ a muscle** sich *dat* einen Muskelriss zuziehen III. *vi* <tore, torn> ➊ (*rip*) fabric, paper, rope [zer]reißen; *buttonhole, lining, tab* ausreißen ➋ (*fam: rush*) rasen; ■**to ~ away** losrasen ◆**tear apart** *vt* ➊ *fabric, paper* zerreißen ➋ *article, book, play* verreißen ◆**tear at** *vt* ➊ (*pull*) *bandage, clasp, fastener* herumreißen (an); **to ~ at sb's heartstrings** jdm das Herz zerreißen; **to ~ at each other's throats** aufeinander losgehen; (*verbally also*) übereinander herziehen ➋ (*fam: eat*) sich hermachen (über) ◆**tear away** *vt* ➊ (*make leave*) ■**to ~ sb** ◯ **away** jdn wegreißen; ■**to ~ oneself away** sich losreißen ➋ (*rip from*) ■**to ~ sth** ◯ **away** *page of calendar, poster* etw abreißen ◆**tear down** *vt* ➊ (*destroy*) abreißen; *forest* abholzen ➋ (*discredit*) ■**to ~ sb** ◯ **down** jdn schlechtmachen ◆**tear into** *vt* heftig kritisieren ◆**tear off** *vt* ➊ (*rip from*) abreißen ➋ (*undress*) **to ~ off one's clothes** sich *dat* die Kleider vom Leib reißen ◆**tear out** *vt hair, nail* ausreißen; *page* herausreißen; **to ~ sb's heart out** jdm das Herz zerreißen ◆**tear up** *vt*

➊ (*rip*) zerreißen ➋ (*destroy*) kaputtmachen *fam; pavement, road* aufreißen ➌ (*annul*) zerreißen
tear·away ['teərəweɪ] *n* BRIT, AUS (*fam*) Randalierer(in) *m(f)*
'**tear·drop** *n* Träne *f*
tear·ful ['tɪəfəl] *adj* ➊ (*inclined to cry*) den Tränen nah *präd;* (*crying*) weinerlich *pej;* **to become ~** Tränen in die Augen bekommen ➋ *farewell, reunion* tränenreich ➌ (*moving*) ergreifend '**tear gas** *n no pl* Tränengas *nt* '**tear jerk·er** *n* (*fam*) Schnulze *f* '**tear-jerk·ing** *adj* (*fam*) schnulzig
'**tea room** *n,* '**tea shop** *n* Teestube *f*
'**tear-stained** *adj* tränenüberströmt; **~ letter** Brief *m* mit Tränenspuren
tease [tiːz] I. *n* Quälgeist *m fam;* (*playfully*) neckische Person; (*pej: erotic arouser*) Aufreißer(in) *m(f)* II. *vt* ➊ (*make fun of*) aufziehen; (*playfully*) necken ➋ (*provoke*) provozieren III. *vi* sticheln
teas·er ['tiːzəʳ] *n* (*riddle*) harte Nuss *fam*
'**tea ser·vice** *n,* '**tea set** *n* Teeservice *nt* '**tea·spoon** *n* Teelöffel *m* '**tea·spoon· ful** *n* Teelöffelvoll *m* '**tea-strain·er** *n* Teesieb *nt*
teat [tiːt] *n* ➊ (*nipple of breast*) Zitze *f* ➋ (*artificial nipple*) Sauger *m*
'**tea·time** *n* Teestunde *f* '**tea tow·el** *n* Geschirrtuch *nt* '**tea tray** *n* Tablett *nt* zum Teeservieren '**tea trol·ley** *n esp* BRIT Teewagen *m* '**tea urn** *n esp* BRIT Teespender *m* '**tea wag·on** *n* AM (*tea trolley*) Teewagen *m*
tech·ni·cal ['teknɪkəl] *adj* ➊ (*concerning applied science*) technisch ➋ (*detailed*) Fach-; **~ aspects** fachliche Aspekte; **~ term** Fachausdruck *m* ➌ (*in technique*) technisch
'**tech·ni·cal college** *n* technische Hochschule
tech·ni·cal·ity [ˌteknɪˈkæləti] *n* LAW ➊ (*unimportant detail*) Formsache *f* ➋ (*confusing triviality*) unnötiges Detail
tech·ni·cal·ly ['teknɪkəli] *adv* ➊ (*of technology*) technologisch; **~ backward countries** Länder *pl* auf technologisch niedrigem Stand ➋ (*relating to technique*) technisch ➌ (*strictly speaking*) eigentlich; **~ speaking** strenggenommen
'**tech·ni·cal school** *n* Technikum *nt*
tech·ni·cian [tekˈnɪʃən] *n* Techniker(in) *m(f)*
tech·nique [tekˈniːk] *n* Technik *f,* Verfahren *nt;* (*method*) Methode *f;* **to work on one's ~** an seiner Technik arbeiten
tech·no ['teknəʊ] *n no pl* MUS Techno *m*

o nt

tech·noid ['teknɔɪd] *n* Technologiebegeisterte(r) *f(m)*, Technikfreak *m fam*

tech·no·logi·cal [ˌteknə'lɒdʒɪkəl] *adj* technologisch

tech·nol·ogy [tek'nɒlədʒi] *n* Technologie *f*, Technik *f*; **computer** ~ Computertechnik *f*; **science and** ~ Wissenschaft und Technik; **advanced** ~ Zukunftstechnologie *f*; **modern** ~ moderne Technologie; **nuclear** ~ Atomtechnik *f*

tech·no·phile ['teknə(ʊ)faɪl] *n* Technologieliebhaber(in) *m(f)*

tech·no·phobe ['teknə(ʊ)fəʊb] *n* Technologiehasser(in) *m(f)*

ted·dy ['tedi] *n* Teddybär *m*

'**ted·dy bear** *n* Teddybär *m*

te·di·ous ['ti:diəs] *adj* langweilig; *job also* öde; *conversation* zäh

te·di·ous·ness ['ti:diəsnəs] *n no pl* Langweiligkeit *f*

te·dium ['ti:diəm] *n no pl* Langeweile *f*

tee [ti:] *n* (*in golf*) Abschlagstelle *f* ◆ **tee off I.** *vi* ❶ (*in golf*) abschlagen ❷ (*fam: begin*) beginnen **II.** *vt* AM (*fam*) verärgern; **to get ~d off** sauer werden *fam*

teem [ti:m] *vi* ❶ *impers* it's ~ing [with rain] es gießt [in Strömen] ❷ (*be full*) ■ **to** ~ **with sth** von etw dat wimmeln

teem·ing ['ti:mɪŋ] *adj place, streets* überfüllt

teen [ti:n] *n* Teenager *m*

teen·age(d) ['ti:neɪdʒ(d)] *adj attr* (*characteristic of a teenager*) jugendlich; (*sb who is a teenager*) im Teenageralter *nach n*

teen·ager ['ti:nˌeɪdʒər] *n* Teenager *m*

teens [ti:nz] *npl* Jugendjahre *pl*; ■ **to be in one's** ~ im Teenageralter sein

teen·sy *adj*, **teen·sy ween·sy** [ˌti:nzi'wi:nsi] *adj*, **tee·ny** *adj*, **tee·ny wee·ny** [ˌti:ni'wi:ni] *adj* (*fam*) klitzeklein; **a** ~ **bit** (*hum*) ein klein wenig *fam*

tee shirt *n* T-Shirt *nt*

tee·ter ['ti:tər] *vi* + *adv/prep* taumeln; ■ **to** ~ **between sth** (*fig*) zwischen etw dat schwanken; **to** ~ **on the brink of a disaster** (*fig*) sich am Rande einer Katastrophe bewegen

teeth [ti:θ] *npl pl of* **tooth** ▸ **in the** ~ **of sth** (*against*) angesichts einer S. gen; (*despite*) trotz einer S. gen

teethe [ti:ð] *vi* zahnen

'**teeth·ing prob·lems** *npl* BRIT, AUS, '**teeth·ing trou·bles** *npl* BRIT, AUS (*fig*) Anfangsschwierigkeiten *pl*

tee·to·tal [ˌti:'təʊtəl] *adj* ■ **to be** ~ abstinent sein

tee·to·tal·ler [ˌti:'təʊtələr] *n*, AM **tee·to·**

tal·er *n* Abstinenzler(in) *m(f)*

tel *n abbrev of* **telephone number** Tel.

tele·cast ['telɪkæst] AM **I.** *n* TV-Sendung *f* **II.** *vt* (*form*) [im Fernsehen] übertragen

tele·com·muni·ca·tions [ˌtelɪkəˌmjuːnɪ'keɪʃənz] *npl* + *sing vb* Fernmeldewesen *nt kein pl*

tele·com·mut·ing [ˌtelɪkə'mjuːtɪŋ] *n* COMPUT Telearbeit *f*

tele·con·fer·ence [ˌtelɪ'kɒnfərən(t)s] *n* Konferenzschaltung *f*

tele·copi·er® ['telɪˌkɑːpiər] *n* AM Telekopierer *m*

tele·copy ['telɪkɒpi] *n* AM Fax *nt*

tele·fax® ['telɪfæks] *n* ❶ (*device*) [Tele]faxgerät *nt* ❷ (*message*) Tele[fax] *nt*; **to send a** ~ ein Fax schicken, etw faxen

tele·gen·ic [ˌtelɪ'dʒenɪk] *adj* telegen

tele·gram ['telɪgræm] *n* Telegramm *nt*

tele·graph ['telɪgrɑːf] **I.** *n no pl* Telegraf *m*; **by** ~ telegrafisch **II.** *vt* ❶ (*send by telegraph*) telegrafieren ❷ (*inform by telegraph*) telegrafisch benachrichtigen

tele·graph·ese [ˌtelɪgrɑː'fiːz] *n no pl* Telegrammstil *m*

tele·graph·ic [ˌtelɪ'græfɪk] *adj* telegrafisch

'**tele·graph mess·age** *n* Telegramm *nt*

'**tele·graph pole** *n*, '**tele·graph post** *n* Telegrafenmast *m*

te·leg·ra·phy [tɪ'legrəfi] *n no pl* Telegrafie *f*

tele·mes·sage *n* BRIT, **Tele·mes·sage** ['telɪˌmesɪdʒ] *n* BRIT Telex *nt*

tele·path·ic [ˌtelɪ'pæθɪk] *adj* telepathisch; ■ **to be** ~ telepathische Fähigkeiten besitzen

te·lepa·thy [tɪ'lepəθi] *n no pl* Telepathie *f*

tele·phone ['telɪfəʊn] **I.** *n* ❶ (*device*) Telefon *nt*; **mobile** [*or* AM *also* **cell[ular]**] ~ Handy *nt*, Mobiltelefon *nt*; **to pick up the** ~ das Telefon abnehmen ❷ *no pl* (*system*) ■ **by** ~ telefonisch; ■ **on the** ~ am Telefon **II.** *vt* anrufen **III.** *vi* telefonieren; **to** ~ **long-distance** ein Ferngespräch führen

'**tele·phone book** *n* Telefonbuch *nt* '**tele·phone box** *n* BRIT, AM '**tele·phone booth** *n* Telefonzelle *f* '**tele·phone call** *n* Telefonanruf *m*; **to make a** ~ telefonieren '**tele·phone con·nec·tion** *n* Telefonverbindung *f* '**tele·phone con·ver·sa·tion** *n* Telefongespräch *nt* '**tele·phone di·rec·tory** *n* Telefonverzeichnis *nt* '**tele·phone ex·change** *n* Fernsprechvermittlung *f* **tele·phone in·for·ma·tion ser·vice** *n* (*form*) Telefonauskunft *f* '**tele·phone mes·sage** *n* (*form*) telefonische Nachricht '**tele·phone num·ber** *n* Telefonnummer *f* '**tele·phone op·era·tor** *n* AM Vermittlung *f* '**tele·phone**

rates *npl* Telefontarife *pl*

te·lepho·nist [tɪˈlefᵊnɪst] *n* BRIT Telefonist(in) *m(f)*

te·lepho·ny [tɪˈlefᵊni] *n no pl* Fernmeldewesen *nt*

tele·pho·to 'lens *n* Teleobjektiv *nt*

tele·print·er [ˈtelɪˌprɪntər] *n* Fernschreiber *m*

tele·pro·cess·ing [ˌtelɪˈprəʊsesɪŋ] *n* COM·PUT Datenfernverarbeitung *f ohne pl*

tele·prompt·er *n* AM, AUS, **Tele·Prompt·er®** [ˈteləˌprɑːm(p)tər] *n* AM, AUS Teleprompter *m fachspr*

tele·sales [ˈtelɪseɪlz] *npl* Telefonmarketing *nt kein pl*

tele·scope [ˈtelɪskəʊp] **I.** *n* Teleskop *nt* **II.** *vt* ineinanderschieben **III.** *vi* sich ineinanderschieben

tele·scop·ic [ˌtelɪˈskɒpɪk] *adj* ❶ (*done by telescope*) ~ **observation** Teleskopbeobachtung *f* ❷ (*concerning telescopes*) ~ **lens** Teleobjektiv *nt* ❸ (*folding into each other*) Teleskop-; (*automatic*) ausfahrbar; ~ **ladder** ausziehbare Leiter

tele·shop·ping [ˈtelɪˌʃɒpɪŋ] *n* (*shop*) Internetshop *m*

tele·text® *n no pl*, **Tele·text®** [ˈtelɪtekst] *n no pl* Videotext *m*

tele·type® *n*, **Tele·type®** [ˈtelɪtaɪp] *n* ❶ (*machine*) Fernschreibegerät *nt*; (*message*) Telex *nt*

tele·type·writ·er [ˌtelɪˈtaɪpˌraɪtər] *n esp* AM Fernschreibegerät *nt*

tele·van·gel·ist [ˌtelɪˈvændʒəlɪst] *n esp* AM Fernsehprediger(in) *m(f)*

tele·view·er [ˈtelɪˌvjuːər] *n* Fernsehzuschauer(in) *m(f)*

tele·vise [ˈtelɪvaɪz] *vt* [im Fernsehen] übertragen

tele·vi·sion [ˈtelɪvɪʒᵊn] *n* ❶ (*device*) Fernsehgerät *nt*, Fernseher *m fam*; **colour ~** Farbfernseher *m* ❷ *no pl* (*TV broadcasting*) Fernsehen *nt*; ■**on ~** im Fernsehen; **to watch ~** fernsehen

tele·vi·sion an·'nounc·er *n* Fernsehsprecher(in) *m(f)* **tele·vi·sion 'cam·era** *n* Fernsehkamera *f* **tele·vi·sion 'pro·gramme** *n*, AM **tele·vi·sion 'pro·gram** *n* Fernsehprogramm *nt* **'tele·vi·sion set** *n* Fernsehapparat *m*, Fernseher *m* **tele·vi·sion 'stu·dio** *n* Fernsehstudio *nt*

tele·work·ing [ˈtelɪˌwɜːkɪŋ] *n no pl* Telearbeit *f*

tel·ex [ˈteleks] **I.** *n* <*pl* -es> Telex *nt*; (*device also*) Fernschreiber *m*; **by ~** per Telex **II.** *vt* ■**to ~ sth** etw per Telex schicken; ■**to ~ sb** jdm ein Telex schicken **III.** *vi* ein Telex verschicken

tell [tel] **I.** *vt* <told, told> ❶ (*say, communicate*) sagen; (*relate*) erzählen; **to ~ a joke/story** einen Witz/eine Geschichte erzählen; **to ~ a lie** lügen; **to ~ the truth** die Wahrheit sagen; **to ~ [you] the truth ...** ehrlich gesagt ...; **can you ~ me the way to the station?** können Sie mir sagen, wie ich zum Bahnhof komme? ❷ (*assure*) sagen; **you're ~ing me!** (*fam*) wem sagst du das! ❸ (*give account*) ■**to ~ sb about sth/sb** jdm von etw/jdm *dat* erzählen ❹ (*instruct*) **do as you're told!** mach, was man dir sagt!; **I won't ~ you again ...** ich sag's nicht nochmal ... ❺ (*discern*) erkennen; (*notice*) [be]merken; (*know*) wissen; (*determine*) feststellen; **to ~ right from wrong** Recht und Unrecht unterscheiden; **to ~ the difference** einen Unterschied feststellen; **to ~ the time** die Uhr lesen **II.** *vi* <told, told> ❶ (*liter: give account*) ■**to ~ of sb/sth** von jdm/etw *dat* erzählen ❷ (*indicate*) **her face told of her anger** aus ihrem Gesicht sprach Zorn ❸ (*inform*) ■**to ~ on sb** jdn verraten ❹ (*have an effect or impact*) sich bemerkbar machen; *blow, punch, word* sitzen ◆**tell apart** *vt* auseinanderhalten ◆**tell off** *vt* ❶ (*reprimand*) ausschimpfen (**about/for** wegen) ❷ MIL **to ~ off soldiers** Soldaten abkommandieren

tell·er [ˈtelər] *n* ❶ (*vote counter*) Stimmenzähler(in) *m(f)* ❷ AM, AUS (*bank employee*) Kassierer(in) *m(f)*

tell·ing [ˈtelɪŋ] **I.** *adj* (*revealing*) aufschlussreich; (*effective*) wirkungsvoll; *argument* schlagend **II.** *n* Erzählung *f*

tell·ing-off <*pl* tellings-> [ˌtelɪŋˈɒf] *n* Tadel *m*; **to give sb a ~ for [doing] sth** jdn für etw *akk* tadeln

tell·tale [ˈtelteɪl] **I.** *n* (*pej*) Petze *f* **II.** *adj* verräterisch

tel·ly [ˈteli] *n* BRIT, AUS (*fam*) ❶ (*television set*) Glotze *f pej* ❷ *no pl* (*TV broadcasting*) ■**on ~** im Fernsehen

te·mer·ity [tɪˈmerəti] *n no pl* (*pej form: recklessness*) Tollkühnheit *f*; (*cheek*) Frechheit *f*

temp [temp] (*fam*) **I.** *n* (*temporary employee*) Zeitarbeiter(in) *m(f)*; (*temporary secretary*) Aushilfssekretär(in) *m(f)* **II.** *vi* aushilfsweise arbeiten, jobben *fam*; **she spent the summer ~ing** sie hat sich über den Sommer bei einer Zeitarbeitsagentur angemeldet

tem·per [ˈtempər] **I.** *n* ❶ *usu sing* (*state of mind*) Laune *f*; (*angry state*) Wut *f kein pl*; (*predisposition to anger*) Reizbarkeit *f kein* *pl;* **~s were getting [rather] frayed** die Stimmung wurde [ziemlich] gereizt; **fit of ~** Wutanfall *m;* **to get into a ~ [about sth]** sich [über etw *akk*] aufregen; **to have a ~** leicht reizbar sein; **to lose one's ~** die Geduld verlieren ❷ *usu sing (characteristic mood)* Naturell *nt;* **she has a very sweet ~** sie hat ein sehr sanftes Wesen **II.** *vt* ❶ *(form: mitigate)* ausgleichen *(*with durch*);* **to ~ one's enthusiasm** seine Begeisterung zügeln ❷ *(make hard)* härten; *iron* glühfrischen ❸ *(add water)* anrühren ❹ MUS temperieren

tem·pera·ment ['tempᵊrəmənt, -prə-] *n* ❶ *(person's nature)* Temperament *nt;* **to be of an artistic ~** eine Künstlerseele sein ❷ *no pl (pej: predisposition to anger)* **fit of ~** Temperamentsausbruch *m; (angry)* Wutanfall *m*

tem·pera·men·tal [ˌtempᵊrə'mentᵊl] *adj* launisch; **to be rather ~** so seine Launen haben

tem·per·ance ['tempᵊrᵊn(t)s] *n no pl (form)* Mäßigung *f; (in eating, drinking)* Maßhalten *nt (*in bei*); (abstinence from alcohol)* Abstinenz *f*

tem·per·ate ['tempᵊrət] *adj* ❶ *(form: self-restrained)* maßvoll ❷ *(mild) climate, zone* gemäßigt

tem·pera·ture ['temprətʃᵊr] *n* Temperatur *f;* **body ~** Körpertemperatur *f;* **sudden fall/rise in ~** plötzlicher Temperaturabfall/-anstieg; **to have a ~** Fieber haben; **to take sb's ~** jds Temperatur messen

tem·pest ['tempɪst] *n* Sturm *m*

tem·pes·tu·ous [tem'pestjuəs, -tʃu-] *adj* ❶ *(liter: very stormy)* stürmisch ❷ *(turbulent)* turbulent

tem·plate ['templeɪt] *n,* **tem·plet** ['templɪt] *n* Schablone *f;* **to serve as a ~ for sth** *(fig)* als Muster für etw *akk* dienen

tem·ple¹ ['templ] *n (place of worship)* Tempel *m*

tem·ple² ['templ] *n (part of head)* Schläfe *f*

tem·po <*pl* -s *or* -pi> ['tempəʊ, *pl* -piː] *n* ❶ *(rate of motion)* Tempo *nt;* **rapid ~** schnelles Tempo ❷ MUS Tempo *nt;* **change in ~** Tempowechsel *m*

tem·po·ral ['tempᵊrᵊl] *adj (form)* weltlich

tem·po·rari·ly ['tempᵊrᵊli] *adv* vorübergehend

tem·po·rary ['tempᵊrᵊri] *adj (not permanent)* vorübergehend; *(with specific limit)* befristet; **a ~ lapse in concentration** ein zeitweiliger Konzentrationsverlust; **~ staff** Aushilfspersonal *nt*

tem·po·rize ['tempᵊraɪz] *vi (form)* Verzögerungstaktiken einsetzen; ■**to ~ with** sb jdn hinhalten

tempt [tempt] *vt* ❶ *(entice)* in Versuchung führen; ■**to be ~ed** schwachwerden; ■**to be ~ed to do sth** versucht sein, etw zu tun; ■**to ~ sb into doing sth** jdn dazu verleiten, etw zu tun ❷ *(attract)* reizen ▶ **to ~ fate** das Schicksal herausfordern

temp·ta·tion [temp'teɪʃᵊn] *n* ❶ *(enticement)* Versuchung *f;* **to give in to ~** der Versuchung erliegen; **to resist the ~ [to do sth]** der Versuchung widerstehen[, etw zu tun] ❷ *(sth tempting)* Verlockung *f* ▶ **and lead us not into ~** REL und führe uns nicht in Versuchung

tempt·ing ['temptɪŋ] *adj* verführerisch; *offer also* verlockend

tempt·ing·ly ['temptɪŋli] *adv* verführerisch, verlockend; **to move ~** sich aufreizend bewegen

temp·tress <*pl* -es> ['temptrəs] *n (liter or hum)* Verführerin *f*

ten [ten] **I.** *adj* zehn; *see also* **eight** ▶ **sth is ~ a penny** BRIT es gibt etw wie Sand am Meer **II.** *n* Zehn *f;* **~s of thousands** zehntausende; *see also* **eight**

ten·able ['tenəbl] *adj* ❶ *(defendable) approach* vertretbar; *argument* haltbar ❷ *pred (to be held) office, position* zu besetzen *präd;* **the university scholarship is ~ for three years** das Stipendium für die Universität wird für drei Jahre verliehen

te·na·cious [tɪ'neɪʃəs] *adj* ❶ *(tight) grip* fest ❷ *(persistent) person, legend, theory* hartnäckig; *person also* beharrlich

te·na·cious·ly [tɪ'neɪʃəsli] *adv* ❶ *(gripping tightly)* fest ❷ *(persistently)* unermüdlich, beharrlich

te·nac·ity [tɪ'næsəti] *n no pl* Beharrlichkeit *f*

ten·an·cy ['tenən(t)si] *n* ❶ *(status concerning lease)* Pachtverhältnis *nt; (rented lodgings)* Mietverhältnis *nt* ❷ *(right of possession)* Eigentum *nt* ❸ *(duration of lease)* Pachtvertrag *m; (of rented lodgings)* Mietvertrag *m*

ten·ant ['tenənt] *n of rented accommodation* Mieter(in) *m(f); of leasehold* Pächter(in) *m(f);* **council ~** BRIT Mieter(in) *m(f)* einer Sozialwohnung

ten·ant 'farm·er *n* Pächter(in) *m(f)*

tench <*pl* -> [ten(t)ʃ] *n* Schleie *f*

tend¹ [tend] *vi* ❶ *(be directed towards)* tendieren; **to ~ downwards/upwards** eine Tendenz nach unten/oben aufweisen ❷ *(incline)* ■**to ~ to[wards] sth** zu etw *dat* neigen

tend² [tend] *vt* sich kümmern (um); **to ~**

sheep Schafe hüten; **to ~ a road accident victim** dem Opfer eines Verkehrsunfalls Hilfe leisten

ten·den·cy ['tendən(t)si] *n* Tendenz *f;* (*inclination*) Neigung *f;* (*trend*) Trend *m* (**to**[**wards**] zu); ■**to have a ~ to**[**wards**] **sth** zu etw *dat* neigen; **alarming ~** alarmierende Tendenz; **hereditary ~** erbliche Veranlagung

ten·den·tious [ten'den(t)ʃəs] *adj* (*pej form*) tendenziös *pej geh*

ten·der¹ ['tendə^r] *adj* ❶ (*not tough*) *meat, vegetable* zart ❷ (*easily hurt*) *skin, plants* zart; (*sensitive to pain*) *part of body* [schmerz]empfindlich ❸ (*liter: youthful*) zart; **at a ~ age of 5** im zarten Alter von 5 Jahren ❹ (*requiring tact*) heikel ❺ (*affectionate*) zärtlich; **to have a ~ heart** ein weiches Herz haben

ten·der² ['tendə^r] **I.** *n* (*price quote*) Angebot *nt;* **to invite ~s** Angebote einholen; **to submit a ~** ein Angebot machen **II.** *vt* **to ~ the exact fare** das Fahrgeld genau abgezählt bereithalten; **to ~ one's resignation** die Kündigung einreichen; (*from office*) seinen Rücktritt anbieten **III.** *vi* ein Angebot machen; *goods* andienen

'**ten·der·foot** <*pl* -s *or* -feet> *n* Neuling *m*

ten·der-'heart·ed *adj* weichherzig

ten·der·ize ['tend^əraɪz] *vt* zart machen

ten·der·iz·er ['tend^əraɪzə^r] *n* Weichmacher *m*

ten·der·loin ['tend^əlɔɪn] *n no pl* Filet *nt,* Lendenstück *nt*

ten·der·ly ['tend^əli] *adv* zärtlich; (*lovingly*) liebevoll

ten·der·ness ['tendənəs] *n no pl* ❶ (*fondness*) Zärtlichkeit *f* ❷ (*physical sensitivity*) [Schmerz]empfindlichkeit *f* ❸ (*succulence*) Zartheit *f*

ten·don ['tendən] *n* Sehne *f*

ten·dril ['tendr^əl] *n* Ranke *f*

ten·ement ['tenəmənt] *n* Mietwohnung *f;* Aᴍ *also* (*run-down*) heruntergekommene Mietwohnung

Ten·erife [ˌten^ər'i:f] *n no pl* Teneriffa *nt*

ten·et ['tenɪt] *n* (*form*) Lehre *f*

'**ten·fold** *adj* zehnfach

ten·ner ['tenə^r] *n* (*fam*) Zehner *m*

ten·nis ['tenɪs] *n no pl* Tennis *nt*

'**ten·nis ball** *n* Tennisball *m* '**ten·nis court** *n* Tennisplatz *m* **ten·nis 'el·bow** *n no pl* ᴍᴇᴅ Tennisarm *m* '**ten·nis rack·et** *n* Tennisschläger *m*

ten·on ['tenən] *n* Zapfen *m*

ten·or¹ ['tenə^r] *n* Tenor *m;* (*voice also*) Tenorstimme *f*

ten·or² ['tenə^r] *n no pl* ❶ (*general mean-ing*) Tenor *m;* (*content also*) Inhalt *m* ❷ (*settled nature*) *of life* Stil *m,* Verlauf *m*

ten·pin 'bowl·ing *n no pl* Bowling *nt*

tense¹ [ten(t)s] *n* ʟɪɴɢ Zeit[form] *f*

tense² [ten(t)s] **I.** *adj finger, muscle, person, voice* angespannt; *atmosphere, moment* spannungsgeladen; **to defuse a ~ situation** eine gespannte Lage entschärfen **II.** *vt muscle* anspannen ◆**tense up** *vi muscle, person* sich [an]spannen

tense·ly ['ten(t)sli] *adv* angespannt; (*nervously*) nervös

ten·sion ['ten(t)ʃ^ən] *n no pl* ❶ (*tightness*) Spannung *f; of muscle* Verspannung *f* ❷ (*uneasiness*) [An]spannung *f* ❸ (*strain*) Spannung[en] *f*[*pl*] (**between** zwischen); **to ease ~** Spannungen reduzieren ❹ (*emotional excitement*) Spannung *f*

tent [tent] *n* Zelt *nt;* **beer ~** Bierzelt *nt;* **two-man ~** Zweipersonenzelt *nt;* **to pitch a ~** ein Zelt aufschlagen

ten·ta·cle ['tentəkl] *n* Tentakel *m;* (*as a sensor*) Fühler *m* ▶**to have one's ~s in sth** die Finger in etw *dat* haben

ten·ta·tive ['tentətɪv] *adj* ❶ (*provisional*) vorläufig ❷ (*hesitant*) vorsichtig; *attempt, effort also* zaghaft

ten·ta·tive·ly ['tentətɪvli] *adv* ❶ (*provisionally*) provisorisch ❷ (*hesitatingly*) zögernd

ten·ter·hooks ['tentəhʊks] *npl* Spannhaken *m* ▶**to be** [**kept**] **on ~** wie auf glühenden Kohlen sitzen; **to keep sb on ~** jdn auf die Folter spannen

tenth [ten(t)θ] **I.** *n* ❶**the ~** der Zehnte; ■**a ~** ein Zehntel *nt* **II.** *adj attr* zehnte(r, s); ■**to be ~** Zehnte(r, s) sein **III.** *adv* als Zehnte(r, s)

'**tent peg** *n* Hering *f* '**tent pole** *n* Zeltstange *f*

tenu·ous ['tenjuəs] *adj* spärlich; *argument, excuse* schwach

ten·ure ['tenjə^r] *n* (*form*) ❶ *no pl* (*right of title*) Besitz *m;* **security of ~** Kündigungsschutz *m* ❷ *no pl* (*term of possession*) Pachtdauer *f* ❸ (*holding of office*) Amtszeit *f* ❹ ᴜɴɪᴠ (*permanent position*) feste Anstellung

te·pee ['ti:pi:] *n* Indianerzelt *nt*

tep·id ['tepɪd] *adj* lau[warm]; *applause* schwach

term [tɜ:m] **I.** *n* ❶ (*of two*) Semester *nt;* (*of three*) Trimester *nt;* **half-~** kurze Ferien, die zwischen den langen Ferien liegen, z.B. Pfingst-/Herbstferien ❷ (*set duration of job*) Amtszeit *f;* **~ of office** Amtsperiode *f* ❸ (*period of sentence*) **prison ~** Gefängnisstrafe *f* ❹ (*form: duration of con-*

tract) Laufzeit *f* ❺ (*range*) Dauer *f;* **in the long/medium/short ~** lang-/mittel-/kurzfristig ❻ (*phrase*) Ausdruck *m; ~* **of abuse** Schimpfwort *nt; ~* **of endearment** Kosewort *nt;* **technical ~** Fachausdruck *m;* **in no uncertain ~s** unmissverständlich **II.** *vt* bezeichnen

ter·mi·na·ble ['tɜːmɪnəbl] *adj* (*form*) kündbar, auflösbar

ter·mi·nal ['tɜːmɪnl] **I.** *adj* ❶ (*fatal*) End-; **~ cancer** Krebs im Endstadium; **~ disease** tödlich verlaufende Krankheit; **~ patient** Sterbepatient(in) *m(f)* ❷ (*concerning travel terminals*) Terminal-; **~ building** Flughafengebäude *nt* **II.** *n* ❶ AVIAT, TRANSP Terminal *m o nt;* **air ~** Flughafengebäude *nt;* **ferry ~** Bestimmungshafen *m;* **rail ~** Endstation *f* ❷ (*part of computer*) Terminal *nt* ❸ (*point in circuit*) Anschluss *m*

ter·mi·nate ['tɜːmɪneɪt] **I.** *vt* beenden; *contract* aufheben; *pregnancy* abbrechen **II.** *vi* enden

ter·mi·na·tion [ˌtɜːmɪ'neɪʃⁿn] *n no pl* Beendigung *f; of contract* Aufhebung *f; ~* **of a pregnancy** Schwangerschaftsabbruch *m*

ter·mi·no·logi·cal [ˌtɜːmɪnə'lɒdʒɪkᵊl] *adj* terminologisch

ter·mi·nol·ogy [ˌtɜːmɪ'nɒlədʒi] *n* Terminologie *f*

ter·mi·nus <*pl* -es *or* -ni> ['tɜːmɪnəs, *pl* -naɪ] *n* Endstation *f; of train also* Endbahnhof *m*

ter·mite ['tɜːmaɪt] *n* Termite *f*

terms [tɜːmz] *npl* ❶ Bedingungen *pl; ~* **of an agreement** Vertragsbedingungen *pl; ~* **and conditions** [Geschäfts-]Bedingungen *pl;* **on equal ~** unter den gleichen Bedingungen; **on one's** [**own**] **~** zu seinen/ihren [eigenen] Bedingungen ❷ (*as*) als etw; **in ~ of costs** was die Kosten angeht ▸ **to be on bad/good ~ with sb** sich schlecht/gut mit jdm verstehen; **to come to ~ with sth** sich mit etw *dat* abfinden

tern [tɜːn] *n* Seeschwalbe *f*

ter·race ['terɪs] **I.** *n* ❶ (*patio*) Terrasse *f* ❷ (*geol*) Terrasse *f* ❸ BRIT ■ **~s** *pl* (*in a stadium*) Tribüne *f;* **spectators' ~** Besucherränge *pl* ❹ *esp* BRIT (*row of houses*) Reihenhäuser *pl* **II.** *vt* terrassenförmig anlegen

ter·raced ['terɪst] *adj* Terrassen-; **~ property** Reihenhaus *nt; ~* **road** BRIT Straße *f* mit Reihenhäusern

ter·raced 'house *n* Reihenhaus *nt*

ter·rain [tə'reɪn] *n* Gelände *nt,* Terrain *nt*

ter·ra·pin <*pl* - *or* -s> ['terəpɪn] *n* Dosenschildkröte *f*

ter·res·trial [tə'restriəl] (*form*) **I.** *adj* ❶ (*relating to earth*) terrestrisch *geh,* Erd- ❷ (*living on the ground*) *animal, plant* Land- ❸ TV, MEDIA terrestrisch *geh* **II.** *n* Erdling *m,* Erdbewohner(in) *m(f)*

ter·ri·ble ['terəbl] *adj* ❶ (*shockingly bad*) schrecklich, furchtbar; **to look/feel ~** schlimm aussehen/sich schrecklich fühlen ❷ (*fam: very great*) schrecklich, fürchterlich; **to be a ~ nuisance** schrecklich lästig sein

ter·ri·bly ['terəbli] *adv* ❶ (*awfully*) schrecklich ❷ (*fam: extremely*) außerordentlich ❸ (*fam: really*) wirklich; **not ~** nicht wirklich

ter·ri·er ['terɪəʳ] *n* Terrier *m*

ter·rif·ic [tə'rɪfɪk] *adj* (*fam*) ❶ (*excellent*) großartig, toll ❷ (*very great*) gewaltig, unglaublich

ter·ri·fied ['terəfaɪd] *adj* (*through sudden fright*) erschrocken; (*scared*) verängstigt; ■ **to be ~ of sth** [große] Angst vor etw *dat* haben

ter·ri·fy <-ie-> ['terəfaɪ] *vt* fürchterlich erschrecken; **it terrifies me to think about what could've happened** wenn ich mir vorstelle, was alles hätte passieren können, läuft es mir kalt den Rücken runter

ter·ri·fy·ing ['terəfaɪɪŋ] *adj* thought, *sight* entsetzlich; *speed* Angst erregend; *experience* schrecklich

ter·ri·to·rial [ˌterɪ'tɔːriəl] **I.** *n* BRIT Territorialsoldat *m* **II.** *adj* ❶ GEOG, POL territorial, Gebiets- ❷ ZOOL regional begrenzt; **~ bird** Vogel *m* mit Territorialverhalten ❸ *esp* AM (*relating to a Territory*) ■ **T~** Territorial-, Landes-

ter·ri·tory ['terɪtᵊri] *n* ❶ (*area of land*) Gebiet *nt* ❷ *no pl* POL Hoheitsgebiet *nt;* **forbidden ~** (*fig*) verbotenes Terrain; **maritime ~** Hoheitsgewässer *pl* ❸ BIOL Revier *nt* ❹ (*of activity or knowledge*) Bereich *m,* Gebiet *nt;* **familiar ~** (*fig*) vertrautes Gebiet; **new/uncharted ~** Neuland *nt* ❺ ▸ **to come with the ~** dazugehören

ter·ror ['terəʳ] *n* ❶ *no pl* (*great fear*) schreckliche Angst; **to strike sb with ~** jdn in Angst und Schrecken versetzen; **to strike ~ into sb's heart** jdn mit großer Angst erfüllen ❷ (*political violence*) Terror *m;* **campaign of ~** Terrorkampagne *f;* **reign of ~** Schreckensherrschaft, f; **war on ~** Bekämpfung *f* des Terrorismus ❸ HIST ■ **the T~** Schreckensherrschaft *f*

'ter·ror cell *n* Terrorzelle *f*

ter·ror·ism ['terᵊrɪzᵊm] *n no pl* Terrorismus *m;* **act of ~** Terroranschlag *m*

ter·ror·ist ['terərɪst] **I.** *n* Terrorist(in) *m(f)* **II.** *adj attr* terroristisch; ~ **attack** Terroranschlag *m*

ter·ror·ize ['terəraɪz] *vt* (*frighten*) in Angst und Schrecken versetzen; (*coerce by terrorism*) terrorisieren

'**ter·ror·strick·en** *adj,* '**ter·ror·struck** *adj* starr vor Schreck

ter·ry ['teri], **ter·ry cloth** *n no pl* (*type*) Frottee *m o nt;* (*cloth*) Frottiertuch *nt*

terse [tɜːs] *adj* kurz und bündig; ~ **and to the point** kurz und prägnant; ~ **reply** kurze Antwort

ter·tiary ['tɜːʃəri] **I.** *adj* ❶ (*third in place/ degree*) drittrangig; ~ **education** Hochschulbildung *f* ❷ MED dritten Grades *nach n;* ~ **burns** Verbrennungen *pl* dritten Grades ❸ GEOL ■ **T~** Tertiär-; **T~ deposit** Tertiärablagerung *f;* **the T~ period** das Tertiär **II.** *n* ❶ (*tertiary feather*) Flaumfeder *f* ❷ GEOL Tertiär *nt;* ■ **tertiaries** *pl* tertiäre Überreste

tes·sel·lat·ed ['tesəleɪtɪd] *adj* mosaikartig

test [test] **I.** *n* ❶ (*of knowledge, skill*) Prüfung *f,* Test *m;* SCH Klassenarbeit *f;* UNIV Klausur *f;* **aptitude** ~ Eignungstest *m;* **driving** ~ Fahrprüfung *f;* **IQ** ~ Intelligenztest *m;* **to fail a** ~ eine Prüfung nicht bestehen; **to pass a** ~ eine Prüfung bestehen; **to take a** ~ einen Test [*o* eine Prüfung] machen ❷ MED, SCI (*examination*) Untersuchung *f,* Test *m;* **blood** ~ Blutuntersuchung *f;* **pregnancy** ~ Schwangerschaftstest *m* ❸ (*of metallurgy*) Versuchstiegel *m* ❹ (*challenge*) Herausforderung *f;* **to put sth to the** ~ etw auf die Probe stellen ❺ SPORTS (*cricket*) ■ **T~** Testmatch *nt* ▸ **to stand the** ~ **of** __time__ die Zeit überdauern **II.** *vt* ❶ (*for knowledge, skill*) prüfen, testen ❷ (*try to discover*) untersuchen ❸ (*check performance*) testen, überprüfen ❹ (*for medical purposes*) untersuchen; **to be ~ed for HIV** auf Aids untersucht werden; **to ~ sb's hearing** jds Hörvermögen testen ❺ (*by touching*) prüfen; (*by tasting*) probieren ❻ (*try to the limit*) ■ **to ~ sb/ sth** jdn/etw auf die Probe stellen ▸ **to ~ the** __patience__ **of a saint** eine harte Geduldsprobe sein **III.** *vi* MED einen Test machen; **she ~ed positive for HIV** ihr Aidstest ist positiv ausgefallen

tes·ta·ment ['testəmənt] *n* ❶ (*will*) Testament *nt;* **last will and** ~ LAW Testament *nt* ❷ (*evidence*) Beweis *m;* ■ **to be** [a] ~ **to sth** etw beweisen ❸ REL **the New/Old T~** das Neue/Alte Testament

'**test ban** *n* Teststopp *m* '**test bench** *n* Prüfstand *m* '**test card** *n* TV Testbild *nt*

'**test case** *n* LAW (*case establishing a precedent*) Musterprozess *m;* (*precedent*) Präzedenzfall *m* '**test drive** *n* Probefahrt *f;* **to take sth for a** ~ (*fig*) *product* etw testen

test·er[1] ['testə^r] *n* ❶ (*person*) Prüfer(in) *m(f)* ❷ (*machine*) Prüfgerät *nt* ❸ (*sample*) Muster *nt,* Probe *f*

test·er[2] ['testə^r] *n* (*canopy*) Baldachin *m* '**test flight** *n* Testflug *m*

tes·ti·cle ['testɪkl] *n* Hoden *m*

tes·ti·fy <-ie-> ['testɪfaɪ] *vi* ❶ LAW (*give evidence*) [als Zeuge(in) *m(f)*] aussagen; ■ **to ~ against/for sb** gegen/für jdn aussagen; **to be called upon to ~** als Zeuge(in) *m(f)* aufgerufen werden ❷ (*prove*) ■ **to ~ to sth** von etw *dat* zeugen *geh;* LAW etw bezeugen

tes·ti·mo·nial [ˌtestɪˈməʊniəl] *n* ❶ (*assurance of quality*) Bestätigung *f* ❷ (*tribute for achievements*) Ehrengabe *f*

tes·ti·mo·ny ['testɪməni] *n* ❶ (*statement in court*) [Zeugen]aussage *f;* **to bear ~ to sth** etw bezeugen; **to give ~** aussagen ❷ (*fig: proof*) Beweis *m;* ■ **to be ~ to sth** etw beweisen

test·ing ['testɪŋ] **I.** *n no pl* Testen *nt,* Prüfen *nt* **II.** *adj attr* hart; *situation* schwierig '**test·ing ground** *n* Testgebiet *nt,* Versuchsfeld *nt*

'**test match** *n* Testmatch *nt* '**test piece** *n* ❶ MUS Stück *nt* zum Vorspielen ❷ (*sample*) Muster *nt* '**test pi·lot** *n* Testpilot(in) *m(f)* '**test stage** *n* Versuchsstadium *nt* '**test tube** *n* Reagenzglas *nt* **test tube** '**baby** *n* Retortenbaby *nt*

tes·ty ['testi] *adj person* leicht reizbar; *answer* gereizt

teta·nus ['tetənəs] *n no pl* Tetanus *m*

tetchy ['tetʃi] *adj* reizbar

tête-à-tête [ˌteɪtɑːˈteɪt] **I.** *n* Tête-à-tête *nt veraltet* **II.** *adv* unter vier Augen

teth·er ['teðə^r] **I.** *n* [Halte]seil *nt* ▸ **to be at the** __end__ **of one's** ~ am Ende seiner Kräfte sein **II.** *vt* **to ~ an animal** [**to sth**] ein Tier [an etw *dat*] anbinden

tetra·he·dron <*pl* -dra *or* -s> [ˌtetrəˈhiːdr^ən] *n* MATH Tetraeder *nt fachspr*

Teu·ton ['tjuːt^ən] *n* ❶ (*ancient native of Jutland*) Teutone, Teutonin *m, f* ❷ (*esp pej: German*) Germane, Germanin *m, f pej fam,* Deutsche(r) *f(m)*

Teu·ton·ic [tjuːˈtɒnɪk] *adj* ❶ (*Germanic*) germanisch ❷ (*showing German characteristics*) deutsch; (*hist or hum*) teutonisch; (*pej*) typisch deutsch; ~ **efficiency** deutsche Tüchtigkeit

Tex·an ['teks^ən] **I.** *n* Texaner(in) *m(f)*

II. *adj* texanisch

Tex·as ['teksəs] *n* Texas *nt*

text [tekst] **I.** *n* ❶ *no pl* (*written material*) Text *m; of document* Inhalt *m* ❷ (*book*) Schrift *f;* **set ~** Pflichtlektüre *f* ❸ *no pl* COM-PUT Text[teil] *m* ❹ TELEC SMS[-Nachricht] *f* **II.** *vt* TELEC ■**to ~** |**sb**| **sth** |jdm| eine SMS[-Nachricht] senden

'**text·book I.** *n* Lehrbuch *nt* (**on** für/über) **II.** *adj attr* ❶ (*very good*) Parade-; **~ land·ing** Bilderbuchlandung *f* ❷ (*usual*) Lehrbuch-; **~ methods** Schulbuchmethoden *pl*

'**text edi·tor** *n* COMPUT Texteditor *m*

text·er ['tekstə'] *n* **she is an avid ~** sie schickt oft SMS

tex·tile ['tekstaɪl] *n* (*fabric*) Stoff *m;* ■**~s** *pl* Textilien *pl*

'**tex·tile mill** *n* Textilfabrik *f*

'**text mes·sage I.** *n* SMS **II.** *vt* ■**to ~ sth** etw per SMS schicken '**text pro·cess·ing** *n* COMPUT Textverarbeitung *f*

tex·tu·al ['tekstjuəl] *adj* textlich; **~ analy·sis** Textanalyse *f*

tex·ture ['tekstʃə'] *n* ❶ (*feel*) Struktur *f* ❷ (*consistency*) Konsistenz *f* ❸ *no pl* (*surface appearance*) |Oberflächen|beschaffenheit *f;* **skin ~** Teint *m*

Thai [taɪ] **I.** *n* ❶ (*person*) Thai *m o f,* Thailänder(in) *m(f)* ❷ (*language*) Thai *nt* **II.** *adj* thailändisch

Thai·land ['taɪlænd] *n* Thailand *nt*

tha·lido·mide [θə'lɪdə(ʊ)maɪd] *n no pl* MED Thalidomid *nt,* Contergan® *nt*

Thames [temz] *n no pl* Themse *f;* **the River ~** die Themse

than [ðæn, ðən] **I.** *prep* ❶ *after superl* (*in comparison to*) als; **she invited more ~ 30 people** sie lud mehr als 30 Leute ein; **bigger/earlier ~** größer/früher als ❷ (*instead of*) **rather ~ sth** anstatt etw *gen* ❸ (*besides*) **other ~ sb/sth** außer jdm/ etw *dat;* **other ~ that …** abgesehen davon … **II.** *conj* als

thank [θæŋk] *vt* ■**to ~ sb** jdm danken, sich bei jdm bedanken; **~ you** |**very much**|! danke |sehr|!, vielen herzlichen Dank; **how are you — I'm fine, ~ you** wie geht es dir – danke, |mir geht es| gut; **no, ~ you/yes, ~ you** nein, danke/ja, bitte; **you have Joe to ~ for this job** diese Arbeit hast du Joe zu verdanken ▶ **thank goodness** [*or* **God**]! Gott sei Dank!; **to ~ one's lucky stars** von Glück reden können

thank·ful ['θæŋkfᵊl] *adj* ❶ (*pleased*) froh ❷ (*grateful*) dankbar (**for** für)

thank·ful·ly ['θæŋkfᵊli] *adv* ❶ (*fortunately*) glücklicherweise, zum Glück ❷ (*grate-*

fully) dankbar

thank·less ['θæŋkləs] *adj* ❶ (*not rewarding*) wenig lohnend; *task* undankbar ❷ (*ungrateful*) *person, behaviour* undankbar

thanks [θæŋks] *npl* ❶ (*gratitude*) Dank *m kein pl;* **to express one's ~** seinen Dank zum Ausdruck bringen *geh* ❷ (*thank you*) danke; **many ~!** vielen Dank!; **~ very much** |**indeed**|! [vielen] herzlichen Dank!; **no, ~!** nein, danke!

thanks·giv·ing [ˌθæŋks'ɡɪvɪŋ] *n no pl* ❶ (*gratitude*) Dankbarkeit *f;* **a prayer of ~** ein Dankgebet *nt;* **General T~** BRIT Dankgottesdienst *m* ❷ AM (*public holiday*) ■**T~** Thanksgiving *nt;* (*celebration of harvest*) amerikanisches Erntedankfest **Thanks·'giv·ing Day** *n* AM Thanksgiving *nt*

'**thank you** *n* Danke[schön] *nt;* **to say a ~ to sb** sich bei jdm bedanken

'**thank-you note** *n,* '**thank-you let·ter** *n* Dankschreiben *nt geh,* Dankesbrief *m*

that [ðæt, ðət] **I.** *adj dem* (*person, thing specified*) der/die/das; (*farther away*) der/die/das |… dort |*o* da||; **who is ~ girl?** wer ist das Mädchen?; **what was ~ noise?** was war das für ein Geräusch? **II.** *pron* ❶ *dem* (*person, thing, action specified*) das; (*farther away*) das |da |*o* dort||; **~'s a good idea** das ist eine gute Idee; **~'s enough** das reicht; **who's ~?** wer ist das?; **~'s why** deshalb ❷ *dem, after prep* **after/ before ~** danach/davor; **by ~** damit; **what do you mean by ~?** was soll das heißen?; **like ~** (*in such a way*) so; (*of such a kind*) derartig; (*fam: effortlessly*) einfach so; **over/under ~** darüber/darunter ❸ *dem* (*form: the one*) der/die/das; **his handwriting is ~ of a child** seine Handschrift ist die eines Kindes ❹ *dem* (*when finished*) **~'s it!** das war's!, jetzt reicht's!; **I won't agree to it and ~'s ~** ich stimme dem nicht zu, und damit Schluss; **~'ll do ~** das wird reichen; **no thanks, ~'s all** nein danke, das ist alles ❺ *relative* (*which, who*) der/die/das ❻ *relative* (*when*) als; **the year ~ Anna was born** das Jahr, in dem Anna geboren wurde **III.** *conj* ❶ (*as subject/object*) dass; **I knew** [~] **he'd never get here on time** ich wusste, dass er niemals rechtzeitig hier sein würde ❷ (*as a result*) **it was so dark** [~] **I couldn't see anything** es war so dunkel, dass ich nichts sehen konnte ❸ (*with a purpose*) **so ~** damit ❹ *after adj* (*in apposition to 'it'*) **is it true** [~] **she's gone back to teaching?** stimmt es, dass sie wieder als Lehrerin arbeitet? ❺ *after -ing words* **considering**

[~] ... wenn man bedenkt, dass ...; **supposing** [~] ... angenommen, dass ... **⑥**(*as a reason*) weil, da [ja]; **now ~ we've bought a house** ... jetzt, wo wir ein Haus gekauft haben ..; **except** [~] ... außer, dass ...; **to the extent ~** ... (*so much that*) dermaßen, dass ...; (*insofar as*) insofern als ... **IV.** *adv* so; **it wasn't** [**all**] ~ **good** so gut war es [nun] auch wieder nicht

thatch [θætʃ] **I.** *n no pl* (*roof*) Reetdach *nt* **II.** *vt* mit Reet decken

thatched [θætʃt] *adj* reetgedeckt

thaw [θɔː] **I.** *n* **①** (*weather*) Tauwetter *nt* **②** *no pl* (*improvement in relations*) Tauwetter *nt;* **there are signs of a ~ in relations between the two countries** zwischen den beiden Ländern gibt es Anzeichen für eine Entspannung **II.** *vi* **①** (*unfreeze*) auftauen; *ice* schmelzen **②** (*become friendlier*) auftauen **III.** *vt* FOOD auftauen

the [ðiː, ði, ðə] **I.** *art def* **①** (*denoting thing mentioned*) der/die/das; **at ~ cinema** im Kino; **on ~ table** auf dem Tisch **②** (*particular thing/person*) ■ **~** ... der/die/das ...; **Harry's Bar is ~ place to go** Harry's Bar ist in der Szene total in *fam* **③** (*with family name*) ~ **Smiths** die Schmidts **④** (*before relative clause*) der/die/das; **I really enjoyed ~ book I've just read** das Buch, das ich gerade gelesen habe, hat mir wirklich gefallen **⑤** (*in title*) der/die; **Edward ~ Seventh** Eduard der Siebte **⑥** (*before adjective*) der/die/das; **~ inevitable** das Unvermeidliche **⑦** (*to represent group*) der/die/das; (*with mass group*) die; **~ panda is becoming an increasingly rare animal** der Pandabär wird immer seltener; **~ democrats/poor** die Demokraten/Armen **⑧** (*with superlative*) der/die/das; **~ highest/longest** ... der/die/das höchste/längste ... **⑨** (*with dates*) der; **~ 24th of May, May ~ 24th** der 24. Mai; (*with time period*) **in ~ eighties** in den achtziger Jahren **⑩** (*with ordinal numbers*) **~ first/fifth** der/die Erste/Fünfte **⑪** (*with measurements*) pro; **these potatoes are sold by ~ kilo** diese Kartoffeln werden kiloweise verkauft **⑫** (*enough*) der/die/das; **I haven't got ~ energy to go out this evening** ich habe heute Abend nicht mehr die Energie auszugehen **II.** *adv + comp* **all ~ better/worse** umso besser/schlechter; **~ colder it got, ~ more she shivered** je kälter es wurde, desto mehr zitterte sie

thea·tre ['θɪətə^r] *n,* AM **thea·ter** *n* **①** (*for performances*) Theater *nt;* **to go to the ~** ins Theater gehen **②** AM, AUS, NZ (*cinema*)

Kino *nt* **③** UNIV **lecture ~** Hörsaal *m* **④** BRIT MED Operationssaal *m* **⑤** *no pl* (*dramatic art*) Theater *nt;* **the Greek ~** das griechische Theater **⑥** (*where events happen*) Schauplatz *m*

'**thea·tre com·pa·ny** *n* [Theater]ensemble *nt,* Schauspieltruppe *f* '**thea·tre crit·ic** *n* Theaterkritiker(in) *m(f)* '**thea·tre·goer** *n* Theaterbesucher(in) *m(f)*

the·at·ri·cal [θiˈætrɪkᵊl] **I.** *adj* **①** (*of theatre*) Theater-; **~ agent** Theateragent(in) *m(f)* **②** (*exaggerated*) theatralisch **II.** *n usu pl* Berufsschauspieler(in) *m(f)*

thee [ðiː, ði] *pron object pron* DIAL (*old: you*) dir *in dat,* dich *in akk*

theft [θeft] *n* Diebstahl *m*

their [ðeə^r, ðᵊr] *adj poss* **①** (*of them*) ihr(e); **the children brushed ~ teeth** die Kinder putzten sich die Zähne; **she took ~ picture** sie fotografierte sie **②** (*his or her*) **has everybody got ~ passport?** hat jeder seinen Pass dabei?

theirs [ðeəz] *pron* ihr(e, es); **they think everything is ~** sie glauben, dass ihnen alles gehört; **I think she's a relation of ~** ich glaube, sie ist mit ihnen verwandt; **a favourite game of ~** eines ihrer Lieblingsspiele

the·ism ['θiːɪzᵊm] *n no pl* Theismus *m geh*

them [ðem, ðəm] **I.** *pron object pron* **①** (*persons, animals*) sie *in akk,* ihnen *in dat;* **I told ~ I was leaving next week** ich habe ihnen gesagt, dass ich nächste Woche wegfahre; **the cats are hungry — could you feed ~?** die Katzen haben Hunger – könntest du sie füttern? **②** (*objects*) sie *in akk;* **I've lost my keys — I can't find ~ anywhere** ich habe meine Schlüssel verloren – ich kann sie nirgends finden **③** (*him*) ihm/ihr *in dat,* ihn/sie *in akk;* **we want to show every customer that we appreciate ~** wir wollen jedem Kunden zeigen, wie sehr wir ihn schätzen **④** (*fam: the other side*) **us against ~** wir gegen sie **II.** *adj attr* DIAL (*fam: those*) diese *pl;* **look at ~ eyes** schau dir diese Augen an

the·mat·ic [θɪˈmætɪk] **I.** *adj* thematisch **II.** *n* ■ **~s** + *sing/pl vb* Themengebiet *nt*

theme [θiːm] *n* **①** (*subject*) Thema *nt* **②** MUS Thema *nt;* FILM, TV Melodie *f* **③** AM SCH (*essay*) Aufsatz *m*

'**theme mu·sic** *n no pl* FILM, TV Titelmusik *f* '**theme park** *n* Themenpark *m* '**theme song** *n* FILM, TV Titelmelodie *f* '**theme tune** *n* Erkennungsmelodie *f*

them·selves [ðəmˈselvz] *pron reflexive* **①** (*direct object*) sich; **the children behaved ~ very well** die Kinder benahmen sich sehr gut ❷ (*form: them*) sie selbst; **besides their parents and ~, no one else will attend their wedding** außer ihren Eltern und ihnen selbst wird niemand zu ihrer Hochzeit kommen ❸ (*emph: personally*) selbst; **to see/ taste/feel/try sth for ~** etw selbst sehen/ kosten/fühlen/versuchen ❹ (*himself or herself*) sich selbst; **anyone who fancies ~ as a racing driver** jeder, der sich selbst für einen Rennfahrer hält ❺ (*alone*) ▪ [**all**] **by ~** [ganz] allein; **they had the whole campsite to ~** sie hatten den ganzen Campingplatz für sich

then [ðen] **I.** *adj* (*form*) damalige(r, s) **II.** *adv* ❶ (*at an aforementioned time*) damals; **before ~** davor, vorher; **by ~** bis dahin; **from ~ on** seit damals; **until ~** bis dahin ❷ (*after that*) dann, danach, darauf ❸ (*however*) **but ~** aber schließlich; **but ~ again** aber andererseits ❹ (*unwilling agreement*) **all right** [*or* **ok**] **~** na gut, [also] meinetwegen ❺ (*used to end conversation*) **see you next Monday ~** dann bis nächsten Montag

thence [ðen(t)s] *adv* (*dated form*) ❶ (*from there*) von dort ❷ (*from then on*) seit jener Zeit ❸ (*therefore*) deshalb

thence·forth [ˌðen(t)s'fɔːθ] *adv,* **thence·for·ward** [ˌðen(t)s'fɔːwəd] *adv* (*form*) seit jener Zeit

the·oc·ra·cy [θi'ɒkrəsi] *n no pl* Theokratie *f*

the·odo·lite [θi'ɒdᵊlaɪt] *n* Winkelmessgerät *nt*

theo·lo·gian [ˌθiːəˈləʊdʒᵊn] *n* Theologe, Theologin *m, f*

theo·logi·cal [ˌθiːəˈlɒdʒɪkᵊl] *adj* Theologie-; **~ college** Priesterseminar *nt*

theo·logi·cal·ly [ˌθiːəˈlɒdʒɪkᵊli] *adv* theologisch

the·ol·ogy [θi'ɒlədʒi] *n* ❶ (*principle*) Glaubenslehre *f* ❷ *no pl* (*study*) Theologie *f*

theo·rem [ˈθɪərəm] *n* MATH Lehrsatz *m*; **Pythagoras' ~** der Satz des Pythagoras

theo·reti·cal [θɪə'retɪkᵊl] *adj* theoretisch; **to be a ~ possibility** theoretisch möglich sein

theo·reti·cal·ly [θɪə'retɪkᵊli] *adv* theoretisch

theo·rist [ˈθɪərɪst] *n* Theoretiker(in) *m(f)*

theo·rize [ˈθɪəraɪz] *vi* Theorien aufstellen (**about** über)

theo·ry [ˈθɪəri] *n* ❶ *no pl* (*rules*) Theorie *f* ❷ (*possible explanation*) Theorie *f*; **in ~** theoretisch

thera·peut·ic [ˌθerə'pjuːtɪk] *adj* ❶ (*healing*) therapeutisch ❷ (*beneficial to health*) gesundheitsfördernd

thera·peut·ics [ˌθerə'pjuːtɪks] *n + sing vb* Therapielehre *f*

thera·pist [ˈθerəpɪst] *n* Therapeut(in) *m(f)*

thera·py [ˈθerəpi] *n* Therapie *f*, Behandlung *f*; **occupational ~** Beschäftigungstherapie *f*

there [ðeəʳ, ðəʳ] **I.** *adv* ❶ (*in, at that place*) dort, da; **~'s that book you were looking for** hier ist das Buch, das du gesucht hast; **to be ~ for sb** für jdn da sein; **here and ~** hier und da ❷ (*at the place indicated*) dort, da; **in/out/over/up ~** da drin[nen]/draußen/drüben/oben ❸ (*to a place*) dahin, dorthin; **the museum is closed today — we'll go ~ tomorrow** das Museum ist heute zu – wir gehen morgen hin; **to get ~** (*arrive*) hinkommen; (*fig: succeed*) es schaffen; (*understand*) es verstehen; **~ and back** hin und zurück; **in ~** dort [*o* da] hinein ❹ (*in speech or text*) an dieser Stelle; **I'd have to disagree with you** ~ da muss ich Ihnen leider widersprechen ❺ (*used to introduce sentences*) **~ are lives at stake** es stehen Leben auf dem Spiel; **~'s a good boy/girl/dog** braver Junge/braves Mädchen/braver Hund; **~ appears to be ...** es scheint ...; **~ comes a point where ...** es kommt der Punkt, an dem ... ❻ (*said to attract attention*) **hello ~!** hallo! ▸ **to be neither** <u>here</u> **nor ~** keine Rolle spielen; **~ you are — that'll be £3.80 please** bitte schön – das macht £3,80; **been ~, done that** (*fam*) kalter Kaffee; **~ you** <u>have</u> **it** na siehst du **II.** *interj* ❶ (*expressing sympathy*) da!, schau!; **~, ~!** ganz ruhig!, schon gut! ❷ (*expressing satisfaction*) na bitte!, siehst du! ❸ (*fam*) **so ~!** und damit basta!; **you can't have any, so ~!** du kriegst nichts ab, ätsch!

there·abouts [ˈðeərəbaʊts] *adv* ❶ (*in that area*) dort in der Nähe ❷ (*approximate time*) **or ~** oder so; **he's lived in Norwich for 40 years, or ~** er lebt seit ungefähr vierzig Jahren in Norwich **there·'after** *adv* (*form*) darauf; **shortly ~** kurze Zeit später **'there·by** *adv* dadurch ▸ **~ hangs a** <u>tale</u> *esp* BRIT (*form*) eine lange Geschichte **there·fore** [ˈðeəfɔːʳ] *adv* deshalb, deswegen, daher **there·in** [ˌðeə'rɪn] *adv* (*form*) darin **there·of** [ˌðeə'rɒv] *adv* (*form*) davon **there·upon** [ˌðeərə'pɒn] *adv* (*form*) daraufhin

therm [θɜːm] *n* BRIT (*dated*) veraltete britische Einheit für Arbeit und Energie

ther·mal [ˈθɜːmᵊl] **I.** *n* ❶ (*air current*) Thermik *f* ❷ (*underwear*) ▪ **~s** *pl* Thermo-

unterwäsche *f kein pl* **II.** *adj attr* ❶ MED
Thermal-; **~ bath** Thermalbad *nt* ❷ PHYS
thermisch, Thermo-; **~ conductivity** Wär-
meleitfähigkeit *f*

ther·mal 'under·wear *n no pl* Thermoun-
terwäsche *f*

ther·mo·dy·nam·ic
[ˌθɜːməˈʊdaɪˈnæmɪk] *adj attr* thermody-
namisch

ther·mo·elec·tric [ˌθɜːməʊˈlektrɪk] *adj*
thermoelektrisch

ther·mom·eter [ˈθɜːmɒmɪtəʳ] *n* ❶ (*device*) Thermometer *nt o* SCHWEIZ *a. m;* **clinical ~** Fieberthermometer *nt* ❷ (*record*)
Barometer *nt*

ther·mo·nu·clear [ˌθɜːməʊˈnjuːkliəʳ]
adj thermonuklear; **~ bomb** Wasserstoffbombe *f*

Thermos® [ˈθɜːmɒs] *n,* **Thermos®** bottle *n,* **Thermos® flask** *n* Thermosflasche *f*

ther·mo·stat [ˈθɜːməstæt] *n* Thermostat *m*

ther·mo·stat·ic [ˈθɜːməstætɪk] *adj* ther-
mostatisch

the·sau·rus <*pl* -es *or pl* -ri> [θɪˈsɔːrəs, *pl*
-raɪ] *n* Synonymwörterbuch *nt,* Thesau-
rus *m fachspr*

these [ðiːz] **I.** *adj pl of* **this II.** *pron dem pl
of* **this** ❶ (*the things here*) diese; **take ~
and put them on my desk please** nimm
die[se] hier und stell sie bitte auf meinen
Tisch; **are ~ your bags?** sind das hier
deine Taschen; **~ here** die da ❷ (*the
people here*) das; **~ are my kids** das sind
meine Kinder ❸ (*current times*) diese; **in
times like ~ ...** in Zeiten wie diesen ...
❹ (*familiar referent*) diese

the·sis <*pl* -ses> [ˈθiːsəs, *pl* -siːz] *n*
❶ (*written study*) wissenschaftliche Arbeit;
(*for diploma*) Diplomarbeit *f;* (*for PhD*)
Doktorarbeit *f;* **doctoral ~** Doktorarbeit *f*
❷ (*proposition*) These *f*

they [ðeɪ] *pron pers* ❶ (*3rd person plural*)
sie; **where are my glasses? ~ were on
the table just now** wo ist meine Brille? sie
lag doch gerade noch auf dem Tisch ❷ (*he
or she*) er, sie; **ask a friend if ~ could
help** frag einen Freund, ob er/sie helfen
kann ❸ (*people in general*) sie; **~ say ...** es
heißt ... ❹ (*fam: those with authority*)
**~ 've decided to change the bus route
into town** es wurde beschlossen, die Bus-
route in die Stadt zu ändern; **~ cut my
water off** man hat mir das Wasser abgestellt

they'll [ðeɪl] = **they will** *see* **will**[1]

they're [ðeəʳ] = **they are** *see* **be**

they've [ðeɪv] = **they have** *see* **have I, II**

thick [θɪk] **I.** *adj* ❶ (*not thin*) *coat, layer,
volume* dick ❷ (*bushy*) *eyebrows* dicht;
hair also voll ❸ *after n* (*measurement*)
dick, stark; **the walls are two metres ~**
die Wände sind zwei Meter dick ❹ (*not
very fluid*) dick, zähflüssig ❺ (*dense*)
dicht; **~ with smoke** verraucht; **~ clouds/
fog** dichte Wolkendecke/dichter Nebel
❻ (*extreme*) deutlich, ausgeprägt; *accent*
stark ❼ (*pej sl: mentally slow*) dumm; **to
be [a bit] ~** [ein bisschen] begriffsstutzig
sein ▶ **to have a ~ skin** ein dickes Fell haben; **blood is ~er than water** (*saying*)
Blut ist dicker als Wasser *prov;* **to be as ~
as thieves** wie Pech und Schwefel zusammenhalten; **to be as ~ as two short
planks** dumm wie Bohnenstroh sein **II.** *n
no pl* (*fam*) ◼ **in the ~ of sth** mitten[drin]
in etw *dat* **III.** *adv* (*heavily*) dick; **the
snow lay ~ on the path** auf dem Weg lag
eine dicke Schneedecke ▶ **to come ~ and
fast** the complaints were coming ~ and
fast es hagelte Beschwerden; **to lay it on ~**
dick auftragen *fam*

thick·en [ˈθɪkən] **I.** *vt sauce* eindicken **II.** *vi*
❶ (*become less fluid*) dick[er] werden
❷ (*become denser*) dicht[er] werden
❸ (*become less slim*) [an Umfang] zunehmen ▶ **the plot ~s** (*saying*) die Sache wird
langsam interessant

thick·en·er [ˈθɪkənəʳ] *n* Bindemittel *nt;*
gravy ~ Soßenbinder *m*

thick·et [ˈθɪkɪt] *n* Dickicht *nt*

thick-'head·ed *adj* ❶ (*mentally slow*) begriffsstutzig ❷ (*stupid*) dumm

thick·ly [ˈθɪkli] *adv spread, cut* dick

thick·ness [ˈθɪknəs] *n* ❶ *no pl* (*size,
depth*) Dicke *f* ❷ (*denseness*) Dichte *f*
❸ (*layer*) Schicht *f*

thick·'set *adj person* stämmig; *plant* dicht
[gepflanzt] **thick-'skinned** *adj* dickhäu-
tig; **to be ~** ein dickes Fell haben

thief <*pl* thieves> [θiːf] *n* Dieb(in) *m(f)*
▶ **like a ~ in the night** wie ein Dieb in der
Nacht

thieve [θiːv] *vi, vt* (*liter*) stehlen

thiev·ing [ˈθiːvɪŋ] **I.** *n* (*liter, form*) Stehlen *nt* **II.** *adj attr* diebisch; **take your ~
hands off my cake!** (*hum*) lass deine Finger von meinem Kuchen!

thigh [θaɪ] *n* [Ober]schenkel *m*

'thigh bone *n* Oberschenkelknochen *m*

thim·ble [ˈθɪmbl] *n* Fingerhut *m*

thin <-nn-> [θɪn] **I.** *adj* ❶ (*not thick*) dünn;
~ line feine Linie; (*fig*) schmaler Grat
❷ (*slim*) *person* dünn; (*too slim*) hager
❸ (*not dense*) *fog* leicht; *crowd* klein;
(*lacking oxygen*) *air* dünn ❹ (*sparse*) spär-

lich; ~ **hair** (*on head*) schütteres Haar; (*on body*) spärlicher Haarwuchs ❺ (*very fluid*) dünn[flüssig] ❻ (*feeble*) schwach; *disguise* dürftig; *excuse* fadenscheinig ❼ (*come to an end*) **to wear ~ soles, clothes** dünner werden; (*fig*) erschöpft sein ▸ **out of ~ air** aus dem Nichts; **to disappear into ~ air** sich in Luft auflösen; **to be ~ on the ground** BRIT, AUS dünn gesät sein; **to be on ~ ice** sich auf dünnem Eis bewegen; **to stick together through** <u>thick</u> **and ~** zusammen durch dick und dünn gehen **II.** *vt* <-nn-> ❶ (*make more liquid*) verdünnen ❷ (*remove some*) ausdünnen, lichten **III.** *vi* <-nn-> ❶ (*become weaker*) *soup, blood* dünner werden; *crowd* sich zerstreuen; *fog* sich lichten; *hair* dünner werden, sich lichten ❷ (*become worn*) *material* sich verringern, abnehmen ♦**thin down I.** *vi* abnehmen **II.** *vt* verdünnen ♦**thin out I.** *vt* ausdünnen; *plants* pikieren **II.** *vi* weniger werden, sich verringern; *crowd* kleiner werden, sich verlaufen

thine [ðaɪn] DIAL **I.** *adj det* (*old*) dein **II.** *pron poss* (*old*) der/die/das Deinige

thing [θɪŋ] *n* ❶ (*unspecified object*) Ding *nt*, Gegenstand *m*, Dings[bums] *nt fam*; **I haven't got a ~ to wear** ich habe nichts zum Anziehen ❷ (*possessions*) ■**~s** *pl* Besitz *m* kein *pl*; (*objects for special purpose*) Sachen *pl*, Zeug *nt* kein *pl*; **swimming ~s** Schwimmzeug *nt* kein *pl* ❸ (*unspecified idea, event*) Sache *f*; **if there's one ~ I want to know it's this** wenn es etwas gibt, das ich wissen will, dann ist es das; **one ~ leads to another** das Eine führt zum Andern; **don't worry about a ~!** mach dir keine Sorgen!; **to not be sb's ~** nicht jds Ding *nt* sein *fam*; **the whole ~** das Ganze ❹ (*unspecified activity*) Sache *f*; **that was a close ~!** das war knapp!; **to do sth first/last ~** etw als Erstes/Letztes tun; **to do one's own ~** (*fam*) seinen [eigenen] Weg gehen ❺ (*fam: what is needed*) **just the ~** genau das Richtige ❻ (*matter*) Thema *nt*, Sache *f*; **sure ~!** *esp* AM na klar!; **to know a ~ or two** eine ganze Menge wissen ❼ (*social behaviour*) **smoking during meals is not the done ~** es gehört sich nicht, während des Essens zu rauchen ❽ (*the situation*) **how are ~s** [**with you**]? wie geht's [dir]?; **as ~s stand** so wie die Dinge stehen ❾ (*person*) **you lucky ~!** du Glückliche(r)!; **lazy ~** Faulpelz *m*; **the poor ~** der/die Ärmste; (*young woman, child*) das arme Ding ▸ **to be the greatest ~ since** <u>sliced</u> **bread** (*fam*) einfach Klasse sein;

the best ~s in <u>life</u> **are free** (*saying*) die besten Dinge im Leben sind umsonst; **to be just** <u>one</u> **of those ~s** (*be unavoidable*) einfach unvermeidlich sein; (*typical happening*) typisch sein; **worse ~s happen at** <u>sea</u> (*saying*) davon geht die Welt nicht unter *fam*; **to be onto a** <u>good</u> **~** (*fam*) etwas Gutes auftun

thinga·ma·bob [ˈθɪŋəmə,bɒb], **thinga· ma·jig** [ˈθɪŋəmə,dʒɪg], BRIT **thingum·my** [ˈθɪŋəmi], *esp* BRIT **thingy** [ˈθɪŋi] *n* (*fam*) [der/die/das] Dings[da] [*o* Dingsbums]

think [θɪŋk] **I.** *n* *no pl* (*fam*) **to have a ~ about sth** sich *dat* etw überlegen, über etw *akk* nachdenken **II.** *vi* <thought, thought> ❶ (*believe*) denken, glauben, meinen; **yes, I ~ so** ich glaube schon; **no, I don't ~ so** ich glaube nicht ❷ (*reason, have views/ideas*) denken; **not everybody ~s like you** nicht jeder denkt wie du ❸ (*consider to be, have an opinion*) **I want you to ~ of me as a friend** ich möchte, dass du mich als Freund siehst; **~ nothing of it!** keine Ursache!; **to ~ highly of sb/sth** viel von jdm/etw *dat* halten; **to ~ nothing of doing sth** nichts dabei finden, etw zu tun ❹ (*expect*) **I thought as much!** das habe ich mir schon gedacht! ❺ (*intend*) ■**to ~ of doing sth** erwägen, etw zu tun ❻ (*come up with*) ■**to ~ of sth** sich *dat* etw ausdenken; **to ~ of an idea/solution** auf eine Idee/Lösung kommen ❼ (*remember*) **I can't ~ when/where/who ...** ich weiß nicht mehr, wann/wo/wer ... ❽ (*reflect*) [nach]denken, überlegen; **that'll give him something to ~ about** das sollte ihm zu denken geben; **I haven't seen him for weeks, in fact, come to ~ of it, since March** ich habe ihn seit Wochen nicht mehr gesehen, wenn ich es mir recht überlege, seit März nicht; **to ~ better of sth** sich *dat* etw anders überlegen; **to ~ for oneself** selbstständig denken ❾ (*imagine*) ■**to ~ of sth** sich *dat* etw vorstellen ❿ (*have in one's mind*) ■**to ~ of sb/sth** an jdn/etw *akk* denken ⓫ (*take into account*) ■**to ~ of sth** etw bedenken ▸ **to be** <u>unable</u> **to hear oneself ~** sein eigenes Wort nicht mehr verstehen **III.** *vt* <thought, thought> ❶ (*hold an opinion*) denken, glauben; **to ~ the world of sb/ sth** große Stücke auf jdn/etw *akk* halten; **to ~ to oneself that ...** [bei] sich *dat* denken, dass ... ❷ (*consider to be*) **who do you ~ you are?** für wen hältst du dich eigentlich?; **to ~ it** [un]**likely that ...** es für [un]wahrscheinlich halten, dass ... ❸ (*in-*

tend) I ~ **I'll go for a walk** ich denke, ich mache einen Spaziergang ➍(*remember*) ■**to** ~ **to do sth** daran denken, etw zu tun ➎(*find surprising, strange, foolish*) **to** ~ |**that**] **I loved him!** kaum zu glauben, dass ich ihn einmal geliebt habe! ◆**think about** *vi* ➊(*have in one's mind*) denken (an) ➋(*reflect*) nachdenken (über) ➌(*consider*) ■**to** ~ **about sth** sich *dat* etw überlegen; **to** [**not**] ~ **twice about sth** sich *dat* etw [nicht] zweimal überlegen ◆**think ahead** *vi* vorausdenken; (*be foresighted*) sehr vorausschauend sein ◆**think back** *vi* zurückdenken (**to** an); ■**to** ~ **back over sth** sich *dat* etw noch einmal vergegenwärtigen ◆**think on** *vt* NBRIT, AM (*fam*) nachdenken (über) ◆**think out** *vt* ➊(*prepare carefully*) durchdenken; **a well thought out plan** ein gut durchdachter Plan ➋(*plan*) vorausplanen ➌(*come up with*) sich *dat* ausdenken; (*develop*) entwickeln ◆**think over** *vt* überdenken; **I'll** ~ **it over** ich überleg's mir noch mal ◆**think through** *vt* [gründlich] durchdenken ◆**think up** *vt* (*fam*) sich *dat* ausdenken

think·er [ˈθɪŋkə^r] *n* Denker(in) *m(f)*

think·ing [ˈθɪŋkɪŋ] I. *n* no pl ➊(*using thought*) Denken *nt;* **to do some** ~ **about sth** sich *dat* über etw *akk* Gedanken machen ➋(*reasoning*) Überlegung *f;* **good** ~ ! **that's a brilliant idea!** nicht schlecht! eine geniale Idee! ➌(*opinion*) Meinung *f;* **to my way of** ~ meiner Ansicht nach II. *adj attr* denkend, vernünftig

'**think tank** *n* (*fig*) Expertenkommission *f*

thin·ner [ˈθɪnə^r] I. *n* Verdünnungsmittel *nt;* **paint** ~ Farbverdünner *m* II. *adj comp of* **thin**

thin·ness [ˈθɪnnəs] *n* no pl ➊(*not fat*) Magerkeit *f* ➋(*fig: lack of depth*) Dünnheit *f*

thin-'skinned *adj* empfindlich, sensibel

third [θɜːd] I. *n* ➊(*number 3*) Dritte(r, s); **George the T~** Georg der Dritte; **the** ~ **of September** der dritte September ➋(*fraction*) Drittel *nt* ➌(*gear position*) dritter Gang ➍MUS Terz *f* ➎BRIT UNIV (*class of degree*) dritter [akademischer] Grad II. *adj* dritte(r, s); ~ **best** drittbeste(r, s); **the** ~ **time** das dritte Mal

third 'age *n* ■**the** ~ das dritte Leben [o Alter] **third de·'gree** *n* Polizeimaßnahme *f* (*zur Erzwingung eines Geständnisses*); **to get the** ~ (*hum fam*) verhört werden; **to give sb the** ~ (*fam*) jdn in die Mangel nehmen **third-de·gree 'burn** *n* Verbrennung *f* dritten Grades **third·ly** [ˈθɜːdli] *adv* drittens **third 'par·ty** I. *n* dritte Person;

LAW Dritte(r) *f(m);* POL dritte Partei II. *adj attr* Haftpflicht-; ~ **accident insurance** Unfall-Fremdversicherung **third-par·ty in·'sur·ance** *n* no pl Haftpflichtversicherung *f* **third-par·ty lia·'bil·ity** *n* no pl Haftpflicht *f;* **to be covered for** ~ haftpflichtversichert sein **third 'per·son** *n* ➊(*person*) dritte Person; LAW Dritte(r) *f(m)* ➋LING dritte Person **third-'rate** *adj* minderwertig **Third 'World** *n* ■**the** ~ die Dritte Welt; ~ **country** Drittweltland *nt*

thirst [θɜːst] *n* no pl ➊(*need for a drink*) Durst *m;* **to die of** ~ verdursten; **to quench one's** ~ seinen Durst löschen ➋(*strong desire*) Verlangen *nt;* **to have a** ~ **for adventure** abenteuerlustig sein; ~ **for knowledge** Wissensdurst *m;* ~ **for power** Machtgier *f*

thirsty [ˈθɜːsti] *adj* durstig; **gardening is** ~ **work** Gartenarbeit macht durstig; ■**to be** ~ **for sth** nach etw *dat* hungern

thir·teen [θɜːˈtiːn] I. *n* Dreizehn *f; see also* **eight** II. *adj* dreizehn; *see also* **eight**

thir·teenth [θɜːˈtiːn(t)θ] I. *n* ➊(*order*) ■**the** ~ der/die/das Dreizehnte; *see also* **eighth** ➋(*date*) **the** ~ der Dreizehnte; *see also* **eighth** ➌(*fraction*) Dreizehntel *nt; see also* **eighth** II. *adj* dreizehnte(r, s); *see also* **eighth** III. *adv* als Dreizehnte(r, s); *see also* **eighth**

thir·ti·eth [ˈθɜːtiəθ] I. *n* ➊(*after twenty-ninth*) Dreißigste(r, s); *see also* **eighth** ➋(*date*) **the** ~ der Dreißigste; *see also* **eighth** ➌(*fraction*) Dreißigstel *nt; see also* **eighth** II. *adj* dreißigste(r, s); *see also* **eighth** III. *adv* als Dreißigste(r, s); *see also* **eighth**

thir·ty [ˈθɜːti] I. *n* ➊(*number*) Dreißig *f; see also* **eight** ➋(*age*) **to be in one's thirties** in den Dreißigern sein ➌(*time period*) ■**the thirties** *pl* die dreißiger Jahre ➍(*speed*) **he was doing** ~ **kph** er fuhr gerade dreißig II. *adj* dreißig; *see also* **eight**

this [ðɪs, ðəs] I. *adj attr* ➊(*close in space*) diese(r, s); **can you sign** ~ **form** [**here**] **for me?** kannst du dieses Formular für mich unterschreiben? ➋(*close in future*) diese(r, s); **I'll do it** ~ **Monday/week/month/ year** ich erledige es diesen Montag/diese Woche/diesen Monat/dieses Jahr; (*of today*) ~ **morning/evening** heute Morgen/Abend; ~ **minute** sofort ➌(*referring to specific*) diese(r, s); **don't listen to** ~ **guy** hör nicht auf diesen Typen; **by** ~ **time** dann ➍(*fam: a*) diese(r, s); ~ **lady came up to me and asked me where I got my tie** da kam so eine Frau auf mich zu und fragte mich nach meiner Krawatte ▸**watch**

~ **space** BRIT man darf gespannt sein **II.** *pron* ❶ (*the thing here*) das; ~ **is my purse not yours** das ist mein Geldbeutel, nicht deiner; **is** ~ **your bag?** ist das deine Tasche? ❷ (*the person here*) das; ~ **is my husband, Stefan** das ist mein Ehemann Stefan; ~ **is the captain speaking** hier spricht der Kapitän ❸ (*this matter here*) das; **what's** ~? was soll das?; **what's all** ~ **about?** was soll das [Ganze] hier?; ~ **is what I was talking about** davon spreche ich ja ❹ (*present time*) das; **how can you laugh at a time like** ~? wie kannst du in einem solchen Moment lachen? ❺ (*with an action*) das; **every time I do** ~, **it hurts** jedes Mal, wenn ich das mache, tut es weh; **like** ~ so ❻ (*the following*) das; **listen to** ~ ... **how does it sound?** hör dir das an ... wie klingt das? ▸ ~ **and that** (*fam*) dies und das **III.** *adv* so; **he's not used to** ~ **much attention** er ist so viel Aufmerksamkeit nicht gewöhnt; ~ **far and no further** (*also fig*) bis hierher und nicht weiter

this·tle ['θɪsl] *n* Distel *f*

tho' [ðəʊ] *conj short for* **though** obwohl

thong [θɒŋ] *n* ❶ (*strip of leather*) Lederband *nt* ❷ (*part of whip*) Peitschenschnur *f* ❸ (*G-string panty*) Tanga *m* ❹ AM, AUS (*flip-flop*) ▪~**s** *pl* [Zehen]sandalen *pl*, Badeschuhe *pl* (*mit Leder- oder Plastikriemen zwischen ersten beiden Zehen*)

thor·ax <*pl* -**es** *or* -**races**> ['θɔːræks, *pl* -rəsiːz] *n* ANAT Brustkorb *m*

thorn [θɔːn] *n* ❶ (*prickle*) Dorn *m* ❷ (*bush with prickles*) Dornenstrauch *m* ❸ (*nuisance*) Ärgernis *nt* ▸ **to be a** ~ **in sb's side** jdm ein Dorn im Auge sein; **there is no rose without a** ~ (*prov*) keine Rose ohne Dornen *prov*

thorny ['θɔːni] *adj* ❶ (*with thorns*) dornig ❷ (*difficult*) schwierig; *issue* heikel

thor·ough ['θʌrə] *adj* ❶ (*detailed*) genau, exakt ❷ (*careful*) sorgfältig, gründlich; *reform* durchgreifend ❸ *attr* (*complete*) komplett; **it was a** ~ **waste of time** das war reine Zeitverschwendung

'thor·ough·bred I. *n* Vollblut[pferd] *nt* **II.** *adj* ❶ *horse* reinrassig, Vollblut- ❷ (*fam: excellent*) rassig **'thor·ough·fare** *n* (*form*) Durchgangsstraße *f;* **"no** ~ **"** „keine Durchfahrt" **'thor·ough·go·ing** *adj* (*form*) ❶ (*complete*) gründlich ❷ *attr* (*absolute*) radikal; **a** ~ **idiot** ein Vollidiot *m pej*

thor·ough·ly ['θʌrəli] *adv* ❶ (*in detail*) genau, sorgfältig ❷ (*completely*) völlig; **to** ~ **enjoy sth** etw ausgiebig genießen

thor·ough·ness ['θʌrənəs] *n no pl* Gründlichkeit *f*, Sorgfältigkeit *f*

those [ðəʊz] **I.** *adj det* ❶ *pl of* **that** (*to identify specific persons/things*) diese; **how much are** ~ **brushes?** wie viel kosten die Bürsten da? ❷ *pl of* **that** (*familiar referent*) jene; **where are** ~ **children of yours?** wo sind deine Kinder? ❸ *pl of* **that** (*singling out*) **I like** ~ **biscuits with the almonds in them** ich mag die Kekse mit den Mandeln drinnen **II.** *pron pl of* **that** ❶ (*the things over there*) diejenigen; **what are** ~? was ist das?; **these peaches aren't ripe, try** ~ **on the table** diese Pfirsiche sind noch nicht reif, versuch' die auf dem Tisch ❷ (*the people over there*) das; ~ **are my kids over there** das sind meine Kinder da drüben ❸ (*past times*) damals; ~ **were the days** das war eine tolle Zeit ❹ (*the people*) ▪~ **who ...** diejenigen, die ...; ▪**one of** ~ (*belonging to a group*) eine(r) davon; **to be one of** ~ **who ...** eine(r) von denen sein, die ..., zu denen gehören, die ... ❺ (*the ones*) diejenigen; **my favourite chocolates are** ~ **which have cherries inside them** meine Lieblingspralinen sind die mit Kirschen

thou¹ [ðaʊ] *pron pers* DIAL (*old: you*) du

thou² <*pl* -> [θaʊ] *n* (*fam*) ❶ *abbrev of* **thousand** ❷ *abbrev of* **thousandth**

though [ðəʊ] **I.** *conj* ❶ (*despite the fact that*) obwohl ❷ (*however*) [je]doch ❸ (*fam: nevertheless*) dennoch; **the report was fair,** ~ der Bericht war trotz allem fair ❹ (*if*) ▪**as** ~ als ob **II.** *adv* trotzdem

thought [θɔːt] **I.** *n* ❶ *no pl* (*thinking*) Nachdenken *nt*, Überlegen *nt;* **food for** ~ Denkanstöße *pl;* **freedom of** ~ Gedankenfreiheit *f;* **train of** ~ Gedankengang *m; to be deep in* ~ tief in Gedanken versunken sein; **to give sth some** ~ sich *dat* Gedanken über etw *akk* machen ❷ (*opinion, idea*) Gedanke *m;* **I've just had a** ~ mir ist eben was eingefallen; **to spare a** ~ **for sb/sth** an jdn/etw *akk* denken ▸ **a penny for your** ~**s!** (*saying*) ich wüsste zu gern, was du gerade denkst!; **it's the** ~ **that counts** (*fam*) der gute Wille zählt **II.** *vt, vi pt, pp of* **think**

thought·ful ['θɔːtfəl] *adj* ❶ (*considerate*) aufmerksam ❷ (*mentally occupied*) nachdenklich ❸ (*careful*) sorgfältig

thought·less ['θɔːtləs] *adj* ❶ (*inconsiderate*) rücksichtslos ❷ (*without thinking*) unüberlegt

thought·less·ly ['θɔːtləsli] *adv* ❶ (*without thinking of others*) rücksichtslos ❷ (*with-*

T

out thinking) gedankenlos, unüberlegt

thought·less·ness ['θɔːtləsnəs] *n no pl* ❶ (*without considering others*) Rücksichtslosigkeit *f* ❷ (*without thinking*) Gedankenlosigkeit *f*, Unüberlegtheit *f*

thought-'out *adj* durchdacht **'thought-pro·vok·ing** *adj* nachdenklich stimmend; **she made some very ~ remarks** ihre Bemerkungen gaben mir zu denken

thou·sand ['θaʊzᵊnd] **I.** *n* ❶ *no pl* (*number*) Tausend *f*; **as a father, he's one in a ~** er ist ein fantastischer Vater; **one ~/two ~** [ein]tausend/zweitausend ❷ *no pl* (*year*) **two ~ and five** [das Jahr] zweitausend und fünf ❸ *no pl* (*quantity*) **a ~ pounds** [ein]tausend Pfund ❹ *pl* (*lots*) ■ **~s** Tausende *pl* **II.** *adj det, attr* tausend; **I've said it a ~ times** ich habe es jetzt unzählige Male gesagt ▸ **the sixty-four ~ dollar** question die [alles] entscheidende Frage

thou·sandth ['θaʊzᵊn(d)θ] **I.** *n* (*in series*) Tausendste(r, s); (*fraction*) Tausendstel *nt* **II.** *adj* tausendste(r, s); ■ **the ~ ...** der/die/das tausendste ...; **a ~ part** ein Tausendstel *nt*; **the ~ time** das tausendste Mal

thrash [θræʃ] **I.** *vt* ❶ (*beat*) verprügeln; **to get ~ed** Prügel beziehen ❷ (*fam: defeat*) haushoch schlagen **II.** *vi* (*liter*) rasen ◆ **thrash out** *vt* ❶ (*fam: discuss*) ausdiskutieren ❷ (*produce by discussion*) aushandeln

thrash·ing ['θræʃɪŋ] *n* Prügel *pl*; **to give sb a** [good] **~** jdm eine [anständige] Tracht Prügel verpassen

thread [θred] **I.** *n* ❶ *no pl* (*for sewing*) Garn *nt* ❷ (*fibre*) Faden *m*, Faser *f* ❸ (*theme*) roter Faden; **to lose the ~** [of what one is saying] den Faden verlieren ❹ (*groove*) Gewinde *nt*; (*part of groove*) Gewindegang *m* ❺ INET Thread *m* **II.** *vt* ❶ (*put through*) einfädeln; **she ~ed her way through the crowd** sie schlängelte sich durch die Menge; **to ~ a needle** einen Faden in eine Nadel einfädeln ❷ (*put onto a string*) auffädeln; **to ~ beads onto a chain** Perlen auf einer Kette aufreihen

'thread·bare *adj* ❶ *material* abgenutzt; *clothes* abgetragen; *carpet* abgelaufen; (*fig*) *argument* fadenscheinig ❷ *person, building* schäbig ❸ (*too often used*) abgedroschen

threat [θret] *n* ❶ (*warning*) Drohung *f*; **death ~** Morddrohung *f*; **an empty ~** eine leere Drohung ❷ LAW (*menace*) Bedrohung *f* ❸ *no pl* (*potential danger*) Gefahr *f*, Bedrohung *f*; **~ of war** Kriegsgefahr *f*; **to pose a ~ to sb/sth** eine Gefahr für jdn/

etw *akk* darstellen; ■ **to be under ~ of sth** von etw *dat* bedroht sein

threat·en ['θretᵊn] **I.** *vt* ❶ (*warn*) ■ **to ~ sb** jdn bedrohen, jdm drohen; ■ **to ~ sb with sth** jdm mit etw *dat* drohen; (*with weapon*) jdn mit etw *dat* bedrohen; **to ~ sb with violence** jdm Gewalt androhen ❷ (*be a danger*) gefährden, eine Bedrohung sein (für) ❸ (*present risk*) **the sky ~s rain** am Himmel hängen dunkle Regenwolken **II.** *vi* drohen; ■ **to ~ to do sth** damit drohen, etw zu tun

threat·en·ing ['θretᵊnɪŋ] *adj* ❶ (*hostile*) drohend, Droh-; **~ behaviour** Drohungen *pl*; **~ letter** Drohbrief *m* ❷ (*menacing*) bedrohlich; *clouds* dunkel; **~ behaviour** LAW Bedrohung *f*

threat·en·ing·ly ['θretᵊnɪŋli] *adv* bedrohlich, drohend

three [θriː] **I.** *n* ❶ (*number*) Drei *f*; *see also* **eight** ❷ (*quantity*) drei; **in ~s** in Dreiergruppen ❸ (*score*) Drei *f*; CARDS Drei *f*; **the ~ of diamonds** die Karodrei ❹ (*the time*) drei [Uhr]; **at ~ pm** um drei Uhr [nachmittags], um fünfzehn Uhr; *see also* **eight** ❺ (*the third*) drei; **lesson/number ~** Lektion-/[Haus]nummer drei ▸ **two's company, ~'s a crowd** drei sind einer zu viel **II.** *adj* drei; **I'll give you ~ guesses** dreimal darfst du raten; *see also* **eight** ▸ **~ cheers!** (*also iron*) das ist ja großartig! *a. iron;* **to be ~ sheets to the wind** total durch den Wind sein *fam*

three-'cor·nered *adj* ❶ (*triangular*) dreieckig; **~ hat** Dreispitz *m;* **~ arrangement** Dreiecksvereinbarung *f* ❷ SPORTS Drei-; **~ battle** Dreikampf *m* **three-'D** *adj* (*fam*) *short for* **three-dimensional** 3-D- **three-di·'men·sion·al** *adj* dreidimensional **'three·fold** *adj* dreifach **'three-part** *adj attr* dreistimmig **three-'pen·ny 'bit** *n* BRIT (*hist*) Dreipencestück *nt* **'three-piece I.** *adj* ❶ (*of three items*) dreiteilig ❷ (*of three people*) Dreimann- **II.** *n* Dreiteiler *m* **three-piece 'suit** *n* (*man's*) Dreiteiler *m;* (*lady's*) dreiteiliges Ensemble **'three-ply I.** *adj* ❶ (*of three layers*) *wood* dreischichtig; *tissue* dreilagig ❷ (*of three strands*) *wool* Dreifachwolle *f* **II.** *n no pl* (*wool*) Dreifachwolle *f;* (*wood*) dreischichtiges Spanholz **three-'quar·ter I.** *adj attr* dreiviertel; **~ portrait** Halbbild *nt* **II.** *n* SPORTS (*in rugby*) Dreiviertelspieler *m* **three-'quar·ters I.** *n* Dreiviertel *nt* **II.** *adv* dreiviertel, zu drei Vierteln; **the bottle is still ~ full** die Flasche ist noch dreiviertel voll

three·some ['θriːsəm] *n* ❶ (*three people*)

Dreiergruppe *f;* **as a ~** zu dritt ❷ *(fam: sexual act)* Dreier *m fam* ❸ SPORTS *(in golf)* Dreier *m*

three-'wheel·er *n (car)* dreirädriges Auto; *(tricycle)* Dreirad *nt*

thresh [θreʃ] **I.** *vt crop* dreschen; *person* verprügeln **II.** *vi* ❶ *(beat)* ■**to ~ at sth** auf etw *akk* einschlagen ❷ *see* **thrash II**

'thresh·ing ma·chine *n* AGR Dreschmaschine *f*

thresh·old ['θreʃ(h)əʊld] *n* ❶ *(of doorway)* [Tür]schwelle *f* ❷ *(beginning)* Anfang *m,* Beginn *m; (limit)* Grenze *f,* Schwelle *f;* **I have a low boredom ~** ich langweile mich sehr schnell; **~ country** Schwellenland *nt;* **pain ~** Schmerzgrenze *f;* **tax ~** *esp* BRIT Steuereingangsstufe *f* ❸ PHYS, COMPUT Schwellenwert *m*

threw [θruː] *pt of* **throw**

thrice [θraɪs] *adv (old)* dreimal

thrift [θrɪft] *n no pl* ❶ *(use of resources)* Sparsamkeit *f* ❷ *(plant)* Grasnelke *f*

thrifty ['θrɪfti] *adj* sparsam

thrill [θrɪl] **I.** *n (wave of emotion)* Erregung *f; (titillation)* Nervenkitzel *m;* **the ~ of the chase** der besondere Reiz der Jagd ▸ **all the ~s and spills** all der Nervenkitzel und all die Aufregung **II.** *vt (excite)* erregen; *(fascinate)* faszinieren; *(frighten)* Angst machen; *(delight)* entzücken

thrill·er ['θrɪlə*r*] *n* Thriller *m*

thrill·ing ['θrɪlɪŋ] *adj* aufregend; *story* spannend; **~ sight** überwältigender Anblick

thrive <-d *or* throve, -d *or* thriven> [θraɪv] *vi* gedeihen; *business* florieren; **she seems to ~ on stress and hard work** Stress und harte Arbeit scheinen ihr gut zu tun

thriv·ing ['θraɪvɪŋ] *adj* **it's a ~ community** das ist eine gut funktionierende Gemeinschaft; **business is ~** das Geschäft floriert

throat [θrəʊt] *n* ❶ *(inside the neck)* Rachen *m,* Hals *m;* **to have a sore ~** Halsschmerzen haben; **to clear one's ~** sich räuspern ❷ *(front of the neck)* Kehle *f,* Hals *m;* **to cut sb's ~** jdm die Kehle durchschneiden; **to grab sb by the ~** jdn an der Kehle packen; **to have a frog in one's ~** einen Frosch im Hals haben; **to have a lump in one's ~** einen Kloß im Hals haben; **to be at each other's ~s** sich *dat* in den Haaren liegen; **to jump down sb's ~** jdn anschnauzen

throaty ['θrəʊti] *adj* ❶ *(harsh-sounding)* kehlig, rau ❷ *(hoarse)* heiser, rau

throb [θrɒb] **I.** *n* Klopfen *nt,* Hämmern *nt; of heart, pulse* Pochen *nt; of bass, engine*

Dröhnen *nt* **II.** *vi* <-bb-> klopfen; *pulse, heart* pochen; *bass, engine* dröhnen; **his head ~bed** er hatte rasende Kopfschmerzen; **a ~bing pain** ein pochender Schmerz

throes [θrəʊz] *npl* **death ~** Todeskampf *m;* **the ~ of passion** die Qualen der Leidenschaft; **to be in the ~ of sth** mitten in etw *dat* stecken; **to be in the final ~** *(fig)* in den letzten Zügen liegen

throm·bo·sis <*pl* -ses> [θrɒm'bəʊsɪs, *pl* -siːz] *n* Thrombose *f*

throne [θrəʊn] *n* Thron *m;* REL Stuhl *m;* **heir to the ~** Thronerbe(in) *m(f);* **to ascend to the ~** den Thron besteigen

throng [θrɒŋ] **I.** *n* + *sing/pl vb* [Menschen]menge *f;* **~s of people** Scharen *pl* von Menschen **II.** *vt* sich drängen (in); **visitors ~ed the narrow streets** die engen Straßen wimmelten nur so von Besuchern **III.** *vi* **the public is ~ing to see the new musical** die Besucher strömen in Massen in das neue Musical; ■**to ~ into sth** in etw *akk* hineinströmen

throt·tle ['θrɒtl] **I.** *n* ❶ AUTO Drosselklappe *f* ❷ *(speed)* **at full/half ~** mit voller/halber Geschwindigkeit; *(fig)* mit Volldampf/halbem Einsatz **II.** *vt* ❶ AUTO **to ~ the engine** Gas wegnehmen ❷ *(try to strangle)* würgen; *(strangle)* erdrosseln ❸ *(stop, hinder)* drosseln ◆**throttle back I.** *vi* den Motor drosseln **II.** *vt* drosseln

through [θruː] **I.** *prep* ❶ *(from one side to other)* durch; **we drove ~ the tunnel** wir fuhren durch den Tunnel ❷ *(in)* durch; **her words kept running ~ my head** ihre Worte gingen mir ständig durch den Kopf ❸ *esp* AM *(up until)* bis; **she works Monday ~ Thursday** sie arbeitet von Montag bis Donnerstag ❹ *(during)* während; **they drove ~ the night** sie fuhren durch die Nacht ❺ *(because of)* wegen, durch; **I can't hear you ~ all this noise** ich kann dich bei diesem ganzen Lärm nicht verstehen ❻ *(into pieces)* **he cut ~ the string** er durchschnitt die Schnur ❼ *(by means of)* über; **I got my car ~ my brother** ich habe mein Auto über meinen Bruder bekommen; **~ chance** durch Zufall ❽ *(at)* durch; **she looked ~ her mail** sie sah ihre Post durch; **to go ~ sth** etw durchgehen ❾ *(suffer)* durch; **to go ~ a hard time/a transition** eine harte Zeit/eine Übergangsphase durchmachen ❿ *(to the finish)* **to get ~ sth** etw durchstehen ⓫ *(to be viewed by)* **the bill went ~ parliament** der Gesetzentwurf kam durchs Parlament ⓬ *(into)* **we were cut off halfway ~ the conversation** unser Gespräch wurde mittendrin unterbrochen ⑬ MATH (*divided into*) durch; **five ~ ten is two** Zehn durch Fünf gibt Zwei **II.** *adj* ❶ *pred* (*finished*) fertig; **we're ~** (*finished relationship*) mit uns ist es aus; (*finished job*) es ist alles erledigt ❷ *pred* (*successful*) durch; ■ **to be ~** bestanden haben; **Henry is ~ to the final** Henry hat sich für das Finale qualifiziert ❸ *attr* TRANSP (*without stopping*) durchgehend; **~ station** Durchgangsbahnhof *m* ❹ *attr* (*of room*) Durchgangs- **III.** *adv* ❶ (*to a destination*) durch; **the train goes ~ to Hamburg** der Zug fährt bis nach Hamburg durch ❷ (*from beginning to end*) [ganz] durch; **Paul saw the project ~ to its completion** Paul hat sich bis zum Abschluss um das Projekt gekümmert; **to be halfway ~ sth** etw halb durch haben; **to think sth ~** etw durchdenken ❸ (*from one side to another*) ganz durch ❹ (*from outside to inside*) durch und durch, völlig; **cooked ~** durchgegart; **soaked ~** völlig durchnässt

through·'out [θruːˈaʊt] **I.** *prep* ❶ (*all over in*) **people ~ the country** Menschen im ganzen Land ❷ (*at times during*) während; **several times ~ the year** mehrmals während des Jahres; **~ the performance** die ganze Vorstellung über **II.** *adv* ❶ (*in all parts*) vollständig ❷ (*the whole time*) die ganze Zeit [über] **'through·put** *n no pl* Verarbeitungsmenge *f;* COMPUT Datendurchlauf *m* **'through tick·et** *n* Fahrkarte *f* für die gesamte Strecke **through 'traf·fic** *n no pl* Durchgangsverkehr *m;* **"no ~!"** „keine Durchfahrt!" **'through train** *n* durchgehender Zug **'through·way** *n* AM Autobahn *f*

throve *pt of* **thrive**

throw [θrəʊ] **I.** *n* ❶ (*act of throwing*) Wurf *m;* **a stone's ~** [**away**] (*fig*) nur einen Steinwurf von hier ❷ SPORTS (*in wrestling, cricket*) Wurf *m* ❸ (*fam: each*) ■ **a ~** pro Stück; **they're charging nearly £100 a ~ for concert tickets!** eine Konzertkarte kostet fast 100 Pfund! ❹ (*furniture cover*) Überwurf *m* **II.** *vi* <threw, thrown> werfen **III.** *vt* <threw, thrown> ❶ (*propel with arm*) werfen; (*hurl*) schleudern; ■ **to ~ sb sth** jdm etw zuwerfen; **to ~ a punch at sb** jdm einen Schlag versetzen ❷ (*pounce upon*) ■ **to ~ oneself onto sb/sth** sich auf jdn stürzen/auf etw *akk* werfen ❸ SPORTS (*in wrestling*) zu Fall bringen; *rider* abwerfen ❹ (*of dice*) **to ~ a dice** würfeln ❺ (*direct*) zuwerfen; **to ~ a glance at sb/sth** einen Blick auf jdn/etw *akk* werfen; ■ **to ~ oneself at sb**

(*embrace*) sich jdm an den Hals werfen; (*attack*) sich auf jdn stürzen ❻ (*dedicate*) ■ **to ~ oneself into sth** sich in etw *akk* stürzen ❼ (*move violently*) ■ **to ~ sth against sth** etw gegen etw *akk* schleudern ❽ ART (*pottery*) töpfern; **hand-~n pottery** handgetöpferte Keramik ❾ (*cause*) **to ~ a shadow over sth** einen Schatten auf etw *akk* werfen ❿ (*show emotion*) **to ~ a fit** (*fam*) einen Anfall bekommen; **to ~ a tantrum** einen Wutanfall bekommen ⑪ (*give*) **to ~ a party** eine Party geben ⑫ (*fam: confuse*) durcheinanderbringen ⑬ (*give birth*) **to ~ a calf/cub/lamb/piglet** ein Kalb/Junges/Lamm/Ferkel werfen ▸ **to ~ cau·tion to the wind** eine Warnung in den Wind schlagen; **people who live in glass houses shouldn't ~ stones** (*saying*) wer im Glashaus sitzt, sollte nicht mit Steinen werfen ◆ **throw away I.** *vt* ❶ (*discard*) wegwerfen ❷ (*waste*) verschwenden; **to ~ money away on sth** Geld für etw *akk* zum Fenster hinauswerfen ❸ (*in card games*) **to ~ away** ⟳ **a card** eine Karte abwerfen **II.** *vi* (*in card games*) abwerfen ◆ **throw back** *vt* ❶ (*move with force*) **to ~ one's hair/head back** seine Haare/den Kopf nach hinten werfen ❷ (*open*) **to ~ the curtains back** die Vorhänge aufreißen ❸ (*drink*) *whisky* hinunterstürzen ❹ (*reflect*) reflektieren ❺ *esp passive* (*delay*) ■ **to ~ sb** ⟳ **back** jdn zurückwerfen ◆ **throw down** *vt* ❶ (*throw from above*) herunterwerfen; **to ~ oneself down** sich niederwerfen ❷ (*deposit forcefully*) hinwerfen; **to ~ down one's weapons** die Waffen strecken ❸ (*drink quickly*) hinunterstürzen; (*eat quickly*) hinunterschlingen ▸ **to ~ down the gauntlet to sb** jdm den Fehdehandschuh hinwerfen ◆ **throw in I.** *vt* ❶ (*put into*) ■ **to ~ sth in[to] sth** etw in etw *akk* [hinein]werfen ❷ (*include in price*) ■ **to ~ sth** ⟳ jdm etw gratis dazugeben ❸ (*throw onto pitch*) *ball* einwerfen ❹ (*put into*) **to ~ in a comment** eine Bemerkung einwerfen ❺ (*give up*) **to ~ in one's hand** aufgeben; CARDS aussteigen *fam* ▸ **to ~ in the towel** das Handtuch werfen **II.** *vi* [den Ball] einwerfen ◆ **throw off** *vt* ❶ (*remove forcefully*) herunterreißen *fam; clothing* schnell ausziehen ❷ (*jump*) ■ **to ~ oneself off sth** sich von etw *dat* hinunterstürzen ❸ (*cause to lose balance*) ■ **to ~ sb off balance** jdn aus dem Gleichgewicht bringen ❹ (*escape*) ■ **to ~ sb** ⟳ **off** jdn abschütteln ❺ (*radiate*) **to ~ energy/heat/warmth** ⟳ **off** Energie/Hitze/Wärme abgeben ◆ **throw on** *vt*

❶ (*place*) werfen (auf); ◆ **a log on the fire, will you?** legst du bitte noch einen Scheit aufs Feuer? ❷ (*pounce upon*) ■ **to ~ oneself on sb** sich auf jdn stürzen; ■ **to ~ oneself on|to| sth** sich auf etw *akk* niederwerfen ❸ (*get dressed*) eilig anziehen ❹ (*cast*) **to ~ light on a crime** ein Verbrechen aufklären; **to ~ suspicion on|to| sb** den Verdacht auf jdn lenken ◆ **throw out** *vt* ❶ (*fling outside*) hinauswerfen ❷ (*eject*) hinauswerfen; (*dismiss*) entlassen ❸ (*discard*) wegwerfen; **to ~ out a case** einen Fall abweisen ❹ (*offer*) äußern; **to ~ out an idea/a suggestion** eine Idee/einen Vorschlag in den Raum stellen ❺ (*emit*) abgeben; *heat, warmth also* ausstrahlen ❻ (*of plant*) **to ~ out a leaf/root/shoot** ein Blatt/eine Wurzel/einen Keim treiben ❼ SPORTS (*in cricket, baseball*) abwerfen ▸ **to ~ the <u>baby</u> out with the <u>bath water</u>** das Kind mit dem Bade ausschütten ◆ **throw over** *vt* ❶ (*propel across top*) ■ **to ~ sth over sth** über etw *akk* werfen ❷ (*fam: pass*) **~ that book over here, can you?** könntest du mir bitte das Buch zuwerfen? ❸ (*cover*) **to ~ sth over one's shoulder** (*carry*) etw schultern; (*discard*) etw hinter sich *akk* werfen ◆ **throw together** *vt* ❶ (*fam: make quickly*) **to ~ a meal together** eine Mahlzeit zaubern ❷ (*cause to meet*) zusammenbringen ◆ **throw up** **I.** *vt* ❶ (*project upwards*) hochwerfen; **to ~ up one's hands** die Hände hochreißen ❷ (*deposit on beach*) anschwemmen ❸ (*build quickly*) schnell errichten ❹ (*fam: vomit*) erbrechen **II.** *vi* (*fam*) sich übergeben

'**throw·a·way** ['θrəʊəweɪ] **I.** *adj attr* ❶ (*disposable*) wegwerfbar; **~ razor** Einwegrasierer *m;* **~ culture** Wegwerfkultur *f* ❷ (*unimportant*) achtlos dahingeworfen *attr* **II.** *n usu pl* Wegwerfgut *nt* '**throw·back** *n* Rückschritt *m*

throw·er ['θrəʊəʳ] *n* Töpferscheibe *f*

'**throw-in** *n* SPORTS Einwurf *m*

throw·ing ['θrəʊɪŋ] *n no pl* ❶ (*hurling action*) Werfen *nt* ❷ *of clay* Töpfern an der Drehscheibe

thrown [θrəʊn] *pp of* **throw**

thru [θruː] *prep, adv usu* AM (*fam*) *see* **through**

thrum [θrʌm] **I.** *vt* <-mm-> herumklimpern *pej fam* (auf) **II.** *vi* <-mm-> *engine, machine* dröhnen **III.** *n no pl* ❶ (*thrumming sound*) Geklimper *nt pej fam* ❷ (*machines*) Dröhnen *nt*

thrush¹ <*pl* -es> [θrʌʃ] *n* ORN Drossel *f*

thrush² <*pl* -es> [θrʌʃ] *n* MED Soor *m;* (*of vagina*) Pilzinfektion *f*

thrust [θrʌst] **I.** *n* ❶ (*forceful push*) Stoß *m* ❷ *no pl* (*impetus, purpose*) Stoßrichtung *f;* **the main ~ of an argument** die Hauptaussage eines Arguments ❸ *no pl* TECH Schubkraft *f* **II.** *vi* <thrust, thrust> **to ~ at sb with a knife** nach jdm mit einem Messer stoßen **III.** *vt* <thrust, thrust> ❶ (*push with force*) **to ~ the money into sb's hand** jdm das Geld in die Hand stecken ❷ (*compel to do*) ■ **to ~ sth |up|on sb** jdm etw auferlegen; ■ **to ~ oneself |up|on sb** sich jdm aufdrängen ❸ (*stab, pierce*) stechen ❹ (*impel*) hineinstoßen; **she was suddenly ~ into a position of responsibility** sie wurde plötzlich in eine sehr verantwortungsvolle Position hineingedrängt

thrust·ing ['θrʌstɪŋ] *adj* zielstrebig

thru·way *n esp* AM *see* **throughway**

thud [θʌd] **I.** *vi* <-dd-> dumpf aufschlagen **II.** *n* dumpfer Schlag; **~ of hooves/shoes** Geklapper *nt* von Hufen/Schuhen

thug [θʌg] *n* Schlägertyp *m*

thumb [θʌm] **I.** *n* Daumen *m* ▸ **to stand out like a <u>sore</u> ~** unangenehm auffallen; **to <u>be</u> under sb's ~** unter jds Fuchtel stehen; **to <u>twiddle</u> one's ~** Däumchen drehen *fam* **II.** *vt* ❶ (*hitchhike*) **to ~ a lift/ride** per Anhalter fahren, trampen ❷ (*mark by handling*) abgreifen; **well-~ed** abgegriffen **III.** *vi* (*glance through*) **to ~ through a newspaper** durch die Zeitung blättern

thumb·'in·dex *n* Daumenregister *nt* '**thumb·nail** *n* Daumennagel *m* **thumb·nail 'sketch** *n* Abriss *m* '**thumb·screw** *n usu pl* Daumenschraube *f* '**thumb·tack** *n* AM, AUS (*drawing-pin*) Reißnagel *m* '**thumb-typ·er** *n* Daumentipper(in) *m(f)*

thump [θʌmp] **I.** *n* dumpfer Knall; **to give sb a ~** jdm eine knallen **II.** *vt* schlagen **III.** *vi* ■ **to ~ on sth** auf etw *akk* schlagen; *heart* klopfen

thump·ing ['θʌmpɪŋ] (*fam*) **I.** *adj* kolossal; **to have a ~ headache** grässliches Kopfweh haben; **to tell ~ lies** faustdicke Lügen verbreiten *fam* **II.** *adv* unglaublich *fam*

thun·der ['θʌndəʳ] **I.** *n no pl* ❶ METEO Donner *m;* **clap of ~** Donnerschlag *m;* **rumble of ~** Donnergrollen *nt* ❷ (*loud sound*) Getöse *nt* ❸ (*angry expression*) **his face was like ~** sein Gesicht war bitterböse ▸ **to <u>steal</u> sb's ~** jdm die Schau stehlen **II.** *vi* ❶ (*make rumbling noise*) donnern; ■ **to ~ by** vorbeidonnern ❷ (*declaim*) schreien; ■ **to ~ about sth** sich lautstark über etw *akk* äußern **III.** *vt* brüllen

'**thun·der·bolt** *n* ❶ (*lightning*) Blitzschlag *m;* **the news came like a ~** die Nachricht schlug wie eine Bombe ein ❷ SPORTS (*powerful shot*) Bombe *f sl* ▶ **to drop a ~ on sb** jdm einen Schock versetzen '**thun·der·clap** *n* Donnerschlag *m* '**thun·der·cloud** *n usu pl* Gewitterwolke *f* **thun·der·ing** ['θʌndᵊrɪŋ] **I.** *n no pl* Donnern *nt* **II.** *adj* ❶ (*extremely loud*) tosend; *voice* dröhnend ❷ (*enormous*) enorm; *success also* riesig

thun·der·ous ['θʌndᵊrəs] *adj attr* donnernd; **~ applause** Beifallsstürme *pl* '**thun·der·storm** *n* Gewitter *nt* '**thun·der·struck** *adj pred* wie vom Donner gerührt

thun·dery ['θʌndᵊri] *adj* gewittrig

Thurs·day ['θɜːzdeɪ] *n* Donnerstag *m; see also* **Tuesday**

thus [ðʌs] *adv* ❶ (*therefore*) folglich ❷ (*in this way*) so

thwart [θwɔːt] *vt* vereiteln; *escape* verhindern; *plan* durchkreuzen; **to ~ sb's efforts** jds Bemühungen vereiteln

thy [ðaɪ] *adj poss* DIAL (*old*) dein

thyme [taɪm] *n no pl* Thymian *m*

thy·roid ['θaɪrɔɪd] **I.** *n* Schilddrüse *f* **II.** *adj attr* Schilddrüsen-

ti·ara [ti'ɑːrə] *n* Tiara *f*

Ti·bet [tɪ'bet] *n no pl* GEOG Tibet *nt*

tibia <*pl* -biae> ['tɪbɪə, *pl* -biiː] *n* Schienbein *nt*

tic [tɪk] *n* [nervöses] Zucken

tick¹ [tɪk] *n* ZOOL Zecke *f*

tick² [tɪk] **I.** *n* ❶ (*sound of watch*) Ticken *nt kein pl;* '**~ tock**' (*fam*) ‚ticktack'; **hold on** [**just**] **a ~** BRIT (*fam*) warte einen Moment ❷ (*mark*) Haken *m;* **to put a ~ against sth** neben etw *dat* einen Haken setzen **II.** *vi* ticken ▶ **what makes sb ~** was jdn bewegt **III.** *vt* abhaken ◆**tick off** *vt* ❶ (*mark with tick*) abhaken; **to ~ off sth on one's fingers** etw an den Fingern abzählen ❷ BRIT, AUS (*fam: reproach*) schelten ❸ AM (*fam: irritate*) auf die Palme bringen ◆**tick over I.** *vi esp* BRIT ❶ TECH (*operate steadily*) auf Leerlauf geschaltet sein ❷ (*function at minimum level*) am Laufen halten **II.** *vt* **to keep things ~ing over** die Dinge am Laufen halten

tick·er ['tɪkər] *n* (*fam*) Pumpe *f sl*

'**tick·er tape** *n no pl* ❶ (*paper strip*) Lochstreifen *m* ❷ (*confetti*) Konfetti *nt* **tick·er-tape pa·'rade** *n* AM Konfettiparade *f*

tick·et ['tɪkɪt] *n* ❶ (*card*) Karte *f;* **cinema/concert ~** Kino-/Konzertkarte *f;* **cloakroom ~** Garderobenmarke *f;* **lottery ~** Lottoschein *m;* **plane ~** Flugticket *nt;* **season ~** Dauerkarte *f,* Saisonkarte *f;* **return ~**

Rückfahrkarte *f* ❷ (*means of progress*) Chance *f;* **her incredible memory was her ~ to success** ihr unglaublich gutes Gedächtnis ebnete ihr den Weg zum Erfolg ❸ (*price tag*) Etikett *nt;* **price ~** Preisschild *nt* ❹ (*notification of offence*) Strafzettel *m;* **parking ~** Strafzettel *m* für Falschparken ▶ **just the ~** (*dated*) passt perfekt

'**tick·et agen·cy** *n* Kartenbüro *nt* '**tick·et-col·lec·tor** *n* (*on the train*) Schaffner(in) *m(f);* (*on the platform*) Bahnsteigschaffner(in) *m(f)* '**tick·et count·er** *n* Fahrkartenschalter *m* '**tick·et hold·er** *n* Kartenbesitzer(in) *m(f)* '**tick·et machine** *n* Fahrkartenautomat *m* '**tick·et-of·fice** *n* Fahrkartenschalter *m;* THEAT Vorverkaufsschalter *m* '**tick·et tout** *n* BRIT Schwarzhändler(in) *m(f)* (*für Eintrittskarten*)

tick·ing ['tɪkɪŋ] **I.** *n no pl* ❶ *of clock* Ticken *nt* ❷ (*for mattress*) Matratzenüberzug *m* **II.** *adj* tickend; **~ bomb** Zeitbombe *f* **tick·ing-'off** <*pl* tickings-> *n* BRIT (*fam*) Tadel *m;* **to get a ~ from sb** von jdm getadelt werden

tick·le ['tɪkl] **I.** *vi* kitzeln **II.** *vt* ❶ (*touch lightly*) kitzeln ❷ (*fam: appeal to sb*) **to ~ sb's fancy** jdn reizen ❸ (*amuse*) ■**to be ~d that ...** sich darüber amüsieren, dass ... ▶ **to be ~d pink** (*fam*) vor Freude völlig aus dem Häuschen sein **III.** *n no pl* ❶ (*itching sensation*) Jucken *nt* ❷ (*action causing laughter*) **to give sb a ~** jdn amüsieren ❸ (*irritating cough*) **a ~ in one's throat** ein Kratzen *nt* im Hals

tick·lish ['tɪklɪʃ] *adj* ❶ (*sensitive to tickling*) kitzlig ❷ (*awkward*) heikel

tid·al ['taɪdᵊl] *adj* von Gezeiten abhängig; **~ basin** Tidebecken *nt;* **~ harbour** den Gezeiten unterworfener Hafen

'**tid·al wave** *n* Flutwelle *f;* (*fig*) Flut *f*

tid·bit *n* AM *see* **titbit**

tid·dly ['tɪdli] *adj* ❶ (*fam: tiny*) winzig ❷ BRIT, AUS (*dated fam: slightly drunk*) beschwipst

tid·dly·wink ['tɪdliwɪŋk] *n* ❶ (*flat disc*) Spielstein *m* ❷ (*game*) ■**-s** *pl* Flohhüpfen *nt kein pl*

tide [taɪd] *n* ❶ (*of sea*) Gezeiten *pl;* **flood ~** Springflut *f;* **high ~** Flut *f;* **low ~** Ebbe *f;* **strong ~** starke Strömung; **the ~ is in/out** es ist Flut/Ebbe ❷ (*main trend of opinion*) öffentliche Meinung; **the ~ has turned** die Meinung ist umgeschlagen; **to stem the ~ of events** den Lauf der Dinge aufhalten; **to swim against/with the ~** gegen den/mit dem Strom schwimmen ❸ (*pow-*

erful trend) Welle *f* ◆**tide over** *vt* über die Runden helfen

'**tide·land** *n* AM (*mud·flats*) Watt *nt* '**tide· mark** *n* ❶ (*mark left by tide*) Gezeiten- marke *f* ❷ *esp* BRIT (*on bath*) schwarzer Rand

tidi·ness ['taɪdɪnəs] *n no pl* Ordnung *f*

tid·ings ['taɪdɪŋz] *npl* (*old*) Neuigkeiten *pl*; **glad/sad** ~ gute/schlechte Nachrichten

tidy ['taɪdi] **I.** *adj* ❶ (*in order*) ordentlich; **neat and** ~ sauber und ordentlich ❷ (*fam: considerable*) beträchtlich; ~ **sum** hüb- sche Summe **II.** *n* ❶ BRIT (*little receptacle*) Abfallbehälter *m* ❷ (*period of cleaning*) **he gave his room a good** ~ er räumte sein Zimmer gründlich auf **III.** *vt* aufräumen

tie [taɪ] **I.** *n* ❶ (*necktie*) Krawatte *f*; **bow** ~ Fliege *f* ❷ (*cord*) Schnur *f* ❸ *pl* (*links*) **dip- lomatic** ~**s** diplomatische Beziehungen; **family** ~**s** Familienbande *pl* ❹ (*equal score*) Punktegleichstand *m kein pl* ❺ BRIT (*match in a competition*) Ausscheidungs- spiel *nt* ❻ (*structural support*) Schwelle *f* **II.** *vi* <-y-> ❶ (*fasten*) schließen ❷ (*equal in points*) ▪**to** ~ **with** sb/sth denselben Platz wie jd/etw belegen **III.** *vt* <-y-> ❶ (*fasten together*) **to** ~ **sb's hands** jds Hände fesseln; **to** ~ **a knot** einen Knoten machen; **to** ~ **one's [shoe]laces** sich *dat* die Schuhe [*o* ÖSTERR, DIAL Schuhbänder] zu- binden ❷ (*restrict*) ▪**to** ~ **sb by/to sth** jdn durch/an etw *akk* binden ❸ (*restrict in movement*) ▪**to be** ~**d to sth/some- where** an etw *akk*/einen Ort gebunden sein ▶**to be** ~**d to sb's apron strings** (*pej*) an jds Rockzipfel hängen; **sb's hands are** ~**d** jds Hände sind gebunden; **to** ~ **the knot** sich das Ja-Wort geben ◆**tie back** *vt* zurückbinden ◆**tie down** *vt* ❶ (*secure to ground*) festbinden ❷ (*restrict*) ▪**to be** ~**d down** gebunden sein; ▪**to** ~ **sb down to sth** (*fam*) jdn auf etw *akk* festlegen ❸ MIL (*restrict mobility of*) binden ◆**tie in** *vi* ▪**to** ~ **in with sth** mit etw *dat* übereinstimmen ◆**tie up** *vt* ❶ (*bind*) festbinden; *hair* hoch- binden ❷ (*delay*) aufhalten; ▪**to be** ~**d up by sth** durch etw *akk* aufgehalten werden ❸ (*busy*) ▪**to be** ~**d up** beschäftigt sein ❹ *capital, money* binden ❺ (*have to do with*) ▪**to be** ~**d up with sth** mit etw *dat* zusammenhängen ▶**to** ~ **up some loose ends** etw erledigen

'**tie-break·er**, BRIT '**tie-break** *n* Verlänge- rung *f*; TENNIS Tiebreak *m o nt* '**tie clip** *n* Krawattennadel *f* '**tie-in** *n* Verbindung *f* **tie-on** '**la·bel** *n* Etikett *nt* '**tie·pin** *n* Kra- wattennadel *f*

tier [tɪəʳ] **I.** *n* (*row*) Reihe *f*; (*level*) Lage *f*;

~ **of management** Managementebene *f* **II.** *vt* (*next to each other*) aufreihen; (*on top of each other*) aufschichten

'**tie-up** *n* ❶ (*connection*) Verbindung *f* ❷ (*fam: traffic jam*) Stau *m* ❸ (*delay*) Ver- spätung *f*

tiff [tɪf] *n* (*fam*) Plänkelei *f*; **lovers'** ~ Ehe- krach *m*; **to have a** ~ eine Meinungsver- schiedenheit haben

ti·ger ['taɪgəʳ] *n* Tiger *m* ▶**to have a** ~ **by the tail** vor einer unerwartet schwierigen Situation stehen

tight [taɪt] **I.** *adj* ❶ (*firm*) fest; *clothes* eng ❷ (*close together*) dicht; **in** ~ **formation** in geschlossener Formation ❸ (*stretched tautly*) gespannt; *muscle* verspannt ❹ (*se- vere*) streng; *bend* eng; *budget* knapp; ~ **spot** (*fig*) Zwickmühle *f*; **to keep a** ~ **hold on sth** etw streng kontrollieren ❺ *face, voice* angespannt ❻ (*hard-fought, keenly competitive*) knapp; ~ **finish** knapper Zieleinlauf ▶**to keep a** ~ **rein over sb** jdn fest an die Kandare nehmen; **to run a** ~ **ship** ein strenges Regime füh- ren **II.** *adv pred* straff; **to hang on** ~ **to sb/ sth** sich an jdm/etw *dat* festklammern; **to close/seal sth** ~ etw fest verschließen/ versiegeln ▶**sleep** ~ schlaf gut

tight·en ['taɪtᵊn] **I.** *vt* ❶ (*make tight*) fest- ziehen; *rope* festbinden; *screw* anziehen ❷ (*increase pressure*) verstärken; **to** ~ **one's grip on sth** den Druck auf etw *akk* verstärken ▶**to** ~ **one's belt** den Gürtel enger schnallen; **to** ~ **the reins** die Zügel anziehen **II.** *vi* straff werden; **sb's lips** ~ jd kneift die Lippen zusammen ▶**a noose** ~**s around sb's neck** die Schlinge um jds Hals wird enger

tight-'fist·ed *adj* (*pej fam*) geizig **tight- 'fit·ting** *adj* eng anliegend **tight-'lipped** *adj* ❶ (*compressing lips*) schmallippig ❷ (*saying little*) *silence* eisig; ▪**to be** ~ **about sth** wortkarg auf etw *akk* reagieren **tight·ly** ['taɪtli] *adv* ❶ (*holding sth firmly*) fest ❷ (*close together*) eng; **to be** ~ **packed** vollgepackt sein ❸ (*firm control*) mit festem Griff

tight·ness ['taɪtnəs] *n no pl* ❶ (*firmness, strength*) Festigkeit *f* ❷ (*close fitting*) enge Passform ❸ (*tight sensation*) Spannen *nt* '**tight·rope** *n* Drahtseil *nt*; **to walk the** ~ auf dem Drahtseil tanzen; **diplomatic/ legal** ~ (*fig*) diplomatischer/rechtlicher Drahtseilakt

'**tight·rope walk·er** *n* Seiltänzer(in) *m(f)* **tights** [taɪts] *npl* ❶ (*leggings*) Strumpfho- se *f*; **pair of** ~ Strumpfhose *f* ❷ AM, AUS (*for dancing/aerobics etc.*) Leggings *pl*, Gymnastikhose *f*

tight·wad ['taɪtwɑːd] *n* Am, Aus (*pej sl*) Geizkragen *m*

ti·gress <*pl* -es> ['taɪgres] *n* (*female tiger*) Tigerin *f*

tike *n see* tyke

tile [taɪl] I. *n* Fliese *f;* roof ~ Dachziegel *m* ▶ to have a night [out] on the ~s Brit die Stadt unsicher machen II. *vt* fliesen

til·er ['taɪlə*r*] *n* Fliesenleger(in) *m(f)*

till[1] [tɪl] I. *prep see* until II. *conj see* until

till[2] [tɪl] *n* Kasse *f* ▶ to be caught with one's **hand** in the ~ auf frischer Tat ertappt werden

till[3] [tɪl] *vt soil* bestellen

till·er ['tɪlə*r*] *n* Ruderpinne *f;* at the ~ am Ruder

tilt [tɪlt] I. *n* ❶ (*slope*) Neigung *f* ❷ (*movement of opinion*) Schwenk *m* ▶ [at] full ~ mit voller Kraft II. *vt* neigen; to ~ the balance in favour of sth/sb einen Meinungsumschwung zugunsten einer S./Person *gen* herbeiführen III. *vi* ❶ (*slope*) sich neigen ❷ (*movement of opinion*) ■to ~ away from sth/sb sich von etw *dat*/jdm abwenden; ■to ~ towards sth/sb sich etw/jdm zuwenden

tim·ber ['tɪmbə*r*] I. *n* ❶ *no pl esp* Brit (*wood for building*) Bauholz *nt;* to fell ~ Holz fällen; for ~ für kommerzielle Nutzung ❷ (*elongated piece of wood*) Holzplanke *f* II. *interj* "T~!" „Achtung, Baum!"

tim·bered ['tɪmbəd] *adj* Fachwerk-

'tim·ber·line *n* Am (*treeline*) Baumgrenze *f*

'tim·ber mer·chant *n* Holzhändler(in) *m(f)*

tim·bre ['tæbrə] *n* mus Klangfarbe *f,* Timbre *nt*

time [taɪm] I. *n* ❶ *no pl* (*considered as a whole*) Zeit *f;* ~ stood still die Zeit stand still; over the course of ~ im Lauf[e] der Zeit; as ~ goes by im Lauf[e] der Zeit; for all ~ für immer; in ~ mit der Zeit; over ~ im Lauf[e] der Zeit ❷ *no pl* (*period, duration*) Zeit *f;* ~'s up (*fam*) die Zeit ist um; it will take some ~ es wird eine Weile dauern; breakfast/holiday ~ Frühstücks-/Urlaubszeit *f;* extra ~ sports Verlängerung *f;* free ~ [*or* spare] Freizeit *f;* injury ~ sports Nachspielzeit *f;* to have ~ on one's hands viel Zeit zur Verfügung haben; period of ~ Zeitraum *m;* in one week's ~ in einer Woche; some/a long ~ ago vor einiger/langer Zeit; to pass the ~ sich *dat* die Zeit vertreiben; to be pressed for ~ in Zeitnot sein; to take one's ~ sich *dat* Zeit lassen; for a long/short ~ [für] lange/

kurze Zeit; for the ~ being vorläufig; in no ~ [at all] im Nu ❸ (*pertaining to clocks*) what's the ~? wie spät ist es?; the ~ is 8.30 es ist 8.30 Uhr; to tell the ~ die Uhr lesen ❹ (*specific time or hour*) Zeit *f;* he recalled the ~ when they had met er erinnerte sich daran, wie sie sich kennen gelernt hatten; this ~ tomorrow/next month morgen/nächsten Monat um diese Zeit ❺ (*occasion*) Mal *nt;* for the first ~ zum ersten Mal; some other ~ ein andermal; from ~ to ~ ab und zu ❻ (*frequency*) Mal *nt;* ~ and [~] again immer [und immer] wieder; three/four ~s a week drei/vier Mal in der Woche; three ~s as much dreimal so viel; for the hundredth/thousandth/umpteenth ~ zum hundertsten/tausendsten/x-ten Mal ❼ (*correct moment*) it's ~ for bed es ist Zeit, ins Bett zu gehen; [and] about ~ [too] Brit, Aus (*yet to be accomplished*) wird aber auch [langsam] Zeit!; (*already accomplished*) wurde aber auch [langsam] Zeit!; in [good] ~ rechtzeitig; on ~ pünktlich ❽ *usu pl* (*era, lifetime*) Zeit *f;* ~s are changing die Zeiten ändern sich; at his ~ of life in seinem Alter; to be behind the ~s seiner Zeit hinterherhinken; in former/medieval ~s früher/im Mittelalter ❾ (*schedule*) arrival/departure ~ Ankunfts-/Abfahrtszeit *f* ❿ (*hour registration method*) Greenwich Mean T~ Greenwicher Zeit *f* ⓫ sports Zeit *f;* record ~ Rekordzeit *f* ⓬ math two ~s five is ten zwei mal fünf ist zehn ⓭ *no pl* mus Takt *m;* to get out of ~ aus dem Takt kommen; to keep ~ den Takt halten; in three-four ~ im Dreivierteltakt ⓮ (*remunerated work*) part ~ Teilzeit *f;* short ~ Kurzarbeit *f;* to have ~ off frei haben ⓯ ([*not*] *like*) to not have much ~ for sb jdn nicht mögen; to have a lot of ~ for sb großen Respekt vor jdm haben ▶ ~ is of the essence die Zeit drängt; ~ flies [when you're having fun] (*saying*) wie die Zeit vergeht!; ~ is money (*prov*) Zeit ist Geld; [only] ~ will tell (*saying*) erst die Zukunft wird es zeigen; ~ and tide wait for no man (*prov*) man muss die Gelegenheiten beim Schopf[e] packen II. *vt* ❶ (*measure duration*) ■to ~ sb over 100 metres jds Zeit beim 100-Meter-Lauf nehmen ❷ (*choose best moment for*) ■to ~ sth den richtigen Zeitpunkt wählen (für) ❸ (*arrange when sth should happen*) ■to ~ sth to ... etw so planen, dass ...

'time bomb *n* (*also fig*) Zeitbombe *f* **'time card** *n* Am Stechkarte *f* **'time clock** *n* Stechuhr *f* **'time-con·sum·ing** *adj* zeitintensiv **'time dif·fer·ence** *n* Zeitunterschied *m* **'time-hon·oured** *adj attr* altehrwürdig *geh;* ~ **custom** alter Brauch **'time·keep·er** *n* ❶ SPORTS Zeitnehmer *m* ❷ (*clock, watch*) Zeitmesser *m;* **to be a bad/good** ~ *person* sein Zeitsoll nie/immer erfüllen **'time lag** *n* Zeitdifferenz *f* **'time-lapse** *adj attr film, photography* Zeitraffer- **time·less** ['taɪmləs] *adj* ❶ (*not dated*) *book, dress, values* zeitlos ❷ (*unchanging*) *landscape, beauty* immer während *attr* **'time lim·it** *n* Zeitbeschränkung *f* **'time lock I.** *n* (*on a safe*) Zeitschloss *nt;* (*on a computer*) Abschaltzeit *f* **II.** *vt* mit einem Zeitschloss versehen **time·ly** ['taɪmli] *adj* rechtzeitig; *remark* passend; ~ **arrival** Ankunft *f* zur rechten Zeit; **in a** ~ **manner** rasch **'time-out I.** *n* <*pl* times- *or* -s> SPORTS Auszeit *f* **II.** *interj* AM Stopp **tim·er** ['taɪmə'] *n* ❶ (*for lights, VCR*) Timer *m;* (*for cooking eggs*) Eieruhr *f* ❷ (*time recorder*) Zeitmesser *m;* (*person*) Zeitnehmer(in) *m(f)* ❸ AM (*time switch*) Zeitschalter *m* **times** [taɪmz] *vt* (*fam*) ▪ **to** ~ **sth** etw multiplizieren **'time-sav·ing** *adj* Zeit sparend **'time scale** *n* Zeitrahmen *m;* ~ **of events** zeitliche Abfolge von Ereignissen **'time share** *n* Timeshare-Projekt *nt* **'time-shar·ing** *n no pl* Timesharing *nt* **'time sheet** *n* Arbeitsblatt *nt* **'time switch** *n* BRIT, AUS Zeitschalter *m* **'time·ta·ble I.** *n* ❶ (*for bus, train*) Fahrplan *m;* (*for events, project*) Programm *nt;* (*for appointments*) Zeitplan *m* ❷ BRIT, AUS (*at school/university*) Stundenplan *m* **II.** *vt usu passive* planen **'time·worn** *adj* abgenutzt; *excuse* abgedroschen **'time zone** *n* Zeitzone *f* **tim·id** <-er, -est *or* more ~, most ~> ['tɪmɪd] *adj* ängstlich; (*shy*) schüchtern; (*lacking courage*) zaghaft **ti·mid·ity** [tɪ'mɪdəti] *n no pl* Ängstlichkeit *f;* (*shyness*) Schüchternheit *f;* (*lack of courage*) Zaghaftigkeit *f* **tim·ing** ['taɪmɪŋ] *n* ❶ *no pl* (*of words, actions*) Timing *nt;* **perfect** ~! genau zum richtigen Zeitpunkt!, perfektes Timing! ❷ *no pl* (*musical rhythm*) Einsatz *m* ❸ *no pl* AUTO Steuerung *f* der Kraftstoffverbrennung ❹ (*measuring of time*) Zeitabnahme *f;* *of a race, runners also* Stoppen *nt kein pl;* (*in factories*) Zeitkontrolle *f* **tim·or·ous** ['tɪmərəs] *adj* schüchtern; (*fearful*) ängstlich **tim·pa·ni** ['tɪmpəni] *npl* MUS Pauken *pl* **tin** [tɪn] **I.** *n* ❶ *no pl* (*metal*) Zinn *nt* ❷ *esp*

BRIT (*can*) Büchse *f,* Dose *f* ❸ (*for baking*) Backform *f;* **cake** ~ Kuchenform *f* **II.** *vt* <-nn-> *esp* BRIT eindosen, in Dosen konservieren **tin 'can** *n* Blechdose *f* **tinc·ture** ['tɪŋktʃə'] *n* Tinktur *f* **tin·der** ['tɪndə'] *n no pl* Zunder *m;* ~-**dry** staubtrocken **'tin·foil** ['tɪnfɔɪl] *n no pl* Alufolie *f* **ting** [tɪŋ] **I.** *adv* **to go** ~ ,bing' machen **II.** *n* Klingen *nt kein pl* **III.** *vi* klingen **tinge** [tɪndʒ] **I.** *n* ❶ (*of colour*) Hauch *m;* ~ **of red** [leichter] Rotstich ❷ (*of emotion*) Anflug *m kein pl* **II.** *vt usu passive* ❶ (*with an emotion*) ~**d with admiration/regret** mit einer Spur von Bewunderung/Bedauern ❷ (*with colours*) **to be** ~**d with orange** mit Orange [leicht] getönt sein **tin·gle** ['tɪŋgl̩] **I.** *vi* kribbeln; **to** ~ **with desire** vor Verlangen brennen; **to** ~ **with excitement** vor Aufregung zittern; **sb's spine** ~**s** jdm läuft ein Schauer über den Rücken **II.** *n no pl* Kribbeln *nt* **tin·gling** ['tɪŋglɪŋ] *n* Kribbeln *nt kein pl* **tin·gly** ['tɪŋgli] *adj* kribbelnd *attr;* **to go all** ~ ganz kribbelig werden; **to feel** ~ ein Prickeln spüren **tin 'god** *n* (*fam*) Abgott *m pej;* **little** ~ kleiner Gott *iron* **tin 'hat** *n* Stahlhelm *m* **'tin·horn** *esp* AM **I.** *adj attr* angeberisch **II.** *n* Angeber(in) *m(f)* **tink·er** ['tɪŋkə'] **I.** *n* ❶ (*attempt to repair*) **to have a** ~ **with sth** an etw *dat* herumbasteln ❷ (*repairman*) wandernder Kesselflicker *hist;* BRIT (*pej: gypsy*) Zigeuner(in) *m(f)* **II.** *vi* ▪ **to** ~ **[around] [with sth]** [an etw *dat*] herumbasteln **tin·kle** ['tɪŋkl̩] **I.** *vi* ❶ (*make sound*) *piano* klimpern; *bell* klingen; *fountain* plätschern ❷ (*fam: urinate*) Pipi machen **II.** *vt* **to** ~ **a bell** mit einer Glocke klingeln **III.** *n* ❶ (*of bell*) Klingen *nt kein pl;* (*of water*) Plätschern *nt kein pl;* **to give sb a** ~ (*dated fam*) jdn anklingeln ❷ (*fam: urine*) Pipi *nt* **tinned** [tɪnd] *adj* BRIT, AUS konserviert; ~ **fruit** Dosenfrüchte *pl;* ~ **milk** Büchsenmilch *f* **tin·ny** ['tɪni] *adj* ❶ *recording* blechern ❷ *taste, food* nach Blech schmeckend *attr* **'tin-open·er** *n* BRIT, AUS Dosenöffner *m* **tin·'plate** *n no pl* Zinnblech *nt* **tin·sel** ['tɪn(t)s³l] *n no pl* ❶ (*for magic wand*) Flitter *m;* (*for Christmas tree*) Lametta *nt* ❷ (*fig: shit showy*) Prunk *m* **tint** [tɪnt] **I.** *n* ❶ (*hue*) Farbton *m;* **warm** ~ warme Farbe ❷ (*dye*) Tönung *f* **II.** *vt hair* tönen

tiny ['taɪni] *adj* winzig; **teeny** ~ klitzeklein

tip¹ [tɪp] **I.** *vt* <-pp-> ❶ (*attach to extremity of*) **mountains ~ped with snow** Berge *pl* mit schneebedeckten Gipfeln ❷ (*dye one's hair*) **to ~ one's hair** sich *dat* die Spitzen färben **II.** *n* (*pointed end*) Spitze *f;* **asparagus ~** Spargelspitze *f* ▶ **the ~ of the iceberg** die Spitze des Eisbergs; **it's on the ~ of my tongue** es liegt mir auf der Zunge ◆**tip off** *vt* einen Tipp geben ◆**tip out I.** *vi* herauskippen **II.** *vt* ausleeren ◆**tip over** *vt, vi* umschütten, umkippen ◆**tip up** *vt, vi* kippen; *seat* hochklappen

tip² [tɪp] **I.** *n* BRIT ❶ (*garbage dump*) Deponie *f* ❷ (*fam: mess*) Saustall *m pej sl* **II.** *vt* <-pp-> ❶ (*empty out*) ▪ **to ~ sth into sth** etw in etw *akk* ausschütten ❷ *impers* **it's ~ping** [**it**] **down** BRIT, AUS (*fam*) es gießt ❸ (*tilt*) neigen; **to ~ the balance** den Ausschlag geben; **to ~ the window** das Fenster kippen ❹ (*touch*) antippen; **to ~ one's cap** an den Hut tippen **III.** *vi* <-pp-> ❶ BRIT (*dump*) **"No ~ping"** „Müll abladen verboten" ❷ (*tilt*) umkippen

tip³ [tɪp] **I.** *n* ❶ (*money*) Trinkgeld *nt;* **to leave a 10% ~** 10 % Trinkgeld geben ❷ (*suggestion*) Rat[schlag] *m,* Tipp *m;* **helpful/useful ~** hilfreicher/nützlicher Tipp; **take a ~ from me ...** wenn du mich fragst, ... **II.** *vt* <-pp-> ❶ (*give money to*) Trinkgeld geben ❷ *esp* BRIT (*predict*) tippen (auf); **he is being ~ped as the next Prime Minister** er gilt als der nächste Premierminister **III.** *vi* <-pp-> Trinkgeld geben

'tip-off *n* (*fam*) Tipp *m*

tip·ple ['tɪpl] **I.** *vi* (*drink alcohol*) trinken **II.** *vt beer, champagne* süffeln *fam* **III.** *n* (*fam*) **white wine is her ~** sie trinkt am liebsten Weißwein

tip·si·ness ['tɪpsɪnəs] *n no pl* (*fam*) Schwips *m*

tip·ster ['tɪpstə'] *n* (*in sports*) Tippgeber(in) *m(f);* (*to authorities*) Informant(in) *m(f)*

tip·sy ['tɪpsi] *adj* beschwipst

tip·toe ['tɪptəʊ] **I.** *n* **on ~**[**s**] auf Zehenspitzen **II.** *vi* auf Zehenspitzen gehen; ▪ **to ~ in/out** hinein-/hinausschleichen

tip-'top *adj* (*fam*) Spitzen-, Spitze *präd,* tipptopp

'tip-up seat *n* Klappsitz *m*

ti·rade [taɪ'reɪd] *n* Tirade *f geh;* **angry ~** Schimpfkanonade *f*

tire¹ ['taɪə'] **I.** *vt* ermüden; **to ~ oneself doing sth** von etw *dat* müde werden **II.** *vi* müde werden; ▪ **to ~ of sth/sb** etw/jdn satthaben; **to never ~ of doing sth** nie müde werden, etw zu tun

tire² ['taɪə'] *n* AM *see* **tyre**

tired <-er, -est *or* more ~, most ~> ['taɪəd] *adj* ❶ (*exhausted*) müde ❷ (*bored with*) **to be sick and ~ of sth/sb** von etw/jdm die Nase gestrichen voll haben *fam* ❸ (*over-used*) *excuse* lahm; *phrase* abgedroschen

tired·ness ['taɪədnəs] *n no pl* Müdigkeit *f*

tire·less ['taɪələs] *adj* unermüdlich (**in** bei)

tire·less·ly ['taɪələsli] *adv* unermüdlich

tire·some ['taɪəsəm] *adj* mühsam; *habit* unangenehm

tir·ing ['taɪərɪŋ] *adj* ermüdend

'tis [tɪz] (*old*) = **it is** *see* **be**

tis·sue ['tɪʃuː, -sjuː] *n* ❶ (*for wrapping*) Seidenpapier *nt* ❷ (*for wiping noses*) Tempo® *nt* ❸ *no pl* (*of animals or plants*) Gewebe *nt*

tit [tɪt] *n* ❶ (*bird*) Meise *f;* **blue ~** Blaumeise *f* ❷ (*vulg: breast*) Titte *f* ▶ **~ for tat** wie du mir, so ich dir; **to get on sb's ~s** BRIT (*sl*) jdm auf den Sack gehen *derb*

ti·tan·ic [taɪ'tænɪk] *adj* gigantisch

ti·ta·nium [tɪ'teɪnɪəm] *n no pl* Titan *nt*

tit·bit ['tɪtbɪt] *n esp* BRIT ❶ (*snack*) Leckerbissen *m* ❷ *usu pl* (*of information*) Leckerbissen *m;* **juicy ~s** pikante Einzelheiten

tit·il·late ['tɪtɪleɪt] **I.** *vt* anregen; **to ~ the palate** den Gaumen kitzeln **II.** *vi* erregen

tit·il·la·tion [ˌtɪtɪ'leɪʃ°n] *n no pl* (*sexual*) Erregung *f;* (*intellectual*) Anregung *f*

tit·ivate ['tɪtɪveɪt] **I.** *vi* sich zurechtmachen **II.** *vt* ▪ **to ~ oneself** sich fein machen

ti·tle ['taɪtl] **I.** *n* ❶ *of book, film* Titel *m* ❷ (*film credits*) ▪ **~s** *pl* Vor-/Nachspann *m* ❸ (*status, rank*) Titel *m;* **job ~** Berufsbezeichnung *f* ❹ (*in sports event*) Titel *m* ❺ *no pl* Rechtsanspruch *m* (**to** auf); (*to a car*) Fahrzeugbrief *m;* (*to a house, property*) Eigentumsrecht *nt* **II.** *vt book, film* betiteln

ti·tle 'deed *n* LAW Eigentumsurkunde *f* **'ti·tle·hold·er** *n* Titelverteidiger(in) *m(f)* **'ti·tle page** *n* Titelblatt *nt* **'ti·tle role** *n* Titelrolle *f* **'ti·tle track** *n* Titelsong *m*

tit·ter ['tɪtə'] **I.** *vi* kichern **II.** *n* Gekicher *nt kein pl*

'tit·tle-tat·tle *n no pl* (*fam*) Geschwätz *nt pej*

tiz·zy ['tɪzi] *n no pl* (*fam*) Aufregung *f;* **to get oneself in a real ~** sich schrecklich aufregen

TNT [ˌtiːen'tiː] *n no pl* CHEM *abbrev of* **trinitrotoluene** TNT *nt*

to [tuː, tu, tə] **I.** *prep* ❶ (*moving towards*) in, nach, zu; **she walked over ~ the window** sie ging [hinüber] zum Fenster; **they go ~ work on the bus** sie fahren mit dem

Bus zur Arbeit; **we moved ~ Germany last year** wir sind letztes Jahr nach Deutschland gezogen; **~ the north/south** nördlich/südlich; **from place ~ place** von Ort zu Ort ❷ *(attending regularly)* zu, in; **she goes ~ university** sie geht auf die Universität ❸ *(inviting to)* zu; **I've asked them ~ dinner** ich habe sie zum Essen eingeladen ❹ *(in direction of)* auf; **she pointed ~ a distant spot on the horizon** sie zeigte auf einen fernen Punkt am Horizont ❺ *(in contact with)* an; **cheek ~ cheek** Wange an Wange ❻ *(attached to)* an; **tie the lead ~ the fence** mach die Leine am Zaun fest ❼ *(with indirect object)* ■**~ sb/sth** jdm/etw *dat;* **give that gun ~ me** gib mir das Gewehr; **to be married ~ sb** mit jdm verheiratet sein; **to tell/show sth ~ sb** jdm etw erzählen/zeigen ❽ *(with respect to)* zu; **and what did you say ~ that?** und was hast du dazu gesagt? ❾ *(in response)* auf ❿ *(belonging to)* zu; **the keys ~ his car** seine Autoschlüssel ⓫ *(compared to)* mit; **I prefer beef ~ seafood** ich ziehe Rindfleisch Meeresfrüchten vor ⓬ *(in scores)* zu ⓭ *(until)* bis, zu; **unemployment has risen ~ almost 8 million** die Arbeitslosigkeit ist auf fast 8 Millionen angestiegen ⓮ *(expressing change of state)* zu; **he converted ~ Islam** er ist zum Islam übergetreten; **he drank himself ~ death** er trank sich zu Tode ⓯ *(to point in time)* bis; **and ~ this day ...** und bis auf den heutigen Tag ... ⓰ *(including)* **from morning ~ night** von morgens bis abends ⓱ BRIT *(in clock times)* vor, bis SÜDD; **it's twenty ~ six** es ist zwanzig vor sechs ⓲ *(causing)* zu; **~ my relief/horror/astonishment** zu meiner Erleichterung/meinem Entsetzen/meinem Erstaunen ⓳ *(according to)* für; **if it's acceptable ~ you** wenn Sie einverstanden sind; **what's it ~ you?** *(fam)* was geht dich das an? ⓴ *(serving)* für; **economic adviser ~ the president** Wirtschaftsberater des Präsidenten ㉑ *(in honour of)* auf; **here's ~ you!** auf dein/Ihr Wohl!; **the record is dedicated ~ her mother** die Schallplatte ist ihrer Mutter gewidmet ㉒ *(per)* **the odds are 2 ~ 1 that you'll lose** die Chancen stehen 2 zu 1, dass du verlierst ㉓ *(as a result of)* von ㉔ *(roughly)* bis ㉕ MATH *(defining exponent)* hoch; **ten ~ the power of three** zehn hoch drei ▶**there's not <u>much</u> ~ it** das ist nichts Besonderes **II.** *to form infin* ❶ *(expressing future intention)* **I'll have ~ tell him** ich werde es ihm sagen müssen; **to be about**

~ do sth gerade etw tun wollen ❷ *(forming requests)* zu; **he told me ~ wait** er sagte mir, ich solle warten; **I asked her ~ give me a call** ich bat sie, mich anzurufen ❸ *(expressing wish)* zu; **I'd love ~ live in New York** ich würde nur zu gern in New York leben; **would you like ~ dance?** möchten Sie tanzen? ❹ *(omitting verb)* **would you like to go? — yes, I'd love ~** möchtest du hingehen? – ja, sehr gern ❺ *after adj (to complete meaning)* **I'm sorry ~ hear that** es ist tut mir leid, das zu hören; **easy ~ use** leicht zu bedienen ❻ *(expressing purpose)* **she's gone ~ pick Jean up** sie ist Jean abholen gegangen ❼ *(expressing intent)* **we tried ~ help** wir versuchten zu helfen; **he managed ~ escape** es gelang ihm zu entkommen ❽ *(after wh- words)* **I don't know what ~ do** ich weiß nicht, was ich tun soll; **I don't know where ~ begin** ich weiß nicht, wo ich anfangen soll ❾ *(introducing clause)* **~ be honest** um ehrlich zu sein **III.** *adv* zu; **to push the door ~** die Tür anlehnen; **to come ~** zu sich *dat* kommen

toad [təʊd] *n* Kröte *f*

toad-in-the-'hole *n* BRIT *in Teig gebackene Wurst* '**toad·stool** *n* Giftpilz *m*

toady ['təʊdi] *(pej)* **I.** *n* Speichellecker *m* **II.** *vi* <-ie-> ■**to ~ to sb** vor jdm kriechen

to and 'fro I. *adv* hin und her; *(back and forth)* vor und zurück **II.** *vi (move)* ■**to be toing and froing** vor- und zurückgehen; *(be indecisive)* hin und her schwanken

toast [təʊst] **I.** *n* ❶ *no pl (bread)* Toast *m;* **slice of ~** Scheibe *f* Toast ❷ *(when drinking)* Toast *m,* Trinkspruch *m;* **to drink a ~ to sb/sth** auf jdn/etw *akk* trinken **II.** *vt* ❶ *(cook over heat)* nuts rösten; *bread, muffin* toasten ❷ *(warm up)* **to ~ oneself by the fire** sich am Feuer wärmen ❸ *(drink to)* trinken (auf)

toast·er ['təʊstə^r] *n* Toaster *m*

'**toast·mas·ter** *n* ein Mann/eine Frau, der/die Tischredner ankündigt und Toasts ausspricht

'**toast rack** *n* Toastständer *m*

to·bac·co [tə'bækəʊ] *n no pl* Tabak *m*

to·bac·co·nist [tə'bækⁿnɪst] *n* Tabakwarenhändler(in) *m(f)*

-to-be [tə'biː] *in compounds (boss-, husband-)* zukünftige(r, s) *attr;* **bride-~** zukünftige Braut; **mother-~** werdende Mutter

to·bog·gan [tə'bɒgⁿn] **I.** *n* Schlitten *m,* Rodel *f* ÖSTERR **II.** *vi* Schlitten fahren, rodeln

to·'bog·gan run *n,* **to·'bog·gan slide** *n* Rodelbahn *f*

toby ['təʊbi] *n,* **toby jug** *n* Figurkrug *m*
tod [tɒd] *n no pl* BRIT (*fam*) **to be on one's ~** allein sein
to·day [tə'deɪ] I. *adv* ❶ (*on this day*) heute ❷ (*nowadays*) heutzutage II. *n no pl* ❶ (*this day*) heutiger Tag; **~'s date** heutiges Datum; **what's ~'s date?** welches Datum haben wir heute?; **~'s paper** Zeitung *f* von heute ❷ (*present period of time*) Heute *nt;* **cars/computers/youth of ~** Autos *pl*/Computer *pl*/Jugend *f* von heute
tod·dle ['tɒdl̩] *vi child* wackeln; *adult* schlappen *fam*
tod·dler ['tɒdlə']*n* Kleinkind *nt*
tod·dy ['tɒdi] *n* Toddy *m*
to-do [tə'duː] *n usu sing* (*fam*) ❶ (*fuss*) Getue *nt pej;* **to make a great ~ about sth** ein großes Theater um etw *akk* machen ❷ (*confrontation*) Wirbel *m*
toe [təʊ] I. *n* ❶ (*on foot*) Zehe *f* ❷ (*of sock, shoe*) Spitze *f* ▶ **to** keep **sb on their ~s** jdn auf Zack halten; **to** step **on sb's ~s** jdm nahetreten II. *vt* **to ~ the party line** der Parteilinie folgen III. *vi* ◾**to ~ in/out** X-/O-Beine haben
'toe cap *n* Schuhkappe *f* **'toe·hold** *n* ❶ (*in climbing*) Halt *m* für die Zehen ❷ (*starting point*) Ausgangspunkt *m;* **to get a ~ in** Fuß fassen **'toe·nail** *n* Zehennagel *m*
tof·fee *n* ['tɒfi] Toffee *nt,* Sahnebonbon *nt* **'tof·fee ap·ple** *n* kandierter Apfel *m* **'tof·fee-nosed** *adj* BRIT (*pej fam*) hochnäsig
to·geth·er [tə'geðə'] I. *adv* ❶ (*with each other*) zusammen; **close ~** nah beisammen ❷ (*collectively*) zusammen, gemeinsam; **all ~ now** jetzt alle miteinander ❸ (*as to combine*) **to add sth ~** etw zusammenzählen; **to go ~** zusammenpassen ❹ (*in relationship*) zusammen; **to be [back] ~** [wieder] zusammen sein; **to get ~** zusammenkommen ❺ (*simultaneously*) gleichzeitig II. *adj* (*pej fam*) ausgeglichen
to·geth·er·ness [tə'geðənəs] *n no pl* Zusammengehörigkeit *f;* **feeling of ~** Zusammengehörigkeitsgefühl *nt*
tog·gle ['tɒgl̩] I. *n* ❶ (*switch*) Kippschalter *m;* COMPUT (*key*) Umschalttaste *f* ❷ (*fastener*) Knebel *m* II. *vi* COMPUT hin- und herschalten
'tog·gle switch *n* Kippschalter *m*
Togo ['təʊgəʊ] *n* Togo *nt*
To·go·lese [ˌtəʊgəʊ'liːz] I. *adj* togoisch II. *n* Togoer(in) *m(f)*
toil [tɔɪl] I. *n no pl* Mühe *f;* **hard/honest ~** harte/ehrliche Arbeit II. *vi* ❶ (*work hard*) hart arbeiten ❷ (*go with difficulty*) **to ~ up**

a hill sich einen Hügel hoch schleppen III. *vt* **to ~ one's way through sth** sich durch etw *akk* durcharbeiten
toi·let ['tɔɪlɪt] *n* ❶ (*lavatory*) Toilette *f,* Klo *nt fam;* **to go to the ~** *esp* BRIT auf die Toilette gehen; **to flush the ~** spülen ❷ *no pl* (*dated: preparation*) Toilette *f geh*
'toi·let bag *n* Kulturbeutel *m,* Toilettentasche *f* **'toi·let pa·per** *n* Toilettenpapier *nt*
toi·let·ries ['tɔɪlɪtriz] *npl* Toilettenartikel *pl*
'toi·let·ries bag *n* Kulturbeutel *m*
'toi·let roll *n* BRIT, AUS Rolle *f* Toilettenpapier **'toi·let soap** *n* Toilettenseife *f* **'toi·let wa·ter** *n no pl* Eau *nt* de Toilette
to·ken ['təʊk^ən] I. *n* ❶ (*symbol*) Zeichen *nt;* **a ~ of sb's affection** ein Zeichen *nt* für jds Zuneigung ❷ (*voucher*) Gutschein *m* ❸ (*money substitute*) Chip *m* ▶ **by the** same **~** aus demselben Grund II. *adj attr* ❶ (*symbolic*) nominell; *fine, gesture, resistance* symbolisch ❷ (*pej: an appearance of*) Schein-; **a ~ offer** ein Pro-Forma-Angebot *nt;* **the ~ black/woman** der/die Alibischwarze/die Alibifrau
told [təʊld] *pt, pp of* **tell**
tol·er·able ['tɒlərəbl̩] *adj* erträglich; (*fairly good*) annehmbar
tol·er·ably ['tɒlərəbli] *adv* recht, ganz
tol·er·ance ['tɒlər^ən(t)s] *n* ❶ *no pl* (*open-mindedness*) Toleranz *f* (**of/towards** gegenüber) ❷ (*capacity to endure*) Toleranz *f,* Widerstandsfähigkeit *f* (**to** gegen); **~ to alcohol/a drug** Alkohol-/Medizinverträglichkeit *f;* **pain-~ threshold** Schmerzschwelle *f* ❸ (*in quantity, measurement*) Toleranz *f*
tol·er·ant ['tɒlər^ənt] *adj* ❶ (*open-minded*) tolerant (**of/towards** gegenüber) ❷ (*resistant*) *person* widerstandsfähig; *plant* resistent (**of** gegen)
tol·er·ate ['tɒlər*eɪt] *vt* ❶ (*accept*) tolerieren; **I won't ~ lying** Lügen werde ich nicht dulden; ◾**to ~ sth** jdn ertragen ❷ (*resist*) *heat, pain, stress* aushalten; *of plant: cold, insects* widerstehen; *drug* vertragen
tol·era·tion [ˌtɒlər'eɪʃ^ən] *n no pl* Toleranz *f*
toll¹ [təʊl] *n* ❶ (*for motorways etc.*) Maut *f* ❷ AM (*for phone call*) [Fernsprech]gebühr *f* ❸ *no pl* (*deaths, loss*) Tribut *m;* **death ~** Opferzahl *f;* **to take its ~ [on sb/sth]** seinen/ihren Tribut [von jdm/etw *dat*] fordern
toll² [təʊl] *vt, vi bell* läuten
'toll bridge *n* Mautbrücke *f* **'toll call** *n* AM Ferngespräch *nt* **'toll-free** *adj* gebührenfrei **'toll·gate** *n* Schlagbaum *m* **'toll·house** *n* Mautstelle *f* **'toll road** *n* Maut-

straße f

tom [tɒm] n (male animal) Männchen nt; (cat) Kater m

to·ma·to <pl -es> [təˈmɑːtəʊ] n Tomate f, Paradeiser m ÖSTERR

to·ma·to ˈketch·up n no pl Tomatenketchup nt

tomb [tuːm] n Grab nt; (mausoleum) Gruft f; (below ground) Grabkammer f

tom·bo·la [tɒmˈbəʊlə] n BRIT, AUS Tombola f

tom·boy [ˈtɒmbɔɪ] n Wildfang m

tomb·stone [ˈtuːmstəʊn] n Grabstein m

tom·cat [ˈtɒmkæt] n Kater m

tome [təʊm] n (usu hum) Schmöker m fam

tom·fool·ery [ˌtɒmˈfuːləri] n no pl Albernheit f

tom·my gun [ˈtɒmi-] n Maschinenpistole f

tomo·graph [ˈtəʊməgræf] n MED ❶ (device) Tomograph m ❷ (image) Tomographie f

to·mog·ra·phy [təˈmɒgrəfi] n no pl MED Tomographie f

to·mor·row [təˈmɒrəʊ] I. adv morgen II. n morgiger Tag; ~'s problems/technology/youth Probleme pl/Technologie f/ Jugend f von morgen; ~ morning morgen früh; ~ week BRIT morgen in einer Woche; a better ~ eine bessere Zukunft ▶ ~ is another day (saying) morgen ist auch noch ein Tag; who knows what ~ will bring? wer weiß, was die Zukunft bringt?

tom-tom [ˈtɒmtɒm] n Tamtam nt

ton <pl - or -s> [tʌn] n ❶ (unit of measurement) Tonne f; long ~ 1016,05 kg; short ~ 907,185 kg ❷ (fam: very large amount) how much money does he have? — ~s wie viel Geld besitzt er? – jede Menge; to weigh a ~ Unmengen wiegen ▶ to come down on sb like a ~ of bricks jdn völlig fertigmachen

tone [təʊn] I. n ❶ (of instrument) Klang m ❷ (manner of speaking) Ton m; an apologetic/a disrespectful ~ ein entschuldigender/respektloser Ton ❸ (voice) to speak in hushed ~s mit gedämpfter Stimme sprechen ❹ (character) Ton m; to lower/raise the ~ of sth der Qualität einer S. gen schaden/die Qualität einer S. gen heben ❺ (of colour) Farbton m ❻ no pl (of muscles) Tonus m fachspr ❼ MUS (difference in pitch) Ton m; half/whole ~ Halb-/Ganzton m ❽ (of telephone) Ton m; dialling [or AM dial] ~ Wählton m; engaged [or AM busy] ~ Besetztzeichen nt II. vt to ~ the body/muscles den Körper/die Muskeln fit halten III. vi ■ to ~

with sth mit etw dat harmonieren ◆**tone down** vt abmildern; colour, sound abschwächen; criticism, language, protests mäßigen ◆**tone in** vi sich anpassen ◆**tone up** I. vt muscles kräftigen II. vi sich in Form bringen

ˈtone con·trol n Klangregler m **toneˈdeaf** adj ■ to be ~ unmusikalisch sein

tone·less [ˈtəʊnləs] adj (liter) tonlos

ˈtone poem n Tondichtung f

ton·er [ˈtəʊnəʳ] n ❶ (for skin) Gesichtswasser nt ❷ (for photographs) Toner m

Tonga [ˈtɒŋə] n Tonga nt

Ton·gan [ˈtɒŋən] I. adj tongaisch II. n ❶ (person) Tongaer(in) m(f) ❷ LING Tongasprache f

tongs [tɒŋz] npl Zange f; fire ~ Feuerzange f

tongue [tʌŋ] I. n ❶ (mouth part) Zunge f; have you lost your ~? hat es dir die Sprache verschlagen?; to bite one's ~ sich dat in die Zunge beißen ❷ (tongue-shaped object) ~ of land Landzunge f ❸ (language) Sprache f ❹ no pl (expressive style) Ausdrucksweise f; to have a sharp ~ eine spitze Zunge haben ▶ to say sth ~ in cheek etw als Scherz meinen; to set ~s wagging Gerede verursachen II. vt MUS mit Zungenschlag spielen

ˈtongue-tied adj sprachlos; to be/get ~ with surprise vor Überraschung kein Wort herausbekommen **ˈtongue twist·er** n Zungenbrecher m

ton·ic¹ [ˈtɒnɪk] n ❶ (medicine) Tonikum nt geh ❷ (sth that rejuvenates) Erfrischung f

ton·ic² [ˈtɒnɪk] MUS I. n ■ the ~ der Grundton II. adj Grundton-; ~ chord Grundakkord m

ton·ic³ [ˈtɒnɪk] n, **ton·ic wa·ter** n Tonic[water] nt

to·night [təˈnaɪt] I. adv (during today's night) heute Abend; (till after midnight) heute Nacht II. n (today's night) der heutige Abend

ton·nage [ˈtʌnɪdʒ] n no pl Tonnage f

tonne <pl -s or -> [tʌn] n Tonne f

ton·sil·li·tis [ˌtɒn(t)səˈlaɪtɪs] n no pl Mandelentzündung f

ton·sils [ˈtɒn(t)səlz] npl MED Mandeln pl

too [tuː] adv ❶ (overly) big, heavy, small zu; to be ~ bad wirklich schade sein; far ~ difficult viel zu schwierig; to be ~ good to be true zu schön um wahr zu sein ❷ (very) sehr; my mother hasn't been ~ well recently meiner Mutter geht es in letzter Zeit nicht allzu gut; to not be ~ sure if ... sich dat nicht ganz sicher sein, ob ... ❸ (also) auch; me ~! ich auch!

❹ (*moreover*) überdies ❺ Am (*fam: said for emphasis, to contradict*) **I'm not going to school today — you are ~!** ich gehe heute nicht in die Schule – und ob du gehst! ▸ **~ right!** Aus stimmt genau!

took [tʊk] *vt, vi pt of* take

tool [tuːl] I. *n* ❶ (*implement*) Werkzeug *nt* ❷ (*aid*) Mittel *nt* ❸ (*pej: instrument*) Marionette *f* ❹ (*occupational necessity*) Instrument *nt;* **to be a ~ of the trade** zum Handwerkszeug gehören II. *vt* bearbeiten 'tool bag *n* Werkzeugtasche *f* 'tool bar *n* comput Symbolleiste *f* 'tool box *n* Werkzeugkiste *f* 'tool chest *n,* 'tool kit *n* Werkzeugkasten *m* 'tool·mak·er *n* Werkzeugmacher(in) *m(f)* 'tool shed *n* Geräteschuppen *m*

toot [tuːt] I. *n* Hupen *nt kein pl;* **to give a ~** hupen II. *vt* ❶ (*sound*) anhupen; **to ~ a horn** auf die Hupe drücken ❷ (*fam: blow wind instrument*) blasen (in) III. *vi* (*honk*) hupen

tooth <*pl* teeth> [tuːθ, *pl* tiːθ] *n* ❶ (*in mouth*) Zahn *m;* **to bare one's teeth** die Zähne fletschen; **to brush one's teeth** die Zähne putzen; **to grind one's teeth** mit den Zähnen knirschen *a. fig;* **to grit one's teeth** die Zähne zusammenbeißen ❷ *usu pl of comb* Zinke *f; of saw* [Säge]zahn *m; of cog* Zahn *m* ▸ **to fight ~ and nail** [to do sth] mit aller Macht [um etw *akk*] kämpfen; **to be** [a bit] **long in the ~** in die Jahre gekommen sein; **to get one's teeth into sth** sich in etw *akk* hineinstürzen 'tooth·ache *n no pl* Zahnschmerzen *pl* 'tooth·brush *n* Zahnbürste *f*

toothed [tuːθt] *adj* mit Zähnen versehen, Zahn-; *leaf* gezähnt, gezackt 'tooth·paste *n no pl* Zahnpasta *f* 'tooth·pick *n* Zahnstocher *m* 'tooth·some ['tuːθsəm] *adj* köstlich

toothy ['tuːθi] *adj* zähnefletschend; **a ~ grin** ein breites Grinsen

'too·tle ['tuːtl̩] *vi* (*fam*) ■ **to ~ along** dahinzockeln

toots [tʊts] *n esp* Am (*fam*) Süße *f*

top¹ [tɒp] *n* Kreisel *m*

top² [tɒp] I. *n* ❶ (*highest part*) oberes Ende, Spitze *f; of mountain* [Berg]gipfel *m; of tree* [Baum]krone *f; from ~ to bottom* von oben bis unten; **to get on ~ of sth** etw in den Griff bekommen ❷ (*upper surface*) Oberfläche *f;* **there was a pile of books on ~ of the table** auf dem Tisch lag ein Stoß Bücher ❸ *no pl* (*highest rank*) Spitze *f;* **to be at the ~ of the class** Klassenbeste(r) *f(m)* sein ❹ fashion Top *nt* ❺ (*head end*) *of bed, table* Kopfende *nt;* **to live at**

the ~ of a street am Ende der Straße wohnen ❻ (*lid*) Deckel *m* ❼ (*in addition to*) **on ~ of that ...** obendrein ... ▸ **off the ~ of one's head** (*fam*) aus dem Stegreif; **from ~ to toe** von Kopf bis Fuß; **the Big T~** das Großzelt; **to go over the ~** überreagieren II. *adj* ❶ (*highest*) oberste(r, s); **~ floor** oberstes Stockwerk; **the ~ rung of the ladder** (*fig*) die Spitze der Karriereleiter ❷ (*best*) beste(r, s); **sb's ~ choice** jds erste Wahl ❸ (*most successful*) Spitzen-; **~ athlete** Spitzensportler(in) *m(f)* ❹ (*maximum*) höchste(r, s); **~ speed** Höchstgeschwindigkeit *f* III. *adv* Brit **to come ~** [of the class] Klassenbeste(r) *f(m)* sein IV. *vt* <-pp-> ❶ (*be at top of*) anführen; **to ~ a list** oben auf einer Liste stehen ❷ (*cover*) überziehen (**with** mit) ❸ (*surpass*) übertreffen ❹ *esp* Brit (*sl: kill*) umbringen ◆**top off** *vt* ❶ food (*give topping to*) garnieren ❷ *esp* Am, Aus (*conclude satisfactorily*) abrunden; (*more than satisfactorily*) krönen ◆**top up** *vt* ❶ (*fill up again*) nachfüllen; ■**to ~ sb up** (*fam*) jdm nachschenken ❷ (*bring to a certain level*) aufbessern

to·paz ['təʊpæz] *n* Topas *m*

'top·coat *n* ❶ (*outer layer*) Deckanstrich *m* ❷ (*paint*) Deckfarbe *f* top 'copy *n* Original[manuskript] *nt* top 'dog *n* (*fam*) Boss *m fam* top 'draw·er *n* ❶ (*uppermost drawer*) oberste [Schub]lade ❷ *esp* Brit (*fam: social position*) Oberschicht *f* top ex·'ecu·tive *n* Topmanager(in) *m(f)* 'top-flight *adj attr* beste(r, s) top 'hat *n* Zylinder *m* top-'heavy *adj* ❶ (*usu pej: unbalanced*) kopflastig ❷ (*fam: bigbreasted*) **a ~ woman** eine Frau mit großem Vorbau

top·ic ['tɒpɪk] *n* Thema *nt*

topi·cal ['tɒpɪkəl] *adj* ❶ (*currently of interest*) aktuell ❷ (*by topics*) thematisch ❸ med (*applied locally*) lokal

topi·cal·ity [ˌtɒpɪ'kæləti] *n no pl* Aktualität *f*

top·less ['tɒpləs] I. *adj* oben ohne *präd,* barbusig II. *adv* **to go ~** oben ohne gehen 'top-lev·el *adj negotiations, talks* Spitzentop 'load·er *n* Toplader *m* top 'man·age·ment *n usu no pl* Topmanagement *nt* 'top·most *adj attr* oberste(r, s) 'topnotch *adj* (*fam*) erstklassig 'top note *n* (*fig*) Kopfnote *f* (*eines Parfüms*)

to·pog·raph·er [tə'pɒgrəfəʳ] *n* Vermessungsingenieur(in) *m(f)*

topo·graphi·cal [ˌtɒpə(ʊ)'græfɪkəl] *adj* topographisch

to·pog·ra·phy [tə'pɒgrəfi] *n no pl* Topographie *f*

top·per ['tɒpər] *n* (*fam*) Zylinder *m*

top·ping ['tɒpɪŋ] *n* Garnierung *f*

top·ple ['tɒpl̩] I. *vt* ❶ (*knock over*) umwerfen ❷ POL (*overthrow*) stürzen II. *vi* stürzen; *prices* fallen ◆ **topple over** I. *vt* umwerfen II. *vi* umfallen, stürzen (über)

top 'price *n* Höchstpreis *m* **top pri·'or·ity** *n* höchste Priorität **top 'qual·ity** *n* Spitzenqualität *f* **top·'rank·ing** *adj* Spitzen-; ~ **university** Eliteuniversität *f* **'top·sail** *n* Toppsegel *nt* **top 'sala·ry** *n* Spitzengehalt *nt* **top 'se·cret** *adj* streng geheim **'top-sell·ing** *adj attr* meistverkauft **'top·soil** *n no pl* Mutterboden *m* **top 'speed** *n* Höchstgeschwindigkeit *f* **'top·spin** *n no pl* SPORTS Topspin *m*

topsy-turvy [ˌtɒpsi'tɜːvi] (*fam*) I. *adj* chaotisch II. *adv* **to turn sth ~** etw auf den Kopf stellen

torch [tɔːtʃ] I. *n* <*pl* -es> ❶ AUS, BRIT (*hand-held light*) Taschenlampe *f* ❷ (*burning stick*) Fackel *f;* **Olympic ~** olympisches Feuer; **to pass the ~** [to sb] [jdm] den Stab übergeben; (*fig*) etw [an jdn] weitergeben ❸ AM (*blowlamp*) Lötlampe *f* ► **to carry a ~ for sb** nach jdm schmachten II. *vt* (*fam*) in Brand setzen

'torch·light I. *n no pl* Fackelschein *m* II. *adj attr* Fackel-

tore [tɔːʳ] *vi, vt pt of* **tear**

tor·ment ['tɔːment] I. *n* ❶ (*mental suffering*) Qual *f* ❷ (*physical pain*) starke Schmerzen *pl;* ■ **to be in ~** unter starken Schmerzen leiden ❸ (*torture*) Tortur *f* II. *vt* (*cause to suffer*) quälen; **to be ~ed by grief** großen Kummer haben

tor·men·tor [tɔː'mentəʳ] *n* Peiniger(in) *m(f)*

torn [tɔːn] I. *vi, vt pp of* **tear** II. *adj pred* (*unable to choose*) [innerlich] zerrissen

tor·na·do [tɔː'neɪdəʊ] *n* <*pl* -s *or* -es> Tornado *m*

tor·pe·do [tɔː'piːdəʊ] MIL, NAUT I. *n* <*pl* -es> Torpedo *m* II. *vt* torpedieren

tor·pid ['tɔːpɪd] *adj* (*form*) träge

tor·por ['tɔːpəʳ] *n no pl* (*form*) Trägheit *f;* (*hibernation*) Winterschlaf *m*

torque [tɔːk] *n no pl* PHYS Drehmoment *nt*

tor·rent ['tɒrⁿnt] *n* ❶ (*large amount of water*) Sturzbach *m;* ~ **s** [of rain] sintflutartige Regenfälle; **to come down in ~s** in Strömen gießen ❷ (*large amount*) Strom *m*

tor·ren·tial [təˈren(t)ʃⁿl] *adj* sintflutartig

tor·sion ['tɔːʃⁿn] *n no pl* MECH, MED Verdrehung *f*

tor·so ['tɔːsəʊ] *n* ❶ (*body*) Rumpf *m* ❷ (*statue*) Torso *m*

tor·toise ['tɔːtəs] *n* [Land]schildkröte *f*

'tor·toise·shell I. *n no pl* Schildpatt *nt* II. *adj attr* Schildpatt-

tor·tuous ['tɔːtʃuəs] *adj* gewunden; (*complicated*) umständlich; *process* langwierig

tor·ture ['tɔːtʃəʳ] I. *n* ❶ *no pl* (*act of cruelty*) Folter *f;* **mental ~** seelische Folter ❷ (*painful suffering*) Qual *f,* Tortur *f* II. *vt* ❶ (*cause suffering to*) foltern ❷ (*greatly disturb*) quälen; ■ **to be ~d by sth** von etw *dat* gequält werden

tor·tur·er ['tɔːtʃⁿrəʳ] *n* Folterer *m*

Tory ['tɔːri] POL I. *n* (*British Conservative*) Tory *m* (*Angehöriger der britischen konservativen Partei*)*;* ■ **the Tories** *pl* die Tories *pl* II. *adj* Tory-

tosh [tɒʃ] *n no pl* BRIT (*dated fam*) Unsinn *m*

toss <*pl* -es> [tɒs] I. *n* Wurf *m;* **to win/lose the ~** den Münzwurf gewinnen/verlieren ► **I don't care a ~** BRIT (*fam*) das ist mir piepegal II. *vt* ❶ (*throw*) werfen; (*fling*) schleudern; *horse* abwerfen; **to ~ one's head** den Kopf zurückwerfen; **to ~ a coin** eine Münze werfen ❷ (*move up and back*) hin und her schleudern; FOOD schwenken; *pancake* wenden (*durch Hochwerfen*) ► **to ~ one's hat in the ring** *esp* AM in den Wahlkampf einsteigen III. *vi* knobeln (**for** um) ► **to ~ and turn** sich hin und her wälzen ◆ **toss about, toss around** *vt* hin und her werfen; (*fig*) *proposal* zur Debatte stellen ◆ **toss away** *vt* wegwerfen ◆ **toss off** *vi* BRIT, AUS (*vulg, sl*) sich *dat* einen runterholen ◆ **toss out** *vt* ❶ (*throw out*) hinauswerfen ❷ (*offer unsolicited*) *remark* rauslassen *fam; suggestion* einwerfen ◆ **toss up** *vi* eine Münze werfen

'toss-up *n* ❶ (*uncertain situation*) ungewisse Situation; ■ **to be a ~** [noch] offen sein ❷ (*tossing a coin*) Werfen *nt* einer Münze

tot [tɒt] *n* ❶ (*fam: small child*) Knirps *m* ❷ *esp* BRIT (*small amount of alcohol*) Schlückchen *nt* ◆ **tot up** I. *vt* (*fam*) zusammenrechnen II. *vi* ausmachen; **that ~s up to £20** das macht zusammen 20 Pfund

to·tal ['təʊtⁿl] I. *n* Gesamtsumme *f;* **a ~ of 21 horses were entered for the race** im Ganzen wurden 21 Pferde zum Rennen zugelassen; **in ~** insgesamt II. *adj* ❶ *attr* (*complete*) gesamt ❷ (*absolute*) völlig; *disaster* rein; **to be a ~ stranger** vollkommen fremd sein III. *vt* <BRIT -ll- *or* AM *usu* -l-> ❶ (*add up*) zusammenrechnen; **their debts ~ £8,000** ihre Schulden belaufen sich auf 8.000 Pfund ❷ AM (*fam*) **to ~ a car** einen Wagen zu Schrott fahren ◆ **total**

up *vt* zusammenrechnen

to·tali·tar·ian [təˈ(ʊ)ˌtælɪˈteəriən] *adj* POL totalitär

to·tali·tar·ian·ism [təˈ(ʊ)ˌtælɪˈteərɪnɪzᵊm] *n no pl* POL Totalitarismus *m*

to·tal·ity [təˈ(ʊ)ˈtælɪti] *n no pl* ❶ (*whole amount*) Gesamtheit *f* ❷ (*total eclipse*) totale Verfinsterung

to·tal·ly [ˈtəʊtᵊli] *adv* völlig

tote¹ [təʊt] *n no pl* SPORTS ▪ **the ~** das Toto

tote² [təʊt] *vt esp* AM (*fam*) schleppen

'tote bag *n* Einkaufstasche *f*

to·tem [ˈtəʊtəm] *n* Totem *nt*

tot·ter [ˈtɒtəʳ] *vi* wanken; **to ~ towards extinction** kurz vor dem Aussterben sein

tot·tery [ˈtɒtᵊri] *adj* wack[e]lig; *person* zittrig

tou·can [ˈtuːkæn] *n* Tukan *m*

touch [tʌtʃ] I. *n* <*pl* -es> ❶ *no pl* (*ability to feel*) Tasten *nt;* **the sense of ~** der Tastsinn; **the material was soft to the ~** das Material fühlte sich weich an ❷ (*instance of touching*) Berührung *f;* **at the ~ of a button** auf Knopfdruck ❸ *no pl* (*communication*) Kontakt *m;* **to be in ~ with sb/ sth** mit jdm/etw *dat* in Kontakt sein ❹ *no pl* (*skill*) Gespür *nt* ❺ *no pl* (*small amount*) **a ~ of irony** eine Spur Ironie; **a ~ of flu** (*fam*) eine leichte Grippe ❻ *no pl* (*rather*) ▪ **a ~** ziemlich ❼ (*valuable addition*) Ansatz *m;* **the final ~** der letzte Schliff ❽ *no pl* FBALL Aus *nt* ▪ **to be a soft ~** (*fam*) leichtgläubig sein II. *vt* ❶ (*feel with fingers*) berühren, anfassen; **to ~ the brake** auf die Bremse steigen *fam* ❷ (*come in contact with*) in Berührung kommen (mit); (*border*) grenzen (an) ❸ (*move emotionally*) bewegen ❹ (*deal with*) anpacken ▶ **to ~ a** [**raw**] **nerve** einen wunden Punkt berühren; **not to ~ sb/sth with a barge** [*or* AM **ten-foot**] **pole** jdm/etw meiden wie die Pest; **~ wood** BRIT wenn alles gut geht III. *vi* ❶ (*feel with fingers*) berühren ❷ (*come in contact*) sich berühren ◆ **touch at** *vi* NAUT **to ~ at a port** in einem Hafen anlegen ◆ **touch down** *vi* AVIAT landen ◆ **touch in** *vt* ART skizzieren ◆ **touch off** *vt* auslösen ◆ **touch on, touch upon** *vi* ansprechen ◆ **touch up** *vt* ❶ (*improve*) auffrischen; *photograph* retuschieren ❷ BRIT (*fam: assault sexually*) ▪ **to ~ sb up** jdn begrapschen *pej*

touch-and-'go *adj* unentschieden; ▪ **to be ~ whether ...** auf Messers Schneide stehen, ob ...

'touch·down *n* ❶ (*landing*) Landung *f* ❷ *esp* AM SPORTS (*scoring play*) Versuch *m*

touched [tʌtʃt] *adj pred* gerührt

touchi·ly [ˈtʌtʃɪli] *adv* (*fam*) überempfindlich, leicht gereizt

touchi·ness [ˈtʌtʃɪnəs] *n no pl* (*fam*) ❶ (*sensitive nature*) Überempfindlichkeit *f* ❷ (*delicacy*) Empfindlichkeit *f*

touch·ing [ˈtʌtʃɪŋ] I. *adj* berührend II. *n* Berühren *nt kein pl*

touch·ing·ly [ˈtʌtʃɪŋli] *adv* auf rührende Weise; **to care ~ for sb** sich rührend um jdn kümmern

'touch·line *n* BRIT SPORTS Seitenlinie *f*

touch·screen [ˈtʌtʃˌskriːn] *n* Touchscreen *m fachspr,* Berührungsbildschirm *m*

touch-'sen·si·tive *adj* COMPUT Touch-; **~ screen** Touchscreen *m* **'touch·stone** *n* Kriterium *nt geh* (**for** für) **'touch-type** *vi* blind schreiben

touchy [ˈtʌtʃi] *adj* (*fam*) ❶ (*oversensitive*) *person* empfindlich ❷ (*delicate*) *situation, topic* heikel

tough [tʌf] I. *adj* ❶ (*strong*) robust; **~ plastic** Hartplastik *nt* ❷ (*hardy*) *person, animal* zäh; **to be as ~ as old boots** nicht unterzukriegen sein ❸ (*stringent*) *law* streng ❹ (*hard to cut*) *meat* zäh; **to be as ~ as old boots** [*or* AM *also* **shoe leather**] zäh wie Schuhsohlen sein ❺ (*difficult*) schwierig, hart; *climate* rau; *competition* hart; *winter* streng ❻ (*violent*) rau, brutal ❼ (*fam: unlucky*) **that's a bit ~!** da hast du wirklich Pech!; **~ luck!** so ein Pech! *a. iron* II. *n esp* AM (*fam*) Rowdy *m pej*

tough·en [ˈtʌfᵊn] I. *vt* ❶ (*strengthen*) verstärken; **~ed glass** gehärtetes Glas ❷ (*make difficult to cut*) hart werden lassen II. *vi* stärker werden

tough·ness [ˈtʌfnəs] *n no pl* ❶ (*strength*) Härte *f,* Robustheit *f* ❷ (*determination*) Entschlossenheit *f* ❸ (*of meat*) Zähheit *f*

tou·pee [ˈtuːpeɪ] *n* Toupet *nt*

tour [tɔːʳ, tʊəʳ] I. *n* ❶ (*journey*) Reise *f,* Tour *f;* **guided ~** Führung *f;* **sightseeing ~** Rundfahrt *f* ❷ (*spell of duty*) Tournee *f;* **lecture ~** Vortragsreise *f;* **to be/go on ~** auf Tournee sein/gehen II. *vt* ❶ (*travel around*) bereisen ❷ (*visit professionally*) besuchen ❸ (*perform*) **to ~ Germany** eine Deutschlandtournee machen III. *vi* ▪ **to ~** [**with sb**] [mit jdm] auf Tournee gehen

tour·ing [ˈtɔːrɪŋ, ˈtʊə-] I. *adj attr* THEAT, MUS Tournee-; **~ company** Wandertheater *nt* II. *n* Reisen *nt kein pl;* **to do some ~** herumreisen

tour·ism [ˈtɔːrɪzᵊm, ˈtʊə-] *n no pl* Tourismus *m;* **mass ~** Massentourismus *m*

'tour·ism boy·cott *n* Tourismusboykott *m*

tour·ist [ˈtɔːrɪst, ˈtʊə-] *n* ❶ (*traveller*) Tourist(in) *m/f* ❷ Aus, Brit (*member of sports team*) Mitglied *nt* einer Tourneemannschaft

'tour·ist agen·cy *n* Reisebüro *nt* 'tour·ist bu·reau *n* Fremdenverkehrsamt *nt* 'tour·ist class *n* Touristenklasse *f* 'tour·ist des·ti·na·tion *n* Reiseziel *nt* 'tour·ist guide *n* ❶ (*book*) Reiseführer *m* ❷ (*person*) Fremdenführer(in) *m/f* 'tour·ist in·dus·try *n* Tourismusindustrie *f* tour·ist in·for·'ma·tion of·fice *n,* 'tour·ist of·fice *n* Touristeninformation *f* 'tour·ist sea·son *n* Hauptsaison *f* 'tour·ist tick·et *n* Touristenkarte *f* 'tour·ist visa *n* Reisevisum *nt*

tour·na·ment ['tɔːnəmənt, 'tʊə-] *n* sports Turnier *nt*

'tour op·era·tor *n* Reiseveranstalter *m*
tou·sle ['taʊzl̩] *vt hair* zerzausen
tou·sled ['taʊzl̩d] *adj* zerzaust
tout [taʊt] **I.** *n* (*pej*) Schwarzhändler(in) *m/f* **II.** *vt* ❶ (*advertise*) Reklame machen (für); ■to ~ sb as sth jdn als etw preisen ❷ Brit (*pej: sell unofficially*) unter der Hand verkaufen **III.** *vi* ■to ~ for sth/sb um etw *akk*/jdn werben

tow¹ [təʊ] *n* (*fibre*) Werg *nt*
tow² [təʊ] **I.** *n* Schleppen *nt kein pl;* to give sb a ~ jdn abschleppen; to have sb in ~ jdn im Schlepptau haben **II.** *vt* ziehen; *vehicle* abschleppen

to·ward(s) [təˈwɔːd(z)] *prep* ❶ (*in direction of*) in Richtung; she walked ~ him sie ging auf ihn zu; he leaned ~ her er lehnte sich zu ihr ❷ (*near*) nahe; we're well ~ the front of the queue wir sind nahe dem Anfang der Schlange ❸ (*just before*) gegen; ~ midnight/the end of the year gegen Mitternacht/Ende des Jahres ❹ (*to goal of*) to count ~ sth auf etw *akk* angerechnet werden ❺ (*to trend of*) zu ❻ (*to be used for*) für; he has given me some money ~ it er hat mir etwas Geld dazugegeben

'tow bar *n* Abschleppstange *f* 'tow boat *n* Am naut Schlepper *m*
tow·el ['taʊəl] **I.** *n* Handtuch *nt;* paper ~ Papiertuch *nt;* tea ~ Geschirrtuch *nt* ▶ to throw in the ~ das Handtuch werfen **II.** *vt* <-ll-> to ~ sth dry etw trockenreiben
tow·el·ling ['taʊəlɪŋ], Am tow·el·ing *n no pl* Frottee *nt o m*
tow·er ['taʊəʳ] *n* Turm *m;* office ~ Bürohochhaus *nt* ▶ a ~ of strength ein Fels in der Brandung ◆ tower above, tower over *vi* aufragen; ■to ~ above sb/sth jdn/etw überragen
'tow·er block *n* Brit Hochhaus *nt*

tow·er·ing ['taʊərɪŋ] *adj* ❶ (*very high*) hoch aufragend ❷ (*very great*) überragend
town [taʊn] *n* ❶ (*small city*) Stadt *f;* home ~ Heimatstadt *f* ❷ *no art* (*residential or working location*) Stadt *f;* ■to be in ~ in der Stadt sein ❸ (*downtown*) ■[the] ~ das Zentrum; to go into ~ ins Zentrum fahren ▶ to go to ~ [on sth] sich [bei etw *dat*] ins Zeug legen
town 'cen·tre *n* ■the ~ das Stadtzentrum
town 'clerk *n* Magistratsbeamte(r), -beamtin *m, f* town 'coun·cil *n* Stadtrat *m* town 'coun·cil·lor *n* Stadtrat, -rätin *m, f* town 'hall *n* Rathaus *nt* 'town house *n* ❶ (*residence*) Stadthaus *nt* ❷ *esp* Am (*row house*) Reihenhaus *nt* town 'plan·ning *n no pl* Stadtplanung *f* town·scape ['taʊnskeɪp] *n* Stadtbild *nt;* (*picture of town*) Stadtansicht *f*
'towns·folk *npl* Stadtbevölkerung *f kein pl*
town·ship ['taʊnʃɪp] *n* ❶ Am, Can (*local government*) Gemeinde *f* ❷ SA (*settlement for blacks*) Township *f* (*von Schwarzen bewohnte abseits der Stadt gelegene Siedlung*)
'towns·peo·ple *npl* Stadtbevölkerung *f kein pl*
'tow truck *n* Am, Aus Abschleppwagen *m*
tox·aemia [tɒkˈsiːmiə], *esp* Am tox·emia *n no pl* Blutvergiftung *f*
tox·ic ['tɒksɪk] *adj* giftig; ~ waste Giftmüll *m*
toxi·col·ogy [ˌtɒksɪˈkɒlədʒi] *n no pl* Toxikologie *f*
tox·in ['tɒksɪn] *n* Toxin *nt*
toy [tɔɪ] *n* Spielzeug *nt;* cuddly ~ Kuscheltier *nt* ◆ toy with *vt* ❶ (*consider*) herumspielen (mit); *idea* spielen (mit); *food* herumstochern (in) ❷ (*not treat seriously*) spielen
'toy·shop *n* Spielwarengeschäft *nt*
trace [treɪs] **I.** *n* ❶ (*sign*) Zeichen *nt,* Spur *f;* to disappear without a ~ spurlos verschwinden ❷ (*slight amount*) Spur *f;* ~ s of cocaine/poison Kokain-/Giftspuren *pl;* ~ of a smile Anflug *m* eines Lächelns ❸ (*electronic search*) Aufzeichnung *f* ❹ (*measurement line*) Aufzeichnung *f* ❺ *esp* Am (*path*) [Trampel]pfad *m* ❻ (*in math*) Kurve *f* **II.** *vt* ❶ (*follow trail*) auffinden; ■to ~ sb jds Spur verfolgen ❷ (*track back*) *phone call, computer virus* zurückverfolgen ❸ (*through paper*) durchpausen; (*with a finger*) nachmalen ❹ (*take route*) to ~ a path einem Weg folgen
trace·able ['treɪsəbl̩] *adj* zurückverfolgbar
'trace el·ement *n* Spurenelement *nt*
trac·er ['treɪsəʳ] *n* ❶ MIL Leuchtspurge-

schoss *nt* ❷ (*transmission device*) Sender *m* ❸ (*monitoring programme*) Überwachungsprogramm *nt*

trac·ery ['treɪsᵊri] *n* ❶ *no pl* (*ornamental work*) Maßwerk *nt* ❷ (*pattern*) Filigranmuster *nt*

tra·chea <*pl* -s *or* -chae> [trə'kiə, *pl* -i] *n* Luftröhre *f*

trac·ing ['treɪsɪŋ] *n* Skizze *f*

'trac·ing pa·per *n no pl* Pauspapier *nt*

track [træk] I. *n* ❶ (*path*) Weg *m*, Pfad *m* ❷ (*rails*) ■ ~s *pl* Gleise *pl*, Schienen *pl* ❸ (*for curtains*) Schiene *f* ❹ AM RAIL (*platform*) Bahnsteig *m* ❺ *usu pl* (*mark*) Spur *f*; *of deer* Fährte *f*; **tyre ~s** Reifenspuren *pl*; **to cover one's ~s** seine Spuren verwischen ❻ (*path*) *of hurricane* Bahn *f*; *of comet* [Lauf]bahn *f*; *of airplane* Route *f* ❼ *no pl* (*course*) Weg *m*; **to get one's life back on ~** sein Leben wieder in die Reihe bringen; **to be on the right/wrong ~** auf dem richtigen/falschen Weg sein ❽ SPORTS *for running* Laufbahn *f*; *for race cars* Piste *f*; *for bikes* Radrennbahn *f* ❾ *no pl* (*athletics*) Leichtathletik *f* ❿ (*piece of music*) Stück *nt*; (*in film*) Soundtrack *m* ⓫ (*on a bulldozer, tank*) Kette *f* ⓬ ELEC Leiter *m* ▶ **to be off the beaten ~** abgelegen sein; **to keep ~ of sb/sth** jdn/etw im Auge behalten; **to lose ~ of sb/sth** (*lose contact*) jdn/etw aus den Augen verlieren; **to lose ~** (*be confused about*) den Überblick verlieren; (*not keep up to date*) nicht mehr auf dem Laufenden sein; **to make ~s** (*fam*) sich aufmachen; **to stop in one's ~s** vor Schreck erstarren II. *vt* ❶ (*pursue*) verfolgen; **to ~ an animal** die Fährte eines Tieres verfolgen; ■ **to ~ sb** jds Spur verfolgen ❷ (*find*) aufspüren ◆ **track away** *vi camera* abschwenken ◆ **track down** *vt* aufspüren; *reference, piece of information* ausfindig machen ◆ **track in** I. *vt* AM *mud, dirt* hereintragen II. *vi camera* heranfahren ◆ **track up** *vt* AM **to ~ up** ⟳ **the house** Schmutzspuren im Haus hinterlassen

track and 'field *n no pl* SPORTS Leichtathletik *f* **'track ball** *n* COMPUT Rollkugel *f* **'track·er dog** *n* Spürhund *m* **'track event** *n* SPORTS Laufwettbewerb *m* **'track·ing sta·tion** *n* AEROSP Bodenstation *f* **track 'rec·ord** *n* ❶ SPORTS Streckenrekord *m* ❷ *of company, person* Erfolgsbilanz *f* **'track shoe** *n* Laufschuh *m* **'track·suit** *n* Trainingsanzug *m*

tract¹ [trækt] *n* Traktat *nt o m geh* (**on** über)

tract² [trækt] *n* ❶ (*area of land*) Gebiet *nt*; AM (*property*) Grundstück *nt* ❷ ANAT

(*bodily system*) Trakt *m*; **respiratory ~** Atemwege *pl*

trac·table ['træktəbl] *adj* (*form*) *person, child* lenkbar; *metal* formbar; *problem* lösbar

trac·tion ['trækʃᵊn] *n no pl* ❶ *of car, wheels* Bodenhaftung *f* ❷ MECH (*pulling*) Antrieb *m* ❸ (*medical treatment*) Strecken *nt*; **to be in ~** im Streckverband liegen

'trac·tion en·gine *n* Zugmaschine *f*

trac·tor ['træktər] *n* Traktor *m*

trad [træd] *adj* BRIT, AUS (*fam*) *short for* **traditional** traditionell

trade [treɪd] I. *n* ❶ *no pl* (*buying and selling*) Handel *m* ❷ *no pl* (*business activity*) Umsatz *m* ❸ (*type of business*) Branche *f*; **building ~** Baugewerbe *nt* ❹ *no pl* (*particular business*) ■ **the ~** die Branche ❺ (*handicraft*) Handwerk *nt*; **to learn a ~** ein Handwerk erlernen ❻ AM SPORTS (*transfer*) Transfer *m* ❼ (*trade wind*) ■ **the ~s** *pl* der Passat II. *vi* ❶ (*exchange goods*) tauschen (**with** mit) ❷ (*do business*) Geschäfte machen ❸ STOCKEX (*be bought and sold*) handeln III. *vt* ❶ (*exchange*) austauschen; **to ~ bets** Wetten abschließen; **to ~ places** [**with sb**] [mit jdm] den Platz tauschen; **to ~ insults/punches** Beleidigungen/Schläge austauschen ❷ STOCKEX (*buy and sell*) handeln (mit) ◆ **trade in** *vt* in Zahlung geben

'trade agree·ment *n* Handelsabkommen *nt* **'trade as·so·cia·tion** *n* Wirtschaftsverband *m* **'trade bal·ance** *n* Handelsbilanz *f* **'trade bar·ri·er** *n* Handelsschranke[n] *f*[*pl*] **'trade cy·cle** *n* Konjunkturzyklus *m* **trade di·'rec·tory** *n* Branchenverzeichnis *nt* **trade 'dis·count** *n* Händlerrabatt *m* **'trade fair** *n* Messe *f* **'trade gap** *n* Außenhandelsdefizit *nt* **'trade-in** I. *n* Tauschware *f* II. *adj attr* Eintausch- **'trade-in value** *n* Gebrauchtwert *m* **trade 'jour·nal** *n* Handelsblatt *nt* **'trade·mark** *n* ❶ (*of company*) Warenzeichen *nt* ❷ (*of person, music*) charakteristisches Merkmal **'trade name** *n* Markenname *m* **'trade-off** *n* Einbuße *f* **'trade poli·cy** *n* Handelspolitik *f* **'trade 'press** *n no pl* Wirtschaftspresse *f* **'trade price** *n* BRIT Großhandelspreis *m*

trad·er ['treɪdər] *n* ❶ (*person*) Händler(in) *m(f)*; STOCKEX Wertpapierhändler(in) *m(f)* ❷ (*ship*) Handelsschiff *nt*

'trade reg·is·ter *n* Handelsregister *nt* **'trade route** *n* Handelsweg *m* **trade 'se·cret** *n* Betriebsgeheimnis *nt*

trades·man ['treɪdzmən] *n* (*shopkeeper*)

Händler *m;* (*craftsman*) Handwerker *m;* (*supplier*) Lieferant *m*
'**trades·peo·ple** *npl* Händler *pl*
trade '**sur·plus** *n* Handelsbilanzüberschuss *m* **trade** '**un·ion** *n* Gewerkschaft *f* **trade** '**un·ion·ism** *n no pl* Gewerkschaftswesen *nt* **trade** '**un·ion·ist** *n* Gewerkschaftler(in) *m/f)* '**trade war** *n* Handelskrieg *m* '**trade wind** *n* Passat *m*
trad·ing ['treɪdɪŋ] *n no pl* Handel *m;* **Sunday** ~ BRIT Offenhalten *nt* der Geschäfte am Sonntag
'**trad·ing es·tate** *n* BRIT Industriegelände *nt* '**trad·ing floor** *n* Börsenparkett *nt* '**trad·ing li·cence** *n* Gewerbekonzession *f*
tra·di·tion [trəˈdɪʃ³n] *n* ❶ *no pl* (*customary behaviour*) Tradition *f* ❷ (*custom*) Tradition *f*, Brauch *m* ❸ (*style*) Tradition *f*, Stil *m* ❹ (*in religion*) Überlieferung *f*
tra·di·tion·al [trəˈdɪʃ³n³l] *adj* traditionell; *person* konservativ
tra·di·tion·al·ism [trəˈdɪʃ³n³lɪz³m] *n no pl* Traditionalismus *m geh*
tra·di·tion·al·ist [trəˈdɪʃ³n³lɪst] I. *n* Traditionalist(in) *m/f) geh* II. *adj* traditionalistisch *geh*
tra·di·tion·al·ly [trəˈdɪʃ³n³li] *adv* traditionell; (*usually*) üblicherweise; **this area is ~ liberal** diese Region war schon immer liberal
traf·fic ['træfɪk] I. *n no pl* ❶ (*vehicles*) Verkehr *m;* **air·/rail** ~ Luft-/Bahnverkehr *m;* **to get stuck in** ~ im Verkehr stecken bleiben ❷ (*on telephone*) Fernsprechverkehr *m;* **data** ~ COMPUT Datenverkehr *m* ❸ (*in illegal items*) illegaler Handel (**in** mit); **drug** ~ Drogenhandel *m* II. *vi* <-ck-> handeln; **to** ~ **in arms** Waffenhandel betreiben; **to** ~ **in drugs** mit Drogen handeln
'**traf·fic ac·ci·dent** *n* Verkehrsunfall *m* **traf·fic-calmed** ['træfɪkˌkɑːmd] *adj attr* BRIT verkehrsberuhigt '**traf·fic-calm·ing** BRIT I. *n no pl* Verkehrsberuhigung *f* II. *adj attr* ~ **measures** verkehrsberuhigende Maßnahmen '**traf·fic cir·cle** *n* AM Kreisverkehr *m* '**traf·fic is·land** *n* ❶ (*pedestrian island*) Verkehrsinsel *f* ❷ AM (*central reservation*) Mittelstreifen *m* '**traf·fic jam** *n* Stau *m*
traf·fick·er ['træfɪkə*r*] *n* (*pej*) Händler(in) *m/f);* **arms** ~ Waffenschieber(in) *m/f);* **drug** ~ Drogenhändler(in) *m/f)*
'**traf·fic lane** *n* Fahrstreifen *m* '**traf·fic light** *n* Ampel *f* '**traf·fic regu·la·tion** *n* Straßenverkehrsordnung *f* '**traf·fic sign** *n* Verkehrszeichen *nt* '**traf·fic war·den** *n* BRIT Verkehrspolizist(in) *m/f)*

trag·edy ['trædʒədi] *n* Tragödie *f;* **it's a ~ that ...** es ist tragisch, dass ...
trag·ic ['trædʒɪk] *adj* tragisch; **he's a ~ actor** er spielt tragische Rollen
tragi·cal·ly ['trædʒɪk³li] *adv* ❶ (*sadly*) tragischerweise ❷ (*in theatre*) tragisch
tragi·com·edy [ˌtrædʒɪˈkɒmədi] *n* Tragikomödie *f*
trail [treɪl] I. *n* ❶ (*path*) Weg *m*, Pfad *m* ❷ (*track*) Spur *f;* ■**to be on the ~ of sth/ sb** etw/jdm auf der Spur sein; **~ of dust/ smoke** Staubwolke *f*/Rauchfahne *f* II. *vt* ■**to ~ sb** ❶ (*follow*) jdm auf der Spur sein ❷ (*in a competition*) hinter jdm liegen III. *vi* ❶ (*drag*) schleifen; (*plant*) sich ranken ❷ (*be losing*) zurückliegen ❸ (*move sluggishly*) ■**to ~** [*after sb*] [hinter jdm her] trotten ◆**trail away** *vi* verstummen ◆**trail behind** I. *vi* zurückbleiben II. *vt* hinterherlaufen ◆**trail off** *vi* verstummen
trail·blaz·er [-ˌbleɪzə*r*] *n* Wegbereiter(in) *m/f)*
trail·blaz·ing ['treɪlbleɪzɪŋ] *adj attr* bahnbrechend
trail·er ['treɪlə*r*] *n* ❶ (*wheeled container*) Anhänger *m* ❷ AM (*caravan*) Wohnwagen *m* ❸ (*advertisement*) Trailer *m*
'**trail·er camp**, '**trail·er park** *n* AM Wohnwagenabstellplatz *m*
'**trail·wear** *n no pl* Outdoor-Kleidung *f*
train [treɪn] I. *n* ❶ RAIL Zug *m;* **to board a ~** in einen Zug einsteigen; **to change ~s** umsteigen ❷ (*series*) Serie *f;* **~ of thought** Gedankengang *m* ❸ (*retinue*) Gefolge *nt kein pl;* (*procession*) Zug *m* ❹ (*part of dress*) Schleppe *f* II. *vi* trainieren (**for** für) III. *vt* ❶ (*teach*) ausbilden *dat;* ■**to ~ sb for sth** jdn für etw *akk* ausbilden; **to ~ dogs** Hunde abrichten ❷ HORT *roses, vines* ziehen ❸ (*point at*) **to ~ a gun/light on sb/sth** eine Waffe/ein Licht auf jdn/etw *akk* richten
'**train ac·ci·dent** *n* Zugunglück *nt* '**train driv·er** *n* Lokführer(in) *m/f)*
trained [treɪnd] *adj* ❶ (*educated*) ausgebildet; *animal* abgerichtet ❷ (*expert*) *ear, eye* geschult; *voice* ausgebildet
trainee [ˌtreɪˈniː] I. *n* Auszubildende(r) *f(m)*, Trainee *m* II. *adj* ~ **manager** Management-Trainee *m;* ~ **teacher** Referendar(in) *m/f)*
trainee·ship [ˌtreɪˈniːʃɪp] *n* Praktikum *nt*
train·er ['treɪnə*r*] *n* ❶ (*teacher*) Trainer(in) *m/f);* (*of animals*) Dresseur(in) *m/f);* (*in circus*) Dompteur, Dompteuse *m, f* ❷ BRIT (*shoe*) Turnschuh *m*
train·ing ['treɪnɪŋ] I. *n no pl* ❶ (*education*) Ausbildung *f; of new employee* Schulung *f;*

of dogs Abrichten *nt* ❷ SPORTS (*practice*) Training *nt;* ■ **to be in ~ for sth** für etw *akk* trainieren **II.** *adj attr* Schulungs-

'**train·ing camp** *n* SPORTS Trainingscamp *nt* '**train·ing col·lege** *n* BRIT Lehrerbildungsanstalt *f* '**train·ing course** *n* Vorbereitungskurs *m* '**train·ing pro·gramme** *n,* AM '**train·ing pro·gram** *n* Ausbildungsprogramm *nt* '**train·ing ship** *n* Schulschiff *nt* '**train ser·vice** *n no pl* Zugverkehr *m;* (*between two towns*) [Eisen]bahnverbindung *f*

traipse [treɪps] *vi* latschen *fam*

trait [treɪ, treɪt] *n* Eigenschaft *f;* **character ~** Charakterzug *m;* **genetic ~** genetisches Merkmal

trai·tor ['treɪtəʳ] *n* Verräter(in) *m(f)*

trai·tor·ous ['treɪtʳəs] *adj* verräterisch

tra·jec·tory [trə'dʒektəri] *n* PHYS Flugbahn *f;* MATH Kurve *f*

tram [træm] *n* BRIT, AUS Straßenbahn *f*

'**tram·line** *n* BRIT, AUS ❶ (*route*) Straßenbahnlinie *f* ❷ (*tracks*) ■ **~s** *pl* Straßenbahnschienen *pl* ❸ SPORTS (*boundary lines*) ■ **~s** *pl* Seitenlinien *pl*

tram·mel ['træmʳl] *n* ❶ (*liter*) ■ **~s** *pl* (*restrictions*) Fesseln *pl* ❷ (*net*) Schleppnetz *nt*

tramp [træmp] **I.** *vi* (*walk*) marschieren; (*walk heavily*) trampeln **II.** *vt* **you're ~ing dirt and mud all over the house!** du schleppst den Schmutz und Matsch durch das ganze Haus! **III.** *n* ❶ (*poor person*) Vagabund(in) *m(f),* Sandler(in) *m(f)* ÖSTERR ❷ *no pl* (*stomping sound*) schwere Schritte *pl* ❸ *no pl* (*tiring walk*) Fußmarsch *m* ❹ *esp* AM (*pej: woman*) Flittchen *nt*

tram·ple ['træmpl] **I.** *vt* niedertrampeln; *grass, flowers, crops* zertrampeln; **to be ~d to death** zu Tode getrampelt werden **II.** *vi* ■ **to ~ on sth** auf etw *dat* herumtrampeln

tram·po·line ['træmpʳliːn] *n* Trampolin *nt*

'**tram·way** *n* (*rails*) Straßenbahnschienen *pl;* (*system*) Straßenbahnnetz *nt*

trance [trɑːn(t)s] *n* ❶ (*mental state*) Trance *f* ❷ *no pl* (*music*) Trance-Musik *f*

tran·ny ['træni] *n esp* BRIT (*sl*) *short for* **transistor radio** Transistorradio *nt*

tran·quil ['træŋkwɪl] *adj setting* ruhig; *voice, expression* gelassen

tran·quil·ity *n* AM *see* **tranquillity**

tran·quil·ize *vt* AM *see* **tranquillize**

tran·quil·iz·er *n* AM *see* **tranquillizer**

tran·quil·lity [træŋ'kwɪləti] *n no pl* Ruhe *f,* Gelassenheit *f*

tran·quil·lize ['træŋkwɪlaɪz] *vt* ■ **to ~ sb/**

an animal jdn/ein Tier ruhigstellen

tran·quil·liz·er ['træŋkwɪlaɪzəʳ] *n* Beruhigungsmittel *nt*

trans·act [træn'zækt] **I.** *vt deal* abschließen; *negotiations* durchführen **II.** *vi* **to ~ with sb** mit jdm verhandeln

trans·ac·tion [træn'zækʃʳn] *n* ❶ ECON Transaktion *f;* **business ~** Geschäft *nt* ❷ (*published report*) ■ **~s** *pl* Sitzungsbericht *m*

trans·al·pine [træn'zælpaɪn] *adj* transalpin

trans·at·lan·tic [,trænzət'læntɪk], **trans-At·lan·tic** *adj* transatlantisch; **a ~ voyage** eine Reise über den Atlantik; **our ~ allies/partners** (*said by British*) unsere amerikanischen Alliierten/Partner; (*said by Americans*) unsere britischen Alliierten/Partner

trans·ceiv·er [træn'siːvəʳ] *n* Sende- und Empfangsgerät *nt*

trans·cend [træn'send] *vt* ❶ (*go beyond*) hinausgehen (über); *barriers* überschreiten ❷ (*surpass*) überragen

trans·cen·dent [træn'sendənt] *adj* ❶ (*supreme*) *authority, being* übernatürlich ❷ (*exceptional*) *love, genius* überragend ❸ (*in philosophy*) transzendent *geh*

trans·cen·den·tal [,træn(t)sen'dentʳl] *adj* transzendent[al] *geh*

trans·con·ti·nen·tal [,trænsˌkɒntɪ'nentʳl] *adj* transkontinental

tran·scribe [træn'skraɪb] *vt* ❶ (*put in written form*) *conversation, recording* protokollieren ❷ MUS transkribieren ❸ LING transkribieren; **to ~ shorthand** Kurzschrift [in Langschrift] übertragen ❹ BIOL transkribieren, übertragen

tran·script ['træn(t)skrɪpt] *n* ❶ (*copy*) Abschrift *f* ❷ (*in genetics*) Transkription *f* ❸ AM (*school records*) ■ **~s** *pl* Zeugnisse *pl*

tran·scrip·tion [træn'skrɪpʃʳn] *n* ❶ (*copy*) Abschrift *f,* Protokoll *nt* ❷ *no pl* (*putting into written form*) Abschrift *f;* BIOL, LING, MUS Transkription *f; of genetic information also* Übertragung *f*

trans·duc·er [trænz'djuːsəʳ] *n* ELEC Wandler *m*

trans·ept [træn(t)'sept] *n* ARCHIT Querschiff *nt*

trans·fer **I.** *vt* <-rr-> [træn(t)s'fɜːʳ] ❶ *money* überweisen ❷ (*re-assign*) versetzen; **to ~ power** die Macht abgeben; **to ~ responsibility** die Verantwortung übertragen ❸ (*redirect*) übertragen; **to ~ a call** ein Gespräch weiterleiten ❹ (*change ownership*) überschreiben (**to** auf) ❺ SPORTS (*sell*) verkaufen **II.** *vi* <-rr-> [træn(t)s'fɜ:ʳ] ❶(*change job*) *employee* überwechseln; (*change club, university*) wechseln (**to** in/nach) ❷(*change bus*) umsteigen ❸(*change system*) umstellen **III.** *n* ❶ *no pl* (*process of moving*) *of hospital patients, prisoners* Verlegung *f* (**to** in/nach) *of* (*reassignment*) *of money* Überweisung *f*; **~ of ownership** Übertragung *f* eines Besitzes; **~ of power** Machtübertragung *f* ❸(*at work*) Versetzung *f*; *of teams, clubs* Transfer *m* ❹ *no pl* (*distribution*) Transfer *m* ❺ SPORTS (*player*) Transferspieler(in) *m(f)* ❻(*ticket*) Umsteige[fahr]karte *f* ❼(*pattern*) Abziehbild *nt*

trans·fer·able [træn(t)s'fɜ:rəbl] *adj* übertragbar

trans·fer·ence [trɑ:n(t)s'fᵊrᵊn(t)s, 'træn(t)sfɜ:rᵊnts] *n no pl* ❶(*act of changing*) Übergabe *f* ❷ PSYCH *of emotions* Übertragung *f* ❸ *of property, stocks, money* Überschreibung *f*

trans·fig·ure [træn(t)s'fɪgəʳ] *vt* verwandeln (**into** in)

trans·fix [træn(t)s'fɪks] *vt usu passive* ▪**to be ~ed with sth/sb** von etw *dat*/jdm fasziniert sein; **to be ~ed with horror** starr vor Entsetzen sein

trans·form [træn(t)s'fɔ:m] *vt* ❶(*change*) verwandeln ❷ ELEC transformieren ❸ MATH umwandeln

trans·for·ma·tion [ˌtræn(t)sfə'meɪʃᵊn] *n* ❶(*great change*) Verwandlung *f* ❷(*in theatre*) Verwandlungsszene *f* ❸ ELEC Transformation *f* ❹ MATH Umwandlung *f*

trans·form·er [træn(t)s'fɔ:məʳ] *n* ELEC Transformator *m*

trans·fuse [træn(t)sfju:z] *vt* ❶ MED *blood* übertragen ❷(*impart*) *respect* vermitteln

trans·fu·sion [træn(t)s'fju:ʒᵊn] *n* ❶ *no pl* MED Transfusion *f*; **blood ~** Bluttransfusion *f* ❷(*fig*) Investition *f*

trans·gress [trænz'gres] **I.** *vt* (*form*) **to ~ a law** ein Gesetz übertreten **II.** *vi* ❶(*form: break rule*) die Regeln verletzen ❷ REL sündigen

trans·gres·sion [trænz'greʃᵊn] *n* ❶ *no pl* (*form: violation*) Übertretung *f*; **~ of the law** Gesetzesverstoß *m* ❷ REL (*sin*) Sünde *f*

trans·gres·sor [trænz'gresəʳ] *n* ❶(*form: violator*) Schuldige(r) *f(m)* ❷ REL (*sinner*) Sünder(in) *m(f)*

tran·si·ent ['trænziənt] **I.** *adj* ❶(*temporary*) vergänglich ❷(*mobile*) **~ population** nicht ansässiger Teil der Bevölkerung **II.** *n* Durchreisende(r) *f(m)*

tran·sis·tor [træn'zɪstəʳ] *n* ELEC Transistor *m*

tran·sis·tor·ize [træn'zɪstᵊraɪz] *vt* ELEC transistorisieren

tran·sit ['træn(t)sɪt] **I.** *n* ❶ *no pl of people, goods* Transit *m* ❷(*crossing*) Transit *m* ❸ AM (*public transport*) öffentliches Verkehrswesen; **mass ~** öffentlicher Nahverkehr **II.** *vt* durchqueren

'**trans·it busi·ness** *n* Transitgeschäft *nt* '**tran·sit camp** *n* Auffanglager *nt* '**trans·it desk** *n* AVIAT Transitschalter *m*

tran·si·tion [træn'zɪʃᵊn] *n* Übergang *m*; ▪**to be in ~** in einer Übergangsphase sein

tran·si·tion·al [træn'zɪʃᵊnᵊl] *adj* Übergangs-

tran·si·tive ['træn(t)sətɪv] LING **I.** *adj* transitiv **II.** *n* Transitiv *nt*

'**tran·sit lounge** *n* Transitraum *m*

tran·si·tory ['træn(t)sɪtᵊri] *adj* vergänglich

'**tran·sit pas·sen·ger** *n* Transitreisende(r) *f(m)* '**tran·sit visa** *n* Transitvisum *nt*

trans·lat·able [trænz'leɪtəbl] *adj* übersetzbar

trans·late [trænz'leɪt] **I.** *vt* ❶(*change language*) übersetzen; **to ~ sth from Greek into Spanish** etw aus dem Griechischen ins Spanische übersetzen ❷(*adapt*) adaptieren ❸(*make a reality*) umsetzen **II.** *vi* ❶(*change words*) übersetzen; **to ~ from Hungarian into Russian** aus dem Ungarischen ins Russische übersetzen ❷(*transfer*) sich umsetzen lassen

trans·la·tion [trænz'leɪʃᵊn] *n* ❶(*of text, word*) Übersetzung *f* ❷ *no pl* (*process*) Übersetzen *nt* ❸(*conversion*) Umsetzung *f*

trans·la·tor [trænz'leɪtəʳ] *n* Übersetzer(in) *m(f)*

trans·lit·era·tion [trænz'lɪtᵊr'eɪʃᵊn] *n* LING Transliteration *f* (**into** in)

trans·lu·cent [trænz'lu:sᵊnt] *adj* lichtdurchlässig; (*fig*) *writing, logic, prose* klar; *skin* durchsichtig

trans·mi·gra·tion [ˌtrænzmaɪ'greɪʃᵊn] *n* ❶ *of soul* Seelenwanderung *f* ❷(*emigration*) Auswanderung *f*

trans·mis·sible [trænz'mɪsəbl] *adj* übertragbar

trans·mis·sion [trænz'mɪʃᵊn] *n* ❶ *no pl* (*act of broadcasting*) Übertragen *nt* ❷(*broadcast*) Sendung *f* ❸ *no pl of disease* Übertragung *f*; *of hereditary disease* Vererbung *f* ❹(*in car engine*) Getriebe *nt*

trans·'mis·sion speed *n* COMPUT Übertragungsgeschwindigkeit *f*

trans·mit <-tt-> [trænz'mɪt] **I.** *vt* ❶ MED (*pass on*) übertragen ❷(*impart*) übermitteln; *knowledge* vermitteln **II.** *vi* senden

trans·mit·ter [trænz'mɪtəʳ] *n* Sender *m*

trans·'mit·ting sta·tion *n* Sendestation *f*

trans·mo·gri·fy <-ie-> [trænz'mɒgrɪ-faɪ] *vt* verwandeln (**into** in)

trans·mu·ta·tion [ˌtrænzmjuːˈteɪʃⁿn] *n* (*form: change*) Umwandlung *f; of elements, metals, species* Transmutation *f*

trans·mute [trænz'mjuːt] (*form*) **I.** *vt* verwandeln (**into** in) **II.** *vi* ❶ (*change completely*) ■**to** ~ **into sth** sich in etw *akk* verwandeln ❷ (*spec*) transmutieren (**into** zu)

trans·ocean·ic [ˌtrænzəʊsiˈænɪk] *adj attr* people, cultures aus Übersee *nach n; communications, flight* Übersee-

tran·som ['træn(t)səm] *n* ❶ (*on boat*) Querbalken *m* ❷ AM (*fanlight*) Oberlicht *nt*

trans·par·en·cy [træns'pærⁿn(t)si] *n* ❶ *no pl* (*quality*) Lichtdurchlässigkeit *f* ❷ (*slide*) Dia *nt* ❸ *no pl* (*obviousness*) Durchschaubarkeit *f*

trans·par·ent [træns'pærⁿnt] *adj* ❶ (*see-through*) durchsichtig ❷ (*fig*) transparent *geh*

tran·spi·ra·tion [ˌtræn(t)spɪˈreɪʃⁿn] *n no pl* BIOL Transpiration *f geh;* (*sweat*) Schwitzen *nt*

tran·spire [træn'spaɪəʳ] *vi* ❶ (*occur*) passieren, sich ereignen ❷ (*become known*) sich herausstellen ❸ BIOL transpirieren *geh; person also* schwitzen

trans·plant **I.** *vt* [træn'splɑːnt] ❶ (*replant*) umpflanzen ❷ MED (*from donor*) transplantieren ❸ (*relocate*) umsiedeln **II.** *n* ['træn'splɑːnt] ❶ (*surgery*) Transplantation *f* ❷ (*organ*) Transplantat *nt* ❸ (*plant*) umgesetzte Pflanze

trans·plan·ta·tion [ˌtræn(t)splɑːnˈteɪʃⁿn] *n no pl* Transplantation *f* (**from** von)

trans·port **I.** *vt* [træn'spɔːt] ❶ (*carry*) transportieren, befördern ❷ (*remind*) **to** ~ **sb to a place/time** jdn an einen Ort/in eine Zeit versetzen **II.** *n* ['træn(t)spɔːt] ❶ *no pl* (*conveying*) Transport *m*, Beförderung *f* ❷ *no pl* (*traffic*) Verkehrsmittel *nt;* **means of** ~ Transportmittel *nt;* **public** ~ öffentliche Verkehrsmittel *pl* ❸ (*vehicle*) [Transport]fahrzeug *nt*

trans·port·able [træn'spɔːtəbl] *adj* transportabel

trans·por·ta·tion [ˌtræn(t)spɔːˈteɪʃⁿn] *n no pl* ❶ (*conveying*) Transport *m*, Beförderung *f* ❷ *esp* AM, AUS (*traffic*) Transportmittel *nt*, Verkehrsmittel *nt;* **to provide** ~ ein Beförderungsmittel zur Verfügung stellen

'**trans·port café** *n* BRIT Fernfahrerraststätte *f*

trans·port·er [træn'spɔːtəʳ] *n* Transporter *m*

trans·pose [træn'spəʊz] *vt* ❶ (*form: swap*) *numbers* vertauschen ❷ (*form: relocate*) versetzen ❸ MUS transponieren ❹ MATH umstellen

trans·sexu·al [træn'sekʃʊəl] **I.** *n* Transsexuelle(r) *f(m)* **II.** *adj* transsexuell

trans·verse [trænz'vɜːs] *adj* TECH quer laufend; ~ **beam** Querbalken *m*

trans·ves·tite [trænz'vestaɪt] *n* Transvestit *m*

trap [træp] **I.** *n* ❶ (*snare*) Falle *f;* **to set a** ~ eine Falle aufstellen ❷ (*trick*) Falle *f;* (*ambush*) Hinterhalt *m;* **to fall into a** ~ in die Falle gehen ❸ BRIT (*fam!: mouth*) Klappe *f* ❹ (*part of drain*) Siphon *m* ❺ (*hist: carriage*) [zweirädriger] Einspänner **II.** *vt* <-pp-> ❶ (*snare*) **to** ~ **an animal** ein Tier [in einer Falle] fangen ❷ *usu passive* (*confine*) ■**to be** ~**ped** eingeschlossen sein; **to feel** ~**ped** sich gefangen fühlen ❸ (*trick*) in die Falle locken; ■**to** ~ **sb into sth/doing sth** jdn dazu bringen, etw zu tun ❹ (*catch*) **to** ~ **one's finger in the door** sich *dat* den Finger in der Tür einklemmen; **to** ~ **a nerve** sich *dat* einen Nerv einklemmen

'**trap·door** *n* ❶ (*door*) Falltür *f;* THEAT Versenkung *f* (**into** in) ❷ COMPUT Fangstelle *f*

tra·peze [trə'piːz] *n* Trapez *nt*

tra·pezium <*pl* -s *or* -zia> [trə'piːziəm, *pl* -ziə] *n* BRIT, AUS, AM **trap·ezoid** ['træpɪzɔɪd] *n* MATH Trapez *nt*

trap·per ['træpəʳ] *n* Trapper(in) *m(f);* **fur** ~ Pelztierjäger(in) *m(f)*

trap·pings ['træpɪŋz] *npl* Drumherum *nt kein pl fam* (**of** +*gen*); **the** ~ **of power** die Insignien *pl* der Macht

Trap·pist ['træpɪst] *n*, **Trap·pist 'monk** *n* Trappist *m*

'**trap·shoot·ing** *n no pl* Tontaubenschießen *nt*

trash [træʃ] **I.** *n no pl* ❶ AM (*waste*) Müll *m*, Abfall *m* ❷ AM (*pej fam: people*) Gesindel *nt* ❸ (*pej fam: junk*) Ramsch *m* ❹ (*pej fam: art*) Kitsch *m*, Plunder *m;* (*literature*) Schund *m* ❺ (*pej fam: nonsense*) Mist *m* **II.** *vt* (*fam*) ❶ (*wreck*) kaputt machen; *place* verwüsten ❷ (*criticize*) auseinandernehmen ❸ AM (*sl: to speak badly about*) ■**to** ~ **sb** über jdn herziehen

'**trash can** *n* AM (*dustbin*) Mülltonne *f*

trashy ['træʃi] *adj* (*pej fam*) wertlos; ~ **novels** Kitschromane *pl*

trau·ma ['trɔːmə] *n* <*pl* -s *or* -ta> ❶ *no pl* (*shock*) Trauma *nt* ❷ MED (*injury*) Trauma *nt*

trau·mat·ic [trɔːˈmætɪk] *adj* ❶ (*disturbing*)

traumatisierend; *experience* traumatisch ❷(*upsetting*) furchtbar

trau·ma·tize ['trɔ:mətaɪz] *vt usu passive* ■**to be ~d by sth** durch etw *akk* traumatisiert sein

trav·el ['trævəl] I. *vi* <BRIT -ll- *or* AM *usu* -l-> ❶(*journey*) *person* reisen; (*by air*) fliegen; **to ~ on business** geschäftlich reisen; **to ~ by car/train** mit dem Auto/ Zug fahren ❷(*move*) sich [fort]bewegen ❸(*react to travelling*) **to ~ well/badly** *person* lange Reisen vertragen/nicht vertragen; *freight* lange Transporte vertragen/ nicht vertragen II. *vt* <BRIT -ll- *or* AM *usu* -l-> **to ~ a country/the world** ein Land/ die Welt bereisen III. *n* ❶ *no pl* (*travelling*) Reisen *nt* ❷ *pl* (*journey*) ■**~s** *pl* Reise *f*

'**trav·el agen·cy** *n* Reisebüro *nt* '**trav·el agent** *n* Reisebürokaufmann, Reisebürokauffrau *m, f* '**trav·el al·low·ance** *n* Reisekostenzuschuss *m* '**trav·el bu·reau** *n* Reisebüro *nt* '**trav·el card** *n* Tages-/ Wochen-/Monatskarte *f*; (*for train also*) Netzkarte *f* '**trav·el cot** *n* BRIT Kinderreisebett[chen] *nt*

trav·eled *adj* AM *see* **travelled**
trav·el·er *n* AM *see* **traveller**
'**trav·el ex·penses** *npl* Reisekosten *pl* '**trav·el guide** *n* Reiseführer *m*
trav·el·ing *n* AM *see* **travelling**
'**trav·el in·sur·ance** *n no pl* Reiseversicherung *f*; (*for cancellations*) Reiserücktrittsversicherung *f*

trav·elled ['trævəld] *adj* **widely ~** weit gereist; **a little~/much~/well~ route** eine wenig/viel/gut befahrene Strecke

trav·el·ler ['trævələʳ] *n* ❶(*organized*) Reisende(r) *f(m)* ❷ BRIT (*gypsy*) Zigeuner(in) *m(f)*

trav·el·ler's '**cheque** *n* Reisescheck *m*
trav·el·ling ['trævəlɪŋ] *n no pl* Reisen *nt* '**trav·el·ling bag** *n* Reisetasche *f* **trav·el·ling** '**cir·cus** *n* Wanderzirkus *m* **trav·el·ling** '**crane** *n* Rollkran *m* **trav·el·ling ex·hi·bi·tion** *n* Wanderausstellung *f* **trav·el·ling** '**sales·man** *n* Vertreter(in) *m(f)*

trav·elogue ['trævəlɒg] *n, esp* AM **trav·elog** *n* (*book*) Reisebericht *m*; (*film*) Reisebeschreibung *f*

'**trav·el-sick** *adj* reisekrank '**trav·el sick·ness** *n no pl* Reisekrankheit *f*

trav·erse [trəˈvɜ:s] I. *vt* (*form*) ❶(*travel*) bereisen ❷(*consider*) *subject* beleuchten ❸(*cross*) *foundation* überspannen ❹(*in mountaineering*) *ice, slope* queren, traversieren II. *n* ❶(*in mountaineering*) Queren *nt* ❷ ARCHIT Querbalken *m*

trav·es·ty ['trævəsti] *n* Karikatur *f*; (*burlesque*) Travestie *f*

trawl [trɔ:l] I. *vt* ❶(*fish*) mit dem Schleppnetz fangen ❷(*search*) ■**to ~ sth [for sth]** etw [nach etw *dat*] durchkämmen II. *vi* ❶(*fish*) ■**to ~ [for sth]** mit dem Schleppnetz [nach etw *dat*] fischen ❷(*search*) ■**to ~ through sth** *data* etw durchsuchen III. *n* ❶(*net*) Schleppnetz *nt* ❷(*fishing*) Trawl *nt* ❸(*search*) Suche *f*; (*process*) [Ab]suchen *nt kein pl* (**for** nach)

trawl·er ['trɔ:ləʳ] *n* Trawler *m*

tray [treɪ] *n* ❶(*for serving*) Tablett *nt* ❷ *esp* BRIT (*for papers*) Ablage *f*; **in-~/ out-~** Ablage für Posteingänge/-ausgänge

treach·er·ous ['tretʃərəs] *adj* ❶(*esp old: deceitful*) verräterisch; (*disloyal*) treulos ❷(*dangerous*) tückisch; *sea, weather* trügerisch

treach·ery ['tretʃəri] *n no pl* (*esp old*) Verrat *m*

trea·cle ['tri:kl] *n no pl* BRIT ❶(*black*) Melasse *f* ❷(*golden*) Sirup *m*

trea·cly ['tri:kḷi] *adj* ❶(*sticky*) sirupartig ❷(*pej: sentimental*) zuckersüß

tread [tred] I. *vi* <trod *or* AM *also* treaded, trodden *or* AM, AUS trod> ❶(*step*) treten; **to ~ carefully** vorsichtig auftreten; ■**to ~ in/on sth** in/auf etw *akk* treten ❷(*maltreat*) ■**to ~ on sb** jdn treten ▶ **to ~ carefully** vorsichtig vorgehen II. *vt* <trod *or* AM *also* treaded, trodden *or* AM, AUS trod> ■**to ~ sth down** *grass* etw niedertreten; **to ~ water** Wasser treten III. *n* ❶ *no pl* (*walking*) Tritt *m*, Schritt *m* ❷(*step*) Stufe *f* ❸(*profile*) *of tyre* [Reifen]profil *nt; of shoe* [Schuh]profil *nt*

trea·dle ['tredḷ] *n* Pedal *nt*

tread·mill ['tredmɪl] *n* ❶(*hist: wheel*) Tretmühle *f* ❷(*exerciser*) Heimtrainer *m* ❸(*boring routine*) Tretmühle *f fam;* **the same old ~** derselbe alte Trott

trea·son ['tri:zən] *n no pl* [Landes]verrat *m*; **high ~** LAW Hochverrat *m*

trea·son·able ['tri:zⁿəbḷ] *adj*, **trea·son·ous** ['tri:zⁿnəs] *adj* (*form*) verräterisch

treas·ure ['treʒəʳ] I. *n* ❶ *no pl* (*hoard*) Schatz *m* ❷(*valuables*) ■**~s** *pl* Schätze *pl* ❸(*fam: person*) Schatz *m* II. *vt* [hoch]schätzen; **to ~ the memory/memories of sb/sth** die Erinnerung[en] an jdn/ etw *akk* bewahren

'**treas·ure house** *n* ❶(*building*) Schatzhaus *nt* ❷(*room*) Schatzkammer *f* ❸(*collection*) Fundgrube *f* '**treas·ure hunt** *n* Schatzsuche *f*

treas·ur·er ['treʒⁿrəʳ] *n* Schatzmeister(in) *m(f); of club* Kassenwart(in) *m(f)* '**treas·ure trove** n ❶ (find) Schatzfund m ❷ (collection) Fundgrube f

treas·ury ['treʒᵊri] n ❶ (office) ■ **the** ~ die Schatzkammer ❷ (funds) ■ **the** ~ die Kasse ❸ no pl POL ■ **the T**~ das Finanzministerium

treas·ury 'bill n AM [kurzfristiger] Schatzwechsel **treas·ury 'bond** n AM [langfristige] Schatzanleihe **treas·ury 'note** n AM [mittelfristiger] Schatzschein **Treas·ury 'Sec·re·tary** n AM Finanzminister(in) m(f)

treat [tri:t] I. vt ❶ (handle) behandeln; **to** ~ **sb like royalty** für jdn den roten Teppich ausrollen; **to** ~ **sb/sth badly** jdn/etw schlecht behandeln ❷ (regard) betrachten (**as** als); **to** ~ **sth with contempt** etw mit Verachtung begegnen ❸ MED (heal) behandeln; **he was being** ~**ed for a skin disease** er war wegen einer Hautkrankheit in Behandlung ❹ usu passive (process) material behandeln (**with** mit); (sewage) klären ❺ (pay for) ■ **to** ~ **sb** [**to sth**] jdn [zu etw dat] einladen; ■ **to** ~ **oneself** [**to sth**] sich dat etw gönnen II. vi (fam: pay) einen ausgeben; **Jack's** ~**ing!** Jack gibt einen aus! III. n ❶ (event) [**it's**] **my** ~ das geht auf meine Rechnung; ■ **it is a** ~ **to do sth** es ist ein Vergnügen, etw zu tun ❷ no pl BRIT (fam: very well) **to work a** ~ gut funktionieren

trea·tise ['tri:tɪz] n Abhandlung f (**on** über)

treat·ment ['tri:tmənt] n ❶ no pl (handling) Behandlung f ❷ usu sing (cure) Behandlung f (**for** gegen); **a course of** ~ eine Behandlungsmethode; **to respond to** ~ auf eine Behandlung ansprechen ❸ no pl (processing) Behandlung f; of waste Verarbeitung f

trea·ty ['tri:ti] n Vertrag m (**between** zwischen, **on** über, **with** mit); **peace** ~ Friedensvertrag m; **to ratify/sign a** ~ einen Vertrag ratifizieren/schließen

tre·ble ['trebl] I. adj ❶ (three) dreifach ❷ attr (high-pitched) notes Diskant-; ~ **voice** Sopranstimme f II. adv ❶ (three) das Dreifache ❷ (high-pitched) **to sing** ~ hoch singen III. vt verdreifachen IV. vi price sich verdreifachen V. n Sopran m

tre·ble 'clef n MUS Violinschlüssel m

tree [tri:] n Baum m; **money doesn't grow on** ~**s** Geld wächst nicht an Bäumen ▶ **to be out of one's** ~ nicht [mehr] ganz dicht sein

'**tree frog** n Laubfrosch m '**tree house** n Baumhaus nt **tree·less** ['tri:ləs] adj baumlos '**tree·line** n no pl ■ **the** ~ die

Baumgrenze '**tree-lined** adj von Bäumen gesäumt '**tree sur·geon** n Baumchirurg(in) m(f) '**tree·tops** npl ■ **the** ~ die [Baum]wipfel pl '**tree trunk** n Baumstamm m

tre·foil ['trefɔɪl] n ❶ BOT Dreiblatt nt ❷ ARCHIT Dreipass m

trek [trek] I. vi <-kk-> wandern; **to go** ~**king** wandern gehen II. vt (fam) latschen III. n Wanderung f; (long way) Marsch m

trel·lis ['trelɪs] I. n <pl -es> Gitter nt; (for plants) Spalier nt II. vt HORT ■ **to** ~ **vines** Reben am Spalier ziehen

trem·ble ['trembl] I. vi zittern; lip, voice beben; **to** ~ **with anger/cold** vor Wut/ Kälte zittern; **to** ~ **like a leaf** zittern wie Espenlaub II. n Zittern nt

trem·bling ['tremblɪŋ] adj attr zitternd; lip, voice bebend

tre·men·dous [trɪ'mendəs] adj ❶ (big) enorm; crowd, scope riesig; help riesengroß fam; success enorm ❷ (good) klasse fam

tre·men·dous·ly [trɪ'mendəsli] adv äußerst, enorm, riesig fam

tremo·lo <pl -s> ['tremᵊləʊ] n Tremolo nt

trem·or ['tremə'] n ❶ (shiver) Zittern nt; MED Tremor m ❷ (earthquake) Beben nt ❸ (thrill) Schauer m; **a** ~ **of excitement** ein aufgeregtes Beben ❹ (fluctuation) Schwanken nt

tremu·lous ['tremjələs] adj hand zitternd; voice zittrig

trench <pl -es> [tren(t)ʃ] n ❶ (hole) Graben m ❷ MIL Schützengraben m

trench·ant ['tren(t)ʃənt] adj (form) energisch; criticism, wit scharf

'**trench coat** n Trenchcoat m **trench 'war·fare** n no pl Grabenkrieg m

trend [trend] n ❶ (tendency) Trend m, Tendenz f; **downward/upward** ~ Abwärts-/Aufwärtstrend m ❷ (style) Mode f, Trend m; **the latest** ~ der letzte Schrei fam

'**trend·meis·ter** n (sl) Trendsetter(in) m(f) '**trend·set·ter** ['trend‚setə'] n Trendsetter(in) m(f)

trendy ['trendi] adj modisch, in fam

trepi·da·tion [‚trepɪ'deɪʃᵊn] n no pl (form) Ängstlichkeit f; **a feeling of** ~ ein beklommenes Gefühl

tres·pass I. n <pl -es> ['trespəs] ❶ LAW (intrusion) unbefugtes Betreten ❷ (old: sin) Sünde f (**against** gegen) II. vi ['trespəs] ❶ (intrude) unbefugt eindringen; **to** ~ **on sb's land** jds Land unerlaubt betreten ❷ (old: sin) ■ **to** ~ **against sb** gegen jdn sündigen

tres·pass·er ['trespəsəʳ] n Eindringling m; "~s will be prosecuted!" „unbefugtes Betreten wird strafrechtlich verfolgt!"

tres·tle ['tresl] n [Auflage]bock m

tres·tle 'ta·ble n auf Böcke gestellter Tisch

tri·ad ['traɪæd] n MUS Dreiklang m

tri·al [traɪəl] I. n ❶ (in court) Prozess m, [Gerichts]verhandlung f; ~ by jury Schwurgerichtsverhandlung f; to go to ~ vor Gericht gehen; to stand ~ vor Gericht stehen ❷ (test) Probe f, Test m; clinical ~s klinische Tests pl; to be on ~ product getestet werden; (employee) auf Probe eingestellt sein ❸ (problem) Problem nt; (nuisance) Plage f; ■ to be a ~ to sb eine Plage für jdn sein; ~s and tribulations Schwierigkeiten pl ❹ (competition) Qualifikationsspiel nt II. vt <-ll- or -l-> drugs testen

'tri·al flight n Testflug m **'tri·al pe·ri·od** n Probezeit f **tri·al sepa·'ra·tion** n Trennung f auf Probe

tri·an·gle ['traɪæŋgl] n ❶ (shape) Dreieck nt ❷ (object) dreieckiges Objekt ❸ (percussion) Triangel f ❹ AM (set-square) Zeichendreieck nt

tri·an·gu·lar [traɪ'æŋgjələʳ] adj dreieckig

tri·ath·lon [traɪ'æθlɒn] n Triathlon nt

trib·al ['traɪbᵊl] adj ❶ (ethnic) Stammes- ❷ (fam: group) attitudes Gruppen-

trib·al·ism ['traɪbᵊlɪzᵊm] n no pl ❶ (organization) Stammesorganisation f ❷ (loyalty) Stammesverbundenheit f

tri·band ['traɪbænd] adj mobile phone mit Triband-Funktion nach n

tribe [traɪb] n + sing/pl vb ❶ (community) Stamm m ❷ (fam: group) Sippe f

tribes·man n Stammesangehöriger m

tribu·la·tion [ˌtrɪbjə'leɪʃᵊn] n ❶ no pl (state) Leiden nt ❷ usu pl (cause) Kummer m

tri·bu·nal [traɪ'bjuːnᵊl] n ❶ (court) Gericht nt ❷ (investigative body) Untersuchungsausschuss m

trib·une¹ ['trɪbjuːn] n (hist) ~ [of the people] [Volks]tribun m

trib·une² ['trɪbjuːn] n ❶ (dais) Tribüne f ❷ REL (throne) Bischofsthron m

tribu·tary ['trɪbjətᵊri] I. n Nebenfluss m II. adj (form: secondary) Neben-

trib·ute ['trɪbjuːt] n ❶ (respect) Tribut m; to pay ~ to sb/sth jdm/etw Tribut zollen geh ❷ no pl (beneficial result) ■ to be a ~ to sb/sth jdm/etw Ehre machen

trick [trɪk] I. n ❶ (ruse) Trick m; to play a ~ on sb jdm einen Streich spielen ❷ (knack) Kunstgriff m; he knows all the ~s of the trade er ist ein alter Hase ❸ (illusion) a ~ of the light eine optische Täuschung ❹ (cards) Stich m; to take a ~ einen Stich machen ▶ the oldest ~ in the **book** der älteste Trick, den es gibt; to be up to one's [old] ~s again wieder in seine [alten] Fehler verfallen; a dirty ~ ein gemeiner Trick; not to miss a ~ keine Gelegenheit auslassen; to do the ~ (fam) klappen fam II. adj attr ❶ (deceptive) question Fang- ❷ (acrobatic) Kunst- III. vt ❶ (deceive) täuschen; ■ to ~ sb into doing sth jdn dazu bringen, etw zu tun ❷ (fool) reinlegen fam

trick·ery ['trɪkᵊri] n no pl (pej) Betrug m; (repeated) Betrügerei f

trick·le ['trɪkl] I. vi ❶ (flow) sickern; (in drops) tröpfeln; sand rieseln; tear kullern ❷ (come) in kleinen Gruppen kommen ❸ (become known) durchsickern II. vt tröpfeln, träufeln III. n ❶ (flow) Rinnsal nt geh; (in drops) of blood Tropfen pl ❷ (few, little) ■ a ~ of people/things wenige Leute/Sachen ♦ **trickle away** vi ❶ water langsam abfließen ❷ (fig: stop gradually) versiegen

trick·ster ['trɪkstəʳ] n (pej) Schwindler(in) m(f)

tricky ['trɪki] adj ❶ (deceitful) betrügerisch ❷ (sly) raffiniert ❸ (awkward) situation schwierig ❹ (fiddly) verzwickt fam ❺ (skilful) geschickt

tri·cy·cle ['traɪsɪkl] n Dreirad nt

tri·dent ['traɪdᵊnt] n ❶ (fork) Dreizack m ❷ (missile) ■ T~ Trident f (ballistische Rakete, die von U-Booten abgefeuert wird)

tried [traɪd] vi, vt pt, pp of try

tri·en·nial [traɪ'eniəl] adj dreijährlich

tri·er ['traɪəʳ] n Kämpfernatur f

tri·fle ['traɪfl] n ❶ BRIT (dessert) Trifle m (Biskuitdessert mit Obst und Schlagsahne) ❷ (form: petty thing) Kleinigkeit f ❸ (money) ■ a ~ ein paar Cent pl ❹ + adj (form: slightly) I'm a ~ surprised about your proposal ich bin über deinen Vorschlag etwas erstaunt

tri·fling ['traɪflɪŋ] adj (form) unbedeutend; sum of money geringfügig

trig [trɪg] n no pl (fam) short for trigonometry Trigonometrie f

trig·ger ['trɪgəʳ] I. n ❶ (gun part) Abzug m; to pull the ~ abdrücken ❷ (start) Auslöser m (for für) II. vt auslösen

'trig·ger-hap·py <more trigger-happy, most trigger-happy> adj ❶ (shooting) schießfreudig ❷ (using force) schießwütig

trigo·nom·etry [ˌtrɪgə'nɒmɪtri] n no pl Trigonometrie f

trike [traɪk] n short for tricycle Dreirad nt

tri·lat·er·al [traɪ'lætᵊrᵊl] adj ❶ POL trilateral

➋ MATH dreiseitig

tril·by ['trɪlbi] n esp BRIT [weicher] Filzhut

tri·lin·gual [traɪ'lɪŋgwəl] adj dreisprachig

trill [trɪl] I. n ➊ (chirp) Trillern nt ➋ MUS (note) Triller m II. vi trillern; lark tirilieren geh III. vt ➊ MUS trillern ➋ LING **to ~ one's r's** das R rollen

tril·lion ['trɪljən] n ➊ <pl - or -s> (10^{12}) Billion f ➋ pl (fam: many) ■**~s** pl Tausende pl (**of** von)

tril·ogy ['trɪlədʒi] n Trilogie f

trim [trɪm] I. n no pl ➊ (cutting) Nachschneiden nt ➋ (edging) Applikation f ➌ AVIAT, NAUT Trimmung f II. adj <-mer, -mest> ➊ (neat) ordentlich; lawn gepflegt ➋ (slim) schlank III. vt <-mm-> ➊ (cut) [nach]schneiden; beard, hedge stutzen ➋ (reduce) kürzen; costs also verringern ➌ (decorate) schmücken (**with** mit) ➍ AVIAT [aus]trimmen ◆ **trim down** vi abnehmen ◆ **trim off** vt ➊ (cut) abschneiden ➋ (reduce) kürzen

trim·ming ['trɪmɪŋ] n ➊ no pl (cutting) Nachschneiden nt ➋ (pieces) ■**~s** pl Abfälle pl ➌ usu pl (edging) Besatz m ➍ (accompaniment) ■**the ~s** pl das Zubehör; **turkey with all the ~s** Truthahn m mit allem Drum und Dran

Trini·dad ['trɪnɪdæd] n no pl Trinidad nt

Trini·dad·ian [ˌtrɪnɪ'dædiən] I. adj trinidadisch II. n Trinidader(in) m(f)

trini·ty ['trɪnɪti] n no pl ■**the** [**Holy**] **T~** die [Heilige] Dreifaltigkeit

trin·ket ['trɪŋkɪt] n ➊ (bauble) wertloser Schmuckgegenstand ➋ (rubbish) ■**~s** pl Plunder m kein pl

trio <pl -s> ['tri:əʊ] n Trio nt (**of** von)

trip [trɪp] I. n ➊ (journey) Reise f, Fahrt f; **round ~** Rundreise f ➋ esp BRIT (outing) Ausflug m ➌ (stumble) Stolpern nt ➍ (self-indulgence) **an ego ~** ein Egotrip m ➎ (hallucination) Trip m sl II. vi <-pp-> ➊ (unbalance) stolpern ➋ (be uttered) **to ~ off the tongue** leicht von der Zunge gehen ➌ (fam: be on drugs) auf einem Trip sein sl III. vt <-pp-> ➊ (unbalance) ■**to ~ sb** jdm ein Bein stellen ➋ switch anschalten ◆ **trip over** vt ➊ (be hindered) stolpern (über); **to ~ over one's own feet** über seine eigenen Füße stolpern ➋ (mispronounce) **to ~ over one's words** über seine Worte stolpern ◆ **trip up** I. vt ➊ (unbalance) ■**to ~ up ⟲ sb** jdm ein Bein stellen ➋ (foil) zu Fall bringen II. vi ➊ (stumble) stolpern ➋ (blunder) einen Fehler machen

tri·par·tite [ˌtraɪ'pɑ:taɪt] adj ➊ (form: three-part) structure dreiteilig ➋ POL meetings, coalition Dreiparteien-

tripe [traɪp] n no pl ➊ (food) Kutteln pl ➋ (fam: nonsense) Quatsch m

tri·ple ['trɪpl] I. adj ➊ attr (threefold) dreifach ➋ attr (of three parts) Dreier- II. adv dreimal so viel III. vt verdreifachen IV. vi sich verdreifachen

'tri·ple jump n no pl Dreisprung

tri·plet ['trɪplət] n ➊ usu pl (baby) Drilling m ➋ MUS Triole f

trip·li·cate ['trɪplɪkət] adj attr (form) samples dreifach; **in ~** in dreifacher Ausfertigung

tri·pod ['traɪpɒd] n Stativ nt

trip·per ['trɪpəʳ] n esp BRIT Ausflügler(in) m(f)

'trip·ping adj trippelnd

trip·tych ['trɪptɪk] n Triptychon nt

tri·sect [traɪ'sekt] vt dreiteilen

trite [traɪt] adj (pej) platt; cliché abgedroschen

tri·umph ['traɪəm(p)f] I. n ➊ (victory) Triumph m, Sieg m für für, **over** über) ➋ (feat) **a ~ of engineering/medicine** ein Triumph m der Ingenieurskunst/Medizin ➌ no pl (joy) Siegesfreude f II. vi ➊ (win) triumphieren (**over** über) ➋ (exult) ■**to ~ over sb** über jdn triumphieren

tri·um·phal [traɪˈʌm(p)fəl] adj triumphal

tri·um·phant [traɪˈʌm(p)fənt] adj ➊ (victorious) siegreich ➋ (successful) erfolgreich ➌ (exulting) smile triumphierend

tri·um·phant·ly [traɪˈʌm(p)fəntli] adv triumphierend

trivia ['trɪviə] npl Lappalien pl

triv·ial ['trɪviəl] adj ➊ (unimportant) trivial; issue belanglos; details bedeutungslos ➋ (petty) kleinlich

trivi·al·ity [ˌtrɪvi'æləti] n ➊ no pl (unimportance) Belanglosigkeit f ➋ (unimportant thing) Trivialität f

trivi·al·ize ['trɪviəlaɪz] vt (pej) trivialisieren

trod [trɒd] pt, pp of tread I, II

trod·den ['trɒdən] pp of tread I, II

trog·lo·dyte ['trɒgləʊdaɪt] n ➊ (cave dweller) Höhlenbewohner(in) m(f) ➋ (loner) Einsiedler(in) m(f)

Tro·jan ['trəʊdʒən] I. n Trojaner(in) m(f); **to work like a ~** arbeiten wie ein Pferd fam II. adj trojanisch

troll [trəʊl] n Troll m

trol·ley ['trɒli] n ➊ esp BRIT, AUS (cart) Karren m; **luggage ~** Gepäckwagen m; **shopping ~** Einkaufswagen m esp BRIT, AUS (table) Servierwagen m ➌ AM (tram) Straßenbahn f ▶ **to be off one's ~** esp BRIT, AUS nicht mehr ganz dicht sein

'trol·ley·bus *n* Oberleitungsbus *m* **'trol·ley car** *n* Am (*tram*) Straßenbahn *f*

trol·lop ['trɒləp] *n* (*pej*) Flittchen *nt*

trom·bone [trɒm'bəʊn] *n* ❶ (*instrument*) Posaune *f* ❷ (*player*) Posaunist(in) *m/f*

trom·bon·ist [trɒm'bəʊnɪst] *n* Posaunist(in) *m/f*

troop [truːp] **I.** *n* ❶ (*group*) Truppe *f; of animals* Schar *f; of soldiers* Trupp *m;* **cavalry ~** Schwadron *f* ❷ (*soldiers*) ■**~s** *pl* Truppen *pl* **II.** *vi* ■**to ~ off** abziehen *fam* **III.** *vt* Brit **to ~ the colour** die Fahnenparade abhalten

'troop car·ri·er *n* Truppentransporter *m*

troop·er ['truːpəʳ] *n* ❶ (*soldier*) [einfacher] Soldat ❷ Am (*police officer*) **state ~** Polizist(in) *m/f*

tro·phy ['trəʊfi] *n* ❶ (*prize*) Preis *m* ❷ (*memento*) Trophäe *f;* **war ~** Kriegsbeute *f kein pl*

trop·ic ['trɒpɪk] *n* ❶ (*latitude*) Wendekreis *m* ❷ (*hot region*) ■**the ~s** *pl* die Tropen *pl*

tropi·cal ['trɒpɪkəl] *adj* ❶ (*of tropics*) Tropen-; **~ hardwoods** tropische Harthölzer ❷ *weather* tropisch

tropo·sphere ['trɒpə(ʊ)sfɪəʳ] *n no pl* sci Troposphäre *f*

trot [trɒt] **I.** *n* ❶ *no pl* (*pace*) Trab *m; of horse* Trott; **to go at a ~** *horse* traben ❷ (*fam: diarrhoea*) ■**the ~s** *pl* Dünnpfiff *m* **II.** *vi* <-tt-> ❶ (*walk*) trotten; *horse* traben ❷ (*ride*) im Trab reiten ❸ (*run*) laufen **III.** *vt* <-tt-> *horse* traben lassen ◆**trot along** *vi* traben ◆**trot off** *vi* (*fam*) loslziehen ◆**trot out** *vt* (*pej*) vorführen

trot·ter ['trɒtəʳ] *n* ❶ (*food*) ■**~s** *pl* Schweinshaxen *pl* ❷ (*horse*) Traber *m*

trou·ble ['trʌbl] **I.** *n* ❶ *no pl* (*difficulties*) Schwierigkeiten *pl;* (*annoyance*) Ärger *m;* **to be in/get into ~** in Schwierigkeiten sein/geraten; **to spell ~** (*fam*) nichts Gutes bedeuten; **to stay out of ~** sauber bleiben *hum fam* ❷ (*problem*) Problem *nt;* (*cause of worry*) Sorge *f;* **the only ~ is that we …** der einzige Haken [dabei] ist, dass wir … ❸ *no pl* (*inconvenience*) Umstände *pl,* Mühe *f;* **it's no ~ at all** das macht gar keine Umstände; **to go to the ~ [of doing sth]** sich *dat* die Mühe machen, [etw zu tun] ❹ *no pl* (*physical ailment*) **stomach ~** Magenbeschwerden *pl* ❺ *no pl* (*malfunction*) Störung *f;* **engine ~** Motorschaden *m* ❻ (*strife*) Unruhe *f* **II.** *vt* ❶ (*form: cause inconvenience*) ■**to ~ sb for sth** jdn um etw *akk* bemühen *geh* ❷ (*cause worry*) beunruhigen; (*grieve*) bekümmern; **to be [deeply] ~ed by sth** we-

gen einer S. *gen* tief beunruhigt sein ❸ (*cause pain*) plagen **III.** *vi* sich bemühen

trou·bled ['trʌbld] *adj* ❶ (*beset*) *situation* bedrängt; *times* unruhig ❷ (*worried*) besorgt

'trou·ble-free *adj* problemlos **'trou·ble·mak·er** *n* Unruhestifter(in) *m/f*

Trou·bles ['trʌblz] *npl* ■**the ~** *die Unruhen in Nordirland ab den 60ern*

'trou·ble-shoot·ing *n no pl* ❶ (*fixing*) Fehler-/Störungsbeseitigung *f* ❷ (*mediation*) Vermittlung *f* **trou·ble·some** ['trʌbləsəm] *adj* schwierig **'trou·ble spot** *n* Unruheherd *m*

trough [trɒf] *n* ❶ (*bin*) Trog *m* ❷ (*low*) Tiefpunkt *m;* (*in economy*) Talsohle *f* ❸ meteo Trog *m*

troupe [truːp] *n + sing/pl vb* theat Truppe *f*

troup·er ['truːpəʳ] *n* ❶ (*actor*) **an old ~** ein alter Hase *fam* ❷ (*reliable*) treue Seele

trou·ser clip ['traʊzə-] *n* Hosenklammer *f* **'trou·ser leg** *n* Hosenbein *nt*

trou·sers ['traʊzəz] *npl* Hose *f;* **a pair of ~** eine Hose ▶**to wear the ~** die Hosen anhaben *fam*

'trou·ser suit *n* Brit Hosenanzug *m*

trous·seau <*pl* -s *or* -x> ['truːsəʊ, *pl* -səʊz] *n* (*dated*) Aussteuer *f kein pl*

trout [traʊt] *n* <*pl* -s *or* -> Forelle *f*

'trout farm *n* Forellenzucht *f*

trow·el ['traʊəl] *n* ❶ *for building* Maurerkelle *f* ❷ *for gardening* kleiner Spaten

Troy [trɔɪ] *n no pl* (*hist*) Troja *nt*

'troy weight *n* Troygewicht *nt*

tru·an·cy ['truːən(t)si] *n no pl* [Schulelschwänzen *nt fam*

tru·ant ['truːənt] **I.** *n* Schulschwänzer(in) *m/f fam;* **to play ~** [from school] *esp* Brit, Aus [die Schule] schwänzen *fam* **II.** *adj* schwänzend **III.** *vi esp* Brit, Aus [die Schule] schwänzen *fam*

truce [truːs] *n* Waffenstillstand *m* (**between** zwischen)

truck[1] [trʌk] **I.** *n* ❶ (*lorry*) Lastlkraftwagen *m;* **pickup ~** Lieferwagen *m* ❷ Brit (*train*) Güterwagen *m* **II.** *vt esp* Am per Lastwagen transportieren

truck[2] [trʌk] *n no pl* ▶**to have no ~ with sb/sth** (*fam*) mit jdm/etw nichts zu tun haben

'truck driv·er *n,* **truck·er** ['trʌkəʳ] *n* Lastwagenfahrer(in) *m/f;* (*long-distance*) Fernfahrer(in) *m/f* **'truck farm·ing** *n no pl* Am, Can Gemüseanbau *m*

truck·ing ['trʌkɪŋ] *n no pl* Am, Aus Lkw-Transport *m*

'truck·ing com·pa·ny *n* Am, Aus Speditionlsfirma] *f*

trucu·lence ['trʌkjələⁿ(t)s] n no pl ❶ (aggression) Wildheit f ❷ (defiance) Aufsässigkeit f

trucu·lent ['trʌkjələⁿt] adj ❶ (aggressive) wild ❷ (defiant) aufsässig

trudge [trʌdʒ] I. vi ❶ (walk) wandern; to ~ along/down sth etw entlang-/hinunterlatschen fam ❷ (work) ■to ~ through sth etw durchackern II. n ❶ (walk) [anstrengender] Fußmarsch ❷ (work) mühseliger Weg

true [truː] I. adj <-r, -st> ❶ (not false) wahr; it is ~ [to say] that ... es stimmt, dass ...; to ring ~ glaubhaft klingen ❷ (exact) richtig; aim genau ❸ attr (actual) echt, wahr, wirklich; ~ love wahre Liebe ❹ (loyal) treu; ■to be ~ to sb/sth/oneself jdm/etw/sich dat treu sein; to be ~ to one's word zu seinem Wort stehen ❺ attr (conforming) echt; in ~ Hollywood style in echter Hollywoodmanier ▶ sb's ~ colours jds wahres Gesicht; ~ to form wie zu erwarten II. adv ❶ (admittedly) stimmt ❷ (exactly) genau ♦ true up vt machinery genau einstellen; wheel einrichten

'true-blue adj attr ❶ (loyal) treu ❷ (typical) waschecht fam **true-'heart·ed** adj servant treu **'true-life** adj lebensnah **'true·love** n ■sb's ~ jds Geliebte(r) f/m) **true-to-'life** adj novel lebensnah, lebensecht

truf·fle ['trʌfl] n Trüffel f o m

tru·ism ['truːɪzᵊm] n Binsenweisheit f; (platitude) Plattitüde f geh

tru·ly ['truːli] adv ❶ (not falsely) wirklich, wahrhaftig ❷ (genuinely) wirklich, echt ❸ (very) wirklich ❹ (form: sincerely) ehrlich, aufrichtig; Yours ~, (in private letter) dein(e)/Ihr(e) ▶ yours ~ (fam) meine Wenigkeit hum

trump [trʌmp] I. n ❶ (card) Trumpf m ❷ (suit) ■~s pl Trumpf m, Trumpffarbe f ▶ to come up ~s BRIT Glück haben; (help out) die Situation retten II. vt (cards) übertrumpfen ❷ (better) ausstechen ♦ trump up vt erfinden

trum·pet ['trʌmpɪt] I. n ❶ (instrument) Trompete f ❷ of elephant Trompeten nt II. vi trompeten III. vt (esp pej) ausposaunen fam

trum·pet·er ['trʌmpɪtᵊʳ] n Trompeter(in) m(f)

trun·cate [trʌŋ'keɪt] vt kürzen

trun·cheon ['trʌn(t)ʃᵊn] n BRIT, AUS Schlagstock m

trun·dle ['trʌndl] vi to ~ along (proceed leisurely) zuckeln

trunk [trʌŋk] n ❶ (stem) Stamm m ❷ (body) Rumpf m ❸ (of elephant) Rüssel m ❹ (box) Schrankkoffer m ❺ AM (boot of car) Kofferraum m ❻ (for swimming) ■~s pl Badehose f

'trunk call n BRIT (dated) Ferngespräch nt **'trunk road** n BRIT Fern[verkehrs]straße f

truss [trʌs] I. n ❶ (belt) Bruchband nt ❷ ARCHIT (frame) Gerüst nt II. vt fesseln; to ~ poultry Geflügel dressieren ♦ truss up vt fesseln

trust [trʌst] I. n ❶ no pl (belief) Vertrauen nt ❷ no pl (responsibility) a position of ~ ein Vertrauensposten m; ■in sb's ~ in jds Obhut f ❸ (arrangement) Treuhand f kein pl; investment ~ Investmentfonds m; to set up a ~ eine Treuhandschaft übernehmen ❹ (trustees) Treuhandgesellschaft f; charitable ~ Stiftung f ❺ AM (union) Ring m; BRIT (trust company) Trust m ❻ AM (bank name) Zusatz bei Banknamen II. vt (believe, rely on) vertrauen (auf); ■to ~ to do sth jdm zutrauen, dass er/sie etw tut; ■to ~ sb with sth jdm etw anvertrauen ▶ ~ her/him/you etc. to do that! (fam) das musste sie/er/musstest du natürlich machen! iron III. vi ❶ (form: believe) ■to ~ in sb/sth auf jdn/etw vertrauen ❷ (form: hope) ■to ~ [that] ... hoffen, [dass] ...

trust·ed ['trʌstɪd] adj attr ❶ (loyal) getreu geh ❷ (proved) bewährt

trus·tee [trʌs'tiː] n Treuhänder(in) m(f); board of ~ s Kuratorium nt

trust·ful ['trʌstfᵊl] adj see trusting

'trust fund n Treuhandfonds m

trust·ing ['trʌstɪŋ] adj ❶ (artless) vertrauensvoll ❷ (gullible) leichtgläubig

trust·ing·ly ['trʌstɪŋli] adv vertrauensvoll, zutraulich

trust·wor·thi·ness ['trʌst,wɜːðɪnəs] n no pl ❶ (honesty) Vertrauenswürdigkeit f ❷ (accuracy) Zuverlässigkeit f

trust·wor·thy ['trʌst,wɜːði] adj ❶ (honest) vertrauenswürdig ❷ (accurate) zuverlässig

trusty ['trʌsti] adj attr (hum) ❶ (reliable) zuverlässig ❷ (loyal) servant getreu liter

truth <pl -s> [truːθ] n ❶ no pl (not falsity) Wahrheit f (of über); there is some/no ~ in what she says es ist etwas/nichts Wahres an dem, was sie sagt ❷ no pl (facts) ■the ~ die Wahrheit (about/of über) ❸ (principle) Grundprinzip nt

truth·ful ['truːθfᵊl] adj ❶ (true) wahr ❷ (sincere) ehrlich ❸ (not lying) ehrlich ❹ (accurate) wahrheitsgetreu

truth·ful·ly ['truːθfᵊli] adv wahrheitsgemäß; ~, I don't know what happened ehrlich, ich weiß nicht, was passiert ist

truth·ful·ness ['truːθfᵊlnəs] *n no pl* ❶ (*veracity*) Wahrhaftigkeit *f* ❷ (*sincerity*) Ehrlichkeit *f* ❸ (*accuracy*) Wahrheit *f*

try [traɪ] **I.** *n* ❶ (*attempt*) Versuch *m;* **to give sth a ~** etw ausprobieren ❷ (*in rugby*) Versuch *m* **II.** *vi* <-ie-> ❶ (*attempt*) versuchen ❷ (*make an effort*) sich bemühen **III.** *vt* <-ie-> ❶ (*attempt*) versuchen; **to ~ one's best** sein Bestes versuchen; **to ~ one's luck** sein Glück versuchen ❷ (*test by experiment*) probieren, versuchen ❸ (*sample*) [aus]probieren ❹ (*put to test*) auf die Probe stellen; **to ~ sb's patience** jds Geduld auf die Probe stellen ❺ (*put on trial*) vor Gericht stellen ◆**try on** *vt clothes* anprobieren ▸ **to ~ on** ⟳ **sth for size** AM, AUS etw versuchsweise ausprobieren ◆**try out I.** *vt* ausprobieren; ▪**to ~ out** ⟳ **sb** jdn testen **II.** *vi* AM, AUS **to ~ out for a post/a role/a team** sich auf einem Posten/in einer Rolle/ bei einer Mannschaft versuchen

try·ing ['traɪɪŋ] *adj* ❶ (*annoying*) anstrengend ❷ (*difficult*) *time* schwierig

'**try-out** *n* (*fam*) ❶ SPORTS Testspiel *nt* ❷ (*test run*) Erprobung *f; of play* Probevorstellung *f*

tsar [zɑː^r] *n* BRIT, AUS Zar *m;* **drug ~** Drogenzar *m*

tsa·ri·na [zɑːˈriːnə] *n* BRIT, AUS Zarin *f*

tsar·ist BRIT, AUS **I.** *adj* zaristisch **II.** *n* Zarist(in) *m(f)*

tset·se fly ['tetsi-] *n* Tsetsefliege *f*

T-shirt ['tiːʃɜːt] *n* T-Shirt *nt*

tsp <*pl - or* -s> *n abbrev of* **teaspoon** Teel.

T-square ['tiːskweə^r] *n* Reißschiene *f*

tsu·na·mi [tsuːˈnɑːmi] *n* Tsunami *m*

tub [tʌb] *n* ❶ (*vat*) Kübel *m* ❷ (*fam: bath*) [Bade]wanne *f* ❸ (*carton*) Becher *m* ❹ (*pej fam: boat*) Kahn *m*

tuba ['tjuːbə] *n* Tuba *f*

tub·by ['tʌbi] *adj* pummelig

tube [tjuːb] *n* ❶ (*pipe*) Röhre *f;* (*bigger*) Rohr *nt;* **inner ~** Schlauch *m;* **test ~** Reagenzglas *nt* ❷ (*container*) Tube *f* ❸ BIOL Röhre *f;* **bronchial ~s** Bronchien *pl* ❹ *no pl* BRIT (*fam: railway*) ▪**the ~** die [Londoner] U-Bahn ❺ *no pl* AM (*fam: TV*) ▪**the ~** die Glotze *sl* ❻ AUS (*fam: can*) Dose *f* [Bier]; (*bottle*) Flasche *f* [Bier] ▸ **to go down the ~**[**s**] den Bach runter gehen *fam*

tu·ber ['tjuːbə^r] *n* BOT Knolle *f*

tu·ber·cu·lar [tjuːˈbɜːkjələ^r] *adj* tuberkulös

tu·ber·cu·lo·sis [tjuːˌbɜːkjəˈləʊsɪs] *n no pl* Tuberkulose *f*

tu·ber·cu·lous [tjuːˈbɜːkjələs] *adj* tuberkulös

'**tube sta·tion** *n* U-Bahnstation *f*

'**tub-thump·er** *n* (*pej fam*) Demagoge(in) *m(f)*

TUC [ˌtiːjuːˈsiː] *n no pl* BRIT *abbrev of* **Trades Union Congress:** ▪**the ~** ≈ der DGB, ≈ der ÖGB ÖSTERR

tuck [tʌk] **I.** *n* ❶ (*pleat*) Abnäher *m;* (*ornament*) Biese *f* ❷ MED **a tummy ~** *Operation, bei der am Bauch Fett abgesaugt wird* **II.** *vt* ❶ (*fold*) stecken; **to ~ sb into bed** jdn ins Bett [ein]packen *fam* ❷ (*stow*) verstauen; **to ~ one's legs under one** seine Beine unterschlagen ◆**tuck away** *vt* ❶ (*stow*) verstauen; (*hide*) verstecken ❷ *usu passive* (*lie*) ▪**to be ~ed away somewhere** irgendwo versteckt liegen ◆**tuck in I.** *vt* ❶ (*fold*) hineinstecken; **to ~ in one's shirt** sein Hemd in die Hose stecken ❷ (*put to bed*) zudecken ❸ (*fam: hold in*) **to ~ in** ⟳ **one's tummy** seinen Bauch einziehen **II.** *vi* (*fam: eat*) reinhauen

tuck·er ['tʌkə^r] (*fam*) **I.** *n no pl* AUS Essen *nt* **II.** *vt* AM fix und fertig machen

'**tuck shop** *n* BRIT (*dated*) Schulkiosk *nt* (*für Snacks und Süßwaren*)

Tues·day ['tjuːzdeɪ] *n* Dienstag *m;* [**on**] **~ afternoon/evening/morning/night** [am] Dienstagnachmittag/-abend/-morgen/-nacht; **on ~ afternoons/evenings/ mornings/nights** dienstagnachmittags/ -abends/-morgens/-nachts; **a week/fortnight on ~** Dienstag in einer Woche/zwei Wochen; **a week/fortnight last ~** Dienstag vor einer Woche/zwei Wochen; **every ~** jeden Dienstag; **last/next/this ~** [am] letzten/[am] nächsten/diesen Dienstag; **~ before last/after next** vorletzten/ übernächsten Dienstag; **one ~** an einem Dienstag; [**on**] **~** [am] Dienstag; **on ~ 4th March** [*or esp* AM **March 4**] am Dienstag, den 4. März; [**on**] **~s** dienstags

tuft [tʌft] *n* Büschel *nt*

tug [tʌg] **I.** *n* ❶ (*pull*) Ruck *m* (**at** an); **to give sth a ~** an etw *dat* zerren ❷ (*boat*) Schlepper *m* **II.** *vt* <-gg-> ziehen **III.** *vi* <-gg-> zerren (**at** an)

tui·tion [tjuːˈɪʃᵊn] *n no pl* ❶ *esp* BRIT (*teaching*) Unterricht *m* (**in** in) ❷ *esp* AM (*tuition fee*) Studiengebühr *f; of school* Schulgeld *nt kein pl*

tu'i·tion fee *n esp* BRIT Studiengebühr *f; of school* Schulgeld *nt kein pl*

tu·lip ['tjuːlɪp] *n* Tulpe *f*

tum·ble ['tʌmbl] **I.** *vi* ❶ (*fall*) fallen; (*faster*) stürzen ❷ (*rush*) stürzen ❸ *prices* [stark] fallen **II.** *n* ❶ (*fall*) Sturz *m;* **to take a ~** stürzen ❷ *of prices* Sturz *m* ◆**tumble down I.** *vi building* einstürzen **II.** *vt* hinabstürzen ◆**tumble over I.** *vi* (*unbalance*) hinfallen; (*collapse*) umfallen **II.** *vt* stürzen (über)

'**tum·ble·down** *adj attr building* baufällig
tum·ble 'dri·er, tum·ble 'dry·er *n* Wäschetrockner *m*

tum·bler ['tʌmblə^r] *n* ❶ (*glass*) [Trink]glas *nt* ❷ (*acrobat*) Bodenakrobat(in) *m(f)* ❸ (*dryer*) Wäschetrockner *m*
tum·ble·weed ['tʌmbl̩wiːd] *n no pl* Steppenhexe *f*
tu·mes·cent [tjuːˈmes^ənt] *adj* ANAT anschwellend
tum·my [tʌmi] *n* (*fam*) Bauch *m*
'**tum·my ache** *n* (*fam*) Bauchweh *nt kein pl*
tu·mour ['tjuːmə^r] *n* BRIT, AUS, AM **tu·mor** *n* Geschwulst *f*, Tumor *m*
tu·mult ['tjuːmʌlt] *n* ❶ (*noise*) Krach *m* ❷ (*disorder*) Tumult *m*; ■**to be in ~ over sth** sich wegen einer S. *gen or dat* in Aufruhr befinden ❸ (*uncertainty*) Verwirrung *f*
tu·mul·tu·ous [tjuːˈmʌltjuəs] *adj* ❶ (*loud*) lärmend; *applause* stürmisch ❷ (*confused*) turbulent ❸ (*excited*) aufgeregt
tu·mul·tu·ous·ly [tjuːˈmʌltjuəsli] *adv* stürmisch
tun [tʌn] *n* ❶ (*vat*) Fass *nt* ❷ (*measure*) Tonne *f*
tuna ['tjuːnə] *n* ❶ <*pl* -s *or* -> (*fish*) Thunfisch *m* ❷ *no pl* (*meat*) Thunfisch *m*
tun·dra ['tʌndrə] *n no pl* Tundra *f*
tune [tjuːn] **I.** *n* ❶ (*melody*) Melodie *f* ❷ *no pl* (*pitch*) ■**to be in/out of ~** richtig/falsch spielen ❸ BRIT TECH Einstellung *f*; **to give a car a ~** einen Wagen neu einstellen ❹ (*amount*) ■**to the ~ of £2 million** in Höhe von 2 Millionen Pfund ▸**to change one's ~** einen anderen Ton anschlagen **II.** *vt* ❶ MUS stimmen ❷ RADIO, AUTO einstellen **III.** *vi* [sein Instrument/die Instrumente] stimmen ◆**tune in I.** *vi* ❶ RADIO, TV einschalten; **to ~ in to a channel/station** einen Kanal/Sender einstellen ❷ (*fam: be sensitive to sth*) ■**to be ~d in to sth** eine Antenne für etw *akk* haben **II.** *vt* AUS RADIO, TV einschalten ◆**tune up I.** *vi* [sein Instrument/die Instrumente] stimmen **II.** *vt* ❶ AUTO einstellen ❷ MUS stimmen
tune·ful ['tjuːnf^əl] *adj* melodisch
tune·less ['tjuːnləs] *adj* unmelodisch
tun·er ['tjuːnə^r] *n* ❶ TECH (*for selecting stations*) Empfänger *m* ❷ MUS (*person*) Stimmer(in) *m(f)*
'**tune-up** *n* TECH Einstellung *f*; **to give a car a ~** einen Wagen [neu] einstellen
tung·sten ['tʌŋ(k)st^ən] *n no pl* Wolfram *nt*
tu·nic ['tjuːnɪk] *n* Kittel *m*; HIST Tunika *f*

tun·ing ['tjuːnɪŋ] *n no pl* ❶ MUS Stimmen *nt*; (*correctness of pitch*) Klangreinheit *f* ❷ TECH Einstellen *nt*
'**tun·ing fork** *n* Stimmgabel *f*
Tu·ni·sia [tjuːˈnɪziə] *n* Tunesien *nt*
Tu·ni·sian [tjuːˈnɪziən] **I.** *n* Tunesier(in) *m(f)* **II.** *adj* tunesisch
tun·nel ['tʌn^əl] **I.** *n* Tunnel *m*; ZOOL, BIOL Gang *m* ▸**to see [the] light at the end of the ~** das Licht am Ende des Tunnels sehen **II.** *vi* <BRIT -ll- *or* AM *usu* -l-> einen Tunnel graben; **to ~ under a river** einen Fluss untertunneln **III.** *vt* <BRIT -ll- *or* AM *usu* -l-> graben; **to ~ one's way out** sich herausgraben
tun·ny <*pl* - *or* -nies> ['tʌni] *n* (*fam*) Thunfisch *m*
tup·pence ['tʌp^ən(t)s] *n no pl* BRIT (*fam*) zwei Pence; (*fig*) **to not give ~ for sth** keinen Pfifferling auf etw *akk* geben
tup·pen·ny ['tʌp^əni] *adj attr* BRIT (*dated*) *coin* Zwei-Pence-
tur·ban ['tɜːbən] *n* Turban *m*
tur·bid ['tɜːbɪd] *adj* ❶ *liquid* trüb ❷ *clouds* dicht ❸ *emotions, thoughts* verworren
tur·bine ['tɜːbaɪn] *n* Turbine *f*
'**tur·bo·charged** *adj* ❶ TECH mit Turboaufladung *nach* ❷ (*sl: energetic*) Turbo-
'**tur·bo·charg·er** *n* Turbolader *m* '**tur·bo en·gine** *n* Turbomotor *m* '**tur·bo·jet** *n* ❶ (*engine*) Turbojet *m* ❷ (*aircraft*) Turbojet-Flugzeug *nt*
tur·bot <*pl* - *or* -s> ['tɜːbət] *n* Steinbutt *m*
tur·bu·lence ['tɜːbjələn(t)s] *n no pl* Turbulenz *f*; **air ~** Turbulenzen *pl*
tur·bu·lent ['tɜːbjələnt] *adj* turbulent, stürmisch; *sea also* unruhig
turd [tɜːd] *n* (*vulg, sl*) Scheißhaufen *m derb*
tu·reen [təˈriːn] *n* FOOD Terrine *f*
turf <*pl* -s *or* BRIT *usu* turves> [tɜːf] **I.** *n* ❶ *no pl* (*grassy earth*) Rasen *m* ❷ (*square of grass*) Sode *f*; **to lay ~s** Rasen[flächen] anlegen ❸ (*fam: personal territory*) Revier *nt*; (*field of expertise*) Spezialgebiet *f* **II.** *vt* Rasen verlegen
'**turf ac·count·ant** *n* BRIT (*form: bookmaker*) Buchmacher(in) *m(f)*
tur·gid ['tɜːdʒɪd] *adj* ❶ (*form: swollen*) [an]geschwollen ❷ *speech, style* schwülstig
Turk [tɜːk] *n* Türke(in) *m(f)*
tur·key ['tɜːki] *n* ❶ ZOOL Pute(r) *f(m)* ❷ *no pl* (*meat*) Truthahn *m*, Putenfleisch *nt*
Tur·key ['tɜːki] *n no pl* GEOG Türkei *f*
Turk·ish ['tɜːkɪʃ] **I.** *adj* türkisch **II.** *n* Türkisch *nt*
tur·moil ['tɜːmɔɪl] *n* Tumult *m*, Aufruhr *m*; **her mind was in a ~** sie war völlig durch-

einander
turn [tɜːn] **I.** *n* ❶ (*rotation*) *of wheel* Drehung *f;* **give the screw a couple of ~s** drehen Sie die Schraube einige Male ❷ (*change in direction*) Kurve *f;* SPORTS Wende *f;* **"no left/right ~"** „Links/Rechts abbiegen verboten"; (*fig*) **things took an ugly ~** die Sache nahm eine üble Wendung ❸ (*changing point*) **the ~ of the century** die Jahrhundertwende ❹ (*allotted time*) **it's my ~ now!** jetzt bin ich dran!; **to do sth in ~** etw abwechselnd tun ❺ ([*dis*]*service*) **to do sb a good/bad ~** jdm einen guten/schlechten Dienst erweisen ❻ (*not appropriate*) **out of ~** unangebracht ❼ (*round in coil, rope*) Umwickelung *f* ❽ (*cooked perfectly*) **to be done to a ~** gut durch[gebraten] sein ▶ **one good ~ deserves another** (*saying*) eine Hand wäscht die andere; **to be on the ~** sich wandeln; *milk* einen Stich haben; *leaves* gelb werden **II.** *vt* ❶ (*rotate*) *knob, screw* drehen ❷ (*switch direction*) wenden, drehen; **to ~ round the corner** um die Ecke biegen; **to ~ the course of history** den Gang der Geschichte [ver]ändern ❸ (*aim*) ■**to ~ sth on sb** *lamp, hose, gun* etw auf jdn richten; **to ~ one's attention to sth** seine Aufmerksamkeit etw zuwenden ❹ + *adj* (*cause to become*) **the shock ~ed her hair grey overnight** durch den Schock wurde sie über Nacht grau ❺ (*cause to feel nauseous*) **to ~ sb's stomach** jdn den Magen umdrehen ❻ (*change*) ■**to ~ sth/sb into sth** etw/jdn in etw *akk* umwandeln ❼ (*reverse*) *garment, mattress* wenden, umdrehen; **to ~ the page** umblättern ❽ (*send*) **to ~ a dog on sb** einen Hund auf jdn hetzen ❾ TECH *wood* drechseln; *metal* drehen ▶ **to ~ one's back on sb/sth** sich von jdm/etw *dat* abwenden; **to ~ the other cheek** die andere Wange hinhalten; **to ~ a blind eye to sth** die Augen vor etw *dat* verschließen; **to ~ the tables [on sb]** den Spieß umdrehen **III.** *vi* ❶ (*rotate*) sich drehen; *person* sich umdrehen; **to ~ upside down** *boat* umkippen; *car* sich überschlagen ❷ (*switch direction*) *person* sich umdrehen; *car* wenden; (*in bend*) abbiegen; *wind* drehen; (*fig*) sich wenden; **to ~ on one's heel** auf dem Absatz kehrtmachen ❸ (*for aid or advice*) **to ~ to sb for help/money** jdn um Hilfe/Geld bitten ❹ (*change*) werden; *milk* sauer werden; *leaves* sich verfärben; *luck* sich wenden; **his face ~ed green** er wurde ganz grün im Gesicht; ■**to ~ into sth** zu etw *dat*

werden ❺ (*turn attention to*) ■**to ~ to sth** *conversation, subject* sich etw zuwenden ❻ (*attain particular age*) **to ~ 20/40** 20/40 werden ❼ (*pass particular hour*) **it had already ~ed eleven** es war schon kurz nach elf ❽ (*make feel sick*) **this smell makes my stomach ~** bei diesem Geruch dreht sich mir der Magen um ▶ **to ~ [over] in one's grave** sich im Grabe umdrehen; **to ~ tattle-tail** AM (*fam*) petzen ◆**turn against I.** *vi* sich auflehnen (gegen) **II.** *vt* ■**to ~ sb against sb/sth** jdn gegen jdn/etw *dat* aufwiegeln ◆**turn away I.** *vi* sich abwenden **II.** *vt* ❶ (*move*) wegrücken; **to ~ one's face away** seinen Blick abwenden ❷ (*refuse entry*) abweisen ❸ (*deny help*) abweisen ◆**turn back I.** *vi* [wieder] zurückgehen; (*fig*) **there's no ~ing back now!** jetzt gibt es kein Zurück [mehr]! **II.** *vt* ❶ (*send back*) zurückschicken; (*at frontier*) zurückweisen ❷ (*fold*) *bedcover* zurückschlagen ❸ (*put back*) **to ~ back** ⟳ **the clocks** die Uhren zurückstellen; **to ~ back time** (*fig*) die Zeit zurückdrehen ◆**turn down** *vt* ❶ (*reject*) abweisen; *proposal, offer, invitation* ablehnen ❷ (*reduce level*) niedriger stellen; (*make quieter*) leiser stellen ❸ (*fold*) umschlagen; *blanket* zurückschlagen; *collar* herunterschlagen ◆**turn in I.** *vt* ❶ (*give to police etc.*) abgeben ❷ (*submit*) *assignment* einreichen; **to ~ in good results** gute Ergebnisse abliefern ❸ (*fam: to the police*) ■**to ~ sb** ⟳ **in** jdn verpfeifen; **to ~ oneself in to the police** sich der Polizei stellen ❹ (*inwards*) nach innen drehen **II.** *vi* ❶ (*fam: go to bed*) sich in die Falle hauen ❷ (*drive in*) einbiegen ❸ (*inwards*) **his toes ~ in when he walks** er läuft über den großen Onkel *fam* ◆**turn off I.** *vt* ❶ (*switch off*) abschalten; *engine, power* abstellen; *gas* abdrehen; *light* ausmachen; *radio, TV* ausschalten ❷ (*cause to lose interest*) ■**to ~ off sb** jdm die Lust nehmen; (*be sexually unappealing*) jdn abtörnen *sl* **II.** *vi* (*leave one's path*) abbiegen; **to ~ off the path** den Weg verlassen ◆**turn on I.** *vt* ❶ (*switch on*) *air conditioning, computer, radio* einschalten; *gas, heat* aufdrehen; *light* anmachen ❷ (*fam: excite*) anmachen; (*sexually also*) antörnen *sl* ❸ (*start to use*) einschalten; **to ~ on the charm** seinen Charme spielen lassen **II.** *vi* ❶ (*switch on*) einschalten ❷ (*attack*) ■**to ~ on sb** auf jdn losgehen ◆**turn out I.** *vi* ❶ (*work out*) sich entwickeln; **how did it ~ out?** wie ist es gelaufen? *fam* ❷ (*be revealed*) sich herausstellen; **it ~ed out that ...** es stellte sich heraus, dass ... ❸(*come to*) erscheinen ❹(*point*) sich nach außen drehen **II.** *vt* ❶(*switch off*) *radio, TV* ausschalten; *gas* abstellen; *light* ausmachen ❷(*kick out*) [hinaus]werfen *fam;* **to ~ sb out on the street** jdn auf die Straße setzen *fam* ❸(*empty contents*) [aus]leeren; **to ~ out one's pockets** die Taschen umdrehen ❹(*produce*) produzieren ❺(*turn outwards*) **she ~s her feet out** sie läuft nach außen ◆**turn over** **I.** *vi* ❶(*move*) *person* sich umdrehen; *boat* kentern; *car* sich überschlagen ❷(*sell*) laufen ❸(*operate*) *engine* laufen; (*start*) anspringen ❹BRIT (*change TV channel*) umschalten ❺(*feel nauseous*) **at the mere thought of it my stomach ~ed over** schon bei dem Gedanken daran drehte sich mir der Magen um ❻(*in book*) umblättern **II.** *vt* ❶(*move*) umdrehen; *mattress* wenden; *page* umblättern; *soil* umgraben ❷(*delegate responsibility*) ▦**to ~ over** ↻ **sth to sb** jdm etw übertragen ❸(*give*) ▦**to ~ sth** ↻ **over to sb** jdm etw [über]geben ❹(*ponder*) sorgfältig überdenken; **to ~ sth over in one's mind** sich *dat* etw durch den Kopf gehen lassen ▸**to ~ over a new leaf** einen [ganz] neuen Anfang machen ◆**turn up** **I.** *vi* ❶(*show up*) erscheinen ❷(*become available*) sich ergeben; *solution* sich finden ❸(*occur in*) auftreten ❹(*happen*) passieren **II.** *vt* ❶(*increase volume*) aufdrehen; *music* lauter machen; *heat* höher stellen ❷(*hem clothing*) aufnähen ❸(*point to face upwards*) *collar* hochschlagen; *one's palms* nach oben drehen ❹(*find*) finden; **I'll see if I can ~ up something for you** ich schau mal, ob ich etwas für Sie finden kann

'**turn·about** *n* Umschwung *m* '**turn·around** *n no pl* ❶(*improvement*) Wende *f; of health* Besserung *f; of company* Aufschwung *m;* (*sudden reversal*) Kehrtwendung *f* ❷COMM Bearbeitungszeit *f* ❸AVIAT **~ time** Wartezeit *f* (*eines Flugzeugs am Boden zwischen zwei Flügen*) '**turn·coat** *n* Überläufer(in) *m(f)* **turn·er** ['tɜːnə'] *n* Drechsler(in) *m(f)* **turn·ing** ['tɜːnɪŋ] *n* ❶(*road*) Abzweigung *f* ❷*no pl* (*changing direction*) Abbiegen *nt* '**turn·ing point** *n* Wendepunkt *m* **tur·nip** ['tɜːnɪp] *n* [Steck]rübe *f* '**turn-off** ['tɜːnɒf] *n* ❶(*sth unappealing*) Gräuel *nt* ❷(*sth sexually unappealing*) **to be a real ~** abstoßend sein '**turn·out**

['tɜːnaʊt] *n no pl* ❶(*attendance*) Teilnahme *f* (**for** an) ❷POL Wahlbeteiligung *f* '**turn·over** ['tɜːn,əʊvə'] *n* ❶(*rate change in staff*) Fluktuation *f geh* ❷(*volume of business*) Umsatz *m;* **annual ~** Jahresumsatz *m* ❸(*rate of stock movement*) Absatz *m* ❹FOOD **apple ~** Apfeltasche *f* '**turn·pike** *n* AM Mautschranke *f* '**turn·round** *n no pl* BRIT *see* **turnaround** '**turn·stile** *n* SPORTS Drehkreuz *nt* '**turn·ta·ble** *n* ❶TECH, RAIL Drehscheibe *f* ❷(*on record player*) Plattenteller *m* '**turn-up** ['tɜːnʌp] *n esp* BRIT Aufschlag; **trouser ~** Hosenaufschlag *m* ▸**to be a ~ for the book[s]** mal ganz was Neues sein *fam*

tur·pen·tine ['tɜːpˀntaɪn] *n no pl* Terpentin *nt*

tur·pi·tude ['tɜːpɪtjuːd] *n no pl* (*form*) Verworfenheit *f*

turps [tɜːps] *n no pl* (*fam*) *short for* **turpentine** Terpentin *nt*

tur·quoise ['tɜːkwɔɪz] **I.** *n* ❶(*stone*) Türkis *m* ❷(*colour*) Türkis *nt* **II.** *adj* türkis[farben]

tur·ret ['tʌrɪt] *n* [Mauer]turm *m;* MIL **bomber's/ship's ~** Geschützturm *m* eines Bombers/eines Schiffes; **tank's ~** Panzerturm *m*

tur·tle <*pl* - *or* -s> ['tɜːtl] *n* Schildkröte *f* '**tur·tle·dove** *n* Turteltaube *f* '**tur·tle·neck** *n* ❶BRIT Stehkragen *m;* (*pullover*) Stehkragenpullover *m* ❷AM (*polo neck pullover*) Rollkragenpullover *m*

tusk [tʌsk] *n* Stoßzahn *m*

tus·sle ['tʌsl] **I.** *vi* ❶(*scuffle*) sich balgen (**with** mit) ❷(*quarrel*) ▦**to ~ [with sb] over sth** [mit jdm] über etw *akk* streiten **II.** *n* ❶(*struggle*) Rauferei *f* ❷(*quarrel*) Streiterei *f* (**for** um, **over** wegen)

tus·sock ['tʌsək] *n* [Gras]büschel *nt*

tut [tʌt] *interj* (*pej*) **~ ~** na, na!

tu·telage ['tjuːtɪlɪdʒ] *n no pl* (*An*)*leitung f*

tu·tor ['tjuːtə'] **I.** *n* ❶(*giving extra help*) Nachhilfelehrer(in) *m(f)*; (*private teacher*) Privatlehrer(in) *m(f)*; BRIT UNIV (*supervising teacher*) Tutor(in) *m(f)* **II.** *vt* (*in addition to school lessons*) Nachhilfestunden geben; (*private tuition*) Privatunterricht erteilen

tu·to·rial [tjuːˈtɔːriəl] *n* Tutorium *nt geh*

tux·edo [tʌkˈsiːdoʊ] *n* AM (*dinner jacket*) Smoking *m*

TV [ˌtiːˈviː] *n* ❶(*appliance*) *abbrev of* **television** Fernseher *m* ❷*no pl* (*programming*) *abbrev of* **television** Fernsehen *nt*

twad·dle ['twɒdl] *n no pl* (*fam*) Unsinn *m*

twang [twæŋ] **I.** *n no pl* ❶(*sound*) Doing *nt;* **to give sth a ~** an etw *dat* zupfen

❷ LING (*nasal accent*) Näseln *nt* **II.** *vt* zupfen **III.** *vi* einen sirrenden Ton von sich geben

twat [twæt] *n* ❶ ANAT (*vulg: female genitals*) Möse *f* ❷ BRIT, AUS (*pej! vulg: idiot*) Idiot(in) *m(f) pej;* **he's a bloody ~** er ist ein verdammter Idiot

tweak [twiːk] **I.** *vt* ❶ (*pull sharply*) zupfen ❷ (*adjust*) ■**to ~ sth** etw gerade ziehen; **this proposal still needs some ~ing** an diesem Vorschlag muss noch etwas gefeilt werden **II.** *n* Zupfen *nt kein pl*
'**tweak·able** *adj* feinjustierbar

twee [twiː] *adj esp* BRIT (*pej fam*) niedlich

tweed [twiːd] *n* ❶ *no pl* (*cloth*) Tweed *m* ❷ (*clothes*) ■~**s** *pl* Tweedkleidung *f kein pl*

tweedy ['twiːdi] *adj* ❶ (*made of tweed*) Tweed- ❷ (*casually rich*) *elegant im Stil des englischen Landadels*

'**tween·ager,** '**tween·ie** [twiːni] *n* (*fam*) 8 bis 12 Jahre altes Kind

tweet [twiːt] **I.** *vi* piepsen **II.** *n* Piepsen *nt kein pl*

tweet·er ['twiːtəʳ] *n* TECH Hochtonlautsprecher *m*

tweez·ers ['twiːzəz] *npl* Pinzette *f*

twelfth [twelfθ] **I.** *adj* zwölfte(r, s) **II.** *adv* als zwölfte(r, s) **III.** *n* ■**the ~** der/die/das Zwölfte

twelve [twelv] **I.** *adj* zwölf; *see also* **eight** **II.** *n* Zwölf *f;* **the England** ~ SPORTS die England-Zwölf; *see also* **eight**

twen·ti·eth ['twentiɪθ] **I.** *adj* zwanzigste(r, s) **II.** *adv* an zwanzigster Stelle **III.** *n* ■**the ~** der/die/das Zwanzigste

twen·ty ['twenti] **I.** *adj* zwanzig; *see also* **eight** **II.** *n* Zwanzig *f; see also* **eight**

twerp [twɜːp] *n* (*pej sl*) Blödmann *m fam*

twice [twaɪs] **I.** *adv* zweimal; ~ **a day** zweimal täglich **II.** *adj* doppelt

twid·dle ['twɪdl̩] **I.** *vt* [herum]drehen (an); **to ~ one's thumbs** Däumchen drehen **II.** *vi* [herum]drehen (with an) **III.** *n* [Herum]drehen *nt kein pl*

twig[1] [twɪg] *n* ❶ (*of tree*) Zweig *m* ❷ (*skinny person*) Bohnenstange *f*

twig[2] <-gg-> [twɪg] (*fam*) **I.** *vt* kapieren **II.** *vi* ❶ (*understand*) kapieren ❷ (*realize*) ■**to ~ to sth** etw merken

twi·light ['twaɪlaɪt] *n no pl* Dämmerung *f,* Zwielicht *nt;* **the ~ of sb's life** jds Lebensabend

twin [twɪn] **I.** *n* ❶ (*one of two siblings*) Zwilling *m;* (*similar or connected thing*) Pendant *nt geh;* **identical/fraternal ~s** eineiige/zweieiige Zwillinge ❷ (*room*) Zweibettzimmer *nt* **II.** *adj* ❶ (*born at the*

same time) Zwillings- ❷ (*connected*) miteinander verbunden **III.** *vt* <-nn-> ■**to ~ sth** [**with sth**] etw [mit etw *dat*] [partnerschaftlich] verbinden **IV.** *vi* <-nn-> eine Städtepartnerschaft bilden

twin '**bed** *n* Einzelbett *nt* (*eines von zwei gleichen Betten*) **twin** '**broth·er** *n* Zwillingsbruder *m*

twine [twaɪn] **I.** *vi* (*twist around*) ■**to ~ around sth** sich um etw *akk* schlingen; ■**to ~ up sth** sich an etw *dat* hochranken **II.** *vt* ■**to ~ sth together** etw ineinanderschlingen **III.** *n no pl* Schnur *f*

'**twin·en·gined** *adj* zweimotorig

twinge [twɪndʒ] *n* Stechen *nt kein pl;* **a ~ of fear** eine leise Furcht; **a ~ of guilt** ein Anflug *m* eines schlechten Gewissens; **a ~ of pain** ein stechender Schmerz

twin·kle ['twɪŋkl̩] **I.** *vi* funkeln **II.** *n no pl* Funkeln *nt;* **to do sth with a ~ in one's eye** etw mit einem [verschmitzten] Augenzwinkern tun

twin·kling ['twɪŋklɪŋ] **I.** *adj* ❶ *eyes, light, star* funkelnd ❷ *tap dancer* leichtfüßig **II.** *n no pl* kurzer Augenblick ▶ **to do sth in the ~ of an eye** etw im Handumdrehen tun

twin·ning ['twɪnɪŋ] *n no pl* gemeinsame Durchführung

twin '**room** *n* Zweibettzimmer *nt* '**twin·set** *n* BRIT, AUS Twinset *nt* **twin** '**sis·ter** *n* Zwillingsschwester *f* **twin** '**town** *n* BRIT Partnerstadt *f*

twirl [twɜːl] **I.** *vi* wirbeln **II.** *vt* rotieren lassen; (*in dancing*) ■**to ~ sb** jdn [herum]wirbeln **III.** *n* Wirbel *m;* (*in dancing*) Drehung *f;* **give us a ~** dreh dich doch mal

twist [twɪst] **I.** *vt* ❶ (*wind*) [ver]drehen; ■**to ~ sth on/off** etw auf-/zudrehen ❷ (*coil*) herumwickeln (**around** um) ❸ (*sprain*) sich verrenken ❹ (*fig: manipulate*) verdrehen; **don't ~ my words!** dreh mir nicht die Worte im Mund herum! ▶ **to ~ sb's arm** auf jdn Druck ausüben; **to ~ sb** [**a**]**round one's** [**little**] **finger** jdn um den kleinen Finger wickeln **II.** *vi* ❶ (*squirm*) sich winden; **to ~ in pain** *person* sich vor Schmerz krümmen; *face* sich vor Qual/Schmerz verzerren; **to ~ and turn** *road* sich schlängeln ❷ (*dance*) twisten **III.** *n* ❶ (*rotation*) Drehung *f;* **to give sth a ~** etw [herum]drehen ❷ (*sharp bend*) Kurve *f* ❸ (*unexpected change*) Wendung *f;* **a cruel ~ of fate** eine grausame Wendung des Schicksals ❹ (*dance*) ■**the ~** der Twist ▶ **to send sb round the ~** BRIT (*fam*) jdn verrückt machen

twist·ed ['twɪstɪd] *adj* ❶ (*bent and turned*) verdreht; ~ **ankle** gezerrter Knöchel

❷ (*winding*) verschlungen; *path* gewunden ❸ (*perverted*) verdreht

twist·er ['twɪstə'] *n* Tornado *m*

twisty ['twɪsti] *adj* (*fam*) *road* kurvenreich; *path* gewunden

twit [twɪt] *n esp* BRIT (*pej fam*) Trottel *m*

twitch ['twɪtʃ] **I.** *vi* zucken **II.** *vt* ❶ (*jerk*) zucken (mit); **to ~ one's nose** *rabbit* schnuppern ❷ (*tug quickly*) zupfen **III.** *n* <*pl* -es> ❶ (*jerky spasm*) **to have a** [**nervous**] **~** nervöse Zuckungen haben ❷ (*quick tug*) Ruck *m;* **a ~ of the reins** ein rasches Ziehen an den Zügeln

twit·ter ['twɪtə'] **I.** *vi* ❶ (*chirp*) zwitschern ❷ (*talk rapidly*) ■**to ~ away** vor sich hinplappern **II.** *n* Gezwitscher *nt kein pl*

two [tu:] **I.** *adj* zwei; **are you ~ coming over?** kommt ihr zwei 'rüber?; **~** [**o'clock**] zwei [Uhr]; **to break sth in ~** etw entzwei brechen; **to cut sth in ~** etw durchschneiden; **the ~ of you** ihr beide; *see also* **eight** ▶ **to throw in one's ~ cents worth** AM, AUS seinen Senf dazugeben; **~'s company three's a crowd** (*prov*) drei sind einer zu viel; **~ can play at that game** wie du mir, so ich dir *prov;* **to be ~ of a kind** aus dem gleichen Holz geschnitzt sein; **to be in ~ minds** hin- und hergerissen sein; **there are no ~ ways about it** es gibt keine andere Möglichkeit; **to put ~ and ~ together** (*fam*) zwei und zwei zusammenzählen; **it takes ~ to tango** (*prov*) dazu gehören immer zwei **II.** *n* Zwei *f; see also* **eight**

'**two-bit** *adj attr* AM (*pej fam*) billig *pej*

two-di·'men·sion·al *adj* zweidimensional; (*pej*) *character, plot* flach '**two-door I.** *adj attr* AUTO ❶ zweitürig **II.** *n* zweitüriges Auto '**two-edged** *adj* (*also fig*) zweischneidig '**two-faced** *adj* (*pej*) falsch

two·fold ['tu:fəʊld] **I.** *adj* (*double*) zweifach; (*with two parts*) zweiteilig **II.** *adv* (*double*) zweifach; **to increase sth ~** etw verdoppeln

'**two-hand·ed** *adj attr* ❶ (*needing two hands*) **~ backhand** TENNIS, SPORTS beidhändige Rückhand; **~ saw** Zugsäge *f* ❷ (*ambidextrous*) beidhändig '**two-part** *adj attr* zweiteilig '**two-par·ty** '**sys·tem** *n* Zweiparteiensystem *nt* **two·pence** ['tʌp³n(t)s] *n* BRIT zwei Pence; (*fig*) **this thing isn't worth ~** dieses Ding ist keinen Pfifferling wert **two·pen·ny** ['tʌp³ni] *adj attr* BRIT ❶ (*dated: worth two pennies*) **~ piece** Zweipencestück *nt* ❷ (*fam: worthless*) wertlos '**two-phase** *adj attr* ELEC Zweiphasen- '**two-piece** *n* ❶ (*suit*) Zweiteiler *m* ❷ (*bikini*) Bikini *m* **two-'seat·**

er *n* (*car, sofa*) Zweisitzer *m*

two·some ['tu:səm] *n* ❶ (*duo*) Duo *nt;* (*couple*) Paar *nt* ❷ (*dance for two*) Paartanz *m;* (*game for two*) Spiel *nt* für zwei Personen

'**two-stroke** *n* (*car, engine*) Zweitakter *m* '**two-tiered** *adj* (*two levels*) zweistufig; (*pej: two standards*) Zweiklassen- '**two-time I.** *vt* (*fam*) ■**to ~ sb** [**with sb**] jdn [mit jdm] betrügen **II.** *adj* zweifach '**two-way** *adj attr* ❶ (*traffic*) **~ street/tunnel** Straße *f*/Tunnel *m* mit Gegenverkehr ❷ *conversation, process* wechselseitig ❸ ELEC **~ switch** Wechselschalter *m* **two·way** '**ra·dio** *n* Funksprechgerät *nt*

TXT [tekst] *vt* TELEC *short for* **text**: ■**to ~ sth** etw texten

'**TXT mes·sag·ing** *n no pl* TELEC *short for* **text messaging** Versenden *nt* von SMS-Nachrichten

ty·coon [taɪ'ku:n] *n* [Industrie]magnat(in) *m(f)*

tyke [taɪk] *n* ❶ BRIT, AUS (*fam: mischievous child*) Gör *nt oft pej* ❷ AM (*small child*) kleines Kind ❸ (*dog*) Hund *m;* (*mongrel*) Mischling[shund] *m*

tym·pa·num <*pl* -s *or* tympana> ['tɪmp³nəm, *pl* -nə] *n* ❶ ANAT Paukenhöhle *f* im Mittelohr ❷ ARCHIT Tympanon *nt*

type [taɪp] **I.** *n* ❶ (*kind*) Art *f; of hair, skin* Typ *m; of food, vegetable* Sorte *f;* **for all different skin ~s** für jeden Hauttyp ❷ (*character*) Typ *m;* ■**to be one's ~** jds Typ sein *fam;* **quiet/reserved ~** ruhiger/zurückhaltender Typ ❸ TYPO (*lettering*) Schriftart *f;* **italic ~** Kursivschrift *f* **II.** *vt* ❶ (*write with machine*) tippen ❷ (*categorize*) typisieren ❸ (*be example for*) typisch sein (für) **III.** *vi* Maschine schreiben ◆**type out** *vt* tippen ◆**type up** *vt report* erfassen

'**type·cast** *vt irreg, usu passive* FILM, THEAT (*pej*) ■**to be ~** auf eine Rolle festgelegt sein/werden '**type·face** *n no pl* Schrift[art] *f* '**type·script** *n* Maschine geschriebenes Manuskript '**type·set·ter** *n* TYPO ❶ (*machine*) Setzmaschine *f* ❷ (*printer*) [Schrift]setzer(in) *m(f)* '**type·set·ting** TYPO **I.** *n no pl* Setzen *nt* **II.** *adj attr* (*machine, technique*) Satz- '**type·write** *vt irreg* tippen '**type·writ·er** *n* Schreibmaschine *f* '**type·writ·er rib·bon** *n* Farbband *nt* '**type·writ·ten** *adj* Maschine geschrieben

ty·phoid ['taɪfɔɪd], **ty·phoid** '**fe·ver** *n no pl* Typhus *m*

ty·phoon [taɪ'fu:n] *n* Taifun *m*

ty·phus ['taɪfəs] *n no pl* Typhus *m*

typi·cal ['tɪpɪkəl] *adj* typisch; *symptom also* charakteristisch (**of** für)

typi·cal·ly ['tɪpɪkəli] *adv* typisch; ~ , ... normalerweise ...

typi·fy <-ie-> ['tɪpɪfaɪ] *vt* kennzeichnen; (*symbolize*) ein Symbol sein (für)

typ·ing ['taɪpɪŋ] **I.** *n no pl* Tippen *nt* **II.** *adj attr* Tipp-; ~ **error** Tippfehler *m*

typ·ist ['taɪpɪst] *n* Schreibkraft *f*

ty·pog·ra·pher [taɪ'pɒgrəfəʳ] *n* [Schrift]setzer(in) *m(f)*

ty·po·graph·ic(al) [ˌtaɪpə(ʊ)'græfɪkəl] *adj* typografisch

ty·pog·ra·phy [taɪ'pɒgrəfi] *n no pl* Typografie *f*

ty·ran·ni·cal [tɪ'rænɪkəl] *adj* (*pej*) tyrannisch; ~ **regime** Tyrannei *f*

tyr·an·nize ['tɪrənaɪz] *vt* tyrannisieren

tyr·an·ny ['tɪrəni] *n* Tyrannei *f*

ty·rant ['taɪrənt] *n* Tyrann(in) *m(f)*; (*bossy man*) [Haus]tyrann *m pej*; (*bossy woman*) [Haus]drachen *m pej fam*

tyre [taɪəʳ] *n* Reifen *m*; **spare** ~ Ersatzreifen *m*

'tyre gauge *n* Reifendruckmesser *m* **'tyre pres·sure** *n no pl* Reifendruck *m*

Ty·rol [tɪ'rəʊl] *n no pl* GEOG ■ **the** ~ Tirol *nt*

tzar [zɑːʳ] *n see* **tsar**

'T-zone *n* T-Zone *f*

U u

U <pl -'s or -s>, **u** <pl -'s> [juː] n ❶ (letter) U nt; see also **A 1** ❷ (sl: you) du
U¹ [juː] n ❶ BRIT (for general audience) jugendfrei ❷ CHEM see **uranium** U nt
U² [juː] AM, AUS (fam) abbrev of **university** Uni f
UAE [juːeɪˈiː] n abbrev of **United Arab Emirates** VAE
ubiqui·tous [juːˈbɪkwɪtəs] adj allgegenwärtig
ubiquity [juːˈbɪkwɪti] n no pl (form) Allgegenwart f
U-boat [ˈjuːbəʊt] n U-Boot nt
ud·der [ˈʌdər] n Euter nt
UDI [juːdiːˈaɪ] n abbrev of **unilateral declaration of independence** einseitige Unabhängigkeitserklärung
UEFA [juːˈeɪfə] n no pl, + sing/pl vb SPORTS acr for **Union of European Football Associations** UEFA f
UFO [juːeˈfəʊ] n <pl s or -'s> abbrev of **unidentified flying object** UFO nt
Ugan·da [juːˈgændə] n Uganda nt
Ugan·dan [juːˈgændən] I. n Ugander(in) m(f) II. adj ugandisch
ugh [ʊg, ʊh] interj (fam) igitt!
ugli·ness [ˈʌglɪnəs] n no pl Hässlichkeit f; (fig also) Scheußlichkeit f
ugly [ˈʌgli] adj ❶ (not attractive) hässlich; **to be ~ as sin** hässlich wie die Nacht sein; **to feel/look ~** sich hässlich fühlen/hässlich aussehen ❷ (unpleasant) scene hässlich; weather scheußlich; rumours übel; mood unerfreulich; look böse; thought schrecklich; **the ~ truth** die unangenehme Wahrheit; (terrible) die schreckliche Wahrheit; **to turn ~** eine üble Wendung nehmen
UHF [juːeɪtʃˈef] n abbrev of **ultrahigh frequency** UHF
UHT [juːeɪtʃˈtiː] adj abbrev of **ultra-heat-treated: ~ milk** H-Milch f
UK [juːˈkeɪ] n abbrev of **United Kingdom:** ■ **the ~** das Vereinigte Königreich
Ukraine [juːˈkreɪn] n ■ **the ~** die Ukraine
Ukrain·ian [juːˈkreɪniən] I. n ❶ (person) Ukrainer(in) m(f) ❷ (language) Ukrainisch nt II. adj ukrainisch
uku·lele [juːkəˈleɪli] n Ukulele f
ul·cer [ˈʌlsər] n MED Geschwür nt; **stomach ~** Magengeschwür nt ❷ (blemish) Schandfleck m, Makel m
ul·cer·ate [ˈʌlsəreɪt] vi ulzerieren fachspr
ul·cer·ous [ˈʌlsərəs] adj geschwürig

ul·lage [ˈʌlɪdʒ] n no pl die Menge, die in einem Flüssigkeitsbehälter bis zum Gefülltsein fehlt; (liquid loss) Flüssigkeitsschwund m; (in brewery) Restbier nt
ulna <pl -nae or -s> [ˈʌlnə, pl -niː] n Elle f
Ul·ster [ˈʌlstər, AM -stər] n no pl Nordirland nt, Ulster nt
ul·te·ri·or [ʌlˈtɪəriər] adj ❶ (secret) versteckt; **~ measures** geheime Maßnahmen; **~ motive** Hintergedanke m ❷ (form: subsequent) weitere(r, s); (coming later) spätere(r, s) ❸ (form: beyond scope) ■ **to be ~ to sth** für etw akk nicht von Bedeutung sein
ul·ti·mate [ˈʌltɪmət] I. adj attr ❶ (unbeatable) beste(r, s) ❷ (highest degree) höchste(r, s); deterrent, weapon wirksamste(r, s) ❸ (final) letzte(r, s); decision also endgültig; effect eigentlich; **the ~ destination** das Endziel; **the ~ truth** die letzte Wahrheit ❹ (fundamental) grundsätzlich; aim, cause eigentlich; **the ~ problem** das Grundproblem II. n (the best) ■ **the ~** das Nonplusultra; (highest degree) **the ~ in happiness** das größte Glück; **the ~ of bad taste** der Gipfel der Geschmacklosigkeit
ul·ti·mate·ly [ˈʌltɪmətli] adv (in the end) letzten Endes; (eventually) letztlich
ul·ti·ma·tum <pl -ta or -tums> [ʌltɪˈmeɪtəm] n Ultimatum nt; **to give sb an ~** jdm ein Ultimatum stellen
ul·ti·mo [ˈʌltɪməʊ] adj ECON (dated) des vergangenen Monats nach n
ultra·high ˈfre·quen·cy n no pl Ultrahochfrequenz f **ultra·ma·ˈrine** I. adj ultramarin[blau] II. n no pl Ultramarin[blau] nt **ultra·ˈmod·ern** adj hypermodern **ultra-pre·ˈcise** adj äußerst genau **ultra-re·ˈli·able** adj extrem zuverlässig **ultra-ˈshort wave** n Ultrakurzwelle f **ultra·ˈson·ic** adj Ultraschall- **ˈultra·sound** n no pl Ultraschall m **ultra·sound ˈpic·ture** n Ultraschallbild nt **ultra·vio·let** adj ultraviolett; **~ lamp** UV-Lampe f; **~ rays** ultraviolette Strahlen
Ulysses [ˈjuːlɪsiːz] n Odysseus kein art
um·bel [ˈʌmbəl] n Dolde f
um·ber [ˈʌmbər] I. adj umbra[braun] II. n no pl Umbra nt
um·bili·cal [ʌmˈbɪlɪkl] adj attr ❶ MED Nabel- ❷ AEROSP Versorgungs-, Verbindungs-
um·bili·cal ˈcord n ❶ MED, ANAT Nabelschnur f; **to cut the ~** die Nabelschnur durchschneiden ❷ AEROSP Versorgungska-

bel *nt*

um·brage ['ʌmbrɪdʒ] *n no pl* (*form*) Anstoß *m;* **to take ~ at sth** Anstoß an etw *dat* nehmen

um·brel·la [ʌm'brelə] **I.** *n* ❶ (*protection from rain*) Regenschirm *m;* **folding ~** Knirps® *m;* (*sun protection*) Sonnenschirm *m* ❷ (*protection*) Schutz *m;* MIL Jagdschutz *m* **II.** *adj* ❶ *stand, handle* Schirm-; **~ cover** Schirmhülle *f* ❷ POL, ADMIN (*including many elements*) Dach-; **~ fund** FIN Investmentfonds *m*

um·brel·la or·gani·'za·tion *n* Dachorganisation *f*

um·pire ['ʌmpaɪəʳ] **I.** *n* ❶ SPORTS Schiedsrichter(in) *m(f)* ❷ (*arbitrator*) Schlichter(in) *m(f)* **II.** *vt game, match* leiten

ump·teen [ʌm(p)'tiːn] *adj* (*fam*) zig; **to do sth ~ times** etw zigmal tun

ump·teenth [ʌm(p)'tiːnθ] *adj* (*fam*) x-te(r, s)

UN [juː'en] *n abbrev of* **United Nations:** ◼ **the ~** die UN[O]; **ambassador to the ~** UN[O]-Botschafter(in) *m(f);* **the ~ General Assembly** die UN-Vollversammlung; **~ peace-keeping mission** UNO-Friedensmission *f;* **~ Security Council** UN-Sicherheitsrat *m;* **~ troops** UNO-Truppen *pl*

un·abashed [ˌʌnə'bæʃt] *adj* unverschämt

un·abat·ed [ˌʌnə'beɪtɪd] *adj* (*form*) unvermindert

un·able [ʌn'eɪbl̩] *adj* unfähig; **he was ~ to look her in the eye** er konnte ihr nicht in die Augen schauen

un·abridged [ˌʌnə'brɪdʒd] *adj* LIT, PUBL ungekürzt

un·ac·cep·table [ˌʌnək'septəbl̩] *adj* *behaviour, excuse* inakzeptabel; *offer* unannehmbar; *conditions* untragbar; **the ~ face of sth** BRIT, AUS die Kehrseite einer S. *gen*

un·ac·com·pa·nied [ˌʌnə'kʌmpᵊnɪd] *adj* ❶ (*without companion*) ohne Begleitung *nach n, präd; baggage* herrenlos ❷ MUS ohne Begleitung *nach n;* **~ flute** Soloflöte *f*

un·ac·count·able [ˌʌnə'kaʊntəbl̩] *adj* ❶ (*not responsible*) nicht verantwortlich ❷ (*inexplicable*) unerklärlich; **for some ~ reason** aus unerfindlichen Gründen

un·ac·count·ed for [ˌʌnə'kaʊntɪdˌfɔːʳ] *adj* ❶ (*unexplained*) ungeklärt; **~ absence from work** unentschuldigtes Fehlen bei der Arbeit ❷ (*not included in count*) nicht erfasst; (*missing*) fehlend *attr; person* vermisst

un·ac·cus·tomed [ˌʌnə'kʌstəmd] *adj* ❶ (*seldom seen*) selten ❷ (*new*) ungewohnt; **to be ~ to doing sth** es nicht gewohnt sein, etw zu tun

un·ac·knowl·edged [ˌʌnək'nɒlɪdʒd] *adj* unbeachtet; (*unrecognized*) nicht anerkannt; **to remain ~** unbeachtet bleiben

un·ad·dressed [ˌʌnə'drest] *adj* ❶ *envelope* nicht adressiert ❷ *question* unbeantwortet

un·adorned [ˌʌnə'dɔːnd] *adj* (*plain*) schlicht; *story* nicht ausgeschmückt; *beauty* natürlich; *truth* ungeschminkt

un·adul·ter·at·ed [ˌʌnə'dʌltᵊreɪtɪd] *adj* (*absolute*) unverfälscht; *alcohol* rein; **~ nonsense** blanker Unsinn; **the ~ truth** die reine Wahrheit

un·ad·ven·tur·ous [ˌʌnəd'ventʃᵊrəs] *adj* *person* wenig unternehmungslustig; *life* unspektakulär; *style* einfallslos

un·ad·vis·able [ˌʌnəd'vaɪzəbl̩] *adj* nicht empfehlenswert

un·af·fect·ed [ˌʌnə'fektɪd] *adj* ❶ (*unchanged*) unberührt; (*unmoved*) unbeeindruckt; MED nicht angegriffen; (*not influenced*) nicht beeinflusst ❷ (*down to earth*) natürlich; *manner* ungekünstelt; (*sincere*) echt

un·afraid [ˌʌnə'freɪd] *adj* unerschrocken; ◼ **to be ~ of sb/sth** vor jdm/etw *dat* keine Angst haben

un·aid·ed [ʌn'eɪdɪd] *adj* ohne fremde Hilfe *nach n*

un·alike [ˌʌnə'laɪk] *adj* unähnlich

un·al·loyed [ˌʌnə'lɔɪd] *adj* ❶ (*liter: complete*) rein; *pleasure* ungetrübt ❷ *metal* rein

un·al·tered [ʌn'ɔːltəd] *adj* unverändert; **to leave sth ~** etw lassen, wie es ist

un·am·bigu·ous [ˌʌnæm'bɪgjuəs] *adj* unzweideutig; *statement* eindeutig

un·am·bigu·ous·ly [ˌʌnæm'bɪgjuəsli] *adv* eindeutig, unmissverständlich

un·Ameri·can [ˌʌnə'merɪkən] *adj* (*pej*) unamerikanisch; **~ activities** ≈ Landesverrat *m* (*gegen den amerikanischen Staat gerichtete Umtriebe*)

una·nim·ity [juːnə'nɪməti] *n no pl* Einstimmigkeit *f*

unani·mous [juː'nænɪməs] *adj* einstimmig

unani·mous·ly [juː'nænɪməsli] *adv* einstimmig; ◼ **to be ~ for/against sth** einstimmig für/gegen etw *akk* sein

un·an·nounced [ˌʌnə'naʊn(t)st] **I.** *adj* ❶ (*without warning*) unangekündigt; (*unexpected*) unerwartet; **~ visitor** unerwarteter Gast; (*not wanted*) ungebetener Gast ❷ (*not made known*) unangekündigt **II.** *adv* unangemeldet; (*unexpected*) unerwartet

un·an·swer·able [ʌnˈɑːn(t)sᵊrəbl̩] *adj* ❶ (*without an answer*) unbeantwortbar; ■ **to be ~** nicht zu beantworten sein ❷ (*form: irrefutable*) unwiderlegbar; *proof* eindeutig

un·an·swered [ʌnˈɑːn(t)sᵊd] *adj* unbeantwortet

un·ap·pe·tiz·ing [ʌnˈæpətaɪzɪŋ] *adj* unappetitlich

un·ap·proach·able [ˌʌnəˈprəʊtʃəbl̩] *adj* unzugänglich; *person also* unnahbar

un·armed [ʌnˈɑːmd] *adj* (*without weapons*) unbewaffnet; (*not prepared*) unvorbereitet

un·ashamed [ˌʌnəˈʃeɪmd] *adj* schamlos; *attitude* unverhohlen; ■ **to be ~ of sth** sich einer S. *gen* überhaupt nicht schämen

un·asked [ʌnˈɑːskt] **I.** *adj* ❶ (*not questioned*) ungefragt; **an ~ question** eine Frage, die keiner zu stellen wagt ❷ (*not requested*) **~ -for** ungebeten **II.** *adv* ❶ (*spontaneously*) spontan ❷ (*unwanted*) ungebeten

un·as·sign·able [ˌʌnəˈsaɪnəbl̩] *adj* LAW nicht übertragbar

un·as·sum·ing [ˌʌnəˈsjuːmɪŋ] *adj* (*approv*) bescheiden

un·at·tached [ˌʌnəˈtætʃt] *adj* ❶ (*not connected*) einzeln ❷ (*independent*) unabhängig ❸ (*not in relationship*) ungebunden

un·at·tain·able [ˌʌnəˈteɪnəbl̩] *adj* unerreichbar; **an ~ dream** ein ferner Traum

un·at·tend·ed [ˌʌnəˈtendɪd] *adj* ❶ (*alone*) unbegleitet; *child, baggage* unbeaufsichtigt; **to leave sth/sb ~** etw/jdn allein lassen ❷ (*not taken care of*) unerledigt; (*unmanned*) nicht besetzt; **to go ~** *patient, wound* unbehandelt bleiben

un·at·trac·tive [ˌʌnəˈtræktɪv] *adj* unattraktiv; *place also* ohne Reiz *nach n, präd; personality* wenig anziehend

un·author·ized [ʌnˈɔːθᵊraɪzd] *adj* nicht autorisiert; *person* unbefugt *attr;* **to obtain ~ access to sth** sich unbefugt Zugang zu etw *dat* verschaffen

un·avail·able [ˌʌnəˈveɪləbl̩] *adj* ❶ (*not in*) nicht verfügbar; *person* nicht erreichbar; (*busy*) nicht zu sprechen ❷ (*not for the public*) [der Öffentlichkeit] nicht zugänglich ❸ (*in relationship*) ■ **to be ~** vergeben sein

un·avail·ing [ˌʌnəˈveɪlɪŋ] *adj* (*liter*) vergeblich

un·avoid·able [ˌʌnəˈvɔɪdəbl̩] *adj* unvermeidlich

un·aware [ˌʌnəˈweə̯] *adj* ■ **to be/be not ~ of sth** sich *dat* einer S. *gen* nicht/durchaus bewusst sein

un·awares [ˌʌnəˈweəz] *adv* unerwartet; **to catch sb ~** jdn überraschen

un·bal·anced [ʌnˈbælən(t)st] *adj* ❶ (*uneven*) schief; *account* nicht ausgeglichen; *economy* unausgeglichen, JOURN einseitig; *diet* unausgewogen ❷ (*unstable*) labil; **mentally ~** psychisch labil

un·bar <-rr-> [ʌnˈbɑː̯] *vt* entriegeln

un·bear·able [ʌnˈbeərəbl̩] *adj* unerträglich

un·bear·ably [ʌnˈbeərəbli] *adv* unerträglich; **~ sad** unsäglich traurig

un·beat·able [ʌnˈbiːtəbl̩] *adj* (*approv*) ❶ (*sure to win*) unschlagbar; *army* unbesiegbar ❷ (*perfect*) unübertrefflich; *value, quality* unübertroffen

un·beat·en [ʌnˈbiːtᵊn] *adj* ungeschlagen; *army* unbesiegt

un·be·com·ing [ˌʌnbɪˈkʌmɪŋ] *adj* ❶ (*not flattering*) unvorteilhaft ❷ *behaviour* unschön; (*unseemly*) unschicklich

un·be·known [ˌʌnbɪˈnəʊn], **un·be·knownst** [ˌʌnbɪˈnəʊnst] *adv* (*form*) ■ **~ to sb** ohne jds Wissen; **~ to anyone he was leading a double life** kein Mensch ahnte, dass er ein Doppelleben führte

un·be·lief [ˌʌnbɪˈliːf] *n no pl* ❶ (*surprise and shock*) Ungläubigkeit *f* ❷ (*faithlessness*) Unglaube *m*

un·be·liev·able [ˌʌnbɪˈliːvəbl̩] *adj* ❶ (*surprising*) unglaublich ❷ (*fam: extraordinary*) sagenhaft

un·be·liev·ably [ˌʌnbɪˈliːvəbli] *adv* unglaublich

un·be·liev·er [ˌʌnbɪˈliːvə̯] *n* Ungläubige(r) *f(m)*

un·be·liev·ing [ˌʌnbɪˈliːvɪŋ] *adj* ungläubig

un·bend [ʌnˈbend] **I.** *vt* <-bent, -bent> strecken; *wire* gerade biegen **II.** *vi* <-bent, -bent> ❶ (*straighten out*) [wieder] gerade werden; *person* sich aufrichten ❷ (*relax*) sich entspannen; (*become less reserved*) auftauen

un·bend·ing [ʌnˈbendɪŋ] *adj* (*form*) unnachgiebig; *will* unbeugsam

un·bi·as(s)ed [ʌnˈbaɪəst] *adj* unparteiisch; *judge* nicht befangen; *opinion, report* objektiv

un·bid·den [ʌnˈbɪdᵊn] *adj, adv* (*liter*) ungebeten

un·bind <-bound, -bound> [ʌnˈbaɪnd] *vt* losbinden

un·bleached [ʌnˈbliːtʃt] *adj* ungebleicht

un·blink·ing [ʌnˈblɪŋkɪn] *adj gaze* starr

un·block [ʌnˈblɒk] *vt* ■ **to ~ sth** *pipe* etw wieder durchlässig machen

un·blush·ing [ʌnˈblʌʃɪŋ] *adj* schamlos

un·bolt [ʌn'bəʊlt] *vt* entriegeln

un·born [ʌn'bɔːn] *adj* ❶ (*not yet born*) ungeboren ❷ (*future*) künftig; ~ **generations** kommende Generationen **II.** *n* ■ **the ~** *pl* ungeborene Kinder

un·bos·om [ʌn'bʊzəm] *vt* (*old*) ❶ (*reveal*) enthüllen ❷ (*confide in*) ■ **to ~ oneself to sb** jdm sein Herz ausschütten

un·bound·ed [ʌn'baʊndɪd] *adj* grenzenlos; *ambition* maßlos; *hope* unbegrenzt

un·bowed [ʌn'baʊd] *adj pred* ❶ (*erect*) erhoben ❷ (*not submitting*) ungebrochen

un·break·able [ʌn'breɪkəbl] *adj* (*unable to be broken*) unzerbrechlich; *code* nicht zu knacken; *habit* fest verankert; *promise* bindend; *record* nicht zu brechen; *rule* unumstößlich; *silence* undurchdringlich

un·brib·able [ʌn'braɪbəbl] *adj* unbestechlich

un·bri·dled [ʌn'braɪd|d] *adj* ❶ (*unrestrained*) ohne Zügel ❷ (*form or liter: not controlled*) ungezügelt; *ambition, greed* hemmungslos; *passion* zügellos

un·Brit·ish [ʌn'brɪtɪʃ] *adj* unbritisch

un·brok·en [ʌn'brəʊkᵊn] *adj* ❶ (*not broken*) unbeschädigt; *spirit* ungebrochen; **an ~ promise** ein gehaltenes Versprechen ❷ (*continuous*) stetig; *peace* beständig; **an ~ night's sleep** ein ungestörter Schlaf ❸ *record* ungebrochen ❹ (*not tamed*) **an ~ horse** ein nicht zugerittenes Pferd

un·buck·le [ʌn'bʌkl] *vt* aufschnallen; *seatbelt* öffnen

un·bur·den [ʌn'bɜːdᵊn] *vt* ❶ (*unload*) ■ **to ~ an animal/sb** einem Tier/jdm die Lasten abnehmen ❷ (*fig*) ■ **to ~ oneself** [**of sth**] sich [von etw *dat*] befreien; ■ **to ~ oneself** [**to sb**] [jdm] sein Herz ausschütten; **to ~ one's sorrows** seine Sorgen abladen

un·busi·ness·like [ʌn'bɪznɪslaɪk] *adj* unprofessionell

un·but·ton [ʌn'bʌtᵊn] *vt, vi* aufknöpfen

un·'called for *adj pred,* **un·'called-for** [ʌn'kɔːldfɔːʳ] *adj attr* unnötig; **an ~ remark** eine unpassende Bemerkung

un·can·ny [ʌn'kæni] *adj* unheimlich; **an ~ knack** eine außergewöhnliche Fähigkeit; **an ~ likeness** eine unglaubliche Ähnlichkeit

un·cared for *adj pred,* **un·cared-for** [ʌn'keədfɔːʳ] *adj attr* ungepflegt

un·car·pet·ed [ʌn'kɑːpɪtɪd] *adj* nicht mit Teppich ausgelegt

un·ceas·ing [ʌn'siːsɪŋ] *adj* (*form*) unaufhörlich; ~ **efforts/support** unablässige Anstrengungen/Unterstützung

un·cer·emo·ni·ous [ʌnˌserɪ'məʊniəs] *adj* ❶ (*abrupt*) rüde *pej;* **an ~ refusal** eine unsanfte Abfuhr ❷ (*informal*) locker

un·cer·tain [ʌn'sɜːtᵊn] *adj* ❶ (*unsure*) unsicher; ■ **to be ~ of sth** sich *dat* einer S. *gen* nicht sicher sein; ■ **to be ~ whether/when/why/what ...** nicht sicher sein, ob/wann/warum/was ...; **in no ~ terms** klar und deutlich ❷ (*unpredictable*) ungewiss; **an ~ future** eine ungewisse Zukunft ❸ (*volatile*) unstet; **an ~ temper** ein launenhaftes Gemüt

un·cer·tain·ty [ʌn'sɜːtᵊnti] *n* ❶ (*unpredictability*) Unbeständigkeit *f* ❷ *no pl* (*doubtfulness*) Ungewissheit *f,* Zweifel *m* (**about** über) ❸ *no pl* (*hesitancy*) Unsicherheit *f*

un·chal·lenged [ʌn'tʃælɪndʒd] *adj* unangefochten; (*not opposed*) unwidersprochen; **to go ~** unangefochten bleiben; **to pass ~** MIL passieren, ohne angehalten zu werden

un·changed [ʌn'tʃeɪndʒd] *adj* ❶ (*unaltered*) unverändert ❷ (*not replaced*) nicht [aus]gewechselt

un·chang·ing [ʌn'tʃeɪndʒɪŋ] *adj* unveränderlich, gleich bleibend

un·char·ac·ter·is·tic [ʌnkærəktᵊr'ɪstɪk] *adj* untypisch (**of** für)

un·chari·table [ʌn'tʃærɪtəbl] *adj* ❶ (*severe*) unbarmherzig ❷ (*unkind*) unfair; ■ **to be ~** [**of sb**] **to do sth** gemein [von jdm] sein, etw zu tun

un·checked [ʌn'tʃekt] *adj* ❶ (*unrestrained*) unkontrolliert; ~ **passion/violence** hemmungslose Leidenschaft/Gewalt; **to continue ~** ungehindert weitergehen ❷ (*not examined*) ungeprüft ❸ *ticket* nicht kontrolliert

un·chris·tian [ʌn'krɪstʃən] *adj* unchristlich

un·civ·il [ʌn'sɪvᵊl] *adj* unhöflich

un·clad [ʌn'klæd] *adj* (*form*) unbekleidet

un·claimed [ʌn'kleɪmd] *adj winnings* nicht beansprucht; *letter, baggage* nicht abgeholt

un·clasp [ʌn'klɑːsp] *vt* ■ **to ~ sth** etw öffnen; **to ~ sb's hand** jds Hand lösen

un·clas·si·fied [ʌn'klæsɪfaɪd] *adj* ❶ (*not ordered or arranged*) nicht klassifiziert ❷ (*not secret*) nicht geheim

un·cle ['ʌŋkl] *n* Onkel *m*

un·clean [ʌn'kliːn] *adj* ❶ (*unhygienic*) verunreinigt ❷ (*form: taboo*) unrein ❸ (*impure*) schmutzig

un·clear [ʌn'klɪəʳ] *adj* ❶ (*not certain*) unklar; ■ **to be ~ about sth** in Bezug auf etw *akk* nicht sicher sein ❷ (*vague*) vage; **an ~ statement** eine unklare Aussage

un·clut·tered [ʌn'klʌtəd] *adj* ❶ (*tidy*) aufgeräumt ❷ (*fig*) **an ~ mind** ein freier Kopf

U

un·col·lect·ed [ˌʌnkəˈlektɪd] *adj* ❶ *fare, tax* nicht erhoben ❷ *baggage, mail* nicht abgeholt ❸ LIT nicht in den gesammelten Werken enthalten

un·com·fort·able [ʌnˈkʌm(p)ftəbḷ] *adj* ❶ (*causing discomfort*) unbequem ❷ (*ill at ease*) **to feel ~** sich unwohl fühlen ❸ (*uneasy, awkward*) unbehaglich; **an ~ silence** eine gespannte Stille; **an ~ situation/predicament** eine missliche Situation/Lage

un·com·mit·ted [ˌʌnkəˈmɪtɪd] *adj* ❶ (*undecided*) unentschieden ❷ (*not dedicated*) **to be ~ to a cause/relationship** einer Sache/Beziehung halbherzig gegenüberstehen

un·com·mon [ʌnˈkɒmən] *adj* ❶ (*rare*) selten; *name also* ungewöhnlich ❷ (*dated form: exceptional*) außergewöhnlich; **with ~ interest** mit ungeteiltem Interesse

un·com·mon·ly [ʌnˈkɒmənli] *adv* ❶ (*unusually*) ungewöhnlich ❷ (*exceptionally*) äußerst

un·com·mu·ni·ca·tive [ˌʌnkəˈmjuːnɪkətɪv] *adj* verschlossen; ▪ **to be ~ about sth/sb** wenig über etw *akk*/ jdn sprechen

un·com·pre·hend·ing [ˌʌnkɒmprɪˈhendɪŋ] *adj* verständnislos

un·com·pro·mis·ing [ʌnˈkɒmprəmaɪzɪŋ] *adj* kompromisslos; **to take an ~ stand** eindeutig Stellung beziehen

un·con·cerned [ˌʌnkənˈsɜːnd] *adj* ❶ (*not worried*) unbekümmert; ▪ **to be ~ about sth/sb** sich *dat* keine Sorgen über etw *akk*/jdn machen ❷ (*indifferent*) desinteressiert; ▪ **to be ~ with sth/sb** nicht an etw *dat*/jdm interessiert sein

un·con·di·tion·al [ˌʌnkənˈdɪʃᵊnḷ] *adj* bedingungslos; *love also* rückhaltlos

un·con·di·tion·al·ly [ˌʌnkənˈdɪʃᵊnᵊli] *adv* bedingungslos, vorbehaltlos

un·con·firmed [ˌʌnkənˈfɜːmd] *adj* unbestätigt

un·con·gen·ial [ˌʌnkənˈdʒiːniəl] *adj* ❶ *person* unsympathisch ❷ (*unpleasant*) unangenehm; *climate* unwirtlich; **~ conditions** wenig zusagende Bedingungen

un·con·nec·ted [ˌʌnkəˈnektɪd] *adj* unzusammenhängend

un·con·scion·able [ʌnˈkɒn(t)ʃᵊnəbḷ] *adj* (*form*) unzumutbar

un·con·scious [ʌnˈkɒn(t)ʃəs] **I.** *adj* ❶ MED bewusstlos; **~ state** Bewusstlosigkeit *f*; **to knock sb ~** jdn bewusstlos schlagen ❷ PSYCH unbewusst; **the ~ mind** das Unterbewusste ❸ (*unaware*) unabsichtlich; ▪ **to be ~ of sth** sich *dat* einer S. *gen* nicht bewusst sein **II.** *n no pl* PSYCH ▪ **the ~** das Unterbewusstsein

un·con·scious·ly [ʌnˈkɒn(t)ʃəsli] *adv* unbewusst

un·con·scious·ness [ʌnˈkɒn(t)ʃəsnəs] *n no pl* ❶ MED Bewusstlosigkeit *f* ❷ (*unawareness*) Unbewusstheit *f*

un·con·si·dered [ˌʌnkənˈsɪdəd] *adj* unüberlegt

un·con·sti·tu·tion·al [ʌnˌkɒn(t)stɪˈtjuːʃᵊnᵊl] *adj* verfassungswidrig

un·con·sum·mat·ed [ʌnˌkɒn(t)səmeɪtɪd] *adj* nicht umgesetzt; *marriage* nicht vollzogen

un·con·test·ed [ˌʌnkənˈtestɪd] *adj* ❶ (*unchallenged*) unbestritten; **an ~ claim** ein unstreitiger Anspruch ❷ LAW unangefochten; **an ~ divorce** eine einvernehmliche Scheidung

un·con·trol·lable [ˌʌnkənˈtrəʊləbḷ] *adj* unkontrollierbar; *bleeding, urge* unstillbar; *child* unzähmbar

un·con·trolled [ˌʌnkənˈtrəʊld] *adj* unkontrolliert; *children, dogs* unbeaufsichtigt; **~ aggression** unbeherrschte Aggressivität

un·con·tro·ver·sial [ʌnˌkɒntrəˈvɜːʃᵊl] *adj* unumstritten

un·con·ven·tion·al [ˌʌnkənˈven(t)ʃᵊnᵊl] *adj* unkonventionell; **~ weapons** (*euph*) Atomwaffen *pl*

un·con·vinced [ˌʌnkənˈvɪn(t)st] *adj* nicht überzeugt (**of** von)

un·con·vinc·ing [ˌʌnkənˈvɪn(t)sɪŋ] *adj* ❶ (*not persuasive*) nicht überzeugend; **rather ~** wenig überzeugend ❷ (*not credible*) unglaubwürdig

un·cooked [ʌnˈkʊkt] *adj* roh

un·co·opera·tive [ˌʌnkəʊˈɒpᵊrətɪv] *adj* unkooperativ

un·cork [ʌnˈkɔːk] *vt* ❶ *bottle* entkorken ❷ (*let out*) **to ~ one's feelings** aus sich *dat* herausgehen

un·cor·robo·rat·ed [ˌʌnkəˈrɒbᵊreɪtɪd] *adj* unbestätigt

un·count·able [ʌnˈkaʊntəbḷ] *adj* (*not countable*) unzählbar; **an ~ noun** ein unzählbares Hauptwort; (*countless*) zahllos; **an ~ number of people** unzählige Menschen

un·cou·ple [ʌnˈkʌpḷ] *vt* ❶ MECH abkuppeln (**from** von) ❷ (*fig*) trennen

un·couth [ʌnˈkuːθ] *adj* ungehobelt

un·cov·er [ʌnˈkʌvə] *vt* ❶ (*lay bare*) freilegen; **to ~ a wound** den Verband von einer Wunde nehmen ❷ (*disclose*) entdecken; **to ~ a scandal/secret** einen Skandal/ein Geheimnis aufdecken

un·cov·ered *adj* **~ cheque** BRIT ungedeckter Scheck

un·criti·cal [ʌn'krɪtɪkᵊl] *adj* unkritisch; ■**to be ~ of sth/sb** gegenüber etw *dat*/ jdm eine unkritische Einstellung haben

un·criti·cal·ly [ʌn'krɪtɪkᵊli] *adv* unkritisch

un·crowned [ʌn'kraʊnd] *adj* (*also fig*) ungekrönt

unc·tion ['ʌŋkʃᵊn] *n* REL Salbung *f;* **extreme ~** letzte Ölung

unc·tu·ous ['ʌŋktjuəs] *adj* (*pej form: obsequious*) salbungsvoll

unc·tu·ous·ness ['ʌŋktjuəsnəs] *n* (*form*) salbungsvolles Gehabe

un·cut [ʌn'kʌt] *adj* ❶ (*not cut*) ungeschnitten; *drugs* unverschnitten; *diamond* ungeschliffen ❷ (*not shortened*) ungekürzt

un·dam·aged [ʌn'dæmɪdʒd] *adj* unbeschädigt, unversehrt

un·dat·ed [ʌn'deɪtɪd] *adj* undatiert

un·daunt·ed [ʌn'dɔːntɪd] *adj usu pred* unerschrocken; **to remain ~** unverzagt bleiben

un·de·ceive [ˌʌndɪ'siːv] *vt* (*liter*) ■**to ~ sb [of sth]** jdn [über etw *akk*] aufklären

un·de·cid·ed [ˌʌndɪ'saɪdɪd] *adj* ❶ (*hesitant*) unentschlossen; ■**to be ~ about sth** sich *dat* über etw *akk* [noch] unklar sein ❷ (*not settled*) offen; **an ~ vote** eine unentschiedene Abstimmung

un·de·clared [ˌʌndɪ'kleəd] *adj* ❶ FIN nicht deklariert ❷ (*not official*) nicht erklärt; **an ~ war** ein Krieg *m* ohne Kriegserklärung

un·de·fined [ˌʌndɪ'faɪnd] *adj* ❶ (*not defined*) unbestimmt ❷ (*lacking clarity*) vage

un·de·liv·er·able [ˌʌndɪ'lɪvᵊrəbl] *adj* unzustellbar

un·de·liv·ered [ˌʌndɪ'lɪvəd] *adj* nicht zugestellt

un·de·mand·ing [ˌʌndɪ'mɑːndɪŋ] *adj* anspruchslos

un·demo·crat·ic [ˌʌndeməˈkrætɪk] *adj* undemokratisch

un·de·mon·stra·tive [ˌʌndɪ'mɒn(t)strə-tɪv] *adj* zurückhaltend

un·de·ni·able [ˌʌndɪ'naɪəbl] *adj* unbestritten; **~ evidence** eindeutiger Beweis

un·de·ni·ably [ˌʌndɪ'naɪəbli] *adv* unbestreitbar

un·der ['ʌndə'] **I.** *prep* ❶ (*below*) unter +*dat; with verbs of motion* unter +*akk;* **he walked ~ the bridge** er lief unter die Brücke; **he stood ~ a bridge** er stand unter einer Brücke; **~ water/the surface** unter Wasser/der Oberfläche ❷ (*supporting*) unter +*dat;* **to break ~ the weight** unter dem Gewicht zusammenbrechen ❸ (*less than*) unter +*dat;* **to cost ~ £5** weniger als

fünf Pfund kosten; **those ~ the age of 30** diejenigen, die jünger sind als 30 ❹ (*governed by*) unter +*dat;* **~ the supervision of sb** unter jds Aufsicht; **they are ~ strict orders** sie haben strenge Anweisungen; **to be ~ sb's influence** unter jds Einfluss stehen ❺ (*in condition/state of*) unter +*dat;* **~ arrest/oath/pressure/suspicion** unter Arrest/Eid/Druck/Verdacht; **~ repair** in Reparatur; **~ [no] circumstances** unter [keinen] Umständen ❻ (*in accordance to*) gemäß +*dat* ❼ (*referred to as*) unter +*dat;* **to write ~ a pseudonym** unter einem Pseudonym schreiben ❽ (*in category of*) unter +*dat* ▸ [*already*] **~ way** [bereits] im Gange; **to get ~ way** anfangen **II.** *adv* ❶ (*sink*) **to go ~** untergehen; *company* Pleite machen ❷ (*below specified age*) **suitable for kids of five and ~** geeignet für Kinder von fünf Jahren und darunter ▸ **to get out from ~** sich aufrappeln **III.** *adj pred* ■**to be ~** unter Narkose stehen

under·a'chieve *vi* weniger leisten als erwartet **under·'act I.** *vi* [in einer Rolle] zu verhalten spielen **II.** *vt* ■**to ~ sth** etw zu schwach wiedergeben **under·'age** *adj* minderjährig; **~ drinking** der Genuss von Alkohol durch Minderjährige **under·'bid** <-bid, -bid> **I.** *vi* ein zu niedriges Angebot machen **II.** *vt* unterbieten **under·'capi·tal·ized** *adj* FIN mit zu geringer Kapitalausstattung *nach n;* ■**to be ~** zu wenig Kapital haben **'under·car·riage** *n usu sing* AVIAT Fahrwerk *nt* **under·'charge** *vt, vi* zu wenig berechnen **'under·clothes** *npl,* **'under·cloth·ing** *n no pl* (*form*) Unterwäsche *f* **'under·coat** *n* ❶ *no pl* (*paint*) Grundierung *f* ❷ (*fur*) Wollhaarkleid *nt* **'under·cov·er I.** *adj attr* geheim; *detective* verdeckt; **~ police officer** Geheimpolizist(in) *m(f)* **II.** *adv* geheim **'under·cur·rent** *n* ❶ (*of sea, river*) Unterströmung *f* ❷ (*fig*) Unterton *m* **under·'cut** <-cut, -cut> *vt* ❶ (*charge less*) unterbieten ❷ (*undermine*) untergraben **under·de·'vel·oped** *adj* unterentwickelt; **~ country** Entwicklungsland *nt;* **an ~ resource** ein unzureichend ausgebeuteter Rohstoff **'under·dog** *n* Außenseiter(in) *m(f);* **societal ~** Außenseiter(in) *m(f)* der Gesellschaft; **to side with the ~** den Außenseiter/die Außenseiterin unterstützen **under·'done** *adj* (*undercooked*) nicht gar; *meat* blutig **under·em·'ployed** *adj* ❶ *person* unterbeschäftigt ❷ *thing* ■**to be ~** nicht voll genutzt werden **under·e'quipped** *adj* unzureichend ausgerüstet **under·'es·ti·mate I.** *vt* unterschätzen

II. *vi* eine zu geringe Schätzung abgeben **III.** *n* Unterbewertung *f* **under·ex·'pose** *vt* PHOT unterbelichten **under·ex·'po·sure** *n no pl* PHOT Unterbelichtung *f* **under·'fed** *adj* unterernährt **'under·felt** *n no pl* BRIT Filzunterlage *f* **'under·floor** *adj esp* BRIT Unterboden-; ~ **heating** Fußbodenheizung *f* **under·'foot** *adv* unter den Füßen; **it was very muddy** ~ der Weg war sehr schlammig; **to trample sb/sth** ~ jdn/etw mit Füßen treten **under·'fund** *vt* unterfinanzieren **under·'fund·ing** *n no pl* Unterfinanzierung *f* **'under·gar·ment** *n* Unterbekleidung *f*

under·'go <-went, -gone> *vt* **to** ~ **a change** eine Veränderung durchmachen; **to** ~ **surgery** sich einer Operation unterziehen

under·'gradu·ate *n* Student(in) *m(f)* **'under·ground I.** *adj* ❶ GEOG unterirdisch; ~ **cable** Erdkabel *nt* ❷ POL Untergrund-; ~ **movement** Untergrundbewegung *f* ❸ *attr* RAIL U-Bahn-; ~ **station** U-Bahn-Station *f* **II.** *adv* ❶ GEOG unter der Erde ❷ POL **to go** ~ in den Untergrund gehen **III.** *n* ❶ *no pl esp* BRIT RAIL U-Bahn *f;* ■**by** ~ mit der U-Bahn ❷ POL ■**the** ~ der Untergrund, die Untergrundbewegung **under·ground 'rail·way** *n* Untergrundbahn *f* **'under·growth** *n no pl* Dickicht *nt;* **dense** ~ dichtes Gestrüpp **'under·hand I.** *adj* ❶ BRIT (*devious*) hinterhältig; ~ **dealings** betrügerische Machenschaften ❷ AM *service* mit der Hand von unten *nach n* **II.** *adv* AM SPORTS mit der Hand von unten **under·in·'sure** *vt* unterversichern **'under·lay I.** *n no pl* BRIT, AUS Unterlage *f* **II.** *vt pt of* **underlie under·'lie** <-y-, -lay, -lain> *vt* zugrunde liegen **under·'line** *vt* ❶ (*draw a line beneath*) unterstreichen; **to** ~ **sth in red** etw rot unterstreichen ❷ (*emphasize*) betonen

under·ling ['ʌndəˡlɪŋ] *n* Handlanger *m pej* **under·'ly·ing** *adj attr* ❶ GEOG tiefer liegend ❷ (*real, basic*) zugrunde liegend; **the** ~ **reason for sth** der Grund für etw *akk* **under·'manned** *adj* unterbesetzt **under·'man·ning** *n no pl* Unterbesetzung *f* **'under·men·tioned** *adj attr esp* BRIT (*form*) unten genannt

under·'mine *vt* ❶ (*tunnel under*) untertunneln; *river bank* unterhöhlen ❷ (*weaken*) untergraben; *currency, confidence* schwächen; *health* schädigen; *hopes* zunichtemachen **under·most** ['ʌndəməʊst] *adj* ■**the** ~ ... der/die/das unterste ... **under·neath** [ˌʌndə'niːθ] **I.** *prep* unter

+*dat; with verbs of motion* unter +*akk* **II.** *adv* darunter **III.** *n no pl* ■**the** ~ die Unterseite **IV.** *adj* untere(r, s)

under·'nour·ished *adj* unterernährt **under·'paid** *adj* unterbezahlt **'under·pants** *npl* Unterhose *f* **'under·pass** <*pl* -es> *n* Unterführung *f* **under·'pay** <-paid, -paid> *vt usu passive* unterbezahlen **under·per·'form I.** *vi* eine [unerwartet] schlechte Leistung erbringen **II.** *vt* hinter den Erwartungen zurückbleiben **under·'pin** <-nn-> *vt* ■**to** ~ **sth** ❶ ARCHIT *building, wall* etw untermauern ❷ (*fig*) etw unterstützen; *reforms, policies* flankieren; **he presented very few facts to** ~ **his argument** er brachte sehr wenige Fakten zur Erhärtung seines Arguments bei **under·'play** *vt* ❶ (*play down*) herunterspielen ❷ THEAT zurückhaltend spielen **under·'popu·lat·ed** *adj* unterbevölkert **under·'privi·leged I.** *adj* unterprivilegiert **II.** *n* ■**the** ~ *pl* die Unterprivilegierten *pl* **under·'rate** *vt* unterschätzen **under·rep·re·'sent·ed** *adj* unterrepräsentiert **under·'score** *vt* ❶ (*put a line under*) unterstreichen ❷ (*emphasize*) betonen **'under·seal** *esp* BRIT **I.** *n* AUTO Unterbodenschutz *m kein pl* **II.** *vt* AUTO mit Unterbodenschutz versehen **under·'sec·re·tary** *n* POL ❶ *esp* BRIT Staatssekretär(in) *m(f)* ❷ AM Unterstaatssekretär(in) *m(f)* **under·'sell** <-sold, -sold> *vt* ❶ (*offer cheaper*) unterbieten; **to** ~ **the competition** die Konkurrenz unterbieten; **to** ~ **goods** Waren unter Preis verkaufen ❷ (*undervalue*) unterbewerten; ■**to** ~ **oneself** sich unter Wert verkaufen *fam* **'under·shirt** *n* AM Unterhemd *nt* **'under·side** *n usu sing* Unterseite *f* **under·'signed** <*pl* -> *n* (*form*) ■**the** ~ der/die Unterzeichnete; **we, the** ~ wir, die Unterzeichnenden **under·'size(d)** *adj* zu klein **'under·skirt** *n* Unterrock *m* **under·'staffed** *adj* unterbesetzt

under·stand <-stood, -stood> [ˌʌndə'stænd] **I.** *vt* ❶ (*perceive meaning*) verstehen; **to not** ~ **a single word** kein einziges Wort verstehen; **to** ~ **one another** sich verstehen; **to make oneself understood** sich verständlich machen ❷ (*comprehend significance*) begreifen ❸ (*sympathize with*) ■**to** ~ **sb/sth** für jdn/etw *akk* Verständnis haben ❹ (*empathize*) ■**to** ~ **sb** sich in jdn einfühlen können ❺ (*be informed*) ■**to** ~ [**that**] ... hören, dass ...; **to give sb to** ~ **that** ... jdm zu verstehen geben, dass ... ❻ (*believe, infer*) **he is understood to have paid £3 million for**

understanding	
signalling understanding	**Verständnis signalisieren**
(Yes,) I understand!	(Ja, ich) verstehe!
Exactly!	Genau!
Yes, I appreciate that.	Ja, das kann ich gut verstehen.
signalling incomprehension	**Verständnislosigkeit signalisieren**
What do you mean by that?	Was meinen Sie damit?
Pardon? – I didn't quite catch that.	Wie bitte? – Das habe ich eben akustisch nicht verstanden.
Could you repeat that, please?	Könnten Sie das bitte noch einmal wiederholen?
I don't (quite) understand that.	Das verstehe ich nicht (ganz).
(I'm sorry, but) I didn't understand that.	(Entschuldigen Sie bitte, aber) das habe ich eben nicht verstanden.
I don't quite follow you.	Ich kann Ihnen nicht ganz folgen.
I don't understand!	Versteh ich nicht!
I don't get it! *(fam)*	Kapier ich nicht! *(fam)*

the picture er soll 3 Millionen Pfund für das Bild bezahlt haben; **as I ~ it ...** so, wie ich es sehe ... ❼ *(be generally accepted)* ▪**to be understood that ...** klar sein, dass ...; **in this context, 'America' is understood to refer to the United States** in diesem Kontext sind mit ‚Amerika' selbstverständlich die Vereinigten Staaten gemeint **II.** *vi* ❶ *(comprehend)* verstehen, kapieren *fam* ❷ *(infer)* ▪**to ~ from sth that ...** aus etw *dat* schließen, dass ... ❸ *(be informed)* ▪**to ~ from sb that ...** von jdm hören, dass ...

under·stand·able [ˌʌndə'stændəbl] *adj* verständlich

under·stand·ably [ˌʌndə'stændəbli] *adv* verständlicherweise

under·stand·ing [ˌʌndə'stændɪŋ] **I.** *n* ❶ *no pl (comprehension)* Verständnis *nt*; **to be beyond sb's ~** über jds Verständnis *nt* hinausgehen ❷ *(agreement)* Übereinkunft *f*; **to come to an ~** zu einer Übereinkunft kommen; **a tacit ~** ein stillschweigendes Abkommen ❸ *no pl (harmony)* Verständigung *f*; **a spirit of ~** eine verständnisvolle Atmosphäre ❹ *no pl (condition)* Bedingung *f*; **to do sth on the ~ that ...** etw unter der Bedingung machen, dass ... ❺ *no pl (form: intellect)* Verstand *m* **II.** *adj* verständnisvoll

under·'state [ˌʌndə'steɪt] *vt* abschwächen; **to ~ the case** untertreiben **under·'stat·ed** [ˌʌndə'steɪtɪd] *adj* ❶ *(down-*

played) untertrieben ❷ *(restrained)* zurückhaltend; *elegance* schlicht **'under·state·ment** [ˌʌndə'steɪtmənt] *n* Untertreibung *f*, Understatement *nt* **under·'stocked** *adj* ungenügend bestückt; *shelves* halb leer

under·stood [ˌʌndə'stʊd] *pt, pp of* **understand**

'under·sto·rey <*pl* -s> [ˌʌndə'stɔːri] *n* BOT Unterholz *nt kein pl*

'under·study [ˈʌndəˌstʌdi] THEAT **I.** *n* Zweitbesetzung *f* **II.** *vt* <-ie-> ▪**to ~ sb** jdn als Zweitbesetzung vertreten

under·take <-took, -taken> [ˌʌndə'teɪk] *vt* ❶ *(set about, take on)* durchführen; *journey* unternehmen; **to ~ an offensive** in die Offensive gehen ❷ *(form: guarantee)* ▪**to ~ to do sth** sich verpflichten, etw zu tun; ▪**to ~ [that]** ... garantieren, [dass] ...

under·tak·er [ˈʌndəteɪkəʳ] *n* ❶ *(person)* Leichenbestatter(in) *m(f)* ❷ *(firm)* Bestattungsinstitut *nt*

under·tak·ing [ˌʌndə'teɪkɪŋ] *n* ❶ *(project)* Unternehmung *f*; **noble ~** edles Unterfangen *iron geh* ❷ *(form: pledge)* Verpflichtung *f*; **to honour one's ~** seiner Verpflichtung nachkommen

under-the-'count·er **I.** *adj attr* illegal **II.** *adv* unter der Hand

'under·tone *n* ❶ *no pl (voice)* gedämpfte Stimme; **to say sth in an ~** etw mit gedämpfter Stimme sagen ❷ *(insinuation)* Unterton *m* **under·'used** *adj*, **under·**

'uti·lized *adj* nicht [voll] ausgelastet
under·'value *vt* unterbewerten; *person* unterschätzen 'under·wa·ter *I. adj* Unterwasser- **II.** *adv* unter Wasser 'under·wear *n no pl* Unterwäsche *f* under·'weight *adj* untergewichtig under·'worked *adj* ❶ (*insufficiently used*) nicht [voll] ausgelastet ❷ (*insufficiently challenged*) zu wenig gefordert 'under·world *n* ❶ *no pl* (*criminal milieu*) Unterwelt *f* ❷ (*afterworld*) ▪the U~ die Unterwelt under·'write <-wrote, -written> *vt* to ~ an insurance policy die Haftung für eine Versicherung übernehmen; to ~ a loan für einen Kredit bürgen 'under·writ·er *n* (*of insurance*) Versicherer *m*

un·de·sir·able [ˌʌndɪ'zaɪ(ə)rəbl] **I.** *adj* unerwünscht; an ~ character ein windiger Typ *pej fam* **II.** *n usu pl* unerwünschte Person

un·de·tect·ed [ˌʌndɪ'tektɪd] *adj* unentdeckt

un·de·vel·oped [ˌʌndɪ'veləpt] *adj* ❶ (*not built on or used*) unerschlossen ❷ BIOL, BOT unausgereift ❸ ECON unterentwickelt ❹ PHOT nicht entwickelt ❺ PSYCH gering ausgeprägt

un·did [ʌn'dɪd] *pt of* undo

un·dies ['ʌndiz] *npl* (*fam*) Unterwäsche *f kein pl*

un·dig·ni·fied [ʌn'dɪgnɪfaɪd] *adj* unwürdig, würdelos

un·di·lut·ed [ˌʌndaɪ'lu:tɪd] *adj* ❶ *liquid* unverdünnt ❷ (*not moderated or weakened*) unverfälscht; *joy, pleasure* ungetrübt

un·di·min·ished [ˌʌndɪ'mɪnɪʃt] *adj* unvermindert; ▪to remain ~ by sth durch etw *akk* nicht gemindert werden

un·dis·ci·plined [ʌn'dɪsɪplɪnd] *adj* undiszipliniert

un·dis·closed [ˌʌndɪs'kləʊzd] *adj* nicht veröffentlicht; *amount, location, source* geheim; an ~ address eine Geheimadresse

un·dis·cov·ered [ˌʌndɪs'kʌvəd] *adj* unentdeckt

un·dis·put·ed [ˌʌndɪ'spju:tɪd] *adj* unumstritten

un·dis·tin·guished [ˌʌndɪ'stɪŋwɪʃt] *adj* mittelmäßig *meist pej*

un·dis·turbed [ˌʌndɪ'stɜ:bd] *adj* ❶ (*untouched*) unberührt ❷ (*uninterrupted*) ungestört ❸ (*unconcerned*) nicht beunruhigt

un·di·vid·ed [ˌʌndɪ'vaɪdɪd] *adj* ❶ (*not split*) ungeteilt ❷ (*concentrated*) uneingeschränkt; ~ attention ungeteilte Aufmerksamkeit

un·do <-did, -done> [ʌn'du:] **I.** *vt* ❶ (*unfasten*) öffnen; *buttons, zip* aufmachen ❷ (*cancel*) to ~ the damage den Schaden beheben; to ~ the good work die gute Arbeit zunichtemachen ❸ (*ruin*) zugrunde richten ▪what's done cannot be ~ne (*saying*) Geschehenes kann man nicht mehr ungeschehen machen **II.** *vi* button aufgehen

un·do·ing [ʌn'du:ɪŋ] *n no pl* Ruin *m;* to be sb's ~ jds Ruin *m* sein

un·done [ʌn'dʌn] **I.** *vt pp of* undo **II.** *adj* ❶ (*not fastened*) offen; to come ~ aufgehen ❷ (*unfinished*) unvollendet

un·doubt·ed [ʌn'daʊtɪd] *adj* unbestritten

un·doubt·ed·ly [ʌn'daʊtɪdli] *adv* zweifellos

un·dreamed of *adj pred*, un·dreamed-of [ʌn'dri:md,ɒv] *adj attr,* un·dreamt of *adj pred*, un·dreamt-of [ˌʌn'drem(p)t,ɒv] *adj attr* unvorstellbar; *success* ungeahnt

un·dress [ʌn'dres] **I.** *vt* ausziehen; to ~ sb with one's eyes (*fig*) jdn mit den Augen ausziehen **II.** *vi* sich ausziehen **III.** *n no pl* (*hum*) in a state of ~ spärlich bekleidet

un·dressed [ʌn'drest] *adj pred* unbekleidet; to get ~ sich ausziehen

un·due [ʌn'dju:] *adj* (*form*) ungebührlich; to cause ~ alarm die Pferde scheu machen; ~ pressure übermäßiger Druck

un·du·late ['ʌndjəleɪt] *vi* (*form*) auf und ab verlaufen

un·du·lat·ing ['ʌndjəleɪtɪŋ] *adj* (*form*) ❶ (*moving like a wave*) wallend ❷ (*shaped like waves*) ~ hills/landscape sanft geschwungene Hügel/Landschaft

un·du·ly [ʌn'dju:li] *adv* unangemessen; *concerned* übermäßig

un·dy·ing [ʌn'daɪɪŋ] *adj attr* (*liter*) unvergänglich; *devotion* unerschütterlich; *love* ewig

un·earned [ʌn'ɜ:nd] *adj* ❶ (*undeserved*) unverdient ❷ (*not worked for*) nicht erarbeitet; ~ income (*from real estate*) Besitzeinkommen *nt;* (*from investments*) Kapitaleinkommen *nt*

un·earth [ʌn'ɜ:θ] *vt* ❶ (*dig up*) ausgraben ❷ (*discover*) entdecken; *truth* ans Licht bringen; *person* ausfindig machen

un·earth·ly [ʌn'ɜ:θli] *adj* ❶ (*eerie*) gespenstisch; *beauty* übernatürlich; *noise* grässlich ❷ (*fam: inconvenient*) unmöglich *meist pej;* at some ~ hour zu einer unchristlichen Zeit ❸ (*not from the earth*) nicht irdisch

un·ease [ʌn'i:z], un·easi·ness [ʌn'i:zɪnəs] *n no pl* Unbehagen *nt* (**over/at** über)

U

un·eas·i·ly [ʌnˈiːzɪli] *adv* ❶ (*anxiously*) unbehaglich ❷ (*causing anxiety*) beunruhigend

un·easy [ʌnˈiːzi] *adj* ❶ (*anxious*) besorgt; *smile* gequält; ■ **to be/feel ~ about sth/sb** sich in Bezug auf etw *akk*/jdn unbehaglich fühlen ❷ (*causing anxiety*) unangenehm; *feeling* ungut; *relationship* gespannt; *suspicion* beunruhigend ❸ (*insecure*) unsicher

un·eco·nom·ic [ʌn͵iːkəˈnɒmɪk] *adj* unwirtschaftlich

un·edu·cat·ed [ʌnˈedʒʊkeɪtɪd] I. *adj* ungebildet II. *n* ■ **the ~** *pl* die ungebildete Bevölkerungsschicht

un·emo·tion·al [͵ʌnɪˈməʊʃ⁰n⁰l] *adj* ❶ (*not feeling emotions*) kühl ❷ (*not revealing emotions*) emotionslos

un·em·ploy·able [͵ʌnɪmˈplɔɪəbl] *adj* unvermittelbar

un·em·ployed [͵ʌnɪmˈplɔɪd] I. *n* ■ **the ~** *pl* die Arbeitslosen II. *adj* arbeitslos

un·em·ploy·ment [͵ʌnɪmˈplɔɪmənt] *n no pl* ❶ (*state*) Arbeitslosigkeit *f* ❷ (*rate*) Arbeitslosenrate *f;* **long-/short-term ~** Langzeit-/Kurzzeitarbeitslosigkeit *f;* **mass ~** Massenarbeitslosigkeit *f* ❸ AM (*unemployment insurance*) Arbeitslosengeld *nt*

un·em·'ploy·ment ben·efit *n* BRIT, AUS, AM **un·em·ploy·ment com·pen·'sa·tion** *n no pl,* AM **un·em·ploy·ment in·'sur·ance** *n no pl* Arbeitslosenunterstützung *f,* Arbeitslosengeld *nt;* **to claim ~** Arbeitslosengeld beziehen

un·en·cum·bered [͵ʌnɪŋˈkʌmbəd] *adj usu pred* ❶ (*unburdened*) unbelastet; ■ **to be ~ [by sth]** [von etw *dat*] befreit sein ❷ (*fig: free from debt*) unbelastet

un·end·ing [ʌnˈendɪŋ] *adj* endlos

un·en·light·ened [͵ʌnɪnˈlaɪtənd] *adj* ❶ (*not wise or insightful*) unklug; *person also* ignorant ❷ (*subject to superstition*) unaufgeklärt ❸ (*missing the higher level*) einfallslos ❹ (*not informed*) ahnungslos; **to remain ~** im Dunkeln tappen *fam*

un·en·vi·able [ʌnˈenviəbl] *adj* wenig beneidenswert

un·equal [ʌnˈiːkwəl] *adj* ❶ (*different*) unterschiedlich; **~ triangle** ungleichseitiges Dreieck ❷ (*unjust*) ungerecht; *contest* ungleich; *relationship* einseitig; **~ treatment** Ungleichbehandlung *f* ❸ (*inadequate*) ■ **to be ~ to sth** etw nicht gewachsen sein

un·equalled [ʌnˈiːkwəld], AM **un·equaled** *adj* unübertroffen

un·equal·ly [ʌnˈiːkwəli] *adv* unterschiedlich, ungleichmäßig; **to treat people ~**

Menschen ungleich behandeln

un·equivo·cal [͵ʌnɪˈkwɪvəkəl] *adj* unmissverständlich; *success* eindeutig

un·equivo·cal·ly [͵ʌnɪˈkwɪvəkəli] *adv* unmissverständlich; **to state sth ~** etw hundertprozentig unterschreiben

un·err·ing [ʌnˈɜːrɪŋ] *adj* unfehlbar

UNESCO, Unesco [juːˈneskəʊ] *n no pl acr for* **United Nations Educational, Scientific and Cultural Organization** UNESCO *f*

un·ethi·cal [ʌnˈeθɪkəl] *adj* unmoralisch

un·even [ʌnˈiːvən] *adj* ❶ (*not flat or level*) uneben; *road* holprig ❷ (*unequal*) ungleich; **~ bars** AM (*in gymnastics*) Stufenbarren *m* ❸ (*unfair*) unterschiedlich; *contest* ungleich; **~ treatment** Ungleichbehandlung *f* ❹ (*of inadequate quality*) uneinheitlich ❺ (*erratic*) unausgeglichen; *performances* schwankend ❻ MED unregelmäßig ❼ (*odd*) ungerade

un·even·ly [ʌnˈiːvənli] *adv* ❶ (*irregularly*) ungleichmäßig ❷ (*unfairly*) unfair; **to be ~ distributed** ungerecht verteilt sein ❸ MED (*irregularly*) unregelmäßig

un·event·ful [͵ʌnɪˈventfəl] *adj* ereignislos

un·event·ful·ly [͵ʌnɪˈventfəli] *adv* ruhig; **to pass ~** ohne Zwischenfälle verlaufen

un·ex·am·pled [͵ʌnɪɡˈzɑːmpld] *adj* (*form*) unvergleichlich

un·ex·cep·tion·able [͵ʌnɪkˈsepʃ⁰nəbl] *adj* untadelig; *behaviour* tadellos

un·ex·cep·tion·al [͵ʌnɪkˈsepʃ⁰n⁰l] *adj* nicht außergewöhnlich

un·ex·cit·ing [͵ʌnɪkˈsaɪtɪŋ] *adj* ❶ (*commonplace*) durchschnittlich ❷ (*uneventful*) ereignislos

un·ex·pect·ed [͵ʌnɪkˈspektɪd] I. *adj* unerwartet; *opportunity* unvorhergesehen; *windfall* unverhofft; **[to take] an ~ turn** eine unvorhergesehene Wendung [nehmen] II. *n no pl* ■ **the ~** das Unerwartete; **life is full of the ~** das Leben ist voller Überraschungen

un·ex·pect·ed·ly [͵ʌnɪkˈspektɪdli] *adv* unerwartet

un·ex·plained [͵ʌnɪkˈspleɪnd] *adj* unerklärt

un·ex·plod·ed [͵ʌnɪkˈspləʊdɪd] *adj* nicht detoniert

un·ex·ploit·ed [͵ʌnɪkˈsplɔɪtɪd] *adj* nicht ausgeschöpft

un·ex·pressed [͵ʌnɪkˈsprest] *adj* unausgesprochen

un·ex·pres·sive [͵ʌnɪkˈspresɪv] *adj* ausdruckslos

un·ex·pur·gat·ed [ʌnˈekspəɡeɪtɪd] *adj* unzensiert

U

un·fail·ing [ʌnˈfeɪlɪŋ] adj ❶ (dependable) beständig; loyalty unerschütterlich ❷ (continuous) unerschöpflich

un·fair [ʌnˈfeəʳ] adj ungerecht

un·fair·ly [ʌnˈfeəli] adv unfair; **to be ~ blamed** zu Unrecht beschuldigt werden; **to treat sb ~** jdn unfair behandeln

un·faith·ful [ʌnˈfeɪθfʰl] adj ❶ (adulterous) untreu ❷ (disloyal) illoyal geh ❸ (form: inaccurate) ungenau

un·faith·ful·ness [ʌnˈfeɪθfʰlnəs] n no pl ❶ (sexual infidelity) Untreue f ❷ (disloyalty) Illoyalität f geh

un·fal·ter·ing [ʌnˈfɔːltʰrɪŋ] adj unbeirrbar; **with ~ steps** mit festem Schritt

un·fa·mil·iar [ˌʌnfəˈmɪljəʳ] adj ❶ (new) unvertraut; experience ungewohnt; place unbekannt; **to be ~ to sb** jdm fremd sein ❷ (unacquainted) ■**to be ~ with sth** mit etw dat nicht vertraut sein

un·fash·ion·able [ʌnˈfæʃʰnəbl] adj unmodisch

un·fas·ten [ʌnˈfɑːsʰn] I. vt button, belt öffnen; jewellery abnehmen; **do not ~ your seatbelts until the aircraft has come to a complete stop** bleiben Sie angeschnallt, bis das Flugzeug zum Stillstand gekommen ist II. vi aufgehen

un·fath·om·able [ʌnˈfæðəməbl] adj ❶ (too deep to measure) unergründlich ❷ (inexplicable) unverständlich

un·fa·vor·able adj AM see **unfavourable**

un·fa·vour·able [ʌnˈfeɪvʰrəbl] adj ❶ (adverse) ungünstig; comparison unvorteilhaft; decision negativ ❷ (disadvantageous) nachteilig; **to appear in an ~ light** in einem ungünstigen Licht erscheinen

un·fa·vour·ably, AM **un·fa·vor·ably** [ʌnˈfeɪvʰrəbli] adv ungünstig; **to be ~ disposed [towards sb/sth]** [jdm/etw gegenüber] negativ eingestellt sein; **to compare ~ with sth/sb** im Vergleich mit etw/jdm schlecht abschneiden

un·fea·si·ble [ʌnˈfiːzəbl] adj undurchführbar, nicht machbar

un·feel·ing [ʌnˈfiːlɪŋ] adj gefühllos

un·feigned [ʌnˈfeɪnd] adj aufrichtig; surprise echt

un·fet·tered [ʌnˈfetəd] adj ❶ (form: not restricted) uneingeschränkt ❷ (unchained) nicht gefesselt

un·filled [ʌnˈfɪld] adj leer; position, job offen

un·fin·ished [ʌnˈfɪnɪʃt] adj ❶ (incomplete) unvollendet; **~ business** (also fig) offene Fragen pl ❷ esp AM (rough, without finish) unlackiert

un·fit [ʌnˈfɪt] adj ❶ (unhealthy) nicht fit; **to be ~ for work/military service** arbeits-/dienstuntauglich sein ❷ (incompetent) ungeeignet (**for** für); ■**to be ~ to do sth** unfähig sein, etw zu tun ❸ (unsuitable) ungeeignet (**for** für); **to be ~ for human consumption** nicht zum Verzehr geeignet sein

un·flag·ging [ʌnˈflægɪŋ] adj unermüdlich; optimism ungebrochen

un·flap·pable [ʌnˈflæpəbl] adj (fam) unerschütterlich; ■**to be ~** nicht aus der Ruhe zu bringen sein

un·flinch·ing [ʌnˈflɪn(t)ʃɪŋ] adj unerschrocken; determination unbeirrbar; report wahrheitsgetreu; support beständig

un·fold [ʌnˈfəʊld] I. vt ❶ (open out) entfalten; piece of furniture aufklappen ❷ ideas, plans darlegen; story entwickeln II. vi ❶ (develop) sich entwickeln ❷ (become revealed) enthüllt werden ❸ (become unfolded) aufgehen

un·fore·see·able [ˌʌnfɔːˈsiːəbl] adj unvorhersehbar

un·fore·seen [ˌʌnfɔːˈsiːn] adj unvorhergesehen

un·for·get·table [ˌʌnfəˈɡetəbl] adj unvergesslich

un·for·giv·able [ˌʌnfəˈɡɪvəbl] adj unverzeihlich; **an ~ sin** eine Todsünde

un·for·giv·ing [ˌʌnfəˈɡɪvɪŋ] adj ❶ (not willing to forgive) person nachtragend, unversöhnlich ❷ (harsh, hostile) gnadenlos a. fig; place, climate menschenfeindlich

un·for·tu·nate [ʌnˈfɔːtʃʰnət] adj ❶ (unlucky) unglücklich; **to be ~ that ...** ungünstig sein, dass ... ❷ (regrettable) bedauerlich; manner ungeschickt ❸ (adverse) unglücksselig; **~ circumstances** unglückliche Umstände

un·for·tu·nate·ly [ʌnˈfɔːtʃʰnətli] adv unglücklicherweise

un·found·ed [ʌnˈfaʊndɪd] adj unbegründet

un·freeze <-froze, -frozen> [ʌnˈfriːz] vt, vi auftauen; assets freigeben

un·fre·quent·ed [ˌʌnfrɪˈkwentɪd] adj wenig besucht

un-'friend vt INET ■**to ~ sb** jdn von seiner Freundesliste streichen

un·friend·ly [ʌnˈfrendli] adj unfreundlich; (hostile) feindlich; **environmentally ~** umweltschädlich

un·ful·filled [ˌʌnfʊlˈfɪld] adj ❶ (not carried out) unvollendet; promise unerfüllt ❷ (unsatisfied) unausgefüllt; life unerfüllt

un·ful·filled 'or·der n nicht ausgeführter Auftrag

un·furl [ʌnˈfɜːl] I. vt ausrollen; banner, flag

entfalten; *umbrella* aufspannen; *sail* setzen **II.** *vi* sich öffnen

un·fur·nished [ʌnˈfɜːnɪʃt] **I.** *adj* unmöbliert **II.** *n* BRIT (*fam*) unmöbliertes Zimmer

un·gain·ly [ʌnˈɡeɪnli] *adj* unbeholfen

un·gen·er·ous [ʌnˈdʒenərəs] *adj* knausrig *pej fam*

un·gen·tle·man·ly [ʌnˈdʒentl̩mənli] *adj* ungalant *geh*

un·get-at-able [ˌʌnɡetˈætəbl̩] *adj* (*sl*) unerreichbar

un·god·ly [ʌnˈɡɒdli] *adj* (*pej*) ❶ *attr* (*fam: unreasonable*) unerhört; **at some ~ hour** zu einer unchristlichen Zeit ❷ (*impious*) gottlos

un·gov·ern·able [ʌnˈɡʌvənəbl̩] *adj country* unregierbar; *temper* unkontrollierbar

un·grace·ful [ʌnˈɡreɪsfl̩] *adj* plump

un·gra·cious [ʌnˈɡreɪʃəs] *adj* (*form*) unhöflich; *behaviour* unfreundlich

un·gra·cious·ly [ʌnˈɡreɪʃəsli] *adv* unfreundlich, ungnädig *fig*

un·grate·ful [ʌnˈɡreɪtfl̩] *adj* undankbar

un·grudg·ing [ʌnˈɡrʌdʒɪŋ] *adj* (*without reservation*) bereitwillig; *admiration* rückhaltlos; *encouragement* großzügig ❷ (*not resentful*) neidlos

un·grudg·ing·ly [ʌnˈɡrʌdʒɪŋli] *adv* großzügig

un·guard·ed [ʌnˈɡɑːdɪd] *adj* ❶ (*not defended or watched*) unbewacht; *border* offen ❷ (*careless, unwary*) unvorsichtig; **in an ~ moment** in einem unbedachten Augenblick

un·guent [ˈʌŋɡwənt] *n* (*spec*) Salbe *f*

un·hal·lowed [ʌnˈhæləʊd] *adj* ❶ (*not consecrated*) ungeweiht ❷ (*unholy*) unheilig *veraltend o hum*

un·hap·pi·ness [ʌnˈhæpɪnəs] *n no pl* Traurigkeit *f*

un·hap·py [ʌnˈhæpi] *adj* ❶ (*sad*) unglücklich ❷ (*unfortunate*) unglücksselig; *coincidence* unglücklich

un·harmed [ʌnˈhɑːmd] *adj* unversehrt; **to escape ~** unversehrt davonkommen

UNHCR [juːenəɪtʃsiːˈɑːɹ] *n no pl abbrev of* **United Nations High Commission for Refugees** Der Hohe Flüchtlingskommissar der Vereinten Nationen

un·healthi·ly [ʌnˈhelθɪli] *adv* ❶ MED ungesund ❷ PSYCH krankhaft

un·healthy [ʌnˈhelθi] *adj* ❶ (*unwell*) kränklich ❷ (*harmful to health*) ungesund ❸ (*fam: dangerous*) gefährlich ❹ (*morbid*) krankhaft

un·heard [ʌnˈhɜːd] *adj* ungehört

un·ʹheard-of *adj* ❶ (*unknown*) unbekannt ❷ (*unthinkable*) undenkbar

un·help·ful [ʌnˈhelpfl̩] *adj* nicht hilfsbereit; *behaviour, comment* nicht hilfreich

un·hesi·tat·ing [ʌnˈhezɪteɪtɪŋ] *adj* unverzüglich

un·hin·dered [ʌnˈhɪndəd] *adj* ungehindert

un·hinge [ʌnˈhɪndʒ] *vt* ❶ (*take off hinges*) aus den Angeln heben ❷ (*make crazy*) aus der Fassung bringen

un·holy [ʌnˈhəʊli] *adj* ❶ (*wicked*) ruchlos ❷ REL gottlos; *ground* ungeweiht ❸ (*outrageous*) **to get up at some ~ hour** zu einer unchristlichen Zeit aufstehen ❹ (*dangerous*) gefährlich; **an ~ alliance** eine unheilige Allianz *a. hum*

un·hook [ʌnˈhʊk] *vt* ❶ (*remove from hook*) abhängen; *fish* vom Haken nehmen ❷ *clothing* aufmachen

un·hoped-for [ʌnˈhəʊptˌfɔːʳ] *adj* unverhofft

un·horse [ʌnˈhɔːs] *vt* abwerfen

un·hurt [ʌnˈhɜːt] *adj* unverletzt

un·hy·gien·ic [ˌʌnhaɪˈdʒiːnɪk] *adj* unhygienisch

uni [ˈjuːni] *n* BRIT, AUS (*fam*) *short for* **university** Uni *f fam*

UNICEF *n,* **Unicef** [ˈjuːnɪsef] *n no pl acr for* **United Nations (International) Children's (Emergency) Fund** UNICEF *f*

uni·corn [ˈjuːnɪkɔːn] *n* Einhorn *nt*

uni·cul·ture [ˈjuːnɪkʌltʃəʳ] *n* Einheitskultur *f*

un·iden·ti·fied [ˌʌnaɪˈdentɪfaɪd] *n* ❶ (*unknown*) nicht identifiziert ❷ (*not yet made public*) unbekannt

un·iden·ti·fied fly·ing ʹob·ject *n* unbekanntes Flugobjekt

uni·fi·ca·tion [ˌjuːnɪfɪˈkeɪʃən] *n no pl* Vereinigung *f*

uni·form [ˈjuːnɪfɔːm] **I.** *n* ❶ (*clothing*) Uniform *f* ❷ AM (*fam: uniformed policeman*) Polizist(in) *m(f)* **II.** *adj* ❶ (*same*) einheitlich ❷ *quality, treatment* gleich bleibend; *temperature, rate* konstant; *colour, design* einförmig; *scenery* gleichförmig

uni·formed [ˈjuːnɪfɔːmd] *adj* uniformiert; **the ~ branch** die uniformierte Polizei

uni·form·ity [ˌjuːnɪˈfɔːməti] *n no pl* ❶ (*sameness*) Einheitlichkeit *f*; (*constancy*) Gleichmäßigkeit *f* ❷ (*monotony*) Eintönigkeit *f*

uni·form·ly [ˈjuːnɪfɔːmli] *adv* ohne Ausnahme

uni·fy [ˈjuːnɪfaɪ] *vt, vi* [sich] vereinigen

uni·lat·er·al [ˌjuːnɪˈlætərəl] *adj* einseitig

un·im·agi·nable [ˌʌnɪˈmædʒɪnəbl̩] *adj* unvorstellbar

un·im·agi·na·tive [ˌʌnɪˈmædʒɪnətɪv] *adj*

einfallslos, fantasielos

un·im·peach·able [ˌʌnɪmˈpiːtʃəbl] *adj* (*form*) untadelig

un·im·por·tance [ˌʌnɪmˈpɔːtən(t)s] *n* Unwichtigkeit *f*, Bedeutungslosigkeit *f*

un·im·por·tant [ˌʌnɪmˈpɔːtənt] *adj* unwichtig

un·in·formed [ˌʌnɪnˈfɔːmd] *adj* uninformiert

un·in·hab·it·able [ˌʌnɪnˈhæbɪtəbl] *adj* ❶ (*unlivable in*) unbewohnbar ❷ (*unlivable on*) unbesiedelbar

un·in·hab·it·ed [ˌʌnɪnˈhæbɪtɪd] *adj* ❶ (*not lived in*) unbewohnt ❷ (*not lived on*) unbesiedelt

un·in·hib·it·ed [ˌʌnɪnˈhɪbɪtɪd] *adj* ungehemmt

un·in·jured [ʌnˈɪndʒəd] *adj* unverletzt

un·in·stall [ˌʌnɪnˈstɔːl] *vt* ▪ to ~ sth etw deinstallieren

un·in·sured [ˌʌnɪnˈʃʊəd] *adj* ▪ to be ~ against sth [gegen etw *akk*] nicht versichert sein

un·in·tel·li·gent [ˌʌnɪnˈtelɪdʒənt] *adj* unintelligent

un·in·tel·li·gible [ˌʌnɪnˈtelɪdʒəbl] *adj* unverständlich

un·in·ten·tion·al [ˌʌnɪnˈten(t)ʃənl] *adj* unabsichtlich; *humour* unfreiwillig

un·in·ten·tion·al·ly [ˌʌnɪnˈten(t)ʃənəli] *adv* unabsichtlich

un·in·ter·est·ed [ʌnˈɪntrəstɪd] *adj* uninteressiert; ▪ to be ~ in sth/sb kein Interesse an etw *dat*/jdm haben

un·in·ter·est·ing [ʌnˈɪntrəstɪŋ] *adj* uninteressant

un·in·ter·rupt·ed [ʌnˌɪntərˈʌptɪd] *adj* ununterbrochen; *rest, view* ungestört; *growth* beständig

un·in·vit·ed [ˌʌnɪnˈvaɪtɪd] *adj guest* ungeladen, ungebeten; *question* unerwünscht, unwillkommen

un·ion [ˈjuːnjən] *n* ❶ *no pl* (*state*) Union *f*; **monetary ~** Währungsunion *f* ❷ (*act*) Vereinigung *f* ❸ + *sing/pl vb* (*organization*) Verband *m*; (*trade union*) Gewerkschaft *f*; **student[s']** ~ Studentenunion *f* (*universitäre Einrichtung zur Betreuung der Betreuung*) ❹ (*form: marriage*) Verbindung *f* ❺ (*harmony*) **to live in perfect ~** in völliger Harmonie leben

un·ion·ist [ˈjuːnjənɪst] *n* ❶ (*trade unionist*) Gewerkschaftler(in) *m(f)* ❷ BRIT POL **U~** Unionist(in) *m(f)*

un·ion·ize [ˈjuːnjənaɪz] *vt, vi* [sich] gewerkschaftlich organisieren

Un·ion 'Jack *n* Union Jack *m* (*britische Nationalflagge*)

unique [juːˈniːk] *adj* ❶ (*only one*) einzigartig; *characteristic* besondere(r, s); **the coral is ~ to this reef** die Koralle ist nur an diesem Riff heimisch; **to be ~ in doing sth** als Einzige(r) *f/m/)* etw tun ❷ (*fam: exceptional*) einzigartig; *opportunity* einmalig

unique·ness [juːˈniːknəs] *n no pl* Einzigartigkeit *f*

u'nique·ness theo·rem *n* MATH Eindeutigkeitssatz *m*

uni·sex [ˈjuːnɪseks] *adj* für Männer und Frauen; FASHION Unisex-

uni·son [ˈjuːnɪsən] I. *n no pl* ❶ MUS Gleichklang *m;* **to sing in ~** einstimmig singen ❷ (*simultaneously*) ▪ **to do sth in ~** gleichzeitig dasselbe tun ❸ (*in agreement*) **to act in ~** in Übereinstimmung handeln II. *adj attr* MUS einstimmig

unit [ˈjuːnɪt] *n* ❶ (*standard of quantity*) Einheit *f;* ~ **of currency** Währungseinheit *f* ❷ + *sing/pl vb* (*group of people*) Abteilung *f;* **anti·terrorist ~** Antiterroreinheit *f* ❸ (*part*) Teil *m,* Einheit *f* ❹ (*element of furniture*) Element *nt* ❺ MECH Einheit *f;* **central processing ~** Zentraleinheit *f* ❻ AM, AUS (*apartment*) Wohnung *f* ❼ MATH Einer *m*

'unit cost *n* COMM Kosten *pl* pro Einheit

unite [juːˈnaɪt] I. *vt* ❶ (*join together*) vereinigen (**with** mit) ❷ (*bring together*) verbinden (**with** mit) II. *vi* ❶ (*join in common cause*) sich vereinigen, sich zusammentun ❷ (*join together*) sich verbinden

unit·ed [juːˈnaɪtɪd] *adj* ❶ (*joined together*) vereinigt; ~ **Germany** wiedervereinigtes Deutschland ❷ (*joined in common cause*) **to present a ~ front** Einigkeit demonstrieren; ~ **in grief** in Trauer vereint ▶ ~ **we stand, divided we fall** (*saying*) nur gemeinsam sind wir stark

Unit·ed Arab 'Emir·ates *npl* ▪ **the ~** die Vereinigten Arabischen Emirate **Unit·ed 'King·dom** *n* ▪ **the ~** das Vereinigte Königreich **Unit·ed 'Na·tions** *n* ▪ **the ~** die Vereinten Nationen *pl* **Unit·ed 'States** *n* + *sing vb* ▪ **the ~** [**of America**] die Vereinigten Staaten *pl* [von Amerika]

'unit price *n* COMM Preis *m* pro Einheit

unit 'trust *n* BRIT FIN Investmentfonds *m*

unity [ˈjuːnəti] *n usu no pl* ❶ (*oneness*) Einheit *f* ❷ (*harmony*) Einigkeit *f*

Univ. *abbrev of* **University** Univ.

uni·ver·sal [ˌjuːnɪˈvɜːsəl] *adj* universell; *agreement* allgemein; ~ **language** Weltsprache *f*; **a ~ truth** eine allgemein gültige Wahrheit

uni·ver·sal·ly [ˌjuːnɪˈvɜːsəli] *adv* allgemein;

U

to be ~ **true** allgemein gültig sein

uni·verse [ˈjuːnɪvɜːs] *n* ❶ ASTRON ■**the ~** das Universum ❷ LIT Schauplatz *m* ❸ *no pl* (*fig*) Welt *f*

uni·ver·sity [juːnɪˈvɜːsəti] *n* Universität *f*

uni·ver·sity edu·'ca·tion *n* Hochschulbildung *f* **uni·'ver·sity gradu·ate** *n* Akademiker(in) *m(f)* **uni·ver·sity 'lec·ture** *n* Vorlesung *f* **uni·ver·sity 'lec·tur·er** *n* Hochschuldozent(in) *m(f)* **uni·'ver·sity stu·dent** *n* Student(in) *m(f)* **uni·'ver·sity town** *n* Universitätsstadt *f*

un·just [ʌnˈdʒʌst] *adj* ungerecht

un·jus·ti·fi·able [ʌnˌdʒʌstɪˈfaɪəbl] *adj* nicht zu rechtfertigen *präd*

un·jus·ti·fied [ʌnˈdʒʌstɪfaɪd] *adj* ungerechtfertigt; *complaint* unberechtigt

un·just·ly [ʌnˈdʒʌstli] *adv* (*pej*) ❶ (*in an unjust manner*) ungerecht ❷ (*wrongfully*) zu Unrecht

un·kempt [ʌnˈkem(p)t] *adj* ungepflegt; *hair* ungekämmt

un·kind [ʌnˈkaɪnd] *adj* ❶ (*not kind*) unfreundlich, gemein ❷ *pred* (*not gentle*) **to be ~ to hair/skin/surfaces** die Haare/ die Haut/Oberflächen angreifen

un·kind·ly [ʌnˈkaɪndli] *adv* unfreundlich; **she speaks ~ of him** sie hat für ihn kein gutes Wort übrig

un·know·ing [ʌnˈnəʊɪŋ] *adj* ahnungslos

un·known [ʌnˈnəʊn] I. *adj* unbekannt; **~ to me, ...** ohne mein Wissen ... II. *n* ❶ (*sth not known*) Ungewissheit *f;* MATH Unbekannte *f;* ■**the ~** das Unbekannte ❷ (*sb not widely familiar*) Unbekannte(r) *f(m)*

un·lace [ʌnˈleɪs] *vt* ■**to ~ sth** etw aufschnüren

un·law·ful [ʌnˈlɔːfəl] *adj* rechtswidrig; **~ possession of sth** illegaler Besitz einer S. *gen*

un·law·ful·ly [ʌnˈlɔːfəli] *adv* auf ungesetzliche Weise, ungesetzlich, gesetzwidrig

un·lead·ed [ʌnˈledɪd] *adj* unverbleit; *petrol* bleifrei

un·learn [ʌnˈlɜːn] *vt* verlernen; *habit* sich *dat* abgewöhnen

un·leash [ʌnˈliːʃ] *vt* *dog* von der Leine lassen; **she ~ed the full force of her anger on him** sie ließ ihre ganze Wut an ihm aus; **to ~ a storm of protest** einen Proteststurm auslösen

un·leav·ened [ʌnˈlevnd] *adj* **~ bread** ungesäuertes Brot

un·less [ʌnˈles] *conj* wenn ... nicht, außer ... wenn; **~ I'm mistaken** wenn ich mich nicht irre; **he won't come ~ he has time** er wird nicht kommen, außer wenn er Zeit

hat; **don't promise anything ~ you're 100 per cent sure** mach keine Versprechungen, es sei denn, du bist hundertprozentig sicher

un·li·censed [ʌnˈlaɪsᵊn(t)st] *adj* ohne Lizenz *nach n; car* nicht zugelassen *präd; restaurant* ohne Konzession; BRIT ohne Schankkonzession

un·like [ʌnˈlaɪk] I. *adj pred* (*not similar*) unähnlich II. *prep* ❶ (*different from*) **to be ~ sb/sth** jdm/etw nicht ähnlich sein ❷ (*in contrast to*) im Gegensatz zu ❸ (*not normal for*) **to be ~ sb/sth** für jdn/etw *akk* nicht typisch sein

un·like·ly [ʌnˈlaɪkli] *adj* ❶ (*improbable*) unwahrscheinlich; **it seems ~ that ...** es sieht nicht so aus, als ... ❷ (*unconvincing*) nicht überzeugend; **an ~ couple** ein seltsames Paar

un·lim·it·ed [ʌnˈlɪmɪtɪd] *adj* ❶ (*not limited*) unbegrenzt; *visibility* uneingeschränkt ❷ (*very great*) grenzenlos

un·list·ed [ʌnˈlɪstɪd] *adj* ❶ (*not on stock market*) nicht notiert; *securities* unnotiert; **~ market** geregelter Freiverkehr ❷ AM, AUS (*not in phone book*) nicht verzeichnet; **to have an ~ number** nicht im Telefonbuch stehen

un·load [ʌnˈləʊd] I. *vt* ❶ *vehicle* entladen; *container, boot of car* ausladen; *dishwasher* ausräumen ❷ (*fam: get rid of*) abstoßen; *rubbish* abladen ❸ (*unburden*) **to ~ one's worries on sb** jdm etwas vorjammern *pej* II. *vi* ❶ (*remove contents*) abladen ❷ (*discharge goods*) entladen; *ship* löschen ❸ (*fam: relieve stress*) Dampf ablassen; ■**to ~ on sb** jdm sein Herz ausschütten

un·lock [ʌnˈlɒk] *vt* ❶ (*release a lock*) aufschließen ❷ (*release*) freisetzen; **to ~ the imagination** der Fantasie freien Lauf lassen ❸ *mystery* lösen

un·locked [ʌnˈlɒkt] *adj* unverschlossen

un·looked-for *adj attr,* **un·looked for** [ʌnˈlʊktfɔːʳ] *adj pred* unerwartet; *problem* unvorhergesehen

un·lov·ing [ʌnˈlʌvɪŋ] *adj* lieblos

un·lucky [ʌnˈlʌki] *adj* ❶ (*unfortunate*) glücklos; **he's always been ~** er hat immer Pech; **to be ~ at cards/in love** Pech im Spiel/in der Liebe haben ❷ (*bringing bad luck*) ■**to be ~** Unglück bringen; **~ day** Unglückstag *m*

un·man·age·able [ʌnˈmænɪdʒəbl] *adj* unkontrollierbar; *children* außer Rand und Band *präd;* **to become ~** *situation* außer Kontrolle geraten

un·manned [ˈʌnmænd] *adj* AEROSP unbemannt

un·man·ner·ly [ʌn'mænəli] *adj* (*form*) *behaviour* ungehörig; *language* salopp

un·marked [ʌn'mɑːkt] *adj* ❶ (*uninjured*) unverletzt; (*without mark, stain*) unbeschädigt ❷ (*without distinguishing signs*) nicht gekennzeichnet; *grave* namenlos; ~ [police] car Zivilfahrzeug *nt* der Polizei

un·mar·ried [ʌn'mærɪd] *adj* unverheiratet

un·mask [ʌn'mɑːsk] *vt* entlarven; (*uncover*) aufdecken

un·matched [ʌn'mætʃt] *adj* ❶ (*unequalled*) unübertroffen ❷ (*extremely great*) gewaltig

un·men·tion·able [ʌn'men(t)ʃənəbl] *adj* unaussprechlich; ■to be ~ tabu sein

un·men·tioned [ʌn'men(t)ʃnd] *adj* unerwähnt

un·mind·ful [ʌn'maɪndfəl] *adj* (*form*) ■to be ~ of sth auf etw *akk* keine Rücksicht nehmen

un·mis·tak[e]·able [ʌnmɪ'steɪkəbl] *adj* unverkennbar; *symptom* eindeutig

un·miti·gat·ed [ʌn'mɪtɪɡeɪtɪd] *adj* absolut; *contempt* voll; *disaster* total

un·mo·ti·vat·ed [ʌn'məʊtɪveɪtɪd] *adj* unmotiviert

un·moved [ʌn'muːvd] *adj usu pred* unbewegt; (*emotionless*) ungerührt

un·named [ʌn'neɪmd] *adj* ungenannt

un·natu·ral [ʌn'nætʃərəl] *adj* ❶ (*contrary to nature*) unnatürlich; PSYCH abnorm; *sexual practices* pervers ❷ (*not normal*) ungewöhnlich

un·nec·es·sari·ly [ʌn,nesə'serɪli] *adv* unnötigerweise; ~ complex unnötig kompliziert

un·nec·es·sary [ʌn'nesəsəri] *adj* ❶ (*not necessary*) unnötig ❷ (*uncalled for*) überflüssig

un·nerve [ʌn'nɜːv] *vt* nervös machen

un·nerv·ing [ʌn'nɜːvɪŋ] *adj* entnervend

un·no·ticed [ʌn'nəʊtɪst] *adj pred* unbemerkt; to go ~ that ... nicht bemerkt werden, dass ...

un·num·bered [ʌn'nʌmbəd] *adj* ❶ (*not marked*) nicht nummeriert; *house* ohne Hausnummer *nach n; page* ohne Zahl *nach n* ❷ (*form: countless*) unzählig

un·ob·tain·able [ʌnəb'teɪnəbl] *adj* unerreichbar

un·ob·tru·sive [ʌnəb'truːsɪv] *adj* unaufdringlich; *make-up* dezent

un·oc·cu·pied [ʌn'ɒkjəpaɪd] *adj* ❶ (*uninhabited*) unbewohnt ❷ (*not under military control*) nicht besetzt; *country* unbesetzt ❸ *seat* frei

un·of·fi·cial [ʌnə'fɪʃəl] *adj* inoffiziell; in an

~ **capacity** inoffiziell; ~ **strike** BRIT wilder Streik

un·of·fi·cial·ly [ʌnə'fɪʃəli] *adv* inoffiziell; speaking ~, the politician intimated that ... hinter vorgehaltener Hand gab der Politiker zu verstehen, dass ...

un·op·posed [ʌnə'pəʊzd] *adj* keinem Widerstand ausgesetzt, unbehindert; *opinion* unwidersprochen

un·or·gan·ized [ʌn'ɔːɡənaɪzd] *adj* unorganisiert

un·or·tho·dox [ʌn'ɔːθədɒks] *adj* unkonventionell; *method* ungewöhnlich

un·pack [ʌn'pæk] *vt, vi* auspacken; *car* ausladen

un·paid [ʌn'peɪd] *adj* unbezahlt; *invoice also* ausstehend

un·pal·at·able [ʌn'pælətəbl] *adj* ❶ (*not tasty*) ■to be ~ schlecht schmecken ❷ (*distasteful*) unangenehm

un·par·al·leled [ʌn'pærəleld] *adj* (*form*) einmalig; *success* noch nie da gewesen

un·par·lia·men·tary [ʌn,pɑːlə'mentəri] *adj* unparlamentarisch

un-P'C *adj remark* politisch unkorrekt

un·per·turbed [ʌnpə'tɜːbd] *adj* nicht beunruhigt; ■to be ~ by sth sich durch etw *akk* nicht aus der Ruhe bringen lassen

un·pick [ʌn'pɪk] *vt* ❶ (*undo sewing*) auftrennen ❷ (*reverse*) zunichtemachen

un·placed [ʌn'pleɪst] *adj* SPORTS unplatziert

un·pleas·ant [ʌn'plezənt] *adj* ❶ (*not pleasing*) unangenehm ❷ (*unfriendly*) unfreundlich; *relations* frostig

un·pleas·ant·ly [ʌn'plezəntli] *adv* ❶ (*not pleasingly*) unangenehm, in unangenehmer Weise ❷ (*in an unfriendly manner*) unfreundlich

un·pleas·ant·ness [ʌn'plezəntnəs] *n* ❶ *no pl* (*quality*) Unerfreulichkeit *f* ❷ *no pl* (*unfriendly feelings*) Unstimmigkeit[en] *f[pl]* ❸ (*instance*) Gemeinheit *f*

un·plug <-gg-> [ʌn'plʌg] *vt* ❶ (*disconnect from mains*) ausstecken ❷ *drain, pipe* reinigen

un·plumbed [ʌn'plʌmd] *adj* ❶ (*not known*) unergründet; *mystery* ungelöst ❷ (*not plumbed*) ohne Wasserleitungen *nach n*

un·pol·ished [ʌn'pɒlɪʃt] *adj* ❶ (*not polished*) unpoliert ❷ (*not refined*) ungehobelt

un·pol·lut·ed [ʌnpə'luːtɪd] *adj* unverschmutzt; *water* sauber

un·popu·lar [ʌn'pɒpjələ] *adj* ❶ (*not liked*) unbeliebt ❷ (*not widely accepted*) unpopulär; to be ~ wenig Anklang finden

un·popu·lar·ity [ˌʌnˌpɒpjəˈlærəti] *n no pl of person* Unbeliebtheit *f; of policies* Unpopularität *f*

un·prac·ti·cal [ʌnˈpræktɪkəl] *adj* ❶ (*impractical*) unpraktisch ❷ (*not feasible*) unpraktikabel ❸ (*lacking skill*) unpraktisch

un·prac·tised [ʌnˈpræktɪst] *adj, Am* **un·prac·ticed** *adj* (*form*) unerfahren

un·prec·edent·ed [ʌnˈpresɪdəntɪd] *adj* noch nie da gewesen; *action* beispiellos; **on an ~ scale** in bislang ungekanntem Ausmaß

un·pre·dict·abil·ity [ˌʌnprɪˌdɪktəˈbɪlɪti] *n no pl* Unvorhersehbarkeit *f*

un·pre·dict·able [ˌʌnprɪˈdɪktəbl] *adj* ❶ (*impossible to anticipate*) unvorhersehbar; *weather* unberechenbar ❷ (*moody*) unberechenbar

un·preju·diced [ʌnˈpredʒədɪst] *adj* ❶ (*not prejudiced*) unvoreingenommen; *opinion* objektiv ❷ (*not prejudiced against race*) ohne [Rassen]vorurteile *nach n*

un·pre·medi·tat·ed [ˌʌnpriːˈmedɪteɪtɪd] *adj* unüberlegt; **~ crime** LAW nicht vorsätzliches Verbrechen

un·pre·pared [ˌʌnprɪˈpeəd] *adj* (*not prepared*) unvorbereitet; ■**to be ~ for sth** *an event* auf etw *akk* nicht vorbereitet sein; *a reaction, emotion* auf etw *akk* nicht gefasst sein

un·pre·ten·tious [ˌʌnprɪˈten(t)ʃəs] *adj* bescheiden; *tastes* einfach

un·prin·ci·pled [ʌnˈprɪn(t)səpld] *adj* skrupellos; *person* ohne Skrupel *nach n*

un·pro·duc·tive [ˌʌnprəˈdʌktɪv] *adj* unproduktiv; *business* unrentabel; *land* unfruchtbar; *negotiation* unergiebig

un·pro·fes·sion·al [ˌʌnprəˈfeʃənəl] *adj* (*pej*) ❶ (*amateurish*) unprofessionell ❷ (*beneath serious consideration*) unseriös ❸ (*contrary to professional ethics*) gegen die Berufsehre *präd;* **~ conduct** berufswidriges Verhalten; (*against colleagues*) unkollegiales Verhalten

un·prof·it·able [ʌnˈprɒfɪtəbl] *adj* ❶ (*not making a profit*) unrentabel; **to be ~** keinen Gewinn abwerfen; **~ investment** Fehlinvestition *f* ❷ (*unproductive*) unproduktiv

un·prom·is·ing [ʌnˈprɒmɪsɪŋ] *adj* (*bad*) nicht sehr viel versprechend; (*promising success*) nicht gerade aussichtsreich

un·prompt·ed [ʌnˈprɒm(p)tɪd] *adj* unaufgefordert

un·pro·tect·ed [ˌʌnprəˈtektɪd] *adj* ❶ (*exposed to harm*) schutzlos ❷ (*without safety guards*) unbewacht ❸ (*without a condom*) *sex* ungeschützt

un·pro·'vid·ed for *adj pred* unversorgt *präd;* **to leave sb ~ in one's will** jdn in seinem Testament nicht bedenken

un·pro·voked [ˌʌnprəˈvəʊkt] *adj* grundlos

un·pub·lished [ʌnˈpʌblɪʃt] *adj* unveröffentlicht

un·punc·tual [ʌnˈpʌŋktʃuːəl] *adj* unpünktlich

un·pun·ished [ʌnˈpʌnɪʃt] *adj* unbestraft; **to go ~** *flaw, foul* durchgehen *fam; crime* unbestraft bleiben; *person* ungestraft davonkommen

un·quali·fied [ʌnˈkwɒlɪfaɪd] *adj* ❶ (*without appropriate qualifications*) unqualifiziert, ungeeignet; ■**to be ~ for sth** für etw *akk* nicht qualifiziert sein ❷ (*unreserved*) bedingungslos; *denial* strikt; *success* voll; **an ~ disaster** eine Katastrophe grenzenlosen Ausmaßes

un·ques·tion·able [ʌnˈkwestʃənəbl] *adj* fraglos; *evidence, fact* unumstößlich; *honesty* unzweifelhaft

un·ques·tion·ably [ʌnˈkwestʃənəbli] *adv* zweifellos

un·ques·tion·ing [ʌnˈkwestʃənɪŋ] *adj* bedingungslos; *obedience* absolut

un·quote [ˈʌnkwəʊt] *vi* **quote ... ~** Zitatanfang ... Zitatende, sie sind, in Anführungszeichen, 'nur gute Freunde'

un·quot·ed [ʌnˈkwəʊtɪd] *adj* STOCKEX nicht notiert

un·rav·el <BRIT -ll- *or* AM *usu* -l-> [ʌnˈrævəl] I. *vt* ❶ (*unknit, undo*) auftrennen ❷ (*untangle*) entwirren; *knot* aufmachen ❸ (*solve*) enträtseln; *mystery* lösen ❹ (*destroy*) zunichtemachen II. *vi* sich auftrennen

un·read·able [ʌnˈriːdəbl] *adj* (*pej*) ❶ (*illegible*) unleserlich ❷ (*badly written*) schwer zu lesen *präd*

un·real [ʌnˈrɪəl] *adj* ❶ (*not real*) unwirklich ❷ (*sl: astonishingly good*) unmöglich *fam*

un·re·al·is·tic [ˌʌnrɪəˈlɪstɪk] *adj* ❶ (*not realistic*) unrealistisch, realitätsfern ❷ (*not convincing*) nicht realistisch

un·re·al·is·ti·cal·ly [ˌʌnrɪəˈlɪstɪkəli] *adv* unrealistisch[erweise]

un·re·al·ized [ʌnˈrɪəlaɪzd] *adj* ❶ (*not realized*) nicht verwirklicht ❷ (*not turned into money*) unrealisiert

un·rea·son·able [ʌnˈriːzənəbl] *adj* ❶ (*not showing reason*) unvernünftig; **it's not ~ to assume that ...** es ist nicht abwegig anzunehmen, dass ... ❷ (*unfair*) übertrieben; *demand* überzogen; **don't be so ~!** **he's doing the best he can** verlang nicht so viel! er tut sein Bestes

un·rea·son·ably [ʌnˈriːzᵊnəbli] *adv* ❶ (*illogically*) unvernünftig; **she claims, not ~, that ...** sie behauptet nicht zu Unrecht, dass ... ❷ (*unfairly*) übertrieben, unangemessen; **you're being ~ strict with Daphne** du bist unnötig streng mit Daphne

un·rea·son·ing [ʌnˈriːzᵊnɪŋ] *adj* unbegründet

un·rec·og·niz·able [ˌʌnrekəgˈnaɪzəbl] *adj* nicht [wieder]erkennbar, unkenntlich

un·rec·og·nized [ʌnˈrekəgnaɪzd] *adj* ❶ (*not identified*) nicht [wieder]erkannt, unerkannt ❷ (*not acknowledged*) nicht anerkannt

un·re·deemed [ˌʌnrɪˈdiːmd] *adj* nicht ausgeglichen; REL *sinner* unerlöst

un·re·fined [ˌʌnrɪˈfaɪnd] *adj* ❶ (*not chemically refined*) nicht raffiniert; **~ sugar/oil** Rohzucker *m*/Rohöl *nt* ❷ (*not socially polished*) unkultiviert; *manners* rüde

un·re·flect·ing [ˌʌnrɪˈflektɪŋ] *adj* (*form*) unbedacht

un·reg·is·tered [ʌnˈredʒɪstəd] *adj* nicht registriert; *birth* nicht eingetragen; *mail* nicht eingeschrieben

un·re·lat·ed [ˌʌnrɪˈleɪtɪd] *adj* ❶ (*not relatives*) nicht [miteinander] verwandt ❷ (*not logically connected*) nicht zusammenhängen (**to** mit)

un·re·lent·ing [ˌʌnrɪˈlentɪŋ] *adj* ❶ (*not yielding*) unerbittlich; *opponent* unbeugsam; ▪**to be ~ in sth** in etw *dat* nicht nachlassen ❷ (*incessant*) unaufhörlich; *pressure* konstant; *rain* anhaltend; **to be ~** nicht nachlassen ❸ (*form: unmerciful*) gnadenlos

un·re·li·abil·ity [ˌʌnrɪlaɪəˈbɪlɪti] *n no pl* Unzuverlässigkeit *f*

un·re·li·able [ˌʌnrɪˈlaɪəbl] *adj* unzuverlässig

un·re·lieved [ˌʌnrɪˈliːvd] *adj* ❶ (*depressingly unvarying*) ununterbrochen; *poverty* unvermindert; *pressure, stress* anhaltend; *boredom* dauernd ❷ (*not helped*) unvermindert

un·re·mark·able [ˌʌnrɪˈmɑːkəbl] *adj* nicht bemerkenswert

un·re·mit·ting [ˌʌnrɪˈmɪtɪŋ] *adj* (*form*) unablässig; ▪**to be ~ in sth** in etw *dat* beharrlich sein

un·re·peat·able [ˌʌnrɪˈpiːtəbl] *adj* nicht wiederholbar

un·re·pen·tant [ˌʌnrɪˈpentənt] *adj* reu[e]los; ▪**to be ~** keine Reue zeigen

un·re·quit·ed [ˌʌnrɪˈkwaɪtɪd] *adj* (*form or hum*) unerwidert

un·re·served [ˌʌnrɪˈzɜːvd] *adj* ❶ (*without reservations*) uneingeschränkt; *support* voll ❷ (*not having been reserved*) nicht reserviert; *seat* frei ❸ (*not standoffish*) offen; **~ friendliness** Herzlichkeit *f*

un·re·serv·ed·ly [ˌʌnrɪˈzɜːvɪdli] *adv* vorbehaltlos; **to apologize ~** sich ohne Einschränkungen entschuldigen

un·re·solved [ˌʌnrɪˈzɒlvd] *adj* ❶ (*not settled*) ungelöst; *tension* anhaltend ❷ *pred* (*undecided*) unentschlossen

un·rest [ʌnˈrest] *n no pl* Unruhen *pl*; **ethnic/social ~** ethnische/soziale Spannungen

un·re·strained [ˌʌnrɪˈstreɪnd] *adj* uneingeschränkt; *criticism* hart; *laughter* ungehemmt; *praise* unumschränkt

un·re·strict·ed [ˌʌnrɪˈstrɪktɪd] *adj* uneingeschränkt; *access* ungehindert

un·ripe [ʌnˈraɪp] *adj* unreif

un·ri·valled [ʌnˈraɪvᵊld] *adj* einzigartig

un·roll [ʌnˈrəʊl] **I.** *vt poster* aufrollen **II.** *vi* sich abrollen [lassen]

un·ruf·fled [ʌnˈrʌfld] *adj* ❶ (*not agitated*) gelassen ❷ (*not ruffled up*) unzerzaust; *feathers* glatt; *hair* ordentlich

un·ru·ly <-ier, -iest *or* more ~, most ~> [ʌnˈruːli] *adj* ❶ (*disorderly*) ungebärdig; *crowd* aufrührerisch ❷ *children* außer Rand und Band; *hair* nicht zu bändigen

un·sad·dle [ʌnˈsædl] *vt* ❶ (*remove saddle*) absatteln ❷ (*unseat*) abwerfen

un·safe [ʌnˈseɪf] *adj* ❶ (*dangerous*) unsicher; *animal* gefährlich; ▪**to be ~ to do sth** gefährlich sein, etw zu tun; **~ sex** ungeschützter Sex ❷ *pred* (*in danger*) nicht sicher ❸ BRIT LAW *conviction* unhaltbar

un·said [ʌnˈsed] **I.** *adj* (*form*) ungesagt; **to leave sth ~** etw ungesagt lassen **II.** *vt pt, pp of* **unsay**

un·sala·ried [ʌnˈsælərid] *adj* unbezahlt; **~ position** Tätigkeit ohne Monatsgehalt

un·sal(e)·able [ʌnˈseɪləbl] *adj* unverkäuflich

un·salt·ed [ʌnˈsɔːltɪd] *adj* ungesalzen

un·sat·is·fac·tory [ʌnˌsætɪsˈfæktᵊri] *adj* ❶ (*not satisfactory*) unzureichend; *answer* unbefriedigend ❷ (*grade*) ungenügend

un·sat·is·fied [ʌnˈsætɪsfaɪd] *adj* ❶ (*not content*) unzufrieden; **to leave sb/sth ~** jdn/etw nicht befriedigen ❷ (*not convinced*) nicht überzeugt; **to be ~ with sth** sich mit etw *dat* nicht zufriedengeben ❸ (*not sated*) nicht gesättigt

un·sa·voury [ʌnˈseɪvᵊri] *adj*, AM **un·sa·vory** *adj* ❶ (*unpleasant to the senses*) unappetitlich ❷ (*disgusting*) widerlich ❸ (*socially offensive*) fragwürdig; *area* übel; *re-*

putation zweifelhaft; *character* zwielichtig

un·say <-said, -said> [ʌnˈseɪ] *vt* ungesagt machen ▸ **what's said cannot be unsaid** (*prov*) gesagt ist gesagt

un·scathed [ʌnˈskeɪðd] *adj* unverletzt; **to emerge ~ from sth** (*fig*) etw unbeschadet überstehen

un·sche·duled [ʌnˈʃedjuːld] *adj* außerplanmäßig; *stop* außerfahrplanmäßig

un·schooled [ʌnˈskuːld] *adj* (*form*) ❶ (*uninstructed*) nicht ausgebildet (**in** in), nicht vertraut (**in** mit) ❷ *horse* undressiert

un·screened [ʌnˈskriːnd] *adj* ❶ (*not checked*) unkontrolliert ❷ (*not broadcast*) nicht ausgestrahlt

un·screw [ʌnˈskruː] **I.** *vt* ❶ (*remove screws*) abschrauben ❷ (*to open*) aufschrauben; *lid* abschrauben **II.** *vi* (*take off by unscrewing*) sich abschrauben lassen; (*open*) aufschrauben

un·script·ed [ʌnˈskrɪptɪd] *adj* improvisiert; **~ speech** Stegreifrede *f*

un·scru·pu·lous [ʌnˈskruːpjələs] *adj* (*pej*) skrupellos

un·seal [ʌnˈsiːl] *vt* (*dated*) ❶ (*open*) entsiegeln ❷ (*tell*) enthüllen

un·sealed [ʌnˈsiːld] *adj* ❶ (*not sealed*) unversiegelt ❷ (*open*) nicht zugeklebt

un·seat [ʌnˈsiːt] *vt* ❶ (*remove from power*) ■ **to ~ sb** jdn seines Amtes entheben ❷ (*throw*) abwerfen

un·se·cured [ˌʌnsɪˈkjuːəd] *adj* ❶ FIN ungesichert; **an ~ loan** Blankokredit *m* ❷ (*unfastened*) unbefestigt

un·see·ing [ʌnˈsiːɪŋ] *adj* (*form*) blind; **to look at sb with ~ eyes** jdn mit leerem Blick anstarren

un·seem·ly [ʌnˈsiːmli] *adj* (*form or dated*) unschicklich; *behaviour* ungehörig

un·seen [ʌnˈsiːn] *adj* ungesehen, unbemerkt

un·self·ish [ʌnˈselfɪʃ] *adj* selbstlos

un·ser·vice·able [ʌnˈsɜːvɪsəbl] *adj* unnütz; *appliances* unbrauchbar

un·set·tle [ʌnˈsetl] *vt* ❶ (*make nervous*) verunsichern ❷ (*make unstable*) stören

un·set·tled [ʌnˈsetld] *adj* ❶ (*unstable*) instabil; *political climate* unruhig; *weather* unbeständig ❷ (*troubled*) unruhig ❸ (*unresolved*) noch anstehend ❹ (*queasy*) gereizt ❺ (*without settlers*) unbesiedelt

un·set·tling [ʌnˈsetlɪŋ] *adj* ❶ (*causing nervousness*) beunruhigend; **to have the ~ feeling that ...** das ungute Gefühl haben, dass ... ❷ (*causing disruption*) ■ **to be ~** jdn/einen aus der Bahn werfen ❸ COMM destabilisierend

un·shak·able [ʌnˈʃeɪkəbl] *adj,* **un·shake·**

able *adj belief, feeling* unerschütterlich; *alibi* felsenfest; **to have ~ faith in sth** fest an etw *akk* glauben

un·shaved [ʌnˈʃeɪvd] *adj,* **un·shav·en** [ʌnˈʃeɪvᵊn] *adj* unrasiert

un·shod [ʌnˈʃɒd] *adj* (*form*) unbeschuht

un·shrink·able [ʌnˈʃrɪŋkəbl] *adj* ■ **to be ~** nicht einlaufen

un·shrink·ing [ʌnˈʃrɪŋkɪŋ] *adj* furchtlos

un·sight·ly <-ier, -iest *or* more ~, most ~> [ʌnˈsaɪtli] *adj* unansehnlich

un·signed [ʌnˈsaɪnd] *adj* ❶ (*lacking signature*) nicht unterschrieben; *painting* unsigniert ❷ (*not under contract*) nicht unter Vertrag stehend *attr*

un·skilled [ʌnˈskɪld] *adj* ❶ (*not having skill*) ungeschickt ❷ (*not requiring skill*) ungelernt; **~ job** Tätigkeit *f* für ungelernte Arbeitskräfte; **~ work** Hilfsarbeiten *pl*

un·so·ciable [ʌnˈsəʊʃəbl] *adj person* ungesellig; *place* nicht einladend

un·so·cial [ʌnˈsəʊʃᵊl] *adj* ❶ BRIT (*socially inconvenient*) nicht sozialverträglich; **to work ~ hours** außerhalb der normalen Arbeitszeiten arbeiten ❷ (*antisocial*) asozial *pej* ❸ (*not seeking company*) unsozial

un·sold [ʌnˈsəʊld] *adj* unverkauft

un·so·lic·it·ed [ˌʌnsəˈlɪsɪtɪd] *adj* unerbeten; *advice* ungebeten

un·solved [ʌnˈsɒlvd] *adj mystery, problem* ungelöst; *murder* unaufgeklärt

un·so·phis·ti·cat·ed [ˌʌnsəˈfɪstɪkeɪtɪd] *adj* ❶ (*lacking knowledge*) naiv; *taste* einfach ❷ (*uncomplicated*) einfach ❸ (*genuine*) unverfälscht

un·sound [ʌnˈsaʊnd] *adj* ❶ (*unstable*) instabil ❷ *argument* nicht stichhaltig; *judgement* anfechtbar ❸ (*unreliable*) unzuverlässig ❹ (*unhealthy*) ungesund; **to be of ~ mind** nicht zurechnungsfähig sein

un·spar·ing [ʌnˈspeərɪŋ] *adj* ❶ (*merciless*) schonungslos ❷ (*form: lavish*) großzügig; **to be ~ in one's efforts** keine Mühen scheuen

un·speak·able [ʌnˈspiːkəbl] *adj* unbeschreiblich

un·speci·fied [ʌnˈspesɪfaɪd] *adj* unspezifiziert; (*not named*) [namentlich] nicht genannt

un·spoiled [ʌnˈspɔɪld] *adj,* **un·spoilt** [ʌnˈspɔɪlt] *adj* BRIT *person* natürlich; *child* nicht verwöhnt; *landscape* unberührt; *view* unverbaut

un·spok·en [ʌnˈspəʊkᵊn] *adj* unausgesprochen; *agreement* stillschweigend

un·sta·ble [ʌnˈsteɪbl] *adj* ❶ (*not firm*) nicht stabil; *piece of furniture* wack[e]lig ❷ (*fig*) instabil; *future* ungewiss; **~ society**

instabile Gesellschaft; **emotionally** ~ [psychisch] labil

un·steadi·ly [ʌn'stedɪli] *adv* ❶ (*unstably*) unsicher, unruhig; **to walk** ~ wanken ❷ (*irregularly*) unregelmäßig

un·steady [ʌn'stedi] *adj* ❶ (*unstable*) nicht stabil; *piece of furniture* wack[e]lig; **to be** ~ **on one's feet** wack[e]lig auf den Beinen sein ❷ (*wavering*) zittrig ❸ *footsteps, heartbeat* unregelmäßig

un·stuck [ʌn'stʌk] *adj* (*no longer stuck*) **to come** ~ sich [ab]lösen; (*fam: waver*) ins Schleudern geraten; (*fam: fail*) scheitern

un·stud·ied [ʌn'stʌdid] *adj* (*form: natural*) ungezwungen; *response* spontan

un·sub·stan·tial [ˌʌnsəb'stæn(t)ʃəl] *adj* unwesentlich; (*immaterial*) körperlos

un·sub·stan·ti·at·ed [ˌʌnsəb'stæn(t)ʃieɪtid] *adj* unbegründet

un·suc·cess·ful [ˌʌnsək'sesfəl] *adj* erfolglos; *attempt* vergeblich; *candidate* unterlegen; ▪**to be** ~ **in sth** bei etw *dat* keinen Erfolg haben

un·suit·able [ʌn'sju:təbḷ] *adj* nicht geeignet

un·sul·lied [ʌn'sʌli:d] *adj* ❶ (*form: not tarnished*) unbefleckt; *reputation* makellos ❷ (*dated: pure*) unberührt

un·sung [ʌn'sʌŋ] *adj* unbesungen; *achievements* unbeachtet; **an** ~ **hero** ein Held *m*, von dem niemand spricht

un·sure [ʌn'ʃʊəʳ] *adj* unsicher; ▪**to be** ~ **how/what/when/whether/why** ... nicht genau wissen, wie/was/wann/ob/warum ...; ▪**to be** ~ **about sth** sich *dat* einer S. *gen* nicht sicher sein; ▪**to be** ~ **of oneself** kein Selbstvertrauen haben

un·sur·pass·able [ˌʌnsə'pɑ:səbḷ] *adj* unübertrefflich, unübierbar

un·sur·passed [ˌʌnsə'pɑ:st] *adj* einzigartig; ▪**to be** ~ **in** [doing] **sth** in etw *dat* unübertroffen sein

un·sus·pect·ing [ˌʌnsə'spektɪŋ] *adj* ahnungslos

un·sus·tain·able [ˌʌnsə'steɪnəbḷ] *adj* ❶ (*not maintainable*) nicht aufrechtzuerhalten ❷ (*damaging to ecology*) umweltschädigend

un·swerv·ing [ʌn'swɜ:vɪŋ] *adj commitment, loyalty* unerschütterlich

un·sym·pa·thet·ic [ˌʌnsɪmpə'θetɪk] *adj* ❶ (*not showing sympathy*) ohne Mitgefühl *nach n*, *präd* ❷ (*not showing approval*) verständnislos; ▪**to be** ~ **toward sth** für etw *akk* kein Verständnis haben

un·tal·ent·ed [ʌn'tæləntɪd] *adj* untalentiert, unbegabt

un·tan·gle [ʌn'tæŋgḷ] *vt* entwirren *a. fig; mystery* lösen

un·tapped [ʌn'tæpt] *adj market* nicht erschlossen; *resources* ungenutzt

un·tar·nished [ʌn'tɑ:nɪʃt] *adj* makellos; (*also fig*) im alten Glanz erstrahlend, ungetrübt

un·taxed [ʌn'tækst] *adj income* steuerfrei; (*tax not paid for*) unversteuert

un·ten·able [ʌn'tenəbḷ] *adj* (*form*) nicht vertretbar

un·ten·ant·ed [ʌn'tenəntɪd] *adj house* unbewohnt

un·think·able [ʌn'θɪŋkəbḷ] I. *adj* ❶ (*unimaginable*) undenkbar ❷ (*shocking*) unfassbar II. *n no pl* ▪**the** ~ das Unvorstellbare

un·think·ing [ʌn'θɪŋkɪŋ] *adj* unbedacht; (*unintentional*) unabsichtlich

un·thought of [ʌn'θɔ:tɒv] *adj pred*, **un·thought-of** *adj attr* unvorstellbar; *detail* nicht bedacht

un·tidi·ly [ʌn'taɪdɪli] *adv* unordentlich

un·tidi·ness [ʌn'taɪdɪnəs] *n no pl* Unordnung *f; of person, dress* Unordentlichkeit *f*

un·tidy [ʌn'taɪdi] *adj* ❶ (*disordered*) unordentlich; *appearance* ungepflegt ❷ (*not well organized*) unsystematisch; *thesis also* konzeptlos

un·tie <-y-> [ʌn'taɪ] *vt* ❶ (*undo*) lösen; *shoelaces* aufbinden ❷ *boat* losbinden; *parcel* aufschnüren

un·til [ʌn'tɪl] I. *prep* ❶ (*up to*) bis; **two more days** ~ **Easter** noch zwei Tage bis Ostern ❷ (*beginning at*) bis; **we didn't eat** ~ **midnight** wir aßen erst um Mitternacht II. *conj* (*esp form*) ❶ (*up to time when*) bis; **I laughed** ~ **tears rolled down my face** ich lachte, bis mir die Tränen kamen ❷ (*not before*) ▪**to not do sth** ~ ... etw erst [dann] tun, wenn ...; **he didn't have a girlfriend** ~ **he was thirty-five** er hatte erst mit 35 eine Freundin; **not** ~ **he's here** erst wenn er da ist

un·time·ly [ʌn'taɪmli] *adj* (*form*) ❶ (*inopportune*) ungelegen ❷ (*premature*) verfrüht

un·tir·ing [ʌn'taɪərɪŋ] *adj* unermüdlich

unto ['ʌntu:] *prep* ❶ (*to*) zu; **for** ~ **us a child is born** denn uns ist ein Kind geboren ❷ (*until*) bis; ~ **this day** bis zum heutigen Tage

un·told [ʌn'təʊld] *adj* ❶ *attr* (*immense*) unsagbar; *damage* immens; *misery* unsäglich; *wealth* unermesslich ❷ (*not told*) ungesagt

un·touched [ʌn'tʌtʃt] *adj* ❶ (*not touched*) unberührt ❷ (*not eaten/drunk*) nicht angerührt ❸ (*not affected*) ■**to be ~ by sth** von etw *dat* nicht betroffen sein; **to leave sth ~** etw verschont lassen ❹ (*indifferent*) ungerührt ❺ (*not mentioned*) unerwähnt

un·to·ward [ˌʌntəˈwɔːd] *adj* (*form*) ❶ (*unfortunate*) ungünstig; **unless anything ~ happens** wenn nichts dazwischenkommt ❷ *remark* unpassend

un·trained [ʌnˈtreɪnd] *adj* ungeübt; *eye* ungeschult

un·trans·fer·able [ˌʌntrænˈ(t)sˈfɜːrəbl̩] *adj* LAW nicht übertragbar

un·trans·lat·able [ˌʌntræn(t)sˈleɪtəbl̩] *adj* unübersetzbar

un·treat·ed [ʌnˈtriːtɪd] *adj* unbehandelt; **~ sewage** ungeklärte Abwässer

un·tried [ʌnˈtraɪd] *adj* ❶ (*not tested*) ungetestet ❷ (*form: inexperienced*) unerfahren ❸ LAW noch nicht verhandelt; *case* unerledigt

un·trou·bled [ʌnˈtrʌbl̩d] *adj* sorglos; ■**to be ~ by sth** sich von etw *dat* nicht beunruhigen lassen

un·true [ʌnˈtruː] *adj* ❶ (*false*) unwahr, falsch ❷ *pred* (*not faithful*) untreu; ■**to be ~ to sb/sth** jdm/etw untreu sein

un·trust·wor·thy [ʌnˈtrʌstˌwɜːði] *adj* unzuverlässig

un·truth [ʌnˈtruːθ] *n* ❶ (*lie*) Unwahrheit *f*; **to tell an ~** (*euph*) flunkern *fam* ❷ *no pl* (*quality*) Falschheit *f*

un·truth·ful [ʌnˈtruːθfəl] *adj* unwahr; (*tending to tell lies*) unaufrichtig

un·turned [ʌnˈtɜːnd] *adj* nicht umgedreht; *soil* nicht umgegraben

un·tu·tored [ʌnˈtjuːtəd] *adj* (*form*) ungeschult

un·typi·cal [ʌnˈtɪpɪkəl] *adj* abweichend, untypisch

un·used¹ [ʌnˈjuːzd] *adj* (*not used*) unbenutzt; *clothes* ungetragen; **to go ~** nicht genutzt werden

un·used² [ʌnˈjuːst] *adj pred* (*not accustomed*) ■**to be ~ to sth** an etw *akk* nicht gewöhnt sein

un·usual [ʌnˈjuːʒəl] *adj* ❶ (*not habitual*) ungewöhnlich; (*for a person*) untypisch ❷ (*remarkable*) außergewöhnlich

un·usual·ly [ʌnˈjuːʒəli] *adv* ungewöhnlich; **~ for me, ...** ganz gegen meine Gewohnheit ...

un·ut·ter·able [ʌnˈʌtərəbl̩] *adj* (*form*) unsäglich; *suffering* unbeschreiblich

un·var·nished [ʌnˈvɑːnɪʃt] *adj* ❶ (*not coated with varnish*) unlackiert ❷ (*straightforward*) einfach; *truth* ungeschminkt

un·veil [ʌnˈveɪl] **I.** *vt* ❶ (*remove covering*) enthüllen; *face* entschleiern ❷ (*present to public*) der Öffentlichkeit vorstellen **II.** *vi* den Schleier abnehmen

un·veil·ing [ʌnˈveɪlɪŋ] *n no pl* Enthüllung *f a. fig*; (*fig*) Entschleierung *f*, Aufdeckung *f*

un·versed [ʌnˈvɜːst] *adj pred* (*form*) nicht versiert (**in** in)

un·waged [ʌnˈweɪdʒd] BRIT **I.** *adj* ❶ (*out of work*) arbeitslos ❷ (*unpaid*) unbezahlt **II.** *n* ■**the ~** *pl* die Arbeitslosen *pl*

un·want·ed [ʌnˈwɒntɪd] *adj* unerwünscht; *clothes* abgelegt; *advice* ungebeten; *child* ungewollt

un·war·rant·ed [ʌnˈwɒrəntɪd] *adj* (*form*) ❶ (*not justified*) ungerechtfertigt; *fears* unbegründet; *criticism* unberechtigt ❷ (*not authorized*) unrechtmäßig

un·wa·ver·ing [ʌnˈweɪvərɪŋ] *adj* unerschütterlich; *determination* eisern

un·wed [ʌnˈwed] *adj* (*dated*) unverheiratet

un·welcome [ʌnˈwelkəm] *adj* unwillkommen; *news* unerfreulich; **to make sb feel ~** jdm das Gefühl geben, nicht willkommen zu sein

un·well [ʌnˈwel] *adj pred* unwohl; ■**sb is ~** jdm geht es nicht gut; **to feel ~** sich unwohl fühlen

un·wieldy [ʌnˈwiːldi] *adj* ❶ (*cumbersome*) unhandlich; *piece of furniture* sperrig ❷ (*ineffective*) unüberschaubar; *system* schwerfällig

un·will·ing [ʌnˈwɪlɪŋ] *adj* widerwillig; ■**to be ~ to do sth** nicht gewillt sein, etw zu tun

un·will·ing·ly [ʌnˈwɪlɪŋli] *adv* ungern

un·wind <unwound, unwound> [ʌnˈwaɪnd] **I.** *vi* ❶ (*unroll*) sich abwickeln ❷ (*relax*) sich entspannen **II.** *vt* abwickeln

un·'wired *adj* drahtlos

un·wise [ʌnˈwaɪz] *adj* unklug

un·wit·ting [ʌnˈwɪtɪŋ] *adj* ❶ (*unaware*) ahnungslos ❷ (*unintentional*) unbeabsichtigt

un·wit·ting·ly [ʌnˈwɪtɪŋli] *adv* ❶ (*without realizing*) unwissentlich ❷ (*unintentionally*) unbeabsichtigt

un·wonted [ʌnˈwəʊntɪd] *adj attr* (*form*) ungewohnt

un·work·able [ʌnˈwɜːkəbl̩] *adj* undurchführbar

un·world·ly [ʌnˈwɜːldli] *adj* ❶ (*spiritually-minded*) weltabgewandt ❷ (*naive*) weltfremd ❸ (*not of this world*) nicht von dieser Welt präd

un·wor·thy [ʌnˈwɜːði] *adj* (*pej*) ❶ (*not deserving*) unwürdig; **to be ~ of interest** nicht von Interesse sein ❷ (*unacceptable*)

U

nicht würdig

un·wrap <-pp-> [ʌnˈræp] vt ❶(*remove wrapping*) auspacken ❷(*reveal*) enthüllen

un·writ·ten [ʌnˈrɪtᵊn] adj nicht schriftlich fixiert; *agreement* stillschweigend; *law* ungeschrieben; ~ **traditions** mündliche Überlieferungen

un·yield·ing [ʌnˈjiːldɪŋ] adj ❶*ground* hart; ◼**to be** ~ nicht nachgeben ❷(*resolute*) unnachgiebig; *opposition* hartnäckig

un·zip <-pp-> [ʌnˈzɪp] vt ❶(*open zip*) den Reißverschluss aufmachen ❷ COMPUT auspacken

up [ʌp] **I.** adv ❶(*to higher position*) nach oben, hinauf; **hands ~!** Hände hoch!; **the water had come ~ to the level of the windows** das Wasser war bis auf Fensterhöhe gestiegen; **four flights** ~ vier Etagen höher; **halfway** ~ auf halber Höhe; **~ and ~** immer höher; **to get/stand ~** aufstehen ❷(*erect*) aufrecht; **lean it ~ against the wall** lehnen Sie es gegen die Wand ❸(*out of bed*) auf; **to be ~ late** lange aufbleiben; **~ and about** auf den Beinen ❹(*northwards*) hinauf, herauf; **~ north** oben im Norden ❺(*at higher place*) oben; **farther** ~ weiter oben; **~ here/there** hier/da oben; **I live on the next floor** ~ ich wohne ein Stockwerk höher ❻(*toward*) ◼**~ to sb/sth** auf jdn/etw akk zu; **she went** ~ **to the counter** sie ging zum Schalter; **to walk** ~ **to sb** auf jdn zugehen ❼(*in high position*) an der Spitze; **he's** ~ **there with the best** er zählt zu den Besten; **she's something high** ~ **in the company** sie ist ein hohes Tier in der Firma ❽(*higher in price or number*) höher; |**from**| £50 ~ ab 50 Pfund aufwärts; **for children aged 13 and** ~ für Kinder ab 13 Jahren geeignet ❾(*to point of*) ~ **until** |or **to**| bis; ~ **to £300** bis zu 300 Pfund ❿(*in opposition to*) **to be** ~ **against sb/sth** es mit jdm/etw dat zu tun haben ⓫(*depend on*) **to be** ~ **to sb** von jdm abhängen; **I'll leave it** ~ **to you** ich überlasse dir die Entscheidung ⓬(*contrive*) **to be** ~ **to sth** etw vorhaben; **to be** ~ **to no good** nichts Gutes im Schilde führen ⓭(*be adequate*) **to be** ~ **to sth** einer Sache dat gewachsen sein; **to be** ~ **to doing sth** in der Lage sein, etw zu tun; **to not be** ~ **to much** nicht viel taugen ⓮ AM (*apiece*) pro Person; **the score was 3** ~ **at half-time** bei Halbzeit stand es 3 |für| beide ▶**to be** ~ **with the clock** gut in der Zeit liegen; **to be** ~ **to the ears in problems** bis zum Hals in Schwierigkeiten stecken **II.** prep ❶(*to higher position*) hinauf, herauf; ~ **the** **ladder/mountain/stairs** die Leiter/den Berg/die Treppe hinauf ❷(*along*) |**just**| ~ **the road** ein Stück die Straße hinauf; ~ **and down** auf und ab ❸(*against flow*) ~ **the river** flussauf[wärts] ❹(*at top of*) **he's** ~ **that ladder** er steht dort oben auf der Leiter ❺ AUS, BRIT (*fam: at*) **I'll see you** ~ **the pub later** wir sehen uns später in der Kneipe ▶**to be** ~ **the creek** |**without a paddle**| |schön| in der Klemme sitzen; ~ **hill and down dale** bergauf und bergab; ~ **top** BRIT (*fam*) im Kopf; ~ **yours!** (*vulg*) hier könnt/du kannst mich mal! **III.** adj ❶ attr (*moving upward*) nach oben ❷ pred (*leading*) in Führung ❸ pred (*more intense*) **the wind is** ~ der Wind hat aufgedreht ❹ pred (*functioning properly*) funktionstüchtig; **do you know when the server will be** ~ **again?** weißt du, wann der Server wieder in Betrieb sein wird? ❺ pred (*finished*) vorbei, um; **your time is** ~! Ihre Zeit ist um! ❻ pred (*fam: happening*) **something is** ~ irgendetwas ist im Gange; **what's** ~? was ist los? ❼ pred (*informed*) **how well** ~ **are you in Spanish?** wie fit bist du in Spanisch? *fam* ❽ pred (*scheduled*) **to be** ~ **for sale** zum Verkauf stehen ❾ pred LAW **to be** ~ **for trial** *person* vor Gericht stehen; *case* verhandelt werden ❿ pred (*interested in*) **who's** ~ **for a walk?** wer hat Lust auf einen Spaziergang? **IV.** n (*fam: good period*) Hoch nt; ~**s and downs** Höhen und Tiefen pl ▶**to be** ~ **on the** ~ **and** ~ BRIT, AUS (*fam: be improving*) im Aufwärtstrend begriffen sein **V.** vi <-pp-> (*fam*) ◼**to** ~ **and do sth** etw plötzlich tun **VI.** vt <-pp-> ❶(*increase*) erhöhen; *price, tax* anheben; **to** ~ **the stakes** den Einsatz erhöhen ❷ *glass* erheben

up-and-com·ing adj attr aufstrebend

up·beat [ˈʌpbiːt] **I.** n MUS Auftakt m **II.** adj (*fam*) optimistisch; *mood* fröhlich

up·braid [ʌpˈbreɪd] vt (*form*) tadeln

up·bring·ing [ˈʌpˌbrɪŋɪŋ] n usu sing Erziehung f

up·com·ing adj esp AM bevorstehend

up-coun·try I. adv [ʌpˈkʌntri] landeinwärts **II.** adj [ʌpˈkʌntri] im Landesinnern **III.** n [ʌpˈkʌntri] no pl das Landesinnere

up·date I. vt [ʌpˈdeɪt] ❶(*modernize*) aktualisieren; COMPUT ein Update machen; *hardware* nachrüsten ❷(*inform*) auf den neuesten Stand bringen; (*permanently*) auf dem Laufenden halten **II.** n [ˈʌpdeɪt] Aktualisierung f, Update nt

up·dat·ed [ʌpˈdeɪtɪd] adj aktualisiert, überarbeitet

'**up·draught** n Zug m; AVIAT Aufwind m

up·end [ʌp'end] I. vt (fam) hochkant stellen II. vi ❶ (rise on end) sich aufstellen ❷ (submerge head) tauchen

up·front [ʌp'frʌnt] adj (fam) ❶ pred (frank) offen; **to be ~ about sth** etw offen sagen ❷ attr (advance) Voraus-; **~ payment** Anzahlung f

up·grade [ʌp'greɪd] I. vt ❶ (improve quality) verbessern; COMPUT erweitern; hardware nachrüsten ❷ (raise in rank) befördern II. n ❶ COMPUT Aufrüsten nt ❷ (version) verbesserte Version; **a software ~** eine verbesserte Version einer Software ❸ AM (slope) Steigung f

up·grade·able [ʌp'greɪdəbl] adj COMPUT aufrüstbar

up·heav·al [ʌp'hiːvəl] n ❶ no pl (change) Aufruhr m; **political ~** politische Umwälzung[en] ❷ GEOL Erhebung f

up·hill [ʌp'hɪl] I. adv bergauf II. adj ❶ (ascending) bergauf ❷ (difficult) mühselig; **~ battle** harter Kampf III. n Steigung f

up·hold <-held, -held> [ʌp'həʊld] vt aufrechterhalten; traditions pflegen; verdict bestätigen; **to ~ the law** das Gesetz [achten und] wahren

up·hol·ster [ʌp'həʊlstər] vt ❶ furniture [auf]polstern; (cover) beziehen ❷ (furnish) ausstatten

up·hol·ster·er [ʌp'həʊlstərər] n Polsterer, Polsterin m, f

up·hol·stery [ʌp'həʊlstəri] n no pl ❶ (padding) Polsterung f; (covering) Bezug m ❷ (activity) Polstern nt

UPI [juːpiːˈaɪ] n AM abbrev of **United Press International** UPI

up·keep [ʌpkiːp] n no pl ❶ (maintenance) Instandhaltung f ❷ (cost) Instandhaltungskosten pl ❸ of person Unterhalt m; of animals Haltungskosten f

up·land [ʌplənd] I. adj attr Hochland-; **~ plain** Hochebene f II. n ■**the ~s** pl das Hochland kein pl

up·lift [ʌplɪft] I. vt ❶ (raise) anheben; soil aufwerfen ❷ (inspire) [moralisch] aufrichten II. n ❶ (elevation) Aufschwung m ❷ GEOL Hebung f ❸ (influence) Erbauung f

up·lift·ing [ʌp'lɪftɪŋ] adj (form) erbaulich

'**up·load** vt COMPUT laden

up·mar·ket [ʌp'mɑːkɪt] esp BRIT I. adj goods hochwertig; consumer anspruchsvoll; **~ hotel** Luxushotel nt II. adv in der gehobenen Preisklasse; **to go ~** exklusiver werden

upon [ə'pɒn] prep (usu form) ❶ (on top of) auf +dat; with verbs of motion auf +akk ❷ (around) an +dat; **the ring ~ my finger** der Ring an meinem Finger ❸ (hanging on) an +dat ❹ (at time of) bei +dat; **~ arrival** bei Ankunft; **once ~ a time** [es war einmal] vor langer Zeit ❺ (form: through medium of) auf +akk; **~ paper** auf Papier ❻ (with base in) auf +akk; **he swore ~ his word** er schwor bei seinem Wort ❼ (concerning) **don't try to force your will ~ me** versuch nicht, mir deinen Willen aufzuzwingen; **we settled ~ a price** wir einigten uns auf einen Preis

up·per [ʌpər] I. adj attr ❶ (higher, further up) obere(r, s); arm, lip etc. Ober-; **~ part of the body** Oberkörper m ❷ rank höhere(r, s); **the ~ middle class** die gehobene Mittelschicht ❸ location höher gelegen; **the U~ Rhine** der Oberrhein II. n ❶ (part of shoe) Obermaterial nt ❷ (sl: drug) Aufputschmittel nt

up·per 'case n TYPO ■**in ~** in Großbuchstaben **up·per 'class** n +sing/pl vb Oberschicht f '**up·per-class** adj der Oberschicht nach n; **in ~ circles** in den gehobenen Kreisen '**up·per-cut** n BOXING Aufwärtshaken m **up·per 'deck** n Oberdeck nt

up·per·most [ʌpəməʊst] I. adj ❶ (highest, furthest up) oberste(r, s), höchste(r, s) ❷ (most important) wichtigste(r, s); **to be ~ in one's mind** jdn am meisten beschäftigen II. adv ganz oben

up·pish [ʌpɪʃ] adj, **up·pi·ty** [ʌpɪti] adj hochmütig; reaction schnippisch

up·right [ʌpraɪt] I. adj ❶ (vertical) senkrecht; (erect) aufrecht; **~ freezer** Gefrierschrank m ❷ (honest) anständig II. adv (vertical) senkrecht; (erect) aufrecht; **bolt ~** kerzengerade III. n ❶ (perpendicular) [Stütz]pfeiler m ❷ FBALL Pfosten m

up·ris·ing [ʌp,raɪzɪŋ] n Aufstand m; **popular ~** Volkserhebung f

up·river [ʌp'rɪvər] I. adj flussaufwärts gelegen II. adv flussaufwärts

up·roar [ʌprɔː'] n no pl ❶ (noise) Lärm m ❷ (protest) Aufruhr m

up·roari·ous [ʌp'rɔːriəs] adj ❶ (loud and disorderly) stürmisch; crowd lärmend; laughter schallend ❷ (extremely amusing) urkomisch

up·root [ʌp'ruːt] vt ❶ (extract from ground) herausreißen; tree entwurzeln ❷ (remove from one's home) aus der gewohnten Umgebung herausreißen; ■**to ~ oneself** seine Heimat verlassen ❸ (eradicate) ausmerzen

up·set I. vt [ʌp'set] ❶ (push over) umwerfen; boat zum Kentern bringen; glass umstoßen ❷ (psychologically unsettle) aus der Fassung bringen; (*distress*) mitnehmen; ■**to** ~ **oneself** sich aufregen ❸(*throw into disorder*) durcheinanderbringen ❹(*cause pain*) **to** ~ **sb's stomach** jdm auf den Magen schlagen ▶**to** ~ **the apple cart** (*fam*) alle Pläne über den Haufen werfen **II.** *adj* [ʌp'set] ❶(*up-ended*) umgestoßen ❷ *pred* (*nervous*) aufgeregt; (*angry*) aufgebracht; (*distressed*) bestürzt; (*sad*) traurig; ■**to be** ~ [**that**] ... traurig sein, dass ...; **to be** ~ **to hear/read/see that** ... mit Bestürzung hören/lesen/sehen, dass ... ❸(*fam: bilious*) **to have an** ~ **stomach** sich *dat* den Magen verdorben haben **III.** *n* ['ʌpset] ❶ *no pl* (*trouble*) Ärger *m*; (*argument*) Verstimmung *f*; (*psychological*) Ärgernis *nt;* ■**to be an** ~ **to** sb jdn mitnehmen; **to have an** ~ eine Meinungsverschiedenheit haben ❷(*unwelcome surprise*) unliebsame Überraschung ❸(*fam*) **stomach** ~ Magenverstimmung *f*

'**up·set price** *n* Am Mindestpreis *m*

up·set·ting [ʌp'setɪŋ] *adj* erschütternd; (*saddening*) traurig; (*annoying*) ärgerlich

up·shot ['ʌpʃɒt] *n no pl* [End]ergebnis *nt*

up·side 'down I. *adj*❶(*inverted position*) auf dem Kopf stehend *attr;* **that picture is** ~ das Bild hängt verkehrt herum ❷(*very confused*) verkehrt **II.** *adv* (*inverted position*) verkehrt herum; **to turn sth** ~ (*also fig*) etw auf den Kopf stellen

up·stage I. *adj* [ʌp'steɪdʒ] THEAT im hinteren Bühnenbereich *nach* n **II.** *adv* [ʌp'steɪdʒ] THEAT **to look** ~ in Richtung Bühnenhintergrund schauen **III.** *vt* ['ʌpsteɪdʒ] ■**to** ~ **sb** jdm die Schau stehlen

up·stairs [ʌp'steəz] **I.** *adj* oben *präd,* obere(r, s) *attr* **II.** *adv* (*upward movement*) nach oben; (*higher position*) oben **III.** *n no pl* Obergeschoss *nt*

up·stand·ing [ʌp'stændɪŋ] *adj*❶(*honest*) aufrichtig ❷(*erect*) groß gewachsen; (*strong*) kräftig ❸ BRIT (*form: stand up*) ■**to be** ~ sich erheben

up·start ['ʌpstɑːt] *n* (*usu pej*) Emporkömmling *m*

up·state Am **I.** *adj* im ländlichen Norden [des Bundesstaates] *präd;* **in** ~ **New York** im ländlichen Teil New Yorks **II.** *adv* in den/im ländlichen Norden [des Bundesstaates]

up·stream [ʌp'striːm] **I.** *adj* **the** ~ **part of the river** der obere Teil des Flusses **II.** *adv* flussaufwärts; **to swim** ~ gegen den Strom schwimmen

up·surge ['ʌpsɜːdʒ] *n* rasche Zunahme; ~ **of attention** steigende Aufmerksamkeit; **the** ~ **of violence** die stark zunehmende Gewalt

up·swing ['ʌpswɪŋ] *n* ECON Aufschwung *m;* ■**to be on the** ~ ansteigen

up·take ['ʌpteɪk] *n no pl*❶(*absorption*) Aufnahme *f* ❷ BRIT, AUS (*level of usage*) Nutzungsgrad *m* ▶**to be quick/slow on the** ~ (*fam*) schnell schalten/schwer von Begriff sein

up·tight [ʌp'taɪt] *adj* (*fam*)❶(*nervous*) nervös; (*anxious*) ängstlich; **to be/get** ~ [**about sth**] [wegen einer S. *gen*] nervös sein/werden ❷(*stiff in outlook*) verklemmt

'**up-to-date** *adj attr* zeitgemäß; *information, report* aktuell

up-to-the-'min·ute *adj* hochaktuell

up·town Am **I.** *adj* **to live in** ~ **Manhattan** im nördlichen/vornehmen Teil Manhattans leben **II.** *adv* (*in residential area*) in den [nördlichen] Wohngebieten; (*with affluent connotations*) im Villenviertel **III.** *n* (*residential area*) Wohnviertel *nt;* (*wealthy area*) Villenviertel *nt*

up·trend ['ʌptrend] *n esp* AM Aufwärtstrend *m*

up·turn ['ʌptɜːn] *n* Aufschwung *m;* ~ **in the economy** Konjunkturaufschwung *m*

up·turned ['ʌptɜːnd] *adj* nach oben gewendet; *table* umgeworfen; *boat* gekentert; ~ **nose** Stupsnase *f*

up·ward ['ʌpwəd] **I.** *adj usu* AM Aufwärts-; ~ **movement** Aufwärtsbewegung *f* **II.** *adv* nach oben; **from childhood** ~ von Kindheit an

up·ward·ly ['ʌpwədli] *adv* nach oben, aufwärts

up·ward·ly 'mo·bile *adj* ■**to be** ~ ehrgeizig daran arbeiten, in der Gesellschaft aufzusteigen; **he belongs to the new** ~ **generation** er gehört zu der neuen aufstrebenden Generation

up·wards ['ʌpwədz] *adv* nach oben, aufwärts

up·ward 'trend *n* Aufwärtstrend *m;* ~ **in inflation** Inflationsstoß *m*

ura·nium [juə'reɪniəm] *n no pl* Uran *nt*

Ura·nus ['juərⁿəs] *n no art* ASTRON Uranus *m*

ur·ban ['ɜːbⁿən] *adj attr* städtisch; ~ **area** Stadtgebiet *nt;* ~ **decay** (*in centre*) Verfall *m* der Innenstadt; (*in residential area*) Verslumung *f;* ~ **population** Stadtbevölkerung *f;* ~ **redevelopment** Stadtsanierung *f;* ~ **sprawl** Zersiedelung *f*

ur·bane [ɜː'beɪn] *adj* weltmännisch; *manner* kultiviert

ur·ban·ity [ɜː'bænəti] *n no pl* weltmännische Art

ur·ba·ni·za·tion [ˌɜːbənaɪˈzeɪʃ³n] *n no pl* Verstädterung *f*

ur·ban·ize [ˈɜːbənaɪz] *vt* verstädtern

ur·chin [ˈɜːtʃɪn] *n street* ~ Straßenkind *nt;* (*boy*) Gassenjunge *m*

urethra <*pl* -s *or* -rae> [jʊəˈriːθrə, *pl* -riː] *n* ANAT Harnröhre *f*

urge [ɜːdʒ] **I.** *n* (*strong desire*) Verlangen *nt* (**for** nach); (*compulsion*) Drang *m* (**for** nach); PSYCH Trieb *m;* **to get the ~ to do sth** Lust bekommen, etw zu tun; **irresistible** ~ unwiderstehliches Verlangen; **sexual** ~ Sexual-/Geschlechtstrieb *m;* **to give in to the ~ to do sth** dem Verlangen, etw zu tun, nicht widerstehen können **II.** *vt* ❶ (*try to persuade*) ▪ **to** ~ **sb** [**to do sth**] jdn drängen[, etw zu tun] ❷ (*advocate*) ▪ **to** ~ **sth** auf etw *akk* dringen, zu etw *dat* drängen; **I** ~ **you to reconsider your decision** ich rate Ihnen dringend, Ihren Beschluss zu überdenken; **to** ~ **caution/ vigilance** zur Vorsicht/Wachsamkeit mahnen ❸ (*form: persuade to accept*) ▪ **to** ~ **sth on sb** jdn zu etw *dat* drängen ◆ **urge on** *vt* ▪ **to** ~ **sb on** [**to do sth**] jdn [dazu] antreiben[, etw zu tun]

ur·gen·cy [ˈɜːdʒ³n(t)si] *n no pl* ❶ (*top priority*) Dringlichkeit *f; of problem, situation also* Vordringlichkeit *f;* **to be a matter of** ~ äußerst dringend sein ❷ (*insistence*) Eindringlichkeit *f*

ur·gent [ˈɜːdʒ³nt] *adj* ❶ (*imperative*) dringend; *situation* brisant; (*on letter*) 'eilt'; **to be in** ~ **need of sth** dringend etw benötigen ❷ (*insistent*) eindringlich; *steps* eilig; *plea* deutlich

ur·gent·ly [ˈɜːdʒ³ntli] *adv* ❶ (*imperatively*) dringend ❷ (*insistently*) eindringlich

uri·nal [jʊəˈraɪn³l, -rɪ-] *n* ❶ (*men's toilet*) Pissoir *nt* ❷ (*for patient*) Uringlas *nt*

uri·nary [ˈjʊərɪn³ri] *adj* Harn-; ~ **diseases** Erkrankungen *pl* der Harnwege

uri·nate [ˈjʊərɪneɪt] *vi* urinieren

urine [ˈjʊərɪn] *n no pl* Urin *m*

URL [ˌjuːɑːˈel] *n abbrev of* **uniform resource locator** URL *m*

urn [ɜːn] *n* ❶ (*garden ornament*) Krug *m;* (*for remains*) [Grab]urne *f* ❷ (*for drinks*) großer, hoher Metallbehälter *mit Deckel für heiße Getränke;* **tea** ~ Teekessel *m*

urol·ogy [jʊəˈrɒlədʒi] *n no pl* SCI, MED Urologie *f fachspr*

Uru·guay [ˈjʊərəgwaɪ] *n* Uruguay *nt*

Uru·guay·an [ˌjʊərəˈgwaɪən] *adj* uruguayisch

us [ʌs, əs] *pron* ❶ (*object of we*) uns *in dat o akk;* **let** ~ **know** lassen Sie es uns wissen; **both/many of** ~ wir beide/viele von uns;

it's ~ wir sind's; **older than** ~ älter als wir; **them and** ~ (*fam*) gleicher als gleich; ~ **against them** (*fam*) wir gegen sie ❷ AUS, BRIT (*fam: me*) mir *in dat,* mich *in akk;* **give** ~ **a kiss** gib mir einen Kuss ❸ AM (*fam: to, for ourselves*) uns

USA [ˌjuːesˈeɪ] *n no pl* ❶ (*country*) *abbrev of* **United States of America**: ▪ **the** ~ die USA *pl* ❷ (*army*) *abbrev of* **United States Army** Armee *f* der USA

us·able [ˈjuːzəbl] *adj* brauchbar, nutzbar; ▪ **to** [**not**] **be** ~ [nicht] zu gebrauchen sein; ~ **software** verwendbare Software

USAF [ˌjuːeseɪˈef] *n no pl abbrev of* **United States Air Force** Luftwaffe *f* der Vereinigten Staaten

us·age [ˈjuːsɪdʒ] *n* ❶ *no pl* (*handling*) Gebrauch *m;* (*consumption*) Verbrauch *m* ❷ *no pl* (*customary practice*) Usus *m geh;* **it's common** ~ ... es ist allgemein üblich ... ❸ *of term, word* Verwendung *f,* Gebrauch *m* ❹ *no pl* (*manner of using language*) Sprachgebrauch *m*

USB [ˌjuːesˈbiː] *n* COMPUT, INET *acr for* **Universal Serial Bus** USB

use I. *vt* [juːz] ❶ (*make use of, utilize*) benutzen; *building, chance, one's skills, talent* nutzen; *method, force* anwenden; *dictionary, idea* verwenden; *poison, gas, chemical warfare* einsetzen; **I could** ~ **some help** ich könnte etwas Hilfe gebrauchen; **I could** ~ **a drink now** ich könnte jetzt einen Drink vertragen; **I've got to** ~ **the toilet** ich muss auf die Toilette; **to** ~ **drugs** Drogen nehmen; **to** ~ **swear words** fluchen; **to** ~ **sth against sb** etw gegen jdn verwenden ❷ (*employ*) einsetzen; ~ **your head** jetzt schalt doch mal dein Hirn ein! *sl;* ~ **your imagination!** lass doch mal deine Fantasie spielen!; **to** ~ **common sense** seinen gesunden Menschenverstand benutzen; **to** ~ **discretion/ tact** diskret/taktvoll sein ❸ (*get through, consume*) verbrauchen; **we've** ~**d nearly all the bread** wir haben fast kein Brot mehr; **this radio** ~**s 1.5 volt batteries** für dieses Radio braucht man 1,5 Volt Batterien ❹ (*manipulate*) benutzen; (*exploit*) ausnutzen ❺ (*form: treat in stated way*) **to** ~ **sb badly/well** jdn schlecht/gut behandeln **II.** *n* [juːs] ❶ (*application, employment*) Verwendung *f* (**for** für); *of dictionary also* Benutzung *f; of talent, experience* Nutzung *m; of force, method* Anwendung *f; of poison, gas, labour* Einsatz *m;* **don't throw that away, you'll find a** ~ **for it one day** wirf das nicht weg – eines Tages wirst du es schon noch irgendwie

U

verwenden können; **to lose the ~ of sth** *finger, limb* etw nicht mehr benutzen können; **the ~ of alcohol/drugs** der Alkohol-/Drogenkonsum; **directions for ~** Gebrauchsanweisung *f;* **for ~ in an emergency** für den Notfall; **for ~ in case of fire** für bei Feuer; **for external ~ only** nur zur äußerlichen Anwendung; **for private ~ only** nur für den Privatgebrauch; **to be no longer in ~** nicht mehr benutzt werden; **to find a ~ for sth** für etw *akk* Verwendung finden; **to fall out of ~** nicht mehr benutzt werden; **to make ~ of sth** etw benutzen; *experience, talent* etw nutzen; **can you make ~ of that?** kannst du das gebrauchen? ❷ *(consumption)* Verwendung *f* ❸ *(usefulness)* Nutzen *m;* **can I be of any ~?** kann ich vielleicht irgendwie behilflich sein?; **what's the ~ of shouting?** was bringt es denn herumzuschreien?; **what's the ~** was soll's! *fam;* **to be no/not much ~ to sb** jdm nichts/nicht viel nützen; **is this of any ~ to you?** kannst du das vielleicht gebrauchen?; **it's no ~** [doing sth] es hat keinen Zweck[, etw zu tun] ❹ *(right to use)* **to have the ~ of sth** *room, car* etw benutzen dürfen ❺ *(custom)* Brauch *m* ❻ *(out of order)* ▪**to be out of** [*or* Am, Aus *usu* **not in**]**~** nicht funktionieren ◆ **use up** *vt strength, energy* verbrauchen; *(completely)* [völlig] aufbrauchen; **I was tired and ~d up** ich war müde und ausgebrannt

used¹ [ju:st] *vt only in past* **he ~ to teach** er hat früher unterrichtet; **my father ~ to say ...** mein Vater sagte [früher] immer, ...; **did you use to work in banking?** haben Sie früher im Bankgewerbe gearbeitet?; **you didn't use to like wine** früher mochtest du keinen Wein

used² [ju:zd] *adj* ❶ *(not new)* gebraucht; **~ clothes** Secondhandkleidung *f* ❷ *(familiar with)* gewohnt; ▪**to be ~ to sth** etw gewohnt sein; ▪**to become ~ to sth** sich an etw *akk* gewöhnen

use·ful ['ju:sfᵊl] *adj* ❶ *(practical, functional)* nützlich (**for** für); **to make oneself ~** sich nützlich machen ❷ *(advantageous)* wertvoll; **to come in ~** gut zu gebrauchen sein ❸ *(effective)* hilfreich; *discussion* ergiebig ❹ *(fam: competent)* gut; **he's a ~ person to know if you get into trouble** es ist ganz gut, ihn zu kennen, wenn man in Schwierigkeiten gerät; **to be ~ with a drill** gut mit der Bohrmaschine umgehen können

use·ful·ness ['ju:sfᵊlnəs] *n no pl* Nützlichkeit *f; of contribution, information also*

Brauchbarkeit *f;* *(applicability)* Verwendbarkeit *f*

use·less ['ju:sləs] *adj* ❶ *(pointless)* sinnlos; ▪**it's ~** [doing sth] es ist sinnlos[, etw zu tun] ❷ *(fam: incompetent)* zu nichts zu gebrauchen *präd;* **he's a ~ goalkeeper** er taugt nichts als Torwart ❸ *(unusable)* unbrauchbar; **to be ~** nichts taugen; **to render sth ~** etw unbrauchbar machen

use·less·ness ['ju:sləsnəs] *n no pl* ❶ *(unproductiveness)* Nutzlosigkeit *f,* Unbrauchbarkeit *f* ❷ *(futility)* Sinnlosigkeit *f,* Zwecklosigkeit *f*

user ['ju:zʳ] *n* Benutzer(in) *m(f); of software, system also* Anwender(in) *m(f); of electricity, gas* Verbraucher(in) *m(f);* **drug ~** Drogenkonsument(in) *m(f)*

user-'friend·ly *adj* benutzerfreundlich **user 'inter·face** *n* Benutzeroberfläche *f* **user 'pro·gram** *n* Anwenderprogramm *nt* **user 'soft·ware** *n* Anwendersoftware *f*

US-'friendly <-ier, -iest> *adj* **~ governments** den USA wohlgesonnene Regierungen

ush·er ['ʌʃəʳ] **I.** *n* ❶ *(in theatre, church)* Platzanweiser(in) *m(f)* ❷ LAW Gerichtsdiener(in) *m(f)* ❸ BRIT *(escort)* Zeremonienmeister(in) *m(f)* **II.** *vt* **to ~ sb into a room/to his seat** jdn in einen Raum hineinführen/zu seinem Platz führen

ush·er·ette [ˌʌʃəʳ'et] *n* Platzanweiserin *f*

USP [ˌju:es'pi:] *n* BRIT ECON *abbrev of* **unique selling proposition** USP *m*

USS [ˌju:es'es] *n before n* MIL *abbrev of* **United States Ship** Schiff aus den Vereinigten Staaten

USSR [ˌju:eses'ɑ:ʳ] *n* *(hist)* *abbrev of* **Union of Soviet Socialist Republics** UdSSR *f*

usu·al ['ju:ʒᵊl] **I.** *adj* üblich, normal; **to find sth in its ~ place** etw an seinem gewohnten Platz vorfinden; **later/less/more than ~** später/weniger/mehr als sonst; **as** [per] **~** wie üblich **II.** *n (fam: regular drink)* ▪**the ~** das Übliche

usu·al·ly ['ju:ʒᵊli] *adv* normalerweise

usu·fruct ['ju:sjʊfrʌkt] *n no pl* LAW Nießbrauch *m fachspr*

usu·rer ['ju:ʒᵊrəʳ] *n esp* LAW Wucherer, Wucherin *m, f*

usu·ri·ous [ju:'ʒʊəriəs] *adj esp* LAW wucherisch; **~ rates** Wucherzinsen *pl*

usurp [ju:'zɜ:p] *vt* ❶ *(take position)* sich *dat* widerrechtlich aneignen; *power* an sich *akk* reißen ❷ *(supplant)* verdrängen

usurp·er [ju:'zɜ:pəʳ] *n* Usurpator(in) *m(f)* geh

usu·ry ['juːʒ³ri] *n no pl esp* LAW Wucher *m*
USW [ˌjuːesˈdʌbljuː:] *n abbrev of* **ultrashort waves** UKW
uten·sil [juːˈten(t)s³l] *n* Utensil *nt;* **kitchen ~s** Küchengeräte *pl*
uter·ine ['juːt³raɪn] *adj* Gebärmutter-
uter·us <*pl* -ri *or* -es> ['juːt³rəs] *n* Gebärmutter *f*
utili·tar·ian [ˌjuːtɪlɪˈteəriən] *adj* ❶ (*philosophy*) utilitaristisch ❷ (*functional*) funktionell
util·ity [juːˈtɪləti] **I.** *n* ❶ (*usefulness*) Nützlichkeit *f* ❷ *usu pl* (*public service*) Leistungen *pl* der öffentlichen Versorgungsbetriebe; **~ bill** [Ab]rechnung *f* der öffentlichen Versorgungsbetriebe **II.** *adj* (*useful*) Mehrzweck-; **~ vehicle** Mehrzweckfahrzeug *nt*
u'til·ity room *n* Raum, in dem Haushaltsgeräte, wie z.B. Waschmaschine und Trockner stehen, und der ebenfalls als Vorratskeller dient
uti·liz·able ['juːtɪlaɪzəbl] *adj* (*form*) verwendbar, nutzbar
uti·li·za·tion [ˌjuːtəlaɪˈzeɪʃ³n] *n no pl* (*form*) Verwendung *f;* ECON Auslastung *f*
uti·lize ['juːtɪlaɪz] *vt* nutzen
ut·most ['ʌtməʊst] **I.** *adj attr* größte(r, s); **with the ~ care/precision** so sorgfältig/genau wie möglich; **with the ~ caution/reluctance** mit äußerster Vorsicht/Zurückhaltung; **of the ~ importance** von äußerster Wichtigkeit **II.** *n no pl* ▪ **the ~** das Äußerste (**in** an); ▪ **at the ~** höchstens; ▪ **to the ~** bis zum Äußersten; **to try one's ~** sein Bestes geben
Uto·pia [juːˈtəʊpiə] *n no pl* Utopia *nt*

uto·pian [juːˈtəʊpiən] *adj* utopisch
ut·ter¹ ['ʌtə³] *adj attr* vollkommen; **in ~ disbelief** völlig ungläubig; **~ fool** Vollidiot(in) *m(f) fam;* **~ nonsense** absoluter Blödsinn; **a complete and ~ waste of time** eine totale Zeitverschwendung
ut·ter² ['ʌtə³] *vt* ❶ (*liter: make a noise*) von sich *dat* geben; **no one ~ed a sound** keiner brachte einen Ton heraus; **to ~ a groan** stöhnen; **without ~ing a word** ohne ein Wort zu sagen ❷ (*liter: put into words*) sagen; *curse, threat* ausstoßen; *oath* schwören; *prayer* sprechen; *warning* aussprechen
ut·ter·ance ['ʌt³r³n(t)s] *n* ❶ (*form: statement*) Äußerung *f;* **a child's first ~s** die ersten Worte eines Kindes ❷ *no pl* (*form: act of speaking*) Sprechen *nt*
ut·ter·ly ['ʌtəli] *adv* vollkommen; **to be ~ convinced that ...** vollkommen [davon] überzeugt sein, dass ...; **to find sb/sth ~ irresistible** jdn/etw absolut unwiderstehlich finden
ut·ter·most ['ʌtəməʊst] *n, adj see* utmost
U-turn ['juːtɜːn] *n* ❶ (*of a car*) Wende *f;* **to do a ~** wenden ❷ (*change of plan*) Kehrtwendung *f*
UV [ˌjuːˈviː] *abbrev of* **ultraviolet** UV
UVF [ˌjuːviːˈef] *n abbrev of* **Ulster Volunteer Force** UVF
uvu·la <*pl* -lae> ['juːvjələ, *pl* -liː] *n* ANAT [Gaumen]zäpfchen *nt*
uxo·ri·ous [ʌkˈsɔːriəs] *adj* (*form*) husband blind ergeben
Uz·bek ['ʊzbek] *adj* usbekisch
Uz·beki·stan [ʊzˌbekɪˈstɑːn] *n no pl* GEOG Usbekistan *nt*

V_v

V <*pl* -'s *or* -s> *n*, **v** <*pl* -'s> [viː] *n* ① (*letter of alphabet*) V *nt*, v *nt*; *see also* **A** 1 ② (*Roman numeral*) V (*römisches Zahlzeichen für 5*) ③ (*shape*) V *nt*; **V-shaped neck** V-Ausschnitt *m*

v [viː] **I.** *adv abbrev of* **very II.** *n* LING *abbrev of* **verb** v **III.** *prep abbrev of* **verse, verso, versus** vs.

vac [væk] **I.** *n* ① BRIT (*fam*) *short for* **vacation** Semesterferien *pl* ② (*fam*) *short for* **vacuum cleaner** Staubsauger *m* ③ (*fam*) *short for* **vacuum clean: to give sth a ~** etw [staub]saugen **II.** *vt* <-cc-> (*fam*) *short for* **vacuum clean** [staub]saugen

va·can·cy ['veɪkᵊn(t)si] *n* ① (*unoccupied room*) freies Zimmer; **'vacancies'** ,Zimmer frei'; **'no vacancies'** ,belegt' ② (*appointment*) freier Termin ③ (*employment*) freie Stelle; **to fill a ~** eine [freie] Stelle besetzen ④ *no pl* (*emptiness*) *of expression* Leere *f*; *of look* Ausdruckslosigkeit *f* ⑤ (*lack of thought*) Gedankenlosigkeit *f*

va·cant ['veɪkᵊnt] *adj* ① (*empty*) *bed, chair, seat* frei; *house* unbewohnt; *plot* [*of land*] unbebaut; (*on toilet door*) **'~'** ,frei' ② (*employment*) unbesetzt; **to fall ~** frei werden ③ (*unfilled time*) frei ④ (*expressionless*) leer; **~ stare** ausdrucksloser Blick

va·cant·ly ['veɪkᵊntli] *adv* (*without thought*) leer; (*without expression*) ausdruckslos; **to gaze ~ into space** geistesabwesend ins Leere starren

va·cate [vəˈkeɪt] *vt* räumen; *job, position, post* aufgeben; *place, seat* frei machen

va·ca·tion [vəˈkeɪʃᵊn] **I.** *n* ① AM (*proper holiday*) Ferien *pl*, Urlaub *m*; **to take a ~** Urlaub machen; ■**to be on ~** im Urlaub sein ② UNIV Semesterferien *pl*; LAW Gerichtsferien *pl*; AM, AUS SCH (*school holidays*) [Schul]ferien *pl* ③ *no pl* (*relinquish*) **~ of a house** Räumung *f* eines Hauses; **~ of a post** Aufgabe *f* eines Postens **II.** *vi* AM Urlaub machen

va·ca·tion·er [veɪˈkeɪʃᵊnə-] *n* AM Urlauber(in) *m(f)*

vac·ci·nate ['væksɪneɪt] *vt* impfen (**against** gegen)

vac·ci·na·tion [ˌvæksɪˈneɪʃᵊn] *n* [Schutz]impfung *f* (**against** gegen)

vac·cine ['væksiːn] *n* Impfstoff *m*

vac·il·late ['væsᵊleɪt] *vi* schwanken

vac·il·la·tion [ˌvæsᵊlˈeɪʃᵊn] *n* Schwanken *nt kein pl*

va·cu·ity [vækˈjuːəti] *n* ① *no pl* (*pej:*

vacancy of mind) Leere *f*; (*brainlessness*) Geistlosigkeit *f*; (*lack of expression*) Ausdruckslosigkeit *f* ② (*inane remarks*) ■**vacuities** *pl* Plattheiten *pl*

vacu·ous ['vækjuəs] *adj* ① (*inane*) *person, question* geistlos; *remark also* nichts sagend ② (*expressionless*) *look, expression* ausdruckslos, leer

vacuum <*pl* -s *or form* -cua> ['vækjuːm, *pl* -kjuə] **I.** *n* ① (*area without gas/air*) Vakuum *nt* ② (*fig: gap*) Vakuum *nt*, Lücke *f*; **to fill/leave a ~** eine Lücke füllen/hinterlassen ③ <*pl* -s> (*Hoover*) Staubsauger *m* **II.** *vt* [staub]saugen; ■**to ~ up** ◌ **sth** etw aufsaugen

'**vacuum bot·tle** *n*, '**vacuum flask** *n esp* BRIT Thermosflasche *f* '**vacuum clean·er** *n* Staubsauger *m* '**vacuum-pack·aged** *adj*, '**vacuum-packed** *adj* vakuumverpackt '**vacuum suc·tion** *n* Vakuumabsaugung *f*

vaga·bond ['vægəbɒnd] **I.** *n* (*dated*) Vagant *m* **II.** *adj* umherziehend *attr*, vagabundierend *attr*

va·gary ['veɪgᵊri] *n* ① (*caprice, whimsy*) Laune *f*, Kaprize *f* ÖSTERR ② (*fig*) ■**vagaries** *pl* (*unpredictable change*) Launen *pl*; **the vagaries of life** die Wechselfälle *pl* des Lebens

va·gi·na [vəˈdʒaɪnə] *n* ANAT Vagina *f*, Scheide *f*

vagi·nal [vəˈdʒaɪnᵊl] *adj* ANAT, MED vaginal *fachspr*, Vaginal- *fachspr*, Scheiden-; **~ discharge** Ausfluss *m*

va·gran·cy ['veɪgrᵊn(t)si] *n no pl* ① (*homelessness*) Obdachlosigkeit *f* ② (*dated*) Landstreicherei *f*

va·grant ['veɪgrᵊnt] **I.** *n* ① (*dated*) Landstreicher(in) *m(f)* ② (*homeless person*) Obdachlose(r) *f(m)* **II.** *adj* vagabundierend

vague [veɪg] *adj* ① (*not distinct*) ungenau, vage; *figure, shape* verschwommen, undeutlich ② (*imprecise*) *person* zerstreut; ■**to be ~ about sth** sich [nur] vage zu etw *dat* äußern

vague·ly ['veɪgli] *adv* vage; **he does look ~ familiar** er kommt mir irgendwie bekannt vor; **to ~ remember** sich dunkel erinnern

vague·ness ['veɪgnəs] *n no pl* ① (*imprecision*) Unbestimmtheit *f* ② (*absent-mindedness*) Zerstreutheit *f*

vain [veɪn] *adj* ① (*pej: conceited*) eingebildet; (*about one's looks*) eitel ② (*futile*)

sinnlos; *hope* töricht ❸ *(unsuccessful) attempt, effort* vergeblich; **in ~** vergeblich, umsonst

vain·glo·ri·ous [ˌveɪnˈɡlɔːriəs] *adj (pej liter)* dünkelhaft; *behaviour* überheblich; *manner* hochnäsig

va·lance [ˈvæləŋ(t)s] *n* ❶ *(on bed)* Volant *m* ❷ ᴀᴍ *(on curtain rail)* Querbehang *m*

vale [veɪl] *n* ❶ *(liter: valley)* Tal *nt* ❷ *(place name)* **the V~** **of Evesham/York** das Tal von Evesham/York

val·edic·tion [ˌvælɪˈdɪkʃən] *n (form)* Abschiedsrede *f*

val·edic·tory [ˌvælɪˈdɪktəri] *adj* Abschieds-; ᴀᴍ *(upon finishing school)* ~ **address** Abschiedsrede *f*

va·lence [ˈveɪləⁿ(t)s],   **va·len·cy** [ˈveɪlən(t)si] *n* CHEM, PHYS Valenz *f fachspr;* **~ band/bond** Verbindungs-/Bindungswertigkeit *f fachspr*

Va·len·cia [vəˈlen(t)ʃiə] *n* Valencia *nt*

val·en·tine [ˈvæləntaɪn] *n* Person, die am Valentinstag von ihrem Verehrer/ihrer Verehrerin beschenkt wird; **the message on the card said "be my ~!"** auf der Karte stand: „sei mein Schatz am Valentinstag!"

ˈVal·en·tine's Day *n* Valentinstag *m*

va·lerian [vəˈlɪəriən] *n* Baldrian *m*

val·et [ˈvæleɪ] **I.** *n* ❶ *(esp hist: private servant)* Kammerdiener *m* ❷ *(car parker)* Person, die Autos *(meist im Hotel)* einparkt **II.** *vt* ʙʀɪᴛ **to ~ a car** ein Auto waschen; *(on the inside)* den Innenraum eines Autos reinigen

ˈval·et ser·vice *n* ʙʀɪᴛ Hotelwäscherei *f*

val·etu·di·nar·ian [ˌvælɪtjuːdɪˈneəriən] *n (esp pej form)* ❶ *(hypochondriac)* Hypochonder(in) *m(f); (health fanatic)* Gesundheitsapostel *m hum, pej fam* ❷ *(in poor health)* kränkelnde Person

val·iant [ˈvæliənt] *adj (approv)* mutig; *effort* kühn; *resistance* tapfer; *warrior* wacker

val·id [ˈvælɪd] *adj* ❶ *(well-founded)* begründet; *(worthwhile)* berechtigt; *argument* stichhaltig; *criticism* gerechtfertigt; *reason* triftig ❷ *(still in force)* passport, qualification* gültig; LAW *(contractually binding)* rechtskräftig

vali·date [ˈvælɪdeɪt] *vt* ❶ *(officially approve)* anerkennen ❷ *(verify, authenticate)* bestätigen

va·lid·ity [vəˈlɪdəti] *n no pl* ❶ *(authentication)* Gültigkeit *f; (value)* Wert *m* ❷ *(significance)* Bedeutung *f*

val·ley [ˈvæli] *n* Tal *nt*

val·our [ˈvælər], ᴀᴍ **val·or** *n no pl (approv form)* Wagemut *m*

valu·able [ˈvæljʊəbl̩] *adj* wertvoll; *gems* kostbar

valu·ables [ˈvæljʊəblz] *npl* Wertsachen *pl*

valua·tion [ˌvæljuˈeɪʃən] *n* ❶ *(instance)* Schätzwert *m* ❷ *no pl (act)* Schätzung *f* ❸ FIN Bewertung *f*, Wertansatz *m*

valua·tor [ˈvæljueɪtər] *n* Schätzer(in) *m(f)*

value [ˈvæljuː] **I.** *n* ❶ *no pl (significance)* Wert *m*, Bedeutung *f;* **to be of little ~** wenig Wert haben; **to place a high ~ on sth** auf etw *akk* großen Wert legen ❷ *no pl (financial worth)* Wert *m; that restaurant is ~ for money* in diesem Restaurant bekommt man etwas für sein Geld ❸ *(monetary value)* Wert *m* ❹ *(moral ethics)* ◼**~s** *pl* Werte *pl*, Wertvorstellungen *pl;* **moral ~s** Moralvorstellungen *pl* **II.** *vt* ❶ *(deem significant)* schätzen; **to ~ sb as a friend** jdn als Freund schätzen ❷ *(estimate financial worth)* schätzen; ◼**to have sth ~d** etw schätzen lassen

value ˈadd·ed tax *n* Mehrwertsteuer *f*

valued [ˈvæljuːd] *adj (approv form)* geschätzt

value·less [ˈvæljuːləs] *adj* wertlos

valu·er [ˈvæljuːər] *n esp* ʙʀɪᴛ Schätzer(in) *m(f)*

valve [vælv] *n* ❶ *(control device)* Ventil *nt* ❷ *(body part)* Klappe *f* ❸ *(wind instrument part)* Ventil *nt*

vamp¹ [væmp] *vi* MUS improvisieren

vamp² [væmp] *n (woman)* Vamp *m*

vam·pire [ˈvæmpaɪər] *n* Vampir *m*

van [væn] *n* ❶ *(vehicle)* Transporter *m;* **delivery ~** Lieferwagen *m* ❷ ᴀᴍ *(car type)* Kleinbus *m; (smaller)* Minibus *m* ❸ ʙʀɪᴛ *(railway)* **luggage ~** Gepäckwagen *m*

van·dal [ˈvændəl] *n* Vandale *m pej*

van·dal·ism [ˈvændəlɪzᵊm] *n no pl* Vandalismus *m*

van·dal·ize [ˈvændəlaɪz] *vt* mutwillig zerstören; *building* verwüsten; *vehicle* demolieren

vane [veɪn] *n* Propellerflügel *m*

van·guard [ˈvænɡɑːd] *n no pl* ❶ *(esp form: advance guard)* Vorhut *f; (advance elements)* Spitze *f* ❷ *(fig: leader)* **he sees himself as being in the ~ of economic reform** er glaubt, dass er zu den Vorreitern der Wirtschaftsreform gehört

va·nil·la [vəˈnɪlə] **I.** *n no pl* Vanille *f* **II.** *adj* Vanille-; ~ **ice cream** Vanilleeis *nt*

van·ish [ˈvænɪʃ] *vi* ❶ *(disappear)* verschwinden; **to ~ into thin air** sich in Luft auflösen; **to ~ without trace** spurlos verschwinden ❷ *(cease to exist)* verloren gehen; **a ~ed era/past** ein verflossenes Zeitalter/eine vergangene Zeit; **to see one's hopes ~ing** seine Hoffnungen schwinden sehen

'**van·ish·ing cream** *n* (*dated*) Pflegecreme *f* '**van·ish·ing point** *n* ❶ (*horizon*) Fluchtpunkt *m* ❷ (*fig*) Nullpunkt *m*

van·ity ['vænəti] *n no pl* Eitelkeit *f*

'**van·ity bag** *n* Schminktasche *f* '**van·ity case** *n* Kosmetikkoffer *m*

van·quish ['væŋkwɪʃ] *vt* (*esp liter*) bezwingen

van·tage ['vɑːntɪdʒ] *n* Aussichtspunkt *m*

'**van·tage point** *n* ❶ (*outlook*) Aussichtspunkt *m* ❷ (*fig: ideological perspective*) Blickpunkt *m*

Va·nu·atu [ˌvænuˈɑːtuː] *n no pl* Vanuatu *nt*

vap·id ['væpɪd] *adj* (*pej*) banal

va·por *n* AM *see* **vapour**

va·pori·za·tion [ˌveɪpəˈraɪˈzeɪʃən] *n* (*slow*) Verdunstung *f;* (*quick*) Verdampfung *f*

va·por·ize ['veɪpəraɪz] **I.** *vt* verdampfen **II.** *vi* (*slowly*) verdunsten; (*quickly*) verdampfen

va·por·iz·er ['veɪpəraɪzər] *n* Inhalator *m*

va·pour ['veɪpər] *n* (*steam*) Dampf *m;* (*breath*) Atem[hauch] *m;* **water ~** Wasserdampf *m*

'**va·pour pres·sure** *n no pl* Gasdruck *m* '**va·pour trail** *n* Kondensstreifen *m*

varia·bil·ity [ˌveəriəˈbɪləti] *n no pl* Veränderlichkeit *f*

vari·able ['veəriəbl] **I.** *n* Variable *f* **II.** *adj* variabel, veränderlich; *quality* wechselhaft; *weather* unbeständig

vari·ance ['veəriən(t)s] *n* ❶ *no pl* (*form: at odds*) ▪**to be at ~ with sth** mit etw *dat* nicht übereinstimmen ❷ *no pl* (*variation*) Abweichung *f* ❸ AM LAW (*special permission*) Sondergenehmigung *f*

vari·ant ['veəriənt] **I.** *n* Variante *f* **II.** *adj attr* variierend, unterschiedlich

varia·tion [ˌveəriˈeɪʃən] *n* ❶ *no pl* (*variability*) Abweichung *f* ❷ (*difference*) Schwankung[en] *f[pl]* ❸ LIT, MUS Variation *f* (**on** über)

vari·cose ['værɪkə(ʊ)s] *adj* varikös *fachspr*

var·ied ['veərid] *adj* unterschiedlich; *career* bewegt; *group* bunt gemischt

varie·gat·ed ['veərɪgeɪtɪd] *adj* ❶ (*with variety*) vielfältig ❷ (*multicoloured*) mischfarbig; BOT panaschiert *fachspr;* **~ leaves** bunte Blätter

va·ri·ety [vəˈraɪəti] *n* ❶ *no pl* (*absence of monotony*) Vielfalt *f;* (*in a job also*) Abwechslungsreichtum *m;* ECON Auswahl *f* ❷ *no pl* (*differing from one another*) Verschiedenartigkeit *f* ❸ *no pl* **a ~ of courses** verschiedene Kurse; **in a ~ of ways** auf vielfältige Weise ❹ (*category*) Art *f;* BIOL Spezies *f;* **a new ~ of tulip/sweetcorn** eine neue Tulpen-/Maissorte ❺ *no pl* (*entertainment*) Varietee *nt*

va·ri·ety show *n* Varieteeshow *f* **va·ri·ety thea·tre** *n* BRIT Varieteetheater *nt*

vari·fo·cal ['veərɪfəʊkəl] *adj lenses, glasses* Gleitsicht-

vari·ous ['veəriəs] *adj* verschieden

var·mint ['vɑːrmɪnt] *n* AM Schädling *m;* (*fig fam: mischievous person*) Tunichtgut *m*

var·nish ['vɑːnɪʃ] **I.** *n* <*pl* -es> Lack *m;* (*on painting*) Firnis *m* **II.** *vt* lackieren

var·sity ['vɑːsəti] *n* BRIT (*fam*) Uni *f*

vary <-ie-> ['veəri] **I.** *vi* ❶ (*differ*) variieren, verschieden sein; **to ~ greatly** stark voneinander abweichen ❷ (*change*) sich verändern; (*fluctuate*) schwanken **II.** *vt* variieren; **to ~ one's diet** abwechslungsreich essen

vary·ing ['veəriɪŋ] *adj* (*different*) unterschiedlich; (*fluctuating*) variierend; *costs* schwankend

vas·cu·lar ['væskjələr] *adj* BOT, MED vaskulär *fachspr*

vase [vɑːz] *n* Vase *f*

vas·sal ['væsəl] *n* ❶ (*hist: feudal subject*) Vasall *m* ❷ (*fig, pej: puppet*) Marionette *f*

vas·sal·age ['væsəlɪdʒ] *n no pl* (*hist*) Vasallentum *nt*

vast [vɑːst] *adj* gewaltig, riesig; *country* weit; *majority* überwältigend

vast·ly ['vɑːstli] *adv* wesentlich, erheblich; **~ superior** haushoch überlegen

vast·ness ['vɑːstnəs] *n no pl* riesige Ausmaße *pl*

vat [væt] *n* (*for beer, wine*) Fass *nt;* (*with open top*) Bottich *m*

VAT [ˌviːeɪˈtiː] *n no pl* BRIT *abbrev of* **value added tax** MwSt *f*

Vati·can ['vætɪkən] **I.** *n* ❶ **the ~** der Vatikan **II.** *adj attr* Vatikan-, des Vatikans nach *n*

vau·de·ville ['vɑːdvɪl] *n no pl* AM (*old: variety theatre*) Varietee *nt*

vault [vɔːlt] **I.** *n* ❶ (*arch*) Gewölbebogen *m* ❷ (*ceiling*) Gewölbe *nt* ❸ (*strongroom*) Tresorraum *m;* (*safe repository*) Magazin *nt* ❹ (*in church*) Krypta *f;* (*at cemeteries*) Gruft *f* ❺ (*jump*) Sprung *m* **II.** *vt* (*jump*) ▪**to ~ sth** über etw *akk* springen; *athletics* etw überspringen **III.** *vi* springen (**over** über)

vault·ed ['vɔːltɪd] *adj* gewölbt

vault·ing ['vɔːltɪŋ] **I.** *n no pl* Wölbung *f* **II.** *adj attr* (*fig*) rasch ansteigend; *ambition*

skrupellos; *costs* explodierend

'vault·ing horse *n* Sprungpferd *nt* **'vault· ing pole** *n* Stab *m* (*für Stabhochsprung*)

vaunt [vɔːnt] *vt* preisen

VC [ˌviːˈsiː] *n* BRIT *abbrev of* **Victoria Cross** Viktoriakreuz *nt* (*Tapferkeitsmedaille*)

VCR [ˌviːsiːˈɑːr] *n* AM *abbrev of* **video cas· sette recorder** Videorekorder *m*

VD [ˌviːˈdiː] *n no pl* MED (*dated*) *abbrev of* **venereal disease** Geschlechtskrankheit *f*

VDU [ˌviːdiːˈjuː] *n abbrev of* **visual display unit** Sichtgerät *nt*

VE [ˌviːˈiː] *abbrev of* **Victory in Europe** Sieg *m* in Europa; **VE Day** *Tag an dem der Sieg der Alliierten im Zweiten Weltkrieg in Europa gefeiert wird*

veal [viːl] *n no pl* Kalbfleisch *nt*

vec·tor [ˈvektər] *n* ❶ (*changing quantity*) Vektor *m* ❷ (*disease transmitter*) Überträ- ger *m*

veer [vɪər] *vi* ❶ (*alter course*) abdrehen ❷ (*alter goal*) umschwenken; ▪ **to ~ back and forth between sth** zwischen etw *dat* hin und her pendeln; ▪ **to ~ towards sth** auf etw *akk* hinsteuern; **to ~ from one's usual opinions** von seiner üblichen Mei- nung abgehen

veg¹ [vedʒ] *n no pl* (*fam*) *short for* **vegeta- ble(s)** Gemüse *nt;* **fruit and ~ stall/shop** Obst- und Gemüsestand *m/*-laden *m*

veg² [vedʒ] *vi* (*fam*) ▪ **to ~ out** herumhän- gen

ve·gan [ˈviːgən] **I.** *n* Veganer(in) *m(f)* **II.** *adj* vegan; **to turn ~** Veganer(in) *m(f)* werden

veg·eta·ble [ˈvedʒtəbl] *n* ❶ (*plant*) Gemü- se *nt;* **fresh fruit and ~s** frisches Obst und Gemüse ❷ (*as opposed to animal and min- eral*) Pflanze *f* ❸ (*fig, pej: inactive person*) Faulpelz *m* fam ❹ (*fig, pej fam: severely disabled person*) Scheintote(r) *f(m);* **to be a ~** vor sich *dat* hin vegetieren

'veg·eta·ble fat *n* pflanzliches Fett **'veg· eta·ble gar·den** *n* Gemüsegarten *m* **veg·eta·ble 'king·dom** *n no pl* Pflanzen- reich *nt* **'veg·eta·ble oil** *n* pflanzliches Öl

veg·etar·ian [ˌvedʒɪˈteəriən] **I.** *n* Vegetari- er(in) *m(f)* **II.** *adj* vegetarisch; **to go ~** Ve- getarier(in) *m(f)* werden

veg·etate [ˈvedʒɪteɪt] *vi* vegetieren

veg·eta·tion [ˌvedʒɪˈteɪʃən] *n no pl* (*in gen- eral*) Pflanzen *pl;* (*in specific area*) Vegeta- tion *f*

'veg·gie box *n* FOOD Abokiste *f*

veg·gie·bur·ger [ˈvedʒiˌbɜːgər] *n* Gemüse- burger *m*

ve·he·mence [ˈviːəmən(t)s] *n no pl* Vehe- menz *f*

ve·he·ment [ˈviːəmənt] *adj* vehement, heftig; *critic* scharf

ve·hi·cle [ˈvɪəkl] *n* ❶ (*transport*) Fahr- zeug *nt* ❷ (*fig: means of expression*) Vehi- kel *nt* (**for** für)

ve·hi·cle reg·is·'tra·tion cen·tre *n* BRIT Kfz-Zulassungsstelle *f* **ve·hi·cle reg·is· 'tra·tion num·ber** *n* Kfz-Kennzeichen *nt*

ve·hicu·lar [vɪˈhɪkjələr] *adj attr* (*form*) Fahr- zeug-; **~ access** Zufahrt *f*

veil [veɪl] **I.** *n* (*also fig*) Schleier *m* **II.** *vt* ❶ *usu passive* (*cover by veil*) ▪ **to be ~ed** verschleiert sein; ▪ **to ~ oneself** sich ver- schleiern ❷ (*fig: cover*) verschleiern; **he tried to ~ his contempt by changing the subject** er versuchte seine Verachtung zu verbergen, indem er das Thema wech- selte ❸ (*envelop*) einhüllen

veiled [veɪld] *adj* ❶ (*wearing a veil*) ver- schleiert ❷ (*fig: concealed*) verschleiert; *criticism, hint, threat* versteckt

vein [veɪn] *n* ❶ (*blood vessel*) Vene *f* ❷ BOT, ZOOL, MIN Ader *f* ❸ (*fig: element*) Spur *f* ❹ *usu sing* (*style*) Stil *m*

veined [veɪnd] *adj* geädert

Vel·cro® [ˈvelkrəʊ] *n no pl* Klettver- schluss *m*

veld *n,* **veldt** [velt] *n* Steppe *f*

ve·loc·ity [vɪˈlɒsəti] **I.** *n* (*form*) Geschwin- digkeit *f* **II.** *adj attr* Geschwindigkeits-

vel·vet [ˈvelvɪt] *n no pl* Samt *m*

vel·vet·een [ˌvelvɪˈtiːn] *n no pl* Velour- samt *m*

vel·vety [ˈvelvɪti] *adj* (*fig*) samtig

ve·nal [ˈviːnəl] *adj* (*pej form*) bestechlich; *character* verdorben; *regime, ruler* korrupt

ve·nal·ity [viːˈnæləti] *n no pl* (*pej form*) Korruption *f*

vend [vend] *vt* verkaufen

ven·det·ta [venˈdetə] *n* Vendetta *f*

'vend·ing ma·chine *n* Automat *m*

ven·dor [ˈvendɔːr] *n* ❶ (*street seller*) Stra- ßenverkäufer(in) *m(f)* ❷ (*form: seller of real estate*) Verkäufer(in) *m(f)*

ven·due [ˈvenduː] *n* AM (*public auction*) Auktion *f*

ve·neer [vəˈnɪər] *n* ❶ (*covering layer*) Fur- nier *nt* ❷ *no pl* (*fig: false front*) Fassade *f*

ven·er·able [ˈvenərəbl] *adj* ❶ (*approv: deserving respect*) ehrwürdig; *family* ange- sehen; *tradition* alt ❷ (*esteemed through age*) *ruins* altehrwürdig ❸ (*very old*) *age* ehrwürdig ❹ *no pl* ▪ **the V~** (*Anglican archdeacon's title*) Hochwürden

ven·er·ate [ˈvenəreɪt] *vt* (*form*) verehren, bewundern (**for** für)

ven·era·tion [ˌvenəˈreɪʃən] *n no pl* Vereh- rung *f*

ve·ne·real [vəˈnɪəriəl] *adj* MED venerisch *fachspr;* ~ **disease** Geschlechtskrankheit *f*

Ve·ne·tian [vəˈniːʃᵊn] *adj* venezianisch

ve·netian 'blind *n* Jalousie *f*

Ven·ezue·la [ˌvenɪˈzweɪlə] *n no pl* Venezuela *nt*

Ven·ezue·lan [ˌvenɪˈzweɪlən] **I.** *adj* venezolanisch **II.** *n* Venezolaner(in) *m(f)*

venge·ance [ˈvendʒᵊn(t)s] *n no pl* ❶ *(revenge)* Rache *f;* **to exact** ~ Rache üben; **to take/vow** ~ Rache nehmen/schwören ❷ *(fig: great energy)* ▪ **with a** ~ mit voller Kraft

ve·nial [ˈviːniəl] *adj (form)* verzeihlich; *sin* harmlos

veni·son [ˈvenɪsᵊn] *n no pl* Rehfleisch *nt*

ven·om [ˈvenəm] *n no pl (toxin)* Gift *nt; (fig: viciousness)* Bosheit *f*

ven·om·ous [ˈvenəməs] *adj* giftig *a. fig*

ve·nous [ˈviːnəs] *adj* ANAT, MED venös *fachspr*

vent [vent] **I.** *n* ❶ *(gas outlet)* Abzug *m;* **air** ~ Luftschacht *m* ❷ FASHION *(opening)* Schlitz *m* ❸ *(fig: release of feelings)* Ventil *nt;* **to give** ~ **to one's anger/rage** seinem Ärger/seiner Wut Luft machen; **to give** ~ **to one's feelings** seinen Gefühlen Ausdruck geben **II.** *vt* ▪ **to** ~ **sth** etw *dat* Ausdruck geben; **to** ~ **one's anger on sb** seine Wut an jdm auslassen **III.** *vi* Dampf ablassen *fam*

ven·ti·late [ˈventɪleɪt] *vt* ❶ *(with air)* lüften ❷ *(form: verbalize)* ▪ **to** ~ **sth** etw *dat* Ausdruck verleihen *geh*

ven·ti·la·tion [ˌventɪˈleɪʃᵊn] *n no pl* Belüftung *f*

ven·ti·'la·tion duct *n* Belüftungsschacht *m*

ven·ti·'la·tor [ˈventɪleɪtə] *n* ❶ *(air outlet)* Abzug *m; (device for freshening air)* Ventilator *m* ❷ *(breathing apparatus)* Beatmungsgerät *nt*

ven·tri·cle [ˈventrɪkl] *n* Herzkammer *f*

ven·trilo·quist [venˈtrɪləkwɪst] *n* Bauchredner(in) *m(f)*

ven·ture [ˈventʃə] **I.** *n* Projekt *nt;* ECON Unternehmen *nt;* **joint** ~ Jointventure *nt fachspr* **II.** *vt (dare to express)* ▪ **to** ~ **sth** etw vorsichtig äußern; **to** ~ **an opinion** sich *dat* erlauben, seine Meinung zu sagen **III.** *vi* sich vorwagen

'ven·ture capi·tal *n no pl* Risikokapital *nt*

ven·ture·some [ˈventʃəsəm] *adj* ❶ *(adventurous) person* wagemutig; *entrepreneur* risikofreudig ❷ *(risky) journey* gefährlich

venue [ˈvenjuː] *n* ❶ *(location for event)* Veranstaltungsort *m; (for competition)* Austragungsort *m* ❷ AM LAW *(location for*

trial) Verhandlungsort *m*

Ve·nus [ˈviːnəs] *n no pl* Venus *f*

ve·rac·ity [vəˈræsəti] *n no pl (form)* Aufrichtigkeit *f; of an alibi* Glaubwürdigkeit *f*

ve·ran·da(h) [vəˈrændə] *n* Veranda *f*

verb [vɜːb] *n* Verb *nt;* **intransitive/transitive** ~ intransitives/transitives Verb

ver·bal [ˈvɜːbᵊl] **I.** *adj* ❶ *(oral)* mündlich ❷ *(pertaining to verb)* ~ **noun** Verbalsubstantiv *nt* **II.** *n* BRIT *(sl)* ▪ ~**s** *pl* mündliche Aussage

ver·bal·ize [ˈvɜːbᵊlaɪz] **I.** *vt* ausdrücken **II.** *vi* sich verbal ausdrücken; **to start to** ~ *children* anfangen zu sprechen

ver·bal·ly [ˈvɜːbᵊli] *adv* verbal, mündlich

ver·ba·tim [vɜːˈbeɪtɪm] **I.** *adj* wörtlich **II.** *adv* wortwörtlich

ver·bi·age [ˈvɜːbiɪdʒ] *n no pl (pej form)* Worthülsen *pl; (in a speech)* Floskeln *pl*

ver·bose [vɜːˈbəʊs] *adj (pej)* wortreich; *speech* weitschweifig

ver·bos·ity [vɜːˈbɒsəti] *n no pl (pej)* Wortfülle *f*

ver·dant [ˈvɜːdᵊnt] *adj (liter)* fruchtbar; *garden* üppig; *lawn* sattgrün

ver·dict [ˈvɜːdɪkt] *n* ❶ *(judgement)* Urteil *nt;* ~ **of guilty** [with extenuating circumstances] Schuldspruch *m* [mit mildernden Umständen]; ~ **of not guilty** Freispruch *m;* **unanimous** ~ einstimmiges Urteil; **to deliver a** ~ ein Urteil verkünden ❷ *(opinion)* Urteil *nt;* **to give a** ~ **on sth** ein Urteil über etw *akk* fällen

ver·di·gris [ˈvɜːdɪɡrɪs] *n no pl* Grünspan *m*

verge [vɜːdʒ] *n* ❶ *(physical edge)* Rand *m;* **on the** ~ **of the desert** am Rand der Wüste ❷ *esp* BRIT *(ribbon next to road)* [seitlicher] Grünstreifen ❸ *(fig: brink)* ▪ **to be on the** ~ **of sth** am Rande von etw *dat* stehen; **to be on the** ~ **of collapse** kurz vor dem Zusammenbruch stehen ◆ **verge on** *vi* ▪ **to** ~ **on sth** etw *dat* nahe sein; **to** ~ **on the ridiculous** ans Lächerliche grenzen

ver·ger [ˈvɜːdʒə] *n esp* BRIT Küster(in) *m(f)*

veri·fi·able [ˌverɪˈfaɪəbl] *adj* verifizierbar *geh; fact* überprüfbar; *theory* nachweisbar

veri·fi·ca·tion [ˌverɪfɪˈkeɪʃᵊn] *n no pl* Verifizierung *f geh; (checking)* Überprüfung *f*

veri·fy <-ie-> [ˈverɪfaɪ] *vt* verifizieren *geh; (check)* überprüfen; *(confirm)* belegen

veri·si·mili·tude [ˌverɪsɪˈmɪlɪtjuːd] *n no pl (form)* Wahrhaftigkeit *f; of a painting* Wirklichkeitsnähe *f; of a story also* Authentizität *f*

veri·table [ˈverɪtəbl] *adj attr* wahr; **a** ~ **war of words** das reinste Wortgefecht

ver·mi·cel·li [ˌvɜːmɪˈtʃeli] *npl* ❶ *(pasta)* Fadennudeln *pl* ❷ BRIT (*in baking*) Schokosplitter *pl*

ver·mi·cide ['vɜːmɪsaɪd] *n* MED Wurmmittel *nt*

ver·mil·(l)ion [vəˈmɪljən] **I.** *n* Zinnoberrot *nt* **II.** *adj* zinnoberrot

ver·min ['vɜːmɪn] *npl* (*pej: animals*) Schädlinge *pl*; (*persons*) nutzloses Pack *pej*; **to control ~** Ungeziefer bekämpfen

ver·min·ous ['vɜːmɪnəs] *adj attr* (*pej*) voller Ungeziefer *nach n*

ver·mouth ['vɜːməθ] *n no pl* Wermut *m*

ver·nacu·lar [vəˈnækjələʳ] **I.** *n* Umgangssprache *f*; (*dialect*) Dialekt *m*; (*jargon*) Jargon *m* **II.** *adj* ❶ (*of language*) umgangssprachlich; (*as one's mother tongue*) muttersprachlich ❷ ARCHIT *building* funktional; MUS volksnah

ver·nal 'equi·nox *n* Frühlingsäquinoktium *nt fachspr*

ver·ru·ca <*pl* -s *or* -ae> [vəˈruːkə, *pl* -kiː] *n* Warze *f*

ver·sa·tile ['vɜːsətaɪl] *adj actor, athlete* vielseitig; *material* vielseitig verwendbar

ver·sa·til·ity [ˌvɜːsəˈtɪləti] *n no pl* (*flexibility*) Vielseitigkeit *f*; (*adjustability*) Anpassungsfähigkeit *f*; *of a device* vielseitige Verwendbarkeit

verse [vɜːs] *n* ❶ *no pl* (*poetical writing*) Dichtung *f*; **volume of ~** Gedichtband *m*; **in ~** in Versen *m* ❷ (*stanza of poetry*) *also* MUS Strophe *f* ❸ (*of scripture*) Vers *m*

versed [vɜːst] *adj* (*form*) **to be [well] ~ in sth** (*knowledgeable about*) in etw *dat* [sehr] versiert sein *geh*; (*familiar with*) sich mit etw *dat* [gut] auskennen

ver·si·fy ['vɜːsɪfaɪ] **I.** *vi* dichten **II.** *vt* in Versform bringen

ver·sion ['vɜːʃən, -ʒən] *n* ❶ (*account*) Version *f*; (*description*) Darstellung *f* ❷ (*variant*) Version *f*; *of book, text, film* Fassung *f*; **abridged ~** Kurzfassung *f*; **revised ~** revidierte Ausgabe ❸ (*translation*) **English-language ~** englischsprachige Ausgabe

ver·sion·ing ['vɜːʃənɪŋ] *n no pl* FILM, COMPUT Versioning *nt* (*per Computer seine eigene Version eines Films erstellen*)

ver·so ['vɜːsəʊ] *n* ❶ PUBL (*left-hand page*) linke Seite; (*back of page*) Verso *nt fachspr* ❷ (*reverse side*) Rückseite *f*; *of coin also* Revers *m fachspr*

ver·sus ['vɜːsəs] *prep* gegen

ver·te·bra <*pl* -brae> ['vɜːtɪbrə, *pl* -briː] *n* Wirbel *m*

ver·te·bral ['vɜːtɪbrəl] *adj* ANAT, MED Wirbel-

ver·te·brate ['vɜːtɪbreɪt] BIOL **I.** *n* Wirbeltier *nt* **II.** *adj attr* Wirbel-

ver·tex <*pl* -es *or* -tices> ['vɜːteks, *pl* -tɪsiːz] *n* ❶ MATH Scheitel[punkt] *m* ❷ (*highest point*) Spitze *f*

ver·ti·cal ['vɜːtɪkəl] **I.** *adj* senkrecht, vertikal; *cliffs* senkrecht abfallend **II.** *n* ❶ (*vertical line*) Senkrechte *f*, Vertikale *f geh* ❷ (*of ski slopes*) Abfahrt *f*

ver·ti·cal·ly ['vɜːtɪkəli] *adv* senkrecht, vertikal; **to jump** [*or* **leap**] **~** senkrecht hochspringen; (*in basketball*) einen Korbleger machen

ver·tigi·nous [vɜːˈtɪdʒɪnəs] *adj* (*form*) ❶ (*causing vertigo*) Schwindel erregend ❷ (*dizzy*) schwindlig

ver·ti·go ['vɜːtɪgəʊ] *n no pl* (*feeling*) Schwindel *m*; MED Gleichgewichtsstörung *f*

verve [vɜːv] *n no pl* Begeisterung *f*, Verve *f geh*

very ['veri] **I.** *adv* ❶ (*extremely*) sehr, außerordentlich; **there's nothing ~ interesting on TV tonight** es kommt nichts besonders Interessantes heute Abend im Fernsehen; **how are you? — ~ well, thanks** wie geht es dir? – sehr gut, danke ❷ (*to a great degree*) sehr; **~ much** sehr; **to feel ~ much at home** sich ganz wie zu Hause fühlen; **not ~ much ...** nicht besonders ... ❸ *+ superl* (*to add force*) aller-; **~ best** der/die/das Allerbeste; **the ~ best of friends** die allerbesten Freunde; **to do the ~ best one can** sein Allerbestes geben; **at the ~ most/least** allerhöchstens/zumindest; **the ~ next day** schon am nächsten Tag; **the ~ same** genau der/die/das Gleiche ❹ (*I agree*) **~ well** [also] gut **II.** *adj attr* genau; **at the ~ bottom** zuunterst; **at the ~ end of sth** ganz am Ende einer S. *gen*; **the ~ fact that ...** allein schon die Tatsache, dass ...; **the ~ thought ...** allein der Gedanke ...; **they're the ~ opposite of one another** sie sind völlig unterschiedlich

Very light ['veri, 'vɪəri] *n* Leuchtkugel *f*

Very pis·tol ['veri, 'vɪəri] *n* Leuchtpistole *f*

vesi·cle ['vesɪkl] *n* (*blister*) *also* GEOL Blase *f*; (*pustule*) Pustel *f*; (*fluid-filled sac*) *also* BOT Bläschen *nt*; (*cyst*) Zyste *f*

ves·pers ['vespəʳs] *npl* REL Vesper *f*

ves·sel ['vesəl] *n* ❶ NAUT (*form*) Schiff *nt* ❷ (*form: for liquid*) Gefäß *nt* ❸ (*liter: person*) **he saw his son as a ~ for his own ambitions** in seinem Sohn sollten sich seine eigenen Ambitionen verwirklichen ❹ ANAT, BOT Gefäß *nt*

vest [vest] **I.** *n* ❶ BRIT (*underwear*) Unterhemd *nt* ❷ *esp* AM (*outer garment*) Weste *f* ❸ (*jersey*) Trikot *nt* ❹ AM, AUS (*waistcoat*) [Anzug]weste *f* ❺ BRIT (*T-shirt*) **~** [**top**] ärmelloses T-Shirt **II.** *vt* (*form*) ❶ *usu pas-*

sive (*give*) **to be ~ed with the power to do sth** berechtigt sein, etw zu tun ❷ (*place*) **control has been ~ed in local authorities** die Aufsicht liegt bei den örtlichen Behörden; **to ~ one's hopes in sb/sth** seine Hoffnungen auf jdn/etw setzen **III.** *vi* LAW **a property ~s in sb** ein Besitz geht auf jdn über

ves·ti·bule ['vestɪbjuːl] *n* (*form*) ❶ (*foyer*) Vorraum *m;* (*in a hotel, big building*) Eingangshalle *f;* (*in a theatre*) Foyer *nt* ❷ AM (*porch*) Veranda *f*

ves·tige ['vestɪdʒ] *n* ❶ (*trace*) Spur *f;* (*remainder*) Überrest *m* ❷ (*fig*) **there is no ~ of hope** es gibt keinerlei Hoffnung mehr; **there's not a ~ of truth in what she says** es ist kein Körnchen Wahrheit an dem, was sie sagt; **to remove the last ~ of doubt** den letzten Rest Zweifel ausräumen

vest·ments ['ves(t)mənts] *npl* ❶ (*for clergy*) Messgewand *nt;* (*for special occasion*) Ornat *m geh* ❷ (*hist: official clothes*) Amtstracht *f*

'**vest-pock·et** *adj attr* AM ❶ (*pocket-size*) Westentaschen-, im Westentaschenformat *nach n* ❷ (*very small*) Miniatur-, Mini-

ves·try ['vestri] *n* Sakristei *f*

vet[1] [vet] **I.** *n* (*animal doctor*) Tierarzt, Tierärztin *m, f* **II.** *vt* <-tt-> ❶ (*examine*) überprüfen ❷ *usu passive* BRIT (*screen*) ■**to be ~ted** [auf Herz und Nieren] [über]prüft werden *fam*

vet[2] [vet] *n* AM MIL (*fam*) *short for* **veteran** Veteran(in) *m(f)*

vetch [vetʃ] *n* Wicke *f*

vet·er·an ['vetərən] **I.** *n* ❶ (*experienced person*) Veteran(in) *m(f)*, alter Hase *hum* ❷ (*ex-military*) Veteran(in) *m(f)* **II.** *adj attr* ❶ (*experienced*) erfahren; (*of many years' standing*) langjährig; (*of an actor*) altgedient

vet·er·an 'car *n* BRIT Oldtimer *m*

'**Vet·er·ans Day** *n* AM *11. November, an dem als staatlicher Feiertag die Kriegsveteranen geehrt werden und der Kriegsopfer gedacht wird*

vet·eri·nar·ian [ˌvetərɪ'neriən] *n* AM (*vet*) Tierarzt, Tierärztin *m, f*

vet·eri·nary ['vetərɪnəri] *adj attr* tierärztlich; **~ medicine** Tiermedizin *f*

veto ['viːtəʊ] **I.** *n* <*pl* -es> ❶ (*nullification*) Veto *nt;* **~ of a measure** Veto *nt* gegen eine Maßnahme; **presidential ~** Veto *nt* des Präsidenten ❷ (*right of refusal*) Vetorecht *nt;* **to have the power of ~** das Vetorecht haben; **to put a ~ on sth** *esp* BRIT (*fig*) etw verbieten **II.** *vt* ■**to ~ sth** ❶ (*officially refuse*) ein Veto gegen etw

akk einlegen ❷ (*forbid*) etw untersagen

vex [veks] *vt* verärgern

vexa·tion [vek'seɪʃ°n] *n no pl* (*dated*) Ärger *m*

vexa·tious [vek'seɪʃəs] *adj* (*dated*) ärgerlich; *child* unausstehlich; *problem* leidig; LAW schikanös

v. g. *abbrev of* **very good** sehr gut

VHF [ˌviːeɪtʃ'ef] **I.** *n no pl abbrev of* **very high frequency** UKW *f;* ■**on ~** auf UKW **II.** *adj attr abbrev of* **very high frequency** UKW-

via ['vaɪə] *prep* ❶ (*through*) über; **the flight goes ~ Frankfurt** der Flug geht über Frankfurt ❷ (*using*) per, via; **sent ~ email** per Email geschickt

vi·abil·ity [ˌvaɪə'bɪləti] *n no pl* ❶ BIOL Lebensfähigkeit *f* ❷ *of businesses* Rentabilität *f* ❸ (*feasibility*) Realisierbarkeit *f*

vi·able ['vaɪəbl] *adj* ❶ (*successful*) existenzfähig; *of a company* rentabel ❷ (*feasible*) machbar; *alternative* durchführbar ❸ BIOL (*able to sustain life*) lebensfähig; (*able to reproduce*) zeugungsfähig

via·duct ['vaɪədʌkt] *n* Viadukt *m o nt;* (*bridge*) Brücke *f*

vibes [vaɪbz] *npl* (*fam*) ❶ (*vibrations*) Schwingungen *pl;* (*general feeling*) Klima *nt* ❷ (*vibraphone*) Vibraphon *nt*

vi·brant ['vaɪbrənt] *adj* ❶ *person* lebhaft; (*dynamic*) dynamisch ❷ *atmosphere, place* lebendig ❸ ECON **~ economy** boomende Wirtschaft ❹ *colour* leuchtend ❺ *sound* sonor; *performance* temperamentvoll

vi·bra·phone ['vaɪbrəfəʊn] *n* Vibraphon *nt*

vi·brate [vaɪ'breɪt] **I.** *vi* ❶ (*pulsate*) vibrieren; *person* zittern; **to ~ with emotion** vor Erregung zittern ❷ *sound* nachklingen **II.** *vt* vibrieren lassen; MUS zum Schwingen bringen

vi·bra·tion [vaɪ'breɪʃ°n] *n* Vibration *f;* *of earthquake* Erschütterung *f;* PHYS Schwingung *f*

vi·bra·tor [vaɪ'breɪtəʳ] *n* Vibrator *m*

vic·ar ['vɪkəʳ] *n* Pfarrer *m*

vic·ar·age ['vɪkəʳɪdʒ] *n* Pfarrhaus *nt*

vi·cari·ous [vɪ'keəriəs] *adj* ❶ (*through another person*) nachempfunden; *pleasure* indirekt; **~ satisfaction** Ersatzbefriedigung *f;* **to get a ~ thrill out of sth** sich an etw *dat* aufgeilen *sl* ❷ (*form: delegated*) stellvertretend

vice[1] [vaɪs] *n* ❶ (*moral weakness*) Laster *nt* ❷ *no pl* (*immoral behaviour*) Lasterhaftigkeit *f* ❸ LAW Sittlichkeitsdelikt *nt*

vice[2] [vaɪs] *n* (*tool*) Schraubstock *m*

vice-'chair·man *n* stellvertretende(r) Vorsitzende(r) **vice-'chan·cel·lor** n (*senior official*) Vizekanzler(in) m(f); BRIT UNIV Rektor(in) m(f) **Vice 'Presi·dent** n, **vice-'presi·dent** n Vizepräsident(in) m(f)

vice ver·sa [ˌvaɪsɪ'vɜːsə] adv umgekehrt

vi·cin·ity [vɪ'sɪnəti] n (*nearness*) Nähe f; (*surrounding area*) Umgebung f; ■**in the ~** [**of sth**] in der Nähe [einer S. *gen*]; (*fig*) **they paid in the ~ of £3 million for their latest new player** sie haben um die 3 Millionen Pfund für ihren jüngsten Neuzugang gezahlt

vi·cious ['vɪʃəs] adj ❶ (*malicious*) boshaft, gemein; *attack* heimtückisch; *crime, murder* grauenhaft; *dog* bissig; *fighting* brutal; *gossip* gehässig ❷ (*causing pain*) grausam ❸ (*nasty*) gemein ❹ (*fig: powerful*) schrecklich; *wind* heftig

vi·cious 'cir·cle n, **vi·cious 'cy·cle** n Teufelskreis m; **to be caught in a ~** in einen Teufelskreis geraten

vi·cis·si·tude [vɪ'sɪsɪtjuːd] n (*form*) steter Wandel; ■**~s** pl of circumstances Unbeständigkeit f; **the ~s of life** die Launen pl des Schicksals

vic·tim ['vɪktɪm] n ❶ (*sb, sth harmed*) Opfer nt; **to fall ~ to sb/sth** jdm/etw zum Opfer fallen ❷ (*sufferer of illness*) **Max fell ~ to the flu** Max hat die Grippe erwischt *fam*; **cancer ~** Krebskranke(r) f(m) ❸ (*fig*) **to fall ~ to sb's charms** jds Charme m erliegen; **to be a ~ of fortune** dem Schicksal ausgeliefert sein

vic·tim·ize ['vɪktɪmaɪz] vt ungerecht behandeln; (*pick at*) schikanieren

vic·tor ['vɪktəʳ] n (*person*) Sieger(in) m(f); **to emerge** [**as**] **the ~** als Sieger/Siegerin hervorgehen

Victoria Cross [vɪktɔːriə'krɒs] höchste Tapferkeitsauszeichnung in Großbritannien

Vic·to·rian [vɪk'tɔːriən] I. adj ❶ (*era*) viktorianisch ❷ (*fig, pej: prudish*) prüde ❸ AUS (*of or from Victoria*) aus Viktoria nach ❸ II. n Viktorianer(in) m(f); (*fig, pej*) prüder Mensch

vic·to·ri·ous [vɪk'tɔːriəs] adj siegreich; **to emerge ~** als Sieger/Siegerin hervorgehen

vic·tory ['vɪktʰri] n Sieg m (**against** über); **to win a ~** [**in sth**] [bei etw *dat*] einen Sieg erringen

vict·ual·ler ['vɪtʰləʳ] n licensed ~ *Gastwirt, der eine Lizenz für den Verkauf von Alkohol hat*

vid [vɪd] n (*fam*) short for **video** Video nt

vi·deli·cet [vɪ'diːlɪset] adv (*form*) nämlich

video ['vɪdiəʊ] I. n ❶ no pl (*recording*) Vi-

deo nt ❷ (*tape*) Videokassette f ❸ (*recorded material*) Videoaufnahme f ❹ (*of pop group*) Video nt ❺ BRIT (*recorder*) Videorekorder m II. vt auf Video aufnehmen

'video cam·era n Videokamera f **'video cas·sette** n Videokassette f **video 'con·fer·ence** n Videokonferenz f **'video game** n Videospiel nt **'video·phone** n Bildtelefon nt **'video re·cord·er** n Videorekorder m **'video set** n Videogerät nt **video sur·'veil·lance** n no pl Videoüberwachung f **'video·tape** I. n ❶ (*cassette*) Videokassette f ❷ no pl (*tape*) Videoband nt ❸ (*recorded material*) Videoaufnahme f II. vt auf Video aufnehmen **'video·text** n Videotext m **'video trans·mis·sion** n Videoübertragung f **'video trans·mit·ter** n Videosender m

vie <-y-> [vaɪ] vi wetteifern; (*in commerce, business*) konkurrieren; ■**to ~** [**with sb**] **for sth** [mit jdm] um etw *akk* wetteifern

Vi·en·na [vi'enə] n Wien nt

Vi·en·nese [ˌviːə'niːz] I. n <pl -> Wiener(in) m(f) II. adj Wiener-, wienerisch

Vi·et·cong <pl -> [ˌvjet'kɒŋ] n Vietkong m

Vi·et·nam [ˌvjet'næm] n Vietnam nt

Vi·et·nam·ese [ˌvjetnə'miːz] I. adj vietnamesisch II. n ❶ (*language*) Vietnamesisch nt ❷ (*person*) Vietnamese(in) m(f)

view [vjuː] I. n ❶ no pl (*sight*) Sicht f; **in full ~ of all the spectators** vor den Augen aller Zuschauer; **to come into ~** sichtbar werden; **to disappear from ~** [in der Ferne] verschwinden; **to hide from ~** sich dem Blick entziehen ❷ (*panorama*) [Aus]blick m; **he paints rural ~s** er malt ländliche Motive; **he lifted his daughter up so that she could get a better ~** er hob seine Tochter hoch, so dass sie besser sehen konnte; **to afford a ~** einen Blick bieten ❸ (*opportunity to observe*) Besichtigung f ❹ no pl (*for observation*) **to be on ~** ausgestellt werden; **to be on ~ to the public** der Öffentlichkeit zugänglich sein ❺ (*opinion*) Ansicht f, Meinung f (**about/ on** über); **it's my ~ that the price is much too high** meiner Meinung nach ist der Preis viel zu hoch; **point of ~** Standpunkt m; **from my point of ~ ...** meiner Meinung nach ...; **world ~** Weltanschauung f; **to share a ~** gleicher Meinung sein; ■**in sb's ~** jds Ansicht f nach ❻ (*fig: perspective*) Ansicht f; **from the money point of ~, the plan is very attractive but from the work point of ~, it's a disaster** vom Finanziellen her gesehen ist der Plan sehr verlockend, aber von der Arbeit her ist er eine Katastrophe; **we take a very serious ~ of the situation** wir nehmen die Situation sehr ernst; ■ **in ~ of sth** angesichts einer S. *gen;* ■ **with a ~ to doing sth** mit der Absicht, etw zu tun **II.** *vt* ❶ (*watch*) ■ **to ~ sth** etw betrachten; (*as a spectator*) etw zusehen [*o bes* SÜDD, ÖSTERR, SCHWEIZ zuschauen] ❷ (*fig: consider*) betrachten; **we ~ the situation with concern** wir betrachten die Lage mit Besorgnis; **to ~ sth from a different angle** etw aus einem anderen Blickwinkel betrachten ❸ (*inspect*) ■ **to ~ sth** sich *dat* etw ansehen

view·er ['vjuːəʳ] *n* ❶ (*person*) [Fernseh]zuschauer(in) *m(f)* ❷ (*for film*) Filmbetrachter *m;* (*for slides*) Diabetrachter *m*

'**view·find·er** *n* PHOT [Bild]sucher *m*

view·ing ['vjuːɪŋ] *n no pl* ❶ (*inspection*) Besichtigung *f* ❷ FILM Anschauen *nt;* TV Fernsehen *nt*

'**view·point** *n* ❶ (*fig: opinion*) Standpunkt *m;* (*aspect*) Gesichtspunkt *m* ❷ (*place*) Aussichtspunkt *m*

vig·il ['vɪdʒɪl] *n* [Nacht]wache *f*

vigi·lance ['vɪdʒɪlən(t)s] *n no pl* Wachsamkeit *f*

vigi·lant ['vɪdʒɪlənt] *adj* wachsam; **to be ~ about/for sth** auf etw *akk* achten

vigi·lant·ly ['vɪdʒɪləntli] *adv* wachsam, [sehr] aufmerksam; **to guard sb/sth ~** jdn/etw streng bewachen

vi·gnette [vɪ'njet] *n* Vignette *f*

vig·or *n no pl* AM, AUS *see* **vigour**

vig·or·ous ['vɪgʳrəs] *adj* ❶ (*energetic*) energisch; *speech* feurig; **we went for a ~ walk** wir machten einen strammen Spaziergang ❷ SPORTS *exercises* intensiv ❸ (*flourishing*) kräftig; **~ health** robuste Gesundheit

vig·or·ous·ly ['vɪgʳrəsli] *adv* (*energetically*) energisch; (*vehemently*) heftig; **to deny/oppose sth ~** etw entschieden leugnen/ablehnen; **to exercise ~** eifrig trainieren

vig·our ['vɪgʳr] *n no pl* ❶ (*liveliness*) Energie *f,* [Tat]kraft *f;* (*vitality*) Vitalität *f;* **to do sth with ~** etw mit vollem Eifer tun ❷ (*forcefulness*) Ausdruckskraft *f*

Vi·king ['vaɪkɪŋ] **I.** *n* Wikinger(in) *m(f)* **II.** *adj* Wikinger-, wikingisch

vile [vaɪl] *adj* ❶ (*nasty*) gemein, niederträchtig ❷ (*fam: disgusting*) abscheulich; **~ language** unflätige Sprache; **to smell ~** stinken

vili·fy <-ie-> ['vɪlɪfaɪ] *vt* verleumden

vil·la ['vɪlə] *n* ❶ (*rural residence*) Villa *f* ❷ BRIT (*holiday home*) Ferienhaus *nt*

❸ BRIT (*Victorian, Edwardian house*) Einfamilienhaus *nt*

vil·lage ['vɪlɪdʒ] *n* ❶ (*settlement*) Dorf *nt* ❷ + *sing/pl vb* (*populace*) Dorfbevölkerung *f*

vil·lage com·'mun·ity *n* Dorfgemeinschaft *f* **vil·lage 'green** *n* Dorfwiese *f* **vil·lage 'inn** *n* Dorfgasthaus *nt*

vil·lag·er ['vɪlɪdʒəʳ] *n* Dorfbewohner(in) *m(f)*

vil·lain ['vɪlən] *n* ❶ (*lawbreaker*) Verbrecher(in) *m(f)* ❷ (*capable of bad behaviour*) Schurke *m;* (*in novel, film*) Bösewicht *m*

vil·lain·ous ['vɪlənəs] *adj* schurkisch; (*mean*) gemein; *deed* niederträchtig

vil·lainy ['vɪləni] *n no pl* Schurkerei *f;* (*meanness*) Gemeinheit *f*

vinai·grette [ˌvɪnɪ'gret] *n,* **vinai·grette 'dress·ing** *n no pl* Vinaigrette *f*

vin·di·cate ['vɪndɪkeɪt] *vt* ❶ (*justify*) ■ **to ~ sth** etw rechtfertigen; ■ **to ~ sb** jdn verteidigen ❷ (*support*) *theory* bestätigen ❸ (*clear of blame, suspicion*) ■ **to ~ sb** jdn rehabilitieren

vin·di·ca·tion [ˌvɪndɪ'keɪʃən] *n no pl* ❶ (*justification*) Rechtfertigung *f;* **in ~ of sth** zur Rechtfertigung einer S. *gen* ❷ (*act of clearing blame*) Rehabilitierung *f*

vin·dic·tive [vɪn'dɪktɪv] *adj* nachtragend; (*longing for revenge*) rachsüchtig

vin·dic·tive·ness [vɪn'dɪktɪvnəs] *n no pl* Rachsucht *f;* **to feel ~ towards sb** Rachegefühle gegenüber jdm hegen

vine [vaɪn] *n* ❶ (*grape plant*) Weinrebe *f* ❷ (*climbing plant*) Rankengewächs *nt*

'**vine fruit** *n usu pl* getrocknete Weinbeeren *f* [*pl*]

vin·egar ['vɪnɪgəʳ] *n no pl* Essig *m*

vin·egary ['vɪnɪgʳri] *adj* ❶ (*of taste*) sauer ❷ (*full of vinegar*) Essig- ❸ (*fig: of attitude*) säuerlich; (*critical, unkind*) scharf

vine·yard ['vɪnjəd] *n* ❶ (*where vines grow*) Weinberg *m* ❷ (*area*) Weinanbaugebiet *nt*

vin·tage ['vɪntɪdʒ] **I.** *n* ❶ (*wine*) Jahrgangswein *m* ❷ (*wine year*) Jahrgang *m* **II.** *adj* ❶ FOOD Jahrgangs- ❷ (*of classic quality*) erlesen; **this film is ~ Disney** dieser Film ist ein Disneyklassiker ❸ BRIT, AUS AUTO Oldtimer-; **~ car** Oldtimer *m*

vint·ner ['vɪntnəʳ] *n* Weinhändler(in) *m(f)*

vi·nyl ['vaɪnʲl] *n* ❶ *no pl* (*material, record*) Vinyl *nt* ❷ (*type of plastic*) Vinoplast *m*

vio·la¹ [vi'əʊlə] *n* MUS Viola *f,* Bratsche *f*

vio·la² [vaɪələ] *n* BOT Veilchen *nt*

vio·late ['vaɪəleɪt] *vt* ❶ (*not comply with*) *ceasefire agreement* brechen; **to ~ a law/ rule** gegen ein Gesetz/eine Regel verstoßen; *regulation* verletzen ❷ (*enter, cross illegally*) ■**to** ~ **sth** in etw *akk* eindringen ❸ (*not respect*) **to** ~ **sb's privacy/rights** jds Privatsphäre *f*/Rechte *pl* verletzen ❹ (*form: rape*) vergewaltigen

vio·la·tion [ˌvaɪəˈleɪʃ⁰n] *n* ❶ *of rules, the law* Verletzung *f*, Verstoß *m* ❷ (*rape*) Vergewaltigung *f* ❸ *of holy places* Entweihung *f*

vio·lence [ˈvaɪəl⁰n(t)s] *n no pl* ❶ (*behaviour*) Gewalt *f* (**against** gegen); **act of** ~ Gewalttat *f*; **to use** ~ **against sb** Gewalt gegen jdn anwenden ❷ (*force*) Heftigkeit *f*; **we were all surprised at the** ~ **of his anger** wir waren alle vom Ungestüm seines Zorns überrascht

vio·lent [ˈvaɪəl⁰nt] *adj* ❶ (*brutal*) gewalttätig; *person also* brutal; ~ **crime** Gewaltverbrechen *nt*; *death* gewaltsam ❷ (*powerful*) *attack, blow, pain* heftig; (*fig, pej*) *colour* grell; *argument* heftig; *contrast* krass; **to have a** ~ **temper** jähzornig sein

vio·lent·ly [ˈvaɪəl⁰ntli] *adv* ❶ (*physically abusive*) brutal; **to die** ~ eines gewaltsamen Todes sterben ❷ (*very much*) heftig; **I was** ~ **sick last night** ich musste mich letzte Nacht heftig übergeben; ~ **jealous** äußerst eifersüchtig; **to tremble** ~ heftig zittern

vio·let [ˈvaɪələt] **I.** *n* ❶ (*colour*) Violett *nt* ❷ BIOL Veilchen *nt* **II.** *adj* violett

vio·lin [ˌvaɪəˈlɪn] *n* Violine *f*, Geige *f*

vio·lin·ist [ˌvaɪəˈlɪnɪst] *n* Geiger(in) *m(f)*

vio·lon·cel·lo [ˌvaɪələnˈtʃeləʊ] *n* (*form*) Violoncello *nt*

V.I.P., VIP [ˌ viːˈaɪˈpiː] **I.** *n abbrev of* **very important person** Promi *m fam* **II.** *adj attr abbrev of* **very important person** (*area, tent*) VIP-

vi·per [ˈvaɪpəʳ] *n* ❶ ZOOL Viper *f* ❷ (*fig, pej liter: person*) Natter *f*; (*esp a woman*) Schlange *f*

vi·ra·go <*pl* -s *or* -es> [vɪˈrɑːgəʊ] *n* ❶ (*pej: shrew*) Xanthippe *f* ❷ (*dated: warrior*) Amazone *f*

vir·gin [ˈvɜːdʒɪn] **I.** *n* ❶ (*sexually inexperienced person*) Jungfrau *f* ❷ (*inexperienced person*) unbeschriebenes Blatt *fam* **II.** *adj attr* ❶ (*chaste*) jungfräulich ❷ (*fig: unexplored*) jungfräulich, unerforscht; ~ **territory** Neuland *nt* ❸ (*liter: untouched*) jungfräulich; *forest* unberührt

vir·gin·al [ˈvɜːdʒɪn⁰l] *adj* jungfräulich

vir·gin 'for·est *n* Urwald *m*

vir·gin·ity [vəˈdʒɪnəti] *n no pl* Jungfräulichkeit *f*

Vir·go [ˈvɜːgəʊ] *n no art* ASTROL Jungfrau *f*

vir·ile [ˈvɪraɪl] *adj* (*approv*) ❶ (*full of sexual*

energy) potent; (*masculine*) männlich ❷ (*energetic*) *voice* kraftvoll

vi·ril·ity [vɪˈrɪləti] *n no pl* (*approv*) ❶ (*sexual vigour*) Potenz *f*; (*masculinity*) Männlichkeit *f* ❷ (*vigour*) Kraft *f*

vi·rol·ogy [vaɪəˈrɒlədʒi] *n no pl* Virologie *f*

vir·tual [ˈvɜːtʃʊəl] *adj* ❶ (*almost certain*) so gut wie, quasi; **snow brought the whole of Guernsey to a** ~ **standstill yesterday** der Schnee brachte gestern ganz Guernsey praktisch zum Stillstand; **to be a** ~ **unknown** praktisch unbekannt sein ❷ COMPUT, PHYS virtuell

vir·tu·al·ly [ˈvɜːtʃʊəli] *adv* ❶ (*almost*) praktisch, eigentlich, so gut wie ❷ COMPUT virtuell

vir·tual 'of·fice *n* virtuelles Büro **vir·tual re·'al·ity** *n no pl* virtuelle Realität **vir·tual 'shop·ping mall** *n* virtuelle Einkaufspassage **vir·tual 'stor·age** *n no pl* virtueller Speicher

vir·tue [ˈvɜːtjuː, -tʃuː] *n* ❶ (*good quality*) Tugend *f* ❷ *no pl* (*morality*) Tugendhaftigkeit *f* ❸ (*advantage*) Vorteil *m* ❹ *no pl* (*benefit*) Nutzen *m* ❺ (*hist: chastity*) Keuschheit *f* ❻ (*form: because of*) ■**by** ~ **of sth** wegen einer S. *gen*

vir·tu·os·ity [ˌvɜːtʃuˈɒsəti, -tʃuː-] *n no pl* (*form*) Virtuosität *f*

vir·tuo·so [ˌvɜːtʃuˈəʊsəʊ, -tʃu-, *pl* -si] **I.** *n* <*pl* -s *or* -si> Virtuose(in) *m(f)* **II.** *adj* virtuos

vir·tu·ous [ˈvɜːtʃuəs, -tju-] *adj* ❶ (*morally good*) tugendhaft; (*upright*) rechtschaffen ❷ (*pej: morally better*) moralisch überlegen; (*self-satisfied*) selbstgerecht

viru·lence [ˈvɪrʊl⁰n(t)s] *n no pl* ❶ MED Virulenz *f fachspr* ❷ (*form: bitterness*) Schärfe *f*; (*maliciousness*) Bösartigkeit *f*

viru·lent [ˈvɪrʊl⁰nt] *adj* ❶ MED virulent *fachspr*; *poison* stark ❷ (*form: fierce*) bösartig; *critic* scharf

vi·rus [ˈvaɪ(ə)rəs] *n* <*pl* -es> ❶ MED Virus *m*; ~ **infection** Virusinfektion *f* ❷ COMPUT Virus *m*

visa [ˈviːzə] *n* Visum *nt*; **entry/exit** ~ Einreise-/Ausreisevisum *nt*

vis-à-vis [ˌviːzɑːˈviː] *prep* ❶ (*concerning*) bezüglich, wegen ❷ (*in comparison with*) gegenüber

vis·cera [ˈvɪs⁰rə] *npl* Eingeweide *pl*

vis·cose [ˈvɪskəʊs] *n no pl* Viskose *f*

vis·cos·ity [ˈvɪskɒsəti] *n no pl* Zähflüssigkeit *f*

vis·count [ˈvaɪkaʊnt] *n* Viscount *m*

vis·count·ess <*pl* -es> [ˌvaɪkaʊnˈtəs] *n* Viscountess *f*

vis·cous [ˈvɪskəs] *adj* zähflüssig

vise *n* Am *see* **vice²**

vis·ibil·ity [ˌvɪsəˈbɪləti] *n no pl* ❶ (*of view*) Sichtweite *f;* **good/poor** ~ gute/schlechte Sicht ❷ (*being seen*) Sichtbarkeit *f*

vis·ible [ˈvɪsəbl] *adj* ❶ (*able to be seen*) sichtbar; **to be barely** ~ kaum zu sehen sein; **to be clearly** ~ deutlich sichtbar sein ❷ (*fig*) sichtbar; (*imminent*) deutlich

vi·sion [ˈvɪʒ³n] *n* ❶ *no pl* (*sight*) Sehvermögen *nt;* **to have blurred** ~ verschwommen sehen ❷ (*mental image*) Vorstellung *f;* ~ **of the future** Zukunftsvision *f* ❸ (*supernatural experience*) Vision *f* ❹ *no pl* (*forethought*) Weitblick *m* ❺ (*esp hum: beautiful sight*) **she emerged from the bedroom, a** ~ **in cream silk** sie kam aus dem Schlafzimmer heraus, ein Traum in cremefarbener Seide; **to be a real** ~ traumhaft sein

vi·sion·ary [ˈvɪʒ³n³ri] **I.** *adj* ❶ (*future-oriented*) visionär *geh* ❷ (*not realistic*) unrealistisch; (*imagined*) eingebildet **II.** *n* ❶ (*religious prophet*) Seher(in) *m(f)* ❷ (*social prophet*) Visionär(in) *m(f) geh*

vi·sit [ˈvɪzɪt] **I.** *n* ❶ (*stopping by*) Besuch *m;* **to have a** ~ **from sb** von jdm besucht werden; **to pay a** ~ **to sb** jdn besuchen; (*for professional purposes*) jdn aufsuchen ❷ Am (*fam: chat*) Plauderei *f* **II.** *vt* ❶ (*stop by*) besuchen ❷ (*for professional purposes*) aufsuchen **III.** *vi* ❶ (*stopping by*) einen Besuch machen; ■**to** ~ **with sb** Am sich mit jdm treffen ❷ Am (*fam: chat*) ein Schwätzchen halten

vis·ita·tion [ˌvɪzɪˈteɪʃ³n] *n* ❶ (*supernatural experience*) Erscheinung *f* ❷ *no pl* (*stopping by*) Besuch *m* ❸ (*official visit*) offizieller Besuch ❹ (*hum fam*) Heimsuchung *f hum* ❺ *no pl* Am (*for child*) ≈ Besuchszeit *f;* (*right to see child*) Besuchsrecht *nt* ❻ REL Heimsuchung *f*

vis·it·ing [ˈvɪzɪtɪŋ] *adj attr* Gast-; ~ **professor** Gastprofessor

'vis·it·ing hours *npl* Besuchszeiten *pl* **vis·it·ing pro·'fes·sor** *n* Gastprofessor(in) *m(f)*

visi·tor [ˈvɪzɪtə^r] *n* Besucher(in) *m(f);* (*in a hotel*) Gast *m*

vi·sor [ˈvaɪzə^r] *n* ❶ (*part of helmet*) Visier *nt* ❷ Am (*brim of cap*) Schild *nt* ❸ AUTO Sonnenblende *f*

vis·ta [ˈvɪstə] *n* ❶ (*view*) Aussicht *f,* Blick *m* ❷ *usu pl* (*fig: mental view*) Perspektiven *pl*

vis·ual [ˈvɪʒuəl] **I.** *adj* visuell, Seh-; ~ **imagery** Bildersymbolik *f* **II.** *n* ■~**s** *pl* Bildmaterial *nt*

visu·al·ize [ˈvɪʒuəlaɪz] *vt* ■**to** ~ **sth** ❶ (*imagine*) sich *dat* etw vorstellen; (*sth*

of the past) sich *dat* etw vergegenwärtigen ❷ (*foresee*) etw erwarten

visu·al·ly [ˈvɪʒuəli] *adv* visuell *geh;* ~ **impaired** sehbehindert

vi·tal [ˈvaɪt³l] *adj* ❶ (*essential*) unerlässlich; (*more dramatic*) lebensnotwendig; **to play a** ~ **part** eine entscheidende Rolle spielen; **to be of** ~ **importance** von entscheidender Bedeutung sein; ■**it is** ~ **that ...** es ist von entscheidender Bedeutung, dass ... ❷ (*approv form: energetic*) *person* vital, lebendig

vi·tal·ity [vaɪˈtæləti] *n no pl* (*approv*) ❶ (*energy*) Vitalität *f* ❷ (*durability*) Dauerhaftigkeit *f*

vi·tal·ize [ˈvaɪt³laɪz] *vt* beleben

vita·min [ˈvɪtəmɪn] *n* Vitamin *nt*

'vita·min de·fi·cien·cy *n no pl* Vitaminmangel *m* **'vita·min tab·lets** *npl* Vitamintabletten *pl*

vit·reous [ˈvɪtriəs] *adj attr* Glas-

vit·ri·fy [ˈvɪtrɪfaɪ] *vt esp passive* zu Glas schmelzen

vit·ri·ol [ˈvɪtriəl] *n no pl* ❶ CHEM (*dated: sulphuric acid*) Vitriolsäure *f* ❷ (*fig: criticism*) Schärfe *f*

vit·ri·ol·ic [ˌvɪtriˈɒlɪk] *adj* ❶ *criticism* scharf; *remark* beißend ❷ CHEM vitriolhaltig

vi·tu·per·ate [vɪˈtjuːp³reɪt] (*form*) **I.** *vt* schelten ❷ *vi* schmähen *veraltend*

vi·tu·pera·tion [vɪˌtjuːp³rˈeɪʃ³n] *n no pl* (*form*) Schmähungen *pl geh*

vi·va·cious [vɪˈveɪʃes] *adj* (*lively*) lebhaft; (*cheerful*) munter

vi·va·cious·ly [vɪˈveɪʃesli] *adv* lebhaft; (*cheerfully*) munter; **to talk** ~ sich lebhaft unterhalten

vi·vac·ity [vɪˈvæsəti] *n no pl* Lebhaftigkeit *f;* (*cheerfulness*) Munterkeit *f*

vi·var·ium <*pl* -s *or* -ria> [vɪˈveəriəm, *pl* -riə] *n* Vivarium *nt fachspr*

viva voce [ˌvaɪvəˈvəʊsi] **I.** *n* mündliche Prüfung **II.** *adv* mündlich

viv·id [ˈvɪvɪd] *adj* ❶ *account, description* anschaulich, lebendig ❷ (*of mental ability*) lebhaft; **to have** ~ **memories of sth** sich lebhaft an etw *akk* erinnern können ❸ *colours* kräftig

viv·id·ly [ˈvɪvɪdli] *adv* lebhaft; *describe* anschaulich, lebendig

viv·id·ness [ˈvɪvɪdnəs] *n no pl of a person* Lebhaftigkeit *f; of a description* Anschaulichkeit *f; (of colours, light*) Intensität *f*

vivi·sect [ˈvɪvɪsekt] *vt* vivisezieren *fachspr*

vivi·sec·tion [ˌvɪvɪˈsekʃ³n] *n no pl* Vivisektion *f fachspr*

vix·en [ˈvɪks³n] *n* Füchsin *f*

viz, viz. *adv* (*dated*) nämlich

V-neck ['viːnek] *n* FASHION V-Ausschnitt *m*

vo·cabu·lary [və(ʊ)'kæbjələri] *n* Vokabular *nt,* Wortschatz *m;* (*words*) Vokabeln *pl;* (*glossary*) Wörterverzeichnis *nt*

vo·cal ['vəʊkəl] **I.** *adj* ❶ (*of voice*) stimmlich; *communication* mündlich ❷ (*outspoken*) laut; ■**to be** ~ sich freimütig äußern; *minority* lautstark; **to become** ~ laut werden ❸ (*communicative*) gesprächig **II.** *n* ❶ MUS Vokalpartie *f fachspr* ❷ (*singer*) Sänger(in) *m(f)*

vo·cal·ist ['vəʊkəlɪst] *n* Sänger(in) *m(f)*

vo·cal·ize ['vəʊkəlaɪz] LING **I.** *vi* vokalisieren *fachspr* **II.** *vt* ❶ (*make sound*) in Töne umsetzen ❷ (*put into words*) aussprechen; (*of thoughts, ideas*) in Worte fassen ❸ (*in phonetics*) vokalisieren *fachspr*

vo·ca·tion [və(ʊ)'keɪʃən] *n* ❶ (*calling*) Berufung *f;* **to have a** ~ **for sth** sich zu etw *dat* berufen fühlen ❷ *usu sing* (*trade*) Beruf *m*

vo·ca·tion·al [və(ʊ)'keɪʃənəl] *adj* beruflich; ~ **training** Berufsausbildung *f*

vo·cif·er·ate [və(ʊ)'sɪfəreɪt] **I.** *vi* lautstark protestieren (**against** gegen) **II.** *vt* lautstark zum Ausdruck bringen

vo·cif·era·tion [vəʊˌsɪfə'reɪʃən] *n* (*form*) Aufschrei *m*

vo·cif·er·ous [və(ʊ)'sɪfərəs] *adj* lautstark; (*impetuous*) vehement

vod·ka ['vɒdkə] *n* Wodka *m*

vogue [vəʊg] *n* Mode *f;* ■**to be in** ~/**out of** ~ in Mode/aus der Mode sein; **to be back in** ~ wieder Mode sein

voice [vɔɪs] **I.** *n* ❶ (*of person*) Stimme *f;* **at the top of one's** ~ in voller Lautstärke; **hushed** ~ gedämpfte Stimme; (*whisper*) Flüsterstimme *f;* **inner** ~ innere Stimme; **sb's** ~ **is breaking** jd ist im Stimmbruch; **to keep one's** ~ **down** leise sprechen; **to lower/raise one's** ~ seine Stimme senken/erheben ❷ (*ability to speak, sing*) Artikulationsfähigkeit *f* ❸ (*opinion*) Stimme *f;* **to make one's** ~ **heard** sich *dat* Gehör verschaffen ❹ (*agency expressing opinion*) Stimme *f;* **to give sb a** ~ jdm ein Mitspracherecht einräumen ❺ MUS Stimmlage *f* **II.** *vt* ■**to** ~ **sth** etw zum Ausdruck bringen; *complaint* vorbringen; *desire* aussprechen

voice-'ac·ti·vat·ed *adj* ~ **dialling** Wählen *nt* mittels Spracheingabe '**voice box** *n* (*fam*) Kehlkopf *m* **voice-'ca·pable** *adj* ELEC mit Sprachbefehl *nach n* '**voice com·mand** *n* Sprachbefehl *m*

voiced [vɔɪst] *adj* LING stimmhaft

voice·less ['vɔɪsləs] *adj* stumm *a. fig;* (*lacking power*) ohne Mitspracherecht

nach n; LING stimmlos

'**voice-over** *n* TV, FILM Begleitkommentar *m fachspr*

void [vɔɪd] **I.** *n* Leere *f kein pl a. fig;* (*in building*) Hohlraum *m;* ■**into the** ~ ins Leere **II.** *adj* ❶ (*invalid*) nichtig ❷ (*liter: lacking in*) **he's completely** ~ **of charm** er hat absolut keinen Charme ❸ (*form*) *position* frei ❹ *action, speech* nutzlos; **to render sth** ~ etw zunichtemachen **III.** *vt esp* AM (*declare invalid*) aufheben

vol *n abbrev of* **volume** Bd.; (*measure*) vol.

vola·tile ['vɒlətaɪl] **I.** *adj* ❶ (*changeable*) unbeständig; (*unstable*) instabil ❷ (*explosive*) *situation* explosiv ❸ CHEM flüchtig **II.** *n usu pl* sich schnell verflüchtigende Substanz

vol·can·ic [vɒl'kænɪk] *adj* ❶ GEOL vulkanisch, Vulkan- *m* ❷ (*fig*) *emotion* aufbrausend

vol·ca·no <*pl* -oes *or* -os> [vɒl'keɪnəʊ] *n* Vulkan *m;* (*of emotion*) Pulverfass *nt fig*

vole [vəʊl] *n* Wühlmaus *f*

vo·li·tion [və(ʊ)'lɪʃən] *n no pl* (*form*) Wille *m*

vol·ley ['vɒli] **I.** *n* ❶ (*salvo*) Salve *f* ❷ (*hail*) Hagel *m;* ~ **of bullets** Kugelhagel *m* ❸ (*fig: onslaught*) Flut *f* ❹ TENNIS Volley *m;* FBALL Volleyschuss *m* **II.** *vi* TENNIS einen Volley schlagen; FBALL einen Volley schießen **III.** *vt* ❶ TENNIS, FBALL **to** ~ **a ball** einen Ball volley nehmen ❷ (*fig: let fly*) **to** ~ **a series of questions/remarks** eine Reihe von Fragen/Bemerkungen loslassen

vol·ley·ball ['vɒlibɔːl] *n no pl* Volleyball *m*

volt [vəʊlt, vɒlt] *n* Volt *nt*

volt·age ['vəʊltɪdʒ] *n* Spannung *f;* **high/low** ~ Hoch-/Niederspannung *f*

'**volt·age de·tec·tor** *n* ELEC Spannungsdetektor *m* '**volt·age drop** *n* ELEC Spannungsabfall *m*

volte-face <*pl* volte-faces> [ˌvɒlt'fæs] *n usu sing* (*also fig liter*) Kehrtwendung *f*

vol·uble ['vɒljəbl] *adj* ❶ (*fluent*) redegewandt ❷ (*pej: talkative*) redselig

vol·ume ['vɒljuːm] *n* ❶ *no pl* (*space*) Volumen *nt* ❷ *no pl* (*amount*) Umfang *m* ❸ *no pl* (*sound level*) Lautstärke *f* ❹ (*control dial*) Lautstärkeregler *m;* **to turn the** ~ **down/up** leiser/lauter machen ❺ (*book of set*) Band *m*

'**vol·ume con·trol,** '**vol·ume regu·la·tor** *n* Lautstärkeregler *m*

vo·lu·mi·nous [və'luːmɪnəs] *adj* (*form*) *clothes* weit [geschnitten]; *written account* umfangreich; *writer* produktiv

vol·un·tari·ly ['vɒləntərəli, ˌvɒlən'teərəli] *adv* freiwillig

vol·un·tary ['vɒlənt³ri] I. *adj* freiwillig; *counsellor, teacher, work* ehrenamtlich; ~ **work for the Red Cross** ehrenamtliche Tätigkeit für das Rote Kreuz II. *n* MUS Orgelsolo *nt*

vol·un·tary eutha·'na·sia *n* freiwillige Euthanasie **vol·un·tary or·gani·'za·tion** *n* + *sing/pl vb* Freiwilligenorganisation *f* **vol·un·tary re·'dun·dan·cy** *n* freiwilliges Ausscheiden

vol·un·teer [ˌvɒləntɪəʳ] I. *n* ❶ (*unpaid worker*) ehrenamtliche Mitarbeiter/ehrenamtliche Mitarbeiterin ❷ (*willing person*) Freiwillige(r) *f(m)* II. *vt* ▪ to ~ one**self for sth** sich freiwillig zu etw *dat* melden; **to ~ information** bereitwillig Informationen geben; **to ~ one's services** seine Dienste anbieten III. *vi* ❶ (*offer one's services*) ▪ to ~ **to do sth** sich [freiwillig] anbieten, etw zu tun ❷ (*join*) **to ~ for the army** sich freiwillig zur Armee melden

vo·lup·tu·ous [və'lʌptʃuəs] *adj* (*approv*) üppig; *woman also* kurvenreich; *lips* sinnlich; (*sumptuous*) verschwenderisch

vol·ute [və(ʊ)'luːt] I. *n* ❶ ARCHIT Volute *f* *fachspr* ❷ (*marine gastropod*) Meeresschnecke *f* ❸ (*snail's shell*) Schneckenhaus *nt* II. *adj* spiralförmig

vom·it ['vɒmɪt] I. *vi* [sich] erbrechen II. *vt* ❶ (*of person, animal*) ▪ to ~ [up] ⟳ sth etw erbrechen ❷ (*fam: of machine*) ▪ to ~ sth ⟳ [out] etw ausspucken III. *n no pl* Erbrochene(s) *nt*

voo·doo ['vuːduː] *n no pl* ❶ (*black magic*) Voodoo *m* ❷ (*fam: jinx*) Hexerei *f*; (*magic spell*) Zauber *m*

vo·ra·cious [və'reɪʃəs] *adj* (*liter*) gefräßig; (*fig*) gierig

vo·rac·ity [və'ræsəti] *n no pl* Gefräßigkeit *f*; (*fig*) Gier *f* (**for** nach)

vor·tex <*pl* -es *or* -tices> ['vɔːteks, *pl* -tsiːz] *n* ❶ (*whirlwind*) Wirbel *m* ❷ (*whirlpool*) Strudel *m*

vote [vəʊt] I. *n* ❶ (*expression of choice*) Stimme *f*; **to cast one's ~** seine Stimme abgeben ❷ (*election*) Abstimmung *f*; **to hold a ~** eine Abstimmung durchführen ❸ (*of group*) Stimmen *pl* ❹ *no pl* (*right*) ▪ **the ~** das Wahlrecht II. *vi* ❶ (*elect candidate, measure*) wählen; **to ~ in an election** zu einer Wahl gehen; ▪ to ~ **against/for sb/sth** gegen/für jdn/etw stimmen ❷ (*formally choose*) ▪ to ~ **to do sth** dafür stimmen, etw zu tun ❸ (*formally decide*) ▪ to ~ **on sth** über etw *akk* abstimmen; **to ~ on a proposal** über einen Vorschlag abstimmen III. *vt* ❶ (*elect*) ▪ to ~ **sb in** jdn wählen; **to ~ sb into office** jdn ins Amt wäh-

len; **to ~ sb out** [of office] jdn [aus dem Amt] abwählen ❷ (*propose*) ▪ to ~ **that ...** vorschlagen, dass ... ❸ (*declare*) **she was ~d the winner** sie wurde zur Siegerin erklärt ◆ **vote down** *vt* niederstimmen

vot·er ['vəʊtəʳ] *n* Wähler(in) *m(f)*

vot·er reg·is·'tra·tion *n* Eintragung *f* ins Wählerverzeichnis **vot·er 'turn·out** *n* Wahlbeteiligung *f*

vot·ing ['vəʊtɪŋ] I. *adj attr* wahlberechtigt II. *n no pl* Wählen *nt*

'vot·ing booth *n* Wahlkabine *f* **'vot·ing box** <-es> *n* Wahlurne *f* **'vot·ing ma·chine** *n esp* AM Wahlmaschine *f*

vouch [vaʊtʃ] *vi* ▪ to ~ **for sb/sth** sich für jdn/etw verbürgen; ▪ to ~ **that ...** dafür bürgen, dass ...

vouch·er ['vaʊtʃəʳ] *n* AUS, BRIT Gutschein *m*; **gift ~** Geschenkgutschein *m*; **luncheon ~** Essensmarke *f*; **school ~** AM *öffentliche Mittel, die in Amerika bereitgestellt werden, damit Eltern ihre Kinder in Privatschulen schicken können*

vow [vaʊ] I. *vt* geloben *geh* II. *n* Versprechen *nt*; ▪ ~s *pl* (*of marriage*) Eheversprechen *nt*; (*of religious order*) Gelübde *nt* *geh*; **to take a ~** ein Gelübde ablegen *geh*; **to take a ~ to do sth** geloben, etw zu tun *geh*

vow·el [vaʊəl] *n* Vokal *m*, Selbstlaut *m*

voy·age ['vɔɪɪdʒ] I. *n* Reise *f*; (*by sea*) Seereise *f*; ~ **of discovery** (*also fig*) Entdeckungsreise *f* II. *vi* (*liter or dated*) reisen

voy·ag·er ['vɔɪɪdʒəʳ] *n* Reisende(r) *f(m)*; (*by sea*) Seereisende(r) *f(m)*; (*in space*) Raumfahrer(in) *m(f)*

vo·yeur [vwɑːˈjɜːʳ] *n* (*pej*) Voyeur(in) *m(f)*

vo·yeur·ism ['vwɑːjɜːrɪzᵊm] *n no pl* (*pej*) Voyeurismus *m pej*, Spannertum *nt fam*

vo·yeur·is·tic [ˌvɔɪəˈrɪstɪk] *adj* (*pej*) voyeuristisch *pej*

VP [ˌviːˈpiː] *n abbrev of* **Vice President** Vizepräsident(in) *m(f)*

VTOL ['viːtɒl] *abbrev of* **vertical take-off and landing**: ~ **aircraft** Senkrechtstarter *m* (*Flugzeug, das senkrecht starten und landen kann*)

vul·can·ite ['vʌlkənaɪt] *n no pl* Hartgummi *m o nt*

vul·cani·za·tion [ˌvʌlkənaɪˈzeɪʃᵊn] *n no pl* Vulkanisierung *f*

vul·can·ize ['vʌlkənaɪz] *vt* vulkanisieren

vul·gar ['vʌlgəʳ] *adj* ordinär, vulgär; (*of bad taste*) abgeschmackt

vul·gar·ity [vʌlˈgærəti] *n no pl* Vulgarität *f* *geh*; (*bad taste*) Geschmacklosigkeit *f*

vul·gar·ize ['vʌlgəraɪz] *vt* vulgarisieren *geh*

Vul·gate ['vʌlgeɪt] *n* ▪ **the ~** die Vulgata
vul·ner·able ['vʌlnᵊrəbl] *adj* verletzlich;
▪ **to be ~ to sth** anfällig für etw *akk* sein;
to be ~ to attack/criticism Angriffen/
Kritik ausgesetzt sein; **to be in a ~ position** in einer prekären Lage sein; **~ spot**
schwache Stelle; **to feel ~** sich verwund-
bar fühlen
vul·ture ['vʌltʃəʳ] *n* (*also fig*) Geier *m a. fig*
vul·va <*pl* -s *or* vulvae> ['vʌlvə, *pl* -viː] *n*
ANAT Vulva *f*
vy·ing ['vaɪɪŋ] *pp of* **vie**

W w

W <*pl* -'s *or* -s>, **w** <*pl* -'s> ['dʌblju:] *n* W *nt*, w *nt; see also* **A 1**

W¹ I. *adj* ❶ *abbrev of* **West** W- ❷ *abbrev of* **western** I II. *n no pl abbrev of* **West** W

W² <*pl* -> *n abbrev of* **Watt** W

wack¹ [wæk] *n* NBRIT, DIAL Kumpel *m fam*

wack² [wæk] *n* AM (*fam*) ❶ (*person*) Querkopf *m* ❷ *no pl* (*nonsense*) Blödsinn *m*

wacky ['wæki] *adj* (*fam*) *person* verrückt; *place* skurril

wad [wɒd] *n* ❶ (*mass*) Knäuel *nt;* (*for stuffing*) Pfropfen *m; of cotton wool* Wattebausch *m* ❷ (*bundle*) *of banknotes* Bündel *nt; of forms* Stoß *m;* ~|s *pl*] **of money** (*fam*) schöne Stange Geld

wad·ding ['wɒdɪŋ] *n no pl* (*packaging*) Watte *f;* (*for stuffing*) Polstermaterial *nt*

wad·dle ['wɒdl] I. *vi* watscheln II. *n no pl* Watschelgang *m*

wade [weɪd] I. *n usu sing* Waten *nt kein pl* II. *vi* ❶ (*walk in water*) waten; **to** ~ **into the river/the sea** in den Fluss/das Meer hineinwaten ❷ (*fig: deal with*) ■**to** ~ **through sth** sich durch etw *akk* durchkämpfen III. *vt* ■**to** ~ **sth** etw durchwaten

wad·er ['weɪdə^r] *n* ❶ (*bird*) Watvogel *m* ❷ (*boots*) ■~**s** *pl* Watstiefel *pl*

wa·fer ['weɪfə^r] *n* ❶ (*biscuit*) Waffel *f;* (*extremely thin*) Oblate *f* ❷ (*for Holy Communion*) Hostie *f*

wa·fer-'thin *adj* hauchdünn

waf·fle¹ ['wɒfl] (*pej*) I. *vi* (*fam: talk, write*) ■**to** ~ **on** schwafeln II. *n no pl* (*speech, writing*) Geschwafel *nt fam*

waf·fle² ['wɒfl] *n* (*breakfast food*) Waffel *f* **'waf·fle iron** *n* Waffeleisen *nt*

waf·fler ['wɒflə^r] *n* (*fam*) Schwätzer(in) *m(f) fam*

waft [wɒft] (*liter*) I. *vi* schweben; **to** ~ **through the air** *smell* durch die Luft ziehen; *sound* in der Luft liegen II. *vt* **to be** ~**ed by the wind** vom Wind getragen werden

wag [wæg] I. *vt* <-gg-> **to** ~ **one's finger** mit dem Finger drohen; **to** ~ **one's tail** *dog* mit dem Schwanz wedeln II. *vi* <-gg-> wedeln III. *n usu sing* Wackeln *nt kein pl; of the head* Schütteln *nt kein pl; of the tail* Wedeln *nt kein pl*

wage [weɪdʒ] I. *n* Lohn *m;* **to get a decent/good/low** ~ anständig/gut/wenig verdienen II. *vt* (*form*) **to** ~ **war against/for sb/sth** gegen/für jdn/etw zu Felde ziehen; **to** ~ **war on sb** gegen jdn Krieg führen; **to** ~ **war on sth** (*fig*) gegen etw *akk* vorgehen

'wage ad·just·ment *n* Lohnangleichung *f*

'wage bill *n* Lohnrechnung *f* **'wage claim**, **'wage de·mand** *n* BRIT, AUS Lohnforderung *f* **'wage costs** *npl* Lohnkosten *pl* **'wage dis·pute** *n* Lohnstreitigkeit *f* **'wage earn·er** *n* Lohnempfänger(in) *m(f)* **'wage freeze** *n* Lohnstopp *m;* **to impose a** ~ einen Lohnstopp verhängen **'wage in·crease** *n* Lohnerhöhung *f* **'wage lev·el** *n* Lohnniveau *nt* **'wage ne·go·tia·tion** *n* Lohnverhandlung *f* **'wage pack·et** *n* AUS, BRIT ❶ (*pay*) Lohn *m* ❷ (*envelope*) Lohntüte *f*

wa·ger ['weɪdʒə^r] I. *n* ❶ (*bet*) Wette *f* ❷ (*stake*) [Wett]einsatz *m* II. *vt* ■**to** ~ **that ...** wetten, dass ...; **to** ~ **one's life/reputation** sein Leben/Ansehen aufs Spiel setzen

'wage scale *n* Lohnskala *f*

'wages clerk *n* Lohnbuchhalter(in) *m(f)*

'wage slip *n* Lohnzettel *m*

'wages poli·cy <-ies> *n* Lohnpolitik *kein pl*

'wage work·er *n* AM Lohnempfänger(in) *m(f)*

wag·gle ['wægl] I. *n* Wackeln *nt kein pl* II. *vt* ■**to** ~ **sth** mit etw *dat* wackeln III. *vi* wackeln

wag·gly ['wægli] *adj* wack[e]lig

wag·(g)on ['wægən] *n* ❶ (*cart*) Wagen *m;* (*wooden cart*) Karren *m* ❷ AUS, BRIT (*for freight*) Wagon *m; goods* ~ Güterwagon *m* ▶ **to be on the** ~ (*fam*) trocken sein; **to fall off the** ~ (*fam*) wieder zur Flasche greifen

wag·tail <*pl* - *or* -s> ['wægteɪl] *n* ORN Bachstelze *f*

waif [weɪf] *n* ❶ (*very thin female*) Bohnenstange *f* ❷ (*child*) verwahrlostes Kind ❸ (*animal*) streunendes Tier ▶ ~**s and strays** Heimatlose *pl*

wail [weɪl] I. *vi* jammern; *siren* heulen; *wind* pfeifen II. *vt* ■**to** ~ **that ...** jammern, dass ... III. *n* Gejammer *nt kein pl; of sirens* Geheul *nt kein pl*

wail·ing ['weɪlɪŋ] *adj* jammernd; ~ **cries** Klagegeschrei *nt;* ~ **sirens** heulende Sirenen

Wail·ing 'Wall *n no pl* ■**the** ~ die Klagemauer

waist [weɪst] *n* Taille *f; of skirts, trousers* Bund *m* '**waist·band** *n* Bund *m* '**waist·coat** *n* BRIT Weste *f* **waist-'deep** I. *adj* bis zur Taille [reichend] II. *adv* bis zur Taille '**waist·line** *n* Taille *f*

wait [weɪt] I. *n no pl* Warten *nt* (**for** auf) ▶**to** **lie** **in** ~ [**for sb**] [jdm] auflauern II. *vi* ❶ (*bide one's time*) warten (**for** auf); ~ **a minute!** Moment mal!; **I can't** ~ ich kann's kaum erwarten ❷ (*be delayed*) warten ❸ (*express warning*) [**just**] **you** ~! warte [du] nur! III. *vt* AM (*serve*) **to** ~ **a meal for sb** mit dem Essen auf jdn warten ▶**to** ~ **one's** **turn** warten, bis man an der Reihe ist ♦**wait about, wait around** *vi* warten ♦**wait behind** *vi* zurückbleiben ♦**wait in** *vi* zu Hause warten ♦**wait on** I. *vi* noch länger warten II. *vt* ▪**to** ~ **on sb** jdn bedienen ♦**wait up** *vi* ❶ (*not go to bed*) ▪**to** ~ **up for sb** wegen jdm aufbleiben ❷ AM (*wait*) ▪~ **up!** warte mal!

wait·er ['weɪtə'] *n* Bedienung *f,* Kellner *m;* ~! Herr Ober!

wait·ing ['weɪtɪŋ] *n no pl* ❶ (*time*) Warten *nt* (**for** auf) ❷ BRIT (*parking*) **"no ~"** „Halten verboten" ❸ (*by waiter, waitress*) Bedienen *nt*

'**wait·ing game** *n* **to play a** ~ zunächst einmal abwarten '**wait·ing list** *n* Warteliste *f* '**wait·ing room** *n* Wartezimmer *nt*

wait·ress <*pl* -es> ['weɪtrɪs] *n* Kellnerin *f,* Bedienung *f*

waive [weɪv] *vt* (*form*) verzichten auf +*akk; a fee* erlassen; *an objection* fallen lassen; *right* verzichten auf +*akk*

waiv·er ['weɪvə'] *n* ❶ (*document*) Verzichterklärung *f* ❷ (*agreement*) Erlass *m;* (*repeal*) Außerkraftsetzung *f*

wake¹ [weɪk] *n* NAUT Kielwasser *nt;* AEROSP Turbulenz *f;* ▪**in the** ~ **of sth** (*fig*) infolge einer S. *gen*

wake² [weɪk] *n* (*vigil*) Totenwache *f*

wake³ <woke *or* waked, woken *or* waked> [weɪk] I. *vi* aufwachen II. *vt* (*rouse*) aufwecken ▶**to** ~ **the dead** die Toten auferwecken ♦**wake up** I. *vi* aufwachen *a. fig* ▶~ **up and smell the coffee!** AM (*saying fam*) wach endlich auf und sieh den Tatsachen ins Auge! II. *vt* aufwecken

wake·ful ['weɪkf°l] *adj* (*form*) ❶ (*sleepless*) ~ **night** schlaflose Nacht; ▪**to be** ~ nicht schlafen können ❷ (*vigilant*) wach, wachsam; **to feel** ~ sich munter fühlen

wak·en ['weɪk°n] *vi* (*form*) aufwachen

wakey [weɪki] *interj* (*hum*) ~ ~! aufwachen!

Wales [weɪlz] *n no pl* Wales *nt*

walk [wɔːk] I. *n* ❶ (*going on foot*) Gehen *nt;* (*as recreation*) Spaziergang *m; it's* **a five minute** ~ es sind fünf Minuten [zu Fuß] ❷ (*promenade*) Spazierweg *m;* (*path in rural area*) Wanderweg *m* ▶~ **of** **life** soziale Schicht II. *vt* ❶ (*go on foot*) **to** ~ **the streets** (*wander*) durch die Straßen gehen; (*be a prostitute*) auf den Strich gehen *sl* ❷ (*accompany*) **to** ~ **sb home** jdn nach Hause bringen ❸ (*take for a walk*) **to** ~ **the dog** den Hund ausführen ❹ BRIT (*fam: succeed easily*) spielend meistern III. *vi* ❶ (*go on foot*) zu Fuß gehen ❷ (*for recreation*) spazieren gehen ❸ (*fig fam: go missing*) Beine bekommen *fam* ▶**to** ~ **before one can** **run** laufen lernen, bevor man springt ♦**walk about** *vi,* **walk** **around** *vi* herumlaufen ♦**walk away** *vi* ❶ (*steal*) mitgehen lassen *fam;* (*easily win*) spielend gewinnen ❷ (*escape unhurt*) **to** ~ **away from an accident** einen Unfall unverletzt überstehen ♦**walk in** *vi* hereinkommen; ▪**to** ~ **in on sb/sth** bei jdm/ etw hereinplatzen *fam* ♦**walk off** I. *vt* **to** ~ **off a meal** einen Verdauungsspaziergang machen II. *vi* ❶ (*leave*) weggehen ❷ ▪**to** ~ **off with sth** (*steal*) etw mitgehen lassen *fam;* (*easily win*) etw spielend gewinnen ♦**walk on** *vi* THEAT eine Nebenrolle spielen ♦**walk out** *vi* ❶ (*leave*) gehen; ▪**to** ~ **out on sb** jdn im Stich lassen; **to** ~ **out of** **a meeting** eine Sitzung [aus Protest] verlassen ❷ (*go on strike*) streiken ♦**walk** **over** *vt* (*fig*) **to** ~ **[all] over sb** jdn ausnutzen [*o bes* SÜDD, ÖSTERR ausnützen] ♦**walk** **through** *vt* ❶ (*accompany*) ▪**to** ~ **sb** **through sth** etw mit jdm durchgehen ❷ THEAT ▪**to** ~ **through sth** etw [ein]üben

'**walk·able** *n district, housing, area* zu Fuß erreichbar '**walk·about** *n esp* BRIT (*fam*) Rundgang *m* ▶**to go** ~ (*hum*) *person* verschwinden; *object* sich selbständig machen '**walk·away** *n* AM leichter Sieg; **to win in** **a** ~ einen leichten Sieg davontragen

walk·er ['wɔːkə'] *n* ❶ (*person on foot*) Fußgänger(in) *m(f);* (*for recreation*) Spaziergänger(in) *m(f)* ❷ (*as sport*) Geher(in) *m(f)*

walk·er·'on *n* Statist(in) *m(f)*

walkie-talkie [ˌwɔːki'tɔːki] *n* [tragbares] Funksprechgerät, Walkie-Talkie *nt*

'**walk-in** *adj* begehbar; ~ **wardrobe** begehbarer Kleiderschrank

walk·ing ['wɔːkɪŋ] I. *n no pl* Gehen *nt;* (*as recreation*) Spazierengehen *nt* II. *adj attr* ❶ (*of movement on foot*) Geh-; **to be** **within** ~ **distance** zu Fuß erreichbar sein ❷ (*human*) wandelnd; **to be a** ~ **encyclopaedia** ein wandelndes Lexikon sein *hum*

fam
'**walk·ing frame** n AUS, BRIT Gehhilfe *f*
'**walk·ing shoes** npl Wanderschuhe *pl*
'**walk·ing stick** n Spazierstock *m;* (*for old people*) Stock *m;* (*for invalids*) Krücke *f* '**walk·ing tour** n ❶ (*in town*) [Stadt]rundgang *m* (**of/through** durch) ❷ (*in the countryside*) Wanderung *f*
Walk·man® <*pl* -**men** *or* -**s**> ['wɔːkmən, *pl* -mən] n Walkman® *m*
'**walk-on** adj attr THEAT, FILM Statist(in) *m(f);* ~ **part** [*or* **role**] Statistenrolle *f* '**walk·out** n Arbeitsniederlegung *f;* **to stage a** ~ aus Protest die Arbeit niederlegen '**walk·over** n (*easy victory*) leichter Sieg, Spaziergang *m fam* '**walk-through** n Probe *f* '**walk·way** n [Fuß]weg *m;* **mov·ing** ~ Laufband *nt*
wall [wɔːl] n ❶ *of a house, around a plot* Mauer *f; of a room* Wand *f;* **city** ~ Stadtmauer *f;* **the Berlin W**~ (*hist*) die Berliner Mauer *hist;* **the Great W**~ **of China** die Chinesische Mauer ❷ MED, ANAT Wand *f* ❸ *of a tyre* Mantel *m* ❹ (*barrier*) Mauer *f* ▶ **to have one's** <u>back</u> **to the** ~ mit dem Rücken an der Wand stehen; ~**s have** <u>ears</u> (*saying*) die Wände haben Ohren; **to be a** <u>fly</u> **on the** ~ Mäuschen spielen; **to** <u>drive</u> **sb up the** ~ jdn zur Weißglut treiben ◆ **wall in** vt usu passive ummauern ◆ **wall off** vt usu passive durch eine Mauer abtrennen ◆ **wall up** vt ❶ (*imprison*) einmauern ❷ (*fill in*) zumauern
'**wall bars** npl Sprossenwand *f* '**wall chart** n Schautafel *f* '**wall clock** n Wanduhr *f*
wal·let ['wɒlɪt] n ❶ (*for money*) Brieftasche *f* ❷ esp BRIT (*for documents*) Dokumentenmappe *f*
'**wall·flow·er** n ❶ HORT Goldlack *m* ❷ (*fam: woman*) Mauerblümchen *nt* '**wall hang·ing** n Wandteppich *m*
Wal·lis and Fu·tu·na [ˌwɒlɪsəndfuː-ˈtjuːnə] n ■ **the ~ Islands** die Wallis- und ·Futuna-Inseln *pl*
'**wall map** n Wandkarte *f*
Wal·loon [wɒlˈuːn] n ❶ (*person*) Wallone, Wallonin *m, f* ❷ no pl (*language*) Wallonisch *nt*
wal·lop ['wɒləp] (*fam*) I. vt ❶ (*hit*) schlagen ❷ (*fig: win*) jdn haushoch besiegen II. n Schlag *m*
wal·lop·ing ['wɒləpɪŋ] I. adj attr (*fam*) ❶ (*hum: very big*) riesig ❷ AM (*very good*) super II. n usu sing **to give sb a** ~ jdm eine Tracht Prügel verpassen
wal·low ['wɒləʊ] I. n usu sing Bad *nt a. fig* II. vi ■ **to ~ in sth** sich in etw *dat* wälzen;

to ~ in luxury im Luxus baden; **to ~ in self-pity** vor Selbstmitleid zerfließen
'**wall·pa·per** I. n Tapete *f;* **a roll of** ~ eine Tapetenrolle; **to put up** ~ tapezieren II. vt tapezieren '**wall sock·et** n [Wand]steckdose *f* '**Wall Street** n no pl die Wall Street [*o* Wallstreet] **wall-to-'wall** adj ❶ (*covering floor*) ~ **carpet** Teppichboden *m* ❷ (*fig: continuous*) ständig; ~ **coverage** Berichterstattung *f* rund um die Uhr
wal·nut ['wɔːlnʌt] n ❶ (*nut*) Walnuss *f* ❷ (*tree*) Walnussbaum *m* ❸ no pl (*wood*) Nussbaumholz *nt*
wal·rus <*pl* - *or* -**es**> ['wɔːlrəs] n Walross *nt*
waltz [wɒls] I. n <*pl* -**es**> Walzer *m* II. vi ❶ (*dance*) Walzer tanzen ❷ (*fam: walk confidently*) ■ **to ~ up to sb** auf jdn [einfach] zugehen ◆ **waltz in** vi hereintanzen *fam* ◆ **waltz off** vi abtanzen *fam* ◆ **waltz out** vi (*fam*) abrauschen; **to ~ out of the room** aus dem Zimmer rauschen
wan <-nn-> [wɒn] adj light fahl; *face* blass; *smile* matt
wand [wɒnd] n Zauberstab *m;* **to wave one's magic** ~ (*also fig*) den Zauberstab schwingen *a. fig*
wan·der ['wɒndəʳ] I. n usu sing (*fam*) Bummel *m* II. vt **to ~ the streets** (*leisurely*) durch die Straßen schlendern; (*being lost*) durch die Straßen irren III. vi ❶ (*lose concentration*) **my attention is** ~**ing** ich bin nicht bei der Sache ❷ (*become confused*) **her mind is beginning to** ~ sie wird allmählich wirr [im Kopf *fam*]
wan·der·er ['wɒndᵊrəʳ] n Wandervogel *m hum veraltet*
wan·der·ing ['wɒndᵊrɪŋ] adj attr ❶ (*nomadic*) wandernd; *minstrel, tinker* fahrend; *people, tribe* nomadisierend ❷ (*not concentrating*) abschweifend; (*rambling*) wirr
wan·der·ings ['wɒndᵊrɪŋz] npl (*travels*) Reisen *pl;* (*walks*) Streifzüge *pl*
wan·der·lust ['wɒndəlʌst] n no pl Reiselust *f,* Fernweh *nt*
wane [weɪn] I. vi abnehmen; *interest, popularity* schwinden *geh* II. n no pl **to be on the** ~ im Abnehmen begriffen sein *geh; interest, popularity* [dahin]schwinden *geh*
wan·gle ['wæŋgl] vt (*fam*) deichseln; **to ~ one's way into sth** sich in etw *akk* [hinein]mogeln; **to ~ one's way out of sth** sich aus etw *dat* herauswinden
wank [wæŋk] BRIT, AUS I. vi (*vulg*) ■ **to ~ [off]** sich *dat* einen runterholen, wichsen II. vt (*vulg*) ■ **to ~ sb off** jdm einen runterholen III. n (*vulg*) Wichsen *nt kein pl;* **to**

have a ~ sich *dat* einen runterholen, wichsen

wank·er ['wæŋkəʳ] *n* BRIT, AUS (*pej vulg*) Wichser *m;* **a bunch of ~s** ein Haufen *m* Wichser

want [wɒnt] **I.** *n* ❶ (*need*) Bedürfnis *nt;* **to be in ~ of sth** etw benötigen ❷ *no pl* (*lack*) Mangel *m;* **for ~ of anything better to do, ...** da ich nichts Besseres zu tun hatte, ...; **to live in ~** Not leiden; **for ~ of sth** aus Mangel an etw *dat* **II.** *vt* ❶ (*wish*) wünschen, wollen; (*politely*) mögen; ▪**to ~ sb to do sth** wollen, dass jd etw tut; ▪**to ~ sth done** wünschen, dass etw getan wird; **to be ~ed by the police** polizeilich gesucht werden; ▪**to ~ to do sth** etw tun wollen; **what do you ~ to eat?** was möchtest du essen? ❷ (*need*) brauchen; **you'll ~ a coat on** du wirst einen Mantel brauchen ❸ (*fam: should*) sollen; **you ~ to turn left here** Sie müssen hier links abbiegen ▶**waste not, ~ not** (*prov*) spare in der Zeit, dann hast du in der Not *prov*

want·age ['wɑ:ntɪdʒ] *n usu sing* AM (*need*) Mangel *m kein pl*

want·ing ['wɒntɪŋ] *adj pred* ❶ (*be required*) ▪**to be ~** fehlen ❷ (*deficient*) **to be found to be ~** sich als unzulänglich erweisen

wan·ton ['wɒntən] *adj* ❶ (*wilful*) leichtfertig; **~ destruction** mutwillige Zerstörung; **~ disregard** völlige Gleichgültigkeit ❷ (*liter: capricious*) übermütig, launenhaft

WAP [wɒp] *n* INET *acr for* **Wireless Application Protocol** WAP *nt*

war [wɔ:ʳ] *n* ❶ *no pl* (*armed conflict*) Krieg *m;* **state of ~** Kriegszustand *m;* **the cold ~** (*hist*) der Kalte Krieg; **the Great W~** der Erste Weltkrieg; **to declare ~ on sb/sth** jdm/etw den Krieg erklären; **to go to ~** in den Krieg ziehen; **to wage ~ against sb/sth** gegen jdn/etw Krieg führen; **at ~** (*also fig*) im Kriegszustand ❷ (*conflict*) Kampf *m;* **class ~** *esp* BRIT Klassenkampf *m;* **price/trade ~** Preis-/ Handelskrieg *m* ▶**to have been in the ~s** *esp* BRIT [ziemlich] ramponiert aussehen *fam*

'**war atroc·ities** *npl* Kriegsgräuel *pl* geh, Kriegsverbrechen *pl* '**war baby** *n* ❶ (*child*) Kriegskind *nt* ❷ AM (*fam: bond*) Aktie, die durch einen Krieg an Wert gewinnt

war·ble ['wɔ:bl̩] *vi bird* trillern; (*hum*) *person* trällern

war·bler ['wɔ:bləʳ] *n* ❶ (*songbird*) Grasmücke *f;* (*any singing bird*) Singvogel *m*

❷ (*hum: person*) Sänger(in) *m(f)*

'**war bond** *n* Kriegsanleihe *f* '**war bulletin** *n* Kriegsbericht *m* '**war cor·respond·ent** *n* Kriegsberichterstatter(in) *m(f)* '**war crime** *n* Kriegsverbrechen *nt* '**war crimi·nal** *n* Kriegsverbrecher(in) *m(f)* '**war cry** *n* Schlachtruf *m*

ward [wɔ:d] *n* ❶ (*in hospital*) Station *f* ❷ BRIT (*political area*) Wahlbezirk *m* ❸ AM (*in prison*) [Gefängnis]trakt *m* ◆**ward off** *vt* abwehren

war·den ['wɔ:dⁿn] *n* ❶ (*building manager*) [Heim]leiter(in) *m(f)* ❷ BRIT, AUS (*head of a college*) Rektor(in) *m(f)* ❸ AM (*prison governor*) Gefängnisdirektor(in) *m(f)* ❹ (*public official*) **park ~** Parkwächter(in) *m(f);* **traffic ~** BRIT Verkehrspolizist(in) *m(f)*

war·der ['wɔ:dəʳ] *n esp* BRIT [Gefängnis]aufseher(in) *m(f)*

war·dress <*pl* -es> ['wɔ:drɪs] *n esp* BRIT [Gefängnis]aufseherin *f*

ward·robe ['wɔ:drəʊb] *n* ❶ (*cupboard*) [Kleider]schrank *m* ❷ *no pl* (*clothes*) Garderobe *f*

'**ward·robe trunk** *n* Schrankkoffer *m*

ward·ship ['wɔ:dʃɪp] *n no pl* Vormundschaft *f* (**of** für)

'**war ef·fort** *n* Kriegsanstrengungen *pl*

ware·house ['weəhaʊs] *n* Lagerhaus *nt*

'**ware·house keep·er** *n* Lagerverwalter(in) *m(f)*

ware·hous·ing ['weəhaʊzɪŋ] *n no pl* Lagerung *f,* Lagerhaltung *f*

wares [weəz] *npl* Ware[n] *f[pl]*

war·fare ['wɔ:feəʳ] *n no pl* Krieg[s]führung *f*

'**war game** *n* Kriegsspiel *nt* '**war·head** ['wɔ:hed] *n* Sprengkopf *m*

wari·ly ['weərⁿli] *adv* vorsichtig; (*suspiciously*) misstrauisch

war·like ['wɔ:laɪk] *adj* ❶ (*military*) kriegerisch ❷ (*hostile*) militant '**war·lord** *n* Kriegsherr *m*

warm [wɔ:m] **I.** *adj* ❶ (*not cool*) warm ❷ (*affectionate*) warm; *person* warmherzig; *welcome* herzlich ❸ *clothes* warm ❹ *usu attr colours* warm ❺ *usu pred* (*close guess*) ▪**to be ~** nahe dran sein *fam* **II.** *n* **to come into the ~** ins Warme kommen; **to have a ~** sich [auf]wärmen **III.** *vt* wärmen; **to ~ the soup** die Suppe aufwärmen ▶**to ~ the heart** das Herz erwärmen **IV.** *vi* (*grow to like*) ▪**to ~ to[wards] sb/sth** sich für jdn/etw erwärmen ◆**warm up I.** *vi* ❶ *engine, machine* warm laufen ❷ (*limber up*) sich aufwärmen **II.** *vt engine* warm laufen lassen; *room* erwärmen; *food* aufwärmen

warm-'blood·ed *adj* warmblütig '**warm**

front n METEO Warmfront f **warm-'heart·ed** adj warmherzig **warm·ly** ['wɔːmli] adv ❶ (of heat) to dress ~ sich warm anziehen ❷ (affectionately) herzlich **warm 'start** n COMPUT Warmstart m
warmth [wɔːmθ] n no pl ❶ (heat) Wärme f ❷ (affection) Herzlichkeit f
'**warm-up** n SPORTS to have a ~ sich aufwärmen
warn [wɔːn] I. vi warnen (of vor) II. vt warnen (about vor); ■ to ~ sb not to do sth jdn davor warnen, etw zu tun; ■ to ~ that ... darauf hinweisen, dass ...
warn·ing ['wɔːnɪŋ] n ❶ no pl (notice) Warnung f ❷ (threat) Drohung f ❸ (lesson) let it be a ~ to you! lass dir das eine Lehre sein! ❹ (of dangers, risks) Warnung f (about/on vor); a word of ~ ein guter Rat; to issue a ~ [about sth] [vor etw dat] warnen ❺ (a caution) Verwarnung f
'**warn·ing light** n Warnleuchte f '**warn·ing shot** n Warnschuss m '**warn·ing sign** n ❶ (signboard) Warnschild nt ❷ usu pl (symptom) Anzeichen nt
warp [wɔːp] I. vi wood sich verziehen II. vt wood verziehen III. n ❶ (in wood) verzogene Stelle ❷ (in space travel) time ~ Zeitverwerfung f ❸ no pl (threads) ~ and weft Kette und Schuss
'**war·paint** n no pl (also hum) Kriegsbemalung f '**war·path** n no pl Kriegspfad m; to be on the ~ (hum fam) auf dem Kriegspfad sein
warped [wɔːpt] adj ❶ (bent) verzogen ❷ (fig: perverted) verschroben pej
war·rant ['wɒrənt] I. n ❶ (document) [Vollziehungs]befehl m; arrest/search ~ Haft-/Durchsuchungsbefehl m; to execute a ~ AM (form) einen Befehl ausführen ❷ FIN Bezugsrecht nt ❸ no pl (justification) Rechtfertigung f II. vt ❶ (justify) rechtfertigen ❷ (form: guarantee) garantieren
war·ran·tee [ˌwɒrənˈtiː] n Garantienehmer(in) m(f)
'**war·rant of·fic·er** n ranghöchster Unteroffizier
war·ran·tor ['wɒrəntɔːʳ] n Garantiegeber(in) m(f)
war·ran·ty ['wɒrənti] n Garantie f; extended ~ verlängerte Garantiezeit
war·ren ['wɒrən] n ❶ (burrows) Kaninchenbau m ❷ (maze) Labyrinth nt
war·ring ['wɔːrɪŋ] adj usu attr the ~ factions die Krieg führenden Parteien
war·ri·or ['wɒriəʳ] n (usu hist) Krieger m
War·saw ['wɔːsɔː] n Warschau nt

War·saw Pact [ˌwɔːsɔːˈpækt] n, **War·saw Trea·ty** n (hist) ■ the ~ der Warschauer Pakt
'**war·ship** ['wɔːʃɪp] n Kriegsschiff nt
wart [wɔːt] n Warze f; ~ s and all (fig fam) mit all seinen/ihren Fehlern und Schwächen
wart·hog ['wɔːthɒg] n Warzenschwein nt
'**war·time** n no pl Kriegszeit[en] f[pl]
'**war-torn** adj usu attr vom Krieg erschüttert
warts-and-all ['wɔːtzən(d)ɔːl] adj attr umfassend, mit allen Vor- und Nachteilen nach n
'**war-weary** adj kriegsmüde
wary ['weəri] adj vorsichtig; ■ to be ~ about [or of] doing sth etw nur ungern tun; ■ to be ~ of sb/sth sich vor jdm/etw in Acht nehmen
'**war zone** n Kriegsgebiet nt
was [wɒz, wəz] pt of be
wash [wɒʃ] I. n <pl -es> ❶ usu sing (cleaning, laundering) Waschen nt kein pl; to have a ~ sich waschen ❷ no pl (clothes) ■ to do a ~ Wäsche waschen; to be in the ~ in der Wäsche sein ❸ usu sing (thin layer) [Farb]überzug m ▶ it'll all come out in the ~ (fam) das wird sich alles klären II. vt ❶ (clean) waschen; dishes abwaschen, spülen; wound spülen ❷ usu passive (sweep) to be ~ed ashore an Land gespült werden ▶ to ~ one's hands of sb/sth mit jdm/etw nichts zu tun haben wollen; to ~ one's dirty linen in public (pej) seine schmutzige Wäsche in aller Öffentlichkeit waschen III. vi (clean oneself) sich waschen ▶ sth won't ~ with sb etw hat keinerlei Wirkung bei jdm ◆ **wash away** vt ❶ (sweep off, erode) wegspülen ❷ (fig: eliminate) to ~ away sb's sins jdn von seinen Sünden reinwaschen ❸ (clean) auswaschen ◆ **wash down** vt ❶ (swallow) hinunterspülen ❷ (clean) waschen ❸ usu passive (carry off) herabschwemmen ◆ **wash off** I. vi sich abwaschen lassen II. vt abwaschen ◆ **wash out** I. vi sich herauswaschen lassen II. vt ❶ (clean inside) auswaschen ❷ (remove) herauswaschen ❸ (launder) [aus]waschen ❹ usu passive ■ to be ~ ed out event ins Wasser fallen fam ◆ **wash over** vi ❶ (flow over) ■ to ~ over sb/sth über jdn/etw [hinweg]spülen ❷ (fig: overcome) überkommen ❸ (fig: have no effect) it makes no difference what I say, it just ~es over them es ist ganz egal, was ich sage, es prallt einfach an ihnen ab ◆ **wash up** I. vi ❶ (clean dishes)

W

abspülen, abwaschen ② Am (*wash oneself*) sich waschen **II.** *vt* (*sea*) anspülen

wash·able ['wɒʃəbl̩] *adj* **machine-~** waschmaschinenfest

wash-and-'wear *adj* bügelfrei '**wash·ba·sin** *n* Waschbecken *nt* '**wash·board** *n* (*dated*) Waschbrett *nt* '**wash·bowl** *n* Am (*washbasin*) Waschbecken *nt* '**wash·cloth** *n* Am (*face cloth*) Waschlappen *m* '**wash·day** *n* Waschtag *m* '**wash·down** *n* Wäsche *f;* **to give sb a ~** jdn waschen; **to give sth a ~** etw abwaschen

washed-out [ˌwɒʃt'aʊt] *adj* ① *clothes* verwaschen ② (*tired*) fertig *fam*

wash·er ['wɒʃəʳ] *n* ① Am (*washing machine*) Waschmaschine *f* ② (*ring*) Unterlegscheibe *f;* (*for sealing*) Dichtung *f*

wash-'hand ba·sin *n* Waschbecken *nt* '**wash house** *n* Waschhaus *nt*

wash·ing ['wɒʃɪŋ] *n no pl* Wäsche *f;* **to do the ~** [Wäsche] waschen

'**wash·ing ma·chine** *n* Waschmaschine *f* '**wash·ing pow·der** *n* Brit Waschpulver *nt* '**wash·ing soda** *n no pl* Bleichsoda *nt*

Wash·ing·ton [ˌwɒʃɪŋtən] *n* (*US state*) Washington *nt*

Wash·ing·ton D.'C. *n* (*US city*) Washington *nt*

wash·ing-'up *n no pl* Brit, Aus ① (*cleaning dishes*) **to do the ~** abspülen, abwaschen ② (*dishes*) Abwasch *m* **wash·ing-'up ba·sin** *n* Brit Spülbecken *nt* **wash·ing-'up bowl** *n* Brit Spülschüssel *f* **wash·ing-'up liq·uid** *n* Brit Spülmittel *nt*

'**wash leath·er** *n* ① *no pl* (*material*) Waschleder *nt* ② (*to clean windows*) Fensterleder *nt* '**wash·out** *n usu sing* (*fam*) Reinfall *m* '**wash·room** *n* Am Toilette *f*

wasn't ['wɒzᵊnt] = **was not** *see* be

wasp [wɒsp] *n* Wespe *f*

wasp·ish ['wɒspɪʃ] *adj* giftig *fam*, gehässig *pej*

'**wasps' nest** *n* Wespennest *nt* **wasp·'waist·ed** *adj* mit einer Wespentaille *nach n*

wast·age ['weɪstɪdʒ] *n no pl* ① (*misuse*) Verschwendung *f* ② Brit, Aus (*cutting workforce*) natürlicher Arbeitskräfteabgang ③ (*product wasted*) Ausschuss *m*

waste [weɪst] **I.** *n* ① *no pl* (*misuse*) Verschwendung *f;* **~ of effort** vergeudete Mühe; **~ of energy/money/time** Energie-/Geld-/Zeitverschwendung *f;* **~ of resources** Vergeudung *f* von Ressourcen; **to lay ~ to the land** das Land verwüsten ② *no pl* (*unwanted matter*) Abfall *m;* **household/industrial ~** Haushalts-/In-

dustriemüll *m;* **to go to ~** verkommen ③ (*excrement*) Exkremente *pl* **II.** *vt* ① (*misuse*) verschwenden; **don't ~ my time!** stiehl mir nicht meine wertvolle Zeit!; **to ~ one's breath** sich *dat* seine Worte sparen können ② Am (*sl*) ■ **to ~ sb** jdn umlegen *fam* **III.** *vi* ▶ **~ not, want not** (*prov*) spare in der Zeit, dann hast du in der Not ◆ **waste away** *vi* dahinsiechen *geh;* (*get thinner*) immer dünner werden

'**waste·bas·ket** *n* Am Papierkorb *m* '**waste dis·pos·al** *n no pl* Abfallbeseitigung *f*, Müllentsorgung *f* **waste-dis·'pos·al unit** *n* Müllschlucker *m*

waste·ful ['weɪs(t)fᵊl] *adj* ■ **to be ~ of sth** verschwenderisch mit etw *dat* umgehen

waste·ful·ly ['weɪs(t)fᵊli] *adv* verschwenderisch

waste 'heat *n no pl* TECH Abwärme *f fachspr* '**waste·land** *n* ① (*neglected land*) unbebautes Land ② (*fig: unproductive area*) Öde *f* **waste 'man·age·ment** *n no pl* Abfallwirtschaft *f* '**waste·pa·per** *n no pl* Papiermüll *m;* (*for recycling*) Altpapier *nt* '**waste·pa·per bas·ket** *n*, Brit, Aus *also* '**waste·pa·per bin** *n* Papierkorb *m* '**waste pipe** *n* Abflussrohr *nt* **waste 'prod·uct** *n* Abfallprodukt *nt*

wast·er ['weɪstəʳ] *n* ① (*wasteful person*) Verschwender(in) *m(f)* ② Brit (*fam: good-for-nothing*) Taugenichts *m pej*

waste re·'pro·cess·ing *n no pl* Müllwiederaufbereitung *f* '**waste sepa·ra·tion** *n no pl* Mülltrennung *f* **waste 'steam** *n no pl* Abdampf *m*

wast·ing ['weɪstɪŋ] *adj attr* schwächend; **muscle-~ disease** muskelschwächende Krankheit

wast·rel ['weɪstrᵊl] *n* (*liter*) Nichtsnutz *m pej veraltend*

watch [wɒtʃ] **I.** *n* ① (*on wrist*) Armbanduhr *f;* (*on chain*) Taschenuhr *f* ② *no pl* (*observation*) Wache *f;* **on ~** auf Wache; **to be under** [**close**] **~** unter [strenger] Bewachung stehen; **to keep close ~ over sb/sth** über jdn/etw sorgsam wachen ③ (*period of duty*) Wache *f* ④ (*unit*) Wacheinheit *f* **II.** *vt* ① (*look at*) beobachten; **I ~ed him get into a taxi** ich sah, wie er in ein Taxi stieg; **to ~ TV** fernsehen; **to ~ the world go by** die [vorbeigehenden] Passanten beobachten ② (*keep vigil*) ■ **to ~ sb/sth** auf jdn/etw aufpassen; **to ~ sb/sth like a hawk** jdn/etw mit Argusaugen bewachen *geh* ③ (*be careful about*) **~ it!** pass auf!; **~ yourself!** sieh dich vor!; **to ~ one's weight** auf sein Gewicht achten ▶ **~**

this space! mach dich auf etwas gefasst!; **to ~ one's step** aufpassen **III.** vi ❶ (*look*) zusehen, zuschauen ❷ (*be attentive*) aufpassen ◆ **watch out** vi ❶ (*keep lookout*) ■ **to ~ out for sb/sth** nach jdm/etw Ausschau halten ❷ (*beware of*) **~ out!** Achtung!

'**watch·band** n AM, AUS Uhr[arm]band nt

'**watch·dog** n ❶ (*guard dog*) Wachhund m ❷ (*fig: organization*) Überwachungsgremium nt; (*state-controlled*) Aufsichtsbehörde f

watch·er ['wɒtʃəʳ] n (*watching person*) Zuschauer(in) m(f); (*observer*) Beobachter(in) m(f)

watch·ful ['wɒtʃf°l] adj wachsam

watch·ful·ly ['wɒtʃfəli] adv wachsam, aufmerksam

'**watch·mak·er** [-ˌmeɪkəʳ] n Uhrmacher(in) m(f) '**watch·man** n Wachmann m; **night ~** Nachtwächter m

'**watch·strap** n esp BRIT Uhr[arm]band nt

'**watch·tow·er** n Wachturm m '**watch·word** n usu sing ❶ (*slogan*) Parole f ❷ (*password*) Kennwort nt

wa·ter ['wɔːtəʳ] **I.** n ❶ no pl Wasser nt ❷ (*urine*) **to pass ~** Wasser lassen ❸ (*area of water*) ■ **~s** pl Gewässer pl; **the ~s of the Rhine** die Wasser des Rheins; **coastal ~s** Küstengewässer pl ❹ MED **~ on the brain** Wasserkopf m; **~ on the knee** Kniegelenkerguss m ❺ (*amniotic fluid*) Fruchtwasser nt ▸ **blood is thicker than ~** (*prov*) Blut ist dicker als Wasser; **to be ~ under the bridge** Schnee von gestern sein; **to be [like] ~ off a duck's back** an jdm einfach abprallen; **to take to sth like a duck to ~** sich bei etw dat gleich in seinem Element fühlen; **like a fish out of ~** wie ein Fisch auf dem Trocknen; **to keep one's head above ~** sich über Wasser halten; **come hell or high ~** komme was [da] wolle **II.** vt bewässern; *farm animals* tränken; *garden* sprengen; *flowers, plants* gießen **III.** vi ❶ (*produce tears*) tränen ❷ (*salivate*) **my mouth is watering** mir läuft das Wasser im Munde zusammen

'**wa·ter·bird** n Wasservogel m **wa·ter 'boat·man** n ZOOL Rückenschwimmer m '**wa·ter-borne** adj ❶ (*transported*) **~ attack** Angriff m zu Wasser; **~ trade** Handelsschifffahrt f ❷ (*transmitted*) **~ disease** durch das Wasser übertragene Krankheit '**wa·ter bot·tle** n Wasserflasche f '**wa·ter butt** n BRIT Regentonne f '**wa·ter can·non** n Wasserwerfer m '**wa·ter car·ri·er** n ❶ esp BRIT ASTROL ■ **the ~** der Was-

sermann ❷ (*water pipe*) Wasserleitung f '**wa·ter cart** n (*hist*) Wasserkarren m '**wa·ter clos·et** n WC nt '**wa·ter col·our**, AM '**wa·ter col·or I.** n ❶ (*paint*) Aquarellfarbe f ❷ (*picture*) Aquarell nt **II.** adj usu attr Aquarell- '**wa·ter con·tent** n Wassergehalt m '**wa·ter-cooled** adj wassergekühlt '**wa·ter·course** n Wasserlauf m '**wa·ter·craft** n (*liter: vessel*) Wasserfahrzeug nt '**wa·ter·cress** n no pl BOT Brunnenkresse f '**wa·ter cure** n MED Wasserkur f '**wa·ter·fall** n Wasserfall m '**wa·ter·fowl** n ZOOL (*one bird*) Wasservogel m '**wa·ter·front** n (*bank, shore*) Ufer nt; (*area*) Hafengebiet nt '**wa·ter gauge** n Wasserstandsmesser m '**wa·ter heat·er** n Heißwassergerät nt '**wa·ter hole** n Wasserloch nt '**wa·ter hose** n Wasserschlauch m '**wa·ter ice** n Sorbet nt

wa·ter·ing ['wɔːtəʳrɪŋ] n of land Bewässerung f; of garden Sprengen nt; of plants Gießen nt

'**wa·ter·ing can** n Gießkanne f '**wa·ter·ing place** n (*fam: watering hole*) Wasserstelle f

wa·ter·less ['wɔːtələs] adj wasserlos; **~ desert** trockene Wüste

'**wa·ter lev·el** n ❶ of surface water Wasserstand m; of river Pegel[stand] m ❷ of groundwater Grundwasserspiegel m '**wa·ter lily** n Seerose f, Teichrose f '**wa·ter line** n no pl NAUT Wasserlinie f; GEOL Grundwasserspiegel m '**wa·ter-logged** adj ship voll gelaufen; ground feucht

Wa·ter·loo [ˌwɔːtəˈluː] n ▸ **to meet one's ~** ein Fiasko erleiden

'**wa·ter main** n Haupt[wasser]leitung f '**wa·ter·man** n ❶ (*ferryman*) Fährmann m ❷ SPORTS Ruderer m '**wa·ter·mark** n ❶ (*showing tide level*) Wasser[stands]marke f ❷ (*on paper*) Wasserzeichen nt '**wa·ter·mel·on** n Wassermelone f '**wa·ter·me·ter** n Wasserzähler m '**wa·ter pipe** n ❶ (*conduit*) Wasserleitung f ❷ (*hookah*) Wasserpfeife f '**wa·ter pis·tol** n Wasserpistole f '**wa·ter pol·lu·tion** n Wasserverschmutzung f; of sea, river Gewässerverschmutzung f; of drinking water Trinkwasserbelastung f '**wa·ter polo** n Wasserball m kein pl '**wa·ter pow·er** n no pl Wasserkraft f '**wa·ter pres·sure** n Wasserdruck m '**wa·ter·proof I.** adj wasserdicht **II.** n esp BRIT (*coat*) Regenmantel m **III.** vt wasserundurchlässig machen '**wa·ter-re·'pel·lent** adj Wasser abweisend '**wa·ter·shed** n ❶ (*high ground*) Wasserscheide f ❷ (*fig: great change*) Wendepunkt m '**wa·ter short·age** n Wasser-

mangel *m kein pl* '**wa·ter·side** *n no pl*
(*beside lake*) Seeufer *nt;* (*beside river*)
Flussufer *nt;* (*beside sea*) Strand *m* '**wa·
ter·ski I.** *vi* Wasserski fahren **II.** *n* Wasserski *m* '**wa·ter sof·ten·er** *n* Wasserenthärter *m* **wa·ter·'sol·uble** *adj* wasserlöslich
'**wa·ter sup·ply** *n usu sing* (*for area*)
Wasservorrat *m;* (*for households*) Wasserversorgung *f* **wa·ter** '**sup·ply pipe** *n*
Wasserzuleitung *f* **wa·ter** '**supply
point** *n* Wasserentnahmestelle *f* '**wa·ter·
ta·ble** *n* Grundwasserspiegel *m* '**wa·ter
tank** *n* Wassertank *m* '**wa·ter·tight**
['wɔːtətaɪt] *adj* ❶ (*impermeable*) wasserdicht ❷ (*fig*) *agreement* wasserdicht; *argument* unanfechtbar '**wa·ter tow·er** *n*
Wasserturm *m* '**wa·ter va·pour** *n,* AM
'**wa·ter va·por** *n* Wasserdampf *m* '**wa·
ter vole** *n* Schermaus *f* '**wa·ter wave** *n*
Wasserwelle *f* '**wa·ter·way** *n* Wasserstra
ße *f,* Schifffahrtsweg *m* '**wa·ter·works**
npl ❶ (*facility*) Wasserwerk *nt* ❷ (*fam: in
body*) [Harn]blase *f* ▸ **to turn on the ~**
(*pej*) losheulen

wa·tery <more, most *or* -ier, -iest>
['wɔːt²ri] *adj* ❶ (*pej: bland, thin*) *drink*
dünn; *soup* wässrig ❷ *light, sun* fahl; *smile*
müde

watt *n* ELEC, PHYS Watt *nt*

watt·age ['wɒtɪdʒ] *n no pl* ELEC Wattzahl *f*

wave [weɪv] **I.** *n* ❶ *of water* Welle *f* ❷ (*fig:
feeling*) ~ **of emotion** Gefühlswallung *f;*
~ **of fear/panic/sympathy** Welle *f* der
Angst/Panik/Sympathie ❸ (*series*) ~ **of
redundancies** Entlassungswelle *f;* ~ **of
terrorism** Terrorwelle *f* ❹ (*hand movement*) Wink *m;* **to give sb a** ~ jdm
[zu]winken ❺ (*hairstyle*) Welle *f* ❻ PHYS
Welle *f* **II.** *vi* ❶ (*greet*) winken; **I** ~**d at
him across the room** ich winkte ihm
durch den Raum zu ❷ (*sway*) *field of grass*
wogen *geh;* *flag* wehen ❸ (*be wavy*) sich
wellen **III.** *vt* ❶ (*signal with*) **to** ~ **sb
goodbye** jdm zum Abschied [nach]winken
❷ (*swing*) **to** ~ **a magic wand** einen Zauberstab schwingen ❸ (*make wavy*) **to** ~
one's hair sich *dat* das Haar wellen
◆ **wave aside** *vt* **to** ~ **aside an idea/eiobjection/a suggestion** eine Idee/einen Einwand/Vorschlag abtun ◆ **wave
down** *vt* anhalten ◆ **wave on** *vt* **the
policeman** ~**d the traffic on** der Polizist winkte den Verkehr durch ◆ **wave
through** *vt* durchwinken

'**wave-band** *n* Wellenbereich *m* '**wavelength** *n* PHYS Wellenlänge *f* ▸ **to be on
the same ~** auf derselben Wellenlänge liegen '**wave pow·er** *n* Wellenkraft *f*

wa·ver ['weɪvə'] *vi* ❶ (*lose determination*)
wanken; *concentration, support* nachlassen ❷ (*become unsteady*) *eyes* flackern;
voice beben ❸ (*be indecisive*) schwanken;
■ **to** ~ **over sth** sich *dat* etw hin- und
herüberlegen

wa·ver·er ['weɪv²rə'] *n* Unentschlossene(r)
f(m) **wa·ver·ing** ['weɪv²rɪŋ] *adj usu attr*
❶ (*unsteady*) *flame, candle* flackernd;
courage wankend; *voice* zitternd ❷ (*indecisive*) unentschlossen; *between two
options* schwankend

wavy ['weɪvi] *adj* wellig; *hair* gewellt;
~ **pattern** Wellenmuster *nt*

wax¹ [wæks] **I.** *n* ❶ (*substance*) Wachs *nt;*
candle ~ Kerzenwachs *nt* ❷ (*for polishing*) Wachs *nt;* (*for shoes*) Schuhcreme *f*
❸ (*inside ear*) Ohrenschmalz *nt* **II.** *vt*
❶ (*polish*) wachsen; *floorboards* bohnern;
shoes wichsen ❷ (*remove hair*) enthaaren

wax² [wæks] *vi* ❶ *moon* zunehmen; **to** ~
and wane zu- und abnehmen ❷ (*liter*) **to**
~ **lyrical** [**about sth**] [über etw *akk*] ins
Schwärmen geraten

wax·en ['wæks²n] *adj* wächsern; *complexion* wachsbleich

'**wax pa·per** *n* Butterbrotpapier *nt* '**wax·
work** *n* Wachsfigur *f*

waxy ['wæksi] *adj* ❶ (*like wax*) Wachs-, aus
Wachs *nach n* ❷ BRIT *potatoes* fest kochend

way [weɪ] **I.** *n* ❶ (*road*) Weg *m;* **one-~
street** Einbahnstraße *f* ❷ (*route*) **oh, I
must be on my** ~ oh, ich muss mich auf
den Weg machen!; **on the** ~ **in/out ...**
beim Hineingehen/Hinausgehen ...; **I'm
on my** ~ **out** ich bin gerade am Gehen;
"**W~ In/Out**" „Eingang/Ausgang"; **we
have to go by** ~ **of Copenhagen** wir
müssen über Kopenhagen fahren; "**give
~**" BRIT „Vorfahrt [beachten]"; **to ask the** ~
nach dem Weg fragen; **to be on the** ~
letter, baby unterwegs sein; **to be out of
the** ~ abgelegen sein; **to find one's** ~
around (*fig*) sich zurechtfinden; **to get
under** ~ in Gang kommen; **to go out of
one's** ~ **to do sth** einen Umweg machen,
um etw zu tun; (*fig*) sich bei etw *dat*
besondere Mühe geben; **to go separate
~s** getrennte Wege gehen; **to go the
wrong** ~ sich verlaufen; (*in car*) sich verfahren; **to lead the** ~ vorausgehen; **to lose
one's** ~ sich verirren; **to pay one's** ~ (*fig*)
für sich *akk* selbst aufkommen; **to show
sb the** ~ jdm den Weg zeigen ❸ (*fig: be
just doing*) **to be** [**well**] **on the** ~ **to doing
sth** auf dem besten Weg[e] sein, etw zu tun
❹ (*distance*) Weg *m,* Strecke *f;* **I'll sup-**

port you all the ~ du hast meine volle Unterstützung; **to be a long/short ~ off** (*in space*) weit entfernt/sehr nahe sein; (*in time*) fern/nahe sein; **to go a long ~** (*fig*) lange reichen; **to have come a long ~** (*fig*) es weit gebracht haben ➎ (*facing direction*) "**this ~ up**" „hier oben"; **this ~ round** so herum; **to be the wrong ~ up** auf dem Kopf stehen ➏ (*direction*) **which ~ are you going?** in welche Richtung gehst du?; **this ~, please!** hier entlang bitte!; **down my ~** bei mir in der Nähe ➐ (*manner*) Art *f*, Weise *f*; **that's just the ~ it is** so ist das nun einmal; **the ~ things are going ...** so wie sich die Dinge entwickeln ...; **I did it my ~** ich habe es gemacht, [so] wie ich es für richtig hielt; **this is definitely not the ~ to do it** so macht man das auf gar keinen Fall!; **it's always the ~!** es ist doch echt immer dasselbe! *fam;* **to see the error of one's ~s** seine Fehler einsehen; **~ of life** Lebensweise *f;* **one ~ or another** so oder so; **no ~** auf gar keinen Fall ➑ (*respect*) Weise *f*, Hinsicht *f;* **in a ~** in gewisser Weise; **in many/some ~s** in vielerlei/gewisser Hinsicht ➒ *no pl* (*free space*) Weg *m*, Platz *m;* **to be in sb's ~** jdm im Weg sein *a. fig;* **to get out of sb's/sth's ~** jdm/etw aus dem Weg gehen; **to keep out of the ~** wegbleiben ➓ (*method*) Art *f* [und Weise]; **don't worry, we'll find a ~!** keine Sorge, wir werden einen Weg finden!; **~s and means** Mittel und Wege; **to have a ~ with children** gut mit Kindern umgehen können ⓫ (*habit*) Art *f;* **that's the ~ of the world** das ist nun mal der Lauf der Dinge; **to fall into bad ~s** in schlechte Angewohnheiten verfallen ⓬ *no pl* (*condition*) Zustand *m;* **to be in a bad ~** in schlechter Verfassung sein ⓭ (*desire*) **to have one's [own] ~** seinen Willen bekommen ▶ **the ~ to a man's heart is through his stomach** (*prov*) [die] Liebe [des Mannes] geht durch den Magen *prov;* **where there's a will, there's a ~** (*prov*) wo ein Wille ist, ist auch ein Weg *prov;* **there are no two ~s about it** daran gibt es keinen Zweifel; **by the ~** übrigens **II.** *adv* (*fam: used for emphasis*) weit; **to be ~ past sb's bedtime** (*fam*) für jdn allerhöchste Zeit zum Schlafengehen sein 'way·bill *n* (*list of passengers*) Passagierliste *f;* (*list of goods*) Frachtbrief *m* way·lay <-laid, -laid> [ˌweɪˈleɪ] *vt* ➊ (*hum*) abfangen ➋ (*attack*) überfallen way·'out *n* Ausgang *m* way·'out *adj* (*sl: unconventional*) irre, abgefahren 'way·side *n* (*beside road*) Straßenrand *m;* **to fall by**

the ~ (*fig*) auf der Strecke bleiben
way·ward ['weɪwəd] *adj* (*wilful*) eigenwillig; **~ child** widerspenstiges Kind
WC [ˌdʌbljuːˈsiː] *n* Brit *abbrev of* **water closet** WC *nt*
we [wiː, wi] *pron pers* ➊ (*1st person plural*) wir; **if you don't hurry up, ~'ll be late** wenn du dich nicht beeilst, kommen wir zu spät ➋ (*speaker/writer for group*) wir; **in this section ~ discuss ...** in diesem Abschnitt besprechen wir .. ➌ (*all people*) wir; **~ all ...** wir alle ... ➍ (*form: royal I*) wir; **the royal ~** das königliche Wir
weak [wiːk] *adj* ➊ (*not strong*) schwach; *coffee, tea* dünn; **to be/go ~ at the knees** weiche Knie haben/bekommen ➋ (*ineffective*) *leader* unfähig; *argument, attempt* schwach ➌ (*below standard*) schwach
weak·en ['wiːkən] **I.** *vi* (*become less strong*) schwächer werden, nachlassen; (*become less resolute*) schwachwerden **II.** *vt* schwächen
weak·ling ['wiːklɪŋ] *n* (*pej*) Schwächling *m*
weak·ly ['wiːkli] *adv* ➊ (*without strength*) schwach, kraftlos ➋ (*unconvincingly*) schwach, matt
weak-mind·ed [-ˈmaɪndɪd] *adj* (*pej*) ➊ (*lacking determination*) unentschlossen; (*weak-willed*) willensschwach ➋ (*mentally deficient*) schwachsinnig
weak·ness <*pl* -es> ['wiːknəs] *n* ➊ *no pl* (*physical frailty*) Schwäche *f* ➋ (*area of vulnerability*) Schwachstelle *f* ➌ (*flaw*) Schwäche *f* ➍ (*strong liking*) Schwäche *f* (**for** für)
weal [wiːl] *n* Schwiele *f*, Striemen *m*
wealth [welθ] *n* *no pl* ➊ (*money*) Reichtum *m;* (*fortune*) Vermögen *nt* ➋ (*large amount*) Fülle *f;* **to have a ~ of sth** reich an etw *dat* sein
'wealth crea·tion *n,* 'wealth gen·era·tion *n* Vermögensbildung *f* 'wealth tax *n* Vermögenssteuer *f*
wealthy ['welθi] **I.** *adj* reich, wohlhabend **II.** *n* ▪**the ~** *pl* die Reichen *pl*
wean [wiːn] *vt* ➊ *a baby* abstillen; *an animal* entwöhnen ➋ (*make independent of*) ▪**to ~ sb off sth** jdm etw abgewöhnen
weap·on ['wepən] *n* (*also fig*) Waffe *f;* **nuclear ~s** Atomwaffen *pl*
wea·pon·ry ['wepənri] *n no pl* Waffen *pl*
wear [weər] **I.** *n* ➊ (*clothing*) Kleidung *f* ➋ (*amount of use*) Gebrauch *m;* **signs of ~** Abnutzungserscheinungen *pl;* **I feel a bit the worse for ~** ich fühle mich etwas angeschlagen; **~ and tear** Verschleiß *m* **II.** *vt* <wore, worn> (*have on body*) tragen; **she**

had **nothing to ~ to the party** sie hatte für die Party nichts anzuziehen ▸ **to ~ one's heart on one's sleeve** das Herz auf der Zunge tragen; **to ~ the** <u>trousers</u> [*or* A<small>M</small> **pants**] die Hosen anhaben **III.** *vi* <wore, worn> (*get thinner*) *clothes* abtragen; *machine parts* abnutzen ◆ **wear away** *vi* sich abnutzen ◆ **wear down** *vi* ① (*reduce*) abtragen ② (*make weak and useless*) abnutzen ③ (*fig: tire*) fertigmachen *fam;* (*weaken*) *resistance* zermürben ◆ **wear off** *vi effect* nachlassen ◆ **wear on** *vi time* sich hinziehen ◆ **wear out I.** *vi* sich abnutzen **II.** *vt* erschöpfen

wear·able ['weərəbl] *adj* tragbar

wear·ing ['weərɪŋ] *adj* ermüdend

weari·some ['wɪərɪsəm] *adj* (*form*) ① (*tiring*) ermüdend ② (*boring*) langweilig

weary ['wɪəri] **I.** *adj* ① (*tired*) müde ② (*bored*) gelangweilt; (*unenthusiastic*) lustlos; **to be ~ of sth** etw leid sein; **~ of life** lebensmüde **II.** *vt* <-ie-> (*liter*) ① (*make tired*) ermüden ② (*make bored*) langweilen **III.** *vi* <-ie-> ▪ **to ~ of sth** von etw *dat* genug haben

wea·sel ['wiːzəl] *n* Wiesel *nt*

weath·er ['weðəʳ] **I.** *n no pl* M<small>ETEO</small> Wetter *nt;* (*climate*) Witterung *f;* **in all ~s** bei jedem Wetter ▸ **to make** <u>heavy</u> **~ of sth** sich *dat* mit etw *dat* schwertun; **to be** <u>under</u> **the ~** angeschlagen sein *fam* **II.** *vi object* verwittern; *person* altern **III.** *vt* ① *usu passive wood* auswittern; *skin* gerben ② (*survive*) **to ~ the storm** *ship* dem Sturm trotzen

'**weath·er·beat·en** *adj* ① (*of person*) *face, hands, skin* wettergegerbt ② (*of object*) verwittert '**weath·er·board I.** *n* ① *usu pl* (*protective board*) [Dach]schindel[n] *f,pl* | ② *no pl* (*covering of boards*) Verschalung *f* ③ (*over window*) Überdachung *f* **II.** *vt* abdichten; (*panel*) verschalen '**weath·er·bound** *adj* wetterbedingt behindert '**weath·er bu·reau** *n* A<small>M</small> Wetteramt *nt* '**weath·er chart** *n* Wetterkarte *f* '**weath·er·cock** *n* Wetterhahn *m* '**weath·er con·di·tions** *npl* Witterungsverhältnisse *pl*

weath·ered ['weðəd] *adj* von der Witterung gezeichnet, der Witterung ausgesetzt; *face* wettergegerbt

'**weath·er fore·cast** *n* Wettervorhersage *f* '**weath·er·ing** ['weðəʳrɪŋ] *n no pl* Verwitterung *f*

'**weath·er·man** *n* Wettermann *m fam* '**weath·er·proof** *adj* wetterfest

weave [wiːv] **I.** *vt* <wove *or* A<small>M</small> *also* weaved, woven *or* A<small>M</small> *also* weaved>

① *cloth* weben ② (*also fig: intertwine things*) ▪ **to ~ sth together** etw zusammenflechten ③ (*also fig: move*) **to ~ one's way through sth** sich *dat* einen Weg durch etw *akk* bahnen **II.** *vi* <wove *or* A<small>M</small> *also* weaved, woven *or* A<small>M</small> *also* weaved> ① (*produce cloth*) weben ② (*also fig: move*) sich durchschlängeln ▸ **to** <u>get</u> **weaving** B<small>RIT</small> (*dated fam: hurry*) Gas geben; (*begin action*) loslegen **III.** *n* Webart *f*

weav·er ['wiːvəʳ] *n* Weber(in) *m(f)*

'**weav·er bird** *n* Webervogel *m*

web [web] *n* ① (*woven net trap*) Netz *nt;* **spider**['s] **~** Spinnennetz *nt;* **to spin a ~** ein Netz spinnen ② (*fig: network*) Netzwerk *nt;* **a ~ of deceit/intrigue** ein Netz *nt* von Betrug/Intrigen ③ C<small>OMPUT</small> ▪ **the ~** das Netz

'**web brows·er** *n* C<small>OMPUT</small> [Web-]Browser *m* **web-foot·ed** [-'fʊtɪd] *adj* mit Schwimmfüßen *nach n*

'**Web gen** [-dʒen] *n* Internet-Generation *f* '**web·log** *n* I<small>NET</small> Weblog *nt* **web·mas·ter** ['webmɑːstəʳ] *n* I<small>NET</small>, C<small>OMPUT</small> Web-Administrator(in) *m(f)* **web-off·set** '**print·ing** *n no pl* Rotationsdruck *m* '**web page** *n,* '**web·site** *n* C<small>OMPUT</small> Website *f* '**web surf·er** *n* C<small>OMPUT</small> Internetsurfer(in) *m(f)* **Web·wise** *adj attr* **~ consumers** mit dem Internet vertraute Verbraucher **web·zine** ['webziːn] *n* I<small>NET</small> Webzine *nt*

wed <wedded *or* wed, wedded *or* wed> [wed] **I.** *vt* ① (*dated: marry*) ▪ **to ~ sb** jdn ehelichen *veraltend* ② (*fig: unite*) ▪ **to ~ sth and sth** etw mit etw *dat* vereinen **II.** *vi* sich vermählen *geh*

we'd [wiːd, wid] ① = **we had** *see* **have I,** **II** ② = **we would** *see* **would**

wed·ded ['wedɪd] **I.** *adj attr* verheiratet; **~ bliss** Eheglück *nt;* **lawful ~ wife** rechtmäßig angetraute Ehefrau **II.** *pt, pp of* **wed**

wed·ding ['wedɪŋ] *n* Hochzeit *f*

'**wed·ding an·ni·ver·sa·ry** *n* Hochzeitstag *m* '**wed·ding break·fast** *n* B<small>RIT</small> Hochzeitsessen *nt* '**wed·ding cake** *n no pl* Hochzeitstorte *f* '**wed·ding day** *n* Hochzeitstag *m* '**wed·ding dress** *n* Brautkleid *nt* '**wed·ding guest** *n* Hochzeitsgast *m* '**wed·ding night** *n* Hochzeitsnacht *f* '**wed·ding pres·ent** *n* Hochzeitsgeschenk *nt* '**wed·ding ring** *n* Ehering *m,* Trauring *m*

wedge [wedʒ] **I.** *n* ① (*tapered block*) Keil *m* ② (*fig*) **a ~ of bread/cake** ein Stück *nt* Brot/Kuchen ▸ **the** <u>thin</u> **end of the ~** der Anfang vom Ende **II.** *vt* ① (*jam into*) einkeilen ② (*keep in position*) **to ~ sth closed/open** etw mithilfe eines Keils geschlossen halten/offen halten

wed·lock ['wedlɒk] n no pl Ehe f; ■out of ~ außerehelich; **to be born in/out of ~** ehelich/unehelich geboren sein

Wednes·day ['wenzdeɪ] n Mittwoch m; see also **Tuesday**

wee [wiː] I. adj attr Scot (fam) winzig; **a ~ bit** ein [fam klitze]kleines bisschen II. n no pl (childspeak fam) ■~ [~] Pipi nt III. vi (childspeak fam) Pipi machen

weed [wiːd] I. n ❶ (plant) Unkraut nt kein pl ❷ Brit (pej fam: person) Schwächling m ❸ no pl (sl: marijuana) Gras nt II. vt **to ~ the garden** den Garten jäten III. vi [Unkraut] jäten

'**weed·kill·er** n Unkrautvernichtungsmittel nt

weedy ['wiːdi] adj ❶ (full of weeds) von Unkraut überwachsen ❷ Brit (pej fam: of person) [spindel]dürr

week [wiːk] n ❶ (seven days) Woche f; **for ~s [on end]** wochenlang; **last ~** letzte Woche; **once/twice a ~** einmal/zweimal die Woche; ■~ **in, ~ out** Woche für Woche ❷ (work period) [Arbeits]woche f; **to work a five-day ~** eine 5-Tage-Woche haben ❸ (fam: Monday to Friday) **during the ~** während [o südd unter] der Woche

'**week·day** n Wochentag m; ■**on ~s** an Wochentagen, wochentags **week·'end** n Wochenende nt; ■**this ~** (present) dieses Wochenende; (future) kommendes Wochenende; ■**at** [or Am, Aus **on**] **the ~** am Wochenende, an den Wochenenden **week·'end·er** n Wochenendausflügler(in) m(f)

week·ly ['wiːkli] I. adj wöchentlich; ~ **magazine** Wochenzeitschrift f; **bi~** zweimal wöchentlich II. adv wöchentlich; **to exercise ~** wöchentlich trainieren; **to meet ~** sich jede Woche treffen III. n (magazine) Wochenzeitschrift f; (newspaper) Wochenzeitung f

weeny ['wiːni] adj (fam) klitzeklein

weep [wiːp] I. vi <wept, wept> ❶ (also liter: cry) weinen; (sob) schluchzen; **to ~ with joy/sorrow** vor Freude/Kummer weinen ❷ (secrete liquid) nässen II. vt <wept, wept> ~ **tears of joy/sorrow** Freudentränen/Tränen des Kummers weinen III. n no pl (liter) Weinen nt; **to have a [good] ~** sich [ordentlich] ausweinen

weep·ing ['wiːpɪŋ] I. adj attr ❶ (of person) weinend ❷ (of wound) nässend II. n no pl Weinen nt

weep·ing 'wil·low n Trauerweide f

wee-wee ['wiːwiː] n no pl (fam or childspeak) Pipi nt Kindersprache fam; **to do**

a ~ Pipi machen Kindersprache fam

w.e.f. abbrev of **with effect from** gültig ab

weigh [weɪ] I. vi ❶ (in measurement) wiegen ❷ (fig: be important) **to ~ heavily** eine große Bedeutung haben ❸ (distress) ■**to ~ on sb** auf jdm lasten II. vt ❶ (measure) wiegen ❷ (consider) ■**to ~ sth against sth** etw gegen etw akk abwägen ◆**weigh down** vt ❶ (to burden) niederdrücken; ■**to be ~ed down with sth** schwer mit etw dat beladen sein ❷ (fig: worry) **she felt ~ed down by worries** sie fühlte sich von Sorgen erdrückt ◆**weigh in** vi ❶ (be weighed) **to ~ in at 60 kilos** 60 Kilo auf die Waage bringen ❷ (fam: intervene) sich einschalten; ■**to ~ in with sth** opinion, proposal etw einbringen ◆**weigh out** vt abwiegen ◆**weigh up** vt ❶ (consider) abwägen ❷ (evaluate) einschätzen

'**weigh·bridge** n Brückenwaage f

'**weigh-in** n no pl Sports Wiegen nt

weight [weɪt] I. n ❶ no pl (heaviness) Gewicht; **to lose/put on ~** ab-/zunehmen ❷ (unit of heaviness) **to lift a heavy ~** ein schweres Gewicht heben ❸ (metal piece) **to lift ~s** Gewicht[e] heben ❹ no pl (importance) Gewicht nt, Bedeutung f; **to carry ~** ins Gewicht fallen ▸ **to take the ~ off one's feet** es sich dat bequem machen; **to be worth one's ~ in gold** sein Gewicht in Gold wert sein; **to throw one's ~ about** (fam) seinen Einfluss geltend machen II. vt ■**to ~ sth down** etw beschweren

'**weight-bear·ing** adj exercise, activity unter Einsatz des eigenen Körpergewichts [als Belastungsreiz] nach n

weight·ing ['weɪtɪŋ] n no pl ❶ Brit (additional allowance) Zulage f ❷ Math Gewichtung f ❸ (importance) Bedeutung f

weight·less ['weɪtləs] adj schwerelos

weight·less·ness ['weɪtləsnəs] n no pl Schwerelosigkeit f

'**weight·lift·er** n Gewichtheber(in) m(f)

'**weight·lift·ing** n no pl Gewichtheben nt

weighty ['weɪti] adj ❶ (heavy) schwer ❷ (fig: important) [ge]wichtig; ~ **issues** wichtige Angelegenheiten

weir [wɪər] n Wehr nt

weird [wɪəd] adj (fam) seltsam, komisch; (crazy) irre; **that's ~** das ist aber merkwürdig

weirdo ['wɪədəʊ] n (fam: person) seltsame Person

wel·come ['welkəm] I. vt ❶ (greet gladly) willkommen heißen ❷ (be glad of) begrüßen II. n ❶ (act of friendly reception) **to give sb a warm ~** jdm einen herzlichen

Empfang bereiten ❷(*expression of approval*) Zustimmung *f* ▶**to outstay one's** ~ länger bleiben, als man erwünscht ist **III.** *adj* ❶(*gladly received*) willkommen; **to make sb very** ~ jdn sehr freundlich aufnehmen ❷(*wanted*) willkommen; ~ **chance** willkommene Gelegenheit ❸(*willingly permitted*) **you're** ~ **to use the garage while we're away** Sie können gerne unsere Garage benutzen, solange wir nicht da sind ❹(*replying to thanks*) **thank you very much — you're** ~ vielen Dank – nichts zu danken **IV.** *interj* ~ **to Birmingham** [herzlich] willkommen in Birmingham

wel·com·ing ['welkəmɪŋ] *adj* Begrüßungs-; ~ **smile** freundliches Lächeln

weld [weld] **I.** *vt* (*join material*) schweißen; ▪**to** ~ **sth together** etw zusammenschweißen **II.** *n* Schweißnaht *f*

weld·er ['weldəʳ] *n* Schweißer(in) *m(f)*
weld·ing ['weldɪŋ] *n no pl* Schweißen *nt*
'weld·ing torch *n* Schweißbrenner *m*

wel·fare ['welfeəʳ] *n no pl* ❶(*state of health, happiness*) Wohlergehen *nt* ❷(*state aid*) Sozialhilfe *f;* ~ **policy** Gesundheits- und Sozialpolitik *f;* ▪**to be on** ~ AM von [der] Sozialhilfe leben

'wel·fare pay·ments *npl* AM Sozialabgaben *pl* **'wel·fare ser·vices** *npl* ❶(*state support*) Sozialleistungen *pl* ❷ + *sing vb* (*office*) Sozialamt *nt* **wel·fare 'state** *n* Sozialstaat *m*, Wohlfahrtsstaat *m oft pej* **'wel·fare to work** *n no pl* Regierungsmaßnahme, die Arbeitslose und Fürsorgeempfänger veranlassen soll, Arbeit zu suchen **'wel·fare work** *n no pl* Fürsorgearbeit *f* **'wel·fare work·er** *n* Sozialarbeiter(in) *m(f)*

we'll [wiːl, wil] = **we will** *see* will[1]
well[1] [wel] **I.** *adj* <better, best> *usu pred* ❶(*healthy*) gesund; **to be alive and** ~ gesund und munter sein; **to feel** ~ sich gut fühlen; **to get** ~ gesund werden; **get** ~ **soon!** gute Besserung! ❷(*okay*) **all's** ~ **here** hier ist alles in Ordnung; **all being** ~ **, we should arrive on time** wenn alles gut geht, müssten wir pünktlich ankommen; **all** ~ **and good** gut und schön; **that's all very** ~ **but ...** das ist [ja] alles schön und gut, aber ...; **it's just as** ~ **that ...** es ist [nur] gut, dass ... ❸(*sensible*) **it would be as** ~ **to do sth** es wäre ratsam, etw zu tun ▶**all's** ~ **that ends** ~ (*prov*) Ende gut, alles gut *prov* **II.** *adv* <better, best> ❶(*in a good way*) gut; ~ **spotted!** gut aufgepasst!; [**that was**] ~ **put** gut ausgedrückt; ~ **done!** gut gemacht!, super! *fam;* **to be money** ~

spent gut angelegtes Geld sein; **to mean** ~ es gut meinen; **as** ~ **as sb/sth** so gut wie jd/etw ❷(*favourably*) gut; **to speak** ~ **of sb/sth** nur Gutes über jdn/etw sagen ❸(*thoroughly*) gut; **to know sb** ~ jdn gut kennen ❹(*very much*) **to cost** ~ **over/under £ 100** weit über/unter 100 Pfund kosten ❺(*used for emphasis*) [sehr] wohl; **I should damn** ~ **hope so!** (*fam*) das will ich [aber auch] stark hoffen!; **to be** ~ **aware of sth** sich *dat* einer S. *gen* durchaus bewusst sein; **to be** ~ **over forty** weit über vierzig sein; **to be** ~ **worth it/an attempt** es/einen Versuch wert sein; ~ **and truly** ganz einfach ❻(*justifiably*) wohl; **you may** ~ **ask!** das kann man wohl fragen!; **I couldn't very** ~ **refuse the offer** ich konnte das Angebot ja wohl schlecht ablehnen ❼(*probably*) gut; **it may** ~ **be that ...** es ist gut möglich, dass ... ❽(*very*) völlig, total *fam* ❾(*also*) **as** ~ auch; (*and*) **... as** ~ **as ...** sowie **III.** *interj* (*introducing, continuing a statement*) nun [ja], also; (*showing hesitation*) tja *fam;* (*showing surprise*) ~ **|,** ~**|!** sieh mal einer an!; **oh** ~**, it doesn't matter** ach [was], das macht doch nichts **IV.** *n no pl* **to wish sb** ~ jdm alles Gute wünschen

well[2] [wel] *n* ❶(*for water*) Brunnen *m* ❷(*for mineral*) Schacht *m;* **oil** ~ Ölquelle *f* ❸ ARCHIT (*for stairs*) Treppenhaus *nt;* (*for lift*) Fahrstuhlschacht *m* ◆**well up** *vi* ▪**to** ~ **[up] out of sth** aus etw *dat* hervorquellen; **tears** ~**ed up in her eyes** Tränen stiegen ihr in die Augen; (*fig*) **pride** ~**ed up in his chest** Stolz schwellte seine Brust *geh*

well-ad·'just·ed *adj* ❶(*approv: mentally stable*) [mental] ausgeglichen ❷(*successfully changed*) gut eingestellt **well-ad·'vised** *adj pred* (*form*) ▪**to be** ~ **to do sth** gut beraten sein, etw zu tun **well-ap·'point·ed** *adj* (*form*) gut ausgestattet **well-'bal·anced** *adj* ❶(*not one-sided*) *article, report* objektiv; *team* harmonisch ❷*diet, meal* ausgewogen ❸*person* ausgeglichen **well-be·'haved** *adj child* artig; *dog* brav **well-'be·ing** *n no pl* Wohlbefinden *nt;* **a feeling of** ~ ein wohliges Gefühl **well-'bred** *adj* ❶(*with good manners*) wohlerzogen *geh;* (*refined*) gebildet ❷(*dated: from high society*) aus gutem Hause **well-brought-'up** *adj* gut erzogen **well-'chos·en** *adj* gut gewählt; [**to say**] **a few** ~ **words** ein paar passende Worte [sagen] **well-con·'nect·ed** *adj* ▪**to be** ~ gute Beziehungen haben; **a** ~ **family** eine angesehene Familie **well-de·**

'**served** *adj* wohlverdient **well-de·'vel·
oped** *adj* gut entwickelt; **a ~ sense of
humour** ein ausgeprägter Sinn für Humor
well-dis·'posed *adj* wohlgesinnt; ■**to
be ~ to[wards] sb/sth** jdm/etw wohlgesinnt sein **well-'done** *adj* ❶ *meat* gut
durch[gebraten] ❷ *work* gut gemacht
well-'dressed *adj* gut gekleidet **well-
'earned** *adj* wohlverdient **well-'edu·
cat·ed** *adj* gebildet **well-'fed** *adj* (*having
good food*) [ausreichend] mit Nahrung versorgt; (*result of good feeding*) wohlgenährt
well-'found·ed *adj* [wohl]begründet;
~ **fears/suspicions** [wohl]begründete
Ängste/Vermutungen **well-'groomed**
adj gepflegt **well-'heeled** I. *adj* (*fam*)
[gut] betucht II. *n* ■**the ~** *pl* die Wohlhabenden *pl*
wel·lie ['weli] *n esp* Brit (*fam*) *short for*
wellington [**boot**] Gummistiefel *m*
well-in·'formed *adj* (*approv*) gut informiert; **to be ~ on a subject** über ein Thema gut Bescheid wissen
wel·ling·ton ['weliŋtən] *esp* Brit, **wel·
ling·ton 'boot** *n esp* Brit Gummistiefel *m*
well-in·'ten·tioned *adj* gut gemeint **well-
'kept** *adj* ❶ *property* gepflegt ❷ (*not
revealed*) **a ~ secret** ein gut gehütetes Geheimnis **well-'knit** *adj* **a ~ group** eine
fest gefügte Gruppe; **a ~ plot/story** eine
gut durchdachte Handlung/Geschichte
well-'known *adj* (*widely known*) [allge-
mein] bekannt; (*famous*) berühmt **well-
'man·nered** *adj* wohlerzogen **well-
'mean·ing** *adj* wohlmeinend; **~ advice/
comments** gut gemeinte Ratschläge/Kom-
mentare **well-'meant** *adj* gut gemeint
well-nigh [,wel'nai] *adv* beinah[e]; **to be
~ impossible** praktisch unmöglich
sein **well-'off** I. *adj* <better-, best->
❶ (*wealthy*) wohlhabend ❷ *pred* (*fortunate*) gut dran *fam;* **to not know when
one is ~** nicht wissen, wie gut es einem
geht II. *n* ■**the ~** *pl* die Wohlhabenden *pl*
well-'oiled *adj* ❶ *attr* (*functioning*) gut
funktionierend ❷ *pred* (*euph fam: inebriated*) betrunken **well-'or·gan·ized** *adj*
gut organisiert **well-'paid** *adj* gut bezahlt
well-'placed *adj* gut platziert; **a ~
remark** die richtige Bemerkung zum richtigen Zeitpunkt **well-pro·'por·tioned**
adj wohlproportioniert **well-'read**
adj ❶ (*knowledgeable*) [sehr] belesen
❷ (*frequently read*) viel gelesen *attr* **well-
'spok·en** *adj* (*speaking pleasantly*) höflich; (*articulate or refined in speech*)
beredt **well-'thought-of** *adj* (*highly
regarded*) angesehen; (*recognized*) aner-

kannt **well-'timed** *adj* zeitlich gut gewählt; **his remark was ~** seine Bemerkung kam zur rechten Zeit **well-to-'do**
(*fam*) I. *adj* [gut] betucht II. *n* ■**the ~** *pl*
die [Gut]betuchten *pl* **well-'tried** *adj*
[alt]bewährt **well-'turned** *adj* (*of speech
act*) wohlgesetzt *geh* '**well-wish·er** *n*
(*supportive person*) Sympathisant(in)
m(f); (*person who wishes well*) wohlwol-
lender Freund/wohlwollende Freundin
well-'worn *adj* ❶ (*damaged by wear*)
clothes abgetragen; *object* abgenützt
❷ (*fig: overused*) abgedroschen *fam*
wel·ly ['weli] *n esp* Brit (*fam*) *short for*
wellington Gummistiefel *m*
Welsh [welʃ] I. *adj* walisisch II. *n* ❶ *no pl*
(*Celtic language*) Walisisch *nt* ❷ (*inhabitants, people of Wales*) ■**the ~** *pl* die Waliser *pl*
'**Welsh·man** *n* Waliser *m* '**Welsh·wom·
an** *n* Waliserin *f*
welt [welt] I. *n* ❶ *usu pl* (*scar*) Striemen *m*
❷ *of shoe* Rahmen *m* II. *vt* verprügeln
wel·ter·weight ['weltəweit] *n* Welterge-
wicht *nt*
wend [wend] *vt* (*liter*) **to ~ one's way
home** sich auf den Heimweg machen
went [went] *pt of* **go**
wept [wept] *pt, pp of* **weep**
were [wɜː:ʳ] *pt of* **be**
we're [wiːəʳ] = **we are** *see* **be**
weren't [wɜːnt] = **were not** *see* **be**
were·wolf <*pl* -wolves> ['weəwʊlf, *pl*
-wʊlvz] *n* Werwolf *m*
west [west] I. *n* ❶ *no pl* ❶ (*direction*) ■**W~**
Westen *m;* ~-**facing** westwärts; **to be to
the ~ of sth** westlich von etw *dat* liegen
❷ (*of the US*) **the Wild W~** der Wilde
Westen ❸ + *sing/pl vb* Pol (*western hemisphere*) ■**the W~** die westliche Welt; (*the
Occident*) das Abendland ❹ Pol (*hist: non-
communist countries*) ■**the W~** der Westen; **East-W~ relations** Ost-West-Bezie-
hungen *pl* II. *adj* westlich; **the ~ coast of
Ireland** die Westküste Irlands; **to be due
~ of sth** genau westlich von etw *dat* liegen
III. *adv* westwärts; **to go/head/travel ~**
nach Westen gehen/ziehen/reisen
'**west·bound** *adj* in Richtung Westen
West 'End I. *n no pl* ■**the ~** das [Londo-
ner] Westend II. *adj attr* (*of central London*) **the ~ theatres** die Theater *pl* des
Londoner Westends
west·er·ly ['westəli] *adj* westlich; ~ **gales/
winds** Weststürme *pl*/-winde *pl*
west·ern ['westən] I. *adj attr* Geog West-,
westlich; ~ **Europe** Westeuropa *nt* II. *n*
(*film*) Western *m*

west·ern·er ['westənə^r] *n* ❶ (*person from western hemisphere*) Abendländer(in) *m(f)* ❷ POL Person *f* aus dem Westen

west·ern·ize ['westənaɪz] **I.** *vt* verwestlichen **II.** *vi* sich dem Westen anpassen

Wes·tern Sa·moa [sə'məʊə] *n* Westsamoa *nt*

West 'Ger·ma·ny *n no pl* (*hist*) Westdeutschland *nt*

West·min·ster 'Ab·bey *n* Westminster Abbey *f*

west·ward(s) ['wes(t)wəd(z)] *adj* westlich; *road* nach Westen

wet [wet] **I.** *adj* <-tt-> ❶ (*saturated*) nass; ■ **~ through** [völlig] durchnässt ❷ (*covered with moisture*) feucht ❸ (*not yet dried*) **"~ paint!"** „frisch gestrichen!" ❹ (*rainy*) regnerisch ❺ BRIT (*pej: feeble*) schlapp ▶ **to be a ~ blanket** sein Spielverderber/eine Spielverderberin sein **II.** *vt* <-tt-, wet *or* wetted, wet *or* wetted> ❶ (*moisten*) anfeuchten; (*saturate*) nass machen ❷ (*urinate*) **to ~ the bed** das Bett nass machen **III.** *n* ❶ *no pl* (*rain*) ■ **the ~** die Nässe ❷ *no pl* (*liquid*) Flüssigkeit *f*; (*moisture*) Feuchtigkeit *f*

weth·er ['weðə^r] *n* ZOOL Hammel *m*

wet·ness ['wetnəs] *n no pl* ❶ (*moisture*) Nässe *f*; *of climate, paint* Feuchtigkeit *f* ❷ (*state of being wet*) Nässe *f*

'wet nurse *n* (*usu hist*) Amme *f* **'wet room** *n* Nasszelle *f* **'wet·suit** *n* Taucheranzug *m*

wet·ting ['wetɪŋ] *n no pl* ❶ (*making wet*) **to get a ~** nass werden ❷ (*urination*) **bed** ~ Bettnässen *nt*

we've [wiːv, wiv] = **we have** *see* **have I, II**

whack [(h)wæk] **I.** *vt* (*fam*) ❶ (*hit*) schlagen ❷ (*defeat*) [haushoch] besiegen **II.** *n* ❶ (*blow*) Schlag *m*; **to give sb/an animal a ~** jdm/einem Tier einen Schlag versetzen ❷ *no pl* (*fam*) **to pay full ~** den vollen Satz bezahlen ❸ *no pl* (*fam: deal*) **a fair ~** ein fairer Handel ▶ **to be out of ~** AM, AUS nicht in Ordnung sein; **to have a ~ at sth** (*fam*) etw mal versuchen

whacked [(h)wækt] *adj pred* (*fam: exhausted*) kaputt

whack·ing ['(h)wækɪŋ] **I.** *adj attr* riesig **II.** *adv* enorm; **a ~ big kiss** ein dicker Kuss **III.** *n* BRIT, AUS Prügel *pl*

whacko ['(h)wækəʊ] *adj* (*sl*) durchgeknallt

whale [(h)weɪl] *n* ZOOL Wal *m* ▶ **to have a ~ of a time** eine großartige Zeit haben

whal·er ['(h)weɪlə^r] *n* ❶ (*ship*) Walfangschiff *nt* ❷ (*person*) Walfänger(in) *m(f)*

whal·ing ['(h)weɪlɪŋ] *n no pl* Walfang *m*

wham [(h)wæm] **I.** *interj* (*fam*) ❶ (*as sound effect*) **~, zap!** zack, peng! ❷ (*emphasis for sudden action*) wumm **II.** *vi* <-mm-> ■ **to ~ into sth** in etw *akk* [hinein]krachen

whang [(h)wæŋ] *interj* (*fam*) **~!** boing!

wharf <*pl* wharves *or* -s> [(h)wɔːf, *pl* (h)wɔːvz] *n* Kai *m*

wharf·age ['wɔːfɪdʒ] *n* NAUT Kaigebühr *f*; (*for repairs*) Werftgebühr *f*

what [(h)wɒt] **I.** *pron* ❶ *interrog* (*asking for specific information*) was; **~ is your name?** wie heißt du?; **~ are you looking for?** wonach suchst du?; **~ on earth ...?** (*fam*) was in aller Welt ...?; **~ about sb/sth?** (*fam*) was ist mit jdm/etw?; **~ about taking a few days off?** wie wäre es mit ein paar Tagen Urlaub?; **~ for?** (*why*) wofür?; (*fam: why is sth being done?*) warum; **~ is sb/sth like?** wie ist jd/etw?; **~ if ...?** was ist, wenn ...?; **so ~?** (*fam*) na und? ❷ *relative* (*thing or things that*) was; **I can't decide ~ to do next** ich kann mich nicht entschließen, was ich als nächstes tun soll; **~'s more ...** darüber hinaus ... ❸ *relative* (*used as an introduction*) **you'll never guess ~ ...** du wirst es nie erraten ... ❹ *relative* (*whatever*) was; **do ~ you can but I don't think anything will help** tu, was du kannst, aber glaub nicht, dass etwas hilft ❺ *in exclamations* was; **is he smart or ~!** ist er intelligent oder was! ▶ **to have ~ it takes** ausgesprochen fähig sein; **Judith knows ~'s ~** Judith kennt sich aus; **and ~ not** (*often pej fam*) und was sonst noch alles **II.** *adj* ❶ (*which*) welche(r, s); **~ time is it?** wie spät ist es?; **~ sort of** was für ein(e) ❷ (*used for emphasis*) was für; **~ a day!** was für ein Tag!; **~ luck!** was für ein Glück!; **~ a pity!** wie schade! **III.** *adv* (*to what extent?*) was; **~ does it matter?** was macht's? *fam* **IV.** *interj* ❶ (*fam: pardon?*) **~?** I can't hear you was? ich höre dich nicht ❷ (*showing surprise or disbelief*) **~!** you left him there alone! was? du hast ihn da allein gelassen?

what·ever [(h)wɒt'evə^r] **I.** *pron* ❶ (*anything that*) was [auch immer]; **I eat ~ I want** ich esse, was ich will; **~ you do, don't tell him** ganz gleich, was du machst, aber erzähl ihm nichts davon; **~ that means** was auch immer das heißen soll ❷ (*fam: that or something else*) wie du willst ❸ (*no matter what*) was auch immer; **~ happens** was auch passieren mag ❹ *interrog* **~ are you talking about?** worüber in Gottes Namen sprichst du? **II.** *adj* ❶ (*any*) was auch immer; **take ~ action is needed** mach, was auch immer nötig ist ❷ (*regardless of*) gleichgültig welche(r, s); **we'll go ~ the weather** wir fahren bei jedem Wetter **III.** *adv* ❶ *with neg* (*whatsoever*) überhaupt ❷ (*fam: no matter what happens*) auf jeden Fall

what·not ['(h)wɒtnɒt] *n no pl* (*fam*) ■**and ~** und was weiß ich noch alles

what·sit ['(h)wɒtsɪt] *n* (*fam*) Dingsda *m o f o nt;* (*object*) Dings *nt*

what·so·ever [,(h)wɒtsəʊ'evər] *adv* überhaupt; **he has no respect for authority ~** er hat überhaupt keinen Respekt vor Autorität; **I have no idea ~** ich habe nicht die leiseste Idee

wheat [(h)wi:t] *n no pl* Weizen *m* ▸**to separate the ~ from the <u>chaff</u>** die Spreu vom Weizen trennen

'wheat belt *n esp* AM Weizengürtel *m* (*extensives Weizenanbaugebiet*) **'wheat·germ** *n no pl* Weizenkeim *m*

wheel [wi:l] **I.** *n* ❶ (*circular object*) Rad *nt;* **front/rear ~** Vorder-/Hinterrad *nt* ❷ (*for steering*) Steuer *nt;* AUTO Steuerrad *nt;* ■**to be at the ~** am Steuer sitzen ❸ (*vehicle*) ■**~s** *pl* (*fam*) fahrbarer Untersatz *hum* ❹ (*fig: cycle, process*) Kreis *m;* **the ~ of fortune** das Glücksrad ❺ (*fig*) ■**~s** *pl* (*workings*) Räder *pl;* **to set the ~s in motion** die Sache in Gang bringen ❻ (*at fairground*) **the [big] ~** das Riesenrad **II.** *vt* ■**to ~ sth** etw rollen; **to ~ a pram along** einen Kinderwagen schieben **III.** *vi* kreisen ▸**to ~ and <u>deal</u>** (*pej fam*) mauscheln ◆**wheel around, wheel round** *vi* BRIT, AUS sich schnell umdrehen; (*esp out of shock*) herumfahren

'wheel·bar·row *n* Schubkarre *f* **'wheel brace** *n* Kreuzschlüssel *m* **'wheel·chair** *n* Rollstuhl *m* **'wheel clamp I.** *n esp* BRIT, AUS Parkkralle *f* **II.** *vt* **to ~ a car** ein Auto mit einer Parkkralle festsetzen

wheel·er-deal·er [,(h)wi:lə'di:lər] *n* (*pej fam: tricky person*) Schlitzohr *nt*

'wheel·house ['(h)wi:lhaʊs] *n* NAUT Ruderhaus *m*

wheelie *n* Wheelie *nt sl* (*Fahren auf dem Hinterrad*)

'wheelie bin *n* BRIT, AUS Mülltonne *f* auf Rollen

wheel·ing ['(h)wi:lɪŋ] *n no pl* **~ and <u>dealing</u>** (*pej fam*) Mauschelei *f;* (*shady deals and actions*) Gemauschel *nt*

wheeze [(h)wi:z] **I.** *vi* keuchen **II.** *n* Keuchen *nt kein pl*

wheezy ['(h)wi:zi] *adj* keuchend; **to get**

all **~** zu keuchen anfangen

whelp [(h)welp] *n* (*old*) ❶ (*puppy*) Welpe *m* ❷ (*young animal, cub*) Junge(s) *nt*

when [(h)wen] **I.** *adv* ❶ *interrog* (*at what time*) wann; **~ do you want to go?** wann möchtest du gehen?; **since ~ ...?** seit wann ...? ❷ *interrog* (*in what circumstances*) wann ❸ *relative* (*in following circumstances*) wann; (*at which, on which*) wo; **there are times ~ ...** es gibt Momente, wo ... **II.** *conj* ❶ (*at, during the time*) als; **I loved that film ~ I was a child** als Kind liebte ich diesen Film ❷ (*after*) wenn; **call me ~ you've finished** ruf mich an, wenn du fertig bist ❸ (*whenever*) wenn ❹ (*and just then*) als; **I was just getting into the bath ~ the telephone rang** ich stieg gerade in die Badewanne, als das Telefon läutete ❺ (*considering that*) wenn; **how can you say you don't like something ~ you've never even tried it?** wie kannst du sagen, dass du etwas nicht magst, wenn du es nie probiert hast?

whence [(h)wen(t)s] *adv* (*old*) ❶ *interrog* (*form: from what place*) woher ❷ *relative* (*form: from where*) wo ❸ *relative* (*form: as a consequence*) daraus

when·ever [(h)wen'evər] **I.** *conj* ❶ (*on whatever occasion*) wann auch immer ❷ (*every time*) jedes Mal, wenn ... **II.** *adv* ❶ (*at whatever time*) wann auch immer; **~ possible** wenn möglich ❷ *interrog* (*when*) wann denn [nur]

where [(h)weər] *adv* ❶ *interrog* (*what place, position*) wo; **~ does he live?** wo wohnt er?; **~ are you going?** wohin gehst du? ❷ *relative* (*at that place which*) wo; **Bradford, ~ Phil comes from ...** Bradford, wo Phil herkommt ... ▸**to <u>know/see</u> ~ sb's coming from** wissen/verstehen, was jd meint

where·abouts I. *n* ['(h)weərəbaʊts] + *sing/pl vb, no pl* Aufenthaltsort *m;* **do you know the ~ of my silver pen?** weißt du, wo mein Silberfüller hingekommen ist? **II.** *adv* [,(h)weərə'baʊts] (*fam*) wo [genau]; **~ in Manchester do you live?** wo genau in Manchester wohnst du?

where·as [(h)weə'ræz] *conj* ❶ (*in contrast to*) während, wo[hin]gegen ❷ LAW (*considering that*) in Anbetracht dessen, dass ...

where·by [(h)weər'baɪ] *conj* (*form*) wodurch, womit

where·in [(h)weə'rɪn] *conj* (*old form, liter: in which*) worin

where·so·ever [,(h)weəsəʊ'evər] (*form*) **I.** *conj* (*form*) ❶ (*at which place*) wo [auch] immer ❷ (*to which place*) wohin

[auch] immer **II.** *adv* wo [nur]
where·upon [ˌ(h)weərə'pɒn] *conj* (*form*)
worauf[hin]
wher·ever [(h)weə'revər] **I.** *conj* ❶ (*in, to whatever place*) wohin auch immer ❷ (*in all places*) wo auch immer **II.** *adv* ❶ (*in every case*) wann immer; ~ **possible** wenn möglich ❷ *interrog* (*where*) wo [nur]; ~ **did you find that hat?** wo hast du nur diesen Hut gefunden? ❸ (*fam: any similar place*) wo auch immer
where·with·al ['(h)weəwɪðɔːl] *n no pl* ▪**the** ~ die [erforderlichen] Mittel *pl*
whet <-tt-> [(h)wet] *vt* ❶ (*stimulate*) **to** ~ **sb's appetite** [**for sth**] jdm Appetit [auf etw *akk*] machen ❷ (*old: sharpen*) *knife* wetzen
wheth·er ['(h)weðər] *conj* ❶ (*if*) ob; **to ask** ~ fragen, ob; **she can't decide** ~ **to tell him** sie kann sich nicht entscheiden, ob sie es ihm sagen soll ❷ (*no difference if*) ~ **you like it or not** ob es dir [nun] gefällt oder nicht
'**whet·stone** *n* Wetzstein *m*
whew [fjuː] *interj* (*fam*) puh
whey [(h)weɪ] *n no pl* Molke *f*
which [(h)wɪtʃ] **I.** *pron* ❶ *interrog* (*one of choice*) welche(r, s); ~ [**one**] **is mine?** welches gehört mir? ❷ *relative* (*with defining clause*) der/die/das; **a conference in Vienna** ~ **ended on Friday** eine Konferenz in Wien, die am Freitag geendet hat ❸ *relative* (*with non-defining clause*) was; **she says it's Anna's fault,** ~ **is rubbish** sie sagt, es sei Annas Schuld, was aber Blödsinn ist; **at** [*or* **upon**] ~ **...** woraufhin ... ❹ *after prep* der/die/das; **is that the film in** ~ **he kills his mother?** ist das der Film, in dem er seine Mutter umbringt? **II.** *adj* ❶ *interrog* (*what one*) welche(r, s); ~ **doctor did you see?** bei welchem Arzt warst du? ❷ *relative* (*used to introduce more info*) der/die/das; **it might be made of plastic, in** ~ **case you could probably carry it** es könnte aus Plastik sein – in dem Fall könntest du es wahrscheinlich tragen
which·ever [(h)wɪtʃ'evər] **I.** *pron* ❶ (*any one*) wer/was auch immer; **which bar would you prefer to meet in? —** ~, **it doesn't matter to me** in welcher Bar sollen wir uns treffen? – wo du willst – mir ist es egal ❷ (*regardless of which*) was/wer auch immer **II.** *adj attr* ❶ (*any one*) ▪~ **...** der-/die-/dasjenige, der-/die/das ...; **choose** ~ **brand you prefer** wähle die Marke, die du lieber hast ❷ (*regardless of which*) egal welche(r, s), welche(r, s) ...

auch immer; ~ **way** wie auch immer
whiff [(h)wɪf] **I.** *n usu sing* (*smell*) Hauch *m kein pl* **II.** *vi* BRIT (*fam*) ▪**to** ~ [**of sth**] [nach etw *dat*] müffeln DIAL
whiffy ['(h)wɪfi] *adj* BRIT (*sl*) muffig *fam*
Whig [(h)wɪg] *n* (*hist: British party*) ▪**the** ~**s** *pl* die Whigs *pl* (*ehemalige Vertreter der liberalen Politik in England*)
while [(h)waɪl] **I.** *n no pl* Weile *f*; **all the** ~ die ganze Zeit [über]; **a** ~ **ago** vor einer Weile; **in a** ~ in Kürze; **to be worth** [**the**] ~ die Mühe wert sein **II.** *conj* ❶ (*during which time*) während ❷ (*although*) obwohl; ~ **I fully understand your point of view, ...** wenn ich Ihren Standpunkt auch vollkommen verstehe, ... ❸ (*however*) wo[hin]gegen **III.** *vi* **to** ~ **away the time** sich *dat* die Zeit vertreiben
whilst [waɪlst] *conj* (*form*) *see* **while**
whim [(h)wɪm] *n* Laune *f*; **to indulge sb's every** ~ jds Launen ertragen; [**to do sth**] **on a** ~ [etw] aus einer Laune heraus [tun]
whim·per ['(h)wɪmpər] **I.** *vi person* wimmern; *dog* winseln **II.** *n of person* Wimmern *nt kein pl*; *of dog* Winseln *nt kein pl*
whim·sey, whim·sy ['(h)wɪmzi] *n* (*pej*) ❶ *no pl* (*fancifulness*) Spleenigkeit *f* ❷ (*whim*) Laune *f*
whim·si·cal ['(h)wɪmzɪkəl] *adj* (*fanciful*) skurril *geh* ❷ (*capricious*) launenhaft
whim·si·cal·ity [ˌ(h)wɪmzɪ'kæləti] *n no pl* ❶ (*fanciful quality*) Skurrilität *f geh* ❷ (*capriciousness*) Launenhaftigkeit *f*
whine [(h)waɪn] **I.** *vi* (*make complaining sound*) jammern; *animal* jaulen; *engine* heulen **II.** *n usu sing of child* Jammern *nt kein pl*; *of animal* Jaulen *nt kein pl*; *of engine* Heulen *nt kein pl*
whinge [(h)wɪndʒ] **I.** *n usu sing* (*griping*) Gejammer *nt pej fam* **II.** *vi* BRIT, AUS (*pej fam*) meckern
whinge·ing ['(h)wɪndʒɪŋ] **I.** *n no pl* BRIT, AUS (*pej fam: petty complaining*) Gemecker[e] *nt;* **stop your** ~**!** hör mit dem Gejammer auf! **II.** *adj* BRIT, AUS (*pej fam*) meckernd
whing·ing ['(h)wɪndʒɪŋ] *n, adj* BRIT, AUS *see* **whingeing**
whin·ing ['(h)waɪnɪŋ] **I.** *n no pl* ❶ (*noise*) *of a person* Heulen *nt; of an animal* Jaulen *nt* ❷ (*pej fam: complaining*) Gejammer *nt* **II.** *adj* ❶ (*fretful*) *person* queng[e]lig *fam; animal* jaulend; ~ **voice** weinerliche Stimme ❷ (*complaining*) klagend; (*grumbling*) nörglerisch *pej*
whin·ny ['(h)wɪni] **I.** *vi* wiehern **II.** *n* Wiehern *nt kein pl*
whip [(h)wɪp] **I.** *n* ❶ (*for hitting*) Peitsche *f*

② Brit pol (*person*) Einpeitscher(in) *m(f)* **③** *no pl* food Creme *f* **II.** *vt* <-pp-> **①** (*hit*) [mit der Peitsche] schlagen; *a horse* die Peitsche geben **②** food *cream, egg whites* schlagen **③** Am (*fam: defeat*) [vernichtend] schlagen ◆**whip away** *vt* wegziehen, wegreißen ◆**whip off** *vt clothes* vom Leib reißen; *tablecloth* wegziehen ◆**whip out** *vt* (*take out quickly*) zücken ◆**whip up** *vt* **①** (*excite*) **to ~ up support** Unterstützung finden **②** (*fam: cook or make quickly*) zaubern *fig, hum*

'**whip·cord** *n* **①** *no pl* (*for whips*) Peitschenschnur *f* **②** fashion Whipcord *m fachspr*

whip 'hand *n* **to get/hold the ~** die Oberhand gewinnen/haben

'**whip·lash** *n* **①** (*flexible part of whip*) Peitschenschnur *f* **②** (*blow*) Peitschenhieb *m* **③** *no pl* med (*injury to neck*) **~ [injury]** Schleudertrauma *nt*

whipped [(h)wɪpt] *adj* **①** food (*beaten to firmness*) geschlagen; **~ cream** Schlagsahne *f*, Schlagobers *nt* österr, Schlagrahm *m* schweiz **②** *attr* (*hit*) verprügelt

whip·per·in <*pl* whippers-in> [ˌ(h)wɪpə'ʳɪn] *n* hunt Pikör *m fachspr*

'**whip·per·snap·per** *n* (*hum fam*) **young ~** Grünschnabel *m oft pej*

whip·pet ['(h)wɪpɪt] *n* zool Whippet *m*

whip·ping ['(h)wɪpɪŋ] *n* **①** *no pl* (*hitting with whip*) [Aus]peitschen *nt kein pl* **②** (*hard physical beating*) **to get/give a ~** Prügel beziehen/austeilen

'**whip·ping boy** *n* Prügelknabe *m* '**whip·ping cream** *n no pl* Schlagsahne *f*, Schlagobers *nt* österr, Nidel *m o f* schweiz '**whip·ping top** *n* Kreisel *m*

'**whip-round** *n* Brit (*fam*) **to have a ~ [for sb]** [für jdn] sammeln

whirr *n, vi* Am *see* **whirr**

whirl [(h)wɜːl] **I.** *vi, vt* wirbeln **II.** *n* **①** *no pl* (*movement*) Wirbel *m;* (*action, of dust*) Wirbeln *nt* **②** (*activity*) Trubel *m* **③** (*overwhelmed*) **my head's in a ~** mir schwirrt der Kopf

whirli·gig ['(h)wɜːlɪgɪg] *n* **①** (*spinning top*) Kreisel *m* **②** *no pl* (*fig: sth hectic/changing*) Wechselspiel *nt*

whirl·pool ['(h)wɜːlpuːl] *n* **①** (*fig: situation*) Trubel *m*, Wirbel *m* **②** (*pool*) Whirlpool *m;* (*in river, sea*) Strudel *m* **whirl·wind** ['(h)wɜːlwɪnd] *n* meteo Wirbelwind *m*

whirly·bird ['(h)wɜːrlibɜːrd] *n* Am (*dated: helicopter*) Hubschrauber *m*

whirr [(h)wɜːʳ] **I.** *vi* (*of insects*) summen; *machine parts* surren **II.** *n usu sing of insects* Summen *nt kein pl; of machines*

Surren *nt kein pl*

whisk [(h)wɪsk] **I.** *n* (*kitchen tool*) Schneebesen *m;* **electric ~** [elektrisches] Rührgerät **II.** *vt* **①** *cream, egg whites* schlagen **②** (*take, move quickly*) **I was ~ed off to hospital** ich wurde ins Krankenhaus überwiesen

whisk·er ['(h)wɪskəʳ] *n* **①** *usu pl* (*of animal*) Schnurrhaar[e] *nt*|*pl* **②** ■**~s** *pl* (*beard*) Bartstoppeln *pl;* (*moustache*) Schnurrbart *m* ▶**by a ~** um Haaresbreite, haarscharf; **within a ~ [of sth]** in unmittelbarer Nähe [einer S. *gen*]

whis·key *esp* Am, Irish, **whis·ky** ['hwɪski] *n* Brit, Aus *no pl* (*drink*) Whisk[e]y *m*

whis·per ['(h)wɪspəʳ] **I.** *vi* flüstern; ■**to ~ to sb** mit jdm flüstern **II.** *vt* ■**to ~ sth [in sb's ear]** etw [in jds Ohr] flüstern **III.** *n* **①** (*soft speaking*) Flüstern *nt kein pl*, Geflüster *nt kein pl;* **to speak in a ~** etw im Flüsterton sagen **②** *usu sing* (*trace*) Spur *f* **③** *no pl* (*fig liter: soft rustle*) Rascheln *nt*

whis·per·ing ['(h)wɪspəʳrɪŋ] **I.** *n no pl* (*talking very softly*) Flüstern *nt*, Geflüster *nt* **II.** *adj attr* **①** (*talking softly*) flüsternd **②** (*rustling*) raschelnd

'**whis·per·ing cam·paign** *n* (*pej*) Verleumdungskampagne *f*

whist [(h)wɪst] *n no pl* Whist *nt;* **a game of ~** eine Partie Whist

whis·tle ['(h)wɪsl] **I.** *vi* **①** *person* pfeifen; ■**to ~ at sb** hinter jdm herpfeifen **②** *wind, kettle* pfeifen **③** *bird* zwitschern **II.** *vt* pfeifen **III.** *n* **①** *no pl* (*sound*) *also of wind* Pfeifen *nt; of referee* Pfiff *m;* **as clean as a ~** blitzsauber **②** (*device*) Pfeife *f;* **referee's ~** Trillerpfeife *f* ▶**to wet one's ~** sich *dat* die Kehle anfeuchten *fam*

whit [(h)wɪt] *n no pl* (*old form*) **not a ~** keinen Deut; **not a ~ of sense** keinen Funken Verstand

white [(h)waɪt] **I.** *n* **①** *no pl* (*colour*) Weiß *nt* **②** *usu pl* (*part of eye*) Weiße(s) *nt* **③** *of egg* Eiweiß *nt*, Eiklar *nt* österr **④** (*person*) Weiße(r) *f(m)* **II.** *adj* **①** (*colour*) weiß; **black and ~** schwarz-weiß **②** (*in coffee*) mit Milch **③** food **~ bread** Weißbrot *nt;* **~ pepper/rum/sugar** weißer Pfeffer/Rum/Zucker **④** (*Caucasian*) weiß; (*paleskinned*) hellhäutig ▶**as ~ as a sheet** weiß wie die Wand, kreidebleich

'**white·bait** [-beɪt] *n no pl* (*young sprat*) junge Sprotte; (*young herring*) junger Hering '**white-col·lar** *adj* **~ job** Schreibtischposten *m;* **~ worker** Angestellte(r) *f(m)* **white 'cor·pus·cle** *n* med weißes Blutkörperchen **white 'el·ephant** *n* (*useless object*) Fehlinvestition *f;* (*unwanted*

property) lästiger Besitz **white 'en·sign** *n* NAUT *Fahne der Royal Navy* **white 'feath·er** *n* BRIT *sich* feig[e] *benehmen* **white 'flag** *n* weiße Fahne **'white goods** *npl* ❶ (*household appliances*) Haushaltsgeräte *pl* ❷ (*old: household linens*) Weißwäsche *f kein pl* **'White·hall** *n* ❶ (*offices of Britain's government*) Whitehall ❷ (*fig: government of Britain*) Whitehall **white 'heat** *n no pl* (*also fig*) Weißglut *f* **white 'horse** *n* ❶ (*animal*) Schimmel *m* ❷ BRIT (*liter: of waves*) ■~**s** *pl* Schaumkronen *pl* **'White House** *n no pl* **the ~** ❶ (*US President's residence*) das Weiße Haus ❷ (*fig: US government*) das Weiße Haus **white 'lead** *n no pl* Bleiweiß *nt* **white 'lie** *n* Notlüge *f* **'white meat** *n* helles Fleisch

whit·en ['(h)waɪtᵊn] **I.** *vt* weiß machen; *shoe, wall* weißen, weißeln ÖSTERR, SCHWEIZ, SÜDD; **she's had her teeth ~ed** sie hat ihre Zähne bleichen lassen **II.** *vi* weiß werden

whit·en·er ['(h)waɪtᵊnəʳ] *n no pl* (*for coffee*) Kaffeeweißer *m;* (*for shoes*) Schuhweiß *nt*

whit·en·ing ['(h)waɪtᵊnɪŋ] *n* Schuhweiß *nt*

'white·out *n* ❶ (*blizzard*) [starker] Schneesturm ❷ *no pl* AM, AUS (*for erasing*) Tipp-Ex® *nt* **white 'pa·per** *n* BRIT, AUS POL Weißbuch *nt* **'white sale** *n* Weißwäscheausverkauf *m* **white 'slave** *n* (*pej*) ≈ Prostitutionssklavin *f* **white 'spir·it** *n no pl* BRIT Terpentinersatz *m* **'white·thorn** *n* Weißdorn *m* **white 'tie I.** *adj* mit Frackzwang *nach* ❶ **II.** *n* ❶ (*bowtie*) weiße Fliege ❷ (*full evening dress*) Frack *m* **'white·wash I.** *n* ❶ *no pl* (*solution*) Tünche *f* ❷ (*pej: cover-up*) Schönfärberei *f* **II.** *vt* ❶ (*paint*) weiß anstreichen; *walls* tünchen ❷ (*pej, fig: conceal*) schönfärben **white·wa·ter 'raft·ing** *n no pl* Wildwasserfahren *nt* **white 'wine** *n* Weißwein *m*

whith·er ['(h)wɪðəʳ] *adv* (*old*) wohin

whit·ing¹ <*pl* -> ['(h)waɪtɪŋ] *n* (*fish*) Weißfisch *m*

whit·ing² ['(h)waɪtɪŋ] *n no pl* (*substance*) Schlämmkreide *f*

Whit 'Mon·day *n* Pfingstmontag *m*

Whit·sun ['(h)wɪtsᵊn] *n* Pfingsten *nt;* **at ~** an Pfingsten

Whit 'Sun·day *n* Pfingstsonntag *m*

'Whit·sun·tide ['(h)wɪtsᵊntaɪd] *n* Pfingsten *nt*

whit·tle ['(h)wɪtl] *vt* ■**to ~ sth** etw schnitzen ◆**whittle down** *vt* reduzieren

whizz [(h)wɪz], AM **whiz I.** *vi* ❶ (*fam*) **to ~ by** vorbeijagen ❷ (*fig*) *time* rasen; **the holidays just ~ed past** die Ferien ver-

gingen im Nu ❸ AM (*sl: urinate*) pinkeln *fam* **II.** *vt* FOOD [mit dem Mixer] verrühren **III.** *n* ❶ *usu sing* (*approv/fam: expert*) Genie *nt;* **computer ~** Computerass *nt* ❷ AM (*sl*) **to take a ~** pinkeln *fam*

whiz(z) kid *n* Wunderkind *nt*, Genie *nt oft hum*

who [huː] *pron* ❶ *interrog* (*which person*) wer; **~ did this?** wer war das?; **~'s she?** wer ist sie? ❷ *interrog* (*whom*) wem *in dat*, wen *in akk;* **~ do you want to talk to?** mit wem möchten Sie sprechen? ❸ *interrog* (*unknown person*) wer; **~ knows?** wer weiß? ❹ *relative* (*with defining clause*) der/die/das; **I think it was your dad ~ phoned** ich glaube, das war dein Vater, der angerufen hat ❺ *relative* (*with non-defining clause*) der/die/das; **he rang Chris, ~ was a good friend** er rief Chris an, der ein guter Freund war

whoa [(h)wəʊ] *interj* ❶ (*command to stop horse*) brr, hoo ❷ (*fig fam: used to slow or stop*) langsam

who·dun·(n)it [ˌhuːˈdʌnɪt] *n* (*fam*) Krimi *m*

who·ever [huːˈevəʳ] *pron* ❶ *relative* wer auch immer; **come out, ~ you are** kommen Sie heraus, wer auch immer Sie sind ❷ *interrog* (*who on earth*) wer; **~ told you that?** wer hat dir das erzählt?; **~ does he think he is?** wer glaubt er denn, dass er ist?

whole [həʊl] **I.** *adj* ❶ (*entire*) ganz, gesamt; **this ~ thing is ridiculous!** das Ganze ist ja lächerlich!; **the ~ [wide] world** die ganze [weite] Welt ❷ (*in one piece*) ganz, heil; (*intact*) intakt ❸ (*fam: emphasize amount*) **flying is a ~ lot cheaper these days** Fliegen ist heutzutage sehr viel billiger **II.** *n* ❶ (*entire thing*) ■**a ~** ein Ganzes *nt* ❷ *no pl* (*entirety*) ■**the ~** das Ganze ❸ (*in total*) **as a ~** als Ganzes [betrachtet] **III.** *adv* ganz; **a ~ new approach** ein ganz neuer Ansatz

'whole·food *n* BRIT ❶ *no pl* (*unprocessed food*) Vollwertkost *f* ❷ (*unprocessed food products*) ■~**s** *pl* Vollwertprodukte *pl* **'whole·food shop** *n* BRIT Reformhaus *nt* **'whole·grain** *adj esp* BRIT, AUS Vollkorn-; **~ bread** Vollkornbrot *nt* **whole-heart·ed** [-ˈhɑːtɪd] *adj* ❶ (*sincere*) aufrichtig; (*cordial*) herzlich ❷ (*committed*) engagiert **'whole·meal I.** *n* BRIT Vollkornmehl *nt* **II.** *adj* BRIT Vollkorn-; **~ bread** Vollkornbrot *nt* **whole·sale** ['həʊlseɪl] **I.** *adj* ❶ *attr* **~ business** Großhandel *m* ❷ (*usu pej: on large scale*) Massen-; **~ reform** umfassende Reform **II.** *adv* ❶ (*at bulk price*) zum Großhandelspreis ❷ (*in*

bulk) in Großmengen **whole·sal·er** ['həʊlseɪləʳ] *n* Großhändler(in) *m(f)* **whole·some** ['həʊlsəm] *adj* (*approv: promoting well-being*) wohltuend; (*healthy*) gesund; **clean ~ fun** einfacher harmloser Spaß **whole-tone** 'scale *n* Ganztonleiter *f* 'whole·wheat I. *n no pl* Voll|korn]weizen *m* II. *adj* bread, pasta Voll|korn]weizen-; **~ flour** Weizenvollkornmehl *nt*

who'll [huːl] = who will *see* who

whol·ly ['həʊl(l)i] *adv* ganz, völlig; **to be ~ aware of sth** sich *dat* einer S. *gen* vollkommen bewusst sein

whom [huːm] *pron* (*form*) ❶ *interrog, after vb or prep* wem *dat*, wen *akk*; **~ did he marry?** wen hat er geheiratet? ❷ *relative* der/die/das; **all/none/several/some of ~ ...** alle/keiner von denen/mehrere/einige, die ...

whoop [(h)wuːp] I. *vi* jubeln II. *n* ❶ (*shout of excitement*) Jauchzer *m;* **to give a ~ of triumph** einen Triumphschrei loslassen ❷ *of object* Aufheulen *nt* ❸ *of cough* Keuchen *nt*

whoo·pee I. *interj* [(h)wʊ'piː] juchhe, hurra; (*iron*) toll; **oh, ~, another letter to type up!** super, noch ein Brief zum Abtippen! II. *n* ['(h)wuːpi] *no pl* **to make ~** (*have sex*) es tun

'whoop·ing cough *n no pl* Keuchhusten *m*

whoops [(h)wʊps] *interj* (*fam*) hoppla; **~ a daisy** (*childspeak*) hopsala

whop I. *vt* <-pp-> *esp* AM (*fam*) ❶ (*strike*) schlagen; **to ~ sb one** jdm eine reinhauen ❷ (*defeat*) ■**to ~ sb** jdn schlagen II. *n usu sing esp* AM (*fam*) Knall *m*

whop·per ['(h)wɒpəʳ] *n* (*hum fam*) ❶ (*huge thing*) Apparat *m sl;* **that's a ~ of a fish** das ist ja ein Riesenfisch ❷ (*lie*) faustdicke Lüge; **to tell sb a ~** jdm einen Bären aufbinden

whop·ping ['(h)wɒpɪŋ] (*fam*) I. *adj* saftig; **~ lie** faustdicke Lüge II. *n* AM ❶ (*beating*) Prügel *pl* ❷ (*defeat*) Schlappe *f*

whore [hɔːʳ] *n* (*pej*) ❶ (*female prostitute*) Nutte *f sl* ❷ (*fam: promiscuous woman*) Flittchen *nt*

'whore·house *n esp* AM (*pej fam*) Puff *m* **whorl** [(h)wɜːl] *n* (*liter*) Windung *f* **whor·tle·berry** ['(h)wɜːt|ˌberi] *n* Heidelbeere *f*

who's [huːz] = who is, who has *see* who

whose [huːz] I. *adj* ❶ (*in questions*) wessen; **~ round is it?** wer ist dran? ❷ (*indicating possession*) dessen; **she's the**

woman ~ car I crashed into sie ist die Frau, in deren Auto ich gefahren bin II. *pron poss, interrog* wessen; **~ is this bag?** wessen Tasche ist das?

why [(h)waɪ] I. *adv* ❶ (*for what reason*) warum; **~ did he say that?** warum hat er das gesagt? ❷ (*for that reason*) **the reason ~ I ...** der Grund, warum ich ... II. *interj esp* AM (*dated*) **~, if it isn't old Georgie Frazer!** na, wenn das nicht Georgie Frazer ist!

wick [wɪk] *n* Docht *m* ▶ **to get on sb's ~** BRIT (*fam*) jdm auf den Keks gehen

wick·ed ['wɪkɪd] I. *adj* ❶ (*evil*) böse ❷ (*cunning*) raffiniert ❸ (*very bad*) cough schlimm ❹ (*approv sl: excellent*) saugut II. *n pl* ■**the ~** die Bösen *pl* ▶ **there's no rest for the ~** (*saying*) es gibt keine Ruhe für die Schuldigen III. *interj* (*approv sl*) super *fam*

wick·er ['wɪkəʳ] *n no pl* Korbgeflecht *nt* **wick·er** 'bot·tle *n* Korbflasche *f* **wick·er** 'fur·ni·ture *n no pl* Korbmöbel *pl* 'wick·er·work *n no pl* ❶ (*material*) Korbmaterial *nt* ❷ (*articles*) Korbwaren *pl*

wick·et ['wɪkɪt] *n* BRIT ❶ (*target in cricket*) Tor *nt*, Wicket *nt fachspr* ❷ (*area in cricket*) Spielbahn *f* ▶ **to be on a sticky ~** (*fam*) in der Klemme stecken

'wick·et-keep·er *n* BRIT Torwächter(in) *m(f)*

wide [waɪd] I. *adj* ❶ (*broad*) breit ❷ (*considerable*) enorm, beträchtlich ❸ (*very open*) geweitet; *eyes* groß ❹ *after n* (*with a width of*) breit ❺ (*varied*) breit gefächert; **a ~ range of goods** ein großes Sortiment an Waren II. *adv* weit; **~ apart** weit auseinander; **~ open** weit geöffnet

'wide-an·gle, wide-an·gle 'lens *n* PHOT Weitwinkelobjektiv *nt* **wide-a'wake** *adj* hellwach 'wide boy *n* BRIT (*pej fam*) Gauner *m* **wide-'eyed** *adj* mit großen Augen *nach n;* (*fig*) blauäugig

wide·ly ['waɪdli] *adv* ❶ (*broadly*) breit ❷ (*extensively*) weit; **~ accepted/admired/believed** weithin akzeptiert/bewundert/geglaubt ❸ (*considerably*) beträchtlich; **~ differing aims** völlig verschiedene Ziele

wid·en ['waɪdⁿn] I. *vt* (*make broader*) verbreitern; (*make wider*) erweitern; (*make larger*) vergrößern II. *vi* (*become broader*) *river, smile* breiter werden

wide-'open *adj* ❶ (*undecided*) völlig offen ❷ (*vulnerable, exposed*) anfällig 'wide·screen *adj attr television* Breitbild-; *film* Breitwand-; *monitor* Widescreen- 'wide·spread *adj* weit verbreitet; **there is ~**

speculation that ... es wird weithin spekuliert, dass ...

wid·ow ['wɪdəʊ] **I.** *n* (*woman*) Witwe *f* **II.** *vt usu passive* ■ **to be ~ed** zur Witwe/zum Witwer werden

wid·owed ['wɪdəʊd] *adj* verwitwet

wid·ow·er ['wɪdəʊə^r] *n* Witwer *m*

wid·ow·hood ['wɪdəʊhʊd] *n no pl* (*state*) *of women* Witwenschaft *f*; *of men* Witwerschaft *f selten*

wid·ow's al·'low·ance *n* Witwenunterstützung *f* **wid·ow's 'peak** *n* spitz zulaufender Haaransatz in der Stirnmitte **wid·ow's 'pen·sion** *n* Witwenrente *f*

width [wɪtθ] *n* ❶ *no pl* (*measurement*) Breite *f*; *of clothes* Weite *f*; **to be five metres** [*or* AM **meters**] **in ~** fünf Meter breit sein ❷ (*unit*) Breite *f*; **to come in different ~s** unterschiedlich breit sein ❸ *no pl* (*fig: scope, range*) Größe *f*

wield [wiːld] *vt* ■ **to ~ sth** *tool, weapon* etw schwingen; **to ~ authority/influence/power over sb/sth** Autorität/Einfluss/Macht über jdn/etw ausüben

wife <*pl* wives> [waɪf] *n* [Ehe]frau *f*, Gattin *f form o hum* ▸ **the world and his ~** BRIT (*saying*) Gott und die Welt *fam*

wife·ly ['waɪflɪ] *adj* einer Ehefrau *nach n*; **her ~ duties** ihre Pflichten als Ehefrau

wig [wɪg] *n* Perücke *f*

wig·gle ['wɪgl̩] **I.** *vt*, *vi* wackeln **II.** *n* ❶ (*movement*) Wackeln *nt kein pl*; **she walks with a sexy ~** sie hat einen sexy Gang *fam* ❷ *esp* AM (*fam: hurry*) **to get a ~ on** einen Zahn zulegen

wig·wam ['wɪgwæm] *n* Wigwam *m*

wild [waɪld] **I.** *adj* ❶ (*not domesticated*) wild; *cat, duck, goose* Wild- ❷ (*uncultivated*) *country, landscape* rau; **~ flowers** wild wachsende Blumen ❸ (*uncivilized*) *people* unzivilisiert; *behaviour* undiszipliniert ❹ (*uncontrolled*) unbändig; (*disorderly*) *hair, lifestyle* wirr ❺ (*stormy*) *wind, weather* rau, stürmisch ❻ (*excited*) wild, ungezügelt; (*not sensible*) verrückt *fam*; **in ~ rage** in blinder Wut ❼ (*fam: angry*) wütend ❽ (*fam: enthusiastic*) ■ **to be ~ about sb/sth** auf jdn/etw ganz wild sein ❾ (*not accurate*) ungezielt; (*imaginative*) wild; **beyond one's ~est dreams** mehr als man sich *dat* je erträumt hat ▸ **~ horses couldn't make me do sth** keine zehn Pferde könnten mich dazu bringen, etw zu tun **II.** *adv* wild; **to run ~** *child, person* sich *dat* selbst überlassen sein; *animals* frei herumlaufen **III.** *n* ❶ (*natural environment*) ■ **the ~** die Wildnis ❷ (*fig: remote places*) ■ **the ~s** *pl* die Pampa *f*

kein pl oft hum fam

wild 'boar *n* ZOOL Wildschwein *nt* **'wild card** ['waɪldkɑːd] *n* ❶ CARDS Joker *m* ❷ COMPUT Wildcard *f* **'wild·cat I.** *n* ZOOL Wildkatze *f a. fig* **II.** *adj attr* ❶ *esp* AM (*very risky*) riskant ❷ ECON (*unofficial*) **~ company** Schwindelfirma *f*

wil·der·ness <*pl* -es> ['wɪldənəs] *n usu no pl* ❶ (*wild, unpopulated area*) Wildnis *f*; (*desert*) Wüste *f* ❷ (*fam: overgrown area*) wild wachsendes Stück Land

'wild·fire *n no pl* Lauffeuer *nt*; **to spread like ~** (*fig*) sich wie ein Lauffeuer verbreiten **'wild·fowl** *n* Federwild *nt kein pl*; FOOD Wildgeflügel *nt kein pl* **wild 'goose** <- **geese>** *n* Wildgans *f* **wild·'goose chase** *n* (*hopeless search*) aussichtslose Suche; (*pointless venture*) fruchtloses Unterfangen **'wild·life I.** *n no pl* [natürliche] Tier- und Pflanzenwelt **II.** *adj club, photography* Natur-; **~ reserve** Wildreservat *nt*

wild·ly ['waɪldlɪ] *adv* ❶ (*in uncontrolled way*) wild; (*boisterously*) unbändig; **to behave ~** sich wie wild aufführen *fam*; **to talk ~** wirres Zeug reden *fam* ❷ (*haphazardly*) ungezielt; **to guess ~** [wild] drauflosraten *fam* ❸ (*fam: extremely*) äußerst; (*totally*) völlig; **~ exaggerated** maßlos übertrieben; **~ improbable/inaccurate** höchst unwahrscheinlich/ungenau

wild·ness ['waɪldnəs] *n no pl* ❶ (*natural state*) Wildheit *f* ❷ (*behaviour*) Wildheit *f*; (*lack of control*) Unkontrolliertheit *f* ❸ (*haphazardness*) Ungezieltheit *f*; (*rashness*) Unüberlegtheit *f*

wiles [waɪlz] *npl* (*form*) Trick *m*, Schliche *pl*; **to use all one's ~** mit allen Tricks arbeiten

wil·ful ['wɪlf^əl] *adj* ❶ *usu attr* (*deliberate*) bewusst, absichtlich; *damage* mutwillig ❷ (*self-willed*) eigensinnig; (*obstinate*) starrsinnig

wili·ness ['waɪlɪnəs] *n no pl* Listigkeit *f*, Schläue *f*

will[1] <*would*, *would*> [wɪl] **I.** *aux vb* ❶ (*in future tense*) werden; **do you think he ~ come?** glaubst du, dass er kommt? ❷ (*in immediate future*) **we'll be off now** wir fahren jetzt; **I'll answer the telephone** ich gehe ans Telefon ❸ (*with tag question*) **you won't forget to tell him, ~ you?** du vergisst aber nicht, es ihm zu sagen, oder?; **they'll have got home by now, won't they?** sie müssten mittlerweile zu Hause sein, nicht? ❹ (*expressing intention*) werden; **I ~ always love you** ich werde dich immer lieben ❺ (*in requests, instructions*) **~ you stop that!** hör sofort damit auf!;

~ **you sit down?** setzen Sie sich doch! ⑥ (*expressing willingness*) **anyone like to volunteer for this job? — we ~!** meldet sich jemand freiwillig für diese Arbeit? – ja, wir!; **I keep asking him to play with me, but he won't** ich frage ihn ständig, ob er mit mir spielt, aber er will nicht ⑦ (*expressing facts*) **fruit ~ keep longer in the fridge** Obst hält sich im Kühlschrank länger ⑧ (*expressing persistence*) **accidents ~ happen** Unfälle passieren nun einmal ⑨ (*expressing likelihood*) **that'll be Rosa** das wird Rosa sein **II.** *vi* (*form*) wollen; **as you ~** wie du willst

will² [wɪl] **I.** *n* ❶ *no pl* (*faculty*) Wille *m*; **strength of ~** Willensstärke *f;* **to lose the ~ to live** den Lebenswillen verlieren ❷ *no pl* (*desire*) Wille *m;* **against sb's ~** gegen jds Willen ❸ LAW letzter Wille, Testament *nt* ▶ **where there's a ~, there's a way** (*saying*) wo ein Wille ist, ist auch ein Weg *prov;* **with the best ~ in the world** beim besten Willen **II.** *vt* ■ **to ~ sb to do sth** jdn [durch Willenskraft] dazu bringen, etw zu tun; **I was ~ing you to win** ich habe mir ganz fest gewünscht, dass du gewinnst

will·ful *adj* AM *see* **wilful**

William ['wɪljəm] *n* Wilhelm *m*

wil·lie *n see* **willy**

wil·lies ['wɪliz] *npl* (*fam*) **sb gets/has the ~** jd kriegt Zustände

will·ing ['wɪlɪŋ] **I.** *adj* ❶ *pred* (*not opposed*) bereit, gewillt *geh;* ■ **to be ~ to do sth** bereit sein, etw zu tun ❷ (*enthusiastic*) willig ▶ **the spirit is ~ but the flesh is weak** (*saying*) der Geist ist willig, doch das Fleisch ist schwach *prov* **II.** *n no pl* BRIT **to show ~** [seinen] guten Willen zeigen

will·ing·ness ['wɪlɪŋnəs] *n no pl* (*readiness*) Bereitschaft *f;* (*enthusiasm*) Bereitwilligkeit *f*

will-o'-the-wisp [ˌwɪlədə'wɪsp] *n* ❶ (*light*) Irrlicht *nt* ❷ (*fig: elusive thing*) Trugbild *nt*

wil·low ['wɪləʊ] *n* BOT Weide *f*

wil·lowy ['wɪləʊi] *adj person* gertenschlank

'will pow·er *n no pl* Willenskraft *f*

wil·ly ['wɪli] *n esp* BRIT (*fam!*) Pimmel *m* *fam*

willy-nilly [ˌwɪli'nɪli] *adv* ❶ (*like it or not*) wohl oder übel ❷ (*haphazardly*) aufs Geratewohl

wilt¹ [wɪlt] *vi* ❶ (*droop*) *plants* [ver]welken ❷ (*lose energy*) *person* schlappmachen *fam* ❸ (*lose confidence*) den Mut verlieren

wilt² [wɪlt, ᵊlt] (*old*) *2nd pers sing of* **will**

wily ['waɪli] *adj* listig; *deception, plan* raffiniert; *person also* gewieft

wimp [wɪmp] (*pej*) **I.** *n* (*fam*) Waschlappen *m* **II.** *vi* (*fam*) ■ **to ~ out** (*shirk*) kneifen; (*give in*) den Schwanz einziehen

win [wɪn] **I.** *vt* <won, won> ❶ (*be victorious*) gewinnen; **to ~ an election** eine Wahl gewinnen; **to ~ a victory** einen Sieg erringen ❷ (*obtain*) gewinnen, bekommen; **to ~ sb's approval** jds Anerkennung finden; **to ~ sb's heart/love** jds Herz/Liebe gewinnen; **to ~ recognition** Anerkennung finden ❸ (*extract*) *ore, coal* abbauen; *oil* gewinnen ▶ [**you**] **~ some, [you] lose some** (*saying*) mal gewinnt man, mal verliert man; **you can't ~ them all** (*saying*) man kann nicht immer Glück haben **II.** *vi* <won, won> gewinnen; **to ~ hands down** (*fam*) spielend gewinnen ▶ **may the best man ~** möge der Beste gewinnen **III.** *n* Sieg *m;* **away/home ~** Auswärts-/Heimsieg *m* ◆ **win back** *vt* ■ **to ~ back ↻ sth** etw zurückgewinnen ◆ **win over** *vt* (*persuade*) überzeugen; (*gain support*) für sich *akk* gewinnen ◆ **win round** *vt* BRIT überzeugen ◆ **win through** *vi* [letztlich] Erfolg haben

wince [wɪn(t)s] **I.** *n* Zusammenzucken *nt* **II.** *vi* zusammenzucken

winch [wɪn(t)ʃ] **I.** *n* <*pl* -es> (*for lifting, pulling*) Winde *f* **II.** *vt* mit einer Winde [hoch]ziehen

wind¹ [wɪnd] **I.** *n* ❶ (*current of air*) Wind *m;* **gust of ~** Windböe *f;* **to see which way the ~ is blowing** (*also fig*) sehen, woher der Wind weht; **to go/run like the ~** laufen/rennen wie der Wind ❷ *no pl* (*breath*) Atem *m* ❸ *no pl* (*meaningless words*) **he's full of ~** er ist ein Schaumschläger ❹ *no pl* (*flatulence*) Blähungen *pl* ❺ MUS ■ **the ~s** die [Blech]bläser(innen) *mpl(fpl)* ❻ (*scent*) Witterung *f;* **to get ~ of sth** (*fig*) von etw *dat* Wind bekommen ▶ **to be three sheets in the ~** völlig betrunken sein **II.** *vt* ❶ (*knock breath out*) ■ **to ~ sb** jdm den Atem nehmen ❷ BRIT **to ~ a baby** ein Baby einen Bäuerchen machen lassen

wind² [waɪnd] **I.** *n* ❶ (*bend*) Windung *f;* *of river* Schleife *f;* *of road* Kurve *f* ❷ (*turn*) Umdrehung *f;* **to give sth a ~** etw aufziehen **II.** *vt* <wound, wound> ❶ (*wrap*) wickeln; *a film* spulen; **to ~ wool/yarn into a ball** Wolle/Garn zu einem Knäuel aufwickeln ❷ (*cause to function*) *a clock, watch* aufziehen ❸ (*turn*) winden, kurbeln ❹ (*cause to move*) spulen; **to ~ a film/tape back[wards]/forwards** einen Film/

ein Band zurück-/vorspulen **III.** *vi*
<wound, wound> ❶ *(meander)* stream,
road sich schlängeln ❷ *(coil)* sich wickeln
◆**wind down I.** *vt* ❶ *(lower)* a car win-
dow herunterkurbeln ❷ *(gradually reduce)*
zurückschrauben; *a business* auflösen;
ECON *production* drosseln **II.** *vi* ❶ *(become
less active)* ruhiger werden; *business*
nachlassen; *party* an Schwung verlieren
❷ *(cease)* auslaufen ❸ *(relax after stress)*
[sich] entspannen ◆**wind up I.** *vt* ❶ *(raise)*
hochziehen; *a car window* hochkurbeln
❷ TECH aufziehen; *clock, watch* aufziehen
❸ BRIT *(fam)* ▪**to ~ up** ⟳ **sb** *(tease)* jdn
aufziehen; *(annoy)* jdn auf die Palme bringen; **to get wound up** sich aufregen
❹ *(bring to an end)* abschließen; *debate,
meeting, speech* beenden ❺ BRIT, AUS ECON
a company auflösen **II.** *vi* ❶ *(fam: end up)*
enden; **to ~ up in prison** im Gefängnis
landen ❷ *(bring to an end)* schließen;
(conclude) abschließend bemerken
'**wind·bag** *n* *(pej fam: excessive talker)*
Schwätzer(in) *m(f)* '**wind·break** *n* Wind-
schutz *m* '**wind cone** *n* Windsack *m*
'**wind en·er·gy** *n no pl* Windenergie *f*
wind·er ['waɪndə'] *n* *(winding device)*
Aufziehschraube *f; (for clock)* Schlüssel *m;
(on watch)* Krone *f*
'**wind·fall** *n* ❶ *(fruit)* ▪**~s** *pl* Fallobst *nt
kein pl* ❷ *(money)* warmer [Geld]regen
fam '**wind farm** *n* Windpark *m* '**wind
gen·era·tor** *n* Windgenerator *m*
wind·ing ['waɪndɪŋ] **I.** *adj course, path,
river* gewunden; *road* kurvenreich **II.** *n*
❶ *no pl of course* Windung *f* ❷ ELEC *(coils)*
Wicklung *f; of machinery* Aufwickeln *nt*
'**wind·ing rope** *n* Wickelseil *nt* '**wind·ing
sheet** *n* Leichentuch *nt* **wind·ing** '**staircase** *n* Wendeltreppe *f* **wind·ing** '**up** *n
no pl* BRIT, AUS ECON [Geschäfts]auflösung *f;
of a company's affairs* Abwicklung *f*
'**wind in·stru·ment** *n* Blasinstrument *nt*
wind·jam·mer ['wɪn(d)dʒæmə'] *n* Wind-
jammer *m*
wind·lass ['wɪndləs] *n* <*pl* -es> Winde *f;*
NAUT Winsch *f fachspr*
'**wind·mill** *n* ❶ *(for grinding)* Windmühle *f*
❷ *(wind turbine)* Windrad *nt*
win·dow ['wɪndəʊ] *n* ❶ *(in building)* Fenster *nt;* **bay ~** Erkerfenster *nt;* **French ~**
Verandatür *f* ❷ *of shop* Schaufenster *nt*
❸ *of vehicle* [Fenster]scheibe *f;* **rear ~**
Heckscheibe *f* ❹ *of ticket office* Schalter *m*
❺ *(fig: opportunity)* Gelegenheit *f* ❻ COM-
PUT Fenster *nt*
'**win·dow box** *n* Blumenkasten *m* '**win·
dow clean·er** *n* ❶ *(person)* Fensterput-

zer(in) *m(f)* ❷ *no pl (detergent)* Glasrei-
niger *m* '**win·dow dis·play** *n* Schaufens-
terauslage *f* '**win·dow dis·play com·pe·
ti·tion** *n* Schaufensterwettbewerb *m*
'**win·dow dress·ing** *n no pl* ❶ *(in shop)*
Schaufensterdekoration *f* ❷ *(swindle)* Augenwischerei *f pej* '**win·dow en·
velope** *n* Fenster[brief]umschlag *m* '**win·
dow frame** *n* Fensterrahmen *m* '**win·
dow pane** *n* Fensterscheibe *f* '**win·
dow-shop·ping** *n no pl* Schaufenster-
bummel *m* '**win·dow sill** *n* *(inside)* Fensterbank *f; (outside)* Fenstersims *m o nt*
'**wind·pipe** *n* Luftröhre *f*
'**wind pow·er** *n no pl* ❶ *(force of wind)*
Windkraft *f* ❷ ECOL Windenergie *f* '**wind·
screen** *n* BRIT, AUS Windschutzscheibe *f*
'**wind·screen wip·er** *n* BRIT, AUS Schei-
benwischer *m* '**wind·shield** *n* AM *(windscreen)* Windschutzscheibe *f* '**wind·
sock** *n* Windsack *m* '**wind·surf·er**
['wɪn(d)ˌsɜːfə'] *n* Windsurfer(in) *m(f)*
'**wind·surf·ing** ['wɪn(d)ˌsɜːfɪŋ] *n no pl*
Windsurfen *nt* '**wind·swept** *adj* ❶ *(exposed)* dem Wind ausgesetzt; *beach, coast*
windgepeitscht ❷ *appearance* [vom Wind]
zersaust '**wind tun·nel** *n* Windkanal *m*
'**wind tur·bine** *n* Windturbine *f*
wind·ward ['wɪn(d)wəd] NAUT **I.** *adj* **the ~
side** die Windseite **II.** *adv* gegen den Wind
III. *n* Windseite *f*
windy[1] ['wɪndi] *adj* ❶ METEO windig; **a ~
street** eine zugige Straße ❷ *(of digestion)*
blähend
windy[2] ['waɪndi] *adj* *(curvy)* gewunden;
(meandering) sich schlängelnd; *road* kurvenreich
wine [waɪn] **I.** *n* Wein *m;* **red/white ~**
Rot-/Weißwein *m* **II.** *vt* **to ~ and dine sb**
jdn fürstlich bewirten **III.** *vi* **to ~ and dine**
fürstlich essen
'**wine bot·tle** *n* Weinflasche *f* '**wine cool·
er** *n* Weinkühler *m* '**wine glass** *n* Wein-
glas *nt* '**wine·grow·er** [-ˌɡrəʊə'] *n* Win-
zer(in) *m(f)* '**wine·grow·ing** [-ˌɡrəʊɪŋ]
I. *n* *no pl* Wein[an]bau *m* **II.** *adj attr*
Wein[an]bau-; **~ area** Weingegend *f* '**wine
list** *n* Weinkarte *f* '**wine mer·chant** *n
esp* BRIT Weinhändler(in) *m(f)* '**wine
press** *n* [Wein]kelter *f*
win·ery ['waɪn²ri] *n esp* AM Weinkellerei *f*
'**wine tast·ing** *n* Weinprobe *f* '**wine wait·
er** *n* BRIT Weinkellner(in) *m(f)*
wing [wɪŋ] *n* ❶ ZOOL *of bird* Flügel *m;* **to
take sb under one's ~** *(also fig)* jdn unter
seine Fittiche nehmen *a. fig fam* ❷ AVIAT
Flügel *m,* Tragfläche *f* ❸ ARCHIT *of building*
Flügel *m* ❹ FBALL Flügel *m;* **to play left/**

right ~ links/rechts Außen spielen ❺ THEAT **to be waiting in the** ~**s** in den Kulissen warten ❻ + *sing/pl vb* POL **the left/right** ~ der linke/rechte Flügel

wing 'chair *n* Ohrensessel *m* **wing com·'mand·er** *n* BRIT MIL Oberstleutnant(in) *m(f)* (*der Luftwaffe*)*;* AM Geschwaderkommodore, -kommodorin *m, f*

winged [wɪŋd] *adj* ❶ ZOOL mit Flügeln nach *n* ❷ (*with projections*) Flügel-

wing·er ['wɪŋəʳ] *n* FBALL (*on the left wing*) Linksaußen *m;* (*on the right wing*) Rechtsaußen *m*

'wing nut *n* Flügelmutter *f* **'wing·span** *n* Flügelspannweite *f*

wink [wɪŋk] I. *vi* ❶ (*close one eye*) zwinkern; ▪**to** ~ **at sb** jdm zuzwinkern ❷ (*twinkle*) *light* blinken; *star* funkeln ❸ BRIT AUTO blinken II. *vt* **to** ~ **one's eye** [mit den Augen] zwinkern III. *n* [Augen]zwinkern *nt;* **to give sb a** ~ jdm zuzwinkern ▶ **in the** ~ **of an eye** in einem Augenblick; **to not sleep a** ~ kein Auge zutun; **to take forty** ~**s** ein Nickerchen machen

wink·er ['wɪŋkəʳ] *n* BRIT AUTO Blinker *m*

win·ner ['wɪnəʳ] *n* ❶ (*sb that wins*) Gewinner(in) *m(f);* (*in competition*) Sieger(in) *m(f)* ❷ SPORTS (*fam: goal*) Siegestor *nt;* (*shot*) [Sieges]treffer *m* ❸ (*fam: successful thing*) Knaller *m* ▶ **to be onto a** ~ das große Los gezogen haben

win·ning ['wɪnɪŋ] I. *adj* ❶ *attr* (*that wins*) Gewinn-; (*in competition*) Sieger-; (*victorious*) siegreich; **to play one's** ~ **card** (*fig*) sein Ass ausspielen; **on the** ~ **side** auf der Gewinnerseite; **to be on a** ~ **streak** eine Glückssträhne haben ❷ (*charming*) gewinnend II. *n* ▪~**s** *pl* Gewinn *m*

win·ning·ly ['wɪnɪŋli] *adv* gewinnend, einnehmend

win·now ['wɪnəʊ] *vt* ❶ AGR *grain* reinigen ❷ (*fig: sift*) sichten ❸ (*reduce*) ▪**to** ~ [**down**] ↻ **sth** etw aussortieren

win·some ['wɪnsəm] *adj* (*liter*) *person, looks* reizend; *charm, smile* gewinnend

win·ter ['wɪntəʳ] I. *n* Winter *m;* ▪**in** [**the**] ~ im Winter II. *vi animals* überwintern; *person* den Winter verbringen

win·ter 'sports *npl* Wintersport *m kein pl* **'win·ter·time** *n no pl* Winterzeit *f*

win·t(e)ry ['wɪntri] *adj* ❶ (*typical of winter*) winterlich ❷ (*fig: unfriendly*) *greeting, smile* frostig; *look* eisig

win-'win situa·tion *n* (*fam*) eine Situation, in der man nur gewinnen kann

WIP [ˌdʌbljuːaɪ'piː] *n abbrev of* **work in progress** laufende Arbeiten *pl*

wipe [waɪp] I. *vt* ❶ (*clean*) abwischen; *feet* abtreten; *nose* putzen ❷ (*dry*) *hands, dishes* abtrocknen ❸ (*erase*) *cassette, disk* löschen ▶**to** ~ **the floor with sb** (*fam*) jdn fertigmachen II. *vi* BRIT, AUS abtrocknen III. *n* ❶ (*act of cleaning*) Wischen *nt;* **to give the floor a** ~ den [Fuß]boden [auf]wischen ❷ (*tissue*) Reinigungstuch *nt* ◆ **wipe down** *vt* abwischen; (*with water*) abwaschen; (*rub*) abreiben ◆ **wipe off** *vt* ❶ (*clean*) wegwischen; (*from hand, shoes, surface*) abwischen ❷ (*erase*) löschen ❸ (*destroy*) **to be** ~**d off the face of the earth** von der Erdoberfläche verschwinden ▶**to** ~ **the smile off sb's face** dafür sorgen, dass jdm das Lachen vergeht ◆ **wipe out** I. *vt* ❶ (*clean inside of*) auswischen ❷ (*destroy*) auslöschen; **how can we** ~ **out world poverty?** wie können wir die Armut in der Welt beseitigen?; **to** ~ **out a disease** eine Krankheit ausrotten ❸ (*sl: murder*) beseitigen II. *vi esp* AM, AUS (*fam: have accident*) einen Unfall bauen ◆ **wipe up** I. *vt* aufwischen; (*dry*) abtrocknen II. *vi* abtrocknen

wire ['waɪəʳ] I. *n* ❶ *no pl* (*metal thread*) Draht *m* ❷ ELEC (*electric cable*) Leitung *f* ❸ AM ELEC (*hidden microphone*) Wanze *f* ▶**to get one's** ~**s crossed** aneinander vorbeireden; **to be a live** ~ (*fam*) ein Energiebündel sein *m* II. *vt* ❶ (*fasten with wire*) ▪**to** ~ **sth to sth** etw mit Draht an etw *akk* binden ❷ ELEC (*fit with cable*) mit elektrischen Leitungen versehen ❸ *esp* AM **to** ~ **sb money** jdm telegrafisch Geld überweisen ❹ *esp* AM (*dated: send telegram to*) telegrafieren III. *vi* telegrafieren

'wire-cut·ters *npl* [**a pair of**] ~ eine Drahtschere **wire-haired 'ter·ri·er** *n* Drahthaarterrier *m*

wire·less ['waɪələs] I. *n* <*pl* -es> BRIT (*dated*) ❶ (*set*) Radioapparat *m,* Radio *nt* ❷ *no pl* (*radio*) ▪**on the** ~ im Rundfunk II. *adj* (*lacking wire*) drahtlos; (*radio*) Funk-, Radio-

wire·less·ly ['waɪələsli] *adv* COMPUT, INET drahtlos

wire·less 'net·work·ing *n* COMPUT drahtlose Vernetzung **'wire·less op·era·tor** *n* AVIAT Funker(in) *m(f)* **'wire·less set** *n* BRIT Radioapparat *m*

'wire·photo *n* ❶ (*process*) Bildtelegrafie *f* ohne *pl* ❷ (*picture*) Bildtelegramm *nt*

wire-pull·er [-ˌpʊləʳ] *n esp* AM (*fam*) Drahtzieher(in) *m(f)* **'wire-pull·ing** *n no pl esp* AM (*fam*) Drahtziehen *nt;* **to do some** ~ seine Beziehungen spielen lassen **wire·tap·ping** [-ˌtæpɪŋ] *n no pl* Abhören *nt* von Telefonleitungen '**wire trans·fer** *n* AM telegrafische Geldüberweisung

wir·ing ['waɪərɪŋ] *n no pl* ELEC ❶ (*system of wires*) elektrische Leitungen *pl* ❷ (*electrical installation*) Stromverlegen *nt;* **to do the ~** die elektrischen Leitungen verlegen

'**wir·ing dia·gram** *n* Schaltplan *m*

wiry ['waɪəri] *adj* ❶ (*rough-textured*) drahtig; *hair* borstig ❷ (*fig: lean and strong*) drahtig

wis·dom ['wɪzdəm] *n no pl* ❶ (*good judgement*) Weisheit *f;* **in her ~ ...** (*iron*) in ihrer grenzenlosen Weisheit ...; **with the ~ of hindsight** im Nachhinein ❷ (*sensibleness*) Klugheit *f* ❸ (*sayings*) weise Sprüche *pl;* **words of ~** (*also iron*) weise Worte

'**wis·dom tooth** *n* Weisheitszahn *m*

wise[1] [waɪz] **I.** *adj* ❶ (*having knowledge and sagacity*) weise, klug; **the Three W~ Men** REL die drei Weisen [aus dem Morgenland]; **to be older and ~r** durch Schaden klug geworden sein ❷ (*showing sagacity*) klug; **~ words** weise Worte *a. pej* ❸ (*sensible*) vernünftig; **a ~ choice** eine gute Wahl; **a ~ decision** eine weise Entscheidung ❹ *pred* (*experienced*) **to be worldly ~** weltklug sein ❺ *pred* (*fam: aware*) **to get ~ to sb** jdn durchschauen; **to get ~ to sth** etw spitzkriegen ❻ *esp* AM (*fam: cheeky*) **to act ~** dreist sein ▸ **early to bed and early to rise makes a man healthy, wealthy and ~** (*saying*) ≈ Morgenstund hat Gold im Mund *prov* **II.** *n* ■ **the ~** *pl* die Weisen *pl* ◆ **wise up** *vi esp* AM (*fam*) ■ **to ~ up** aufwachen *fig;* ■ **to ~ up to sb** jdn durchschauen; ■ **to ~ up to sth** etw spitzkriegen

wise[2] [waɪz] *n no pl* (*dated*) Weise *f;* **in no ~** keinesfalls

wise·crack ['waɪzkræk] **I.** *n* Witzelei[en] *f[pl]* **II.** *vi* witzeln '**wise guy** *n* (*pej fam*) Klugschwätzer *m*

wise·ly ['waɪzli] *adv* ❶ (*showing wisdom*) weise *geh;* **to speak ~** weise Worte sprechen *geh* ❷ (*sensibly*) klug, vernünftig; **to invest one's money ~** sein Geld schlau investieren; **to act ~** sich klug verhalten

wish [wɪʃ] **I.** *n* ‹*pl* -es› ❶ (*desire*) Wunsch *m*, Verlangen *nt;* **to have a ~** sich *dat* etwas wünschen ❷ (*thing desired*) Wunsch *m;* **to grant sb a ~** jdm einen Wunsch erfüllen; **to make a ~** sich *dat* etwas wünschen ❸ (*regards*) ■ **~es** *pl* Grüße *pl;* **with best ~es** mit den besten Wünschen; (*at end of letter*) mit herzlichen Grüßen **II.** *vt* ❶ (*be desirous*) wünschen; (*expressing annoyance*) wol-

len, dass ...; **whatever you ~** was immer du möchtest ❷ (*form: want*) **I ~ to make a complaint** ich möchte mich beschweren ❸ (*make a magic wish*) ■ **to ~** [**that**] **...** sich *dat* wünschen, dass ...; **I ~ you were here** ich wünschte, du wärst hier ❹ (*express wishes*) ■ **to ~ sb sth** jdm etw wünschen; **to ~ sb happy birthday** jdm zum Geburtstag gratulieren **III.** *vi* ❶ (*want*) wollen, wünschen; [**just**] **as you ~** [ganz] wie Sie wünschen ❷ (*make a wish*) wünschen

'**wish·bone** ['wɪʃbəʊn] *n* Gabelbein *nt*

wish·ful '**think·ing** *n no pl* Wunschdenken *nt*

'**wish list** *n* Wunschliste *f*

wishy-washy ['wɪʃi,wɒʃi] *adj* (*pej*) ❶ *person* lasch; *argument* schwach ❷ (*weak and watery*) *colours* verwaschen; *drink* wässrig; *food* fad[e]

wisp [wɪsp] *n* ❶ (*small bundle*) Büschel *nt;* **~s of cloud** (*fig*) Wolkenfetzen *pl;* **~ of hair** Haarsträhne *f;* **~s of smoke** (*fig*) [kleine] Rauchfahnen

wispy ['wɪspi] *adj* dünn; *person* schmächtig; *hair* strähnig; **~ clouds** Wolkenfetzen *pl*

wis·te·ria [wɪ'stɪəriə] *n no pl* BOT Glyzin[i]e *f*

wist·ful ['wɪs(t)fəl] *adj note, smile* wehmütig; *glance, look* sehnsüchtig; **to feel ~** Wehmut empfinden *geh*

wist·ful·ness ['wɪs(t)fəlnəs] *n no pl* ❶ (*melancholy*) Wehmut *f geh* ❷ (*longing*) Sehnsucht *f;* **to feel a ~ for sth** sich nach etw *dat* sehnen

wit [wɪt] *n* ❶ *no pl* (*humour*) Witz *m;* **biting/dry ~** beißender/trockener Humor ❷ *no pl* (*intelligence*) Verstand *m* ❸ (*practical intelligence*) ■ **~s** *pl* geistige Fähigkeiten; **to be at one's ~s' end** mit seiner Weisheit am Ende sein; **to frighten sb out of his/her ~s** jdn zu Tode erschrecken; **to have/keep one's ~s about one** seine fünf Sinne beisammenhaben/zusammenhalten ❹ (*funny person*) geistreiche Person

witch ‹*pl* -es› [wɪtʃ] ❶ (*woman with magic powers*) Hexe *f* ❷ (*pej fam: ugly or unpleasant woman*) [alte] Hexe

'**witch·craft** *n no pl* Hexerei *f* '**witch doc·tor** *n* Medizinmann *m*

witch·ery ['wɪtʃəri] *n no pl* Hexerei *f*

'**witch-hunt** *n* Hexenjagd *f*

'**witch·ing hour** *n* ■ **the ~** die Geisterstunde

with [wɪθ] *prep* mit +*dat* ❶ (*having, containing*) **~ a little luck** mit ein wenig Glück ❷ (*accompanied by*) **~ friends** mit Freunden ❸ (*together with*) **to talk ~ sb**

mit jdm reden ❹ (*concerning*) **to have something/nothing to do ~ sb/sth** etwas/nichts mit jdm/etw zu tun haben ❺ (*expressing manner*) **~ a look of surprise** mit einem erstaunten Gesichtsausdruck ❻ (*in addition to*) **~ that ...** [und] damit ... ❼ (*in proportion to*) **the value could decrease ~ time** der Wert könnte mit der Zeit sinken ❽ (*in direction of*) **~ the current/tide/wind** mit der Strömung/der Flut/dem Wind ❾ (*using*) **she paints ~ watercolours** sie malt mit Wasserfarben ❿ (*in circumstances of, while*) **~ things the way they are** so wie die Dinge sind ⓫ (*in a state of*) vor +*dat;* **she was shaking ~ rage** sie zitterte vor Wut ⓬ (*despite*) bei +*dat;* **~ all her faults** bei all ihren Fehlern ⓭ (*in company of*) bei +*dat;* **to stay ~ relatives** bei Verwandten übernachten ⓮ (*in support of*) **I agree ~ you 100%** ich stimme dir 100 % zu ⓯ (*to match*) **to go ~ sth** zu etw *dat* passen ⓰ (*on one's person*) bei +*dat,* an +*dat;* **do you have a pen ~ you?** hast du einen Stift bei dir? ⓱ (*fam: denoting comprehension*) **are you ~ me?** verstehst du?

with·draw <-drew, -drawn> [wɪð'drɔː]
I. *vt* ❶ (*remove*) herausziehen; **to ~ one's hand** seine Hand zurückziehen ❷ (*from bank account*) abheben ❸ (*take back*) *coins, notes, stamps* aus dem Verkehr ziehen; BRIT *goods* zurückrufen; *a team, troops* abziehen ❹ (*cancel*) *an accusation* zurücknehmen; LAW *a charge* fallen lassen; *funding* einstellen; **to ~ one's statement** LAW seine Aussage zurückziehen; **to ~ one's support for sth** etw nicht mehr unterstützen **II.** *vi* ❶ (*leave, retreat*) MIL *also* sich zurückziehen ❷ (*stop taking part in*) **to ~ from college** vom College abgehen; **to ~ from public life** sich aus dem öffentlichen Leben zurückziehen ❸ (*fig: become incommunicative*) sich zurückziehen

with·draw·al [wɪð'drɔː²l] *n* ❶ FIN [Geld]abhebung *f* ❷ MIL Rückzug *m* ❸ *no pl* (*taking back*) Zurücknehmen *nt;* (*cancel*) Zurückziehen *nt; of consent, support, funds* Entzug *m;* BRIT ECON *of goods for sale* Rückruf *m; of allegation* Widerruf *m; of action* Zurückziehen *nt; of charge* Fallenlassen *nt;* (*from a contract*) Rücktritt *m* ❹ SPORTS Abzug *m* (**from** von) ❺ *no pl* (*fig: distancing from others*) Rückzug *m* in sich *akk* selbst ❻ *no pl from drugs* Entzug *m*

with·'draw·al symp·toms *npl* Entzugserscheinungen *pl*

with·er ['wɪðə'] **I.** *vi* ❶ (*of plants*) verdorren ❷ *person* verfallen; **to ~ with age** mit

dem Alter an Vitalität verlieren ❸ (*fig*) *interest* nachlassen **II.** *vt* **age cannot ~ her** das Alter kann ihr nichts anhaben

with·er·ing ['wɪðrɪŋ] **I.** *adj* ❶ (*destructive*) **~ fire** verzehrendes Feuer *geh* ❷ (*contemptuous*) vernichtend; **to give sb a ~ look** jdn vernichtend anblicken **II.** *n no pl* ❶ (*becoming shrivelled*) Verdorren *nt* ❷ (*becoming less*) Abnahme *f*

with·hold <-held, -held> [wɪθ'həʊld] *vt* ❶ (*not give*) zurückhalten; ▪ **to ~ sth from sb** jdm etw vorenthalten; **to ~ information** Informationen verschweigen ❷ (*not pay*) etw nicht zahlen; **to ~ benefit payments** Leistungen nicht auszahlen

with·in [wɪ'ðɪn] **I.** *prep* innerhalb +*gen* ❶ (*form: inside of, confined by*) **~ the EU** innerhalb der EU ❷ (*in limit of*) **~ earshot/reach/sight** in Hör-/Reich-/Sichtweite ❸ (*in less than*) **~ hours/minutes/six months** innerhalb von Stunden/Minuten/sechs Monaten ❹ (*in accordance to*) **~ the law/the rules** innerhalb des Gesetzes/der Regeln ❺ (*in group of*) **~ society** innerhalb der Gesellschaft **II.** *adv* innen; **"cleaning personnel wanted, enquire ~"** „Raumpflegepersonal gesucht, Näheres im Geschäft"; ▪ **from ~** von innen [heraus]

with·out [wɪ'ðaʊt] **I.** *prep* ❶ (*not having, not wearing*) ohne; **she looks much better ~ make-up** sie sieht ohne Make-up viel besser aus ❷ (*no occurrence of*) ohne; **~ delay/warning** ohne Verzögerung/[Vor]warnung ❸ (*no feeling of*) ohne; **~ conviction** ohne Überzeugung ❹ (*not with*) ohne; **~ sugar** ohne Zucker **II.** *adv* (*liter: on the outside*) außen; ▪ **from ~** von außen

with·stand <-stood, -stood> [wɪð'stænd, wɪθ-] *vt* ▪ **to ~ sb/sth** jdm/etw standhalten; **to ~ temptation** der Versuchung widerstehen; **to ~ rough treatment** eine unsanfte Behandlung aushalten

wit·ness ['wɪtnəs] **I.** *n* <*pl* -es> ❶ (*observer*) Zeuge, Zeugin *m, f* (**to** +*gen*); **~ [to a marriage]** Trauzeuge, -zeugin *m, f* ❷ LAW (*sb giving testimony*) Zeuge, Zeugin *m, f;* **character ~** Leumundszeuge, -zeugin *m, f;* **expert ~** Gutachter(in) *m(f);* **key ~ for the defence** Hauptentlastungszeuge, -zeugin *m, f* ❸ *no pl* (*form: proof*) Zeugnis *nt geh;* **to bear ~ to sth** von etw *dat* zeugen *geh* ❹ REL (*of belief*) Bekenntnis *nt* **II.** *vt* ❶ (*see*) beobachten; ▪ **to ~ sb doing sth** sehen, wie jd etw tut ❷ (*experience*) miterleben ❸ (*attest*) bestätigen; **to ~ a will** ein Testament als Zeuge/Zeugin unterschreiben ❹ *usu passive* ▪**as ~ ed by sth** (*demonstrated*) wie etw zeigt

'**wit·ness box** *n esp* Brit, *esp* Am '**wit·ness stand** *n* Zeugenstand *m kein pl*

wit·ty ['wɪti] *adj* (*clever*) geistreich; (*funny*) witzig

wiz·ard ['wɪzəd] I. *n* ❶ (*magician*) Zauberer *m* ❷ (*expert*) Genie *nt oft hum;* **computer/financial ~** Computer-/Finanzgenie *nt* II. *adj* Brit (*dated fam*) prima

wiz·ard·ry ['wɪzədri] *n no pl* ❶ (*expertise*) Zauberei *f* ❷ (*also hum: equipment*) **hightech/technical ~** hochtechnologische/technische Wunderdinge *pl hum*

wiz·ened ['wɪzᵊnd] *adj person* verhutzelt; *face, skin* runz[e]lig; *apple* schrump[e]lig

WMD [ˌdʌblju:em'di:] *n abbrev of* **weapons of mass destruction** Massenvernichtungswaffen *pl*

w/o *prep abbrev of* **without** o.

wob·ble ['wɒbl] I. *vi* ❶ (*move*) wackeln; *wheel* eiern *fam; double chin, jelly, fat* schwabbeln *fam; knees* zittern, schlottern ❷ (*tremble*) *voice* zittern ❸ Econ (*fig: fluctuate*) *prices, shares* schwanken *fig* II. *vt* rütteln III. *n* ❶ *usu sing* (*movement*) Wackeln *nt kein pl* ❷ *usu sing* (*sound*) Vibrieren *nt kein pl; of a voice* Zittern *nt kein pl* ❸ Econ (*fig*) Schwankung *f*

wob·bly ['wɒbli] I. *adj* ❶ (*unsteady*) wack[e]lig; **I've got a ~ tooth** bei mir wackelt ein Zahn; **to draw a ~ line** einen zittrigen Strich ziehen ❷ (*wavering*) *voice* zittrig II. *n* Brit (*fam*) **to throw a ~** einen Wutanfall kriegen

woe [wəʊ] *n* ❶ *no pl* (*liter: unhappiness*) Kummer *m;* **~ betide you if ...** wehe dir, wenn ... ❷ (*form*) ▪**~s** *pl* (*misfortunes*) Nöte *pl*

woe·be·gone ['wəʊbɪgɒn] *adj* (*liter*) *expression* kummervoll; **to look ~** bekümmert aussehen

woe·ful ['wəʊfᵊl] *adj* ❶ (*deplorable*) beklagenswert; *ignorance, incompetence* erschreckend; *standard* erbärmlich ❷ (*liter: sad*) traurig; **~ tidings** schlechte Nachrichten

wog [wɒg] *n* (*pej! sl*) ❶ Brit, Aus (*dark-skinned person*) ≈ Kanake, Kanakin *m, f* ❷ Aus (*non-English-speaking immigrant*) Ausländer(in) *m(f)*

wok [wɒk] *n* Wok *m*

woke [wəʊk] *vt, vi pt of* **wake**

wok·en [wəʊkᵊn] *vt, vi pp of* **wake**

wolf [wʊlf] I. *n* <*pl* wolves> Wolf *m* ▶ **to cry ~** blinden Alarm schlagen II. *vt* (*fam: gobble up*) ▪**to ~** [**down**] **sth** etw verschlingen

'**wolf cub** *n* (*young wolf*) Wolfsjunge(s) *nt* '**wolf·hound** *n* Wolfshund *m* '**wolf whis·tle** *n* bewundernder Pfiff; **to give sb a ~** jdm nachpfeifen

wom·an *n* <*pl* women> ['wʊmən, *pl* wɪmɪn] ❶ (*female human*) Frau *f* ❷ (*fam: used as term of address*) Weib *pej* ❸ (*fam: man's female partner*) Frau *f;* **the other ~** die Geliebte ▶ **hell knows no fury like a ~ scorned** (*saying*) die Hölle [selbst] kennt nicht solche Wut wie eine zurückgewiesene Frau

wom·anhood ['wʊmənhʊd] *n no pl* (*female adulthood*) Frausein *nt;* **to reach ~** eine Frau werden

wom·an·ish ['wʊmənɪʃ] *adj* (*pej*) weibisch

wom·an·ize ['wʊmənaɪz] *vi* Frauengeschichten haben *fam*

wom·an·iz·er ['wʊmənaɪzəʳ] *n* Weiberheld *m pej*

wom·an·kind [ˌwʊmən'kaɪnd] *n no pl* (*dated form*) das weibliche Geschlecht, die Frauen *pl*

wom·an·ly ['wʊmənli] *adj* ❶ (*of character*) weiblich; **~ virtues** weibliche Tugenden ❷ (*of body*) fraulich

womb [wu:m] *n* Mutterleib *m;* Med Gebärmutter *f*

wom·en·folk ['wɪmɪnfəʊk] *npl* Frauen *pl* '**wom·en's cen·tre** *n* Frauenzentrum *nt*

wom·en's lib [-'lɪb] *n* (*dated fam*) *short for* **women's liberation** Frauen[rechts]bewegung *f* **wom·en's 'ref·uge** *n* Brit, Aus, Am **wom·en's 'shel·ter** *n* Frauenhaus *nt*

won [wʌn] *vt, vi pt, pp of* **win**

won·der ['wʌndəʳ] I. *vt* ❶ (*ask oneself*) sich fragen; **it makes you ~ why they ...** man fragt sich [schon], warum sie ... ❷ (*feel surprise*) ▪**to ~ that ...** überrascht sein, dass ... II. *vi* ❶ (*ask oneself*) sich fragen; **why do you ask? — I was just ~ing** warum fragst du? – ach, nur so; ▪**to ~ about sb/sth** sich Gedanken über jdn/etw machen; ▪**to ~ about doing sth** darüber nachdenken, ob man etw tun sollte ❷ (*feel surprise*) ▪**to ~ at sb/sth** sich über jdn/etw wundern; (*astonished*) über jdn/etw erstaunt sein III. *n* ❶ *no pl* (*feeling*) Staunen *nt,* Verwunderung *f* ❷ (*marvel*) Wunder *nt;* **no ~ ...** kein Wunder, dass ...; **~s [will] never cease!** (*iron*) es geschehen noch Zeichen und Wunder! *hum;* **the Seven W~s of the world** die sieben Weltwunder; **to work ~s** [wahre] Wunder wirken

'**won·der boy** *n* (*iron, hum fam*) Wunderknabe *m* '**won·der drug** *n* Wundermittel *nt*

won·der·ful ['wʌndəfᵊl] *adj* wunderbar, wundervoll

won·der·ful·ly ['wʌndəfᵊli] *adv* wunderbar; **to cope ~ with sth** mit etw *dat* ausgezeichnet zurechtkommen

'**won·der·land** *n* Wunderland *nt;* **winter ~** winterliche Märchenlandschaft

won·der·ment ['wʌndəmənt] *n no pl* Verwunderung *f,* Erstaunen *nt*

won·ky ['wɒŋki] *adj* BRIT, AUS *(fam)* ❶ *(unsteady)* wack[e]lig *a. fig* ❷ *(askew)* schief

wont [wəʊnt] *(form)* **I.** *adj pred* gewohnt **II.** *n no pl (hum)* Gewohnheit *f;* **as is her/ his ~** wie er/sie zu tun pflegt

won't [wəʊnt] = **will not** *see* **will**[1]

woo [wu:] *vt* ❶ *(attract)* **to ~ customers/ voters** Kunden/Wähler umwerben; ■ **to ~ sb with sth** jdn mit etw *dat* locken ❷ *(dated: court)* ■ **to ~ sb** jdn umwerben

wood [wʊd] *n* ❶ *no pl (material from trees)* Holz *nt;* **block of ~** Holzklotz *m;* **plank of ~** [Holz]brett *nt* ❷ *(type of timber)* Holz *nt* ❸ *(forest)* ■ **~ s** *pl* Wald *m* ❹ *no pl (container)* [Holz]fass *nt* ▸ **in our neck of the ~ s** in unseren Breiten; **sb can't see the ~[s] for the trees** jd sieht den Wald vor [lauter] Bäumen nicht *prov fam;* **touch ~!** unberufen!; **to not be out of the ~** *(not out of critical situation)* noch nicht über den Berg sein *fam; (not out of difficulty)* noch nicht aus dem Schneider sein *fam*

wood 'al·co·hol *n no pl* CHEM Methanol *nt*

wood·bine ['wʊdbaɪn] *n* BOT ❶ *(wild honeysuckle)* Geißblatt *nt* ❷ AM *(Virginia creeper)* Wilder Wein

'**wood·carv·er** *n* Holzschnitzer(in) *m(f)* '**wood·craft** *n no pl esp* AM ❶ *(outdoor skills)* Fähigkeiten/Kenntnisse zum Überleben in freier Natur ❷ *(artistic skill)* Geschick *nt* für das Arbeiten mit Holz '**wood·cut** *n* ART Holzschnitt *m* '**wood·cut·ter** *n (dated)* Holzfäller *m*

wood·ed ['wʊdɪd] *adj* bewaldet; **~ area** Waldgebiet *nt*

wood·en ['wʊdᵊn] *adj* ❶ *(made of wood)* Holz-, hölzern, aus Holz *nach n* ❷ *(fig, pej: stiff) movements* hölzern; *smile* ausdruckslos

'**wood·land I.** *n* ■ **~** *[or* **~ s]** Wald *m* **II.** *adj animals, flora* Wald- **wood 'pan·el·ling** *n no pl* Holzverkleidung *f* '**wood·peck·er** *n* Specht *m* '**wood·pile** *n* Holzstoß *m* '**wood pre·ser·va·tive** *n* Holzschutzmittel *nt* '**wood pulp** *n no pl* Zellstoff *m,* Holzschliff *m fachspr* '**wood·shed I.** *n*

Holzschuppen *m* **II.** *vi* <-dd-> AM *(fam)* intensiv üben '**wood·wind** MUS **I.** *n* ❶ *(instrument)* Holzblasinstrument *nt* ❷ + *sing/pl vb* ■ **the ~** *(orchestra section)* die Holzbläser *pl* **II.** *adj instrument* Holzblas-; **~ music** Musik *f* von Holzbläsern '**wood·work** *n no pl* ❶ *(parts of building)* Holzwerk *nt* ❷ BRIT *(carpentry)* Tischlern *nt; (business)* Tischlerei *f;* SCH ≈ Werkunterricht *m (mit Holz als Werkstoff)* ❸ BRIT SPORTS *(fam)* ■ **the ~** *(goal post)* der Pfosten; *(cross bar)* die Latte ▸ **to come out of the ~** ans Licht kommen '**wood·worm** *<pl* -> *or* **~** ❶ *(larva)* Holzwurm *m* ❷ *no pl (damage)* Wurmfraß *m*

woody ['wʊdi] *adj* ❶ HORT holzig, Holz- ❷ FOOD holzig ❸ *(wooded)* bewaldet

woof[1] [wʊf] **I.** *n* Bellen *nt* **II.** *vi dog* bellen; "**~ , ~** " „wau, wau"

woof[2] [wu:f] *n* BRIT *(in weaving)* Schuss *m fachspr*

woof·er ['wʊfəʳ] *n* Tieftonlautsprecher *m*

wool [wʊl] **I.** *n no pl* ❶ *(sheep's fleece)* Wolle *f* ❷ *(fibre from fleece)* Wolle *f;* **ball of ~** Wollknäuel *nt* ▸ **to pull the ~ over sb's eyes** jdm Sand in die Augen streuen *fam* **II.** *adj (made of wool) blanket, coat, lining* Woll-

wool·en *adj* AM *see* **woollen**

wool·gath·er·ing ['wʊlˌgæðᵊrɪŋ] **I.** *n no pl* Träumen *nt* **II.** *vi* ■ **to be ~** [vor sich *akk* hin]träumen

wool·len ['wʊlən] *adj* wollen, aus Wolle *nach n;* **~ dress** Wollkleid *nt*

wool·ly ['wʊli] **I.** *adj* ❶ *(made of wool)* Woll-, wollen; **~ hat** Wollmütze *f* ❷ *(vague)* verschwommen; *mind, ideas* verworren; *thoughts* kraus **II.** *n* BRIT *(dated fam: jumper)* Wollpulli *m*

'**wool trade** *n* Wollhandel *m*

wooly *adj* AM *see* **woolly I**

woozy ['wu:zi] *adj (fam: dizzy)* benommen; *(drunk)* beschwipst *fam*

wop [wɒp] *n (pej! sl)* Spaghettifresser(in) *m(f)*

word [wɜ:d] **I.** *n* ❶ *(unit of language)* Wort *nt;* **hush, not a ~!** pst, keinen Mucks!; **or ~ s to that effect** oder so ähnlich; **in other ~ s** mit anderen Worten; **the spoken/written ~** das gesprochene/ geschriebene Wort; **to be too stupid for ~ s** unsagbar dumm sein; **in a ~** um es kurz zu sagen ❷ *no pl (short conversation)* [kurzes] Gespräch; *(formal)* Unterredung *f;* **to have a ~ with sb [about sth]** mit jdm [über etw *akk*] sprechen; **to exchange a few ~ s with sb** ein paar Worte mit jdm wechseln; **to have a quiet ~ with sb** jdn zur Seite nehmen ❸ *no pl* (*news*) Nachricht *f;* (*message*) Mitteilung *f;* ~ **has it that ...** es geht das Gerücht, dass ...; **to get ~ of sth [from sb]** etw [von jdm] erfahren ❹ *no pl* (*order*) Kommando *nt;* **to give the ~** den Befehl geben ❺ (*remark*) Bemerkung *f;* ~ **of warning** Warnung *f* ❻ *no pl* (*promise*) Wort *nt,* Versprechen *nt;* **to go back on/keep one's ~** sein Wort brechen/halten ❼ *no pl* (*statement of facts*) **it's her ~ against mine** es steht Aussage gegen Aussage; **to take sb's ~ for it [that ...]** jdm glauben, dass ... ❽ (*lyrics*) ■ **~s** *pl* Text *m* ▶ **by ~ of mouth** mündlich; **sb cannot get a ~ in edgeways** [*or* AM **edgewise**] (*fam*) jd kommt überhaupt nicht zu Wort; **from the ~ go** vom ersten Moment an; **to have ~s with sb** eine Auseinandersetzung mit jdm haben; **my ~!** du meine Güte! **II.** *vt* ■ **to ~ sth** etw formulieren

'word break *n* [Silben]trennung *f* **'word di·vi·sion** *n no pl* [Silben]trennung *f*

word·ing ['wɜːdɪŋ] *n no pl* ❶ (*words used*) Formulierung *f* ❷ (*manner of expression*) Formulieren *nt*

word·less ['wɜːdləs] *adj* wortlos, ohne Worte

'word or·der *n no pl* Wortstellung *f* **word-'per·fect** *adj pred* textsicher **'word·play** *n no pl* Wortspiel *nt* **word 'pro·cess·ing** *n no pl* Textverarbeitung *f* **word 'pro·ces·sor** *n* COMPUT ❶ (*computer*) Textverarbeitungssystem *nt* ❷ (*program*) Textverarbeitungsprogramm *nt* **'word wrap** *n no pl* COMPUT [automatischer] Zeilenumbruch

wordy ['wɜːdi] *adj* (*pej*) langatmig, weitschweifig

wore [wɔːʳ] *vt, vi pt of* **wear**

work [wɜːk] **I.** *n* ❶ *no pl* (*useful activity*) Arbeit *f;* **good ~!** (*fig*) gute Arbeit!; **it's hard ~ doing sth** (*strenuous*) es ist anstrengend, etw zu tun; (*difficult*) es ist schwierig, etw zu tun; **to be at ~ doing sth** [gerade] damit beschäftigt sein, etw zu tun ❷ *no pl* (*employment*) Arbeit *f;* **to look for ~** auf Arbeitssuche sein; **to be in ~** eine Stelle haben; **to be out of ~** arbeitslos sein ❸ *no pl* (*place of employment*) Arbeit *f,* Arbeitsplatz *m;* **to be at ~** bei der Arbeit sein; **to be off ~** frei haben; (*due to illness*) sich krankgemeldet haben; **to commute to ~** pendeln ❹ (*construction, repairs*) ■ **~s** *pl* Arbeiten *pl;* **building/road ~s** Bau-/Straßenarbeiten *pl* ❺ *no pl* (*result, product*) Arbeit *f;* (*act*) Werk *nt;* **this is the ~ of professional thieves** das ist das Werk professioneller Diebe ❻ ART, LIT, MUS Werk *nt;* **~s of art** Kunstwerke *pl* ❼ (*factory*) ■ **~s** + *sing/pl vb* Werk *nt,* Fabrik *f* ❽ (*fam: everything*) ■ **the ~s** *pl* das ganze Drum und Dran *kein pl* **II.** *adj* ■ **~s** *canteen, inspection* Werks-; **~s premises** Werksgelände *nt* **III.** *vi* ❶ (*do a job*) arbeiten; **to ~ like a slave** [*or* AM, AUS **dog**] wie ein Sklave [*o* Tier] schuften *fam;* **to ~ hard** hart arbeiten; **to ~ together** zusammenarbeiten ❷ (*be busy, active*) arbeiten; ■ **to ~ at** [*or* **on**] **sth** an etw *dat* arbeiten; ■ **to ~ for** [*or* **towards**] **sth** auf etw *akk* hinwirken ❸ (*have an effect*) sich auswirken; ■ **to ~ in sb's favour** sich zu jds Gunsten auswirken ❹ (*function*) funktionieren; *generator, motor* laufen; **my cell phone doesn't ~** mein Handy geht nicht ❺ (*be successful*) funktionieren, klappen *fam; plan, tactics* aufgehen ❻ *medicine, pill* wirken **IV.** *vt* ❶ (*make work*) **to ~ oneself to death** (*fam*) sich zu Tode arbeiten ❷ (*operate*) *machine* bedienen; *piece of equipment* betätigen ❸ (*move*) **to ~ one's way down a list** eine Liste durchgehen; **to ~ one's way up** sich hocharbeiten; **to ~ sth free/loose** etw losbekommen/lockern ❹ (*bring about*) bewirken; **to ~ miracles** [wahre] Wunder vollbringen ❺ (*mix, rub*) ■ **to ~ sth into sth** etw in etw *akk* einarbeiten; *food* etw mit etw *dat* vermengen ❻ (*cultivate*) **to ~ the land** das Land bewirtschaften ❼ (*pay for by working*) **to ~ one's way through university** sich *dat* sein Studium finanzieren ▶ **to ~ one's fingers to the bone [for sb]** (*fam*) sich *dat* [für jdn] den Rücken krumm arbeiten; **to ~ a treat** BRIT (*fam*) prima funktionieren ◆ **work around** *vi* (*fam*) ❶ (*approach cautiously*) ■ **to ~ around to sth** sich an etw *akk* herantasten ❷ (*bring oneself*) ■ **to ~ around to doing sth** sich dazu aufraffen, etw zu tun ◆ **work away** *vi* vor sich *akk* hinarbeiten ◆ **work for** *vt* ❶ (*be employed by*) ■ **to ~ for sb/sth** für jdn/etw arbeiten ❷ (*appeal to*) ■ **to [not] ~ for sb** jdm [nicht] zusagen ◆ **work in** *vt* (*mix in, rub in*) einarbeiten; *food* hineingeben; (*on one's skin*) einreiben; AGR *fertilizer, manure* einarbeiten ◆ **work off** *vt* ❶ (*counter effects of*) abarbeiten; **to ~ off surplus energy** überschüssige Energie loswerden; **to ~ off stress** Stress abbauen ❷ (*pay by working*) *a debt, a loan* abtragen ◆ **work out I.** *vt* ❶ (*calculate*) errechnen, ausrechnen ❷ (*develop*) ausarbeiten; **to ~ out a solution** eine Lösung erarbeiten

W

❸ (*understand*) verstehen ❹ (*figure out*) ■ **to ~ out** ◯ **sth** hinter etw *akk* kommen ❺ (*solve itself*) **things usually – themselves out** die Dinge erledigen sich meist von selbst **II.** *vi* ❶ (*amount to*) **that ~s out at 154 litres per day** das macht 154 Liter am Tag; **to ~ out cheaper/more expensive** billiger/teurer kommen ❷ (*develop*) sich entwickeln; (*progress*) laufen *fam;* **to ~ out for the best** sich zum Guten wenden; **to ~ out badly** schiefgehen *fam;* **to ~ out well** gut laufen *fam* ❸ (*do exercise*) trainieren ◆ **work over** *vt* (*fam*) ❶ **to ~ over** ◯ **sb** jdn zusammenschlagen ◆ **work round** *vi* (*fam*) ❶ (*approach cautiously*) **what are you ~ing round to?** (*fam*) worauf willst du hinaus? ❷ (*bring oneself*) ■ **to ~ round to doing sth** sich dazu aufraffen, etw zu tun ◆ **work through I.** *vt* durcharbeiten; *traumas, difficulties, problems* aufarbeiten **II.** *vi* ❶ (*not stop*) durcharbeiten ❷ (*deal with*) ■ **to ~ through sth** sich durch etw *akk* durcharbeiten ◆ **work to** *vt* **to ~ to a deadline** auf einen Termin hinarbeiten; **to ~ to rule** Dienst nach Vorschrift tun ◆ **work up I.** *vt* ❶ (*generate*) **to ~ up an appetite** Appetit bekommen; **to ~ up courage** sich *dat* Mut machen ❷ (*upset, make angry*) ■ **to ~ oneself/sb up** sich/jdn aufregen; **to ~ sb up into a rage** jdn in Rage bringen ❸ (*develop*) **to ~ up a sweat** ins Schwitzen kommen ❹ (*prepare*) ■ **to ~ oneself up to sth** sich auf etw *akk* vorbereiten **II.** *vi* ❶ (*progress to*) ■ **to ~ up to sth** sich zu etw *dat* hocharbeiten ❷ (*get ready for*) ■ **to ~ up to sth** auf etw *akk* zusteuern *fig*

work·able ['wɜːkəbl] *adj* ❶ (*feasible*) durchführbar; ❷ *compromise* vernünftiger Kompromiss ❷ (*able to be manipulated*) bearbeitbar; **~ land** AGR bebaubares Land

worka·day ['wɜːkədeɪ] *adj* ❶ (*of job*) Arbeits- ❷ (*not special*) alltäglich

worka·hol·ic [ˌwɜːkəˈhɒlɪk] *n* (*fam*) Arbeitssüchtige(r) *f(m)*, Arbeitstier *nt fig, oft pej*

'**work·bag** *n* Handarbeitsbeutel *m* '**work·bench** *n* Werkbank *f* '**work·book** *n* Arbeitsbuch *nt* '**work camp** *n esp* AM *Lager in dem Freiwillige gemeinnützige Arbeiten verrichten* '**work·day** *n* AM, AUS ❶ (*time at work*) Arbeitstag *m* ❷ (*not holiday*) Werktag *m*

work·er ['wɜːkə'] *n* ❶ (*not executive*) Arbeiter(in) *m(f);* **blue-collar ~** [Fabrik]arbeiter(in) *m(f);* **white-collar ~** [Büro]angestellte(r) *f(m);* ■ **the ~s** *pl* POL die Arbeiter

pl ❷ (*sb who works hard*) Arbeitstier *nt fam* ❸ (*insect*) Arbeiterin *f*

'**work eth·ic** *n* Arbeitsethos *nt* '**work·force** *n* + *sing/pl vb* Belegschaft *f,* Betriebspersonal *nt* '**work·horse** *n* Arbeitstier *nt fig, oft pej*

work·ing ['wɜːkɪŋ] **I.** *adj attr* ❶ (*employed*) berufstätig ❷ (*pertaining to work*) Arbeits-; **~ conditions** Arbeitsbedingungen *pl;* **~ hour/hours** Arbeitsstunde *f/* -zeit *f* ❸ (*functioning*) funktionierend; **~ order** Betriebsfähigkeit *f;* **in ~ order** betriebsfähig ❹ (*basic*) Arbeits-; **to have a ~ knowledge of sth** in etw *dat* Grundkenntnisse haben **II.** *n* ❶ *no pl* (*activity*) Arbeiten *nt*, Arbeit *f* ❷ *no pl* MIN (*extracting minerals*) Abbau *m* ▶ **the ~s of** <u>fate</u> die Wege des Schicksals

work·ing 'class *n* + *sing/pl vb* ■ **the ~** die Arbeiterklasse *kein pl* '**work·ing·class** *adj* der Arbeiterklasse *nach n;* **a ~ family** eine Arbeiterfamilie **work·ing 'day** *n esp* BRIT ❶ (*time at work*) Arbeitstag *m* ❷ (*not holiday*) Werktag *m* **work·ing-'out** *n no pl* MATH Rechenweg *m* **work·ing-'over** *n* (*fam*) Abreibung *f*

'**work·load** *n* Arbeitspensum *nt kein pl;* TECH Leistungsumfang *m*

'**work·man** *n* ❶ (*craftsman*) Handwerker *m* ❷ (*worker*) Arbeiter *m*

'**work·man·like** *adj* ❶ (*approv: skilful*) fachmännisch ❷ (*pej: sufficient*) annehmbar

work·man·ship ['wɜːkmənʃɪp] *n no pl* Verarbeitung[squalität] *f;* **fine/shoddy/solid ~** feine/schludrige/solide Verarbeitung

work of 'art *n* Kunstwerk *nt* '**work·out** *n* SPORTS Fitnesstraining *nt* '**work per·mit** *n* Arbeitserlaubnis *f*, Arbeitsgenehmigung *f* '**work·place** *n* Arbeitsplatz *m*

works com·'mit·tee *n*, **works 'coun·cil** *n* Betriebsrat *m*

'**work-shar·ing** *n* Arbeitsteilung *f* '**work·shop** *n* ❶ (*room*) Werkstatt *f* ❷ (*meeting*) Workshop *m;* **weekend ~** Wochenendseminar *nt* '**work-shy** *adj* BRIT (*pej*) arbeitsscheu

works 'man·ag·er *n* Betriebsleiter(in) *m(f)* **works 'out·ing** *n* Betriebsausflug *m* '**work·sta·tion** *n* ❶ COMPUT Workstation *f fachspr* ❷ (*work area*) Arbeitsplatz *m* '**work·table** *n* Arbeitstisch *m;* MECH Werktisch *m;* (*for sewing*) Nähtisch *m* '**work·top** *n* BRIT Arbeitsfläche *f* '**work-to-'rule** *n no pl esp* BRIT Dienst *m* nach Vorschrift '**work·week** *n* AM Arbeitswoche *f*

world [wɜːld] *n* ❶ *no pl* (*earth*) ■ **the ~** die

Welt [o Erde] ❷ (*planet*) Welt *f*; **beings from other ~ s** Außerirdische *pl* ❸ (*society*) **the ancient/modern ~** die antike/moderne Welt; **the industrialized ~** die Industriegesellschaft; **the ~ to come** die Nachwelt ❹ *usu sing* (*domain*) **the Catholic/Christian/Muslim ~** die katholische/christliche/moslemische Welt ❺ *no pl* (*life*) **to be in a ~ of one's own** in seiner eigenen Welt sein ▶ **sb has the ~ at his/her** <u>feet</u> jdm liegt die Welt zu Füßen; <u>money</u> **makes the ~ go [a]round** Geld regiert die Welt *prov*; **the ~ is your** <u>oyster</u> die Welt steht dir offen; **to be ~ s apart** Welten auseinanderliegen; **to** <u>mean</u> [**all**] **the ~ to sb** jds Ein und Alles sein; **to** <u>be</u> **out of this ~** (*fam*) himmlisch sein; **not for** [**all**] **the ~** nie im Leben; <u>how/what/who</u> **in the ~** wie/was/wer um alles in der Welt

World '**Bank** *n no pl* ■ **the ~** die Weltbank
'**world-beat·er** *n* der/die/das Weltbeste
'**world-class** *adj* von Weltklasse *nach n*
world '**con·gress** *n* Weltkongress *m*
World '**Cup** *n* ❶ (*competition*) Weltmeisterschaft *f*; (*in soccer*) Fußballweltmeisterschaft *f* ❷ (*trophy*) Worldcup *m*, Weltpokal *m* **world-**'**fa·mous** *adj* weltberühmt
world '**lan·guage** *n* Weltsprache *f*
world·ly ['wɜːldli] *adj* ❶ *attr* (*physical*) weltlich; **~ goods** materielle Güter ❷ (*experienced*) weltgewandt **world o**'**pin·ion** *n* Meinung *f* der Weltöffentlichkeit
world popu·'**la·tion** *n no pl* Weltbevölkerung *f* **world** '**pow·er** *n* Weltmacht *f* **world** '**rec·ord** *n* Weltrekord *m* '**World's Fair** *n* Weltausstellung *f*
'**world-shak·ing**, '**world-shat·ter·ing** *adj* weltbewegend '**world view** *n* PHILOS Weltanschauung *f* **world** '**war** *n* Weltkrieg *m*; **W~ W~ I/II** 1./2. Weltkrieg *m*
'**world-weary** *adj* lebensmüde **world-**'**wide** [ˌwɜːld'waɪd] **I.** *adj* weltweit; **of ~ reputation** von Weltruf *nach n* **II.** *adv* weltweit; **to travel ~** die ganze Welt bereisen **World Wide** '**Web** *n no pl* COMPUT
■ **the ~** das World Wide Web, das Internet
worm [wɜːm] **I.** *n* ❶ ZOOL Wurm *m*; (*larva*) Larve *f*; (*maggot*) Made *f* ❷ MED **to have ~ s** Würmer haben ❸ TECH (*in gear*) Schnecke *f fachspr* **II.** *vt* ❶ (*wriggle*) **to ~ one's way through the crowd** sich *dat* seinen Weg durch die Menge bahnen ❷ (*fig, pej: insinuate into*) **to ~ oneself into someone's heart** sich in jds Herz einschleichen ❸ (*treat for worms*) *an animal* entwurmen **III.** *vi* **to ~ through the crowd/people** sich durch die Menge/Menschen zwängen

'**worm-eat·en** *adj* wurmstichig '**worm·hole** *n* ❶ (*burrow*) Wurmloch *nt* ❷ PHYS Wurmloch *nt*
wormy ['wɜːmi] *adj* ❶ (*full of worms*) *animal* von Würmern befallen; *fruit, vegetable* wurmig ❷ (*damaged by worms*) wurmstichig
worn [wɔːn] **I.** *vt*, *vi pp of* **wear II.** *adj* ❶ (*damaged*) abgenutzt; *carpet* abgetreten; *clothing, furniture* abgewetzt; *shoes* durchgelaufen; *tyres* abgefahren ❷ (*exhausted*) *person* erschöpft
worn '**out** *adj pred*, '**worn-out** *adj attr* ❶ (*exhausted*) *person* erschöpft ❷ (*damaged*) *clothes* verschlissen; *shoes also* durchgelaufen ❸ (*fig: used too often*) *idea, method* abgedroschen
wor·ried ['wʌrɪd] *adj* (*concerned*) beunruhigt, besorgt; ■ **to be ~ about sb/sth** sich *dat* um jdn/etw Sorgen machen; ■ **to be ~ that ...** Angst haben, dass ...; **to be ~ to death** verrückt vor Sorge sein
wor·ried·ly ['wʌrɪdli] *adv* besorgt, beunruhigt
wor·ri·some ['wʌrisəm] *adj* beunruhigend; *problem* drückend
wor·ri·some·ly ['wʌrisəmli] *adv* AM besorgniserregend
wor·ry ['wʌri] **I.** *vi* <-ie-> (*be concerned*) sich *dat* Sorgen machen (**about** um); **I'm sorry — don't ~** tut mir leid – das macht doch nichts; **don't ~, we'll be right back!** keine Sorge, wir sind gleich zurück! ▶ <u>not</u> **to ~!** (*fam*) keine Sorge [o Angst]! **II.** *vt* <-ie-> ❶ (*cause worry*) beunruhigen ❷ (*bother*) stören **III.** *n* ❶ *no pl* (*state of anxiety*) Sorge *f*, Besorgnis *f* ❷ (*source of anxiety*) Sorge *f*; **financial worries** finanzielle Sorgen; **to be a major/minor ~ for sb** jdm ernste/kaum Sorgen machen
wor·ry·ing ['wʌriɪŋ] *adj* Besorgnis erregend, beunruhigend
worse [wɜːs] **I.** *adj comp of* **bad** ❶ (*not as good*) schlechter; (*more difficult, unpleasant*) schlimmer; **~ luck!** (*fam*) so ein Pech!; **and to make matters ~ ...** und was alles noch schlimmer macht, ... ❷ MED (*sicker*) schlechter ▶ **~** <u>things</u> **have happened at sea!** es gibt Schlimmeres!; [**a bit**] **the ~ for** <u>wear</u> (*fam*) [ziemlich] mitgenommen **II.** *adv comp of* **badly** ❶ (*less well*) schlechter; (*more seriously*) schlimmer; **he did ~ than he was expecting in the exams** er schnitt beim Examen schlechter als erwartet ab ❷ (*to introduce statement*) **even ~, ...** was noch schlimmer ist, ... **III.** *n no pl* ❶ (*condition*) ■ **the ~** das Schlechtere; **to change for**

the ~ schlechter werden ❷ (*circumstance*) Schlimmeres *nt*

wors·en ['wɜ:sᵊn] **I.** *vi* sich verschlechtern **II.** *vt* verschlechtern

wors·en·ing ['wɜ:sᵊnɪŋ] *n no pl* Verschlechterung *f*

wor·ship ['wɜ:ʃɪp] **I.** *n no pl* ❶ (*homage*) Verehrung *f*; **act of** ~ Anbetung *f* ❷ (*religious service*) Gottesdienst *m* ❸ (*adoration*) Verehrung *f*; **money** ~ Geldgier *f pej* ❹ *esp* BRIT (*form: title*) **Your W~** (*to judge*) Euer Ehren **II.** *vt* <BRIT -pp- *or* AM *usu* -p-> ❶ (*revere*) **to** ~ **a deity** einer Gottheit huldigen *geh* ❷ (*adore*) vergöttern ❸ (*be obsessed with*) besessen sein; **to** ~ **money** geldgierig sein ▶ **to** ~ **the ground** sb walks on jdn abgöttisch verehren **III.** *vi* <BRIT -pp- *or* AM *usu* -p-> beten; **to** ~ **in a church/mosque/synagogue/temple** in einer Kirche/einer Moschee/einer Synagoge/einem Tempel zu Gott beten

wor·ship·er *n* AM *also see* **worshipper**

wor·ship·per ['wɜ:ʃɪpəʳ] *n* (*person going to church*) Kirchgänger(in) *m(f)*; (*believer*) Gläubige(r) *f(m)*; **devil** ~ Teufelsanbeter(in) *m(f)*

worst [wɜ:st] **I.** *adj superl of* **bad** ❶ (*of poorest quality*) ▪**the** ~ ... der/die/das schlechteste ... ❷ (*least pleasant*) schlechteste(r, s) ❸ (*most dangerous*) übelste(r, s), schlimmste(r, s) ❹ (*least advantageous*) ungünstigste(r, s) **II.** *adv superl of* **badly** ❶ (*most severely*) am schlimmsten ❷ (*least well*) am schlechtesten ❸ (*to introduce sth*) ~ **of all** ... und was am schlimmsten war, ... **III.** *n no pl* ▪**the** ~ der/die/das Schlimmste; ▪**at** ~ schlimmstenfalls ▶ **to** **be** **at one's** ~ sich von seiner schlechtesten Seite zeigen

worst·ed ['wʊstɪd] *n no pl* Kammgarn *nt*

worth [wɜ:θ] **I.** *adj pred* ❶ (*of monetary value*) wert; **to be** ~ **one's weight in gold** Gold wert sein ❷ (*deserving*) wert; **to be** ~ **a try/visit** einen Versuch/Besuch wert sein ❸ (*advisable*) [lohnens]wert; **it's** ~ **remembering that** ... man sollte daran denken, dass ... ▶ **if a** **thing** **is** ~ **doing, it's** ~ **doing well** (*saying*) wenn schon, denn schon *fam;* **to be** ~ **sb's** **while** **doing sth** sich für jdn auszahlen, etw zu tun; **to** **be** [**well**] ~ **it** die Mühe wert sein; **to** **do** **sth for all one is** ~ etw mit aller Kraft tun **II.** *n no pl* ❶ (*monetary value*) Wert *m;* **to get one's money's** ~ etw für sein Geld bekommen ❷ (*merit*) Bedeutung *f*, Wert *m;* **of comparable/dubious/little** ~ von vergleichbarem/zweifelhaftem/geringem Wert

worthi·ly ['wɜ:ðɪli] *adv* (*form*) ehrenhaft *geh*

worth·less ['wɜ:θləs] *adj* wertlos *a. fig*

worth·while [ˌwɜ:θ'(h)waɪl] *adj* lohnend; ▪**to be** ~ sich lohnen; **that's hardly** ~ das ist kaum der Mühe wert

worthy ['wɜ:ði] *adj* ❶ (*form: estimable*) würdig; **to donate to a** ~ **cause** für einen wohltätigen Zweck spenden; ~ **principles** achtbare Prinzipien ❷ (*meriting*) ~ **of attention/praise** beachtens-/lobenswert ❸ *pred* (*suitable*) würdig

would [wʊd] *aux vb* ❶ (*in indirect speech*) **they promised that they** ~ **help** sie versprachen zu helfen ❷ (*to express condition*) **what** ~ **you do if ...?** was würdest du tun, wenn ...? ❸ (*to express inclination*) **I'd go myself, but I'm too busy** ich würde [ja] selbst gehen, aber ich bin zu beschäftigt; **sb** ~ **rather** [*or* **sooner**] **do sth** jd würde lieber etw tun ❹ (*polite request*) **if you** ~ **just wait a moment ...** wenn Sie einen kleinen Moment warten, ... ❺ (*expressing opinion*) **I** ~ **imagine that ...** ich könnte mir vorstellen, dass ...; **I** ~ **n't have thought that ...** ich hätte nicht gedacht, dass ... ❻ (*express regularity*) immer [wieder]; **the bus** ~ **be late when I'm in a hurry** der Bus kommt immer zu spät, wenn ich es eilig habe; **he** ~ **say that, wouldn't he?** er sagt das immer, nicht wahr?

'would-be I. *adj attr* Möchtegern- *pej* **II.** *n* Möchtegern *m pej*

wouldn't ['wʊdᵊnt] = **would not** *see* **would**

wound¹ [wu:nd] **I.** *n* ❶ (*injury*) Wunde *f*; **gunshot/stab/war** ~ Schuss-/Stich-/Kriegsverletzung *f* ❷ (*fig: psychological hurt*) Wunde *f*, Kränkung *f*; **to reopen old** ~**s** alte Wunden wiederaufreißen **II.** *vt* ❶ (*physically*) verletzen, verwunden; **to** ~ **sb badly/fatally/mortally** jdn schwer/schlimm/tödlich verletzen ❷ (*fig: psychologically*) kränken; **to** ~ **sb deeply** jdn tief verletzen

wound² [waʊnd] *vt, vi pt, pp of* **wind**

wound·ed ['wu:ndɪd] **I.** *adj* ❶ (*physically*) verletzt, verwundet ❷ (*fig: psychologically*) gekränkt, verletzt **II.** *n* ▪**the** ~ *pl* die Verletzten *pl;* MIL die Verwundeten *pl*

wove [wəʊv] *vt, vi pt of* **weave**

wov·en ['wəʊvᵊn] **I.** *vt, vi pp of* **weave** **II.** *adj* ❶ (*on loom*) gewebt; ~ **fabric** Gewebe *nt* ❷ (*intertwined*) *basketwork, wreath* geflochten ❸ (*complex*) verwickelt

wow [waʊ] (*fam*) **I.** *interj* wow *sl,* toll!

fam, super! *sl* **II.** *vt* ■**to ~ sb** jdn hinreißen
WPC [ˌdʌbljuːpiːˈsiː] *n* BRIT *abbrev of*
Woman Police Constable Wachtmeis-
terin *f*
wpm *abbrev of* **words per minute** WpM
wraith [reɪθ] *n* (*liter*) ❶ (*spirit*) Geist *m*
❷ (*insubstantial person*) Gespenst *nt*
❸ (*faint trace*) Spur *f*
wran·gle [ˈræŋgl] **I.** *vi* streiten; ■**to ~
about sth** um etw *akk* rangeln **II.** *vt* AM
(*care for*) **cattle, horses** hüten **III.** *n* Gerangel *nt* (**about/over** um); **a legal ~** ein
Rechtsstreit *m*
wrap [ræp] **I.** *n* ❶ FASHION (*covering*) Umhang *m;* (*stole*) Stola *f* ❷ *no pl* (*packaging*)
Verpackung *f* ❸ *usu pl* (*fig: veil of secrecy*)
to keep sth under ~s etw unter Verschluss halten ❹ FILM (*fam*) **it's a ~** die Szene ist im Kasten ❺ *esp* AM (*meal*) Tortil-
lawrap *m* **II.** *vt* <-pp-> ❶ (*cover*) einpacken; (*in paper*) einwickeln ❷ (*draw
round*) ■**to ~ sth around sb/sth** etw um
jdn/etw wickeln ❸ (*place around*) **to ~
one's arms around sb** die Arme um jdn
schlingen ❹ COMPUT **to ~ text/words**
Texte/Wörter umbrechen ▶**to ~ sb
[a]round one's little <u>finger</u>** jdn um den
kleinen Finger wickeln **III.** *vi* <-pp->
❶ COMPUT umbrechen ❷ FILM (*fam*) **die**
Dreharbeiten beenden ◆**wrap up I.** *vt*
❶ (*completely cover*) einwickeln ❷ (*dress
warmly*) warm einpacken ❸ (*conclude*)
abschließen; **to ~ up a deal** einen Handel
unter Dach und Fach bringen **II.** *vi* (*fig:
preoccupy*) ■**to be ~ped up in sb/sth**
mit jdm/etw ganz beschäftigt sein
wrap·around [ˈræpəraʊnd] **I.** *adj* ❶ (*curving*) herumgezogen ❷ FASHION Wickel-;
~ skirt Wickelrock *m* **II.** *n* ❶ FASHION Wickelrock *m* ❷ COMPUT Zeilenumbruch *m*
wrap·per [ˈræpəʳ] *n* ❶ (*packaging*) Verpackung *f;* **sweet** [*or* AM **candy**] **~** Bonbon-
papier *nt* ❷ (*for book*) [Schutz]umschlag *m*
❸ *esp* AM (*for cigars*) Deckblatt *nt* ❹ AM
(*robe*) Umhang *m*
ˈwrap·ping pa·per *n no pl* (*for package*)
Packpapier *nt;* (*for present*) Geschenkpa-
pier *nt*
wrath [rɒθ] *n no pl* (*liter or dated*) Zorn *m;*
to incur sb's ~ sich *dat* jds Zorn zuziehen
wrath·ful [ˈrɒθfˀl] *adj* (*liter or dated*) zornig
wreak [riːk] *vt* (*form*) ❶ (*cause*) **to ~
damage** [*or* **havoc**] [**on sth**] Schaden [an
etw *dat*] anrichten ❷ (*inflict*) **to ~
revenge on sb** sich an jdm rächen
wreath [riːθ] *n* Kranz *m* (**of** aus); **laurel ~**
Lorbeerkranz *m*

wreathe [riːð] (*liter*) **I.** *vt usu passive*
❶ (*encircle*) umwinden; **~d in cloud** in
Wolken gehüllt ❷ (*form into wreath*) zu
einem Kranz flechten **II.** *vi* sich kräuseln;
the smoke ~d upwards der Rauch stieg
in Kringeln auf
wreck [rek] **I.** *n* ❶ (*destruction of boat*)
Schiffbruch *m* ❷ (*boat*) [Schiffs]wrack *nt*
❸ (*ruined vehicle*) Wrack *nt* ❹ (*disorganized remains*) Trümmerhaufen *m,* Ruine *f*
❺ (*accident*) Unfall *m* ❻ (*person*) **to be a
complete/nervous ~** ein totales/nerv-
liches Wrack sein **II.** *vt* ❶ (*sink*) ■**to be
~ed ship** Schiffbruch erleiden ❷ (*destroy*)
zerstören ❸ (*fig: spoil*) ruinieren; *chances,
hopes plans* zunichtemachen; **to ~ sb's
life** jds Leben zerstören; **to ~ a marriage**
eine Ehe zerrütten
wreck·age [ˈrekɪdʒ] *n no pl* Wrackteile *pl,*
Trümmer *pl a. fig*
wreck·er [ˈrekəʳ] *n* ❶ (*person who
destroys*) Zerstörer(in) *m(f)* ❷ *esp* AM (*sal-
vager*) Bergungsarbeiter(in) *m(f)* ❸ AM
(*breakdown truck*) Abschleppwagen *m*
wreck·ing [ˈrekɪŋ] *n no pl* Bergung *f* von
Strandgut; HIST Strandraub *m*
wren [ren] *n* Zaunkönig *m*
wrench [ren(t)ʃ] **I.** *n* <*pl* -es> ❶ *usu sing*
(*twisting*) Ruck *m* ❷ *usu sing* (*fig: pain
caused by a departure*) Trennungs-
schmerz *m* ❸ *esp* AM (*spanner*) Schraubenschlüssel *m;* **screw ~** Franzose *m* **II.** *vt*
❶ (*twist*) ■**to ~ sb/sth from sb** jdm jdn/
etw entreißen *a. fig;* **to ~ free** losreißen;
■**to ~ off** abreißen ❷ (*injure*) *a muscle*
zerren; *a joint* verrenken ❸ (*turn*) **to ~ a
bolt/nut** eine Schraube/Mutter drehen
wres·tle [ˈresl] **I.** *vi* ❶ SPORTS ringen ❷ (*fig:
struggle*) ■**to ~ with sth** mit etw *dat* ringen **II.** *vt* SPORTS ringen; **to ~ sb to the
ground** jdn zu Boden bringen **III.** *n*
❶ (*contest*) Ringkampf *m* ❷ (*fig: struggle*)
Ringen *nt kein pl*
wres·tler [ˈresləʳ] *n* Ringer(in) *m(f);* **professional ~** Profiringer(in) *m(f);* **Sumo ~**
Sumoringer(in) *m(f)*
wres·tling [ˈreslɪŋ] *n no pl* Ringen *nt*
ˈwres·tling bout, ˈwres·tling match *n*
Ringkampf *m*
wretch <*pl* -es> [retʃ] *n* ❶ (*unfortunate
person*) **poor ~** armer Kerl *fam* ❷ (*fam:
mean person*) **miserable ~** Schweinehund *m pej*
wretch·ed [ˈretʃɪd] *adj* ❶ (*unhappy*) unglücklich; **to feel ~** sich elend fühlen
❷ (*very bad*) schlimm; *state, condition*
jämmerlich; **she had a ~ life as a child** sie
hatte eine schreckliche Kindheit ❸ (*to

express anger) verflixt; **it's a ~ nuisance!** so ein Mist!

wrick *n, vt* Am *see* **rick²**

wrig·gle ['rɪgl] **I.** *vi* ❶ (*twist and turn*) sich winden; **to ~ free [of sth]** sich [aus etw *dat*] herauswinden ❷ (*move*) schlängeln ▶ **to ~ off the** <u>hook</u> (*fam*) sich herausreden; **to ~** <u>out</u> **of doing sth** (*fam*) sich davor drücken, etw zu tun **II.** *vt* **to ~ one's toes in the sand** die Zehen in den Sand graben **III.** *n usu sing* Schlängeln *nt*

wri·ly ['raɪli] *adv remark, smile* trocken

wring <wrung, wrung> [rɪŋ] **I.** *n usu sing* [Aus]wringen *nt* **II.** *vt* ❶ (*twist*) auswringen ❷ (*break*) **to ~ sb's/an animal's neck** (*also fig*) jdm/einem Tier den Hals umdrehen ❸ (*squeeze*) **to ~ sb's hand** jdm fest die Hand drücken ❹ (*obtain*) ■**to ~ sth out of sb** etw aus jdm herauspressen ▶ **to ~ one's** <u>hands</u> die Hände ringen

wring·er ['rɪŋər] *n* Wäschemangel *f* ▶ **to** <u>put</u> **sb through the ~** (*fam*) jdn in die Mangel nehmen

wrin·kle ['rɪŋkl] **I.** *n* ❶ (*in a material*) Knitterfalte *f;* (*in the face*) Falte *f,* Runzel *f* ❷ (*fam: difficulty*) **to iron out the ~s** einige Unklarheiten beseitigen **II.** *vt* zerknittern ▶ **to ~ one's** <u>brow</u> die Stirn runzeln; **to ~ [up] one's** <u>nose</u> **at sth** über etw *akk* die Nase rümpfen **III.** *vi material* zerknittern; *face, skin* Falten bekommen; *fruit* schrumpeln

wrin·kled ['rɪŋkld] *adj clothes* zerknittert; *face, skin* faltig, runzlig; *fruit* verschrumpelt

'wrinkle-free *adj* knitterfrei

wrist [rɪst] *n* ANAT Handgelenk *nt;* **to slash one's ~s** sich *dat* die Pulsadern aufschneiden

'wrist·band *n* ❶ (*strap*) Armband *nt* ❷ (*absorbent material*) Schweißband *nt*

wrist·let ['rɪs(t)lɪt] *n* ❶ (*bracelet*) Armreif *m* ❷ (*handcuff*) Handschelle *f*

'wrist·watch *n* Armbanduhr *f*

writ¹ [rɪt] *n* ❶ (*legal notice*) [gerichtliche] Verfügung; **a ~ of summons** eine [schriftliche] Vorladung; **to issue a ~ against sb** jdn vorladen ❷ *esp* BRIT (*Crown document*) Wahlausschreibung *f* für das Parlament ❸ *no pl* (*form: authority*) **~ of law** Gesetzgebungshoheit *f*

writ² [rɪt] *vt, vi* (*old*) *pt, pp of* **write**

write <wrote, written *or old* writ> [raɪt] **I.** *vt* ❶ (*make letters*) schreiben; **to ~ a letter to sb** jdm einen Brief schreiben ❷ (*complete*) *a cheque, a prescription, a receipt* ausstellen; *one's will* aufsetzen ❸ CAN, SA SCH **to ~ a test** einen Test

schreiben ❹ (*compose*) *a book, a song* schreiben; ■**to ~ to sb [that ...]** BRIT, AUS [*or* AM **to ~ sb [that ...]**] jdm schreiben[, dass ...]; **to ~ sth in English** etw auf Englisch verfassen ❺ (*add*) **to ~ sth into a contract** etw in einen Vertrag aufnehmen ❻ COMPUT ■**to ~ sth to sth** etw auf etw *dat* speichern ▶ **to be nothing to ~** <u>home</u> **about** nichts Weltbewegendes sein **II.** *vi* ❶ (*make letters*) schreiben; **to know how to read and ~** Lesen und Schreiben können ❷ COMPUT speichern ◆ **write away** *vi* ■**to ~ away for sth** etw [schriftlich] anfordern ◆ **write back** *vt, vi* zurückschreiben ◆ **write down** *vt* ❶ (*record*) aufschreiben ❷ FIN abschreiben ◆ **write in I.** *vt* (*put in*) ■**to ~ in** ⟲ **sth** (*in text*) etw einfügen; (*in form*) etw eintragen **II.** *vi* schreiben; **he wrote in expressing his dissatisfaction with recent programming** er schickte einen Brief, um seine Unzufriedenheit mit dem momentanen Programm auszudrücken ◆ **write off I.** *vi* ■**to ~ off for sth** etw [schriftlich] anfordern **II.** *vt* ❶ (*dismiss*) abschreiben *fam* ❷ FIN *an asset, a debt* abschreiben ❸ BRIT (*destroy*) **to ~ off a car** ein Auto zu Schrott fahren *fam* ❹ (*send*) *a letter* abschicken ◆ **write out** *vt* ❶ (*remove*) streichen; THEAT, FILM *character in play, series* einen Abgang schaffen; **to ~ sb out of one's will** jdn aus seinem Testament streichen ❷ (*write in full*) ausschreiben ❸ (*put in writing*) aufschreiben ❹ (*fill out*) *cheque* ausstellen ◆ **write up** *vt* ❶ (*put in written form*) *an article, notes* ausarbeiten ❷ (*critique*) **to ~ up a concert/film/play** eine Kritik zu einem Konzert/Film/Stück schreiben ❸ AM (*report*) aufschreiben *fam*

'write-in *adj* AM POL **a ~ candidate** *ein nachträglich auf der Liste hinzugefügter Kandidat;* **a ~ campaign** *eine Wahlkampagne, bei der man einen Kandidaten wählen kann, den man nachträglich auf den Stimmzettel dazuschreibt* **'write-off** *n* ❶ BRIT (*vehicle*) **to be a complete ~** ein absoluter Totalschaden sein ❷ (*worthless person*) Versager(in) *m(f);* (*worthless event*) Reinfall *m* ❸ FIN Abschreibung *f* **'write-pro·tect·ed** *adj* COMPUT schreibgeschützt

writ·er ['raɪtər] *n* ❶ (*person who writes*) Verfasser(in) *m(f)* ❷ (*author*) *of books, films, plays* Autor(in) *m(f);* **sports ~** Sportreporter(in) *m(f);* **travel ~** Reiseschriftsteller(in) *m(f)*

writer-in-'resi·dence *n* <*pl* -s-in-residence> *Schriftsteller, der Gast ist an ei-*

ner Universität oder einer anderen Institution und ev. dort Workshops veranstaltet

'**write-up** *n of play, film* Kritik *f; of book also* Rezension *f*

writhe [raɪð] *vi* ❶ (*squirm*) sich winden ❷ (*fig: emotionally*) beben; **she ~d in suppressed fury** sie bebte innerlich vor unterdrückter Wut

writ·ing ['raɪtɪŋ] *n* ❶ *no pl* (*skill*) Schreiben *nt;* ▪ **in ~** schriftlich ❷ *no pl* (*occupation*) Schriftstellerei *f* ❸ *no pl* (*literature*) Literatur *f* ❹ (*written works*) ▶ **~s** *pl* Schriften *pl* ❺ *no pl* (*handwriting*) [Hand]schrift *f* ▶ **the ~ is on the** wall die Stunde hat geschlagen; **to read the ~ on the** wall die Zeichen der Zeit erkennen

'**writ·ing desk** *n* Schreibtisch *m* '**writ·ing pad** *n* Schreibblock *m* '**writ·ing pa·per** *n no pl* Schreibpapier *nt*

writ·ten ['rɪt³n] **I.** *vt, vi pp of* **write II.** *adj* schriftlich; **the ~ word** das geschriebene Wort ▶ **to be ~ in the** stars in den Sternen stehen; **to** have **sth ~ all over one's face** jdm steht etw ins Gesicht geschrieben

wrong [rɒŋ] **I.** *adj* ❶ (*not correct*) falsch; **it's all ~** das ist völlig verkehrt; **sorry, you've got the ~ number** tut mir leid, Sie haben sich verwählt; **he got the answer ~** er hat die falsche Antwort gegeben; **to be proved ~** widerlegt werden; ▪ **to be ~ about sth** sich bei etw *dat* irren ❷ *pred* (*amiss*) **is there anything ~?** stimmt etwas nicht?; **what's ~ with you today?** was ist denn heute mit dir los? ❸ (*morally reprehensible*) verwerflich *geh;* **it was ~ of her to ...** es war nicht richtig von ihr, ... ❹ *pred* (*not functioning properly*) **something's ~ with the television** irgendetwas stimmt mit dem Fernseher nicht ▶ **to get out of** bed **on the ~ side** mit dem linken Fuß zuerst aufstehen; **to get hold of the ~** end **of the stick** etw in den falschen Hals bekommen *fam;* **to fall into the ~** hands in die falschen Hände geraten **II.** *adv* ❶ (*incorrectly*) falsch; **to spell sth ~**

etw falsch buchstabieren ❷ (*in a morally reprehensible way*) falsch ❸ (*amiss*) **to go ~** *things* schiefgehen *fam; people* vom rechten Weg abkommen **III.** *n* ❶ *no pl* (*moral reprehensibility*) **to know right from ~** richtig und falsch unterscheiden können ❷ *no pl* (*unjust action*) Unrecht *nt* ▶ **to be** in **the ~** (*mistaken*) sich irren; (*reprehensible*) im unrecht sein **IV.** *vt usu passive* (*form: treat unjustly*) ▪ **to ~ sb** jdm unrecht tun; (*judge character unjustly*) jdn falsch einschätzen

wrong·do·er [-‚du:ɘʳ] *n* Übeltäter(in) *m(f)* **wrong·do·ing** [-‚du:ɪŋ] *n no pl* Übeltat *nt;* **police ~** Fehlverhalten *nt* der Polizei; **to accuse sb of ~** jdm Fehlverhalten vorwerfen **wrong·ful** ['rɒŋfᵊl] *adj* unrechtmäßig **wrong-'head·ed** *adj* (*pej*) *person* querköpfig *pej; idea, plan* hirnverbrannt *fam*

wrong·ly ['rɒŋli] *adv* ❶ (*mistakenly*) fälschlicherweise ❷ (*unjustly*) **to ~ convict sb of a crime** jdn zu Unrecht verurteilen ❸ (*incorrectly*) falsch

wrote [rəʊt] *vt, vi pt of* **write**

wrought [rɔ:t] *adj* ❶ (*form: crafted*) [aus]gearbeitet; (*conceived*) [gut] durchdacht; *piece of writing* [gut] konzipiert ❷ *attr* (*beaten out*) *silver, gold* gehämmert **wrought 'iron I.** *n no pl* Schmiedeeisen *nt* **II.** *adj pred* schmiedeeisern **wrought 'up** *adj usu pred* beunruhigt, aufgeregt

wrung [rʌŋ] *vt pt, pp of* **wring**

wry <-ier, -iest *or* -er, -est> [raɪ] *adj usu attr* (*dry and ironic*) *comments, humour* trocken; *smile* bitter

wry·ly *adv see* **wrily**

WSW *abbrev of* **west southwest** WSW

wt *n abbrev of* **weight** Gew.

WW *n abbrev of* **World War** Weltkrieg *m*

WWF [‚dʌblju:‚dʌblju:'ef] *n no pl abbrev of* **Worldwide Fund for Nature:** ▪ **the ~** der WWF

WWW [‚dʌblju:dʌblju:'dʌblju:] *n no pl abbrev of* **World Wide Web** WWW *nt*

W

X

X <pl -s or -'s>, **x** <pl -'s> [eks] n X nt, x nt; see also **A** 1

x [eks] **I.** vt AM **to ~ [out]** |aus|streichen **II.** n ❶ MATH **x-axis** x-Achse f ❷ (symbol for kiss) Kusssymbol, etwa am Briefende; **all my love, Katy ~~~** alles Liebe, Gruß und Kuss, Katy

X 'chro·mo·some n X-Chromosom nt

xeno·pho·bia [ˌzenə(ʊ)'fəʊbiə] n no pl Fremdenhass m

xeno·phob·ic [ˌzenə(ʊ)'fəʊbɪk] adj fremdenfeindlich

Xer·ox® n Kopie f

Xmas ['krɪs(t)məs, 'eksməs] (fam) **I.** n <pl -es> short for **Christmas** Weihnachten nt

II. adj Weihnachts-

'X-rat·ed adj (hist) **an ~ film** [or **movie**] ein Film, der für Jugendliche unter 18 (in den USA unter 17) Jahren nicht zugelassen ist

X-ray ['eksreɪ] **I.** n ❶ (radiation) Röntgenstrahl m ❷ (examination) Röntgenuntersuchung f; **to give sb an ~** jdn röntgen; **to go for** [or **have**] **an ~** sich röntgen lassen ❸ (picture) Röntgenbild nt ❹ no pl (hospital department) Röntgenabteilung f **II.** adj Röntgen-; **~ vision** (fig) Röntgenblick m **III.** vt röntgen

xy·lo·phone ['zaɪləfəʊn] n Xylophon nt

Y

Y <pl -s or -'s>, **y** <pl -'s> [waɪ] n Y nt, y nt; see also **A** 1

y [waɪ] n MATH y nt; **y-axis** y-Achse f

yacht [jɒt] n Jacht f

yacht·ing ['jɒtɪŋ] n no pl Segeln nt; **to go ~** segeln gehen

'yachts·man n (owner) Jachtbesitzer m; (person sailing) Segler m; **round-the-world ~** Weltumsegler m

yack [jæk] vi (sl) quasseln

yak [jæk] **I.** n Jak m **II.** vi <-kk-> (sl) quasseln

yam [jæm] n ❶ (African vegetable) Jamswurzel f ❷ AM Süßkartoffel f

yank [jæŋk] (fam) **I.** n Ruck m **II.** vt ▪**to ~ sth** an etw dat [ruckartig] ziehen **III.** vi ▪**to ~ [on sth]** [an etw dat] zerren ♦ **yank out** vt herausreißen; tooth ziehen; **to be ~ed out of bed** (fig) aus dem Bett geworfen werden

Yank [jæŋk] n (fam) Ami m

Yan·kee ['jæŋki] (fam) **I.** n ❶ (American) Ami m fam ❷ AM (person from northern USA) Nordstaatler(in) m(f) **II.** adj attr ❶ (from USA) Ami- ❷ AM (from northern USA) Nordstaatler-

yap [jæp] **I.** vi <-pp-> ❶ dog kläffen ❷ (pej fam) person quasseln **II.** n no pl Kläffen nt

yap·ping ['jæpɪŋ] **I.** adj attr dog kläffend **II.** n no pl ❶ (high-pitched barking) Kläffen nt, Kläfferei f ❷ (pej fam: chatter) Gequassel nt fam

yard¹ [jɑːd] n ❶ (3 feet) Yard nt; **a list a ~ long** (fig) eine ellenlange Liste; **~s and ~s of material** meterweise Stoff; **to sell sth by the ~** etw in Yards verkaufen ❷ NAUT Rah[e] f

yard² [jɑːd] n ❶ (paved area) Hof m ❷ (work site) Werksgelände nt; (for storage) Lagerplatz m; (dockyard) [Schiffs]werft f ❸ AM (garden) Garten m

'yard·stick n ❶ (measuring tool) Zollstock m ❷ (standard) Maßstab m

yarn [jɑːn] n ❶ no pl (for knitting, weaving) Wolle f; (for sewing) Garn nt ❷ (story) Geschichte f; (tall story) of sailor Seemannsgarn nt; of hunter Jägerlatein nt; of angler Anglerlatein nt; **to spin [sb] a ~** [jdm] eine Lügengeschichte erzählen

yaw [jɔː] **I.** vi ship gieren; plane ausbrechen **II.** n no pl Gieren nt

yawl [jɔːl] n Jolle f

yawn [jɔːn] **I.** vi gähnen a. fig **II.** vt **to ~ one's head off** (fam) hemmungslos gähnen **III.** n ❶ (sign of tiredness) Gähnen nt kein pl ❷ (fig fam) [stink]langweilige Angelegenheit; **I thought the film was a big ~** ich fand den Film stinklangweilig

yawn·ing ['jɔːnɪŋ] adj gähnend a. fig

yd n abbrev of **yard¹** 1

yea [jeɪ] adv (form) **~ or nay** ja oder nein

yeah [jeə] adv (fam: yes) ja[wohl]; **~?** ach

wirklich?; **oh ~!** [*or* **~, ~!**] (*iron*) klar!, ganz bestimmt!

year [jɪəʳ] *n* ❶ (*twelve months*) Jahr *nt;* **how much does he earn a ~?** wie viel verdient er im Jahr?; **the time of the ~** die Jahreszeit; **five times a ~** fünfmal im [*o pro*] Jahr; **two ~s' work** zwei Jahre Arbeit; **all** [**the**] **~ round** das ganze Jahr über; **last/next/this ~** letztes/nächstes/dieses Jahr; **he retires in March of next ~** er geht im März nächsten Jahres in Rente; **for two ~s** zwei Jahre lang; **~ by ~** Jahr für Jahr ❷ (*age, time of life*) [Lebens]jahr *nt;* **a two-~-old child** ein zweijähriges Kind ❸ (*fam: indefinite time*) ■**~s** *pl* Jahre *pl;* **~ in, ~ out** Jahr ein, Jahr aus; **for ~s** (*since a long time ago*) seit Jahren; (*for a long time*) jahrelang; **over the ~s** mit den Jahren ❹ (*academic year*) SCH Schuljahr *nt;* UNIV Studienjahr *nt;* (*group*) Klasse *f;* **she was in the ~ above** [*or* AM **ahead of**]/**below** [*or* AM **behind**] **me at school** sie war in der Schule ein Jahr über/unter mir; **a three-~ course** ein dreijähriger Kurs; **the ~ 9 pupils** BRIT die Neuntklässler *pl;* **a first-~ student** ein Student/eine Studentin im ersten Studienjahr; **the second-~s** die Schüler, Schülerinnen *mpl, fpl* der zweiten Klasse ▶ **to take ~s off sb** jdn jünger wirken lassen

'year·book *n* ❶ PUBL Jahresausgabe *f* ❷ AM SCH, UNIV Jahrbuch *nt* **'year-long** *adj* (*lasting one year*) einjährig; (*lasting for years*) jahrelang

year·ly ['jɪəli] *adj, adv* jährlich; **twice-~** zweimal pro Jahr

yearn [jɜːn] *vi* ■ **to ~ for sb/sth** sich nach jdm/etw sehnen

yearn·ing ['jɜːnɪŋ] *n* Sehnsucht *f*

yeast [jiːst] *n no pl* Hefe *f*

yell [jel] I. *n* ❶ (*loud shout*) [Auf]schrei *m;* **to let out a ~** einen Schrei ausstoßen ❷ AM (*chant*) Schlachtruf *m* II. *vi* gellend schreien; **she ~ed at me to catch hold of the rope** sie schrie mir zu, das Seil zu packen; **the teacher was ~ing at the class** der Lehrer schrie die Klasse an; ■ **to ~ for sb/sth** nach jdm/etw rufen; **to ~ for help** um Hilfe rufen; **to ~ at each other** sich anschreien; **to ~ out** aufschreien III. *vt* ■ **to ~ sth** [**at sb**] [jdm] etw laut [zu]rufen

yel·low ['jeləʊ] I. *adj* ❶ (*colour*) gelb; (*with age*) *paper* vergilbt; **bright ~** knallgelb ❷ (*fam: cowardly*) feige; **to have a ~ streak** feige sein II. *n* ❶ *no pl* (*colour*) Gelb *nt;* **to paint sth ~** etw gelb streichen ❷ (*shade of yellow*) Gelbton *m* III. *vi* vergilben

yel·low 'fe·ver *n no pl* Gelbfieber *nt*

yel·low·ish ['jeləʊɪʃ] *adj* gelblich

yel·low·ness ['jeləʊnəs] *n no pl* gelbe Farbe

Yel·low 'Pages® *npl* + *sing vb* ■ **the ~** die Gelben Seiten®

yelp [jelp] I. *vi dog* kläffen, aufjaulen; *of person* aufschreien II. *n dog* Gebell *nt,* Gejaule *nt;* *person* Schrei *m;* **~ of pain** Schmerzensschrei *m*

Yem·en ['jemən] *n no pl* Jemen *m*

yen¹ <*pl ->* [jen] *n* FIN Yen *m*

yen² [jen] *n* (*fam*) Faible *nt;* **to have a ~ to do sth** den Drang haben, etw zu tun

yep [jep] *adv* (*fam*) ja

Ye·re·van [jerəvɑːn] *n* Eriwan *nt*

yes [jes] I. *adv* ❶ (*affirmative*) ja; **~ sir/ madam** [*or* AM **ma'am**] jawohl; *a* bitte; **to say ~** [**to sth**] ja [zu etw *dat*] sagen, etw bejahen ❷ (*contradicting a negative*) aber ja [doch]; **I'm not a very good cook — ~, you are** ich bin kein sehr guter Koch – ach was, bist du doch; **she didn't really mean it — oh ~ she did!** sie hat es nicht so gemeint – oh doch, das hat sie! II. *n* <*pl -es*> Ja *nt;* **was that a ~ or a no?** war das ein Ja oder ein Nein? III. *vt* <-ss-> AM ■ **to ~ sb** jdm nach dem Mund reden

'yes-man *n* (*pej*) Jasager *m*

yes·ter·day ['jestədeɪ] I. *adv* gestern; **~ afternoon** gestern Nachmittag; **the day before ~** vorgestern II. *n no pl* Gestern *nt;* **this is ~'s paper** das ist die Zeitung von gestern

'yes·ter·tech *adj* technisch veraltet

yet [jet] I. *adv* ❶ (*up to now*) bis jetzt; **as ~** bis jetzt; + *superl;* **the best ~** der/die/das Beste bisher ❷ (*already*) schon; **is it time to go ~? — no, not ~** ist es schon Zeit zu gehen? – nein, noch nicht ❸ (*in the future, still*) noch; **the best is ~ to come** das Beste kommt [erst] noch; **not ~** noch nicht; **she won't be back for a long time ~** sie wird noch lange nicht zurück sein; **to have ~ to do sth** noch etw tun müssen ❹ (*even*) [sogar] noch; + *comp;* **~ bigger/ more beautiful** noch größer/schöner ❺ (*despite that*) trotzdem; (*but*) aber [auch]; (*in spite of everything*) schon ❻ (*in addition*) **he came back from rugby with ~ another black eye** er kam vom Rugby wieder mal mit einem blauen Auge nach Hause; **~ again** schon wieder II. *conj* doch

yeti ['jeti] *n* Yeti *m*

yew [juː] *n* Eibe *f*

Yid·dish ['jɪdɪʃ] *n no pl* Jiddisch *nt*

yield [jiːld] I. *n* ❶ AGR Ertrag *m* ❷ MIN Aus-

beute *f* ❸ FIN [Zins]ertrag *m;* **initial ~s** anfängliche Gewinne **II.** *vt* ❶ (*produce*) hervorbringen; *cereals, fruit* erzeugen; *information, results* liefern ❷ FIN abwerfen; **the bonds are currently ~ ing 6·7%** die Pfandbriefe bringen derzeit 6-7 % ❸ (*concede*) **to ~ ground to sb** jdm [gegenüber] nachgeben; **to ~ a point to sb** jdm ein Zugeständnis machen; (*in discussion*) jdm in einem Punkt Recht geben; (*in competition*) einen Punkt an jdn abgeben **III.** *vi* (*give way*) ■**to ~** [**to sb/sth**] [jdm/etw] [gegenüber] nachgeben; (*give right of way*) ■**to ~ to sb** jdm den Vortritt lassen ◆**yield up** *vt* ❶ (*surrender*) aufgeben; *rights* abtreten ❷ (*reveal*) *secret* lüften

yield·ing [ˈjiːldɪŋ] *adj* ❶ (*pliable*) dehnbar ❷ (*compliant*) nachgiebig

YMCA [ˌwaɪemsiːˈeɪ] *n abbrev of* **Young Men's Christian Association** CVJM *m*

yob [jɒb] *n* BRIT, AUS, **yob·bo** <*pl* -os *or* -oes> [ˈjɒbəʊ] *n* BRIT, AUS (*fam*) Rabauke *m*, Rüpel *m*

yob·bish [ˈjɒbɪʃ] *adj* BRIT (*fam*) *behaviour* rowdyhaft

yo·del [ˈjəʊdəl] **I.** *vi, vt* <BRIT -ll- *or* AM *usu* -l-> jodeln **II.** *n* Jodler *m*

yo·del·ler [ˈjəʊdələʳ] *n* Jodler(in) *m(f)*

yoga [ˈjəʊɡə] *n no pl* Yoga *nt*

yo·ghourt *n,* **yo·gurt** [ˈjəʊɡət] *n* Joghurt *m o nt*

yoke [jəʊk] **I.** *n* (*for pulling*) Joch *nt a. fig;* (*for carrying*) Tragjoch *nt* **II.** *vt* ❶ (*fit with yoke*) ■**to ~ an animal** ein Tier ins Joch spannen; **to ~ animals to a plough** Tiere vor einen Pflug spannen ❷ (*fig*) ■**to ~ sth together** etw [miteinander ver]koppeln

yo·kel [ˈjəʊkəl] *n* (*pej*) Tölpel *m;* **country ~** Bauerntölpel *m*

yolk [jəʊk] *n* Eigelb *nt*

yon·der [ˈjɒndəʳ] (*liter*) **I.** *adv* dort drüben **II.** *adj* jene(r, s) ... dort [drüben]

you [juː, ju, jə] *pron* ❶ (*singular*) du *in nomin,* dich *in akk,* dir *in dat;* (*polite form*) Sie *in nomin, akk,* Ihnen *in dat;* **~ painted that yourself?** das hast du selbst gemalt?; **if I were ~** wenn ich du/Sie wäre, an deiner/Ihrer Stelle; **that dress just isn't ~!** das Kleid passt einfach nicht zu dir! ❷ (*plural*) ihr *in nomin,* euch *in akk, dat;* (*polite form*) Sie *in nomin, akk,* Ihnen *in dat;* **~ Americans/kids!** ihr Amerikaner/Kinder!; **how many of ~ are there?** wie viele seid ihr?; **I can't stand ~ men!** ich kann euch Männer nicht ausstehen!; **are ~ two ready?** seid ihr zwei [*o* beide] fertig? ❸ (*one*) man; **~ learn from experience** aus Erfahrung wird man klug; **~ meet a lot**

of people through work in der Arbeit trifft man viele Menschen; **it's not good for ~** das ist nicht gesund; **~ never know** man weiß nie

you'll [juːl] = **you will** *see* will[1]

young [jʌŋ] **I.** *adj* jung; (*title*) ■**the Y~er** der/die Jüngere; **I'm not as ~ as I was** ich bin nicht mehr der Jüngste; **she's a very ~ forty** für vierzig sieht sie sehr jung aus; **she's ~ for sixteen** für sechzehn ist sie noch recht kindlich; **the night is still ~** die Nacht ist noch jung; **this is John, our ~est** das ist John, unser Jüngster; **~ children** kleine Kinder; **to be ~ at heart** im Herzen jung [geblieben] sein **II.** *npl* ❶ (*young people*) ■**the ~** die jungen Leute ❷ ZOOL Junge *pl*

young·ish [ˈjʌŋɪʃ] *adj* ziemlich jung

young·ster [ˈjʌŋ(k)stəʳ] *n* (*fam*) Jugendliche(r) *f(m);* **you ~s** ihr jungen Leute

your [jɔːʳ, jʊəʳ] *adj poss* ❶ (*of you, singular*) dein(e); (*plural*) euer/eure; (*polite form*) Ihr(e) ❷ (*one's*) sein(e); **it's enough to break ~ heart** es bricht einem förmlich das Herz; (*referring to sb else*) **~ average German** (*fam*) der durchschnittliche Deutsche

you're [jɔːʳ, jəʳ] = **you are** *see* be

yours [jɔːz] *pron poss* ❶ (*belonging to you*) deine(r, s); (*polite form*) Ihre(r, s); **this is my plate and that one's ~** dies ist mein Teller und der da ist deiner; **is this pen ~?** ist das dein Stift?; **the choice is ~** Sie haben die Wahl; **what's ~?** (*to drink*) was möchtest du [trinken]?; **you and ~** du und deine Familie; **that recipe of ~ was wonderful!** dein Rezept war wunderbar!; **it's no business of ~** das geht dich nichts an ❷ (*at end of letter*) **Y~ sincerely** [*or* **faithfully**], ... mit freundlichen Grüßen, ... ▶**up ~!** (*vulg*) leck mich!; **~ truly** (*fam*) ich

your·self <*pl* **yourselves**> [jɔːˈself] *pron* ❶ (*singular*) dich *in akk,* dir *in dat;* (*plural*) euch; (*polite form, sing/pl*) sich; **how would you describe ~?** wie würden Sie sich beschreiben?; **please help ~** bitte bedienen Sie sich; **help yourselves, boys** bedient euch, Jungs; **do you always talk to ~ like that?** sprichst du immer so mit dir selbst?; **see for ~** sieh selbst ❷ (*oneself*) sich; **you tell ~ everything's all right** man sagt sich, dass alles in Ordnung ist; **you should love others like you love ~** man soll andere lieben wie sich selbst; **to have sth [all] to ~** etw für dich [*o* sich] allein haben ❸ (*personally*) selbst; **you can do that ~** du kannst das selbst machen; **to be** ~ du selbst sein; **just be** ~ sei ganz natürlich; **to not be** ~ nicht du selbst sein; **to feel/see/taste/try sth for** ~ etw selbst fühlen/sehen/kosten/versuchen; **to look** ~ wie du selbst aussehen; ■ |**all**| **by** ~ |ganz| allein; **you** ~ ... du selbst ... ▶<u>how's</u> ~**?** wie geht's?; **I'm fine, thanks, and** |**how's**| ~**?** mir geht's gut, danke, und selbst?

youth [ju:θ] *n* ❶ *no pl* (*period*) Jugend *f* ❷ (*young man*) junger Mann, Jugendliche(r) *m* ❸ (*young people*) **the** ~ **of today** die Jugend von heute

'**youth club** *n* Jugendzentrum *nt*

youth·ful ['ju:θfəl] *adj* jugendlich; ~ **good looks** jugendlich-hübsche Erscheinung

youth·ful·ly ['ju:θfəli] *adv* jugendlich

youth·ful·ness ['ju:θfəlnəs] *n no pl* ❶ (*youthful appearance*) Jugendlichkeit *f* ❷ (*youthful spirit*) jugendliche Art

'**youth hos·tel** *n* Jugendherberge *f*

you've [ju:v] = **you have** *see* **have** I, II

yowl [jaʊl] **I.** *vi* jaulen **II.** *n* Gejaule *nt*

yo-yo <*pl* -os> ['jəʊjəʊ] *n* Jo-Jo *nt;* **to go up and down like a** ~ rauf- und runter-schnellen

yuan [ˌjuːˈæn] *n* FIN Yüan *m*

yuck [jʌk] *interj* (*fam*) igitt

yucky ['jʌki] *adj* (*fam*) ek|e|lig

Yu·go·slav ['ju:gə(ʊ)slɑ:v] (*hist*) **I.** *adj* jugoslawisch **II.** *n* Jugoslawe, Jugoslawin *m, f*

Yu·go·sla·via [ˌju:gə(ʊ)'slɑ:viə] *n no pl* (*hist*) Jugoslawien *nt;* **the former** ~ das ehemalige Jugoslawien

Yu·go·sla·vian [ˌju:gə(ʊ)'slɑ:viən] **I.** *adj* (*hist*) jugoslawisch; **to be** ~ Jugoslawe, Jugoslawin *m, f* sein **II.** *n* (*hist*) Jugoslawe, Jugoslawin *m, f*

yuk·ky *adj see* **yucky**

Yu·kon Ter·ri·tory [ju:kɒn 'terɪtəri] *n* Yukon Territory *nt*

'**yule log** *n* ❶ (*log*) großes Holzscheit, das zur Weihnachtszeit im offenen Feuer brennt ❷ (*cake*) *Schokoladenkuchen in der Form eines Holzscheits, der zur Weihnachtszeit gegessen wird*

Yule·tide ['ju:ltaɪd] *n* (*liter*) Weihnachtszeit *f;* ~ **greetings** Weihnachtsgrüße *pl*

yum·my ['jʌmi] *adj* (*fam*) lecker *a. fig*

yup·pie ['jʌpi] *n* Yuppie *m*

Z z

Z <*pl* -s *or* -'s>, **z** <*pl* -'s> [zed] *n* Z *nt*, z *nt*; *see also* **A 1** ▸ **to catch** [*or* **get**] **some** ~**'s** AM ein Nickerchen machen

z [zed] *n* MATH z *nt*; ~**-axis** *n* Z-Achse *f*

Za·ire [zaɪˈɪəʳ] *n no pl* Zaire *nt*

Zam·bia [ˈzæmbɪə] *n no pl* Sambia *nt*

zany [ˈzeɪni] *adj* (*fam*) ulkig

zap [zæp] (*fam*) **I.** *vt* <-pp-> ➊ (*destroy*) ■**to ~ sb** jdn erledigen; ■**to ~ sth** etw kaputtmachen ➋ (*send fast*) blitzschnell übermitteln ➌ AM FOOD in der Mikrowelle aufwärmen ➍ COMPUT (*delete*) löschen **II.** *vi* <-pp-> ➊ (*go fast*) düsen ➋ (*change channels*) zappen **III.** *n no pl* AM Pep *m* **IV.** *interj* schwups!

'zap·ping *n* (*fam*) Zappen *nt fam*

zeal [ziːl] *n no pl* Eifer *m*

zeal·ot [ˈzelət] *n* (*usu pej*) Fanatiker(in) *m(f)*

zeal·ous [ˈzeləs] *adj* ➊ (*eager*) [über]eifrig ➋ (*enthusiastic*) leidenschaftlich

zeb·ra <*pl* -s *or* -> [ˈzebrə] *n* Zebra *nt*

zeb·ra 'cross·ing *n* BRIT, AUS Zebrastreifen *m*

zeit·geist [ˈtsaɪtgaɪst] *n no pl* Zeitgeist *m*

zen·ith [ˈzenɪθ] *n* Zenit *m a. fig*

zep·pe·lin [ˈzepᵊlɪn] *n* Zeppelin *m*

zero [ˈzɪərəʊ] **I.** *n* <*pl* -os *or* -oes> ➊ MATH Null *f* ➋ (*temperature*) Gefrierpunkt *m*; **10 degrees above/below ~** zehn Grad über/unter Null **II.** *adj* **his prospects are ~** seine Prospekt sind gleich Null; **at ~ extra cost** ohne zusätzliche Kosten; **at ~ gravity** bei Schwerelosigkeit; **~ growth** Nullwachstum *nt*; ~ **hour** die Stunde Null **III.** *vt* auf Null einstellen ♦ **zero in** *vi* ➊ (*aim precisely*) **to ~ in on a target** ein Ziel anvisieren ➋ (*fig*) sich konzentrieren (**on** auf)

zero-day 'threat *n* Null-Tag-Bedrohung *f*

zero-e'mis·sion *adj attr* AUTO Zero-Emissions-, mit extrem geringem Schadstoffausstoß *nach n* **zero-'rat·ed** *adj* BRIT FIN von der Mehrwertsteuer befreit **zero 'tol·er·ance** *n no pl* LAW Nulltoleranz *f*

zest [zest] *n no pl* ➊ (*enthusiasm*) Eifer *m*; ~ **for life** Lebensfreude *f* ➋ (*stimulation*) [An]reiz *m*, Würze *f* ➌ FOOD **lemon ~** Zitronenschale *f*

zig·zag [ˈzɪgzæg] **I.** *n* Zickzack *m*; **in a ~** im Zickzack **II.** *adv* im Zickzack **III.** *vi* <-gg-> sich im Zickzack bewegen; *line, path* im Zickzack verlaufen

Zim·ba·bwe [zɪmˈbɑːbweɪ] *n no pl* Simbabwe *nt*

zinc [zɪŋk] *n no pl* Zink *nt*

zip [zɪp] **I.** *n* ➊ BRIT (*zipper*) Reißverschluss *m*; **to do up a ~** einen Reißverschluss zumachen ➋ *no pl* (*fam: vigour*) Schwung *m* **II.** *pron* AM (*fam: nothing*) null; **I know ~ about computers** ich habe null Ahnung von Computern; **they have done ~ about it** sie haben bisher rein gar nichts unternommen **III.** *vt* <-pp-> **would you mind helping me to ~** [**up**] **my dress?** könntest du mir vielleicht helfen, den Reißverschluss an meinem Kleid zuzumachen?; **they ~ped themselves into their sleeping bags** sie zogen die Reißverschlüsse an ihren Schlafsäcken zu; **to ~ sth together** etw mit einem Reißverschluss zusammenziehen ▸ **to ~ one's lip** den Mund halten **IV.** *vi* <-pp-> ➊ (*fasten*) **it ~s** [**up**] **at the back** es hat hinten einen Reißverschluss ➋ (*go quickly*) rasen, flitzen; **to ~ through** *job* im Eiltempo erledigen

'zip code *n* AM (*postal code*) ≈ Postleitzahl *f* **zip 'fast·en·er** *n* BRIT, AM, AUS **zip·per** [ˈzɪpəʳ] *n* Reißverschluss *m*

zip·per [ˈzɪpəʳ] *n* AM, AUS Reißverschluss *m*

zip·py [ˈzɪpi] *adj* (*fam*) spritzig

zit [zɪt] *n* (*fam*) kleiner Pickel, Wimmerl *nt* SÜDD, ÖSTERR *fam*, Stippe *f* NORDD *fam*, Bibeli *nt* SCHWEIZ *fam*

zo·di·ac [ˈzəʊdiæk] *n* ASTROL **sign of the ~** Tierkreiszeichen *nt*

zom·bie [ˈzɒmbi] *n* Zombie *m*

zone [zəʊn] **I.** *n* Zone *f*; **combat/war ~** Kampf-/Kriegsgebiet *nt*; **danger ~** Gefahrenzone *f*; **earthquake ~** Erdbebenregion *f*; **no-fly ~** Flugverbotszone *f*; **no-parking ~** Parkverbotszone *f*; **wheat ~** Weizengürtel *m* **II.** *vt* in [Nutzungs]zonen aufteilen

zon·ing [ˈzəʊnɪŋ] **I.** *n no pl* Bodenordnung *f* **II.** *adj* ~ **law** Baugesetz *nt*; ~ **restriction** Planungsbeschränkung *f*

zoo [zuː] *n* Zoo *m*

zoo·logi·cal [ˌzəʊə(ʊ)ˈlɒdʒɪkᵊl] *adj* zoologisch

zo·olo·gist [zuˈɒlədʒɪst] *n* Zoologe, Zoologin *m, f*

zo·ol·ogy [zuˈɒlədʒi] *n no pl* Zoologie *f*

zoom [zuːm] **I.** *n* - [**lens**] Zoom[objektiv] *nt* **II.** *vi* (*fam*) ➊ (*move very fast*) rasen; ■**to ~ ahead** [*or* **off**] davonsausen; (*in a race*) vorpreschen; ■**to ~ past** vorbeirasen; (*fig*)

year rasend schnell vergehen ❷ PHOT zoomen ◆**zoom in** *vi* [nahe] heranfahren,
heranzoomen; ■**to ~ in on sth** auf etw
akk [ein]schwenken ◆**zoom out** *vi* weg-
zoomen

zuc·chi·ni <*pl* -s *or* -> [zʊˈkiːni] *n* AM, AUS
Zucchini *f*

A

A [aː], **a** <-, - *o* -s, -s> *nt* ❶ (*Buchstabe*) A, a; **ein großes A/ein kleines a** a capital A/a small a; **~ wie Anton** A for Andrew BRIT, A as in Abel AM ❷ MUS A, a; **A-Dur/a-Moll** A major/A minor ▸ **wer ~ sagt, muss auch <u>B</u> sagen** (*prov*) as you make your bed, so you must lie in it, BRIT *also* in for a penny, in for a pound *prov*; **das ~ und [das] <u>O</u>** the be-all and end-all; **von ~ bis <u>Z</u>** from beginning to end

à [a] *präp* at; **20 Flaschen ~ 8 Euro** 20 bottles at 8 euros each

AA <-> *nt kein pl* ❶ *Abk von* **Auswärtiges Amt** ≈ FCO BRIT, ≈ State Department AM ❷ *ohne Art Abk von* **Anonyme Alkoholiker** AA

Aa·chen <-s> ['aːxn̩] *nt* Aachen

Aal <-[e]s, -e> [aːl] *m* eel

aa·len ['aːlən] *vr* (*fam*) ▪ **sich ~** to stretch out; ▪ **sich in der Sonne ~** to bask in the sun

aal·glatt ['aːlˈɡlat] I. *adj* slippery II. *adv* artfully

a. a. O. *Abk von* **am angegebenen Ort** loc. cit.

Aar·gau <-s> ['aːɐ̯ɡaʊ] *m* Aargau

Aas <-es> [aːs] *nt* ❶ *pl* **Aase** (*Tierleiche*) carrion ❷ *pl* **Äser** (*fam männliche Person*) bastard, AM *also* jerk; (*weibliche Person*) bitch

Aas·fres·ser <-s, -> *m* carrion-eating animal **Aas·gei·er** *m* vulture *also pej*

ab [ap] I. *adv* ❶ (*weg, entfernt*) off; **zur Post geht es links ~** the post office is off to the left; **weit ~ sein** to be far away; **das liegt weit ~ vom Weg** that's far off the beaten track ❷ (*abgetrennt*) off; **~ sein** (*fam*) to be broken [off]; **mein Knopf ist ab** I've lost a button; **erst muss die alte Farbe ~** first you have to remove the old paint ❸ (*in Befehlen*) off; **~ ins Bett!** off to bed!; **~ sofort** as of now; **~ und zu** now and then II. *präp* ❶ (*räumlich*) from; **~ Köln** from Cologne ❷ (*zeitlich*) from; **~ wann ...?** from when ...? ❸ (*von ... aufwärts*) from; **Kinder ~ 14 Jahren** children from the age of 14 up ❹ SCHWEIZ (*nach der Uhrzeit*) past; **Viertel ~ 8** quarter past eight ❺ SCHWEIZ (*von*) on; **~ Kassette** on cassette

ab|än·dern *vt* to amend (**in** to); *Programm* to change; *Strafe* to revise

Ab·än·de·rung *f* amendment; *einer Strafe* revision

ab·än·de·rungs·fä·hig *adj* amendable

ab|ar·bei·ten I. *vt* ❶ (*durch Arbeit tilgen*) to work off *sep* ❷ (*der Reihe nach erledigen*) to work through II. *vr* ▪ **sich ~** (*fam*) to work like a madman

Ab·art ['apˈʔaːɐ̯t] *f* ❶ BIOL mutation *spec* ❷ BOT variety

ab·ar·tig I. *adj* ❶ (*abnorm*) abnormal; (*pervers a.*) perverted ❷ (*sl: verrückt*) mad II. *adv* (*abnorm*) abnormally

Abb. *Abk von* **Abbildung** Fig.

Ab·bau <-s> *m kein pl* ❶ (*Förderung*) mining; **der ~ von Bodenschätzen** mining for mineral resources ❷ (*Verringerung*) cut; **ein ~ der Produktion** a cutback in production ❸ (*allmähliche Beseitigung*) revocation; **der ~ von Vorurteilen** the breaking down of prejudices

ab·bau·bar *adj* CHEM, MED degradable; **biologisch ~** biodegradable

ab|bau·en I. *vt* ❶ BERGB to mine ❷ (*demontieren*) to dismantle ❸ (*verringern*) to reduce ❹ (*schrittweise beseitigen*) to cut ❺ CHEM, MED to break down *sep* II. *vi Kräfte, Konzentration* to flag; (*geistig nachlassen*) to deteriorate

Ab·bau·pro·dukt *nt* break-down product

ab|bei·ßen *irreg* I. *vt* to bite [off] II. *vi* to take a bite; **möchtest du mal ~?** would you like a bite?

ab|bei·zen *vt* to strip

Ab·beiz·mit·tel *nt* stripper

ab|be·kom·men* *vt irreg* ❶ (*seinen Anteil erhalten*) to get one's share; **die Hälfte von etw** *dat* **~** to receive half of sth ❷ (*durch etw getroffen werden*) to get; **Prügel ~** to get a beating ❸ (*fam: beschädigt werden*) to get damaged ❹ (*fam: verletzt werden*) to be injured ❺ (*entfernen können*) to get off

ab|be·stel·len* *vt* to cancel sth; **du kannst den Klempner wieder ~** you can tell the plumber he needn't come anymore

Ab·be·stel·lung *f* cancellation

ab|be·zah·len* I. *vt* to pay off *sep* II. *vi* to pay in instalments; **an dem Auto muss ich noch 16 Monate lang ~** I have another 16 month's instalments to make on the car

ab|bie·gen *irreg* I. *vt haben* (*fam*) ▪ **etw ~** to get out of sth; *Plan* to forestall II. *vi sein* ❶ (*nach links/rechts fahren*) to turn; **[nach] links/rechts ~** to turn left/right ❷ (*eine Biegung machen*) to bend; **die**

Straße biegt ab there's a bend in the road

Ab·bie·ge·spur f turn-off [or AM turning] lane

Ab·bild nt image; (im Spiegel) reflection

ab|bil·den vt (fotografisch wiedergeben) to copy; ▪jdn ~ to portray sb; Landschaft to depict; **auf dem Foto war der Tatort abgebildet** the photo showed the scene of the crime

Ab·bil·dung <-, -en> f ❶ (Illustration) illustration ❷ (bildliche Wiedergabe) image, diagram; **siehe ~ 3.1** see figure 3.1 ❸ (das Abbilden) depiction

ab|bin·den irreg vt ❶ (abschnüren) **etw ~** to put a tourniquet on sth ❷ Soße to thicken ❸ (losbinden) to untie; Krawatte to undo

ab|bla·sen vt irreg ❶ (fam: absagen) to call off ❷ (durch Blasen entfernen) to blow away

ab|blät·tern vi sein to peel [off]

ab|blen·den vt, vi ❶ AUTO to dip [or AM dim] the lights ❷ FILM to fade out

Ab·blend·licht nt AUTO dipped [or AM dimmed] headlights

ab|blit·zen vi sein (fam) ▪bei jdm ~ to not get anywhere with sb; **jdn ~ lassen** to turn sb down

ab|blo·cken I. vt to block II. vi to refuse to talk about sth

ab|bre·chen irreg I. vt haben ❶ (von etw lösen) to break off sep ❷ (abbauen) to dismantle; Lager, Zelt to strike ❸ (niederreißen) to pull down sep ❹ (vorzeitig beenden) to stop; Beziehung to break off; Streik to call off; Übertragung to interrupt; **das Studium ~** to drop out of college [or BRIT also university]; **den Urlaub ~** to cut short one's holidays II. vi ❶ sein Zweig to break off ❷ (aufhören) to stop ❸ (beendet werden) to cease; Beziehung to end; **etw ~ lassen** to break off sth

ab|brem·sen vt, vi to slow down sep

ab|bren·nen irreg I. vt haben ❶ (durch Verbrennen beseitigen) to burn off sep ❷ (niederbrennen) to burn down sep ❸ (brennen lassen) to burn; Feuerwerk, Rakete to let off sep II. vi sein (niederbrennen) to burn down

ab|brin·gen vt irreg ▪jdn von etw dat ~ get sb to give up sth; (abraten) to change sb's mind about sth; ▪jdn davon ~, etw zu tun to prevent sb [from] doing sth; **jdn vom Kurs ~** to throw sb off course; **jdn vom Thema ~** to get sb away from the subject

ab|brö·ckeln vi sein to crumble (**von** away from)

Ab·bruch m ❶ kein pl (das Niederreißen) demolition ❷ kein pl (Beendigung) breaking off; einer Therapie a. ceasing; des Studiums dropping out ▶ **einer S.** dat **keinen ~ tun** to not spoil sth

ab·bruch·reif adj ❶ (baufällig) dilapidated ❷ SCHWEIZ (schrottreif) ready for the scrap heap präd

Ab·bruch·woh·nung f hovel, squalid apartment

ab|bu·chen vt ❶ (vom Konto) to debit (**von** from) ❷ (verzeichnen) ▪etw als etw ~ to write sth off as sth

Ab·bu·chung f direct debit; (abgebuchter Betrag) debit

ab|bürs·ten vt to brush off sep; **einen Anzug ~** to brush down a suit

ab|bü·ßen vt to serve

Abc <-, -> [a:be:'tse:] nt ❶ (Alphabet) abc, ABC; **etw nach dem ~ ordnen** to put sth in alphabetical order ❷ (fig: Grundwissen) ABC; „**~ der Astronomie für Anfänger**" "Basic Astronomy for Beginners"

ab|che·cken [-tʃɛkn] vt (fam) ❶ (kontrollieren, prüfen) to check out sep ❷ (absprechen) ▪etw mit jdm ~ to confirm sth with sb

Abc-Schüt·ze, -Schüt·zin [a:be:-'tse:-] m, f (Schulanfänger) school starter

ABC-Waf·fen [a:be:'tse:-] pl nuclear, biological and chemical [or NBC] weapons pl

ab|dan·ken vi ❶ (zurücktreten) to resign ❷ (auf den Thron verzichten) to abdicate

Ab·dan·kung <-, -en> f ❶ (Rücktritt) resignation ❷ (Thronverzicht) abdication ❸ SCHWEIZ (Trauerfeier) funeral service

ab|de·cken vt ❶ (abnehmen) to take off sep; Bett to strip; Tisch to clear ❷ (aufmachen) to uncover sep; (den Deckel abnehmen) to remove the cover from sth ❸ Gebäude to lift the roof off ❹ (bedecken) to cover [over] ❺ (ausgleichen) to cover; **die Kosten werden von der Firma abgedeckt** the cost will be met by the company

Ab·de·ckung f ❶ (Material zum Abdecken) cover ❷ kein pl (das Bedecken) covering no pl

ab|dich·ten vt ❶ (dicht machen) to seal; Leck to plug ❷ (isolieren) to proof (**gegen** against); gegen Feuchtigkeit to damp proof

Ab·dich·tung f ❶ (Dichtung) seal ❷ (Isolierung) proofing ❸ kein pl (das Abdichten) sealing; eines Lecks plugging

ab|drän·gen vt to push

ab|dre·hen I. vt haben ❶ (abstellen) to turn off sep ❷ (abtrennen) to twist [off] ❸ FILM to finish [filming] II. vi sein o haben ❶ (Richtung ändern) to turn [off]; **nach**

Norden ~ to turn to the north ❷ PSYCH (*fam*) to go crazy

ab|drif·ten *vi sein* ❶ (*abgetrieben werden*) to drift [off] ❷ (*sl: abgleiten*) to drift

Ab·druck¹ <-drücke> *m* ❶ (*abgedrückte Spur*) print ❷ (*Umriss*) impression

Ab·druck² <-drucke> *m* ❶ (*Veröffentlichung*) printing ❷ *kein pl* (*das Nachdrucken*) reprint

ab|dru·cken *vt* to print

ab|drü·cken I. *vt* ❶ (*fam: umarmen*) to hug ❷ MED to clamp ❸ (*abfeuern*) to fire II. *vi* (*feuern*) to shoot

ab|dun·keln *vt* ❶ (*abschirmen*) to dim ❷ (*dunkler machen*) to darken; *Fenster* to black out ❸ (*dunkler werden lassen*) to tone down

ab|eb·ben *vi sein* to subside; **der Straßenlärm ebbt ab** the noise from the street dies down

abendᴬᴸᵀ ['a:bn̩t] *adv s.* **Abend 1**

Abend <-s, -e> ['a:bn̩t] *m* ❶ (*Tageszeit*) evening; **'n ~!** (*fam*) evening!; **gestern/morgen** ~ yesterday/tomorrow evening; **guten** ~! good evening!; **jdm guten ~ sagen** [*o* **wünschen**] to wish sb good evening, to say good evening to sb; **heute** ~ tonight, this evening; **übermorgen** ~ the evening after next; **vorgestern** ~ the evening before last; **jeden** ~ every evening; **letzten** ~ yesterday evening, last night; **am** [*o* **den**] **nächsten** ~ tomorrow evening; ~ **sein/werden** to be/get dark; **um 20 Uhr ist es ja schon** ~! it's already dark at 8 o'clock!; **es wird so langsam** ~ the evening's beginning to draw in; **zu** ~ **essen** to eat dinner; **am** ~ in the evening; **der Unfall geschah am** ~ **des 13.** the accident occurred on the evening of the 13th; ~ **für** [*o* **um**] ~ every night, night after night; **gegen** ~ towards evening; **den ganzen** ~ **über** the whole evening, all evening; **des ~s** (*geh: abends*) in the evening; **eines ~s** [on] one evening ❷ (*Vorabend*) eve *liter;* **der** ~ **des Geschehens** the eve of the events ❸ (*abendliche Freizeit*) evening; **ein bunter** ~ (*Unterhaltungsveranstaltung*) an entertainment evening ▶ **je später der ~, desto schöner die** <u>Gäste</u> (*prov, hum*) some guests are worth waiting for! *hum*

Abend·an·dacht *f* evening service **Abend·brot** *nt* supper **Abend·däm·me·rung** *f* dusk **Abend·es·sen** *nt* dinner **abend·fül·lend** *adj* all-night *attr;* lasting the whole evening *präd* **Abend·kas·se** *f* evening box-office **Abend·kleid** *nt* evening dress **Abend·kurs** *m* evening

class **Abend·land** *nt kein pl* (*geh*) ■ **das** ~ the Occident **abend·län·disch** I. *adj* (*geh*) occidental II. *adv* (*geh*) occidentally

abend·lich ['a:bn̩tlɪç] I. *adj* evening II. *adv* for the evening; **es war schon um drei Uhr** ~ **kühl** there was already an evening chill at three o'clock

Abend·mahl *nt* [Holy] Communion; **das Letzte** ~ the Last Supper; **das** ~ **empfangen** (*geh*) to receive [Holy] Communion **Abend·pro·gramm** *nt* evening programme **Abend·rot** ['a:bn̩tro:t] *nt* (*geh*) [red] sunset; **im** ~ in the evening glow

abends ['a:bn̩ts] *adv* in the evening

Abend·schu·le *f* evening school **Abend·son·ne** *f kein pl* sunset **Abend·ständ·chen** *nt* serenade **Abend·stun·de** *f meist pl* evening [hour]; **in den frühen ~n** in the early hours of the evening **Abend·vor·stel·lung** *f* FILM evening showing; THEAT evening performance

Aben·teu·er <-s, -> ['a:bn̩tɔyɐ] *nt* ❶ (*aufregendes Erlebnis*) adventure ❷ (*Liebesabenteuer*) fling; **auf** ~ **aus sein** to be looking for a fling *fam* ❸ (*risikoreiches Unternehmen*) venture

Aben·teu·er·fe·ri·en *pl* adventure holiday

aben·teu·er·lich ['a:bn̩tɔyɐlɪç] I. *adj* ❶ (*abenteuerlustig*) adventurous ❷ (*fantastisch*) fantastic[al] ❸ (*wild romantisch*) exotic ❹ (*unglaublich*) preposterous II. *adv* ❶ (*fantastisch*) fantastic[al] ❷ (*wild romantisch*) exotically

Aben·teu·er·lust *f* thirst for adventure **aben·teu·er·lus·tig** *adj* adventurous **Aben·teu·er·ro·man** *m* adventure novel **Aben·teu·er·spiel·platz** *m* adventure playground

Aben·teu·rer, Aben·teu·(r)e·rin <-s, -> ['a:bn̩tɔyrɐ, -tɔy(r)ərɪn] *m, f* adventurer

aber ['a:bɐ] I. *konj* (*jedoch*) but; ~ **dennoch ...** but in spite of this ...; **oder** ~ or else II. *part* ❶ (*jedoch, dagegen*) but; **ich habe** ~ **keine Zeit!** but I haven't got any time!; **ein Pils,** ~ **'n bisschen plötzlich!** a lager and a bit quick about it! ❷ (*wirklich*) really; **das ist** ~ **schön!** that really is wonderful! ❸ (*empört*) oh; ~ **Hannelore, reiß dich doch endlich zusammen!** [oh] Hannelore, pull yourself together!; ~ **hallo!** Excuse me! ▶ ~ **selbstverständlich** but of course; ~ **ja!** yes [of course]!, BRIT *also* rather! *form;* ~ **nein!** goodness, no!; ~, ~! now, now!

Aber <-s, - *o fam* -s> ['a:bɐ] *nt* but *fam;* **ein** ~ **haben** to have a catch; **kein ~!** no buts!

Aber·glau·be *m* ❶ (*falscher Glaube*)

superstition ➋ (*fam: Unsinn*) rubbish Brit, nonsense Am

aber·gläu·bisch ['a:bɐɡlɔybrɪʃ] *adj* superstitious

aber·hun·dert, Aber·hun·dert^RR *adj* (*geh*) hundreds upon hundreds of **Aber·hun·der·te** *pl* (*geh*) hundreds upon hundreds of

ab|er·ken·nen* ['ap?ɛɐ̯kɛnən] *vt irreg* ■ **jdm etw ~** to divest sb of sth *form* **Ab·er·ken·nung** <-, -en> *f* divestiture *form*

aber·mals ['a:bɐma:ls] *adv* once again

ab|ern·ten *vt* to harvest

aber·tau·send, Aber·tau·send^RR *adj* (*geh*) thousands upon thousands; **Tau·send und A~tausend** thousands upon thousands **Aber·tau·sen·de** *pl* (*geh*) thousands upon thousands

Abf. *Abk von* **Abfahrt** dep.

ab·fahr·be·reit *adj s.* **abfahrtbereit**

ab|fah·ren *irreg* I. *vi sein* ➊ (*losfahren*) to depart ➋ ski to ski down ➌ (*abgewiesen werden*) ■ **jdn ~ lassen** to turn sb down ➍ (*sl*) ■ **auf jdn/etw ~** to be crazy about sb/sth II. *vt* ➊ *sein o haben* ■ **etw ~** to [drive along and] check sth ➋ *haben* (*abnutzen*) to wear down *sep*

Ab·fahrt *f* ➊ (*Wegfahren*) departure ➋ (*Autobahnabfahrt*) exit ➌ ski (*Talfahrt*) run; (*Abfahrtsstrecke*) slope

ab·fahrt·be·reit *adj* ready to depart *präd* **Ab·fahrts·lauf** *m* ski downhill [event] **Ab·fahrts·zeit** *f* departure time

Ab·fall^1 *m* rubbish *esp* Brit, garbage Am, trash *esp* Am, refuse *form*

Ab·fall^2 *m kein pl* rel renunciation

Ab·fall·auf·be·rei·tung <-> *f kein pl* waste processing **Ab·fall·be·häl·ter** *m* waste container; (*kleiner*) waste bin **Ab·fall·be·sei·ti·gung** *f* ➊ (*Beseitigung von Müll*) refuse disposal ➋ (*städtisches Reinigungsamt*) town refuse collection service Brit, municipal waste collection Am **Ab·fall·ei·mer** *m* [rubbish] bin Brit, garbage [*or* Am trash] can

ab|fal·len *vi irreg sein* ➊ (*herunterfallen*) to fall off ➋ (*schlechter sein*) to fall behind ➌ (*übrig bleiben*) to be left over ➍ (*schwinden*) to vanish ➎ *Gelände* to slope; ■ **~d** declining ➏ (*sich vermindern*) to decrease; *Temperatur* to drop

Ab·fall·ent·sor·gung *f* waste disposal; *industriell* waste management **Ab·fall·hau·fen** *m* rubbish [*or* Am garbage] heap

ab·fäl·lig I. *adj* derogatory; *Lächeln* derisive II. *adv* (*in abfälliger Weise*) disparag-

ingly; **sich ~ über jdn/etw äußern** to make disparaging remarks about sb/sth

Ab·fall·pro·dukt *nt* ➊ chem waste product ➋ (*Nebenprodukt*) by-product **Ab·fall·sor·tie·rung** *f kein pl* sifting of refuse **Ab·fall·stoff** *m meist pl* waste product **Ab·fall·ton·ne** *f* rubbish bin Brit, trash can **Ab·fall·ver·mei·dung** *f* waste reduction **Ab·fall·ver·wer·tung** *f* recycling of waste

ab|fäl·schen *vt* sport ■ **etw ~** to deflect sth

ab|fan·gen *vt irreg* ➊ (*vor dem Ziel einfangen*) to intercept ➋ (*abwehren*) to ward off *sep* ➌ (*mildernd auffangen*) to cushion **Ab·fang·jä·ger** *m* mil interceptor

ab|fär·ben *vi* ➊ (*die Farbe übertragen*) to run (**auf** into) ➋ (*fig: sich übertragen*) ■ **auf jdn ~** to rub off on sb

ab|fas·sen *vt* to write

ab|fau·len *vi sein Blätter* to rot away

ab|fe·dern I. *vt haben* ➊ (*durch Federn dämpfen*) to cushion ➋ (*abmildern*) to mitigate II. *vi sein o haben* ➊ (*hoch federn*) to bounce ➋ (*zurückfedern*) to land

ab|fei·ern I. *vt* (*fam*) **Überstunden ~** *to take time off by using up hours worked overtime* II. *vi* (*trinken*) to dance the night away; (*trinken*) to drink the night away

ab|fei·len *vt* ■ **etw ~** to file off sth *sep*

ab|fer·ti·gen *vt* ➊ (*fertig machen*) to process ➋ (*be- und entladen*) *Flugzeug* to prepare for take-off; *Lastwagen* to clear for departure; *Schiff* to prepare to sail ➌ (*bedienen*) to serve; *Passagiere* to handle ➍ (*kontrollieren und passieren lassen*) to clear ➎ (*abspeisen*) to fob off (**mit** with) ➏ (*behandeln*) to treat

Ab·fer·ti·gung *f* ➊ (*Bearbeitung für den Versand*) processing ➋ (*Abfertigungsstelle*) check-in counter ➌ (*Bedienung*) service ➍ (*Kontrolle*) check

Ab·fer·ti·gungs·hal·le *f* check-in hall **Ab·fer·ti·gungs·schal·ter** *m* check-in counter

ab|feu·ern *vt* to fire; *Flugkörper, Granate* to launch

ab|fin·den *irreg* I. *vt* ➊ (*entschädigen*) to compensate (**mit** with) ➋ (*zufrieden stellen*) to palm off (**mit** with) II. *vr* ■ **sich mit jdm/etw ~** (*fam*) to put up with sb/sth **Ab·fin·dung** <-, -en> *f* compensation; (*bei Entlassung*) severance pay; (*wegen Rationalisierungsmaßnahmen*) redundancy [*or* Am severance] payment

ab|fla·chen I. *vi sein* (*sinken*) to drop II. *vt haben* to flatten III. *vr haben* ■ **sich ~** to level off

ab∙flau∙en *vi sein* ❶ (*schwächer werden*) to subside; (*zurückgehen*) to decrease; *Interesse* to wane; (*nachgeben*) to drop ❷ (*sich legen*) to abate

ab∙flie∙gen *vi irreg sein* to depart [by plane]

ab∙flie∙ßen *vi irreg sein* ❶ (*wegfließen*) to flow away; ■ **von etw** *dat* ~ to run off [of] sth; ■ **aus etw** *dat* ~ to drain away from sth ❷ (*sich entleeren*) to empty

Ab∙flug *m* departure

ab∙flug∙be∙reit *adj* ready for departure *präd* **Ab∙flug∙hal∙le** *f* departure lounge **Ab∙flug∙zeit** *f* flight departure time

Ab∙flussᴿᴿ <-es, -flüsse> *m,* **Ab∙fluß**ᴬᴸᵀ <-sses, -flüsse> *m* ❶ (*Abflussstelle*) drain; *eines Flusses* outlet; (*Rohr*) drain pipe ❷ *kein pl* (*das Abfließen*) drainage

Ab∙fluss∙rei∙ni∙gerᴿᴿ *m* drain cleaner **Ab∙fluss∙rin∙ne**ᴿᴿ *f* drainage channel **Ab∙fluss∙rohr**ᴿᴿ *nt* ❶ (*Kanalrohr*) drain pipe ❷ (*Einleitungsrohr*) outlet pipe

Ab∙fol∙ge *f* (*geh*) sequence

Ab∙fra∙ge <-, -n> *f* ɪɴꜰᴏʀᴍ *von Daten* query

ab∙fra∙gen *vt* ❶ (*prüfen*) to test; ■ **jdn etw** ~ *Vokabel, Chemie, etc.* to test sb on sth ❷ ɪɴꜰᴏʀᴍ to call up

Ab∙fuhr <-, -en> *f* ❶ (*Zurückweisung*) snub; **jdm eine** ~ **erteilen** to snub sb ❷ ꜱᴘᴏʀᴛ crushing defeat

ab∙füh∙ren I. *vt* ❶ (*wegführen*) to lead away; ~! take him/her away! ❷ ꜰɪɴ (*abgeben*) to pay ❸ (*ableiten*) to expel **II.** *vi* ❶ ᴍᴇᴅ to loosen the bowels ❷ (*wegführen*) to turn off (**von** *d*)

ab∙füh∙rend I. *adj* ᴍᴇᴅ laxative; **ein leicht/stark ~es Mittel** a mild/strong laxative **II.** *adv* ~ **wirken** to have a laxative effect

Ab∙führ∙mit∙tel *nt* laxative

Ab∙füh∙rung *f* ꜰɪɴ payment

ab∙fül∙len *vt* ❶ *Flüssigkeit* to fill (**in** into); (*in Flaschen*) to bottle ❷ (*sl: betrunken machen*) to get drunk

Ab∙ga∙be¹ *f kein pl* ❶ (*Tätigkeit*) giving; *einer Erklärung* issuing; *eines Urteils* passing ❷ (*Einreichung*) submission ❸ (*das Abliefern*) giving in ❹ (*Abstrahlung*) emission ❺ ꜱᴘᴏʀᴛ (*Abspiel*) pass; (*Verlust*) loss

Ab∙ga∙be² *f* ❶ (*Gebühr*) [additional] charge ❷ (*Steuer*) tax

ab∙ga∙be(n)∙frei I. *adj* non-taxable **II.** *adv* tax-free **ab∙ga∙be(n)∙pflich∙tig** *adj* taxable **Ab∙ga∙be∙ter∙min** *m* deadline for submission

Ab∙gang <-gänge> *m* ❶ *kein pl* (*Schul~*) leaving; (*Ausscheiden aus einem Amt*) re-

tirement from office ❷ *kein pl* (*das Verlassen der Bühne*) exit ❸ ꜱᴘᴏʀᴛ (*Absprung*) dismount ❹ öꜱᴛᴇʀʀ (*Fehlbetrag*) deficit

Ab∙gangs∙zeug∙nis *nt* [school-]leaving certificate ʙʀɪᴛ, diploma ᴀᴍ

Ab∙gas *nt* exhaust *no pl*

ab∙gas∙arm *adj* low-emission **Ab∙gas∙ka∙ta∙ly∙sa∙tor** *m* catalytic converter **Ab∙gas∙norm** *f* [exhaust] emission[s] standard *usu pl* **Ab∙gas∙son∙der∙un∙ter∙su∙chung** *f* exhaust emission check

ab∙ge∙ben *irreg* **I.** *vt* ❶ (*übergeben*) to give (**an** to); (*einreichen*) to submit (**an** to) ❷ (*hinterlassen*) ■ **etw** ~ to leave sth; *Gepäck* to check sth in; **den Mantel an der Garderobe** ~ to leave one's coat in the cloakroom ❸ (*verschenken*) to give away ❹ (*überlassen*) ■ **jdm etw** ~ to give sb sth; ■ **etw** [**an jdn**] ~ to hand over sth [to sb] ❺ (*teilen*) **jdm die Hälfte** [**von etw**] ~ to go halves [on sth] with sb; **jdm nichts** ~ to not share with sb ❻ (*erteilen*) *Erklärung, Urteil* to make; *Gutachten* to submit; *Stimme* to cast ❼ (*brauchbar sein*) to be useful for; **der alte Stoff könnte noch ein Kleid für dich** ~ you might get a dress out of the old material ❽ (*darstellen*) to be; **die perfekte Hausfrau** ~ to be the perfect wife; **eine traurige Figur** ~ to cut a sorry figure ❾ (*feuern*) **einen Schuss** [**auf jdn**] ~ to fire a shot [at sb] ❿ (*ausströmen lassen*) to emit ⓫ ꜱᴘᴏʀᴛ *Ball* to pass (**an** to); *Punkt* to concede **II.** *vr* ❶ (*sich beschäftigen*) ■ **sich mit jdm** ~ to look after sb; ■ **sich mit etw** ~ to spend [one's] time on sth ❷ (*sich einlassen*) ■ **sich mit jdm** ~ to associate with sb

ab∙ge∙brannt *adj* (*fam*) broke, ʙʀɪᴛ *also* skint

ab∙ge∙bro∙chen *adj* ❶ (*fam*) **ein ~er Jurist/Mediziner** law school/medical school dropout ❷ *s.* **abbrechen**

ab∙ge∙brüht *adj* (*fam*) unscrupulous

ab∙ge∙dro∙schen *adj* (*pej fam*) hackneyed; **ein ~er Witz** an old joke

ab∙ge∙fah∙ren *adj* (*sl*) ❶ (*außergewöhnlich, schräg*) way-out ❷ (*begeisternd*) cool

ab∙ge∙fuckt ['apɡafakt] *adj* (*sl*) fucked-up *attr,* fucked up *präd*

ab∙ge∙hackt I. *adj* broken; **~e Worte** clipped words **II.** *adv* ~ **sprechen** to speak in a clipped manner

ab∙ge∙han∙gen *adj* hung

ab∙ge∙här∙tet *adj* ■ [**gegen etw** *akk*] ~ **sein** to be hardened [to sth]

ab∙ge∙hen¹ *irreg* **I.** *vi sein* ❶ (*sich lösen*) to come off ❷ (*abgeschickt werden*) to be sent [off]; ■ **~d** outgoing ❸ (*abzweigen*) to branch off (**von** from) ❹(*abweichen*) to deviate (**von** from); **von seiner Meinung nicht ~** to stick to one's opinion ❺(*fam: fehlen*) ■**jdm ~** to be lacking in sb **II.** *vt sein* (*entlanggehen und abmessen*) to pace out

ab|ge·hen² *vi irreg sein* ❶(*verlaufen*) to go ❷ *impers* to be happening; **auf der Party ist irre 'was abgegangen** (*sl*) the party was really happening

ab·ge·ho·ben *adj* ❶(*weltfremd*) far from reality *präd* ❷(*verstiegen*) fanciful; **eine ~e Vorstellung** a high-flown idea

ab·ge·kar·tet *adj* (*fam*) rigged; **eine ~e Sache sein** to be a put-up job; **ein ~es Spiel treiben** to play a double game

ab·ge·klärt I. *adj* prudent **II.** *adv* prudently

ab·ge·le·gen *adj* remote

ab·ge·neigt *adj* (*ablehnend*) ■**einer S.** *dat* **~ sein** to be opposed to sth; ■**einer S.** *dat* **nicht ~ sein** to not be averse to sth; ■**nicht ~ sein[, etw zu tun]** to not be averse [to doing sth]

Ab·ge·ord·ne·te(r) ['apgəʔɔrdnətə, -tə] *f(m) dekl wie adj* Member of Parliament

Ab·ge·ord·ne·ten·haus *nt* POL ≈ House of Commons BRIT, ≈ House of Representatives AM **Ab·ge·ord·ne·ten·sitz** *m* parliamentary seat

ab·ge·ris·sen *adj* ❶(*zerlumpt*) tattered ❷(*heruntergekommen*) scruffy ❸(*unzusammenhängend*) incoherent

Ab·ge·sand·te(r) *f(m) dekl wie adj* envoy

ab·ge·schie·den I. *adj* (*geh*) isolated **II.** *adv* in isolation

Ab·ge·schie·den·heit <-> *f kein pl* isolation

ab·ge·schla·gen *adj* ❶SPORT (*abgedrängt*) lagging behind *after n* ❷POL, ÖKON outstripped

ab·ge·schlos·sen I. *adj* ❶(*isoliert*) secluded ❷ *attr* (*separat*) separate ❸(*umgeben*) enclosed **II.** *adv* (*isoliert*) in seclusion **III.** *pp von* **abschließen**

ab·ge·schmackt ['apgəʃmakt] **I.** *adj* tasteless **II.** *adv* tastelessly

ab·ge·schnit·ten I. *adj* isolated; **von der Welt ~** cut off from the rest of civilization **II.** *adv* in isolation

ab·ge·seh·en I. *adj* **es auf jdn ~ haben** (*jdn schikanieren wollen*) to have it in for sb; (*an jdm interessiert sein*) to have a thing for sb; **es auf etw** *akk* **~ haben** to have one's eye on sth; **du hast es nur darauf ~, mich zu ärgern** you're just out to annoy me **II.** *adv* ■**~ davon, dass ...** apart from the fact that ...; ■**~ von jdm/ etw** except for sb/sth

ab·ge·spannt *adj, adv* weary, tired out

ab·ge·stan·den I. *adj* stale; *Limonade* flat **II.** *adv* stale; **die Limonade schmeckt ziemlich ~** the lemonade tastes quite flat

ab·ge·stor·ben *adj* MED numb

ab·ge·tra·gen *adj* worn *attr*, worn out *präd*

ab·ge·tre·ten *adj* worn *attr*, worn down *präd*

ab·ge·wetzt *adj* worn

ab|ge·win·nen* *vt irreg* ❶(*als Gewinn abnehmen*) ■**[jdm] etw ~** to win sth [off sb] ❷(*etwas Positives finden*) ■**einer S.** *dat* **etw/nichts ~** to get sth/not get anything out of sth

ab·ge·wo·gen *adj* well-considered

ab|ge·wöh·nen* *vt* ■**jdm etw ~** to break sb of sth; **diese Frechheiten werde ich dir schon noch ~!** I'll teach you to be cheeky!; ■**sich** *dat* **etw ~** to give up sth

ab·ge·zehrt *adj* emaciated

ab|gie·ßen *vt irreg* to pour off *sep*

Ab·glanz *m kein pl* reflection

ab|glei·chen *vt irreg* ■**etw ~** ❶(*aufeinander abstimmen*) to compare sth (**mit** +*dat* with) ❷(*in der Höhe gleichmachen*) to level off sth (**mit** +*dat* with) ❸TECH to match sth ❹ELEK to tune sth

ab|glei·ten *vi irreg sein* (*geh*) ❶(*abrutschen*) to slip (**von** off); (*fig*) to decline; *Person* to go downhill ❷(*abschweifen*) to stray (**von** from, **in** into) ❸(*absinken*) to slide ❹(*abprallen*) ■**an jdm ~** to bounce off sb

Ab·gott, -göt·tin *m, f* idol

ab·göt·tisch *adj* inordinate

ab|gra·sen *vt* ❶(*abfressen*) to graze on ❷(*fam: absuchen*) to comb

ab|gren·zen I. *vt* ❶(*einfrieden*) to enclose; ■**etw [gegen etw** *akk*] **~** to close sth off [from sth] ❷(*eingrenzen*) to differentiate; **diese Begriffe lassen sich schwer gegeneinander ~** it is difficult to differentiate between these terms **II.** *vr* ■**sich [gegen jdn/etw] ~** to distinguish oneself [from sb/sth]

Ab·gren·zung <-, -en> *f* ❶ *kein pl* (*das Einfrieden*) enclosing ❷(*Einfriedung*) boundary; (*Zaun*) enclosure ❸(*fig: Eingrenzung*) definition ❹(*das Abgrenzen*) disassociation

Ab·grund *m* ❶(*steil abfallender Hang*) precipice; (*Schlucht*) abyss ❷(*Verderben*) abyss; **am Rande des ~s stehen** to be on the brink of disaster; **ein ~ tut sich auf** an abyss is opening up

ab·grund·häss·lichᴿᴿ *adj* ugly as sin *präd* **ab·grund·tief** ['apgrʊntiːf] *adj*

❶ (*äußerst groß*) profound **❷** (*äußerst tief*) bottomless

ab|gu·cken I. *vt* (*von jdm kopieren*) to copy (**von** from); **bei ihm kann man sich so manchen Trick ~** you can learn lots of tricks from him **II.** *vi* to copy (**bei** from)

Ab·guss^{RR} <-es, Abgüsse> *m*, **Ab·guß**^{ALT} <-sses, Abgüsse> *m* **❶** (*Nachbildung*) cast **❷** (*Ausguss*) drain[pipe]; **etwas in den ~ kippen** to tip sth down the drain

ab|ha·cken *vt* to chop down; *Finger* to chop off

ab|ha·ken *vt* **❶** (*mit einem Häkchen markieren*) to tick off **❷** (*einen Schlussstrich darunter machen*) to forget; **die Affäre ist abgehakt** the affair is over and done with

ab|hal·ten *vt irreg* **❶** (*hindern*) ■**jdn von etw** *dat* **~** to keep sb from sth; ■**sich ~ lassen** to be deterred (**von** by) **❷** *Hitze* to protect from; *Insekten* to deter **❸** (*veranstalten*) to hold; *Demonstration* to stage

ab|han·deln¹ *vt* **❶** (*abkaufen*) to buy [after having haggled] **❷** (*herunterhandeln*) ■**20 Euro [von etw** *dat*] **~** to get 20 euros knocked off [sth]

ab|han·deln² *vt* to deal with

ab·han·den|kom·men [apˈhandn̩-kɔmən] *adv* to become lost; **mir ist meine Geldbörse ~** I've lost my purse

Ab·hand·lung *f* **❶** (*gelehrte Veröffentlichung*) paper **❷** (*das Abhandeln*) dealing

Ab·hang *m* inclination

ab|hän·gen¹ **I.** *vt* haben **❶** (*abnehmen*) to take down **❷** (*abkoppeln*) to uncouple **❸** (*hinter sich lassen*) ■**jdn ~** to lose sb **II.** *vi* (*meist pej sl*) to laze about

ab|hän·gen² *vi irreg* **❶** haben (*abhängig sein*) to depend (**von** on); **das hängt davon ab** that [all] depends **❷** haben (*auf jdn angewiesen sein*) to be dependent (**von** on)

ab·hän·gig *adj* **❶** (*bedingt*) ■**von etw** *dat* **~ sein** to depend on sth **❷** (*angewiesen*) ■**von jdm ~ sein** to be dependent on sb **❸** (*süchtig*) addicted; ■**[von etw] ~ sein** to be addicted [to sth] **❹** LING subordinate; **ein ~er Nebensatz** a subordinate clause

Ab·hän·gi·ge(r) *f(m) dekl wie adj* **❶** (*Süchtige(r)*) addict **❷** (*abhängiger Mensch*) dependant

Ab·hän·gig·keit <-, -en> *f* **❶** *kein pl* (*Bedingtheit, Angewiesensein*) dependence **❷** (*Sucht*) addiction

Ab·hän·gig·keits·ver·hält·nis *nt* relationship of dependence

ab|här·ten *vt, vi* to harden (**gegen** to)

Ab·här·tung <-> *f kein pl* **❶** (*das Abhärten*) hardening **❷** (*Widerstandsfähigkeit*)

resistance

ab|hau·en¹ *vt* **❶** <hieb ab *o fam* haute ab, abgehauen> (*abschlagen*) to chop down; ■**etw ~** to chop sth off **❷** <haute ab, abgehauen> (*durch Schlagen entfernen*) to break off *sep*

ab|hau·en² <haute ab, abgehauen> *vi sein* (*sich davonmachen*) to do a runner BRIT, to skip out of town AM; **hau ab!** get lost!

ab|he·ben *irreg* **I.** *vi* **❶** LUFT to take off (**von** from) **❷** (*den Hörer abnehmen*) to answer [the phone] **❸** KARTEN to pick [up] **II.** *vt irreg* **❶** *Geld* to withdraw **❷** *Karte* to take **❸** *Masche* to cast off **III.** *vr* ■**sich von jdm/ etw ~** to stand out from sb/sth

ab|hef·ten *vt* to file [away *sep*]

ab|hei·len *vi Wunde* to heal [up]

ab|hel·fen *vi irreg* ■**einer S.** *dat* **~** to remedy sth

ab|het·zen I. *vr* ■**sich ~** to stress oneself out **II.** *vt* ■**jdn/etw ~** to push sb/sth

Ab·hil·fe *f kein pl* remedy; **~ schaffen** to do something about it

ab|ho·beln *vt* **❶** (*durch Hobeln entfernen*) to plane off *sep* **❷** (*glatt hobeln*) to plane smooth

ab·hol·be·reit *adj* ready for collection [*or* AM to be picked up] *präd*

ab|ho·len *vt* **❶** (*kommen und mitnehmen*) to collect **❷** (*treffen und mitnehmen*) to pick up *sep*

Ab·hol·markt *m* furniture superstore (*where customers transport goods themselves*) **Ab·hol·preis** *m* price without delivery

Ab·ho·lung <-, -en> *f* collection

ab|hol·zen *vt* to chop down *sep; Baum* to fell; *Wald* to clear

Ab·hol·zung <-, -en> *f* deforestation

Ab·hör·ak·ti·on *f* bugging campaign **Ab·hör·an·la·ge** *f* bugging system

ab|hor·chen *vt* to listen to; ■**jdn ~** to auscultate sb

ab|hö·ren *vt* **❶** (*belauschen*) to bug **❷** (*überwachen*) to observe; ■**jds Telefon ~** to monitor sb's telephone [line] **❸** SCH to test **❹** MED to auscultate **❺** *Tonband* to listen to

ab|hun·gern *vr* **❶** (*fam: durch Hungern verlieren*) ■**sich ~** to starve oneself; **sich 10 Kilo ~** to lose 10 kilos [by not eating] **❷** (*sich mühselig absparen*) ■**sich** *dat* **etw ~** to scrape together sth *sep*

Abi <-s, -s> [ˈabi] *nt* (*fam*) *kurz für* **Abitur**

Abi·tur <-s, *selten* -e> [abiˈtuːɐ̯] *nt* Abitur (*school examination usually taken at the end of the 12th or 13th year and approxi-*

mately equivalent to the British A level/ American SAT exam); [**das**] ~ **machen** to do [one's] Abitur

Abi·tu·ri·ent(in) <-en, -en> [abituriˈɛnt] *m(f)* Abitur student (*student who has passed the Abitur*)

Abi·tur·zeug·nis *nt* Abitur certificate

Abk. *f Abk von* **Abkürzung** abbr.

ab|kap·seln *vr* (*sich ganz isolieren*) ■ **sich** ~ to cut oneself off (**von** from)

ab|kas·sie·ren* I. *vt* ❶ (*fam: schnell, leicht verdienen*) to receive sth ❷ (*abrechnen*) **das Essen** ~ to ask sb to settle the bill for a meal II. *vi* ❶ (*fam: finanziell profitieren*) to clean up (**bei** in); **kräftig** ~ to make a tidy sum ❷ (*abrechnen*) ■ **bei jdm** ~ to hand sb the bill; **darf ich bei Ihnen** ~? could I ask you to settle up?

ab|kau·en *vt* **sich die Fingernägel** ~ to bite one's nails

ab|kau·fen *vt* ❶ (*von jdm kaufen*) ■ **jdm etw** ~ to buy sth off sb ❷ (*fam: glauben*) ■ **jdm etw** ~ to buy sth off sb; **das kaufe ich dir nicht ab!** I don't buy that!

Ab·kehr <-> *f kein pl* rejection; *vom Glauben* renunciation; *von der Familie* estrangement

ab|keh·ren I. *vt* ❶ (*geh: abwenden*) **das Gesicht** ~ to avert one's gaze ❷ (*abfegen*) to sweep away II. *vr* (*geh*) ■ **sich** ~ to turn away

ab|kip·pen *vt* to dump

ab|klap·pern *vt* (*fam*) ■ **etw** [**nach etw** *dat*] ~ to go round sth [looking for sth]; **ich habe die ganze Gegend nach dir abgeklappert** I've been looking for you everywhere

ab|klä·ren *vt* ■ **etw** [**mit jdm**] ~ to clear sth up [with sb]; [**mit jdm**] ~, **ob** ... to check [with someone] whether ...

Ab·klatsch <-[e]s, -e> *m* (*pej*) pale imitation

ab|klem·men *vt* ❶ (*abquetschen*) to crush ❷ *Nabelschnur* to clamp ❸ *Kabel* to disconnect

ab|klin·gen *vi irreg sein* ❶ (*leiser werden*) to fade away ❷ (*schwinden*) to subside

ab|klop·fen *vt* ❶ (*durch Klopfen abschlagen*) to knock off ❷ (*durch Klopfen vom Staub reinigen*) ■ **etw** ~ to beat the dust out of sth; **den Schmutz von einer Jacke** ~ to tap off the dust from a jacket ❸ MED to tap ❹ (*fam: untersuchen*) to check [out]

ab|knal·len *vt* (*sl*) to blast

ab|kni·cken *vt* ❶ (*durch Knicken abbrechen*) to break off ❷ (*umknicken*) to fold over; *Blume* to knock over II. *vi sein*

❶ (*umknicken und abbrechen*) to break off ❷ (*abzweigen*) to branch off

ab|knöp·fen *vt* ❶ (*durch Knöpfen entfernen*) to unbutton ❷ (*fam: listig abwerben*) ■ **jdm etw** ~ to get sth off sb

ab|knut·schen *vt* (*fam*) to snog BRIT; ■ **sich** ~ to neck, to snog BRIT

ab|ko·chen *vt* to boil

ab|kom·man·die·ren* *vt* ❶ MIL to post; **er wurde an die Front abkommandiert** he was posted to the Front ❷ (*befehlen*) ■ **jdn** [**zu etw**] ~ to order sb [to do sth]

ab|kom·men *vi irreg sein* ❶ (*versehentlich abweichen*) to go off; *von der Straße* to veer off; *vom Weg* to stray from ❷ (*aufgeben*) to give up; **von einer Angewohnheit** ~ to break a habit; **von einer Meinung** ~ to change one's mind; ■ **davon** ~, **etw zu tun** to stop doing sth ❸ (*sich vom Eigentlichen entfernen*) to digress (**von** from)

Ab·kom·men <-s, -> *nt* agreement; **das Münchner** ~ HIST the Treaty of Munich; **ein** ~ **abschließen** to conclude an agreement

ab·kömm·lich *adj* available; ■ **nicht** ~ **sein** to be unavailable

Ab·kömm·ling <-s, -e> *m* ❶ (*geh: Nachkomme*) descendant ❷ (*Sprössling*) offspring *no pl*

ab|kön·nen *vt irreg* (*fam*) ❶ (*leiden können*) ■ **jdn/etw nicht** ~ to not be able to stand sb/sth ❷ (*vertragen*) **nicht viel** ~ to not [be able to] take a lot

ab|kop·peln I. *vt* ❶ (*abhängen*) to uncouple (**von** from) ❷ RAUM to undock II. *vr* (*fam*) ■ **sich von etw** *dat* ~ to sever one's ties with sth

ab|krat·zen I. *vt haben* to scratch off *sep*; ■ **etw** [**von etw** *dat*] ~ to scrape sth [off sth] II. *vi sein* (*sl*) to kick the bucket

ab|krie·gen *vt* (*fam*) *s.* **abbekommen**

ab|küh·len I. *vi sein* ❶ (*kühl werden*) to cool [down] ❷ (*an Intensität verlieren*) to cool [off]; *Begeisterung* to wane II. *vt haben* (*kühler werden lassen*) to leave to cool III. *vr impers haben* ■ **sich** ~ to cool off; *Wetter* to become cooler IV. *vi impers haben* to become cooler

Ab·küh·lung *f* ❶ (*Verminderung der Wärme*) cooling; **sich** *dat* **eine** ~ **verschaffen** to cool oneself down ❷ (*Verringerung der Intensität*) cooling off

Ab·kunft <-> *f kein pl* (*geh*) **einer bestimmten** ~ **sein** to be of [a] particular origin; **sie ist asiatischer** ~ she is of Asian descent

ab|kup·fern I. *vt* (*fam*) ■ **etw** [**von jdm**] ~

to copy sth [from sb] **II.** *vi* (*fam*) ■ **[aus etw** *dat*] ~ to quote [from sth]; ■ **voneinander** ~ to copy from one another

ạb|kür·zen I. *vt* ❶ (*eine Kurzform benützen*) to abbreviate ❷ (*etw kürzer machen*) to cut short **II.** *vi* (*einen kürzeren Weg nehmen*) to take a shorter route

Ạb·kür·zung *f* ❶ (*abgekürzter Begriff*) abbreviation ❷ (*abgekürzter Weg*) short cut ❸ (*Verkürzung*) cutting short

Ạb·kür·zungs·ver·zeich·nis *nt* list of abbreviations

ạb|küs·sen *vt* to smother in kisses

ạb|la·den *vt irreg* ❶ (*deponieren*) to dump ❷ (*entladen*) to unload ❸ (*absetzen*) ■ **jdn** ~ drop sb off ❹ (*abreagieren*) **seinen Ärger bei jdm** ~ to take out one's anger on sb ❺ (*abwälzen*) ■ **etw auf jdn** ~ to shift sth on to sb

Ạb·la·ge *f* ❶ (*Möglichkeit zum Deponieren*) storage place ❷ (*Akten~*) filing cabinet ❸ SCHWEIZ (*Annahmestelle*) delivery point; (*Zweigstelle*) branch [office]

ạb|la·gern *vt haben* (*deponieren*) to dump **II.** *vi sein o haben* (*durch Lagern ausreifen lassen*) ■ **etw** ~ **lassen** to let sth mature **III.** *vr haben* ■ **sich** ~ to be deposited

Ạb·la·ge·rung *f* ❶ (*Sedimentbildung*) sedimentation ❷ (*Sediment*) sediment ❸ (*Inkrustierung*) incrustation BRIT, encrustation AM ❹ *kein pl* (*das Ablagern zum Reifen*) maturing

Ạb·lassRR <-es, Ablässe> *m*, **Ạb·laß**ALT <-sses, Ablässe> ['aplas, *pl* 'aplɛsə] *m* ❶ REL indulgence ❷ (*fam*) outlet valve

ạb|las·sen *irreg* **I.** *vt* ❶ (*abfließen lassen*) to let out *sep; Dampf* to let off; *Öl, Wasser* to drain ❷ (*leerlaufen lassen*) **das Wasser aus etw** *dat* ~ to drain the water from sth **II.** *vi* (*in Ruhe lassen*) ■ **von jdm** ~ to let sb be

Ạb·lauf¹ *m* ❶ (*Verlauf*) course; *von Verbrechen, Unfall* sequence of events ❷ (*das Verstreichen*) passing; **nach** ~ **von 10 Tagen** after 10 days

Ạb·lauf² *m* ❶ (*geh: das Ablaufen*) draining ❷ (*Abflussrohr*) outlet pipe

ạb|lau·fen I. *vi irreg sein* ❶ (*abfließen*) to run (**aus** out of); **das Badewasser** ~ **lassen** to let the bath water out ❷ (*sich leeren*) to empty ❸ (*trocken werden*) to stand [to dry] ❹ (*ungültig werden*) to expire; ■ **abgelaufen** expired ❺ (*zu Ende gehen*) to run out; **das Verfallsdatum dieses Produkts ist abgelaufen** this product has passed its sell-by date ❻ (*verlaufen*) to proceed **II.** *vt irreg* ❶ *Schuhe* to

wear down *sep* ❷ (*abgehen*) to walk

Ạb·le·ben *nt kein pl* (*geh*) death, demise form

ạb|le·cken *vt* ❶ *Blut, Marmelade* to lick off ❷ *Finger, Teller* to lick [clean]

ạb|le·gen I. *vt* ❶ (*deponieren*) to put ❷ (*archivieren*) to file [away] ❸ *Kleider* **Sie können Ihren Mantel dort drüben** ~ you can put your coat over there ❹ (*ausrangieren*) to cast aside ❺ (*absolvieren, vollziehen, leisten*) to take; **ein Geständnis** ~ to confess; *Eid* to swear; *Prüfung* to pass ❻ KARTEN to discard **II.** *vi* ❶ NAUT to [set] sail; **die Fähre legt gleich ab** the ferry's just leaving ❷ (*ausziehen*) to take off *sep*

Ạb·le·ger <-s, -> *m* ❶ BOT shoot; **einen** ~ **ziehen** to take a cutting ❷ (*Filiale*) branch ❸ (*Sprössling*) offspring

ạb|leh·nen I. *vt* ❶ (*zurückweisen*) to turn down; *Antrag* to reject; ■ **jdn** ~ to reject sb ❷ (*sich weigern*) ■ **es** ~ **etw zu tun** to refuse to do sth ❸ (*missbilligen*) to disapprove of **II.** *vi* (*nein sagen*) to refuse

ạb·leh·nend I. *adj* negative **II.** *adv* negatively; ■ **jdm/etw** ~ **gegenüberstehen** to disapprove of sb/sth

Ạb·leh·nung <-, -en> *f* ❶ (*Zurückweisung*) rejection ❷ (*Missbilligung*) disapproval; **auf** ~ **stoßen** (*wird abgelehnt*) to be rejected; (*wird missbilligt*) to meet with disapproval

ạb|leis·ten *vt* (*absolvieren*) to serve; *Probezeit* to complete

ạb|lei·ten I. *vt* ❶ (*umleiten*) to divert; *Blitz* to conduct ❷ LING to derive [from] ❸ MATH *Funktion* to differentiate; *Gleichung* to develop ❹ (*logisch folgern*) to deduce [from sth] **II.** *vr* ❶ LING ■ **sich** ~ to stem [from] ❷ (*logisch folgen*) ■ **sich** ~ to be derived [from]

Ạb·lei·tung *f* ❶ (*Umleitung*) diversion ❷ LING derivation; (*abgeleitetes Wort*) derivative ❸ MATH differentiation ❹ (*Folgerung*) deduction

ạb|len·ken I. *vt* ❶ (*zerstreuen*) to divert; **Gartenarbeit lenkt ihn ab** working in the garden diverts his thoughts ❷ (*abbringen*) to distract (**von** from); ■ **sich von etw** *dat* ~ **lassen** to be distracted by sth ❸ (*eine andere Richtung geben*) to divert ❹ PHYS *Licht* to refract; *Strahlen* to deflect **II.** *vi* ❶ (*ausweichen*) to change the subject ❷ (*Aufmerksamkeit entziehen*) to distract

Ạb·len·kung *f* ❶ (*Zerstreuung*) diversion; **zur** ~ in order to relax ❷ (*Störung*) distraction

Ạb·len·kungs·ma·nö·ver *nt* diversionary

tactic

ab|le·sen *irreg vt, vi* ❶ *Messgeräte, Strom* to read ❷ *(nach Vorlage vortragen)* to read **(von** from) ❸ *(folgern)* to read **(aus** from)

ab|lich·ten *vt (fam: fotografieren)* to take a photo

ab|lie·fern *vt* ❶ *(abgeben)* to turn in *sep* ❷ *(liefern)* to deliver **(bei** to) ❸ *(fam: nach Hause bringen)* ■**jdn** ~ to hand sb over

ab|lö·sen I. *vt* ❶ *(abmachen)* to remove **(von** from); *Pflaster* to peel off *sep* ❷ *(abwechseln)* ■**sich** ~ to take turns **(bei** at); **sich bei der Arbeit** ~ to work in shifts; **einen Kollegen** ~ to take over from a colleague; **die Wache** ~ to change the guard ❸ *(fig: an die Stelle von etw treten)* to replace **II.** *vr (abgehen)* ■**sich** ~ to peel off

Ab·lö·se·sum·me *f* transfer fee

Ab·lö·sung *f* ❶ *(Auswechslung)* relief; **die ~ der Schichtarbeiter** change of shift; **die ~ der Wache** the changing of the guard ❷ *(Ersatzmann)* replacement ❸ *(Entlassung)* dismissal ❹ *(das Ablösen)* removal; *Farbe, Lack* peeling off; *(Abtrennung)* separation

ab|lot·sen *vt,* **ab|luch·sen** [-lʊksn̩] *vt (fam)* ■**jdm etw** ~ [*o* **luchsen**] to wangle sth out of sb

ABM <-, -s> [a:be:ˈɛm] *f Abk von* **Arbeitsbeschaffungsmaßnahme** job creation scheme [*or* AM plan]

ab|ma·chen *vt* ❶ *(entfernen)* to take off; **er machte dem Hund das Halsband ab** he took the dog's collar off ❷ *(vereinbaren)* ■**etw [mit jdm]** ~ to arrange sth [with sb]; ■**abgemacht** arranged; ■**abgemacht!** agreed! ❸ *(klären)* to sort out *sep;* **wir sollten das lieber unter uns** ~ we should better settle this between ourselves

Ab·ma·chung <-, -en> *f (Vereinbarung)* agreement; **sich [nicht] an eine ~ halten** to [not] carry out an agreement *sep*

ab|ma·gern *vi sein* to grow thin; ■**abgemagert** very thin; **die Flüchtlinge waren völlig abgemagert** the refugees were emaciated

Ab·ma·ge·rungs·kur *f* diet

Ab·mah·nung *f* warning, BRIT *also* caution *form*

ab|ma·len *vt* to paint **(von** from)

Ab·marsch *m* march off; **fertig machen zum** ~! ready to march!

ab|mel·den I. *vt* ❶ *(den Austritt anzeigen)* ■**jdn [von etw]** ~ to cancel sb's membership [of sth] [*or* AM [in sth]]; **jdn von einer Schule** ~ to withdraw sb from a school ❷ *(Außerbetriebnahme anzeigen)* **ein Fernsehgerät/Radio** ~ to cancel a TV/radio licence; **ein Auto** ~ to cancel a car's registration; **das Telefon** ~ to have the phone disconnected ❸ *(fam)* ■**bei jdm abgemeldet sein** no longer be of interest to sb; **er ist endgültig bei mir abgemeldet** I've had it with him **II.** *vr (seinen Umzug anzeigen)* ■**sich** ~ to give [official] notification of a change of address

Ab·mel·dung *f* ❶ *vom Auto* request to deregister a car; *vom Fernsehgerät, Radio* cancellation; *vom Telefon* disconnection ❷ *(Anzeige des Umzugs)* [official] notification of a change of address ❸ *(fam)* change of address form

ab|mes·sen *vt irreg* ❶ *(ausmessen)* to measure ❷ *(abschätzen)* **etw** ~ **können** to be able to assess sth

Ab·mes·sung *f meist pl* measurements; *(von dreidimensionalen Objekten a.)* dimensions

ABM-Kraft *f* ÖKON *employee on job creation scheme*

ab|mon·tie·ren* *vt* to remove; **die Einbauküche musste abmontiert werden** the built-in kitchen had to be dismantled

ABM-Stel·le *f* position assisted by job creation scheme [*or* AM plan]

ab|mü·hen *vr* ■**sich** ~ to work hard **(mit** at); ■**sich mit jdm** ~ to take a lot of trouble with sb; ■**sich** ~ **etw zu tun** to try hard to do sth

ab|murk·sen *vt (sl: umbringen)* to bump off *sep*

ab|na·beln I. *vt (jds Nabelschnur durchtrennen)* to cut the umbilical cord **II.** *vr (Bindungen kappen)* ■**sich [von jdm/ etw]** ~ to become independent [of sb/sth]

ab|na·gen *vt* ❶ *(blank nagen)* to gnaw clean ❷ *(durch Nagen abessen)* to gnaw **(von** off)

Ab·nä·her <-s, -> *m* MODE dart

Ab·nah·me¹ <-, -n> [ˈapnaːmə] *f* ❶ *(Verringerung)* reduction [of] ❷ *(das Nachlassen)* loss; ~ **der Kräfte** weakening

Ab·nah·me² <-, -n> [ˈapnaːmə] *f von Ware* acceptance ❷ *eines Fahrzeug* inspection and approval

ab|neh·men¹ *vi irreg* ❶ *(Gewicht verlieren)* to lose weight ❷ *(sich verringern)* to decrease ❸ *(nachlassen)* to diminish; **die Nachfrage hat stark abgenommen** demand has dropped dramatically

ab|neh·men² *vt irreg* ❶ *(wegnehmen)* ■**jdm etw** ~ to take sth [away] from sb *sep* ❷ *(herunternehmen)* to take down *sep; Hut* take off ❸ *Telefonhörer* to pick up *sep* ❹ *(tragen helfen)* ■**jdm etw** ~ to take sth [from sb] ❺ *(a. fig: abkaufen)* ■**jdm etw** ~

Abneigung ausdrücken

Antipathie ausdrücken	expressing antipathy
Ich mag ihn nicht (besonders).	I don't like him (very much).
Ich finde diesen Typ unmöglich.	I think that bloke is just impossible.
Das ist ein (richtiges) Arschloch. *(sl)*	He's an (a real) arsehole [or Am asshole]. *(sl)*
Ich kann ihn nicht leiden/ausstehen/riechen. *(fam)*	I cannot stand/bear him.
Diese Frau geht mir auf den Geist/Wecker/Keks. *(fam)*	That woman gets on my nerves.

Langeweile ausdrücken	expressing boredom
Wie langweilig!/Sowas von langweilig!	How boring!/Talk about boring!
Ich schlaf gleich ein! *(fam)*/Das ist ja zum Einschlafen!	I'll nod off in a minute! *(fam)*/It's enough to send you to sleep!
Der Film ist ja zum Gähnen. *(fam)*	The film is (just) one big yawn.
Diese Disco ist total öde.	This nichtclub is dead boring.

Abscheu ausdrücken	expressing disgust
Igitt!	Yuk!
Du widerst mich an!	You make me sick!
Das ist geradezu widerlich!	That is absolutely revolting!
Das ist (ja) ekelhaft!	That is (quite) disgusting!
Das ekelt mich an.	That makes me sick.
Ich finde das zum Kotzen. *(sl)*	That makes me puke. *(sl)*

to buy sth [from sb] ❻(*übernehmen*) ▪**jdm etw ~** to take on sth for sb; **deine Arbeit kann ich dir nicht ~** I can't do your work for you ❼ KARTEN to take ❽(*begutachten und genehmigen*) to approve; **eine Prüfung ~** to examine sb

Ạb·neh·mer(in) <-s, -> *m(f)* (*Käufer*) customer

Ạb·nei·gung *f* ❶(*Widerwillen*) ▪**~ gegen jdn/etw** dislike of sb/sth; **sie ließ ihn ihre ~ deutlich spüren** she didn't hide her dislike of him ❷(*Widerstreben*) **eine ~ haben, etw zu tun** to be reluctant to do sth

ạb|ni·cken *vt* (*fam*) ▪**etw ~** to give sth the nod

ab·norm [ap'nɔrm] *adj,* **ab·nor·mal** ['apnɔrmaːl] *adj bes* ÖSTERR, SCHWEIZ abnormal

Ab·nor·mi·tät <-, -en> [apnɔrmi'tɛːt] *f* abnormality

ạb|nut·zen, ạb|nüt·zen SÜDD, ÖSTERR **I.** *vt* to wear out; ▪**abgenutzt** worn; **der Teppich ist an manchen Stellen ziemlich abgenutzt** the carpet is fairly worn in places **II.** *vr* ❶(*im Gebrauch verschleißen*) ▪**sich ~** [*o* **abnützen**] to wear ❷(*an Wirksamkeit verlieren*) ▪**sich ~** to lose effect; ▪**abgenutzt** worn-out; **abgenutzte Phrasen** hackneyed phrases

Ạb·nut·zung <-, -en> *f,* **Ạb·nüt·zung** <-, -en> *f* SÜDD, ÖSTERR (*Verschleiß durch Gebrauch*) wear and tear

Ạb·nut·zungs·er·schei·nun·gen *pl* signs of wear; **Abnutzungs- und Verschleißerscheinungen** signs of wear and tear

Abo <-s, -s> ['abo] *nt* MEDIA (*fam*) *kurz für* **Abonnement** subscription; (*Theater~*) season ticket [or Am tickets]

A-Bom·be ['aːbɔmbə] *f* MIL (*Atombombe*) atomic [or nuclear] bomb

Abon·ne·ment <-s, -s> [abɔnə'mãː] *nt* subscription; **etw im ~ beziehen** to subscribe to sth

Abon·nent(in) <-en, -en> [abɔ'nɛnt] *m(f)* subscriber

abon·nie·ren* [abɔ'niːrən] *vt haben* to subscribe to

ab|ord·nen *vt* to delegate (**zu** to); (*abkommandieren*) to detail (**zu** for); **er wurde nach Berlin abgeordnet** he was posted to Berlin

Ab·ord·nung *f* delegation

Abort <-s, -e> [a'bɔrt] *m* MED (*Fehlgeburt*) miscarriage

ab|pa·cken *vt a.* ÖKON ■ etw ~ to pack sth; **abgepackte Lebensmittel** pre-packaged food

ab|pas·sen *vt* ❶ (*abwarten*) to wait for; **die richtige Gelegenheit** ~ to bide one's time ❷ (*timen*) **etw gut** ~ to time sth well ❸ (*abfangen*) to waylay

ab|pau·sen *vt* to trace sth (**von** from)

ab|pfei·fen *irreg* **I.** *vt* to stop by blowing a whistle; *Spiel* to blow the final whistle **II.** *vi* to blow the whistle

Ab·pfiff *m* the [final] whistle

ab|pla·gen *vr* ■ sich [mit etw *dat*] ~ to struggle [with sth]; **er hat sich sein ganzes Leben lang abgeplagt** he slaved away his whole life; **sie plagt sich ab mit ihren schweren Einkaufstaschen** she struggles with her heavy shopping bags

Ab·prall <-[e]s, *selten* -e> *m* rebound, ricochet

ab|pral·len *vi sein* ❶ (*zurückprallen*) to rebound (**von** off) ❷ (*nicht treffen*) ■ an jdm ~ to bounce off sb

ab|pum·pen *vt* to pump (**aus** out of)

ab|put·zen *vt* to clean; ■ jdm etw ~ to clean sb's sth; ■ [sich *dat*] etw ~ to clean sth; **putz dir die Schuhe ab!** wipe your shoes!; ■ etw [von etw *dat*] ~ to wipe sth [off sth]

ab|quä·len *vt* ❶ (*sich abmühen*) ■ sich ~ to struggle (**mit** with); **was quälst du dich so ab?** why are you making things so difficult for yourself? ❷ (*sich mühsam abringen*) ■ sich *dat* etw ~ to force sth; **er quälte sich ein Grinsen ab** he managed to force a grin

ab|qua·li·fi·zie·ren *vt* to scorn *fam;* ■ etw ~ to dismiss sth [out of hand]

ab|ra·ckern *vr* (*fam: sich abmühen*) ■ sich [mit etw *dat*] ~ to slave [over/away at sth]; ■ sich für jdn/etw ~ to work one's fingers to the bone for sb/sth

ab|rah·men *vt* **Milch** ~ to skim milk; **alles** ~ (*fig*) to cream off everything

ab|ra·sie·ren * *vt* ❶ (*durch Rasieren entfernen*) to shave [off] *sep* ❷ (*fam: dem Erdboden gleichmachen*) to raze to the ground

ab|ra·ten *vi irreg* ■ jdm [von etw] ~ to advise sb [against sth]; **von diesem Arzt kann ich Ihnen nur** ~ I really can't recommend that doctor

ab|räu·men *vt* to clear; **nach dem Essen räumte sie das Geschirr ab** after the meal she cleared the table; **beim Kegelturnier räumte sie kräftig ab** at the skittles tournament she really cleaned up

ab|re·a·gie·ren ['apreagiːrən] **I.** *vt Wut, Frust* to work off **II.** *vr* ■ sich ~ to calm down

ab|rech·nen **I.** *vi* ❶ (*abkassieren*) to settle up; **am Ende der Woche rechnet der Chef ab** the boss does the accounts at the end of the week; ■ mit jdm ~ to settle up with sb ❷ (*zur Rechenschaft ziehen*) ■ mit jdm ~ to call sb to account; ■ [miteinander] ~ to settle the score [with each other] **II.** *vt* (*abziehen*) to deduct (**von** from)

Ab·rech·nung *f* ❶ (*Erstellung der Rechnung*) calculation of a bill; **die** ~ **machen** to add up the bill ❷ (*Aufstellung*) itemized bill ❸ (*Rache*) pay off; **der Tag der** ~ the day of reckoning; **endlich war die Stunde der** ~ **gekommen** the time for revenge had finally come

Ab·re·de *f* (*geh*) **etw in** ~ **stellen** to deny sth

ab|re·gen *vr* (*fam*) ■ sich ~ to calm down; **reg dich ab!** keep your shirt [*or* BRIT hair] on!

ab|rei·ben *vt irreg* ❶ (*abwischen*) to rub off; **bitte reib dir doch nicht immer die Hände an der Hose ab!** please don't always wipe your hands on your trousers! ❷ (*durch Reiben säubern*) to rub down; *Autolack, Fenster* to polish ❸ (*trocknen*) to rub down; **er rieb das Baby mit einem Frotteehandtuch ab** he dried the baby with a terry towel

Ab·rei·bung *f* (*fam*) ❶ (*Prügel*) a good thump *fam;* **dafür hast du eine** ~ **verdient!** you deserve to get clobbered! ❷ (*Tadel*) criticism

Ab·rei·se *f kein pl* departure

ab|rei·sen *vi sein* to depart

ab|rei·ßen *irreg* **I.** *vt haben* ❶ (*durch Reißen abtrennen*) to tear (**von** off); *Blumen* to pull off; ■ sich *dat* etw ~ to tear off sth *sep* ❷ (*niederreißen*) to tear down **II.** *vi sein* ❶ (*von etw losreißen*) to tear off ❷ (*aufhören*) to break off; ■ nicht ~ to go on and on; **der Strom der Flüchtlinge riss nicht ab** the stream of refugees did not end; **einen Kontakt nicht** ~ **lassen** to not lose contact

Ab·reiß·ka·len·der *m* tear-off calendar

ab|rich·ten *vt* (*dressieren*) to train

ab|rie·geln *vt* ❶ (*absperren*) to cordon off

sep **2** (*versperren*) to bolt

Ab·rie·ge·lung <-, -en>, **Ab·rieg·lung**
<-, -en> *f* (*Absperrung*) cordoning off

ab|rin·gen *irreg* **I.** *vt* (*abzwingen*) ■**jdm**
etw ~ to force sth out of sb; **dem Meer**
Land ~ to wrest land from the sea **II.** *vr*
(*sich abquälen*) ■**sich** *dat* **etw** ~ to force
[oneself or sth] to do sth]; **er rang sich ein Grinsen ab** he forced a grin

Ab·riss[RR1] <-e, -e> *m*, **Ab·riß**[ALT] <-sses,
-sse> *m kein pl* (*Abbruch*) demolition; **die**
Planierraupe begann mit dem ~ **des**
Gebäudes the bulldozer began to tear
down the building

Ab·riss[RR2] <-e, -e>, **Ab·riß**[ALT] <-sses,
-sse> *m* (*Übersicht*) summary; ■**ein** ~
einer S. *gen* an outline of sth

ab|rü·cken **I.** *vi sein* **1** (*sich distanzieren*)
■**von etw/jdm** ~ to distance oneself from
sth/sb **2** (*abmarschieren*) to march off
3 (*hum: weggehen*) to go away **4** (*wegrücken*) to move away **II.** *vt haben* (*wegschieben*) to move away (**von** from)

Ab·ruf *m* **1** (*Bereitschaft*) **auf** ~ on alert
2 INFORM recall **3** ÖKON **auf** ~ on call purchase

ab·ruf·be·reit **I.** *adj* **1** (*einsatzbereit*) on
alert **2** (*abholbereit*) ready for collection
3 (*verfügbar*) disposable **II.** *adv* **1** (*einsatzbereit*) on alert **2** (*abholbereit*) ready for
collection

ab|ru·fen *vt irreg* **1** (*wegrufen*) ■**jdm** ~ to
call sb away (**von** from) **2** (*liefern lassen*)
■**etw** [**bei jdm**] ~ to have sth delivered [by
sb] **3** INFORM to retrieve (**aus** from)

ab|run·den *vt* **1** (*auf einen vollen Betrag*
kürzen) ■[**auf etw** *akk*] ~ to round down
[to sth]; ■**abgerundet** rounded down
2 (*perfektionieren*) to round off

abrupt [a'brʊpt] **I.** *adj* abrupt **II.** *adv* abruptly

ab|rüs·ten *vt*, *vi* **1** MIL to disarm (**um** by,
auf to) **2** BAU to remove the scaffolding

Ab·rüs·tung *f kein pl* disarmament

Ab·rüs·tungs·ver·hand·lun·gen *pl* disarmament negotiations

ab|rut·schen *vi sein* **1** (*abgleiten*) to slip
(**an** on, **von** from) **2** (*fig: sich verschlechtern*) to drop (**auf** to) **3** (*fig: herunterkommen*) to go downhill

Abs. *m Abk von* **Absatz** par.

ABS <-> [a:be:'ɛs] *nt Abk von* **Antiblockiersystem** ABS

ab|sa·cken *vi sein* **1** (*einsinken*) to sub-
side **2** LUFT to drop **3** (*fam: sich verschlechtern*) to drop (**auf** to); **sie ist in**
ihren Leistungen sehr abgesackt her
performance has deteriorated considerably

4 *Blutdruck* to sink

Ab·sa·ge *f* **1** (*negativer Bescheid*) refusal;
auf eine Bewerbung a rejection; **jdm eine**
~ **erteilen** (*geh*) to refuse sb **2** (*Ablehnung*) ■**eine** ~ **an etw** *akk* a rejection of
sth

ab|sa·gen **I.** *vt* (*rückgängig machen*) to
cancel **II.** *vi* **eine Einladung von jdm** ~ to
decline sb's invitation; **ich muss leider** ~
I'm afraid I'll have to cry off; **hast du ihr**
schon abgesagt? have you told her you're
not coming?

ab|sä·gen *vt* **1** (*abtrennen*) to saw off *sep;*
Baum to saw down *sep* **2** (*fam: um seine*
Stellung bringen) ■**jdn** ~ to give sb the
chop [*or* AM *ax*]

ab|sah·nen *vt*, *vi* **1** (*fam: sich verschaffen*)
to cream off *sep* **2** *Milch* to skim

ab|sat·teln **I.** *vt* **1** *ein Pferd* ~ to unsaddle a
horse **II.** *vi* (*fig: aufhören*) to stop

Ab·satz[1] *m* **1** (*Schuh~*) heel **2** (*Abschnitt*) paragraph; **einen** ~ **machen** to
begin a paragraph **3** (*Treppen~*) landing
▶**auf dem** ~ **kehrtmachen** to turn on
one's heel

Ab·satz[2] *m* sales *pl;* ~ **finden** to find a market

Ab·satz·flau·te *f* ÖKON period of slack sales

Ab·satz·markt *m* market **ab·satz·wei·
se** *adv* (*Absatz für Absatz*) paragraph by
paragraph

ab|sau·gen *vt* **1** (*durch Saugen entfer-
nen*) to draw off **2** (*mit dem Staubsauger*
reinigen) to vacuum

ab|scha·ben *vt* **1** (*entfernen*) to scrape
(**von** off) **2** (*verschleißen*) to wear
through; **ein abgeschabter Mantel** a tattered coat

ab|schaf·fen *vt* **1** (*außer Kraft setzen*) to
do away with sth; *Gesetz* to repeal **2** (*weg-
geben*) to get rid of

Ab·schaf·fung *f* **1** (*das Abschaffen*) abolition; **die** ~ **eines Gesetzes** the repeal of a
law **2** (*Weggabe*) disposal

ab|schal·ten **I.** *vt* (*abstellen*) to turn off
II. *vi* (*fam: nicht mehr aufmerksam sein*)
to switch off **III.** *vr* ■**sich** ~ to disconnect

ab|schät·zen *vt* **1** (*einschätzen*) to assess;
ich kann ihre Reaktion schlecht ~
I can't even guess at her reaction; **es ist**
nicht abzuschätzen ... it's not possible to
say ... **2** (*ungefähr schätzen*) to estimate

ab·schät·zig ['apʃɛtsɪç] **I.** *adj* disparaging
II. *adv* disparagingly; **sich** ~ **über jdn/**
etw äußern to make disparaging remarks
about sb/sth

Ab·schät·zung *f* estimation, assessment

ab|schau·en *vt* SÜDD, ÖSTERR, SCHWEIZ

❶ (*nachahmen*) **das hast du sicher von ihm abgeschaut!** I bet you learnt that from him! ❷ SCH (*abschreiben*) to crib [from sb] *fam*

Ạb·schaum *m kein pl* (*pej*) scum *no pl*

ạb|schei·den *irreg vt haben* ❶ MED to secrete ❷ (*separieren*) to separate

Ab·scheu <-[e]s> ['apʃɔy] *m kein pl* (*Ekel*) revulsion; **sie konnte ihren ~ vor Spinnen kaum verbergen** she could hardly conceal her loathing for spiders

ab·scheu·lich [ap'ʃɔylɪç] *adj* ❶ (*entsetzlich*) revolting; *Verbrechen* horrifying ❷ (*fam: unerträglich*) dreadful

Ab·scheu·lich·keit <-, -en> *f* ❶ *kein pl* (*Scheußlichkeit*) atrociousness ❷ (*schreckliche Sache*) atrocity; **kriegerische ~en** atrocities of war

ạb|schi·cken *vt* to send [off]; *Brief* to post [*or* AM mail]

ạb|schie·ben *irreg* I. *vt haben* ❶ (*ausweisen*) to deport ❷ (*abwälzen*) ■ **etw auf jdn ~** to pass sth on to sb; **die Schuld auf jdn ~** to shift the blame onto sb; **er versucht immer, die Verantwortung auf andere abzuschieben** he's always trying to pass the buck *fam* II. *vi sein* (*sl*) to push off; **komm, schieb jetzt ab!** go on, get lost!

Ạb·schie·be·stopp *m* deportation prevention

Ạb·schie·bung *f* deportation

Ab·schied <-[e]s, -e> ['apʃiːt] *m* ❶ (*Trennung*) farewell; **der ~ fiel ihr nicht leicht** she found it difficult to say goodbye; **von jdm ~ nehmen** to say goodbye to sb; **von etw** *dat* **~ nehmen** to part with sth; **zum ~** as a token of farewell *liter;* **sie gab ihm zum ~ einen Kuss** she gave him a goodbye kiss ❷ (*Entlassung*) **seinen ~ nehmen** to resign

Ạb·schieds·be·such *m* farewell visit **Ạb·schieds·brief** *m* farewell letter **Ạb·schieds·fei·er** *f* farewell party **Ạb·schieds·gruß** *m* goodbye **Ạb·schieds·kuss**[RR] *m* goodbye kiss **Ạb·schieds·sze·ne** *f* farewell scene

ạb|schie·ßen *vt irreg* ❶ (*durch Schüsse zerstören*) to shoot; *Flugzeug* to shoot down; *Panzer* to disable ❷ (*abfeuern*) to fire [off] (**auf** at); *Böller* to let off BRIT, to shoot off AM; *Rakete, Torpedo* to launch

ạb|schir·men *vt* ❶ (*schützen*) to isolate (**von** from); ■ **abgeschirmt** isolated ❷ (*verdecken, dämpfen*) to shield; *Licht* to shade

Ạb·schir·mung <-, -en> *f* ❶ (*Schutz*) iso-

lation ❷ (*Dämpfen, Zurückhalten*) protection; *von Licht* shading; **eine ~ aus Blei** a lead screen

ạb|schlach·ten *vt* to slaughter

ạb|schlaf·fen *vi sein* (*fam*) to droop; ■ **abgeschlafft** dog-tired; **abgeschlaffte Typen** dead beats; **sie wirkt in letzter Zeit ziemlich abgeschlafft** she's been looking quite frazzled recently

Ạb·schlag *m* ❶ (*Preisnachlass*) discount ❷ (*Vorschuss*) ■ **ein ~ auf etw** *akk* an advance payment on sth ❸ FBALL kickout; (*beim Golf*) tee-off; (*~fläche*) tee; (*beim Hockey*) bully[-off]

ạb|schla·gen *irreg vt* ❶ (*durch Schlagen abtrennen*) to knock (**von** off); *Ast* to knock down; **jdm den Kopf ~** to chop off sb's head ❷ (*fällen*) to cut down ❸ (*ablehnen*) ■ **jdm etw ~** to deny sb sth; *Einladung, Wunsch* to turn down; **er kann keinem etwas ~** he can't refuse anybody anything ❹ SPORT ■ **abgeschlagen sein** to have fallen behind; **die Konkurrenz war weit abgeschlagen** the competitors were totally wiped out

ab·schlä·gig ['apʃlɛːgɪç] *adj* negative; **ein ~er Bescheid** a negative reply; **etw ~ bescheiden** (*geh*) to turn down sth

Ạb·schlag(s)·zah·lung *f* (*Vorschusszahlung*) part payment

ạb|schlei·fen *irreg vt* to sand [down]

Ạb·schlepp·dienst *m* breakdown [*or* AM towing] service

ạb|schlep·pen I. *vt* ❶ *Fahrzeug, Schiff* to tow [away] ❷ (*fam: mitnehmen*) to pick up; **jede Woche schleppt er eine andere ab** he comes home with a different girl every week II. *vr* (*fam: sich beim Tragen abmühen*) ■ **sich ~** to struggle (**mit** with)

Ạb·schlepp·fahr·zeug *nt* breakdown [*or* AM tow] truck **Ạb·schlepp·seil** *nt* tow rope **Ạb·schlepp·wa·gen** *m* recovery vehicle BRIT, tow truck AM

ạb|schlie·ßen *irreg* I. *vt* ❶ (*verschließen*) to lock ❷ (*isolieren*) to seal; **luftdicht ~** to put an airtight seal on sth ❸ (*beenden*) to finish; **mit einer Diplomprüfung** to graduate; **ein abgeschlossenes Studium** completed studies; *Diskussion* to end ❹ (*vereinbaren*) ■ **etw ~** to agree to sth; *Geschäft* to close; *Versicherung* to take out; *Vertrag* to sign; *Wette* to place II. *vi* ❶ (*zuschließen*) to lock up ❷ (*Schluss machen*) ■ **mit etw/jdm ~** to be through with sb/sth; **er hatte mit dem Leben abgeschlossen** he no longer wanted to live

ạb·schlie·ßend I. *adj* closing; **einige ~e Bemerkungen machen** to make a few closing remarks **II.** *adv* finally; **~ möchte ich noch etwas anmerken** finally I would like to point something out

Ạb·schlussᴿᴿ <-es, Abschlüsse> *m*, **Ạb·schluß**ᴬᴸᵀ <-sses, Abschlüsse> *m* ❶ *kein pl (Ende)* conclusion; ■**etw zum ~ bringen** to bring sth to a conclusion; **zum ~ kommen** to draw to a conclusion; **kurz vor dem ~ stehen** to be shortly before the end; **zum ~ möchte ich Ihnen allen danken** finally, I would like to thank you all ❷ *(abschließendes Zeugnis) final certificate from educational establishment;* **ohne ~ haben Bewerber keine Chance** applicants without a certificate don't stand a chance; **viele Schüler verlassen die Schule ohne ~** a lot of pupils leave school without taking their final exams; **welchen ~ haben Sie?** what is your final qualification? ❸ *(das Abschließen, Vereinbarung)* settlement; *einer Versicherung* taking; *eines Vertrags* signing ❹ *(Geschäft)* deal; **ich habe den ~ so gut wie in der Tasche!** I've got the deal just about sewn up! ❺ *(Jahresabrechnung)* accounts, books

Ạb·schluss·prü·fungᴿᴿ *f* ❶ SCH final exam[s], finals ❷ ÖKON statutory balance sheet audit, audit of annual accounts BRIT

Ạb·schluss·zeug·nisᴿᴿ *nt* leaving certificate BRIT, diploma AM

ạb·schme·cken *vt*, *vi* ❶ *(würzen)* to season ❷ *(versuchen)* to taste

ạb·schmin·ken *vt* ❶ *(Schminke entfernen)* ■**sich ~** to take off one's make-up; ■**abgeschminkt** without make-up ❷ *(fam: aufgeben)* ■**sich** *dat* **etw ~** to give up; **das können Sie sich ~!** you can forget about that!; **das habe ich mir schon längst abgeschminkt** I gave that idea up ages ago

ạb·schnal·len I. *vt (losschnallen)* to unbuckle; **nach der Landung schnallte ich mich ab** after the landing I undid the seat belt **II.** *vi (sl)* ❶ *(nicht verstehen können)* to be lost ❷ *(fassungslos sein)* to be thunderstruck; **da schnallst du ab!** it's incredible!

ạb·schnei·den *irreg* **I.** *vt* ❶ *(durch Schneiden abtrennen)* to cut [off]; **könntest du mir ein Stück Brot ~?** could you slice me a piece of bread? ❷ *(unterbrechen, absperren)* **jdm den Fluchtweg ~** to cut off sb's escape route; **jdm den Weg ~** to intercept sb; **jdm das Wort ~** to cut sb short ❸ *(isolieren)* to cut off; **jdn von der Außenwelt ~** to cut sb off from the outside world

II. *vi (fam)* to perform; **bei etw** *dat* **gut/schlecht ~** to do well/badly at sth; **wie hast du bei der Prüfung abgeschnitten?** how did you do in the exam?; **sie schnitt bei der Prüfung als Beste ab** she got the best mark in the exam

Ạb·schnitt *m* ❶ *(abtrennbarer Teil)* counterfoil BRIT, stub AM ❷ *(Zeit~)* period; **ein neuer ~ der Geschichte** a new era in history; **es begann ein neuer ~ in seinem Leben** a new chapter of his life began ❸ *(Unterteilung)* part; *einer Autobahn* section ❹ MIL sector ❺ MATH segment

ạb·schöp·fen *vt* ❶ *(herunternehmen)* to skim off ❷ *Gewinne* to cream off

ạb·schot·ten ['apʃɔtn̩] *vt* ❶ NAUT to build in watertight doors and hatches ❷ *(isolieren)* to cut off; **der Präsident wurde durch seine Leibwächter abgeschottet** the president was guarded by his bodyguards; ■**sich ~** to isolate oneself

ạb·schrau·ben *vt* to unscrew; **der Deckel lässt sich nicht ~** I can't unscrew the lid

ạb·schre·cken I. *vt* ❶ *(abhalten)* ■**jdn [von etw** *dat***] ~** to put sb off [sth]; **er ließ sich nicht von seinem Plan ~** he wasn't put off from carrying out his plan ❷ KOCHK to rinse with cold water **II.** *vi (abschreckend sein)* to deter

ạb·schre·ckend I. *adj* ❶ *(abhaltend, warnend)* deterrent; **ein ~es Beispiel** a warning; **die hohen Geldstrafen sollen ~ wirken** the high fines are designed to be a powerful deterrent ❷ *(abstoßend)* abhorrent **II.** *adv (abhaltend)* **~ wirken** to act as a deterrent

Ạb·schre·ckung <-, -en> *f* deterrent; **als ~ dienen** to act as a deterrent

ạb·schrei·ben *irreg* **I.** *vt* ❶ *(handschriftlich kopieren)* to copy; **Mönche haben die alten Handschriften abgeschrieben** monks transcribed the old scripts ❷ *(plagiieren)* ■**etw [bei jdm] ~** to copy sth [from sb]; **das hast du doch aus dem Buch abgeschrieben!** you copied that from the book! ❸ FIN to write off ❹ *(verloren geben)* to write off; **bei jdm abgeschrieben sein** *(fam)* to be out of favour with sb; **ich bin bei ihr endgültig abgeschrieben** she's washed her hands of me **II.** *vi* to copy (**von** from); **er hatte seitenweise abgeschrieben** he plagiarized entire pages; **wo hat sie das abgeschrieben?** where did she get that from?

Ạb·schrei·ber(in) *m(f) (fam)* cribber *fam,* plagiarist

Ạb·schrei·bung *f* ❶ *(steuerliche Geltend-*

machung) deduction ❷ (*Wertminderung*) depreciation

Ạb·schrift *f* duplicate

ạb|schür·fen *vt Haut* to graze

Ạb·schür·fung <-, -en> *f* (*Schürfwunde*) graze

Ạb·schussRR <-es, Abschüsse> *m,* **Ạb·schuß**ALT <-sses, Abschüsse> *m* ❶ (*das Abfeuern*) firing; *einer Rakete* launch; **fertig machen zum ~!** stand by to fire! ❷ (*das Abschießen*) shooting down ❸ JAGD **Fasane sind zum ~ freigegeben** it's open season for pheasants ❹ SPORT [goal] kick

ạb·schüs·sig ['apʃʏsɪç] *adj* steep

Ạb·schuss·lis·teRR *f* hit list; **bei jdm auf der ~ stehen** (*fam*) to be on sb's hit list

Ạb·schuss·ram·peRR *f* launch[ing] pad

ạb|schüt·teln *vt* to shake off; **es gelang ihm, seine Verfolger abzuschütteln** he succeeded in shaking off his pursuers; **sie versuchte, ihre Müdigkeit abzuschütteln** she tried to ward off sleep

ạb|schüt·ten *vt* ❶ (*abgießen*) to pour off ❷ (*Kochwasser wegschütten*) to drain; *Kartoffeln* to strain

ạb|schwä·chen I. *vt* ❶ (*weniger drastisch machen*) to tone down ❷ (*vermindern*) to reduce **II.** *vr* ■ **sich ~** ❶ (*leiser werden*) to quieten [*or* AM quiet] down ❷ (*an Intensität verlieren*) to get weaker ❸ (*sich vermindern*) to diminish; **die Inflation hat sich deutlich abgeschwächt** inflation has decreased markedly

Ạb·schwä·chung <-, -en> *f* ❶ (*das Abschwächen*) toning-down, moderation ❷ (*Verminderung*) lessening ❸ (*Verringerung*) decrease; *von Inflation* fall

ạb|schwat·zen *vt,* **ạb|schwät·zen** *vt* SÜDD (*fam*) ■ **jdm etw ~** to talk sb into parting with sth; **diesen Tisch habe ich meiner Oma abgeschwatzt** I talked my grandmother into giving me this table

ạb|schwei·fen *vi sein* (*abweichen*) to deviate (**von** from); **vom Thema ~** to digress [from a topic]; **bitte schweifen Sie nicht ab!** please stick to the point

ạb|schwel·len *vi irreg sein* ❶ (*sich zurückbilden*) to subside; **sein Knöchel ist abgeschwollen** the swelling has gone down in his ankle ❷ (*geh: leiser werden*) to fade away

ạb|schwir·ren *vi sein* (*fam: verschwinden*) to buzz off

ạb|schwö·ren *vi irreg* ■ **einer S.** *dat* **~** ❶ (*etw aufgeben*) to give up sth; **dem Alkohol ~** to abstain from alcohol ❷ (*sich durch Schwur von etw lossagen*) to renounce sth

ạb|seg·nen *vt* (*fam: genehmigen*) to bless; ■ **etw von jdm ~ lassen** to get sb's blessing on sth

ạb·seh·bar ['apze:baːɐ̯] *adj* foreseeable; **das Ende ist nicht ~** the end is not in sight; **in ~er Zeit** in the foreseeable future

ạb|se·hen *irreg* **I.** *vt* ❶ (*voraussehen*) to predict; **ist die Dauer des Verfahrens abzusehen?** can you say how long the trial will last? ❷ (*fam: abgucken*) ■ **jdm etw ~** to imitate sb; **diesen Tanzschritt habe ich mir bei meiner Schwester abgesehen** I got this dance step from my sister **II.** *vi* (*übergehen*) ■ **von etw** *dat* **~** to ignore sth; ■ **davon ~, etw zu tun** to refrain from doing sth

ạb|sei·len I. *vr* (*fam: verschwinden*) ■ **sich ~** to clear off **II.** *vt* to let down on a rope, to abseil [*or* AM rappel]

ạb|seinALT *vi irreg s.* **ab**

ạb·seits ['apzaɪts] **I.** *adv* ❶ (*entlegen*) off the beaten track ❷ SPORT ■ **~ sein** to be offside **II.** *präp* (*entfernt von etw*) ■ **~ einer S.** *gen* at a distance from sth; **das Haus liegt ein wenig ~ der Straße** the house isn't far from the road

Ạb·seits <-, -> ['apzaɪts] *nt* ❶ SPORT offside; **im ~ stehen** to be offside ❷ (*ausweglose Situation*) end of the line; **im ~ stehen** to be on the edge; **Langzeitarbeitslose geraten oft ins soziale ~** the long-term unemployed are often marginalized

ạb·seits|hal·ten *vr* ■ **sich ~** to be aloof

ạb·seits|ste·hen *vi* to stand on the sidelines

ạb|sen·den *vt reg o irreg* to send [*or* BRIT post] [*or* AM mail] (**an** to)

Ạb·sen·der(in) <-s, -> *m(f)* sender

ạb|ser·vie·ren* I. *vi* (*Geschirr abräumen*) to clear the table ❶ (*abräumen*) to clear ❷ (*fam: loswerden*) to get rid of; **sich von jdm ~ lassen** to let oneself be pushed around ❸ (*sl: umbringen*) to bump off

ạb·setz·bar *adj* ❶ (*verkäuflich*) saleable; **nicht ~ sein** to be unsaleable ❷ (*steuerlich zu berücksichtigen*) tax-deductible ❸ (*des Amtes zu entheben*) removable [from office]

ạb|set·zen I. *vt* ❶ (*des Amtes entheben*) to remove [from office]; *Herrscher* to depose; *König, Königin* to dethrone ❷ (*abnehmen*) *Brille* to take off ❸ (*hinstellen*) to put down ❹ (*aussteigen lassen*) ■ **jdn ~** to drop sb off; **wo kann ich dich ~?** where shall I drop you off? ❺ (*verkaufen*) to sell ❻ FIN ■ **etw ~** to deduct sth (**von** from) ❼ *Theaterstück* to cancel ❽ *Medikament* to stop taking ❾ *Feder* to take off the

Absicht ausdrücken

nach Absicht fragen	asking about intention
Was bezwecken Sie damit?	What are you trying to achieve by that?
Was hat das alles für einen Zweck?	What's the point of all this?
Was wollen Sie damit behaupten/ sagen?	What are you trying to say?

Absicht ausdrücken	expressing intent
Ich werde diesen Monat noch das Wohnzimmer tapezieren.	**I'm going** to wallpaper the living room this month.
Ich habe für nächstes Jahr eine Reise nach Italien **vor**.	**I'm planning** a trip to Italy next year.
Ich beabsichtige, eine Klage gegen die Firma zu erheben. *(form)*	**I intend** to institute proceedings against the company. *(form)*
Ich habe bei dem Menü als Dessert eine Mousse au Chocolat **ins Auge gefasst**.	The mousse au chocolat **has rather caught my eye**.
Ich habe mir in den Kopf gesetzt, den Pilotenschein zu machen.	**I've set my mind on** getting a pilot's licence.

Absichtslosigkeit ausdrücken	expressing lack of intention
Das war nicht von mir beabsichtigt.	I didn't intend that.
Das liegt mir fern.	That's the last thing I want to do.
Ich habe nicht die Absicht, dir irgendwelche Vorschriften zu machen.	**I'm not interested** in telling you what you should or should not do.
Ich habe es nicht auf Ihr Geld **abgesehen.**	**I am not after** your money.

paper; *Glas* to take from one's lips ⑩ (*kontrastieren*) ▪ **Dinge voneinander** ~ to define things [from one another] **II.** *vr* ▪ **sich** ~ ❶ *Dreck, Staub* to settle ❷ CHEM, GEOL to be deposited ❸ (*fam: verschwinden*) to clear out; **sich ins Ausland** ~ to clear out of the country ❹ (*Abstand vergrößern*) to get away (**von** from) ❺ (*sich unterscheiden*) to stand out (**von** against); **die Silhouette des Doms setzte sich gegen den roten Abendhimmel ab** the silhouette of the cathedral stood out against the red evening sky **III.** *vi* (*innehalten*) to pause

Ab·set·zung <-, -en> *f* ❶ (*Amtsenthebung*) removal [from office], dismissal; **die Massen verlangten die** ~ **des Diktators** the masses called for the dictator to be deposed ❷ (*das Absetzen*) cancellation; *von Theaterstück* removal, withdrawal

ab|si·chern I. *vr* ▪ **sich** ~ to cover oneself (**gegen** against); **sich vertraglich** ~ to cover oneself by signing a contract **II.** *vt* ❶ (*garantieren*) to guarantee ❷ (*sicher machen*)

to secure; **du solltest das Fahrrad am besten mit einem Schloss** ~ it is best to secure the bicycle with a lock

Ab·sicht <-, -en> *f* intention; **das war nicht meine** ~! I didn't mean to do it!; **mit den besten** ~**en** with the best of intentions; **ernste** ~**en haben** to have honourable intentions; **die** ~ **haben, etw zu tun** to have the intention of doing sth; ~ **sein** to be intentional; **in der** ~, **etw zu tun** with a view to doing sth; **er folgte ihr in der** ~, **sie zu berauben** he followed her with intent to rob her; **eine** ~ **verfolgen** to pursue a goal; **mit/ohne** ~ intentionally/unintentionally

ab·sicht·lich ['apzɪçtlɪç] **I.** *adj* deliberate, intentional **II.** *adv* deliberately, on purpose

ab|sin·ken *vi irreg sein* ❶ (*sich verringern*) to drop (**auf** to) ❷ (*sich verschlechtern*) to deteriorate; **das Niveau ist abgesunken** the standard has fallen off ❸ (*tiefer sinken*) to sink ❹ (*sich senken*) to subside (**um** by)

ab|sit·zen *irreg* **I.** *vt haben* (*verbringen*) to sit out; *Haftstrafe* to serve **II.** *vi sein vom*

Pferd to dismount

ab·so·lut [apzo'lu:t] **I.** *adj* ❶ *(uneingeschränkt)* absolute; **~e Ruhe** complete calm ❷ *(nicht relativ)* absolute; **~e Mehrheit** absolute majority **II.** *adv* *(fam)* absolutely; **~ nicht** positively not; **~ nichts** absolutely nothing

Ab·so·lu·ti·on <-, -en> [apzolu'tsi̯o:n] *f* REL absolution; **die ~ erteilen** to grant absolution

Ab·so·lu·tis·mus <-> [apzolu'tɪsmʊs] *m* *kein pl* absolutism *no pl*

ab·so·lu·tis·tisch I. *adj* absolutist **II.** *adv* in an absolutist manner; **~ regieren** to rule absolutely

Ab·sol·vent(in) <-en, -en> [apzɔl'vɛnt] *m(f)* graduate

absolvieren* [apzɔl'vi:rən] *vt* ❶ *(bestehen)* to [successfully] complete; *Prüfung* to pass; **welche Schule haben Sie absolviert?** which school did you go to? ❷ *(ableisten)* to do sth

ab·son·der·lich [ap'zɔndɐlɪç] **I.** *adj* peculiar **II.** *adv* peculiarly

Ab·son·der·lich·keit <-, -en> *f* ❶ *kein pl* *(Merkwürdigkeit)* strangeness; *von Verhalten* oddness ❷ *(merkwürdige Eigenart)* peculiarity

ab|son·dern I. *vt* ❶ *(ausscheiden)* to secrete ❷ *(isolieren)* to isolate; **■jdn von jdm ~** to separate sb from sb **II.** *vr* **■sich ~** ❶ *(sich isolieren)* to keep oneself apart ❷ *(ausgeschieden werden)* to be secreted

Ab·son·de·rung <-, -en> *f* ❶ *kein pl* *(Isolierung)* isolation ❷ *kein pl* *(Vorgang des Absonderns)* discharge ❸ *(abgeschiedener Stoff)* secretion

ab·sor·bie·ren* [apzɔr'bi:rən] *vt* to absorb

ab|spal·ten I. *vr* **■sich ~** to split away/off *(von* from); **viele Gebiete der ehemaligen Sowjetunion haben sich abgespaltet** many areas have split away from the former Soviet Union **II.** *vt* ❶ *(etw durch Spalten trennen)* to chop off ❷ CHEM to separate *(von* from)

Ab·spann <-[e]s, -e> *m* FILM, TV credits *pl*

ab|spe·cken ['apʃpɛkn̩] **I.** *vi* *(fam: abnehmen)* to slim down **II.** *vt* *(fam: reduzieren)* **■etw ~** to reduce the size of sth

ab|spei·chern *vt* to store; **eine Datei auf eine Diskette ~** to save a file onto [a] disk

ab|spei·sen *vt* **■jdn ~** to fob sb off *sep;* **sich von jdm ~ lassen** to be fobbed off by sb

ab·spens·tig ['apʃpɛnstɪç] *adj* **jdm etw ~ machen** to take sth away from sb; **er hat mir meine Verlobte abspenstig**

gemacht he has stolen my fiancée from me

ab|sper·ren I. *vt* ❶ *(versperren)* to cordon off *(mit* with); **die Unfallstelle wurde von der Polizei abgesperrt** the police cordoned off the scene of the accident ❷ *(abstellen)* *Strom, Wasser* to cut off ❸ SÜDD *(zuschließen)* to lock **II.** *vi* SÜDD *(die Tür verschließen)* to lock up

Ab·sper·rung *f* ❶ *(das Absperren)* cordoning off; *(durch Absperrgitter)* fencing-off ❷ *(Sperre)* cordon; *durch Polizei* police cordon

ab|spie·len I. *vr* *(ablaufen)* **■sich ~** to happen; **was hat sich hier abgespielt?** what happened here? **II.** *vt* ❶ *(laufen lassen)* to play ❷ *Ball* to pass

Ab·spra·che *f* agreement; **eine ~ treffen** to come to an agreement; **nach ~** as agreed

ab|spre·chen *irreg* **I.** *vt* ❶ *(verabreden)* to arrange ❷ *(vorher vereinbaren)* to agree on ❸ *(streitig machen, aberkennen)* **■jdm etw ~** to deny sb sth **II.** *vr* **■sich mit jdm ~** to come to an agreement with sb *(wegen* about)

ab|sprin·gen *vi irreg sein* ❶ *(fam: sich zurückziehen)* to bale out *(von* of) ❷ *(hinunterspringen)* to jump *(von* from); *mit dem Fallschirm* to parachute ❸ *(von etw hoch springen)* **mit dem rechten Fuß ~** to take off on the right foot ❹ *(sich lösen)* to come off ❺ *(abprallen)* to rebound; **von einer Mauer ~** to bounce back from a wall

Ab·sprung *m* ❶ *(Sprung aus einer Höhe)* jump ❷ *(fam: Ausstieg)* getting out; **den ~ schaffen** to make a getaway; **den ~ verpassen** to miss the boat ❸ LUFT take-off ❹ SKI jump

ab|spü·len I. *vt* ❶ *(unter fließendem Wasser reinigen)* to rinse ❷ *(durch einen Wasserstrahl entfernen)* to wash off **II.** *vi* *(spülen)* to do the dishes, BRIT *also* to wash up

ab|stam·men *vi kein pp* ❶ *(herkommen)* to descend *(von* from) ❷ LING to stem *(von* from)

Ab·stam·mung <-, -en> *f* *(Abkunft)* origins *pl;* **adeliger ~ sein** to be of noble birth; **sie muss französicher ~ sein** she must be of French extraction

Ab·stand *m* ❶ *(räumliche Distanz)* distance; **der ~ von hier zur Mauer beträgt 2 Meter** the distance between here and the wall is 2 metres; **ein ~ von 20 Metern** a distance of 20 metres; **mit knappem/ weitem ~** at a short/great distance; **in einigem ~** at some distance; **einen ~ einhalten** to keep a distance; **~ halten** to maintain a distance; **fahr nicht so dicht auf, halte ~!** don't drive so close, leave a space!; **mit ~** by a long way ❷ (*zeitliche Distanz*) interval; **in kurzen/regelmäßigen Abständen** at short/regular intervals ❸ (*innere Distanz*) aloofness ❹ SPORT **mit zwei Punkten ~** with a two-point margin; **mit [großem] ~ führen** to lead by a [wide] margin ❺ (*geh*) **von etw** *dat* **~ nehmen** to decide against sth; **davon ~ nehmen, etw zu tun** to refrain from doing sth

ab|stat·ten ['apʃtatn̩] *vt* (*geh*) ▪**jdm etw ~** *to do sth dutifully or officially;* **jdm einen Bericht über etw** *akk* **~** to give a report on sth to sb; **jdm einen Besuch ~** to pay sb a visit

ab|stau·ben *vt*, *vi* ❶ (*fam: ergattern*) to rip off (**von** from); **das alte Gemälde habe ich bei meinen Großeltern abgestaubt** I liberated that painting from my grandparents ❷ (*vom Staub befreien*) to dust

ab|ste·chen *irreg* **I.** *vt* to stab to death; ▪**ein Tier ~** to slit an animal's throat **II.** *vi* (*sich abheben*) to stand out (**von** from)

Ab·ste·cher <-s, -> *m* ❶ (*Ausflug*) trip ❷ (*Umweg*) detour ❸ (*Exkurs*) ▪**ein ~ in etw** *akk* a sidestep into sth

ab|ste·cken *vt* ❶ (*markieren*) to mark out; *mit Pfosten* to stake out ❷ (*umreißen*) to sketch out ❸ MODE to pin; **der Anzug wurde von der Schneiderin abgesteckt** the suit was fitted by the tailor

ab|ste·hen *vi irreg* to stick out; **er hat abstehende Ohren** his ears stick out

Ab·stei·ge *f* (*schäbiges Hotel*) dive, dosshouse BRIT, flophouse AM

ab|stei·gen *vi irreg sein* ❶ (*heruntersteigen*) to dismount; **von einer Leiter ~** to get down off a ladder ❷ (*fam*) **in einem Hotel ~** to stay in a hotel ❸ (*seinen Status verschlechtern*) to go downhill; **beruflich/gesellschaftlich ~** to slide down the job/social ladder ❹ SPORT to be relegated ❺ (*im Gebirge*) to descend

ab|stel·len *vt* ❶ (*ausschalten*) to switch off *sep* ❷ (*Zufuhr unterbrechen*) ▪**etw ~** to cut sth off *sep;* **den Haupthahn ~** to turn off the mains [*or* AM main tap] ❸ (*absetzen*) to put down ❹ (*aufbewahren*) ▪**etw [bei jdm] ~** to leave sth [with sb]; **Gepäckstücke können hier abgestellt werden** luggage can be deposited here ❺ (*parken*) to park; **wo stellst du dein Auto immer ab?** where do you park? ❻ (*unterbinden*) to stop sth ❼ (*abordnen*) ▪**jdn für etw** *akk*/**zu etw** *dat* **~** to send sb to sth

Ab·stell·gleis *nt* siding **Ab·stell·kam·mer** *f* broom closet, BRIT *also* box room **Ab·stell·raum** *m* storeroom, BRIT *also* box room

ab|stem·peln *vt* ❶ (*mit einem Stempel versehen*) to stamp ❷ (*pej*) ▪**jdn [als etw] ~** to brand sb [as sth]

ab|ster·ben *vi irreg sein* ❶ *Zellen, Blätter* to die ❷ *Finger, Zehen* to go numb

Ab·stieg <-[e]s, -e> *m* ❶ (*das Hinabklettern*) descent ❷ (*Niedergang*) decline; **der berufliche/gesellschaftliche ~** descent down the job/social ladder ❸ SPORT relegation

ab|stil·len *vt*, *vi* Baby to stop breast-feeding

ab|stim·men **I.** *vi* (*die Stimme abgeben*) to vote; [**über etw** *akk*] **~ lassen** to have a vote [on sth] **II.** *vt* ❶ (*anpassen*) ▪**Dinge aufeinander ~** to co-ordinate things [with each other]; *Farben, Kleidung* to match ❷ RADIO to tune ❸ (*mechanisch einstellen*) to adjust; **die Sitze sind genau auf seine Größe abgestimmt** the seats are adjusted to fit his size

Ab·stim·mung *f* ❶ (*Stimmabgabe*) vote (**über** on); **etw zur ~ bringen** to put sth to the vote; **geheime ~** secret ballot ❷ (*harmonische Kombination*) co-ordination; **die ~ der Farben ist sehr gelungen** the colours are well-matched ❸ RADIO tuning ❹ (*Anpassung durch mechanische Einstellung*) adjustment

ab·stinent [apsti'nɛnt] **I.** *adj* ❶ (*enthaltsam*) abstinent; ▪**~ sein** to be a teetotaller ❷ (*sexuell enthaltsam*) celibate **II.** *adv* ❶ (*enthaltsam*) abstinently ❷ (*sexuell enthaltsam*) in celibacy

Ab·sti·nenz <-> [apsti'nɛnts] *f kein pl* ❶ (*das Abstinentsein*) abstinence ❷ (*sexuelle Enthaltsamkeit*) celibacy

Ab·sti·nenz·ler(in) <-s, -> *m(f)* (*pej*) teetotaller

ab|sto·ßen *irreg* **I.** *vt* ❶ MED to reject ❷ (*nicht eindringen lassen*) to repel; **Wasser ~d** water-repellent ❸ (*anwidern*) to repel ❹ (*durch einen Stoß abschlagen*) to chip off ❺ (*verkaufen*) to get rid of ❻ (*durch Stöße abnutzen*) to damage; **an Büchern sind oft die Ecken abgestoßen** the corners of books are often bent and damaged ❼ (*wegstoßen*) to push away (**von** from); **mit dem Ruder stieß er das Boot vom Ufer ab** using the rudder he shoved off from the bank ❽ (*abwerfen*) **die Schlange stieß die Haut ab** the snake shed its skin **II.** *vr* ❶ (*abfedern und hochspringen*) to jump (**von** from) ❷ (*durch Stöße ramponiert werden*) to become damaged **III.** *vi* (*anwidern*) **sich von etw** *dat* **abgestoßen fühlen** to be repelled by sth

ab·sto·ßend I. *adj* ❶ (*widerlich*) repulsive

❷ (*für Flüssigkeiten undurchlässig*) repellent **II.** *adv* (*widerlich*) in a repulsive way; **~ aussehen** to look repulsive; **~ riechen** to smell disgusting

ab|stot·tern *vt* (*fam: nach und nach bezahlen*) to pay by instalments, BRIT *also* to buy sth on the never-never

ab·stra·hie·ren* [apstra'hi:rən] *vt, vi* to abstract

ab·strakt [ap'strakt] **I.** *adj* abstract **II.** *adv* in the abstract; **etw zu ~ darstellen** to present sth too much in the abstract

Ab·strak·ti·on <-, -en> *f* (*abstraktes Denken*) abstraction

ab|strei·fen *vt* **❶** (*abziehen*) to take off **❷** (*säubern*) *Füße* to wipe

ab|strei·ten *vt irreg* **❶** (*leugnen*) to deny; **er stritt ab, sie zu kennen** he denied knowing her **❷** (*absprechen*) ■ **jdm etw ~** to deny sb sth; **das kann man ihr nicht ~** you can't deny her that

Ab·strich *m* **❶** *pl* (*Kürzungen*) cuts; **~ e machen** to make cuts; (*Kompromisse*) to lower one's sights (**bei** in) **❷** MED swab

ab·strus [ap'stru:s] *adj* (*geh*) abstruse

ab|stu·fen *vt* **❶** (*nach Intensität staffeln*) to shade; ■ **abgestuft** shaded **❷** (*terrassieren*) to terrace **❸** (*nach der Höhe staffeln*) to grade

Ab·stu·fung <-, -en> *f* **❶** (*Staffelung*) grading; **die ~ der Gehälter** the grading of salaries **❷** (*Stufe*) grade **❸** (*Schattierung*) shading **❹** (*Nuance*) shade

ab|stump·fen *vi sein* **❶** (*stumpf werden*) to blunt **❷** (*fig*) to become inured (**gegen** to), to dull

Ab·sturz *m* **❶** (*Sturz in die Tiefe*) fall; *von Flugzeug* crash **❷** (*fam: Misserfolg*) fall from grace **❸** (*Zusammenbruch*) collapse; *von Computer* crash

ab|stür·zen *vi sein* **❶** *Person* to fall; *Flugzeug* to crash **❷** INFORM to crash **❸** (*fam: Misserfolg haben*) to fall from grace **❹** (*fam: betrunken sein*) to get blind drunk

Ab·sturz·stel·le *f* **❶** LUFT crash site **❷** (*Stelle eines Bergsteigerunfalls*) location of the fall

ab|stüt·zen *vt* to support (**mit** with); **sich durch Krücken ~** to support oneself on crutches

ab|su·chen *vt* **❶** (*durchstreifen*) to search (**nach** for) **❷** (*untersuchen*) to examine; **wir haben den Baum nach Schädlingen abgesucht** we've examined the tree for pests

ab·surd [ap'zʊrt] *adj* absurd; **~ es Theater** theatre of the absurd

Ab·sur·di·tät <-, -en> *f* absurdity

Ab·szessRR <-es, -sse> *m*, **Ab·szeß**ALT <-sses, -sse> [aps'tsɛs] *m* MED abscess

Abt, Äb·tis·sin <-[e]s, Äbte> [apt, ɛp'tɪ-sɪn, *pl* 'ɛptə] *m, f* abbot *masc*, abbess *fem*

Abt. *f Abk von* **Abteilung** dept.

ab|tan·zen *vi* (*sl*) boogie *fam,* get down [on the dance floor]

ab|tas·ten *vt* **❶** (*tastend untersuchen*) to search (**nach** for); **jdn nach Waffen ~** to frisk sb for weapons **❷** INFORM to scan **❸** (*sondieren*) ■ **jdn ~** to sound sb out; ■ **sich ~** to size one another up; **den Feind ~** to size up the enemy

ab|tau·chen *vi sein* (*sl*) to go underground

ab|tau·en *vt haben* to thaw; *Kühlschrank* to defrost

Ab·tei <-, -en> *f* abbey

Ab·teil *nt* compartment

ab|tei·len *vt* to divide off (**von** from)

Ab·tei·lung¹ *f* **❶** (*Teil einer Organisation*) department; *eines Krankenhauses* ward **❷** MIL section

Ab·tei·lung² *f kein pl* (*Abtrennung*) dividing off

Ab·tei·lungs·lei·ter(in) *m(f)* *einer Verkaufsabteilung* department[al] manager; *einer Firma* head of department

ab|tip·pen *vt* (*fam*) to type [up *sep*]

Äb·tis·sin <-, -nen> [ɛp'tɪsɪn] *f fem form von* **Abt** abbess

ab|tö·ten *vt* **❶** (*zum Absterben bringen*) to kill off *sep* **❷** (*zum Erlöschen bringen*) ■ **etw [in jdm] ~** to deaden sth [in sb]

ab|tra·gen *irreg vt* **❶** (*abnutzen*) to wear out **❷** (*geh: abräumen*) *Geschirr* to clear away *sep* **❸** (*entfernen*) *Boden* to clear away **❹** *Mauer* to take down *sep* **❺** GEOG to wash away *sep*

ab·träg·lich ['aptrɛːklɪç], **ab·trä·gig** ['aptrɛːgɪç] *adj* SCHWEIZ damaging; *Kritik a.* adverse; ■ **jdm/etw ~ sein** to be detrimental [to sb/sth]

ab|trans·por·tie·ren* *vt* to transport [away]

ab|trei·ben *irreg* **I.** *vt haben ein Kind* to have an abortion **II.** *vi sein* (*in eine andere Richtung treiben*) to be carried [away]; **das Boot trieb weit vom Kurs ab** the boat was driven a long way off course

Ab·trei·bung <-, -en> *f* abortion

Ab·trei·bungs·pil·le *f* morning-after pill

ab|tren·nen *vt* **❶** (*ablösen*) to detach (**von** from); **hier ~** detach here **❷** (*abteilen*) to divide off *sep* (**von** from) **❸** (*gewaltsam vom Körper trennen*) ■ **etw ~** to cut sth off *sep*

ab|tre·ten *irreg* **I.** *vt haben* **❶** (*übertragen*) ■ **etw ~** to sign over sth *sep; Rechte* to

A

transfer; *Land* to cede ❷ (*fam: überlassen*) ▪**jdm etw** ~ to give sth to sb; **er hat ihr seinen Platz abgetreten** he gave up his seat to her ❸ (*durch Betreten abnutzen*) to wear out ❹ (*durch Treten entfernen*) to stamp off *sep* II. *vi sein* ❶ (*zurücktreten*) to step down; *Monarch* to abdicate; *Politiker* to resign ❷ THEAT *von der Bühne* to exit [the stage] ❸ (*fam: sterben*) to make one's [last] exit ❹ MIL to stand down; ~! dismissed! III. *vr haben* **sich** *dat* **seine Schuhe** ~ to wipe off one's shoes *sep*

Ab·tre·ter <-s, -> *m* (*fam*) doormat

Ab·tre·tung <-, -en> *f* signing over; *von Rechten* transferring; *von Gebiet* ceding

ab|trock·nen *vt, vi* to dry; ▪**sich** ~ to dry oneself; *Geschirr* to dry the dishes, to dry up BRIT

ab|trop·fen *vi sein* to drain; ▪**etw** ~ **lassen** to leave sth to drain

ab·trün·nig ['aptrʏnɪç] *adj* renegade; *Provinz, Staat* rebel; ▪**jdm/einer** *S.* *dat* ~ **werden** to be disloyal to sb/sth; **seinem Glauben** ~ **werden** to renounce one's faith

Ab·trün·ni·ge(r) *f(m) dekl wie adj* renegade; REL apostate

ab|tun *vt irreg* to dismiss (**mit** with, **als** as); **etw mit einem Achselzucken/ Lächeln** ~ to dismiss sth with a shrug/ laugh, to shrug/laugh sth off

ab|tup·fen *vt* ❶ (*durch Tupfen entfernen*) to dab away; **sich** *dat* **den Schweiß von der Stirn** ~ to dab the sweat from one's brow ❷ (*durch Tupfen reinigen*) to swab; *Wunde* to clean

ab·tur·nen [-tœ:ɐ̯nən] *vi* (*sl*) to be a pain in the neck

ab|ver·lan·gen* *vt* to demand

ab|wä·gen *vt irreg* ▪**etw** [**gegeneinander**] ~ to weigh sth up [against sth else]; **seine Worte gut** ~ to choose one's words carefully; **Vor- und Nachteile** ~ to weigh [up] the disadvantages and advantages

ab|wäh·len *vt Person* to vote out [of office]; *Schulfach* to drop

ab|wäl·zen *vt* ▪**etw** [**auf jdn**] ~ to unload sth [on to sb]; *Kosten* to pass on; *Verantwortung* to shift

ab|wan·deln *vt* to adapt; *Vertrag* to modify

ab|wan·dern I. *vi sein* ❶ (*sich von einem Ort entfernen*) to go away ❷ (*auswandern*) to migrate; **die ländliche Bevölkerung wanderte in die Städte ab** the rural population migrated to the towns ❸ (*fam: überwechseln*) ▪**zu jdm** ~ to move to sb II. *vt ein Gebiet* to walk all over

Ab·wan·de·rung *f* migration

ab|war·ten *vt, vi* to wait [for]; **das bleibt abzuwarten** that remains to be seen; **sie konnte es einfach nicht mehr** ~ she simply couldn't wait any longer; **wart mal ab!** [just] [you] wait and see!

ab·war·tend I. *adj* expectant; **eine** ~**e Haltung einnehmen** to adopt a policy of wait and see II. *adv* expectantly; **sich** ~ **verhalten** to behave cautiously

ab·wärts ['apvɛrts] *adv* downhill; **vom Chef** ~ **sind alle anwesend** from the boss down everyone is present; **es geht mit jdm/etw** ~ sb/sth is going downhill

ab·wärts·kom·pa·ti·bel *adj* INFORM downward compatible **Ab·wärts·trend** *m* downhill trend

Ab·wasch¹ <-[e]s> *m kein pl* ❶ (*Spülgut*) dirty dishes *pl*, BRIT *also* washing-up ❷ (*das Spülen*) washing the dishes, washing-up BRIT; **den** ~ **machen** to do the dishes, BRIT *also* to wash up, BRIT *also* to do the washing-up ▸ **das** geht **in einem** ~ (*fam*) you can kill two birds with one stone *prov*

Ab·wasch² <-, -en> *f* ÖSTERR (*Spülbecken*) sink

ab·wasch·bar *adj* washable

ab|wa·schen *irreg* I. *vt* ❶ (*spülen*) to wash up ❷ (*durch Waschen entfernen*) to wash off; **sie wusch ihrer Tochter den Schmutz vom Gesicht ab** she washed the dirt off her daughter's face ❸ (*reinigen*) ▪**sich** ~ to wash oneself II. *vi* to do the dishes, BRIT *also* to wash up, BRIT *also* to do the washing-up; **hilfst du mir mal beim A**~**?** will you help me do the washing-up?

Ab·was·ser <-wässer> *nt* waste water; *von Industrieanlagen* effluent

Ab·was·ser·auf·be·rei·tung *f* sewage treatment **Ab·was·ser·ka·nal** *m* sewer **Ab·was·ser·lei·tung** *f* waste pipe

ab|wech·seln *vi, vr* ▪**sich** ~ ❶ (*im Wechsel handeln*) to take turns ❷ (*im Wechsel erfolgen*) to alternate; **Sonne und Regen wechselten sich ab** it alternated between sun and rain

ab·wech·selnd *adv* alternately; **in der Nacht hielten die vier** ~ **Wache** the four took turns to stand guard during the night

Ab·wech·se·lung <-, -en>, **Ab·wechs·lung** <-, -en> *f* change; ▪**lieben** to like a bit of variety; **zur** ~ for a change

ab·wechs·lungs·hal·ber *adv* for variety's sake **ab·wechs·lungs·los** *adj* unchanging **ab·wechs·lungs·reich** *adj* varied

Ab·weg *m meist pl* ▪**jdn auf** ~**e führen** to lead sb astray; **auf** ~**e geraten** to go astray; (*moralisch*) to stray from the straight and narrow

ab·we·gig ['apveːɡɪç] *adj* ❶ (*unsinnig*) absurd; *Idee* far-fetched; *Verdacht* unfounded ❷ (*merkwürdig*) strange

Ạb·wehr *f kein pl* ❶ (*inneres Widerstreben*) resistance; **seine Pläne stießen auf starke ~** his plans met [with] strong resistance ❷ MIL repelling ❸ (*Spionage~*) counterespionage ❹ SPORT (*Verteidigung*) defence; (*die Abwehrspieler*) defenders ❺ (*Widerstand gegen Krankheit*) protection

ạb·weh·ren I. *vt* ❶ MIL to repel ❷ SPORT to fend off; *Ball* to clear ❸ (*abwenden*) to turn away; *Gefahr, Unheil, Verdacht* to avert; *Vorwurf* to fend off II. *vi* ❶ (*ablehnen*) to refuse ❷ SPORT to clear

Ạb·wehr·kräf·te *pl* the body's defences **Ạb·wehr·me·cha·nis·mus** *m* PSYCH, MED defence mechanism **Ạb·wehr·re·ak·ti·on** *f* defensive reaction **Ạb·wehr·spie·ler(in)** *m(f)* SPORT defender

ạb·wei·chen *vi irreg sein* ❶ (*abkommen*) to deviate (**von** from) ❷ (*sich unterscheiden*) ■**von jdm/etw ~** to differ from sb/sth

ab·wei·chend *adj* different

Ạb·wei·chung <-, -en> *f* ❶ (*Unterschiedlichkeit*) difference; *einer Auffassung* deviation ❷ (*das Abkommen*) deviation ❸ TECH **zulässige ~** tolerance

ạb·wei·sen *vt irreg* ❶ (*wegschicken*) to turn away; **sich [von jdm] nicht ~ lassen** to not take no for an answer [from sb] ❷ (*ablehnen*) to turn down *sep; Antrag, Bitte* to deny; ■**jdn ~** to reject sb ❸ *Klage* to dismiss

ab·wei·send *adj* cold

Ạb·wei·sung *f* ❶ (*das Wegschicken*) turning away ❷ (*das Ablehnen*) turning down, rejection ❸ JUR dismissal

ạb·wen·den *reg o irreg* I. *vr* ■**sich ~** to turn away II. *vt* ❶ (*verhindern*) **eine Katastrophe ~** to avert a catastrophe ❷ (*zur Seite wenden*) **die Augen ~** to avert one's gaze

ạb·wer·ben *vt irreg* to entice away

ạb·wer·fen *irreg* I. *vt* ❶ (*herunterfallen lassen*) to drop; *Blätter, Nadeln* to shed ❷ *Reiter* to throw ❸ FIN, ÖKON *Gewinn* to yield; *Zinsen* to bear ❹ (*geh: abschütteln*) to cast off sth *sep* ❺ *Karte* to discard II. *vi* ❶ (*beim Hochsprung*) to knock down the bar ❷ FBALL to throw the ball out

ạb·wer·ten *vt* ❶ (*Kaufwert vermindern*) to devalue (**um** by); ■**abgewertet** devalued ❷ (*Bedeutung mindern*) to debase

ab·wer·tend I. *adj* derogatory II. *adv* derogatorily; **ein Wort ~ gebrauchen** to use a word in a derogatory way

Ạb·wer·tung *f* ❶ (*Minderung der Kaufkraft*) devaluation ❷ (*Wertminderung*) debasement

ab·we·send ['apveːznt] *adj* ❶ (*geh*) absent ❷ (*geistes~*) absent-minded

Ạb·we·sen·heit <-, *selten* -en> *f* ❶ (*Fehlen*) absence; **durch ~ glänzen** (*iron fam*) to be conspicuous by one's absence; **in ~ von jdm** in sb's absence ❷ (*Geistes~*) absent-mindedness

ạb·wi·ckeln I. *vt* ❶ (*von etw wickeln*) to unwind ❷ (*erledigen*) to deal with; *Auftrag* to process; *Geschäft* to carry out II. *vr* (*glatt vonstattengehen*) ■**sich ~** to run smoothly

ạb·wie·gen *vt irreg* to weigh [out]

ạb·wim·meln *vt* (*fam*) ■**jdn ~** to get rid of sb; ■**etw ~** to get out of [doing] sth

ạb·win·ken *vi* to signal one's refusal

ạb·wi·schen *vt* to wipe (**von** from); **sich** *dat* **die Tränen ~** to dry one's tears; **sich** *dat* **den Schweiß von der Stirn ~** to mop the sweat from one's brow

Ạb·wurf *m* ❶ (*das Hinunterwerfen*) dropping; *von Ballast* shedding ❷ (*das Abgeworfenwerden*) throwing ❸ (*Speerwerfen*) throwing; (*beim Fußball*) throw-out

ạb·wür·gen *vt* (*fam*) ❶ *Motor* to stall the engine ❷ (*im Keim ersticken*) to nip in the bud; ■**jdn ~** (*unterbrechen*) to cut sb short; **jdn mitten im Satz ~** to cut sb off right in the middle of a sentence

ạb·zah·len *vt* ❶ (*zurückzahlen*) to pay off ❷ (*in Raten bezahlen*) to pay in instalments; ■**abgezahlt** paid for *präd*; **unser Haus ist endlich abbezahlt** we've finally paid off the house

ạb·zäh·len *vt, vi* to count [out]; ■**abgezählt** exact; **bitte das Fahrgeld abgezählt bereithalten** please tender [the] exact fare

Ạb·zah·lung *f* ❶ (*Rückzahlung*) paying off ❷ (*Bezahlung auf Raten*) repayment

Ạb·zei·chen *nt* ❶ (*Anstecknadel*) badge ❷ MIL insignia of rank

ạb·zeich·nen I. *vt* ❶ (*durch Zeichnen wiedergeben*) to copy ❷ (*signieren*) to initial II. *vr* ❶ (*erkennbar werden*) ■**sich ~** to become apparent ❷ (*Umrisse erkennen lassen*) ■**sich ~** to show

Ạb·zieh·bild *nt* TECH transfer

ạb·zie·hen *irreg* I. *vi* ❶ *sein* MIL to withdraw (**aus** from) ❷ *sein* (*fam: weggehen*) to go away; **zieh ab!** clear off! ❸ *sein* (*durch Luftzug entfernen*) to clear (**aus** from) ❹ *sein* METEO to move away II. *vt haben* ❶ (*einbehalten*) to deduct (**von**

from); **Steuern und Sozialabgaben werden direkt vom Gehalt abgezogen** tax and national insurance are deducted directly from the wages ❷ MATH to subtract (**von** from) ❸ FIN *Kapital* to withdraw ❹ MIL *Truppen* to withdraw ❺ (*etw durch Ziehen entfernen*) *Bett* to strip; *Schlüssel* to take out; *einem Tier das Fell* to skin ❻ SCHWEIZ (*ausziehen*) to take off **III.** *vr* SCHWEIZ (*sich ausziehen*) ▪ **sich ~** to undress

ab|zie·len *vi* ❶ (*anspielen*) ▪ **auf etw** *akk* **~** to get at sth *fam* ❷ (*im Visier haben*) ▪ **auf jdn/etw ~** to aim at sb/sth

Ab·zo·cke <-> ['aptsɔkə] *f kein pl* (*pej fam*) profiteering, price gouging AM

ab|zo·cken I. *vt* (*sl*) ▪ **jdn ~** to fleece sb **II.** *vi* (*sl*) to clean up

Ab·zug *m* ❶ (*das Abziehen*) deduction ❷ FOTO print ❸ MIL withdrawal; **jdm freien ~ gewähren** to grant sb safe passage ❹ FIN *von Kapital* withdrawal ❺ (*Luft~*) vent; (*Dunst~*) extractor [fan]; (*über einem Herd*) extractor hood ❻ (*Vorrichtung an einer Waffe*) trigger

ab·züg·lich ['aptsy:klɪç] *präp* ▪ **~ einer S.** *gen* minus sth

ab·zugs·frei *adj* tax-free **Ab·zugs·hau·be** *f* extractor hood **Ab·zugs·rohr** *nt* flue [pipe]

ab|zwei·gen I. *vi sein* to branch off; **hinter der Kurve zweigt die Goethestraße nach links ab** Goethestraße turns off to the left after the bend **II.** *vt haben* (*fam*) to set aside *sep* (**von** from)

Ab·zwei·gung <-, -en> *f* ❶ (*Straßengabelung*) turning ❷ (*Nebenlinie einer Strecke*) branch line

Ac·ces·soire <-s, -s> [aksɛˈsɔaːɐ̯] *nt meist pl* accessory

Ace·tat <-s, -e> [atseˈtaːt] *nt* acetate **Ace·ton** <-s, -e> [atseˈtoːn] *nt* acetone

ach [ax] **I.** *interj* ❶ (*jammernd, ärgerlich*) oh no!; **~, das sollte doch schon lange erledigt sein!** oh no! that was supposed to have been done ages ago!; **~ je!** oh dear [me]!; **~, rutsch mir doch den Buckel runter!** oh, go [and] take a running jump! ❷ (*also*) oh!; **~, so ist das also ...** oh, so that's how it is ... ❸ (*aha*) [oh,] I see!; **~ so, ich verstehe!** oh, I see!; **~ wirklich?** really? ❹ (*ganz und gar nicht*) **~ was!** come on! **II.** *adv* (*geh*) **sie glaubt von sich, sie sei ~ wie schön** she thinks she's oh so beautiful

Ach <-s, -[s]> [ax] *nt* (*Ächzen*) groan ▶ **mit ~ und Krach** (*fam*) by the skin of one's teeth

Achat <-[e]s, -e> [aˈxaːt] *m* agate

Ach·se <-, -n> ['aksə] *f* ❶ AUTO axle ❷ (*Linie*) axis ▶ **auf ~ sein** (*fam*) to be on the move

Ach·sel <-, -n> ['aksl̩] *f* ❶ ANAT armpit ❷ (*fam: Schulter*) shoulder; **mit den ~n zucken** to shrug one's shoulders

Ach·sel·haa·re *pl* armpit hair **Ach·sel·höh·le** *f* armpit **Ach·sel·zu·cken** <-> *nt kein pl* shrug [of the shoulders] **ach·sel·zu·ckend I.** *adj* shrugging **II.** *adv* with a shrug [of the shoulders]

Ach·sen·bruch *m* broken axle

acht[1] [axt] *adj* eight; **~ mal drei sind gleich 24** eight times three is 24; **das kostet ~ Euro** that costs eight euros; **die Linie ~ fährt zum Bahnhof** the No. 8 goes to the station; **es steht ~ zu drei** the score is eight three [*or* 8-3]; **~ [Jahre alt] sein/werden** to be/turn eight [years old]; **mit ~ [Jahren]** at the age of eight, at eight [years old], as an eight-year-old; **~ Uhr sein** to be eight o'clock; **gegen ~ [Uhr]** [at] about eight [o'clock]; **um ~** at eight [o'clock]; **... [Minuten] nach/vor ~** ... [minutes] past/to eight [o'clock]; **kurz nach/vor ~ [Uhr]** just after/before eight [o'clock]; **alle ~ Tage** (regularly) every week; **heute/Freitag in ~ Tagen** a week today/on Friday; **heute/Freitag vor ~ Tagen** a week ago today/on Friday

acht[2] [axt] *adv* **wir waren zu ~** there were eight of us

Acht[1] <-, -en> [axt] *f* ❶ (*Zahl*) eight ❷ (*etw von der Form einer 8*) **ich habe eine ~ im Vorderrad** my front wheel is buckled; **auf dem Eis eine ~ laufen** to skate a figure of eight on the ice ❸ KARTEN **die Kreuz-~** the eight of clubs ❹ (*Verkehrslinie*) ▪ **die ~** the [number] eight

Acht[RR2] [axt] *f* **~ geben** to be careful; **sie gab genau ~, was der Professor sagte** she paid careful attention to what the professor said; **auf jdn/etw ~ geben** to look after sb/sth; **etw außer ~ lassen** to not take sth into account; **sich [vor jdm/etw] in ~ nehmen** to be wary [of sb/sth]

acht·bar *adj* (*geh*) respectable

ach·te(r, s) ['axtə, -te, -təs] *adj* ❶ (*nach dem siebten kommend*) eighth; **an ~r Stelle** [*in*] eighth [place]; **die ~ Klasse** third year of senior school BRIT, eighth grade AM ❷ (*Datum*) eighth; **heute ist der ~** it's the eighth today; **am ~n September** on the eighth of September

Ach·te(r) ['axtɐ] *f(m) dekl wie adj* ❶ (*Person*) ▪ **der/die/das ~** the eighth; **du bist jetzt der ~, der fragt** you're the eighth person to ask; **als ~ an der Reihe** [*o* **dran**]

sein to be the eighth [in line]; ~[r] **sein/ werden** to be/finish [in] eighth [place]; **als** ~r **durchs Ziel gehen** he finished eighth, he crossed the line in eighth place; **jeder** ~ every eighth person, one in eight [people] ❷ (*bei Datumsangabe*) ■ **der** ~ [*o geschrieben* **der 8.**] the eighth *spoken,* the 8th *written;* ■ **am** ~**n** on the eighth ❸ (*Namenszusatz*) **Karl der** ~ [*o geschrieben* **Karl VIII**] Karl the Eighth *spoken* [*or written* Karl VIII]

Acht·eck ['axt?ɛk] *nt* octagon

acht·eckig *adj* octagonal, eight-sided *attr*

ach·tel ['axtl] *adj* eighth

Ach·tel <-s, -> ['axtl] *nt* eighth

Ach·tel·fi·na·le *nt* round of the last sixteen

Ach·tel·no·te *f* MUS quaver

ach·ten ['axtn̩] I. *vt* (*schätzen*) to respect II. *vi* ❶ (*aufpassen*) ■ **auf jdn/etw** ~ to look after sb/sth ❷ (*be~*) ■ **auf jdn/etw** ~ to pay attention to sb/sth; ■ **darauf** ~**, etw zu tun** to remember to do sth; **achtet aber darauf, dass ihr nichts umwerft!** be careful not to knock anything over!

äch·ten ['ɛçtn̩] *vt* ❶ (*verdammen*) to ostracize ❷ HIST (*proskribieren*) ■ **jdn** ~ to outlaw sb

ach·tens ['axtn̩s] *adv* eighthly

Ach·ter·bahn *f* roller-coaster

ach·ter·lei ['axtɐˈlaɪ] *adj* eight [different]; ~ **Brot/Käse** eight [different] kinds of bread/cheese; **in** ~ **Farben/Größen** in eight [different] colours/sizes

acht·fach, 8-fach ['axtfax] I. *adj* eight-fold; **die** ~**e Menge** eight times the amount; **bei** ~**er Vergrößerung** enlarged eight times; **in** ~**er Ausfertigung** eight copies of II. *adv* eightfold, eight times over

acht|ge·benᴬᴸᵀ *vi irreg* to be careful; **sie gab genau** ~**, was der Professor sagte** she paid careful attention to what the professor said; **auf jdn/etw** ~ to look after sb/sth

acht·hun·dert ['axt'hʊndɐt] *adj* eight hundred

acht·jäh·rig, 8-jäh·rigᴿᴿ ['axtjɛːrɪç] *adj* ❶ (*Alter*) eight-year-old *attr;* eight years old *präd;* **das** ~**e Jubiläum einer S.** *gen* the eighth anniversary of sth ❷ (*Zeitspanne*) eight-year *attr;* **eine** ~**e Amtszeit** an eight-year tenure

acht·kan·tig *adj* MATH octagonal ▶ **jdn** ~ **hinauswerfen** (*fam*) to throw sb out on his ear

acht·los I. *adj* careless II. *adv* without noticing; ~ **ging er an ihr vorbei** he went past her without noticing

Acht·lo·sig·keit <-> *f* ❶ (*Unachtsamkeit*)

carelessness ❷ (*unachtsames Verhalten*) thoughtlessness

acht·mal, 8-malᴿᴿ ['axtmaːl] *adv* eight times; ~ **so viel/so viele** eight times as much/as many

acht·sam ['axtzaːm] I. *adj* (*geh*) careful; ■ ~ **sein** to be careful II. *adv* (*geh*) carefully; **bitte gehen Sie sehr** ~ **damit um!** please take great care with this!

Acht·sam·keit <-> *f kein pl* (*geh*) care

Acht·stun·den·tag [axt'ʃtʊndn̩taːk] *m* eight-hour day

acht·stün·dig, 8-stün·digᴿᴿ ['axtʃtʏndɪç] *adj* eight-hour *attr,* lasting eight hours *präd*

acht·tä·gig, 8-tä·gigᴿᴿ ['axttɛːgɪç] *adj* eight-day *attr,* lasting eight days *präd*

acht·tau·send ['axt'taʊzn̩t] *adj* ❶ (*Zahl*) eight thousand ❷ (*fam:* €*8000*) eight grand *no pl,* eight thou *no pl sl,* eight G's [*or* K's] *no pl* AM *sl*

Acht·und·sech·zi·ger(in) <-s, -> *m(f) sb* who took an active part in the demonstrations and student revolts of 1968

Ach·tung¹ ['axtʊŋ] *interj* ■ ~! ❶ (*Vorsicht*) watch out!; „~ **Lebensgefahr!"** "danger [to life]!"; „~ **Stufe!"** "mind the step" ❷ (*Aufmerksamkeit*) [your] attention please! ▶ ~**, fertig, los!** ready, steady, go!

Ach·tung² <-> ['axtʊŋ] *f kein pl* respect (**vor** for); [**keine**] ~ **vor jdm/etw haben** to have [no] respect for sb/sth; **alle** ~! well done!

Äch·tung <-, -en> *f* ❶ (*Verfemung*) ostracism ❷ (*Verdammung*) condemnation ❸ HIST (*Erklärung der Acht*) outlawing

Ach·tungs·er·folg *m* reasonable success

acht·zehn ['axtseːn] *adj* eighteen; **ab** ~ **frei|gegeben] sein** *Film* for eighteens and over; ■ ~ **Uhr** 6pm, 1800hrs *written,* eighteen hundred hours *spoken; s. a.* **acht** ¹

acht·zig ['axtsɪç] *adj* ❶ (*Zahl*) eighty; **die Linie** ~ **fährt zum Bahnhof** the No. 80 goes to the station; ~ [**Jahre alt] sein** to be eighty [years old]; **mit** ~ [**Jahren**] at the age of eighty, at eighty [years old], as an eighty-year-old; **über** ~ **sein** to be over eighty; **Mitte** ~ **sein** to be in one's mid-eighties ❷ (*fam: Stundenkilometer*) eighty [kilometres an hour]; [**mit**] ~ **fahren** to do eighty [kilometres an hour] ▶ **jdn auf** ~ **bringen** (*fam*) to make sb's blood boil, to make sb flip his/her lid; **auf** ~ **sein** (*fam*) to be hopping mad *fam*

Acht·zig <-> ['axtsɪç] *f* eighty

acht·zi·ger, 80er ['axtsɪgɐ] *adj attr* ❶ (*das Jahrzehnt von 80 bis 90*) **die** ~ **Jahre** the eighties, the '80s ❷ (aus dem Jahr ·80 stammend) [from] '80; **ein ~ Jahrgang** an '80 vintage

acht·zig·ste(r, s) ['axtsɪçstə, -tə, -təs] adj eightieth; s. a. **achte(r, s)**

äch·zen ['ɛçtsn̩] vi ❶ (stöhnen) to groan ❷ (knarren) to creak

Acker <-s, Äcker> ['akɐ, pl 'ɛkɐ] m field

A·cker·bau m kein pl [arable] farming; **~ betreiben** to farm [the land] **A·cker·land** nt kein pl arable [farm]land

ackern ['akɐn] vi ❶ (fam: hart arbeiten) to slog away ❷ (das Feld bestellen) to till the soil

A·cker·sa·lat m DIAL lamb's lettuce

Acryl <-s> [a'kry:l] nt acrylic

Ac·tion <-> ['ɛkʃn̩] f (fam) action; **jede Menge ~** loads of action; **~ geladen** action packed

Ac·tion·film m action film

a. D. [a:'de:] Abk von **außer Dienst** retd.

A. D. [a:'de:] Abk von **Anno Domini** AD

ADAC <-> [a:de:?a:'tse:] m kein pl Abk von **Allgemeiner Deutscher Automobil-Club** German automobile club, ≈ AA BRIT, ≈ RAC BRIT, ≈ AAA AM

ad ac·ta [at 'akta] adv **etw ~ legen** (geh) to consider sth [as] finished

Adam <-s, -s> ['a:dam] m ❶ (Name) Adam ❷ (hum: Mann) man ▸ **bei ~ und Eva anfangen** (fam) to start from scratch [or the very beginning]; **noch von ~ und Eva stammen** (fam) to be out of the ark fam

Adams·ap·fel m Adam's apple **Adams·kos·tüm** nt ▸ **im ~** (hum fam) in one's birthday suit

Adap·ta·ti·on <-, -en> [adapta'tsi̯o:n] f (fachspr) adaptation

Adap·ter <-s, -> [a'daptɐ] m adapter

adap·tie·ren* [adap'ti:rən] I. vt ❶ (umarbeiten) to adapt (**für** for) ❷ ÖSTERR (herrichten) to renovate II. vr ■ **sich an etw** akk **~** to adapt to sth

adä·quat [adɛ'kva:t] adj adequate; Position, Stellung suitable; **~e Kritik** valid criticism; ■ **einer S.** dat **~ sein** to be appropriate to sth

ad·die·ren* [a'di:rən] I. vt to add up sep; ■ **etw zu etw** dat **~** to add sth to sth II. vi to add; **ich habe mich beim A~ vertan** I've made a mistake counting

Ad·di·ti·on <-, -en> [adi'tsi̯o:n] f addition

Ad·di·tiv <-s, -e> [adi'ti:f, pl adi'ti:və] nt additive

ade [a'de:] interj SÜDD goodbye

Adel <-s> ['a:dl̩] m kein pl nobility, aristocracy; **~ verpflichtet** noblesse oblige; **jdm**

---

den ~ verleihen to bestow a title on sb, to raise sb to the peerage BRIT; **alter ~** ancient nobility; **von ~** of noble birth

ade·lig ['a:dəlɪç] adj s. **adlig**

Ade·li·ge(r) ['a:dəlɪgə, -gə] f(m) dekl wie adj s. **Adlige(r)**

adeln ['a:dl̩n] vt ❶ (den Adel verleihen) to bestow a title on ❷ (geh: auszeichnen) to ennoble

Adels·ti·tel m title [of nobility]

Ader <-, -n> ['a:dɐ] f ❶ (Vene) vein; (Schlagader) artery ❷ (Begabung) **eine ~ für etw** akk **haben** to have a talent for sth; **eine künstlerische ~ haben** to have an artistic bent

Ader·lass^RR <-es, -lässe> m, **Ader·laß^ALT** <-lasses, -lässe> m ❶ (geh: fühlbarer Verlust) drain ❷ MED (veraltet) bleeding

ADFC [a:de:?ɛf'tse:] m Akr von **Allgemeiner Deutscher Fahrrad-Club** ≈ Royal Cycling Club

adi·eu [a'di̯ø:] interj (geh) s. **ade**

Ad·jek·tiv <-s, -e> ['atjɛkti:f, pl -i:və] nt adjective

ad·jek·ti·visch ['atjɛkti:vɪʃ] I. adj adjectival II. adv adjectivally

Ad·ler <-s, -> ['a:dlɐ] m eagle

Ad·ler·na·se f aquiline nose

ad·lig ['a:dlɪç] adj aristocratic, noble; ■ **~ sein** to have a title

Ad·li·ge(r) ['a:dlɪgə, -gə] f(m) dekl wie adj aristocrat, nobleman masc, noblewoman fem

Ad·mi·nis·tra·ti·on <-, -en> [atmɪnɪstra'tsi̯o:n] f administration

ad·mi·nis·tra·tiv [atmɪnɪstra'ti:f] I. adj administrative II. adv administratively

Ad·mi·ral(in) <-s, -e o Admiräle> [atmi'ra:l, pl -rɛ:lə] m(f) admiral

adop·tie·ren* [adɔp'ti:rən] vt to adopt

Adop·ti·on <-, -en> [adɔp'tsi̯o:n] f adoption; **ein Kind zur ~ freigeben** to put a child up for adoption

Adop·tiv·el·tern [adɔp'ti:f-] pl adoptive parents **Adop·tiv·kind** nt adopted child

Adr. f Abk von **Adresse** addr.

Ad·re·na·lin <-s> [adrena'li:n] nt kein pl adrenalin no pl

Ad·re·na·lin·spie·gel m adrenalin level **Ad·re·na·lin·stoß** m rush of adrenalin

Ad·res·sat(in) <-en, -en> [adrɛ'sa:t] m(f) (geh: Empfänger) addressee

Ad·ress·buch^RR m ❶ (amtliches Adressverzeichnis) directory ❷ (Notizbuch für Adressen) address book

Ad·res·se <-, -n> [a'drɛsə] f ❶ (Anschrift) address ❷ INFORM (Kennzeichen für einen Speicherplatz einer Datei) address ❸(Name) address ▸**bei jdm** [mit etw *dat*] **an der fal-schen/richtigen ~ sein** to have addressed the wrong/right person [with sth]; **sich an die falsche/richtige ~ wenden** (*fam*) to knock at the wrong/right door

ad·res·sie·ren* [adrɛ'si:rən] *vt* to address (**an** to)

ad·rett [ad'rɛt] **I.** *adj* (*hübsch, gepflegt*) smart **II.** *adv* smartly; **sie ist immer ~ gekleidet** she's always neatly turned out

Ad·ria <-> ['a:dria] *f* Adriatic [Sea]

ad·ri·a·tisch [adri'a:tɪʃ] *adj* Adriatic; ▪**das ~e Meer** the Adriatic Sea

Ad·vent <-s, -e> [at'vɛnt] *m* Advent [season]; ▪**im ~** during [the] Advent [season]; **erster ~** first Sunday in Advent

Ad·vents·ka·len·der *m* Advent calendar

Ad·vents·kranz *m* Advent wreath **Ad·vents·zeit** *f* Advent [season]

Ad·verb <-s, -ien> [at'vɛrp, *pl* -bi̯ən] *nt* adverb

ad·ver·bi·al [atvɛr'bi̯a:l] **I.** *adj* adverbial **II.** *adv* adverbially

Ad·vo·kat(in) <-en, -en> [atvo'ka:t] *m(f)* ❶ÖSTERR, SCHWEIZ (*Rechtsanwalt*) lawyer, solicitor BRIT, attorney AM ❷(*geh: Fürsprecher*) advocate

Ad·vo·ka·tur <-, -en> [atvoka'tu:ɐ̯] *f* SCHWEIZ ❶(*Amt eines Advokaten*) legal profession ❷(*Kanzlei eines Advokaten*) lawyer's office

Ae·ro·bic <-s> [ɛ'ro:bɪk] *nt kein pl* aerobics + *sing/pl vb*

Ae·ro·dy·na·mik [aerody'na:mɪk] *f* aerodynamics + *sing/pl vb* **ae·ro·dy·na·misch** [aerody'na:mɪʃ] **I.** *adj* aerodynamic **II.** *adv* aerodynamically

Af·fä·re <-, -n> [a'fɛ:rə] *f* ❶(*Angelegenheit*) business *no pl* ❷(*Liebesabenteuer*) [love] affair ❸(*unangenehmer Vorfall*) affair; (*Skandal*) scandal; **in eine ~ verwickelt sein** to be involved in an affair ▸**sich aus der ~ ziehen** (*fam*) to wriggle out of a sticky situation

Af·fe <-n, -n> ['afə] *m* ❶(*Tier*) ape, monkey ❷(*sl: blöder Kerl*) twit; **ein eingebildeter ~** (*fam*) a conceited ass ▸**ich glaub, mich laust der ~!** (*fam*) I think my eyes are deceiving me!

Af·fekt <-[e]s, -e> [a'fɛkt] *m* affect; **im ~ handeln** to act in the heat of the moment

Af·fekt·hand·lung *f* act committed in the heat of the moment

af·fek·tiert [afɛk'ti:ɐ̯t] **I.** *adj* (*pej geh*) affected **II.** *adv* (*pej geh*) affectedly

af·fen·ar·tig *adj* apelike, like a monkey

präd **af·fen·geil** ['afn̩'ɡai̯l] *adj* (*sl*) wicked

Af·fen·hit·ze ['afn̩'hɪtsə] *f* (*fam*) scorching heat **Af·fen·kä·fig** *m* monkey cage

Af·fen·schan·de *f* (*fam*) it's a sin *fam*

Af·fen·tem·po *nt* (*fam*) breakneck speed; **in einem ~** at breakneck speed

Af·fen·the·a·ter *nt* (*fam*) (*furchtbare Umstände*) [sheer] farce ▸[**wegen etw** *gen*] **ein ~ machen** to make a right [*or* AM real] fuss [about sth] **Af·fen·zahn** *m* (*sl*) breakneck speed

Af·fi·che <-, -n> [a'fiʃə] *f* SCHWEIZ (*Plakat*) poster

af·fig ['afɪç] **I.** *adj* (*pej fam*) affected **II.** *adv* (*pej fam*) affectedly

Äf·fin <-, -nen> ['ɛfɪn] *f fem form von* **Affe** 1

Af·front <-s, -s> [a'frõ:] *m* (*geh*) affront

Af·gha·ne, Af·gha·nin <-n, -n> [afˈɡa:nə, -ˈɡa:nɪn] *m, f* Afghan; *s. a.* **Deutsche(r)**

af·gha·nisch [afˈɡa:nɪʃ] *adj* Afghan; *s. a.* **deutsch**

Af·gha·nis·tan <-s> [afˈɡa:nɪsta:n] *nt* Afghanistan; *s. a.* **Deutschland**

Afri·ka <-s> ['a:frika] *nt* Africa

Afri·kaans <-> [afri'ka:ns] *nt* Afrikaans

Afri·ka·ner(in) <-s, -> [afri'ka:nɐ] *m(f)* African; ▪**~ sein** to be [an] African

afri·ka·nisch [afri'ka:nɪʃ] *adj* African

Afro·ame·ri·ka·ner(in) ['a:fro-] *m(f)* Afro-American

afro·ame·ri·ka·nisch ['a:fro-] *adj* Afro-American

Afro·look[RR], **Afro Look**[ALT] <-s, -s> ['a:frolʊk] *m* Afro[-look]

Af·ter <-, -> ['aftɐ] *m* (*geh*) anus

Af·ter-Shave[RR], **Af·ter·shave**[RR], **Af·ter·shave**[ALT] <-[s], -s> ['a:ftɐʃe:f] *nt* aftershave

AG <-, -s> [a:'ɡe:] *f Abk von* **Aktiengesellschaft** plc, public limited company BRIT, [stock] corporation AM

Ägä·is <-> [ɛ'ɡɛ:ɪs] *f* the Aegean [Sea]

Aga·ve <-, -n> [a'ɡa:və] *f* agave

Agent(in) <-en, -en> [a'ɡɛnt] *m(f)* ❶(*Spion*) spy ❷(*Generalvertreter*) agent

Agen·tur <-, -en> [aɡɛn'tu:ɐ̯] *f* agency

Agen·tur·be·richt *m* [news] agency report **Agen·tur·mel·dung** *f* agency report

Ag·glo·me·ra·ti·on <-, -en> [aɡlomera'tsi̯o:n] *f* SCHWEIZ (*Ballungsraum*) conurbation

Ag·gre·gat <-[e]s, -e> [aɡre'ɡa:t] *nt* unit; (*Stromaggregat*) power unit

Ag·gres·si·on <-, -en> [aɡrɛ'si̯o:n] *f* aggression; **~en gegen jdn/etw empfinden** to feel aggressive towards sb/sth

ag·gres·siv [aɡrɛ'si:f] **I.** *adj* aggressive

II. *adv* aggressively
Ag·gres·si·vi·tät <-, -en> [agrɛsivi'tɛ:t] *f* aggressiveness

agie·ren* [a'gi:rən] *vi* (*geh*) to act

agil [a'gi:l] *adj* (*geh*) agile

Agi·ta·ti·on <-, -en> [aguta'tsi̯o:n] *f* agitation

Agi·ta·tor, Agi·ta·to·rin <-en, -toren> [agi'ta:to:ɐ̯, -'to:rɪn, *pl* -'to:rən] *m, f* agitator

agi·ta·to·risch [agita'to:rɪʃ] **I.** *adj* inflammatory **II.** *adv* for purposes of agitation

Ago·nie <-, -n> [ago'ni:, *pl* -'ni:ən] *f* (*geh*) death throes *npl*

Agrar·flä·che *f* agrarian land **Agrar·land** *nt* agricultural country **Agrar·markt** *m* agricultural market **Agrar·po·li·tik** *f* agricultural policy **Agrar·wirt·schaft** *f* agricultural economy

Ägyp·ten <-s> [ɛ'gʏptn̩] *nt* Egypt

Ägyp·ter(in) <-s, -> [ɛ'gʏptɐ] *m(f)* Egyptian; ■~ **sein** to be [an] Egyptian

ägyp·tisch [ɛ'gʏptɪʃ] *adj* Egyptian

ah [a:] *interj* ❶ (*sieh an*) ah, oh; ~, **jetzt verstehe ich** ah, now I understand; ~, **da kommt ja unser Essen!** oh look, here comes our food ❷ (*Ausdruck von Wohlbehagen*) mmm; ~, **das schmeckt lecker!** mmm, that tastes lovely!

Ah *Abk von* **Amperestunde** ampere-hour

aha [a'ha:] *interj* ❶ (*ach so*) aha; ~, **ich verstehe!** aha, I understand ❷ (*sieh da*) look!

Aha-Er·leb·nis [a'ha:-] *nt* PSYCH aha experience

Ah·le <-, -n> ['a:lə] *f* bodkin

Ahn <-[e]s *o* -en, -en> ['a:n] *m* ❶ *meist pl* (*geh: Vorfahr*) ancestor, forefather ❷ (*geh: Vorläufer*) forerunner

ahn·den ['a:ndn̩] *vt* (*geh*) to punish

Ah·ne, Ah·ne <-n, -n> ['a:nə] *m, f* (*geh*) ancestor *masc*, ancestress *fem*

äh·neln ['ɛ:nln̩] *vt* to resemble; **du ähnelst meiner Frau** you remind me of my wife

ah·nen ['a:nən] *vt* ❶ (*vermuten*) to suspect; **na, ahnst du jetzt, wohin wir fahren?** well, have you guessed where we're going yet? ❷ (*voraussehen*) ■**etw** ~ to have a premonition of sth ❸ (*er~*) to guess [at]; **das kann/konnte ich doch nicht** ~**!** how can/could I know that?; **ohne es zu** ~ without suspecting; **etwas/nichts** ~ to have an/no idea (**von** about)

Ah·nen·for·schung *f* genealogy **Ah·nen·rei·he** *f* ancestral line **Ah·nen·ta·fel** *f* genealogical table

ähn·lich ['ɛ:nlɪç] **I.** *adj* similar; ■~ **wie jd/ etw sein** to be similar to sb/sth; ■ [etwas]

Ähnliches [something] similar **II.** *adv* (*vergleichbar*) similarly; ■**jdm** ~ **sehen** to look like sb ▶ **das sieht ihm/ihr** [**ganz**] ~**!** (*fam*) that's just like him/her *fam*

Ähn·lich·keit <-, -en> *f* ❶ (*ähnliches Aussehen*) resemblance; **man konnte eine gewisse** ~ **feststellen** there was a certain similarity; **sie hat eine große** ~ **mit ihrem Vater** she bears a great resemblance to her father ❷ (*Vergleichbarkeit*) similarity ❸ (*ähnliche Züge*) ■**mit jdm/etw** ~ **haben** to resemble sb/sth ❹ (*vergleichbar sein*) ■**mit etw** *dat* ~ **haben** to be similar to sth

Ah·nung <-, -en> *f* ❶ (*Vorgefühl*) premonition; ~**en haben** to have premonitions ❷ (*Vermutung*) suspicion; **es ist eher so eine** ~ it's more of a hunch *fam* ❸ (*Idee*) idea; **keine** ~ **haben** to have no idea; **keine blasse** ~ **haben** to not have the faintest idea; **hast du eine** ~**!** (*iron fam*) that's what you think!; ~**/keine** ~ [**von etw** *dat*] **haben** to understand/to not understand [sth]; **man merkt gleich, dass sie** ~ **hat** you can see straight away that she knows what she's talking about; **keine** ~**!** (*fam*) [I've] no idea!

ah·nungs·los I. *adj* ❶ (*etw nicht ahnend*) unsuspecting ❷ (*unwissend*) ignorant **II.** *adv* unsuspectingly

ahoi [a'hɔy] *interj* ■**Boot** ~**!** ship ahoy!

Ahorn <-s, -e> ['a:hɔrn] *m* ❶ (*Baum*) maple [tree] ❷ (*Holz*) maple [wood]

Äh·re <-, -n> ['ɛ:rə] *f* ❶ (*Samenstand*) ear ❷ (*Blütenstand*) spike

Aids <-> [e:ts] *nt Akr von* **Acquired Immune Deficiency Syndrome** Aids

Aids·er·re·ger *m* Aids virus **Aids·hil·fe** *f* Aids relief **aids·in·fi·ziert** *adj* infected with Aids *pred* **Aids·in·fi·zier·te(r)** *f(m) dekl wie adj* person infected with Aids **aids·krank** *adj* suffering from Aids *präd* **Aids·kran·ke(r)** *f(m) dekl wie adj* person suffering from Aids **Aids·test** *m* Aids test **Aids·über·tra·gung** *f* Aids transmission **Aids·vi·rus** *nt* Aids virus

Air·bag <-s, -s> ['ɛːɐ̯bɛk] *m* airbag

Air·bus ['ɛːɐ̯bʊs] *m* airbus

Aja·tol·lah <-s, -s> [aja'tɔla] *m* Ayatollah

Aka·de·mie <-, -en> [akade'mi:, *pl* -'mi:ən] *f* ❶ (*Fachhochschule*) college ❷ (*wissenschaftliche Vereinigung*) academy

Aka·de·mi·ker(in) <-s, -> [aka'de:mikɐ] *m(f)* ❶ (*Hochschulabsolvent*) graduate ❷ (*Hochschullehrkraft*) academic

aka·de·misch [aka'de:mɪʃ] **I.** *adj* academic **II.** *adv* ~ **gebildet sein** to be academically educated

Aka·zie <-, -n> [a'ka:tsi̯ə] f ❶ (*Acacia*) acacia ❷ (*Robinia pseudoacacia*) robinia

ak·kli·ma·ti·sie·ren* [aklimati'zi:rən] vr ❶ (*sich gewöhnen*) ■**sich** ~ to become acclimatized ❷ (*sich einleben*) to get used to sth

Ak·kli·ma·ti·sie·rung <-, -en> f acclimatization

Ak·kord[1] <-[e]s, -e> [a'kɔrt, pl -kɔrdə] m chord

Ak·kord[2] <-[e]s, -e> [a'kɔrt, pl -kɔrdə] m piece-work; ■**im** ~ **arbeiten** to be on piece-work

Ak·kord·ar·beit f piece-work **Ak·kord·ar·bei·ter(in)** m(f) piece-worker

Ak·kor·de·on <-s, -s> [a'kɔrdeɔn] nt accordion

Ak·ku <-s, -s> ['aku] m (*fam*) *kurz für* **Akkumulator** accumulator, [storage] battery

ak·ku·rat [aku'ra:t] I. adj ❶ (*sorgfältig*) meticulous ❷ (*exakt*) accurate II. adv ❶ (*sorgfältig*) meticulously ❷ (*exakt*) accurately

Ak·ku·sa·tiv <-s, -e> ['akuzati:f, pl -ti:və] m accusative [case]

Ak·ku·sa·tiv·ob·jekt nt accusative object

Ak·ne <-, -n> ['aknə] f acne

ak·qui·rie·ren [akvi'ri:rən] vt ❶ (*veraltet: erwerben*) to acquire ❷ ÖKON (*werben*) *Aufträge* to procure; **Kunden** ~ to win clients

akri·bisch [a'kri:bɪʃ] I. adj (*geh*) meticulous II. adv (*geh*) meticulously

Akro·bat(in) <-en, -en> [akro'ba:t] m(f) acrobat

Akro·ba·tik <-> [akro'ba:tɪk] f kein pl ❶ (*Körperbeherrschung und Geschicklichkeit*) acrobatic skill ❷ (*Disziplin*) acrobatics + sing vb

akro·ba·tisch adj acrobatic

Akro·nym <-s, -e> [akro'ny:m] nt acronym

Akt[1] <-[e]s, -e> [akt] m ❶ (*Darstellung eines nackten Menschen*) nude [painting] ❷ (*Handlung*) act; **ein** ~ **der Rache** an act of revenge ❸ (*Zeremonie*) ceremony ❹ (*Aufzug eines Theaterstücks*) act

Akt[2] <-[e]s, -en> [akt] m ÖSTERR (*Akte*) file

Ak·te <-, -n> ['aktə] f file; **die** ~ **Borgfeld** the Borgfeld file; **etw zu den** ~**n legen** (*ablegen*) to file sth away; (*als erledigt betrachten*) to lay sth to rest

Ak·ten·kof·fer m briefcase **ak·ten·kun·dig** adj ❶ (*mit dem Inhalt der Akte vertraut sein*) familiar with the records *präd* ❷ (*in Akten vermerkt*) on record ▶ **sich** ~

machen to make oneself familiar with the records **Ak·ten·ord·ner** m file **Ak·ten·schrank** m filing cabinet **Ak·ten·ta·sche** f briefcase **Ak·ten·zei·chen** nt file reference [number]

Akt·fo·to nt nude photograph

Ak·tie <-, -n> ['aktsi̯ə] f BÖRSE share, stock *esp* AM; **die** ~**n stehen gut/schlecht** (*einen guten Kurs haben*) the shares are doing well/badly; (*fig: die Umstände sind vorteilhaft*) things are/aren't looking good

Ak·ti·en·fonds m share fund **Ak·ti·en·ge·sell·schaft** f ÖKON public limited company BRIT, [stock] corporation AM **Ak·ti·en·in·dex** m share index **Ak·ti·en·kurs** m share [or AM also stock] price **Ak·ti·en·markt** m stock market

Ak·ti·on <-, -en> [ak'tsi̯o:n] f ❶ (*Handlung*) action; **in** ~ **sein** to be [constantly] in action; **in** ~ **treten** to come into action ❷ (*Sonderverkauf*) sale ❸ (*Militär~ -, Werbe~*) campaign

Ak·ti·o·när(in) <-s, -e> [aktsi̯o'nɛ:ɐ̯] m(f) FIN shareholder, AM also stockholder

Ak·ti·ons·preis m special offer **Ak·ti·ons·ra·di·us** m ❶ (*Reichweite*) radius of action ❷ (*Wirkungsbereich*) sphere of activity

ak·tiv [ak'ti:f] I. adj active; (*berufstätig*) working; ■**in etw** ~ **sein** to be active in sth II. adv actively

Ak·tiv <-s, selten -e> [ak'ti:f, pl -ti:və] nt LING active [voice]

Ak·ti·va [ak'ti:va] pl ÖKON assets; ~ **und Passiva** assets and liabilities

ak·ti·vie·ren* [akti'vi:rən] vt ❶ (*anspornen*) ■**jdn** ~ to get sb moving ❷ (*aktiver gestalten*) to intensify ❸ (*stimulieren*) to stimulate ❹ (*in Gang setzen*) to activate; **einen Prozess** ~ to set a process in motion

Ak·ti·vie·rung <-, -en> f activation; **dieses Mittel dient zur** ~ **der körpereigenen Abwehrkräfte** this preparation serves to activate the body's defences

Ak·ti·vist(in) <-en, -en> [akti'vɪst] m(f) activist

Ak·ti·vi·tät <-, -en> [aktivi'tɛ:t] f ❶ (*Tätigkeit*) activity; ~[en] **entfalten** to be active ❷ (*Funktion*) function

Akt·ma·le·rei f nude painting **Akt·mo·dell** nt nude model

ak·tu·a·li·sie·ren* vt to update; ■**aktualisiert** updated

Ak·tu·a·li·sie·rung <-, -en> [aktu̯ali'zi:rʊŋ] f update

Ak·tu·a·li·tät <-, -en> [aktu̯ali'tɛ:t] f ❶ (*Gegenwartsinteresse*) topicality ❷ pl (*geh: aktuelle Ereignisse*) current events

ak·tu·ell [ak'tṵɛl] *adj* ❶ (*gegenwärtig*) topical; **die ~sten Nachrichten** the latest news; **~e Vorgänge** current events; ■ **Aktuelles** topicalities, news ❷ (*modern*) latest; **solche Schuhe sind schon lange nicht mehr ~** shoes like that haven't been in fashion for ages

Akt·zeich·nung *f* nude drawing

Aku·pres·sur <-, -en> [akuprɛ'suːɐ̯] *f* acupressure

aku·punk·tie·ren* [akupʊŋk'tiːrən] *vt, vi* to perform acupuncture [on sb]

Aku·punk·tur <-, -en> [akupʊŋktuːɐ̯] *f* acupuncture

Akus·tik <-> [a'kʊstɪk] *f kein pl* acoustics + *pl vb;* **der Raum hat eine gute ~** the room has good acoustics

akus·tisch [a'kʊstɪʃ] **I.** *adj* acoustic **II.** *adv* acoustically; **ich habe dich rein ~ nicht verstanden** I just didn't hear what you said

akut [a'kuːt] *adj* ❶ (*plötzlich auftretend*) acute ❷ (*dringend*) urgent

AKW <-s, -s> [aːkaːˈveː] *nt Abk von* **Atomkraftwerk**

Ak·zent <-[e]s, -e> [ak'tsɛnt] *m* ❶ (*Aussprache*) accent; **mit ~ sprechen** to speak with an accent ❷ LING (*Zeichen*) accent ❸ (*Betonung*) stress ❹ (*Schwerpunkt*) emphasis; **den ~ auf etw** *akk* **legen** to emphasize sth; **~e setzen** (*Vorbilder schaffen*) to set [new] trends

ak·zent·frei *adj, adv* without an accent

ak·zen·tu·ie·ren* [aktsɛntu'iːrən] *vt* (*geh*) ❶ (*betonen*) to emphasize ❷ (*hervorheben*) to accentuate

ak·zep·ta·bel [aktsɛp'taːbl̩] *adj* acceptable (**für** to)

Ak·zep·tanz <-> [aktsɛp'tants] *f* acceptance

ak·zep·tie·ren* [aktsɛp'tiːrən] *vt, vi* to accept

Ala·bas·ter <-s, -> [ala'bastɐ] *m* alabaster

Alarm <-[e]s, -e> [a'larm] *m* ❶ (*Warnsignal*) alarm; ■ **~ schlagen** to raise the alarm ❷ (*Alarmzustand*) alert; ■ **bei ~** during an alert; ■ **~! alert!**

Alarm·an·la·ge *f* alarm [system] **Alarm·be·reit·schaft** *f* stand-by; ■ **~ haben** to be on stand-by; ■ **in ~ sein** to be on stand-by; **jdn/etw in ~ versetzen** to put sb/sth on stand-by

alar·mie·ren* [alar'miːrən] *vt* ❶ (*zum Einsatz rufen*) to call out ❷ (*aufschrecken*) to alarm

Alar·mis·mus <-> [alar'mɪsmʊs] *m kein pl* (*pej*) alarmism

Alar·mist(in) <-en, -en> [alar'mɪst] *m(f)* (*pej*) alarmist

alar·mis·tisch *adj* (*pej geh*) alarmist

Alarm·sig·nal *nt* alarm signal **Alarm·stu·fe** *f* state of alert

Alaska [a'laska] *nt* Alaska

Al·ba·ner(in) <-s, -> [al'baːnɐ] *m(f)* Albanian; *s. a.* **Deutsche(r)**

Al·ba·ni·en <-s> [al'baːni̯ən] *nt* Albania; *s. a.* **Deutschland**

al·ba·nisch [al'baːnɪʃ] *adj* Albanian; *s. a.* **deutsch**

Al·ba·tros <-, -se> ['albatrɔs] *m* albatross

Al·ben [albən] *pl von* **Album**

al·bern¹ ['albɐn] **I.** *adj* ❶ (*kindisch*) childish ❷ (*lächerlich*) trivial **II.** *adv* childishly

al·bern² ['albɐn] *vi* to fool around

Al·bern·heit <-, -en> *f* ❶ (*kindisches Wesen*) childishness ❷ (*Lächerlichkeit*) triviality ❸ (*kindische Handlung*) tomfoolery

Al·bi·no <-s, -s> [al'biːno] *m* albino

Alb·traumᴿᴿ *m* nightmare

Al·bum <-s, Alben> ['albʊm, *pl* 'albn̩] *nt* album

Al·che·mie <-> [alça'miː], **Al·chi·mie** <-> [alçi'miː] *f bes* ÖSTERR alchemy

al den·te [al 'dɛnta] *adj* al dente ([*of pasta*] *tender but still firm when bitten*)

Al·ge <-, -n> ['alɡə] *f* alga

Al·ge·bra <-> ['alɡebra] *f* algebra

al·ge·bra·isch [alɡe'braːɪʃ] *adj* algebraic

Al·gen·pest *f* ÖKOL plague of algae

Al·ge·ri·en <-s> [al'ɡeːri̯ən] *nt* Algeria; *s. a.* **Deutschland**

Al·ge·ri·er(in) <-s, -> *m(f)* Algerian; *s. a.* **Deutsche(r)**

al·ge·risch [al'ɡeːrɪʃ] *adj* Algerian; *s. a.* **deutsch**

Al·gier <-s> ['alʒiːɐ̯] *nt* Algiers

Al·go·rith·mus <-, -men> [alɡo'rɪtsmʊs] *m* algorithm

ali·as ['aːli̯as] *adv* alias

Ali·bi <-s, -s> ['aːlibi] *nt* ❶ (*Aufenthaltsnachweis zur Tatzeit*) alibi ❷ (*Vorwand*) excuse

Ali·bi·funk·ti·on *f* use as an alibi; ■ [**nur**] **~ haben** to [only] serve as an alibi

Alien <-, -s> ['eɪli̯ən] *m* alien

Ali·men·te [ali'mɛntə] *pl* maintenance *no pl*, alimony *no pl* Aᴹ

al·ka·lisch [al'kaːlɪʃ] *adj* alkaline

Al·ko·hol <-s, -e> ['alkohoːl] *m* alcohol

Al·ko·hol·ein·flussᴿᴿ *m* (*geh*) influence of alcohol; **unter ~ stehen** to be under the influence of alcohol [*or* BRIT *also* drink] **Al·ko·hol·ein·wir·kung** *f* influence of alcohol **Al·ko·hol·fah·ne** *f* (*fam*) alcohol breath; ■ **eine ~ haben** to smell of alcohol

al·ko·hol·frei *adj* non-alcoholic **Al·ko·hol·ge·halt** *m* alcohol[ic] content **Al·ko·hol·ge·nuss**^RR *m* (*geh*) consumption of alcohol **al·ko·hol·hal·tig** *adj* alcoholic **Al·ko·ho·li·ker(in)** <-s, -> [alko'ho:lɪkɐ] *m(f)* alcoholic; **~ sein** to be [an] alcoholic; **Anonyme ~** Alcoholics Anonymous **al·ko·ho·lisch** [alko'ho:lɪʃ] *adj* alcoholic **al·ko·ho·li·siert** [alkoholi'zi:ɐn] **I.** *adj* (*geh*) inebriated **II.** *adv* (*geh*) inebriatedly **Al·ko·ho·lis·mus** <-> [alkoho'lɪsmʊs] *m* alcoholism

Al·ko·hol·kon·sum *m* consumption of alcohol **al·ko·hol·krank** *adj* alcoholic **Al·ko·hol·lei·che** *f* (*hum fam*) alcohol casualty, person in an alcohol-induced stupor **Al·ko·hol·miss·brauch**^RR *m kein pl* alcohol abuse **Al·ko·hol·pe·gel** *m* (*hum*), **Al·ko·hol·spie·gel** *m* level of alcohol in one's blood **Al·ko·hol·pro·blem** *nt* (*fam*) drink problem **al·ko·hol·süch·tig** *adj* alcoholic **Al·ko·hol·sün·der(in)** *m(f)* (*fam*) [convicted] drunk driver *fam* **Al·ko·hol·test** *m* breath test *fam* **Al·ko·hol·ver·bot** *nt* ban on alcohol, *esp* Am prohibition **Al·ko·hol·ver·gif·tung** *f* alcohol poisoning **Al·ko·hol·wir·kung** *f* effect of alcohol

all [al] *pron indef* all; ■**~ jds ...** all sb's ....; **sie gab ihnen ~ ihr Geld** she gave them all her money; ■**~ der/die/das/dies ...** all the/this ...; **~ dies soll umsonst gewesen sein?** all this was for nothing? **All** <-s> [al] *nt kein pl* space **all·abend·lich** [al'ʔa:bntlɪç] **I.** *adj* regular evening *attr;* **der ~e Spaziergang** the regular evening walk **II.** *adv* every evening **Al·lah** ['ala:] *m* REL Allah **all·dem** [al'de:m] *pron* all that; **trotz ~** in spite of that **al·le** ['alə] *adj präd* (*fam: gegessen*) ■**~ sein** to be all gone; **etw ~ machen** to finish sth off *sep* **al·le(r, s)** ['alə, -lɐ, -ləs] *pron indef* ❶ *attr* (*mit Singular*) all; **er hat ~s Geld verloren** he's lost all his money; [**ich wünsche dir**] **~s Gute** [I wish you] all the best; (*mit Plural*) all, all the; **ich bitte ~e Anwesenden** I call on all those present ❷ *substantivisch* ■**~** all of you, everyone, all of them; **und damit sind ~ gemeint** and that means everyone; **ihr seid ~ beide Schlitzohren!** you're both a couple of crafty devils!; **wir haben ~ kein Geld mehr** none of us have any money left; ■**~ die[jenigen], die** everyone, who ❸ *substantivisch* (*~ Dinge*) ■**alles** everything; **ist das schon ~s?** is that it? ❹ *substanti-*

visch (*insgesamt*) ■**alles** all [that]; **das ist doch ~s Unsinn** that's all nonsense ❺ (*bei Zeit und Maßangaben*) every; **~ fünf Minuten** every five minutes; **das ist ~s** that's everything; **~ auf einmal** all at once; **redet nicht ~ auf einmal** don't all speak at once; **in ~m** in everything; **~s in ~m** (*insgesamt betrachtet*) all in all; (*zusammengerechnet*) in all; **trotz ~m** in spite of everything; **über ~s** above all else; **vor ~m** (*insbesondere*) above all; (*hauptsächlich*) primarily; **was habt ihr im Urlaub so ~s gemacht?** what did you get up to on holiday?; **was er ~s so weiß** the things he knows; **~s, was ich weiß, ist ...** all I know is that ...; **wer war ~s da?** who was there? ▸[**wohl**] **nicht mehr ~ haben** (*fam*) to be mad; **~ für einen und einer für ~** all for one and one for all **Al·lee** <-, -n> [a'le:, *pl* -le:ən] *f* avenue **Al·le·go·rie** <-, -n> [alego'ri:, *pl* -ri:ən] *f* allegory **al·lein** [a'laɪn], **al·lei·ne** [a'laɪnə] (*fam*) **I.** *adj präd* ❶ (*ohne andere*) alone; **jdn ~ lassen** to leave sb alone; **wir sind jetzt endlich ~** we're on our own at last; **sind Sie ~ oder in Begleitung?** are you by yourself or with someone? ❷ (*einsam*) lonely ❸ (*ohne Hilfe*) on one's own; **für sich ~** by oneself; **er arbeitet lieber für sich ~** he prefers to work alone ▸**für sich ~** [**genommen**] in itself **II.** *adv* ❶ (*bereits*) just; **~ der Schaden war schon schlimm genug** the damage alone was bad enough; **~ der Gedanke daran** the mere thought of it ❷ (*ausschließlich*) exclusively; **das ist ~ deine Entscheidung** it's your decision [and yours alone] ❸ (*ohne Hilfe*) by oneself; **er kann sich schon ~ anziehen** he can already dress himself; **~ erziehend sein** to be a single parent; **von ~** by itself/oneself; **ich wäre auch von ~ darauf gekommen** I would have thought of it myself ❹ (*unbegleitet*) unaccompanied; (*isoliert*) alone; **sich ~ gelassen fühlen** to feel abandoned; **~ stehend** single **Al·lein·er·be, -er·bin** *m, f* sole heir *masc* [*or fem* heiress] **Al·lein·er·zie·hen·de(r)** *f(m) dekl wie adj* single parent **Al·lein·gang** <-gänge> *m* (*fam*) solo effort; **etw im ~ machen** to do sth on one's own **Al·lein·herr·schaft** *f* absolute power **Al·lein·herr·scher(in)** *m(f)* (*geh*) absolute ruler **al·lei·nig** [a'laɪnɪç] **I.** *adj attr* sole **II.** *adv* (*geh*) solely **Al·lein·sein** *nt kein pl* solitariness; (*Einsamkeit*) loneliness; **manchen Menschen** macht das ~ nichts aus some people don't mind being alone **al·lein·ste·hend**ALT *adj* single **Al·lein·ste·hen·de(r)** *f(m) dekl wie adj* unmarried person **Al·lein·un·ter·hal·ter(in)** *m(f)* solo entertainer

al·le·mal ['alə'maːl] *adv* ❶ (*ohne Schwierigkeit*) without any trouble; **was er kann, kann ich ~** whatever he can do, I can do, too ❷ (*in jedem Fall*) **ein für ~** once and for all

al·len·falls ['alən'fals] *adv* at [the] most, at best

al·ler·bes·te(r, s) ['alɐ'bɛstə, -tɐ, -təs] *adj* very best; **ich wünsche dir das Allerbeste** I wish you all the best; **es ist das A~, zu schweigen** it's best to keep quiet

al·ler·dings ['alɐ'dɪŋs] *adv* ❶ (*jedoch*) although; **ich rufe dich an, ~ erst morgen** I'll call you, although not till tomorrow ❷ (*in der Tat*) definitely; **~!** indeed!, AM *also* you bet! *fam;* **hast du mit ihm gesprochen? — ~!** did you speak to him? — I certainly did!

al·ler·ers·te(r, s) ['alɐ'ʔeːɐ̯stə, -tɐ, -təs] *adj* the [very] first; ■ **als A~r** the first; ■ **als A~s** first of all **al·ler·frü·hes·tens** *adv* at the [very] earliest

al·ler·gen [alɛr'geːn] I. *adj* MED allergenic II. *adv* as an allergen; **~ wirken** to have an allergenic effect

Al·ler·gen <-s, -e> [alɛr'geːn] *nt* MED allergen

Al·ler·gie <-, -n> [alɛr'giː, *-pl* -giːən] *f* allergy; **~ auslösend** allergenic; **eine ~ [gegen etw] haben** to have an allergy [to sth]

Al·ler·gie·test *m* allergy test **Al·ler·gi·ker(in)** <-s, -> [a'lɛrgikɐ] *m(f)* person suffering from an allergy

al·ler·gisch [a'lɛrgɪʃ] I. *adj* allergic (**gegen** to) II. *adv* ❶ MED **~ reagieren** to have an allergic reaction (**auf** to) ❷ (*abweisend*) **~ auf etw** *akk* **reagieren** to get hot under the collar about sth

al·ler·hand ['alɐ'hant] *adj* (*fam*) all sorts of; (*ziemlich viel*) a great deal of; **ich habe noch ~ zu tun** I've still got so much to do ▸ **das ist ja ~!** that's a bit rich! [*or* AM much]

Al·ler·hei·li·gen <-s> ['alɐ'haɪlɪgn̩] *nt* All Saints' Day

al·ler·höchs·tens *adv* ❶ (*allenfalls*) at the most ❷ (*spätestens*) at the latest; **in ~ 4 Minuten** in 4 minutes at the very latest

al·ler·lei ['alɐ'laɪ] *adj* ❶ *substantivisch* (*viel*) a lot; **ich muss noch ~ erledigen** I still have a lot to do ❷ *attr* (*viele Sorten*) all

sorts of

al·ler·letz·te(r, s) ['alɐ'lɛtstə, -tɐ, -təs] *adj* ❶ (*ganz letzte*) [very] last; ■ **der/die A~** the [very] last [person]; ■ **das A~** the [very] last thing ❷ (*allerneueste*) latest ❸ (*allerjüngste*) recently ▸ **das Allerletzte sein** (*fam*) to be beyond the pale!; **er ist das Allerletzte!** he's just vile! **al·ler·liebs·te(r, s)** ['alɐ'liːpstə, -tɐ, -təs] *adj* ❶ (*Lieblings-*) favourite ❷ (*meistgeliebt*) dearest; ■ **am ~n** most [of all]; **mir wäre es am ~n wenn ...** I would prefer it if ... **al·ler·meis·te(r, s)** ['alɐ'maɪstə, -tɐ, -təs] *adj* most *generalization*, the most *comparison*; **im Urlaub verbringt er die ~ Zeit mit Angeln** on holiday he spends most of his time fishing; ■ **das A~** most; **das A~ habe ich schon fertig** I've done most of it already; ■ **die A~n** most people; ■ **am ~n** most of all **al·ler·neu·es·te(r, s)** ['alɐ'nɔʏ·əstə, -tɐ, -təs] *adj*, **al·ler·neus·te(r, s)** ['alɐ'nɔʏstə, -tɐ, -təs] *adj* latest; **auf dem ~n Stand** state-of-the-art; ■ **das Allerneueste** the latest; ■ **am ~n** the newest

Al·ler·see·len <-s> ['alɐ'zeːlən] *nt* All Souls' Day

al·ler·seits ['alɐ'zaɪts] *adv* ❶ (*bei allen*) on all sides; **sie war ~ ein gerne gesehener Gast** she was a welcome guest everywhere ❷ (*an alle*) everyone; „**Abend, ~!**" "evening, everyone!"

al·ler·spä·tes·tens *adv* at the latest **al·ler·we·nigs·te(r, s)** *adj* ❶ (*wenigste: zählbar*) fewest; (*unzählbar*) least; **in den ~n Fällen** in only a very few cases; **das ~ Geld** the least money; ■ **am ~n** the least ❷ (*mindeste*) least; **das ~ wäre noch gewesen, sich zu entschuldigen** the least he could have done was to apologize **Al·ler·wer·tes·te** ['alɐ'veːɐ̯təstə] *m dekl wie adj* (*hum*) behind

al·les ['aləs] *pron indef s.* **alle(r, s)** **al·le·samt** ['alə'zamt] *adv* all [of them/ you/us]; **die Politiker sind doch ~ korrupt** politicians are corrupt to a man **Al·les·fres·ser** <-s, -> *m* BIOL omnivore **Al·les·kle·ber** *m* general purpose glue **allg.** *adj Abk von* **allgemein** **All·gäu** <-s> ['algɔʏ] *nt* ■ **das ~** the Allgäu (*German Alpine region*)

all·ge·gen·wär·tig *adj* ❶ REL (*geh*) omnipresent ❷ (*überall gegenwärtig*) ubiquitous

all·ge·mein ['algə'maɪn] I. *adj* ❶ *attr* (*alle betreffend*) general; **von ~em Interesse sein** to be of interest to everyone; **~e Vorschriften** universal regulations; **das ~e**

Wahlrecht universal suffrage ❷ *attr* (*allen gemeinsam*) general; **zur ~en Überraschung** to everyone's surprise; **das ~e Wohl** the common good ❸ (*nicht spezifisch*) general; **die Frage war ~er Natur** the question was of a rather general nature ▸**im A~en** (*normalerweise*) generally speaking; (*insgesamt*) on the whole **II.** *adv* ❶ (*allerseits, überall*) generally; **~ bekannt sein** to be common knowledge; **~ gültig** general; **~ verständlich** intelligible to everybody; **~ zugänglich sein** to be open to the general public ❷ (*nicht spezifisch*) generally

All·ge·mein·be·fin·den *nt* general health; **danke, mein ~ ist recht gut** generally speaking, I'm very well, thanks **All·ge·mein·bil·dung** *f kein pl* general education **all·ge·mein·gül·tig**ᴬᴸᵀ *adj attr* general, universally applicable **All·ge·mein·gül·tig·keit** *f* [universal] validity **All·ge·mein·heit** <-> ['algə'majnhajt] *f kein pl* ❶ (*Öffentlichkeit*) general public ❷ (*Undifferenziertheit*) generality **All·ge·mein·me·di·zin** *f* general medicine **all·ge·mein·ver·ständ·lich**ᴬᴸᵀ *adj* intelligible to everybody **All·ge·mein·wis·sen** *nt* general knowledge **All·ge·mein·wohl** *nt* welfare of the general public **All·ge·mein·zu·stand** *m* general health

All·heil·mit·tel *nt* cure-all
Al·li·anz <-, -en> [a'liˌ̯ants] *f* alliance
Al·li·ga·tor <-s, -toren> [ali'ga:to:ɐ̯] *m* alligator
al·li·iert [ali'i:ɐ̯t] *adj attr* allied
Al·li·ier·te(r) [ali'i:ɐ̯tə, -tə] *f(m) dekl wie adj* ally; ■ **die ~n** the Allies
all·jähr·lich ['al'jɛːɐ̯lıç] **I.** *adj attr* annual **II.** *adv* annually
All·macht [a'almaxt] *f kein pl* unlimited power; REL omnipotence
all·mäch·tig [al'mɛçtıç] *adj* all-powerful; REL omnipotent
all·mäh·lich [al'mɛːlıç] **I.** *adj attr* gradual **II.** *adv* ❶ (*langsam*) gradually; **~ geht er mir auf die Nerven** he's beginning to get on my nerves ❷ (*endlich*) **wir sollten jetzt ~ gehen** it's time we left; **es wurde auch ~ Zeit!** about time too!
All·rad·an·trieb *m* four-wheel drive
all·sei·tig ['alzajtıç] **I.** *adj* widespread **II.** *adv* **~ interessiert sein** to be interested in everything; **~ begabt sein** to be an all-round talent
all·seits ['alzajts] *adv* ❶ (*überall*) everywhere ❷ (*rundum*) in every respect
All·tag ['alta:k] *m* ❶ (*Werktag*) working day BRIT, workday AM ❷ (*Realität*) everyday life

all·täg·lich ['altɛːklıç] *adj* ❶ *attr* (*tagtäglich*) daily, everyday ❷ (*gang und gäbe*) usual; **diese Probleme sind bei uns ~** these problems are part of everyday life here ❸ (*gewöhnlich*) ordinary
all·tags ['alta:ks] *adv* on workdays
all·um·fas·send *adj* (*geh*) all-round, global; **~e Forschungen** extensive research; **sein Wissen ist nahezu ~!** his knowledge is almost encyclop[a]edic!
Al·lü·ren [a'ly:rən] *pl* ❶ (*geziertes Verhalten*) affectation ❷ (*Starallüren*) airs and graces
all·wis·send ['al'vısn̩t] *adj* ❶ (*fam: umfassend informiert*) knowing it all ❷ REL omniscient
All·wis·sen·heit <-> ['al'vısn̩hajt] *f kein pl* omniscience
all·zu [a'altsu:] *adv* all too; **~ früh** far too early; **ruf mich am Sonntag an, aber bitte nicht ~ früh!** call me on Sunday, but not too early!; **magst du Fisch? — nicht ~ gern** do you like fish? — not very much; **~ oft** only too often; **nicht ~ oft** not [all] too often; **~ sehr** too much; **nicht ~ gerne** reluctantly; **fühlst du dich nicht gut? — nicht ~ sehr!** are you all right? — not really; **~ viel** too much
all·zu·gernᴬᴸᵀ *adv* s. **allzu gern all·zu·sehr**ᴬᴸᵀ *adv* s. **allzu sehr all·zu·viel**ᴬᴸᵀ *adv* s. **allzu viel**
All·zweck·hal·le *f* [multipurpose] hall
All·zweck·rei·ni·ger *m* general-purpose cleaner
Alm <-, -en> [alm] *f* mountain pasture
Al·mo·sen <-s, -> ['almo:zn̩] *nt* ❶ (*pej: geringer Betrag*) pittance ❷ (*geh: Spende*) alms
Al·pa·ka <-s, -s> [al'paka] *nt* alpaca
Al·pen ['alpn̩] *pl* ■ **die ~** the Alps
Al·pen·passᴿᴿ *m* alpine pass **Al·pen·veil·chen** *nt* cyclamen **Al·pen·vor·land** [alpn̩'fo:ɐ̯lant] *nt* foothills *pl* of the Alps
Al·pha·bet <-[e]s, -e> [alfa'be:t] *nt* alphabet
al·pha·be·tisch [alfa'be:tıʃ] *adj* alphabetical
al·pha·be·ti·sie·ren* [alfabeti'zi:rən] *vt* to put into alphabetical order; ■ **jdn ~** to teach sb to read and write
al·pha·nu·me·risch [alfanu'me:rıʃ] *adj* INFORM alphanumeric **Al·pha·strah·len** *pl* NUKL alpha rays
al·pin [al'pi:n] *adj* alpine
Al·pi·nis·mus <-> [alpi'nısmʊs] *m kein pl* SPORT alpinism
Alp·traum ['alptraʊm] *m* nightmare
als [als] *konj* ❶ (*in dem Moment, da*) when, as; **ich kam, ~ er ging** I came as he

was leaving; **gleich, ~ ...** as soon as ...; **damals, ~ ...** in the days when ...; **gerade ~ ...** just when ... ② *nach comp* than; **der Bericht ist interessanter ~ erwartet** the report is more interesting than would have been expected ③ (*geh: wie*) as; **alles andere ~ ...** everything but ...; **anders ~ jd sein** to be different from sb; **niemand anders ~ ...** (*a. hum, iron*) none other than ...; **sie haben andere Verfahren ~ wir** they have different procedures from ours ④ (*in Modalsätzen*) ■**...,** **~ habe/könne/sei/würde ...** as if; **es sieht aus, ~ würde es bald schneien** it looks like snow; **~ ob ich das nicht wüsste!** as if I didn't know that! ⑤ (*ausschließend*) **du bist noch zu jung, ~ dass du dich daran erinnern könntest** you're too young to be able to remember that ⑥ (*in der Eigenschaft von etw*) as; **schon ~ Kind hatte er immer Albträume** even as a child, he had nightmares; **sich ~ wahr/falsch erweisen** to prove to be true/false

als·bald [als'balt] *adv* (*geh*) presently

als·bal·dig [als'baldɪç] *adj* (*geh*) immediate

al·so ['alzo] **I.** *adv* (*folglich*) so, therefore *form;* **es regnet, ~ bleiben wir zu Hause** it's raining, so we'll stay at home **II.** *part* ① (*nun ja*) well ② (*tatsächlich*) so; **er hat ~ doch nicht die Wahrheit gesagt!** so he wasn't telling the truth after all! ③ (*aber*) **~, jetzt habe ich langsam genug von deinen Eskapaden!** now look here, I've had enough of your escapades! ④ (*na*) **~ gut** [well,] all right; **~ dann, ...!** so ..., well then ...; **~ dann, mach's gut!** oh well, take care! ▶ **~ doch!** you see!; **na ~!** just as I thought!; **wird's bald? na ~!** get moving! at last!

Als·ter·was·ser *nt* (*Mixgetränk aus Bier und Limonade*) ≈ shandy

alt <älter, älteste(r, s)> [alt] *adj* ① (*betagt*) old; **ich möchte mit dir ~ werden** I'd like to grow old with you; ■**älter sein/werden** to be/get older; **tja, man wird eben älter!** well, we're all getting on!; ■**älter als jd werden** to live longer than sb; ■**für etw** *akk* **zu ~ sein** to be too old for sth; ■**jdm zu ~ sein** to be too old for sb; **A~ und Jung** young and old alike; **~ genug sein** to be old enough (**für/zu** for) ② (*ein bestimmtes Alter habend*) old; **er ist 21 Jahre ~** he's 21 [years old]; **wie ~ ist er?** — **er ist 18 Monate ~** how old is he? — he's 18 months [old]; **darf ich fragen, wie ~ Sie sind?** may I ask how old you are?; **er wird dieses Jahr 21 Jahre ~**

he'll be 21 [years old] this year; **Ende Mai wurde sie 80 Jahre ~** she turned 80 at the end of May; [**etwas**] **älter als jd sein** to be [slightly] older than sb; ■**älter/am ältesten sein** to be the older/the oldest; ■**der/die Ältere/Älteste** the older/the oldest ③ (*aus früheren Zeiten stammend*) ancient ④ *attr* (*langjährig*) old; **~e diplomatische Beziehungen** long-standing diplomatic relations ⑤ (*gebraucht*) old ⑥ (*nicht mehr frisch*) old; **~es Brot** stale bread ⑦ *attr* (*abgelagert*) mature; **~er Wein** vintage wine ⑧ *attr* **du ~er Geizhals!** you old skinflint! *fam;* **~es Haus!** old mate! ⑨ *attr* (*frühere*) ■**der/die/das A~ ...** the same old ...; **du bist ganz der A~e geblieben** you're still your old self; **er war nie wieder der A~e** he was never the same again ▶ **~ aussehen** (*fam: dumm dastehen*) to look a [*or* Am like a] complete fool [*or* Brit *also* a proper charlie]; **ich werde heute nicht ~!** (*fam*) I won't stay up late tonight

Alt <-s, -e> [alt] *m* MUS alto

Al·tar <-s, -täre> [al'taːɐ̯, *pl* al'tɛːrə] *m* altar

Alt·arm *m* oxbow lake **alt·ba·cken** *adj* ① (*nicht mehr frisch*) stale ② (*altmodisch*) old-fashioned **Alt·bau** <-bauten> *m* old building **Alt·bau·woh·nung** *f* flat [*or* Am apartment] in an old building **alt·be·kannt** ['altbəˈkant] *adj* well-known **alt·be·währt** ['altbəˈvɛːɐ̯t] *adj* ① (*seit langem bewährt*) well-tried ② (*lange gepflegt*) well-established; **eine ~e Freundschaft** a long-standing friendship **Alt·bier** *nt* top-fermented dark beer **Alt·bun·des·kanz·ler(in)** *m(f)* former German chancellor **alt·deutsch** ['altˈdɔytʃ] **I.** *adj* traditional German **II.** *adv* in traditional German style

Al·te(r) ['altə, -tɐ] *f(m) dekl wie adj* ① (*fam: alter Mann*) old geezer; (*alte Frau*) old dear; ■**die ~n** the older generation, the old folks *fam* ② (*fam: Ehemann, Vater*) old man; (*Mutter*) old woman; ■**meine/dei ~e** (*Ehefrau*) the old wife *fam;* ■**die/jds ~n** (*Eltern*) the/sb's old folks ③ (*fam: Vorgesetzte(r)*) ■**der/die ~** the boss ④ *pl* (*die Ahnen*) ■**die ~n** the ancients

alt·ein·ge·ses·sen *adj* old-established **Alt·ei·sen** *nt* scrap iron

Al·ten·heim *nt s.* **Altersheim Al·ten·hil·fe** *f* geriatric welfare **Al·ten·pfle·ge** *f* care for the elderly **Al·ten·pfle·ge·heim** *nt* old people's home **Al·ten·pfle·ger(in)** *m(f)* geriatric nurse **Al·ten·wohn·heim** *nt* sheltered housing

Al·ter <-s, -> ['altɐ] *nt* ① (*Lebensalter*)

A

age; **wenn du erst mal mein ~ erreicht hast, ...** when you're as old as I am, ...; **in jds** *dat* **~** at sb's age; **mittleren ~s** middle-aged; **in jds ~ sein** to be the same age as sb; **er ist in meinem ~** he's my age ❷ *(Bejahrtheit)* old age; **er hat keinen Respekt vor dem ~** he doesn't respect his elders; **im ~** in old age ▶**~ schützt vor Torheit nicht** *(prov)* there's no fool like an old fool *prov*

äl·ter ['ɛltɐ] *adj* ❶ *comp von* **alt** ❷ *attr (schon betagt)* somewhat older; **~e Mit·bürger** senior citizens

al·tern ['altɐn] *vi sein o selten haben* ❶ *(älter werden)* to age; ▪**das Altern** the process of ageing ❷ *(sich abnutzen)* to age; ▪**das Altern** the ageing-process ❸ *(reifen)* to mature

al·ter·na·tiv [altɐna'ti:f] **I.** *adj* alternative; **~e Liste** *Green Party Faction in Berlin* **II.** *adv* **~ leben** to live an alternative lifestyle

Al·ter·na·ti·ve <-n, -n> [altɐna'ti:və] *f* alternative; **die ~ haben, etw zu tun** to have the alternative of doing sth

Al·ter·na·tiv·rei·sen·de(r) *f(m) dekl wie adj* TOURIST alternative traveller

al·ters *adv* **von** [*o* **seit**] **~** [**her**] *(geh)* of old; **das ist schon von ~ her bei uns so Sitte** that's a time-honoured custom here

Al·ters·ar·mut *f kein pl* old-age poverty **al·ters·be·dingt** *adj* due to old age; **~e Kurzsichtigkeit** myopia caused by old age; ▪**~ sein** to be caused by old age **Al·ters·be·schwer·den** *pl* complaints *pl* of old age **Al·ters·be·zü·ge** *pl* benefits for senior citizens **Al·ters·er·schei·nung** *f* symptom of old age **Al·ters·ge·nos·se, -ge·nos·sin** *m, f* person of the same age **Al·ters·gren·ze** *f* ❶ *(altersbedingtes Ein·stellungslimit)* age limit ❷ *(Beginn des Rentenalters)* retirement age **Al·ters·grün·de** *pl* reasons of age; ▪**aus ~n** by reason of age **Al·ters·grup·pe** *f* age group **Al·ters·heim** *nt* old people's home, AM *also* home for senior citizens **Al·ters·py·ra·mi·de** *f* SOZIOL age pyramid **Al·ters·ren·te** *f,* **Al·ters·ru·he·geld** *nt (geh)* old-age pension BRIT, social security AM **al·ters·schwach** *adj* ❶ *(gebrechlich)* frail ❷ *(fam: abgenutzt)* decrepit **Al·ters·schwä·che** *f kein pl* ❶ *(Gebrechlichkeit)* infirmity ❷ *(fam: schwere Abnutzung)* decrepitude **al·ters·spe·zi·fisch** *adj* age-related **Al·ters·stu·fe** *f* ❶ *(Altersgruppe)* age group ❷ *(Lebensabschnitt)* stage of life **Al·ters·un·ter·schied** *m* age difference **Al·ters·ver·sor·gung** *f* retirement pension; *(betrieblich)* pension scheme *[or* AM plan*]*

Al·ter·tum <-> ['altɐtu:m] *nt kein pl* antiquity; **das Ende des ~s** the end of the ancient world

Al·ter·tü·mer ['altɐty:mɐ] *pl* KUNST, HIST antiquities *pl*

al·ter·tüm·lich ['altɐty:mlɪç] *adj* ❶ *(veraltet)* dated ❷ *(archaisch)* ancient; LING archaic

Al·ter·tums·wert *m* antique value ▶**schon ~ haben** *(hum fam)* to be an antique

Al·te·rung <-, -en> *f* ageing

Al·te·rungs·prozess[RR] *m* ageing process

äl·tes·te(r, s) ['ɛltəstɐ, -tə, -təs] *adj superl von* **alt** oldest

Äl·tes·te(r) ['ɛltəstɐ, -tə] *f(m) dekl wie adj* the oldest; **ich glaube, mit 35 sind wir hier die ~n** I think that, at 35, we're the oldest here; ▪**die ~n** REL, HIST the elders *pl*

Äl·tes·ten·rat *m* council of elders; *(in der BRD)* parliamentary advisory committee *(consisting of members of all parties whose task it is to assist the President of the Bundestag)*

Alt·ge·rät *nt* second-hand equipment

Alt·glas *nt* glass for recycling **Alt·glas·con·tai·ner** *m* bottle bank BRIT, glass-recycling collection point AM **alt·grie·chisch** *adj* classical Greek **alt·her·ge·bracht** ['alt'he:ɐɡəbraxt], **alt·her·kömm·lich** ['alt'he:ɐkœmlɪç] *adj* traditional; **eine ~e Sitte** an ancient custom; ▪**etwas Alt·hergebrachtes** a tradition **Alt·hoch·deutsch** ['altho:xdɔytʃ] *nt dekl wie adj* Old High German

Al·tist(in) <-en, -en> ['altɪst] *m(f)* MUS alto

Alt·klei·der·samm·lung *f* collection of used clothes **alt·klug** ['alt'klu:k] *adj* precocious

ält·lich ['ɛltlɪç] *adj* oldish

Alt·ma·te·ri·al *nt* waste material **Alt·meis·ter(in)** *m(f)* ❶ *(großer Könner)* doyen *masc,* doyenne *fem,* dab hand *fam* ❷ SPORT former champion **Alt·me·tall** *nt* scrap metal **alt·mo·disch** **I.** *adj* old-fashioned; *(rückständig)* old-fangled **II.** *adv* **~ gekleidet** dressed in old-fashioned clothes; **~ eingerichtet** furnished in an old-fashioned style **Alt·öl** *nt* used oil **Alt·pa·pier** *nt* waste paper **Alt·pa·pier·samm·lung** *f* waste paper collection **Alt·phi·lo·lo·ge, -phi·lo·lo·gin** *m, f* classical scholar, classicist

Al·tru·is·mus <-> [altru'ɪsmʊs] *m kein pl* BIOL, PSYCH altruism

al·tru·is·tisch *adj (geh)* altruistic, selfless

Alt·schul·den *pl* POL, ÖKON *public debt left behind by the former GDR* **Alt·stadt** *f* old town centre **Alt·stim·me** *f* alto; (*Frauenstimme*) contralto [voice] **Alt·stoff** *m* waste material **Alt·stoff·con·tai·ner** *m* waste container; (*für wiederverwertbare Stoffe*) recycling bin **Alt·wa·ren·händ·ler(in)** *m(f)* second-hand dealer **Alt·wei·ber·fas(t)·nacht** *f* DIAL *part of the carnival celebrations: last Thursday before Ash Wednesday, when women assume control* **Alt·wei·ber·som·mer** [alt'vaɪbɛzɔmɐ] *m* Indian summer

Alu[1] ['aːlu] *nt kurz für* **Aluminium**

Alu[2] ['aːlu] *f* (*fam*) *Akr von* **Arbeitslosenunterstützung** dole BRIT, unemployment benefit AM

Alu·fel·ge *f* aluminium [*or* AM aluminum] [wheel] rim

Alu·fo·lie *f* tin foil

Alu·mi·ni·um <-s> [alu'miːnɪ̯ʊm] *nt kein pl* aluminium BRIT, aluminum AM

Alz·hei·mer <-s> ['altshaɪmɐ] *m* (*fam*), **Alz·hei·mer·krank·heit**[RR] *f kein pl* Alzheimer's [disease]; ■~ **haben** to suffer from Alzheimer's [disease]

am [am] = **an dem** ❶ *zur Bildung des Superlativs* **ich fände es ~ besten, wenn ...** I think it would be best if ...; **es wäre mir ~ liebsten, wenn ...** I would prefer it if ...; **~ schnellsten/schönsten sein** to be [the] fastest/most beautiful ❷ (*fam: beim*) **ich bin ~ Schreiben!** I'm writing!

Amal·gam <-s, -e> [amal'gaːm] *nt* amalgam

Ama·teur(in) <-s, -e> [ama'tøːɐ̯] *m(f)* amateur

Ama·teur·li·ga *f* amateur league

Ama·zo·nas <-> [ama'tsoːnas] *m* Amazon

Ama·zo·ne <-, -n> [ama'tsoːnə] *f* Amazon

Am·bi·en·te <-> [am'bɪ̯ɛntə] *nt kein pl* (*geh*) ambience

Am·bi·ti·on <-, -en> [ambi'tsɪ̯oːn] *f meist pl* ambition; **~[en] haben** to be ambitious

am·bi·ti·o·niert [ambitsɪ̯o'niːrt] *adj* (*geh*) ambitious

am·bi·va·lent [ambiva'lɛnt] *adj* (*geh*) ambivalent; **~e Gefühle haben** to have mixed feelings

Am·boss[RR] <-es, -e> *m*, **Am·boß**[ALT] <-sses, -sse> ['ambɔs] *m* anvil

am·bu·lant [ambu'lant] I. *adj* **ein ~er Patient** an out-patient II. *adv* **jdn ~ behandeln** to treat sb as an out-patient

Am·bu·lanz <-, -en> [ambu'lants] *f* ❶ (*im Krankenhaus*) out-patient department ❷ (*Unfallwagen*) ambulance

Amei·se <-, -n> ['aːmaɪzə] *f* ant

Amei·sen·bär *m* anteater **Amei·sen·hau·fen** *m* anthill **Amei·sen·säu·re** *f* formic acid

amen ['aːmɛn, 'aːmən] *interj* amen

Amen <-s, -> ['aːmɛn, 'aːmən] *nt* Amen ▶ **so sicher wie das ~ in der** <u>Kirche</u> (*fam*) as sure as eggs are eggs; **sein ~ zu etw** *dat* <u>geben</u> to give one's blessing to sth

Ame·ri·ka <-s> [a'meːrika] *nt* ❶ (*Kontinent*) America ❷ (*USA*) the USA, the United States, the States *fam*

Ame·ri·ka·ner(in) <-s, -> [ameri'kaːnɐ] *m(f)* American

ame·ri·ka·nisch [ameri'kaːnɪʃ] *adj* ❶ (*der USA*) American; **der Mississippi ist der längste ~e Fluss** the Mississippi is the longest river in the USA ❷ (*des ~ en Kontinents*) American

ame·ri·ka·ni·sie·ren* [amerikani'ziːrən] *vt* to Americanize

Ame·ri·ka·nis·mus <-, -men> [ameri·ka'nɪsmʊs] *m* LING Americanism

Ame·thyst <-s, -e> [ame'tʏst] *m* amethyst

Ami <-s, -s> ['ami] *m* ❶ (*fam: US-Bürger*) Yank ❷ (*sl: US-Soldat*) GI

Ami·no·säu·re *f* amino acid

Am·me <-, -n> ['amə] *f* wet nurse

Am·men·mär·chen *nt* (*fam*) old wives' tale

Am·mo·ni·ak <-s> [amo'nɪ̯ak, 'amonɪ̯ak] *nt kein pl* ammonia

Am·ne·sie <-, -n> [amne'ziː, *pl* -ziːən] *f* amnesia

Am·nes·tie <-, -n> [amnɛs'tiː, *pl* -tiːən] *f* amnesty; **eine ~ verkünden** to declare [BRIT *also* an] amnesty

am·nes·tie·ren* [amnɛs'tiːrən] *vt* to grant [BRIT *also* an] amnesty

Amö·be <-, -n> [a'møːbə] *f* amoeba

Amok <-s> ['aːmɔk] *m* ~ **fahren/laufen** to run amok

Amok·läu·fer(in) *m(f)* madman

amo·ra·lisch ['amoraːlɪʃ] *adj* ❶ (*unmoralisch*) immoral ❷ (*außerhalb moralischer Werte*) amoral

Amor·ti·sa·ti·on <-, -en> [amɔrtiza'tsɪ̯oːn] *f* (*Deckung vor Ertrag*) amortization

amor·ti·sie·ren* [amɔrti'ziːrən] I. *vt* ÖKON **eine Investition ~** to amortize an investment II. *vr* ■ **sich ~** to pay for itself

amou·rös [amu'røːs] *adj* (*geh*) amorous

Am·pel <-, -n> ['ampl] *f* traffic lights *npl*; **die ~ ist auf rot gesprungen** the lights have turned red; **du hast eine rote ~**

überfahren you've just driven through a red light

Am·pere <-[s], -> [am'pe:ɐ̯] *nt* amp, ampere *form*

Am·pere·me·ter [ampe:ɐ̯'me:tɐ] *nt* ammeter

Am·phe·ta·min <-s, -e> [amfeta'mi:n] *nt* amphetamine

Am·phi·bie <-, -n> [am'fi:bi̯ə, *pl* -fi:bi̯ən] *f* amphibian

am·phi·bisch [am'fi:bɪʃ] *adj* amphibious

Am·phi·the·a·ter [am'fi:tea:tɐ] *nt* amphitheatre

Am·pul·le <-, -n> [am'pʊlə] *f* ampoule

Am·pu·ta·ti·on <-, -en> [amputa'tsi̯o:n] *f* amputation

am·pu·tie·ren* [ampu'ti:rən] *vt, vi* to amputate

Am·sel <-, -n> ['amzl̩] *f* blackbird

Amt <-[e]s, Ämter> [amt, *pl* 'ɛmtɐ] *nt* ❶ (*Behörde*) office, department; **aufs ~ gehen** (*fam*) to go to the authorities; **Auswärtiges ~** Foreign Office BRIT, State Department AM ❷ (*öffentliche Stellung*) post; (*hohe, ehrenamtliche Stellung*) office; **im ~ sein** to be in office; **ein ~ antreten** to take up one's post; **für ein ~ kandidieren** to be a candidate for a post; **ein ~ innehaben** to hold an office ❸ (*offizielle Aufgabe*) [official] duty; **seines ~es walten** (*geh*) to carry out one's duty; **von ~s wegen** officially

Ạm·ter·häu·fung *f* holding of multiple posts

am·tie·ren* [am'ti:rən] *vi* ❶ (*ein Amt innehaben*) to hold office (**als** as); ■ **~d** official ❷ (*fungieren*) ■ **als etw ~** to act [as] sth

ạmt·lich I. *adj* official **II.** *adv* officially

Ạmts·an·tritt *m* assumption of office

Ạmts·arzt, -ärz·tin *m, f* ADMIN ≈ medical officer **Ạmts·deutsch** *nt* (*pej*) officialese *pej* **Ạmts·eid** *m* oath of office **Ạmts·ent·he·bung** *f*, **Ạmts·ent·set·zung** *f* SCHWEIZ dismissal, removal from office **Ạmts·ge·richt** *nt* ≈ magistrates' [*or* AM district] court **Ạmts·hand·lung** *f* (*geh*) official duty **Ạmts·in·ha·ber(in)** *m(f)* office-bearer [*or* -holder], incumbent **Ạmts·miss·brauch**^RR *m* abuse of authority **Ạmts·pe·ri·o·de** *f* term of office **Ạmts·rich·ter(in)** *m(f)* ≈ magistrate BRIT, district court judge AM **Ạmts·spra·che** *f* ❶ *kein pl* (*Amtsdeutsch*) official language ❷ (*offizielle Landessprache*) official language **Ạmts·weg** *m* official channels *pl*; **auf dem ~** through official channels **Ạmts·zeit** *f* period of office

Amu·lett <-[e]s, -e> [amu'lɛt] *nt* amulet

amü·sant [amy'zant] **I.** *adj* amusing **II.** *adv* entertainingly; **sich ~ unterhalten** to have an amusing conversation

amü·sie·ren* [amy'zi:rən] **I.** *vr* ■ **sich ~** enjoy oneself; **amüsiert euch gut!** have a good time!; ■ **sich mit jdm ~** to have a good time with sb; ■ **sich über jdn/etw ~** to laugh about sb/sth **II.** *vt* ■ **jdn ~** to amuse sb; **dein Benehmen amüsiert mich nicht sehr!** I don't find your behaviour very amusing!

Amü·sier·vier·tel *nt* red light district

an [an] **I.** *präp* ❶ (*direkt bei*) at; **der Knopf ~ der Maschine** the button on the machine; **nahe ~ der Autobahn** close to the motorway [*or* AM freeway]; **~ dieser Stelle** in this place, on this spot ❷ (*in Berührung mit*) on; **er nahm sie ~ der Hand** he took her by the hand ❸ (*auf/bei*) at; **sie arbeitet am Finanzamt** she works for the Inland Revenue ❹ (*zur Zeit von*) on; **~ den Abenden** in the evenings; **~ jenem Morgen** that morning; **~ Weihnachten** at Christmas; (*25. Dezember*) on Christmas Day ❺ (*verbunden mit einer Sache/Person*) about; **das Angenehme ~ etw** *dat* the pleasant thing about sth; **was ist ~ ihm so besonders?** what's so special about him? ❻ (*nebeneinander*) **Tür ~ Tür wohnen** to be next-door neighbours ❼ SCHWEIZ (*auf*) on; (*bei*) at; (*in*) in; **das kam gestern am Fernsehen** it was on television yesterday ❽ (*räumlich*) **er setzte sich ~ den Tisch** he sat down at the table; **die Hütte war ~ den Fels gebaut** the hut was built on the rocks; **bis ~ etw** *akk* **reichen** to reach as far as sth; **er schrieb etw ~ die Tafel** he wrote sth on the board ❾ (*sich wendend*) to; **~ das Telefon gehen** to answer the telephone ❿ *zeitlich* (*sich bis zu etw erstreckend*) of, about; **sie dachten nicht ~ Morgen** they didn't think about tomorrow ⓫ SCHWEIZ (*zu*) to **II.** *adv* ❶ (*ungefähr*) **~ die ...** about ❷ (*fam: angeschaltet*) on; *Licht a.* burning ❸ (*zeitlich*) **von jetzt ~** from now on

Ana·bo·li·kum <-s, -ka> [ana'bo:likʊm] *nt* anabolic steroid

Ana·chro·nis·mus <-, -nismen> [anakro'nɪsmʊs] *m* (*geh*) anachronism

ana·chro·nis·tisch [anakreo'nɪstɪʃ] *adj* (*geh*) anachronistic

anal [a'na:l] **I.** *adj* anal **II.** *adv* anally; **~ ver·kehren** to have anal intercourse

An·al·ge·ti·kum <-s, -ka> [an?al'ge:tikʊm] *nt* MED (*schmerzstillendes Mittel*)

analgesic

ana·log [ana'loːk] **I.** *adj* ❶ (*entsprechend*) analogous ❷ INFORM analog **II.** *adv* ❶ (*entsprechend*) analogous ❷ INFORM as an analog

Ana·lo·gie <-, -n> [analo'giː, *pl* -giːən] *f* analogy

An·al·pha·bet(in) <-en, -en> [an?alfa'beːt] *m(f)* illiterate

An·al·pha·be·te·ntum <-s> [an?alfa'beːtn̩tuːm] *nt*, **An·al·pha·be·tis·mus** <-> [an?alfabe'tɪsmʊs] *m kein pl* illiteracy

An·al·pha·be·tin <-, -nen> *f fem form von* **Analphabet**

An̯al·ver·kehr *m* anal sex

Ana·ly·se <-, -n> [ana'lyːzə] *f* analysis

ana·ly·sie·ren* [analy'ziːrən] *vt* to analyze

Ana·ly·ti·ker(in) <-s, -> [ana'lyːtike] *m(f)* (*geh*) analyst

ana·ly·tisch [ana'lyːtɪʃ] **I.** *adj* (*geh*) analytic **II.** *adv* analytically

Anä·mie <-, -n> [anɛ'miː, *pl* -miːən] *f* MED anaemia

Ana·nas <-, - *o* -se> ['ananas] *f* pineapple

Anar·chie <-, -n> [anar'çiː, *pl* -çiːən] *f* anarchy

Anar·chis·mus <-> [anar'çɪsmʊs] *m kein pl* anarchism *no pl*

Anar·chist(in) <-en, -en> [anar'çɪst] *m(f)* anarchist

anar·chis·tisch *adj* anarchic

An·äs·the·sie <-, -n> [an?ɛste'ziː, *pl* -ziːən] *f* anaesthesia

An·äs·the·sist(in) <-en, -en> [an?ɛste'zɪst] *m(f)* anaesthetist BRIT, anesthetist AM

Ana·to·li·en <-s> [ana'toːli̯ən] *nt* Anatolia

Ana·to·mie <-, -n> [anato'miː, *pl* -miːən] *f* anatomy

ana·to·misch [ana'toːmɪʃ] **I.** *adj* anatomic **II.** *adv* anatomically

an|bag·gern *vt* (*sl*) to chat up BRIT, to hit on AM

an|bah·nen I. *vt* (*geh: in die Wege leiten*) ◼ **etw ~** to prepare [the ground] for sth **II.** *vr* ❶ (*sich andeuten*) to be in the offing ❷ (*sich entwickeln*) ◼ **sich ~** to be in the making; **zwischen ihnen bahnt sich etwas an** there's sth going on there

an|bän·deln ['anbɛndl̩n] *vi* (*Liebesbeziehung beginnen*) to take up with sb

An·bau¹ *m kein pl* AGR cultivation

An·bau² <-bauten> *m* ❶ (*Nebengebäude*) extension BRIT, annex AM ❷ *kein pl* (*das Errichten*) building

an|bau·en *vt, vi* ❶ *Gemüse* to grow ❷ *Gebäude* to build an extension

An̯b·au·flä·che *f* AGR ❶ (*zum Anbau geeignete Fläche*) land suitable for cultivation ❷ (*bebaute Ackerfläche*) acreage

An·bau·ge·biet *nt* AGR area [of cultivation]

An·be·ginn *m* (*geh*) beginning; **seit ~ [einer S.** *gen***]** since the beginning [of sth]

an·bei [an'baj] *adv* enclosed; **~ die erbetenen Prospekte** please find enclosed the requested brochure

an|bei·ßen *irreg* **I.** *vi* to take the bait **II.** *vt* ◼ **etw ~** to take a bite of sth ▸ **zum Anbeißen** (*fam*) fetching BRIT, hot AM *sl*

an|be·lan·gen* *vt* (*geh*) **was jdn/etw anbelangt, ...** as far as sb/sth is concerned...

an|bel·len *vt* to bark at

an|be·rau·men* ['anbəraʊmən] *vt* (*geh*) *Termin* to fix

an|be·ten *vt* ❶ REL to worship ❷ (*verehren*) to adore

An·be·tracht *m* ◼ **in ~ einer S.** *gen* in view of

An·be·tung <-, -en> *f pl selten* REL worship, adoration

an|bie·dern ['anbiːdɐn] *vr* (*pej*) ◼ **sich [bei jdm] ~** to curry favour with sb; ◼ **~d** crawling

an|bie·ten *irreg* **I.** *vt* ◼ **[jdm] etw ~** to offer [sb] sth **II.** *vr* ❶ (*sich zur Verfügung stellen*) ◼ **sich ~** to offer one's services; **darf ich mich Ihnen als Stadtführer ~?** my services as guide are at your disposal; ◼ **sich ~, etw zu tun** to offer to do sth ❷ (*naheliegen*) ◼ **sich ~** to be just the right thing (**für** for); **eine kleine Pause würde sich jetzt ~** a little break would be just the thing now

An·bie·ter(in) *m(f)* supplier

an|bin·den *vt irreg* ❶ (*festbinden*) to tie (**an** to) ❷ (*durch Pflichten einschränken*) ◼ **jdn ~** to tie sb down ❸ TRANSP to connect (**an** to)

An·blick *m* sight; **einen erfreulichen ~ bieten** to be a welcoming sight; **das war kein schöner ~!** it was not a pretty sight!; **beim ~ einer S.** *gen* at the sight of

an|bli·cken *vt* to look at

an|bra·ten *vt irreg* KOCHK ◼ **etw ~** to fry sth until brown

an|bre·chen *irreg* **I.** *vi sein* to begin; *Tag* to dawn; *Winter, Abend* to set in; *Dunkelheit, Nacht* to fall; **wir redeten bis der Tag anbrach** we talked until the break of day **II.** *vt haben* ❶ (*zu verbrauchen beginnen*) to open; **die Vorräte ~** to break into supplies; ◼ **angebrochen** opened ❷ (*teilweise brechen*) to chip sth

etwas anbieten

nach Wünschen fragen, etwas anbieten	asking people what they want, offering something
Kann ich Ihnen helfen?/Was darf's sein?	Can I help you?/What'll it be?
Haben Sie irgendeinen Wunsch?	Would you like anything?
Was hättest du denn gern?	What would you like?/do you fancy? *(fam)*
Was möchtest/magst du essen/trinken?	What would you like to eat/drink?
Wie wär's mit einer Tasse Kaffee? *(fam)*	How about a cup of coffee?
Darf ich Ihnen ein Glas Wein **anbieten**?	May I offer you a glass of wine?
Sie können gern mein Telefon benutzen.	You're welcome to use my phone.

Angebote annehmen	accepting offers
Ja, bitte./Ja, gern.	Yes please./I'd love one.
Danke, das ist nett/lieb von dir.	Thanks, that's kind of you.
Ja, das wäre nett.	Yes, that would be nice.
Oh, das ist aber nett!	Oh, that's nice of you!

Angebote ablehnen	turning down offers
Nein, danke!	No, thanks!
Aber das ist doch nicht nötig!	But that's not necessary!/You shouldn't have!
Das kann ich doch nicht annehmen!	I can't (possibly) accept this!

an|bren·nen *irreg* I. *vi sein* to burn; ■ etw ~ **lassen** to let sth burn; **es riecht hier so angebrannt** it smells of burning in here ▶ **nichts ~ lassen** *(fam)* to not hesitate II. *vt haben* to ignite

an|brin·gen *vt irreg* ❶ *(befestigen)* to fix (**an** to) ❷ *(montieren) Gerät* to install; *Regal* to put up ❸ *(vorbringen)* to introduce ❹ *(fam: herbeibringen)* to bring [along]

An·bruch *m kein pl (geh)* **bei ~ des Tages** at the break of day; **bei ~ der Dunkelheit** at dusk

an|brül·len *vt, vi* to shout [at]

An·cho·vis <-, -> [an'ço:vɪs] *f* anchovy

An·dacht <-, -en> ['andaxt] *f* prayer service; **voller ~** *(geh)* in rapt devotion

an·däch·tig ['andɛçtɪç] I. *adj* ❶ REL devout ❷ *(ehrfürchtig)* reverent; *(in Gedanken versunken)* rapt II. *adv* ❶ REL devoutly ❷ *(hum: ehrfürchtig)* reverently; *(inbrünstig)* raptly

an|dau·ern *vi* to continue; *Gespräche* to go on

an·dau·ernd I. *adj* continuous II. *adv* continuously; **jetzt schrei mich nicht ~ an** stop shouting at me all the time

An·den ['andn̩] *pl* Andes *npl*

An·den·ken <-s, -> *nt* ❶ *(Souvenir)* souvenir ❷ *(Erinnerungsstück)* keepsake ❸ *kein pl (Erinnerung)* memory; **zum ~ an jdn** in memory of

an·de·re(r, s) ['andərə, -rɐ, -rəs] *pron indef* ❶ *adjektivisch (abweichend)* different, other; **das ist eine ~ Frage** that's another question; **das ~ Geschlecht** the opposite sex; **ein ~s Mal** another time ❷ *adjektivisch (weitere)* other; **haben Sie noch ~ Fragen?** have you got any more questions? ❸ *substantivisch (sonstige)* more, others; **es gibt noch ~, die warten!** there are others waiting!; ■ **das/der/die ~** the other; ■ **ein ~r/eine ~/ein ~s** [an]other; **eines ist schöner als das ~!** each one is more beautiful than the last! ❹ *substantivisch (sonstige Menschen)* others; ■ **der/die ~** the other [one]; ■ **ein ~r/eine ~** someone else; ■ **die ~n** the others; **alle ~n** all the others; **wir ~n** the rest of us; **jede/jeder ~** anybody else; **keine ~/kein ~r als ...** nobody but ...; **weder den einen/die eine noch den ~n/die ~n** neither one of them; **einer nach dem ~ n, eine nach der ~ n** one after the other; **der eine oder ~** one or two people ❺ *substantivisch* (*Abweichendes*) other things *pl*; **das T-Shirt ist schmutzig — hast du noch ein ~ s** that T-shirt is dirty — have you got another one?; ▪ **etwas/nichts ~ s** [*o* **A~ s**] something/anything else; **das ist natürlich etwas ~ s!** that's a different matter altogether; **das ist etwas ganz ~ s!** that's something quite different; **es bleibt uns nichts ~ s übrig** there's nothing else we can do; **lass uns von etwas ~ m sprechen** let's talk about something else; **alles ~ als ...** anything but ...; **ein[e]s nach dem ~ n** first things first; **so kam eins zum ~ n** one thing led to another; **unter ~ m ... ...** amongst other things

an·de·ren·falls ['andərənfals] *adv* otherwise

an·de·ren·orts ['andərən?ɔrts] *adv* (*geh*) elsewhere

an·de·rer·seits ['andərezạjts] *adv* on the other hand

an·der·mal ['andema:l] *adv* ▪ **ein ~** another time

än·dern ['ɛndɐn] *vt, vr* ❶ (*verändern*) to change; **ich kann es nicht ~** I can't do anything about it; **[s]eine Meinung ~** to change one's mind; **daran kann man nichts ~** there's nothing you can do about it; **es hat sich nichts geändert** nothing's changed ❷ MODE to alter

an·dern·falls ['andɐnfals] *adv s.* **anderenfalls an·dern·orts** ['andɐn?ɔrts] *adv s.* **anderenorts**

an·ders ['andɐs] *adv* ❶ (*verschieden*) differently; ▪ **~ als ...** different to [*or* AM *also* than] ...; ~ **als sonst** different than usual; **es sich** *dat* ~ **überlegen** to change one's mind; ~ **denkend** dissenting ❷ (*sonst*) otherwise; ~ **kann ich es mir nicht erklären** I can't think of another explanation; **jemand** ~ somebody else; **niemand** ~ nobody else; **es ging leider nicht** ~ I'm afraid I couldn't do anything about it; ▶ **nicht** ~ **können** (*fam*) to be unable to help it; **jdm wird ganz** ~ to feel dizzy

an·ders·ar·tig ['andɐs?a:ɐtɪç] *adj* different **an·ders·den·kend**ALT *adj attr* dissenting **An·ders·den·ken·de(r)** *f(m) dekl wie adj* dissident **an·ders·far·big** I. *adj* of a different colour II. *adv* a different colour; ~ **lackiert** painted a different colour **an·ders·gläu·big** *adj* of a different faith **an·ders·he·rum** ['andɛshɛrʊm], **an·ders·rum** ['andɛsrʊm] I. *adv* the other way round II. *adj präd* (*fam: homosexu-*

ell) gay **an·ders·wo** ['andɛsvo:] *adv* ❶ (*an einer anderen Stelle*) somewhere else ❷ (*an anderen Orten*) elsewhere

an·dert·halb ['andɐt'halp] *adj* one and a half; ~ **Stunden** an hour and a half

Än·de·rung <-, -en> *f* ❶ (*Abänderung*) change; *eines Gesetzes* amendment; *eines Entwurfs* modification; ▪ **die ~ an etw** *dat* the alteration to sth; **eine ~/~ en an etw** *dat* **vornehmen** to change sth; **geringfügige ~ en** slight alterations; „~ **en vorbehalten"** "subject to change" ❷ MODE alteration

Än·de·rungs·schneider(in) *m(f)* ≈ tailor *masc,* ≈ seamstress *fem* **Än·de·rungs·vor·schlag** <*pl* -vorschläge> *m* proposed change **Än·de·rungs·wunsch** <*pl* -wünsche> *m* proposed changes

an·der·wei·tig ['andevạjtɪç] I. *adj attr* other II. *adv* ❶ (*mit anderen Dingen*) with other matters ❷ (*von anderer Seite*) somewhere else ❸ (*bei anderen Leuten*) ~ **verpflichtet sein** to have other commitments ❹ (*an einen anderen*) to somebody else ❺ (*anders*) in a different way

an|deu·ten *vt* ❶ (*erwähnen*) to indicate ❷ (*zu verstehen geben*) ▪ **[jdm] etw ~** to imply sth [to sb] ❸ KUNST, MUS to outline II. *vr* ▪ **sich ~** to be signs of sth

An·deu·tung *f* hint; **eine ~ fallen lassen** to drop a hint; **bei der geringsten ~ von etw** *dat* at the first sign of sth; **eine versteckte ~** an insinuation; **eine ~ machen** to make a remark

an·deu·tungs·wei·se *adv* ❶ (*indirekt*) as an indication of ❷ (*rudimentär*) as an intimation

An·dor·ra <-s> [an'dɔra] *nt* GEOG Andorra **An·dor·ra·ner(in)** <-s, -> [andɔ'ra:nɐ] *m(f)* Andorran

an·dor·ra·nisch *adj* Andorran **An·drang** *m kein pl* rush

an·dre(r, s) ['andrə, -drе, -drəs] *adj s.* **andere(r, s)**

an|dre·hen *vt* ❶ (*anstellen*) to turn sth on ❷ (*fam: verkaufen*) ▪ **jdm etw ~** to flog sb sth; ▪ **sich** *dat* **etw ~ lassen** to be flogged sth

an·drer·seits ['andrezạjts] *adv s.* **andererseits**

an·dro·gyn [andro'gy:n] *adj* androgynous **an|dro·hen** *vt* ▪ **jdm etw ~** to threaten sb with sth

an|e·cken *vi sein* (*fam*) to put people's backs up

an|eig·nen *vr* ▪ **sich** *dat* **etw ~** ❶ (*an sich nehmen*) to take sth ❷ (*sich vertraut machen*) to learn ❸ (*sich angewöhnen*) to

pick up *sep*

An·eig·nung <-, -en> *f pl selten* ❶ (*geh: Diebstahl*) appropriation ❷ (*Erwerb*) acquisition ❸ (*Lernen*) learning, acquisition

an·ei·nan·der [an?aj'nandɐ] *adv* ❶ (*jeder an den anderen*) to one another; ~ **denken** to think about each other; ~ **vorbeireden** to talk at cross purposes ❷ (*zusammen*) together

an·ei·nan·der|fü·gen *vr, vt* etw ~ to put sth together **an·ei·nan·der|ge·ra·ten** *vi irreg sein* to have a fight [*or* BRIT *also* row] **an·ei·nan·der|rei·hen** I. *vt* ■ etw ~ to string sth together II. *vr* ■ **sich** ~ to follow one another **an·ei·nan·der|schmie·gen** *vr* ■ **sich** ~ to cuddle **an·ei·nan·der|sto·ßen** *vi irreg sein* to bump into each other; (*zwei Dinge*) to bang together

Anek·do·te <-, -n> [anɛk'do:tə] *f* anecdote

an|e·keln *vt* ■ jdn ~ to make sb sick; ■ **von etw** *dat* **angeekelt sein** to be disgusted by sth

Ane·mo·ne <-, -n> [ane'mo:nə] *f* BOT anemone

an·er·kannt *adj* recognized

an|er·ken·nen* ['an?ɛɐ̯kɛnən] *vt irreg* ❶ (*offiziell akzeptieren*) to recognize (**als** as); *Kind* to acknowledge; *Forderung* to accept ❷ (*würdigen*) to appreciate ❸ (*gelten lassen*) to accept; *Meinung* to respect

an·er·ken·nend I. *adj* acknowledging; **ein ~er Blick** a look of acknowledg[e]ment II. *adv* in acknowledg[e]ment

an·er·ken·nens·wert *adj* commendable

An·er·ken·nung *f* ❶ (*offizielle Bestätigung*) recognition; ~ **finden** to gain recognition ❷ (*lobende Zustimmung*) praise

an|er·zie·hen* *vt irreg* ■ jdm etw ~ to teach sb sth; ■ **anerzogen sein** to be acquired

an|fa·chen *vt* (*geh*) ❶ (*zum Brennen bringen*) to kindle ❷ (*schüren*) to arouse

an|fah·ren *irreg* I. *vi sein* to drive off; *Zug* to draw in II. *vt haben* ❶ (*beim Fahren streifen*) to hit ❷ *irreg* (*schelten*) ■ jdn ~ to snap at sb ❸ TRANSP to call at; **einen Hafen** ~ to pull in at a port

An·fahrt <-, -en> *f* journey [to]

An·fall <-[e]s, -fälle> *m* ❶ MED attack; **einen Herz~ haben** to have a heart attack; **epileptischer** ~ epileptic fit ❷ (*Wutanfall*) fit of rage; **der kriegt einen ~, wenn er das mitbekommt!** he's going to go round the bend when he hears about this! ❸ (*Anwandlung*) ■ **in einem** ~ **von etw** *dat* in a fit of sth

an|fal·len I. *vi irreg sein* ❶ (*entstehen*) to arise ❷ *Kosten* incur ❸ (*sich anhäufen*) to accumulate; *Arbeit a.* to pile up II. *vt irreg* (*angreifen*) to attack

an·fäl·lig *adj* to be prone (**für** to); AUTO, TECH temperamental

An·fäl·lig·keit <-> *f meist sing* ❶ (*anfällige Konstitution*) delicateness; ■ **die ~ für etw** *akk* susceptibility to sth ❷ AUTO, TECH temperamental nature

An·fang <-[e]s, -fänge> *m* ❶ (*Beginn*) beginning, start; **... und das ist erst der** ~ **...** and that's just the start; **den** ~ **machen** to make a start (**mit** with); **einen neuen** ~ **machen** to make a fresh start; ~ **September/der Woche** at the beginning of September/the week; **der Täter war ca.** ~ **40** the perpetrator was in his early 40s; **von** ~ **bis Ende** from start to finish; **am** ~ (*zu Beginn*) in the beginning; (*anfänglich*) to begin with; **von** ~ **an** from the [very] start ❷ (*Ursprung*) origin[s] *usu pl* ▶ **der** ~ **vom Ende** the beginning of the end; **aller** ~ **ist schwer** (*prov*) the first step is always the hardest

an|fan·gen *irreg vt, vi* ❶ (*beginnen*) to begin; ■ etw ~ to start sth (**mit** with) ❷ *Packung Kekse* to start ❸ (*machen*) **etw anders** ~ to do sth differently; **etwas mit etw/jdm** ~ **können** (*fam*) to be able to do sth with sth/sb; **jd kann mit etw/jdm nichts** ~ (*fam*) sth/sb is [of] no use to sb; **was soll ich damit** ~**?** what am I supposed to do with that?; **mit jdm ist nichts anzufangen** nothing can be done with sb; **nichts mit sich** *dat* **anzufangen wissen** to not know what to do with oneself

An·fän·ger(in) <-s, -> *m(f)* beginner; (*im Straßenverkehr*) learner [driver] BRIT, student driver AM; ~ **sein** to be a novice; **ein blutiger** ~ **sein** (*fam*) to be an absolute beginner

An·fän·ger·kur·sus *m* beginners' course

an·fäng·lich I. *adj attr* initial *attr* II. *adv* (*geh*) initially

an·fangs I. *adv* at first II. *präp* SCHWEIZ at the start of

An·fangs·buch·sta·be *m* initial [letter] **An·fangs·schwie·rig·kei·ten** *pl* initial difficulties *pl* **An·fangs·sta·di·um** *nt* initial stage[s] *usu pl* **An·fangs·zeit** *f* early stages *pl*

an|fas·sen I. *vt* ❶ (*berühren*) to touch ❷ (*behandeln*) to treat ▶ **zum A~** (*fam*) approachable II. *vi* ■ **mit** ~ to lend a hand III. *vr* (*sich anfühlen*) to feel; **es fasst sich rau an** it feels rough

an|fau·chen *vt* ❶ *Katze* to spit at ❷ (*fig fam*) to snap at

an·fecht·bar *adj* contestable

an|fech·ten *vt irreg* ❶ JUR to contest ❷ *(nicht anerkennen)* to dispute

an|fein·den ['anfaɪndn̩] *vt* ■jdn ~ to be hostile to sb; **wegen ihrer feministischen Aussagen wurde sie damals heftig angefeindet** due to her feminist statements she aroused great hostility at that time; ■**sich** ~ to be at war with one another

an|fer·ti·gen *vt* to make; ■**sich** *dat* **etw** ~ **lassen** to have sth made

An·fer·ti·gung <-, -en> *f* making [up]

an|feuch·ten *vt* to moisten

an|feu·ern *vt* ❶ *(ermutigen)* to cheer on ❷ *(anzünden)* to light

an|fle·hen *vt* to beg **(um** for)

an|flie·gen *irreg vt, vi haben* to fly to; ■**beim A~** in the approach; **angeflogen kommen** *(fam)* to come flying in

An·flug <-[e]s, -flüge> *m* ❶ LUFT approach ❷ *(fig: Andeutung)* hint; *(Anfall)* fit

an|for·dern *vt* ❶ *(die Zusendung erbeten)* to request; *Katalog* to order ❷ *(beantragen)* to ask for

An·for·de·rung <-, -en> *f* ❶ *kein pl (das Anfordern)* request; *Katalog* ordering; ■**auf** ~ on request ❷ *meist pl (Anspruch)* demands; ~ **an** [an **jdn] stellen** to place demands [on sb]; **du stellst zu hohe ~en** you're too demanding

An·fra·ge <-, -n> *f* inquiry; ■**auf** ~ on request

an|fra·gen *vi* to ask **(um** for)

an|freun·den ['anfrɔyndn̩] *vr* ❶ *(Freunde werden)* ■**sich mit jdm** ~ to make friends with sb; ■**sich** ~ to become friends ❷ *(fig: schätzen lernen)* ■**sich mit jdm/etw** ~ to get to like sb/sth ❸ *(fig: sich zufriedengeben)* ■**sich mit etw** *dat* ~ to get used to the idea of sth

an|fü·gen *vt* to add

an|füh·len *vr* **sich weich** ~ to feel soft

An·fuhr *f* transportation

an|füh·ren *vt* ❶ *(vorangehen)* to lead ❷ *(fig: zitieren)* to quote; *Beispiel, Grund* to give ❸ *(fig: benennen)* to name

An·füh·rer(in) <-s, -> *m(f)* leader; *von Truppen* commander

An·füh·rungs·strich *m,* **An·füh·rungs·zei·chen** *nt meist pl* quotation mark[s], BRIT *also* inverted comma[s]; **Anführungsstriche** [*o* **Anführungszeichen**] **unten/ oben** quote/unquote

An·ga·be <-, -n> *f* ❶ *meist pl (Mitteilung)* details *pl;* **es gibt bisher keine genaueren** ~**n** there are no further details to date; ~**n machen** to give details (**über/zu** about); ~**n zur Person** *(geh)* personal details ❷ *kein pl (Prahlerei)* boasting ❸ SPORT *(Aufschlag)* service

an|gaf·fen *vt (pej)* to gape [*or* BRIT *also* gawp] [*or* AM *also* gawk] at

an|ge·ben *irreg* **I.** *vt* ❶ *(nennen)* to give; **seinen Namen** ~ to give one's name; **jdn als Zeugen** ~ to cite sb as a witness ❷ *(zitieren)* to quote ❸ *(behaupten)* to claim ❹ *(deklarieren)* to declare ❺ *(anzeigen)* to indicate ❻ *(bestimmen)* to set; **das Tempo** ~ to set the pace; *Takt* to give **II.** *vi (prahlen)* to boast **(mit** about)

An·ge·ber(in) <-s, -> *m(f)* show-off, poser

An·ge·be·rei <-, -en> [ange:bəˈraɪ] *f (fam)* showing-off

An·ge·be·rin <-, -nen> *f fem form von* **Angeber**

an·ge·be·risch **I.** *adj* pretentious **II.** *adv* pretentiously

An·ge·be·te·te(r) *f(m) dekl wie adj (geh)* beloved

an·geb·lich ['angeːplɪç] **I.** *adj attr* alleged **II.** *adv* allegedly; **er hat ~ nichts gewusst** apparently, he didn't know anything about it

an·ge·bo·ren *adj* ❶ MED congenital ❷ *(fig fam)* innate

An·ge·bot <-[e]s, -e> *nt* ❶ *(Anerbieten)* offer ❷ FIN *(Versteigerungsgebot)* bid; *(Offerte)* offer ❸ *kein pl (Warenangebot)* range of goods; ~ **und Nachfrage** supply and demand ❹ *(Sonderangebot)* special offer; **im** ~ on special offer

an·ge·bracht *adj* ❶ *(sinnvoll)* sensible ❷ *(angemessen)* suitable

an·ge·gos·sen *adj* ▶ **wie** ~ **sitzen** *(fam)* to fit like a glove

an·ge·grif·fen **I.** *adj* frail; *Nerven* raw **II.** *adv* ~ **aussehen** to look exhausted

an·ge·hei·tert ['angəhaɪtɐt] *adj (fam)* tipsy

an|ge·hen *irreg* **I.** *vi* ❶ *sein (beginnen)* to start; *(zu funktionieren)* to come on ❷ *(bekämpfen)* to fight **(gegen** against) **II.** *vt* ❶ *haben o* SÜDD, ÖSTERR *sein (in Angriff nehmen)* to tackle ❷ *haben (betreffen)* to concern; **was geht mich das an?** what's that got to do with me?; **das geht dich einen Dreck an!** *(fam)* that's none of your [damn] business; **was mich angeht, ...** as far as I am concerned, ...

an·ge·hend *adj* prospective

an|ge·hö·ren* *vi* to belong to

An·ge·hö·ri·ge(r) *f(m) dekl wie adj* ❶ *(Familienangehörige(r))* relative; **die nächsten ~n** the next of kin ❷ *(Mitglied)* member

An·ge·klag·te(r) *f(m) dekl wie adj* accused

An·gel <-, -n> ['aŋl] *f* ❶ (*zum Fische fangen*) fishing-rod and line, AM *also* fishing pole ❷ (*Türangel*) hinge ▶ **etw aus den ~n heben** (*fam*) to turn sth upside down

An·ge·le·gen·heit <-, -en> *f meist sing* matter; **in welcher ~ wollten Sie ihn sprechen?** in what connection did you want to speak to him?; **sich um seine eigenen ~en kümmern** to mind one's own business; **in eigener ~** on a private matter; **jds ~ sein** to be sb's responsibility

an·ge·lernt *adj* ❶ (*eingearbeitet*) semiskilled ❷ (*oberflächlich gelernt*) acquired

An·gel·ha·ken *m* fish-hook

an·geln ['aŋln] I. *vi* ❶ (*Fische fangen*) to fish; ▪ [*das*] A~ fishing ❷ (*zu greifen versuchen*) to fish [around] (**nach** for) II. *vt* to catch; **sich** *dat* **einen Mann ~** (*fam*) to catch oneself a man

An·gel·punkt *m* crucial point

An·gel·ru·te *f* fishing rod

An·gel·sach·se, -säch·sin <-n, -n> ['aŋlzaksə, -zɛksɪn] *m, f* Anglo-Saxon

an·gel·säch·sisch ['aŋlzɛksɪʃ] *adj* Anglo-Saxon

An·gel·schnur *f* fishing line

an·ge·mes·sen I. *adj* ❶ (*entsprechend*) fair; ▪ **einer S.** *dat* **~ sein** to be proportionate to sth ❷ (*passend*) appropriate II. *adv* ❶ (*entsprechend*) proportionately ❷ (*passend*) appropriately

an·ge·nehm I. *adj* pleasant; *Nachricht* good; *Wetter* agreeable ▶ **das A~ mit dem Nützlichen verbinden** to mix business with pleasure; [**sehr**] **~!** (*geh*) pleased to meet you! II. *adv* pleasantly

an·ge·nom·men I. *adj* assumed; *Kind* adopted II. *konj* assuming

an·ge·passt^{RR}, an·ge·paßt^{ALT} *adj, adv* conformist

an·ge·regt I. *adj* animated II. *adv* animatedly; **sie diskutierten ~** they had an animated discussion

an·ge·sagt *adj* scheduled

an·ge·schla·gen *adj* (*fig fam*) weak[ened] (**von** by); *Gesundheit* poor

an·ge·se·hen *adj* respected; *Firma* of good standing

An·ge·sicht <-[e]s, -er> *nt* (*geh*) countenance; **von ~ zu ~** face to face

an·ge·sichts *präp* ▪ **~ einer S.** *gen* in the face of sth

an·ge·spannt I. *adj* tense; *Situation* critical II. *adv* **~ wirken** to seem tense; **etw ~ verfolgen** to follow sth tensely

an·ge·stammt *adj* (*geerbt*) hereditary;

(*überkommen*) traditional

an·ge·staubt *adj* (*fig*) outdated; **~e Ansichten** antiquated views

An·ge·stell·te(r) *f(m) dekl wie adj* employee

an·ge·strengt I. *adj* ❶ *Gesicht* strained ❷ (*intensiv*) hard II. *adv* (*intensiv*) hard; **~ diskutieren** to discuss intensively

an·ge·tan *adj* ▪ **von jdm/etw ~ sein** to be taken with sb/sth

an·ge·trun·ken *adj* slightly drunk

an·ge·wandt *adj attr* applied

an·ge·wie·sen *adj* dependent (**auf** on)

an|ge·wöh·nen* *vt* ▪ **sich** *dat* **etw ~** to get into the habit of [doing] sth

An·ge·wohn·heit <-, -en> *f* habit

an·ge·wur·zelt *adj* **wie ~ dastehen** to stand rooted to the spot

an·ge·zeigt *adj* (*geh*) appropriate

An·gi·na <-, Anginen> [aŋˈɡiːna, *pl* -nən] *f* MED angina; **~ Pectoris** angina pectoris

an|glei·chen *irreg* I. *vt* to bring sth into line II. *vr* ▪ **sich ~** to adapt oneself (+*dat* to)

An·glei·chung *f* ❶ (*Anpassung*) adaptation ❷ (*gegenseitige Anpassung*) becoming alike

Ang·ler(in) <-s, -> ['aŋlɐ] *m(f)* angler

an|glie·dern *vt* ▪ **etw ~** to incorporate sth (+*dat* into)

An·glie·de·rung *f* ❶ (*Anschluss*) incorporation ❷ (*Annexion*) annexation

an·gli·ka·nisch [aŋɡliˈkaːnɪʃ] *adj* Anglican; **die ~e Kirche** the Church of England

An·glist(in) <-en, -en> ['aŋɡlɪst] *m(f)* ❶ (*Wissenschaftler*) Anglist ❷ (*Student*) student of English [language and literature]

An·glis·tik <-> [aŋˈɡlɪstɪk] *f kein pl* study of English [language and literature]

An·gli·zis·mus <-, -men> [aŋɡliˈtsɪsmʊs] *m* LING anglicism

an·glo·ame·ri·ka·nisch [aŋɡlo-] *adj* Anglo-American

an|glot·zen *vt* (*fam: anstarren*) to gape [*or* BRIT *also* gawp] [*or* AM *also* gawk] at

An·go·la <-s> [aŋˈɡoːla] *nt* Angola

An·go·ra·wol·le [aŋˈɡoːra-] *f* angora [wool]

an·greif·bar *adj* contestable

an|grei·fen *irreg vt, vi* ❶ MIL, SPORT to attack; ▪ **angreifen** under attack **präd** ❷ (*schädigen*) to damage sth; ▪ [**etw ist**] **angegriffen** [sth is] weakened ❸ (*zersetzen*) to corrode ❹ (*beeinträchtigen*) to affect; ▪ **angegriffen sein** to be exhausted

An·grei·fer(in) <-s, -> *m(f)* ❶ MIL attacker ❷ *meist pl* SPORT attacking player

an|gren·zen *vi* to border (**an** on)

A

Angst/Sorge ausdrücken

Angst/Befürchtungen ausdrücken	expressing anxiety/fears
Ich habe (da) ein ungutes Gefühl.	I've got a bad feeling (about this).
Mir schwant nichts Gutes. *(fam)*	I've got a bad feeling.
Ich rechne mit dem Schlimmsten.	I'm expecting the worst.
Diese Menschenmengen **machen mir Angst**.	These crowds **terrify me**.
Diese Rücksichtslosigkeit **beängstigt mich**.	This thoughtlessness **frightens me**.
Ich habe Angst, dass du dich verletzen könntest.	I'm scared/afraid you will hurt yourself.
Ich habe Angst vorm Zahnarzt.	I'm scared/afraid of the dentist.
Ich habe Bammel/Schiss vor der Prüfung. *(fam)*	I'm worried to death about the exam. *(fam)*

Sorge ausdrücken	expressing concern
Sein Gesundheitszustand **macht mir große Sorgen**.	I am very worried about his health.
Ich mache mir Sorgen um dich.	I am worried about you.
Die steigenden Arbeitslosenzahlen **beunruhigen mich**.	I'm concerned about the rising unemployment figures.
Die Sorge um ihn **bereitet mir schlaflose Nächte**.	I'm having sleepless nights worrying about him.

an·gren·zend *adj attr* bordering; **die ~en Bauplätze** the adjoining building sites

An·griff *m* ❶ MIL attack; **zum ~ überge·hen** *(fig)* to go on the offensive ❷ SPORT *(Vorgehen)* attack; *(die Angriffsspieler)* forwards *pl;* **im ~ spielen** to play in attack ▶ **~ ist die beste** <u>Verteidigung</u> *(prov)* offence is the best defence *prov;* **etw in ~ nehmen** to tackle sth

An·griffs·flä·che *f* target **An·griffs·lust** *f kein pl* ❶ *(angriffslustige Einstellung)* aggressiveness ❷ *(Aggressivität)* aggression **an·griffs·lus·tig** *adj* aggressive **An·griffs·punkt** *m* target

an|grin·sen *vt* to grin at

Angst <-, Ängste> [aŋst, *pl* 'ɛŋstə] *f* ❶ *(Furcht)* fear; ▪ **die ~ vor jdm/etw** the fear of sb/sth; **~ bekommen** *(fam)* to become frightened; **~ [vor etw** *dat]* **haben** to be afraid [of sth]; **~ um etw haben** *akk* to be worried about sth; **jdm ~ machen** to frighten sb; **aus ~, etw zu tun** for fear of doing sth; **vor ~** by fear; **~ und Schrecken verbreiten** to spread fear and terror ❷ *(seelische Unruhe)* anxiety

angst *adj* afraid

Angst·ha·se *m (fig fam)* scaredy-cat

ängs·ti·gen ['ɛŋstɪɡn̩] I. *vt* ❶ *(in Furcht versetzen)* to frighten ❷ *(beunruhigen)* to worry II. *vr* ▪ **sich ~** ❶ *(Furcht haben)* to be afraid ❷ *(sich sorgen)* to worry

ängst·lich ['ɛŋstlɪç] *adj* ❶ *(verängstigt)* frightened ❷ *(besorgt)* worried

Ängst·lich·keit <-> *f kein pl* ❶ *(Furcht·samkeit)* fear ❷ *(Besorgtheit)* anxiety

Angst·ma·cher, -ma·che·rin *m, f (pej)* scaremonger **Angst·ma·che·rei** <-> ['aŋstmaxərai] *f kein pl (pej)* scaremongering **Angst·schweiß** *m* cold sweat

an|gu·cken *vt (fam)* to look at

an|gur·ten *vt* to strap in; ▪ **sich ~** to fasten one's seat belt, AM *also* to buckle up

an|ha·ben *vt irreg* ❶ *Kleidung* to have on ❷ *(Schaden zufügen)* **jdm nichts ~ kön·nen** to be unable to harm sb

an|haf·ten *vi (sich zugehörig fühlen)* to belong to; **einer Idee ~** to adhere to an idea

an|hal·ten¹ *irreg* I. *vi* ❶ *(stoppen)* to stop ❷ *(innehalten)* to pause II. *vt* ❶ *(stoppen)* to bring to a stop ❷ *(anleiten)* **jdn [zu etw** *dat]* **~** to teach sb [to do sth]; ▪ **ange·halten sein, etw zu tun** to be encouraged to do sth

an|hal·ten² *vi irreg (fortdauern)* to continue

an·hal·tend *adj* continuous; *Lärm* incessant; *Schmerz* persistent; **die ~e Hitze·welle** the continuing heatwave

An·hal·ter(in) <-s, -> ['anhaltɐ] *m(f)* hitch-hiker; **per ~ fahren** to hitch-hike

An·halts·punkt *m* clue

an·hand [an'hant] *präp* on the basis of

An·hang <-[e]s, -hänge> *m* ❶ (*Nachtrag*) appendix ❷ *kein pl* (*Angehörige*) [close] family, dependants ❸ *kein pl* (*Gefolgschaft*) followers

an|hän·gen I. *vt* ❶ *a.* BAHN (*ankuppeln*) to couple (**an** to) ❷ (*daran hängen*) to hang [up] (**an** on) ❸ (*hinzufügen*) to add; ■**angehängt** final ❹ (*fig fam: übertragen*) ■**jdm etw ~** to pass sth on to sb ❺ (*fig fam: anlasten*) ■**jdm etw ~** to blame sth on sb II. *vr* ■**sich ~** to follow III. *vi irreg* (*fig*) ❶ (*anhaften*) ■**jdm hängt etw an** sth sticks to sb ❷ (*sich zugehörig fühlen*) to belong to; **einer Idee ~** to adhere to an idea

An·hän·ger <-s, -> *m* ❶ AUTO trailer ❷ (*Schmuckstück*) pendant ❸ (*Gepäckanhänger*) label

An·hän·ger(in) <-s, -> *m(f)* (*fig*) ❶ SPORT fan ❷ (*Gefolgsmann*) follower, supporter

An·hän·ger·schaft <-> *f kein pl* ❶ (*Gefolgsleute*) followers *pl*, supporters *pl* ❷ SPORT fans *pl*

an·hän·gig *adj* JUR pending

an·häng·lich ['anhɛŋlɪç] *adj* (*sehr an jdm hängend*) devoted; (*sehr zutraulich*) friendly

An·häng·lich·keit <-> *f kein pl* ❶ (*anhängliche Art*) devotion ❷ (*Zutraulichkeit*) trusting nature

an|hau·chen *vt* to breathe on

an|hau·en *vt irreg* (*sl*) ❶ (*ansprechen*) to accost ❷ (*erbitten*) to tap (**um** for)

an|häu·fen *vt, vr* ❶ (*aufhäufen*) to pile up ❷ (*fig: ansammeln*) to accumulate

An·häu·fung <-, -en> *f* ❶ (*das Aufhäufen*) piling up ❷ (*fig: das Ansammeln*) accumulation

an|he·ben *irreg vt* ❶ (*hochheben*) to lift [up] ❷ (*erhöhen*) to increase

An·he·bung <-, -en> *f* increase; **die ~ der Preise** the increase in prices

an|hef·ten *vt* ❶ (*daran heften*) to attach ❷ (*anstecken*) to pin on

an·heim|fal·len *vt irreg sein* (*geh*) ■**jdm/etw ~** to fall victim to sb/sth

an|hei·zen *vt* ■**etw ~** ❶ (*zum Brennen bringen*) to light sth, to set sth alight ❷ (*fig fam: im Schwung bringen*) to get sth going, to hot sth up ❸ (*fam: verschlimmern*) to aggravate sth

an|heu·ern *vt, vi* NAUT to sign on

An·hieb *m* **auf ~** (*fam*) straight away; **das kann ich nicht auf ~ sagen** I couldn't say

off the top of my head

an|him·meln *vt* (*fam*) to idolize

An·hö·he <-, -n> *f* high ground

an|hö·ren I. *vt* ❶ (*zuhören*) ■[**sich** *dat*] **etw ~** to listen to sth ❷ (*mithören*) **Geheimnis** [**mit**] **~** to overhear a secret ❸ (*anmerken*) ■**jdm etw ~** to hear sth in sb['s voice]; **dass er Däne ist, hört man ihm aber nicht an!** you can't tell from his accent that he's Danish! II. *vr* (*klingen*) ■**sich ~** to sound; **Ihr Angebot hört sich gut an** your offer sounds good

An·hö·rung <-, -en> *f* hearing

Ani·ma·teur(in) <-s, -e> [anima'tø:ɐ̯] *m(f)* host *masc* [*or fem* hostess]

Ani·ma·ti·on <-, -en> [anima'tsi̯o:n] *f* ❶ (*Unterhaltung*) entertainment ❷ FILM animation

ani·mie·ren* [ani'mi:rən] *vt, vi* to encourage

Anis <-[es], -e> [a'ni:s, 'a(:)nɪs] *m* ❶ (*Pflanze*) anise ❷ (*Gewürz*) aniseed

Ank. *Abk von* **Ankunft** arr.

an|kämp·fen *vi* to fight (**gegen** against); **sie kämpfte gegen ihre Tränen an** she fought back her tears

An·kauf <-[e]s, -käufe> *m* buy

an|kau·fen *vt, vi* to buy

An·ker <-s, -> ['aŋkɐ] *m* anchor; **vor ~ gehen** to drop anchor [somewhere]; **den ~ lichten** to weigh anchor; **vor ~ liegen** to lie at anchor

an·kern ['aŋkɐn] *vi* ❶ (*Anker werfen*) to drop anchor ❷ (*vor Anker liegen*) to lie at anchor

An·ker·platz *m* anchorage

an|ket·ten *vt* to chain up (**an** to)

An·kla·ge <-, -n> *f* ❶ *kein pl* (*gerichtliche Beschuldigung*) charge; **gegen jdn ~** [**wegen etw** *gen*] **erheben** to charge sb [with sth]; **unter ~ stehen** to be charged ❷ (*Anklagevertretung*) prosecution ❸ (*Beschuldigung*) accusation

An·kla·ge·bank *f* JUR dock; **auf der ~ sitzen** to be in the dock **An·kla·ge·er·he·bung** *f* JUR preferral of charges

an|kla·gen *vt* ❶ JUR to charge ❷ (*beschuldigen*) to accuse ❸ (*fig: anprangern*) to denounce

an·kla·gend I. *adj* ❶ (*anprangernd*) denunciatory ❷ (*eine Beschuldigung beinhaltend*) accusatory II. *adv* (*als Anklage*) accusingly

An·kla·ge·punkt *m* JUR [count of a] charge

An·klä·ger(in) <-s, -> *m(f)* JUR prosecutor

An·kla·ge·schrift *f* JUR indictment

An·klang <-[e]s, -klänge> *m* approval; **~ finden** to meet with approval

an|kle·ben I. *vt haben* to stick on **II.** *vi sein* to stick; ■**an etw** *akk o dat* **angeklebt sein** to be stuck [on]to sth

an|klei·den *vt* (*geh*) to dress

An·klei·de·raum *m* changing room

an|kli·cken *vt* INFORM to click on

an|klop·fen *vi* to knock

an|knab·bern *vt* (*fam*) to gnaw [away] at

an|knip·sen *vt* (*fam*) to flick on *fam*

an|knüp·fen I. *vt* to tie (**an** to) **II.** *vi* (*fig*) ■**an etw** *akk* ~ to resume sth; **an ein altes Argument** ~ to take up an old argument

an|kom·men *irreg* **I.** *vi sein* ❶ TRANSP to arrive; **seid ihr gut angekommen?** did you arrive safely? ❷ (*angelangen*) ■**bei etw** *dat* ~ to reach sth ❸ (*fam: Anklang finden*) ■**[bei jdm]** ~ *Sache* to go down well [with sb]; *Person* to make an impression [on sb] ❹ (*sich durchsetzen*) ■**gegen jdn/etw** ~ to get the better of sb/sth ❺ (*fam: darauf ansprechen*) **kommen Sie mir bloß nicht schon wieder damit an!** don't start harping on about that again! **II.** *vi impers sein* ❶ (*wichtig sein*) ■**auf etw** *akk* ~ sth matters; ■**es kommt darauf an, dass ...** what matters is that ... ❷ (*von etw abhängen*) ■**auf jdn/etw** ~ to be dependent on sb/sth; **das kommt darauf an** it depends; ■**darauf** ~**, dass/ob** it depends on/on whether ❸ (*riskieren*) **es auf etw** *akk* ~ **lassen** to risk sth

An·kömm·ling <-s, -e> *m* newcomer

an|kot·zen *vt* ❶ (*derb: anwidern*) to make sick ❷ (*derb: bespucken*) to puke [all] over

an|krei·den *vt* ■**jdm etw** ~ to hold sth against sb

an|kreu·zen *vt* to mark with a cross

an|kün·di·gen *vt* ❶ (*ansagen*) to announce ❷ (*voraussagen*) to predict

An·kün·di·gung <-, -en> *f* ❶ (*Ansage, Anzeige*) announcement ❷ (*Avisierung*) advance notice ❸ (*Vorzeichen*) advance warning

An·kunft <-, -künfte> ['ankʊnft, *pl* -kʏnftə] *f* arrival

An·kunfts·hal·le *f* arrivals [lounge] **An·kunfts·zeit** *f* time of arrival; **geschätzte** ~ estimated time of arrival

an|kur·beln *vt* ❶ ÖKON to boost ❷ AUTO to start [up]

An·kur·be·lung <-, -en> *f* ÖKON boost

an|lä·cheln *vt* to smile at

an|la·chen *vr* (*fam*) ■**sich** *dat* **jdn** ~ to pick sb up

An·la·ge <-, -n> *f* ❶ (*Produktionsgebäude*) plant ❷ BAU (*das Errichten*) building, construction ❸ (*Grün~*) park ❹ SPORT facilities *pl* ❺ (*Stereo~*) sound system;

(*Telefon~*) telephone system ❻ (*technische Vorrichtung*) plant *no pl;* **sanitäre** ~**n** (*geh*) sanitary facilities ❼ (*Kapital~*) investment ❽ (*Beilage zu einem Schreiben*) enclosure ❾ *meist pl* (*Veranlagung*) disposition

an|lan·gen *vt haben* ❶ (*betreffen*) **was jdn/etw anlangt, ...** as far as sb/sth is concerned, ... ❷ SÜDD (*anfassen*) to touch

An·lass^{RR} <-es, -lässe> *m,* **An·laß**^{ALT} <-sses, -lässe> ['anlas, *pl* 'anlɛsə] *m* ❶ (*Grund*) reason; **es besteht** ~ **zu etw** *dat* there are grounds for sth; **es besteht kein** ~ **zu etw** *dat/,* **etw zu tun** there are no grounds for sth/to do sth; **[jdm]** ~ **zu etw** *dat* **geben** to give [sb] grounds for sth; **einen/keinen** ~ **haben, etw zu tun** to have grounds/no grounds to do sth; **etw zum** ~ **nehmen, etw zu tun** to use sth as an opportunity to do sth; **und aus diesem** ~ and for this reason; **aus keinem besonderen** ~ for no particular reason; **aus gegebenem** ~ with good reason ❷ (*Gelegenheit*) occasion; **dem** ~ **entsprechend** to fit the occasion; **bei jedem** ~ at every opportunity

an|las·sen *irreg* **I.** *vt* ❶ AUTO to start [up] ❷ (*fam: anbehalten*) to keep on ❸ (*fam: in Betrieb lassen*) to leave on **II.** *vr* (*fam*) ❶ (*anfangen*) to start ❷ (*sich entwickeln*) to develop

An·las·ser <-s, -> *m* AUTO starter [motor]

an·läss·lich^{RR}, **an·läß·lich**^{ALT} ['anlɛslɪç] *präp* ■~ **einer S.** *gen* on the occasion of sth

an|las·ten *vt* ■**jdm etw** ~ to blame sb for sth

An·lauf <-[e], -läufe> *m* ❶ SPORT run-up; ~ **nehmen** to take a run-up; **mit/ohne** ~ with/without a run-up ❷ (*fig: Versuch*) attempt; **beim ersten/zweiten** ~ at the first/second attempt; **noch einen** ~ **nehmen** to make another attempt

an|lau·fen *irreg* **I.** *vi sein* ❶ (*beginnen*) to begin ❷ SPORT to take a run-up ❸ (*Brillengläser, Glasscheibe*) to steam up ❹ (*oxidieren*) to tarnish ❺ (*sich verfärben*) to change colour; **vor Wut rot** ~ to turn purple with rage **II.** *vt haben* **den Hafen** ~ to put into port

An·lauf·schwie·rig·keit *f meist pl* teething problem *fig,* initial dificulty **An·lauf·stel·le** *f* refuge

An·laut *m* LING initial sound

an|le·gen I. *vt* ❶ (*erstellen*) to compile; *Liste* to draw up ❷ (*Garten, Park* to lay out ❸ *Vorrat* to lay in ❹ (*investieren*) to invest (**in** in) ❺ (*fig*) ■**es auf etw** *akk* ~ to risk sth ❻ (*daran legen*) to place (**an** against)

❼ (*geh: anziehen*) to don; ■ **jdm etw ~** to put sth on sb ❽ (*ausrichten*) to structure (**auf** for); **etw auf eine bestimmte Dauer ~** to plan sth [to last] for a certain period **II.** *vi* ❶ NAUT (*festmachen*) to berth ❷ (*zielen*) to aim (**auf** at) **III.** *vr* ■ **sich mit jdm ~** to pick an argument with sb

An·le·ge·platz *m* dock

An·le·ger(in) <-s, -> *m(f)* FIN investor

an‖leh·nen I. *vt* ❶ (*daran lehnen*) to lean [against]; ■ **angelehnt sein** to be propped up ❷ *Tür* to leave ajar **II.** *vr* ❶ (*sich daran lehnen*) to lean (**an** against) ❷ (*fig*) ■ **sich an etw** *akk* **~** *Text* to follow sth

An·leh·nung <-, -en> *f* **in ~ an jdn/etw** following sb/sth

an·leh·nungs·be·dürf·tig *adj* needing affection *präd*

an‖lei·ern *vt* (*fam: im Gang setzen*) to get going

An·lei·he <-, -n> *f* FIN (*Kredit*) loan; (*Wertpapier*) bond

an‖lei·ten *vt* to instruct

An·lei·tung <-, -en> *f* ❶ (*Gebrauchs~*) instructions *pl;* **unter jds** *dat* **~** under sb's guidance ❷ (*das Anleiten*) instruction

an‖ler·nen *vt* to train

an‖le·sen *irreg* **I.** *vt* (*den Anfang von etw lesen*) to start to read **II.** *vr* (*sich durch Lesen aneignen*) ■ **sich** *dat* **etw ~** to learn sth by reading

an‖lie·fern *vt* to deliver

an‖lie·gen *vi irreg* ❶ (*zur Bearbeitung anstehen*) to be on the agenda ❷ MODE to fit tightly; ■ **~ d** tight-fitting ❸ (*nicht abstehen*) to lie flat; ■ **~ d** flat (**an** against)

An·lie·gen <-s, -> *nt* ❶ (*Bitte*) request; **ein ~** [**an jdn**] **haben** to have a request to make [of sb] ❷ (*Angelegenheit*) matter

an·lie·gend *adj* ❶ (*beiliegend*) enclosed ❷ (*angrenzend*) adjacent

An·lie·ger <-s, -> *m* ❶ (*Anwohner*) resident; **~ frei** residents only ❷ (*Anrainer*) neighbour

an‖lo·cken *vt* to attract; *Tier* to lure

an‖lü·gen *vt irreg* to lie to

Anm. *f Abk von* **Anmerkung**

An·ma·che <-> *f kein pl* (*sl: plumper Annäherungsversuch*) come-on

an‖ma·chen *vt* ❶ (*einschalten*) to turn on ❷ (*anzünden*) to light ❸ *Salat* to dress ❹ (*sl: aufreizen*) to turn on ❺ (*sl: aufreißen wollen*) to pick up; (*rüde ansprechen*) to have a go at sb

an‖mai·len ['anmeɪlən] *vt* TELEK ■ **jdn ~** to [e-]mail sb

an‖ma·len I. *vt* to paint; **mit Buntstiften ~** to colour in with pencils **II.** *vr* (*fam: sich schminken*) ■ **sich ~** to paint one's face **III.** *vi* (*anzeichnen*) to mark

an‖ma·ßen *vr* ■ **sich** *dat* **etw ~** to claim sth [unduly] for oneself; **was maßen Sie sich an!** what right do you [think you] have!

an·ma·ßend ['anmaːsn̩t] *adj* arrogant

An·ma·ßung <-, -en> *f* arrogance

An·mel·de·for·mu·lar *nt* registration form

An·mel·de·ge·bühr *f* registration fee

an‖mel·den I. *vt* ❶ (*ankündigen*) to announce; **wen darf ich ~?** who shall I say is calling?; **ich bin angemeldet** I have an appointment ❷ (*vormerken lassen*) to enrol (**bei** at, **zu** in) ❸ ADMIN to register ❹ (*geltend machen*) to assert; **Bedenken ~** to make [one's] misgivings known ❺ FIN (*anzeigen*) to declare **II.** *vr* ■ **sich ~** ❶ (*ankündigen*) to give notice of a visit (**bei** to) ❷ (*sich eintragen lassen*) to apply (**zu** for) ❸ (*sich einen Termin geben lassen*) to make an appointment

an·mel·de·pflich·tig *adj präd* ■ **~ sein** to be obliged to have a licence

An·mel·dung <-, -en> *f* ❶ (*vorherige Ankündigung*) [advance] notice [of a visit]; **ohne ~** without an appointment ❷ SCH enrolment ❸ (*Registrierung*) registration; **die ~ eines Fernsehers** the licensing of a television ❹ (*Anmelderaum*) reception

an‖mer·ken *vt* ❶ (*bemerken*) to notice; **er ließ sich nichts anmerken** he didn't let it show ❷ (*eine Bemerkung machen*) to add ❸ (*notieren*) to make a note of

An·mer·kung <-, -en> *f* ❶ (*Erläuterung*) note ❷ (*Fußnote*) footnote ❸ (*Kommentar*) comment

An·mo·de·ra·ti·on *f* TV continuity [*or* Am voiceover] announcement

an‖mo·de·rie·ren *vt* ■ **etw ~** to deliver a piece to camera

an‖mot·zen *vt* (*fam*) ■ **jdn ~** to bite sb's head off

An·mut <-> *f* ['anmuːt] *f kein pl* (*geh*) ❶ (*Grazie*) grace[fulness] ❷ (*liebliche Schönheit*) beauty

an·mu·tig *adj* (*geh*) ❶ (*graziös*) graceful ❷ (*hübsch anzusehen*) beautiful

an‖nä·hen *vt* to sew on

an‖nä·hern I. *vr* ■ **sich** [**einander** *dat*] **~** to come closer [to one another] **II.** *vt* ■ **an-einander ~** to bring into line with each other

an·nä·hernd I. *adj* approximate **II.** *adv* approximately; **es kamen nicht ~ so viele Besucher wie erwartet** nowhere near as many spectators came as had been expected

An·nä·he·rung <-, -en> f convergence
An·nä·he·rungs·ver·such m advance[s]
esp pl; **~e machen** to make advances **an·
nä·he·rungs·wei·se** adv approximately;
■**nicht ~** nowhere near
An·nah·me <-, -n> ['anna:mə] f ❶ (Vermutung) assumption; **von einer ~ ausgehen** to proceed on the assumption; **in der
~, [dass]** ... on the assumption [that]
❷ kein pl (geh: das Annehmen) acceptance ❸ (Annahmestelle) reception
An·nah·me·stel·le f ❶ (Lottoannahme-
stelle) outlet selling lottery tickets ❷ (Ab-
gabestelle für Altmaterialen/Müll) [rub-
bish [or AM garbage]] dump ❸ (Stelle für
die Annahme) counter
An·na·len pl annals; **in die ~ eingehen** to
go down in the annals [of history]
an·nehm·bar I. adj ❶ (akzeptabel) acceptable ❷ (nicht übel) reasonable **II.** adv reasonably
an|neh·men irreg **I.** vt ❶ (entgegenneh-
men) to accept (**von** from) ❷ ÖKON (in Auftrag nehmen) to take [on] ❸ (akzeptieren)
to accept ❹ (meinen) ■**etw [von jdm] ~**
to think sth [of sb] ❺ (voraussetzen) to assume ❻ (sich zulegen) to adopt ❼ (zulassen) Patienten, Schüler to take on ❽ (sich
entwickeln) **der Konflikt nimmt immer
schlimmere Ausmaße an** the conflict is
taking a turn for the worse ❾ (adoptieren)
to adopt **II.** vr ❶ (sich kümmern) ■**sich
jds** gen **~** to look after sb ❷ (erledigen)
■**sich einer S.** gen **~** to take care of sth
An·nehm·lich·keit <-, -en> f meist pl
❶ (Bequemlichkeit) convenience ❷ (Vorteil) advantage
an·nek·tie·ren* [anɛk'tiːrən] vt to annex
An·no adv, **an·no** ['ano] adv ÖSTERR (im
Jahre) in the year ▶**von ~ dazumal** (fam)
from the year dot BRIT, from long ago AM
An·non·ce <-, -n> [a'nõ:sə] f MEDIA advertisement, ad[vert] fam
an·non·cie·ren* [anõ'si:rən] **I.** vi to advertise **II.** vt (geh) to announce
an·nul·lie·ren* [anʊ'liːrən] vt JUR to annul
An·nul·lie·rung <-, -en> f JUR annulment
Ano·de <-, -n> [a'no:də] f PHYS anode
an|ö·den ['an'øːdn̩] vt (fam) ■**etw/jd
ödet jdn an** sth/sb bores sb silly
ano·mal [ano'ma:l] adj abnormal
Ano·ma·lie <-, -n> [anoma'li:, pl -'li:ən] f
❶ (Missbildung) abnormality ❷ (Unregelmäßigkeit) anomaly
ano·nym [ano'ny:m] **I.** adj anonymous;
~ bleiben to remain anonymous **II.** adv
anonymously
ano·ny·mi·sie·ren* [anonymi'zi:rən] vt

to make sth anonymous
Ano·ny·mi·tät <-> [anonymi'tɛ:t] f kein pl
anonymity
Ano·rak <-s, -s> ['anorak] m anorak
an|ord·nen vt ❶ (festsetzen) to order
❷ (ordnen) to arrange (**nach** according to)
An·ord·nung <-, -en> f ❶ (Verfügung) order; **auf ~ seines Arztes** on [his] doctor's
orders ❷ (systematische Ordnung) order
an·or·ga·nisch ['an'ɔrga:nɪʃ] adj CHEM inorganic
anor·mal ['anɔrma:l] adj (fam) s. **anomal**
abnormal
an|pa·cken I. vt (fam) ❶ (anfassen) to
touch ❷ (beginnen) to tackle; **packen
wir's an!** let's get started! **II.** vi (fam)
❶ (anfassen) to take hold of ❷ (mithelfen)
■**jd packt [mit]** sb lends a hand
an|pas·sen I. vt ❶ (adaptieren) to adapt
(**an** to) ❷ (entsprechend verändern)
■**etw einer S.** dat **~** to adjust sth to sth
II. vr ❶ (sich darauf einstellen) ■**sich ~** to
adjust ❷ (sich angleichen) ■**sich jdm/
einer S. ~** to fit in with sb/sth; (gesellschaftlich) to conform to sth
An·pas·sung <-, selten -en> f ❶ (Abstimmung) adaptation (**an** to); **mangelnde ~**
maladaptation ❷ (Erhöhung) adjustment
❸ (Angleichung) conformity no art (**an** to)
an·pas·sungs·fä·hig adj adaptable **An·
pas·sungs·fä·hig·keit** f adaptability (**an**
to) **An·pas·sungs·schwie·rig·kei·ten**
pl difficulties in adapting
an|pei·len vt ❶ TELEK to take a bearing on
❷ (fam: ansteuern wollen) to head for
❸ (fam: anvisieren) to set one's sights on
an|pfei·fen irreg vi, vt to blow the whistle
An·pfiff m ❶ SPORT **~ [des Spiels]** whistle
[to start the game]; FBALL a. kick-off ❷ (fam:
Rüffel) ticking-off BRIT, chewing-out AM
an|pflan·zen vt (setzen) to plant;
(anbauen) to grow
an|pflau·men vt (fam) ■**jdn ~** to make
fun of sb
an|pir·schen vr ❶ (sich vorsichtig nähern)
■**sich [an ein Tier] ~** to stalk [an animal]
❷ (fam: sich anschleichen) ■**sich an
jdn ~** to creep up on sb
an|pö·beln vt (fam) ■**jdn ~** to get snotty
with sb
an|pran·gern ['anpraŋɐn] vt to denounce
an|prei·sen vt irreg to extol
An·pro·be f fitting
an|pro·bie·ren* vt, vi to try on sep
an|pum·pen vt (fam) ■**jdn [um etw
akk] ~** to cadge [sth] from sb
an|quat·schen vt (fam) to speak to;
(anbaggern) to chat up sep [or AM hit on]

An·rai·ner·staat *m* neighbouring country; **die ~en Deutschlands** the countries bordering on Germany

an|rech·nen *vt* ❶ (*gutschreiben*) to take sth into consideration; **die 2000 Euro werden auf die Gesamtsumme angerechnet** the 2000 euros will be deducted from the total ❷ (*in Rechnung stellen*) ▪**jdm etw ~** to charge sb with sth ❸ (*bewerten*) ▪**jdm etw als Fehler ~** to count sth as a mistake; (*fig*) to consider sth as a fault on sb's part; **dass er ihr geholfen hat, rechne ich ihm hoch an** I think very highly of him for having helped her

An·recht *nt* ▪**das/ein ~ auf etw** *akk* **haben** to have the/a right to sth

An·re·de *f* form of address

an|re·den **I.** *vt* **jdn ~** to address sb **II.** *vi* ▪**gegen jdn ~** to argue against sb

an|re·gen **I.** *vt* ❶ (*ermuntern*) ▪**jdn** [**zu etw** *dat*] **~** to encourage sb [to do sth]; **jdn zum Nachdenken ~** to make sb ponder ❷ (*geh: vorschlagen*) to suggest ❸ (*stimulieren*) to stimulate; **den Appetit ~** to stimulate the appetite **II.** *vi* (*beleben*) to be a stimulant

an·re·gend *adj* ❶ (*stimulierend*) stimulating ❷ (*sexuell stimulierend*) sexually arousing

An·re·gung *f* ❶ (*Vorschlag*) idea; **auf jds ~** at sb's suggestion ❷ (*Impuls*) stimulus ❸ *kein pl* (*Stimulierung*) stimulation

an|rei·chern ['anraiçɐn] *vt* ❶ (*gehaltvoller machen*) to enrich ❷ CHEM ▪**etw ~** to add sth (**mit** to)

An·rei·se *f* ❶ (*Anfahrt*) journey [here/there] ❷ (*Ankunft*) arrival

an|rei·sen *vi sein* ❶ (*ein Ziel anfahren*) to travel [here/there] ❷ (*eintreffen*) to arrive

An·reiz *m* incentive

an|rem·peln *vt* to bump into

an|ren·nen *vi irreg sein* ▪**gegen etw** *akk* **~** to storm sth

An·rich·te <-, -n> *f* ❶ (*Büfett*) sideboard ❷ (*Raum*) pantry

an|rich·ten *vt* ❶ (*zubereiten*) to prepare ❷ (*geh*) ▪**es ist angerichtet** dinner etc. is served ❸ (*fam: anstellen*) **Unfug ~** to get up to mischief; **was hast du da wieder angerichtet!** what have you done now! ❹ *Schaden, Unheil* to cause

an·rü·chig ['anrʏçɪç] *adj* indecent

an|rü·cken **I.** *vi sein* ❶ (*herbeikommen*) to be coming up; *Feuerwehr, Polizei* to be on the scene ❷ MIL (*im Anmarsch sein*) ▪**gegen jdn/etw**) **~** to advance [against sb/sth] ❸ (*hum fam: zum Vorschein kommen*) to turn up, to materialize *hum;*

▪**etw ~ lassen** to bring sth along *hum* ❹ (*weiter heranrücken*) ▪**an jdn ~** to move closer [to sb] **II.** *vt haben* (*heranrücken*) ▪**etw an etw** *akk* **~** to move sth closer [to sth]

An·ruf *m* (*Telefonanruf*) [telephone] call

An·ruf·be·ant·wor·ter <-s, -> *m* answering machine, BRIT *also* answerphone

an|ru·fen *irreg vt,* ❶ (*telefonisch kontaktieren*) to call [on the telephone], to phone; ▪**angerufen werden** to get a telephone call ❷ JUR (*appellieren*) to appeal to ❸ (*beschwören*) to call on

An·ru·fer(in) <-s, -> *m(f)* caller

an|rüh·ren *vt* ❶ *verneint* (*konsumieren*) ▪**etw nicht ~** to not touch sth ❷ (*geh: berühren*) to touch; **rühr mich ja nicht an!** don't you touch me! ❸ (*ansprechen*) to touch on ❹ (*durch Rühren zubereiten*) to mix; *Soße* to blend

ans [ans] = **an das** *s.* **an**

An·sa·ge *f* announcement

an|sa·gen **I.** *vt* ❶ (*ankündigen*) to announce ❷ (*fam: erforderlich sein*) ▪**angesagt sein** to be called for; (*in Mode sein*) to be in **II.** *vr* ▪**sich ~** to announce a visit **III.** *vi* (*eine Ansage machen*) to do the announcements

An·sa·ger(in) <-s, -> ['anza:gɐ] *m(f)* ❶ (*Sprecher*) announcer ❷ (*Conférencier*) host BRIT, emcee AM

an|sam·meln **I.** *vt* ❶ (*anhäufen*) to accumulate; *Vorräte* to build up ❷ FIN (*akkumulieren*) *Zinsen* to accrue ❸ MIL **Truppen ~** to concentrate troops **II.** *vr* ▪**sich ~** ❶ (*sich versammeln*) to gather ❷ (*sich anhäufen*) *Staub* to collect; *Krimskrams, Müll* to accumulate ❸ (*sich aufstauen*) to build up

An·samm·lung *f* ❶ (*Haufen*) crowd ❷ (*Aufhäufung*) accumulation ❸ (*Aufstauung*) build-up

an·säs·sig ['anzɛsɪç] *adj* (*geh*) resident; **in einer Stadt ~ sein** to be resident in a town

An·satz *m* ❶ (*Basis*) base; *von Haar* hairline; **im ~** basically ❷ (*erster Versuch*) ▪**der/ein ~ zu etw** *dat* the/an [initial] attempt at sth ❸ (*Ausgangspunkt*) first sign[s *pl*]

An·satz·punkt *m* starting point

an·satz·wei·se *adv* basically; **~ richtig sein** to be basically correct

an|sau·fen *vr irreg* ▪**sich** *dat* **einen** [**Rausch**] **~** (*sl*) to get plastered [*or* BRIT pissed] [*or* AM hammered]

an|schaf·fen **I.** *vt* ❶ (*kaufen*) to buy sth; ▪**sich** *dat* **etw ~** to buy oneself sth ❷ (*fam: zulegen*) **Kinder ~** to have children; [**sich** *dat*] **eine Freundin** ~ to find [oneself] a girlfriend **II.** *vi* (*sl*) ~ [**gehen**] to be on the game BRIT, to hook AM *pej fam*

An·schaf·fung <-, -en> *f* purchase; **eine ~ machen** to make a purchase

an|schal·ten *vt* to switch on

an|schau·en I. *vt* to look at; *Film* to watch **II.** *vr* **sich** *dat* **etw** [**genauer**] ~ to take a [closer] look at sth

an·schau·lich I. *adj* illustrative; [**jdm**] **etw** ~ **machen** to illustrate sth [to sb] **II.** *adv* vividly

An·schau·lich·keit <-> *f kein pl* vividness; *einer Beschreibung* graphicness

An·schau·ung <-, -en> *f* view; **eine ~ teilen** to share a view

An·schau·ungs·ma·te·ri·al *nt* visual aids *pl*

An·schein *m* appearance; **den ~ erwecken, als** [**ob**] ... to give the impression that ...; **den ~ haben, als** [**ob**] ... to seem that ...; **allem ~ nach** to all appearances

an·schei·nend *adv* apparently

an|schei·ßen *vt irreg* (*sl*) ❶ (*zurechtweisen*) to give a dressing down [*or* BRIT *also* bollocking] ❷ (*betrügen*) to screw

an|schi·cken *vr* (*geh*) ▪ **sich ~, etw zu tun** to prepare to do sth

an|schie·ben *vt irreg Fahrzeug* to push

an|schie·ßen *irreg* **I.** *vt* (*durch Schuss verletzen*) to shoot and wound **II.** *vi* ▪ **angeschossen kommen** to come shooting along

an|schir·ren *vt ein Pferd* to harness

An·schiss^RR <-es, -e> *m,* **An·schiß**^ALT <-sses, -sse> *m* (*sl*) dressing down, BRIT *also* bollocking

An·schlag *m* ❶ (*Überfall*) assassination; (*ohne Erfolg*) attempted assassination; ▪ **einen ~ auf verüben** to make an attack; **einem ~ zum Opfer fallen** to be assassinated; **einen ~ auf jdn vorhaben** (*hum fam*) to have a request for sb ❷ *am Klavier* touch, action; *an der Schreibmaschine* stroke; **200 Anschläge die Minute** ≈ 40 words a minute ❸ (*Plakat*) placard ❹ (*Widerstand*) **etw bis zum ~ durchdrücken** to push sth right down; **er trat das Gaspedal durch bis zum ~** he floored it *fam*

An·schlag·brett *nt* notice [*or* AM bulletin] board

an|schla·gen *irreg* **I.** *vt haben* ❶ *Aushang, Plakat* to put up ❷ MUS *Taste, Akkord* to strike ❸ (*beschädigen: Splitter abschlagen*) to chip; (*einen Sprung, Riss verursachen*) to crack ❹ ÖSTERR (*anzapfen*) **ein Fass ~** to tap a barrel **II.** *vi* ❶ *sein* (*anprallen*) ▪ **mit etw** *dat* **~** to knock sth (**an** on)

❷ *haben Hund* to bark ❸ *haben* (*wirken*) to have an effect

an|schlei·chen *vr irreg* ▪ **sich an jdn/etw ~** to creep up on sb/up to sth

an|schlep·pen *vt* ❶ (*mitbringen*) to drag along ❷ *Fahrzeug* to tow-start

an|schlie·ßen *irreg* **I.** *vt* ❶ TECH to connect (**an** to) ❷ (*mit Schnappschloss befestigen*) to padlock ❸ (*hinzufügen*) to add ❹ (*anketten*) to chain; **jdn an Händen und Füßen ~** to chain sb hand and foot **II.** *vr* ❶ (*sich zugesellen*) ▪ **sich jdm ~** to join sb ❷ (*beipflichten*) ▪ **sich jdm/einer S.** *dat* ~ to fall in with sb/sth; **dem schließe ich mich an** I think I'd go along with that ❸ (*sich beteiligen*) ▪ **sich einer S.** *dat* ~ to associate with sth ❹ (*angrenzen*) to adjoin; **sich unmittelbar ~** to directly adjoin

an|schlie·ßend I. *adj* (*darauf folgend*) following; **die ~e Diskussion** the ensuing discussion **II.** *adv* afterwards

An·schluss^RR <-es, Anschlüsse> *m,* **An·schluß**^ALT <-ssses, Anschlüsse> *m* ❶ TELEK connection; (*weiterer ~*) extension; **der ~ ist gestört** there's a disturbance on the line; „**kein ~ unter dieser Nummer**" "the number you are trying to call is not available" ❷ TECH (*das Anschließen*) connecting ❸ (*anschließend*) **im ~ an etw** *akk* after sth ❹ *kein pl* (*Kontakt*) contact; **~ finden** to make friends; **~ suchen** to want to make friends ❺ BAHN, LUFT (*Verbindung*) connection; **~** [**nach London/München**] **haben** to have a connection [to London/Munich]; **den ~ verpassen** to miss one's connecting train/flight; (*fig*) to miss the boat

an|schmie·gen *vr* ▪ **sich** [**an jdn/etw**] **~** to cuddle up [to sb/sth]; *Katze, Hund* to nestle [up to sb/into sth]

an·schmieg·sam *adj* ❶ (*anlehnungsbedürftig*) affectionate ❷ (*weich*) soft

an|schnal·len *vt* ❶ AUTO, LUFT (*den Sicherheitsgurt anlegen*) ▪ **sich ~** to fasten one's seat belt ❷ (*sich etw festschnallen*) to strap on

An·schnall·pflicht *f* obligatory wearing of seat belts

an|schnau·zen *vt* (*fam*) to bawl at

an|schnei·den *vt irreg* ❶ *Brot, Fleisch* to cut ❷ *Thema* to touch on

An·scho·vis <-, -> [anˈʃoːvɪs] *f s.* **Anchovis**

an|schrau·ben *vt* to screw (**an** to)

an|schrei·ben *irreg* **I.** *vt* ❶ (*an eine Tafel*) to write (**an** on) ❷ (*an eine Person*) ▪ **jdn ~** to write to sb **II.** *vi* (*fam*) ▪ **~ lassen** to buy on credit [*or* BRIT *also* tab]

an|schrei·en vt irreg to shout at

An·schrift f address

an|schul·di·gen vt ▪jdn [einer S. gen] ~ to accuse sb [of sth]

An·schul·di·gung <-, -en> f accusation

an|schwär·zen vt (fam) ▪jdn ~ ❶ (schlechtmachen) to blacken sb's name ❷ (denunzieren) to run sb down

an|schwei·gen vt irreg to say nothing; ▪sich ~ to say nothing to each other

an|schwel·len vi irreg sein ❶ (eine Schwellung bilden) to swell [up]; ▪angeschwollen sein to be swollen ❷ (Fluss) to swell, to rise ❸ (lauter werden) to rise

An·schwel·lung f ❶ MED slight swelling ❷ (zunehmende Lautstärke) Beifall roar ❸ (zunehmend mehr Wasser) Fluss rising levels

an|schwem·men vt, vi to wash up

an|schwin·deln vt (fam) to tell fibs

an|se·hen irreg vt ❶ (ins Gesicht sehen) to look at; **jdn böse ~** to give sb an angry look ❷ (betrachten) to take a look at; **etw genauer ~** to take a closer look at sth; **hübsch anzusehen sein** to be pretty to look at; Film to watch; Theaterstück, Fußballspiel to see ❸ (halten) ▪etw für etw akk ~ to consider sth [as being] sth ❹ (ablesen können) **jdm sein Alter nicht ~** sb doesn't look his/her age; **ihre Erleichterung war ihr deutlich anzusehen** her relief was obvious ❺ (hinnehmen) ▪etw [mit] ~ to stand by and watch sth; **das kann ich nicht länger mit ~** I can't stand it any more ▸ **sieh mal einer an!** (fam) well, well, what a surprise! fam, BRIT also well I never!

An·se·hen <-s> nt kein pl reputation; [bei jdm] [ein großes] ~ **genießen** to enjoy a [good] reputation [with sb]; **an ~ verlieren** to lose standing

an·sehn·lich adj ❶ (beträchtlich) considerable; **eine ~e Leistung** an impressive performance ❷ (stattlich) good-looking

an|sei·len vt to fasten with a rope; ▪sich ~ to fasten a rope to oneself; ▪angeseilt sein to be roped together

an|sen·gen I. vt haben to singe II. vi sein to be[come] singed

an|set·zen I. vt ❶ (anfügen) to attach (an to) ❷ (daran setzen) to place in position; Trinkgefäß to raise to one's lips; **wo muss ich den Wagenheber ~?** where should I put the jack? ❸ (veranschlagen) to estimate ❹ (auf jdn hetzen) ▪jdn auf jdn/ etw ~ to put sb on[to] sb/sth; **Hunde auf jdn ~** to put dogs on sb's trail II. vi ❶ (beginnen) to start; **zum Überholen ~** to start to overtake ❷ (dick werden) to put on weight

An·sicht <-, -en> f ❶ (Meinung) view, opinion; **in etw** dat **geteilter ~ sein** to have a different view of sth; **ich bin ganz Ihrer ~** I agree with you completely; **der gleichen ~ sein** to be of the same opinion; **der ~ sein, dass ...** to be of the opinion that ...; **meiner ~ nach** in my opinion ❷ (Abbildung) view; **zur ~** for inspection

An·sichts·kar·te f [picture] postcard **An·sichts·sa·che** f [reine] ~ **sein** to be [purely] a matter of opinion; ▪**das ist ~!** (fam) that's a matter of opinion!

an|sie·deln I. vt ❶ (ansässig machen) to settle; Tierart to introduce ❷ (etablieren) to establish II. vr ▪sich ~ ❶ (sich niederlassen) to settle ❷ BIOL (entstehen) to establish itself/themselves

An·sied·lung f ❶ (Siedlung) settlement ❷ (das Ansiedeln) introduction ❸ (Etablierung) establishment

An·sitz m JAGD raised hide [or AM blind]

an·sons·ten [an'zɔnstn̩] adv ❶ (im Übrigen) otherwise ❷ (iron: sonst) ~ **hast du nichts zu kritisieren?** anything else to criticize?; **aber ~ geht's dir gut?** you're not serious! ❸ (im anderen Fall) otherwise; (bedrohlicher) else

an|span·nen vt ❶ (zusammenziehen) to tighten; Muskeln to tense ❷ (überanstrengen) to strain; **jdn [zu sehr] ~** to [over]tax sb ❸ (mit Zugtieren bespannen) to hitch; Pferd to harness; Ochsen to yoke [up]

An·span·nung f strain; (körperlich) effort

An·spiel <-s> nt kein pl ❶ (Spielbeginn: Schach) first move; SPORT start of play ❷ SPORT pass

an|spie·len I. vi ❶ (etw andeuten) to allude (auf to); (böse) to insinuate; **worauf willst du ~?** what are you driving at? II. vt SPORT to pass the ball to

An·spie·lung <-, -en> f allusion (auf to); (böse) insinuation

an|spit·zen vt ❶ (spitz machen) to sharpen ❷ (fam: antreiben) to egg on

An·sporn <-[e]s> m kein pl incentive; **innerer ~** motivation

an|spor·nen vt to spur on (zu to); Spieler to cheer on

An·spra·che f speech; **eine ~ halten** to make a speech

an·sprech·bar adj präd ❶ (zur Verfügung stehend) available ❷ (bei Bewusstsein) responsive ❸ (zugänglich sein) ▪auf etw akk ~ **sein** to respond to sth; **sie ist heute nicht ~** you can't talk to her at all today

an|spre·chen irreg I. vt ❶ (anreden) to

speak to **❷** (*mit Namen nennen*) **jdn** [**mit Peter/seinem Namen**] ~ to address sb [as Peter/by his name] **❸** (*meinen*) to concern; **damit sind wir alle angesprochen** this concerns us all **❹** (*erwähnen*) to mention **❺** (*gefallen*) ■**jdn** ~ to appeal to sb **II.** *vi* **❶** (*reagieren*) to respond (**auf** to) **❷** (*Anklang finden*) to appeal to sb

an·spre·chend *adj* appealing; *Umgebung* pleasant

An·sprech·part·ner(in) *m(f)* contact

an|sprin·gen *irreg* **I.** *vi sein* **❶** *Motor* to start **❷** (*fam: reagieren*) ■**auf etw** *akk* ~ to jump at sth **II.** *vt haben* to jump on; *Raubtiere* to pounce on; *Hund* to jump up at

An·spruch *m* **❶** JUR (*Recht*) claim; **einen** ~ **auf etw** *akk* **erheben** to make a claim for sth; **einen** ~ **auf etw** *akk* **haben** to be entitled to sth **❷** *pl* (*Anforderungen*) demands (**an** on); **den Ansprüchen** [**voll/ nicht**] **gerecht werden** to [fully/not] meet the requirements; **Ansprüche stellen** to be exacting; **hohe Ansprüche** [**an jdn/ etw**] **stellen** to place great demands on sb/sth; **etw** [**für sich**] **in** ~ **nehmen** to claim sth [for oneself]; **jds Hilfe in** ~ **nehmen** to enlist sb's help; **jdn in** ~ **nehmen** to preoccupy sb; **sehr in** ~ **genommen** to be very busy **❸** *pl* (*Wünsche*) requirements

an·spruchs·los *adj* **❶** (*keine Ansprüche habend*) modest **❷** (*trivial*) trivial **❸** (*pflegeleicht*) undemanding **An·spruchs·lo·sig·keit** <-> *f kein pl* **❶** (*anspruchsloses Wesen*) modesty **❷** (*Trivialität*) triviality **❸** (*Pflegeleichtigkeit*) undemanding nature **an·spruchs·voll** *adj* **❶** (*besondere Anforderungen habend*) demanding; **sehr** ~ fastidious **❷** (*geistige Ansprüche stellend*) demanding; *Geschmack, Lesestoff, Film a.* highbrow **❸** (*qualitativ hochwertig*) high-quality

an|spu·cken *vt* to spit at

an|sta·cheln *vt* ■**jdn** ~ to drive sb (**zu** to)

An·stalt <-, -en> ['anʃtalt] *f* **❶** MED institute **❷** SCH (*geh*) institution **❸** (*öffentliche Einrichtung*) institute; **öffentliche** ~ public institution

An·stand *m kein pl* decency; **keinen** ~ **haben** to have no sense of decency; ~ **an etw** *dat* **nehmen** to object to sth; **ohne** ~ (*geh*) without objection

an·stän·dig **I.** *adj* **❶** (*gesittet*) decent **❷** (*ehrbar*) respectable **❸** (*fam: ordentlich*) proper **II.** *adv* **❶** (*gesittet*) decently; **sich** ~ [**er**] **benehmen** to behave oneself; ~ **sitzen** to sit up straight **❷** (*fam: ausgiebig*) properly; ~ **ausschlafen/essen** to get a

decent meal/a good night's sleep

an·stän·di·ger·wei·se *adv* out of decency

An·stän·dig·keit <-> *f kein pl* **❶** (*Ehrbarkeit*) respectability **❷** (*Sittsamkeit*) decency

An·stands·be·such *m* duty call **An·stands·da·me** *f* (*veraltet*) chaperon[e]

an·stands·hal·ber *adv* out of politeness

an·stands·los *adv* without difficulty

an|star·ren *vt* to stare at; **was starrst du mich so an?** what are you staring at?

an·statt [an'ʃtat] **I.** *präp* instead of **II.** *konj* ■~ **etw** *akk* **zu tun** instead of doing sth

an|stau·en I. *vt* to dam up **II.** *vr* ■**sich** ~ to bank; *Blut* to congest

an|ste·chen *vt irreg* **❶** KOCHK to prick **❷** (*durch Hineinstechen öffnen*) to lance **❸** (*in etw stechen*) to puncture **❹** *Fass* to tap

an|ste·cken I. *vt* **❶** (*befestigen*) to pin on **❷** *Fingerring* to put on **❸** *Zigarette* to light [up] **❹** (*in Brand stecken*) to set on fire **❺** (*infizieren*) to infect (**mit** with); **ich möchte dich nicht** ~ I don't want to give it to you **II.** *vr* (*sich infizieren*) ■**sich** [**bei jdm**] ~ to catch sth [from sb] **III.** *vi* **❶** (*infektiös sein*) to be infectious; **sich leicht/ schnell** ~ to catch illnesses easily **❷** (*fig: sich übertragen*) to be contagious

an·ste·ckend *adj* **❶** MED infectious; (*durch Berührung*) contagious **❷** (*fig: sich leicht übertragend*) contagious

An·steck·na·del *f* pin

An·ste·ckung <-, selten -en> *f* infection; (*durch Berührung*) contagion

An·ste·ckungs·ge·fahr *f* risk of infection

an|ste·hen *vi irreg haben o* SÜDD *sein* **❶** (*Schlange stehen*) to queue [*or* AM line] [up] (**nach** for) **❷** (*zu erledigen sein*) **steht bei dir heute etwas an?** are you planning on doing anything today; ~**de Fragen** questions on the agenda

an|stei·gen *vi irreg sein* **❶** (*sich erhöhen*) to go up (**auf** to, **um** by); ■~**d** increasing **❷** (*steiler werden*) to ascend; **stark/steil** ~ to ascend steeply; ■~**d** ascending *attr*

an·stel·le [an'ʃtɛlə] *präp* instead of

an|stel·len I. *vt* **❶** (*einschalten*) to turn on **❷** (*beschäftigen*) to employ **❸** (*geh: durchführen*) **Betrachtungen/Vermutungen** [**über etw** *akk*] ~ to make observations [on sth]/assumptions [about sth]; **Nachforschungen** [**über etw** *akk*] ~ to conduct enquiries [into sth] **❹** (*fam: bewerkstelligen*) to manage; **etw geschickt** ~ to bring sth off **❺** (*fam: anrichten*) **Blödsinn** ~ to get up to nonsense; **was hast du da wieder angestellt?** what have you done now?

fam; **dass ihr mir ja nichts anstellt!** see to it that you don't get up to anything! **II.** *vr* ■**sich ~** ❶ *(Schlange stehen)* to queue [up] BRIT, to line up AM; **sich hinten ~** to join the back of the queue [*or* AM line[-up]] ❷ *(fam: sich verhalten)* to act; **sich dumm ~** to act as if one is stupid ❸ *(wehleidig sein)* to make a fuss; **stell dich nicht** [**so**] **an!** don't go making a fuss!

An·stel·lung *f* post

An·stich *m* tapping

An·stieg <-[e]s, -e> ['anʃtiːk] *m* ❶ *(Aufstieg)* ascent ❷ *kein pl (Steigung)* incline ❸ *kein pl (das Ansteigen)* rise

an|stif·ten *vt* ❶ *(anzetteln)* to instigate ❷ *(veranlassen)* **jdn zu einem Verbrechen ~** to incite sb to commit a crime; ■**jdn** [**dazu**] **~, etw zu tun** to incite sb to do sth

An·stif·ter(in) *m(f)* instigator (**zu** of)

An·stif·tung *f* **~ eines Verbrechens** instigation of a crime; ■**~ einer Person** incitement of a person

an|stim·men I. *vt* ❶ *Lied* to begin singing ❷ *(zu spielen anfangen)* to start playing ❸ *(erheben)* **ein Geschrei ~** to start screaming; **Gelächter ~** to burst out laughing **II.** *vi (den Grundton angeben)* to give the keynote

An·stoß *m* ❶ *(Ansporn)* impetus (**zu** for); **den ~ zu etw** *dat* **bekommen** to be encouraged to do sth; **jdm den ~ geben, etw zu tun** to encourage sb to do sth ❷ *(geh: Ärgernis)* annoyance; **~ erregen** to cause annoyance; **an etw** *dat* **~ nehmen** to take offence ❸ SPORT *(Spielbeginn)* start of the game; *(Billard)* break; *(Fußball)* kick off; *(Eishockey)* face-off ❹ SCHWEIZ *(Angrenzung)* ■**~ an etw** *akk* border to sth

an|sto·ßen *irreg* **I.** *vi* ❶ *sein (gegen etw stoßen)* **mit dem Kopf an etw** *akk o dat* **~** to bump one's head on sth ❷ *haben (einen Toast ausbringen)* to drink (**auf** to); **lasst uns ~!** let's drink to it/that! **II.** *vt haben* ❶ *(leicht stoßen)* to bump ❷ *(in Gang setzen)* to set in motion **III.** *vr haben* **sich** *dat* **den Kopf/Arm ~** to knock one's head/arm

an·stö·ßig I. *adj* offensive; **ein ~er Witz** an offensive [*or* BRIT *also* a blue] joke **II.** *adv* offensively

An·stö·ßig·keit <-, -en> *f* offensiveness *no pl,* indecency *no pl*

an|strah·len *vt* ❶ *(mit Scheinwerfer anleuchten) Gebäude* to floodlight; *Menschen, Szene* to train a spotlight on ❷ *(strahlend ansehen)* to beam at

an|stre·ben *vt* to strive for

an|strei·chen *vt irreg* ❶ *(mit Farbe bestreichen)* to paint; **etw neu/frisch ~** to give sth a new/fresh coat of paint ❷ *(markieren)* to mark sth; **etw rot ~** to mark sth in red

An·strei·cher(in) <-s, -> *m(f)* [house] painter

an|stren·gen I. *vr* ■**sich ~** ❶ *(sich intensiv einsetzen)* to exert oneself (**bei** in, **für** for); **sich mehr ~** to make a greater effort ❷ *(sich besondere Mühe geben)* to try hard **II.** *vt* ❶ *(strapazieren)* ■**jdn ~** to tire sb out ❷ *(intensiv beanspruchen)* to strain; *Geist, Muskeln* to exert

an·stren·gend *adj* strenuous; *(geistig)* taxing; *(körperlich)* exhausting; **das ist ~ für die Augen** it's a strain on the eyes

An·stren·gung <-, -en> *f* ❶ *(Kraftaufwand)* exertion *no pl* ❷ *(Bemühung)* effort; **mit letzter ~** with one last effort

An·strich *m* ❶ *kein pl (das Anstreichen)* painting ❷ *(Farbüberzug)* coat [of paint]

An·sturm *m* ❶ *(Andrang)* rush (**auf** on) ❷ MIL onslaught ❸ *(geh: das Aufwallen)* surge

An·ta·go·nist(in) <-en, -en> *m(f)* antagonist

Ant·ark·tis <-> [ant'ʔarktɪs] *f* Antarctic

ant·ark·tisch [ant'ʔarktɪʃ] *adj* Antarctic *attr*

an|tas·ten *vt* ❶ *(beeinträchtigen)* **jds Ehre/Würde ~** to offend against sb's honour/dignity; **jds Privileg/Recht ~** to encroach [up]on sb's privilege/right ❷ *(anbrechen)* to use; **Vorräte ~** to break into supplies ❸ *(leicht berühren)* to touch

An·teil ['antail] *m* ❶ *(Teil)* share (**an** of); **~ an einem Werk** contribution to a work; **der ~ an Asbest** the proportion of asbestos ❷ *(geh: Mitgefühl)* sympathy (**an** for) ❸ *(Beteiligung)* interest (**an** in); **~ an etw** *dat* **haben** to take part in sth; **~ an etw** *dat* **nehmen** to show an interest in sth

an·tei·lig, an·teil·mä·ßig *adj* proportionate

An·teil·nah·me <-> ['antailnaːmə] *f kein pl (Beileid)* sympathy (**an** with)

An·ten·ne <-, -n> [an'tɛnə] *f* aerial

An·tho·lo·gie <-, -n> [antolo'giː, *pl* -'giːən] *f* anthology

An·thra·zit <-s, *selten* -e> [antra'tsiːt] *m* anthracite

An·thro·po·lo·ge, An·thro·po·lo·gin <-n, -n> [antropo'loːgə, -'loːgɪn] *m, f* anthropologist

An·thro·po·lo·gie <-> [antropolo'giː] *f kein pl* anthropology

An·ti·al·ko·ho·li·ker(in) [anti?al·ko'ho:likɐ] *m(f)* teetotaller **an·ti·al·ko·ho·lisch** *adj* anti-alcohol *attr* **an·ti·ame·ri·ka·nisch** *adj* anti-American **an·ti·au·to·ri·tär** [anti?autori'tɛ:ɐ̯] *adj* anti[-]authoritarian **An·ti·ba·by·pil·le** [anti'be:bipɪlə] *f (fam)* the pill **an·ti·bak·te·ri·ell** I. *adj* antibacterial II. *adv* antibacterially; **~ wirken** to work as an antibacterial agent

An·ti·bi·o·ti·kum <-s, -biotika> [anti'bi̯o:tikʊm, *pl* -ka] *nt* antibiotic

An·ti·blo·ckier·sys·tem [antiblɔ'ki:ɐ̯-] *nt* anti-lock [braking] system, ABS **An·ti·de·pres·si·vum** <-s, -va> [antidepɛ'si:vʊm, *pl* -va] *nt* antidepressant **An·ti·fal·ten·cre·me** *f* anti-wrinkle cream **An·ti·fa·schis·mus** [antifa'ʃɪsmʊs] *m* antifascism **An·ti·fa·schist(in)** [antifa'ʃɪst] *m(f)* antifascist **an·ti·fa·schis·tisch** *adj* antifascist

An·ti·gen <-s, -e> [anti'ge:n] *nt* BIOL, MED antigen

an·tik [an'ti:k] *adj* ❶ (*als Antiquität anzusehen*) antique ❷ (*aus der Antike stammend*) ancient; **~e Kunst** ancient art forms *pl*

An·ti·ke <-> [an'ti:kə] *f kein pl* antiquity; **der Mensch/die Kunst der ~** man/the art of the ancient world

an·ti·kle·ri·kal [antikleri'ka:l, 'antikleri-ka:l] *adj* anticlerical **An·ti·kör·per** *m* MED antibody **An·ti·kriegs·be·we·gung** ['anti-] *f* POL peace movement

An·ti·lo·pe <-, -n> [anti'lo:pə] *f* antelope **An·ti·pa·thie** <-, -n> [antipa'ti:, *pl* -'ti:ən] *f* antipathy (**gegen** to)

an·tip·pen *vt (kurz berühren)* ▪ **jdn ~** to give sb a tap; ▪ **etw ~** to touch sth

An·ti·qua·ri·at <-[e]s, -e> [antik·va'ri̯a:t] *nt* second-hand bookshop [*or* AM *also* bookstore]

an·ti·qua·risch [anti'kva:rɪʃ] *adj (alt)* antiquarian; (*von modernen Büchern*) second-hand

an·ti·quiert [anti'kvi:rt] *adj (pej)* antiquated, AM *also* horse-and-buggy *attr*

An·ti·qui·tät <-, -en> [antikvi'tɛ:t] *f* antique

An·ti·qui·tä·ten·ge·schäft *nt* antiques shop **An·ti·qui·tä·ten·händ·ler(in)** *m(f)* antiques dealer

An·ti·se·mit(in) [antize'mi:t] *m(f)* anti-Semite; **~[in] sein** to be anti-Semitic **an·ti·se·mi·tisch** [antize'mi:tɪʃ] *adj* anti-Semitic **An·ti·se·mi·tis·mus** <-> [antizemi'tɪsmʊs] *m kein pl* anti-Semitism **An·ti·sep·ti·kum** <-s, -ka> [anti'zɛpti-kʊm, *pl* -ka] *nt* MED antiseptic **an·ti·sep·tisch** [anti'zɛptɪʃ] *adj* antiseptic **an·ti·sta·tisch** [anti'sta:tɪʃ] I. *adj* antistatic II. *adv* **etw ~ behandeln** to treat sth with an antistatic [agent] **An·ti·ter·ror·ein·heit** *f* antiterrorist squad **An·ti·ter·ror·krieg** *m* MIL war on terror **An·ti·vi·ren·pro·gramm** *nt* INFORM anti-virus [program]

an·ti·zi·pie·ren* [antitsi'pi:rən] *vt (geh)* to anticipate

Ant·litz <-es, -e> ['antlɪts] *nt (poet)* countenance

an|tör·nen ['antœrnən] I. *vt (sl)* to give a kick II. *vi (sl)* ▪ **angetörnt sein** to be [on a] high

An·trag <-[e]s, -träge> ['antra:k, *pl* 'antrɛ:gə] *m* ❶ (*Beantragung*) application; **einen ~ stellen** to put in an application (**auf** for); **auf jds ~** at sb's request ❷ (*Formular*) application form (**auf** for) ❸ JUR petition; **einen ~ stellen** to file a petition (**auf** for) ❹ POL (*Vorschlag zur Abstimmung*) motion ❺ (*Heiratsantrag*) [marriage] proposal; **jdm einen ~ machen** to propose [to sb]

an|tra·gen *vt irreg (geh)* ▪ **jdm etw ~** to offer sb sth; ▪ **jdm ~, etw zu tun** to suggest that sb does sth

An·trags·for·mu·lar *nt* application form **An·trag·stel·ler(in)** <-s, -> *m(f) (geh)* applicant **An·trag·stel·lung** <-> *f kein pl* application

an|tref·fen *vt irreg* ❶ (*treffen*) to catch; **jdn beim Putzen ~** to catch sb cleaning ❷ (*vorfinden*) to come across

an|trei·ben *irreg* I. *vt haben* ❶ (*vorwärtstreiben*) to drive [on] ❷ (*drängen*) to urge; (*aufdringlicher*) to push ❸ TECH to drive ❹ (*veranlassen*) ▪ **jdn ~, etw zu tun** to drive sb [on] to do sth II. *vi sein* (*angeschwemmt werden*) to be washed up

an|tre·ten *irreg* I. *vt haben* ❶ (*beginnen*) to begin ❷ (*übernehmen*) to take up; **seine Amtszeit ~** to take office; **ein Erbe ~** to come into an inheritance; **eine Stellung ~** to take up a post ❸ *Motorrad* to kick-start II. *vi sein* ❶ (*sich aufstellen*) to line up; MIL to fall in ❷ (*erscheinen*) to appear ❸ SPORT (*zum Wettkampf erscheinen*) to compete (**zu** in)

An·trieb *m* ❶ AUTO, LUFT drive (+*gen* for) ❷ (*motivierender Impuls*) energy *no indef art;* **aus eigenem ~** (*fig*) on one's own initiative; **jdm [neuen] ~ geben** (*fig*) to give sb the/a new impetus

An·triebs·kraft *f* TECH [driving] power **An·triebs·wel·le** *f* TECH drive shaft

Antwort verweigern	
Antwort verweigern	**refusing to answer**
Sag ich nicht! *(fam)*	Not telling! *(fam)*
Das kann ich dir (leider) nicht sagen.	(I'm afraid) I can't tell you.
Dazu möchte ich nichts sagen.	I don't want to say anything about it.
Ich möchte mich zu dieser Angelegenheit nicht äußern. *(form)*	I don't wish to comment on the matter. *(form)*

an|trin·ken *irreg* **I.** *vt (fam)* **die Flasche ~** to drink a little from the bottle; **eine angetrunkene Flasche** an opened bottle **II.** *vr (fam)* **sich** *dat* **einen [Schwips] ~** to get [oneself] tiddly [*or* AM tipsy] *fam*

An·tritt *m kein pl* ❶ *(Beginn)* start ❷ *(Übernahme)* **nach ~ seines Amtes/ der Erbschaft** after assuming office/coming into the inheritance ❸ SPORT spurt

An·tritts·be·such *m* first courtesy call **An· tritts·re·de** *f* maiden speech

an|tun *vt irreg* ❶ *(zufügen)* ■**jdm etwas/ nichts ~** to do something/not to do anything to sb; **tu mir das nicht an!** *(hum fam)* spare me, please!; **sich** *dat* **etwas ~** *(Selbstmord begehen)* to kill oneself ❷ *(gefallen)* **es jdm angetan haben** to appeal to sb

Ant·wort <-, -en> ['antvɔrt] *f* ❶ *(Beantwortung)* answer **(auf** to); **jdm [eine] ~ geben** to give sb an answer ❷ *(Reaktion)* response **(auf** to); **als ~ auf etw** *akk* in response to sth ►**keine ~ ist auch eine ~** *(prov)* no answer is an answer

ant·wor·ten ['antvɔrtn̩] *vi* ❶ *(als Antwort geben)* to answer, to reply; **ich kann Ihnen darauf leider nichts ~** unfortunately I cannot give you an answer to that; **mit Ja/Nein ~** to answer yes/no; **schriftlich ~** to answer in writing ❷ *(reagieren)* to respond **(mit** with)

Ant·wort·schrei·ben *nt (geh)* reply

an|ver·trau·en* ['anfɛɐ̯trau̯ən] **I.** *vt* ■**jdm etw ~** ❶ *(vertrauensvoll übergeben)* to entrust sb with sth ❷ *(vertrauensvoll erzählen)* to confide sth to sb **II.** *vr* ■**sich jdm** *dat* **~** to confide in sb

an|vi·sie·ren* *vt* ❶ *(ins Visier nehmen)* to sight ❷ *(geh: ins Auge fassen)* to set one's sights on

an|wach·sen *vi irreg sein* ❶ *(festwachsen)* to grow ❷ *(zunehmen)* to increase **(auf** to)

An·walt, An·wäl·tin <-[e]s, -wälte> ['anvalt, 'anvɛltɪn, *pl* 'anvɛltə] *m, f* ❶ *(Rechtsanwalt)* lawyer, solicitor BRIT, attorney AM; **sich** *dat* **einen ~ nehmen** to engage the services of a lawyer ❷ *(geh: Fürsprecher)* advocate

An·walts·bü·ro *nt* ❶ s. **Anwaltskanzlei** ❷ *(Anwaltssozietät)* law firm, BRIT *also* firm of solicitors

An·walt·schaft <-, selten -en> *f* ❶ *(Vertretung eines Klienten)* case; **eine ~ übernehmen** to take on a case ❷ *(Gesamtheit der Anwälte)* legal profession

An·walts·kanz·lei *f* lawyer's [*or* AM law] office, law firm **An·walts·kos·ten** *pl* legal expenses

An·wand·lung *f* mood; **aus einer ~ heraus** on an impulse; **~en bekommen** *(fam)* to go into fits; **in einer ~ von Großzügigkeit** in a fit of generosity

An·wär·ter(in) *m(f)* candidate **(auf** for); SPORT contender **(auf** for)

An·wart·schaft <-, selten -en> *f* candidature **(auf** for)

an|wei·sen *vt irreg* ❶ *(beauftragen)* ■**jdn ~ [, etw zu tun]** to order sb to do sth ❷ *(anleiten)* to instruct

An·wei·sung *f* ❶ *(Anordnung)* order; **~ haben, etw zu tun** to have instructions to do sth; **auf [jds] ~** on [sb's] instruction ❷ *(Anleitung)* instruction ❸ *(Gebrauchsanweisung)* instructions *pl*

an·wend·bar *adj* applicable **(auf** to); **in der Praxis ~** practicable

an|wen·den *vt reg o irreg* ❶ *(gebrauchen)* to use **(bei** on) ❷ *(übertragen)* to apply **(auf** to)

An·wen·der(in) <-s, -> *m(f)* INFORM user

an·wen·der·freund·lich *adj* INFORM user-friendly **an·wen·der·ori·en·tiert** *adj* INFORM user-oriented **An·wen·der· pro·gramm** *nt* INFORM application program **An·wen·der·soft·ware** <-, -s> *f* application software

An·wen·dung *f* ❶ *(Gebrauch)* use; **~ finden** *(geh)* to be used ❷ *(Übertragung)* application **(auf** to) ❸ *(therapeutische Maßnahme)* administration

An·wen·dungs·be·reich *m* area of application

an|wer·ben *vt irreg* to recruit **(für** for)

An·we·sen <-s, -> *nt* (*geh*) estate
an·we·send *adj* present *präd;* ■~ **sein** to
be present (**bei** at); **nicht ganz ~ sein**
(*hum fam*) to be a million miles away
An·we·sen·de(r) *f(m) dekl wie adj* person
present; ■**die ~n** those present
An·we·sen·heit <-> *f kein pl* presence;
von Studenten attendance; **in jds ~** in sb's
presence
an|wi·dern ['anvi:dɐn] *vt* to nauseate;
■**angewidert** nauseated *attr*
An·woh·ner(in) <-s, -> *m(f)* [local] resident
An·woh·ner·park·platz *m* resident parking
An·zahl *f kein pl* number
an|zah·len *vt* ❶ (*als Anzahlung geben*) to
pay a deposit of; **500 Euro waren schon
angezahlt** a deposit of 500 euros has already been paid ❷ (*eine Anzahlung auf
den Preis von etw leisten*) to pay a deposit
on
An·zah·lung *f* ❶ (*angezahlter Betrag*) deposit; **eine ~ machen** to pay a deposit
❷ (*erster Teilbetrag*) first instalment
an|zap·fen *vt* ❶ (*Flüssigkeit durch Zapfen
entnehmen*) to tap ❷ELEK, TELEK (*fam*)
eine Telefonleitung ~ to tap a telephone
line
An·zei·chen *nt* sign; MED symptom
An·zei·ge <-, -n> *f* ❶ (*Strafanzeige*)
charge (**wegen** for); ❷ (*Bekanntgabe bei
Behörde*) notification ❸ (*Inserat*) ad[ver-
tisement] ❹ (*Bekanntgabe*) announcement
❺ (*das Anzeigen*) display ❻TECH (*Instrument*) gauge
an|zei·gen *vt* ❶ (*Strafanzeige erstatten*)
■jdn [wegen etw *gen*] ~ to report sb [for
sth] ❷ (*angeben*) to indicate; (*digital*) to
display; **diese Uhr zeigt auch das Datum
an** this watch also shows the date ❸ (*erkennen lassen*) ■jdm ~, **dass ...** to indicate to sb that ...
An·zei·gen·an·nah·me *f* ❶ (*Stelle für die
~*) advertising sales department ❷ (*Erfas-
sung einer Anzeige*) advertising sales **An·
zei·gen·blatt** *nt* advertiser **An·zei·gen·
teil** *m* advertising section
An·zei·ger[1] *m* advertiser
An·zei·ger(in)[2] *m(f)* (*geh*) informer *also
pej*
An·zei·ge·ta·fel *f* LUFT, BAHN departure and
arrivals board; SPORT scoreboard
an|zet·teln *vt* ❶ (*vom Zaun brechen*)
Blödsinn to be up to mischief; *Schlägerei, Streit* to provoke ❷ (*in Gang setzen*) to
instigate
an|zie·hen *irreg* **I.** *vt* ❶ *Kleidungsstück* to

put on *sep; Person* to dress; ■**sich ~** to get
dressed; **sich leger/schick/warm ~** to
put on casual/smart/warm clothing
❷ (*straffen*) to pull tight ❸ (*festziehen*) to
tighten; **die Bremse ~** to apply the brake
❹ *Arm, Bein* to draw up ❺ (*anlocken*) to
attract; **sich von jdm/etw angezogen
fühlen** to be attracted to sb/sth ❻SCHWEIZ
(*beziehen*) **das Bett frisch ~** to change the
bed **II.** *vi* ❶ (*sich in Bewegung setzen*)
Zugtier to start pulling ❷ (*beschleunigen*)
to accelerate ❸FIN (*ansteigen*) to rise
an·zie·hend *adj* attractive
An·zie·hung *f* ❶ (*verlockender Reiz*) attraction ❷ *kein pl s.* **Anziehungskraft 1**
An·zie·hungs·kraft *f* ❶PHYS (*Gravitation*)
[force of] attraction; **~ der Erde** [force of]
gravitation ❷ (*Verlockung*) appeal; **auf jdn
eine ~ ausüben** to appeal to sb
An·zug[1] *m* ❶ (*Herrenanzug*) suit; **ein ein-
reihiger/zweireihiger ~** a single-/dou-
ble-breasted suit ❷SCHWEIZ (*Bezug*) duvet
cover; **Anzüge fürs Bett** linen *no pl*
An·zug[2] *m kein pl* approach; **im ~ sein** to
be on the way; MIL to be approaching;
Bedrohung, Gefahr to be in the offing
an·züg·lich ['antsy:klɪç] *adj* ❶ (*schlüpfrig*)
insinuating ❷ (*zudringlich*) personal; ■~
werden to get personal
An·züg·lich·keit <-, -en> *f* ❶ *kein pl* sug-
gestiveness *no pl* ❷ *kein pl* (*Zudringlichkeit*) advances *pl* ❸ (*zudringliche Handlung*) pushiness *no pl*
an|zün·den *vt* ❶ *Feuer* to light ❷ *Haus* to
set on fire ❸ *Zigarette* to light
an|zwei·feln *vt* to question
AOL [a:o:'ɛl] INFORM *Abk von* **America
Online** AOL
Aor·ta <-, Aorten> [a'ɔrta] *f* aorta
apart [a'part] *adj* striking
Apart·heid <-> [a'pa:ɐthajt] *f kein pl* POL
(*hist*) apartheid *no pl, no indef art*
Apart·ment <-s, -s> [a'partmənt] *nt* flat
BRIT, apartment AM
Apa·thie <-, -n> [apa'ti:, *pl* -'ti:ən] *f* apathy; MED listlessness
apa·thisch [a'pa:tɪʃ] **I.** *adj* apathetic; MED
listless **II.** *adv* apathetically; MED listlessly
Ape·ri·tif <-s, -s *o* -e> [aperi'ti:f] *m* aperitif
Ap·fel <-s, Äpfel> ['apfl̩, *pl* 'ɛpfl̩] *m* apple
▶**der ~ fällt nicht weit vom Stamm**
(*prov*) like father, like son; **in den sauren
~ beißen** (*fam*) to bite the bullet
Ap·fel·baum *m* apple tree **Ap·fel·ku·
chen** *m* apple pie **Ap·fel·mus** *nt* apple
sauce **Ap·fel·saft** *m* apple juice
Ap·fel·si·ne <-, -n> [apfl̩'zi:nə] *f* (*Frucht*)

A

orange; (*Baum*) orange tree

Ạp·fel·stru·del *m* apple strudel **Ạp·fel·wein** *m* cider

Apho·ris·mus <-, -rismen> [afoˈrɪsmʊs] *m* aphorism

Aphro·di·si·a·kum <-s, -disiaka> [afrodiˈziːakʊm, *pl* -ka] *nt* aphrodisiac

apo·dik·tisch [apoˈdɪktɪʃ] (*geh*) **I.** *adj* apodictic **II.** *adv* apodictically

apo·ka·lyp·tisch [apokaˈlʏptɪʃ] *adj* REL apocalyptic

apo·li·tisch [ˈapoliːtɪʃ] *adj* apolitical

Apos·tel <-s, -> [aˈpɔstl] *m* apostle

Apọs·tel·ge·schich·te *f kein pl* Acts *pl* of the Apostles

Apo·stroph <-s, -e> [apoˈstroːf] *m* apostrophe

Apo·the·ke <-, -n> [apoˈteːkə] *f* pharmacy, BRIT *also* [dispensing] chemist's

apo·the·ken·pflich·tig *adj* available only at the pharmacy [*or* BRIT *also* chemist's]

Apo·the·ker(in) <-s, -> [apoˈteːkɐ] *m(f)* pharmacist, BRIT *also* [dispensing] chemist

App. *Abk von* **Appartement** apartment *esp* AM, flat BRIT

Ap·pa·rat <-[e]s, -e> [apaˈraːt] *m* ❶ TECH apparatus *no pl form;* (*kleineres Gerät*) gadget ❷ (*Telefon*) telephone; **am ~ blei-ben** to hold the line; **am ~!** speaking! ❸ (*sl: großer Gegenstand*) whopper

Ap·pa·ra·tur <-, -en> [aparaˈtuːɐ] *f* [piece of] equipment *no pl*

Ap·par·te·ment <-s, -s> [apartəˈmãː] *nt* ❶ (*Zimmerflucht*) suite [of rooms] ❷ *s.* **Apartment**

Ap·pell <-s, -e> [aˈpɛl] *m* ❶ (*Aufruf*) appeal; **einen ~ an jdn richten** to make an appeal to sb ❷ MIL roll call; **zum ~ antre-ten** to line up for roll call

ap·pel·lie·ren* [apɛˈliːrən] *vi* ❶ (*sich auf-fordernd an jdn wenden*) to appeal ❷ (*etw wachrufen*) **an jds** *dat* **Vernunft ~** to appeal to sb's common sense ❸ SCHWEIZ (*Beru-fung einlegen*) ■ **gegen etw** *akk* ~ to appeal against sth

Ap·pen·zell <-s> [apn̩ˈtsɛl] *nt* Appenzell

Ap·pe·tit <-[e]s> [apeˈtiːt] *m kein pl* (*Lust auf Essen*) appetite; ~ **[auf etw** *akk*] **haben** to feel like [having] [sth]; **[jdm] ~ machen** to whet sb's appetite; **den ~ anregen** to work up an/one's appetite; **jdm den ~ [auf etw** *akk*] **verderben** (*fam*) to spoil sb's appetite; **guten ~!** enjoy your meal!

ap·pe·tit·an·re·gend *adj* ❶ (*appetitlich*) appetizing ❷ (*appetitfördernd*) **ein ~es Mittel** an appetite stimulant **Ap·pe·tit·hap·pen** *m* canapé **ap·pe·tit·hem·**

mend *adj* appetite suppressant

ap·pe·tit·lich I. *adj* ❶ (*Appetit anregend*) appetizing ❷ (*fam: Lust anregend*) tempt-ing **II.** *adv* appetizingly, temptingly

Ap·pe·tit·lo·sig·keit <-> *f kein pl* lack of appetite

Ap·pe·tit·züg·ler <-s, -> *m* appetite sup-pressant

ap·plau·die·ren* [aplaʊˈdiːrən] *vi* (*geh*) to applaud

Ap·plaus <-es, *selten* -e> [aˈplaʊs, *pl* -plaʊzə] *m* (*geh*) applause *no pl;* **stehen-der ~** standing ovation

Ap·po·si·ti·on <-, -en> [apoziˈtsi̯oːn] *f* LING apposition

Ap·rès·Ski <-, -s> [aprɛˈʃiː] *nt* après-ski

Ap·ri·ko·se <-, -n> [apriˈkoːzə] *f* (*Frucht*) apricot; (*Baum*) apricot tree

April <-s, *selten* -e> [aˈprɪl] *m* April; *s. a.* **Februar** ▶ **jdn in den ~ schicken** to make an April fool of sb; **~! ~!** (*fam*) April fool!

April·scherz *m* April fool's trick **April·wet·ter** *nt* April weather

apro·pos [aproˈpoː] *adv* ❶ (*übrigens*) by the way ❷ (*was ... angeht*) ~ **Männer, ...** talking of men, ...

Ap·sis <-, -siden> [ˈapsɪs, *pl* aˈpsiːdn̩] *f* ❶ ARCHIT (*Chorabschluss*) apse ❷ (*im Zelt*) bell

Aquä·dukt <-[e]s, -e> [akvɛˈdʊkt] *m o nt* ARCHÄOL aqueduct

Aqua·ma·rin <-s, -e> [akvamaˈriːn] *m* aquamarine

aqua·ma·rin·blau *adj* aquamarine

Aqua·pla·ning <-s> [akvaˈplaːnɪŋ] *nt* *kein pl* aquaplaning *no pl*

Aqua·rell <-s, -e> [akvaˈrɛl] *nt* watercol-our [painting]

Aqua·ri·um <-s, -rien> [aˈkvaːri̯ʊm, *pl* -ri̯ən] *nt* aquarium

Äqua·tor <-s> [ɛˈkvaːtoːɐ] *m kein pl* equa-tor

äqua·to·ri·al [ɛkvatoˈri̯aːl] *adj* equatorial; **~es Klima** equatorial climate

äqui·va·lent [ɛkvivaˈlɛnt] *adj* (*geh*) equiva-lent

Äqui·va·lent <-s, -e> [ɛkvivaˈlɛnt] *nt* equivalent

Äqui·va·lenz <-, -en> [ɛkvivaˈlɛnts] *f* equivalence

Ar <-s, -e> [aːɐ] *nt o m* (*100 m²*) are

Ära <-, Ären> [ˈɛːra, *pl* ɛːrən] *f* (*geh*) era

Ara·ber(in) <-s, -> [ˈarabɐ] *m(f)* Arab

Ara·bes·ke <-, -n> [araˈbɛskə] *f* KUNST, ARCHIT arabesque

Ara·bi·en <-s> [aˈraːbi̯ən] *nt* Arabia

ara·bisch [aˈraːbɪʃ] *adj* ❶ GEOG (*zu Arabien*

gehörend) Arabian; **A~es Meer** Arabian Sea ② LING Arabic; **auf ~** in Arabic

Ar·beit <-, -en> ['arbait] *f* ❶ (*Tätigkeit*) work *no pl, no indef art;* **gute/schlechte ~ leisten** to do a good/bad job; **etw in ~ haben** to be working on sth; **in ~ sein** work is in progress on sth; **bei der ~ sein** to be working; **jdm ~ machen** to make work for sb; **sich an die ~ machen** to get down to working; **an die ~!** get to work! ❷ (*Arbeitsplatz*) job; **er fand ~ als Kranfahrer** he got a job as a crane driver; **wir fahren mit dem Fahrrad zur ~** we cycle to work ❸ (*handwerkliches Produkt*) handiwork ❹ (*schriftliches Werk*) work ❺ SCH (*Klassenarbeit*) test; **eine ~ schreiben** to do a test ❻ *kein pl* (*Mühe*) troubles *pl;* **sich** *dat* **~ machen** to go to trouble (**mit** with) ❼ (*Aufgabe*) job ▸ **erst die ~, dann das Vergnügen** (*prov*) business before pleasure *prov*

ar·bei·ten ['arbaitṇ] **I.** *vi* ❶ (*tätig sein*) to work; ▪ **an etw** *dat* **~** to be working on sth ❷ (*berufstätig sein*) to have a job ❸ TECH (*funktionieren*) to work ❹ MED (*funktionieren*) to function ❻ *Holz* to warp **II.** *vr* ▪ **sich irgendwohin ~** to work one's way somewhere **III.** *vt* ❶ (*herstellen*) ▪ **etw** [**aus etw** *dat*] **~** to make sth [from sth]; **von Hand ~** to make sth by hand ❷ (*tun*) ▪ **etwas/nichts ~** to do sth/nothing

Ar·bei·ter(in) <-s, -> *m(f)* (*Industrie*) [blue-collar] worker; (*Landwirtschaft*) labourer

Ar·bei·ter·be·we·gung *f* POL labour movement **Ar·bei·ter·fa·mi·lie** *f* working-class family

Ar·bei·te·rin <-, -nen> *f fem form von* **Arbeiter**

Ar·bei·ter·schaft <-> *f kein pl* work force + *sing/pl vb*

Ar·bei·ter·vier·tel *nt* working-class area **Ar·bei·ter·wohl·fahrt** *f kein pl* ▪ **die ~** the workers' welfare union

Ar·beit·ge·ber(in) <-s, -> *m(f)* employer **Ar·beit·ge·ber·an·teil** *m* employer's contribution **Ar·beit·ge·be·rin** <-, -nen> *f fem form von* **Arbeitgeber Ar·beit·ge·ber·ver·band** *m* employers' association **Ar·beit·neh·mer(in)** *m(f)* employee **Ar·beit·neh·mer·an·teil** *m* employee's contribution **Ar·beit·neh·me·rin** <-, -nen> *f fem form von* **Arbeitnehmer**

Ar·beits·ab·lauf *m* work routine

ar·beit·sam *adj* (*geh o veraltend*) industrious

Ar·beits·amt *nt* (*veraltet*) jobcentre BRIT, employment office AM **Ar·beits·auf·**

wand *m* expenditure of energy; **was für ein ~!** what a lot of work! **ar·beits·auf·wän·dig**[RR] *adj* labour-intensive **Ar·beits·aus·fall** *m* loss of working hours **Ar·beits·be·din·gun·gen** *pl* working conditions *pl* **Ar·beits·be·schaf·fungs·maß·nah·me** *f* job creation scheme [*or* AM plan] **Ar·beits·ei·fer** *m* enthusiasm for one's work **Ar·beits·ein·stel·lung** *f* walkout **Ar·beits·ein·tei·lung** *f* work allocation **Ar·beits·er·laub·nis** *f* work permit **Ar·beits·er·leich·te·rung** *f* saving of labour; **zur ~** to facilitate work **Ar·beits·es·sen** *nt* business lunch/dinner **ar·beits·fä·hig** *adj* ❶ (*tauglich*) able to work ❷ (*funktionsfähig*) viable **Ar·beits·gang** <-gänge> *m* ❶ (*Produktionsabschnitt*) production stage; (*Bearbeitungsabschnitt*) stage [of operation] ❷ *s.* **Arbeitsablauf Ar·beits·ge·mein·schaft** *f* working-group; SCH study-group **Ar·beits·ge·richt** *nt* industrial tribunal **Ar·beits·grup·pe** *f* team **ar·beits·in·ten·siv** *adj* labour-intensive **Ar·beits·kampf** *m* industrial action **Ar·beits·klei·dung** *f* work clothes *pl* **Ar·beits·kli·ma** *nt* working atmosphere **Ar·beits·kol·le·ge, -kol·le·gin** *m, f* colleague **Ar·beits·kraft** *f* ❶ *kein pl* (*Leistungskraft*) work capacity; **die menschliche ~** human labour ❷ (*Mitarbeiter*) worker **Ar·beits·kreis** *m* working group **Ar·beits·la·ger** *nt* labour camp **Ar·beits·lohn** *m* wages *pl*

ar·beits·los *adj* unemployed

Ar·beits·lo·se(r) *f(m) dekl wie adj* unemployed person; ▪ **die ~n** the unemployed **Ar·beits·lo·sen·geld** *nt* unemployment benefit, BRIT *fam also* the dole **Ar·beits·lo·sen·hil·fe** *f* unemployment aid **Ar·beits·lo·sen·quo·te** *f* unemployment figures *pl* **Ar·beits·lo·sen·un·ter·stüt·zung** *f kein pl* (*hist*) unemployment benefit, BRIT *fam also* the dole **Ar·beits·lo·sen·ver·si·che·rung** *f* unemployment insurance, National Insurance BRIT **Ar·beits·lo·sen·zah·len** *pl* unemployment figures *pl* **Ar·beits·lo·sen·zif·fer** *f* unemployment figures *pl*

Ar·beits·lo·sig·keit <-> *f kein pl* unemployment *no indef art, + sing vb*

Ar·beits·man·gel *m* lack of work **Ar·beits·markt** *m* job market **Ar·beits·mit·tel** *nt* material required for work **Ar·beits·mo·ral** *f* work morale **Ar·beits·nie·der·le·gung** *f* walkout **Ar·beits·ober·flä·che** *f* INFORM user interface **Ar·beits·pen·sum** *nt* work quota **Ar·beits·platz** *m* ❶ (*Arbeitsstätte*) workplace;

am ~ at work ❷ (*Stelle*) job; **freier ~** vacancy **Ar·beits·platz·be·schaf·fungs· maß·nah·me** f POL s. **Arbeitsbeschaffungsmaßnahme Ar·beits·platz·si· che·rung** f *kein pl* safeguarding of jobs *no pl* **Ar·beits·platz·tei·lung** f job-sharing **Ar·beits·platz·wech·sel** m change of employment **Ar·beits·pro·be** f sample of one's work **Ar·beits·recht** nt industrial law **ar·beits·reich** adj busy **Ar·beits· rich·ter(in)** m(f) judge in an industrial tribunal **ar·beits·scheu** adj (pej) work-shy **Ar·beits·spei·cher** m INFORM main memory **Ar·beits·stät·te** f (geh) place of work **Ar·beits·stel·le** f job **Ar·beits·su· che** f search for employment; **auf ~ sein** to be job-hunting **Ar·beits·tag** m working day; **ein harter ~** a hard day at work **Ar· beits·tei·lung** f job-sharing **Ar·beits· tier** nt (fam) workaholic, workhorse **Ar·beit·su·chen·de(r)** f(m) dekl wie adj job-seeker **ar·beits·un·fä·hig I.** adj unfit for work; **jdn ~ schreiben** to write sb a sick note **II.** adv off sick **Ar·beits·un·fä·hig·keit** f inability to work **Ar·beits·un·fall** m work-related accident **Ar·beits·ver·hält· nis** nt contractual relationship between *employer and employee;* **in einem ~ stehen** to be in employment **Ar·beits·ver· mitt·lung** f ❶ (Vermittlung einer Beschäftigung) arrangement of employment ❷ (Abteilung im Arbeitsamt) job centre ❸ (Vermittlungsagentur) employment agency **Ar·beits·ver·trag** m contract of employment **Ar·beits·ver·wei·ge·rung** f refusal to work **Ar·beits·wei·se** f (Vorgehensweise bei der Arbeit) working method; (Funktionsweise von Maschinen) mode of operation **ar·beits·wil·lig** adj willing to work **Ar·beits·wo·che** f working week **Ar·beits·wut** f (fam) work mania **ar·beits·wü·tig** adj (fam) ■~ **sein** to be suffering from work mania **Ar·beits· zeit** f ❶ (tägliche betriebliche Arbeit) working hours *pl;* **gleitende ~** flexitime, AM *also* flextime ❷ (benötigte Zeit) required [working] time **Ar·beits·zeit·ver· kür·zung** f reduction of working hours **Ar·beits·zeug·nis** nt reference **Ar· beits·zim·mer** nt study

ar·cha·isch [ar'ça:ɪʃ] adj archaic

Ar·chä·o·lo·ge, **Ar·chä·o·lo·gin** <-n, -n> [arçɛo'lo:gə, -'lo:gɪn] m, f archaeologist, *esp* AM archeologist

Ar·chä·o·lo·gie <-> [arçɛolo'gi:] f *kein pl* archaeology, *esp* AM archeology

Ar·chä·o·lo·gin <-, -nen> [arçɛo'lo:gɪn] f

fem form von **Archäologe**

ar·chä·o·lo·gisch [arçɛo'lo:gɪʃ] adj, adv archaeological, *esp* AM archeological

Ar·che <-, -n> ['arçə] f ark; **die ~ Noah** REL Noah's Ark

ar·che·ty·pisch adj archetypal

Ar·chi·pel <-s, -e> [arçi'pe:l] m GEOG archipelago

Ar·chi·tekt(in) <-en, -en> [arçi'tɛkt] m(f) architect

ar·chi·tek·to·nisch [arçitɛk'to:nɪʃ] **I.** adj architectural **II.** adv from an architectural point of view

Ar·chi·tek·tur <-, -en> [arçitɛk'tu:ɐ̯] f architecture

Ar·chiv <-s, -e> [ar'çi:f, pl -və] nt archives pl

Ar·chi·var(in) <-s, -e> [arçi'va:ɐ̯] m(f) archivist

ar·chi·vie·ren* [arçi'vi:rən] vt MEDIA to archive

Are·al <-s, -e> [are'a:l] nt ❶ (Gebiet) area ❷ (Grundstück) grounds pl

Ären [ɛ:rən] pl von **Ära**

Are·na <-, Arenen> [a're:na, pl -nən] f ❶ (Manege) [circus-]ring ❷ SPORT arena ❸ (Stierkampfarena) [bull-]ring ▸ **in die ~ steigen** to enter the ring

arg <ärger, ärgste> [ark] **I.** adj bes SÜDD ❶ (schlimm) bad; **im A~en liegen** to be at sixes and sevens; **etw noch ärger machen** to make sth worse ❷ attr (groß) Enttäuschung great ❸ attr (stark) Raucher heavy **II.** adv SÜDD (fam: sehr) badly; **tut es ~ weh?** does it hurt badly?; **er hat dazu ~ lang gebraucht** he took a terribly long time for it

Ar·gen·ti·ni·en <-s> [argɛn'ti:niən] nt Argentina; *s. a.* **Deutschland**

Ar·gen·ti·ni·er(in) <-s, -> [argɛn'ti:niɐ] m(f) Argentinian; *s. a.* **Deutsche(r)**

ar·gen·ti·nisch [argɛn'ti:nɪʃ] adj Argentinian; *s. a.* **deutsch**

Är·ger <-s> ['ɛrgɐ] m kein pl ❶ (Wut) anger ❷ (Unannehmlichkeiten) trouble; **~ bekommen** to get into trouble; **~ haben** to have problems; **[jdm] ~ machen** to cause [sb] trouble; **zu jds ~** to sb's annoyance

är·ger·lich I. adj ❶ (verärgert) annoyed (über about); (sehr verärgert) infuriated; **jdn ~ machen** to annoy sb ❷ (unangenehm) unpleasant **II.** adv (verärgert) annoyedly; (nervig) annoyingly; **sie sah mich ~ an** she looked at me crossly

är·gern ['ɛrgɐn] **I.** vt ❶ (ungehalten machen) to annoy (mit with); **ich ärgere mich, dass ich nicht hingegangen bin**

Ärger ausdrücken

Unzufriedenheit ausdrücken	expressing dissatisfaction
Das entspricht nicht meinen Erwartungen.	That doesn't meet my expectations.
Ich hätte erwartet, dass Sie sich nun mehr Mühe geben.	I would have expected you to take more trouble.
So hatten wir es nicht vereinbart.	That's not what we agreed.

Verärgerung ausdrücken	expressing annoyance
Das ist (ja) unerhört!	That's an outrage!
Eine Unverschämtheit ist das!/So eine Frechheit!	That's outrageous!/What a cheek!
Das ist doch wohl die Höhe!	That's the limit!
Das darf doch wohl nicht wahr sein!	That can't be true!
Das nervt! *(fam)*	It's a pain in the neck. *(fam)*
Das ist ja nicht mehr zum Aushalten! *(fam)*	It's become unbearable!/I can't stand it! *(fam)*

I'm annoyed with myself for not having gone ② *(reizen)* to tease (**wegen** about) II. *vr (ärgerlich sein)* ■ **sich ~** to be annoyed (**über** about)

Är·ger·nis <-, -se> *nt kein pl (Anstoß)* offence; **ein ~ sein** to be a terrible nuisance

Arg·list <-> *f kein pl (geh)* cunning

arg·lis·tig I. *adj (geh)* cunning **II.** *adv* cunningly

arg·los *adj* innocent

ärgs·te(r, s) ['ɛrkstə, -tɐ, -təs] *adj superl von* **arg**

Ar·gu·ment <-[e]s, -e> [argu'mɛnt] *nt* argument; **das ist kein ~** *(unsinnig sein)* that's a poor argument; *(keine Entschuldigung)* that's no excuse

Ar·gu·men·ta·ti·on <-, -en> [argumɛnta'tsi̯oːn] *f* argumentation *no pl*

ar·gu·men·tie·ren* *vi* to argue; ■ **mit etw** *dat* **~** to use sth as an argument

Arg·wohn <-s> ['arkvoːn] *m kein pl* suspicion; **jds ~ erregen** to arouse sb's suspicion[s]

arg·wöh·nen ['arkvøːnən] *vt (geh)* to suspect

arg·wöh·nisch ['arkvøːnɪʃ] **I.** *adj* suspicious **II.** *adv* suspiciously

Arie <-, -n> ['aːri̯ə] *f* MUS aria

Ari·er(in) <-s, -> ['aːri̯ɐ] *m(f)* ① LING *(Indogermane)* Aryan ② HIST Aryan

arisch ['aːrɪʃ] *adj* ① LING Indo-Germanic ② HIST Aryan

Aris·to·krat(in) <-en, -en> [arɪsto'kraːt] *m(f)* aristocrat

Aris·to·kra·tie <-, -n> [arɪstokra'tiː, *pl*

-'tiːən] *f* aristocracy

Aris·to·kra·tin <-, -nen> *f fem form von* **Aristokrat**

aris·to·kra·tisch *adj* aristocratic

Arith·me·tik <-> [arɪt'meːtɪk] *f kein pl* arithmetic *no pl*

arith·me·tisch [arɪt'meːtɪʃ] **I.** *adj* arithmetic **II.** *adv* arithmetically

Ar·ka·de <-, -n> [ar'kaːdə] *f* ARCHIT ① *(Torbogen)* archway ② *pl (Bogengang)* arcade ③ *(überdachte Einkaufsstraße)* [shopping] arcade

Ark·tis <-> ['arktɪs] *f* Arctic

ark·tisch ['arktɪʃ] *adj* arctic

arm <ärmer, ärmste> [arm] *adj* ① *(besitzlos)* poor ② *(gering)* sparse; ■ **an etw** *dat* **sein** to be somewhat lacking in sth ③ *(fam)* **~ dran sein** to have a hard time of it

Arm <-[e]s, -e> [arm] *m* ANAT arm; **jdn im ~ halten** to hold sb in one's arms; **sich** *dat* **in den ~en liegen** to lie in each other's arms; **ein Kind auf den ~ nehmen** to pick up a child; **jdn in die ~e nehmen** to take sb in one's arms; **jdm den ~ umdrehen** to twist sb's arm ► **jdn mit offenen ~en empfangen** to welcome sb with open arms; **jdm [mit etw** *dat***] unter die ~e greifen** to help sb out [with sth]; **jdm in die ~e laufen** to bump into sb; **jdn auf den ~ nehmen** to pull sb's leg

Ar·ma·tur <-, -en> [arma'tuːɐ̯] *f meist pl* ① TECH *(Mischbatterie mit Hähnen)* fitting ② AUTO *(Kontrollinstrument)* instrument

Ar·ma·tu·ren·brett *nt* AUTO dashboard

Ạrm·band <-bänder> nt ❶ (*Uhrarmband*) [watch] strap ❷ (*Schmuckarmband*) bracelet

Ạrm·band·uhr f [wrist-]watch **Ạrm·bin·de** f ❶ (*Armschlinge*) sling ❷ (*Abzeichen*) armband **Ạrm·brust** ['armbrʊst] f crossbow

Ạr·me(r) f(m) *dekl wie adj* (*besitzloser Mensch*) poor person ▸ [ach,] du/Sie ~(r)! (*iron*) poor you!

Ar·mee <-, -n> [ar'me:, pl -me:ən] f army; **die rote ~** the Red Army

Ạr·mel <-s, -> ['ɛrml] m sleeve; **sich** *dat* **die ~ hochkrempeln** to roll up one's sleeves ▸ **etw aus dem ~ schütteln** (*fam*) to produce/do sth just like that

Ạr·mel·auf·schlag m MODE cuff **Ạr·mel·ka·nal** m Channel; ■ **der ~** the English Channel

ạr·mel·los *adj* sleeveless

Ạr·men·haus nt HIST poorhouse

Ar·me·ni·en <-s> [ar'me:nɪən] nt Armenia; *s. a.* **Deutschland**

Ar·me·ni·er(in) <-s, -> [ar'me:nɪɐ] m(f) Armenian; *s. a.* **Deutsche(r)**

ar·me·nisch [ar'me:nɪʃ] *adj* Armenian; *s. a.* **deutsch**

Ạr·men·vier·tel nt poor district

ạr·mer ['ɛrmɐ] *adj comp von* **arm**

Ạrm·leh·ne f armrest **Ạrm·leuch·ter** m ❶ (*mehrarmiger Leuchter*) chandelier ❷ (*pej fam: Dummkopf*) idiot

ärm·lich ['ɛrmlɪç] I. *adj* ❶ (*von Armut zeugend*) poor; (*Kleidung*) shabby ❷ (*dürftig*) meagre II. *adv* (*kümmerlich*) poorly

ạrm·se·lig *adj* ❶ (*primitiv*) shabby ❷ (*dürftig*) miserable ❸ (*meist pej: unzulänglich*) pathetic

ärm·ste(r, s) *adj superl von* **arm**

Ạr·mut <-> ['armu:t] f *kein pl* ❶ (*Bedürftigkeit*) poverty ❷ (*Verarmung*) ■ **die ~ an etw** *dat* the lack of sth; **geistige ~** intellectual poverty

Ạr·muts·flücht·ling m economic refugee **Ạr·muts·gren·ze** f poverty line; **unterhalb der ~ leben** to live below the poverty line **Ạr·muts·zeug·nis** nt ▸ **ein ~ für jdn sein** to be the proof of sb's shortcomings

Aro·ma <-s, Aromen *o* -s *o* -ta> [a'ro:ma, pl -mata] nt ❶ (*Geruch*) aroma; (*Geschmack*) taste, flavour ❷ CHEM (*Aromastoff*) [artificial] flavouring

Aro·ma·stoff m flavouring **Aro·ma·the·ra·pie** f aromatherapy

aro·ma·tisch [aro'ma:tɪʃ] I. *adj* aromatic; (*wohlschmeckend*) flavoursome BRIT, flavorful AM II. *adv* ❶ (*voller Aroma*) aromat-

ic ❷ (*angenehm schmeckend*) savoury

aro·ma·ti·sie·ren* [aromati'zi:rən] vt to aromatize

Ar·ran·ge·ment <-s, -s> [arãʒə'mãː] nt (*geh*) arrangement

ar·ran·gie·ren* [arã'ʒi:rən] I. vt to arrange; ■ **~, dass ...** to arrange, so that ... II. vr ❶ (*übereinkommen*) ■ **sich** [mit jdm] ~ to come to an arrangement [with sb] ❷ (*sich abfinden*) ■ **sich** [mit etw *dat*] ~ to come to terms [with sth]

Ar·rest <-[e]s, -s> [a'rɛst] m JUR ❶ (*Freiheitsentzug*) detention ❷ (*Beschlagnahme*) **dinglicher ~** attachment

ar·re·tie·ren* [are'ti:rən] vt (*feststellen*) to lock

ar·ro·gant [aro'gant] I. *adj* arrogant II. *adv* arrogantly

Ar·ro·ganz <-> [aro'gants] f *kein pl* arrogance

Arsch <-[e]s, Ärsche> [arʃ, pl 'ɛrʃə] m (*derb*) ❶ (*Hintern*) arse BRIT, ass AM, BRIT *also* bum ❷ (*blöder Kerl*) [stupid] bastard, BRIT *sl also* bugger ▸ **am ~ der Welt** (*sl*) out in the sticks; **jdm in den ~ kriechen** to brown-nose sb; **jdn** [mal] **am ~ lecken können** sb can get stuffed *sl*; **leck mich** [damit] **am ~!** (*verpiss dich*) fuck off!, BRIT *also* get stuffed!, AM *also* kiss my ass!; **jdn** [*o* jdm] **in den ~ treten** (*sl: einen Tritt versetzen*) to kick sb's arse [*or* AM ass]; (*jdn antreiben*) to give sb a [good] kick up the arse [*or* AM ass] *fam;* [von jdm] **den ~ voll bekommen** (*sl*) to get a [bloody *or* AM hell of a]] good hiding [from sb]

Arsch·ba·cke f (*derb*) [bum-]cheek BRIT, [butt-]cheek AM **Arsch·kar·te** f (*derb*) ▸ **die ~ ziehen** to draw the short straw **Arsch·krie·cher(in)** m(f) (*pej sl*) arselicker BRIT, ass-kisser AM **Arsch·loch** nt (*vulg*) arsehole BRIT, asshole AM **Arsch·tritt** m (*sl*) kick up the arse

Ar·sen <-s> [ar'ze:n] nt *kein pl* CHEM arsenic *no pl*

Ar·se·nal <-s, -e> [arze'na:l] nt arsenal

Art <-, -en> [a:ɐt, pl 'a:ɐtn̩] f ❶ (*Sorte*) sort, kind ❷ (*Methode*) way; **eine merkwürdige ~** an odd way; **auf diese ~ und Weise** [in] this way ❸ (*Wesens~*) nature ❹ (*Verhaltensweise*) behaviour; **das ist doch keine ~!** (*fam*) that's no way to behave! ❺ BIOL species ❻ (*Stil*) style ▸ **nach ~ des Hauses** à la maison; **einzig sein in seiner ~** to be the only one of its kind; **aus der ~ schlagen** (*Familie*) to go a different

way
Art. *Abk von* **Artikel**
Ar·ten·reich·tum <-s> *m kein pl* BIOL abundance of species **Ar·ten·schutz** *m* protection of species **Ar·ten·ster·ben** *nt kein pl* extinction of the species **Ar·ten·viel·falt** <-> *f kein pl* BIOL abundance of species
Art·er·hal·tung *f* survival of the species
Ar·te·rie <-, -n> [ar'teːrɪə] *f* artery
ar·te·ri·ell [arteˈrɪɛl] *adj* arterial
Ar·te·ri·en·ver·kal·kung *f,* **Ar·te·rio·skle·ro·se** <-, -n> [arterɪoskleˈroːzə] *f* hardening of the arteries
art·fremd *adj* uncharacteristic **art·ge·mäß** *adj s.* **artgerecht Art·ge·nos·se, -ge·nos·sin** *m, f* BIOL plant/animal of the same species **art·ge·recht** *adj, adv* appropriate to a species
Ar·thro·se <-, -n> [ar'troːzə] *f* arthrosis
ar·tig ['aːɐ̯tɪç] *adj* well-behaved; **sei schön ~!** be good!
Ar·tig·keit <-, -en> *f kein pl* (*veraltend*) courteousness *no pl*
Ar·ti·kel <-s, -> [ar'tiːkl̩, ar'tɪkl̩] *m* ❶ MEDIA (*Zeitungs~*) article; (*Eintrag*) entry ❷ ÖKON (*Ware*) item ❸ LING article
Ar·ti·ku·la·ti·on <-, -en> [artikula'tsi̯oːn] *f* (*geh*) enunciation
ar·ti·ku·lie·ren* [artikuˈliːrən] I. *vt* (*geh*) to enunciate II. *vr* (*geh*) **sich gut/schlecht ~** to articulate oneself well/badly
Ar·til·le·rie <-, *selten* -n> ['artiləriː, *pl* -riːən] *f* artillery
Ar·ti·scho·cke <-, -n> [arti'ʃɔkə] *f* artichoke
Ar·tist(in) <-en, -en> [ar'tɪst] *m(f)* (*Zirkuskunst etc.*) performer
ar·tis·tisch *adj* ❶ (*Zirkuskunst betreffend*) spectacular ❷ (*überaus geschickt*) skilful
art·ver·wandt *adj* BIOL of similar species
Arz·nei <-, -en> [aːɐ̯ts'naɪ̯] *f* medicine
Arz·nei·fla·sche *f* medicine bottle **Arz·nei·for·mel** *f* medical formula **Arz·nei·mit·tel** *nt* drug **Arz·nei·mit·tel·ab·hän·gig·keit** *f* drug addiction **Arz·nei·mit·tel·al·ler·gie** *f* drug allergy **Arz·nei·mit·tel·ge·setz** *nt* law governing the manufacture and prescription of drugs **Arz·nei·mit·tel·her·stel·ler** *m* drug manufacturer **Arz·nei·mit·tel·miss·brauch**^{RR} *m* drug abuse **Arz·nei·mit·tel·sucht** *f* prescription drug addiction **Arz·nei·mit·tel·ver·gif·tung** *f* prescription drug overdose **Arz·nei·pflan·ze** *f* medicinal plant
Arzt, Ärz·tin <-es, Ärzte> [aːɐ̯tst, 'ɛːɐ̯tstɪn, *pl* 'ɛɐ̯tstə] *m, f* doctor; **~ für Allgemeinmedizin** general practitioner, GP;

behandelnder ~ personal doctor
Arzt·be·such *m* ❶ (*Besuch des Arztes*) doctor's visit ❷ (*Aufsuchen eines Arztes*) visit to the doctor
Ärz·te·kam·mer *f* General Medical Council BRIT, medical association AM
Ärz·te·schaft <-> *f kein pl* medical profession
Arzt·hel·fer(in) *m(f)* [doctor's] receptionist
Ärz·tin <-, -nen> ['ɛːɐ̯tstɪn] *f fem form von* **Arzt**
Arzt·kos·ten *pl* medical costs *pl*
ärzt·lich ['ɛːɐ̯tstlɪç] I. *adj* medical II. *adv* medically; **sich ~ behandeln lassen** to get medical advice
Arzt·pra·xis *f* doctor's surgery
As <-ses, -se> [as] *nt* KARTEN *s.* **Ass**
As·best <-[e]s> [as'bɛst] *nt kein pl* asbestos *no pl*
asch·blond *adj* ash-blond
Asche <-, -n> ['aʃə] *f* ash
A·schen·bahn *f* SPORT cinder track **A·schen·be·cher** *m* ashtray **Aschen·brö·del** <-s> ['aʃnbrøːdl̩] *nt kein pl,* **Aschen·put·tel** <-> ['aʃnpʊtl̩] *nt kein pl* LIT Cinderella
Ascher <-s, -> ['aʃɐ] *m* (*fam*) *s.* **Aschenbecher**
Ascher·mitt·woch [aʃɐ'mɪtvɔx] *m* REL Ash Wednesday
asch·grau *adj* ash-grey
ASCII-Code <-s, -s> *m* ASCII code
Äser ['ɛːzɐ] *pl von* **Aas**
ase·xu·ell ['azɛksu̯ɛl] *adj* asexual
Asi·at [a'zi̯aːt], **Asi·a·te, Asi·a·tin** <-en, -en> [a'zi̯aːt(ə), a'zi̯aːtɪn] *m, f* Asian
asi·a·tisch [a'zi̯aːtɪʃ] *adj Sprache, Kultur* Asian; (*Asien betreffend*) Asiatic
Asi·en <-s> ['aːzi̯ən] *nt* Asia
As·ke·se <-> [as'keːzə] *f kein pl* (*geh*) asceticism *no pl*
As·ket(in) <-en, -en> [as'keːt] *m(f)* (*geh*) ascetic
as·ke·tisch I. *adj* ascetic II. *adv* ascetically
aso·zi·al ['azotsi̯aːl] I. *adj* antisocial II. *adv* antisocially
A·so·zi·a·le(r) *f(m) dekl wie adj* (*pej*) social misfit
As·pekt <-[e]s, -e> [as'pɛkt] *m* (*geh*) aspect; **unter diesem ~ betrachtet** looking at it from this aspect
As·phalt <-[e]s, -e> [as'falt] *m* asphalt *no pl*
as·phal·tie·ren* [asfal'tiːrən] *vt* to asphalt
As·pi·rin® <-s, -> [aspi'riːn] *nt* aspirin
Ass^{RR} <-es, -e>, **Aß**^{ALT} <-sses, -sse> [as] *nt* ace ▸ [noch] **ein ~ im Ärmel haben** to have an ace up one's sleeve

aß [a:s] *imp von* **essen**

As·si·mi·la·ti·on <-, -en> [asimila'tsi̯o:n] *f* ❶ BIOL, CHEM photosynthesis ❷ (*geh: Anpassung*) assimilation

as·si·mi·lie·ren* [asimi'li:rən] I. *vr* (*geh*) ■ **sich an etw** *akk* ~ to assimilate oneself into sth II. *vt* BIOL, CHEM to photosynthesize

As·sis·tent(in) <-en, -en> [asıs'tɛnt] *m(f)* assistant

As·sis·tenz·arzt, -ärz·tin *m, f* assistant physician BRIT, resident [doctor] AM **As·sis·tenz·trai·ner, -trai·ne·rin** *m, f* SPORT assistant coach

as·sis·tie·ren* [asıs'ti:rən] *vi* to assist (**bei** with)

As·so·zi·a·ti·on <-, -en> [asotsi̯a'tsi̯o:n] *f* (*geh*) association

as·so·zi·ie·ren* [asotsi'i:rən] *vt* (*geh*) to associate

Ast <-[e]s, Äste> [ast, *pl* 'ɛstə] *m* branch ▸ **auf dem** **absteigenden** ~ **sein** (*fam*) sb/sth is going downhill; **den** ~ **absägen, auf dem man sitzt** to dig one's own grave; **sich** *dat* **einen** ~ **lachen** (*sl*) to double up with laughter

As·ter <-, -n> ['astɐ] *f* Michaelmas daisy

As·te·ro·id <-en, -en> [astero'i:t, *pl* -'i:dən] *m* asteroid

Ast·ga·bel *f* fork of a tree

Äs·thet(in) <-en, -en> [ɛs'te:t] *m(f)* (*geh*) aesthete

Äs·the·tik <-> [ɛs'te:tɪk] *f kein pl* aesthetics *pl*

äs·the·tisch [ɛs'te:tɪʃ] *adj* (*geh*) aesthetic

Asth·ma <-s> ['astma] *nt kein pl* asthma *no pl*

Asth·ma·ti·ker(in) <-s, -> [ast'ma:tikɐ] *m(f)* asthmatic

asth·ma·tisch [ast'ma:tɪʃ] I. *adj* asthmatic II. *adv* asthmatically

ast·rein *adj* ❶ (*fam: moralisch einwandfrei*) straight ❷ (*sl: spitze*) fantastic

As·tro·lo·ge, As·tro·lo·gin <-n, -n> [astro'lo:gə, -'lo:gɪn] *m, f* astrologer

As·tro·lo·gie <-> [astrolo'gi:] *f kein pl* astrology *no pl*

As·tro·lo·gin <-, -nen> *f fem form von* **Astrologe**

as·tro·lo·gisch [astro'lo:gɪʃ] I. *adj* astrological II. *adv* astrologically

As·tro·naut(in) <-en, -en> [astro'naʊt] *m(f)* astronaut

As·tro·nom(in) <-en, -en> [astro'no:m] *m(f)* astronomer

As·tro·no·mie <-> [astrono'mi:] *f kein pl* astronomy *no pl*

As·tro·no·min <-, -nen> *f fem form von* **Astronom**

as·tro·no·misch [astro'no:mɪʃ] *adj* ASTRON astronomical; (*fig: riesig*) astronomical

Asyl <-s, -e> [a'zy:l] *nt* asylum; **das Recht auf** ~ the right to asylum; **um** ~ **bitten** (*geh*) to apply for [political] asylum; **jdm** ~ **gewähren** to grant sb [political] asylum

Asy·lant(in) <-en, -en> [azy'lant] *m(f) s.* **Asylbewerber**

Asyl·an·ten·wohn·heim *nt* home for asylum-seekers

Asyl·an·trag *m* application for political asylum **Asyl·be·wer·ber(in)** *m(f)* applicant for [political] asylum **Asyl·recht** *nt* right of political asylum **Asyl·su·chen·de(r)** *f(m) dekl wie adj* asylum seeker

Asym·me·trie [azymе'tri:] *f* asymmetry

asym·me·trisch ['azymе:trɪʃ] *adj* asymmetric

As·zen·dent <-en, -en> [astsɛn'dɛnt] *m* ASTROL ascendant; JUR ascendent

ata·vis·tisch [ata'vɪstɪʃ] *adj* BIOL atavistic

Ate·lier <-s, -s> [atə'li̯e:] *nt* KUNST studio

Atem <-s> ['a:təm] *m kein pl* ❶ (*Atemluft*) breath; **den** ~ **anhalten** to hold one's breath; ~ **holen** to take a breath; **wieder zu** ~ **kommen** to catch one's breath; **nach** ~ **ringen** to be gasping for breath; **außer** ~ out of breath ❷ (*das Atmen*) breathing ▸ **den** **längeren** ~ **haben** to have the whip hand; **jdn in** ~ **halten** to keep sb on their toes; **jdm den** ~ **verschlagen** to take sb's breath away

atem·be·rau·bend *adj* breath-taking **Atem·be·schwer·den** *pl* breathing difficulties *pl* **Atem·ge·rät** *nt* respirator; (*von Taucher, Feuerwehr*) breathing apparatus **Atem·läh·mung** *f* respiratory paralysis **atem·los** I. *adj* ❶ (*außer Atem*) breathless ❷ (*perplex*) speechless II. *adv* breathlessly **Atem·not** *f* shortness of breath *no pl* **Atem·pau·se** *f* ❶ (*um Luft zu schöpfen*) pause for breath ❷ (*kurze Unterbrechung*) breather **Atem·still·stand** *m* respiratory arrest **Atem·we·ge** *pl* ANAT respiratory tracts *pl* **Atem·wegs·er·kran·kung** *f* MED respiratory disease **Atem·zug** *m* breath ▸ **in einem** ~ in one breath

Athe·is·mus <-> [ate'ɪsmʊs] *m kein pl* atheism *no pl*

Athe·ist(in) <-en, -en> [ate'ɪst] *m(f)* atheist

athe·is·tisch *adj* atheist

Athen <-s> [a'te:n] *nt* Athens

Äther <-s> ['ɛ:tɐ] *m kein pl* CHEM ether *no pl* ▸ **etw in den** ~ **schicken** RADIO to put sth on the air; **über den** ~ over the air

äthe·risch [ɛ'te:rɪʃ] *adj* ethereal

Äthi·o·pi·en <-s> [ɛ'ti̯o:pi̯ən] *nt* Ethiopia; *s. a.* **Deutschland**

Äthi·o·pi·er(in) <-s, -> [ɛˈtjoːpiɐ] *m(f)* Ethiopian; *s. a.* **Deutsche(r)**

äthi·o·pisch [ɛˈtjoːpɪʃ] *adj* Ethiopian; *s. a.* **deutsch**

Ath·let(in) <-en, -en> [atˈleːt] *m(f)* athlete

ath·le·tisch [atˈleːtɪʃ] *adj* athletic

At·lan·ten [atˈlantn̩] *pl von* **Atlas**

At·lan·tik <-s> [atˈlantɪk] *m* Atlantic

at·lan·tisch [atˈlantɪʃ] *adj* Atlantic; **ein ~es Hoch** a high-pressure area coming from the Atlantic

At·las <- *o* -ses, Atlanten *o* -se> [ˈatlas, *pl* atˈlantn̩, ˈatlasə] *m* atlas

at·men [ˈaːtmən] *vi, vt* to breathe

At·men [ˈaːtmən] *nt kein pl* respiration *no pl spec*

At·mo·sphä·re <-, -n> [atmoˈsfɛːrə] *f* atmosphere

at·mo·sphä·risch [atmoˈsfɛːrɪʃ] *adj* atmospheric

At·mung <-> *f kein pl* breathing *no pl*

at·mungs·ak·tiv *adj* MODE breathable

Ät·na <-[s]> [ˈɛtna] *m* ■ **der** ~ Mount Etna

Atoll <-s, -e> [aˈtɔl] *nt* atoll

Atom <-s, -e> [aˈtoːm] *nt* atom

Atom·an·griff *m* nuclear attack

ato·mar [atoˈmaːɐ̯] I. *adj* nuclear II. *adv* ❶ MIL (*Atomwaffen betreffend*) with nuclear weapons ❷ TECH with nuclear power; ■ **~ angetrieben sein** to be nuclear-powered

Atom·bom·be *f* nuclear bomb **Atom·bom·ben·ex·plo·si·on** *f* nuclear explosion **Atom·bom·ben·ver·such** *m* nuclear [weapons] test **Atom·bun·ker** *m* nuclear fall-out shelter **Atom·ener·gie** *f* nuclear energy **Atom·ex·plo·si·on** *f* nuclear explosion **Atom·for·schungs·zen·trum** *nt* nuclear research centre **Atom·geg·ner(in)** *m(f)* person who is against nuclear power **Atom·in·dust·rie** *f* nuclear industry

ato·mi·sie·ren* [atomiˈziːrən] *vt* to atomize

Atom·kern *m* PHYS nucleus **Atom·kraft** *f kein pl* nuclear power **Atom·kraft·werk** *nt* nuclear power station **Atom·krieg** *m* nuclear war **Atom·macht** *f* POL, MIL nuclear power **Atom·müll** *m* nuclear waste **Atom·mülla·ge·rung**ᴬᴸᵀ <-> *f kein pl s.* **Atommülllagerung Atom·müll·end·la·ger** *nt* nuclear waste disposal site **Atom·müll·la·ge·rung**ᴿᴿ <-> *f kein pl* nuclear waste disposal *no pl* **Atom·phy·sik** *f* nuclear physics + *sing vb* **Atom·pro·gramm** *nt* nuclear [*or* atomic] programme **Atom·ra·ke·te** *f* nuclear mis-

sile **Atom·re·ak·tor** *m* nuclear reactor **Atom·spal·tung** *f* nuclear fission **Atom·spreng·kopf** *m* nuclear warhead **Atom·test** *m* MIL nuclear [weapons] test **Atom·test·stopp**ᴿᴿ *m* nuclear test ban **Atom·uhr** *f* TECH atomic watch **Atom·waf·fe** *f* MIL nuclear weapon **atom·waf·fen·frei** *adj* POL nuclear-free **Atom·zeit·al·ter** *nt kein pl* nuclear age **Atom·zer·fall** *m kein pl* radioactive decay

Atri·um <-s, Atrien> [ˈaːtriʊm, *pl* -triən] *nt* ARCHIT atrium

Atro·phie <-, -n> [atroˈfiː, *pl* -ˈfiːən] *f* MED atrophy

ätsch [ɛːtʃ] *interj* (*fam*) ha-ha; **du hast ver·loren, ~** [**bätsch**]! ha-ha, you lost!

At·ta·ché <-s, -s> [ataˈʃeː] *m* POL attaché

At·ta·cke <-, -n> [aˈtakə] *f* ❶ (*Angriff*) attack (**gegen** against) ❷ (*Anfall*) fit

at·ta·ckie·ren* [ataˈkiːrən] *vt* to attack

At·ten·tat <-[e]s, -e> [ˈatn̩taːt] *nt* (*Mordanschlag*) an attempt on sb's life; (*mit tödlichem Ausgang*) assassination; **ein ~ auf jdn verüben** to make an attempt on sb's life; (*mit tödlichem Ausgang*) to assassinate sb

At·ten·tä·ter(in) [ˈatn̩tɛːtɐ] *m(f)* assassin

At·test <-[e]s, -e> [aˈtɛst] *nt* (*ärztliche Bescheinigung*) certificate; **jdm ein ~** [**über etw** *akk*] **ausstellen** to certify sth for sb

at·tes·tie·ren* [atɛsˈtiːrən] *vt* ❶ (*ärztlich bescheinigen*) to certify ❷ (*bescheinigen*) to confirm

At·ti·tü·de <-, -n> [atiˈtyːdə] *f meist pl* (*geh*) posture

At·trak·ti·on <-, -en> [atrakˈtsjoːn] *f* attraction

at·trak·tiv [atrakˈtiːf] *adj* attractive

At·trak·ti·vi·tät <-, -en> [atraktiviˈtɛːt] *f kein pl* attractiveness *no pl*

At·trap·pe <-, -n> [aˈtrapə] *f* dummy

At·tri·but <-[e]s, -e> [atriˈbuːt] *nt* (*geh*) ❶ LING attribute ❷ (*Kennzeichen*) symbol

at·tri·bu·tiv [atribuˈtiːf] *adj* LING attributive

aty·pisch [ˈatyːpɪʃ] *adj* atypical

ät·zen [ˈɛtsn̩] I. *vi* ❶ (*versetzend sein*) to corrode ❷ (*sl*) to make catty remarks II. *vt* KUNST to etch

ät·zend *adj* ❶ (*zerfressend wirkend*) corrosive ❷ *Geruch* pungent ❸ (*sl: sehr übel*) lousy

au [aʊ] *interj* ❶ (*bei Schmerz*) ouch ❷ (*bei Freude*) ~ **ja!** (*fam*) oh yeah!

aua [ˈaʊa] *interj s.* **au 1**

Au·ber·gi·ne <-, -n> [obɛrˈʒiːnə] *f* aubergine BRIT, egg-plant AM

auch [aʊx] *adv* ❶ (*ebenfalls*) too, also, as

well; **ich habe Hunger, du ~?** I'm hungry, you too?; **... ~ nicht!** not ... either, ... neither, nor ...; **ich gehe nicht mit! — ich ~ nicht!** I'm not coming! — nor am I!; **wenn du nicht hingehst, gehe ich ~ nicht** if you don't go, I won't either ❷ (*sogar*) even; **der Chef hat immer Recht, ~ wenn er Unrecht hat!** the boss is always right, even when he's wrong!; **~ wenn** even if; **so schnell sie ~ laufen mag** however fast she may run ...; **wie dem ~ sei** whatever ❸ (*tatsächlich*) too; **ich habe das nicht nur gesagt, ich meine das ~ [so]!** I didn't just say it, I mean it too! ▶ **~ das noch!** that's all I need!

Au·di·enz <-, -en> [au̯'di̯ɛnts] *f* audience

Au·dio·kas·set·te *f* audio cassette **au·dio·vi·su·ell** [au̯di̯ovi'zu̯ɛl] *adj* audio-visual

Au·di·to·ri·um <-s, -rien> [au̯di'to:ri̯ʊm, *pl* -ri̯ən] *nt* ❶ SCH auditorium ❷ (*Zuhörerschaft*) audience

Au·er·hahn ['au̯ɐha:n] *m* ORN [male/cock] capercaillie

auf [au̯f] **I.** *präp* ❶ +*dat* on, upon *form*; **~ dem Stuhl** on the chair ❷ +*akk* (*in Richtung*) on, onto; **sie fiel ~ den Rücken** she fell on[to] her back ❸ (*in Bezug ~ Inseln*) **wann fliegst du ~ die Kanaren?** when are you flying to the Canaries?; **Kingston liegt ~ Jamaica** Kingston is in Jamaica ❹ +*akk* (*zur*) to; **er muss ~ die Post** he has to go to the post office ❺ +*dat* at; **sein Geld ist ~ der Bank** his money is in the bank; **er arbeitet ~ dem Finanzamt** he works at the tax office ❻ +*akk* (*einen Zeitpunkt festlegend*) on; **Heiligabend fällt ~ einen Dienstag** Christmas Eve falls on a Tuesday; **die Konferenz muss ~ morgen verlegt werden** the conference has to be postponed until tomorrow ❼ +*akk* (*beschränkend*) to; **~ den Millimeter genau** exact to a millimetre ❽ +*dat* (*während*) on; **~ der Busfahrt wurde es einigen schlecht** some people felt sick on the bus ride ❾ +*akk* (*als Reaktion*) at; **~ seine Bitte [hin]** at his request ❿ +*akk* (*zu einem Anlass*) to; **wollen wir ~ das Fest gehen?** shall we go to the party? **II.** *adv* ❶ (*fam: geöffnet*) **~ sein** to be open ❷ (*fam: nicht mehr im Bett*) **~ sein** to be up ▶ **~ und ab** up and down; **~ und davon** (*fort*) up and away **III.** *interj* ❶ (*los*) **~ nach Kalifornien!** let's go to California! ❷ (*aufgesetzt*) on; **Helme auf!** helmets on! **IV.** *konj* (*geh: Äußerung eines Wunsches*) **■~ dass ...** that ...

auf|ar·bei·ten *vt* ❶ (*renovieren*) to refur-

bish ❷ (*bearbeiten*) to get through ❸ (*bewältigen*) *Vergangenheit* to reappraise

auf|at·men *vi* ❶ (*durchatmen*) to breathe ❷ (*seine Erleichterung zeigen*) to heave a sigh of relief

auf|bah·ren ['au̯fba:rən] *vt* to lay out in state

Auf·bau *m kein pl* ❶ (*das Zusammenbauen*) assembling ❷ (*Schaffung*) *eines Landes* the building; *eines sozialen Netzes* the creation ❸ (*Wiedererrichtung*) reconstruction ❹ (*Struktur*) structure

auf|bau·en I. *vt* ❶ (*zusammenbauen*) to assemble ❷ (*hinstellen*) to set out *sep* ❸ (*schaffen*) **■sich** *dat* **etw ~** to build up sth *sep* ❹ (*basieren*) to base (**auf** on) ❺ (*herstellen*) **eine Verbindung ~** to make a connection ❻ (*eine Struktur haben*) **■aufgebaut sein** to be structured **II.** *vr* ❶ (*fam*) **■sich vor jdm ~** to stand up in front of sb ❷ (*sich bilden*) to build up

Auf·bau·kurs *m* (*in der Oberstufe*) sixth form course BRIT; (*Spezialisierung*) continuation course

auf|bäu·men *vr* **■sich ~** ❶ (*sich ruckartig aufrichten*) to convulse; *Pferd* to rear [up] ❷ (*geh: sich auflehnen*) to revolt (**gegen** against)

auf|bau·schen *vt* ❶ (*übertreibend darstellen*) to blow up *sep* (**zu** into) ❷ (*blähen*) to fill

auf|be·geh·ren * *vi* ❶ (*geh*) to rebel (**gegen** against) ❷ SCHWEIZ (*protestieren*) to protest (**gegen** against)

auf|be·hal·ten * *vt irreg* to keep on *sep*

auf|be·kom·men * *vt irreg* (*fam*) **■etw ~** ❶ (*öffnen*) to get sth open ❷ (*zu erledigen erhalten*) *Hausaufgaben* to get sth as homework

auf|be·rei·ten * *vt* ❶ (*verwendungsfähig machen*) to process; *Trinkwasser* to purify ❷ *Text* to edit

Auf·be·rei·tung <-, -en> *f* ❶ (*das Aufbereiten*) processing; *von Wasser* the purification ❷ (*Bearbeitung*) editing

auf|bes·sern *vt* to improve; *Gehalt* to increase

Auf·bes·se·rung <-, -en> *f* improvement

auf|be·wah·ren * *vt* ❶ (*in Verwahrung nehmen*) to keep ❷ (*lagern*) to store

Auf·be·wah·rung <-, -en> *f* [safe]keeping

auf|bie·ten *vt irreg* to muster; *Truppen* to call in

auf|bin·den *vt irreg* ❶ (*öffnen, lösen*) to untie ❷ (*auf etw befestigen*) to fasten; **sich** *dat* **etw auf den Rücken ~** to hitch sth on[to] one's back ❸ (*fam: weismachen*) **■jdm etw ~** to make sb fall for sth

auf·blä·hen I. *vt* ❶ (*füllen*) to fill out *sep;* ■ **aufgebläht** inflated ❷ MED to distend ❸ (*aufbauschen, übersteigern*) to inflate **II.** *vr* ■ **sich ~** ❶ (*sich füllen*) to fill ❷ MED to become distended ❸ (*pej: sich wichtigmachen*) to puff oneself up

auf·blas·bar *adj* inflatable

auf·bla·sen *irreg* **I.** *vt* to inflate; *Luftballon* to blow up *sep* **II.** *vr* ■ **sich ~** (*pej: sich wichtigmachen*) to puff oneself up; ■ **aufgeblasen** [**sein**] [to be] puffed-up

auf·blei·ben *vi irreg sein* ❶ (*nicht zu Bett gehen*) to stay up ❷ (*geöffnet bleiben*) to stay open

auf·blen·den *vi, vt* ❶ AUTO to turn up the headlights *sep* ❷ FOTO to increase the aperture

auf·bli·cken *vi* ❶ (*nach oben sehen*) to look up (**zu** at) ❷ (*als Vorbild verehren*) ■ **zu jdm ~** to look up to sb

auf·blit·zen *vi* to flash

auf·blü·hen *vi sein* ❶ *Blume* to bloom ❷ (*aufleben*) to blossom out

auf·bo·cken *vt* AUTO ■ **etw ~** to jack up sth *sep*

auf·brau·chen *vt* to use up *sep;* ■ **sich ~** to get used up

auf·brau·sen *vi sein* ❶ (*wütend werden*) to flare up ❷ (*schäumen*) to fizz [up]

auf·brau·send *adj* quick-tempered

auf·bre·chen *irreg* **I.** *vt haben* to break open *sep;* **ein Auto ~** to break into a car **II.** *vi sein* ❶ (*aufplatzen*) to break up; *Wunde* to open ❷ (*sich auf den Weg machen*) to start off; **ich glaube, wir müssen ~** I think we've got to go

auf·bre·zeln *vr* (*fam*) to get all dolled up

auf·brin·gen *vt irreg* ❶ (*bezahlen*) to pay; *Geld* to raise ❷ (*mobilisieren*) to summon [up *sep*] ❸ (*erzürnen*) to irritate ❹ (*auftragen*) to apply (**auf** to)

Auf·bruch *m kein pl* departure; **das Zeichen zum ~ geben** to give the signal to set off

Auf·bruchs·stim·mung *f* ❶ (*vor dem Aufbrechen*) atmosphere of departure; **in ~ sein** to be wanting to go; **hier herrscht schon ~** it's all breaking up ❷ (*Stimmung der Erneuerung*) atmosphere of awakening

auf·brü·hen *vt* to brew up *sep*

auf·brum·men *vt* (*fam*) ■ **jdm etw ~** to land sb with sth

auf·bür·den *vt* (*geh*) ❶ (*jdn mit etw belasten*) ■ **jdm etw ~** to encumber sb with sth ❷ (*jdm geben*) *Verantwortung* to burden with

auf·de·cken *vt* ❶ (*enthüllen*) to uncover ❷ (*bloßlegen*) to expose; *Fehler* to discov-

er ❸ KARTEN **die Karten ~** to show one's cards ❹ (*zurückschlagen*) to fold down *sep*

auf·don·nern *vr* (*pej fam*) ■ **sich ~** to doll [*or* BRIT *also* tart] oneself up

auf·drän·gen I. *vt* ■ **jdm etw ~** to force sth on sb **II.** *vr* ■ **sich jdm ~** to impose oneself on sb; **ich will mich nicht ~** I don't want to impose [myself]

auf·dre·hen I. *vt* ❶ (*durch Drehen öffnen*) to turn on *sep; Flasche, Ventil* to open; *Schraubverschluss* to unscrew ❷ (*fam: lauter stellen*) to turn up *sep;* **voll aufgedreht** turned up full *präd* **II.** *vi* (*fam*) ❶ (*loslegen*) to get going; ■ **aufgedreht sein** to be full of go ❷ (*beschleunigen*) [**voll**] ~ to floor the accelerator

auf·dring·lich *adj* ❶ (*forsch*) obtrusive, importunate; *Person* insistent; ■ **~ werden** to become obtrusive ❷ *Geruch* pungent

Auf·dring·lich·keit <-, -en> *f* ❶ (*Zudringlichkeit*) obtrusiveness *no pl* ❷ (*zu intensive Art*) pungency *no pl* ❸ (*grelle Gestaltung*) loudness *no pl*

Auf·druck <-drucke> *m* ❶ (*aufgedruckter Hinweis*) imprint, stamp ❷ (*Zusatzstempel auf Briefmarke*) overprint

auf·dru·cken *vt* ❶ *Tür* to push open *sep* ❷ *Stempel* to press on ❸ (*fam*) ■ **jdm etw ~** *Pflicht, Aufgabe, Arbeit* to impose sth on sb

auf·dru·cken *vt* ■ **etw** [**auf etw** *akk*] **~** to print sth on sth, to apply sth [to sth] *form*

auf·ei·nan·der [ˌaʊfʔaiˈnandɐ] *adv* ❶ (*räumlich*) on top of each other ❷ (*zeitlich*) after each other ❸ (*gegeneinander*) **~ losgehen** to hit away at each other ❹ (*wechselseitig auf den anderen*) **~ angewiesen sein** to be dependent on each other; **~ zugehen** to approach each other

auf·ei·nan·der|fol·gen *vi sein* to follow each other; **dicht ~** to come thick and fast **auf·ei·nan·der·fol·gend** *adj* successive; **eng ~** thick and fast *also hum* **auf·ei·nan·der|sto·ßen** *vi irreg sein* to clash

Auf·ent·halt <-[e]s, -e> [ˈaʊfʔɛnthalt] *m* ❶ (*das Verweilen*) stay ❷ (*das Wohnen*) residence ❸ (*Aufenthaltsort*) place of residence ❹ BAHN (*Wartezeit*) stop[over]; **wie lange haben wir in Köln ~?** how long do we stop [for] in Cologne?

Auf·ent·halts·er·laub·nis *f* residence permit **Auf·ent·halts·ge·neh·mi·gung** *f* residence permit **Auf·ent·halts·ort** *m* whereabouts + *sing/pl vb* **Auf·ent·halts·raum** *m* day room; (*in Firma*) recreation room

A

auf·er·le·gen* ['aʊfʔεɐle:gn̩] *vt* (*geh*) ■**jdm etw** ~ to impose sth on sb

auf·er·ste·hen* *vi irreg sein* REL to rise from the dead; *Christus* to rise again

Auf·er·ste·hung <-, -en> *f* REL resurrection; **Christi** ~ the Resurrection [of Christ]

auf·es·sen *irreg vt, vi* to eat up *sep*

auf·fah·ren *irreg vi sein* ❶ (*darauf fahren*) ■**auf jdn/etw** ~ to run into sb/sth ❷ (*näher heranfahren*) to drive up (**auf** to); **zu dicht** ~ to tailgate ❸ (*hochschrecken*) to start [up] ❹ (*aufbrausen*) to fly into a rage

Auf·fahrt *f* ❶ (*Autobahn~*) [motorway [*or* AM freeway]] slip [*or* AM ramp] road ❷ *kein pl* (*das Hinauffahren*) climb ❸ (*ansteigende Zufahrt*) drive[way] ❹ SCHWEIZ *s.* **Himmelfahrt**

Auf·fahr·un·fall *m* collision; (*von mehreren Fahrzeugen*) pile-up

auf·fal·len *vi irreg sein* ❶ (*positiv bemerkt werden*) [jdm] [positiv] ~ to make a positive impression on sb ❷ (*negativ bemerkt werden*) to attract attention; **nur nicht ~!** don't go attracting attention!; [unangenehm] ~ to make a bad impression ❸ (*besonders bemerkt werden*) to stand out ❹ (*als auffallend bemerkt werden*) **ist Ihnen etwas Ungewöhnliches aufgefallen?** did you notice anything unusual?; **der Fehler fällt nicht besonders auf** the mistake is not all that noticeable; ■**jdm** ~, **dass ...** sb has noticed that ...

auf·fal·lend I. *adj* conspicuous; ~**e Ähnlichkeit** striking likeness; **das A~[st]e an ihm sind die roten Haare** the [most] striking thing about him is his red hair II. *adv* (*in* ~ *er Weise*) strangely

auf·fäl·lig I. *adj* conspicuous; ■**an jdm** ~ **sein** to be noticeable about sb; ■**etwas A~es** something conspicuous II. *adv* conspicuously

auf·fan·gen *vt irreg* ❶ (*einfangen, mitbekommen*) to catch ❷ (*kompensieren*) to offset ❸ (*sammeln*) to collect ❹ (*abfangen*) to cushion ❺ (*abwehren*) to block

Auf·fang·la·ger *nt* reception camp

auf·fas·sen *vt* to interpret (**als** as); **etw falsch** ~ to misinterpret sth

Auf·fas·sung *f* opinion; **ich bin der** ~, **dass ...** I think [that]...; **nach jds** ~ in sb's opinion

Auf·fas·sungs·ga·be *f kein pl* perception

auf·find·bar *adj* ■**etw ist** [nicht] ~ sth can[not] be found

auf·fin·den *vt irreg* to find

auf·fla·ckern *vi sein* (*geh*) to flare up, to kindle *liter*

auf·flam·men *vi sein* ❶ (*flammend aufleuchten*) to flare up; **etw zum A~ bringen** to make sth flare up; **etw wieder zum A~ bringen** to rekindle sth ❷ (*geh: gewaltig losbrechen*) to flare up

auf·flie·gen *vi irreg sein* ❶ *Vogel* to fly up ❷ *Tür* to fly open ❸ (*fam: öffentlich bekannt werden*) to be busted; *Betrug, Machenschaften* to be blown; ■**jdn/etw** ~ **lassen** to blow sb/sth

auf·for·dern *vt* ■**jdn** ~, **etw zu tun** to ask sb to do sth; **wir fordern Sie auf, ...** you are requested ...; **jdn zum Tanz** ~ to ask sb to dance

Auf·for·de·rung *f* request; (*stärker*) demand; ~ **zum Tanz** invitation to dance

auf·fors·ten ['aʊffɔrstn̩] I. *vt* to [re]afforest; ■**das A~** afforestation II. *vi* to plant trees

Auf·fors·tung *f* afforestation; (*wieder*) reforestation

auf·fres·sen *irreg vt, vi* ❶ (*verschlingen*) to eat up *sep; Beute* to devour ❷ (*fig: erschöpfen*) to exhaust

auf·fri·schen I. *vt haben* ❶ *Beziehung* to renew; *Erinnerung* to refresh; *Kenntnisse* to polish up *sep;* **sein Französisch** ~ to brush up one's French *sep* ❷ *Anstrich* to brighten up *sep; Make-up* to retouch ❸ *Vorräte* to replenish II. *vi sein o haben Wind* to freshen, to pick up

Auf·fri·schungs·kurs *m* refresher course

auf·füh·ren I. *vt* ❶ *Theaterstück* to perform ❷ (*auflisten*) to list; **etw im Einzelnen** ~ to itemize sth; *Beispiele, Zeugen* to cite II. *vr* (*sich benehmen*) to behave; **sich so** ~, **als ob ...** to act as if ...

Auf·füh·rung *f* ❶ (*Darbietung*) performance ❷ (*Auflistung*) listing; *von Beispielen, Zeugen* citing; **einzelne** ~ itemization

auf·fül·len *vt, vi* ❶ (*vollständig füllen*) to fill up *sep* ❷ (*nachfüllen*) to top up *sep*

Auf·ga·be¹ <-, -n> *f* ❶ (*Pflicht*) job, task ❷ *meist pl* (*Übungs~*) exercise; (*Haus~*) homework *no pl* ❸ (*zu lösendes Problem*) question; **eine schwierige** ~ **lösen** to solve a difficult problem ❹ (*Zweck*) purpose

Auf·ga·be² <-> *f kein pl* ❶ (*Verzicht auf weiteren Kampf*) surrender ❷ (*Einstellung*) giving up ❸ (*das Abbrechen*) abandonment

auf·ga·beln *vt* ❶ (*fam: kennen lernen*) to pick up sb *sep* ❷ (*mit der Forke aufladen*) to fork up *sep*

Auf·ga·ben·be·reich *m,* **Auf·ga·ben·ge·biet** *nt* area of responsibility

Auf·gang <-gänge> *m* ❶ (*das Erscheinen*) rising; *von Planeten a.* ascent ❷ (*Treppe*) staircase

auffordern

jemanden auffordern	asking someone
Kannst du grade mal kommen?	**Can you just** come here **for a minute?**
Besuch mich **doch mal**.	**Do** come and visit me.
Denk dran, mich heute Abend anzurufen.	**Don't forget** to phone me this evening.
Ich muss Sie bitten, den Raum zu verlassen. *(form)*	**I must ask you** to leave the room.

zu gemeinsamem Handeln auffordern	inviting a shared activity
Auf geht's! *(fam)*	**Let's go!** *(fam)*
An die Arbeit!/Fangen wir mit der Arbeit **an!**	**(Let's get) to work!/Let's get down to** work!
Lasst uns mal in Ruhe darüber reden.	**Let's just** talk about it calmly.
Wollen wir jetzt nicht endlich mal damit anfangen?	**Shall we finally** make a start on it?

verlangen	demanding
Ich will/bestehe darauf, dass du gehst.	**I want** you to go/**insist (that)** you go.
Ich verlange eine Erklärung von Ihnen.	**I demand** an explanation from you.
Das ist das Mindeste, was man verlangen kann.	**That is the least** one can expect.

auf|ge·ben *irreg* **I.** *vt* ❶ *Aufgabe* to give ❷ *Gepäck* to register; LUFT to check in ❸ *Brief, Päckchen* to post [*or* AM mail] ❹ (*in Auftrag geben*) to place ❺ (*mit etw aufhören*) to give up *sep;* **eine Gewohnheit** ~ to give up a habit; *Stellung* to resign ❻ (*fallen lassen*) to drop ❼ (*verloren geben*) ■**jdn** ~ to give up with sb ❽ (*vorzeitig beenden*) to abandon **II.** *vi* (*sich geschlagen geben*) to give up; MIL to surrender

auf·ge·bla·sen I. *pp von* **aufblasen II.** *adj* (*mit Luft gefüllt*) blown-up; (*pej: eingebildet, arrogant*) self-important

Auf·ge·bot *nt* ❶ (*aufgebotene Menschenmenge*) crowd; *von Polizei, Truppen* contingent *form* ❷ (*Heiratsankündigung*) notice of [*an*] intended marriage; **das ~ bestellen** to give notice of one's intended marriage

auf·ge·bracht I. *adj* outraged (**über** with) **II.** *adv* in outrage

auf·ge·dreht I. *pp von* **aufdrehen II.** *adj* (*fam: lebhaft*) in high spirits

auf·ge·dun·sen *adj* bloated; *Gesicht* puffy

auf|ge·hen *vi irreg sein* ❶ (*langsam sichtbar werden*) to rise; *Planeten a.* to ascend ❷ (*sich öffnen*) to open; (*Vorhang*) to rise; *Knoten, Reißverschluss etc.* to come un-done ❸ (*klar werden*) ■**jdm** ~ to dawn on sb ❹ MATH to work out ❺ (*seine Erfüllung finden*) ■**in etw** *dat* ~ to be taken up in sth ❻ (*aufkeimen*) to sprout ❼ *Teig* to rise

auf·ge·ho·ben *adj* [**bei jdm**] **gut/ schlecht** ~ **sein** to be/to not be in good hands [with sb]

auf|gei·len I. *vt* (*sl*) to work up *sep* **II.** *vr* (*sl*) ■**sich** [**an jdm/etw**] ~ to get off [on sb/sth]

auf·ge·klärt *adj* enlightened; (*sexualkundlich*) to know the facts of life

auf·ge·kratzt *adj* (*fam*) full of beans

auf·ge·legt *adj* **gut/schlecht** ~ **sein** to be in a good/bad mood; ■|**dazu**| ~ **sein, etw zu tun** to feel like doing sth

auf·ge·löst *adj* ■~ **sein** to be beside oneself

auf·ge·räumt *adj* (*geh*) cheerful, blithe *dated*

auf·ge·regt I. *adj* (*erregt*) excited; (*durcheinander*) flustered **II.** *adv* excitedly

auf·ge·schlos·sen *adj* open-minded

Auf·ge·schlos·sen·heit <-> *f kein pl* open-mindedness *no pl*

auf·ge·schmis·sen *adj* (*fam*) ■~ **sein** to be in a fix

auf·ge·setzt *adj s.* **aufsetzen I 5**

auf·ge·weckt *adj* bright

auf|gie·ßen vt irreg ❶ (nachfüllen) to pour in sep ❷ Kaffee, Tee to make

auf|glie·dern I. vt to subdivide (**in** into); in Unterpunkte to itemize **II.** vr ▪**sich in etw** akk ~ to subdivide into sth

Auf·glie·de·rung f breakdown

auf|grei·fen vt irreg ❶ (festnehmen) to pick up sep ❷ (weiterverfolgen) to take up sep; Gespräch to continue

auf·grund präp, **auf Grund** [ˈaʊfgrʊnt] + gen ▪~ **einer S.** gen owing to sth

Auf·guss^{RR} <-es, Aufgüsse> m, **Auf·guß**^{ALT} <-sses, Aufgüsse> m ❶ PHARM [herbal] brew ❷ (in der Sauna) a preparation of herbs suspended in water for vaporization on hot stones in a sauna

auf|ha·ben irreg **I.** vt (fam) ❶ (geöffnet haben) to leave open sep ❷ Hut, Mütze to wear ❸ (aufgeknöpft haben) to have open sep ❹ SCH (aufbekommen haben) to have [to do sep] **II.** vi (fam) to be open

auf|hal·sen vt (fam) ▪**jdm etw** ~ to saddle sb with sth

auf|hal·ten irreg **I.** vt ❶ (abhalten) to keep back (**bei** from) ❷ (am Weiterkommen hindern) to hold up sep ❸ (zum Halten bringen) to stop ❹ (fam: offen hinhalten) to hold open sep; **die Hand** ~ to hold out one's hand sep **II.** vr ❶ (verweilen) ▪**sich** ~ to stay; ▪**sich bei etw** dat ~ to dwell on sth ❷ (sich weiterhin befassen) ▪**sich mit jdm/etw** ~ to spend time [dealing] with sb/sth; **mit denen halte ich mich nicht länger auf** I'll not waste any more time with them

auf|hän·gen I. vt ❶ (daran hängen) to hang up; **die Wäsche** ~ to hang out the washing [or laundry] AM ❷ (durch Erhängen töten) to hang **II.** vr ▪**sich** ~ to hang oneself (**an** from)

Auf·hän·ger <-s, -> m ❶ (Schlaufe zum Aufhängen) loop ❷ (fam: Anknüpfungspunkt) peg

auf|häu·fen I. vt ▪**etw** ~ to accumulate sth; ▪**aufgehäuft** accumulated **II.** vr ▪**sich** ~ to accumulate

auf|he·ben irreg **I.** vt ❶ (vom Boden nehmen) to pick up sep ❷ (aufrichten) to lift up sep ❸ (aufbewahren) to put aside sep; (nicht wegwerfen) to keep ❹ (widerrufen) to abolish; Urteil to quash **II.** vr (sich ausgleichen) ▪**sich** ~ to offset each other

Auf·he·ben <-s> nt kein pl [**nicht**] **viel** ~ [**s**] [**von etw** dat] **machen** to [not] make a lot of fuss [about sth]

Auf·he·bung <-, -en> f ❶ (das Aufheben) abolition; von Urteil reversal ❷ (Beendigung) lifting

auf|hei·tern vt to cheer up sep

Auf·hei·te·rung <-, -en> f ❶ (Erheiterung) cheering up ❷ METEO bright period

auf|hei·zen I. vt ❶ (allmählich erhitzen) ▪**etw** ~ to heat [up sep] sth ❷ (geh: emotional aufladen) ▪**jdn** ~ to inflame sb; **die Atmosphäre** ~ to charge the atmosphere; **die Stimmung** ~ to stir up feelings sep; ▪**aufgeheizt** charged **II.** vr ▪**sich** ~ ❶ (sich allmählich erhitzen) to heat up ❷ (geh: sich emotional aufladen) to become charged, to intensify

auf|hel·len I. vt ❶ (blonder, heller machen) to lighten sth ❷ (klarer machen) to throw light upon sth **II.** vr ▪**sich** ~ (sonniger werden) to brighten [up]

auf|het·zen vt (pej) to incite (**gegen** against)

auf|ho·len I. vt (wettmachen) to make up sep; **versäumten Lernstoff** ~ to catch up on missed learning **II.** vi to catch up; Läufer, Rennfahrer to make up ground

auf|hor·chen vi to prick up one's ears

auf|hö·ren vi to stop; **hör endlich auf!** [will you] stop it!; **plötzlich** ~ to stop dead; ▪~, **etw zu tun** to stop doing sth

auf|hüb·schen [ˈaʊfhʏpʃn̩] vt (iron fam) ▪**jdn/etw** ~ to make sb/sth look good; (schönen) Bilanz to massage sth; (verschönern) Gebäude to prettify sth

auf|kau·fen vt to buy up sep

auf|kei·men vi sein ❶ (sprießen) to germinate ❷ (geh: sich zaghaft zeigen) to bud

auf·klapp·bar adj hinged; ~**es Verdeck** fold[-]down top

auf|klap·pen vt, vi haben ❶ Buch to open [up sep]; Liegestuhl to unfold; Messer to unclasp; Verdeck to fold back sep ❷ Kragen to turn up sep

auf|klä·ren I. vt ❶ (erklären) to clarify; Irrtum, Missverständnis to resolve ❷ (aufdecken) to solve; Verbrechen to clear up ❸ (informieren) to inform (**über** about); ▪**aufgeklärt sein** to be informed ❹ (sexuell informieren) to explain the facts of life **II.** vr ▪**sich** ~ ❶ Geheimnis, Irrtum etc. to resolve itself ❷ (sonniger werden) to brighten [up]

Auf·klä·rer <-s, -> m ❶ MIL reconnaissance plane ❷ PHILOS philosopher of the Enlightenment

Auf·klä·rung f ❶ (Erklärung) clarification; von Irrtum, Missverständnis resolution ❷ (Aufdeckung) solution (+gen/**von** to); von Verbrechen clearing up ❸ (Information) information (**über** about) ❹ (sexuelle Information) sex education ❺ PHILOS ▪**die** ~ the Enlightenment

Auf·klä·rungs·be·darf m kein pl need for information **Auf·klä·rungs·kam·pag·ne** f information campaign

auf|klat·schen vt (sl: verprügeln) to beat up

auf|kle·ben vt to stick (**auf** on); (mit Leim) to glue sep; Briefmarke to put on sep

Auf·kle·ber m sticker; (für Briefumschläge, Pakete usw.) adhesive label

auf|knöp·fen vt to unbutton; Knopf to undo

auf|ko·chen I. vt haben to bring sth to the [or AM a] boil **II.** vi sein to come to the [or AM a] boil

auf|kom·men vi irreg sein ❶ (finanziell begleichen) ■ **für etw** akk ~ to pay for sth ❷ (Unterhalt leisten) ■ **für jdn** ~ to pay for sb's upkeep ❸ (entstehen) to arise; von Nebel to come down; Regen to set in; Wind to rise; ■ **etw** ~ **lassen** to give rise to sth ❹ (aufsetzen) to land (**auf** on); **hart/weich** ~ to have a hard/soft landing

Auf·kom·men <-s, -> nt ❶ kein pl (Entstehung) emergence; einer Mode a. rise ❷ (das Auftreten) appearance; von Wind rising

auf|krat·zen vt ❶ (durch Kratzen öffnen) to scratch open sep ❷ (sich durch Kratzen verletzen) ■ **sich** ~ to scratch oneself sore

auf|krei·schen vi to shriek

auf|krem·peln vt to roll up sep

auf|kreu·zen vi sein (fam) to turn up

auf|krie·gen vt (fam) s. **aufbekommen**

Aufl. f Abk von **Auflage** ed.

auf|la·chen vi to [give a] laugh

auf|la·den irreg **I.** vt ❶ (darauf laden) to load (**auf** on[to]) ❷ (aufbürden) ■ **jdm etw** ~ to burden sb with sth ❸ ELEK to charge **II.** vr ELEK ■ **sich** ~ to become charged

Auf·la·ge <-, -n> f ❶ (gedruckte Exemplare) edition; **verbesserte** ~ revised edition ❷ (Auflagenhöhe) number of copies; von Zeitung circulation ❸ (Produktion) [series] production ❹ (Bedingung) condition; **die** ~ **haben, etw zu tun** to be obliged to do sth ❺ (Polster) pad ❻ (Überzug) plating no pl

Auf·la·ge(n)·hö·he f (von Buch) number of copies published; von Zeitung circulation

auf|las·sen vt irreg ❶ (fam: offen lassen) to leave open sep ❷ (fam: aufbehalten) to leave on sep; **soll ich meinen Hut ~?** should I keep my hat on?

auf|lau·ern vi ■ **jdm** ~ to lie in wait for sb; (anschließend angreifen, ansprechen) to waylay sb

Auf·lauf[1] m KOCHK savoury or sweet dish baked in the oven

Auf·lauf[2] m (Menschen~) crowd

auf|lau·fen vi irreg sein ❶ (sich ansammeln) to accumulate ❷ (auf Grund laufen) to run aground ❸ (aufprallen) ■ **auf jdn/etw** ~ to run into sb/sth ❹ (scheitern) to fail; ■ **jdn** ~ **lassen** (fam) to drop sb in it

auf|le·ben vi sein ❶ (munter werden) to liven up ❷ (neuen Lebensmut bekommen) to find a new lease of [or AM on] life ❸ (geh: sich erneut bemerkbar machen) to revive

auf|le·cken vt ■ **etw** ~ to lick up sth sep

auf|le·gen vt ❶ (herausgeben) to publish; **ein Buch neu** ~ to reprint a book; (neue Bearbeitung) to bring out a new edition ❷ (produzieren) to launch ❸ TELEK **den Hörer** ~ to hang up ❹ (nachlegen) Holz/Kohle ~ to put on more wood/coal sep

auf|leh·nen vr to revolt (**gegen** against)

auf|le·sen vt irreg (fam) ❶ (aufheben) to pick up ❷ (finden und mitnehmen) jdn [von der Straße] ~ to pick sb up [off the street]

auf|leuch·ten vi sein o haben to light up

auf|lis·ten vt to list

auf|lo·ckern I. vt ❶ (abwechslungsreicher machen) to liven up sep ❷ (zwangloser machen) to ease ❸ (weniger streng machen) to soften ❹ (von Verspannungen befreien) to loosen up sep; (vor Leibesübungen) to limber up sep ❺ (lockern) to loosen [up sep]; **die Erde** ~ to break up the earth **II.** vr ■ **sich** ~ ❶ SPORT (sich von Verspannungen befreien) to loosen up; (vor Leibesübungen) to limber up ❷ (sich zerstreuen) to break up; **aufgelockerte Bewölkung** thinning cloudcover

Auf·lo·cke·rung f ❶ (das Erleichtern) **zur** ~ **des Unterrichtsstoffes** [in order] to liven up the lesson; **zur** ~ **der Atmosphäre** to ease the atmosphere ❷ (Beseitigung von Verspannungen) loosening up; (vor Leibesübungen) limbering up

auf|lo·dern vi sein ❶ (plötzlich hoch schlagen) to flare up; [hoch] ~**de Flammen** raging flames ❷ (geh: ausbrechen) to flare up; Kämpfe a. to break out

auf|lö·sen I. vt ❶ (in Flüssigkeit lösen) to dissolve ❷ (aufklären) to clear up sep ❸ (aufheben) to disband; Parlament to dissolve ❹ Konto to close ❺ Haushalt to break up sep ❻ FOTO to resolve ❼ MATH to [re]solve **II.** vr ■ **sich** ~ ❶ (in Flüssigkeit zergehen) to dissolve ❷ (sich zersetzen) to disintegrate ❸ (sich klären) to resolve itself ❹ (sich zerstreuen) to break up sep;

Nebel a. to lift ⑤ (*verschwinden*) **sich** [**in nichts/Luft**] ~ to disappear [into thin air]
Auf·lö·sung *f* ❶ (*Beendigung des Bestehens*) disbanding; *vom Parlament* dissolution ❷ (*Zerstreuung*) dispersal ❸ (*Klärung*) clearing up ❹ FIN closing ❺ (*Bildqualität*) resolution ❻ *von Haushalt* breaking up ❼ (*das Zergehen*) dissolving
Auf·lö·sungs·zei·chen *nt* MUS natural [sign]
auf|ma·chen I. *vt* ❶ (*fam: öffnen*) to open ❷ (*fam: lösen*) to undo ❸ (*gestalten*) to make up *sep* ❹ (*darstellen*) to feature; **etw groß** ~ to give sth a big spread **II.** *vi* ❶ (*die Tür öffnen*) to open the door ❷ (*ein Geschäft* [*er*]*öffnen*) to open up **III.** *vr* ❶ (*sich anschicken*) ■**sich** [**dazu**] ~, **etw zu tun** to get ready to do sth ❷ (*aufbrechen*) to set out; **sich in die Kneipe** ~ to set out for the pub
Auf·ma·cher *m* MEDIA front-page story, lead [article]
Auf·ma·chung <-, -en> *f* ❶ (*Kleidung*) turn-out ❷ (*Gestaltung von Buch*) presentation ❸ (*Gestaltung von Seite, Zeitschrift*) layout
auf|mar·schie·ren* *vi sein* ❶ (*heranmarschieren*) to march up ❷ MIL (*in Stellung gehen*) to be deployed; ■**jdn** ~ **lassen** to deploy sb; (*fig fam*) to drum up sb *sep*
auf·merk·sam I. *adj* ❶ (*alles genau bemerkend*) attentive; ■~ **werden** to take notice (**auf** of); **jdn auf etw** *akk* ~ **machen** to draw sb's attention to sth ❷ (*zuvorkommend*) attentive; [**das ist**] **sehr** ~ [**von Ihnen**]! [that's] most kind [of you] **II.** *adv* attentively; (*beobachtend*) observantly
Auf·merk·sam·keit <-, -en> *f* ❶ *kein pl* (*aufmerksames Verhalten*) attention ❷ *kein pl* (*Zuvorkommenheit*) attentiveness ❸ (*Geschenk*) token [gift]
auf|mi·schen *vt* (*sl*) ❶ (*neu mischen*) to remix ❷ (*verprügeln*) to lay into *sl*
auf|mö·beln *vt* (*fam*) ❶ (*restaurieren*) to do up *sep* ❷ (*aufmuntern*) to cheer up *sep*
auf|mu·cken *vi* (*fam*) to kick [out] (**gegen** against)
auf|muck·sen *vi* (*fam*) ■**gegen etw** *akk* ~ to protest against sth
auf|mun·tern *vt* ❶ (*aufheitern*) to cheer up *sep* ❷ (*beleben*) to liven up *sep* ❸ (*Mut machen*) to encourage
auf·mun·ternd I. *adj* encouraging **II.** *adv* encouragingly
Auf·mun·te·rung <-, -en> *f* ❶ (*Aufheiterung*) cheering up ❷ (*Ermutigung*) encouragement ❸ (*Belebung*) livening up
auf·müp·fig *adj* (*fam*) ■~ **sein/werden** to be rebellious
Auf·nah·me <-, -n> *f* ❶ (*Fotografie*) photo[graph]; **von jdm/etw eine** ~ **machen** to take a photo[graph] of sb/sth ❷ (*Tonband*~) [tape-]recording; **von jdm/etw eine** ~ **machen** to record sb/sth [on tape] ❸ (*Beginn*) start; *von Tätigkeit a.* taking up; *von Beziehung, Verbindung a.* establishment ❹ *kein pl* (*Absorption*) absorption ❺ (*Verleihung der Mitgliedschaft*) admission ❻ (*Auflistung*) inclusion (**in** in) ❼ (*Reaktion*) reception; ■**die** ~ **einer S.** *gen* sb's reception of sth
auf·nah·me·fä·hig *adj* ■[**für etw** *akk*] ~ **sein** to be able to grasp *sep* **Auf·nah·me·ge·bühr** *f* membership fee **Auf·nah·me·la·ger** *nt* POL, SOZIOL refugee camp **Auf·nah·me·prü·fung** *f* entrance examination
auf|neh·men *vt irreg* ❶ (*fotografieren*) to photograph ❷ (*filmen*) to film ❸ (*aufzeichnen*) to record ❹ (*unterbringen*) ■**jdn** [**bei sich** *dat*] ~ to take in sb *sep* ❺ (*beitreten lassen*) to admit ❻ (*geistig registrieren*) to grasp ❼ (*auflisten*) to include ❽ (*beginnen*) to begin; *Tätigkeit* to take up *sep;* **Kontakt mit jdm** ~ to contact sb ❾ (*absorbieren*) to absorb ❿ (*auf etw reagieren*) to receive ⑪ (*niederschreiben*) to take down *sep; Telegramm* to take ⑫ (*fassen*) to contain ⑬ (*aufheben*) to pick up *sep* ⑭ NORDD (*aufwischen*) to wipe up *sep* ▶**es mit jdm/etw** ~ [**können**] to be a match for sb/sth (**an** in)
auf|nö·ti·gen *vt* to force sth on sb
auf|op·fern *vr* ■**sich** ~ to sacrifice oneself (**für** for)
auf·op·fernd *adj s.* **aufopferungsvoll**
Auf·op·fe·rung *f* sacrifice
auf·op·fe·rungs·voll I. *adj* (*hingebungsvoll*) devoted **II.** *adv* with devotion
auf|päp·peln *vt* (*fam*) ■**jdn/ein Tier** ~ to feed up sb/an animal *sep;* (*wieder gesund machen*) to nurse sb/an animal back to health
auf|pas·sen *vi* ❶ (*aufmerksam sein*) to pay attention; **genau** ~ to pay close attention; ■**pass auf!** (*sei aufmerksam*) [be] careful!; (*Vorsicht*) watch [*or* BRIT *also* mind] out! ❷ (*beaufsichtigen*) to keep an eye (**auf** on); **auf die Kinder** ~ to mind the children
Auf·pas·ser(in) <-s, -> *m(f)* (*pej: Aufseher*) watchdog; (*bei Prüfung*) invigilator BRIT, proctor AM; (*Wächter*) guard
auf|peit·schen *vt* ❶ (*aufhetzen*) to inflame sb *sep;* (*stärker*) to whip up sb *sep* into a frenzy ❷ (*aufbranden lassen*) to

whip up *sep;* **das aufgepeitschte Meer** the wind-lashed sea

auf|pep·pen [ˈaʊfpɛpn̩] *vt* (*sl*) to jazz up *sep*

auf|pflan·zen I. *vt* ❶ MIL **Bajonette ~** to fix bayonets; ■ **aufgepflanzt** fixed ❷ (*aufstellen*) ■ **etw ~** to plant sth **II.** *vr* (*fam: sich hinstellen*) ■ **sich** [**vor jdm/etw**] **~** to plant oneself in front of sb/sth

auf|pfrop·fen *vt* ■ **etw** [**auf etw** *akk*] **~** to graft sth on[to] sth, to graft on sth *sep*

auf|plat·zen *vi* (*aufgehen*) to burst open; *Wunde* to open up; ■ **aufgeplatzt** burst

auf|plus·tern I. *vt* (*aufrichten*) to ruffle [up] *sep* **II.** *vr* ■ **sich ~** ❶ (*das Gefieder aufrichten*) to ruffle [up *sep*] its feathers ❷ (*pej fam: sich wichtigmachen*) to puff oneself up

auf|po·lie·ren* *vt* ■ **etw ~** (*fam*) to polish up sth *sep*

auf|pop·pen [ˈaʊfpɔpn̩] *vi* INFORM *Fenster* to pop up

Auf·prall <-[e]s, -e> *m* impact

auf|pral·len *vi sein* ■ [**auf etw** *akk o dat*] **~** to hit sth; *Mensch, Fahrzeug a.* to run into sth

Auf·preis *m* extra charge; **gegen ~** for an extra charge

auf|pro·bie·ren* *vt Hut, Brille* to try [on *sep*]

auf|pum·pen *vt* to pump up *sep;* ■ **aufgepumpt** inflated

auf|put·schen I. *vt* ❶ (*aufwiegeln*) to stir up *sep* (**gegen** against) ❷ (*jds Leistungsfähigkeit steigern*) to stimulate **II.** *vr* ■ **sich** [**mit etw** *dat*] **~** to pep oneself up [with sth]

Auf·putsch·mit·tel *nt* stimulant

auf|quel·len *vi irreg sein* to swell [up]; ■ **aufgequollen** swollen; **aufgequollenes Gesicht** puffy face

auf|raf·fen I. *vr* ❶ (*sich mühselig erheben*) ■ **sich ~** to pull oneself up ❷ (*sich mühselig entschließen*) ■ **sich zu etw** *dat* **~** to bring oneself to do sth **II.** *vt* ❶ (*schnell aufheben*) to snatch up *sep* ❷ (*raffen*) to gather up *sep*

auf|ra·gen *vi sein o haben* to rise (**über** above); (*sehr hoch*) to tower [up] over, to tower up

auf|rap·peln *vr* (*fam*) ■ **sich ~** ❶ (*wieder zu Kräften kommen*) to recover ❷ *s.* **aufraffen I**

auf|räu·men I. *vt* (*Ordnung machen*) to tidy up *sep; Schrank* to clear out *sep; Schreibtisch* to clear [up] *sep; Spielsachen* to clear away *sep;* ■ **aufgeräumt sein** to be [neat and] tidy **II.** *vi* ❶ (*Ordnung machen*) to tidy up ❷ (*etw beseitigen*)

■ **mit etw** *dat* **~** to do away with sth

Auf·räu·mungs·ar·bei·ten *pl* clear[ing]-up operations

auf·recht [ˈaʊfrɛçt] *adj, adv* upright

auf·recht|er·hal·ten* [ˈaʊfrɛçtʔɛɐhaltn̩] *vt irreg* ❶ (*daran festhalten*) to maintain; *Anklage* to uphold; **seine Behauptung ~** to stick to one's view; **seine Entscheidung ~** to abide by one's decision ❷ (*bestehen lassen*) to keep up *sep* ❸ (*moralisch stützen*) ■ **jdn ~** to keep sb going **Auf·recht·er·hal·tung** *f* ❶ (*das Aufrechterhalten*) maintenance; *von Anklage* upholding; *von Behauptung* sticking (+*gen* to); *von Entscheidung* abiding (+*gen* by) ❷ (*das weitere Bestehenlassen*) continuation

auf|re·gen I. *vt* (*erregen*) to excite; (*verärgern*) to annoy; (*nervös machen*) to make nervous; (*bestürzen*) to upset; **reg mich nicht auf!** stop getting on my nerves! **II.** *vr* (*sich erregen*) ■ **sich ~** to get worked up (**über** about); **reg dich nicht so auf!** don't get [yourself] so worked up

auf·re·gend *adj* exciting

Auf·re·gung *f* ❶ (*aufgeregte Erwartung*) excitement *no pl* ❷ (*Beunruhigung*) agitation *no pl;* **nur keine ~!** don't get flustered; **in heller ~** in utter confusion; **jdn/ etw in ~ versetzen** to get sb/sth into a state *fam*

auf|rei·ben *irreg* **I.** *vt* ❶ (*zermürben*) ■ **jdn ~** to wear down sb *sep;* **jdn nervlich ~** to fray sb's nerves (*wund reiben*) ■ [**jdm**] **etw ~** to chafe sb's sth ❸ MIL (*völlig vernichten*) ■ **etw ~** to annihilate sth **II.** *vr* ❶ (*sich zermürben*) ■ **sich ~** to wear oneself out; **sich** [**für die Arbeit**] **~** to work oneself into the ground ❷ (*sich aufscheuern*) **sich die Hände/Haut ~** to rub one's hands/skin sore

auf·rei·bend *adj* wearing

auf|rei·hen I. *vt* to string (**auf** on) **II.** *vr* ■ **sich ~** to line up

auf|rei·ßen *irreg* **I.** *vt haben* ❶ (*durch Reißen öffnen*) to tear open *sep;* (*ruckartig öffnen*) to fling open *sep* ❷ *Augen, Mund* to open wide ❸ (*sl: aufgabeln*) to pick up *sep* **II.** *vi sein Hose* to rip (**an** at); *Naht* to split; *Wolkendecke* to break up

auf|rei·zen *vt* ❶ (*erregen*) to excite; (*stärker*) to inflame ❷ (*provozieren*) to provoke

auf·rei·zend I. *adj* ❶ (*erregend*) exciting ❷ (*sexuell provokant*) provocative; *Unterwäsche a.* sexy *fam* **II.** *adv* (*sexuell provokant*) provocatively

auf|rich·ten I. *vt* ❶ (*in aufrechte Lage bringen*) to put upright ❷ (*aufstellen*) to erect

❸ *(geh: Mut machen)* ■**jdn [wieder]** ~ to give fresh courage to sb **II.** *vr* ■**sich ~** *(gerade stehen)* to stand up [straight]; *(gerade sitzen)* to sit up [straight]; *(aus gebückter Haltung)* to straighten up

auf·rich·tig I. *adj* honest; *Gefühl* sincere; *Liebe* true **II.** *adv* sincerely

Auf·rich·tig·keit <-> *f kein pl* sincerity *no pl*

auf|rol·len *vt* ❶ *(zusammenrollen)* to roll up *sep; Kabel* to coil [up *sep*], to wind up *sep* (**auf** on) ❷ *(entrollen)* to unroll ❸ *(erneut aufgreifen)* ■**etw wieder ~** to re[-]open sth

auf|rü·cken *vi sein* ❶ *(weiterrücken)* to move up; *(auf einer Bank a.)* to budge up BRIT *fam* ❷ *(avancieren)* to be promoted (**zu** to)

Auf·ruf *m* ❶ *(Appell)* appeal; **letzter ~ für alle Passagiere** last call for all passengers ❷ INFORM call; *von Daten a.* retrieval

auf|ru·fen *irreg* **I.** *vt* ❶ *Zeuge, Schüler* to call [out] ❷ *(auffordern)* ■**jdn ~, etw zu tun** to request sb to do sth ❸ INFORM to call up *sep; Daten* to retrieve **II.** *vi* ■**zu etw** *dat* ~ to call for sth

Auf·ruhr <-[e]s, -e> ['aʊfruːɐ̯] *m* ❶ *kein pl* *(geh: Erregung)* turmoil *no pl; (in der Stadt/im Volk)* unrest *no pl, no indef art;* **jdn in ~ versetzen** to throw sb into a turmoil ❷ *(Aufstand)* revolt

auf·rüh·re·risch *adj* ❶ *attr (rebellisch)* rebellious; *(meuternd)* mutinous ❷ *(aufwiegelnd)* inflammatory

auf|run·den *vt* to round up *sep* (**auf** to); **etw auf einen glatten Betrag ~** to bring up *sep* sth to a round figure; ■**aufgerundet** rounded up

auf|rüs·ten *vi, vt* ❶ *(das [Militär]potenzial verstärken)* to [re]arm ❷ *(hochwertiger machen)* to upgrade

Auf·rüs·tung *f* arming *no pl,* armament *no pl;* **die atomare ~** nuclear armament

auf|rüt·teln *vt* to rouse (**aus** from)

aufs [aʊfs] ❶ *(fam)* = **auf das** *s.* **auf** ❷ + *superl* **~ entschiedenste/grausamste** most decisively/cruelly

auf|sa·gen *vt* to recite

auf|sam·meln *vt* to gather [up *sep*]; *(Fallengelassenes)* to pick up *sep*

auf·säs·sig ['aʊfzɛsɪç] *adj* ❶ *(widerspenstig)* unruly ❷ *(widersetzlich)* rebellious

Auf·satz[1] *m (Aufbau)* top part; **ein abnehmbarer ~** a removable top section

Auf·satz[2] *m (Text)* essay

auf|sau·gen *vt reg o irreg* ❶ *Flüssigkeit* to soak up *sep* ❷ *(mit dem Staubsauger)* to vacuum up *sep* ❸ *(in sich aufnehmen)* to absorb

auf|schau·en *vi (geh) s.* **aufblicken**

auf|scheu·chen *vt* ❶ *Tiere* to frighten away *sep* ❷ *(fam: jds Ruhe stören)* to disturb

auf|schich·ten *vt* to stack

auf|schie·ben *vt irreg* ❶ *(durch Schieben öffnen)* to slide open *sep; Riegel* to push back *sep* ❷ *(verschieben)* to postpone (**auf** until) ▸ **aufgeschoben ist nicht aufgehoben** *(prov)* there'll be another opportunity

Auf·schlag *m* ❶ *(Aufprall)* impact *no pl* ❷ SPORT service *no pl;* ~ **haben** to be serving ❸ *(Aufpreis)* extra charge ❹ MODE *(von Ärmel)* cuff; *(von Hose)* turn-up BRIT, cuff AM; *(von Mantel)* lapel

auf|schla·gen *irreg* **I.** *vi* ❶ *sein (auftreffen)* to strike; **das Flugzeug schlug in einem Waldstück auf** the plane crashed into a wood; **mit dem Kopf [auf etw** *akk o dat*] ~ to hit one's head [on sth] ❷ *sein Tür* to burst open ❸ *haben (sich verteuern)* to rise (**um** by) ❹ *haben* SPORT to serve **II.** *vt* ❶ *haben (aufklappen)* to open; **Seite 35 ~** to turn to page 35 ❷ *(durch Schläge aufbrechen)* to break open *sep* ❸ *(aufbauen)* to put up *sep* ❹ *(verteuern)* to raise (**um** by) ❺ *(umlegen)* to turn back *sep; Ärmel* to roll up *sep; Kragen* to turn up *sep*

auf|schlie·ßen *irreg* **I.** *vt* to unlock **II.** *vi* ❶ *(öffnen)* ■**[jdm] ~** to unlock the door [for sb] ❷ *(näher rücken)* to move up

auf|schlit·zen *vt* to slash [open *sep*]

Auf·schluss[RR] <-es, Aufschlüsse> *m,* **Auf·schluß**[ALT] <-sses, Aufschlüsse> *m* information *no pl;* [jdm] ~ [**über jdn/etw**] **geben** to give [sb] information [about sb/sth]

auf|schlüs·seln *vt* ❶ *(detaillieren)* to classify (**nach** according to) ❷ *(erläutern)* to explain

auf·schluss·reich[RR], **auf·schluß·reich**[ALT] *adj* informative; *(enthüllend)* revealing

auf|schnap·pen *vt (fam)* ❶ *(mitbekommen)* to pick up *sep;* **einzelne Worte ~** to catch the odd word *sep* ❷ *(durch Zuschnappen fangen)* to catch

auf|schnei·den *irreg* **I.** *vt* ❶ *(in Scheiben schneiden)* to slice ❷ *(tranchieren)* to carve ❸ *(auseinanderschneiden)* to cut open *sep* ❹ MED to lance **II.** *vi (fam)* to boast

Auf·schnei·der(in) *m(f) (fam)* boaster

Auf·schnitt *m kein pl (aufgeschnittene Wurst)* assorted sliced cold meats *pl,* cold cuts *npl* AM; *(aufgeschnittener Käse)* assorted sliced cheese[s *pl*]

auf·schnü·ren *vt* to untie; *Paket* to unwrap; *Schuh* to unlace

auf·schrau·ben *vt* to unscrew; *Flasche* to take the cap off

auf·schre·cken I. *vt* <schreckte auf, aufgeschreckt> *haben* to startle (**aus** from) **II.** *vi* <schreckte *o* schrak auf, aufgeschreckt> *sein* to start [up] (**aus** from)

Auf·schrei *m* ❶ (*schriller Schrei*) scream ❷ (*Lamento*) outcry

auf·schrei·ben *vt irreg* to write down *sep;* ■ **sich** *dat* **etw ~** to make a note of sth

auf·schrei·en *vi irreg* to shriek

Auf·schrift *f* inscription

Auf·schub *m* ❶ (*Verzögerung*) delay (+*gen* in); (*das Hinauszögern*) postponement ❷ (*Stundung*) grace *no pl, no art;* **jdm ~ gewähren** to allow sb grace

auf·schüt·teln *vt* ■ **etw ~** to plump up sth *sep*

auf·schüt·ten *vt* ❶ (*nachgießen*) to pour on *sep* ❷ (*aufhäufen*) to heap up *sep*

auf·schwat·zen *vt,* **auf·schwät·zen** *vt* DIAL (*fam*) ■ **jdm etw ~** to fob sth off on sb; ■ **sich** *dat* **etw ~ lassen** to get talked into taking sth

Auf·schwung *m* ❶ (*Auftrieb*) impetus *no pl, no indef art;* **jdm neuen ~ geben** to give sb fresh impetus ❷ (*Aufwärtstrend*) upswing ❸ SPORT swingup

auf·se·hen *vi irreg* ❶ (*hochsehen*) to look up (**von** from, **zu** at) ❷ (*bewundern*) ■ **zu jdm ~** to look up to sb

Auf·se·hen <-s> *nt kein pl* sensation; **ohne [großes] ~** without any [real] fuss; **etw erregt [großes] ~** sth causes a [great] sensation; **~ erregend** sensational

auf·se·hen·er·re·gend^{ALT} *adj* sensational

Auf·se·her(in) <-s, -> *m(f)* ❶ (*Gefängnis~*) [prison] guard, BRIT *also* warder ❷ (*die Aufsicht führende Person*) supervisor; (*Museums~*) attendant

auf·sein^{ALT} *vi irreg sein* (*fam*) *s.* **auf II 1, 2, 3**

auf·sei·ten [au̯fzaɪtn̩] *präp* +*gen* ■ **~ einer S.** *gen* on the part of sth

auf·set·zen I. *vt* ❶ *Hut* to put on *sep* ❷ (*auf den Herd stellen*) to put on *sep* ❸ (*auf den Boden aufkommen lassen*) to put down *sep;* **ich kann den Fuß nicht richtig ~** I can't put any weight on my foot ❹ (*verfassen*) to draft ❺ (*zur Schau tragen*) to put on *sep;* **ein aufgesetztes Lächeln** a false smile **II.** *vr* ■ **sich ~** to sit up **III.** *vi* to land (**auf** on)

Auf·sicht <-, -en> *f* ❶ *kein pl* (*Überwachung*) supervision (**über** of); **jdn ohne ~ lassen** to leave sb unsupervised ❷ (*Auf-sicht führende Person*) person in charge; (*bei einer Prüfung*) invigilator BRIT, proctor AM

Auf·sichts·pflicht *f* obligatory supervision (*legal responsibility to look after sb, esp children*); (*die elterliche ~*) parental responsibility **Auf·sichts·rat** *m* supervisory board

auf·sit·zen *vi irreg* ❶ *sein* (*auf ein Pferd*) to mount ❷ *haben* NAUT (*festsitzen*) to run aground (**auf** on)

auf·span·nen *vt* ❶ (*ziehen*) to stretch out *sep; Seil* to put up *sep* ❷ *Schirm* to open ❸ (*aufziehen*) to stretch (**auf** on[to])

auf·sp·aren *vt* to save

auf·sper·ren *vt* ❶ (*aufreißen*) to open wide *sep* ❷ SÜDD, ÖSTERR (*aufschließen*) to unlock

auf·spie·len *vr* (*fam*) ■ **sich ~** to give oneself airs

auf·spie·ßen *vt* ❶ (*daraufstecken*) to skewer; **etw mit der Gabel ~** to stab one's fork into sth ❷ (*durchbohren*) to run through (**mit** with)

auf·sprin·gen *vi irreg sein* ❶ (*hoch springen*) to leap up ❷ (*auf etw springen*) to jump (**auf** on[to]) ❸ (*sich abrupt öffnen*) to burst open ❹ (*aufplatzen*) to crack; *Lippen, Haut a.* to chap ❺ (*auftreffen*) to bounce

auf·spü·ren *vt* ❶ (*auf der Jagd entdecken*) to scent ❷ (*ausfindig machen*) to track down *sep*

auf·sta·cheln *vt* ■ **jdn [zu etw** *dat*] **~** to incite sb [to do sth]; ■ **jdn gegen jdn ~** to turn sb against sb

Auf·stand *m* rebellion; **einen ~ niederschlagen** to quell a rebellion

auf·stän·disch *adj* rebellious; (*meuternd*) mutinous

Auf·stän·di·sche(r) *f(m) dekl wie adj* rebel; (*einer politischen Gruppe a.*) insurgent

auf·sta·peln *vt* to stack [up *sep*]

auf·stau·en I. *vt* to dam **II.** *vr* ■ **sich ~** ❶ (*sich stauen*) to be dammed up ❷ (*sich ansammeln*) to be bottled up

auf·ste·hen *vi irreg sein* ❶ (*sich erheben*) to stand up (**von** from) ❷ (*das Bett verlassen*) to get up ❸ (*fam: offen sein*) to be open ▸ **da musst du früher ~!** (*fig fam*) you'll have to do better than that!

auf·stei·gen *vi irreg sein* ❶ (*sich in die Luft erheben*) to soar [up]; *Flugzeug* to climb; *Ballon* to ascend ❷ (*besteigen*) ■ **[auf etw** *akk*] **~** to get on [sth] ❸ (*befördert werden*) to be promoted (**zu** to) ❹ (*den sportlichen Rang verbessern*) to go

up (**in** into) ❺ (*entstehen*) ■**in jdm ~ to
well** up in sb ❻ (*hochklettern*) to climb up
Auf·stei·ger(in) <-s, -> *m(f)* ❶ (*fam:
beruflich aufgestiegene Person*) ■**ein
[sozialer] ~** a social climber ❷ (*aufgestiegene Mannschaft*) promoted team
auf|stel·len I. *vt* ❶ (*aufbauen*) to put up
sep; Maschine to install; *Denkmal* to erect;
Falle to set ❷ (*ausarbeiten, erstellen*) to
draw up *sep; Theorie* to elaborate; *Rechnung* to make out; *Tabelle* to compile
❸ (*nominieren*) to nominate ❹ (*postieren*) to post ❺ *Mannschaft* to organize;
Truppen to raise ❻ *Rekord* to set ❼ (*aufrichten*) to prick up *sep* ❽ SCHWEIZ (*aufmuntern*) to pick up *sep* II. *vr* (*sich hinstellen*) ■**sich ~** to stand; *Wachen* to be
posted; **sich hintereinander ~** to line up;
sich im Kreis ~ to form a circle
Auf·stel·lung <-> *f kein pl* ❶ (*Errichtung*)
erection *no pl;* (*von Maschine*) installation
no pl ❷ (*Ausarbeitung*) drawing up *no pl;
von Theorie* elaboration *no pl* ❸ (*Erstellung*) making [out] *no pl; von Rechnung*
making out *no pl; von Tabelle* compiling
no pl ❹ (*Nominierung*) nomination *no pl*
❺ (*Postierung*) posting; **~ nehmen** to take
up position ❻ *von Mannschaft* drawing up
no pl; von Truppen raising *no pl* ❼ SPORT
(*Auswahl*) team ❽ (*Erzielung*) setting
no pl
Auf·stieg <-[e]s, -e> ['aʊfʃtiːk] *m* ❶ (*Verbesserung*) rise; **sozialer ~** social advancement; **den ~ ins Management schaffen**
to work one's way up into the management
❷ (*Weg zum Gipfel*) climb (**auf** up) ❸ SPORT
promotion (**in** to) ❹ LUFT ascent
Auf·stiegs·chan·ce *f* prospect of promotion **Auf·stiegs·mög·lich·keit** *f* career
prospect
auf|stö·bern *vt* ■**jdn ~** to track down sb
sep; ■**etw ~** to discover sth
auf|sto·cken *vt* ❶ (*zusätzlich erhöhen*) to
increase; **das Team ~** to expand the team
❷ (*erhöhen*) **etw um ein Stockwerk/
zwei Stockwerke ~** to add another sto-
rey/another two storeys on[to] sth
auf|stöh·nen *vi* to groan loudly [*or* aloud],
to give [*or* heave] a loud groan
auf|sto·ßen *irreg* I. *vi* ❶ *haben* (*rülpsen*)
to burp; **das Essen stößt mir immer
noch auf** the food is still repeating on me
❷ *sein* (*fam: übel vermerkt werden*) **jdm
sauer/übel ~** to stick in sb's craw II. *vt
haben* to push open III. *vr haben* ■**sich**
dat **etw ~** *Kopf, Knie* to hit one's sth
auf·stre·bend *adj* ❶ (*Fortschritt anstre-
bend*) aspiring, striving for progress *pred;*

eine ~e Stadt an up-and-coming town
❷ (*ehrgeizig*) ambitious
auf|stüt·zen *vr* ■**sich [auf etw** *akk*] **~** to
support oneself [on sth]; *Gebrechliche a.* to
prop oneself up [on sth]
auf|su·chen *vt* (*geh*) ❶ (*besuchen*)
■**jdn ~** to go to [see] sb ❷ (*geh: irgendwohin gehen*) ■**etw ~** to go to sth
Auf·takt *m* ❶ (*Beginn*) start; (*Vorbereitung*) prelude (**zu/für** to); **den ~ zu etw**
dat **bilden** to mark the beginning of sth
❷ MUS upbeat
auf|tan·ken *vt, vi* to fill up *sep; Flugzeug* to
refuel
auf|tau·chen *vi sein* ❶ (*an die Oberfläche
kommen*) to surface; *Taucher a.* to come
up ❷ (*zum Vorschein kommen*) to turn
up; *verlorener Artikel a.* to be found
❸ (*plötzlich da sein*) to suddenly appear
❹ (*sichtbar werden*) to appear (**aus** out of)
auf|tau·en I. *vi sein* ❶ *Eis* to thaw ❷ (*fig*)
to open up II. *vt haben* to thaw [out *sep*]
auf|tei·len *vt* ❶ (*aufgliedern*) to divide [up
sep] (**in** into) ❷ (*verteilen*) to share out
sep (**unter** between)
Auf·tei·lung *f* division (**in** into)
auf|ti·schen *vt* ❶ (*servieren*) to serve
❷ (*fam: erzählen*) to tell; **jdm Lügen ~** to
give sb a pack of lies
Auf·trag <-[e]s, Aufträge> ['aʊftraːk, *pl*
'aʊftrɛːgə] *m* ❶ (*Beauftragung*) contract;
(*an Freiberufler*) commission ❷ (*Bestellung*) [sales] order (**über** for) ❸ (*Anweisung*) orders *pl;* **jdm den ~ geben, etw
zu tun** to instruct sb to do sth; **im ~** by order; **in jds ~** on sb's instructions; (*für jdn*)
on sb's behalf ❹ *kein pl* (*geh: Mission*) mission; „**~ erledigt!**" "mission accomplished"
auf|tra·gen *irreg* I. *vt* ❶ (*aufstreichen*) to
apply (**auf** to) ❷ (*in Auftrag geben*) ■**jdm
etw ~** to instruct sb to do sth ❸ (*durch Tragen abnutzen*) to wear out *sep* II. *vi*
❶ (*dick aussehen lassen*) to be bulky
❷ (*übertreiben*) ■**dick ~** to lay it on thick
Auf·trag·ge·ber(in) *m(f)* client **Auf·
trags·kil·ler(in)** <-s, -> [-kɪlɐ] *m(f)* JUR
(*pej fam*) contract [*or* hired] killer **Auf·
trags·la·ge** *f* order position
auf|trei·ben *vt irreg* (*fam*) ■**jdn/etw ~** to
get hold of sb/sth
auf|tren·nen *vt* to undo
auf|tre·ten *irreg* I. *vi sein* ❶ (*den Fuß auf-
setzen*) to walk ❷ (*eintreten*) to occur;
Schwierigkeiten to arise ❸ (*erscheinen*) to
appear [on the scene *also pej*] (**als** as);
geschlossen ~ to appear as one body;
gegen jdn/etw als Zeuge ~ to give evi-

dence against sb/sth ❹ (*in einem Stück spielen*) to appear [on the stage] (**als** as) ❺ (*sich benehmen*) to behave **II.** *vt haben* to kick open *sep*

Auf·tre·ten <-s> *nt kein pl* ❶ (*Benehmen*) behaviour *no pl* ❷ (*Manifestation*) occurrence ❸ (*Erscheinen*) appearance

Auf·trieb *m* ❶ *kein pl* PHYS buoyancy *no pl;* LUFT lift *no pl* ❷ *kein pl* (*Aufschwung*) upswing ❸ *kein pl* (*frischer Schwung*) impetus *no pl;* **jdm neuen ~ geben** to give sb fresh impetus

Auf·tritt *m* ❶ (*Erscheinen*) appearance ❷ (*Erscheinen auf der Bühne*) entrance

auf|trump·fen *vi* to show sb what one is made of

auf|tun *irreg* **I.** *vr* ▪ **sich ~** to open [up] **II.** *vt* (*sl: ausfindig machen*) to find

auf|wa·chen *vi sein* to wake [up]

auf|wach·sen [-ks-] *vi irreg sein* to grow up

auf|wal·len *vi sein* ❶ (*leicht aufkochen*) to be brought to the [*or* AM a] boil ❷ (*geh: aufsteigen*) ▪ **in jdm ~** to surge [up] [with]in sb

Auf·wand <-[e]s> ['a̯ʊfvant] *m kein pl* ❶ (*Einsatz*) expenditure *no pl;* **der ~ war umsonst** it was a waste of energy/money/time ❷ (*aufgewendeter Luxus*) extravagance; [**großen**] **~ treiben** to be [very] extravagant

aufwändigRR **I.** *adj* ❶ (*teuer und luxuriös*) lavish; **~es Material** costly material[s *pl*] ❷ (*umfangreich*) costly, expensive **II.** *adv* lavishly

Auf·wands·ent·schä·di·gung *f* expense allowance

auf|wär·men **I.** *vt* ❶ *Essen* to heat up *sep* ❷ (*fam*) *Thema* to drag up *sep* **II.** *vr* ▪ **sich ~** ❶ (*bei Kälte*) to warm oneself [up] ❷ (*die Muskulatur auflockern*) to warm up

auf·wärts ['a̯ʊfvɛrts] *adv* ❶ (*nach oben*) up, upward[s]; **den Fluss ~** upstream; **es geht** [**mit jdm/etw**] **~** things are looking up [for sb/sth]; ▪ **von etw** *dat* **~** from sth upward[s] ❷ (*bergauf*) uphill

Auf·wärts·ent·wick·lung *f* upward trend (+*gen* in) **auf·wärts·kom·pa·ti·bel** *adj* INFORM upward compatible **Auf·wärts·trend** *m,* **Auf·wärts·ten·denz** *f* upward trend

auf|wa·schen *vt irreg* DIAL (*abwaschen*) to wash the dishes, BRIT *also* to wash up ▸ **das ist** [**dann**] **ein A~** (*fam*) [that way] we can kill two birds with one stone

auf|we·cken *vt* to wake [up *sep*]

auf|wei·chen *vt, vi haben* ❶ (*morastig machen*) to make sodden ❷ (*weich*

machen) to soak ❸ (*geh: lockern*) to weaken

auf|wei·sen *vt irreg* ❶ (*erkennen lassen*) to show ❷ (*durch etw gekennzeichnet sein*) to contain ❸ (*aufzeigen*) ▪ **etw aufzuweisen haben** to have sth to show [for oneself]

auf|wen·den *vt irreg o reg* ❶ (*einsetzen*) to use; **viel Energie ~, etw zu tun** to put a lot of energy into doing sth ❷ (*ausgeben*) to spend

auf·wen·dig *adj, adv s.* **aufwändig**

auf|wer·fen *irreg vt* ❶ (*zur Sprache bringen*) to raise ❷ (*aufhäufen*) to build [up *sep*]

auf|wer·ten *vt* ❶ (*im Wert erhöhen*) to revalue (**um** by) ❷ (*höher werten*) to increase the value of sth

Auf·wer·tung <-, -en> *f* ❶ (*das Aufwerten*) revaluation (**um** by) ❷ (*höhere Bewertung*) enhancement

auf|wi·ckeln *vt* ❶ (*aufrollen*) to roll up *sep;* **sich die Haare ~** to put curlers in one's hair ❷ *Verband* to unwind

auf|wie·geln ['a̯ʊfviːgl̩n] *vt* to stir up *sep;* **Leute gegeneinander ~** to set people at each other's throats

auf|wie·gen *vt irreg* to compensate for

Auf·wieg·ler(in) <-s, -> *m(f)* (*pej*) rabble-rouser *pej*

Auf·wind *m* ❶ *kein pl* (*Aufschwung*) impetus *no pl;* [**neuen**] **~ bekommen** to be given fresh impetus ❷ LUFT upcurrent, updraught

auf|wir·beln *vi, vt* to swirl up

auf|wi·schen *vt, vi* to wipe [up *sep*]

auf|wüh·len *vt* ❶ (*aufwerfen*) to churn [up *sep*] ❷ (*geh: stark bewegen*) ▪ **jdn** [**innerlich**] **~** to stir up *sep* sb; ▪ **~d** stirring; (*stärker*) devastating; ▪ **aufgewühlt** agitated; (*stärker*) turbulent

auf|zäh·len *vt* to list

Auf·zäh·lung <-, -en> *f* list; *von Gründen, Namen a.* enumeration

auf|zäu·men *vt* to bridle; **etw von hinten aufzäumen** (*fig fam*) to set about sth the wrong way

auf|zeich·nen *vt* ❶ (*aufnehmen*) to record (**auf** on); *mit dem Videorekorder* to video ❷ (*als Zeichnung erstellen*) to draw (**auf** on) ❸ (*notieren*) to note [down *sep*]

Auf·zeich·nung *f* ❶ (*Aufnahme*) recording *no pl, no indef art;* (*auf Band a.*) taping *no pl, no indef art;* (*auf Videoband a.*) videoing *no pl, no indef art* ❷ (*Zeichnung*) drawing ❸ *meist pl* (*Notizen*) notes

auf|zei·gen *vt* ▪ [**jdm**] **~, dass/wie ...** *dat* to show [sb] that/how ...; (*nachweisen a.*)

to demonstrate [to sb] that/how …

auf|zie·hen *irreg* **I.** *vt haben* ❶ *(durch Ziehen öffnen)* to open; *Reißverschluss* to undo; *Schnürsenkel* to untie; *die Vorhänge* to draw back ❷ *(aufkleben)* to mount (**auf** on) ❸ *(befestigen und festziehen)* to fit; **Saiten auf eine Gitarre ~** to string a guitar ❹ *(spannen)* to wind up *sep* ❺ *(groß-ziehen)* to raise ❻ *(fam: verspotten)* to tease (**mit** about) ❼ *(veranstalten)* to set up *sep* ❽ *(fam: gründen)* to start up *sep* ❾ *(durch Einsaugen füllen)* to draw up *sep* **II.** *vi sein (sich nähern)* to gather

Auf·zucht *f kein pl* raising *no pl, no indef art*

Auf·zug¹ *m* ❶ *(Fahrstuhl)* lift B<small>RIT</small>, elevator A<small>M</small>; **~ fahren** to take the lift ❷ *kein pl (das Nahen)* gathering *no pl, no indef art* ❸ *(Akt)* act

Auf·zug² *m kein pl (pej fam)* get-up

auf|zwin·gen *irreg vt* ■ **jdm etw ~** to force sth on sb

Aug·ap·fel [ˈaʊkʔapfl̩] *m* eyeball; **jdn/etw wie seinen ~ hüten** to cherish sb/sth like life itself

Au·ge <-s, -n> [ˈaʊgə] *nt* ❶ *(Sehorgan)* eye; **mit bloßem ~** with the naked eye; **gute/schlechte ~n** [**haben**] [to have] good/poor eyesight *sing*; **auf einem ~ schielen/blind sein** to have a squint/to be blind in one eye; **mit offenen ~n schlafen** to daydream; **mir wurde schwarz vor ~n** everything went black; **ein sicheres ~ für etw** *akk* **haben** to have a good eye for sth; **da blieb kein ~ trocken** *(hum fam)* there wasn't a dry eye in the place; **man muss seine ~n überall haben** *(fam)* you need eyes in the back of your head; **mit verbundenen ~n** blindfolded; **so weit das ~ reicht** as far as the eye can see; **jdn/etw im ~ behalten** *(beobachten)* to keep an eye on sb/sth; *(sich vormerken)* to keep sb/sth in mind; **etw ins ~ fassen** to contemplate sth; **geh mir aus den ~n!** get out of my sight!; **ein ~ auf jdn/etw geworfen haben** to have one's eye on sb/sth; **ein ~ auf jdn/etw haben** to keep an eye on sb/sth; **jdn nicht aus den ~n lassen** to not let sb out of one's sight; **ein ~ riskieren** *(fam)* to risk a glance; **jdm in die ~n sehen** to look into sb's eyes; **ins ~ springen** to catch the eye; **ich traute meinen ~n nicht!** I couldn't believe my eyes; **etw aus den ~n verlieren** to lose track of sth; **sich aus den ~n verlieren** to lose contact; **~ in ~** face to face; **vor aller ~n** in front of everybody ❷ *(Punkt beim Würfeln)* point ❸ *(Keiman-satz)* eye ▸ **das ~ des Gesetzes** *(hum)* the [arm of the] law + *sing/pl vb*; **aus den ~n, aus dem Sinn** *(prov)* out of sight, out of mind *prov*; **mit einem blauen ~ davonkommen** *(fam)* to get off lightly; **vor jds geistigem ~** in sb's mind's eye; **jdm schöne ~n machen** to make eyes at sb; **unter vier ~n** in private; **jdm jeden Wunsch an den ~n ablesen** to anticipate sb's every wish; **jdm jdn/etw aufs ~ drücken** *(fam)* to force sb/sth on sb; **ins ~ gehen** *(fam)* to backfire; [**große**] **~n machen** *(fam)* to be wide-eyed [*or* B<small>RIT</small> *also fam* gobsmacked]; **die ~n vor etw** *dat* **verschließen** to close one's eyes to sth; **ein ~/beide ~n zudrücken** *(fam)* to turn a blind eye; **kein ~ zutun** *(fam)* to not sleep a wink; **~ zu und durch** *(fam)* take a deep breath and get to it

Au·gen·arzt, -ärz·tin *m, f* eye specialist

Au·gen·auf·schlag *m* look **Au·gen·blick** [ˈaʊgn̩blɪk] *m* moment; **im ersten ~** for a moment; **im letzten ~** at the [very] last moment; **~ mal!** just a minute!

au·gen·blick·lich [ˈaʊgn̩blɪklɪç] **I.** *adj* ❶ *(sofortig)* immediate ❷ *(derzeitig)* present ❸ *(einen Augenblick dauernd)* momentary **II.** *adv* ❶ *(sofort)* immediately; *(herausfordernd)* at once, this minute ❷ *(zurzeit)* at present

Au·gen·braue *f* eyebrow; **die ~n hochziehen** to raise one's eyebrows

au·gen·fäl·lig *adj* obvious

Au·gen·far·be *f* colour of [one's] eyes **Au·gen·heil·kun·de** *f* ophthalmology *spec* **Au·gen·hö·he** *f* ■ **in ~** at eye level **Au·gen·höh·le** *f* [eye] socket **Au·gen·klap·pe** *f* eye-patch; ■ **~n** *(für Pferd)* blinkers *pl* B<small>RIT</small>, blinders *pl* A<small>M</small> **Au·gen·licht** *nt kein pl (geh)* [eye]sight *no pl, no art* **Au·gen·lid** *nt* eyelid **Au·gen·maß** *nt kein pl* eye for distance[s]; [**ein**] **gutes/[ein] schlechtes ~ haben** to have a good/no eye for distance[s]; **nach ~** by eye

Au·gen·merk <-s> *nt kein pl* attention *no pl, no art*

Au·gen·op·ti·ker(in) *m(f) (geh)* s. **Optiker Au·gen·rän·der** *pl* rims of the/one's eyes **Au·gen·rin·ge** *pl* rings under one's/the eyes *pl* **Au·gen·schein** *m kein pl* ❶ *(Anschein)* appearance; **dem ~ nach** by all appearances; **jdn/etw in ~ nehmen** to look closely at sb/sth ❷ S<small>CHWEIZ</small> *(Lokaltermin)* visit to the scene of the crime

au·gen·schein·lich [ˈaʊgn̩ʃaɪnlɪç] **I.** *adj* obvious **II.** *adv* obviously

Au·gen·trop·fen *pl* eye drops *npl* **Au·gen·wei·de** *f* feast for one's eyes; **nicht**

gerade eine ~ a bit of an eyesore **Au·gen·win·kel** *m* corner of the eye **Au·gen·wi·sche·rei** <-, -en> *f* (*pej*) eyewash *no pl, no indef art* **Au·gen·zeu·ge, -zeu·gin** *m, f* eyewitness; ■~ **bei etw** *dat* **sein** to be an eyewitness to sth **Au·gen·zwin·kern** *nt kein pl* blinking *no pl, no indef art;* (*mit einem Auge*) winking *no pl, no indef art* **au·gen·zwin·kernd** *adv* with a wink

Au·gust <-[e]s, -e> [ˈaʊɡʊst] *m* August; *s. a.* **Februar**

Auk·ti·on <-, -en> [aʊkˈtsi̯oːn, *pl* -ˈtsi̯oːnən] *f* auction

Auk·ti·o·na·tor, Auk·ti·o·na·to·rin <-s, -toren> [aʊktsi̯oˈnaːtoːɐ̯, -ˈtoːrɪn, *pl* -ˈtoːrən] *m, f* auctioneer

Auk·ti·ons·haus *nt* auctioneers *pl*

Au·la <-, Aulen> [ˈaʊla, *pl* ˈaʊlən] *f* [assembly] hall

Au-pair-Mäd·chen [oˈpɛːɐ̯-], **Au·pair·mäd·chen**[RR] [oˈpɛːɐ̯-] *nt* au pair [girl]

Au·ra <-> [ˈaʊra] *f kein pl* (*geh*) aura

aus [aʊs] **I.** *präp* ❶ (*von innen nach außen*) out of; **~ dem Fenster/der Tür** out of the window/door; **das Öl tropfte ~ dem Fass** the oil was dripping from the barrel; **Zigaretten ~ dem Automaten** cigarettes from a machine ❷ (*die zeitliche Herkunft bezeichnend*) from; **~ dem 17. Jahrhundert stammen** to be [from the] 17th century ❸ (*auf Ursache deutend*) **~ Dummheit/Angst/Verzweiflung** out of stupidity/fear/desperation; **~ einer Laune heraus** on a whim ❹ (*von*) from; **~ dem Englischen** from [the] English; **~ München kommen** to be from Munich ❺ (*unter Verwendung von etw hergestellt*) [made] of **II.** *adv* ❶ (*fam: gelöscht*) out ❷ (*ausgeschaltet*) off ❸ (*zu Ende*) ■~ **sein** to have finished; *Krieg* to have ended; *Schule* to be out; **mit etw** *dat* **ist es ~** sth is over; **~ und vorbei sein** to be over and done with ❹ (*außerhalb*) **~ sein** SPORT to be out

Aus <-> [aʊs] *nt kein pl* ❶ FBALL out of play *no pl, no art;* (*seitlich*) touch *no pl, no art;* **ins ~ gehen** to go out of play; (*seitlich a.*) to go into touch ❷ (*Ende*) end

aus|ar·bei·ten *vt* to work out *sep;* (*verbessern*) to perfect; *System, Theorie* to elaborate; *Text* to prepare

Aus·ar·bei·tung <-, -en> *f* working out *no pl;* (*Verbesserung*) perfection *no pl; System, Theorie* elaboration *no pl; Text* drawing up *no pl*

aus|ar·ten *vi sein* ❶ (*zu etw werden*) to degenerate (**in** into) ❷ (*ausfallend werden*) to get out of hand

aus|at·men *vi, vt* to exhale

aus|ba·den *vt* (*fam*) to pay [*or* BRIT *also* carry the can] for

aus|bag·gern *vt* ■**etw ~** ❶ (*mit einem Bagger vertiefen*) to excavate sth; **einen Fluss/See ~** (*Erde* [out *sep*]) a river/lake ❷ (*mit einem Bagger herausholen*) to excavate sth; (*in Fluss, See*) to dredge [up *sep*] sth

Aus·bau <-bauten> *m* ❶ *kein pl* (*das Ausbauen*) extension *no pl* (**zu** into) ❷ *kein pl* (*das Herausmontieren*) removal *no pl* (**aus** from) ❸ *kein pl* (*die Festigung*) strengthening *no pl*

aus|bau·en *vt* ❶ *Gebäude* to extend (**zu** into); (*innen*) to fit out *sep* ❷ (*herausmontieren*) to remove (**aus** from) ❸ (*vertiefen*) to cultivate (**zu** to)

aus·bau·fä·hig *adj* ❶ (*fam: viel versprechend*) promising ❷ (*erweiterungsfähig*) expandable ❸ (*sich vertiefen lassend*) that can be built up ❹ (*möglich zu entfernen*) removable

aus|bei·ßen *vr irreg* ■**sich** *dat* **einen Zahn** [**an etw** *dat*] **~** to break a tooth [on sth]

aus|bes·sern *vt* to mend

Aus·bes·se·rung <-, -en> *f* mending *no pl*

aus|beu·len I. *vt* ■**etw ~** ❶ (*nach außen wölben*) to make sth bulge; (*verschleißen*) to make sth [go] baggy; ■**ausgebeult** baggy ❷ *Kotflügel* to remove dents **II.** *vr* ■**sich ~** to go baggy

Aus·beu·te <-, -n> *f* ❶ (*Förderung*) gains *pl;* ■**die ~ an etw** *dat* the yield in sth ❷ (*Gewinn*) profits *pl*

aus|beu·ten *vt* to exploit

Aus·beu·ter(in) <-s, -> *m(f)* (*pej*) exploiter

Aus·beu·tung <-, -en> *f* exploitation *no pl*

aus|be·zah·len* *vt* ❶ (*zahlen*) ■**etw ~** to pay out *sep* sth ❷ (*bezahlen*) ■**jdn ~** to pay off sb *sep*

aus|bil·den *vt* ❶ (*beruflich qualifizieren*) to train (**in** in); (*unterrichten a.*) to instruct; (*akademisch*) to educate; **jdn zum Arzt ~** to train sb to be a doctor; ■**ausgebildeter** qualified ❷ (*entwickeln*) to develop

Aus·bil·der(in) <-s, -> *m(f)*, **Aus·bild·ner(in)** <-s, -> *m(f)* ÖSTERR, SCHWEIZ trainer; MIL instructor

Aus·bil·dung <-, -en> *f* ❶ (*Schulung*) training *no pl, no indef art;* (*Unterricht*) instruction *no pl, no indef art;* (*akademisch*)

education *no pl; von Rekruten* drilling *no pl;* **in der ~ sein** to be in training; (*akademisch*) to still be at university [*or* college] Brit, to still be in school [*or* college] Am ❷ (*Entwicklung*) development *no pl*

Aus·bil·dungs·bei·hil·fe *f* educational grant; (*für Lehrlinge*) training allowance

Aus·bil·dungs·platz *m* place to train

aus|bla·sen *vt irreg* to blow out *sep*

aus|blei·ben *vi irreg sein* to fail to appear; *Regen, Schnee* to hold off

aus|blen·den *vt* (*fam*) *Problem* to blend out *sep*

Aus·blick *m* ❶ (*Aussicht*) view; **ein Zimmer mit ~ aufs Meer** a room overlooking the sea ❷ (*Zukunftsvision*) prospect

aus|bor·gen *vt* ❶ (*fam: verleihen*) to lend ❷ (*fam: sich ausleihen*) to borrow

aus|bre·chen *irreg vi sein* ❶ (*entkommen*) to escape (**aus** from) ❷ (*sich befreien*) to break away (**aus** from) ❸ *Vulkan* to erupt ❹ *Feuer, Sturm* to break out ❺ (*Gefühl zeigen*) **in Gelächter/Tränen ~** to burst into laughter/tears

Aus·bre·cher(in) <-s, -> *m(f)* escapee

aus|brei·ten **I.** *vt* ❶ *Decke, Landkarte* to spread [out *sep*] ❷ (*einzelne Gegenstände*) to lay out *sep* ❸ *Arme, Flügel* to spread [out *sep*] ❹ (*darlegen*) to enlarge [up]on **II.** *vr* ■ **sich ~** ❶ (*sich erstrecken*) to spread [out] (**in** in, **nach** towards) ❷ (*übergreifen*) to spread (**auf** to, **über** over) ❸ (*fam: sich breit machen*) to spread oneself out

Aus·brei·tung <-, -en> *f* spread *no pl* (**auf** to)

aus|bren·nen *irreg* **I.** *vi sein* (*zu Ende brennen*) to burn [itself] out; *Feuer a.* to burn out; ■ **ausgebrannt** (*a. fig*) extinguished **II.** *vt haben* ■ **etw ~** to burn out *sep* sth, to cauterize sth *spec*

Aus·bruch *m* ❶ (*das Ausbrechen*) escape (**aus** from); *von Gefangenen a.* breakout (**aus** from) ❷ (*Beginn*) outbreak ❸ (*Eruption*) eruption ❹ (*fam: Entladung*) outburst

aus|brü·ten *vt* to hatch

aus|büch·sen *vi* (*fam: abhauen*) to push off

aus|bü·geln *vt* ❶ (*durch Bügeln glätten*) to iron out *sep* ❷ (*fam: wettmachen*) to make good *sep*

Aus·bund *m kein pl* paragon *no pl* (**an** of)

aus|bür·gern ['ausbʏrgɐn] *vt* to expatriate

Aus·bür·ge·rung <-, -en> *f* expatriation

aus|bürs·ten *vt* to brush [out]

Aus·dau·er *f kein pl* ❶ (*Beharrlichkeit*) perseverance *no pl;* (*Hartnäckigkeit a.*)

persistence *no pl* ❷ (*Durchhaltevermögen*) stamina *no pl;* (*im Ertragen*) endurance *no pl*

aus·dau·ernd **I.** *adj* ❶ (*beharrlich*) persevering; (*hartnäckig a.*) persistent ❷ (*Durchhaltevermögen besitzend*) with stamina; (*im Ertragen*) with endurance **II.** *adv* **~ arbeiten** to apply oneself to working

aus|deh·nen **I.** *vr* ❶ (*größer werden*) to expand ❷ (*sich ausbreiten*) to spread (**auf** to, **über** over); ■ **ausgedehnt** extensive **II.** *vt* ❶ (*verlängern*) to extend (**bis zu** up to, **über** by) ❷ (*erweitern, vergrößern*) to expand (**auf** to)

Aus·deh·nung *f* ❶ (*Verlängerung*) extension (**+gen** to/of) ❷ (*Ausbreitung*) spread[ing] *no pl* (**auf** to) ❸ (*Erweiterung, Vergrößerung*) expansion *no pl* ❹ (*Fläche*) area; **eine ~ von 10.000 km² haben** to cover an area of 10,000 km²

aus|den·ken *vr irreg* ■ **sich** *dat* **etw ~** to think up sth *sep;* **eine Überraschung ~** to plan a surprise

aus|die·nen *vi* (*fam*) ■ **ausgedient** worn-out, Brit *fam also* clapped-out; ■ **ausgedient haben** to have had its day

aus|dis·ku·tie·ren* *vt* to discuss fully

aus|dör·ren **I.** *vt haben* ■ **jdn ~** to dehydrate sb; ■ **etw ~** to dry up sth *sep;* ■ **ausgedörrt sein** to be dehydrated; *Kehle* to be parched; *Erde, Land* to have dried out **II.** *vi sein* to dry out; (*stärker*) to become parched; ■ **ausgedörrt** dried out; (*stärker*) parched

aus|dre·hen *vt* (*fam*) to turn off

Aus·druck¹ <-drücke> *m* ❶ (*Bezeichnung*) expression; ■ **Ausdrücke** swear words *pl* ❷ *kein pl* (*Gesichts~*) [facial] expression ❸ *kein pl* (*Zeichen*) ■ **als ~ der Dankbarkeit** an expression of one's gratitude; **etw zum ~ bringen** to express sth

Aus·druck² <-drucke> *m* [computer] print-out; **einen ~** [**von etw** *dat*] **machen** to run off *sep* a copy [of sth]

aus|dru·cken *vt* to print [out *sep*]

aus|drü·cken **I.** *vt* ❶ (*bekunden*) to express ❷ (*formulieren*) to put into words; **anders ausgedrückt** in other words; **einfach ausgedrückt** put simply ❸ (*zeigen*) to show ❹ (*auspressen*) to squeeze ❺ *Zigarette* to stub out *sep* **II.** *vr* ■ **sich ~** to express oneself; **sich falsch ~** to use the wrong word; **sich gewandt ~** to be very articulate

aus·drück·lich ['ausdrʏklɪç] **I.** *adj attr* explicit **II.** *adv* explicitly; (*besonders*) particularly

aus·drucks·los *adj* inexpressive; *Gesicht* expressionless; *(ungerührt)* impassive; *Blick* vacant **aus·drucks·voll** *adj* expressive **Aus·drucks·wei·se** *f* mode of expression

aus·ei·nan·der [aʊsʔai̯ˈnandə] *adv* ❶*(räumlich)* **~ sein** to be wide apart ❷*(zeitlich)* **ein Jahr ~ sein** to be a year apart in age

aus·ei·nan·der|be·kom·men* *vt irreg* ▪**etw ~** to be able to get sth apart **aus·ei·nan·der|bie·gen** *vt irreg* ▪**etw ~** to bend apart sth *sep* **aus·ei·nan·der|bre·chen** *irreg vi, vt sein* to break apart; ▪**etw ~** to break sth in two **aus·ei·nan·der|brin·gen** *vt irreg (fam)* ▪**jdn ~** to separate sb **aus·ei·nan·der|fal·len** *vi irreg* to fall apart **aus·ei·nan·der|fal·ten** *vt* to unfold **aus·ei·nan·der|ge·hen** *vi irreg sein* ❶*(sich auflösen)* to disperse; *(sich verzweigen)* to diverge; *(fam: dick werden)* to [start to] fill out *also hum* ❷*(fam: getrennt)* *Beziehung* to break up; *Ehe a.* to fall apart; *Meinungen* to differ; *(sich trennen)* to part **aus·ei·nan·der|hal·ten** *vt irreg* ▪**etw ~** to distinguish between sth **aus·ei·nan·der|neh·men** *vt irreg* ▪**etw ~** *(demontieren)* to take apart sth *sep*; *(zerpflücken)* to tear apart sth *sep* **aus·ei·nan·der|set·zen** *vt, vi* ▪**jdm etw ~** to explain sth to sb; ▪**sich mit etw** *dat* **~** to tackle sth

Aus·ei·nan·der·set·zung <-, -en> [aʊsʔai̯ˈnandɛzɛtsʊŋ] *f* ❶*(Streit)* argument ❷*(Beschäftigung)* ▪**die ~ mit etw** *dat* the examination of sth

aus·ei·nan·der|trei·ben *irreg vt, vi sein o haben* ▪**jdn/etw ~** to disperse sb/sth

aus·er·ko·ren *adj (geh)* chosen

aus·er·le·sen I. *adj* select II. *adv* particularly

aus|er·wäh·len* *vt (geh)* to choose (**zu** for)

aus·fahr·bar *adj* extendable; *Antenne* retractable

aus|fah·ren *irreg* I. *vt haben* ❶*(spazieren fahren)* to take [out *sep*] for a drive ❷*(ausliefern)* to deliver ❸ TECH *(ausstrecken)* to extend; *Fahrgestell* to lower II. *vi sein* ❶*(spazieren fahren)* to go [out] for a drive ❷*(sich verlängern)* *Antenne* to extend; *Fahrgestell* to lower

Aus·fahrt *f* ❶*(Spazierfahrt)* drive; **eine ~ machen** to go for a drive ❷*(Hof-, Garagen~)* exit; *(mit Tor)* gateway; „~ **freihalten!"** "keep clear"; *(Autobahn~)* slip road BRIT, exit [ramp] AM

Aus·fall *m* ❶*(Fehlbetrag)* deficit; *(Verlust)* loss ❷*(das Versagen)* failure; AUTO breakdown; *(Produktions~)* stoppage; MED failure ❸ *kein pl (das Nichtstattfinden)* cancellation; *(das Fehlen)* absence ❹ LING dropping

aus|fal·len *vi irreg sein* ❶*(herausfallen)* to fall out ❷*(nicht stattfinden)* to be cancelled; ▪**etw ~ lassen** to cancel sth ❸*(nicht funktionieren)* *Niere* to fail; *Motor* to break down ❹*(entfallen)* to be lost ❺*(nicht zur Verfügung stehen)* to be absent (**bei** for, **wegen** owing to); *(ausscheiden)* to drop out; *Rennwagen a.* to retire ❻ MODE **groß/klein ~** to be large/small ❼*(werden)* to turn out

aus·fal·lend, **aus·fäl·lig** I. *adj* abusive II. *adv* **sich ~ ausdrücken** to use abusive language

Aus·fall·stra·ße *f* arterial road

aus|fech·ten *vt irreg* to fight [out *sep*]

aus|fe·gen *vt* to sweep [out *sep*]

aus|fei·len *vt* ❶*(wegfeilen)* to file down *sep* ❷*(den letzten Schliff geben)* to polish [up *sep*]; ▪**ausgefeilt** polished

aus|fer·ti·gen *vt (geh)* to draft; *Pass* to issue; *Rechnung* to make out *sep*

Aus·fer·ti·gung *f (geh)* ❶ *kein pl (Ausstellung)* drawing up, drafting; *einer Rechnung* making out; *von Pass a.* issuing ❷*(Abschrift)* copy; **in doppelter ~** as two copies

aus|fin·dig *adj* ▪**jdn/etw ~ machen** to locate sb/sth

aus|flie·ßen *vi irreg sein* to leak out (**aus** of)

aus|flip·pen [ˈaʊsflɪpn̩] *vi sein (fam)* ❶*(wütend werden)* to freak out, BRIT *also* to do one's nut ❷*(sich wahnsinnig freuen)* to jump for joy ❸*(überschnappen)* to lose it [completely]; ▪**ausgeflippt** freaky; ▪**Ausgeflippte[r]** freak

Aus·flucht <-, Ausflüchte> *f* excuse; **Ausflüchte machen** to make excuses

Aus·flug *m* ❶ outing, excursion; **Schul~** school trip; **einen ~ machen** to go on an outing ❷*(Exkurs)* excursion (**in** into)

Aus·flüg·ler(in) <-s, -> [ˈaʊsflyːklɐ] *m(f)* tripper; *(für einen Tag)* day-tripper

Aus·flugs·lo·kal *nt* tourist café **Aus·flugs·ort** *m* pleasure resort

Aus·fluss^RR <-es, Ausflüsse> *m*, **Aus·fluß^ALT** <-sses, Ausflüsse> *m* ❶*(Ausflussstelle)* outlet ❷ *kein pl* MED discharge

aus|for·mu·lie·ren* *vt Gedanken* to tidy up *sep*; *Text* to formulate in words

aus|fra·gen *vt* to question

aus|fran·sen *vi sein* to fray

aus|fres·sen *vt irreg (fam)* ▪**etwas/**

nichts ausgefressen haben to have done something/nothing wrong

Aus·fuhr <-, -en> f kein pl (Export) export[ation]; (~ handel) exports pl

Aus·fuhr·be·stim·mun·gen pl export regulations pl

aus|füh·ren vt ❶ (durchführen) to carry out sep; Befehl to execute; **einen Elfmeter/Freistoß ~** to take a penalty/free kick ❷ (spazieren gehen mit) to take out sep ❸ (exportieren) to export (**in** to) ❹ (erläutern) to explain; (darlegen) to set out sep

Aus·fuhr·ge·neh·mi·gung f ÖKON export authorization

aus·führ·lich ['ausfy:ɐ̯lɪç, aus'fy:ɐ̯lɪç] I. adj detailed II. adv in detail; **sehr ~** in great detail; **~er** in more detail

Aus·führ·lich·keit <-> f kein pl detail[edness]; von Erklärung fullness; **in aller ~** in [great] detail

Aus·füh·rung f ❶ kein pl (Durchführung) carrying out; von Befehl execution; von Elfmeter, Freistoß taking; eines Gesetzes implementation ❷ (Qualität) quality; von Möbel a. workmanship; (Modell) model ❸ kein pl (Darlegung, Erklärung) explanation ❹ meist pl (Bericht) report

Aus·fuhr·zoll m export duty

aus|fül·len vt ❶ Formular to fill in sep ❷ (befriedigen) to satisfy ❸ (Zeit in Anspruch nehmen) ■ **etw ~** to take up sep all of sth; ■ **seine Zeit ~** to fill up sep one's time (**mit** with) ❹ (stopfen) to fill (**mit** with)

Aus·ga·be f ❶ kein pl (Austeilung) distribution; (Aushändigung a.) handing out; von Befehl, Fahrkarte, Dokument issuing ❷ MEDIA, LIT edition; von Zeitschrift a. issue; **alte ~n** back issues; (Version) version ❸ pl (Kosten) expenses

Aus·ga·be·ge·rät nt INFORM output drive

Aus·ga·ben·be·leg m FIN receipt [for expenditure] **Aus·ga·ben·kür·zung** f FIN reduction in outgoings, expenditure capping

Aus·gang m ❶ (Weg nach draußen) exit (+gen from) ❷ (Erlaubnis zum Ausgehen) permission to go out; MIL pass; **~ haben** to have permission to go out; MIL to be on leave ❸ kein pl (Ende) end; einer Epoche a. close; von Film, Roman a. ending; (Ergebnis) outcome ❹ pl (ausgehende Post) outgoing mail no pl, no indef art; (ausgehende Waren) outgoing goods pl

Aus·gangs·ba·sis f kein pl basis **Aus·gangs·po·si·ti·on** f starting position **Aus·gangs·punkt** m starting point; einer Reise a. departure **Aus·gangs·**

sper·re f MIL (für die Bevölkerung) curfew; (für Soldaten) confinement to barracks

aus|ge·ben vt irreg ❶ (aufwenden) to spend (**für** on) ❷ (austeilen) to distribute (**an** to); (aushändigen a.) to hand out sep; Ausweis, Fahrkarte to issue; Spielkarten to deal ❸ (fam: spendieren) ■ **[jdm] etw ~** to treat sb to sth; **eine Runde ~** to buy a round; **[jdm] einen ~** (fam) to buy sb a drink ❹ (darstellen) ■ **sich als jd/etw ~** to pass oneself off as sb/sth

aus·ge·brannt adj drained, BRIT also knackered fam!; (geistig erschöpft a.) burned-out

aus·ge·bucht adj booked up

aus·ge·bufft ['ausgəbʊft] adj (fam) shrewd, BRIT also fly

Aus·ge·burt f ❶ (Gebilde) monstrous product; **eine ~ der Fantasie** a product of a diseased imagination pej ❷ (pej: Geschöpf, Kreatur) monster; **eine ~ der Hölle** a fiend from hell

aus·ge·dehnt I. pp von **ausdehnen** II. adj ❶ (lang) long ❷ (groß) extensive

aus·ge·fal·len adj unusual; (sonderbar) weird

aus·ge·gli·chen adj equable

Aus·ge·gli·chen·heit <-> f kein pl evenness; Mensch level-headedness

aus|ge·hen vi irreg sein ❶ (aus dem Haus gehen) to go out ❷ (aufhören zu brennen) to go out ❸ Haare to fall out ❹ (herrühren) ■ **von jdm ~** to come from sb ❺ (seinen Ursprung haben) ■ **von etw** dat ~ to lead from sth; ■ **etw geht von jdm/etw aus** sb/sth radiates sth ❻ (enden) to end; ■ **gut/schlecht ~** to turn out well/badly; Buch, Film to have a happy/sad ending ❼ (annehmen) ■ **davon ~, dass ...** to start out from the fact that ...; **es ist davon auszugehen, dass ...** it can be assumed that ...; **davon kann man nicht ~** you can't go by that ❽ (zu Grunde legen) ■ **von etw** dat ~ to take sth as a basis

aus·ge·hend adj attr **im ~en Mittelalter** towards the end of the Middle Ages; **das ~e 19. Jahrhundert** the close of the 19th century

Aus·geh·mei·le f (fam) entertainment quarter, party district

aus·ge·hun·gert adj ❶ (fam: sehr hungrig) starved ❷ (ausgezehrt) emaciated

aus·ge·klü·gelt adj ingenious

aus·ge·kocht adj (pej fam) cunning

aus·ge·las·sen adj wild; Kinder boisterous

Aus·ge·las·sen·heit <-, selten -en> f

wildness; *von Kindern* boisterousness

aus·ge·macht *adj* ❶ *(entschieden)* ■**es ist ~, dass ...** it is agreed that ... ❷ *attr* *(fam: eingefleischt)* complete

aus·ge·mer·gelt *adj* emaciated; *Gesicht* gaunt

aus·ge·nom·men *konj* except; **wir kommen, ~ es regnet** we'll come, but only if it doesn't rain; **ich nicht ~** myself not excepted

aus·ge·po·wert [-ɡəpaʊɐt] *adj* *(fam)* washed out, BRIT *also* done in *pred fam*

aus·ge·prägt *adj* distinctive; *Interesse* pronounced; *Stolz* deep-seated

aus·ge·rech·net ['aʊsɡərɛçnət] *adv* ❶ *personenbezogen (gerade)* ■**~ jd/jdn/ jdm** sb of all people; **warum muss das ~ mir passieren?** why does it have to happen to me [of all people]? ❷ *zeitbezogen (gerade)* ■**~ jetzt** now of all times; ■**~ gestern/heute** yesterday/today of all days; **~ dann war ich nicht zu Hause** right then I was not in, of course; **~, als wir ins Bett gehen wollten, ...** just when we wanted to go to bed ...

aus·ge·schla·fen *adj* *(fam)* sharp

aus·ge·schlos·sen *adj präd* **es ist nicht ~, dass ...** it is just possible that ...; ■**[völlig] ~!** [that's] [completely] out of the question

aus·ge·schnit·ten *adj Kleid, Bluse* low-cut

aus·ge·spro·chen I. *adj* *(positive Eigenschaft bezeichnend)* distinct; *(negative Eigenschaft bezeichnend)* extreme; *(ausgeprägt)* pronounced; **~ es Pech haben** to have really bad luck II. *adv* really

aus·ge·stor·ben *adj* ❶ *(erloschen)* extinct ❷ *(verlassen)* ■**[wie] ~ sein** to be deserted

aus·ge·sucht I. *adj* ❶ *(erlesen)* choice ❷ *(gewählt)* well-chosen II. *adv* extremely

aus·ge·wach·sen *adj* ❶ *(voll entwickelt)* fully grown ❷ *(fam: komplett)* utter

aus·ge·wo·gen *adj* balanced

Aus·ge·wo·gen·heit <-> *f kein pl* balance; **~ bewahren** to preserve the balance

aus·ge·zeich·net ['aʊsɡətsaɪçnət, 'aʊsɡə'tsaɪçnət] I. *adj* excellent II. *adv* extremely well; **mir geht es ~** I'm feeling just great

aus·gie·big ['aʊsɡiːbɪç] I. *adj* extensive; *Mahlzeit* substantial; *Mittagsschlaf* long; **von etw** *dat* **~en Gebrauch machen** to make full use of sth II. *adv* extensively; **~ schlafen** to have a good [long] sleep

aus|gie·ßen *vt irreg* ❶ *(entleeren)* to empty; *(weggießen)* to pour away *sep* ❷ *(fül-*

len) to fill [in *sep*] **(mit** with)

Aus·gleich <-[e]s, *selten* -e> *m* ❶ *(das Ausgleichen)* balancing ❷ *(das Wettmachen)* settlement; *eines Fehlers, Schadens* compensation ❸ *(das Korrigieren)* balancing; *von Unebenheiten* evening out ❹ *(Vermittlung)* conciliation ❺ *(Kompensierung)* **er treibt zum ~ Sport** he does sport to keep fit; **zum willkommenen ~ von etw** *dat* as a welcome change from sth ❻ *kein pl* SPORT equalizer, tie AM; **den ~ erzielen** to equalize, to tie [the score] AM; TENNIS deuce

aus|glei·chen *irreg* I. *vt* ❶ *(glattstellen)* to balance **(durch** with); *Schulden* to settle ❷ *(wettmachen)* to compensate for ❸ *(ausbalancieren)* to reconcile II. *vi* ❶ SPORT to equalize, to tie the score AM ❷ *(vermitteln)* to prove conciliatory; *Mensch* to act as a mediator III. *vr* ■**sich ~** to balance out

Aus·gleichs·tor *nt,* **Aus·gleichs·tref· fer** *m* equalizer, tying goal AM

aus|gra·ben *vt irreg* ❶ *(aus der Erde graben)* to dig up *sep; Altertümer* to excavate; *Leiche* to disinter ❷ *(hervorholen)* to dig out *sep; alte Geschichten* to bring up *sep*

Aus·gra·bung *f kein pl (das Ausgraben)* digging up; *einer Leiche* disinterment ❷ *(Grabungsarbeiten)* excavation[s *pl*]; *(Grabungsort)* excavation site; *(Grabungsfund)* [archaeological] find

aus|gren·zen *vt* to exclude **(aus** from)

Aus·gren·zung <-> *f kein pl* exclusion **(aus** from)

aus|gu·cken *vt (fam)* ■**[sich** *dat***] jdn/ etw ~** to set one's sights on sb/sth

Aus·guss[RR] <-es, Ausgüsse> *m,* **Aus· guß**[ALT] <-sses, Ausgüsse> *m* ❶ *(Spüle)* sink ❷ *(Tülle)* spout

aus|ha·ben *irreg* I. *vt (fam)* ❶ *(ausgezogen haben)* to have taken off *sep* ❷ *(beendet haben)* to have finished II. *vi (fam)* to get off [school]

aus|hal·ten *irreg* I. *vt* ❶ *(ertragen können)* to bear; **hältst du es noch eine Stunde aus?** can you hold out another hour?; **die Kälte ~** to endure the cold; **es ist nicht [länger] auszuhalten** it's [getting] unbearable; **es lässt sich [mit jdm] ~** it's bearable [being with sb]; **es lässt sich [hier] ~** it's not a bad place ❷ *(standhalten)* to be resistant to; **eine hohe Temperatur ~** to withstand a high temperature; **viel ~** to take a lot; **den Druck ~** to [with]stand the pressure ❸ *(fam: Unterhalt leisten)* ■**jdn ~** to keep sb II. *vi* to hold out

aus|han·deln *vt* to negotiate

aus|hän·di·gen ['aʊshɛndɪɡn̩] *vt* ■**jdm etw ~** to hand over *sep* sth to sb; *Preis* to give; *Urkunde* to surrender

Aus·hang *m* notice; (*das Aushängen*) posting; **etw durch ~ bekannt geben** to put up a notice about sth

aus|hän·gen I. *vt* ❶ (*durch Aushang bekannt machen*) to put up *sep*; *Plakat* to post ❷ (*aus den Angeln heben*) to unhinge; *Haken* to unhook II. *vi irreg* to be/ have been put up; **am schwarzen Brett ~** to be on the notice board

Aus·hän·ge·schild *nt* ❶ (*Reklametafel*) sign [board] ❷ (*Renommierstück*) showpiece

aus|har·ren *vi* to wait [patiently]; **auf seinem Posten ~** to stand by one's post

aus|hau·chen *vt* (*geh*) ❶ (*Luft schwach ausstoßen*) to exhale ❷ (*sterben*) **sein Leben ~** to breathe one's last

aus|he·ben *vt irreg* ❶ (*ausgraben*) to excavate; *Graben, Grab* to dig ❷ (*hochgehen lassen*) to bust *fam*

aus|he·cken *vt* (*fam*) to hatch; [**neue**] **Streiche ~** to think up new tricks

aus|hel·fen *vi irreg* to help out *sep* (**mit** with)

aus|heu·len (*fam*) I. *vi* to have finished crying II. *vr* to have a good cry; ■**sich bei jdm ~** to have a good cry on sb's shoulder

Aus·hil·fe *f* ❶ (*vorübergehende Hilfe*) temporary help; [**bei jdm**] **zur ~ arbeiten** to temp [for sb] *fam* ❷ (*vorübergehende Hilfskraft*) temporary worker

aus·hilfs·wei·se *adv* on a temporary basis

aus|höh·len *vt* ❶ (*unterspülen*) to erode; (*Inneres herausmachen*) to hollow out *sep* ❷ (*untergraben*) to undermine; (*erschöpfen*) to weaken

aus|ho·len *vi* ❶ (*Schwung nehmen*) ■[**mit etw** *dat*] **~** to swing back [sth] *sep*; [**mit der Hand**] **~** to take a swing; **weit ~** to take a big swing; **zum Schlag ~** to draw back *sep* one's arm/fist etc. for a blow; **mit dem Schläger ~** to swing one's club/racket etc. ❷ (*ausschweifen*) to beat about the bush

aus|hor·chen *vt* (*fam*) ■**jdn ~** to sound out *sep* sb (**über** about)

aus|keh·ren I. *vt* to sweep away *sep;* **das Haus ~** to sweep [out *sep*] the house II. *vi* to do the sweeping

aus|ken·nen *vr irreg* ❶ (*sich gut zurechtfinden*) ■**sich ~** to know one's way around ❷ ([*gute*] *Kenntnisse besitzen*) ■**sich** [**in etw** *dat*] **~** to know a lot [about sth]

aus|kip·pen *vt* (*fam*) to empty [out *sep*]

(**auf/über** on[to])

aus|klam·mern *vt* to ignore

Aus·klang <-> *m kein pl* conclusion; **zum ~ des Abends** to conclude the evening

aus·klapp·bar *adj* folding; (*mit Scharnieren*) hinged

aus|klap·pen *vt* to open out

aus|klei·den *vt* ❶ (*beziehen*) to line (**mit** with) ❷ (*geh: entkleiden*) to undress; ■**sich ~** to get undressed

aus|klin·gen *vi irreg sein* (*geh*) to conclude (**mit** with); *Abend, Feier a.* to finish off with sth

aus|klop·fen *vt* to beat the dust out of sth; *Teppich* to beat; *Pfeife* to knock out *sep*

aus|klü·geln *vt* (*fam*) to work out *sep* to perfection; ■**ausgeklügelt** cleverly thought-out

aus|knip·sen *vt* (*fam*) to switch off

aus|kno·beln *vt* to work out *sep*

aus|ko·chen *vt* ❶ KOCHK to boil [down *sep*] ❷ (*in kochendes Wasser legen*) to boil [clean]; *Instrumente, Spritzen* to sterilize ❸ (*fam: sich ausdenken*) to cook up *sep fam*

aus|kom·men *vi irreg sein* ❶ (*ausreichend haben*) ■**mit etw** *dat* **~** to get by on sth; ■**ohne jdn/etw ~** to manage without sb/sth; (*nicht benötigen*) to go without sb/sth ❷ (*sich mit jdm vertragen*) ■**mit jdm** [**gut**] **~** to get on well with sb ❸ ÖSTERR (*entkommen*) to escape

Aus·kom·men <-s> *nt kein pl* livelihood; **sein ~ haben** to get by

aus|kos·ten *vt* ❶ (*genießen*) to make the most of sth; **das Leben ~** to enjoy life to the full; **den Moment/seine Rache ~** to savour the moment/one's revenge ❷ (*fam: mitmachen, probieren*) to have one's fill of sth

aus|kot·zen (*derb*) I. *vt, vi* to puke [up *sep*] II. *vr* ■**sich ~** to throw up

aus|kra·men *vt* (*hervorholen*) to unearth; (*fig: alte Geschichten*) to bring up *sep*

aus|krat·zen *vt* to scrape out *sep*

aus|krie·gen *vt* (*fam*) ❶ (*ausziehen können*) to get off *sep* ❷ (*beenden*) to finish [off]

aus|ku·geln *vt* to dislocate

aus|kund·schaf·ten *vt* ❶ (*herausfinden*) to find out ❷ (*ausfindig machen*) to find; MIL to reconnoitre

Aus·kunft <-, Auskünfte> ['aʊskʊnft, *pl* -kʏnftə] *f* ❶ (*Information*) information *no pl, no indef art* (**über** about); ■**eine ~** a bit of information; **nähere ~** more information; **Auskünfte** [**über jdn/etw**] [**bei jdm**] **einholen** to make [some] enquiries [to sb] [about sb/sth]; |**jdm**| **eine ~ geben** to give sb some information ❷ (~ *schalter*) information office/desk; (*am Bahnhof a.*) enquiry office/desk; (*Fernsprech~*) directory enquiries *pl, no art* Brit, the operator Am

aus|**kup·peln** *vi* Auto to declutch

aus|**ku·rie·ren*** (*fam*) **I.** *vt* to cure [completely] **II.** *vr* ■ **sich** ~ to get better

aus|**la·chen** *vt* to laugh at; (*höhnisch*) to jeer at

aus|**la·den** *irreg* **I.** *vt* ❶ (*entladen*) to unload; Naut *a.* to discharge ❷ (*fam: Einladung widerrufen*) ■ **jdn** ~ to tell sb not to come; (*förmlich*) to cancel sb's invitation **II.** *vi* to spread; *Dach, Balkon* to protrude

Aus·la·ge <-, -n> *f* ❶ *pl* (*im Schaufenster ausgestellte Ware*) display ❷ (*Schaufenster*) shop window; (*Schaukasten*) showcase ❸ *pl* (*zu erstattender Geldbetrag*) disbursement ❹ *pl* (*Ausgaben, Unkosten*) expenses *npl*

Aus·land <-[e]s> ['aʊslant] *nt kein pl* ■ |**das**| ~ foreign countries *pl;* ■ **aus dem** ~ from abroad; ■ **ins/im** ~ abroad

Aus·län·der(in) <-s, -> ['aʊslɛndɐ] *m(f)* foreigner; Jur alien

Aus·län·der·be·auf·trag·te(r) *f(m) dekl wie adj* official assigned to the integration *of foreign immigrants* **aus·län·der·feind·lich I.** *adj* racist **II.** *adv* **sich ~ ausdrü·cken** to use racist expressions **Aus·län·der·feind·lich·keit** *f* racism

Aus·län·de·rin <-, -nen> *f fem form von* **Ausländer**

Aus·län·der·po·li·tik *f* policy on foreigners **Aus·län·der·wahl·recht** *nt* voting rights for foreigners *pl* **Aus·län·der·wohn·heim** *nt* home for immigrants

aus·län·disch ['aʊslɛndɪʃ] *adj* ❶ *attr* foreign; Bot exotic ❷ (*fremdländisch*) exotic

Aus·lands·auf·ent·halt *m* stay abroad **Aus·lands·be·zie·hun·gen** *f pl* Pol foreign relations **Aus·lands·ein·satz** *m* Mil foreign [military] deployment **Aus·lands·ge·spräch** *nt* Telek international call **Aus·lands·kor·res·pon·dent(in)** *m(f)* foreign correspondent **Aus·lands·kran·ken·schein** *m* ≈ E107 Brit (*health insurance document for overseas travel*) **Aus·lands·rei·se** *f* journey [*or* trip] abroad

aus|**las·sen** *irreg* **I.** *vt* ❶ (*weglassen*) to omit; (*überspringen*) to skip; (*verpassen*) to miss ❷ (*abreagieren*) ■ **etw an jdm ~** to vent sth on sb ❸ Kochk *Butter* to melt; *Speck* to render down *sep* ❹ (*fam: ausgeschaltet lassen*) to keep switched off ❺ Österr (*loslassen*) to let go of; (*aus einem* *Käfig etc. freilassen*) to let out *sep* **II.** *vr* (*pej*) ■ **sich über jdn/etw ~** to go on about sb/sth *pej* **III.** *vi* Österr to let go

Aus·las·sung <-, -en> ['aʊslasʊŋ] *f kein pl* omission

Aus·las·sungs·punk·te *pl* ellipsis *spec,* suspension points

aus|**las·ten** *vt* ❶ (*voll beanspruchen*) to use to capacity; ■ |**voll**| **ausgelastet** |**sein**| [to be] running to capacity *pred;* **teilweise ausgelastet** running at partial capacity *pred;* **ausgelastete Kapazitäten** capacity working ❷ (*voll fordern*) to occupy fully

Aus·lauf <-[e]s> *m* ❶ *kein pl* (*Bewegungsfreiheit*) exercise; (*für Tiere*) space to move about in; (*für Kinder*) room to run about ❷ (*Ausfluss*) outlet

aus|**lau·fen** *irreg vi sein* ❶ (*herauslaufen*) to run out (**aus** of); (*wegen Undichtheit*) to leak out; (*Inhalt austreten lassen*) to leak ❷ (*Hafen verlassen*) to [set] sail (**nach** for) ❸ (*nicht fortgeführt werden*) to be discontinued ❹ (*enden*) to end; *Vertrag* to expire ❺ (*zum Stillstand kommen*) to come to a stop; *Läufer a.* to ease off

Aus·läu·fer *m* ❶ Meteo *Hochdruckgebiet* ridge; *Tiefdruckgebiet* trough ❷ *meist pl* (*Vorberge*) foothills *npl* ❸ Bot runner

Aus·lauf·mo·dell *nt* discontinued model **aus**|**lau·gen** *vt* to exhaust

Aus·laut *m* Ling final position

aus|**le·ben I.** *vr* ■ **sich ~** to live it up **II.** *vt* (*geh*) ■ **etw ~** to realize sth

aus|**lee·ren** *vt* (*ausgießen*) to empty [out *sep*]; (*ausladen*) to dump; ■ **etw über jdm/etw ~** to pour sth over sb/sth

aus|**le·gen** *vt* ❶ (*ausbreiten*) to lay out *sep;* (*verlegen*) to put down ❷ (*bedecken*) to cover (**mit** with); (*auskleiden*) to line (**mit** with); *Teppich* to lay down *sep* ❸ (*deuten*) to interpret ❹ (*leihen*) ■ **jdm etw ~** to lend sb sth; **sie hat das Geld für das Paket ausgelegt** she paid [the money] for the package ❺ (*konzipieren, vorsehen*) to design (**für** for)

Aus·le·ger <-s, -> *m* ❶ Tech jib, boom ❷ (*Kufe gegen Kentern*) outrigger

Aus·le·gung <-, -en> *f* (*Deutung*) interpretation; (*Erklärung*) explanation **Aus·le·gungs·sa·che** *f* matter of interpretation

aus|**lei·ern I.** *vt* haben (*fam*) to wear out *sep* **II.** *vi* sein to wear out; ■ **ausgeleiert** |**sein**| [to be] worn [out]

Aus·lei·he <-, -n> *f* (*das Ausleihen*) lending ❷ (*Schalter*) issuing desk

aus|**lei·hen** *irreg* **I.** *vt* ■ **etw ~** to lend sth **II.** *vr* ■ **sich** *dat* **etw ~** to borrow sth

aus|**ler·nen** *vi* to finish one's studies;

■**ausgelernt** qualified ▶**man lernt** |eben| nie **aus** (*prov*) [you] live and learn *prov*

Aus·le·se <-, -n> *f* ❶(*die Elite*) the chosen few + *pl vb* ❷(*Wein*) superior wine (*made from selected grapes*) ❸*kein pl* (*Auswahl*) ■**eine ~ von etw** *dat* a selection of sth; **die natürliche ~** natural selection

aus‖**le·sen** *irreg vt, vi* to finish reading

aus‖**lie·fern** *vt* ❶(*liefern*) to deliver (**an** to) ❷(*überstellen*) to hand over *sep* (**an** to) ❸(*preisgeben*) ■**jdm/etw ausgeliefert sein** to be at sb's mercy

Aus·lie·fe·rung *f* ❶*von Waren* delivery ❷*von Menschen* handing over; *an ein anderes Land* extradition

aus‖**lie·gen** *vi irreg* ❶(*zum Verkauf liegen*) to be displayed ❷(*bereitliegen*) to be [made] available (**für** to/for); *Zeitungen a.* to be laid out; *Schlinge* to be down

aus‖**lo·ben** *vt* to offer as a reward (**für** for)

aus‖**löf·feln** *vt* to spoon out *sep*; (*aufessen*) *Teller* to empty ▶**etw ~ müssen** (*fig fam*) to take the consequences

aus‖**log·gen** *vr* INFORM to log off

aus‖**lö·schen** *vt* ❶(*löschen*) to extinguish ❷(*beseitigen*) to obliterate ❸(*geh: tilgen*) to blot out *sep*

aus‖**lo·sen** I. *vt* ■**jdn/etw ~** to draw sb/sth II. *vi* to draw lots

aus‖**lö·sen** *vt* ❶(*in Gang setzen*) to set off *sep*; *Bombe* to trigger off ❷(*bewirken*) *Aufstand* to unleash; *Begeisterung* to arouse; *Beifall* to elicit; *Erleichterung, allergische Reaktion* to cause ❸(*einlösen*) to redeem; *Gefangene* to release; (*durch Lösegeld*) to ransom

Aus·lö·ser <-s, -> *m* ❶FOTO [shutter] release ❷PSYCH trigger mechanism ❸(*fam: Anlass*) trigger

Aus·lo·sung *f* draw

aus‖**lo·ten** *vt* ❶NAUT ■**etw ~** to plumb the depth of sth ❷(*geh: ergründen*) ■**jdn/etw ~** to fathom out sb/sth *sep*

aus‖**ma·chen** *vt* ❶(*löschen*) to extinguish; (*ausschalten*) to turn off *sep*; *Motor* to switch off *sep* ❷(*ermitteln*) to determine; (*entdecken*) to make out *sep* ❸(*vereinbaren*) to agree [up]on; ■**ausgemacht** agreed ❹(*betragen*) to amount to ❺(*bewirken*) ■**kaum etwas ~** to hardly make any difference; ■**nichts ~** to not make any difference; ■**viel ~** to make a big difference; **was macht es schon aus?** what difference does it make? ❻(*bedeuten*) ■**es macht jdm nichts/viel aus, etw zu tun** sb doesn't mind doing sth/it matters a great deal to sb to do sth; **macht es Ihnen etwas aus, wenn ...?** do you mind if ...?; **ja, es macht mir viel aus** yes, I do mind very much

aus‖**ma·len** *vr* ■**sich** *dat* **etw ~** to imagine sth

Aus·maß *nt* ❶(*Fläche*) area; **das ~ von etw** *dat* **haben** to cover the area of sth; **von geringem ~ sein** to be small in area; (*Größe*) size; ■**die ~e** the dimensions ❷(*Umfang*) extent *no pl;* **Besorgnis erregende/größere ~e annehmen** to assume alarming/greater proportions

aus‖**mer·zen** [-mɛrtsn̩] *vt* to exterminate; *Unkraut* to eradicate

aus‖**mes·sen** *vt irreg* to measure [out]

aus‖**mis·ten** I. *vt* ❶(*vom Mist befreien*) to muck out *sep* ❷(*fam: von Überflüssigem befreien*) to tidy out *sep*; *alte Bücher* to throw out *sep*; *Zimmer* to clean out *sep* II. *vi* ❶(*den Mist hinausschaffen*) to muck out ❷(*fam: Überflüssiges hinausschaffen*) to have a clean-out BRIT, AM

aus‖**mus·tern** *vt* ❶(*aussortieren*) to take out *sep* of service; *Möbel* to discard ❷MIL (*entlassen*) to discharge

Aus·nah·me <-, -n> ['aʊsnaːmə] *f* exception ▶**~n bestätigen die Regel** (*prov*) the exception proves the rule *prov*

Aus·nah·me·fall *m* exception[al case] **Aus·nah·me·ge·neh·mi·gung** *f* special licence **Aus·nah·me·si·tu·a·ti·on** *f* special situation; POL state of emergency **Aus·nah·me·zu·stand** *m* POL state of emergency; **den ~ verhängen** to declare a state of emergency (**über** in)

aus·nahms·los *adv* without exception

aus·nahms·wei·se *adv* as a special exception; **darf ich das machen? — ~!** may I do that? — just this once!; **heute ging er ~ eine Stunde früher** today he left an hour earlier [for a change]

aus‖**neh·men** *irreg* I. *vt* ❶(*ausweiden*) to gut; *Geflügel* to draw ❷(*ausschließen*) to exempt (**von** from) ❸(*fam: viel Geld abnehmen*) ■**jdn ~** to fleece sb *fam;* (*beim Glücksspiel*) to clean out sb *sep fam* ❹ÖSTERR (*erkennen*) ■**jdn/etw ~** to make out *sep* sb/sth II. *vr* (*geh*) **sich gut/schlecht ~** to look good/bad

aus·neh·mend I. *adj* (*geh*) exceptional II. *adv* exceptionally; **das gefällt mir ~ gut** I like it very much indeed

aus‖**nüch·tern** *vi, vr vi:* sein, *vr:* haben ■[**sich** *akk*] **~** to sober up

Aus·nüch·te·rungs·zel·le *f* drying-out cell

aus‖**nut·zen** *vt* ❶(*ausbeuten*) to exploit

❷ (*sich zunutze machen*) to make the most of; **jds Leichtgläubigkeit ~** to take advantage of sb's gullibility

Aus·nut·zung <-> *f kein pl* ❶ (*Ausbeutung*) exploitation ❷ (*das Wahrnehmen*) ■ **die ~ von etw** *dat/einer S. gen* making the most of sth; **bei rechtzeitiger ~ dieser einmaligen Gelegenheit hätten Sie ...** if you had made the most of this unique opportunity, you would have ...

aus|pa·cken I. *vt* to unpack; *Geschenk* to unwrap **II.** *vi* ❶ (*Koffer, Kisten ~*) to unpack ❷ (*fam: gestehen*) to talk

aus|peit·schen *vt* to whip

aus|pfei·fen *vt irreg* to boo off the stage/to boo at

aus|plau·dern *vt* to let out

aus|plün·dern *vt* ❶ (*ausrauben*) to plunder; *Laden* to loot ❷ (*hum: leer räumen*) to raid

aus|po·sau·nen* *vt* (*fam*) to broadcast

aus|pres·sen *vt* ❶ (*her~*) to squeeze out *sep;* **frisch ausgepresst** freshly pressed ❷ (*ausbeuten*) to squeeze dry [*or* Brit *hum also* until the pips squeak] ❸ (*brutal ausfragen*) to press

aus|pro·bie·ren* **I.** *vt* to try [out *sep*] **II.** *vi* ■ **~, ob/wie ...** to see whether/how ...

Aus·puff <-[e]s, -e> *m* exhaust [pipe], Am *also* tailpipe

Aus·puff·rohr *nt* exhaust [pipe], Am *also* tailpipe

aus|pum·pen *vt* ❶ (*leer pumpen*) to pump out *sep* ❷ (*fam: völlig erschöpfen*) to drain; ■ **ausgepumpt sein** to be completely drained

aus|quar·tie·ren* *vt* to move out *sep* (**in** into)

aus|quet·schen *vt* ❶ (*auspressen*) to squeeze out *sep;* **Orangen ~** to press oranges ❷ (*fam: forciert ausfragen*) ■ **jdn ~** to pump sb [for information]; *Polizei* to grill sb

aus|ra·die·ren* *vt* ❶ (*mit Radiergummi entfernen*) to rub out *sep* ❷ (*vernichten*) to wipe out *sep*

aus|ran·gie·ren* *vt* to throw out *sep*

aus|ras·ten *vi sein* ❶ (*herausspringen*) to come out ❷ (*hum fam: wild werden*) to go ape-shit, to throw a wobbly Brit, to have a spaz Am

aus|rau·ben *vt* to rob

aus|räu·chern *vt* ■ **jdn/etw ~** to smoke out sb/sth *sep*

aus|rau·fen *vt Haare* to tear out *sep*

aus|räu·men *vt* ❶ (*her~*) to move out *sep;* (*leer räumen*) to clear out *sep* ❷ (*beseitigen*) to clear up *sep; Zweifel* to dispel

aus|rech·nen *vt* to calculate

Aus·re·de *f* excuse; **eine faule ~** a feeble excuse

aus|re·den I. *vi* to finish speaking **II.** *vt* ■ **jdm etw ~** to talk sb out of sth **III.** *vr bes* Österr ■ **sich ~** to have a heart-to-heart [talk]

aus|rei·chen *vi* to be sufficient (**für** for); **es muss für uns alle ~** it will have to do for us all

aus·rei·chend I. *adj* sufficient; *Kenntnisse, Leistungen* adequate; ■ **nicht ~** insufficient/inadequate; Sch satisfactory **II.** *adv* sufficiently

aus|rei·fen *vi sein* ❶ (*liter*) to ripen; *Wein* to mature; **Wein ~ lassen** to allow wine to mature ❷ (*fig*) ■ **ausgereift sein** to be perfected; **die Technik ist noch nicht ausgereift** the technology is still in the development[al] stages

Aus·rei·se *f* departure [from a/the country]; **jdm die ~ verweigern** to prohibit sb from leaving the country

Aus·rei·se·er·laub·nis, Aus·rei·se·ge·neh·mi·gung *f* exit permit

aus|rei·sen *vi sein* to leave the country; (*endgültig*) to emigrate; **nach Israel ~** to go/emigrate to Israel

Aus·rei·se·vi·sum [-vi:-] *nt* exit visa

aus|rei·ßen *irreg* **I.** *vt haben* to pull out *sep; Haare* to tear out *sep; Blätter* to pull off *sep* **II.** *vi sein* ❶ (*fam: davonlaufen*) to run away ❷ (*einreißen*) to split

Aus·rei·ßer(in) <-s, -> *m(f)* (*fam*) runaway

aus|rei·ten *irreg* **I.** *vi sein* to ride out **II.** *vt haben* ■ **ein Pferd ~** to take out a horse *sep*

aus|ren·ken *vt* to dislocate

aus|rich·ten I. *vt* ❶ (*übermitteln*) ■ **jdm etw ~** to tell sb sth; **jdm eine Nachricht ~** to pass on *sep* the news to sb; **kann ich etwas ~?** can I give him/her a message?; **richten Sie ihr einen Gruß [von mir] aus** give her my regards ❷ (*veranstalten*) to organize; *Fest* to arrange ❸ (*erreichen*) ■ **bei jdm etwas/nichts ~** to achieve something/nothing with sb ❹ (*einstellen*) to align (**auf** with); (*abstellen*) to gear (**auf** to) ❺ Österr (*schlechtmachen*) ■ **jdn ~** to run down *sep* [*or* Am *also* badmouth] sb ❻ Schweiz (*zahlen*) ■ **jdm etw ~** to pay sb sth **II.** *vr* (*sich nach etw richten*) ■ **sich an etw** *dat* **~** to orientate oneself to sth

Aus·rich·tung <-> *f kein pl* ❶ (*Orientierung*) orientation (**an** to) ❷ (*Einstellung*) orientating (**auf** to) ❸ (*Organisieren*) organization; *einer Hochzeit* arrangements *pl* (+*gen* for)

Aus·ritt *m* ride [out]; (*das Ausreiten*) riding out

aus|rol·len I. *vt haben* ❶ (*entrollen*) to roll out *sep; Kabel* to run out *sep* ❷ (*flach walzen*) to roll out *sep* **II.** *vi sein Flugzeug* to taxi to a standstill; *Fahrzeug* to coast to a stop

aus|rot·ten *vt* to exterminate; *Termiten* to destroy; *Unkraut* to wipe out *sep; Ideen, Religion* to eradicate

Aus·rot·tung <-, -en> *f* extermination

aus|rü·cken *vi sein* ❶ *Truppen, Polizei* to turn out; *Feuerwehr* to go out on a call ❷ (*fam: ausreißen*) to make off

Aus·ruf *m* cry; **ein ~ des Entsetzens** a cry of horror; **etw durch ~ bekannt machen** to proclaim sth

aus|ru·fen *vt irreg* ❶ (*rufend nennen*) to call out *sep; Haltestelle, Streik* to call; *Krieg* to declare; ▪**jdn ~** to put out a call for sb ❷ (*ernennen*) **jdn zum König ~** to proclaim sb king

Aus·ru·fe·zei·chen *nt,* **Aus·ru·fungs·zei·chen** *nt,* **Aus·ruf·zei·chen** *nt* ÖSTERR, SCHWEIZ LING exclamation mark [*or* AM point]

aus|ru·hen *vi, vr* to [take a] rest; ▪**ausgeruht** [**sein**] [to be] well rested

aus|rup·fen *vt* ▪**etw ~** to pluck out sth *sep*

aus|rüs·ten *vt* to equip; *Fahrzeug, Schiff* to fit out *sep*

Aus·rüs·tung <-> *f* ❶ *kein pl* (*das Ausrüsten*) equipping; *Fahrzeug, Schiff* fitting out ❷ (*Ausrüstungsgegenstände*) equipment *no pl; Expedition a.* tackle; (*Kleidung*) outfit *no pl*

aus|rut·schen *vi sein* ❶ (*ausgleiten*) to slip (**auf** on); **sie ist ausgerutscht** she slipped ❷ (*entgleiten*) ▪**jdm ~** to slip [out of sb's hand]; **mir ist die Hand ausgerutscht** my hand slipped

Aus·rut·scher <-s, -> *m* (*fam*) slip-up

Aus·saat *f* ❶ *kein pl* (*das Säen*) sowing ❷ (*Saat*) seed *no pl*

aus|sä·en *vt* to sow

Aus·sa·ge *f* ❶ *a.* JUR (*Darstellung*) statement; (*Zeugen~*) evidence *no pl;* **die ~ verweigern** *Angeklagter* to refuse to make a statement; *Zeuge* to refuse to testify; **eine ~ machen** to make a statement; **~ steht gegen ~** it's one person's word against another's ❷ (*Tenor*) message

aus·sa·ge·kräf·tig *adj* convincing

aus|sa·gen I. *vt* ▪**etw** [**über jdn/etw**] ❶ (*darstellen*) to say sth [about sb/sth] ❷ JUR to give sth in evidence about sb/sth **II.** *vi* JUR *Zeuge* to testify (**vor** before);

Angeklagter, Beschuldigter to make a statement; ▪**für/gegen jdn ~** to give evidence in sb's favour/against sb

Aus·satz <-es> *m kein pl* MED (*veraltet*) leprosy *no art*

Aus·sät·zi·ge(r) *f(m) dekl wie adj* (*veraltet o fig*) leper

aus|sau·gen *vt* ❶ (*leer saugen*) ▪**etw ~** to suck sth [dry] ❷ (*ausbeuten*) ▪**jdn ~** to drain sb dry

aus|schal·ten *vt* ❶ (*abstellen*) to turn off *sep* ❷ (*eliminieren*) to eliminate

Aus·schank <-[e]s, -schänke> *m* ❶ (*Schankraum*) taproom; (*Schanktisch*) bar ❷ *kein pl* (*Getränkeausgabe*) serving of drinks

Aus·schau *f* ▪**~ halten** to keep an eye out (**nach** for)

aus|schau·en *vi* ❶ (*Ausschau halten*) ▪**nach jdm/etw ~** to look for sb/sth ❷ DIAL, SÜDD, ÖSTERR *s.* **aussehen** ❸ (*fam*) ▪**wie schaut's aus?** how's things?; **wie schaut's aus, kommst du mit?** so what do you say, are you coming along?

aus|schei·den *irreg* **I.** *vi sein* ❶ (*nicht weitermachen*) to retire (**aus** from); *aus Verein* to leave ❷ SPORT to drop out (**aus** of) ❸ (*nicht in Betracht kommen*) to be ruled out **II.** *vt haben* ❶ (*aussondern*) to take out *sep* ❷ (*absondern*) to excrete; *Organ* to secrete

Aus·schei·dung <-, -en> *f* ❶ *kein pl* (*das Absondern*) excretion; *eines Organs* secretion ❷ *pl* (*Exkremente*) excrement *no pl, no indef art* ❸ SPORT (*Vorkampf*) qualifying contest; FBALL qualifying round

aus|schen·ken I. *vt* ❶ (*eingießen*) ▪**jdm etw ~** to pour sb sth ❷ (*servieren*) to serve (**an** to) **II.** *vi* to serve the drinks

aus|sche·ren *vi sein* to pull out; (*ausschwenken*) to swing out

aus|schil·dern *vt* ▪**etw ~** to signpost sth; ▪**ausgeschildert sein** to be signposted

aus|schimp·fen *vt* ▪**jdn ~** to tell sb off, AM *also* to give sb hell

aus|schlach·ten *vt* ❶ (*Verwertbares ausbauen*) to cannibalize ❷ (*fam: ausnutzen*) to exploit

aus|schla·fen *irreg* **I.** *vt* ▪**etw ~** to sleep off sth *sep* **II.** *vi, vr* ▪[**sich**] **~** to have a good [night's] sleep

Aus·schlag *m* ❶ MED rash ❷ (*einer Nadel*) deflection; [**bei etw** *dat*] **den ~ geben** (*fig*) to be the decisive factor [for/in sth]

aus|schla·gen *irreg* **I.** *vt haben* ❶ (*ablehnen*) to turn down *sep;* (*höflicher*) to decline; *Erbschaft* to disclaim; ▪**jdm etw ~** to refuse sb sth ❷ (*auskleiden*) to line (**mit**

with) ❸ (*her~*) to knock out *sep* **II.** *vi*
❶ *haben* (*los-, zuschlagen*) to strike out
(**mit** with); [**mit den Hufen**] ~ to kick
❷ *sein o haben* to deflect; *Wünschelrute* to
dip ❸ *sein o haben* (*sprießen*) to come
out; *Bäume a.* to come into leaf

aus·schlag·ge·bend *adj* decisive; [**für**
jdn] **von ~er Bedeutung** [**sein**] [to be] of
prime importance [for sb]

aus|schlie·ßen *vt irreg* ❶ (*entfernen*) to
exclude (**aus** from); (*als Strafe a.*) to bar;
die Öffentlichkeit [**von etw** *dat*] ~ JUR to
hold sth in camera; (*spec*) to exclude the
public [from sth]; *Mitglied* to expel; (*vorü-*
bergehend) to suspend; *Spieler* to disqualify ❷ (*für unmöglich halten*) to rule out *sep*
❸ (*aussperren*) ■**jdn/sich** ~ to lock out
sep sb/lock oneself out

aus·schließ·lich ['aʊsʃliːslɪç] **I.** *adj attr* exclusive **II.** *adv* exclusively; **darüber habe**
~ ich zu bestimmen I'm the one to decide on this matter **III.** *präp* excluding;
(*geschrieben a.*) excl[.]

aus|schlüp·fen *vi sein* to hatch out (**aus**
of)

Aus·schlussRR <-es, Ausschlüsse> *m*,
Aus·schlußALT <-sses, Ausschüsse> *m*
exclusion; *von Mitglied* expulsion; (*vorü-*
bergehend) suspension; *von Spieler* disqualification; **unter ~ der Öffentlichkeit**
stattfinden JUR to be closed to the public

aus|schmü·cken *vt* ❶ (*dekorieren*) to
decorate (**mit** with); ❷ (*ausgestalten*) to
embellish (**mit** with)

aus|schnei·den *vt irreg* to cut out *sep*
(**aus** of)

Aus·schnitt *m* ❶ (*Zeitungs~*) clipping
❷ MATH sector ❸ (*ausgeschnittener Teil*)
neckline; **ein tiefer ~** a low neckline; **jdm**
in den ~ schauen to look down sb's dress
❹ (*Teil*) part (**aus** of); *aus einem Gemälde,*
Foto detail; *aus einem Roman* excerpt; *aus*
einem Film clip

aus|schöp·fen *vt* ❶ (*leeren*) to empty;
Boot to bale out *sep; Suppe* to ladle out
sep; Wasser to scoop out *sep* ❷ (*vollen*
Gebrauch machen) ■**etw** [**voll**] ~ to make
full use of one's sth; *Möglichkeiten, Reser-*
ven to exhaust; **ein Thema ~** to go into a
subject thoroughly

aus|schrei·ben *vt irreg* ❶ (*ungekürzt*
schreiben) to write out *sep* ❷ (*bekannt*
machen) to announce; (*um Angebote zu*
erhalten) to invite tenders for; *Stelle* to advertise; **Wahlen ~** to call an election, BRIT
also to go to the country

Aus·schrei·bung <-, -en> *f* announcement; (*für Angebote*) invitation to tender;

einer Stelle advertisement (**von** for); *von*
Neuwahlen the calling of a new election

Aus·schrei·tung <-, -en> *f meist pl* riot[s
pl]

Aus·schussRR1 <-es, Ausschüsse> *m*,
Aus·schußALT <-sses, Ausschüsse> *m*
committee

Aus·schussRR2 <-es> *m*, **Aus·**
schußALT <-sses, Ausschüsse> *m kein*
pl (*fam*) rejects *pl*

aus|schüt·teln *vt* to shake out

aus|schüt·ten **I.** *vt* ❶ (*ausleeren*) to emp-
ty ❷ (*verschütten*) to spill ❸ FIN (*auszah-*
len) to distribute **II.** *vr* (*fam*) ■**sich vor**
Lachen ~ to split one's sides laughing *fig*

Aus·schüt·tung <-, -en> *f* FIN distribution; (*das Ausschütten*) distribution of dividends

aus·schwei·fend *adj Leben* hedonistic;
Fantasie wild

Aus·schwei·fung <-, -en> *f meist pl* excess

aus|schwei·gen *vr irreg* ■**sich ~** to re-
main silent; **sich eisern ~** to maintain a
stony silence

aus|schwen·ken **I.** *vt haben* ❶ (*ausspü-*
len) to rinse out *sep* ❷ (*zur Seite schwen-*
ken) to swing out **II.** *vi sein* to wheel

aus|schwit·zen *vt* to sweat out *sep*

aus|seh·en *vi irreg* to look; ■**~ wie ...** to
look like ...; **es sieht gut/schlecht aus**
things are looking good/not looking too
good; **nach Schnee/Regen ~** to look as if
it is going to snow/rain; **nach etwas/**
nichts aussehen to look good/not look
anything special; **seh ich so aus?** what do
you take me for?; **wie sieht's aus?** (*fam*)
how's things? [*or* BRIT *also* tricks]

Aus·se·hen <-s> *nt kein pl* appearance;
■**dem ~ nach** judging by appearances

au·ßen ['aʊsn̩] *adv* on the outside; **er**
spielt links/rechts ~ he is playing on the
outside left/right; ■**nach ~** outwards;
■**von ~** from the outside; **~ vor sein** to be
left out; **jdn/etw ~ vorlassen** to leave sb/
sth out; **nach ~ hin** outwardly

Au·ßen·be·leuch·tung *f* exterior lighting

Au·ßen·be·zirk *m* outer district **Au·ßen·**
bord·mo·tor *m* outboard [motor]

aus|sen·den *vt irreg* (*geh*) ❶ (*ausschi-*
cken) to send out ❷ (*ausstrahlen*) to
broadcast

Au·ßen·dienst *m* employment as a sales
representative; **im ~ sein** to work as a
sales representative; **~ machen** to work
outside the office **Au·ßen·han·del** *m* foreign trade **Au·ßen·mi·nis·ter(in)** *m(f)*
foreign minister, foreign secretary BRIT, Sec-

retary of State AM **Au·ßen·mi·nis·te·ri· um** *nt* foreign ministry, Foreign Office BRIT, State Department AM **Au·ßen·po·li·tik** ['aʊsn̩poliːk] *f* foreign policy **au·ßen· po·li·tisch** ['aʊsn̩poliːtɪʃ] I. *adj* foreign policy *attr;* ~**er Sprecher** foreign policy spokesman II. *adv* as regards foreign policy **Au·ßen·sei·te** *f* outside; *Gebäude* exterior

Au·ßen·sei·ter(in) <-s, -> *m(f)* (*a. fig*) outsider

Au·ßen·spie·gel *m* AUTO [out]side mirror **Au·ßen·stän·de** *pl* ÖKON debts outstanding **Au·ßen·ste·hen·de(r)** *f(m) dekl wie adj* outsider **Au·ßen·stel·le** *f* branch **Au· ßen·stür·mer(in)** *m(f)* FBALL wing **Au· ßen·tem·pe·ra·tur** *f* outside temperature **Au·ßen·welt** *f* outside world **Au·ßen· wirt·schaft** *f* ÖKON foreign trade

au·ßer ['aʊsɐ] I. *präp* +*dat o gen* ❶ (*abgesehen von*) apart from ❷ (*zusätzlich zu*) in addition to ❸ (*nicht in*) out of; ~ **Betrieb/ Sicht/Gefahr sein** to be out of order/ sight/danger ▸ [**über jdn/etw**] ~ **sich** *dat* **sein** to be beside oneself [about sb/sth] II. *konj* ◼ ~ **dass** except that; ◼ ~ [**wenn**] except [when]

au·ßer·be·trieb·lich *adj* ÖKON external; ~**e Weiterbildung** external advanced training

au·ßer·dem ['aʊsedeːm] *adv* besides **äu·ße·re(r, s)** ['ɔysərə, -rɐ, -rəs] *adj* ❶ (*außerhalb gelegen*) outer; *Verletzung* external ❷ (*von außen wahrnehmbar*) exterior ❸ (*außenpolitisch*) external

Äu·ße·re(s) ['ɔysərə, -rəs] *nt dekl wie adj* outward appearance

au·ßer·ehe·lich I. *adj* extramarital; *Kind* illegitimate II. *adv* illegitimately **au·ßer·eu· ro·pä·isch** *adj attr* non-European **au· ßer·ge·richt·lich** *adj, adv* out of court *attr* **au·ßer·ge·wöhn·lich** ['aʊs· ega'vøːnlɪç] I. *adj* unusual; *Leistung* extraordinary; *Mensch* remarkable II. *adv* extremely

au·ßer·halb ['aʊsehalp] I. *adv* outside; ~ **stehen** to be on the outside; **von** ~ from out of town II. *präp* outside; ~ **der Sprechstunde** outside [of] surgery/visiting, etc. hours

au·ßer·ir·disch *adj* extraterrestrial; ◼ **A~e** extraterrestrials

äu·ßer·lich ['ɔyselɪç] *adj* ❶ (*außen befindlich*) external ❷ (*oberflächlich*) superficial **Äu·ßer·lich·keit** <-, -en> *f* ❶ (*Oberflächlichkeit*) superficiality; (*Formalität*) formality ❷ *pl* (*oberflächliche Details*) trivialities *pl*

äu·ßern ['ɔysɐn] I. *vr* ❶ (*Stellung nehmen*) ◼ **sich** [**zu** etw *dat*] ~ to say something [about sth]; **sich über jdn/etw abfällig ~** to make disparaging comments about sb/ sth ❷ (*sich manifestieren*) ◼ **sich** ~ to manifest itself II. *vt* (*sagen*) to say; (*zum Ausdruck bringen*) to utter; *Kritik* to voice; *Wunsch* to express

au·ßer·or·dent·lich ['aʊse'ʔɔrdn̩tlɪç] I. *adj* extraordinary II. *adv* extraordinarily **au·ßer·orts** *adv* SCHWEIZ, ÖSTERR out of town

au·ßer·plan·mä·ßig ['aʊsepla:nmɛːsɪç] *adj* unscheduled; *Ausgaben, Kosten* non-budgetary

äu·ßerst ['ɔysest] *adv* extremely **au·ßer·stan·de** [aʊse'ʃtandə] *adj* ◼ ~, **etw zu tun** unable to do sth

äu·ßers·te(r, s) *adj* ❶ (*entfernteste*) outermost; **am** ~**n Ende der Welt** at the farthest point of the globe; **der** ~ **Norden/ Süden** the extreme north/south ❷ (*späteste*) latest possible ❸ (*höchste*) utmost; **von** ~**r Wichtigkeit** of supreme importance; **der** ~ **Preis** the last price **Äu·ßers·te(s)** *nt dekl wie adj* **auf das** ~ **gefasst sein** to be prepared for the worst; **bis zum** ~**n gehen** to go to any extreme **äu·ßers·ten·falls** ['ɔysestn̩'fals] *adv* at the most

au·ßer·ta·rif·lich *adj* non-union **Äu·ße·rung** <-, -en> *f* ❶ (*Bemerkung*) comment ❷ (*Zeichen*) expression

aus|set·zen I. *vt* ❶ (*im Stich lassen*) to abandon ❷ *Pflanzen* to plant out; *Wild, Fische* to release ❸ (*preisgeben*) ◼ **jdn/ etw einer S.** *dat* ~ to expose sb/sth to sth ❹ (*unterbrechen*) to interrupt ❺ (*bemängeln*) **an etw** *dat* **etwas auszusetzen haben** to find fault with sth; **was hast du an ihr auszusetzen?** what don't you like about her?; **daran ist nichts auszusetzen** there's nothing wrong with that II. *vi* ❶ (*aufhören*) to take a break (**bei** from); (*bei Spiel*) to sit [sth] out; **eine Runde aussetzen** to miss a turn ❷ (*versagen*) to stop; *Motor* to fail ❸ (*unterbrechen*) ◼ **mit etw** *dat* ~ to interrupt sth; **ohne auszusetzen** non-stop III. *vi impers* (*fam: ausrasten*) **auf einmal setzte es bei ihm aus** all of a sudden he snapped

Aus·set·zer <-s, -> *m* TECH (*fam*) abrupt failure of a machine or one of its functions during operation

Aus·sicht *f* ❶ (*Blick*) view; ◼ **die** ~ **auf etw** *akk* the view overlooking sth ❷ (*Chance*) prospect; ◼ **die** ~ **auf etw** *akk* the chance of sth; **keine** ~**en** [**auf etw**

akk] **haben** to have no chance [of sth]; **etw in ~ haben** to have good prospects of sth; **jdm etw in ~ stellen** to promise sb sth; **das sind ja schöne ~en!** (*iron fam*) what a prospect!

aus·sichts·los *adj* hopeless

Aus·sichts·lo·sig·keit <-> *f kein pl* hopelessness

Aus·sichts·platt·form *f* viewing platform **Aus·sichts·punkt** *m* viewpoint **aus·sichts·reich** *adj* promising **Aus·sichts·turm** *m* lookout tower

aus|sie·ben *vt* ❶ (*mit Sieb entfernen*) to strain (**aus** out of) ❷ (*aussondern*) to sift (**aus** out of)

aus|sie·deln *vt* to evacuate

Aus·sied·ler(in) *m(f)* emigrant; (*Evakuierter*) evacuee

aus|sit·zen *vt* to sit out

aus|söh·nen [ˈaʊszøːnən] **I.** *vt* ■ **jdn mit jdm/etw ~** to reconcile sb with sb/to sth **II.** *vr* ■ **sich mit jdm/etw ~** to become reconciled with sb/to sth; ■ **sich ~** to make up

Aus·söh·nung <-, -en> *f* reconciliation (**mit** with)

aus|son·dern *vt* to select

aus|sor·gen *vi* ■ **ausgesorgt haben** to be set up for life *fam*

aus|sor·tie·ren* *vt* to sort out

aus|span·nen I. *vi* to relax **II.** *vt* ❶ *Pferd* to unharness (**aus** from); *Ochse* to unyoke ❷ (*ausbreiten*) to spread out; *Seil, Leine* to put up ❸ (*herausdrehen*) to take out (**aus** of) ❹ (*fam*) **jdm die Freundin/den Freund ~** to pinch sb's girlfriend/boyfriend

aus|sper·ren *vt* ■ **jdn ~** to lock sb out; ■ **sich ~** to lock oneself out

Aus·sper·rung <-, -en> *f* ÖKON lockout

aus|spie·len I. *vt* ❶ KARTEN to play ❷ (*als Preis aussetzen*) *Lotterie* to pay out ❸ (*aufwiegeln*) ■ **jdn gegen jdn ~** to play sb off against sb **II.** *vi* ❶ KARTEN (*das Spiel eröffnen*) to lead; (*Karte ablegen*) to play a card; **einen Trumpf ~** to play a trump [card] ❷ (*verspielen*) ■ [**bei jdm**] **ausgespielt haben** to have had it [with sb] *fam*

aus|spi·o·nie·ren* *vt* to spy out

Aus·spra·che *f* ❶ (*Akzent*) pronunciation; (*Art des Artikulierens*) articulation; **eine feuchte ~ haben** to splutter when one speaks ❷ (*Unterredung*) talk

aus|spre·chen *irreg* **I.** *vt* ❶ (*artikulieren*) to pronounce ❷ (*äußern*) to express; **ein Lob ~** to give a word of praise; *Warnung* to issue ❸ (*ausdrücken*) ■ **jdm etw ~** to express sth to sb **II.** *vr* ■ **sich ~** ❶ (*sein Herz*

ausschütten) to talk things over ❷ (*Stellung nehmen*) ■ **sich für/gegen jdn/etw ~** to voice one's support for/opposition against sb/sth ❸ LING to be pronounced **III.** *vi* to finish [speaking]

Aus·spruch *m* remark; (*geflügeltes Wort*) saying

aus|spu·cken I. *vt* ❶ (*ausspeien*) to spit out ❷ (*fam: auswerfen*) to spew out; (*herausgeben*) to cough up *sep* ❸ (*fam: gestehen*) to spit out **II.** *vi* to spit

aus|spü·len *vt* to wash out

aus|staf·fie·ren* *vt* (*fam*) ❶ (*ausstatten*) to fit out (**mit** with) ❷ (*einkleiden*) to rig [or *esp* BRIT kit] out (**mit** in)

Aus·stand *m* ❶ (*Streik*) **im ~ sein** to be on strike; **in den ~ treten** to go on strike, BRIT *also* to take industrial action ❷ SCHWEIZ, ÖSTERR, SÜDD (*Ausscheiden aus Stelle o Schule*) going away *no pl*, leaving BRIT *no pl*; **seinen ~ geben** to hold a going-away [or BRIT leaving] party

aus|stan·zen *vt* ■ **etw ~** *dat* to punch sth out; **ein Loch ~** to punch a hole; **Münzen ~** to mint coins

aus|stat·ten [ˈaʊsʃtatn̩] *vt* ❶ (*versorgen*) to provide (**mit** with) ❷ (*einrichten*) to furnish (**mit** with) ❸ (*versehen*) to equip (**mit** with)

Aus·stat·tung <-, -en> *f* ❶ *kein pl* (*Ausrüstung*) equipment; (*das Ausrüsten*) equipping *no pl* ❷ (*Einrichtung*) furnishings *pl* ❸ (*Aufmachung*) features *pl*

aus|ste·chen *vt irreg* ❶ (*entfernen, herausnehmen*) *Auge* to poke out; *Plätzchen* to cut out; *Unkraut* to dig out ❷ (*fam: übertreffen und verdrängen*) ■ **jdn ~** to outdo sb

aus|ste·hen *irreg* **I.** *vt* ❶ (*ertragen*) to endure; **jdn/etw nicht ~ können** to not be able to stand sb/sth ❷ (*durchmachen*) to go through; **ausgestanden sein** (*vorbei sein*) to be all over [and done with] **II.** *vi* (*noch nicht da sein*) to be due; **die Antwort steht seit 5 Wochen aus** the reply has been due for 5 weeks

aus|stei·gen *vi irreg sein* ❶ (*aus einem Fahrzeug*) to get off; **aus einem Auto ~** to get out of a car; **du kannst mich dort ~ lassen** you can let me out over there; **„Endstation, alles ~!“** "Last stop, all change!" ❷ (*aufgeben*) to drop out (**aus** of); SPORT to retire (**aus** from); (*sich zurückziehen*) to withdraw (**aus** from)

Aus·stei·ger(in) <-s, -> *m(f)* (*aus Gesellschaft, Beruf, Studium*) dropout *esp pej*; (*für begrenzte Zeit*) sb on a career break, gapper *fam*; (*aus Terroristenkreisen*) deserter

aus·stel·len I. *vt* ❶ (*zur Schau stellen*) to display; (*auf Messe, in Museum*) to exhibit ❷ (*ausschreiben*) |jdm| **eine Rechnung ~** to issue [sb] an invoice; **sie ließ sich die Bescheinigung ~** she had the certificate made out in her name ❸ (*ausschalten*) to switch off *sep* **II.** *vi* (*sich an einer Ausstellung beteiligen*) to exhibit

Aus·stel·ler(in) <-s, -> *m(f)* ❶ (*auf Messe*) exhibitor ❷ FIN *Scheck* drawer; ADMIN (*ausstellende Behörde o. Stelle*) issuer

Aus·stel·lung *f* ❶ (*Kunst~, Messe*) exhibition ❷ *kein pl* (*das Ausschreiben*) *Scheck* making out; *Rezept, Rechnung* writing out; (*Ausfertigung*) issue

Aus·stel·lungs·da·tum *nt* date of issue **Aus·stel·lungs·ge·län·de** *nt* exhibition site **Aus·stel·lungs·hal·le** *f* exhibition hall **Aus·stel·lungs·stück** *nt* display model; (*in Ausstellung*) exhibit

aus·ster·ben *vi irreg sein* to die out; *Geschlecht, Spezies* to become extinct

Aus·steu·er <-, -n> *f* dowry

Aus·stieg <-[e]s, -e> *m* ❶ (*Öffnung zum Aussteigen*) exit ❷ (*das Aufgeben*) ■**der ~ aus etw** *dat* abandoning sth; **der ~ aus der Kernenergie** abandoning [of] nuclear energy

aus·stop·fen *vt* to stuff

Aus·stoß *m* ❶ (*Produktion*) output, production ❷ (*Ausschluss*) expulsion ❸ (*Emission*) emission

aus·sto·ßen *vt irreg* ❶ (*hervorbringen*) to eject (**in** into); *Gase* to emit ❷ (*von sich geben*) *Seufzer* to utter; *Schrei* to give [out]; *Laute* to make ❸ (*herausstoßen, ausschließen*) to expel (**aus** from) ❹ (*produzieren*) to turn out

aus·strah·len I. *vt haben* ❶ (*abstrahlen, verbreiten*) to radiate; *Licht, Wärme* to give off; *Radioaktivität* to emit ❷ RADIO, TV (*senden*) to transmit **II.** *vi sein* ❶ (*abstrahlen*) to radiate; *bes Licht, Wärme* to be given off; *Radioaktivität* to be emitted ❷ (*sich ausdehnen*) ■**in etw** *akk* **~** *Schmerz* to extend to sth ❸ (*übergehen*) ■**auf jdn/ etw ~** to spread out to sb/sth

Aus·strah·lung *f* ❶ (*besondere Wirkung*) radiance; **eine besondere ~ haben** to have a special charisma ❷ RADIO, TV broadcast[ing]

aus·stre·cken I. *vt* to extend (**nach** to); **seine Fühler ~** to put out one's antennae; (*fig*) to make enquiries; *Hände, Beine* to stretch out **II.** *vr* (*sich räkeln*) ■**sich ~** to stretch oneself out

aus·strei·chen *vt irreg* ❶ (*durch Streichen ungültig machen*) to cross out *sep* ❷ (*glätten*) to smooth out *sep* ❸ (*ausschmieren*) to smooth over (**mit** with)

aus·streu·en *vt* to scatter

aus·strö·men I. *vi sein* ❶ (*herausfließen*) to stream (**aus** out of); (*entweichen*) *Dampf, Gas* to escape (**aus** from) ❷ (*ausgehen*) ■**von etw** *dat* **~** to be given off from sth ❸ (*ausstrahlen*) to radiate (**von** from) **II.** *vt haben* ❶ (*austreten lassen*) to give off ❷ (*verbreiten*) to radiate

aus·su·chen *vt* to choose (**für** for); ■[**sich** *dat*] **etw ~** to choose sth; ■[**sich** *dat*] **jdn ~** to pick sb

Aus·tausch *m* exchange; **im ~ gegen etw** *akk* in exchange for sth

aus·tausch·bar *adj* interchangeable; *defekte Teile, Mensch* replaceable

aus·tau·schen I. *vt* ❶ (*ersetzen*) to replace (**gegen** with) ❷ (*miteinander wechseln*) to exchange **II.** *vr* (*über jdn/etw sprechen*) ■**sich ~** to exchange stories (**über** about)

Aus·tausch·schü·ler(in) *m(f)* exchange pupil **Aus·tausch·stu·dent(in)** *m(f)* exchange student

aus·tei·len *vt* to distribute (**an** to); *Befehle* to issue; *Essen* to serve; *Karten* to deal [out]

Aus·ter <-, -n> ['aʊstɐ] *f* oyster

Aus·tern·bank *f* oyster bank [*or* bed] **Aus·tern·pilz** *m* Chinese mushroom

aus·to·ben *vr* ■**sich ~** (*sich abregen*) to let off steam; (*sich müde toben*) to romp around; (*ein wildes Leben führen*) to sow one's wild oats *fam!*; (*seine Neigungen ausleben*) to let one's hair down

aus·tra·gen *vt irreg* ❶ (*zu Fuß zustellen*) to deliver ❷ (*stattfinden lassen*) to hold; **einen Streit mit jdm ~** to have it out with sb ❸ (*bis zur Geburt behalten*) to carry to [the full] term

Aus·tra·li·en <-s> [aʊsˈtraːliən] *nt* Australia; *s. a.* **Deutschland**

Aus·tra·li·er(in) <-s, -> [aʊsˈtraːliɐ] *m(f)* Australian; *s. a.* **Deutsche(r)**

aus·tra·lisch [aʊsˈtraːlɪʃ] *adj* Australian; *s. a.* **deutsch**

aus·trei·ben *irreg* **I.** *vt* ❶ REL (*vertreiben*) to exorcise ❷ (*rücksichtslos abgewöhnen*) ■**jdm etw ~** to knock sth out of sb *fam* **II.** *vi* BOT to sprout

Aus·trei·bung <-, -en> *f* REL exorcism

aus·tre·ten *irreg* **I.** *vi sein* ❶ (*herausdringen*) to come out (**aus** of); *Blut, Eiter etc. a.* to issue (**aus** from); *Öl* to leak (**aus** from); *Gas* to escape (**aus** from) ❷ (*fam: zur Toilette gehen*) to go to the loo BRIT *fam* [*or* Am bathroom] ❸ (*ausscheiden*) to leave **II.** *vt haben* ❶ (*auslöschen*) to stamp out ❷ *Schuhe* to wear out

aus|trick·sen *vt* (*fam*) to trick

aus|trin·ken *irreg* **I.** *vt* ■ *etw* ~ to finish sth **II.** *vi* to drink up

Aus·tritt *m* ❶ (*Herauskommen*) issue; *Flüssigkeit* leakage; *Gas, Radioaktivität* escape; *Geschoß* exit ❷ (*das Ausscheiden*) departure (**aus** from)

aus|trock·nen **I.** *vi sein* to dry out; *Brot, Fluss, Käse, Kuchen* to dry up; *Haut* to dehydrate; *Kehle* to become parched **II.** *vt* ❶ *haben* (*trockenlegen*) to dry out ❷ (*trocken machen*) to dehydrate; *Kehle* to parch

aus|tüf·teln *vt* (*fam: geschickt ausarbeiten*) to work out; (*sich ausdenken*) to think up

aus|ü·ben *vt* ❶ *Beruf* to practise; *Amt* to hold; *Aufgabe, Funktion* to perform; *Macht, Recht* to exercise ❷ *Druck, Einfluss* to exert (**auf** on); *Wirkung* to have (**auf** on)

Aus·ü·bung *f kein pl* ❶ (*das Praktizieren*) practising *no pl*; (*das Innehaben*) *Amt* holding *no pl*; *Aufgabe, Funktion* performing *no pl*; **in** ~ **eines Amtes** (*geh*) in the line of duty ❷ (*die Entfaltung einer Wirkung*) exertion ❸ (*das Verwalten*) exercise

aus|u·fern [ˈaʊsʔuːfən] *vi sein* to escalate (**zu** into)

Aus·ver·kauf *m* ❶ ÖKON (*Räumung des Lagers*) clearance sale ❷ (*pej: Verrat*) sellout

aus·ver·kauft *adj* sold out

Aus·wahl *f* ❶ (*Warenangebot*) selection (**an** of); **die** ~ **haben** to have the choice; **zur** ~ **stehen** to choose from; **eine** ~ [**unter** *dat* ...] **treffen** to make one's choice [from ...] ❷ SPORT representative team

aus|wäh·len *vt, vi* to choose (**unter** from)

Aus·wahl·me·nü *nt* INFORM menu bar

Aus·wahl·ver·fah·ren *nt* selection process

Aus·wan·de·rer, -wan·de·rin *m, f* emigrant

aus|wan·dern *vi sein* to emigrate (**nach** to)

Aus·wan·de·rung *f* emigration

aus·wär·tig [ˈaʊsvɛrtɪç] *adj attr* ❶ (*nicht vom Ort*) from out of town ❷ POL foreign; **Minister des A~en** (*geh*) Foreign Minister, Foreign Secretary BRIT

aus·wärts [ˈaʊsvɛrts] *adv* ❶ (*außerhalb des Ortes*) out of town; SPORT away; **das Spiel fand** ~ **statt** it was an away game;

~ **essen** to eat out ❷ (*nach außen*) outwards

Aus·wärts·spiel *nt* SPORT away game

aus|wa·schen *vt irreg* ❶ (*durch Waschen entfernen*) to wash out (**aus** from) ❷ (*durch Spülen säubern*) to rinse ❸ GEOL (*herausspülen*) to flush out

aus·wech·sel·bar *adj* (*untereinander* ~) interchangeable; (*ersetzbar*) replaceable

aus|wech·seln [-ks-] *vt* to replace (**gegen** with); *Spieler* to substitute (**gegen** for) ▶ **wie ausgewechselt** [**sein**] [to be] a different person

Aus·wech·sel·spie·ler(in) *m(f)* SPORT substitute

Aus·wech·se·lung <-, -en>, **Aus·wechs·lung** <-, -en> *f* replacement; SPORT substitution

Aus·weg *m* way out (**aus** of); **der letzte** ~ the last resort

aus·weg·los *adj* hopeless

aus|wei·chen *vi irreg sein* ❶ (*vermeiden*) ■ [**etw** *dat*] ~ to get out of the way [of sth] ❷ (*zu entgehen versuchen*) to evade; ■ ~**d** evasive ❸ (*als Alternative beschreiten*) ■ **auf etw** *akk* ~ to fall back on sth [as an alternative]

Aus·weich·ma·nö·ver *nt* ❶ AUTO, LUFT evasive manoeuvre ❷ (*Ausflucht*) evasion

Aus·weich·mög·lich·keit *f* means of getting out of the way; (*Alternative*) alternative

aus|wei·nen *vr* ■ **sich** ~ to have a good cry

Aus·weis <-es, -e> [ˈaʊsvaɪs] *m* (*Personal-/Firmen~*) identity card, I.D.; (*Berechtigungs~*) pass; (*Mitglieds/Leser/Studenten~*) card, I.D.; (*Blinden~, Behinderten~*) identification card

aus|wei·sen *irreg* **I.** *vt* (*abschieben*) to deport **II.** *vr* ❶ (*sich identifizieren*) ■ **sich** ~ to identify oneself; **können Sie sich** ~**?** do you have any means of identification? ❷ SCHWEIZ (*nachweisen*) ■ **sich über etw** *akk* ~ to have proof of sth

Aus·weis·kon·trol·le *f* identity check

Aus·weis·pa·pie·re *pl* identity papers *pl*

Aus·wei·sung *f* ADMIN deportation

aus|wei·ten **I.** *vt* ❶ (*weiter machen*) to stretch ❷ (*umfangreicher machen*) to expand **II.** *vr* ❶ (*weiter werden*) ■ **sich** ~ to stretch [out] ❷ (*sich ausdehnen*) to extend ❸ (*eskalieren*) ■ **sich** ~ to escalate

Aus·wei·tung <-, -en> *f* ❶ (*Ausdehnung*) stretching *no pl* ❷ (*das Auswachsen*) escalation

aus·wen·dig *adv* [off] by heart; **etw** ~ **können** to know sth [off] by heart

aus|wer·fen *vt irreg* ❶ *Asche, Lava* to eject

❷ *Netz, Leine* to cast out
aus|wer·ten *vt* ❶ (*nutzbar machen*) to utilize ❷ (*evaluieren*) to evaluate; *Statistiken, Daten* to analyze
Aus·wer·tung *f* ❶ (*Nutzbarmachung*) utilization ❷ (*Evaluierung*) evaluation; (*von Statistiken*) analysis
aus|wi·ckeln *vt* to unwrap (**aus** from)
aus|wir·ken *vr* ▪ **sich** ~ to have an effect (**auf** on)
Aus·wir·kung *f* (*Wirkung*) effect; (*Folge*) consequence; **negative ~en haben** to have negative repercussions
aus|wi·schen *vt* ❶ (*durch Wischen löschen*) to wipe ❷ (*sauber wischen*) to wipe clean *sep* ▶ **jdm eins auswischen** (*fam*) to get one's own back on sb
aus|wrin·gen *vt irreg* to wring out *sep*
Aus·wuchs *m* ❶ MED growth ❷ (*Missstand*) excess
aus|wuch·ten *vt* AUTO **ein Rad ~** to balance a wheel
Aus·wurf *m kein pl* ❶ MED phlegm ❷ GEOL (*das Auswerfen*) ejection, eruption
aus|zah·len I. *vt* ❶ (*Betrag aushändigen*) to pay out ❷ (*abfinden*) to pay off *sep; Kompagnon, Miterben* to buy out *sep* **II.** *vr* (*sich lohnen*) ▪ **sich** [**für jdn**] ~ to pay [off] [for sb]
aus|zäh·len *vt* to count
Aus·zah·lung *f* ❶ (*Aushändigung als Zahlung*) paying out ❷ (*Abfindung*) paying off; *eines Kompagnons, Miterbens* buying out
Aus·zäh·lung *f* counting
aus|zeich·nen I. *vt* ❶ (*mit Preisschild versehen*) to price ❷ (*ehren*) to honour; **jdn durch einen Preis ~** to give sb an award; **jdn durch einen Orden ~** to decorate sb with a medal ❸ (*positiv hervorheben*) ▪ **jdn** ~ to distinguish sb [from all others] **II.** *vr* ▪ **sich** ~ to stand out
Aus·zeich·nung *f* ❶ *kein pl* (*das Auszeichnen von Ware*) labelling ❷ *kein pl* (*das Ehren*) honouring *no pl*; (*mit Orden, Würde*) decoration; (*mit Preis*) awarding *no pl* ❸ (*Preisetikett an Ware*) price tag ❹ (*Ehrung*) honour; (*Orden*) decoration; (*Preis*) award; [**etw**] **mit ~ bestehen** to pass [sth] with distinction
Aus·zeit *f* SPORT time out
aus·zieh·bar *adj* extendable [*or* BRIT *also* -ible]; **~e Antenne** telescopic aerial; **~er Tisch** pull-out table
aus|zie·hen *irreg* **I.** *vt haben* ❶ (*ablegen*) ▪ [**sich** *dat*] **etw** ~ to take off *sep* sth ❷ (*entkleiden*) to undress ❸ (*herausziehen*) to pull out *sep* ❹ (*verlängern*) to extend **II.** *vi sein* ❶ (*Wohnung aufgeben*) to

move out (**aus** of) ❷ (*ausrücken*) to set out
Aus·zieh·tisch *m* pull-out table
Aus·zu·bil·den·de(r) *f(m) dekl wie adj* trainee
Aus·zug *m* ❶ (*das Umziehen*) move; **der ~ aus Ägypten** REL the Exodus from Egypt ❷ (*das Hinausschreiten*) procession ❸ (*Ausschnitt, Exzerpt*) excerpt; *Buch a.* extract ❹ (*Konto~*) statement ❺ PHARM extract (**aus** of)
aus·zugs·wei·se *adv, adj* in excerpts [*or* extracts]
aus|zup·fen *vt* ❶ (*entfernen*) ▪ [**sich** *dat*] **etw** ~ *Augenbrauen* to pluck sth ❷ (*Unkraut jäten*) ▪ **etw** ~ to pull sth
au·tark [aʊˈtark] *adj* ÖKON self-sufficient
Au·tar·kie <-, -n> [aʊtarˈkiː, *pl* -kiːən] *f* ÖKON autarky
au·then·tisch [aʊˈtɛntɪʃ] *adj* authentic
Au·then·ti·zi·tät <-> [aʊtɛntitsiˈtɛːt] *f kein pl* authenticity
au·tis·tisch *adj* MED autistic
Au·to <-s, -s> [ˈaʊto] *nt* car; ~ **fahren** to drive [a car]; (*als Mitfahrer*) to drive [by car]; **mit dem ~ fahren** to go by car
Au·to·at·las *m* road atlas
Au·to·bahn *f* motorway BRIT, freeway AM; (*in Deutschland a.*) autobahn
Au·to·bahn·auf·fahrt *f* motorway sliproad BRIT, freeway on ramp AM **Au·to·bahn·aus·fahrt** *f* motorway exit BRIT, freeway exit AM **Au·to·bahn·(be·nut·zungs·)ge·bühr** *f* [motorway] toll **Au·to·bahn·drei·eck** *nt* motorway junction **Au·to·bahn·kreuz** *nt* motorway intersection **Au·to·bahn·rast·stät·te** *f* motorway services *pl* BRIT, services *pl* AM
Au·to·bat·te·rie *f* car battery
Au·to·bio·gra·fie^RR, **Au·to·bio·gra·phie** [aʊtobiograˈfiː] *f* autobiography
au·to·bio·gra·fisch^RR *adj* autobiographical
Au·to·bom·be *f* car bomb **Au·to·bus** [ˈaʊtobʊs] *m* (*veraltet*) bus **Au·to·car** [ˈaʊtokaːɐ] *m* SCHWEIZ bus
Au·to·di·dakt(in) <-en, -en> [aʊtodiˈdakt] *m(f)* self-educated person
au·to·di·dak·tisch I. *adj* self-taught **II.** *adv* autodidactically
Au·to·fäh·re *f* car ferry **Au·to·fah·rer(in)** *m(f)* [car] driver **Au·to·fahrt** *f* car journey **Au·to·fried·hof** *m* (*fam*) car dump
au·to·gen [aʊtoˈgeːn] *adj* PSYCH **~es Training** relaxation through self-hypnosis
Au·to·gramm <-s, -e> [aʊtoˈgram] *nt* autograph
Au·to·händ·ler(in) *m(f)* car dealer[ship] **Au·to·kar·te** *f* road map **Auto·kenn·**

zei·chen *nt* number plate BRIT, license plate AM; (*Länderkennzeichen*) international number [*or* AM license] plate code
Au·to·ki·no [ˈau̯tokiːno] *nt* drive-in cinema
Au·to·krat(in) <-en, -en> [au̯toˈkraːt] *m(f)* autocrat
Au·to·kra·tie <-, -n> [au̯tokraˈtiː, *pl* -ˈtiːən] *f* autocracy
Au·to·kra·tin <-, -nen> *f fem form von* **Autokrat**
au·to·kra·tisch *adj* autocratic
Au·to·mat <-en, -en> [au̯toˈmaːt] *m* ❶ (*Geld~*) cash dispenser; (*Musik~*) jukebox; (*Spiel~*) slot-machine; (*Verkaufs~*) vending machine ❷ ELEK [automatic] cut-out
Au·to·ma·tik[1] <-> [au̯toˈmaːtɪk] *f* ❶ (*Steuerungs~*) automatic system ❷ (*Automatikgetriebe in Fahrzeugen*) automatic transmission
Au·to·ma·tik[2] <-s, -s> [au̯toˈmaːtɪk] *m* (*Wagen mit Automatikgetriebe*) automatic
au·to·ma·tisch [au̯toˈmaːtɪʃ] *adj* automatic
au·to·ma·ti·sie·ren* [au̯tomatiˈziːrən] *vt* to automate
Au·to·ma·ti·sie·rung <-, -en> *f* automation
Au·to·me·cha·ni·ker(in) *m(f)* car mechanic
Au·to·mo·bil <-s, -e> [au̯tomoˈbiːl] *nt* (*veraltet geh*) automobile
Au·to·mo·bil·her·stel·ler *m* car manufacturer **Au·to·mo·bil·in·dust·rie** *f* car industry
au·to·nom [au̯toˈnoːm] *adj* POL autonomous
Au·to·no·me(r) *f(m) dekl wie adj* POL independent
Au·to·no·mie <-, -n> [au̯tonoˈmiː, *pl* -ˈmiːən] *f* POL autonomy
Au·to·no·mie·ver·hand·lun·gen *pl* negotiations on autonomy *pl*
Au·to·num·mer *f* car [registration] number
Au·to·pi·lot [ˈau̯topiloːt] *m* LUFT autopilot
Au·to·psie <-, -n> [au̯tɔˈpsiː, *pl* -ˈpsiːən] *f* MED autopsy
Au·tor, Au·to·rin <-s, -toren> [ˈau̯toːɐ̯, -ˈtoːrɪn *pl* -ˈtoːrən] *m, f* author
Au·to·ra·dio *nt* car radio; (*mit Kassetten-*

spieler) car stereo **Au·to·rei·fen** *m* car tyre **Au·to·ren·nen** *nt* motor race; (*Rennsport*) motor racing
Au·to·rin <-, -nen> [au̯toˈrɪn] *f fem form von* **Autor**
au·to·ri·sie·ren* [au̯toriˈziːrən] *vt* to authorize; **ich habe ihn dazu autorisiert** I gave him authorization for it; ■ **autorisiert** authorized
au·to·ri·tär [au̯toriˈtɛːɐ̯] *adj* authoritarian
Au·to·ri·ta·ris·mus <-> *m kein pl* POL, SOZIOL authoritarianism
Au·to·ri·tät <-, -en> [au̯toriˈtɛːt] *f* authority
Au·to·schlan·ge *f* queue [*or* AM line] of cars **Au·to·schlos·ser(in)** *m(f)* auto mechanic **Au·to·schlüs·sel** *f* car key **Au·to·skoo·ter** <-s, -> [-skuːtɐ] *m* bumper car **Au·to·stopp** [ˈau̯toʃtɔp] *m* hitch-hiking
Au·to·sug·ges·ti·on [au̯tozʊɡɛstˌioːn] *f* PSYCH autosuggestion
Au·to·te·le·fon *nt* car phone **Au·to·un·fall** *m* car accident **Au·to·ver·leih** *m*, **Au·to·ver·mie·tung** *f* car rental firm **Au·to·werk·statt** *f* garage, car repair shop **Au·to·wrack** *nt* car wreck, wrecked car
autsch [au̯tʃ] *interj* (*fam*) ouch
avan·cie·ren* [avãˈsiːrən] *vi sein* (*geh*) to advance (**zu** to)
Avant·gar·de <-, -n> [avãˈɡardə] *f* (*geh*) avant-garde
avant·gar·dis·tisch *adj* avant-garde
Aver·si·on <-, -en> [avɛrˈzˌioːn] *f* aversion (**gegen** to)
Avo·ca·do <-, -s> [avoˈkaːdo] *f* avocado
axi·al [aˈksˌiaːl] *adj* TECH axial
Axi·om <-s, -e> [aˈksˌioːm] *nt* axiom
Axt <-, Äxte> [akst, *pl* ˈɛkstə] *f* axe ▸ **die ~ im Haus erspart den Zimmermann** (*prov*) self-help is the best help
Aza·lee <-, -n> [atsaˈleːə] *f*, **Aza·lie** <-, -n> [aˈtsaːlˌiə] *f* BOT azalea
Azo·ren [aˈtsoːrən] *pl* GEOG ■ **die ~** the Azores *npl*
Az·te·ke, Az·te·kin <-n, -n> [atsˈteːkə, -ˈteːkɪn] *m, f* HIST Aztec
Azu·bi [aˈtsuːbi, ˈa(ː)tsubi] *m* <-s, -s>, *f* <-, -s> *kurz für* **Auszubildende(r)** trainee
azur·blau [aˈtsuːɐ̯] *adj* (*geh*) azure[-blue]

Bb

B, b <-, - o fam -s, -s> [be:] nt ❶ (Buch-stabe) B [or b]; s. a. **A 1 ❷** MUS B flat; ■**b** (Erniedrigungszeichen) flat; s. a. **A 2**

bab·beln ['bab̩ln] vi, vt (fam) to babble; (viel reden a.) to chatter

Ba·by <-s, -s> ['be:bi] nt baby

Ba·by·klap·pe ['be:bi-] f hatch or contain-er in which unwanted babies can be left anonymously **Ba·by·pau·se** ['be:bi-] f (fam) parental leave no pl **ba·by·sit·ten** ['be:bizɪtn̩] vi meist infin to babysit **Ba·by·sit·ter(in)** <-s, -> ['be:bizɪtɐ] m(f) babysitter **Ba·by·speck** m (hum fam) puppy fat BRIT, baby fat AM **Ba·by·strich** m (fam) child prostitution **Ba·by·tra·ge·ta·sche** f carrycot, baby carrier AM **Ba·by·wä·sche** f baby clothes npl **Ba·by·zel·le** f mini[ature] cell [battery]

Bach <-[e]s, Bäche> [bax, pl 'bɛçə] m brook, creek AM; (kleiner a.) stream ▶ **den ~ runtergehen** (fam) to go down the drain

Bach·stel·ze <-, -n> f wagtail

Back·blech nt baking tray

Back·bord <-[e]s> ['bakbɔrt] nt kein pl NAUT port [side]

back·bord(s) adv NAUT on the port side

Ba·cke <-, -n> ['bakə] f ❶ (Wange) cheek ❷ (fam: Po~) buttock ❸ KOCHK [pork] cheek ❹ (von Schraubstock) jaw; (Brems~) shoe; (am Fahrrad) block ▶ **au ~!** (veraltet fam) oh dear!

ba·cken <backt o bäckt, backte o veral-tet buk, gebacken> ['bakn̩] vt, vi (im Ofen) to bake; (in Fett) to fry (in with)

Ba·cken·kno·chen m ANAT cheekbone

Ba·cken·zahn m back tooth

Bä·cker(in) <-s, -> ['bɛkɐ] m(f) ❶ (Mensch) baker; **beim ~** at the baker's [shop] ❷ (Bäckerei) bakery

Bä·cke·rei <-, -en> [bɛkə'raɪ] f ❶ (Bäcker-laden) baker's [shop]; (Backstube) bakery ❷ ÖSTERR (Gebäck) small pastries and bis-cuits

Bä·cke·rin <-, -nen> f fem form von **Bäcker**

Bä·cker·meis·ter(in) m(f) master bak-er

Back·fisch ['bakfɪʃ] m ❶ (gebackener Fisch) fried fish in batter ❷ (veraltet: Teen-ager) teenage girl **Back·form** f baking tin; (Kuchenform a.) cake tin

Back·ground <-s, -s> [-graʊnt] m back-ground; (Musik) background music

Back·mi·schung f cake mixture **Back·ofen** ['bak?o:fn̩] m oven; **heiß wie in einem ~** like an oven **Back·pfei·fe** f DIAL slap in the face **Back·pul·ver** nt baking powder **Back·rohr** nt ÖSTERR, **Back·röh·re** f oven

Back·slash <-s, -s> ['bɛkslɛʃ] m INFORM backslash

Back·stein m BAU [red]brick **Back·stu·be** f bakery

Back·up <-s, -s> ['bɛk?ap] nt o m INFORM backup [copy]

Back·wa·ren pl bakery produce

Bad <-[e]s, Bäder> [ba:t, pl 'bɛ:də] nt ❶ (eingelassenes Badewasser) bath; **jdm/ sich ein ~ einlassen** to run sb/oneself a bath ❷ (das Baden) bathing; **ein ~ neh-men** to take a bath ❸ (Badezimmer) bath-room ❹ (Schwimm~) swimming pool [or BRIT bath[s]] ❺ (Badeort: Heil~) spa; (See~) seaside resort ▶ **ein ~ in der Menge** a walkabout

Ba·de·an·stalt f swimming pool **Ba·de·an·zug** m swimming costume **Ba·de·hand·tuch**, **Ba·de·tuch** nt bath towel **Ba·de·ho·se** f swimming trunks npl **Ba·de·kap·pe** f swimming cap **Ba·de·lat·schen** m (fam) flip-flops pl **Ba·de·man·tel** m bathrobe **Ba·de·meis·ter(in)** m(f) [pool] attendant; (am Strand) lifeguard

ba·den ['ba:dn̩] **I.** vi ❶ (ein Wannenbad nehmen) to have a bath ❷ (schwimmen) to swim (**in** in); **~ gehen** to go for a swim ▶ [bei/mit etw dat] **~ gehen** (fam) to come a cropper [doing/with sth] **II.** vt ❶ (ein Bad geben) ■**jdn ~** to bath sb; ■**sich ~** to have a bath ❷ MED to bathe (**in** in)

Ba·den-Würt·tem·berg <-s> ['ba:dn̩-vvrtəmbɛrk] nt Baden-Württemberg

Ba·de·ort m seaside resort; (Kurort) spa re-sort **Ba·de·schuh** m flip flop **Ba·de·tuch** nt bath towel **Ba·de·wan·ne** f bath [tub] **Ba·de·was·ser** nt bath water **Ba·de·zim·mer** nt bathroom

Bad·min·ton <-> ['bɛtmɪntən] nt badmin-ton

baff [baf] adj präd (fam) ■**~ sein** to be flabbergasted

BAFöG <-> nt, **Ba·fög** <-> ['ba:fœk] nt kein pl Akr von **Bundesausbildungsför-derungsgesetz** [student] grant; **~ bekom-men** to receive a grant

Ba·ga·tell·de·likt nt JUR minor [or petty]

offence

Ba·ga·tel·le <-, -n> [baga'tɛlə] *f* trifle, bagatelle *dated*

ba·ga·tel·li·sie·ren* [bagatɛli'zi:rən] *vt, vi* to trivialize

Ba·ga·tell·scha·den *m* minor damage

Bag·dad <-s> ['bakdat] *nt* Bag[h]dad

Ba·gel <-s, -s> [beɪgəl] *m* KOCHK bagel

Bag·ger <-s, -> ['bagɐ] *m* BAU excavator

bag·gern ['bagɐn] *vi* ❶ BAU to dig ❷ (*Volleyball*) to dig ❸ (*sl*) to flirt

Bag·ger·see *m* artificial lake formed in gravel pit

Ba·guette <-s, -s> [ba'gɛt] *nt* baguette

Ba·ha·mas [ba'ha:mas] *pl* ▪ **die** ~ the Bahamas *pl*

Bahn <-, -en> [ba:n] *f* ❶ (*Eisen~*) train; (*Straßen~*) tram; (*Verkehrsnetz, Verwaltung*) railway[s]; **mit der** ~ by train ❷ SPORT track; *Schwimmbecken* lane ❸ ASTRON orbit, path ❹ (*Stoff~, Tapeten~*) strip ❺ (*Weg, Lauf*) course; TRANSP (*Fahr~*) lane ▶ **freie** ~ [**für etw**] **haben** to have the go-ahead [for sth]; **in geregelten** ~**en verlaufen** to take an orderly course; **etw in die richtigen** ~**en lenken** to lead sth in the right channels; **auf die schiefe** ~ **kommen** to get off the straight and narrow; **sich** *dat* **eine** ~ **brechen** to force one's way, to make headway; **einer S.** *dat* ~ **brechen** to blaze the trail for sth; **jdn aus der** ~ **werfen** to get sb off course

Bahn·be·am·te(r), **-be·am·tin** *m, f* railway official **bahn·bre·chend** *adj* groundbreaking **Bahn·bus** *m* TRANSP rail coach **Bahn·Card** <-, -s> [-ka:d] *f* BAHN ≈ railcard BRIT **Bahn·damm** *m* railway embankment

bah·nen *vt* to pave a way; *Flussbett* to carve; **sich** *dat* **einen Weg durch etw** *akk* ~ to fight one's way through sth

Bahn·fahrt *f* train journey **Bahn·gleis** *nt* railway line

Bahn·hof *m* [railway] station ▶ **nur [noch]** ~ **verstehen** (*hum fam*) to not have the foggiest [idea]; **jdm einen großen** ~ **bereiten** to give sb [the] red carpet treatment

Bahn·hofs·hal·le *f* station concourse **Bahn·hofs·vor·stand** *m* ÖSTERR, SCHWEIZ, **Bahn·hofs·vor·ste·her(in)** *m(f)* stationmaster

Bahn·li·nie *f* railway line **Bahn·po·li·zei** *f* railway police **Bahn·schran·ke** *f*, **Bahn·schran·ken** *m* ÖSTERR level crossing barrier **Bahn·steig** <-[e]s, -e> *m* [station] platform **Bahn·steig·kan·te** *f* platform edge **Bahn·stre·cke** *f* railway line, track

[section] **Bahn·über·gang** *m* level crossing **Bahn·un·ter·füh·rung** *f* [railway [or AM railroad]] underpass **Bahn·ver·bin·dung** *f* [rail] connection **Bahn·wär·ter(in)** *m(f)* level crossing attendant

Bah·re <-, -n> ['ba:rə] *f* stretcher; (*Toten~*) bier

Bai <-, -en> ['baj] *f* GEOG bay

Bai·ser <-s, -s> [bɛ'ze:] *nt* meringue

Baisse <-, -n> ['bɛ:sə] *f* BÖRSE slump

Ba·jo·nett <-[e]s, -e> [bajo'nɛt] *nt* MIL bayonet

Bak·te·rie <-, -n> [bak'te:riə] *f meist pl* bacterium

bak·te·ri·ell [bakte'riɛl] *adj* MED bacterial, bacteria *attr*

Bak·te·ri·o·lo·ge, **Bak·te·ri·o·lo·gin** <-n, -n> [bakterio'lo:gə, -'lo:gɪn] *m, f* bacteriologist

Bak·te·ri·o·lo·gie <-> [bakterio olo'gi:] *f kein pl* bacteriology *no pl*

Bak·te·ri·o·lo·gin <-, -nen> *f fem form von* **Bakteriologe**

bak·te·ri·o·lo·gisch [bakterio'lo:gɪʃ] *adj* bacteriological

Ba·lan·ce <-, -n> [ba'lɑ̃:sə] *f* balance

ba·lan·cie·ren* [balã'si:rən] *vi, vt* to balance (**auf** on, **über** across)

bald [balt] **I.** *adv* soon; **komm** ~ **wieder!** come back soon!; **wird's** ~**?** (*fam*) move it!; **so** ~ **wie möglich** as soon as possible; **bis** ~**!** see you later!; ~ **darauf** soon after[wards]; **nicht so** ~ not as soon **II.** *konj* (*geh*) ▪ ~ ..., ~ ... one moment ..., the next ...; ~ **hier**, ~ **da** now here, now there

Bal·da·chin <-s, -e> ['baldaxi:n] *m* canopy

Bäl·de ['bɛldə] *f* **in** ~ in the near future

bal·dig ['baldɪç] *adj attr* speedy; **wir hoffen auf Ihr** ~**es Kommen!** we hope to see you soon!

bal·digst *adv* (*geh*) as soon as possible

bald·mög·lichst *adv* as soon as possible

Bal·dri·an <-s, -e> ['baldria:n] *m* BOT valerian

Ba·le·a·ren [bale'a:rən] *pl* ▪ **die** ~ the Balearic Islands *pl*

Balg¹ <-[e]s, Bälge> [balk, *pl* 'bɛlgə] *m* ❶ (*Blase~*) bellows *npl* ❷ (*Tierhaut*) pelt

Balg² <-[e]s, Bälger> [balk, *pl* 'bɛlgɐ] *m o nt* (*pej fam*) brat

bal·gen ['balgn] *vr* ▪ **sich [um etw** *akk*] ~ to scrap [over sth]

Bal·ge·rei <-, -en> [balgə'raj] *f* scrap

Bal·kan <-s> ['balka:n] *m* ❶ (*Halbinsel, Länder*) ▪ **der** ~ the Balkans *pl*; **auf dem** ~ on the Balkans ❷ (*Balkangebirge*) Balkan Mountains *pl*

Bal·kan·län·der pl Balkan States

Bal·ken <-s, -> ['balkn̩] m ❶(Holz~) beam ❷(Stahl~) girder ❸(Stütz~) prop ❹ MUS bar ❺ SPORT beam ▸ **lügen, dass sich die ~ biegen** (fam) to lie through one's teeth

Bal·ken·de·cke f wood-beam ceiling **Bal·ken·waa·ge** f beam balance

Bal·kon <-s, -s o -e> [bal'kɔŋ, bal'kõː] m ❶ ARCHIT balcony ❷ THEAT dress circle

Bal·kon·pflan·ze f balcony plant **Bal·kon·tür** f French window[s]

Ball¹ <-[e]s, Bälle> [bal, pl 'bɛlə] m (zum Spielen) ball; **am ~ sein** to have the ball; **jdm den ~ zuspielen** to feed the ball ▸ **am ~ bleiben** to stay on the ball fig; **bei jdm am ~ bleiben** to keep in with sb fig; **am ~ sein** to be on the ball fig; **jdm den ~ zuspielen** to feed sb lines fig

Ball² <-[e]s, Bälle> [bal, pl 'bɛlə] m (Tanzfest) ball; (mit Mahl a.) dinner-dance BRIT

Bal·la·de <-, -n> [ba'laːdə] f ballad

Bal·last <-[e]s, selten -e> ['balast, ba'last] m NAUT, LUFT ballast; (fig) burden

Bal·last·stof·fe pl roughage sing

bal·len ['balən] I. vt to press together [into a ball]; Papier to crumple [into a ball]; Faust to clench II. vr ■ **sich ~** to crowd [together]; Wolken to gather

Bal·len <-s, -> ['balən] m ❶(rundlicher Packen) bale ❷(an Hand o Fuß) ball; (bei Tieren) pad

Bal·le·ri·na¹ <-, Ballerinen> [balə'riːna, pl -'riːnən] f ballerina

Bal·le·ri·na² <-s, Ballerinas> [balə'riːna] m (Schuh) court shoe BRIT, pump AM

bal·lern ['balɐn] I. vi (fam) ❶(schießen) to shoot; **zu Silvester wird viel geballert** there are lots of fireworks on New Year's Eve ❷(knallen, poltern) to bang; **gegen die Tür ~** to bang on the door II. vt (sl: zuschlagen) **jdm eine ~** to sock sb one

Bal·lett <-[e]s, -e> [ba'lɛt] nt ❶(Tanz) ballet ❷(Tanzgruppe) ballet [company]; **zum ~ gehen** to become a ballet dancer; **beim ~ sein** to be with the ballet

Bal·lett·tän·zer(in)RR m(f) ballet dancer

bal·lis·tisch [ba'lɪstɪʃ] adj ballistic

Ball·jun·ge m TENNIS ball boy

Ball·kleid nt ball dress

Ball·mäd·chen nt TENNIS fem form von **Balljunge** ball girl

Bal·lon <-s, -s o -e> [ba'lɔŋ, ba'lõː] m ❶(Luft~) balloon ❷(bauchiger Glasbehälter) carboy ❸(sl: Kopf) nut BRIT, bean AM

Bal·lon·fahrt f ■ **auf ~ gehen** to go up in a [hot air] balloon

Ball·saal m ballroom

Ball·spiel nt ball game **Ball·spie·len** <-s> nt kein pl playing ball

Bal·lung <-, -en> f ❶(Ansammlung) concentration ❷(Verdichtung) accumulation

Bal·lungs·ge·biet nt, **Bal·lungs·raum** m conurbation **Bal·lungs·zen·trum** nt centre of population; **industrielles ~** centre of industry

Ball·wech·sel m rally

Bal·sam <-s, -e> ['balzaːm] m ❶(Salbe) balsam ❷(fig) balm; **~ für die Seele sein** to be like balm for the soul

bal·sa·mie·ren [balza'miːrən] vt ❶(vor Verwesung schützen) to embalm ❷(geh: einölen) to anoint

Bal·te <-en, -en> ['baltə] m Balt, person from the Baltic; s. a. **Deutsche(r)**

Bal·ti·kum <-s> ['baltikʊm] nt ■ **das ~** the Baltic states

bal·tisch ['baltɪʃ] adj Baltic

Ba·lus·tra·de <-, -n> [balʊs'traːdə] f balustrade

bal·zen ['baltsn̩] vi to perform a courtship display

Bam·bus <-ses o -, -se> ['bambʊs] m bamboo

Bam·bus·rohr nt bamboo cane **Bam·bus·spros·sen** pl bamboo shoots pl

Bam·mel <-s> ['baml] m (fam) ■ **~ vor jdm/etw haben** to be scared of sb/sth

ba·nal [ba'naːl] adj banal; Angelegenheit, Ausrede trivial; Bemerkung trite; Thema commonplace

ba·na·li·sie·ren* [banali'ziːrən] vt (geh) to trivialize

Ba·na·li·tät <-, -en> [banali'tɛːt] f ❶ kein pl (banale Beschaffenheit) banality; eines Themas, einer Angelegenheit triviality ❷ meist pl (banale Äußerung) platitude

Ba·na·ne <-, -n> [ba'naːnə] f banana

Ba·na·nen·re·pu·blik f (pej) banana republic **Ba·na·nen·scha·le** f banana skin **Ba·na·nen·stau·de** f banana [plant]

Ba·nau·se <-n, -n> [ba'nau̯zə] m (pej) philistine

band [bant] imp von **binden**

Band¹ <-[e]s, Bänder> [bant, pl 'bɛndɐ] nt ❶(Streifen Gewebe) ribbon also fig; (Hut~) hatband; (Schürzen~) apron string ❷(Mess~) measuring tape ❸(Metall~) metal band ❹(Verpackungs~) packaging tape ❺(Ton~) [recording] tape; **etw auf ~ aufnehmen** to tape [record] sth ❻(Fließ~) conveyor belt; **am ~ arbeiten** to work on an assembly line; **am laufenden ~** (fam) non-stop ❼ meist pl ANAT ligament; **sich dat die Bänder zerren** to strain ligaments

❽ BAU (*Baubeschlag*) hinge **❾** (*gegenseitige Beziehung*) bond; **zarte Bänder knüpfen** to start a romance

Band² <-[e]s, Bände> [bant, *pl* 'bɛndə] *m* volume; **Bände füllen** to fill volumes ▶**Bände sprechen** (*fam*) to speak volumes

Band³ <-, -s> [bɛnt] *f* MUS band

Ban·da·ge <-, -n> [ban'da:ʒə] *f* bandage ▶ **mit harten ~n kämpfen** (*fam*) to fight with no holds barred

ban·da·gie·ren* [banda'ʒi:rən] *vt* to bandage

Band·auf·nah·me *f* tape-recording **Band·brei·te** *f* **❶** (*geh*) range; **eine ~ von ... bis ... haben** to range from ... to ... **❷** RADIO, INET bandwidth

Ban·de¹ <-, -n> ['bandə] *f* (*Gruppe*) gang **Ban·de²** <-, -n> ['bandə] *f* SPORT barrier; *eines Billardtisches* cushion; *einer Reitbahn* boards

Ban·de·ro·le <-, -n> [bandə'ro:lə] *f* revenue stamp

Bän·der·rissᴿᴿ ['bɛndɐ-] *m* MED torn ligament

bän·di·gen ['bɛndɪgn̩] *vt* **❶** (*zähmen*) to tame **❷** (*niederhalten, zügeln*) to bring under control; *Haare* to control; *Naturgewalten* to harness

Ban·dit(in) <-en, -en> [ban'di:t] *m(f)* bandit; **einarmiger ~** one-armed bandit

Band·maß *nt* tape measure **Band·nu·del** *f* tagliatelle *no pl* **Band·schei·be** *f* ANAT [intervertebral] disc; **es an den ~n haben** to have a slipped disc **Band·wurm** *m* tapeworm

bang <-er *o* bänger, -ste *o* bängste> [baŋ] *adj* (*geh*) scared; *Schweigen* uneasy; **es ist/wird jdm ~** [zumute] to be/become uneasy

Ban·ge <-> ['baŋə] *f* **jdm ~ machen** to scare sb; [**nur**] **keine ~!** (*fam*) don't be afraid!; (*keine Sorge*) don't worry!

ban·gen ['baŋən] *vi* (*geh*) **❶** (*sich ängstigen*) ▪**um jdn/etw ~** to worry about sb/ sth; **um jds Leben ~** to fear for sb's life **❷** (*Angst haben*) to be scared

Bang·la·desch, Bang·la·desh <-> [baŋla'dɛʃ] *nt* Bangladesh; *s. a.* **Deutschland**

Bank¹ <-, Bänke> [baŋk, *pl* 'bɛŋkə] *f* **❶** (*Sitzmöbel*) bench; (*Garten~*) [garden] seat; (*Anklage~*) dock; **auf der Anklage~** in the dock; (*Schul~*) desk; **in der ersten ~** in the front row **❷** (*bankförmige Anhäufung*) bank; (*Austern~*) bed; (*Korallen~*) reef; (*Sand~*) sandbank, sandbar; (*Wolken~*) bank of clouds ▶**etw auf die lange**

~ **schieben** (*fam*) to put sth off; [**alle**] **durch die ~** (*fam*) every single one [of them]

Bank² <-, -en> [baŋk] *f* **❶** FIN bank; **auf der ~** in the bank; **ein Konto bei einer ~ haben** to have an account with a bank **❷** (*Kasse*) bank; **die ~ sprengen** to break the bank

Bank·an·ge·stell·te(r) *f(m) dekl wie adj* bank employee **Bank·au·to·mat** *m* [automated] cash dispenser, automated teller machine, ATM **Bank·di·rek·tor, -di·rek·to·rin** *m*, *f* bank manager

Ban·ker(in) <-s, -> ['bɛŋkɐ] *m(f)* (*fam*) banker

Ban·kett <-[e]s, -e> [baŋ'kɛt] *nt* banquet **Bank·ge·heim·nis** *nt* [the bank's duty to maintain] confidentiality **Bank·ge·schäf·te** *pl* banking transactions **Bank·hal·ter(in)** *m(f)* bank, banker

Ban·kier <-s, -s> [baŋ'kje:] *m* banker

Bank·kauf·mann, -frau *m*, *f* [qualified] bank clerk **Bank·kon·to** *nt* bank account **Bank·kre·dit** *m* bank loan **Bank·leit·zahl** *f* bank sorting code [number] **Bank·no·te** *f* banknote **Bank·raub** *m* bank robbery **Bank·räu·ber(in)** *m(f)* bank robber

bank·rott [baŋk'rɔt] *adj* bankrupt

Bank·rott <-[e]s, -e> [baŋk'rɔt] *m* bankruptcy; **~ machen** to go bankrupt

bank·rott|ge·hen *vi irreg sein* to go bankrupt

Bank·schließ·fach *nt* safe-deposit box **Bank·über·fall** *m* bank raid **Bank·über·wei·sung** *f* bank transfer **Bank·ver·bin·dung** *f* banking arrangements; **wie ist Ihre ~?** what are the particulars of your bank account? **Bank·we·sen** *nt kein pl* banking

Bann <-[e]s> [ban] *m* **❶** (*geh*) spell; **in jds ~** *akk*/**in den ~ einer S.** *gen* **geraten** to come under sb's/sth's spell; **jdn in ~ halten** (*geh*) to hold sb in one's spell; **jdn in seinen ~ ziehen** to cast a spell over sb; **im ~ einer S.** *gen* **stehen** to be under the spell of sth **❷** HIST excommunication; **den ~ über jdn aussprechen** to excommunicate sb

ban·nen ['banən] *vt* **❶** (*geh: faszinieren*) to entrance; [**wie**] **gebannt** [as though] entranced **❷** (*vertreiben*) to exorcize; *Gefahr* to avert

Ban·ner <-s, -> ['banɐ] *nt* banner

Bap·tist(in) <-en, -en> [bap'tɪst] *m(f)* Baptist

bar [ba:ɐ] *adj* **❶** (*in Banknoten oder Münzen*) cash; [**in**] **~ bezahlen** to pay [in] cash;

gegen ~ for cash ❷ *attr* (*rein*) pure; *Unsinn* utter ❸ *präd* (*geh: ohne*) ◼ ~ **einer S.** *gen* devoid of sth

bar, Bar <-s, -s> [baːɐ̯] *nt* als *Maßeinheit* bar

Bär(in) <-en, -en> [bɛːɐ̯] *m(f)* bear; **stark wie ein** ~ (*fam*) strong as an ox; **wie ein** ~ **schlafen** (*fam*) to sleep like a log; **der Große/Kleine** ~ the Great/Little Bear ▶**jdm einen** ~**en** <u>aufbinden</u> (*fam*) to have [*or* AM put] sb on

Ba·ra·cke <-, -n> [baˈrakə] *f* shack

Bar·bar(in) <-en, -en> [barˈbaːɐ̯] *m(f)* ❶ (*pej*) barbarian ❷ HIST Barbarian

Bar·ba·rei <-, -en> [barbaˈraj] *f* (*pej*) ❶ (*Unmenschlichkeit*) barbarity ❷ *kein pl* (*Kulturlosigkeit*) barbarism

Bar·ba·rin <-, -nen> *f fem form von* **Barbar**

bar·ba·risch [barˈbaːrɪʃ] **I.** *adj* ❶ (*pej: unmenschlich*) barbarous; *Folter* brutal ❷ (*fam: grässlich*) barbaric ❸ (*fam: unerhört*) dreadful ❹ HIST barbarian **II.** *adv* ❶ (*grausam*) brutally ❷ (*fam: entsetzlich*) dreadfully

bär·bei·ßig [ˈbɛɐ̯bajsɪç] *adj* (*fam*) grumpy

Bar·bier <-s, -e> [barˈbiːɐ̯] *m* (*veraltet*) barber

Bar·bi·tu·rat <-[e]s, -e> [barbituˈraːt] *nt* barbiturate

Bar·code <-s, -s> [ˈbaːko:t] *m* INFORM bar code

Bar·da·me *f* barmaid

Bar·de <-n, -n> [ˈbardə] *m* bard

Bä·ren·dienst *m* ▶**jdm einen** ~ <u>erweisen</u> to do sb a bad turn **Bä·ren·hun·ger** *m* a massive appetite; **einen** ~ **haben** (*fam*) to be famished **Bä·ren·kräf·te** *pl* the strength of an ox **bä·ren·stark** *adj* ❶ (*fam: äußerst stark*) *pred* ❷ (*sl: toll*) cool

Ba·rett <-[e]s, -e *o* -s> [baˈrɛt] *nt* beret; (*von Geistlichem*) biretta; (*von Richter*) cap; (*von Professor*) mortarboard

bar·fuß [ˈbaːɐ̯fuːs] *adj präd* barefoot[ed]

barg [bark] *imp von* **bergen**

Bar·geld *nt* cash

bar·geld·los **I.** *adj* cashless **II.** *adv* without using cash

Bar·geld·um·stel·lung *f* circulation of a new currency; (*auf Euro*) introduction of the Euro in cash form

Bar·ho·cker *m* bar stool

Bä·rin <-, -nen> *f fem form von* **Bär**

Ba·ri·ton <-s, -e> [ˈba(ː)ritɔn] *m* baritone

Ba·ri·um <-s> [ˈbaːrjʊm] *nt kein pl* barium *no pl*

Bar·kas·se <-, -n> [barˈkasə] *f* launch

Bar·kauf *m* cash purchase

Bar·ke <-, -n> [ˈbarkə] *f* skiff

Bar·kee·per(in) <-s, -> [ˈbaːɐ̯kiːpɐ] *m(f)*, **Bar·mann** *m* bartender

barm·her·zig [barmˈhɛrtsɪç] *adj* compassionate; ◼ ~ **sein** to show compassion; **eine** ~ **e Tat** an act of compassion

Barm·her·zig·keit <-> *f kein pl* mercy *no pl;* ~ **üben** (*geh*) to show mercy

Bar·mi·xer(in) <-s, -> *m(f)* barman

ba·rock [baˈrɔk] *adj* ❶ KUNST, ARCHIT baroque ❷ (*üppig*) baroque; *Figur* ample; *Sprache* florid ❸ (*pompös*) extravagant

Ba·rock <-[s]> [baˈrɔk] *nt o m kein pl* baroque *no pl*

Ba·ro·me·ter <-s, -> [baroˈmeːtɐ] *nt* barometer; **das** ~ **fällt/steigt** the barometer is falling/rising

Ba·ron(in) <-s, -e> [baˈroːn] *m(f)* baron

Bar·rel <-s, -s *o* als *Maßeinheit* -> [ˈbɛrəl] *nt* barrel

Bar·ren¹ <-s, -> [ˈbarən] *m* SPORT parallel bars *pl*

Bar·ren² <-s, -> [ˈbarən] *m* bar, ingot

Bar·ri·e·re <-, -n> [baˈri̯eːrə] *f* (*a. fig*) barrier

Bar·ri·ka·de <-, -n> [bariˈkaːdə] *f* barricade ▶**für etw** *akk* **auf die** ~**n gehen** to man the barricades [for sth]

barsch [barʃ] **I.** *adj* curt **II.** *adv* curtly

Barsch <-[e]s, -e> [barʃ] *m* perch

Bar·scheck *m* FIN open cheque BRIT, cashable check AM

barst [barst] *imp von* **bersten**

Bart <-[e]s, Bärte> [baːɐ̯t, *pl* ˈbɛːɐ̯tə] *m* ❶ (*Voll*~) beard; **sich** *dat* **etw in den** ~ **brummeln** (*fam*) to mumble sth [into one's beard]; **sich** *dat* **einen** ~ **wachsen lassen** to grow a beard ❷ (*Schnurr*~) moustache ❸ ZOOL whiskers ❹ (*Schlüssel*~) bit ▶**beim** ~ **des** <u>Propheten</u> cross my heart; **jdm um den** ~ **gehen** (*fam*) to butter sb up; **einen** ~ **haben** (*fam*) to be as old as the hills

bär·tig [ˈbɛːɐ̯tɪç] *adj* bearded

bart·los *adj* beardless

Bart·stop·peln *pl* stubble *sing* **Bart·wuchs** *m* growth of beard; (*Frau*) facial hair

Bar·ver·mö·gen *nt* cash assets **Bar·zah·lung** *f* payment in cash

Ba·sar <-s, -e> [baˈzaːɐ̯] *m* bazaar

Ba·se¹ <-, -n> [ˈbaːzə] *f* CHEM base

Ba·se² <-, -n> [ˈbaːzə] *f* ❶ (*veraltet*) *s.* **Cousine** ❷ SCHWEIZ *s.* **Tante**

Base·ball <-s> [ˈbɐɪsbo:l] *m kein pl* baseball

Ba·sel <-s> [ˈbaːzl̩] *nt* Basle

Ba·sen *pl von* **Basis, Base**

ba·sie·ren* [ba'zi:rən] *vi, vt* to be based (**auf** on)

Ba·si·li·ka <-, Basiliken> [ba'zi:lika, *pl* ba'zi:likən] *f* basilica

Ba·si·li·kum <-s> [ba'zi:likʊm] *nt kein pl* basil

Ba·sis <-, Basen> ['ba:zɪs, *pl* 'ba:zn̩] *f* ❶ (*Grundlage*) basis ❷ POL (*die Parteimitglieder/die Bürger*) ▪ **die ~** the grass roots ❸ ARCHIT base ❹ MIL base

ba·sisch ['ba:zɪʃ] **I.** *adj* CHEM basic **II.** *adv* CHEM as a base

Ba·sis·wis·sen *nt kein pl* basic knowledge

Bas·ke, Bas·kin <-n, -n> ['baskə, 'baskɪn] *m, f* Basque; *s. a.* **Deutsche(r)**

Bas·ken·land *nt* ▪ **das ~** Basque region

Bas·ken·müt·ze *f* beret

Bas·ket·ball <-s> ['ba(:)skətbal] *m kein pl* basketball

Bas·kin <-, -nen> *f fem form von* **Baske**

bas·kisch ['baskɪʃ] *adj* Basque; *s. a.* **deutsch**

Bass[RR] <-es, Bässe> *m*, **Baß**[ALT] <-sses, Bässe> [bas, *pl* 'bɛsə] *m* ❶ MUS bass [voice]; (*Sänger*) bass ❷ MUS bass [notes *pl*]

Bas·sin <-s, -s> [ba'sɛ̃:] *nt* ❶ (*Schwimmbecken*) pool ❷ (*Garten~*) pond

Bas·sist(in) <-en, -en> [ba'sɪst] *m(f)* ❶ (*Sänger*) bass [singer] ❷ (*Spieler eines Bassinstrumentes*) [double] bass player

Bass·schlüs·sel[RR] *m* bass clef

bas·ta ['basta] *interj* [**und damit**] **~!** [and that's] enough!

Bas·tard <-[e]s, -e> ['bastart] *m* ❶ (*fam: mieser Kerl*) bastard ❷ (*uneheliches Kind*) bastard ❸ (*Hybride*) hybrid

bas·teln ['bastl̩n] **I.** *vi* ❶ (*als Hobby*) to do handicrafts ❷ (*sich zu schaffen machen*) ▪ **an etw** *dat* **~** to work on sth; **er bastelt am Computer herum** he's fiddling around with the computer **II.** *vt* (*handwerklich fertigen*) to make; *Gerät* to build; ▪ **sich** *dat* **etw ~** to make oneself sth

Bas·ti·on <-, -en> [bas'tjo:n] *f* bastion

Bast·ler(in) <-s, -> *m(f)* handicraft enthusiast; **ein guter ~ sein** to be good with one's hands

bat [ba:t] *imp von* **bitten**

Ba·tail·lon <-s, -e> [batal'jo:n] *nt* battalion

Ba·tik <-, -en> ['ba:tɪk] *f* batik

Ba·tist <-[e]s, -e> [ba'tɪst] *m* batiste

Bat·te·rie <-, -n> [batə'ri:, *pl* -'ri:ən] *f* ❶ ELEK battery ❷ TECH (*Misch~*) regulator ❸ (*fam: Ansammlung*) row ❹ MIL battery

Bat·te·rie·be·trieb *m* battery operation; **auf ~ laufen** to run on batteries **bat·te·**

rie·be·trie·ben *adj* battery-powered **Batte·rie·hal·tung** <-> *f kein pl* battery farming

Bat·zen <-s, -> ['batsn̩] *m* (*Klumpen*) lump; *Erde* clod; **ein schöner ~** [**Geld**] (*fam*) a pile [of money]

Bau¹ <-[e]s, -ten> [bau̯, *pl* 'bau̯tn̩] *m* ❶ *kein pl* (*das Bauen*) building *no pl;* **im ~ sein** to be under construction ❷ *kein pl* (*Körper~*) build ❸ (*Gebäude*) building; (*~ werk*) construction ❹ *kein pl* (*fam: Baustelle*) building site; **auf dem ~ arbeiten** to work on a building site ❺ *kein pl* MIL (*sl: Arrest*) guardhouse, BRIT *also* glasshouse

Bau² <-[e]s, -e> [bau̯] *m* (*Erdhöhle*) burrow; (*Biber~*) [beaver] lodge; (*Dachs~*) sett; (*Fuchs~*) earth; (*Wolfs~*) lair

Bau·ab·schnitt *m* stage [of construction]

Bau·amt *nt* building control department

Bau·ar·bei·ten *pl* building work *sing;* **wegen ~ gesperrt** closed for repair work

Bau·ar·bei·ter(in) *m(f)* building [*or* AM construction] worker

Bauch <-[e]s, Bäuche> [bau̯x, *pl* 'bɔɪ̯çə] *m* ❶ (*Unterleib*) stomach, tummy *childspeak fam*, belly *fam;* (*Fett~*) paunch; **einen dicken ~ bekommen** to develop a paunch; **sich** *dat* **den ~ vollschlagen** (*fam*) to stuff oneself ❷ (*bauchiger Teil*) belly; **im ~ eines Schiffes** in the bowels of a boat ▶ **aus dem hohlen ~** [**heraus**] (*fam*) off the top of one's head; **aus dem ~** (*fam*) from the heart; **voller ~ studiert nicht gern** (*prov*) you can't study on a full stomach

Bauch·fleisch *nt* belly **Bauch·ge·fühl** *nt kein pl* (*fam*) gut feeling *fam* **Bauch·höh·le** *f* abdominal cavity

bau·chig ['bau̯xɪç] *adj* bulbous

Bauch·klat·scher <-s, -> *m* (*fam*) belly-flop **Bauch·la·den** *m* vendor's tray **Bauch·lan·dung** *f* (*fam*) belly-landing ▶ **eine ~ mit etw** *dat* **machen** to make a flop of sth **Bauch·na·bel** *m* navel, belly button *fam* **Bauch·red·ner(in)** *m(f)* ventriloquist **Bauch·schmer·zen** *pl* stomach ache; (*fig fam*) **~ kriegen** to get butterflies in one's tummy **Bauch·speck** *m* ❶ (*Fleischstück*) streaky bacon ❷ (*Fettansatz*) spare tyre **Bauch·spei·chel·drü·se** *f* ANAT pancreas **Bauch·tanz** *m* belly-dance **Bauch·tän·ze·rin** *f* belly-dancer **Bauch·weh** *nt s.* **Bauchschmerzen**

Bau·denk·mal *nt* architectural monument

bau·en ['bau̯ən] **I.** *vt* ❶ (*errichten, herstellen*) to build ❷ (*zusammen~*) to construct; *Auto, Flugzeug* to build; *Violine* to make ❸ (*fam: verursachen*) **Mist ~** to mess things up; **einen Unfall ~** to cause an accident II. *vi* ❶ (*ein Haus errichten lassen*) to build a house ❷ (*vertrauen*) ■**auf jdn/ etw ~** to rely on sb/sth

Bau·er, Bäu·e·rin¹ <-n *o selten* -s, -n> ['baʊɐ, 'bɔyərɪn] *m*, *f* ❶ (*Landwirt*) farmer ❷ HIST (*Vertreter einer Klasse*) peasant ❸ (*pej: ungehobelter Mensch*) yokel ❹ (*Schachspiel*) pawn ▶ **die dümmsten ~n ernten die größten Kartoffeln** (*prov fam*) fortune favours fools; **was der ~ nicht kennt, [das] frisst er nicht** (*prov fam*) people don't change their lifelong eating habits

Bau·er² <-s, -> ['baʊɐ] *nt o selten m* (*Vogelkäfig*) [bird] cage

Bäu·er·chen <-s, -> *nt* (*Kindersprache*) burp

Bäu·e·rin <-, -nen> ['bɔyərɪn] *f* ❶ *fem form von* **Bauer** ❷ (*Frau des Bauern*) farmer's wife

bäu·er·lich I. *adj* ❶ (*ländlich*) rural; ~**e Betriebe** farms; ~**e Sitten** rustic customs ❷ (*rustikal*) country II. *adv* ❶ (*agrarisch*) rural ❷ (*rustikal*) ~ **eingerichtet** decorated with rustic charm

Bau·ern·fän·ger *m* (*pej fam*) con-man **Bau·ern·haus** *nt* farmhouse **Bau·ern·hof** *m* farm **Bau·ern·re·gel** *f* country saying **bau·ern·schlau** *adj* crafty **Bau·ern·schläue** *f* native cunning **Bau·ern·ver·band** *m* farmer's association

bau·fäl·lig *adj* dilapidated

Bau·fir·ma *f* building firm **Bau·ge·län·de** *nt* construction site **Bau·ge·neh·mi·gung** *f* planning consent **Bau·ge·rüst** *nt* scaffolding **Bau·ge·sell·schaft** *f* construction company **Bau·ge·wer·be** *nt kein pl* building trade **Bau·gru·be** *f* foundation ditch **Bau·grund·stück** *nt* plot of land **Bau·herr, -her·rin** *m*, *f* client for whom a building is being built **Bau·holz** *nt* timber BRIT, lumber AM **Bau·in·ge·ni·eur(in)** *m(f)* civil engineer **Bau·jahr** *nt* ❶ (*Jahr der Errichtung*) year of construction ❷ (*Produktionsjahr*) year of manufacture **Bau·kas·ten** *m* construction set; (*für Kleinkinder*) box of building blocks **Bau·klotz** *m* building block ▶ **Bauklötze staunen** (*fam*) to be flabbergasted **Bau·kon·zern** *m* building [*or* construction] company **Bau·land** ['baʊlant] *nt* building land **Bau·lärm** *m kein pl* construction noise **Bau·lei·ter(in)** *m(f)* [building] site manager, BRIT *also* clerk of [the] works

bau·lich I. *adj* structural; **sich in einem guten/schlechten ~en Zustand befin-**den to be structurally sound/unsound; **wegen ~er Maßnahmen bleibt das Gebäude geschlossen** the building is closed due to renovations II. *adv* structurally

Baum <-[e]s, Bäume> [baʊm, *pl* 'bɔymə] *m* ❶ (*Pflanze*) tree; **der ~ der Erkenntnis** the Tree of Knowledge; **Bäume ausreißen können** (*fig fam*) to be full of energy ❷ INFORM (*Such~*) tree [structure] ▶ **einen alten ~ soll man nicht verpflanzen** (*prov*) old people should be left in familiar surroundings

Bau·markt *m* ❶ (*Geschäft für Baubedarf*) DIY superstore, building supplies store AM ❷ (*Baugewerbe*) construction market **Bau·ma·te·ri·al** *nt* building material

Baum·be·stand *m* [stock of] trees

Bau·meis·ter(in) *m(f)* ❶ (*Techniker im Bauwesen*) master builder ❷ (*geh: Erbauer*) builder, architect

bau·meln ['baʊml̩n] *vi* ❶ (*hin und her schaukeln*) to dangle (**an** from) ❷ (*sl: erhängt werden*) to swing

Baum·gren·ze *f* tree line **Baum·grup·pe** *f* group [*or* clump] [*or* cluster] of trees, coppice **Baum·kro·ne** *f* treetop **Baum·rin·de** *f* [tree] bark **Baum·schu·le** *f* tree nursery **Baum·stamm** *m* tree-trunk **Baum·ster·ben** *nt* dying[-off] of trees **Baum·struk·tur** *f* INFORM tree structure **Baum·stumpf** *m* tree stump **Baum·wip·fel** *m* treetop **Baum·wol·le** *f* cotton **Baum·zucht** *f* arboriculture *spec*

Bau·ord·nung *f* building regulations *pl* **Bau·plan** *m* building plans *pl*; **geneti·scher ~** genetic structure **Bau·pla·nung** *f* [construction] project planning **Bau·platz** *m* site **Bau·ru·i·ne** *f* (*fam*) unfinished building which has been abandoned **Bau·satz** *m* construction kit

Bausch <-es, Bäusche *o* -e> [baʊʃ, *pl* 'bɔyʃə] *m* ❶ *Watte* ball ❷ (*von Stoff*) puff; (*von Vorhang*) pleat ▶ **in ~ und Bogen** lock, stock and barrel

bau·schig *adj* full; *Hose* baggy

Bau·schutt *m* building rubble **bau·spa·ren** *vi nur infin* to save with a building society [*or* AM savings and loan association] **Bau·spar·kas·se** *f* building society BRIT, savings and loan association AM **Bau·spar·ver·trag** *m* savings contract with a building society [*or* AM savings and loan association] **Bau·stein** *m* ❶ (*Material zum Bauen*) building stone ❷ (*Bestandteil*) element ❸ INFORM chip **Bau·stel·le** *f* building site; (*auf Straßen*) roadworks BRIT *npl*, [road] construction site AM; **„Betreten der ~ verboten"** "No entry to unauthorized persons" **Bau·stil** *m* architectural style **Bau·stoff** *m* building material **Bau·sub·stanz** *f* fabric; **historische ~** historic building stock **Bau·teil** *nt* part of a building; (*von Maschine*) component; **fertiges ~** prefabricated element

Bau·ten *pl von* **Bau**[1]

Bau·un·ter·neh·men *nt* builder, building contractor **Bau·un·ter·neh·mer(in)** *m(f)* builder **Bau·vor·ha·ben** *nt* construction project **Bau·wei·se** *f* ❶ (*Art des Bauens*) method of building ❷ (*Baustil*) style **Bau·werk** *nt* building; (*von Brücke usw.*) construction

Bau·xit <-s, -e> [bau'ksi:t] *m* bauxite **Bau·zaun** *m* site fence [*or* hoarding]

Bay·er(in) <-n, -n> ['baiɐ] *m(f)* Bavarian; *s. a.* **Deutsche(r)**

bay·e·risch ['baiərıʃ] *adj* Bavarian; *s. a.* **deutsch**

Bay·ern <-s> ['baiɐn] *nt* Bavaria; *s. a.* **Deutschland**

bay·risch ['bairıʃ] *adj s.* **bayerisch**

Ba·zil·lus <-, Bazillen> [ba'tsılʊs, *pl* ba'tsılən] *m* MED bacillus; **der ~ der Freiheit** (*fig*) the cancer of corruption

Bd. *Abk von* **Band** vol.

be·ab·sich·ti·gen* [bə'ʔapzıçtıgn̩] *vt* ❶ (*intendieren*) to intend; **das hatte ich nicht beabsichtigt!** I didn't mean to do that! ❷ (*geh: planen*) to plan

be·ach·ten* [bə'ʔaxtn̩] *vt* ❶ (*befolgen*) to observe; *Anweisung, Rat* to follow; *die Vorfahrt ~* to yield [right of way], BRIT *also* to give way ❷ (*darauf achten*) to notice ❸ (*berücksichtigen*) **bitte ~ Sie, dass ...** please note that ...

be·ach·tens·wert *adj* remarkable; ■ **~ sein, dass/wie** to be worth noting that/how

be·acht·lich I. *adj* considerable; *Erfolg, Leistung* notable; *Verbesserung* marked; **B~es leisten** to achieve a considerable amount **II.** *adv* ❶ (*deutlich*) considerably ❷ (*bemerkenswert*) remarkably

Be·ach·tung *f* observance; **die strikte ~ der Vorschriften** compliance with [the] regulations; **~ finden** to receive attention; **keine ~ finden** to be ignored; **jdm ~ schenken** to pay attention to sb; **einer S.** *dat* **keine ~ schenken** to pay no attention to sth

Be·am·te(r), **Be·am·tin** [bə'ʔamtə, -'ʔamtə] *m, f dekl wie adj* public official; (*Polizei~ r*) police officer; (*Post~ r*) post-office official; (*Staats~ r*) civil servant; (*Zoll~ r*) customs officer; **~r auf Lebenszeit** civil servant

Be·am·ten·be·lei·di·gung *f* insulting an official **Be·am·ten·lauf·bahn** *f* civil service career

Be·am·ten·tum <-[e]s> *nt kein pl* civil service

Be·am·ten·ver·hält·nis *nt* status as a civil servant

be·am·tet [bə'ʔamtət] *adj* appointed on a permanent basis

Be·am·tin <-, -nen> *f fem form von* **Beamte(r)**

be·ängs·ti·gen* *vt* (*geh*) to alarm

be·ängs·ti·gend I. *adj* alarming; **etwas B~ es haben** to be a cause for alarm **II.** *adv* alarmingly

be·an·spru·chen* [bə'ʔanʃprʊxn̩] *vt* ❶ (*fordern*) to claim ❷ (*brauchen*) to require; *Zeit, Platz* to take up ❸ (*Anforderungen an jdn stellen*) ■ **jdn ~** to make demands on sb; **ich will Sie nicht länger ~** I don't want to take up any more of your time; ■ **etw ~** to demand sth; **jds Gastfreundschaft/Zeit ~** to make demands on sb's hospitality/time; **jds Geduld ~** to try sb's patience ❹ (*belasten*) to put under stress

Be·an·spru·chung <-, -en> *f* ❶ (*das Fordern*) claim (+*gen* to) ❷ (*Inanspruchnahme*) demands *pl* (+*gen* on) ❸ (*Belastung*) use; **berufliche/physische/psychologische ~** job-related/physical/ psychological stress; **übermäßige ~ einer Maschine** subjecting a machine to excessive load

be·an·stan·den* [bə'ʔanʃtandn̩] *vt* ■ **etw ~** to complain about sth; **er findet an allem was zu ~** he always finds sth to complain about; **das ist beanstandet worden** there have been complaints about that; **beanstandete Waren** goods about which there have been complaints

Be·an·stan·dung <-, -en> *f* complaint

be·an·tra·gen* *vt* ❶ (*durch Antrag erbitten*) to apply for ❷ POL to propose

be·ant·wor·ten* *vt* to answer; **schwer zu ~** difficult to answer; ■ **etw mit etw** *dat* **~** to respond to sth with sth

Be·ant·wor·tung <-, -en> *f* answer

be·ar·bei·ten* *vt* ❶ (*behandeln*) ■ **etw ~** to work on sth; *Holz* ~ to work wood; **etw mit einer Chemikalie ~** to treat sth with a chemical ❷ (*sich befassen mit*) to deal with; *Bestellung* to process; *Fall* to work on ❸ (*redigieren*) to revise ❹ (*fam: auf jdn einwirken*) ■ **jdn ~** to work on sb; **wir haben ihn so lange bearbeitet, bis er zusagte** we worked on him until he agreed ❺ *Feld* to cultivate ❻ (*adaptieren*) to arrange (**für** for)

Be·ar·bei·ter(in) m(f) ❶ (Sach~) person [responsible for] dealing with sth ❷ (bearbeitender Autor) editor ❸ MUS (adaptierender Komponist) arranger

Be·ar·bei·tung <-, -en> f ❶ (das Behandeln) working [on] ❷ (das Bearbeiten) handling; **die ~ eines Falles** to handle a case; **die ~ eines Antrags** to deal with an application ❸ (das Redigieren) editing; **das ist eine neue ~ des Buchs** that's a new edition of the book ❹ (adaptierte Fassung) adaptation

Be·ar·bei·tungs·ge·bühr f administrative charge

be·arg·wöh·nen* vt to regard with suspicion

Beat <-[s]> [bi:t] m kein pl beat [music]

be·at·men* vt ❶ (jdm Sauerstoff zuführen) to give artificial respiration to; (während einer Operation) to ventilate ❷ ÖKOL (mit Sauerstoff anreichern) Gewässer to oxygenate

be·auf·sich·ti·gen* [bə'ʔaʊfzɪçtɪgn̩] vt to supervise; Kinder to mind [or AM look after]; Prüfung to invigilate [or AM proctor]

be·auf·tra·gen* vt ❶ jdn mit etw dat~ to give sb the task of doing sth; Architekt, Künstler to commission; Firma to hire [or BRIT also engage]; ■ jdn ~, etw zu tun to ask sb to do sth

Be·auf·trag·te(r) f(m) dekl wie adj representative

be·äu·gen* vt (fam) to eye up

be·bau·en* vt ❶ (mit einem Gebäude versehen) ■ etw ~ to build on sth; **dicht bebaut sein** to be heavily built-up ❷ (bestellen) to cultivate sth (**mit** with)

Be·bau·ung <-, -en> f ❶ (das Bebauen) development; **der Konzern plant die ~ des Grundstückes** the firm plans to develop this site ❷ (Bauten) buildings ❸ (das Bestellen) cultivation

be·ben ['be:bn̩] vi ❶ (zittern) to tremble ❷ (erbeben) to quiver (**vor** with); Lippen to tremble; Knie to shake

Be·ben <-s, -> ['be:bn̩] nt ❶ (Erd~) earthquake ❷ (Zittern) trembling ❸ (leichtes Zittern) quivering

be·bil·dern* [bə'bɪldɐn] vt to illustrate (**mit** with)

Be·cher <-s, -> ['bɛçɐ] m ❶ (Trinkgefäß) glass; (aus Plastik) beaker; (für Wein) goblet; (für Tee/Kaffee) mug ❷ (becherförmige Verpackung) carton; **ein ~ Eis** a carton of ice-cream ❸ SCHWEIZ (Bierglas) mug

be·chern ['bɛçɐn] vi (hum fam) to booze [away]

be·cir·cen* [bə'tsɪrtsn̩] vt s. **bezirzen**

Be·cken <-s, -> ['bɛkn̩] nt ❶ (Bassin) basin; (Spül~) sink; (von Toilette) bowl, BRIT also pan; (Schwimm~) pool ❷ ANAT pelvis ❸ GEOL basin ❹ MUS cymbals pl

be·dacht [bə'daxt] I. adj ❶ (überlegt) cautious ❷ (Wert auf etw legen) ■ **auf etw** akk **~ sein** to be concerned about sth II. adv carefully

Be·dacht <-s> [bə'daxt] m **mit ~** (geh) carefully; (vorsichtig) in a carefully considered way; (absichtlich) deliberately

be·däch·tig [bə'dɛçtɪç] I. adj ❶ (ohne Hast) deliberate ❷ (besonnen) thoughtful II. adv ❶ (ohne Hast) deliberately; **~ spre·chen** to speak in measured tones ❷ (besonnen) carefully

be·dan·ken* vr to express thanks; ■ **sich bei jdm ~** to thank sb (**für** for); **ich bedanke mich!** thank you!

Be·darf <-[e]s> [bə'darf] m kein pl need (**an** for); **der tägliche ~ an Vitaminen** daily requirement of vitamins; **Dinge des täglichen ~s** everyday necessities; **jds ~ ist gedeckt** sb's requirements are covered; **kein ~!** (fam) no thanks!; **keinen ~ an etw** dat **haben** to have no need for sth; **bei ~** if required; **[je] nach ~** as required

Be·darfs·fall m m ~ (geh) if necessary

be·dau·er·lich adj regrettable; **sehr ~!** how unfortunate!; ■ **~ sein, dass ...** to be unfortunate that ...

be·dau·er·li·cher·wei·se adv unfortunately

be·dau·ern* vt ❶ (schade finden) to regret; **wir ~, Ihnen mitteilen zu müssen...** we regret to have to inform you... ❷ (bemitleiden) to feel sorry [for]; **er ist zu ~** he is to be pitied

Be·dau·ern <-s> nt kein pl regret; **zu jds größtem ~** to sb's [great] regret

be·dau·ernd I. adj sympathetic II. adv sympathetically

be·dau·erns·wert adj, **be·dau·erns·wür·dig** adj (geh) pitiful; **ein ~er Zwischenfall** an unfortunate incident

be·de·cken* I. vt (zudecken) to cover II. vr (bewölken) ■ **sich ~** to cloud over

be·deckt adj präd (bewölkt) overcast ▶ **sich [in etw** dat] **~ halten** to keep a low profile

Be·de·ckung f ❶ (das Bedecken) covering ❷ MIL (Schutz) escort ❸ (das Bedeckende) covering

be·den·ken* irreg I. vt ❶ (in Betracht ziehen) to consider; **[jdm] etw zu ~ geben** (geh) to ask [sb] to consider sth; **[jdm] zu ~ geben, dass ...** to ask [sb] to keep in mind that ...; **wenn man es recht bedenkt, ...** if you think about it properly...; **das will wohl bedacht sein** (*geh*) that calls for careful consideration ❷ (*geh: zukommen lassen*) **alle wurden großzügig bedacht** everyone was generously catered for ❸ (*geh*) ■**jdn mit etw** *dat* ~ to meet sb with sth; **sie wurde mit viel Lob bedacht** they heaped praise on her **II.** *vr* (*geh: sich besinnen*) to reflect

Be·den·ken <-s, -> *nt* ❶ *meist pl* (*Zweifel*) doubt; **moralische** ~ moral scruples; **jdm kommen** ~ sb has second thoughts; **ohne** ~ without hesitation ❷ *kein pl* (*das Überlegen*) consideration

be·den·ken·los **I.** *adv* ❶ (*ohne Überlegung*) without hesitation ❷ (*skrupellos*) unscrupulously **II.** *adj* unhesitating

be·den·kens·wert *adj* worthy of consideration

be·denk·lich *adj* ❶ (*fragwürdig*) questionable ❷ (*Besorgnis erregend*) disturbing; *Gesundheitszustand* serious ❸ (*besorgt*) apprehensive

Be·denk·zeit *f* time to think about sth

be·deu·ten* *vt* ❶ (*auf bestimmte Weise definiert sein*) to signify ❷ (*besagen*) to mean; **was bedeutet dieses Symbol?** what does this symbol signify?; **das hat nichts zu** ~ that doesn't mean anything ❸ (*versinnbildlichen*) to symbolize ❹ (*wichtig sein*) [*jdm*] **etw** ~ to mean sth [to sb]; **du bedeutest mir sehr viel** you mean a lot to me ❺ (*geh: zu verstehen geben*) to indicate to

be·deu·tend **I.** *adj* ❶ (*wichtig*) important; *Person* eminent; *Politiker* leading; **eine ~ e Rolle spielen** to play a significant role ❷ (*beachtlich*) considerable **II.** *adv* considerably

be·deut·sam **I.** *adj* ❶ (*wichtig*) important; *Entscheidung, Verbesserung* significant ❷ (*viel sagend*) meaningful **II.** *adv* meaningfully

Be·deu·tung <-, -en> *f* ❶ (*Sinn*) meaning; **in wörtlicher/übertragener** ~ in the literal/figurative sense ❷ (*Wichtigkeit*) significance; [*für jdn/etw*] **von** ~ **sein** to be of importance [for sb/sth]; **einer S.** *dat* ~ **beimessen** to attach importance to sth; **nichts von** ~ nothing important ❸ (*Geltung*) importance

be·deu·tungs·los *adj* ❶ (*ohne große Wirkung*) insignificant ❷ (*nichts besagend*) meaningless

Be·deu·tungs·lo·sig·keit <-> *f kein pl* insignificance *no pl* **be·deu·tungs·voll** *adj s.* **bedeutsam Be·deu·tungs·wan-**

del *m* change in meaning

be·die·nen* **I.** *vt* ❶ *Kunde, Gast* to serve; **werden Sie schon bedient?** are you being served?; (*sich alles bringen lassen*) **sich** [**von jdm**] ~ **lassen** to be waited on [by sb] ❷ *Maschine* to operate ❸ FIN (*die Zinsen von etw zahlen*) **einen Kredit** ~ to service [*or* AM pay interest on] a loan ❹ KARTEN to play; **eine Farbe** ~ to follow suit ❺ (*pej fam: fördern*) *Klischee, Vorurteil, Ressentiment* to encourage ▶**bedient sein** (*fam*) to have had enough; **mit etw** *dat* **gut/schlecht bedient sein** to be well-/ill-served by sth **II.** *vi* ❶ (*sich um den Gast kümmern*) to serve; **wird hier nicht bedient?** is there no-one serving here? ❷ (*Kartenspiel*) to follow suit **III.** *vr* ❶ (*sich Essen nehmen*) ■**sich** ~ to help oneself to; **sich mit einem Stück Kuchen** ~ to help oneself to a piece of cake; ~ **Sie sich!** help yourself! ❷ (*geh: gebrauchen*) ■**sich einer S.** *gen* ~ to make use of sth

be·die·ner·freund·lich *adj* user-friendly

Be·diens·te·te(r) *f(m) dekl wie adj* ❶ (*Angestellte(r) im öffentlichen Dienst*) employee ❷ *meist pl* (*veraltet: Dienstboten*) servant

Be·die·nung <-, -en> *f* ❶ (*Kellner*) waiter, waitress ❷ *kein pl* (*Handhabung*) operation ❸ *kein pl* (*das Bedienen*) service; ~ **inbegriffen** service included ❹ FIN servicing BRIT, interest payments AM; *eines Kredites* debt service

Be·die·nungs·an·lei·tung *f* operating instructions *pl* **Be·die·nungs·feh·ler** *m* operator['s] error

be·din·gen* [bə'dɪŋən] *vt* ❶ (*verursachen*) to cause; ■**durch etw** *akk* **bedingt sein** to be a result of sth ❷ (*verlangen*) to require

be·dingt **I.** *adj* ❶ (*eingeschränkt*) qualified ❷ JUR conditional ❸ MED *Reaktion, Reiz* conditioned **II.** *adv* ❶ (*eingeschränkt*) to some extent; ~ **gültig** of limited validity ❷ JUR SCHWEIZ, ÖSTERR (*mit Bewährungsfrist*) conditionally

Be·din·gung <-, -en> *f* ❶ (*Voraussetzung*) condition; [*es*] **zur** ~ **machen, dass ...** to make it a condition that ...; [*jdm*] **eine** ~ **stellen** to set a condition [on sb]; **unter der** ~, **dass ...** on condition that ...; [*nur*] **unter einer** ~ [only] on one condition; **unter welcher** ~? on what condition?; **zu günstigen/ungünstigen** ~**en** on favourable/unfavourable terms; **unter gewissen** ~**en** in certain conditions ❷ *pl* ÖKON terms ❸ *pl* (*Umstände*) conditions

be·din·gungs·los I. *adj* unconditional; *Gehorsam, Treue* unquestioning **II.** *adv* unconditionally; **jdn ~ gehorchen** to obey sb unquestioningly; **jdm ~ vertrauen** to trust sb blindly

be·drän·gen* *vt* **①** (*bestürmen*) to pester (**mit** with); ■**jdn ~, etw zu tun** to pressure sb into doing sth **②** ([*seelisch*] *belasten*) to burden sb

Be·dräng·nis <-ses, -se> [bə'drɛŋnɪs] *f* (*geh*) difficulties *pl;* **in finanzieller ~ sein** to be in financial difficulties; **jdn in ~ bringen** to get sb into trouble; **in ~ sein/geraten** to be/get into difficulties

be·dro·hen* *vt* **①** (*mit etw drohen*) to threaten (**mit** with) **②** (*gefährden*) to endanger; ■[*durch etw akk*] **bedroht sein** to be threatened [by sth]

be·droh·lich I. *adj* threatening **II.** *adv* alarmingly

Be·dro·hung *f* **①** (*Drohung*) threat (+*gen* to) **②** (*das Bedrohen*) threat (+*gen* of)

be·dru·cken* *vt* ■**etw ~** to print on sth

be·drü·cken* *vt* ■**jdn ~** to depress sb; **was bedrückt dich?** what's troubling you?

be·drü·ckend *adj* depressing; *Stimmung* oppressive

be·drückt *adj* depressed; **~es Schweigen** oppressive silence

Be·du·i·ne, Be·du·i·nin <-n, -n> [bedu'iːnə, -'iːnɪn] *m, f* Bed[o]uin

be·dür·fen <bedurfte, bedurft> *vi* (*geh*) ■**einer S.** *gen* ~ to require sth; **es bedarf keiner weiteren Erklärung** no further explanation is necessary

Be·dürf·nis <-ses, -se> [bə'dʏrfnɪs] *nt* **①** (*Bedarf*) need; **die ~se des täglichen Lebens** everyday needs; **das ~ haben, etw zu tun** to feel the need to do sth; **es ist jdm ein ~, etw zu tun** (*geh*) it is sb's need to do sth **②** *kein pl* (*Verlangen*) desire ▸ **ein dringendes ~** (*euph*) a call of nature *usu hum*

Be·dürf·nis·an·stalt *f* **öffentliche ~** (*geh o veraltend*) public convenience *esp* BRIT *form* [*or* AM restroom]

be·dürf·tig *adj* needy *attr*, in need *pred;* ■**die B~en** the needy + *pl vb*

Be·dürf·tig·keit <-> *f kein pl* (*geh*) need, neediness *no pl*

Beef·steak <-s, -s> ['biːfsteːk, -ʃteːk] *nt bes* NORDD steak; **deutsches ~** beefburger

be·eh·ren* *vt* (*geh*) to honour (**mit** with)

be·ei·den* [bə'ʔaɪdn̩] *vt*, **be·ei·di·gen** [bə'ʔaɪdɪɡn̩] *vt* ■**etw ~** to swear to sth

be·ei·len* *vr* ■**sich ~** to hurry [up]; ■**sich ~, etw zu tun** to hurry to do sth

be·ein·dru·cken* [bə'ʔaɪndrʊkn̩] *vt* to impress (**mit** with); **sich** [**von etw** *dat*] **nicht ~ lassen** to not be impressed [by sth]

be·ein·dru·ckend *adj* impressive

be·ein·fluss·bar^{RR}, **be·ein·fluß·bar**^{ALT} *adj* easily influenced *pred*

be·ein·flus·sen* [bə'ʔaɪnflʊsn̩] *vt* to influence; ■**durch etw** *akk* **beeinflusst sein** to be influenced by sth

Be·ein·flus·sung <-, -en> *f* influence

be·ein·träch·ti·gen* [bə'ʔaɪntrɛçtɪɡn̩] *vt* to disturb; *Reaktionsvermögen, Leistungsfähigkeit* to impair; *persönliche Entfaltung* to interfere with; *Kreativität* to curb; *Verhältnis* to damage; *Genuss* to detract from; **jdn in seiner Freiheit ~** to restrict sb's freedom; **ein Verhältnis ~** to damage a relationship; ■**~d** adverse

Be·ein·träch·ti·gung <-, -en> *f Freiheit* restriction; *Genuss* detracting (+*gen* from); *Kreativität* curbing; *Qualität* reduction (+*gen* in); *Reaktionsvermögen* impairing; *Verhältnis* damaging

be·en·den* *vt* to end

Be·en·di·gung <-> *f kein pl* ending; (*Schluss*) conclusion

Be·en·dung <-, -en> *f* completion

be·en·gen* *vt* to restrict; (*fig*) to stifle; **etw als ~d empfinden** to find sth confining; **kleine Zimmer ~ mich irgendwie** small rooms somehow make me feel confined; **~de Kleidung** tight clothing; ■**jdn ~** to make sb feel confined

be·engt I. *adj* cramped, confined **II.** *adv* in cramped conditions; **sich** [**von jdm/etw**] **~ fühlen** (*fig*) to feel stifled [by sb/sth]

be·er·ben* *vt* to be heir to

be·er·di·gen* [bə'ʔeːɐdɪɡn̩] *vt* to bury

Be·er·di·gung <-, -en> *f* funeral

Be·er·di·gungs·fei·er *f* funeral service

Be·er·di·gungs·in·sti·tut *nt* funeral parlour, undertaker's

Bee·re <-, -n> ['beːrə] *f* berry

Bee·ren·aus·le·se *f* wine whose characteristic richness derives from noble rot induced by the use of overripe grapes

Beet <-[e]s, -e> [beːt] *nt* bed; (*Blumen~*) flowerbed; (*Gemüse~*) vegetable patch

Bee·te <-, -n> ['beːtə] *f s.* Bete

be·fä·hi·gen* [bə'fɛːɪɡn̩] *vt* ■**jdn dazu ~, etw zu tun** to enable sb to do sth

be·fä·higt [bə'fɛːɪçt] *adj* qualified; ■**für etw** *akk* **~ sein** to be competent at sth

Be·fä·hi·gung <-> *f kein pl* qualification[s]

be·fahl [bə'faːl] *imp von* befehlen

be·fahr·bar *adj* passable; NAUT navigable; **nicht ~** impassable; NAUT unnavigable

be·fah·ren* I. *vt irreg Straße, Weg* to drive

along; **diese Straße darf nur in einer Richtung ~ werden** this road is only open in one direction; **eine Strecke ~** to use a route; **alle sieben Meere ~** to sail the seven seas **II.** *adj* used; **kaum/stark ~ sein** to be little/much used; **eine viel ~e Kreuzung** a busy junction

Be·fall <-[e]s> *m kein pl* HORT infestation

be·fal·len* *vt irreg* ❶ MED to infect; **von etw** *dat* **~ werden** to be infected by sth ❷ HORT to infest ❸ (*geh*) ▪**jdn ~** to overcome sb; **von Müdigkeit ~ werden** to feel tired

be·fan·gen [bəˈfaŋən] *adj* ❶ (*gehemmt*) inhibited ❷ JUR (*voreingenommen*) biased [*or* BRIT *also* biassed]; **jdn als ~ ablehnen** to challenge [*or* AM *also* disqualify] sb on grounds of bias

Be·fan·gen·heit <-> *f kein pl* ❶ (*Gehemmtheit*) inhibition ❷ JUR (*Voreingenommenheit*) bias

be·fas·sen* *vr* ▪**sich mit etw** *dat* **~** to concern oneself with sth; *mit einer Angelegenheit* to look into; *mit einem Problem* to tackle; ▪**sich mit jdm ~** to spend time with sb

Be·fehl <-[e]s, -e> [bəˈfeːl] *m* ❶ (*Anweisung*) order; **einen ~ ausführen** to carry out an order; **~ ausgeführt!** MIL mission accomplished!; **einen ~ befolgen** to obey an order; **einen ~ erlassen** to issue [*or* AM *also* hand down] an order; **jdm einen ~ geben, etw zu tun** to order sb to do sth; **Sie haben mir überhaupt keine ~e zu geben!** I won't take orders from you!; **den ~ [über etw** *akk*] **haben** to have command [of sth]; **auf ~ handeln** to act under orders; **einen ~ verweigern** to disobey an order; **auf ~** under orders; **~ von oben** orders from above; **zu ~** (*veraltend*) yes, sir ❷ INFORM, MED command

be·feh·len <befahl, befohlen> [bəˈfeːlən] **I.** *vt* ❶ (*den Befehl geben*) to order; **von dir lasse ich mir nichts ~!** I won't take orders from you! ❷ (*beordern*) ▪**jdn zu jdm/etw ~** to summon sb to sb/sth; **Sie sind zum General befohlen worden!** you've been summoned to the General! **II.** *vi* ❶ MIL ▪**über jdn/etw ~** to be in command of sb/sth ❷ (*Anordnungen erteilen*) ▪**~, dass ...** to order that ...

be·feh·li·gen* [bəˈfeːlɪɡn̩] *vt* MIL to command

Be·fehls·emp·fän·ger(in) *m(f)* one who takes an order **Be·fehls·form** *f* LING imperative **be·fehls·ge·mäß** *adj, adv* as ordered *pred* **Be·fehls·ge·walt** *f* MIL command; **jds ~ unterstehen** to be under sb's

command **Be·fehls·ha·ber(in)** <-s, -> [bəˈfeːlshaːbɐ] *m(f)* MIL commander **Be·fehls·ver·wei·ge·rung** *f* MIL refusal to obey orders **Be·fehls·zei·le** *f* INFORM command line

be·fein·den* [bəˈfaɪndn̩] *vt* (*geh*) to attack; *Land* to be hostile towards

be·fes·ti·gen* *vt* ❶ (*anbringen*) to fasten (**an** to); *Boot* to tie up ❷ BAU *Fahrbahn, Straße* to make up [*or* pave]; *Böschung* to stabilize; *Damm, Deich* to reinforce ❸ MIL to fortify; *Grenze* to strengthen

Be·fes·ti·gung <-, *selten* -en> *f* ❶ (*das Anbringen*) fixing ❷ BAU stabilizing, making up BRIT, paving ❸ (*zu Verteidigungszwecken*) reinforcement ❹ MIL fortification

be·feuch·ten* *vt* to moisten (**mit** with); *Bügelwäsche* to dampen

be·fiehlt [bəˈfiːlt] *3. pers sing pres von* **befehlen**

be·fin·den* *irreg* **I.** *vr* ❶ (*sich aufhalten*) ▪**sich irgendwo ~** to be somewhere; **unter den Geiseln ~ sich zwei Deutsche** there are two Germans amongst the hostages ❷ (*in einem bestimmten Zustand sein*) **sich in bester/schlechter Laune ~** to be in an excellent/a bad mood; **sich in guten Händen ~** to be in good hands ❸ (*geh: sich fühlen*) ▪**sich ... ~** to feel ... **II.** *vi* (*geh*) ▪**über jdn/etw ~** to decide [on] sb/sth **III.** *vt* (*geh: halten*) ▪**etw für etw** *akk* **~** to consider sth [to be] sth; **jdn [für] schuldig/unschuldig ~** to find sb guilty/not guilty

Be·fin·den <-s> *nt kein pl* [state of] health; *eines Kranken* condition; **er hat sich nach deinem ~ erkundigt** he asked how you were

be·find·lich [bəˈfɪntlɪç] *adj meist attr* (*geh*) ❶ (*sich an einer Stelle befindend*) situated ❷ (*sich in einem Zustand befindend*) **das im Umlauf ~e Geld** the money in circulation; **die im Bau ~en Häuser** those houses currently being built

Be·find·lich·keit <-, -en> *f* mental state **be·fin·gern*** *vt* (*fam*) to finger **be·flag·gen*** *vt* to [be]deck with flags; *Schiff* to dress

be·fle·cken* *vt* to stain (**mit** with); **etw mit Farbe ~** to get paint [stains] on sth; **jds Ehre ~** to slur sb's honour

be·flei·ßi·gen* [bəˈflaɪsɪɡn̩] *vr* (*geh*) ▪**sich einer S.** *gen* **~** to strive for sth

be·flis·sen [bəˈflɪsn̩] **I.** *adj* (*geh*) keen **II.** *adv* keenly

Be·flis·sen·heit <-> *f kein pl* keenness *no pl*

be·flü·geln* *vt* (*geh*) ❶ (*anregen*) to inspire; **die Fantasie ~** to fire the imagination ❷ (*schneller werden lassen*) ■**etw beflügelt jdn** sth spurs sb on

be·foh·len [bə'fo:lən] *pp von* **befehlen**

be·fol·gen* *vt Rat* to follow; *Vorschrift* to obey

be·för·dern* *vt* ❶ (*transportieren*) to transport; **sie wurden mit dem Bus zum Tagungsort befördert** they were taken by bus to the conference venue ❷ (*jds Dienststellung anheben*) to promote (**zu** to) ❸ (*iron fam*) **jdn nach draußen ~** to escort sb outside

Be·för·de·rung *f* ❶ (*Transport*) transport[ation] ❷ (*dienstliches Aufrücken*) promotion (**zu** to)

Be·för·de·rungs·mit·tel *nt* means of transport

be·frach·ten* *vt* ❶ (*beladen*) to load (**mit** with) ❷ (*fig geh*) to overload (**mit** with)

be·fra·gen* *vt* ❶ (*Fragen stellen*) to question (**zu** about) ❷ (*konsultieren*) to consult (**in** about); **jdn nach seiner Meinung ~** to ask sb for his/her opinion

Be·frag·te(r) *f(m) dekl wie adj* person questioned; **die Befragten** those questioned

Be·fra·gung <-, -en> *f* ❶ (*das Befragen*) questioning; JUR examination ❷ (*Konsultierung*) consultation ❸ (*Umfrage*) survey, [opinion] poll

be·frei·en* **I.** *vt* ❶ (*freilassen*) to free (**aus** from) ❷ (*unabhängig machen*) to liberate (**von** from) ❸ (*von ihren Störenden frei machen*) to clear (**von** of); **seine Schuhe vom Dreck ~** to remove the dirt from one's shoes ❹ ■**jdn von etw** *dat* **~** (*erlösen*) to free sb from sth; (*freistellen*) to excuse sb from sth; (*jdm etw abnehmen*) to relieve sb of sth; **jdn vom Wehrdienst ~** to exempt sb from military service **II.** *vr* ❶ (*freikommen*) ■**sich ~** to escape (**aus** from) ❷ (*etw abschütteln*) ■**sich ~** to free oneself (**von** from), to rid oneself [of sth]

Be·frei·er(in) <-s, -> *m(f)* liberator

be·freit I. *adj* (*erleichtert*) relieved **II.** *adv* with relief; **~ aufatmen** to heave a sigh of relief

Be·frei·ung <-, selten -en> *f* ❶ (*Freilassen*) release ❷ (*Befreien aus der Unterdrückung*) liberation ❸ (*Freistellung*) exemption (**von** from) ❹ (*Erlösung*) release ❺ (*Erleichterung*) relief

Be·frei·ungs·be·we·gung *f* liberation movement **Be·frei·ungs·front** *f* liberation front **Be·frei·ungs·kampf** *m* struggle for freedom **Be·frei·ungs·or·ga·ni·sa·ti·on** *f* liberation organization

be·frem·den* **I.** *vt* ■**jdn ~** to disconcert sb; **ich war von ihrem Verhalten etwas befremdet** I was somewhat disconcerted by her behaviour **II.** *vi* to be disconcerting

Be·frem·den <-s> *nt kein pl* disconcertment; **zu jds** *dat* **~** to sb's disconcertment

be·frem·dend *adj*, **be·fremd·lich** [bə'frɛmtlɪç] *adj* (*geh*) disconcerting

be·freun·den* [bə'frɔyndn̩] *vr* ■**sich mit jdm ~** to make friends with sb

be·freun·det *adj* ❶ (*freundlich gesinnt*) friendly; **das ~e Ausland** friendly [foreign] countries *pl* ❷ (*Freund sein*) **mit jdm ~ sein** to be friends with sb

be·frie·den* [bə'fri:dn̩] *vt* POL (*geh*) **ein Land ~** to bring peace to a country

be·frie·di·gen* [bə'fri:dɪgn̩] **I.** *vt* (*zufrieden stellen*) to satisfy; *Ansprüche, Wünsche* to fulfil; **leicht/schwer zu ~ sein** to be easily/not easily satisfied **II.** *vi* (*zufriedenstellend sein*) to be satisfactory; **diese Lösung befriedigt nicht** this is an unsatisfactory solution **III.** *vr* (*sexuell*) ■**sich [selbst] ~** to masturbate

be·frie·di·gend *adj* satisfactory; ■**~ sein** to be satisfying

Be·frie·di·gung <-> *f kein pl* satisfaction; **zur ~ deiner Neugier** to satisfy your curiosity; **zu jds ~ sein** to be to sb's satisfaction

be·fris·ten* *vt* to limit (**auf** to)

be·fris·tet *adj* restricted; ÖKON, JUR *a.* fixedterm; *Stelle, Tätigkeit* fixed-term; *Vertrag* of limited duration; *Visum* temporary; **eine ~e Aufenthaltsgenehmigung** a residence permit valid for a restricted period of time; ■**auf etw** *akk* **~ sein** to be valid for sth; ÖKON, JUR to be limited [to sth]

Be·fris·tung <-, -en> *f* restriction; (*Zeitbegrenzung*) time limit

be·fruch·ten* *vt* ❶ (*Befruchtung erzielen*) to fertilize; *Frau* to impregnate; *Blüte* to pollinate; **künstlich ~** to inseminate artificially ❷ (*fig: fördernd anregen*) to stimulate

Be·fruch·tung <-, -en> *f* fertilization; *Blüte* pollination; **künstliche ~** *Mensch* in vitro fertilization, IVF; *Tier* artificial insemination, AI

Be·fruch·tungs·kli·nik *f* MED fertility clinic

Be·fug·nis <-ses, -se> [bə'fu:knɪs] *f* (*geh*) authorization *no pl*; **zu etw** *dat* **keine ~ haben** to not be authorized to do sth

be·fugt [bə'fu:kt] *adj* (*geh*) authorized; ■**zu etw** *dat* **~ sein** to be authorized to do sth

be·füh·len * vt to feel
Be·fund <-[e]s, -e> m MED result[s pl];
ohne ~ negative
be·fürch·ten * vt to fear; ■ ~, **dass ...** to be
afraid that ...; **nichts zu ~ haben** to have
nothing to fear; **wie befürchtet** as feared
Be·fürch·tung <-, -en> f meist pl fear;
seine ~en waren unbegründet his
fears were unfounded; **ich hatte die
schlimmsten ~en** I feared the worst; **die
~ haben, dass ...** to fear that ...
be·für·wor·ten * [bə'fy:ɐ̯vɔrtn̩] vt to be in
favour of
Be·für·wor·ter(in) <-s, -> m(f) supporter
be·gabt [bə'ga:pt] adj gifted; ■**für etw**
akk ~/**nicht ~ sein** to have/not have a
gift for sth; **sie ist künstlerisch/musika-
lisch sehr ~** she's very artistic/musical; **er
ist vielseitig ~** he's an all-round talent
Be·ga·bung <-, -en> f gift; **eine** [beson-
dere] ~ **für etw** akk **haben** to have a [spe-
cial] gift for sth
be·gann [bə'gan] imp von **beginnen**
be·gat·ten * I. vt ZOOL ■**ein Weibchen ~**
to mate with a female II. vr ■**sich ~** to
mate
be·ge·ben * vr irreg (geh) ❶ (gehen)
■**sich irgendwohin ~** to proceed somewhere; **sich zur Ruhe ~** to retire; **sich
nach Hause ~** to set off home ❷ (beginnen) ■**sich an etw** akk ~ to commence
sth ❸ (sich einer S. aussetzen) ■**sich in
etw** akk ~ to expose oneself to sth; **sich in
ärztliche Behandlung ~** to undergo medical treatment
Be·ge·ben·heit <-, -en> f (geh) event
be·geg·nen * [bə'ge:gnən] vi sein ❶ (treffen) ■**jdm ~** to meet sb; ■**sich** dat ~ to
meet ❷ (antreffen) ■**einer S.** dat ~ to encounter sth ❸ (geh: entgegentreten) Person to treat; Sache to face; Vorschlag a. to
respond to
Be·geg·nung <-, -en> f ❶ (Zusammenkunft) meeting ❷ SPORT encounter ❸ (das
Kennenlernen) encounter (**mit** with)
Be·geg·nungs·stät·te f meeting place
be·geh·bar adj passable on foot; **begehbarer Kleiderschrank** walk-in wardrobe
be·ge·hen * vt irreg ❶ (verüben) to commit; Fehler to make; **eine Dummheit ~** to
do sth foolish ❷ (betreten) to walk across/
along/into ❸ (geh: feiern) to celebrate;
ein Fest ~ to hold a celebration
be·ge·hren * [bə'ge:ɐ̯n] vt (geh) ❶ (nach
jdm verlangen) ■**jdn ~** to desire sb ❷ (zu
besitzen wünschen) to covet; **alles, was
das Herz begehrt** everything, the heart
could wish for

Be·geh·ren <-s, selten -> [bə'ge:ɐ̯n] nt
❶ (geh: Verlangen) desire ❷ (veraltet:
Wunsch) wish
be·geh·rens·wert adj desirable
be·gehr·lich adj (geh) longing
be·gehrt adj ❶ (sehr umworben) [much]
sought-after; Frau, Mann desirable; Junggeselle eligible; Preis [much-]coveted ❷ (beliebt, gefragt) popular
be·geis·tern * I. vt to fill sb with enthusiasm (**für** for); **das Stück hat die
Zuschauer begeistert** the audience were
enthralled by the play; **er konnte alle für
seinen Plan ~** he managed to win everybody [over] to his plan; **sie ist für nichts
zu ~** you can't interest her in anything
II. vr ■**sich für jdn/etw ~** to be enthusiastic about sb/sth
be·geis·tert I. adj enthusiastic; **sie ist
eine ~e Opernliebhaberin** she's an ardent opera fan; ■**[von etw** dat] ~ **sein** to
be thrilled [by sth] II. adv enthusiastically
Be·geis·te·rung <-> f kein pl enthusiasm
(**für** for); **es herrschte helle ~** everyone
was wildly enthusiastic; ~ **auslösen** to
arouse enthusiasm; **jdn in ~ versetzen** to
arouse sb's enthusiasm; **mit ~** enthusiastically; **er hat das Buch mit ~ gelesen** he
really enjoyed the book
be·geis·te·rungs·fä·hig adj able to get
enthusiastic pred; Publikum appreciative
Be·geis·te·rungs·sturm m storm of enthusiasm
Be·gier·de <-, -n> [bə'gi:ɐ̯də] f (geh) desire (**nach** for)
be·gie·rig I. adj ❶ (gespannt) eager (**auf**
for) ❷ (verlangend) longing ❸ (sexuell verlangend) lascivious II. adv ❶ (gespannt)
eagerly ❷ (verlangend) longingly ❸ (sexuell verlangend) lasciviously
be·gie·ßen * vt irreg ❶ (überschütten)
■**etw** [mit etw dat] ~ to pour [sth] over
sth ❷ (fam: feiern) to celebrate [with a
drink]; **das muss begossen werden!** that
calls for a drink!
Be·ginn <-[e]s> [bə'gɪn] m kein pl beginning, start; **zu ~** at the beginning
be·gin·nen <begann, begonnen>
[bə'gɪnən] vi, vt ❶ (anfangen) to begin
(**mit** with) ❷ (eine Arbeit aufnehmen)
■**als etw ~** to start out as sth
be·gin·nend adj attr ❶ (sich ankündi-
gend) incipient ❷ (einsetzend) beginning
be·glau·bi·gen * [bə'glaʊbɪgn̩] vt to
authenticate; **etw notariell ~** to attest sth
by a notary, AM also to notarize sth; **eine
beglaubigte Kopie** a certified [or AM also
an exemplified] copy

Be·glau·bi·gung <-, -en> f ❶ JUR certification ❷ POL von Botschafter accreditation

be·glei·chen* vt irreg (geh) Schulden to pay; Rechnung to settle

Be·glei·chung <-, -en> f pl selten (geh) payment, settlement

Be·gleit·brief m covering [or AM cover] letter

be·glei·ten* vt ▪ jdn ~ (a. fig) to accompany sb; **jdn zur Tür ~** to take sb to the door; ▪ etw ~ to escort sth; **unsere guten Wünsche ~ dich!** our best wishes go with you!; **jdn auf dem Klavier begleiten** to accompany sb on the piano

Be·glei·ter(in) <-s, -> m(f) ❶ (begleitender Mensch) companion ❷ MUS accompanist

Be·gleit·er·schei·nung f ❶ (gemeinsam auftretendes Phänomen) concomitant form ❷ MED [accompanying] symptom **Be·gleit·mu·sik** f ❶ (Hintergrundmusik) [musical] accompaniment, background music; (im Film) incidental music ❷ (sl: begleitende Aktionen) incidentals pl **Be·gleit·per·son** f escort **Be·gleit·schrei·ben** nt covering [or AM cover] letter **Be·gleit·um·stän·de** pl attendant circumstances pl

Be·glei·tung <-, -en> f ❶ (das Begleiten) company; (für eine Frau) escort; **kommst du allein oder in ~?** are you coming on your own or with someone?; **in** [jds gen] ~ accompanied by sb; **ohne ~** unaccompanied ❷ (Begleiter[in]) companion ❸ (Gefolge) entourage ❹ MUS accompaniment; **er bat sie um ~ auf dem Klavier** he asked her to accompany him on the piano; **ohne ~ spielen** to play unaccompanied

be·glü·cken* vt (geh) ❶ (glücklich stimmen) to make happy ❷ (hum: sexuell befriedigen) to bestow favours on sb hum fam

be·glückt I. adj happy **II.** adv happily

be·glück·wün·schen* vt to congratulate (**zu** on); **lass dich ~!** congratulations!

be·gna·det* [bə'gnaːdət] adj (geh) gifted

be·gna·di·gen* [bə'gnaːdɪgn̩] vt to pardon; (bei Todesurteil) to reprieve

Be·gna·di·gung <-, -en> f reprieve; **um ~ bitten** to petition for a pardon

Be·gna·di·gungs·ge·such nt JUR plea for [a] reprieve

be·gnü·gen* [bə'gnyːgn̩] vr ❶ (sich mit etw zufriedengeben) ▪ sich mit etw dat ~ to be content with sth ❷ (sich beschränken) ▪ sich damit ~, etw zu tun to content oneself to do sth; **er begnügte sich mit ein paar kurzen Worten** he restricted

himself to a few short words

Be·go·nie <-, -n> [be'goːnɪ̯ə] f begonia

be·gon·nen [bə'gɔnən] pp von **beginnen**

be·gra·ben* vt irreg ❶ (beerdigen) to bury ❷ Hoffnung, Plan to abandon ❸ (beenden) **einen Streit ~** to bury the hatchet; **die Sache ist ~ und vergessen** the matter is dead and buried

Be·gräb·nis <-ses, -se> [bə'grɛpnɪs] nt burial

be·gra·di·gen* [bə'graːdɪgn̩] vt BAU to straighten [out]

be·greif·bar adj comprehensible; **leicht/schwer ~** easy/difficult to understand

be·grei·fen* irreg **I.** vt ❶ (verstehen) to understand; (erfassen) to comprehend; ▪ ~, dass ... to realize that ...; **kaum zu ~ sein** to be incomprehensible; **ich begreife nicht ganz, was du damit meinst** I don't quite get what you're driving at; **begreife das, wer will!** that's beyond me! ❷ (für etw halten) to regard (**als** as) **II.** vi (verstehen) to understand; **langsam/schnell ~** to be slow/quick on the uptake **III.** vr ▪ sich als etw ~ to consider oneself to be sth

be·greif·lich adj understandable; **jdm etw ~ machen** to make sth clear to sb

be·greif·li·cher·wei·se adv understandably

be·gren·zen* vt ❶ a. BAU to mark the border of sth ❷ (beschränken) to limit (**auf** to); **die Geschwindigkeit auf ... km/h ~** to impose a speed limit of ... km/h

be·grenzt I. adj limited; **in einem zeitlich ~en Rahmen** in a limited time frame; **mein Aufenthalt hier ist zeitlich nicht ~** there is no time limit on my stay **II.** adv with limits; **nur ~ möglich sein** to be only partially possible

Be·grenzt·heit <-> f kein pl limitedness no pl (**+gen** of)

Be·gren·zung <-, -en> f ❶ a. BAU (Begrenzen) limiting; (Grenze) boundary ❷ (fig: das Beschränken) restriction ❸ BAU (Grenze) boundary

Be·griff <-[e]s, -e> m ❶ (Terminus) term; **ein ~ aus der Philosophie** a philosophical term ❷ (Vorstellung, Auffassung) idea; **keinen ~ von etw haben** to have no idea about sth; **sich** dat **einen ~ von etw** dat **machen** to have an idea of sth; **jdm ein/kein ~ sein** to mean sth/nothing to sb; **Harald Maier? Ist mir kein ~** Harald Maier? I've never heard of them; **für** jds akk **~e** in sb's opinion ❸ (Inbegriff) epitome no pl; **dieser Markenname ist zu einem ~ für Qualität geworden** this brand name has become a byword for quality ❹ (*Verständnis*) **schnell/schwer von ~ sein** (*fam*) to be quick/slow on the uptake ▶ **im ~ <u>sein</u>, etw zu tun** to be on the point of doing sth

be·grif·fen *adj* (*geh*) ▪**in etw** *dat* **~ sein** to be in the process of [doing] sth

be·griff·lich *adj attr* conceptual

be·griffs·stut·zig *adj* slow on the uptake
Be·griffs·stut·zig·keit <-> *f kein pl* slow-wittedness *no pl*

be·grün·den* *vt* ❶ (*Gründe angeben*) ▪**etw ~** to give reasons for sth; *Ablehnung, Forderung* to justify; *Behauptung, Klage, Verdacht* to substantiate ❷ (*gründen*) *Firma* to found

Be·grün·der(in) *m(f)* founder

be·grün·det *adj* well-founded; **eine ~e Aussicht auf Erfolg** a reasonable chance of success; **in etw** *dat* **~ liegen** to be the result of sth

Be·grün·dung <-, -en> *f* ❶ (*Angabe von Gründen*) reason; ▪**als ~ einer S.** *gen* as the reason for sth ❷ JUR grounds ❸ (*geh: das Gründen*) foundation

be·grü·nen* *vt* to cover with greenery

be·grü·ßen* *vt* ❶ (*willkommen heißen*) to greet; **ich begrüße Sie!** welcome!; ▪**jdn als etw** *akk* **~** to greet sb as sth; **jdn bei sich** *dat* **zu Hause ~ dürfen** (*geh*) to have the pleasure of welcoming sb into one's home; **wir würden uns freuen, Sie bald wieder an Bord ~ zu dürfen** we look forward to welcoming you on board again soon ❷ (*gutheißen*) to welcome; **es ist zu ~, dass ...** it is to be welcomed that ... ❸ SCHWEIZ (*ansprechen*) ▪**jdn/ etw ~** *dat* to approach sb/sth

be·grü·ßens·wert *adj* welcome; ▪**es ist ~ dass ...** it is to be welcomed that ...; ▪**es wäre ~ wenn ...** it would be desirable if ...

Be·grü·ßung <-, -en> *f* greeting; **offizielle ~** official welcome; **zur ~ erhielt jeder Gast ein Glas Sekt** each guest was welcomed with a glass of sparkling wine; **jdn zur ~ die Hand schütteln** to greet sb with a handshake

Be·grü·ßungs·an·spra·che *f* speech of welcome

be·gu·cken* *vt* (*fam*) to [have a] look at

be·güns·ti·gen* [bə'gʏnstɪɡn̩] *vt* to favour; **von etw** *dat* **begünstigt werden** to be helped by sth; *Export, Wachstum* to boost

Be·güns·ti·gung <-, -en> *f* ❶ (*Förderung*) *Pläne, Projekte* favouring *no pl*; (*positive Beeinflussung*) encouragement ❷ (*das Bevorzugen*) preferential treatment

be·gut·ach·ten* *vt* ❶ (*fachlich prüfen*) to examine (**auf** for); **etw ~ lassen** to get sth examined ❷ (*fam*) ▪**jdn/etw ~** to have a look at sb/sth

Be·gut·ach·tung <-, -en> *f* assessment; *eines Gebäudes* survey

be·gü·tert [bə'ɡyːtɐt] *adj* (*geh*) affluent

be·haart [bə'haːɐt] *adj* hairy; **stark/ schwach ~ sein** to be thickly/thinly covered with hair

Be·haa·rung <-, -en> *f* hair

be·hä·big [bə'hɛːbɪç] *adj* ❶ (*gemütlich, geruhsam*) placid; (*langsam, schwerfällig*) ponderous ❷ (*dicklich*) portly ❸ SCHWEIZ (*stattlich*) imposing

be·haf·tet *adj* ▪**mit etw** *dat* **~ sein** to be marked with sth; (*mit Makel*) to be flawed with sth; **mit Problemen ~ sein** to be fraught with problems

be·ha·gen* [bə'haːɡn̩] *vi* ▪**etw behagt jdm** sth pleases sb; **es behagt ihm nicht, so früh aufzustehen** he doesn't like getting up so early

Be·ha·gen <-s> [bə'haːɡn̩] *nt kein pl* contentment *no pl*

be·hag·lich [bə'haːklɪç] **I.** *adj* ❶ (*gemütlich*) cosy; **es sich** *dat* **~ machen** to make oneself comfortable ❷ (*genussvoll*) contented **II.** *adv* ❶ (*gemütlich*) cosily ❷ (*genussvoll*) contentedly

Be·hag·lich·keit <-> *f kein pl* cosiness *no pl*

be·hal·ten* *vt irreg* ❶ (*in seinem Besitz lassen*) to keep; **wozu willst du das alles ~!** why hang on to all this! ❷ (*nicht preisgeben*) **etw für sich ~** to keep sth to oneself ❸ (*bewahren*) to maintain; **die Nerven ~** to keep one's nerve ❹ (*im Gedächtnis bewahren*) to remember; **ich habe leider seinen Namen nicht ~** sorry, I cannot remember his name; **etw im Kopf ~** to keep sth in one's head ❺ (*dort lassen, wo es ist*) **den Hut auf dem Kopf ~** to keep one's hat on ❻ (*zurückbehalten*) ▪**etw ~** to be left with sth (**von** from)

Be·häl·ter <-s, -> *m* container

be·häm·mert *adj* (*sl*) *s.* **bescheuert**

be·händᴿᴿ [bə'hɛnt], **be·hän·de**ᴿᴿ [bə'hɛndə] **I.** *adj* (*geh*) nimble **II.** *adv* nimbly

be·han·deln* *vt* ❶ (*damit umgehen*) to treat (**mit** with); **jdn gut/schlecht ~** to treat sb well/badly; **jdn mit Nachsicht ~** to be lenient with sb; **jdn wie ein kleines Kind ~** to treat sb like a child; **etw vorsichtig ~** to handle sth with care ❷ (*bearbeiten*) to treat (**mit** with); **chemisch**

behandelt chemically treated ❸ (*abhandeln*) *Antrag, Punkt* to deal with

be·hän·di·gen *vt* SCHWEIZ to get hold of

Be·hand·lung <-, -en> *f* treatment

Be·hand·lungs·kos·ten *pl* cost of treatment **Be·hand·lungs·me·tho·de** *f* method of treatment **Be·hand·lungs·raum** *m,* **Be·hand·lungs·zim·mer** *nt* treatment room

be·hän·gen *vt* ❶ (*aufhängen*) to hang (**mit** with); *Weihnachtsbaum* to decorate; **Wände mit Bildern ~** to hang walls with pictures ❷ (*pej fam*) ◼ **sich ~** *mit Schmuck* to festoon oneself

be·har·ren *vi* to insist (**auf** on); **auf seiner Meinung ~** to persist with one's opinion

be·harr·lich I. *adj* insistent; (*ausdauernd*) persistent II. *adv* persistently; **~ schweigen** to persist in remaining silent

Be·harr·lich·keit <-> *f kein pl* insistence

be·hau·en *vt Holz* to hew, to axe; *Stein* to cut; (*mit einem Meißel*) to chisel

be·haup·ten [bə'haʊptn̩] I. *vt* ❶ (*äußern*) to claim; **wer das behauptet, lügt!** whoever says that is lying!; ◼ **von jdm ~, dass ...** to say of sb that ...; ◼ **es wird behauptet, dass ...** it is said that ... ❷ (*aufrechterhalten*) to maintain; **seinen Vorsprung gegen jdn ~** to maintain one's lead over sb II. *vr* ◼ **sich ~** to assert oneself (**gegen** over); **sich gegen die Konkurrenz ~ können** to be able to survive against one's competitors; **Agassi konnte sich gegen Sampras ~** Agassi held his own against Sampras

Be·haup·tung <-, -en> *f* ❶ (*Äußerung*) assertion; **eine ~ aufstellen** to make an assertion ❷ (*Durchsetzen*) maintaining *no pl*

Be·hau·sung <-, -en> *f* (*hum geh*) accommodation

be·he·ben *vt irreg* ❶ (*beseitigen*) to remove; *Fehler, Mangel* to rectify; *Missstände* to remedy; *Schaden, Funktionsstörung* to repair ❷ FIN ÖSTERR **Geld ~** to withdraw money

Be·he·bung <-, -en> *f* ❶ (*Beseitigung*) removal; *eines Fehlers/Mangels* rectification; *eines Schadens, einer Störung* repair ❷ FIN ÖSTERR *Geld* withdrawal

be·hei·ma·tet [bəhaɪmaːtət] *adj* ❶ (*ansässig*) ◼ **~ sein** to be resident ❷ BOT, ZOOL native; **in Kalifornien ~ sein** to be native to California

be·hei·zen *vt* to heat (**mit** with)

Be·helf <-[e]s, -e> [bə'hɛlf] *m* [temporary] replacement

be·hel·fen *vr irreg* **sich** *dat* **mit etw** *dat*

~ [**müssen**] to [have to] make do with sth; ◼ **sich** *dat* ~ [**können**] to manage

be·helfs·mä·ßig I. *adj* temporary II. *adv* temporarily

be·hel·li·gen [bə'hɛlɪgn̩] *vt* ◼ **jdn** [**mit etw** *dat*] ~ to bother sb [with sth]

be·hendᴬᴸᵀ [bə'hɛnd], **be·hen·de**ᴬᴸᵀ [bə'hɛndə] *adj, adv s.* **behänd|e**

be·her·ber·gen* *vt* to accommodate

be·herr·schen* I. *vt* ❶ (*gut können*) to have mastered; **sein Handwerk ~** to be good at one's trade; **ein Instrument ~** to play an instrument well; **eine Sprache ~** to have good command of a language; **alle Tricks ~** to know all the tricks; **etw aus dem Effeff ~** (*fam*) to know sth inside out ❷ (*als Herrscher regieren*) to rule ❸ (*im Griff haben*) to control; **ein Fahrzeug ~** to have control over a vehicle ❹ (*prägen, dominieren*) to dominate ❺ (*unter Einfluss von etw stehen*) ◼ **von etw** *dat* **beherrscht werden** to be ruled by sth II. *vr* ◼ **sich ~** to control oneself

be·herrscht I. *adj* [self-]controlled II. *adv* with self-control

Be·herr·schung <-> *f kein pl* ❶ (*das Gutkönnen*) mastery ❷ (*Selbst~*) self-control; **die ~ verlieren** to lose one's self-control ❸ (*das Kontrollieren*) control

be·her·zi·gen* [bə'hɛrtsɪgn̩] *vt* to take to heart; *Rat* to heed

be·herzt *adj* (*geh*) intrepid

be·hilf·lich [bə'hɪlflɪç] *adj* ◼ **jdm ~ sein** to help sb

be·hin·dern* *vt* ❶ (*hinderlich sein*) ◼ **jdn ~** to obstruct [*or* hinder] sb; ◼ **etw ~** to hinder sth ❷ (*hemmen*) to hamper

be·hin·dert *adj* disabled; **geistig/körperlich ~** mentally/physically disabled [*or* dated handicapped]

Be·hin·der·te(r) *f(m) dekl wie adj* disabled [*or* dated handicapped] person; ◼ **die B~n** the disabled [*or* dated handicapped]; **geistig/körperlich ~** mentally/physically disabled person

be·hin·der·ten·ge·recht *adj* suitable for the disabled **Be·hin·der·ten·park·platz** *m* parking place for the disabled

Be·hin·de·rung <-, -en> *f* ❶ (*das Behindern*) obstruction; **es muss mit ~en gerechnet werden** delays are to be expected ❷ (*körperliche Einschränkung*) disability, handicap *dated;* **geistige/körperliche ~** mental/physical disability

Be·hör·de <-, -n> [bə'høːɐ̯də] *f* ❶ (*Dienststelle*) department ❷ (*fam*) town council ❸ (*Amtsgebäude*) [local] council offices

be·hörd·lich [bə'hø:ɐ̯tlɪç] **I.** *adj* official **II.** *adv* officially; **~ genehmigt** authorized by the authorities

be·hü·ten* *vt* ❶ (*schützend bewachen*) to watch over ❷ (*bewahren*) to protect (**vor** from); **jdn vor einem Fehler ~** to save sb from a mistake

be·hut·sam [bə'hu:tza:m] **I.** *adj* (*geh*) gentle **II.** *adv* (*geh*) gently; **jdm etw ~ beibringen** to break sth to sb gently

Be·hut·sam·keit <-> *f kein pl* (*geh*) care

bei [baɪ] *präp* +*dat* ❶ (*räumlich*) ~ **jdm** (*in jds Wohn-/Lebensbereich*) with sb; (*in jds Unternehmensbereich*) in; (*in einem Geschäft*) at; (*in jds Werk*) in; **am Wochenende sind sie ~ ihm** at the weekend they will be at his place; **~ uns zu Hause** at our house; **ich war ~ meinen Eltern** I was at my parents' [house]; **~ wem nimmst du Klavierstunden?** who do you have your piano lessons with?; **seit wann bist du eigentlich ~ dieser Firma?** how long have you been working for this company?; **~ Familie Schmidt** (*Briefanschrift*) c/o Schmidt; **beim Bäcker/Friseur** at the baker's/hairdresser's ❷ (*räumlich*) **etw ~ sich** *dat* **haben** to have sth with one; **ich habe gerade kein Geld ~ mir** I haven't any money on me at the moment ❸ (*räumlich*) **~ etw** *dat* (*in der Nähe von*) near sth; (*Berührung*) by; (*dazwischen, darunter*) among; **Böblingen ist eine Stadt ~ Stuttgart** Böblingen is a town near Stuttgart; **~ dem Zugunglück starben viele Menschen** many people died in the train crash; **die Unterlagen sind ~ den Akten** the papers are amongst the files ❹ (*Zeitspanne: während*) during; (*Zeitspanne: Zeitpunkt betreffend*) at ❺ (*während einer Tätigkeit*) while; **störe mich bitte nicht ~ der Arbeit!** please stop disturbing me when I'm working! ❻ (*Begleitumstände*) by; **wir aßen ~ Kerzenlicht** we had dinner by candlelight; **~ dieser Hitze/Kälte** in such a heat/cold; **~ Wind und Wetter** come rain or shine ❼ (*im Falle von etw*) in case of; **„bei Feuer Scheibe einschlagen"** "in case of fire break glass" ❽ (*trotz*) ■ **~ all/aller ...** in spite of all; **~ alledem ...** for all that ... ▸ **nicht** [*ganz*] **~ sich** *dat* **sein** (*fam*) to be not [quite] oneself

bei|be·hal·ten* *vt irreg* ❶ (*weiterhin behalten*) to maintain; (*Tradition, Brauch* to uphold; *Meinung*) to stick to ❷ (*fortsetzen*) *Diät* to keep to; *Geschwindigkeit* to maintain; *Therapie* to continue

Bei·be·hal·tung <-> *f kein pl* ❶ (*das Beibehalten*) *Gewohnheit, Methode* maintenance ❷ (*das Fortsetzen*) *Richtung* keeping to

Bei·boot *nt* tender (*vessel attendant on others*)

bei|brin·gen *vt irreg* ❶ (*fam: eine schlechte Nachricht übermitteln*) **jdm etw** |**schonend**| **~** to break sth [gently] to sb ❷ (*fam: lehren*) to teach ❸ (*zufügen*) ■ **jdm etw ~** to inflict sth on sb; **jdm eine Niederlage ~** to inflict a defeat on sb ❹ (*beschaffen*) to produce

Beich·te <-, -n> ['baɪçtə] *f* confession; **die ~ ablegen** (*geh*) to make one's confession; **jdm die ~ abnehmen** to hear sb's confession

beich·ten ['baɪçtn̩] **I.** *vt* ■ |**jdm**| **etw ~** to confess sth [to sb] **II.** *vi* to confess; **~ gehen** to go to confession

Beicht·ge·heim·nis *nt* seal of confession **Beicht·stuhl** *m* confessional **Beicht·va·ter** *m* (*veraltend*) father confessor *also fig*

bei·de ['baɪdə] *pron* ❶ (*alle zwei*) both; **sie hat ~ Kinder gleich lieb** she loves both children equally; **~ Mal**[**e**] both times; ■ **ihr ~** the two of you; **ihr ~ solltet euch wieder vertragen!** you two really should make up again!; ■ **euch ~n** both of you ❷ (*ich und du*) ■ **uns ~n** both of us; ■ **wir ~** the two of us ❸ (*die zwei*) ■ **die ~n** both [of them]; **die ~n vertragen sich sehr gut** they both get on very well; **die ersten/letzten ~n ...** the first/last two ...; **einer von ~n** one of the two ❹ (*sowohl dies als auch jenes*) ■ **~s** both; **~s ist möglich** both are possible

bei·de·mal^ALT *adv s.* **beide 1**

bei·der·lei ['baɪdɐ'laɪ] *adj attr* both

bei·der·sei·tig ['baɪdɐzaɪtɪç] *adj* on both sides; *Abkommen* bilateral; *Vertrauen, Einverständnis, Zufriedenheit* mutual

bei·der·seits ['baɪdɐ'zaɪts] *adv* on both sides

beid·hän·dig I. *adj* ❶ SPORT double-[*or* two-]handed ❷ (*beide Hände betreffend*) **eine ~e Amputation** an amputation of both hands; **ein ~er Griff** a double-[*or* two-]handed grip **II.** *adv* ❶ SPORT with two [*or* both] hands ❷ (*beide Hände betreffend*) **~ amputiert** with both hands amputated

bei|dre·hen *vi* NAUT to heave to

beid·sei·tig ['baɪdzaɪtɪç] *adj, adv* on both sides; *Beschichtung* double-sided

bei·ei·nan·der [baɪʔaɪ'nandɐ] *adv* together ▸ **gut/schlecht ~ sein** (*fam körperlich*) to be in good/bad shape; (*geistig*) to be/ not be all there

bei·ei·nan·der|ha·ben *vt irreg* (*fam*)

■**etw** [**wieder**] ~ (*fam*) to have [got] sth together [again] **bei·ei·nan·der|lie·gen** *vi irreg* to lie together **bei·ei·nan·der|sit·zen** *vi irreg* to sit together **bei·ei·nan·der|ste·hen** *vi irreg* to stand together

Bei·fah·rer(in) *m(f)* (*Passagier neben dem Fahrer*) front-seat passenger; (*zusätzlicher Fahrer*) co-driver

Bei·fah·rer·air·bag [-ɛːebɛk] *m* passenger airbag **Bei·fah·rer·sitz** *m* [front] passenger seat

Bei·fall <-[e]s> *m kein pl* ❶ (*Applaus*) applause; ~ **klatschen** to applaud ❷ (*Zustimmung*) approval; ~ **heischend** (*geh*) looking for approval; [jds *akk*] ~ **finden** to meet with [sb's] approval

bei·fäl·lig I. *adj* approving **II.** *adv* approvingly; **er nickte** ~ **mit dem Kopf** he nodded approvingly

Bei·falls·ruf *m* cheer, shout of approval **Bei·falls·sturm** *m* storm of applause

bei|fü·gen *vt* ❶ (*mitsenden*) to enclose ❷ (*hinzufügen*) to add

Bei·ga·be <-, -n> *f* ❶ *sing* (*das Hinzufügen*) addition ❷ *sing o pl* (*Beilage*) side dish

beige [beːʃ, ˈbeːʒə] *adj* beige

bei|ge·ben *vt irreg* ❶ (*mitsenden*) to enclose ❷ (*hinzufügen*) to add

Bei·ge·schmack *m* ❶ (*zusätzlicher Geschmack*) [after]taste ❷ (*fig*) overtone[s]

Bei·heft *nt* (*zusätzlich beigelegtes Heft*) supplement; scH answer book

Bei·hil·fe *f* ❶ (*finanzielle Unterstützung*) financial assistance; (*nicht rückzuerstattende Förderung*) grant; (*Subvention*) subsidy ❷ JUR **jdn wegen** ~ **zum Mord anklagen** to charge sb with acting as an accessory to murder

bei|kom·men *vi irreg sein* ❶ (*mit jdm fertigwerden*) ■**jdm/einer S.** *dat* ~ to sort out sb/sth *sep* ❷ DIAL (*endlich kommen*) to come ❸ DIAL (*erreichen können*) ■**irgendwo** ~ to reach somewhere; **die Öffnung ist so eng, dass man mit der Zange nicht beikommt** the opening is too narrow to reach with the pliers

Beil <-[e]s, -e> [baɪl] *nt* ❶ (*Werkzeug*) [short-handled] axe ❷ HIST (*Fallbeil*) blade [of a guillotine]; (*Richt~*) executioner's axe

beil. *Abk von* **beiliegend**

Bei·la·ge *f* ❶ (*beigelegte Speise*) side dish, *esp* AM side order ❷ (*das Beilegen*) enclosure (**zu** in) ❸ (*Beiheft*) supplement, addition; (*beigelegtes Werbematerial*) insert ❹ ÖSTERR (*Anlage*) enclosure

bei·läu·fig I. *adj* passing **II.** *adv* ❶ (*nebenbei*) in passing; **etw** ~ **erwähnen** to mention sth in passing ❷ ÖSTERR (*ungefähr*) about

bei|le·gen *vt* ❶ (*dazulegen*) ■**einer S.** *dat* **etw** *akk*~ to insert sth in sth; **einem Brief einen Rückumschlag** ~ to enclose an SAE [*or* AM SASE] in a letter ❷ (*schlichten*) to settle; **lass uns die Sache** ~! let's settle the matter

Bei·le·gung <-, -en> *f* ❶ JUR (*Schlichtung*) settlement ❷ (*selten: Beilage*) enclosure ❸ NAUT mooring

bei·lei·be [baɪˈlaɪbə] *adv* on no account; ~ **nicht!** certainly not

Bei·leid *nt kein pl* condolence[s *pl*]; [**mein**] **herzliches** ~ [you have] my heartfelt sympathy; **jdm** [**zu etw** *dat*] **sein** ~ **aussprechen** to offer sb one's condolences [on sth]

Bei·leids·kar·te *f* condolence card

bei|lie·gen *vi irreg* ■**einer S.** *dat* ~ to be appended to sth; (*einem Brief, Paket*) to be enclosed in sth

bei·lie·gend *adj* enclosed; ~ **finden Sie ...** (*geh*) please find enclosed ...

beim [baɪm] = **bei dem** ❶ (*Aufenthalt in jds Geschäftsräumen*) ~ **Arzt/Bäcker/ Friseur** at the doctor's/baker's/hairdresser's ❷ (*eine Tätigkeit ausführend*) **jdn** ~ **Arbeiten stören** to disturb sb working

bei|men·gen *vt* to add

bei|mes·sen *vt irreg* **einer S.** *dat* **Bedeutung/Wert** ~ to attach importance/value to sth

bei|mi·schen *vt s.* **beimengen**

Bein <-[e]s, -e> [baɪn] *nt* ❶ (*Körperteil*) leg; **die ~e ausstrecken/spreizen/ übereinanderschlagen** to stretch [out]/ part/cross one's legs; **das ~ heben** *Hund* to lift a leg; **jdm** [**wieder**] **auf die ~ e helfen** to help sb back on his feet; **wieder auf die ~ e kommen** to get back on one's feet [again]; **unsicher auf den ~ en sein** to be unsteady on one's feet; **jdm ein ~ stellen** to trip up sb *sep;* **von einem ~ aufs andere treten** to shift from one foot to the other; **sich** *dat* **die ~ e vertreten** to stretch one's legs ❷ (*Hosen~*) leg ❸ (*Knochen*) bone ▸**die ~ e unter den** <u>Arm</u> **nehmen** (*fam*) to take to one's heels; **sich** *dat* **die ~ e in den** <u>Bauch</u> **stehen** (*fam*) to be standing until one is ready to drop; **mit beiden ~ en auf dem** <u>Boden</u> **stehen** to have both feet on the ground; **mit einem ~ im** <u>Grabe</u> **stehen** to have one foot in the grave; **die ~ e unter jds** <u>Tisch</u> **strecken** (*fam*) to have one's feet under sb's table; **mit dem** <u>linken</u> ~ **zuerst aufgestanden sein** to have got out of bed on the wrong side; **sich** *dat* [**bei etw** *dat*] **kein ~**

aus·rei·ßen (*fam*) to not bust a gut [over sth]; ~**e bekommen** (*fam*) to go for a walk on its own; **immer wieder auf die ~e fallen** (*fam*) to always land on one's feet; **alles, was ~e hat, ...** (*fam*) everything on two legs ...; **sich kaum noch auf den ~en halten können** to be hardly able to stand on one's [own two] feet; **jdm [wieder] auf die ~e helfen** to help sb back on his feet; **wieder auf die ~e kommen** (*wieder gesund werden*) to be up on one's feet again; (*sich wirtschaftlich wieder erholen*) to recover one's economic state; **jdm ~e machen** (*fam*) to give sb a kick in the arse [*or* Am ass]; **sich auf die ~e machen** (*fam*) to get a move on; **auf den ~en sein** (*in Bewegung sein*) to be on one's feet; (*auf sein*) to be up and about; **auf eigenen ~en stehen** to be able to stand on one's own two feet; **etw auf die ~e stellen** to get sth going

bei·nah ['bai̯na:, 'bai̯'na:, bai̯'na:] *adv,* **bei·na·he** ['bai̯na:ə, 'bai̯'na:ə, bai̯'na:ə] *adv* almost

Bei·na·he·zu·sam·men·stoß <-es, -stöße> *m* near miss; *Flugzeuge a.* Brit *also* air miss

Bei·na·me *m* epithet

Bein·ar·beit *f kein pl* footwork

Bein·bruch *m* ❶ (*Bruch eines Beines*) fracture of the leg; **das ist kein ~!** (*fig fam*) it's not as bad as all that! ❷ (*fam: Patient mit einem ~*) broken leg

be·in·hal·ten* [bə'ʔɪnhaltn̩] *vt* (*geh*) to contain

Bein·pro·the·se *f* artificial leg

bei·ord·nen *vt* ▪jdm jdn ~ to assign sb to sb

Bei·pack·zet·tel *m* instruction leaflet

bei·pflich·ten *vi* ▪jdm ~ to agree with sb (**in** on)

Bei·rat *m kein pl* advisory board

be·ir·ren* *vt* ▪sich [nicht] ~ lassen to [not] let oneself be put off

bei·sam·men [bai̯'zamən] *adv* ❶ (*zusammen*) together; ~ **sein** to be [all] together ❷ (*fam: geistig rege*) [nicht] **gut ~ sein** to [not] be with it

bei·sam·men|seinALT *vi irreg sein s.* **beisammen**

Bei·sam·men·sein *nt* get-together

Bei·schlaf *m* sexual intercourse (**zwischen** between); **außerehelicher ~** adultery

Bei·sein *nt* ▪in jds ~ in sb's presence

bei·sei·te [bai̯'zai̯tə] *adv* to one side

bei·sei·te|ge·hen *vi irreg sein* to step aside

bei·sei·te|le·gen *vt* ▪etw ~ (*etw wegle-*

gen) to put sth to one side; (*etw sparen*) to put aside sth *sep*

bei|set·zen *vt* (*geh*) to inter; *Urne* to install

Bei·set·zung <-, -en> *f* (*geh*) interment; *einer Urne* installing [in its resting place]

Bei·sit·zer(in) <-s, -> *m(f)* ❶ JUR associate judge [*or* Brit *spec also* puisne] ❷ (*Kommissionsmitglied*) assessor

Bei·spiel <-[e]s, -e> ['bai̯ʃpi:l] *nt* example; **anschauliches ~** illustration; **praktisches ~** demonstration; **mit gutem ~ vorangehen** to set a good example; **sich** *dat* **an jdm ein ~ nehmen** to take a leaf out of sb's book; **zum ~** for example; **wie zum ~** such as

bei·spiel·haft *adj* ❶ (*vorbildlich*) exemplary ❷ (*typisch*) typical (**für** of) **bei·spiel·los** *adj* ❶ (*unerhört*) outrageous ❷ (*ohne vorheriges Beispiel*) unprecedented (**in** in)

Bei·spiel·satz *m* example [sentence]

bei·spiels·wei·se *adv* for example

bei·ßen <biss, gebissen> ['bai̯sn̩] I. *vt* ▪jdn to bite sb; **etwas/nichts zu ~ haben** (*fam*) to have something/nothing to eat; **er wird dich schon nicht ~!** (*fig*) he won't bite you II. *vi* ❶ (*mit den Zähnen*) ▪auf/in etw *akk* ~ to bite into sth; **die Fische wollen heute nicht ~** the fish aren't biting today ❷ (*brennend sein*) to sting; *Säure* to burn; **in den Augen ~** to make one's eyes sting ▶ **an etw** *dat* **zu ~ haben** to have sth to chew over III. *vr* ❶ (*mit den Zähnen*) ▪sich *akk o dat* **auf etw** *akk* ~ to bite one's sth ❷ (*nicht harmonieren*) ▪sich [mit etw *dat*] ~ to clash [with sth]

bei·ßend *adj* ❶ (*scharf*) pungent; *Qualm* acrid ❷ (*brennend*) burning ❸ (*ätzend*) caustic

Beiß·zan·ge *f* DIAL *s.* **Kneifzange**

Bei·stand *m* ❶ *kein pl* (*Unterstützung*) support; (*Hilfe*) assistance; *von Priester* attendance; **ärztlicher ~** medical aid; **jdm ~ leisten** to give sb one's support ❷ (*helfender Mensch*) assistant; **seelischer ~** sb who gives emotional support ❸ JUR legal adviser

bei|ste·hen *vi irreg* ▪jdm ~ to stand by sb

bei|steu·ern *vt* to contribute (**zu** to); **seinen Teil ~** to contribute one's share

bei|stim·men *vi s.* **zustimmen**

Bei·strich *m bes* ÖSTERR comma

Bei·trag <-[e]s, -träge> ['bai̯tra:k, *pl* 'bai̯trɛ:gə] *m* ❶ (*Mitglieds~*) fee; (*Versicherungs~*) premium ❷ (*Artikel*) article ❸ (*Mitwirkung*) contribution; **einen ~ zu etw** *dat* **leisten** to make a contribution to sth ④ SCHWEIZ (*Subvention*) subsidy

bei|tra·gen I. *vi irreg* ■**zu etw** *dat* ~ to contribute to sth II. *vt* to contribute (**zu** to); **seinen Teil zur Rettung der Hungern·den** ~ to do one's bit to help the starving

bei·trags·pflich·tig *adj* liable to pay contribution **Bei·trags·satz** *m* membership rate **Bei·trags·zeit** *f* contribution period

bei|tre·ten *vi irreg sein* ❶ (*Mitglied werden*) to join [as a member] ❷ POL to enter into

Bei·tritt *m* ❶ (*das Beitreten*) entry (**zu** into) ❷ POL (*Anschluss*) accession (**zu** to) **Bei·tritts·er·klä·rung** *f* confirmation of membership

Bei·wa·gen *m* sidecar

Bei·werk *nt* (*geh*) embellishment[s *pl*]

bei|woh·nen *vi* (*geh*) ■**einer S.** *dat* ~ to be present at sth

Bei·wort <-wörter> *nt* ❶ (*beschreibendes Wort*) epithet ❷ (*selten: Adjektiv*) adjective

Bei·ze¹ <-, -n> ['baɪtsə] *f* ❶ (*Beizmittel*) stain[ing agent] ❷ (*Marinade*) marinade

Bei·ze² <-, -n> ['baɪtsə] *f* DIAL (*fam: Kneipe*) pub BRIT, bar AM

bei·zei·ten [baɪ'tsaɪtn̩] *adv* in good time; **das hättest du mir aber ~ sagen müssen!** you should have told me that earlier

bei·zen ['baɪtsn̩] *vt* ❶ (*mit Beizmittel*) to stain ❷ (*marinieren*) to marinate

be·ja·hen* [bə'jaːən] *vt* ❶ (*mit Ja beantworten*) to answer in the affirmative ❷ (*gutheißen*) to approve [of]

be·ja·hend I. *adj* affirmative II. *adv* affirmatively

be·jahrt [bə'jaːɐt] *adj* (*geh*) ❶ (*älter*) elderly, advanced in years *pred* ❷ (*hum: von Tier: alt*) aged

be·jam·mern* *vt* to lament

be·jam·merns·wert *adj* lamentable

be·ju·beln* *vt* to cheer; ■**bejubelt werden** to be met with cheering

be·ka·keln* *vt* DIAL to discuss

be·kämp·fen* *vt* ■**jdn/etw** ~ ❶ (*gegen jdn/etw kämpfen*) to fight [against] sb/sth; ■**sich** [**gegenseitig**] ~ to fight one another ❷ (*durch Maßnahmen eindämmen*) to combat ❸ (*auszurotten suchen*) to control

Be·kämp·fung <-, selten -en> *f* ❶ (*das Bekämpfen*) fighting (+*gen* against) ❷ (*versuchte Eindämmung*) combatting; **zur ~ der Drogenkriminalität** to combat drug-related crime ❸ (*versuchte Ausrottung*) controlling

be·kannt [bə'kant] *adj* ❶ (*allgemein gekannt*) well-known; **etw ~ geben** to announce sth; (*von der Presse*) to publish

sth.; **jdn ~ machen** (*berühmt*) to make sb famous; **etw ~ machen** (*öffentlich*) to make sth known to the public; **für etw** *akk* ~ **sein** to be well-known for sth; ~ **werden** to become famous ❷ (*nicht fremd, vertraut*) familiar; **ist dir dieser Name ~?** are you familiar with this name?; **allgemein ~ sein** to be common knowledge; **jdn/sich** [**mit jdm**] ~ **machen** to introduce sb/oneself [to sb]; **mit jdm ~ sein** to be acquainted with sb; **jdm ~ vorkommen** to seem familiar to sb

Be·kann·te(r) *f(m) dekl wie adj* acquaintance; **ein guter ~r** a friend

Be·kann·ten·kreis *m* circle of acquaintances

be·kann·ter·ma·ßen *adv* (*geh*) *s.* **bekanntlich**

Be·kannt·ga·be *f* announcement; (*von der Presse*) publication

be·kannt|ge·benᴬᴸᵀ *vt irreg* to announce; (*von der Presse*) to publish

Be·kannt·heit <-> *f kein pl* fame *no pl*

Be·kannt·heits·grad *m* degree of fame

be·kannt·lich *adv* as is [generally] known

be·kannt|ma·chenᴬᴸᵀ *vt* (*öffentlich*) to make known to the public

Be·kannt·ma·chung <-, -en> *f* ❶ *kein pl* (*das Bekanntmachen*) announcement; (*der Öffentlichkeit*) publicizing; (*durch Fernsehen*) broadcasting; (*von der Presse*) publication; **öffentliche ~** public announcement ❷ (*Anschlag etc*) notice

Be·kannt·schaft <-, -en> *f* ❶ *kein pl* (*das Bekanntsein*) acquaintance; **jds ~ machen** to make sb's acquaintance *also iron;* **mit etw** *dat* ~ **machen** (*iron*) to get to know sth ❷ (*fam: Bekanntenkreis*) acquaintances *pl*

be·kannt|wer·den *vi irreg sein s.* **bekannt 1**

be·keh·ren* I. *vt* ■**jdn** [**zu etw** *dat*] ~ (*fig liter*) to convert sb [to sth] II. *vr* ■**sich** [**zu etw** *dat*] ~ (*fig liter*) to be[come] converted [to sth]

Be·keh·rung <-, -en> *f* conversion

be·ken·nen* *irreg* I. *vt* ❶ (*eingestehen*) to confess ❷ (*öffentlich dafür einstehen*) to bear witness to II. *vr* ■**sich zu jdm/etw** ~ to declare one's support for sb/sth; **sich zu einem Glauben** ~ to profess a faith; **sich zu einem Irrtum** ~ to admit to a mistake; **sich zu einer Tat** ~ to confess to a deed; **sich zu einer Überzeugung** ~ to stand up for one's convictions

Be·kennt·nis *nt* ❶ (*Eingeständnis*) confession ❷ (*das Eintreten für etw*) declared belief (**zu** in) ❸ REL (*Konfession*) [religious]

denomination

be·kla·gen* I. *vt* to lament; **bei dem Unglück waren 23 Tote zu** ~ the accident claimed 23 lives II. *vr* ■**sich** ~ to complain (**über** about); **man hat sich bei mir über Sie beklagt** I have received a complaint about you

be·kla·gens·wert *adj* lamentable; *Irrtum, Versehen* unfortunate

Be·klag·te(r) *f(m) dekl wie adj* JUR defendant

be·klau·en* *vt (fam)* to rob

be·kle·ckern* I. *vt (fam)* to stain II. *vr (fam)* **sich [mit Brei/Soße]** ~ to spill porridge/sauce all down oneself

be·kleck·sen *vt* to splatter

be·klei·den* *vt (geh)* ❶ *(innehaben)* to fill ❷ *(geh)* ■**sich** ~ to dress oneself

Be·klei·dung *f* ❶ *(Kleidungsstück)* clothing *no pl, no indef art* ❷ *(geh: das Innehaben)* tenure

Be·klei·dungs·stück *nt (geh)* s. **Kleidungsstück**

be·klem·mend I. *adj* ❶ *(beengend)* claustrophobic ❷ *(beängstigend)* oppressive II. *adv* oppressively

Be·klem·mung <-, -en> *f* constriction

be·klom·men [bəˈklɔmən] I. *adj* anxious; *(von Mensch a.)* uneasy II. *adv* anxiously

Be·klom·men·heit <-> *f kein pl* anxiety; *(von Mensch a.)* uneasiness *no pl*

be·kloppt [bəˈklɔpt] *adj (sl)* s. **bescheuert**

Be·klopp·te(r) <-n, -n> *f(m) dekl wie adj (fam)* idiot

be·knackt [bəˈknakt] *adj (sl)* s. **bescheuert**

be·knien* *vt (fam)* ■**jdn** ~ [, **etw zu tun**] to beg sb [to do sth]

be·ko·chen* *vt* to cook for

be·kom·men* *irreg* I. *vt* haben ❶ *(erhalten)* ■**etw [von jdm]** ~ to receive sth [from sb]; *Genehmigung, Mehrheit* to obtain; *Massage, Spritze* to be given; *Ohrfeige* to get; **ich habe das zum Geburtstag** ~ I received this for my birthday; **sie bekommt 21 Euro die Stunde** she earns 21 euros an hour; **ich bekomme noch 4000 Euro von dir** you still owe me 4000 euros; **was** ~ **Sie dafür?** how much is it?; **von der Schokolade kann sie einfach nicht genug** ~**!** she just can't get enough of that chocolate!; **Ärger/Schwierigkeiten** ~ to get into trouble/difficulties; **eine Ermäßigung** ~ to qualify for a reduction; **etw in die Hände** ~ *(fam)* to get hold of sth ❷ *(erreichen)* **den Bus** ~ to catch the bus ❸ *(serviert erhalten)* ■**etw** ~ to be

served with sth; **ich bekomme ein Bier** I'd like a beer; **wer bekommt das Steak?** who ordered the steak?; **was** ~ **Sie?** what would you like? ❹ *(entwickeln)* **eine Erkältung** ~ to catch a cold; **eine Glatze/ graue Haare** ~ to go bald/to go grey; **Heimweh** ~ to get homesick; **Lust** ~**, etw zu tun** to feel like doing sth; **Zähne** ~ to teethe ❺ *mit Infinitivkonstruktion* **etw zu essen/trinken** ~ to get sth to eat/drink; **etw zu hören/sehen** ~ to get to hear/see sth; **der wird von mir etwas zu hören** ~**!** *(fam)* I'll give him a piece of my mind! ❻ *mit pp o adj* **etw gemacht** ~ to get sth done; **etw bezahlt** ~ to get paid for sth; **etw geschenkt** ~ to be given sth [as a present] ❼ *(dazu bringen)* **jdn dazu** ~**, etw zu tun** to get sb to do sth; **er ist einfach nicht ins Bett zu** ~ he just won't go to bed II. *vi* **jdm [gut]/schlecht** ~ to do sb good/ to not do sb any good; *Essen* to agree/to disagree with sb

be·kömm·lich [bəˈkœmlɪç] *adj* ❶ *(leicht verdaulich)* [easily] digestible ❷ *(wohltuend)* beneficial

be·kös·ti·gen* [bəˈkœstɪɡn] *vt* to feed

be·kräf·ti·gen* *vt* ❶ *(bestätigen)* to confirm *(durch/mit* by); **etw noch einmal** ~ to reaffirm sth ❷ *(bestärken)* to corroborate; *Vorhaben* to support; ■**jdn in etw** *dat* ~ to strengthen sb's sth

Be·kräf·ti·gung <-, -en> *f* confirmation

be·krän·zen* *vt* ❶ *(mit einem Kranz)* to crown with a wreath ❷ *(mit Girlanden)* to adorn with garlands

be·kreu·zi·gen* *vr* ■**sich [vor jdm/ etw]** ~ to cross oneself [on seeing sb/sth]

be·krie·gen* *vt* ■**sich [gegenseitig]** ~ to be warring [with one another]; ■**jdn/ etw** ~ to wage war on sb/sth

be·krit·teln *vt* to find fault; *Argument* to pick holes in

be·krit·zeln* *vt* to scribble; *(schmieren)* to scrawl

be·küm·mern* *vi impers* ■**es bekümmert jdn** it worries sb

be·küm·mert *adj* worried *(über* about); *(erschüttert)* distressed *(über* with)

be·kun·den* *vt* to express; *Interesse* [**an etw** *akk*] ~ to express interest [in sth]; *Sympathie* [**für etw** *akk*] ~ to express interest [in sth]/a liking [for sth]

Be·kun·dung <-, -en> *f* expression, demonstration

be·lä·cheln* *vt* to smile at; ■**belächelt werden** to be a target of ridicule

be·la·chen* *vt* to laugh at

be·la·den*¹ *irreg vt* ❶ *(mit Ladung verse-*

hen) to load [up *sep*] ➋ (*Last aufbürden*) to burden (**mit** with)

be·la·den*² *adj* ➊ (*mit einer Last versehen*) loaded; (*von Menschen a.*) laden (**mit** with) ➋ (*belastet*) burdened (**mit** with)

Be·lag <-[e]s, Beläge> [bəˈlaːk, *pl* bəˈlɛːgə] *m* ➊ (*aufgelegte Esswaren*) topping; *von Brot* spread ➋ (*Zahn~*) film; (*Zungen~*) fur ➌ (*Schicht*) coating ➍ (*Brems~*) lining ➎ (*Fußboden~*) covering; (*Straßen~*) surface

Be·la·ge·rer <-s, -> *m* besieger

be·la·gern* *vt* to besiege; ■ **belagert sein/werden** to be/come under siege

Be·la·ge·rungs·zu·stand *m* state of siege; **den ~ verhängen** to proclaim a state of siege

be·läm·mert^{RR} [bəˈlɛmɐt] *adj* (*sl*) sheepish

Be·lang <-[e]s, -e> [bəˈlaŋ] *m* ➊ *kein pl* (*Bedeutung, Wichtigkeit*) ■ **ohne ~ sein** to be of no importance; ■ **von ~ sein** to be of importance; ■ **etw/nichts von ~** something/nothing important ➋ *pl* (*Interessen, Angelegenheiten*) interests; **jds ~e vertreten** to represent the interests of sb ➌ *kein pl* (*geh: Hinsicht*) matter

be·lan·gen* *vt* JUR ■ **jdn** [**wegen etw** *gen*] ~ to prosecute sb [for sth]

be·lang·los *adj* (*unwichtig*) unimportant; (*nebensächlich*) irrelevant

Be·lang·lo·sig·keit <-, -en> *f* ➊ *kein pl* (*belanglose Beschaffenheit*) unimportance ➋ (*Unwichtigkeit*) triviality

be·las·sen* *vt irreg* ➊ (*es bei etw bewenden lassen*) ■ **es bei etw** *dat* ~ to leave it at sth; ~ **wir es dabei!** let's leave it at that ➋ (*stehen lassen*) **etw an seinem Platz ~** to leave sth in its place

be·last·bar *adj* ➊ (*zu belasten*) loadable; ■ **bis zu etw** *dat* ~ **sein** to have a maximum load of sth ➋ (*fig: beanspruchbar*) **kein Mensch ist unbegrenzt ~** nobody can take work/abuse indefinitely; **unter Stress ist ein Mitarbeiter weniger ~** stress reduces an employee's working capacity; **die Nerven sind nur bis zu einem bestimmten Grad ~** the nerves can only take so much; **Training macht das Herz ~er** training strengthens the heart ➌ (*mit Schadstoffen zu belasten*) able to withstand contamination ➍ FIN (*zu überziehen*) **wie hoch ist mein Konto ~?** what is the limit on my account?

Be·last·bar·keit <-, -en> *f* ➊ (*Fähigkeit, Lasten auszuhalten*) load-bearing capacity ➋ (*Beanspruchbarkeit*) ability to take

stress; *von Gedächtnis* capacity; *von Organen, Körper* maximum resilience ➌ FIN (*Besteuerbarkeit*) ability to pay taxes

be·las·ten *vt* ➊ (*mit Last beschweren*) to load (**mit** with) ➋ (*bedrücken*) ■ **jdn/ etw ~** to burden sb/sth; **jdn** [**schwer**] ~ to weigh [heavily] on one's mind; ■ **~d** crippling ➌ (*leistungsmäßig beanspruchen*) to strain; **jdn/etw zu sehr belasten** to overstrain sb/sth ➍ JUR ■ **jdn ~** to incriminate sb; **~des Material** incriminating evidence ➎ (*beschweren*) to burden with ➏ (*ökologisch beanspruchen*) to pollute ➐ FIN *Konto* to debit; **etw mit einer Hypothek ~** to mortgage sth

be·läs·ti·gen* [bəˈlɛstɪgn̩] *vt* ■ **jdn ~** (*jdm lästig werden*) to bother sb; (*zudringlich werden*) to pester sb

Be·läs·ti·gung <-, -en> *f* annoyance *no pl*

Be·las·tung <-, -en> *f* ➊ (*das Belasten*) loading ➋ (*Gewicht*) load; **die maximale ~ des Aufzugs** the maximum load for the lift [*or* AM elevator] ➌ (*Anstrengung*) burden ➍ (*Last*) burden ➎ ÖKOL pollution *no pl, no indef art* ➏ JUR incrimination ➐ (*das Beschweren*) burden ➑ (*leistungsmäßige Beanspruchung*) strain (**für** on) ➒ FIN charge (+*gen* on) ➓ FIN (*Beschwerung mit Hypothek*) mortgage; (*Hypothek*) mortgage ⑪ FIN (*Schulden a.*) encumbrance *form;* (*steuerliche Beanspruchung*) burden

Be·las·tungs·ma·te·ri·al *nt* JUR incriminating evidence **Be·las·tungs·pro·be** *f* ➊ (*Erprobung der Belastbarkeit*) load[ing] test ➋ (*Erprobung der Beanspruchbarkeit*) endurance test ➌ (*Zerreißprobe*) tolerance test; **einer ~ ausgesetzt sein** to be put to the test **Be·las·tungs·zeu·ge, -zeugin** *m, f* JUR witness for the prosecution

be·laubt [bəˈlaʊpt] *adj* in leaf *pred*

be·lau·ern* *vt* ➊ (*lauernd beobachten*) *Tier* to observe unseen ➋ (*argwöhnisch beobachten*) to watch secretly

be·lau·fen* *vr irreg* ■ **sich auf etw** *akk* ~ to amount to sth; **der Schaden belief sich auf Millionen** the damage ran into millions

be·lau·schen* *vt* to eavesdrop on

be·le·ben I. *vt* ➊ (*anregen, ankurbeln*) to stimulate ➋ (*erfrischen*) to make feel better ➌ (*zum Leben erwecken*) to bring [back] to life ➍ (*lebendiger gestalten*) to put life into; *Unterhaltung* to liven up II. *vr* ■ **sich ~** ➊ (*sich mit Leben füllen*) to come to life ➋ (*lebhafter werden*) to light up ➌ (*stimuliert werden*) to become stimulated III. *vi* ➊ (*munter machen*) to pick one up ➋ (*erfrischen*) to make one feel better

be·le·bend *adj* ❶ (*anregend*) invigorating ❷ (*erfrischend*) refreshing

be·lebt [bəˈleːpt] *adj* ❶ (*bevölkert*) busy ❷ (*lebendig*) animate

Be·le·bung <-, -en> *f* stimulation

Be·leg <-[e]s, -e> [bəˈleːk, *pl* bəˈleːgə] *m* ❶ (*Quittung*) receipt; **kann ich einen ~ haben?** may I have a receipt? ❷ (*Unterlage*) proof *no art, no pl* ❸ (*Quellennachweis*) example

be·le·gen* *vt* ❶ (*mit Belag versehen*) **ein Brot mit etw** *dat* **~** to spread sth on a slice of bread; **belegte Brote** open sandwiches ❷ (*beweisen*) to verify; **Behauptung, Vorwurf** to substantiate; **Zitat** to give a reference for ❸ (*auferlegen*) ■**jdn mit etw** *dat* **~** to impose sth on sb ❹ SCH to enrol for ❺ (*okkupieren*) to occupy; ■**belegt sein** to be occupied; **ist der Stuhl hier schon belegt?** is this chair free? ❻ (*innehaben*) **den vierten Platz ~** to take fourth place; **einen höheren Rang ~** to be ranked higher

Be·leg·ex·em·plar *nt* specimen copy

Be·leg·schaft <-, -en> *f* (*Beschäftigte*) staff; (*aus Arbeitern*) workforce

Be·leg·schafts·ak·ti·o·när, -ak·ti·o·nä·rin *m, f* ÖKON, FIN employee stock [*or* BRIT share] owner

be·legt *adj* ❶ (*mit Belag überzogen*) coated ❷ (*rau*) hoarse

Be·le·gung *f* (*Nachweis*) verification

be·leh·ren* *vt* ■**jdn ~** ❶ (*informieren, aufklären*) to inform sb; **jdn eines besseren ~** to teach sb otherwise ❷ (*von Meinung abbringen*) to convince sb that he/she is wrong; (*von einer falschen Ansicht abbringen*) to disabuse sb *form;* **sich von jdm ~ lassen** to listen to sb ❸ JUR (*ausführlich informieren*) to advise (**über** of)

be·leh·rend I. *adj* didactic II. *adv* didactically

Be·leh·rung <-, -en> *f* ❶ (*belehrender Rat*) explanation; **deine ~en kannst du dir sparen!** there's no need to lecture me *fam* ❷ (*Verweis*) lesson ❸ JUR caution

be·leibt [bəˈlaipt] *adj* (*geh*) corpulent

be·lei·di·gen* [bəˈlaidɪɡn̩] *vt* ❶ (*schmähen*) ■**jdn ~** to insult sb ❷ (*empfindlich beeinträchtigen*) to offend

be·lei·di·gend I. *adj* insulting II. *adv* insultingly

be·lei·digt [bəˈlaidɪçt] I. *adj* offended; **leicht ~ sein** to be quick to take offence [*or* AM -se], to be easily offended; **eine ~ e Miene machen** to put on a hurt expression; **bist du jetzt ~?** have I offended you? II. *adv* in a huff *fam;* **~ reagieren/**

schweigen to get/go into a huff *fam*

Be·lei·di·gung <-, -en> *f* ❶ (*das Beleidigen*) offence (**+gen** to); JUR defamation ❷ (*Schmähung*) insult; **etw als |eine| ~ auffassen** to take sth as an insult ❸ (*Missachtung*) affront (**+gen/für** to)

be·lei·hen* *vt irreg* to lend money on

be·lem·mert^ALT *adj* (*sl*) *s.* **belämmert**

be·le·sen [bəˈleːzn̩] *adj* well-read

be·leuch·ten* *vt* ❶ (*durch Licht erhellen*) to light ❷ (*anstrahlen*) to light up *sep* ❸ (*geh: betrachten*) to throw light on

Be·leuch·tung <-, -en> *f* ❶ (*das Beleuchten*) lighting ❷ (*künstliches Licht*) light; (*Lichter*) lights *pl;* **die ~ der Straßen** street lighting ❸ (*geh: das Betrachten*) elucidation

Bel·gi·en <-s> [ˈbɛlɡiən] *nt* Belgium; *s. a.* **Deutschland**

Bel·gi·er(in) <-s, -> [ˈbɛlɡie̯] *m(f)* Belgian; *s. a.* **Deutsche(r)**

bel·gisch [ˈbɛlɡɪʃ] *adj* Belgian; *s. a.* **deutsch**

Bel·grad <-s> [ˈbɛlɡraːt] *nt* Belgrade

be·lich·ten* *vt* FOTO to expose

Be·lich·tung *f* FOTO exposure

Be·lich·tungs·mes·ser *m* light meter

Be·lich·tungs·zeit *f* exposure [time]

be·lie·ben* I. *vt* (*iron*) ■**~, etw zu tun** to like doing sth II. *vi* (*geh*) **was/wie es jdm beliebt** as sb likes

Be·lie·ben <-s> *nt kein pl* |**ganz**| **nach ~** just as you/they etc. like

be·lie·big [bəˈliːbɪç] I. *adj* any; |**irgend**|**eine/jede ~ e Zahl** any number at all; **nicht jede ~ e Zahl** not every number; ■**etwas B~ es** anything at all; ■**jeder B~ e** anyone at all; ■**irgendein B~ er** just anybody II. *adv* **häufig/lange/spät/viele** as often/long/late/many as you like; **etw ~ verändern** to change sth at will

be·liebt [bəˈliːpt] *adj* popular (**bei** with); **sich |bei jdm| ~ machen** to make oneself popular [with sb]

Be·liebt·heit <-> *f kein pl* popularity *no pl;* **sich großer~ erfreuen** to enjoy great popularity

Be·liebt·heits·ska·la *f* popularity scale

be·lie·fern* *vt* to supply (**mit** with)

Be·lie·fe·rung *f* delivery

bel·len [ˈbɛlən] *vi* to bark

Bel·le·tris·tik <-> [bɛleˈtrɪstɪk] *f kein pl* belles lettres *npl*

Be·lo·bi·gung <-, -en> *f* (*geh*) commendation *form,* praise *no indef art;* **jdm eine ~ aussprechen** to commend sb

be·loh·nen* *vt* to reward (**mit** with, **für** for)

Be·loh·nung <-, -en> f ❶ (das Belohnen) rewarding ❷ (Lohn) reward; **eine ~ [für etw** akk] **aussetzen** to offer a reward [for sth]

be·lüf·ten* vt to ventilate

Be·lüf·tung f ❶ kein pl (das Belüften) ventilating ❷ ELEK ventilation no indef art

Be·lüf·tungs·an·la·ge f ventilation system **Be·lüf·tungs·schacht** m ventilation shaft

be·lü·gen* irreg vt ■ jdn ~ to lie to sb; ■ sich [selbst] ~ to deceive oneself

be·lus·ti·gen* [bəˈlʊstɪgn̩] vt to amuse (mit with); **was belustigt dich?** what's amusing you?; ■ ~d amusing

be·lus·tigt [bəˈlʊstɪçt] I. adj amused II. adv in amusement

Be·lus·ti·gung <-, -en> f (geh) amusement; **zu jds ~** for sb's amusement

be·mäch·ti·gen* [bəˈmɛçtɪgn̩] vr (geh) ❶ (in seine Gewalt bringen) ■ sich jds/einer S. ~ to take hold of sb/sth ❷ (überkommen) ■ sich jds ~ to come over sb

be·mä·keln* vt to find fault with

be·ma·len vt ■ etw [mit etw dat] ~ to paint [sth on] sth

Be·ma·lung <-, -en> f ❶ (das Bemalen) painting ❷ (aufgetragene Farbe) paint (+gen on) ❸ (Kriegs~) war paint

be·män·geln* [bəˈmɛŋl̩n] vt to find fault with

be·man·nen* vt NAUT, RAUM to man; ■ [nicht] bemannt [un]manned

be·mannt [bəˈmant] I. pp von bemannen II. adj manned, occupied; **~e Raumfahrt** manned space flight

be·merk·bar adj noticeable; **es ist kein Unterschied ~** I can't see any difference; **sich bei jdm [durch etw** akk] **machen** to attract sb's attention [by doing sth]; **sich ~ machen** to make itself felt (**durch** with)

be·mer·ken* vt ❶ (wahrnehmen) to notice ❷ (äußern) **etwas/nichts [zu etw** dat] **~** to have sth/nothing to say [to sth]

be·mer·kens·wert I. adj remarkable II. adv remarkably

Be·mer·kung <-, -en> f remark; **eine ~ [über etw** akk] **machen** to remark on sth; **eine ~ fallen lassen** to drop a remark

be·mes·sen* irreg I. vt ■ jdm etw ~ to determine sth for sb; **großzügig/knapp ~ sein** to be generous/not very generous II. vr (geh) ■ sich nach etw dat ~ to be proportionate to sth

Be·mes·sung f determination

Be·mes·sungs·grund·la·ge f FIN assessment basis

be·mit·lei·den* [bəˈmɪtlaɪdn̩] vt to pity; ■ sich [selbst] ~ to feel sorry for oneself; **sie ist zu ~** she is to be pitied

be·mit·lei·dens·wert adj pitiable

be·mü·hen* I. vr ❶ (sich Mühe geben) ■ sich ~ to try hard; **sich vergebens ~** to try in vain; **~ Sie sich nicht** don't bother yourself ❷ (sich kümmern) **sich um jdn ~** to court sb ❸ (zu erlangen suchen) **sich um eine Stelle ~** to try hard to get a job ❹ (geh: gehen) **sich zur Tür ~** to proceed to the door II. vt (geh) ■ jdn ~ to send for sb

Be·mü·hen <-s> nt kein pl (geh) efforts pl (**um** for)

be·müht adj keen; ■ **um etw** akk ~ **sein** to try hard to do sth

Be·mü·hung <-, -en> f effort; **danke für Ihre ~en** thank you for your trouble

be·mü·ßigt [bəˈmyːsɪçt] adj **sich ~ fühlen, etw zu tun** (meist iron geh) to feel obliged to do sth

be·mut·tern* [bəˈmʊtɐn] vt to mother

be·nach·bart [bəˈnaxbaːɐ̯t] adj ❶ (in der Nachbarschaft gelegen) nearby; (nebenan) neighbouring attr; **das ~e Haus** the house next door ❷ (angrenzend) adjoining

be·nach·rich·ti·gen* [bəˈnaːxrɪçtɪgn̩] vt to inform; (amtlich) to notify (**von** of)

Be·nach·rich·ti·gung <-, -en> f notification (**von** of, **über** about)

be·nach·tei·li·gen* [bəˈnaːxtaɪlɪgn̩] vt ❶ (schlechter behandeln) to put at a disadvantage; (wegen Rasse, Geschlecht, Glaube) to discriminate against ❷ (zum Nachteil gereichen) ■ jdn ~ to handicap sb

Be·nach·tei·lig·te(r) f(m) dekl wie adj victim; ■ **der/die ~e sein** to be at a disadvantage

Be·nach·tei·li·gung <-, -en> f ❶ (das Benachteiligen) ■ **die ~ einer Person** gen/**von jdm** discriminating against sb ❷ (benachteiligter Zustand) discrimination

be·ne·beln* vt (fam) to befuddle; Narkose, Sturz a. to daze; Dämpfe, Duft, Rauch a. to make sb's head reel; ■ **benebelt** (fam) befuddled; (durch Alkohol a.) tipsy fam; (durch Schlag) dazed

be·ne·belt [bəˈneːbl̩t] I. pp von benebeln II. adj (fam) dazed; (im Alkoholrausch) woozy

Be·ne·fiz·kon·zert nt charity concert

be·neh·men* vr irreg ■ sich ~ to behave [oneself]; **benimm dich!** behave yourself!; **sich gut ~** to behave well; **sich schlecht ~** to behave badly

Be·neh·men <-s> *nt kein pl* manners *npl;* **kein ~ haben** to have no manners

be·nei·den* *vt* ■**jdn** [**um etw** *akk*] ~ to envy sb [sth]

be·nei·dens·wert I. *adj* enviable II. *adv* (*wunderbar*) amazingly

Be·ne·lux·län·der, **Be·ne·lux·staa·ten** ['be:nelʊks-] *pl* Benelux countries

be·nen·nen* *vt irreg* to name (**nach** after); **Gegenstände** ~ to denote objects

Be·nen·nung <-, -en> *f* ➊ (*das Benennen*) naming ➋ (*das Namhaftmachen*) nomination; *von Zeugen* calling ➌ (*Bezeichnung*) name

be·net·zen* *vt* (*geh*) to moisten; *mit Tau, Tränen* to cover

Ben·gel <-s, -[s]> ['bɛŋl] *m* ➊ (*frecher Junge*) rascal ➋ (*niedlicher Junge*) **ein süßer** [**kleiner**] ~ a dear [*or* Am cute] little boy ▶ **den ~ hoch werfen** SCHWEIZ (*hoch greifen*) to aim high

Be·nimm <-s> [bə'nɪm] *m kein pl* (*fam*) manners *npl*

Be·nimm·re·gel *f* [rule of] etiquette *no pl*

Be·nin <-s> [be'niːn] *nt* Benin

be·nom·men [bə'nɔmən] *adj* dazed; **jdn ~ machen** to befuddle sb

Be·nom·men·heit <-> *f kein pl* daze[d state]; **ein Gefühl von ~** a dazed feeling

be·no·ten* [bə'noːtn̩] *vt* ➊ (*mit Zensur versehen*) to mark; **ihr Aufsatz wurde mit „sehr gut" benotet** her essay was given an A ➋ (*durch eine Zensur einstufen*) to assess

be·nö·ti·gen* *vt* to need; **etw dringend ~** to be in urgent need of sth

Be·no·tung <-, -en> *f* ➊ (*das Benoten*) ■**die ~** [**einer S.** *gen*/**von etw** *dat*] mark·ing [sth] ➋ (*Note*) mark[s *pl*]

be·nut·zen* *vt,* **be·nüt·zen*** *vt* DIAL ➊ (*gebrauchen*) ■**etw** [**als etw**] ~ to use sth [as sth]; ■**das B~** the use; **nach dem B~** after use; ■**benutzt** used; **den Aufzug ~** to take the lift; **die benutzte Literatur** the literature consulted ➋ (*verwerten*) *Literatur* to consult ➌ (*wahrnehmen*) to seize ➍ (*für seine Zwecke ausnutzen*) ■**jdn ~** to take advantage of sb; **sich benutzt fühlen** to feel [that one has been] used

Be·nut·zer(in) <-s, -> *m(f),* **Be·nüt·zer(in)** <-s, -> *m(f)* DIAL ➊ (*benutzender Mensch*) borrower; (*mit Leihgebühr*) hirer BRIT, person renting AM; (*einer Bibliothek*) reader ➋ INFORM user

be·nut·zer·de·fi·niert [-'--definiːɐt] *adj* INFORM user-defined **Be·nut·zer·ebe·ne** *f* INFORM user interface **be·nut·zer·freund·**

lich I. *adj* user-friendly II. *adv* in a us·er-friendly manner **Be·nut·zer·hand·buch** *nt* user manual

Be·nut·ze·rin, **Be·nüt·ze·rin** <-, -nen> *f fem form von* **Benutzer**

Be·nut·zer·kon·to *nt* INFORM user account **Be·nut·zer·na·me** *m* INFORM user name **Be·nut·zer·ober·flä·che** *f* INFORM user interface **be·nut·zer·un·freund·lich** *adj* non-user-friendly

Be·nut·zung *f,* **Be·nüt·zung** *f* DIAL ➊ (*Gebrauch*) use; **jdm etw zur ~ über·lassen** to put sth at sb's disposal; **etw in ~ haben/nehmen** (*geh*) to be/start using sth ➋ (*Verwertung*) consultation

Be·nut·zungs·ge·bühr *f* hire [*or* AM rent·al] charge

Ben·zin <-s, -e> [bɛn'tsiːn] *nt* ➊ (*Kraft·stoff*) petrol BRIT, gas[oline] AM; **~ sparen·des Auto** economical car ➋ (*Lösungsmit·tel*) benzine

Ben·zin·feu·er·zeug *nt* petrol lighter **Ben·zin·ka·nis·ter** *m* petrol canister **Ben·zin·preis** *m* the price of fuel **Ben·zin·pum·pe** *f* fuel pump **Ben·zin·tank** *m* petrol tank **Ben·zin·uhr** *f* AUTO fuel gauge [*or esp* AM *also* gage] **Ben·zin·ver·brauch** *m* fuel consumption

Ben·zol <-s, -e> [bɛn'tsoːl] *nt* benzene; (*im Handel erhältlich*) BRIT *usu* benzol[e]

be·ob·acht·bar *adj* observable

be·ob·ach·ten* [bə'ʔoːbaxtn̩] *vt* ➊ (*ge·nau betrachten*) to observe; ■**jdn** [**bei etw** *dat*] ~ to watch sb [doing sth]; **gut beobachtet!** well spotted! ➋ (*observie·ren*) ■[**durch jdn**] **beobachtet werden** to be kept under the surveillance [of sb]; ■**jdn** [**durch jdn**] **~ lassen** to put sb under the surveillance [of sb]; **sich** [**von jdm**] **auf Schritt und Tritt beobachtet fühlen** to feel that one is being dogged by sb ➌ (*be·merken*) ■**etw an jdm ~** to notice sth in sb

Be·ob·ach·ter(in) <-s, -> *m(f)* observer; **ein guter ~** a keen observer

Be·ob·ach·tung <-, -en> *f* ➊ (*das Beob·achten*) observation ➋ (*Observierung*) sur·veillance ➌ *meist pl* (*Ergebnis des Beob·achtens*) observations *pl*

Be·ob·ach·tungs·ga·be *f* talent for ob·servation; **eine gute ~ haben** to have a very keen eye **Be·ob·ach·tungs·pos·ten** *m* ■**auf ~ sein** (*fam*) to be on the lookout

be·or·dern* [bə'ʔɔrdɐn] *vt* ■**jdn zu jdm ~** to send sb to sb; **jdn zu sich ~** to send for sb; ■**jdn irgendwohin ~** to order sb to go somewhere

be·pạ·cken* vt to load up sep; ■ **bepackt** loaded

be·pflạn·zen* vt to plant; ■ **bepflanzt** planted

be·quạt·schen* vt (fam) ➊ (bereden) ■ etw [mit jdm] ~ to talk over sth sep [with sb] ➋ (überreden) ■ jdn ~ [, etw zu tun] to talk sb into doing sth

be·quem [bəˈkveːm] I. adj ➊ (angenehm) comfortable; es sich dat ~ machen to make oneself comfortable ➋ (leicht zu bewältigen) easy ➌ (leicht zu handhaben) manageable ➍ (im Umgang angenehm) easy-going ➎ (pej: träge) idle II. adv ➊ (leicht) easily ➋ (angenehm) comfortably

be·que·men* [bəˈkveːmən] vr (geh) ➊ (sich zu etw verstehen) ■ sich zu etw dat ~ to bring oneself to do sth; (herablassend) to condescend to do sth also iron ➋ (sich begeben) ■ sich zu jdm/etw ~ to come/go to sb/sth

Be·quem·lich·keit <-, -en> f ➊ (Behaglichkeit) comfort ➋ (Trägheit) idleness; aus [reiner] ~ out of [sheer] laziness

be·rap·pen* [bəˈrapn̩] vt (fam) to fork out sep (für for)

be·ra·ten*¹ irreg I. vt ➊ (Rat geben) ■ jdn [in etw dat] ~ to advise sb [on sth]; jdn finanziell ~ to give sb financial advice; ■ sich [von jdm] ~ lassen to ask sb's advice ➋ (besprechen) to discuss; POL to debate II. vi ■ [mit jdm über etw akk] ~ to discuss sth with sb III. vr ■ sich [über jdn/etw] ~ to discuss sb/sth; das Kabinett wird sich heute ~ the cabinet will be meeting today for talks

be·ra·ten*² adj advised; gut/schlecht ~ sein, etw zu tun to be well-/ill-advised to do sth

be·ra·tend I. adj advisory II. adv in an advisory capacity; jdm ~ zur Seite stehen to act in an advisory capacity to sb

Be·ra·ter(in) <-s, -> m(f) advisor; (in politischen Sachen a.) counsellor; (Fach~) consultant

be·rat·schla·gen* [bəˈraːtʃlaːgn̩] vt, vi to discuss

Be·ra·tung <-, -en> f ➊ (das Beraten) advice ➋ (Besprechung) discussion; POL debate ➌ (beratendes Gespräch) consultation

Be·ra·tungs·stel·le f advice centre

be·rau·ben* vt ➊ (bestehlen) to rob ➋ (geh: gewaltsam entziehen) ■ jdn einer S. gen ~ to deprive sb of sth

be·rau·schen* I. vt (geh) to intoxicate; Alkohol a. to inebriate; Geschwindigkeit to

exhilarate II. vr ■ sich an etw dat ~ to become intoxicated by sth

be·rau·schend adj intoxicating

be·re·chen·bar [bəˈrɛçnbaːɐ̯] adj ➊ (zu berechnen) calculable; das ist nicht ~ that is incalculable ➋ (einzuschätzen) predictable

Be·re·chen·bar·keit <-> f kein pl ➊ (berechenbare Beschaffenheit) calculability ➋ (Einschätzbarkeit) predictability

be·rech·nen* vt ➊ (ausrechnen) to calculate ➋ (in Rechnung stellen) to charge; das hat er mir mit 135 Euro berechnet he charged me 135 euros for it ➌ (im Voraus abwägen) ■ etw ~ to calculate the effect of sth

be·rech·nend adj (pej) scheming

Be·rech·nung f ➊ (Ausrechnung) calculation; nach meiner ~ according to my calculations ➋ (das Berechnen) charge ➌ (das Abwägen im Voraus) calculated effect[s pl] ➍ (pej) scheming; aus ~ in cold deliberation

be·rech·ti·gen* [bəˈrɛçtɪgn̩] vt ■ jdn zu etw dat ~ ➊ (bevollmächtigen) to entitle sb to [do] sth; sich zu etw dat berechtigt fühlen to feel justified in doing sth ➋ (Anlass geben) to give sb grounds for sth

be·rech·tigt [bəˈrɛçtɪçt] adj justifiable; Frage, Hoffnung, Anspruch legitimate; Vorwurf just

be·rech·tig·ter·wei·se adv (geh) legitimately

Be·rech·ti·gung <-, selten -en> f ➊ (Befugnis) authority; die/keine ~ haben, etw zu tun to have the/no authorization to do sth ➋ (Rechtmäßigkeit) justifiability

be·re·den* I. vt to discuss II. vr ■ sich [über etw akk] ~ to discuss sth; wir ~ uns noch we are still discussing it

Be·red·sam·keit <-> f kein pl (geh) eloquence no pl

be·redt [bəˈreːt] adj (geh) eloquent

Be·reich <-[e]s, -e> m ➊ (Gebiet) area; im ~ des Möglichen liegen to be within the realms of possibility ➋ (Sach~) field; in jds ~ akk fallen to be within sb's field

be·rei·chern* [bəˈraɪçɐn] I. vr ■ sich [an etw dat] ~ to grow rich [on sth] II. vt ➊ (erweitern) to enlarge ➋ (vertiefen) to enrich ➌ (innerlich reicher machen) ■ etw bereichert jdn sb gains a lot from sth

Be·rei·che·rung <-, -en> f ➊ (Erweiterung) enrichment; von Sammlung enlargement; (Gewinn) gain ➋ (innerer Gewinn) das Gespräch mit Ihnen war mir eine ~ I gained a lot from our conversation

be·rei·fen vt Wagen, Fahrrad to put on

[new] tyres

Be·rei·fung <-, -en> *f* AUTO set of tyres

be·rei·ni·gen* *vt* to resolve; **eine Meinungsverschiedenheit ~** to settle differences

be·rei·sen* *vt* ◾etw **~** to travel around sth; **die Welt ~** to travel the world

be·reit [bə'raɪt] *adj meist präd* ❶ *(fertig)* ◾*[für etw akk]* **~ sein** to be ready [for sth]; *(vorbereitet)* to be prepared for sth; **haltet euch für den Abmarsch ~!** get ready to march; **etw ~ haben** to have sth at the ready ❷ *(willens)* ◾**zu etw** *dat* **~ sein** to be prepared to do sth; **sich ~ erklären, etw zu tun** to agree to do sth; **sich zu etw** *dat* **~ finden** to be willing to do sth

be·rei·ten* *vt* ❶ *(machen)* ◾jdm etw **~** to cause sb sth; *Freude, Überraschung* to give; **jdm Kopfschmerzen ~** to give sb a headache ❷ *(geh: zu~)* to prepare; **das Bett ~** to make [up *sep*] the bed

be·reit|hal·ten *vt irreg* ❶ *(griffbereit haben)* to have ready ❷ *(in petto haben)* to have in store **be·reit|le·gen** *vt* to lay out *sep* ready **be·reit|lie·gen** *vi irreg* ❶ *(abholbereit liegen)* to be ready ❷ *(griffbereit liegen)* to be within reach **be·reit|ma·chen** *vt* ◾**sich** *[für jdn/etw]* **~** to get ready [for sb/sth]

be·reits [bə'raɪts] *adv* *(geh)* already; **~ damals** even then

Be·reit·schaft <-, -en> [bə'raɪtʃaft] *f* ❶ *kein pl* willingness; **seine ~ zu etw** *dat* **erklären** to express one's willingness to do sth ❷ *kein pl (Bereitschaftsdienst)* emergency service; **~ haben** *Apotheke* to provide emergency services; *Arzt, Feuerwehr* to be on call; *(im Krankenhaus)* to be on duty; *Beamter* to be on duty; *Polizei, Soldaten* to be on standby ❸ *(Einheit der Bereitschaftspolizei)* squad [of police]

Be·reit·schafts·arzt, -ärz·tin *m, f* doctor on duty **Be·reit·schafts·dienst** *m* emergency service; *von Apotheker a.* after-hours service

be·reit|ste·hen *vi irreg* to be ready; *Truppen* to stand by **be·reit|stel·len** *vt* ❶ *(zur Verfügung stellen)* to provide ❷ *(vorbereitend hinstellen)* to make ready ❸ BAHN **einen zusätzlichen Zug ~** to run an extra train ❹ MIL to put on standby **Be·reit·stel·lung** *f* provision **be·reit·wil·lig I.** *adj* ❶ *(gerne helfend)* willing; *Verkäufer* obliging ❷ *(gerne gemacht)* given willingly **II.** *adv* readily **Be·reit·wil·lig·keit** <-> *f kein pl* willingness *no pl; von Verkaufspersonal* obligingness *no pl*

be·reu·en* *vt* to regret; **seine Misseta-** ten/Sünden **~** to repent of one's misdeeds/sins; **das wirst du noch ~!** you'll be sorry [for that]!

Berg <-[e]s, -e> [bɛrk] *m* ❶ GEOG mountain; *(kleiner)* hill; **den ~ hinauf/hinunter** uphill/downhill; **am ~ liegen** to lie at the foot of the hill; **über ~ und Tal** up hill and down dale *dated* ❷ *(große Menge)* ◾**~e von etw** *dat* piles of sth; **~e von Papier** mountains of paper ▸ **wenn der ~ nicht zum** Propheten **kommt, muss der Prophet zum ~e kommen** *(prov)* if the mountain won't come to Mahomet, [then] Mahomet must go to the mountain *prov*; **über** alle **~e sein** *(fam)* to be miles away; **mit etw** *dat* **hinterm** ~ **halten** to keep quiet about sth; **am ~ sein** SCHWEIZ to not have a clue; **über den ~ sein** *(fig)* to be out of the woods; **die Patientin ist noch nicht über den ~** the patient's state is still critical

berg·ab [bɛrk'ʔap] *adv (a. fig)* downhill; **mit seinem Geschäft geht es ~** *(fig)* his business is going downhill

Berg·ab·hang *m* mountainside

Ber·ga·mot·te <-, -n> [bɛrga'mɔtə] *f* BOT bergamot [orange]

Berg·ar·bei·ter(in) *m(f)* miner **berg·auf** [bɛrk'ʔauf] *adv* uphill; **es geht wieder ~** *(fig)* things are looking up; **es geht mit dem Geschäft wieder ~** business is looking up **Berg·bahn** *f* mountain railway; *(Seilbahn)* funicular railway **Berg·bau** *m kein pl* mining **Berg·be·stei·gung** *f* mountain climb **Berg·be·woh·ner(in)** *m(f)* mountain dweller **Berg·dorf** *nt* mountain village

ber·gen <barg, geborgen> ['bɛrgn] *vt* ❶ *(retten)* to rescue (**aus** from); *Giftstoffe, Tote* to recover; *Schiff* to salvage ❷ *(in Sicherheit bringen)* to remove ❸ *(geh: enthalten)* to hold ❹ *(mit sich bringen)* to involve ❺ *(geh: verbergen)* to hide sth (**in** in); **sie barg ihren Kopf an seiner Schulter** she buried her face in his shoulder

Berg·füh·rer(in) *m(f)* mountain guide **Berg·gip·fel** *m* mountain top **Berg·hüt·te** *f* mountain hut

ber·gig ['bɛrgɪç] *adj* hilly; *(gebirgig)* mountainous

Berg·ket·te *f* mountain range **Berg·land** *nt* hilly country; *(gebirgig)* mountainous country **Berg·mann** <-leute> ['bɛrkman, *pl* -lɔytə] *m* miner **Berg·pre·digt** *f kein pl* REL ◾**die ~** the Sermon on the Mount **Berg·rü·cken** *m* mountain ridge **Berg·rutsch** *m* landslide, BRIT *also* landslip **Berg·schuh** *m* climbing boot

Berg·stei·gen *nt* mountaineering **Berg·stei·ger(in)** *m(f)* mountain climber **Berg·tour** *f* [mountain] climb **Berg·und-Tal-Fahrt** *f* roller coaster ride; **das war die reinste ~** it was like being on a roller coaster

Ber·gung <-, -en> *f* ❶ (*Rettung*) rescuing; *einer Schiff[sladung]* salvaging ❷ (*das Bergen*) removing; *von Toten* recovering

Ber·gungs·ar·bei·ten *f* rescue work *no pl, no indef art; von Schiff[sladung]* salvage work *no pl, no indef art* **Ber·gungs·mann·schaft** *f* rescue team; *von Schiff[sladung]* salvage team

Berg·wacht *f* mountain rescue service **Berg·wand** *f* mountain face **Berg·wan·de·rung** *f* mountain hike, BRIT *also* hillwalk **Berg·werk** *nt* mine

Be·richt <-[e]s, -e> [bə'rɪçt] *m* report; (*Zeitungs~ a.*) article (+*gen* by); [jdm] [**über etw** *akk*] ~ **erstatten** (*geh*) to report [to sb] on sth

be·rich·ten* I. *vt* ■[jdm] etw ~ to tell sb [sth]; **falsch/recht berichtet** SCHWEIZ wrong/right; **bin ich falsch/recht berichtet, wenn ich annehme ...?** am I wrong/right in assuming ...? II. *vi* ❶ ■[über etw *akk*] ~ to report on sth; **wie unser Korrespondent berichtet** according to our correspondent; **wie soeben berichtet wird, sind die Verhandlungen abgebrochen worden** we are just receiving reports that negotiations have been broken off ❷ (*Bericht erstatten*) ■jdm ~ to tell sb (**über** about); **es wird berichtet, dass ...** it's going the rounds that ... ❸ SCHWEIZ (*erzählen*) to talk

Be·richt·er·stat·ter(in) <-s, -> *m(f)* reporter; (*Korrespondent*) correspondent **Be·richt·er·stat·tung** *f* (*Reportage*) ■die ~ reporting (**über** on); (*Bericht*) report

be·rich·ti·gen* [bə'rɪçtɪɡn̩] *vt, vi* ❶ (*korrigieren*) to correct ❷ JUR to rectify **Be·rich·ti·gung** <-, -en> *f* ❶ (*Korrektur*) correction ❷ JUR rectification ❸ (*schriftliche Korrekturarbeit*) corrections *pl*

be·rie·seln* *vt* ❶ (*rieselnd bewässern*) to spray ❷ (*fig fam*) ■von etw *dat* berieselt werden to be exposed to a constant stream of sth

Be·rie·se·lung <-, -en> *f* ❶ (*das Berieseln*) spraying ❷ (*fam*) ■die ~ durch etw *akk* the constant stream of sth

be·rit·ten *adj* mounted, on horseback *pred;* **~e Polizei** mounted police + *sing/pl vb*

Ber·lin <-s> [bɛr'liːn] *nt* Berlin

Ber·li·ner¹ <-s, -> [bɛr'liːnɐ] *m* DIAL (*süßes Stückchen*) ■~ [**Pfannkuchen**] doughnut BRIT, donut AM

Ber·li·ner² [bɛr'liːnɐ] *adj attr* (*aus Berlin*) Berlin

Ber·li·ner(in) <-s, -> [bɛr'liːnɐ] *m(f)* Berliner

Ber·mu·das¹ [bɛr'muːdas] *pl* ■die ~ Bermuda *no art,* + *sing vb;* **auf den ~** in Bermuda

Ber·mu·das² [bɛr'muːdas], **Ber·mu·da·shorts** [bɛr'muːdaʃoːɐ̯ts, -ʃɔrts] *pl* Bermuda[short]s

Bern <-s> [bɛrn] *nt* Bern[e]

Ber·ner ['bɛrnɐ] *adj attr* Berne[se]

Ber·ner(in) <-s, -> ['bɛrnɐ] *m(f)* Bernese

Bern·har·di·ner <-s, -> [bɛrnhar'diːnɐ] *m* Saint Bernard [dog]

Bern·stein ['bɛrnʃtaɪn] *m kein pl* amber

Ber·ser·ker <-s, -> [bɛr'zɛrkɐ] *m* HIST berserker; (*Irrer*) madman

bers·ten <barst, geborsten> ['bɛrstn̩] *vi sein* (*geh*) ❶ (*platzen*) to explode; *Ballon* to burst; *Glas, Eis* to break; *Erde* to burst open; **zum B~ voll** (*fam*) full to bursting[-point] ❷ (*fig*) ■vor etw *dat* ~ to burst with sth

be·rüch·tigt [bə'rʏçtɪçt] *adj* ❶ (*in schlechtem Ruf stehend*) notorious ❷ (*gefürchtet*) feared

be·rück·sich·ti·gen* [bə'rʏkzɪçtɪɡn̩] *vt* ❶ (*beachten*) to take into consideration ❷ (*rücksichtsvoll anerkennen*) to allow for ❸ (*positiv bedenken*) to consider **Be·rück·sich·ti·gung** <-> *f kein pl* consideration; **unter ~ einer S.** *gen* in consideration of sth

Be·ruf <-[e]s, -e> [bə'ruːf] *m* job; **ein akademischer ~** an academic profession; **ein freier ~** a profession; **ein handwerklicher ~** a trade; **ein gewerblicher ~** a commercial trade; **sie ist Ärztin von ~** she's a doctor; **was sind Sie von ~?** what do you do [for a living]?; **einen ~ ergreifen** to take up an occupation; **seinen ~ verfehlt haben** to have missed one's vocation; **von ~s wegen** because of one's job

be·ru·fen¹ *adj* ❶ (*kompetent*) qualified ❷ (*ausersehen*) ■zu etw *dat* ~ sein to have a vocation for sth; **er ist zu Großem ~** he's meant for greater things; **sich ~ fühlen, etw zu tun** to feel called to do sth

be·ru·fen*² *irreg* I. *vt* (*ernennen*) ■jdn zu etw *dat* ~ to appoint sb to sth; **jdn auf einen Lehrstuhl ~** to offer sb a chair II. *vr* ■sich auf jdn/etw ~ to refer to sb/sth III. *vi* JUR ÖSTERR (*Berufung einlegen*) to

jemanden beruhigen	
jemanden beruhigen	**calming somebody down**
Nur keine Panik/Aufregung!	Don't panic/get excited!
Machen Sie sich keine Sorgen.	Don't you worry about a thing.
Keine Angst, das werden wir **schon** hinkriegen.	**Don't worry,** we'll manage (it) **all right.**
Abwarten und Tee trinken. *(fam)*	We'll just have to wait and see (what happens).
Es wird schon werden.	It'll be all right.
Alles halb so schlimm.	It's not as bad as all that.
Ganz ruhig bleiben!	Stay calm!/Keep cool! *(fam)*

[lodge an] appeal

be·ruf·lich I. *adj* professional; ~**e Aussichten** career prospects; ~**e Laufbahn** career **II.** *adv* as far as work is concerned; **sich ~ weiterbilden** to undertake further training; ~ **unterwegs sein** to be away on business; ~ **verhindert sein** to be detained by work; **was macht sie ~?** what does she do for a living?

Be·rufs·ar·mee *f* regular army **Be·rufs·aus·bil·dung** *f* [professional] training; (*zum Handwerker*) apprenticeship **Be·rufs·aus·sich·ten** *pl* career prospects *pl* **be·rufs·be·dingt** *adj* occupational **Be·rufs·be·ra·ter(in)** *m(f)* careers advisor **Be·rufs·be·ra·tung** *f* (*Beratungsstelle*) careers [*or* AM career] advisory service; (*das Beraten*) careers [*or* AM career] advice **Be·rufs·be·zeich·nung** *f* [official] job title **Be·rufs·bild** *nt* job outline (*analysis of an occupation as a career*) **be·rufs·er·fah·ren** *adj* [professionally] experienced **Be·rufs·er·fah·rung** *f* work experience **be·rufs·fremd** *adj* with no experience of [*or* AM in] a field **Be·rufs·ge·heim·nis** *nt* professional confidentiality **Be·rufs·ge·nos·sen·schaft** *f* professional association **Be·rufs·grup·pe** *f* occupational group **Be·rufs·klei·dung** *f* work[ing] clothes *npl* **Be·rufs·krank·heit** *f* occupational disease **Be·rufs·le·ben** *nt* working life **be·rufs·mä·ßig I.** *adj* professional **II.** *adv* professionally; **etw ~ machen/betreiben** to do sth on a professional basis **Be·rufs·pend·ler, -pend·le·rin** *m, f* commuter **Be·rufs·pra·xis** *f kein pl* professional practice **Be·rufs·ri·si·ko** *nt* occupational hazard **Be·rufs·schu·le** *f* vocational school, technical college **Be·rufs·sol·dat(in)** *m(f)* professional soldier **Be·rufs·sport·ler(in)** *m(f)* professional [sportsman/sportswoman] **Be·rufs·**

stand *m* professional group; (*akademisch*) profession; (*handwerklich*) trade **be·rufs·tä·tig** *adj* working; ■ ~ **sein** to have a job; **sie ist nicht mehr ~** she's left work **Be·rufs·tä·ti·ge(r)** *f(m) dekl wie adj* working person; ■**die ~n** the working people; ~**e Mutter** working mother **be·rufs·un·fä·hig** *adj* disabled; **zu 10 % ~ sein** to have a 10% occupational disability **Be·rufs·un·fä·hig·keit** *f* occupational incapacity **Be·rufs·un·fall** *m* occupational accident **Be·rufs·ver·band** *m* professional organization **Be·rufs·ver·bot** *nt* official debarment from one's occupation; ~ **haben** to be banned from one's occupation **Be·rufs·ver·kehr** *m* rush-hour traffic **Be·rufs·wahl** *f kein pl* choice of career **Be·rufs·wech·sel** *m* change of occupation

Be·ru·fung <-, -en> *f* ❶ JUR appeal; **in die ~ gehen** to lodge an appeal ❷ (*Angebot für ein Amt*) appointment; **eine ~ auf einen Lehrstuhl erhalten** to be offered a chair ❸ (*innerer Auftrag*) vocation ❹ (*das Sichbeziehen*) **unter ~ auf jdn/etw** with reference to sb/sth

Be·ru·fungs·ge·richt *nt* court of appeal **Be·ru·fungs·in·stanz** *f* court of appeal **Be·ru·fungs·kla·ge** *f* appeal **be·ru·hen*** *vi* ■ **auf etw** *dat* ~ to be based on sth; **die ganze Angelegenheit beruht auf einem Irrtum** the whole affair is due to a mistake; **etw auf sich** *dat* ~ **lassen** to drop sth

be·ru·hi·gen* [bəˈruːɪɡn] **I.** *vt* ❶ (*beschwichtigen*) to reassure; *Gewissen, Gedanken* to ease ❷ (*ruhig machen*) to calm [down]; *Nerven* to soothe; *Schmerzen* to ease; **den Verkehr ~** to introduce traffic calming measures; **dieses Getränk wird deinen Magen ~** this drink will settle your stomach **II.** *vr* ■**sich ~** ❶ (*ruhig*

werden) to calm down; *politische Lage* to stabilize; *Meer* to grow calm ❷ (*abflauen*) *Unwetter, Nachfrage* to die down; *Krise* to ease off

be·ru·hi·gend I. *adj* ❶ (*ruhig machend*) reassuring; *Musik, Bad, Massage* soothing ❷ MED (*ruhigstellend*) sedative **II.** *adv* reassuringly; *Spritze, Medikament* with a sedative effect

be·ru·higt [bə'ruːɪçt] **I.** *adj* relieved; **dann bin ich ~!** that's a relief! **II.** *adv* with an easy mind

Be·ru·hi·gung <-, -en> *f* ❶ (*das Beschwichtigen*) reassurance ❷ (*das Beruhigen*) soothing; **geben Sie der Patientin etwas zur ~** give the patient something to calm her; **ein Mittel zur ~** a sedative; **zu jds** *dat* **~** to reassure sb; **sehr zu meiner ~** much to my relief ❸ (*das Beruhigtsein*) calming [down]

Be·ru·hi·gungs·mit·tel *nt* sedative **Be·ru·hi·gungs·pil·le** *f* tranquilliser

be·rühmt [bə'ryːmt] *adj* famous (**für** for)

be·rühmt-be·rüch·tigt *adj* notorious

Be·rühmt·heit <-, -en> *f* ❶ (*Ruf*) fame; **~ erlangen** to rise to fame ❷ (*berühmter Mensch*) celebrity

be·rüh·ren* *vt* ❶ (*Kontakt haben*) to touch; **bitte nicht ~!** Please, do not touch! ❷ (*seelisch bewegen*) to move; **das berührt mich überhaupt nicht!** I couldn't care less! ❸ (*kurz erwähnen*) to allude to

Be·rüh·rung <-, -en> *f* ❶ (*Kontakt*) contact, touch; **jdn mit etw** *dat* **in ~ bringen** to bring sb into contact with sth; **mit jdm/etw in ~ kommen** (*physisch*) to brush up against sb/sth; (*in Kontakt kommen*) to come into contact with sb/sth ❷ (*Erwähnung*) allusion

Be·rüh·rungs·angst *f meist pl* fear of contact **Be·rüh·rungs·bild·schirm** *m* touchscreen **Be·rüh·rungs·punkt** *m* ❶ (*Punkt der Übereinstimmung*) point of contact ❷ MATH tangential point

bes. *adv s.* **besonders** esp.

be·sa·gen* *vt* to mean; **das will noch nicht viel ~** that doesn't mean anything

be·sagt [bə'zaːkt] **I.** *vt pp von* **besagen** **II.** *adj attr* (*geh*) aforementioned

be·sai·ten* [bə'zaitn̩] *vt Instrument* to string

be·sa·men* [bə'zaːmən] *vt Tier* to inseminate; *Pflanze* to pollinate

be·sänf·ti·gen* [bə'zɛnftɪɡn̩] **I.** *vt* to soothe; **sie war nicht zu ~** she was inconsolable **II.** *vr* ■ **sich ~** to calm down; *Sturm, Unwetter* to die down

be·sänf·ti·gend *adj* soothing

Be·sänf·ti·gung <-, -en> *f* soothing

Be·satz <-es, Besätze> [bə'zats, *pl* bə'zɛtsə] *m* (*Borte*) trimming

Be·sat·zung <-, -en> [bə'zatsʊn] *f* ❶ (*Mannschaft*) crew ❷ MIL occupation; (*Besatzungsarmee*) occupying army; (*Verteidigungstruppe*) troops

Be·sat·zungs·ge·biet *nt* occupied territory **Be·sat·zungs·macht** *f* occupying power **Be·sat·zungs·zo·ne** *f* occupation zone

be·sau·fen* *vt irreg* (*sl*) ■ **sich ~** to get sloshed [*or* BRIT *also* legless]

Be·säuf·nis <-ses, -se> *nt* booze-up

be·säu·selt *adj* (*fam*) tipsy

be·schä·di·gen* *vt* to damage; ■ **[leicht/schwer] beschädigt** [slightly/badly] damaged

Be·schä·di·gung *f* damage *no pl*

be·schaf·fen*¹ **I.** *vt* ■ **[jdm] etw ~** to get sth [for sb]; **eine Waffe ist nicht so leicht zu ~** a weapon is not so easy to come by **II.** *vr* ■ **sich** *dat* **etw ~** to get sth; **du musst dir Arbeit ~** you've got to find yourself a job

be·schaf·fen² *adj* (*geh*) ■ **so ~ sein, dass ...** to be made in such a way that ...; **die Straße ist schlecht/gut ~** the road is in bad/good repair

Be·schaf·fen·heit <-> *f kein pl* composition; *Zustand* state; *Material* structure, quality; *Körper* constitution; *Psyche* make-up; ■ **je nach ~ von etw** *dat* according to the nature of sth

Be·schaf·fung <-> *f kein pl* obtaining (**von** of)

be·schäf·ti·gen* [bə'ʃɛftɪɡn̩] **I.** *vr* ❶ (*sich Arbeit verschaffen*) ■ **sich [mit etw** *dat*] **~** to occupy oneself [with sth]; **hast du genug, womit du dich ~ kannst?** have you got enough to do? ❷ (*sich befassen*) ■ **sich mit jdm ~** to pay attention to sb; ■ **sich mit etw** *dat* **~** to deal with sth; **er hat sich schon immer mit Briefmarken beschäftigt** he's always been into stamps **II.** *vt* ❶ (*innerlich in Anspruch nehmen*) ■ **jdn ~** to be on sb's mind; **mit einer Frage/einem Problem beschäftigt sein** to be preoccupied with a question/problem ❷ (*anstellen*) ■ **jdn ~** to employ sb ❸ (*eine Tätigkeit geben*) ■ **jdn [mit etw** *dat*] **~** to keep sb busy [with sth]

be·schäf·tigt [bə'ʃɛftɪçt] *adj* ❶ (*befasst*) busy (**mit** with) ❷ (*angestellt*) employed (**als** as); **wo bist du ~?** where do you work?

Be·schäf·tig·te(r) *f(m) dekl wie adj* employee

Be·schäf·ti·gung <-, -en> f ❶ (Anstellung) employment no pl, job ❷ (Tätigkeit) occupation ❸ (Auseinandersetzung) consideration (**mit** of) ❹ (das Beschäftigen anderer) occupation

Be·schäf·ti·gungs·la·ge f [situation on the] job market **be·schäf·ti·gungs·los** adj (arbeitslos) unemployed **Be·schäf·ti·gungs·maß·nah·me** f ÖKON job-creation scheme **Be·schäf·ti·gungs·po·li·tik** f employment policy **Be·schäf·ti·gungs·the·ra·pie** f occupational therapy

be·schä·men * vt ▪jdn ~ to shame sb; **es beschämt mich, zuzugeben ...** I'm ashamed to admit ...

be·schä·mend adj ❶ (schändlich) shameful ❷ (demütigend) humiliating

be·schämt adj ashamed; (verlegen) shamefaced; ▪**von etw** dat ~ **sein** to be embarrassed by sth

be·schat·ten * vt ❶ (überwachen) ▪jdn ~ to shadow sb ❷ (geh: mit Schatten bedecken) to shade

Be·schat·tung <-, selten -en> f ❶ (Überwachung) shadowing ❷ (das Schattenwerfen) shade

be·schau·en * vt ❶ Fleisch to inspect ❷ DIAL (betrachten) to look at

be·schau·lich I. adj peaceful; **ein ~es Leben führen** to lead a contemplative life II. adv peacefully

Be·schau·lich·keit <-> f kein pl tranquillity no pl

Be·scheid <-[e]s, -e> [bə'ʃait] m information no pl, no indef art; ADMIN answer; ~ **erhalten** to be informed; **jdm** [**über etw** akk] ~ **geben** to inform sb [about sth]; **jdm ordentlich ~ sagen** (fam) to give sb a piece of one's mind; **ich habe noch keinen** ~ I still haven't heard anything; **gut** ~ **wissen** to be well-informed; [**über etw** akk] ~ **wissen** to know [about sth]; **Geheimnis** to be in the know

be·schei·den¹ [bə'ʃaidn̩] I. adj ❶ (genügsam, einfach) modest; **ein ~es Leben führen** to lead a humble life; **aus ~en Verhältnissen kommen** to have a humble background; **nur eine ~e Frage** just one small question ❷ (fam: gering) meagre ❸ (euph fam: beschissen) lousy, BRIT also bloody-awful; **seine Leistung war eher** ~ his performance was rather lousy II. adv ❶ (selbstgenügsam) modestly ❷ (einfach) plainly

be·schei·den*² [bə'ʃaidn̩] irreg I. vt ❶ (geh: entscheiden) to come to a decision about ❷ (geh) ▪**jdm ist etw**

beschieden sth falls to sb's lot II. vr (geh) ▪**sich** ~ to be content (**mit** with)

Be·schei·den·heit <-> f kein pl ❶ (Genügsamkeit) modesty; **in aller** ~ in all modesty; **bei aller** ~ with all due modesty; [**nur**] **keine falsche** ~! no false modesty [now]! ❷ (Einfachheit) plainness ❸ (Geringfügigkeit) paucity form

be·schei·ni·gen * [bə'ʃainɪgn̩] vt ▪jdm **etw** ~ to certify sth for sb form; (quittieren) to provide sb with a receipt; ▪[**jdm**] ~, **dass ...** to confirm to sb in writing that ...; ▪**sich** dat **etw** ~ **lassen** to have sth certified

Be·schei·ni·gung <-, -en> f certification

be·schei·ßen * irreg I. vt (sl) ▪**jdm** ~ to rip sb off II. vi (sl) ▪[**bei etw** dat] ~ to cheat [at sth]

be·schen·ken * I. vt ▪jdn [**mit etw** dat] ~ to give sb sth [as a present]; **reich beschenkt werden** to be showered with presents II. vr ▪**sich** [**gegenseitig**] ~ to give each other presents

be·sche·ren * I. vt ❶ (zu Weihnachten) to give a Christmas present ❷ ▪jdm **etw** ~ to give sb sth II. vi to give each other Christmas presents

Be·sche·rung <-, -en> f giving of Christmas presents ▸ [**das ist ja**] **eine schöne** ~! (iron) this is a pretty kettle of fish!; **jetzt haben wir die** ~! well, there you are! haven't I told you!

be·scheu·ert I. adj (fam) ❶ (blöd) screwy, BRIT also daft fam; **dieser ~e Kerl** that daft idiot; **der ist etwas** ~ he's got a screw loose fam ❷ (unangenehm) stupid; **so was ~es!** how stupid! II. adv (fam) stupidly; **du siehst total** ~ **aus** you look really daft; ▪**sich** ~ **anstellen** to act like an idiot

be·schich·ten * vt to coat (**mit** with); **mit Kunststoff beschichtet** laminated

Be·schich·tung f coating; BAU lining

be·schie·ßen * vt irreg ❶ (mit Schüssen bedenken) to shoot at ❷ PHYS to bombard

be·schil·dern * vt (mit Schildchen versehen) to label; (mit Verkehrsschild versehen) to signpost; **gut/schlecht beschildert** [**sein**] [to be] well/badly signposted

Be·schil·de·rung <-, -en> f ❶ (das Beschildern) labelling; ADMIN (geh) signposting ❷ (geh: Schildchen) label; (Verkehrsschild) signpost

be·schimp·fen * I. vt to insult (**als** as, **mit** with); **jdn aufs Übelste** ~ to abuse sb in the worst possible manner II. vr ▪**sich** [**gegenseitig**] ~ to insult each other

Be·schimp·fung <-, -en> f ❶ (das Beschimpfen) abuse no pl; Person abuse

(+*gen* of), swearing (+*gen* at) **❷** (*Schimpfwort*) insult

Be·schiss^{RR} <-es> *m kein pl*, **Be·schiß**^{ALT} <-sses> *m kein pl* (*sl*) rip-off

be·schis·sen I. *adj* (*sl*) lousy, BRIT *also* bloody-awful **II.** *adv* (*sl*) in a lousy fashion; **es geht ihr wirklich ~** she's having a miserable time of it; **~ behandelt werden/aussehen** to be treated/to look like a piece of shit

Be·schlag <-[e]s, Beschläge> [bə'ʃlaːk, *pl* bə'ʃlɛːɡə] *m* **❶** *Koffer* lock; *Buch* clasp; *Tür, Fenster, Möbelstück* fitting **❷** (*Belag*) film; *Metall* tarnish; *Glasscheibe* steam ▶ **etw/jdn in ~ nehmen** to monopolize sth/sb; **jd wird in ~ genommen** sb's hands are full [with sth]

be·schla·gen *irreg* **I.** *vt haben* **❶** (*mit metallenem Zierrat versehen*) **Schuhe ~** to put metal tips on shoes; **etw mit Ziernägeln ~** to stud sth **❷** *Pferd* to shoe **II.** *vi sein Spiegel, Scheibe* to mist up; *Silber* to tarnish

be·schlag·nah·men* [bəʃlaːkna:mən] *vt* **❶** (*konfiszieren*) to seize; **Ihr Pass ist beschlagnahmt** your passport has been confiscated; *Fahrzeug* to impound **❷** (*fam: mit Beschlag belegen*) to commandeer **❸** (*zeitlich in Anspruch nehmen*) [**von etw** *dat*] **beschlagnahmt sein** to be taken up [with sth]

Be·schlag·nah·mung *f* JUR confiscation

be·schlei·chen* *vt irreg* (*geh: überkommen*) ■**jdn ~** to come over sb

be·schleu·ni·gen* [bəʃlɔynɪɡn] *vt, vi* to accelerate; *Tempo* to increase; *Schritte* to quicken; *Vorgang, Maschine* to speed up

Be·schleu·ni·gung <-, -en> *f* acceleration *no pl*

be·schlie·ßen* *irreg* **I.** *vt* **❶** (*entscheiden über*) to decide; **ein Gesetz ~** to pass a motion **❷** (*geh: beenden*) to conclude; **ich möchte meine Rede mit einem Zitat ~** I would like to conclude my speech with a quote **II.** *vi* (*einen Beschluss fassen*) ■**über etw** *akk* **~** to decide on sth

be·schlos·sen *adj* decided; **das ist ~e Sache** the matter is settled

Be·schluss^{RR} <-es, Beschlüsse> *m*, **Be·schluß**^{ALT} <-sses, Beschlüsse> *m* decision; (*Gerichts~*) order of court; **der Stadtrat hat einen ~ gefasst** the town council has passed a resolution; **einen ~ fassen** to reach a decision; **auf jds** *akk* **~** on sb's authority; **auf ~ des Parlaments** by order of parliament

be·schluss·fä·hig^{RR} *adj* quorate; ■**~ sein** to have a quorum **be·schluss·**

un·fä·hig^{RR} *adj* inquorate

be·schmie·ren* **I.** *vt* **❶** (*bestreichen*) **ein [Stück] Brot ~** to butter [a slice of] bread; **das Gesicht mit Creme ~** to put cream on one's face **❷** (*besudeln*) **du bist da am Kinn ja ganz beschmiert** you've got something smeared on your chin; **etw mit Gekritzel ~** to scribble [all] over sth **II.** *vr* ■**sich ~** to get oneself dirty

be·schmut·zen* **I.** *vt* **❶** (*schmutzig machen*) to dirty **❷** (*in den Schmutz ziehen*) to blacken **II.** *vr* ■**sich ~** to get oneself dirty

be·schnei·den* *vt irreg* **❶** (*zurechtschneiden*) to cut; (*stutzen*) to clip; HORT to prune **❷** MED, REL to circumcise **❸** (*beschränken*) to curtail

Be·schnei·dung <-, -en> *f* **❶** (*das Zurechtschneiden*) cutting; (*das Stutzen*) clipping; HORT pruning **❷** MED, REL circumcision **❸** (*das Beschränken*) curtailment

be·schnit·ten *adj* circumcised

be·schnüf·feln* **I.** *vt* **❶** (*Schnuppern von Tieren*) to sniff at **❷** (*pej fam: bespitzeln*) to check out **II.** *vr* ■**sich [gegenseitig] ~** *Tiere* to sniff each other; (*fig*) *Menschen* to size one another up

be·schnup·pern* *vt* **❶** *Tiere* to sniff **❷** (*fam: prüfend kennen lernen*) to size up

be·schö·ni·gen* [bə'ʃøːnɪɡn] *vt* to gloss over

Be·schö·ni·gung <-, -en> *f* gloss-over, cover-up, whitewash; **berichten Sie über den Fall, aber bitte ohne ~en** please tell us about the case but without glossing over any details

be·schrän·ken* **I.** *vt* **❶** (*begrenzen*) to limit (**auf** to) **❷** (*einschränken*) to curtail; **jdn in seinen Rechten ~** to curtail sb's rights **II.** *vr* ■**sich [auf etw** *akk*] **~** to restrict oneself [to sth]; **sich auf das Wesentliche ~** to keep to the essential points

be·schränkt *adj* **❶** (*eingeschränkt, knapp*) restricted; *Sicht* low; **finanziell/räumlich/zeitlich ~ sein** to have a limited amount of cash/space/time; **Gesellschaft mit ~er Haftung** limited [liability] company BRIT [*or* AM corporation] **❷** (*dumm*) limited; (*engstirnig*) narrow-minded

Be·schrän·kung <-, -en> *f* restriction

be·schrei·ben* *vt irreg* **❶** (*darstellen*) to describe; **nicht zu ~ sein** to be indescribable; **ich kann dir nicht ~, wie erleichtert ich war** I can't tell you how relieved I was **❷** *Bahn, Kreis* to describe

Be·schrei·bung *f* **❶** (*das Darstellen*) description; *eines Handlungsablaufs* account; **eine kurze ~** sketch; **das spottet jeder ~** it beggars description ❷ (*fam: Beipackzettel*) description; (*Gebrauchsanweisung*) instructions *pl*

be·schrei·ten* *vt irreg* (*geh*) ❶ (*begehen*) to walk on ❷ (*einschlagen*) **einen Weg ~** to follow a course

be·schrif·ten* [bəˈʃrɪftn̩] *vt* (*mit Inschrift versehen*) to inscribe; (*mit Aufschrift versehen*) to label; *Etiketten* to write labels; *Bild* to give a caption to; *Karton* to mark

Be·schrif·tung <-, -en> *f* ❶ (*das Beschriften*) labelling; *Kuvert* addressing; *Etiketten* writing ❷ (*Aufschrift*) inscription

be·schul·di·gen* [bəˈʃʊldɪɡn̩] *vt* ■**jdn** [**einer S.** *gen*] **~** to accuse sb [of sth]

Be·schul·dig·te(r) *f(m) dekl wie adj* accused

Be·schul·di·gung <-, -en> *f* accusation

Be·schuss^RR <-es> *m kein pl,* **Be·schuß^ALT** <-sses> *m kein pl* fire; (*durch Granaten, Raketen*) shelling; (*durch schwere Geschütze*) bombardment; **unter ~ geraten** to come under fire; **jdn/etw unter ~ nehmen** (*a. fig*) to attack sb/sth; (*mit Maschinengewehren*) to fire at sb/sth; (*mit Granaten, Raketen*) to shell sb/sth

be·schüt·zen* *vt* to protect (**vor** from); (*mit dem eigenen Körper*) to shield; ■**~d** protective

Be·schüt·zer(in) <-s, -> *m(f)* protector

be·schwat·zen* *vt* (*fam*) ❶ (*überreden*) to talk round; (*schmeichelnd*) to wheedle ❷ (*bereden*) to chat [*or* BRIT *also* have a chinwag] about

Be·schwer·de <-, -n> [bəˈʃveːɐ̯də] *f* ❶ (*Beanstandung, Klage*) complaint; **Grund zur ~ haben** to have grounds for complaint ❷ JUR appeal ❸ *pl* MED complaint *form;* **~n mit etw** *dat* **haben** to have problems with sth; **mein Magen macht mir ~n** my stomach is giving me trouble

be·schwer·de·frei *adj* MED healthy **Be·schwer·de·füh·rer(in)** *m(f)* (*geh*) person lodging a complaint; JUR complainant

be·schwe·ren* [bəˈʃveːrən] **I.** *vr* ❶ (*sich beklagen*) ■**sich ~** to complain (**über** about); **ich kann mich nicht ~** I can't complain ❷ (*fig: sich belasten*) ■**sich** [**mit etw** *dat*] **~** to encumber oneself [with sth] **II.** *vt* ❶ (*mit Gewicht versehen*) to weight [down] ❷ (*belasten*) ■**jdn ~** to get sb down

be·schwer·lich *adj* difficult, exhausting; *Reise* arduous; **das Laufen ist für ihn sehr ~** walking is hard for him

be·schwich·ti·gen* [bəˈʃvɪçtɪɡn̩] *vt* to soothe

be·schwich·ti·gend **I.** *adj* soothing **II.** *adv* soothingly

Be·schwich·ti·gung <-, -en> *f* soothing

be·schwin·deln* *vt* (*fam*) ❶ (*belügen*) to tell fibs ❷ (*betrügen*) to con

be·schwin·gen* *vt* to get going; **die Musik beschwingte uns** the music elated us

be·schwingt **I.** *adj* lively; *Mensch a.* vivacious **II.** *adv* chirpily; **sich ~ fühlen** to feel elated

be·schwip·sen *vt* (*fam*) ■**jdn ~** to make sb tipsy

be·schwipst [bəˈʃvɪpst] *adj* (*fam*) tipsy

be·schwö·ren* *vt irreg* ❶ (*beeiden*) to swear [to]; **~ kann ich das nicht** I wouldn't like to swear to it ❷ (*anflehen*) to beg ❸ (*magisch hervorbringen*) to conjure up; *Geister, Tote* to raise; (*bezwingend*) to exorcize; *Schlange* to charm

Be·schwö·rung <-, -en> *f* ❶ (*das Anflehen*) appeal, entreaty, supplication *form;* **unsere ganzen ~en nützten nichts** all our pleading was in vain ❷ (*das magische Hervorbringen*) conjuring-up, conjuration; (*Beschwörungsformel*) magic spell; **eine ~ aussprechen** to chant an incantation, to speak the magic words ❸ (*das Hervorrufen*) conjuring-up; **eine ~ längst vergessener Erinnerungen** a conjuring-up of long-forgotten memories; **eine ~ der Vergangenheit/alter Zeiten** a reminder of the past/old times

be·see·len* [bəˈzeːlən] *vt* ❶ (*durchdringen*) to animate ❷ (*mit innerem Leben erfüllen*) to breathe life into

be·se·hen* *irreg vt* to look at; **etw näher ~** to inspect sth closely

be·sei·ti·gen* [bəˈzaitɪɡn̩] *vt* ❶ (*entfernen*) to dispose of; *Zweifel* to dispel; *Missverständnis* to clear up; **sich leicht ~ lassen** to be easily removed; *Schnee, Hindernis* to clear away; *Fehler* to eliminate; *Ungerechtigkeiten* to abolish ❷ (*euph: umbringen*) to eliminate

Be·sei·ti·gung <-> *f kein pl* ❶ (*das Beseitigen*) disposal; *Farben/Spuren/Regime* removal; *Zweifel* dispelling; *Missverständnis* clearing-up ❷ (*euph: Liquidierung einer Person*) elimination

Be·sen <-s, -> [ˈbeːzn̩] *m* ❶ (*Kehr~*) broom; (*kleiner*) brush; *Hexe* broomstick ❷ KOCHK whisk ❸ (*pej sl: kratzbürstige Frau*) old bag ❹ SÜDD (*fam*) Swabian vineyard's own public bar selling its wine, signalled by a broom hanging outside the *door* ▶ **neue** ~ **kehren gut** (*prov*) a new broom sweeps clean *prov;* **ich fresse einen** ~, **wenn** ... (*fam*) I'll eat my hat if ...

Be·sen·stiel *m* broomstick ▶ **als habe jd einen** ~ **verschluckt** as stiff as a post

be·ses·sen [bəˈzɛsn̩] *adj* ❶ REL possessed (**von** by) ❷ (*unter einem Zwang stehend*) ■ ~ **sein** to be obsessed (**von** with); **wie** ~ like mad

Be·ses·sen·heit <-> *f kein pl* ❶ REL possession ❷ (*Wahn*) obsession

be·set·zen* *vt* ❶ (*belegen*) to reserve; *Stühle, Plätze* to occupy; *Leitung* to engage BRIT, to keep busy AM; **besetz schon mal zwei Plätze für uns** keep two places for us ❷ (*okkupieren*) to occupy; (*bemannen*) to man; *Haus* ~ to squat in ❸ (*ausfüllen*) **einen Posten** ~ to fill a post; **eine Rolle** ~ THEAT to cast sb in a role ❹ (*dekorieren*) to trim (**mit** with)

be·setzt *adj* ❶ (*vergeben*) taken, occupied; **dicht** ~ packed [out]; **ein gut/schlecht** ~ **er Film** a well-cast/miscast movie ❷ (*belegt*) ■ ~ **sein** *Telefon, Toilette* to be occupied; *Terminkalender, Termine* to be fully booked-up ❸ MIL occupied; (*bemannt*) manned; **ein** ~ **es Haus** a squat

Be·setzt·zei·chen *nt* engaged [*or* AM busy] tone

Be·set·zung <-, -en> *f* ❶ (*Vergeben einer Stelle*) appointment (**mit** of); FILM, THEAT casting (**mit** of) ❷ (*alle Mitwirkende*) *Film, Stück* cast; *Mannschaft* line-up; **die zweite** ~ THEAT understudy; SPORT substitute ❸ (*Okkupierung*) *Land, Gebiet* occupation; *Haus* squatting [in]; *Amt, Stelle* filling

be·sich·ti·gen* [bəˈzɪçtɪɡn̩] *vt* (*ansehen*) to visit; *Sehenswürdigkeit a.* to have a look at; *Betrieb* to have a tour of; *Haus, Wohnung* to view; *Schule* to inspect; **Truppen** to review

Be·sich·ti·gung <-, -en> *f* visiting; *Wohnung, Haus etc.* viewing; **eine** ~ **der Sehenswürdigkeiten** a sightseeing tour; **die** ~ **einer Stadt** a tour of a town

be·sie·deln* *vt* (*bevölkern*) to settle; (*kolonisieren*) to colonize; *mit Tieren* to populate

Be·sie·de·lung, Be·sied·lung <-, -en> *f* settlement; (*Kolonisierung*) colonization; *Ballungsraum, Landstrich, etc* population; **dichte/dünne** ~ dense/sparse population

be·sie·geln* *vt* to seal

be·sie·gen* *vt* ❶ (*schlagen*) to beat; *Land* to conquer; **sich** [**für**] **besiegt erklären** to admit defeat ❷ (*überwinden*) to overcome

Be·sieg·te(r) *f(m) dekl wie adj* loser; ■ **die Besiegten** the defeated [*or liter* vanquished]

be·sin·nen* *vr irreg* ❶ (*überlegen*) ■ **sich** ~ to think [for a moment]; **sich anders** ~ to change one's mind [about sth]; **nach kurzem B~** after brief consideration ❷ (*an etw denken*) ■ **sich** [**auf jdn/etw**] ~ to think [about sb/sth]; (*auf Vergangenes*) ~ to remember; **wenn ich mich recht besinne** if I remember rightly

be·sinn·lich [bəˈzɪnlɪç] *adj* thoughtful; (*geruhsam*) leisurely; **er verbrachte einige** ~ **e Tage im Kloster** he spent a few days of contemplation in the monastery

Be·sin·nung <-> *f kein pl* ❶ (*Bewusstsein*) consciousness *no pl;* **die** ~ **verlieren** to faint; [**wieder**] **zur** ~ **kommen** to come round; **jdn** [**wieder**] **zur** ~ **bringen** to revive sb; (*fig*) to bring sb round ❷ (*Reflexion*) reflection; **zur** ~ **kommen** to gather one's thoughts

be·sin·nungs·los *adj* ❶ (*ohnmächtig*) unconscious; ■ ~ **werden** to pass out ❷ (*blind*) insensate; *Wut* blind **Be·sin·nungs·lo·sig·keit** <-> *f kein pl* unconsciousness *no pl*

Be·sitz <-es> [bəˈzɪts] *m kein pl* ❶ (*Eigentum*) property; *Vermögen* possession ❷ AGR land; (*Landsitz, Gut*) estate ❸ (*das Besitzen*) possession; **von etw** *dat* ~ **ergreifen** (*geh*) to take possession of sth; **in den** ~ **einer S.** *gen* **gelangen** to come into possession of sth; **jds** *gen* ~ **sein** to be sb's property; **im** ~ **von etw** *dat* **sein** (*geh*) to be in possession of sth; **in jds** *akk* ~ **übergehen** to pass into sb's possession; **in staatlichem/privatem** ~ state-owned/privately-owned

be·sit·zen* *vt irreg* ❶ (*Eigentümer sein*) to own ❷ (*haben, aufweisen*) to have [got]; **die Frechheit** ~, **etw zu tun** to have the cheek to do sth; **jds** *gen* **Vertrauen** ~ to have sb's confidence

Be·sit·zer(in) <-s, -> *m(f)* owner; *eines Geschäfts etc.* proprietor; *einer Eintrittskarte* holder; **der rechtmäßige** ~ the rightful owner; **den** ~ **wechseln** to change hands

be·sitz·er·grei·fendALT *adj* possessive

be·sitz·los *adj* poor

Be·sitz·tum <-s, -tümer> *nt* property *no pl; Land* estate

be·sof·fen [bəˈzɔfn̩] *adj* (*sl*) sloshed, BRIT *also* pissed; **total** ~ dead drunk

Be·sof·fe·ne(r) *f(m) dekl wie adj* (*sl*) drunk

be·soh·len* *vt Schuhe* to sole

be·sol·den* [bə'zɔldn̩] *vt* ADMIN to pay

Be·sol·dung <-, -en> *f* ADMIN salary

be·son·de·re(r, s) [bə'zɔndərə, -ərə, -ərəs] *adj* ❶ (*ungewöhnlich*) unusual; (*eigentümlich*) peculiar; (*außergewöhnlich*) particular; **ganz ~** very special; **von ~r Schönheit** of exceptional beauty ❷ (*speziell*) special; **ein ~s Interesse an etw** *dat* **haben** to be especially interested in sth; **von ~r Bedeutung** of great significance; [**einen**] **~n Wert auf etw** *akk* **legen** to attach great importance to sth ❸ (*zusätzlich, separat, gesondert*) special [kind of]

Be·son·der·heit <-, -en> *f* (*Merkmal*) feature; (*Außergewöhnlichkeit*) special quality; (*Eigentümlichkeit*) peculiarity

be·son·ders [bə'zɔndɐs] *adv* ❶ *intensivierend* (*außergewöhnlich*) particularly; **~ viel** a great deal; **nicht ~ klug/fröhlich** not particularly bright/happy ❷ (*vor allem*) in particular, above all ❸ (*speziell*) specially; **nicht ~ sein** (*fam*) nothing out of the ordinary; **jd fühlt sich nicht ~** (*fam*) sb feels not too good

be·son·nen [bə'zɔnən] **I.** *adj* sensible **II.** *adv* sensibly

Be·son·nen·heit <-> *f kein pl* calmness *no pl*

be·sor·gen* *vt* ❶ (*beschaffen*) to get; **sich** *dat* **einen Job ~** to find oneself a job ❷ (*kaufen*) to buy ❸ (*erledigen*) to see to; *Angelegenheiten* to look after; **den Haushalt ~** to run the household ▶ **es jdm ~** (*fam: jdn verprügeln*) to give sb a thrashing; **ich habe es ihm richtig besorgt** I really let him have it; (*jdm die Meinung sagen*) to give sb a piece of one's mind; (*derb: jdn sexuell befriedigen*) to give it to sb

Be·sorg·nis <-ses, -se> [bə'zɔrknɪs] *f* ❶ (*Sorge*) concern; **jds** *akk* **~ erregen** to cause sb's concern; **~ erregend** worrying; **kein Grund zur ~!** no need to worry! ❷ (*Befürchtung*) misgivings *pl*, fears *pl*

be·sorg·nis·er·re·gendALT *adj* worrying

be·sorgt [bə'zɔrkt] *adj* ❶ (*voller Sorge*) worried (**wegen/um** about); **ein ~es Gesicht machen** to look troubled ❷ (*fürsorglich*) **um jdn/etw ~ sein** to be anxious about sb/sth

Be·sor·gung <-, -en> *f* ❶ (*Einkauf*) errand[s]; **~en machen** to do some errands; (*das Kaufen*) purchase *form* ❷ (*das Erledigen*) *Geschäfte, Aufgaben* management [of affairs]

be·span·nen* *vt* ❶ (*überziehen*) to cover (**mit** with); **einen Schläger neu ~** to re-

string a racket ❷ (*Zugtiere anspannen*) to harness

be·spiel·bar *adj* ❶ *Kassette* capable of being recorded on ❷ SPORT *Platz* fit for playing on

be·spie·len* *vt* ❶ *Kassette, Tonband* to record ❷ SPORT *Platz* to play on

be·spit·zeln* *vt* to spy on

be·spre·chen* *irreg vt* ❶ (*erörtern*) ■ **etw** [**mit jdm**] **~** to discuss sth [with sb]; **wie besprochen** as agreed ❷ (*rezensieren*) to review ❸ (*aufnehmen*) ■ **etw ~** to make a recording on sth (**mit** of)

Be·spre·chung <-, -en> *f* ❶ (*Konferenz*) meeting; (*Unterredung*) discussion ❷ (*Rezension*) review

be·sprit·zen* *vt* to splash (**mit** with)

bes·ser ['bɛsɐ] **I.** *adj comp von* **gut** ❶ (*höher*) better; *Qualität* superior; ■ **etwas B~es** sth better; **nichts B~es** nothing better; **Sie finden nichts B~es!** you won't find anything better!; **nicht ~ als ...** no better than ...; ■ **etw wird ~** sth is getting better ❷ (*sozial höhergestellt*) better-off ▶ **jdn eines B~en belehren** to put sb right; **ich lasse mich gerne eines B~en belehren** I'm willing to admit I'm wrong; **sich eines B~en besinnen** to think better of sth; **B~es zu tun haben** to have other things to do **II.** *adv comp von* **gut, wohl** ❶ (*nicht mehr schlecht*) better; **es geht jdm ~** MED sb is better; **es geht** [**einer S.** *dat*] **~** sth is doing better ❷ (*fam: lieber*) better; **dem solltest du ~ aus dem Wege gehen!** it would be better if you avoided him! ▶ **~** [**gesagt**] (*richtiger*) rather; **es ~ haben** to be better off; **es kommt noch ~** (*iron fam*) you haven't heard the half of it!; **jd täte ~ daran ...** sb would do better to ...; **jd will alles ~ wissen** sb knows better; **um so ~!** (*fam*) all the better!

bes·ser|ge·henALT *vi impers, irreg sein* **es geht jdm besser** MED sb is better; **es geht** [**einer S.** *dat*] **besser** sth is doing better

Bes·ser·ge·stell·te(r) <-n, -n> *f(m) dekl wie adj* better off person

bes·sern ['bɛsɐn] **I.** *vr* ■ **sich ~** to improve; **sein** [**Gesundheits**]**zustand hat sich gebessert** he has recovered **II.** *vt* ■ **jdn ~** to reform sb; ■ **etw ~** to improve upon sth

Bes·se·rung <-> *f kein pl* improvement; **gute ~!** get well soon!; **auf dem Weg der ~ sein** to be on one's way to recovery; **hiermit gelobe ich ~** from now on I'm a reformed character

Bes·ser·ver·die·nen·de(r) *f(m) dekl wie adj* high earner **Bes·ser·wis·ser(in)** <-s,

-> m(f) (*pej*) know-all **Bes·ser·wis·se·rei** <-> f kein pl (*pej*) know-all manner; **verschone uns mit deiner ständigen ~!** spare us this little Mr/Miss Know-it-all attitude of yours! **Bes·ser·wis·se·rin** <-, -nen> f fem form von **Besserwisser bes·ser·wis·se·risch** I. adj (*pej*) know-all II. adv (*pej*) like a know-all

Bess·rung <-> f s. **Besserung**

Be·stand <-[e]s, ände> m ❶ (*Fortdauer*) survival; **~ haben** to be long-lasting ❷ (*vorhandene Menge*) supply (**an** of); *Vieh* [live] stock; *Kapital* assets pl; *Wertpapiere* holdings pl; *Bäume* stand [of trees]; **~ aufnehmen** (*a. fig*) to take stock

be·stan·den adj ❶ (*erfolgreich absolviert*) passed ❷ (*mit Pflanzen bewachsen*) covered with trees pred, tree-covered attr ❸ SCHWEIZ (*alt, bejahrt*) advanced in years pred

be·stän·dig adj ❶ attr (*ständig*) constant ❷ (*gleich bleibend*) consistent; *Wetter* settled ❸ (*widerstandsfähig*) ■ ~ **sein** to be resistant (**gegen** to); **hitze~** heat-resistant ❹ (*dauerhaft*) long-lasting

Be·stän·dig·keit <-> f kein pl ❶ (*das Anhalten*) persistence; *Wetter* continuation ❷ (*gleich bleibende Eigenschaft*) consistency; *Liebende* constancy ❸ (*Widerstandsfähigkeit*) resistance (**gegen** to)

Be·stands·auf·nah·me f ❶ ÖKON stocktaking; [eine] ~ **machen** to take stock; (*in Gastronomie oder Haushalt*) to make an inventory ❷ (*fig: Bilanz*) taking stock; [eine] ~ **machen** to weigh up sth

Be·stand·teil m part; SCI component; **notwendiger** ~ essential part; **sich in seine ~e auflösen** to fall apart; **etw in seine ~e zerlegen** to take sth to pieces

be·stär·ken* vt ■ jdn [in etw dat] ~ to encourage sb['s sth]; **jdn in seinem Vorhaben** ~ to confirm sb in their intention; **jdn in einem Verdacht** ~ to reinforce sb's suspicion

Be·stär·kung f ❶ (*Unterstützung*) support ❷ (*Erhärtung*) confirmation

be·stä·ti·gen* [bəˈʃtɛːtɪgn̩] vt ❶ (*für zutreffend erklären*) to confirm; **ein Alibi** ~ to corroborate an alibi; **die Richtigkeit einer S.** gen ~ to verify sth; **jdn [in etw dat]** ~ to support sb [in sth]; **ein ~des Kopfnicken** a nod of confirmation ❷ (*quittieren*) to certify; *Empfang* confirm ❸ ADMIN **jdn im Amt** ~ to confirm sb in office

Be·stä·ti·gung <-, -en> f ❶ (*das Bestätigen*) confirmation; *Richtigkeit, Echtheit* verification; *Gesetz, Vertrag* ratification;

~/**keine** ~ **finden** (*geh*) to be validated/ to not be validated; **er sucht doch bloß ~!** he's merely trying to boost his ego! ❷ (*bestätigendes Schriftstück*) written confirmation, certification

Be·stä·ti·gungs·schrei·ben nt FIN letter of acknowledg[e]ment

be·stat·ten* [bəˈʃtatn̩] vt (*geh*) ❶ (*beerdigen*) to bury; **sie wird auf dem alten Friedhof bestattet** she will be laid to rest in the old cemetery ❷ (*verbrennen*) to cremate

Be·stat·tung <-, -en> f (*geh*) s. **Beerdigung**

Be·stat·tungs·in·sti·tut nt, **Be·stat·tungs·un·ter·neh·men** nt (*geh*) funeral parlour

be·stäu·ben* vt ❶ KOCHK to dust ❷ BOT to pollinate

Be·stäu·bung <-, -en> f BOT pollination

be·stau·nen* vt to admire

best·be·zahlt adj attr highest paid

bes·te(r, s) [ˈbɛstə, ˈbɛstɐ, ˈbɛstəs] I. adj superl von **gut** attr best; **sich ~r Gesundheit erfreuen** to be in the best of health; **in ~r Laune** the best of spirits; **mit den ~n Wünschen** with all best wishes II. adv ❶ (*auf Platz eins*) ■ **am ~n** + vb best ❷ (*ratenswerterweise*) ■ **am ~n** it would be best if ...; **es wäre am ~n, wenn Sie jetzt gingen** you had better go now ▶ **das ist am ~n so!** it's all for the best!

be·ste·chen* irreg I. vt Beamte, etc. to bribe (**mit** with) II. vi (*Eindruck machen*) to be impressive; ■ **durch etw** akk ~ to win people over with sth; **das Auto besticht durch seine Form** the appeal of the car lies in its shape

be·ste·chend I. adj captivating; *Angebot* tempting; *Gedanke* fascinating; *Lächeln* winning; *Schönheit* entrancing; *Geist* brilliant II. adv winningly

be·stech·lich [bəˈʃtɛçlɪç] adj corrupt

Be·stech·lich·keit <-> f kein pl corruptibility

Be·ste·chung <-, -en> f bribery; **sich durch ~ von etw** dat **freikaufen** to bribe one's way out of sth

Be·ste·chungs·geld nt meist pl bribe

Be·ste·chungs·ver·such m attempt to bribe

Be·steck <-[e]s, -e> [bəˈʃtɛk] nt ❶ (*Ess~*) cutlery n sing ❷ (*Instrumentensatz*) set of instruments; *Heroinsüchtige* needles pl

be·ste·hen* irreg I. vt ❶ (*erfolgreich abschließen*) to pass (**mit** with); **sie bestand ihre Prüfung mit Auszeichnung** she passed her exam with distinction; **eine Probe ~** to stand the test [of sth]; **etw nicht ~** to fail sth; **die Prüfer ließen ihn nicht ~** the examiners failed him ❷ (*durchstehen*) to come through [in one piece]; *Kampf* to win ❸ (*andauern*) **etw ~ lassen** to retain sth **II.** *vi* ❶ (*existieren*) to be; **es besteht kein Zweifel** there is no doubt; **es ~ gute Aussichten, dass ...** the prospects of ... are good; **es besteht die Gefahr, dass ...** there is a danger of ...; **besteht noch Hoffnung?** is there still a chance?; **~ bleiben** (*weiterhin existieren*) to last; (*weiterhin gelten*) *Versprechen, Wort* to remain ❷ *mit Zeitangabe* to exist; **das Unternehmen besteht seit 50 Jahren** the company is 50 years old ❸ (*sich zusammensetzen*) to consist (**aus** of); *Material* to be made (**aus** of) ❹ (*beinhalten*) ▪**in etw** *dat* **~** to consist in sth; **das Problem besteht darin, dass ...** the problem is that ...; **der Unterschied besteht darin, dass ...** the difference lies in ... ❺ (*standhalten*) to survive ❻ (*durchkommen*) to pass ❼ (*insistieren*) ▪**auf etw** *dat* **~** to insist on sth; ▪**darauf ~, dass ...** to insist that ...; **wenn Sie darauf ~!** if you insist!; **auf einer Meinung ~** to stick to an opinion

Be·ste·hen <-s> *nt kein pl* ❶ (*Vorhandensein*) existence (+*gen* of) ❷ (*Beharren*) insistence (**auf** on) ❸ (*das Durchkommen*) *Prüfung* passing; *Probezeit* successful completion; *schwierige Situation* surviving; *Gefahr* overcoming

be·ste·hend *adj* (*existierend*) existing; (*geltend*) current

be·steh·len* *vt irreg* to steal from; **man hat mich bestohlen!** I've been robbed!

be·stei·gen* *vt irreg* ❶ (*auf etw klettern*) to climb [up onto]; *Podest* to get up onto; *Thron* to ascend ❷ *Pferd, Fahrrad, Motorrad* to mount ❸ *Bus* to get on; *Taxi, Auto* to get into; *Flugzeug* to board; *Schiff* to go on board ❹ (*begatten*) ZOOL to cover; ▪**jdn ~** (*sl*) to mount sb *sl*

Be·stei·gung *f* ▪**die ~ einer S.** *gen* the ascent of sth; **die ~ des Berges erwies sich als schwierig** climbing the mountain proved difficult; *Thron* accession [to the throne], ascent

be·stel·len* *vt* ❶ (*in Auftrag geben*) to order (**bei** from); *Zeitung* to subscribe to ❷ (*reservieren*) to reserve ❸ (*ausrichten*) to tell sb; [jdm] **Grüße ~** to send [sb] one's regards; **können Sie ihr etwas ~?** may I leave a message for her? ❹ (*kommen lassen*) to ask to come; *Taxi* to call; ▪**bestellt sein** to have an appointment ❺ AGR (*bear-*

beiten) to cultivate; *Acker* to plant ▶**wie bestellt und nicht abgeholt** (*hum fam*) standing around, making the place look untidy; **mit etw** *dat* **ist es schlecht bestellt** sth is in a bad way; **um meine Finanzen ist es schlecht bestellt** my finances are in a bad way

Be·stell·num·mer *f* order number **Be·stell·schein** *m* order form

Be·stel·lung <-, -en> *f* ❶ (*das Bestellen, bestellte Ware*) order; **eine ~ aufgeben** to make an order; **auf ~ arbeiten** to work to order; **etw auf ~ machen** to make sth to order ❷ (*Übermittlung*) delivery ❸ AGR cultivation ❹ ADMIN appointment ▶**wie auf ~** in the nick of time

bes·ten ['bɛstn̩] *adv s.* **beste(r, s)**

bes·ten·falls ['bɛstn̩'fals] *adv* at best

bes·tens ['bɛstn̩s] *adv* very well; **~ vorsorgen** to take very careful precautions

be·steu·ern* *vt* to tax

Be·steu·e·rung <-, -en> *f* taxation

Best·form *f bes* SPORT top form

bes·ti·a·lisch [bɛs'tia:lɪʃ] **I.** *adj* atrocious; *Gestank* vile; *Schmerz* excruciating **II.** *adv* (*fam*) dreadfully; **~ stinken** to stink to high heaven *fig*

Bes·ti·a·li·tät [bɛstiali'tɛ:t] *f* bestiality

be·sti·cken* *vt* to embroider

Bes·tie <-, -n> ['bɛstiə] *f* ❶ (*reißendes Tier*) beast *form* ❷ (*grässlicher Mensch*) brute

be·stim·men* **I.** *vt* ❶ (*festsetzen*) to decide on; *Preis, Ort, Zeit* to fix; *Grenze* to set ❷ (*prägen*) to set the tone for; **Wälder ~ das Landschaftsbild** forests characterize the scenery ❸ (*beeinflussen*) to influence; **durch etw** *akk* **bestimmt werden** to be determined by sth ❹ (*wissenschaftlich feststellen*) to categorize; *Pflanzen, Tiere* to classify; *Bedeutung, Herkunft* to determine; *Begriff* to define ❺ (*vorsehen*) ▪**jdn zu etw** *dat* **~** to make sb sth; **füreinander bestimmt** meant for each other; **etw ist für jdn bestimmt** sth is for sb **II.** *vi* ❶ (*befehlen*) to be in charge ❷ (*verfügen*) ▪**über jdn/etw ~** to control sb/sth

be·stim·mend **I.** *adj* decisive **II.** *adv* decisively

be·stimmt [bə'ʃtɪmt] **I.** *adj* ❶ (*nicht genau genannt*) certain ❷ (*speziell, genau genannt*) particular; **ganz ~e Vorstellungen** very particular ideas; ▪**etwas B~es** something [in] particular ❸ (*festgesetzt*) fixed; (*klar, deutlich*) exact; **ein ~er Tag** the appointed day; **ein ~er Artikel** LING a definite article ❹ (*entschieden*) *Auftreten* firm **II.** *adv* ❶ (*sicher*) definitely; **etw ganz**

B →

~ **wissen** to be positive about sth; ~ **nicht** certainly not ❷ (*entschieden*) determinedly

Be·stimmt·heit <-> *f kein pl* determination; *von Angaben, Daten* precision; **etw in aller ~ ablehnen** to categorically refuse sth; **etw mit ~ sagen können** to be able to state sth definitely

Be·stim·mung <-, -en> *f* ❶ (*Vorschrift*) regulation ❷ *kein pl* (*Zweck*) purpose ❸ (*Schicksal*) destiny ❹ (*das Bestimmen*) determining; *Preis, Grenze, Limit* fixing; *Zeit, Ort* appointing; *Landesgrenze* establishment; *Alter, Herkunft* determination; *Begriff* definition; *Bäume, etc* classification; **adverbiale ~** LING adverbial [phrase]

Be·stim·mungs·ort *m* destination

Best·leis·tung *f* best performance; **jds** *gen* **persönliche ~** sb's personal best

best·mög·lich ['bɛst'møːklɪç] *adj* best possible; **das ~e tun** to do one's best

Best.-Nr. *f* ÖKON *Abk von* **Bestellnummer**

be·stra·fen *vt* to punish (**mit** by/with); *mit einer Geldstrafe* to fine; *mit einer Gefängnisstrafe* to sentence; *Spieler* to penalize; **etw wird mit Gefängnis bestraft** sth is punishable by imprisonment

Be·stra·fung <-, -en> *f* punishment; *Spieler* penalization; (*mit Gefängnis*) sentencing; (*mit Gebühr*) fining; **zur ~** as a punishment

be·strah·len *vt* ❶ MED (*mit Strahlen behandeln*) to treat with radiotherapy ❷ (*beleuchten*) to illuminate

Be·strah·lung *f* MED (*das Bestrahlen*) radiotherapy; (*Sitzung*) radiotherapy session

Be·stre·ben *nt* endeavour[s]; **das ~ haben, etw zu tun** to make every effort to do sth

be·strebt *adj* ■ **~ sein, etw zu tun** to be keen to do sth

be·strei·chen *vt irreg* ❶ (*beschmieren*) to smear (**mit** with); *mit Öl* to oil; *mit Butter* to butter ❷ (*einpinseln*) to coat (**mit** with); *mit Farbe* to paint

be·strei·ken *vt* to take strike action [*or* AM go on strike] against; **dieser Betrieb wird bestreikt** there is a strike in progress at this company

be·streit·bar *adj* disputable; **nicht ~** indisputable

be·strei·ten *vt irreg* ❶ (*leugnen*) to deny; *Behauptung* to reject; **es lässt sich nicht ~, dass ...** it cannot be denied that ... ❷ (*finanzieren*) to finance; *Kosten* to cover; **seinen Unterhalt ~** to earn a living ❸ (*tragen, gestalten*) to run; *Gespräch* to carry

be·streu·en *vt* to strew; *mit Puderzucker* to dust; *mit Zucker* to sprinkle; *mit Kies* to gravel

Best·sel·ler <-s, -> ['bɛstzɛlɐ] *m* bestseller

Best·sel·ler·au·tor(in) *m(f)* bestselling author **Best·sel·ler·lis·te** *f* bestseller list

be·stür·men *vt* to bombard

be·stür·zen *vt* to upset

be·stürzt I. *adj* dismayed (**über** by); **zutiefst ~** deeply dismayed II. *adv* in a dismayed [*or* disturbed] manner; **sie riss ~ die Augen auf, als sie entdeckte, dass ihr Geldbeutel gestohlen worden war** her eyes widened in shock as she discovered that her purse had been stolen

Be·stür·zung <-> *f kein pl* consternation *no pl;* **~ auslösen** to arouse [great] consternation

Best·zeit *f* best time

Be·such <-[e]s, -e> [bə'zuːx] *m* ❶ (*das Besuchen*) visit (**bei** to); **jdm einen ~ abstatten** to pay sb a visit; (*kurz*) to call on sb; [**bei jdm**] **auf ~ sein** to be on a visit [to sb]; **ich bin hier nur zu ~** I'm just visiting ❷ (*Besucher*) visitor[s]; (*eingeladen*) guest[s]; **hoher ~** important visitor[s]

be·su·chen *vt* ❶ (*als Besuch kommen*) to visit; **besuch mich bald mal wieder!** come again soon! ❷ (*aufsuchen*) to go to ❸ (*teilnehmen*) to attend

Be·su·cher(in) <-s, -> *m(f)* ❶ visitor, guest; *Kino, Theater* cinema/theatre goer; *Sportveranstaltung* spectator; **ein regelmäßiger ~** a frequenter ❷ (*Teilnehmer*) participant

Be·suchs·zeit *f* visiting hours *pl*

be·su·deln *vt* (*geh*) ❶ (*beschmieren*) to besmear; ■ **sich ~** to soil oneself; **jetzt habe ich meine Bluse mit Kaffee besudelt** now I've got coffee all over my blouse ❷ (*herabwürdigen*) to besmirch

Be·ta·blo·cker <-s, -> *m* MED beta blocker

be·tagt [bə'taːkt] *adj* (*geh*) aged, advanced in years *pred*

be·tas·ten *vt* to feel; MED to palpate

Be·ta·strah·lung *f* NUKL beta radiation

be·tä·ti·gen I. *vt* (*drücken*) to press; (*umlegen*) to operate; (*einschalten*) to activate; *Bremse* to apply II. *vr* ■ **sich ~** to busy oneself; **sich politisch ~** to be politically active; **sich sportlich ~** to exercise

Be·tä·ti·gung <-, -en> [bə'tɛːtɪgʊŋ] *f* ❶ (*Aktivität*) activity; (*berufliche Tätigkeit*) work ❷ (*das Drücken*) pressing; *von Bremse* application; *von Knopf* pushing; (*das Umlegen o Ziehen*) operation; (*das Einschalten*) activation

Be·tä·ti·gungs·feld *nt* field of activity

be·tat·schen *vt* (*pej fam*) to paw

be·täu·ben* [bə'tɔybn̩] *vt* ❶(*narkotisieren*) to anaesthetize; **die Entführer betäubten ihr Opfer** the kidnappers drugged their victim; ■[**wie**] **betäubt** [als if] paralyzed; **er wankte wie betäubt umher** he staggered around [as if] in a daze ❷MED (*unempfindlich machen*) to deaden; *Schmerz* to kill ❸(*ruhigstellen*) to silence *fig; Emotionen* to suppress; *Gewissen* to ease; **seinen Kummer mit Alkohol ~** to drown one's sorrows in drink

be·täu·bend *adj* ❶(*ohrenbetäubend*) deafening ❷(*benommen machend*) intoxicating ❸(*narkotisierend*) narcotic

Be·täu·bung <-, -en> *f* ❶(*das Narkotisieren*) anaesthetization ❷(*das Betäuben*) deadening; *von Schmerz* killing ❸MED (*Narkose*) anaesthetic; **örtliche ~** local anaesthetic

Be·täu·bungs·mit·tel *nt* drug

Be·ta·ver·si·on *f* INFORM beta version

Be·te <-, *selten* -n> ['be:tə] *f* **rote ~** beetroot

be·tei·li·gen* [bə'tailɪgn̩] I. *vt* to give sb a share (**an** in) II. *vr* ■**sich** [**an etw** *dat*] **~** to participate [in sth]; *an einem Unternehmen* to have a stake in

be·tei·ligt [bə'tailɪçt] *adj* ■**an etw** *dat* **~ sein** ❶(*mit dabei*) to be involved in sth ❷FIN, ÖKON to hold a stake in sth

Be·tei·lig·te(r) *f(m) dekl wie adj* person involved

Be·tei·li·gung <-, -en> *f* ❶(*Teilnahme*) participation (**an** in) ❷(*Anteil*) stake (**an** in); (*das Beteiligen*) share (**an** in)

be·ten ['be:tn̩] I. *vi* to pray (**für** for, **zu** to) II. *vt* to recite

be·teu·ern* [bə'tɔyɐn] *vt* ■**jdm ~, dass ...** to protest to sb that ...; **seine Unschuld ~** to protest one's innocence

Be·teu·e·rung <-, -en> *f* protestation

be·ti·teln* *vt* ❶(*anreden*) to address (**als** as); **er möchte gerne** [**als**] **Herr Professor betitelt werden** he would like to be addressed as 'Professor' ❷(*mit Titel versehen*) to [en]title

Be·ton <-s, *selten* -s> [be'tɔŋ, be'tɔ̃:, be'to:n] *m* concrete

be·to·nen* *vt* ❶(*hervorheben*) to stress; *Figur* to accentuate ❷LING (*akzentuieren*) to stress

be·to·nie·ren* [beto'ni:rən] *vt* to concrete; ■**betoniert** concrete

Be·ton·klotz *m* ❶(*Klotz aus Beton*) concrete block ❷(*pej: grässlicher Betonbau*) concrete monstrosity **Be·ton·mi·scher** <-s, -> *m* concrete-mixer **Be·ton·misch·ma·schi·ne** *f* concrete [*or* cement] mixer

be·tont I. *adj* emphatic; **~e Höflichkeit** studied politeness II. *adv* markedly

Be·to·nung <-, -en> *f* ❶(*das Hervorheben*) accentuation ❷LING stress ❸(*Gewicht*) emphasis

be·tö·ren* [bə'tø:rən] *vt* to bewitch

be·tö·rend *adj* bewitching

betr. *adj, adv Abk von* **betreffen, betreffend, betreffs** re, ref.

Be·tracht <-[e]s> [bə'traxt] *m kein pl* **in ~ kommen** to be considered; **etw außer ~ lassen** to disregard sth; **jdn/etw in ~ ziehen** to consider sb/sth

be·trach·ten* *vt* ❶(*anschauen*) to look at; **bei näherem B~** on closer examination ❷(*halten für*) to regard (**als** as); **~ Sie sich als fristlos gekündigt!** consider yourself sacked!

Be·trach·ter(in) <-s, -> *m(f)* observer

be·trächt·lich [bə'trɛçtlɪç] I. *adj* considerable; *Schaden* extensive II. *adv* considerably

Be·trach·tung <-, -en> *f* ❶(*das Anschauen*) contemplation; **bei näherer ~** on closer examination ❷(*Überlegung, Untersuchung*) consideration; **seine ~en zu diesem Thema sollten Sie unbedingt lesen** you really ought to read his discourse on this matter

Be·trach·tungs·wei·se *f* way of looking at things

Be·trag <-[e]s, Beträge> [bə'tra:k, *pl* bə'trɛːgə] *m* amount

be·tra·gen* *irreg* I. *vi* to be; **die Rechnung beträgt 10 Euro** the bill comes to 10 euros II. *vr* ■**sich irgendwie ~** to behave in a certain manner

Be·tra·gen <-s> *nt kein pl* behaviour; SCH conduct

be·trau·en* *vt* to entrust (**mit** with)

be·trau·ern* *vt* to mourn

Be·treff <-[e]s, -e> [bə'trɛf] *m* (*geh: Bezug*) reference; **Betreff: Ihr Schreiben vom 23.6.** Re: your letter of June 23

be·tref·fen* *vt irreg* ❶(*angehen*) ■**jdn ~** to concern sb; ■**etw ~** to affect sth; **was das betrifft, ...** as far as that is concerned; „**Betrifft: ...**" "Re: ..." ❷(*geh: widerfahren*) to befall ❸(*geh: seelisch treffen*) to affect

be·tref·fend *adj attr* ❶(*bewusst*) in question *pred;* **die ~e Person** the person in question ❷(*angehend*) concerning

Be·tref·fen·de(r) *f(m) dekl wie adj* person in question

be·treffs [bə'trɛfs] *präp* (*geh*) concerning

be·trei·ben* *vt irreg* ❶(*vorantreiben*) to proceed ❷(*ausüben*) to carry on; *Laden,*

B

Firma to run ➌ (*sich beschäftigen mit*) to do ➍ (*in Gang halten*) to operate ➎ (*antreiben*) to power (**mit** with); **das U-Boot wird atomar betrieben** the submarine is nuclear-powered

Be·trei·ber(in) <-s, -> *m(f)* (*Ausübender*) person who runs sth; (*Firma, Träger*) operator

be·tre·ten*¹ *vt irreg* ➊ (*hineingehen*) to enter; (*auf etw treten*) to walk on; (*steigen auf*) to step onto; *Spielfeld* to take; *Bühne* to come on; *Podium* to mount ➋ (*das Begehen*) ■ |das| **B~** walking [on sth]; **beim B~ eines Raumes** on entering a room; „**B~** |**des Rasens**| **verboten!"** "keep off [the grass]!"; „**B~ für Unbefugte verboten"** "no entry to unauthorized persons"

be·tre·ten*² **I.** *adj* embarrassed **II.** *adv* embarrassedly

be·treu·en* [bə'trɔʏən] *vt* ➊ (*sich kümmern um*) to look after ➋ (*verantwortlich sein für*) to be responsible for

Be·treu·er(in) <-s, -> *m(f)* person who looks after sb; JUR custodian of persons of full age

Be·treu·ung <-, -en> *f* ➊ (*das Betreuen*) looking after; *von Patienten* care ➋ (*Betreuer*) nurse

Be·trieb <-[e]s, -e> [bə'tri:p] *m* ➊ (*Firma*) company ➋ (*die Belegschaft*) workforce ➌ *kein pl* (*Betriebsamkeit*) activity; **heute war nur wenig/herrschte großer ~** it was very quiet/busy today ➍ (*Tätigkeit*) operation; **die Straßenbahnen nehmen morgens um 5 Uhr ihren ~ auf** the trams start running at 5 o'clock in the morning; (*Ablauf*) production process; **etw in ~ nehmen** to put sth into operation; **die neue Produktionsstraße soll im Herbst in ~ genommen werden** the new production line is expected to be put into operation in autumn; **eine Maschine in ~ setzen** to start up a machine; **außer ~** out of order; **in ~** in operation

be·trieb·lich [bə'tri:plɪç] **I.** *adj attr* (*den Betrieb betreffend*) operational; (*vom Betrieb geleistet*) company; **das ist eine rein ~e Angelegenheit** that is purely an internal matter; **betriebliche Altersversorgung** company pension plan **II.** *adv* (*durch den Betrieb der Firma*) operationally

be·trieb·sam [bə'tri:pza:m] **I.** *adj* busy **II.** *adv* busily

Be·trieb·sam·keit <-> *f kein pl* business

Be·triebs·an·ge·hö·ri·ge(r) *f(m) dekl wie adj* employee **Be·triebs·an·lei·tung** *f*

operating instructions *pl* **Be·triebs·arzt, -ärz·tin** *m, f* company doctor **Be·triebs·aus·flug** *m* staff [*or* BRIT works] [*or* AM office] outing **be·triebs·be·dingt** *adj* operational; **~e Kündigung** lay-off **be·triebs·be·reit** *adj* ready for operation; **in ~em Zustand** in running order **be·triebs·ei·gen** *adj* company[-owned] **Be·triebs·fe·ri·en** *pl* [annual] works [*or* AM company] holidays *pl* **be·triebs·fer·tig** *adj* ÖKON in working order **Be·triebs·fest** *nt* office party **Be·triebs·ge·heim·nis** *nt* trade secret **Be·triebs·ge·län·de** *nt* company grounds *pl* **Be·triebs·hof** *m* depot **be·triebs·in·tern** *adj s.* **betrieblich Be·triebs·kli·ma** *nt* working atmosphere **Be·triebs·kos·ten** *pl* operating costs; *von Maschine* running costs **Be·triebs·lei·tung** *f* management **Be·triebs·prü·fung** *f* FIN ≈ tax audit (*regular audit of a company and its accounts by the tax authorities*)

Be·triebs·rat *m* POL employee representative committee, BRIT *also* works council

Be·triebs·rat, -rä·tin *m, f* POL employee representative, BRIT *also* member of a works council **Be·triebs·schlie·ßung** *f* company closure **Be·triebs·schluss**^RR *m* end of business hours; **nach ~** after work **Be·triebs·still·le·gung**^RR *f s.* **Betriebsschließung Be·triebs·stö·rung** *f* interruption of operation **Be·triebs·sys·tem** *nt* INFORM operating system **Be·triebs·un·fall** *m* ≈ industrial accident (*accident at or on the way to or from work*) **Be·triebs·ver·samm·lung** *f* works [*or* AM company] meeting **Be·triebs·wirt(in**) *m(f)* graduate in business management **Be·triebs·wirt·schaft** *f* business management **Be·triebs·wirt·schafts·leh·re** *f kein pl* business management

be·trin·ken* *vr irreg* ■ **sich** |**mit etw** *dat* | to get drunk [on sth]

be·trof·fen I. *imp von* **betreffen II.** *adj* ➊ (*bestürzt*) shocked; **~es Schweigen** stunned silence ➋ (*angehen*) ■ |**von etw** *dat* | **~ sein** to be affected [by sth] **III.** *adv* with dismay

Be·trof·fe·ne(r) *f(m) dekl wie adj* person affected

Be·trof·fen·heit <-> *f kein pl* shock

be·trü·ben* *vt* to sadden

be·trüb·lich [bə'try:plɪç] *adj* distressing

Be·trüb·nis <-, -se> [bə'try:pnɪs] *f* (*geh*) sorrow

be·trübt *adj* sad (**über** about)

Be·trug <-[e]s, SCHWEIZ Betrüge>

[bə'tru:k, *pl* bə'try:gə] *m* fraud

be·trü·gen* *irreg* **I.** *vt* ❶ (*vorsätzlich täuschen*) to cheat (**um** out of); ■ **betrogen** cheated; **ich fühle mich betrogen!** I feel betrayed! ❷ (*durch Seitensprung*) ■ **jdn ~** to be unfaithful to sb **II.** *vr* (*sich etw vormachen*) ■ **sich ~** to deceive oneself

Be·trü·ger(in) <-s, -> [bə'try:gɐ] *m(f)* con man

Be·trü·ge·rei <-, -en> [bətry:gə'raɪ] *f* (*pej*) ❶ (*ständiges Betrügen*) swindling ❷ (*ständige Seitensprünge*) cheating

Be·trü·ge·rin <-, -nen> *f fem form von* **Betrüger**

be·trü·ge·risch [bə'try:gərɪʃ] *adj* (*pej*) deceitful; **in ~er Absicht** JUR with intent to defraud

be·trun·ken [bə'trʊnkn̩] **I.** *adj* drunken *attr,* drunk *pred* **II.** *adv* drunkenly

Be·trun·ke·ne(r) *f(m) dekl wie adj* drunk

Be·trun·ken·heit *f* drunkenness

Bett <-[e]s, -en> [bɛt] *nt* ❶ (*Schlafstätte*) bed; (*Lagerstatt a.*) resting place; **jdn ins ~ bringen** to put sb to bed; **ins ~ gehen** to go to bed; **jdn aus dem ~ holen** to get sb out of bed; **das ~ hüten müssen** to be confined to [one's] bed; **ins ~ machen** to wet the bed; **jdn ins ~ stecken** (*fam*) to pack sb off to bed; **an jds** *dat* **~** at sb's bedside ❷ (*Ober~*) duvet ❸ (*Fluss~*) [river] bed ▶ **sich ins gemachte ~ legen** to have everything handed to one on a plate

Bett·be·zug *m* duvet cover **Bett·couch** *f* sofa bed **Bett·de·cke** *f* blanket; (*Steppdecke*) duvet

bet·tel·arm ['bɛtl̩'ʔarm] *adj* destitute

Bet·te·lei <-, -en> [bɛtə'laɪ] *f* (*pej*) begging

Bet·tel·mönch *m* mendicant friar

bet·teln ['bɛtl̩n] *vi* to beg (**um** for)

Bet·tel·stab *m* **jdn an den ~ bringen** to reduce sb to beggary

bet·ten ['bɛtn̩] **I.** *vt* ❶ (*hinlegen*) to lay down ❷ (*liter*) ■ **in etw** *akk* **gebettet sein** to be nestled in sth **II.** *vr* ▶ **wie man sich bettet, so liegt man** (*prov*) as you make your bed, so you must lie on it

Bett·ge·flüs·ter *nt* pillow talk **Bett·ge·schich·te** *f* ❶ (*sexuelles Verhältnis*) [love] affair ❷ MEDIA (*sl*) ≈ sex scandal (*gossip story on the sex lives of the rich and famous*) **Bett·ge·stell** *nt* bedstead **Bett·hup·ferl** <-s, -> *nt* ≈ bedtime treat (*sweets given to children before they go to bed*) **Bett·kan·te** *f* edge of the bed ▶ **den/die würde ich nicht von der ~ stoßen!** (*euph fam*) I wouldn't say 'no' to him/her! **bett·lä·ge·rig** *adj* bedridden, confined to bed *pred*

Bett·la·ken *nt s.* **Betttuch Bett·lek·tü·re** *f* bedtime reading

Bett·ler(in) <-s, -> ['bɛtlɐ] *m(f)* beggar

Bett·näs·ser(in) <-s, -> *m(f)* bed-wetter

bett·reif *adj* (*fam*) ready for bed *pred*

Bett·ru·he *f* bed rest **Bett·schwe·re** *f* ▶ **die nötige ~ haben** (*fam*) to be ready for bed **Bett·tuch**[RR], **Bettuch**[ALT] ['bɛt-tu:x] *nt* sheet **Bett·vor·le·ger** *m* bedside rug **Bett·wä·sche** *f* bedlinen **Bett·zeug** *nt* bedding

be·tucht [bə'tu:xt] *adj* (*fam*) well off

be·tüd·deln [bə'ty:dl̩n] *vt* (*fam*) ■ **jdn ~** to [molly]coddle sb

be·tu·lich [bə'tu:lɪç] **I.** *adj* ❶ (*übertrieben besorgt*) fussing ❷ (*gemächlich*) leisurely **II.** *adv* in a leisurely manner

be·tup·fen* *vt* ❶ (*tupfend berühren*) ■ **etw ~** to dab sth; **eine Wunde ~** to swab a wound ❷ (*mit Tupfen versehen*) **einen Stoff ~** to print with spots; **eine bunt betupfte Bluse** a blouse with coloured [*or* AM -ored] spots

be·tup·pen* *vt* DIAL (*fam*) ■ **jdn [um etw** *akk*] **~** to con sb [out of sth]

Beu·ge <-, -n> ['bɔygə] *f* ❶ ANAT bend; *von Arm a.* crook of the arm ❷ SPORT (*Rumpfbeuge*) bend; **in die ~ gehen** to squat

Beu·ge·haft *f* JUR coercive detention

beu·gen ['bɔygn̩] **I.** *vt* ❶ (*neigen*) to bend; *Kopf* to bow ❷ LING (*konjugieren*) to conjugate; (*deklinieren*) to decline **II.** *vr* ❶ (*sich neigen*) ■ **sich irgendwohin ~** to bend in a certain direction; **sich aus dem Fenster ~** to lean out of the window; **er saß über seine Manuskripte gebeugt** he sat hunched over his manuscripts ❷ (*sich unterwerfen*) ■ **sich [jdm/einer S.] ~** to submit [to sb/sth]; **ich werde mich der Mehrheit ~** I will bow to the majority

Beu·gung <-, -en> *f* ❶ (*das Beugen*) bending ❷ PHYS (*Ablenkung*) diffraction ❸ LING *von Adjektiv, Substantiv* declension; *von Verb* conjugation

Beu·le <-, -n> ['bɔylə] *f* ❶ (*Delle*) dent ❷ (*Schwellung*) bump

Beu·len·pest *f* MED bubonic plague

be·un·ru·hi·gen* [bə'ʔʊnru:ɪgn̩] *vt* to worry

be·un·ru·hi·gend *adj* disturbing

be·un·ru·higt [bə'ʔʊnru:ɪçt] *adj* ■ **~ [über etw** *akk*/**wegen einer S.** *gen*] **sein** to be concerned [about sth]

Be·un·ru·hi·gung <-, *selten* -en> *f* concern

be·ur·kun·den* [bə'ʔu:ɐ̯kʊndn̩] *vt* to certify

be·ur·lau·ben* [bə'ʔu:ɐ̯laʊbn̩] *vt* ❶ (*Ur-*

laub geben) to give time off; **können Sie mich für eine Woche ~?** can you give me a week off? ❷ ADMIN (*suspendieren*) to suspend; **Sie sind bis auf weiteres beurlaubt** you are suspended until further notice ❸ SCH ■**sich ~ lassen** to go on a sabbatical

Be·ur·lau·bung <-, -en> *f* ❶ (*das Beurlauben*) time off (**von** from) ❷ ADMIN (*Suspendierung*) suspension (**von** from) ❸ SCH (*Entpflichtung*) sabbatical (**von** from) ❹ MIL (*fam: Urlaubsschein*) pass

be·ur·tei·len* *vt* ❶ (*einschätzen*) to judge ❷ (*abschätzen*) to assess; (*kritisch einschätzen*) to review; *Kunst-, Wertgegenstand* to appraise

Be·ur·tei·lung <-, -en> *f* ❶ (*das Beurteilen*) assessment ❷ (*Kritik*) review; (*Einschätzung*) appraisal ❸ SCH (*schriftliches Urteil*) [school] report; ADMIN [progress] report

Beu·te <-> ['bɔytə] *f kein pl* ❶ (*Jagd~*) prey *fig;* **eine leichte ~** [an] easy prey ❷ (*erbeutete Dinge*) haul; [**fette**] **~ machen** to make a [big] haul

Beu·tel <-s, -> ['bɔytl] *m* ❶ (*Tasche*) bag; *Tabak* pouch ❷ (*fam: Geld~*) purse ❸ ZOOL pouch

beu·teln ['bɔytln] *vt* (*fam*) to shake

Beu·tel·tier *nt* marsupial

be·völ·kern* [bə'fœlkɐn] **I.** *vt* ❶ (*beleben*) to fill ❷ (*besiedeln*) to inhabit **II.** *vr* ■**sich mit ... ~** to fill up with ...

Be·völ·ke·rung <-, -en> *f* population

Be·völ·ke·rungs·dich·te *f* population density **Be·völ·ke·rungs·ent·wick·lung** <-> *f kein pl* population development **Be·völ·ke·rungs·ex·plo·si·on** *f* population explosion **Be·völ·ke·rungs·grup·pe** *f* section of the population **Be·völ·ke·rungs·rück·gang** *m* decrease in population **Be·völ·ke·rungs·schicht** *f* class [of society] **Be·völ·ke·rungs·zahl** *f* population **Be·völ·ke·rungs·zu·wachs** *m* population growth

be·voll·mäch·ti·gen* *vt* to authorize (**zu** to)

Be·voll·mäch·tig·te(r) *f(m) dekl wie adj* authorized representative; POL plenipotentiary

Be·voll·mäch·ti·gung <-, *selten* -en> *f* authorization

be·vor [bə'foːɐ] *konj* ❶ (*solange*) until; ■**nicht ~** not until ❷ (*ehe*) before

be·vor·mun·den* [bə'foːɐmʊndn̩] *vt* to treat like a child; **ich lasse mich nicht mehr ~, ich will selbst entscheiden!** I won't be ordered about any more, I want

to make up my own mind!

Be·vor·mun·dung <-, -en> *f* being treated like a child

be·vor|ste·hen *vi irreg* ❶ (*zu erwarten haben*) ■**jdm ~** to await sb; **der schwierigste Teil steht dir erst noch bevor!** the most difficult part is yet to come!; **uns steht ein harter Winter bevor** a hard winter is in store for us ❷ (*in Kürze eintreten*) ■**etw steht bevor** sth is approaching

be·vor·ste·hend *adj* approaching; **das ~e Fest/der ~e Geburtstag** the upcoming party/birthday; **~e Gefahr** impending danger; **diese kühlen Herbsttage waren Vorboten des ~en Winters** those cool autumn[al] days heralded the onset of winter

be·vor·zu·gen* [bə'foːɐʦuːgn̩] *vt* ❶ (*begünstigen*) to favour (**vor** over); **keines unserer Kinder wird bevorzugt** none of our children receive preferential treatment; **hier wird niemand bevorzugt!** there's no favouritism around here! ❷ (*den Vorzug geben*) to prefer

be·vor·zugt [bə'foːɐʦuːkt] **I.** *adj* ❶ (*privilegiert*) privileged ❷ (*beliebteste(r,s)*) favourite **II.** *adv* **etw ~ abfertigen** to give sth priority; **jdn ~ behandeln** to give sb preferential treatment

Be·vor·zu·gung <-, -en> *f* ❶ (*das Bevorzugen*) preference (**vor** over) ❷ (*bevorzugte Behandlung*) preferential treatment

be·wa·chen* *vt* to guard

be·wach·sen*¹ [bə'vaksn̩] *vt irreg* to grow over

be·wach·sen*² [bə'vaksn̩] *adj* overgrown

Be·wa·chung <-, -en> *f* ❶ (*das Bewachen*) guarding; **unter [strenger] ~** under [close] guard ❷ (*Wachmannschaft*) guard

be·waff·nen* *vt* to arm (**mit** with)

be·waff·net *adj* armed; ■**mit etw** *dat* **~** armed with sth *pred;* **ausgezeichnet/ schlecht/unzureichend ~** well-/badly-/insufficiently armed

Be·waff·nung <-, -en> *f* ❶ *kein pl* (*das Bewaffnen*) arming ❷ (*Gesamtheit der Waffen*) weapons *pl*

be·wah·ren* *vt* ❶ (*schützen*) to save (**vor** from); **vor etw** *dat* **bewahrt bleiben** to be spared sth; ■**jdn davor ~, etw zu tun** to save sb from doing sth ❷ (*geh: aufheben*) to keep ❸ (*erhalten, behalten*) ■[**sich** *dat*] **etw ~** to keep sth ▸**das Gesicht ~** to save face; <u>Gott</u> **bewahre!** (*fam*) [good] Lord no!

be·wäh·ren* *vr* ■**sich ~** to prove itself; **unsere Freundschaft hat sich bewährt** our friendship has stood the test of time

be·wahr·hei·ten* [bə'va:ɐ̯haitn̩] *vr* ■**sich ~** to come true

be·währt *adj* tried and tested; *Mitarbeiter* reliable

Be·wäh·rung <-, -en> *f* JUR probation; **eine Strafe zur ~ aussetzen** to suspend a sentence; **~ bekommen** to be put on probation

Be·wah·rung <-, -en> *f* (*geh*) ❶ (*Erhaltung*) protection; *von Geheimnis* keeping ❷ (*Aufbewahrung*) keeping; **er versprach ihm die sichere ~ der Dokumente** he promised the safekeeping of the documents

Be·wäh·rungs·frist *f* JUR period of probation **Be·wäh·rungs·hel·fer(in)** *m(f)* JUR probation officer **Be·wäh·rungs·pro·be** *f* [acid] test ▶ **eine ~ bestehen** to stand the test; **jdn/etw einer ~ unterziehen** to put sb/sth to the test

be·wäl·ti·gen* [bə'vɛltɪgn̩] *vt* ❶ (*meistern*) to cope with; *Schwierigkeiten* to overcome; **diese kurze Strecke kann ich zu Fuß ~** I'll be able to manage this short distance on foot ❷ (*verarbeiten*) to digest; (*überwinden*) to get over; *Vergangenheit* to come to terms with

Be·wäl·ti·gung <-, -en> *f* ❶ (*das Meistern*) coping with; *von Schwierigkeiten* overcoming; *einer Strecke* covering ❷ (*Verarbeitung*) getting over; *der Vergangenheit* coming to terms with; *von Eindrücken* digesting

be·wan·dert [bə'vandɐt] *adj* well-versed (**in** in)

Be·wandt·nis [bə'vantnɪs] *f* **mit jdm/etw hat es eine besondere ~** sth has a particular reason

be·wäs·sern* *vt Feld* to irrigate; *Garten* to water

Be·wäs·se·rung <-, -en> *f* ❶ AGR irrigation ❷ HORT watering

be·we·gen*¹ [bə've:gn̩] **I.** *vt* ❶ (*regen, rühren*) to move ❷ (*beschäftigen*) to concern; (*innerlich aufwühlen*) to move ❸ (*bewirken*) to achieve **II.** *vr* ■**sich ~** ❶ (*sich fortbewegen*) to move ❷ (*sich körperlich betätigen*) to [take some] exercise ❸ (*variieren, schwanken*) to range; **der Preis bewegt sich um 3000 Euro** the price is around 3,000 euros ❹ (*sich ändern*) to change

be·we·gen*² <bewog, bewogen> [bə've:gn̩] *vt* (*veranlassen*) ■**jdn dazu ~, etw zu tun** to move sb to do sth

be·we·gend *adj* moving

Be·weg·grund *m* motive (+*gen* for)

be·weg·lich [bə've:klɪç] *adj* ❶ (*zu bewegen*) movable; *Glieder* supple; **Ostern und Pfingsten sind ~e Feiertage** Easter and Whitsun are movable holidays ❷ (*manövrierfähig*) manoeuvrable; (*mobil*) mobile ❸ (*geistig wendig*) agile-minded

Be·weg·lich·keit <-> *f kein pl* ❶ (*geistige Wendigkeit*) mental agility ❷ (*bewegliche Beschaffenheit*) suppleness *no pl* ❸ (*Mobilität*) mobility *no pl*

be·wegt *adj* ❶ (*sich bewegend*) choppy ❷ (*lebhaft*) eventful ❸ (*innerlich gerührt*) moved; **mit ~er Stimme** in an emotional voice

Be·we·gung <-, -en> *f* ❶ (*Hand~*) gesture; (*körperliche Aktion*) movement; **keine [falsche] ~!** no false move!; SCI, TECH motion; *von schwerem Gegenstand* moving; *der Planeten* movements *pl* ❷ (*körperliche Betätigung*) exercise; **jdn in ~ bringen** to get sb moving ❸ (*Ergriffenheit*) emotion ❹ KUNST, POL movement ❺ (*Dynamik, Änderung*) change; **jdn in ~ halten** to keep sb moving; **in ~ sein** *Mensch* to be on the move; **ich war heute den ganzen Tag in ~** I was on the go all day today; **in eine S.** *akk* **kommt ~** progress is being made; **sich in ~ setzen** to start moving; **etw in ~ setzen** to get sth going

Be·we·gungs·ab·lauf *m* sequence of movements **Be·we·gungs·ar·mut** *f* MED lack of [voluntary] movement **Be·we·gungs·frei·heit** *f* freedom to move

be·we·gungs·los *adj* (*reglos*) motionless; (*unbewegt*) still

Be·we·gungs·man·gel *m kein pl* lack of exercise **Be·we·gungs·mel·der** *m* motion detector **be·we·gungs·un·fä·hig** **I.** *adj* unable to move **II.** *adv* paralyzed

be·weih·räu·chern* [bə'vaɪrɔyçɐn] *vt* ❶ REL to [in]cense ❷ (*pej: in den Himmel heben*) to praise to the skies

be·wei·nen* *vt* to weep over

Be·weis <-es, -e> [bə'vais] *m* ❶ JUR (*Nachweis*) proof; **den ~ [für etw** *akk*] **erbringen** to provide conclusive proof [of sth] ❷ (*Zeichen*) sign; **als/zum ~** as a sign **Be·weis·auf·nah·me** *f* JUR hearing evidence

be·weis·bar *adj* provable

be·wei·sen* *irreg* **I.** *vt* ❶ (*nachweisen*) to prove; **was zu ~ war** which was to be proved; **was [noch] zu ~ wäre** which remains to be proved ❷ (*erkennen lassen*) to show; ■**~, dass ...** to show that ... **II.** *vr* (*sich zeigen*) ■**sich ~** to show [itself]

Be·weis·füh·rung *f* JUR giving [of] evidence **Be·weis·kraft** *f kein pl* evidential value **be·weis·kräf·tig** *adj* JUR of evidential value *pred* **Be·weis·la·ge** *f* evidence **Be·weis·ma·te·ri·al** *nt* JUR [body of] evidence **Be·weis·stück** *nt* JUR exhibit

be·wen·den *vt impers* ■es **bei** etw *dat* ~ **lassen** to leave it at sth

be·wer·ben* I. *vr irreg* ■sich ~ to apply (**auf** in response to, **bei** to, **um** for) II. *vt* to advertise

Be·wer·ber(in) <-s, -> *m(f)* applicant

Be·wer·bung *f* ❶ (*Beantragung einer Einstellung*) application ❷ (*Bewerbungsschreiben*) [letter of] application ❸ (*werbliche Maßnahmen*) advertising

Be·wer·bungs·for·mu·lar *nt* application form **Be·wer·bungs·ge·spräch** *nt* [job] interview **Be·wer·bungs·schrei·ben** *nt* [letter of] application **Be·wer·bungs·un·ter·la·gen** *pl* documents in support of an application **Be·wer·bungs·ver·fah·ren** *nt* application procedure

be·wer·fen* *vt irreg* to throw at; **der Lehrer wurde mit Schneebällen beworfen** the teacher was pelted with snowballs

be·werk·stel·li·gen* [bəˈvɛrkʃtɛlɪgn̩] *vt* ❶ (*zuwege bringen*) to manage ❷ (*pej fam: anstellen*) to do

be·wer·ten* *vt* to assess; *Kunstobjekt* to value; **der Aufsatz wurde mit befriedigend bewertet** the essay was given the mark "satisfactory"; ■**jdn/etw nach etw** *dat* ~ to judge sb/sth according to sth; **etw zu hoch/niedrig** ~ to overvalue/undervalue sth

Be·wer·tung *f* assessment; *von Besitz* valuation; SCH marking

Be·wer·tungs·maß·stab *m* FIN assessment criterion

be·wil·li·gen* [bəˈvɪlɪgn̩] *vt* to approve; FIN to grant; *Stipendium* to award

Be·wil·li·gung <-, -en> *f* ❶ (*das Bewilligen*) approval; *von Mitteln, Kredit* granting; *von Stipendium* awarding ❷ (*schriftliche Genehmigung*) approval

be·wir·ken* *vt* ❶ (*verursachen*) to cause ❷ (*erreichen*) ■**etwas** ~ to achieve sth

be·wir·ten* *vt* to entertain (**mit** with); **mit was darf ich euch denn ~?** what can I offer you?; **wir haben 10 Personen zu ~!** we've got ten people to cater for

be·wirt·schaf·ten* *vt* ❶ (*betreiben*) to run ❷ AGR (*bestellen*) to work

Be·wirt·schaf·tung <-, -en> *f* ❶ (*das Betreiben*) running ❷ AGR (*die Bestellung*) working; *Felder* cultivation

Be·wir·tung <-, -en> *f* entertaining

be·wog [bəˈvoːk] *imp von* **bewegen²**

be·wo·gen *pp von* **bewegen²**

be·wohn·bar *adj* habitable

be·woh·nen* *vt* to live in; **das Haus wird schon seit Jahren nicht mehr bewohnt** the house has not been lived in for years; *Gegend, Insel* to inhabit

Be·woh·ner(in) <-s, -> *m(f)* (*Einwohner*) inhabitant; *von Haus, Zimmer* occupant

be·wöl·ken* *vr* ■sich ~ to cloud over

be·wölkt *adj* cloudy; **heute wird es leicht ~ sein** it will be partly cloudy today

Be·wöl·kung <-, -en> *f* cloud cover

Be·wun·de·rer, **Be·wun·de·re·rin** <-s, -> [bəˈvʊndere, bəˈvʊnderərɪn] *m, f* admirer

be·wun·dern* *vt* to admire (**wegen** for); **was ich an dir bewundere ist ...** what I admire about you is ...

be·wun·derns·wert *adj*, **be·wun·derns·wür·dig** *adj* (*geh*) admirable (**an** about)

Be·wun·de·rung <-, *selten* -en> *f* admiration

Be·wund·rer, **Be·wund·re·rin** <-s, -> [bəˈvʊndre, bəˈvʊndrərɪn] *m, f* s. **Bewunderer**

be·wusstᴿᴿ, **be·wußt**ᴬᴸᵀ [bəˈvʊst] I. *adj* ❶ *attr* (*vorsätzlich*) wilful ❷ *attr* (*überlegt*) considered ❸ *attr* (*überzeugt*) committed ❹ (*im Bewusstsein vorhanden*) ■sich *dat* einer S. *gen* ~ **sein** to be aware of sth; ■**jdm** ~ **sein** to be clear to sb ❺ *attr* (*bekannt, besagt*) in question *pred* II. *adv* ❶ (*überlegt*) ~ **leben** to live with great awareness ❷ (*vorsätzlich*) deliberately ❸ (*klar*) **jdm etw** ~ **machen** to make sb realize sth; **sich** *dat* **etw** ~ **machen** to realize sth

be·wusst·losᴿᴿ, **be·wußt·los**ᴬᴸᵀ [bəvʊstloːs] I. *adj* unconscious II. *adv* unconsciously

Be·wusst·lo·sig·keitᴿᴿ, **Be·wußt·lo·sig·keit**ᴬᴸᵀ <-> *f kein pl* unconsciousness *no pl* ▶ **bis zur** ~ (*fam*) ad nauseam

Be·wusst·seinᴿᴿ <-s>, **Be·wußt·sein**ᴬᴸᵀ *nt kein pl* ❶ (*bewusster Zustand*) consciousness *no pl*; **bei** [**vollem**] ~ **sein** to be [fully] conscious; **er wurde bei vollem** ~ **operiert** he was operated on while fully conscious ❷ PHILOS, PSYCH **etw aus dem** ~ **verdrängen** to banish sth from one's mind; **jdm etw ins** ~ **rufen** to remind sb of sth ❸ (*das Wissen um etw*) awareness *no pl*

Be·wusst·seins·stö·rungᴿᴿ *f* disturbance of consciousness **Be·wusst·seins·ver·än·de·rung**ᴿᴿ *f* change of awareness

bez.¹ *Abk von* **bezahlt** paid

bez.² *Abk von* **bezüglich** re.

be·zahl·bar *adj* affordable

be·zah·len* I. *vt* to pay; *Rechnung* settle; **ich bezahle den Wein!** I'll pay for the wine! II. *vi* to pay; [**Herr Ober,**] [**bitte**] ~! waiter, the bill please!

be·zahlt *adj* paid; ~**e Schulden** settled debts; **etw** ~ **bekommen** to be paid for sth; **ein Essen/Getränk/eine Hotelübernachtung** ~ **bekommen** to have a meal/drink/stay in a hotel paid for ▶ **sich** ~ **machen** to be worth the trouble

Be·zah·lung *f* ❶ (*das Bezahlen*) payment; *von Schulden a.* settlement; *von Getränken, Speisen* paying for ❷ (*Lohn, Gehalt*) pay; **ohne/gegen** ~ without payment/for payment

be·zäh·men* *vt* (*geh*) to keep under control; *Durst, Hunger* to master; *Neugierde* to restrain

be·zau·bern* *vt, vi* to enchant

be·zau·bernd *adj* ❶ (*entzückend*) enchanting; **sie war eine Frau von** ~**er Schönheit** she was a woman of captivating beauty ❷ (*iron*) **wirklich** ~! that's really great!

be·zeich·nen* I. *vt* ❶ (*benennen*) to call ❷ (*bedeuten*) to denote ❸ (*genau beschreiben*) to describe ❹ (*kennzeichnen*) to mark (**mit** with); LING, MUS to indicate II. *vr* (*sich benennen*) ■**sich als etw** ~ to call oneself sth

be·zeich·nend *adj* typical (**für** of)

be·zeich·nen·der·wei·se *adv* typically

Be·zeich·nung *f* ❶ (*Ausdruck*) term ❷ (*Kennzeichnung*) marking; (*Beschreibung*) description

be·zeu·gen* *vt* (*als Zeuge bestätigen*) to testify to; (*bestätigen*) to attest

be·zich·ti·gen* [bə'tsɪçtɪgn̩] *vt* ■**jdn** [**einer S.** *gen*] ~ to accuse sb [of sth]

be·zie·hen* *irreg* I. *vt* ❶ (*mit Bezug versehen*) to cover; **die Bettwäsche neu** ~ to change the bed[linen] ❷ (*in etw einziehen*) to move into ❸ (*einnehmen*) to take up; *Standpunkt* adopt ❹ (*sich beschaffen*) to obtain (**von** from); **eine Zeitschrift** ~ to subscribe to a magazine ❺ (*erhalten*) to receive (**von** from) ❻ SCHWEIZ (*einziehen*) to collect ❼ (*in Beziehung setzen*) to apply sth (**auf** to) II. *vr* ❶ (*sich bedecken*) ■**sich** ~ to cloud over ❷ (*betreffen, berufen*) ■**sich auf jdn/etw** ~ to refer to sb/sth

Be·zie·her(in) <-s, -> *m(f)* FIN drawer; (*Abonnent*) subscriber

Be·zie·hung <-, -en> [bə'tsi:ʊŋ] *f* ❶ (*Verhältnis*) relationship (**zu** with); **diplomatische** ~**en** diplomatic relations; (*sexuell*) [sexual] relationship; **menschliche** ~**en**

human relations ❷ (*Verbindung*) **es besteht keine Beziehung zwischen ihnen** there is no connection between them; **etw zu etw** *dat* **in** ~ **setzen** to connect sth with sth ❸ *meist pl* (*fördernde Bekanntschaften*) ~**en haben** to have connections; **seine** ~**en spielen lassen** to pull [some] strings ❹ (*Hinsicht*) respect; **in jeder** ~ in every respect; **in mancher** ~ in many respects ❺ (*Zusammenhang*) connection; **in keiner** ~ **zueinander stehen** to have no connection with one another

be·zie·hungs·ge·stört *adj* PSYCH (*fam*) dysfunctional **Be·zie·hungs·kis·te** *f* (*sl*) relationship

be·zie·hungs·los *adj* unconnected

Be·zie·hungs·pro·ble·me *pl* relationship problems *pl* **Be·zie·hungs·stö·rung** *f* PSYCH relationship [*or* relational] disorder

be·zie·hungs·wei·se *konj* (*genauer gesagt*) or rather; (*im anderen Fall*) and ... respectively; **Katja und Robert sind elf** ~ **zwölf Jahre alt** Katja and Robert are eleven and twelve years old respectively; (*oder*) **wir suchen eine Kellnerin** ~ **einen Kellner** we are looking for a waitress or waiter

be·zif·fern* [bə'tsɪfɐn] I. *vt* (*in Zahlen ausdrücken*) to estimate (**auf** at) II. *vr* (*sich belaufen*) ■**sich auf etw** *akk* ~ to come to sth

Be·zirk <-[e]s, -e> [bə'tsɪrk] *m* ❶ (*Gebiet*) district ❷ ÖKON (*Vertretungsgebiet*) region ❸ ADMIN ÖSTERR, SCHWEIZ (*Verwaltungs*~) [administrative] district

be·zir·zen* [bə'tsɪrtsn̩] *vt* (*fam*) to bewitch

be·zug^ALT [bə'tsu:k] *s.* **Bezug 8**

Be·zug <-[e]s, Bezüge> [bə'tsu:k, *pl* bə'tsy:gə] *m* ❶ (*Kissen*~) pillowcase; (*Bett*~) duvet cover ❷ (*Bezugsstoff*) covering ❸ (*das Beziehen*) purchasing ❹ (*das Erhalten*) drawing; SCHWEIZ (*das Einziehen*) collection ❺ *pl* (*Einkünfte*) income *sing* ❻ (*Verbindung*) *s.* **Beziehung 2** ❼ SCHWEIZ (*das Beziehen*) moving in[to] ❽ (*geh: Berufung*) reference; ~ **auf etw** *akk* **nehmen** to refer to sth ❾ (*Hinsicht*) ■**in** ~ **auf etw** *akk* with regard to sth

be·züg·lich [bə'tsy:klɪç] I. *präp* (*geh*) regarding II. *adj* LING relative; **das** ~**e Fürwort** the relative pronoun

Be·zug·nah·me <-, -n> *f* **unter** ~ **auf etw** *akk* (*geh*) with reference to sth

be·zugs·fer·tig *adj* ready to move into **Be·zugs·per·son** *f* PSYCH, SOZIOL ≈ role model (*a person on whom sb models their thinking and behaviour due to their per-*

sonal relationship) **Be·zugs·quel·le** *f* source of supply

be·zu·schus·sen* [bə'tsu:ʃʊsn̩] *vt* to subsidize

be·zwe·cken* [bə'tsvɛkn̩] *vt* to aim to achieve (**mit** with); **was willst du damit ~?** what do you hope to achieve by doing that?

be·zwei·feln* *vt* to question; ■~, **dass ...** to doubt that ...

be·zwin·gen* *irreg vt* ❶ (*besiegen*) to defeat ❷ (*überwinden*) to capture; *Berg* to conquer ❸ (*bezähmen*) to keep under control; *Durst, Hunger, Schmerz* to master; *Emotionen* to overcome; *Neugierde* to restrain

BGB <-> [be:ge:'be:] *nt kein pl Abk von* **Bürgerliches Gesetzbuch** *the German civil code*

BH <-[s], -[s]> [be:'ha:] *m Abk von* **Büstenhalter** bra

Bhf. *m Abk von* **Bahnhof** stn.

bi [bi:] *adj präd* (*sl*) bi *pred sl*

BI [be:'i:] *f Abk von* **Bürgerinitiative** POL [citizens'] action group

Bi·ath·lon <-s, -s> ['bi:atlɔn] *nt* biathlon

bib·bern ['bɪbɐn] *vi* (*fam*) to tremble (**vor** with); (*vor Kälte*) to shiver; ■**um etw** *akk* **~** to fear for sth

Bi·bel <-, -n> ['bi:bl̩] *f* Bible

bi·bel·fest *adj* well-versed in the Bible *pred* **Bi·bel·stel·le** *f* passage from the Bible

Bi·ber <-s, -> ['bi:bɐ] *m* beaver

Bi·bli·o·gra·fieRR <-, -n> [bibliogra'fi, *pl* -'fi:ən] *f* bibliography

bi·bli·o·gra·fie·ren*RR [bibliogra'fi:rən] *vt* ❶ (*bibliografisch verzeichnen*) to record in a bibliography ❷ (*bibliografische Daten feststellen*) to take the bibliographic details

bi·blio·gra·fischRR [biblio'gra:fɪʃ] I. *adj* VERLAG bibliographic[al] II. *adv* bibliographically; **Publikationen ~ erfassen** to record publications in a bibliography

Bi·bli·o·gra·phie <-, -n> [bibliogra'fi:, *pl* -'fi:ən] *f s.* **Bibliografie**

bi·bli·o·gra·phie·ren* [bibliogra'fi:rən] *vt s.* **bibliografieren**

Bi·bli·o·thek <-, -en> [biblio'te:k] *f* library

Bi·bli·o·the·kar(in) <-s, -e> [biblio-te'ka:ɐ] *m(f)* librarian

bi·blisch ['bi:blɪʃ] *adj* biblical

Bi·det <-s, -s> [bi'de:] *nt* bidet

bie·der ['bi:dɐ] *adj* ❶ (*pej: einfältig*) conventional ❷ (*brav*) plain; *Geschmack* conservative

Bie·der·mann <-männer> ['bi:dəman, *pl* -mɛne] *m* (*pej*) upright citizen

bie·gen <bog, gebogen> ['bi:gn̩] I. *vt* *haben* ❶ (*Form verändern*) to bend ❷ LING ÖSTERR (*flektieren*) to inflect ▶ **auf B~ oder Brechen** (*fam*) by hook or by crook II. *vi* *sein* (*abbiegen*) to turn; **bei der Ampel biegst du links ab** turn left at the lights; (*umbiegen*) to curve; **die Straße biegt scharf nach links** the road curves sharply to the left III. *vr haben* ■**sich ~** ❶ (*sich krümmen*) to bend ❷ (*sich verziehen*) to go out of shape; **im Wind bogen sich die Bäume** the trees swayed in the wind

bieg·sam ['bi:kza:m] *adj* ❶ (*elastisch*) supple ❷ (*flexibel*) flexible ❸ (*leicht zu biegen*) ductile

Bieg·sam·keit <-> *f kein pl* ❶ (*Elastizität*) suppleness *no pl* ❷ (*Flexibilität*) ductility

Bie·gung <-, -en> ['bi:gʊŋ] *f* ❶ (*Kurve*) bend; **eine ~ machen** to turn ❷ LING ÖSTERR (*Flexion*) inflection

Bie·ne <-, -n> ['bi:nə] *f* bee

Bie·nen·honig *m* bees' honey **Bie·nen·kö·ni·gin** *f* queen bee **Bie·nen·schwarm** *m* swarm of bees **Bie·nen·stich** *m* ❶ (*Stich einer Biene*) bee sting ❷ (*Kuchen*) flat cake with an almond and sugar coating and a custard or cream filling **Bie·nen·stock** *m* beehive **Bie·nen·volk** *nt* bee colony **Bie·nen·wa·be** *f* honeycomb **Bie·nen·wachs** *nt* beeswax **Bie·nen·zucht** *f* bee-keeping **Bie·nen·züch·ter(in)** *m(f)* bee-keeper

Bi·en·na·le <-, -n> [biɛ'na:lə] *f* KUNST, FILM *biennial arts exhibition or show*

Bier <-[e]s, -e> [bi:ɐ] *nt* beer; **~ vom Fass** draught beer; **dunkles/helles ~** dark/light beer ▶ **das ist dein ~** (*fam*) that's your business; **das ist nicht mein ~** (*fam*) that's nothing to do with me

Bier·bauch *m* (*fam*) beer belly **Bier·brau·e·rei** *f* brewery **Bier·de·ckel** *m* beer mat **Bier·do·se** *f* beer can **bier·ernst** ['bi:ɐʔɛrnst] *adj* (*fam*) dead[ly] serious **Bier·fass**RR *nt* beer barrel **Bier·fla·sche** *f* beer bottle **Bier·gar·ten** *m* beer garden **Bier·glas** *nt* beer glass **Bier·he·fe** *f kein pl* brewer's yeast **Bier·knei·pe** *f* pub BRIT, bar AM **Bier·krug** *m* (*aus Glas*) tankard; (*aus Steingut*) stein **Bier·lau·ne** *f* (*fam*) ▶ **aus einer ~ heraus** in a high-spirited mood [after a few beers] **Bier·lei·che** *f* (*fam*) [sb who is dead] drunk [due to drinking beer] **Bier·schaum** *m* head **Bier·schin·ken** *m* KOCHK ≈ ham sausage (*type of sausage containing large pieces of ham*) **Bier·zelt** *nt* beer tent

Biest <-[e]s, -er> [biːst] *nt* (*fam*) ❶ (*pej: lästiges Insekt*) [damn] bug; (*bösartiges Tier*) creature ❷ (*pej: bösartiger Mensch*) beast; **sie kann manchmal ein ~ sein** sometimes she can be a [right] bitch

bies·tig I. *adj* (*fam*) beastly II. *adv* nastily

bie·ten <bot, geboten> ['biːtn̩] I. *vt* ❶ (*anbieten*) to offer ❷ (*geben*) to give; *Gewähr* to provide; *Sicherheit, Schutz* to provide ❸ (*aufweisen*) to have ❹ (*zeigen, darbieten*) ▪ **[jdm] etw ~** to present [sb] with sth ❺ (*pej: zumuten*) ▪ **jdm etw ~** to serve sth up to sb; **so etwas ließe ich mir nicht ~!** I wouldn't stand for it! II. *vi* ❶ KARTEN (*ansagen*) to bid ❷ (*ein Angebot machen*) to [make a] bid III. *vr* ❶ (*sich anbieten*) ▪ **sich [jdm] ~** to present itself [to sb] ❷ (*zumuten*) ▪ **sich** *dat* **etw nicht ~ lassen** to not stand for sth

Bi·ga·mie <-, -n> [biga'miː, *pl* -'miːən] *f* bigamy

Bi·ga·mist(in) <-en, -en> [biga'mɪst] *m(f)* bigamist

bi·gott [bi'gɔt] *adj* (*frömmelnd*) devout; (*scheinheilig*) hypocritical

bi·ken ['bajkn̩] *vi* SPORT (*sl*) ❶ (*Fahrrad fahren*) to go biking ❷ (*Motorrad fahren*) to go biking

Bi·ki·ni <-s, -s> [bi'kiːni] *m* bikini

Bi·lanz <-, -en> [bi'lants] *f* ❶ ÖKON balance sheet ❷ (*Ergebnis*) end result; **[die] ~ [aus etw** *dat*] **ziehen** (*fig*) to take stock [of sth]

Bi·lanz·buch·hal·ter(in) *m(f)* ÖKON accountant

bi·lan·zie·ren* [bilan'tsiːrən] *vi, vt* ÖKON to balance

Bi·lanz·prü·fer(in) *m(f)* auditor

bi·la·te·ral ['biːlatera:l] *adj* bilateral

Bild <-[e]s, -er> [bɪlt, *pl* 'bɪlde] *nt* ❶ (*Fotografie*) photo[graph]; **ein ~ machen** to take a photo[graph] ❷ KUNST (*Zeichnung*) drawing; (*Gemälde*) painting ❸ TV, FILM picture ❹ (*Anblick, Ansicht*) scene; **es bot sich ein herrliches ~** there was an excellent view; **die hungernden Kinder boten ein ~ des Elends** the starving children were a pathetic sight ❺ (*Metapher*) image ▶ **ein ~ für [die] Götter** (*fam*) a sight for sore eyes; **sich** *dat* **von jdm/etw ein ~ machen** to form an opinion about sb/sth; **im ~e sein** to be in the picture

Bild·band <-bände> *m* book of pictures

Bild·da·tei *f* INFORM photo file

bil·den ['bɪldn̩] I. *vt* ❶ (*hervorbringen*) to form; **ein Insektenstich kann eine Schwellung ~** an insect bite can cause a swelling ❷ (*formen*) to form; *Ausschuss* to set up ❸ (*darstellen*) to make up; *Gefahr,*

Problem to constitute ❹ (*mit Bildung versehen*) to educate ❺ KUNST to make (**aus** from) II. *vr* ❶ (*entstehen*) ▪ **sich ~** to develop; CHEM to form; BOT to grow ❷ (*sich Bildung verschaffen*) ▪ **sich ~** to educate oneself ❸ (*sich formen*) ▪ **sich** *dat* **eine Meinung ~** to form an opinion III. *vi* to broaden the mind

Bil·der·bo·gen *m* pictorial broadsheet **Bil·der·buch** *nt* picture book **Bil·der·ga·le·rie** *f* art gallery **Bil·der·ge·schich·te** *f* picture story **Bil·der·rah·men** *m* picture frame **Bil·der·rät·sel** *nt* picture puzzle **Bil·der·schrift** *f* pictographic system of writing **Bil·der·sturm** *m* HIST iconoclasm **Bil·der·stür·mer** [bɪldeʃtʏrmɐ] *m* HIST iconoclast

Bild·flä·che *f* FILM, FOTO projection surface ▶ **auf der ~ erscheinen** (*fam*) to appear on the scene; **von der ~ verschwinden** (*fam*) to disappear from the scene **Bild·funk** *m* facsimile transmission

bild·haft I. *adj* vivid; *Beschreibung* graphic II. *adv* vividly

Bild·hau·er(in) <-s, -> ['bɪlthaʊɐ] *m(f)* sculptor

Bild·hau·e·rei <-> *f kein pl* sculpture *no pl, no art*

Bild·hau·e·rin <-, -nen> *f fem form von* **Bildhauer**

bild·hübsch ['bɪlt'hʏpʃ] *adj* as pretty as a picture

Bild·lauf·leis·te *f* INFORM scroll bar **Bild·lauf·pfeil** *m* INFORM scroll arrow

bild·lich I. *adj* figurative; **ein ~er Ausdruck** a figure of speech II. *adv* figuratively; **~ gesprochen** metaphorically speaking; **sich** *dat* **etw ~ vorstellen** to picture sth

Bild·nis <-ses, -se> ['bɪltnɪs, *pl* -nɪsə] *nt* (*geh*) portrait

Bild·qua·li·tät *f* TV, FILM picture quality; FOTO print quality **Bild·re·por·ta·ge** *f* photographic report; TV photographic documentary **Bild·röh·re** *f* TV picture tube **Bild·schär·fe** *f* TV, FOTO definition *no pl, no indef art*

Bild·schirm *m* TV, INFORM screen **Bild·schirm·ar·beit** *f* VDU work *no pl, no indef art* **Bild·schirm·ge·rät** *nt* visual display unit **Bild·schirm·scho·ner** *m* screen saver **Bild·schirm·text** *m* TELEK videotext

bild·schön ['bɪlt'ʃøːn] *adj s.* **bildhübsch** **Bild·stel·le** *f* picture and film archive **Bild·stö·rung** *f* TV interference *no pl, no indef art* **Bild·te·le·fon** *nt* videophone

Bil·dung <-, -en> *f* ❶ *kein pl* (*Kenntnisse*)

B

education *no pl;* ~/**keine** ~ **haben** to be educated/uneducated ❷ *kein pl* ANAT development *no pl* ❸ BOT forming *no pl* ❹ LING *Satz* forming *no pl* ❺ *kein pl* (*Zusammenstellung*) formation *no pl; eines Fonds/Untersuchungsausschusses* setting up *no pl* ❻ *kein pl* (*Erstellung*) forming *no pl*

Bil·dungs·bür·ger(in) *m(f)* member of the educated classes **Bil·dungs·ein·rich·tung** *f* (*geh*) educational establishment **Bil·dungs·fer·ne** *f kein pl* SOZIOL lack of education **Bil·dungs·gut** *nt* facet of general education **Bil·dungs·lü·cke** *f* gap in one's education **Bil·dungs·ni·veau** *nt* level of education **Bil·dungs·po·li·tik** *f* education policy **Bil·dungs·re·form** *f* reform of the education system **Bil·dungs·rei·se** *f* educational trip **Bil·dungs·stand** *m s.* **Bildungsniveau Bil·dungs·sys·tem** *nt* education system **Bil·dungs·ur·laub** *m* educational holiday **Bil·dungs·weg** *m* course of education; **auf dem zweiten** ~ through evening classes

Bild·ver·ar·bei·tung *f* TYPO, INFORM image processing **Bild·zu·schrift** *f* reply with a photograph enclosed

bi·lin·gu·al [bilɪŋ'gu̯aːl] *adj* bilingual

Bil·lard <-s, -e ÖSTERR -s> ['bɪljart] *nt* billiards + *sing vb*

Bil·lard·ku·gel *f* billiard ball **Bil·lard·stock** *m* billiard cue **Bil·lard·tisch** *m* billiard table

Bil·lett <-[e]s, -s *o* -e> [bɪl'jɛ(t)] *nt* ❶ SCHWEIZ (*Fahrkarte*) ticket ❷ SCHWEIZ (*Eintrittskarte*) admission ticket AM ❸ ÖSTERR (*Glückwunschkarte*) greetings [*or* AM greeting] card

Bil·li·ar·de <-, -n> [bɪ'li̯ardə] *f* thousand trillion

bil·lig ['bɪlɪç] **I.** *adj* cheap; **es jdm ~er machen** to reduce sth for sb **II.** *adv* cheaply; ~ **abzugeben** going cheap ▶ ~ **davonkommen** (*fam*) to get off lightly

Bil·lig·an·bie·ter *m* supplier of cheap products **Bil·lig·ar·bei·ter(in)** *m(f)* cheap labourer

bil·li·gen ['bɪlɪgn̩] *vt* to approve of

Bil·lig·flug *m* cheap flight **Bil·lig·la·den** *m* (*fam*) cheap [*or fam* cheapo] shop, five-and-dime store AM **Bil·lig·li·nie** *f* low-cost airline **Bil·lig·lö·sung** *f* cheap solution **Bil·lig·pro·dukt** *nt* cheap product

Bil·li·gung <-, *selten* -en> *f* approval

Bil·lig·wa·ren *pl* low-quality merchandise, cheap goods *pl*

Bil·li·on <-, -en> [bɪl'i̯oːn] *f* trillion

Bim·bam ['bɪmbam] *m* ▶ **ach du heiliger**

~! (*fam*) good grief!

bim·meln ['bɪml̩n] *vi* (*fam*) to ring

Bims·stein ['bɪmsʃtaɪn] *m* ❶ GEOL pumice stone ❷ BAU breeze block

bin [bɪn] *1. pers sing pres von* **sein**

bi·när [bi'nɛːɐ̯] *adj* binary

Bin·de <-, -n> ['bɪndə] *f* ❶ MED bandage; (*Schlinge*) sling ❷ (*Monats~*) sanitary towel [*or* AM napkin] ❸ (*Armband*) armband

Bin·de·ge·we·be *nt* ANAT connective tissue **Bin·de·glied** *nt* [connecting] link **Bin·de·haut** *f* ANAT conjunctiva **Bin·de·haut·ent·zün·dung** *f* MED conjunctivitis *no pl, no indef art* **Bin·de·mit·tel** *nt* binder; KOCHK *a.* thickener

bin·den <band, gebunden> ['bɪndn̩] **I.** *vt* ❶ (*durch Binden zusammenfügen*) to bind; **bindest du mir bitte die Krawatte?** can you do [up] my tie [for me], please? ❷ (*fesseln, befestigen*) to tie [up *sep*] (**an** to); **sie band sich ein Tuch um den Kopf** she tied a shawl round her head ❸ CHEM, KOCHK to bind ▶ **jdm sind die Hände gebunden** sb's hands are tied **II.** *vr* (*sich verpflichten*) ■ **sich an jdn/etw** ~ to commit oneself to sb/sth

bin·dend *adj* binding

Bin·de·strich *m* hyphen **Bin·de·wort** *nt* LING conjunction

Bind·fa·den *m* string

Bin·dung <-, -en> *f* ❶ (*Verbundenheit*) bond (**an** to) ❷ (*Verpflichtung*) commitment; **eine vertragliche** ~ **eingehen** to enter into a binding contract ❸ SKI binding

bin·nen ['bɪnən] *präp* +*dat o gen* (*geh*) within; ~ **kurzem** shortly

Bin·nen·ge·wäs·ser *nt* inland water *no indef art* **Bin·nen·ha·fen** *m* inland port **Bin·nen·han·del** *m* domestic [*or* home] trade *no pl* **Bin·nen·land** ['bɪnənlant] *nt* landlocked country **Bin·nen·markt** *m* domestic market; **der** [**Europäische**] ~ the Single [European] Market **Bin·nen·meer** *nt* inland sea **Bin·nen·schiff·fahrt**^{RR} *f* inland navigation **Bin·nen·see** *m* lake

Bin·se <-, -n> ['bɪnzə] *f* BOT rush ▶ **in die ~n gehen** (*fam*) *Vorhaben* to fall through; *Veranstaltung* to be a washout *fam; Unternehmen* to go down the drain *fam; Geld* to go up in smoke

Bin·sen·wahr·heit *f,* **Bin·sen·weis·heit** *f* truism

Bio·ab·fall *m* ÖKOL organic waste [matter] **bio·ak·tiv** [bio'ʔak'tiːf] *adj* biologically active **Bio·brenn·stoff** *m* bio-fuel **Bio·che·mie** [bioçe'miː] *f* biochemistry **Bio·che·mi·ker(in)** [bio'çeːmikɐ] *m(f)* biochemist **bio·che·misch** [bio'çe:mɪʃ] *adj* biochemical **bio·dy·na·misch** [biody'na:mɪʃ] *adj* organic **Bio·e·lek·tri·zi·tät** *f kein pl* bioelectricity *no pl* **Bio·e·ner·gie** *f kein pl* bioenergy *no pl* **Bio·gas** *nt* biogas

Bio·graf(in)^RR <-en, -en> [bio'gra:f] *m(f)* biographer

Bi·o·gra·fie^RR <-, -n> [biogra'fi:, *pl* -'fi:ən] *f* ❶ (*Buch*) biography ❷ (*Lebenslauf*) life [history]

bi·o·gra·fisch^RR [bio'gra:fɪʃ] *adj* biographical

Bi·o·gra·phie <-, -n> [biogra'fi:, *pl* -'fi:ən] *f s.* **Biografie**

bi·o·gra·phisch [bio'gra:fɪʃ] *adj s.* **biografisch**

Bio·kost *f* organic food **Bio·la·den** *m* health-food shop [*or* Am *usu* store] **Bio·land·bau** *kein pl m* AGR, ÖKOL organic farming

Bi·o·lo·ge, Bi·o·lo·gin <-n, -n> [bio'lo:gə, -'lo:gɪn] *m, f* biologist

Bi·o·lo·gie <-> [biolo'gi:] *f kein pl* biology *no pl, no indef art*

Bi·o·lo·gin <-, -nen> *f fem form von* **Biologe**

bi·o·lo·gisch I. *adj* biological; (*natürlich*) natural II. *adv* biologically; ~ **abbaubar** biodegradable

Bio·mas·se *f* ÖKOL biomass **Bio·me·cha·nik** *f kein pl* biomechanics + *sing vb*

Bi·o·me·trie <-> [biome'tri:] *f kein pl* biometry

Bi·o·me·trie-Aus·weis *m* biometric passport

bio·me·trisch *adj Pass* biometric

Bio·müll *m* organic waste **Bio·phy·sik** [biofy'zi:k] *f* biophysics + *sing vb*

Bi·op·sie <-, -n> [biɔ'psi:, *pl* -'psi:ən] *f* MED biopsy; ■ **bei jdm eine ~ machen** to conduct a biopsy on sb

Bio·rhyth·mus *m* biorhythm **Bio·sphä·re** [bio'sfɛ:rə] *f* biosphere **Bio·tech·nik** [bio'tɛçnɪk] *f* bioengineering *no pl* **Bio·ton·ne** *f* bio-bin

Bi·o·top <-s, -e> [bio'to:p] *nt* ÖKOL biotope

Bio·treib·stoff *m* biofuel **Bio·waf·fe** *f* biological weapon **Bio·wasch·mit·tel** *nt* biological detergent

BIP *nt* ÖKON *Abk von* **Bruttoinlandsprodukt** GDP

birgt [bɪrkt] *3. pers sing pres von* **bergen**

Bir·ke <-, -n> ['bɪrkə] *f* birch [tree]

Birk·huhn *nt* black grouse

Bir·ma <-s> ['bɪrma] *nt* Burma; *s. a.* **Deutschland**

Birn·baum *m* ❶ (*Baumart*) pear tree ❷ *kein pl* (~ *holz*) pear-wood *no pl, no indef art*

Bir·ne <-, -n> ['bɪrnə] *f* ❶ (*Frucht*) pear ❷ ELEK (*veraltend*) [light] bulb ❸ (*fam: Kopf*) nut; **eine weiche ~ haben** (*sl*) to be soft in the head

bir·nen·för·mig *adj* pear-shaped

bis [bɪs] I. *präp* +*akk* ❶ *zeitlich* (*sich an einen genannten Zeitpunkt erstreckend*) till, until; **ich zähle ~ drei** I'll count [up] to three; (*nicht später als*) by; ■ **von ... ~ ...** from ... until...; ~ **morgen** see you tomorrow; ~ **bald** see you soon; ~ **dahin/dann** by then; ~ **jetzt** up to now; ~ **wann bleibst du?** how long are you staying [for]? ❷ *räumlich* as far as; **er musterte ihn von oben ~ unten** he looked him up and down; ~ **dort/dorthin/dahin** to; ~ **hierher** up to this point; ~ **wo/wohin ...?** where ... to? ❸ (*erreichend*) up to; **die Tagestemperaturen steigen ~ [zu] 30°C** daytime temperatures rise to 30°C; **Kinder ~ sechs Jahre** children up to the age of six II. *adv* ❶ *zeitlich* till, until; ~ **gegen 8 Uhr** until about 8 o' clock; **der Bau dürfte ~ Weihnachten fertig sein** the construction work should be finished by Christmas ❷ *räumlich* into, to; **die Äste reichen ~ ans Haus** the branches reach right up to the house ❸ (*mit Ausnahme von*) ■ ~ **auf** [*o* SCHWEIZ **an**] except [for] III. *konj* ❶ (*bei ordnend*) to; **400 ~ 500 Gramm Schinken** 400 to 500 grams of ham ❷ *unterordnend: zeitlich* (*bevor*) by the time, till, until; ~ **es dunkel wird, möchte ich zu Hause sein** I want to be home by the time it gets dark; **ich warte noch, ~ es dunkel wird** I'll wait until it gets dark

Bi·sam <-s, -e *o* -s> ['bi:zam] *m* ❶ MODE musquash *no pl* ❷ *no pl* (*Moschus*) musk *no pl*

Bi·sam·rat·te *f* muskrat

Bis·ca·ya *f* GEOG *s.* **Biskaya**

Bi·schof, Bi·schö·fin <-s, Bischöfe> ['bɪʃɔf, 'bɪʃo:fɪn, *pl* 'bɪʃœfə] *m, f* bishop

bi·schöf·lich ['bɪʃœflɪç, 'bɪʃø:flɪç] *adj* episcopal

Bi·schofs·amt *nt* episcopate **Bi·schofs·sitz** *m* bishop's seat **Bi·schofs·stab** *m* bishop's crook

bi·se·xu·ell [bizɛ'ksuɛl, 'bi:-] *adj* bisexual

bis·her [bɪs'he:ɐ̯] *adv* until now; (*momentan*) currently

Bis·ka·ya <-> [bɪs'ka:ja] *f* ■ **die ~** [the Bay of] Biscay

Bis·kuit <-[e]s, -s *o* -e> [bɪs'kvi:t, bɪs'kɥi:t] *nt o m* sponge

bis·lang [bɪsˈlaŋ] *adv s.* **bisher**

Bis·marck·he·ring [ˈbɪsmark-] *m* Bismarck herring

Bi·son <-s, -e> [ˈbiːzɔn] *m* bison

biss^RR, **biß**^ALT [bɪs] *imp von* **beißen**

Biss^RR <-es, -e>, **Biß**^ALT <-sses, -sse> [bɪs] *m* ❶ (*das Zubeißen, Bisswunde*) bite ❷ (*sl: engagierter Einsatz*) drive; ~ **haben** to have drive

biss·chen^RR, **biß·chen**^ALT [ˈbɪsçən] *pron indef* ❶ *in der Funktion eines Adjektivs* ▪ **ein** ~ ... a bit of ...; ▪ **kein** ~ ... not one [little] bit of ...; ▪ **das** ~ ... the little bit of ... ❷ *in der Funktion eines Adverbs* ▪ **ein** ~ ... a bit; **das war ein** ~ **dumm von ihr!** that was a little stupid of her!; ▪ **kein** ~ ... not the slightest bit ...

Bis·sen <-s, -> [ˈbɪsn̩] *m* morsel; **kann ich einen** ~ **von deinem Brötchen haben?** can I have a bite of your roll?; **er brachte keinen** ~ **herunter** he couldn't eat a thing ▸ **ihm blieb der** ~ **im Hals stecken** his throat contracted with fear; **sich** *dat* **jeden** ~ **vom Munde absparen** to scrimp and scrape

bis·sig [ˈbɪsɪç] *adj* ❶ (*gerne zubeißend*) vicious; „**[Vorsicht,] ~er Hund!**“ "beware of [the] dog!" ❷ (*sarkastisch*) caustic; *Kritik* scathing; **sie hat eine sehr ~e Art** she's very sarcastic

Biss·wun·de^RR *f* bite

bist [bɪst] *2. pers sing pres von* **sein**

Bis·tum <-s, -tümer> [ˈbɪstuːm, *pl* -tyːmə] *nt* bishopric

bis·wei·len [bɪsˈvaɪlən] *adv* (*geh*) at times

Bit <-[s], -[s]> [bɪt] *nt* INFORM bit

bit·te [ˈbɪtə] *interj* ❶ ((*höflich*) *auffordernd*) please; ~ **nicht!** no, please!; **ja,** ~? (*am Telefon*) hello?; **tun Sie [doch]** ~ ... won't you please ... ❷ (*Dank erwidernd*) **danke für die Auskunft! — ~[, gern geschehen]** thanks for the information — you're [very] welcome!; **danke, dass du mir geholfen hast! — ~[, gern geschehen]**! thanks for helping me — not at all!; **danke schön! — ~ schön, war mir ein Vergnügen!** thank you! — don't mention it, my pleasure!; **Entschuldigung! — ~!** I'm sorry! — that's all right! ❸ **~ schön** here you are ❹ (*um Wiederholung bittend*) ~? **könnten Sie die Nummer noch einmal wiederholen?** sorry, can you repeat the number? ❺ (*drückt Erstaunen aus*) **wie** ~? I beg your pardon? ❻ (*drückt aus, dass etw nicht unerwartet war*) **na** ~! what did I tell you!; **na** ~, **habe ich schon immer gewusst** there you are, I knew it all along ❼ (*sarkastisch*)

ich brauche dein Geld nicht — ~, wie du willst! I don't need your money — fair enough, as you wish!

Bit·te <-, -n> [ˈbɪtə] *f* request (**um** for); **eine** ~ **äußern** to make a request; **ich hätte eine** ~ **an Sie** if you could do me one favour; **sich mit einer** ~ **an jdn wenden** to make a request to sb; **auf jds** ~ *akk* at sb's request

bit·ten <bat, gebeten> [ˈbɪtn̩] **I.** *vt* ❶ (*Wunsch äußern*) ▪ **jdn [um etw** *akk*] ~ to ask sb [for sth]; **könnte ich dich um einen Gefallen** ~? could I ask you a favour?; **die Passagiere werden gebeten sich anzuschnallen** passengers are requested to fasten their seatbelts ❷ (*einladen*) ▪ **jdn zu etw** *dat* ~ to ask sb for sth; **darf ich dich auf ein Glas Wein zu mir** ~? may I ask you home for a glass of wine?; **darf ich [euch] zu Tisch** ~? may I ask you to come and sit down at the table? ❸ (*auffordern*) ▪ **jdn irgendwohin** ~ to ask sb to go somewhere; **ich muss Sie** ~ **mitzukommen** I must ask you to come with me ▸ **sich nicht [lange]** ~ **lassen** to not have to be asked twice **II.** *vi* ❶ (*eine Bitte aussprechen*) ▪ **um etw** *akk* ~ to ask for sth; **um Hilfe** ~ to ask for help; **darf ich einen Augenblick um Aufmerksamkeit** ~? may I have your attention for a moment, please?; **darf ich [um den nächsten Tanz]** ~? may I have the pleasure [of the next dance]?; (*dringend wünschen*) to beg for sth; **um Verzeihung** ~ to beg for forgiveness ❷ (*hereinbitten*) ▪ **jd lässt** ~ sb will see sb ▸ ~ **und betteln** (*fam*) to beg and plead; **wenn ich** ~ **darf!** if you wouldn't mind!

bit·ter [ˈbɪtɐ] **I.** *adj* ❶ (*herb*) bitter; *Schokolade* plain ❷ (*schmerzlich*) bitter; *Reue* deep; *Verlust, Wahrheit* painful ▸ **bis zum ~en Ende** to the bitter end **II.** *adv* bitterly; **es war** ~ **kalt** it was bitterly cold; **etw** ~ **bereuen** to regret sth bitterly

bit·ter·bö·se [ˈbɪtɐˈbøːzə] *adj* furious **bit·ter·ernst** [ˈbɪtɐˈʔɛrnst] *adj* extremely serious; ▪ **jdm ist es mit etw** *dat* ~ sb is deadly serious about sth **bit·ter·kalt** [ˈbɪtɐˈkalt] *adj attr* bitterly cold

Bit·ter·keit <-> *f kein pl* bitterness *no pl*

Bit·ter Le·mon <-[s], -> [ˈbɪtɐ ˈlɛmən] *nt* bitter lemon

bit·ter·lich **I.** *adj* slightly bitter **II.** *adv* bitterly

Bit·ter·stoff *m* bitter principle **bit·ter·süß** [ˈbɪtɐˈzyːs] *adj* bittersweet *also fig*

Bitt·schrift *f* (*veraltend*) plead

Bitt·stel·ler(in) <-s, -> *m(f)* petitioner

bitten

bitten	requesting
Kannst/Könntest du bitte mal den Müll runterbringen?	**Can/Could you please** take the rubbish down?
Bitte sei so gut und bring mir meine Jacke.	**Be a love and** bring me my jacket. *(fam)*
Wärst du so nett und würdest mir die Zeitung mitbringen?	**Would you be good enough to** bring me back a paper?
Würden Sie bitte so freundlich sein und Ihr Gepäck etwas zur Seite rücken?	**Would you mind** moving your luggage slightly to one side?
Darf ich Sie bitten, Ihre Musik etwas leiser zu stellen?	**Could I ask you** to turn your music down a little?

um Hilfe bitten	asking for help
Kannst du mir einen Gefallen tun?	**Could you do me favour?**
Darf/Dürfte ich Sie um einen Gefallen bitten?	**Can/Could I ask you a favour?**
Könntest du mir bitte helfen?	**Could you help me please?**
Könnten Sie mir bitte behilflich sein?	**Could you give me a hand please?**
Ich wäre Ihnen dankbar, wenn Sie mir dabei helfen könnten.	**I would be grateful if** you could help me out with this.

Bi·wak <-s, -s *o* -e> ['biːvak] *nt* bivouac

bi·wa·kie·ren* [biva'kiːrən] *vi* to bivouac

bi·zarr [bi'tsar] *adj* bizarre

Bi·zeps <-es, -e> ['biːtsɛps] *m* biceps

BKA <-> [beːkaː'ʔaː] *nt kein pl Abk von* **Bundeskriminalamt**

Bla·bla <-s> [blaˈblaː] *nt kein pl (pej fam)* waffle

Black-out^{RR} <-s, -s>, **Black·out** <-s, -s> ['blɛkʔaʊt, 'blɛkʔaʊt, blɛk'ʔaʊt] *m* ❶ (*Gedächtnislücke*) lapse of memory ❷ (*Bewusstseinsverlust, Stromausfall*) blackout

Blag <-s, -en> *nt* DIAL (*pej*), **Bla·ge** <-, -n> ['blaːg(ə)] *f* DIAL (*pej*) brat *pej*

blä·hen ['blɛːən] **I.** *vt* ❶ (*mit Luft füllen*) to fill [out] ❷ ANAT to distend **II.** *vr* ■ **sich ~** (*sich mit Luft füllen*) to billow; ANAT to dilate **III.** *vi* (*blähend wirken*) to cause flatulence

Blä·hung <-, -en> *f meist pl* flatulence *no pl, no indef art;* ~ **en haben** to have flatulence

bla·ma·bel [blaˈmaːbl̩] *adj* (*geh*) shameful; *Situation* embarrassing

Bla·ma·ge <-, -n> [blaˈmaːʒə] *f* (*geh*) disgrace *no pl*

bla·mie·ren* [blaˈmiːrən] **I.** *vt* to disgrace **II.** *vr* ■ **sich ~** to make a fool of oneself

blan·chie·ren* [blãˈʃiːrən] *vt* KOCHK to blanch

blank [blaŋk] **I.** *adj* ❶ (*glänzend, sauber*) shining ❷ (*abgescheuert*) shiny ❸ (*rein*) pure; (*total*) utter; **in der Stadt herrschte das ~ e Chaos** utter chaos reigned in the town ❹ (*nackt, bloß*) bare; ÖSTERR, SÜDD (*ohne Mantel*) without a coat ❺ *präd* (*fam*) ■ **~ sein** to be broke **II.** *adv* (*glänzend*) ~ **gewetzt** shiny; ~ **poliert** brightly polished

Blan·ko·scheck *m* blank cheque **Blan·ko·voll·macht** *f* carte blanche

Bla·se <-, -n> ['blaːzə] *f* ❶ ANAT bladder; **sich** *dat* **die ~ erkälten** to get a chill on the bladder ❷ MED blister; **sich** *dat* **~ n lau·fen** to get blisters on one's feet ❸ (*Hohlraum*) bubble; **~ n werfen** to form bubbles; *Anstrich* to blister; *Tapete, heiße Masse* to bubble ❹ (*Sprechblase*) speech bubble

Bla·se·balg <-[e]s, -bälge> *m* bellows *npl*

bla·sen <bläst, blies, geblasen> ['blaːzn̩] *vi, vt* ❶ (*Luft ausstoßen*) to blow (**auf** on) ❷ MUS ■ **auf etw** *dat/*in **etw** *akk* **~** to play sth; **der Jäger blies in sein Horn** the hunter sounded his horn

Bla·sen·ent·zün·dung *f* inflammation of the bladder **Bla·sen·schwä·che** *f* bladder weakness **Bla·sen·tee** *m* herbal tea *to relieve bladder problems*

Blä·ser(in) <-s, -> ['blɛːzɐ] *m(f)* MUS wind player; ■ **die ~** the wind section

bla·siert [bla'zi:ɐt] *adj* (*pej geh*) arrogant

Blas·in·stru·ment *nt* wind instrument **Blas·ka·pel·le** *f* brass band **Blas·mu·sik** *f* brass-band music

Blas·phe·mie <-, -n> [blasfe'mi:, *pl* -'mi:ən] *f* (*geh*) blasphemy

blas·phe·misch [blas'fe:mɪʃ] *adj* (*geh*) blasphemous

Blas·rohr *nt* blowpipe

blass[RR], **blaß**[ALT] [blas] *adj* ❶ (*bleich*) pale; ~ **um die Nase sein** to be green about the gills *hum;* ~ **vor Neid werden** to go green with envy ❷ (*hell, matt*) pale; *Schrift* faint; **er trug ein Hemd in einem** ~**en Grün** he wore a pale-green shirt ❸ (*schwach*) vague; *Erinnerung* dim ❹ (*ohne ausgeprägte Züge o Eigenschaften*) ~ **wirken** to seem colourless

Bläs·se <-, -n> ['blɛsə] *f* ❶ (*blasse Beschaffenheit*) paleness *no pl* ❷ (*Farblosigkeit*) colourlessness *no pl*

bläss·lich[RR], **bläß·lich**[ALT] ['blɛslɪç] *adj* palish

bläst [blɛːst] *3. pers sing pres von* **blasen**

Blatt <-[e]s, Blätter> [blat, *pl* 'blɛtɐ] *nt* ❶ BOT leaf ❷ (*Papierseite*) sheet; **vom** ~ **singen/spielen** MUS to sight-read ❸ (*Seite*) page; *KUNST* print ❹ (*Zeitung*) paper ❺ (*von Werkzeugen*) blade ❻ KARTEN hand; **ein gutes** ~ a good hand ▸ **kein** ~ **vor den Mund nehmen** to not mince one's words; **[noch] ein unbeschriebenes** ~ **sein** (*unerfahren sein*) to be inexperienced; (*unbekannt sein*) to be an unknown quantity; **das** ~ **hat sich gewendet** things have changed

Blatt·ader *f* leaf vein

Blätt·chen <-s, -> ['blɛtçən] *nt dim von* **Blatt 1, 2**

blät·tern ['blɛtɐn] *vi* ❶ (*flüchtig lesen, umblättern*) ▪ **[in etw** *dat*] ~ *Buch, Zeitschrift* to flick through sth ❷ (*abbröckeln*) to flake [off]

Blät·ter·teig *m* flaky pastry **Blät·ter·teig·ge·bäck** *nt* puff pastries *pl*

Blatt·fall <-s> *m kein pl* falling *no pl* of leaves **Blatt·gold** *nt* gold leaf *no pl, no indef art* **Blatt·grün** *nt* chlorophyll *no pl, no indef art* **Blatt·laus** *f* aphid **Blatt·pflan·ze** *f* foliate plant **Blatt·sa·lat** *m* lettuce **Blatt·stiel** *m* BOT stalk **Blatt·werk** *nt kein pl* (*geh*) foliage *no pl*

blau [blaʊ] *adj* ❶ (*Farbe*) blue ❷ (*blutunterlaufen*) bruised; **ein** ~**er Fleck** a bruise; **schnell** ~**e Flecken bekommen** to bruise quickly; **ein** ~**es Auge** a black eye ❸ KOCHK **Forelle** ~ blue trout ❹ *meist präd* (*fam: betrunken*) plastered

blau·äu·gig *adj* ❶ (*blaue Augen habend*) blue-eyed ❷ (*naiv*) naïve **Blau·bee·re** *f s.* **Heidelbeere**

Blaue <-n> *nt kein pl* ▪ **das** ~ the blue ▸ **jdm das** ~ **vom Himmel** [**herunter**] **versprechen** (*fam*) to promise sb the earth; **ins** ~ **hinein** (*fam*) at random; **eine Fahrt ins** ~ a mystery tour

Blau·fuchs *m* blue fox **blau·grau** *adj* blue-grey **blau·grün** *adj* blue-green **Blau·helm** *m* (*sl*) blue beret **Blau·kraut** *nt* SÜDD, ÖSTERR red cabbage

bläu·lich *adj* bluish

Blau·licht *nt* flashing blue light **blau|ma·chen** *vi* (*fam: krankfeiern*) to go [*or* AM **call in**] sick; SCH to play truant [*or* AM **hook[e]y**] **Blau·mann** <-männer> *m* (*fam*) blue overalls, boiler suit BRIT **Blau·mei·se** *f* blue tit **Blau·pau·se** *f* blueprint **Blau·säu·re** *f* CHEM hydrocyanic acid **Blau·schim·mel·kä·se** *m* blue cheese **blau·schwarz** *adj* blue-black **Blau·wal** *m* blue whale

Bla·zer <-s, -> ['ble:zɐ] *m* blazer

Blech <-[e]s, -e> [blɛç] *nt* ❶ *kein pl* (*Material*) sheet metal *no pl, no indef art* ❷ (*Blechstück*) metal plate ❸ (*Back~*) [baking] tray

Blech·blas·in·stru·ment *nt* MUS brass instrument **Blech·do·se** *f* tin

ble·chen ['blɛçn] *vt, vi* (*fam*) to fork out (**für** for)

ble·chern I. *adj* ❶ *attr* (*aus Blech*) metal ❷ (*hohl klingend*) tinny; *Stimme* hollow **II.** *adv* tinnily; ~ **klingen** to sound tinny

Blech·la·wi·ne *f* (*pej fam*) river of metal **Blech·scha·den** *m* AUTO damage *no pl, no indef art* to the bodywork **Blech·trom·mel** *f* tin drum

Blei <-[e]s, -e> [blaɪ] *nt* ❶ *kein pl* (*Metall*) lead *no pl, no indef art* ❷ (*Lot*) plumb [bob]

Blei·be <-, -n> ['blaɪbə] *f* place to stay

blei·ben <blieb, geblieben> ['blaɪbn̩] *vi sein* ❶ (*verweilen*) to stay; **wo bleibst du so lange?** what has been keeping you all this time?; **wo sie nur so lange bleibt?** wherever has she got to?; **der Kranke muss im Bett** ~ the patient must stay in bed; ▪ **an etw** *dat* ~ to remain at sth; **unter sich** ~ **wollen** to wish to be alone; ~ **Sie bitte am Apparat!** hold the line, please! ❷ (*nicht ... werden*) **unbeachtet** ~ to go unnoticed; **mein Brief ist bis jetzt unbeantwortet geblieben** so far I have received no reply to my letter; (*weiterhin sein*) to remain; **die Lage blieb weiterhin angespannt** the situation remained tense; **wach ~** to stay awake ❸ (*andauern*) to last; **hoffentlich bleibt die Sonne noch eine Weile** I do hope the sunshine lasts for a while yet ❹ *meist Vergangenheit* (*hinkommen*) **wo ist meine Brieftasche geblieben?** where has my wallet got to? ❺ (*verharren*) ■**bei etw** *dat* ~ to stick to sth; **bleibt es bei unserer Abmachung?** does our arrangement still stand? ❻ (*übrig~*) **eine Möglichkeit bleibt uns noch** we still have one possibility left; **es blieb mir keine andere Wahl** I was left with no other choice ❼ (*ver~*) to remain; **es bleibt abzuwarten, ob sich die Lage bessern wird** it remains to be seen if the situation will improve ▶ **das bleibt** <u>unter</u> **uns** that's [just] between ourselves; **sieh zu,** <u>wo</u> **du bleibst!** you're on your own!

blei·bend *adj* lasting

Blei·be·recht *nt kein pl* POL right of residence

bleich [blaɪç] *adj* pale; ■~ **werden** to go pale

blei·chen <bleichte *o veraltet* blich, gebleicht> ['blaɪçn̩] *vt* to bleach

Bleich·ge·sicht *nt* ❶ (*fam*) pale face ❷ (*Weiße(r)*) paleface **Bleich·mit·tel** *nt* bleach *no pl*

blei·ern ['blaɪɐn] **I.** *adj* ❶ *attr* (*aus Blei*) lead ❷ (*grau wie Blei*) leaden ❸ (*schwer lastend*) heavy **II.** *adv* heavily

blei·frei *adj* lead-free **blei·hal·tig** *adj* containing lead **Blei·kris·tall** *nt* lead crystal *no pl, no indef art* **blei·schwer** ['blaɪʃveːɐ̯] *adj s.* bleiern 3

Blei·stift *m* pencil

Blei·stift·spit·zer *m* pencil sharpener **Blei·stift·zeich·nung** *f* pencil drawing **Blei·ver·gif·tung** *f* lead poisoning *no pl, no indef art*

Blen·de <-, -n> ['blɛndə] *f* ❶ FILM, FOTO (*Öffnung*) aperture; (*Vorrichtung*) diaphragm; (*Einstellungsposition*) f-stop, aperture ❷ (*Lichtschutz*) blind ❸ ARCHIT blind window/arch etc. ❹ MODE trim

blen·den ['blɛndn̩] **I.** *vt* ❶ (*vorübergehend blind machen*) to dazzle ❷ (*hinters Licht führen*) to deceive (**durch** with) **II.** *vi* ❶ (*zu grell sein*) to be dazzling; **mach die Vorhänge zu, es blendet!** close the curtains, the light's dazzling!; ~**d weiß** dazzling white **III.** *vi impers* to produce a lot of glare

blen·dend I. *adj* brilliant; ~**er Laune sein** to be in a sparkling mood **II.** *adv* wonderfully; **sich ~ amüsieren** to have great fun

blen·dend·weißALT *adj attr s.* blenden II

Blen·der(in) <-s, -> *m/f* fraud

blend·frei *adj* ❶ (*entspiegelt*) non-reflec-

tive ❷ (*nicht blendend III.*) non-dazzle

Blen·dung <-, -en> *f* dazzling *no pl*

Bles·se <-, -n> ['blɛsə] *f* (*weißer Fleck*) blaze

Bles·sur <-, -en> [blɛ'suːɐ̯] *f* (*geh*) wound

Blick <-[e]s, -e> [blɪk] *m* ❶ (*das Blicken*) look; **er warf einen ~ aus dem Fenster** he glanced out of the window; **auf den ersten ~** at first sight; **auf den zweiten ~** on closer inspection; **jds ~ ausweichen** to avoid sb's gaze; **den ~ auf jdn/etw heften** (*geh*) to fix one's eyes on sth/sb; **einen ~ auf jdn/etw werfen** to glance at sb/sth; ~**e miteinander wechseln** to exchange glances; **jdn keines ~es würdigen** (*geh*) to not deign to look at sb; **alle ~e auf sich ziehen** *akk* to attract attention; **auf einen ~** at a glance ❷ (~ *richtung*) eyes *pl;* **ihr Blick fiel auf die Kirche** the church caught her eye; **den ~ heben** to raise one's eyes; **den ~ senken** to lower one's eyes ❸ (*Augenausdruck*) look in one's eye; **in ihrem ~ lag Ausweglosigkeit** there was a look of hopelessness in her eyes; **er musterte sie mit finsterem ~** he looked at her darkly ❹ (*Aus~*) view; **ein Zimmer mit ~ auf den Strand** a room overlooking the beach ❺ (*Urteilskraft*) eye; **einen ~ für etw** *akk* **haben** to have an eye for sth; **seinen ~ für etw** *akk* **schärfen** to sharpen one's awareness of sth ▶ **einen ~ hinter die** <u>Kulissen</u> **werfen** to take a look behind the scenes; **wenn ~e** <u>töten</u> **könnten!** (*fam*) if looks could kill!; **den** <u>bösen</u> ~ **haben** to have the evil eye; **etw aus dem ~** <u>verlieren</u> to lose sight of sth; **etw** <u>im</u> ~ **haben** to have an eye on sth; <u>mit</u> ~ **auf** with regard to *form*

bli·cken ['blɪkn̩] **I.** *vi* ❶ (*schauen*) to look (**auf** at), to have a look (**auf** at); **er blickte kurz aus dem Fenster** he glanced [briefly] out of the window ❷ (*sich zeigen*) **sich ~ lassen** to put in an appearance; **sie hat sich hier nicht wieder ~ lassen** she hasn't shown up here again **II.** *vt* (*sl: verstehen*) to understand

Blick·fang *m* eye-catcher **Blick·feld** *nt* field of view **Blick·kon·takt** *m* visual contact; ~ **haben** to have eye contact **Blick·punkt** *m* ❶ (*Standpunkt*) point of view ❷ (*Fokus*) **im ~** |**der Öffentlichkeit**| **stehen** to be the focus of [public] attention **Blick·rich·tung** *f* direction of sight; **in jds ~** in sb's line of sight **Blick·win·kel** *m* ❶ (*Perspektive*) perspective ❷ (*Gesichtspunkt*) point of view

blind [blɪnt] **I.** *adj* blind; ■~ **werden** to go blind; **sie ist auf einem Auge ~** she's blind in one eye; ■**vor etw** *dat* ~ **sein** to be blinded by sth; ~**er Passagier** stowaway II. *adv* blindly; **er griff** ~ **ein Buch aus dem Regal heraus** he took a book at random from the shelf

Blind·be·wer·bung *f* speculative application **Blind·darm** *m* appendix **Blind·darm·ent·zün·dung** *f* MED appendicitis

Blind Date ['blaɪnt 'deːt] *nt* blind date

Blin·de(r) *f(m) dekl wie adj* blind woman *fem*, blind man *masc*, blind person

Blin·de·kuh ['blɪndəkuː] *f kein art* blind man's buff *no art*

Blin·den·hund *m* guide dog **Blin·den·schrift** *f* Braille *no art*

Blind·flug *m* ❶ LUFT blind flight ❷ (*fig*) process of trial and error **Blind·gän·ger** <-s, -> *m* MIL dud **blind·gläu·big** I. *adj* credulous II. *adv* blindly

Blind·heit <-> *f kein pl* blindness *no pl*

blind·lings ['blɪntlɪŋs] *adv* blindly

Blind·schlei·che <-, -n> ['blɪntʃlaɪçə] *f* slowworm

blind·wü·tig I. *adj* raging, in a blind fury *pred;* **ein ~er Angriff** a frenzied attack II. *adv* in a blind fury

blin·ken ['blɪŋkn̩] *vi* ❶ (*funkeln*) to gleam ❷ (*Blinkzeichen geben*) to flash; **mit der Lichthupe** ~ to flash one's [head]lights; (*zum Abbiegen*) to indicate

Blin·ker <-s, -> ['blɪŋkɐ] *m* ❶ AUTO indicator ❷ (*blinkender Metallköder*) spoon[bait]

Blink·licht *nt* ❶ TRANSP flashing light ❷ (*fam*) *s.* **Blinker 1 Blink·zei·chen** *nt* flashing signal; ~ **geben** to flash a signal

blin·zeln ['blɪnts̩ln̩] *vi* ❶ (*unfreiwillig zusammenkneifen*) to blink; (*geblendet*) to squint ❷ (*zwinkern*) to wink

Blitz <-es, -e> [blɪts] *m* ❶ (*Blitzstrahl*) lightning *no pl, no indef art;* (*Blitzeinschlag*) lightning strike; **vom** ~ **getroffen werden** to be struck by lightning; **der** ~ **schlägt in etw** *akk* [**ein**] lightning strikes sth ❷ (*das Aufblitzen*) flash ❸ FOTO flash ▶**wie ein** ~ **aus heiterem Himmel** like a bolt from the blue; **wie ein geölter** ~ (*fam*) like greased lightning; **wie vom** ~ **getroffen** thunderstruck; **wie ein** ~ **einschlagen** to come as a bombshell; **wie der** ~ (*fam*) like lightning

Blitz·ab·lei·ter <-, -> *m* lightning conductor **Blitz·ak·ti·on** *f* lightning operation **blitz·ar·tig** I. *adj* lightning *attr* II. *adv* like lightning; **er ist** ~ **verschwunden** he disappeared as quick as a flash

blitz·blank ['blɪts'blaŋk] *adj* squeaky clean

blit·zen ['blɪtsn̩] I. *vi impers* **es blitzte** there was [a flash of] lightning II. *vi*

❶ (*strahlen*) to sparkle ❷ (*funkeln*) to flash (**vor** with) ❸ FOTO (*fam*) to use [a] flash III. *vt* (*fam: in Radarfalle*) ■**geblitzt werden** to be zapped

Blit·zes·schnel·le ['blɪtsəs'ʃnɛlə] *f* lightning speed *no pl, no indef art*

Blitz·ge·rät *nt* FOTO flash unit **blitz·ge·scheit** *adj* (*fam*) brilliant **Blitz·licht** *nt* FOTO flash[light] **blitz·sau·ber** ['blɪts'zaʊbɐ] *adj* (*fam*) sparkling clean **Blitz·schlag** *m* lightning strike **blitz·schnell** ['blɪts'ʃnɛl] *adj s.* blitzartig

Bliz·zard <-s, -s> ['blɪzɐt] *m* blizzard

Block[1] <-[e]s, Blöcke> [blɔk, *pl* blœkə] *m* (*Form*) block

Block[2] <-[e]s, Blöcke *o* -s> [blɔk, *pl* blœkə] *m* ❶ (*Häuser~*) block; (*großes Mietshaus*) block [of flats] BRIT, apartment building AM ❷ (*Papierstapel*) book; **ein** ~ **Briefpapier** a pad of writing paper ❸ POL (*politischer Bund*) bloc; (*Fraktion*) faction

Blo·cka·de <-, -n> [blɔ'kaːdə] *f* ❶ (*Wirtschafts~*) blockade; **über etw** *akk* **eine** ~ **verhängen** to impose a blockade on sth ❷ MED block ❸ (*Denkhemmung*) mental block

blo·cken ['blɔkn̩] *vt* ❶ (*verhindern*) to block [*or* stall] ❷ SÜDD (*bohnern*) to polish

Block·flö·te *f* recorder **block·frei** *adj* POL non-aligned **Block·frei·heit** *f* POL non-alignment **Block·haus** *nt,* **Block·hüt·te** *f* log cabin

blo·ckie·ren* [blɔ'kiːrən] I. *vt* to block; *Stromzufuhr* to interrupt; *Verkehr* to stop II. *vi Bremse, Räder* to lock

Block·satz *m* TYPO justification **Block·scho·ko·la·de** *f kein pl* cooking chocolate *no pl* **Block·schrift** *f* block capitals *pl*

blöd [bløːt], **blö·de** ['bløːdə] I. *adj* (*fam*) ❶ (*veraltend: dumm*) silly; (*schwachsinnig*) feeble-minded ❷ (*unangenehm*) disagreeable; *Situation* awkward; **ein ~es Gefühl** a funny feeling; **zu ~!** how annoying!; (*ekelhaft*) nasty II. *adv* (*fam*) idiotically; **was stehst du hier noch so ~ rum?** why are you still standing around here like an idiot?; **frag doch nicht so ~!** don't ask such stupid questions!; **er hat sich wirklich ~ angestellt** he made such a stupid fuss; **glotz doch nicht so ~!** don't gawp at me like an idiot!; **sich** ~ **anstellen** to act stupid

Blö·de·lei <-, -en> *f* (*fam*) ❶ (*das Blödeln*) messing about *no pl, no indef art;* **lass endlich diese ~!** will you stop messing about! ❷ (*Albernheit*) silly prank

blö·deln ['bløːdl̩n] *vi* (*fam*) to tell silly

jokes

blö·der·wei·se adv (fam) stupidly

Blöd·heit <-, -en> f ❶ (Dummheit) stupidity no pl ❷ (blödes Verhalten) foolishness no pl ❸ (alberne Bemerkung) stupid remark

Blö·di·an <-[e]s, -e> ['bløːdi̯aːn] m, **Blöd·mann** m (fam) idiot

Blöd·sinn m kein pl (pej fam) ❶ (Quatsch) nonsense no pl, no indef art; **machen Sie keinen ~!** don't mess about! ❷ (Unfug) silly tricks pl

blöd·sin·nig ['bløːtzɪnɪç] adj (pej fam) idiotic

Blog <-s, -s> [blɔg] nt o m INET kurz für **Weblog** blog

blö·ken ['bløːkn̩] vi to bleat

blond [blɔnt] adj blond[e]; (hellgelb) fairhaired

blon·die·ren* [blɔnˈdiːrən] vt (blond färben) to bleach

Blon·di·ne <-, -n> [blɔnˈdiːnə] f blonde

bloß [bloːs] I. adj ❶ (unbedeckt) bare; mit **~em Oberkörper** stripped to the waist ❷ attr (alleinig) mere; (allein schon) very; **schon der ~e Gedanke machte ihn rasend** the very thought made him furious II. adv (nur) only; **was er ~ hat?** whatever is the matter with him?; **nicht ~ ..., sondern auch ...** not only ..., but also ... III. part (verstärkend) **lass mich ~ in Ruhe!** just leave me in peace!

Blö·ße <-, -n> ['bløːsə] f (geh) bareness no pl; (Nacktheit) nakedness no pl ▶ **sich** dat **eine/keine ~ geben** to show a/not show any weakness

bloß||le·gen vt ❶ (ausgraben) to uncover ❷ (enthüllen) to bring to light **bloß||stel·len** vt ❶ (verraten) to expose ❷ (blamieren) to show up sep

blub·bern ['blʊbɐn] vi (fam) to bubble

Blue·jeans <-, -> ['bluːdʒiːns] pl (blue) jeans

Blues <-, -> [bluːs] m MUS blues + sing vb

Bluff <-[e]s, -s> [blʊf, blaf, blœf] m (veraltet) bluff

bluf·fen ['blʊfn̩, 'blafn̩, 'blœfn̩] vi (täuschen) to bluff

blü·hen ['blyːən] I. vi ❶ (Blüten haben) to bloom ❷ (florieren) to flourish ❸ (fam) ▪ **jdm ~** to be in store for sb; **dann blüht dir aber was!** then you'll be for it! II. vi impers ▪ **es blüht** there are flowers; **im Süden blüht es jetzt schon überall** everything is in blossom in the south

blü·hend adj ❶ (in Blüte sein) blossoming ❷ (strahlend) radiant ❸ (prosperierend) flourishing ❹ (fam) **eine ~ Fantasie**

haben to have a fertile imagination

Blu·me <-, -n> ['bluːmə] f ❶ (blühende Pflanze) flower; (Topf~) pot plant ❷ (Duftnote) bouquet ❸ (Bierschaumkrone) head ▶ **jdm etw durch die ~ sagen** to say sth in a roundabout way to sb

Blu·men·beet nt flowerbed **Blu·men·er·de** f potting compost **Blu·men·kasten** m flower-box **Blu·men·kohl** m kein pl cauliflower **Blu·men·la·den** m flower shop **Blu·men·strauß** <-sträuße> m bouquet of flowers **Blu·men·topf** m ❶ (Topf) flowerpot ❷ (Pflanze) [flowering] pot plant **Blu·men·va·se** f flower vase **Blu·men·zwie·bel** f bulb

blu·mig adj flowery

Blu·se <-, -n> ['bluːzə] f blouse

Blut <-[e]s> [bluːt] nt kein pl ❶ (Körperflüssigkeit) blood no pl, no indef art; **~ reinigend** blood-cleansing; **~ stillend** MED styptic; **jdm ~ abnehmen** to take a blood sample from sb; **es wurde viel ~ vergossen** there was a lot of bloodshed; **es fließt ~** blood is being spilled ❷ (Geblüt) blood; (Erbe a.) inheritance ▶ **jdm steigt das ~ in den Kopf** the blood rushes to sb's head; **~ und Wasser schwitzen** (fam) to sweat blood [and tears]; **blaues ~ haben** to have blue blood; **böses ~ schaffen** to cause bad blood; **frisches ~** new blood; **[nur] ruhig ~!** [just] calm down!; **[einem] ins ~ gehen** to get into one's blood; **~ geleckt haben** to have developed a liking for sth; **jdm im ~ liegen** to be in sb's blood

Blut·ab·nah·me f blood taking; **ich gehe heute zur ~** I'm going for a blood test today **Blut·al·ko·hol·spie·gel** m blood alcohol level **blut·arm** ['bluːtˀarm] adj MED anaemic **Blut·ar·mut** f MED anaemia **Blut·bad** nt bloodbath; **ein ~ anrichten** to create carnage **Blut·bahn** f bloodstream **Blut·bank** <-banken> f blood bank **blut·be·fleckt** adj bloodstained **Blut·bild** nt MED blood count **Blut·bildung** f blood formation spec **Blut·bla·se** f blood blister **Blut·druck** m kein pl blood pressure no pl, no indef art

Blü·te <-, -n> ['blyːtə] f ❶ (Pflanzenteil) bloom; Baum blossom; in [voller] ~ **stehen** to be in [full] bloom; **~n treiben** to [be in] bloom; Baum to [be in] blossom ❷ (Blütezeit) blooming no pl ❸ (fam: falsche Banknote) dud ❹ (hoher Entwicklungsstand) heyday usu sing; **in jeder Zivilisation gibt es eine Zeit der ~** every civilization has its heyday; **in der ~ seiner Jahre stehen** to be in the prime of life ▶ **merk·**

würdige **~n treiben** to take on strange forms

Blut·egel m leech

blu·ten ['bluːtn̩] vi to bleed (**an/aus** from)

Blü·ten·blatt nt petal **Blü·ten·kelch** m calyx **Blü·ten·staub** m pollen no pl, no indef art

Blut·ent·nah·me f taking of a blood sample

blü·ten·weiß adj sparkling white

Blu·ter(in) <-s, -> ['bluːte] m(f) MED haemophiliac

Blut·er·gussRR <-es, -ergüsse> m, **Blut·er·guß**ALT <-sses, -ergüsse> m bruise

Blu·te·rin <-, -nen> f fem form von **Bluter**

Blu·ter·krank·heit f MED haemophilia no pl, no art

Blü·te·zeit f ❶ (Zeit des Blühens) blossoming no pl ❷ (Zeit hoher Blüte) heyday

Blut·fak·tor m blood factor **Blut·fleck** m bloodstain **Blut·ge·fäß** nt blood vessel **Blut·ge·rinn·sel** nt blood clot **Blut·ge·rin·nung** f clotting of the blood **Blut·grup·pe** f blood group **Blut·hoch·druck** m high blood pressure **Blut·hund** m bloodhound

blu·tig ['bluːtɪç] I. adj ❶ (blutend) bloody; (blutbefleckt) bloodstained ❷ KOCHK underdone; **sehr ~** rare ❸ (mit Blutvergießen verbunden) bloody II. adv bloodily

blut·jung ['bluːtˈjʊŋ] adj very young **Blut·kon·ser·ve** f unit of stored blood **Blut·kör·per·chen** nt blood corpuscle; **rote/weiße ~** red/white [blood] corpuscles **Blut·krebs** m MED leukaemia **Blut·kreis·lauf** m [blood] circulation no pl, no indef art **Blut·la·che** f pool of blood **blut·leer** adj ❶ (ohne Blut) bloodless, drained of blood pred ❷ MED anaemic **Blut·oran·ge** f blood orange **Blut·plas·ma** no pl, no indef art **Blut·plätt·chen** <-s, -> nt blood platelet **Blut·pro·be** f ❶ (Entnahme) blood sample ❷ (Untersuchung) blood test **Blut·ra·che** f blood vendetta **blut·rot** adj blood-red **blut·rüns·tig** ['bluːtrʏnstɪç] adj bloodthirsty **Blut·sau·ger** m ZOOL bloodsucker

Bluts·bru·der m blood brother

Bluts·brü·der·schaft f blood brotherhood

Blut·schan·de f incest **Blut·spen·de** f unit of blood [from a donor] **Blut·spen·der(in)** m(f) blood donor **Blut·spur** f trail of blood; **~en** traces of blood **blut·stil·lend**ALT adj MED styptic

Bluts·trop·fen m drop of blood

bluts·ver·wandt adj related by blood pred

Bluts·ver·wand·te(r) f(m) dekl wie adj

blood relation **Bluts·ver·wandt·schaft** f blood relationship

Blut·tat f (geh) bloody deed **Blut·test** m blood test **Blut·trans·fu·si·on** f blood transfusion **blut·über·strömt** adj streaming with blood pred

Blu·tung <-, -en> f ❶ (das Bluten) bleeding no pl, no indef art; **innere ~en** internal bleeding ❷ (Menstruation) [monatliche] ~ menstruation

blut·un·ter·lau·fen adj suffused with blood pred; **~e Augen** bloodshot eyes **Blut·un·ter·su·chung** f blood test **Blut·ver·gie·ßen** <-s> nt kein pl (geh) bloodshed no pl, no indef art **Blut·ver·gif·tung** f blood poisoning no pl, no indef art **Blut·ver·lust** m loss of blood **Blut·wä·sche** f MED haemodialysis **Blut·wurst** f black pudding BRIT, blood sausage AM **Blut·zu·cker** m MED ❶ (Zuckeranteil) blood sugar ❷ (fam) blood sugar test **Blut·zu·cker·spie·gel** m MED blood sugar level **Blut·zu·cker·wert** m MED blood sugar count

BLZ <-> [beːʔɛlˈtsɛt] f Abk von **Bankleitzahl**

b-Moll <-s, -> ['beːmɔl, beːˈmɔl] nt kein pl MUS B flat minor

Bö <-, -en> [bøː] f gust

Boa <-, -s> ['boːa] f ZOOL, MODE boa

Bob <-, -s> [bɔp] m bob[sleigh] BRIT, bob[sled] AM

Bock¹ <-[e]s, Böcke> [bɔk, pl 'bœkə] m ❶ ZOOL buck; (Schafs~) ram; (Ziegen~) billy-goat ❷ AUTO ramp ❸ SPORT buck ❹ (Kutsch~) box ▶ **alter ~** (fam) old goat; **sturer ~** (fam) stubborn sod; **~ [auf etw akk] haben** (sl) to fancy [sth]; **einen ~ schießen** (fam) to drop a clanger

Bock² <-s, -s> [bɔk] nt, **Bock·bier** nt bock beer (type of strong beer)

bo·cken ['bɔkn̩] vi ❶ (störrisch sein) to refuse to move ❷ (fam: sich ruckartig bewegen) to lurch along ❸ (fam: trotzig sein) to act up

bo·ckig ['bɔkɪç] adj (fam) stubborn

Bock·mist m (sl) bullshit

Bocks·horn ['bɔkshɔrn] nt ▶ **sich [von jdm] ins ~ jagen lassen** (fam) to be intimidated by sb

Bock·sprin·gen nt kein pl SPORT vaulting no pl, no art; **~ spielen** to play leapfrog

Bock·wurst f bockwurst (type of sausage)

Bo·den <-s, Böden> ['boːdn̩, pl bøːdn̩] m ❶ (Erdreich, Acker) soil; **magerer/fetter ~** barren/fertile soil ❷ (Erdoberfläche) ground ❸ kein pl (Territorium) land; **auf britischem ~** on British soil ❹ (Fläche, auf der man sich bewegt) ground; (Fußboden)

floor; (*Teppichboden*) carpet; **zu ~ gehen** *Boxer* to go down; **jdn zu ~ reißen** to drag sb to the ground; **jdn zu ~ schlagen** to floor sb ⑤ (*Dachboden*) loft; **auf dem ~ in** the loft ⑥ (*Grund*) bottom; *eines Gefäßes a.* base ⑦ (*Grundlage*) **auf dem ~ der Tatsachen bleiben** to stick to the facts ▶ **festen ~ unter den Füßen haben** (*nach einer Schiffsreise*) to be back on terra firma; (*sich seiner Sache sicher sein*) to be sure of one's ground; **den ~ unter den Füßen verlieren** (*die Existenzgrundlage verlieren*) to feel the ground fall from beneath one's feet; (*haltlos werden*) to have the bottom drop out of one's world; **am ~ zerstört sein** (*fam*) to be devastated; **an ~ gewinnen** (*einholen*) to gain ground; (*Fortschritte machen*) to make headway; **an ~ verlieren** to lose ground; **etw [mit jdm] zu ~ reden** SCHWEIZ to chew over sth *sep* [with sb]; **aus dem ~ schießen** to sprout up; **etw aus dem ~ stampfen** to build sth overnight; **jd wäre am liebsten in den ~ versunken** sb wishes the ground would open up and swallow them; **durch alle Böden [hindurch]** SCHWEIZ at all costs **Bo·den·be·lag** *m* floor covering **Bo·den·be·las·tung** *f* ÖKOL pollution of the ground **Bo·den·ero·si·on** *f* erosion of the earth's surface **Bo·den·frost** *m* ground frost *no pl* **Bo·den·haf·tung** *f* ❶ AUTO wheel grip ❷ (*fig*) grounding; **die ~ verlieren** to lose one's grounding

bo·den·los I. *adj* ❶ (*fam: unerhört*) outrageous; **das ist eine ~e Frechheit!** that's absolutely outrageous! ❷ (*sehr tief*) bottomless; **ein ~er Abgrund** an abyss **II.** *adv* extremely

Bo·den·ne·bel *m* ground fog **Bo·den·offen·si·ve** *f* MIL ground offensive **Bo·den·per·so·nal** *nt* LUFT ground crew **Bo·den·pro·be** *f* soil sample **Bo·den·re·form** *f* JUR agrarian reform **Bo·den·satz** *m* sediment; *von Kaffee* grounds *npl* **Bo·den·schät·ze** *pl* mineral resources *pl* **Bo·den·see** ['bo:dnze:] *m* ◼ **der ~** Lake Constance

bo·den·stän·dig *adj* ❶ (*lange ansässig*) long-established ❷ (*unkompliziert*) uncomplicated

Bo·den·sta·ti·on *f* RAUM ground station **Bo·den·streit·kräf·te** *pl* MIL ground forces *pl* **Bo·den·tur·nen** *nt kein pl* floor exercises *pl* **Bo·den·wel·le** *f* bump

Bo·dy <-s, -s> ['bɔdi] *m* body BRIT, bodysuit

Bo·dy·buil·ding <-s> [-bɪldɪŋ] *nt kein pl* bodybuilding *no pl* **Bo·dy·guard** <-s, -s> [-ga:ɐ̯t] *m* bodyguard **Bo·dy-Mass-In·dex** ['bɔdimɛsɪndɛks] *m* MED body mass index

Böe <-, -n> ['bø:ə] *f* gust [of wind]; (*stärker, oft mit Regen*) squall

bog [bo:g] *imp von* **biegen**

Bo·gen <-s, - *o* ÖSTERR, SCHWEIZ, SÜDD Bögen> ['bo:gn, *pl* 'bø:gn] *m* ❶ (*gekrümmte Linie*) curve; *eines großen Flusses a.* sweep; MATH arc; **in hohem ~** in a high arc; **einen ~ fahren** to execute a turn; **einen ~ machen** to curve [round] ❷ (*Blatt Papier*) sheet [of paper] ❸ (*Schusswaffe*) bow; **Pfeil und ~** bow and arrow[s *pl*] ❹ MUS bow ❺ ARCHIT arch ▶ **in hohem ~ hinausfliegen** (*fam*) to be turned out; **den ~ heraushaben** (*fam*) to have got the hang of it; **einen [großen] ~ um jdn/etw machen** to steer [well] clear of sb/sth; **den ~ überspannen** to overstep the mark

bo·gen·för·mig *adj* arched **Bo·gen·gang** <-gänge> *m* ARCHIT archway **Bo·gen·lam·pe** *f* arc lamp [*or* light] **Bo·gen·schie·ßen** *nt kein pl* SPORT archery *no pl* **Bo·gen·schüt·ze, -schüt·zin** *m, f* SPORT archer; HIST *a.* bowman

Böh·men <-s> ['bø:mən] *nt* Bohemia **böh·misch** ['bø:mɪʃ] *adj* Bohemian

Boh·ne <-, -n> ['bo:nə] *f* bean; **dicke/grüne/rote/weiße ~n** broad/French/kidney/haricot beans; **blaue ~** purple runner bean

Boh·nen·kaf·fee *m* ❶ (*gemahlen*) real coffee ❷ (*ungemahlen*) unground coffee [beans *pl*] **Boh·nen·stan·ge** *f* beanpole *also hum* **Boh·nen·sup·pe** *f* bean soup **boh·nern** ['bo:nən] *vt, vi* to polish **Boh·ner·wachs** [-vaks] *nt* floor polish

boh·ren ['bo:rən] **I.** *vt* ❶ *Loch* to bore; (*mit Bohrmaschine*) to drill; *Brunnen* to sink ❷ (*hineinstoßen*) to sink (**in** into); **er bohrte ihm das Messer in den Bauch** he plunged the knife into his stomach **II.** *vi* ❶ (*mit dem Bohrer arbeiten*) to drill ❷ (*stochern*) **in der Nase ~** to pick one's nose; **mit dem Finger im Ohr ~** to poke one's finger in one's ear ❸ (*fam: drängen*) ◼ **so lange ~, bis ...** to keep on asking until ...

boh·rend *adj* gnawing; *Blick* piercing; *Fragen* probing

Boh·rer <-s, -> *m* ❶ (*fam: Schlagbohrmaschine*) drill ❷ (*Handbohrer*) gimlet ❸ (*Zahnbohrer*) [dentist's] drill

Bohr·in·sel *f* drilling rig; (*Öl a.*) oil rig **Bohr·loch** *nt* ❶ (*das in das Gestein vorgetriebene Loch*) borehole ❷ (*gebohrtes Loch*) drill hole **Bohr·ma·schi·ne** *f*

drill[ing machine] **Bohr·turm** *m* derrick

Boh·rung <-, -en> *f* ❶ (*das Bohren*) drilling (**nach** for) ❷ (*Bohrloch*) bore[hole]

bö·ig ['bø:ɪç] **I.** *adj* gusty; *Wetter* windy **II.** *adv* ~ **auffrischender Westwind** a freshening westerly

Boi·ler <-s, -> ['bɔylɐ] *m* hot-water tank; **den ~ anstellen** to turn on the water heater

Bo·je <-, -n> ['bo:jə] *f* buoy

Bo·le·ro <-s, -s> [bo'le:ro] *m* ❶ MUS (*a. Tanz*) bolero ❷ (*Kleidungsstück*) bolero

Bo·li·vi·a·ner(in) <-s, -> [boli'vi̯a:nɐ] *m(f)* Bolivian; *s. a.* **Deutsche(r)**

bo·li·vi·a·nisch [boli'vi̯anɪʃ] *adj* Bolivian; *s. a.* **deutsch**

Bo·li·vi·en <-s> [bo'li:vi̯ən] *nt* Bolivia; *s. a.* **Deutschland**

Böl·ler <-s, -> ['bœlɐ] *m* ❶ MIL saluting gun ❷ (*fam: Feuerwerkskörper*) firework, banger BRIT, firecracker AM

Boll·werk ['bɔlvɛrk] *nt* (*geh*) bulwark

Bol·sche·wis·mus <-> [bɔlʃe'vɪsmʊs] *m* kein pl ■ **der ~** Bolshevism

bol·sche·wis·tisch *adj* Bolshevist, Bolshevik *attr*

Bol·zen <-s, -> ['bɔltsn̩] *m* TECH pin; (*mit Gewinde*) bolt

Bom·bar·de·ment <-s, -s> [bɔmbardə'mãː] *nt* ❶ MIL bombardment ❷ (*geh*) deluge (**von** of)

bom·bar·die·ren* [bɔmbar'di:rən] *vt* ❶ (*auf ein Ziel abwerfen*) to bomb; (*mit Granaten*) to shell ❷ (*fam: überschütten*) to bombard

Bom·bar·die·rung <-, -en> *f* ❶ MIL bombing; (*mit Granaten*) bombardment ❷ (*fam*) bombardment

bom·bas·tisch *adj* (*pej*) ❶ (*schwülstig*) bombastic ❷ (*pompös*) pompous

Bom·be <-, -n> ['bɔmbə] *f* ❶ (*Sprengkörper*) bomb; **wie eine ~ einschlagen** to come as a bombshell; **eine ~ legen** MIL to plant a bomb ❷ (*Geldbombe*) strongbox ❸ SPORT (*sl: harter Schuss*) cracker ▶ **le·bende ~** human bomb; **die ~ platzen lassen** to drop the bombshell

Bom·ben·an·griff *m*, **Bom·ben·an·schlag** *m* bomb strike **Bom·ben·at·ten·tat** *nt* bomb attack **Bom·ben·dro·hung** *f* bomb scare **Bom·ben·er·folg** *m* (*fam*) smash hit **Bom·ben·ge·schäft** *nt* (*fam*) roaring business **bom·ben·si·cher** ['bɔmbn̩zɪçɐ] **I.** *adj* ❶ MIL bombproof ❷ (*fam*) sure; **ein ~er Tipp** a dead cert **II.** *adv* lagern to place in a bombproof store **Bom·ben·stim·mung** *f* kein pl (*fam*) ■ **in ~ sein** to be in a brilliant mood;

auf der Party herrschte eine ~ the place was jumping

Bom·ber <-s, -> ['bɔmbɐ] *m* (*fam*) bomber

bom·big ['bɔmbɪç] *adj* (*fam*) fantastic

Bon <-s, -s> [bɔŋ, bõː] *m* ❶ (*Kassenzettel*) receipt ❷ (*Gutschein*) voucher

Bon·bon <-s, -s> [bɔŋ'bɔŋ, bõ'bõː] *m o* ÖSTERR *nt* ❶ (*Süßigkeit*) sweet BRIT, candy AM ❷ (*etwas Besonderes*) treat

Bon·go <-, -s> ['bɔŋgo] *f*, **Bon·go·trom·mel** <-, -n> *f* bongo [drum]

Bonn <-s> [bɔn] *nt* Bonn

Bon·ner ['bɔnɐ] *adj attr* Bonn

Bon·ner(in) <-s, -> ['bɔnɐ] *m(f)* inhabitant of Bonn

Bon·sai <-[s], -s> ['bɔnzai̯] *m* bonsai

Bo·nus <- *o* -ses, - *o* -se *o* Boni> ['bo:nʊs, *pl* 'bo:ni] *m* ❶ FIN bonus ❷ SCH, SPORT (*Punktvorteil*) bonus points *pl*

Bo·nus·mei·le *f* LUFT airmile

Bon·ze <-n, -n> ['bɔntsə] *m* (*pej*) bigwig

Boom <-s, -s> [buːm] *m* ❶ ÖKON boom ❷ (*Hausse*) bull movement; (*starke Nachfrage*) rise

boo·men ['bu:mən] *vi* ÖKON to [be on the] boom

Boot <-[e]s, -e> [bo:t] *nt* boat; (*Segel~*) yacht; **~ fahren** to go boating

Boots·fahrt *f* boat trip **Boots·flücht·ling** *m* ■ ~**e** boat people **Boots·haus** *nt* boathouse **Boots·mann** <-leute> *m* NAUT bo[']sun; MIL petty officer **Boots·ver·leih** *m* boat hire

Bor <-s> [bo:ɐ̯] *nt* kein pl boron no pl

Bord¹ <-[e]s> [bɔrt] *m* **an ~** aboard; **an ~ gehen** to board; **über ~ gehen** to go overboard; **von ~ gehen** *Lotse* to leave the plane/ship; *Passagier a.* to disembark; **Mann über ~!** man overboard!

Bord² <-[e]s, -e> [bɔrt] *nt* shelf

Bord³ <-[e]s, -e> [bɔrt] *nt* SCHWEIZ (*Rand*) ledge; (*Böschung*) embankment

Bord·buch *nt* logbook **Bord·com·pu·ter** *m* RAUM, LUFT onboard computer; AUTO trip computer **Bord·elek·tro·nik** *f* kein pl LUFT on-board electronics

Bor·dell <-s, -e> [bɔr'dɛl] *nt* brothel

Bord·kar·te *f* boarding card **Bord·per·so·nal** *nt* kein pl *o ~ pl* NAUT crew *no pl* **Bord·stein** *m*, **Bord·stein·kan·te** *f* kerb

Bor·dü·re <-, -n> [bɔr'dy:rə] *f* border

bor·gen ['bɔrgn̩] *vt* ❶ (*sich leihen*) to borrow ❷ (*verleihen*) to lend

Bor·ke <-, -n> ['bɔrkə] *f* BOT bark

Bor·ken·kä·fer *m* bark beetle

bor·niert [bɔr'ni:ɐ̯t] *adj* (*pej*) bigoted

Bör·se <-, -n> ['bœrzə] *f* ❶ (*Wertpapier-*

handel) stock market; (*Gebäude*) stock exchange; **an die ~ gehen** to go public; **an der ~ [gehandelt]** [traded] on the exchange; **an der ~ notiert werden** to be quoted on the stock exchange; **an der ~ spekulieren** to speculate on the stock exchange ❷ (*veraltend: Geldbörse*) purse; (*für Männer*) wallet

Bör·sen·be·richt *m* market report **Bör·sen·gang** *m* stock market flotation *no pl* **Bör·sen·krach** *m* [stock market] crash **Bör·sen·kurs** *m* market price **Bör·sen·mak·ler(in)** *m(f)* stockbroker **bör·sen·no·tiert** *adj* FIN *Firma* listed [on the stock exchange] **Bör·sen·spe·ku·lant(in)** *m(f)* speculator [on the stock market], BRIT *also* stockjobber *fam* **Bör·sen·start** *m* stock market flotation [of an enterprise]

Bör·si·a·ner(in) <-s, -> [bœr'zi̯aːnɐ] *m(f)* (*fam*) ❶ (*Börsenmakler*) broker ❷ (*Spekulant an der Börse*) speculator

Bors·te <-, -n> ['bɔrstə] *f* bristle

bors·tig ['bɔrstɪç] *adj* bristly

Bor·te <-, -n> ['bɔrtə] *f* border

Bor·was·ser *nt kein pl* boric acid solution

bös·ar·tig *adj* ❶ (*tückisch*) malicious; *Tier* vicious ❷ MED malignant; *Krankheit* pernicious

Bös·ar·tig·keit <-> *f kein pl* ❶ (*Tücke*) maliciousness; *eines Tiers* viciousness ❷ MED malignancy

Bö·schung <-, -en> ['bœʃʊŋ] *f* embankment; *eines Flusses, einer Straße a.* bank

bö·se ['bøːzə] **I.** *adj* ❶ (*sittlich schlecht*) bad; (*stärker*) evil, wicked; **~ Absicht** malice; **das war keine ~ Absicht!** no harm intended!; **jdm B~s tun** to cause sb harm ❷ *attr* (*unangenehm, übel*) bad; **~s Blut schaffen** to cause bad blood; **ein ~s Ende nehmen** (*geh*) to end in disaster; **~ Folgen haben** to have dire consequences; **eine ~ Geschichte** a nasty affair; **jdm einen ~n Streich spielen** to play a nasty trick on sb; **eine ~ Überraschung erleben** to have an unpleasant surprise; **ein ~r Zufall** a terrible coincidence; **nichts B~s ahnen** to not suspect anything is wrong; **sich zum B~n wenden** to take an unpleasant turn; **mir schwant B~s** I don't like the look of this ❸ (*verärgert*) angry; (*stärker*) furious; **ein ~s Gesicht machen** to scowl ❹ (*fam: unartig*) naughty ❺ (*gefährlich, schlimm*) nasty; *Unfall* terrible; (*schmerzend, entzündet*) sore ▸ **den ~n Blick haben** to have the evil eye; **B~s im Schilde führen** to be up to no good **II.** *adv* ❶ (*übelwollend*) evilly; **~ lächeln** to give an evil smile; **das habe ich nicht ~ gemeint** I

meant no harm ❷ (*fam: sehr, schlimm*) badly; **sich ~ irren** to make a serious mistake; **~ ausgehen** to end in disaster; **~ [für jdn] aussehen** to look bad [for sb]

Bö·se·wicht <-[e]s, -er *o* -e> ['bøːzəvɪçt] *m* ❶ (*hum fam*) little devil ❷ (*veraltend: Schurke*) villain

bos·haft ['boːshaft] **I.** *adj* malicious **II.** *adv* **~ grinsen** to give an evil grin

Bos·heit <-, -en> *f* malice *no pl;* (*Bemerkung*) nasty remark; **aus [lauter] ~** out of [pure] malice

Bos·ni·en <-s> ['bɔsni̯ən] *nt* Bosnia; *s. a.* **Deutschland**

Bos·ni·en-Her·ze·go·wi·na <-s> *nt,* **Bos·ni·en und Her·ze·go·wi·na** <-s> *nt* ÖSTERR Bosnia-Herzegovina; *s. a.* **Deutschland**

Bos·ni·er(in) <-s, -> ['bɔsni̯ɐ] *m(f)* Bosnian; *s. a.* **Deutsche(r)**

bos·nisch ['bɔsnɪʃ] *adj* Bosnian

Boss^RR <-es, -e> *m,* **Boß**^ALT <-sses, -sse> [bɔs] *m* boss

bös·wil·lig **I.** *adj* malevolent; JUR wilful **II.** *adv* malevolently

Bös·wil·lig·keit <-> *f kein pl* malevolence *no pl*

bot [bɔt] *imp von* **bieten**

Bo·ta·nik <-> [boˈtaːnɪk] *f kein pl* botany *no pl*

Bo·ta·ni·ker(in) <-s, -> [boˈtaːnikɐ] *m(f)* botanist

bo·ta·nisch [boˈtaːnɪʃ] *adj* botanical; **~er Garten** Botanical Gardens *pl*

Bo·te, Bo·tin <-n, -n> ['boːtə, 'boːtɪn] *m, f* ❶ (*Kurier*) courier; (*mit Nachricht*) messenger; (*Zeitungs~*) paperboy *masc,* papergirl *fem;* (*Laufbursche*) errand boy; *bes* SÜDD (*Post~*) postman ❷ (*geh: Anzeichen*) herald

Bo·ten·gang <-gänge> *m* errand; **einen ~ machen** to run an errand

Bo·tin <-, -nen> *f fem form von* **Bote**

Bo·tox ['boːtɔks] *nt* botox

Bot·schaft <-, -en> ['boːtʃaft] *f* ❶ (*Nachricht*) news *no pl, no indef art;* **hast du schon die freudige ~ gehört?** have you heard the good news yet?; **eine ~ erhalten** to receive a message; **jdm eine ~ hinterlassen** to leave sb a message, communication; **die Frohe ~** REL the Gospel ❷ (*ideologische Aussage*) message ❸ (*Gesandtschaft*) embassy

Bot·schaf·ter(in) <-s, -> *m(f)* ambassador

Bött·cher(in) <-s, -> ['bœtçɐ] *m(f)* cooper

Bot·tich <-[e]s, -e> ['bɔtɪç] *m* tub; (*für Wäsche*) washtub

Bouil·lon <-, -s> [buI'jɔŋ, buI'jõ:] *f* [beef] bouillon; (*Restaurant*) consommé

Boule·vard <-s, -s> [bulə'va:ɐ̯] *m* boulevard

Boule·vard·pres·se *f* (*fam*) yellow press

Boule·vard·zei·tung *f* tabloid

Bour·geoi·sie <-, -n> [burʒoa'zi:, *pl* 'zi:ən] *f* (*veraltend geh*) bourgeoisie

Bou·tique <-, -n> [bu'ti:k] *f* boutique

Bow·le <-, -n> ['bo:lə] *f* ❶ (*Getränk*) punch *no pl* ❷ (*Schüssel*) punchbowl

Bow·ling <-s, -s> ['bo:lɪŋ] *nt* [tenpin] bowling *no pl, no art*

Box <-, -en> [bɔks] *f* ❶ (*Behälter*) box ❷ (*fam: Lautsprecher*) loudspeaker ❸ (*abgeteilter Raum*) compartment; (*Stand im Stall*) box [stall] ❹ (*für Rennwagen*) pit

bo·xen ['bɔksn̩] **I.** *vi* to box; ◼ **gegen jdn ~** to fight sb **II.** *vt* (*schlagen*) to punch **III.** *vr* (*fam*) to have a punch-up Brit [*or* Am fist fight] with sb

Bo·xen <-s> ['bɔksn̩] *nt kein pl* boxing *no art*

Bo·xer(in) <-s, -> ['bɔksɐ] *m(f)* boxer

Bo·xer-Shorts, Bo·xershorts [-ʃo:ɐ̯ts, -ʃɔrts] *pl* boxer shorts *npl*

Box·hand·schuh *m* boxing glove **Box·kampf** *m* ❶ (*Einzelkampf*) bout ❷ (*Boxen*) boxing *no art*

Boy·kott <-[e]s, -e *o* -s> [bɔy'kɔt] *m* boycott

boy·kot·tie·ren* [bɔykɔ'ti:rən] *vt* to boycott

brab·beln ['brabln̩] *vt* (*fam*) to mumble; *Säugling* to gurgle

brach¹ [bra:x] *imp von* **brechen**

brach² [bra:x] *adv* ❶ **~ liegen** (*unbebaut sein*) to lie fallow ❷ **~ liegen** (*ungenutzt sein*) to be left unexploited

bra·chi·al [bra'xi̯a:l] *adj* ❶ MED brachial ❷ (*geh: roh*) **mit ~er Gewalt vorgehen** to use brute force

Brach·land *nt* fallow [land]

brach·te ['braxtə] *imp von* **bringen**

Brach·vo·gel *m* curlew

Brain·drain^RR <-s> [breɪn'dreɪn] *m kein pl* brain drain *no pl*

Brain·stor·ming <-s> ['bre:nsto:ɐ̯mɪŋ] *nt kein pl* brainstorming session

Bran·che <-, -n> ['brã:ʃə] *f* ❶ (*Wirtschaftszweig*) line of business ❷ (*Tätigkeitsbereich*) field

Bran·chen·buch *nt* classified directory, ≈ Yellow Pages® **Bran·chen·ver·zeich·nis** *nt* classified directory

Brand <-[e]s, Brände> [brant, *pl* 'brɛndə] *m* ❶ (*Feuer*) fire; **in ~ geraten** to catch fire; **etw in ~ stecken** to set sth

alight; *Gebäude* to set sth on fire ❷ *von Keramik* firing ❸ (*fam: großer Durst*) raging thirst; **einen ~ haben** (*fam*) to be parched ❹ MED gangrene *no art, no pl* ❺ BOT blight

brand·ak·tu·ell *adj* (*fam*) highly topical; *Buch* hot off the press; *CD, Schallplatte* very recent; *Thema, Frage* red-hot **Brand·an·schlag** *m* arson attack **Brand·bla·se** *f* burn blister **Brand·bom·be** *f* incendiary device **brand·ei·lig** *adj* (*fam*) extremely urgent

bran·den ['brandn̩] *vi* to break (**an/gegen** against)

Bran·den·burg <-s> ['brandn̩burk] *nt* Brandenburg

Brand·fleck *m* burn [mark] **Brand·herd** *m* source of the fire **Brand·ka·ta·stro·phe** *f* conflagration **Brand·mal** <-s, -e> *nt* brand **brand·mar·ken** *vt* to brand (**als** as) **Brand·mau·er** *f* fire[proof] wall **brand·neu** ['brant'nɔy] *adj* (*fam*) brand new **Brand·scha·den** *m* fire damage *no pl* **Brand·schutz** *m kein pl* fire safety *no art, no pl*, protection against fire **Brand·stif·ter(in)** *m(f)* arsonist **Brand·stif·tung** *f* arson *no pl*

Bran·dung <-, -en> *f* surf

Brand·ur·sa·che *f* cause of the fire **Brand·wun·de** *f* burn

Bran·dy <-s, -s> ['brɛndi] *m* brandy

Brand·zei·chen *nt* brand

brann·te ['brantə] *imp von* **brennen**

Brannt·wein ['brantvaɪn] *m* (*geh*) spirits *pl*

Bra·si·li·a·ner(in) <-s, -> [brazi'li̯a:nɐ] *m(f)* Brazilian; *s. a.* **Deutsche(r)**

bra·si·li·a·nisch [brazi'li̯a:nɪʃ] *adj* Brazilian; *s. a.* **deutsch**

Bra·si·li·en <-s> [bra'zi:li̯ən] *nt* Brazil; *s. a.* **Deutschland**

Brat·ap·fel *m* baked apple

bra·ten <brät, briet, gebraten> ['bra:tn̩] *vt, vi* (*in der Pfanne*) to fry; (*am Spieß*) to roast

Bra·ten <-s, -> ['bra:tn̩] *m* roast [meat *no pl, no art*]; **kalter ~** cold meat ▶ **ein fetter ~** (*fam*) a good catch; **den ~ riechen** (*fam*) to smell a rat *Iam*

Bra·ten·saft *m* dripping Brit, drippings Am **Bra·ten·so·ße** *f* gravy

Brat·hähn·chen *nt,* **Brat·hendl** <-s, -[n]> *nt* ÖSTERR, SÜDD grilled chicken **Brat·he·ring** *m* fried herring **Brat·kar·tof·feln** *pl* fried potatoes *pl* **Brat·pfan·ne** *f* frying pan **Brat·rost** *m* grill

Brat·sche <-, -n> ['bra:tʃə] *f* viola

Brat·wurst *f* ❶ (*zum Braten bestimmte*

Wurst) [frying] sausage ❷ (*gebratene Wurst*) [fried] sausage

Brauch <-[e]s, Bräuche> [braux, *pl* 'brɔʏçə] *m* custom; **nach altem ~** according to custom; [**bei jdm so**] **~ sein** to be customary [with sb]

brauch·bar *adj* ❶ (*geeignet*) suitable; **nicht ~ sein** to be of no use ❷ (*ordentlich*) useful

brau·chen ['brauxn̩] **I.** *vt* ❶ (*benötigen*) to need; **wozu brauchst du das?** what do you need that for?; **ich brauche bis zum Bahnhof eine Stunde** I need an hour to get to the station ❷ DIAL (*fam: gebrauchen*) to use; **kannst du die Dinge ~?** can you find a use for these?; **das könnte ich jetzt gut ~** I could do with that right now ❸ (*fam: verbrauchen*) to use **II.** *modal vb* (*müssen*) to need; ■ **etw nicht** [**zu**] **tun ~** to not need to do sth; **du hättest doch nur etwas** [**zu**] **sagen ~** you need only have said something **III.** *vt impers* SCHWEIZ, SÜDD ■ **es braucht etw** sth is needed; **es braucht noch ein bisschen Salz** a little more salt is needed

Brauch·tum <-[e]s, *selten* -tümer> *nt* customs *pl*; **ein altes ~** a tradition

Braue <-, -n> ['brauə] *f* [eye]brow

brau·en ['brauən] *vt* ❶ *Bier* to brew ❷ (*fam: zubereiten*) to make; *Zaubertrank* to concoct

Brau·er(in) <-s, -> ['brauɐ] *m(f)* brewer

Brau·e·rei <-, -en> [brauə'rai] *f* ❶ (*Braubetrieb*) brewery ❷ *kein pl* (*das Brauen*) brewing *no pl*

Brau·e·rin <-, -nen> *f fem form von* **Brauer**

Brau·haus *nt* [privately-owned] brewery

braun [braun] *adj* ❶ (*Farbe*) brown; (*brünett*) brunet[te]; (*von der Sonne*) [sun-]tanned ❷ (*pej: nationalsozialistisch*) Nazi *attr*; ■ **die B~en** *pl* the Brownshirts *pl*

Braun·bär *m* brown bear

Bräu·ne <-> ['brɔʏnə] *f kein pl* [sun]tan

bräu·nen ['brɔʏnən] **I.** *vt* ❶ (*braun werden lassen*) to tan ❷ KOCHK to brown **II.** *vi* ❶ (*braun werden*) to go brown; (*von Sonne, UV-Strahlung*) to tan ❷ KOCHK to turn brown **III.** *vr* ■ **sich ~** (*sich sonnen*) to get a tan; (*braun werden*) to go brown

Braun·koh·le *f* brown coal

bräun·lich ['brɔʏnlɪç] *adj* brownish

Brau·se <-, -n> ['brauzə] *f* ❶ DIAL (*veraltend: Dusche*) shower ❷ (*Aufsatz von Gießkannen*) spray [attachment], sprinkler ❸ (*Limonade*) lemonade; (*Brausepulver*) sherbet powder

brau·sen ['brauzn̩] *vi* ❶ *haben* (*tosen*) to roar; (*von Wind, Sturm*) to howl ❷ *sein* (*fam: rasen*) to storm; (*von Wagen*) to race

Brau·se·ta·blet·te *f* effervescent tablet

Braut <-, Bräute> [braut, *pl* 'brɔʏtə] *f* ❶ (*bei Hochzeit*) bride ❷ (*veraltend: Verlobte*) fiancée ❸ (*veraltend sl: junge Frau, Freundin*) girl, BRIT *fam also* bird

Braut·füh·rer *m* bride's male attendant

Bräu·ti·gam <-s, -e> ['brɔʏtɪgam, 'brɔʏti-] *m* ❶ (*bei Hochzeit*) [bride]groom ❷ (*veraltend: Verlobter*) fiancé

Braut·jung·fer *f* bridesmaid **Braut·kleid** *nt* wedding dress **Braut·leu·te** *pl*, **Braut·paar** *nt* ❶ (*bei Hochzeit*) bride and groom + *pl vb* ❷ (*veraltend: Verlobte*) engaged couple **Braut·schau** *f* **auf ~ gehen** (*hum*) to go looking for a wife

brav [bra:f] **I.** *adj* ❶ (*folgsam*) good; **sei schön ~!** be a good boy/girl ❷ (*bieder*) plain ❸ (*rechtschaffen*) worthy **II.** *adv* ❶ (*folgsam*) **geh ~ spielen!** be a good boy/girl, and go and play ❷ (*rechtschaffen*) worthily

bra·vo ['bra:vo] *interj* well done

Bra·vour <-> [bra'vu:ɐ̯], **Bra·vur**^RR <-> [bra'vu:ɐ̯] *f kein pl* (*geh*) ❶ (*Meisterschaft*) brilliance *no pl*; ■ **mit ~** (*meisterlich*) with style; (*mit Elan*) with spirit ❷ (*Kühnheit*) gallantry

BRD <-> [be:ʔɛr'de:] *f Abk von* **Bundesrepublik Deutschland** FRG

Break·dance <-[s]> ['bre:kda:ns] *m kein pl* break-dance

Brech·durch·fall *m* vomiting and diarrhoea *no art* **Brech·ei·sen** *nt* crowbar; **etw mit einem ~ aufbrechen** to crowbar sth [open]

bre·chen <bricht, brach, gebrochen> ['brɛçn̩] **I.** *vt* ❶ *haben* (*zer~*) to break; *Schiefer, Marmor* to cut; (*im Steinbruch*) to quarry ❷ *Abmachung, Vertrag* to break; *Eid* to violate; **sein Schweigen ~** to break one's silence ❸ *Lichtstrahl* to refract **II.** *vi* ❶ *sein* (*auseinander*) to break [apart]; **~d voll sein** (*fam*) to be jam-packed ❷ *haben* (*Verbindung beenden*) to break (**mit** with) ❸ (*sich erbrechen*) to be sick **III.** *vr haben* (*abgelenkt werden*) ■ **sich** [**an etw** *dat*] **~** to break [against sth]; PHYS to be refracted [at sth]; (*von Ruf, Schall*) to rebound [off sth]

Bre·cher <-s, -> ['brɛçɐ] *m* breaker

Brech·mit·tel *nt* emetic [agent] **Brech·reiz** *m kein pl* nausea *no pl, no art* **Brech·stan·ge** *f* crowbar

Bre·chung <-, -en> *f* (*von Wellen*) breaking; PHYS diffraction; (*von Schall*) rebounding

Brei <-[e]s, -e> [braɪ] m ❶ (*dickflüssiges Nahrungsmittel*) mash *no pl* ❷ (*zähe Masse*) paste ▶**um den** [**heißen**] **~ herumreden** to beat about the bush *fam*
brei·ig ['braɪɪç] *adj* pulpy
breit [braɪt] **I.** *adj* ❶ (*flächig ausgedehnt*) wide; *Nase* flattened; *Schultern* broad; **etw ~** [**er**] **machen** to widen sth; **x cm ~ sein** to be x cm wide ❷ (*ausgedehnt*) wide; **ein ~es Publikum** a wide audience; **die ~e Öffentlichkeit** the general public; **~e Zustimmung** wide[-ranging] approval ❸ *Dialekt* broad ❹ DIAL (*sl: betrunken*) smashed **II.** *adv* ❶ (*flach*) flat ❷ (*ausgedehnt*) **sich ~ machen** to spread oneself [out]; (*sich ausbreiten*) to spread; (*sich verbreiten*) to pervade ❸ (*umfangreich*) **~ gebaut** strongly built; **sich ~ hinsetzen** to plump down ❹ (*gedehnt*) broadly
Breit·band·an·schluss[RR] *m* broadband connection
breit·bei·nig *adj* **in ~er Stellung** with one's legs apart; **ein ~er Gang** a rolling gait
Brei·te <-, -n> ['braɪtə] *f* ❶ (*die breite Beschaffenheit*) width; **von x cm ~** x cm in width ❷ (*Ausgedehntheit*) wide range ❸ (*Gedehntheit*) breadth ❹ (*von Dialekt, Aussprache*) broadness
Brei·ten·grad *m* [degree of] latitude **Brei·ten·kreis** *m* line of latitude, parallel
breit·flä·chig *adj Phänomen, Problem* large-scale
breit|ma·chen[ALT] *vr* (*fam: ausgedehnt*) **sich ~** to spread oneself [out]; (*sich ausbreiten*) to spread; (*sich verbreiten*) to pervade
breit·ran·dig *adj* wide-rimmed; *Hut* broad-brimmed
breit|schla·gen *vt irreg* (*fam*) to talk round; ▪**sich ~ lassen** to let oneself be talked round
breit·schul·te·rig *adj*, **breit·schult·rig** *adj* broad-shouldered *attr*
Breit·sei·te *f* ❶ NAUT broadside; **eine ~ abgeben** to fire a broadside ❷ (*kürzere Seite*) short end **breit|tre·ten** *vt irreg* (*fam: zu ausgiebig erörtern*) to go on about
breit|wal·zen *vt* (*fam*) *s.* **breittreten**
Bre·men <-s> ['bre:mən] *nt* Bremen
Brems·ba·cke *f* brake shoe **Brems·be·lag** *m* brake lining; AUTO brake pad
Brem·se[1] <-, -n> ['brɛmzə] *f* (*Bremsvorrichtung*) brake; **die ~n sprechen gut an** the brakes respond well; **auf die ~ treten** to put on the brakes
Brem·se[2] <-, -n> ['brɛmzə] *f* (*Stechfliege*) horsefly
brem·sen ['brɛmzn̩] **I.** *vi* ❶ (*die Bremse*

betätigen) to brake ❷ (*hinauszögern*) to put on the brakes *fam* **II.** *vt* ❶ AUTO (*ab~*) to brake ❷ (*verzögern*) to slow down *sep* ❸ (*fam: zurückhalten*) to check; **sie ist nicht zu ~** (*fam*) there's no holding her **III.** *vr* **ich kann/werd mich ~!** (*fam*) not likely! *also iron*, not a chance! *also iron*
Brems·flüs·sig·keit *f* brake fluid **Brems·klotz** *m* AUTO brake pad **Brems·licht** *nt* stop light **Brems·pe·dal** *nt* brake pedal **Brems·spur** *f* skid marks *pl*
Brem·sung <-, -en> *f* braking *no art*
Brems·weg *m* braking distance
brenn·bar *adj* combustible
Brenn·ele·men·te *pl* fuel elements *pl*
bren·nen <brannte, gebrannt> ['brɛnən] **I.** *vi* ❶ (*in Flammen stehen*) to be on fire; **lichterloh ~** to be ablaze ❷ (*angezündet sein*) to burn; *Streichholz* to strike; *Feuerzeug* to light ❸ ELEK (*fam: an sein*) to be on; *Lampe a.* to be burning; ▪**etw ~ lassen** to leave sth on ❹ (*schmerzen*) to be sore; **auf der Haut ~** to burn the skin ❺ (*auf etw sinnen*) ▪**darauf ~, etw zu tun** to be dying to do sth **II.** *vi impers* **es brennt!** fire! fire!; **in der Fabrik brennt es** there's a fire in the factory; **wo brennt's denn?** (*fig*) where's the fire? **III.** *vt* ❶ (*rösten*) to roast ❷ (*destillieren*) to distil ❸ (*härten*) to fire ❹ (*auf~*) to burn
bren·nend I. *adj* ❶ (*quälend*) scorching ❷ (*sehr groß*) *Frage* urgent; *Wunsch* fervent **II.** *adv* (*fam: sehr*) incredibly
Bren·ner <-s, -> ['brɛnɐ] *m* TECH burner
Bren·ner(in) <-s, -> ['brɛnɐ] *m(f)* (*Beruf*) distiller
Bren·ne·rei <-, -en> [brɛnə'raɪ] *f* distillery
Bren·ne·rin <-, -nen> *f fem form von* **Brenner**
Brennes·sel[ALT] ['brɛnnɛsl̩] *f s.* **Brennnessel**
Brenn·glas *nt* burning glass **Brenn·holz** *nt* firewood *no pl* **Brenn·ma·te·ri·al** *nt* [heating] fuel **Brenn·nes·sel**[RR] ['brɛnnɛsl̩] *f* stinging nettle **Brenn·punkt** *m* ❶ PHYS focal point ❷ MATH focus ❸ (*Zentrum*) focus; **im ~** [**des Interesses**] **stehen** to be the focus [of interest] **Brenn·spi·ri·tus** *m* methylated spirit **Brenn·stab** *m* fuel rod **Brenn·stoff** *m* fuel **Brenn·wei·te** *f* PHYS focal length
brenz·lig ['brɛntslɪç] *adj* (*fam*) dicey; **die Situation wird mir zu ~** things are getting too hot for me
Bre·sche <-, -n> ['brɛʃə] *f* breach; [**für jdn**] **in die ~ springen** (*fig*) to step in [for sb]
Bre·ta·gne <-> [bre'tanjə, brə'tanjə] *f*

Briefe	
Anrede in Briefen	**forms of address in letters**
Hallo, ...!/Hi, ...! *(fam)*	Hello, ...!/Hi, ...! *(fam)*
Liebe Elke,/Lieber Jürgen,	Dear Elke,/Dear Jürgen,
Sehr geehrte Frau ...,/Sehr geehrter Herr ..., *(form)*	Dear Mrs ...,/Dear Mr ...,
Sehr geehrte Damen und Herren, *(form)*	Dear Sir or Madam, *(form)*
Schlussformeln in Briefen	**ending a letter**
Tschüss! *(fam)*/Ciao! *(fam)*	Bye!/Cheerio!
Alles Gute! *(fam)*	All the best!
Herzliche/Liebe Grüße *(fam)*	Kind regards,/With love from ...
Viele Grüße	Best wishes,
Mit (den) besten Grüßen	Yours,
Mit freundlichen Grüßen *(form)*	Yours sincerely,/faithfully, *(form)*

■**die** ~ Brittany

Bre·to·ne, Bre·to·nin <-n, -n> [bre'to:nə, -'to:nɪn] *m, f* Breton; *s. a.* **Deutsche(r)**

bre·to·nisch [bre'to:nɪʃ] *adj* Breton; *s. a.* **deutsch**

Brett <-[e]s, -er> [brɛt] *nt* ❶ (*Holzplatte*) [wooden] board; (*Planke*) plank; **etw mit ~ern vernageln** to board sth up; (*Sprungbrett*) [diving-]board; (*Regalbrett*) shelf; **schwarzes ~** noticeboard ❷ (*Spielbrett*) [game]board ❸ *pl* (*Skier*) skis *pl* ▶ **ein ~ vorm** **Kopf** **haben** *(fam)* to be slow on the uptake

bret·tern ['brɛtɐn] *vi sein* *(fam)* to hammer; **die Straße entlang ~** to tear up the road

Brett·ter·zaun *m* wooden fence; (*an Baustellen*) hoarding

Brett·spiel *nt* board game

Bre·zel <-, -n> ['bre:tsl] *f* pretzel

bricht [brɪçt] *3. pers pres von* **brechen**

Bridge <-> [brɪdʒ] *nt kein pl* bridge *no pl*

Brief <-[e]s, -e> [bri:f] *m* ❶ (*Poststück*) letter; **blauer ~** (*Kündigung*) letter of dismissal; sch *school letter notifying parents that their child must repeat the year;* **ein offener ~** an open letter ❷ (*in der Bibel*) epistle

Brief·be·schwe·rer <-s, -> *m* paperweight **Brief·block** *m* writing pad **Brief·bo·gen** *m* [sheet of] writing paper **Brief·bom·be** *f* letter bomb **Brief·freund(in)** *m(f)* pen pal, brit *also* penfriend **Brief·ge·heim·nis** *nt* privacy of correspondence

Brie·fing <-s, -s> ['bri:fɪŋ] *nt* mil, ökon briefing

Brief·kas·ten *m* (*Hausbriefkasten*) letter box brit, mailbox am; (*Postbriefkasten*) postbox brit, mailbox am, brit *also* pillar box; **elektronischer ~** inform electronic mailbox; **ein toter ~** a dead-letter box **Brief·kas·ten·fir·ma** *f* letter-box company **Brief·kopf** *m* letterhead

brief·lich *adj* in writing *pred,* by letter *pred*

Brief·mar·ke *f* [postage] stamp **Brief·mar·ken·au·to·mat** *m* stamp[-dispensing] machine **Brief·mar·ken·samm·ler(in)** *m(f)* stamp collector **Brief·mar·ken·samm·lung** *f* stamp collection

Brief·öff·ner *m* letter opener **Brief·pa·pier** *nt* letter paper **Brief·ta·sche** *f* wallet, am *also* billfold **Brief·tau·be** *f* carrier pigeon **Brief·trä·ger(in)** *m(f)* postman *masc,* postwoman *fem* **Brief·um·schlag** *m* envelope **Brief·waa·ge** *f* letter scales *npl* **Brief·wahl** *f* postal vote brit, absent[ee] ballot am **Brief·wech·sel** *m* correspondence

briet [bri:t] *imp von* **braten**

Bri·ga·de <-, -n> [bri'ga:də] *f* mil brigade

Bri·kett <-s, -s *o selten* -e> [bri'kɛt] *nt* briquette

bril·lant [brɪl'jant] *adj* brilliant

Bril·lant <-en, -en> [brɪl'jant] *m* brilliant

Bril·lanz <-> [brɪl'jants] *f kein pl* ❶ (*meisterliche Art*) brilliance ❷ (*von Lautsprecher*) bounce ❸ (*Bildschärfe*) quality

Bril·le <-, -n> ['brɪlə] *f* ❶ (*Sehhilfe*) glasses *npl;* ■**eine ~** a pair of glasses; [**eine**] ~ **tra·gen** to wear glasses ❷ (*Toilettenbrille*) [toilet] seat

Bril·len·etui nt glasses case **Bril·len·ge·stell** nt spectacles frame **Bril·len·glas** nt lens **Bril·len·schlan·ge** f ❶ ZOOL [spectacled] cobra ❷ (pej fam) four-eyes **Bril·len·trä·ger(in)** m/f(f) person wearing glasses

Bril·li <-s, -s> ['brɪli] m (hum fam) [big] diamond

bril·lie·ren* [brɪl'jiːrən] vi (geh) to scintillate (**mit** with)

Brim·bo·ri·um <-s> [brɪm'boːrjʊm] nt kein pl (pej fam) fuss (**um** about)

brin·gen <brachte, gebracht> ['brɪŋən] vt ❶ (tragen) ■ [jdm] etw ~ to bring [sb] sth; **den Müll nach draußen ~** to take out the rubbish [or AM garbage]; **etw hinter sich ~** to get sth over and done with; **etw mit sich ~** to involve sth; **es nicht über sich ~, etw zu tun** not to be able to bring oneself to do sth ❷ (mitteilen) ■ jdm eine Nachricht ~ to bring sb news ❸ (befördern, begleiten) **jdn nach Hause ~** to take sb home; **die Kinder ins Bett ~** to put the children to bed ❹ (senden) to broadcast; TV to show ❺ (versetzen) **jdn in Bedrängnis ~** to get sb into trouble; **jdn ins Gefängnis ~** to put sb in prison; **jdn ins Grab ~** to be the death of sb; **jdn in Schwierigkeiten ~** to put sb into a difficult position; **jdn zur Verzweiflung ~** to make sb desperate ❻ (rauben) ■ jdn um etw akk ~ to rob sb of sth; **jdn um den Verstand ~** to drive sb mad ❼ (ein~) to bring in; **das bringt nicht viel Geld** that won't bring [us] in much money; (er~) to produce ❽ (bewegen) ■ jdn dazu ~, etw zu tun to get sb to do sth ❾ mit substantiviertem vb (bewerkstelligen) **jdn zum Laufen/Singen/Sprechen ~** to make sb run/sing/talk; **jdn zum Schweigen ~** to silence sb; **etw zum Brennen/Laufen ~** to get sth to burn/work ❿ (sl: machen) **einen Hammer ~** (fam) to drop a bombshell; **das kannst du doch nicht ~!** you can't [go and] do that! ⓫ (fam: gut sein) **sie/es bringt's** she's/it's got what it takes; **das bringt er nicht** he's not up to it; **das bringt nichts** it's pointless; **das bringt's nicht** that's useless

bri·sant [bri'zant] adj explosive

Bri·sanz <-, -en> [bri'zants] f explosive nature

Bri·se <-, -n> ['briːzə] f breeze

Bri·tan·ni·en <-s> [bri'tanjən] nt HIST Britannia; (Großbritannien) Britain; s. a. **Deutschland**

Bri·te, Bri·tin <-n, -n> ['briːtə, 'brɪtə, 'briːtɪn, 'brɪtɪn] m, f Briton, Brit fam; **wir sind ~n** we're British; s. a. **Deutsche(r)**

bri·tisch ['brɪtɪʃ, 'briːtɪʃ] adj British, Brit attr fam; s. a. **deutsch**

brö·cke·lig ['brœkəlɪç] adj ❶ (zerbröckelnd) crumbling attr ❷ (leicht bröckelnd) crumbly

brö·ckeln ['brœkl̩n] vi to crumble

Bro·cken <-s, -> ['brɔkn̩] m ❶ (Bruchstück) chunk; **ein harter ~ sein** (fam) to be a tough nut ❷ pl **ein paar ~ Russisch** a smattering of Russian ❸ (fam: massiger Mensch) hefty bloke [or AM guy]

bro·deln ['broːdl̩n] vi (aufwallen) to bubble; (von Lava a.) to seethe

Bro·kat <-[e]s, -e> [bro'kaːt] m brocade

Bro·ker(in) <-s, -> ['broːkɐ] m/f(f) FIN broker

Brok·ko·li ['brɔkoli] pl broccoli no pl, no indef art

Brom <-s> [broːm] nt kein pl bromine no pl

Brom·bee·re ['brɔmbeːrə] f ❶ (Strauch) blackberry bush ❷ (Frucht) blackberry

Brom·beer·strauch m s. **Brombeere 1**

Bron·chi·al·ka·tarrh[RR], **Bron·chi·al·ka·tarrh** m bronchial catarrh

Bron·chie <-, -n> ['brɔnçiə, pl -çiən] f meist pl bronchial tube

Bron·chi·tis <-, Bronchitiden> [brɔn'çiːtɪs, pl -çi'tiːdn̩] f bronchitis no art

Bron·ze <-, -n> ['brõːsə] f bronze

Bron·ze·me·dail·le [-medaljə] f bronze medal

bron·zen ['brõːsn̩, 'brɔŋsn̩] adj ❶ (aus Bronze) bronze attr, of bronze pred ❷ (von ~er Farbe) bronze[-coloured]

Bron·ze·zeit f **die ~** the Bronze Age

Bro·sche <-, -n> ['brɔʃə] f brooch

Bro·schü·re <-, -n> [brɔ'ʃyːrə] f brochure

Brö·sel <-s, -> ['brøːzl̩] m DIAL crumb

Brot <-[e]s, -e> [broːt] nt bread no pl; **alt[backen]es ~** stale bread; **das ist unser täglich[es] ~** (fig) that's our stock-in-trade; (Laib) loaf [of bread]; **ein ~ mit Honig/Käse** a slice of bread and honey/cheese; **belegtes ~** open sandwich; **sich** dat **sein ~ verdienen** to earn one's living

Brot·auf·strich m [sandwich] spread

Brot·be·lag m topping

Bröt·chen <-s, -> ['brøːtçən] nt [bread] roll ▶ **sich** dat **seine ~ verdienen** (fam) to earn one's living

Bröt·chen·ge·ber m (hum fam) provider

Brot·ein·heit f MED carbohydrate unit

Brot·er·werb m [way of earning one's] living **Brot·kas·ten** m bread bin **Brot·korb** m bread basket **Brot·kru·me** f; **Brot·krü·mel** m breadcrumb **brot·los** adj out of work pred **Brot·mes·ser** nt bread knife **Brot·rin·de** *f* [bread] crust **Brot·schnei·de·ma·schi·ne** *f* bread slicer **Brot·zeit** *f* DIAL ❶ (*Pause*) tea break ❷ (*Essen*) snack

brow·sen ['braʊzn̩] *vi* INFORM to browse **Brow·ser** <-s, -> ['braʊzɐ] *m* INFORM browser

Bruch <-[e]s, Brüche> [brʊx, *pl* 'bry:çə] *m* ❶ (*das Brechen*) violation, infringement; *eines Vertrags* infringement; *Vertrauens* breach ❷ (*von Beziehung, Partnern*) rift; *mit Tradition* break; **in die Brüche gehen** to break up ❸ MED (*Knochenbruch*) fracture; **ein komplizierter ~** a compound fracture; (*Eingeweidebruch*) hernia; **sich** *dat* **einen ~ heben** to give oneself a hernia ❹ MATH fraction ❺ (*zerbrochene Ware*) breakage; **zu ~ gehen** to get broken ❻ (*sl: Einbruch*) break-in; **einen ~ machen** (*sl*) to do a break-in, AM *also* to bust a joint

Bruch·bu·de *f* (*pej fam*) dump **bruch·fest** *adj* unbreakable

brü·chig ['brʏçɪç] *adj* ❶ (*bröckelig*) friable; *Pergament* brittle; *Leder* cracked ❷ *Stimme* cracked ❸ (*ungefestigt*) fragile

Bruch·lan·dung *f* crash-landing; **eine ~ machen** to crash-land **Bruch·rech·nen** *nt* fractions *pl* **Bruch·stück** *nt* ❶ (*abgebrochenes Stück*) fragment ❷ (*von Lied, Rede etc: schriftlich*) fragment; (*mündlich*) snatch

bruch·stück·haft I. *adj* fragmentary II. *adv* in fragments; (*mündlich*) in snatches

Bruch·teil *m* fraction; **im ~ einer Sekunde** in a split second **Bruch·zahl** *f* MATH fraction

Brü·cke <-, -n> ['brʏkə] *f* ❶ (*Bauwerk*) bridge; **alle ~n hinter sich** *dat* **abbrechen** (*fig*) to burn [all] one's bridges behind one ❷ NAUT [captain's] bridge ❸ (*Zahnbrücke*) [dental] bridge ❹ (*Teppich*) rug ❺ SPORT bridge

Brü·cken·bau <-bauten> *m* bridge-building *no art* **Brü·cken·pfei·ler** *m* [bridge] pier **Brü·cken·schlag** *m kein pl* bridging *no art*; **das war der erste ~** that forged the first link **Brü·cken·tag** *m* extra day off to bridge single working day between a bank holiday and the weekend

Bru·der <-s, Brüder> ['bru:dɐ, *pl* 'bry:dɐ] *m* ❶ (*Verwandter*) brother; ■ **die Brüder Schmitz/Grimm** the Schmitz brothers/the Brothers Grimm ❷ (*Mönch*) brother; **~ Cadfael** Brother Cadfael ❸ (*pej fam: Kerl*) bloke BRIT, guy AM **Bru·der·krieg** *m* war between brothers **brü·der·lich** I. *adj* fraternal II. *adv* like

brothers; **~ teilen** to share and share alike **Brü·der·lich·keit** <-> *f kein pl* fraternity *no pl* **Bru·der·mord** *m* fratricide **Bru·der·schaft** <-, -en> *f* REL fraternity **Bru·der·schaft** <-, -en> *f* intimate friendship; **mit jdm ~ schließen** to make close friends with sb; **mit jdm ~ trinken** to agree to use the familiar "du" [over a drink] **Brü·he** <-, -n> ['bry:ə] *f* ❶ (*Suppe*) [clear] soup ❷ (*fam: Flüssigkeit*) **schmutzige ~** sludge; (*Schweiß*) sweat ❸ (*pej fam: Getränk*) slop **brü·hen** ['bry:ən] *vt* **einen Kaffee/Tee ~** to make coffee/tea **brüh·warm** ['bry:'varm] I. *adj* (*fam*) *Neuigkeiten* hot II. *adv* (*fam*) **etw ~ weitererzählen** to immediately start spreading sth around **Brüh·wür·fel** *m* stock cube **brül·len** ['brʏlən] I. *vi* ❶ (*schreien*) to roar (**vor** with); (*weinen*) to bawl; **brüll doch nicht so!** don't shout like that! ❷ (*von Löwe*) to roar; (*von Stier*) to bellow; (*von Affe*) to howl II. *vt* **jdm etw ins Ohr ~** to shout sth in sb's ear **Brumm·bär** ['brʊm-] *m* (*fam*) ❶ (*Kindersprache: Bär*) teddy bear ❷ (*brummiger Mann*) crosspatch *fam* **brum·meln** ['brʊmln̩] *vi, vt* (*fam*) to mumble **brum·men** ['brʊmən] I. *vi* ❶ (*von Insekt, Klingel*) to buzz; (*von Bär*) to growl; (*von Wagen, Motor*) to drone; (*von Bass*) to rumble; (*von Kreisel*) to hum ❷ (*beim Singen*) to drone ❸ (*fam: in Haft sein*) to be doing time ❹ (*murren*) to grumble ❺ *Geschäft, Wirtschaft* to boom II. *vt* to mumble **Brum·mer** <-s, -> *m* (*fam*) ❶ (*Insekt*) *Fliege* bluebottle; *Hummel* bumble-bee ❷ (*Lastwagen*) juggernaut **brum·mig** ['brʊmɪç] *adj* (*fam*) grouchy *fam* **Brumm·schä·del** *m* (*fam*) headache; (*durch Alkohol a.*) hangover; **einen ~ haben** to be hung over **Brunch** <-[e]s, -[e]s *o* -e> [brantʃ] *nt* brunch **brun·chen** [brantʃn̩] *vi* to brunch **brü·nett** [bry'nɛt] *adj* brunet[te] **Brunft** <-, Brünfte> [brʊnft, *pl* brʏnftə] *f* (*Brunftzeit*) rutting season; **in der ~ sein** to be rutting, to be on [*or* AM in] heat **Brun·nen** <-s, -> ['brʊnən] *m* ❶ (*Wasserbrunnen*) well; **einen ~ bohren** to sink a well ❷ (*ummauertes Wasserbecken*) fountain **Brun·nen·schacht** *m* well shaft

B

Brunst <-, Brünste> [brʊnst, pl 'brʏnstə] f (~zeit) rutting season

bruns·tig ['brʊnstɪç] adj ❶ (von männlichem Tier) rutting; (von weiblichem Tier) on [or AM in] heat pred ❷ (hum: sexuell begierig) horny

brüsk [brʏsk] adj brusque

brüs·kie·ren* [brʏs'kiːrən] vt to snub

Brüs·sel <-s> ['brʏsl] nt Brussels

Brüs·se·ler adj Brussels; ~ **Spitzen** Brussels lace no pl, no art

Brüs·se·ler(in) <-s, -> m(f) inhabitant of Brussels

Brust <-, Brüste> [brʊst, pl 'brʏstə] f ❶ (Brustkasten) chest; **es auf der ~ haben** (fam) to have chest trouble; **schwach auf der ~ sein** (hum fam: eine schlechte Kondition haben) to have a weak chest; (an Geldmangel leiden) to be a bit short ❷ (weibliche ~) breast; **einem Kind die ~ geben** to breast-feed a baby ❸ KOCHK breast; (von Rind) brisket ▸ **einen zur ~ nehmen** to have a quick drink; [sich dat] jdn zur ~ **nehmen** (fam) to take sb to task

Brust·bein nt ANAT breastbone **Brust·beu·tel** m money bag [worn round the neck]

brüs·ten ['brʏstn̩] vr ■sich ~ to boast (mit about)

Brust·fell nt ANAT pleura **Brust·kas·ten** m chest **Brust·korb** m ANAT chest **Brust·krebs** m breast cancer **Brust·mus·kel** m pectoral muscle **Brust·schwim·men** nt breast-stroke **Brust·ta·sche** f breast pocket **Brust·um·fang** m chest measurement; (von Frau) bust measurement

Brüs·tung <-, -en> ['brʏstʊŋ] f ❶ (Balkonbrüstung etc) parapet ❷ (Fensterbrüstung) breast

Brust·war·ze f nipple

Brut <-, -en> [bruːt] f ❶ kein pl (das Brüten) brooding no pl ❷ (die Jungen) brood; (von Hühnern) clutch; (von Bienen) nest ❸ kein pl (pej: Gesindel) mob

bru·tal [bru'taːl] I. adj ❶ (roh) brutal; **ein ~er Kerl** a brute ❷ (fam: besonders groß, stark) bastard attr sl; **~e Kopfschmerzen haben** (fam) to have a throbbing headache; **eine ~e Niederlage** a crushing defeat II. adv ❶ (roh, ohne Rücksicht) brutally ❷ (fam: sehr) **das tut ~ weh** it hurts like hell; **das war ~ knapp!** that was damned close!; **~ viel[e]** a hell of a lot

Bru·ta·li·tät <-, -en> [brutali'tɛːt] f ❶ kein pl (Rohheit) brutality ❷ kein pl (Schonungslosigkeit) cruelty ❸ (Gewalttat) brutal act

Brut·ap·pa·rat m incubator

brü·ten ['bryːtn̩] vi ❶ (über den Eiern sitzen) to brood; (von Hühnern a.) to sit ❷ (grübeln) to brood (**über** over)

Brü·ter <-s, -> m NUKL [nuclear] breeder; **schneller ~** fast breeder

Brut·kas·ten m MED incubator **Brutplatz** m breeding place; (von Hühnern) hatchery **Brut·stät·te** f ❶ (Nistplatz) breeding ground (+gen for) ❷ (geh: Herd) breeding ground (+gen for)

brut·to ['brʊto] adv [in the] gross; **3800 Euro ~ verdienen** to have a gross income of 3800 euros

Brut·to·ein·kom·men nt gross income **Brut·to·ge·halt** nt gross salary **Brut·to·ge·winn** m gross profit **Brut·to·in·lands·pro·dukt** nt gross domestic product, GDP **Brut·to·lohn** m gross wage **Brut·to·so·zi·al·pro·dukt** nt gross national product, GNP

brut·zeln ['brʊtsl̩n] I. vi (braten) to sizzle II. vt to fry

BSE [beːʔɛs'ʔeː] f MED Abk von **bovine spongiforme Enzephalopathie** BSE

BSP [beːʔɛs'peː] nt Akr von **Bruttosozialprodukt** GNP

btto Abk von **brutto** gr.

Btx [beːteː'ʔɪks] Abk von **Bildschirmtext** Vtx

Bub <-en, -en> [buːp, pl buːbn̩] m SÜDD, ÖSTERR, SCHWEIZ boy, BRIT also cock

Bu·be <-n, -n> ['buːbə] m (Spielkarte) jack

Bu·ben·streich m childish prank

Buch <-[e]s, Bücher> [buːx, pl 'byːçɐ] nt ❶ (Band) book; **ein ~ mit sieben Siegeln** (fig) a closed book; **du redest wie ein ~** (fam) you never stop talking; **ein Gentleman, wie er im ~e steht** the very model of a gentleman ❷ meist pl ÖKON (Geschäftsbuch) books pl; **die Bücher fälschen** to cook the books fam; [jdm] **die Bücher führen** to keep sb's accounts; **über etw** akk ~ **führen** to keep a record of sth; **über die Bücher gehen** SCHWEIZ to balance the books ❸ REL (Schrift) Book

Buch·bin·der(in) <-s, -> m(f) bookbinder **Buch·bin·de·rei** <-, -en> f ❶ (Betrieb eines Buchbinders) bookbindery ❷ kein pl (das Buchbinden) ■die ~ bookbinding no pl

Buch·bin·de·rin <-, -nen> f fem form von **Buchbinder**

Buch·druck m kein pl letterpress printing no art **Buch·dru·cker(in)** m(f) [letterpress] printer

Bu·che <-, -n> ['buːxə] f ❶ (Baum) beech

[tree] ❷ (*Holz*) beech [wood]
Buch·ecker <-, -n> *f* beechnut
bu·chen ['buːxn̩] *vt* ❶ (*vorbestellen*) to book ❷ ÖKON (*ver~*) to enter (**als** as) ❸ (*registrieren*) to register ❹ (*fam: sich zurechnen*) ■ etw als Erfolg ~ to mark up a success
Bu·chen·holz *nt* beech[wood]
Bü·cher·bord <-e> *nt*, **Bü·cher·brett** *nt* bookshelf
Bü·che·rei <-, -en> [byːçə'rai] *f* [lending] library
Bü·cher·re·gal *nt* bookshelf (**im** on) **Bü·cher·schrank** *m* bookcase **Bü·cher·sen·dung** *f* ❶ (*Paket mit Büchern*) consignment of books ❷ (*Versendungsart*) book post *no indef art* **Bü·cher·wurm** *m* (*hum*) bookworm
Buch·fink *m* chaffinch
Buch·füh·rung *f* bookkeeping *no pl*; **einfache/doppelte** ~ single-/double-entry bookkeeping **Buch·hal·ter(in)** *m(f)* bookkeeper **buch·hal·te·risch** *adj* bookkeeping *attr* **Buch·hal·tung** *f* ❶ (*Rechnungsabteilung*) accounts department ❷ *s.* **Buchführung** **Buch·han·del** *m* book trade; **im** ~ **erhältlich** available in bookshops **Buch·händ·ler(in)** *m(f)* bookseller **Buch·hand·lung** *f* bookshop **Buch·ma·cher(in)** *m(f)* bookmaker **Buch·ma·le·rei** *f* ❶ *kein pl* (*Kunsthandwerk*) ■ die ~ [book] illumination ❷ (*einzelnes Bild*) illumination **Buch·mes·se** *f* book fair **Buch·prü·fer(in)** *m(f)* auditor **Buch·prü·fung** *f* audit
Buchs·baum ['buks-] *m* box[-tree]
Buch·se <-, -n> ['buksə] *f* ❶ ELEK jack ❷ TECH bushing
Büch·se <-, -n> ['byksə] *f* ❶ (*Dose*) tin BRIT, can AM ❷ (*Sammelbüchse*) collecting-box ❸ (*Jagdgewehr*) rifle
Büch·sen·milch *f* evaporated milk *no pl*
Büch·sen·öff·ner *m* can-opener, BRIT *also* tin-opener
Buch·sta·be <-n[s], -n> ['buːxʃtaːbə] *m* (*Druckbuchstabe*) character, letter; **fetter** ~ bold character; **in großen** ~n in capitals; **in kleinen** ~n in small letters
buch·sta·ben·ge·treu *adj* literal
buch·sta·bie·ren* [buːxʃta'biːrən] *vt* to spell
buch·stäb·lich ['buːxʃtɛːblɪç] **I.** *adj* literal **II.** *adv* (*geradezu*) literally
Buch·stüt·ze *f* book-end
Bucht <-, -en> [buxt] *f* bay; **die Deutsche** ~ the Heligoland Bight
Bu·chung <-, -en> *f* ❶ (*Reservierung*) booking ❷ FIN (*Verbuchung*) posting

Buch·wei·zen *m* buckwheat
Bu·ckel <-s, -> ['bukl̩] *m* ❶ (*fam: Rücken*) back; **einen** [**krummen**] ~ **machen** to arch one's back ❷ (*fam: kleine Bergkuppe*) hill ❸ (*fam*) hunchback, humpback ❹ (*kleine Wölbung*) bump ❺ HIST (*eines Schildes*) boss ▸ **etw auf dem** ~ **haben** (*fam*) to have been through sth; **das Auto hat schon einige Jahre auf dem** ~ the car has been around for a good few years; **rutsch mir** [**doch**] **den** ~ **runter!** (*fam*) get off my back!
bu·cke·lig ['bukəlɪç], **buck·lig** ['buklɪç] *adj* (*fam*) ❶ (*mit einem Buckel*) hunchbacked, humpbacked ❷ (*fam: uneben*) bumpy
bu·ckeln ['bukl̩n] *vi* ❶ (*einen Buckel machen*) to arch one's back ❷ (*pej: sich devot verhalten*) to crawl (**vor** up to)
bü·cken ['bykn̩] *vr* ■ **sich** [**nach etw** *dat*] ~ to bend down [to pick sth up]
Bück·ling <-s, -e> ['byklɪŋ] *m* ❶ (*Fisch*) smoked herring ❷ (*hum fam: Verbeugung*) bow
Bu·da·pest <-s> ['buːdapɛst] *nt* Budapest
bud·deln ['budl̩n] **I.** *vi* (*fam: graben*) to dig [up] **II.** *vt* DIAL (*ausgraben*) to dig [out]
Bud·dhis·mus <-> [bu'dɪsmʊs] *m kein pl* Buddhism *no pl*
Bud·dhist(in) <-en, -en> [bu'dɪst] *m(f)* Buddhist
bud·dhis·tisch *adj* Buddhist
Bu·de <-, -n> ['buːdə] *f* ❶ (*Hütte*) [wooden] cabin; (*Baubude*) [builder's] hut BRIT, trailer [on a construction site] AM; (*Kiosk*) kiosk ❷ (*fam: Wohnung*) digs *npl* BRIT, pad AM; **sturmfreie** ~ **haben** (*fam*) to have the place to oneself ▸ **jdm fällt die** ~ **auf den** Kopf (*fam*) sb feels claustrophobic; [**jdm**] **die** ~ **auf den** Kopf **stellen** (*fam bei einer Feier*) to have a good old rave-up [in sb's house] BRIT *sl*, to trash sb's house AM *sl*; (*beim Durchsuchen*) to turn the house upside-down; **jdm die** ~ **einrennen** (*fam*) to buy everything in sight in sb's shop BRIT, to clear out sb's store AM
Bud·get <-s, -s> [by'dʒeː] *nt* budget
bud·ge·tie·ren* [bydʒe'tiːrən] *vt* to draw up a budget for
Bü·fett <-[e]s, -s *o* -e> [by'feː] *nt*, **Buf·fet** <-s, -s> [by'feː] *nt bes* ÖSTERR, SCHWEIZ ❶ (*Essen*) buffet ❷ (*Anrichte*) sideboard ❸ SCHWEIZ (*Bahnhofsgaststätte*) station restaurant
Büf·fel <-s, -> ['byfl̩] *m* buffalo
büf·feln ['byfl̩n] *vt* (*fam: pauken*) to swot up on [*or* AM cram for]
Bug <-[e]s, Büge *o* -e> [buːk, *pl* 'byːgə] *m*

❶ NAUT bow; LUFT nose ❷ KOCHK (*Rind*) shoulder, blade; (*Schwein*) hand of pork

Bü·gel <-s, -> ['by:gl] *m* ❶ (*Kleiderbügel*) coat hanger ❷ (*Griff einer Handtasche*) handle ❸ (*Griff einer Säge*) frame ❹ (*Einfassung*) edging ❺ (*Brillenbügel*) leg [of glasses] ❻ (*Steigbügel*) stirrup ❼ (*beim Schlepplift*) grip

Bü·gel·brett *nt* ironing board **Bü·gel·ei·sen** <-s, -> *nt* iron **Bü·gel·fal·te** *f* crease **bü·gel·frei** *adj* crease-free

bü·geln ['by:gln] *vt, vi* to iron

Bug·gy <-s, -s> ['bagi] *m* (*faltbarer Kinderwagen*) pushchair BRIT, buggy BRIT, stroller AM

bug·sie·ren* [bʊ'ksi:rən] *vt* ❶ (*fam: mühselig bewegen*) to shift ❷ (*fam: drängen*) to shove ❸ NAUT (*schleppen*) to tow

buh [bu:] *interj* boo

bu·hen ['bu:ən] *vi* (*fam*) to boo

Buh·mann <-männer> *m* (*fam*) scapegoat, AM *also* fall guy

Büh·ne <-, -n> ['by:nə] *f* ❶ (*Spielfläche*) stage; **auf der ~ stehen** to be on the stage; **von der ~ abtreten** to leave the scene; **hinter der ~** behind the scenes ❷ (*Theater*) theatre ❸ (*Tribüne*) stand ❹ (*Hebebühne*) hydraulic lift ❺ DIAL (*Dachboden*) attic ▸ **etw über die ~ bringen** (*fam*) to get sth over with; **über die ~ gehen** (*fam: abgewickelt werden*) to take place

Büh·nen·be·ar·bei·tung *f* stage adaptation **Büh·nen·bild** *nt* scenery **Büh·nen·bild·ner(in)** <-s, -> *m(f)* scene-painter **büh·nen·reif** *adj* ❶ THEAT fit for the stage ❷ (*iron: theatralisch*) dramatic **Büh·nen·stück** *nt* [stage] play **büh·nen·wirk·sam** THEAT **I.** *adj* dramatically effective **II.** *adv* in a dramatically effective manner

Buh·ruf *m* [cry of] boo

Bu·ka·rest <-s> ['bu:karɛst] *nt* Bucharest

Bu·kett <-s, -s *o* -e> [bu'kɛt] *nt* bouquet

Bu·let·te <-, -n> [bu'lɛtə] *f* DIAL (*Frikadelle*) meat ball

Bul·ga·re, Bul·ga·rin <-n, -n> [bʊl'ga:rə, -'ga:rɪn] *m, f* Bulgarian; *s. a.* **Deutsche(r)**

Bul·ga·ri·en <-s> [bʊl'ga:rjən] *nt* Bulgaria; *s. a.* **Deutschland**

bul·ga·risch [bʊl'ga:rɪʃ] *adj* Bulgarian; *s. a.* **deutsch**

Bu·li·mie <-> [buli'mi:] *f kein pl* bulimia [nervosa] *no pl*

Bull·au·ge <-s, -n> ['bʊl-] *nt* porthole

Bull·dog·ge *f* bulldog

Bull·do·zer <-s, -> ['bʊldo:zɐ] *m* bulldozer

Bul·le <-n, -n> ['bʊlə] *m* ❶ (*männliches Tier*) bull ❷ (*sl: Polizist*) cop[per] *fam;* ■ **die ~ n** *pl* the [Old] Bill + *sing/pl vb* BRIT *sl*, the cops *pl* AM *sl* ❸ (*fam: starker Mann*) hulk

Bul·len·hit·ze *f kein pl* (*fam*) stifling heat *no pl* **bul·len·stark** *adj* beefy, as strong as an ox *pred;* **das ist ja ~!** (*fam*) that's fantastic!

Bul·le·rei *f* (*pej*) cops *pl sl*

Bul·le·tin <-s, -s> [bʏl'tɛ̃:] *nt* bulletin

bul·lig ['bʊlɪç] *adj* (*fam*) hulking

Bu·me·rang <-s, -s *o* -e> ['bu:məraŋ] *m* ❶ (*Wurfholz*) boomerang ❷ (*Eigentor*) own goal BRIT, goal scored against your own team AM

Bum·mel <-s, -> ['bʊml] *m* stroll; **einen ~ machen** to go for a stroll

Bum·me·lei <-> [bʊmə'laɪ] *f kein pl* (*pej fam*) dilly-dallying

bum·meln ['bʊmln] *vi* ❶ *sein* (*spazieren gehen*) to stroll; **~ gehen** to go for a stroll ❷ *haben* (*fam: trödeln*) to dilly-dally

Bum·mel·streik *m* go-slow **Bum·mel·zug** *m* (*fam*) local [passenger] train

bums [bʊms] *interj* bang

bum·sen ['bʊmzn] **I.** *vi impers haben* (*fam: dumpf krachen*) ■ **es bumst** there is a bang **II.** *vi* ❶ *sein* (*prallen, stoßen*) to bang (**auf** into, **gegen** against) ❷ *haben* (*derb: koitieren*) ■ [**mit jdm**] **~** to screw sb, BRIT *also* to have it off [with sb]

BUND <-s> *m kein pl Akr von* **Bund für Umwelt und Naturschutz Deutschland** *German conservation agency*

Bund[1] <-[e]s, Bünde> [bʊnt, *pl* 'bʏndə] *m* ❶ (*Vereinigung, Gemeinschaft*) association ❷ (*die Bundesrepublik Deutschland*) ■ **der ~** the Federal Republic of Germany; **~ und Länder** the Federation and the [German] States (Länder); SCHWEIZ (*Eidgenossenschaft*) confederation ❸ (*Konföderation*) confederation ❹ (*fam: Bundeswehr*) ■ **der ~** the [German] army; **beim ~ sein** to be doing one's military service ❺ (*Einfassung*) waistband

Bund[2] <-[e]s, -e> [bʊnt, 'bʊndə] *pl nt* bundle; KOCHK bunch

Bünd·chen <-s, -> ['bʏntçən] *nt* (*Abschluss am Ärmel*) cuff; (*Abschluss am Halsausschnitt*) neckband

Bün·del <-s, -> ['bʏndl] *nt* bundle

bün·deln *vt* ❶ (*zusammenschnüren*) to tie in[to] bundles; *Karotten* to tie in[to] bunches ❷ ORN (*konzentrieren*) to concentrate

Bun·des·agen·tur für Ar·beit *f* BRD employment office, ≈ job centre BRIT

Bun·des·an·stalt *f* federal institute; **~ für**

Arbeit Federal Employment Office **Bun·des·aus·bil·dungs·för·de·rungs·ge·setz** *nt federal law concerning the promotion of education and training* **Bun·des·bahn** *f* **die** [Deutsche] ~ German Federal Railway, ≈ British Rail BRIT, ≈ Amtrak AM **Bun·des·bank** *f kein pl* Federal Bank of Germany **Bun·des·be·hör·de** *f* Federal authority [*or* AM *agency*] **Bun·des·bür·ger(in)** *m(f)* German citizen **Bun·des·ge·biet** *nt* BRD, ÖSTERR federal territory **Bun·des·ge·nos·se, -ge·nos·sin** *m, f* ally **Bun·des·ge·richt** *nt* SCHWEIZ [Swiss] Federal Court **Bun·des·ge·richts·hof** *m* BRD Federal German supreme court (*highest German court of appeal*) **Bun·des·ge·setz·blatt** *nt* JUR BRD, ÖSTERR Federal Law Gazette, ≈ Statutes of the Realm BRIT, ≈ United States Statutes at large AM **Bun·des·grenz·schutz** *m* BRD German Border Police **Bun·des·haupt·stadt** *f* federal capital **Bun·des·in·nen·mi·nis·ter(in)** *m(f)* German Minister of the Interior **Bun·des·kanz·ler(in)** *m(f)* BRD German Chancellor; ÖSTERR Austrian Chancellor; SCHWEIZ Head of the Federal Chancellery **Bun·des·kanz·ler·amt** *nt* POL Federal Chancellor's Office (*responsible for planning, control and coordination of the Bundeskanzler's functions and duties*) **Bun·des·kanz·le·rin** *f fem form von* **Bundeskanzler** **Bun·des·kar·tell·amt** *nt kein pl* Federal Cartel Office **Bun·des·kri·mi·nal·amt** *nt* Federal Criminal Police Office (*central organization for combatting and investigating crime*) **Bun·des·land** *nt* federal state; (*nur BRD*) Land; **die alten/neuen Bundesländer** former West/East Germany **Bun·des·li·ga** *f* German football [*or* AM soccer] league **Bun·des·mi·nis·ter(in)** *m(f)* BRD, ÖSTERR federal minister [of Germany/Austria] **Bun·des·mi·nis·te·ri·um** *nt* BRD, ÖSTERR federal ministry **Bun·des·post** *f kein pl* Federal Post Office (*German Postal Service*) **Bun·des·prä·si·dent(in)** *m(f)* BRD, ÖSTERR President of the Federal Republic of Germany/Austria; SCHWEIZ President of the Confederation **Bun·des·rat** *m* ❶ BRD, ÖSTERR Bundesrat (*Upper House of Parliament*) ❷ *kein pl* SCHWEIZ Federal Council (*executive body*) **Bun·des·re·gie·rung** *f* federal government **Bun·des·re·pub·lik** *f* federal republic; **die ~ Deutschland** the Federal Republic of Germany **Bun·des·staat** *m* ❶ (*Staatenbund*) confederation ❷ (*Gliedstaat*) federal state; **im ~ Kalifornien** in the state of Cali-

fornia **Bun·des·stra·ße** *f* BRD, ÖSTERR ≈ A road BRIT, ≈ interstate [highway] AM **Bun·des·tag** *m kein pl* BRD Bundestag (*Lower House of Parliament*) **Bun·des·tags·ab·ge·ord·ne·te(r)** *f(m) dekl wie adj* Member of the Bundestag **Bun·des·tags·wahl** *f* Bundestag election **Bun·des·trai·ner(in)** *m(f)* BRD [German] national coach **Bun·des·ver·dienst·kreuz** *nt* BRD Order of Merit of the Federal Republic of Germany, ≈ OBE BRIT **Bun·des·ver·fas·sungs·ge·richt** *nt kein pl* BRD Federal Constitutional Court (*supreme legal body that settles issues relating to the basic constitution*) **Bun·des·ver·fas·sungs·rich·ter, -rich·te·rin** *m, f* Judge of the German Federal Constitutional Court **Bun·des·ver·samm·lung** *f* POL ❶ BRD Federal Assembly ❷ SCHWEIZ Parliament **Bun·des·wehr** *f* Federal Armed Forces **bun·des·weit** *adj, adv* throughout Germany *pred*

Bund·fal·ten·ho·se *f* trousers [*or* AM *also* pants] *pl* with a pleated front

bün·dig ['bʏndɪç] *adj* ❶ (*bestimmt*) concise ❷ (*schlüssig*) conclusive ❸ (*in gleicher Ebene*) level

Bünd·nis <-ses, -se> ['bʏntnɪs] *nt* alliance; ~ **90** Bündnis 90 (*political party comprising members of the citizens' movements of former East Germany*)

Bünd·nis·grü·ne *pl* Green party alliance

Bun·ga·low <-s, -s> ['bʊŋɡaloː] *m* bungalow

Bun·gee·jum·ping <-s> ['bandʒidʒampɪŋ] *nt kein pl*, **Bun·gee·sprin·gen** ['bandʒiʃprɪŋən] *nt kein pl* bungee jumping *no pl*

Bun·ker <-s, -> ['bʊŋkɐ] *m* ❶ (*Schutzraum*) bunker; (*Luftschutzbunker*) air-raid shelter ❷ (*beim Golf*) bunker ❸ (*sl: Gefängnis*) slammer

bun·kern ['bʊŋkɐn] *vt* to hoard

Bun·sen·bren·ner <-s, -> ['bʊnzn̩] *m* Bunsen burner

bunt [bʊnt] **I.** *adj* ❶ (*farbig*) colourful ❷ (*ungeordnet*) muddled; (*vielfältig*) varied **II.** *adv* ❶ (*farbig*) colourfully; ~ **gestreift** with colourful stripes *pl;* ~ **kariert** with a coloured check [pattern] ❷ (*ungeordnet*) in a muddle; ~ **gemischt** (*abwechslungsreich*) diverse; (*vielfältig*) varied ▶ **es zu ~ treiben** (*fam*) to go too far; **jdm wird es zu ~** (*fam*) sb has had enough

bunt·ge·mischtᴬᴸᵀ *adj attr* (*abwechslungsreich*) diverse; (*vielfältig*) varied **Bunt·sand·stein** *m* ❶ BAU red sandstone ❷ GEOL Bunter **Bunt·specht** *m* great spotted woodpecker **Bunt·stift** *m* coloured pencil **Bunt·wä·sche** *f* colour wash **Bür·de** <-, -n> ['bʏrdə] *f* (*geh*) ❶ (*Last*) load ❷ (*Beschwernis*) burden

Burg <-, -en> [bʊrk] *f* castle

Bür·ge, Bür·gin <-n, -n> ['bʏrgə, 'bʏr·gɪn] *m, f* guarantor

bür·gen *vi* ❶ (*einstehen für*) to act as guarantor; ▪**für jdn ~** to act as sb's guarantor ❷ (*garantieren*) to guarantee

Bür·ger(in) <-s, -> ['bʏrgɐ] *m(f)* citizen **Bür·ger·be·geh·ren** *nt* BRD public petition for a referendum **Bür·ger·be·we·gung** *f* citizens' movement **bür·ger·fern** *adj* non-citizen-friendly, not in touch with the people *pred*

Bür·ge·rin <-, -nen> *f fem form von* **Bürger**

Bür·ger·ini·ti·a·ti·ve *f* citizens' group **Bür·ger·krieg** *m* civil war **bür·ger·kriegs·ähn·lich** *adj* similar to civil war *pred* **Bür·ger·kriegs·flücht·ling** *m* civil war refugee

bür·ger·lich ['bʏrgɐlɪç] *adj* ❶ *attr* (*den Staatsbürger betreffend*) civil; **~e Pflicht** civic duty ❷ (*dem Bürgerstand angehörend*) bourgeois *pej*

Bür·ger·meis·ter(in) ['bʏrgɐmaɪstɐ] *m(f)* mayor; **der regierende ~ von Hamburg** the governing Mayor of Hamburg **bür·ger·nah** *adj* citizen-friendly, in touch with the people *pred* **Bür·ger·nä·he** *f kein pl* citizen-friendliness *no pl* **Bür·ger·pflicht** *f* civic duty **Bür·ger·recht** *nt meist pl* civil right **Bür·ger·recht·ler(in)** <-s, -> *m(f)* civil rights activist **Bür·ger·rechts·be·we·gung** *f* civil rights *pl* movement

Bür·ger·schaft <-, -en> *f* POL ❶ (*die Bürger*) citizenry ❷ (*Bürgervertretung*) ≈ city-state parliament (*in the states of Bremen and Hamburg*)

Bür·ger·steig <-[e]s, -e> *m* pavement BRIT, sidewalk AM

Bür·ger·tum <-s> *nt kein pl* bourgeoisie + *sing/pl vb*

Bür·ger·ver·samm·lung *f* citizen's meeting

Bür·gin <-, -nen> *f fem form von* **Bürge** **Burg·ru·i·ne** *f* castle ruin

Bürg·schaft <-, -en> *f* JUR ❶ (*gegenüber Gläubigern*) guaranty; **die ~ für jdn übernehmen** to act as sb's guarantor ❷ (*Haftungssumme*) security

Bur·gund <-[s]> [bʊr'gʊnt] *nt* Burgundy **bur·gun·disch** [bʊr'gʊndɪʃ] *adj* Burgundy **Bur·ka** <-, -s> ['bʊrka] *f* REL burka **bur·lesk** [bʊr'lɛsk] *adj* burlesque

Bur·les·ke <-, -n> [bʊr'lɛskə] *f* MUS burlesque

Bü·ro <-s, -s> [by'roː] *nt* office

Bü·ro·an·ge·stell·te(r) *f(m) dekl wie adj* office worker **Bü·ro·ar·beit** *f* office work **Bü·ro·be·darf** *m* office supplies *pl* **Bü·ro·ge·bäu·de** *nt* office building **Bü·ro·haus** *nt* office block **Bü·ro·hengst** *m* (*pej fam*) pen pusher *pej* **Bü·ro·kauf·mann, -kauf·frau** *m, f* office administrator [with commercial training] **Bü·ro·klam·mer** *f* paper clip

Bü·ro·krat(in) <-en, -en> [byro'kraːt] *m(f)* (*pej*) bureaucrat

Bü·ro·kra·tie <-, -n> [byrokra'tiː, *pl* -'tiːən] *f* bureaucracy

Bü·ro·kra·tin <-, -nen> *f fem form von* **Bürokrat**

bü·ro·kra·tisch I. *adj* ❶ *attr* bureaucratic ❷ (*pej*) involving a lot of red tape **II.** *adv* bureaucratically

Bü·ro·raum *m* office **Bü·ro·stun·den** *pl*, **Bü·ro·zeit** *f* office hours *pl*

Bur·sche <-n, -n> ['bʊrʃə] *m* ❶ (*Halbwüchsiger*) adolescent ❷ (*fam: Kerl*) so-and-so BRIT, character AM ❸ (*fam: Exemplar*) specimen

Bur·schen·schaft <-, -en> *f* SCH ≈ fraternity (*student's duelling association with colours*)

bur·schi·kos [bʊrʃi'koːs] **I.** *adj* (*salopp*) casual; (*Mensch*) laid-back; **~es Mädchen** tomboy **II.** *adv* casually

Bürs·te <-, -n> ['bʏrstə] *f* brush **bürs·ten** ['bʏrstn̩] *vt* to brush **Bür·zel** <-s, -> ['bʏrtsl̩] *m* ORN tail; KOCHK parson's nose

Bus <-ses, -se> [bʊs, *pl* 'bʊsə] *m* AUTO bus; (*Reisebus*) coach, AM *usu* bus **Bus·bahn·hof** *m* bus station

Busch <-[e]s, Büsche> [bʊʃ, *pl* 'bʏʃə] *m* ❶ (*Strauch*) shrub ❷ (*Buschwald*) bush ❸ (*Strauß*) bunch; (*selten: Büschel*) tuft ▸ **mit etw** *dat* **hinter dem ~ halten** (*fam*) to keep sth to oneself; ▪**da ist etw im ~** sth is up; **bei jdm auf den ~ klopfen** (*fam*) to sound sb out

Busch·boh·ne *f* dwarf [*or* AM bush] bean **Bü·schel** <-s, -> ['bʏʃl̩] *nt* tuft **bü·schel·wei·se** *adv* in tufts **bu·schig** *adj* bushy **Busch·mes·ser** *nt* machete

Bu·sen <-s, -> ['buːzn̩] *m* ❶ (*weibliche Brust*) bust ❷ (*Oberteil eines Kleides*) top ❸ (*geh: Innerstes*) breast *liter* **Bu·sen·freund(in)** *m(f)* buddy **Bus·fah·rer(in)** *m(f)* bus driver **Bus·hal·te·stel·le** *f* bus stop **Bus·li·nie** *f* bus

route

Bus·sard <-s, -e> ['bʊsart, *pl* 'bʊsardə] *m* buzzard

Bu·ße <-, -n> ['buːsə] *f* ➊ *kein pl* penance *no pl;* ~ **tun** to do penance ➋ (*Geldbuße*) fine

Bus·sel <-s, -(n)> ['bʊsəl] *nt s.* **Busserl**

bü·ßen ['byːsn̩] **I.** *vt* ➊ (*bezahlen*) to pay for; **das wirst du mir ~!** I'll make you pay for that! ➋ SCHWEIZ (*mit einer Geldbuße belegen*) to fine **II.** *vi* (*leiden*) to suffer (**für** because of); **dafür wird er mir ~!** I'll make him suffer for that!

Bü·ßer(in) <-s, -> *m(f)* penitent

Bus·se(r)l <-s, -[n]> ['bʊsəl] *nt* SÜDD, ÖSTERR (*fam*) kiss

Buß·geld *nt* (*Geldbuße*) fine, BRIT *also* penalty (*imposed for traffic and tax offences*)

Buß·geld·be·scheid *m* notice of a fine, BRIT *also* penalty notice

Bus·si ['bʊsi] *nt* SÜDD, ÖSTERR kiss

Buß·tag *m* day of repentance; **Buß- und Bettag** day of prayer and repentance (*on the Wednesday before Advent*)

Büs·te <-, -n> ['bʏstə] *f* bust

Büs·ten·hal·ter *m* bra[ssiere]

Bus·ver·bin·dung *f* bus service

Bu·tan·gas *nt* butane gas

Butt <-[e]s, -e> [bʊt] *m* butt

Büt·te <-, -n> ['bʏtə] *f* DIAL tub

Büt·ten·re·de *f* DIAL humorous speech (*made from the barrel-like platform at a carnival*)

But·ter <-> ['bʊtɐ] *f kein pl* butter *no pl* ▸ **weich wie ~** as soft as can be; **alles [ist] in ~** (*fam*) everything is hunky-dory

But·ter·blu·me *f* buttercup **But·ter·brot** *nt* slice of buttered bread **But·ter·brot·pa·pier** *nt* greaseproof paper **But·ter·do·se** *f* butter-dish **But·ter·milch** *f* buttermilk **But·ter·schmalz** *nt* clarified butter **but·ter·weich** ['bʊtɐ'vaiç] **I.** *adj* really soft **II.** *adv* softly

But·ton <-s, -s> ['batn̩] *m* badge

But·zen·schei·be *f* bullion point sheet

b. w. *Abk von* **bitte wenden** PTO

BWL [beːveːˈʔɛl] *f Abk von* **Betriebswirtschaftslehre**

By·pass <-es, Bypässe> ['baipas] *m* bypass

Byte <-s, -s> [baɪt] *nt* byte

by·zan·ti·nisch [bytsanˈtiːnɪʃ] *adj* Byzantine

By·zanz <-> [byˈtsants] *nt* Byzantium

bzw. *adv Abk von* **beziehungsweise**

C c

C, c <-, - *o fam* -s, -s> [tse:] *nt* ❶ (*Buchstabe*) C, c; *s. a.* **A 1** ❷ MUS C, c; **das hohe ~** top c; *s. a.* **A 2**

C [tse:] *Abk von* **Celsius** C

ca. *Abk von* **circa** approx., ca.

Ca·brio <-s, -s> ['ka:brio] *nt,* **Ca·bri·o·let** <-[s], -s> [kabrio'le:] *nt s.* **Kabriolett**

Cad·die <-s, -> ['kɛdi] *m* ❶ (*Mensch*) caddie, caddy ❷ (*Wagen*) caddie [*or* caddy] car

Ca·fé <-s, -s> [ka'fe:] *nt* café

Ca·fe·te·ria <-, -s> [kafetə'ri:a] *f* cafeteria

Cal·ci·um <-s> ['kaltsi̯ʊm] *nt kein pl s.* **Kalzium**

Call·boy ['ko:lbɔy] *m male version of a call girl* **Call·girl** <-s, -s> [-gœrl] *nt* call girl

Cam·cor·der <-s, -> ['kamkɔrdɐ] *m* camcorder

Ca·mem·bert <-s, -s> ['kaməmbɛːɐ̯] *m* Camembert

Ca·mi·on <-s, -s> [ka'mjõ] *m* SCHWEIZ lorry BRIT, truck AM

Camp <-s, -s> [kɛmp] *nt* camp

cam·pen ['kɛmpn̩] *vi* to camp

Cam·per(in) <-s, -> ['kɛmpɐ] *m(f)* camper

cam·pie·ren* [kam'pi:rən] *vi* ❶ *s.* **kampieren** ❷ ÖSTERR, SCHWEIZ to camp

Cam·ping <-s> ['kɛmpɪŋ] *nt kein pl* camping

Cam·ping·aus·rüs·tung *f* camping equipment **Cam·ping·bus** *m* camper **Cam·ping·platz** *m* campsite

Cam·pus <-, -> ['kampʊs, 'kɛmpəs] *m* campus

Can·na·bis <-> ['kanabɪs] *m kein pl* cannabis *no pl*

Cape <-s, -s> [ke:p] *nt* cape

Cap·puc·ci·no <-[s], -[s]> [kapʊ'tʃi:no] *m* cappuccino

Car <-s, -s> [ka:ɐ̯] *m* SCHWEIZ *kurz für* **Autocar** bus

Ca·ra·van <-s, -s> ['ka(:)ravan] *m* caravan

Car-Sha·ring <-s>, **Car·sha·ring** <-s> ['ka:ɐ̯ʃɛːɐ̯rɪŋ] *nt kein pl* car sharing

Car·toon <-s, -s> [kar'tu:n] *m* cartoon

Ca·sa·no·va <-s, -s> [kaza'no:va] *m* Casanova

cash [kɛʃ] *adv* cash

Cash <-s> [kɛʃ] *nt kein pl* cash *no pl*

Ca·shew·nuss^RR ['kɛʃu-] *f* cashew nut

Ca·si·no <-s, -s> [ka'zi:no] *nt s.* **Kasino**

Cas·ting <-s, -s> ['ka:stɪŋ] *nt* FILM, THEAT casting [session]

Cas·ting·show <-, -s> ['ka:stɪŋ-] *f* TV [TV] talent show

Cas·tor·trans·port <-> *m kein pl* transport[ation] of radioactive material

Ca·yenne·pfef·fer [ka'jɛn-] *m* cayenne pepper

CB-Funk *m* CB radio

CD <-, -s> [tse:'de:] *f Abk von* **Compact-disc** CD

CD-Bren·ner *m* CD rewriter **CD-Play·er** <-s, -> [tse:'de:plɛːɐ] *m* CD player **CD-ROM** <-, -s> [tse:de:'rɔm] *f* CD-ROM **CD-ROM-Lauf·werk** *nt* CD-ROM drive **CD-Spie·ler** *m* CD player

CDU <-> [tse:de:'ʔu:] *f Abk von* **Christlich-Demokratische Union** CDU

Cel·list(in) <-en, -en> [tʃɛ'lɪst] *m(f)* cellist

Cel·lo <-s, -s *o* Celli> ['tʃɛlo] *nt* cello

Cel·lo·phan® <-s> [tsɛlo'fa:n] *nt kein pl* cellophane *no pl*

Cel·si·us ['tsɛlzi̯ʊs] *no art* Celsius

Cem·ba·lo <-s, -s *o* Cembali> ['tʃɛmbalo, *pl* 'tʃɛmbali] *nt* cembalo

Cent <-(s), -(s)> [sɛnt] *m* cent

Ces, ces <-, -> [tsɛs] *nt* MUS C flat

Cha·mä·le·on <-s, -s> [ka'mɛːleɔn] *nt* chameleon

Cham·pa·gner <-s, -> [ʃam'panjə] *m* champagne

Cham·pi·gnon <-s, -s> ['ʃampɪnjɔŋ] *m* mushroom

Cham·pi·on <-s, -s> ['tʃɛmpi̯ən] *m* champion

Chan·ce <-, -n> ['ʃãːsə] *f* chance; **die ~n** *pl* **stehen gut/schlecht** there's a good chance/there's little chance

Chan·cen·gleich·heit *f kein pl* equal opportunities *pl*

chan·cen·los *adj* no chance; **~ gegen jdn/etw sein** to not stand a chance against sb/sth

Chan·son <-s, -s> [ʃã'sõ:] *nt* chanson

Cha·os <-> ['ka:ɔs] *nt kein pl* chaos *no pl*

Cha·ot(in) <-en, -en> [ka'o:t] *m(f)* chaotic person

cha·o·tisch [ka'o:tɪʃ] **I.** *adj* chaotic **II.** *adv* chaotically

Cha·rak·ter <-s, -tere> [ka'raktɐ] *m* character; **~ haben** to have strength of character; *eines Gesprächs* nature *no indef art*

Cha·rak·ter·dar·stel·ler(in) *m(f)* character actor **Cha·rak·ter·ei·gen·schaft** *f* characteristic **Cha·rak·ter·feh·ler** *m* character defect **cha·rak·ter·fest** *adj* with strength of character *pred;* **~ sein** to have strength of character

cha·rak·te·ri·sie·ren* [karakteri'zi:rən] *vt* to characterize

Cha·rak·te·ri·sie·rung <-, -en> *f* characterization

Cha·rak·te·ris·tik <-, -en> [karakte'rɪs-tɪk] *f* ❶ (*treffende Schilderung*) characterization ❷ (*typische Eigenschaft*) feature

Cha·rak·te·ris·ti·kum <-s, -ristika> [karakte'rɪstɪkʊm, *pl* -ka] *nt* characteristic

cha·rak·te·ris·tisch [karakte'rɪstɪʃ] *adj* characteristic (**für** of)

cha·rak·ter·lich I. *adj* of sb's character *pred* II. *adv* in character, as far as sb's character is concerned *pred*

cha·rak·ter·los I. *adj* despicable II. *adv* despicably

Cha·rak·ter·schwä·che *f* weakness of character **Cha·rak·ter·schwein** *nt* bad lot **Cha·rak·ter·stär·ke** *f* strength of character **Cha·rak·ter·zug** *m* characteristic

Cha·ris·ma <-s, Charismen *o* Charismata> ['ça:rɪsma] *nt* (*geh*) charisma

char·mant [ʃar'mant] I. *adj* charming II. *adv* charmingly

Charme <-s> [ʃarm] *m kein pl* charm

Char·meur(in) <-s, -e> [ʃar'møːɐ̯] *m(f)* charmer

Char·ta <-, -s> ['karta] *f* charter

Char·ter <-s, -s> ['tʃartɐ] *m* charter

Char·ter·flug ['tʃartɐ-] *m* charter flight **Char·ter·ma·schi·ne** *f* charter [aeroplane] [*or* Aᴍ airplane]

char·tern ['tʃartɐn] *vt* to charter

Charts [tʃaːts] *pl* charts *pl*

Chas·sis <-, -> [ʃa'si:] *nt* chassis

Chat <-s, -s> [tʃɛt] *m* ɪɴғᴏʀᴍ chat

chat·ten ['tʃɛtn] *vi* ɪɴᴇᴛ to chat

Chauf·feur(in) <-s, -e> [ʃɔ'føːɐ̯] *m(f)* chauffeur

chauf·fie·ren* [ʃɔ'fi:rən] *vt* ■jdn ~ to drive sb

Chaus·see <-, -n> [ʃɔ'se:] *f* Avenue

Chau·vi <-s, -s> ['ʃo:vi] *m* (*sl*) [male] chauvinist [pig] *pej*

Chau·vi·nis·mus <-> [ʃovi'nɪsmʊs] *m kein pl* chauvinism *no pl*

Chau·vi·nist(in) <-en, -en> [ʃovi'nɪst] *m(f)* chauvinist

chau·vi·nis·tisch [ʃovi'nɪstɪʃ] I. *adj* chauvinistic II. *adv* chauvinistically

che·cken ['tʃɛkn] *vt* ❶ (*überprüfen*) to check ❷ (*sl: begreifen*) ■etw ~ to get sth

Check-in <-s, -s> ['tʃɛkʔɪn] *m o nt* check-in

Check·lis·te ['tʃɛk-] *f* checklist

Check-up <-s, -s> ['tʃɛkap] *m* check-up

Chef(in) <-s, -s> [ʃɛf] *m(f)* head; (*einer Firma*) manager, boss *fam*

Chef·arzt, -ärz·tin -s, *m, f* head doctor

Chef·eta·ge *f* management floor

Che·fin <-, -nen> *f fem form von* **Chef**

Chef·koch, -kö·chin *m, f* chief cook

Chef·re·dak·teur(in) *m(f)* editor-in-chief

Chef·se·kre·tär(in) *m(f)* manager's secretary

Che·mie <-> [çe'mi:] *f kein pl* chemistry *no pl*

Che·mie·fa·ser *f* man-made fibre **Che·mie·kon·zern** *nt* chemical manufacturer **Che·mie·müll** *m kein pl* chemical waste

Che·mi·ka·lie <-, -n> [çemi'ka:lⁱə] *f meist pl* chemical

Che·mi·ker(in) <-s, -> ['çe:mikɐ] *m(f)* chemist

che·misch ['çe:mɪʃ] I. *adj* chemical II. *adv* chemically

Che·mo·the·ra·pie *f* chemotherapy

chic [ʃɪk] *adj s.* **schick**

Chi·co·rée <-s> ['ʃikore] *m kein pl* chicory *no pl*

Chif·fre <-, -n> ['ʃɪfrə] *f* ❶ (*Kennziffer*) box number ❷ (*Zeichen*) cipher

chif·frie·ren* [ʃɪ'fri:rən] *vt* to [en]code

Chi·le <-s> ['tʃi:le] *nt* Chile; *s. a.* **Deutschland**

Chi·le·ne, Chi·le·nin <-n, -n> [tʃi'le:nə, -'le:nɪn] *m, f* Chilean; *s. a.* **Deutsche(r)**

chi·le·nisch [tʃi'le:nɪʃ] *adj* Chilean; *s. a.* **deutsch**

Chi·li <-s> ['tʃi:li] *m kein pl* chilli

Chi·li-Sau·ce <-, -n> ['tʃi:lizo:sə] *f* chilli sauce

chil·len ['tʃɪlən] *vi* (*sl*) to chill [out]

Chi·na <-s> ['çi:na] *nt* China; *s. a.* **Deutschland**

Chi·na·kohl *m* Chinese cabbage **Chi·na·res·tau·rant** *nt* Chinese [restaurant]

Chi·ne·se, Chi·ne·sin <-n, -n> [çi'ne:zə, -'ne:zɪn] *m, f* Chinese [person]; *s. a.* **Deutsche(r)**

chi·ne·sisch [çi'ne:zɪʃ] *adj* Chinese
▶ ~ **für jdn sein** (*fam*) to be double Dutch to sb; *s. a.* **deutsch**

Chi·nin <-s> [çi'ni:n] *nt kein pl* quinine *no pl*

Chip <-s, -s> [tʃɪp] *m* ❶ ɪɴғᴏʀᴍ [micro]chip ❷ (*Jeton*) chip ❸ *meist pl* ᴋᴏᴄʜᴋ crisp *usu pl* Bʀɪᴛ, chip *usu pl* Aᴍ

Chip·kar·te *f* smart card

Chi·ro·prak·ti·ker(in) [çiro'praktikɐ] *m(f)* chiropractor

Chir·urg(in) <-en, -en> [çi'rʊrk] *m(f)* surgeon

Chir·ur·gie <-, -n> [çirʊr'gi:] *f kein pl* surgery *no pl*

Chir·ur·gin <-, -nen> *f fem form von* **Chirurg**

chir·ur·gisch [çi'rʊrgɪʃ] I. *adj* surgical II. *adv* surgically

Chlor <-s> [kloːɐ̯] *nt kein pl* chlorine *no pl*

chlo·ren ['kloːrən] *vt* to chlorinate

Chlo·rid <-s, -e> [klo'riːt] *f* CHEM chloride *no pl*

Chlo·ro·form <-s> [kloro'fɔrm] *nt kein pl* chloroform *no pl*

Chlo·ro·phyll <-s> [kloro'fyl] *nt kein pl* chlorophyll *no pl*

Chlor·was·ser·stoff *m* hydrogen chloride

Choke <-s, -s> [tʃoːk] *m* choke

Cho·le·ra <-> ['koːlera] *f kein pl* cholera *no pl*

Cho·le·ri·ker(in) <-s, -> [ko'leːrike] *m(f)* choleric person

cho·le·risch [ko'leːrɪʃ] *adj* choleric

Cho·les·te·rin <-s> [çolɛste'riːn] *nt kein pl* cholesterol *no pl*

Cho·les·te·rin·spie·gel *m* cholesterol level

Chop·suey[RR] <-(s), -s> [tʃɔ'psuːi] *nt* chop suey

Chor <-[e]s, Chöre> [koːɐ̯, *pl* 'køːrə] *m* ❶ (*Gruppe von Sängern*) choir ❷ MUS chorus; **im ~** in chorus

Cho·ral <-s, Choräle> [ko'raːl, *pl* ko'rɛːlə] *m* chorale

Cho·re·o·graf(in)[RR] <-en, -en> [koreo'graːf] *m(f)* choreographer

Cho·re·o·gra·fie[RR] <-, -n> [koreo'gra'fiː] *f* choreography

Cho·re·o·gra·fin[RR] <-, -nen> *f fem form von* **Choreograf**

cho·re·o·gra·fisch[RR] [koreo'graːfɪʃ] *adj* choreographic

Cho·re·o·graph(in) <-en, -en> [koreo'graːf] *m(f)* s. **Choreograf**

Cho·re·o·gra·phie <-, -n> [koreogra'fiː] *f* s. **Choreografie**

Cho·re·o·gra·phin <-, -nen> *f fem form von* **Choreograf**

cho·re·o·gra·phisch [koreo'graːfɪʃ] *adj* s. **choreografisch**

Chor·kna·be *m* choirboy **Chor·lei·ter(in)** *m(f)* choirmaster

Cho·se <-, -n> ['ʃoːzə] *f* (*fam*) ❶ (*Angelegenheit*) thing, affair ❷ (*Zeug*) stuff; ■ **die [ganze] ~** the whole lot

Chr. *Abk von* **Christus, Christi** Christ

Christ(in) <-en, -en> [krɪst] *m(f)* Christian

Christ·baum *m* DIAL Christmas tree

Chris·ten·heit <-> *f kein pl* Christendom *no pl*

Chris·ten·tum <-s> *nt kein pl* Christianity

no pl

Chris·ti ['krɪsti] *gen von* **Christus**

Chris·tin <-, -nen> *f fem form von* **Christ**

Christ·kind *nt* ❶ (*Jesus*) Christ child ❷ (*weihnachtliche Gestalt*) Christ child, who brings Christmas presents for Children on 24th December; **ans ~ glauben** to believe in Father Christmas

christ·lich I. *adj* Christian; **C~-Demokratische Union** [*o* **CDU**] Christian Democratic Union, CDU; **C~-Soziale Union** [*o* **CSU**] Christian Social Union II. *adv* in a Christian manner

Christ·mes·se *f*, **Christ·met·te** *f* Christmas mass

Chris·tus <Christi, *dat - o geh* Christo, *akk - o geh* Christum> ['krɪstʊs] *m* Christ; **nach ~** AD; **vor ~** BC; **Christi Himmelfahrt** Ascension

Chrom <-s> [kroːm] *nt kein pl* chrome *no pl*

chro·ma·tisch [kro'maːtɪʃ] *adj* MUS, ORN chromatic

Chro·mo·som <-s, -en> [kromo'zoːm] *nt* chromosome

Chro·nik <-, -en> ['kroːnɪk] *f* chronicle

chro·nisch ['kroːnɪʃ] *adj* chronic; ■ **etw ist bei jdm ~** sb has [a] chronic [case of] sth; **ein ~ kranker Mensch** a chronically ill person

Chro·nist(in) <-en, -en> [kro'nɪst] *m(f)* chronicler

Chro·no·lo·gie <-> [kronolo'giː] *f kein pl* ❶ (*zeitliche Abfolge*) sequence ❷ (*Zeitrechnung*) chronology

chro·no·lo·gisch [krono'loːgɪʃ] I. *adj* chronological II. *adv* chronologically, in chronological order

Chro·no·me·ter <-s, -> [krono-] *nt* chronometer

Chry·san·the·me <-, -n> [kryzan'teːmə] *f* chrysanthemum

cir·ca ['tsɪrka] *adv* s. **zirka**

Cir·cus <-, -se> ['tsɪrkʊs] *m* circus

Cis, cis <-, -> [tsɪs] *nt* MUS C sharp

Ci·ty <-, -s> ['sɪti] *f* city [centre] BRIT, downtown AM

Ci·ty-Maut, Ci·ty·maut ['sɪti-] *f* TRANSP, ADMIN ≈ congestion charge

cl *Abk von* **Zentiliter** cl

Clan <-s, -s> [klaːn] *m* ❶ (*Stamm*) clan ❷ (*Clique*) clique

clean [kliːn] *adj präd* (*sl*) ■ **~ sein** to be clean

Cle·men·ti·ne <-, -n> [klemɛn'tiːnə] *f* clementine

cle·ver ['klɛvɐ] I. *adj* ❶ (*aufgeweckt*) smart, bright ❷ (*raffiniert*) cunning II. *adv*

❶ (*geschickt*) artfully ❷ (*pej*) cunningly

Clinch <-[e]s> [klɪntʃ] *m kein pl* clinch; [**mit jdm**] **im ~ liegen** (*fig*) to be in dispute [with sb]

Clip <-s, -s> [klɪp] *m* ❶ (*Klemme*) clip ❷ (*Ohrschmuck*) clip-on [earring] ❸ (*Videoclip*) video

Cli·que <-, -n> ['klɪkə] *f* ❶ (*Freundeskreis*) circle of friends ❷ (*pej*) clique

Clou <-s, -s> [kluː] *m* ❶ (*Glanzpunkt*) highlight ❷ (*Kernpunkt*) crux ❸ (*Pointe*) punch line

Clown(in) <-s, -s> [klaʊn] *m(f)* clown
▸ **sich zum ~ machen** to make a fool of oneself; **den ~ spielen** to play the clown

Club <-s, -s> [klʊp] *m* s. **Klub**

cm *Abk von* **Zentimeter** cm

c-Moll <-s> ['tseːmɔl] *nt kein pl* MUS C flat minor

Coach <-[s], -s> [koːtʃ] *m* coach

Co·ca ['koːka] *nt* <-[s], -s 6>, *f* <-, -s> (*fam*) Coke®

Co·ca-Co·la® <-, -(s)> [koka'koːla] *f* Coca-Cola®

Cock·pit <-s, -s> ['kɔkpɪt] *nt* cockpit

Cock·tail <-s, -s> ['kɔkteːl] *m* cocktail

Cock·tail·bar *f* cocktail bar

Code <-s, -s> [koːt] *m* s. **Kode**

Co·dex <-es *o* -, -e *o* Codices> ['koːdɛks, *pl* 'koːditseːs] *m* s. **Kodex**

co·die·ren* [ko'diːrən] *vt* to code

Co·die·rung <-, -en> *f* s. **Kodierung**

Co·gnac® <-s, -s> ['kɔnjak] *m* cognac

Coif·feu·se <-, -n> [kɔa'føːzə] *f* SCHWEIZ hairdresser

Co·la ['koːla] *nt* <-[s], -s>, *f* <-, -s> (*fam*) Coke® *fam*

Col·la·ge <-, -n> [kɔ'laːʒə] *f* collage

Col·lege <-[s], -s> ['kɔlɪdʒ] *nt* college

Colt® <-s, -s> [kɔlt] *m* Colt

Come-backRR, **Come·back** <-[s], -s> [kam'bɛk] *nt* comeback; **ein ~ feiern** to enjoy a comeback

Co·mic <-s, -s> ['kɔmɪk] *m meist pl* comic

Co·mic·heft <-(e)s, -e> ['kɔmɪk-] *nt* comic

Co·ming-out <-[s], -s> [kamɪŋ'?aʊt] *nt* coming-out

Com·pact·discRR, **Com·pact Disc** <-, -s> [kɔm'pɛkt-] *f* compact disc

Com·pi·ler <-s, -> [kɔm'paɪlɐ] *m* INFORM compiler

Com·pu·ter <-s, -> [kɔm'pjuːtɐ] *m* computer; [**etw**] **auf ~ umstellen** to computerize [sth]

Com·pu·ter·freak <-s, -s> *m* computer freak **com·pu·ter·ge·ne·riert** *adj* computer-generated **com·pu·ter·ge·steu·ert**

I. *adj* computer-controlled **II.** *adv* under computer control **com·pu·ter·ge·stützt** *adj* computer-aided **Com·pu·ter·gra·fik**RR *f* computer graphics *npl*

com·pu·te·ri·sie·ren* [kɔmpjutəri'ziː-rən] *vt* to computerize

com·pu·ter·les·bar *adj* machine-readable **Com·pu·ter·lin·gu·ist(in)** *m(f)* computer linguist **Com·pu·ter·lin·gu·is·tik** *f* computer linguistics + *sing vb*

com·pu·tern* [kɔm'pjuːtɐn] *vi* (*fam*) to compute

Com·pu·ter·pro·gramm *nt* [computer] programme **Com·pu·ter·si·mu·la·ti·on** *f* computer simulation **Com·pu·ter·spiel** *nt* computer game **Com·pu·ter·sys·tem** *nt* computer system **Com·pu·ter·to·mo·gra·phie** *f* computerized tomography, CT **com·pu·ter·un·ter·stützt** *adj* computer-aided **Com·pu·ter·vi·rus** *m* computer virus

Com·tes·se <-, -n> [kõ'tɛs] *f* countess

Con·fé·ren·cier <-s, -s> [kõfərã'sjeː] *m* compère

Con·sul·ting·fir·ma [kɔn'zaltɪŋ-] *f* consulting firm

Con·tai·ner <-s, -> [kɔn'teːnɐ] *m* container

Con·tai·ner·schiff *nt* container ship

Coo·kie <-s, -s> ['kʊkɪ] *nt* INET cookie

cool [kuːl] *adj* (*sl*) ❶ (*gefasst*) calm and collected ❷ (*sehr zusagend*) cool

Co·pi·lot(in) ['koːpiloːt] *m(f)* co-pilot

Co·py·right <-s, -s> ['kɔpiraɪt] *nt* copyright

Cord <-s> [kɔrt] *m kein pl* cord[uroy]

Cord·ho·se *f* cords *npl*, corduroy trousers [*or* pants] *npl*

Cor·don bleu <- -, -s -s> [kɔrdõ'bløː] *nt* veal cutlet filled with boiled ham and cheese and covered in breadcrumbs

Cor·ner <-s, -> ['kɔːɐnɐ] *m* ÖSTERR, SCHWEIZ (*Eckball*) corner

Corn·flakes® ['kɔːɐnfleːks] *pl* cornflakes *pl*

Cor·ni·chon <-s, -s> [kɔrni'ʃõː] *nt* pickled gherkin

Cor·ti·son <-s> [kɔrti'zoːn] *nt kein pl* cortisone *no pl*

Cos·ta Ri·ca <-s> ['kɔsta 'riːka] *nt* Costa Rica; *s. a.* **Deutschland**

Couch <-, -es *o* -en> [kaʊtʃ] *f o* SÜDD *m* couch

Couch·gar·ni·tur *f* three-piece suite, AM *also* couch set **Couch·tisch** *m* coffee table

Count-downRR, **Count·down** <-s, -s> ['kaʊnt'daʊn] *m o nt* countdown

Coup <-s, -s> [ku:] *m* coup; **einen ~ lan-den** to score a coup

Cou·pé <-s, -s> [ku'pe:] *nt* ❶ (*Sportlimousine*) coupé ❷ ÖSTERR (*Zugabteil*) compartment

Cou·pon <-s, -s> [ku'põ:] *m* coupon

Cou·rage <-> [ku'ra:ʒə] *f kein pl* courage *no pl*

cou·ra·giert [kura'ʒi:ɐ̯t] **I.** *adj* bold **II.** *adv* boldly

Cou·sin <-s, -s> [ku'zɛ̃:] *m*, **Cou·si·ne** <-, -n> [ku'zi:nə] *f* cousin

Cou·vert <-s, -s> [ku've:ɐ] *nt* (*veraltet*) ❶ (*Bettbezug*) cover ❷ (*Briefumschlag*) *s.* **Kuvert**

Co·ver <-s, -s> ['kavɐ] *nt* ❶ (*Titelseite*) [front] cover ❷ (*Plattenhülle*) [record] sleeve

Co·ver·girl [-gø:ɐ̯l] *nt* cover girl

co·vern ['kavɐn] *vt* MUS to cover

Co·ver·ver·si·on <-, -en> ['kavɐ-] *f* MUS cover version

Cow·boy <-s, -s> ['kaʊ̯bɔy] *m* cowboy

Crack¹ <-s, -s> [krɛk] *m* (*ausgezeichneter Spieler*) ace

Crack² <-s> [krɛk] *nt kein pl* (*Rauschgift*) crack *no pl*

Crash·kurs ['krɛʃ-] *m* crash course

Creme <-, -s> [kre:m, krɛ:m] *f* ❶ (*Salbe*) cream ❷ (*Sahnespeise*) mousse

creme·far·ben *adj* cream **Creme·tor·te** *f* cream cake

cre·mig *adj* creamy

Crêpe <-s, -e *o* -s> [krɛp] *m s.* **Krepp¹**

Creuz·feld-Ja·kob-Krank·heit ['krɔyts-fɛlt-] *f* MED Creutzfeldt-Jakob disease

Crew <-, -s> [kru:] *f* crew

Crois·sant <-s, -s> [krɔa'sã:] *nt* croissant

Crou·pier <-s, -s> [kru'pi̯e:] *m* croupier

crui·sen ['kru:zn̩] *vi* (*fam*) to cruise, to go cruising *fam*

Crunch <-[e]s, -[e]s> [kranʃ, krantʃ] *m* SPORT stomach crunch

C-Schlüs·sel [tse:-] *m* C clef

CSU <-> [tse:'ɛs'ʔu:] *f Abk von* **Christlich-Soziale Union** CSU

Cup <-s, -s> [kap] *m* cup

Cur·ry <-s, -s> ['kœri] *m o nt* curry

Cur·ry·wurst *f a* sausage served with curry-flavoured ketchup and curry powder

Cur·sor <-s, -> ['kø:ɐ̯zɐ] *m* cursor

cut·ten ['katn̩] *vt, vi* ■|etw| ~ to cut [*or* edit] [sth]

Cut·ter(in) <-s, -> ['katɐ] *m(f)* cutter

CVP <-> [tse:fau̯'pe:] *f kein pl* SCHWEIZ *Abk von* **Christlichdemokratische Volkspartei** Christian-Democratic People's Party

Cy·ber·ca·fé *nt* cyber [*or* Internet] café

Cy·ber·cash <-s> ['saɪbɐkɛʃ] *nt* cyber cash *no pl* **Cy·ber·geld** ['saɪbɐ-] *nt* INFORM cybermoney **Cy·ber·Pa·trol®** <-(s), -s> ['saɪbɐpɛtrl̩] *m* INFORM CyberPatrol® **Cy·ber·sex** <-> *m kein pl* cybersex *no pl* **Cy·ber·space** <-, -s> [-spaɪs] *m kein pl* cyberspace *no pl*

D d

D, d <-, - *o fam* -s, -s> [de:] *nt* ❶ (*Buchstabe*) D, d; *s. a.* **A 1** ❷ MUS D, d; *s. a.* **A 2**

da ['da:] **I.** *adv* ❶ (*örtlich: dort*) there; **~ sein** to be there; **~ bist du ja!** there you are!; **~ drüben/hinten/vorne** over there; **~ draußen/drinnen** out/in there; (*hier*) here; **~ sein** to be here; **der/die/das ... ~** this/that ... [over here]; **~, wo ...** where; **ach, ~ ...!** oh, there ...! ❷ (*dann*) then ❸ (*daraufhin*) and [then]; **von ~ an herrschte endlich Ruhe** after that it was finally quiet ❹ (*fam*) in such a case (*usually not translated*); **~ bin ich ganz deiner Meinung** I completely agree with you **II.** *interj* here!; [**he,**] **Sie ~!** [hey,] you there! **III.** *konj* ❶ *kausal* (*weil*) as, since ❷ *temporal* (*geh*) when

da|be·hal·ten* ['da:bəhaltn̩] *vt irreg* ▪jdn **~** to keep sb here/there

da·bei [da'baj] *adv* ❶ (*örtlich*) with [it/them]; **die Rechnung war nicht ~** the bill was not enclosed; **direkt/nahe ~** right next/near to it ❷ (*zeitlich*) at the same time; (*dadurch*) as a result; (*währenddessen*) while doing it; **die ~ entstehenden Kosten sind sehr hoch** the resulting costs are very high ❸ (*anwesend, beteiligt*) there; **~ sein** to be there; (*mitmachen*) to take part; **er war bei dem Treffen ~** he was there at the meeting ❹ (*außerdem*) on top of it all, besides AM ❺ (*damit verbunden*) through it/them; **ich habe mir nichts ~ gedacht** I didn't mean anything by it; **was hast du dir denn ~ gedacht?** what were you thinking of?; **da ist** [doch] **nichts ~** (*das ist doch nicht schwierig*) there's nothing to it; (*das ist nicht schlimm*) there's no harm in it; **das Dumme/Schöne ~ ist, ...** the stupid/good thing about it is ...

da·bei|blei·ben *vi irreg sein* ▪**bei jdm ~** to stay with sb; ▪**bei etw** *dat* **~** to carry on with sth **da·bei|ha·ben** *vt irreg, Zusammenschreibung nur bei infin und pp* ▪**etw ~** to have sth on oneself; ▪**jdn ~** to have sb with oneself **da·bei|sein**^ALT *vi irreg sein s.* **dabei 1, 3 da·bei|ste·hen** *vi irreg* ▪[**mit**] **~** *dat* to be there; (*untätig a.*) to stand there

da|blei·ben *vi irreg sein* to stay [on]; **halt, bleib da!** wait!

Dach <-[e]s, Dächer> ['dax, *pl* 'dɛçɐ] *nt* (*Gebäudeteil, a. Auto*) roof; [**mit jdm**] **unter einem ~ wohnen** to live under the same roof [as sb]; **unterm ~ wohnen** to live in an attic room/flat [*or* AM *also* apartment]; [**k**]**ein ~ über dem Kopf haben** (*fam*) to [not] have a roof over one's head ▶[**von jdm**] **eins aufs ~ kriegen** (*fam: geohrfeigt werden*) to get a clout round [*or* AM *slap upside*] the head [from sb]; (*getadelt werden*) to be given a talking to [by sb]; **jdm aufs ~ steigen** (*fam*) to jump down sb's throat

Dach·bal·ken *m* roof beam **Dach·boden** *m* attic **Dach·de·cker(in)** <-s, -> *m(f)* roofer **Dach·fens·ter** *nt* skylight **Dach·first** *m* [roof] ridge **Dach·gepäck·trä·ger** *m* roof rack **Dach·geschoss**^RR *nt* attic storey **Dach·kammer** *f* attic room **Dach·kon·zern** *m* ÖKON holding company **Dach·la·wi·ne** *f* **sein Auto ist von einer ~ verschüttet worden** his car was buried by snow that fell from the roof **Dach·rin·ne** *f* gutter **Dachs** <-es, -e> ['daks] *m* badger **Dach·scha·den** *m* **einen ~ haben** (*fam*) to have a screw loose **Däch·sin** ['dɛksɪn] *f fem form von* **Dachs** **Dach·stuhl** *m* roof truss **dach·te** ['daxtə] *imp von* **denken** **Dach·ver·band** *m* umbrella organization **Dach·woh·nung** *f* attic flat [*or* AM *also* apartment] **Dach·zie·gel** *m* [roofing] tile **Da·ckel** <-s, -> ['dakl̩] *m* dachshund **Da·da·is·mus** <-> [dada'ɪsmʊs] *m kein pl* Dadaism

da·durch [da'dʊrç] *adv* ❶ *örtlich* through [it/them]; (*emph*) through there ❷ *kausal* (*aus diesem Grund*) so; (*auf diese Weise*) in this way ❸ (*deswegen*) ▪**~, dass ...** because ...

da·für [da'fy:ɐ̯] **I.** *adv* ❶ (*für das*) for it/this/that; **ein Beispiel ~** an example; **warum ist er böse? er hat doch keinen Grund ~** why's he angry? he has no reason to be; **es ist ein Beweis ~, dass ...** it's proof that ...; **~ bin ich ja da/Lehrer** that's what I'm here for/that's why I'm a teacher; **ich bezahle Sie nicht ~, dass Sie nur rumstehen!** I'm not paying you just to stand around; **ich kann mich nicht ~ begeistern** I can't get enthusiastic about it; **er interessiert sich nicht ~** he is not interested [in it/that]; **ich werde ~ sorgen, dass ...** I'll make sure that ...; **ich kann nichts ~!** I can't help it! ❷ (*als Gegenleistung*) in return ❸ (*andererseits*) in Mathematik ist er schlecht, ~ **kann er gut Fußball spielen** he's bad at maths, but he makes up for it at football; **er ist zwar nicht kräftig, ~ aber intelligent** he may not be strong, but he's intelligent for all that ❹ (*im Hinblick darauf*) ■ **~, dass** ... seeing [that] ... II. *adj präd* ■ **~ sein** to be for it/that

da·für|kön·nen *vt irreg* **er kann nichts dafür** it's not his fault

da·ge·gen [daˈgeːgn̩] I. *adv* ❶ (*gegen etw*) against it ❷ (*als Einwand, Ablehnung*) against it/that; **~ müsst ihr was tun** you must do something about it; **etwas/nichts ~ haben** to object/to not object; **haben Sie was ~, wenn ich rauche?** do you mind if I smoke?; **ich habe nichts ~** [einzuwenden] that's fine by me ❸ (*als Gegenmaßnahme*) **das ist gut/hilft ~** it's good for it; **~ lässt sich nichts machen** nothing can be done about it ❹ (*verglichen damit*) compared with it/that/them II. *adv präd* against; ■ **~ sein** to be against it III. *konj* **er ist mit der Arbeit schon fertig, sie ~ hat erst die Hälfte geschafft** he's already finished the work, whereas she has only just finished half of it

da·ge·gen|hal·ten *vt irreg* **ich habe nichts dagegenzuhalten** I have no objection[s] [to it]

da|ha·ben *vt irreg, Zusammenschreibung nur bei infin und pp* ❶ ■ **etw ~** (*vorrätig haben*) to have sth in stock; (*zur Hand haben*) to have sth ❷ (*zu Besuch haben*) ■ **jdn ~** to have sb come to visit

da·heim [daˈhaɪm] *adv* SÜDD, ÖSTERR, SCHWEIZ (*zu Hause*) at home

da·her [ˈdaːheːɐ̯] I. *adv* ❶ (*von dort*) from there ❷ (*aus diesem Grunde*) ■ [von] ~ ... that's why ...; [von] ~ **hat er das** that's where he got it from; [von] ~ **weißt du es also!** so that's how you know that; **das/etw kommt ~, dass** ... that is because .../ the cause of sth is that ... ❸ DIAL (*hierher*) here/there II. *konj* (*deshalb*) [and] that's why

da·her·ge·lau·fen *adj* **jeder ~e Kerl** (*pej*) any [old] Tom, Dick or Harry **da·her|re·den** I. *vi* to talk away II. *vt* ■ **etw ~** to say sth without thinking

da·hin [daˈhɪn] I. *adv* ❶ (*an diesen Ort*) there; **kommst du mit ~?** are you coming too?; **ist es noch weit bis ~?** is there still far to go?; **bis ~ müssen Sie noch eine Stunde zu Fuß gehen** it'll take an hour to walk there ❷ (*in dem Sinne*) **er äußerte sich ~ gehend, dass** ... he said something to the effect that ... ❸ (*soweit*) **du bringst**

es noch ~, **dass ich mich vergesse!** you'll soon make me forget myself!; **es ist ~ gekommen, dass** ... things have got to the stage where ... ❹ (*zeitlich*) ■ **bis ~** until then II. *adj präd* (*zerbrochen*) ■ **~ sein** to be broken

da·hin·ge·stellt [daˈhɪŋɡəʃtɛlt] *adj* ■ **~ sein/bleiben** to be/remain an open question **da·hin|sa·gen** *vt* ■ **etw** [nur so] **~** to say sth without [really] thinking **da·hin|schlep·pen** *vr* ■ **sich ~** ❶ (*sich vorwärtsschleppen*) to drag oneself along ❷ (*schleppend vorangehen*) to drag on **da·hin|schwin·den** *vi irreg sein* (*geh*) ❶ (*weniger werden*) *Geld, Kräfte, Vorräte* to dwindle [away]; *Gefühle* to dwindle; *Interesse a.* to fade ❷ (*vergehen*) to pass by

da·hin·ten [daˈhɪntn̩] *adv* over there **da·hin·ter** [daˈhɪntɐ] *adv* ❶ (*hinter dem/der*) behind it/that/them etc. ❷ (*anschließend*) beyond ❸ (*fig*) **es ist nichts ~** there's nothing to it; **es ist da was ~** there's more to it/him/her etc. than meets the eye **da·hin·ter|klemmen** *vr* (*fam*) **sich ~** to buckle down **da·hin·ter|kom·men** *vi irreg sein* (*fam*) ■ [, **was/wie/warum** ...] to find out [what/how/why ...]; (*begreifen*) to figure out what/how/why ...

da·hin|ve·ge·tie·ren* [-ve-] *vi sein* to vegetate

Dah·lie <-, -n> [ˈdaːli̯ə] *f* dahlia

da|las·sen *vt irreg* ❶ (*verweilen lassen*) ■ **jdn ~** to leave sb here/there ❷ (*überlassen*) ■ **jdm etw ~** to leave sb sth

dal·li [ˈdali] *adv* (*fam*) ..., **aber ~!** ..., and be quick about it!; **hau ab, aber ~!** get lost, go on, quick!

da·ma·lig [ˈdaːmaːlɪç] *adj attr* at that time *pred*

da·mals [ˈdaːmaːls] *adv* then, at that time; ■ **seit ~** since then

Da·mast <-[e]s, -e> [daˈmast] *m* damask **Da·me** <-, -n> [ˈdaːmə, *pl* ˈdaːmən] *f* ❶ (*geh*) lady; **die ~ des Hauses** the lady of the house; **meine ~n und Herren!** ladies and gentlemen! ❷ (*~ spiel*) draughts + *sing vb* BRIT, checkers + *sing vb* AM ❸ (*bei Schach, Karten*) queen

Da·me·brett [ˈdaːməbrɛt] *nt* draught[s]-board

Da·men·be·glei·tung *f* female company **Da·men·be·kannt·schaft** *f* lady friend **Da·men·be·such** *m* lady visitor[s] **Da·men·bin·de** *f* sanitary towel [*or* AM napkin] **Da·men·fahr·rad** *nt* lady's bicycle **Da·men·fri·seur** *m* ladies' hairdresser **da·men·haft** I. *adj* ladylike *also pej* II. *adv*

like a lady
Da·men·mann·schaft f ladies' team **Da·men·mo·de** f ladies' fashion[s] **Da·men·o·ber·be·klei·dung** f kein pl ladies' wear **Da·men·sat·tel** m side-saddle **Da·men·sitz** m **im ~ [reiten]** [to ride] side-saddle **Da·men·toi·let·te** f ladies **Da·men·wahl** f ladies' choice

Da·me·spiel nt ■|**das**| **~** [a game of] draughts BRIT + sing vb **Dame·stein** m king

Dam·hirsch ['damhɪrʃ] m fallow deer; (männliches Tier) fallow buck

da·misch ['da:mɪʃ] adj SÜDD, ÖSTERR (fam) ❶ (dämlich) stupid ❷ präd (schwindelig) dizzy

da·mit [da'mɪt] I. adv ❶ (mit diesem Gegenstand) with it/that; **was soll ich ~?** what am I supposed to do with that? ❷ (mit dieser Angelegenheit) **meint er mich ~?** does he mean me?; **weißt du, was sie ~ meint?** do you know what she means by that?; **~ sieht es heute schlecht aus** today is a bad day for it; **er konnte mir nicht sagen, was es ~ auf sich hat** he couldn't tell me what it was all about; **ist Ihre Frage ~ beantwortet?** has that answered your question?; **musst du immer wieder ~ ankommen?** must you keep on about it?; **ich habe nichts ~ zu tun** I have nothing to do with it; **hör auf ~!** pack it in!; **~ hat es noch Zeit** there's no hurry for that ❸ bei Verben **sind Sie ~ einverstanden?** do you agree to that?; **~ hatte ich nicht gerechnet** I hadn't reckoned on that; **sie fangen schon ~ an, das Haus abzureißen** they're already starting to pull down the house; **~ fing alles an** everything started with that ❹ (bei Befehlen) with it; **her ~!** give it to me!; **genug ~!** that's enough [of that]! II. konj so that

däm·lich ['dɛ:mlɪç] I. adj (pej fam) ❶ (dumm) stupid ❷ (ungeschickt) annoying II. adv (pej fam) **sich ~ anstellen** to be awkward

Däm·lich·keit <-, -en> f (pej fam) ❶ kein pl (dummes Verhalten) stupidity ❷ (dumme Bemerkung) stupid [or Am also dumb] remark

Damm <-[e]s, Dämme> ['dam, pl 'dɛmə] m ❶ (Stau~) dam; (Deich) dyke ❷ (fig) barrier (**gegen** against/to) ▸ **wieder auf dem ~ sein** to be up on one's legs again

däm·men ['dɛmən] vt to insulate

däm·m(e)·rig ['dɛm(ə)rɪç] adj ❶ (gering leuchtend) dim ❷ (dämmernd) ■ **~ sein/**

werden to be/get dark
Däm·mer·licht nt gloom
däm·mern ['dɛmɐn] I. vi ❶ Tag, Morgen to dawn; Abend to approach ❷ (begreifen) ■ **jdm ~** to [gradually] dawn on sb II. vi impers ■ **es dämmert** (morgens) dawn is breaking; (abends) dusk is falling
Däm·me·rung <-, -en> f twilight; (Abend~) dusk; (Morgen~) dawn
dämm·rig ['dɛmrɪç] adj s. **dämmerig**
Dä·mon <-s, Dämonen> ['dɛ:mɔn, pl dɛ'mo:nən] m demon
dä·mo·nisch [dɛ'mo:nɪʃ] adj demonic
Dampf <-[e]s, Dämpfe> ['dampf, pl 'dɛmpfə] m steam no pl; **unter ~ stehen** to be under steam; **~ ablassen** (a. fig) to let off steam

Dampf·bad nt steam bath **Dampf·bü·gel·ei·sen** nt steam iron **Dampf·druck** m steam pressure
damp·fen ['dampfn̩] vi ❶ haben (Dampf abgeben) to steam; Kochtopf a. to give off steam; Bad, Essen steaming-hot ❷ sein (sich unter Dampf fortbewegen) to steam; Zug a. to puff
dämp·fen ['dɛmpfn̩] vt ■ etw **~** ❶ (mit Dampf kochen) to steam sth ❷ (mit Dampf glätten) to press sth with a steam iron ❸ (akustisch abschwächen) to muffle sth; **seine Stimme ~** to lower one's voice ❹ (mäßigen) to dampen sth
Damp·fer <-s, -> ['dampfɐ] m steamship ▸ **auf dem falschen ~ sein** (fig fam) to be barking up the wrong tree
Dämp·fer <-s, -> ['dɛmpfɐ] m MUS, TECH damper ▸ **jdm einen ~ aufsetzen** to dampen sb's spirits
Dampf·koch·topf m pressure cooker **Dampf·kraft·werk** nt steam[-driven] power station **Dampf·lo·ko·mo·ti·ve** f steam engine **Dampf·ma·schi·ne** f steam engine **Dampf·plau·de·rer**, **-plau·de·rin** <-s, -> m, f (hum fam) windbag **Dampf·schiff** nt s. **Dampfer Dampf·tur·bi·ne** f steam turbine **Dampf·wal·ze** f steamroller
Dam·wild ['damvɪlt] nt fallow deer
da·nach [da'na:x] adv ❶ zeitlich after it/that; (nachher a.) afterwards; **ein paar Minuten ~ war er schon wieder da** a few minutes later he was back ❷ örtlich behind [her/him/it/them etc.]; **als Erster ging der Engländer durchs Ziel und gleich ~ der Russe** the Englishman finished first, immediately followed by the Russian ❸ (in bestimmte Richtung) towards it/them; **~ greifen** to [make a] grab at it ❹ (dementsprechend) according-

ly; (*laut dem*) according to that ❺(*zu-mute*) ■**jdm ist ~/nicht ~** sb feels/ doesn't feel like it ❻(*nach dieser Sache*) **sie sehnte sich ~** she longed for it/that
Dä·ne, Dä·nin <-n, -n> ['dɛːnə, 'dɛːnɪn] *m, f* Dane

da·ne·ben [da'neːbn̩] *adv* ❶(*neben jdm/ etw*) next to her/him/it/that etc.; **links/ rechts ~** (*neben Gegenstand*) to the left/ right of it/them; (*neben Mensch*) to her/ his left/right; **wir wohnen |im Haus| ~** we live [in the house] next door; **~!** missed! ❷(*verglichen damit*) compared with her/ him/it/that etc. ❸(*außerdem*) in addition [to that] ❹(*unangemessen*) ■**~ sein** to be inappropriate

da·ne·ben|be·neh·men* *vr irreg* (*fam*) ■**sich ~** to make an exhibition of oneself
da·ne·ben|ge·hen *vi irreg sein* ❶(*das Ziel verfehlen*) to miss; *Pfeil, Schuss a.* to miss its/their mark ❷(*scheitern*) to go wrong **da·ne·ben|lie·gen** *vi irreg* (*fam*) ■**jd liegt daneben** sb is wide of the mark; **er liegt mit seiner Vermutung richtig daneben** his suspicion is way off mark **da·ne·ben|schie·ßen** *vi irreg* ❶(*das Ziel verfehlen*) to miss [the target [*or* mark]] ❷(*absichtlich vorbeischießen*) to shoot to miss

Dä·ne·mark <-s> ['dɛːnəmark] *nt* Denmark
Dä·nin ['dɛːnɪn] *f s.* **Däne**
dä·nisch ['dɛːnɪʃ] *adj* Danish
dank ['daŋk] *präp* (*a. iron*) thanks to
Dank <-[e]s> ['daŋk] *m kein pl* ❶(*Anerkennung für Geleistetes*) ■**jds ~** sign of sb's gratitude ❷(*Dankbarkeit*) gratitude; **besten/herzlichen/schönen/tausend/ vielen ~** thank you very much; **jdm ~ schulden** to owe sb a debt of gratitude; **als ~ für etw** *akk* in grateful recognition of sth; **[das ist] der |ganze| ~ dafür!** that is/ was all the thanks one gets/got!
dank·bar ['daŋkbaːɐ̯] *adj* ❶(*dankend*) grateful; ■**jdm ~ sein** to be grateful to sb ❷(*anspruchslos*) *Stoff* hard-wearing
Dank·bar·keit <-> *f kein pl* gratitude
dan·ke *interj* thank you, thanks *fam;* (*nicht nötig*) no thank you
dan·ken ['daŋkŋ] **I.** *vi* ■**jdm| ~** to express one's thanks [to sb]; **nichts zu ~** you're welcome **II.** *vt* ■**jdm etw ~** to repay sb for sth; **wie kann ich Ihnen das jemals ~?** how can I ever thank you?
dan·kens·wert ['daŋknsveːɐ̯t] *adj* commendable
Dan·ke·schön <-s> *nt kein pl* thank you; **|jdm| ein herzliches ~ sagen** to express

heartfelt thanks to sb
Dank·sa·gung *f* note of thanks
dann ['dan] *adv* ❶(*danach*) then; **noch eine Woche, ~ ist Weihnachten** another week till Christmas; ■**~ und wann** now and then ❷(*zu dem Zeitpunkt*) ■**im-mer ~, wenn ...** always when ... ❸(*unter diesen Umständen*) **wenn ..., ~ ...,** if ..., [then] ...; **etw nur ~ tun, wenn ...** to do sth only when ...; **ich habe keine Lust mehr — ~ hör doch auf!** I'm not in the mood any more — well stop then!; **also ~** **bis morgen** see you tomorrow then; **~ erst recht nicht!** in that case no way!; ■**selbst ~** even then ❹(*außerdem*) ■**...** **und ~ auch noch ...** on top of that

dar·an [da'ran] *adv* ❶(*räumlich*) **halt deine Hand ~!** put your hand against it; **etw ~ kleben/befestigen** to stick/fasten sth to it; **~ riechen** to smell it; **~ vorbei** past it ❷(*zeitlich*) **im Anschluss ~** following that/this ❸(*an dieser Sache*) **kein Interesse ~** no interest in it/that; **ein Mangel ~** a lack of it; **kein Wort ist wahr ~!** not a word of it is true; **es ändert sich nichts ~** it won't change; **~ arbeiten/ ersticken** to work/choke on it/that; **sich ~ beteiligen/~ interessiert sein** to take part/be interested in it/that; **denk ~!** bear it/that in mind; **sich ~ erinnern/~ zwei-feln** to remember/doubt it/that; **~ ster-ben** to die of it; **das Dumme/Gute/ Schöne ~ ist, dass ...** the stupid/good/ nice thing about it is that ...

dar·an|ge·hen *vi irreg sein* to set about it
dar·an|ma·chen *vr* (*fam*) ■**sich ~** to set about it **dar·an|set·zen** [da'ranzɛtsn̩] **I.** *vt* **alles ~, etw zu tun** to spare no effort to do sth **II.** *vr* ■**sich ~** to set about it

dar·auf [da'raʊ̯f] *adv* ❶(*räumlich*) on it/ that/them etc.; **~ folgend** following; **etw ~ legen** to lay sth on top; **~ schlagen** to hit it ❷(*zeitlich*) after that; **bald ~** shortly afterwards; **am Abend ~** the next evening; **im Jahr ~** [in] the following year ❸(*infol-gedessen*) consequently ❹(*auf das*) **~ ant-worten/reagieren** to reply/react to it; **etw ~ sagen** to say sth to it/this/that; **ein Recht ~** a right to it; **wir müssen ~ Rück-sicht nehmen** we must take that into con-sideration; **~ bestehen** to insist [on it]; **sich ~ freuen** to look forward to it; **~ rein-fallen** to fall for it; **stolz ~ sein** to be proud of it; **sich ~ verlassen** to rely on it; **sich ~ vorbereiten** to prepare for it
dar·auf·fol·gend^ALT *adj attr s.* **darauf 1**
dar·auf·hin [da'raʊ̯fhɪn] *adv* ❶(*infolge-dessen*) as a result [of this/that] ❷(*nach-*

sich bedanken

sich bedanken	thanking
Danke!	Thank you!/Thanks!
Danke sehr/Danke schön!/Vielen Dank!	Thank you very much!/Many thanks!
Tausend Dank!	Thanks a million!
Danke, das ist sehr lieb von dir!	Thank you, that's very kind of you!
Vielen (herzlichen) Dank!	Thank you very much!
Ich bedanke mich (recht herzlich)!	Thank you very much (indeed)!

auf Dank reagieren	reacting to being thanked
Bitte!	You're welcome!
Bitte schön!/Gern geschehen!/Keine Ursache!	You're welcome!/My pleasure./Don't mention it.
Bitte, bitte!/Aber bitte, das ist doch nicht der Rede wert!	Not at all!/Please don't mention it!
(Aber) das hab ich doch gern getan!/ Das war doch selbstverständlich!	(Not at all,) it was a pleasure!/The pleasure was mine!/I was happy to do it!

dankend anerkennen	acknowledging gratefully
Vielen Dank, du hast mir sehr geholfen.	Many thanks, you've been a great help.
Wo wären wir ohne dich!	What would we do without you!
Ohne deine Hilfe hätten wir es nicht geschafft.	We would not have managed it without your help.
Sie waren uns eine große Hilfe.	You were a great help to us.
Ich weiß Ihr Engagement sehr zu schätzen.	I very much appreciate your commitment.

her) after that

dar·aus [da'raʊs] *adv* ❶ (*aus Gefäß o Raum*) out of it/that/them; **etw ~ entfernen** to remove sth from it ❷ (*aus diesem Material*) out of it/that/them ❸ (*aus dieser Tatsache*) **~ ergibt sich/folgt, dass ...** the result of which is that ...

dar|bie·ten ['da:ɐbiːtn̩] *irreg* **I.** *vt* (*geh*) ■ **jdm**| **etw ~** to perform sth [before sb] **II.** *vr* ■ **sich jdm ~** *Gelegenheit, Möglichkeit* to offer itself to sb

Dar·bie·tung <-, -en> ['da:ɐbiːtʊŋ] *f* performance

dar·in [da'rɪn] *adv* ❶ (*in dem/der*) in there; (*in vorher Erwähntem*) in it/them; **was steht ~** |**geschrieben**|? what does it say? ❷ (*in dem Punkt*) in that respect

dar|le·gen ['da:ɐleːgn̩] *vt* ■ **jdm**| **etw ~** to explain sth [to sb]

Dar·le·gung <-, -en> *f* explanation

Dar·le·h(e)n <-s, -> ['da:ɐleːən] *nt* loan

Darm <-[e]s, Därme> ['darm, *pl* 'dɛrmə] *m* intestine

Darm·grip·pe *f* gastric flu **Darm·spie·ge·lung** *f* MED enteroscopy **Darm·verschluss**^RR *m* intestinal obstruction

dar|stel·len ['da:ɐʃtɛlən] **I.** *vt* ❶ (*wiedergeben*) *a.* THEAT ■ **jdn/etw ~** to portray sb/ sth ❷ (*beschreiben*) to describe ❸ (*bedeuten*) to represent **II.** *vr* ❶ (*zeigen*) ■ **sich** |**jdm**| **~** to appear [to sb] ❷ (*ausgeben als*) ■ **sich als jd/etw ~** to show oneself to be sth

Dar·stel·ler(in) <-s, -> ['da:ɐʃtɛlɐ] *m(f)* actor; ■ **~in** actress

Dar·stel·lung <-, -en> *f* ❶ *kein pl* (*das Wiedergeben im Bild*) portrayal ❷ *kein pl* THEAT performance ❸ (*das Schildern*) representation *no pl*

Darts <-> [da:ɐts] *nt kein pl* darts + *sing vb*

dar·ü·ber [da'ryːbɐ] *adv* ❶ (*räumlich*) over

it/that/them; (*direkt auf etw*) on top [of it/that]; (*oberhalb von etw*) above [it/that/them]; (*über etw hinweg*) over [it/that/them] ❷(*hinsichtlich einer Sache*) about it/that/them; **sich ~ wundern, was ...** to be surprised at what ... ❸(*währenddessen*) in the meantime; (*dabei und deswegen*) in the process ❹(*über diese Grenze hinaus*) above [that]

dar·ü·ber|ste·hen[ALT] *vi irreg* (*fig*) to be above it [all]

dar·um [da'rʊm] *adv* ❶(*deshalb*) that's why; **~?** because of that?; **~!** (*fam*) just because! ❷(*um das*) **~ bitten** to ask for it/that; **es geht nicht ~, wer zuerst kommt** it's not a question of who comes first; **~ geht es ja gerade!** that's just it!; **~ herumreden** to beat around the bush; **sich ~ streiten** to argue over it/that ❸(*räumlich*) ■**~** [**herum**] around it

dar·un·ter [da'rʊntɐ] *adv* ❶(*räumlich*) under it/that; (*unterhalb von etw*) below [it/that]; **~ hervorgucken/-springen/-sprudeln** to look/jump/gush out [from underneath] ❷(*unterhalb*) lower; **Schulkinder im Alter von 12 Jahren und ~** schoolchildren of 12 years and younger ❸(*dazwischen*) among[st] them ❹(*unter dieser Angelegenheit*) **~ leiden** to suffer under it/that; **was verstehst du ~?** what do you understand by it/that?; **~ kann ich mir nichts vorstellen** it doesn't mean anything to me

das ['das] *def, sing nt* **I.** *art* (*allgemein*) the; **~ Buch/Haus/Schiff** the book/house/ ship **II.** *pron dem, sing nt* ❶*attr, betont* **~ Kind war es!** it was that child! ❷(*hinweisend*) **was ist denn ~?** (*fam*) what on earth is that/this?; **~ da** that one [there]; **~ hier** this one [here] **III.** *pron rel, sing nt* that; (*Person a.*) who/whom *form*; (*Gegenstand, Tier a.*) which; **ich hörte/ sah ein Auto, ~ um die Ecke fuhr** I heard/saw a car driving around the corner; **das Mädchen, ~ gut singen kann, ...** the girl who can sing well ...; *s. a.* **der**

da|sein[ALT]↑['da:zaɪn] *vi irreg sein s.* **da 1**

Da·sein <-s> ['da:zaɪn] *nt kein pl* ❶(*Leben, Existenz*) existence ❷(*Anwesenheit*) presence

Da·seins·be·rech·ti·gung *f* right to exist *no pl*

da|sit·zen ['da:zɪtsn̩] *vi irreg* to sit there

das·je·ni·ge ['dasje:nɪgə] *pron dem s.* **derjenige**

dass[RR], **daß**[ALT] ['das] *konj* ❶*mit Subjektsatz* that ❷*mit Objektsatz* **ich habe gehört, ~ du Vater geworden bist** I've

heard [that] you've become a father; **nicht verstehen, ~ ...** to not understand how ... ❸*mit Attributsatz* **vorausgesetzt, ~ ...** providing [that] ...; **die Tatsache, ~ ...** the fact that ... ❹*mit Kausalsatz* that; **dadurch, ~ ...** because ... ❺*mit Konsekutivsatz* that ❻(*in Warnungen*) **sieh/seht zu, ~ ...!** see that ...; (*nachdrücklicher:*) see to it [that] ...

das·sel·be [das'zɛlbə] *pron dem s.* **derselbe**

da|ste·hen ['da:ʃte:ən] *vi irreg* ❶(*untätig ~*) to stand there; **dumm ~** to stand there stupidly ❷(*erscheinen*) **besser/anders/ gut/schlecht ~** to be in a better/different/ good/bad position

Da·tei <-, -n> [da'taɪ] *f* [data] file

Da·tei·na·me *m* filename

Da·ten[1] ['da:tn̩] *pl von* **Datum**

Da·ten[2] ['da:tn̩] *pl* data

Da·ten·ab·ruf *m* data retrieval **Da·ten· auf·be·rei·tung** *f* data editing **Da·ten· au·to·bahn** *f* information highway **Da· ten·bank** <-banken> *f* database **Da·ten· be·stand** *m* data stock **Da·ten·ein·ga· be** *f* data entry **Da·ten·er·fas·sung** *f* data collection **Da·ten·fern·über·tra· gung** *f* remote data transmission **Da·ten· flut** *f* flood of data **Da·ten·for·mat** *nt* data format **Da·ten·hand·schuh** *m* dataglove **Da·ten·klau** <-s> *m kein pl* (*fam*) data theft **Da·ten·miss·brauch**[RR] *m* data misuse **Da·ten·netz** *nt* data network **Da·ten·pfle·ge** *f* data administration **Da· ten·satz** *nt* record **Da·ten·schutz** *m* data [privacy] protection **Da·ten·schutz· be·auf·trag·te(r)** *f(m)* controller for data protection **Da·ten·schüt·zer(in)** *m(f)* (*fam*) data watchdog **Da·ten·si·cher· heit** *f kein pl* data protection **Da·ten·si· che·rung** *f* [data] backup **Da·ten·trä· ger** *m* data medium **Da·ten·ty·pist(in)** *m(f)* keyboarder **Da·ten·über·tra·gung** *f* data transmission **Da·ten·ver·ar·bei· tung** *f* data processing *no pl, no art*

da·tie·ren* [da'ti:rən] **I.** *vt* to date **II.** *vi* to date from

Da·tiv <-s, -e> ['da:ti:f, *pl* 'da:ti:və] *m* dative [case]

Da·tiv·ob·jekt *nt* dative object

da·to ['da:to] *adv* (*geh*) **bis ~** to date

Dat·tel <-, -n> ['datl̩, *pl* 'datl̩n] *f* date

Dat·tel·pal·me *f* date [palm]

Da·tum <-s, Daten> ['da:tʊm, *pl* 'da:tn̩] *nt* date; **~ des Poststempels** date as postmark; **ein Wagen älteren ~s** an older model of a car; **was für ein/welches ~ haben wir heute?** what's the date today?;

ein Brief ohne ~ an undated letter; **der Brief trägt das** ~ **vom 7. Mai** the letter is dated 7 May

Da·tums·stem·pel *m* ❶ (*Gerät*) dater ❷ (*Datum*) date stamp

Dau·er <-> ['daʊɐ] *f kein pl* duration (+*gen* of); *von Aufenthalt* length; **von kur·zer** ~ **sein** to be short-lived; **auf die** ~ **in** the long run; **diesen Lärm kann auf die** ~ **keiner ertragen** nobody can stand this noise for any length of time

Dau·er·ar·beits·lo·sig·keit *f kein pl* long-term unemployment **Dau·er·auf·trag** *m* standing order **Dau·er·be·schäf·ti·gung** *f* permanent employment *no pl* **Dau·er·be·trieb** *m kein pl* continuous operation **Dau·er·bren·ner** *m* (*fam*) ❶ (*Ofen*) slow-burning stove ❷ *Theater·/Musikstück* long runner **Dau·er·er·folg** *f* continuous success **Dau·er·frost** *m* long period of frost

dau·er·haft I. *adj* ❶ (*haltbar*) durable ❷ (*beständig*) lasting II. *adv* permanently **Dau·er·haf·tig·keit** <-> *f kein pl* ❶ (*Haltbarkeit, Strapazierfähigkeit*) durability ❷ (*Beständigkeit*) permanence; *von Wetter* constancy; **der Versailler Frieden war nicht von großer** ~ the Treaties of Versailles did not last

Dau·er·kar·te *f* season ticket **Dau·er·lauf** *m* jog

dau·ern ['daʊɐn] *vi* ❶ (*anhalten*) to last; **dieser Krach dauert jetzt schon den ganzen Tag** this racket has been going on all day now; **der Film dauert 3 Stunden** the film is 3 hours long ❷ (*Zeit erfordern*) to take; **das dauert wieder, bis er endlich fertig ist!** he always takes such a long time to get ready; **vier Stunden? das dauert mir zu lange** four hours? that's too long for me; **das dauert und dauert!** (*fam*) it's taking ages [and ages]

dau·ernd ['daʊɐnt] I. *adj* (*ständig*) constant; *Freundschaft* lasting II. *adv* ❶ (*ständig*) constantly ❷ (*immer wieder*) **etw** ~ **tun** to keep [on] doing sth

Dau·er·scha·den *m* long-term damage **Dau·er·stel·lung** *f* permanent post **Dau·er·stress^RR** *m* continuous stress **Dau·er·the·ma** *nt* permanent topic **Dau·er·wel·le** *f* perm **Dau·er·wir·kung** *f* long-lasting effect **Dau·er·zu·stand** *m* permanent state of affairs

Däum·chen <-s, -> ['dɔymçən] *nt dim von* **Daumen** (*Kindersprache*) [little] thumb ► ~ **drehen** (*fam*) to twiddle one's thumbs

Dau·men <-s, -> ['daʊmən] *m* thumb;

am ~ **lutschen** to suck one's thumb ► **jdm die** ~ **drücken** to keep one's fingers crossed [for sb]

Dau·ne <-, -n> ['daʊnə] *f* down *no pl*

Dau·nen·de·cke *f* duvet

Da·vis·cup^RR, Da·vis-Cup <-[s]> ['de:- viskap] *m*, **Da·vis·po·kal^RR, Da·vis- Pokal** *m* (*Tennispokal*) ■ **der** ~ the Davis Cup

da·von [da'fɔn] *adv* ❶ (*von diesem Ort/dieser Person*) **etw** ~ **lösen/trennen** to loosen/separate sth from it/that; ~ **los· kommen** to come off it/that; **jdn** ~ **hei· len** to heal sb of it/that; **links/rechts** ~ to the left/right of it/that/them ❷ (*von die· ser Sache*) ~ **ausgehen, dass ...** to presume that ...; **etwas/nichts** ~ **haben** to have sth/nothing of it; **das Gegenteil** ~ the opposite of it/that; **das kommt** ~**!** you've/he's etc. only got yourself/himself etc. to blame!; **es hängt** ~ **ab, ob/dass ...** it depends on whether ...; ~ **stirbst du nicht!** it won't kill you! ❸ (*von dieser Sache/Menge*) **sich** ~ **ernähren** to subsist on it/that; ~ **essen/trinken** to eat/drink [some] of it/that; **die Hälfte/ein Teil/ein Pfund** ~ half/a part/a pound of it/that/them ❹ (*von dieser Angelegen· heit*) ~ **hören/sprechen/wissen** to hear/speak/know of it/that/them; **was hältst du** ~**?** what do you think of it/that/them?; ~ **weiß ich nichts** I don't know anything about that; **genug** ~**!** enough [of this/that]!

da·von|flie·gen *vi irreg sein* (*geh*) to fly away; *Vögel a.* to fly off **da·von|ge·hen** *vi irreg sein* to go [away] **da·von|ja·gen** I. *vt haben* (*verscheuchen*) ■ **jdn** ~ to drive sb away; *Kinder, Tiere* to chase sb away II. *vi sein* (*schnell wegfahren*) to roar off **da· von|kom·men** *vi irreg sein* **mit dem Leben** ~ to escape with one's life; **mit einem blauen Auge/einem Schock** ~ to come away with no more than a black eye/a shock **da·von|lau·fen** *vi irreg sein* ■ **jdm** ~ ❶ (*weglaufen*) to run away from sb ❷ (*jdn abhängen*) to run ahead of sb ❸ (*überraschend verlassen*) to run out on sb **da·von|ma·chen** *vr* ■ **sich** ~ to slip away **da·von|schlei·chen** *irreg* I. *vi sein* (*leise weggehen*) to slink away II. *vr haben* ■ **sich** ~ to steal away **da·von|steh·len** *vr irreg* (*geh*) *s.* **davonschleichen da· von|tra·gen** *vt irreg* ❶ (*weg·/fortbrin· gen*) ■ **jdn/etw** ~ to take sb/sth away ❷ (*geh*) *Preis* to carry off; *Ruhm* to achieve; *Sieg* to score ❸ (*geh*) **Prellun· gen/Verletzungen/Knochenbrüche** ~

to suffer bruising/injury/broken bones

da·vor [da'fo:ɐ̯, 'da:fo:ɐ̯] *adv,* **da·vor** ['da:fo:ɐ̯] *adv* ❶ (*vor einer Sache*) in front [of it/that/them]; **~ musst du links abbiegen** you have to make a left turn before it ❷ (*zeitlich vorher*) before [it/that/them/etc.] ❸ *mit vb* (*in Hinblick auf*) **ich ekele mich ~** I'm disgusted by it; **er hat Angst ~** he's afraid of it/that; **er hatte mich ~ gewarnt** he warned me about that

da·zu [da'tsu:, 'da:tsu:] *adv,* **da·zu** ['da:tsu:] *adv* ❶ (*zu dem gehörend*) with it ❷ (*außerdem*) at the same time ❸ (*zu diesem Ergebnis*) **wie konnte es nur ~ kommen?** how could that happen?; **~ reicht das Geld nicht** we/I haven't enough money for that; **im Gegensatz ~** contrary to this; **im Vergleich ~** in comparison to that ❹ (*zu dieser Sache*) **ich würde dir ~ raten** I would advise you to do that; **ich bin noch nicht ~ gekommen** I haven't got round to it yet; **es gehört viel Mut ~** that takes a lot of courage ❺ (*dafür*) **ich bin ~ nicht bereit** I'm not prepared to do that; **~ ist es da** that's what it's there for; **~ habe ich keine Lust** I don't feel like it; **kein Recht ~ haben, etw zu tun** to have no right to do sth ❻ (*darüber*) **er hat sich noch nicht ~ geäußert** he hasn't commented on it yet; **was meinst du ~?** what do you think about it/that?

da·zu|ge·ben *vt irreg* to add **da·zu|ge·hö·ren*** *vi* ❶ (*zu der Sache gehören*) to belong [to it/etc.] ❷ (*nicht wegzudenken sein*) be a part of it **da·zu·ge·hö·rig** [da'tsu:gəhø:rɪç] *adj attr* to go with it/them *pred,* which goes/go with it/them *pred* **da·zu|ge·sel·len*** *vr* **sich ~** to join them/her/him/you/us/etc. **da·zu|kom·men** *vi irreg sein* ❶ (*hinzukommen*) to arrive; (*zufällig*) to happen to arrive ❷ (*hinzugefügt werden*) to be added **da·zu|ler·nen** *vt* **einiges ~** to learn a few [new] things **da·zu|rech·nen** *vt* to add on **da·zu|set·zen** **I.** *vt* ❶ (*zu jdm setzen*) **kann ich mich ~?** do you mind if I join you? ❷ (*dazuschreiben*) to add **II.** *vr* **sich [zu jdm] ~** to sit down [at sb's table] **da·zu|tun** *vt irreg* (*fam*) to add

Da·zu·tun <-> *nt kein pl* **ohne jds *akk* ~** without sb's intervention

da·zwi·schen [da'tsvɪʃn̩] *adv* ❶ (*zwischen zwei Dingen*) [in] between; (*darunter*) among[st] them ❷ (*zeitlich*) in between **da·zwi·schen|fah·ren** [da'tsvɪʃn̩fa:rən] *vi irreg sein* ❶ (*eingreifen*) to intervene ❷ (*unterbrechen*) to interrupt **da·zwi·**

schen|fun·ken *vi* (*fam*) **[jdm] ~** to mess sth up [for sb] *sep* **da·zwi·schen|kom·men** *vi irreg sein* **wenn nichts dazwischenkommt!** if all goes to plan!; **leider ist [mir] etwas dazwischengekommen** I'm afraid something has come up **da·zwi·schen|re·den** *vi* **[jdm] ~** to interrupt [sb] **da·zwi·schen|tre·ten** *vi irreg sein* to intervene

DB <-> *f Abk von* **Deutsche Bahn** German Railways

DDR <-> [de:de:'ʔɛr] *f* HIST *Abk von* **Deutsche Demokratische Republik: die ~** the GDR

Deal <-s, -s> [di:l] *m* deal

dea·len ['di:lən] *vi* (*sl*) **[mit etw *dat*] ~** to deal [sth]

Dea·ler(in) <-s, -> ['di:lɐ] *m(f)* dealer

De·ba·kel <-s, -> [de'ba:kl̩] *nt* (*geh*) debacle, shutout AM

De·bat·te <-, -n> [de'batə] *f* debate; (*schwächer*) discussion; **zur ~ stehen** to be under discussion; **das steht hier nicht zur ~** that's beside the point

de·bat·tie·ren* [deba'ti:rən] *vt* to debate; (*schwächer*) to discuss

De·bet <-s, -s> ['de:bɛt] *nt* FIN debit column [*or* side]; **mit Euro 10.000 im ~ stehen** to have run up debts of 10,000 euros

De·büt <-s, -s> [de'by:] *nt* debut

de·bü·tie·ren* [deby'ti:rən] *vi* ❶ (*erstmals auftreten*) **als jd ~** to [make one's] debut as sb ❷ (*geh: erstmals in Erscheinung treten*) **mit etw *dat* ~** to [make one's] debut with sth

de·chiff·rie·ren* [deʃɪ'fri:rən] *vt* to decode

Deck <-[e]s, -s> ['dɛk] *nt* deck

Deck·blatt *nt* ❶ BOT bract *spec* ❷ (*Titelblatt*) title page

Deck·chen <-s, -> *nt dim von* **Decke** ❶ (*kleines Stoffstück*) small cloth ❷ (*Tischdeckchen*) small tablecloth; (*aus Spitze*) doily

De·cke <-, -n> ['dɛkə] *f* ❶ (*Zimmerdecke*) ceiling ❷ (*Tischdecke*) tablecloth ❸ (*Wolldecke*) blanket; (*Bettdecke*) cover ❹ (*Belag*) surface ▸ **jdm fällt die ~ auf den Kopf** sb feels really cooped in; **an die ~ gehen** to hit the roof

De·ckel <-s, -> ['dɛkl̩] *m* ❶ (*Verschluss*) lid; *von Glas, Schachtel a.* top ❷ (*Buchdeckel*) cover ▸ **jdm eins auf den ~ geben** to give sb a clip round the earhole

de·cken ['dɛkn̩] **I.** *vt* ❶ (*bedecken*) to cover ❷ *Dach* to tile ❸ *Tisch* to set ❹ (*verheimlichen*) **jdn ~** to cover up for sb; **etw ~** to cover up sth *sep* ❺ *Nachfrage* to meet; *Kosten* to cover ❻ *Tier* to cover; *Stute* to serve **II.** *vi* (*überdecken*) **diese Farbe deckt besser** this paint gives a better cover **III.** *vr* ■ **sich ~** *Aussagen* to correspond

De·cken·be·leuch·tung *f* ceiling lights *pl*

Deck·man·tel *m* (*fig*) ■ **unter dem ~ einer S.** *gen* under the guise of sth

Deck·na·me *m* code name

De·ckung <-, -en> *f* ❶ (*Schutz*) cover; **volle ~!** take cover!; **jdm ~ geben** to give sb cover ❷ (*Protektion*) backing *no pl* ❸ ÖKON *von Kosten* defrayment *form; von Nachfrage* meeting; *von Darlehen* security

de·ckungs·gleich *adj* concurrent

De·co·der <-s, -> [de'ko:dɐ] *m* decoder

De·es·ka·la·ti·on [deʔɛskala'tsi̯oːn] *f* de-escalation

de·es·ka·lie·rend *adv* calmingly

de fac·to [de: 'fakto] *adv* de facto

De·fä·tis·mus <-> [defɛ'tɪsmʊs] *m kein pl* (*geh*) ■ [**der**] **~** defeatism *also pej*

de·fekt [de'fɛkt] *adj* faulty

De·fekt <-[e]s, -e> [de'fɛkt] *m* defect

de·fen·siv [defɛn'ziːf] **I.** *adj* defensive **II.** *adv* defensively

De·fen·si·ve <-, -n> [defɛn'ziːvə] *f kein pl* **in die ~ gehen** to go on the defensive

de·fi·nie·ren* [defi'niːrən] *vt* to define

De·fi·ni·ti·on <-, -en> [defini'tsi̯oːn] *f* definition

de·fi·ni·tiv [defini'tiːf] **I.** *adj* (*genau*) definite; (*endgültig a.*) definitive **II.** *adv* (*genau*) definitely; (*endgültig a.*) definitively

De·fi·zit <-s, -e> ['deːfitsɪt] *nt* deficit

De·fla·ti·on <-, -en> [defla'tsi̯oːn] *f* deflation

de·fla·ti·o·när [deflatsi̯o'nɛːɐ̯] *adj* deflationary

de·for·mie·ren* [defɔr'miːrən] *vt* to deform

def·tig ['dɛftɪç] *adj Mahlzeit* substantial; *Witz* coarse

De·gen <-s, -> ['deːɡn̩] *m* ([*Sport-*]*Waffe*) epée; HIST rapier

De·ge·ne·ra·ti·on <-, -en> [degene-ra'tsi̯oːn] *f* ❶ (*geh*) degeneration ❷ MED, BIOL degeneration; **~ von Zellen** cellular degeneration

de·ge·ne·rie·ren* [degene'riːrən] *vi* to degenerate

de·ge·ne·riert *adj* degenerate

de·gra·die·ren* [degra'diːrən] *vt* MIL to demote

De·gra·die·rung <-, -en> *f* ❶ MIL demotion ❷ (*geh*) degradation

dehn·bar *adj* ❶ (*flexibel*) elastic ❷ (*inter-*

pretierbar) flexible

deh·nen ['deːnən] **I.** *vt* ❶ (*ausweiten*) to stretch ❷ MED to dilate **II.** *vr* ■ **sich ~** to stretch

Deh·nung <-, -en> *f* ❶ (*das Dehnen*) stretching ❷ MED dilation ❸ (*Laut- o Silbendehnung*) lengthening; (*schleppend*) drawling

Deich <-[e]s, -e> ['daɪç] *m* dyke

Deich·sel <-, -n> ['daɪksl̩] *f* shaft; (*Doppeldeichsel*) shafts *pl*

deich·seln ['daɪksl̩n] *vt* (*fam*) ■ **etw ~** to wangle sth

dein ['daɪn] *pron poss* ❶ *adjektivisch* your; **herzliche Grüße, ~e Anita** with best wishes, yours/love Anita ❷ *substantivisch* (*veraltend*) yours, thine; **behalte, was ~ ist** keep what is yours

dei·ne(r, s) ['daɪnə] *pron poss, substantivisch* (*der/die/das dir Gehörende*) yours; **du und die ~n** you and yours; **tu du das ~** you do your bit; **kümmere du dich um das ~** you mind your own affairs

dei·ner ['daɪnɐ] *pron pers gen von* **du** (*geh*) **wir werden uns ~ erinnern** we will remember you

dei·ner·seits ['daɪnɐ'zaɪts] *adv* ❶ (*auf deiner Seite*) for your part ❷ (*von dir aus*) on your part

dei·nes·glei·chen ['daɪnəs'glaɪçn̩] *pron* (*pej*) the likes of you; ■ **du und ~** you and your sort

dei·net·hal·ben ['daɪnəthalbn̩] *adv* (*veraltend*), **dei·net·we·gen** ['daɪnətveːɡn̩] *adv* (*wegen dir*) because of you; (*dir zuliebe*) for your sake

dei·net·wil·len ['daɪnətvɪlən] *adv* ■ **um ~** for your sake; (*als Erwiderung auf Bitte*) seeing that it's you *hum*

dei·ni·ge ['daɪnɪɡə] *pron poss, substantivisch* (*veraltend geh*) ❶ (*der/die/das dir Gehörende*) yours ❷ (*deine Angehörigen*) ■ **die ~n** your family + *sing/pl vb* ❸ (*das in deiner Macht stehende*) **tu du das ~** you do your bit

deins ['daɪns] *pron poss* yours

Dé·jà-vu-Er·leb·nis [deʒa'vyː-] *nt* déjà vu

De·ka·de <-, -n> [de'kaːdə] *f* decade

de·ka·dent [deka'dɛnt] *adj* decadent

De·ka·denz <-> [deka'dɛnts] *f kein pl* decadence

De·kan(in) <-s, -e> [de'kaːn] *m(f)* dean

De·ka·nat <-[e]s, -e> [deka'naːt] *nt* (*Amtssitz*) office of a/the dean; REL deanery

De·ka·nin <-, -nen> [de'kaːnɪn] *f fem form von* **Dekan**

de·kla·mie·ren* [dekla'miːrən] *vt, vi*

D

(geh) to recite

de·kla·rie·ren* [dekla'ri:rən] vt to declare

De·kli·na·ti·on <-, -en> [deklina'tsi̯o:n] f LING declension

de·kli·nie·ren [dekli'ni:rən] vt to decline

de·ko·die·ren* [deko'di:rən] vt to decode

De·kol·le·té <-s, -s> [dekɔl'te:], **De·kolle·tee**ᴿᴿ [dekɔl'te:] nt ❶ (Körperpartie) cleavage ❷ MODE low-cut neckline

De·kor <-s, -s o -e> [de'ko:ɐ̯] m o nt pattern

De·ko·ra·teur(in) <-s, -e> [dekora'tø:ɐ̯] m(f) (Schaufenster~) window dresser

De·ko·ra·ti·on <-, -en> [dekora'tsi̯o:n] f decoration

de·ko·ra·tiv [dekora'ti:f] **I.** adj decorative **II.** adv decoratively

de·ko·rie·ren* [deko'ri:rən] vt to decorate (**mit** with)

De·kret <-[e]s, -e> [de'kre:t] nt decree form

De·le·ga·ti·on <-, -en> [delega'tsi̯o:n] f delegation

de·le·gie·ren* [dele'gi:rən] vt to delegate (**an** to)

De·le·gier·te(r) f(m) delegate

Del·finᴿᴿ <-s, -e> [dɛl'fi:n] m s. **Delphin**

de·li·kat [deli'ka:t] adj ❶ (wohlschmeckend) delicious ❷ (heikel) sensitive ❸ (empfindlich) delicate

De·li·ka·tes·se <-, -n> [delika'tɛsə] f delicacy

De·li·ka·tes·sen·ge·schäft nt delicatessen

De·likt <-[e]s, -e> [de'lɪkt] nt JUR ❶ (Vergehen) offence ❷ (Straftat) crime

De·lin·quent(in) <-en, -en> [delɪŋ'kvɛnt] m(f) (geh) offender

De·li·ri·um <-s, -rien> [de'li:ri̯ʊm, pl de'li:ri̯ən] nt delirium

Del·le <-, -n> ['dɛlə] f dent

Del·phin <-s, -e> [dɛl'fi:n] m dolphin

Del·ta <-s, -s o Delten> ['dɛlta, pl 'dɛltn̩] nt delta

dem ['de:m] **I.** pron dem dat von **der, das** ❶ attr (diesem) to that ❷ mit prep **hinter ~ Baum** behind that tree ❸ substantivisch (jenem Mann) him; (unter mehreren) that one **II.** pron rel dat von **der, das:** ■ **der, ~ ...** the one/man/etc. that/[to etc.] which/ who/[to etc.] whom ...

De·ma·go·ge, De·ma·go·gin <-n, -n> [dema'go:gə, -'go:gɪn] m, f demagogue

De·ma·go·gie <-, -n> [demago'gi:, pl demago'gi:ən] f demagoguism

De·ma·go·gin <-, -nen> [dema'go:gɪn] f fem form von **Demagoge**

de·ma·go·gisch [dema'go:gɪʃ] adj dema-

gogic

De·mar·ka·ti·ons·li·nie f POL, MIL demarcation line, line of demarcation

de·mas·kie·ren* [demas'ki:rən] vt (geh) to expose (**als** as)

De·men·ti <-s, -s> [de'mɛnti] nt (official) denial

de·men·tie·ren* [demɛn'ti:rən] vt to deny

dem·ent·spre·chend ['de:mʔɛnt'ʃprɛçnt] **I.** adj appropriate **II.** adv correspondingly; (demnach) accordingly; **sich ~ äußern** to utter words to that effect; **~ bezahlt werden** to be paid commensurately form

dem·ge·gen·ü·ber ['de:mge:gn̩ʔy:bɐ] adv in contrast

De·mis·si·on <-, -en> [demɪ'si̯o:n] f resignation

dem·nach ['de:mna:x] adv therefore

dem·nächst [de:m'nɛ:çst] adv soon

De·mo <-, -s> ['de:mo] f (fam) demo

de·mo·bi·li·sie·ren* ['de:mobili'zi:rən] vt ■ **jdn/etw ~** to demobilize [or fam demob] sb/sth

De·mo·krat(in) <-en, -en> [demo'kra:t] m(f) democrat

De·mo·kra·tie <-, -n> [demokra'ti:, pl demokra'ti:ən] f democracy

De·mo·kra·tin <-, -nen> [demo'kra:tɪn] f fem form von **Demokrat**

de·mo·kra·tisch [demo'kra:tɪʃ] **I.** adj democratic **II.** adv democratically

de·mo·kra·ti·sie·ren* [demokrati'zi:rən] vt to democratize

De·mo·kra·ti·sie·rung <-, -en> f democratization

de·mo·lie·ren* [demo'li:rən] vt to wreck

De·mons·trant(in) <-en, -en> [demɔn'strant] m(f) demonstrator

De·mons·tra·ti·on <-, -en> [demɔns-tra'tsi̯o:n] f demonstration (**für** in support of, **gegen** against)

de·mons·tra·tiv [demɔnstra'ti:f] **I.** adj demonstrative **II.** adv demonstratively

De·mons·tra·tiv·pro·no·men nt demonstrative pronoun

de·mons·trie·ren* [demɔn'stri:rən] vi, vt to demonstrate (**für** in support of, **gegen** against)

de·mon·tie·ren* [demɔn'ti:rən] vt to dismantle; Reifen to take off sep

de·mo·ra·li·sie·ren* [demorali'zi:rən] vt to demoralize

de·mo·ti·viert ['de:motivi:rt] adj demotivated

dem·sel·ben pron dat von **derselbe, dasselbe** the same [one]; (Person) the same [person]

De·mut <-> ['de:mu:t] f kein pl humility

no pl (**gegenüber** before)

de·mü·tig ['deːmyːtɪç] **I.** *adj* humble **II.** *adv* humbly

de·mü·ti·gen ['deːmyːtɪɡn̩] *vt* to humiliate

De·mü·ti·gung <-, -en> *f* humiliation *no pl, no indef art*

dem·zu·fol·ge ['deːmtsuˈfɔlɡə] **I.** *konj* (*laut dem*) according to which; (*aufgrund dessen*) owing to which **II.** *adv* therefore

den ['deːn] **I.** *pron* ❶ *akk von* **der** ❷ *dat pl von* **der, die, das** the **II.** *pron dem akk von* **der** *attr* (*jenen Gegenstand/Mensch*) ~ **da** [**drüben**] that one [over] there; (*Mann a.*) him [over] there **III.** *pron rel akk von* **der** that

de·nen ['deːnən] **I.** *pron dem dat pl von* **der, die, das** to them; *mit prep* them **II.** *pron rel dat pl von* **der, die, das** to whom; (*von Sachen*) to which

Den Haag <-s> [den ˈhaːk] *m* The Hague

Denk·an·stoß *m* **jdm einen** ~ **geben** to give sb food for thought

Denk·auf·ga·be *f* [brain-]teaser

denk·bar **I.** *adj* conceivable **II.** *adv* **das** ~ **beste/schlechteste Wetter** the best/worst possible weather

den·ken <dachte, gedacht> ['dɛŋkn̩] **I.** *vi* ❶ (*überlegen*) to think (**an** of); **langsam/schnell** ~ to be a slow/quick thinker; **jdm zu** ~ **geben** to give sb food for thought; **das gab mir zu** ~ that made me think ❷ (*meinen*) to think, to reckon *fam;* **was denkst du?** what do you say?; **ich denke nicht** I don't think so; **ich denke schon** I think so; **an wie viel hatten Sie denn gedacht?** how much were you thinking of? ❸ (*urteilen*) to think (**über** about); **wie** ~ **Sie darüber?** what's your view [of it]?; **ich denke genauso darüber** that's exactly what I think; **kleinlich/liberal** ~ to be petty-/liberal-minded ❹ (*sich erinnern*) **solange ich** ~ **kann** [for] as long as I can remember; **die wird noch an mich** ~! she won't forget me in a hurry! **II.** *vt* ❶ (*überlegen*) ■ **etw** ~ to think of sth; **was denkst du jetzt?** what are you thinking [of]?; **es ist kaum zu** ~ it's hard to imagine ❷ (*glauben*) **wer hätte das** [**von ihr**] **gedacht?** who'd have thought it [of her]?; **was sollen bloß die Leute** ~! what will people think!; **ich habe das ja gleich gedacht!** I [just] knew it! ❸ (*bestimmen*) ■ **für jdn/etw gedacht sein** to be meant for sb/sth ❹ (*sich vorstellen*) to imagine; **das habe ich mir gleich gedacht!** I thought as much [from the start]! ❺ (*beabsichtigen*) **ich habe mir nichts Böses dabei gedacht**[, **als ...**] I meant no harm

[**when ...**]; **sie denkt sich nichts dabei** she doesn't think anything of it

Den·ken <-s> ['dɛŋkn̩] *nt kein pl* ❶ (*das Überlegen*) thinking *no pl* ❷ (*Denkweise*) [way of] thinking; **positives** ~ positive thinking; **zu klarem** ~ **kommen** to start thinking clearly

Den·ker(in) <-s, -> *m(f)* thinker

denk·faul *adj* [mentally] lazy

Denk·feh·ler *m* error in one's/the logic

Denk·mal <-s, Denkmäler> ['dɛŋkmaːl, *pl* 'dɛŋkmɛːlə] *nt* monument (**für** to); **jdm ein** ~ **setzen** to erect a memorial/statue to sb

Denk·mal·schutz *m* protection of historical monuments; **unter** ~ **stehen** to be listed

Denk·pau·se *f* pause for thought **Denk·pro·zess**[RR] *m* thought process **Denk·wei·se** *f* way of thinking **denk·wür·dig** *adj* memorable **Denk·zettel** *m* (*fam*) **jdm einen** ~ **verpassen** to give sb a warning [he/she/etc. won't forget in a hurry]

denn ['dɛn] **I.** *konj* ❶ (*weil*) because; ~ **sonst** otherwise ❷ (*jedoch*) ■ **es sei** ~, [**dass**] ... unless ... ❸ (*als*) **kräftiger/schöner/etc.** ~ **je** stronger/more beautiful/etc. than ever **II.** *adv* NORDD (*fam: dann*) then **III.** *part gewöhnlich nicht übersetzt* (*eigentlich*) **hast du** ~ **immer noch nicht genug?** have you still not had enough?; **wie geht's** ~ **so?** how's it going [then]?; **wo bleibt sie** ~? where's she got to?; **was soll das** ~? what's all this [then]?; **wieso** ~? why?

den·noch ['dɛnɔx] *adv* still, nonetheless *form*

De·no·mi·na·ti·on <-, -en> [denomiˈnaˈtsi̯oːn] *f* (*Konfession*) [religious] denomination; (*einer Banknote*) denomination of a bank note

De·no·mi·nie·rung *f s.* Denomination

den·sel·ben **I.** *pron akk von* **derselbe** the same [one]; *auf männliche Personen bezogen a.* the same man/boy/etc. **II.** *pron dat von* **dieselben** the same [ones] + *pl vb; auf männliche Personen bezogen a.* the same men/boys/etc. **III.** *pron dem akk von* **derselbe** the same ... **IV.** *pron dem dat von* **dieselben** the same ...

De·nun·zi·ant(in) <-en, -en> [denʊnˈtsi̯ant] *m(f)* informer

De·nun·zi·a·ti·on <-, -en> [denʊntsi̯aˈtsi̯oːn] *f* (*pej*) ❶ (*das Anschwärzen*) informing *no pl also pej* ❷ (*denunzierende Anzeige*) denunciation

de·nun·zie·ren* [denʊnˈtsiːrən] *vt* to denounce (**als** as)

Deo <-s, -s> ['de:o] *nt* (*fam*) deodorant

De·o·do·rant <-s, -s *o* -e> [de?odo'rant] *nt* deodorant

Deo·rol·ler *m* roll-on [deodorant]

Deo·spray *nt o m* deodorant spray

De·par·te·ment <-s, -s> [departə'mã:] *nt* (*in Frankreich*) département *spec*; (*in der Schweiz*) department

De·pe·sche <-, -n> [de'pɛʃə] *f* (*veraltet*) telegram Brit, wire Am

de·pla·ciert [depla'si:ɐt] *adj*, **de·plat·ziert**RR [depla'tsi:ɐt] *adj*, **de·pla·ziert**ALT [depla'tsi:ɐt] *adj* misplaced

De·po·nie <-, -n> [depo'ni:, *pl* depo'ni:ən] *f* disposal site

de·po·nie·ren* [depo'ni:rən] *vt* to deposit

De·por·ta·ti·on <-, -en> [depɔr·ta'tsi̯o:n] *f* deportation

de·por·tie·ren* [depɔr'ti:rən] *vt* to deport

De·pot <-s, -s> [de'po:] *nt* ❶ (*Lager*) depot ❷ (*Stahlkammer*) [bank's] strongroom ❸ (*für Straßenbahnen, Omnibusse*) [bus/ tram] depot ❹ SCHWEIZ (*Flaschenpfand*) deposit

Depp <-en *o* -s, -e[n]> ['dɛp] *m* SÜDD, ÖSTERR, SCHWEIZ (*fam*) twit

De·pres·si·on <-, -en> [deprɛ'si̯o:n] *f* PSYCH, ÖKON depression

de·pres·siv [deprɛ'si:f] I. *adj* depressive; (*deprimiert*) depressed II. *adv* ~ **gestimmt/veranlagt sein** to be depressed/be prone to depression

de·pri·mie·ren* [depri'mi:rən] *vt* ■jdn ~ to depress sb

De·pu·tier·te(r) *f(m)* deputy

der¹ ['de:ɐ] I. *art def, sing* ❶ (*auf eine männliche Person/Tier/Sache bezogen*) the; ~ **Nachbar/Hengst** the neighbour/ stallion; ~ **Käse/Salat** the cheese/salad ❷ (*fam: mit Eigennamen*) ~ **Papa hat's mir erzählt** dad told me; ~ **Andreas lässt dich grüßen** Andreas sends his love II. *art def gen sing von* **die**¹, I (*auf eine weibliche Person/Tier/Sache bezogen*) **die Hände** ~ **Frau** the woman's hands; **die Augen** ~ **Maus** the eyes of the mouse; **die Augen** ~ **Katze** the cat's eyes; **die Form** ~ **Tasse** the cup's shape; **die Form** ~ **Schüs·sel** the shape of the bowl III. *art def dat sing von* **die**¹, I ❶ (*allgemein*) **an** ~ **Tür klopfen** to knock at the door; **an** ~ **Decke hängen** to hang from the ceiling; **er gab** ~ **Großmutter den Brief** he gave his grand- mother the letter ❷ (*fam: in Verbindung mit Eigennamen*) **ich werde es** ~ **Anette sagen** I'll tell Anette IV. *art def gen pl von* **die**¹, II des; **die Wohnung** ~ **Eltern** my/ his/her etc parents' flat; **das Ende** ~

Ferien the end of the holidays

der² ['de:ɐ] I. *pron dem, m sing* (*auf eine männliche Person/Tier/Sache bezogen*) that; ~ **Mann/Hengst** [da] that man/stal- lion [there]; ~ **Angeber!** that show-off!; ~ **mit den roten Haaren** the one with the red hair; ~ **und joggen?** him, jogging?; ~ **hier/da** this/that one; ~, **den ich meine** the one I mean; **beißt** ~? does he bite? II. *pron rel, m sing* who, that III. *pron dem gen sing von* **die**², I (*auf eine weibliche Person/Tier/Sache bezo- gen*) that IV. *pron dem dat sing von* **die**², I: **das Fahrrad gehört** ~ **Frau** [da] the bike belongs to that woman [over] there V. *pron dem gen pl von* **die**¹, II: **die Farbe** ~ **Blüten** [da] the colour of those flowers [over] there VI. *pron dem o rel, m sing* ~ **dafür verantwortlich ist** the man who is responsible for that VII. *pron rel dat sing von* **die**², III: **die Freundin, mit** ~ **ich mich gut verstehe** the friend with whom I get on so well; **die Katze,** ~ **er zu fres- sen gibt** the cat which he feeds; **die Hitze, unter** ~ **sie leiden** the heat they're suffering from

der·art ['de:ɐ'?a:ɐt] *adv* ❶ *vor vb* **sich** ~ **benehmen, dass ...** to behave so badly that ... ❷ *vor adj* ~ **ekelhaft/heiß/etc. sein, dass ...** to be so disgusting/hot/etc. that ...; **sie ist eine** ~ **unzuverlässige Frau, dass ...** she is such an unreliable woman that ...

der·ar·tig ['de:ɐ?a:ɐtıç] I. *adj* such; [etwas] **D~es habe ich noch nie gese- hen** I've never seen anything like it II. *adv* such

derb ['dɛrp] I. *adj* ❶ (*grob*) coarse; *Manie- ren* rough; *Ausdrucksweise, Witz* crude ❷ (*fest*) strong II. *adv* ❶ (*heftig*) roughly ❷ (*grob*) crudely

Der·by <-s, -s> ['dɛrbi] *nt* derby (*horse race for three-year-olds*)

de·re·gu·lie·ren* [deregu'li:rən] *vt Markt, Arbeitsverhältnisse* to deregulate

De·re·gu·lie·rung *f* deregulation

de·ren ['de:rən] I. *pron dem gen pl von* **der, die, das** their II. *pron rel* ❶ *gen sing von* **die** whose; *auf Gegenstand bezogen* a. of which ❷ *gen pl von rel pron* **der, die, das** *auf Personen bezogen* whose; *auf Sachen bezogen* a. of which

de·rent·hal·ben [de:rənt'halbn̩] *adv* (*ver- altet*), **de·rent·we·gen** [de:rənt've:gn̩] *adv* on whose account; *auf Sachen bezo- gen* because of which

de·rent·wil·len ['de:rənt'vılən] *adv* ■**um** ~ *auf Personen bezogen* for whose sake; *auf Sachen bezogen* for the sake of which

de·rer ['de:rɐ] *pron gen pl von dem pron* **der, die, das**: ▪ ~ **, die ...** of those who ...

der·ge·stalt ['de:ɐgəʃtalt] *adv (geh)* thus; ▪ *etw* ~ **tun, dass ...** to do sth to such an extent that ...

der·glei·chen [de:ɐ̯'glaɪçn̩] *pron dem* ❶ *adjektivisch* such, like that *pred*, of that kind *pred* ❷ *substantivisch* that sort of thing; **nichts** ~ nothing like it; **ich will nichts** ~ **hören!** I don't want to hear any of it

De·ri·vat <-[e]s, -e> [deri'vaːt] *nt* CHEM, LING derivative

der·je·ni·ge ['de:ɐ̯je:nɪgə], **die·je·ni·ge** ['di:je:nɪgə], **das·je·ni·ge** <*gen* desjeni­gen, derjenigen, desjenigen, *pl* derjeni­gen; *dat* demjenigen, derjenigen, demje­nigen, *pl* denjenigen; *akk* denjenigen, diejenige, dasjenige, *pl* diejenigen> ['dasje:nɪgə] *pron dem* ❶ *substantivisch* ▪ ~ **, der/den .../diejenige, die ...** *auf Personen bezogen* the one who ...; *auf Sachen bezogen* the one that...; ▪ **diejenigen/denjenigen, die ...** *auf Personen bezogen* the ones who...; *auf Gegenstände bezogen* the ones which... ❷ *adjektivisch (geh)* that; **derjenige Mann, der ...** that man who ...

der·lei ['de:ɐ̯laɪ] *pron* such, like that *pred*

der·ma·ßen ['de:ɐ̯ma:sn̩] *adv* **eine** ~ **lächerliche Frage** such a ridiculous question; **jdn** ~ **unter Druck setzen, dass ...** to put sb under so much pressure that ...

Der·ma·to·lo·ge, Der·ma·to·lo·gin <-n, -n> [dɛrmato'lo:gə, -'lo:gɪn] *m, f* dermatologist

Der·ma·to·lo·gie <-> [dɛrmatolo'gi:] *f kein pl* ▪ **die** ~ dermatology

der·sel·be [de:ɐ̯'zɛlbə], **die·sel·be** [di:'zɛlbə], **das·sel·be** <*gen* desselben, derselben, desselben, *pl* derselben; *dat* demselben, derselben, demselben, *pl* denselben; *akk* denselben, dieselbe, dasselbe, *pl* dieselben> [das'zɛlbə] *pron dem* ❶ *(ebender, ebendie, ebendas)* ▪ ~ + *substantiv* the same + *noun* ❷ *substantivisch (fam)* **ein und** ~ one and the same; **nicht schon wieder dasselbe!** not this [stuff *fam*] again!

der·wei·l(en) [de:ɐ̯'vaɪl(ən)] I. *adv* meanwhile II. *konj (veraltend)* whilst

der·zeit ['de:ɐ̯tsaɪt] *adv* SÜDD, ÖSTERR at present

der·zei·tig ['de:ɐ̯tsaɪtɪç] *adj attr* present; *(aktuell a.)* current

des[1] ['dɛs] *pron def gen von* **der, das**:

das Aussehen ~ **Kindes/Mannes** the child's/man's appearance; **ein Zeichen** ~ **Unbehagens** a sign of uneasiness

des[2] <-> *nt,* **Des** <-> ['dɛs] *nt kein pl* MUS D flat

De·sas·ter <-s, -> [de'zastɐ] *nt* disaster

de·sen·si·bi·li·sie·ren* [dezɛnzibili'zi:rən] *vt* MED ▪ **jdn** [**gegen etw** *akk*] ~ to desensitize sb [against sth]

De·ser·teur(in) <-s, -e> [dezɛr'tø:ɐ] *m(f)* deserter

de·ser·tie·ren* [dezɛr'ti:rən] *vi sein o selten haben* ▪ [**von etw**] ~ to desert [sth]

des·glei·chen [dɛs'glaɪçn̩] *adv* likewise

des·halb ['dɛs'halp] *adv* ❶ *(daher)* therefore ❷ *(aus dem Grunde)* because of it; ~ **frage ich ja** that's why I'm asking; **also** ~**!** so that's why!

De·sign <-s, -s> [di'zaɪn] *nt* design

De·si·gner(in) <-s, -> [di'zaɪnɐ] *m(f)* designer

De·si·gner·dro·ge *f* designer drug

De·si·gne·rin <-, -nen> [de'zaɪnɛrɪn] *f fem form von* **Designer**

De·si·gner·mo·de *f kein pl* designer fashion

de·si·gniert [dezɪ'gni:rt] *adj attr* designated

des·il·lu·si·o·nie·ren* [dɛs?ɪluzio'ni:rən, dezɪlu-] *vt* ▪ **jdn** ~ to disillusion sb

Des·in·fek·ti·on <-, -en> [dɛs?ɪnfɛk'tsi̯o:n, dezɪnfɛk'tsi̯o:n] *f* disinfection

Des·in·fek·ti·ons·mit·tel *nt* disinfectant; *(für Wunden a.)* antiseptic

des·in·fi·zie·ren* [dɛs?ɪnfi'tsi:rən, dezɪnfi'tsi:rən] *vt* to disinfect

Des·in·ter·es·se ['dɛs?ɪntarɛsə, 'dezɪntarɛsə] *nt* indifference (**an** towards)

des·in·ter·es·siert ['dɛs?ɪntarɛsi:ɐt, dezɪntarɛsi:ɐt] *adj* indifferent (**an** to)

des·o·ri·en·tiert [dɛs?ɔri̯ɛn'ti:ɐt, dezɔ-] *adj* disorientated

Des·o·ri·en·tie·rung [dɛs?ɔ-, dezɔ-] *f* disorientation

Des·pot(in) <-en, -en> [dɛs'po:t] *m(f)* despot

des·po·tisch [dɛs'po:tɪʃ] I. *adj* despotic II. *adv* despotically

des·sel·ben [dɛs'zɛlbn̩] *pron gen von* **derselbe, dasselbe** the same [one]; *(Person)* the same [person]

des·sen ['dɛsn̩] I. *pron dem gen von* **der**[2], **das** his/its; ~ **ungeachtet** *(geh)* notwithstanding this II. *pron rel gen von* **der**[2]**, das** whose; *(von Sachen a.)* of which

Des·sert <-s, -s> [dɛ'se:ɐ, dɛ'sɛ:ɐ] *nt* dessert

Des·sous <-, -> [dɛ'su:, *pl* dɛ'su:s] *nt*

meist pl undergarment

de·sta·bi·li·sie·ren [destabili'zi:rən] *vt* to destabilize

De·sta·bi·li·sie·rung <-, -en> *f* (*geh*) destabilization

De·stil·lat <-[e]s, -e> [dɛstɪ'la:t] *nt* distillation

De·stil·la·ti·on <-, -en> [dɛstɪla'tsi̯o:n] *f* ❶ (*Brennen*) distillation ❷ CHEM distillation

de·stil·lie·ren* [dɛstɪ'li:rən] *vt* to distil

des·to ['dɛsto] *konj* ~ **besser** all the better; ~ **eher** the earlier; ~ **schlimmer!** so much the worse!

de·struk·tiv [destrʊk'ti:f] *adj* destructive

des·we·gen ['dɛs've:gn̩] *adv* s. **deshalb**

De·tail <-s, -s> [de'tai̯, de'ta:j] *nt* detail; **im** ~ in detail; **ins** ~ **gehen** to go into detail[s]; (*sich daranmachen*) to get down to details

de·tail·liert [deta'ji:ɐt] **I.** *adj* detailed **II.** *adv* in detail

De·tek·tei <-, -en> [detɛk'tai̯] *f* [private] detective agency

De·tek·tiv(in) <-s, -e> [detɛk'ti:f, *pl* detɛk'ti:və] *m(f)* ❶ (*Privat~*) private investigator ❷ (*Zivilfahnder*) plain-clothes policeman

de·tek·ti·visch [detɛk'ti:vɪʃ] **I.** *adj* ~**e Kleinarbeit** detailed detection work **II.** *adv* like a detective

De·tek·tiv·ro·man *m* detective novel

De·to·na·ti·on <-, -en> [detona'tsi̯o:n] *f* explosion; (*nur hörbar vernommen a.*) blast

de·to·nie·ren* [deto'ni:rən] *vi* sein to detonate

Deut ['dɔy̯t] *m meist in Verbindung mit Verneinung* **keinen** ~ **wert sein** to be not worth tuppence; **um keinen** ~ [**besser**] not one bit [better]

deu·ten ['dɔy̯tn̩] **I.** *vt* ▪ [jdm] **etw** ~ to interpret sth [for sb]; **die Zukunft** ~ to read the future; **etw falsch** ~ to misinterpret sth **II.** *vi* ❶ (*zeigen*) **auf jdn/etw** ~ to point at sb/sth; **mit dem** [**Zeige**]**finger auf jdn/ etw** ~ to point [one's finger] at sb/sth ❷ (*hinweisen*) to point (**auf** to)

deut·lich ['dɔy̯tlɪç] **I.** *adj* ❶ (*klar*) clear; *Umrisse* distinct ❷ (*eindeutig*) clear; **das war** ~**!** that was clear enough! **II.** *adv* ❶ (*klar*) clearly; **etw** ~ **fühlen** to distinctly feel sth ❷ (*eindeutig*) clearly; **sich** ~ **ausdrücken** to make oneself clear; ~ **fühlen, dass ...** to have the distinct feeling that ...

Deut·lich·keit <-, -en> *f* ❶ *kein pl* (*Klarheit*) clarity ❷ (*Eindeutigkeit*) plainness; [jdm] **etw in aller** ~ **sagen** to make sth perfectly clear [to sb]

deutsch ['dɔy̯tʃ] *adj* ❶ (*Deutschland betreffend*) German; ~**er Abstammung sein** to be of German origin; ~**e Gründlichkeit** German [*or* Teutonic] thoroughness [*or* efficiency]; **die** ~**e Sprache** German, the German language; **die** ~**e Staatsbürgerschaft besitzen** [*o* **haben**] to have German citizenship, to be a German citizen; **das** ~**e Volk** the Germans, the German people[s *pl*]; **die** ~**e Wiedervereinigung** German Reunification, the reunification of Germany; ~ **denken** to have a [very] German way of thinking; **typisch** ~ **sein** to be typically German ❷ LING German; **die** ~**e Schweiz** German-speaking Switzerland; ~ **sprechen** to speak [in] German; ~ **sprechen können** to [be able to] speak German; **etw** ~ **aussprechen** to pronounce sth with a German accent, to give sth a German pronunciation ▶ **mit jdm** ~ **reden** [*o* **sprechen**] (*fam*) to be blunt with sb, to speak bluntly with sb

Deutsch ['dɔy̯tʃ] *nt dekl wie adj* ❶ LING German; **können Sie** ~**?** do you speak/ understand German?; ~ **lernen/sprechen** to learn/speak German; **er spricht akzentfrei** ~ he speaks German without an accent; **sie spricht fließend** ~ she speaks German fluently, her German is fluent; **er spricht ein sehr gepflegtes** ~ his German is very refined; ~ **verstehen/ kein** ~ **verstehen** to understand/not understand [a word of [*or* any]] German; ~ **sprechend** German-speaking, who speak/speaks German; **auf** ~ in German; **sich auf** ~ **unterhalten** to speak [*or* converse] in German; **etw auf** ~ **sagen/aussprechen** to say/pronounce sth in German; **in** ~ **abgefasst sein** (*geh*) to be written in German; **etw in** ~ **schreiben** to write sth in German; **zu** ~ in German ❷ (*Fach*) German; ~ **unterrichten** [*o* **geben**] to teach German ▶ **auf gut** ~ [**gesagt**] (*fam*) in plain English; **nicht mehr** ~ [*o* **kein** ~ **mehr**] **verstehen** (*fam*) to not understand plain English

Deut·sche(r) *f(m) dekl wie adj* German; **er hat eine** ~ **geheiratet** he married a German [woman]; ▪ **die** ~**n** the Germans; ~ **sein** to be [a] German, to be from Germany; [**schon**] **ein halber** ~**r sein** to be German by formation

deutsch-fran·zö·sisch *adj* ❶ POL Franco-German ❷ LING German-French, French-German

Deutsch·land <-s> ['dɔy̯tʃlant] *nt* Germany; **aus** ~ **kommen** to come from Germany; **in** ~ **leben** to live in Germany

deutsch·spra·chig ['dɔytʃʃpraːxɪç] *adj* ❶ (*Deutsch sprechend*) German-speaking *attr* ❷ (*in deutscher Sprache*) German[-language] *attr* **deutsch·sprach·lich** ['dɔytʃʃpraːxlɪç] *adj* German *attr* **deutsch·stäm·mig** *adj* of German origin *pred*

Deu·tung <-, -en> ['dɔytʊŋ] *f* interpretation

De·vi·se <-, -n> [deˈviːzə] *f* motto

De·vi·sen·han·del *m* foreign currency exchange

De·zem·ber <-s, -> [deˈtsɛmbɐ] *m* December; *s. a.* **Februar**

de·zent [deˈtsɛnt] **I.** *adj* discreet; *Farbe* subdued **II.** *adv* discreetly

de·zen·tral [detsɛnˈtraːl] **I.** *adj* decentralized **II.** *adv* **etw ~ entsorgen** to send sth to a decentralized disposal system

de·zen·tra·li·sie·ren* [detsɛntraliˈziːrən] *vt* to decentralize

De·zen·tra·li·sie·rung <-, -en> *f* decentralization; ■ **die ~ einer S.** *gen* the decentralization of sth

De·zer·nat <-[e]s, -e> [detsɛrˈnaːt] *nt* department

De·zer·nent(in) <-en, -en> [detsɛrˈnɛnt] *m(f)* department head

De·zi·bel <-s, -> [detsiˈbɛl] *nt* PHYS decibel

De·zi·li·ter [detsiˈliːtɐ] *m o nt* decilitre *spec*

de·zi·mal [detsiˈmaːl] *adj* decimal

De·zi·mal·stel·le *f* decimal place **De·zi·mal·sys·tem** *nt* decimal system **De·zi·mal·zahl** *f* decimal number; (*zwischen 0 und 1 a.*) decimal fraction

De·zi·me·ter ['deˈtsiːmeːtɐ] *m o nt* decimetre

de·zi·mie·ren* [detsiˈmiːrən] *vt* to decimate

DFÜ <-> [deːˈɛfyː] *f kein pl Abk von* **Datenfernübertragung**

DGB <-s> [deːgeːˈbeː] *m Abk von* **Deutscher Gewerkschaftsbund**: ■ **der ~** the Federation of German Trade Unions

d. h. *Abk von* **das heißt** i.e.

Dia <-s, -s> ['diːa] *nt* slide

Di·a·be·tes <-> [diaˈbeːtɛs] *m kein pl* diabetes

Di·a·be·ti·ker(in) <-s, -> [diaˈbeːtikɐ] *m(f)* diabetic

di·a·bo·lisch [diaˈboːlɪʃ] (*geh*) **I.** *adj* diabolical **II.** *adv* fiendishly

Di·a·dem <-s, -e> [diaˈdeːm] *nt* diadem

Di·a·gno·se <-, -n> [diaˈknoːzə] *f* diagnosis

di·a·gnos·ti·zie·ren* [diagnɔstiˈtsiːrən] *vt* ■ **etw ~** to diagnose sth

di·a·go·nal [diagoˈnaːl] *adj* diagonal

Di·a·go·na·le <-, -n> [diagoˈnaːlə] *f* diagonal [line]

Di·a·gramm <-s, -e> [diaˈgram] *nt* diagram

Di·a·kon(in) <-s *o* -en, -e[n]> [diaˈkoːn] *m(f)* deacon

Di·a·ko·nie <-> [diakoˈniː] *f kein pl* **die ~** social welfare work

Di·a·ko·nin <-, -nen> [diaˈkoːnɪn] *f fem form von* **Diakon**

Di·a·ko·nis·se <-, -n> [diakoˈnɪsə] *f*, **Di·a·ko·nis·sin** <-, -nen> [diakoˈnɪsɪn] *f* deaconess

Di·a·lekt <-[e]s, -e> [diaˈlɛkt] *m* dialect

di·a·lek·tal [dialɛkˈtaːl] *adj* dialectal

Di·a·lek·tik <-> [diaˈlɛktɪk] *f kein pl* dialectics + *sing vb*

Di·a·log <-[e]s, -e> [diaˈloːk, *pl* diaˈloːgə] *m* dialogue

Di·a·log·be·reit·schaft *f kein pl* openness to dialogue **Di·a·log·fens·ter** *nt* INFORM pop-up window

Di·a·ly·se <-, -n> [diaˈlyːzə] *f* dialysis

Di·a·mant <-en, -en> [diaˈmant] *f* diamond

Di·a·mant·ring *m* diamond ring

dia·me·tral [diameˈtraːl] **I.** *adj* (*geh*) diametrical **II.** *adv* (*geh*) diametrically; **~ entgegengesetzt sein** to be diametrically opposed [*or* opposite]

Dia·pro·jek·tor *m* slide projector

Di·ät <-, -en> [diˈɛːt] *f* diet; **~ halten** to keep to a diet; **auf ~ sein** (*fam*) to be on a diet; **jdn auf ~ setzen** (*fam*) to put sb on a diet

Di·ät·as·sis·tent(in) *m(f) sb* trained to advise in and oversee the setting-up of diet programmes in hospitals and clinics

di·ä·te·tisch [diɛˈteːtɪʃ] *adj* dietetic

Di·ät·kur *f* dietary cure

Dia·vor·trag *nt* slide show

dich ['dɪç] **I.** *pron pers akk von* **du** you **II.** *pron refl* yourself

dicht ['dɪçt] **I.** *adj* ❶ (*eng beieinander*) dense; *Haar* thick ❷ (*undurchdringlich*) dense; *Verkehr* heavy ❸ (*wasser~*) watertight; **die Fenster sind wieder ~** the windows are sealed again now; **nicht mehr ~ sein** to leak ▶ **nicht ganz ~ sein** (*pej fam*) to be off one's head *pej fam* **II.** *adv* ❶ (*örtlich*) closely; **~ auffahren** to tailgate; **~ gedrängt** squeezed together; **~ übersät** thickly strewn; **~ vor jdm** just in front of sb; **~ beieinander/hintereinander** close together ❷ (*zeitlich*) **~ bevorstehen** to be coming up soon ❸ (*sehr stark*) densely; **~ mit Efeu bewachsen sein** to be covered with ivy

Dich·te <-, -n> ['dɪçtə] *f* density
dich·ten[1] ['dɪçtn̩] *vt, vi* to write poetry
dich·ten[2] ['dɪçtn̩] *vt* (*dicht machen*) to seal
Dich·ter(in) <-s, -> ['dɪçtɐ] *m(f)* poet
dich·te·risch ['dɪçtərɪʃ] I. *adj* poetic[al]
II. *adv* poetically
dicht·ge·drängtᴬᴸᵀ *adj attr s.* **dicht** II 1
dicht|hal·ten ['dɪçthaltn̩] *vi irreg* (*sl*) to
keep one's mouth shut **dicht|ma·chen** *vt,
vi* (*fam*) to close
Dich·tung <-, -en> ['dɪçtʊŋ] *f* ❶ *kein pl*
(*Dichtkunst*) poetry ❷ ᴛᴇᴄʜ seal[ing]
dick ['dɪk] I. *adj* ❶ (*von großem Umfang*)
fat; *Backen* chubby; *Stamm, Buch* thick;
Limousine big ❷ (*fam: beträchtlich*) big fat
❸ *nach Maßangaben* **5 Meter ~** 5 metres
thick ❹ (*fam: schwer*) big; **ein ~es Lob**
[**für etw**] **bekommen** to be praised highly
[for sth] ❺ (*geschwollen*) swollen; *Beule*
big ❻ (*zähflüssig*) thick ❼ (*fam*) *Freunde*
close ►**mit jdm durch ~ und dünn
gehen** to go through thick and thin with sb
II. *adv* ❶ (*warm*) warmly ❷ (*fett*) heavily
❸ (*reichlich*) thickly; **etw zu ~ auftragen**
to lay sth on with a trowel ❹ (*fam*) **mit
jdm ~[e] befreundet sein** to be as thick
as thieves with sb ►**jdn/etw ~[e] haben**
(*fam*) to be sick of sb/sth; **~ auftragen**
(*pej fam*) to lay it on with a trowel
dick·bäu·chig *adj* pot-bellied **Dick·
darm** *m* colon
Di·cke <-, -n> ['dɪkə] *f* thickness
Di·cke(r) ['dɪkə] *f(m) dekl wie adj* (*fam*) fatso *pej*
dick·fel·lig *adj* (*pej fam*) thick-skinned
dick·flüs·sig *adj* thick
Dick·häu·ter <-s, -> *m* (*hum fam*)
❶ (*Tier*) pachyderm ❷ (*fig*) **ein ~ sein** to
have a thick skin
Di·ckicht <-[e]s, -e> ['dɪkɪçt] *nt* thicket
Dick·kopf *m* (*fam*) **ein ~ sein/einen ~
haben** to be stubborn
dick·köp·fig *adj* obstinate
dick·lich *adj* ❶ (*etwas dick*) chubby
❷ (*dickflüssig*) thick
Dick·schä·del *m* (*fam*) *s.* **Dickkopf**
dick·scha·lig *adj* with a thick skin;
■**~ sein** to have a thick skin **Dick·
wanst** *m* (*pej fam*) fatso, butterball ᴀᴍ
Di·dak·tik <-, -en> [di'daktɪk] *f* didactics
+ *sing vb*
di·dak·tisch [di'daktɪʃ] I. *adj* didactic
II. *adv* didactically
die[1] [di:] I. *art def, sing fem* ❶ (*allgemein*)
the; **~ Mutter/Pflanze/Theorie** the
mother/plant/theory ❷ (*bei Eigennamen*)
~ Donau the Danube; **~ Schweiz/Türkei**
Switzerland/Turkey ❸ (*fam: vor Personen-*

namen) **ich bin ~ Susi** I'm Susi II. *pron
dem, sing fem* ❶ *attr, betont* **~ Frau war
es!** it was that woman! ❷ (*fam: ersetzt
Pronomen*) **wo ist deine Schwester? —
~ kommt gleich** where's your sister? —
she'll be here soon III. *pron rel, sing fem*
that; (*Person a.*) who/whom *form;*
(*Gegenstand, Tier a.*) which; **eine
Geschichte, ~ Millionen gelesen
haben** a story [that has been] read by millions; **die Königin, ~ vierzig Jahre
herrschte, ...** the queen who reigned for
forty years ...; *s. a.* **der**
die[2] I. *art def, pl* **~ Männer/Mütter/
Pferde** the men/mothers/horses II. *pron
dem, pl* ❶ (*hinweisend*) **~ waren es!** it
was them!; **welche Bücher? ~ da? oder
~ hier?** which books? those [ones] [there]?
or these [ones] [here]? ❷ (*wiederholend*)
die Schmidts? ~ sind nicht da the
Schmidts? they're not there ❸ (*fam: ersetzt
Pronomen*) **gute Fragen! aber wie können wir ~ beantworten?** good questions!
but how can we answer them? III. *pron
rel, pl* that; (*Person a.*) who/whom *form;*
(*Gegenstand, Tier a.*) which; **ich sah
zwei Autos, ~ um die Ecke fuhren** I
saw two cars driving around the corner;
**die Abgeordneten, ~ dagegen stimm-
ten, ...** the MPs who voted against ...
Dieb(in) <-[e]s, -e> ['di:p, *pl* 'di:bə] *m(f)*
thief
Die·bes·gut *nt kein pl* stolen goods *npl*
die·bisch ['di:bɪʃ] I. *adj* ❶ (*stehlend*)
thieving ❷ (*fam*) **mit ~er Freude** with
fiendish joy II. *adv* **sich ~ [über etw akk]
freuen** to take a mischievous pleasure in
sth
Dieb·stahl <-[e]s, -stähle> ['di:pʃtaːl, *pl*
-ʃtɛːlə] *m* theft
Dieb·stahl·si·che·rung *f* anti-theft device
die·je·ni·ge ['di:je:nɪgə] *pron dem s.* **der·
jenige**
Die·le <-, -n> ['di:lə] *f* ❶ (*Vorraum*) hall
❷ ɴᴏʀᴅᴅ *central living room* ❸ (*Fußboden-
brett*) floorboard
die·nen ['di:nən] *vi* ❶ (*nützlich sein*) ■**einer S.** *dat* **~** to be [important] for sth; **jds
Interessen ~** to serve sb's interests;
einem guten Zweck ~ to be for a good
cause ❷ (*behilflich sein*) **womit kann ich
Ihnen ~?** how can I help you?; **jdm ist
mit etw** *dat* **nicht/kaum gedient** sth is
of no/little use to sb ❸ (*verwendet werden*) ■**[jdm] als etw ~** to serve [sb] as sth;
einem Zweck ~ to serve a purpose
Die·ner <-s, -> ['di:nɐ] *m* (*fam: Verbeugung*) bow

Die·ner(in) <-s, -> ['diːnɐ] *m(f)* servant
Die·ner·schaft <-, -en> *f* [domestic] servants *pl*
dien·lich *adj* useful
Dienst <-[e]s, -e> ['diːnst] *m* ❶ *kein pl* (*berufliche Tätigkeit*) work; ~ **haben** to be at work; **im** ~ at work ❷ *kein pl* (*Arbeitszeit*) **während/nach dem** ~ during/outside working hours ❸ *kein pl* (*Amt*) **diplomatischer** ~ diplomatic service; **öffentlicher** ~ civil service ❹ *kein pl* (*Bereitschafts~*) ~ **haben** to be on call; **der** ~ **habende Arzt** the doctor on duty ❺ (*unterstützende Tätigkeit*) services *npl;* **jdm einen** [guten] ~ **erweisen** to do sb a good turn; **sich in den** ~ **einer S.** *gen* **stellen** to embrace a cause; **im** ~[e] **einer S.** *gen* **stehen** to be at the service of sth; **seinen** ~ **versagen** to fail
Diens·tag ['diːnstaːk] *m* Tuesday; **wir haben heute** ~ it's Tuesday today; **treffen wir uns** ~? shall we get together on Tuesday?; **in der Nacht** [von Montag] **auf** [*o* **zu**] ~ on Monday night, in the early hours of Tuesday morning; ~ **in acht Tagen** a week on Tuesday, Tuesday week Brit; ~ **vor acht Tagen** a week last [*or* Brit *also* [ago] on] Tuesday, Tuesday before last; **diesen** [*o* **an diesem**] ~ this Tuesday; **eines** ~**s** one Tuesday; **den ganzen** ~ **über** all day Tuesday; **jeden** ~ every Tuesday; **letzten** [*o* **vorigen**] ~ last Tuesday; **seit letzten** [*o* **letztem**] ~ since last Tuesday; [**am**] **nächsten** ~ next Tuesday; **ab nächsten** [*o* **nächstem**] ~ from next Tuesday [on]; **am** ~ on Tuesday; [**am**] ~ **früh** early Tuesday [morning]; **an** ~**en** on Tuesdays; **an einem** ~ one [*or* on a] Tuesday; **am** ~, **den 4. März** (*Datumsangabe: geschrieben*) on Tuesday 4th March [*or* Am March 4]; (*gesprochen*) on Tuesday the 4th of March [*or* Am March 4th]
diens·tag·a·bendsRR *adv* [on] Tuesday evenings
diens·tags ['diːnstaːks] *adv* [on] Tuesdays; ~ **abends/nachmittags/vormittags** [on] Tuesday evenings/afternoons/mornings
Dienst·an·wei·sung *f* [civil] service regulations *pl* **Dienst·aus·weis** *m* official identity card **Dienst·bo·te, -bo·tin** *m, f* (*veraltend*) [domestic] servant **Dienst·ei·fer** *m* assiduousness **dienst·frei** *adj* ~**er Tag** day off **Dienst·ge·heim·nis** *nt* official secret **Dienst·grad** *m* (*Rangstufe*) grade; MIL rank **dienst·ha·bend**ALT *adj attr s.* **Dienst 1 Dienst·jahr** *nt meist pl* year of service
Dienst·leis·tung *f meist pl* services *npl*

Dienst·leis·tungs·abend *m* (*hist*) late night shopping (*formerly Thursday nights when stores were open until 8.30 p.m.*)
Dienst·leis·tungs·be·ruf *m* job in the service industries **Dienst·leis·tungs·ge·sell·schaft** *f* ÖKON service economy **Dienst·leis·tungs·ge·wer·be** *nt,* **Dienst·leis·tungs·in·dus·trie** *f* service industries sector
dienst·lich I. *adj* official II. *adv* ~ **unterwegs sein** to be away on business
Dienst·mäd·chen *nt* (*veraltend*) maid **Dienst·per·so·nal** *nt kein pl* service personnel **Dienst·plan** *m* [work] schedule **Dienst·rei·se** *f* business trip **Dienst·schluss**RR *m* closing time **Dienst·stel·le** *f* department **Dienst·stun·den** *pl* office hours *npl* **Dienst·vor·schrift** *f* service regulations *pl* **Dienst·wa·gen** *m* company car **Dienst·zeit** *f* ❶ ADMIN length of service ❷ (*Arbeitszeit*) working hours *pl*
dies ['diːs] *pron dem* ❶ (*das hier*) this ❷ (*das da*) that [one]; ~**es Benehmen gefällt mir ganz und gar nicht!** I don't like that kind of behaviour at all!; ~ **und das** this and that ❸ *pl* (*diese hier*) these ❹ *pl* (*diese da*) those
dies·be·züg·lich ['diːsbətsyːklɪç] I. *adj* (*geh*) relating to this II. *adv* with respect to this
die·se(r, s) ['diːzə] *pron dem* ❶ *substantivisch* (*der/die/das hier*) this one ❷ *substantivisch* (*der/die/das dort*) that one ❸ *substantivisch, pl* (*die hier*) these [ones] ❹ *substantivisch, pl* (*die dort*) those [ones] ❺ *attr, sing* (*der/die/das hier*) this; [**nur**] ~ **s eine Mal** [just] this once ❻ *attr, pl* (*die hier*) these ❼ *attr, sing* (*der/die/das dort*) that; ~ **s und jenes** this and that ❽ *attr, pl* (*die dort*) those
Die·sel¹ <-s> ['diːzl̩] *nt kein pl* (*fam*) diesel
Die·sel² <-s, -> ['diːzl̩] *m* ❶ (*Wagen mit Dieselmotor*) diesel ❷ (*Motor*) *s.* **Dieselmotor**
die·sel·be [diːˈzɛlbə] *pron dem s.* **derselbe**
Die·sel·mo·tor *m* diesel engine **Die·sel·öl** *nt* diesel
die·ser ['diːzɐ] *pron,* **die·ses** ['diːzəs] *pron dem s.* **diese(r, s)**
die·sig ['diːzɪç] *adj* misty
dies·jäh·rig ['diːsjɛːrɪç] *adj attr* this year's
dies·mal ['diːsmaːl] *adv* this time
dies·seits ['diːszaɪts] *präp* ■ ~ **einer S.** *gen* this side of sth
Dies·seits <-> ['diːszaɪts] *nt kein pl* earthly existence
Diet·rich <-s, -e> ['diːtrɪç] *m* picklock

dif·fa·mie·ren* [dɪfa'miːrən] *vt* ▪jdn/ etw ~ to blacken sb's/sth's name

dif·fa·mie·rend *adj* injurious, defamatory; (*mündlich a.*) slanderous; (*schriftlich a.*) libellous, libelous AM

Dif·fa·mie·rung <-, -en> *f* ❶ (*das Diffamieren*) defamation, vilification ❷ (*Verleumdung*) aspersion, slur, lies *pl,* calumny *form;* (*mündliche a.*) slander; (*schriftliche a.*) libel

Dif·fe·ren·ti·al <-s, -e> [dɪfərɛn'tsi̯aːl] *nt* s. **Differenzial**

Dif·fe·renz <-, -en> [dɪfə'rɛnts] *f* ❶ (*Unterschied*) difference ❷ *meist pl* (*Meinungsverschiedenheit*) difference of opinion

Dif·fe·ren·zi·alRR <-s, -e> *nt* differential

Dif·fe·ren·zi·al·ge·trie·beRR *nt* differential [gear] **Dif·fe·ren·zi·al·rech·nung**RR *f* differential calculus

dif·fe·ren·zie·ren* [dɪfərɛn'tsiːrən] **I.** *vt* (*geh: modifizieren*) to adjust **II.** *vi* (*geh: Unterschiede machen*) ▪[bei etw] ~ to discriminate [in doing sth]

dif·fe·ren·ziert I. *adj* (*geh: fein unterscheidend*) discriminating **II.** *adv* (*geh*) etw ~ beurteilen to differentiate in making judgements

dif·fus [dɪ'fuːs] **I.** *adj* ❶ (*zerstreut*) diffuse[d] ❷ (*verschwommen*) diffuse, vague **II.** *adv* (*unklar*) diffusely; sich ~ ausdrücken to express oneself vaguely

di·gi·tal [digi'taːl] **I.** *adj* digital **II.** *adv* digitally

di·gi·ta·li·sie·ren* [digitali'ziːrən] *vt* to digitize

Di·gi·tal·ka·me·ra *f* digital camera

Dik·tat <-[e]s, -e> [dɪk'taːt] *nt* ❶ (*in der Schule*) dictation; ein ~ schreiben to do a dictation ❷ (*geh: Gebot*) dictate[s]

Dik·ta·tor, Dik·ta·to·rin <-s, -toren> [dɪk'taːtoːɐ̯, -'toːrɪn, *pl* -'toːrən] *m, f* despot

dik·ta·to·risch [dɪkta'toːrɪʃ] **I.** *adj* dictatorial **II.** *adv* like a dictator

Dik·ta·tur <-, -en> [dɪkta'tuːɐ̯] *f* dictatorship

dik·tie·ren* [dɪk'tiːrən] *vt* to dictate

Dik·tier·ge·rät *nt* Dictaphone®

Di·lem·ma <-s, -s *o* -ta> [di'lɛma, *pl* di'lɛmata] *nt* (*geh*) dilemma

Di·let·tant(in) <-en, -en> [dilɛ'tant] *m(f)* dilettante

di·let·tan·tisch [dilɛ'tantɪʃ] **I.** *adj* amateurish **II.** *adv* (*pej*) amateurishly

Dill <-s, -e> ['dɪl] *m* dill

Di·men·si·on <-, -en> [dimɛn'zi̯oːn] *f* dimension

Dim·mer <-s, -> ['dɪmɐ] *m* dimmer |switch|

DIN® <-> [diːn] *f kein pl Akr von* **Deutsche Industrie-Normen** DIN®

Di·nar <-s, -e> [di'naːɐ̯] *m* dinar

Ding <-[e]s, -e *o fam* -er> ['dɪŋ] *nt* ❶ (*Gegenstand*) thing ❷ (*Mädchen*) ein junges ~/junge ~er (*fam*) a young thing/young things ❸ (*fam: Zeug*) stuff; krumme ~e drehen to do sth dodgy ❹ (*Angelegenheit*) matters *pl;* es geht nicht mit rechten ~en zu there's sth fishy about sth; unverrichteter ~ without carrying out one's intention; das ist |ja| ein ~! (*fam*) that's a bit much! BRIT; so wie die ~e liegen as things stand [at the moment]; über den ~en stehen to be above it all; das ist nicht so ganz mein ~ that's not really my thing

ding·fest *adj* jdn ~ machen to put sb behind bars

Dings[1] <-> ['dɪŋs] *nt kein pl* (*fam: Sache*) whatsit BRIT

Dings[2] <-> ['dɪŋs] *m o f kein pl* (*fam: Person*) Herr ~ Mr What's-his-name; Frau ~ Mrs What's-her-name

Dings·bums <-> ['dɪŋsbʊms] *nt kein pl* (*fam*) s. **Dings**[1]

Dings·da[1] <-> ['dɪŋsdaː] *nt kein pl* s. **Dings**[1]

Dings·da[2] <-> ['dɪŋsdaː] *m o f kein pl* s. **Dings**[2]

Dink <-s, -s> ['dɪŋk] *m meist pl* SOZIOL *Akr von* **double income, no kids** dinky

Di·no·sau·ri·er [dino'zaʊ̯ri̯ɐ] *m* dinosaur

Di·o·de <-, -n> [di'ʔoːdə] *f* diode

Di·op·trie <-, -n> [diɔp'triː, *pl* -'triːən] *f* dioptre

Di·oxin <-s, -e> [diɔ'ksiːn] *nt* dioxin

Di·ö·ze·se <-, -n> [diø'tseːzə] *f* diocese

Diph·the·rie <-, -n> [dɪfte'riː, *pl* -'riːən] *f* diphtheria

Di·phthong <-s, -e> [dɪf'tɔŋ] *m* diphthong

Dipl. ['dɪpl] *Abk von* **Diplom**

Dipl.-Ing. ['dɪpl ɪŋ] *Abk von* **Diplomingenieur**

Di·plom <-s, -e> [di'ploːm] *nt* (*Hochschulzeugnis*) degree; (*Zeugnis, Urkunde*) diploma; ein ~ [in etw *dat*] machen (*Hochschulstudium*) to get a degree [in sth]; (*Ausbildung*) to get a diploma [in sth]

Di·plom·ar·beit *f* thesis [for a degree]

Di·plo·mat(in) <-en, -en> [diplo'maːt] *m(f)* diplomat

Di·plo·ma·tie <-> [diploma'tiː] *f kein pl* diplomacy

Di·plo·ma·tin <-, -nen> [diplo'maːtɪn] *f*

fem form von **Diplomat**

di·plo·ma·tisch [diplo'maːtɪʃ] **I.** *adj* diplomatic **II.** *adv* diplomatically

Di·plom·in·ge·ni·eur(in)   [-ɪnʒenⁱøː ɐ̯] *m(f)* qualified engineer **Di·plom·prü· fung** *f* final exam[ination]s *pl*

dir ['diːɐ̯] *pron* ❶ *pers dat von* **du** you; *nach prep;* **hinter/neben/über/unter/vor ~** behind/next to/above/under/in front of you ❷ *refl dat von* **sich** you

di·rekt [di'rɛkt] **I.** *adj* direct; *Übertragung* live **II.** *adv* ❶ *(geradezu)* almost; **das war ja ~ lustig** that was actually funny for a change ❷ *(ausgesprochen)* exactly; **etw nicht ~ verneinen** to not really deny sth; **etw ~ zugeben** to admit sth outright; **das war ja ~ genial!** that was just amazing! ❸ *(unverblümt)* directly; **bitte sei etwas ~er!** don't beat about the bush! ❹ *(mit Ortsangabe)* direct[ly]; **diese Straße geht ~ zum Bahnhof** this road goes straight to the station ❺ *(unverzüglich)* immediately

Di·rekt·bank *f* telephone and internet based commercial bank **Di·rekt·flug** *m* direct flight

Di·rek·ti·on <-, -en> [dirɛk'tsⁱoːn] *f* ❶ *(Leitung)* management; *(Vorstand)* board of directors ❷ SCHWEIZ *(Ressort)* department

Di·rek·tor, Di·rek·to·rin <-s, -toren> [di'rɛktoːɐ̯, -'toːrɪn, *pl* -'toːrən] *m, f* ❶ SCH head BRIT ❷ *(Leiter eines Unternehmens)* manager ❸ *(Leiter einer öffentlichen Einrichtung)* director

Di·rek·to·ri·um <-s, -rien> [dirɛk'toː- rⁱʊm, *pl* dirɛk'toːrⁱən] *nt* board of directors

Di·rek·tri·ce <-, -n> [dirɛk'triːsə] *f* manager in the clothing industry who is a qualified tailor and who designs clothes

Di·rekt·saft *m* KOCHK pressé juice BRIT, juice not from concentrate AM **Di·rekt· über·tra·gung** *f* live broadcast **Di·rekt· ver·bin·dung** *f* direct train [*or* flight] **Di· rekt·zu·griff** *m kein pl* direct memory access

Di·ri·gent(in) <-en, -en> [diri'gɛnt] *m(f)* conductor

di·ri·gie·ren* [diri'giːrən] *vt, vi* MUS to conduct

Dirndl <-s, -> ['dɪrndl] *nt* ❶ *(kleid)* dirndl ❷ SÜDD, ÖSTERR *(Mädchen)* lass BRIT, gal AM

Dir·ne <-, -n> ['dɪrnə] *f (geh)* prostitute

dis <-, -> *nt*, **Dis** <-, -> ['dɪs] *nt* D sharp

Disc·jo·ckey ['dɪskdʒɔke, -dʒɔki] *m* disc jockey

Dis·co <-, -s> ['dɪsko] *f (fam)* s. **Disko**

Dis·har·mo·nie [dɪsharmo'niː] *f* dishar-

mony, discord; **~ in einer Familie** domestic strife

dis·har·mo·nisch [dɪshar'moːnɪʃ] *adj* dissonant, discordant

Dis·ket·te <-, -n> [dɪs'kɛtə] *f* disk

Dis·ket·ten·lauf·werk *nt* disk drive

Disk·jo·ckey ['dɪskdʒɔke, -dʒɔki] *m* disc jockey

Dis·ko <-, -s> ['dɪsko] *f (fam)* disco

Dis·kont <-s, -e> [dɪs'kɔnt] *m* ❶ *(Rabatt)* discount ❷ *s.* **Diskontsatz**

Dis·kont·satz *m* bank rate

Dis·ko·thek <-, -en> [dɪsko'teːk] *f* discotheque BRIT

Dis·kre·panz <-, -en> [dɪskre'pants] *f (geh)* discrepancy

dis·kret [dɪs'kreːt] **I.** *adj* ❶ *(vertraulich)* confidential ❷ *(unauffällig)* discreet **II.** *adv* **~ behandeln** to treat confidentially; **sich ~ verhalten** to behave discreetly

Dis·kre·ti·on <-> [dɪskre'tsⁱoːn] *f kein pl (geh)* discretion

dis·kri·mi·nie·ren* [dɪskrimi'niːrən] *vt* ■ **jdn ~** to discriminate against sb

dis·kri·mi·nie·rend *adj* discriminatory

Dis·kri·mi·nie·rung <-, -en> *f* discrimination

Dis·kus <-, -se *o* Disken> ['dɪskʊs, *pl* 'dɪskʊsə, 'dɪskən] *m* discus

Dis·kus·si·on <-, -en> [dɪskʊ'sⁱoːn] *f* discussion

Dis·kus·wer·fen <-s> *nt kein pl* discus throwing

dis·ku·tie·ren* [dɪsku'tiːrən] *vt, vi* to discuss

Dis·play <-s, -s> [dɪs'pleː] *nt* display

Dis·po·kre·dit ['dɪspo-] *m (fam) s.* **Dispositionskredit**

dis·po·nie·ren* [dɪspo'niːrən] *vi (geh)* ■ **[frei] über etw** *akk* **~** to dispose [at will] of sth

Dis·po·si·ti·on <-, -en> [dɪspozi'tsⁱoːn] *f* disposal; **jdn/etw zu seiner ~ haben** to have sb/sth at one's disposal; **zur ~ stehen** to be available

Dis·po·si·ti·ons·kre·dit *m* overdraft facility

Dis·put <-[e]s, -e> [dɪs'puːt] *m (geh)* dispute

Dis·qua·li·fi·ka·ti·on <-, -en> [dɪskvalifi- ka'tsⁱoːn] *f* disqualification

dis·qua·li·fi·zie·ren* [dɪskvalifi'tsiːrən] *vt* to disqualify (**wegen** for, **für** for)

Dis·ser·ta·ti·on <-, -en> [dɪsɛrta'tsⁱoːn] *f* dissertation

Dis·si·dent(in) <-en, -en> [dɪsi'dɛnt] *m(f)* dissident

Dis·so·nanz <-, -en> [dɪso'nants] *f* disharmony

dis·so·zi·al [dɪsotsi̯aːl] *adj* PSYCH Verhalten, Störung dissocial, extremely antisocial

Dis·tanz <-, -en> [dɪs'tants] *f* distance; ~ **wahren** (geh) to keep one's distance

dis·tan·zie·ren* [dɪstan'tsiːrən] *vr* ■ **sich** ~ to distance oneself (**von** from)

dis·tan·ziert I. *adj* (geh: zurückhaltend) distant II. *adv* distantly; **sich** ~ **verhalten** to be aloof

Dis·tel <-, -n> ['dɪstl̩] *f* thistle

Di·strikt <-[e]s, -e> [dɪs'trɪkt] *m* district

Dis·zi·plin <-, -en> [dɪstsi'pliːn] *f* discipline

dis·zi·pli·na·risch [dɪstsipli'naːrɪʃ] I. *adj* disciplinary II. *adv* **gegen jdn** ~ **vorgehen** to take disciplinary action against sb

Dis·zi·pli·nar·ver·fah·ren *nt* disciplinary hearing

dis·zi·pli·niert [dɪstsipli'niːɐ̯t] I. *adj* (geh) disciplined II. *adv* (geh) in a disciplined way

dis·zi·pli·nos I. *adj* undisciplined II. *adv* in an undisciplined way

Dis·zi·plin·lo·sig·keit <-, -en> *f* ❶ (undiszipliniertes Verhalten) disorderliness, unruliness BRIT ❷ (undisziplinierte Handlung) indiscipline, lack of discipline, disorderly conduct

di·to ['diːto] *adv* ditto *fam;* **ich soll dir von Sandra schöne Grüße bestellen! — ihr** ~! Sandra asked me to give you her love! — please give her mine back!; **danke für das Gespräch! —** ~! thanks for the call! — thank you too!

Di·va <-, -s o Diven> ['diːva, *pl* 'diːvən] *f* ≈ prima donna (actress or singer whose theatrical airs and graces make her a subject of discussion)

Di·ver·genz <-, -en> [divɛr'gɛnts] *f* divergence

di·ver·gie·ren* [divɛr'giːrən] *vi* to diverge (**von** from)

di·vers [di'vɛrs] *adj attr* diverse

Di·ver·si·fi·ka·ti·on <-, -en> [divɛrzifika'tsi̯oːn] *f* diversification

Di·ver·si·fi·zie·rung *f* ÖKON diversification

Di·vi·den·de <-, -n> [divi'dɛndə] *f* dividend

di·vi·die·ren* [divi'diːrən] *vt, vi* ■ **etw** ~ to divide sth (**durch** by)

Di·vi·si·on <-, -en> [divi'zi̯oːn] *f* division

Di·wan <-s, -e> ['diːvaːn] *m* (veraltend) divan

DKP <-> [deːkaː'peː] *f Abk von* **Deutsche Kommunistische Partei** German communist party

d.M. *Abk von* **dieses Monats** of this month

DM <-, -> [deː'ɛm] *kein art* (hist) *Abk von* **Deutsche Mark** Deutschmark

d-Moll <-s> ['deːmɔl] *nt kein pl* MUS D flat minor

D-Netz [deː-] *nt* network for mobile telephones throughout Europe

DNS <-> [deːʔɛn'ɛs] *f Abk von* **Desoxyribonukleinsäure** DNA

doch [dɔx] I. *konj* (jedoch) but, however II. *adv* (emph) ❶ (dennoch) even so; **zum Glück ist aber** ~ **nichts passiert** fortunately, nothing happened ❷ (einräumend) **du hattest** ~ **recht** you were right after all ❸ (Widerspruch ausdrückend) **du gehst jetzt ins Bett — nein! —** ~! go to bed now — no! — yes! ❹ (ja) yes; **hat es dir nicht gefallen? —** ~ |, ~ |! didn't you enjoy it? — yes, I did! III. *part* ❶ (Nachdruck verleihend) **es war** ~ **nicht so wie Du dachtest** it turned out not to be the way you thought it was; **du weißt ja** ~ **immer alles besser!** you always know better!; **das war** ~ **gar nicht schlimm, oder?** it wasn't so bad, was it?; **jetzt komm** ~ **endlich** come on!; **seid** ~ **endlich still** for goodness' sake, be quiet!; **sei** ~ **nicht immer so geizig** don't be so stingy; **sie will dir kündigen! — soll sie** ~, **das macht mir auch nichts aus** she's going to sack you! — let her, I don't care; **du weißt** ~, **wie es ist** you know how it is ❷ (Unmut ausdrückend) **das ist** ~ **gar nicht wahr** that's not true!; **das ist** ~ **wirklich eine Frechheit!** what a cheek!; **du hast ihr** ~ **nicht etwa von unserem Geheimnis erzählt?** you haven't gone and told her our secret? *fam* ❸ (noch) **wie war** ~ |gleich| **Ihr Name?** sorry, what did you say your name was?; **das ist Ihnen aber** ~ **bekannt gewesen, oder?** but you knew that, didn't you?

Docht <-[e]s, -e> ['dɔxt] *m* wick

Dock <-s, -s o -e> ['dɔk] *nt* dock

Dog·ge <-, -n> ['dɔgə] *f* mastiff

Dog·ma <-s, -men> ['dɔgma, *pl* 'dɔgmən] *nt* dogma

dog·ma·tisch [dɔ'gmaːtɪʃ] *adj* (geh) dogmatic

Doh·le <-, -n> ['doːlə] *f* jackdaw

Dok·tor, Dok·to·rin <-s, -toren> ['dɔktoːɐ̯, -'toːrɪn, *pl* -'toːrən] *m, f a.* MED doctor; **er ist** ~ **der Physik** he's got a PhD in physics; **den** ~ **machen** to do one's doctorate

Dok·to·rand(in) <-en, -en> [dɔkto'rant, *pl* dɔkto'randn̩] *m(f)* doctoral candidate

Dok·tor·ar·beit *f* doctoral dissertation

Dok·to·rin <-, -nen> [dɔk'toːrɪn] *f fem*

form von **Doktor**

Dok·tor·ti·tel *m* doctorate

Dok·trin <-, -en> [dɔk'triːn] *f* doctrine

dok·tri·när [dɔktri'nɛːɐ̯] *adj* (*pej geh*) doctrinaire *pej form;* ~**e Ansichten vertreten** to apply doctrinaire principles

Do·ku·ment <-[e]s, -e> [doku'mɛnt] *nt* document

Do·ku·men·tar·film *m* documentary film

do·ku·men·ta·risch [dokumɛn'taːrɪʃ] **I.** *adj* documentary **II.** *adv* etw ~ **beweisen** to prove sth by providing documentary evidence

Do·ku·men·ta·ti·on <-, -en> [dokumɛnta'tsi̯oːn] *f* documentation

do·ku·men·tie·ren* [dokumɛn'tiːrən] *vt* to document

Do·ku-Soap <-, -s> [doku'zoːp] *f* docusoap, fly-on-the-wall documentary

Dolch <-[e]s, -e> ['dɔlç] *m* dagger

doll ['dɔl] **I.** *adj* (*fam*) ❶ (*schlimm*) dreadful *fam* ❷ (*großartig*) fantastic *fam* ❸ (*unerhört*) outrageous; **das wird ja immer ~er!** it gets better and better! *iron;* **das D~ste kommt erst noch!** the best is [yet] to come! *iron* **II.** *adv* DIAL (*sl*) like hell [*or* BRIT mad] *fam;* **sich ~ stoßen/wehtun** to knock/hurt oneself badly; **es stürmt immer ~er** the storm's getting worse and worse

Dol·lar <-[s], -s> ['dɔlar] *m* dollar

Dol·lar·kurs *m* dollar rate

dol·met·schen ['dɔlmɛtʃn̩] *vi, vt* to interpret

Dol·met·scher(in) <-s, -> ['dɔlmɛtʃɐ] *m(f)* interpreter

Do·lo·mi·ten [dolo'miːtn̩] *pl* ◼ **die ~** the Dolomites

Dom <-[e]s, -e> ['doːm] *m* ❶ (*große Kirche*) cathedral ❷ ARCHIT dome

Do·mä·ne <-, -n> [do'mɛːnə] *f* domain

do·mi·nant [domi'nant] *adj* dominant; *Mensch* domineering

Do·mi·nan·te <-, -n> [domi'nantə] *f* dominant

Do·mi·nanz <-, -en> [domi'nants] *f* dominance

do·mi·nie·ren* [domi'niːrən] *vi, vt* to dominate (**in** in)

do·mi·nie·rend *adj* dominating *usu pej,* predominating, prevailing, dominant

Do·mi·ni·ka·ner(in) <-s, -> [domini'kaːnɐ] *m(f)* ❶ REL member of the Dominican order ❷ GEOG, POL Dominican

Do·mi·ni·ka·ni·sche Re·pu·blik *f* Dominican Republic

Do·mi·no <-s, -s> ['doːmino] *nt* dominoes + *sing vb*

Do·mi·no·stein *m* ❶ (*Spiel*) domino ❷ (*Weihnachtsgebäck*) *cube-shaped sweet made of Lebkuchen, filled with marzipan and jam and covered with chocolate*

Do·mi·zil <-s, -e> [domi'tsiːl] *nt* (*geh*) residence

Dom·pfaff <-en *o* -s, -en> ['doːmpfaf] *m* bullfinch

Domp·teur(in) <-s, -e> [dɔmp'tøːɐ] *m(f),* **Domp·teu·se** <-, -n> [dɔmp'tøːzə] *f* animal trainer

Do·nau <-> ['doːnaʊ̯] *f* ◼ **die ~** the Danube

Don·ner <-s, *selten* -> ['dɔnɐ] *m* thunder

don·nern ['dɔnɐn] **I.** *vi impers haben* to thunder; **hörst du, wie es donnert?** can you hear the thunder? **II.** *vi* ❶ *haben* (*poltern*) to bang ❷ *sein* (*krachend prallen*) to crash (**gegen/in** into) ❸ *sein* (*sich polternd bewegen*) **ein schwerer Laster donnerte heran** a heavy lorry came thundering by

Don·ner·schlag *m* ❶ METEO clap of thunder ❷ (*Ausdruck des Erstaunens*) ◼~**!** (*veraltend fam*) I'll be blowed! *dated* ▸ **jdn wie ein ~ treffen** to hit sb out of the blue

Don·ners·tag ['dɔnɐstaːk] *m* Thursday; *s. a.* **Dienstag**

don·ners·tag·abends^RR *adv* [on] Thursday evenings

don·ners·tags *adv* [on] Thursdays

Don·ner·wet·ter ['dɔnɐvɛtɐ] *nt* (*fam*) ❶ (*Schelte*) unholy row BRIT, an awful bawling out AM ❷ (*alle Achtung!*) I'll be damned! ❸ (*in Ausrufen*) [**zum**] ~**!** damn it!

doof <doofer *o* döfer, doofste *o* döfste> ['doːf] *adj* (*fam*) ❶ (*blöd*) stupid ❷ (*verflixt*) damn; **das Ganze wird mir langsam zu** ~ I'm beginning to find the whole business ridiculous

Doof·heit <-, -en> *f* (*fam*) stupidity

Doof·kopp <-s, -köppe> [-kɔp, *pl* -køpə] *m,* **Doof·mann** <-s, -männer> *m* (*sl*) twit

Dope <-s, -s> [doːp] *nt* (*sl*) pot

do·pen ['doːpn̩, 'dɔpn̩] *vt* to dope

Do·ping <-s, -s> ['doːpɪŋ] *nt illicit use of drugs before sporting events*

Do·ping·kon·trol·le ['doːpɪŋ-] *f,* **Do·ping·test** ['doːpɪŋ-] *m* drugs test

Do·ping·mit·tel ['doːpɪŋ-] *nt* [performance-enhancing] drug

Dop·pel <-s, -> ['dɔpl̩] *nt* ❶ (*Duplikat*) duplicate ❷ SPORT doubles; **gemischtes ~** mixed doubles

Dop·pel·be·las·tung *f* double burden

Dop·pel·bett *nt* double bed **Dop·pel·**

bür·ger(in) *m(f)* POL *bes* SCHWEIZ citizen with dual nationality

Dop·pel·de·cker <-s, -> *m* ❶ (*Flugzeug*) biplane ❷ (*fam: Omnibus*) double-decker [bus]

dop·pel·deu·tig ['dɔpldɔytɪç] *adj* ambiguous

Dop·pel·fens·ter *nt* double glazing

Dop·pel·gän·ger(in) <-s, -> [-gɛŋɐ] *m(f)* look-alike

Dop·pel·glas·fens·ter *nt* window with double glazing **Dop·pel·haus** *nt* two semi-detached houses *pl* BRIT, duplex house AM **Dop·pel·kinn** *nt* double chin **dop·pel|kli·cken** *vi* to double-click **Dop·pel·le·ben** *nt* double life **Dop·pel·mo·ral** *f* double standards *pl* **Dop·pel·mord** *m* double murder **Dop·pel·na·me** *m* (*Nachname*) double-barrelled [*or* AM hyphenated] [sur]name **Dop·pel·punkt** *m* colon

dop·pel·sei·tig *adj* ❶ (*beide Hälften betreffend*) double; **~e Lähmung** diplegia ❷ (*beide Seiten betreffend*) double-paged; (*in der Zeitschriftenmitte*) centrefold BRIT, centerfold AM

Dop·pel·spiel *nt* (*pej*) double-dealing *pej;* **mit jdm ein ~ treiben** to double-cross sb; (*jdn sexuell betrügen*) to two-time sb **Dop·pel·ste·cker** *m* twin socket

dop·pelt ['dɔplt] **I.** *adj* ❶ (*zweite*) second; *Staatsangehörigkeit* dual ❷ (*zweifach*) double; **aus ~em Grunde** for two reasons; **einen ~en Zweck dienen** to serve a dual purpose; **~ so viel** twice as much/many ❸ (*verdoppelt*) doubled; **mit ~em Einsatz arbeiten** to double one's efforts **II.** *adv* ❶ *direkt vor adj* (*zweimal*) twice ❷ (*zweifach*) twice; **~ sehen** to see double; **~ und dreifach** doubly [and more] ❸ (*umso mehr*) doubly ▶ **~ gemoppelt hält besser!** (*fam*) better [to be] safe than sorry

Dop·pel·tür *f* double door[s] **Dop·pel·ver·die·ner(in)** *m(f)* ❶ (*Person mit zwei Einkünften*) double wage earner ❷ *pl* (*Paar mit zwei Gehältern*) double-income couple **Dop·pel·wäh·rungs·pha·se** *f* FIN dual currency phase **Dop·pel·zent·ner** *m* ≈ 2 hundredweights BRIT (*100 kilos*) **Dop·pel·zim·mer** *nt* double [room]

Dorf <-[e]s, Dörfer> ['dɔrf, *pl* 'dœrfɐ] *nt* village BRIT, AM *usu* [small] town; **das Olympische ~** the Olympic village; **auf dem ~** in the country; **vom ~** from the country

Dorf·be·woh·ner(in) *m(f)* villager **Dorf·**

schaft <-, -en> *f* SCHWEIZ village BRIT, [small] town AM **Dorf·trot·tel** *m* (*fam*) village idiot

Dorn¹ <-[e]s, -en> ['dɔrn] *m* thorn ▶ **jdm ein ~ im Auge sein** to be a thorn in sb's side

Dorn² <-[e], -e> ['dɔrn] *m* ❶ (*Metallstift*) [hinged] spike ❷ (*Werkzeug*) awl

Dorn·busch *m* thorn bush

Dor·nen·kro·ne *f* crown of thorns

dor·nig ['dɔrnɪç] *adj* thorny

Dorn·rös·chen <-> [-'rø:sçən] *nt kein pl* Sleeping Beauty

dör·ren ['dœrən] **I.** *vt haben* ■ **etw ~** to dry [out] sth *sep* **II.** *vi sein* to wither

Dörr·obst *nt* dried fruit

Dorsch <-[e]s, -e> ['dɔrʃ] *m* cod

dort ['dɔrt] *adv hinweisend* there; **schau mal ~!** look at that!; **~ drüben** over there; **von ~** from there; **von ~ aus** from there

dort·her ['dɔrt'heːɐ] *adv* from there

dort·hin ['dɔrt'hɪn] *adv* there; **bis ~** up to there; **wie weit ist es bis ~?** how far is it to there?

dort·hin·aus ['dɔrthɪr'naʊs] *adv* (*dahinaus*) there ▶ **bis ~** (*fam*) awfully; **das ärgert mich bis ~!** that drives me up the wall!

dort·hin·ein *adv* over there

dor·tig ['dɔrtɪç] *adj attr* local

Dose <-, -n> ['doːzə] *f* ❶ (*Büchse*) box; (*Blech~*) tin BRIT, can AM ❷ (*Steck~*) socket

Do·sen *pl von* **Dosis**

dö·sen ['døːzn̩] *vi* (*fam*) to doze

Do·sen·bier *nt kein pl* canned beer **Do·sen·milch** *f* condensed milk **Do·sen·mu·sik** *f* (*hum fam*) canned music **Do·sen·öff·ner** *m* tin opener **Do·sen·pfand** *nt kein pl* [beverage] can deposit **Do·sen·sup·pe** *f* canned soup

do·sie·ren* [do'ziːrən] *vt* to measure out *sep*

Do·sie·rung <-, -en> *f* dosage

Do·sis <-, Dosen> ['doːzɪs, *pl* 'doːzn̩] *f* dose

Dös·kopp <-s, -köppe> [-kɔp] *m* NORDD (*fam*) dope

Dos·sier <-s, -s> [dɔ'sieː] *nt* dossier

Dot·com-Un·ter·neh·men ['dɔtkɔm-] *nt* dotcom [business]

do·tie·ren* [do'tiːrən] *vt* ❶ (*honorieren*) **eine Stelle [mit etw] ~** to remunerate a position [with sth] ❷ (*ausstatten*) **mit 10000 Euro dotiert sein** to be worth 10,000 Euro

Dot·ter <-s, -> ['dɔtɐ] *m o nt* yolk

Dot·ter·blu·me *f* marsh marigold

dou·beln ['du:bln] I. *vt* ■**jdn** ~ to double for sb II. *vi* to work as a double

Dou·ble <-s, -s> ['du:bl] *nt* double

Down <-s, -s> [daʊn] *nt* NUKL (*Elementarladung*) down

down [daʊn] *adj pred* (*sl*) down, miserable; ~ **sein** to feel low

Down·link ['daʊnlɪŋk] *nt* TELEK downlink

Down·load <-s, -s> ['daʊnlo:t] *m* download **down·loa·den** ['daʊnlo:dn̩] *vt* INFORM ■**etw** ~ to download sth (**von** from)

Down·syn·drom *nt* Down's syndrome

Do·zent(in) <-en, -en> [do'tsɛnt] *m(f)* lecturer

do·zie·ren* [do'tsi:rən] *vi* to lecture

Dr. *Abk von* **Doktor** Dr

Dra·che <-n, -n> ['draxə] *m* dragon

Dra·chen <-s, -> ['draxn̩] *m* ❶ (*Spielzeug*) kite; **einen ~ steigen lassen** to fly a kite ❷ (*Fluggerät*) hang-glider ❸ (*fam: zänkisches Weib*) dragon

Dra·chen·flie·gen *nt* hang-gliding **Dra·chen·flie·ger(in)** *m(f)* hang-glider

Drach·me <-, -n> ['draxmə] *f* drachma

Dra·gee, Dra·gée <-s, -s> [dra'ʒe:] *nt* ❶ PHARM sugar-coated pill ❷ KOCHK sugar-coated sweet BRIT

Draht <-[e]s, Drähte> ['dra:t, *pl* 'drɛ:tə] *m* wire ▸ **zu jdm einen** guten ~ **haben** to be on good terms with sb

Draht·bürs·te *f* wire brush **Draht·esel** *nt* (*fam*) bike **Draht·git·ter** *nt* wire grating

drah·tig *adj* wiry

draht·los *adj* wireless; ~**es Telefon** mobile [tele]phone BRIT, cellular [tele]phone AM

Draht·seil *nt* wire cable **Draht·seil·bahn** *f* cable railway, gondola AM **Draht·zaun** *m* wire fence **Draht·zie·her(in)** <-s, -> *m(f)* sb pulling the strings

dra·ko·nisch [dra'ko:nɪʃ] I. *adj* (*unbarmherzig hart*) Draconian II. *adv* harshly

drall ['dral] *adj* well-rounded; **Mädchen** shapely

Dra·ma <-s, -men> ['dra:ma, *pl* 'dra:mən] *nt* drama

Dra·ma·tik <-> [dra'ma:tɪk] *f kein pl* ❶ (*fig: große Spannung*) drama; **die letzten Minuten des Spiels waren von großer ~** the final minutes of the match were full of drama ❷ LIT drama

Dra·ma·ti·ker(in) <-s, -> [dra'ma:tikɐ] *m(f)* dramatist

dra·ma·tisch [dra'ma:tɪʃ] I. *adj* dramatic II. *adv* dramatically

dra·ma·ti·sie·ren* [dramati'zi:rən] *vt* ❶ LIT to dramatize ❷ (*fig: übertreiben*) to express sth in a dramatic way

Dra·ma·ti·sie·rung <-, -en> *f* dramatization; **das ist doch wirklich kein Anlass zur** ~! there is really no call for dramatization!

Dra·ma·turg(in) <-en, -en> [drama'tʊrk, *pl* drama'tʊrgn̩] *m(f)* dramaturg[e]

Dra·ma·tur·gie <-, -en> [dramatʊr'gi:, *pl* dramatʊr'gi:ən] *f* ❶ (*Lehre des Dramas*) dramaturgy ❷ (*Bearbeitung eines Dramas*) dramatization

Dra·ma·tur·gin <-, -nen> [drama'tʊrgɪn] *f fem form von* **Dramaturg**

dran ['dran] *adv* (*fam*) ❶ (*daran*) [zu] **früh/spät** ~ **sein** to be [too] early/late; **sie ist besser ~ als er** she's better off than he is; **schlecht** ~ **sein** (*gesundheitlich*) to be off colour; (*schlechte Möglichkeiten haben*) to have a hard time [of it] ❷ (*an der Reihe sein*) **jetzt bist du** ~! now it's your turn!; **wer ist als Nächster** ~? who's next? ❸ (*zutreffen*) ■**etw** ~ **sein an etw** *dat* to be sth in it; **nichts** ~ **sein an etw** *dat* to be nothing in sth

dran|blei·ben *vi irreg sein* (*fam*) ❶ (*dicht an jdm bleiben*) ■**an jdm** ~ to keep close to sb ❷ (*am Telefon bleiben*) to hold the line BRIT, to hold AM

drang ['dran] *imp von* **dringen**

Drang <-[e]s, Dränge> ['dran, *pl* 'drɛŋə] *m* longing; **ein starker** ~ a strong desire; **einen ~ haben[, etw zu tun]** to feel an urge [to do sth]

dran|ge·hen *vi irreg sein* (*fam*) ■**[an etw** *akk*] ~ to touch [sth]

Drän·ge·lei <-, -en> [drɛŋə'laɪ] *f* (*pej fam*) ❶ (*lästiges Drängeln*) jostling ❷ (*lästiges Drängen*) nagging

drän·geln ['drɛŋln̩] I. *vi* (*fam*) to push II. *vt, vi* (*fam*) ■**jdn** ~ to pester [sb]

drän·gen ['drɛŋən] I. *vi* ❶ (*schiebend drücken*) to push; **durch die Menge** ~ to force one's way through the crowd ❷ (*fordern*) ■**auf etw** *akk* ~ to insist on sth; **warum drängst du so zur Eile?** why are you in such a hurry? ❸ (*pressieren*) **die Zeit drängt** time is running out; **es drängt nicht** there's no hurry II. *vt* ❶ (*schiebend drücken*) to push ❷ (*auffordern*) ■**jdn** ~, **etw zu tun** to pressurize sb into doing sth ❸ (*treiben*) ■**jdn [zu etw** *dat*] ~ to force sb [to sth]; ■**jdn** ~, **etw zu tun** to compel sb to do sth; **sich [von jdm] gedrängt fühlen** to feel pressurized [*or* AM pressured] by sb III. *vr* ■**sich** ~ to crowd; **vor dem Kino drängten sich die Leute** there was a throng of people in front of the cinema; **sich nach vorne** ~ to press forwards

drang·sa·lie·ren* [dranza'li:rən] *vt*

■ **jdn** ~ to plague sb (**mit** with)

dran|hal·ten *irreg* I. *vt* (*fam: an etw halten*) ■ **etw** [**an etw** *akk*] ~ hold sth up [to sth] II. *vr* (*fam: sich ranhalten*) ■ **sich** ~ to keep at it **dran|hän·gen** I. *vt* (*fam*) ❶ (*an etw hängen*) ■ **etw** [**an etw** *akk*] ~ to hang sth [on sth] ❷ (*mehr aufwenden*) ■ **etw** ~ to add on sth II. *vi irreg* (*fam: an etw hängen*) ■ [**an etw** *dat*] ~ to hang [on sth] III. *vr* (*fam: verfolgen*) ■ **sich** [**an jdn**] ~ to stick close [to sb] **dran|kom·men** *vi irreg sein* (*fam*) ❶ (*an die Reihe kommen*) **Sie kommen noch nicht dran** it's not your turn yet; **warte bis du drankommst** wait your turn ❷ (*aufgerufen werden*) **bei der Lehrerin komme ich nie dran** this teacher never asks me anything ❸ DIAL (*erreichen können*) ■ [**an etw** *akk*] ~ to reach [sth] **dran|krie·gen** *vt* (*fam*) ■ **jdn** ~ ❶ (*zu etw veranlassen*) to get sb to do sth ❷ (*reinlegen*) to take sb in **dran|las·sen** *vt irreg* (*fam*) ❶ (*an etw belassen*) ■ **etw** [**an etw** *dat*] ~ to leave sth [on sth] ❷ *s.* **ranlassen dran|neh·men** *vt irreg* (*fam*) ■ **jdn** ~ ❶ (*zur Mitarbeit auffordern*) to ask sb ❷ (*zur Behandlung nehmen*) to take sb in **dran|set·zen** I. *vt* (*fam*) ❶ (*anfügen*) to add (**an** to) ❷ (*einsetzen*) **wir müssen alles** ~**!** we must make every effort ! ❸ (*beschäftigen*) ■ **jdn** ~ to put sb onto the job [*or* it] II. *vr* (*fam: sich nahe an etw setzen*) ■ **sich an jdn** ~ to sit [down] next to sb

dra·pie·ren* [dra'pi:rən] *vt* to drape (**um** around, **mit** with)

dras·tisch ['drastɪʃ] I. *adj* drastic II. *adv* drastically

drauf ['dra̯uf] *adv* (*fam*) on it [*or* them] ▶ **etw** ~ **haben** (*fam: etw beherrschen*) to be well up on sth; ~ **und dran sein, etw zu tun** to be on the verge of doing sth; **gut/komisch/schlecht** ~ **sein** (*fam*) to feel good/strange/bad

drauf|be·kom·men* *vt irreg* (*fam*) ■ **etw** [**auf etw** *akk*] ~ to fit sth on [sth] ▶ **eins** ~ to get a smack BRIT, to get it AM **Drauf·gän·ger(in)** <-s, -> ['dra̯ufgɛŋɐ] *m(f)* go-getter *fam* **drauf·gän·ge·risch** ['dra̯ufgɛŋərɪʃ] *adj* go-getting *fam* **drauf|ge·hen** ['dra̯ufge:ən] *vi irreg sein* (*sl*) ❶ (*sterben*) to kick the bucket ❷ (*verbraucht werden*) to be spent ❸ (*kaputtgehen*) **ein paar Gläser gehen bei solchen Veranstaltungen immer drauf** a few glasses always get broken at functions like these **drauf|ha·ben** *vt irreg* (*fam*) ■ **etwas/nichts/viel** ~ to know sth/nothing/

a lot **drauf|hau·en** *vi irreg* (*fam*) **jdm eins** ~ to hit sb **drauf|kom·men** *vi irreg sein* (*fam*) ❶ (*herausbekommen*) to figure it out ❷ (*sich erinnern*) to remember **drauf|krie·gen** *vt* (*fam*) *s.* **draufbekommen drauf|las·sen** *vt irreg* (*fam*) ■ **etw** [**auf etw** *dat*] ~ to leave sth on [sth] **drauf|le·gen** *vt* (*fam*) ❶ (*zusätzlich geben*) **wenn Sie noch 5000** ~**, können Sie das Auto haben!** for another 5,000 the car is yours! ❷ (*auf etw legen*) ■ **etw** [**auf etw** *akk*] ~ to put sth on [sth] **drauf·los** *adv* [*nur*] **immer feste** ~**!** (*drauf*) keep it up!; (*voran*) [just] keep at it! **drauf·los|ar·bei·ten** *vi* (*fam*) to get straight down to work **drauf·los|ge·hen** *vi irreg sein* (*fam: ohne Ziel*) to set off **drauf·los|re·den** *vi* (*fam*) to start talking **drauf·los|schla·gen** *vi irreg* (*fam*) ■ **auf jdn** ~ to hit out at sb

drauf|ma·chen *vt* (*fam*) ■ **etw** [**auf etw** *akk*] ~ to put sth on [sth] ▶ **einen** ~ (*fam*) to paint the town red **drauf|sein**ALT *vi irreg sein* (*fam*) *s.* **drauf Drauf|sicht** *f* top view **drauf|ste·hen** *vi irreg* (*fam*) ❶ (*auf etw stehen*) to stand (**auf** on) ❷ (*gedruckt/geschrieben stehen*) **ich kann nicht lesen, was da auf dem Etikett draufsteht** I can't read what it says on the label **drauf|sto·ßen** *irreg* I. *vi sein* (*fam*) to come to it II. *vt haben* (*fam*) ■ **jdn** ~ to point it out to sb **drauf|zah·len** *vi* (*fam*) (*drauflegen*) ■ **etw** [**auf etw** *akk*] ~ to add sth [to sth] ▶ ~ **müssen** (*eine Einbuße erleiden*) to make a loss

draus ['dra̯us] *adv* (*fam*) *s.* **daraus**

drau·ßen ['dra̯usn̩] *adv* ❶ (*im Freien*) outside; **nach** ~ outside; **von** ~ from outside ❷ (*weit entfernt*) out there

drech·seln ['drɛksl̩n] *vt*, *vi* to turn **Drechs·ler(in)** <-s, -> ['drɛkslɐ] *m(f)* turner

Dreck <-[e]s> ['drɛk] *m kein pl* ❶ (*Erde*) dirt; (*Schlamm*) mud ❷ (*Schund*) rubbish BRIT, trash AM ▶ ~ **am Stecken haben** to have a skeleton in the cupboard [*or* AM *usu* closet]; **jdn wie den letzten** ~ **behandeln** to treat sb like dirt; **sich einen** ~ **um jdn/etw kümmern** to not give a damn about sb/sth; **jdn/etw durch den** ~ **ziehen** to drag sb's name/sth through the mud; **einen** ~ **wert sein/wissen** to not be worth/know a damn thing

Dreck·ar·beit *f* (*fam*) menial work **Dreck·fin·ger** *pl* (*fam*) dirty fingers [*or esp* AM hands] *pl* **Dreck·fink** *m* ❶ (*fam: Kind*) mucky pup BRIT, grubby urchin AM ❷ (*fam: unmoralischer Mensch*) dirty [*or*

filthy] beggar

dre·ckig I. *adj* ❶ (*schmutzig*) dirty ❷ (*fam: gemein, abstoßend*) dirty; *Verräter* low-down **II.** *adv* (*fam*) nastily ▸ **jdm geht es ~** sb feels terrible; (*finanziell schlecht daste-hen*) sb is badly off; (*Übles bevorstehen*) sb is [in] for it

Dreck·loch *nt* (*fam*) dump **Dreck·nest** *nt* (*fam*) hole **Dreck·pfo·ten** *pl* (*fam*) grubby paws *pl* **Dreck·sack** *m* (*sl*) bastard

Drecks·ar·beit *f* (*fam*) *s.* Dreckarbeit **Dreck·sau** *m* (*sl*) filthy swine **Dreck·schwein** *nt* (*fam*) *s.* Drecksau **Drecks·kerl** *m* (*fam*) *s.* Drecksack **Dreck·spatz** *m* (*fam*) mucky pup

Dreh <-s, -s *o* -e> ['dreː] *m* (*fam*) trick ▸ **den [richtigen] ~ heraushaben** (*fam*) to get the hang of it

Dreh·ar·beit *f meist pl* shooting *no pl* **Dreh·bank** <-bänke> *f* lathe

dreh·bar *adj, adv* revolving; **~er Sessel/ Stuhl** swivel chair

Dreh·blei·stift *m* propelling [*or* Am mechanical] pencil **Dreh·buch** *nt* screenplay **Dreh·buch·au·tor(in)** *m(f)* screenplay writer

dre·hen ['dreːən] **I.** *vt* ❶ (*herumdrehen*) to turn ❷ *Zigarette* to roll ❸ FILM to shoot ❹ (*stellen*) **das Radio lauter/leiser ~** to turn the radio up/down ❺ (*sl: hinkriegen*) to manage ▸ **wie man es auch dreht und wendet** no matter how you look at it **II.** *vi* ❶ FILM to shoot ❷ (*stellen*) ■ **an etw** *dat* **~** to turn sth ❸ (*wenden*) to turn round ❹ *Wind* to change **III.** *vr* ❶ (*rotieren*) ■ **sich ~** to turn ❷ (*wenden*) **sich zur Seite/auf den Bauch/nach rechts ~** to turn to the side/on to one's stomach/to the right ❸ (*betreffen*) ■ **sich um jdn/etw ~** to be about sb/sth; **das Gespräch dreht sich um Sport** the conversation revolves around sport; ■ **sich darum ~, dass ...** the point is that ... ▸ **jdm dreht sich alles** sb's head is spinning

Dre·her(in) <-s, -> ['dreːɐ] *m(f)* lathe operator

Dreh·kreuz *nt* turnstile **Dreh·or·gel** *f* barrel organ **Dreh·ort** *m* location **Dreh·schei·be** *f* ❶ (*sich drehende Vorrichtung*) revolving disc ❷ (*Töpferscheibe*) potter's wheel **Dreh·stuhl** *m* swivel chair **Dreh·tür** *f* revolving door

Dre·hung <-, -en> *f* revolution; **eine ~ machen** to turn

Dreh·wurm *m* ▸ **einen ~ haben** (*fam*) to feel giddy **Dreh·zahl** *f* [number of] revolutions *pl*

drei ['draɪ] *adj* three; **~ viertel** three quarters; **es ist ~ viertel vier** it's quarter to four; *s. a.* **acht¹** ▸ **aussehen, als könne man nicht bis ~ zählen** to look pretty empty-headed

Drei <-, -en> ['draɪ] *f* ❶ (*Zahl*) three ❷ (*Zeugnisnote*) C

drei·di·men·si·o·nal *adj* three-dimensional

Drei·eck ['draɪʔɛk] *nt* triangle

drei·eckig, 3-eckigRR ['draɪʔɛkɪç] *adj* triangular **Drei·ecks·ver·hält·nis** *nt* love triangle

drei·ein·halb ['draɪʔaɪn'halp] *adj* three and a half

Drei·ei·nig·keit <-> [draɪʔaɪnɪçkaɪt] *f kein pl s.* Dreifaltigkeit

drei·er·lei ['draɪəlaɪ] *adj attr* three [different]; *s. a.* **achterlei**

drei·fach, 3·fach ['draɪfax] **I.** *adj* threefold; **die ~e Menge** three times the amount; *s. a.* **achtfach II.** *adv* threefold, three times over; *s. a.* **achtfach**

Drei·fal·tig·keit <-> [draɪ'faltɪçkaɪt] *f kein pl* Trinity

drei·hun·dert ['draɪ'hʊndɐt] *adj* three hundred

drei·jäh·rig, 3-jäh·rigRR *adj* ❶ (*Alter*) three-year-old *attr;* three years old *pred; s. a.* **achtjährig 1** ❷ (*Zeitspanne*) three-year *attr; s. a.* **achtjährig 2**

Drei·kampf *m* three-event [athletics] competition (*100-metre sprint, long jump and shot put*) **Drei·kä·se·hoch** <-s, -s> [draɪ'kɛːzəhoːx] *m* (*hum fam*) little fellow [*or* Am guy] **Drei·kö·ni·ge** [draɪ'køːnɪɡə] *pl* Epiphany *no pl* **Drei·län·der·eck** *nt* region where three countries meet

drei·mal, 3-malRR ['draɪmaːl] *adv* three times ▸ **~ darfst du raten!** (*fam*) I'll give you three guesses

drein ['draɪn] *adv* (*fam: in das hinein*) in there

drein|bli·cken ['draɪnblɪkn̩] *vi* look **drein|re·den** *vi* DIAL ■ **jdm [bei etw** *dat*] **~** ❶ (*dazwischenreden*) to interrupt sb [during/in sth] ❷ (*sich einmischen*) to interfere in sb else's business **drein|schau·en** *vi s.* **dreinblicken**

Drei·rad *nt* tricycle **Drei·satz** *m kein pl* rule of three

drei·ßig ['draɪsɪç] *adj* thirty; *s. a.* **achtzig 1, 2**

Drei·ßig <-, -en> ['draɪsɪç] *f* thirty

drei·ßig·jäh·rig, 30-jäh·rigRR ['draɪsɪçjɛːrɪç] *adj attr* ❶ (*Alter*) thirty-year-old *attr,* thirty years old *pred* ❷ (*Zeitspanne*) thirty-year *attr*

drei·ßigs·te(r, s) *adj* thirtieth; *s. a.* **ach·te(r, s)**

dreist [ˈdraɪst] *adj* (*pej*) brazen

drei·stel·lig, 3-stel·lig[RR] *adj* three-figure *attr*

Dreis·tig·keit <-, -en> *f* brazenness

Drei·ta·ge·bart *m* designer stubble

drei·tau·send [ˈdraɪˈtaʊznt] *adj* three thousand **drei·tei·lig, 3-tei·lig**[RR] *adj* three-part; *Besteck* three-piece **drei·vier·tel**[ALT] *adj, adv s.* **drei, viertel drei·vier·tel·lang** [draɪˈfiːrtlaŋ] *adj* three-quarter [length] **Drei·vier·tel·stun·de** [ˈdraɪfɪrtlˈʃtʊndə] *f* three-quarters of an hour, AM *usu* 45 minutes **Drei·vier·tel·takt** [draɪˈfiːrtltakt] *m* three-four [*or* AM three-quarter] time

Drei·zack <-s, -e> *m* trident

drei·zehn [ˈdraɪtseːn] *adj* thirteen; ~ **Uhr** 1pm; *s. a.* **acht**[1] ▶ **jetzt schlägt's aber** ~ (*fam*) enough is enough

drei·zehn·te(r, s) *adj* thirteenth; *s. a.* **ach·te(r, s)**

Drei·zim·mer·woh·nung [draɪˈtsɪmɛvoːnʊŋ] *f* three-room flat [*or* AM apartment]

Dres. *pl Abk von* **doctores** Drs *pl* (*PhDs*)

Dre·sche <-> [ˈdrɛʃə] *f kein pl* (*fam*) thrashing, AM licking; ~ **kriegen** to get a thrashing

dre·schen <drischt, drosch, gedroschen> [ˈdrɛʃn̩] I. *vt* ➊ AGR to thresh ➋ (*fam: prügeln*) to thrash II. *vi* ➊ AGR to thresh ➋ (*fam: schlagen*) to hit out

Dresch·fle·gel *m* AGR flail

Dresch·ma·schi·ne *f* threshing machine

Dres·den <-s> [ˈdreːsdn̩] *nt* Dresden

dres·sie·ren* [drɛˈsiːrən] *vt* ■ **ein Tier** [darauf] ~, **etw** *akk* **zu tun** to train an animal to do sth

Dres·sing <-s, -s> [ˈdrɛsɪŋ] *nt* dressing

Dress·man <-s, -men> [ˈdrɛsmən] *m* male model

Dres·sur <-, -en> [drɛˈsuːɐ̯] *f* training

drib·beln [ˈdrɪbl̩n] *vi* to dribble

Dribb·ling <-s, -s> [ˈdrɪblɪŋ] *nt* SPORT dribbling, dribble; **zu einem** ~ **ansetzen** to start dribbling

drif·ten [ˈdrɪftn̩] *vi sein* (*a. fig*) to drift

Drill <-[e]s> [ˈdrɪl] *m kein pl* drill

Drill·boh·rer *m* drill

dril·len [ˈdrɪlən] *vt* to drill

Dril·ling <-s, -e> [ˈdrɪlɪŋ] *m* triplet

drin [ˈdrɪn] *adv* (*fam*) ➊ (*darin*) in it ➋ (*drinnen*) inside; **ich bin hier** ~ I'm in here ▶ **bei jdm ist alles** ~ anything is possible with sb; **für jdn ist noch alles** ~ anything is still possible for sb

drin·gen <drang, gedrungen> [ˈdrɪŋən] *vi* ➊ *sein* (*stoßen*) ■ **durch/in etw** *akk* ~ to penetrate sth; **durch die Bewölkung/den Nebel** ~ to pierce the clouds/fog ➋ *sein* (*vor~*) ■ **an etw** *akk*/**zu jdm** ~ to get through to sth/sb; **an die Öffentlichkeit** ~ to leak to the public ➌ *haben* (*auf etw bestehen*) ■ **auf etw** *akk* ~ to insist on sth ➍ *sein* (*bestürmen*) ■ [**mit etw** *dat*] **in jdn** ~ to press sb [with sth]

drin·gend [ˈdrɪŋənt] I. *adj* (*schnell erforderlich*) urgent, pressing; **etw** ~ **machen** (*fam*) to make sth a priority II. *adv* ➊ (*schnellstens*) urgently ➋ (*nachdrücklich*) strongly ➌ (*unbedingt*) absolutely; **ich muss dich** ~ **sehen** I really need to see you

dring·lich [ˈdrɪŋlɪç] *adj s.* **dringend 1**

Dring·lich·keit <-> *f kein pl* urgency

drin·hän·gen *vi irreg* (*fam*) *s.* **drinstecken 3**

Drink <-s, -s> [ˈdrɪŋk] *m* drink

drin·nen [ˈdrɪnən] *adv* (*in einem Raum*) inside; **dort/hier** ~ in there/here; (*im Haus*) indoors

drin|sein[ALT] *vi irreg* (*fam*) *s.* **drin drin|ste·cken** *vi* (*fam*) ■ **in etw** *dat* ~ ➊ (*sich in etw befinden*) to be in sth ➋ (*investiert sein*) to go into sth ➌ (*verwickelt sein*) to be mixed up in sth **drin|ste·hen** *vi* ➊ (*in etw stehen*) to be in it ➋ (*verzeichnet sein*) ■ **in etw** *dat* ~ to be in sth

dritt [ˈdrɪt] *adv* **wir waren zu** ~ there were three of us

drit·te(r, s) [ˈdrɪtə] *adj* third; **die** ~ **Klasse** primary three BRIT, third grade AM; *s. a.* **achte(r, s)**

drit·tel [ˈdrɪtl̩] *adj* third

Drit·tel <-s, -> [ˈdrɪtl̩] *nt* third

drit·tens [ˈdrɪtn̩s] *adv* thirdly

Drit·te-Welt-La·den *m* Third World import store (*shop which sells products from the Third World countries to support them*) **Drit·te-Welt-Land** *nt* Third World country

dritt·klas·sig *adj* (*pej*) third-rate

Dritt·land *nt meist pl* third [*or* non-member] country

DRK <-> [deːɛrˈkaː] *nt Abk von* **Deutsches Rotes Kreuz** German Red Cross

dro·ben [ˈdroːbn̩] *adv* (*geh*) up there

Dro·ge <-, -n> [ˈdroːgə] *f a.* PHARM drug; ~**n nehmen** to take drugs

dro·gen·ab·hän·gig *adj* addicted to drugs *pred;* ■ ~ **sein** to be a drug addict **Dro·gen·ab·hän·gi·ge(r)** *f(m)* drug addict **Dro·gen·ab·hän·gig·keit** *f* drug addiction **Dro·gen·be·kämp·fung** *f kein pl* war on drugs **Dro·gen·han·del** m drug trade **Dro·gen·kon·sum** m drug-taking **Dro·gen·kon·su·ment(in)** m(f) drug consumer [or AM user] **Dro·gen·miss·brauch**[RR] f kein pl drug abuse **Dro·gen·sucht** f s. **Drogenabhängigkeit dro·gen·süch·tig** adj s. **drogenabhängig Dro·gen·süch·ti·ge(r)** f(m) s. **Drogen·abhängige(r) Dro·gen·sze·ne** f drug scene **Dro·gen·to·te(r)** f(m) sb who died of drug abuse

Dro·ge·rie <-, -n> [droɡaˈriː, pl droɡaˈriːən] f chemist's [shop] BRIT, drug-store AM

Dro·gist(in) <-en, -en> [droˈɡɪst] m(f) chemist

Droh·brief m threatening letter

dro·hen [ˈdroːən] I. vi ❶ (be~) to threaten (**mit** with) ❷ (unangenehmerweise bevorstehen) to threaten; **es droht ein Gewitter** a storm is threatening; **ein neuer Krieg droht** there is the threat of renewed war; **dir droht Gefahr/der Tod** you're in danger/mortal danger II. vb aux ■ ~, **etw zu tun** to be in danger of doing sth

dro·hend I. adj ❶ (einschüchternd) threatening ❷ (bevorstehend) impending II. adv threateningly

Droh·ne <-, -n> [ˈdroːnə] f drone

dröh·nen [ˈdrøːnən] vi ❶ (dumpf klingen) to roar; Donner to rumble; Lautsprecher, Musik, Stimme to boom ❷ (dumpf widerhallen) **jdm dröhnt der Kopf/dröhnen die Ohren** sb's head is/ears are ringing ❸ (dumpf vibrieren) to reverberate

dröh·nend adj reverberating; Applaus resounding; Lärm droning; Gelächter raucous laughter; Stimme booming

Dro·hung <-, -en> [ˈdroːʊŋ] f threat

drol·lig [ˈdrɔlɪç] adj ❶ (belustigend) amusing ❷ (niedlich) sweet esp BRIT, cute esp AM

Dro·me·dar <-s, -e> [dromeˈdaːɐ̯] nt dromedary

Drops <-, - o -e> [ˈdrɔps] m o nt fruit drop

drosch [ˈdrɔʃ] imp von **dreschen**

Drosch·ke <-, -n> [ˈdrɔʃkə] f (veraltend) hackney cab

Dros·sel <-, -n> [ˈdrɔsl̩] f thrush

dros·seln [ˈdrɔsl̩n] vt ❶ (kleiner stellen) to decrease; Heizung to turn down ❷ (verringern) ■ **etw** ~ Einfuhr, Produktion, Tempo to reduce sth

drü·ben [ˈdryːbn̩] adv over there

drü·ber [ˈdryːbɐ] adv (fam) across [there]

Druck[1] <-[e]s, Drücke> [ˈdrʊk, pl ˈdrʏkə] m ❶ a. PHYS pressure; **unter** ~ **stehen** to be under pressure; **jdn unter** ~

setzen to put pressure on sb ❷ (das Drücken) pressure; **die Raketen werden durch einen** ~ **auf jenen Knopf dort gestartet** the missiles are released by pressing this button ❸ (sl: Rauschgiftspritze) fix

Druck[2] <-[e]s, -e> [ˈdrʊk] m ❶ TYPO printing ❷ (bedruckter Stoff) print

Druck·ab·fall m PHYS fall in pressure **Druck·blei·stift** m propelling [or AM mechanical] pencil **Druck·buch·sta·be** m **in** ~ **n** in block capitals

Drü·cke·ber·ger <-s, -> m (pej fam) shirker

dru·cken [ˈdrʊkn̩] vt, vi to print

drü·cken [ˈdrʏkn̩], **dru·cken** [ˈdrʊkn̩] DIAL I. vt ❶ (pressen) to press; Knopf to push; ■ **etw aus etw** dat ~ to squeeze sth from sth ❷ (umarmen) to hug ❸ (schieben) **er drückte den Hut in die Stirn** he pulled his hat down over his forehead ❹ (ein Druckgefühl auslösen) ■ **jdn** ~ to be too tight for sb; **die Schuhe** ~ **mich** the shoes are pinching my feet ❺ (herabsetzen) to lower ❻ (be~) ■ **jdn** ~ to weigh heavily on sb II. vi ❶ (Druck hervorrufen) to pinch ❷ (pressen) ■ [**auf etw** akk] ~ to press [sth] ❸ METEO to be oppressive ❹ (bedrückend sein) to weigh heavily ❺ (negativ beeinträchtigen) ■ **auf etw** akk ~ to dampen sth III. vr ❶ (sich quetschen) **sich an die Wand** ~ to squeeze up against the wall; **sich in einen Hausgang** ~ to huddle in a doorway ❷ (fam) ■ **sich** [**vor etw** dat] ~ to dodge [sth]

drü·ckend adj heavy; Armut grinding [or esp AM extreme]; Sorgen serious; Stimmung, Hitze oppressive

Dru·cker <-s, -> m INFORM printer

Dru·cker(in) <-s, -> m(f) printer

Drü·cker <-s, -> m ❶ ELEK [push-]button ❷ (Abzug) trigger ❸ TECH (Klinke) handle; (am Türschloss) latch ▸ **auf den letzten** ~ at the last minute; **am** ~ **sein** to be in charge

Dru·cke·rei <-, -en> [drʊkaˈrai̯] f printer's

Dru·cke·rin <-, -nen> f fem form von **Drucker**

Druck·er·laub·nis f imprimatur **Dru·cker·schwär·ze** f printer's ink **Dru·cker·trei·ber** m printer driver **Druck·er·zeug·nis** nt printed work (any piece of printed material)

Druck·feh·ler m typographical error **druck·fer·tig** adj TYPO ready to print pred **druck·frisch** adj hot off the press pred **Druck·ge·schwür** nt MED bedsore **Druck·ka·bi·ne** f pressurized cabin **Druck·knopf** m press-stud BRIT, stud fas-

tener AM **Druck·kos·ten** *pl* printing costs
pl **Druck·luft** *f kein pl* compressed air
Druck·luft·brem·se *f* AUTO air brake
Druck·ma·schi·ne *f* printing press
Druck·mes·ser *m* pressure gauge
Druck·mit·tel *nt* jdn/etw als ~ benutzen to use sb/sth as a means of exerting
pressure **druck·reif** *adj* ready for publication *pred* **Druck·sa·che** *f* printed matter
Druck·schrift *f* in ~ schreiben to print
druck·sen ['drʊksn̩] *vi* (*fam*) to be indecisive
Druck·stel·le *f* mark [where pressure has
been applied] **Druck·tas·te** *f* INFORM
print-screen key **Druck·ver·band** *m*
pressure bandage **Druck·wel·le** *f* shock
wave
Dru·i·de <-n, -n> [dru'iːdə] *m* REL, HIST
druid
drum ['drʊm] *adv* (*fam*) ... ~ frage ich ja!
... that's why I'm asking! ▶ **das D~ und**
Dran the whole works
Drum·her·um <-s> ['drʊmhɛ'rʊm] *nt*
kein pl (*fam*) ▪ **das** [**ganze**] ~ all the trap-
pings
drun·ten ['drʊntn̩] *adv* DIAL (*da unten*)
down there
drun·ter ['drʊntɐ] *adv* (*fam*) ❶ (*unter*
einem Gegenstand) underneath ❷ (*unter*
diesem Begriff) **da kann ich mir nichts ~**
vorstellen that means nothing to me ▶ **al-**
les geht ~ und drüber everything is at
sixes and sevens
Drü·se <-, -n> ['dryːzə] *f* gland
Dschi·ha·dis·mus <-> [dʒɪha'dɪsmʊs] *m*
kein pl (*militanter Islamismus*) jihadism
Dschun·gel <-s, -> ['dʒʊŋl̩] *m* jungle
Dschun·ke <-, -n> ['dʒʊŋkə] *f* junk
dt(sch). *adj Abk von* **deutsch** G
du <*gen* deiner, *dat* dir, *akk* dich> ['duː]
pron pers ❶ *2. pers sing* you; **bist ~ das,**
Peter? is it you Peter?; ▪ **... und ~?** what
about you? ❷ (*man*) you; **ob ~ willst oder**
nicht, ... whether you like it or not, ...
Du <-[s], -[s]> ['duː] *nt* you, "du" (*familiar*
form of address); **jdm das ~ anbieten** to
suggest that sb use the familiar form of address
Du·al·sys·tem *nt* binary system
Dü·bel <-s, -> ['dyːbl̩] *m* plug
du·bi·os [du'bi̯oːs] *adj* (*geh*) dubious
du·cken ['dʊkn̩] **I.** *vr* ❶ (*sich rasch*
bücken) **den Kopf ~** to duck one's head
❷ (*pej: sich unterwürfig zeigen*) ▪ **sich ~**
to humble oneself **II.** *vt* ❶ (*einziehen*) to
duck ❷ (*unterdrücken*) ▪ **jdn ~** to oppress sb
Duck·mäu·ser(in) <-s, -> ['dʊkmɔyzɐ]

m(f) (*pej*) yes-man
du·deln ['duːdl̩n] **I.** *vi* (*pej fam*) to drone
[on]; *Lautsprecher* to blare **II.** *vt* (*pej fam*)
▪ **etw ~** to drone [sth] on and on
Du·del·sack ['duːdl̩zak] *m* MUS bagpipes *pl*
Du·ell <-s, -e> [du'ɛl] *nt* duel
du·el·lie·ren* [duɛ'liːrən] *vr* ▪ **sich ~** to
[fight a] duel
Du·ett <-[e]s, -e> [du'ɛt] *nt* duet
Duft <-[e]s, Düfte> ['dʊft, *pl* 'dʏftə] *m*
[pleasant] smell; *einer Blume, eines Par-*
füms scent; *von Essen, Kaffee, Gewürzen*
aroma
duf·te ['dʊftə] *adj* DIAL (*fam*) great
duf·ten ['dʊftn̩] *vi* ▪ [**nach etw** *dat*] **duf-**
ten to smell [of sth]
duf·tend *adj attr* fragrant
Duft·stoff *m* aromatic substance; BIOL scent
Duft·wol·ke *f* cloud of perfume
dul·den ['dʊldn̩] **I.** *vi* (*geh*) to suffer **II.** *vt*
to tolerate
duld·sam ['dʊltzaːm] *adj* tolerant (**gegen-**
über towards/of)
Dul·dung <-, *selten* -en> *f* toleration
dumm <dümmer, dümmste> ['dʊm] **I.** *adj*
❶ (*geistig beschränkt*) stupid ❷ (*unklug*)
foolish ❸ (*albern*) silly; ▪ **jdm zu ~ sein/**
werden to be/become too much for sb
❹ (*ärgerlich*) *Gefühl* nasty; *Geschichte,*
Sache unpleasant; **es ist zu ~, dass er**
nicht kommen kann (*fam*) [it's] too bad
that he can't come; **zu ~, jetzt habe ich**
mein Geld vergessen! [oh] how stupid [of
me], I've forgotten my money **II.** *adv* stupidly; **frag nicht so ~** don't ask such stupid
questions ▶ ~ **dastehen** to look stupid;
sich ~ stellen to act stupid; **jdn für ~ ver-**
kaufen (*fam*) to take sb for a ride
dumm·dreist ['dʊmdrajst] *adj* impudent
Dum·me(r) *f(m)* (*fam*) idiot; **einen ~n fin-**
den to find some idiot; **der ~ sein** to be
left holding the baby
Dum·me·jun·gen·streich
[dʊmə'jʊŋənʃtrajç] *m* (*fam*) silly prank
dum·mer·wei·se *adv* ❶ (*leider*) unfortunately ❷ (*unklugerweise*) stupidly
Dumm·heit <-, -en> *f* ❶ *kein pl* (*geringe*
Intelligenz) stupidity ❷ *kein pl* (*unkluges*
Verhalten) foolishness *no pl* ❸ (*unkluge*
Handlung) foolish action
Dumm·kopf *m* (*fam*) idiot
Dum·my <-, -s> ['dami] *m* AUTO [crash-
test] dummy
dumpf ['dʊmpf] **I.** *adj* ❶ (*hohl klingend*)
dull; *Geräusch, Ton* muffled ❷ (*unbe-*
stimmt) vague; *Gefühl* sneaking; *Schmerz*
dull ❸ (*feucht-muffig*) musty; *Atmo-*
sphäre, Luft oppressive **II.** *adv* **die Laut-**

sprecher klingen ~ the loudspeakers sound muffled

Dum·ping·preis ['dampɪŋ-] *m* dumping price

Dü·ne <-, -n> ['dy:nə] *f* dune

Dung <-[e]s> ['dʊŋ] *m kein pl* dung *no pl*

Dün·ge·mit·tel *nt* fertilizer

dün·gen ['dʏŋən] *vt, vi* to fertilize (**mit** with)

Dün·ger <-s, -> *m* fertilizer

dun·kel ['dʊŋkl̩] **I.** *adj* ❶ (*düster*) dark ❷ (*tief*) deep ❸ (*unklar*) vague ❹ (*pej: zwielichtig*) shady; **ein dunkles Kapitel der Geschichte** a dark chapter in history ▶**noch im D~n liegen** to remain to be seen; **im D~n tappen** to be groping around in the dark **II.** *adv* darkly

Dun·kel <-s> ['dʊŋkl̩] *nt kein pl* (*geh*) darkness

dun·kel·blau ['dʊŋkl̩blaʊ] *adj* dark blue **dun·kel·blond** *adj* light brown **dun·kel·grün** *adj* dark green **dun·kel·haa·rig** *adj* dark-haired

dun·kel·häu·tig *adj* dark-skinned

Dun·kel·heit <-> *f kein pl* darkness *no pl;* **bei einbrechender** ~ at nightfall

Dun·kel·kam·mer *f* darkroom **dun·kel·rot** *adj* dark red **Dun·kel·zif·fer** *f* number of unreported cases

dünn ['dʏn] **I.** *adj* ❶ (*von geringer Stärke*) thin; ~ **es Buch** slim volume ❷ (*nicht konzentriert*) weak; *Suppe* watery ❸ MODE light; *Schleier, Strümpfe* fine ❹ (*spärlich*) thin **II.** *adv* sparsely

Dünn·darm *m* small intestine

dünn·flüs·sig *adj* runny

dünn·ma·chen *vr* (*fam*) ■**sich** ~ to make oneself scarce

Dünn·pfiff <-[e]s> *m kein pl* (*fam*) the runs *npl*

Dünn·schissᴿᴿ, **Dünn·schiß**ᴬᴸᵀ *m* (*sl*) the shits *npl*

Dunst <-[e]s, Dünste> ['dʊnst, *pl* 'dʏnstə] *m* ❶ (*leichter Nebel*) haze; (*durch Abgase*) fumes *npl* ❷ (*Dampf*) steam ❸ (*Geruch*) smell; (*Ausdünstung*) odour

Dunst·ab·zugs·hau·be *f* extractor hood **düns·ten** ['dʏnstn̩] *vt* to steam; *Fleisch* to braise

Dunst·glo·cke *f* pall [*or* Aм blanket] of smog

duns·tig ['dʊnstɪç] *adj* ❶ METEO hazy ❷ *Kneipe* stuffy

Dunst·kreis *m* (*geh*) entourage **Dunst·schlei·er** *m* [thin] layer of haze **Dunst·wol·ke** *f* cloud of smog

Duo <-s, -s> ['du:o] *nt* ❶ (*Paar*) duo ❷ MUS duet

Du·pli·kat <-[e]s, -e> [dupli'ka:t] *nt* duplicate

Dur <-, -> ['du:ɐ] *nt* MUS major; **in** ~ in a major key

durch ['dʊrç] **I.** *präp* ❶ (*räumlich hindurch*) through; ~ **den Fluss waten** to wade across the river; **mitten** ~ **etw** through the middle of sth ❷ (*per*) by; **jdm etw** ~ **die Post schicken** to send sth to sb by post ❸ (*vermittels*) by [means of]; ~ [**einen**] **Zufall** by chance ❹ (*zeitlich hindurch*) throughout; **damit kommen wir nicht** ~ **den Winter** we won't last the winter with that ❺ MATH **27 ÷ 3 macht 9** 27 divided by 3 is 9 **II.** *adv* ❶ (*fam*) **es ist schon 12 Uhr** ~ it's already past 12 [o'clock]; **der Zug ist vor zwei Minuten** ~ the train went two minutes ago ❷ (*fertig*) ~ **sein** to be done ❸ (*kaputt*) ~ **sein** (*durchgescheuert*) to be worn out; (*durchgetrennt*) to be through ▶**jdm** ~ **und** ~ **gehen** to go right through sb; **jdn/etw** ~ **und** ~ **kennen** to know sb/sth like the back of one's hand

durch·a·ckern ['dʊrçʔakɐn] **I.** *vt* (*fam*) ■**etw** ~ to plough through sth **II.** *vr* (*fam*) ■**sich** [**durch etw** *akk*] ~ to plough one's way [through sth] **durch·ar·bei·ten** ['dʊrçʔarbaɪtn̩] **I.** *vt* ~ (*sich mit etw beschäftigen*) to go through sth **II.** *vi* to work through **III.** *vr* ■**sich durch etw** *akk* ~ ❶ (*durch Erledigung bearbeiten*) to work one's way through sth ❷ (*durchschlagen*) to fight one's way through sth **durch·at·men** ['dʊrçʔa:tmən] *vi* ~ to breathe deeply

durch·aus ['dʊrçʔaʊs, dʊrç'ʔaʊs] *adv* ❶ (*unbedingt*) definitely ❷ (*wirklich*) quite ❸ (*völlig*) thoroughly; ~ **gelungen** highly successful ❹ (*keineswegs*) ■~ **nicht** by no means; **wenn er das** ~ **nicht tun will ...** if he absolutely refuses to do it ... ❺ (*sicherlich*) ■~ **kein ...** by no means; ~ **kein schlechtes Angebot** not a bad offer [at all]

durch·bei·ßen ['dʊrçbaɪsn̩] *irreg* **I.** *vt* ■**etw** ~ to bite through sth **II.** *vr* (*fam*) ■**sich** [**durch etw** *akk*] ~ to struggle one's way through [sth] **durch·be·kom·men*** ['dʊrçbəkɔmən] *vt irreg* (*fam*) ❶ (*durchtrennen*) ■**etw** ~ to cut through sth ❷ *s.* **durchbringen** **durch·bie·gen** ['dʊrçbi:gn̩] *irreg* **I.** *vt* to bend **II.** *vr* ■**sich** ~ to sag **durch·blät·tern** ['dʊrçblɛtɐn], **durch·blät·tern*** [dʊrç'blɛtɐn] *vt* ■**etw** ~ to leaf through sth

Durch·blick ['dʊrçblɪk] *m* (*fam*) overall view; **den** ~ [**bei etw** *dat*] **haben** to know what's going on [in sth] **durch|bli·cken** ['dʊrçblɪkn̩] *vi* ❶ *(hindurchsehen)* ■ |**durch etw** *akk*| ~ to look through [sth] ❷ *(geh: zum Vorschein kommen)* to show ❸ *(fam: den Überblick haben)* to know what's going on ❹ *(andeuten)* **etw** ~ **las·sen** to hint at sth **durch|blu·ten** ['dʊrçbluːtn̩] *vt* ANAT ■ **etw** ~ to supply sth with blood; **mangelhaft/ungenügend durchblutet** with poor circulation **Durch·blu·tung** [dʊrç'bluːtʊŋ] *f* circulation **Durch·blu·tungs·stö·rung** *f* circulatory problem **durch·boh·ren***[1] [dʊrç'boːrən] *vt* ■ **etw** |**mit etw** *dat*| ~ to pierce sth [with sth] **durch|boh·ren**[2] ['dʊrçboːrən] I. *vt* ■ **etw durch etw** *akk* ~ to drill sth through sth II. *vr* ■ **sich durch etw** *akk* ~ to go through sth **durch|bo·xen** ['dʊrçbɔksn̩] I. *vt* *(fam)* ■ **etw** ~ to push sth through II. *vr* *(fam)* **sich nach oben** ~ to fight one's way up **durch|bra·ten** ['dʊrçbraːtn̩] *irreg vt haben* ■ **etw** ~ to cook sth until it is well done **durch|bre·chen**[1] ['dʊrçbrɛçn̩] *irreg* I. *vt haben* ■ **etw** ~ to break sth in two II. *vi sein* ❶ *(entzweibrechen)* **unter dem Gewicht** ~ to break in two under the weight [of sth] ❷ *(einbrechen)* ■ |**bei etw** *dat*| ~ to fall through [while doing sth] ❸ *(hervorkommen)* ■ |**durch etw** *akk*| ~ to appear [through sth]; *Zähne* to come through; *Sonne* to break through [the clouds] ❹ *(sich zeigen)* to reveal itself ❺ MED to burst **durch·bre·chen***[2] [dʊrç'brɛçn̩] *vt irreg* ■ **etw** ~ ❶ *(gewaltsam durch etw dringen)* to crash through sth ❷ *(überwinden)* to break through sth **durch|bren·nen** ['dʊrçbrɛnən] *vi irreg* ❶ ELEK to burn out; *Sicherung* to blow ❷ *(fam)* ■ |**jdm**| ~ to run away [from sb] **durch|brin·gen** ['dʊrçbrɪŋən] *vt irreg* ❶ *(für Unterhalt sorgen)* to support; ■ **sich** ~ to get by ❷ *(ausgeben)* to get through sth MODE **durch·bro·chen** [dʊrç'brɔçn̩] *adj* MODE open-work *attr* **Durch·bruch** ['dʊrçbrʊx] *m* ❶ a. MIL breakthrough ❷ *(das Hindurchkommen)* appearance; *Zahn* coming through *no pl* ❸ MED rupture ❹ *(durchgebrochene Öffnung)* opening **durch|che·cken** ['dʊrçtʃɛkn̩] *vt* ❶ *(fam)* **sich** ~ **lassen** to have a check-up ❷ LUFT ■ **etw** ~ to check sth in **durch·dacht** *adj* thought-out **durch|den·ken** ['dʊrçdɛŋkn̩], **durch·den·ken*** [dʊrç'dɛŋkn̩] *vt irreg* ■ **etw** ~ *irreg* to think sth through **durch|dis·ku·tie·ren*** ['dʊrçdɪskutiːrən] *vt* to discuss sth thoroughly **durch|drän·geln**

['dʊrçdrɛŋln̩] *vr* *(fam)*, **durch|drän·gen** ['dʊrçdrɛŋən] *vr* ■ **sich** |**durch etw** *akk*| ~ to push one's way through [sth] **durch|dre·hen** ['dʊrçdreːən] I. *vi* ❶ AUTO to spin ❷ *(fam)* to crack up II. *vt* KOCHK to mince **durch|drin·gen**[1] ['dʊrçdrɪŋən] *vi irreg sein* ❶ *(durch etw dringen)* to come through ❷ *(erreichen)* ■ **zu jdm** ~ to get as far as sb **durch·drin·gen***[2] [dʊrç'drɪŋən] *vt irreg* ❶ *Kälte* to penetrate ❷ *(geh)* ■ **jdn** ~ to pervade sb **durch·drin·gend** *adj* piercing; *Geruch* pungent; *Gestank* penetrating; *Kälte, Wind* biting; *Schmerz* excruciating **durch|drü·cken** ['dʊrçdrʏkn̩] *vt* ❶ *(erzwingen)* ■ **etw** ~ to push sth through ❷ *(straffen)* to straighten sth **durch·drun·gen** [dʊrç'drʊŋən] *adj präd* ■ **von etw** *dat* ~ **sein** to be imbued with sth **durch|dür·fen** ['dʊrçdʏrfn̩] *vi irreg* *(fam)* to be allowed through **durch·ein·an·der** [dʊrçʔaɪ̯'nandɐ] *adj präd* *(fam)* ■ ~ **sein** ❶ *(nicht ordentlich)* to be in a mess ❷ *(fam: verwirrt)* to be confused **Durch·ein·an·der** <-s> [dʊrçʔaɪ̯'nandɐ] *nt kein pl* ❶ *(Unordnung)* mess ❷ *(Wirrwarr)* confusion **durch·ein·an·der|brin·gen** *vt irreg* ■ **etw** ~ to get sth in a mess; *(verwechseln)* to mix up sth *sep* **durch·ein·an·der|ge·ra·ten*** *vi irreg sein* to get mixed up **durch·ein·an·der|re·den** *vi* to all talk at once **durch|fah·ren**[1] ['dʊrçfaːrən] *vi irreg sein* ❶ *(fahrend durchbrechen)* ■ **durch etw** *akk* ~ to crash through sth ❷ *(nicht anhalten)* **bei Rot** ~ to drive straight through the red light; **die Nacht** ~ to drive through the night ❸ *(unterqueren)* ■ **unter etw** *dat* ~ to travel under sth **durch·fah·ren***[2] [dʊrç'faːrən] *vt irreg* ■ **jdn** ~ ❶ *(plötzlich bewusst werden)* to flash through sb's mind ❷ *(von Empfindung ergriffen werden)* to go through sb **Durch·fahrt** ['dʊrçfaːɐ̯t] *f* ❶ *(Öffnung zum Durchfahren)* entrance; ~ **bitte freihalten** please do not obstruct ❷ *(das Durchfahren)* ~ **verboten** no thoroughfare; **auf der** ~ **sein** to be passing through **Durch·fahrts·stra·ße** *f* through road **Durch·fall** ['dʊrçfal] *m* diarrhoea **durch|fal·len** ['dʊrçfalən] *vi irreg sein* ❶ *(durch etw stürzen)* ■ |**durch etw** *akk*| ~ to fall through [sth] ❷ *(fam)* **bei**

D

einer Prüfung ~ to fail an exam
durch|fei·ern[1] ['dʊrçfaiən] *vi* (*fam*)
to celebrate non-stop **durch·fei·ern**[*2]
[dʊrç'faiən] *vt* ∎etw ~ to celebrate
sth without a break **durch|fin·den**
['dʊrçfɪndn̩] *vi, vr irreg* ∎|durch etw
akk| ~ to find one's way [through sth]; **bei
diesem Durcheinander finde ich langsam nicht mehr durch** I'm finding it increasingly hard to keep track in this chaos
durch|flie·gen[1] ['dʊrçfli:gn̩] *vi irreg sein*
❶ LUFT to fly non-stop ❷ (*fam: nicht schaffen*) ∎durch etw *akk* ~ *Prüfung* to fail sth
durch·flie·gen[*2] [dʊrç'fli:gn̩] *vt irreg*
∎etw ~ to fly through sth **durch|flie-
ßen**[1] ['dʊrçfli:sn̩] *vi irreg sein* to flow
through **durch·flie·ßen**[*2] [dʊrç'fli:sn̩] *vt
irreg* ∎etw ~ to flow through sth **durch-
for·schen**[*] [dʊrç'fɔrʃn̩] *vt* ❶ (*durchstreifen*) to explore ❷ (*durchsuchen*) ∎etw ~
to search through sth (**nach** for) **durch-
fors·ten**[*] ['dʊrçfɔrstn̩] *vt* (*fam*) ∎etw ~
to sift through sth (**nach** for) **durch|fra-
gen** ['dʊrçfra:gn̩] *vr* ∎sich ~ to find
one's way by asking **durch|fres·sen**
['dʊrçfrɛsn̩] *irreg* I. *vr* ❶ (*korrodieren*)
∎sich |durch etw *akk*| ~ to corrode [sth]
❷ *Tier* ∎sich |durch etw *akk*| ~ to eat [its
way] through [sth] ❸ (*pej*) ∎sich |bei jdm
dat| ~ to live on sb's hospitality II. *vt* ∎etw
frisst durch etw *akk* **durch** sth eats
through sth; *Rost, Säure, etc.* sth corrodes
through sth
durch·führ·bar *adj* feasible
durch|füh·ren ['dʊrçfy:rən] I. *vt* ❶ (*ver-
wirklichen*) ∎etw ~ to carry out sth
❷ (*hindurchführen*) ∎jdn |durch etw
akk| ~ to guide sb round [sth] II. *vi*
∎durch etw *akk* ~ to run through sth
Durch·füh·rung *f* carrying out *no pl*
durch|füt·tern ['dʊrçfʏtən] *vt* (*fam*) to
support
Durch·gang ['dʊrçgaŋ] *m* ❶ (*Passage*)
path[way] ❷ (*das Durchgehen*) entry;
kein ~! no thoroughfare!; (*an Türen*) no
entry!
durch·gän·gig ['dʊrçgɛŋɪç] I. *adj* universal II. *adv* universally
Durch·gangs·la·ger *nt* transit camp
Durch·gangs·stra·ße *f* through road
Durch·gangs·ver·kehr *m* through traffic
durch|ge·ben ['dʊrçge:bn̩] *vt irreg* **die
Lottozahlen** ~ to read the lottery numbers; **eine Meldung** ~ to make an announcement
durch·ge·fro·ren *adj* frozen stiff *pred*
durch|ge·hen ['dʊrçge:ən] *irreg* I. *vi sein*

❶ (*gehen*) ∎|durch etw *akk*| ~ to go
through [sth] ❷ (*fam: ohne Unterbrechung andauern*) to last ❸ (*durchdringen*)
∎durch jdn/etw ~ to penetrate sth ❹ (*angenommen werden*) to go through; *Antrag*
to be carried; *Gesetz* to be passed ❺ (*fam:
weglaufen*) to bolt ❻ (*gehalten werden*)
∎für etw *akk* ~ to be taken [*or* AM pass] for
sth ▸ |jdm| etw ~ **lassen** to let sb get away
with sth II. *vt sein o haben* ∎etw |mit
jdm| ~ to go through [with sb] **durch-
ge·hend** ['dʊrçge:ənt] I. *adj* ❶ (*nicht
unterbrochen*) continuous ❷ BAHN direct
II. *adv* ~ **geöffnet** open right through
durch·ge·knallt *adj* (*sl*) ∎~ **sein** to have
gone crazy **durch|grei·fen** ['dʊrçgraifn̩]
vi irreg ❶ (*wirksam vorgehen*) to take drastic action ❷ (*hindurchfassen*) to reach
through **durch·grei·fend** I. *adj* dras-
tic II. *adv* radically **durch|gu·cken**
['dʊrçgʊkn̩] *vi* (*fam*) *s.* **durchblicken 1,
2 durch|ha·ben** ['dʊrçha:bn̩] *vt irreg*
(*fam*) ∎etw ~ ❶ (*durchgelesen haben*) to
be through [reading] sth ❷ (*durchgearbei-
tet haben*) to have finished sth ❸ (*durch-
trennt haben*) to have got through sth
durch|hal·ten ['dʊrçhaltn̩] *irreg* I. *vt*
∎etw ~ ❶ (*ertragen*) to stand sth ❷ (*beibehalten*) to keep up sth *sep;* **das
Tempo** ~ to be able to stand the pace
❸ (*aushalten*) to [with]stand sth II. *vi* to
hold out
Durch·hal·te·ver·mö·gen *nt* stamina
durch|hän·gen ['dʊrçhɛŋən] *vi irreg sein
o haben* ❶ (*nach unten hängen*) to sag
❷ (*fam: erschlafft sein*) to be drained
❸ (*fam: deprimiert sein*) to be down
Durch·hän·ger <-s, -> *m* **einen |totalen|
~ haben** (*fam*) to be on a [real] downer
durch|hau·en ['dʊrçhauən] *irreg* I. *vt*
❶ (*spalten*) to split sth [in two] ❷ (*fam*)
∎jdn ~ to give sb a good hiding II. *vr*
∎sich ~ to get by **durch|hel·fen** ['dʊrç-
ɛlfn̩] *irreg vi* ∎jdm |durch etw *akk*| ~ to
help sb through [sth] **durch|hö·ren** *vt*
❶ (*heraushören*) to detect ❷ (*durch etw
hören*) to hear
durch|käm·men[1] ['dʊrçkɛmən] *vt*
∎etw ~ *Haar* to comb through sth *sep*
durch·käm·men[*2] [dʊrç'kɛmən] *vt*
∎etw |nach jdm| ~ to comb sth [for sb]
durch|kämp·fen ['dʊrçkɛmpfn̩] I. *vt*
∎etw ~ to force through sth *sep* II. *vr*
❶ (*mühselig durchackern*) ∎sich ~ to battle one's way through ❷ (*sich durchringen*) ∎sich zu etw *dat* ~ to bring oneself
to do sth **durch|kau·en** ['dʊrçkauən] *vt*
❶ (*gründlich kauen*) ∎etw ~ to chew sth

thoroughly ❷ (*fam*) ■**etw ~** to discuss sth thoroughly **durch|kom·men** ['dʊrçk-ɔmən] *vi irreg sein* ❶ (*durchfahren*) ■[**durch etw** *akk*] **~** to come through [sth] ❷ *Regen, Sonne* to come through ❸ *Charakterzug* to become noticeable ❹ (*Erfolg haben*) ■**mit etw** *dat* **~** to get away with sth ❺ (*gelangen*) to get through [*sep* sth]; **ich komme mit meiner Hand nicht durch das Loch durch** I can't get my hand through the hole ❻ (*Prüfung bestehen*) to pass ❼ (*überleben*) to pull through **durch|kön·nen** ['dʊrçkœnən] *vi irreg* (*fam*) to be able to get through **durch·kreu·zen*¹** [dʊrç'krɔytsn̩] *vt* ❶ (*vereiteln*) to foil ❷ (*durchqueren*) to cross **durch|kreu·zen²** ['dʊrçkrɔytsn̩] *vt* ■**etw ~** to cross out sth *sep* **durch|krie·chen** ['dʊrçkriːçn̩] *vi irreg sein* to crawl through **durch|krie·gen** *vt* (*fam*) *s.* **durchbekommen**

Durch·lass^RR <-es, Durchlässe>, **Durch·laß**^ALT <-sses, Durchlässe> ['dʊrçlas, *pl* 'dʊrçlɛsə] *m* ❶ (*Durchgang*) passage|way]; (*Eingang*) way through [*or* in] ❷ (*Zugang*) access *no pl, no art;* **jdm/ sich ~ verschaffen** to gain admittance for sb/oneself; **sich** *dat* **mit Gewalt ~ verschaffen** to force one's way in **durch|las·sen** ['dʊrçlasn̩] *vt irreg* ❶ (*vorbei lassen*) ■**jdn/etw ~** to let sb/sth through ❷ (*durchdringen lassen*) ■**etw ~** to let through sth *sep* ❸ (*fam: durchgehen lassen*) ■**jdm etw ~** to let sb get away with sth **durch·läs·sig** ['dʊrçlɛsɪç] *adj* porous (**für** to)

durch|lau·fen¹ ['dʊrçlaʊfn̩] *irreg* **I.** *vi sein* ❶ (*durcheilen*) ■[**durch etw** *akk*] **~** to run through [sth] ❷ (*durchrinnen*) ■[**durch etw** *akk*] **~** to run through [sth] ❸ (*im Lauf passieren*) ■**durch etw** *akk* **~** to run through sth **II.** *vt haben* ■**etw ~** to wear through sth *sep* **durch·lau·fen*²** [dʊrç'laʊfn̩] *vt irreg* ❶ (*im Lauf durchqueren*) to run through ❷ (*zurücklegen*) to cover **durch·le·ben*** [deç'leːbn̩] *vt* **schwere Zeiten ~** to go through hard times **durch·lei·den*** [dʊrç'laɪdn̩] *vt irreg* to endure **durch|le·sen** ['dʊrçleːzn̩] *vt irreg* to read through *sep* **durch|leuch·ten*¹** [dʊrç'lɔyçtn̩] *vt* ❶ (*röntgen*) ■**jdn ~** to X-ray sb ❷ (*fam: kritisch betrachten*) to investigate **durch|leuch·ten²** ['dʊrçlɔyçtn̩] *vi* ■[**durch etw** *akk*] **~** to shine through [sth] **durch|lüf·ten** ['dʊrçlʏftn̩] **I.** *vt* ■**etw ~** to air sth thoroughly; **einen Raum ~** to air out a room **II.** *vi* to air

thoroughly **durch|ma·chen** ['dʊrçmaxn̩] **I.** *vt* ■**etw ~** ❶ (*erleiden*) to go through sth ❷ (*durchlaufen*) **eine Ausbildung ~** to go through training **II.** *vi* (*fam*) ❶ (*durchfeiern*) **die ganze Nacht ~** to make a night of it ❷ (*durcharbeiten*) to work right through **Durch·marsch** ['dʊrçmarʃ] *m* **auf dem ~ sein** to be marching through **durch|mar·schie·ren*** ['dʊrçmarʃiːrən] *vi sein* to march through

Durch·mes·ser <-s, -> ['dʊrçmɛsɐ] *m* diameter

durch|mo·geln (*fam*) **I.** *vr* ■**sich ~** to wangle one's way through; **sich an der Grenze ~** to smuggle oneself across the border **II.** *vt* ■**jdn/etw ~** to smuggle through sb/sth *sep* **durch|müs·sen** ['dʊrçmʏsn̩] *vi irreg* (*fam*) ❶ (*durchgehen müssen*) ■[**durch etw** *akk*] **~** to have to go through [sth] ❷ (*durchmachen müssen*) ■**durch etw** *akk* **~** to have to go through sth **durch·näs·sen*** [dʊrç'nɛsn̩] *vt* to drench **durch|neh·men** ['dʊrçneːmən] *vt irreg* to do **durch|pau·sen** ['dʊrçpaʊ-zn̩] *vt* to trace **durch|pro·bie·ren*** *vt* ■**etw ~** to try sth in turn **durch·que·ren*** [dʊrç'kveːrən] *vt* to cross **durch|ras·seln** *vi sein* (*sl*) *s.* **durchfallen 2 durch|rech·nen** ['dʊrçrɛçnən] *vt* to calculate; (*überprüfen*) to check thoroughly **durch|reg·nen** ['dʊrçreːgnən] *vi impers* ❶ (*Regen durchlassen*) ■[**durch etw** *akk*] **~** to rain through [sth] ❷ (*ununterbrochen regnen*) to rain continuously

Durch·rei·che <-, -n> *f* [serving] hatch, pass-through ᴀᴍ **Durch·rei·se** ['dʊrçraɪzə] *f* journey through; **auf der ~ sein** to be passing through **durch|rei·sen¹** ['dʊrçraɪzn̩] *vi sein* ■[**durch etw** *akk*] **~** to pass through [sth] **durch·rei·sen*²** [dʊrç'raɪzn̩] *vt* **die ganze Welt ~** to travel all over the world **durch|rei·ßen** ['dʊrçraɪsn̩] *irreg* **I.** *vt haben* ■**etw** [**in der Mitte**] **~** to tear sth in two **II.** *vi sein* ■[**in der Mitte**] **~** to tear [in half] **durch|rin·gen** ['dʊrçrɪŋən] *vr irreg* ■**sich zu etw** *dat* **~** to finally manage to do sth; **sich zu einer Entscheidung ~** to force oneself to [make] a decision **durch|ros·ten** ['dʊrçrɔstn̩] *vi sein* to rust through **durch|ru·fen** *vi irreg* (*fam*) to give sb a ring [*or* ᴀᴍ *usu* call] **durch|rüh·ren** *vt* ■**etw ~** to stir sth well **durch|rüt·teln** ['dʊrçrʏtln̩] ■**jdn ~** ❶ (*gründlich rütteln*) to shake sb violently ❷ (*hin und her schaukeln*) to shake sb about

durchs ['dʊrçs] (*fam*) = **durch das** *s.*

durch

Durch·sa·ge ['dʊrçzaːgə] *f* message; (*Radioansage*) announcement

durch|sa·gen ['dʊrçzaːgn̩] *vt* ❶ (*übermitteln*) to announce ❷ (*mündlich weitergeben*) ▪ etw ~ to pass on *sep* sth

durch|sä·gen *vt* ▪ etw ~ to saw through sth *sep*

durch·schau·bar [dʊrç'ʃaʊbaːɐ̯] *adj* obvious; **leicht** ~ easy to see through; **schwer** ~ enigmatic

durch·schau·en*1 [dʊrç'ʃaʊən] *vt* ▪ jdn ~ to see through sb

durch|schau·en² ['dʊrçʃaʊən] *vt s.* **durchsehen durch|schei·nen** ['dʊrçʃaɪnən] *vi irreg* ❶ *Licht, Sonne* to shine through ❷ *Farbe, Muster* to show [through] **durch·schei·nend** *adj* ~ **Papier** translucent paper **durch|schie·ben** *vt irreg* to push through *sep*

durch|schla·fen ['dʊrçʃlaːfn̩] *vi irreg* to sleep through [it]; (*ausschlafen*) to get a good night's sleep

Durch·schlag ['dʊrçʃlaːk] *m* ❶ (*Kopie*) copy ❷ (*Sieb*) colander

durch|schla·gen¹ ['dʊrçʃlaːgn̩] *irreg* **I.** *vt* **haben** ❶ (*durchbrechen*) to split [in two]; **eine Wand** ~ to knock a hole through a wall ❷ (*durchtreiben*) *Nagel* to knock through **II.** *vi* ❶ *sein* (*durchdringen*) ▪ [durch etw *akk*] ~ to come through [sth]; *Geschoss a.* to pierce sth ❷ *sein* (*sich auswirken*) ▪ [auf etw *akk*] ~ to have an effect [on sth] **III.** *vr haben* ▪ sich ~ ❶ (*Dasein fristen*) to struggle along ❷ (*ans Ziel gelangen*) to make one's way through

durch·schla·gen*2 [dʊrç'ʃlaːgn̩] *vt irreg* ▪ etw ~ to chop through sth

durch·schla·gend ['dʊrçʃlaːgnt] *adj* ❶ (*überwältigend*) sweeping; *Erfolg* huge; **eine ~e Wirkung haben** to be extremely effective ❷ (*überzeugend*) convincing; *Beweis* conclusive

Durch·schlag·pa·pier *nt* carbon paper

Durch·schlags·kraft *f* ❶ (*Wucht*) penetration ❷ (*fig*) effectiveness

durch|schlän·geln *vr* ▪ sich ~ *Mensch* to thread one's way through; **sich durch ein Tal** ~ *Fluss* to meander through a valley **durch|schleu·sen** ['dʊrçʃlɔʏzn̩] *vt* (*fam*) to smuggle through *sep* **durch|schnei·den¹** ['dʊrçʃnaɪdn̩] *vt irreg* ▪ etw ~ to cut sth through **durch·schnei·den*2** [dʊrç'ʃnaɪdn̩] *vt irreg* ▪ etw ~ ❶ (*entzweischneiden*) to cut sth in two ❷ (*geh: laut durchdringen*) to pierce sth

Durch·schnitt ['dʊrçʃnɪt] *m* average; **im** ~

on average; **über/unter dem** ~ **liegen** to be above/below average

durch·schnitt·lich ['dʊrçʃnɪtlɪç] **I.** *adj* ❶ (*Mittelwert betreffend*) average *attr* ❷ (*mittelmäßig*) ordinary **II.** *adv* ❶ (*im Schnitt*) on average ❷ (*mäßig*) moderately; ~ **intelligent** of average intelligence

Durch·schnitts·al·ter *nt* average age **Durch·schnitts·ein·kom·men** *nt* average income **Durch·schnitts·ge·schwin·dig·keit** *f* average speed **Durch·schnitts·mensch** *m* average person **Durch·schnitts·tem·pe·ra·tur** *f* average temperature

Durch·schrift *f* [carbon] copy

Durch·schussRR ['dʊrçʃʊs] *m* ❶ (*durchgehender Schuss*) **es war ein glatter** ~ the shot had passed clean through ❷ TYPO (*Zwischenraum*) leading *spec*

durch|schüt·teln ['dʊrçʃʏtln̩] *vt* ❶ (*anhaltend schütteln*) ▪ etw ~ to shake sth thoroughly ❷ (*kräftig rütteln*) ▪ jdn ~ to give sb a good shaking **durch·schwit·zen*** [dʊrç'ʃvɪtsn̩], **durch|schwit·zen** ['dʊrçʃvɪtsn̩] *vt* ▪ etw ~ to soak sth in sweat **durch·se·hen** ['dʊrçzeːən] *irreg* **I.** *vt* to go over **II.** *vi* to look through **durch|sein**ALT *vi irreg sein* (*fam*) *s.* **durch II 1, II 2, II 3**

durch|set·zen¹ ['dʊrçzɛtsn̩] **I.** *vt* ❶ (*erzwingen*) *Maßnahmen* to impose; *Reformen* to carry out; *Ziel* to achieve; **seinen Willen [gegen jdn]** ~ to get one's own way [with sb] ❷ (*bewilligt bekommen*) ▪ etw [bei jdm] ~ to get sb to agree to sth; **etw bei der Mehrzahl** ~ to get sth past the majority **II.** *vr* ❶ (*sich Geltung verschaffen*) ▪ sich ~ to assert oneself; ▪ sich mit etw *dat* ~ to be successful with sth ❷ (*Gültigkeit erreichen*) ▪ sich ~ to gain acceptance; *Trend* to catch on

durch·set·zen*2 [dʊrç'zɛtsn̩] *vt* ▪ etw mit etw *dat* ~ to infiltrate sth with sth

Durch·set·zungs·ver·mö·gen <-s> *nt kein pl* assertiveness

Durch·sicht ['dʊrçzɪçt] *f* inspection; **zur** ~ for inspection

durch·sich·tig ['dʊrçzɪçtɪç] *adj* ❶ (*transparent*) transparent ❷ (*offensichtlich*) obvious

durch|si·ckern ['dʊrçzɪkɐn] *vi sein* ❶ (*Flüssigkeit*) ▪ [durch etw *akk*] ~ to seep through [sth] ❷ (*allmählich bekannt werden*) *Informationen* ▪ lassen to leak information **durch|spie·len** *vt* ❶ *Musik-/Theaterstück* to play/act through *sep* once ❷ (*durchdenken*) to go through **durch|spre·chen** ['dʊrçʃprɛçn̩] *vt irreg*

■ **etw** ~ to discuss sth thoroughly
durch·ste·chen* [dʊrçˈʃtɛçn̩] *vt irreg* to pierce **durch|ste·hen** [ˈdʊrçʃteːən] *vt irreg* ❶ (*ertragen*) to get through; *Qualen* to endure; *Schwierigkeiten* to cope ❷ (*standhalten*) to [with]stand **durch|stei·gen** [ˈdʊrçʃtaɪɡn̩] *vi irreg sein* ❶ (*durch etw steigen*) ■ **|durch etw** *akk*| ~ to climb through |sth| ❷ (*fam: verstehen*) ■ **bei etw** *dat* ~ to get sth; **da soll mal einer** ~! just let someone try and understand that lot! **durch|stel·len** I. *vt* **ein Gespräch** ~ to put a call through II. *vi* **soll ich** ~? shall I put the call through? **durch·stö·bern*** [dʊrçˈʃtøːbɐn], **durch|stö·bern** [ˈdʊrçʃtøːbɐn] *vt* ■ **etw** ~ to rummage through sth (**nach** for) **durch·sto·ßen*¹** [dʊrçˈʃtoːsn̩] *vt irreg* ❶ (*durchbohren*) to go through; (*Pfahl a.*) to impale ❷ (*durchbrechen*) **die feindlichen Linien** ~ to break the enemy lines **durch|sto·ßen²** [ˈdʊrçʃtoːsn̩] *irreg* I. *vi sein* ■ **|bis zu etw** *dat*| ~ to penetrate [as far as sth] II. *vt haben* **einen Pfahl durch etw** *akk* ~ to drive a stake through sth **durch|strei·chen** [ˈdʊrçʃtraɪçn̩] *vt irreg* ❶ *Fehler* to cross out ❷ (*geh*) *s.* **durchstreifen durch·strei·fen*** [dʊrçˈʃtraɪfn̩] *vt* (*geh*) ■ **etw** ~ to roam through sth **durch|strö·men¹** [ˈdʊrçʃtrøːmən] *vi sein* to stream through **durch·strö·men*²** [dʊrçˈʃtrøːmən] *vt* (*geh*) ❶ (*durchfließen*) to flow through ❷ (*durchdringen*) ■ **jdn** ~ to flow through sb **durch·su·chen*** [dʊrçˈzuːxn̩] *vt* ■ **jdn** ~ to search sb (**nach** for)
Durch·su·chung <-, -en> [dʊrçˈzuːxʊŋ] *f* search **durch·trai·niert** *adj* thoroughly fit **durch|tre·ten** [ˈdʊrçtreːtn̩] *irreg* I. *vt haben* ❶ (*fest betätigen*) **die Bremse** ~ to step on the brakes ❷ (*abnutzen*) to wear through *sep* II. *vi sein* ■ **|durch etw** *akk*| ~ to seep through |sth| **durch·trie·ben** [dʊrçˈtriːbn̩] *adj* crafty **durch·wach·sen** [dʊrçˈvaksn̩] *adj* ❶ *Speck* streaky ❷ *präd* (*mittelmäßig*) so-so
Durch·wahl *f* ❶ (*fam:* ~ *nummer*) extension number ❷ (*das Durchwählen*) direct dialling *vo pl, no art* **durch|wäh·len** [ˈdʊrçvɛːlən] I. *vi* to dial direct II. *vt* ■ **etw** ~ to dial sth direct **durch·weg** [ˈdʊrçvɛk] *adv,* **durchwegs** [ˈdʊrçveːks] *adv* ÖSTERR without exception **durch|wüh·len¹** [ˈdʊrçvyːlən] I. *vt* **ein Haus** ~ to ransack a house II. *vr* ■ **sich |durch etw** *akk*| ~ ❶ (*sich durcharbeiten*) to plough through |sth| ❷ (*durch Wühlen gelangen*) to burrow through |sth|

durch·wüh·len*² [dʊrçˈvyːlən] *vt* ❶ (*durchstöbern*) to comb sth (**nach** for) ❷ (*aufwühlen*) to dig up sth *sep* **durch|wursch·teln, durch|wurs·teln** *vr* (*sl*) ■ **sich** ~ to muddle through BRIT **durch|zäh·len** [ˈdʊrçtsɛːlən] *vt, vi* to count out *sep* **durch·zie·hen*** [dʊrçˈtsiːən] *irreg* I. *vt haben* (*fam: vollenden*) ■ **etw** ~ to see sth through II. *vi sein* ■ **|durch etw** *akk*| ~ to come through |sth|; *Truppe a.* to march through |sth| III. *vr haben* ■ **sich durch etw** *akk* ~ to occur throughout sth **durch·zu·cken*** [dʊrçˈtsʊkn̩] *vt* ❶ (*geh*) ■ **etw** ~ to flash across sth ❷ (*plötzlich ins Bewusstsein kommen*) ■ **jdn** ~ to flash through sb's mind
Durch·zug [ˈdʊrçtsuːk] *m* ❶ *kein pl* (*Luftzug*) draught ❷ *von Truppen* march through
dür·fen [ˈdʏrfn̩] I. *modal vb* <darf, durfte, dürfen> ❶ (*Erlaubnis haben*) ■ **etw** |**nicht**| **tun** ~ to |not| be allowed to do sth ❷ *verneint* **wir** ~ **den Zug nicht verpassen** we mustn't miss the train; **du darfst ihm das nicht übelnehmen** you mustn't hold that against him ❸ *im Konjunktiv* (*sollen*) ■ **das/es dürfte ...** that/it should ...; **es dürfte wohl das Beste sein, wenn ...** it would probably be best when ... II. *vi* <darf, durfte, gedurft> **darf ich nach draußen?** may I go outside?; **sie hat nicht gedurft** she wasn't allowed to III. *vt* <darf, durfte, gedurft> ■ **etw** ~ to be allowed to do sth; **darfst du das?** are you allowed to?
dürf·tig [ˈdʏrftɪç] I. *adj* ❶ (*kärglich*) paltry; *Unterkunft* poor ❷ (*pej: schwach*) poor; *Ausrede* feeble; *Kenntnisse* scanty ❸ (*spärlich*) sparse II. *adv* scantily
Dürf·tig·keit <-> *f kein pl* meagreness *no pl* BRIT, meagerness *no pl* AM
dürr [dʏr] *adj* ❶ (*trocken*) dry; ~**es Laub** withered leaves ❷ (*mager*) [painfully] thin
Dür·re <-, -n> [ˈdʏrə] *f* drought *no pl*
Dür·re·ka·ta·stro·phe *f* catastrophic drought
Durst <-[e]s> [ˈdʊrst] *m kein pl* thirst *no pl;* ■ ~ **haben** to be thirsty; **seinen** ~ |**mit etw** *dat*| **löschen** to quench one's thirst |with sth|
durs·ten [ˈdʊrstn̩] *vi* (*geh*) to be thirsty
dürs·ten [ˈdʏrstn̩] (*geh*) I. *vt impers* ❶ (*Durst haben*) ■ **jdn dürstet** |**es**| sb is thirsty ❷ (*inständig verlangen*) ■ **es dürstet jdn nach etw** *dat* sb thirsts for sth II. *vi* ■ **nach etw** *dat* ~ to be thirsty for sth
durs·tig [ˈdʊrstɪç] *adj* thirsty
durst·lö·schend *adj* thirst-quenching

durst·stil·lend *adj* thirst-quenching

Durst·stre·cke *f* lean period

Du·sche <-, -n> ['du:ʃə] *f* shower; **unter die ~ gehen** to have a shower

du·schen ['du:ʃn̩] **I.** *vi* to shower **II.** *vr* ■ **sich ~** to have a shower **III.** *vt* ■ **jdn ~** to give sb a shower

Dusch·gel *nt* shower gel

Dusch·ka·bi·ne *f* shower cubicle

Dü·se <-, -n> ['dy:zə] *f* ❶ TECH nozzle ❷ LUFT jet

Du·sel <-s> ['du:zl̩] *m kein pl* (*fam*) ❶ (*unverdientes Glück*) **~ haben** to be lucky ❷ SCHWEIZ, SÜDD ■ **im ~** (*benommen*) in a daze; (*angetrunken*) tipsy

dü·sen ['dy:zn̩] *vi sein* (*fam: fahren*) to race; (*schnell gehen*) to dash

Dü·sen·an·trieb *m* jet propulsion *no pl, no art* **Dü·sen·flug·zeug** *nt* jet [aircraft] **Dü·sen·jä·ger** *m* jet fighter **Dü·sen·trieb·werk** *nt* jet engine

dus·se·lig ['dʊsəlɪç], **duss·lig**[RR] ['dʊslɪç], **duß·lig**[ALT] ['dʊslɪç] (*fam*) **I.** *adj* daft **II.** *adv* ❶ (*dämlich*) **sich ~ anstellen** to act stupidly ❷ (*enorm viel*) **sich ~ arbeiten** to work oneself silly

düs·ter ['dy:stɐ] *adj* ❶ (*finster*) gloomy ❷ (*bedrückend*) melancholy ❸ (*schwermütig*) black

Dut·zend <-s, -e> ['dʊtsn̩t, *pl* 'dʊtsn̩də] *nt* dozen

dut·zen·d(e)·mal *adv* (*fam*) dozens of times

dut·zend·fach **I.** *adj* dozens of **II.** *adv* dozens of times

dut·zend·wei·se ['dʊtsn̩tvaɪzə] *adv* by the dozen

du·zen ['du:tsn̩] *vt* ■ **jdn ~** to address sb as "Du"; ■ **sich** [**von jdm**] **~ lassen** to allow sb to be on familiar terms with oneself

DV <-> [de:ˈfaʊ] *f Abk von* **Datenverarbeitung** DP

DVD-Play·er <-s, -> [-ple:ɐ] *m* DVD player

Dy·na·mik <-> [dy'na:mɪk] *f kein pl* PHYS dynamics + *sing vb*

dy·na·misch [dy'na:mɪʃ] **I.** *adj* dynamic **II.** *adv* dynamically

Dy·na·mit <-s> [dyna'mi:t] *nt kein pl* dynamite

Dy·na·mo <-s, -s> [dy'na:mo] *m* dynamo

Dy·nas·tie <-, -n> [dynas'ti:, *pl* dynas'ti:ən] *f* dynasty

D-Zug ['de:tsu:k] *m* (*veraltend*) express

E e

E, e <-, - o fam -s, -s> [e:] nt ❶ (Buchstabe) E, e; s. a. **A 1** ❷ MUS E, e; s. a. **A 2**
Eau de Co·lo·gne <-> ['o:dəko'lɔnjə] nt kein pl eau de Cologne no pl BRIT, Cologne AM
Eb·be <-, -n> ['ɛbə] f ebb tide; (Wasserstand) low water; ~ **und Flut** the tides pl; **bei** ~ at low tide
eben¹ ['e:bn̩] I. adj ❶ (flach) flat ❷ (glatt) level II. adv evenly
eben² ['e:bn̩] I. adv ❶ zeitlich just ❷ (nun einmal) just; **das ist** ~ **so** that's [just] the way it is ❸ (gerade noch) just [about] ❹ (kurz) **mal** ~ for a minute II. part ❶ (genau das) precisely ❷ (Abschwächung von Verneinung) **das ist nicht** ~ **billig** it's not exactly cheap
Eben·bild nt image
eben·bür·tig ['e:bn̩byrtɪç] adj equal (**an** in); **einander [nicht]** ~ **sein** to be [un]evenly matched
eben·da ['e:bn̩'da:] adv ❶ (genau dort) exactly there ❷ (bei Zitat) ibidem; (geschrieben a.) ibid[.] **eben·da·rum** [e:bn̩'da:rʊm] adv for that very reason **eben·der** [e:bn̩'de:ɐ] pron, **eben·die** [e:bn̩'di:] pron, **eben·das** [e:bn̩'das] pron he/she/it **eben·des·halb** [e:bn̩-'dɛs'halp] adv, **eben·des·we·gen** [e:bn̩-dɛs've:gn̩] adv s. **ebendarum eben·die·se(r, s)** [e:bn̩'di:zə] pron (geh) he/she/it
Ebe·ne <-, -n> [e:bənə] f ❶ (Tief~) plain; (Hoch~) plateau ❷ MATH, PHYS plane ❸ (fig) **auf wissenschaftlicher** ~ at the scientific level
eben·falls [e:bn̩fals] adv as well; **danke,** ~! thanks, [and] the same to you
Eben·holz [e:bn̩hɔlts] nt ebony; **schwarz wie** ~ as black as ebony
Eben·maß nt kein pl (geh) regularity
eben·mä·ßig I. adj evenly proportioned II. adv symmetrically
eben·so ['e:bn̩zo:] adv ❶ (genauso) just as; ~ **gern [wie]** just as well/much [as]; ~ **gut** [just] as well; ~ **lang[e]** just as long; ~ **oft** just as often; ~ **sehr** just as much; ~ **viel** just as much; ~ **wenig** just as little ❷ (auch) as well
eben·so·gernᴬᴸᵀ adv s. **ebenso 1 eben·so·gut**ᴬᴸᵀ adv s. **ebenso 1 eben·so·lan·g(e)**ᴬᴸᵀ adv s. **ebenso 1 eben·so·oft**ᴬᴸᵀ [-zo?ɔft] adv s. **ebenso 1 eben·so·seh·r**ᴬᴸᵀ adv s. **ebenso 1 eben·so·viel**ᴬᴸᵀ adv s. **ebenso 1 eben·so·we·nig**ᴬᴸᵀ adv

s. **ebenso 1**
Eber <-s, -> ['e:bɐ] m boar
eb·nen ['e:bnən] vt (eben machen) to level [off] ▸ **jdm/etw den Weg** ~ to pave the way for sb/sth
E-Busi·ness <-> ['i:'bɪznɪs] f kein pl INET e-business
EC <-s, -s> [e:'tse:] m ❶ Abk von **Eurocity** Eurocity train ❷ FIN Abk von **Electronic Cash** electronic cash ❸ HIST Abk von **Euroscheck** Eurocheque
Echo <-s, -s> ['ɛço] nt ❶ (Effekt) echo ❷ (Reaktion) response (**auf** to); **ein [großes]** ~ **finden** to meet with a [big] response
E·cho·lot nt sonar
Ech·se <-, -n> ['ɛksə] f saurian spec
echt ['ɛçt] I. adj ❶ (nicht künstlich) real; (nicht gefälscht) genuine; **Haarfarbe** natural; **Silber, Gold** pure ❷ (Freundschaft, Schmerz) sincere ❸ (typisch) typical ❹ Farben fast ❺ (wirklich) real II. adv ❶ (typisch) typically ❷ (fam: wirklich) really
Echt·heit <-> f kein pl ❶ (das Echtsein) authenticity ❷ (Aufrichtigkeit) sincerity
Eck <-[e]s, -e> ['ɛk] nt ❶ ÖSTERR, SÜDD (Ecke) corner ❷ SPORT corner [of the goal] ▸ **über** ~ diagonally
EC-Kar·te f ❶ HIST Eurocheque card ❷ (Debitkarte) cash card, cash-point card
Eck·ball m SPORT corner
Ecke <-, -n> ['ɛkə] f ❶ (spitze Kante) corner; (Tisch~) edge ❷ (Straßen~) corner; **gleich um die** ~ just round [or AM around] the corner ❸ (Zimmer~) corner ❹ (fam: Gegend) area ▸ SPORT corner ▸ **jdn um die** ~ **bringen** (fam) to do sb in; **jdn in die** ~ **drängen** to push sb aside; **an allen** ~n **und Enden** (fam) everywhere
eckig ['ɛkɪç] adj ❶ (nicht rund) square; **Gesicht** angular ❷ (ungelenk) jerky
Eck·pfei·ler m ❶ (liter) corner pillar ❷ (fig) cornerstone **Eck·stein** ['ɛkʃtain] m cornerstone **Eck·zahn** m canine [tooth]
ECO·FIN-Rat ['e:kofinra:t] m kein pl FIN ECOFIN council
E-Com·merce <-> ['i:'kɔmə:s] m kein pl INET e-commerce
Ecu <-[s], -[s]> [e'ky:] m, **ECU** <-, -> [e'ky:] m (hist) Akr von **European Currency Unit** ECU
Ecu·a·dor [eku̯a'do:ɐ], **Eku·a·dor** <-s> [eku̯a'do:ɐ] nt Ecuador; s. a. **Deutschland**
Ecu·a·do·ri·a·ner(in) <-s, -> [ekua-do'ri̯a:nɐ] m(f) Ecuadorean; s. a. **Deut-**

sche(r)

ecu·a·do·ri·a·nisch [ekụado'rịa:nɪʃ] *adj* Ecuadorean; *s. a.* **deutsch**

edel ['e:dl] **I.** *adj* ❶ (*großherzig*) generous ❷ (*hochwertig*) fine ❸ (*aristokratisch*) noble **II.** *adv* nobly

Edel·frau *f* noblewoman **Edel·gas** *nt* inert gas **Edel·kas·ta·nie** *f* sweet chestnut **Edel·mann** <-leute> ['e:dlman, *pl* -lɔytə] *m* nobleman **Edel·me·tall** *nt* precious metal **Edel·mut** ['e:dlmu:t] *m kein pl* (*geh*) magnanimity *no pl*

edel·mü·tig ['e:dlmy:tɪç] **I.** *adj* (*geh*) magnanimous **II.** *adv* magnanimously

Edel·stahl *m* stainless steel **Edel·stein** *m* precious stone **Edel·tan·ne** *f* silver fir

Edel·weiß <-[es], -e> ['e:dlvai̯s] *nt* BOT edelweiss

Edikt <-[e]s, -e> [e'dɪkt] *nt* edict

edi·tie·ren* [edi'ti:rən] *vt* INFORM to edit

Edi·ti·on <-, -en> [edi'tsi̯o:n] *f* (*die Ausgabe*) edition

Edu·tain·ment <-s> [ɛdju'te:nmənt] *nt kein pl* edutainment

EDV <-> [e:de:'fau̯] *f* INFORM *Abk von* **elektronische Datenverarbeitung** EDP

EDV-ge·stützt [e:de:'fau̯-] *adj* EDP-assisted

Efeu <-s> ['e:fɔy] *m kein pl* ivy *no pl, no indef art*

Eff·eff <-> ['ɛf'ʔɛf] *nt kein pl* **etw aus dem ~ beherrschen** to know sth backwards

Ef·fekt <-[e]s, -e> [ɛ'fɛkt] *m* ❶ (*Wirkung*) effect; **im ~** in the end ❷ FILM ∎ **~ e** special effects

Ef·fek·ten [ɛ'fɛktn̩] *pl* securities *pl*

ef·fek·tiv [ɛfɛk'ti:f] **I.** *adj* ❶ (*wirksam*) effective ❷ *attr* (*tatsächlich*) actual *attr* **II.** *adv* ❶ (*wirksam*) effectively ❷ (*tatsächlich*) actually

Ef·fek·ti·vi·tät <-> [ɛfɛktivi'tɛ:t] *f kein pl* effectiveness *no pl*

ef·fekt·voll *adj* effective

ef·fi·zi·ent [ɛfi'tsi̯ɛnt] (*geh*) **I.** *adj* efficient **II.** *adv* efficiently

Ef·fi·zi·enz <-, -en> [ɛfi'tsi̯ɛnts] *f* (*geh*) efficiency

EG <-> [e:'ge:] *f* ❶ (*hist*) *Abk von* **Europäische Gemeinschaft** EC ❷ ÖKON *Abk von* **eingetragene Genossenschaft** registered cooperative society

egal [e'ga:l] (*fam*) **I.** *adj* ∎ **jdm ~ sein** to be all the same to sb; **das ist mir ~** I don't mind; (*unhöflicher*) I couldn't care less ▶ **~, was/wie/wo/warum ...** no matter what/how/where/why ... **II.** *adv* ❶ DIAL (*gleich*) identically; **~ groß/lang** identical in size/length ❷ DIAL (*ständig*) constantly

Eg·ge <-, -n> ['ɛgə] *f* harrow

Ego <-s, -s> ['e:go] *nt* (*pej*) ego *also pej*

Ego·is·mus <-, -ismen> [ego'ɪsmʊs] *m* ego[t]ism

Ego·ist(in) <-en, -en> [ego'ɪst] *m(f)* ego[t]ist

ego·is·tisch [ego'ɪstɪʃ] **I.** *adj* ego[t]istical **II.** *adv* ego[t]istically

Ego-Shooter <-s, -> ['e:goʃu:te] *m* INFORM first-person shooter **Ego-trip** <-s, -s> ['e:gotrɪp] *m* **auf dem ~ sein** (*fam*) to be on an ego trip

Ego·zen·tri·ker(in) <-s, -> [ego'tsɛntrike] *m(f)* (*geh*) egocentric

ego·zen·trisch [ego'tsɛntrɪʃ] *adj* (*geh*) egocentric

EG-Staat [e:'ge:ʃta:t] *m* EC country

eh¹ ['e:] *interj* (*sl*) ❶ (*Anrede*) hey ❷ (*was?*) eh?

eh² [e:] **I.** *adv bes* ÖSTERR, SÜDD (*sowieso*) anyway ▶ **seit ~ und je** since time immemorial; **wie ~ und je** as always **II.** *konj s.* **ehe**

ehe ['e:ə] *konj* before; **~ das Wetter nicht besser wird ...** until the weather changes for the better ...

Ehe <-, -n> ['e:ə] *f* marriage

ehe·ähn·lich *adj* **in einer ~en Gemeinschaft leben** to cohabit **Ehe·bett** *nt* double bed **Ehe·bre·cher(in)** <-s, -> *m(f)* adulterer *masc,* adulteress *fem*

ehe·bre·che·risch *adj* adulterous

Ehe·bruch *m* adultery; **~ begehen** to commit adultery **Ehe·frau** *f fem form von* **Ehemann** wife **Ehe·gat·te** *m* (*geh*) ❶ *s.* **Ehemann** ❷ *pl* (*Ehepartner*) ∎ **die ~n** [married] partners *pl* **Ehe·gat·ten·split·ting** [-splɪtɪŋ, -ʃplɪtɪŋ] *nt* separate taxation for man and wife **Ehe·gat·tin** *f* (*geh*) *fem form von* **Ehegatte Ehe·krach** *m* (*fam*) marital row [*or* AM fight] **Ehe·le·ben** *nt kein pl* married life **Ehe·leu·te** *pl* (*geh*) married couple + *sing/pl vb*

ehe·lich ['e:əlɪç] **I.** *adj* marital; *Kind* legitimate **II.** *adv* legitimately

ehe·los *adv* unmarried

ehe·ma·lig ['e:əma:lɪç] *adj attr* former

ehe·mals ['e:əma:ls] *adv* (*geh*) formerly

Ehe·mann <-männer> *m* husband **Ehe·paar** *nt* [married] couple + *sing/pl vb* **Ehe·part·ner(in)** *m(f)* husband *masc,* wife *fem,* spouse *form*

eher ['e:ɐ] *adv* ❶ (*früher*) sooner ❷ (*wahrscheinlicher*) more likely ❸ (*mehr*) more ❹ (*lieber*) rather; **soll ich ~ am Abend hingehen?** would it be better if I went in the evening?

Ehe·ring *m* wedding ring **Ehe·schei·**

dung *f* divorce **Ehe·schlie·ßung** *f* (*geh*) marriage ceremony

ehest ['eːəst] *adv* ÖSTERR (*baldigst*) as soon as possible

ehes·te(r, s) I. *adj attr* earliest II. *adv* ■ **am ~ n ❶** (*am wahrscheinlichsten*) [the] most likely ❷ (*zuerst*) the first

ehes·tens ['eːəstn̩s] *adv* ❶ (*frühestens*) at the earliest ❷ ÖSTERR (*baldigst*) *s.* **ehest**

Ehe·ver·mitt·lung *f kein pl* arrangement of marriages **Ehe·ver·spre·chen** *nt* promise of marriage **Ehe·ver·trag** *m* marriage contract

ehr·bar ['eːɐ̯baːɐ̯] *adj* respectable

Ehr·be·griff *m kein pl* sense of honour

Eh·re <-, -n> ['eːrə] *f* honour; **ihm zu ~ n** in his honour; **eine große ~** a great honour; **jdm eine ~ sein** to be an honour for sb; **jdm die letzte ~ erweisen** (*geh*) to pay sb one's last respects; **sich** *dat* **die ~ geben, etw zu tun** (*geh*) to have the honour of doing sth; **etw in ~ n halten** to cherish sth; **was verschafft mir die ~?** (*geh o iron*) to what do I owe the honour?; **jdm wird die ~ zuteil, etw zu tun** sb is given the honour of doing sth ▶ **auf ~ und Gewissen** on my/his etc. honour; **habe die ~!** ÖSTERR, SÜDD (*ich grüße Sie!*) [I'm] pleased to meet you; **mit wem habe ich die ~?** (*geh o iron*) with whom do I have the honour [of speaking]?

eh·ren ['eːrən] *vt* to honour (*mit/durch* with); **dieser Besuch ehrt uns sehr** we are very much honoured by this visit

Eh·ren·amt *nt* honorary post **eh·ren·amt·lich** I. *adj* **~ e Tätigkeiten** voluntary work II. *adv* on a voluntary basis **Eh·ren·bür·ger(in)** *m(f)* honorary citizen **Eh·ren·dok·tor, -dok·to·rin** *m, f* honorary doctor **Eh·ren·gast** *m* guest of honour **eh·ren·haft** ['eːrənhaft] I. *adj* honourable II. *adv* honourably

Eh·ren·ko·dex *m* SOZIOL code of honour **Eh·ren·mal** *nt* [war] memorial **Eh·ren·mann** *m* man of honour **Eh·ren·mord** *m* JUR honour [*or* AM honor] killing **Eh·ren·platz** *m* place of honour **Eh·ren·ret·tung** *f* retrieval of one's honour; **zu jds ~** in sb's defence **Eh·ren·run·de** *f* ❶ SPORT lap of honour ❷ SCH (*fam: Wiederholung einer Klasse*) repeating a year **Eh·ren·sa·che** *f* matter of honour **Eh·ren·tag** *m* special day **Eh·ren·ur·kun·de** *f* certificate of honour

eh·ren·voll *adj* honourable

eh·ren·wert *adj s.* **ehrbar Eh·ren·wort** <-worte> *nt* word of honour

ehr·er·bie·tig (*geh*) I. *adj* deferential

II. *adv* deferentially

Ehr·furcht *f kein pl* respect; (*fromme Scheu*) reverence; **vor jdm/etw ~ haben** to have [great] respect for sb/sth

ehr·fürch·tig ['eːɐ̯fʏrçtɪç], **ehr·furchts·voll** I. *adj* reverent II. *adv* reverentially

Ehr·ge·fühl *nt kein pl* sense of honour **Ehr·geiz** ['eːɐ̯gaɪts] *m kein pl* ambition **ehr·gei·zig** ['eːɐ̯gaɪtsɪç] *adj* ambitious

ehr·lich ['eːɐ̯lɪç] I. *adj* honest; **~ e Besorgnis/Zuneigung** genuine concern/affection; **es ~ mit jdm meinen** to have good intentions towards sb II. *adv* ❶ (*legal, vorschriftsmäßig*) **~ spielen** to play fair; **~ verdientes Geld** honestly earned money ❷ (*fam: wirklich*) honestly ▶ **~ gesagt ...** to be [quite] honest ...

Ehr·lich·keit *f kein pl* ❶ (*Aufrichtigkeit*) sincerity ❷ (*Zuverlässigkeit*) honesty

ehr·los I. *adj* dishonourable II. *adv* dishonourably

Ehr·lo·sig·keit <-> *f kein pl* dishonourableness

Eh·rung <-, -en> *f* honour

Ehr·wür·den <*bei Voranstellung* -[s] *o bei Nachstellung* -> ['eːɐ̯vvrdn̩] *m kein pl, ohne art* REL Reverend

ehr·wür·dig ['eːɐ̯vvrdɪç] *adj* venerable

Ei <-[e]s, -er> ['aɪ] *nt* ❶ (*Vogel~, Schlangen~*) egg; **faules ~** rotten egg; **ein hartes/hart gekochtes ~** a hard-boiled egg; **ein weiches/weich gekochtes Ei** a soft-boiled egg; **aus dem ~ kriechen** to hatch [out]; **ein ~ legen** to lay an egg ❷ (*Eizelle*) ovum ❸ *pl* (*sl: Hoden*) balls *pl* ❹ *pl* (*sl: Geld*) ≈ quid *no pl* BRIT *fam*, ≈ bucks *pl* AM *fam* ▶ **jdn wie ein rohes ~ behandeln** to handle sb with kid gloves; **sich gleichen wie ein ~ dem anderen** to be as [a]like as two peas in a pod; **wie aus dem ~ gepellt** (*fam*) [to be] dressed up to the nines

Ei·be <-, -n> ['aɪbə] *f* BOT yew [tree]

Ei·che <-, -n> ['aɪçə] *f* (*a. Holz*) oak

Ei·chel <-, -n> ['aɪçl̩] *f* ❶ BOT acorn ❷ ANAT glans

Ei·chel·hä·her ['aɪçlhɛːɐ̯] *m* ORN jay

ei·chen ['aɪçn̩] *vt* to gauge; *Instrument, Messgerät* to calibrate

Eich·hörn·chen ['aɪçhœrnçən] *nt*, **Eich·kätz·chen** ['aɪçkɛtsçən] *nt* DIAL squirrel

Eid <-[e]s, -e> ['aɪt, *pl* 'aɪdə] *m* oath; **an ~ es statt erklären** to declare solemnly; **einen ~ ablegen** to swear an oath; **unter ~ [stehen]** [to be] under oath

eid·brü·chig *adj* oath-breaking; ■ **~ werden** to break one's oath

Ei·dech·se ['aɪdɛksə] *f* lizard

ei·des·statt·lich I. *adj* JUR in lieu of [an]

oath; **~e Erklärung** affirmation in lieu of [an] oath **II.** *adv* JUR **etw ~ erklären** to declare sth under oath

Eid·ge·nos·se, -ge·nos·sin ['ajtgənɔsə, -gənɔsɪn] *m, f* Swiss [citizen]

Eid·ge·nos·sen·schaft *f* **Schweizerische ~** the Swiss Confederation

eid·ge·nös·sisch ['ajtgənœsɪʃ] *adj* Swiss

eid·lich ['ajtlɪç] **I.** *adj* [made] under oath **II.** *adv* under oath

Ei·dot·ter *m o nt* egg yolk

Ei·er·be·cher *m* egg cup **Ei·er·ku·chen** *m* pancake **Ei·er·li·kör** *m* egg liqueur

ei·ern ['ajɐn] *vi* (*fam*) to wobble

Ei·er·scha·le *f* eggshell **Ei·er·stock** *m* ANAT ovary **Ei·er·tanz** *m* (*fam*) treading carefully *fig;* [**um etw** *akk*] **einen** [**regelrechten**] **~ aufführen** to tread [very] carefully [in sth] **Ei·er·uhr** *f* egg timer

Ei·fer <-s> ['ajfɐ] *m kein pl* enthusiasm ▶**im ~ des <u>Gefechts</u>** (*fam*) in the heat of the moment

ei·fern ['ajfɐn] *vi* (*geh*) ❶ (*wettern*) ▪**gegen etw** *akk* **~** to rail against sth ❷ (*veraltend: streben*) ▪**nach etw** *dat* **~** to strive for sth

Ei·fer·sucht ['ajfɐzʊxt] *f kein pl* jealousy; **aus ~** out of jealousy

ei·fer·süch·tig ['ajfɐzʏçtɪç] *adj* jealous

Ei·fer·suchts·sze·ne *f* **jdm eine ~ machen** to make a scene [in a fit of jealousy]

Eif·fel·turm ['ajfl̩tʊrm] *m kein pl* ▪**der ~** the Eiffel Tower

eif·rig ['ajfrɪç] **I.** *adj* keen; *Leser, Sammler* avid **II.** *adv* eagerly; **~ lernen/üben** to learn/practise assiduously

Ei·gelb <-s, -e *o bei Zahlenangabe* -> *nt* egg yolk

ei·gen ['ajgn̩] *adj* ❶ (*jdm gehörig*) own; **seine ~e Meinung/Wohnung haben** to have one's own opinion/flat; **etw sein E~ nennen** (*geh*) to own sth ❷ (*separat*) mit **~em Eingang** with a separate entrance ❸ (*typisch*) **mit dem ihr ~en Optimismus ...** with her characteristic optimism ... ❹ (*eigenartig*) peculiar

Ei·gen·art ['ajgn̩ʔaːɐt] *f* ❶ (*besonderer Wesenszug*) characteristic ❷ (*Flair*) individuality

ei·gen·ar·tig ['ajgn̩ʔaːɐtɪç] **I.** *adj* strange **II.** *adv* strangely; **~ aussehen** to look strange

Ei·gen·be·darf *m* ❶ (*der eigene Bedarf*) **zum ~** for one's [own] personal use ❷ JUR **~ geltend machen** to declare that one needs a house for oneself

Ei·gen·bröt·ler(in) <-s, -> ['ajgn̩bɾøːtlɐ] *m(f)* loner

ei·gen·bröt·le·risch ['ajgn̩bɾøːtlərɪʃ] *adj* reclusive

Ei·gen·dy·na·mik *f* momentum of its/their own **ei·gen·hän·dig** ['ajgn̩hɛndɪç] **I.** *adj* personal; *Brief* handwritten; *Testament* holographic **II.** *adv* personally **Ei·gen·heim** *nt* home of one's own

Ei·gen·heit <-, -en> *f s.* **Eigenart**

Ei·gen·in·i·ti·a·ti·ve *f* **in ~** on one's own initiative **Ei·gen·ka·pi·tal** *nt* (*einer Firma*) equity capital **Ei·gen·lie·be** *f* self-love **ei·gen·mäch·tig** ['ajgn̩mɛçtɪç] **I.** *adj* high-handed **II.** *adv* high-handedly

Ei·gen·na·me *m* LING proper noun **Ei·gen·nutz** <-es> *m kein pl* self-interest **ei·gen·nüt·zig** ['ajgn̩nʏtsɪç] **I.** *adj* selfish **II.** *adv* selfishly **Ei·gen·pro·duk·ti·on** *f* **aus ~** home-produced; (*Obst, Gemüse*) home-grown

ei·gens ['ajgn̩s] *adv* [e]specially

Ei·gen·schaft <-, -en> ['ajgn̩ʃaft] *f* ❶ (*Charakteristik*) quality ❷ (*Funktion*) capacity

Ei·gen·schafts·wort <-wörter> *nt* LING adjective **Ei·gen·sinn** *m kein pl* stubbornness, obstinacy; **aus ~** out of obstinacy **ei·gen·sin·nig** ['ajgn̩zɪnɪç] **I.** *adj* stubborn **II.** *adv* stubbornly

ei·gen·stän·dig ['ajgn̩ʃtɛndɪç] **I.** *adj* independent **II.** *adv* independently

ei·gent·lich ['ajgn̩tlɪç] **I.** *adj* ❶ (*wirklich*) real; *Wesen* true ❷ (*ursprünglich*) original **II.** *adv* ❶ (*normalerweise*) really; **da hast du ~ Recht** you may be right there ❷ (*wirklich*) actually **III.** *part* (*überhaupt*) **was fällt dir ~ ein!** what [on earth] do you think you're doing!; **was wollen Sie ~ hier?** what do you [actually] want here?; **was ist ~ mit dir los?** what [on earth] is wrong with you?; **wie alt bist du ~?** [exactly] how old are you?

Ei·gen·tor *nt* own goal

Ei·gen·tum <-s> ['ajgn̩tuːm] *nt kein pl* property; **jds geistiges ~** sb's intellectual property

Ei·gen·tü·mer(in) <-s, -> ['ajgn̩tyːmɐ] *m(f)* owner

ei·gen·tüm·lich ['ajgn̩tyːmlɪç] **I.** *adj* ❶ (*merkwürdig*) strange ❷ (*geh: typisch*) ▪**jdm/einer S.** *gen* **~** characteristic of sb/sth **II.** *adv* strangely; **~ aussehen** to look odd

Ei·gen·tüm·lich·keit <-, -en> *f* ❶ (*Besonderheit*) characteristic ❷ (*Eigenheit*) peculiarity

Ei·gen·tums·recht *nt* JUR property right,

right of ownership **Ei·gen·tums·woh· nung** f owner-occupied flat, condominium Am

ei·gen·ver·ant·wort·lich I. adj with sole responsibility pred **II.** adv on one's own authority

Ei·gen·ver·ant·wor·tung f personal responsibility

ei·gen·wil·lig ['aɪgn̩vɪlɪç] adj ❶ (eigensinnig) stubborn ❷ (unkonventionell) unconventional

eig·nen ['aɪgnən] vr ■ **sich für etw** akk ~ to be suited to sth; ■ **etw eignet sich zu etw** dat sth can be used as sth

Eig·nung <-, -en> ['aɪgnʊŋ] f suitability

Eig·nungs·prü·fung f, **Eig·nungs· test** m aptitude test

Eil·be·schlussRR m JUR quick decision **Eil· bo·te, -bo·tin** m, f express messenger; **per ~ n** by express delivery **Eil·brief** m express letter

Ei·le <-> ['aɪlə] f kein pl haste; **etw hat ~** sth is urgent; **in ~ sein** to be in a hurry; **in der ~** in the hurry; **nur keine ~!** there's no rush!

Ei·lei·ter <-s, -> m ANAT Fallopian tube

ei·len ['aɪlən] **I.** vi ❶ sein (schnell gehen) ■ **irgendwohin ~** to hurry somewhere ❷ haben (dringlich sein) ■ **etw eilt** sth is urgent; **eilt!** urgent! **II.** vi impers haben ■ **es eilt** it's urgent

Eil·gut nt kein pl express freight no pl

ei·lig ['aɪlɪç] **I.** adj ❶ (schnell) hurried ❷ (dringend) urgent; **es ~ haben** to be in a hurry **II.** adv quickly

Eil·tem·po nt im ~ (fam) as quickly as possible **Eil·zug** m BAHN ≈ fast stopping train

Ei·mer <-s, -> ['aɪmɐ] m bucket ▸ **etw ist im** ~ sth is bust [or Am kaput]

ei·mer·wei·se adv by the bucketful, in bucketfuls

ein¹ ['aɪn] adv (eingeschaltet) on; **E~/Aus** on/off

ein² ['aɪn], **ei·ne** ['aɪnə], **ein** ['aɪn] **I.** adj one; **mir fehlt noch ~ Cent** I need another cent ▸ **~ für alle Mal** once and for all; **jds E~ und Alles sein** to mean everything to sb; **~ und derselbe/dieselbe/ dasselbe** one and the same **II.** art indef ❶ (einzeln) a/an; **~e Hitze ist das hier!** it's very hot [in] here!; **was für ~ Lärm!** what a noise! ❷ (jeder) a/an

Ein·ak·ter <-s, -> ['aɪn?aktɐ] m THEAT one-act play

ein·an·der [aɪ'nandɐ] pron each other; **die Aussagen widersprechen ~ [nicht]** the statements are [not] mutually contradictory

ein|ar·bei·ten I. vr ■ **sich [in etw** akk**] ~** to get used to [sth] **II.** vt ❶ (praktisch vertraut machen) ■ **jdn [in etw** akk**] ~** to train sb [for sth] ❷ (einfügen) ■ **etw ~ [in etw** akk**] ~** to add sth in[to sth] ❸ ÖSTERR (nachholen) Zeitverlust to make up [for] sth

Ein·ar·bei·tungs·zeit f training period

ein·ar·mig ['aɪn?armɪç] adj one-armed

ein|lä·schern ['aɪn?ɛʃɐn] vt Leiche to cremate

Ein·äsche·rung <-, -en> f cremation

ein|at·men vt, vi to breathe in sep

ein·äu·gig ['aɪn?ɔygɪç] adj one-eyed

Ein·bahn·stra·ße f one-way street

ein|bal·sa·mie·ren* vt Leiche to embalm

Ein·band <-bände> ['aɪnbant, pl -bɛndə] m [book] cover

ein·bän·dig ['aɪnbɛndɪç] adj VERLAG one-volume attr

Ein·bau <-bauten> m ❶ kein pl (das Einbauen) fitting no pl; einer Batterie, eines Motors installation no pl ❷ meist pl (eingebautes Teil) fitting usu pl

ein|bau·en vt ❶ (installieren) ■ **etw [in etw** akk**] ~** to build sth in[to sth]; Batterie, Motor to install sth in[to sth]; ■ **eingebaut** built-in ❷ (fam: einfügen) ■ **etw [in etw** akk**] ~** to incorporate sth [into sth]

Ein·bau·kü·che f fitted kitchen **Ein·bau· schrank** m fitted cupboard; (im Schlafzimmer) built-in wardrobe

ein|be·hal·ten* vt irreg Abgaben, Steuern to withhold

ein·bei·nig adj one-legged

ein|be·ru·fen* vt irreg ❶ (zusammentreten lassen) to convene ❷ MIL to conscript

Ein·be·ru·fung f ❶ (das Einberufen) convention ❷ MIL call-up papers pl BRIT, draft card Am

Ein·be·ru·fungs·be·fehl m MIL call-up papers BRIT pl, draft card Am

ein|bet·ten vt to embed (**in** in)

Ein·bett·zim·mer nt single room

ein|beu·len I. vt ■ **[jdm] etw ~** to dent sth [of sb's]; **ein eingebeulter Hut** a battered hat **II.** vr ■ **sich ~** to become dented

ein|be·zie·hen* vt irreg to include (**in** in)

ein|bie·gen vi irreg sein to turn (**in** into); **er bog [nach links] in eine Fußgänger· passage ein** he turned [left] into a pedestrian precinct

ein|bil·den vr ❶ (fälschlicherweise glauben) ■ **sich** dat **etw ~** to imagine sth; ■ **sich** dat **..., dass ...** to think that ... ❷ (stolz sein) ■ **sich** dat **etw auf etw** akk ~ to be proud of sth; **darauf brauchst du dir nichts einzubilden** that's nothing to write home about ▸ **was bildest du dir**

eigentlich ein? (*fam*) what's got into your head?

Ein·bil·dung *f* **❶** *kein pl* (*Fantasie*) imagination **❷** *kein pl* (*Arroganz*) conceitedness
Ein·bil·dungs·kraft *f kein pl* [powers of] imagination
ein|bin·den *vt irreg* **❶** VERLAG ■ **etw** ~ to bind sth (**in** in) **❷** (*einbeziehen*) ■ **jdn/ etw** ~ to integrate sb/sth (**in** into)
ein|blen·den I. *vt* to insert; *Geräusche, Musik* to dub in II. *vr* TV, RADIO ■ **sich** ~ (*sich einschalten*) to interrupt; (*sich dazu-schalten*) to link up
Ein·blick *m* insight; **jdm** ~ **in etw** *akk* **gewähren** to allow sb to look at sth; (*fig*) to allow sb to gain an insight into sth; ~ **in etw** *akk* **gewinnen** to gain an insight into sth; ~ **in etw** *akk* **haben** to be able to see into sth; (*informiert sein*) to have an insight into sth
ein|bre·chen *irreg* I. *vi* **❶** *sein o haben* (*Einbruch verüben*) to break in **❷** *sein Dämmerung, Nacht* to fall **❸** *sein* (*nach unten durchbrechen*) to fall through **❹** *sein* (*einstürzen*) to cave in II. *vt haben* to break down *sep*
Ein·bre·cher(in) <-s, -> *m(f)* burglar
ein|brin·gen *irreg* I. *vt* **❶** (*eintragen*) to bring; *Zinsen* ~ to earn interest **❷** (*einflie-ßen lassen*) **Kapital in ein Unterneh-men** ~ to contribute capital to a company; **seine Erfahrung** ~ to bring one's experi-ence to bear in sth **❸** *Ernte* to bring in **❹** (*vorschlagen*) **einen Antrag** ~ to table a motion II. *vr* ■ **sich** ~ to contribute
ein|bro·cken *vt* (*fam*) ■ **jdm etw** ~ to land sb in it
Ein·bruch [ˈaɪnbrʊx, *pl* ˈaɪnbrʏçə] *m* **❶** JUR break-in **❷** (*das Eindringen*) penetration **❸** *Mauer* collapse **❹** (*plötzlicher Beginn*) onset; **bei** ~ **der Dunkelheit** [at] nightfall
ein|buch·ten [ˈaɪnbʊxtn̩] *vt* (*fam*) ■ **jdn** ~ to lock [*or* BRIT *sl* bang] sb up
ein|bud·deln *vt* (*fam*) to bury; ■ **sich** ~ to dig oneself in
ein|bür·gern [ˈaɪnbʏrɡɐn] I. *vt* **❶** ADMIN ■ **jdn** ~ to naturalize sb **❷** (*heimisch wer-den*) ■ **eingebürgert werden** to become established II. *vr* (*übernommen werden*) ■ **sich** ~ to become established
Ein·bür·ge·rung <-, -en> *f* ADMIN naturali-zation
Ein·bür·ge·rungs·an·trag *m* application for naturalization
Ein·bu·ße *f* loss; [**mit etw** *dat*] ~**n erlei-den** to suffer losses [on sth]
ein|bü·ßen I. *vt* to lose II. *vi* ■ **an etw** *dat*~ to lose sth

ein|che·cken [-tʃɛkn̩] I. *vi* to check in; ■ **in etw** *dat* ~ to check into sth II. ■ **in jdn** ~ to check in sth/sb *sep*
ein|cre·men [ˈaɪnkreːmən] *vt* ■ **sich** *dat* **etw** ~ to put cream on sth; ■ **sich** [**mit etw** *dat*] ~ to put cream on [oneself]
ein|däm·men *vt* to dam; **die Ausbreitung einer Krankheit** ~ to check the spread of a disease
ein|de·cken I. *vr* ■ **sich** [**mit etw** *dat*] ~ to stock up [on sth] II. *vt* (*fam: überhäufen*) ■ **jdn mit etw** *dat* ~ to swamp sb with sth
ein·deu·tig [ˈaɪndɔytɪç] I. *adj* **❶** (*unmiss-verständlich*) unambiguous **❷** (*unzweifel-haft*) clear II. *adv* **❶** (*unmissverständlich*) unambiguously **❷** (*klar*) clearly
Ein·deu·tig·keit <-> *f kein pl* **❶** (*Unmiss-verständlichkeit*) unambiguity, unequivo-calness **❷** (*Unzweifelhaftigkeit*) clarity; **die** ~ **der Beweise** the clarity of the proof
ein|deut·schen [ˈaɪndɔytʃn̩] *vt* to Ger-manize
ein|di·cken [ˈaɪndɪkn̩] I. *vt haben* KOCHK to thicken II. *vi sein* to thicken
ein·di·men·si·o·nal *adj* one-dimensional
ein|dö·sen *vi sein* (*fam*) to doze off
ein|drän·gen *vi sein* **❶** (*bedrängen*) ■ **auf jdn** ~ to crowd around sb *fig* **❷** (*sich auf-drängen*) to crowd in on sb *fig*
ein|drin·gen *vi irreg sein* **❶** (*einbrechen*) ■ **in etw** *akk* ~ to force one's way into sth **❷** (*vordringen*) ■ **in etw** *akk* ~ to force one's way into sth; MIL to penetrate [into] sth **❸** (*hineindringen*) ■ **in etw** *akk* ~ to penetrate [into] sth **❹** (*bestürmen*) ■ **auf jdn** ~ to besiege sb
ein·dring·lich I. *adj* (*nachdrücklich*) pow-erful II. *adv* strongly
Ein·dring·ling <-s, -e> [ˈaɪndrɪŋlɪŋ] *m* in-truder
Ein·druck <-drücke> [ˈaɪndrʊk, *pl* -drʏkə] *m* **❶** (*Vorstellung*) impression; **den** ~ **erwecken, dass ...** to give the impres-sion that ...; **einen** ~ **gewinnen** to gain an impression; **den** ~ **haben, dass ...** to have the impression that ...; **einen großen** ~ **auf jdn machen** to make a big impression on sb **❷** (*selten: eingedrückte Spur*) im-print
ein|drü·cken I. *vt* (*nach innen drücken*) to push in *sep*; *Kotflügel* to dent; *Fenster* to break II. *vr* (*einen Abdruck hinterlassen*) ■ **sich in etw** *akk* ~ to make an imprint in sth
ein·drück·lich [ˈaɪndrʏklɪç] *adj* SCHWEIZ (*eindrucksvoll*) impressive
ein·drucks·voll I. *adj* impressive II. *adv* impressively

ei·ne(r, s) ['aɪnə] *pron indef* ❶ *(jemand)* someone, somebody; **~s von den Kindern** one of the children; **die ~n sagen das eine, die anderen gerade das Gegenteil** one lot say one thing, the other lot say exactly the opposite ❷ *(fam: man)* one; **und das soll noch ~r glauben?** and I'm expected to swallow that? ❸ *(ein Punkt)* ▪ **~s** one thing; **~s muss klar sein** let's make one thing clear; **~s sag ich dir** I'll tell you one thing

ein|eb·nen *vt* to level

ein·ei·ig ['aɪn?aɪɪç] *adj* BIOL identical

ein·ein·halb ['aɪn?aɪn'halp] *adj* one and a half

ein|en·gen ['aɪnɛŋən] *vt* ❶ *(beschränken)* ▪ **jdn in etw** *dat* ~ to restrict sb in sth ❷ *(drücken)* ▪ **jdn ~** to restrict sb's movement[s] ❸ *(begrenzen)* ▪ **etw ~** to restrict sth

ei·ner ['aɪnɐ] *pron s.* **eine(r, s)**

ei·ner·lei ['aɪnɐ'laɪ] *adj präd (egal)* **das ist mir ganz ~** it's all the same to me

ei·ner·seits ['aɪnɐzaɪts] *adv* ~ ... **andererseits** ... on the one hand ..., on the other hand ...

ein·fach ['aɪnfax] I. *adj* ❶ *(leicht)* easy, simple; **es sich** *dat* [**mit etw** *dat*] **zu ~ machen** to make it too easy for oneself [with sth] ❷ *(gewöhnlich)* simple; **ein ~es Hemd** a plain shirt ❸ *(nur einmal gemacht)* single; **eine ~e Fahrkarte** a one-way [*or* BRIT single] ticket II. *adv* *(leicht)* easily; **es ist nicht ~ zu verstehen** it's not easy to understand III. *part* ❶ *(ohne weiteres)* simply, just ❷ *mit Verneinung (zur Verstärkung)* simply, just; **he, du kannst doch nicht ~ weggehen!** hey, you can't just leave [like that]!

Ein·fach·heit <-> *f kein pl* ❶ *(Unkompliziertheit)* straightforwardness ❷ *(Schlichtheit)* plainness ▶ **der ~ halber** for the sake of simplicity

ein|fä·deln ['aɪnfɛːdln̩] I. *vt* ❶ *(Faden)* to thread; **eine Nadel ~** to thread a needle ❷ *(fam: anbahnen)* to engineer *fig* II. *vi* SKI to become entangled in a gate III. *vr* AUTO ▪ **sich ~** to filter in

ein|fah·ren *irreg* I. *vi sein (hineinfahren)* **auf einem Gleis ~** to arrive at a platform; **in einen Hafen ~** to sail into a harbour II. *vt haben* ❶ *(kaputtfahren)* to [drive into and] knock down sth *sep* ❷ *Antenne, Objektiv* to retract ❸ *Gewinne* to make ❹ *Heu, Korn* to bring in

Ein·fahrt *f kein pl* ❶ *(das Einfahren)* entry; **die ~ eines Zuges** the arrival of a train ❷ *(Zufahrt)* entrance; **~ freihalten!**

[please] keep [entrance] clear!

Ein·fall ['aɪnfal] *m* ❶ *(Idee)* idea ❷ MIL *(das Eindringen)* ▪ **~ in etw** *akk* invasion of sth ❸ *(das Eindringen)* incidence

ein|fal·len *vi irreg sein* ❶ *(in den Sinn kommen)* ▪ **etw fällt jdm ein** sb thinks of sth; **sich** *dat* **etw ~ lassen** to think of sth; **was fällt Ihnen ein!** what do you think you're doing! ❷ *(in Erinnerung kommen)* ▪ **etw fällt jdm ein** sb remembers sth ❸ *(einstürzen)* to collapse ❹ *(eindringen)* **in ein Land ~** to invade a country ❺ *(einsetzen)* ▪ **[in etw** *akk*] ~ **Chor, Instrument** to join in [sth]; *(dazwischenreden)* to interrupt [sth] ❻ *(Wangen)* to become hollow

ein·falls·los I. *adj* unimaginative II. *adv* unimaginatively **ein·falls·reich** I. *adj* imaginative II. *adv* imaginatively **Ein·falls·reich·tum** *m kein pl* imaginativeness

Ein·falt <-> ['aɪnfalt] *f kein pl* naivety

ein·fäl·tig ['aɪnfɛltɪç] I. *adj* naive II. *adv* naively

Ein·falts·pin·sel *m (pej fam)* simpleton

Ein·fa·mi·li·en·haus *nt* single family house

ein|fan·gen *irreg* I. *vt* ▪ **jdn/ein Tier [wieder] ~** to [re]capture sb/an animal II. *vr (fam)* ▪ **sich** *dat* **etw ~** to catch sth

ein·far·big *adj* in one colour

ein|fas·sen *vt* ▪ **etw ~** ❶ *(umgeben)* to border sth; *Garten* to enclose sth ❷ *(umsäumen)* to hem sth ❸ *Diamant* to set sth

ein|fet·ten *vt* to grease

ein|fin·den *vr irreg (geh)* ▪ **sich [irgendwo] ~** to arrive [somewhere]

ein|flie·gen *irreg* I. *vt haben* ❶ *(mit Flugzeug, Hubschrauber)* ▪ **jdn/etw ~** to fly sb/sth in; **Munition/Nachschub einfliegen** to airlift munitions/reinforcements ❷ *(erwirtschaften)* ▪ **etw ~** to make sth; **einen Gewinn/Verlust ~** to make a profit/loss II. *vi sein* to fly in

ein|flie·ßen *vi irreg sein* ❶ *(als Zuschuss gewährt werden)* ▪ **[in etw** *akk*] ~ to pour in[to sth] ❷ *(anmerken)* ▪ **~ lassen, dass ...** to let slip that ... ❸ METEO ▪ **in etw** *akk* ~ to move into sth

ein|flö·ßen *vt* ❶ *(langsam eingeben)* ▪ **jdm etw ~** to give sb sth ❷ *(erwecken)* **jdm Angst/Vertrauen ~** to instil fear/confidence in sb

Ein·flug·schnei·se *f* approach path

Ein·fluss[RR] <-es, Einflüsse> *m*, **Ein·fluß**[ALT] <-sses, Einflüsse> *m* ❶ *(Einwirkung)* influence; **auf etw** *akk*/**jdn ~ haben** to have an influence on sth/sb; **unter jds ~ geraten** to fall under sb's influence; **unter dem ~ von jdm/etw ste-**

hen to be under sb's influence [*or* the influence of sb/sth] ❷ (*Beziehungen*) influence; **seinen ~ geltend machen** to use one's influence

Ein·fluss·be·reich^RR *m* ❶ POL sphere of influence ❷ METEO **Frankreich liegt im ~ eines atlantischen Tiefs** an Atlantic depression is affecting the weather over France

ein·fluss·reich^RR *adj* influential

ein|for·dern *vt* (*geh*) ◼ **etw** [**von jdm**] **~** to demand payment of sth [from sb]; **von jdm ein Versprechen ~, etw zu tun** to keep sb to their promise to do sth

ein·för·mig ['aɪnfœrmɪç] **I.** *adj* monotonous; *Landschaft* uniform **II.** *adv* monotonously

ein|frie·den ['aɪnfriːdn̩] *vt* (*geh*) to enclose (**mit** with)

Ein·frie·dung <-, -en> *f* (*geh*) ❶ (*das Einfrieden*) enclosure, enclosing ❷ (*die Umzäunung*) means of enclosure

ein|frie·ren *irreg* **I.** *vi sein* ❶ (*zufrieren*) to freeze up ❷ (*von Eis eingeschlossen werden*) ◼ **in etw** *dat* **~** to freeze into sth **II.** *vt haben* ❶ (*konservieren*) to [deep-]freeze ❷ (*suspendieren*) to suspend; *Projekt* to shelve ❸ ÖKON to freeze

ein|fü·gen I. *vt* ◼ **etw** [**in etw** *akk*] **~** ❶ (*einpassen*) to fit sth in[to sth] ❷ (*einfließen lassen*) to add sth [to sth] **II.** *vr* ◼ **sich** [**in etw** *akk*] **~** ❶ (*sich anpassen*) to adapt [oneself] [to sth] ❷ (*hineinpassen*) to fit in [with sth]

ein|füh·len *vr* ◼ **sich in jdn ~** to empathize with sb; ◼ **sich in etw** *akk* **~** to get into the spirit of sth

ein·fühl·sam I. *adj* sensitive; *Worte* understanding; *Mensch* empathetic **II.** *adv* sensitively

Ein·füh·lungs·ver·mö·gen *nt* empathy

Ein·fuhr <-, -en> ['aɪnfuːɐ] *f* importation

Ein·fuhr·be·stim·mun·gen *pl* import regulations *pl*

ein|füh·ren *vt* ❶ (*importieren*) to import ❷ (*bekannt machen*) ◼ **etw ~** to introduce sth; *Artikel, Firma* to establish ❸ (*vertraut machen*) ◼ **jdn ~** to introduce sb (**in** to) ❹ (*hineinschieben*) ◼ **etw ~** to insert sth (**in** into) **II.** *vi* ◼ **in etw** *akk* **~** to serve as an introduction into sth; **~de Worte** introductory words

Ein·füh·rung *f* introduction

Ein·füh·rungs·preis *m* introductory price

Ein·fuhr·zoll *m* import duty

Ein·ga·be <-, -en> *f* ❶ (*Petition*) petition (**an** to) ❷ *kein pl Arznei* administration ❸ *kein pl Daten, Informationen* entry

Ein·ga·be·da·ten *pl* INFORM input data *usu* + *sing vb* **Ein·ga·be·tas·te** *f* INFORM enter-key, return-key

Ein·gang <-gänge> ['aɪngaŋ, *pl* -gɛŋə] *m* ❶ (*Tür, Tor, Zugang*) entrance; *eines Waldes* opening; **„kein ~!"** "no entry!" ❷ *pl* (*eingetroffene Sendungen*) incoming mail ❸ *kein pl* (*Erhalt*) receipt; **beim ~** on receipt ❹ *kein pl* (*Beginn*) start

ein·gän·gig I. *adj* ❶ (*einprägsam*) catchy ❷ (*verständlich*) comprehensible **II.** *adv* clearly

ein·gangs ['aɪngaŋs] **I.** *adv* at the start **II.** *präp* at the start of

Ein·gangs·hal·le *f* entrance hall

ein|ge·ben *irreg vt* ❶ (*verabreichen*) ◼ **jdm etw ~** to give sb sth ❷ INFORM ◼ **etw ~** to input sth (**in** into) ❸ (*geh: inspirieren*) ◼ **jdm etw ~** to put sth into sb's head

ein·ge·bil·det *adj* ❶ (*pej: hochmütig*) conceited (**auf** about) ❷ (*imaginär*) imaginary

ein·ge·bo·ren ['aɪngəboːrən] *adj* native

Ein·ge·bo·re·ne(r) *f(m)* native

Ein·ge·bung <-, -en> *f* (*Inspiration*) inspiration; **einer plötzlichen ~ folgend** acting on a sudden impulse

ein·ge·fah·ren *adj* well-worn

ein·ge·fal·len *adj* hollow; *Gesicht* gaunt

ein·ge·fleischt ['aɪngəflaɪʃt] *adj attr* confirmed; **ein ~er Kommunist** a dyed-in-the-wool communist BRIT

ein|ge·hen *irreg* **I.** *vi sein* ❶ (*Aufnahme finden*) **in die Geschichte ~** to go down in history ❷ (*ankommen*) to be received [*or* arrive [somewhere]]; **soeben geht bei mir eine wichtige Meldung ein** I am just receiving an important report ❸ ([*ab*]*sterben*) to die (**an** of); *Laden* to go bust *fam* ❹ (*aufgenommen werden*) ◼ **jdm ~** to be grasped by sb; **ihm will es nicht ~** he can't grasp it; **es will mir einfach nicht ~, wieso** I just can't see why ❺ (*einlaufen*) to shrink ❻ (*sich beschäftigen mit*) ◼ **auf etw** *akk*/**jdn ~** to deal with sth/to pay some attention to sb ❼ (*zustimmen*) ◼ **auf etw** *akk* **~** to agree to sth; (*sich einlassen*) to accept sth **II.** *vt sein* ◼ **etw ~** to enter into sth; **ein Risiko ~** to take a risk; **ich gehe jede Wette ein, dass er wieder zu spät kommt** I'll bet [you] anything that he'll arrive late again; **eine Ehe mit jdm ~** to be joined in marriage with sb

ein·ge·hend ['aɪngeːənt] **I.** *adj* detailed; *Prüfung* extensive; **~e Untersuchungen** comprehensive surveys **II.** *adv* in detail

Ein·ge·mach·te(s) *nt dekl wie adj* KOCHK preserved fruit ▸ **es geht ans ~** (*fam*) the crunch has come

ein·ge·schnappt adj (fam) ■ ~ **sein** to be miffed

ein·ge·schrie·ben I. adj registered **II.** adv ~ **schicken** to send as registered post [or Am mail]

ein·ge·spannt adj präd ■ [**sehr**] ~ **sein** to be [very] busy

ein·ge·spielt adj working well together; **eine ~e Mannschaft** a team that plays well together; ■ **aufeinander ~ sein** to be used to one another

Ein·ge·länd·nis ['aɪngəʃtɛntnɪs] nt admission

ein|ge·ste·hen* irreg **I.** vt ■ [**jdm**] **etw ~** to admit sth [to sb] **II.** vr ■ **sich** dat **~, dass** ... to admit to oneself that ...; **sich** dat **etw nicht ~ wollen** to be unable to accept sth; **sich** dat **nicht ~ wollen, dass** ... to refuse to accept that ...

ein·ge·stellt adj ❶ (gesinnt) **fortschritt·lich/ökologisch ~** progressively/environmentally minded; ■ **jd ist gegen jdn ~** sb is set against sb ❷ (vorbereitet) ■ **auf etw** akk **~ sein** to be prepared for sth; **ich war nur auf 3 Personen ~** I was only expecting three people

ein·ge·tra·gen adj Mitglied, Verein, Warenzeichen registered

Ein·ge·wei·de <-s, -> ['aɪngəvaɪdə] nt meist pl entrails npl

Ein·ge·weih·te(r) f(m) initiate

ein|ge·wöh·nen* vr ■ **sich ~** to settle in

Ein·ge·wöh·nung f settling in

ein|gie·ßen vt irreg [**jdm**] **etw ~** to pour [sb] sth (**in** into)

ein·glei·sig ['aɪnglaɪzɪç] adj single-track

ein|glie·dern I. vt ❶ (integrieren) ■ **jdn ~** to integrate sb (**in** into) ❷ ADMIN, POL (einbeziehen) ■ **etw ~** to incorporate sth (**in** into) **II.** vr ■ **sich ~** to integrate oneself (**in** into)

Ein·glie·de·rung f❶ (Integration) integration ❷ ADMIN, POL incorporation

ein|gra·ben irreg **I.** vt ■ **etw ~** to bury sth **II.** vr ❶ (sich verschanzen) ■ **sich ~** to dig [oneself] in ❷ (sich einprägen) **sich in jds Gedächtnis ~** to engrave itself on sb's memory ❸ (eindringen) ■ **sich in etw** akk **~** to dig into sth

ein|gra·vie·ren* ['aɪngravi:rn] vt to engrave (**in** on)

ein|grei·fen vi irreg ❶ (einschreiten) to intervene (**in** in) ❷ TECH (sich hineinschieben) ■ **in etw** akk **~** to mesh with sth

Ein·greif·trup·pe f intervention force

ein|gren·zen vt ■ **etw ~** to limit sth (**auf** to)

Ein·griff m ❶ (Einschreiten) intervention (**in** in) ❷ MED operation

ein|ha·ken I. vt ■ **etw** [**in etw** akk] **~** to hook sth in[to sth] **II.** vi (fam) ■ [**bei etw** dat] **~** to butt in [on sth] **III.** vr ■ **sich** [**bei jdm**] **~** to link arms [with sb]

Ein·halt ['aɪnhalt] m kein pl **jdm/einer S.** dat **~ gebieten** (geh) to put a stop to sb/sth

ein|hal·ten irreg **I.** vt ■ **etw ~** to keep to sth; **eine Diät/einen Vertrag ~** to keep to a diet/treaty; **die Spielregeln/Vorschriften ~** to obey the rules; **Verpflichtungen ~** to meet commitments **II.** vi (geh) ■ [**mit etw** dat] **~** to stop [doing sth]

Ein·hal·tung <-, -en> f keeping; von Spielregeln, Vorschriften obeying; **die ~ von Verpflichtungen** meeting commitments

ein|han·deln I. vt ■ **etw gegen etw** akk **~** to barter sth for sth **II.** vr (fam) **sich eine Krankheit ~** to catch a disease

ein·hän·dig ['aɪnhɛndɪç] **I.** adj one-handed **II.** adv with one hand

ein|hän·gen I. vt ❶ (einsetzen) ■ **etw ~** to hang sth; Fenster to fit ❷ Hörer to hang up **II.** vr ■ **sich** [**bei jdm**] **~** to link arms [with sb]

ein|hef·ten vt ■ **etw ~** ❶ (einordnen) to file sth ❷ (einnähen) to tack in sth sep

ein·hei·misch ['aɪnhaɪmɪʃ] adj ❶ (ortsansässig) local ❷ BOT, ZOOL indigenous

Ein·hei·mi·sche(r) f(m) (Ortsansässige[r]) local; (Inländer) native [citizen]

ein|hei·ra·ten vi ■ **in etw** akk **~** to marry into sth

Ein·heit <-, -en> ['aɪnhaɪt] f unity

ein·heit·lich ['aɪnhaɪtlɪç] **I.** adj ❶ (gleich) uniform ❷ (in sich geschlossen) integrated; Front united **II.** adv ~ **gekleidet** dressed the same; ~ **handeln** to act in a similar way

Ein·heit·lich·keit <-> f kein pl ❶ (Gleichheit) uniformity ❷ (Geschlossenheit) unity; von Design, Gestaltung standardization, homogeneity; ~ **der Erfindung** FIN unity of invention

Ein·heits·preis m standard price **Ein·heits·wäh·rung** f single currency

ein|hei·zen vi ❶ (gründlich heizen) to turn the heater on ❷ (fam: die Meinung sagen) ■ **jdm ~** to haul [or Am rake] sb over the coals

ein·hel·lig ['aɪnhɛlɪç] **I.** adj unanimous **II.** adv unanimously

ein|ho·len vt ❶ (einziehen) to pull in sep; Fahne, Segel to lower ❷ Genehmigung to ask for ❸ (erreichen, nachholen)

■**jdn/etw ~** to catch up with sb/sth ❹ (*wettmachen*) ■**etw ~** to make up sth **II.** *vt, vi* DIAL (*einkaufen*) to go shopping

Ein·horn ['aɪnhɔrn] *nt* unicorn

ein|hül·len *vt* (*geh*) ■**jdn/etw ~** to wrap [up] sb/sth (**in** in)

ein·hun·dert ['aɪn'hʊndɐt] *adj* (*geh*) one hundred

ei·nig ['aɪnɪç] *adj* ❶ (*geeint*) united ❷ **präd** (*einer Meinung*) ■**sich** *dat* [**über etw** *akk*] ~ **sein** to be in agreement [on sth]; ■**sich** *dat* [**darüber**] ~ **sein, dass ...** to be in agreement that ...

ei·ni·ge(r, s) ['aɪnɪɡə] *pron indef* ❶ *sing, adjektivisch* (*ziemlich*) some; **aus ~r Ent·fernung** [from] some distance away; **nach ~r Zeit** after some time; **das wird ~s Geld kosten** that will cost quite a bit of money; (*etwas*) a little ❷ *sing, substantivisch* (*viel*) ■**~s** quite a lot; **ich könnte dir ~s über ihn erzählen** I could tell you a thing or two about him; **das wird aber ~s kosten!** that will cost a pretty penny! ❸ *pl, adjektivisch* (*mehrere*) several; **mit Ausnahme ~r weniger** with a few exceptions; **an ~n Stellen** in some places; **vor ~n Tagen** a few days ago ❹ *pl, substantivisch* (*Menschen*) some; **~ von euch** some of you; (*Dinge*) some; **~ wenige** a few

ei·ni·gen ['aɪnɪɡn] **I.** *vt* (*einen*) to unite **II.** *vr* (*sich einig werden*) ■**sich ~** to agree (**auf** on)

ei·ni·ger·ma·ßen ['aɪnɪɡɐ'maːsn] *adv* ❶ (*ziemlich*) fairly ❷ (*leidlich*) all right

Ei·nig·keit <-> ['aɪnɪçkaɪt] *f kein pl* ❶ (*Eintracht*) unity ❷ (*Übereinstimmung*) agreement; **es herrscht ~ darüber, dass ...** there is agreement that ...

Ei·ni·gung <-, -en> *f* ❶ POL unification ❷ (*Übereinstimmung*) agreement (**über** on)

ein|imp·fen *vt* ■**jdm etw ~** to drum sth into sb

ein|ja·gen *vt* **jdm Angst/Furcht/Schre·cken ~** to scare/frighten/terrify sb

ein·jäh·rig, 1-jäh·rig^{RR} ['aɪnjɛːrɪç] *adj* ❶ (*Alter*) one-year-old *attr;* one year old *pred; s. a.* **achtjährig 1** ❷ BOT annual ❸ (*Zeitspanne*) one-year *attr;* [of] one year *pred; s. a.* **achtjährig 2**

ein|kal·ku·lie·ren* *vt* ■**etw** [**mit**] ~ to take sth into account

ein|kas·sie·ren* *vt* ■**etw ~** ❶ (*kassieren*) to collect sth ❷ (*fam: wegnehmen*) to confiscate sth

Ein·kauf *m* ❶ (*das Einkaufen*) shopping (**von** of); **Einkäufe machen** to do one's

shopping ❷ (*eingekaufter Artikel*) purchase

ein|kau·fen I. *vt* (*käuflich erwerben*) to buy **II.** *vi* to shop; **~ gehen** to go shopping **III.** *vr* (*einen Anteil erwerben*) ■**sich in etw** *akk* ~ to buy [one's way] into sth

Ein·käu·fer(in) *m(f)* buyer

Ein·kaufs·bum·mel *m* shopping trip **Ein·kaufs·pa·last** *m* (*iron*) retail palace **Ein·kaufs·pas·sa·ge** [-pasaˈʒə] *f* shopping arcade BRIT **Ein·kaufs·preis** *m* purchase price **Ein·kaufs·ta·sche** *f* shopping bag **Ein·kaufs·wa·gen** *m* [shopping] trolley [*or* AM cart] **Ein·kaufs·zei·le** *f* row of shops [*or* AM *usu* stores]; (*Haupteinkaufsstraße*) high [*or* AM main] street **Ein·kaufs·zen·trum** *nt* [out-of-town] shopping centre **Ein·kaufs·zet·tel** *m* shopping list

ein|keh·ren *vi sein* ❶ (*veraltend: besuchen*) ■[**in etw** *dat*] ~ to stop off [at sth] ❷ (*geh: kommen*) to set in; **der Herbst kehrt** [**wieder**] **ein** autumn is setting in [again]

ein|ker·ben *vt* ■**etw** [**in etw** *akk*] ~ to cut sth in[to sth]

ein|kes·seln ['aɪnkɛsln] *vt* MIL ■**jd kesselt jdn/etw ein** sb surrounds [*or* encircles] sb/sth

ein|kla·gen *vt* JUR ■**etw ~** to sue for sth

ein|klam·mern *vt* ■**etw ~** to put sth in brackets

Ein·klang *m* (*geh*) harmony; **in ~ mit etw** *dat* **stehen** to be in accord with sth

ein|kle·ben *vt* ■**etw ~** to stick sth in

ein|klei·den *vt* ■**sich** [**neu**] ~ to fit out oneself with a [new] set of clothes

ein|klem·men *vt* ❶ (*quetschen*) catch, trap; **die Fahrerin war hinter dem Steuer eingeklemmt** the driver was pinned behind the [steering] wheel ❷ (*festdrücken*) ■**etw ~** to clamp sth

ein|ko·chen KOCHK **I.** *vt haben* to preserve **II.** *vi sein* to thicken

Ein·kom·men <-s, -> *nt* income *no pl*

ein·kom·mens·schwach *adj* low-income *attr* **ein·kom·mens·stark** *adj* high-income *attr*

Ein·kom·men·steu·er *f* income tax

ein|krei·sen *vt* ❶ (*einkringeln*) to circle ❷ (*umschließen*) ■**jdn/ein Tier ~** to surround sb/an animal

ein|krie·gen *vr* (*fam*) **sich nicht** [**mehr**] ~ [**können**] to not be able to contain oneself [any more]; **krieg dich wieder ein!** get a grip on yourself!

Ein·künf·te ['aɪnkʏnftə] *pl* income *no pl*

ein|kup·peln *vi* to engage the clutch

einladen

einladen	inviting
Besuch mich doch, ich würde mich sehr freuen.	Do come and visit (me), I'd be delighted.
Nächsten Samstag lasse ich eine Party steigen. **Kommst du auch?** *(fam)*	I'm having a party next Saturday. **Will you come?**
Darf ich Sie zu einem Arbeitsessen **einladen?**	**May I take you out for** a working lunch/dinner?
Ich würde Sie gern zum Abendessen **zu mir nach Hause einladen.**	**I'd like to invite you round (to my place)** for dinner.
Ich würde Sie gern zum Abendessen **in ein Restaurant einladen.**	**I'd like to invite you out (to a restaurant)** for dinner.

ein‖la·den ['aɪnla:dn̩] *irreg vt* ❶ *(Hochzeit, Party)* to invite (**zu** to); **darf ich Sie zu einem Wein ~?** can I get you a glass of wine? ❷ *(Gegenstände)* to load (**in** in[to])

ein·la·dend I. *adj* ❶ *(auffordernd)* inviting *attr* ❷ *(appetitlich)* appetizing II. *adv* invitingly

Ein·la·dung *f* invitation

Ein·la·ge <-, -n> *f* ❶ *(eingezahltes Geld)* deposit ❷ FIN investment ❸ *(Schuh~)* insole ❹ THEAT interlude ❺ *(Beilage)* enclosure; *(in Zeitung)* supplement ❻ *(provisorische Zahnfüllung)* temporary filling

ein‖la·gern *vt* to store

Ein·lass^{RR} <-es, Einlässe> *m,* **Ein·laß**^{ALT} <-sses, Einlässe> ['aɪnlas, *pl* 'aɪnlɛsə] *m* admission; **sich** *dat* ~ **[in etw** *akk*] **verschaffen** to gain admission [to sth]; *(mit Gewalt)* to force one's way in[to sth]

ein‖las·sen *irreg* I. *vt* ❶ *(eintreten lassen)* ■ **jdn ~** to let sb in ❷ *(einlaufen lassen)* **jdm ein Bad ~** to run sb a bath ❸ *(einfügen)* ■ **etw ~** to set sth (**in** in) II. *vr* ❶ *(auf etw eingehen)* ■ **sich auf etw** *akk* ~ to get involved in sth; *Abenteuer* to embark on sth; *Kompromiss* to accept sth ❷ *(bes pej: Kontakt aufnehmen)* ■ **sich mit jdm ~** to get involved with sb

Ein·lauf *m* ❶ MED enema ❷ *kein pl* SPORT finish

ein‖lau·fen *irreg* I. *vi sein* ❶ *(schrumpfen)* to shrink ❷ *(Badewasser)* to run ❸ SPORT **in die Zielgerade ~** to enter the finishing straight; **als Erster ~** to come in first ❹ *(einfahren)* ■ **[in etw** *akk*] ~ to arrive; **das Schiff läuft in den Hafen ein** the ship is sailing into harbour II. *vt haben* **Schuhe ~** to wear shoes in

ein‖le·ben *vr* ■ **sich ~** to settle in

ein‖le·gen *vt* ❶ *(hineintun)* ■ **etw [in etw** *akk*] ~ to put sth in [sth]; **eine CD ~** to put

on a CD ❷ AUTO **den zweiten Gang ~** to change into second [gear] ❸ KOCHK ■ **etw [in etw** *dat o akk*] ~ to pickle sth [in sth] ❹ *(zwischendurch machen)* **eine Pause ~** to take a break ❺ *(einreichen)* **ein Veto ~** to exercise a veto; **einen Protest ~** to lodge a protest; JUR to file; **Berufung ~** to [lodge an] appeal ❻ *Geld* to deposit ❼ *(intarsieren)* to inlay

Ein·le·ge·soh·le *f* inner sole, insole

ein‖lei·ten *vt* ❶ *(in die Wege leiten)* **Schritte [gegen jdn]** ~ to take steps [against sb]; JUR **einen Prozess ~** to start proceedings ❷ MED to induce ❸ *(eröffnen)* ■ **etw ~** to open [*or* commence] sth ❹ *(hineinfließen lassen)* ■ **etw in etw** *akk* ~ to empty sth into sth

ein·lei·tend I. *adj* introductory II. *adv* as an introduction

Ein·lei·tung *f (a. Vorwort)* introduction; *eines Verfahrens* institution; *einer Untersuchung* opening

ein‖len·ken *vi* ❶ *(nachgeben)* to give way (**in** in), to make concessions (**in** in) ❷ *(einbiegen)* *Straße* to turn (**in** into)

ein‖leuch·ten *vi* ■ **[jdm]** ~ to make sense [to sb]; **das leuchtet mir ein** I can see that

ein·leuch·tend I. *adj* evident; *Argument* convincing; *Erklärung* plausible II. *adv* clearly

ein‖lie·fern *vt* ❶ *(stationär aufnehmen lassen)* ■ **jdn ~** to admit sb ❷ *(aufgeben)* ■ **etw ~** to hand sth in

Ein·lie·fe·rung *f* ❶ MED admission ❷ *Brief, Paket* handing-in

ein‖lo·chen *vt* ❶ *(fam: inhaftieren)* ■ **jdn ~** to lock sb up ❷ *(Golf)* to hole [out] BRIT

ein‖log·gen ['aɪnlɔgn̩] *vi* ■ **[sich]** ~ to log in

ein‖lö·sen *vt* ❶ *Scheck* to honour [*or* AM cash] ❷ *Pfand* to redeem (**bei** from) ❸ *Versprechen* to honour

ein|lul·len ['ajnlʊlən] *vt* ■ **jdn ~ ❶** (*schläfrig machen*) to lull sb to sleep ❷ (*willfährig machen*) to lull sb into a false sense of security

ein|ma·chen I. *vt* to preserve; **etw in Essig ~** to pickle sth **II.** *vi* to preserve [sth]

Ein·mach·glas *nt* [preserving] jar

ein·mal¹, 1-malᴿᴿ ['ajnma:l] *adv* ❶ (*ein Mal*) once ❷ (*ein einziges Mal*) once; **~ am Tag/in der Woche/im Monat** once a day/week/month; **auf ~** all of a sudden; (*an einem Stück*) all at once; **~ mehr** once again; **wieder ~** [once] again ❸ (*mal*) first; **~ sagst du dies und dann wieder das** first you say one thing and then another ❹ (*früher*) once; **es war ~** once upon a time; **das war ~!** that's over! ❺ (*später*) sometime; **ich will ~ Pilot werden** I want to be a pilot [some day] ► **~ ist** **keinmal** (*prov*) just once doesn't count

ein·mal² ['ajnma:l] *part* ❶ (*eben*) **so liegen die Dinge nun ~** that's the way things are; **alle ~ herhören!** listen, everyone!; **sag ~, ist das wahr?** tell me, is it true? ❷ (*einschränkend*) **nicht ~** not even; **er hat sich nicht ~ bedankt** he didn't even say thank you

Ein·mal·eins <-> [ajnma:l'?ajns] *nt kein pl* ■ **das ~** [multiplication] tables *pl* **Ein·mal·hand·tuch** *nt* disposable towel

ein·ma·lig ['ajnma:lɪç] **I.** *adj* ❶ (*nicht wiederkehrend*) unique ❷ (*fam: ausgezeichnet*) outstanding **II.** *adv* (*besonders*) really; **~ gut** exceptional

Ein·mal·sprit·ze *f* disposable syringe

Ein·mann·be·trieb *m* ❶ (*Einzelunternehmen*) one-man business ❷ ᴛᴿᴀɴsᴘ one-man operation

Ein·marsch *m* ❶ (*das Einmarschieren*) invasion (**in** of) ❷ (*Einzug*) entrance (**in** into)

ein|mar·schie·ren* *vi sein* ■ **in etw** *akk* **~** ❶ (*in etw marschieren*) to invade sth ❷ (*einziehen*) to march into sth

ein|mi·schen *vr* ■ **sich ~** to interfere (**bei/in** in)

Ein·mi·schung *f* interference

ein·mo·to·rig *adj* Flugzeug single-engined

ein|mot·ten ['ajnmɔtn] *vt* ❶ MIL ■ **etw ~** to mothball sth ❷ (*einlagern*) ■ **etw ~** to put sth in mothballs

ein|mün·den *vi sein* ■ **in etw** *akk* **~** ❶ (*auf etw führen*) to lead into sth ❷ (*in etw münden*) to flow into sth

Ein·mün·dung *f eines Flusses* confluence

ein·mü·tig ['ajnmy:tɪç] **I.** *adj* unanimous **II.** *adv* unanimously

Ein·nah·me <-, -n> ['ajnna:mə] *f* ❶ FIN earnings; *bei einem Geschäft* takings *npl* BRIT ❷ *kein pl Arzneimittel, Mahlzeiten* taking ❸ (*Eroberung*) capture

Ein·nah·me·quel·le *f* source of income

ein|neh·men *vt irreg* ❶ Geld to take; Steuern to collect ❷ (*zu sich nehmen*) to take; Mahlzeit to have ❸ (*geh*) Platz to take ❹ Standpunkt to hold ❺ sᴘᴏᴿᴛ to hold ❻ (*erobern*) to take ❼ (*beeinflussen*) **jdn für sich ~** to win favour with sb; **jdn gegen sich/jdn/etw ~** to turn sb against oneself/sb/sth ❽ Raum to take up

ein·neh·mend ['ajnne:mənt] *adj* engaging; ■ **etwas E~es** something charming

ein|ni·cken *vi sein* (*fam*) to doze off

ein|nis·ten *vr* ❶ (*sich niederlassen*) ■ **sich bei jdm ~** to ensconce oneself [with sb] ❷ Ungeziefer ■ **sich ~** to nest

Ein·ö·de ['ajn?ø:də] *f* wasteland

ein|ö·len *vt* ■ **etw ~** to oil [*or* lubricate] sth

ein|ord·nen I. *vt* ❶ (*einsortieren*) ■ **etw ~** to organize sth ❷ (*klassifizieren*) ■ **jdn/etw ~** to classify sb/sth **II.** *vr* ❶ (*sich einfügen*) ■ **sich ~** to integrate (**in** into) ❷ (*Fahrspur wechseln*) ■ **sich links/rechts ~** to get into the left-/right-hand lane

ein|pa·cken I. *vt* ❶ (*verpacken*) ■ **etw ~** to wrap sth; (*um zu verschicken*) to pack sth ❷ (*einstecken*) ■ **[jdm] etw ~** to pack sth [for sb] ❸ (*fam: einmummeln*) ■ **jdn ~** to wrap sb up **II.** *vi* (*Koffer etc. füllen*) to pack [one's things] [up] ► **~ können** (*fam*) to pack up and go home

ein|par·ken *vi, vt* to park

ein|pas·sen I. *vt* ■ **etw ~** to fit sth (**in** into) **II.** *vr* ■ **sich ~** to integrate (**in** into)

ein|pen·deln *vr* ■ **sich ~** Währung, Preise to level off

ein|pen·nen *vi sein* (*fam*) to drop [*or* doze] off

Ein·per·so·nen·haus·halt *m* (*geh*) one-person household

ein|pfer·chen *vt* to cram in; Tiere to pen (**in** in)

ein|pflan·zen *vt* ❶ (*Pflanze*) to plant (**in** in) ❷ MED ■ **[jdm] etw ~** to implant sth [in sb]

ein|pla·nen *vt* to plan; ■ **etw [mit] ~** to take sth into consideration

ein|prä·gen I. *vr* ❶ (*sich etw einschärfen*) ■ **sich** *dat* **etw ~** to fix sth in one's memory ❷ (*im Gedächtnis haften*) ■ **sich jdm ~** Bilder, Eindrücke, Worte to be imprinted on sb's memory **II.** *vt* ■ **jdm etw ~** to drum sth into sb's head

ein·präg·sam ['ajnprɛ:kza:m] *adj* easy to remember *pred; Melodie* catchy

ein|prü·geln I. *vt* (*fam*) ■ **jdm etw ~** to

knock sth into sb **II.** *vi* (*fam: immer wieder prügeln*) ▪**auf jdn ~** to beat up sb *sep*

ein|quar·tie·ren* [ˈajnkvartiːrən] **I.** *vt* ❶ (*unterbringen*) ▪**jdn ~** to put sb up ❷ MIL ▪**jdn irgendwo ~** to billet sb somewhere **II.** *vr* ▪**sich bei jdm ~** to move in with sb

ein|rah·men *vt* to frame

ein|ras·ten *vi sein* to click home

ein|räu·men *vt* ❶ (*in etw räumen*) to put sth away (**in** in); **Bücher ins Regal ~** to put books on the shelf ❷ (*mit Möbeln füllen*) *Zimmer* to arrange ❸ (*zugestehen*) ▪**[jdm gegenüber]** etw ~ to concede sth [to sb] ❹ (*gewähren*) ▪**jdm etw ~** *Frist, Kredit* to give sb sth

ein|rech·nen *vt* ❶ (*mit einbeziehen*) ▪**jdn** [**mit**] **~** to include sb; ▪**etw** [**mit**] **~** to allow for sth ❷ (*als inklusiv rechnen*) ▪**etw** [**mit**] **~** to include sth

ein|re·den **I.** *vt* ▪**jdm etw ~** to talk sb into thinking sth **II.** *vi* (*bedrängen*) ▪**auf jdn ~** to keep on at sb *fam* **III.** *vr* ▪**sich** *dat* **etw ~** to talk oneself into thinking sth

ein|rei·ben *vt irreg* **jdn mit Sonnenöl ~** to put suntan oil on sb; **sich mit Salbe ~** to rub cream in[to oneself]

ein|rei·chen *vt a.* JUR ▪**etw** [**bei jdm**] **~** to submit sth [to sb]; **etw schriftlich ~** to submit sth in writing; **seine Kündigung ~** to hand in one's resignation

ein|rei·hen **I.** *vt* (*zuordnen*) ▪**jdn/etw unter etw** *akk* **~** to classify sb/sth under sth **II.** *vr* (*sich einfügen*) ▪**sich in etw** *akk* **~** to join sth

Ein·rei·se *f* entry [into a country]

Ein·rei·se·ge·neh·mi·gung *f* entry permit

ein|rei·sen *vi sein* (*geh*) to enter; **in ein Land ~** to enter a country

Ein·rei·se·ver·bot *nt* refusal of entry **Ein·rei·se·vi·sum** *nt* [entry] visa

ein|rei·ßen *irreg* **I.** *vi sein* ❶ (*einen Riss bekommen*) to tear; *Haut* to crack ❷ (*fam: zur Gewohnheit werden*) to become a habit; **etw ~ lassen** to let sth become a habit **II.** *vt haben* ❶ (*niederreißen*) to tear down *sep* ❷ (*mit Riss versehen*) to tear

ein|ren·ken [ˈajnrɛŋkn̩] **I.** *vt* ❶ MED ▪**[jdm] etw ~** to set sth [for sb] ❷ (*fam: bereinigen*) ▪**etw** [**wieder**] **~** to straighten sth out [again] **II.** *vr* (*fam: ins Lot kommen*) ▪**sich wieder ~** to sort itself out

ein|ren·nen *irreg* **I.** *vr* (*fam: sich anstoßen*) ▪**sich** *dat* **den Kopf an der Wand ~** to bang one's head against the wall **II.** *vt* (*fam: einstoßen*) ▪**etw ~** to break down sth *sep*

ein|rich·ten **I.** *vt* ❶ (*möblieren*) to furnish; *Praxis* to fit out *sep* ❷ (*gründen*) to set up *sep*; **einen Lehrstuhl ~** to establish a chair ❸ *Konto* to open ❹ (*arrangieren*) ▪**es ~, dass ...** arrange it so that ...; **es lässt sich ~** that can be arranged ❺ MED **einen gebrochenen Arm ~** to set a broken arm ❻ (*vorbereitet sein*) ▪**auf etw** *akk* **eingerichtet sein** to be prepared for sth **II.** *vr* ❶ (*sich möblieren*) **ich richte mich weiß ein** I'm furnishing my flat in white; **ich richte mich völlig neu ein** I'm completely refurnishing my home ❷ (*sich einbauen*) ▪**sich** *dat* **etw ~** to install sth ❸ (*sich der Lage anpassen*) ▪**sich ~** to adapt [to a situation] ❹ (*sich einstellen*) ▪**sich auf etw** *akk* **~** to be prepared for sth

Ein·rich·tung <-, -en> *f* ❶ (*Wohnungs~*) [fittings and] furnishings *npl*; (*Ausstattung*) fittings *npl* ❷ (*das Möblieren*) furnishing; (*das Ausstatten*) fitting-out ❸ (*das Installieren*) installation ❹ (*Eröffnung*) opening; *eines Lehrstuhles* establishment ❺ FIN opening ❻ TRANSP establishment ❼ (*Institution*) organization

Ein·rich·tungs·ge·gen·stand *m* *Wohnung* furnishings *npl*, fittings *npl*; *Labor, Apotheke, Praxis* piece of equipment

ein|rol·len **I.** *vr haben* ▪**sich ~** to curl up **II.** *vi sein* (*einfahren*) to pull in

ein|ros·ten *vi sein* ❶ (*rostig werden*) to rust; ▪**eingerostet** rusty ❷ (*ungelenkig werden*) to get stiff; ▪**eingerostet** stiff

ein|rü·cken **I.** *vt* ❶ MIL ▪**[in etw** *akk*] **~** to march [into sth]; ▪**etw ~ lassen** *Truppen* to send sth ❷ MIL (*eingezogen werden*) ▪**[zu etw** *dat*] **~** to join up [to sth] **II.** *vt haben* to indent

eins [ˈajns] **I.** *adj* one; *s. a.* **acht**[1] ▪**~ A** (*fam*) first class; **es kommt ~ zum anderen** it's [just] one thing after another **II.** *adj präd* ❶ (*eine Ganzheit*) [all] one ❷ (*egal*) ▪**etw ist jdm ~** sth is all one to sb ❸ (*einig*) ▪**~ mit jdm/sich/etw** *dat* **sein** to be [at] one with sb/oneself/sth ▸**das ist alles ~** (*fam*) it's all the same [thing]

Eins <-, -en> [ˈajns] *f* one

ein·sam [ˈajnzaːm] **I.** *adj* ❶ (*verlassen*) lonely, lonesome **Am** ❷ (*vereinzelt*) solitary ❸ (*abgelegen*) isolated ❹ (*menschenleer*) deserted; **eine ~e Insel** a desert island ❺ (*fam: absolut*) absolute; **es war ~e Spitze!** it was absolutely fantastic! **II.** *adv* (*abgelegen*) **~ leben** to live a solitary life; **~ liegen** to be situated in a remote place

Ein·sam·keit <-, *selten* -en> *f* ❶ (*Verlassenheit*) loneliness ❷ (*Abgeschiedenheit*) remoteness

ein|sam·meln vt ▪etw ~ ❶ (sich aushändigen lassen) to collect [in sep] sth ❷ (aufsammeln) to pick up sth sep

Ein·satz <-es, Einsätze> m ❶ (eingesetzte Leistung) effort; **unter ~ aller seiner Kräfte** with a superhuman effort; **unter ~ ihres Lebens** by putting her own life at risk ❷ (beim Glücksspiel) bet ❸ FIN deposit ❹ (Verwendung) use; von Truppen deployment; **zum ~ kommen** to be deployed ❺ (Aktion) assignment; **im ~ sein** to be on duty; (Aktion militärischer Art) campaign; **im ~ sein** to be in action ❻ MUS entry; **den ~ geben** to cue sth in ❼ (eingesetztes Teil) inset ❽ (eingelassenes Stück) insert

ein·satz·be·reit adj ready for use pred; Menschen ready for action; MIL ready for combat pred **Ein·satz·be·reit·schaft** f readiness for action; von Maschinen readiness for use; **in ~ sein** to be on standby **Ein·satz·freu·de** f enthusiasm **Ein·satz·wa·gen** m (Polizeifahrzeug) squad car

ein|sau·gen vt to suck; Luft to inhale

ein|scan·nen [-skɛnən] vt INFORM to scan

ein|schal·ten I. vt ❶ (in Betrieb setzen) to switch on sep ❷ (hinzuziehen) ▪jdn ~ to call in sb sep **II.** vr ▪sich [in etw akk] ~ ❶ RADIO, TV to tune in[to sth] ❷ (sich einmischen) to intervene [in sth]

Ein·schalt·quo·te f [audience] ratings npl

ein|schär·fen I. vt (zu etw ermahnen) ▪jdm etw ~ to impress on sb the importance of sth; ▪jdm ~, etw zu tun to tell sb to do sth **II.** vr ▪sich dat etw ~ to remember sth

ein|schät·zen vt to assess, to judge; **Sie haben ihn richtig eingeschätzt** your opinion of him was right; **du solltest sie nicht falsch ~** don't misjudge her; **jdn/etw zu hoch ~** to overrate sb/sth; **jdn/etw zu niedrig ~** to underrate sb/sth

Ein·schät·zung f assessment; einer Person opinion

ein|schen·ken vt ▪jdm etw ~ to pour sb sth

ein|sche·ren vi to merge

ein|schi·cken vt ▪etw ~ to send sth in (an to)

ein|schie·ben vt irreg ❶ (in etw schieben) ▪etw ~ to insert sth (in into) ❷ (zwischendurch einfügen) ▪etw ~ to fit sth in; **einen Termin ~** to squeeze in an appointment

ein|schif·fen I. vt ▪jdn/etw ~ to take sb/sth on board **II.** vr (an Bord gehen) ▪sich ~ to embark

einschl. Abk von **einschließlich** incl[l].

ein|schla·fen vi irreg sein ❶ (in Schlaf fallen) ▪[bei etw dat] ~ to fall asleep [during sth]; **schlaf nicht ein!** (fam) wake up! ❷ (taub werden) to go to sleep ❸ (nachlassen) to peter out

ein|schlä·fern ['aɪnʃlɛːfɐn] vt ❶ (jds Schlaf herbeiführen) ▪jdn ~ to lull sb to sleep ❷ (schläfrig machen) ▪jdn ~ to send sb to sleep ❸ MED ▪jdn ~ to put sb to sleep ❹ ([schmerzlos] töten) ▪ein Tier ~ to put an animal to sleep

ein·schlä·fernd ['aɪnʃlɛːfɐnt] adj ❶ MED **ein ~es Mittel** a sleep-inducing drug ❷ (langweilig) ▪~ sein to have a soporific effect

Ein·schlag m ❶ METEO eines Blitzes striking ❷ MIL shot; einer Granate burst of shellfire; einer Kugel bullet hole ❸ (Anteil) strain

ein|schla·gen irreg **I.** vt haben ❶ (in etw schlagen) ▪etw ~ to hammer in sth sep ❷ (durch Schläge öffnen) **eine Tür ~** to break down sep a door; ▪eingeschlagen smashed-in ❸ (zerschmettern) **jdm die Nase ~** to smash sb's nose; **jdm die Zähne ~** to knock sb's teeth out ❹ (einwickeln) ▪etw ~ to wrap sth ❺ Laufbahn, Weg to choose; **eine bestimmte Richtung ~** to go in a particular direction ❻ AUTO to turn ❼ MODE to take in **II.** vi ❶ sein o haben ▪[in etw akk] ~ Blitz to strike [sth] ❷ sein Granaten to fall ❸ sein o haben (durchschlagende Wirkung) to have an impact; **die Nachricht hat eingeschlagen wie eine Bombe!** the news has caused a sensation! ❹ haben (einprügeln) ▪auf jdn ~ to hit sb; ▪auf etw akk ~ to pound [on] sth [with one's fists] ❺ haben (Anklang finden) to catch on

ein·schlä·gig ['aɪnʃlɛːgɪç] **I.** adj (entsprechend) relevant **II.** adv JUR in this connection; **~ vorbestraft** previously convicted

ein|schlei·chen vr irreg ▪sich [in etw akk] ~ ❶ (in etw schleichen) to sneak in[to sth] ❷ (unbemerkt auftreten) to creep in[to sth]

ein|schlep·pen vt ▪etw ~ NAUT to tow sth in; Krankheiten, Ungeziefer to bring sth in

ein|schleu·sen vt ❶ (heimlich hineinbringen) ▪jdn [in etw akk/nach ...] ~ Agenten, Spione to smuggle sb in[to sth], to infiltrate sb into sth ❷ (illegal hineinbringen) ▪jdn/etw [in etw akk/nach ...] ~ Falschgeld, Personen to smuggle sb/sth in[to sth]

ein|schlie·ßen vt irreg ❶ (in einen Raum schließen) ▪jdn ~ to lock sb up; ▪sich ~ to lock oneself in ❷ (wegschließen)

■**etw** ~ to lock sth away ❸ (*einbegreifen*)
■**jdn** ~ to include sb ❹ (*einkesseln*)
■**jdn/etw** ~ to surround sb/sth

ein·schließ·lich ['aɪnʃliːslɪç] I. *präp* (*inklusive*) ■ – **einer S.** *gen* including sth II. *adv* (*inbegriffen*) inclusive

ein|schmei·cheln *vr* ■ **sich** [bei jdm] ~ to ingratiate oneself [with sb]

ein·schmei·chelnd *adj* fawning

ein|schmel·zen *vt irreg* (*wieder schmelzen*) ■ **etw** [zu etw *dat*] ~ *Metall* to melt sth down [into sth]; ■ **eingeschmolzen** melted down

ein|schmie·ren *vt* ❶ (*einölen*) to lubricate ❷ (*einreiben*) **etw mit Salbe** ~ to rub cream into sth ❸ (*beschmutzen*) **sich mit Dreck** ~ to cover oneself with dirt

ein·schnap·pen *vi sein* ❶ (*ins Schloss fallen*) to click shut ❷ (*fam: beleidigt sein*) to get in a huff; ■ **eingeschnappt** in a huff *pred*

ein|schnei·den *irreg* I. *vt* ■ **etw** ~ *Papier, Stoff* to make a cut in sth II. *vi* (*schmerzhaft eindringen*) ■ [in etw *akk*] ~ to cut in[to sth]

ein·schnei·dend ['aɪnʃnaɪdn̩t] *adj* **eine** ~ **e Veränderung** a drastic change; **eine** ~ **e Wirkung** a far-reaching effect

Ein·schnitt *m* ❶ MED incision ❷ (*eingeschnittene Stelle*) cut ❸ (*Zäsur*) turning-point

ein|schrän·ken ['aɪnʃrɛŋkn̩] I. *vt* ■ **etw** ~ ❶ (*reduzieren*) to cut [back on] sth ❷ (*beschränken*) to curb sth II. *vr* ■ **sich** ~ to cut back (**in** on)

ein·schrän·kend I. *adj* (*beschränkend*) restrictive; **ein** ~ **er Satz** a qualifying sentence II. *adv* **ich muss aber** ~ **bemerken/sagen, dass ...** I have to qualify that and say that ... [*or* by saying that ...]

Ein·schrän·kung <-, -en> *f* ❶ (*Beschränkung*) restriction ❷ (*Vorbehalt*) reservation ❸ (*das Reduzieren*) reduction

ein|schrei·ben *irreg* I. *vt* to register II. *vr* ❶ (*sich eintragen*) ■ **sich** ~ to put one's name down, to enroll AM; **sich in eine Liste** ~ to put one's name on a list ❷ SCH ■ **sich** ~ to register; **sich bei einer Universität** ~ to register at a university

Ein·schrei·ben *nt* registered post [*or* AM letter]; **etw per** ~ **schicken** to send sth by registered post

Ein·schrei·bung *f* registration, enrolment

ein|schrei·ten *vi irreg sein* to take action (**gegen** against)

Ein·schub *m* insertion

ein|schüch·tern ['aɪnʃʏçtɐn] *vt* ■ **jdn** ~ to intimidate sb

Ein·schüch·te·rung <-, -en> *f* intimidation, browbeating

Ein·schüch·te·rungs·ver·such *m* attempt to intimidate

ein|schu·len *vt* to enrol at [primary] school

Ein·schussRR <-es, Einschüsse> *m*, **Ein·schuß**ALT <-sses, Einschüsse> *m* (*Schussloch*) bullet hole; (*Einschussstelle*) entry point of a bullet

Ein·schuss·lochRR *nt* bullet hole

ein|schwei·ßen *vt* ❶ (*versiegeln*) *Nahrungsmittel, Bücher* to seal, to shrink-wrap ❷ TECH (*durch Schweißen einfügen*) to weld

ein·seh·bar *adj* *Gelände, Raum* visible

ein|se·hen *vt irreg* ❶ (*begreifen*) to see ❷ (*geh: prüfen*) to examine ❸ (*in etw hineinsehen*) ■ **etw** ~ to look into sth [from outside]

ein|sei·fen *vt* to soap; **jdn mit Schnee** ~ to rub snow into sb's face

ein·sei·tig ['aɪnzaɪtɪç] I. *adj* ❶ (*eine Person betreffend*) one-sided; ■ **etwas E~ es** something one-sided; JUR, POL unilateral ❷ MED one-sided; **eine** ~ **e Lähmung** paralysis of one side of the body ❸ (*beschränkt*) one-sided; **eine** ~ **e Ernährung** an unbalanced diet ❹ (*voreingenommen*) bias[s]ed II. *adv* ❶ (*auf einer Seite*) on one side ❷ (*beschränkt*) in a one-sided way ❸ (*parteiisch*) from a one-sided point of view

Ein·sei·tig·keit <-, *selten* -en> *f* ❶ (*Voreingenommenheit*) bias ❷ (*Beschränktheit*) one-sidedness; *Ernährung* imbalance

ein|sen·den *vt irreg* ■ **etw** ~ to send sth (**an** to)

Ein·sen·der(in) *m(f)* sender

Ein·sen·de·schlussRR *m* closing date [for entries]

Ein·ser·schü·ler(in) *m(f)* SCH (*fam*) straight-A student [*or* BRIT *also* pupil]

ein|set·zen I. *vt* ❶ (*einfügen*) to insert ❷ (*einnähen*) ■ **etw** [in etw *akk*] ~ to sew sth in[to sth]; **einen Ärmel** ~ to set in a sleeve ❸ *Kommission* to set up ❹ (*ernennen*) ■ **jdn** [als etw *akk*] ~ to appoint [*or* AM instal] sb [as sth] ❺ (*zum Einsatz bringen*) ■ **jdn/etw** [gegen jdn] ~ to use sb/ sth [against sb]; SPORT to bring on *sep* ❻ (*aufbieten*) to use; **das Leben** [für etw *akk*] ~ to put one's life at risk [for sth] ❼ (*wetten*) to bet, to wager II. *vi* ❶ (*anheben*) to start [up] ❷ MUS to begin to play III. *vr* ❶ (*sich engagieren*) ■ **sich** ~ to make an effort; **sich voll** ~ to make every effort ❷ (*sich verwenden für*) ■**sich für jdn/etw ~** to support sb/sth; ■**sich dafür ~, dass ...** to speak out in favour of sth

Ein·sicht *f* ❶ (*Vernunft*) sense; (*Erkenntnis*) insight; **jdn zur ~ bringen** to make sb see sense ❷ (*prüfende Durchsicht*) **~ in etw** *akk* **nehmen** to have access to sth

ein·sich·tig ['ainzɪçtɪç] *adj* ❶ (*verständlich*) understandable; **ein ~er Grund** a valid reason ❷ (*vernünftig*) reasonable

Ein·sicht·nah·me <-, -n> *f* (*geh: Einsicht 2.*) *von Akten* inspection (**in** of)

ein·si·ckern *vi* (*Flüssigkeit*) to seep in

Ein·sied·ler(in) ['ainzi:dlɐ] *m(f)* hermit

ein·sil·big ['ainzɪlbɪç] *adj a.* LING monosyllabic

ein·sin·ken *vi irreg sein Morast, Schnee etc.* to sink in; *Boden* to cave in

ein·sor·tie·ren* *vt* to sort [out]; *Dokumente* to file away

ein·span·nen *vt* ❶ (*heranziehen*) ■**jdn [für etw** *akk*] ~ to rope sb in [for sth] ❷ (*in etw spannen*) to insert; (*in einen Schraubstock*) to clamp ❸ *Tiere* to harness ❹ (*viel zu tun haben*) ■**sehr eingespannt sein** to be very busy

ein·spa·ren *vt* ❶ (*ersparen*) to save ❷ (*kürzen*) ■**etw ~** to save on sth

Ein·spa·rung <-, -en> *f* ❶ (*das Einsparen*) saving ❷ (*Kürzung*) cutting down

ein·sper·ren *vt* ❶ (*in etw sperren*) ■**jdn/ein Tier ~** to lock sb/an animal up ❷ (*inhaftieren*) ■**jdn ~** to lock sb up

ein·spie·len I. *vr* ❶ (*einstellen*) ■**sich ~** *Methode, Regelung* to get going [properly] ❷ (*sich aneinander gewöhnen*) ■**sich aufeinander ~** to get used to each other ❸ SPORT ■**sich ~** to warm up II. *vt* ❶ FILM ■**etw ~** to bring in sth; *Produktionskosten* to cover sth ❷ RADIO, TV *Wetter, Interview* to start

ein·spra·chig *adj* monolingual

ein·sprin·gen *vi irreg sein* (*fam*) ❶ (*vertreten*) ■**[für jdn] ~** to stand in [for sb] ❷ (*aushelfen*) ■**[mit etw** *dat*] ~ to help out [with sth]

ein·sprit·zen *vt* ❶ MED ■**jdm etw ~** to inject sb with sth; ■**sich** *dat* **etw ~** to inject oneself with sth ❷ AUTO ■**etw ~** to inject sth

Ein·spruch *m* (*Protest*) *a.* JUR objection; **~ abgelehnt!** objection overruled!; **dem ~ wird stattgegeben!** objection sustained!; **[gegen etw** *akk*] **~ erheben** to lodge an objection [against sth]; **~ einlegen gegen** *Entscheidung, Urteil* to appeal (**gegen** against)

ein·spu·rig ['ainʃpuːrɪç] I. *adj* ❶ TRANSP one-lane ❷ (*pej*) **~es Denken** one-track mind II. *adv* ❶ TRANSP **die Straße ist nur ~ befahrbar** only one lane of the road is open ❷ (*pej*) **er denkt so ~** he's so blinkered

einst ['ainst] *adv* ❶ (*früher*) once ❷ (*geh: in Zukunft*) one day

ein·stamp·fen *vt* MEDIA ■**etw ~** to pulp sth

Ein·stand *m* ❶ *bes* SÜDD, ÖSTERR (*Arbeitsanfang*) start of a new job; **seinen ~ geben** to celebrate starting a new job ❷ TENNIS deuce

ein·ste·cken *vt* ❶ (*in die Tasche stecken*) **er hat das Geld einfach eingesteckt!** he's just pocketed the money!; **stecken Sie ihren Revolver mal wieder ein!** put your revolver away! ❷ *Brief* to post ❸ (*fam: hinnehmen*) ■**etw ~** to put up with sth ❹ (*verkraften*) ■**etw ~** to take sth ❺ ELEK ■**etw ~** to plug in sth *sep*

ein·ste·hen *vi irreg sein* ❶ (*sich verbürgen*) ■**für jdn/etw ~** to vouch for sb/sth ❷ (*aufkommen*) ■**für etw** *akk* ~ to take responsibility for sth

ein·stei·gen *vi irreg sein* ■**in etw** *akk* ~ ❶ (*besteigen*) to get on [sth]; **in ein Auto/ Taxi ~** to get in[to] a car/taxi ❷ (*fam: hineinklettern*) to climb in[to sth] ❸ ÖKON to buy into sth ❹ (*sich engagieren*) to go into sth; **in die Bewegung ~** to get involved in a movement

ein·stell·bar *adj* adjustable

ein·stel·len I. *vt* ❶ (*anstellen*) to employ ❷ (*beenden*) to stop; *Suche* to call off; *Projekt* to shelve ❸ MIL to stop; **das Feuer ~** to cease fire ❹ JUR to abandon ❺ FOTO to adjust; **etw auf eine Entfernung ~** to focus ❻ ELEK to set ❼ TV, RADIO to tune ❽ TECH to adjust; **etw in der Höhe ~** to adjust the height of sth ❾ (*hineinstellen*) **das Auto in die Garage ~** to put the car into the garage ❿ SPORT **den Rekord ~** to equal the record II. *vr* ❶ (*auftreten*) ■**sich ~** *Bedenken* to begin; MED *Fieber, Symptome* to develop ❷ (*sich anpassen*) ■**sich auf jdn/ etw ~** to adapt to sb/sth; ■**sich auf etw** *akk* ~ to adjust to sth ❸ (*sich vorbereiten*) ■**sich auf etw** *akk* ~ to prepare oneself for sth ❹ (*geh: sich einfinden*) ■**sich ~** to arrive III. *vi* (*beschäftigen*) to take on people

ein·stel·lig *adj* single-digit *attr*

Ein·stel·lung *f* ❶ (*Anstellung*) taking on ❷ (*Beendigung*) stopping; **~ einer Suche** abandoning of a search ❸ FOTO adjustment ❹ ELEK setting ❺ TV, RADIO tuning ❻ FILM take ❼ (*Gesinnung*) attitude; **eine ganz andere ~ haben** to think differently; **politische/religiöse ~en** political/religious opinions

Ein·stich m ❶ (das Einstechen) insertion ❷ (Einstichstelle) puncture

Ein·stieg <-[e]s, -e> ['aɪnʃtiːk, pl 'aɪnʃtiːgə] m ❶ kein pl (das Einsteigen) getting in; „~ nur vorn!" "entry only at the front!" ❷ (Tür zum Einsteigen) Bahn door; Bus a. entrance; Panzer hatch ❸ (Aufnahme) start; **der ~ in die Kernenergie** to adopt a nuclear energy programme

Ein·stiegs·dro·ge f soft drug (which can supposedly lead on to harder drugs)

eins·tig ['aɪnstɪç] adj attr former attr

ein|stim·men I. vi ■ [in etw akk] ~ to join in [sth] II. vt (innerlich einstellen) ■ jdn **auf etw** akk ~ to get sb in the right frame of mind for sth

ein·stim·mig[1] ['aɪnʃtɪmɪç] I. adj MUS **ein ~ es Lied** a song for one voice II. adv MUS in unison

ein·stim·mig[2] ['aɪnʃtɪmɪç] I. adj unanimous II. adv unanimously

ein·stö·ckig ['aɪnʃtœkɪç] adj single-storey attr

ein|stöp·seln vt ELEK (fam) ■ etw ~ to plug sth in; **wo kann ich den Stecker hier ~?** where's the socket?

Ein·strah·lung <-, -en> f METEO irradiation

ein|strei·chen vt irreg ❶ (fam: einheimsen) ■ etw ~ to pocket sth fam; **in dem Geschäft streicht er Unsummen ein** in that business he's raking it in ❷ (bestreichen) ■ etw ~ dat to paint [or coat] sth; **Brot mit Butter ~** to butter a piece of bread

ein|streu·en vt ■ etw ~ ❶ (einflechten) to work sth in; **geschickt eingestreute Bemerkungen** shrewdly placed remarks ❷ (ganz bestreuen) to scatter sth

ein|stu·die·ren* vt to rehearse

ein|stu·fen ['aɪnʃtuːfn̩] vt ❶ (eingruppieren) ■ jdn in etw akk ~ to put sb in sth ❷ (zuordnen) ■ etw in etw akk ~ to categorize sth as sth

Ein·stu·fung <-, -en> f categorization, classification

ein·stün·dig, 1-stün·dig[RR] adj one-hour attr; lasting one hour pred

Ein·sturz m collapse; Decke a. caving-in; Mauer falling-down; **etw zum ~ bringen** to cause sth to collapse

ein|stür·zen vi sein ❶ (zusammenbrechen) to collapse; Decke a. to cave in ❷ (heftig eindringen) ■ auf jdn ~ to overwhelm sb

Ein·sturz·ge·fahr f kein pl danger of collapse

einst·wei·len ['aɪnst'vaɪlən] adv ❶ (vorläufig) for the time being ❷ (in der Zwischenzeit) in the meantime

einst·wei·lig ['aɪnst'vaɪlɪç] adj attr temporary

ein·tä·gig, 1-tä·gig[RR] adj one-day attr; lasting one day pred

Ein·tags·flie·ge f ❶ ZOOL mayfly ❷ (von kurzer Dauer) nine days' wonder

ein|tau·chen I. vt haben ■ jdn ~ to immerse sb (in in); ■ etw ~ to dip sth in II. vi sein ■ [in etw akk] ~ to plunge in[to sth]

ein|tau·schen vt ■ etw ~ ❶ (tauschen) to exchange sth (gegen for) ❷ (umtauschen) to [ex]change sth (gegen for)

ein·tau·send ['aɪn'tauznt] adj one thousand

ein|tei·len I. vt ❶ (unterteilen) ■ etw in etw akk ~ to divide sth up into sth ❷ (sinnvoll aufteilen) ■ etw ~ to plan sth [out]; ■ [sich dat] etw ~ Geld, Vorräte, Zeit to be careful with sth ❸ (für etw verpflichten) ■ jdn zu etw dat ~ to assign sb to sth II. vi (fam: haushalten) to budget

Ein·tei·ler <-s, -> m (Badeanzug) one-piece [swimsuit]

Ein·tei·lung f ❶ (Aufteilung) management ❷ (Verpflichtung) ■ jds ~ zu etw dat sb's assignment to sth

ein|tip·pen vt ■ etw ~ to key sth in

ein·tö·nig ['aɪntøːnɪç] I. adj monotonous II. adv monotonously; **~ klingen** to sound monotonous

Ein·tö·nig·keit <-> f kein pl monotony

Ein·topf m, **Ein·topf·ge·richt** nt stew

Ein·tracht <-> ['aɪntraxt] f kein pl harmony

ein·träch·tig ['aɪntrɛçtɪç] I. adj harmonious II. adv harmoniously

Ein·trag <-[e]s, Einträge> ['aɪntraːk, pl 'aɪntrɛːgə] m ❶ kein pl (Vermerk) note; **~ ins Logbuch** entry in the logbook ❷ (im Nachschlagewerk) entry ❸ ADMIN record

ein|tra·gen vt irreg ❶ (einschreiben) ■ jdn ~ to enter sb (in in); ■ sich ~ to write one's name (in in) ❷ (amtlich registrieren) to register ❸ (einzeichnen) ■ etw ~ to note sth ❹ (geh: einbringen) ■ jdm etw ~ to earn sb sth

ein·träg·lich ['aɪntrɛːklɪç] adj lucrative

Ein·tra·gung <-, -en> f JUR (form) entry, registration

ein|tref·fen vi irreg sein ❶ (ankommen) to arrive ❷ (in Erfüllung gehen) to come true; **die Katastrophe traf doch nicht ein** the catastrophe didn't happen after all

ein|trei·ben vt irreg ■ etw [von jdm] ~ to collect sth [from sb]

ein|tre·ten *irreg* I. *vi* ❶ *sein* (*betreten*) to enter ❷ *sein* (*beitreten*) *Partei, Verein* to join [sth] ❸ *sein* (*sich ereignen*) to occur; **sollte der Fall ~, dass ...** if it should happen that ... ❹ *sein* (*sich einsetzen*) ▪**für jdn/etw ~** to stand up for sb/sth ❺ *haben* (*wiederholt treten*) ▪**auf jdn/ein Tier ~** to kick sb/an animal [repeatedly] II. *vt haben* ▪**etw ~** to kick sth in

ein|trich·tern ['ạintrɪçtɐn] *vt* (*fam*) ▪**jdm etw ~** to drum sth into sb

Ein·tritt *m* ❶ (*geh: das Betreten*) ▪**jds ~ in etw** *akk* sb's entrance into sth; **~ verboten** no admission ❷ (*Beitritt*) ▪**jds ~ in etw** *akk* sb's joining sth ❸ (*Eintrittsgeld*) admission; **~ frei** admission free ❹ (*Beginn*) onset; **bei/vor ~ der Dunkelheit** when/before darkness falls; **nach ~ der Dunkelheit** after dark; **der ~ des Todes** (*geh*) death

Ein·tritts·kar·te *f* [admission] ticket **Ein·tritts·preis** *m* admission charge

ein|tru·deln *vi sein* (*fam*) to show up

ein|tun·ken *vt* DIAL (*eintauchen*) to dip, to dunk

ein|ü·ben *vt* to practise; *Rolle, Stück* to rehearse

ein|ver·lei·ben* ['ạinfɐɐlaibn] I. *vt* ▪**etw einer S.** *dat* **~** *Gebiet, Land* to incorporate sth into sth II. *vr* ▪**sich** *dat* **etw ~** ❶ ÖKON to incorporate sth ❷ (*hum fam: verzehren*) to put sth away

Ein·ver·neh·men <-s> *nt kein pl* agreement; **in gegenseitigem ~** by mutual agreement; **im ~ mit jdm** in agreement with sb

ein·ver·nehm·lich I. *adj* (*geh*) mutual, joint; **zu einer ~en Regelung gelangen** to come to an agreed ruling II. *adv* (*geh*) by mutual agreement

ein·ver·stan·den ['ạinfɐɐʃtandn] *adj präd* ▪**~ sein** to agree (**mit** with); **~!** OK! *fam*

Ein·ver·ständ·nis ['ạinfɐɐʃtɛntnɪs] *nt* ❶ (*Zustimmung*) consent ❷ (*Übereinstimmung*) agreement; **in gegenseitigem ~** by mutual agreement

Ein·wahl·kno·ten *m* INFORM, TELEK point of presence **Ein·wahl·num·mer** *f* INET dial-up number

Ein·wand <-[e]s, Einwände> ['ạinvant, *pl* 'ạinvɛndə] *m* objection (**gegen** to)

Ein·wan·de·rer, -wan·d[r]e·rin *m, f* immigrant

ein|wan·dern *vi sein* to immigrate

Ein·wan·de·rung *f* immigration (**nach** to, **in** into)

Ein·wan·de·rungs·ge·setz *nt* immigration laws *usu pl* **Ein·wan·de·rungs·po·**

---

li·tik *f kein pl* immigration policy

ein·wand·frei ['ạinvantfrai] *adj* ❶ (*tadellos*) flawless; *Obst* perfect; *Qualität* excellent; *Benehmen* impeccable ❷ (*unzweifelhaft*) irrefutable

ein·wärts ['ạinvɛrts] *adv* inwards

ein|wech·seln ['ạinvɛksln] *vt* ❶ *Währung* to change (**in** into) ❷ SPORT ▪**jdn [für jdn]** ~ to bring on sb [for sb] *sep*

Ein·weg·fla·sche *f* non-returnable bottle **Ein·weg·ka·me·ra** *f* disposable camera

ein|wei·chen *vt* ▪**etw [in etw** *dat*] **~** to soak sth [in sth]

ein|wei·hen *vt* ❶ (*offiziell eröffnen*) ▪**etw ~** to open sth [officially] ❷ (*vertraut machen*) ▪**jdn ~** to initiate sb (**in** into); **jdn in ein Geheimnis ~** to let sb in on a secret

Ein·wei·hung <-, -en> *f* ❶ (*das Eröffnen*) inauguration ❷ (*das Vertrautmachen*) initiation

Ein·wei·hungs·fei·er *f* inauguration

ein|wei·sen *vt irreg* ❶ (*unterweisen*) ▪**jdn ~** to brief sb (**in** about) ❷ MED to refer; **jdn ins Krankenhaus ~** to send sb to hospital

ein|wen·den *vt irreg* ▪**etw [gegen etw** *akk*] **~** to object [to sth]; **etwas [gegen etw] einzuwenden haben** to have an objection [to sth]; **dagegen lässt sich nichts ~** there can be no objection to that

ein|wer·fen *irreg* I. *vt* ▪**etw ~** ❶ *Brief* to post [*or* AM mail] sth ❷ (*durch Wurf zerschlagen*) to break sth; **eine Fensterscheibe ~** to smash a window ❸ SPORT to throw sth in ❹ (*etw zwischendurch bemerken*) to throw sth in; **sie warf ein, dass ...** she pointed out that ... II. *vi* ❶ SPORT to throw in ❷ (*zwischendurch bemerken*) ▪**~, dass ...** to throw in that ...

ein|wi·ckeln *vt* ❶ (*in etw wickeln*) ▪**etw ~** to wrap [up] sth ❷ (*fam: überlisten*) ▪**jdn ~** to take sb in

ein|wil·li·gen ['ạinvɪlɪgn] *vi* ▪**[in etw** *akk*] **~** to consent [to sth]

Ein·wil·li·gung <-, -en> *f* consent

ein|wir·ken *vi* ❶ (*beeinflussen*) ▪**auf jdn/ etw ~** to have an effect on sb/sth; **etw auf sich ~ lassen** to let sth soak in ❷ PHYS, CHEM (*Wirkung entfalten*) ▪**auf etw** *akk* **~** to react to sth; **etw ~ lassen** to let sth work in

Ein·wir·kung *f* ❶ (*Beeinflussung*) influence (**auf** on) ❷ PHYS, CHEM **nach ~ der Salbe** when the ointment has worked in

Ein·woh·ner(in) <-s, -> ['ạinvoːnɐ] *m(f)* inhabitant

Ein·woh·ner·mel·de·amt *nt residents'*

einwilligen	
einwilligen	**consenting**
Einverstanden!/Okay!/Abgemacht!	Agreed!/Okay!/It's a deal!
Kein Problem!	No problem!
Geht in Ordnung!	That's all right!
Wird gemacht!/Mach ich!	Will do!/I'll do that!

E

registration office **Ein·woh·ner·zahl** *f* population

Ein·wurf *m* ❶ *(geh: das Hineinstecken) Münzen* insertion; ~ **2 Euro** insert 2 euros [into the slot]; *Briefe, Pakete* posting ❷ SPORT throw-in ❸ *(Zwischenbemerkung)* interjection ❹ *(schlitzartige Öffnung)* slit

Ein·zahl ['aɪntsaːl] *f* LING singular

ein|zah·len *vt* to pay [in]; ■**etw auf ein Konto** to pay sth into an account

Ein·zah·lung *f* FIN deposit

ein|zäu·nen ['aɪntsɔʏnən] *vt* ■**etw ~** to fence sth in

Ein·zäu·nung <-, -en> *f* ❶ *(Zaun)* fence ❷ *(das Einzäunen)* fencing

ein|zeich·nen *vt* ■**etw ~** to draw sth in (**auf** on); **ist die Straße in der Karte eingezeichnet?** is the road marked on the map?

Ein·zel <-s, -> ['aɪnts|] *nt* TENNIS singles + *sing vb;* **im ~** at singles

Ein·zel·fahr·schein *m* single ticket BRIT, one-way ticket AM **Ein·zel·fall** *m* individual case; **im ~** in each case **Ein·zel·fra·ge** *f meist pl* detailed question **Ein·zel·gän·ger(in)** <-s, -> *m(f) (Mensch, Tier)* loner **Ein·zel·haft** *f* solitary confinement **Ein·zel·han·del** *m* retail trade **Ein·zel·händ·ler(in)** *m(f)* retailer

Ein·zel·heit <-, -en> *f* detail

Ein·zel·kind *nt* only child

ein·zeln ['aɪntsln] **I.** *adj* ❶ *(für sich allein)* individual ❷ *(Detail)* **an E~es erinnere ich mich noch gut** I can remember some things very well; ■**im E~en** in detail ❸ *(individuell)* individual; ■**der/die E~e** the individual; **als E~er** as an individual; **was kann ein E~er schon dagegen ausrichten?** what can one person do on his own?; **jede(r, s) E~e** each individual ❹ *(allein stehend)* single; **im Feld stand eine ~e Eiche** a solitary oak tree stood in the field ❺ *pl (einige wenige)* a few ❻ *pl* METEO ~**e Schauer** scattered showers **II.** *adv (separat)* separately

Ein·zel·per·son *f (geh)* single person **Ein·zel·stück** *nt* unique object **Ein·zel·teil** *nt (einzelnes Teil)* separate part;

(Ersatzteil) spare part; **etw in seine ~e zerlegen** to take sth to pieces **Ein·zel·zim·mer** *nt* single room

ein|zie·hen *irreg* **I.** *vt* ❶ *Beiträge, Gelder* to collect ❷ *(aus dem Verkehr ziehen)* to withdraw ❸ *(beschlagnahmen)* ■**etw ~** to take sth away ❹ MIL **jdn [zum Militär]** ~ to conscript [*or* AM draft] sb [into the army] ❺ *(nach innen ziehen)* ■**etw ~** to take sth in ❻ ZOOL ■**etw ~** to retract sth ❼ *(entgegengesetzt bewegen)* ■**etw ~** to draw in sth; **die Schulter ~** to hunch one's shoulder; **den Kopf ~** to duck one's head; **der Hund zog den Schwanz ein** the dog put its tail between its legs ❽ *Antenne, Periskop* to retract ❾ *(beziehen)* ■**etw ~** to thread sth ❿ BAU **eine Wand ~** to put in a wall ⓫ *(einsaugen)* ■**etw ~** to draw up sth; **Luft ~** to breathe in **II.** *vi sein* ❶ *(in etw ziehen)* ■**bei jdm** ~ to move in with sb ❷ SPORT, MIL *(einmarschieren)* ■**in etw** *akk* ~ to march into sth ❸ *(Flüssigkeit)* ■**[in etw** *akk*] ~ to soak [into sth]

ein·zig ['aɪntsɪç] **I.** *adj* ❶ *attr* only ❷ *(alleinige)* ■**der/die E~e** the only one; ■**das E~e** the only thing; **kein ~er Gast blieb nach dem Essen** not one solitary guest stayed behind after the meal ❸ *(fam: unglaublich)* ■**ein ~er/eine ~e/ein ~es ...** a complete...; **seine Wohnung ist eine ~e Sauerei** his flat is an absolute disgrace **II.** *adv (ausschließlich)* only; **es liegt ~ und allein an Ihnen** it is entirely up to you

ein·zig·ar·tig ['aɪntsɪçʔaːɐ̯tɪç] **I.** *adj* unique **II.** *adv* astoundingly

Ein·zig·ar·tig·keit <-> *f kein pl* uniqueness

Ein·zug *m* ❶ *(das Einziehen)* move (**in** into) ❷ POL **bei dieser Wahl gelang der Partei der ~ ins Parlament** at this election the party won seats in Parliament ❸ *(Einmarsch)* entry ❹ FIN collection

Ein·zugs·ge·biet *nt eines Flusses* drainage basin

ein|zwän·gen I. *vt* ■**jdn** ~ to constrain sb **II.** *vr* **sich [in etw** *dat*] **eingezwängt fühlen** to feel constricted [in sth]

Eis <-es> ['aɪs] *nt kein pl* ❶ (*gefrorenes Wasser*) ice ❷ (*Eisdecke*) ice ❸ (*Eiswürfel*) ice [cube]; **eine Cola mit ~, bitte!** a coke with ice, please; **einen Whisky mit ~, bitte!** a whisky on the rocks, please; (*Nachtisch*) ice [cream]; **~ am Stiel** ice[d] lolly BRIT, Popsicle® AM ▸ **das ~ brechen** to break the ice; **etw auf ~ legen** (*fam*) to put something on hold

Eis·bahn *f* SPORT ice rink **Eis·bär** *m* polar bear **Eis·be·cher** *m* ❶ (*Pappbecher*) [ice-cream] tub; (*Metallschale*) sundae dish ❷ (*Eiscreme*) sundae **Eis·bein** *nt* KOCHK knuckle of pork **Eis·berg** *m* iceberg **Eis·blu·me** *f meist pl* frost pattern **Eis·bre·cher** *m* NAUT icebreaker

Ei·schnee *m* beaten egg white

Eis·creme [-kreːm], **Eis·krem** [-kreːm] *f* ice cream **Eis·die·le** *f* ice cream parlour

Ei·sen <-s, -> ['aɪzn̩] *nt kein pl* iron ▸ **mehrere ~ im Feuer haben** (*fam*) to have more than one iron in the fire; **zum alten ~ gehören** (*fam*) to be on the scrap heap; **ein heißes ~** a hot potato; **ein heißes ~ anfassen** to take the bull by the horns; **man muss das ~ schmieden, solange es heiß ist** (*prov*) one must strike while the iron is hot

Ei·sen·bahn ['aɪzn̩baːn] *f* train **Ei·sen·bahn·brü·cke** *f* railway [*or* AM railroad] bridge **Ei·sen·bah·ner(in)** <-s, -> *m(f)* (*fam*) railway employee, railroader AM **Ei·sen·bahn·fäh·re** *f* train ferry **Ei·sen·bahn·netz** *nt* rail[way] network, railroad network AM **Ei·sen·bahn·tun·nel** *m* railway tunnel **Ei·sen·bahn·über·füh·rung** *f für Kfz* railway [*or* AM railroad] overpass; *für Fußgänger* footbridge **Ei·sen·bahn·un·ter·füh·rung** *f* [railway] underpass, [railroad] underpass AM **Ei·sen·bahn·wa·gen** *m* (*Personen~*) railway carriage BRIT, passenger car AM; (*Güter~*) goods wagon BRIT, freight car AM **Ei·sen·erz** ['aɪzn̩ʔɛts] *nt* CHEM, BERGB iron ore

ei·sen·hal·tig ['aɪzn̩haltɪç] *adj*, **ei·sen·häl·tig** ['aɪzn̩hɛltɪç] *adj* ÖSTERR iron bearing; ■ **~ sein** to contain iron

Ei·sen·in·dus·trie *f* iron industry **Ei·sen·man·gel** *m* MED iron deficiency **Ei·sen·stan·ge** *f* iron bar **Ei·sen·trä·ger** *m* iron girder **Ei·sen·wa·ren** *pl* hardware *no pl, no art* **Ei·sen·wa·ren·hand·lung** *f* ironmonger's [shop] BRIT, hardware store AM **Ei·sen·zeit** *f kein pl* HIST Iron Age

ei·sern ['aɪzɐn] I. *adj* ❶ *attr* CHEM iron ❷ (*unnachgiebig*) iron ❸ *attr* (*für Notfälle*) iron; **jds ~e Reserve** sb's nest egg II. *adv*

resolutely

Ei·ses·käl·te *f* icy cold

Eis·fach *nt* freezer compartment **Eis·flä·che** *f* [surface of the] ice **eis·ge·kühlt** *adj* ice-cold **Eis·glät·te** *f* black ice **Eis·hei·li·gen** ['aɪshaɪlɪgn̩] *pl* ◼ **die [drei] ~n** 3 *saints' days, about 12th-14th May, which are often cold and after which further frost is rare* **Eis·ho·ckey** *nt* ice hockey

ei·sig ['aɪzɪç] I. *adj* ❶ (*bitterkalt*) icy ❷ (*abweisend*) icy; *Schweigen* frosty ❸ (*jäh*) chilling; **ein ~er Schreck durchfuhr sie** a cold shiver ran through her II. *adv* coolly

Eis·kaf·fee *m* ❶ (*selten*) iced coffee ❷ (*Kaffee mit Vanilleeis und Schlagsahne*) chilled coffee with vanilla ice cream and whipped cream **eis·kalt** ['aɪskalt] I. *adj* ❶ (*bitter kalt*) ice-cold ❷ (*kalt und berechnend*) cold-blooded ❸ (*dreist*) cool; **eine ~e Abfuhr bekommen** to be snubbed by sb II. *adv* (*kalt und berechnend*) coolly; **sie macht das ~** she does it without turning a hair **Eis·krat·zer** *m* ice scratch **Eis·kunst·lauf** *m* figure-skating **Eis·kunst·läu·fer(in)** *m(f)* SPORT figure-skater **eis·lau·fen** *vi* to ice-skate **Eis·lau·fen** <-s> *nt kein pl* ice skating **Eis·läu·fer(in)** *m(f)* ice-skater **Eis·meer** ['aɪsmeːɐ̯] *nt* polar sea; **Nördliches/Südliches ~** Arctic/ Antarctic Ocean **Eis·pi·ckel** *m* ice pick

Ei·sprung *m* ovulation

Eis·re·gen *m* sleet **Eis·schnell·lauf**RR *m* speed skating **Eis·schol·le** *f* ice floe **Eis·schrank** *m* (*veraltend*) *s.* **Kühlschrank** **Eis·vo·gel** *m* ORN kingfisher; ZOOL (*Schmetterling*) white admiral **Eis·wür·fel** *m* ice cube **Eis·zap·fen** *m* icicle **Eis·zeit** *f* Ice Age

ei·tel ['aɪtl̩] *adj* vain; (*eingebildet*) conceited

Ei·tel·keit <-, -en> ['aɪtl̩kaɪt] *f* vanity

Ei·ter <-s> ['aɪtɐ] *m kein pl* pus *no pl, no indef art*

ei·te·rig ['aɪtərɪç] *adj Ausfluss* purulent; *Geschwür, Pickel, Wunde* festering; ◼ **~ sein** to fester

ei·tern ['aɪtɐn] *vi* to fester

ei·trig ['aɪtrɪç] *adj s.* **eiterig**

Ei·weiß ['aɪvaɪs] *nt* ❶ CHEM protein ❷ KOCHK [egg] white

Ei·zel·le *f* ovum

Eja·ku·la·ti·on <-, -en> [ejakulaˈtsi̯oːn] *f* ejaculation

eja·ku·lie·ren* [ejakuˈliːrən] *vi* to ejaculate

Ekel¹ <-s> ['eːkl̩] *m kein pl* disgust; **~ erregend** revolting; **vor ~ in** disgust

Ekel² <-s, -> ['eːkl̩] *nt* (*fam*) revolting person

ekel·er·re·gend^{ALT} *adj* revolting

ekel·haft I. *adj* ❶ (*widerlich*) disgusting ❷ (*fam: fies*) nasty II. *adv* ❶ (*widerlich*) disgusting ❷ (*fam: fies*) horribly

eke·lig <-er, -ste> ['e:kəlɪç] *adj s.* **ekelhaft**

ekeln ['e:k|n] I. *vt* ▪ **jdn** ~ to disgust sb II. *vt impers* **es ekelt mich vor diesem Geruch** this smell is disgusting III. *vr* ▪ **sich vor etw** *dat* ~ to find sth disgusting

EKG <-s, -s> [e:ka:'ge:] *nt* MED *Abk von* **Elektrokardiogramm** ECG

Eklat <-s, -s> [e'kla:] *m* (*geh*) sensation; **es kam zu einem** ~ a dispute broke out

ekla·tant <-er, -este> [ekla'tant] *adj* (*geh*) *Beispiel* striking; *Fall* spectacular; *Fehler* glaring

Ek·lip·se <-, -n> [e'klɪpsə] *f* ASTRON eclipse

Ek·sta·se <-, -n> [ɛk'sta:zə] *f* ecstasy

ek·sta·tisch [ɛk'sta:tɪʃ] *adj* (*geh*) ecstatic

Ek·zem <-s, -e> [ɛk'tse:m] *nt* eczema

Elan <-s> [e'la:n] *m kein pl* vigour

elas·tisch [e'lastɪʃ] I. *adj* ❶ (*flexibel*) flexible; *Federkern* springy; *Stoff, Binde* stretchy ❷ (*spannkräftig*) *Gelenk, Muskel, Mensch* supple; *Gang* springy II. *adv* supply

Elas·ti·zi·tät <-, -en> [elastitsi'tɛ:t] *meist sing f* ❶ (*elastische Beschaffenheit*) elasticity ❷ *eines Muskel* suppleness

El·be <-> ['ɛlbə] *f* river Elbe

Elb-Flo·renz, **Elb·flo·renz**^{RR} *nt* (*hum fam*) Florence on the Elbe (*nickname for Dresden*)

Elch <-[e]s, -e> ['ɛlç] *m* elk

Elec·tro·nic Ban·king <-> [ɪlɛk'trɔnɪk'bɛŋkɪŋ] *nt kein pl* electronic banking

Elec·tro·nic Cash [ɪlɛk'trɔnɪk 'kɛʃ] *nt kein pl* electronic cash **Elec·tro·nic Pu·bli·shing** [ɪlɛk'trɔnɪk 'pablɪʃɪŋ] *nt kein pl* electronic publishing

Ele·fant <-en, -en> [ele'fant] *m* elephant

Ele·fan·ten·run·de *f* MEDIA, POL clash of the titans, meeting of [*political*] giants [*or* heavyweights] (*election-night discussion involving top-level politicians, broadcast simultaneously on the two main TV networks*)

ele·gant [ele'gant] I. *adj* elegant II. *adv* ❶ MODE elegantly ❷ (*geschickt*) nimbly; **er zog sich ~ aus der Affäre** he deftly extricated himself from the incident

Ele·ganz <-> [ele'gants] *f kein pl* ❶ (*geschmackvolle Beschaffenheit*) elegance ❷ (*Gewandtheit*) deftness

Ele·gie <-, -ien> [ele'gi:, *pl* ele'gi:ən] *f* LIT elegy

elek·tri·fi·zie·ren* [elɛktrifi'tsi:rən] *vt* BAHN ▪ **etw** ~ to electrify sth

Elek·trik <-, -en> [e'lɛktrɪk] *f* electrical system

Elek·tri·ker(in) <-s, -> [e'lɛktrike] *m(f)* electrician

elek·trisch [e'lɛktrɪʃ] *adj* electric; **~e Geräte** electrical appliances

elek·tri·sie·ren* [elɛktri'zi:rən] I. *vt* ❶ (*fig*) to electrify ❷ (*aufladen*) to charge with electricity II. *vr* (*einen elektrischen Schlag bekommen*) ▪ **sich** ~ to give oneself an electric shock; **wie elektrisiert** [*as if he had been*] electrified

Elek·tri·zi·tät <-> [elɛktritsi'tɛ:t] *f kein pl* electricity

Elek·tri·zi·täts·werk *nt* (*Anlage*) [electric] power station

Elek·tro·au·to *nt* electric car

Elek·tro·de <-, -n> [elɛk'tro:də] *f* electrode

Elek·tro·ge·rät *nt* electrical appliance

Elek·tro·ge·schäft *nt* electrical shop [*or* AM store] **Elek·tro·herd** [e'lɛktrohe:gt] *m* electric cooker **Elek·tro·in·gen·ieur(in)** [-ɪnʒeniø:g] *m(f)* electrical engineer **Elek·tro·in·stal·la·teur(in)** *m(f)* electrician **Elek·tro·kar·di·o·gramm** [elɛktro·kardi̯o'gram] *nt* MED electrocardiogram, ECG **Elek·tro·lok** *f* electric locomotive **Elek·tro·ly·se** <-, -n> [elɛktro'ly:zə] *f* electrolysis **Elek·tro·ma·gnet** [e'lɛktromagne:t] *m* electromagnet **elek·tro·ma·gne·tisch** I. *adj* electromagnetic II. *adv* electromagnetically **Elek·tro·mo·tor** [e'lɛktro͜mo:to:g] *m* electric motor

Elek·tron <-s, -tronen> ['e:lɛktron, e'lɛktron, elɛk'tro:n] *nt* electron

Elek·tro·nen·mi·kro·skop *nt* electron microscope **Elek·tro·nen·rech·ner** *m* electronic computer

Elek·tro·nik <-, -en> [elɛk'tro:nɪk] *f kein pl* electronics + *sing vb*

elek·tro·nisch [elɛk'tro:nɪʃ] I. *adj* electronic II. *adv* electronically

Elek·tro·ra·sie·rer *m* electric razor **Elek·tro·schock** [e'lɛktroʃɔk] *m* electroshock **Elek·tro·smog** [-smɔk] *m* electrosmog **Elek·tro·tech·nik** [elɛktro'tɛçnɪk] *f* electrical engineering **Elek·tro·tech·ni·ker(in)** *m(f)* ❶ (*mit Hochschulabschluss*) electrical engineer ❷ (*Elektriker*) electrician **Elek·tro·zaun** [e'lɛktrotsaun] *m* electric fence

Ele·ment <-[e]s, -e> [ele'mɛnt] *nt* element

ele·men·tar [elemɛn'ta:g] *adj* ❶ (*wesentlich*) elementary ❷ (*urwüchsig*) elemental

elend ['e:lɛnt] **I.** *adj* ❶ (*beklagenswert*) miserable ❷ (*krank*) wretched; **~ ausse·hen** to look awful; **mir wird ganz ~, wenn ich daran denke** just thinking about it makes me feel sick ❸ (*erbärmlich*) dreadful ❹ (*gemein*) miserable **II.** *adv* (*fam*) awfully

Elend <-[e]s> ['e:lɛnt] *nt kein pl* misery

Elends·vier·tel *nt* slums *pl*

elf ['ɛlf] *adj* eleven; *s. a.* **acht**[1]

Elf[1] <-, -en> ['ɛlf] *f* ❶ (*Zahl*) eleven ❷ FBALL team [*or* eleven]

Elf[2] <-en, -en> ['ɛlf] *m*, **El·fe** <-, -n> ['ɛlfə] *f* elf

El·fen·bein ['ɛlfn̩baɪn] *nt* ivory **el·fen·bein·far·ben** *adj* ivory-coloured **El·fen·bein·küs·te** ['ɛlfn̩baɪnkʏstə] *f* Ivory Coast

Elf·me·ter [ɛlf'me:tɐ] *m* penalty [kick]; **einen ~ schießen** to take a penalty; **einen ~ verschießen** to miss a penalty; **einen ~ verwandeln** to score from a penalty

Elf·me·ter·schie·ßen *nt* penalty

elf·te(r, s) ['ɛlftə] *adj* ❶ (*Zahl*) eleventh; *s. a.* **achte(r, s) 1** ❷ (*bei Datumsangabe*) eleventh, 11th; *s. a.* **achte(r, s) 2**

eli·mi·nie·ren* [elimi'ni:rən] *vt* to eliminate

eli·tär [eli'tɛ:ɐ̯] *adj* elitist

Eli·te <-, -n> [e'li:tə] *f* elite

Eli·te·ein·heit *f*, **Eli·te·trup·pe** *f* MIL elite troops *pl* **Eli·te·uni·ver·si·tät** *f* elite university

Eli·xier <-s, -e> [elɪ'ksi:ɐ̯] *nt* elixir

Ell·bo·gen·ge·sell·schaft *f* dog-eat-dog society

El·len·bo·gen <-bogen> ['ɛlənbo:gn̩] *m* elbow

El·len·bo·gen·mensch *m* ruthless person **el·len·lang** *adj* (*fam*) incredibly long; **ein ~er Kerl** an incredibly tall bloke

El·lip·se <-, -n> [ɛ'lɪpsə] *f* MATH ellipse; LING ellipsis

el·lip·tisch [ɛ'lɪptɪʃ] *adj* ❶ MATH elliptic[al]; **~e Funktion** elliptic function; **~e Gala·xie** ASTRON elliptical galaxy ❷ LING (*unvollständig*) *Satz* elliptic[al]

E-Lok <-, -s> ['e:lɔk] *f* electric locomotive

El Sal·va·dor <-s> [ɛl zalva'do:ɐ̯] *nt* El Salvador; *s. a.* **Deutschland**

El·sass[RR] <- *o* -es> *nt*, **El·saß**[ALT] <- *o* -sses> ['ɛlzas] *nt* ▪ **das ~** Alsace

El·säs·ser(in) <-s, -> ['ɛlzɛsɐ] *m(f)* inhabitant of Alsace

el·säs·sisch ['ɛlzɛsɪʃ] *adj* ❶ GEOG Alsatian ❷ LING Alsatian

El·sass-Loth·rin·gen[RR] *nt* Alsace-Lorraine

Els·ter <-, -n> ['ɛlstɐ] *f* ORN magpie

el·ter·lich *adj* parental

El·tern ['ɛltɐn] *pl* parents *pl*

El·tern·haus *nt* ❶ (*Familie*) family ❷ (*Haus*) [parental] home

el·tern·los **I.** *adj* orphaned, parentless **II.** *adv* as an orphan

El·tern·schaft <-> *f kein pl* (*geh*) parents *pl*

El·tern·teil *m* parent

Email <-s, -s> [e'maj, e'ma:j] *nt* enamel

E-Mail <-, -s> ['i:me:l] *f* e-mail, email

E-Mail-A·dres·se ['i:me:l-] *f* e-mail address

Email·le <-, -n> [e'maljə, e'ma:j, e'ma:j] *f s.* **Email**

E-Mail-Pro·gramm ['i:me:l-] *nt* e-mail program

Eman·ze <-, -n> [e'mantsə] *f* (*fam*) women's libber

Eman·zi·pa·ti·on <-, -en> [emantsipa'tsi̯o:n] *f* ❶ (*Gleichstellung der Frau*) emancipation ❷ (*Befreiung aus Abhängigkeit*) liberation

eman·zi·pa·to·risch [emantsipa'to:rɪʃ] *adj* (*geh*) emancipatory

eman·zi·pie·ren* [emantsi'pi:rən] *vr* ▪ **sich ~** to emancipate oneself

eman·zi·piert *adj* emancipated

Em·bar·go <-s, -s> [ɛm'bargo] *nt* embargo

Em·blem <-[e]s, -e> [ɛm'ble:m, ä'ble:m] *nt* ❶ (*Zeichen*) emblem ❷ (*Sinnbild*) symbol

Em·bo·lie <-, -n> [ɛmbo'li:, *pl* ɛmbo'li:ən] *f* embolism

Em·bryo <-s, -s *o* -bryonen> ['ɛmbryo, *pl* ɛmbryo'o:nən] *m o* ÖSTERR *nt* embryo

em·bry·o·nal [ɛmbryo'na:l] *adj* ❶ MED, BIOL embryonic ❷ (*in Ansätzen*) embryonic

Em·bry·o·nen·schutz [ɛmbryo'o:nən-] *m* embryo protection

Emi·grant(in) <-en, -en> [emi'grant] *m(f)* ❶ (*Auswanderer*) emigrant ❷ (*politischer Flüchtling*) emigré

Emi·gra·ti·on <-, -en> [emigra'tsi̯o:n] *f* emigration

emi·grie·ren* [emi'gri:rən] *vi sein* to emigrate

Emi·rat <-[e]s, -e> [emi'ra:t] *nt* emirate; **die Vereinigten Arabischen ~e** United Arab Emirates, U.A.E.

Emis·si·on <-, -en> [emɪ'si̯o:n] *f* emission

emit·tie·ren [emɪ'ti:rən] *vt* ❶ FIN (*Wertpapiere ausgeben*) to issue ❷ ÖKOL, PHYS (*ausstoßen*) to emit

Em·men·ta·ler <-s, -> ['ɛməntaːlɐ] *m*

Emment[h]al[er] [cheese]

e-Moll <-s> ['eːmɔl] *nt kein pl* MUS E flat minor

Emo·ti·con <-s, -s> [e'moːtikon] *nt* emoticon

Emo·ti·on <-, -en> [emo'tsi̯oːn] *f* emotion

emo·ti·o·nal I. *adj* emotional II. *adv* emotionally

emo·ti·o·nell *adj s.* **emotional**

emo·ti·ons·ge·la·den *adj* emotionally charged

emo·ti·ons·los *adj* emotionless, unemotional

em·pa·thisch [ɛm'paːtɪʃ] *adj* PSYCH (*geh*) empathic

emp·fahl [ɛm'pfaːl] *imp von* **empfehlen**

emp·fand [ɛm'pfant] *imp von* **empfinden**

Emp·fang <-[e]s, Empfänge> [ɛm'pfaŋ, *pl* ɛm'pfɛŋə] *m* ❶ TV, RADIO reception ❷ (*das Entgegennehmen*) receipt; **etw in ~ nehmen** to take receipt of sth ❸ (*Hotelrezeption*) reception [desk] ❹ (*Begrüßung*) reception; **jdn in ~ nehmen** to greet sb; **einen ~ geben** to give a reception

emp·fan·gen <empfing, empfangen> [ɛm'pfaŋən] *vt* ❶ RADIO, TV to receive ❷ (*begrüßen*) ▪jdn mit etw *dat* ~ to receive sb with sth; **sie empfingen den Sprecher mit lauten Buhrufen** they greeted the speaker with loud boos

Emp·fän·ger(in) <-s, -> [ɛm'pfɛŋɐ] *m(f)* ❶ (*Adressat*) addressee; **~ unbekannt** not known at this address ❷ FIN payee

Emp·fän·ger <-s, -> [ɛm'pfɛŋɐ] *m* RADIO, TV (*geh*) receiver

emp·fäng·lich [ɛm'pfɛŋlɪç] *adj* ▪für etw *akk* ~ sein ❶ (*zugänglich*) to be receptive to sth ❷ (*beeinflussbar, anfällig*) to be susceptible to sth

Emp·fäng·nis <-> [ɛm'pfɛŋnɪs] *f pl selten* conception

emp·fäng·nis·ver·hü·tend I. *adj* contraceptive II. *adv* ~ **wirken** to have a contraceptive effect, to act as a contraceptive

Emp·fäng·nis·ver·hü·tung *f* contraception

Emp·fangs·be·schei·ni·gung *f,* **Emp·fangs·be·stä·ti·gung** *f* [confirmation of] receipt **Emp·fangs·chef(in)** *m(f)* head receptionist **Emp·fangs·da·me** *f* receptionist

emp·feh·len <empfahl, empfohlen> [ɛm'pfeːlən] I. *vt* ▪[jdm] etw ~ to recommend sth to sb; **dieses Hotel ist zu ~** this hotel is [to be] recommended II. *vr impers* ▪es empfiehlt sich, etw zu tun it is advisable to do sth III. *vr* (*geh*) ▪sich ~ to

take one's leave

emp·feh·lens·wert *adj* ❶ (*wert, empfohlen zu werden*) recommendable ❷ (*ratsam*) ▪es ist ~, etw zu tun it is advisable to do sth

Emp·feh·lung <-, -en> *f* ❶ (*Vorschlag*) recommendation ❷ (*Referenz*) reference; **auf ~ von jdm** on the recommendation of sb ❸ (*geh*) **mit den besten ~en** with best regards

Emp·feh·lungs·schrei·ben *nt* letter of recommendation

emp·fiehl [ɛm'pfiːl] *imp sing von* **empfehlen**

emp·fin·den <empfand, empfunden> [ɛm'pfɪndn̩] *vt* ❶ (*fühlen*) to feel; **Abscheu/Furcht vor etw** *dat* ~ to loathe/fear sth ❷ (*auffassen*) ▪jdn/etw als etw *akk* ~ to feel sb/sth to be sth

emp·find·lich [ɛm'pfɪntlɪç] I. *adj* ❶ (*auf Reize leicht reagierend*) sensitive (**gegen** to) ❷ (*leicht verletzbar*) sensitive; (*reizbar*) touchy ❸ (*anfällig*) *Gesundheit* delicate; **~ gegen Kälte** sensitive to cold II. *adv* ❶ (*sensibel*) **auf etw** *akk* ~ **reagieren** to be very sensitive to sth ❷ (*spürbar*) severely; **es ist ~ kalt** it's bitterly cold

Emp·find·lich·keit <-> *f kein pl* ❶ (*Feinfühligkeit*) sensitiveness ❷ (*Verletzbarkeit*) sensitivity; (*Reizbarkeit*) touchiness ❸ (*Anfälligkeit*) delicateness

emp·find·sam [ɛm'pfɪntzaːm] *adj* ❶ (*von feinem Empfinden*) sensitive; (*einfühlsam*) empathetic ❷ (*sentimental*) *Geschichte* sentimental

Emp·find·sam·keit <-> *f kein pl* (*Feinfühligkeit*) sensitivity

Emp·fin·dung <-, -en> *f* ❶ (*Wahrnehmung*) perception ❷ (*Gefühl*) emotion

emp·fing [ɛm'pfɪŋ] *imp von* **empfangen**

emp·foh·len [ɛm'pfoːlən] I. *pp von* **empfehlen** II. *adj* **sehr ~** highly recommended

emp·fun·den [ɛm'pfʊndn̩] *pp von* **empfinden**

em·por [ɛm'poːɐ̯] *adv* (*geh*) upwards

em·por\|ar·bei·ten *vr* (*geh*) ▪sich ~ to work one's way up (**zu** to)

Em·po·re <-, -n> [ɛm'poːrə] *f* ARCHIT gallery

em·pö·ren* [ɛm'pøːrən] I. *vt* ▪jdn ~ to fill sb with indignation II. *vr* ▪sich ~ to be outraged; **sie empörte sich über sein Benehmen** his behaviour outraged her

em·pö·rend *adj* outrageous

Em·por·kömm·ling <-s, -e> [-kœmlɪŋ] *m* (*pej*) upstart

em·por\|ra·gen *vi sein o haben* (*geh*) ▪[über etw *akk*] ~ to tower above sth

em·por|stei·gen *irreg* I. *vi sein* (*geh*) to rise; **Zweifel stiegen in ihm empor** doubts rose in his mind; *Rauch* to rise [up] II. *vt sein* (*geh*) ■ **etw ~** to climb [up] sth
em·pört I. *adj* scandalized (**über** by) II. *adv* indignantly
Em·pö·rung <-, -en> *f kein pl* ■ **~ über jdn/etw** *akk* indignation about/at sth
em·sig ['ɛmzɪç] I. *adj* busy; **~e Ameisen** hard-working ants II. *adv* industriously; **überall wird ~ gebaut** they are busy building everywhere
Emu <-s, -s> ['eːmu] *m* ORN emu
Emul·ga·tor <-s, -en> [emʊl'gaːtoːɐ̯, *pl* emʊlɡa'toːrən] *m* CHEM emulsifier, emulsifying agent
Emul·si·on <-, -en> [emʊl'zi̯oːn] *f* CHEM emulsion
End·ab·rech·nung *f* final account **End·be·trag** *m* final amount
En·de <-s, -n> ['ɛndə] *nt* ❶ (*Schluss*) end; **~ August/des Monats/~ 2001** the end of August/the month/2001; **sie ist ~ 1948 geboren** she was born at the end of 1948; **~ 20 sein** to be in one's late 20s; **ein böses ~ nehmen** to come to a bad end; **bei etw** *dat* **kein ~ finden** (*fam*) to not stop doing sth; **dem ~ zu gehen** to draw to a close; **damit muss es jetzt ein ~ haben** this must stop now; **einer S.** *dat* **ein ~ machen** to put an end to sth; **ein ~ nehmen** (*fam*) to come to an end; **das nimmt gar kein ~** there's no end to it; **am ~** (*fam*) finally; **am ~ sein** (*fam*) to be at the end of one's tether; **mit etw** *dat* **am ~ sein** to run out of sth; **Fehler ohne ~** any number of mistakes; **Qualen ohne ~** endless suffering; **etw zu ~ bringen** to complete sth; **etw zu ~ lesen** to finish reading sth; **zu ~ sein** to be finished; **etw geht zu ~** sth is nearly finished; **alles geht mal zu ~** nothing lasts forever ❷ FILM, LIT ending ❸ (*räumliches ~*) end; **ans ~ at** the end ▶ **am ~ der Welt** (*fam*) at the back of beyond; **das dicke ~** (*fam*) the worst; **~ gut, alles gut** (*prov*) all's well that ends well; **letzten ~es** when all is said and done
End·ef·fekt ['ɛntʔɛfɛkt] *m* **im ~** (*fam*) in the end
en·de·misch [ɛn'deːmɪʃ] *adj* MED, BIOL endemic
en·den ['ɛndn̩] *vi* ❶ *haben* (*nicht mehr weiterführen*) end; **nicht ~ wollend** endless ❷ *haben* (*auslaufen*) expire ❸ *haben* LING ■ **auf etw** *akk* **~** to end with sth ❹ *sein* (*fam: landen*) end [up] ❺ *haben* (*zu etw führen*) **das wird böse ~!** that will

end in tears!; **jd wird schlimm ~** sb will come to a bad end
End·er·geb·nis *nt* final result **end·gül·tig** I. *adj* final; *Antwort* definitive II. *adv* finally; **~ entscheiden** to decide once and for all; **sich ~ trennen** to separate for good
End·gül·tig·keit <-> *f kein pl* finality
End·hal·te·stel·le *f* final stop
En·di·vie <-, -n> [ɛn'diːvi̯ə] *f* endive
En·di·vi·en·sa·lat *m* endive
End·kampf *m* SPORT final **End·la·ger** *nt* ÖKOL permanent disposal site **end·la·gern** *vt* ÖKOL ■ **etw** [irgendwo] **~** to permanently store sth [somewhere] **End·la·ge·rung** *f* permanent disposal
end·lich ['ɛntlɪç] I. *adv* ❶ (*nunmehr*) at last; **lass mich ~ in Ruhe!** can't you leave me in peace!; **hör ~ auf!** will you stop that!; **komm doch ~!** get a move on! ❷ (*schließlich*) finally; **na ~!** (*fam*) at [long] last! II. *adj* ASTRON, MATH finite
end·los I. *adj* endless II. *adv* interminably
End·lo·sig·keit *f kein pl* infinity
End·los·pa·pier *nt* INFORM continuous paper
End·pha·se *f* final stage **End·pro·dukt** *nt* end product **End·run·de** *f* SPORT final round; *einer Fußballmeisterschaft* finals *pl;* *eines Autorennens* final lap **End·sil·be** *f* final syllable **End·spiel** *nt* SPORT final **End·spurt** *m* final spurt **End·sta·di·um** *nt* final stage; MED terminal stage **End·sta·ti·on** *f* terminus **End·sum·me** *f* [sum] total
En·dung <-, -en> *f* ending
End·ver·brau·cher(in) *m(f)* end-user **End·zif·fer** *f* final number **End·zu·stand** *m* final state
Ener·gie <-, -n> [enɛr'giː, *pl* -'giːən] *f* ❶ PHYS energy; **~ sparend** energy-saving ❷ (*Tatkraft*) energy; **viel ~ haben** to be full of energy; **wenig ~ haben** to lack energy
Ener·gie·be·darf *m* energy requirement[s] **Ener·gie·ge·win·nung** *f kein pl* generation of energy **E·ner·gie·gip·fel** *m* POL energy summit **Ener·gie·kri·se** *f* energy crisis **Ener·gie·quel·le** *f* source of energy **Ener·gie·spa·ren** *nt* energy saving **Ener·gie·spar·lam·pe** *f* energy-saving [electric] bulb **Ener·gie·spar·maß·nah·me** *f* energy-saving measure **Ener·gie·ver·brauch** *m* energy consumption **Ener·gie·ver·schwen·dung** *f kein pl* energy waste **Ener·gie·ver·sor·gung** *f* energy supply **Ener·gie·vor·kom·men** *nt* energy source **Ener·gie·vor·rä·te** *pl* energy supplies *pl*

ener·gisch [e'nɛrɡɪʃ] **I.** *adj* ❶ (*Tatkraft ausdrückend*) energetic ❷ (*entschlossen*) firm **II.** *adv* vigorously

Ener·gy-Drink ['enədʒidrɪŋk] *m* energy drink

eng ['ɛŋ] **I.** *adj* ❶ (*schmal*) narrow ❷ (*knapp sitzend*) tight ❸ (*beengt*) cramped ❹ (*wenig Zwischenraum habend*) close together *pred* ❺ (*intim*) close ❻ (*eingeschränkt*) limited; **im ~ eren Sinn** in the stricter sense; **in die ~ ere Wahl kommen** to be short-listed; **die Hochzeit fand in ~ em Familienkreis statt** the wedding was attended by close relatives only **II.** *adv* ❶ (*knapp*) **ein ~ anliegendes Kleid** a close-fitting dress; **eine ~ anliegende Hose** very tight trousers; |**jdm**| **etw ~ er machen** *Kleidungsstück* to take sth in [for sb] ❷ (*dicht*) densely; **~ nebeneinanderstehen** to stand close to each other ❸ (*intim*) closely; **~ befreundet sein** to be close friends ❹ (*akribisch*) **etwas zu ~ sehen** to take too narrow a view of sth; **du siehst das zu ~** there's more to it than that **En·ga·ge·ment** <-s, -s> [ãɡaʒə'mãː] *nt* ❶ (*Eintreten*) commitment (**für** to) ❷ THEAT engagement

en·ga·gie·ren* [ãɡa'ʒiːrən] **I.** *vt* ▪**jdn ~** to engage sb; **wir engagierten ihn als Leibwächter** we took him on as a bodyguard **II.** *vr* ▪**sich** |**für jdn/etw**| **~** to be committed [to sb/sth]; ▪**sich dafür ~, dass ...** to support the idea that ...

en·ga·giert [ãɡa'ʒiːɐt] *adj* (*geh*) **politisch/sozial ~** politically/socially committed; **ökologisch ~ sein** to be involved in ecological matters

eng·an·lie·gendALT *adj attr Kleid* close-fitting; *Hose* very tight **eng·be·freundet**ALT *adj attr* **~ sein** to be close friends

En·ge <-, -n> ['ɛŋə] *f* ❶ *kein pl* (*schmale Beschaffenheit*) narrowness ❷ *kein pl* (*Beschränktheit*) confinement

En·gel <-s, -> ['ɛŋl] *m* angel

En·gel(s)·ge·duld *f* **eine** |**wahre**| **~ haben** to have the patience of a saint **En·gel(s)·zun·gen** *pl* |**wie**| **mit ~ reden** to use all one's powers of persuasion

eng·her·zig *adj* ▪**|in etw** *dat*| **~ sein** to be petty [about sth]

Eng·land <-s> ['ɛŋlant] *nt* England; *s. a.* **Deutschland**

Eng·län·der(in) <-s, -> ['ɛŋlɛndɐ] *m(f)* Englishman *masc,* Englishwoman *fem;* ▪**die ~** the English

eng·lisch ['ɛŋlɪʃ] *adj* English; *s. a.* **deutsch** **Eng·lisch** ['ɛŋlɪʃ] *nt dekl wie adj* English; **auf ~** in English; *s. a.* **Deutsch**

eng·lisch·spra·chig *adj* English-speaking **eng·ma·schig** ['ɛŋmaʃɪç] *adj* close-meshed

Eng·passRR <-es, Engpässe>, **Eng·paß**ALT <-sses, Engpässe> *m* ❶ GEOG [narrow] pass ❷ (*Fahrbahnverengung*) bottleneck ❸ (*Verknappung*) bottleneck

eng·stir·nig ['ɛŋʃtɪrnɪç] **I.** *adj* narrow-minded **II.** *adv* narrow-mindedly; **~ denken/handeln** to think/act in a narrow-minded way

Eng·stir·nig·keit <-> *f kein pl* narrow-mindedness

En·kel(in) <-s, -> ['ɛŋkl] *m(f)* grandchild **En·kel** <-s, -> ['ɛŋkl] *m* DIAL (*Fußknöchel*) ankle

En·kel·kind *nt* grandchild **En·kel·sohn** *m* (*geh*) grandson **En·kel·toch·ter** *f* (*geh*) *fem form von* **Enkelsohn En·kel·toch·ter** *f* (*geh*) *fem form von* **Enkelsohn En·kel·toch·ter** granddaughter

enorm [e'nɔrm] **I.** *adj* enormous; *Summe* vast **II.** *adv* (*fam*) tremendously; **~ viel/viele** an enormous amount/number

en pas·sant [ãpa'sãː] *adv* en passant

En·sem·ble <-s, -s> [ã'sãbl] *nt* ensemble **ent·ar·ten*** [ɛnt'a:ɐtn] *vi sein* ▪**|zu etw** *dat*| **~** to degenerate [into sth]

ent·beh·ren* [ɛnt'be:rən] **I.** *vt* ❶ (*ohne auskommen*) ▪**jdn/etw ~ können** to be able to do without sb/sth ❷ (*geh: vermissen*) ▪**jdn/etw ~** to miss sb/sth **II.** *vi* (*geh*) to go without

ent·behr·lich *adj* dispensable

Ent·beh·rung <-, -en> *f meist pl* privation

ent·bin·den* *irreg* **I.** *vt* ❶ MED to deliver; ▪**|von einem Kind| entbunden werden** to give birth to a baby ❷ (*dispensieren, befreien*) ▪**jdn von etw** *dat* **~** to release sb from sth **II.** *vi* to give birth

Ent·bin·dung *f* delivery

Ent·bin·dungs·kli·nik *f* maternity clinic **Ent·bin·dungs·sta·ti·on** *f* maternity ward

ent·blö·ßen* [ɛnt'blø:sn] *vt* (*geh*) ▪**etw ~** to expose sth; ▪**sich ~** to take one's clothes off

ent·bren·nen* *vi irreg sein* (*geh: ausbrechen*) to break out

ent·de·cken* *vt* ❶ (*zum ersten Mal finden*) to discover ❷ (*ausfindig machen*) ▪**jdn/etw ~** to find sb/sth; *Fehler* to spot

Ent·de·cker(in) <-s, -> [ɛnt'dɛkɐ] *m(f)* discoverer

Ent·de·ckung *f* discovery

Ent·de·ckungs·rei·se *f* voyage of discovery

En·te <-, -n> ['ɛntə] *f* ❶ ORN duck ❷ (*fam: Zeitungs~*) canard ❸ AUTO (*fam: Citroen 2 CV*) "deux-chevaux" ▶**lahme ~** (*fam*)

slowcoach

ent·eh·ren* *vt* ▪**jdn/etw** ~ to dishonour sb/sth

ent·eig·nen* *vt* JUR ▪**jdn** ~ to dispossess sb

Ent·eig·nung <-, -en> *f* JUR dispossession

ent·ei·sen* [ɛnt'ʔaizn̩] *vt* ▪**etw** ~ to de-ice sth; **eine Gefriertruhe** ~ to defrost a freezer

Ẹn·ten·kü·ken *nt* duckling

ent·er·ben* *vt* ▪**jdn** ~ to disinherit sb

Ẹn·te·rich <-s, -e> ['ɛntərɪç] *m* ORN drake

en·tern ['ɛntɐn] *vt haben* to board; **ein Schiff** ~ to board a ship [with violence]

Ẹn·ter·tai·ner(in) <-s, -> [ɛntɐ'te:nɐ] *m(f)* entertainer

ent·fa·chen* [ɛnt'faxn̩] *vt* (*geh*) ❶ (*zum Brennen bringen*) to kindle; *Brand* to start ❷ (*entfesseln*) to provoke; *Leidenschaft* to arouse

ent·fah·ren* *vi irreg sein* ▪**etw entfährt jdm** sth escapes sb's lips

ent·fal·len* *vi irreg sein* ❶ (*dem Gedächtnis entschwinden*) ▪**jdm** ~ to slip sb's mind ❷ (*wegfallen*) to be dropped ❸ (*als Anteil zustehen*) ▪**auf jdn** ~ to be allotted to sb ❹ (*geh: herunterfallen*) ▪**jdm** ~ to slip from sb's hand[s]

ent·fal·ten* **I.** *vt* ❶ (*auseinanderfalten*) *Landkarte, Brief* to unfold ❷ (*beginnen, entwickeln*) *Fähigkeiten, Kräfte* to develop ❸ (*darlegen*) ▪**etw** ~ to set sth forth ❹ (*zur Geltung bringen*) to display **II.** *vr* ❶ (*sich öffnen*) ▪**sich** [**zu etw** *dat*] ~ *Blüte, Fallschirm* to open [into sth] ❷ (*sich voll entwickeln*) ▪**sich** ~ to develop to the full

Ent·fal·tung <-, -en> *f* ❶ (*das Entfalten*) unfolding ❷ (*Entwicklung*) development; **zur ~ kommen** to develop

ent·fär·ben* **I.** *vt* ▪**etw** ~ to remove the colour from sth **II.** *vr* ▪**sich** ~ to lose its colour

ent·fer·nen* [ɛnt'fɛrnən] **I.** *vt* ❶ (*beseitigen*) ▪**etw** ~ to remove sth (**aus/von** from) ❷ MED **jdm den Blinddarm** ~ to take out sb's appendix ❸ (*weit abbringen*) ▪**jdn von etw** *dat* ~ to take sb away from sth **II.** *vr* ❶ (*weggehen*) ▪**sich** ~ to go away (**von/aus** from); **sich vom Weg ~** to go off the path ❷ (*nicht bei etw bleiben*) ▪**sich von etw** *dat* ~ to depart from sth

ent·fernt **I.** *adj* ❶ (*weitläufig*) distant ❷ (*gering*) *Ähnlichkeit* slight; *Ahnung* vague ❸ (*abgelegen*) remote; **7 Kilometer von hier ~** 7 kilometres [away] from here; **zu weit ~** too far [away] **II.** *adv* vaguely; **weit davon ~ sein, etw zu tun** to not have the slightest intention of doing sth

Ent·fer·nung <-, -en> *f* ❶ (*Distanz*) distance ❷ ADMIN (*geh: Ausschluss*) ~ **aus dem Amt** removal from office

Ent·fer·nungs·mes·ser <-s, -> *m* rangefinder

ent·fes·seln* *vt* (*auslösen*) to unleash

Ent·feuch·ter <-s, -> *m* dehumidifier

ent·flamm·bar *adj* ❶ (*leicht zu entflammen*) inflammable ❷ (*fig fam*) easily roused

ent·flam·men* [ɛnt'flamən] **I.** *vt haben* ❶ (*anzünden*) to light ❷ *Leidenschaft* to [a]rouse **II.** *vr haben* ❶ (*sich entzünden*) ▪**sich** ~ to ignite; **das Gasgemisch hat sich entflammt** the gas mixture burst into flames ❷ (*sich begeistern*) **sie entflammte sich für seine Idee** she was filled with enthusiasm for his idea **III.** *vi sein* (*geh: plötzlich entstehen*) **ein Kampf um die Macht ist entflammt** a struggle for power has broken out

ent·flie·gen* *vi irreg sein* (*geh*) **ein entflogener Papagei** an escaped parrot

ent·flie·hen* *vi irreg sein* (*geh*) ▪[**aus etw** *dat*] ~ to escape from sth

ent·frem·den* [ɛnt'frɛmdn̩] **I.** *vt* to estrange; ▪**etw seinem Zweck** ~ to use sth for a different purpose; (*falscher Zweck*) to use sth for the wrong purpose **II.** *vr* ▪**sich jdm** ~ to become estranged from sb

Ent·frem·dung <-, -en> *f* estrangement

ent·füh·ren* *vt* ▪**jdn** ~ to abduct sb; *Fahrzeug, Flugzeug* to hijack

Ent·füh·rer(in) *m(f)* kidnapper; *eines Fahrzeugs/Flugzeugs* hijacker

Ent·füh·rung *f* kidnapping; *eines Fahrzeugs/Flugzeugs* hijacking

ent·ge·gen [ɛnt'ge:gn̩] **I.** *adv* (*geh*) towards **II.** *präp* against; **~ meiner Bitte** contrary to my request

ent·ge·gen|brin·gen *vt irreg* (*bezeigen*) ▪**jdm etw** ~ to display sth towards sb; **einer Idee Interesse** ~ to show interest in an idea **ent·ge·gen|fah·ren** *vi irreg sein* ▪**jdm** ~ to go to meet sb **ent·ge·gen|fie·bern** *vi* ▪**einer S.** *dat* ~ to feverishly look forward to sth **ent·ge·gen|ge·hen** *vi irreg sein* ▪**jdm** ~ to go to meet sb; **dem Ende/seiner Vollendung** ~ to near an end/completion; **dem sicheren Tod** ~ to face certain death

ent·ge·gen·ge·setzt [ɛnt'ge:gŋɡəzɛtst] **I.** *adj* ❶ (*gegenüberliegend*) opposite ❷ (*einander widersprechend*) opposing; *Auffassungen* conflicting **II.** *adv* ~ **den·ken/handeln** to think/do the exact opposite **ent·ge·gen|hal·ten** *vt irreg* ❶ (*in eine bestimmte Richtung halten*) ▪**jdm**

E

etw ~ to hold out sth towards sb ❷ (*ein-wenden*) **jdm einen Einwand ~** to ex-press an objection to sb; **einem Vorschlag einen anderen ~** to counter one sugges-tion with another **ent·ge·gen|kom·men** [ɛntˈgeːgŋkɔmən] *vi irreg sein* ❶ (*in jds Richtung kommen*) ■**jdm ~** to come to meet sb ❷ (*Zugeständnisse machen*) ■**jdm/einer S.** *dat* ~ to accommodate sb/sth ❸ (*entsprechen*) ■**jdm/einer S.** *dat* ~ to fit in with sb/sth **Ent·ge·gen·kom·men** <-s, -> [ɛntˈgeːgŋkɔmən] *nt* ❶ (*ge-fällige Haltung*) cooperation ❷ (*Zugeständ-nis*) concession **ent·ge·gen·kom·mend** *adj* obliging **ent·ge·gen|lau·fen** *vi irreg sein* ❶ (*in jds Richtung laufen*) ■**jdm ~** to run to meet sb ❷ (*im Gegensatz stehen*) ■**einer S.** *dat* ~ to run counter to sth **ent·ge·gen|neh·men** *vt irreg* ■**etw ~** *Liefe-rung* to receive sth; **nehmen Sie meinen Dank entgegen** (*form*) please accept my gratitude **ent·ge·gen|schla·gen** *vi irreg sein* ■**jdm ~** to meet sb **ent·ge·gen|se-hen** *vi irreg* ❶ (*geh: erwarten*) ■**einer S.** *dat* ~ to await sb ❷ (*in jds Richtung sehen*) ■**jdm/etw ~** to watch sb/sth **ent·ge·gen|set·zen I.** *vt* ■**einer S.** *dat* **etw ~** to oppose sth with sth; **einer For-derung etw ~** to counter a claim; **einer S.** *dat* **Alternativen ~** to put forward alterna-tives to sth **II.** *vr* ■**sich einer S.** *dat* ~ to resist sth **ent·ge·gen|ste·hen** *vi irreg* ■**einer S.** *dat* ~ to stand in the way of sth **ent·ge·gen|stel·len** *vr* ■**sich jdm/einer S.** *dat* ~ to resist sb/sth **ent·ge·gen|steu·ern** *vi* to act against; *Entwick-lung, Trend* to counter; **dem Altern ~** to counteract the ageing process **ent·ge·gen|tre·ten** *vi irreg sein* ❶ (*in den Weg treten*) ■**jdm ~** to walk up to sb ❷ (*sich zur Wehr setzen*) ■**einer S.** *dat* ~ to counter sth **ent·ge·gen|wir·ken** *vi* ■**ei-ner S.** *dat* ~ to oppose sth

ent·geg·nen* [ɛntˈgeːgnən] *vt* to reply **Ent·geg·nung** <-, -en> *f* reply

ent·ge·hen* *vi irreg sein* ❶ (*entkommen*) ■**jdm/einer S.** *dat* ~ to escape sb/sth ❷ (*nicht bemerkt werden*) ■**etw entgeht jdm** sth escapes sb['s notice] ❸ (*versäu-men*) ■**sich** *dat* **etw ~ lassen** to miss sth **ent·geis·tert** [ɛntˈgaɪstɐt] **I.** *adj* dumb-founded **II.** *adv* in amazement

Ent·gelt <-[e]s, -e> [ɛntˈgɛlt] *nt* ❶ (*Bezah-lung*) payment; (*Entschädigung*) compen-sation ❷ (*Gebühr*) **gegen ~** for a fee; **ohne ~** for nothing

ent·gif·ten* [ɛntˈgɪftn̩] *vt* ❶ ÖKOL to decon-taminate ❷ MED to detoxify; *Blut* to purify

Ent·gif·tung <-, -en> *f* ❶ ÖKOL (*das Entgif-ten*) decontamination ❷ MED detoxifica-tion, detox *fam*

ent·glei·sen* [ɛntˈglaɪzn̩] *vi sein* ❶ (*aus den Gleisen springen*) to be derailed; **etw zum E~ bringen** to derail sth ❷ (*geh: aus-fallend werden*) to make a gaffe

Ent·glei·sung <-, -en> *f* ❶ (*das Entglei-sen*) derailment ❷ (*Taktlosigkeit*) gaffe

ent·glei·ten* *vi irreg sein* ❶ (*geh: aus den Händen gleiten*) ■**etw entgleitet jdm** sb loses his/her grip on sth ❷ (*verloren gehen*) ■**jdm ~** to slip away from sb

ent·grä·ten* [ɛntˈgrɛːtn̩] *vt* to bone

ent·haa·ren* *vt* to depilate

Ent·haa·rung <-, -en> *f* depilation

Ent·haa·rungs·creme *f* depilatory cream

ent·hal·ten* *irreg* **I.** *vt* ❶ (*in sich haben*) to contain ❷ (*umfassen*) to include (**in** in) **II.** *vr* (*verzichten*) to refrain; **sich des Alkohols/Rauchens ~** to abstain from al-cohol/smoking

ent·halt·sam [ɛntˈhaltzaːm] **I.** *adj* [self-]re-strained; (*genügsam*) abstinent; (*keusch*) chaste **II.** *adv* **völlig ~ leben** to live a com-pletely abstinent life

Ent·halt·sam·keit <-> *f kein pl* absti-nence; (*sexuelle Abstinenz*) chastity

Ent·hal·tung *f* POL abstention

ent·här·ten* *vt* to soften

ent·haup·ten* [ɛntˈhaʊptn̩] *vt* ■**jdn ~** (*durch Scharfrichter*) to behead sb; (*durch Unfall*) to decapitate sb

ent·he·ben* *vt irreg* ■**jdn einer S.** *gen* ~ ❶ (*suspendieren*) to relieve sb of sth ❷ (*geh: entbinden*) to release sb from sth

ent·hem·men* **I.** *vt* (*von Hemmungen befreien*) ■**jdn ~** to make sb lose their inhibitions **II.** *vi* (*enthemmend wirken*) to have a disinhibiting effect

ent·hemmt I. *adj* disinhibited **II.** *adv* unin-hibitedly

ent·hül·len* *vt* ■**[jdm] etw ~** ❶ (*aufde-cken*) to reveal sth [to sb] ❷ (*von einer Bedeckung befreien*) to unveil sth [to sb]

Ent·hül·lung <-, -en> *f* ❶ (*die Aufde-ckung*) disclosure; *von Skandal, Lüge* ex-posure *no pl, no indef art* ❷ (*das Enthül-len*) *von Denkmal, Gesicht* unveiling

Ent·hül·lungs·jour·na·lis·mus <-> *f kein pl* investigative journalism

En·thu·si·as·mus <-> [ɛntuˈzi̯asmʊs] *m kein pl* enthusiasm

En·thu·si·ast(in) <-en, -en> [ɛntuˈzi̯ast] *m(f)* enthusiast

en·thu·si·as·tisch I. *adj* enthusiastic **II.** *adv* enthusiastically

ent·jung·fern* [ɛntˈjʊŋfɐn] *vt* ■**jdn ~** to

deflower sb

ent·kal·ken* *vt* to decalcify

ent·ker·nen* [ɛntˈkɛrnən] *vt* ■ etw ~ ❶ (*von Kernen befreien*) to stone sth; *Apfel* to core sth ❷ ARCHIT to remove the core of sth

ent·kno·ten* *vt* to untie

ent·kof·fe·i·niert [ɛntkɔfeiˈniːɐ̯t] *adj* decaffeinated

ent·kom·men* *vi irreg sein* to escape

Ent·kom·men <-> *nt kein pl* escape; **es gibt [für jdn] kein ~ aus etw** *dat* there is no escape [for sb] from sth

ent·kor·ken* [ɛntˈkɔrkn̩] *vt* to uncork

ent·kräf·ten* [ɛntˈkrɛftn̩] *vt* ❶ (*kraftlos machen*) ■ jdn ~ (*durch Anstrengung*) to weaken sb; (*durch Krankheit*) to debilitate sb *form* ❷ (*widerlegen*) ■ etw ~ to refute sth

Ent·kri·mi·na·li·sie·rung [ɛntkriminaliˈziːrʊŋ] *f* JUR decriminalization

ent·la·den* *irreg* I. *vt* ❶ (*Ladung herausnehmen*) to unload ❷ ELEK to drain II. *vr* ❶ (*zum Ausbruch kommen*) ■ sich ~ *Gewitter, Sturm* to break ❷ ELEK ■ sich ~ *Akku, Batterie* to run down ❸ (*fig: plötzlich ausbrechen*) ■ sich ~ *Begeisterung, Zorn etc.* to be vented

ent·lang [ɛntˈlaŋ] I. *präp* (*längs*) along; **den Fluss ~** along the river II. *adv* ■ an etw *dat* ~ along sth; **hier ~** this/that way

ent·lang|fah·ren *vt irreg sein* ❶ *Straße* to drive along ❷ (*eine Linie nachziehen*) to trace **ent·lang|ge·hen** *irreg* I. *vt sein* (*zu Fuß folgen*) ■ etw ~ to go along sth II. *vi sein* ■ an etw *dat* ~ ❶ (*parallel zu etw gehen*) to go along the side of sth ❷ (*parallel zu etw verlaufen*) to run alongside sth

ent·lar·ven* [ɛntˈlarfn̩] *vt* ■ jdn/etw [als etw *akk*] ~ *Dieb, Spion* to expose sb/sth [as sth]; **sie entlarvte sich als Lügnerin** she showed herself to be a liar

ent·las·sen* *vt irreg* ❶ (*kündigen*) ■ jdn ~ (*Stellen abbauen*) to make sb redundant; (*gehen lassen*) to dismiss sb ❷ MED, MIL to discharge sb; **die Schüler wurden ins Berufsleben ~** the pupils left school to start working life ❸ (*geh: entbinden*) ■ jdn aus etw *dat* ~ to release sb from sth

Ent·las·sung <-, -en> *f* (*Kündigung*) redundancy [notice] BRIT, pink slip AM

Ent·las·sungs·grund *m* grounds *pl* for dismissal

ent·las·ten* *vt* ❶ JUR ■ jdn [von etw *dat*] ~ to clear sb [of sth] ❷ (*von einer Belastung befreien*) ■ jdn ~ to relieve sb

Ent·las·tung <-, -en> *f* ❶ JUR exoneration; **zu jds ~** in sb's defence ❷ (*das Entlasten*)

relief; **zu jds ~** in order to lighten sb's load

ent·lau·fen*¹ *vi irreg sein* ■ jdm ~ to run away from sb

ent·lau·fen² *adj* (*entflohen*) escaped; (*weggelaufen*) on the run

ent·le·di·gen* [ɛntˈleːdɪɡn̩] *vr* ■ sich einer S. *gen* ~ ❶ (*geh: ablegen*) to put sth down; *Kleidungsstück* to remove sth ❷ (*loswerden*) to get rid of sth

ent·lee·ren* *vt* to empty

ent·le·gen [ɛntˈleːɡn̩] *adj* remote

ent·leh·nen* *vt* ❶ LING ■ etw aus etw *dat* ~ to borrow sth from sth ❷ SCHWEIZ (*entleihen*) ■ etw [von jdm/aus etw *dat*] ~ to borrow sth [from sb/sth]

ent·lei·hen* *vt irreg* ■ etw ~ to borrow sth (*von/aus* from)

Ent·lei·her(in) <-s, -> *m(f)* (*geh*) borrower

ent·lo·cken* *vt* ■ jdm etw ~ to elicit sth from sb

ent·loh·nen* *vt* ■ jdn [für etw *akk*] ~ ❶ (*bezahlen*) to pay sb [for sth] ❷ (*entgelten*) to reward sb [for sth]

Ent·loh·nung <-, -en> *f* payment

ent·lüf·ten* *vt* ❶ (*verbrauchte Luft herauslassen*) ■ etw ~ to ventilate sth ❷ (*Luftblasen entfernen*) ■ etw ~ to bleed sth

ent·mach·ten* [ɛntˈmaxtn̩] *vt* ■ jdn/etw ~ to disempower sb/sth

ent·mi·li·ta·ri·sie·ren* [ɛntmilitariˈziːrən] *vt* to demilitarize

ent·mün·di·gen* [ɛntˈmʏndɪɡn̩] *vt* ■ jdn ~ **lassen** to have sb declared legally incapable

Ent·mün·di·gung <-, -en> *f* JUR legal incapacitation

ent·mu·ti·gen* [ɛntˈmuːtɪɡn̩] *vt* ■ jdn ~ to discourage sb; ■ sich ~ **lassen** to be discouraged

Ent·mu·ti·gung <-, -en> *f* discouragement

Ent·nah·me <-, -n> [ɛntˈnaːmə] *f* removal; *von Blut* extraction

ent·neh·men* *vt irreg* ❶ (*herausnehmen*) ■ etw ~ to take sth (+*dat* from) ❷ MED ■ jdm etw ~ to extract sth from sb ❸ (*fig: aus etw schließen*) ■ etw aus etw *dat* ~ to infer sth from sth *form;* ■ aus etw *dat* ~, **dass ...** to gather from sth that ...

ent·nervt I. *adj* (*der Nerven beraubt*) nerve-[w]racked; (*der Kraft beraubt*) enervated II. *adv* out of nervous exhaustion

ent·pup·pen* [ɛntˈpʊpn̩] *vr* (*fig: sich enthüllen*) ■ sich [als etw *akk*] ~ to turn out to be sth

ent·rah·men* *vt* to skim

ent·rei·ßen* *vt irreg* ❶ (*wegreißen*) ■ jdm

sich entscheiden	
nach Entschlossenheit fragen	**asking about strength of opinion**
Sind Sie sicher, dass Sie das wollen?	**Are you sure** you want it/that?
Haben Sie sich das gut überlegt?	**Have you considered it carefully?**
Wollen Sie nicht lieber dieses Modell?	**Wouldn't you rather** have this model?
Entschlossenheit ausdrücken	**expressing determination**
Ich habe mich entschieden: Ich werde an der Feier nicht teilnehmen.	**I have decided** to give the celebration a miss.
Ich habe mich dazu durchgerungen, ihr alles zu sagen.	**I have made up my mind** to tell her everything.
Wir sind (fest) entschlossen, nach Australien auszuwandern.	**We are (absolutely) determined** to emigrate to Australia.
Ich lasse mich von nichts/niemandem davon abbringen, es zu tun.	**Nothing/Nobody is going to stop me** doing it.
Ich werde auf keinen Fall kündigen.	**On no account** shall I hand in my notice.
Unentschlossenheit ausdrücken	**expressing indecision**
Ich weiß noch nicht, was ich tun soll.	**I don't know what I should do.**
Wir sind uns noch im Unklaren darüber, was wir tun werden.	**We are still unsure about** what we are going to do.
Ich bin mir noch unschlüssig, ob ich die Wohnung mieten soll oder nicht.	**I can't decide whether** or not to take the flat.
Ich habe mich noch nicht entschieden.	**I haven't decided yet.**
Ich bin noch zu keinem Entschluss darüber gekommen.	**I haven't reached a decision about it yet.**

etw ~ to snatch sth [away] from sb ❷ *(geh: retten)* ■**jdn einer S.** *dat* ~ to rescue sb from sth
ent·rich·ten* *vt (geh)* Gebühren, Steuern to pay
Ent·rin·nen *nt* es gab kein ~ **mehr** there was no escape
ent·rin·nen* *vi irreg sein (geh: entkommen)* ■**jdm/etw** ~ to escape from sb/sth
ent·rückt *adj (geh)* enraptured
ent·rüm·peln* [ɛnt'rʏmpl̩n] *vt* ■**etw** ~ ❶ *(von Gerümpel befreien)* to clear sth out *sep* ❷ *(fig: von Unnützem befreien)* to tidy sth up *sep*
ent·rüs·ten* **I.** *vt (empören)* ■**jdn** ~ to make sb indignant; *(stärker)* to outrage sb **II.** *vr (sich empören)* ■**sich über jdn/etw** ~ to be indignant about sb/sth; *(stärker)* to be outraged by sb/sth
ent·rüs·tet **I.** *adj* indignant (**über** about/at) **II.** *adv* indignantly
Ent·rüs·tung *f* indignation (**über** about)
ent·sa·gen* *vi (geh)* ■**einer S.** *dat* ~ to renounce sth

ent·sal·zen* *vt* ■**etw** ~ to desalinate sth
ent·schä·di·gen* *vt* ■**jdn [für etw** *akk*] ~ ❶ *(Schadensersatz leisten)* to compensate sb [for sth] ❷ *(ein lohnender Ausgleich sein)* to make up to sb [for sth]
Ent·schä·di·gung *f* compensation
ent·schär·fen* *vt (a. fig)* ■**etw** ~ to defuse sth
ent·schei·den* *irreg* **I.** *vt* ❶ *(beschließen)* to decide; *(gerichtlich)* to rule ❷ *(endgültig klären)* to settle **II.** *vi (beschließen)* to decide (**über** on); **hier entscheide ich!** I make the decisions here!; ■**für/gegen jdn/etw** ~ to decide in favour/against sb/sth; *(gerichtlich)* to rule in favour/against sb/sth **III.** *vr (eine Entscheidung treffen)* ■**sich [dazu]** ~ to decide ❷ *(sich herausstellen)* **es hat sich noch nicht entschieden, wer die Stelle bekommen wird** it hasn't been decided who will get the job
ent·schei·dend [ɛnt'ʃaɪdn̩t] **I.** *adj* ❶ *(ausschlaggebend)* decisive ❷ *(gewichtig)* crucial **II.** *adv (in entschiedenem Maße)* deci-

sively

Ent·schei·dung f ❶ (*Beschluss*) decision; **die ~ liegt bei jdm** it is for sb to decide; **vor einer ~ stehen** to be confronted with a decision; **jdn vor eine ~ stellen** to leave a decision to sb; **eine ~ treffen** to make a decision ❷ JUR ruling

ent·schei·dungs·freu·dig adj willing to make a decision **Ent·schei·dungs·spiel** nt decider BRIT, deciding match

ent·schie·den [ɛntˈʃiːdn̩] I. pp von **ent·scheiden** II. adj ❶ (*entschlossen*) resolute ❷ (*eindeutig*) definite III. adv ❶ (*entschlossen*) **den Vorschlag lehne ich ganz ~ ab** I categorically reject the proposal ❷ (*eindeutig*) **diesmal bist du ~ zu weit gegangen** this time you've definitely gone too far

Ent·schie·den·heit <-, -en> f determination; **etw mit [aller] ~ ablehnen** to refuse sth flatly; **mit ~ dementieren** to deny categorically

ent·schla·cken* [ɛntˈʃlakn̩] I. vt (*von Schlacken befreien*) to purify II. vi (*entschlackend wirken*) to have a purifying effect

ent·schlafen* vi irreg sein (*euph geh: sterben*) to pass away [or on]

ent·schlie·ßen* vr irreg (*sich entscheiden*) ▪**sich ~** to decide (**für/zu** on); **sich zu nichts ~ können** to be unable to make up one's mind

Ent·schlie·ßung f (*geh: Entschluss*) decision

ent·schlos·sen [əntˈʃlɔsn̩] I. pp von **ent·schließen** II. adj (*zielbewusst*) determined; **fest ~** absolutely determined; **etw kurz ~ tun** [to decide] to do sth straight away; **zu allem ~** determined to do anything III. adv resolutely

Ent·schlos·sen·heit <-> f kein pl determination

ent·schlüp·fen* vi sein ❶ (*entkommen*) ▪**[jdm] ~** to escape [from sb] ❷ (*fig: entfahren*) ▪**etw** entschlüpft jdm *Bemerkung, Worte* sb lets sth slip

Ent·schluss^RR <-es, Entschlüsse> m, **Ent·schluß**^ALT <-sses, Entschlüsse> [ɛntˈʃlʊs] m decision; **aus eigenem ~ handeln** to act on one's own initiative; **jds fester ~ sein, etw [nicht] zu tun** to be sb's firm intention [not] to do sth; **seinen ~ ändern** to change one's mind; **einen ~ fassen** to make a decision; **zu einem ~ kommen** to reach a decision; **zu keinem ~ kommen** to be unable to come to a decision

ent·schlüs·seln* [ɛntˈʃlʏsl̩n] vt to decode

ent·schluss·freu·dig^RR adj decisive **ent·schuld·bar** [ɛntˈʃʊltbaːɐ̯] adj excusable

ent·schul·di·gen* [ɛntˈʃʊldɪgn̩] I. vi (*als Höflichkeitsformel*) ~ **Sie** excuse me II. vr ❶ (*um Verzeihung bitten*) ▪**sich ~** to apologize ❷ (*eine Abwesenheit begründen*) ▪**sich ~** to ask to be excused III. vt ❶ (*als verzeihlich begründen*) ▪**etw mit etw** dat ~ to use sth as an excuse for sth ❷ (*eine Abwesenheit begründen*) ▪**jdn bei jdm ~** to ask sb to excuse sb ❸ (*als verständlich erscheinen lassen*) ▪**etw ~** to excuse sth

ent·schul·di·gend adj apologetic

Ent·schul·di·gung <-, -en> f ❶ (*Bitte um Verzeihung*) apology; **[jdn] [wegen etw** dat] **um ~ bitten** to apologize [to sb] [for sth] ❷ (*Begründung, Rechtfertigung*) **als ~ für etw** akk as an excuse for sth; **was haben Sie zu Ihrer ~ zu sagen?** what have you got to say in your defence? ❸ (*als Höflichkeitsformel*) ~**!** sorry! ❹ SCH note

ent·schwin·den* vi irreg sein (*geh*) ❶ (*verschwinden*) to vanish ❷ (*rasch vergehen*) to pass quickly

ent·sen·den* vt irreg o reg ▪**jdn ~** to send sb; *Boten* to dispatch sb

Ent·sen·dung f (*von Abgeordneten*) dispatch

ent·set·zen* I. vt (*in Grauen versetzen*) ▪**jdn ~** to horrify sb II. vr (*die Fassung verlieren*) ▪**sich ~** to be horrified (**über** at)

Ent·set·zen <-s> nt kein pl (*Erschrecken*) horror; **voller ~** filled with horror; **mit ~** horrified

ent·setz·lich [ɛntˈzɛtslɪç] I. adj ❶ (*schrecklich*) dreadful ❷ (*fam: sehr stark*) terrible II. adv ❶ (*in furchtbarer Weise*) terribly; ~ **aussehen** to look awful ❷ intensivierend (*fam*) awfully

ent·setzt I. adj horrified; ▪**~ sein** to be horrified (**über** by) II. adv (*großes Entsetzen zeigend*) **sie schrie ~ auf** she let out a horrified scream

ent·seu·chen* [ɛntˈzɔʏçn̩] vt ÖKOL ▪**etw ~** to decontaminate [or disinfect] sth

ent·si·chern* vt ▪**etw ~** to release the safety catch on sth

ent·sin·nen* vr irreg (*geh*) to remember; **wenn ich mich recht entsinne** if I remember correctly

ent·sor·gen* vt ÖKOL ❶ (*wegschaffen*) ▪**etw ~** to dispose of sth ❷ (*von Abfallstoffen befreien*) ▪**eine Stadt ~** to dispose of a town's waste

Ent·sor·gung <-, -en> f waste disposal

ent·span·nen* I. vr ▪**sich ~** ❶ (*relaxen*)

E

sich entschuldigen

zugeben, eingestehen	admitting, confessing
Es ist meine Schuld.	It's my fault.
Ja, es war mein Fehler.	Yes, it was my mistake.
Da habe ich Mist gebaut. *(sl)*	I've really messed that/things up. *(fam)*
Ich gebe es ja zu: Ich habe zu vorschnell gehandelt.	I **admit** I acted too hastily.
Sie haben Recht, ich hätte mir die Sache gründlicher überlegen **sollen.**	**You are right,** I **should have** given the matter more consideration.

sich entschuldigen	apologizing
(Oh,) das hab ich nicht gewollt!	(Oh,) I didn't mean to do that!
Das tut mir leid!	I'm sorry!
Entschuldigung!/Verzeihung!/Pardon!	Excuse me!/Sorry!/I beg your pardon!
Entschuldigen Sie bitte!	Please excuse me!/I'm sorry!
Das war nicht meine Absicht.	That wasn't my intention.
Ich muss mich dafür wirklich entschuldigen.	I really must apologize.

auf Entschuldigungen reagieren	accepting apologies
Schon okay! *(fam)*/Das macht doch nichts!	That's okay!/It doesn't matter at all!
Keine Ursache!/Macht nichts!	That's all right!/Never mind!
Machen Sie sich darüber keine Gedanken.	Don't worry about it.
Lass' dir da mal keine grauen Haare wachsen. *(fam)*	Don't lose any sleep over it. *(fam)*

to unwind ❷ (*sich glätten*) to relax ❸ POL *a.* (*sich beruhigen*) to ease **II.** *vt* ■ **etw ~** ❶ (*lockern*) to relax sth ❷ (*Spannung beseitigen*) to ease sth

Ent·spạn·nung *f* ❶ (*innerliche Ruhe*) relaxation; **zur ~** for relaxation ❷ POL easing of tension

Ent·spạn·nungs·übung *f meist pl* relaxation exercise

ent·sprẹ·chen* *vi irreg* ■ **einer S.** *dat* **~** ❶ (*übereinstimmen*) to correspond to sth ❷ (*genügen*) to fulfil sth ❸ (*geh: nachkommen*) to comply with sth

ent·sprẹ·chend [ɛntˈʃprɛçnt] **I.** *adj* ❶ (*angemessen*) appropriate ❷ (*zuständig*) relevant **II.** *präp* in accordance with

Ent·sprẹ·chung <-, -en> *f* equivalence

ent·sprịn·gen* *vi irreg sein* ■ **einer S.** *dat* **~** ❶ GEOG to rise from sth ❷ (*seinen Ursprung haben*) to spring from sth

ent·stạm·men* *vi sein* ■ **einer S.** *dat* **~** ❶ (*aus etw stammen*) to come from sth

❷ (*aus einer bestimmten Zeit stammen*) to originate from sth; (*abgeleitet sein*) to be derived from sth

ent·stẹ·hen* *vi irreg sein* ■ **aus etw** *dat*/ **durch etw** *akk*] **~** ❶ (*zu existieren beginnen*) to come into being [from sth] ❷ (*verursacht werden*) to arise [from sth] ❸ CHEM (*sich bilden*) to be produced [from/ through sth] ❹ (*sich ergeben*) to arise [from sth]

Ent·stẹ·hung <-, -en> *f* ❶ (*das Werden*) creation; *des Lebens* origin; *eines Gebäudes* construction ❷ CHEM formation

ent·stei·gen* *vi irreg sein* (*geh*) ■ **einer S.** *dat* **~** ❶ (*aussteigen*) to alight from sth *form* ❷ (*aufsteigen*) *Dampf, Rauch* to rise from sth

ent·stẹl·len* *vt* ❶ (*verunstalten*) to disfigure ❷ (*verzerren*) **der Schmerz entstellte ihre Züge** her features were contorted with pain ❸ (*verzerrt wiedergeben*) **etw entstellt wiedergeben** to distort sth

Ent·stel·lung f ❶ (*entstellende Narbe*) disfigurement ❷ (*Verzerrung*) *der Tatsachen, Wahrheit* distortion

ent·stö·ren* *vt* ■ **etw ~** ❶ TELEK (*von Störungen befreien*) to eliminate interference in sth ❷ ELEK (*von Interferenzen befreien*) to fit a suppressor to sth

ent·strö·men* *vi sein* (*geh*) ■ **einer S.** *dat* ~ to pour out of sth; *Gas, Luft* to escape from sth

ent·täu·schen* **I.** *vt* ❶ (*Erwartungen nicht erfüllen*) ■ **jdn ~** to disappoint sb ❷ (*nicht entsprechen*) **jds Hoffnungen ~** to dash sb's hopes; **jds Vertrauen ~** to betray sb's trust **II.** *vi* (*enttäuschend sein*) to be disappointing

ent·täu·schend *adj* disappointing

ent·täuscht I. *adj* disappointed (**über** about, **von** by) **II.** *adv* disappointedly

Ent·täu·schung f disappointment; **jdm eine ~ bereiten** to disappoint sb

ent·thro·nen* *vt* (*geh*) ■ **jdn ~** to dethrone sb

ent·waff·nen* *vt* (*a. fig*) ■ **jdn ~** to disarm sb

ent·waff·nend I. *adj* disarming **II.** *adv* disarmingly

Ent·war·nung f all-clear

ent·wäs·sern* *vt* ❶ AGR, BAU to drain ❷ MED to dehydrate

Ent·wäs·se·rung <-, -en>, **Ent·wäss·rung** <-, -en> f ❶ (*von Moor, Gelände*) drainage ❷ (*Kanalisation*) drainage [system] ❸ CHEM dehydration

ent·we·der [ɛntˈveːdɐ] *konj* ~ ... **oder ...** either...or; **~ oder!** yes or no!

ent·wei·chen* *vi irreg sein* ■ [**aus etw** *dat*] **~** ❶ (*sich verflüchtigen*) to leak [from sth] ❷ (*geh: fliehen*) to escape [from sth]

ent·wei·hen* *vt* ■ **etw ~** to desecrate sth

ent·wen·den* *vt* (*geh o hum*) ■ [**jdm**] **etw ~** to purloin sth [from sb]

ent·wer·fen* *vt irreg* ❶ (*zeichnerisch gestalten*) to sketch ❷ (*designen*) to design ❸ (*im Entwurf erstellen*) to draft

ent·wer·ten* *vt* ❶ (*ungültig machen*) to invalidate; *Banknoten* to demonetize ❷ (*weniger wert machen*) *Preise* to devalue

Ent·wer·tung f invalidation; (*Wertminderung*) devaluation

ent·wi·ckeln* **I.** *vt* ❶ (*erfinden, entwerfen*) *a.* FOTO to develop ❷ CHEM (*entstehen lassen*) to produce **II.** *vr* ❶ (*zur Entfaltung kommen*) ■ **sich [zu etw** *dat*] **~** to develop [into sth] ❷ (*vorankommen*) **na, wie entwickelt sich euer Projekt?** well, how is your project coming along? ❸ CHEM (*ent-*

stehen) ■ **sich ~** to be produced

Ent·wick·ler <-s, -> *m* FOTO developer

Ent·wick·lung <-, -en> f ❶ (*das Entwickeln, das Entwerfen*) *a.* FOTO development; [**noch**] **in der ~ sein** to be [still] in the development stage ❷ (*das Vorankommen*) progression ❸ CHEM (*Entstehung*) generation ❹ ÖKON, POL trend

Ent·wick·lungs·hel·fer(in) *m(f)* development aid worker **Ent·wick·lungs·hil·fe** f ❶ (*Unterstützung unterentwickelter Länder*) development aid ❷ (*finanzielle Zuwendungen an Staaten*) foreign aid **Ent·wick·lungs·land** *nt* developing country **Ent·wick·lungs·stu·fe** f stage of development

ent·wir·ren* [ɛntˈvɪrən] *vt* ■ **etw ~** ❶ (*auflösen*) to disentangle sth ❷ (*klar machen*) to sort sth out *sep*

ent·wi·schen* *vi sein* to escape

ent·wöh·nen* [ɛntˈvøːnən] *vt* ❶ (*der Mutterbrust*) **einen Säugling ~** to wean an infant ❷ (*nicht mehr gewöhnt sein*) **er war jeglicher Ordnung völlig entwöhnt** he had grown unaccustomed to any kind of order

ent·wür·di·gen* *vt* ■ **jdn ~** to degrade sb

ent·wür·di·gend I. *adj* degrading **II.** *adv* degradingly

Ent·wurf *m* ❶ (*Skizze*) sketch ❷ (*Design*) design ❸ (*schriftliche Planung*) draft; **im ~ sein** to be in the planning stage

ent·wur·zeln* *vt* ❶ (*aus dem Boden reißen*) ■ **etw ~** to uproot sth ❷ (*heimatlos machen*) ■ **jdn ~** to uproot sb

ent·zie·hen* *irreg* **I.** *vt* ❶ ADMIN (*aberkennen*) ■ **jdm etw ~** to withdraw sth from sb; **jdm den Führerschein ~** to revoke sb's driving licence [*or* AM driver's license] ❷ (*nicht länger geben*) ■ **jdm etw ~** to withdraw sth from sb **II.** *vr* ❶ (*sich losmachen*) to evade; **sie wollte ihn streicheln, doch er entzog sich ihr** she wanted to caress him, but he resisted her ❷ (*nicht berühren*) **das entzieht sich meiner Kenntnis** that's beyond my knowledge

Ent·zie·hungs·kur f cure for an addiction

ent·zif·fern* [ɛntˈtsɪfɐn] *vt* to decipher

ent·zü·cken* *vt* ❶ (*begeistern*) ■ **jdn ~** to delight sb; [**von etw** *dat*] **wenig entzückt sein** (*iron*) not to be very pleased [about sth]

Ent·zü·cken <-s> *nt kein pl* delight; [**über etw** *akk*] **in ~ geraten** to go into raptures [over sth]

ent·zü·ckend [ɛntˈtsʏknt̩] *adj* delightful

Ent·zug <-[e]s> *m kein pl* ❶ ADMIN revocation ② MED withdrawal; (*Entziehungskur*) withdrawal treatment

Ent·zugs·er·schei·nung f withdrawal symptom *usu pl* **Ent·zugs·kli·nik** f detoxification clinic

ent·zünd·bar *adj* inflammable; **leicht ~** highly inflammable

ent·zün·den* I. *vt* (*geh: anzünden*) to light II. *vr* ① MED ■ **sich ~** to become inflamed ② (*in Brand geraten*) ■ **sich ~** to catch fire ③ (*fig: aufflackern*) ■ **sich an etw** *dat* ~ to be sparked off by sth; *Begeisterung* to be kindled by sth

ent·zün·det *adj* MED inflamed

ent·zünd·lich [ɛntˈtsʏntlɪç] *adj* ① (*infektiös*) inflammatory ② (*entzündbar*) inflammable

Ent·zün·dung f MED inflammation

ent·zwei [ɛntˈtsvai̯] *adj präd* in two [pieces]; (*zersprungen*) broken

ent·zwei|bre·chen *irreg* I. *vi sein* (*zerbrechen*) to break into pieces II. *vt haben* (*zerbrechen*) ■ **etw** ~ to break sth in two

ent·zwei·en* [ɛntˈtsvai̯ən] I. *vt* to cause people to fall out II. *vr* (*sich überwerfen*) ■ **sich mit jdm** ~ to fall out with sb

ent·zwei|ge·hen *vi irreg sein* to break [in two]

En·zy·klo·pä·die <-, -n> [ɛntsyklopɛˈdi:, *pl* -ˈdi:ən] f encyclopaedia, encyclopedia *esp* AM

en·zy·klo·pä·disch [ɛntsykloˈpɛːdɪʃ] I. *adj* encyclopaedic, encyclopedic *esp* AM II. *adv* encyclopaedically, encyclopedically *esp* AM

En·zym <-s, -e> [ɛnˈtsyːm] *nt* enzyme

Epen [ˈeːpən] *pl von* **Epos**

Epi·de·mie <-, -n> [epideˈmiː, *pl* -ˈmiːən] f MED epidemic

Epi·gramm <-gramme> [epiˈgram] *nt* ① LIT epigram ② KOCHK (*Bruststück vom Lamm*) [lamb] epigram

Epik <-> [ˈeːpɪk] f *kein pl* epic poetry

Epi·lep·sie <-, -n> [epilɛˈpsiː, *pl* -ˈpsiːən] f epilepsy

Epi·lep·ti·ker(in) <-s, -> [epiˈlɛptikɐ] *m(f)* epileptic

epi·lep·tisch [epiˈlɛptɪʃ] I. *adj* epileptic II. *adv* to have a tendency towards epileptic fits

Epi·log <-s, -e> [epiˈloːk, *pl* epiˈloːgə] *m* epilogue

episch [ˈeːpɪʃ] *adj* epic

Epi·so·de <-, -n> [epiˈzoːdə] f episode

Epi·stel <-, -n> [eˈpɪstl̩] f REL Epistle; **apostolische ~n** apostolic Epistles

Epi·zen·trum [epiˈtsɛntrʊm] *nt* epicentre

Epo·che <-, -n> [eˈpɔxə] f epoch

Epos <-, Epen> [ˈeːpɔs, *pl* ˈeːpən] *nt* epic

er <*gen* seiner, *dat* ihm, *akk* ihn> [ˈeːɐ̯] *pron pers* he; **sie ist ein Jahr jünger als ~** she is a year younger than him; **nicht möglich, ~ ist es wirklich!** unbelievable, it really is him!; **wenn ich ~ wäre,...** if I were him...

er·ach·ten* [ɛɐ̯ˈʔaxtn̩] *vt* (*geh*) **es als Pflicht ~** to consider it to be one's duty

Er·ach·ten <-s> [ɛɐ̯ˈʔaxtn̩] *nt kein pl* **meines ~s** in my opinion

er·ah·nen* *vt* (*geh*) to guess; ■ **etw ~ lassen** to give an idea of sth

er·ar·bei·ten* *vt* ① (*durch Arbeit erwerben*) ■ [**sich** *dat*] **etw ~** *Vermögen* to work for sth ② (*erstellen*) ■ **etw ~** *Entwurf* to work out sth

Erb·an·la·ge* f *meist pl* hereditary factor

er·bar·men* [ɛɐ̯ˈbarmən] I. *vt* (*leidtun*) ■ **jdn ~** to arouse sb's pity II. *vr* ■ **sich jds/ einer S.** *gen* ~ to take pity on sb/sth

Er·bar·men <-s> [ɛɐ̯ˈbarmən] *nt kein pl* pity; ■ **~ mit jdm** [**haben**] to [have] pity for sb; **ohne ~** merciless[ly]

er·bärm·lich [ɛɐ̯ˈbɛrmlɪç] I. *adj* (*pej*) ① (*fam: gemein*) miserable ② (*furchtbar*) terrible; **~e Angst haben** to be terribly afraid ③ (*jämmerlich*) *Zustand* wretched; [**in etw** *dat*] **~ aussehen** (*fam*) to look terrible [in sth] II. *adv* (*pej*) ① (*gemein*) abominably ② (*fam: furchtbar*) terribly

er·bar·mungs·los [ɛɐ̯ˈbarmʊŋslo:s] I. *adj* merciless II. *adv* mercilessly

er·bau·en* I. *vt* ① (*errichten*) to build ② (*seelisch bereichern*) ■ **jdn ~** to uplift sb ③ (*fam: begeistert sein*) ■ [**von etw** *dat*] **erbaut sein** to be enthusiastic [about sth]; **sie ist von meiner Idee nicht besonders erbaut** she isn't exactly thrilled with my idea II. *vr* (*sich innerlich erfreuen*) ■ **sich an etw** *dat* ~ to be uplifted by sth

Er·bau·er(in) <-s, -> *m(f)* architect

er·bau·lich *adj* (*geh*) edifying

Er·bau·ung <-, -en> f ① (*Errichtung*) building ② (*seelische Bereicherung*) edification

Er·be <-s> [ˈɛrbə] *nt kein pl* ① (*Erbschaft*) inheritance *no pl* ② (*fig: Hinterlassenschaft*) legacy

Er·be, Er·bin <-n, -n> [ˈɛrbə, ˈɛrbɪn, *pl* ˈɛrbn̩] *m, f* JUR heir *masc,* heiress *fem*

er·be·ben* *vi sein* (*geh*) ① (*beben*) to tremble ② (*zittern*) ■ [**vor etw** *dat*] ~ to shake [with sth]

er·ben [ˈɛrbn̩] I. *vt* ■ **etw** [**von jdm**] ~ to inherit sth [from sb] II. *vi* (*Erbe sein*) to receive an inheritance

er·beu·ten* [ɛɐ̯ˈbɔi̯tn̩] *vt* ■ **etw ~** ① (*als*

Beute erhalten) to get away with sth ❷ (*als Kriegsbeute bekommen*) to capture sth ❸ (*als Beute fangen*) to carry off sth *sep*

Erb·fak·tor *m* hereditary factor **Erb·feh·ler** *m* BIOL hereditary defect **Erb·fol·ge** *f* [line of] succession **Erb·gut** *nt kein pl* genetic make-up

Er·bin <-, -nen> [ˈɛrbɪn] *f fem form von* **Erbe** heiress

er·bit·tert I. *adj* bitter **II.** *adv* bitterly

Er·bit·te·rung <-> *f kein pl* bitterness

Erb·krank·heit *f* hereditary disease

er·bla·sen* [ɛɐ̯ˈblasn̩] *vi sein* (*erbleichen*) ◼ [**vor etw** *dat*] ~ to go pale [with sth]; ◼ **jdn** ~ **lassen** to make sb go pale

Erb·las·ser(in) <-s, -> [ˈɛrplasɐ] *m(f)* JUR testator

er·blei·chen* *vi sein* (*geh*) ◼ [**vor etw** *dat*] ~ to go pale [with sth]

erb·lich [ˈɛrplɪç] **I.** *adj* hereditary **II.** *adv* by inheritance; **Krampfadern sind ~ bedingt** varicose veins are inherited

er·bli·cken* *vt* (*geh*) ◼ **jdn/etw** ~ to catch sight of sb/sth

er·blin·den* [ɛɐ̯ˈblɪndn̩] *vi sein* ◼ [**durch etw** *akk*] ~ to go blind [as a result of sth]

Er·blin·dung <-, -en> *f* loss of sight

er·blü·hen* *vi sein* (*geh*) to bloom

Erb·mas·se *f* genetic make-up **Erb·on·kel** *m* (*hum fam*) rich uncle

er·bost [ɛɐ̯ˈboːst] *adj* (*geh*) ◼ ~ **sein über jdn/etw** *akk* to be furious about sth/sb

er·bre·chen *irreg* **I.** *vt* (*ausspucken*) ◼ **etw** ~ to bring up sth *sep;* **etw bis zum E~ tun** (*pej fam*) to do sth ad nauseam **II.** *vi* (*den Mageninhalt erbrechen*) to throw up *sl* **III.** *vr* (*sich übergeben*) ◼ **sich** ~ to be sick

Erb·recht *nt* law of inheritance

er·brin·gen* *vt irreg* ❶ (*aufbringen*) *a.* FIN to raise; **eine hohe Leistung** ~ to perform well ❷ (*als Resultat zeitigen*) to produce ❸ JUR to produce

Erb·schaft <-, -en> [ˈɛrpʃaft] *f* inheritance; **eine** ~ **machen** to come into an inheritance

Erb·schlei·cher(in) <-s, -> *m(f)* legacy-hunter

Erb·se <-, -n> [ˈɛrpsə] *f* pea

Erb·sen·sup·pe *f* pea soup **Erb·sen·zäh·ler(in)** *m(f)* (*pej sl*) pedant

Erb·stück *nt* heirloom **Erb·sün·de** *f* original sin **Erb·tan·te** *f* (*hum fam*) rich aunt

Erd·ach·se [ˈeːɐ̯daksə] *f* earth's axis

er·dacht [ɛɐ̯ˈdaxt] *adj* invented

Erd·an·zie·hung *f kein pl* gravitational pull of the earth **Erd·ap·fel** *m* SÜDD, ÖSTERR

(*Kartoffel*) potato **Erd·at·mo·sphä·re** *f* earth's atmosphere **Erd·ball** *m* (*geh*) *s.* **Erdkugel Erd·be·ben** *nt* earthquake **Erd·bee·re** [ˈeːɐ̯tbeːrə] *f* strawberry **Erd·be·völ·ke·rung** *f* population of the earth **Erd·bo·den** *m* ground; **etw dem ~ gleichmachen** to raze sth to the ground; **als hätte ihn/sie der ~ verschluckt** as if the earth had swallowed him/her up

Er·de <-, -n> [ˈeːɐ̯də] *f* ❶ *kein pl* (*Welt*) earth; **auf der ganzen ~** in the whole world ❷ (*Erdreich*) earth; **fruchtbare ~** fertile soil ❸ (*Boden*) ground; **auf der ~** on the ground; **zu ebener ~** at street level ❹ ELEK (*Erdung*) earth ▸ **jdn unter die ~ bringen** to be the death of sb

er·den [ˈeːɐ̯dn̩] *vt* ELEK to earth

er·den·ken* *vt irreg* to devise

er·denk·lich *adj attr* conceivable; **alles E~e tun** to do everything conceivable

erd·far·ben *adj* earth-coloured

Erd·gas *nt* natural gas **Erd·ge·schoss**[RR] *nt* ground [*or* AM first] floor; **im ~** on the ground [*or* AM first] floor

er·dich·ten* *vt* (*geh*) to fabricate

er·dig [ˈeːɐ̯dɪç] **I.** *adj* ❶ (*nach Erde riechend/schmeckend*) earthy ❷ (*mit Erde beschmutzt*) muddy **II.** *adv* ~ **schmecken** to have an earthy taste

Erd·ku·gel *f* globe **Erd·kun·de** *f* geography **Erd·nuss**[RR] *f* (*Pflanze und Frucht*) peanut **Erd·ober·flä·che** *f* surface of the earth **Erd·öl** *nt* oil **Erd·öl·vor·kom·men** *nt* oil deposit **Erd·reich** *nt* earth

er·dreis·ten* [ɛɐ̯ˈdraɪstn̩] *vr* ◼ **sich** ~ to take liberties; ◼ **sich ~, etw zu tun** to have the audacity to do sth

er·dröh·nen* *vi sein* ◼ [**von etw** *dat*] ~ to resound [with sth]

er·dros·seln* *vt* ◼ **jdn** ~ to strangle sb

er·drü·cken* *vt* ❶ (*zu Tode drücken*) ◼ **jdn/ein Tier** ~ to crush sb/an animal to death ❷ (*fam: Eigenständigkeit nehmen*) ◼ **jdn** [**mit etw** *dat*] ~ to stifle sb [with sth] ❸ (*sehr stark belasten*) ◼ **jdn** ~ to overwhelm sb

er·drü·ckend *adj* overwhelming; **~e Beweise** overwhelming evidence

Erd·rutsch *m* (*fig a.: überwältigender Wahlsieg*) landslide **Erd·stoß** *m* seismic shock **Erd·teil** *m* continent

er·dul·den* *vt* ◼ **etw** ~ *Kränkungen, Leid* to endure sth

Erd·um·dre·hung *f* rotation of the earth **Erd·um·krei·sung** *f* orbit around the earth **Erd·um·lauf·bahn** *f* [earth] orbit **Erd·um·se·ge·lung** *f* circumnavigation of the earth

Er·dung <-, -en> *f* ELEK ❶ (*das Erden*) earthing ❷ (*Strom leitende Verbindung*) earth

er·ei·fern* *vr* ∎ **sich** [**über etw** *akk*] ~ to get worked up [about sth]

er·eig·nen* [ɛɐ̯'ʔa͜ignən] *vr* ∎ **sich** ~ to occur

Er·eig·nis <-ses, -se> [ɛɐ̯'ʔa͜ignɪs, *pl* -nɪsə] *nt* event; (*etw Besonderes*) occasion; **bedeutendes/historisches** ~ important/historical incident

er·eig·nis·los I. *adj* uneventful II. *adv* uneventfully

er·eig·nis·reich *adj* eventful

er·ei·len* *vt* (*geh*) ∎ **jdn ereilt etw** sth overtakes sb

Erek·ti·on <-, -en> [erɛk'tsi̯oːn] *f* erection

Ere·mit(in) <-en, -en> [ere'miːt] *m(f)* hermit

er·fah·ren¹ [ɛɐ̯'faːrən] *irreg* I. *vt* ❶ (*zu hören bekommen*) ∎ **etw** [**über jdn/ etw**] ~ to hear sth [about sb/sth]; ∎ **etw** ~ to learn of sth ❷ (*geh: erleben*) to experience II. *vi* (*Kenntnis erhalten*) ∎ **von etw** *dat*/**über etw** *akk* ~ to learn of sth

er·fah·ren² [ɛɐ̯'faːrən] *adj* (*versiert*) experienced; ∎ **~ sein** to be experienced (**in** in)

Er·fah·rung <-, -en> *f* ❶ (*prägendes Erlebnis*) experience (**mit** of); **die ~ machen, dass ...** to find that ...; **nach meiner ~** in my experience ❷ (*Übung*) experience; **jahrelange ~** years of experience ❸ (*Kenntnis*) **etw in ~ bringen** to find out sth *sep*

Er·fah·rungs·aus·tausch *m* exchange of experiences **er·fah·rungs·ge·mäß** *adv* in sb's experience; **~ ist ...** experience shows ... **Er·fah·rungs·wert** *m meist pl* empirical value *spec*

er·fas·sen* *vt* ❶ (*mitreißen*) ∎ **etw/jdn** ~ *Auto, Strömung* to catch sth/sb ❷ (*befallen*) ∎ **jdn** ~ to seize sb; **sie wurde von Furcht erfasst** she was seized by fear ❸ (*begreifen*) to understand; **genau, du hast's erfasst!** exactly, you've got it! ❹ (*registrieren*) to record ❺ (*eingeben*) *Daten, Text* to enter

Er·fas·sung *f* ❶ (*Registrierung*) recording ❷ *Daten, Text* entering

er·fin·den* *vt irreg* to invent

Er·fin·der(in) [ɛɐ̯'fɪndɐ] *m(f)* inventor

er·fin·de·risch [ɛɐ̯'fɪndərɪʃ] *adj* inventive

Er·fin·dung <-, -en> *f* invention; **eine ~ machen** to invent sth

Er·fin·dungs·ga·be *f* inventiveness

Er·folg <-[e]s, -e> [ɛɐ̯'fɔlk, *pl* -fɔlgə] *m* ❶ (*positives Ergebnis*) success; **~ verspre-**

chend promising; **wenig ~ verspre-chend sein** to promise little; **etw ist ein voller ~** sth is a complete success; **~** [**mit etw** *dat*] **haben** to be successful [with sth]; **viel ~!** good luck! ❷ (*Folge*) result, outcome; **mit dem ~, dass ...** with the result that ...

er·fol·gen* *vi sein* (*geh*) to occur; **bisher ist auf meine Anfrage keine Antwort erfolgt** so far there has been no reply to my enquiry

er·folg·los ['ɛɐ̯fɔlkloːs] *adj* ❶ (*ohne Erfolg*) unsuccessful ❷ (*vergeblich*) futile

Er·folg·lo·sig·keit <-> *f kein pl* ❶ (*mangelnder Erfolg*) lack of success; [**etw ist**] **zur ~ verdammt** [sth is] condemned to failure ❷ (*Vergeblichkeit*) futility

er·folg·reich *adj* successful

Er·folgs·aus·sich·ten *pl* prospects *pl* of success **Er·folgs·au·tor(in)** *m(f)* best-selling author **Er·folgs·bi·lanz** *f* success record **Er·folgs·den·ken** <-s> *nt kein pl* positive thinking **Er·folgs·druck** *m kein pl* performance pressure **Er·folgs·er·leb·nis** *nt* sense of achievement **Er·folgs·mensch** *m* successful person **Er·folgs·re·zept** *nt* (*fam*) recipe for success

er·folg·ver·spre·chendᴬᴸᵀ *adj s.* **Erfolg 1**

er·for·der·lich [ɛɐ̯'fɔrdɐlɪç] *adj* necessary; **alles E~e veranlassen** to do everything necessary

er·for·dern* *vt* to require

Er·for·der·nis <-ses, -se> [ɛɐ̯'fɔrdənɪs] *nt* requirement (**für** for)

er·for·schen* *vt* ❶ (*durchstreifen und untersuchen*) to explore ❷ (*prüfen*) to investigate; *Gewissen* to examine

Er·for·schung *f* ❶ (*das Erforschen*) exploration ❷ (*das Prüfen*) investigation

er·fra·gen* *vt* ∎ **etw** [**von jdm**] ~ to ask [sb] about sth; *Einzelheiten* to obtain

er·freu·en* I. *vt* (*freudig stimmen*) ∎ **jdn** ~ to please sb II. *vr* ❶ (*Freude haben*) ∎ **sich an etw** *dat* ~ to take pleasure in sth ❷ (*geh: genießen*) ∎ **sich einer S.** *gen* ~ to enjoy sth

er·freu·lich [ɛɐ̯'frɔ͜ylɪç] I. *adj Anblick* pleasant; *Nachricht* welcome; **etw ist alles andere als ~** sth is not welcome news by any means II. *adv* happily

er·freu·li·cher·wei·se *adv* happily

er·freut I. *adj* delighted (**über** +*akk* about); **ein ~er Blick** a pleased look; **sehr ~!** (*geh*) pleased to meet you! II. *adv* delightedly

er·frie·ren* *vi irreg sein* ❶ (*durch Frost eingehen*) to be killed by frost ❷ *Gliedmassen* to get frostbitten; ∎ **erfroren** froz-

en ③ (*an Kälte sterben*) to freeze to death
Er·frie·rung <-, -en> *f meist pl* frostbite
er·fri·schen* [ɛɐ̯'frɪʃən] **I.** *vt* ▪jdn ~ to refresh sb **II.** *vi* (*abkühlen*) to be refreshing **III.** *vr* (*sich abkühlen*) ▪**sich** ~ to refresh oneself
er·fri·schend *adj* refreshing
Er·fri·schung <-, -en> *f* ① (*Abkühlung, Belebung*) refreshment *no pl* ② (*erfrischendes Getränk*) refreshment; **zur** ~ as refreshments
Er·fri·schungs·ge·tränk *nt* refreshment
Er·fri·schungs·tuch *nt* tissue wipe
er·fül·len* **I.** *vt* ① (*ausführen*) to fulfil; **mein altes Auto erfüllt seinen Zweck** my old car serves its purpose ② (*durchdringen*) **von Ekel erfüllt wandte sie sich ab** filled with disgust she turned away ③ (*anfüllen*) to fill **II.** *vr* (*sich bewahrheiten*) ▪**sich** ~ to come true
Er·fül·lung *f* ① (*die Ausführung*) realization; *von Traum, Verpflichtung* fulfilment; *von Amtspflichten* execution; **in** ~ **einer S.** *gen* (*geh*) in the performance of sth ② (*innere Befriedigung*) fulfilment; **etw geht in** ~ sth comes true
er·gän·zen* [ɛɐ̯'gɛntsn̩] *vt* ▪**etw** ~ to supplement sth; *Vorräte* to replenish sth; (*vollenden*) to complete sth; ▪**sie** ~ **sich** they complement each other
er·gän·zend I. *adj* additional; **eine** ~**e Bemerkung** a further comment **II.** *adv* additionally
Er·gän·zung <-, -en> *f* ① (*das Auffüllen*) replenishment; *einer Sammlung* completion; **zur** ~ **einer S.** *gen* for the completion of sth ② (*das Hinzufügen*) supplementing ③ (*Zusatz*) addition
Er·gän·zungs·fut·ter *nt* AGR feed supplement
er·gat·tern* [ɛɐ̯'gaten] *vt* (*fam*) ▪**etw** ~ to get hold of sth
er·gau·nern* [ɛɐ̯'gaʊnən] *vt* (*fam*) ▪[**sich** *dat*] **etw** ~ to obtain sth by underhand means
er·ge·ben*¹ *irreg* **I.** *vt* ① MATH ▪**etw** ~ to amount to sth ② (*als Resultat haben*) ▪**etw ergibt etw** sth produces sth; ▪~, **dass ...** to reveal that ... **II.** *vr* ① (*kapitulieren*) ▪**sich** [jdm] ~ to surrender [to sb] ② (*sich fügen*) ▪**sich in etw** *akk* ~ to submit to sth; **sich in sein Schicksal** ~ to resign oneself to one's fate ③ (*sich hingeben*) **sich dem Glücksspiel** ~ to take to gambling; **einer S.** *dat* ~ **sein** to be addicted to sth ④ (*daraus folgen*) ▪**sich aus etw** *dat* ~ to result from sth **III.** *vr impers* (*sich herausstellen*) ▪**es ergibt sich, dass ...** it

transpires that ...
er·ge·ben² *adj* ① (*demütig*) humble ② (*treu*) devoted
Er·ge·ben·heit <-> *f kein pl* ① (*Demut*) humility ② (*Treue*) devotion
Er·geb·nis <-ses, -se> [ɛɐ̯'ge:pnɪs, *pl* -nɪsə] *nt a.* SPORT result; ▪~, **dass ...** to result in...; **zu einem/keinem** ~ **kommen** to reach/fail to reach a conclusion; **im** ~ ultimately
er·geb·nis·los *adj* without result
er·ge·hen* *irreg* **I.** *vi sein* ① (*geh: abgesandt werden*) ▪**[an jdn]** ~ to be sent [to sb] ② (*offiziell erlassen*) ▪**etw** ~ **lassen** to issue sth ③ (*geduldig hinnehmen*) **etw über sich** ~ **lassen** to endure sth **II.** *vi impers sein* (*widerfahren*) ▪**es ergeht jdm in einer bestimmten Weise** sb gets on in a certain way **III.** *vr haben* **er erging sich in Schmähungen** he poured forth a tirade of abuse
er·gie·big [ɛɐ̯'gi:bɪç] *adj* ① (*sparsam im Verbrauch*) economical ② (*nützlich*) productive
er·gie·ßen *irreg* **I.** *vt* (*verströmen*) to pour over; (*geh*) to pour forth *liter* **II.** *vr* (*in großer Menge fließen*) to pour [out]; **der Nil ergießt sich ins Mittelmeer** the Nile flows into the Mediterranean
Er·go·no·mie <-> [ɛrgonoˈmi:] *f kein pl* ergonomics + *sing vb*
er·go·no·misch I. *adj* ergonomic **II.** *adv* ergonomically
er·göt·zen* [ɛɐ̯'gœtsn̩] **I.** *vt* (*geh: vergnügen*) ▪**jdn** ~ to amuse sb **II.** *vr* (*sich vergnügen*) ▪**sich [an etw** *dat*] ~ to derive pleasure [from sth]
er·grau·en* *vi sein* to turn grey
er·grei·fen* *vt irreg* ① (*fassen*) to seize ② (*dingfest machen*) ▪**jdn** ~ to apprehend sb ③ (*übergreifen*) *Feuer* to engulf ④ (*fig: wahrnehmen*) ▪**etw** ~ to seize sth ⑤ (*in die Wege leiten*) *Maßnahmen* to take ⑥ (*gefühlsmäßig bewegen*) ▪**jdn** ~ to seize sb; (*Angst*) to grip sb
er·grei·fend *adj* moving
Er·grei·fung <-, -en> *f* ① (*Festnahme*) capture ② (*Übernahme*) seizure
er·grif·fen [ɛɐ̯'grɪfn̩] *adj* moved
er·grün·den* *vt* to discover
Er·gussᴿᴿ <-es, Ergüsse> *m*, **Er·guß**ᴬᴸᵀ <-sses, Ergüsse> *m* ① (*Ejakulation*) ejaculation ② MED bruise
er·ha·ben [ɛɐ̯'ha:bn̩] *adj* ① (*feierlich stimmend*) *Gedanken* lofty; *Anblick* awe-inspiring; *Augenblick* solemn; *Schönheit* sublime ② (*über etw stehend*) ▪**über etw** *akk* ~ **sein** to be above sth; **über jede Kri-**

tik/jeden Vorwurf ~ sein to be above criticism/reproach

Er·ha·ben·heit <-> *f kein pl* grandeur; *eines Augenblicks* solemnity; *von Schönheit* sublimity

Er·halt <-[e]s> *m kein pl* (geh) ❶ (*das Bekommen*) receipt; **den ~ von etw** *dat* **bestätigen** (geh) to confirm receipt of sth ❷ (*das Aufrechterhalten*) maintenance

er·hal·ten* *irreg* I. *vt* ❶ (*bekommen*) to receive; *Befehl* to be issued with; **den Auftrag ~, etw zu tun** to be given the task of doing sth ❷ (*erteilt bekommen*) **~** to receive sth; **ein Lob/eine Strafe [für etw** *akk*] **~** to be praised/punished [for sth] ❸ (*eine Vorstellung gewinnen*) **einen Eindruck [von jdm/etw] ~** to gain an impression [of sb/sth] ❹ (*bewahren*) to maintain; **[durch etw** *akk*] **~ bleiben** to be preserved [by sth] ❺ BAU to preserve II. *vr* ❶ (*sich halten*) **sich gesund ~** to keep [oneself] healthy ❷ (*bewahrt bleiben*) ◼ **sich ~** to remain preserved

er·hält·lich [ɛɐ̯ˈhɛltlɪç] *adj* obtainable

Er·hal·tung *f kein pl* ❶ (*das Erhalten*) preservation ❷ (*Aufrecht~*) maintenance

er·hän·gen* I. *vt* ◼ **jdn ~** to hang sb II. *vr* ◼ **sich ~** to hang oneself

er·här·ten* I. *vt* ◼ **etw ~** to support sth II. *vr* ◼ **sich ~** to be reinforced

er·ha·schen* *vt* (geh) ❶ (*ergreifen*) to grab ❷ (*wahrnehmen*) to catch

er·he·ben* *irreg* I. *vt* ❶ (*hochheben*) to raise ❷ (*einfordern*) ◼ **etw ~** to levy sth ❸ *Daten, Informationen* to gather ❹ (*zum Ausdruck bringen*) **ein Geschrei/Gejammer ~** to kick up a fuss/to start whing[e]ing; *Protest* to voice; *Einspruch* to raise II. *vr* ◼ **sich ~** ❶ (*aufstehen*) to get up (**von** from) ❷ (*sich auflehnen*) to rise up [*or* revolt] (**gegen** against) ❸ (*aufragen*) to rise up (**über** above) ❹ (*entstehen, aufkommen*) to start; *Brise* to come up; *Wind* to pick up; *Sturm* to blow up

er·he·bend *adj* (geh) uplifting

er·heb·lich [ɛɐ̯ˈheːplɪç] I. *adj* ❶ (*beträchtlich*) considerable; *Nachteil, Vorteil* great; *Störung, Verspätung* major; *Verletzung* serious ❷ (*relevant*) relevant II. *adv* considerably

Er·he·bung *f* ❶ (*Aufstand*) uprising ❷ *von Abgaben, Steuern* levying ❸ (*amtliche Ermittlung*) gathering; **eine ~ [über etw** *akk*] **machen** to carry out a survey [on sth]

er·hei·tern* I. *vt* (*belustigen*) ◼ **jdn ~** to amuse sb II. *vr* (*heiter werden*) ◼ **sich ~** to light up; (*Wetter*) to brighten up

Er·hei·te·rung <-, *selten* -en> *f* amusement

er·hel·len* [ɛɐ̯ˈhɛlən] I. *vt* ◼ **etw ~** ❶ (*hell machen*) to light up sth ❷ (*klären*) to throw light on sth II. *vr* ◼ **sich ~** to clear

er·hit·zen* [ɛɐ̯ˈhɪtsn̩] I. *vt* ❶ (*heiß machen*) ◼ **etw ~** to heat sth ❷ (*zum Schwitzen bringen*) ◼ **jdn ~** to make sb sweat II. *vr* (*sich erregen*) ◼ **sich ~** to get excited (**an** about)

er·hof·fen* *vt* ◼ [**sich** *dat*] **etw ~** to hope for sth

er·hö·hen* [ɛɐ̯ˈhøːən] I. *vt* ◼ **etw ~** ❶ (*höher machen*) to raise sth (**um** by) ❷ (*anheben*) to increase sth (**auf** to, **um** by) ❸ (*verstärken*) to heighten sth ❹ MUS to sharpen sth II. *vr* ◼ **sich ~** ❶ (*steigen*) to increase (**auf** to, **um** by) ❷ (*sich verstärken*) to increase

er·höht *adj* ❶ (*verstärkt*) high; *Herzschlag, Puls* rapid ❷ (*gesteigert*) increased

Er·hö·hung <-, -en> *f* ❶ (*Steigerung*) increase ❷ (*Anhebung*) raising ❸ (*Verstärkung*) heightening

er·ho·len* *vr* ◼ **sich ~** ❶ (*wieder zu Kräften kommen*) to recover (**von** from) ❷ (*ausspannen*) to take a break (**von** from) ❸ BÖRSE to rally

er·hol·sam [ɛɐ̯ˈhoːlzaːm] *adj* relaxing

Er·ho·lung <-> *f kein pl* relaxation; **zur ~ irgendwo hinfahren** to go somewhere to relax

Er·ho·lungs·ge·biet *nt* recreation area

Er·ho·lungs·ort *m* [holiday [*or* AM vacation]] resort **Er·ho·lungs·wert** *m kein pl* recreational value

er·hö·ren* *vt* (geh) *Bitte* to grant; *Flehen, Gebete* to answer

eri·gie·ren* [eriˈgiːrən] *vi* to become erect

er·in·nern* [ɛɐ̯ˈʔɪnɐn] I. *vt* ❶ (*zu denken veranlassen*) ◼ **jdn an etw** *akk* **~** to remind sb about sth ❷ (*denken lassen*) ◼ **jdn an jdn/etw ~** to remind sb of sb/sth II. *vr* (*sich entsinnen*) ◼ **sich an jdn/etw ~** to remember sb/sth; **wenn ich mich recht erinnere, ...** if I remember correctly...; **soweit ich mich ~ kann** as far as I can remember III. *vi* ❶ (*in Erinnerung bringen*) ◼ **an jdn/etw ~** to be reminiscent of sb/sth *form* (*ins Gedächtnis rufen*) ◼ **daran ~, dass ...** to point out that ...

Er·in·ne·rung <-, -en> *f* ❶ (*Gedächtnis*) memory; **zur ~ an etw** *akk* in memory of sth ❷ *pl* (*Eindrücke von Erlebnissen*) memories *pl*; **~en austauschen** to talk about old times ❸ (geh: *Mahnung*) reminder

er·käl·ten* [ɛɐ̯ˈkɛltn̩] *vr* ◼ **sich ~** to catch a

cold

er·käl·tet I. *adj* ~ **sein** to have a cold *pred*
II. *adv* **du hörst dich ~ an** you sound as if
you've got a cold

Er·käl·tung <-, -en> *f* cold; **eine ~
bekommen** to catch a cold

Er·käl·tungs·krank·heit *f* cold

er·kämp·fen* *vt* ■[**sich** *dat*] **etw** ~ to obtain sth [with some effort]; **es war ein hart
erkämpfter zweiter Platz** it was a hard-
won second place

er·kau·fen* *vt* ❶(*durch Bezahlung erhalten*) to buy ❷(*durch Opfer erlangen*) **etw
teuer ~** to pay dearly for sth

er·kenn·bar *adj* ❶(*sichtbar*) discernible
❷(*wahrnehmbar*) ■**für jdn/etw ~ sein**
to be perceptible to sb/sth (**an** from)

er·ken·nen* *irreg* **I.** *vt* ❶(*wahrnehmen*)
■**jdn/etw ~** to discern sb/sth ❷(*identifizieren*) ■**jdn/etw ~** to recognize sb/sth
(**an** by); **sich** [**jdm**] [**als jd**] **zu ~ geben**
to reveal one's identity [to sb]; ■**sich**
[**selbst**] ~ to understand oneself ❸(*einsehen*) ■**etw ~** to recognize sth; **einen Irrtum ~** to realize one's mistake ❹(*feststellen*) to detect **II.** *vi* ❶(*wahrnehmen*)
■~ **ob/um was/wen ...** to see whether/
what/who ... ❷(*einsehen*) ■~, **dass/
wie ...** to realize that/how ...; ~ **lassen,
dass ...** to show that ... ❸JUR ■**auf etw**
akk ~ to pronounce sth

er·kennt·lich [ɛɐ̯ˈkɛntlɪç] *adj* grateful;
■**sich** ~ **zeigen** to show one's appreciation (**für** for)

Er·kennt·nis [ɛɐ̯ˈkɛntnɪs] *f* ❶(*Einsicht*) insight; **zu der** ~ **kommen, dass ...** to realize that ... ❷PHILOS, PSYCH (*das Erkennen*)
understanding

Er·ken·nungs·zei·chen *nt* identification
mark

Er·ker <-s, -> [ˈɛrkɐ] *m* oriel

Er·ker·fens·ter *nt* oriel window, bay window

er·klär·bar *adj* explicable

er·klä·ren* **I.** *vt* ❶(*erläutern*) ■[**jdm**]
etw ~ to explain sth [to sb] ❷(*interpretieren*) ■[**jdm**] **etw ~** to interpret sth [to sb]
❸(*bekannt geben*) to announce ❹(*offiziell bezeichnen*) ■**jdn für etw** *akk* ~ to
pronounce sb sth; **jdn für vermisst ~** to
declare sb missing **II.** *vr* ❶(*sich deuten*)
■**sich** *dat* **etw ~** to understand sth; **wie ~
Sie sich, dass ...** how do you explain that
... ❷(*sich aufklären*) ■**sich** ~ to become
clear ❸(*sich bezeichnen*) ■**sich irgendwie ~** to declare oneself sth

er·klä·rend I. *adj* explanatory **II.** *adv* as an
explanation

er·klär·lich *adj* explainable

er·klärt *adj attr* declared

Er·klä·rung *f* ❶(*Darlegung*) explanation
❷(*Mitteilung*) statement; **eine ~** [**zu etw**
dat] **abgeben** (*geh*) to make a statement
[about sth]

er·klin·gen* *vi irreg sein* (*geh*) to sound

er·kran·ken* *vi* ■[**an etw** *dat*] ~ to be
taken ill [with sth]

Er·kran·kung <-, -en> *f* illness

er·kun·den* [ɛɐ̯ˈkʊndn̩] *vt* ■**etw ~**
❶(*auskundschaften*) to scout out sth *sep*
❷(*in Erfahrung bringen*) to discover sth

er·kun·di·gen* [ɛɐ̯ˈkʊndɪɡn̩] *vr* ■**sich**
[**nach jdm/etw**] ~ to ask [about sb/sth];
du musst dich vorher ~ you have to find
out beforehand

Er·kun·di·gung <-, -en> *f* enquiry BRIT,
inquiry AM; ~**en** [**über jdn/etw**] **einholen** (*geh*) to make enquiries [*or* AM inqui-
ries] [about sb/sth]

Er·kun·dung <-, -en> *f* MIL reconnaissance

er·lah·men* *vi sein* ❶(*kraftlos werden*) to
tire; *Kräfte* ebb [away] ❷(*nachlassen*) to
wane

er·lan·gen* [ɛɐ̯ˈlaŋən] *vt* (*geh*) to obtain

Er·lassRR <-es, -e *o* ÖSTERR **Erlässe**> *m,*
Er·laßALT <-sses, -sse *o* ÖSTERR **Erlässe**>
[ɛɐ̯ˈlas, *pl* ɛɐ̯ˈlɛsə] *m* ❶(*Verfügung*) decree
❷(*das Erlassen*) remission

er·las·sen* *vt irreg* ❶(*verfügen*) to issue
❷(*von etw befreien*) ■**jdm etw ~** to re-
mit sb's sth

er·lau·ben* [ɛɐ̯ˈlaʊbn̩] **I.** *vt* ❶(*gestatten*)
■**jdm etw ~** to allow sb to do sth ❷(*geh:
zulassen*) **ich komme, soweit es meine
Zeit erlaubt** if I have enough time, I'll
come ▸~ **Sie** **mal!** what do you think
you're doing? **II.** *vr* ❶(*sich gönnen*) ■**sich**
dat **etw ~** to allow oneself sth ❷(*geh:
wagen*) **wenn ich mir die folgende
Bemerkung ~ darf** if I might venture to
make the following comment ❸(*sich
herausnehmen*) ■**sich** *dat* **etw ~, etw zu tun**
to take the liberty of doing sth

Er·laub·nis <-, *selten* -se> *f* ❶(*Genehmigung*) permission; [**jdn**] **um ~ bitten** to ask
[sb's] permission; **jdm die ~ geben** [**etw
zu tun**] to give sb permission [to do sth]
❷(*genehmigendes Schriftstück*) permit

er·laucht [ɛɐ̯ˈlaʊxt] *adj* illustrious

er·läu·tern* *vt* ■[**jdm**] **etw ~** to explain
sth [to sb]

er·läu·ternd I. *adj* explanatory **II.** *adv* as an
explanation

Er·läu·te·rung <-, -en> *f* explanation

Er·le <-, -n> [ˈɛrlə] *f* alder

E

Erlaubnis	
um Erlaubnis bitten	**asking for permission**
Darf ich Sie kurz stören/unterbrechen?	**May I** interrupt for a moment?
Haben/Hätten Sie was dagegen, wenn ich das Fenster aufmache?	**Would you mind if** I opened the window?
Sind Sie damit einverstanden, wenn ich im Juli Urlaub nehme?	**Is it all right with you if** I take my holidays in July?
erlauben	**permitting**
Wenn du mit deinen Hausaufgaben fertig bist, **darfst du** raus spielen.	**You can** go out to play when you have finished your homework.
Sie dürfen gern hereinkommen.	**You are welcome** to come in.
In diesem Bereich **dürfen** Sie rauchen.	**You may** smoke in this area.
Wenn Sie möchten, können Sie hier parken.	You can park here, **if you like.**

er·le·ben* *vt* ❶ (*im Leben mitmachen*) ■ etw ~ to live to see sth ❷ (*erfahren*) to experience; **was hast du denn alles in Dänemark erlebt?** what did you do/see in Denmark? ❸ (*durchmachen*) ■ etw ~ to go through sth; **eine [große] Enttäuschung** ~ to be [bitterly] disappointed; **einen Misserfolg** ~ to experience failure; **eine Niederlage** ~ to suffer defeat ❹ (*mit ansehen*) ■ es ~, **dass/wie** ... to see that/how ... ❺ (*kennen lernen*) **so wütend habe ich ihn noch nie erlebt** I've never seen him so furious

Er·leb·nis <-ses, -se> [ɛɐ̯'le:pnɪs, *pl* -nɪsə] *nt* experience

er·le·di·gen* [ɛɐ̯'le:dɪgn̩] I. *vt* ❶ (*ausführen*) ■ etw ~ to carry out sth; **zu** ~ to be done ❷ (*fam: erschöpfen*) ■ jdn ~ to wear sb out ❸ (*sl: umbringen*) ■ jdn ~ to bump sb off II. *vr* ■ etw erledigt sich [von selbst] sth sorts itself out [on its own]

er·le·digt [ɛɐ̯'le:dɪçt] *adj präd* ❶ (*fam: erschöpft*) shattered ❷ (*fam: am Ende*) ■ erledigt sein to have had it ❸ (*abgehakt*) ■ etw ist [für jdn] erledigt something is over and done with [as far as sb is concerned]; (*schon vergessen*) sth is forgotten [as far as sb is concerned]; **für mich ist er** ~ he's history as far as I'm concerned

Er·le·di·gung <-, -en> *f* ❶ (*Ausführung*) dealing with ❷ (*Besorgung*) purchase; **ich habe noch ein paar ~en zu machen** I still have to buy a few things

er·le·gen* *vt* ❶ (*zur Strecke bringen*) ■ ein Tier ~ to bag an animal *spec* ❷ ÖSTERR (*bezahlen*) to pay

er·leich·tern* [ɛɐ̯'laɪçtɐn] *vt* ❶ (*ertragbarer machen*) ■ etw ~ to make sth easier ❷ (*innerlich beruhigen*) ■ jdn ~ to be of relief to sb ❸ (*fam: beklauen*) ■ jdn um etw *akk* ~ to relieve sb of sth

Er·leich·te·rung <-, -en> *f* ❶ (*Linderung*) relief; **jdm** ~ **verschaffen** to bring/give sb relief ❷ *kein pl* (*Beruhigung*) relief; **zu jds** ~ to sb's relief ❸ (*Vereinfachung*) simplification; **zur** ~ **der Aufgabe ...** to simplify the task ...

er·lei·den* *vt irreg* ■ etw ~ to suffer sth

er·ler·nen* *vt* ■ etw ~ to learn sth

er·le·sen *adj* exquisite

er·leuch·ten* *vt* ■ etw ~ to light [up] sth

Er·leuch·tung <-, -en> *f* (*Inspiration*) inspiration

er·lie·gen* *vi irreg sein* ■ einer S. *dat* ~ ❶ (*verfallen*) to fall prey to sth ❷ (*geh: zum Opfer fallen*) to fall victim to sth ▶ **zum E~ kommen** to come to a standstill

er·lischt [ɛɐ̯'lɪʃt] *3. pers pres von* **erlöschen**

Er·lös <-es, -e> [ɛɐ̯'løːs] *m* proceeds *npl*

er·lö·schen <erlischt, erlosch, erlo­schen> *vi sein* ❶ (*zu brennen aufhören*) to stop burning ❷ (*vergehen*) to fizzle out ❸ (*seine Gültigkeit verlieren*) to expire; *Ansprüche* become invalid

er·lö·sen* *vt* ■ jdn ~ ❶ (*befreien*) to release sb (**aus/von** from) ❷ REL to redeem sb (**aus/von** from)

er·lö·send I. *adj* relieving II. *adv* in a relieving manner *pred*

Er·lö·sung *f* ❶ (*Erleichterung*) relief ❷ REL redemption

er·mäch·ti·gen* [ɛɐ̯'mɛçtɪɡn̩] *vt* ■ jdn [zu etw *dat*] ~ to authorize sb [to do sth]

Erleichterung ausdrücken

Erleichterung ausdrücken	expressing relief
Bin ich froh, dass es so gekommen ist!	**I'm so glad** it turned out like this!
Mir fällt ein Stein vom Herzen!	**That's a weight off my mind!**
Ein Glück, dass du gekommen bist!	**It's lucky** you came!
Gott sei Dank!	**Thank God!**
Geschafft!	**Done it!**
Endlich!	**At last!**

E

Er·mäch·ti·gung <-, -en> *f* authorization
er·mah·nen* *vt* ❶ (*warnend mahnen*) ▪**jdn** ~ to warn sb; ▪**jdn** ~, **etw zu tun** to tell sb to do sth ❷ (*anhalten*) ▪**jdn zu etw** *dat* ~ to admonish sb to do sth
Er·mah·nung *f* warning
Er·man·g(e)·lung <-> *f kein pl* **in** ~ **einer S.** *gen* (*geh*) in the absence of sth
er·mä·ßi·gen* *vt* to reduce
Er·mä·ßi·gung <-, -en> *f* reduction
er·mat·ten* I. *vt haben* (*geh*) ▪**jdn** ~ to exhaust sb; ▪**[von etw** *dat*] **ermattet sein** to be exhausted [by sth] II. *vi sein* (*geh*) to tire
er·mat·tet *adj* (*geh*) exhausted
er·mes·sen* *vt irreg* ▪**etw** ~ to comprehend sth
Er·mes·sen <-s> *nt kein pl* discretion; **nach jds** ~ in sb's estimation; **nach menschlichem** ~ as far as one can tell; **in jds** ~ **liegen** to be at sb's discretion
Er·mes·sens·fra·ge *f* matter of discretion
er·mit·teln* I. *vt* ▪**etw** ~ ❶ (*herausfinden*) to find out sth *sep*; ▪**jdn** ~ to establish sb's identity ❷ (*errechnen*) to determine sth; ▪**jdn** ~ *Gewinner* to decide [on] II. *vi* (*eine Untersuchung durchführen*) ▪**[gegen jdn]** ~ to investigate [sb]
Er·mitt·ler(in) <-s, -> *m(f)* investigator; **verdeckter** ~ undercover investigator
Er·mitt·lung <-, -en> *f* ❶ *kein pl* (*das Ausfindigmachen*) determining ❷ (*Untersuchung*) investigation
Er·mitt·lungs·ver·fah·ren *nt* preliminary proceedings
er·mög·li·chen* [ɛɐ̯'møːklɪçn̩] *vt* ▪**jdm etw** ~ to enable sb to do sth; ▪**es** ~, **etw zu tun** (*geh*) to make it possible for sth to be done
er·mor·den* *vt* ▪**jdn** ~ to murder sb
Er·mor·dung <-, -en> *f* murder
er·mü·den* [ɛɐ̯'myːdn̩] I. *vt haben* ▪**jdn** ~ to tire sb [out] II. *vi sein* ❶ (*müde werden*) to become tired ❷ TECH to wear
er·mü·dend *adj* tiring

Er·mü·dung <-, *selten* -en> *f* ❶ (*das Ermüden*) tiredness ❷ TECH wearing
Er·mü·dungs·er·schei·nung *f* sign of tiredness
er·mun·tern* [ɛɐ̯'mʊntɐn] *vt* ❶ (*ermutigen*) ▪**jdn [zu etw** *dat*] ~ to encourage sb [to do sth] ❷ (*beleben*) ▪**jdn** ~ to perk sb up
Er·mun·te·rung <-, -en> *f* encouragement
er·mu·ti·gen* [ɛɐ̯'muːtɪɡn̩] *vt* ▪**jdn [zu etw** *dat*] ~ to encourage sb [to do sth]
er·mu·ti·gend I. *adj* encouraging II. *adv* encouragingly
Er·mu·ti·gung <-, -en> *f* encouragement
er·näh·ren* *vt* ❶ (*mit Nahrung versorgen*) ▪**jdn/ein Tier** ~ to feed sb/an animal ❷ (*unterhalten*) ▪**jdn** ~ to support sb II. *vr* ❶ (*sich speisen*) ▪**sich von etw** *dat* ~ to live on sth; **du musst dich vitaminreicher** ~! you need more vitamins in your diet! ❷ (*sich unterhalten*) ▪**sich [von etw** *dat*] ~ to support oneself [by doing sth]
Er·näh·rer(in) <-s, -> [ɛɐ̯'nɛːrɐ] *m(f)* breadwinner
Er·näh·rung <-> *f kein pl* ❶ (*das Ernähren*) feeding ❷ (*Nahrung*) diet ❸ (*Unterhalt*) support
Er·näh·rungs·be·ra·ter(in) *m(f)* nutritionist **Er·näh·rungs·ge·wohn·hei·ten** *pl* eating habits *npl* **Er·näh·rungs·wis·sen·schaft** *f* nutritional science **Er·näh·rungs·wis·sen·schaft·ler(in)** *m(f)* nutritionist
er·nen·nen* *vt irreg* ▪**jdn [zu etw** *dat*] ~ to appoint sb [as sth]
Er·nen·nung *f* appointment (**zu** as); ~ **eines Stellvertreters** nomination of a deputy
er·neu·er·bar *adj* renewable
er·neu·ern* [ɛɐ̯'nɔyɐn] *vt* ❶ (*auswechseln*) to replace ❷ (*renovieren*) to renovate; *Fenster, Leitungen* to repair ❸ (*verlängern*) to renew ❹ (*restaurieren*) to re-

store

Er·neu·e·rung f ❶(*das Auswechseln*) changing ❷(*Renovierung*) renovation; ~ **der Heizung/Leitungen** repair to the heating system/pipes ❸(*Verlängerung*) renewal ❹(*Restaurierung*) restoration

er·neut [ɛɐ̯'nɔy̯t] I. *adj attr* repeated II. *adv* again

er·nied·ri·gen* [ɛɐ̯'niːdrɪgn̩] *vt* ▪**jdn/ sich** ~ to demean sb/oneself

Er·nied·ri·gung <-, -en> f humiliation

ernst ['ɛrnst] *adj* ❶(*gravierend*) serious; **diesmal ist es etwas E~es** it's serious this time; ~ **bleiben** to keep a straight face ❷(*aufrichtig*) genuine; **ich bin der ~en Ansicht dass …** I genuinely believe that …; ~ **gemeint** serious; **es ~ meinen** [mit jdn/etw] to be serious [about sb/sth]; **jdn/etw ~ nehmen** to take sb/sth seriously ❸ *Anlass* solemn

Ernst·fall m emergency; **im ~** in an emergency

ernst·ge·meintᴬᴸᵀ *adj attr* serious

ernst·haft I. *adj* ❶(*gravierend*) serious ❷(*aufrichtig*) sincere II. *adv* seriously

Ernst·haf·tig·keit <-> f *kein pl* seriousness

ernst·lich I. *adj attr* serious II. *adv* seriously

Ern·te <-, -n> ['ɛrntə] f harvest

Ern·te·(dank·)fest nt harvest festival Aᴍ *also,* Thanksgiving

ern·ten ['ɛrntn̩] *vt* ❶(*einbringen*) to harvest ❷(*erzielen*) *Lob, Spott* to earn; *Anerkennung* to gain; *Applaus* to win

er·nüch·tern* [ɛɐ̯'nʏçtɐn] *vt* ▪**jdn** ~ ❶(*wieder nüchtern machen*) to sober up sb *sep* ❷(*in die Realität zurückholen*) to bring sb back to reality

Er·nüch·te·rung <-, -en> f disillusionment

Er·o·be·rer, Er·o·b(r)e·rin <-s, -> m, f conqueror

er·o·bern* [ɛɐ̯'ʔoːbɐn] *vt* ❶(*mit Waffengewalt besetzen*) to conquer ❷(*durch Bemühung erlangen*) ▪**etw** ~ to win sth [with some effort]

Er·o·be·rung <-, -en> f ❶(*das Erobern*) conquest ❷(*erobertes Gebiet*) conquered territory

er·öff·nen* I. *vt* ❶(*zugänglich machen*) to open ❷(*beginnen*) to open; **etw für eröffnet erklären** (*geh*) to declare sth open ❸(*hum: mitteilen*) ▪**jdm etw** ~ to reveal sth to sb ❹(*beginnen*) to commence; **das Feuer** [auf jdn] **eröffnen** to open fire [on sb] II. *vr* (*sich bieten*) ▪**sich jdm** ~ to open up [*or* one's heart] to sb

Er·öff·nung f ❶(*das Eröffnen*) opening ❷(*das Einleiten*) opening ❸(*Beginn*) commencing ❹(*geh: Mitteilung*) revelation

ero·gen [ero'geːn] *adj* erogenous

er·ör·tern* [ɛɐ̯'œrtɐn] *vt* ▪**etw** ~ to discuss sth [in detail]

Er·ör·te·rung <-, -en> f discussion

Ero·si·on <-, -en> [ero'zi̯oːn] f erosion

Ero·tik <-> [e'roːtɪk] f *kein pl* eroticism

ero·tisch [e'roːtɪʃ] *adj* erotic

Er·pel <-s, -> ['ɛrpl̩] m drake

er·picht [ɛɐ̯'pɪçt] *adj* ▪**auf etw** *akk* ~ **sein** to be after sth; ▪[**nicht**] **darauf** ~ **sein, etw zu tun** to [not] be interested in doing sth

er·press·barᴿᴿ *adj* subject to blackmail

er·pres·sen* *vt* ❶(*durch Drohung nötigen*) ▪**jdn** ~ to blackmail sb ❷(*abpressen*) ▪**etw** [**von jdm**] ~ to extort sth [from sb]

Er·pres·ser(in) <-s, -> m(f) blackmailer

er·pres·se·risch [ɛɐ̯'prɛsərɪʃ] I. *adj* extortive II. *adv* in an extortive manner

Er·pres·sung <-, -en> f blackmail

Er·pres·sungs·ver·such m attempted blackmail *no pl*

er·pro·ben* *vt* to test

er·probt *adj* ❶(*erfahren*) experienced ❷(*zuverlässig*) reliable

Er·pro·bung <-, -en> f trial

er·quick·lich *adj* (*iron geh*) joyous *iron liter*

er·ra·ten* *vt irreg* to guess

er·rech·nen* *vt* to calculate

er·reg·bar *adj* ❶(*leicht aufzuregen*) excitable ❷(*sexuell zu erregen*) easily aroused

er·re·gen* I. *vt* ❶(*aufregen*) ▪**jdn** ~ to irritate sb ❷(*sexuell anregen*) ▪**jdn** ~ to arouse sb ❸(*hervorrufen*) ▪**etw** ~ to engender *form* II. *vr* ▪**sich über jdn/etw** ~ to get annoyed about sb/sth

Er·re·ger <-s, -> m pathogen

Er·re·gung f ❶(*erregter Zustand*) irritation ❷(*sexuell erregter Zustand*) arousal

er·reich·bar *adj* ❶(*telefonisch zu erreichen*) ▪[**für jdn**] ~ **sein** to be able to be reached [by sb] ❷(*zu erreichen*) **die Hütte ist zu Fuß nicht** ~ the hut cannot be reached on foot

er·rei·chen* *vt* ❶(*rechtzeitig hinkommen*) to catch ❷(*antreffen*) ▪**jdn** ~ to reach sb ❸(*eintreffen*) ▪**etw** ~ to reach sth ❹(*erzielen*) to reach; **ich weiß immer noch nicht, was du ~ willst** I still don't know what you want to achieve ❺(*einholen*) ▪**jdn** ~ to catch up with sb ❻(*bewirken*) ▪**etw** [**bei jdm**] ~ to get somewhere [with sb] ❼ (an etw reichen) ▪ **etw ~** to reach sth

er·rich·ten* vt ▪ **etw ~** ❶ (aufstellen) to erect sth form ❷ (erbauen) to erect sth form ❸ (begründen) to found sth

Er·rich·tung f ❶ (Aufstellung) Barrikade, Gerüst, Podium erection form, putting up ❷ (Erbauung) Denkmal, Gebäude erection form, construction ❸ (Begründung) Gesellschaft, Stiftung foundation, setting up

er·rin·gen* vt irreg ▪ **etw ~** to win sth [with a struggle]

er·rö·ten* vi sein to blush

Er·run·gen·schaft <-, -en> [ɛɐ̯ˈrʊŋənʃaft] f achievement

Er·satz <-es> [ɛɐ̯ˈzats] m kein pl ❶ (ersetzender Mensch) substitute; (ersetzender Gegenstand) replacement ❷ (Entschädigung) compensation

Er·satz·bank f SPORT bench **Er·satz·be·frie·di·gung** f vicarious satisfaction **Er·satz·dienst** m non-military service for conscientious objectors **Er·satz·dro·ge** f substitute drug **Er·satz·lö·sung** f alternative solution **Er·satz·mann** <-männer o -leute> m substitute **Er·satz·mit·tel** nt substitute **Er·satz·rei·fen** m spare wheel **Er·satz·schlüs·sel** m spare key **Er·satz·spie·ler(in)** m(f) substitute **Er·satz·teil** nt spare part **er·satz·wei·se** adv as an alternative

er·sau·fen* vi irreg sein (sl) to drown

er·schaf·fen vt irreg (geh) ▪ **jdn/etw ~** to create sb/sth

Er·schaf·fung f creation

er·schal·len vi sein (geh) to sound; **aus dem Saal erschallten fröhliche Stimmen/erschallte fröhliches Lachen** joyful voices/laughter could be heard coming from the hall

er·schau·dern* vi sein (geh) to shudder

er·schei·nen* vi irreg sein ❶ (auftreten) to appear ❷ (sichtbar werden) to be able to be seen ❸ (veröffentlicht werden) to come out ❹ (sich verkörpern) ▪ **jdm ~** Geist to appear to sb ❺ (scheinen) **das erscheint mir recht weit hergeholt** this seems quite far-fetched to me

Er·schei·nen <-s> nt kein pl ❶ (das Auftreten) appearance ❷ (die Verkörperung) appearance ❸ (die Veröffentlichung) publication

Er·schei·nung <-, -en> f ❶ (Phänomen) phenomenon ❷ (Persönlichkeit) ▪ **eine bestimmte ~** a certain figure ❸ (Vision) vision ▸ **in ~** treten to appear

Er·schei·nungs·bild nt appearance

er·schie·ßen* irreg vt ▪ **jdn ~** to shoot sb dead

Er·schie·ßung <-, -en> f shooting

er·schlaf·fen* [ɛɐ̯ˈʃlafn̩] vi sein ❶ (schlaff werden) to become limp ❷ (die Straffheit verlieren) to become loose ❸ (welk werden) to wither

er·schla·gen*¹ vt ▪ **jdn ~** irreg ❶ (totschlagen) to beat sb to death ❷ (durch Darauffallen töten) to fall [down] and kill sb [in the process] ❸ (überwältigen) to overwhelm sb

er·schla·gen² adj (fam) ▪ **~ sein** to be knackered BRIT

er·schlei·chen* vr irreg ▪ **sich** dat **etw ~** to fiddle sth

er·schlie·ßen* irreg vt ❶ Land to develop ❷ (nutzbar machen) ▪ **[jdm] etw ~** to exploit sth [for sb]

Er·schlie·ßung f ❶ (das Zugänglichmachen) development ❷ (das Nutzbarmachen) tapping

er·schöp·fen* I. vt ❶ (ermüden) ▪ **jdn ~** to exhaust sb ❷ (aufbrauchen) ▪ **etw ~** to exhaust sth II. vr ❶ (zu Ende gehen) ▪ **sich ~** to run out ❷ (etw umfassen) ▪ **sich in etw** dat **~** to consist only of sth

er·schöp·fend I. adj ❶ (zur Erschöpfung führend) exhausting ❷ (ausführlich) exhaustive II. adv exhaustively

Er·schöp·fung <-, selten -en> f exhaustion

er·schos·sen [ɛɐ̯ˈʃɔsn̩] adj (fam) knackered BRIT

er·schrak [ɛɐ̯ˈʃraːk] imp von **erschrecken II**

er·schre·cken I. vt <erschreckte, erschreckt> haben ❶ (in Schrecken versetzen) ▪ **jdn ~** to give sb a fright ❷ (bestürzen) ▪ **jdn ~** to shock sb II. vi <erschrickt, erschreckte o erschrak, erschreckt o erschrocken> sein ▪ **[vor jdm/etw] ~** to get a fright [from sb/sth] III. vr <erschrickt, erschreckte, erschreckt o erschrocken> haben (fam) ▪ **sich [über etw** akk] **~** to be shocked [by sth]

er·schre·ckend I. adj alarming II. adv ❶ (schrecklich) terrible ❷ (fam: unglaublich) incredibly

er·schrickt 3. pers pres von **erschrecken**

er·schro·cken I. pp von **erschrecken II, III** II. adj alarmed III. adv with a start pred

er·schüt·tern* [ɛɐ̯ˈʃʏtɐn] vt ❶ (zum Beben bringen) to shake ❷ (in Frage stellen) to shake; Ansehen to damage; Glaubwürdigkeit to undermine ❸ (tief bewegen) ▪ **jdn ~** to shake sb

er·schüt·ternd adj distressing

E

er·schüt·tert *adj* shaken (**über** by)

Er·schüt·te·rung <-, -en> *f* **❶** (*erschütternde Bewegung*) shake **❷** (*das Erschüttern*) *Vertrauen* shaking **❸** (*seelische Ergriffenheit*) distress

er·schwe·ren* [ɛɐ̯ˈʃveːrən] *vt* ■ |**jdm**| **etw ~** to make sth more difficult [for sb]

er·schwe·rend **I.** *adj* complicating **II.** *adv* **~ kommt noch hinzu ...** to make matters worse...

er·schwin·deln* *vt* to obtain by fraud; ■ **etw von jdm ~** to con sth out of sb

er·schwing·lich [ɛɐ̯ˈʃvɪŋlɪç] *adj* affordable

er·se·hen* *vt irreg* (*geh*) ■ **etw aus etw** *dat* **~** to see sth from sth

er·seh·nen* *vt* (*geh*) ■ **etw ~** to long for sth; ■ **ersehnt** longed for

er·setz·bar [ɛɐ̯ˈzɛtsbaːɐ̯] *adj* replaceable

er·set·zen* *vt* **❶** (*austauschen*) ■ **etw** [**durch etw** *akk*] **~** to replace sth [with sth] **❷** (*vertreten*) ■ **jdn/etw ~** to replace sb/ sth **❸** (*erstatten*) ■ **jdm etw ~** to reimburse sb for sth

er·sicht·lich *adj* apparent; ■ **aus etw** *dat* **~ sein, dass ...** to be apparent from sth that ...

er·spa·ren* *vt* **❶** (*von Ärger verschonen*) ■ **jdm etw ~** to spare sb sth; **jdm bleibt etw/nichts erspart** sb is spared sth/not spared anything **❷** (*durch Sparen erwerben*) ■ [**sich** *dat*] **etw ~** to save up [to buy] sth

Er·spar·nis <-, -se> [ɛɐ̯ˈʃpaːɐ̯nɪs, *pl* -nɪsə] *f* **❶** *kein pl* (*Einsparung*) ■ **eine ~ an etw** *dat* a saving in sth **❷** *meist pl* (*erspartes Geld*) savings *npl*

Er·spar·te(s) *nt* savings *npl*

erst [eːɐ̯st] **I.** *adv* **❶** (*zuerst*) [at] first **❷** (*nicht früher als*) only; **wecken Sie mich bitte ~ um 8 Uhr!** please don't wake me until 8 o'clock!; **~ als ...** only when ...; **~ wenn** only if **❸** (*bloß*) only **II.** *part* (*verstärkend*) **an deiner Stelle würde ich ~ gar nicht anfangen** if I was in your shoes I wouldn't even start ▸ **~ recht** all the more

er·star·ren* *vi sein* **❶** (*fest werden*) to solidify **❷** (*starr werden*) to freeze

er·stat·ten* [ɛɐ̯ˈʃtatn̩] *vt* **❶** (*ersetzen*) ■ |**jdm**| **etw ~** to reimburse [sb] for sth **❷** (*geh: mitteilen*) **Anzeige ~** to report a crime; **Anzeige gegen jdn ~** to report sb

Er·stat·tung <-, -en> *f von Auslagen, Unkosten* reimbursement

Erst·auf·füh·rung *f* première

er·stau·nen* *vt haben* ■ **jdn ~** to amaze sb; **dieses Angebot erstaunt mich** this offer amazes me

Er·stau·nen *nt* amazement; **jdn in ~ versetzen** to amaze sb

er·staun·lich [ɛɐ̯ˈʃtaʊnlɪç] **I.** *adj* amazing *pl* **II.** *adv* amazingly

er·staun·li·cher·wei·se *adv* amazingly

er·staunt **I.** *adj* amazed; ■ |**über jdn/etw**| **~ sein** to be amazed [by sb/sth] **II.** *adv* in amazement

erst·bes·te(r, s) *adj attr* first; ■ **der/die/ das E~** the next best

ers·te(r, s) [ˈeːɐ̯stə] *adj* **❶** (*an erster Stelle kommend*) first; **das E~, was ...** the first thing that ...; **die ~ Klasse** primary one BRIT, first grade AM; *s. a.* **achte(r, s) 1** **❷** (*Datum*) first, 1st; *s. a.* **achte(r, s) 2** **❸** (*führend*) leading ▸ **fürs E~** to begin with

Ers·te(r) [ˈeːɐ̯stə] *f(m)* **❶** (*an erster Stelle kommend*) first; *s. a.* **Achte(r) 1** **❷** (*bei Datumsangabe*) ■ **der** [*o geschrieben* **der 1.**] the first *spoken,* the 1st *written; s. a.* **Achte(r) 2** **❸** (*Namenszusatz*) **Ludwig der ~** *geschrieben* Louis the First; **Ludwig I.** *geschrieben* Louis I; *s. a.* **Achte(r) 3** **❹** (*beste*) the best

er·ste·chen* *vt irreg* ■ **jdn ~** to stab sb to death

er·ste·hen* [ɛɐ̯ˈʃteːən] *irreg* **I.** *vt haben* (*fam*) to pick up sth *sep* **II.** *vi sein* (*geh: neu entstehen*) to be rebuilt

Ers·te-Hil·fe-Kas·ten [eːɐ̯stəˈhɪlfəkastn̩] *m* first-aid box

er·stei·gern *vt* to buy [at an auction]

er·stel·len* *vt* **❶** (*geh: errichten*) to build **❷** *Liste, Plan* to draw up

ers·tens [ˈeːɐ̯stn̩s] *adv* firstly

ers·te·re(r, s) *adj* ■ **der/die/das E~** the former

erst·ge·bo·ren *adj attr* first-born; ■ **der/ die E~e** the first-born [child]

er·sti·cken* **I.** *vt haben* **❶** (*durch Erstickung töten*) ■ **jdn ~** to suffocate sb **❷** (*erlöschen lassen*) to extinguish **❸** (*dämpfen*) to deaden **❹** (*unterdrücken*) to crush **II.** *vi sein* **❶** (*durch Erstickung sterben*) ■ **an etw** *dat* **~** to choke to death on sth **❷** (*erlöschen*) to go out **❸** (*übermäßig viel haben*) ■ **in etw** *dat* **~** to drown in sth

Er·sti·ckung <-> *f kein pl* suffocation

erst·klas·sig [ˈeːɐ̯stklasɪç] *adj* first-class

Erst·kon·takt *m* ÖKON initial approach

erst·ma·lig [ˈeːɐ̯stmaːlɪç] **I.** *adj* first **II.** *adv* (*geh*) *s.* **erstmals**

erst·mals [ˈeːɐ̯stmaːls] *adv* for the first time

erst·ran·gig [ˈeːɐ̯straŋɪç] *adj* **❶** (*sehr wichtig*) major **❷** (*erstklassig*) first-class

er·stre·ben* *vt* (*geh*) ■ **etw ~** to strive for

sth

er·stre·bens·wert [ɛɐ̯ˈʃtreːbn̩sveːɐ̯t] *adj* worth striving for *pred*

er·stre·cken* I. *vr* ❶ (*sich ausdehnen*) ■**sich** [**über etw** *akk*] **~** to extend [over sth] ❷ (*betreffen*) ■**sich auf etw** *akk* **~** to include sth II. *vt* SCHWEIZ (*verlängern*) ■**etw ~** to extend sth

Erst·schlag *m* first strike

er·stun·ken [ɛɐ̯ˈʃtʊŋkn̩] *adj* ▸**das ist ~ und erlogen** (*fam*) that's a pack of lies

er·su·chen* *vt* (*geh*) ■**jdn um etw** *akk* **~** to request sth from sb

er·tap·pen* I. *vt* ■**jdn** [**bei etw** *dat*] **~** to catch sb [doing sth] II. *vr* ■**sich bei etw** *dat* **~** to catch oneself doing sth

er·tei·len* *vt* (*geh*) ■[**jdm**] **etw ~** to give [sb] sth

er·tö·nen* *vi sein* (*geh*) ❶ (*zu hören sein*) to sound ❷ (*widerhallen*) ■**von etw** *dat* **~** to resound with sth

Er·trag <-[e]s, Erträge> [ɛɐ̯ˈtraːk, *pl* ɛɐ̯ˈtrɛːɡə] *m* ❶ (*Ernte*) yield; **~ bringen** to bring yields ❷ *meist pl* (*Einnahmen*) revenue; **~ bringen** to bring in revenue

er·tra·gen* *vt irreg* to bear; **nicht zu ~ sein** to be unbearable

er·träg·lich [ɛɐ̯ˈtrɛːklɪç] *adj* bearable; **schwer ~ sein** to be difficult to cope with

er·trag·reich *adv* productive; *Land* fertile

er·trän·ken* *vt* ■**jdn/ein Tier ~** to drown sb/an animal

er·träu·men* *vt* ■[**sich** *dat*] **etw ~** to dream about sth

er·trin·ken* *vi irreg sein* to drown

er·trot·zen* *vt* (*geh*) ■[**sich** *dat*] **etw ~** to obtain by forceful means

er·üb·ri·gen* [ɛɐ̯ˈʔyːbrɪɡn̩] I. *vr* ■**sich ~** to be superfluous; ■**es erübrigt sich, etw zu tun** it is not necessary to do sth II. *vt* (*aufbringen*) **etw ~ können** *Geld, Zeit* to spare sth

eru·ie·ren* [eruˈiːrən] *vt* (*geh*) ❶ (*in Erfahrung bringen*) ■**etw ~** to find out sth *sep* ❷ ÖSTERR, SCHWEIZ (*ausfindig machen*) ■**jdn ~** to find sb

Erup·ti·on <-, -en> [erʊpˈtsi̯oːn] *f* eruption

er·wa·chen* *vi sein* (*geh*) to wake up; **aus einer Ohnmacht ~** to come to; ■**von etw** *dat* **~** to be woken by sth ▸**ein böses E~** a rude awakening

er·wach·sen*¹ [ɛɐ̯ˈvaksn̩] *vi irreg sein* (*geh*) **jdm ~ Kosten** [**aus etw** *dat*] sb incurs costs [as a result of sth]

er·wach·sen² [ɛɐ̯ˈvaksn̩] *adj* adult

Er·wach·se·ne(r) *f(m)* adult

Er·wach·se·nen·bil·dung [ɛɐ̯ˈvakse-

nən-] *f* adult education **Er·wach·se·nen·straf·recht** *nt kein pl* JUR adult criminal law

er·wä·gen* *vt irreg* to consider

Er·wä·gung <-, -en> *f* consideration; **etw in ~ ziehen** to consider sth

er·wäh·nen* *vt* to mention; ■[**jdm gegenüber**] **~, dass ...** to mention [to sb] that ...

er·wäh·nens·wert *adj* worth mentioning *pred*

Er·wäh·nung <-, -en> *f* mentioning

er·wär·men* I. *vt* to warm [up] II. *vr* ❶ (*warm werden*) ■**sich ~** to warm up ❷ (*sich begeistern*) ■**sich für jdn/etw ~** to work up enthusiasm for sb/sth

Er·wär·mung <-, -en> *f* warming [up]

er·war·ten* I. *vt* ❶ (*entgegensehen*) to expect ❷ (*auf etw warten*) ■**etw ~** to wait for sth ❸ (*voraussetzen*) ■**etw von jdm ~** to expect sth from sb; ■**von jdm ~, dass ...** to expect sb to do sth ❹ (*mit etw rechnen*) ■**jdn erwartet einen** sth awaits one; **etw war zu ~** sth was to be expected; **wider E~** contrary to [all] expectation[s] II. *vr* (*sich versprechen*) ■**sich** *dat* **etw von jdm/etw ~** to expect sth from [*or* of] sb/sth

Er·war·tung <-, -en> *f* ❶ *kein pl* (*Ungeduld*) anticipation ❷ *pl* (*Hoffnung*) expectations *pl;* **jds ~en gerecht werden** to live up to sb's expectations; **voller ~** full of expectation; **den ~en entsprechen** to fulfil the expectations

Er·war·tungs·druck <-[e]s> *m kein pl* **unter ~ stehen** to be under pressure to perform **er·war·tungs·ge·mäß** *adv* as expected **Er·war·tungs·hal·tung** *f* expectation **Er·war·tungs·ho·ri·zont** *m* level of expectations **er·war·tungs·voll** I. *adj* expectant, full of expectation *pred* II. *adv* expectantly

er·we·cken* *vt* ❶ (*hervorrufen*) ■**etw ~** to arouse sth; **den Eindruck ~, ...** to give the impression ...; **Zweifel ~** to raise doubts ❷ (*geh: aufwecken*) ■**jdn ~** to wake sb

er·wei·chen* *vt* ■**jdn ~** to make sb change their mind; **sich ~ lassen** to let oneself be persuaded

er·wei·sen* *irreg* I. *vt* ❶ (*nachweisen*) to prove ❷ (*zeigen*) ■**etw wird ~, dass/ob ...** sth will show that/whether ... ❸ (*geh: entgegenbringen*) **jdm einen Dienst/ Gefallen ~** to do somebody a service/favour II. *vr* ❶ (*sich herausstellen*) **dieser Mitarbeiter hat sich als zuverlässig erwiesen** this employee has proved himself reliable ❷ (*sich zeigen*) **sie sollte sich dankbar [ihm gegenüber]** ~ she should be grateful [to him]

er·wei·tern* [ɛɐˈvaɪtɐn] **I.** *vt* ■ **etw** ~ ❶ *Straße,Kleidung* to widen sth (**um** by) ❷ (*vergrößern*) to expand sth (**um** by) ❸ (*umfangreicher machen*) to increase sth (**um** by) **II.** *vr* ❶ (*sich verbreitern*) ■ **sich** ~ to widen (**um** by) ❷ MED, ANAT ■ **sich** ~ to dilate

Er·wei·te·rung <-, -en> *f* ❶ (*Verbreiterung*) *Anlagen, Fahrbahn* widening ❷ (*Vergrößerung*) expansion ❸ (*Ausweitung*) increase ❹ MED, ANAT dilation

Er·werb <-[e]s, -e> [ɛɐˈvɛrp, *pl* ɛɐˈvɛrbə] *m* ❶ *kein pl* (*geh: Kauf*) purchase ❷ (*berufliche Tätigkeit*) occupation

er·wer·ben* *vt irreg* ❶ (*kaufen*) ■ **etw** ~ to purchase sth ❷ (*an sich bringen*) ■ **etw [durch etw** *akk*] ~ to acquire sth [through sth] ❸ (*gewinnen*) ■ **[sich** *dat*] **etw** ~ to earn sth; **jds Vertrauen** ~ to win sb's trust

er·werbs·fä·hig *adj* (*geh*) fit for gainful employment *pred*

er·werbs·los *adj* (*geh*) unemployed

er·werbs·tä·tig *adj* working **Er·werbs·tä·tig·keit** <-> *f kein pl* employment **er·werbs·un·fä·hig** *adj* (*geh*) unfit for gainful employment

er·wi·dern* [ɛɐˈviːdɐn] *vt* ❶ (*antworten*) ■ **[jdm] etw [auf etw** *akk*] ~ to give [sb] a reply [to sth]; **auf meine Frage erwiderte sie ...** she replied to my question by saying ... ❷ (*zurückgeben*) ■ **etw** ~ to return sth

Er·wi·de·rung <-, -en> *f* ❶ (*Antwort*) reply ❷ (*das Erwidern*) returning

er·wie·se·ner·ma·ßen [ɛɐviːzənɐˈmaːsn̩] *adv* as has been proved

er·wirt·schaf·ten* *vt* to make

er·wi·schen* [ɛɐˈvɪʃn̩] *vt* (*fam*) ❶ (*ertappen*) ■ **jdn [bei etw** *dat*] ~ to catch sb [doing sth] ❷ (*ergreifen, erreichen*) ■ **jdn/ etw** ~ to catch sb/sth

er·wor·ben *adj* acquired

er·wünscht [ɛɐˈvʏnʃt] *adj* ❶ (*gewünscht*) desired ❷ (*willkommen*) welcome; *Anwesenheit* desirable

er·wür·gen* *vt* to strangle

Erz <-es, -e> [ˈeːɐts] *nt* ore

er·zäh·len* **I.** *vt* ❶ (*anschaulich berichten*) to explain ❷ (*sagen*) to tell; **[jdm] seine Erlebnisse** ~ to tell [sb] about one's experiences; **was erzählst du da?** what are you saying?; **es wird erzählt, dass ...** there is a rumour that ▶ **das kannst du sonst wem** ~ (*fam*) tell me another! BRIT; **dem/der werd ich was** ~! (*fam*) I'll give

him/her a piece of my mind! **II.** *vi* to tell a story/stories

Er·zäh·ler(in) [ɛɐˈtsɛːlɐ] *m(f)* storyteller; (*Schriftsteller*) author; (*Romanperson*) narrator

Er·zäh·lung *f* ❶ (*Geschichte*) story ❷ *kein pl* (*das Erzählen*) telling

Erz·bi·schof, Erz·bi·schö·fin [ˈɛrtsbɪʃɔf, ˈɛrtsbɪʃøːfɪn] *m, f* archbishop

Erz·en·gel [ˈɛrtsʔɛŋl̩] *m* archangel

er·zeu·gen* *vt* ❶ *bes* ÖSTERR (*produzieren*) to produce ❷ ELEK, SCI to generate ❸ (*hervorrufen*) to create

Er·zeu·ger(in) <-s, -> *m(f)* ❶ *bes* ÖSTERR (*geh: Produzent*) producer ❷ (*hum fam: Vater*) father

Er·zeug·nis <-ses, -se> [ɛɐˈtsɔyknɪs] *nt* product

Er·zeu·gung <-, -en> *f* ❶ *kein pl* ELEK, SCI generation ❷ (*Produktion*) production

Erz·feind(in) *m(f)* arch-enemy

Erz·ge·bir·ge [ˈɛrtsɡəbɪrɡə] *nt* Erzgebirge (*mountain range on the border between Germany and the Czech Republic*)

Erz·her·zog(in) [ˈɛrtshɛrtsoːk, ˈɛrtshɛrtsoːɡɪn] *m(f)* archduke *masc*, archduchess *fem*

er·zieh·bar *adj* educable; **schwer** ~ **sein** to have behavioural problems

er·zie·hen* *vt irreg* ❶ (*aufziehen*) ■ **jdn** ~ to bring up sb *sep* ❷ (*anleiten*) ■ **jdn zu etw** *dat* ~ to teach sb to be sth

Er·zie·her(in) <-s, -> [ɛɐˈtsiːɐ] *m(f)* teacher

er·zie·he·risch *adj* educative

Er·zie·hung *f kein pl* ❶ (*das Erziehen*) education *no pl* ❷ (*Aufzucht*) upbringing

er·zie·hungs·be·rech·tigt *adj* acting as legal guardian *pred* **Er·zie·hungs·be·rech·tig·te(r)** *f(m)* legal guardian **Er·zie·hungs·camp** [-kɛmp] *nt* reform [*or* boot] camp [for young delinquents] **Er·zie·hungs·geld** *nt* child benefit (*paid for at least 6 months after the child's birth to compensate the parent who takes time off work to look after the child*) **Er·zie·hungs·jahr** *nt* year taken off work after the birth of a child to look after the child **Er·zie·hungs·me·tho·de** *f* method of education **Er·zie·hungs·ur·laub** *m* maternity [*or* paternity] leave (*a period of up to three years taken by either the father or mother after the birth*) **Er·zie·hungs·wis·sen·schaft** *f kein pl* educational studies *npl* **Er·zie·hungs·wis·sen·schaft·ler(in)** *m(f)* educationalist BRIT, educational theorist AM

er·zie·len* *vt* ❶ (*erreichen*) to achieve;

Einigung to reach ❷ SPORT ■ etw ~ to score sth (**gegen** against); **eine Bestzeit/einen Rekord** ~ to establish a personal best/record

erz·kon·ser·va·tiv *adj* ultra-conservative

er·zür·nen* *vt (geh)* ■ **jdn** ~ to anger sb

er·zwin·gen* *vt irreg* ■ **etw [von jdm]** ~ to force sth from sb; **eine Entscheidung** ~ to force an issue; **ein Geständnis [von jdm]** ~ to make sb confess; **[von jdm] ein Zugeständnis** ~ to wring a concession [from sb]

es *<gen* seiner, *dat* ihm, *akk* es> ['ɛs] *pron pers, unbestimmt* ❶ (*das, diese: auf Dinge bezogen*) it; **wer ist da? — ich bin ~** who's there? — it's me ❷ *auf vorangehenden Satzinhalt bezogen* it; **kommt er auch? — ich hoffe ~** is he coming too? — I hope so ❸ *rein formales Subjekt* **jdm gefällt ~, etw zu tun** sb likes doing sth; **~ gefällt mir** I like it; **~ friert mich** I am cold; **~ freut mich, dass …** I am pleased that … ❹ *rein formales Objekt* **er hat ~ gut** he's got it made ❺ *Subjekt bei unpersönlichen Ausdrücken* **~ klopft** there's a knock at the door; **hat ~ geklingelt?** did somebody ring?; **~ regnet** it's raining ❻ *Einleitewort mit folgendem Subjekt* **~ geschieht manchmal ein Wunder** a miracle happens sometimes; **~ waren Tausende** there were thousands

Esche <-, -n> ['ɛʃə] *f* ash

Esel(in) <-s, -> ['eːzl] *m(f)* ❶ (*Tier*) donkey ❷ *nur m (fam: Dummkopf)* idiot

Esels·brü·cke *f (fam)* aide-memoire **Esels·ohr** *nt* dog-ear

Es·ka·la·ti·on <-, -en> [ɛskala'tsi̯oːn] *f* escalation

es·ka·lie·ren* [ɛska'liːrən] *vi, vt* to escalate (**zu** into)

Es·ka·pa·de <-, -n> [ɛska'paːdə] *f* escapade

Es·ki·mo, -frau <-s, -s> ['ɛskimo] *m, f* Eskimo

Es·kor·te <-, -n> [ɛs'kɔrtə] *f* escort

es·kor·tie·ren* [ɛskɔr'tiːrən] *vt* ■ **jdn/etw** ~ to escort sb/sth

Eso·te·rik <-> [ezo'teːrɪk] *f kein pl* ■ **die ~** esotericism

eso·te·risch [ezo'teːrɪʃ] *adj* esoteric

Es·pe <-, -n> ['ɛspə] *f* aspen

Es·pen·laub *nt* aspen leaves *pl;* **zittern wie ~** to be shaking like a leaf

Es·pe·ran·to <-s> [ɛspe'ranto] *nt kein pl* Esperanto

Es·pres·so <-[s], -s *o* Espressi> [ɛs'prɛso, *pl* ɛs'prɛsi] *m* espresso

Es·prit <-s> [ɛs'priː] *m kein pl (geh)* wit

Es·say <-s, -s> ['ɛse, ɛ'seː] *m o nt* essay

ess·barRR, **eß·bar**ALT *adj* edible; **nicht ~** inedible

es·sen <isst, aß, gegessen> ['ɛsn̩] I. *vt* (*Nahrung zu sich nehmen*) to eat; **~ Sie gern Äpfel?** do you like apples?; **etw zum Nachtisch** ~ to have sth for dessert ▸ **ge·gessen sein** *(fam)* to be dead and buried II. *vi* to eat; **griechisch/italienisch ~** to have a Greek/an Italian meal; **kalt/warm ~** to have a cold/hot meal; **~ gehen** (*zum E~ gehen*) to go to eat; (*im Lokal speisen*) to eat out; **in diesem Restaurant kann man gut ~** this restaurant does good food

Es·sen <-s, -> ['ɛsn̩] *nt* ❶ (*Mahlzeit*) meal; **zum ~ bleiben** to stay for lunch/dinner ❷ (*Nahrung*) food *no pl, no indef art*

Es·sen(s)·mar·ke *f* meal voucher [*or* AM ticket] **Es·sens·zeit** *f* mealtime

es·sen·ti·ell [ɛsɛn'tsi̯ɛl] *adj, adv s.* **essenziell**

Es·senz <-, -en> [ɛ'sɛnts] *f* essence **es·sen·zi·ell**RR [ɛsɛn'tsi̯ɛl] I. *adj* essential II. *adv* essentially

Es·ser(in) <-s, -> ['ɛsɐ] *m(f)* mouth to feed; **auf einen ~ mehr kommt es auch nicht an** one more person won't make any difference

Ess·ge·wohn·hei·tenRR *pl* eating habits *pl*

Es·sig <-s, -e> ['ɛsɪç, *pl* 'ɛsɪgə] *m* vinegar

Es·sig·gur·ke *f* [pickled] gherkin **Es·sig·säu·re** *f* acetic acid

Ess·kas·ta·nieRR [-kastaːni̯ə] *f* sweet chestnut **Ess·löf·fel**RR *m* ❶ (*Essbesteck*) soup spoon ❷ (*Maßeinheit beim Kochen*) tablespoon **Ess·stö·rung**RR *f meist pl* eating disorder **Ess·sucht**RR *f kein pl* compulsive eating **Ess·wa·ren**RR *pl* food *no pl, no indef art,* provisions **Ess·zim·mer**RR *nt* dining room

Es·te, Es·tin <-n, -n> ['eːstə, 'eːstɪn] *m, f* Estonian; *s. a.* **Deutsche(r)**

Est·land <-s> ['eːstlant] *nt* Estonia; *s. a.* **Deutschland**

est·nisch ['eːstnɪʃ] *adj* Estonian; *s. a.* **deutsch**

Es·tra·gon <-s> ['ɛstragɔn] *m kein pl* tarragon

Est·rich <-s, -e> ['ɛstrɪç] *m* ❶ (*Fußbodenbelag*) concrete floor ❷ SCHWEIZ (*Dachboden*) attic, loft

ES-Zel·le [eː'ɛstsɛlə] *f Abk von* **embryonale Stammzelle** BIOL, MED embryonic stem cell

eta·blie·ren* [eta'bliːrən] *(geh)* I. *vt* to establish II. *vr* ■ **sich ~** to establish oneself

eta·bliert *adj* (*geh*) established

Eta·blis·se·ment <-s, -s> [etablɪsə-'mãː] *nt* (*geh*) establishment

Eta·ge <-, -n> [e'taːʒə] *f* floor; **auf der 5. ~** on the 5th floor BRIT, on the 6th floor AM

Eta·gen·bett [e'taːʒən-] *nt* bunk bed **Eta·gen·woh·nung** [e'taːʒən-] *f* flat BRIT, apartment AM, *occupying a whole floor*

Etap·pe <-, -n> [e'tapə] *f* ❶ (*Abschnitt*) **in ~n arbeiten** to work in stages ❷ (*Teilstrecke*) leg ❸ MIL communications zone

Etat <-s, -s> [e'taː] *m* budget

etc. [ɛt'tseːtera] *Abk von* **et cetera** etc.

ete·pe·te·te ['eːtəpe'teːtə] *adj präd* (*fam*) finicky

Ethik <-> ['eːtɪk] *f kein pl* ❶ (*Wissenschaft*) ethics + *sing vb* ❷ (*moralische Haltung*) ethics *npl* ❸ (*bestimmte Werte*) ethic; **christliche ~** Christian ethic

ethisch ['eːtɪʃ] *adj* ethical

eth·nisch ['ɛtnɪʃ] *adj* ethnic

Eth·no·lo·ge, Eth·no·lo·gin [ɛtno'loːgə, ɛtno'loːgɪn] *m, f* ethnologist

Eth·no·lo·gie <-, -n> [ɛtnolo'giː, *pl* -'giːən] *f kein pl* ethnology *no pl*

Eth·no·lo·gin [ɛtno'loːgɪn] *f fem form von* **Ethnologe**

Ethos <-> ['eːtɔs] *nt kein pl* (*geh*) ethos; **berufliches ~** professional ethics *npl*

Eti·kett <-[e]s, -e> [eti'kɛt] *nt* ❶ (*Preisschild*) price tag ❷ (*Aufnäher*) label

Eti·ket·te <-, -n> [eti'kɛtə] *f* (*geh*) etiquette

eti·ket·tie·ren* [etikɛ'tiːrən] *vt* ◼ **etw ~** to label sth; *Preis* to price-tag sth

et·li·che(r, s) ['ɛtlɪçə] *pron indef* ❶ *adjektivisch, sing o pl* quite a lot of; **~ Mal** (*geh*) several times ❷ *substantivisch, pl* quite a few ❸ *substantivisch, sing* ◼ **~s** quite a lot; **um ~s älter/größer als jdn** quite a lot older/bigger than sb

Etui <-s, -s> [ɛt'viː, e'tÿiː] *nt* case; (*verziert a.*) etui

et·wa ['ɛtva] **I.** *adv* ❶ (*ungefähr, annähernd*) about; **in ~** more or less; **so ~** roughly like this ❷ (*zum Beispiel*) **wie ~ mein Bruder** like my brother for instance **II.** *part* ❶ (*womöglich*) **ist das ~ alles, was Sie haben?** are you trying to tell me that's all you've got?; **soll das ~ heißen, dass ...?** is that supposed to mean [that] ...?; **willst du ~ schon gehen?** [surely] you don't want to go already! ❷ (*Verstärkung der Verneinung*) **ist das ~ nicht wahr?** do you mean to say it's not true?

et·wa·ig [ɛt'vaːɪç] *adj attr* any

et·was ['ɛtvas] *pron indef* ❶ *substantivisch* (*eine unbestimmte Sache*) something; (*bei Fragen*) anything; **hast du ~?** are you feeling all right?; **merken Sie ~?** do you notice anything?; **das will ~ heißen** that's saying something ❷ *adjektivisch* (*nicht näher bestimmt*) something; (*bei Fragen*) anything; **~ anderes** something else; **~ Dummes/Neues** something stupid/new; [**noch**] **~ Geld/Kaffee** some [more] money/coffee ❸ *adverbial* (*ein wenig*) a little; **du könntest dich ruhig ~ anstrengen** you might make a bit of an effort

Et·was <-> ['ɛtvas] *nt kein pl* **ein hartes/spitzes/... ~** something hard/sharp/...; **das gewisse ~** that certain something; **ein winziges ~** a tiny little thing

Ety·mo·lo·gie <-, -n> [etymolo'giː, *pl* -'giːən] *f* etymology *no pl*

ety·mo·lo·gisch [etymo'loːgɪʃ] *adj* etymological

EU [eˈʔuː] *f Abk von* **Europäische Union** EU

EU-Bei·tritt *m* joining of the EU **EU-Bür·ger(in)** *m(f)* EU citizen, citizen of the EU

euch ['ɔyç] **I.** *pron pers akk o dat von* **ihr** you; **ein Freund/eine Freundin von ~** a friend of yours **II.** *pron refl* **beeilt ~!** hurry [up]!; **macht ~ fertig!** get [*fam* yourselves] ready!; **wascht ~!** get [*fam* yourselves] washed!; **putzt ~ die Zähne!** brush your teeth!

eu·er ['ɔye] *pron poss* your; **es ist ~/eu[e]re/~[e]s** it's yours; **viele Grüße, ~ Martin!** best wishes, [yours,] Martin

eue·re(r, s) ['ɔyərə] *pron poss s.* **eure(r, s)**

EU-Gip·fel *m,* **EU-Gip·fel·tref·fen** *nt* EU summit

Eu·ka·lyp·tus <-, -lypten> [ɔyka'lʏptʊs] *m* ❶ (*Baum*) eucalyptus [tree] ❷ (*Öl*) eucalyptus [oil]

EU-Kom·mis·si·on *f* EU Commission **EU-Land** *nt* EU country

Eu·le <-, -n> ['ɔylə] *f* owl

EU-Mi·nis·ter(in) *m(f)* EU minister **EU-Mit·glieds·land** *nt* EU member-state

Eu·nuch <-en, -en> [ɔy'nuːx] *m* eunuch

Eu·phe·mis·mus <-, -mismen> [ɔyfe-'mɪsmʊs] *m* euphemism

Eu·pho·rie <-, -n> [ɔyfo'riː, *pl* -'riːən] *f* euphoria

eu·pho·risch [ɔy'foːrɪʃ] *adj* euphoric

Eu·ra·tom <-> [ɔyra'toːm] *f Akr von* **Europäische Atomgemeinschaft** Euratom

eu·re(r, s) ['ɔyrə] *pron poss* your; ◼ [**der/die/das**] **E~** yours; **Grüße von ~r Kathrin** Best regards, Yours, Kathrin; **tut ihr das E~** you do your bit

eu·rer·seits ['ɔyre'zaɪts] *adv* (*soweit es euch angeht*) for your part; (*von eurer*

Seite aus) on your part

eu·res·glei·chen [ˈɔyrəsˈglaiçn̩] *pron* (*pej*) your like

eu·ret·we·gen [ˈɔyrətˈveːgn̩] *adv* (*wegen euch*) because of you; (*euch zuliebe*) for your sake[s]

eu·ret·wil·len [ˈɔyrətvɪlən] *adv* for your sake

eu·ri·ge(r, s) [ˈɔyrɪgə, -gə, -gəs] *pron* (*geh*) geh für **eu(e)re(r, s): der/die/das ~** yours; **die ~n** those near and dear to you

Eu·ro [ˈɔyro] *m* (*Währungseinheit*) euro

Eu·ro·bank·no·te *f* euro (bank)note **Eu·ro·cent** *m* cent **Eu·ro·cheque** [-ʃɛk] *m* HIST *s.* **Euroscheck Eu·ro·ci·ty** [ˈɔyrosɪti], **Eu·ro·ci·ty·zug**^RR [ˈɔyrosɪti-] *m* Eurocity train (*connecting major European cities*) **Eu·ro·Ein·füh·rungs·ge·setz** *nt law concerning the introduction of the euro* **Eu·ro·geld** *nt* eurocurrency

Eu·ro·krat(in) <-en, -en> [ɔyroˈkraːt] *m(f)* Eurocrat

Eu·ro·kra·tie *f* POL eurocracy

Eu·ro·mark *f kein pl* FIN euromark **Eu·ro·mün·ze** *f* euro coin

Eu·ro·pa <-s> [ɔyˈroːpa] *nt* Europe

Eu·ro·pa·ab·ge·ord·ne·te(r) *f(m)* Member of the European Parliament, MEP

Eu·ro·pä·er(in) <-s, -> [ɔyroˈpɛːɐ] *m(f)* European

Eu·ro·pa·fra·ge *f* POL European question

eu·ro·pä·isch [ɔyroˈpɛːɪʃ] *adj* European; **E~e Einheitswährung** single European currency, euro; **E~e Gemeinschaft** [*o* **EG**] European Community, EC; **E~er Gerichtshof** European Court of Justice; **E~es Parlament** European Parliament; **E~er Rat** European Council; **E~e Union** European Union, EU; **E~es Währungs·system** [*o* **EWS**] European Monetary System, EMS; **E~e Währungsunion** [*o* **EWU**] European Monetary Union, EMU; **E~e Wirtschaftsgemeinschaft** [*o* **EWG**] European Economic Community, EEC, [European] Common Market; **E~er Wirt·schaftsraum** [*o* **EWR**] European Economic Area, EEA; **E~e Zentralbank** [*o* **EZB**] European Central Bank, ECB

Eu·ro·pä·i·sie·rung *f kein pl* POL Europeanization

Eu·ro·pa·meis·ter(in) *m(f)* (*als Einzel·ner*) European champion; (*als Team, Land*) European champions *pl* **Eu·ro·pa·meis·ter·schaft** *f* European championship **Eu·ro·pa·par·la·ment** *nt* ▪**das ~** the European Parliament **Eu·ro·pa·po·kal** *m* European cup **Eu·ro·pa·rat** *m kein pl* Council of Europe *no pl, no indef art*

Eu·ro·pa·wah·len *pl* European elections *pl*

Eu·ro·pol [ˈɔyropoːl] *f* Europol

Eu·ro·scheck *m* HIST Eurocheque **Eu·ro·skep·ti·ker(in)** *m(f)* Euro-sceptic **Eu·ro·tun·nel** *m* Channel tunnel **Eu·ro·vi·si·on** [ɔyroviˈzi̯oːn] *f* Eurovision **Eu·ro·zo·ne** <-> *f kein pl* Euro-zone

Eu·ter <-s, -> [ˈɔytɐ] *nt o m* udder

Eu·tha·na·sie <-> [ɔytanaˈziː] *f kein pl* euthanasia *no pl, no art*, mercy killing *fam*

EU-Ver·ord·nung *f* EU decree **EU-Ver·trag** *m* JUR Treaty of Rome

ev. *adj Abk von* **evangelisch**

e.V., E.V. [eːˈfau] *m Abk von* **eingetragener Verein** registered association

eva·ku·ie·ren* [evakuˈiːrən] *vt* ❶ (*an sicheren Ort bringen*) ▪**jdn/etw ~** to evacuate sb/remove sth (**aus** from, **in/auf** to) ❷ (*auslagern*) to remove (**in** to)

Eva·ku·ie·rung <-, -en> [-va-] *f* evacuation

Evan·ge·le <-n, -n> [evaŋˈgeːlə] *m o f* (*oft pej fam*) evangelical

evan·ge·lisch [evaŋˈgeːlɪʃ] *adj* Protestant; ▪**~ sein** to be a Protestant

Evan·ge·li·um <-s, -lien> [evaŋˈgeːli̯ʊm, *pl* -li̯ən] *nt* Gospel; (*fig*) gospel

Even·tu·a·li·tät <-, -en> [evɛntu̯aliˈtɛːt] *f* eventuality

even·tu·ell [evɛnˈtu̯ɛl] **I.** *adj attr* possible; **bei ~en Rückfragen wenden Sie sich bitte an die Direktion** if you have any queries please contact the management **II.** *adv* possibly

Evo·lu·ti·on <-, -en> [evoluˈtsi̯oːn] *f* evolution

evtl. *adj, adv Abk von* **eventuell**

E-Werk [ˈeːvɛrk] *nt s.* **Elektrizitätswerk**

ewig [ˈeːvɪç] **I.** *adj* ❶ (*immer während*) eternal ❷ (*pej fam: ständig*) **~es Gejammer** never-ending moaning and groaning **II.** *adv* ❶ (*dauernd*) eternally; (*seit jeher*) always; **~ bestehen** to have always existed; (*für immer*) forever ❷ (*fam: ständig*) always ❸ (*fam: lange Zeitspanne*) for ages; **das dauert [ja] ~!** it's taking ages [and ages]! *fam*

Ewig·ges·tri·ge(r) *f(m)* stick-in-the-mud **Ewig·keit** <-, -en> [ˈeːvɪçkait] *f* eternity; **eine [halbe] ~ dauern** (*hum fam*) to last an age; **bis in alle ~** (*für alle Zeit*) for ever; (*wer weiß wie lange*) **soll ich vielleicht bis in alle ~ warten?** am I supposed to wait for ever?; **seit ~en** (*fam*) for ages

EWS <-> [eːveˈɛs] *nt kein pl Abk von* **Europäisches Währungssystem** EMS

EWU <-> [eːveˈuː] *f Abk von* **Europäische**

Währungsunion EMU

EWWU [eːveːveːˈʔuː] *f kein pl* POL *Abk von* **Europäische Wirtschafts- und Währungsunion** EEMU

EWWU-Teil·neh·mer·land *nt,* **EWWU-Teil·neh·mer·staat** *m* EEMU member state

ex [ɛks] *adv* **etw [auf]** ~ **trinken** to down sth in one ▸ ~ **und hopp** (*fam*) here today, gone tomorrow

ex·akt [ɛˈksakt] **I.** *adj* exact; **das ist** ~ **, was ich gemeint habe** that's precisely what I meant **II.** *adv* exactly; ~ **arbeiten** to be accurate in one's work

Ex·a·men <-s, - *o* Examina> [ɛˈksaːmən, *pl* ɛˈksaːmina] *nt* **mündliches** ~ oral exam[ination]; **schriftliches** ~ [written] exam[ination]; **das** ~ **bestehen** to pass one's finals; **durch das** ~ **fallen** to fail [in] one's finals; ~ **machen** to do one's finals

exe·ku·tie·ren* [ɛksekuˈtiːrən] *vt* (*geh*) ■ **jdn** ~ to execute sb

Exe·ku·ti·on <-, -en> [ɛksekuˈtsi̯oːn] *f* (*geh*) execution

Exe·ku·ti·ve <-n, -n> [ɛksekuˈtiːvə] *f* JUR executive authority

Ex·em·pel <-s, -> [ɛˈksɛmpl̩] *nt* (*geh*) [warning] example; **an jdm/mit etw** *akk* **ein** ~ **statuieren** to make an example of sb/use sth as a warning

Ex·em·plar <-s, -e> [ɛksɛmˈplaːɐ̯] *nt* specimen; (*Ausgabe*) *Buch, Heft* copy; *Zeitung* issue

ex·em·pla·risch [ɛksɛmˈplaːrɪʃ] **I.** *adj* exemplary **II.** *adv* as an example

ex·er·zie·ren* [ɛksɛrˈtsiːrən] **I.** *vi* MIL to drill **II.** *vt* (*geh*) ■ **etw** ~ to practise sth

Ex·hi·bi·ti·o·nis·mus <-> [ɛkshibitsi̯oˈnɪsmʊs] *m kein pl* exhibitionism *no pl*

Ex·hi·bi·ti·o·nist(in) <-en, -en> [ɛkshibitsi̯oˈnɪst] *m(f)* exhibitionist

ex·hu·mie·ren* [ɛkshuˈmiːrən] *vt* (*geh*) to exhume

Exil <-s, -e> [ɛˈksiːl] *nt* exile; **ins** ~ **gehen** to go into exile

Exis·ten·ti·a·lis·mus <-> [ɛksɪstɛntsi̯aˈlɪsmʊs] *m kein pl s.* **Existenzialismus**

exis·ten·ti·ell [ɛksɪstɛntsi̯ɛl] *adj* (*geh*) *s.* **existenziell**

Exis·tenz <-, -en> [ɛksɪsˈtɛnts] *f* ❶ *kein pl* (*das Vorhandensein*) existence *no pl* ❷ (*Lebensgrundlage, Auskommen*) livelihood; **eine gesicherte** ~ a secure livelihood ❸ (*Dasein, Leben*) life; **eine gescheiterte** ~ a failure [in life]; **sich eine neue** ~ **aufbauen** to create a new life for oneself

Exis·tenz·angst *f* (*geh*) fear of being unable to make ends meet **Exis·tenz·be·rech·ti·gung** *f kein pl* right to exist **Exis·tenz·grün·der(in)** *m(f)* founder of a new business **Exis·tenz·grund·la·ge** *f* basis of one's livelihood

Exis·ten·zi·a·lis·musᴿᴿ <-> [ɛksɪstɛntsi̯aˈlɪsmʊs] *m kein pl* existentialism *no pl*

exis·ten·zi·ellᴿᴿ [ɛksɪstɛntsi̯ɛl] *adj* (*geh*) existential

Exis·tenz·kampf *m* struggle for survival **Exis·tenz·mi·ni·mum** *nt* subsistence level **Exis·tenz·recht** *nt kein pl* right to existence **Exis·tenz·si·che·rung** *f kein pl* securing a basic living; **das Einkommen reicht gerade für unsere** ~ **aus** we just about manage to get by on this income

exis·tie·ren* [ɛksɪsˈtiːrən] *vi* ❶ (*vorhanden sein*) to exist ❷ (*sein Auskommen haben*) ■ **[von etw** *dat*] ~ to live [on sth]

ex·klu·siv [ɛkskluˈziːf] *adj* exclusive **Ex·klu·siv·be·richt** *m* exclusive [report [*or* story]]

Ex·kom·mu·ni·ka·ti·on [ɛkskɔmunikaˈtsi̯oːn] *f* REL excommunication

ex·kom·mu·ni·zie·ren* [ɛkskɔmuniˈtsiːrən] *vt* to excommunicate

Ex·kre·ment <-[e]s, -e> [ɛkskreˈmɛnt] *nt meist pl* (*geh*) excrement *no pl*

Ex·kurs [ɛksˈkʊrs] *m* digression

Ex·kur·si·on <-, -en> [ɛkskʊrˈzi̯oːn] *f* (*geh*) study trip BRIT; SCH field trip

Ex·ma·tri·ku·la·ti·on <-, -en> [ɛksmatrikulaˈtsi̯oːn] *f* removal of sb's name from the university register

ex·ma·tri·ku·lie·ren* [ɛksmatrikuˈliːrən] **I.** *vt* ■ **jdn** ~ to take sb off the university register **II.** *vr* ■ **sich** ~ to have one's name taken off the university register

Exot(in) <-en, -en> [ɛˈksoːt] *m(f)* ❶ (*aus fernem Land: Mensch*) exotic foreigner; (*Pflanze oder Tier*) exotic [plant/animal] ❷ (*fam: Rarität, ausgefallenes Exemplar*) rarity; (*Person*) eccentric

exo·tisch [ɛˈksoːtɪʃ] *adj* ❶ (*aus fernem Land*) exotic ❷ (*fam: ausgefallen*) unusual

ex·pan·die·ren* [ɛkspanˈdiːrən] *vi* to expand

Ex·pan·si·on <-, -en> [ɛkspanˈzi̯oːn] *f* expansion

Ex·pan·si·ons·po·li·tik *f kein pl* expansionism, expansionist policies *pl*

Ex·pe·di·ti·on <-, -en> [ɛkspediˈtsi̯oːn] *f* expedition

Ex·pe·ri·ment <-[e]s, -e> [ɛksperiˈmɛnt] *nt* experiment; **ein** ~/~**e machen** to carry out an experiment/experiments

ex·pe·ri·men·tell [ɛksperimɛnˈtɛl] **I.** *adj*

experimental **II.** *adv* by [way of] experiment

ex·pe·ri·men·tie·ren* [ɛksperimɛn'tiːrən] *vi* ■[an/mit etw *dat*] ~ to experiment [on/with sth]

Ex·per·te, Ex·per·tin <-n, -n> [ɛks'pɛrtə, ɛks'pɛrtɪn] *m, f* expert

Ex·per·ten·aus·schuss^{RR} *m,* **Ex·per·ten·grup·pe** *f* panel of experts **Ex·per·ten·be·richt** *m* experts' report **Ex·per·ten·ein·schät·zung** *f* expert opinion

Ex·per·ti·se <-, -n> [ɛkspɛr'tiːzə] *f* expert's report

ex·pli·zit [ɛkspli'tsiːt] *adj* (*geh*) explicit

ex·plo·die·ren* [ɛksplo'diːrən] *vi sein* to explode *also fig;* **die Kosten/Preise ~** (*fig*) costs/prices are rocketing

Ex·plo·si·on <-, -en> [ɛksplo'zi̯oːn] *f* explosion *also fig;* **etw zur ~ bringen** to detonate sth

ex·plo·si·ons·ar·tig *adv* explosively **Ex·plo·si·ons·ge·fahr** *f* danger of explosion

ex·plo·siv [ɛksplo'ziːf] *adj* explosive

Ex·po·nat <-[e]s, -e> [ɛkspo'naːt] *nt* exhibit

Ex·po·nent <-en, -en> [ɛkspo'nɛnt] *m* MATH exponent

Ex·po·nent(in) <-en, -en> [ɛkspo'nɛnt] *m(f)* exponent, advocate

Ex·port <-[e]s, -e> [ɛks'pɔrt] *m kein pl* export

Ex·port·ar·ti·kel *m* exported article; *pl* exports

Ex·por·teur(in) <-s, -e> [ɛkspɔr'tøːɐ] *m(f)* exporter

Ex·port·fir·ma *f* export firm **Ex·port·ge·schäft** *nt* export business **Ex·port·han·del** *m* export trade [*or* business]

ex·por·tie·ren* [ɛkspɔr'tiːrən] *vt* to export

Ex·port·schla·ger *m* (*fam*) export hit

Ex·press^{RR} <-es> *m kein pl,* **Ex·preß**^{ALT} <-sses> [ɛks'prɛs] *m kein pl* ❶ (*Eilzug*) express [train] ❷ (*schnell*) **etw per ~ sen·den** to send sth [by] express [delivery]

Ex·pres·si·o·nis·mus <-> [ɛksprɛsi̯o'nɪs·mʊs] *m kein pl* expressionism *no pl, no indef art*

Ex·pres·si·o·nist(in) <-en, -en> [ɛksprɛ·si̯o'nɪst] *m(f)* expressionist

ex·pres·si·o·nis·tisch *adj* expressionist[ic]

Ex·press·stra·ße *f* SCHWEIZ expressway

ex·qui·sit [ɛkskvi'ziːt] (*geh*) **I.** *adj* exquisite **II.** *adv* exquisitely

Ex·ten·si·on <-, -en> [ɛkstɛn'zi̯oːn] *f* (*geh*) extension

ex·ten·siv [ɛkstɛn'ziːf] *adj* (*geh*) extensive

ex·tern [ɛks'tɛrn] *adj* external

ex·tra ['ɛkstra] *adv* ❶ (*besonders*) extra ❷ (*zusätzlich*) extra; **ich gebe Ihnen noch ein Exemplar ~** I'll give you an extra copy ❸ (*eigens*) just; **du brauchst mich nicht ~ anzurufen, wenn du ankommst** you don't need to call me just to say you've arrived ❹ (*fam: absichtlich*) on purpose; **etw ~ machen** to do sth on purpose ❺ (*gesondert*) separately; **etw ~ berechnen** to charge sth separately

Ex·tra·blatt *nt* special supplement

Ex·trakt <-[e]s, -e> [ɛks'trakt] *m o nt* extract

ex·tra·va·gant [ɛkstrava'gant, 'ɛkstrava·gant] **I.** *adj* extravagant **II.** *adv* extravagantly; **~ angezogen** flamboyantly dressed

Ex·tra·va·ganz <-, -en> [ɛkstrava'gants] *f* extravagance; *von Kleidung a.* flamboyance

ex·tra·ver·tiert [ɛkstravɛr'tiːɐ̯t] *adj* extrovert[ed]

Ex·tra·wurst *f* ❶ (*fam: Sonderwunsch*) **jdm eine ~ braten** to make an exception for sb ❷ ÖSTERR (*Lyoner*) pork [*or* veal] sausage

ex·trem [ɛks'treːm] **I.** *adj* extreme; **~e Anforderungen** excessive demands; **eine ~e Belastung für jdn darstellen** to be an excessive burden on sb **II.** *adv* (*sehr*) extremely; **~ links/rechts** POL ultra-left/right

Ex·trem·fall *m* extreme [case]; **im ~** in the extreme case

Ex·tre·mis·mus <-, *selten* -men> [ɛkstre·'mɪsmʊs] *m* extremism *no pl, no indef art*

Ex·tre·mist(in) <-en, -en> [ɛkstre'mɪst] *m(f)* extremist

ex·tre·mis·tisch *adj* extremist

Ex·tre·mi·tä·ten [ɛkstremi'tɛːtn̩] *pl* extremities *npl*

Ex·trem·sport *m* extreme sport

Ex·trem·sport·art *f* adventure sport

ex·tro·ver·tiert [ɛkstrovɛr'tiːɐ̯t] *adj s.* **extravertiert**

Ex·tro·ver·tiert·heit [ɛkstrovɛr'tiːɐ̯thaɪt] *f kein pl* PSYCH extrovertedness

ex·zel·lent [ɛkstsɛ'lɛnt] (*geh*) **I.** *adj* excellent **II.** *adv* excellently; **sich ~ fühlen** to feel on top form; **~ schmecken** to taste delicious

Ex·zel·lenz <-, -en> [ɛkstsɛ'lɛnts] *f* Excellency; **Seine/Euer ~** His/Your Excellency

ex·zen·trisch [ɛks'tsɛntrɪʃ] *adj* (*geh*) eccentric

Ex·zess^{RR} <-es, -e> *m meist pl,* **Ex·zeß**^{ALT} <-sses, -sse> [ɛks'tsɛs] *m meist pl* excess; **etw bis zum ~ treiben** to take sth to extremes

ex·zes·siv [ɛkstsɛ'siːf] *adj* (*geh*) excessive

Eye·li·ner <-s, -> [ˈailainɐ] *m* eyeliner

EZB <-> [eːtsɛtˈbeː] *f kein pl* FIN *Abk von* **Europäische Zentralbank** ECB

EZU <-> [eːtsɛtˈʔuː] *f kein pl Abk von* **Europäische Zahlungsunion** EPU

E-Zug [ˈeːtsuːk] *m kurz für* **Eilzug** express train

F f

F, f <-, - o fam -s, -s> [ɛf] nt ❶ (Buchstabe) F, f; s. a. **A 1** ❷ MUS F, f; s. a. **A 2**

f. ❶ Abk von **folgende [Seite]** [the] following [page] ❷ Abk von **für**

Fa. Abk von **Firma** Co.

Fa·bel <-, -n> ['faːbl̩] f LIT fable

fa·bel·haft ['faːbl̩haft] **I.** adj marvellous **II.** adv marvellously

Fa·bel·tier nt, **Fa·bel·we·sen** nt mythical creature

Fa·brik <-, -en> [fa'briːk] f factory

Fa·bri·kant(in) <-en, -en> [fabri'kant] m(f) ❶ (Fabrikbesitzer) industrialist ❷ (Hersteller) manufacturer

Fa·brik·ar·bei·ter(in) m(f) industrial worker

Fa·bri·kat <-[e]s, -e> [fabri'kaːt] nt ❶ (Marke) make ❷ (Produkt) product; (Modell) model

Fa·bri·ka·ti·on <-, -en> [fabrika'tsi̯oːn] f production

Fa·bri·ka·ti·ons·feh·ler m manufacturing defect

Fa·brik·ge·län·de nt factory site **Fa·brik·hal·le** f factory building **fa·brik·neu** adj brand-new

fa·bri·zie·ren* [fabri'tsiːrən] vt to manufacture

Face·lif·ting <-s, -s> ['feːslɪftɪŋ] nt (fig) facelift

Fa·cet·te <-, -n> [fa'sɛtə] f facet

Fach <-[e]s, Fächer> [fax, pl fɛçɐ] nt ❶ Tasche pocket; Schrank shelf; (Ablegefach) pigeonhole; Automat drawer ❷ (Sachgebiet) subject; **vom ~ sein** to be a specialist; **ich bin nicht vom ~** that's not my line

Fach·ar·bei·ter(in) m(f) skilled worker **Fach·arzt, -ärz·tin** m, f specialist (**für** in) **Fach·aus·druck** m technical term; **juristischer ~** legal term

fä·cheln ['fɛçl̩n] vt, vi (geh) to fan

Fä·cher <-s, -> ['fɛçɐ] m fan

Fa·ch·frau f fem form von **Fachmann fach·fremd** adj Aufgabe outside one's field; Mitarbeiter untrained **Fach·ge·biet** nt [specialist] field **Fach·ge·schäft** nt specialist shop **Fach·han·del** m specialist [or retail] trade **Fach·händ·ler(in)** m(f) specialist supplier **Fach·hoch·schu·le** f ≈ technical college of higher education **Fach·idi·ot(in)** m(f) (pej sl) blinkered specialist BRIT (a specialist who is not interested in anything outside his/her field) **Fach·kennt·nis** f meist pl specialized knowledge **Fach·kraft** f qualified employee **fach·kun·dig I.** adj informed; ■**~ sein** to be an expert **II.** adv jdn ~ beraten to give sb informed advice **Fach·leu·te** pl experts pl

fach·lich I. adj ❶ (fachbezogen) specialist ❷ (kompetent) informed **II.** adv professionally; **sich ~ qualifizieren** to gain qualifications in one's field

Fach·li·te·ratur f specialist literature **Fach·mann, -frau** <-leute o selten -männer> m, f expert, specialist **fach·män·nisch I.** adj expert **II.** adv professionally; **jdn ~ beraten** to give sb expert advice **Fach·pres·se** f specialist publications pl **Fach·rich·tung** f subject area

Fach·schaft <-, -en> f students pl of a/ the department

Fach·schu·le f technical college

fach·sim·peln [faxzɪmpl̩n] vi (fam) to talk shop

Fach·spra·che f technical jargon **fach·über·grei·fend** adj interdisciplinary

Fachwerk nt kein pl half-timbering

Fach·werk·haus nt half-timbered house

Fach·wis·sen nt specialized knowledge

Fach·wort nt technical word **Fach·wör·ter·buch** nt specialist [or AM technical] dictionary; **ein medizinisches ~** a dictionary of medical terms **Fach·zeit·schrift** f specialist journal; (für bestimmte Berufe) trade journal

Fa·ckel <-, -n> ['fakl̩] f torch

fa·ckeln ['fakl̩n] vi (fam) to dither [about]

fa·de ['faːdə], **fad** [faːt] adj SÜDD, ÖSTERR ❶ Essen bland; Geschmack insipid ❷ (langweilig) dull

Fa·den <-s, Fäden> ['faːdn̩, pl fɛːdn̩] m ❶ (Woll~, Zwirn~) thread; **dünner/dicker ~** fine/coarse thread ❷ MED stitch; **die Fäden ziehen** to remove the stitches ▶ **der rote ~** the central theme; **den ~ verlieren** to lose the thread

fa·den·schei·nig ['faːdn̩ʃai̯nɪç] adj ❶ (pej: nicht glaubhaft) poor ❷ (abgetragen) threadbare

Fad·heit <-> ['faːthai̯t] f kein pl (pej: Fadesein) insipidness; (fig) banality

Fa·gott <-[e]s, -e> [fa'gɔt] nt bassoon

fä·hig ['fɛːɪç] adj able, competent; (imstande) capable; ■**zu etw** dat [nicht] **~ sein** to be [in]capable of sth; **zu allem ~ sein** to be capable of anything

Fä·hig·keit <-, -en> f ability no pl

fahl [fa:l] *adj* (*geh*) pale

fahn·den ['fa:ndn̩] *vi* to search (**nach** for)

Fahn·dung <-, -en> *f* search (**nach** for); **eine ~ nach jdm einleiten** to conduct a search for sb, to put out an APB on sb AM

Fahn·dungs·fo·to *nt* photo of a wanted person, mug·shot *sl* **Fahn·dungs·lis·te** *f* wanted [persons] list

Fah·ne <-, -n> ['fa:nə] *f* ❶ (*Banner*) flag ❷ (*fig fam: Alkoholgeruch*) smell of alcohol *no indef art;* **eine ~ haben** to smell of alcohol ▶**mit fliegenden ~n zu jdm** [**über**]**wechseln** to go over to sb quite openly

Fahn·en·eid *m* MIL oath of allegiance **Fah·nen·flucht** *f kein pl* MIL desertion; **~ bege·hen** to desert **fah·nen·flüch·tig** *adj* MIL **~ sein** to be a deserter **Fah·nen·mast** *m* flagpole

Fahr·aus·weis *m* ❶ (*Fahrkarte*) ticket ❷ SCHWEIZ (*Führerschein*) driving licence **Fahr·bahn** *f* road; **von der ~ abkom·men** to leave the road

fahr·bar *adj* mobile; **ein ~er Büro·schrank** an office cabinet on castors

Fäh·re <-, -n> ['fɛ:rə] *f* ferry

fah·ren <fährt, fuhr, gefahren> ['fa:rən] **I.** *vi* ❶ *sein* (*sich fortbewegen: als Fahr·gast*) to go; **mit dem Bus/Zug ~** to go by bus/train; (*als Fahrer*) to drive; **mit dem Auto ~** to drive, to go by car; **links/rechts ~** to drive on the left/right; **gegen etw** *akk* **~** to drive into sth; **wie lange fährt man von hier nach Basel?** how long does it take to get to Basel from here?; **dieser Wagen fährt sehr schnell** this car can go very fast; **mein Auto fährt nicht** my car won't go ❷ *sein* (*losfahren*) to go, to leave; **wir ~ in 5 Minuten** we'll be going in 5 minutes ❸ *sein* (*verkehren*) to run; **die Bahn fährt alle 20 Minuten** the train runs every 20 minutes ❹ *sein* (*reisen*) to go; **in Urlaub ~** to go on holiday ❺ *sein* (*blitzschnell bewegen*) **aus dem Bett ~** to leap out of bed; **was ist denn in dich gefahren?** what's got into you? ❻ *sein o haben* (*streichen*) **sich** *dat* **mit der Hand über die Stirn ~** to pass one's hand over one's brow **II.** *vt* ❶ *haben* (*lenken*) to drive; *Fahrrad, Motorrad* to ride ❷ *sein* **Fahrrad/Motorrad ~** to ride a bicycle/motorbike; **Schlittschuh ~** to skate ❸ *haben* (*verwenden*) **Sommerreifen ~** to use normal tyres ❹ *haben* (*befördern*) to take; **ich fahr dich nach Hause** I'll take you home ❺ *sein* (*eine bestimmte Geschwin·digkeit haben*) **90 km/h ~** to be doing 55 m.p.h. **III.** *vr haben* **der Wagen fährt**

sich gut it's nice to drive this car

fah·rend *adj* itinerant, wandering, peripatetic *form;* **ein ~es Volk** a wandering people + *pl vb*

Fah·rer(in) <-s, -> ['fa:rɐ] *m(f)* ❶ (*Auto~*) driver; (*Motorrad~*) motorbike rider, biker *fam* ❷ (*Chauffeur*) driver

Fah·rer·flucht *f* hit-and-run offence **Fah·rer·laub·nis** *f* (*geh*) driving licence BRIT, driver's license AM

Fah·rer·sitz *m* driver's seat

Fahr·gast *m* passenger **Fahr·geld** *nt* fare **Fahr·ge·le·gen·heit** *f* lift **Fahr·ge·mein·schaft** *f* **eine ~ bilden** to share a car to work, to car pool AM **Fahr·ge·stell** *nt s.* **Fahrwerk**

fah·rig ['fa:rɪç] *adj* jumpy; *Bewegung* nervous; (*unkonzentriert*) distracted

Fahr·kar·te *f* ticket (**nach** to)

Fahr·kar·ten·au·to·mat *m* ticket machine **Fahr·kar·ten·schal·ter** *m* ticket office

fahr·läs·sig ['fa:ɐlɛsɪç] **I.** *adj* negligent; **grob ~** reckless **II.** *adv* negligently; **~ han·deln** to act with negligence

Fahr·läs·sig·keit <-, -en> *f* negligence *no pl;* **grobe ~** recklessness

Fahr·leh·rer(in) *m(f)* driving instructor **Fahr·leis·tung** *f* ❶ *eines Autos* road performance *no pl* ❷ *von Kraftstoff* economy **Fähr·mann** <-männer o -leute> *m* ferryman

Fahr·plan *m* ❶ (*Tabelle*) timetable, schedule AM ❷ (*fam: Programm*) plans *pl* **fahr·plan·mä·ßig I.** *adj* scheduled **II.** *adv* as scheduled; (*rechtzeitig a.*) on time **Fahr·pra·xis** *f kein pl* driving experience *no pl* **Fahr·preis** *m* fare **Fahr·preis·er·mä·ßi·gung** *f* fare reduction **Fahr·prü·fung** *f* driving test

Fahr·rad ['fa:ɐa:t] *nt* [bi]cycle, bike *fam;* **~ fahren** to ride a bicycle, to cycle

Fahr·rad·fah·rer(in) *m(f)* cyclist **Fahr·rad·ket·te** *f* bicycle chain **Fahr·rad·ku·rier(in)** *m(f)* bicycle courier **Fahr·rad·stän·der** *m* [bi]cycle stand, kick stand AM **Fahr·rad·weg** *m* [bi]cycle path, cycleway **Fahr·schein** *m* ticket

Fahr·schein·au·to·mat *m* ticket machine **Fähr·schiff** *nt s.* **Fähre Fahr·schu·le** *f* ❶ (*Firma*) driving school; **in die ~ gehen** to take driving lessons ❷ (*Unterricht*) driving lessons *pl* **Fahr·schü·ler(in)** *m(f)* learner [*or* AM student] driver **Fahr·spur** *f* [traffic] lane **Fahr·stil** *m* style of driving **Fahr·stuhl** *m* lift BRIT, elevator AM **Fahr·stuhl·mu·sik** *f* MUS (*pej*) elevator [*or* hotel lobby] music **Fahr·stun·de** *f* driving lesson

Fahrt <-, -en> [faːɐ̯t] f ❶ (das Fahren)
journey; **freie** ~ AUTO clear run; (fig) green
light ❷ (Fahrgeschwindigkeit) speed; NAUT
volle/halbe ~ voraus! full/half speed
ahead!; AUTO, BAHN **mit voller ~** at full
speed ❸ (Reise) journey; **gute ~!** [have a]
safe journey!; **eine einfache ~** a single [or
AM one-way] [ticket]; **eine ~ ins Blaue** a
mystery tour ▸ **in ~ kommen/sein** (fam:
wütend werden/sein) to get/be riled [up]
fam; (in Schwung kommen) to get/have
got going

fährt [fɛːɐ̯t] 3. pers pres von **fahren**

fahr·taug·lich adj fit to drive pred

Fähr·te <-, -n> [ˈfɛːɐ̯tə] f trail, tracks pl; **jdn
auf die richtige ~ bringen** (fig) to put sb
on the right track; **jdn auf eine falsche ~
locken** (fig) to throw sb off the scent; **auf
der falschen/richtigen ~ sein** (fig) to be
on the wrong/right track

Fahr·ten·buch nt driver's log; (Tagebuch)
diary of a trip **Fahr·ten·schrei·ber** m tachometer, esp BRIT tachograph

Fahrt·kos·ten pl travelling expenses npl
Fahrt·rich·tung f direction of travel; **entgegen der/in ~ sitzen** Bus to sit facing
backwards/the front; Zug to sit with one's
back to the engine/facing the engine
Fahrt·rich·tungs·an·zei·ger m AUTO
(Blinker) [direction] indicator, turn [signal]
light AM

fahr·tüch·tig adj Fahrzeug roadworthy;
Mensch fit to drive pred

Fahr(t)·wind m headwind

fahr·un·tüch·tig adj Mensch unfit to drive
pred; Fahrzeug unroadworthy **Fahr·ver-
bot** nt driving ban **Fahr·ver·hal·ten** nt
kein pl Fahrer behaviour behind the wheel;
Fahrzeug vehicle dynamics pl **Fahrwerk** nt ❶ LUFT landing gear no pl ❷ AUTO
chassis **Fahr·zeit** f journey time

Fahr·zeug <-s, -e> nt vehicle **Fahr-
zeug·brief** m registration document
Fahr·zeug·hal·ter(in) m(f) vehicle owner **Fahr·zeug·pa·pie·re** pl registration
papers npl **Fahr·zeug·schein** m motor
vehicle registration certificate

Fai·ble <-s, -s> [ˈfɛːbl̩] nt (geh) liking; **ein
~ für etw** akk **haben** to be partial to sth

fair [fɛːɐ̯] adj fair; ◼ [jdm gegenüber] ~
sein to be fair [to sb]; **das ist nicht ~!**
that's not fair!

Fair·ness[RR], **Fair·neß**[ALT] <-> [ˈfɛːɐ̯nɛs] f
kein pl fairness no pl

Fair·play <-> [ˈfɛːɐ̯ˈpleː] nt kein pl fairness;
a. SPORT fair play

Fä·ka·li·en [fɛˈkaːli̯ən] pl faeces BRIT, feces

AM

Fake·fur <-s> [ˈfeːkfɜːr] nt kein pl MODE
fake fur

Fa·kir <-s, -e> [ˈfaːkiːɐ̯] m fakir

Fak·si·mi·le <-s, -s> [fakˈziːmile] nt facsimile

Fak·ten [ˈfaktn̩] pl facts pl

Fak·ten·hu·ber(in) [ˈfaktn̩huːbɐ] m(f)
(pej o iron sl) anorak BRIT, wonk AM

fak·tisch [ˈfaktɪʃ] I. adj attr real II. adv basically

Fak·tor <-s, -toren> [ˈfaktoːɐ̯, pl
fakˈtoːrən] m factor

Fak·tum <-s, Fakten> [ˈfaktʊm, pl
ˈfaktn̩] nt (geh) [proven] fact; **harte Fakten** hard facts

Fa·kul·tät <-, -en> [fakʊlˈtɛt] f faculty

fa·kul·ta·tiv [fakʊltaˈtiːf] adj (geh) optional

Fal·ke <-n, -n> [ˈfalkə] m falcon, hawk

Fall <-[e]s, Fälle> [fal, pl ˈfɛlə] m ❶ kein pl
(Sturz) fall; **der freie ~** free fall; **jdn zu ~
bringen** (geh) to make sb fall ❷ (Untergang) downfall; Festung fall; **eine Regierung zu ~ bringen** to bring down a government ❸ (Umstand, Angelegenheit)
case, circumstance; **ein hoffnungsloser ~
sein** to be a hopeless case; **klarer ~!** (fam)
you bet!; [nicht] **der ~ sein** [not] to be the
case; **auf alle Fälle** in any case; (unbedingt) at all events; **auf keinen ~** never,
under no circumstances; **für alle Fälle** just
in case; **gesetzt den ~, dass ...** assuming
[that]...; **im günstigsten/schlimmsten
~[e]** at best/worst; **in diesem ~** in this
case; **von ~ zu ~** from case to case ❹ JUR,
MED case ▸ [nicht] **jds ~ sein** (fam) [not] to
be sb's cup of tea

Fall·beil nt guillotine

Fal·le <-, -n> [ˈfalə] f trap; ~**n stellen** to
set traps; **jdm in die ~ gehen** to fall into
sb's trap; **jdn in eine ~ locken** to lure sb
into a trap; **in der ~ sitzen** to be trapped

fal·len <fällt, fiel, gefallen> [ˈfalən] vi sein
❶ (herunterfallen) Person to fall; Gegenstand to drop; **etw ~ lassen** to drop sth;
sich aufs Bett ~ lassen to flop onto the
bed ❷ Beil to fall; Klappe, Vorhang to drop;
Hammer to come down ❸ (stolpern)
◼ **über etw** akk ~ to trip over sth ❹ (fam:
nicht bestehen) ◼ **durch etw** akk ~ to fail
[or AM fam flunk] sth; **jdn durch eine
Prüfung ~ lassen** to fail sb in an exam
❺ Preise to fall; Temperatur to drop; Fieber, Wasserstand to go down ❻ (im Krieg)
to be killed ❼ (stattfinden) ◼ **auf etw** akk ~
to fall on sth; **der 1. April fällt auf einen
Montag** April 1st falls on a Monday ❽ (er-

gehen) to be reached ❾ SPORT *Tor* to be scored ❿ *Schuss* to be fired ⓫ (*verlauten*) to be spoken; **sein Name fiel mehrere Male** his name was mentioned several times; **eine Bemerkung ~ lassen** to drop a remark ⓬ (*aufgeben*) **jdn/etw ~ lassen** to abandon sb/sth

fäl·len ['fɛlən] *vt* ❶ (*umhauen*) to fell ❷ (*entscheiden*) to reach; **ein Urteil ~** to reach a verdict

fal·len|las·sen* ^ALT *vt irreg* **jdn/etw ~** to abandon sb/sth

Fall·ge·schwin·dig·keit *f* PHYS speed of fall **Fall·gru·be** *f* pit[fall]

fäl·lig ['fɛlɪç] *adj* ❶ (*anstehend*) due *usu pred* ❷ (*fam: dran sein*) ▪ **~ sein** to be [in] for it

Fäl·lig·keit <-, -en> *f* FIN settlement date **Fall·obst** *nt kein pl* windfall

falls [fals] *konj* if

Fall·schirm *m* parachute; **mit dem ~ abspringen** to parachute

Fall·schirm·jä·ger(in) *m(f)* paratrooper; ▪ **die ~** the paratroop[er]s **Fall·schirm·sprin·gen** *nt* parachuting **Fall·schirm·sprin·ger(in)** *m(f)* parachutist

Fall·stu·die *f* case study

fällt [fɛlt] *3. pers pres von* fallen

Fall·tür *f* trapdoor

falsch [falʃ] **I.** *adj* ❶ (*verkehrt*) wrong; **~e Vorstellung** wrong idea; **bei jdm an den F~en/die F~e geraten** to pick the wrong person in sb; **Sie sind hier falsch** (*Ort*) you are in the wrong place; (*am Telefon*) you have the wrong number ❷ (*unzutreffend*) false ❸ (*unecht*) fake; **~es Geld** counterfeit money ❹ (*pej: hinterhältig*) two-faced ❺ (*unaufrichtig*) false **II.** *adv* wrongly; **etw ~ aussprechen** to mispronounce sth; **jdn ~ informieren** to misinform sb; **alles ~ machen** to do everything wrong

Falsch·aus·sa·ge *f* JUR false testimony **fäl·schen** ['fɛlʃn] *vt* to forge; ÖKON to falsify; *Geld* to counterfeit

Fäl·scher(in) <-s, -> *m(f)* forger; *Geld* counterfeiter

Falsch·fahrer(in) *m(f)* person driving on the wrong side of the road **Falsch·geld** *nt kein pl* counterfeit money *no pl*

Falsch·heit <-> *f kein pl* falseness

fälsch·lich **I.** *adj* ❶ (*irrtümlich*) mistaken ❷ (*unzutreffend*) false **II.** *adv s.* **fälschli·cherweise**

fälsch·li·cher·wei·se *adv* ❶ (*irrtümlicherweise*) mistakenly ❷ (*zu Unrecht*) wrongly

falsch|lie·gen *vi irreg* to be wrong

Falsch·mel·dung *f* false report **Falsch·mün·zer(in)** <-s, -> *m(f)* counterfeiter **Falsch·par·ker(in)** *m(f)* parking offender **falsch|spie·len** *vi* to cheat **Falsch·spie·ler(in)** *m(f)* cheat; (*professioneller ~*) [card]sharp[er] BRIT, card shark AM

Fäl·schung <-, -en> *f* forgery

fäl·schungs·si·cher *adj* forgery-proof

Falt·blatt *nt* leaflet

Fal·te <-, -n> ['faltə] *f* ❶ (*in Kleidung*) crease; **~n bekommen** to get creased; **etw in ~n legen** to pleat sth ❷ (*in Stoff*) fold; **~n werfen** to fall in folds ❸ (*Haut~*) wrinkle; **die Stirn in ~n legen** to furrow one's brows

fal·ten ['faltn̩] *vt* to fold; **die Stirn ~** to furrow one's brow

fal·ten·frei *adj* (*Stoffart*) skintight; (*Gesicht*) smooth **Fal·ten·rock** *m* pleated skirt **Fal·ten·wurf** *m* MODE fall of the folds

Fal·ter <-s, -> ['falte] *m* (*Tag~*) butterfly; (*Nacht~*) moth

fal·tig ['faltɪç] *adj* ❶ *Kleidung* creased ❷ *Haut* wrinkled

falz·en ['faltsn̩] *vt* to fold

fa·mi·li·är [fami'liːɛɐ] *adj* ❶ (*die Familie betreffend*) family *attr*; **aus ~en Gründen** for family reasons ❷ (*zwanglos*) familiar; **in ~er Atmosphäre** in an informal atmosphere

Fa·mi·lie <-, -n> [fa'miːliə] *f* family; **aus guter ~ sein** to come from a good family; **eine vierköpfige ~** a family of four; **in der ~ bleiben** to stay in the family; **zur ~ gehören** to be one of the family; **eine ~ gründen** (*geh*) to start a family; **~ haben** (*fam*) to have a family; **das liegt in der ~** it runs in the family; **„~ Lang"** "The Lang Family"

Fa·mi·li·en·an·ge·hö·ri·ge(r) *f(m) dekl wie adj* relative **Fa·mi·li·en·an·schluss**^RR *m kein pl* **eine Unterkunft mit ~** *accommodation with a family where one is treated as a member of the family* **Fa·mi·li·en·fei·er** *f* family party **Fa·mi·li·en·kreis** *m* family circle **Fa·mi·li·en·le·ben** *nt kein pl* family life *no pl* **Fa·mi·li·en·mit·glied** *nt* member of the family **Fa·mi·li·en·na·me** *m* surname, last name **Fa·mi·li·en·ober·haupt** *nt* head of the family **Fa·mi·li·en·pla·nung** *f* family planning *no art* **Fa·mi·li·en·stand** *m* marital status **Fa·mi·li·en·va·ter** *m* father **Fa·mi·li·en·zu·sam·men·füh·rung** *f* organized family reunion **Fa·mi·li·en·zu·wachs** *m* addition to the family

fa·mos [fa'moːs] *adj* (*veraltend fam*) capital

Fan <-s, -s> [fɛn] *m* fan; (*Fußball~ a.*) supporter

Fa·na·ti·ker(in) <-s, -> [faˈnaːtikɐ] *m(f)* fanatic; **ein politischer ~** an extremist; **ein religiöser ~** a religious fanatic

fa·na·tisch [faˈnaːtɪʃ] **I.** *adj* fanatical **II.** *adv* fanatically

Fa·na·tis·mus <-> [fanaˈtɪsmʊs] *m kein pl* fanaticism

Fan·club [ˈfɛnklʊb] *m s.* **Fanklub**

fand [ˈfant] *imp von* **finden**

Fan·fa·re <-, -n> [fanˈfaːrə] *f* fanfare

Fang <-[e]s, Fänge> [faŋ, *pl* ˈfɛŋə] *m* ❶ *kein pl* (*das Fangen*) catching ❷ *kein pl* (*Beute*) catch; *Fisch* haul ▶ **einen guten ~ machen** to make a good catch

Fang·arm *m* tentacle

Fän·ge [ˈfɛŋə] *pl von* **Fang**

fan·gen <fängt, fing, gefangen> [ˈfaŋən] **I.** *vt* to catch **II.** *vi* **F~ spielen** to play catch **III.** *vr* (*das Gleichgewicht wiedererlangen*) ▪ **sich ~** to catch oneself; (*seelisch*) to pull oneself together [again]

Fang·flot·te *f* fishing fleet **Fang·fra·ge** *f* trick question **Fang·schal·tung** *f* interception circuit

fängt [fɛŋt] *3. pers pres von* **fangen**

Fang·zahn *m* fang

Fan·klub [ˈfɛnklʊp] *m* fan club

Fan·mei·le [ˈfɛn-] *f* (*fam*) SPORT, FBALL fan mile

Fan·ta·sie <-, -n> [fantaˈziː, *pl* -ˈziːən] *f* ❶ *kein pl* (*Einbildungsvermögen*) imagination *no pl* ❷ *meist pl* (*Fantasterei*) fantasy

Fan·ta·sie·ge·bil·de *nt* fantastic form

fan·ta·sie·los^{RR} *adj* unimaginative

Fan·ta·sie·lo·sig·keit^{RR} <-> *f kein pl* lack of imagination *no pl*

fan·ta·sie·ren^{RR*} [fantaˈziːrən] **I.** *vi* to fantasize (**von** about) **II.** *vt* to imagine

fan·ta·sie·voll^{RR} *adj* [highly] imaginative

Fan·tast(in)^{RR} <-en, -en> *m(f)* dreamer

Fan·tas·te·rei^{RR} <-, -en> *f* (*geh*) fantasy

Fan·tas·til·iar·de^{RR} <-, -n> [fanˈtastɪˌli̯ardə] *f* (*hum fam*) gazillion

Fan·tas·tin^{RR} <-, -nen> *f fem form von* **Fantast**

fan·tas·tisch^{RR} **I.** *adj* ❶ (*fam: toll*) fantastic ❷ *attr* (*unglaublich*) incredible ❸ (*geh*) unreal **II.** *adv* ❶ (*fam: toll*) fantastically ❷ (*unglaublich*) incredibly

FAQ [ef?eɐ̯ˈ?kjuː] *pl* INFORM *Abk von* **Frequently Asked Questions** FAQ

Farb·ab·zug *m* FOTO colour print **Farb·band** <-bänder> *nt* typewriter ribbon **Farb·bild·schirm** *m* colour screen **Farb·druck** *m* (*Druckverfahren*) colour printing; (*Bild*) colour print

Far·be <-, -n> [ˈfarbə] *f* ❶ (*Farbton*) colour; **sanfte ~n** soft hues ❷ (*Anstreichmittel*) paint; (*Färbemittel*) dye ❸ KARTEN suit; **~ bedienen** to follow suit ▶ **~ bekennen** to come clean; **~ bekommen** to get a [sun]tan

farb·echt *adj* colourfast

Fär·be·mit·tel *nt* dye

fär·ben [ˈfɛrbn̩] **I.** *vt* ❶ (*andersfarbig machen*) to dye ❷ (*etw eine bestimmte Note geben*) ▪ **rassistisch gefärbt sein** to have racist overtones **II.** *vi* (*ab~*) to run **III.** *vr* ▪ **sich ~** to change colour; **die Blätter ~ sich gelb** the leaves are turning yellow

far·ben·blind *adj* colour blind **Far·ben·pracht** *f* (*geh*) blaze of colour **Far·ben·spiel** *nt* play of colours

Fär·ber(in) <-s, -> [ˈfɛrbɐ] *m(f)* dyer

Fär·be·rei <-, -en> [fɛrbəˈraɪ̯] *f* dye-works

Farb·fern·se·hen *nt*, **Farb·fern·se·her** *m* colour television [set] **Farb·film** *m* colour film **Farb·fo·to** *nt* colour photograph

far·big [ˈfarbɪç] **I.** *adj* ❶ (*bunt*) coloured; **eine ~e Postkarte** a colour postcard ❷ (*anschaulich*) colourful ❸ *attr* (*Hautfarbe betreffend*) coloured **II.** *adv* ❶ (*bunt*) in colour ❷ (*anschaulich*) colourfully

Far·bi·ge(r) *f(m) dekl wie adj* coloured person

Farb·kas·ten *m* paint box **Farb·ko·pie·rer** *m* colour copier

farb·lich [ˈfarplɪç] **I.** *adj* colour **II.** *adv* in colour

farb·los [ˈfarploːs] *adj* ❶ (*ohne Farbe*) colourless; *Lippenstift* clear ❷ (*langweilig*) dull

Farb·mo·ni·tor *m* colour monitor **Farb·scan·ner** *m* colour scanner **Farb·ska·la** *f* colour range **Farb·stift** *m* coloured pen **Farb·stoff** *m* ❶ (*Färbemittel*) dye; (*in Nahrungsmitteln*) artificial colouring ❷ (*Pigment*) pigment **Farb·ton** *m* shade

Fär·bung <-, -en> *f* ❶ *kein pl* (*das Färben*) colouring ❷ (*Tönung*) shade; (*von Blättern*) hue ❸ (*Einschlag*) bias

Far·ce <-, -n> [ˈfarsə] *f* farce

Farm <-, -en> [farm] *f* farm

Far·mer(in) <-s, -> [ˈfarmɐ] *m(f)* farmer

Farn <-[e]s, -e> [farn] *m*, **Farn·kraut** *nt* fern

Fär·se <-, -n> [ˈfɛrzə] *f* heifer

Fa·san <-s, -e[n]> [faˈzaːn] *m* pheasant

Fa·sching <-s, -e *o* -s> [ˈfaʃɪŋ] *m* SÜDD, ÖSTERR (*Fastnacht*) carnival

Fa·schings·diens·tag *m* Shrove Tuesday

Fa·schis·mus <-> [faˈʃɪsmʊs] *m kein pl*

fascism

Fa·schist(in) <-en, -en> [fa'ʃɪst] *m(f)* fascist

fa·schis·tisch [fa'ʃɪstɪʃ] *adj* fascist

Fa·se·lei <-, -en> [faːzə'laɪ] *f* (*pej fam*) drivel

fa·seln ['faːzl̩n] **I.** *vi* (*pej fam*) to babble; **hör auf zu ~!** stop babbling on! **II.** *vt* (*pej fam*) ■ **etw ~** to spout on about sth

Fa·ser <-, -n> ['faːzɐ] *f* fibre

fa·se·rig ['faːzərɪç] *adj* fibrous

Fa·ser·stift *m* felt-tip [pen]

fas·rig ['faːzrɪç] *adj s.* faserig

Fass[RR] <-es, Fässer> *nt*, **Faß**[ALT] <-sses, Fässer> [fas, *pl* fɛsɐ] *nt* barrel; **vom ~** on draught; **Bier vom ~** draught beer; **Wein vom ~** wine from the wood ▸ **ein ~ ohne Boden** a bottomless pit; **das ~ zum Überlaufen bringen** to be the final straw

Fas·sa·de <-, -n> [fa'saːdə] *f* façade, front; **nur ~ sein** (*fig*) to be just [a] show

fass·bar[RR], **faß·bar**[ALT] *adj* ❶ (*konkret*) tangible ❷ (*verständlich*) comprehensible

Fass·bier[RR] *nt* draught beer

fas·sen ['fasn̩] **I.** *vt* ❶ (*ergreifen*) to grasp; **jdn am Arm ~** to seize sb's arm; **jdn bei der Hand ~** to take sb by the hand ❷ *Täter* to apprehend ❸ (*zu etw gelangen*) to take; *Entschluss, Vorsatz* to make; **keinen klaren Gedanken ~ können** not able to think clearly ❹ (*begreifen*) to comprehend; **er konnte sein Glück kaum fassen** he could scarcely believe his luck; [**das ist**] **nicht zu ~!** it's incredible ❺ (*etw enthalten*) to contain ❻ (*ein~*) to mount (**in** in) **II.** *vi* ❶ (*greifen*) to grip; *Zahnrad, Schraube* to bite ❷ (*berühren*) to touch; **sie fasste in das Loch** she felt inside the hole ❸ *von Hund* **fass!** get [him/her]! **III.** *vr* ■ **sich ~** to pull oneself together; **sich kaum mehr ~ können** to scarcely be able to contain oneself

Fas·set·te[RR] <-, -n> [fa'sɛtə] *f s.* Facette

Fasson <-, -s> [fa'sõː] *f* shape

Fas·sung <-, -en> *f* ❶ (*Rahmen*) mounting ❷ (*Brillengestell*) frame ❸ ELEK socket ❹ (*Bearbeitung*) version ❺ *kein pl* (*Selbstbeherrschung*) composure; **die ~ bewahren** to maintain one's composure; **jdn aus der ~ bringen** to unsettle sb; **etw mit ~ tragen** to bear sth calmly; **trag es mit ~** don't let it get to you; **die ~ verlieren** to lose one's self-control

fas·sungs·los I. *adj* staggered **II.** *adv* in bewilderment; **~ zusehen, wie ...** to watch in shocked amazement as ...

Fas·sungs·lo·sig·keit <-> *f kein pl* complete bewilderment

Fas·sungs·ver·mö·gen *nt* capacity

fast [fast] *adv* almost, nearly; **~ nie** hardly ever

fas·ten ['fastn̩] *vi* to fast

Fas·ten·kur *f* diet **Fas·ten·mo·nat** *m* REL month of fasting **Fas·ten·zeit** *f* REL Lent, period of fasting

Fast Food[RR], **Fast·food**[RR], **Fast food**[ALT] <-> ['faːstfuːt] *nt kein pl* fast food

Fast·nacht ['fastnaxt] *f kein pl* DIAL carnival

Fast·nachts·diens·tag *m* Shrove Tuesday

Fas·zi·na·ti·on <-> [fastsinaˈtsj̯oːn] *f kein pl* fascination

fas·zi·nie·ren* [fastsiˈniːrən] *vt, vi* to fascinate; **was fasziniert dich so an ihm?** why do you find him so fascinating?

fas·zi·nie·rend *adj* fascinating

fa·tal [fa'taːl] *adj* (*geh*) ❶ (*verhängnisvoll*) fatal; **~e Folgen haben** to have fatal repercussions ❷ (*peinlich*) awkward; **in eine ~e Lage geraten** to be in an awkward position

Fa·ta·lis·mus <-> [fata'lɪsmʊs] *m kein pl* (*geh*) fatalism

Fa·ta·list(in) <-en, -en> [fata'lɪst] *m(f)* fatalist

fa·ta·lis·tisch *adj* (*geh*) fatalistic

Fa·ta Mor·ga·na <- -, - Morganen *o* -s> ['faːta mɔr'gaːna, *pl* -'gaːnən] *f* ❶ (*Luftspiegelung*) mirage ❷ (*Wahnvorstellung*) fata morgana

Fat·wa <-, -s> ['fatva] *f* REL fatwa

Fatz·ke <-n *o* -s, -n> ['fatskə] *m* (*pej fam*) pompous twit

fau·chen ['faʊxn̩] *vi* ❶ (*Tierlaut*) to hiss ❷ (*wütend zischen*) to spit

faul [faʊl] *adj* ❶ (*nicht fleißig*) lazy ❷ (*verfault*) rotten ❸ (*pej fam: nicht einwandfrei*) feeble; *Kompromiss* shabby; ■ **an etw** *dat* **ist etw ~** something is fishy about sth

Fäu·le <-> ['fɔylə] *f kein pl* (*geh:* Fäulnis) rot; (*Zahn~*) [tooth] decay

fau·len ['faʊlən] *vi sein o haben* to rot; *Wasser* to stagnate

fau·len·zen ['faʊlɛntsn̩] *vi* to laze about; ■ **das F~** lazing about

Fau·len·zer(in) <-s, -> ['faʊlɛntsɐ] *m(f)* (*pej*) layabout

Fau·len·ze·rei <-, *selten* -en> [faʊlɛntsə'raɪ] *f* (*pej*) idleness

Faul·heit <-> *f kein pl* laziness

fau·lig ['faʊlɪç] *adj* rotten; *Geruch, Geschmack* foul; *Wasser* stagnant

Fäul·nis <-> ['fɔylnɪs] *f kein pl* decay, rot

Faul·pelz *m* (*pej fam*) lazybones **Faul·tier** *nt* ❶ (*Tier*) sloth ❷ (*fam*) *s.* Faulpelz

Fau·na <-, Faunen> ['fau̯na, *pl* 'fau̯nən] *f* fauna

Faust <-, Fäuste> [fau̯st, *pl* fɔystə] *f* fist; **die ~ ballen** to clench one's fist ► **wie die ~ aufs Auge passen** (*nicht passen*) to clash horribly; (*perfekt passen*) to be a perfect match; **auf eigene ~** off one's own bat

Fäust·chen <-s, -> ['fɔystçən] *nt dim von* **Faust** little fist ► **sich** *dat* **ins ~ lachen** (*fam*) to laugh up one's sleeve

faust·dick ['fau̯stdɪk] *adj* (*fam*) (*unerhört*) whopping; **das ist eine ~e Lüge!** that's a real whopper! ► **es ~ hinter den Ohren haben** to be a sly dog **Faust·hand·schuh** *m* mitten **Faust·re·gel** *f* rule of thumb **Faust·schlag** *m* blow

Faux·pas <-, -> [fo'pa] *m* (*geh*) faux pas

fa·vo·ri·sie·ren* [favori'zi:rən] *vt* (*geh*) to favour

Fa·vo·rit(in) <-en, -en> [favo'ri:t, *pl* -'ri:tn̩] *m(f)* favourite

Fax <-, -e> [faks] *nt* ❶ (*Schriftstück*) fax ❷ (*Gerät*) fax [machine]

fa·xen ['faksn̩] *vi, vt* to fax

Fa·xen ['faksn̩] *pl* ❶ (*Albereien*) clowning around; **lass die ~!** stop clowning around!; **~ machen** (*sl: Schwierigkeiten machen*) to give sb trouble ❷ (*fam: Grimassen*) grimaces *pl*; **~ machen** to make faces ► **die ~ dick[e] haben** (*fam*) to have had it up to here

Fax·ge·rät *nt* fax machine

Fax·mo·dem *nt* fax modem

Fa·zit <-s, -s *o* -e> ['fa:tsɪt] *nt* result; **das ~ aus etw** *dat* **ziehen** to sum up sth *sep*; (*Bilanz ziehen*) to take stock of sth

FCKW <-s, -s> [ɛftseːkaːveː] *m Abk von* **Fluorchlorkohlenwasserstoff** CFC

FCKW-frei *adj* CFC-free

FDP <-> [ɛfdeːpeː] *f Abk von* **Freie Demokratische Partei** FDP

Fe·ber <-s, -> ['feːbɐ] *m* ÖSTERR (*Februar*) February

Feb·ru·ar <-[s], *selten* -e> ['feːbruaɐ̯] *m* February; **Anfang/Ende ~** at the beginning/end of February; **Mitte ~** in the middle of February, mid-February; **~ sein** to be February; **~ haben** to be February; **jetzt haben wir schon ~ und ich habe noch immer nichts geschafft** it's February already and I still haven't achieved anything; **im ~** in February; **im Laufe des ~s** [*o des Monats ~*] during the course of February, in February; **im Monat ~** in [the month of] February; **in den ~ fallen/legen** to be in February/to schedule for February; **diesen ~** this February; **jeden ~** every February; **bis in den ~ [hinein]** until [well] into

February; **den ganzen ~ über** for the whole of February; **am 14. ~** (*Datumsangabe: geschrieben*) on [the] 14th February [*or* February 14th] BRIT, on February 14 AM; (*gesprochen*) on the 14th of February [*or* AM February the 14th]; **am Freitag, dem** [*o* **den**] **14. Februar** on Friday, February [the] 14th; **Dorothee hat am 12. ~ Geburtstag** Dorothee's birthday is on February 12th; **auf den 14. ~ fallen/legen** to fall on/to schedule for February 14th; **Hamburg, den 14. ~ 2000** Hamburg, 14th February 2000 BRIT, Hamburg, February 14, 2000 *esp* AM

fech·ten <fechtet *o* ficht, focht, gefochten> ['fɛçtn̩] *vi* to fence (**mit** with, **gegen** against)

Fech·ten <-s> ['fɛçtn̩] *nt kein pl* fencing

Fech·ter(in) <-s, -> ['fɛçtɐ] *m(f)* fencer

Fecht·meis·ter(in) *m(f)* SPORT fencing master

Fe·der <-, -n> ['feːdɐ] *f* ❶ (*Teil des Gefieders*) feather ❷ (*Schreib~*) nib; **zur ~ greifen** to put pen to paper; **aus jds ~ stammen** to come from sb's pen ❸ (*elastisches Metallteil*) spring ❹ (*Bett*) **noch in den ~n liegen** (*fam*) to still be in bed; **raus aus den ~n!** (*fam*) rise and shine! ► **sich mit fremden ~n schmücken** to take the credit for sb else's efforts

Fe·der·ball *m* ❶ *kein pl* (*Spiel*) badminton ❷ (*Ball*) shuttlecock **Fe·der·bett** *nt* duvet BRIT, comforter AM **Fe·der·busch** *m* ❶ (*auf Vogelkopf*) crest ❷ (*auf Kopfbedeckung*) plume **fe·der·füh·rend** *adj* in charge **Fe·der·ge·wicht** *nt kein pl* SPORT featherweight **Fe·der·hal·ter** *m* fountain pen **fe·der·leicht** ['feːdɐlai̯çt] *adj* as light as a feather *pred* **Fe·der·le·sen** *nt* **ohne langes ~** without further ado; **ohne viel ~s** without much ceremony

fe·dern ['feːdɐn] **I.** *vi* ❶ (*nachgeben*) to be springy ❷ SPORT to flex **II.** *vt* ■ **etw ~** to fit sth with suspension

fe·dernd *adj* springy

Fe·de·rung <-, -en> *f* springing; (*für Auto a.*) suspension

Fe·der·vieh *nt* (*fam*) poultry **Fe·der·zeich·nung** *f* pen-and-ink drawing

Fee <-, -n> [feː, *pl* 'feːən] *f* fairy

Feed·backRR, **Feed·back** <-s, -s> ['fiːtbɛk] *nt* feedback *no indef art, no pl*

Fee·ling <-s> ['fiːlɪŋ] *nt kein pl* ❶ (*Gefühl*) feeling ❷ (*Gefühl für etw*) feel; **ein ~ für etw** *akk* **haben** to have a feel for sth

Fe·ge·feuer ['feːgə-] *nt* purgatory

fe·gen ['feːgn̩] **I.** *vt* **haben** ❶ (*kehren*) to sweep ❷ SCHWEIZ (*feucht wischen*) to wipe

II. *vi* ❶ *haben* (*ausfegen*) to sweep up ❷ *sein* (*fam: schnell fahren*) to tear; **er kam um die Ecke gefegt** he came tearing round the corner

Feh·de <-, -n> ['feːdə] *f* feud; **mit jdm in ~ liegen** (*geh*) to be feuding with sb

fehl [feːl] *adj* **~ am Platz** out of place

Fehl·alarm *m* false alarm **Fehl·an·zei·ge** *f* dead loss

fehl·bar *adj* fallible **fehl·be·setzt** *adj* *Rolle, Schauspieler* miscast **Fehl·be·trag** *m* ❶ FIN (*fehlender Betrag*) shortfall ❷ ÖKON (*Defizit*) deficit **Fehl·bil·dung** *f* abnormality; MED deformity **Fehl·di·a·gno·se** *f* wrong diagnosis **Fehl·ein·schät·zung** *f* misjudgement

feh·len ['feːlən] **I.** *vi* ❶ (*nicht vorhanden sein*) ■ **etw fehlt** sth is missing ❷ (*abhandengekommen sein*) ■ **jdm fehlt etw** sb is missing sth ❸ (*abwesend sein*) to be missing (**in** from); **unentschuldigt ~** to be absent without an excuse ❹ (*schmerzlich vermissen*) ■ **jd fehlt jdm** sb misses sb ❺ (*an etw leiden*) **nein, mir fehlt wirklich nichts** no, there is nothing the matter with me; **fehlt Ihnen etwas?** is there anything wrong with you? **II.** *vi impers* ❶ (*abhandengekommen sein*) to be missing ❷ (*mangeln*) ■ **jdm fehlt es an etw** *dat* sb is lacking sth; **jdm fehlt an nichts** (*geh*) sb wants for nothing ▶ **es fehlte nicht viel, und ...** ... almost ...; **weit gefehlt!** way off the mark!; **wo fehlt 's?** what's the matter?

Fehl·ent·schei·dung *f* wrong decision **Feh·ler** <-s, -> ['feːlɐ] *m* ❶ (*Irrtum*) error, mistake; **einen ~ machen** [*o* begehen] to make a mistake; **jds ~ sein** to be sb's fault ❷ (*Mangel*) defect ❸ (*schlechte Eigenschaft*) fault; **jeder hat [seine] ~** everyone has [their] faults

feh·ler·frei *adj s.* **fehlerlos**

feh·ler·haft *adj* ❶ (*mangelhaft*) poor; (*bei Waren*) defective ❷ (*falsch*) incorrect

feh·ler·los *adj* faultless, perfect

Feh·ler·mel·dung *f* INFORM error message **Feh·ler·quel·le** *f* source of error **Feh·ler·su·che** *f* INFORM troubleshooting

Fehl·funk·ti·on *f* defective function

Fehl·ge·burt *f* miscarriage **Fehl·griff** *m* mistake; **einen ~ tun** to make a mistake **Fehl·in·for·ma·ti·on** *f* incorrect information *no indef art, no pl* **Fehl·in·ves·ti·ti·on** *f* bad investment **Fehl·kon·struk·ti·on** *f* (*pej*) flawed product; **eine totale ~ sein** to be extremely badly designed **Fehl·pla·nung** *f* bad planning **Fehl·schlag** *m* failure **fehl|schla·gen** *vi irreg sein* to fail

Fehl·schluss[RR] *m* **den ~ ziehen** to draw the wrong conclusion **Fehl·start** *m* ❶ LUFT faulty launch ❷ SPORT false start **Fehl·tritt** *m* (*geh*) ❶ (*Fauxpas*) lapse ❷ (*Ehebruch*) indiscretion **Fehl·ur·teil** *nt* ❶ JUR miscarriage of justice ❷ (*falsche Beurteilung*) misjudgement; **ein ~ fällen** to form an incorrect judgement **Fehl·ver·hal·ten** *nt* inappropriate behaviour **Fehl·zün·dung** *f* misfiring; **~ haben** to misfire

Fei·er <-, -n> ['faɪɐ] *f* celebration; **zur ~ des Tages** in honour of the occasion

Fei·er·abend ['faɪɐˌʔaːbn̩t] *m* ❶ (*Arbeitsschluss*) end of work; **hoffentlich ist bald ~** I hope it's time to go home soon; **für mich ist jetzt ~** I'll call it a day!; ■ **~!** that's it for today!; **~ machen** to finish work for the day; **nach ~** after work ❷ (*Zeit nach Arbeitsschluss*) evening; **schönen Feierabend!** have a nice evening!

fei·er·lich ['faɪɐlɪç] **I.** *adj* ❶ (*erhebend*) ceremonial; *Anlass* formal ❷ (*nachdrücklich*) solemn ▶ **nicht mehr ~ sein** (*fam*) to go beyond a joke **II.** *adv* ❶ (*würdig*) formally ❷ (*nachdrücklich*) solemnly

Fei·er·lich·keit <-, -en> *f* ❶ *kein pl* (*würdevolle Beschaffenheit*) solemnity ❷ *meist pl* (*Feier*) celebrations

fei·ern ['faɪɐn] *vt, vi* ❶ (*festlich begehen*) to celebrate; **eine Party ~** to have a party ❷ (*umjubeln*) to acclaim

Fei·er·tag ['faɪɐˌtaːk] *m* holiday

fei·er·tags ['faɪɐˌtaːks] *adv* on holidays

fei·ge ['faɪɡə] *adj* cowardly; **los, sei nicht ~!** come on, don't be a coward!

Fei·ge <-, -n> ['faɪɡə] *f* fig

Fei·gen·baum *m* fig tree **Fei·gen·blatt** *nt* fig leaf

Feig·heit <-, -en> *f kein pl* cowardice

Feig·ling <-s, -e> ['faɪklɪŋ] *m* (*pej*) coward

Fei·le <-, -n> ['faɪlə] *f* file

fei·len ['faɪlən] **I.** *vt* to file **II.** *vi* ■ **an etw** *dat* **~** ❶ (*mit einer Feile bearbeiten*) to file sth ❷ (*verbessern*) to polish sth

feil·schen ['faɪlʃn̩] *vi* (*pej*) to haggle (**um** over)

Feil·spä·ne *m* TECH filings *pl*

fein ['faɪn] **I.** *adj* ❶ (*nicht grob*) fine; (*zart*) delicate ❷ (*vornehm*) distinguished; **sich** *dat* **für etw** *akk* **zu ~ sein** sth is beneath one; **sich ~ machen** to get dressed up ❸ (*von hoher Qualität*) exquisite; **das F~ste vom F~en** the best [of the best]; **vom F~sten** of the highest quality; (*rein*) pure; **aus ~em Gold** made out of pure gold ❹ (*fam: anständig*) decent; (*iron*)

fine; **du bist mir ja ein ~er Freund!** you're a fine friend! ❺ (*~sinnig*) keen; **eine ~e Nase haben** to have a very keen sense of smell ❻ *Humor* delicate; *Ironie* subtle ❼ (*fam: erfreulich*) fine, great ▶ **~ raus sein** to be in a nice position **II.** *adv* ❶ (*genau*) precise; **~ säuberlich** accurate ❷ (*zart, klein*) finely; **~ gemahlen** fine-ground ❸ (*elegant*) **sich ~ machen** to dress up

Feind(in) <-[e]s, -e> ['faɪnt, *pl* faɪndə] *m(f)* ❶ (*Gegner*) enemy; **sich** *dat* **jdn zum ~ machen** to make an enemy of sb ❷ (*Opponent*) opponent; ■ **ein ~ einer S.** *gen* an opponent of sth

Feind·bild *nt* concept of an/the enemy **feind·lich** *adj* ❶ (*gegnerisch*) enemy *attr* ❷ (*feindselig*) hostile; ■ **jdm ~ gegenüberstehen** to be hostile to sb **Feind·schaft** <-, -en> *f kein pl* animosity, hostility

feind·se·lig ['faɪntzeːlɪç] **I.** *adj* hostile **II.** *adv* hostilely; **sich ~ verhalten** to behave in a hostile manner **Feind·se·lig·keit** <-, -en> *f* ❶ *kein pl* (*feindselige Haltung*) hostility ❷ *pl* (*Kampfhandlungen*) hostilities *npl*

fein·füh·lend *adj* sensitive, delicate **fein·füh·lig** ['faɪnfyːlɪç] *adj* sensitive **Fein·ge·fühl** *nt kein pl* sensitivity; **etw verlangt viel ~** sth requires a great deal of tact **fein·glie·de·rig** ['faɪngliːdərɪç], **fein·glied·rig** ['faɪngliːdrɪç] *adj* delicate **Fein·heit** <-, -en> *f* ❶ (*Feinkörnigkeit*) fineness; (*Zartheit*) delicacy ❷ (*Scharfsinnigkeit*) acuteness ❸ (*Dezentheit*) subtle ❹ *pl* (*Nuancen*) subtleties

fein·kör·nig *adj* ❶ (*aus kleinen Teilen*) fine-grained ❷ FOTO fine-grain **Fein·kost·ge·schäft** *nt* delicatessen **Fein·me·cha·nik** *f* precision engineering **Fein·schme·cker(in)** <-s, -> *m(f)* gourmet **Fein·schme·cker·re·stau·rant** [-ʀɛstoˈʀãː] *nt* GASTR gourmet restaurant **fein·sin·nig** *adj* sensitive **Fein·wä·sche** *f* delicates *npl* **Fein·wasch·mit·tel** *nt* mild detergent

feist [faɪst] *adj* fat **fei·xen** ['faɪksn̩] *vi* (*fam*) to smirk **Feld** <-[e]s, -er> [fɛlt, *pl* ˈfɛldɐ] *nt* ❶ (*offenes Gelände, Acker*) field; **auf freiem ~** in the open country ❷ (*abgeteilte Fläche*) section, field; (*auf Spielbrett*) square ❸ *kein pl* (*Schlacht~*) [battle]field; **im ~** in battle ❹ (*Bereich*) area; **ein weites ~ sein** to be a broad subject ▶ **das ~ räumen** to quit the field; **jdm das ~ überlassen** to

leave the field open to sb; **gegen etw** *akk* **zu ~e ziehen** (*geh*) to campaign against sth

Feld·ar·beit *f* work in the fields **Feld·bett** *nt* camp bed **Feld·fla·sche** *f* canteen **Feld·for·schung** *f* field research **Feld·frucht** <-, -früchte> *f meist pl* arable crop **Feld·herr(in)** *m(f)* MIL, HIST general, strategist **Feld·kü·che** *f* MIL field kitchen **Feld·la·ger** *nt* (*Heerlager*) encampment **Feld·la·za·rett** *nt* MIL field hospital **Feld·mar·schall(in)** ['fɛltmarʃal] *m(f)* field marshal **Feld·maus** *f* field mouse **Feld·post** *f* MIL forces' postal service **Feld·sa·lat** *m* lamb's lettuce **Feld·ste·cher** <-s, -> *m* binoculars *npl* **Feld·we·bel(in)** <-s, -> ['fɛltveːbl̩] *m(f)* sergeant-major **Feld·weg** *m* field path **Feld·zug** *m* campaign

Fel·ge <-, -n> ['fɛlgə] *f* rim **Fell** <-[e]s, -e> [fɛl] *nt* (*Tierhaut*) fur; **einem Tier das ~ abziehen** to skin an animal ▶ **jdm das ~ über die Ohren ziehen** (*fam*) to take sb to the cleaners; **ein dickes ~ haben** (*fam*) to be thick-skinned **Fel·la·tio** <-> [fɛˈlaːtsi̯o] *f kein pl* fellatio no pl

Fels <-en, -en> [fɛls] *m* ❶ (*geh*) cliff ❷ (*Gestein*) rock **Fels·block** <-blöcke> *m* boulder **Fel·sen** <-s, -> ['fɛlzn̩] *m* cliff **fel·sen·fest** ['fɛlzn̩fɛst] **I.** *adj* rock solid, steadfast **II.** *adv* steadfastly; **~ von etw** *dat* **überzeugt sein** to be firmly convinced of sth

Fels·ge·stein *nt* rock **fel·sig** ['fɛlzɪç] *adj* rocky **Fels·spal·te** *f* cleft in the rock **Fels·vor·sprung** *m* ledge **Fels·wand** *f* rock face **fe·mi·nin** [femiˈniːn] *adj* feminine **Fe·mi·ni·num** <-s, Feminina> ['feːmi·niːnʊm] *nt* LING feminine noun **Fe·mi·nis·mus** <-> [femiˈnɪsmʊs] *m kein pl* feminism no pl **Fe·mi·nist(in)** <-en, -en> [femiˈnɪst] *m(f)* feminist **fe·mi·nis·tisch** *adj* feminist **Fen·chel** <-s> ['fɛnçl̩] *m kein pl* BOT fennel no pl

Fens·ter <-s, -> ['fɛnstɐ] *nt* window ▶ **weg vom ~ sein** (*fam*) to be out of the running

Fens·ter·bank <-bänke> *f* window-sill **Fens·ter·brett** *nt* window-sill **Fens·ter·brief·um·schlag** *m* window envelope **Fens·ter·flü·gel** *m* casement **Fens·ter·glas** *nt* window glass **Fens·ter·he·ber** <-s, -> *m* window regulator **Fens·ter·la·**

den *m* [window] shutter **Fẹns·ter·le·der** *nt* shammy (leather)

fens·terln ['fɛnstɐln] *vi* SÜDD, ÖSTERR to climb in one's lover's window

Fẹns·ter·platz *m* window seat **Fẹns·ter·put·zer(in)** <-s, -> *m(f)* window cleaner **Fẹns·ter·rah·men** *m* window frame **Fẹns·ter·schei·be** *f* window pane

Fe·ri·en ['feːrɪən] *pl* ① (*Schulferien*) [school] holidays *pl* BRIT, [school] summer vacation AM; **die großen ~** the summer holidays *pl* BRIT; **~ haben** to be on holiday [*or* AM vacation] ② (*Urlaub*) holidays *pl,* vacation AM; **in die ~ fahren** to go on holiday [*or* AM vacation]

Fe·ri·en·gast *m* holiday-maker **Fe·ri·en·haus** *nt* holiday home **Fe·ri·en·kurs** *m* vacation course BRIT, summer school AM **Fe·ri·en·la·ger** *nt* holiday camp **Fe·ri·en·ort** *m* holiday resort **Fe·ri·en·park** *m* TOURIST holiday park BRIT, tourist resort AM **Fe·ri·en·tag** *m* holiday **Fe·ri·en·woh·nung** *f* holiday flat BRIT, vacation apartment AM **Fe·ri·en·zeit** *f* holiday period

Fer·kel <-s, -> ['fɛrkl] *nt* ① (*junges Schwein*) piglet ② (*pej fam: unsauberer Mensch*) pig ③ (*pej fam: obszöner Mensch*) filthy pig

Fer·ke·lei <-, -en> *f* (*pej fam: Unsauberkeit*) mess

fer·keln ['fɛrkln] *vi* ① (*Ferkel werfen*) to litter ② (*Dreck machen*) to make a mess

Fer·ment <-s, -e> [fɛr'mɛnt] *nt* (*veraltend*) enzyme

fern [fɛrn] **I.** *adj* ① (*räumlich entfernt*) faraway, far off; *Länder* distant; **von ~ beobachten** to observe from afar; **von ~ betrachtet** viewed from a distance ② (*zeitlich entfernt*) distant; **in nicht allzu ~er Zeit** in the not too distant future **II.** *präp* +*dat* far [away] from

Fẹrn·be·die·nung *f* remote control **fẹrn|blei·ben** *vi irreg sein* (*geh*) to stay away **Fẹrn·blick** *m* vista, distant view

Fer·ne <-, *selten* -n> ['fɛrnə] *f* ① (*Entfernung*) distance; **aus der ~** from a distance; **in der ~** in the distance ② (*geh: ferne Länder*) distant lands; **in der ~** abroad ③ (*längst vergangen*) [schon] **in weiter ~ liegen** it already happened such a long time ago ④ (*in ferner Zukunft*) [noch] **in weiter ~ liegen** there is still a long way to go

fer·ner ['fɛrnɐ] **I.** *adj* ① *comp von* **fern** more distant ② (*künftig, weiter*) in [the] future; **in der ~en Zukunft** in the distant future ▶ **unter ~ liefen** (*fam*) to be a runner-up **II.** *konj* furthermore

Fẹrn·fah·rer(in) *m(f)* long-distance lorry [*or* AM truck] driver **Fẹrn·flug** *m* long-distance flight **Fẹrn·ge·spräch** *nt* long-distance call **fẹrn·ge·steu·ert** *adj* remote-controlled **Fẹrn·glas** *nt* [pair of] binoculars **fẹrn|gu·cken** *vi* (*fam: fernsehen*) to watch TV **fẹrn|hal·ten** *irreg vt, vr* ◼ **sich von jdm/etw ~** to keep away from sb/sth **Fẹrn·hei·zung** *f* district heating **Fẹrn·ko·pie** *f s.* **Telefax Fẹrn·kurs** *m* correspondence course **Fẹrn·lei·tung** *f* TELEK long-distance line **fẹrn|len·ken** *vt* to operate by remote control **Fẹrn·len·kung** *f* remote control **Fẹrn·licht** *nt* full beam BRIT, high beams AM; **mit ~ fahren** to drive on full beam BRIT, to drive with your high beams on AM; **~ an haben** to be on full beam BRIT, to have your high beams on AM **fẹrn|lie·gen** *vi irreg* (*außer Frage*) **etw liegt jdm fern** sth is far from sb's mind; **jdm liegt es fern, etw zu tun** to be far from sb's thoughts to do sth; **jdm nicht ~** to not be far from one's thoughts **Fẹrn·mel·de·amt** *nt* telephone exchange **Fẹrn·mel·de·dienst** *m* telecommunications service **Fẹrn·mel·de·tech·nik** *f kein pl* telecommunications engineering *no pl* **Fẹrn·mel·de·we·sen** *nt kein pl* telecommunications + *sing vb* **fẹrn·münd·lich** *adj* (*geh*) by telephone **Fẹrn·ost** ['fɛrn'ʔɔst] *kein art* **aus/in/nach ~** from/in/to the Far East **fẹrn·öst·lich** ['fɛrn'ʔœstlɪç] *adj* Far Eastern **Fẹrn·rohr** *nt* telescope **Fẹrn·schrei·ben** *nt* telex [message] **Fẹrn·schrei·ber** *m* telex [machine] **fẹrn·schrift·lich** *adj* by telex **Fẹrn·seh·an·sa·ger(in)** *m(f)* television announcer **Fẹrn·seh·an·stalt** *f* broadcasting company **Fẹrn·seh·an·ten·ne** *f* television aerial **Fẹrn·seh·ap·pa·rat** *m* (*geh*) *s.* **Fernseher**

Fẹrn·se·hen <-s> ['fɛrnzeːən] *nt kein pl* television *no pl;* **das ~ bringt nur Wiederholungen** they're only showing repeats on the TV; **beim ~ arbeiten** to work in television; **im ~ kommen** to be on television

fẹrn|se·hen ['fɛrnzeːən] *vi irreg* to watch television

Fẹrn·se·her <-s, -> *m* television [set]

Fẹrn·seh·film *m* television movie **Fẹrn·seh·ge·bühr** *f meist pl* television licence fee **Fẹrn·seh·ge·rät** *nt* (*geh*) television set **Fẹrn·seh·in·ter·view** *nt* televised interview **Fẹrn·seh·jour·na·list(in)** *m(f)* television reporter **Fẹrn·seh·ka·me·ra** *f* television camera **Fẹrn·seh·koch, -kö·chin** *m, f* MEDIA, TV TV chef **Fẹrn·seh·**

nach·rich·ten *pl* television news + *sing vb* **Fern·seh·pre·di·ger(in)** *m(f)* televangelist **Am Fern·seh·pro·gramm** *nt* ❶ (*Programm im Fernsehen*) television programme ❷ (*Kanal*) [television] channel **Fern·seh·sen·der** *m* television station **Fern·seh·sen·dung** *f* television programme **Fern·seh·spiel** *nt* television play **Fern·seh·turm** *m* television tower **Fern·seh·über·tra·gung** *f* television broadcast **Fern·seh·zeit·schrift** *f* television guide

Fern·sicht *f* view; **bei guter** ~ by good visibility

Fern·sprech·amt *nt* (*form*) telephone exchange **Fern·sprech·an·la·ge** *f* (*geh*) telephone **Fern·sprech·an·sa·ge·dienst** *m* telephone information service **Fern·spre·cher** ['fɛrnʃprɛçɐ] *m* telephone **Fern·sprech·ge·bühr** *f* (*geh*) telephone charges *pl* **Fern·sprech·teil·neh·mer(in)** *m(f)* (*form: Besitzer eines Telefons*) telephone owner **fern|steu·ern** *vt* to operate by remote control **Fern·steu·e·rung** *f* remote control **Fern·stra·ße** *f* highway, motorway Brit, freeway Am, interstate Am **Fern·stu·di·um** *nt* correspondence course **Fern·uni·ver·si·tät** *f* Open University **Fern·ver·kehr** *m* long-distance traffic **Fern·wär·me** *f kein pl* district heating *spec* **Fern·weh** <-[e]s> *nt kein pl* (*geh*) wanderlust *no pl* **Fern·ziel** *nt* long-term objective

Fer·se <-, -n> ['fɛrzə] *f* (*Teil des Fußes*) heel ▶ **sich jdm an die ~n hängen** to stick close to sb; **jdm [dicht] auf den ~n sein** to be [hot] on sb's tail

fer·tig ['fɛrtɪç] **I.** *adj* ❶ (*abgeschlossen*) finished; **etw ~ haben** to have finished sth; **mit etw** *dat* **~ sein** to be finished with sth; **mit etw** *dat* **~ werden** to finish sth ❷ (*bereit*) ready; **ich bin schon lange ~!** I've been ready for ages! ❸ (*fam: erschöpft*) exhausted, knackered Brit ❹ (*fam: Beziehung beendet*) ■ **mit jdm ~ sein** to be through with sb **II.** *adv* ❶ (*zu Ende*) **etw ~ bekommen** to complete sth; **etw ~ machen** to finish sth; **etw ~ stellen** to finish [*or* complete] sth ❷ (*bereit*) **sich ~ machen** to get ready [for sth] ▶ **auf die Plätze, ~, los!** on your marks, get set, go!, ready, steady, go!

Fer·tig·bau <-bauten> *m* ❶ *kein pl* (*Bauweise*) prefabricated construction *no pl* ❷ (*Gebäude*) prefab **Fer·tig·bau·wei·se** *f kein pl* prefabricated building *no pl* **fer·tig|brin·gen** *vt irreg* (*fig*) **der bringt es ~ und verlangt auch noch Geld!** and he

even has the cheek to ask for money **fer·ti·gen** ['fɛrtɪgn̩] *vt* (*geh*) to manufacture **Fer·tig·ge·richt** *nt* instant meal **Fer·tig·haus** *nt* prefabricated house **Fer·tig·keit** <-, -en> *f* ❶ *kein pl* (*Geschicklichkeit*) skill ❷ *pl* (*Fähigkeiten*) competence **fer·tig|ma·chen** *vt* (*fig*) ■ **etw macht jdn fertig** (*zermürben*) sth wears out sb *sep;* ■ **jdn ~** (*schikanieren*) to wear sb down *sep;* (*sl: zusammenschlagen*) to beat up sb *sep* **Fer·tig·nah·rung** *f* convenience food **Fer·tig·pro·dukt** *nt* finished product **Fer·tig·stel·lung** *f* completion **Fer·tig·teil** *nt* prefabricated component **Fer·ti·gung** <-, -en> *f* manufacture

Fes <-, -> [feːs] *nt* Mus F flat

fesch [fɛʃ] *adj* Südd, Österr (*fam: flott*) smart

Fes·sel <-, -n> ['fɛsl̩] *f* ❶ (*Schnur*) bond; (*Kette*) shackles *npl;* **jdm ~n anlegen** to tie sb up; **seine ~n sprengen** to throw off one's chains *fig* ❷ Anat (*von Mensch*) ankle; (*von Huftier*) pastern

fes·seln ['fɛsl̩n] *vt* ❶ (*Fesseln anlegen*) to bind, to tie [up] (**an** to) ❷ (*faszinieren*) to captivate

fes·selnd *adj* captivating

fest [fɛst] **I.** *adj* ❶ (*hart, stabil*) strong, tough; *Schuhe* sturdy ❷ (*nicht flüssig*) solid; (*erstarrt*) solidified ❸ (*sicher, entschlossen*) firm; *Zusage* definite ❹ (*kräftig*) firm; *Händedruck* sturdy ❺ (*nicht locker*) tight ❻ (*konstant*) permanent; (*~ gesetzt*) fixed; (*dauerhaft*) lasting; *Freund, Freundin* steady **II.** *adv* ❶ (*kräftig*) firmly; **jdn ~ an sich drücken** to give someone a big hug ❷ (*nicht locker*) tightly; **~ anziehen** to screw in tightly; **~ treten** to tread down *sep;* **~ ziehen** to tighten ❸ (*mit Nachdruck*) definitely; **jdm etw ~ verspre·chen** to make sb a firm promise ❹ (*dauernd*) permanently; **Geld ~ anlegen** to invest in a fixed term deposit; **~ angestellt sein** to have a permanent job

Fest <-[e]s, -e> [fɛst] *nt* ❶ (*Feier*) celebration; **ein ~ geben** to have a party ❷ (*Feiertag*) feast; **frohes ~!** Happy Christmas/ Happy Easter, etc. ▶ **man soll die ~e feiern, wie sie fallen** (*prov*) one should make hay while the sun shines

Fest·akt *m* ceremony **fest·an·ge·stell·t** ᴬᴸᵀ *adj* ■ **~ sein** to have a permanent job **Fest·an·ge·stell·te(r)** *f(m) dekl wie adj* permanent employee **Fest·an·stel·lung** *f* steady employment **fest|bei·ßen** *vr irreg* ■ **sich ~** ❶ (*sich verbeißen*) to get a firm grip with one's teeth **②** (*nicht weiterkom·men*) to get stuck (**an** on) **Fẹst·be·leuch·tung** *f* **①** (*festliche Beleuchtung*) festive lighting [*or* lights] **②** (*hum fam: zu helle Beleuchtung*) bright lights **fẹst|bin·den** *vt irreg* to tie (**an** to)

fẹs·te ['fɛstə] *adv* (*fam*) like mad

Fẹst·es·sen *nt* banquet

fẹst|fah·ren *vr irreg* ■ **sich** ~ to get stuck **fẹst|frie·ren** *vi irreg sein* to freeze [solid] (**an** to) **Fẹst·geld** *nt* FIN fixed-term deposit **Fẹst·geld·kon·to** *nt* FIN term account **fẹst|ha·ken** I. *vt* (*mit einem Haken befestigen*) to hook (**an** to) II. *vr* (*hängen bleiben*) ■ **sich an/in etw** *dat* ~ to get caught on/in sth **fẹst|hal·ten** *irreg* I. *vt* **①** (*fest ergreifen*) to grab (**an** by) **②** (*gefangen halten*) to detain **③** (*konstatieren*) to record II. *vi* ■ **an etw** *dat* ~ to adhere to sth III. *vr* ■ **sich** ~ to hold on (**an** to)

fẹs·ti·gen ['fɛstɪgn] I. *vt* to strengthen; *Freundschaft* to establish; *Stellung* secure II. *vr* ■ **sich** ~ to become more firmly established

Fẹs·ti·ger <-s, -> *m* setting lotion

Fẹs·tig·keit <-> ['fɛstɪçkaɪt] *f kein pl* **①** (*Stabilität*) strength *no pl* **②** (*Entschlossenheit*) resoluteness **③** (*Standhaftigkeit*) firmness

Fẹs·ti·gung <-, -en> *f* consolidation

Fẹs·ti·val <-s, -s> ['fɛstɪvl] *nt* festival

fẹst|klam·mern I. *vt* (*mit Klammern befestigen*) to clip (**an** to) II. *vr* ■ **sich** ~ (*nicht mehr loslassen*) to cling (**an** to) **fẹst|kle·ben** I. *vt* haben (*durch Kleben befestigen*) to stick [on]; **festgeklebt sein** to be stuck on II. *vi sein* (*klebend haften*) to stick (**an** to) **Fẹst·land** ['fɛstlant] *nt kein pl* **①** (*Kontinent etc.*) continent **②** (*feste Erdoberfläche*) dry land **fẹst|le·gen** I. *vt* **①** (*bestimmen*) to determine; ■ ~, **dass ...** to stipulate that ... **②** (*bindend verpflichten*) to tie down (**auf** to); **er will sich nicht** ~ **lassen** he does not want to commit himself to anything II. *vr* (*sich verpflichten*) ■ **sich** ~ to commit oneself (**auf** to) **Fẹst·le·gung** <-, -en> *f* determining, establishing, fixing, laying down; **er war zuständig für die** ~ **der Tagesordnung** he was responsible for defining the agenda

fẹst·lich I. *adj* festive II. *adv* festively; ~ **gekleidet sein** to be dressed up **Fẹst·lich·keit** <-, -en> *f* festivity

fẹst|lie·gen *vi irreg* **①** (*festgesetzt sein*) to be determined; **die Termine liegen jetzt fest** the schedules have now been fixed **②** (*nicht weiterkönnen*) to be stranded

fẹst|ma·chen I. *vt* **①** (*befestigen*) to fasten (**an** to) **②** (*vereinbaren*) to arrange **③** (*ableiten*) to link (**an** to) II. *vi* NAUT to tie up

Fẹst·mahl *nt* (*geh*) feast

fẹst|na·geln *vt* **①** (*mit Nägeln befestigen*) to nail (**an** to) **②** (*fam: festlegen*) ■ **jdn** ~ to nail sb down (**auf** to)

Fẹst·nah·me <-, -n> ['fɛstnaːmə] *f* arrest **fẹst|neh·men** *vt irreg* to take into custody; **Sie sind festgenommen** I'm arresting you

Fẹst·netz *nt* ground[-based] network **Fẹst·plat·te** *f* INFORM hard disk **Fẹst·plat·ten·lauf·werk** *nt* INFORM hard disk drive

Fẹst·re·de *f* official speech; **die** ~ **halten** to give a formal address **Fẹst·saal** *m* banquet hall

fẹst|schnal·len I. *vt* to strap in *sep* II. *vr* ■ **sich** ~ to fasten one's seat belt, AM *also* to buckle up **fẹst|schrau·ben** *vt* to screw on *sep* **Fẹst·schrift** *f* commemorative publication **fẹst|set·zen** I. *vt* (*bestimmen*) to determine II. *vr* (*fest anhaften*) ■ **sich** ~ to collect **Fẹst·set·zung** <-, -en> *f* determination, fixing **fẹst|sit·zen** *vi irreg* to be stuck **Fẹst·spei·cher** *m* INFORM read only memory, ROM **Fẹst·spie·le** *pl* festival **Fẹst·spiel·haus** *nt* festival theatre **fẹst|ste·hen** *vi irreg* **①** (*festgelegt sein*) to be certain; **steht das Datum schon fest?** has the date been fixed already? **②** (*sicher sein*) to be firm; ■ ~, **dass ...** to be certain that ...

fẹst·stell·bar *adj* **①** (*herauszufinden*) ■ ~ **sein** to be ascertainable **②** (*arretierbar*) lockable

Fẹst·stell·brem·se *f* AUTO parking brake **fẹst|stel·len** *vt* **①** (*ermitteln*) to identify; **den Täter** ~ to identify the guilty party **②** (*bemerken*) to detect **③** (*diagnostizieren*) ■ [**bei jdm**] **etw** ~ to diagnose sb with sth; **zu meinem Erstaunen muss ich** ~, **dass ...** I am astounded to see that ... **④** (*arretieren*) to lock

Fẹst·stel·lung *f* **①** (*Bemerkung*) remark **②** (*Ermittlung*) ascertainment **③** (*Beobachtung*) observation; **die** ~ **machen, dass ...** to see that ... **④** (*Ergebnis*) **zu der** ~ **kommen, dass ...** to come to the conclusion that ...

Fẹst·tag *m* **①** (*Ehrentag*) special day **②** (*Feiertag*) holiday

Fẹs·tung <-, -en> ['fɛstʊŋ] *f* fortress **fẹst·ver·zins·lich** *adj* fixed-interest **Fẹst·zelt** *nt* marquee **fẹst|zie·hen** *vt irreg s.* **fest** II **2 Fẹst·**

zins *m* fixed interest

Fest·zug *m* procession, parade

Fe·te <-, -n> ['fe:tə] *f* party; **eine ~ machen** to have a party

Fe·tisch <-[e]s, -e> ['fe:tɪʃ] *m* fetish

Fe·ti·schis·mus <-> [fetɪ'ʃɪsmʊs] *m* kein pl fetishism no def art

Fe·ti·schist(in) <-en, -en> [fetɪ'ʃɪst] *m(f)* fetishist

fett [fɛt] adj ❶ (~ haltig) fatty ❷ (pej: dick) fat ❸ TYPO bold; **~ gedruckt** in bold [type] pred ❹ (üppig) Ackerboden fertile; (fam) Beute rich

Fett <-[e]s, -e> [fɛt] *nt* ❶ (~ gewebe) fat; **~ ansetzen** Mensch to gain weight; Tier to put on fat ❷ (zum Schmieren) grease; **pflanzliches/tierisches ~** vegetable/animal fat ▶ **sein ~ abbekommen** (fam) to get one's come-uppance

fett·arm adj low-fat **Fett·au·ge** *nt* fatty globule **Fett·druck** *m* bold [type]

fet·ten ['fɛtn̩] I. *vt* (ein~) to grease II. *vi* (Fett absondern) to become greasy

Fett·fleck, **Fett·fle·cken** *m* grease mark **fett·ge·druckt**^{ALT} adj attr in bold [type] pred **Fett·ge·halt** *m* fat content **fett·hal·tig** adj fatty

fet·tig ['fɛtɪç] adj greasy

Fett·kloß *m* (pej) fatso

fett·lei·big ['fɛtlaɪbɪç] adj (geh) corpulent **Fett·lei·big·keit** *f* (geh) corpulence **fett·lös·lich** adj fat-soluble **Fett·näpf·chen** *nt* ▶ **ins ~ treten** to put one's foot in it **Fett·pols·ter** *nt* (fam) cushion of fat **Fett·sack** *m* (sl) fatso **Fett·säu·re** *f* fatty acid **Fett·schicht** *f* layer of fat **Fett·sucht** *f* kein pl obesity **fett·süch·tig** adj MED [chronically] obese **Fett·wanst** *m* (pej) fatso

Fe·tus <-[ses], Feten o -se o Föten> ['fe:tʊs, pl 'fe:tən, pl 'fø:tən] *m* foetus, fetus AM

fet·zen ['fɛtsn̩] *vt* haben ❶ (reißen) to rip ❷ (fam: prügeln) ▪ **sich ~** to tear each other apart

Fet·zen <-s, -> ['fɛtsn̩] *m* ❶ (Stück) scrap; Haut patch; **etw in ~ reißen** to tear sth to pieces ❷ (Ausschnitt) snatches pl BRIT, fragments AM ❸ (sl: billiges Kleid) rag ▶ **... dass die ~ fliegen** (fam) ... like mad

fet·zig ['fɛtsɪç] adj (sl: mitreißend) fantastic; Musik hot; (schick, flott) trendy; Typ cool

feucht [fɔʏçt] adj ❶ (leicht nass) damp; Hände, Stirn clammy; Augen misty ❷ Klima, Luft humid

feucht·fröh·lich ['fɔʏçt'frø:lɪç] I. adj (hum fam) merry II. adv (hum fam) merrily

Feuch·tig·keit <-> ['fɔʏçtɪçkaɪt] *f* kein pl ❶ (leichte Nässe) dampness no pl ❷ (Wassergehalt) moisture no pl; Luft humidity no pl

Feuch·tig·keits·cre·me [-kre:m] *f* moisturizing cream **Feuch·tig·keits·ge·halt** *m* moisture content; **der ~ der Luft** the humidity in the air **Feuch·tig·keits·lo·ti·on** *f* moisturizing lotion

feucht·kalt adj damp and cold **feucht·warm** adj warm and humid **Feucht·wie·se** *f* marshland

feu·dal [fɔʏ'da:l] adj ❶ HIST feudal ❷ (fam) magnificent; Essen sumptuous

Feu·dal·herr *m* feudal lord **Feu·dal·herr·schaft** *f*, **Feu·da·lis·mus** <-> [fɔʏda'lɪsmʊs] *m* kein pl feudalism

Feu·er <-s, -> ['fɔʏɐ] *nt* ❶ (Flamme) fire; **das olympische ~** the Olympic flame; **~ speien** to spit fire; Vulkan to spew out fire; Drachen to breathe fire; **~ machen** to make a fire; **am ~** by the fire ❷ (für Zigarette) **jdm ~ geben** to give sb a light; **~ haben** to have a light ❸ (Kochstelle) **etw vom ~ nehmen** to take sth off the heat ❹ (Brand) fire; **~ fangen** to catch [on] fire ❺ MIL (Beschuss) fire; **~ frei!** open fire!; **das ~ einstellen** to cease fire; **das ~ eröffnen** to open fire ▶ **~ und Flamme [für etw] sein** (fam) to be enthusiastic [about sth]; **jdm ~ unter dem Hintern machen** to put a rocket under sb; **wie ~ brennen** to sting like mad; **für jdn durchs ~ gehen** to go through hell and high water for sb; **mit dem ~ spielen** to play with fire

Feu·er·alarm *m* fire alarm **Feu·er·be·fehl** *m* MIL order to fire **feu·er·be·stän·dig** adj fireproof **Feu·er·be·stat·tung** *f* cremation **Feu·er·ei·fer** *m* zeal[ousness] **feu·er·fest** adj fireproof; Geschirr ovenproof **Feu·er·ge·fahr** *f* fire hazard **feu·er·ge·fähr·lich** adj [in]flammable **Feu·er·ge·fecht** *nt* MIL gun fight **Feu·er·lei·ter** *f* ❶ (Fluchtweg) fire escape ❷ (auf einem Feuerwehrauto) [fire engine's] ladder **Feu·er·lö·scher** *m* fire extinguisher **Feu·er·mel·der** <-s, -> *m* fire alarm

feu·ern I. *vi* to fire (auf at) II. *vt* (fam) ❶ (werfen) to fling ❷ (fam: entlassen) to sack; ▪ **gefeuert werden** to get the sack **Feu·er·pau·se** *f* MIL cease-fire **Feu·er·pro·be** *f* acid test **feu·er·rot** ['fɔʏɐ'ro:t] adj ❶ (Farbe) fiery red; Haar flaming [red] ❷ (sich schämen) ▪ **~ werden** to turn crimson **Feu·er·schlu·cker(in)** <-s, -> *m(f)* fire-eater **feu·er·si·cher** ['fɔʏɐzɪçɐ] adj ❶ (widerstandsfähig gegen Feuer) fireproof ❷ (geschützt vor Feuer) safe from fire *pred* **feu·er·spei·end**^{ALT} *adj attr Vulkan* spewing fire; *Drachen* fire-breathing **Feu·er·stein** *m* flint **Feu·er·stel·le** *f* fireplace; *(draußen)* campfire site **Feu·er·tau·fe** *f* baptism of fire

Feu·e·rung <-, -en> *f* ❶ *kein pl (Brennstoff)* fuel ❷ *(Heizung)* heating system, heater AM

Feu·er·ver·si·che·rung *f* fire insurance **Feu·er·wa·che** *f* fire station **Feu·er·waf·fe** *f* firearm **Feu·er·was·ser** *nt (fam)* firewater

Feu·er·wehr <-, -en> *f* fire brigade + *sing/pl vb*

Feu·er·wehr·au·to *nt* fire engine **Feu·er·wehr·lei·ter** *f* fire ladder **Feu·er·wehr·mann, -frau** <-leute *o* -männer> *m, f* firefighter

Feu·er·werk *nt* fireworks *npl* **Feu·er·werks·kör·per** *m* firework **Feu·er·zeug** *nt* lighter

Feuil·le·ton <-s, -s> [fœjə'tõː] *nt (Zeitungsteil)* culture section

feu·rig ['fɔyrɪç] *adj* fiery

ff. [ɛf'?ɛf] *Abk von* **folgende Seiten: [auf] Seite 200 ~** pages [*or* pp[.]] 200 ff[.]

FH [ɛf'haː] *f Akr von* **Fachhochschule**

Fi·as·ko <-s, -s> ['fi̯asko] *nt (fam)* fiasco

Fi·bel <-, -n> ['fiːbl̩] *f* ❶ *(Lesebuch)* primer ❷ ARCHÄOL fibula

ficht [fɪçt] *3. pers pres von* **fechten**

Fich·te <-, -n> [fɪçtə] *f* spruce

Fick <-s, -s> [fɪk] *m (vulg)* fuck

fi·cken ['fɪkn̩] *(vulg)* **I.** *vi* to fuck; ■ **das F~** fucking **II.** *vt* ■ **jdn ~** to fuck sb; ■ **gefickt werden** to get fucked

fick·rig, fi̯·cke·rig DIAL **I.** *adj* fidgety **II.** *adv* in a fluster

fi·del [fi'deːl] *adj (fam)* jolly

Fi·dschi <-s> ['fɪdʒi] *nt* Fiji

Fi̯·dschi·in·seln *pl* Fiji Islands *pl*

Fie·ber <-s, -> ['fiːbɐ] *nt* fever; **~ haben** to have a temperature; **[jdm] das ~ messen** to measure sb's temperature

Fie·ber·an·fall *m* bout of fever **fie·ber·frei** *adj* free of fever *pred*

fie·ber·haft I. *adj* feverish **II.** *adv* feverishly **Fie·ber·kur·ve** *f* temperature curve

fie·bern ['fiːbɐn] *vi* ❶ *(Fieber haben)* to have a temperature ❷ *(aufgeregt sein)* to be in a fever

fie·ber·sen·kend *adj* fever-reducing **Fie·ber·ther·mo·me·ter** *nt* [clinical] thermometer

fie·brig ['fiːbrɪç] *adj* feverish

Fie·del <-, -n> ['fiːdl̩] *f (veraltet)* fiddle **fie·deln** ['fiːdl̩n] *vt, vi* to fiddle

fiel ['fiːl] *imp von* **fallen**

fies [fiːs] *adj (pej fam)* ❶ *(abstoßend)* horrible; *(gemein)* mean ❷ *(ekelhaft)* disgusting

Fies·ling <-s, -e> *m (fam)* [mean] bastard

fif·ty-fif·ty ['fɪftɪ'fɪftɪ] *adv (fam)* fifty-fifty; **~ [mit jdm] machen** to go fifty-fifty [with sb]

Fi·gur <-, -en> [fi'guːɐ̯] *f* ❶ *(Gestalt)* figure; **auf seine ~ achten** to watch one's figure ❷ FILM, LIT character ▶ **eine gute/jämmerliche ~ machen** to cut a good/sorry figure

fi·gu·ra·tiv [figura'tiːf] **I.** *adj* figurative **II.** *adv* figuratively

Fi·gür·chen <-s, -> [fi'gyːɐ̯çən] *nt dim von* **Figur** figure; **ein reizendes ~** a nice little figure

Fi·gu·ri·ne <-, -n> [figu'riːnə] *f* KUNST figurine

Fi·gur·pro·ble·me *pl* weight problems *pl*

Fik·ti·on <-, -en> [fɪk'tsi̯oːn] *f (geh)* fiction **fik·tiv** [fɪk'tiːf] *adj (geh)* fictitious

Fi·let <-s, -s> [fi'leː] *nt* fillet

Fi·let·steak [fi'leːsteːk] *nt* fillet steak

Fi·li·a·le <-, -n> [fi'li̯aːlə] *f* branch

Fi·li·al·lei·ter(in) *m(f)* branch manager

Film <-[e]s, -e> [fɪlm] *m* ❶ *(Spiel~)* film, movie AM ❷ FOTO film ❸ *(~ branche)* film industry; **beim ~ arbeiten** to work in the film industry ❹ *(dünne Schicht)* film

Film·ar·chiv *nt* film archives *pl* **Film·ate·lier** *nt* film studio

Fil̯·me·ma·cher(in) *m(f)* film-maker

fil·men ['fɪlmən] *vt, vi* to film

Film·fest·spie·le *nt pl* film festival *nsing* **Film·ge·schäft** *nt kein pl* movie business *no pl*

fil·misch ['fɪlmɪʃ] **I.** *adj* cinematic **II.** *adv* from a cinematic point of view

Film·ka·me·ra *f* film [*or* AM movie] camera **Film·mu·sik** *f* soundtrack **Film·pro·du·zent(in)** *m(f)* film [*or* AM movie] producer **Film·pro·jek·tor** *m* film projector **Film·re·gis·seur(in)** *m(f)* film [*or* AM movie] director **film·reif** *adj* with movie-star elegance **Film·riss**^{RR} *m (sl)* mental blackout; ■ **einen ~ haben** to have a mental blackout **Film·schau·spie·ler(in)** *m(f)* film [*or* AM movie] actor *masc* [*or fem* actress] **Film·star** *m* film [*or* AM movie] star **Film·the·a·ter** *nt (geh)* cinema, movie theater AM **Film·ver·leih** *m* film distributors *pl* **Film·vor·füh·rer(in)** *m(f)* projectionist **Film·vor·füh·rung** *f* film showing **Film·vor·schau** *f* [film] preview

Fil·ter <-s, -> ['fɪltɐ] *m o nt* filter

Fil̯·ter·an·la·ge *f* filter **Fil̯·ter·kaf·fee** *m* filter [*or* AM drip] coffee **Fil̯·ter·mund·**

stück *nt* filter tip
fil·tern ['fɪltɐn] *vt* to filter
Fil·ter·pa·pier *nt* filter paper **Fil·ter·tü·te** *f* filter bag **Fil·ter·zi·ga·ret·te** *f* filter cigarette
fil·trie·ren* [fɪltriːrən] *vt* to filter
Filz <-es, -e> [fɪlts] *m* ❶ (*Stoff*) felt ❷ POL (*pej*) spoils system
fil·zen ['fɪltsn̩] **I.** *vi* to felt **II.** *vt* (*fam: durchsuchen*) to frisk
Fil·zer <-s, -> ['fɪltsɐ] *m* (*fam*) felt-tip [pen]
Filz·hut *m* trilby **Filz·stift** *m* felt-tip [pen]
Fim·mel <-s, -> ['fɪml̩] *m* (*fam*) mania; **den ~ haben, etw zu tun** to have a thing about doing sth
Fi·na·le <-s, -s *o* -> [fi'naːlə] *nt* final
Fi·nanz·amt *nt* tax [and revenue] office; ▪ **das ~** the Inland Revenue BRIT, Internal Revenue Service AM **Fi·nanz·aus·gleich** *m* ≈ revenue sharing AM (*redistribution of revenue between government, federal states* (*Länder*) *and local authorities*) **Fi·nanz·be·am·te(r)**, **-be·am·tin** *m, f* tax official **Fi·nanz·be·ra·ter(in)** *m(f) s.* **Steuerberater**
Fi·nan·zen [fi'nantsn̩] *pl* ❶ (*Einkünfte*) finances *npl* ❷ (*Geldmittel*) means *npl;* **jds ~ übersteigen** to be beyond sb's means
Fi·nanz·ge·richt *nt* tax court
fi·nan·zi·ell [finan'tsi̯ɛl] **I.** *adj* financial **II.** *adv* financially
Fi·nan·zier <-s, -s> [finan'tsi̯eː] *m* (*geh*) financier
fi·nan·zier·bar *adj* able to be financed
fi·nan·zie·ren* [finan'tsiːrən] *vt* (*bezahlen*) to finance; (*sich leisten können*) to be able to afford
Fi·nan·zie·rung <-, -en> *f* financing
Fi·nan·zie·rungs·plan *m* financing plan
Fi·nanz·kauf *m* FIN instalment purchase **fi·nanz·kräf·tig** *adj* financially strong **Fi·nanz·markt** *m* financial market **Fi·nanz·mi·nis·ter(in)** *m(f)* finance minister, chancellor of the exchequer BRIT, secretary of the treasury AM **Fi·nanz·mi·nis·te·ri·um** *nt* tax and finance ministry, treasury BRIT, Department of the Treasury AM **Fi·nanz·pla·nung** *f* fiscal planning **Fi·nanz·po·li·tik** *f kein pl* financial policy/policies **fi·nanz·schwach** *adj* financially weak **Fi·nanz·sprit·ze** *f* cash infusion **Fi·nanz·ver·wal·tung** *f* financial administration **Fi·nanz·wirt·schaft** *f kein pl* public finance
fin·den <fand, gefunden> ['fɪndn̩] **I.** *vt* ❶ (*entdecken*) to find; **es muss doch irgendwo zu ~ sein!** it has to be found somewhere!; **einen Vorwand [für etw**

akk] **~** to find an excuse [for sth]; ▪ **etw an jdm ~** to see sth in sb ❷ (*erhalten*) to find; [**reißenden**] **Absatz ~** to sell [like hot cakes]; **Berücksichtigung ~** to be taken into consideration; **Unterstützung ~** to receive support; **Zustimmung** [**bei jdm**] **~** to meet with approval [from sb] ❸ (*empfinden*) **wie findest du das?** what do you think [of that]?; **ich finde, die Ferien sind zu kurz** I find that the holidays are too short; **jdn blöd/nett ~** to think [that] sb is stupid/nice; **es kalt/warm ~** to find it cold/warm ▸ **nichts an etw** *dat* **~** to not think much of sth; **nichts dabei ~, etw zu tun** to think nothing of doing sth **II.** *vi* ❶ (*den Weg ~*) ▪ **zu jdm/etw ~** to find one's way to sb/sth; **zu sich** *dat* **selbst ~** to find oneself ❷ (*meinen*) to think; **~ Sie?** [do] you think so? **III.** *vr* ▪ **sich ~** ❶ (*wiederauftauchen*) to turn up ❷ (*zu verzeichnen sein*) to be found; **es fand sich niemand, der es tun wollte** there was nobody to be found who wanted to do it ❸ (*in Ordnung kommen*) to sort itself out
Fin·der(in) <-s, -> *m(f)* finder; **der ehrliche ~** the honest finder
Fin·der·lohn *m* reward for the finder
fin·dig ['fɪndɪç] *adj* resourceful
fing ['fɪŋ] *imp von* **fangen**
Fin·ger <-s, -> ['fɪŋɐ] *m* finger; **der kleine ~** the little finger, the pinkie AM *fam;* **~ weg!** hands off!; **jdm mit dem ~ drohen** to wag one's finger at sb; **den ~ heben** to lift one's finger; **jdm auf die ~ klopfen** (*fig fam*) to give sb a rap across the knuckles; **mit den ~n schnippen** (*fam*) to snap one's fingers; **mit dem ~ auf jdn/etw zeigen** to point [one's finger] at sb/sth ▸ **etw in die ~ bekommen** (*fam*) to get one's fingers on sth; **überall seine ~ im Spiel haben** (*fam*) to have a finger in every pie; **wenn man ihm den kleinen ~ gibt,** [**dann**] **nimmt er** [**gleich**] **die ganze Hand** (*prov*) give him an inch and he'll take a mile; **jdn juckt es in den ~n**[, **etw zu tun**] (*fam*) sb is itching to do sth; **keinen ~ krummmachen** (*fam*) to not lift a finger; **lange ~ machen** (*hum fam*) to be light-fingered; **die ~ von jdm/etw lassen** (*fam*) to keep away from sb/sth; **sich** *dat* **etw aus den ~n saugen** (*fam*) to conjure up sth *sep;* **sich** *dat* **nicht die ~ schmutzig machen** to not get one's hands dirty; **jdm auf die ~ sehen** (*fam*) to keep a watchful eye on sb; **jdn um den** [**kleinen**] **~ wickeln** (*fam*) to wrap sb [a]round one's little finger
Fin·ger·ab·druck *m* fingerprint **Fin·ger·**

breit <-, -> *m* finger|'s |breadth ▸ **kei- nen** ~ not an inch **fin·ger·dick I.** *adj* as thick as a finger *pred* **II.** *adv* fingerthick

Fin·ger·far·be *f* finger paint **fin·ger·fer- tig** *adj* nimble-fingered **Fin·ger·fer·tig- keit** *f* dexterity **Fin·ger·hut** *m* ❶ (*fürs Nähen*) thimble ❷ BOT foxglove **Fin·ger· kup·pe** *f* fingertip

fin·gern ['fɪŋɐn] **I.** *vi* to fiddle (**mit/an** with) **II.** *vt* ■ **etw aus etw** *dat* ~ to fish sth out of sth

Fin·ger·na·gel *m* fingernail; **an den Fin- gernägeln kauen** to bite one's nails

Fin·ger·spit·ze *f* fingertip **Fin·ger·spit- zen·ge·fühl** *nt kein pl* fine feeling *no pl;* ~ /**kein** ~ **haben** to be tactful/tactless

Fin·ger·zeig <-s, -e> *m* hint

fin·gie·ren* [fɪŋ'giːrən] *vt* to fake; ■ **fin- giert** bogus

Fi·nish <-s, -s> ['fɪnɪʃ] *nt* ❶ (*Politur*) finish ❷ SPORT finish

Fink <-en, -en> [fɪŋk] *m* finch

Fin·ne <-, -n> ['fɪnə] *f* (*Flosse*) fin

Fin·ne, Fin·nin <-n, -n> ['fɪnə, 'fɪnɪn] *m, f* Finn, Finnish man/woman/boy/girl; ■ ~ **sein** to be Finnish

fin·nisch ['fɪnɪʃ] *adj* Finnish

Finn·land <-s> ['fɪnlant] *nt* Finland

fins·ter ['fɪnstɐ] *adj* ❶ (*düster*) dark; **das** ~ **e Mittelalter** the Dark Ages *npl* ❷ (*mür- risch*) grim ❸ (*unheimlich*) sinister **Fins·ter·nis** <-, -se> ['fɪnstɐnɪs] *f* dark- ness *no pl*

Fin·te <-, -n> ['fɪntə] *f* subterfuge

Fir·le·fanz <-es> ['fɪrləfants] *m kein pl* (*fam*) ❶ (*Krempel*) trumpery ❷ (*Quatsch*) nonsense *no art, no pl*

firm [fɪrm] *adj präd* ■ **in etw** *dat* ~ **sein** to have a sound knowledge of sth

Fir·ma <-, Firmen> ['fɪrma, *pl* 'fɪrmən] *f* company

Fir·ma·ment <-s> [fɪrma'mɛnt] *nt kein pl* ■ **das** ~ the firmament

fir·men ['fɪrmən] *vt* to confirm

Fir·men ['fɪrmən] *pl von* **Firma**

fir·men·ei·gen *adj* company *attr;* ■ ~ **sein** to belong to the company **Fir·men·grün- dung** *f* formation of a business **Fir·men- in·ha·ber(in)** *m(f)* owner of a company **Fir·men·lei·tung** *f* company manage- ment **Fir·men·wa·gen** *m* company car **Fir·men·zei·chen** *nt* company logo, trademark

Firm·ling <-s, -e> ['fɪrmlɪŋ] *m* candidate for confirmation

Fir·mung <-, -en> *f* confirmation

Firn <-[e]s, -e> [fɪrn] *m* firn

Fir·nis <-ses, -se> ['fɪrnɪs] *m* [oil-|varnish

First <-[e]s, -e> [fɪrst] *m* roof ridge

Fis <-, -> [fɪs] *nt* MUS F sharp

Fisch <-[e]s, -e> [fɪʃ] *m* ❶ (*Tier*) fish ❷ *kein pl* ASTROL Pisces *no art, no pl* ▸ **we- der** ~ **noch** Fleisch **sein** to be neither fish nor fowl; **ein großer** ~ a big fish; **ein klei- ner** ~ one of the small fry

Fisch·au·ge *nt* fish eye **Fisch·damp- fer** *m* trawler

fi·schen ['fɪʃn] *vi* to fish; ■ **das F**~ fishing *no art, no pl*

Fi·scher(in) <-s, -> ['fɪʃɐ] *m(f)* fisher, fish- erman *masc*, fisherwoman *fem*

Fi·scher·boot *nt* fishing boat **Fi·scher· dorf** *nt* fishing village

Fi·sche·rei <-> [fɪʃə'raɪ] *f kein pl* fishing *no art, no pl*

Fi·scher·netz *nt* fishing net

Fisch·fang *m kein pl* fishing *no art, no pl* **Fisch·fang·ge·biet** *nt* fishing grounds *npl* **Fisch·fi·let** [-fileː] *nt* fillet of fish **Fisch·grün·de** *pl* fisheries *npl* **Fisch· händ·ler(in)** *m(f)* ÖKON fishmonger BRIT, fish dealer AM **Fisch·kon·ser·ve** *f* canned [*or* BRIT *also* tinned] fish **Fisch· kut·ter** *m* fishing cutter **Fisch·mehl** *nt* fish meal **Fisch·mes·ser** *nt* fish knife **Fisch·ot·ter** *m* otter **fisch·reich** *adj* ~ **es** Gewässer rich fishing grounds **Fisch·stäb·chen** *nt* fish-finger BRIT, fish stick AM **Fisch·ster·ben** *nt* dying of fish; (*als Statistik*) fish mortality *no indef art, no pl* **Fisch·sup·pe** *f* fish soup **Fisch· teich** *m* fish pond **Fisch·zucht** *f* fish-farming

fis·ka·lisch [fɪs'kaːlɪʃ] *adj* fiscal

Fis·kus <-, -se *o* Fisken> ['fɪskʊs, *pl* 'sɪskən] *m* ■ **der** ~ the treasury, BRIT ex- chequer

Fi·so·le <-, -n> [fi'zoːlə] *f* ÖSTERR green bean

fit [fɪt] *adj präd* fit; **sich** ~ **halten** to keep fit

Fit·ness[RR]**, Fit·neß**[ALT] <-> ['fɪtnɛs] *f kein pl* fitness *no art, no pl*

Fit·ness·cen·ter[RR] [-sɛntɐ] *nt* gym **Fit· ness·ge·rät**[RR] ['fɪtnɛs-] *nt* SPORT fitness [*or* gym] equipment *no pl* **Fit·ness·stu- dio**[RR] *m s.* **Fitnesscenter**

Fit·tich <-[e]s, -e> ['fɪtɪç] *m* (*liter*) wing ▸ **jdn unter die** ~ **e nehmen** (*hum*) to take sb under one's wing

fix [fɪks] **I.** *adj* ❶ (*feststehend*) fixed ❷ (*fam: flink*) quick; ~ **gehen** to not take long; ~ **machen** to hurry up ▸ ~ **und fer- tig sein** (*erschöpft*) to be exhausted; (*am Ende*) to be at the end of one's tether **II.** *adv* quickly

Fi·xa ['fɪksa] *pl von* **Fixum**

fi·xen ['fɪksn̩] *vi* (*sl*) to fix

Fi·xer(in) <-s, -> ['fɪksɐ] *m(f)* (*sl*) fixer BRIT, junkie AM

fi·xie·ren* [fɪ'ksiːrən] *vt* ❶ (*anstarren*) to fix one's eyes on ❷ PSYCH ■**auf etw** *akk* **fixiert sein** to be fixated on sth ❸ FOTO to fix ❹ (*geh: festlegen*) to fix ❺ SCHWEIZ (*befestigen*) to fix

Fi·xier·mit·tel *nt* FOTO fixative

Fi·xie·rung <-, -en> *f* ❶ (*Festlegung*) specification ❷ PSYCH (*Ausrichtung*) fixation

Fix·kos·ten *pl* fixed costs *pl*

Fi·xum <-s, Fixa> ['fɪksʊm, *pl* 'fɪksa] *nt* basic salary; (*Zuschuss*) fixed allowance

Fjord <-[e]s, -e> [fjɔrt] *m* fjord

FKK [ɛfkaːˈkaː] *kein art Abk von* **Freikörperkultur**

FKK-Strand *m* nudist beach

flach [flax] *adj* ❶ (*eben*) flat; (*nicht hoch*) low; (*nicht steil*) gentle; **~ abfallen** to slope down gently; **sich ~ hinlegen** to lie [down] flat ❷ (*nicht tief*) shallow; **~ atmen** to take shallow breaths

Flach·bild·fern·se·her *m* TV flat screen TV **Flach·bild·schirm** *m* flat screen **flach·brüs·tig** *adj* flat-chested **Flach·dach** *nt* flat roof **Flach·druck** *m* TYPO ❶ *kein pl* (*Verfahren*) planography *no pl* ❷ (*Produkt*) planograph

Flä·che <-, -n> ['flɛçə] *f* ❶ (*flache Außenseite*) surface; (*Würfel~*) face ❷ (*Gebiet*) expanse; (*mit Maßangaben*) area

Flä·chen·aus·deh·nung *f* surface area **flä·chen·de·ckend** *adj* covering the needs *pred* **Flä·chen·in·halt** *m* [surface] area **Flä·chen·maß** *nt* [unit of] square measure **Flä·chen·still·le·gung**RR *f* AGR laying land fallow **Flä·chen·streik** *m* general strike

flach|fal·len *vi sep irreg sein* (*fam*) to not come off

Flach·heit <-> *f kein pl* flatness *no pl*, planeness *no pl spec*

flä·chig ['flɛçɪç] *adj* ❶ (*breit*) flat ❷ (*ausgedehnt*) extensive

Flach·land *nt* lowland **flach|le·gen** (*fam*) **I.** *vt* to knock out *sep* **II.** *vr* ■**sich ~** (*sich hinlegen*) to lie down; (*flach hinfallen*) to fall flat [on one's face] **flach|lie·gen** *vi irreg* (*fam*) to be laid up [in bed] **Flach·mann** *m* (*fam*) hipflask

Flachs <-es> [flaks] *m kein pl* ❶ (*Pflanze*) flax *no art, no pl* ❷ (*fam: Witzelei*) kidding *no art, no pl fam;* **ohne ~** joking aside

flachs·blond *adj* flax-coloured

fla·ckern ['flakɐn] *vi* to flicker

Fla·den <-s, -> ['flaːdn̩] *m* ❶ KOCHK round flat dough-cake ❷ (*fam: breiige Masse*) flat blob; (*Kuh~*) cowpat

Fla·den·brot *nt* round flat loaf [of bread], ≈ Turkish bread, no art, no pl

Flag·ge <-, -n> ['flagə] *f* flag; **die englische ~ führen** to fly the English flag ▶ **~ zeigen** to nail one's colours to the mast

flag·gen ['flagn̩] *vi* to fly a flag

Flagg·schiff *nt* flagship

fla·grant [fla'grant] *adj* (*geh*) flagrant

Flair <-s> [flɛːɐ̯] *nt o selten m kein pl* (*geh*) aura

Fla·kon <-s, -s> [fla'kõː] *nt o m* (*geh*) flacon

flam·bie·ren* [flam'biːrən] *vt* to flambé[e]

Fla·me, Fla·min *o* **Flä·min** <-n, -n> ['flaːmə, fla:mɪn, flɛ:mɪn] *m, f* Fleming, Flemish man/woman/boy/girl

Fla·min·go <-s, -s> [fla'mɪŋgo] *m* flamingo

flä·misch ['flɛmɪʃ] *adj* Flemish

Flam·me <-, -n> ['flamə] *f* flame; **in ~n aufgehen** to go up in flames; **etw auf großer/kleiner ~ kochen** to cook sth on a high/low heat

flam·mend *adj* (*liter*) flaming

Flam·men·wer·fer <-s, -> *m* flamethrower

Flan·dern <-s> ['flandɐn] *nt* Flanders + *sing vb*

Fla·nell <-s, -e> [fla'nɛl] *m* flannel

fla·nie·ren* [fla'niːrən] *vi sein o haben* to stroll

Fla·nier·mei·le *f* (*fam*) promenade

Flan·ke <-, -n> ['flaŋkə] *f* ❶ ANAT flank ❷ FBALL cross

flan·ken ['flaŋkn̩] *vi* FBALL to centre [*or* AM -er]

flan·kie·ren* [flaŋ'kiːrən] *vt* to flank

Flansch <-[e]s, -e> [flanʃ] *m* TECH flange

flap·sen ['flapsn̩] *vi* (*fam*) to joke

flap·sig ['flapsɪç] (*fam*) **I.** *adj* cheeky BRIT; *Bemerkung* offhand **II.** *adv* cheekily BRIT

Fläsch·chen <-s, -> ['flɛʃçən] *nt dim von* **Flasche** [small] bottle

Fla·sche <-, -n> ['flaʃə] *f* ❶ (*Behälter*) bottle; **etw in ~n füllen** to bottle sth; **einem Kind die ~ geben** to bottle-feed a child; **aus der ~ trinken** to drink straight from the bottle ❷ (*fam: Versager*) dead loss; (*einfältiger Mensch*) pillock BRIT, dork AM

Fla·schen·bier *nt* bottled beer **Fla·schen·gä·rung** *f* fermentation in the bottle **Fla·schen·ge·stell** *nt* bottle rack **Fla·schen·hals** *m* bottleneck **Fla·schen·öff·ner** *m* bottle-opener **Fla·schen·pfand** *m* deposit on a bottle **Fla·schen·post** *f* message in a bottle **Fla·schen·zug** *m* TECH block and tackle

Flasch·ner(in) <-s, -> *m(f)* SÜDD, SCHWEIZ (*Klempner*) plumber

Flat·rate <-, -s> [flɛt'reɪt] *f* INET flat rate

flat·ter·haft *adj* (*pej*) fickle

Flat·ter·haf·tig·keit <-> *f kein pl* (*pej*) fickleness *no pl*

Flat·ter·mann <-männer> *m* (*hum fam*) chicken

flat·tern ['flatən] *vi* ❶ *haben* (*mit den Flügeln*) to flap ❷ *haben* (*vom Wind bewegt*) to flutter; *lange Haare* to stream ❸ *sein* (*fam: zugestellt werden*) **heute flatterte eine Rechnung ins Haus** a bill landed on the mat today ❹ *haben* AUTO (*hin und her schlagen*) to wobble, to shimmy AM

Flat·ter·satz *m* unjustified text

flau [flaʊ] *adj* ❶ (*leicht unwohl*) queasy ❷ (*träge*) *Geschäft* slack

Flaum <-[e]s> [flaʊm] *m kein pl* down *no art, no pl*

Flausch <-[e]s, -e> ['flaʊʃ] *m* fleece *no pl*

flau·schig *adj* fleecy

Flau·sen ['flaʊzən] *pl* (*fam*) nonsense *nsing*; **~ im Kopf haben** to have crazy ideas; **jdm die ~ austreiben** to get sb to return to reality

Flau·te <-, -n> ['flaʊtə] *f* ❶ (*Windstille*) calm *no pl* ❷ (*mangelnde Nachfrage*) lull

Flech·te <-, -n> ['flɛçtə] *f* BOT, MED lichen

flech·ten <flocht, geflochten> ['flɛçtn̩] *vt* to plait (**zu** into); *Korb, Kranz* to weave (**zu** into)

Flecht·werk *nt kein pl* wickerwork *no art, no pl*

Fleck <-[e]s, -e *o* -en> [flɛk] *m* ❶ (*Schmutz~*) stain; **~en machen** to stain ❷ (*dunkle Stelle*) mark; **ein blauer ~** a bruise ❸ (*Stelle*) spot, place; **sich nicht vom ~ rühren** to not move [an inch]

Fleck·chen <-s, -> *nt* ❶ *dim von* Fleck mark ❷ (*Gegend*) **ein schönes ~ Erde** a nice little spot

Fle·cken <-s, -> ['flɛkn̩] *m* ❶ (*veraltet: Markt~*) small town ❷ *s.* Fleck 1, 2

Fle·cken·was·ser *nt* stain remover

fle·ckig ['flɛkɪç] *adj* ❶ (*befleckt*) marked, stained ❷ (*voller dunkler Stellen*) blemished; *Haut* blotchy

Fle·der·maus ['fle:dəmaʊs] *f* bat

Fleece <-> [fliːs] *nt kein pl* fleece *no pl*

Fle·gel <-s, -> ['fle:gl̩] *m* (*pej: Lümmel*) lout, yob[bo] BRIT

Fle·gel·al·ter *nt* adolescence *no indef art, no pl*

Fle·ge·lei <-, -en> [fle:gə'laɪ] *f* (*pej*) uncouthness *no art, no pl*

fle·gel·haft *adj* (*pej*) uncouth

fle·hen ['fle:ən] *vi* (*geh*) to beg (**um** for)

fle·hent·lich ['fle:əntlɪç] **I.** *adj* (*geh*) pleading **II.** *adv* pleadingly

Fleisch <-[e]s> ['flaɪʃ] *nt kein pl* ❶ (*Nahrungsmittel*) meat *no art, no pl*; **~ fressend** carnivorous ❷ (*Gewebe*) flesh *no indef art, no pl* ▸ **jds eigen[es] ~ und Blut** (*geh*) sb's own flesh and blood; **jdm in ~ und Blut übergehen** to become sb's second nature; **sich** *dat o akk* **ins eigene ~ schneiden** to cut off one's nose to spite one's face

Fleisch·brü·he *f* ❶ (*Bouillon*) bouillon ❷ (*Fond*) meat stock

Flei·scher(in) <-s, -> ['flaɪʃɐ] *m(f)* butcher

Flei·sche·rei <-, -en> [flaɪʃə'raɪ] *f* butcher's [shop BRIT]

fleisch·far·ben *adj* flesh-coloured

fleisch·fres·send^ALT *adj* carnivorous

Fleisch·fres·ser <-s, -> *m* carnivore, meat-eater

flei·schig ['flaɪʃɪç] *adj* fleshy

Fleisch·kä·se *m* meatloaf **Fleisch·klöß·chen** *nt* [small] meatball

fleisch·lich *adj attr* ❶ (*von Fleisch*) consisting of meat *pred* ❷ (*sexuell*) carnal, of the flesh *pred*

Fleisch·pas·te·te *f* meat vol-au-vent [*or* BRIT pasty] **Fleisch·spieß** *m* meat skewer **Fleisch·to·ma·te** *f* beef[steak] tomato **Fleisch·wolf** *m* mincer BRIT, grinder AM **Fleisch·wun·de** *f* flesh wound **Fleisch·wurst** *f* ≈ pork sausage

Fleiß <-[e]s> [flaɪs] *m kein pl* industriousness *no art, no pl* ▸ **mit ~** SÜDD on purpose; **ohne ~ kein Preis** (*prov*) success doesn't come easily

flei·ßig ['flaɪsɪç] **I.** *adj* ❶ (*hart arbeitend*) industrious ❷ (*Fleiß zeigend*) diligent ❸ (*fam: eifrig*) keen **II.** *adv* ❶ (*arbeitsam*) diligently ❷ (*fam: unverdrossen*) assiduously

flen·nen ['flɛnən] *vi* (*pej fam*) to blubber

Flep·pe <-, -n> ['flɛpə] *f* (*sl*) driving licence BRIT, driver's license AM

flet·schen ['flɛtʃn̩] *vt* **die Zähne ~** to bare one's/its teeth

fle·xi·bel [flɛ'ksi:bl̩] *adj* ❶ (*anpassungsfähig*) flexible ❷ (*elastisch*) pliable

fle·xi·bi·li·sie·ren *vt* to adapt; **die Arbeitszeit ~** to introduce flexible working hours

Fle·xi·bi·li·tät <-> [flɛksibili'tɛːt] *f kein pl* ❶ (*Anpassungsfähigkeit*) flexibility *no art, no pl* ❷ (*Elastizität*) pliability *no art, no pl*

Fle·xi·on <-, -en> [flɛ'ksjoːn] *f* (*Deklinieren*) inflection; (*Konjugieren*) conjugation

flicht *imp sing und 3. pers sing pres von* **flechten**

fli·cken ['flɪkn̩] *vt* to mend; *Fahrrad-schlauch* to patch [up *sep*]

Fli·cken <-s, -> ['flɪkn̩] *m* patch

Flick·schus·ter(in) *m(f)* (*pej fam*) bungler, bungling idiot *pej*

Flick·werk *nt kein pl* (*pej*) **ein ~ sein** to have been carried out piecemeal **Flick·zeug** *nt kein pl* ❶ (*für Fahrräder*) [puncture] repair kit ❷ (*Nähzeug*) sewing kit

Flie·der <-s, -> ['fliːdɐ] *m* lilac

flie·der·far·ben *adj* lilac

Flie·ge <-, -n> ['fliːgə] *f* ❶ (*Insekt*) fly ❷ MODE bow tie ▶**zwei ~n mit einer Klappe schlagen** (*fam*) to kill two birds with one stone; **die ~ machen** to leg it

flie·gen <flog, geflogen> ['fliːgn̩] *vi sein* ❶ (*durch die Luft*) to fly ❷ (*sl: hinausgeworfen werden*) to get kicked out ❸ (*fam: fallen*) to fall

flie·gend *adj attr* mobile

Flie·gen·fän·ger *m* flypaper **Flie·gen·gewicht** *nt kein pl* flyweight *no indef art, no pl* **Flie·gen·git·ter** *nt* flyscreen BRIT, screen AM **Flie·gen·klat·sche** *f* fly swatter **Flie·gen·pilz** *m* fly agaric *no indef art, no pl*

Flie·ger <-s, -> *m* (*fam*) plane

Flie·ger(in) <-s, -> *m(f)* (*Pilot*) pilot, airman *masc*, airwoman *fem*

Flie·ger·alarm *m* air-raid warning **Flie·ger·staf·fel** *f* MIL (*Einheit der Luftwaffe*) air force squadron

flie·hen <floh, geflohen> ['fliːən] *vi sein* to flee; *aus dem Gefängnis* to escape

Flieh·kraft *f kein pl* centrifugal force

Flie·se <-, -n> [fliːzə] *f* tile

flie·sen ['fliːzn̩] *vt* to tile

Flie·sen·le·ger(in) <-s, -> *m(f)* tiler

Fließ·band <-bänder> *nt* assembly line; (*Förderband*) conveyer [belt]; **am ~ arbeiten** to work on the production line

Fließ·band·ar·beit *f* work on a production line

flie·ßen <floss, geflossen> ['fliːsn̩] *vi sein* to flow

flie·ßend **I.** *adj* ❶ (*flüssig*) fluent ❷ (*übergangslos*) fluid **II.** *adv* ❶ (*bei Wasser*) **~ warmes und kaltes Wasser** running hot and cold water ❷ (*ohne zu stocken*) fluently; **~ Französisch sprechen** to speak fluent French

flim·mer·frei *adj* flicker[-]free **Flim·mer·kis·te** *f* (*fam*) box BRIT, boob tube AM

flim·mern ['flɪmɐn] *vi* ❶ (*unruhig leuchten*) to flicker ❷ (*flirren*) to shimmer

flink [flɪŋk] *adj* quick

Flin·te <-, -n> ['flɪntə] *f* shotgun ▶**die ~ ins Korn werfen** (*fam*) to throw in the towel

Flip·chart <-, -s> ['flɪptʃart] *f* flipchart

Flip·per <-s, -> ['flɪpɐ] *m* pinball machine

flip·pern ['flɪpɐn] *vi* to play pinball

flip·pig *adj* (*fam*) hip

Flirt <-s, -s> [fløːɐt] *m* flirt[ation]

flir·ten ['fløːɐtn̩] *vi* to flirt

Flirt·fak·tor ['flœrtfaktoːɐ, 'flɪrt-] *m kein pl* (*fam*) flirt factor

Flit·tchen <-s, -> ['flɪtçən] *nt* (*pej fam*) slut

Flit·ter <-s, -> ['flɪtɐ] *m* ❶ (*Pailletten*) sequins *pl* ❷ *kein pl* (*pej: Tand*) trash *no art, no pl*

Flit·ter·wo·chen *pl* honeymoon *nsing*

flit·zen ['flɪtsn̩] *vi sein* to dash

Flit·zer <-s, -> *m* (*fam*) snappy [*or* sharp] little sports car *fam*

floa·ten ['floːtn̩] *vi* ÖKON to float

flocht ['flɔxt] *imp von* **flechten**

Flo·cke <-, -n> ['flɔkə] *f* ❶ (*Schnee~*) snowflake ❷ (*Staub~*) ball of fluff

flo·ckig ['flɔkɪç] *adj* fluffy

flog ['floːk] *imp von* **fliegen**

Floh <-[e]s, Flöhe> [floː, *pl* 'fløːə] *m* flea ▶**jdm einen ~ ins Ohr setzen** to put an idea into sb's head

floh ['floː] *imp von* **fliehen**

Floh·markt *m* flea market

Flop <-s, -s> [flɔp] *m* (*fam*) flop

Flop·py Disc ᴿᴿ, **Flop·py Disk**ᴿᴿ, **Flop·py disk**ᴬᴸᵀ ['flɔpidɪsk] *f* INFORM floppy disk

Flor <-s, -e *o selten* Flöre> [floːɐ, *pl* 'fløːrə] *m* ❶ (*dünnes Gewebe*) gauze ❷ (*Teppich-/Samtflor*) pile

Flo·ra <-, Floren> ['floːra, *pl* 'floːrən] *f* flora *npl*

Flo·renz <-> [flo'rɛnts] *nt kein pl* Florence

Flo·rett <-[e]s, -e> [flo'rɛt] *nt* foil

flo·rie·ren* [flo'riːrən] *vi* to flourish; ■**~d** flourishing

Flo·rist(in) <-en, -en> [flo'rɪst] *m(f)* florist

Flos·kel <-, -n> ['flɔskl̩] *f* set phrase

Floß <-es, Flöße> [floːs, *pl* 'fløːsə] *nt* raft

flossᴿᴿ, **floß**ᴬᴸᵀ ['flɔs] *imp von* **fließen**

Flos·se <-, -n> ['flɔsə] *f* ❶ (*Fisch~*) fin ❷ (*Schwimm~*) flipper

flö·ßen ['fløːsn̩] *vt* ❶ (*auf dem Wasser*) ■**etw ~** to raft sth ❷ (*einflößen*) **jdm die Suppe/Medizin in den Mund ~** to give sb his/her soup/medicine

Flö·te <-, -n> ['fløːtə] *f* ❶ (*Musikinstrument*) pipe; (*Quer~*) flute; (*Block~*) recorder ❷ (*Kelchglas*) flute [glass]

flö·ten ['fløːtn̩] *vi, vt* ❶ (*Flöte spielen*) to play the flute ❷ (*hum fam: süß sprechen*) to warble ▶**etw geht jdm ~** sb loses sth

flö·ten|ge·henᴬᴸᵀ *vi irreg sein* (*sl*) *s.* **flö-**

ten 3 Flö·ten·spie·ler(in) *m(f)* piper; (*Quer~*) flute player; (*Block~*) recorder player **Flö·ten·ton** *m* sound of a flute

Flö·tist(in) *<-en, -en>* [fløˈtɪst] *m(f)* flautist

flott [flɔt] **I.** *adj* ❶ (*zügig*) quick; **ein ~es Tempo** [a] high speed; **aber ein bisschen ~!** (*fam*) make it snappy! ❷ (*schwungvoll*) lively ❸ (*schick*) smart **II.** *adv* ❶ (*zügig*) fast ❷ (*schick*) smartly

Flot·te *<-, -n>* [ˈflɔtə] *f* fleet

Flot·ten·ab·kom·men *nt* naval treaty **Flot·ten·stütz·punkt** *m* naval base

flott|ma·chen *vt* to get back in working order; **ein Auto ~** to get a car back on the road

flott·weg [ˈflɔtˈvɛk] *adv* (*fam*) non-stop

Flöz *<-es, -e>* [fløːts] *nt* BERGB seam

Fluch *<-[e]s, Flüche>* [fluːx, *pl* ˈflyːçə] *m* curse, oath *dated*

flu·chen [ˈfluːxn̩] *vi* to curse (**auf/über** at)

Flucht *<-, -en>* [flʊxt] *f* escape (**vor** from); **jdm glückt die ~** sb escapes [successfully]; ▪ **die ~ in etw** *akk* refuge in sth; **die ~ ergreifen** (*geh*) to take flight; **auf der ~ sein** to be on the run; **jdn in die ~ schlagen** to put sb to flight ▸ **die ~ nach vorn antreten** to take the bull by the horns

flucht·ar·tig I. *adj* hasty **II.** *adv* hastily, in a hurry

flüch·ten [ˈflʏçtn̩] **I.** *vi sein* to flee; (*aus der Gefangenschaft, einer Gefahr*) to escape **II.** *vr haben* ❶ (*Schutz suchen*) ▪ **sich [vor etw** *dat*] **~** to seek refuge [from sth] ❷ ▪ **sich in etw** *akk* **~** to take refuge in sth; **sich in Ausreden ~** to resort to excuses

Flucht·fahr·zeug *nt* getaway car **Flucht·ge·fahr** *f* **bei jdm besteht ~** sb is always trying to escape **Flucht·hil·fe** *f* escape aid

flüch·tig [ˈflʏçtɪç] **I.** *adj* ❶ (*geflüchtet*) fugitive *attr;* ▪ **~ sein** to be a fugitive ❷ (*kurz*) fleeting, brief ❸ (*oberflächlich*) cursory; **eine ~e Bekanntschaft** a passing acquaintance **II.** *adv* ❶ (*kurz*) briefly ❷ (*oberflächlich*) cursorily; **jdn ~ kennen** to have met sb briefly

Flüch·tig·keit *<->* *f kein pl* ❶ (*Kürze*) briefness *no pl* ❷ (*Oberflächlichkeit*) cursoriness *no pl*

Flüch·tig·keits·feh·ler *m* careless mistake

Flücht·ling *<-s, ->* [ˈflʏçtlɪŋ] *m* refugee

Flücht·lings·la·ger *nt* refugee camp **Flücht·lings·strom** *m* flood of refugees

Flucht·punkt *m* vanishing point **Flucht·ver·such** *m* attempted escape **Flucht·weg** *m* escape route

Flug *<-[e]s, Flüge>* [fluːk, *pl* ˈflyːgə] *m* flight; **der ~ zum Mond** the journey to the moon ▸ **wie im ~** [e] in a flash

Flug·ab·wehr *f* air defence **Flug·ab·wehr·ra·ke·te** *f* anti-aircraft missile **Flug·angst** *f* fear of flying **Flug·auf·kom·men** *nt kein pl* air traffic *no pl* **Flug·bahn** *f* flight path; (*Kreisbahn*) orbit; *einer Kugel, Rakete* trajectory **Flug·be·glei·ter(in)** *m(f)* steward *masc,* stewardess *fem* **Flug·blatt** *nt* leaflet, flyer **Flug·da·ten·schrei·ber** *m s.* Flugschreiber **Flug·dau·er** *f* flying time

Flü·gel *<-s, ->* [ˈflyːgl̩] *m* ❶ (*zum Fliegen*) wing; (*Hubschrauber~*) rotor ❷ TECH sail *spec* ❸ (*seitlicher Teil*) wing; *eines Altars* sidepiece; *eines Fensters* casement ❹ (*Konzert~*) grand piano. ▸ **die ~ hängen lassen** (*fam*) to lose heart

Flü·gel·mut·ter *<-muttern>* *f* butterfly nut **Flü·gel·schrau·be** *f* wing bolt; (*Mutter*) wing nut **Flü·gel·tür** *f* double door

Flug·feld *nt* airfield **Flug·gast** *m* passenger

flüg·ge [ˈflʏgə] *adj präd* fledged; ▪ **~ sein** (*fig fam*) to be ready to leave the nest

Flug·ge·schwin·dig·keit *f* (*von Flugzeug*) flying speed; (*von Rakete, Geschoss*) velocity; (*von Vögeln*) speed of flight **Flug·ge·sell·schaft** *f* airline **Flug·ha·fen** *m* airport **Flug·hö·he** *f* altitude **Flug·ka·pi·tän(in)** *m(f)* captain **Flug·kör·per** *m* projectile **Flug·leh·rer(in)** *m(f)* flying instructor **Flug·lei·tung** *f* air-traffic control **Flug·li·nie** *f* ❶ (*Strecke*) air route ❷ (*Fluggesellschaft*) airline **Flug·lot·se, -lot·sin** *m, f* flight controller **Flug·ob·jekt** *nt* **unbekanntes ~** unidentified flying object, UFO **Flug·per·so·nal** *nt* aircrew **Flug·plan** *m* flight plan **Flug·platz** *m* airfield **Flug·rei·se** *f* flight; **eine ~ machen** to travel by air

flugs [flʊks] *adv* (*veraltend*) at once

Flug·schein *m* ❶ (*Pilotenschein*) pilot's licence ❷ (*Ticket*) [plane] ticket **Flug·schnei·se** *f* flight path **Flug·schrei·ber** *m* flight recorder, black box *fam* **Flug·si·cher·heit** *f kein pl* air safety *no pl* **Flug·si·che·rung** *f* flight control **Flug·si·mu·la·tor** *m* flight simulator **Flug·steig** *<-s, -e>* *m* gate **Flug·stre·cke** *f* ❶ (*Distanz*) flight route ❷ (*Etappe*) leg ❸ (*Route*) route **flug·taug·lich** *adj* fit to fly *pred* **Flug·ti·cket** *nt* [plane] ticket **Flug·ver·bin·dung** *f* [flight] connection **Flug·ver·bot** *nt* LUFT (*Menschen*) flying ban; (*Flugzeug*) aircraft grounding **Flug·ver·bots·zo·ne** *f* no-fly zone **Flug·ver·**

kehr m air traffic **Flug·waf·fe** f SCHWEIZ Swiss Air Force **Flug·zeit** f flight time

Flug·zeug <-[e]s, -e> nt [aero]plane BRIT, [air]plane AM; **mit dem** ~ by [aero]plane

Flug·zeug·ab·sturz m plane crash **Flug·zeug·bau** m kein pl aircraft construction **Flug·zeug·be·sat·zung** f flight crew **Flug·zeug·ent·füh·rer(in)** m(f) [aircraft] hijacker **Flug·zeug·ent·füh·rung** f [aircraft] hijacking **Flug·zeug·hal·le** f hangar **Flug·zeug·ka·ta·stro·phe** f air disaster **Flug·zeug·trä·ger** m aircraft carrier **Flug·zeug·un·glück** nt plane crash

Fluk·tu·a·ti·on <-, -en> [flʊktu̯aˈtsi̯oːn] f (geh) fluctuation

fluk·tu·ie·ren* [flʊktuˈiːrən] vi (geh) to fluctuate

Flun·der <-, -n> [ˈflʊndɐ] f flounder

Flun·ke·rei <-, -en> [flʊŋkəˈrai̯] f (fam) ❶ kein pl (das Flunkern) fibbing ❷ (kleine Lüge) fib

flun·kern [ˈflʊŋkɐn] vi (fam) to fib

Flunsch <-[e]s, -e> [flʊnʃ] m (fam) **einen** ~ **ziehen/machen** to pout

Flu·or <-s> [ˈfluːo:ɐ̯] nt kein pl fluorine no pl

Flu·or·chlor·koh·len·was·ser·stoff m chlorofluorocarbon, CFC

Flu·o·res·zenz <-> [fluɔrɛsˈtsɛnts] f kein pl fluorescence

flu·o·res·zie·ren* [fluɔrɛsˈtsiːrən] vi to fluoresce

flu·o·res·zie·rend adj fluorescent

Flu·o·rid <-[e]s, -e> [fluoˈriːt] nt fluoride

Flu·or·koh·len·was·ser·stoff m fluorocarbon

Flup·pe <-, -n> [ˈflʊpə] f (sl) fag BRIT fam, ciggie fam

Flur¹ <-[e]s, -e> [fluːɐ̯] m corridor; (Hausflur) entrance hall

Flur² <-, -en> [fluːɐ̯] f ❶ (Gebiet) plot ❷ (geh: freies Land) open fields pl ▶ **allein auf weiter** ~ **sein** to be [all] on one's tod BRIT

Flur·be·rei·ni·gung f reallocation of agricultural land **Flur·scha·den** m damage to [fields and] crops

Flu·se <-, -n> [ˈfluːzə] f piece of fluff

FlussRR <-es, Flüsse> m, **Fluß**ALT <-sses, Flüsse> [flʊs, pl ˈflʏsə] m ❶ (Wasserlauf) river; **jdn über den** ~ **setzen** to ferry sb across the river; **am** ~ next to the river ❷ (Verlauf) flow; **sich im** ~ **befinden** to be in a state of flux

fluss·abRR [flʊsˈʔap] adv, **fluss·ab·wärts**RR [flʊsˈʔapvɛrts] adv downriver

Fluss·armRR m arm of a river **fluss·auf·wärts**RR [flʊsˈʔau̯fvɛrts] adv up-

river **Fluss·be·gra·di·gung**RR f river straightening **Fluss·bett**RR nt riverbed **Fluss·bie·gung**RR f bend in a/the river **Fluss·di·a·gramm**RR nt flow chart

flüs·sig [ˈflʏsɪç] **I.** adj ❶ (nicht fest) liquid; Glas, Stahl molten; **etw** ~ **machen** to melt sth; ~ **werden** to melt ❷ (fließend) flowing; Verkehr moving ❸ FIN (fam) liquid; [nicht] ~ **sein** [not] to have a lot of money **II.** adv flowingly; ~ **lesen** to read effortlessly; ~ **sprechen** to speak fluently

Flüs·sig·gas nt liquid gas

Flüs·sig·keit <-, -en> f ❶ (flüssiger Stoff) liquid, fluid ❷ kein pl (fließende Beschaffenheit) liquidity; Rede fluency **Flüs·sig·sei·fe** f liquid soap

Fluss·krebsRR m crayfish **Fluss·lauf**RR m course of a river **Fluss·mün·dung**RR f river mouth **Fluss·nie·de·rung**RR f fluvial plain **Fluss·pferd**RR nt hippopotamus **Fluss·schiff·fahrt**RR, **Fluss·schiffahrt**ALT f river navigation **Fluss·ufer**RR nt river bank

flüs·tern [ˈflʏstɐn] vi, vt to whisper; **miteinander** ~ to whisper to one another; ■**man flüstert, dass ...** rumour has it that ...

Flüs·ter·ton m whisper; **im** ~ in whispers

Flut <-, -en> [fluːt] f ❶ (angestiegener Wasserstand) high tide; **die** ~ **geht zurück** the tide is going out; **es ist** ~ the tide's in; **die** ~ **kommt** the tide is coming in; **bei** ~ at high tide ❷ meist pl (Wassermassen) torrent ❸ (große Menge) ■**eine** ~ **von etw** dat a flood of sth

flu·ten [ˈfluːtn̩] vi, vt to flood

Flut·hil·fe f flood relief **Flut·ka·ta·stro·phe** f flood disaster **Flut·licht** nt kein pl floodlight **Flut·op·fer** nt flood victim

flut·schen [ˈflʊtʃn̩] **I.** vi sein (fam: rutschen) to slip **II.** vi impers sein o haben (fam: gut verlaufen) to go smoothly

Flut·wel·le f tidal wave

f-Moll <-s, -> [ˈɛfmɔl] nt kein pl MUS F flat minor

focht [fɔxt] imp von **fechten**

Fö·de·ra·lis·mus <-> [føderaˈlɪsmʊs] m kein pl federalism no pl

fö·de·ra·lis·tisch [føderaˈlɪstɪʃ] adj federalist

Fö·de·ra·ti·on <-, -en> [føderaˈtsi̯oːn] f federation

foh·len [ˈfoːlən] vi to foal

Foh·len <-s, -> [ˈfoːlən] nt foal

Föhn <-[e]s, -e> [føːn] m ❶ (Wind) föhn ❷ (Haartrockner) hair-dryer

föh·nenRR vt to blow-dry

Föhn·wel·leRR f blow-dried hairstyle

Fo·kus <-, -se> ['foːkʊs] *m* focus

Fol·ge <-, -n> ['fɔlgə] *f* **❶** (*Auswirkung*) consequence; **etw zur ~ haben** to result in sth; **böse/unangenehme ~n nach sich ziehen** to have nasty/unpleasant consequences; **als ~ von etw** *dat* as a consequence/result of sth **❷** (*Abfolge*) series; *von Bildern, Tönen* a. sequence; **in rascher ~** in quick succession **❸** (*Teil einer TV-Serie*) episode **❹** (*geh: einer Aufforderung nachkommen*) **~ leisten** to comply with

Fol·ge·er·schei·nung *f* consequence

fol·gen ['fɔlgn̩] *vi* **❶** *sein* (*nachgehen, als Nächstes kommen*) to follow; **~ Sie mir unauffällig!** follow me quietly; **es folgt die Ziehung der Lottozahlen** the lottery draw will follow; ▪**auf etw** *akk* ~ to come after sth; **wie folgt as follows ❷** *haben* (*gehorchen*) to be obedient; *einem Befehl* to follow **❸** *sein* (*verstehen*) **jdm/einer S. ~ können** to be able to follow sb/sth **❹** *sein* (*sich richten nach*) **einer Politik ~** to pursue a policy; **einem Vorschlag ~** to act on a suggestion **❺** *sein* (*hervorgehen*) ▪**aus etw** *dat* **folgt, dass ...** the consequences of sth are that...

fol·gend ['fɔlgn̩t] *adj* following; ▪**F~es** the following; ▪**im F~en** in the following

fol·gen·der·ma·ßen ['fɔlgn̩dɐ'maːsn̩] *adv* as follows

fol·gen·los *adj präd* without consequence

fol·gen·schwer *adj* serious; *Entscheidung* momentous

fol·ge·rich·tig *adj* logical

fol·gern ['fɔlgɐn] **I.** *vt* to conclude (**aus** from) **II.** *vi* to draw a conclusion; **vor·schnell ~** to jump to conclusions

Fol·ge·rung <-, -en> *f* conclusion; **eine ~ aus etw** *dat* **ziehen** to draw a conclusion from sth

Fol·ge·scha·den *m* consequential loss

Fol·ge·zeit *f* following period

folg·lich ['fɔlklɪç] *adv* therefore

folg·sam ['fɔlkzaːm] *adj* obedient

Fo·lie <-, -n> ['foːli̯ə] *f* **❶** (*Plastik~*) [plastic] film; (*Metall~*) foil **❷** (*Projektor~*) slide

Folk·lo·re <-> [fɔlk'loːrə] *f kein pl* folklore

folk·lo·ris·tisch *adj* folkloristic

Fol·ter <-, -n> ['fɔltɐ] *f* torture ▶ **jdn auf die ~ spannen** to keep sb on tenterhooks

Fol·ter·bank <-bänke> *f* rack **Fol·ter·kam·mer** *f* torture chamber

fol·tern ['fɔltɐn] *vt* to torture

Fol·te·rung <-, -en> *f* torture

Fon ['fɔn] *nt* (*fam*) *kurz für* **Telefon** phone

Fön® [føːn], **Föhn**RR <-[e]s, -e> [føːn] *m* hair-dryer

Fonds <-, -> [føː, *pl* føːs] *m* FIN (*Geldreserve*) fund; (*Kapital*) funds *pl*

Fonds·ma·na·ger(in) ['fõːmɛnɪdʒɐ] *m(f)* BÖRSE fund manager

Fon·due <-s, -s> [fõ'dyː] *nt* fondue

Fo·nemRR <-s, -e> *nt* phoneme

fö·nenALT ['føːnən] *vt s.* **föhnen**

Fo·no·ty·pist(in)RR <-en, -en> [fono-] *m(f) s.* **Phonotypist**

Font <-s, -s> [fɔnt] *m* INFORM font

Fon·tä·ne <-, -n> [fɔn'tɛːnə] *f* fountain

fop·pen ['fɔpn̩] *vt* (*fam*) ▪**jdn ~** to pull sb's leg

Fo·ra ['foːra] *pl von* **Forum**

for·cie·ren* [fɔr'siːrən] *vt* (*geh*) to push ahead with; *Export, Produktion* to boost

För·de <-, -n> ['føːɐ̯də] *f* firth

För·der·band <-bänder> *nt* conveyor belt

För·de·rer, För·de·rin <-s, -> *m, f* sponsor

För·der·gel·der *pl* ADMIN development funds **För·der·korb** *m* hoisting cage

för·der·lich *adj* useful

För·der·mit·tel *nt* winding means

for·dern ['fɔrdɐn] **I.** *vt* **❶** (*verlangen*) to demand **❷** (*erfordern*) to require (**von** of/from) **❸** (*kosten*) to claim; **der Flugzeugabsturz forderte 123 Menschenleben** the plane crash claimed 123 lives **❹** (*Leistung abverlangen*) to make demands on **❺** (*herausfordern*) to challenge; **jdn zum Duell/Kampf ~** to challenge sb to a duel/fight **II.** *vi* (*verlangen*) to make demands; ▪**[von jdm] ~, dass ...** to demand [of sb] that ...

för·dern ['fœrdɐn] *vt* **❶** (*unterstützen*) to support; *Karriere, Talent* to further; ▪**jdn ~** *Gönner, Förderer* to sponsor **❷** (*förderlich sein*) to help along; MED to stimulate **❸** (*steigern*) to promote; *Konjunktur, Umsatz* to boost **❹** (*abbauen*) to mine for; *Erdöl* to drill for

for·dernd I. *adj* overbearing **II.** *adv* in a domineering manner *pred*

För·der·schacht *m* winding shaft **För·der·turm** *m* winding tower

For·de·rung <-, -en> *f* **❶** (*nachdrücklicher Wunsch*) demand; **jds ~ erfüllen** to meet sb's demands; **einer ~ nachkommen** to act as requested; **~en [an jdn] stellen** to make demands [on sb] **❷** ÖKON debt claim **❸** (*Erfordernis*) requirement

För·de·rung <-, -en> *f* **❶** (*Unterstützung*) support **❷** (*das Fördern*) promotion **❸** MED (*Anregung*) stimulation **❹** BERGB mining; **die ~ von Erdöl** drilling for oil

Fo·rel·le <-, -n> [fo'rɛlə] *f* trout

Fo·ren ['foːrən] *pl von* **Forum**

Fo·ren·mas·ter <-s, -> ['foːrənmaːstɐ] *m* INET forum moderator

Form <-, -en> [fɔrm] *f* ❶ (*äußere Gestalt*) shape; **etw in ~ bringen** to knock sth into shape; **seine ~ verlieren** to lose shape ❷ (*Kunst~*) form ❸ (*Substanz, Ausmaße*) ~ **annehmen** to take shape; **in ~ von etw** *dat* in the form of sth ❹ (*Art und Weise*) form; **in mündlicher/schriftlicher ~** verbally/in writing ❺ (*fixierte Verhaltensweise*) conventions *pl;* **sich in aller ~ entschuldigen** to apologize formally; **die ~ wahren** (*geh*) to remain polite ❻ (*Kondition*) form, shape *fam;* **in ~ bleiben** to stay in form; **nicht in ~ sein** to be out of shape; **in guter/schlechter ~** in good/bad shape ❼ (*Gussform*) mould

for·mal [fɔrˈmaːl] **I.** *adj* ❶ (*Gestaltung betreffend*) formal ❷ (*Formsache betreffend*) technical **II.** *adv* ❶ (*der äußeren Gestaltung nach*) formally ❷ (*nach den Vorschriften*) technically

For·ma·lie <-, -n> [fɔrˈmaːli̯ə] *f meist pl* formality

For·ma·li·tät <-, -en> [fɔrmaliˈtɛt] *f* formality

For·mat <-[e]s, -e> [fɔrˈmaːt] *nt* ❶ (*Größenverhältnis*) format; **im ~ DIN A 4** in A 4 format ❷ (*Niveau*) quality; **internationales ~** international standing; **[kein] ~ haben** to have [no] class

for·ma·tie·ren* [fɔrmaˈtiːrən] *vt* to format

For·ma·tie·rung *f* formatting

For·ma·ti·on <-, -en> [fɔrmaˈtsi̯oːn] *f* formation

form·bar *adj* malleable

form·be·stän·dig *adj* dimensionally stable

For·mel <-, -n> ['fɔrml] *f* ❶ (*Kürzel*) formula ❷ (*Wortlaut*) wording ❸ (*kurz gefasster Ausdruck*) set phrase

for·mell [fɔrˈmɛl] **I.** *adj* ❶ (*offiziell*) official ❷ (*förmlich*) formal **II.** *adv* ❶ (*offiziell*) officially ❷ *s.* **formal 2**

for·men [ˈfɔrmən] *vt* ❶ (*modellieren, prägen*) to mould (**aus** from); **wohl geformt** well formed ❷ (*bilden*) to form

For·men·leh·re *f* ❶ LING morphology ❷ MUS musical form

Form·feh·ler *m* ❶ (*Verstoß gegen Vorschriften*) irregularity ❷ (*Verstoß gegen Etikette*) breach of etiquette

for·mie·ren* [fɔrˈmiːrən] **I.** *vr* ▪ **sich ~** ❶ (*sich ordnen*) to form up ❷ (*sich bilden*) to form **II.** *vt* ▪ **etw ~** to form sth; **eine Mannschaft ~** to position the players of a team

For·mie·rung <-, -en> *f* formation

förm·lich [ˈfœrmlɪç] **I.** *adj* ❶ (*offiziell*) official ❷ (*unpersönlich*) formal **II.** *adv* ❶ (*unpersönlich*) formally ❷ (*geradezu*) really

Förm·lich·keit <-, -en> *f kein pl* formality

form·los *adj* ❶ (*gestaltlos*) formless; (*die äußere Gestalt betreffend*) shapeless ❷ (*zwanglos*) informal

Form·sa·che *f* formality; **eine [reine] ~ sein** to be a [mere] formality **form·schön** *adj* well-shaped **Form·tief** *nt* low; **ein ~ haben** to experience a low

For·mu·lar <-s, -e> [fɔrmuˈlaːɐ] *nt* form

for·mu·lie·ren* [fɔrmuˈliːrən] *vt* to formulate; **... wenn ich es mal so ~ darf** ... if I might put it like that

For·mu·lie·rung <-, -en> *f* ❶ *kein pl* (*das Formulieren*) wording ❷ (*textlicher Ausdruck*) formulation

form·voll·en·det **I.** *adj* perfect[ly shaped] **II.** *adv* perfectly

forsch [fɔrʃ] **I.** *adj* bold **II.** *adv* boldly

for·schen [ˈfɔrʃn] *vi* to research; ▪ **nach jdm/etw ~** to search for sb/sth

for·schend **I.** *adj* inquiring **II.** *adv* inquiringly

For·scher(in) <-s, -> *m(f)* ❶ (*Wissenschaftler*) researcher ❷ (*Forschungsreisender*) explorer

For·schung <-, -en> *f* research; **die moderne ~** modern research; **~ und Lehre** research and teaching

For·schungs·ar·beit *f* ❶ (*Tätigkeit*) research [work] ❷ (*Veröffentlichung*) research paper **For·schungs·er·geb·nis** *nt* result of the research **For·schungs·la·bor** *nt* research laboratory **For·schungs·park** *m* research park **For·schungs·rei·se** *f* expedition **For·schungs·zen·trum** *nt* research centre

Forst <-[e]s, -e[n]> [fɔrst] *m* [commercial] forest

Forst·amt *nt* forestry office [*or* AM service] **Förs·ter(in)** <-s, -> ['fœrstɐ] *m(f)* forester **Forst·haus** *nt* forester's house **Forst·wirt(in)** *m(f)* forester **Forst·wirt·schaft** *f kein pl* forestry *no pl*

fort [fɔrt] *adv* ❶ (*weg*) away; **nur ~ von hier!** (*geh*) let's get away! ❷ (*weiter*) **und so ~** and so on; **in einem ~** constantly

Fort <-s, -s> [foːɐ] *nt* fort

fort·an [fɔrtˈʔan] *adv* (*geh*) henceforth

Fort·be·stand *m kein pl* continued existence *no pl* **fort|be·ste·hen*** *vi irreg* to survive **fort|be·we·gen*** *vt, vr* ▪ **[sich] ~** to move **Fort·be·we·gung** *f kein pl* movement **Fort·be·we·gungs·mit·tel** *nt* means of locomotion **fort|bil·den** *vt* ▪ **sich ~** to take [further] education courses; ■ **jdn** ~ to provide sb with further education **Fort·bil·dung** *f kein pl* [further] training **Fort·bil·dungs·kurs** *m,* **Fort·bil·dungs·kur·sus** *m* [further] training course **fortIbleiIben** *vi irreg sein* to stay away (**von** from) **fortIbrin·gen** ['fɔrt-brɪŋən] *vt irreg* ❶ (*wegbringen*) to take away *sep; Brief, Packet* to post [*or esp* AM mail] ❷ (*bewegen*) to move **Fort·dau·er** *f* continuation *no pl* **fortIdau·ern** *vi* to continue **fort·dau·ernd** I. *adj* continuous II. *adv* continuously

for·te ['fɔrtə] *adv* ❶ MUS forte ❷ PHARM extra **fortIent·wi·ckeln*** *vt, vr* to develop [further] **Fort·ent·wick·lung** *f kein pl* development **fortIfah·ren** *vi* ❶ *sein* (*wegfahren*) to go [away/off] ❷ *sein o haben* (*weiterreden, ·machen*) to continue **fortIfal·len** *vi irreg sein* ■ **etw fällt fort** sth does not apply **fortIflie·gen** *vi sein* to fly away **fortIfüh·ren** *vt* ❶ (*fortsetzen*) to continue ❷ (*wegführen*) to lead away **Fort·gang** *m kein pl* ❶ (*weiterer Verlauf*) continuation *no pl* ❷ (*Weggang*) departure **fortIge·hen** *vi sein* to go away **fort·ge·schrit·ten** *adj* advanced; **im** ~**en Alter** at an advanced age **Fort·ge·schrit·te·ne(r)** *f(m) dekl wie adj* advanced student **Fort·ge·schrit·ten·en·kurs** *m,* **Fort·ge·schrit·ten·en·kur·sus** *m* advanced course **fort·ge·setzt** *adj* constant **fortIja·gen** *vt haben* to chase away **fortIkom·men** *vi sein* ❶ (*fam: wegkommen*) to get out of/away (**aus/von** from); **mach, dass du fortkommst!** (*fam*) get lost! ❷ (*abhandenkommen*) to go missing **Fort·kom·men** *nt* progress **fortIkön·nen** *vi irreg* to be able to go **fortIlas·sen** *vt irreg* ❶ (*weggehen lassen*) to let go ❷ (*weg·/auslassen*) to leave out **fortIlau·fen** *vi irreg sein* to run away; ■ **jdn** ~ to go missing; **uns ist unsere Katze fortgelaufen** our cat has gone missing; (*verlassen*) to leave **fort·lau·fend** I. *adj* (*ständig wiederholt*) continual; (*ohne Unterbrechung*) continuous II. *adv* (*ständig*) constantly; (*in Serie*) consecutively **fortImüs·sen** *vi irreg* to have to go **fortIpflan·zen** *vr* ■ **sich** ~ to reproduce **Fort·pflan·zung** *f kein pl* reproduction *no pl* **fort·pflan·zungs·fä·hig** *adj* able to reproduce *pred* **Fort·pflan·zungs·kli·nik** *f* MED IVF [*or* fertility] clinic **fortIräu·men** *vt* to clear away *sep* **fortIrei·ßen** *vt irreg* ■ **etw mit sich** *dat* ~ to sweep away sth *sep* **fortIren·nen** *vi irreg sein* (*fam*) to run away **fortIschaf·fen** *vt* to get rid of **fortIsche·ren** *vr* ■ **sich** ~ to clear off **fortIschi·cken** *vt* to

send away **fortIschrei·ten** *vi irreg sein* to progress **fort·schrei·tend** *adj* progressive **Fort·schritt** ['fɔrtʃrɪt] *m* ❶ (*Schritt nach vorn*) step forward; [**gute**] ~**e machen** to make progress *no pl* ❷ (*Verbesserung*) improvement **fort·schritt·lich** I. *adj* progressive II. *adv* progressively **Fort·schritt·lich·keit** <-> *f kein pl* progressiveness **fort·schritts·feind·lich** *adj* anti-progressive **fortIset·zen** *vt, vi* to continue **Fort·set·zung** <-, -en> ['fɔrtzɛtsʊŋ] *f* ❶ *kein pl* (*das Fortsetzen*) continuation *no pl* ❷ *eines Buches, Films* sequel; *einer Fernsehserie, eines Hörspiels* episode; „~ **folgt**" "to be continued" **Fort·set·zungs·ro·man** *m* serialized novel **fortIsteh·len** *vr irreg* ■ **sich** ~ to steal away *sep* **fortItra·gen** *vt irreg* to carry away *sep* **fortItrei·ben** *irreg* I. *vt haben* ❶ (*verjagen*) to chase away ❷ (*an einen anderen Ort treiben*) to sweep away II. *vi sein* to drift away **fort·wäh·rend** ['fɔrtvɛ:rənt] I. *adj attr* constant II. *adv* constantly **fortIwer·fen** *vt irreg* to throw away *sep* **fortIwol·len** *vi* to want to leave **fortIzie·hen** *irreg* I. *vt haben* to pull away II. *vi sein* to move [away]

Fo·rum <-s, Foren *o* Fora> ['fo:rʊm, *pl* 'fo:rən, *pl* 'fo:ra] *nt* ❶ (*Personenkreis*) audience ❷ *pl* (*öffentliche Diskussion*) public discussion ❸ (*Ort für öffentliche Diskussion*) forum ❹ INET [discussion] forum

fos·sil [fɔ'si:l] *adj attr* fossil **Fos·sil** <-s, -ien> [fɔ'si:l, *pl* -ịən] *nt* fossil **Fö·ten** ['fø:tən] *pl von* **Fötus**

Fo·to <-s, -s> ['fo:to] *nt* photograph, photo *fam;* **ein** ~ [**von jdm/etw**] **machen** to take a photo [of sb/sth] **Fo·to·al·bum** *nt* photo album **Fo·to·ap·pa·rat** *m* camera **Fo·to-CD** *f* photo CD **fo·to·gen** [foto'ge:n] *adj* photogenic **Fo·to·graf(in)** <-en, -en> [foto'gra:f] *m(f)* photographer **Fo·to·gra·fie** <-, -n> [fotogra'fi:, *pl* fotogra'fi:ən] *f* ❶ *kein pl* (*Verfahren*) photography *no pl* ❷ (*Bild*) photograph **fo·to·gra·fie·ren*** [fotogra'fi:rən] I. *vt* ■ **jdn/etw** ~ to take a photograph of sb/sth; **sich** ~ **lassen** to have one's photograph taken II. *vi* to take photographs **fo·to·gra·fisch** [foto'gra:fɪʃ] I. *adj* photographic II. *adv* photographically **Fo·to·ko·pie** [fotoko'pi:] *f* photocopy **fo·**

Fragen

Informationen erfragen	obtaining information
Wie komme ich am besten zum Bahnhof?	**What's the best way** to the station?
Können Sie mir sagen, wie spät es ist?	**Could you tell me what** time it is?
Gibt es hier in der Nähe ein Café?	**Is there** a café **anywhere round here?**
Ist die Wohnung **noch zu haben?**	Is the apartment **still available?**
Kennst/Weißt du einen guten Zahnarzt?	**Can you recommend** a good dentist?
Kennst du dich mit Autos **aus?**	**Do you know anything about** cars?
Weißt du Näheres über diese Geschichte?	**Do you have any details about** this story?

um Erlaubnis bitten	asking permission
Darf ich hereinkommen?	**May I come in?**
Störe ich gerade?	**Am I disturbing you?**

nach Meinungen fragen	asking someone's opinion
Was hältst du von dem neuen Gesetz?	**What do you think of** the new law?
Glaubst du, das ist so richtig?	**Do you think that's right?**
Hältst du das für möglich?	**Do you think it's possible?**
Meinst du, sie hat Recht?	**Do you reckon** she's right? *(fam)*

to·ko·pie·ren* [fotoko'piːrən] *vt* to photocopy **Fo·to·ko·pie·rer** *m* photocopier **Fo·to·la·bor** *nt* photographic laboratory **Fo·to·mo·dell** ['foːtomodɛl] *nt* photographic model **Fo·to·mon·ta·ge** *f* photo montage **Fo·to·shoo·ting** <-s, -s> [-'ʃuːtɪŋ] *nt* FOTO [photo] shoot **Fo·to·syn·the·se**^RR *f* photosynthesis **Fo·to·zel·le**^RR *f* photoelectric cell, photocell

Fö·tus <-[ses], Föten *o* -se> ['føːtʊs, *pl* 'føːtən, *pl* 'føːtʊsə] *m* foetus

Fot·ze <-, -n> ['fɔtsə] *f (vulg)* cunt

Foul <-s, -s> [faʊl] *nt* foul

fou·len ['faʊlən] *vt, vi* to foul

Fox·trott <-s, -e *o* -s> ['fɔkstrɔt] *m* foxtrot

Fo·yer <-s, -s> [foa'jeː] *nt* foyer

Fr. *Abk von* **Frau** Mrs, Ms *(feminist address)*

Fracht <-, -en> ['fraxt] *f* ❶ *(Ladung)* cargo ❷ *(Beförderungspreis)* carriage

Fracht·brief *m* consignment note

Frach·ter <-s, -> ['fraxtɐ] *m* cargo boat

Fracht·flug·zeug *nt* cargo plane, air freighter **Fracht·gut** *nt* freight **Fracht·kos·ten** *pl* carriage [costs] **Fracht·raum** *m Schiff* cargo hold; *Flugzeug* cargo compartment **Fracht·schiff** *nt* cargo boat; *(groß)* cargo ship **Fracht·ver·kehr** *m* goods traffic *no pl*

Frack <-[e]s, Fräcke *o* -s> [frak, *pl* 'frɛkə] *m* tails *npl;* **einen ~ tragen** to wear tails; **im ~** in tails

Frack·sau·sen <-s> *nt* ~ **haben/bekommen** *(fam)* to be/become scared stiff

Fra·ge <-, -n> ['fraːgə] *f* ❶ *(zu beantwortende Äußerung)* question; **eine ~ zu etw** *dat* **haben** to have a question about sth; **jdm eine ~ stellen** to ask sb a question ❷ *(Problem)* question, problem, issue; **keine ~** no problem; **ohne ~** without doubt; **die großen ~en unserer Zeit** the great issues of our time; **eine strittige ~** a contentious issue; **ungelöste ~en** unsolved issues; **~en aufwerfen** to prompt questions ❸ *(Betracht)* **in ~ kommen** to be worthy of consideration; **für diese Aufgabe kommt nur ein Spezialist in ~** only an expert can be considered for this task; **nicht in ~ kommen** to be out of the question

Fra·ge·bo·gen *m* questionnaire

fra·gen ['fraːgn̩] **I.** *vi* to ask; **man wird ja wohl noch ~ dürfen** *(fam)* I was only asking; **ohne [lange] zu ~** without asking [a lot of] questions; ■**nach jdm ~** to ask for sb; **nach der Uhrzeit ~** to ask the time; **nach dem Weg ~** to ask for directions; **nach jds Gesundheit ~** to enquire about sb's health **II.** *vr* ■**sich ~, ob/wann/wie ...** to wonder whether/when/how ...; ■**es fragt sich, ob ...** it is doubtful wheth-

er ... **III.** vt ■ **|jdn| etwas** ~ to ask |sb| sth
fra·gend I. adj Blick questioning, inquiring
II. adv **jdn** ~ **ansehen** to give sb a questioning look
Fra·ge·rei <-, -en> [fraː'gəˈrai̯] f (pej)
questions pl; **deine** ~ **geht mir auf die Nerven!** your stupid questions are getting on my nerves!
Fra·ge·satz m LING interrogative clause
Fra·ge·stel·lung f ❶ (Formulierung) formulation of a question ❷ (Problem) problem **Fra·ge·stun·de** f question time **Fra·ge·wort** nt LING interrogative particle **Fra·ge·zei·chen** nt question mark
fra·gil [fraˈgiːl] adj (geh) fragile
frag·lich [ˈfraːklɪç] adj ❶ (fragwürdig) suspect ❷ (unsicher) doubtful ❸ attr (betreffend) in question pred; **zur** ~ **en Zeit** at the time in question
frag·los [ˈfraːkloːs] adv unquestionably
Frag·ment <-[e]s, -e> [fraˈgmɛnt] nt fragment
frag·men·ta·risch [fragmɛnˈtaːrɪʃ] **I.** adj fragmentary **II.** adv in fragments
frag·wür·dig [ˈfraːkvʏrdɪç] adj (pej) dubious
Frak·ti·on <-, -en> [frakˈtsi̯oːn] f ❶ POL parliamentary party, congressional faction AM ❷ (Sondergruppe) faction pej
Frak·ti·ons·vor·sit·zen·de(r) f/m) dekl wie adj chairman of a parliamentary party
Frame <-s, -s> [freːm] m o nt INFORM frame
Franc <-, -s o bei Zahlenangabe -> [frãː] m franc
frank [fraŋk] adv frank; ~ **und frei antworten** to give a frank answer
Fran·ke, Frän·kin <-n, -n> [ˈfraŋkə, ˈfrɛŋkɪn] m, f Franconian; HIST Frank
Fran·ken <-s, -> [ˈfraŋkn̩] m ❶ (Währung) franc ❷ (Region) Franconia
Frank·furt <-s> [ˈfraŋkfʊrt] nt Frankfurt
fran·kie·ren* [fraŋˈkiːrən] vt to stamp; (mit Frankiermaschine) to frank
Fran·kier·ma·schi·ne f franking machine
Fran·kie·rung <-, -en> [fraŋˈkiːrən] f ❶ (das Frankieren) franking ❷ (Porto) postage
frän·kisch [ˈfrɛŋkɪʃ] adj Franconian hist; s. a. **deutsch**
fran·ko [ˈfraŋko] adv ÖKON prepaid
Frank·reich <-s> [ˈfraŋkrai̯ç] nt France; s. a. **Deutschland**
Fran·se <-, -n> [ˈfranzə] f fringe
fran·sig [ˈfranzɪç] adj frayed
Fran·zis·ka·ner(in) <-s, -> [frantsɪsˈkaː-nɐ] m(f) Franciscan
Fran·zo·se <-n, -n> [franˈtsoːzə] m adjustable spanner

Fran·zose, Fran·zö·sin <-n, -n> [franˈtsoːzə, franˈtsøːzɪn] m, f Frenchman masc, Frenchwoman fem; ~ **sein** to be French; ■ **die** ~**n** the French; s. a. **Deutsche(r)**
fran·zö·sisch [franˈtsøːzɪʃ] adj French; ~**es Bett** double bed; s. a. **deutsch**
Fran·zö·sisch [franˈtsøːzɪʃ] nt dekl wie adj French; **auf** ~ in French; s. a. **Deutsch**
frap·pie·ren* [fraˈpiːrən] vt (geh: überraschen) to amaze
frä·sen [ˈfrɛːzn̩] vt to mill; Holz to sink
Fräs·ma·schi·ne f mortising machine
Fraß <-es, selten -e> [fraːs] m (pej fam: schlechtes Essen) muck
fraß [ˈfraːs] imp von **fressen**
Frat·ze <-, -n> [ˈfratsə] f ❶ (hässliches Gesicht) grotesque face ❷ (Grimasse) grimace; **|jdm| eine** ~ **schneiden** to pull a face |at sb|
frau [frau̯] pron one (feminist alternative to the German masculine form man)
Frau <-, -en> [frau̯] f ❶ (weiblicher Mensch) woman ❷ (Ehefrau) wife ❸ (Anrede) Mrs, Ms (feminist version of Mrs); ~ **Doktor** Doctor; **gnädige** ~ (geh) my dear lady
Frau·chen <-s, -> [ˈfrau̯çən] nt (fam) dim von **Frau** ❶ (fam: Kosename) wifie fam ❷ (Haustierbesitzerin) mistress
Frau·en·arzt, -ärz·tin m, f gynaecologist
Frau·en·be·we·gung f kein pl women's movement no pl **frau·en·feind·lich** adj anti-women **Frau·en·för·de·rung** f promotion of women **Frau·en·grup·pe** f women's group **Frau·en·haus** nt women's refuge **Frau·en·heil·kun·de** f gynaecology **Frau·en·held** m ladies' man **Frau·en·kli·nik** f gynaecological clinic **Frau·en·quo·te** f proportion of women (working in a certain sector) **Frau·en·recht·ler(in)** <-s, -> m(f) women's rights' activist **Frau·en·ta·xi** nt women's taxi (driven by female taxi drivers for women only) **Frau·en·wahl·recht** nt women's suffrage **Frau·en·zim·mer** nt (pej: Frau) bird
Fräu·lein <-s, - o -s> [ˈfrɔi̯lai̯n] nt (fam) ❶ (veraltend: unverheiratete Frau) young [unmarried] woman ❷ (veraltend: Anrede) Miss
frau·lich [ˈfrau̯lɪç] adj womanly
Freak <-s, -s> [friːk] m (fam) freak
frea·kig [ˈfriːkɪç] adj (ausgeflippt) freaky
frech [frɛç] **I.** adj ❶ (dreist) cheeky BRIT, fresh AM ❷ (kess) daring; Frisur peppy **II.** adv ❶ (dreist) cheekily BRIT, freshly AM ❷ (kess) daringly; ~ **angezogen sein** to

be provocatively dressed
Frẹch·dachs *m* (*fam*) cheeky [little] monkey
Frẹch·heit <-, -en> *f* ❶ *kein pl* (*Dreistigkeit*) impudence; (*Unverfrorenheit*) barefacedness; **die ~ haben, etw zu tun** to have the nerve to do sth ❷ (*freche Äußerung*) cheeky remark BRIT; (*freche Handlung*) insolent behaviour
free·clim·benᴿᴿ,   **free·clim·ben**ᴬᴸᵀ
['fri:klaimən] *vi* to free-climb
Fre·gat·te <-, -n> [fre'gatə] *f* frigate
frei [frai] **I.** *adj* ❶ (*nicht gefangen, unabhängig*) free; **~e Meinungsäußerung** freedom of speech; **~e(r) Mitarbeiter(in)** freelance[r]; **aus ~en Stücken** of one's own free will; **sich von etw** *dat* **~ machen** to free oneself from sth ❷ (*freie Zeit*) **~ haben** to have time off; **er hat heute ~** he's off today; **eine Woche ~ haben** to have a week off; **~ nehmen** to take time off ❸ (*verfügbar*) available ❹ (*nicht besetzt*) free; *Stelle, Zimmer* vacant; **ist dieser Platz ~?** is this seat taken? ❺ (*kostenlos*) free; „**Eintritt ~**" "admission free"; „**Lieferung ~ Haus**" free home delivery ❻ (*ohne etw*) ■**~ von etw** *dat* **sein** to be free of sth ❼ (*ohne Hilfsmittel*) off-the-cuff; *Rede* impromptu ❽ (*auslassen*) **eine Zeile ~ lassen** to leave a line free ❾ (*offen*) *Gelände* open ❿ (*ungezwungen*) free and easy; **ich bin so ~** (*geh*) if I may ⓫ (*unbekleidet*) bare; **sich ~ machen** to get undressed ⓬ (*ungefähr*) **~ nach ...** roughly quoting... **II.** *adv* ❶ (*unbeeinträchtigt*) freely; **er läuft immer noch ~ herum!** he is still on the loose!; **~ atmen** to breathe easy ❷ (*uneingeschränkt*) casually; **sich ~ bewegen können** to be able to move in an uninhibited manner ❸ (*nach eigenem Belieben*) **~ erfunden** to be completely made up ❹ (*ohne Hilfsmittel*) **~ sprechen** to speak off-the-cuff; **~ in der Luft schweben** to hover unsupported in the air ❺ (*nicht gefangen*) **~ laufend** *Tiere* free-range; **~ lebend** living in the wild
Frei·bad *nt* outdoor swimming pool
frei|be·kom·men* *vt irreg* ❶ (*fam: nicht arbeiten müssen*) **einen Tag ~** to be given a day off ❷ (*befreien*) ■**jdn ~** to have sb released **Frei·be·ruf·ler(in)** <-s, -> *m(f)* freelance[r] **frei·be·ruf·lich** *adj* freelance **Frei·be·trag** *m* allowance **Frei·bier** *nt* free beer **Frei·brief** *m* charter ▶**etw als einen ~ für etw** *dat* **betrachten** to see sth as carte blanche to do sth
Frei·e(r) *f(m)* *dekl wie adj* freeman

Frei·er <-s, -> *m* ❶ (*Kunde einer Hure*) punter BRIT, John AM ❷ (*veraltet: Bewerber*) suitor
Frei·ex·em·plar *nt* free copy **Frei·gän·ger(in)** <-s, -> *m(f)* prisoner on day-release **frei|ge·ben** *irreg vt* ❶ (*nicht mehr zurückhalten*) to unblock; (*zur Verfügung stellen*) to make accessible ❷ (*Urlaub geben*) to give time off
frei·ge·big ['fraigə:biç] *adj* generous
Frei·ge·big·keit <-> *f kein pl* generosity
Frei·ge·päck *nt* luggage allowance **frei|ha·ben** *vi irreg* to have time off; **ich habe heute frei** I've got the day off today **Frei·ha·fen** *m* free port **frei|hal·ten** *vt irreg* ❶ (*nicht versperren*) to keep clear ❷ (*reservieren*) to save **Frei·han·del** *m* free trade **Frei·han·dels·zo·ne** *f* free trade area
frei·hän·dig ['fraihɛndıç] *adj* ❶ (*ohne Hände*) with no hands *pred* ❷ (*ohne Hilfsmittel*) freehand
Frei·heit <-, -en> ['fraihait] *f* ❶ *kein pl* (*das Nichtgefangensein*) freedom *no pl*; **in ~ sein** to have escaped ▶([*Vor*]*recht*) liberty; **sich** *dat* **die ~ nehmen, etw zu tun** to take the liberty of doing sth; **dichterische ~** poetic licence; **alle ~en haben** to be free to do as one pleases
frei·heit·lich *adj* liberal
Frei·heits·be·rau·bung *f* unlawful detention **Frei·heits·drang** *m* urge to be free **Frei·heits·kampf** *m* struggle for freedom **Frei·heits·sta·tue** *f* ■**die ~** the Statue of Liberty **Frei·heits·stra·fe** *f* prison sentence
frei·he·raus [fraihɛ'raus] *adv* frankly
Frei·herr *m* baron **Frei·kar·te** *f* free ticket **frei|kau·fen** *vt* ❶ (*loskaufen*) ■**jdn ~** to pay for sb's release; ■**sich ~** to buy one's freedom ❷ (*entledigen*) ■**sich von etw** *dat* **~** to buy one's way out of sth
frei|kom·men *vi irreg sein* to be freed (**aus** from) **Frei·kör·per·kul·tur** *f kein pl* nudism *no pl* **Frei·land** *nt* open land **Frei·land·ge·mü·se** *nt* vegetables grown outdoors
frei|las·sen *vt irreg* to free
Frei·las·sung <-, -en> *f* release
Frei·lauf *m Fahrrad* free-wheeling mechanism; *Maschinen* free-running mechanism
frei|le·gen *vt* to uncover **Frei·lei·tung** *f* overhead line
frei·lich ['frailıç] *adv* ❶ (*allerdings*) though, however ❷ *bes* SÜDD (*natürlich*) of course
Frei·licht·büh·ne *f* open-air theatre
Frei·los *nt* free draw
frei|ma·chen **I.** *vt* (*frankieren*) to stamp

II. vi (fam: nicht arbeiten) to take time off **Frei·mau·rer** ['fraɪmaʊrɐ] m Freemason **frei·mü·tig** ['fraɪmyːtɪç] adj frank **Frei·mü·tig·keit** <-> f kein pl frankness no pl

Frei·raum m freedom **frei·schaf·fend** adj attr freelance **frei|schau·feln** vt to shovel free **frei|schwim·men** vr irreg to get one's swimming certificate **frei|set·zen** vt to release **Frei·set·zung** <-, -en> f release **frei|spre·chen** vt irreg JUR to acquit **Frei·sprech·mi·kro·fon** nt wireless headset **Frei·spruch** m acquittal; **auf ~ plädieren** to plead for an acquittal **Frei·staat** m free state **frei|ste·hen** vi irreg ◼ jdm steht es frei, etw zu tun sb is free to do sth **frei|stel·len** vt ❶ (selbst entscheiden lassen) ◼ jdm etw ~ to leave sth up to sb ❷ (befreien) to release, to exempt; **jdn vom Wehrdienst ~** to exempt sb from military service ❸ (euph: entlassen) ◼ jdn ~ to make sb redundant **Frei·stil** m kein pl SPORT ❶ (Freistilschwimmen) freestyle ❷ (Freistilringen) freestyle, all-in wrestling **Frei·stoß** m free kick **Frei·tag** <-[e]s, -e> ['fraɪtaːk, pl -taːgə] m Friday; s. a. **Dienstag** **frei·tags** ['fraɪtaːks] adv [on] Fridays **Frei·tod** m (euph) suicide **Frei·trep·pe** f flight of stairs **Frei·übung** f SPORT exercise **frei·weg** adv (fam) cooly **Frei·wild** nt fair game **frei·wil·lig** ['fraɪvɪlɪç] **I.** adj voluntary **II.** adv voluntarily; **sich ~ versichern** to take out voluntary insurance **Frei·wil·li·ge(r)** ['fraɪvɪlɪgə, 'fraɪvɪlɪgɐ] f(m) dekl wie adj volunteer **Frei·wil·lig·keit** <-> f kein pl voluntary nature **Frei·wurf** m free throw **Frei·zei·chen** nt ringing tone **Frei·zeit** f free time, leisure [time] **Frei·zeit·ak·ti·vi·tä·ten** pl leisure time activities pl **Frei·zeit·ein·rich·tung** f leisure facility **Frei·zeit·ge·sell·schaft** f SOZIOL leisure society **Frei·zeit·ge·stal·tung** f free-time activities **Frei·zeit·in·dust·rie** f leisure industry **Frei·zeit·klei·dung** f leisure wear **Frei·zeit·park** m amusement park

frei·zü·gig adj ❶ (großzügig) generous ❷ (moralisch liberal) liberal; (offenherzig) revealing also hum **Frei·zü·gig·keit** <-> f kein pl ❶ (Großzügigkeit) generosity ❷ (lockere Einstellung) liberalness ❸ (Freiheit in der Wahl des Wohnortes) freedom of movement

fremd [frɛmt] adj ❶ (anderen gehörig) somebody else's ❷ (fremdländisch) Länder, Sitten foreign; bes ADMIN alien ❸ (unbekannt) strange, unfamiliar; **ich bin hier ~** I'm not from round here **fremd·ar·tig** ['frɛmtʔaːɐ̯tɪç] adj (ungewöhnlich) strange; (exotisch) exotic **Fremd·ar·tig·keit** <-> f kein pl (Ungewöhnlichkeit) strangeness no pl; (exotische Art) exoticism no pl **fremd·be·stimmt** adj heteronomous **Fremd·be·stim·mung** f SOZIOL, POL foreign control **Frem·de** <-> ['frɛmdə] f kein pl (geh) ◼ **die ~** foreign parts npl; **in der ~ sein** to be abroad

frem·den·feind·lich adj hostile to strangers pred, xenophobic **Frem·den·feind·lich·keit** f hostility to strangers, xenophobia **Frem·den·füh·rer(in)** m(f) [tourist] guide **Frem·den·le·gi·on** f kein pl [French] Foreign Legion **Fremd·ent·sor·ger** m (Entsorgungsfirma) waste disposal firm **Frem·den·ver·kehr** m tourism no indef art, no pl **Frem·den·ver·kehrs·amt** nt tourist office **Frem·den·ver·kehrs·ver·ein** m tourist association **Frem·den·zim·mer** nt s. **Gästezimmer**

fremd|ge·hen vi irreg sein (fam) to be unfaithful **Fremd·heit** <-, selten -en> f strangeness **Fremd·herr·schaft** f kein pl foreign rule **Fremd·kör·per** m ❶ MED foreign body ❷ (fig) alien element **fremd·län·disch** ['frɛmtlɛndɪʃ] adj foreign, exotic **Fremd·spra·che** f foreign language **Fremd·spra·chen·kor·res·pon·dent(in)** m(f) bilingual secretary **Fremd·spra·chen·se·kre·tär(in)** m(f) multilingual secretary **fremd·spra·chig** adj foreign-language attr **fremd·sprach·lich** adj foreign-language attr **Fremd·ver·schul·den** nt JUR third-party responsibility **Fremd·wort** nt borrowed word **Fremd·wör·ter·buch** nt dictionary of borrowed words **fre·quen·tie·ren*** [frekvɛn'tiːrən] vt (geh) to frequent **Fre·quenz** [fre'kvɛnts] f frequency **Fres·ko** <-s, Fresken> ['frɛsko, pl 'frɛskən] nt fresco **Fres·sa·li·en** [frɛ'saːli̯ən] pl (fam) grub no indef art, no pl **Fress·at·ta·cke**^RR f PSYCH (fam) attack of the munchies

Freude/Begeisterung ausdrücken

Freude ausdrücken	expressing pleasure
Wie schön, dass du gekommen bist!	**It's great of** you to come!
Ich bin sehr froh, dass wir uns wiedersehen.	**I'm so glad** to see you again.
Sie haben mir damit **eine große Freude bereitet.**	**You have made me very happy** (by doing that).
Ich könnte vor lauter Freude in die Luft springen. *(fam)*	**I could jump for joy!**

Begeisterung ausdrücken	expressing enthusiasm
Fantastisch!	**Fantastic!**
Toll! *(fam)/***Wahnsinn!** *(sl)/***Super!** *(sl)/* **Cool!** *(sl)/***Krass!** *(sl)*	**Great!/Amazing!** *(fam)/***Super!** *(fam)/* **Cool!** *(fam)/***Wicked!** *(sl)*
Auf diesen Sänger **fahre ich voll ab.** *(sl)*	**I'm really into** this singer. *(fam)*
Ich bin ganz hin und weg. *(fam)*	**I'm completely bowled over.** *(fam)*
Ihre Darbietung **hat mich richtig mitgerissen.**	**I got really carried away by** her performance.

Fres·se <-, -n> [ˈfrɛsə] *f* (*derb*) ❶ (*Mund*) gob ❷ (*Gesicht*) mug ▸ **die ~ halten** to shut one's gob; **jdm die ~ polieren** to smash sb's face in

fres·sen <fraß, gefressen> [ˈfrɛsn̩] **I.** *vi* ❶ (*von Tieren*) to eat ❷ (*pej derb: von Menschen*) to guzzle ❸ (*fig: langsam zerstören*) to eat away (**an** at) **II.** *vt* ❶ *Tiere* to eat; (*sich ernähren*) to feed on; **etw leer ~** to lick sth clean ❷ (*fig: verbrauchen*) to gobble up sth *sep* ▸ **jdn zum F~ gernhaben** (*fam*) sb is good enough to eat; **ich werd dich schon nicht gleich ~** (*fam*) I'm not going to eat you

Fres·sen <-s> [ˈfrɛsn̩] *nt kein pl* ❶ (*Tierfutter*) food ❷ (*pej sl: Fraß*) muck; (*Festessen*) blowout ▸ **ein gefundenes ~ für jdn sein** (*fam*) to be handed to sb on a plate

Fres·se·rei <-, -en> [frɛsəˈraj] *f* (*pej sl*) guzzling

Fress·korb^{RR} *m* (*fam*) food hamper [*or* Am basket] **Fress·napf**^{RR} *m* [feeding] bowl **Fress·sack**^{RR} *m* (*fam*) greedyguts Brit

Frett·chen <-s, -> [ˈfrɛtçən] *nt* ferret

Freu·de <-, -n> [ˈfrɔydə] *f* pleasure, joy, delight; **was für eine ~, dich wiederzusehen!** what a pleasure to see you again!; **~ an etw** *dat* **haben** to derive pleasure from sth; **jdm eine ~ machen** to make sb happy; **etw macht jdm ~** sb enjoys sth; **vor ~ weinen** to weep for joy; **zu unserer großen ~** to our great delight ▸ **Freud und Leid mit jdm teilen** to share one's joys and sorrows with sb

Freu·den·fest *nt* [joyful] celebration **Freu·den·ge·schrei** *nt* cries of joy **Freu·den·haus** *nt* brothel **Freu·den·mäd·chen** *nt* (*veraltend*) prostitute **Freu·den·sprung** *m* joyful leap; **einen ~ machen** to jump for joy **Freu·den·tanz** *m* dance of joy; **einen ~ aufführen** to dance with joy **Freu·den·tau·mel** *m* ecstasy [of joy], raptures *npl* [*or* euphoria]; **in einen [wahren] ~ verfallen** to become [absolutely] euphoric **Freu·den·trä·nen** *pl* tears of joy

freu·de·strah·lend I. *adj nicht präd* beaming [with delight] **II.** *adv* joyfully

freu·dig [ˈfrɔydɪç] **I.** *adj* ❶ (*voller Freude*) joyful; **in ~er Erwartung** in joyful expectation ❷ (*erfreulich*) pleasant **II.** *adv* with joy; **~ überrascht** pleasantly surprised

freud·los [ˈfrɔytloːs] *adj* cheerless

freu·en [ˈfrɔyən] **I.** *vr* ❶ (*voller Freude sein*) ▪ **sich ~** to be pleased (**über** about); ▪ **sich für jdn ~** to be pleased for sb; ▪ **sich mit jdm ~** to share sb's happiness ❷ (*freudig erwarten*) ▪ **sich auf etw** *akk* **~** to look forward to sth ▸ **sich zu früh ~** to get one's hopes up too soon **II.** *vt impers* ▪ **es freut mich, dass ...** I'm pleased that ...

Freund(in) <-[e]s, -e> [ˈfrɔynt, ˈfrɔyndɪn, *pl* ˈfrɔyndə] *m(f)* ❶ (*Kamerad*) friend ❷ (*intimer Bekannter*) boyfriend; (*intime Bekannte*) girlfriend; **jdn zum ~ haben** to be [going out] with sb ❸ (*fig: Anhänger*) lover; **ein ~ der Natur** a lover of nature; **kein ~ von vielen Worten sein** to not be one for talking much

Freun·des·kreis *m* circle of friends; **im engsten ~** with one's closest friends

freund·lich ['frɔyntlɪç] **I.** *adj* ❶ (*liebens-würdig*) kind; **das ist sehr ~ von Ihnen** that's very kind of you ❷ (*hell, heiter*) pleasant; *Himmel* beckoning; *Ambiente* friendly; *Farben* cheerful; **bitte recht ~!** smile please! ❸ (*wohlwollend*) friendly **II.** *adv* in a friendly way, kindly

freund·li·cher·wei·se *adv* kindly; **er trug uns ~ die Koffer** he was kind enough to carry our cases

Freund·lich·keit <-, -en> *f* ❶ *kein pl* (*Art*) friendliness *no pl, no indef art* ❷ (*Handlung*) kindness ❸ *meist pl* (*Bemerkung*) kind word

Freund·schaft <-, -en> *f kein pl* friendship; **~ schließen** to make friends; **in aller ~** in all friendliness

freund·schaft·lich **I.** *adj* friendly **II.** *adv* **jdm ~ auf die Schulter klopfen** to give sb a friendly slap on the back; **jdm ~ gesinnt sein** to be well-disposed towards sb

Freund·schafts·dienst *m* favour to a friend

Freund·schafts·preis *m* [special] price for a friend

Freund·schafts·spiel *nt* friendly match

Fre·vel <-s, -> ['fre:fl] *m* (*geh*) ❶ (*Ver-stoß*) heinous crime ❷ REL sacrilege

fre·vel·haft *adj* outrageous

Frev·ler(in) <-s, -> ['fre:flɐ] *m(f)* REL (*geh*) sinner

Frie·de <-ns, -n> ['fri:də] *m* peace; **~ sei-ner Asche** God rest his soul

Frie·den <-s, -> ['fri:dn] *m* ❶ (*Gegenteil von Krieg*) peace; **~ schließen** to make peace; **im ~** in peacetime ❷ (*Friedens-schluss*) peace treaty ❸ (*Harmonie*) peace, tranquillity; **der häusliche ~** domestic harmony; **~ stiften** to bring about peace ❹ (*Ruhe*) peace [and quiet]; **um des lie-ben ~s willen** (*fam*) for the sake of peace and quiet; **jdn in ~ lassen** to leave sb in peace; **ich traue dem ~ nicht** (*fam*) there's something fishy going on

Frie·dens·be·mü·hun·gen *pl* efforts to bring about peace *pl* **Frie·dens·be·we·gung** *f* peace movement **Frie·dens·bruch** *m* POL violation of the peace **Frie·dens·ein·satz** *m* MIL peacekeeping troops *pl* **Frie·dens·ge·sprä·che** *pl* peace talks *pl* **Frie·dens·kon·fe·renz** *f* peace conference **Frie·dens·macht** *f political pow-*

er which is opposed to war **Frie·dens·marsch** *m* peace march **Frie·dens·no·bel·preis** *m* Nobel peace prize **Frie·dens·pfei·fe** *f* peace pipe **Frie·dens·po·li·tik** *f* policy of peace **Frie·dens·pro·zess**^RR *m* peace process **Frie·dens·rich·ter(in)** *m(f)* ❶ (*Einzelrichter in USA, Großbritannien*) justice of the peace, JP ❷ SCHWEIZ (*Laienrichter*) lay justice **Frie·dens·si·che·rung** *f* keeping of the peace **Frie·dens·tau·be** *f* dove of peace **Frie·dens·trup·pen** *pl* peacekeeping force[s *npl*] **Frie·dens·ver·hand·lun·gen** *pl* peace negotiations **Frie·dens·ver·trag** *m* peace treaty **Frie·dens·zeit** *f* period of peace; **in ~en** in peacetime

fried·fer·tig *adj* peaceable

Fried·fer·tig·keit *f kein pl* peaceableness *no pl*

Fried·hof *m* graveyard; (*in Städten*) cemetery

fried·lich ['fri:tlɪç] **I.** *adj* ❶ (*gewaltlos*) peaceful ❷ (*friedfertig*) peaceable; *Tier* placid ❸ (*friedvoll*) peaceful **II.** *adv* peacefully; **einen Konflikt ~ lösen** to settle a conflict amicably

fried·lie·bend *adj* peace-loving

frie·ren <fror, gefroren> ['fri:rən] **I.** *vi* ❶ *haben* (*sich kalt fühlen*) ▪ **jd friert** sb is cold ❷ *sein* (*gefrieren*) to freeze **II.** *vi impers haben* ▪ **es friert** it's freezing

Fries <-es, -e> [fri:s, *pl* 'fri:zə] *m* ARCHIT frieze

Frie·se, Frie·sin <-n, -n> ['fri:zə, 'fri:zɪn] *m, f* Fri[e]sian; *s. a.* **Deutsche(r)**

frie·sisch ['fri:zɪʃ] *adj* Fri[e]sian; *s. a.* **deutsch**

Fries·land ['fri:slant] *nt* Friesland

fri·gid [fri'gi:t], **fri·gi·de** [fri'gi:də] *adj* frigid

Fri·gi·di·tät <-> [frigidi'tɛ:t] *f kein pl* frigidity

Fri·ka·del·le <-, -n> [frika'dɛlə] *f* rissole BRIT, meatball AM

Fri·kas·see <-s, -s> [frika'se:] *nt* fricassee

frisch [frɪʃ] **I.** *adj* ❶ (*noch nicht alt*) fresh ❷ (*neu, rein*) fresh, clean; **sich ~ machen** to freshen up ❸ *Farbe* wet ❹ (*gesund*) *Hautfarbe* fresh, healthy; **~ und munter sein** (*fam*) to be [as] fresh as a daisy ❺ (*kühl*) *Wind* fresh, cool **II.** *adv* (*gerade erst, neu*) freshly; **die Betten ~ beziehen** to change the beds; **~ gebacken** fresh-ly-baked; **~ gestrichen** newly painted

Fri·sche <-> ['frɪʃə] *f kein pl* ❶ *Backwaren, Obst, etc* freshness ❷ *von Farbe* wetness ❸ (*Kühle*) freshness, coolness ❹ (*Sauber-keit*) freshness, cleanness ❺ (*Fitness*)

health; **in alter ~** (*fam*) as always

Frisch·fleisch *nt* fresh meat **frisch·ge·ba·cken** *adj Ehepaar* newly married

Frisch·hal·te·box *f* airtight container

Frisch·hal·te·fo·lie *f* cling film

Frisch·kä·se *m* cream cheese **Frisch·milch** *f* fresh milk

frisch·weg [frɪʃˈvɛk] *adv* straight out

Fri·seur(in) <-s, -e> [friˈzøːɐ̯] *m(f)*, **Fri·seu·se** <-, -n> [friˈzøːzə] *f* hairdresser; (*Herrenfriseur*) barber; **zum ~ gehen** to go to the hairdresser's/barber's

Fri·seur·sa·lon [friˈzøːɐ̯zalɔŋ] *m* hairdresser's

fri·sie·ren* [friˈziːrən] *vt* ❶ (*formend kämmen*) ■ **jdn ~** to do sb's hair; **elegant fri·siert sein** to have an elegant hairstyle ❷ (*fig fam: fälschen*) to fiddle; *Bericht, Beweis* to doctor ❸ *Auto, Mofa* to soup up *sep*

Fri·sier·kom·mo·de *f* dressing table

Fri·sier·sa·lon *m* hair stylist['s]; (*für Damen*) hairdresser's Brɪᴛ; (*für Herren*) barber's [shop]

Fri·sör <-s, -e> [friˈzøːɐ̯] *m s.* **Friseur**

Fri·sö·se <-, -n> [friˈzøːzə] *f fem form von* **Friseur**

frissᴿᴿ, friβᴬᴸᵀ *imp sing von* **fressen**

Frist <-, -en> [frɪst] *f* ❶ (*Zeitspanne*) period; **festgesetzte ~** fixed time; **gesetzli·che ~** statutory period; **innerhalb einer ~ von zwei Wochen** within [a period of] two weeks ❷ (*Aufschub*) respite; (*bei Zahlung*) extension

fris·ten [ˈfrɪstn̩] *vt* **sein Dasein ~** to eke out an existence

frist·los **I.** *adj* instant **II.** *adv* without notice; **jdn ~ entlassen** to fire sb on the spot

Fri·sur <-, -en> [friˈzuːɐ̯] *f* hairstyle

Frit·ten [ˈfrɪtn̩] *pl* (*fam*) chips Brɪᴛ, fries Aᴍ

Frit·teu·seᴿᴿ <-, -n> [frɪˈtøːzə] *f* deep [*or* Brɪᴛ *also* deep-fat] fryer

frit·tie·renᴿᴿ*, fritierenᴬᴸᵀ* [frɪˈtiːrən] *vt* to [deep-]fry

fri·vol [friˈvoːl] *adj* ❶ (*anzüglich*) suggestive ❷ (*leichtfertig*) frivolous

Frl. *nt Abk von* **Fräulein** (*veraltend*) Miss

froh [froː] *adj* ❶ (*erfreut*) happy; ■ **~ sein** to be pleased (**über** with/about); **~ gelaunt** cheerful ❷ (*erfreulich*) pleasing ❸ (*glücklich*) s. **froh** 3 **II.** *adv* cheerfully **~e Feiertage!** have a pleasant holiday!; **~e Ostern!** Happy Easter!; **~e Weihnachten!** Merry Christmas!

fröh·lich [ˈfrøːlɪç] **I.** *adj* ❶ (*heiter*) cheerful ❷ (*glücklich*) s. **froh** 3 **II.** *adv* cheerfully **Fröh·lich·keit** <-> *f kein pl* cheerfulness *no pl*

froh·lo·cken* [froˈlɔkn̩] *vi* (*geh*) ■ [**über**

etw *akk*] **~** ❶ (*Schadenfreude empfinden*) to gloat [over sth] ❷ (*jubeln*) to rejoice [at sth] *liter*

Froh·na·tur *f* (*geh*) ❶ (*Wesensart*) cheerful nature ❷ (*Mensch*) cheerful soul **Froh·sinn** *m kein pl s.* **Frohnatur** 1

fromm <frömmer *o* -er, frömmste *o* -ste> [frɔm] *adj* ❶ (*gottesfürchtig*) devout ❷ (*religiös*) religious

Fröm·me·lei <-, -en> [frœməˈlaɪ̯] *f* (*pej*) false piety

fröm·meln [ˈfrœml̩n] *vi* (*pej*) to affect piety

Fröm·mig·keit <-> [ˈfrœmɪçkaɪ̯t] *f kein pl* devoutness *no pl*

Fron <-, -en> [froːn] *f* (*geh*) drudge[ry]

Fron·ar·beit *f* sᴄʜᴡᴇɪᴢ unpaid voluntary work

frö·nen [ˈfrøːnən] *vi* (*geh*) ■ **einer S.** *dat* **~** to indulge in sth

Fron·leich·nam <-[e]s> [froːnˈlaɪ̯çnaːm] *m kein pl, meist ohne art* [the Feast of] Corpus Christi

Front <-, -en> [frɔnt] *f* ❶ (*Vorderseite*) face, front, frontage ❷ Mɪʟ front; **in vor·derster ~ stehen** to be in the front line ❸ (*Opposition*) **~ gegen jdn/etw machen** to make a stand against sb/sth ▸ **klare ~en schaffen** to clarify one's position

fron·tal [frɔnˈtaːl] **I.** *adj attr* frontal; *Zusammenstoß* head-on **II.** *adv* frontally; **~ zusammenstoßen** to collide head-on **Fron·tal·zu·sam·men·stoß** *m* head-on collision

Front·an·trieb *m* front-wheel drive **Front·schei·be** *f* ᴀᴜᴛᴏ windscreen Brɪᴛ, windshield Aᴍ **Front·wech·sel** *m* (*fig*) about-turn

fror [ˈfroːɐ̯] *imp von* **frieren**

Frosch <-[e]s, Frösche> [frɔʃ, *pl* ˈfrœʃə] *m* frog ▸ **einen ~ im Hals haben** (*fam*) to have a frog in one's throat

Frosch·kö·nig *m* Frog Prince **Frosch·mann** *m* (*Taucher*) frogman **Frosch·per·spek·ti·ve** *f* worm's-eye view **Frosch·schen·kel** *m* frog's leg

Frost <-[e]s, Fröste> [frɔst, *pl* ˈfrœstə] *m* frost; **~ abbekommen** to get frostbitten **Frost·beu·le** *f* chilblain **Frost·bo·den** *m* frozen ground; (*ständig*) permafrost

frös·teln [ˈfrœstl̩n] *vi* to shiver

fros·tig [ˈfrɔstɪç] *adj* frosty

Frost·scha·den *m* frost damage **Frost·schutz·mit·tel** *nt* antifreeze

Frot·tee <-s, -s> [frɔˈteː] *nt o m* terry towelling [*or* Aᴍ cloth]

frot·tie·ren* [frɔˈtiːrən] *vt* to rub down *sep*

frot·zeln [ˈfrɔtsl̩n] *vi* (*fam*) to tease

Frucht <-, Früchte> [frʊxt, pl ˈfrʏçtə] f fruit; **kandierte Früchte** candied fruit no pl, no indef art; **Früchte tragen** to bear fruit no pl

frucht·bar [ˈfrʊxtbaːɐ̯] adj fertile

Frucht·bar·keit <-> f kein pl fertility

Frucht·bla·se f ANAT amniotic sac

fruch·ten [ˈfrʊxtn̩] vi meist negiert ▪ **nichts/wenig ~** to be of no/little use

Frucht·fleisch nt [fruit] pulp

fruch·tig adj fruity

frucht·los adj (fig) fruitless

Frucht·saft m fruit juice **Frucht·was·ser** nt MED amniotic fluid **Frucht·zu·cker** m fructose

fru·gal [fruˈgaːl] I. adj (geh) frugal II. adv frugally

früh [fryː] I. adj early; **~ am Morgen** early in the morning; **der ~e Goethe** the young Goethe; **ein ~er Picasso** an early Picasso II. adv early; **Montag ~** Monday morning; **~ genug** in good time; **sich zu ~ freuen** to crow too soon; **von ~ bis spät** from morning till night

Früh·auf·ste·her(in) <-s, -> m(f) early riser **Früh·bu·chung** f TRANSP early booking **Früh·dienst** m early duty

Frü·he <-> [ˈfryːə] f kein pl **in aller ~** at the crack of dawn; SÜDD, ÖSTERR **in der ~** early in the morning

frü·her [ˈfryːɐ] I. adj ❶ (vergangen) earlier; **in ~en Zeiten** in former times ❷ (ehemalig) former; Adresse previous; **~e Freundin** ex[-girlfriend] II. adv ❶ (eher) earlier; **~ geht's nicht** it can't be done any earlier; **~ oder später** sooner or later ❷ (ehemals) **ich habe ihn ~ [mal] gekannt** I used to know him; **~ war das alles anders** things were different in the old days; **Erinnerungen an ~** memories of times gone by; **von ~** from former times

Früh·er·ken·nung f early diagnosis

frü·hes·tens adv at the earliest

frü·hest·mög·lich adj attr earliest possible

Früh·ge·burt f ❶ (zu frühe Geburt) premature birth ❷ (zu früh geborenes Kind) premature baby **Früh·jahr** [ˈfryːjaːɐ̯] nt spring **Früh·jahrs·mü·dig·keit** f springtime lethargy

früh·kind·lich adj **~e Entwicklung** development in early childhood

Früh·ling <-s, -e> [ˈfryːlɪŋ] m spring[time]; **es wird ~** spring is coming

Früh·lings·an·fang m first day of spring **Früh·lings·ge·fühl** nt meist pl spring feeling ▶ **~ haben** (hum fam) to be frisky **früh·lings·haft** adj springlike **Früh·lings·rol·le** f spring [or Am egg] roll

Früh·lings·sup·pe f spring vegetable soup

früh·mor·gens [fryːˈmɔrgn̩s] adv early in the morning

Früh·ne·bel m early morning mist **Früh·pen·si·on** f early retirement **Früh·pen·si·o·nie·rung** f early retirement **früh·reif** adj precocious **Früh·rent·ner(in)** m(f) person who has retired early **Früh·schicht** f morning shift; **~ haben** to be on the morning shift **Früh·schop·pen** m morning pint BRIT, eye-opener AM **Früh·sport** m [early] morning workout **Früh·sta·di·um** nt early stage **Früh·start** m SPORT false start; **~ machen** to jump the gun

Früh·stück <-s, -e> [ˈfryːʃtʏk] nt breakfast; **zum ~** for breakfast; **zweites ~** mid-morning snack

früh·stü·cken [ˈfryːʃtʏkn̩] I. vi to have [one's] breakfast II. vt ▪ **etw ~** to have sth for breakfast

Früh·stücks·fern·se·hen nt breakfast television **Früh·stücks·pau·se** f morning break

Früh·werk nt kein pl eines Künstlers early work **Früh·zeit** f early days; **die ~ einer Kultur** the early period of a culture **früh·zei·tig** [ˈfryːtsaɪtɪç] I. adj early II. adv ❶ (früh genug) in good time; **möglichst ~** as soon as possible ❷ (vorzeitig) prematurely

Frust <-[e]s> [frʊst] m kein pl (fam) frustration no indef art, no pl; **einen ~ haben** to be frustrated

frus·ten vt (fam) ▪ **jdn frustet es** sth is frustrating sb; **das hat mich total gefrustet** I found that very frustrating

Frus·tra·ti·on <-, -en> [frʊstraˈtsi̯oːn] f frustration

frus·trie·ren* [frʊsˈtriːrən] vt (fam) ▪ **jdn frustriert etw** sth is frustrating sb

frus·trie·rend adj frustrating

F-Schlüs·sel [ˈɛf-] m MUS F clef

Fuchs, Füch·sin <-es, Füchse> [fʊks, ˈfʏksɪn, pl ˈfʏksə] m, f ❶ (Tier) fox; (weibliches Tier) vixen ❷ (fam: schlauer Mensch) cunning [old] devil

Fuchs·bau m [fox's] earth

fuch·sen [ˈfʊksn̩] vt (fam) ▪ **jdn fuchst etw** sth is riling sb

Füch·sin [ˈfʏksɪn] f fem form von **Fuchs** vixen

fuchs·rot [ˈfʊksroːt] adj (Haare) ginger; (Pferd) chestnut **Fuchs·schwanz** m ❶ (Schwanz des Fuchses) [fox's] tail ❷ (Säge) [straight back] handsaw

fuchs·teu·fels·wild [ˈfʊksˌtɔɪ̯fl̩sˈvɪlt] adj

(*fam*) mad as hell

Fuch·tel <-, -n> ['fʊxtl̩] *f* ÖSTERR, SÜDD (*fam*) shrew; **unter jds ~ stehen** to be [well] under sb's control

fuch·teln ['fʊxtl̩n] *vi* (*fam*) ■**mit etw** *dat* ~ to wave sth about [wildly]; (*drohend*) to brandish sth

fuff·zig ['fʊftsɪç] (*fam*) s. **fünfzig**

Fuff·zi·ger <-s, -> ['fʊftsɪgɐ] *m* DIAL fifty-cent piece

Fug [fuːk] *m* **mit ~ und Recht** (*geh*) with complete justification

Fu·ge <-, -n> ['fuːgə] *f* join; **aus den ~n geraten** (*fig*) to be out of joint

fü·gen ['fyːgn̩] I. *vt* ❶ (*anfügen*) to add; **Wort an Wort ~** to string words together ❷ (*geh: bewirken*) ■**etw fügt etw** sth ordains sth II. *vr* ❶ (*sich unterordnen*) ■**sich ~** to toe the line; ■**sich jdm ~** to bow to sb; **sich den Anordnungen ~** to obey instructions ❷ (*akzeptieren*) ■**sich in etw** *akk* ~ to submit to sth ❸ ([*hinein*]*passen*) ■**sich in etw** *akk* ~ to fit into sth ❹ *impers* (*geh: geschehen*) **es wird sich schon alles ~** it'll all work out in the end

füg·sam ['fyːkzaːm] *adj* (*geh*) obedient

Fü·gung <-, -en> *f* stroke of fate; **eine ~ des Schicksals** an act of fate; **eine göttliche ~** divine providence *no indef art, no pl;* **eine glückliche ~** a stroke of luck

fühl·bar *adj* noticeable

füh·len ['fyːlən] I. *vt* to feel (**nach** for) II. *vr* ❶ (*das Empfinden haben*) **wie ~ Sie sich?** how are you feeling?; **sich besser ~** to feel better ❷ (*sich einschätzen*) ■**sich als jd ~** to regard oneself as sb

Füh·ler <-s, -> *m* ❶ (*Tastorgan*) antenna; (*von Schnecke*) horn ❷ (*Messfühler*) sensor ▸**die ~** [*nach etw* *dat*] **ausstrecken** (*fam*) to put out [one's] feelers [towards sth]

fuhr ['fuːɐ̯] *imp von* **fahren**

Fuh·re <-, -n> ['fuːra] *f* [cart]load

füh·ren ['fyːrən] I. *vt* ❶ (*geleiten*) to take (**zu** to, **durch** through, **über** across); (*vorangehen*) to lead; **jdn durch ein Museum ~** to show sb round a museum; **was führt Sie zu mir?** (*geh*) what brings you to me? ❷ (*leiten*) *Geschäft* to run; *Armee* to command; *Gruppe* to lead ❸ (*lenken*) ■**jdn ~** to lead sb (**auf** to); **jdn auf Abwege ~** to lead sb astray ❹ (*registriert haben*) **jdn auf einer Liste ~** to have a record of sb on a list ❺ (*handhaben*) *Bogen, Pinsel* to wield; *Kamera* to guide; **etw zum Mund**[**e**] **~** to raise sth to one's mouth ❻ (*geh*) *Titel, Namen* to bear ❼ (*geh: haben*) ■**etw mit sich** *dat* ~ to carry sth ❽ (*im Angebot haben*) to stock II. *vi* ❶ (*in Führung liegen*) **mit drei Punkten ~** to have a lead of three points ❷ (*verlaufen*) *Weg, etc* to lead; *Kabel* to run ❸ (*als Ergebnis haben*) ■**zu etw** *dat* ~ to lead to sth; **das führt zu nichts** (*fam*) that will come to nothing

füh·rend *adj* leading *attr;* **der ~e Wissenschaftler auf diesem Gebiet** the most prominent scientist in this field

Füh·rer <-s, -> ['fyːrɐ] *m* (*Buch*) guide[book]

Füh·rer(**in**) <-s, -> ['fyːrɐ] *m(f)* ❶ (*Leiter*) leader; ■**der ~** HIST (*Hitler*) the Führer ❷ (*Fremdenführer*) guide ❸ (*geh: Lenker*) driver

Füh·rer·haus *nt* AUTO [driver's] cab

füh·rer·los I. *adj* ❶ (*ohne Führung*) leaderless, without a leader *pred* ❷ (*geh: ohne Lenkenden*) driverless, without a driver *pred;* (*auf Schiff*) with no one at the helm II. *adv* without a driver; (*auf Schiff*) with no one at the helm

Füh·rer·schein *m* driving licence BRIT, driver's license AM; **den ~ machen** (*das Fahren lernen*) to learn to drive; (*die Fahrprüfung ablegen*) to take one's driving test

Füh·rer·schein·ent·zug *m* driving ban

Fuhr·park *m* fleet [of vehicles]

Füh·rung <-, -en> *f* ❶ *kein pl* (*Leitung*) leadership; MIL command ❷ *kein pl* (*die Direktion*) management ❸ (*Besichtigung*) guided tour (**durch** of) ❹ *kein pl* (*Vorsprung*) lead; (*in einer Liga o. Tabelle*) leading position; **in ~ gehen** to go into the lead; **in ~ liegen** to be in the lead ❺ *kein pl* (*Betragen*) conduct; **bei guter ~** on good conduct ❻ TECH (*Schiene*) guide ❼ *kein pl* (*das fortlaufende Eintragen*) **die ~ der Akten** keeping the files

Füh·rungs·ebe·ne *f* top level [management] **Füh·rungs·eli·te** *f* POL leadership elite **Füh·rungs·eta·ge** *f* management level **Füh·rungs·kraft** *f* executive [officer] **Füh·rungs·qua·li·tä·ten** *pl* leadership qualities *pl* **Füh·rungs·spit·ze** *f* higher echelons *pl;* (*von Unternehmen*) top[-level] management **Füh·rungs·stil** *m* style of leadership; (*in einer Firma*) management style **Füh·rungs·zeug·nis** *nt* good-conduct certificate; **polizeiliches ~** clearance certificate BRIT

Fuhr·un·ter·neh·men [fuːɐ̯-] *nt* haulage business BRIT, trucking company AM

Fuhr·werk [fuːɐ̯-] *nt* wag[g]on; (*mit Pferden*) horse and cart

Fül·le <-> ['fʏlə] *f* *kein pl* ❶ (*Körperfülle*) portliness ❷ (*Intensität*) richness; (*Volu-*

men) *Haar* volume ❸ (*Menge*) wealth; ■**eine ~ von etw** *dat* a whole host of sth; **in** [**Hülle und**] ~ in abundance

fül·len ['fʏlən] **I.** *vt* ❶ (*voll machen*) to fill ❷ KOCHK to stuff ❸ (*einfüllen*) ■**etw in etw** *akk* ~ to put sth into sth; **etw in Fla·schen ~** to bottle sth **II.** *vr* ■**sich ~** to fill [up]

Fül·ler <-s, -> ['fʏlɐ] *m* fountain pen; (*mit Tintenpatrone*) cartridge pen

Füll·fe·der·hal·ter *m* s. **Füller**

Füll·ge·wicht *nt* ❶ ÖKON net weight ❷ (*Fassungsvermögen*) maximum load

fül·lig ['fʏlɪç] *adj* ❶ (*rundlich*) plump ❷ (*vo·luminös*) **eine ~e Frisur** a bouffant hair·style

Füll·sel ['fʏlzl̩] *nt* filler *no indef art, no pl*

Fül·lung <-, -en> *f* stuffing

Füll·wort <-wörter> *nt* filler [word], exple·tive *spec*

Fum·mel <-s, -> ['fʊml̩] *m* (*sl*) cheap frock

Fum·me·lei <-, -en> *f* (*fam*) fumbling

fum·meln ['fʊml̩n] *vi* (*fam*) ❶ (*hantieren*) to fumble [around] ❷ (*Petting betreiben*) to pet

Fund <-[e]s, -e> [fʊnt, *pl* 'fʊndə] *m* ❶ *kein pl* (*geh: das Entdecken*) discov·ery ❷ (*das Gefundene*) find; **einen ~ machen** (*geh*) to make a find

Fun·da·ment <-[e]s, -e> [fʊnda'mɛnt] *nt* foundation[s *npl*]; **das ~ für etw** *akk* **sein** to form a basis for sth

fun·da·men·tal [fʊndamɛn'taːl] **I.** *adj* fun·damental **II.** *adv* fundamentally

Fun·da·men·ta·lis·mus <-> [fʊndamɛnta'lɪsmʊs] *m kein pl* fundamentalism *no indef art, no pl*

Fun·da·men·ta·list(in) <-en, -en> [fʊn·damɛnta'lɪst] *m(f)* fundamentalist

fun·da·men·ta·lis·tisch *adj* fundamental·ist

Fund·bü·ro *nt* lost property office BRIT, lost-and-found office AM **Fund·gru·be** *f* treas·ure trove

fun·die·ren [fʊn'diːrən] *vt* ❶ (*finanziell sichern*) to strengthen financially ❷ (*unter·mauern*) to underpin ❸ (*geh: festigen*) to sustain

fun·diert *adj* sound; **gut ~** well founded; **schlecht ~** unsound

fün·dig ['fʏndɪç] *adj* ~ **werden** to discover what one is looking for

Fund·sa·che *f* found object; (*in Fund·büro*) piece of lost property; ■**~n** lost prop·erty *no pl, no indef art*

fünf [fʏnf] *adj* five; *s. a.* **acht**[1]

Fünf <-, -en> [fʏnf] *f* ❶ (*Zahl*) five; *s. a.* **Acht**[1] ❷ (*Zeugnisnote*) "unsatisfactory",

≈ E BRIT

Fünf·eck *nt* pentagon

Fün·fer <-s, -> ['fʏnfɐ] *m* SCH (*fam: Note: mangelhaft*) "unsatisfactory", ≈ "E" BRIT

fün·fer·lei ['fʏnfɐ'laɪ] *adj attr* five [different]; *s. a.* **achterlei**

fünf·fach, 5-fach ['fʏnffax] **I.** *adj* fivefold; **die ~e Menge** five times the amount; *s. a.* **achtfach II.** *adv* fivefold, five times over; *s. a.* **achtfach**

fünf·hun·dert ['fʏnf'hʊndɐt] *adj* five hun·dred

Fünf·kampf *m* pentathlon; **Moderner ~** modern pentathlon

Fünf·pro·zent·hür·de *f* POL five-percent hurdle **Fünf·ta·ge·wo·che** *f* five-day week **fünf·tau·send** ['fʏnf'taʊznt] *adj* five thousand

fünf·te(r, s) ['fʏnftə, 'fʏnftɐ, 'fʏnftəs] *adj* fifth, 5th; *s. a.* **achte(r, s)**

fünf·tel ['fʏnftl̩] *adj* fifth

Fünf·tel <-s, -> ['fʏnftl̩] *nt* fifth

fünf·tens ['fʏnftns] *adv* fifth[ly], in [the] fifth place

Fünf·und·drei·ßig·stun·den·wo·che, 35-Stun·den·Wo·che *f* thirty-five-hour week

fünf·zehn ['fʏnftseːn] *adj* fifteen; **~ Uhr** 3pm; *s. a.* **acht**[1]

fünf·zehn·te(r, s) *adj* fifteenth; *s. a.* **ach·te(r, s)**

fünf·zig ['fʏnftsɪç] *adj* fifty; *s. a.* **achtzig 1, 2**

Fünf·zig <-, -en> ['fʏnftsɪç] *f* fifty

fünf·zi·ger *adj,* **50er** ['fʏnftsɪɡɐ] *adj* ■**die ~ Jahre** [*o* **die 50er-Jahre**] the fifties

Fünf·zi·ger <-s, -> ['fʏnftsɪɡɐ] *m* ❶ (*fam: Fünfzigcentstück*) fifty-cent piece [*or* coin]; (*Geldschein*) fifty-euros note ❷ (*Wein aus dem Jahrgang ·50*) fifties vintage

fünf·zig·ste(r, s) *adj* fiftieth; *s. a.* **ach·te(r, s)**

fun·gie·ren* [fʊŋ'ɡiːrən] *vi* ■**etw fun·giert als etw** sth functions as sth

Fun·gi·zid <-s, -e> [fʊŋɡi'tsiːt, *pl* -'tsiːdə] *nt* fungicide

Funk <-s> [fʊŋk] *m kein pl* radio; **etw über ~ durchgeben** to announce sth on the radio

Funk·ama·teur(in) *m(f)* radio ham **Funk·aus·stel·lung** *f* radio and television exhi·bition

Fünk·chen <-s, -> ['fʏŋçən] *nt* ❶ *dim von* **Funke** [tiny] spark ❷ (*geringes Maß*) **es besteht kein ~ Hoffnung** there's not a scrap of hope; **ein/kein ~ Wahrheit** *gen* a grain/not a shred of truth

Fun·ke <-ns, -n> [ˈfʊŋkə], **Funk·en** <-s, -> [ˈfʊŋkn̩] *m* ❶ (*glimmendes Teilchen*) spark; **~n sprühen** to emit sparks; **der zündende ~** (*fig*) the vital spark ❷ (*geringes Maß*) scrap; **ein ~** |**von**| **Anstand** a scrap of decency; **ein ~ Hoffnung** a gleam of hope

fun·keln [ˈfʊŋkln̩] *vi* to sparkle; *Edelsteine, Gold* to glitter

fun·kel·na·gel·neu [ˈfʊŋklˈnaːglˈnɔy] *adj* (*fam*) spanking-new

funk·en [ˈfʊŋkn̩] **I.** *vt* to radio; **SOS ~** to send out *sep* an SOS **II.** *vi* ❶ (*senden*) to radio; **um Hilfe ~** to radio for help ❷ (*Funken sprühen*) to spark ❸ (*sich verlieben*) **zwischen den beiden hat's gefunkt** those two have really clicked **III.** *vi impers* (*fam: verstehen*) to click; **endlich hat es bei ihm gefunkt!** it finally clicked |with him|

Fun·ker(in) <-s, -> *m(f)* radio operator

Funk·ge·rät *nt* ❶ (*Sende- und Empfangsgerät*) RT unit ❷ (*Sprechfunkgerät*) walkie-talkie **Funk·han·dy** *nt* personal mobile radio **Funk·haus** *nt* studios *pl* **Funk·loch** *nt* |signal| shadow **Funk·mast** *m* TECH, TELEK radio |antenna| mast **Funk·sig·nal** *nt* radio signal **Funk·sprech·ge·rät** *nt* walkie-talkie **Funk·spruch** *m* radio message **Funk·sta·ti·on** *f* radio station **Funk·stil·le** *f* radio silence; **bei jdm herrscht ~** (*fig*) sb is |completely| incommunicado **Funk·strei·fe** *f* |police| radio patrol **Funk·ta·xi** *nt* radio taxi **Funk·tech·nik** *f* radio technology **Funk·te·le·fon** *nt* cordless |tele|phone

Funk·ti·on <-, -en> [fʊŋkˈtsi̯oːn] *f* ❶ *kein pl* (*Zweck*) function ❷ (*Stellung*) position; **in jds ~ als etw** in sb's capacity as sth ❸ MATH function ❹ (*Benützbarkeit*) function; **außer/in ~ sein** |not| to be working

funk·ti·o·nal [fʊŋktsi̯oˈnaːl] *adj s.* **funktionell**

Funk·ti·o·när(in) <-s, -e> [fʊŋktsi̯oˈnɛɐ̯] *m(f)* official; **ein hoher ~** a high-ranking official

funk·ti·o·nell [fʊŋktsi̯oˈnɛl] *adj* ❶ MED functional ❷ (*funktionsgerecht*) practical

funk·ti·o·nie·ren* [fʊŋktsi̯oˈniːrən] *vi* ❶ (*betrieben werden, aufgebaut sein*) to work; *Maschine a.* to operate ❷ (*reibungslos ablaufen, intakt sein*) to work |out|; *Organisation* to run smoothly

funk·ti·ons·fä·hig *adj* in working order *pred*; *Anlage* operative; **voll ~** fully operative, in full working order **Funk·ti·ons·stö·rung** *f* MED functional disorder, dys-

function *spec* **Funk·ti·ons·tas·te** *f* function key **funk·ti·ons·tüch·tig** *adj s.* **funktionsfähig Funk·ti·ons·wei·se** *f* functioning *no pl*

Funk·turm *m* radio tower

Funk·ver·bin·dung *f* radio contact **Funk·ver·kehr** *m* radio communication *no art*

Fun·sport·art [ˈfan-] *f* extreme sport

für [fyːɐ̯] *präp* +*akk* ❶ (*Zweck betreffend*) ■**~ jdn/etw** for sb/sth; **sind Sie ~ den Gemeinsamen Markt?** do you support the Common Market?; **~ was ist denn dieses Werkzeug?** DIAL what's this tool |used| for?; **~ ganz** SCHWEIZ (*für immer*) for good; **~ sich bleiben** to remain by oneself ❷ (*als jd*) for; **~ ihr Alter ist sie noch rüstig** she's still sprightly for her age ❸ MED (*gegen*) for; **gut ~ Migräne** good for migraine ❹ (*zugunsten*) for, in favour of; **was Sie da sagen, hat manches ~ sich** there's something in what you're saying ❺ (*in Austausch mit*) for; **er hat es ~ 45 Euro bekommen** he got it for 45 euros ❻ (*statt*) for, instead of ❼ (*als etw*) **ich halte sie ~ intelligent** I think she is intelligent ❽ *mit ,was'* **was ~ ein Blödsinn!** what nonsense!; **was ~ ein Pilz ist das?** what kind of mushroom is that?

Für <-> [fyːɐ̯] *nt* **das ~ und Wider** the pros and cons

Für·bit·te [ˈfyːɐ̯bɪtə] *f* intercession

Fur·che <-, -n> [ˈfʊrçə] *f* ❶ (*Ackerfurche*) furrow ❷ (*Wagenspur*) rut

fur·chen [ˈfʊrçn̩] *vt* (*geh*) to furrow

Furcht <-> [ˈfʊrçt] *f kein pl* fear; **~** |**vor jdm/etw**| **haben** to fear sb/sth; **hab keine ~!** don't be afraid!; **~ erregend** terrifying; **aus ~ vor jdm/etw** for fear of sb/sth

furcht·bar I. *adj* terrible **II.** *adv* terribly

fürch·ten [ˈfʏrçtn̩] **I.** *vt* to fear; **jdn das F~ lehren** to teach sb the meaning of fear; ■**zum F~** (*furchtbar*) frightful; ■**~, dass ...** to fear that ... **II.** *vr* ■**sich ~** to be afraid (**vor** of); **sich im Dunkeln ~** to be afraid of the dark

fürch·ter·lich *adj s.* **furchtbar**

furcht·er·re·gendᴬᴸᵀ *adj* terrifying

furcht·los I. *adj* fearless **II.** *adv* fearlessly, without fear

Furcht·lo·sig·keit <-> *f kein pl* fearlessness *no pl*

furcht·sam [ˈfʊrçtzaːm] *adj* (*geh*) fearful

Furcht·sam·keit <-, *selten* -en> *f* (*geh*) fearfulness *no pl*

für·ein·an·der [fyːɐ̯ʔai̯ˈnandɐ] *adv* for each other; **~ einspringen** to help each other out

Fu·rie <-, -n> ['fu:rⁱə] *f* ❶ (*pej: wütende Frau*) hellcat ❷ (*mythisches Wesen*) fury
Fur·nier <-s, -e> [fʊr'ni:ɐ̯] *nt* veneer
fur·nie·ren* [fʊr'ni:rən] *vt* to veneer
Fu·ro·re [fu'ro:rə] ▶~ **machen** to cause a sensation
Für·sor·ge ['fy:ɐ̯zɔrgə] *f kein pl* ❶ (*Betreuung*) care ❷ (*fam: Sozialamt*) welfare services *npl* ❸ (*fam: Sozialhilfe*) social security *no art*, welfare Am; **von der ~ leben** to live on benefits
Für·sor·ge·pflicht *f* employer's obligation *to provide welfare services*
für·sorg·lich ['fy:ɐ̯zɔrklıç] I. *adj* considerate (**zu** towards) II. *adv* with care
Für·sorg·lich·keit <-> *f kein pl* care
Für·spra·che ['fy:ɐ̯ʃpra:xə] *f* recommendation
Für·spre·cher(in) ['fy:ɐ̯ʃprɛçɐ] *m(f)* ❶ (*Interessenvertreter*) advocate ❷ JUR SCHWEIZ (*Anwalt*) barrister BRIT, attorney Am
Fürst(in) <-en, -en> [fʏrst] *m(f)* ❶ (*Adliger*) prince ❷ (*Herrscher*) ruler
Fürs·ten·tum *nt* principality; **das ~ Monaco** the principality of Monaco
Fürs·tin <-, -nen> *f fem form von* **Fürst** (*Adlige*) princess; (*Herrscherin*) ruler
fürst·lich ['fʏrstlıç] I. *adj* ❶ (*den Fürsten betreffend*) princely ❷ (*fig: prächtig*) lavish II. *adv* lavishly; **~ speisen** to eat like a lord
Furt <-, -en> [fʊrt] *f* ford
Fu·run·kel <-s, -> [fu'rʊŋkl] *nt o m* boil
Furz <-[e]s, Fürze> [fʊrts, *pl* 'fʏrtsə] *m* (*derb*) fart
fur·zen ['fʊrtsn̩] *vi* (*derb*) to fart
Fu·sel <-s, -> ['fu:zl̩] *m* (*pej*) rotgut, hooch Am
Fu·si·on <-, -en> [fu'zi̯o:n] *f* ❶ ÖKON merger ❷ PHYS fusion
fu·si·o·nie·ren* [fuzi̯o'ni:rən] *vi* ÖKON to merge (**zu** into, **mit** with)
Fuß <-es, Füße> [fu:s, *pl* 'fy:sə] *m* ❶ (*Körperteil*) foot; **gut/schlecht zu ~ sein** to be steady/not so steady on one's feet; **etw ist zu ~ zu erreichen** sth is within walking distance; **zu ~ gehen** to walk, to go on foot; **jdm auf die Füße treten** to stand on sb's feet; (*fig: jdn beleidigen*) to step on sb's toes; **bei ~!** (*Befehl für Hunde*) heel! ❷ SÜDD, ÖSTERR (*Bein*) leg ❸ (*Sockel*) base; (*vom Schrank, Berg*) foot ❹ *kein pl* (*Längenmaß*) foot; **sie ist sechs ~ groß** she's six feet tall; **ein sechs ~ großer Mann** a six-foot man ▶**keinen ~ vor die Tür setzen** to not set foot outside; **auf eigenen Füßen stehen** to stand on one's own two feet; **jdn auf dem falschen ~ erwischen**

to catch sb unprepared; **sich auf freiem ~[e] befinden** to be free; *Ausbrecher* to be at large; **auf großem ~[e] leben** to live the high life; **kalte Füße bekommen** to get cold feet; **auf wackligen Füßen stehen** to rest on shaky foundations; **sich** *dat* **die Füße wund laufen** (*fam*) to run one's legs off; **jdm zu Füßen fallen** to go down on one's knees to sb; **[festen] ~ fassen** to gain a [firm] foothold; **jdm zu Füßen liegen** to lie at sb's feet; **sich** *dat* **die Füße vertreten** to stretch one's legs
Fuß·ab·druck <-abdrücke> *m* footprint
Fuß·ball ['fu:sbal] *m* ❶ *kein pl* (*Spiel*) football BRIT, soccer Am ❷ (*Ball*) football BRIT, soccer ball Am
Fuß·bal·ler(in) <-s, -> ['fu:sbalɐ] *m(f)* (*fam*) footballer
Fuß·ball·fan *m* football fan **Fuß·ball·mann·schaft** *f* football team **Fuß·ball·platz** *m* football pitch BRIT, soccer field Am **Fuß·ball·spiel** *nt* football match **Fuß·ball·spie·ler(in)** *m(f)* football player **Fuß·ball·sta·di·on** *nt* football stadium **Fuß·ball·ver·ein** *m* football club **Fuß·ball·welt·meis·ter·schaft** *f* football world championship[s]
Fuß·bank <-bänke> *f* footrest
Fuß·bo·den *m* floor **Fuß·bo·den·be·lag** *m* floor covering **Fuß·breit** <-> ['fu:sbrait] *m kein pl* ❶ (*Breite des Fußes*) width of a foot ❷ (*fig: bisschen*) inch; **kei·nen ~ weichen** to not budge an inch
Fuß·brem·se *f* footbrake
Fus·sel <-s, -> ['fʊsl̩] *m* fluff *no pl;* **ein(e) ~** a bit of fluff
fus·se·lig ['fʊsəlıç] *adj* fluffy *attr*, full of fluff *pred*
fus·seln ['fʊsl̩n] *vi* to get fuzzy
fu·ßen ['fu:sn̩] *vi* to rest (**auf** on)
Fuß·en·de *nt* foot **Fuß·gän·ger(in)** <-s, -> *m(f)* pedestrian **Fuß·gän·ger·brü·cke** *f* footbridge **Fuß·gän·ger·strei·fen** *m* SCHWEIZ, **Fuß·gän·ger·über·weg** *m* pedestrian crossing **Fuß·gän·ger·zo·ne** *f* pedestrian precinct **Fuß·ge·lenk** *nt* ankle **fuß·läu·fig** *adj* (*zu Fuß*) on foot
fuss·ligᴿᴿ ['fʊslıç], **fuß·lig**ᴬᴸᵀ ['fʊslıç] *adj* *s.* **fusselig**
Fuß·marsch *m* ❶ MIL march ❷ (*anstrengender Marsch*) long hike **Fuß·mat·te** *f* doormat **Fuß·na·gel** *m* toenail **Fuß·no·te** *f* LIT footnote **Fuß·pfle·ge** *f* care of one's feet; (*professionell*) pedicure **Fuß·pilz** *m kein pl* athlete's foot **Fuß·soh·le** *f* sole **Fuß·spit·ze** *f* toes *pl* **Fuß·spur** *f* *meist pl* footprints *pl* **Fuß·stap·fen** <-s,

-> *m* footprint; **in jds ~ treten** (*fig*) to follow in sb's footsteps **Fuß·tritt** *m* kick **Fuß·volk** *nt kein pl* ❶ MIL (*veraltet*) infantry *pl* ❷ (*pej: bedeutungslose Masse*) ■ **das ~** the rank and file **Fuß·weg** *m* ❶ (*Pfad*) footpath ❷ (*beanspruchte Zeit zu Fuß*) **es sind nur 15 Minuten ~** it's only 15 minutes walk **Fuß·zei·le** *f* INFORM footer

futsch [fʊtʃ] *adj präd* bust; **~ sein** to have had it

Fut·ter¹ <-s, -> ['fʊtɐ] *nt* ([*tierische*] *Nahrung*) [animal] feed; *von Pferd, Vieh a.* fodder

Fut·ter² <-s> ['fʊtɐ] *nt kein pl* (*Innenstoff*) lining

Fut·te·ral <-s, -e> [fʊtə'raːl] *nt* case

füt·tern¹ ['fʏtɐn] *vt* to feed

füt·tern² ['fʏtɐn] *vt* (*mit Stofffutter versehen*) to line

fut·tern ['fʊtɐn] **I.** *vi* (*hum fam*) to stuff oneself **II.** *vt* (*hum fam*) ■ **etw ~** to scoff sth

Fut·ter·napf *m* [feeding] bowl **Fut·ter·pflan·ze** *f* fodder crop **Fut·ter·trog** *m* feeding trough

Füt·te·rung <-, -en> *f* feeding

Fut·ter·zu·satz *m* AGR feed supplement

Fu·tur <-s, -e> [fu'tuːɐ̯] *nt* LING future [tense]

Fu·tu·ris·mus <-> [futu'rɪsmʊs] *m kein pl* futurism *no pl*

fu·tu·ris·tisch [futu'rɪstɪʃ] *adj* futurist[ic]

F

Gg

G, g <-, - o fam -s, -s> [geː] nt ❶ (Buchstabe) G, g; s. a. **A 1** ❷ MUS G, g; s. a. **A 2**

g Abk von **Gramm** g

gab ['gaːp] imp von **geben**

Ga·be <-, -n> ['gaːbə] f ❶ (geh: Geschenk) gift; **eine milde ~** alms pl ❷ (Begabung) gift; **die ~ haben, etw zu tun** to have a [natural] gift of doing sth ❸ SCHWEIZ (Preis, Gewinn) prize

Ga·bel <-, -n> ['gaːbl̩] f ❶ (Essens~) fork ❷ (Heu~, Mist~) pitchfork ❸ (Rad~) fork ❹ TELEK cradle; **du hast den Hörer nicht richtig auf die ~ gelegt** you haven't replaced the receiver properly

ga·beln ['gaːbl̩n] vr ■ **sich ~** to fork

Ga·bel·stap·ler <-s, -> [-ʃtaːplɐ] m forklift truck

Ga·be·lung <-, -en> ['gaːbəlʊŋ] f fork

Ga·bun <-s> [gaˈbuːn] nt Gabon

Ga·bu·ner(in) <-s, -> [gaˈbuːnɐ] m(f) Gabonese

ga·bu·nisch [gaˈbuːnɪʃ] adj Gabonese

ga·ckern ['gakɐn] vi ❶ Huhn to cluck ❷ (fig fam) to cackle

gaf·fen ['gafn̩] vi (pej fam) to gape (**nach** at); **was gaffst du so?** what are you gawping at!

Gaf·fer(in) <-s, -> m(f) (pej) gaper

Gag <-s, -s> [gɛk] m (fam) gag

Ga·ge <-, -n> ['gaːʒə] f fee

gäh·nen ['gɛːnən] vi to yawn; **ein ~es Loch** a gaping hole

Ga·la <-, -s> ['gaːla] f ❶ kein pl formal dress no pl; (fam) **sich in ~ schmeißen** to get all dressed up [to the nines] ❷ (Vorstellung) gala performance

ga·lak·tisch [gaˈlaktɪʃ] adj galactic

ga·lant [gaˈlant] adj (veraltend) chivalrous

Ga·la·xie <-, -n> [galaˈksiː, pl galaˈksiːən] f galaxy

Ga·lee·re <-, -n> [gaˈleːrə] f galley

Ga·le·rie <-, -n> [galəˈriː, pl -ˈriːən] f ❶ ARCHIT gallery ❷ (Gemälde~) art gallery; (Kunsthandlung) art dealer's ❸ ÖSTERR, SCHWEIZ (Tunnel mit fensterartigen Öffnungen) gallery

Ga·le·rist(in) <-en, -en> [galəˈrɪst] m(f) proprietor of a gallery

Gal·gen <-s, -> ['galgn̩] m gallows + sing vb

Gal·gen·frist f (fam) stay of execution

Gal·gen·hu·mor m gallows humour

Ga·li·läa <-s> [galiˈlɛːa] nt kein pl Galilee

Ga·li·ons·fi·gur [gaˈli̯oːns-] f (a. fig) figurehead also fig

Gal·le <-, -n> ['galə] f ❶ (~ nblase) gall bladder ❷ (Gallenflüssigkeit) bile

Gal·len·bla·se f gall bladder **Gal·len·ko·lik** f biliary colic **Gal·len·stein** m gallstone

gal·lert·ar·tig [ˈgalɛrt-] adj gelatinous

gal·lisch ['galɪʃ] adj Gallic; s. a. **deutsch**

Ga·lopp <-s, -s o -e> [gaˈlɔp] m gallop

ga·lop·pie·ren* [galɔˈpiːrən] vi sein o haben to gallop

galt ['galt] imp von **gelten**

gal·va·nisch [galˈvaːnɪʃ] adj galvanic

gal·va·ni·sie·ren* [galvaniˈziːrən] vt to galvanize

Gam·bia <-s> ['gambi̯a] nt the Gambia; s. a. **Deutschland**

Game·boy® <-s, -s> ['geːmbɔy] m Gameboy®

Game·show <-, -s> ['geːmʃoː] f game show

Gam·ma <-[s], -s> ['gama] nt gamma

Gam·ma·strah·len pl gamma rays pl

gam·me·lig ['gaməlɪç] adj (pej fam) ❶ (ungenießbar) bad; **ein ~es Stück Käse** a piece of stale cheese ❷ (unordentlich) scruffy; **~ herumlaufen** to walk around looking scruffy

gam·meln ['gamln̩] vi ❶ (ungenießbar werden) to go off ❷ (herumhängen) to laze around

Gäm·se^RR <-, -n> ['gɛmzə] f chamois

gang ['gaŋ] adj **~ und gäbe sein** to be the norm

Gang¹ <-[e]s, Gänge> ['gaŋ, pl 'gɛŋə] m ❶ kein pl (~ art) walk; **ich erkenne ihn schon am ~** I recognize him from the way he walks; **sie beschleunigte ihren ~** she quickened her pace; **er verlangsamte seinen ~** he slowed down; **aufrechter ~** upright carriage; **einen schnellen ~ haben** to walk quickly; **einen unsicheren ~ haben** to be unsteady on one's feet ❷ (Weg) walk; **sein erster ~ war der zum Frühstückstisch** the first thing he did was to go to the breakfast table; **ich traf sie auf dem ~ zum Arzt** I bumped into her on the way to the doctor's; (Besorgung) errand; **einen ~ machen** to go on an errand; **einen schweren ~ tun** to do sth difficult ❸ kein pl TECH **den Motor in ~ halten** to keep the engine running; **ihre Uhr hat einen gleichmäßigen ~** her clock operates smoothly; (a. fig) **etw in ~**

bringen to get sth going; (*a. fig*) **in ~ kommen** to get off the ground ❹ (*Ablauf*) course; **alles geht wieder seinen gewohnten ~** everything is proceeding as normal again; **im ~ [e] sein** to be underway ❺ (*in einer Speisenfolge*) course ❻ AUTO gear; (*Fahrrad a.*) speed; **einen ~ einlegen** to engage a gear; **hast du den zweiten ~ drin?** (*fam*) are you in second gear?; **in den 2. ~ schalten** to change into 2nd gear ❼ (*eingefriedeter Weg*) passageway; (*Korridor*) corridor; *Theater, Flugzeug, Laden* aisle

Gang² <-, -s> [gɛŋ] *f* (*Bande*) gang

Gang·art *f* walk; (*bei Pferden*) pace

gang·bar *adj* ❶ (*begehbar*) passable ❷ (*fig*) practicable

gän·geln ['gɛŋln] *vt* (*pej*) ■**jdn ~** to treat sb like a child

gän·gig ['gɛŋɪç] *adj* ❶ (*üblich*) common ❷ (*gut verkäuflich*) in demand; **die ~ste Ausführung** the bestselling model ❸ (*im Umlauf befindlich*) current; **die ~e Währung** the local currency

Gang·men·ta·li·tät *f* gang mentality

Gang·schal·tung *f* gears *pl*

Gangs·ter <-s, -> ['gɛŋstɐ] *m* (*pej*) gangster

Gang·way <-, -s> ['gɛŋveː] *f* gangway

Ga·no·ve <-n, -n> [ga'noːvə] *m* (*pej fam*) crook

Gans <-, Gänse> ['gans, *pl* 'gɛnzə] *f* goose; **blöde ~** (*pej fam*) silly goose

Gän·se·blüm·chen *nt* daisy **Gän·se·füß·chen** *pl* (*fam*) inverted commas *pl* **Gän·se·haut** *f kein pl* goose-pimples *pl*, goose bumps *esp* AM *pl*; **eine ~ kriegen** (*fam*) to get goose-pimples [*or esp* AM bumps] **Gän·se·le·ber·pas·te·te** *f* pâté de foie gras **Gän·se·marsch** *m kein pl* **im ~** in single file

Gän·se·rich <-s, -e> ['gɛnzərɪç] *m* gander

ganz ['gants] **I.** *adj* ❶ (*vollständig*) all; **die ~e Wahrheit** the whole truth; **die ~e Zeit** the whole time; **es regnet schon den ~en Tag** it's been raining all day; **ist das Ihre ~e Auswahl an CDs?** are those all the CDs you've got?; **diese Verordnung gilt in ~ Bayern** this regulation applies to the whole of Bavaria; **wir fuhren durch ~ Italien** we travelled all over Italy ❷ (*unbestimmtes Zahlwort*) **eine ~e Drehung** a complete turn; **eine ~e Menge** quite a lot; **eine ~e Note** a semibreve; **~e Zahl** whole number ❸ (*fam: unbeschädigt*) intact; **etw wieder ~ machen** to mend sth; **wieder ~ sein** to be mended ❹ (*fam: nicht mehr als*) no more

than **II.** *adv* ❶ (*sehr, wirklich*) really; **das war ~ lieb von dir** that was really kind of you; **etwas ~ Dummes** something really stupid; **das hast du ja ~ toll hinbekommen!** (*iron*) you've made a really good job of that!; **~ besonders** particularly; **ist das auch ~ bestimmt die Wahrheit?** are you sure you're telling the whole truth? ❷ (*ziemlich*) quite ❸ (*vollkommen*) completely; **du bist ~ nass** you're all wet; **~ und gar** completely; **~ und gar nicht** not at all; **etw ~ lesen** to read sth from cover to cover; **~ allein sein** to be all alone; **das ist mir ~ gleich** it's all the same to me; **ich muss diesen Wagen haben, ~ gleich, was er kostet!** I must have this car, no matter what it costs; **~ wie Sie wünschen/meinen** just as you wish/think best ❹ (*räumliche Position ausdrückend*) **~ hinten/vorne** right at the back/front

Gan·ze(s) *nt* ❶ (*alles zusammen*) whole; **etw als ~ sehen** to see sth as a whole; **was macht das ~?** how much is that all together?; **im ~n** on the whole ❷ (*die ganze Angelegenheit*) the whole business; **das ~ hängt mir zum Halse heraus** I've had it up to here with everything!; **das ist nichts ~s und nichts Halbes** that's neither one thing nor the other; ►**aufs ~ gehen** (*fam*) to go for broke; **es geht [für jdn] ums ~** everything is at stake [for sb]

Ganz·heit <-, *selten* -en> *f* (*Einheit*) unity; (*Vollständigkeit*) entirety

ganz·heit·lich I. *adj* integral *attr* **II.** *adv* all in all; **etw ~ betrachten** to look at sth in its entirety

gänz·lich ['gɛntslɪç] **I.** *adj* (*selten*) complete **II.** *adv* completely

ganz·sei·tig *adj* full-page

ganz·tä·gig I. *adj* all-day; **~e Betreuung** round-the-clock supervision; **eine ~e Stelle** a full-time job **II.** *adv* all day

Ganz·tags·be·treu·ung *f* full-time childcare **Ganz·tags·schu·le** *f* full-time day school

ganz·tei·lig ['gantstailɪç] *adj Badeanzug, Kostüm* one-piece

gar¹ ['gaːɐ̯] *adj* KOCHK done

gar² ['gaːɐ̯] *adv* ❶ (*überhaupt*) at all, whatsoever; **~ keine[r]** no one whatsoever; **~ keinen/keine/keines** none whatsoever; **hattest du denn ~ keine Angst?** weren't you frightened at all?; **~ nicht** not at all; **er hat sich ~ nicht gefreut** he wasn't at all pleased; **~ nichts** nothing at all [*or* whatsoever]; **~ niemand** no one at all [*or* whatsoever] ❷ ÖSTERR, SCHWEIZ, SÜDD

(*sehr*) really
Ga·ra·ge <-, -n> [ga'ra:ʒə] *f* garage
Ga·rant(in) <-en, -en> [ga'rant] *m(f)* guarantor
Ga·ran·tie <-, -n> [garan'ti:, *pl* -'ti:ən] *f* guarantee
ga·ran·tie·ren* [garan'ti:rən] *vt, vi* to guarantee
Ga·ran·tie·schein *m* guarantee [certificate]
Gar·aus ['ga:ɐ̯?aʊ̯s] *m* ▶jdm den ~ **machen** (*fam*) to bump sb off; **einer S.** *dat* **den ~ machen** to put an end to sth
Gar·be <-, -n> ['garbə] *f* ❶ (*Getreidebündel*) sheaf ❷ MIL **eine ~ abgeben** to fire a short burst
Gar·de <-, -n> ['gardə] *f* guard
Gar·de·ro·be <-, -n> [gardə'ro:bə] *f* ❶ (*Kleiderablage*) hall-stand; (*Aufbewahrungsraum*) cloakroom ❷ *kein pl* (*geh: Kleidung*) wardrobe ❸ THEAT (*Ankleideraum*) dressing-room
Gar·de·ro·ben·mar·ke *f* cloakroom disc [*or* number] **Gar·de·ro·ben·stän·der** *m* hat-stand
Gar·di·ne <-, -n> [gar'di:nə] *f* net curtain ▶hinter schwedischen ~n (*fam*) behind bars
ga·ren ['ga:rən] *vt, vi* to cook
gä·ren ['gɛ:rən] *vi sein o haben* ❶ (*sich in Gärung befinden*) to ferment ❷ (*fig*) to seethe; **etw gärt in jdm** sth is making sb seethe
Garn <-[e]s, -e> ['garn] *nt* thread
Gar·ne·le <-, -n> [gar'ne:lə] *f* prawn
gar·nie·ren* [gar'ni:rən] *vt* ▪**etw ~** ❶ KOCHK to garnish sth (**mit** with) ❷ (*fig*) to embellish sth (**mit** with)
Gar·ni·son <-, -en> [garni'zo:n] *f* garrison; **in ~ liegen** to be garrisoned
Gar·ni·tur <-, -en> [garni'tu:ɐ̯] *f* set
gars·tig ['garstɪç] *adj* (*veraltend*) ❶ (*ungezogen*) bad; *Kind* naughty ❷ (*abscheulich*) horrible
Gar·ten <-s, Gärten> ['gartn̩, *pl* 'gɛrtn̩] *m* garden; **botanischer/zoologischer ~** botanical/zoological gardens
Gar·ten·ar·beit *f* gardening *no pl* **Gar·ten·ar·chi·tekt(in)** *m(f)* landscape gardener **Gar·ten·bau** *m kein pl* horticulture *no pl* **Gar·ten·fest** *nt* garden party **Gar·ten·haus** *nt* summer house; (*Geräteschuppen*) [garden] shed **Gar·ten·lau·be** *f* (*Pergola*) arbour **Gar·ten·lo·kal** *nt* open-air restaurant **Gar·ten·sche·re** *f* pruning shears *npl* **Gar·ten·zaun** *m* garden fence **Gar·ten·zwerg** *m* garden gnome

Gärt·ner(in) <-s, -> ['gɛrtnɐ] *m(f)* gardener
Gärt·ne·rei <-, -en> [gɛrtnə'raɪ̯] *f* (*für Setzlinge*) nursery; (*für Obst, Gemüse, Schnittblumen*) market garden
Gä·rung <-, -en> ['gɛ:rʊŋ] *f* fermentation
Gas <-es, -e> ['ga:s, *pl* 'ga:zə] *nt* ❶ (*luftförmiger Stoff*) gas ❷ (*fam*) ~ **geben** to accelerate; **gib ~!** put your foot down!
Gas·an·zün·der *m* gas lighter **Gas·bren·ner** *m* gas burner **Gas·feu·er·zeug** *nt* gas lighter **Gas·flam·me** *f* gas flame **Gas·fla·sche** *f* gas canister **gas·för·mig** *adj* gaseous **Gas·hahn** *m* gas tap **Gas·hei·zung** *f* gas heating **Gas·herd** *m* gas cooker **Gas·kam·mer** *f* HIST gas chamber **Gas·ko·cher** *m* camping stove **Gas·la·ter·ne** *f* gas [street] lamp **Gas·lei·tung** *f* gas main **Gas·mann** *m* (*fam*) gasman **Gas·mas·ke** *f* gas mask **Gas·ofen** *m* gas oven **Gas·pe·dal** *nt* accelerator [pedal] **Gas·pis·to·le** *f* tear gas gun
Gas·se <-, -n> ['gasə] *f* ❶ (*schmale Straße*) alley[way] ❷ ÖSTERR (*Straße*) street; **auf der ~** on the street; **über die ~** to take away
Gast <-es, Gäste> ['gast, *pl* 'gɛstə] *m* ❶ (*eingeladene Person*) guest; **bei jdm zu ~ sein** (*geh*) to be sb's guest[s] ❷ (*Besucher einer fremden Umgebung*) ~ **in einer Stadt/einem Land sein** to be a visitor to a city/country ❸ (*Besucher eines Lokals, Hotels*) customer; **wir bitten alle Gäste, ihre Zimmer bis spätestens 12 Uhr zu räumen** all guests are kindly requested to vacate their rooms by midday
Gast·ar·bei·ter(in) *m(f)* guest worker
Gäs·te·buch *nt* visitors' book **Gäs·te·zim·mer** *nt* spare room
gast·freund·lich *adj* hospitable **Gast·freund·schaft** *f* hospitality **Gast·ge·ber(in)** <-s, -> *m(f)* host *masc,* hostess *fem* **Gast·ge·wer·be** *nt* catering industry **Gast·haus, Gasthof** *m* inn
gas·tie·ren* [gas'ti:rən] *vi* to make a guest appearance
Gast·land *nt* host country
gast·lich ['gastlɪç] (*geh*) I. *adj* hospitable II. *adv* hospitably
Gast·mann·schaft *f* visiting team, visitors *pl*
Gas·tri·tis <-, Gastritiden> [gas'tri:tɪs, *pl* gastri'ti:dn̩] *f* gastritis
Gas·tro·no·mie <-, -n> [gastrono'mi:, *pl* -'mi:ən] *f* ❶ (*geh: Gaststättengewerbe*) catering trade ❷ (*geh: Kochkunst*) gastronomy
gas·tro·no·misch *adj* gastronomic

Gast·spiel *nt* guest performance **Gast· stät·te** *f* restaurant **Gast·wirt(in)** *m(f)* restaurant manager; *einer Kneipe* landlord *masc,* landlady *fem* **Gast·wirt·schaft** *f s.* **Gaststätte**

Gas·ver·gif·tung *f* gas poisoning **Gas· werk** *nt* gasworks + *sing vb* **Gas·zäh· ler** *m* gas meter

Gat·te, Gat·tin <-n, -n> ['gatə, 'gatɪn] *m, f* (*geh*) spouse

Gat·ter <-s, -> ['gatɐ] *nt* (*Holzzaun*) fence

Gat·tung <-, -en> ['gatʊŋ] *f* ❶ BIOL genus ❷ KUNST, LIT genre

Gat·tungs·be·griff *m* generic concept

GAU <-s, -s> ['gaʊ] *m Akr von* **größter anzunehmender Unfall** MCA

Gau·di <-> ['gaʊdi] *f o nt kein pl* ÖSTERR, SÜDD (*fam: Spaß*) fun; **sich** *dat* **eine ~ aus etw** *dat* **machen** to get a kick out of doing sth

Gauk·ler(in) <-s, -> ['gaʊklɐ] *m(f)* (*veraltet*) travelling performer

Gaul <-[e]s, Gäule> ['gaʊl, *pl* 'gɔylə] *m* (*pej*) nag

Gau·men <-s, -> ['gaʊmən] *m* palate

Gau·men·freu·de *f* (*geh*) culinary delight

Gau·ner(in) <-s, -> ['gaʊnɐ] *m(f)* ❶ (*Betrüger*) crook ❷ (*Schelm*) rogue ❸ (*fam: gerissener Kerl*) crafty customer

Gau·ne·rei <-, -en> [gaʊnə'raɪ] *f* cheating *no pl*

Ga·ze <-, -n> ['ga:zə] *f* gauze

Ga·zel·le <-, -n> [ga'tsɛlə] *f* gazelle

ge·ar·tet [gə'ʔa:ɐ̯tət] *adj* ❶ (*veranlagt*) natured ❷ (*beschaffen*) constituted; **dieser Fall ist anders ~** the nature of this problem is different

Ge·äst <-[e]s> [gə'ʔɛst] *nt kein pl* branches *pl*

geb. *Abk von* **geboren** née

Ge·bäck <-[e]s, -e> [gə'bɛk] *nt pl selten* (*Plätzchen*) biscuits *pl;* (*Teilchen*) pastries *pl;* (*kleine Kuchen*) cakes *pl*

ge·ba·cken *pp von* **backen**

Ge·bälk <-[e]s, -e> [gə'bɛlk] *nt pl selten* timberwork *no pl*

ge·ballt I. *adj* ❶ (*konzentriert*) concentrated ❷ (*zur Faust gemacht*) **~e Fäuste** clenched fists **II.** *adv* in concentration; **solche Probleme treten immer ~ auf** these kinds of problems never occur singly

ge·bannt *adj* (*gespannt*) fascinated; **mit ~em Interesse** with fascination; **vor Schreck ~** rigid with fear; **wie ~** as if spellbound

ge·bar [gə'ba:ɐ̯] *imp von* **gebären**

Ge·bär·de <-, -n> [gə'bɛ:ɐ̯də] *f* gesture

ge·bär·den* [gə'bɛ:ɐ̯dn̩] *vr haben* ■ **sich ~** to behave

ge·bä·ren <gebiert, gebar, geboren> [gə'bɛ:rən] **I.** *vt* ❶ (*zur Welt bringen*) ■ **geboren werden** to be born; **das Kind wurde einen Monat zu früh geboren** the child was born four weeks premature ❷ (*eine natürliche Begabung haben*) ■ **zu etw** *dat* **geboren sein** to be born to sth; **er ist zum Schauspieler geboren** he is a born actor **II.** *vi* (*ein Kind zur Welt bringen*) to give birth

ge·bär·fä·hig *adj* capable of child-bearing **Ge·bär·mut·ter** <-mütter> *f* womb **Ge· bär·mut·ter·hals** *m* cervix, neck of the uterus

ge·bauch·pin·selt [gə'baʊxpɪnzl̩t] *adj* (*hum fam*) flattered

Ge·bäu·de <-s, -> [gə'bɔydə] *nt* ❶ (*Bauwerk*) building ❷ (*Gefüge*) structure; **ein ~ von Lügen** a web of lies

ge·baut *adj* built; ■ **gut/stark ~ sein** to be well-built

Ge·bein <-[e]s, -e> [gə'baɪn] *nt* ■ **~e** *pl* bones *pl; eines Heiligen* relics *pl*

Ge·bell(e) <-s> [gə'bɛl(ə)] *nt kein pl* (*pej fam*) incessant barking

ge·ben <gibt, gab, gegeben> ['ge:bn̩] **I.** *vt* ❶ (*reichen*) ■ **jdm etw ~** to give sb sth, to give sth to sb; **ich würde alles darum ~, ihn noch einmal zu sehen** I would give anything to see him again; (*beim Kartenspiel*) to deal; **du hast mir 3 Joker gegeben** you've dealt me 3 jokers; **wer gibt jetzt?** whose turn is it to deal? ❷ (*schenken*) to give [as a present] ❸ (*mitteilen*) **jdm seine Telefonnummer ~** to give sb one's telephone number; **er ließ sich die Speisekarte ~** he asked for the menu ❹ (*verkaufen*) ■ **jdm etw ~** to get sb sth; **~ Sie mir bitte fünf Brötchen** I'd like five bread rolls please; (*bezahlen*) **ich gebe Ihnen 500 Euro für das Bild** I'll give you 500 euros for the picture ❺ (*spenden*) ■ **etw gibt jdm etw** sth gives [sb] sth; *Schutz, Schatten* to provide ❻ TELEK ■ **jdm jdn ~** to put sb through to sb; ■ **Sie mir bitte Frau Schmidt** can I speak to Mrs Smith, please ❼ (*stellen*) **eine Aufgabe/ ein Problem/ein Thema ~** to set a task/ problem/topic ❽ *Pressekonferenz* to hold ❾ (*zukommen lassen*) **jdm einen Namen ~** to name a person; **jdm ein Interview ~** to grant sb an interview ❿ (*feiern*) **ein Fest ~** to give a party ⓫ DIAL (*abgeben*) ■ **etw/jdn irgendwohin ~** to send sth/sb somewhere; **sein Auto in [die] Reparatur ~** to have one's car repaired ⓬ KOCHK *Wein in sie Soße ~* to add wine to the sauce ⑬ (*ergeben*) **sieben mal sieben gibt neunundvierzig** seven times seven equals forty-nine; **keinen Sinn ~** that makes no sense ⑫ (*äußern*) ■ **etw von sich** *dat* ~ to utter sth ▸ **jdm etw zu tun** ~ to give sb sth to do; **nichts auf etw** *akk* ~ to think nothing of sth; **ich gebe nicht viel auf die Gerüchte** I don't pay much attention to rumours; **es jdm ~** (*fam*) to let sb have it **II.** *vi* ❶ KARTEN to deal ❷ SPORT to serve; **du gibst!** it's your serve **III.** *vt impers* ❶ (*gereicht werden*) **hoffentlich gibt es bald was zu essen!** I hope there's something to eat soon!; **was gibt es zum Frühstück?** what's for breakfast?; **freitags gibt es bei uns immer Fisch** we always have fish on Fridays ❷ (*eintreten*) **heute gibt es noch Regen** it'll rain today; **hat es sonst noch etwas gegeben, als ich weg war?** has anything else happened while I was away; **gleich gibt es was** (*fam*) there's going to be trouble ❸ (*existieren, passieren*) **das gibt es nicht!** (*fam*) no way!; **ein Bär mit zwei Köpfen? das gibt es nicht!** a bear with two heads? there's no such thing!; **das gibt es doch nicht!** (*fam*) that's unbelievable; **was gibt es?** (*fam*) what's up **IV.** *vr* ❶ (*nachlassen*) ■ **etw gibt sich** sth eases [off]; (*sich erledigen*) to sort itself out; **das gibt sich** it will sort itself out; **das wird sich schon ~** it will all work out [for the best] ❷ (*sich benehmen, aufführen*) **sie gab sich sehr überrascht** she acted very surprised; **nach außen gab er sich heiter** outwardly he behaved cheerfully; **sie gibt sich, wie sie ist** she doesn't try to be anything she isn't; **sich von der besten Seite ~** to show one's best side

Ge·bet <-[e]s, -e> [gə'be:t] *nt* prayer
Ge·bet·buch *nt* prayer book
ge·be·ten [gə'be:tn̩] *pp von* **bitten**
Ge·bets·käpp·chen *nt* REL (*fam: jüdisch*) skullcap; (*islamisch*) prayer cap **ge·bets·müh·len·haft** **I.** *adj* (*pej fam*) constant **II.** *adv* (*pej fam*) constantly **Ge·bets·ni·sche** *f* REL mihrab **Ge·bets·ruf** *m* REL call to prayer
ge·biert [gə'bi:ɐ̯t] *3. pers pres von* **gebären**
Ge·biet <-[e]s, -e> [gə'bi:t] *nt* ❶ (*Fläche*) area; (*Region a.*) region; (*Staats~*) territory ❷ (*Fach*) field
ge·bie·ten* [gə'bi:tn̩] *irreg* (*geh*) **I.** *vt* ❶ (*befehlen*) ■ [**jdm**] **etw ~** to command [sb] to do sth; **Einhalt ~** to put an end to sth ❷ (*verlangen, erfordern*) ■ **etw ~** to demand sth; **es ist Vorsicht geboten** care

must be taken **II.** *vi* ❶ (*herrschen*) ■ **über jdn/etw ~** to have control over sb/sth ❷ (*verfügen*) ■ **über etw** *akk* ~ to have sth at one's disposal
Ge·bie·ter(in) <-s, -> *m(f)* (*veraltet geh*) lord
ge·bie·te·risch [gə'bi:tərɪʃ] (*geh*) **I.** *adj* domineering **II.** *adv* domineeringly, in a domineering manner
Ge·bil·de <-s, -> [gə'bɪldə] *nt* ❶ (*Ding*) thing ❷ (*Form*) shape; (*Struktur*) structure ❸ (*Muster*) pattern ❹ (*Schöpfung*) creation
ge·bil·det *adj* educated; **ein ~er Mensch** a cultured person
Ge·bin·de <-s, -> [gə'bɪndə] *nt* (*geh*) bunch; **ein ~ aus Blumen und Zweigen** an arrangement of flowers and twigs; **ein großes ~ Möhren** a large bunch of carrots; (*Blumenkranz*) wreath; (*Getreidegebinde*) sheaf
Ge·bir·ge <-s, -> [gə'bɪrgə] *nt* mountains *pl*
ge·bir·gig [gə'bɪrgɪç] *adj* mountainous
Ge·biss^RR <-es, -e> *nt*, **Ge·biß**^ALT <-sses, -sse> [gə'bɪs] *nt* ❶ (*Zähne*) [set of] teeth ❷ (*Zahnprothese*) dentures *npl*
ge·bis·sen [gə'bɪsn̩] *pp von* **beißen**
Ge·blä·se <-s, -> [gə'blɛ:zə] *nt* blower, fan
ge·bla·sen *pp von* **blasen**
ge·blie·ben [gə'bli:bn̩] *pp von* **bleiben**
ge·blümt [gə'bly:mt], **ge·blumt** [gə'blu:mt] *adj* ÖSTERR ❶ (*mit Blumenmuster*) flowered, floral; **eine ~e Tischdecke** a tablecloth with a floral pattern; **~es Kleid** dress with a floral design ❷ (*fig: kunstvoll, blumenreich*) flowery; **ein ~er Stil** a flowery style
ge·bo·gen [gə'bo:gn̩] **I.** *pp von* **biegen** **II.** *adj* bent
ge·bo·ren [gə'bo:rən] **I.** *pp von* **gebären** **II.** *adj* **der ~e Koch sein** to be a born cook
ge·bor·gen [gə'bɔrgn̩] **I.** *pp von* **bergen** **II.** *adj* safe
Ge·bor·gen·heit <-> *f kein pl* security
ge·bors·ten [gə'bɔrstn̩] *pp von* **bersten**
Ge·bot <-[e]s, -e> [gə'bo:t] *nt* ❶ (*Gesetz*) law; (*Verordnung*) decree ❷ REL **die zehn ~e** the ten commandments ❸ (*geh: Erfordernis*) requirement; **das ~ der Stunde** the dictates of the moment ❹ ÖKON bid; **gibt es ein höheres ~?** does anyone bid more?
ge·bo·ten [gə'bo:tn̩] **I.** ❶ *pp von* **gebieten** ❷ *pp von* **bieten** **II.** *adj* (*geh: notwendig*) necessary; (*angebracht*) advisable

Ge·brab·bel <-s> [gəˈbrabl̩] *nt kein pl* (*pej fam*) jabbering

ge·bracht [gəˈbraxt] *pp von* **bringen**

ge·brannt [gəˈbrant] **I.** *pp von* **brennen** **II.** *adj* burned, burnt; **~e Mandeln** roasted almonds

ge·bra·ten *pp von* **braten**

Ge·bräu <-[e]s, -e> [gəˈbrɔy] *nt* (*pej*) concoction

Ge·brauch <-[e]s, Gebräuche> [gəˈbraux, *pl* gəˈbrɔyçə] *m* ➊ *kein pl* (*Verwendung*) use; (*Anwendung*) application; **zum äußerlichen/innerlichen ~** to be applied externally/to be taken internally; **etw in ~ haben** to use sth; **von etw** *dat* **~ machen** to make use of sth; **vor ~ schütteln** shake well before use ➋ *usu pl* **Sitten und Gebräuche** manners and customs

ge·brau·chen* [gəˈbrauxn̩] *vt* ➊ (*verwenden*) to use; **nicht mehr zu ~ sein** to be no longer [of] any use; **das kann ich gut ~** I can really use that; **zu nichts zu ~ sein** to be no use at all ➋ (*fam: benötigen*) **dein Wagen könnte eine Wäsche ~** your car could do with a wash again

ge·bräuch·lich [gəˈbrɔyçlɪç] *adj* ➊ (*allgemein üblich*) customary; (*in Gebrauch*) in use ➋ (*herkömmlich*) conventional

Ge·brauchs·an·wei·sung *f* operating instructions **Ge·brauchs·ge·gen·stand** *m* basic commodity

ge·braucht *adj* second-hand

Ge·braucht·markt *m* second-hand market **Ge·braucht·wa·gen** *m* second-hand car

Ge·bre·chen <-s, -> [gəˈbrɛçn̩] *nt* (*geh*) affliction

ge·brech·lich [gəˈbrɛçlɪç] *adj* frail

Ge·brech·lich·keit <-> *f kein pl* frailty, infirmity

ge·bro·chen I. *pp von* **brechen II.** *adj* (*völlig entmutigt*) broken **III.** *adv* imperfectly; **sie sprach nur ~ Deutsch** she only spoke broken German

Ge·brü·der [gəˈbryːdɐ] *pl* (*veraltet*) brothers

Ge·brüll <-[e]s> [gəˈbrʏl] *nt kein pl Löwe* roaring; (*pej*) *Kind* bawling; *Mensch* screaming

Ge·bühr <-, -en> [gəˈbyːɐ̯] *f* charge; (*Honorar, Beitrag*) fee; **~ [be]zahlt Empfänger** postage to be paid by addressee; **eine ~ erheben** to levy a charge

ge·büh·ren* [gəˈbyːrən] (*geh*) **I.** *vi* (*zukommen*) **jdm/etw gebührt etw** sb/sth deserves sth; **ihm gebührt unsere Anerkennung** he deserves our recogni-

tion **II.** *vr* **sich ~** to be fitting; **wie es sich gebührt** as is fitting

ge·büh·rend I. *adj* (*zustehend*) due; (*angemessen*) appropriate **II.** *adv* (*angemessen*) appropriately

Ge·büh·ren·ein·zugs·zen·tra·le *f* collection centre for radio and television licence fees

ge·büh·ren·frei *adj, adv* free of charge

ge·büh·ren·pflich·tig I. *adj* subject to a charge; **~e Verwarnung** fine; **~e Straße** toll road **II.** *adv* **jdn ~ verwarnen** to fine sb

ge·bun·den [gəˈbʊndn̩] **I.** *pp von* **binden** **II.** *adj* **~es Buch** hardcover; **~e Preise** controlled prices; **durch Verpflichtungen ~ sein** to be tied down by duties; **anderweitig ~ sein** to be otherwise engaged; **vertraglich ~ sein** to be bound by contract

Ge·burt <-, -en> [gəˈbuːɐ̯t] *f* ➊ (*Entbindung*) birth; **bei der ~** at the birth; **von ~ an** from birth ➋ (*Abstammung*) birth; **von Deutscher sein** to be German by birth; **von niedriger/hoher ~ sein** to be of low/noble birth

Ge·bur·ten·kon·trol·le *f kein pl* birth control **Ge·bur·ten·rück·gang** *m* decline in the birth rate **ge·bur·ten·schwach** *adj* **~er Jahrgang** a year in which there is a low birth rate **ge·bur·ten·stark** *adj* with a high birth rate **Ge·bur·ten·zahl** *f* birth rate **Ge·bur·ten·zif·fer** *f* birth rate

ge·bür·tig [gəˈbʏrtɪç] *adj* by birth; **er ist ~er Londoner** he is a native Londoner

Ge·burts·da·tum *nt* date of birth **Ge·burts·hel·fer(in)** *m(f)* obstetrician **Ge·burts·hil·fe** *f kein pl* obstetrics **Ge·burts·jahr** *nt* year of birth **Ge·burts·ort** *m* place of birth **Ge·burts·sta·ti·on** *f* obstetrics ward

Ge·burts·tag *m* birthday; (*Geburtsdatum*) date of birth; **herzlichen Glückwunsch zum ~** happy birthday to you; [**seinen**/**jds**] **~ feiern** to celebrate one's/sb's birthday; **jdm zum**/**zu jds ~ gratulieren** to wish sb a happy birthday; **wann hast du ~?** when is your birthday?

Ge·burts·tags·ge·schenk *nt* birthday present **Ge·burts·tags·kind** *nt* (*hum*) birthday boy/girl

Ge·burts·ter·min *m* due date **Ge·burts·ur·kun·de** *f* birth certificate

Ge·büsch <-[e]s, -e> [gəˈbʏʃ] *nt* bushes *pl*; (*Unterholz*) undergrowth

ge·dacht [gəˈdaxt] ➊ *pp von* **denken** ➋ *pp von* **gedenken**

Ge·dächt·nis <-ses, -se> [gəˈdɛçtnɪs, *pl*

G

gəˈdɛçtnɪsə] *nt* ❶ (*Informationsspeicherung im Gehirn*) memory; **ein gutes/ schlechtes ~** [**für** etw *akk*] **haben** to have a good/poor memory [for sth]; **sein ~ anstrengen** to make a real effort to remember sth; **etw im ~ behalten** to remember sth; **jds ~ entfallen** to slip one's mind; **sein ~ verlieren** to lose one's memory ❷ (*Gedenken*) memory; **zum ~ der Toten** in remembrance of the dead

Ge·dächt·nis·lü·cke *f* gap in one's memory; **eine ~ haben** to not remember anything; MED localized amnesia **Ge·dächt·nis·schwund** *m* amnesia, loss of memory; **an ~ leiden** (*fam*) to suffer from amnesia **Ge·dächt·nis·stüt·ze** *f* memory aid **Ge·dächt·nis·ver·lust** *m kein pl* loss of memory

ge·dämpft *adj* ~**er Schall/~e Stimme** muffled echo/voice; ~**es Licht/~e Farbe** muted light/colour; ~**er Aufprall** softened impact

Ge·dan·ke <-ns, -n> [gəˈdaŋkə] *m* ❶ (*das Gedachte, Überlegung*) thought; **der bloße ~ an jdn/etw** *akk* the mere thought of sb/sth; **in ~n vertieft** deep in thought; **sich mit einem ~n vertraut machen** to get used to an idea; **jdn auf andere ~n bringen** to take sb's mind off sth; **jdm auf einen ~n bringen** to put an idea into sb's head; **jds ~n lesen** to read sb's thoughts; **sich** *dat* **über etw** *akk* ~**n machen** to be worried about sth; **mit seinen ~en woanders sein** to have one's mind on sth else ❷ (*Einfall*) idea; **einen ~n in die Tat umsetzen** to put a plan into action; **jdm kommt ein ~** sb hits upon an idea; **mir kommt da gerade ein ~!** I've just had an idea!; **mit dem Gedanken spielen, etw zu tun** to toy with the idea of doing sth ❸ (*Begriff*) concept

Ge·dan·ken·aus·tausch *m* exchange of ideas **Ge·dan·ken·frei·heit** *f kein pl* freedom of thought *no pl* **Ge·dan·ken·gang** *m* train of thought **ge·dan·ken·los I.** *adj* thoughtless **II.** *adv* thoughtlessly **Ge·dan·ken·lo·sig·keit** <-, -en> *f kein pl* (*Unüberlegtheit*) lack of thought *no pl;* (*Zerstreutheit*) absent-mindedness *no pl* ❷ (*unüberlegte Äußerung*) thoughtlessness *no pl*

Ge·dan·ken·strich *m* dash **Ge·dan·ken·über·tra·gung** *f* telepathy *no indef art* **ge·dan·ken·ver·lo·ren** *adj, adv* lost in thought

ge·dank·lich [gəˈdaŋklɪç] *adj* intellectual; **die ~e Klarheit** the clarity of thought; **in**

keinem ~en Zusammenhang stehen to be disjointed

Ge·deck <-[e]s, -e> [gəˈdɛk] *nt* cover; **die ~e abräumen** to clear the table

ge·deckt I. *pp von* **decken II.** *adj* muted

Ge·deih [gəˈdaɪ] ▸ **auf ~ und Verderb** for better or [for] worse

ge·dei·hen <gedieh, gediehen> [gəˈdaɪən] *vi sein* ❶ (*sich gut entwickeln*) to flourish ❷ (*vorankommen*) to make headway

ge·den·ken* [gəˈdɛŋkn̩] *vi irreg* (*geh*) ❶ (*ehrend zurückdenken*) ▪ **jds/einer S.** *gen* ~ to remember sb/sth ❷ (*beabsichtigen*) ▪ ~, **etw zu tun** to intend to do sth **Ge·den·ken** <-s> [gəˈdɛŋkn̩] *nt kein pl* memory; **zum ~ an jdn/etw** *akk* in memory of sb/sth

Ge·denk·fei·er *f* commemorative ceremony **Ge·denk·mi·nu·te** *f* minute's silence **Ge·denk·stät·te** *f* memorial **Ge·denk·stun·de** *f* hour of commemoration **Ge·denk·ta·fel** *f* commemorative plaque **Ge·denk·tag** *m* day of remembrance

Ge·dicht <-[e]s, -e> [gəˈdɪçt] *nt* poem

ge·die·gen [gəˈdiːgn̩] *adj* ❶ (*rein*) pure ❷ (*solide gearbeitet*) high quality ❸ (*geschmackvoll*) tasteful ❹ (*gründlich*) ~**e Kenntnisse haben** to have sound knowledge ❺ (*verlässlich*) **ein ~er Mensch** an upright person

ge·dieh [gəˈdiː] *imp von* **gedeihen**

ge·die·hen [gəˈdiːən] *pp von* **gedeihen**

Ge·döns <-es> [gəˈdøːns] *nt kein pl* NORDD (*fam*) ❶ (*Krempel*) stuff ❷ (*Aufheben*) **viel ~** [**um etw** *akk*] **machen** to make a lot of fuss [about sth]; **was soll das ganze ~?** what's all the fuss about?

Ge·drän·ge <-s> [gəˈdrɛŋə] *nt kein pl* ❶ (*drängende Menschenmenge*) crowd ❷ (*das Drängen*) jostling

ge·dro·schen [gəˈdrɔʃn̩] *pp von* **dreschen**

ge·drückt *adj* weak, dejected, depressed; ~**er Markt** BÖRSE depressed market; ~**er Stimmung sein** to be in low spirits

ge·drun·gen [gəˈdrʊŋən] **I.** *pp von* **dringen II.** *adj* stocky

Ge·duld <-> [gəˈdʊlt] *f kein pl* patience; **jds ~ ist erschöpft** sb has lost patience; **hab ~!** be patient!; **mit jdm/etw ~ haben** to be patient with sb/sth; **keine ~** [**zu etw** *dat*] **haben** to have no patience [with sth]; **die ~ verlieren** to lose one's patience

ge·dul·den* [gəˈdʊldn̩] *vr* ▪ **sich ~** to be patient

ge·dul·dig [gəˈdʊldɪç] *adj* patient

Ge·dulds·fa·den *m* ▸**jdm reißt der ~** (*fam*) sb is at the end of his/her tether **Ge·dulds·pro·be** *f* test of one's patience **Ge·dulds·spiel** *nt* puzzle

ge·durft [gə'dʊrft] *pp von* **dürfen**

ge·ehrt *adj* honoured; **sehr ~e Damen, sehr ~e Herren!** ladies and gentlemen!; (*Anrede in Briefen*) **sehr ~e Damen und Herren!** Dear Sir or Madam

ge·eig·net [gə'ʔaignət] *adj* suitable; **jetzt ist nicht der ~e Augenblick, darüber zu sprechen** it's not the right time to talk about it; ■**für etw** *akk*/**zu etw** *dat* **~ sein** to be suited to sth

Ge·fahr <-, -en> [gə'fa:ɐ̯] *f* danger; **jdn in ~ bringen** to endanger sb; **eine ~ darstellen** to pose a threat; **außer ~ sein** to be out of danger; **in ~ sein** to be in danger; **auf eigene ~** at one's own risk; **sich in ~ begeben** to put oneself at risk; **~ laufen, etw zu tun** to run the risk of doing sth; **auf die ~ hin, etw zu tun** at the risk of doing sth

ge·fähr·den* [gə'fɛːɐ̯dn̩] *vt* ■**sich**/**jdn**/**etw ~** to endanger oneself/sb/sth; **den Erfolg einer S.** *gen* **~** to jeopardize the success of sth

Ge·fähr·dung <-, -en> *f* threat

ge·fah·ren *pp von* **fahren**

Ge·fah·ren·herd *m* source of danger **Ge·fah·ren·zo·ne** *f* danger area [*or* zone] **Ge·fah·ren·zu·la·ge** *f* danger money Brit, hazardous [duty] pay Am

ge·fähr·lich [gə'fɛːɐ̯lɪç] I. *adj* dangerous; (*risikoreich*) risky II. *adv* dangerously; **~ aussehen** to look dangerous

ge·fähr·los [gə'fa:ɐ̯lo:s] *adj* safe

Ge·fähr·te, Ge·fähr·tin <-n, -n> [gə'fɛːɐ̯tə, gə'fɛːɐ̯tɪn] *m, f* (*geh*) companion

Ge·fäl·le <-s, -> [gə'fɛlə] *nt* ❶ (*Neigungsgrad*) gradient; (*Land*) slope; (*Fluss*) drop ❷ (*fig: Unterschied*) difference

ge·fal·len <gefiel, gefallen> [gə'falən] I. *vi* ■**jdm ~** to please sb; **gefällt dir mein Kleid?** do you like my dress?; **die Sache gefällt mir nicht** (*fam*) I don't like the look of that II. *vr* ■**sich** *dat* **etw ~ lassen** (*fam*) to put up with sth; (*etw akzeptabel finden*) to be happy with sth

Ge·fal·len¹ <-s, -> [gə'falən] *m* favour; **jdn um einen ~ bitten** to ask sb for a favour; **jdm einen ~ tun** to do sb a favour

Ge·fal·len² <-s> [gə'falən] *nt kein pl* (*geh*) pleasure; **an etw** *dat* **~ finden** to enjoy sth

Ge·fal·le·ne(r) *f(m)* soldier killed in action

ge·fäl·lig [gə'fɛlɪç] *adj* ❶ (*hilfsbereit*) help-

ful; **sich jdm ~ zeigen** to show oneself willing to help ❷ (*ansprechend*) pleasant ❸ (*gewünscht*) **Zigarette ~?** would you care for a cigarette? *form*

Ge·fäl·lig·keit <-, -en> *f* ❶ (*Gefallen*) favour; **jdm eine ~ erweisen** to do sb a favour ❷ *kein pl* (*Hilfsbereitschaft*) helpfulness; **aus ~** out of the kindness of one's heart

ge·fäl·ligst [gə'fɛlɪçst] *adv* (*euph, pej fam*) kindly; **würden Sie mich ~ ausreden lassen!** would you kindly let me finish [speaking]!

ge·fan·gen [gə'faŋən] I. *pp von* **fangen** II. *adj* ❶ (*in Gefangenschaft*) **jdn ~ halten** to hold sb captive; **ein Tier ~ halten** to keep an animal in captivity; **jdn ~ nehmen** MIL to take sb prisoner; (*verhaften*) to arrest sb ❷ (*beeindruckt*) **jdn ~ halten** to captivate sb; **ihre Bücher nehmen mich ganz ~** I find her books captivating

Ge·fan·ge·ne(r) *f(m)* captive; (*im Gefängnis*) prisoner; (*im Krieg*) prisoner of war; **~ machen** to take prisoners

ge·fan·gen|hal·tenᴬᴸᵀ *vt irreg s.* **gefangen II Ge·fan·gen·nah·me** <-, -n> *f* ❶ MIL capture ❷ (*Verhaftung*) arrest **ge·fan·gen|neh·men**ᴬᴸᵀ *vt irreg s.* **gefangen II**

Ge·fan·gen·schaft <-, *selten* -en> *f* captivity; **in ~ geraten** to be taken prisoner; **in ~ gehalten werden** to be kept in captivity

Ge·fäng·nis <-ses, -se> [gə'fɛŋnɪs, *pl* gə'fɛŋnɪsə] *nt* ❶ (*Haftanstalt*) prison, jail; **im ~ sein** to be in prison; **ins ~ kommen** to be sent to prison ❷ *kein pl* (*Haftstrafe*) imprisonment *no pl*; **zwei Jahre ~ bekommen** to get two years imprisonment

Ge·fäng·nis·stra·fe *f* prison sentence **Ge·fäng·nis·wär·ter(in)** *m(f)* prison officer **Ge·fäng·nis·zel·le** *f* prison cell

Ge·fa·sel <-s> [gə'fa:zl̩] *nt kein pl* (*pej fam*) drivel

Ge·fäß <-es, -e> [gə'fɛːs] *nt* ❶ (*Behälter*) container ❷ (*Ader*) vessel

ge·fasstᴿᴿ, **ge·faßt**ᴬᴸᵀ I. *adj* ❶ (*beherrscht*) composed ❷ (*eingestellt*) ■**auf etw** *akk* **~ sein** to be prepared for sth; **sich auf etw** *akk* **~ machen** to prepare oneself for sth II. *adv* calmly

Ge·fäß·ver·en·gung *f* vascular constriction **Ge·fäß·ver·kal·kung** *f* vascular sclerosis

Ge·fecht <-[e]s, -e> [gə'fɛçt] *nt* (*a. fig*) battle

ge·feit [gə'fait] *adj* ■**gegen etw** *akk*

~ sein to be immune to sth

Ge·fie·der <-s, -> [gə'fi:dɐ] *nt* plumage *no indef art, no pl*

ge·fie·dert [gə'fi:dɐt] *adj* (*geh*) feathered

Ge·flecht <-[e]s, -e> [gə'flɛçt] *nt* **❶** (*Flechtwerk*) wickerwork **❷** (*Gewirr*) tangle

ge·fleckt *adj* spotted; **ein ~es Gefieder** speckled plumage; **eine ~e Haut** blotchy skin

ge·flis·sent·lich [gə'flɪsn̩tlɪç] *adv* (*geh*) deliberately

ge·floch·ten [gə'flɔxtn̩] *pp von* **flechten**

ge·flo·gen [gə'flo:gn̩] *pp von* **fliegen**

ge·flo·hen [gə'flo:ən] *pp von* **fliehen**

ge·flos·sen [gə'flɔsn̩] *pp von* **fließen**

Ge·flü·gel <-s, -> [gə'fly:gl] *nt kein pl* poultry *no indef art, no pl*

ge·flü·gelt [gə'fly:glt] *adj* winged

Ge·flü·gel·zucht *f* poultry farm[ing]

Ge·flüs·ter <-s, -> [gə'flʏstɐ] *nt kein pl* whispering

ge·foch·ten [gə'fɔxtn̩] *pp von* **fechten**

Ge·fol·ge <-s, -> [gə'fɔlgə] *nt* retinue

Ge·folg·schaft <-, -en> *f* **❶** (*Anhängerschaft*) following *no pl* **❷** HIST retinue **❸** *kein pl* (*veraltend: Treue*) allegiance (**gegenüber** to); **jdm ~ leisten** to obey sb

ge·fragt *adj* in demand *pred*

ge·frä·ßig [gə'frɛ:sɪç] *adj* **❶** (*fressgierig*) voracious **❷** (*pej: unersättlich*) greedy

Ge·frä·ßig·keit <-> *f kein pl* **❶** (*Fressgier*) voracity, voraciousness **❷** (*pej: Unersättlichkeit*) gluttony

ge·fres·sen [gə'frɛsn̩] *pp von* **fressen**

ge·frie·ren* [gə'fri:rən] *vi irreg sein* to freeze

Ge·frier·fach *nt* freezer compartment **ge·frier·ge·trock·net** *adj* freeze-dried **Ge·frier·punkt** *m* freezing point; **über/unter dem ~** above/below freezing **Ge·frier·schrank** *m* upright freezer **Ge·frier·tru·he** *f* chest freezer

ge·fro·ren [gə'fro:rən] *pp von* **frieren, gefrieren**

Ge·fü·ge <-s, -> [gə'fy:gə] *nt* (*geh*) structure

ge·fü·gig [gə'fy:gɪç] *adj* compliant; [**sich** *dat*] **jdn ~ machen** to make sb submit to one's will

Ge·fühl <-[e]s, -e> [gə'fy:l] *nt* **❶** (*Sinneswahrnehmung*) feeling **❷** (*seelische Empfindung, Instinkt*) feeling; **das [...] ~ haben, dass/als ob ...** to have the [...] feeling that/as though ...; **ich werde das ~ nicht los, dass ...** I cannot help feeling that ...; **etw im ~ haben** to feel sth instinctively; **mein ~ täuscht mich nie** my in-

stinct is never wrong; **jds ~e erwidern** to return sb's affections **❸** (*Sinn*) sense; **ein ~ für etw** *akk* [**haben**] [to have] a feeling for sth; **ein ~ für Zahlen/Kunst/Musik** a feeling for figures/art/music; **ein ~ für Gerechtigkeit** a sense of justice

ge·fühl·los I. *adj* **❶** (*ohne Sinneswahrnehmung*) numb **❷** (*herzlos*) insensitive II. *adv* insensitively

Ge·fühls·aus·bruch *m* emotional outburst **ge·fühls·be·tont** *adj* emotional **Ge·fühls·du·se·lei** <-, -en> [-du:zə'laɪ] *f* (*pej fam*) mawkishness **ge·fühls·kalt** *adj* cold **ge·fühls·mä·ßig** *adv* instinctively **Ge·fühls·re·gung** *f* [stirring of] emotion **Ge·fühls·sa·che** *f* matter of instinct

ge·fühl·voll I. *adj* (*empfindsam*) sensitive II. *adv* with feeling

Ge·fum·mel <-s, -> [gə'fʊml] *nt kein pl* (*fam*) **❶** (*lästiges Hantieren*) fiddling **❷** (*sexuelle Berührung*) groping *fam*

ge·fun·den [gə'fʊndn̩] *pp von* **finden**

ge·gan·gen [gə'gaŋən] *pp von* **gehen**

ge·ge·ben [gə'ge:bn̩] I. *pp von* **geben** II. *adj* **❶** (*geeignet*) right **❷** (*vorhanden*) given; **unter den ~en Umständen** under these circumstances

ge·ge·be·nen·falls [gə'ge:bənən'fals] *adv* if necessary

Ge·ge·ben·heit <-, -en> *f meist pl* (*die Realitäten*) fact; **die wirtschaftlichen/sozialen ~en** the economic/social conditions

ge·gen ['ge:gn̩] I. *präp +akk* **❶** (*wider*) against; **ich brauche etwas ~ meine Erkältung** I need sth for my cold **❷** (*ablehnend*) **■ ~ jdn/etw sein** to be against sb/sth **❸** (*entgegen*) contrary to; **~ alle Vernunft** against all reason **❹** JUR, SPORT versus **❺** (*an*) against; **~ die Wand stoßen** to run into the wall; **~ die Tür schlagen** to hammer on the door **❻** (*gegenüber*) towards, to **❼** (*für*) for; **~ Kaution/Quittung** against a deposit/receipt **❽** (*verglichen mit*) compared with **❾** (*ungefähr*) **~ Morgen/Mittag/Abend** towards morning/afternoon/evening II. *adv* **er kommt ~ drei Uhr an** he's arriving around three o'clock

Ge·gen·an·griff *m* counterattack **Ge·gen·an·zei·ge** *f* contraindication **Ge·gen·ar·gu·ment** *nt* counterargument **Ge·gen·bei·spiel** *nt* counterexample **Ge·gen·be·weis** *m* counterevidence; [**jdm**] **den ~** [**zu etw** *dat*] **erbringen** to furnish [sb] with evidence to the contrary **Ge·gend** <-, -en> ['ge:gnt, *pl* 'ge:gnd̩ən] *f* **❶** (*Gebiet*) region; **durch die ~ laufen/**

fahren (*fam*) to stroll about/drive around ❷ (*Wohngegend*) area, neighbourhood ❸ (*Nähe*) area; **in der Münchner ~** in the Munich area

Ge·gen·dar·stel·lung *f* ❶ MEDIA reply ❷ (*gegensätzliche Darstellung*) account [of sth] from an opposing point of view; **eine ~ machen** to dispute [sth] **Ge·gen·de·mon·stra·ti·on** *f* counterdemonstration

ge·gen·ein·an·der [geːgn̩ʔaiˈnandɐ] *adv* against each other; **etwas ~ haben** (*fam*) to have sth against each other

ge·gen·ein·an·der|hal·ten *vt irreg* to hold up side by side **ge·gen·ein·an·der|pral·len** *vi sein* to collide

Ge·gen·fahr·bahn *f* oncoming lane **Ge·gen·ge·wicht** *nt* counterweight **Ge·gen·gift** *nt* antidote **Ge·gen·kla·ge** *f* JUR countercharge, counterclaim, cross-charge **ge·gen·läu·fig** *adj* ❶ TECH contra-rotating ❷ (*entgegengesetzt*) **eine ~e Entwicklung/Tendenz** a reverse development/trend **Ge·gen·leis·tung** *f* **eine/keine ~ erwarten** to expect something/nothing in return **Ge·gen·lie·be** *f kein pl* [**bei jdm**] **auf keine/wenig ~ stoßen** to meet with no/little approval [from sb] **Ge·gen·maß·nah·me** *f* countermeasure **Ge·gen·mit·tel** *nt* (*gegen Gift*) antidote; (*gegen Krankheit*) remedy (**gegen** for) **Ge·gen·of·fen·si·ve** *f s.* **Gegenangriff Ge·gen·re·for·ma·ti·on** *f* HIST Counter-Reformation **Ge·gen·rich·tung** *f* opposite direction

Ge·gen·satz *m* ❶ (*Gegenteil*) opposite; **im scharfen ~ zu etw** *dat* **stehen** to be in sharp conflict with sth; **der** [**genaue**] **~ zu jdm sein** to be the [exact] opposite of sb; **im ~ zu jdm/etw** *dat* unlike sb/sth ❷ *pl* differences; **unüberbrückbare Gegensätze** irreconcilable differences ▶ **Gegensätze ziehen sich an** (*prov*) opposites attract

ge·gen·sätz·lich [ˈgeːgn̩zɛtslɪç] I. *adj* conflicting; *Menschen, Temperamente* different II. *adv* differently

Ge·gen·sätz·lich·keit <-, -en> *f* difference[s]

Ge·gen·schlag *m* retaliation **Ge·gen·seite** *f* other side

ge·gen·sei·tig [ˈgeːgn̩zaitɪç] I. *adj* mutual; **in ~er Abhängigkeit stehen** to be mutually dependent II. *adv* mutually; **sich ~ beschuldigen/helfen** to accuse/help each other

Ge·gen·sei·tig·keit <-> *f kein pl* mutuality; **auf ~ beruhen** to be mutual

Ge·gen·spie·ler(in) *m(f)* opposite number **Ge·gen·sprech·an·la·ge** *f* two-way intercom

Ge·gen·stand <-[e]s, Gegenstände> *m* ❶ (*Ding*) object ❷ (*Thema*) subject

ge·gen·länd·lich [ˈgeːgn̩ʃtɛntlɪç] KUNST I. *adj* representational II. *adv* representationally

ge·gen·stands·los *adj* ❶ (*unbegründet*) unfounded ❷ (*hinfällig*) invalid; **bitte betrachten Sie dieses Schreiben als ~, falls ...** please disregard this notice if ...

Ge·gen·stim·me *f* ❶ (*bei einer Abstimmung*) vote against; **der Antrag wurde mit 323 Stimmen bei 142 ~n/ohne ~ angenommen** the motion was carried by 323 votes to 142/unanimously ❷ (*kritische Meinungsäußerung*) dissenting voice

Ge·gen·strö·mung *f* countercurrent, crosscurrent; (*entgegengesetzte Opposition*) current of opposition **Ge·gen·stück** *nt* companion piece; **jds ~ sein** to be sb's opposite

Ge·gen·teil [ˈgeːgn̩tail] *nt* opposite; **im ~!** on the contrary!

ge·gen·tei·lig [ˈgeːgn̩tailɪç] I. *adj* opposite II. *adv* to the contrary

ge·gen·ü·ber [geːgn̩ˈʔyːbɐ] I. *präp* +*dat* ❶ (*örtlich*) ■ **jdm/einer S.** *dat* ~ opposite sb/sth ❷ (*in Bezug auf*) ■ **jdm/einer S.** *dat* ~ towards sb/sth ❸ (*vor ...*) ■ **jdm ~** in front of sb ❹ (*im Vergleich zu*) ■ **jdm ~** in comparison with sb II. *adv* opposite; **die Leute von ~** the people [from] opposite

Ge·gen·ü·ber <-s, -> [geːgn̩ˈʔyːbɐ] *nt* ❶ (*Mensch*) person opposite ❷ (*Terrain*) land opposite

ge·gen·ü·ber·lie·gend *adj attr* opposite **ge·gen·ü·ber|ste·hen** *irreg* I. *vi* ❶ (*zugewandt stehen*) ■ **jdm ~** to stand opposite sb ❷ (*eingestellt sein*) ■ **jdm/einer S.** *dat* [...] ~ to have a [...] attitude towards sb/sth; **jdm feindlich gegenüberstehen** to be ill disposed towards sb II. *vr* ■ **sich** *dat* **als etw ~** to face each other as sth **ge·gen·ü·ber|stel·len** *vt* ❷ (*konfrontieren*) ■ **jdm jdn ~** to confront sb with sb ❷ (*vergleichen*) ■ **einer S.** *dat* **etw ~** to compare sth with sth **Ge·gen·ü·ber·stel·lung** *f* ❶ (*Konfrontation*) confrontation ❷ (*Vergleich*) comparison

Ge·gen·ver·kehr *m* oncoming traffic **Ge·gen·vor·schlag** *m* counterproposal **Ge·gen·wart** <-> [ˈgeːgn̩vart] *f kein pl* ❶ (*jetziger Augenblick*) present ❷ (*heutiges Zeitalter*) present [day]; **die Literatur/Kunst/Musik der ~** contemporary literature/art/music ❸ LING present [tense] ❹ (*Anwesenheit*) presence

ge·gen·wär·tig ['ge:gŋvɛrtıç] I. *adj* ❶ *attr* (*derzeitig*) present ❷ (*heutig*) present[-day]; **zur ~ en Stunde** at the present time; **der ~ e Tag** this day ❸ (*geh: erinnerlich*) **die Adresse ist mir im Augenblick nicht ~** I cannot recall the address at the moment ❹ (*präsent*) ■**irgendwo/in etw** *dat* **~ sein** to be ever-present somewhere/in sth II. *adv* currently

Ge·gen·wehr *f* resistance; [**keine**] **~ leisten** to put up [no] resistance **Ge·gen·wert** *m* equivalent; **im ~ von etw** *dat* to the value of sth **Ge·gen·wind** *m* headwind **ge·gen|zeich·nen** *vt* to countersign **Ge·gen·zug** *m* counter[move]; **im ~ [zu etw** *dat*] as a counter[move] [to sth]

ge·ges·sen [gə'gɛsn̩] *pp von* **essen**

ge·gli·chen [gə'glıçn̩] *pp von* **gleichen**

ge·glit·ten [gə'glıtn̩] *pp von* **gleiten**

ge·glom·men [gə'glɔmən] *pp von* **glimmen**

Geg·ner(in) <-s, -> ['ge:gnɐ] *m(f)* ❶ (*Feind*) enemy ❷ (*Gegenspieler*) a. SPORT opponent

geg·ne·risch *adj attr* opposing

Geg·ner·schaft <-, -en> *f* opposition

ge·gol·ten [gə'gɔltn̩] *pp von* **gelten**

ge·go·ren [gə'go:rən] *pp von* **gären**

ge·gos·sen [gə'gɔsn̩] *pp von* **gießen**

ge·gra·ben *pp von* **graben**

ge·grif·fen [gə'grıfn̩] *pp von* **greifen**

Ge·grö·le <-s> [gə'grø:lə] *nt kein pl* (*pej fam*) raucous bawling

Ge·ha·be <-s> [gə'ha:bə] *nt kein pl* (*pej fam: Getue*) fuss; (*Gebaren*) affectation

Ge·hack·te(s) *nt* mince[d meat] BRIT, ground[meat] AM; **~ s vom Schwein/Rind** minced [*or* AM ground] pork/beef

Ge·halt¹ <-[e]s, Gehälter> [gə'halt, *pl* gə'hɛltɐ] *nt o* ÖSTERR *m* salary

Ge·halt² <-[e]s, -e> [gə'halt] *m* (*Anteil*) content; ■**der ~ an etw** *dat* the ... content

ge·hal·ten [gə'haltn̩] *pp von* **halten**

ge·halt·los *adj* ❶ (*nährstoffarm*) non-nutritious ❷ (*oberflächlich*) insubstantial

Ge·halts·ab·rech·nung *f* salary statement, pay slip **Ge·halts·emp·fän·ger(in)** *m(f)* salaried employee **Ge·halts·er·hö·hung** *f* pay rise **Ge·halts·kon·to** *nt* account into which a salary is paid **Ge·halts·vor·stel·lung** *f* salary expectation

ge·halt·voll *adj* ❶ (*nahrhaft*) nutritious, nourishing ❷ (*gedankliche Tiefe aufweisend*) stimulating

ge·han·di·kapt [gə'hɛndikɛpt] *adj* handicapped (**durch** by)

ge·han·gen [gə'haŋən] *pp von* **hängen**

ge·häs·sig [gə'hɛsıç] I. *adj* spiteful II. *adv* spitefully

Ge·häs·sig·keit <-, -en> *f* ❶ *kein pl* (*Boshaftigkeit*) spite[fulness] ❷ (*gehässige Bemerkung*) spiteful remark

ge·hau·en *pp von* **hauen**

ge·häuft I. *adj* ❶ (*hoch gefüllt*) heaped ❷ (*wiederholt*) repeated II. *adv* in large numbers

Ge·häu·se <-s, -> [gə'hɔyzə] *nt* ❶ (*Schale*) casing; (*Kamera a.*) body ❷ (*Schneckengehäuse*) shell ❸ (*Kerngehäuse*) core

geh·be·hin·dert *adj* **leicht/stark ~ sein** to have a slight/severe mobility handicap

Ge·he·ge <-s, -> [gə'he:gə] *nt* enclosure

ge·heim [gə'haɪm] I. *adj* secret II. *adv* secretly; **~ abstimmen** to vote by secret ballot; **etw [vor jdm] ~ halten** to keep sth secret [from sb]

Ge·heim·agent(in) *m(f)* secret agent **Ge·heim·dienst** *m* secret service BRIT, intelligence service AM **ge·heim|hal·ten**^ALT *vt irreg s.* **geheim II**

Ge·heim·hal·tung *f* secrecy; **~ von Erfindungen** secrecy of inventions; **zur ~ verpflichtet werden** to be sworn to secrecy

Ge·heim·nis <-ses, -se> [gə'haɪmnıs, *pl* gə'haɪmnısə] *nt* ❶ (*Wissen*) secret; **vor jdm keine ~ se haben** to have no secrets from sb; **aus etw** *dat* **ein/kein machen** to make a [big]/no secret of sth; **ein offenes ~** an open secret ❷ (*Rätsel*) ■**das ~ einer S.** *gen* the secret of sth; **das ~ des Lebens** the mystery of life

Ge·heim·nis·krä·mer(in) <-s, -> *m(f)* (*fam*) mystery-monger **Ge·heim·nis·krä·me·rei** [gəhaɪmnıskrɛːməˈraɪ] *f* (*pej fam*) secretiveness **ge·heim·nis·krä·me·risch** [gə'haɪmnıskrɛːmˈərıʃ] *adj* (*pej*) secretive

ge·heim·nis·voll I. *adj* mysterious II. *adv* mysteriously

Ge·heim·num·mer *f* ❶ TELEK ex-directory number ❷ (*geheime Kombination*) secret combination **Ge·heim·po·li·zei** *f* secret police **Ge·heim·sa·che** *f* classified information **Ge·heim·schrift** *f* code **Ge·heim·tipp**^RR *m* inside tip **Ge·heim·tür** *f* secret door **Ge·heim·waf·fe** *f* secret weapon **Ge·heim·zahl** *f* FIN PIN number

Ge·heiß <-es> [gə'haɪs] *nt kein pl* (*geh*) behest; **auf jds ~** at sb's behest

ge·hei·ßen *pp von* **heißen**

ge·hemmt I. *adj* inhibited II. *adv* **sich ~ benehmen** to act self-consciously; **~ sprechen** to speak with inhibitions

ge·hen <ging, gegangen> ['ge:ən] I. *vi*

sein ❶ (*sich fortbewegen*) to go; (*zu Fuß*) to walk; **geh schon!** go on!; **~ wir!** let's go!; **~ wir oder fahren wir mit dem Auto?** shall we walk or drive?; **gehst du heute in die Stadt/auf die Post?** are you going to town/to the post office today?; **wann geht er nach Paris/ins Ausland?** when is he going to Paris/abroad?; **in Urlaub ~** to go on holiday [*or* AM vacation]; **auf die andere Straßenseite ~** to cross over to the other side of the street; [**im Zimmer**] **auf und ab ~** to pace up and down [the room]; ■ **in/an etw** *akk* **~** to go into/to sth; **ans Telefon ~** to answer the telephone; ■ **zu jdm/etw ~** to go to sb/sth; **wie lange geht man bis zur Post?** how far is it to the post office? ❷ (*besuchen*) ■ **zu jdm ~** to go and visit sb; **ins Theater/in die Kirche/Messe/Schule ~** to go to the theatre/to church/mass/school; **zu einem Vortrag/zu einer Messe/zur Schule ~** to go to a lecture/to a [trade] fair/to school; **an die Uni ~** to go to university; **aufs Gymnasium/auf einen Lehrgang ~** to go to [a] grammar school/on a course; **schwimmen/tanzen/einkaufen/schlafen ~** to go swimming/dancing/shopping/to bed ❸ (*tätig werden*) **in die Industrie/Politik/Computerbranche ~** to go into industry/politics/computers; **in die Gewerkschaft ~** to join the union; **zum Film/Radio/Theater/zur Oper ~** to go into films/radio/on the stage/become an opera singer ❹ (*weggehen*) to go; (*abfahren a.*) to leave; **ich muss jetzt ~** I have to be off; **wann geht der Zug nach Hamburg?** when does the train to Hamburg leave?; **heute geht leider keine Fähre mehr** there are no more ferries today, I'm afraid ❺ (*führen*) **die Brücke geht über den Fluss** the bridge crosses the river; **ist das die Straße, die nach Oberstdorf geht?** is that the road to Oberstdorf?; **wohin geht dieser Weg?** where does this path lead to? ❻ (*ausscheiden*) **gegangen werden** (*hum fam*) to be given the sack ❼ (*funktionieren*) to work; **meine Uhr geht nicht mehr** my watch has stopped ❽ (*sich bewegen*) **ich hörte, wie die Tür ging** I heard the door [go]; **diese Schublade geht schwer** this drawer is stiff ❾ (*gelingen*) **wie ist die Prüfung gegangen?** how did the exam go?; **zurzeit geht alles drunter und drüber** things are a bit chaotic right now; **versuch's einfach, es geht ganz leicht** just try it, it's really easy; **kannst du mir bitte erklären, wie das**

Spiel geht? can you please explain the rules of the game to me?; **wie soll das denn bloß ~?** just how is that supposed to work? ❿ ÖKON **das Geschäft geht vor Weihnachten immer gut** business is always good before Christmas; **wie ~ die Geschäfte?** how's business?; (*sich verkaufen*) to sell ⓫ (*hineinpassen*) **es ~ über 450 Besucher in das neue Theater** the new theatre holds over 450 people; **wie viele Leute ~ in deinen Wagen?** how many people [can] fit in[to] your car? ⓬ (*dauern*) **dieser Film geht drei Stunden** this film lasts three hours; **der Film geht schon über eine Stunde** the film started over an hour ago ⓭ (*reichen*) **das Wasser geht einem bis zur Hüfte** the water comes up to one's hips; **der Rock geht ihr bis zum Knie** the skirt goes down to her knee; **in die Tausende ~** to run into [the] thousands ⓮ KOCHK *Teig* to rise ⓯ (*sich kleiden*) ■ **in etw** *dat* **~** to wear sth; (*verkleidet sein*) ■ **als etw ~** to go as sth; **bei dem Nieselregen würde ich nicht ohne Schirm ~** I wouldn't go out in this drizzle without an umbrella; **sie geht auch im Winter nur mit einer dunklen Brille** she wears dark glasses even in winter ⓰ (*ertönen*) to ring ⓱ (*möglich sein*) **haben Sie am nächsten Mittwoch Zeit? — nein, das geht** [**bei mir**] **nicht** are you free next Wednesday? — no, that's no good [for me]; **das geht doch nicht!** that's not on!; **ich muss mal telefonieren - geht das?** I have to make a phone call - would that be alright?; **nichts geht mehr** (*beim Roulette*) no more bets; (*hoffnungslos sein*) there's nothing more to be done ⓲ (*lauten*) **wie geht nochmal der Spruch?** what's that saying again?, how does the saying go? ⓳ (*anfassen*) **um ihre Schulden zu bezahlen, musste sie an ihr Erspartes ~** she had to raid her savings to pay off her debts; **wer ist dieses Mal an meinen Computer gegangen?** who's been messing around with my computer this time? ⓴ (*zufallen*) ■ **an jdn ~** to go to sb ㉑ (*beeinträchtigen*) **das geht** [**mir**] **ganz schön an die Nerven** that really gets on my nerves; **das geht an die Kraft** that takes it out of you ㉒ (*gerichtet sein*) ■ **an jdn ~** to be addressed to sb; **das geht nicht gegen Sie, aber die Vorschriften!** this isn't aimed at you, it's just the rules!; **das geht gegen meine Prinzipien** that is against my principles ㉓ (*fam: liiert sein*) ■ **mit jdm ~** to go out with sb ㉔ (*urteilen*)

■**nach etw** *dat* ~ to go by sth ㉕(*überschreiten*) **zu weit** ~ to go too far; **das geht zu weit!** that's just too much! ㉖(*übersteigen*) **über jds Geduld** ~ to exhaust sb's patience; **das geht einfach über meine finanziellen Möglichkeiten** I just don't have the finances for that ㉗(*fam: akzeptabel sein*) **er geht gerade noch, aber seine Frau ist furchtbar** he's just about OK but his wife is awful; **wie ist das Hotel? — es geht [so]** how's the hotel? — it's ok ▶**wo jd geht und steht** (*fam*) wherever sb goes; **jdm über alles** ~ to mean more to sb than anything else; **es geht nichts über jdn/etw** *akk* there's nothing like sb/sth; [**ach**] **geh, ...!** (*fam*) [oh] come on, ...!; ÖSTERR, SÜDD **geh, was du nicht sagst!** go on, you're kidding! **II.** *vi impers sein* ❶ + *adv* (*sich befinden*) **wie geht es Ihnen? — danke, mir geht es gut!** how are you? — thank you, I am well!; **nach der Spritze ging es ihr gleich wieder besser** she soon felt better again after the injection; **wie geht's denn** [**so**]? (*fam*) how's it going? ❷ + *adv* (*verlaufen*) **wie war denn die Prüfung? — ach, es ging ganz gut** how was the exam? — oh, it went quite well ❸(*sich handeln um*) **um was geht's denn?** what's it about then?; **worum geht es in diesem Film?** what is this film about?; **es geht hier um eine wichtige Entscheidung** there is an important decision to be made here ❹(*wichtig sein*) **worum geht es dir eigentlich?** what are you trying to say?; **es geht mir nur um die Wahrheit** I'm only interested in the truth; **es geht mir ums Prinzip** it's a matter of principle ❺(*ergehen*) **mir ist es ähnlich/genauso/nicht anders gegangen** it was the same/just the same/no different with me; **lass es dir/ lasst es euch gut** ~! look after yourself! ❻(*sich machen lassen*) **das wird kaum** ~, **wir sind über Weihnachten verreist** that won't be possible, we're away for Christmas; **ich werde arbeiten, solange es geht** I shall go on working as long as possible; **geht es, oder soll ich dir tragen helfen?** can you manage, or shall I help you carry it/them ❼(*nach jds Kopf* ~) **wenn es nach mir ginge** if it were up to me; **es kann nicht immer alles nach dir** ~ you can't always have things your own way ▶**geht's noch!?** SCHWEIZ (*iron*) are you crazy?! **III.** *vt sein* **ich gehe immer diesen Weg/diese Straße** I always walk this way/take this road **IV.** *vr haben* ❶ *impers* **in diesen Schuhen geht**

es sich bequem these shoes are very comfortable for walking ❷(*sich nicht beherrschen*) **sich** ~ **lassen** to lose one's self-control; (*nachlässig sein*) to let oneself go

ge·hen|las·sen^ALT* *vr, vt irreg* **sich** ~ to lose one's self-control; (*nachlässig sein*) to let oneself go

Ge·her(in) <-s, -> ['geːɐ, 'geːərɪn] *m(f)* SPORT walker

ge·hetzt [gəˈhɛtst] *adj* harassed

ge·heu·er [gəˈhɔyɐ] *adj* [**jdm**] **nicht** [**ganz**] ~ **sein** to seem [a bit] suspicious [to sb]; **jdm ist nicht ganz** ~ [**bei etw** *dat*] sb feels a little uneasy [about sth]; **irgendwo ist es nicht** ~ somewhere is eerie

Ge·hil·fe, Ge·hil·fin <-n, -n> [gəˈhɪlfə, gəˈhɪlfɪn] *m, f* assistant

Ge·hirn <-[e]s, -e> [gəˈhɪrn] *nt* brain

ge·hirn·am·pu·tiert *adj* (*hum*) ■~ **sein** to be out of one's mind **Ge·hirn·erschüt·te·rung** *f* concussion **Ge·hirnhaut·ent·zün·dung** *f* meningitis **Gehirn·schlag** *m* stroke **Ge·hirn·tu·mor** *m* brain tumour **Ge·hirn·wä·sche** *f* brainwashing *no indef art, no pl* **Ge·hirn·zelle** *f* brain cell

ge·ho·ben [gəˈhoːbn̩] **I.** *pp von* **heben** **II.** *adj* ❶ LING **sich** ~ **ausdrücken** to use elevated language ❷(*höher*) senior ❸ *Stimmung* festive

Ge·höft [gəˈhœft, gəˈhøːft], **Ge·höft** <-[e]s, -e> [gəˈhøːft] *nt* farm[stead]

ge·hol·fen [gəˈhɔlfn̩] *pp von* **helfen**

Ge·hör <-[e]s, *selten* -e> [gəˈhøːɐ] *nt* hearing; **das** ~ **verlieren** to go deaf; **jdm/ einer S.** *dat* [**kein**] ~ **schenken** [not] to listen to sb/sth; **sich** ~ **verschaffen** to make oneself heard; **nach dem** ~ **spielen** to play by ear

ge·hor·chen* [gəˈhɔrçn] *vi* ❶(*gefügig sein*) to obey ❷(*reagieren*) ■**jdm** ~ to respond to sb

ge·hö·ren* [gəˈhøːrən] **I.** *vi* ❶(*jds Eigentum sein*) ■**jdm** ~ to belong to sb; **ihm** ~ **mehrere Häuser** he owns several houses ❷(*jdm zugewandt sein*) ■**jdm/einer S.** *dat* ~ to belong to sb/sth; **ihre ganze Liebe gehört ihrem Sohn** she gives all her love to her son ❸(*den richtigen Platz haben*) **die Kinder** ~ **ins Bett** the children should be in bed; **wohin** ~ **die Hemden?** where do the shirts go? ❹(*angebracht sein*) **dieser Vorschlag gehört nicht zum Thema/hierher** this suggestion is not to the point/is not relevant here ❺(*Mitglied sein*) ■**zu jdm/einer S.** *dat* ~ to belong to sb/sth; **zur Familie** ~ to be one of the family ❻(*Teil sein von*) ■**zu**

etw *dat* ~ to be part of sth; **gehört zu der Hose denn kein Gürtel?** shouldn't there be a belt with these trousers? ❼ (*Voraussetzung, nötig sein*) **zu dieser Arbeit gehört viel Konzentration** this work requires a lot of concentration; **es gehört viel Mut dazu, ...** it takes a lot of courage to ...; **dazu gehört nicht viel** that doesn't take much; **dazu gehört [schon] etwas** that takes some doing; **dazu gehört [schon etwas] mehr** there's [a bit] more to it than that! ❽ DIAL **er meint, dass sie ganz einfach wieder zurückgeschickt ~** he thinks they ought simply to be sent back again **II.** *vr* ■ **sich ~** to be fitting; **wie es sich gehört** as is right and proper; **sich [einfach/eben] nicht ~** to be [simply/just] not good manners

Ge·hör·gang *m* ANAT auditory canal

ge·hö·rig [gə'høːrɪç] **I.** *adj* ❶ *attr* (*fam: beträchtlich*) good *attr;* **eine ~e Achtung vor jdm haben** to have a healthy respect for sb; **jdm einen ~en Schrecken einjagen** to give sb a good fright; **jdm eine ~e Tracht Prügel verpassen** to give sb a good thrashing ❷ *attr* (*entsprechend*) proper ❸ (*geh: gehörend*) ■ **zu etw** *akk* ~ belonging to sth; **nicht zur Sache ~ sein** not to be relevant **II.** *adv* (*fam*) **jdn ~ ausschimpfen** to tell sb well and truly off; **du hast dich ~ getäuscht** you are very much mistaken

Ge·hör·lo·se(r) *f(m)* (*geh*) deaf person

Ge·hör·nerv *m* auditory nerve

ge·hor·sam [gə'hoːɐ̯zaːm] **I.** *adj* obedient **II.** *adv* obediently

Ge·hor·sam <-s> [gə'hoːɐ̯zaːm] *m kein pl* obedience

Geh·steig *m s.* **Bürgersteig**

Ge·hu·pe <-s> [gə'huːpə] *nt kein pl* (*pej*) honking

Geh·weg *m* ❶ *s.* **Bürgersteig** ❷ (*Fußweg*) walk

Gei·er <-s, -> ['gaɪɐ] *m* vulture

Gei·ge <-, -n> ['gaɪɡə] *f* violin, fiddle *fam* ▶ **die erste ~ spielen** to call the tune; **die zweite ~ spielen** to play second fiddle

gei·gen ['gaɪɡn̩] **I.** *vi* to play the violin **II.** *vt* ■ **etw ~** to play sth on the violin

Gei·ger(in) <-s, -> ['gaɪɡɐ] *m(f)* violinist

Gei·ger·zäh·ler *m* Geiger counter

geil ['gaɪl] **I.** *adj* ❶ (*lüstern*) lecherous; ■ **~ auf jdn sein** to have the hots for sb; **jdn ~ machen** to make sb horny ❷ (*sl: toll*) wicked **II.** *adv* ❶ (*lüstern*) lecherously ❷ (*sl*) wicked

Geil·heit <-, -en> *f* lecherousness, lechery

Gei·sel <-, -n> ['gaɪzl̩] *f* hostage; **jdn als ~**

nehmen to take sb hostage

Gei·sel·nah·me <-, -n> *f* hostage-taking

Gei·sel·neh·mer(in) <-s, -> *m(f)* hostage-taker

Geiß <-, -en> ['gaɪs] *f* SÜDD, ÖSTERR, SCHWEIZ [nanny-]goat

Geiß·bock *m* SÜDD, ÖSTERR, SCHWEIZ (*Ziegenbock*) billy goat

Gei·ßel <-, -n> ['gaɪsl̩] *f* scourge

gei·ßeln ['gaɪsl̩n] *vt* ❶ (*mit der Geißel schlagen*) ■ **jdn/sich ~** to flagellate sb/ oneself ❷ (*anprangern*) ■ **etw ~** to castigate sth

Geist <-[e]s, -er> ['gaɪst] *m* ❶ *kein pl* (*Vernunft*) mind ❷ *kein pl* (*Esprit*) wit; **~ haben** to have esprit ❸ (*Denker*) mind ❹ *kein pl* (*Wesen, Sinn, Gesinnung*) spirit ❺ (*körperloses Wesen*) ghost; **gute/böse ~er** good/evil spirits; **der Heilige ~** the Holy Ghost ▶ **von allen guten ~ern verlassen sein** (*fam*) to have taken leave of one's senses; **jdm auf den ~ gehen** (*fam*) to get on sb's nerves; **den ~ aufgeben** (*fig fam*) to give up the ghost; **etw im ~e vor sich** *dat* **sehen** to picture sth

Geis·ter·bahn *f* ghost train **Geis·ter·fahrer(in)** *m(f)* (*fam*) *sb driving down a road [often a motorway] in the wrong direction*

geis·ter·haft I. *adj* ghostly **II.** *adv* eerily

Geis·ter·hand *f* ▶ **wie von ~** as if by magic

geis·tern ['gaɪstɐn] *vi sein* ❶ (*herumgehen*) ■ **durch etw** *akk* ~ to wander through sth like a ghost ❷ (*spuken*) ■ **durch etw** *akk* ~ to haunt sth; **es geistert immer noch durch die Köpfe** it still haunts people's minds

Geis·ter·stadt *f* ghost town

Geis·ter·stun·de *f* witching hour

geis·tes·ab·we·send I. *adj* absent-minded **II.** *adv* absent-mindedly **Geis·tes·ab·we·sen·heit** *f* absent-mindedness **Geis·tes·blitz** *m* (*fam*) brainwave, brainstorm **Geis·tes·ge·gen·wart** *f* presence of mind **geis·tes·ge·gen·wär·tig I.** *adj* quick-witted **II.** *adv* with great presence of mind **geis·tes·ge·stört** *adj* mentally disturbed **Geis·tes·hal·tung** *f* attitude [of mind] **geis·tes·krank** *adj* mentally ill **Geis·tes·krank·heit** *f* mental illness **geis·tes·ver·wandt** *adj* ~ **sein** to be kindred spirits **Geis·tes·wis·sen·schaften** *pl* humanities **Geis·tes·wis·sen·schaft·ler(in)** *m(f)* ❶ (*Wissenschaftler*) humanities scholar ❷ (*Student*) humanities student **Geis·tes·zu·stand** *m* state of mind

geis·tig ['gaɪstɪç] **I.** *adj* ❶ (*verstandesmä-*

ßig) mental ❷ (*spirituell*) spiritual
II. *adv* ❶ (*verstandesmäßig*) mentally;
~ **anspruchslos** intellectually undemanding ❷ MED ~ **behindert/zurückgeblieben** mentally handicapped/retarded

geist·lich ['gaɪstlɪç] **I.** *adj* ❶ (*religiös*) religious ❷ (*kirchlich*) ecclesiastical; *Amt* religious; ~**er Beistand** spiritual support **II.** *adv* spiritually

Ge̲ist·li·che(r) *f(m)* clergyman *masc*, woman priest *fem*

geist·los *adj* ❶ (*dumm*) witless ❷ (*einfallslos*) inane

geist·reich *adj* ❶ (*intellektuell anspruchsvoll*) intellectually stimulating ❷ *Mensch* witty

Geiz <-es> ['gaɪts] *m kein pl* miserliness

gei·zen ['gaɪtsn̩] *vi* ■**mit etw** *dat* ~ ❶ (*knauserig sein*) to be mean with sth ❷ (*zurückhaltend sein*) to be sparing with sth

Geiz·hals *m* miser

gei·zig ['gaɪtsɪç] *adj* stingy, miserly

Ge̲iz·kra·gen *m* (*fam*) *s.* **Geizhals**

Ge·jam·mer <-s> [gə'jamɐ] *nt kein pl* (*pej fam*) yammering

ge·kannt [gə'kant] *pp von* **kennen**

Ge·ki·cher <-s> [gə'kɪçɐ] *nt kein pl* (*pej fam*) giggling

Ge·kläf·fe <-s> [gə'klɛfə] *nt kein pl* (*pej*) yapping

Ge·klap·per <-s> [gə'klapɐ] *nt kein pl* (*pej fam*) clatter[ing]

ge·klei·det *adj* (*geh*) dressed; **eine weiß
~e Dame** a lady dressed in white; ■**... ~
sein** to be ... dressed

Ge·klim·per <-s> [gə'klɪmpɐ] *nt kein pl* (*pej fam*) ❶ (*auf dem Klavier*) plonking ❷ (*mit Saiteninstrument*) twanging

Ge·klirr·r(e) <-[e]s> [gə'klɪr(ə)] *nt kein pl* clinking

ge·klom·men [gə'klɔmən] *pp von* **klimmen**

ge·klun·gen [gə'klʊŋən] *pp von* **klingen**

ge·knickt *adj* (*fam*) glum

ge·knif·fen [gə'knɪfn̩] *pp von* **kneifen**

ge·kom·men *pp von* **kommen**

ge·konnt [gə'kɔnt] **I.** *pp von* **können**
II. *adj* accomplished

Ge·krit·zel <-s> [gə'krɪtsl̩] *nt kein pl* (*pej*) ❶ (*Gekritzeltes*) scrawl ❷ (*lästiges Kritzeln*) scrawling

ge·kro·chen [gə'krɔxn̩] *pp von* **kriechen**

ge·küns·telt *adj* (*pej*) artificial; ~**es
Lächeln** forced smile; *Sprache, Benehmen* affected

Gel <-s, -e> ['geːl] *nt* gel

Ge·la·ber(e) <-s> [gə'laːbɐ] *nt kein pl* (*pej*

fam) blabbering

Ge·läch·ter <-s, -> [gə'lɛçtɐ] *nt* laughter

ge·lack·mei·ert [gə'lakmaɪɐt] *adj* (*fam*)
■~ **sein** to be the one who has been conned

ge·la·den **I.** *pp von* **laden** **II.** *adj* (*fam*)
■~ **sein** to be furious

Ge·la·ge <-s, -> [gə'laːgə] *nt* binge

ge·lähmt **I.** *pp von* **lähmen** **II.** *adj* paralyzed

Ge·län·de <-s, -> [gə'lɛndə] *nt* ❶ (*Land*)
terrain ❷ (*bestimmtes Stück Land*) site

Ge·län·der <-s, -> [gə'lɛndɐ] *nt* railing[s];
(*Treppengeländer*) banister[s]

Ge·län·de·ren·nen *nt* cross-country race

Ge·län·de·wa·gen *m* off-road vehicle

ge·lang [gə'laŋ] *imp von* **gelingen**

ge·lan·gen* [gə'laŋən] *vi sein* ❶ (*hinkommen*) **ans Ziel/an den Bestimmungsort** ~ to reach one's destination; **in die falschen Hände** ~ to fall into the wrong hands ❷ (*erwerben*) ■**zu etw** *dat* ~ to achieve sth; *Ruhm, Reichtum* to gain ❸ SCHWEIZ ■**an jdn** ~ to turn to sb (**mit** about)

ge·lang·weilt *adj, adv* bored

ge·las·sen [gə'lasn̩] **I.** *pp von* **lassen**
II. *adj* calm **III.** *adv* calmly

Ge·las·sen·heit <-> *f kein pl* calmness

Ge·la·ti·ne <-> [ʒela'tiːnə] *f kein pl* gelatin[e]

ge·lau·fen *pp von* **laufen**

ge·läu·fig [gə'lɔyfɪç] *adj* familiar

ge·launt [gə'laʊnt] *adj präd* ■**... ~ sein** to be in a ... mood

Ge·läu·t(e) <-[e]s> [gə'lɔyt(ə)] *nt kein pl* chiming

gelb ['gɛlp] *adj* yellow

Gelb <-s, - *o* -s> ['gɛlp] *nt* ❶ (*gelbe Farbe*)
yellow ❷ (*bei Verkehrsampel*) amber

Ge̲lb·fie·ber *nt* yellow fever

gelb·lich ['gɛlplɪç] *adj* yellowish

Ge̲lb·sucht *f kein pl* jaundice

Geld <-[e]s, -er> ['gɛlt, *pl* 'gɛldɐ] *nt kein pl* money; **bares ~** cash; ~ **wie Heu haben**
(*fam*) to have money to burn; **ins ~ gehen**
(*fam*) to cost a pretty penny; **etw zu ~ machen** (*fam*) to turn sth into money
▶ **das ~ zum Fenster hinauswerfen** to throw money down the drain; **jdm das ~ aus der Tasche ziehen** to squeeze money out of sb; **in ~ schwimmen** to be rolling in money

Ge̲ld·an·ge·le·gen·heit *f meist pl* money matter Ge̲ld·an·la·ge *f* (*financial*) investment Ge̲ld·au·to·mat *m* cashpoint, automated teller machine, ATM Ge̲ld·be·trag *m* sum Ge̲ld·beu·tel *m* SÜDD *s.*

Geldbörse Geld·bör·se *f* (*geh: Portmonee*) purse **Geld·bu·ße** *f* fine **Geld·druck·ma·schi·ne** *f* (*fig fam*) goldmine **Geld·ent·wer·tung** *f* currency depreciation

Gel·der *pl* moneys *pl*

Geld·ge·ber(in) <-s, -> *m(f)* [financial] backer **geld·gie·rig** *adj* avaricious **Geld·in·sti·tut** *nt* financial institution **Geld·ma·che·rei** <-, -> *f kein pl* (*pej*) money-making **Geld·mit·tel** *pl* funds *pl,* cash resources *pl;* **fehlende ~** lack of funds **Geld·quel·le** *f* financial source **Geld·schein** *m* banknote, bill AM **Geld·schrank** *m* safe **Geld·schwie·rig·kei·ten** *pl* financial difficulties *pl* **Geld·sor·gen** *pl* money troubles *pl* **Geld·spen·de** *f* [monetary] donation **Geld·spiel·au·to·mat** *m* slot machine **Geld·stra·fe** *f* fine **Geld·stück** *nt* coin **Geld·ver·le·gen·heit** *f* financial embarrassment *no pl;* **in ~en sein** to be short of money **Geld·ver·schwen·dung** *f* waste of money **Geld·wä·sche** *f* money-laundering **Geld·wech·sel** *m* foreign exchange **Geld·wert** *m* ➊ (*Kaufkraft*) value of a currency ➋ (*eines Gegenstandes*) cash value

Ge·lee <-s, -s> [ʒeˈleː, ʒəˈleː] *m o nt* jelly

Ge·le·ge <-s, -> [ɡəˈleːɡə] *nt* [clutch of] eggs

ge·le·gen [ɡəˈleːɡn̩] **I.** *pp von* **liegen II.** *adj* (*passend*) convenient; **jdm ~ kommen** to come at the right time for sb

Ge·le·gen·heit <-, -en> [ɡəˈleːɡn̩hait] *f* ➊ (*günstiger Moment*) opportunity; **bei passender ~** when the opportunity arises; **die ~ haben, etw zu tun** to have the opportunity of doing sth ➋ (*Anlass*) occasion; **bei dieser ~** on this occasion ► **die ~ beim Schopf[e] fassen** to seize the opportunity with both hands

Ge·le·gen·heits·ar·beit *f* casual work **Ge·le·gen·heits·ar·bei·ter(in)** *m(f)* casual labourer **Ge·le·gen·heits·kauf** *m* bargain [purchase]

ge·le·gent·lich [ɡəˈleːɡn̩tlɪç] **I.** *adj attr* occasional **II.** *adv* ➊ (*manchmal*) occasionally ➋ (*bei Gelegenheit*) **wenn Sie ~ in der Nachbarschaft sind ...** if you happen to be around here ...

ge·leh·rig [ɡəˈleːrɪç] **I.** *adj* quick to learn **II.** *adv* **sich ~ anstellen** to be quick to learn

ge·lehrt *adj* ➊ (*gebildet*) learned ➋ (*wissenschaftlich*) scholarly

Ge·leit <-[e]s, -e> [ɡəˈlait] *nt* **freies ~** safe-conduct; **jdm das ~ geben** (*geh*) to escort sb; **jdm das letzte ~ geben** (*fig*

geh) to pay one's last respects to sb

ge·lei·ten* [ɡəˈlaitn̩] *vt* (*geh*) to escort **Ge·leit·schutz** *m* escort; **jdm/einer S. dat ~ geben** to escort sb/sth **Ge·leit·wort** <-s, -e> *nt* preface

Ge·lenk <-[e]s, -e> [ɡəˈlɛŋk] *nt* ANAT, TECH joint

Ge·lenk·ent·zün·dung *f* arthritis **ge·len·kig** [ɡəˈlɛŋkɪç] *adj* supple

ge·lernt *adj* skilled *attr;* (*qualifiziert*) trained *attr*

ge·le·sen *pp von* **lesen**

ge·liebt *adj* dear; **ihr ~er Mann** her dear [*or form also* beloved] husband

Ge·lieb·te(r) *f(m)* lover

ge·lie·fert *adj* (*fam*) ■ **~ sein** to have had it

ge·lie·hen [ɡəˈliːən] *pp von* **leihen**

ge·lie·ren* [ʒeˈliːrən, ʒəˈliːrən] *vi* to gel

ge·lin·d(e) [ɡəˈlɪnt, ɡəˈlɪndə] *adj* ➊ (*geh: mild*) mild; *Regen, Frost* light ➋ (*fam: heftig*) awful ► **~ gesagt** to put it mildly

ge·lin·gen <gelang, gelungen> [ɡəˈlɪŋən] *vi* ■ **jdm gelingt es, etw zu tun** sb manages to do sth; ■ **jdm gelingt es nicht, etw zu tun** sb fails to do sth

Ge·lin·gen <-s> [ɡəˈlɪŋən] *nt kein pl* (*geh*) success; **auf gutes ~!** to success!

ge·lit·ten [ɡəˈlɪtn̩] *pp von* **leiden**

gel·l(e) [ˈɡɛl(ə)] *interj* SÜDD, SCHWEIZ right?

gel·len [ˈɡɛlən] *vi* ■ [**laut**] **~** to ring [loudly]

gel·lend **I.** *adj* piercing **II.** *adv* piercingly; **~ um Hilfe schreien** to scream for help

ge·lo·ben* [ɡəˈloːbn̩] *vt* (*geh*) ■ **jdm etw ~** to vow sth [to sb]; **jdm Gefolgschaft ~** to swear [one's] allegiance to sb; **ein einsichtigeres Verhalten ~** to swear to behave more reasonably

Ge·löb·nis <-ses, -se> [ɡəˈløːpnɪs, *pl* ɡəˈløːpnɪsə] *nt* (*geh*) vow; **ein ~ ablegen** to take a vow

ge·lo·gen [ɡəˈloːɡn̩] *pp von* **lügen**

ge·löst *adj* relaxed

gel·ten <gilt, galt, gegolten> [ˈɡɛltn̩] **I.** *vi* ➊ (*gültig sein*) ■ [**für jdn**] **~** *Regelung* to be valid [for sb]; *Bestimmungen* to apply [to sb]; *Gesetz* to be in force ➋ (*bestimmt sein für*) ■ **jdm/einer S. dat ~** to be meant for sb/sth; *Buhrufe* to be aimed at sb/sth; *Frage* to be directed at sb ➌ (*zutreffen*) ■ **für jdn ~** to go for sb ➍ (*gehalten werden*) ■ **als etw ~** to be regarded as sth ► **etw ~ lassen** to accept sth; **für diesmal werde ich es ausnahmsweise ~ lassen** I'll let it go this time **II.** *vi impers* (*geh*) ■ **es gilt, etw zu tun** it is necessary to do sth; **jetzt gilt es zusammenzuhalten** it is now a matter of sticking together; **es gilt!**

you're on!; **das gilt nicht!** that's not allowed!

gel·tend *adj attr* (*gültig*) current; (*vorherrschend*) prevailing; **einen Einwand ~ machen** to raise an objection; **Ansprüche/Forderungen ~ machen** to make claims/demands; **sich ~ machen** to make itself noticeable

Gel·tung <-, -en> *f* ❶ (*Gültigkeit*) validity *no indef art, no pl;* **~ erlangen/haben** to become/be valid ❷ (*Ansehen*) prestige *no indef art, no pl;* **etw zur ~ bringen** to show off *sep* sth to [its] advantage; **sich/einer S.** *dat* **~ verschaffen** to establish one's position/to enforce sth

Gel·tungs·be·dürf·nis *nt kein pl* need for admiration **Gel·tungs·drang** *m kein pl* need for recognition

Ge·lüb·de <-s, -> [gəˈlʏpdə] *nt* (*geh*) vow

ge·lun·gen [gəˈlʊŋən] **I.** *pp von* **gelingen** **II.** *adj attr* successful

ge·mäch·lich [gəˈmɛːçlɪç] **I.** *adj* leisurely; *Leben* quiet **II.** *adv* leisurely; **~ frühstücken** to have a leisurely breakfast

Ge·mahl(in) <-s, -e> [gəˈmaːl] *m(f)* (*geh*) spouse

Ge·mäl·de <-s, -> [gəˈmɛːldə] *nt* painting

Ge·mäl·de·ga·le·rie *f* picture gallery

ge·ma·sert *adj* grained

ge·mäß [gəˈmɛːs] **I.** *präp* +*dat* in accordance with; **~ § 198** according to § 198 **II.** *adj* ■**jdm/einer S.** *dat* **~** appropriate to sb/sth; **einem Anlass ~e Kleidung** clothes suitable for the occasion; **eine seinen Fähigkeiten ~e Beschäftigung** a job suited to one's abilities

ge·mäßigt *adj* ❶ METEO temperate ❷ (*moderat*) moderate

Ge·mäu·er <-s> [gəˈmɔyɐ] *nt kein pl* (*geh*) walls *pl;* (*Ruine*) ruins *pl*

Ge·me·cker [gəˈmɛkɐ], **Ge·me·cke·re** <-s> [gəˈmɛkərə], **Ge·meck·re** <-s> [gəˈmɛkrə] *nt kein pl* (*pej*) ❶ (*Tier*) bleating[s *pl*] ❷ (*fam: Nörgelei*) whinging

ge·mein [gəˈmaɪn] **I.** *adj* ❶ (*niederträchtig*) mean ❷ (*böse*) nasty ❸ *attr, kein comp/superl* BOT, ZOOL common ❹ *präd* (*geh: gemeinsam*) ■**jdm/einer S.** *dat* **~ sein** to be common to sb/sth; **etw mit jdm/etw ~ haben** to have sth in common with sb/sth **II.** *adv* (*fam*) horribly

Ge·mein·de <-, -n> [gəˈmaɪndə] *f* ❶ (*Kommune*) municipality ❷ (*Pfarr~*) parish; (*Gläubige a.*) parishioners *pl*

Ge·mein·de·haus *nt* REL parish rooms *pl* **Ge·mein·de·mit·glied** *nt* REL parishioner **Ge·mein·de·ord·nung** *f* by[e-]laws *pl* BRIT, municipal ordinance *no pl* AM **Ge·**

mein·de·rat¹ *m* district council **Ge·mein·de·rat, -rä·tin²** *m, f* (*~ smitglied*) district councillor BRIT, councilman AM **Ge·mein·de·schwes·ter** *f* REL *parish nun operating as visiting nurse to the elderly and sick* **Ge·mein·de·ver·wal·tung** *f* district council **Ge·mein·de·zen·trum** *nt* REL parish rooms *pl*

Ge·mein·ei·gen·tum *nt* common property

ge·mein·ge·fähr·lich *adj* constituting a public danger *pred form;* **ein ~er Krimineller** a dangerous criminal **Ge·mein·gut** *nt kein pl* common property *no pl*

Ge·mein·heit <-, -en> *f* ❶ *kein pl* (*Niedertracht*) meanness *no art, no pl* ❷ (*niederträchtiges Handeln*) meanness *no art, no pl;* **so eine ~!** that was a mean thing to do/say!; (*Bemerkung*) mean remark

ge·mein·hin *adv* generally

ge·mein·nüt·zig [gəˈmaɪnnʏtsɪç] *adj* charitable

Ge·mein·platz *m* commonplace

ge·mein·sam [gəˈmaɪnzaːm] **I.** *adj* ❶ (*mehreren gehörend*) common; *Konto* joint; *Freund* mutual ❷ (*von mehreren unternommen*) joint *attr;* **etw ~ haben** to have sth in common **II.** *adv* jointly

Ge·mein·sam·keit <-, -en> *f* common ground *no art, no pl*

Ge·mein·schaft <-, -en> *f* ❶ POL community; **in ~ mit jdm/etw** *dat* together with sb/sth ❷ *kein pl* (*gegenseitige Verbundenheit*) sense of community *no pl*

ge·mein·schaft·lich *adj s.* **gemeinsam** **Ge·mein·schafts·ar·beit** *f* teamwork *no art, no pl* **Ge·mein·schafts·ge·fühl** *nt kein pl* sense of community *no pl* **Ge·mein·schafts·kun·de** *f kein pl* social studies + *sing vb* **Ge·mein·schafts·pra·xis** *f* joint practice **Ge·mein·schafts·pro·duk·ti·on** *f* ❶ *kein pl* joint production ❷ MEDIA, FILM co-production *spec* **Ge·mein·schafts·raum** *m* common room **Ge·mein·schafts·sinn** *m kein pl* SOZIOL community spirit

ge·mein·ver·ständ·lich *adj s.* **allgemeinverständlich** **Ge·mein·wohl** *nt* ■**das ~** the public welfare; **dem ~ dienen** to be in the public interest

Ge·men·ge <-s, -> [gəˈmɛŋə] *nt* ❶ (*Mischung*) mixture (**aus** of) ❷ (*Gewühl*) crowd ❸ (*Durcheinander*) jumble *no pl*

ge·mes·sen [gəˈmɛsn̩] **I.** *pp von* **messen** **II.** *adj* (*geh*) proper; (*würdig langsam*) measured

Ge·met·zel <-s, -> [gəˈmɛtsl̩] *nt* bloodbath

ge·mie·den [gə'mi:dn̩] *pp von* **meiden**

Ge·misch <-[e]s, -e> [gə'mɪʃ] *nt* mixture (**aus** of)

ge·mischt *adj* mixed

ge·mocht [gə'mɔxt] *pp von* **mögen**

ge·mol·ken [gə'mɔlkn̩] *pp von* **melken**

ge·mop·pelt [gə'mɔpl̩t] *adj* ▶ **doppelt** ~ (*fam*) the same thing twice over

Ge·mot·ze <-s> [gə'mɔtsə] *nt kein pl* (*fam*) nagging

Gem·se^{ALT} <-, -n> ['gɛmzə] *f s.* **Gämse**

Ge·mun·kel <-s> [gə'mʊŋkl̩] *nt kein pl* rumour

Ge·mur·mel <-s> [gə'mʊrml̩] *nt kein pl* murmuring; (*unverständlich*) mumbling

Ge·mü·se <-s, *selten* -> [gə'my:zə] *nt* vegetables *pl;* ■ **ein** ~ a vegetable

Ge·mü·se·an·bau *m* vegetable-growing; (*für den Handel*) market gardening BRIT, truck farming AM **Ge·mü·se·gar·ten** *m* kitchen garden **Ge·mü·se·händ·ler(in)** *m(f)* greengrocer **Ge·mü·se·schä·ler** *m* vegetable peeler

ge·musst^{RR}, **ge·mußt**^{ALT} [gə'mʊst] *pp von* **müssen**

ge·mus·tert *adj* patterned; **grün und braun** ~ **sein** to have a green and brown pattern

Ge·müt <-[e]s, -er> [gə'my:t] *nt* ❶ (*Seele*) soul ❷ (*Mensch*) soul ❸ (*Emotionen*) feelings *pl;* **sich** *dat* **etw zu** ~[e] **führen** (*hum: etw einnehmen*) to indulge in sth; (*etw beherzigen*) to take sth to heart; **jdm aufs** ~ **schlagen** to get to sb *fam;* **etwas fürs** ~ (*hum*) something sentimental

ge·müt·lich **I.** *adj* ❶ (*bequem*) comfortable, comfy *fam;* **es sich/jdm** *dat* ~ **machen** to make oneself/sb comfortable ❷ (*gesellig*) pleasant; (*ungezwungen*) informal **II.** *adv* ❶ (*gemächlich*) leisurely ❷ (*behaglich*) comfortably

Ge·müt·lich·keit <-> *f kein pl* cosiness *no art, no pl;* (*Ungezwungenheit*) informality *no art, no pl;* **in aller** ~ at one's leisure

Ge·müts·be·we·gung *f* [signs *pl* of] emotion **ge·müts·krank** *adj* emotionally disturbed **Ge·müts·mensch** *m* (*fam*) good-natured person **Ge·müts·re·gung** *f s.* **Gemütsbewegung Ge·müts·ru·he** *f* calmness *no pl;* **in aller** ~ (*fam*) in one's own time **Ge·müts·ver·fas·sung** *f,* **Ge·müts·zu·stand** *m* mood

Gen <-s, -e> ['ge:n] *nt* gene

ge·nannt [gə'nant] *pp von* **nennen**

ge·nas [gə'na:s] *imp von* **genesen**

ge·nau [gə'naʊ̯] **I.** *adj* ❶ (*exakt*) exact; **man weiß noch nichts G~es** nobody knows any details as yet ❷ (*gewissenhaft*)

meticulous **II.** *adv* exactly; ~ **in der Mitte** right in the middle; ~ **genommen** strictly speaking; **etw** ~ **er betrachten** to take a closer look at sth; **etw** [**nicht**] ~ **wissen** to [not] know sth for certain; **sie ist** ~ **die richtige Frau für diesen Job** she's just the right woman for the job ▶ **es** [**nicht**] ~ **nehmen** to [not] be very particular; **wenn man es** ~ **nimmt** strictly speaking

ge·nau·ge·nom·men^{ALT} *adv* strictly speaking

Ge·nau·ig·keit <-> [gə'naʊ̯ɪçkaɪ̯t] *f kein pl* exactness; *Daten* accuracy; (*Sorgfalt*) meticulousness

ge·nau·so [gə'naʊ̯zo:] *adv* just the same; **mir geht es ganz** ~ I feel exactly the same; ~ **kalt/klein wie ...** just as cold/small as ...; ~ **gut/viel/wenig** just as well/much/little

Gen·bank *f* gene bank

Gen·darm <-en, -en> [ʒan'darm, ʒã'darm] *m* ÖSTERR (*Polizist*) gendarme **Gen·dar·me·rie** <-, -n> [ʒandarmə'ri:, ʒãdarmə'ri:, 'ri:ən] *f* ÖSTERR (*Polizeistation*) gendarmerie

Gen·de·fekt *m* BIOL, MED genetic defect

Ge·nea·lo·gie <-> [genealo'gi:, *pl* -'gi:ən] *f kein pl* genealogy

ge·nea·lo·gisch [genea'lo:gɪʃ] *adj* genealogical

ge·nehm [gə'ne:m] *adj* (*geh*) acceptable; ■ **jdm** [**nicht**] ~ **sein** to [not] be agreeable to sb; **wenn es** ~ **ist** if that is agreeable

ge·neh·mi·gen* [gə'ne:mɪgn̩] **I.** *vt* ■ [**jdm**] **etw** ~ to grant [sb] permission for sth; „genehmigt" "approved" **II.** *vr* ■ **sich** *dat* **etw** ~ to indulge in sth

Ge·neh·mi·gung <-, -en> *f* ❶ (*das Genehmigen*) approval *no art, no pl* ❷ (*Berechtigungsschein*) permit

ge·neigt *adj* (*geh*) ■ ~ **sein, etw zu tun** to be inclined to do sth

Ge·ne·ra ['gɛnera] *pl von* **Genus**

Ge·ne·ral(in) <-[e]s, -e *o* Generäle> [genə'ra:l, *pl* genə'rɛ:lə] *m(f)* general

Ge·ne·ral·di·rek·tor(in) *m(f)* director general **Ge·ne·ral·kon·sul(in)** *m(f)* consul general **Ge·ne·ral·kon·su·lat** *nt* consulate general **Ge·ne·ral·pro·be** *f* THEAT dress rehearsal; MUS final rehearsal **Ge·ne·ral·sek·re·tär(in)** *m(f)* general secretary **Ge·ne·ral·stab** *m* general staff + *sing/pl vb* **Ge·ne·ral·streik** *m* general strike **Ge·ne·ral·über·ho·lung** <-> *f kein pl* complete overhaul **Ge·ne·ral·un·ter·su·chung** *f* MED complete check-up **Ge·ne·ral·ver·samm·lung** *f* general meeting

Ge·ne·ra·ti·on <-, -en> [genəra'tsi̯o:n] *f*

generation

Ge·ne·ra·ti·o·nen·ver·trag *m younger generation's commitment to provide for the older generation, i.e. in form of pensions*

Ge·ne·ra·ti·ons·kon·flikt *m* generation gap **Ge·ne·ra·ti·ons·wech·sel** *m* ❶ SOZIOL change of generation ❷ BIOL alternation of generations

Ge·ne·ra·tor <-s, -toren> [genə'ra:to:ɐ̯, *pl* genəra'to:rən] *m* generator

ge·ne·rell [genə'rɛl] **I.** *adj* general **II.** *adv* generally

ge·ne·rie·ren* [genə'ri:rən] *vt* to generate

ge·nervt I. *pp von* **nerven II.** *adj* (*fam*) irritated

ge·ne·sen <genas, genesen> [gə'ne:zn̩] *vi sein* (*geh*) to recover (**von** from)

Ge·ne·sung <-, *selten* -en> [gə'ne:zʊŋ] *f* (*geh*) convalescence *no pl*

Ge·ne·tik <-> [ge'ne:tɪk] *f kein pl* genetics + *sing vb*

ge·ne·tisch [ge'ne:tɪʃ] *adj* genetic

Genf <-s> ['gɛnf] *nt* Geneva

Gen·for·scher(in) *m(f)* genetic researcher **Gen·for·schung** *f* genetic research

ge·ni·al [ge'nja:l] *adj* ❶ (*überragend*) brilliant; (*erfinderisch*) ingenious ❷ *Idee* inspired

Ge·ni·a·li·tät <-> [genjali'tɛ:t] *f kein pl* ❶ (*überragende Art*) genius *no pl* ❷ (*Erfindungsreichtum*) ingenuity *no art, no pl*

Ge·nick <-[e]s, -e> [gə'nɪk] *nt* neck ▸ **jdm das ~ brechen** (*fig*) to finish sb

Ge·nie <-s, -s> [ʒe'ni:] *nt* genius

ge·nie·ren* [ʒe'ni:rən] *vr* ■ **sich ~** to be embarrassed; ■ **sich für etw** *akk* **~** to be embarrassed about sth; **~ Sie sich nicht!** don't be shy!

ge·nieß·bar *adj* (*essbar*) edible; (*trinkbar*) drinkable

ge·nie·ßen <genoss, genossen> [gə'ni:sn̩] *vt* ❶ (*auskosten*) ■ **etw ~** to enjoy sth; (*bewusst kosten*) to savour sth ❷ (*essen*) ■ **etw ~** to eat sth ▸ **nicht zu ~ sein** (*fam*) to be unbearable

Ge·nie·ßer(in) <-s, -> *m(f)* gourmet

ge·nie·ße·risch I. *adj* appreciative **II.** *adv* with pleasure

Ge·nie·streich [ʒe'ni:] *m* (*iron fam*) a stroke of genius

ge·ni·tal [geni'ta:l] *adj* genital

Ge·ni·tal·be·reich *m* genital area

Ge·ni·ta·li·en [geni'ta:li̯ən] *pl* genitals *npl*

Ge·ni·tiv <-s, -e> ['ge:niti:f, *pl* 'ge:niti:və] *m* genitive [case]

Gen·ma·ni·pu·la·ti·on *f* genetic manipulation

ge·nom·men [gə'nɔmən] *pp von* **nehmen**

ge·normt *adj* standardized

ge·nossᴿᴿ, **ge·noß**ᴬᴸᵀ [gə'nɔs] *imp von* **genießen**

Ge·nos·se, Ge·nos·sin <-n, -n> [gə'nɔsə, gə'nɔsɪn] *m, f* comrade

ge·nos·sen [gə'nɔsn̩] *pp von* **genießen**

Ge·nos·sen·schaft <-, -en> [gə'nɔsn̩ʃaft] *f* cooperative

ge·nos·sen·schaft·lich I. *adj* cooperative **II.** *adv* ~ **organisiert** organized as a cooperative

Ge·nos·sin [gə'nɔsɪn] *f fem form von* **Genosse**

ge·nö·tigt *adj* forced; ■ ~ **sein, etw zu tun** to be forced to do sth; **sich ~ sehen, etw zu tun** to feel obliged to do sth

ge·no·zi·dal [genotsi'da:l] *adj* (*geh*) genocidal

Gen·re <-s, -s> ['ʒã:rə] *nt* genre

Gen·so·ja *nt kein pl* genetically engineered soya beans

Gent <-s> ['gɛnt] *nt* Ghent

Gen·tech·nik *f* genetic engineering *no art, no pl*

Gen·tech·ni·ker(in) *m(f)* genetic engineer

gen·tech·nik·frei *adj* BIOL GM-free BRIT, not genetically engineered AM

gen·tech·nisch I. *adj* ~ **e Methoden** methods in genetic engineering **II.** *adv* **etw ~ manipulieren** to genetically manipulate sth

Gen·tech·no·lo·gie *f* genetic engineering *no art, no pl*

Gen·the·ra·pie *f* MED gene [*or* genetic] therapy

ge·nug [gə'nu:k] *adv* enough; [**von etw** *dat*] ~ **haben** to have had enough [of sth]; **jetzt ist['s] aber ~!** that's enough!

Ge·nü·ge <-> [gə'ny:gə] *f kein pl* **zur ~** [quite] enough; (*oft genug*) often enough

ge·nü·gen* [gə'ny:gn̩] *vi* ❶ (*ausreichen*) ■ [**jdm**] ~ to be enough [for sb]; ■ **für jdn ~** to be enough for sb ❷ (*gerecht werden*) ■ **einer S.** *dat* ~ to fulfil sth

ge·nü·gend [gə'ny:gn̩t] *adv* enough

ge·nüg·sam [gə'ny:kza:m] **I.** *adj* (*bescheiden*) modest; (*pflegeleicht*) undemanding **II.** *adv* modestly

Ge·nug·tu·ung <-, *selten* -en> [gə'nu:ktu:ʊŋ] *f* satisfaction

ge·nu·in [genu'i:n] (*geh*) **I.** *adj* genuine **II.** *adv* genuinely

Ge·nus <-, Genera> ['gɛnʊs, *pl* 'gɛnera] *nt* gender

Ge·nussᴿᴿ <-es, Genüsse> *m*, **Ge·nuß**ᴬᴸᵀ <-sses, Genüsse> [gə'nʊs, *pl*

gə'nʏsə] *m* ❶ (*Köstlichkeit*) [culinary] delight ❷ *kein pl* (*geh: das Zusichnehmen*) consumption *no art, no pl* ❸ (*das Genießen*) enjoyment; **in den ~ einer S. gen kommen** to enjoy sth; (*aus etw Nutzen ziehen a.*) to benefit from sth; **etw mit ~ tun** to do sth with relish

ge·nüss·lichRR, **ge·nüß·lich**ALT **I.** *adj* pleasurable **II.** *adv* with relish

Ge·nuss·mit·telRR *nt* luxury foods, alcohol and tobacco **ge·nuss·süch·tig**RR *adj* (*pej*) hedonistic

ge·nuss·vollRR, **ge·nuß·voll**ALT **I.** *adv* essen, trinken with relish **II.** *adj* (*genüsslich*) appreciative; (*erfreulich*) highly enjoyable

Ge·o·graf(in)RR <-en, -en> [geo'gra:f] *m(f) s.* Geograph

Ge·o·gra·fieRR <-> [geogra'fi:] *f kein pl s.* Geographie

geografischRR [geo'gra:fɪʃ] *adj s.* geographisch

Ge·o·graph(in) <-en, -en> [geo'gra:f] *m(f)* geographer

Ge·o·gra·phie <-> [geogra'fi:] *f kein pl* geography *no art, no pl*

ge·o·gra·phisch [geo'gra:fɪʃ] *adj* geographic[al]

Ge·o·lo·ge, Ge·o·lo·gin <-n, -n> [geo-'lo:gə, geo'lo:gɪn] *m, f* geologist

Ge·o·lo·gie <-> [geolo'gi:] *f kein pl* geology *no art, no pl*

ge·o·lo·gisch [geo'lo:gɪʃ] *adj* geological

Ge·o·me·trie <-> [geome'tri:] *f kein pl* geometry *no art, no pl*

ge·o·me·trisch [geo'me:trɪʃ] *adj* geometric

Geo·öko·lo·gie [geoʔøkolo'gi:] *f* geoecology

Geo·phy·sik [geofy'zi:k] *f* geophysics *no art, + sing vb*

Ge·or·gi·en <-s> [ge'ɔrgiən] *nt* Georgia; *s. a.* Deutschland

Ge·or·gi·er(in) <-s, -> [ge'ɔrgiɐ] *m(f)* Georgian; *s. a.* Deutsche(r)

ge·or·gisch [ge'ɔrgɪʃ] *adj* Georgian; *s. a.* deutsch

Geo·ther·mik [geo'tɛrmɪk] *f* geothermal studies *pl*

geo·ther·misch [geo'tɛrmɪʃ] *adj* geothermal

Ge·päck <-[e]s> [gə'pɛk] *nt kein pl* luggage *no pl,* baggage *no pl esp* AM

Ge·päck·ab·fer·ti·gung *f* luggage [*or esp* AM baggage] check-in *no pl* **Ge·päck·ab·la·ge** *f* luggage rack **Ge·päck·an·nah·me** *f* ❶ *kein pl* (*Vorgang*) checking-in of luggage [*or esp* AM baggage] *no pl*

❷ (*Schalter*) luggage [*or esp* AM baggage] check-in **Ge·päck·auf·be·wah·rung** *f* left-luggage office BRIT, baggage room AM **Ge·päck·aus·ga·be** *f* luggage reclaim BRIT, baggage pickup AM **Ge·päck·kon·trol·le** *f* luggage [*or* AM *esp* baggage] check **Ge·päck·netz** *nt* luggage rack **Ge·päck·stück** *nt* piece of luggage [*or* AM *esp* baggage] **Ge·päck·trä·ger** *m* (*am Fahrrad*) carrier **Ge·päck·trä·ger(in)** *m(f)* baggage handler **Ge·päck·wa·gen** *m* luggage van BRIT, baggage car AM

Ge·pard <-s, -e> ['ge:part, *pl* 'ge:pardə] *m* cheetah

ge·pfef·fert *adj* (*fam*) ❶ (*überaus hoch*) steep ❷ (*schwierig*) tough

ge·pfif·fen [gə'pfɪfn̩] *pp von* pfeifen

ge·pflegt I. *adj* ❶ (*nicht vernachlässigt*) well looked after; *Aussehen* well-groomed; *Garten* well-tended; *Park* well-kept ❷ (*fam: kultiviert*) civilized; *Ausdrucksweise* cultured ❸ (*erstklassig*) first-rate **II.** *adv* ❶ (*kultiviert*) **sich ~ ausdrücken** to have a cultured way of speaking ❷ (*erstklassig*) **~ essen gehen** to go to a first-rate restaurant

Ge·pflo·gen·heit <-, -en> [gə'pflo:gn̩-haɪt] *f* (*geh*) habit

ge·pierct [-'pi:ɐst] *adj* pierced

Ge·plän·kel <-s> [gə'plɛŋkl̩] *nt kein pl* squabble *fam*

Ge·plap·per <-s> [gə'plapɐ] *nt kein pl* chatter[ing] *no pl*

Ge·plärr <-[e]s> [gə'plɛr] *nt,* **Ge·plär·re** <-s> [gə'plɛrə] *nt kein pl* (*pej fam*) bawling *no def art, no pl*

Ge·plät·scher <-s> [gə'plɛtʃɐ] *nt kein pl* splashing *no def art, no pl*

Ge·plau·der <-s> [gə'plaʊdɐ] *nt kein pl* chatter[ing]

ge·prie·sen [gə'pri:zn̩] *pp von* preisen

ge·punk·tet *adj* ❶ (*aus Punkten bestehend*) dotted ❷ (*mit Punkten versehen*) spotted

ge·quält I. *adj* forced **II.** *adv* **~ lachen/ seufzen** to give a forced smile/sigh

Ge·quas·sel <-s> [gə'kvasl̩] *nt kein pl* (*pej fam*) yacking

Ge·quat·sche <-s> [gə'kvatʃə] *nt kein pl* (*pej sl*) gabbing *no pl*

ge·quol·len [gə'kvɔlən] *pp von* quellen

ge·ra·de [gə'ra:də] **I.** *adj* ❶ (*nicht krumm*) straight; (*aufrecht*) upright; **etw ~ biegen** to straighten out sth *sep;* **etw ~ halten** to hold sth straight; **~ sitzen** to sit up straight; **~ stehen** to stand up straight ❷ (*opp: ungerade*) even **II.** *adv* (*fam*) ❶ (*im Augenblick, soeben*) just; **haben Sie ~**

einen Moment Zeit? do you have time just now?; **da du ~ da bist, ...** just while you're here, ...; **ich wollte mich ~ ins Bad begeben, da ...** I was just about to get into the bath when ...; **der Bus ist uns ~ vor der Nase weggefahren!** we've just missed the bus!; **da wir ~ von Geld sprechen, ...** talking of money, ... ❷ (*knapp*) just; **sie verdient ~ so viel, dass sie davon leben kann** she earns just enough for her to live on; **sie hat die Prüfung ~ so bestanden** she only just passed the exam; **ich kam ~ [noch] rechtzeitig** I came just in time ❸ (*genau*) just; **~ heute hab ich an dich gedacht** I was thinking of you only today III. *part* (*ausgerechnet*) **warum ~ er/ich?** why him/me of all people?; **~ heute/morgen** today/tomorrow of all days; **warum ~ jetzt?** why now of all times?; **~ du solltest dafür Verständnis haben** you of all people should understand that; **~ deswegen** that's precisely why ▸ **das hat ~ noch gefehlt!** (*iron*) that's all I need!; **nicht ~ billig etc.** not exactly cheap etc.; **~, weil ...** especially because ...

Ge·ra·de <-n, -n> [gəˈraːdə] *f* ❶ MATH straight line ❷ SPORT straight

ge·ra·de·aus [gəra:dəˈʔaʊs] *adv* straight ahead; **~ fahren** to drive straight on

ge·ra·de|bie·gen *vt irreg* **etw ~** ❶ (*in gerade Form biegen*) *s.* **gerade I 1** ❷ (*fam: in Ordnung bringen*) to straighten out sth *sep* **ge·ra·de·her·aus** [gəra:dəhɛˈraʊs] I. *adj präd* (*fam*) straightforward II. *adv* (*fam*) frankly

ge·rä·dert *adj* (*fam*) ▸ **wie ~ sein** to be completely exhausted

ge·ra·de|ste·hen *vi irreg* ❶ (*aufrecht stehen*) *s.* **gerade I 1** ❷ (*einstehen*) **für jdn/etw ~** to answer for sb/sth **ge·ra·de·wegs** [gəˈra:dəveːks] *adv* straight; **~ nach Hause** straight home

ge·ra·de·zu [gəˈra:dətsu:] *adv* really
Ge·rad·heit <-> *f kein pl* sincerity
ge·rad·li·nig *adj, adv* straight
ge·ram·melt *adv* ▸ **voll** (*fam*) jam-packed
Ge·ran·gel <-s> [gəˈraŋl] *nt kein pl* ❶ (*Balgerei*) scrapping *no art, no pl*; (*Geschubse*) tussle ❷ (*Auseinandersetzung*) quarrelling *no art*

Ge·ra·nie <-, -n> [geˈra:nˌi̯ə] *f* geranium
ge·rann [gəˈran] *imp von* **gerinnen**
ge·rannt [gəˈrant] *pp von* **rennen**
Ge·rät <-[e]s, -e> [gəˈrɛ:t] *nt* ❶ (*Vorrichtung*) device, gadget; (*Garten~*) tool ❷ ELEK, TECH appliance ❸ SPORT (*Turn~*) [piece of] apparatus ❹ *kein pl* (*Ausrüstung*) equipment *no pl; eines Handwerkers*

tools *pl*

ge·ra·ten[1] <gerät, geriet, geraten> [gəˌraːtn̩] *vi sein* ❶ (*zufällig gelangen*) **in schlechte Gesellschaft/eine Schlägerei/einen Stau ~** to get into bad company/a fight/a traffic jam ❷ (*unbeabsichtigt kommen*) **unter einen Lastwagen ~** to fall under a lorry [*or* AM truck]; **in einen Sturm ~** to get caught in a storm ❸ (*sich konfrontiert sehen mit*) **in etw** *akk* **~** to get into sth; **in Armut ~** to end up in poverty; **in eine Falle ~** to fall into a trap; **in Gefangenschaft ~** to be taken prisoner; **in Schulden/Schwierigkeiten/eine Situation ~** to get into debt[s]/difficulties/a situation ❹ (*erfüllt werden von*) **in Furcht/Verlegenheit/Wut ~** to get scared/embarrassed/angry; **in Panik ~** to start to panic ❺ (*beginnen, etw zu tun*) **in Bewegung ~** to begin to move; **in Brand ~** to catch fire; **ins Schleudern ~** to get into a skid; **in Schwärmen/Träumen ~** to fall into a rapture/dream; **ins Stocken ~** to come to a halt; **in Vergessenheit ~** to fall into oblivion ❻ (*ausfallen*) **der Pulli ist mir zu groß ~** my jumper turned out too big; **das Essay ist zu kurz ~** the essay turned out too short ❼ (*gelingen*) **das Soufflé ist mir ~/mir nicht ~** my soufflé turned out/didn't turn out well; **alle meine Kinder sind gut ~** all my children turned out well ❽ (*fam: kennen lernen*) **an jdn ~** to come across sb ❾ (*arten*) **nach jdm ~** to take after sb

ge·ra·ten[2] [gəˈra:tn̩] I. *pp von* **raten** II. *adj* (*geh*) advisable

Ge·ra·te·wohl [gəra:təˈvoːl, gəˈra:tə-voːl] *nt* ▸ **aufs ~** (*fam: auf gut Glück*) on the off-chance; (*willkürlich*) randomly

ge·raum [gəˈraʊm] *adj attr* (*geh*) some *attr*; **vor ~er Zeit** some time ago; **seit ~er Zeit** for some time

ge·räu·mig [gəˈrɔymɪç] *adj* spacious
Ge·räusch <-[e]s, -e> [gəˈrɔyʃ] *nt* sound; (*unerwartet, unangenehm a.*) noise

ge·räusch·arm *adj* low-noise *spec* **ge·räusch·emp·find·lich** *adj* sensitive to noise *pred* **Ge·räusch·ku·lis·se** *f* background noise *no pl*

ge·räusch·los I. *adj* silent II. *adv* silently **ge·räusch·voll** I. *adj* loud II. *adv* loudly

ger·ben [ˈgɛrbn̩] *vt* to tan
Ger·ber(in) <-s, -> [ˈgɛrbɐ] *m(f)* tanner
Ger·be·rei <-, -en> [gɛrbəˈraɪ] *f* tannery
ge·recht [gəˈrɛçt] I. *adj* ❶ (*rechtgemäß*) just; **~ sein** to be fair [*or* just] ❷ (*verdient*) just; **einen ~en Lohn** (*Geld*) a fair wage; (*Anerkennung*) a just reward ❸ (*be-*

Geringschätzung ausdrücken	
Geringschätzung/Missfallen ausdrücken	**expressing disdain/displeasure**
Ich halte nicht viel von dieser Theorie.	I don't think much of this theory.
Davon halte ich gar/überhaupt nichts.	I don't think much of that at all./I'm not in the least impressed by that.
Komm mir bloß nicht mit Psychologie! *(fam)*	Don't give me any of that psychology nonsense!
(Es tut mir leid, aber) **ich habe für** diese Typen **nichts übrig.** *(fam)*	(I'm sorry but) **I've got no time for** people like that.
Ich kann mit moderner Kunst **nichts anfangen.** *(fam)*	Modern art **doesn't do a thing for me / is not my cup of tea.** *(fam)*

rechtigt) **eine ~e Sache** a just cause
➍ *(angemessen beurteilen)* ■ **jdm/einer S.** *dat* ~ **werden** to do justice to sb/sth
➎ *(eine Aufgabe erfüllen)* ■ **einer S.** *dat* ~ **werden** to fulfil sth; **Erwartungen ~ werden** to meet expectations **II.** *adv* justly
ge·recht·fer·tigt *adj* justified
Ge·rech·tig·keit <-> [gəˈrɛçtɪçkaɪt] *f kein pl* ➊ *(das Gerechtsein)* justice *no art, no pl* ➋ *(Unparteilichkeit)* fairness *no art, no pl*
▶ **ausgleichende ~** poetic justice
Ge·rech·tig·keits·ge·fühl *nt,* **Ge·rech·tig·keits·sinn** *m kein pl* sense of justice
Ge·re·de <-s> [gəˈreːdə] *nt kein pl* gossip *no indef art, no pl; (Geschwätz)* talk *no indef art, no pl;* **kümmere dich nicht um das ~ der Leute** don't worry about what [other] people say
ge·re·gelt *adj* regular
ge·reizt I. *adj (verärgert)* irritated; *(nervös)* edgy **II.** *adv* touchily
Ge·richt¹ <-[e]s, -e> [gəˈrɪçt] *nt (Speise)* dish
Ge·richt² <-[e]s, -e> [gəˈrɪçt] *nt* ➊ JUR court [of justice]; *(Gebäude)* law courts *pl;* **jdn/einen Fall vor ~ bringen** to take sb/a case to court ➋ *(die Richter)* court ▶ **das Jüngste ~** REL Judg[e]ment Day; **mit jdm ins ~ gehen** to sharply criticize sb
ge·richt·lich I. *adj attr* judicial **II.** *adv* legally; **~ gegen jdn vorgehen** to take sb to court
Ge·richts·ak·ten *pl* court records *pl*
Ge·richts·bar·keit <-, -en> *f* jurisdiction
Ge·richts·be·schlussRR *m* court decision **Ge·richts·die·ner** *m (veraltet)* court usher **Ge·richts·hof** *m* law court, court of law *esp* AM; **der Europäische ~** the European Court of Justice **Ge·richts·kos·ten** *pl* court fees **Ge·richts·me·di·zin** *f* forensic medicine *no art, no pl* Ge·

ge·richts·me·di·zi·ner(in) *m(f)* forensic scientist, medical examiner AM **Ge·richts·saal** *m* courtroom **Ge·richts·stand** *m* court of jurisdiction **Ge·richts·ver·fah·ren** *nt* legal proceedings *pl;* **ein ~ gegen jdn einleiten** to take legal proceedings against jdn **Ge·richts·ver·hand·lung** *f* trial; *(zivil)* hearing **Ge·richts·voll·zie·her(in)** <-s, -> *m(f)* bailiff BRIT, U.S Marshal AM

ge·rie·ben [gəˈriːbn̩] *pp von* **reiben**
ge·riet [gəˈriːt] *imp von* **geraten¹**
ge·ring [gəˈrɪŋ] **I.** *adj* ➊ *(niedrig)* low; *Anzahl, Menge* small; **von ~em Wert** of little value; **nicht das G~ste** nothing at all; **das stört mich nicht im G~sten** it doesn't disturb me in the slightest [bit] ➋ *(unerheblich)* slight; *Bedeutung* minor; *Chance* slim **II.** *adv* **jdn/etw ~ schätzen** to have a low opinion of sb/sth
ge·ring·fü·gig [gəˈrɪŋfyːɡɪç] **I.** *adj* insignificant; *Betrag, Einkommen* small; *Unterschied* slight; *Vergehen, Verletzung* minor **II.** *adv* slightly
Ge·ring·fü·gig·keit <-, -en> *f* insignificance *no indef art, no pl*
ge·ring|schät·zenALT *vt* **jdn/etw ~ schätzen** to have a low opinion of sb/sth
ge·ring·schät·zig [gəˈrɪŋʃɛtsɪç] **I.** *adj* contemptuous **II.** *adv* disparagingly
Ge·ring·schät·zung *f kein pl* contempt[uousness] *no indef art, no pl*
ge·rin·nen <gerann, geronnen> [gəˈrɪnən] *vi sein* to coagulate; *Blut a.* to clot; *Milch a.* to curdle
Ge·rinn·sel <-s, -> [gəˈrɪnzl̩] *nt* [blood] clot
Ge·rin·nung <-, *selten* -en> *f* coagulation *no pl; von Blut a.* clotting *no art, no pl; von Milch a.* curdling *no art, no pl*
Ge·rip·pe <-s, -> [gəˈrɪpə] *nt* skeleton

ge·ris·sen [gəˈrɪsṇ] **I.** *pp von* **reißen II.** *adj (fam)* crafty; *Plan* cunning
Ge·ris·sen·heit <-> *f kein pl (fam)* cunning *no art, no pl*
ge·rit·ten [gəˈrɪtṇ] *pp von* **reiten**
Ger·ma·ne, Ger·ma·nin <-n, -n> [gɛrˈmaːnə, gɛrˈmaːnɪn] *m, f* Teuton
ger·ma·nisch [gɛrˈmaːnɪʃ] *adj* ❶ HIST Teutonic ❷ LING Germanic
Ger·ma·nis·tik <-> [gɛrmaˈnɪstɪk] *f kein pl* German |studies *npl*|
ger·n(e) <lieber, am liebsten> [ˈgɛrn(ə)] *adv* ❶ *(freudig)* with pleasure; **ich mag ihn sehr ~** I like him a lot; **etw ~ tun** to like doing/to do sth; **seine Arbeit ~ machen** to enjoy one's work; **etw ~ essen** to like |eating| sth; **ich hätte ~ gewusst, ...** I would like to know ... ❷ *(ohne weiteres)* **das kannst du ~ haben** you're welcome to |have| it; **das glaube ich ~!** I can quite believe that!
▶ **~ geschehen!** don't mention it!
ge·ro·chen [gəˈrɔxṇ] *pp von* **riechen**
Ge·röll <-[e]s, -e> [gəˈrœl] *nt* scree *no pl spec*, talus; *(größer)* boulders *pl*
ge·ron·nen [gəˈrɔnən] *pp von* **rinnen, gerinnen**
Gers·te <-, -n> [ˈgɛrstə] *f* barley *no art, no pl*
Gers·ten·korn *nt* ❶ BOT barleycorn ❷ MED sty|e|
Ger·te <-, -n> [ˈgɛrtə] *f* switch
Ge·ruch <-[e]s, Gerüche> [gəˈrʊx, *pl* gəˈryçə] *m* smell; *einer Blume, eines Parfüms* scent; *(Gestank)* stench
ge·ruch·los *adj* odourless
Ge·ruchs·be·läs·ti·gung *f* **das ist eine ~** the smell is a real nuisance **Ge·ruchs·sinn** *m kein pl* sense of smell
Ge·rücht <-[e]s, -e> [gəˈrʏçt] *nt* rumour; **etw für ein ~ halten** *(fam)* to have |one's| doubts about sth; **ein ~ in die Welt setzen** to start a rumour
Ge·rüch·te·kü·che *f* rumour-mongers *pl*
ge·ru·fen [gəˈruːfən] *pp von* **rufen**
ge·ruh·sam I. *adj* peaceful **II.** *adv* leisurely
Ge·rüm·pel <-s> [gəˈrʏmpḷ] *nt kein pl* junk *no indef art, no pl*
Ge·run·di·um <-s, -ien> [geˈrʊndiʊm, *pl* geˈrʊndiən] *nt* gerund *spec*
ge·run·gen [gəˈrʊŋən] *pp von* **ringen**
Ge·rüst <-[e]s, -e> [gəˈrʏst] *nt* ❶ BAU scaffold|ing *no pl*| ❷ *(Grundplan)* framework
ges, Ges <-, -> [ˈgɛs] *nt* MUS G flat
ge·sal·zen [gəˈzaltsṇ] **I.** *pp von* **salzen II.** *adj (fam: überteuert)* steep
ge·samt [gəˈzamt] *adj attr* whole, entire; *Kosten* total

Ge·samt·an·sicht *f* general view **Ge·samt·aus·ga·be** *f* complete edition **Ge·samt·be·trag** *m* total |amount| **Ge·samt·bild** *nt* overall picture **ge·samt·deutsch** [gəˈzamtdɔytʃ] *adj* all-German **Ge·samt·ein·druck** *m* overall impression **Ge·samt·er·geb·nis** *nt* total outcome **Ge·samt·ge·wicht** *nt* AUTO laden weight
Ge·samt·heit <-> *f kein pl* totality; **in seiner ~** in its entirety
Ge·samt·kos·ten *pl* total costs **Ge·samt·schu·le** *f* ≈ comprehensive school **Ge·samt·sum·me** *f* total |amount| **Ge·samt·über·sicht** *f* general survey **Ge·samt·ver·brauch** *m kein pl* total consumption **Ge·samt·werk** *nt* complete works *pl* **Ge·samt·wert** *m* total value **Ge·samt·zu·sam·men·hang** *m* general context
ge·sandt [gəˈzant] *pp von* **senden²**
Ge·sand·te(r) [gəˈzantə] *f(m)*, **Ge·sand·tin** [gəˈzantɪn] *f* envoy
Ge·sandt·schaft <-, -en> [gəˈzantʃaft] *f* embassy
Ge·sang <-[e]s, Gesänge> [gəˈzaŋ, *pl* gəˈzɛŋə] *m* ❶ *kein pl (das Singen)* singing *no art, no pl* ❷ *(Lied)* song; **ein Gregorianischer ~** a Gregorian chant
Ge·sang·buch *nt* hymn book
Ge·sangs·ein·la·ge *f* MUS musical insert
Ge·sang·ver·ein *m* choral society
Ge·säß <-es, -e> [gəˈzɛːs] *nt* bottom
Ge·säß·ta·sche *f* back pocket
ge·schaf·fen *pp von* **schaffen²**
Ge·schäft <-[e]s, -e> [gəˈʃɛft] *nt* ❶ *(Laden)* shop, AM *usu* store ❷ *(Gewerbe, Handel)* business; |mit jdm| **~ machen** to do business |with sb|; **mit jdm ins ~ kommen** *(eine einmalige Transaktion)* to do a deal with sb; *(dauerhaftes Geschäft)* to do business with sb; **wie gehen die ~e?** how's business? ❸ *(Geschäftsabschluss)* deal; **ein ~ machen** to do |or esp AM make| a deal; **ein gutes ~ machen** to get a good bargain ❹ *(Firma)* work; **ich gehe um 8 Uhr ins ~** I go to work at 8 o'clock ❺ DIAL *(große, mühsame Arbeit)* job *fam* ❻ *(Angelegenheit)* business
▶ **kleines/großes ~** *(fam)* number one/ number two
ge·schäf·tig [gəˈʃɛftɪç] **I.** *adj* busy **II.** *adv* busily
ge·schäft·lich [gəˈʃɛftlɪç] **I.** *adj* business *attr* **II.** *adv* on business; **~ verreist** away on business
Ge·schäfts·ab·schluss^RR *m* conclusion of a deal **Ge·schäfts·be·din·gun·gen**

pl terms and conditions of trade *pl* **Ge·schäfts·be·richt** *m* company report **Ge·schäfts·be·zie·hung** *f* business connection; **gute ~en** good business relations **Ge·schäfts·brief** *m* business letter **Ge·schäfts·buch** *nt* accounts *pl* **Ge·schäfts·es·sen** *nt* business lunch/dinner **ge·schäfts·fä·hig** *adj* legally competent **Ge·schäfts·frau** *f fem* form *von* **Geschäftsmann** businesswoman *fem* **Ge·schäfts·freund(in)** *m(f)* business associate **ge·schäfts·füh·rend** *adj attr* acting **Ge·schäfts·füh·rer(in)** *m(f)* ❶ ADMIN manager ❷(*in einem Verein*) secretary **Ge·schäfts·füh·rung** *f s.* **Geschäftsleitung Ge·schäfts·ge·ba·ren** *nt* business practice; **betrügerisches ~** JUR fraudulent trading; **unlauteres ~** JUR unfair trade practices **Ge·schäfts·jahr** *nt* financial year **Ge·schäfts·kos·ten** *pl* expenses *pl*; **auf ~** on expenses **Ge·schäfts·le·ben** *nt* business life **Ge·schäfts·lei·tung** *f* management **Ge·schäfts·mann** *m* businessman

ge·schäfts·mä·ßig *adj* businesslike; (*Geschäft betreffend*) business *attr* **Ge·schäfts·ord·nung** *f* procedural rules **Ge·schäfts·part·ner(in)** *m(f)* business partner **Ge·schäfts·rei·se** *f* business trip **Ge·schäfts·rei·sen·de(r)** *f(m)* business traveller **ge·schäfts·schä·di·gend** I. *adj* damaging to [the interests of] a/the company II. *adv* in a way that may be bad for business **Ge·schäfts·schluss**ᴿᴿ *m* ❶(*Ladenschluss*) closing time ❷(*Büroschluss*) **nach ~** after work **Ge·schäfts·sinn** *m* business sense **Ge·schäfts·stel·le** *f* (*Büro*) office; *einer Bank, Firma* branch **Ge·schäfts·stra·ße** *f* shopping street **Ge·schäfts·stun·den** *pl* business hours; *eines Büros* office hours; *eines Ladens* opening hours **ge·schäfts·tüch·tig** *adj* business-minded **Ge·schäfts·ver·bin·dung** *f s.* **Geschäftsbeziehung Ge·schäfts·vier·tel** *nt* business district **Ge·schäfts·wa·gen** *m* company car **Ge·schäfts·zeit** *f* opening hours **Ge·schäfts·zim·mer** *nt* office **ge·schah** [gəˈʃaː] *imp von* **geschehen** **ge·scheckt** [gəˈʃɛkt] *adj* skewbald; **ein schwarz-weiß ~es Pferd** a piebald horse; **schwarz-weiß ~** black and white spotted **ge·sche·hen** ‹geschah, geschehen› [gəˈʃeːən] *vi sein* ❶(*stattfinden*) to happen; **es muss etwas ~** something's got to be done ❷(*ausgeführt werden*) to be carried out ❸(*widerfahren*) ◼**jdm geschieht etw** sth happens to sb; **das geschieht dir**

recht! it serves you right! ❹(*verfahren werden*) **als sie ihn sah, war es um sie ~** she was lost the moment she set eyes on him; **es ist um etw** *akk* **~** sth is shattered; **nicht wissen, wie einem geschieht** to not know what is happening [to one] **Ge·sche·hen** ‹-s, -› [gəˈʃeːən] *nt* events *pl*

ge·scheit [gəˈʃait] *adj* clever; **du bist wohl nicht [recht] ~?** (*fam*) are you off your head?; **sei ~!** be sensible!; **aus etw** *dat* **nicht ~ werden** to be unable to make head or tail of sth **Ge·schenk** ‹-[e]s, -e› [gəˈʃɛŋk] *nt* present; **jdm ein ~ machen** to give sb a present ▸ **ein ~ des Himmels sein** to be heaven sent; (*eine Rettung sein*) to be a godsend **Ge·schenk·gut·schein** *m* gift voucher **Ge·schenk·pa·pier** *nt,* **Ge·schenks·pa·pier** *nt* ÖSTERR gift wrap **Ge·schich·te** ‹-, -n› [gəˈʃɪçtə] *f* ❶ *kein pl* (*Historie*) history; **Alte/Mittlere/Neue ~** ancient/medieval/modern history; **~ machen** to make history ❷(*Erzählung*) story ❸(*fam: Angelegenheit, Sache*) business; **die ganze ~** the whole lot; **schöne ~n!** (*iron*) that's a fine state of affairs!

ge·schicht·lich [gəˈʃɪçtlɪç] I. *adj* ❶(*die Geschichte betreffend*) historical ❷(*bedeutend*) historic II. *adv* historically; **~ bedeutsam** of historic importance **Ge·schichts·buch** *nt* history book **Ge·schichts·schrei·bung** *f* historiography **Ge·schick**¹ ‹-[e]s› [gəˈʃɪk] *nt kein pl* skill **Ge·schick**² ‹-[e]s, -e› [gəˈʃɪk] *nt* (*Schicksal*) fate **Ge·schick·lich·keit** ‹-› *f kein pl* skill **ge·schickt** I. *adj* skilful; *Verhalten* diplomatic; ◼**mit den Händen ~ sein** to be clever with one's hands II. *adv* skilfully **ge·schie·den** [gəˈʃiːdn̩] I. *pp von* **schei·den** II. *adj* divorced **ge·schie·nen** [gəˈʃiːnən] *pp von* **scheinen** **Ge·schirr** ‹-[e]s, -e› [gəˈʃɪr] *nt* ❶ *kein pl* (*Haushaltsgefäße*) dishes *pl* ❷(*Service*) [tea/dinner] service ❸(*Riemenzeug*) harness **Ge·schirr·schrank** *m* china cupboard **Ge·schirr·spül·ma·schi·ne** *f* dishwasher **Ge·schirr·spül·mit·tel** *nt* washing-up liquid BRIT, dish soap AM **Ge·schirr·tuch** *nt* tea towel BRIT, dish cloth AM **ge·schis·sen** [gəˈʃɪsn̩] *pp von* **scheißen** **ge·schla·fen** *pp von* **schlafen**

G

ge·schla·gen *pp von* **schlagen**

Ge·schlecht <-[e]s, -er> [gə'ʃlɛçt] *nt* ❶ *kein pl* BIOL gender; **das andere ~** the opposite sex; **beiderlei ~s** of both sexes; **männlichen/weiblichen ~s** (*geh*) male/female; **das schwache/starke ~** (*hum*) the weaker/stronger sex ❷ (*Sippe*) family ❸ LING gender

ge·schlecht·lich [gə'ʃlɛçtlɪç] I. *adj* sexual II. *adv* sexually

Ge·schlechts·akt *m* sexual intercourse *no pl* **Ge·schlechts·hor·mon** *nt* sex hormone **Ge·schlechts·krank·heit** *f* sexually transmitted disease **Ge·schlechts·le·ben** *nt kein pl* sexual habits **Ge·schlechts·or·gan** *nt* sexual organ **Ge·schlechts·rei·fe** *f* sexual maturity **Ge·schlechts·teil** *nt* genitals *npl* **Ge·schlechts·trieb** *m* sex drive **Ge·schlechts·um·wand·lung** *f* sex change **Ge·schlechts·ver·kehr** *m* sexual intercourse

ge·schli·chen [gə'ʃlɪçn̩] *pp von* **schleichen**

ge·schlif·fen [gə'ʃlɪfn̩] I. *pp von* **schleifen²** II. *adj* polished

ge·schlos·sen [gə'ʃlɔsn̩] I. *pp von* **schließen** II. *adj* ❶ (*gemeinsam*) united; *Ablehnung* unanimous ❷ (*nicht geöffnet*) closed III. *adv* (*einheitlich*) unanimously

ge·schlun·gen [gə'ʃlʊŋən] *pp von* **schlingen**

Ge·schmack <-[e]s, Geschmäcke> [gə-'ʃmak, *pl* gə'ʃmɛkə, *pl* gə'ʃmɛkə] *m* ❶ *kein pl* (*Aroma*) taste ❷ *kein pl* (*Geschmackssinn*) sense of taste ❸ (*ästhetisches Empfinden*) taste; **einen guten/keinen guten ~ haben** to have good/bad taste; **etw ist nicht mein/nach meinem ~** sth is not to my taste; **auf den ~ kommen** to acquire a taste for sth; **für meinen ~** for my taste ▸ **über ~ lässt sich [nicht] streiten** (*prov*) there's no accounting for taste **ge·schmack·lich** *adj, adv* in terms of taste **ge·schmack·los** *adj* ❶ KOCHK bland ❷ (*taktlos*) tasteless **Ge·schmack·lo·sig·keit** <-, -en> *f* ❶ *kein pl* (*Taktlosigkeit*) *a.* KOCHK tastelessness ❷ (*taktlose Bemerkung*) tasteless remark

Ge·schmacks·rich·tung *f* flavour [*or* AM *or*]; **jds ~ sein** (*fam*) to be just the thing [for sb] *fam;* **genau meine ~!** just my cup of tea! **Ge·schmacks·sa·che** *f* ~ **sein** to be a matter of taste **Ge·schmacks·ver·ir·rung** *f* (*pej*) bad taste **ge·schmack·voll** I. *adj* tasteful II. *adv* tastefully

ge·schmei·dig [gə'ʃmaɪdɪç] I. *adj* ❶ (*schmiegsam*) sleek; *Haar, Fell* silky; *Haut* soft; **~es Leder** supple leather; *Masse, Teig* smooth ❷ (*biegsam*) supple II. *adv* (*biegsam*) supply

ge·schmis·sen [gə'ʃmɪsn̩] *pp von* **schmeißen**

ge·schmol·zen [gə'ʃmɔltsn̩] *pp von* **schmelzen**

Ge·schnat·ter <-s> [gə'ʃnatɐ] *nt kein pl* (*pej fam: lästiges Schnattern*) cackle *no pl*, cackling *no pl;* **~ der Menschen** chatter of people

Ge·schnet·zel·te(s) *nt* thin strips of meat **ge·schnie·gelt** [gə'ʃniːglt] *adj* **~ und gebügelt** (*fam*) dressed to the nines *pred*

ge·schnit·ten [gə'ʃnɪtn̩] *pp von* **schneiden**

ge·scho·ben [gə'ʃoːbn̩] *pp von* **schieben**

ge·schol·ten [gə'ʃɔltn̩] *pp von* **schelten**

Ge·schöpf <-[e]s, -e> [gə'ʃœpf] *nt* ❶ (*Lebewesen*) creature ❷ (*Fantasiefigur*) creation

ge·scho·ren [gə'ʃoːrən] *pp von* **scheren¹**

Ge·schossᴿᴿ <-es, -e> *nt,* **Ge·schoß**ᴬᴸᵀ <-sses, -sse> [gə'ʃɔs] *nt* ❶ (*Stockwerk*) floor, storey ❷ MIL projectile ❸ (*Wurfgeschoss*) missile

ge·schos·sen [gə'ʃɔsn̩] *pp von* **schießen**

ge·schraubt I. *adj* (*pej*) affected II. *adv* affectedly

Ge·schrei <-s> [gə'ʃraɪ] *nt kein pl* ❶ (*Schreien*) shouting; (*schrill*) shrieking ❷ (*fam: Lamentieren*) fuss *no pl*

ge·schrie·ben [gə'ʃriːbn̩] *pp von* **schreiben**

ge·schrie(·e)n [gə'ʃriː(ə)n] *pp von* **schreien**

ge·schrit·ten [gə'ʃrɪtn̩] *pp von* **schreiten**

ge·schun·den [gə'ʃʊndn̩] *pp von* **schinden**

Ge·schütz <-es, -e> [gə'ʃʏts] *nt* gun; **schweres ~ auffahren** (*a. fig*) to bring up the big guns

Ge·schütz·feu·er *nt* gunfire, artillery [*or* shell] fire

Ge·schwa·fel <-s> [gə'ʃvaːfl̩] *nt kein pl* (*pej fam*) waffle *no pl* BRIT

Ge·schwätz <-es> [gə'ʃvɛts] *nt kein pl* (*pej fam*) ❶ (*dummes Gerede*) waffle *no pl* BRIT ❷ (*Klatsch*) gossip *no pl*

ge·schwät·zig [gə'ʃvɛtsɪç] *adj* (*pej*) talkative

Ge·schwät·zig·keit <-> *f kein pl* (*pej*) talkativeness

ge·schwei·ge [gə'ʃvaɪgə] *konj* ■ **~ [denn]** never mind, let alone

ge·schwie·gen [gə'ʃviːgn̩] *pp von*

schweigen

ge·schwind [gə'ʃvɪnt] I. *adj* SÜDD (*rasch*) swift II. *adv* quickly

Ge·schwin·dig·keit <-, -en> [gə'ʃvɪn-dɪçkait] *f* speed

Ge·schwin·dig·keits·be·gren·zung *f*, **Ge·schwin·dig·keits·be·schrän·kung** *f* speed limit **Ge·schwin·dig·keits·über·schrei·tung** *f* exceeding the speed limit

Ge·schwis·ter [gə'ʃvɪstɐ] *pl* brothers and sisters *pl*

ge·schwol·len [gə'ʃvɔlən] I. *pp von* **schwellen** II. *adj* (*pej*) pompous III. *adv* in a pompous way

ge·schwom·men [gə'ʃvɔmən] *pp von* **schwimmen**

ge·schwo·ren [gə'ʃvoːrən] I. *pp von* **schwören** II. *adj attr* sworn *attr*

Ge·schwo·re·ne(r) *f(m)* juror; **die ~n** the jury

Ge·schwulst <-, Geschwülste> [gə-'ʃvʊlst, *pl* gə'ʃvʏlstə] *f* tumour

ge·schwun·den [gə'ʃvʊndn̩] *pp von* **schwinden**

ge·schwun·gen [gə'ʃvʊŋən] I. *pp von* **schwingen** II. *adj* curved

Ge·schwür <-s, -e> [gə'ʃvyːɐ̯] *nt* abscess; **Magen~** stomach ulcer

ge·segnet *adj* (*geh*) blessed; ▪ **~ e(s)** ...! happy [*or* blessed] ...! *form;* **~ es Neues Jahr!** Happy New Year!

ge·se·hen *pp von* **sehen**

Ge·sel·le, **Ge·sel·lin** <-n, -n> [gə'zɛlə, gə'zɛlɪn] *m, f* ❶ (*Handwerksgeselle*) journeyman ❷ (*Kerl*) chap BRIT, guy AM

ge·sel·len* [gə'zɛlən] *vr* (*geh*) ❶ (*sich anschließen*) ▪ **sich zu jdm ~** to join sb ❷ (*hinzukommen*) ▪ **sich zu etw** *dat* **~** to add to sth

Ge·sel·len·prü·fung *f* examination at the end of an apprenticeship

ge·sel·lig [gə'zɛlɪç] I. *adj* sociable; *Abend* convivial; **ein ~ es Beisammensein** a friendly get-together II. *adv* **~ zusammensitzen** to sit together and chat

Ge·sel·lig·keit <-, -en> *f* gregariousness

Ge·sel·lin <-, -nen> [gə'zɛlɪn] *f* fem form *von* **Geselle**

Ge·sell·schaft <-, -en> [gə'zɛlʃaft] *f* ❶ (*Gemeinschaft*) society ❷ ÖKON company BRIT, corporation AM ❸ (*Fest*) party ❹ (*Kreis von Menschen*) group of people; **sich** [**mit etw** *dat*] **in guter ~ befinden** to be in good company [with sth]; **in schlechte ~ geraten** to get in with the wrong crowd; **jdm ~ leisten** to join sb ❺ (*Umgang*) company

Ge·sell·schaf·ter(in) <-s, -> *m(f)* (*Teilhaber*) shareholder

ge·sell·schaft·lich *adj* social

ge·sell·schafts·fä·hig *adj* socially acceptable **Ge·sell·schafts·schicht** *f* social class **Ge·sell·schafts·spiel** *nt* party game **Ge·sell·schafts·ver·trag** *m* ÖKON partnership agreement

ge·ses·sen [gə'zɛsn̩] *pp von* **sitzen**

Ge·setz <-es, -e> [gə'zɛts] *nt* law

Ge·setz·buch *nt* statute book; **Bürgerliches ~** Civil Code **Ge·setz·ent·wurf** *m* draft legislation

Ge·set·zes·bre·cher(in) <-s, -> *m(f)* law-breaker

Ge·set·zes·lü·cke *f* judicial loophole **ge·set·zes·treu** *adj* law-abiding **Ge·set·zes·vor·la·ge** *f s.* **Gesetzentwurf**

ge·setz·ge·bend *adj attr* legislative

Ge·setz·ge·ber <-s, -> *m* legislature

Ge·setz·ge·bung <-, -en> *f* legislation

ge·setz·lich [gə'zɛtslɪç] I. *adj* legal; *Verpflichtung* statutory II. *adv* legally

ge·setz·los *adj* lawless

ge·setz·mä·ßig I. *adj* ❶ (*gesetzlich*) lawful ❷ (*regelmäßig*) regular II. *adv* (*einem Naturgesetz folgend*) according to the law of nature; (*rechtmäßig*) lawfully

Ge·setz·mä·ßig·keit <-, -en> *f* ❶ (*Gesetzlichkeit*) legality ❷ (*Rechtmäßigkeit*) legitimacy ❸ (*Regelmäßigkeit*) regularity

ge·setzt I. *adj* dignified II. *konj* (*angenommen, ...*) ▪ **~ ,** ... assuming that ...; (*vorausgesetzt, dass ...*) providing that ...

ge·setz·wid·rig I. *adj* unlawful *form* II. *adv* illegally

ge·si·chert I. *pp von* **sichern** II. *adj* secure[d]; *Erkenntnisse* solid; *Fakten* indisputable; **~ es Einkommen** fixed income; **~ e Existenz** secure livelihood

Ge·sicht¹ <-[e]s, -er> [gə'zɪçt] *nt* (*Antlitz*) face; **jdn/etw zu ~ bekommen** to set eyes on sb/sth; **jdm etw vom ~ ablesen** to see sth from sb's expression; **ein böses/trauriges/enttäuschtes ~ machen** to look angry/sad/disappointed; **jdm etw [direkt] ins ~ sagen** to say sth [straight] to sb's face ▶ **sein** <u>wahres</u> **~ zeigen** to show one's true colours; **jdm wie aus dem ~** <u>geschnitten</u> **sein** to be the spitting image of sb; **jdm im ~** <u>geschrieben</u> **stehen** to be written on sb's face; **das ~** <u>verlieren</u> to lose face; **das ~** <u>wahren</u> to save face

Ge·sicht² <-[e]s, -e> [gə'zɪçt] *nt* (*Anblick*) sight

Ge·sichts·aus·druck <-ausdrücke> *m* expression [on sb's face] **Ge·sichts·far·**

be f complexion **Ge·sichts·mas·ke** f face mask; SPORT (*Schutz für das Gesicht*) face guard **Ge·sichts·punkt** m point of view **Ge·sichts·was·ser** nt toner **Ge·sichts·zug** m meist pl facial feature

Ge·sims <-es, -e> [gəˈzɪms, pl gəˈzɪmzə] nt ledge

Ge·sin·del <-s> [gəˈzɪndl̩] nt kein pl (pej) riff-raff no pl

ge·sinnt [gəˈzɪnt] adj meist präd minded; **jdm gut/übel ~ sein** to be well-disposed/ ill-disposed towards sb

Ge·sin·nung <-, -en> f conviction

Ge·sin·nungs·wan·del m change of attitude

ge·sit·tet [gəˈzɪtət] I. adj well-brought up II. adv **sich ~ aufführen** to be well-behaved

Ge·socks <-[es]> [gəˈzɔks] nt kein pl bes SÜDD (pej sl) riff-raff

Ge·söff <-[e]s, -e> [gəˈzœf] nt (pej sl) pig-swill, muck no pl

ge·sof·fen [gəˈzɔfn̩] pp von **saufen**

ge·so·gen [gəˈzoːgn̩] pp von **saugen**

ge·son·dert [gəˈzɔndɐt] I. adj separate; (für sich) individual II. adv separately; (für sich) individually

ge·son·nen [gəˈzɔnən] I. pp von **sinnen** II. adj (geh) ■**~ sein, etw zu tun** to feel inclined to do sth

ge·spal·ten I. pp von **spalten** II. adj TECH fissured

Ge·spann <-[e]s, -e> [gəˈʃpan] nt ❶ (Wagen und Zugtier) horse and cart ❷ (fam: Paar) pair

ge·spannt adj ❶ (sehr erwartungsvoll) expectant; **mit ~er Aufmerksamkeit** with rapt attention; ■**~ sein, ob/was/wie ...** to be anxious to see whether/what/how ...; **ich bin auf seine Reaktion ~** I wonder what his reaction will be also iron ❷ (konfliktträchtig) tense

Ge·spenst <-[e]s, -er> [gəˈʃpɛnst] nt ghost

ge·spens·tisch [gəˈʃpɛnstɪʃ] adj eerie

ge·spie(·e)n [gəˈʃpiː(ə)n] pp von **speien**

ge·spielt adj feigned

ge·spon·nen [gəˈʃpɔnən] pp von **spinnen**

Ge·spött <-[e]s> [gəˈʃpœt] nt kein pl mockery; **jdn/sich zum ~ [der Leute] machen** to make sb/oneself a laughing stock

Ge·spräch <-[e]s, -e> [gəˈʃprɛːç] nt ❶ (Unterredung) conversation; **ein ~ mit jdm führen** to have a conversation with sb; **mit jdm ins ~ kommen** to get into conversation with sb; **im ~ sein** to be under consideration ❷ (Anruf) [telephone/

phone] call

ge·sprä·chig [gəˈʃprɛːçɪç] adj talkative

ge·sprächs·be·reit adj ready to talk; (bereit zu verhandeln) ready to begin talks **Ge·sprächs·part·ner(in)** m(f) **ein angenehmer ~** a pleasant person to talk to **Ge·sprächs·stoff** m topics of conversation **Ge·sprächs·the·ma** nt conversation topic

ge·spren·kelt adj mottled

ge·spro·chen [gəˈʃprɔxn̩] pp von **sprechen**

ge·spros·sen [gəˈʃprɔsn̩] pp von **sprießen**

ge·sprun·gen [gəˈʃprʊŋən] pp von **springen**

Ge·spür <-s> [gəˈʃpyːɐ̯] nt kein pl instinct; **ein gutes ~ für Farben** a good feel for colours

Ge·stalt <-, -en> [gəˈʃtalt] f ❶ (Mensch) figure; **eine verdächtige ~** a suspicious character ❷ (Wuchs) build ❸ (Person, Persönlichkeit) character; **in ~ von jdm** in the form of sb ▶**[feste] ~ annehmen** to take [definite] shape

ge·stal·ten* [gəˈʃtaltn̩] I. vt ■**etw irgendwie ~** ❶ (einrichten) to design; Garten to lay out; Schaufenster to dress; **etw neu/ anders ~** to redesign sth ❷ (organisieren) to organize ❸ ARCHIT to build II. vr (geh) ■**sich irgendwie ~** to turn out to be somehow

ge·stal·te·risch [gəˈʃtaltərɪʃ] I. adj (Design betreffend) **eine ~e Frage/ein ~es Problem** a question/problem of design; Talent creative II. adv **~ gelungen** well-designed; (schöpferisch) creatively

Ge·stal·tung <-, -en> f ❶ (das Einrichten) design; eines Gartens laying-out; eines Schaufensters window dressing ❷ (das Organisieren) organization ❸ ARCHIT building ❹ (Design) design

Ge·stam·mel <-s> [gəˈʃtaml̩] nt kein pl stammering and stuttering

ge·stand imp von **gestehen**

ge·stan·den I. pp von **stehen, gestehen** II. adj attr experienced

ge·stän·dig [gəˈʃtɛndɪç] adj ■**~ sein** to have confessed

Ge·ständ·nis <-ses, -se> [gəˈʃtɛntnɪs, pl gəˈʃtɛntnɪsə] nt admission; eines Verbrechens confession

Ge·stank <-[e]s> [gəˈʃtaŋk] m kein pl stench

ge·stat·ten* [gəˈʃtatn̩] (geh) I. vt ❶ (erlauben) to permit ❷ (als Höflichkeitsformel) **~ Sie mir den Hinweis, dass das Rauchen hier verboten ist** may I point out that smoking is not allowed here; ■ **jdm ~, etw zu tun** to allow sb to do sth II. *vi* **wenn Sie ~, das war mein Platz!** if you don't mind, that was my seat! III. *vr (sich erlauben)* ■ **sich** *dat* **etw ~** to allow oneself sth

Ges·te <-, -n> ['ge:stə, 'gɛstə] *f* gesture

ge·ste·hen <gestand, gestanden> [gə-'ʃte:ən] *vi, vt* to confess

Ge·stein <-[e]s, -e> [gə'ʃtaɪn] *nt* rock

Ge·stell <-[e]s, -e> [gə'ʃtɛl] *nt* ❶ *(Bretterregal)* shelves *pl* ❷ *(Brillen~)* frame ❸ *(Fahr~)* chassis

ge·stellt *adj* arranged

ges·tern [gɛstɐn] *adv (der Tag vor heute)* yesterday; **~ vor einer Woche** a week ago yesterday; **~ Abend/Morgen/Mittag** yesterday evening/morning/lunchtime ❷ *(von früher)* **nicht von ~ sein** *(fig fam)* to be not born yesterday

ge·stie·gen [gə'ʃti:gn̩] *pp von* **steigen**

Ges·tik <-> ['ge:stɪk, 'gɛstɪk] *f kein pl* gestures *pl*

ges·ti·ku·lie·ren* [gɛstiku'li:rən] *vi* to gesticulate

Ge·stirn <-[e]s, -e> [gə'ʃtɪrn] *nt (geh: Stern)* star

ge·sto·ben [gə'ʃto:bn̩] *pp von* **stieben**

ge·sto·chen [gə'ʃtɔxn̩] I. *pp von* **stechen** II. *adj (sehr exakt)* exact III. *adv* **~ scharf** crystal clear; **wie ~ schreiben** to write [extremely] neatly

ge·stoh·len [gə'ʃto:lən] *pp von* **stehlen**

ge·stor·ben [gə'ʃtɔrbn̩] *pp von* **sterben**

ge·stört *adj* PSYCH ❶ *(beeinträchtigt)* disturbed ❷ *(fam: verrückt)* insane

ge·sto·ßen [gə'ʃto:sn̩] *pp von* **stoßen**

Ge·stot·ter <-s> [gə'ʃtɔtɐ] *nt kein pl* stammering

ge·streift I. *pp von* **streifen** II. *adj* striped

ge·stresstᴿᴿ, **ge·streßt**ᴬᴸᵀ *adj* stressed

ge·stri·chen [gə'ʃtrçn̩] I. *pp von* **streichen** II. *adj* level III. *adv* **~ voll** full to the brim ▶ **die** <u>Nase</u> **~ voll haben** to be fed up to the back teeth

ges·trig ['gɛstrɪç] *adj attr* yesterday's *attr*, [of] yesterday *pred*

ge·strit·ten [gə'ʃtrɪtn̩] *pp von* **streiten**

Ge·strüpp <-[e]s, -e> [gə'ʃtryp] *nt* undergrowth

ge·trennt I. *adj* separate II. *adv* separately

ge·stun·ken [gə'ʃtʊŋkn̩] *pp von* **stinken**

Ge·stüt <-[e]s, -e> [gə'ʃty:t] *nt* stud farm

Ge·such <-[e]s, -e> [gə'zu:x] *nt (veraltend)* request; *(Antrag)* application

ge·sucht *adj (gefragt)* in demand *pred*, much sought-after

Ge·sül·ze <-s> [gə'zʏltsə] *nt kein pl (sl)* drivel

ge·sund <gesünder, gesündeste> [gə'zʊnt] *adj* healthy; **geistig und körperlich ~** sound in mind and body; **~ und munter** in good shape; **Rauchen ist nicht ~** smoking is unhealthy; **wieder ~ werden** to get well again

ge·sun·den* [gə'zʊndn̩] *vi sein (geh)* to recover

Ge·sund·heit <-> *f kein pl* health; **auf Ihre ~!** your health!; **~!** bless you!

ge·sund·heit·lich I. *adj* **ein ~es Problem** a health problem; **aus ~en Gründen** for health reasons II. *adv (hinsichtlich der Gesundheit)* as regards health; **wie geht es Ihnen ~?** how are you?

Ge·sund·heits·amt *nt* local public health department **ge·sund·heits·be·wusst**ᴿᴿ *adj* health conscious **ge·sund·heits·schäd·lich** *adj* detrimental to one's health; **Rauchen ist ~** smoking damages your health **Ge·sund·heits·tou·rist(in)** [gə'zʊndhaɪtstʊrɪst] *m(f)* health tourist **Ge·sund·heits·ver·sor·gung** *f kein pl* healthcare **Ge·sund·heits·zeug·nis** *nt* certificate of health, health certificate **Ge·sund·heits·zu·stand** *m kein pl* state of health

ge·sund|schrei·benᴿᴿ *irreg vt* to certify [as being] fit

ge·sun·gen [gə'zʊŋən] *pp von* **singen**

ge·sun·ken [gə'zʊŋkn̩] *pp von* **sinken**

ge·tan [gə'ta:n] *pp von* **tun**

Ge·tö·se <-s> [gə'tø:zə] *nt kein pl* din; *(anhaltender Lärm)* racket

ge·tra·gen [gə'tra:gn̩] I. *pp von* **tragen** II. *adj* ❶ *(feierlich)* solemn ❷ *(gebraucht)* second-hand

Ge·tränk <-[e]s, -e> [gə'trɛŋk] *nt* drink

Ge·trän·ke·au·to·mat *m* drinks dispenser **Ge·trän·ke·do·se** *f* drinks can

Ge·trat·sch(e) <-[e]s> [gə'tra:tʃə] *nt kein pl (pej)* gossip[ing]

ge·trau·en* [gə'traʊən] *vr (wagen)* ■ **sich ~, etw zu tun** to dare to do sth

Ge·trei·de <-s, -> [gə'traɪdə] *nt* cereal; *(geerntet)* grain

Ge·trei·de·müh·le *f* mill [for grinding grain]

ge·tre·ten *pp von* **treten**

ge·treu¹ [gə'trɔʏ] *adj* ❶ *(genau)* exact; *Wiedergabe* faithful ❷ *(geh: treu)* loyal

ge·treu² [gə'trɔʏ] *präp +dat (gemäß)* ■ **~ einer S.** *dat* in accordance with sth

Ge·trie·be <-s, -> [gə'tri:bə] *nt* TECH gear[s] *pl*

ge·trie·ben [gə'tri:bn̩] *pp von* **treiben**

ge·trof·fen [gə'trɔfn̩] *pp von* **treffen, trie-**

G

fen

ge·tro·gen [gə'tro:gn̩] *pp von* **trügen**

ge·trost [gə'tro:st] *adv* (*ohne weiteres*) safely; **du kannst dich ~ auf ihn verlas·sen** take my word for it, you can rely on him

ge·trübt *adj* troubled

ge·trun·ken [gə'trʊŋkn̩] *pp von* **trinken**

Get·to <-s, -s> ['gɛto] *nt* ghetto

Get·to·blas·ter <-s, -> *m s.* **Ghettoblas·ter**

get·to·i·sie·ren [gɛtoi'zi:rən] *vt* to ghetto·ize

Ge·tue <-s> [gə'tu:ə] *nt kein pl* (*pej*) fuss; **ein ~ machen** to make a fuss

ge·tunt [gə'tju:nt] *adj* AUTO (*fam*) tuned-up

ge·tüp·felt [gə'tʏpfəlt] *adj* spotted; *Ei, Fell* speckled; *Sommersprossen* freckled

Ge·tu·schel <-s> [gə'tʊʃl̩] *nt kein pl* whispering

ge·übt *adj* experienced; *Auge, Ohr, Griff* trained

Ge·wächs <-es, -e> [gə'vɛks] *nt* ❶ (*Pflanze*) plant ❷ (*Geschwulst*) growth

ge·wach·sen [gə'vaksn̩] I. *pp von* **wachsen**¹ II. *adj* (*ebenbürtig*) equal; ▪**jdm ~ sein** to be sb's equal; **einem Gegner ~ sein** to be a match for an opponent; ▪**einer S.** *dat* **~ sein** to be up to sth

Ge·wächs·haus *nt* greenhouse

ge·wagt *adj* ❶ (*kühn*) audacious; (*gefährlich*) risky ❷ (*freizügig*) risqué

ge·wählt I. *adj* refined II. *adv* in an elegant way

Ge·währ <-> [gə'vɛːɐ̯] *f kein pl* guarantee; |jdm| **die ~** |**dafür**| **bieten, dass ...** to guarantee |sb| that ...; **ohne ~** subject to change

ge·wäh·ren* [gə'vɛːrən] *vt* ❶ (*einräumen*) ▪|jdm| **etw ~** to grant |sb| sth; **jdm einen Rabatt ~** to give sb a discount; **jdn ~ las·sen** (*geh*) to give sb free rein ❷ *Trost* to afford; *Sicherheit* to provide

ge·währ·leis·ten* [gə'vɛːɐ̯ˌlaɪstn̩] *vt* to guarantee

Ge·währ·leis·tung *f* guarantee

Ge·wahr·sam <-s> [gə'va:ɐ̯za:m] *m kein pl* ❶ (*Verwahrung*) place; **etw in ~ neh·men** to take sth into safekeeping ❷ (*Haft*) custody; **jdn in ~ nehmen** to take sb into custody

Ge·wäh·rung <-, *selten* -en> *f* granting

Ge·walt <-, -en> [gə'valt] *f* ❶ (*Machtbefugnis, Macht*) power; **etw mit aller ~ erreichen** to do everything in ones power to get sth to happen; **elterliche ~** parental authority; **höhere ~** force majeure; **ein Land/ein Gebiet in seine ~ bringen** to bring a country/a region under one's control; **jdn in seiner ~ haben** to have sb in one's power; **~ über jdn haben** to exercise |complete| power over sb; **sich in der ~ haben** to have oneself under control; **in jds ~ sein** to be in sb's hands ❷ *kein pl* (*gewaltsames Vorgehen*) force; (*Gewalttätigkeit*) violence; **nackte ~** brute force; **sich** *dat* **~ antun** to force oneself; **~ anwenden** to use force; **mit ~** with force; (*fam: unbedingt*) desperately ❸ *kein pl* (*Heftigkeit*) force

Ge·walt·aus·bruch *m* violent outbreak [*or* outburst], outbreak of violence **ge·walt·be·reit** *adj* ready for forceful intervention **Ge·walt·be·reit·schaft** *f* willingness to use violence

Ge·wal·ten·tei·lung *f* separation of executive, legislative and judicial powers

ge·walt·frei *adj* violence-free *attr*, free of violence *pred* **Ge·walt·herr·schaft** *f kein pl* tyranny

ge·wal·tig [gə'valtɪç] I. *adj* ❶ (*heftig*) enormous ❷ (*wuchtig*) powerful; *Last* heavy; (*riesig*) huge ❸ (*fam: sehr groß*) tremendous II. *adv* (*fam: sehr*) considerably; **sich ~ irren** to be very much mistaken

ge·walt·los I. *adj* non-violent, without violence *pred* II. *adv* without violence

Ge·walt·lo·sig·keit <-> *f kein pl* non-violence

Ge·walt·marsch *m* route march, forced march

ge·walt·sam [gə'valtza:m] I. *adj* violent; **~es Aufbrechen** forced opening II. *adv* by force

Ge·walt·tat *f* act of violence **Ge·walt·tä·ter(in)** *m(f)* violent criminal **ge·walt·tä·tig** *adj* violent **Ge·walt·tä·tig·keit** *f* violence **Ge·walt·ver·bre·chen** *nt* violent crime **Ge·walt·ver·bre·cher(in)** *m(f)* violent criminal

ge·walt·ver·herr·li·chendᴬᴸᵀ [gə'valtfɛɐ̯ˌhɛrlɪçənd] *adj* glorifying violence

Ge·walt·ver·herr·li·chung *f* glorification of violence

Ge·walt·ver·zicht *m* non-aggression

Ge·wand <-[e]s, Gewänder> [gə'vant, *pl* gə'vɛndɐ] *nt* (*geh*) robe

ge·wandt [gə'vant] I. *pp von* **wenden** II. *adj* skilful; *Auftreten* confident; *Bewegung* deft; *Redner* good III. *adv* skilfully

Ge·wandt·heit <-> *f kein pl* skilfulness; **die ~ eines Redners** the skill of a speaker; **die ~ einer Bewegung** the agility of a movement

ge·wann [gə'van] *imp von* **gewinnen**

Ge·wäsch <-[e]s> [gəˈvɛʃ] *nt kein pl* (*pej fam*) drivel

ge·wa·schen *pp von* **waschen**

Ge·wäs·ser <-s, -> [gəˈvɛsɐ] *nt* stretch of water

Ge·wäs·ser·schutz *m* prevention of water pollution *no pl*

Ge·we·be <-s, -> [gəˈveːbə] *nt* ❶ (*Stoff*) fabric ❷ ANAT, BIOL tissue

Ge·wehr <-[e]s, -e> [gəˈveːɐ̯] *nt* rifle; (*Schrotflinte*) shotgun

Ge·wehr·lauf *m* barrel of a rifle [*or* shotgun]

Ge·weih <-[e]s, -e> [gəˈvaɪ̯] *nt* antlers *pl*

Ge·wer·be <-s, -> [gəˈvɛrbə] *nt* ❶ (*Betrieb*) [commercial] business ❷ (*Handwerk, Handel*) trade

Ge·wer·be·auf·sichts·amt *nt* ≈ health and safety executive (*office with responsibility for enforcing laws regarding working conditions and health and safety at work*) **Ge·wer·be·ge·biet** *nt* industrial estate **Ge·wer·be·ord·nung** *f* laws regulating commercial and industrial business **Ge·wer·be·schein** *m* trade licence **Ge·wer·be·steu·er** *f* trade tax **Ge·wer·be·trei·ben·de(r)** *f(m)* business person; (*Handwerker*) tradesperson

ge·werb·lich I. *adj* (*handwerkliches Gewerbe*) trade; (*kaufmännisches Gewerbe*) commercial; (*industrielles Gewerbe*) industrial II. *adv* **Wohnräume dürfen nicht ~ genutzt werden** residential rooms are not to be used for commercial/trade/industrial purposes

Ge·werk·schaft <-, -en> [gəˈvɛrkʃaft] *f* [trade] union

Ge·werk·schaft(·l)er(in) <-s, -> [gəˈvɛrkʃaft(l)ɐ] *m(f)* trade unionist

ge·werk·schaft·lich I. *adj* [trade] union II. *adv* **~ organisiert sein** to be a member of a [trade] union

Ge·werk·schafts·bund *m* federation of trade unions **Ge·werk·schafts·füh·rer(in)** *m(f)* trade union leader **Ge·werk·schafts·mit·glied** *nt* [trade] union member

ge·we·sen [gəˈveːzn̩] I. *pp von* **sein¹** II. *adj attr* (*ehemalig*) former *attr*

ge·wi·chen [gəˈvɪçn̩] *pp von* **weichen**

Ge·wicht <-[e]s, -e> [gəˈvɪçt] *nt* ❶ *kein pl* (*Schwere eines Körpers*) weight *no indef art, no pl, + sing vb*; **spezifisches ~** PHYS specific weight; **ein großes ~ haben** to be very heavy; **ein geringes ~ haben** to weigh little; **sein ~ halten** to stay the same weight ❷ *kein pl* (*fig: Wichtigkeit*) weight; **ins ~ fallen** to count; **auf etw** *akk* [gro-

ßes] **~ legen** to attach [great] significance to sth; (*hervorheben*) to lay stress on sth ❸ (*Metallstück zum Beschweren*) weight

ge·wich·ten* [gəˈvɪçtn̩] *vt* to weight

Ge·wicht·he·ben <-s> *nt kein pl* SPORT weightlifting *no pl*

ge·wich·tig [gəˈvɪçtɪç] *adj* significant

Ge·wichts·ver·lust *m* weight loss **Ge·wichts·zu·nah·me** *f* increase in weight

ge·wieft [gəˈviːft] (*fam*) I. *adj* crafty II. *adv* with cunning

ge·wie·sen [gəˈviːzn̩] *pp von* **weisen**

ge·willt [gəˈvɪlt] *adj* ◼ **~ sein, etw zu tun** to be inclined to do sth

Ge·wim·mel <-s> [gəˈvɪml̩] *nt kein pl* (*Insekten*) swarm[ing mass]; (*Menschen*) throng

Ge·win·de <-s, -> [gəˈvɪndə] *nt* TECH [screw *spec*] thread

Ge·winn <-[e]s, -e> [gəˈvɪn] *m* ❶ ÖKON profit; **~ bringen** to make a profit ❷ (*Preis*) prize; (*beim Lotto, Wetten*) winnings *npl* ❸ *kein pl* ([*innere*] *Bereicherung*) gain

Ge·winn·be·tei·li·gung *f* share of the profits **ge·winn·brin·gend** *adj* profitable **Ge·winn·chan·ce** [-ʃãːsə, -ʃãːs, -ʃans(ə)] *f* chance of winning

ge·win·nen <gewann, gewonnen> [gəˈvɪnən] I. *vt* ❶ (*als Gewinn erhalten*) to win ❷ (*überzeugen*) ◼ **jdn ~** to win sb over; **jdn als Freund ~** to win sb as a friend; **jdn als Kunden ~** to win sb's custom ❸ (*erzeugen*) to obtain; *Kohle, Metall* to extract (**aus** from) ❹ (*Einfluss, Selbstsicherheit*) to gain II. *vi* ❶ (*Gewinner sein*) to win (**bei/in** at) ❷ (*profitieren*) to profit (**bei** from)

ge·win·nend *adj* charming, winning *attr*

Ge·win·ner(in) <-s, -> *m(f)* winner; MIL *a.* victor

Ge·winn·los *nt* winning ticket

Ge·winn·mar·ge <-, -n> [-marʒə] *f* ÖKON profit margin **Ge·winn·num·mer**ᴿᴿ *f* winning number **Ge·winn·span·ne** *f* profit margin **ge·winn·süch·tig** *adj* profit-seeking *attr*; greedy for profit *pred* **Ge·winn·num·mer**ᴬᴸᵀ *f s.* **Gewinnnummer**

Ge·win·nung <-> *f kein pl* GEOL, CHEM extraction

Ge·winn·zahl *f* winning number

Ge·win·sel <-s> [gəˈvɪnzl̩] *nt kein pl* (*pej*) [constant] whining

Ge·wirr <-[e]s> [gəˈvɪr] *nt kein pl* (*Drähte, Fäden*) tangle; (*Gedanken*) confusion; *Stimmen* babble; *Straßen* maze

ge·wissᴿᴿ, **ge·wiß**ᴬᴸᵀ [gəˈvɪs] I. *adj* ❶ *attr* (*nicht näher bezeichnet*) certain;

eine ~e Frau Schmidt a [certain] Ms Schmidt ❷ (*sicher*) ■**sich** *dat* **einer S. gen ~ sein** (*geh*) to be certain of sth **II.** *adv* (*geh*) certainly; **aber ~!** but of course!, *esp* Aᴍ sure!

Ge·wis·sen <-s> [gə'vɪsn̩] *nt kein pl* conscience; **ein schlechtes ~ haben** to have a bad conscience; **jdn/etw auf dem ~ haben** to have sb/sth on one's conscience; **jdm ins ~ reden** to appeal to sb's conscience

ge·wis·sen·haft *adj* conscientious
Ge·wis·sen·haf·tig·keit <-> *f kein pl* conscientiousness
ge·wis·sen·los **I.** *adj* unscrupulous *pl* **II.** *adv* without scruple[s *pl*]
Ge·wis·sen·lo·sig·keit <-, -en> *f* unscrupulousness
Ge·wis·sens·bis·se *pl* pangs of conscience **Ge·wis·sens·ent·schei·dung** *f* question of conscience **Ge·wis·sens·fra·ge** *f s.* **Gewissensentscheidung Ge·wis·sens·frei·heit** *f* freedom of conscience **Ge·wis·sens·grün·de** *pl* conscientious reasons **Ge·wis·sens·kon·flikt** *m* moral conflict
ge·wis·ser·ma·ßen *adv* so to speak
Ge·wiss·heitᴿᴿ, **Ge·wiß·heit**ᴬᴸᵀ <-, -en> *f selten pl* certainty; **~ haben** to be certain; **sich** *dat* **~ [über etw** *akk*] **verschaffen** to find out for certain [about sth]
Ge·wit·ter <-s, -> [gə'vɪtɐ] *nt* thunderstorm
ge·wit·te·rig [gə'vɪtərɪç] **I.** *adj* thundery **II.** *adv* **~ drückend** [thundery and] oppressive
ge·wit·tern* [gə'vɪtɐn] *vi impers* ■**es gewittert** it's thundering
Ge·wit·ter·re·gen *m,* **Ge·wit·ter·schauer** *m* thunder[y] shower **Ge·wit·ter·stimmung** *f* **es herrscht ~** there is thunder in the air *fig* **Ge·wit·ter·wol·ke** *f* thundercloud
ge·witzt [gə'vɪtst] *adj* wily
ge·wo·ben [gə'vo:bn̩] *pp von* **weben**
ge·wo·gen [gə'vo:gn̩] **I.** *pp von* **wägen, wiegen¹** **II.** *adj* (*geh*) well-disposed; ■**jdm/einer S.** *dat* **~ sein** to be well-disposed toward[s] sb/sth
ge·wöh·nen* [gə'vø:nən] **I.** *vt* ■**jdn an etw** *akk* **~** to make sb used to sth; **ein Tier an sich/etw** *akk* **~** to make an animal get used to one/sth **II.** *vr* ■**sich an jdn/etw ~** to get used to sb/sth; ■**sich daran ~, etw zu tun** to get used to doing sth
Ge·wohn·heit <-, -en> *f* habit; **aus** [**lauter**] **~** from [sheer] force of habit
ge·wohn·heits·mä·ßig **I.** *adj* habitual

II. *adv* habitually, out of habit
Ge·wohn·heits·mensch *m* creature of habit **Ge·wohn·heits·recht** *nt* (*als Rechtssystem*) common law *no art* **Ge·wohn·heits·tä·ter, -tä·te·rin** *m, f* ᴊᴜʀ, ᴘꜱʏᴄʜ habitual offender **Ge·wohn·heits·tier** *nt* creature of habit **Ge·wohn·heits·trin·ker(in)** *m(f)* habitual drinker **Ge·wohn·heits·ver·bre·cher(in)** *m(f)* habitual offender
ge·wöhn·lich [gə'vø:nlɪç] **I.** *adj* ❶ *attr* (*üblich*) usual ❷ (*normal*) normal ❸ (*pej: ordinär*) common **II.** *adv* ❶ (*üblicherweise*) usually; **für ~** normally; **wie ~** as [per *fam*] usual ❷ (*pej*) **sich ~ ausdrücken** to use common language
ge·wohnt [gə'vo:nt] *adj* usual; *Umgebung* familiar; ■**etw ~ sein** to be used to sth; ■**es ~ sein, etw zu tun** to be used to doing sth; ■**es ~ sein, dass jd etw tut** to be used to sb['s] doing sth
Ge·wöh·nung <-> *f kein pl* habituation *form;* **das ist** [**alles**] **~** it's [all] a question of habit
ge·wöh·nungs·be·dürf·tig *adj* requiring getting used to **Ge·wöh·nungs·sa·che** *f* matter of getting used to [it]
Ge·wöl·be <-s, -> [gə'vœlbə] *nt* vault
ge·wölbt *adj Dach, Decke* vaulted; *Stirn* domed; *Rücken* rounded
ge·won·nen [gə'vɔnən] *pp von* **gewinnen**
ge·wor·ben [gə'vɔrbn̩] *pp von* **werben**
ge·wor·den [gə'vɔrdn̩] *pp von* **werden**
ge·wor·fen [gə'vɔrfn̩] *pp von* **werfen**
gewrungen *pp von* **wringen**
Ge·wühl <-[e]s> [gə'vy:l] *nt kein pl* ❶ (*Gedränge*) throng ❷ (*pej: andauerndes Kramen*) rummaging around
ge·wun·den [gə'vʊndn̩] **I.** *pp von* **winden¹** **II.** *adj* ❶ (*in Windungen verlaufend*) winding ❷ (*umständlich*) tortuous
ge·wun·ken [gə'vʊŋkn̩] ᴅɪᴀʟ *pp von* **winken**
Ge·würz <-es, -e> [gə'vʏrts] *nt* spice
Ge·würz·gur·ke *f* pickled gherkin **Ge·würz·nel·ke** *f* [mother form] clove **Ge·würz·pflan·ze** *f* spice plant; (*Kräutersorte*) herb
Ge·wu·sel <-s> [gə'vu:zl̩] *nt kein pl* ᴅɪᴀʟ crush
ge·wusstᴿᴿ, **ge·wußt**ᴬᴸᵀ [gə'vʊst] *pp von* **wissen**
Gey·sir <-s, -e> ['gaɪzɪr] *m* geyser
gez. *Abk von* **gezeichnet** sgd
ge·zackt *adj* jagged; *Hahnenkamm* toothed; *Blatt* serrated
Ge·zänk [gə'tsɛŋk], **Ge·zan·ke** <-s>

[gə'tsaŋkə] *nt kein pl* (*pej fam*) squabbling
ge·zeich·net *adj* marked
Ge·zei·ten [gə'tsai̯tn̩] *pl* tide[s *pl*]
Ge·zei·ten·wech·sel *m* turn of the tide; **beim ~** at the turn of the tide
Ge·ze·ter <-s> [gə'tse:tə] *nt kein pl* (*pej fam*) racket; **in ~ ausbrechen** to start a commotion
ge·zielt **I.** *adj* well-directed; *Fragen* specific **II.** *adv* specifically; **~ fragen** to ask questions with a specific aim in mind
ge·zie·men* [gə'tsi:mən] *vr impers* (*veraltend*) ◼**es geziemt sich** it is proper; **wie es sich geziemt** as is proper; **wie es sich für ein artiges Kind geziemt** as befits a well-behaved child *form*
ge·ziert (*pej*) **I.** *adj* affected **II.** *adv* affectedly
ge·zo·gen [gə'tso:gn̩] *pp von* **ziehen**
Ge·zwit·scher <-s> [gə'tsvɪtʃə] *nt kein pl* twittering
ge·zwun·gen [gə'tsvʊŋən] **I.** *pp von* **zwingen** **II.** *adj* (*gekünstelt*) forced; *Benehmen* stiff **III.** *adv* (*gekünstelt*) stiffly; **~ lachen** to give a forced laugh
ge·zwun·ge·ner·ma·ßen *adv* of necessity
ggf. *adv Abk von* **gegebenenfalls**
Gha·na <-s> ['ga:na] *nt* Ghana; *s. a.* **Deutschland**
Gha·na·er(in) <-s, -> ['ga:nae] *m(f)* Ghanaian; *s. a.* **Deutsche(r)**
gha·na·isch ['ga:naɪʃ] *adj* Ghanaian; *s. a.* **deutsch**
Ghet·to <-s, -s> ['gɛto] *nt s.* **Getto**
G(h)et·to·blas·ter <-s, -> ['gɛtobla:stə] *m* (*sl*) ghetto blaster BRIT, boombox
ghet·to·i·sie·ren* [gɛtoi'zi:rən] *vt s.* **gettoisieren**
Gi·bral·tar [gi'braltar] *nt* Gibraltar
Gicht <-> ['gɪçt] *f kein pl* gout
Gie·bel <-s, -> ['gi:bl̩] *m* gable [end]
Gie·bel·dach *nt* gable[d] roof
Gier <-> ['gi:ɐ̯] *f kein pl* greed *no pl* (**nach** for); (*nach Reichtum a.*) avarice *no pl* (**nach** for); (*nach etw Ungewöhnlichem*) craving (**nach** for)
gie·ren ['gi:rən] *vi* ◼**nach etw** *dat* **~** to crave [for] sth
gie·rig ['gi:rɪç] **I.** *adj* greedy; **~ nach Macht/Reichtum sein** to crave [for] power/riches **II.** *adv* greedily; **etw ~ trinken** to gulp down sth *sep*
gie·ßen <goss, gegossen> ['gi:sn̩] **I.** *vt* ❶ (*bewässern*) to water ❷ (*schütten*) to pour (**auf** on, **über** over); **ein Glas** [**nicht**] **voll ~** to [not] fill [up *sep*] a glass; **etw daneben ~** to spill sth ❸ TECH **etw** [**in Bar-**

ren/Bronze/Wachs] **~** to cast sth [into bars/in bronze/in wax] **II.** *vi impers* (*stark regnen*) **es gießt in Strömen** it's pouring [down] [with rain]
Gie·ße·rei <-, -en> [gi:sə'rai̯] *f* foundry
Gieß·kan·ne *f* watering can
Gift <-[e]s, -e> ['gɪft] *nt* ❶ (*giftige Substanz*) poison; (*Schlangengift*) venom; **jdm ~ geben** to poison sb; **darauf kannst du ~ nehmen** (*fig fam*) you can bet your life [*or* AM *also* bottom dollar] on that ❷ (*fig: Bosheit*) venom; **~ und Galle spucken** (*fam*) to vent one's spleen; **sein ~ versprizten** to be venomous
Gift·gas *nt* poison gas **Gift·gas·ka·ta·stro·phe** *f* [poison] gas disaster **gift·grün** *adj* garish green
gif·tig ['gɪftɪç] **I.** *adj* ❶ (*Gift enthaltend*) poisonous ❷ (*boshaft*) venomous ❸ (*grell*) garish **II.** *adv* (*pej*) **~ antworten** to give a catty reply
Gift·müll *m* toxic waste **Gift·müll·ex·port** *m* toxic waste export **Gift·müll·ver·bren·nungs·an·la·ge** *f* toxic waste incineration plant **Gift·nu·del** *f* (*pej fam*) spiteful old devil **Gift·pilz** *m* poisonous fungus **Gift·schlan·ge** *f* poisonous snake **Gift·sprit·ze** *f* (*fam*) spiteful old devil **Gift·stoff** *m* toxic substance **Gift·wol·ke** *f* cloud of toxins **Gift·zwerg(in)** *m(f)* (*pej fam*) poison[ed] dwarf
Gi·ga·byte <-[s], -[s]> ['gi:gabai̯t] *nt,* **Gbyte** *nt* INFORM gigabyte, Gb
Gi·gant(in) <-en, -en> [gi'gant] *m(f)* giant; (*fig a.*) colossus
gi·gan·tisch [gi'gantɪʃ] *adj* gigantic
Gil·de <-, -n> ['gɪldə] *f* guild
gilt ['gɪlt] *3. pers pres von* **gelten**
Gin <-s, -s> [dʒɪn] *m* gin; **~ Tonic** gin and tonic
ging ['gɪŋ] *imp von* **gehen**
Gins·ter <-s, -> ['gɪnstɐ] *m* broom
Gip·fel <-s, -> ['gɪpfl̩] *m* ❶ (*Bergspitze*) peak; (*höchster Punkt*) summit; DIAL (*Wipfel*) treetop ❷ (*fig: Zenit*) peak; (*Höhepunkt*) height ❸ POL summit [conference]
Gip·fel·kon·fe·renz *f* summit conference
gip·feln ['gɪpfl̩n] *vi* ◼**in etw** *dat* **~** to culminate in sth
Gip·fel·punkt *m* high point **Gip·fel·tref·fen** *nt* summit [meeting]
Gips <-es, -e> ['gɪps] *m* ❶ (*Baumaterial*) plaster; (*in Mineralform*) gypsum; (*zum Modellieren*) plaster of Paris ❷ (*Kurzform für Gipsverband*) [plaster] cast; **den Arm/Fuß in ~ haben** to have one's arm/foot in a [plaster] cast
Gips·ab·druck <-abdrücke> *m,* **Gips·**

ab·guss^{RR} <-abgüsse> *m* plaster cast
Gips·arm *m* (*fam*) arm in plaster **Gips·bein** *nt* (*fam*) leg in plaster
gip·sen ['gɪpsn̩] *vt* ■**etw ~** ❶ (*mit Gips reparieren*) to plaster sth ❷ MED to put sth in plaster
Gip·ser(in) <-s, -> *m(f)* plasterer
Gips·ver·band *m* plaster cast
Gi·raf·fe <-, -n> [gi'rafə] *f* giraffe
Gir·lan·de <-, -n> [gɪr'landə] *f* garland (**aus** of)
Gi·ro <-s, -s *o* Giri> ['ʒiːro, *pl* 'ʒiːri] *nt* FIN ÖSTERR [bank] assignment
Giro·kon·to ['ʒiːro-] *nt* current [*or* AM checking] account
Gis <-, -> ['gɪs] *nt* MUS G sharp
Gischt <-[e]s, -e> ['gɪʃt] *m pl selten* [sea] spray
Gi·tar·re <-, -n> [gi'tarə] *f* guitar
Gi·tar·rist(in) <-en, -en> [gita'rɪst] *m(f)* guitarist
Git·ter <-s, -> ['gɪtɐ] *nt* ❶ (*Absperrung*) fencing *no pl, no indef art;* (*vor Türen, Fenstern: engmaschig*) grille; (*grobmaschig*) grating; (*parallel laufende Stäbe*) bars *pl;* (*für Gewächse*) trellis ❷ (*fig fam*) **jdn hinter ~ bringen** to put sb behind bars; **hinter ~ kommen** to be put behind bars ❸ MATH grid
Git·ter·fens·ter *nt* barred window **Git·ter·rost** *m* grating
Glace <-, -n> ['glasə] *f* SCHWEIZ ice cream
Gla·cee·hand·schuh^{RR}, **Gla·cé·hand·schuh** [gla'se:-] *m* kid glove
Gla·di·a·tor <-s, -toren> [gla'di̯aːtoː̯ɐ, *pl* gladi̯a'toːrən] *m* gladiator
gla·mou·rös [glamu'røːs] *adj* glamorous
Glanz <-es> ['glants] *m kein pl* ❶ (*das Glänzen*) shine; *Augen* sparkle; *Lack* gloss; *Perlen, Seide* sheen; **blendender ~** dazzle ❷ (*herrliche Pracht*) splendour
glän·zen ['glɛntsn̩] *vi* ❶ (*widerscheinen*) to shine; (*von polierter Oberfläche*) to gleam; *Augen* to sparkle; *Nase* to be shiny; *Wasseroberfläche* to glisten; *Sterne* to twinkle ❷ (*sich hervortun*) to shine
glän·zend ['glɛntsn̩t] **I.** *adj* ❶ (*widerscheinend*) shining; *Oberfläche* gleaming; *Augen* sparkling; *Haar* shiny; *Papier* glossy ❷ (*hervorragend*) brilliant **II.** *adv* (*hervorragenderweise*) splendidly; **sich ~ amüsieren** to have a great time [of it]
Glanz·leis·tung *f* brilliant achievement
glanz·los *adj* dull, lacklustre [*or* AM -er]; **~es Haar** lustreless [*or* AM lusterless] hair
glanz·voll *adj* brilliant **Glanz·zeit** *f* prime
Glas <-es, Gläser> ['glaːs, *pl* 'glɛːzə] *nt* ❶ (*Werkstoff*) glass *no indef art, + sing vb;*

„**Vorsicht ~!**" "glass — handle with care" ❷ (*Trinkgefäß*) glass; **zwei ~ Wein** two glasses of wine; **zu tief ins ~ schauen** (*fam*) to have one too many ❸ (*Brillenglas*) lens; (*Fernglas*) binoculars *npl*
Glas·au·ge *nt* glass eye **Glas·blä·ser(in)** *m(f)* glassblower **Glas·con·tai·ner** [-kɔntɛːnɐ] *m* bottle bank BRIT
Gla·ser(in) <-s, -> ['glaːzə] *m(f)* glazier
Gla·se·rei [glaːzə'raɪ] *f* glazier's workshop
Gla·se·rin <-, -nen> ['glaːzərɪn] *f fem form von* Glaser
glä·sern ['glɛːzən] *adj* ❶ (*aus Glas*) glass *attr,* [made] of glass *pred* ❷ (*fig*) **~e Augen/~er Blick** glassy eyes/gaze
Glas·fa·ser *f meist pl* glass fibre **Glas·fa·ser·ka·bel** *nt* fibre optic cable **Glas·haus** *nt* greenhouse; (*in botanischen Gärten*) glass house **Glas·hüt·te** ['glaːshʏtə] *f* glassworks + *sing/pl vb*
gla·sie·ren* [gla'ziːrən] *vt* to glaze
gla·sig ['glaːzɪç] *adj* ❶ (*ausdruckslos*) glassy ❷ KOCHK transparent
Glas·kas·ten *m* glass case; (*fam: mit Glas abgeteilter Raum*) glass box **glas·klar** **I.** *adj* ❶ (*durchsichtig*) transparent, [as] clear as glass *pred* ❷ (*fig: klar und deutlich*) crystal-clear **II.** *adv* (*klar und deutlich*) in no uncertain terms **Glas·ma·le·rei** *f* glass painting
Glas·nost <-> ['glasnɔst] *f kein pl* POL, HIST glasnost
Glas·per·le *f* glass bead **Glas·schei·be** *f* ❶ (*dünne Glasplatte*) sheet of glass ❷ (*Fensterscheibe*) pane of glass **Glas·scher·be** *f* shard of glass **Glas·tür** *f* glass door
Gla·sur [gla'zuːɐ̯] *f* ❶ (*Keramik~*) glaze ❷ KOCHK icing, *esp* AM frosting
Glas·wa·ren *pl* glassware *no pl* **Glas·wol·le** *f* glass wool
glatt <-er *o fam* glätter, -este *o fam* glätteste> ['glat] **I.** *adj* ❶ *Fläche, Haut* smooth; *Gesicht* unlined; *Haar* straight; **~ rasiert** clean-shaven; **etw ~ hobeln/schmirgeln** to plane down/sand down sth; **etw ~ streichen** to smooth out sth *sep* ❷ *Straße* slippery ❸ (*problemlos*) smooth ❹ *attr* (*fam: eindeutig*) outright; *Lüge* downright ❺ (*pej: aalglatt*) slick **II.** *adv* (*fam: rundweg*) flatly; (*ohne Umschweife*) straight out; *leugnen* flatly; **etw ~ ablehnen** to turn sth down flat
Glät·te <-> ['glɛtə] *f kein pl* ❶ (*Ebenheit*) smoothness; *von Haar* sleekness ❷ (*Rutschigkeit*) slipperiness ❸ (*fig: aalglatte Art*) slickness
Glatt·eis *nt* [thin sheet of] ice; „**Vor-**

G

glauben

Glauben ausdrücken	expressing belief
Ich glaube, dass sie die Prüfung bestehen wird.	**I think** she will pass the exam.
Ich glaube an den Sieg unserer Mannschaft.	**I'm sure** our team will win.
Ich halte diese Geschichte **für wahr.**	**I believe** this story **to be true.** (*form*)

Vermutungen ausdrücken	expressing assumption
Ich vermute, sie wird nicht kommen.	**I don't think** she will come.
Ich nehme an, dass er mit seiner neuen Arbeit zufrieden ist.	**I assume/suppose** he's happy in his new job.
Ich halte einen Börsenkrach in der nächsten Zeit **für (durchaus) denkbar.**	**I consider it to be a distinct possibility** that the stockmarket will crash in the near future.
Ich habe da so eine Ahnung.	**I've got a feeling about it.**
Es kommt mir so vor, als würde er uns irgendetwas verheimlichen.	**I get the feeling** he's keeping something from us.
Ich habe da so den Verdacht, dass sie bei der Abrechnung einen Fehler gemacht hat.	**I suspect** she may have made a mistake with the final bill.
Ich habe das Gefühl, dass sie das nicht mehr lange mitmacht.	**I have an inkling** she won't put up with it much longer.

sicht ~! "danger, black ice" ▶ **sich auf ~ begeben** to skate on thin ice; **jdn aufs ~ führen** to trip up sb *sep* **Glatt·eis·ge· fahr** <-> *f kein pl* danger of black ice

glät·ten ['glɛtn̩] **I.** *vt* ❶ (*glatt streichen*) to smooth out *sep;* **sich die Haare ~** to smooth down one's hair *sep* ❷ (*besänftigen*) **jds Zorn ~** to calm sb's anger **II.** *vr* ▪ **sich ~** ❶ *Meer, Wellen* to subside ❷ (*fig*) *Wut, Erregung* to die down

glątt·ra·siert^ALT *adj s.* **glatt I 1 glątt|· strei·chen**^ALT *vt irreg s.* **glatt I 1**

glatt·weg ['glatvɛk] *adv* (*fam*) just like that; **etw ~ ablehnen** to turn sth down flat [*or* Am *also* flat out]; **etw ~ abstreiten** to flatly deny sth

Glat·ze <-, -n> ['glatsə] *f* bald head; **eine ~ bekommen/haben** to go/be bald

Glątz·kopf *m* (*fam*) ❶ (*kahler Kopf*) bald head ❷ (*Mann mit Glatze*) baldie

glatz·köp·fig ['glatskœpfɪç] *adj* bald- [·headed]

Glau·be <-ns> ['glaʊbə] *m kein pl* ❶ (*Überzeugung*) belief (**an** in); (*gefühlsmäßige Gewissheit*) faith (**an** in); **den festen ~n haben, dass ...** to be of the firm belief that ...; **in gutem ~n** in good faith; **jdn von seinem ~n abbringen** to dissuade sb; **jdn bei dem ~n [be]lassen,**

dass ... to leave sb in the belief that ...; **jdm/einer S.** *dat* [**keinen**] **~n schenken** to [not] believe sb/sth; **den ~n an jdn/ etw verlieren** to lose faith in sb/sth ❷ REL [religious] faith; **der christliche/jüdische/muslimische etc. ~** the Christian/ Jewish/Muslim etc. faith

glau·ben ['glaʊbn̩] **I.** *vt* ❶ (*für wahr halten*) ▪ **etw ~** to believe sth; **das glaubst du doch selbst nicht!** you don't really believe that, do you!; **kaum zu ~** incredible ❷ (*wähnen*) **sich allein/unbeobachtet ~** to think [that] one is alone/nobody is watching one **II.** *vi* ❶ (*vertrauen*) ▪ **jdm ~** to believe sb; **jdm aufs Wort ~** to take sb's word for it; ▪ **an jdn/etw ~** to believe in sb/sth ❷ (*für wirklich halten*) ▪ **an etw** *akk* **~** to believe in sth ▶ **dran ~ müssen** (*sl: sterben müssen*) to kick the bucket; (*weggeworfen werden müssen*) to get chucked out; (*etw tun müssen*) to be stuck with it

Glau·ben <-s> ['glaʊbn̩] *m kein pl s.* **Glaube**

Glau·bens·be·kennt·nis *nt* (*Religionszugehörigkeit*) profession [of faith] **Glau· bens·fa·na·ti·ker(in)** *m(f)* (*pej*) religious fanatic *pej* **Glau·bens·frei·heit** *f* religious freedom **Glau·bens·ge·mein·**

schaft *f* denomination

glaub·haft I. *adj* believable **II.** *adv* convincingly

Glaub·haf·tig·keit <-> *f kein pl* credibility

gläu·big ['glɔ‍ybɪç] *adj* ❶ (*religiös*) religious ❷ (*vertrauensvoll*) trusting

Gläu·bi·ge(r) *f(m)* believer

Gläu·bi·ger(in) <-s, -> ['glɔ‍ybɪgɐ] *m(f)* ÖKON creditor

glaub·wür·dig *adj* credible

Glaub·wür·dig·keit *f kein pl* credibility

gleich ['gla‍iç] **I.** *adj* ❶ (*übereinstimmend*) same; **zwei mal zwei** [ist] ~ **vier** two times two is four; ~**e Rechte/Pflichten** equal rights/responsibilities; ~ **alt** the same age; ~ **groß/lang** equal in size/length; ~ **schwer** equally heavy; ~ **bezahlt werden** to be paid the same; ~ **gesinnt** like-minded ❷ (*unverändert*) **es ist immer das** [ewig] **G~e** it's always the same [old thing]; ~ **bleibend gut** consistent[ly] good; **aufs G~e hinauslaufen** it comes down to the same thing ❸ (*gleichgültig*) ▪**jdm** ~ **sein** to be all the same to sb; ▪**ganz** ~ **wer/was** [...] no matter who/what [...] ▸ **G~ und G~ gesellt sich gern** (*prov*) birds of a feather flock together **II.** *adv* ❶ (*sofort, bald*) straightaway; **bis** ~**!** see you then!; (*sofort*) see you in a minute!; **ich komme** ~**!** I'll be right there!; **habe ich es nicht** ~ **gesagt!** what did I tell you?; ~ **darauf** soon afterward[s]; (*sofort*) right away; ~ **heute/morgen** [first thing] today/tomorrow; ~ **nach dem Frühstück** right after breakfast ❷ (*unmittelbar daneben/danach*) immediately; ▪~ **als ...** as soon as ...; ~ **daneben** right beside it ❸ (*zugleich*) at once **III.** *part* ❶ *in Aussagesätzen* (*emph*) just as well; **du brauchst deswegen nicht** ~ **zu weinen** there's no need to start crying because of that ❷ *in Fragesätzen* (*noch*) again; **wie war doch** ~ **Ihr Name?** what was your name again? **IV.** *präp +dat* (*geh: wie*) like

gleich·al·t[e]·rig ['gla‍iç?alt(ə)rɪç] *adj* [of] the same age *pred*

gleich·ar·tig *adj* of the same kind *pred;* (*ähnlich*) similar

Gleich·be·hand·lung *f* equal treatment

gleich·be·rech·tigt *adj* ▪~ **sein** to have equal rights

Gleich·be·rech·ti·gung *f kein pl* equal rights + *sing/pl vb*

gleich·blei·bendALT *adj* consistent

glei·chen <glich, geglichen> ['gla‍içn] *vt* ▪**jdm/einer S.** *dat* ~ to be [just] like sb/sth; ▪**sich** *dat* ~ to be alike

glei·cher·ma·ßen, glei·cher·wei·se *adv* equally

gleich·falls *adv* likewise; **danke** ~**!** [and] the same to you *also iron*

gleich·för·mig I. *adj* uniform **II.** *adv* uniformly

gleich·ge·schlecht·lich *adj* (*homosexuell*) homosexual

gleich·ge·sinntALT *adj* like-minded

Gleich·ge·wicht *nt kein pl* balance; **im** ~ **sein** to be balanced; **aus dem** ~ **kommen** to lose one's balance

Gleich·ge·wichts·stö·rung *f* impaired balance *no pl*

gleich·gül·tig I. *adj* ❶ (*uninteressiert*) indifferent (**gegenüber** to[wards]); (*apathisch*) apathetic (**gegenüber** towards); **ein** ~**es Gesicht machen** to look impassive; ~**e Stimme** expressionless voice ❷ (*unwichtig*) immaterial; ▪**etw ist jdm** ~ sb couldn't care [less] about sth **II.** *adv* (*uninteressiert*) with indifference; (*apathisch*) with apathy

Gleich·gül·tig·keit ['gla‍içgʏltɪçka‍it] *f kein pl* (*Desinteresse*) indifference; (*Apathie*) apathy

Gleich·heit <-, -en> *f* ❶ (*Übereinstimmung*) similarity ❷ *kein pl* (*gleiche Stellung*) equality

Gleich·heits·zei·chen *nt* equals sign

gleich·kom·men *vi irreg sein* ❶ (*Gleiches erreichen*) ▪**jdm/einer S.** *dat* ~ to equal sb/sth (**an** in) ❷ (*gleichbedeutend sein*) ▪**einer S.** *dat* ~ to be tantamount to sth

gleich·ma·chen *vt* ▪**etw/alles** ~ to make sth/everything the same

gleich·mä·ßig I. *adj* even; *Bewegungen* regular; *Puls, Tempo* steady **II.** *adv* ❶ (*in gleicher Stärke/Menge*) equally; **Farbe** ~ **auftragen** to apply an even coat of paint; ~ **schlagen** *Herz, Puls* to beat steadily; ~ **atmen** to breathe regularly ❷ (*ohne Veränderungen*) consistently

Gleich·mä·ßig·keit ['gla‍içmɛːsɪçka‍it] *f* regularity; *von Puls, Tempo a.* steadiness

Gleich·mut *m* composure, serenity, equanimity *form*

gleich·mü·tig ['gla‍içmyːtɪç] *adj* composed, serene

Gleich·nis <-ses, -se> ['gla‍içnɪs, *pl* 'gla‍içnɪsə] *nt* allegory; (*aus der Bibel*) parable

gleich·ran·gig *adj* equal in rank *pred,* at the same level *pred*

gleich·sam ['gla‍içzaːm] *adv* (*geh*) so to speak

gleich·schen·ke·lig ['gla‍içʃɛŋkəlɪç] *adj* MATH ~**es Dreieck** isosceles triangle

Gleich·schritt *m kein pl* marching *no pl* in

step; **im ~ marschieren** to march in step
gleich·sei·tig ['glaiçzaitiç] *adj* equilateral
gleich\set·zen *vt* to equate (**mit** with)
　Gleich·stand *m kein pl* SPORT tie
gleich\stel·len *vt* ▪**jdn jdm ~** to give sb
the same rights as sb **Gleich·stel·lung** *f
kein pl* equality (+*gen* of/for) **Gleich·
strom** *m* direct current **gleich\tun** *vt
impers, irreg* ❶ (*imitieren*) ▪**es jdm ~** to
follow sb['s example] ❷ (*gleichkommen*)
▪**es jdm ~** to match sb (**in** in)
Glei·chung <-, -en> ['glaiçʊŋ] *f* MATH
equation
gleich·wer·tig *adj* equal; ▪**~ sein** to be
equally matched
gleich·wohl ['glaiçvo:l] *adv* (*geh: dennoch*) nonetheless
gleich·zei·tig I. *adj* simultaneous II. *adv*
❶ (*zur gleichen Zeit*) simultaneously
❷ (*ebenso, zugleich*) at the same time
gleich\zie·hen *vi irreg* (*fam*) ▪**\mit
jdm** ~ to draw level [with sb]
Gleis <-es, -e> ['glais, *pl* 'glaizə] *nt* track,
rails *pl*; (*einzelne Schiene*) rail; (*Bahnsteig*) platform; **~ 2 ...** platform 2 ..., AM
also track 2 ... ▶**[völlig] aus dem ~ geraten** to go off the rails; **wieder ins [rechte]
~ kommen** (*ins Lot kommen*) to sort oneself out again; (*auf die richtige Bahn kommen*) to get back on the right track
glei·ten <glitt, geglitten> ['glaitn] *vi*
❶ *sein* (*schweben*) to glide; *Wolke* to sail
❷ *sein* (*streichen, huschen*) ▪**über etw**
akk ~ *Augen* to wander over sth; *Blick* to
pass over sth; *Finger* to explore sth; *Hand*
to slide over sth ❸ *sein* (*rutschen*) to slide;
zu Boden ~ to slip to the floor/ground; **ins
Wasser** ~ to slip into the water
Gleit·flug·zeug *nt* glider **Gleit·mit·
tel** *nt* lubricant **Gleit·schirm·flie·gen** *nt*
hang-gliding **Gleit·sicht·bril·le** *f* MED
varifocal glasses **Gleit·zeit** *f* (*fam*) flexitime
Glet·scher <-s, -> ['glɛtʃɐ] *m* glacier
Glet·scher·spal·te *f* crevasse
glich ['gliç] *imp von* **gleichen**
Glied <-[e]s, -er> ['gli:t, *pl* 'gli:dɐ] *nt*
❶ (*Körperteil*) limb; (*Finger~, Zehen~*)
joint; (*Fingerspitze*) fingertip; **an allen
~ern zittern** to be shivering all over
❷ (*Penis*) [male] member *form* ❸ (*Ket-
ten~*) link *also fig* ❹ (*Teil*) part
glie·dern ['gli:dɐn] I. *vt* ▪**etw ~** (*unterteilen*) to [sub]divide sth (**in** into); (*ordnen*)
to organize sth (**in** into); (*einordnen*) to
classify sth (**in** under); ▪**gegliedert sein**
to be divided (**in** into) II. *vr* ▪**sich in etw**
akk ~ to be [sub]divided into sth

Glie·der·pup·pe *f* jointed doll; (*Marionette*) [string] puppet
Glie·der·schmerz *m meist pl* rheumatic
pains *pl*
Glie·de·rung <-, -en> *f* ❶ *kein pl* (*das
Gliedern*) structuring *no pl* (**in** into); (*das
Unterteilen*) subdivision (**in** into); (*nach
Eigenschaften a.*) classification ❷ (*Aufbau*)
structure
Glied·ma·ßen *pl* limbs
glim·men <glomm *o selten* glimmte,
geglommen *o selten* geglimmt>
['glɪmən] *vi* to glow; *Feuer, Asche a.* to
smoulder
Glimm·stän·gel[RR], 　　　 **Glimm·sten·
gel**[ALT] *m* (*hum fam*) ciggy
glimpf·lich ['glɪmpflɪç] I. *adj* ❶ (*ohne
schlimmere Folgen*) without serious consequences *pred* ❷ (*mild*) mild II. *adv*
❶ (*ohne schlimmere Folgen*) **~ davonkommen** to get off lightly; **~ abgehen** to
pass [off] without serious consequences
❷ (*mild*) **mit jdm ~ umgehen** to treat sb
leniently
glit·schig ['glɪtʃɪç] *adj* (*fam*) slippery;
Fisch slithery
glitt ['glɪt] *imp von* **gleiten**
glit·ze·rig ['glɪtsərɪç] *adj* (*fam*) sparkly
glit·zern ['glɪtsɐn] *vi* to glitter; *Stern* to
twinkle
glo·bal [glo'ba:l] I. *adj* ❶ (*weltweit*) global
❷ (*umfassend*) general II. *adv* ❶ (*weltweit*) globally ❷ (*ungefähr*) generally
Glo·ba·li·sie·rung <-> *f* globalization
Glo·ba·li·sie·rungs·kri·ti·ker(**in**) 　*m(f)*
POL critic of globalization **glo·ba·li·sie·
rungs·kri·tisch** *adj* POL critical of globalization *pred*
Glo·be·trot·ter(**in**) <-s, -> ['glo:bətrɔtɐ,
'glo:ptrɔtə] *m(f)* globetrotter
Glo·bus <- *o* -ses, Globen *o* -se>
['glo:bʊs, *pl* 'glo:bn̩, 'glo:bʊsə] *m* globe
Glöck·chen <-s, -> ['glœkçən] *nt dim von*
s. Glocke [little] bell
Glo·cke <-, -n> ['glɔkə] *f* ❶ (*Läutewerk*)
bell ❷ (*glockenförmiger Deckel*) [glass]
cover ▶**etw an die große ~ hängen**
(*fam*) to shout sth from the rooftops; **etw
nicht an die große ~ hängen** (*fam*) to
keep mum about sth
Glo·cken·blu·me *f* bellflower **glo·cken·
för·mig** *adj* bell-shaped **Glo·cken·ge-
läu·t**(**e**) *nt kein pl* peal of bells **Glo·cken·
schlag** *m* stroke [of a/the bell] **Glo·
cken·spiel** *nt* ❶ (*in Kirch- oder Stadttür-
men*) carillon ❷ (*Musikinstrument*) glockenspiel **Glo·cken·turm** *m* belfry
glomm ['glɔm] *imp von* **glimmen**

Glo·rie <-> ['glo:rɪə] *f kein pl* (*geh*) glory

glo·ri·fi·zie·ren* [glorifi'tsi:rən] *vt* to glorify (**als** as)

glo·ri·os [glo'rɪo:s] *adj s.* **glorreich 1**

glor·reich *adj* ❶ (*meist iron*) magnificent ❷ (*großartig*) glorious

Glos·sar <-s, -e> [glɔ'sa:ɐ̯] *nt* glossary

Glos·se <-, -n> ['glɔsə] *f* commentary; (*polemisch*) ironic comment[ary]

Glotz·au·ge *nt meist pl* (*fam*) goggle eye

Glot·ze <-, -n> ['glɔtsə] *f* (*fam*) telly BRIT, boob tube AM

glot·zen ['glɔtsn̩] *vi* (*pej fam*) to gape (**auf** at); **in etw** *akk* [**hinein**] ~ to stick one's nose into sth

Glück <-[e]s> ['glʏk] *nt kein pl* ❶ (*günstige Fügung*) luck; (*Fortuna*) fortune; **ein ~, dass ...** it is/was lucky that ...; **jdm zum Geburtstag ~ wünschen** to wish sb [a] happy birthday; **mehr ~ als Verstand haben** (*fam*) to have more luck than brains; **großes/seltenes ~** a great/rare stroke of luck; **jdm ~ bringen** to bring sb luck; **viel ~** [**bei etw** *dat*]! good luck [with sth]!; ~/**kein ~ haben** to be lucky/unlucky; **sein ~** [**bei jdm**] **versuchen** to try one's luck [with sb]; **auf sein ~ vertrauen** to trust to one's luck; **zum ~** luckily ❷ (*Freude*) happiness ▸ **jeder ist seines ~es Schmied** (*prov*) everyone is the architect of his own fortune; **~ im Unglück haben** it could have been much worse [for sb]; **etw auf gut ~ tun** to do sth on the off-chance

Glu·cke <-, -n> ['glʊkə] *f* sitting hen

glü·cken ['glʏkn̩] *vi sein* ❶ (*gelingen*) to be successful; ▪ **jdm glückt etw** sb succeeds in sth ❷ (*vorteilhaft werden*) to turn out well

glu·ckern ['glʊkɐn] *vi* to glug

glück·lich ['glʏklɪç] **I.** *adj* ❶ (*vom Glück begünstigt*) lucky ❷ (*vorteilhaft, erfreulich*) happy; **~er Ausgang** a happy ending; **eine ~e Nachricht** [some] good news + *sing vb*; (*Umstand*) fortunate; **ein ~er Zufall** a stroke of luck ❸ (*froh*) happy (**mit** with, **über** about) **II.** *adv* ❶ (*vorteilhaft, erfreulich*) happily ❷ (*froh und zufrieden*) **~** [**mit jdm**] **verheiratet sein** to be happily married [to sb] ❸ (*fam: zu guter Letzt*) after all

glück·li·cher·wei·se *adv* luckily

glück·los *adj* hapless, luckless

Glücks·brin·ger <-s, -> *m* lucky charm

glück·se·lig [glʏk'ze:lɪç] *adj* blissful[ly happy]; **~es Lächeln** rapturous smile

Glück·se·lig·keit <-, -en> *f* ❶ *kein pl* (*überglücklicher Zustand*) bliss; **in ~**

schwelgen to float in bliss ❷ (*beglückendes Ereignis*) blissful occasion

gluck·sen ['glʊksn̩] *vi s.* **gluckern**

Glücks·fall *m* stroke of luck **Glücks·griff** *m* stroke of luck **Glücks·kind** *nt* (*fam*) a lucky person **Glücks·pilz** *m* (*fam*) lucky devil **Glücks·rad** *nt* wheel of fortune **Glücks·sa·che** *f* ▪ **etw ist** [**reine**] ~ sth's a matter of [sheer] luck **Glücks·spiel** *nt* game of chance **Glücks·sträh·ne** *f* lucky streak **Glücks·tag** *m* lucky day **Glücks·tref·fer** *m* stroke of luck; (*beim Schießen*) lucky shot **Glücks·zahl** *f* lucky number

Glück·wunsch *m* congratulations *npl* (**zu** on)

Glück·wunsch·kar·te *f* greetings [*or* AM greeting] card

Glüh·bir·ne *f* [electric] light bulb

glü·hen ['gly:ən] *vi* ❶ (*rot vor Hitze sein*) to glow ❷ (*geh*) ▪ **vor etw** *dat* ~ to burn with sth; **vor Scham ~** to be flushed with shame

glü·hend I. *adj* ❶ (*rot vor Hitze*) glowing; *Metall* [red-]hot ❷ (*brennend, sehr heiß*) burning; *Hitze* blazing **II.** *adv* ~ **heiß** scorching [hot]

Glüh·fa·den *m* filament **Glüh·lam·pe** *f* (*geh*) [electric] light bulb **Glüh·wein** *m* [hot] mulled wine **Glüh·würm·chen** <-s, -> *nt* glow-worm; (*fliegend*) firefly

Glupsch·au·ge ['glʊpʃ-] *nt* NORDD (*fam*) **~n machen** to stare goggle-eyed

Glut <-, -en> ['glu:t] *f* embers *npl;* (*Tabak*) burning ash

glut·rot *adj* fiery red

Gly·ze·rin <-s> [glytse'ri:n] *nt kein pl* glycerin[e]

GmbH <-, -s> [ge:ʔɛmbe:'ha:] *f Abk von* **Gesellschaft mit beschränkter Haftung** ≈ Ltd BRIT

g-Moll <-s, -> ['ge:mɔl] *nt kein pl* MUS G flat minor

Gna·de <-, -n> ['gna:də] *f* ❶ (*Gunst*) favour ❷ (*Nachsicht*) mercy; **~ vor Recht ergehen lassen** to temper justice with mercy; **um ~ bitten** to ask for mercy; **~!** mercy!

Gna·den·frist *f* [temporary] reprieve

gna·den·los I. *adj* merciless **II.** *adv* mercilessly

Gna·den·schuss^RR *m,* **Gna·den·stoß** *m* coup de grâce

gnä·dig ['gnɛ:dɪç] **I.** *adj* ❶ (*herablassend*) gracious *also iron* ❷ (*Nachsicht zeigend*) merciful ❸ (*veraltend: verehrt*) **~e Frau** madam; **~es Fräulein** madam; (*jünger*) miss; **~er Herr** sir **II.** *adv* ❶ (*herablas-*

send) graciously ② (*milde*) leniently; ~ **davonkommen** to get off lightly

Gnom <-en, -en> ['gnoːm] *m* (*pej*) gnome

Gnu <-s, -s> ['gnuː] *nt* gnu

Goal <-s, -s> [goːl] *nt* FBALL ÖSTERR, SCHWEIZ goal

Go·ckel <-s, -> ['gɔkl̩] *m bes* SÜDD cock

Go·kartRR, **Go-Kart**ALT <-[s], -s> ['goː-kart] *nt* go-cart

Gold <-[e]s> ['gɔlt] *nt kein pl* gold *no pl*; **nicht mit ~ zu bezahlen sein** to be worth one's/its weight in gold; **aus ~** gold ▶ **es ist nicht alles ~, was** *glänzt* (*prov*) all that glitters is not gold; **nicht für alles ~ der** Welt not for all the money in the world

Gold·ader *f* vein of gold **Gold·bar·ren** *m* gold ingot **Gold·du·blee** [-dubleː] *nt* gold-plated metal

gol·den ['gɔldn̩] **I.** *adj attr* gold[en *liter*] **II.** *adv* like gold

gold·far·ben, gold·far·big *adj* golden **Gold·fisch** *m* gold fish **Gold·ge·halt** *m* gold content **gold·gelb** *adj* golden yellow; KOCHK golden brown **Gold·grä·ber(in)** <-s, -> *m(f)* gold-digger **Gold·gru·be** *f* (*fig*) goldmine **Gold·hams·ter** *m* [golden] hamster

gol·dig ['gɔldɪç] *adj* ① (*fam: allerliebst*) cute ② *präd* DIAL (*fam: rührend nett*) frightfully nice *also iron* ③ DIAL (*iron fam*) **du bist aber ~!** you're a right one [, you are]!, you're funny! AM

Gold·klum·pen *m* gold nugget **Gold·me·dail·le** [-medaljə] *f* gold [medal] **Gold·mi·ne** *f* gold mine **Gold·mün·ze** *f* gold coin **Gold·re·gen** *m* ① BOT laburnum ② (*Feuerwerkskörper*) Roman candle **gold·rich·tig** *adj* (*fam*) ① (*völlig richtig*) dead right ② *präd* (*in Ordnung*) all right **Gold·schatz** *m* ① (*Schatz*) golden treasure ② (*Kosewort*) treasure **Gold·schmied(in)** *m(f)* goldsmith **Gold·schmie·de·kunst** *f kein pl* goldsmith's art **Gold·schmie·de** <-, -nen> *f form von* **Goldschmied Gold·schnitt** *m kein pl* gilt edging **Gold·stück** *nt* piece of gold; (*Kosewort*) treasure *fam* **Gold·waa·ge** *f* gold balance; **bei ihm muss man jedes Wort auf die ~ legen** one really has to weigh one's words with him **Gold·wäh·rung** *f* ÖKON currency tied to the gold standard

Golf[1] <-[e]s, -e> ['gɔlf] *m* gulf; **der ~ von Mexiko** the Gulf of Mexico

Golf[2] <-s> ['gɔlf] *nt kein pl* SPORT golf *no pl* **Golf·krieg** *m* ■ **der ~** the Gulf War **Golf·platz** *m* golf course + *sing/pl vb*

Golf·schlä·ger *m* golf club **Golf·spie·ler(in)** *m(f)* golfer

Golf·staat *m* ■ **die ~en** the Gulf States **Golf·strom** *m* ■ **der ~** the Gulf Stream

Gon·del <-, -n> ['gɔndl̩] *f* ① (*Boot in Venedig*) gondola ② (*Seilbahn~*) [cable-]car ③ (*Ballon~*) basket

Gon·do·li·e·re <-, Gondolieri> [gɔndo-'liːrə, *pl* gɔndo'liːri] *m* gondolier

Gong <-s, -s> ['gɔŋ] *m* gong; SPORT bell

gön·nen ['gœnən] **I.** *vt* ① (*gern zugestehen*) ■ **jdm etw ~** not to begrudge sb sth; **ich gönne ihm diesen Erfolg von ganzem Herzen!** I'm absolutely delighted that he has succeeded ② (*iron: es gern sehen*) ■ **es jdm ~, dass ...** to be pleased [to see] that sb ... **II.** *vr* ■ **sich** *dat* **etw ~** to allow oneself sth; **sich ein Glas Wein ~** to treat oneself to a glass of wine

Gön·ner(in) <-s, -> ['gœnɐ] *m(f)* patron

gön·ner·haft I. *adj* (*pej*) patronizing **II.** *adv* patronizingly

Gön·ne·rin <-, -nen> ['gœnərɪn] *f fem form von* **Gönner**

Gön·ner·mie·ne *f* (*pej*) patronizing expression

goo·geln ['guːgl̩n] INET **I.** *vt* ■ **jdn/etw ~** to google sb/sth **II.** *vi* to google (**nach** + *dat* for)

gor ['goːɐ̯] *imp von* **gären**

Gö·re <-, -n> ['gøːrə] *f* (*fam*) brat

Go·ril·la <-s, -s> [goˈrɪla] *m* gorilla

Gos·pel <-s, -s> ['gɔspl̩] *nt o m* gospel

gossRR, **goß**ALT ['gɔs] *imp von* **gießen**

Gos·se <-, -n> ['gɔsə] *f* (*veraltend: Rinnstein*) gutter ▶ **in der** enden to end up in the gutter

Go·tik <-> ['goːtɪk] *f kein pl* Gothic period

go·tisch ['goːtɪʃ] *adj* Gothic

Gott, Göt·tin <-es, Götter> ['gɔt, 'gœtɪn, *pl* 'gœtɐ] *m*, *f* ① (*ein ~*) god *masc*, goddess *fem* ② *no pl* (*das höchste Wesen*) God; ~ **sei Dank!** (*a. fig fam*) thank God!; **bei ~ schwören** to swear by Almighty God ▶ **wie ~ in** Frankreich **leben** (*fam*) to live in the lap of luxury; **in ~es** Namen! (*fam*) in the name of God; **über ~ und die** Welt **reden** to talk about everything under the sun; **ach du** lieber **~!** oh heavens!; ~ **bewahre!** God forbid!; **grüß ~!** *bes* SÜDD, ÖSTERR hello!; ~ **weiß was/wie viel/wann ...** (*fam*) God knows what/how much/when ...; **das ist weiß ~ nicht zu teuer** that is certainly not too expensive; **das** wissen **die Götter** (*fam*) Heaven only knows; **ach ~,** (*resignierend*) oh God!; (*tröstend*) oh dear; **um ~es willen!** (*emph: o je!*) [oh] my God!; (*bitte*) for

God's sake!

Göt·ter·spei·se _f_ jelly

Got·tes·dienst _m_ [church] service

got·tes·fürch·tig ['gɔtəsfʏrçtɪç] _adj_ (_veraltend_) God-fearing

Got·tes·haus _nt_ place of worship **Got·tes·läs·te·rer, -läs·te·rin** _m, f_ blasphemer **Got·tes·läs·te·rung** _f_ blasphemy

gott·ge·ge·ben _adj_ God-given

Gott·heit <-, -en> _f_ deity

Göt·tin <-, -nen> ['gœtɪn] _f fem form von_ **Gott** goddess

gött·lich ['gœtlɪç] _adj_ divine

gott·lob [gɔt'lo:p] _adv_ (_veraltend_) thank God

gott·los _adj_ godless

gotts·er·bärm·lich ['gɔts?ɛɐ̯'ɛrmlɪç] **I.** _adj_ (_emph fam_) dreadful **II.** _adv_ terribly

gott·ver·dammt _adj attr_ (_emph sl_) damn[ed], goddamn[ed] _esp Am_ **gott·ver·las·sen** _adj_ (_emph fam_) god-forsaken _pej_ **Gott·ver·trau·en** _nt kein pl_ trust in God _no pl_

Göt·ze <-n, -n> ['gœtsə] _m_ (_pej_) ❶ (_heidnischer Gott_) false god ❷ _s._ **Götzenbild**

Göt·zen·bild _nt_ (_pej_) idol, graven image **Göt·zen·die·ner(in)** _m(f)_ (_pej_) idolater **Göt·zen·dienst** _m kein pl_ idolatry _no art_

Gou·ver·nan·te <-, -n> [guvɛr'nantə] _f_ (_veraltet_) governess _dated_

Gou·ver·neur(in) <-s, -e> [guvɛr'nø:ɐ] _m(f)_ governor

Grab <-[e]s, Gräber> ['gra:p, _pl_ 'grɛ:bɐ] _nt_ grave ▶ **ein Geheimnis mit ins ~ neh·men** to carry a secret [with one] to the grave; **sich** _dat_ **sein eigenes ~ schaufeln** to dig one's own grave; **schweigen kön·nen wie im ~** to be [as] silent as the grave; **jdn zu ~e tragen** (_geh_) to carry sb to the grave; **jd würde sich im ~[e] umdrehen, wenn ...** (_fam_) sb would turn in their grave if ...

gra·ben <grub, gegraben> ['gra:bn̩] **I.** _vi_ to dig (**nach** for) **II.** _vt Loch_ to dig **III.** _vr_ ▪ **sich in etw** _akk_ **~** to sink into sth

Gra·ben <-s, Gräben> ['gra:bn̩, _pl_ 'grɛ:bn̩] _m_ ❶ (_Vertiefung in der Erde_) ditch ❷ MIL trench ❸ (_Festungsgraben_) moat

Grab·in·schrift _f_ epitaph, inscription on a/the gravestone **Grab·kam·mer** _f_ burial chamber **Grab·mal** <-mäler _o geh_ -e> _nt_ ❶ (_Grabstätte_) mausoleum ❷ (_Gedenkstätte_) memorial **Grab·re·de** _f_ funeral oration **Grab·schän·dung** _f_ desecration of a grave/[the] graves **Grab·stein** _m_ gravestone

Grad <-[e]s, -e> ['gra:t, _pl_ 'gra:də] _m_

❶ SCI, MATH degree; **2 ~ unter Null** 2 degrees below [zero]; **3 ~ über Null** 3 degrees above zero ❷ (_Maß, Stufe_) level; **im höchsten/in hohem ~[e]** extremely/to a great extent ▶ **um [ein]hundertachtzig ~** (_fam_) complete[ly]

gra·de ['gra:də] _adj, adv_ (_fam_) _s._ **gerade**

Grad·ein·tei·lung _f_ MATH, SCI calibration, graduation

Grad·mes·ser <-s, -> _m_ yardstick

Graf, Grä·fin¹ <-en, -en> ['gra:f, 'grɛ:fɪn] _pl m, f_ count, earl BRIT _masc,_ countess _fem_

Graf^{RR2} <-en, -en> ['gra:f] _m_ SCI _s._ **Graph**

Graf·fi·to <-[s], Graffiti> [gra'fi:to, _pl_ gra'fi:ti] _m o nt_ ▪ **Graffiti** graffiti

Gra·fik ['gra:fɪk] _f_ ❶ _kein pl_ (_grafische Technik_) graphic arts _pl_ ❷ (_grafische Darstellung_) graphic ❸ (_Schaubild_) diagram

Gra·fi·ker(in) <-s, -> ['gra:fikɐ] _m(f)_ graphic artist

Gra·fik·kar·te _f_ INFORM graphics card

Grä·fin <-, -nen> ['grɛ:fɪn] _f fem form von_ **Graf** countess _fem_

gra·fisch ['gra:fɪʃ] _adj, adv s._ **graphisch**

Gra·fit^{RR} <-s, -e> [gra'fi:t] _m s._ **Graphit**

Graf·schaft <-, -en> _f_ ❶ HIST count's land, earldom BRIT ❷ (_Verwaltungsbezirk in Großbritannien_) county

Gram <-[e]s> ['gra:m] _m kein pl_ (_geh_) grief

grä·men ['grɛ:mən] _vr_ (_geh_) ▪ **sich ~** to grieve (**über** over)

Gramm <-s, -e _o bei Zahlenangaben_ -> ['gram] _nt_ gram, BRIT _also_ gramme

Gram·ma·tik <-, -en> [gra'matɪk] _f_ grammar

gram·ma·ti·ka·lisch [gramati'ka:lɪʃ] _adj s._ **grammatisch**

gram·ma·tisch [gra'matɪʃ] _adj_ grammatical

Gram·mo·fon^{RR} <-s, -e> [gramo'fo:n], **Gram·mo·phon®** <-s, -e> [gramo'fo:n] _nt_ gramophone

Gra·nat <-[e]s, -e _o_ ÖSTERR -en> [gra'na:t] _m_ garnet

Gra·nat·ap·fel _m_ pomegranate

Gra·na·te <-, -n> [gra'na:tə] _f_ shell

Gra·nat·feu·er _nt_ MIL shellfire

Grand·hotel ['grã:hotɛl] _nt_ luxury hotel

gran·di·os [gran'dio:s] _adj_ magnificent

Grand Prix, Grand·prix^{RR} <-, -> [grã'pri:] _m_ Grand Prix

Gra·nit <-s, -e> [gra'ni:t] _m_ granite

gran·teln ['grantl̩n] _vi_ SÜDD (_fam_) to grumble

gran·tig ['grantɪç] _adj_ (_fam_) grumpy

Gra·nu·lat <-[e]s, -e> [granu'la:t] _nt_ granules _pl;_ **als ~** in granulated form

Grape·fruit <-, -s> ['greːpfruːt] *f* grape-fruit

Graph <-en, -en> [graːf] *m* SCI graph

Gra·phik <-, -en> ['graːfɪk] *f s.* **Grafik**

gra·phisch ['graːfɪʃ] **I.** *adj* ❶ KUNST graphic ❷ (*schematisch*) diagrammatic **II.** *adv* diagrammatically

Gra·phit <-s, -e> [graˈfiːt] *m* graphite

grap·schen ['grapʃn] **I.** *vr* (*fam*) ❶ (*an sich raffen*) ▪ **sich** *dat* **etw** ~ to grab sth [for oneself] ❷ (*packen*) ▪ **sich** *dat* **jdn** ~ to grab hold of sb **II.** *vi* (*fam*) ▪ **nach etw** *dat* ~ to make a grab for sth

Gras <-es, Gräser> ['graːs, *pl* 'grɛːzɐ] *nt* BOT grass ▶ **ins** ~ **beißen** (*sl*) to bite the dust; **das** ~ **wachsen hören** (*jdm entgeht nicht das Geringste*) to have a sixth sense; (*zu viel in etwas hineindeuten*) to read too much into things; **über etw** *akk* **wächst** ~ (*fam*) [the] dust settles on sth

gra·sen ['graːzn] *vi* to graze

gras·grün *adj* grass-green **Gras·halm** *m* blade of grass **Gras·hüp·fer** <-s, -> *m* (*fam*) grasshopper

gras·sie·ren* [graˈsiːrən] *vi* ❶ (*sich verbreiten*) to be rampant ❷ (*um sich greifen*) to be rife

gräss·lichRR, **gräß·lich**ALT ['grɛslɪç] **I.** *adj* ❶ (*furchtbar*) horrible; **~e Kopfschmerzen haben** to have a splitting headache ❷ (*fam: widerlich*) horrible; **was für ein ~es Wetter!** what foul weather!; **einen ~en Geschmack haben** to have awful taste **II.** *adv* (*fam*) terribly

Grat <-[e]s, -e> [graːt] *m* ❶ (*oberste Kante*) ridge ❷ ARCHIT hip

Grä·te <-, -n> ['grɛːtə] *f* [fish]bone

gra·ti·nie·ren* [gratiˈniːrən] *vt* ▪ **etw** ~ to brown [the top of] sth

gra·tis ['graːtɪs] *adv* free [of charge]

Gra·tis·pro·be *f* free sample

Gra·tu·lant(in) <-en, -en> [gratuˈlant] *m(f)* well-wisher

Gra·tu·la·ti·on <-, -en> [gratulaˈʦi̯oːn] *f* ❶ (*das Gratulieren*) congratulating ❷ (*Glückwunsch*) congratulations

gra·tu·lie·ren* [gratuˈliːrən] *vi* ▪ **[jdm]** ~ to congratulate [sb] (**zu** on); **jdm zum Geburtstag** ~ to wish sb many happy returns; **[ich] gratuliere** [my] congratulations!

grau ['grau̯] *adj* ❶ (*Farbe*) grey; **~ meliert** (*leicht ergraut*) greying; MODE flecked with grey *pred* ❷ (*trostlos*) drab; **der ~e Alltag** the dullness of everyday life

grau·äu·gig ['grau̯ʔɔygɪç] *adj* grey-eyed **grau·braun** *adj* greyish-brown **Grau·brot** *nt* DIAL (*Mischbrot*) bread made from rye and wheat flour

Grau·bün·den <-s> [grau̯ˈbʏndn̩] *nt* GEOG the Grisons

Gräu·elRR <-s, -> ['grɔyəl] *m* (*geh:* ~ *tat*) atrocity ▶ **jdm** ist **es ein** ~, **etw zu tun** sb detests doing sth

Gräu·el·tatRR *f* atrocity

grau·en[1] ['grau̯ən] *vi* (*geh: dämmern*) to dawn; **der Morgen/Tag graut** morning/day is breaking

grau·en[2] ['grau̯ən] *vi impers* ▪ **es graut jdm vor jdm/etw** sb is terrified of sb/sth

Grau·en <-s> ['grau̯ən] *nt kein pl* horror; ~ **erregend** terrible

grau·en·er·re·gendALT *adj* terrible

grau·en·haft, **grau·en·voll** *adj* ❶ (*furchtbar*) terrible ❷ (*fam: schlimm*) dreadful

grau·haa·rig *adj* grey-haired

gräu·lich[1] ['grɔylɪç] *adj* greyish

gräu·lichRR2 *adj s.* **grässlich**

grau·me·liert *adj attr s.* **grau 1**

Grau·pel <-, -n> ['grau̯pl̩] *f meist pl* soft hail

Grau·pel·schau·er *m* sleet shower

grau·sam ['grau̯zaːm] **I.** *adj* ❶ (*brutal*) cruel ❷ (*furchtbar*) terrible **II.** *adv* cruelly

Grau·sam·keit <-, -en> *f* ❶ *kein pl* (*Brutalität*) cruelty ❷ (*grausame Tat*) act of cruelty

grau·sen ['grau̯zn] *vi impers s.* **grauen**[2]

Grau·sen <-s> ['grau̯zn] *nt kein pl* horror

grau·sig ['grau̯zɪç] *adj s.* **grauenhaft**

Grau·zo·ne *f* grey area

Gra·veur(in) <-s, -e> [graˈvøːɐ] *m(f)* engraver

gra·vie·ren* [graˈviːrən] *vt* to engrave (**in** on)

gra·vie·rend [graˈviːrənt] *adj* serious; *Unterschiede* considerable

Gra·vie·rung <-, -en> *f* engraving

Gra·vi·ta·ti·on <-> [gravitaˈʦi̯oːn] *f kein pl* gravitation[al pull]

Gra·vur <-, -en> [graˈvuːɐ] *f* engraving

Gra·zie <-, -n> ['graːʦi̯ə] *f* (*hum veraltet: schöne junge Frau*) lovely

gra·zil [graˈʦiːl] *adj* (*geh*) delicate

gra·zi·ös [graˈʦi̯øːs] *adj* (*geh*) graceful

Green·peace-Ak·ti·vist, **-Ak·ti·vis·tin** ['griːnpiːs-aktiˌvɪst, -aktiˌvɪstɪn] *m, f* Greenpeace activist

gre·go·ri·a·nisch [gregoˈri̯aːnɪʃ] *adj* Gregorian

greif·bar *adj* ❶ *präd* (*verfügbar*) **etw** ~ **haben/halten** to have/keep sth to hand ❷ (*konkret*) tangible

grei·fen <griff, gegriffen> ['grai̯fn̩] **I.** *vt* ▪ **[sich** *dat*] **etw** ~ to take hold of sth **II.** *vi* ❶ (*fassen*) ▪ **vor/hinter/über/unter/**

neben etw/sich akk ~ to reach in front of/behind/above/under/beside sth/one; ■ **in etw** akk ~ to reach into sth; **sie griff mich bei der Hand** she took my hand; ■ **nach etw** dat ~ to reach for sth ❷ (geh) **in den Ferien greift sie gerne mal zum Buch** during the holidays she occasionally enjoys reading a book ❸ (einsetzen) **zu etw** dat ~ to resort to sth ❹ (festen Griff haben) ■ **etw greift** sth grips ❺ (wirksam werden) to take effect ▶ **um sich** ~ to spread

Grei·fer <-s, -> m TECH grab[-bucket]

Greis(in) <-es, -e> ['graɪs, pl 'graɪzə] m(f) very old man/woman

grell ['grɛl] I. adj ❶ (sehr hell) glaring ❷ (schrill klingend) piercing ❸ (sehr intensiv) bright ❹ (Aufsehen erregend) loud II. adv ❶ (sehr hell) dazzlingly ❷ (schrill) ~ **klingen** to sound shrill

Gre·mi·um <-s, -ien> ['gre:mi̯ʊm, pl 'gre:mi̯ən] nt committee

Grenz·be·reich m ❶ kein pl (Umkreis der Grenze) border [or frontier] area [or zone] ❷ (äußerste Grenze) fringe range, limit[s]

Gren·ze <-, -n> ['grɛntsə] f ❶ (Landes~) border, frontier; **an der** ~ on the border; **über die** ~ **gehen/fahren** to cross the border ❷ (Trennlinie) boundary ❸ (äußerstes Maß) limit; **die oberste/ unterste** ~ the upper/lower limit; **alles hat seine** ~**n** there is a limit to everything; **seine** ~**n kennen** to know one's limitations ▶ **grüne** ~ unguarded border area; **sich in** ~**n halten** to keep within limits

gren·zen ['grɛntsn̩] vi ■ **an etw** akk ~ to border on sth

gren·zen·los I. adj ❶ (unbegrenzt) endless ❷ (maßlos) extreme; Vertrauen blind II. adv extremely

Grenz·fall m borderline case **Grenz·gän· ger(in)** <-s, -> m(f) regular cross-border commuter; **illegaler** ~ illegal border crosser **Grenz·ge·biet** nt POL border area **Grenz·kon·flikt** m border conflict **Grenz·kon·trol·le** f border control **Grenz·li·nie** f SPORT line [marking the edge of the playing area] **Grenz·pfahl** m boundary post **Grenz·pos·ten** m border [or frontier] guard **Grenz·schutz** m border protection **Grenz·si·tu·a·ti·on** f (fig) borderline situation **Grenz·stein** m boundary stone **Grenz·strei·tig·keit** f meist pl border dispute **Grenz·über· gang** m (Stelle) border crossing-point **grenz·über·schrei·tend** adj attr JUR, ÖKON ~**er Handel** international trade; ~**er Verkehr** cross-border traffic **Grenz·über·**

tritt m crossing of the border **Grenz· wert** m limiting value

Greu·elALT <-s, -> ['grɔʏəl] m s. **Gräuel**

greu·lichALT ['grɔʏlɪç] adj s. **gräulich**²

Grie·be <-, -n> ['gri:bə] f meist pl [bacon] crackling

Grie·che, Grie·chin <-n, -n> ['gri:çə, 'gri:çɪn] m, f Greek; s. a. **Deutsche(r)**

Grie·chen·land <-s> ['gri:çn̩lant] nt Greece; s. a. **Deutschland**

Grie·chin <-, -nen> ['gri:çɪn] f fem form von **Grieche**

grie·chisch ['gri:çɪʃ] adj Greek; s. a. **deutsch**

Gries·gram <-[e]s, -e> ['gri:sgra:m] m (pej) grouch

gries·grä·mig ['gri:sgrɛ:mɪç] adj grumpy

Grieß <-es, -e> ['gri:s] m semolina no pl

Grieß·brei m semolina no pl

Griff <-[e]s, -e> ['grɪf] m ❶ (Zu~) grip; **ein flinker** ~ [nach etw dat] a quick grab [at sth] ❷ (Hand~) movement; **mit einem** ~ in a flash ❸ SPORT hold ❹ (Öffnungsmecha· nismus) Tür, Revolver handle; Messer hilt; Gewehr butt ▶ **etw in den** ~ **bekommen** (fam) to get the hang of sth; **jdn/etw im** ~ **haben** to have sb/sth under control

griff·be·reit adj **etw** ~ **haben** to have sth ready to hand; ~ **liegen** to be ready to hand

Grif·fel <-s, -> ['grɪfl̩] m ❶ (Schreibstift für Schiefertafeln) slate-pencil ❷ BOT style ❸ meist pl (sl: Finger) mitt

grif·fig ['grɪfɪç] adj ❶ (festen Griff ermögli· chend) easy to grip pred ❷ (Widerstand bietend) non-slip; Fußboden, Profil anti· skid ❸ (eingängig) **ein** ~**er Slogan** a cat· chy slogan

Grill <-s, -s> ['grɪl] m ❶ (Gerät) grill ❷ (~ rost) barbecue; **vom** ~ grilled

Gril·le <-, -n> ['grɪlə] f cricket

gril·len ['grɪlən] I. vi to have a barbecue II. vt to grill

Grill·par·ty <-, -parties> m barbecue, cookout AM fam

Gri·mas·se <-, -n> [gri'masə] f gri· mace; ~**n schneiden** to make faces

grim·mig ['grɪmɪç] I. adj ❶ (zornig) furi· ous; Gesicht angry; **ein** ~**es Lachen** grim laughter ❷ (sehr groß, heftig) severe; Hun· ger ravenous II. adv angrily; ~ **lächeln** to smile grimly

grin·sen ['grɪnzn̩] vi to grin; **frech** ~ to smirk; **höhnisch** ~ to sneer; **schaden· froh** ~ to gloat

Grin·sen <-s> ['grɪnzn̩] nt kein pl grin; **freches** ~ smirk; **höhnisches** ~ sneer

grip·pal [grɪ'paːl] *adj* influenzal

Grip·pe <-, -n> ['grɪpə] *f* influenza, flu *fam;* |**die**/**eine**| ~ **haben** to have [the] flu **Grip·pe·mit·tel** *nt* flu remedy *fam* **Grip·pe·vi·rus** *nt o m* influenza virus **Grip·pe·wel·le** *f* wave of influenza [*or fam* flu]

Grips <-es, -e> ['grɪps] *m (fam)* brains *pl;* ~ **haben** to have plenty up top; **seinen ~ anstrengen** to use one's grey matter

grob <gröber, gröbste> ['groːp] **I.** *adj* ❶ *(nicht fein)* coarse ❷ *(ungefähr)* rough; **in ~en Umrissen** roughly ❸ *(unhöflich)* rude; ■~ **werden** to become rude ❹ *(unsanft, unsensibel)* rough; **ein ~er Mensch** a rough person ▶ **aus dem Gröbsten heraus** <u>sein</u> to be able to see the light at the end of the tunnel **II.** *adv* ❶ *(nicht fein)* coarsely; ~ **gemahlen** coarsely ground *pred,* coarse-ground ❷ *(in etwa)* roughly; ~ **geschätzt** at a rough estimate; **etw ~ erklären** to give a rough explanation of sth; **etw ~ skizzieren** to make a rough outline of sth; **etw ~ wiedergeben** to give a rough account of sth ❸ *(unhöflich)* rudely ❹ *(unsanft, unsensibel)* roughly ❺ *(schlimm)* **sich ~ täuschen** to be badly mistaken

grob·ge·mah·lenᴬᴸᵀ *adj attr s.* grob II 1 **Grob·heit** <-, -en> *f* ❶ *kein pl (gefühllose Art)* rudeness *no pl* ❷ *(grobe Äußerung)* rude remark ❸ *(unsanfte Art, Behandlung)* roughness

Gro·bi·an <-[e]s, -e> ['groːbi̯aːn] *m (pej)* boor

grob·kör·nig *adj* coarse-grained

gröb·lich ['grøːplɪç] **I.** *adj (geh, form)* gross **II.** *adv (geh, form: in grober Weise, heftig)* grossly; **etw ~ missachten** to willfuly disregard sth

Grog <-s, -s> ['grɔk] *m* grog

grog·gy ['grɔgi] *adj präd* ❶ *(schwer angeschlagen)* groggy ❷ *(fam: erschöpft)* exhausted

grö·len ['grøːlən] **I.** *vi (pej fam)* to shout [loudly] **II.** *vt (pej fam)* to bawl

Groll <-[e]s> ['grɔl] *m kein pl (geh)* resentment; **[einen] ~ gegen jdn hegen** to harbour a grudge against sb

grol·len ['grɔlən] *vi (geh)* ❶ *(zürnen)* ■|**jdm**| ~ to be resentful [of sb] **(wegen** because of) ❷ *(dumpf hallen)* to rumble

Grön·land ['grøːnlant] *nt* Greenland; *s. a.* **Deutschland**

Grön·län·der(in) <-s, -> ['grøːnlɛndɐ] *m(f)* Greenlander; *s. a.* **Deutsche(r)**

grön·län·disch ['grøːnlɛndɪʃ] *adj* Greenlandic; *s. a.* **deutsch**

Gros <-, -> [groː] *nt* ■**das ~** the majority

Gro·schen <-s, -> ['grɔʃn] *m* ÖSTERR groschen ▶ **der ~** <u>fällt</u> *(hum fam)* the penny has dropped BRIT, the big light went on AM

groß <größer, größte> [groːs] **I.** *adj* ❶ *(flächenmäßig)* large, big ❷ *(lang)* long; **ein ~er Mast/Turm/Kirchturm** a high pylon/tower/church steeple ❸ *(das Maß oder Ausmaß betreffend)* great; **in ~en/ größeren Formaten/Größen** in large/ larger formats/sizes; **mit ~er Geschwindigkeit** at high speed ❹ *(hoch gewachsen)* tall; **du bist ~ geworden** you've grown; **er ist 1,78 m ~** he is 5 foot 10 [*or* 1.78m] [tall] ❺ *(älter)* big, elder ❻ *(zeitlich ausgedehnt)* lengthy; **auf große[r] Fahrt** on a long journey ❼ *(bevölkerungsreich)* large; **die ~e Masse** the majority of the people ❽ *(erheblich)* great; *Aufstieg* meteoric; *Durchbruch, Reinfall* major; *Misserfolg* abject ❾ *(hoch)* large ❿ *(beträchtlich)* great; ~**e Angst haben** to be terribly afraid; **eine ~e Dummheit** sheer stupidity; *Nachfrage* big; *Schrecken* nasty; *Schwierigkeiten* serious; ~**er Zorn** deep anger ⓫ *(bedeutend)* great; *Unternehmen, Supermarkt* leading ⓬ *(in Eigennamen)* **Friedrich der G~e** Frederick the Great ⓭ *(besonders [gut])* **im Meckern ist sie ganz ~** she's quite good at moaning; **ich bin kein ~er Redner** I'm no great speaker ▶ **im G~en und** <u>Ganzen</u> **[gesehen]** on the whole **II.** *adv* ❶ *(fam: besonders)* **was ist da jetzt schon ~ dabei!** big deal!; **er hat sich aber nicht gerade ~ für uns eingesetzt!** he didn't exactly do very much for us!; **was soll man da schon ~ sagen?** you can't really say very much; **ich habe mich nie ~ für Politik interessiert** I've never been particularly interested in politics; **[mit etw** *dat*] **[ganz] ~ rauskommen** to have a real success with sth ❷ MODE **etw größer machen** to let out sth *sep* ❸ *(von weitem Ausmaß)* ~ **angelegt** large-scale ❹ *(nicht klein)* ~ **kariert** large-checked *attr* ▶ **etw wird [bei jdm] ~ geschrieben** *(fam)* to be high on the[/ sb's] list of priorities

Groß·alarm *m* red alert **Groß·an·griff** *m* large-scale attack

groß·ar·tig ['groːsʔaːɐ̯tɪç] **I.** *adj* ❶ *(prächtig)* magnificent ❷ *(hervorragend)* brilliant ❸ *(wundervoll)* wonderful **II.** *adv* magnificently

Groß·auf·nah·me *f* close-up **Groß·be·trieb** *m* large business; AGR large farm **Groß·bild·schirm** *m* big screen **Groß·bri·tan·ni·en** <-s> [groːsbri'tani̯ən] *nt* Great Britain; *s. a.* **Deutsch-**

land
Groß·buch·sta·be *m* capital [letter]
Groß·bür·ger·tum *nt kein pl* upper classes *pl*
Grö·ße <-, -n> ['grø:sə] *f* ❶ (*räumliche Ausdehnung*) *a.* ÖKON, MODE size ❷ (*Höhe, Länge*) height ❸ MATH, PHYS quantity ❹ *kein pl* (*Erheblichkeit*) magnitude; *eines Problems* seriousness *no pl*; *eines Erfolgs* extent *no pl* ❺ *kein pl* (*Bedeutsamkeit*) significance *no pl*
Groß·ein·kauf *m* bulk purchase **Groß·ein·satz** *m* large-scale operation **Groß·el·tern** *pl* grandparents *pl* **Groß·en·kel(in)** *m(f)* great-grandchild, great-grandson *masc,* great-granddaughter *fem*
Grö·ßen·ord·nung *f* order of magnitude
gro·ßen·teils *adv* largely
Grö·ßen·wahn(·sinn) *m* megalomania **grö·ßen·wahn·sin·nig** *adj* megalomaniac[al]
grö·ßer ['grø:sɐ] *adj comp von* **groß**
Groß·fahn·dung *f* large-scale search **Groß·fa·mi·lie** *f* extended family **Groß·grund·be·sit·zer(in)** *m(f)* big landowner **Groß·han·del** *m* wholesale trade; *etw im ~ kaufen* to buy sth wholesale **Groß·händ·ler(in)** *m(f)* wholesaler
groß·her·zig *adj* (*geh*) magnanimous **Groß·her·zig·keit** <-> *f kein pl* (*geh*) magnanimity
Groß·her·zog(in) ['gro:shɛrtso:k] *m(f)* grand duke *masc,* grand duchess *fem* **Groß·her·zog·tum** *nt* grand duchy **Groß·hirn** *nt* cerebrum **Groß·hirn·rin·de** *f* cerebral cortex **Groß·kind** *nt* SCHWEIZ (*Enkelkind*) grandchild
groß·kot·zig *adj* (*pej sl*) swanky
Groß·macht *f* Great Power **Groß·markt** *m* central market **Groß·maul** *nt* (*pej fam*) bigmouth **groß·mäu·lig** ['gro:smɔylɪç] *adj* (*pej fam*) big-mouthed **Groß·mut** *f s.* **Großherzigkeit groß·mü·tig** ['gro:smy:tɪç] *adj s.* **großherzig Groß·mut·ter** *f* grandmother, grandma *fam,* granny *fam* **Groß·nef·fe** *m* great-nephew **Groß·nich·te** *f* great-niece **Groß·on·kel** *m* great-uncle
Groß·raum *m* conurbation; *im ~ Berlin* in the Berlin conurbation
Groß·raum·ab·teil *nt* BAHN open[-plan] carriage BRIT, open[-plan] car AM **Groß·raum·bü·ro** *nt* open-plan office **Groß·raum·flug·zeug** *nt* wide-bodied [*or* large-capacity] aircraft
groß·räu·mig *adj* ❶ (*geräumig*) spacious ❷ (*große Flächen betreffend*) extensive **Groß·raum·wa·gen** *m* open-plan carriage

Groß·rech·ner *m* mainframe [computer] **Groß·rei·ne·ma·chen** <-s> [gro:s'rainəmaxn] *nt kein pl* (*fam*) spring clean **Groß·schnau·ze** *f* (*pej fam*) bigmouth **groß·schrei·ben** *vt irreg* ■ *etw ~* to write sth with a[n initial] capital letter **Groß·schrei·bung** *f* capitalization **Groß·se·gel** *nt* NAUT mainsail **groß·spu·rig** *adj* (*pej*) boastful **Groß·stadt** ['gro:sʃtat] *f* city **groß·städ·tisch** ['gro:sʃtɛ:tɪʃ] *adj* big-city *attr* **Groß·tan·te** *f* great-aunt
grö·ßte(r, s) ['grø:stə] *adj superl von* **groß Groß·teil** *m* ❶ (*ein großer Teil*) ■ *ein ~* a large part ❷ (*der überwiegende Teil*) ■ *der ~* the majority; *zum ~* for the most part
größ·ten·teils *adv* for the most part **größt·mög·lich** ['grø:st'mø:klɪç] *adj attr* greatest possible
Groß·tu·e·rei [gro:stu:ə'rai] *f kein pl* (*pej*) boasting
groß|tun *irreg* **I.** *vi* (*pej*) to boast **II.** *vr* ■ *sich mit etw dat ~* to boast about sth **Groß·un·ter·neh·men** *nt s.* **Großbetrieb Groß·un·ter·neh·mer(in)** *m(f)* entrepreneur **Groß·va·ter** *m* grandfather, grandpa *fam* **Groß·ver·an·stal·tung** *f* big event **Groß·ver·die·ner(in)** *m(f)* big earner **Groß·wild** *nt* big game **groß|zie·hen** ['gro:stsi:ən] *vt irreg* ■ *ein Kind ~* to raise a child; ■ *ein Tier ~* to rear an animal
groß·zü·gig **I.** *adj* ❶ (*generös*) generous ❷ (*nachsichtig*) lenient ❸ (*in großem Stil*) grand; *ein ~er Plan* a large-scale plan **II.** *adv* ❶ (*generös*) generously ❷ (*nachsichtig*) leniently ❸ (*weiträumig*) spaciously
Groß·zü·gig·keit <-> *f kein pl* ❶ (*Generosität*) generosity ❷ (*Toleranz*) leniency ❸ (*Weiträumigkeit*) spaciousness *no pl*
gro·tesk [gro'tɛsk] *adj* grotesque
Grot·te <-, -n> ['grɔtə] *f* grotto
grot·ten·schlecht *adj* (*sl*) abysmal; *~ sein* to be the pits *sl*
Grou·pie <-s, -s> ['gru:pi] *nt* (*sl*) groupie
grub ['gru:p] *imp von* **graben**
Grüb·chen <-s, -> ['gry:pçən] *nt* dimple
Gru·be <-, -n> ['gru:bə] *f* ❶ (*größeres Erdloch*) [large] hole ❷ (*Bergwerk*) pit ▶ *wer andern eine ~ gräbt, fällt selbst hinein* (*prov*) you can easily fall into your own trap
Grü·be·lei <-, -en> [gry:bə'lai] *f* brooding
grü·beln ['gry:bln] *vi* to brood (*über* over)
Gru·ben·ar·bei·ter *m* miner **Gru·ben·un·glück** *nt* pit disaster
grüb·le·risch ['gry:blərɪʃ] *adj* broody

grü·e·zi ['gry:ɛtsi] *interj* SCHWEIZ (*fam*) hi

Gruft <-, Grüfte> ['gruft, *pl* 'gryftə] *f* (*Grabgewölbe*) vault; (*Kirche*) crypt

Gruf·tie ['grufti] *m* SOZIOL, MUS goth

grum·meln ['grumln] *vi* (*fam*) ❶ (*brummeln*) to mumble ❷ (*leise rollen*) to rumble

grün ['gry:n] *adj* (*Farbe*) a. POL green ▸ **jdn ~ und blau schlagen** (*fam*) to beat sb black and blue; **sich ~ und blau ärgern** to be furious

Grün <-s, - *o fam* -s> ['gry:n] *nt* ❶ (*Farbe*) green; **die Ampel zeigt ~** the [traffic] lights are [at] green ❷ (*~flächen*) green spaces; **ein ~ am Golfplatz** a green on a/the golf course ❸ (*grüne Pflanzen*) greenery; **das erste ~ nach dem Winter** the first green shoots of spring ▸ **das ist dasselbe in ~** (*fam*) it's one and the same [thing]

grün-al·ter·na·tiv *adj* POL green alternative **Grün·an·la·ge** *f* green space **grün·blau** *adj* greenish blue

Grund <-[e]s, Gründe> ['grunt, *pl* 'gryndə] *m* ❶ (*Ursache, Veranlassung*) reason; **jede Naturkatastrophe hat einen ~** every natural disaster has a cause; **keinen/nicht den geringsten ~** no/not the slightest reason; **eigentlich besteht kein ~ zur Klage** there is no [real] cause for complaint; **jdm ~ [zu etw** *dat*] **geben** to give sb reason [to do sth]; ▪ **ein/kein ~ zu etw** *dat* [no] reason for sth ❷ (*Motiv*) grounds *pl*; **~ zu der Annahme haben, dass ...** to have reason to believe that ...; **Gründe und Gegengründe** pros and cons; **aus finanziellen Gründen** for financial reasons; **aus gesundheitlichen Gründen** for reasons of health; **aus gutem ~** with good reason; **aus unerfindlichen Gründen** for some obscure reason; **aus diesem ~[e]** for this reason; **aus welchem ~[e]** for what reason ❸ *kein pl* (*Erdboden*) ground; **etw bis auf den ~ abtragen** to raze sth to the ground ❹ DIAL (*Land, Acker*) land; **~ und Boden** land ❺ (*Boden eines Gewässers*) bed; **am ~e des Meeres** at the bottom of the sea ❻ *kein pl* (*Unter~*) background ▸ **jdn in ~ und Boden reden** to shoot sb's arguments to pieces; **im ~e jds Herzens** (*geh*) in one's heart of hearts; **einer S.** *dat* **auf den ~ gehen** to get to the bottom of sth; **den ~ zu etw** *dat* **legen** to lay the foundations *pl* for sth; **auf ~ von etw** *dat* on the basis of sth; **im ~e** [**genommen**] basically; **von ~ auf** [*o* **aus**] completely; (*von Anfang an*) from scratch

grund·an·stän·dig *adj* thoroughly decent

Grund·aus·bil·dung *f* basic training **Grund·be·deu·tung** *f* fundamental meaning; LING original meaning **Grund·be·din·gung** *f* basic condition **Grund·be·griff** *m meist pl* ❶ (*elementarer Begriff*) basic notion ❷ SCH rudiments *npl* **Grund·be·sitz** *m* landed property **Grund·be·sit·zer**(in) *m(f)* landowner **Grund·buch** *nt* land register **grund·ehr·lich** [grunt'ʔe:ɐ̯lɪç] *adj* (*emph*) thoroughly honest

grün·den ['gryndn] I. *vt* ❶ (*neu schaffen*) to found; *Firma* to set up; *Partei* to form ❷ (*fußen lassen*) ▪ **etw auf etw** *akk* **~** to base sth on sth II. *vr* ▪ **sich auf etw** *akk* **~** to be based on sth

Grün·der(in) <-s, -> *m(f)* founder

grund·falsch ['grunt'falʃ] *adj* (*emph*) completely wrong

Grund·far·be *f* ❶ (*Primärfarbe*) primary colour ❷ (*als Untergrund aufgetragene Farbe*) ground colour **Grund·fes·ten** *pl* **etw bis in die ~ erschüttern** to shake sth to its [very] foundations; **an den ~ von etw** *dat* **rütteln** to shake the [very] foundations of sth **Grund·flä·che** *f* area **Grund·form** *f* basic form **Grund·ge·bühr** *f* basic charge **Grund·ge·dan·ke** *m* basic idea **Grund·ge·halt** *nt* basic salary **Grund·ge·setz** *nt* basic law **Grund·hal·tung** *f* basic attitude

grun·die·ren* ['grun'di:rən] *vt* to prime **Grun·die·rung** <-, -en> *f* primary coat

Grund·kennt·nis *f meist pl* basic knowledge **Grund·kon·sens** *m* fundamental consensus **Grund·kurs** *m* SCH basic course; (*Einführungskurs*) foundation course **Grund·la·ge** *f* basis **grund·le·gend** I. *adj* fundamental II. *adv* fundamentally

gründ·lich ['gryntlɪç] I. *adj* thorough; **eine ~e Bildung** a broad education II. *adv* ❶ (*fam: total*) completely ❷ (*gewissenhaft*) thoroughly

Gründ·lich·keit <-> *f kein pl* thoroughness

Grund·li·nie *f* ❶ MATH ground-line ❷ SPORT baseline **Grund·lohn** *m* basic pay

grund·los I. *adj* ❶ (*unbegründet*) unfounded ❷ (*ohne festen Boden*) bottomless II. *adv* groundlessly; **~ lachen** to laugh for no reason [at all]

Grund·mau·er *f* foundation wall **Grund·nah·rungs·mit·tel** *nt* basic food[stuff]

Grün·don·ners·tag [gry:n'dɔnɐsta:k] *m* Maundy Thursday

Grund·pfei·ler *m* ❶ (*tragender Pfeiler*) supporting pillar; *Brücke* supporting pier

❷ (*fig: wesentliches Element*) cornerstone **Grund·prin·zip** *nt* fundamental [*or* basic] principle **Grund·re·chen·art** *f* fundamental rule of arithmetic **Grund·recht** *nt* basic right **Grund·re·gel** *f* basic rule **Grund·riss**^RR *m* **❶** BAU ground-plan **❷** (*Abriss*) outline

Grund·satz ['grʊntzats] *m* principle; **es sich** *dat* **zum ~ machen, etw zu tun** to make it a matter of principle to do sth

grund·sätz·lich ['grʊntzɛtslɪç] **I.** *adj* **❶** (*grundlegend*) fundamental; *Bedenken, Zweifel* serious **❷** (*prinzipiell*) in principle *pred* **II.** *adv* **❶** (*völlig*) completely **❷** (*prinzipiell*) in principle **❸** (*kategorisch*) absolutely

Grund·schu·le *f* primary [*or* AM elementary] school **Grund·schul·leh·rer(in)** *m(f)* primary[-school] teacher BRIT **Grund·stein** *m* foundation-stone; **den ~ zu etw** *dat* **legen** to lay the foundations for sth **Grund·steu·er** *f* [local] property tax **Grund·stoff** *m* **❶** (*Rohstoff*) raw material **❷** CHEM element **Grund·stück** *nt* plot [of land] **Grund·stücks·mak·ler(in)** *m(f)* estate agent **Grund·ton** *m* **❶** (*eines Akkords*) root; (*einer Tonleiter*) keynote **❷** (*Grundfarbe*) ground colour **Grund·übel** *nt* basic evil

Grün·dung <-, -en> *f* **❶** (*das Gründen*) foundation; *eines Betriebs* establishment **❷** BAU foundation[s]

grund·ver·schie·den ['grʊntfɛɐ̯ʃiːdn̩] *adj* (*emph*) completely different

Grund·was·ser *nt* ground water **Grund·was·ser·spie·gel** *m* ground-water level **Grund·wert** *m meist pl* PHILOS basic value **Grund·wort·schatz** *m* basic vocabulary **Grund·zug** *nt* essential feature

Grü·ne(r) ['gryːnə] *f(m)* POL [member of the] Green [Party]; **die ~n** the Green Party

Grü·ne(s) ['gryːnə(s)] *nt* **❶** (*Schmuckreisig*) ▪ **~s** greenery *sing* **❷** (*Gemüse*) ▪ **~s** greens ▸ **ins ~** fahren (*fam*) to drive into the country

grü·nen ['gryːnən] *vi* (*geh*) to become green

Grün·fink *m* greenfinch **Grün·flä·che** *f* green space **Grün·fut·ter** *nt* green fodder *no pl, no indef art*

Grunge [grantʃ] *m* MUS grunge

Grün·gür·tel *m* green belt **Grün·kern** *m* dried unripe spelt grain *no indef art* **Grün·kohl** *m* [curly] kale *no pl, no indef art*

grün·lich ['gryːnlɪç] *adj* greenish

Grün·schna·bel *m* (*fam*) greenhorn **Grün·span** ['gryːnʃpaːn] *m kein pl* verdigris *no pl* **Grün·strei·fen** *m* central reser-

vation, median strip AM; (*am Straßenrand*) grass verge

grun·zen ['grʊntsn̩] *vi, vt* to grunt

Grün·zeug *nt* (*fam*) **❶** (*Kräuter*) herbs *pl* **❷** (*Salat*) green salad; (*Gemüse*) greens *pl* **❸** (*hum: Jugendliche*) whippersnappers *pl*

Grup·pe <-, -n> ['grʊpə] *f* group

Grup·pen·ar·beit *f kein pl* teamwork *no pl, no indef art* **Grup·pen·auf·nah·me, Grup·pen·bild** *nt* group photograph **Grup·pen·druck** *m kein pl* SOZIOL peer pressure **Grup·pen·dy·na·mik** *f* group dynamics + *sing vb, no art* **Grup·pen·lei·ter(in)** *m(f)* team leader **Grup·pen·rei·se** *f* group travel *no pl, no art* **Grup·pen·sex** *m* group sex *no pl, no art* **Grup·pen·the·ra·pie** *f* group treatment *no pl, no indef art* **Grup·pen·ver·ge·wal·ti·gung** *f* JUR gang rape

grup·pen·wei·se *adv* in groups

grup·pie·ren* [grʊˈpiːrən] **I.** *vt* ▪**etw ~** to group sth **II.** *vr* ▪**sich ~** to be grouped

Grup·pie·rung <-, -en> *f* **❶** (*Gruppe*) group **❷** *kein pl* (*Aufstellung*) grouping

Gru·sel·film *m* horror film **Gru·sel·ge·schich·te** *f* horror story

gru·s(e)·lig ['gruːz(ə)lɪç] *adj* gruesome; **~ zumute werden** to have a creepy feeling

gru·seln ['gruːzl̩n] **I.** *vt, vi impers* ▪**jdn gruselt es** sb gets the creeps; **nachts in einem unheimlichen Schloss kann man das ~ lernen** one learns what fear is in an eerie castle at night **II.** *vr* ▪**sich** [**vor** **jdm**] **~** to shudder [at the sight of sb]

Gruß <-es, Grüße> ['gruːs, *pl* 'gryːsə] *m* **❶** (*Begrüßung*) greeting; MIL salute; **einen** [**schönen**] **~ an Ihre Gattin** [please] give my [best] regards to your wife; **liebe Grüße auch an die Kinder** give my love to the children, too **❷** (*am Briefschluss*) regards; **mit freundlichen Grüßen** Yours sincerely; **herzliche Grüße** best wishes

grü·ßen ['gryːsn̩] **I.** *vt* **❶** (*be~*) ▪**jdn ~** to greet sb; MIL to salute sb; **grüß dich!** (*fam*) hello there! **❷** (*Grüße übermitteln*) ▪**jdn von jdm ~** to send sb sb's regards; **jdn ~ lassen** to say hello to sb **II.** *vi* to say hello **III.** *vr* ▪**sich ~** to say hello to one another **Gruß·wort** <-worte> *nt* welcoming speech

Grüt·ze <-, -n> ['grʏtsə] *f* groats *npl*, grits *npl* AM; **rote ~** *red fruit slightly stewed and thickened*

Gu·a·te·ma·la <-s> [gu̯ateˈmaːla] *nt* Guatemala; *s. a.* **Deutschland**

Gu·a·te·mal·te·ke, Gu·a·te·mal·te·kin <-n, -n> [gu̯atemalˈteːkə, gu̯atemal·te:kɪn] *m*, *f* Guatemalan; *s. a.* **Deutsche(r)**

gu·a·te·mal·te·kisch [gu̯atemal'te:kɪʃ] *adj* Guatemalan; *s. a.* **deutsch**

gu·cken ['gʊkn̩] *vi* ➊ (*sehen*) to look; (*heimlich*) to peep; **was guckst du so dumm!** take that silly look off your face! ➋ (*ragen*) ■ **aus etw** *dat* **~** to stick out of sth

Guck·loch *nt* peephole

Gue·ril·la¹ <-, -s> [ge'rɪlja] *f* guerrilla war

Gue·ril·la² <-[s], -s> [ge'rɪlja] *m* guerrilla

Gue·ril·la·kämp·fer(in) [ge'rɪlja-] *m(f)* guerrilla **Gue·ril·la·krieg** [ge'rɪlja-] *m* guerrilla war

Guil·lo·ti·ne <-, -n> [gɪljo'ti:nə, gijo'ti:-nə] *f* guillotine

Gui·nea <-s> [gi'ne:a] *nt* Guinea; *s. a.* **Deutschland**

Gui·ne·er(in) <-s, -> [gi'ne:ɐ] *m(f)* Guinean; *s. a.* **Deutsche(r)**

gui·ne·isch [gi'ne:ɪʃ] *adj* Guinean; *s. a.* **deutsch**

Gu·lasch <-[e]s, -e *o* -s> ['gʊlaʃ] *nt o m* goulash

Gu·lasch·sup·pe *f* goulash soup

Gul·den <-s, -> ['gʊldn̩] *m* guilder

Gul·ly <-s, -s> ['gʊli] *m o nt* drain

gül·tig ['gʏltɪç] *adj* ➊ (*Geltung besitzend*) valid; **der Sommerfahrplan ist ab dem 1.4. ~** the summer timetable comes into effect from 1.4. ➋ (*allgemein anerkannt*) universal

Gül·tig·keit <-> *f kein pl* ➊ (*Geltung*) validity *no pl*; **der Ausweis besitzt nur noch ein Jahr ~** the identity card is only valid for one more year ➋ (*gesetzliche Wirksamkeit*) legal force

Gum·mi <-s, -s> ['gʊmi] *nt o m* ➊ (*Material*) rubber *no pl, no indef art* ➋ (*fam: Radiergummi*) rubber ➌ (*fam: ~ band*) rubber band ➍ (*~zug*) elastic *no pl, no indef art* ➎ (*fam: Kondom*) rubber *sl*

Gum·mi·band <-bänder> *nt* rubber band **Gum·mi·baum** *m* ➊ (*Kautschukbaum*) rubber tree ➋ (*Zimmerpflanze*) rubber plant **Gum·mi·hand·schuh** *m* rubber glove **Gum·mi·knüp·pel** *m* rubber truncheon **Gum·mi·rei·fen** *m* rubber tyre **Gum·mi·soh·le** *f* rubber sole **Gum·mi·stie·fel** *m* rubber boot **Gum·mi·zel·le** *f* padded cell **Gum·mi·zug** *m* elastic *no pl, no indef art*

Gunst <-> ['gʊnst] *f kein pl* ➊ (*Wohlwollen*) goodwill *no pl, no indef art*; **in jds ~ stehen** to be in sb's favour ➋ (*Vergünstigung*) **zu jds ~en** in sb's favour ➌ (*günstige Konstellation*) **er nutzte die ~ des**

Augenblicks aus he took advantage of the favourable moment

güns·tig ['gʏnstɪç] **I.** *adj* ➊ (*zeitlich gut gelegen*) convenient ➋ (*begünstigend*) favourable ➌ (*preis~*) reasonable **II.** *adv* ➊ (*preis~*) reasonably ➋ (*passend, geeignet*) favourably; **es trifft sich ~, dass ...** it's a stroke of luck that ...

güns·tigs·ten·falls *adv* at best

Günst·ling <-s, -e> ['gʏnstlɪŋ] *m* (*pej*) favourite

Günst·lings·wirt·schaft *f kein pl* (*pej*) favouritism *no pl*

Gur·gel <-, -n> ['gʊrgl̩] *f* throat; **jdm an die ~ springen** (*fam*) to go for sb's throat

gur·geln ['gʊrgl̩n] *vi* ➊ (*den Rachen spülen*) to gargle ➋ (*von ablaufender Flüssigkeit*) to gurgle

Gur·ke <-, -n> ['gʊrkə] *f* cucumber; (*Essig~*) gherkin; **saure ~n** pickled gherkins

gur·ren ['gʊrən] *vi* Tauben to coo; (*fam*) Mensch to purr

Gurt <-[e]s, -e> ['gʊrt] *m* ➊ (*Riemen*) strap ➋ (*Sicherheitsgurt*) seat belt ➌ (*breiter Gürtel*) belt

Gür·tel <-s, -> ['gʏrtl̩] *m* belt ▶ **den ~ enger schnallen** (*fam*) to tighten one's belt

Gür·tel·li·nie [li:niə] *f* waist[line] ▶ **unter die ~ zielen** to aim below the belt **Gür·tel·rei·fen** *m* radial[-ply] tyre [*or* AM tire] **Gür·tel·ro·se** *f* shingles *no art*, + *sing/pl vb* **Gür·tel·schnal·le** *f* belt buckle **Gür·tel·ta·sche** *f* bum bag BRIT, fanny pack AM **Gür·tel·tier** *nt* armadillo

Gurt·pflicht *f* compulsory wearing of seat belts

Gu·ru <-s, -s> ['gu:ru] *m* guru

Gussᴿᴿ <-es, Güsse> *m*, **Guß**ᴬᴸᵀ <-sses, Güsse> ['gʊs, *pl* 'gʏsə] *m* ➊ (*fam: Regenguss*) downpour ➋ (*Zuckerguss*) icing ➌ *kein pl* TECH (*das Gießen*) casting ➍ MED **kalte Güsse** cold affusions ▶ [**wie**] **aus einem ~** forming a uniform and integrated whole

Guss·ei·senᴿᴿ *nt* cast iron **Guss·form**ᴿᴿ *f* mould

gut <besser, beste> ['gu:t] **I.** *adj* ➊ (*ausgezeichnet, hervorragend*) good; **jdn/etw ~ finden** to think sb/sth is good; **jdm geht es ~/nicht ~** sb is well/not well ➋ (*fachlich qualifiziert*) good; **den Rechtsanwalt kann ich dir empfehlen, der ist ~** I can recommend this lawyer to you, he's good ➌ *attr* (*lieb*) good; (*intim*) close ➍ *meist attr* (*untadelig*) good ➎ (*nicht übel, vorteilhaft*) good; **das kann nicht ~ gehen!** that just won't work! ⑥ (*reichlich*) good ⑦ (*in Wünschen*) good; ~e Fahrt/Reise have a good trip; ~e Erholung/Besserung get well soon; ~en Appetit enjoy your meal; ein ~es neues Jahr happy New Year!; ~e Unterhaltung enjoy the programme; auf ~e Zusammenarbeit! here's to our successful co-operation! ▶ ~ beieinander sein SÜDD to be a bit tubby; ~ und schön (*fam*) well and good; du bist ~! (*iron fam*) you're a fine one!; jdm wieder ~ sein to be friends again with sb; ~ draufsein (*fam*) to be in good spirits; sich für etw zu ~ sein to be too good for sth; ~ gegen etw akk sein (*fam*) to be good for sth; ~ in etw dat sein to be good at sth; es ist ganz ~, dass ... it's good that ...; noch/nicht mehr ~ sein to still be/no longer be any good; lass mal ~ sein! (*fam*) let's drop the subject!; wer weiß, wozu es ~ ist perhaps it's for the best; ~ werden to turn out all right; wieder ~ werden to be all right; also ~! well, all right then!; schon ~! (*fam*) all right!; ~ so sein to be just as well; ~ so! that's it!; und das ist auch ~ so and a good thing too; sei so ~ und ... would you be kind enough to ...; [aber] sonst geht's dir ~? (*iron*) you must be mad [*or* AM crazy]!; wozu ist das ~? (*fam*) what's the use of that?; [wie] ~, dass ... it's a good job that ...; ~! (*in Ordnung!*) OK!; ~, ~! yes, all right! **II.** *adv* ① (*nicht schlecht*) well; ~ aussehend *attr* good-looking; ~ bezahlt *attr* well-paid; ~ gehend *attr* flourishing; ~ gelaunt in a good mood; ~ gemeint *attr* well-meant; ~ situiert *attr* well-to-do; ~ unterrichtet *attr* well-informed; du sprichst aber ~ Englisch! you really can speak good English; ~ verdienend *attr* high-income ② (*geschickt*) well ③ (*reichlich*) es dauert noch ~ eine Stunde, bis Sie an der Reihe sind it'll be a good hour before it's your turn ④ (*einfach, recht*) ich kann ihn jetzt nicht ~ im Stich lassen I can't very well leave him in the lurch now ⑤ (*leicht, mühelos*) hast du die Prüfung ~ hinter dich gebracht? did you get through the exam all right?; ~ leserlich very legible ⑥ (*angenehm*) hm, wonach riecht das denn so ~ in der Küche? hm, what's making the kitchen smell so lovely?; schmeckt es dir auch ~? do you like it too? ⑦ (*wohltuend sein*) ▪ es tut jdm ~, etw zu tun it does sb good to do sth ▶ ~ und gern as best one can; so ~ es geht as best one can; [das hast du] ~ gemacht! well done!; es ~ haben to be lucky; das kann ~ sein

that's quite possible; du kannst ~ reden! (*fam*) it's easy for you to talk!; mach's ~! (*fam*) bye!; pass ~ auf! be very careful!; sich ~ mit jdm stellen to get into sb's good books

Gut <-[e]s, Güter> ['guːt, *pl* 'gyːtə] *nt* ① (*Landgut*) estate ② (*Ware*) commodity ③ *kein pl* (*das Gute*) good *no pl, no indef art*; ~ und Böse good and evil

Gut·ach·ten <-s, -> ['guːtʔaxtn̩] *nt* [expert's] report

Gut·ach·ter(in) <-s, -> *m/(f)* expert

gut·ar·tig *adj* ① MED benign ② (*nicht widerspenstig*) good-natured

gut·bür·ger·lich ['guːt'bʏrɡəlɪç] *adj* middle-class; KOCHK home-made; ~e Küche home-style cooking; ~ essen [gehen] to have some good home cooking

Gut·dün·ken <-s> *nt kein pl* discretion *no pl, no indef art*; nach [eigenem] ~ at one's own discretion

Gu·te(s) *nt* ① (*Positives*) ▪ ~s good; man hört viel ~s über ihn you hear a lot of good things about him; ▪ etwas ~s something good; ich habe im Schrank etwas ~s für dich I've got something nice for you in the cupboard; er tat in seinem Leben viel ~s he did a lot of good in his life; [auch] sein ~s haben to have its good points [too]; ein ~s hat die Sache there is one good thing about it; jdm schwant nichts ~s sb has a nasty feeling about sth; nichts ~s versprechen to not sound very promising; jdm ~s tun to be good to sb; was kann ich dir denn ~s tun? how can I spoil you?; sich zum ~n wenden to take a turn for the better; alles ~! all the best!; alles ~ und viele Grüße an deine Frau! all the best and give my regards to your wife; das ~ daran the good thing about it ② (*friedlich*) im ~n amicably; lass dir's im ~n gesagt sein, dass ich das nicht dulde take a bit of friendly advice, I won't put up with it!; sich im ~n trennen to part on friendly terms ③ (*gute Charakterzüge*) das ~ im Menschen the good in man; ~s tun to do good ▶ ~s mit Bösem/ ~m vergelten (*geh*) to return evil/good for good; des ~n zuviel sein to be too much [of a good thing]; das ist wirklich des ~n zuviel! that's really overdoing things!; alles hat sein ~s (*prov*) every cloud has a silver lining *prov*; im ~n wie im Bösen (*mit Güte wie mit Strenge*) every way possible; (*in guten und schlechten Zeiten*) through good [times] and bad; ich habe es im ~n wie im Bösen versucht, aber sie will einfach keine Ver-

nunft annehmen I've tried to do everything I can, but she simply won't see sense

Gü·te <-> ['gy:tə] f kein pl ❶ (milde Einstellung) kindness; **die ~ haben, zu ...** to be so kind as to ... ❷ (Qualität) [good] quality ▶ **erster ~** (fam) of the first order; **ach du liebe ~!** (fam) oh my goodness! fam; **in ~** amicably

Gu·te·nacht·ge·schich·te f bedtime story **Gu·te·nacht·kuss** [guːtəˈnaxtkʊs] m goodnight kiss

Gü·ter·bahn·hof m goods depot **Gü·ter·ge·mein·schaft** f JUR community of property; **in ~ leben** to have community of property **Gü·ter·tren·nung** f JUR separation of property; **in ~ leben** to have separation of property

Gü·ter·ver·kehr m goods traffic no pl, no indef art, transportation of freight **Gü·ter·wa·gen** m goods truck, freight car **Gü·ter·zug** m goods [or esp AM freight] train

Gü·te·zei·chen nt mark of quality, kite mark BRIT

gut·gläu·big adj trusting, gullible **Gut·gläu·big·keit** f gullibility no pl

gut|ha·ben vt irreg ▪ **etw bei jdm ~** to be owed sth by sb; **du hast ja noch 125 Euro/einen Gefallen bei mir gut** I still owe you 125 Euros/a favour

Gut·ha·ben <-s, -> nt credit balance

gut|hei·ßen vt irreg ▪ **etw ~** to approve of sth

gut·her·zig adj (geh) kind-hearted

gü·tig ['gy:tɪç] adj kind; **würden Sie so ~ sein, zu ...** (geh) would you be so kind as to ...; [**danke,**] **zu ~!** (iron) [thank you,] you're too kind!

güt·lich ['gy:tlɪç] I. adj amicable II. adv amicably ▶ **sich an etw** dat ~ **tun** to help oneself freely to sth

gut|ma·chen vt ❶ (in Ordnung bringen) ▪ **etw ~** to put sth right; **etw an jdm gutzumachen haben** to have sth to make up to sb for ❷ (entgelten) ▪ **etw ~** to repay sth; **wie kann ich das nur je wieder ~?** how can I ever repay you? ❸ (wettma-

chen) ▪ **etw mit etw** dat ~ to make sth up again with sth; ▪ **etw bei etw** dat ~ to make sth from sth

gut·mü·tig ['gu:tmy:tɪç] adj good-natured **Gut·mü·tig·keit** <-> f kein pl good nature no pl

Guts·be·sit·zer(in) m(f) landowner

Gut·schein m coupon **gut|schrei·ben** vt irreg ▪ **jdm etw ~** to credit sb with sth **Gut·schrift** f ❶ kein pl (Vorgang) crediting no pl ❷ (Bescheinigung) credit note ❸ (Anlage) credit slip ❹ (im Haben gebuchter Betrag) credit entry

Guts·herr(in) m(f) lord/lady of the manor **Guts·hof** m estate, manor **Guts·ver·wal·ter(in)** m(f) estate manager, steward, bailiff BRIT

gut·tu·ral [gʊtuˈraːl] adj guttural

gut·wil·lig I. adj (entgegenkommend) willing, obliging II. adv (freiwillig) voluntarily

Gu·ya·na <-s> [guˈjaːna] nt Guyana

Gym·na·si·al·leh·rer(in) m(f), **Gym·na·si·al·pro·fes·sor(in)** m(f) ÖSTERR ≈ grammar-school [or AM ≈ high-school] teacher

Gym·na·si·ast(in) <-en, -en> [gʏmna'ʦi̯ast] m(f) ≈ grammar-school pupil [or AM ≈ high-school student]

Gym·na·si·um <-s, -ien> [gʏm'na:ʦi̯ʊm, pl gʏm'na:ʦi̯ən] nt ≈ grammar school BRIT, ≈ high school AM; **humanistisches/mathematisch-naturwissenschaftliches ~** ≈ grammar school specializing in humanities/mathematics and natural science

Gym·nas·tik <-> [gʏm'nastɪk] f gymnastics + sing vb

Gy·nä·ko·lo·ge, **Gy·nä·ko·lo·gin** <-n, -n> [gʏnɛko'lo:gə, gʏnɛko'lo:gɪn] m, f gynaecologist

Gy·nä·ko·lo·gie <-> [gʏnɛkolo'gi:] f kein pl gynaecology no pl, no art

Gy·nä·ko·lo·gin <-, -nen> [gʏnɛko'lo:gɪn] f fem form von **Gynäkologe**

gy·nä·ko·lo·gisch [gʏnɛko'lo:gɪʃ] adj gynaecological

H h

H, h <-, - o fam -s, -s> [ha:] nt ❶ (*Buchstabe*) H, h; s. a. **A 1** ❷ MUS B; s. a. **A 2**

h Abk von **hora**[e] hr ❶ *gesprochen: Uhr* (*Stunde der Uhrzeit*) hrs; **Abfahrt des Zuges: 9 h 17** train departure: 9.17 a.m. ❷ *gesprochen: Stunde* (*Stunde*) h.; **130 km/h ist auf deutschen Autobahnen empfohlene Richtgeschwindigkeit** 130 k.p.h. is the recommended speed on German motorways

ha [ha] Abk von **Hektar** ha

Haar <-[e]s, -e> [haːɐ̯] nt ❶ (*einzelnes Haar*) hair ❷ *sing o pl* (*gesamtes Kopfhaar*) hair *no pl, no indef art;* **graue ~e bekommen** to go grey; **sich** *dat* **die ~e schneiden lassen** to get one's hair cut ▶**jdm stehen die ~e zu Berge** (*fam*) sb's hair stands on end; **jdm die ~e vom Kopf fressen** (*fam*) to eat sb out of house and home; **~e auf den Zähnen haben** (*fam*) to be a tough customer; **um kein ~ besser** not a bit better; **an jdm/etw kein gutes ~ lassen** to pick sb/sth to pieces; **sich** *dat* **in die ~e geraten** to quarrel; **jdm kein ~ krümmen** not to touch a hair on sb's head; **sich** *dat* **die ~e raufen** to tear one's hair; **etw an den ~en herbeiziehen** to be farfetched; **um ein ~** within a hair's breadth

Haar·an·satz m hairline **Haar·aus·fall** m hair loss *no pl* **Haar·band** nt hairband **Haar·bürs·te** f hairbrush **Haar·bü·schel** nt tuft of hair

haa·ren [ˈhaːrən] vi to moult

Haa·res·brei·te f ▶**um ~** by a hair's breadth

Haar·far·be f colour of one's hair **Haar·fes·ti·ger** <-s, -> m setting lotion **haar·ge·nau** adj exact

haa·rig [ˈhaːrɪç] adj ❶ (*behaart*) hairy ❷ (*fam: heikel, vertrackt*) tricky ❸ (*riskant, gefährlich*) hairy ❹ (*fam: extrem*) tough

Haar·klam·mer f hair clip **haar·klein** [ˈhaːɐ̯ˈklaɪn] adv in minute detail **Haar·lack** m hairspray **Haar·na·del** f hairpin **Haar·na·del·kur·ve** f hairpin bend **Haar·netz** nt hairnet **Haar·pfle·ge** f hair care; **zur ~** for the care of one's hair **Haar·reif** m Alice band **haar·scharf** adv ❶ (*ganz knapp*) by a hair's breadth ❷ (*sehr exakt*) exactly **Haar·schnitt** m haircut, hairstyle **Haar·spal·te·rei** f, <-, -en> [haːɐ̯ʃpaltəˈraɪ] f (*pej*) splitting hairs *no pl, no art* **Haar·span·ge** f hair slide **Haar·**

spray nt o m hairspray **Haar·sträh·ne** f strand of hair **haar·sträu·bend** [ˈhaːɐ̯ʃtrɔybn̩t] adj hair-raising **Haar·teil** nt hairpiece **Haar·trock·ner** m hair dryer **Haar·wasch·mit·tel** nt shampoo **Haar·was·ser** nt hair lotion **Haar·wuchs** m growth of hair **Haar·wuchs·mit·tel** nt hair restorer **Haar·wur·zel** f root of a/the hair

Hab [haːp] nt ~ **und Gut** (*geh*) belongings *npl,* possessions *pl*

Ha·be <-> [ˈhaːbə] f kein pl (*geh*) belongings *npl,* possessions *pl*

ha·ben <hatte, gehabt> [ˈhaːbn̩] **I.** vt ❶ (*besitzen, aufweisen*) to have; **wir ~ zwei Autos** we've got two cars; **der Wagen hat eine Beule** the car has a dent; **sie hatte gestern Geburtstag** it was her birthday yesterday ❷ (*erhalten*) **könnte ich mal das Salz ~?** could I have the salt please?; **ich hätte gern ein Bier** I'd like a beer, please; **woher hast du das?** where did you get that? ❸ *in Maßangaben* **ein Meter hat 100 Zentimeter** there are 100 centimetres in a metre ❹ (*von etw erfüllt sein*) **Durst/Hunger ~** to be thirsty/hungry; **gute/schlechte Laune ~** to be in a good/bad mood; **Angst/Sorgen ~** be afraid/worried; **hast du Lust, mit ins Theater zu kommen?** do you feel like coming to the theatre with us?; **hast du was?** is something the matter?; **ich hab nichts!** nothing's the matter! ❺ (*herrschen*) **wir ~ heute den 13.** it's the 13th today; **in Australien ~ sie jetzt Winter** it's winter now in Australia ❻ (*tun müssen*) ■**etw zu tun ~** to have to do sth; **Sie ~ hier keine Fragen zu stellen!** it's not for you to ask questions here!; **ich habe noch zu arbeiten** I've still got work to do ❼ *mit prep* ■**etw an sich** *dat* **~** to have sth about one; **jetzt weiß ich, was ich an ihr habe** now I know how lucky I am to have her; **es an etw** *dat* **~** (*fam: leiden*) to have trouble with sth; **für etw** *akk* **zu haben/nicht zu ~ sein** to be/not to be keen on sth; **er ist immer für einen Spaß zu ~** he's always up for a laugh; **es in sich ~** (*fam*) to be tough; **etwas mit jdm ~** (*euph*) to have something going with sb; ■**etw von jdm ~** to have sth from sb; **die Kinder ~ bisher wenig von ihrem Vater gehabt** the children have seen little of their father so far; ■**etw von etw** *dat* **~** to get sth out of sth; **nichts davon ~** not to gain anything from it; **das hast du jetzt davon!** now see where it's got you!; **wissen Sie überhaupt, wen Sie vor sich haben?** have you any idea whom you are dealing with? ▸ **noch/nicht mehr zu ~ sein** (*fam*) to be still/no longer available; **da hast du's/~ wir's!** (*fam*) there you are!; **ich hab's!** (*fam*) I've got it!; **wie gehabt** as usual **II.** *vb aux* ■ **etw getan ~** to have done sth; **also, ich hätte das nicht gemacht** well, I wouldn't have done that

Ha·ben <-s> ['ha:bn̩] *nt kein pl* credit; **mit etw** *dat* **im ~ sein** to be in credit by sth

Ha·be·nichts <-[es], -e> ['ha:bənɪçts] *m* (*fam*) have-not *usu pl*, pauper

Ha·ben·sei·te *f* credit side

Hab·gier ['ha:pgi:ɐ̯] *f* (*pej*) greed *no pl*, avarice *no pl*

hab·gie·rig ['ha:pgi:rɪç] *adj* (*pej*) greedy, avaricious

hab·haft *adj* (*geh*) ■ **einer S.** *gen* ~ **werden** get hold of sth

Ha·bicht <-s, -e> ['ha:bɪçt] *m* hawk

Ha·bi·tat <-s, -e> [habi'ta:t] *nt* habitat

Habs·bur·ger(in) <-s, -> ['ha:psburgɐ] *m(f)* Hapsburg

Hab·se·lig·kei·ten ['ha:pze:lɪçkaitn̩] *pl* [meagre] belongings *npl*

Hab·sucht *f s.* **Habgier**

hab·süch·tig ['ha:pzʏçtɪç] *adj s.* **habgierig**

Hach·se <-, -n> ['haksə] *f* KOCHK DIAL (*Haxe*) knuckle [of lamb]

Hack·beil *nt* chopper, cleaver

Hack·bra·ten *m* meat loaf

Ha·cke <-, -n> ['hakə] *f* ❶ (*Gartengerät*) hoe ❷ ÖSTERR (*Axt*) axe ❸ DIAL (*Ferse*) heel; **die ~n zusammenschlagen** to click one's heels ▸ **sich** *dat* **die ~n** [**nach etw** *dat*] **ablaufen** (*fam*) to run one's legs off looking for something

ha·cken ['hakn̩] **I.** *vt* ❶ *Gemüse, Nüsse* to chop [up *sep*] ❷ *Boden* to hoe ❸ *Stücke* to hack (**in** in) **II.** *vi* ❶ (*mit dem Schnabel*) to peck ❷ (*mit der Hacke*) to hoe ❸ INFORM (*sl*) ■ **auf etw** *dat* ~ to sit at sth hacking away; ■ **das H~** hacking

Ha·cker(in) <-s, -> ['hakɐ] *m(f)* (*sl: Computerpirat*) hacker

Hack·fleisch *nt* mince, minced [*or* AM ground] meat ▸ ~ **aus jdm** **machen** (*sl*) to make mincemeat of sb

Hack·ord·nung *f* (*fig a.*) pecking order

Häck·sel <-s> ['hɛksl̩] *nt o m kein pl* chaff *no pl, no indef art*

ha·dern ['ha:dɐn] *vi* (*geh*) to quarrel (**mit** with); **mit seinem Schicksal ~** to rail against one's fate

Ha·fen¹ <-s, Häfen> ['ha:fn̩, *pl* 'hɛ:fn̩] *m* ❶ (*Ankerplatz*) harbour, port ❷ (*geh: Zufluchtsort*) [safe] haven

Ha·fen² <-s, Häfen *o* -> ['ha:fn̩, *pl* 'hɛ:fn̩] *m o nt* DIAL, BES ÖSTERR ❶ (*größerer Topf*) pot ❷ (*Nachttopf*) chamber pot

Ha·fen·ar·bei·ter(in) *m(f)* docker **Ha·fen·be·hör·de** *f* harbour authority **Ha·fen·ein·fahrt** *f* harbour entrance **Ha·fen·ge·bühr** <-, -en> *f* port dues *pl* **Ha·fen·rund·fahrt** *f* boat trip round the harbour **Ha·fen·stadt** *f* port

Ha·fer <-s, -> ['ha:fɐ] *m* oats *pl*

Ha·fer·brei *m* porridge *no pl, no indef art* **Ha·fer·flo·cken** *pl* oat flakes *pl* **Ha·fer·schleim** *m* gruel *no pl*

Haft <-> [haft] *f kein pl* (~ *strafe*) imprisonment *no pl;* (~ *zeit*) prison sentence; **in ~ sein** to be in custody; **aus der ~ entlassen werden** to be released from custody

Haft·an·stalt *f* detention centre, prison

haft·bar ['haftba:ɐ̯] *adj* ■ **für etw** *akk* ~ **sein** to be liable for sth; **jdn für etw** *akk* ~ **machen** to hold sb responsible for sth

Haft·be·fehl *m* [arrest] warrant

haf·ten¹ ['haftn̩] *vi* ❶ ÖKON to be liable (**mit** with); **sie haftet mit ihrem Vermögen** she is liable with her property ❷ (*die Haftung übernehmen*) to be responsible (**für** for)

haf·ten² ['haftn̩] *vi* ❶ (*festkleben*) to adhere (**auf** to) ❷ (*sich festsetzen*) to cling (**an** to) ❸ (*hängen bleiben*) to stick (**auf** to) ❹ (*verinnerlicht werden*) ■ **bei jdm ~** to stick in sb's mind

Haft·ent·las·sung *f* release from custody

Häft·ling <-s, -e> ['hɛftlɪŋ] *m* prisoner

Haft·no·tiz *f* self-adhesive note

Haft·pflicht *f* ❶ (*Schadenersatzpflicht*) liability ❷ (*fam: Haftpflichtversicherung*) personal [*or* AM public] liability insurance *no pl, no art;* AUTO third-party insurance *no pl, no art*

haft·pflich·tig *adj* liable

Haft·pflicht·ver·si·che·rung *f* personal [*or* AM public] liability insurance *no pl, no art;* AUTO third-party insurance *no pl, no art*

Haft·rich·ter(in) *m(f)* magistrate

Haft·scha·le *f meist pl* contact lens

Haft·stra·fe *f* (*veraltend*) *s.* **Freiheitsstrafe**

Haf·tung¹ <-, -en> ['haftʊŋ] *f* JUR liability

Haf·tung² <-> ['haftʊŋ] *f kein pl* AUTO roadholding *no pl, no indef art*

Haft·ur·laub *m* parole *no pl, no art*

Ha·ge·but·te <-, -n> ['ha:gəbutə] *f* rose

hip

Ha·gel <-s> [ˈhaːgl̩] *m kein pl* ❶ METEO hail *no pl, no indef art* ❷ (*Kanonade*) torrent

Ha·gel·korn <-körner> *nt* hailstone

ha·geln [ˈhaːgl̩n] I. *vi impers* to hail II. *vt impers* (*fam*) ■**es hagelt etw** there is a hail of sth

ha·ger [ˈhaːgɐ] *adj* gaunt

ha·ha [haˈhaː] *interj*, **ha·ha·ha** [hahaˈhaː] *interj* haha; ha, ha, ha

Hahn¹ <-[e]s, Hähne> [haːn, *pl* ˈhɛːnə] *m* ❶ (*männliches Huhn*) cock, rooster Am; (*jünger*) cockerel ❷ (*Wetter~*) weathercock ▶ **der ~ im Korbe sein** to be cock of the walk; **nach etw** *dat* **kräht kein ~ mehr** (*fam*) no one cares two hoots about sth anymore

Hahn² <-[e]s, Hähne *o* -en> [haːn, *pl* ˈhɛːnə] *m* ❶ (*Wasser~*) tap, faucet Am ❷ (*Vorrichtung an Schusswaffen*) hammer ▶ **[jdm] den ~ zudrehen** to stop sb's money supply

Hähn·chen <-s, -> [ˈhɛːnçən] *nt* chicken

Hah·nen·fuß *m* BOT buttercup **Hah·nen·kampf** *m* cockfight

Hai <-[e]s, -e> [ˈhai] *m* shark

Hai·fisch [ˈhaifɪʃ] *m s.* **Hai**

Haifisch·be·cken *nt* (*fig fam*) shark infested waters, shark pond, jungle; **das ~ des Profifußballs** the dog-eats-dog world of professional football; **das Immobiliengeschäft ist ein großes ~** the property business is a jungle

Ha·i·ti <-s> [haˈiːti] *nt* Haiti; *s. a.* **Deutschland**

Ha·i·ti·a·ner(in) <-s, -> [hai̯ˈti̯aːnɐ] *m(f)* Haitian; *s. a.* **Deutsche(r)**

ha·i·ti·a·nisch [hai̯ˈti̯aːnɪʃ] *adj* Haitian; *s. a.* **deutsch**

Hä·kel·ar·beit [ˈhɛːkəl-] *f* ❶ (*Handarbeit*) crochet[ing] ❷ (*gehäkelter Gegenstand*) [piece of] crochet [work]

hä·keln [ˈhɛːkl̩n] *vi, vt* to crochet

Hä·kel·na·del *f* crochet hook

Ha·ken <-s, -> [ˈhaːkn̩] *m* ❶ (*gebogene Halterung*) hook ❷ (*beim Boxen*) hook ❸ (*hakenförmiges Zeichen*) tick ❹ (*fam: hindernde Schwierigkeit*) catch; **einen ~ haben** (*fam*) to have a catch ▶ **~ schlagen** to change tactics

ha·ken·för·mig *adj* hooked, hook-shaped

Ha·ken·kreuz *nt* swastika **Ha·ken·na·se** *f* hooked nose, hooknose

halb [halp] I. *adj* ❶ (*die Hälfte von*) half; **die ~e Flasche ist leer** the bottle is half empty ❷ (*halbe Stunde der Uhrzeit*) **es ist genau ~ sieben** it is exactly half past six; ■**... nach/vor ~** ... after/before half past;

es ist erst fünf nach/vor ~ it's only twenty-five to/past ❸ **kein art** (*ein Großteil*) ~ **Deutschland verfolgt die Fußballweltmeisterschaft** half of Germany is following the World Cup ❹ (*~ herzig*) halfhearted ▶ **nichts H~es und nichts Ganzes** neither one thing nor the other II. *adv* ❶ *vor vb* (*zur Hälfte*) half; ■**nur ~** only half; **etw nur ~ machen** to only half-do sth; **~ so ... sein** to be half as ...; **nicht ~ so schlau wie sein Vorgänger** he's not nearly as crafty as his predecessor; **~ ..., ~ ...** half ..., half ... ❷ *vor adj, adv* (*~ wegs*) half; **~ nackt** half-naked; **~ offen** half-open; **~ voll** half-filled ▶ **[mit jdm] ~e-~e machen** to go halves with sb; **das ist ~ so schlimm** it's not as bad as all that; **~ und ~** sort of

halb·amt·lich *adj* semi-official **halb·au·to·ma·tisch** *adj* semi-automatic **Halb·blut** *nt kein pl* ❶ (*Mensch*) halfcaste ❷ (*Tier*) crossbreed **Halb·bru·der** *m* half-brother **Halb·dun·kel** [ˈhalpdʊŋkl̩] *nt* semi-darkness *no pl* **Halb·edel·stein** *m* semi-precious stone

hal·ber [ˈhalbɐ] *präp* +*gen nachgestellt* (*geh*) ■**der ... -** for the sake of ...

halb·fer·tig *adj attr* half-finished **Halb·fi·na·le** *nt* semi-final **Halb·ge·schwis·ter** *pl* half-brother[s] and -sister[s] **Halb·gott, -göt·tin** *m, f* demigod *masc*, demigoddess *fem* ▶ **~ in Weiß** MED (*iron fam*) God in a white coat **halb·her·zig** *adj* half-hearted

hal·bie·ren* [halˈbiːrən] *vt* ❶ (*teilen*) to divide in half ❷ (*um die Hälfte vermindern*) to halve

Halb·in·sel [ˈhalpʔɪnzl̩] *f* peninsula **Halbjahr** *nt* half-year **halb·jäh·rig** [ˈhalpjɛːrɪç] *adj attr* ❶ (*ein halbes Jahr dauernd*) six-month *attr* ❷ (*ein halbes Jahr alt*) six-month-old *attr* **halb·jähr·lich** [ˈhalpjɛːrlɪç] I. *adj* half-yearly, six-monthly II. *adv* every six months, twice a year **Halb·kan·ton** *m* SCHWEIZ demicanton **Halb·kreis** *m* semicircle; **im ~** in a semicircle **Halb·ku·gel** *f* hemisphere **halb·lang** *adj* MODE mid-calf length; **Haar** medium-length ▶ **[nun] mach mal ~!** (*fam*) cut it out! **halb·laut** I. *adj* quiet II. *adv* quietly **Halb·lei·ter** *m* ELEK semiconductor **halb·mast** [ˈhalpmast] *adv* at half mast **Halb·mes·ser** *m s.* **Radius Halb·me·tall** *nt* CHEM semimetal **Halb·mond** *m* ❶ ASTRON half-moon ❷ (*Figur*) crescent **Halb·pen·si·on** *f* half-board *no pl, no art* **halb·rund** *adj* semicircular **Halb·schat·ten** *m* half shade *no pl, no indef art* **Halb·schlaf** *m* light sleep *no pl;* **im ~ sein** to be half-asleep **Halb·schuh** *m* shoe **Halb·schwes·ter** *f* half-sister **Halb·star·ke(r)** *f(m) dekl wie adj* (*veraltend fam*) [young] hooligan **halb·stün·dig** ['halpʃtʏndɪç] *adj attr* half-hour *attr,* lasting half an hour **halb·stünd·lich** ['halpʃtʏntlɪç] **I.** *adj* half-hourly **II.** *adv* every half-hour

halb·tags *adv* on a part-time basis; **sie arbeitet wieder ~ im Büro** she's working half-day at the office again

Halb·tags·be·schäf·ti·gung *f* half-day job, part-time employment **Halb·tags·kraft** *f* part-time worker

Halb·ton *m* MUS semitone **Halb·wai·se** *f* child without a father/mother; **~ sein** to be fatherless/motherless

halb·wegs ['halp've:ks] *adv* ❶ (*einigermaßen*) partly ❷ (*nahezu*) almost ❸ (*veraltend: auf halbem Wege*) halfway

Halb·welt *f kein pl* demimonde

Halb·wert(s)·zeit *f* PHYS half-life

Halb·wüch·si·ge(r) *f(m) dekl wie adj* adolescent

Halb·zeit *f* half-time

Hal·de <-, -n> ['haldə] *f* ❶ (*Müll~*) landfill, rubbish tip BRIT ❷ (*Kohle~*) coal tip; (*Abraum~*) slagheap ❸ (*unverkaufte Ware*) stockpile; **etw auf ~ legen** to stockpile sth ❹ SÜDD (*Hang*) slope

half ['half] *imp von* **helfen**

Hälf·te <-, -n> ['hɛlftə] *f* half; **die erste/zweite ~ einer S.** *gen* the first/second half of sth; **die kleinere/größere ~** the smaller/larger half; **um die ~** by half ▶ **jds bessere ~** (*hum fam*) sb's better half

Half·ter¹ <-s, -> ['halftɐ] *m o nt* (*Zaum*) halter

Half·ter² <-s, - o -, -n> ['halftɐ] *nt o f* (*Tasche für Pistolen*) holster

Hall <-[e]s, -e> [hal] *m* ❶ (*dumpfer Schall*) reverberation ❷ (*Wider~*) echo

Hal·le <-, -n> ['halə] *f* ❶ (*großer Raum*) hall ❷ (*Werks~*) workshop ❸ (*Sport~*) sports hall; **in der ~** indoors ❹ (*Hangar*) hangar

hal·len ['halən] *vi* to echo

Hal·len·bad *nt* indoor swimming pool **Hal·len·sport** *m kein pl* indoor sport

Hal·li·gal·li <-s> ['haligali] *nt kein pl* (*meist pej fam*) hubbub

hal·lo [ha'lo:] *interj* hello

Hal·lo <-s, -s> [ha'lo:] *nt* hello

Hal·lu·zi·na·ti·on <-, -en> [halutsina'tsi̯o:n] *f* hallucination

hal·lu·zi·no·gen [halutsino'ge:n] *adj* hallucinogenic

Hal·lu·zi·no·gen <-s, -e> [halutsino'ge:n] *nt* hallucinogen

Halm <-[e]s, -e> [halm] *m* ❶ (*Stängel*) stalk ❷ (*Trink~*) straw

Ha·lo·gen·bir·ne *f* halogen bulb

Hals <-es, Hälse> [hals, *pl* 'hɛlzə] *m* ❶ ANAT neck; **sich** *dat* **den ~ brechen** (*fam*) to break one's neck; **den ~ recken** to crane one's neck; **einem Tier den ~ umdrehen** to wring an animal's neck; **jdm um den ~ fallen** to fling one's arms around sb's neck ❷ (*Kehle*) throat; **jdm im ~ stecken bleiben** to become stuck in sb's throat; **es im ~ haben** (*fam*) to have a sore throat ❸ (*Flaschen~*) neck ▶ **~ über Kopf** in a hurry; **etw in den falschen ~ bekommen** (*fam*) to take sth the wrong way; **aus vollem ~[e]** at the top of one's voice; **den ~ nicht voll kriegen können** (*fam*) not to be able to get enough of sth; **jdm mit etw** *dat* **vom ~[e] bleiben** (*fam*) not to bother sb with sth; **jdn auf dem ~ haben** (*fam*) to be saddled with sb; **jdn den ~ kosten** to finish sb; **sich jdn vom ~ schaffen** (*fam*) to get sb off one's back; **jdm jdn auf den ~ hetzen** (*fam*) to get sb onto sb; **sich jdm an den ~ werfen** (*pej fam*) to throw oneself at sb

Hals·ab·schnei·der(in) *m(f)* (*pej fam*) shark **Hals·band** *nt* ❶ (*für Haustiere*) collar ❷ (*Samtband*) choker **hals·bre·che·risch** ['halsbrɛçərɪʃ] *adj* breakneck *attr* **Hals·ent·zün·dung** *f* sore throat **Hals·ket·te** *f* necklace **Hals-Na·sen-Oh·ren-Arzt, -ärz·tin** *m, f* ear, nose and throat specialist **Hals·schlag·ader** *f* carotid [artery] **Hals·schmer·zen** *pl* sore throat **hals·star·rig** ['halsʃtarɪç] *adj* (*pej*) obstinate, stubborn **Hals·tuch** *nt* scarf, neckerchief **Hals·wir·bel** *m* ANAT cervical vertebra

halt¹ [halt] *interj* halt!

halt² [halt] *adv* DIAL (*eben*) just; **du musst es ~ noch mal machen** you'll just have to do it again

Halt <-[e]s, -e> [halt] *m* ❶ (*Stütze*) hold; **~ geben** to support; **den ~ verlieren** to lose one's hold ❷ (*inneres Gleichgewicht*) stability ❸ (*Stopp*) stop; **~ machen** to stop; **vor nichts ~ machen** to stop at nothing; **vor niemandem ~ machen** to spare nobody

halt·bar ['haltbaːg] *adj* ❶ (*nicht leicht verderblich*) non-perishable; ▪ **~ sein** to keep; **~ machen** to preserve ❷ (*widerstandsfähig*) durable ❸ (*aufrechtzuerhalten*) tenable

Halt·bar·keit <-> *f kein pl* ❶ (*Lagerfähigkeit*) shelf life ❷ (*Widerstandsfähigkeit*) durability

Halt·bar·keits·da·tum *nt* sell-by date
Halt·bar·keits·dau·er *f kein pl* shelf life
hal·ten <hielt, gehalten> ['haltn̩] **I.** *vt*
① (*fest~, stützen*) to hold **②** (*zum Bleiben veranlassen*) to stop, to keep **③** (*in Position bringen*) to put; **er hielt den Arm in die Höhe** he put his hand up **④** (*besitzen*) to keep **⑤** (*weiter innehaben*) to hold on to **⑥** (*in einem Zustand er~*) to keep; **die Fußböden hält sie immer sauber** she always keeps the floors clean **⑦** (*ab~*) to give; **er hielt eine kurze Rede** he made a short speech **⑧** (*erfüllen*) **der Film hält nicht, was der Titel verspricht** the film doesn't live up to its title ▶ **das kannst du ~, wie du willst** that's completely up to you; **nichts/viel davon ~, etw zu tun** to think nothing/a lot of doing sth; **jdn/etw für jdn/etw ~** to take sb/sth for sb/sth; **etw von jdm/etw ~** to think sth of sb/sth; **wofür ~ Sie mich?** who do you take me for! **II.** *vi* **①** (*fest~*) to hold **②** (*haltbar sein*) to keep **③** (*anhalten*) to stop; **etw zum H~ bringen** to bring sth to a stop ▶ **an sich ~** to control oneself; **zu jdm ~** to stand by sb **III.** *vr* **①** (*sich festhalten*) ■ **sich an etw** *dat* ~ to hold on to sth **②** METEO (*konstant bleiben*) ■ **sich ~** to last **③** (*eine Richtung beibehalten*) ■ **sich irgendwohin/nach ...** ~ to keep to somewhere/heading towards ... **④** (*sich richten nach*) ■ **sich an etw** *akk* ~ to stick to sth **⑤** (*eine bestimmte Haltung haben*) ■ **sich irgendwie** ~ to carry oneself in a certain manner; **das Gleichgewicht** ~ to keep one's balance ▶ **sich gut gehalten haben** (*fam*) to have worn well; **sich für jdn/etw** ~ to think one is sb/sth
Hal·ter <-s, -> *m* holder
Hal·te·rung <-, -en> *f* mounting, support
Hal·te·stel·le *f* stop **Hal·te·ver·bot** *nt kein pl* no stopping; **hier ist ~** this is a no stopping area; **eingeschränktes ~** limited waiting
halt·los *adj* **①** (*labil*) weak; *Mensch* unsteady **②** (*unbegründet*) groundless, unfounded
Hal·tung¹ <-, -en> ['haltʊŋ] *f* **①** (*Körper~*) posture; (*typische Stellung*) stance **②** (*Einstellung*) attitude **③** *kein pl* (*Verhalten*) manner ▶ **~ bewahren** to keep one's composure; **~ annehmen** MIL to stand to attention
Hal·tung² <-> ['haltʊŋ] *f kein pl von Tieren* keeping
Hal·tungs·feh·ler *m* bad posture
Ha·lun·ke <-n, -n> [ha'lʊŋkə] *m* **①** (*pej: Gauner*) scoundrel **②** (*hum: Schlingel*) rascal

Ha·mam <-[s], -s> [ha'ma:m] *m* Turkish bath, hamam
Ham·burg <-s> ['hambʊrk] *nt* Hamburg
Ham·bur·ger¹ <-s, -> ['hambʊrɡɐ] *m* hamburger
Ham·bur·ger² ['hambʊrɡɐ] *adj attr* Hamburg
Ham·bur·ger(in) <-s, -> ['hambʊrɡɐ] *m(f)* native of Hamburg
hä·misch ['hɛːmɪʃ] **I.** *adj* malicious **II.** *adv* maliciously
Ham·mel <-s, - *o selten* Hämmel> ['haml̩, *pl* 'hɛml̩] *m* **①** (*Tier*) wether **②** *kein pl* (*~fleisch*) mutton **③** (*pej: Dummkopf*) idiot
Ham·mel·fleisch *nt* mutton
Ham·mer <-s, Hämmer> ['hamɐ, *pl* 'hɛmɐ] *m* **①** (*Werkzeug*) hammer **②** SPORT (*Wurfgerät*) hammer **③** (*sl: schwerer Fehler*) howler **④** (*Unverschämtheit*) outrageous thing
häm·mern ['hɛmɐn] *vi, vt* **①** (*mit dem Hammer arbeiten*) to hammer **②** (*wie Hammerschläge ertönen*) to make a hammering noise **③** (*fam: auf dem Klavier spielen*) to hammer away at the piano **④** (*rasch pulsieren*) to pound ▶ **jdm etw ins Bewusstsein** ~ to hammer sth into sb's head
Ham·mer·wer·fen <-s> *nt kein pl* hammer-throwing
Hä·mor·rho·i·de [hɛmɔroˈiːdə], **Hä·mor·ri·de** <-, -n> [hɛmɔˈriːdə] *f meist pl* haemorrhoids *pl*
Ham·pel·mann <-männer> ['hampl̩man, *pl* -mɛnɐ] *m* **①** (*Spielzeug*) jumping jack **②** (*pej fam: labiler Mensch*) puppet
ham·peln ['hampl̩n] *vi* (*fam*) to fidget
Hams·ter <-s, -> ['hamstɐ] *m* hamster
Hams·ter·ba·cken *pl* (*fam*) chubby cheeks **Hams·ter·kauf** *m* panic-buying
hams·tern ['hamstɐn] *vt, vi* to hoard
Hand <-, Hände> [hant, *pl* 'hɛndə] *f* **①** ANAT hand; **Hände hoch!** hands up!; **eine hohle ~ machen** to cup one's hands; **linker/rechter ~** on the left/right; **eine ruhige ~** a steady hand; **jdm etw in die ~ drücken** to press sth into sb's hand; **jdm die ~ geben** to shake sb's hand; **jdn an der ~ nehmen** to take hold of sb's hand; **etw aus der ~ essen** to eat sth out of one's hand; **etw in die ~ nehmen** to pick up sth *sep;* **lass mich die Sache mal in die ~ nehmen** let me take care of the matter; **jdm etw aus der ~ nehmen** to take sth from sb; **sich** *dat* **die Hände reiben** to rub one's hands [together]; **Hände weg!**

hands off! ② (*Besitz*) hands; **der Besitz gelangte in fremde Hände** the property passed into foreign hands ▸ **für jdn seine ~ ins** F̲e̲u̲e̲r̲ **legen** (*fam*) to vouch for sb; **~ und** F̲u̲ß̲ **haben** to be purposeful; **weder ~ noch** F̲u̲ß̲ **haben** to have no rhyme or reason; **~ aufs** H̲e̲r̲z̲! (*fam*) cross your heart; **von der ~ in den** M̲u̲n̲d̲ **leben** to live from hand to mouth; [**bei etw** *dat*] **die Hände im** S̲p̲i̲e̲l̲ **haben** to have a hand in sth; **bei jdm in** b̲e̲s̲t̲e̲n̲ **Händen sein** to be in safe hands with sb; **mit der** b̲l̲o̲ß̲e̲n̲ **~** with one's bare hands; **aus** e̲r̲s̲t̲e̲r̲/z̲w̲e̲i̲t̲e̲r̲ **~** first-hand/second-hand; **in** f̲e̲s̲t̲e̲n̲ **Händen sein** (*fam*) to be spoken for; f̲r̲e̲i̲e̲ **~ haben** to have a free hand; **bei etw** *dat* **eine** g̲l̲ü̲c̲k̲l̲i̲c̲h̲e̲ **~ haben** to have the Midas touch with sth; **mit** l̲e̲e̲r̲e̲n̲ **Händen** empty-handed; **jds** r̲e̲c̲h̲t̲e̲ **~ sein** to be sb's right-hand man; **alle Hände** v̲o̲l̲l̲ **zu tun haben** to have one's hands full; **jdm aus der ~** f̲r̲e̲s̲s̲e̲n̲ (*fam*) to eat out of sb's hand; **jdm sind die Hände** g̲e̲b̲u̲n̲d̲e̲n̲ sb's hands are tied; **jdm zur ~** g̲e̲h̲e̲n̲ to lend sb a [helping] hand; **etw aus der ~** g̲e̲b̲e̲n̲ to let sth out of one's hands; **etw in der ~** h̲a̲b̲e̲n̲ to have sth in one's hands; **zur ~** s̲e̲i̲n̲ to be at hand; **in jds ~** l̲i̲e̲g̲e̲n̲ to be in sb's hands; **etw selber in die ~** n̲e̲h̲m̲e̲n̲ to take sth into one's own hands; **in die Hände** s̲p̲u̲-c̲k̲e̲n̲ to roll up one's sleeves *sep;* **eine ~** w̲ä̲s̲c̲h̲t̲ **die andere** you scratch my back I'll scratch yours; **etw unter der ~** e̲r̲f̲a̲h̲-r̲e̲n̲ to hear sth through the grapevine; z̲u̲ **Händen von jdm** for the attention of sb, attn: sb

Hand·ar·beit *f* ① (*Gegenstand*) handicraft; **~ sein** to be handmade; **in ~** by hand ② *kein pl* (*körperliche Arbeit*) manual labour ③ (*Nähen, Stricken etc*) sewing and knitting; SCH needlework; (*Gegenstand*) needlework **Hand·ball** *m o fam int* SPORT handball **Hand·be·we·gung** *f* movement of the hand, gesture; **eine ~ machen** to move one's hand **Hand·breit** <-, -> ['hantbrajt] *f* a few centimetres **Hand·brem·se** *f* handbrake **Hand·buch** *nt* manual

Händ·chen <-s, -> ['hɛntçən] *nt dim von* **Hand** little hand; **für etw** *akk* **ein ~ haben** (*fam*) to have a knack for sth; **~ hal·ten** (*fam*) to hold hands

Hand·creme [-kre:m] *f* hand cream
Hän·de·druck *m kein pl* handshake
Han·del <-s> ['handl, *pl* 'hɛndl] *m kein pl* ① (*Wirtschaftszweig der Händler*) commerce ② (*Warenverkehr*) trade ③ (*fam:*

Abmachung, Geschäft) deal ④ (*das Handeln*) dealing, trading (**mit** in); **der ~ mit Drogen ist illegal** drug trafficking is illegal; [**mit etw** *dat*] **~ treiben** to trade [in sth] ⑤ (*Laden*) business; **etw in den ~ bringen** to put sth on the market; **im ~ sein** to be on the market; **etw aus dem ~ ziehen** to take sth off the market

han·deln ['handln] **I.** *vi* ① (*kaufen und verkaufen*) to trade (**mit** with/in); **er soll mit Drogen gehandelt haben** he is supposed to have been trafficking drugs; **im Orient soll immer noch mit Frauen gehandelt werden** the Orient is still supposed to trade in women ② (*feilschen*) to haggle (**um** over); **mit sich ~ lassen** to be prepared to negotiate [sth]; **über den Preis lasse ich nicht mit mir ~** the price is not open to negotiation ③ (*agieren*) to act; **die Frau handelte aus purer Eifersucht** the woman acted out of pure jealousy ④ (*befassen*) ▪**von etw** *dat* **~** to be about sth, to deal with sth **II.** *vr impers* ▪**sich um jdn/etw ~** to be a matter of sth, to concern sb/sth; **bei den Tätern soll es sich um Angehörige einer Terrorgruppe ~** the culprits are said to be members of a terrorist group; **worum handelt es sich, bitte?** what's it about, please? **III.** *vt* ① (*angeboten und verkauft werden*) ▪[**für etw** *akk*] **gehandelt werden** to be traded [at sth]; **an den Börsen werden Aktien gehandelt** shares are traded on the stock exchanges ② (*im Gespräch sein*) ▪**als jd/für etw** *akk* **gehandelt werden** to be touted as sb/for sth

Han·dels·ab·kom·men *nt* trade agreement **Han·dels·ar·ti·kel** *m s.* **Handelsware Han·dels·bank** *f* merchant bank **Han·dels·be·zie·hun·gen** *pl* trade relations **Han·dels·bi·lanz** *f* balance of trade; **aktive ~** balance of trade surplus; **passive ~** balance of trade deficit **Han·dels·de·fi·zit** *nt* trade deficit **han·dels·ei·nig** ['handls?ajnɪç], **han·dels·eins** ['handls?ajns] *adj präd* ▪ **~ sein/werden** to agree terms **Han·dels·flot·te** *f* merchant fleet **Han·dels·frei·heit** *f kein pl* freedom of trade **Han·dels·ge·sell·schaft** *f* commercial company **Han·dels·kam·mer** *f* chamber of commerce **Han·dels·mar·ke** *f* trademark, brand **Han·dels·recht** *nt* commercial law **Han·dels·re·gis·ter** *nt* Register of Companies **Han·dels·schiff** *nt* trading vessel **Han·dels·schu·le** *f* business school **han·dels·üb·lich** *adj* in accordance with standard commercial practice; **250 Gramm**

für Konservendosen ist eine ~e Größe 250 grammes is a standard size for tinned food **Han·dels·ver·trag** *m* JUR trade agreement **Han·dels·ver·tre·ter(in)** *m(f)* commercial agent **Han·dels·wa·re** *f* commodity **Han·dels·zen·trum** *nt* business centre

Han·del·trei·ben·de(r) *f(m) dekl wie adj* trader

hän·de·rin·gend I. *adj* wringing one's hands II. *adv* (*fam: dringend*) desperately

Hän·de·trock·ner *m* hand drier

Hand·fe·ger <-s, -> *m* hand brush

Hand·fer·tig·keit *f* dexterity

hand·fest *adj* ❶ (*deftig*) substantial ❷ (*robust*) sturdy ❸ (*ordentlich*) proper; **die Affäre wuchs sich zu einem ~en Skandal aus** the affair turned into a full-blown scandal ❹ (*hieb- und stichfest*) well-founded; **~e Beweise** solid proof **Hand·feu·er·waf·fe** *f* hand-gun **Hand·flä·che** *f* palm of one's hand **hand·ge·ar·bei·tet** *adj* handmade **Hand·ge·lenk** *nt* wrist ▶ **etw aus dem ~ schütteln** (*fam*) to do sth straight off; **aus dem ~** (*fam*) off the cuff **Hand·ge·men·ge** *nt* scuffle **Hand·ge·päck** *nt* hand luggage **hand·ge·schrie·ben** *adj* handwritten **Hand·gra·na·te** *f* hand grenade

hand·greif·lich [ˈhantɡraɪflɪç] *adj* violent; ◼ **~ werden** to become violent (**gegen** towards)

Hand·greif·lich·keit <-, -en> *f kein pl* (*Tätlichkeit*) fight *no pl*; **bei dem Streit kam es zu ~en** the argument became violent

Hand·griff *m* ❶ (*Aktion*) movement ❷ (*Griff*) handle ▶ **mit einem ~** with a flick of the wrist; **mit ein paar ~en** in no time

Hand·ha·be *f* tangible evidence

hand·ha·ben [ˈhanthaːbn̩] *vt* ❶ (*bedienen*) to handle; *Maschine a.* to operate ❷ (*anwenden*) to apply; **die Vorschriften müssen strenger gehandhabt werden** the regulations must be applied more strictly ❸ (*verfahren*) to manage; **so wurde es hier schon immer gehandhabt** we've always dealt with it here in this way

Hand·ha·bung <-> *f kein pl* ❶ (*Bedienung*) operation ❷ (*Anwendung*) application

Han·di·cap <-s, -s> [ˈhɛndikɛp], **Han·di·kap** <-s, -s> [ˈhɛndikɛp] *nt* handicap

Hand·kof·fer *m* small suitcase **Hand·kuss**RR *m* kiss on the hand

Hand·lan·ger(in) <-s, -> [ˈhantlaŋɐ] *m(f)* ❶ (*Helfer*) labourer ❷ (*pej: Erfüllungsge-*

hilfe) stooge

Hand·lan·ger·dienst *m* dirty work **Händ·ler(in)** <-s, -> [ˈhɛndlɐ] *m(f)* dealer ▶ **fliegender ~** street trader

hand·lich [ˈhantlɪç] *adj* ❶ (*bequem zu handhaben*) easy to handle, manageable ❷ (*leicht lenkbar*) manoeuvrable

Hand·lung <-, -en> [ˈhandlʊŋ] *f* ❶ (*Tat, Akt*) act; **kriegerische ~** act of war; **strafbare ~** criminal offence ❷ (*Geschehen*) action, plot, story

Hand·lungs·be·darf *m* need for action; **es besteht ~/kein ~** there is a need/no need for action **Hand·lungs·be·voll·mäch·tig·te(r)** *f(m)* authorized agent **hand·lungs·fä·hig** *adj* capable of acting; **eine ~e Mehrheit** a working majority **Hand·lungs·frei·heit** *f kein pl* freedom of action **Hand·lungs·spiel·raum** *m* room for manoeuvre **hand·lungs·un·fä·hig** *adj* incapable of acting **Hand·lungs·wei·se** *f* conduct

Hand·pup·pe *f* glove [*or* hand] puppet

Hand·rü·cken *m* back of the hand **Hand·schel·le** *f meist pl* handcuffs *pl*; **jdm ~n anlegen** to handcuff sb; **jdn in ~n abführen** to take sb away in handcuffs **Hand·schlag** *m* handshake **Hand·schrift** [ˈhantʃrɪft] *f* ❶ (*Schrift*) handwriting ❷ (*Text*) manuscript ▶ **jds ~ tragen** to bear sb's [trade]mark **hand·schrift·lich** I. *adj* ❶ (*von Hand geschrieben*) handwritten ❷ (*als Handschrift überliefert*) in manuscript form II. *adv* (*von Hand*) by hand **Hand·schuh** *m* glove **Hand·schuh·fach** *nt*, **Hand·schuh·kas·ten** *m* glove compartment **Hand·spiel** *nt kein pl* handball **Hand·stand** *m* handstand; **einen ~ machen** to do a handstand **Hand·ta·sche** *f* handbag, purse AM **Hand·tel·ler** *m* palm **Hand·tuch** <-tücher> *nt* towel ▶ **das ~ werfen** to throw in the towel **Hand·um·dre·hen** [ˈhantʔʊmdreːən] *nt* ▶ **im ~** in a jiffy **hand·ver·le·sen** *adj* ❶ (*mit der Hand gepflückt*) hand-picked ❷ (*sorgfältig überprüft*) hand-picked; **nur ~e Gäste waren zugelassen** only specially invited guests were admitted **Hand·voll**ALT <-, -> *f* handful **Hand·wä·sche** *f* ❶ (*Vorgang*) hand-wash ❷ *kein pl* (*Wäschestücke*) item for hand-washing

Hand·werk *nt* trade ▶ **jdm das ~ legen** to put an end to sb's game; **jdm ins ~ pfuschen** to encroach on sb's activities; **sein ~ verstehen** to know one's job **Hand·wer·ker(in)** <-s, -> *m(f)* tradesman **hand·werk·lich** I. *adj* relating to a trade;

eine ~e Ausbildung machen to undergo training for a skilled trade; **~es Können** craftsmanship **II.** *adv* concerning craftsmanship

Hand·werks·be·trieb *m* workshop **Hand·werks·kam·mer** *f* Chamber of Handicrafts **Hand·werks·zeug** *nt kein pl* tools of the trade, equipment

Hand·wur·zel *f* carpus

Han·dy <-s, -s> ['hɛndi] *nt* TELEK mobile [phone]

Hand·zei·chen *nt* gesture, sign; **durch ~** by gesturing **Hand·zet·tel** *m* leaflet

ha·ne·bü·chen *adj* (*veraltend geh*) outrageous

Hanf <-[e]s> [hanf] *m kein pl* ① (*Faser, Pflanze*) hemp ② (*Samen*) hempseed

Hang <-[e]s, Hänge> [haŋ, *pl* 'hɛŋə] *m* ① (*Abhang*) slope ② *kein pl* (*Neigung*) tendency; **sie hat einen ~ zu Übertreibungen** she has a tendency to exaggerate; **den ~ haben, etw zu tun** to be inclined to do sth

Han·gar <-s, -s> ['haŋaːɐ̯] *m* hangar

Hän·ge·brü·cke *f* suspension bridge **Hän·ge·lam·pe** *f* hanging lamp **Hän·ge·mat·te** *f* hammock

hän·gen ['hɛŋən] **I.** *vi* <hing, gehangen> ① (*mit dem oberen Teil angebracht sein*) to hang (**an** on, **über** over, **von** from); **das Bild hängt nicht gerade** the picture's not hanging straight; **der Baum hängt voller Früchte** the tree is laden with fruit; [**an etw** *dat*] **~ bleiben** (*befestigt bleiben*) to stay on [sth]; (*kleben bleiben*) to stick to sth ② (*sich neigen*) to lean ③ (*befestigt sein*) to be attached (**an** to) ④ (*fam: angeschlossen sein*) to be connected (**an** to) ⑤ (*fam: emotional verbunden sein*) to be attached (**an** to) ⑥ (*festhängen*) [**mit etw** *dat*] **an etw** *dat* **~ bleiben** to get caught on sth [by sth]; **du bist mit dem Pullover an einem Nagel ~ geblieben** you've got your sweater caught on a nail ⑦ (*fam: sich aufhalten*) **~ bleiben** to be kept down; **musst du stundenlang am Telefon ~!** must you spend hours on the phone!; **er hängt den ganzen Tag vorm Fernseher** he spends all day in front of the television ⑧ (*fam: zu erledigen sein*) **an jdm ~ bleiben** to be down to sb ⑨ (*fam: in der Erinnerung bleiben*) ▪ [**bei jdm**] **~ bleiben** to stick [in sb's mind] ▸ **mit H~ und Würgen** (*fam*) by the skin of one's teeth; **etw ~ lassen** to dangle sth; **sie ließ die Beine ins Wasser ~** she dangled her legs in the water; **er war müde und ließ den Kopf etwas ~** he was tired and let his head

droop a little **II.** *vt* <hängte *o* DIAL hing, gehängt *o* DIAL gehangen> ① (*anbringen*) ▪ **etw an/auf etw** *akk* **~** to hang sth on sth; **wir müssen noch die Bilder an die Wand ~** we still have to hang the pictures on the wall ② (*henken*) to hang ③ (*anschließen*) ▪ **etw an etw** *akk* **~** to attach sth to sth ④ (*im Stich lassen*) ▪ **jdn ~ lassen** to let sb down **III.** *vr* <hängte *o* DIAL hing, gehängt *o* DIAL gehangen> ① (*sich festhalten*) ▪ **sich an jdn/etw ~** to hang on to sb/sth ② (*verfolgen*) ▪ **sich an jdn/etw ~** to follow sb/sth ③ (*sich gehen lassen*) ▪ **sich ~ lassen** to let oneself go

Han·no·ver <-s> [haˈnoːfɐ] *nt* Hanover

Hans·dampf <-[e]s, -e> [hansˈdampf] *m* Jack-of-all-trades ▸ **ein ~ in allen Gassen sein** to be a Jack-of-all-trades

han·se·a·tisch *adj* Hanseatic

Hän·se·lei <-, -en> *f* [relentless] teasing **hän·seln** ['hɛnzl̩n] *vt* to tease (**wegen** about)

Han·se·stadt *f* ① (*Bremen, Hamburg und Lübeck*) Hanseatic city ② HIST city of the Hanseatic League

Hans·wurst <-[e]s, -e *o* -würste> [hansˈvʊrst] *m* (*hum fam*) buffoon

Han·tel <-, -n> ['hantl̩] *f* SPORT dumb-bell **han·tie·ren*** [hanˈtiːrən] *vi* ① (*sich beschäftigen*) to be busy (**mit** with); **ich hörte ihn im Keller mit Werkzeug ~** I heard him using tools in the cellar ② (*herum~*) to work (**an** on)

ha·pern ['haːpɐn] *vi impers* (*fam*) ① (*fehlen*) ▪ **an etw** *dat* **~** to be lacking sth ② (*schlecht bestellt sein*) ▪ **es hapert** [**bei jdm**] **mit etw** *dat* sb has a problem with sth; **bei uns hapert es mit der Ersatzteilversorgung** we have a problem with the supply of spare parts; **in Mathe hapert es bei ihr noch etwas** she's still a bit weak in maths

Häpp·chen <-s, -> ['hɛpçən] *nt dim von* **Happen** morsel, titbit BRIT *fam,* tidbit AM **häpp·chen·wei·se** *adv* (*fam*) in small mouthfuls; (*nach und nach*) bit by bit

Hap·pen <-s, -> ['hapn̩] *m* (*fam: kleine Mahlzeit*) snack

Hap·pe·ning <-s, -s> ['hɛpənɪŋ] *nt* happening; **ein ~ veranstalten** to stage a happening

hap·pig ['hapɪç] *adj* ① (*fam: hoch*) *Preis* steep ② (*schwierig*) tough

hap·py ['hɛpi] *adj* (*fam*) happy

Happy-End <-s, -s> *nt,* **Hap·py·end**[RR] ['hɛpiˈʔɛnt] *nt* ÖSTERR happy ending **Hap·py Hour**[RR] <-, -s>, **Hap·py·hour**[RR] <-s, -s> ['hɛpiˈaʊ̯ɐ] *f* happy hour

Hap·tik <-> ['haptɪk] *f* (*Lehre vom Tast-sinn*) haptics

Hard·diskᴿᴿ <-, -s>, **Hard Disk**ᴿᴿ <-, -s>, **Hard disk**ᴬᴸᵀ <-, -s> ['haːɐ̯tdɪsk] *f* INFORM hard disk **Hard·li·ner(in)** <-s, -> ['haːɐ̯tlaɪnɐ] *m(f)* hardliner **Hard·rock**ᴿᴿ, **Hard Rock** <-, -[s]> ['haːɐ̯trɔk] *m* hard rock **Hard·ware** <-, -s> ['haːɐ̯tvɛɐ̯] *f* INFORM hardware

Ha·rem <-s, -s> ['haːrɛm] *m* harem

Har·fe <-, -n> ['harfə] *f* harp

Har·ke <-, -n> ['harkə] *f bes* NORDD (*Gar-tenwerkzeug*) rake ▸ **jdm zeigen, was eine ~ ist** (*fam*) to show sb what's what

har·ken ['harkn] *vt bes* NORDD ■ **etw ~** *Beet* to rake sth; *Laub* to rake sth [together]; ■ **geharkt** raked

Har·le·kin <-s, -e> ['harlekiːn] *m* Harle-quin

harm·los I. *adj* ❶ (*ungefährlich*) harmless ❷ (*arglos*) innocent **II.** *adv* ❶ (*ungefähr-lich*) harmlessly ❷ (*arglos*) innocently

Har·mo·nie <-, -n> [harmo'niː, *pl* -'niːən] *f* harmony

har·mo·nie·ren* [harmo'niːrən] *vi* ❶ (*zu-sammenklingen*) to harmonize ❷ (*zuei-nander passen*) to go with ❸ (*gut zusam-menpassen*) to get on well [with each other]

Har·mo·ni·ka <-, -s *o* Harmoniken> [har'moːnika] *pl f* accordion

har·mo·nisch [har'moːnɪʃ] **I.** *adj* harmoni-ous **II.** *adv* harmoniously

har·mo·ni·sie·ren* [harmoni'ziːrən] *vt* to harmonize

Har·mo·ni·sie·rung <-, -en> *f* JUR harmo-nization; **~ der Rechtsvorschriften** har-monization of legal stipulations

Har·mo·ni·um <-s, -ien> [har'moːniʊm, *pl* -niən] *nt* harmonium

Harn <-[e]s, -e> [harn] *m* urine

Harn·bla·se *f* bladder **Harn·lei·ter** *m* ureter **Harn·röh·re** *f* urethra **Harn·säu-re** *f* uric acid **harn·trei·bend I.** *adj* (*geh*) diuretic **II.** *adv* (*geh*) having a diuretic ef-fect

Har·pu·ne <-, -n> [har'puːnə] *f* harpoon

har·pu·nie·ren* [harpu'niːrən] *vt* to har-poon

har·ren ['harən] *vi* (*geh*) ■ **einer S.** *gen* **~** to await sth

hart <härter, härteste> [hart] **I.** *adj* ❶ (*nicht weich*) hard; (*straff*) firm ❷ (*hef-tig*) *Aufprall, Ruck, Winter* severe ❸ *Ak-zent* harsh ❹ *Schnaps* strong; *Drogen* hard; *Pornografie* hard-core ❺ (*brutal*) *Film, Konflikt* violent ❻ (*abgehärtet*) *Kerl* tough ❼ (*streng, unerbittlich*) *Mensch*

hard; *Regime* harsh; *Strafe* severe; *Gesetze* harsh; *Worte* harsh; ■ **~ mit jdm sein** to be hard on sb ❽ (*schwer zu ertragen*) cru-el; **der Tod ihres Mannes war für sie ein ~ er Schlag** the death of her husband was a cruel blow for her; *Zeiten* hard; *Rea-lität* harsh; *Wahrheit* harsh; ■ **~ für jdn sein, dass ...** to be hard on sb that ... ❾ (*mühevoll*) hard, tough; **20 Jahre ~ er Arbeit** 20 years of hard work ▸ **[in etw** *dat*] **~ bleiben** to remain firm [about sth]; **~ auf ~ kommen** to come to the crunch; **~ im Nehmen sein** (*beim Boxen*) to be able to take a lot of punishment; (*mit etw gut fertigwerden*) to be resilient **II.** *adv* ❶ (*nicht weich*) hard; **~ gefroren** froz-en hard *pred*; **~ gekocht** hard-boiled; **~ gesotten** hard-bitten ❷ (*heftig*) **bei dem Sturz ist er ~ gefallen** he had a se-vere fall; **sie prallte ~ auf die Wind-schutzscheibe auf** she hit the windscreen with tremendous force ❸ (*streng*) severely ❹ (*mühevoll*) hard; **wir werden noch härter arbeiten müssen** we'll have to work even harder ❺ (*unmittelbar*) close; ■ **~ an etw** *dat* close to sth ▸ **jdn ~ anfas-sen** to treat sb severely; **~ durchgreifen** to take tough action; **jdm ~ zusetzen** to press sb hard; **jdn ~ treffen** to hit sb hard; **~ gesotten**

Här·te <-, -n> ['hɛrtə] *f* ❶ (*~ grad*) hard-ness ❷ *kein pl* (*Wucht*) force ❸ *kein pl* (*Robustheit*) robustness ❹ *kein pl* (*Stabili-tät*) stability ❺ *kein pl* (*Strenge*) sever-ity; (*Unerbittlichkeit*) relentlessness ❻ (*schwere Erträglichkeit*) cruelty

Här·te·fall *m* case of hardship

här·ten ['hɛrtn] *vt, vi* to harden

Här·te·test *m* endurance test; **jdn/etw einem ~ unterziehen** to subject sb/sth to an endurance test

Hart·geld *nt* coins *pl*

hart·ge·sot·ten ['hartɡəzɔtn] *adj* ❶ (*un-sensibel*) [hard]ened ❷ (*verstockt*) **ein ~ er Sünder** an unrepentant sinner

hart·her·zig *adj* hard-hearted

Hart·holz *nt* hardwood

hart·nä·ckig I. *adj* ❶ (*beharrlich*) persis-tent ❷ (*langwierig*) stubborn **II.** *adv* (*beharrlich*) persistently

Hart·nä·ckig·keit <-> *f kein pl* ❶ (*Beharr-lichkeit*) persistence ❷ (*Langwierigkeit*) stubbornness

Hart·platz *m* TENNIS hard court

Hartz IV [haːɐ̯ts'-] *German labour market reform of 2005 that regulates and brings together unemployment and social secu-rity benefits*

Harz¹ <-es, -e> [haːɐ̯ts] *nt* resin
Harz² <-es> [haːɐ̯ts] *m* ▪ **der ~** the Harz Mountains
har·zig [ˈhaːɐ̯tsɪç] *adj* resinous
Hasch <-[s]> [haʃ] *nt kein pl* (*fam*) hash
Ha·schee <-s, -s> [haˈʃeː] *nt* hash
Hä·schen <-s, -> [ˈhɛːsçən] *nt dim von* **Hase** young hare, bunny; (*fam: Kosename*) sweetheart
ha·schen¹ [ˈhaʃn̩] *vi* (*veraltend geh*) ▪ **nach etw** *dat* ~ ➊ (*greifen*) to make a grab for sth ➋ (*streben*) to angle for sth
ha·schen² [ˈhaʃn̩] *vi* (*fam*) to smoke hash
Ha·schisch <-[s]> [ˈhaʃɪʃ] *nt o m kein pl* hashish
Ha·se <-n, -n> [ˈhaːzə] *m* ➊ (*wild lebendes Nagetier*) hare ➋ (*~nbraten*) roast hare ➌ (*Kaninchen*) rabbit ▸ **ein alter ~ sein** (*fam*) to be an old hand; **wissen, wie der ~ läuft** (*fam*) to know which way the wind blows
Ha·sel·nussᴿᴿ [ˈhaːzl̩nʊs] *f* ➊ (*Nuss*) hazelnut ➋ (*Hasel*) hazel
Ha·sen·fü·ßig·keit *f* (*fam: Feigheit*) lily-liveredness **Ha·sen·pfef·fer** *m* jugged hare Bʀɪᴛ, Hasenpfeffer Aᴍ **Ha·sen·schar·te** *f* Mᴇᴅ harelip
Hä·sin *f* doe, female hare
Hassᴿᴿ <-es> *m*, **Haß**ᴬᴸᵀ <-sses> [has] *m kein pl* hate, hatred, loathing; **einen ~ auf jdn haben** to be angry with sb; **aus ~** out of hatred
has·sen [ˈhasn̩] *vt* to hate; ▪ **es ~, etw zu tun** to hate doing sth
has·sens·wert *adj* hateful, odious **hass·er·füllt**ᴿᴿ *adj, adv* full of hate
häss·lichᴿᴿ, **häß·lich**ᴬᴸᵀ [ˈhɛslɪç] I. *adj* ➊ (*unschön*) ugly, hideous ➋ (*gemein*) nasty ➌ (*unerfreulich*) unpleasant II. *adv* (*gemein*) nastily
Häss·lich·keitᴿᴿ, **Häß·lich·keit**ᴬᴸᵀ <-, -en> *f* ugliness, nastiness
Hass·lie·beᴿᴿ *f* love-hate relationship **Hass·pre·digt**ᴿᴿ *f* (*pej*) hate sermon **hass·ver·zerrt**ᴿᴿ *adj* twisted with hatred
Hast <-> [hast] *f kein pl* haste
has·ten [ˈhastn̩] *vi sein* (*geh*) to hurry
has·tig [ˈhastɪç] I. *adj* hurried, rushed; **nicht so ~!** not so fast! II. *adv* hastily, hurriedly
hat [hat] *3. pers sing pres von* **haben**
hät·scheln [ˈhɛːtʃl̩n] *vt* ➊ (*liebkosen*) to cuddle ➋ (*gut behandeln*) to pamper ➌ (*gerne pflegen*) to cherish
hat·schi [haˈtʃiː] *interj* atishoo
hat·te [ˈhatə] *imp von* **haben**
Hat·trick <-s, -s> [ˈhɛttrɪk] *m* ➊ Sᴘᴏʀᴛ

(*Dreifachtreffer*) hat-trick; (*dreifacher Gewinn*) hat-trick ➋ (*Dreifacherfolg*) third success
Hau·be <-, -n> [ˈhaʊ̯bə] *f* ➊ (*weibliche Kopfbedeckung*) bonnet ➋ (*Trocken~*) hair dryer ➌ (*Motor~*) bonnet ➍ ÖSTERR, SÜDD (*Mütze*) cap ➎ ÖSTERR (*Auszeichnung von Restaurants*) star ➏ (*Büschel von Kopffedern*) crest ➐ (*Aufsatz*) covering ▸ **jdn unter die ~ bringen** (*hum fam*) to marry sb off
Hauch <-[e]s, -e> [haʊ̯x] *m* (*geh, poet*) ➊ (*Atem~*) breath ➋ (*Luftzug*) breath of air ➌ (*leichter Duft*) whiff, waft ➍ (*Flair*) aura ➎ (*Andeutung, Anflug*) hint, trace, touch
hauch·dünn [haʊ̯xˈdʏn] I. *adj* ➊ (*äußerst dünn*) wafer-thin ➋ (*äußerst knapp*) extremely narrow II. *adv* extremely thin
hau·chen [ˈhaʊ̯xn̩] I. *vi* (*sanft blasen*) to breathe II. *vt* (*flüstern*) to whisper
Haue <-, -n> [ˈhaʊ̯ə] *f* ➊ SÜDD, SCHWEIZ, ÖSTERR (*Hacke*) hoe ➋ *kein pl* (*fam: Prügel*) thrashing; **~ kriegen** (*fam*) to get a thrashing
hau·en <haute, gehauen *o* DIAL gehaut> [ˈhaʊ̯ən] I. *vt* ➊ <haute *o selten a.* hieb, gehauen> (*fam: schlagen*) to hit; **ich habe mir das Knie an die Tischkante ge~!** I've hit my knee on the edge of the table ➋ <haute *o selten a.* hieb, gehauen> (*fam: verprügeln*) to hit; ▪ **sie ~ sich** they are fighting each other ➌ <haute, gehauen> (*meißeln*) ▪ **etw in etw** *akk* ~ to carve sth in sth; **der Künstler hat diese Statue in Marmor ge~** the artist carved this statue in marble II. *vr* (*fam: sich setzen, legen*) ▪ **sich auf/in etw** *akk* ~ to throw oneself onto/into sth; **hau dich nicht so aufs Sofa!** don't throw yourself onto the sofa like that!
Hau·er <-s, -> [ˈhaʊ̯ə] *m* ➊ (*Eckzahn*) tusk ➋ (*hum: großer Zahn*) fang
Häuf·chen <-s, -> [ˈhɔɪ̯fçən] *nt dim von* **Haufen** small pile ▸ **ein ~ Elend** (*fam*) a picture of misery
Hau·fen <-s, -> [ˈhaʊ̯fn̩] *m* ➊ (*Anhäufung*) heap, pile ➋ (*fam: große Menge*) load; **du erzählst da einen ~ Quatsch!** what a load of rubbish! ➌ (*Schar*) crowd ➍ (*Gruppe, Gemeinschaft*) bunch ▸ **jdn über den ~ rennen/fahren** (*fam*) to run over sb *sep;* **etw über den ~ werfen** (*fam*) to mess up sth *sep;* **auf einem ~** (*fam*) in one place
häu·fen [ˈhɔɪ̯fn̩] I. *vt* (*auf~*) to pile on II. *vr* ▪ **sich ~** ➊ (*zahlreicher werden*) to become more frequent, to multiply ➋ (*tür-*

men) to pile up; ■**sich** *dat* **etw auf etw** *akk* ~ to pile sth on sth

hau·fen·wei·se *adv* ❶(*in Haufen*) in heaps ❷(*fam*) in great quantities; **sie besitzt** ~ **Antiquitäten** she owns loads of antiques

häu·fig ['hɔyfɪç] I. *adj* frequent II. *adv* frequently, often

Häu·fig·keit <-, -en> *f* frequency

Haupt <-[e]s, Häupter> [haupt, *pl* 'hɔyptɐ] *nt* (*geh*) head ▶**gesenkten/ erhobenen ~es** with one's head bowed/ raised

Haupt·al·tar *m* high altar **haupt·amt· lich** I. *adj* full-time II. *adv* on a full-time basis **Haupt·as·pekt** *m eines Experiments* central focus; *eines Romans* main theme **Haupt·auf·ga·be** *f* main duty **Haupt· au·gen·merk** *f kein pl* **sein ~ auf etw** *akk* **richten** to pay particular attention to sth **Haupt·aus·gang** *m* main exit **Haupt·bahn·hof** *m* central station **Haupt·be·las·tungs·zeu·ge, -zeu· gin** *m, f* LAW chief witness for the prosecution **haupt·be·ruf·lich** I. *adj* full-time II. *adv* on a full-time basis **Haupt·dar· stel·ler(in)** *m(f)* leading man [*or* actor] **Haupt·ein·gang** *m* main entrance **Haupt·fach** *nt* SCH ❶(*Studienfach*) main subject, major AM; **etw im ~ studieren** to study sth as one's main subject, to major in sth AM ❷(*wichtigstes Schulfach*) major subject **Haupt·fi·gur** *f* LIT main character **Haupt·film** *m* main film **Haupt·gang** *m* ❶(*Hauptgericht*) main course ❷(*zentraler Gang*) main corridor ❸(*Waschgang*) main wash **Haupt·ge·bäu·de** *nt* main building **Haupt·ge·richt** *nt* main course **Haupt·ge·schäfts·zeit** *f* peak shopping hours, main business hours **Haupt·ge· wicht** *nt* main emphasis **Haupt·ge· winn** *m* first prize **Haupt·hahn** *m* main cock [*or esp* AM tap] **Haupt·leu·te** *pl von* **Hauptmann**

Häupt·ling <-s, -e> ['hɔyptlɪŋ] *m* chief **Haupt·mahl·zeit** *f* main meal **Haupt· mann** <-leute> ['hauptman] *m* captain **Haupt·me·nü** *nt* INFORM main menu **Haupt·merk·mal** *nt* main feature **Haupt·per·son** *f* ❶(*wichtigste Person*) central figure, most important person ❷(*die tonangebende Person*) centre of attention, main person; **er ist eindeutig die ~ bei diesem Projekt** he's the main person on this project **Haupt·post** *f,* **Haupt· post·amt** *nt* main post office **Haupt· pro·blem** *nt* main problem **Haupt·quar· tier** *nt* headquarters **Haupt·rei·se·zeit** *f*

peak travel period **Haupt·rol·le** *f* leading role ▶[**bei etw** *dat*] **die ~ spielen** to play a leading part [in sth] **Haupt·sa·che** ['hauptzaxə] *f* main thing; **in der ~** in the main; ~**, du bist glücklich!** the main thing is that you're happy!

haupt·säch·lich ['hauptzɛçlɪç] I. *adv* mainly, especially, above all II. *adj* main, chief

Haupt·sai·son *f* peak season; ~ **haben** to be one's peak season **Haupt·satz** *m* LING main clause **Haupt·schal·ter** *m* main [*or* master] switch **Haupt·schlag·ader** *f* aorta **Haupt·schlüs·sel** *m* master key, passkey **Haupt·schul·ab·gän·ger(in)** *m(f)* SCH graduates from a Hauptschule **Haupt·schul·di·ge(r)** *f(m)* person mainly to blame, major offender **Haupt·schu·le** *f* ≈ secondary modern school BRIT, ≈ junior high school AM (*covering years 5 to 9 or the last 5 years of the compulsory nine years at school in Germany or years 5 to 8 in Austria*) **Haupt·schü·ler(in)** *m(f)* ≈ secondary modern school pupil BRIT, ≈ junior-high student AM **Haupt·schwie·rig· keit** *f* main problem **Haupt·sitz** *m* headquarters *npl,* head office **Haupt·spei·se** *f* main course **Haupt·stadt** *f* capital [city] **Haupt·stra·ße** *f* main street **Haupt· teil** *m* main [*or* major] part **Haupt·tref· fer** *m* jackpot; **den ~ erzielen** to hit the jackpot **Haupt·ur·sa·che** *f* main cause **Haupt·ver·hand·lung** *f* main hearing **Haupt·ver·kehrs·stra·ße** *f* main road, arterial road **Haupt·ver·kehrs·zeit** *f* rush hour **Haupt·ver·samm·lung** *f* general meeting **Haupt·ver·wal·tung** *f* ADMIN head office, headquarters *npl* **Haupt·wasch·gang** *m* main wash **Haupt·wohn·sitz** *m* main place of residence **Haupt·wort** *nt* noun

Haus <-es, Häuser> [haus, *pl* 'hɔyzɐ] *nt* ❶(*Gebäude*) house; **das ~ Gottes** the house of God; ~ **und Hof** (*geh*) house and home; **das Weiße ~** the White House; **für jdn ein offenes ~ haben** to keep open house for sb; **jdn nach ~e bringen** to take sb home; **sich wie zu ~e fühlen** to feel at home; **fühlen Sie sich wie zu ~e!** make yourself at home; **aus dem ~ gehen** to leave the house; **das ~ hüten müssen** to have to stay at home; **außer ~ essen** to eat out; **aus dem ~ sein** to have left home; **irgendwo zu ~[e] sein** to live somewhere; **eine Katze kommt mir nicht ins ~!** I'm not having a cat in the house!; [**etw**] **ins ~ liefern** to deliver [sth] to the door; **frei ~ liefern** to deliver free of charge; **jdn**

nach ~e schicken to send sb home; **jdm das ~ verbieten** to not allow sb in the house; **meine Klavierlehrerin kommt immer ins ~** my piano teacher always comes to our house; **nach ~e**, ÖSTERR, SCHWEIZ *a.* **nachhause**RR home; **es ist nicht mehr weit bis nach ~e!** we're not far from home now!; **zu ~e**, ÖSTERR, SCHWEIZ *a.* **zuhause**RR at home; **seid unbedingt vor Mitternacht wieder zu ~e!** make sure you're back home before midnight!; **bei jdm zu ~e**, ÖSTERR, SCHWEIZ *a.* **zuhause** in sb's home ➋(*Familie*) household; **er ist ein alter Freund des ~es** he's an old friend of the family; **die Dame/der Herr des ~es** the lady/master of the house; **aus gutem ~e** from a good family; **von ~e aus** by birth ➌(*geh: Unternehmen*) company; **das erste ~ am Platze** the best firm in the area; **im ~e sein** to be in ➍POL (*Kammer*) House ▶|**du**| **altes ~!** (*fam*) old chap *dated;* **das europäische ~** the family of Europe; **~ halten** to be economical; **jdm ins ~ schneien** (*fam*) to descend on sb; |**jdm**| **ins ~ stehen** to be in store [for sb]; **von ~e aus** originally

Haus·an·ge·stell·te(r) *f/m)* domestic servant **Haus·apo·the·ke** *f* medicine cabinet **Haus·ar·beit** *f* ➊(*Arbeit im Haushalt*) housework ➋SCH (*Schulaufgaben*) homework; (*wissenschaftliche Arbeit*) [academic] assignment **Haus·ar·rest** *m* ➊(*Verbot*) confinement to the house; **~ haben** to be grounded ➋(*Strafe*) house arrest **Haus·arzt**, **-ärz·tin** *m, f* family doctor, GP **Haus·auf·ga·be** *f* piece of homework; ■**~n** homework *no pl;* **seine ~n machen** (*a. fig*) to do one's homework **haus·ba·cken** ['hausbakn̩] *adj* plain **Haus·bar** *f* ➊(*eine Bar zu Hause*) home bar ➋(*Inhalt*) range of drinks at home **Haus·be·set·zer(in)** <-s, -> *m(f)* squatter **Haus·be·set·zung** *f* squatting **Haus·be·sit·zer(in)** *m(f)* homeowner; (*Vermieter*) landlord **Haus·be·such** *m* home visit **Haus·be·woh·ner(in)** *m(f)* tenant **Haus·boot** *nt* houseboat

Häus·chen <-s, -> ['hɔysçən] *nt* ➊*dim von* **Haus** little house ➋SCHWEIZ (*Kästchen auf kariertem Papier*) square ▶ **ganz aus dem ~ sein** (*fam*) to be beside oneself **Haus·durch·su·chung** *f* JUR house search **haus·ei·gen** *adj* belonging to the establishment; **die Gäste können den ~en Tennisplatz benutzen** the guests can use the hotel's own tennis court; **~e Produktion** ÖKON company-owned production **Haus·ei·gen·tü·mer(in)** *m(f)* (*geh*) *s.* **Hausbe-**

sitzer Haus·ein·gang *m* entrance **hau·sen** ['hauzn̩] *vi* ➊(*pej fam: erbärmlich wohnen*) to live [in poor conditions] ➋(*wüten*) to wreak havoc **Häu·ser·block** *m* block [of houses] **Haus·flur** *m* entrance hall **Haus·frau** *f* ➊(*nicht berufstätige Frau*) housewife ➋ÖSTERR, SÜDD (*Zimmerwirtin*) landlady **Haus·freund(in)** *m(f)* ➊(*Freund der Familie*) friend of the family ➋*nur m* (*euph fam: Liebhaber der Ehefrau*) manfriend **Haus·frie·dens·bruch** *m* trespassing **Haus·ge·brauch** *m* **für den ~** for domestic use; (*für durchschnittliche Ansprüche*) for average requirements **haus·ge·macht** *adj* ➊(*im eigenen Haushalt hergestellt*) home-made ➋(*intern begründet*) created by domestic factors; **Experten bezeichnen die Inflation als zum Teil ~** experts ascribe inflation partially to domestic factors

Haus·halt <-[e]s, -e> *m* ➊(*Hausgemeinschaft*) household ➋(*~sführung*) housekeeping; |**jdm**| **den ~ führen** to keep house [for sb] ➌MED, BIOL (*Kreislauf*) balance ➍ÖKON (*Etat*) budget **haus·hal·ten** *vi irreg* to be economical (**mit** with) **Haus·häl·ter(in)** <-s, -> *m(f)* housekeeper **Haus·halts·ab·fall** *m* domestic waste **Haus·halts·de·bat·te** *f* budget debate **Haus·halts·geld** *nt* housekeeping money **Haus·halts·ge·rät** *nt* household appliance **Haus·halts·hil·fe** *f* home help **Haus·halts·plan** *m* budget **Haus·halts·wa·ren** *pl* household goods *npl* **Haus·herr(in)** <-en, -en> *m(f)* head of the household; (*Gastgeber*) host **haus·hoch** ['haushox] I. *adj* ➊(*euph: sehr hoch*) as high as a house; *Flammen* gigantic; *Wellen* mountainous ➋SPORT (*eindeutig*) clear; *Niederlage* crushing; *Sieg* overwhelming; *Favorit* hot II. *adv* (*eindeutig*) clearly **hau·sie·ren*** [hau'zi:rən] *vi* to hawk; **H~ verboten!** no hawkers!; **mit etw** *dat* **~ gehen** to peddle sth around **Hau·sie·rer(in)** <-s, -> *m(f)* hawker, peddler **Haus·kat·ze** *f* domestic cat **Haus·leh·rer(in)** *m(f)* private tutor **häus·lich** ['hɔylɪç] I. *adj* ➊(*die Hausgemeinschaft betreffend*) domestic ➋(*das Zuhause liebend*) homely II. *adv* **sich ~ einrichten** to make oneself at home; **sich ~ niederlassen** to settle down **Häus·lich·keit** <-> *f kein pl* domesticity *no pl*

Haus·mäd·chen nt maid **Haus·mann** ['haʊsman] m house husband **Haus·manns·kost** f kein pl ❶ KOCHK home cooking ❷ (fam: durchschnittliche Leistung) average performance **Haus·mar·ke** f ❶ (Sekt eines Gastronomiebetriebes) sparkling house wine ❷ (bevorzugte Marke) favourite brand **Haus·meis·ter(in)** m(f) janitor, caretaker **Haus·mit·tel** nt household remedy **Haus·müll** m domestic refuse no pl, no indef art **Haus·num·mer** f house number **Haus·ord·nung** f house rules pl **Haus·rat** m kein pl household contents pl **Haus·rat·ver·si·che·rung** f household contents insurance no pl BRIT, home owner's insurance AM **Haus·schlüs·sel** m front-door key **Haus·schuh** m slipper

Hausse <-, -n> ['hoːsə] f BÖRSE bull market **Haus·se·gen** m house blessing ▸ **der ~ hängt schief** (hum fam) there is a strained atmosphere

haus·sie·ren* [(h)oˈsiːrən] vi FIN (Markt, Börse) to boom

Haus·su·chung <-, -en> f s. **Hausdurchsuchung Haus·tier** nt pet **Haus·tür** f front door; **direkt vor der ~** (fam) right on one's doorstep **Haus·ver·bot** nt **jdm ~ erteilen** to ban sb from entering one's premises **Haus·ver·wal·ter(in)** m(f) manager of a tenement block **Haus·wirt(in)** m(f) landlord masc, landlady fem **Haus·wirt·schaft** f kein pl home economics ❷ + sing vb **Haus·wirt·schaf·ter(in)** <-s, -> m(f) housekeeper

Haut <-, Häute> [haʊt, pl 'hɔytə] f skin; **nass bis auf die ~** soaked to the skin ▸ **mit ~ und Haar[en]** (fam) completely; **nur ~ und Knochen sein** (fam) to be nothing but skin and bone; **eine ehrliche ~ sein** (fam) to be an honest sort; **auf der faulen ~ liegen** (fam) to laze around; **mit heiler ~ davonkommen** (fam) to escape unscathed; **sich nicht wohl in seiner ~ fühlen** (fam) not to feel too good; **aus der ~ fahren** (fam) to hit the roof; **etw geht [jdm] unter die ~** (fam) sth gets under one's skin; **jd kann nicht aus seiner ~ heraus** (fam) a leopard cannot change its spots prov; **jd möchte nicht in jds ~ ste·cken** sb would not like to be in sb's shoes

Haut·ab·schür·fung f graze **Haut·arzt, -ärz·tin** m, f dermatologist **Haut·aus·schlag** m [skin] rash **Haut·creme** f skin cream

häu·ten ['hɔytn̩] I. vt to skin II. vr (die Haut abstreifen) ■ **sich ~** to shed one's skin

haut·eng adj, adv skintight **Haut·far·be** f skin colour **Haut·krank·heit** f skin disease **haut·nah** I. adj ❶ (sehr eng) very close ❷ (fam: wirklichkeitsnah) vivid II. adv ❶ (sehr eng) very closely ❷ (fam: wirklichkeitsnah) vividly **Haut·pfle·ge** f skin care no pl **Haut·rei·zung** f skin [or cutaneous] irritation

Häu·tung <-, -en> f ❶ (das Häuten) skinning ❷ (das Sichhäuten) shedding of the skin no pl

Ha·va·rie <-, -n> [havaˈriː, pl -ˈriːən] f ❶ (Schiffsunglück) accident ❷ ÖSTERR (Autounfall) [car] accident

Ha·xe <-, -n> ['haksə] f ❶ KOCHK SÜDD (Beinteil von Kalb/Schwein) leg ❷ (fam: Fuß) foot

Hbf. Abk von **Hauptbahnhof**

h.c. [haːˈʦeː] Abk von **honoris causa** h.c.

HD-Dis·ket·te [haːˈdeːdɪskɛtə] f INFORM HD diskette

he [heː] interj (ärgerlicher Ausruf) oi! BRIT, hey! AM; (erstaunter Ausruf) cor!; (Aufmerksamkeit erregend) hey!

Head·hun·ter(in) <-s, -> ['hɛthantɐ] m(f) ÖKON headhunter

hea·vy ['hɛvi] adj präd (sl) unbelievable

Hea·vy·me·tal, Hea·vy Me·tal <-, -> ['hɛviˈmɛtl] nt kein pl heavy metal no pl, no indef art

Heb·am·me <-, -n> ['heːpʔamə] f midwife

He·be·büh·ne f hydraulic lift

He·bel <-s, -> ['heːbl̩] m lever ▸ **alle ~ in Bewegung setzen** (fam) to move heaven and earth; **am längeren ~ sitzen** (fam) to hold the whip hand

he·ben <hob, gehoben> ['heːbn̩] I. vt ❶ (nach oben bewegen) to lift; **den Kopf ~** to raise one's head; **hebt eure Füße!** pick your feet up! ❷ (ans Tageslicht befördern) to dig up; Wrack to raise ❸ (verbessern) Stimmung, Niveau to improve ❹ SÜDD (halten) to hold ❺ (Alkohol trinken) **gern einen ~** (fam) to like to have a drink II. vr (sich nach oben bewegen) ■ **sich ~** to rise III. vi ❶ (Lasten hochhieven) to lift loads ❷ SÜDD (haltbar sein) to keep

He·brä·er(in) <-s, -> [heˈbrɛːɐ] m(f) Hebrew

he·brä·isch [heˈbrɛːɪʃ] adj Hebrew; **auf ~** in Hebrew

He·bung <-, -en> f ❶ (das Hinaufbefördern) raising no pl ❷ GEOL elevation no pl ❸ (Verbesserung) improvement ❹ LIT (betonte Silbe im Vers) accented syllable

he·cheln ['hɛçln̩] vi to pant

Hecht <-[e]s, -e> [hɛçt] *m* pike ▶ **ein tol-ler** ~ (*fam*) an incredible bloke [*or* AM guy]
hech·ten ['hɛçtn̩] *vi sein* ■ **von etw** *dat*/**in etw** *akk* ~ to dive off/into sth; ■ **über etw** *akk* ~ to do a forward dive over sth; ■ **ir-gendwohin** ~ to dive full length some-where
Hecht·sprung *m* forward dive
Heck <-[e]s, -e *o* -s> [hɛk] *nt* AUTO rear, back; NAUT stern; LUFT tail
He·cke <-, -n> ['hɛkə] *f* hedge
He·cken·ro·se *f* dog rose **He·cken·sche·re** *f* hedge clippers *npl* **He·cken·schüt·ze**, **-schüt·zin** *m*, *f* sniper
Heck·klap·pe *f* AUTO tailgate **Heck·mo·tor** *m* AUTO rear engine **Heck·schei·be** *f* AUTO rear window
Heer <-[e]s, -e> [he:ɐ] *nt* ❶ (*Armee*) armed forces *npl* ❷ (*große Anzahl*) army; **ein** ~ **von Touristen** an army of tourists
Heer·schar *f meist pl* ❶ (*veraltet: Truppe*) troop[s]; (*fam*) horde ❷ REL **die himmli-schen** ~**en** the heavenly host
He·fe <-, -n> ['he:fə] *f* yeast
He·fe·teig *m* yeast dough
Heft <-[e]s, -e> [hɛft] *nt* ❶ (*Schreib~*) ex-ercise book ❷ (*Zeitschrift*) magazine; (*Aus-gabe*) issue ❸ (*geheftetes Büchlein*) book-let
hef·ten ['hɛftn̩] **I.** *vt* ❶ (*befestigen*) to pin (**an** to) ❷ (*nähen*) to tack [up *sep*] ❸ (*klammern*) to staple **II.** *vr* ■ **sich an jdn** ~ to stay on sb's tail
Hef·ter <-s, -> *m* ❶ (*Mappe*) [loose-leaf] file ❷ (*Heftmaschine*) stapler
hef·tig ['hɛftɪç] **I.** *adj* ❶ (*stark, gewaltig*) violent; *Kopfschmerzen* splitting; *Schnee-fälle* heavy ❷ (*intensiv*) intense ❸ (*scharf*) vehement; ■ ~ **werden** to fly into a rage **II.** *adv* violently; **es schneite** ~ it snowed heavily; **die Vorwürfe wurden** ~ **dementiert** the accusations were vehe-mently denied
Hef·tig·keit <-> *f kein pl* ❶ (*Stärke*) vio-lence *no pl* ❷ (*Intensität*) intensity; *Dis-kussion* ferocity; *Widerstand* severity ❸ (*Schärfe*) vehemence
Heft·klam·mer *f* staple **Heft·pflas·ter** *nt* [sticking] plaster **Heft·zwe·cke** *f* drawing pin
He·ge·mo·ni·al·macht [hege-mo'ni̯aːlmaxt] *f* hegemonic power
He·ge·mo·nie <-, -n> [hegemo'niː, *pl* -'niːən] *f* hegemony *no pl*
he·gen ['he:gn̩] *vt* ❶ JAGD (*sorgsam schüt-zen*) **Wild** ~ to preserve wildlife ❷ HORT (*pflegen*) to tend ❸ (*sorgsam bewahren*) to look after; **jdn** ~ **und pflegen** to lavish

care and attention on sb ❹ (*geh: empfin-den, haben*) **Zweifel/Bedenken** [**an etw** *dat*] ~ to have doubts/misgivings [about sth]
Hehl [he:l] *nt o m* ▶ **kein[en]** ~ **aus etw** *dat* **machen** to make no secret of sth
Heh·ler(in) <-s, -> *m(f)* receiver [of stolen goods]
Heh·le·rei <-, -en> [he:lə'rai] *f* receiving *no pl* stolen goods
Heh·le·rin <-, -nen> *f fem form von* **Heh-ler**
Hei·de <-, -n> ['haidə] *f* ❶ (~ *land*) heath, moor ❷ (~ *kraut*) heather
Hei·de, **Hei·din** <-n, -n> ['haidə, 'hai-dɪn] *m*, *f* heathen, pagan
Hei·de·kraut *nt* heather **Hei·de·land** *nt* heathland, moorland
Hei·del·bee·re ['haidl̩beːrə] *f* bilberry
Hei·den·angst *f* mortal fear *no pl*; ■ **eine** ~ **vor etw** *dat* **haben** to be scared stiff of sth **Hei·den·geld** *nt kein pl* (*fam*) **ein** ~ hell of a lot of money **Hei·den·lärm** *m* awful racket **Hei·den·spaß** *m* (*fam*) ter-rific fun *no pl*; **einen** ~ **haben** to have ter-rific fun
Hei·den·tum *nt kein pl* ■ **das** ~ paganism *no pl*; (*die Heiden*) pagans *pl*
Hei·din <-, -nen> *f fem form von* **Heide**
heid·nisch ['haidnɪʃ] **I.** *adj* pagan **II.** *adv* in a pagan manner
hei·kel ['haikl̩] *adj* ❶ (*schwierig, gefähr-lich*) delicate; *Frage, Situation a.* tricky ❷ DIAL ■ **in etw** *dat* ~ **sein** to be particular about sth
heil [hail] *adj, adv* ❶ (*unverletzt*) uninjured ❷ (*unbeschädigt*) intact; *Tasse* unbroken
Heil [hail] **I.** *nt* <-s> *kein pl* well-being; **sein** ~ **in etw** *dat* **suchen** to seek one's salvation in sth **II.** *interj* ~ **dem Kaiser!** hail to the emperor!
Hei·land <-[e]s, -e> ['hailant] *m* Saviour
Heil·an·stalt *f* (*veraltet: Irrenanstalt*) men-tal hospital **Heil·bad** *nt* health spa
heil·bar *adj* curable
Heil·butt <-s, -e> ['hailbʊt] *m* halibut
hei·len ['hailən] **I.** *vi sein* (*gesund werden*) to heal [up] **II.** *vt* ❶ (*gesund machen*) to cure (**von** of) ❷ (*kurieren*) ■ **von jdm/ etw geheilt sein** to have got over sb/sth
Heil·fas·ten *nt kein pl* therapeutic fasting *no pl*
heil·froh ['hail'froː] *adj präd* (*fam*) really glad
hei·lig ['hailɪç] *adj* ❶ (*geweiht*) holy; **die** ~ **e Kommunion** Holy Communion; ■ **jdm ist etw** ~ sth is sacred to sb ❷ (*bei Namen von Heiligen*) **der** ~ **e Matthäus/**

die ~e Katharina Saint Matthew/Saint Catherine; **die H~e Jungfrau** the Blessed Virgin

Hei·lig·abend [hajlɪç'ʔaːbn̩t] *m* Christmas Eve

Hei·li·ge(r) ['hajlɪɡə, -ɡɐ] *f(m) dekl wie adj* saint

hei·li·gen ['hajlɪɡn̩] *vt* ❶ (*weihen*) to hallow; ■ **geheiligt** hallowed ❷ (*heilighalten*) to keep holy

Hei·li·gen·schein *m* halo

Hei·lig·keit <-> *f kein pl* holiness *no pl;* **Eure/Seine ~** Your/His Holiness

hei·lig|spre·chen *vt irreg* ■ **jdn ~** to canonize sb **Hei·lig·spre·chung** <-, -en> *f* canonization

Hei·lig·tum <-[e]s, -tümer> ['hajlɪçtuːm, *pl* -tyːmɐ] *nt* shrine; **jds ~ sein** (*fam*) to be sb's sanctuary

Heil·kraft *f* healing power **Heil·kraut** *nt meist pl* medicinal herb **Heil·kun·de** *f kein pl* medicine *no pl*

heil·los ['hajloːs] I. *adj* terrible II. *adv* hopelessly

Heil·mit·tel *nt* remedy (**gegen** for); (*Präparat*) medicine **Heil·pflan·ze** *f* medicinal plant **Heil·prak·ti·ker(in)** *m(f)* non-medical practitioner **Heil·quel·le** *f* medicinal spring

heil·sam ['hajlzaːm] *adj* salutary

Heils·brin·ger(in) ['hajlsbrɪŋɐ] *m(f)* REL healer

Hei·lung <-, -en> ['hajlʊŋ] *f* ❶ (*das Kurieren*) curing *no pl* ❷ (*Genesung*) recovery *no pl* ❸ (*das Abheilen*) healing *no pl*

heim [hajm] *adv* DIAL home; **~ geht's!** let's head home!

Heim <-[e]s, -e> [hajm] *nt* ❶ (*Zuhause*) home ❷ (*Senioren~, Jugendanstalt*) home ❸ (*Stätte eines Clubs*) club[house] ❹ (*Erholungs~*) convalescent home

Heim·ar·beit *f kein indef art* work at home, outwork BRIT; **in ~ angefertigt** manufactured by homeworkers **Heim·ar·bei·ter(in)** *m(f)* homeworker

Hei·mat <-, -en> ['hajmaːt] *f* ❶ (*Gegend, Ort*) native country, home town; (*~land*) home; **fern der ~** far from home ❷ BOT, ZOOL (*Herkunftsland*) natural habitat ❸ (*Zugehörigkeit*) home

Hei·mat·film *m* sentimental film in a regional setting **Hei·mat·land** *nt* native country

hei·mat·lich *adj* native; *Brauchtum, Lieder* local

hei·mat·los *adj* homeless; POL stateless

Hei·mat·lo·se(r) *f(m) dekl wie adj* stateless person; (*durch den Krieg*) displaced person

Hei·mat·ort *m* home town [*or* village] **Hei·mat·stadt** *f* home town

heim|brin·gen *vt irreg* DIAL to take home

Heim·chen <-s, -> ['hajmçən] *nt* ZOOL cricket

Heim·com·pu·ter *f* home computer

hei·me·lig ['hajməlɪç] *adj* cosy

heim|fah·ren *irreg* DIAL I. *vi sein* to drive home II. *vt haben* ■ **jdn ~** to drive sb home **Heim·fahrt** *f* journey home **heim|ge·hen** *vi irreg sein* DIAL to go home **Heim·in·dust·rie** *f* cottage industry

hei·misch ['hajmɪʃ] *adj* ❶ (*ein~*) indigenous, native; **sich ~ fühlen** to feel at home ❷ (*bewandert*) ■ **in etw** *dat* **~ sein** to be at home with sth

Heim·kehr <-> *f kein pl* return home *no pl*, homecoming *no pl*

heim|keh·ren ['hajmkeːrən] *vi sein* (*geh*) to return home (**aus/von** from)

Heim·kind *nt* child raised in a home **heim|kom·men** *vi irreg sein* DIAL to come home

heim·lich ['hajmlɪç] I. *adj* ❶ (*geheim*) secret; [**mit etw** *dat*] **~ tun** (*pej*) to be secretive [about sth] ❷ (*verstohlen*) furtive ❸ (*inoffiziell*) unofficial II. *adv* ❶ (*unbemerkt*) secretly ❷ (*verstohlen*) furtively; **~, still und leise** (*fam*) on the quiet

Heim·lich·keit <-, -en> *f* ❶ *kein pl* (*heimliche Art*) secrecy *no pl* ❷ (*Geheimnis*) secret; **~en vor jdm haben** to keep something from sb

Heim·lich·tu·e·rei <-, -en> [hajmlɪçtuːəˈraj] *f* (*pej*) secrecy *no pl*, secretiveness *no pl*

heim|müs·sen *vi irreg* DIAL to have to go home **Heim·rei·se** *f* journey home **heim|schi·cken** *vt* DIAL to send home **Heim·spiel** *nt* SPORT home game **heim|su·chen** ['hajmzuːxn̩] *vt* ❶ (*überfallen*) to strike; **von Armut/Dürre heimgesucht** poverty-/drought-stricken ❷ (*pej fam: besuchen*) to descend on ❸ (*bedrängen*) to haunt **Heim·trai·ner** [trɛːnɐ] *m* home exercise kit **heim|trau·en** *vr* DIAL ■ **sich ~** to dare to go home

Heim·tü·cke ['hajmtʏkə] *f kein pl* ❶ (*heimtückische Art*) malice *no pl*, treachery ❷ (*verborgene Gefährlichkeit*) insidiousness *no pl*

heim·tü·ckisch ['hajmtʏkɪʃ] I. *adj* ❶ (*tückisch*) *Aktion* malicious; *Person* insidious ❷ (*gefährlich*) insidious II. *adv* maliciously

Heim·vor·teil *m kein pl* SPORT home advantage *no pl*

heim·wärts ['hajmvɛrts] *adv* (*geh*) homeward[s]

Heim·weg m way home; **sich auf den ~ machen** to set out for home **Heim·weh** <-[e]s> nt kein pl homesickness; no art, no pl; **~ haben** to be homesick (**nach** for) **Heim·wer·ker(in)** m(f) DIY enthusiast Brit, handyman esp Am **heim|wol·len** vi dial to want to go home **heim|zah·len** vt ■**jdm etw ~** to pay sb back for sth; **das werd ich dir noch ~!** I'm going to get you for that!

Hei·rat <-, -en> ['haɪraːt] f marriage **hei·ra·ten** ['haɪraːtn̩] I. vt to marry II. vi to get married; **wir wollen nächsten Monat ~** we want to get married next month; **sie hat reich geheiratet** she married into money

Hei·rats·an·trag m [marriage] proposal; **jdm einen ~ machen** to propose to sb **Hei·rats·an·zei·ge** f ❶(Briefkarte) announcement of a forthcoming marriage ❷(Annonce für Partnersuche) lonely-hearts advertisement **hei·rats·fä·hig** adj (veraltet) of marriageable age **Hei·rats·schwind·ler(in)** m(f) person who proposes marriage for fraudulent reasons **Hei·rats·ur·kun·de** f marriage certificate [or Am license] **Hei·rats·ver·mitt·lung** f marriage bureau

hei·ser ['haɪzɐ] I. adj ❶(von rauer Stimme) ❷(dunkel klingend) husky II. adv hoarsely, in a hoarse voice **Hei·ser·keit** <-, selten -en> f hoarseness no pl

heiß [haɪs] I. adj ❶(sehr warm) hot; **etw ~ machen** to heat up sth sep; ■**jdm ist/wird es ~** sb is/gets hot; **~!** (fam: beim Erraten) you're getting warm ❷Debatte heated; Kampf fierce ❸Liebe burning; Wunsch fervent ❹(fam: aufreizend) hot; Kleid sexy ❺(fam: gestohlen) hot ❻Thema explosive ❼(fam: konfliktreich) hot ❽attr (fam: aussichtsreich) **die Polizei ist auf einer ~en Fährte** the police are on a hot trail ❾(sl: großartig) fantastic; (rasant) fast ❿(fam: brünstig) on [or Am in] heat ⓫(fam: neugierig) ■**auf etw** akk **~ sein** to be dying to know about sth ▸**was ich nicht weiß, macht mich nicht ~** (prov) what the eye does not see, the heart does not grieve over prov II. adv ❶(sehr warm) hot; **~ laufen** (am: Maschinenteil) to overheat; (Debatte, Gespräch) to become heated ❷(innig) ardently, fervently; **~ ersehnt** much longed for; **~ geliebt** dearly beloved ❸(erbittert) fiercely; **~ umkämpft** fiercely contested; **~ umstritten** hotly disputed ▸**es geht ~ her** (fam) things are getting heated; **es**

wird nichts so ~ gegessen, wie es gekocht wird (prov) things are not as bad as they first seem

heiß·blü·tig ['haɪsblyːtɪç] adj ❶(impulsiv) hot-tempered ❷(leidenschaftlich) passionate

hei·ßen <hieß, geheißen> ['haɪsn̩] I. vi ❶(den Namen haben) to be called; **wie ~ Sie?** what's your name?; **ich heiße Schmitz** my name is Schmitz; **wie soll das Baby denn ~?** what shall we call the baby?; **so heißt der Ort, in dem ich geboren wurde** that's the name of the place where I was born; ■**nach jdm ~** to be named after sb ❷(bedeuten) to mean; **„ja" heißt auf Japanisch „hai"** "hai" is Japanese for "yes"; **was heißt eigentlich „Liebe" auf Russisch?** tell me, what's the Russian for "love"?; **heißt das, Sie wollen mehr Geld?** does that mean you want more money?; **was soll das [denn] ~?** what's that supposed to mean?; **das heißt, ...** that is to say ...; (vorausgesetzt) that is, ...; (sich verbessernd) or should I say, ...; **ich weiß, was es heißt, allein zu sein** I know what it means to be alone ❸(lauten) **du irrst dich, das Sprichwort heißt anders** you're wrong, the proverb goes something else II. vi impers ❶(zu lesen sein) ■**irgendwo heißt es ...** it says somewhere ...; **Auge um Auge, wie es im Alten Testament heißt** an eye for an eye, as it says in the Old Testament; **hier hast du 100 Euro, es soll nicht ~, dass ich geizig bin** here's 100 euros for you, never let it be said that I'm tight-fisted ❷(als Gerücht kursieren) ■**es heißt, dass ...** there is a rumour that ... ❸(geh: nötig sein) **nun heißt es handeln** now is the time for action III. vt (geh) ❶(nennen) ■**jdn irgendwie ~** to call sb sth ❷(auffordern) ■**jdn etw tun ~** to tell sb to do sth

Heiß·hun·ger m ravenous hunger no pl; **mit ~** ravenously **Heiß·luft** f kein pl hot air no pl **Heiß·luft·bal·lon** m hot-air balloon **Heiß·luft·herd** m fan-assisted [or esp Am convection] oven **heiß|ma·chen** vt ■**jdn ~** to get sb really interested **Heiß·sporn** m hothead **Heiß·was·ser·spei·cher** m hot water tank

hei·ter ['haɪtɐ] adj ❶(fröhlich) cheerful ❷(fröhlich stimmend) amusing ❸meteo bright ▸**das kann ja ~ werden!** (iron) that'll be a hoot!

Hei·ter·keit <-> f kein pl ❶(heitere Stimmung) cheerfulness no pl ❷(Belustigung) amusement no pl

Heiz·an·la·ge *f* heating system, heater *esp* Aᴍ **Heiz·de·cke** *f* electric blanket

hei·zen ['haitsn̩] **I.** *vi* ❶ (*die Heizung betreiben*) „womit heizt ihr zu Hause?" — „wir ~ mit Gas" "how is your house heated?" — "it's gas-heated" ❷ (*Wärme abgeben*) to give off heat **II.** *vt* ❶ (*be~*) to heat ❷ (*an~*) to stoke

Heiz·kes·sel *m* boiler **Heiz·kis·sen** *nt* heating pad **Heiz·kör·per** *m* radiator **Heiz·kos·ten** *pl* heating costs *pl* **Heiz·lüf·ter** *m* fan heater **Heiz·ma·te·ri·al** *nt* fuel [for heating] **Heiz·ofen** *m* heater **Heiz·öl** *nt* fuel oil **Heiz·strah·ler** *m* radiant heater

Hei·zung <-, -en> *f* ❶ (*Zentral~*) heating *no pl* ❷ (*Heizkörper*) radiator

Hei·zungs·kel·ler *m* boiler room **Hei·zungs·mon·teur(in)** *m(f)* heating engineer **Hei·zungs·rohr** *nt* heating pipe

Hekt·ar <-s, -e *o bei Maßangaben* -> [hɛkt'aːɐ̯] *nt o m* hectare

Hekt·a·re <-, -n> ['hɛktaːrə] *f* Sᴄʜᴡᴇɪᴢ hectare

Hek·tik <-> ['hɛktɪk] *f kein pl* hectic pace *no pl;* nur keine ~! take it easy!

hek·tisch ['hɛktɪʃ] **I.** *adj* hectic **II.** *adv* frantically

Hek·to·li·ter [hɛkto'liːtɐ] *m o nt* hectolitre

Held(in) <-en, -en> [hɛlt] *m(f)* hero *masc,* heroine *fem;* **den ~en spielen** (*fam*) to play the hero; **der ~/die ~in des Tages sein** to be the hero/heroine of the hour

hel·den·haft *adj* heroic

Hel·den·mut *m* heroic courage *no pl* **Hel·den·sa·ge** *f* heroic saga **Hel·den·tat** *f* heroic deed **Hel·den·tod** *m* (*euph geh*) death in battle; **den ~ sterben** to die in battle

Hel·den·tum <-s> *nt kein pl* heroism *no indef art, no pl*

Hel·din <-, -nen> *f fem form von* **Held** heroine

hel·fen <half, geholfen> ['hɛlfn̩] *vi* ❶ (*unterstützen*) to help (bei with); **warte mal, ich helfe dir** wait, I'll help you; **darf ich Ihnen in den Mantel ~?** may I help you into your coat?; **ihr ist nicht [mehr] zu ~** she is beyond help; (*ein hoffnungsloser Fall*) sb is a hopeless case ❷ (*dienen, nützen*) ▪jdm **ist mit etw** *dat* **geholfen/ nicht geholfen** sth is of help/no help to sb; **da hilft alles nichts, ...** there's nothing for it, ...; **Knoblauch soll gegen Arteriosklerose ~** garlic is supposed to be good for arteriosclerosis ▸ich **kann** mir nicht ~, [aber] ... I'm sorry, but ...; **man muss sich** *dat* **nur zu ~ wissen** you just have to be resourceful

Hel·fer(in) <-s, -> ['hɛlfɐ] *m(f)* ❶ (*unterstützende Person*) helper; (*Komplize*) accomplice ❷ (*fam: nützliches Gerät*) aid

Hel·fers·hel·fer(in) *m(f)* accomplice

Hel·fer·syn·drom *nt* helpers' syndrome *no pl*

Hel·go·land ['hɛlgolant] *nt* Heligoland *no pl*

He·li·kop·ter <-s, -> [heli'kɔptɐ] *m* helicopter

He·li·um <-s> ['heːli̯ʊm] *nt kein pl* helium *no pl*

hell [hɛl] **I.** *adj* ❶ (*nicht dunkel*) light; ~ **bleiben** to stay light; **es wird ~** it's getting light ❷ (*kräftig leuchtend*) bright ❸ (*gering gefärbt*) light-coloured; *Haar, Haut* fair ❹ *Stimme, Ton* clear ❺ (*fam: aufgeweckt*) bright; **du bist ein ~es Köpfchen** you've got brains ❻ *attr* (*rein, pur*) *Freude* sheer, pure **II.** *adv* ❶ (*licht*) brightly ❷ (*hoch*) high and clear

hell·auf ['hɛl'ʔaʊf] *adv* extremely

hell·blau *adj* light-blue **hell·blond** *adj, adv* blonde

Hel·le <-> ['hɛlə] *f kein pl* (*geh*) *s.* **Helligkeit**

Hel·le(s) ['hɛlə(s)] *nt dekl wie adj* ≈ lager; **ein kleines ~s** half a lager

hell·häu·tig *adj* fair-skinned **hell·hö·rig** ['hɛlhøːrɪç] *adj* badly soundproofed ▸~ **werden** to prick up one's ears

hellichtᴬᴸᵀ *adj attr s.* **helllicht**

Hel·lig·keit <-, -en> *f* ❶ *kein pl* (*Lichtfülle*) lightness *no pl;* (*helles Licht*) [bright] light ❷ (*Lichtstärke*) brightness *no pl* ❸ Aꜱᴛʀᴏɴ (*Leuchtkraft*) luminosity *no pl*

hell·lichtᴿᴿ ['hɛllɪçt] *adj* **am ~en Tag** in broad daylight

hell·se·hen *vi nur infin* ~ **können** to be clairvoyant, to have second sight **Hell·se·her(in)** ['hɛlzeːɐ] *m(f)* clairvoyant **hell·wach** ['hɛl'vax] *adj* wide-awake

Helm <-[e]s, -e> ['hɛlm] *m* helmet

Helm·pflicht *f* compulsory wearing of a helmet *no pl*

Hel·ve·ti·en <-s> [hɛl've:tsi̯ən] *nt* Gᴇᴏɢ Helvetia

Hemd <-[e]s, -en> [hɛmt, *pl* 'hɛmdən] *nt* shirt; (*Unter~*) vest ▸ **mach dir nicht [gleich] ins ~!** don't make such a fuss!

hemds·är·me·lig ['hɛmts'ʔɛrməlɪç] *adj* (*fam*) casual

He·mis·phä·re <-, -n> [hemi'sfɛːrə] *f* hemisphere

hem·men [hɛmən] *vt* ❶ (*ein Hemmnis sein*) to hinder ❷ (*bremsen*) to stop ❸ Pꜱʏᴄʜ to inhibit

Hemm·nis <-ses, -se> [ˈhɛmnɪs] *nt* obstacle

Hemm·schwel·le *f* inhibition level; **seine ~ überschreiten** to overcome one's inhibitions

Hem·mung <-, -en> *f* ❶ *kein pl* (*das Hemmen*) obstruction ❷ *pl* PSYCH inhibitions *pl* ❸ (*Bedenken, Skrupel*) **~en haben** to have scruples; **nur keine ~en!** don't hold back!

hem·mungs·los I. *adj* ❶ (*zügellos*) unrestrained, uncontrolled ❷ (*skrupellos*) unscrupulous II. *adv* ❶ (*zügellos*) unrestrainedly, without restraint ❷ (*skrupellos*) unscrupulously

Hengst <-[e]s, -e> [hɛŋst] *m* stallion; (*Esel, Kamel*) male

Hen·kel <-s, -> [ˈhɛŋkl̩] *m* handle

Hen·ker <-s, -> *m* executioner ▸ **was zum ~ ...** (*fam*) what the devil ...

Hen·kers·mahl *nt*, **Hen·kers·mahl·zeit** *f* ❶ (*vor der Hinrichtung*) last meal [before one's/sb's execution] ❷ (*hum fam: vor einem großen Ereignis*) final square meal

Hen·na <- *o* -[s]> [ˈhɛna] *f o nt kein pl* henna *no pl*

Hen·ne <-, -n> [ˈhɛnə] *f* hen

He·pa·ti·tis <-, Hepatitiden> [hepaˈtiːtɪs, *pl* hepatiˈtiːdn] *f* hepatitis *no pl*

her [heːɐ̯] *adv* ❶ (*raus*) here, to me; **~ damit!** (*fam*) give it here!; **immer ~ damit!** (*fam*) keep it/them coming! ❷ (*herum*) ■ **um jdn ~** all around sb ❸ (*von einem Punkt aus*) **von etw** *dat* **~** räumlich from sth; **von weit ~** from a long way away; **wo kommst du so plötzlich ~?** where have you come from so suddenly?; ■ **irgendwo ~ sein** to come from somewhere; ■ **von ... ~** *zeitlich* from; **ich kenne ihn von meiner Studienzeit ~** I know him from my time at university; **lang ~ sein, dass ...** to be long ago since ...; **nicht [so] lange ~ sein, dass ...** to be not such a long time [ago] since ...; ■ **von etw** *dat* **~** *kausal* as far as sth is concerned; **von der Technik ~ ist dieser Wagen Spitzenklasse** as far as the technology is concerned this car is top class ❹ (*verfolgen*) ■ **hinter etw** *dat* **~ sein** to be after sth

he·rab [hɛˈrap] *adv* (*geh*) down

he·rab|bli·cken *vi* (*geh*) *s.* herabsehen

he·rab|fal·len *vi irreg* (*geh*) to fall down (**von** from) **he·rab|hän·gen** [hɛˈraphɛŋən] *vi irreg* ■ **von etw** *dat* **~** to hang down [from sth] **he·rab|las·sen** *irreg* I. *vt* (*geh: herunterlassen*) to let down [*or* lower] II. *vr* ■ **sich** [**zu etw** *dat*] **~** to lower

oneself [to sth]; ■ **sich [dazu] ~, etw zu tun** to condescend to do sth **he·rab·las·send** I. *adj* condescending, patronizing II. *adv* condescendingly, patronizingly **he·rab|se·hen** *vi irreg* to look down (**auf** on)

he·rab|set·zen *vt* ❶ (*reduzieren*) to reduce ❷ (*herabmindern*) to belittle **he·rab|wür·di·gen** *vt* to belittle

he·ran [hɛˈran] *adv verstärkend* close up, near; **wir müssen ganz dicht an die Mauer ~** we must go right up to the wall **he·ran|brin·gen** *vt irreg* ❶ (*räumlich*) to bring [up] to ❷ (*vertraut machen*) to introduce to **he·ran|fah·ren** *vi irreg sein* to drive up (**an** to) **he·ran|füh·ren** I. *vt* ❶ (*hinbringen*) ■ **jdn** [**an etw** *akk*] **~** to bring sb [up to sth] ❷ (*einweihen in*) ■ **jdn ~** to introduce sb (**an** to) II. *vi* ■ **an etw** *akk* **~** to lead to sth **he·ran|ge·hen** *vi irreg sein* ❶ (*zu etw hingehen*) to go up to ❷ (*in Angriff nehmen*) to tackle; **wir müssen anders an die Sache ~** we'll have to tackle the matter differently

He·ran·ge·hens·wei·se *f* approach **he·ran|kom·men** *vi irreg sein* ❶ (*herbeikommen*) to approach; (*bis an etw kommen*) to get to ❷ (*herangelangen können*) to reach ❸ (*sich beschaffen können*) to get hold of ❹ (*in persönlichen Kontakt kommen*) ■ **an jdn ~** to get hold of sb ❺ (*gleichwertig sein*) to be up to the standard of ▸ **nichts an sich ~ lassen** (*fam*) not to let anything get to one **he·ran|ma·chen** *vr* (*fam*) ■ **sich an jdn ~** to approach sb **he·ran|rei·chen** *vi* ❶ (*gleichkommen*) to measure up to [the standard of] ❷ (*bis an etw reichen*) to reach [as far as] **he·ran|rei·fen** *vi sein* (*geh*) ❶ (*allmählich reifen*) to ripen ❷ (*durch Wachstum werden*) ■ [**zu jdm**] **~** to mature [into sb] ❸ (*sich langsam konkretisieren*) ■ [**zu etw** *dat*] **~** to mature [into sth] **he·ran|tas·ten** *vr* ■ **sich an jdn/etw ~** ❶ (*sich tastend nähern*) to feel one's way towards sb/sth ❷ (*sich vorsichtig heranarbeiten*) to approach sb/sth cautiously **he·ran|tre·ten** *vi irreg sein* ❶ (*in die Nähe treten*) ■ **an jdn/etw ~** to come [*or* go] up to sb/sth ❷ (*konfrontieren*) ■ **an jdn ~** to confront sb ❸ (*geh: sich wenden an*) ■ [**mit etw** *dat*] **an jdn ~** to approach sb [with sth]; **sie ist schon mit dieser Bitte an uns herangetreten** she has already approached us with this request **he·ran|wach·sen** *vi irreg sein* (*geh*) to grow up (**zu** into) **He·ran·wach·sen·de** *pl* adolescents *pl* **he·ran|wa·gen** *vr* ■ **sich an etw** *akk* **~** ❶ (*heranzukommen* *wagen*) to dare to go near sth ❷ (*sich zu beschäftigen wagen*) to dare to attempt sth **he·ran|zie·hen** *irreg* I. *vt* ❶ (*näher holen*) to pull (**an** to) ❷ (*einsetzen*) ◼ **jdn** [**zu etw** *dat*] ~ to use sb [for sth]; **sie wurde in der Firma zu allen möglichen niedrigen Jobs herangezogen** the company made her do all kinds of menial jobs ❸ (*anführen*) to consult (**für/zu** for) ❹ (*aufziehen*) **ein Tier** [**zu etw** *dat*] ~ to rear an animal [to be sth]; **den Baum habe ich mir aus einem kleinen Sämling herangezogen** I grew the tree from a seedling II. *vi sein* MIL (*näher ziehen*) to advance

he·rauf [hɛˈraʊf] I. *adv* ◼ **von ... ~:** **was, von da unten soll ich den Sack bis oben ~ schleppen?** what, I'm supposed to drag this sack from down here all the way up there? II. *präp* +*akk* up; **sie ging die Treppe ~** she went up the stairs

he·rauf|be·schwö·ren* *vt irreg* ❶ (*wachrufen*) to evoke ❷ (*herbeiführen*) to cause

he·rauf|kom·men *vi irreg sein* ❶ (*von unten kommen*) to come up (**zu** to) ❷ (*geh: aufziehen*) to approach; *Nebel* to form **he·rauf|set·zen** *vt* ◼ **etw** ~ to put up *sep* [*or* increase] sth **he·rauf|zie·hen** *irreg* I. *vt haben* to pull up *sep* II. *vi sein* (*aufziehen*) to approach, to gather

he·raus [hɛˈraʊs] *adv* ❶ (*nach draußen*) out; ◼ **aus etw** *dat* ~ out of sth; ~ **damit!** (*fam: mit einer Antwort*) out with it!; (*mit Geld*) give it here! ❷ (*entfernt sein*) ◼ ~ **sein** to have been taken out ❸ MEDIA (*veröffentlicht sein*) ◼ ~ **sein** to be out ❹ (*entschieden sein*) ◼ ~ **sein** to have been decided ❺ (*hinter sich haben*) ◼ **aus etw** *dat* ~ **sein** to leave behind sth *sep;* **aus dem Alter bin ich schon** ~ that's all behind me ❻ (*gesagt worden sein*) ◼ ~ **sein** to have been said; **die Wahrheit ist** ~ the truth has come out

he·raus|be·kom·men* *vt irreg* ❶ (*entfernen*) to get out (**aus** of) ❷ (*herausfinden*) to find out *sep* ❸ (*ausgezahlt bekommen*) to get back **he·raus|bil·den** *vr* ◼ **sich** [**aus etw** *dat*] ~ to develop [out of sth] **he·raus|brin·gen** *vt irreg* ❶ (*nach draußen bringen*) to bring sth out ❷ (*auf den Markt bringen*) to launch ❸ (*der Öffentlichkeit vorstellen*) to publish ❹ (*hervorbringen*) to utter; **sie brachte keinen Ton heraus** she didn't utter a sound ❺ (*fam: ermitteln*) to find out *sep* **he·raus|fah·ren** *irreg* I. *vi sein* ◼ [**aus etw** *dat*] ~ to drive out [of sth] II. *vt haben* ◼ **etw** [**aus etw** *dat*] ~ to drive sth out [of sth] **he·raus|fal·len** *vi irreg*

◼ **aus etw** *dat* ~ to fall [*or fig* drop] out of sth; **aus dem üblichen Rahmen** ~ (*fig*) to fall outside the usual parameters **he·raus|fin·den** *irreg* I. *vt* ❶ (*dahinter kommen*) to find out, to discover ❷ (*herauslesen*) to find (**aus** from amongst) II. *vi* (*den Weg finden*) to find one's way out (**aus** of)

He·raus·for·de·rer, -for·d(r)e·rin <-s, -> *m, f* challenger

he·raus|for·dern I. *vt* ❶ (*auffordern*) to challenge (**zu** to) ❷ (*provozieren*) to provoke ❸ (*heraufbeschwören*) to invite; *Gefahr* to court; **das Schicksal** ~ to tempt fate II. *vi* ◼ **zu etw** *dat* ~ to invite sth

he·raus·for·dernd I. *adj* provocative, challenging, inviting II. *adv* provocatively

He·raus·for·de·rung *f* ❶ (*Aufforderung*) challenge ❷ (*Provokation*) provocation ❸ (*Bewährungsprobe*) **sich einer** ~ **stellen** to take up a challenge; **die** ~ **annehmen** to accept the challenge

He·raus·ga·be <-, -n> *f* ❶ MEDIA (*Veröffentlichung*) publication ❷ (*Rückgabe*) return ❸ ADMIN issue

he·raus|ge·ben *irreg* I. *vt* ❶ (*veröffentlichen*) to publish ❷ (*zurückgeben*) to return; **Sie haben mir nur 12 statt 22 Euro herausgegeben!** you've only given me [back] 12 euros instead of 22 ❸ (*herausreichen*) to pass II. *vi* to give change; **können Sie mir auf 100 Euro ~?** can you give me change out of 100 euros?

He·raus·ge·ber(in) <-s, -> *m(f)* MEDIA (*Verleger*) publisher; (*editierender Lektor*) editor

he·raus|ge·hen *vi irreg sein* ❶ (*herauskommen*) to go out (**aus/von** of) ❷ (*entfernt werden können*) to come out (**aus** of) ❸ (*lebhaft werden*) ◼ **aus sich** ~ to come out of one's shell **he·raus|grei·fen** *vt irreg* to pick out *sep* (**aus** from) **he·raus|ha·ben** *vt irreg* (*fam*) ❶ (*entfernt haben*) ◼ **etw** [**aus etw** *dat*] ~ to have got sth out [of sth] ❷ (*begriffen haben*) to get the knack of ❸ (*herausgefunden haben*) to have solved; *Geheimnis, Namen, Ursache* to have found out **he·raus|hal·ten** *irreg* I. *vt* ❶ (*nach draußen halten*) to hold out (**aus** of) ❷ (*nicht verwickeln*) to keep out (**aus** of) II. *vr* ◼ **sich** [**aus etw** *dat*] ~ to keep out [of sth] **he·raus|hän·gen** I. *vi* to hang out (**aus** of) II. *vt* ❶ (*nach außen hängen*) to hang out ❷ (*herauskehren, zeigen*) to show off **he·raus|he·ben** *vr irreg* ◼ **sich aus etw** *dat* ~ *Masse, Hintergrund* to stand out from sth **he·raus|ho·len** *vt* to get out (**aus** of); **eine Information aus jdm** ~ to extract a piece of information from sb; **ein gutes Ergebnis ~** to achieve a good result **he·raus|hö·ren** *vt* ■ **etw [aus etw** *dat***]** ~ **①** (*durch Hinhören wahrnehmen*) to hear sth [in sth] **②** (*abwägend erkennen*) to detect sth [in sth] **he·raus|kom·men** [hɛʀaʊskɔmən] *vi irreg sein* **①** (*nach draußen kommen*) to come out (**aus** of) **②** (*etw ablegen können*) ■ **aus etw** *dat* **kaum/nicht** ~ to hardly/not have sth off **③** (*etw verlassen können*) ■ **aus etw** *dat* ~ to get out of sth **④** (*aufhören können*) ■ **aus etw** *dat* **kaum/nicht** ~ to hardly/not be able to stop doing sth **⑤** (*fam: überwinden können*) ■ **aus den Schulden** ~ to get out of debt; **aus Schwierigkeiten/Sorgen** ~ to get over one's difficulties/worries **⑥** (*auf den Markt kommen*) to be launched; (*erscheinen*) to come out **⑦** (*veröffentlicht werden*) to be published; *Gesetz, Verordnung* to be enacted **⑧** (*bekannt werden*) ■ **es kam heraus, dass ...** it came out that ... **⑨** (*zur Sprache bringen*) ■ **mit etw** *dat* ~ to come out with sth **⑩** (*als Resultat haben*) ■ **bei etw** *dat* ~ to come of sth; **und was soll dabei ~?** and what good will that do?; **auf dasselbe ~** to amount to the same thing **⑪** KARTEN (*die erste Karte ausspielen*) to lead **⑫** (*fam: aus der Übung kommen*) to get out of practice, to get rusty **⑬** (*zur Geltung kommen*) **bei Tageslicht kommt das Muster viel besser heraus** you can see the pattern much better in the daylight ▶ **groß** ~ (*fam*) to be a great success **he·raus|le·sen** *vt irreg* **①** (*durch Lesen deuten*) to read (**aus** into) **②** (*aussondern*) to pick out (**aus** from) **he·raus|neh·men** *irreg* **I.** *vt* **①** (*entnehmen*) to take out (**aus** of) **②** (*aus einer Umgebung entfernen*) to take away (**aus** from), to remove **II.** *vr* **①** (*pej: frech für sich reklamieren*) ■ **sich** *dat* **etw** ~ to take liberties; **sich** *dat* **zuviel** ~ to go too far **②** (*sich erlauben*) ■ **sich** *dat* ~, **etw zu tun** to have the nerve to do sth **he·raus|plat·zen** *vi sein* (*fam*) **①** (*lachen*) to burst out laughing **②** (*spontan sagen*) ■ **mit etw** *dat* ~ to blurt out sth *sep* **he·raus|put·zen** *vt* ■ **jdn** ~ to smarten up sb *sep;* ■ **etw** ~ to deck out sth *sep;* ■ **sich** ~ to dress oneself up **he·raus|ra·gen** *vi* s. **hervorragen** **he·raus|re·den** *vr* ■ **sich [mit etw** *dat***]** ~ to talk one's way out of it [by using sth as an excuse] **he·raus|rei·ßen** *vt irreg* **①** (*aus etw reißen*) to tear out (**aus** of); *Seite a.* to rip out; *Baum, Wurzel* to pull out **②** (*ablenken*) ■ **jdn aus etw** *dat* ~ to tear sb away from sth; **jdn aus seiner Arbeit** ~ to inter-

rupt sb in their work; **jdn aus seiner Meditation/seinen Träumen** ~ to startle sb out of their meditation/dreaming **③** (*fam: wettmachen*) to save **he·raus|rü·cken I.** *vt haben* (*fam*) to hand over *sep* **II.** *vi sein* (*fam*) ■ **mit etw** *dat* ~ to come out with sth **he·raus|rut·schen** *vi sein* **①** (*aus etw rutschen*) ■ **jdm rutscht etw heraus** sth slips out, sb lets sth slip out **②** (*fam: ungewollt entschlüpfen*) ■ **jdm** ~ to let slip out; **entschuldige, das ist mir nur so herausgerutscht!** sorry, it just slipped out! **he·raus|schau·en** *vi* DIAL **①** (*zu sehen sein*) to be showing **②** (*nach draußen schauen*) to look out **③** (*fam: als Gewinn zu erwarten sein*) **dabei schaut wenig/nichts heraus** there's not much/nothing in it **he·raus|schnei·den** *vt irreg* to cut out *sep* (**aus** of) **he·raus|schrei·en** *vt irreg* to vent

he·rau·ßen *adv* SÜDD, ÖSTERR (*hier draußen*) out here

he·raus|sprin·gen *vi irreg sein* **①** (*aus etw springen*) to jump out (**aus** of) **②** (*abbrechen*) to chip off **③** ELEK (*den Kontakt unterbrechen*) to blow **④** (*fam*) *s.* **herausschauen 3** **he·raus|sprit·zen** *vi* to squirt out **he·raus|stel·len I.** *vt* **①** (*nach draußen stellen*) to put outside **②** (*hervorheben*) to emphasize **II.** *vr* ■ **sich** ~ to come to light; ■ **sich als etw** *akk* ~ to be shown to be sth; ■ **es stellte sich heraus, dass ...** it turned out that ... **he·raus|strei·chen** *vt irreg* **①** (*aus etw tilgen*) to cross out *sep* **②** (*betonen*) to stress **he·raus|stür·zen** *vi sein* ■ **[aus etw** *dat***]** ~ to rush out [of sth] **he·raus|su·chen** *vt* to pick out *sep* (**aus** from) **he·raus|tre·ten** *vi irreg sein* **①** (*nach außen treten*) to step out (**aus** of) **②** (*anschwellen*) to stand out **he·raus|wa·gen** *vr* ■ **sich** ~ to venture out **he·raus|wer·fen** *vt irreg* **①** (*räumlich*) to throw out *sep* **②** (*fam: kündigen*) to kick out *sep* **he·raus|win·den** *vr irreg* ■ **sich [aus etw** *dat***]** ~ to wriggle [*or* AM wiggle] out [of sth] **her·aus|zie·hen I.** *vt irreg haben* **①** *Schublade* to pull out; *Stecker* to unplug **②** *Truppen* to pull out (**aus** of) **③** (*extrahieren*) to extract (**aus** from) **II.** *vi irreg sein* (*wegziehen*) to move away

herb [hɛʀp] **I.** *adj* **①** (*bitter-würzig*) sharp, astringent; *Duft, Parfüm* tangy; *Wein* dry **②** (*schmerzlich*) bitter; *Erkenntnis* sobering **③** (*etwas streng*) severe; *Schönheit* austere **④** (*scharf*) harsh **II.** *adv* ~ **schmecken** to taste sharp; ~ **duften/riechen** to smell tangy

her·bei [hɛɐˈbaɪ] *adv* (*geh*) ~ **zu mir!**

come [over] here [or old hither]!

her·bei|brin·gen vt irreg (geh) ■**jdn/ etw ~** to bring over sb/sth sep **her·bei|ei·len** vi sein to rush over **her·bei|füh·len** [hɛɐ̯ˈbaɪ̯fyːrən] vt ❶ (bewirken) to bring about sep ❷ MED (verursachen) to cause, to lead to **her·bei|ru·fen** vt irreg (geh) ■**jdn ~** to call sb [over]; ■**etw ~** to call for sth **her·bei|sehn·en** vt (geh) to long for **her·bei|strö·men** vi sein to come flocking

her|be·kom·men* vt irreg (fam) to get hold of

Her·ber·ge <-, -n> [ˈhɛrbɛrɡə] f ❶ (Jugend~) hostel ❷ kein pl (veraltend: Unterkunft) lodging ❸ (veraltet: einfaches Gasthaus) inn

her|be·stel·len* vt to ask to come, to summon

her|brin·gen vt irreg to bring [here]

Herbst <-[e]s, -e> [hɛrpst] m autumn, fall Am

herbst·lich [ˈhɛrpstlɪç] adj autumn attr, autumnal

Herbst·meis·ter m FBALL soccer team at the top of the league rankings at the end of the autumn season

Herbst·zeit·lo·se <-n, -n> f BOT meadow saffron

Herd <-[e]s, -e> [heːɐ̯t, pl ˈheːɐ̯də] m ❶ (Küchen~) cooker, stove, range Am ❷ (Krankheits~) focus ❸ GEOL (Zentrum) focus, epicentre ▸ **eigener ~ ist** Goldes **wert** (prov) there's no place like home

Her·de <-, -n> [ˈheːɐ̯də] f herd; Schafe flock

Her·den·tier nt ❶ (Tier) gregarious animal ❷ (pej: unselbstständiger Mensch) sheep **Her·den·trieb** m (pej) herd instinct

Herd·plat·te f hotplate, [electric] ring, burner

he·rein [hɛˈraɪ̯n] adv in [here]; **nur ~!** come on in!; **~!** come in!

he·rein|be·kom·men* vt irreg to get in sep **he·rein|bit·ten** vt irreg to ask [to come] in[to one's office], to invite in[to one's office] **he·rein|bre·chen** [hɛˈraɪ̯nbrɛçn̩] vi irreg sein ❶ (zusammenstürzen) to collapse (**über** over) ❷ (hart treffen) Katastrophe, Unglück to befall; ■**über jdn/etw ~** to befall sb/sth ❸ (geh: anbrechen) to fall; Winter to set in **he·rein|brin·gen** vt irreg ❶ (nach drinnen bringen) to bring in sep ❷ (wettmachen) Verluste to recoup **he·rein|dür·fen** vi irreg (fam) to be allowed [to come] in **he·rein|fal·len** vi irreg sein ❶ (nach innen fallen) ■**[in etw** akk**] ~** to fall in[to sth]

❷ (fam: betrogen werden) to be taken in (**auf** by) **he·rein|ho·len** vt to bring in sep **he·rein|kom·men** vi irreg sein to come in; **wie bist du hier hereingekommen?** how did you get in here? **he·rein|las·sen** vt irreg to let in **he·rein|le·gen** vt ❶ (fam: betrügen) to cheat, to take sb for a ride (**mit** with) ❷ (nach drinnen legen) to put in **he·rein|plat·zen** vi sein (fam) ■**[bei jdm] ~** to burst in [on sb]; ■**bei etw** dat **~** to burst into sth **he·rein|ru·fen** vt irreg (nach drinnen holen) ■**jdn [zu sich** dat**] ~** to call sb in; **ich rufe mal die Kinder zum Essen herein** I'll call the children in for dinner **he·rein|spa·zie·ren*** vi sein (fam) to walk in; ■**hereinspaziert!** come right in! **he·rein|strö·men** vi sein ■**[in etw** akk**] ~** ❶ (geströmt kommen) to pour [or flood] in[to sth] ❷ (in etw gedrängt kommen) to pour in[to sth/ through sth]

her|fah·ren irreg vi sein ❶ (gefahren kommen) to drive here; **wir sind gestern erst hergefahren** we only just drove here yesterday ❷ (fahrend verfolgen) ■**hinter jdm/etw ~** to drive behind sb/sth ❸ (entlangfahren) ■**vor jdm/etw ~** to drive [along] in front of sb/sth

Her·fahrt f journey here; **auf der ~** on the way here

her|fal·len vi irreg sein ■**über jdn/etw ~** ❶ (überfallen) to attack sb ❷ (bestürmen) to besiege sb ❸ (sich hermachen) to attack sb/sth ❹ (sich stürzen) to fall upon sth

her|fin·den vi irreg to find one's way here **Her·gang** <-[e]s> m kein pl course of events

her|ge·ben irreg I. vt ❶ (weggeben) to give away sep ❷ (aushändigen) to hand over [to] sep ❸ (fam: erbringen) to say; **der Artikel gibt eine Fülle an Information her** the article contains a lot of information ❹ (leihen) **seinen guten Namen für etw** akk **~** to stake one's name on sth II. vr ■**sich für etw** akk **~** to have something to do with sth

her·ge·bracht adj s. althergebracht

her|ge·hen irreg I. vi sein ❶ (entlanggehen) to walk [along] ❷ (sich erdreisten) ■**~ und ...** to just go and ... ❸ SÜDD, ÖSTERR (herkommen) to come [here] II. vi impers sein (fam: zugehen) **bei der Diskussion ging es heiß her** it was a heated discussion; **bei ihren Feten geht es immer lustig her** her parties are always great fun

her|ha·ben vt irreg (fam) ■**etw irgendwo ~** to get sth [from] somewhere; **wo haben Sie das her?** where did you get that [from]?

her|hal·ten *irreg* **I.** *vt* to hold out **II.** *vi* ■ **als etw ~ müssen** to be used as sth

her|ho·len *vt* (*fam*) to fetch

her|hö·ren *vi* (*fam*) to listen, to pay attention; **alle mal ~!** listen everybody!

He·ring <-s, -e> [ˈheːrɪŋ] *m* ❶ (*Fisch*) herring ❷ (*Zeltpflock*) [tent] peg

he·rin·nen [hɛˈrɪnən] *adv* SÜDD, ÖSTERR (*drinnen*) in here

her|kom·men *vi irreg sein* ❶ (*herbeikommen*) to come here; **kannst du mal ~?** can you come here a minute?; **von wo kommst du denn so spät noch her?** where have you come from at this late hour? ❷ (*herstammen*) to come from

her·kömm·lich *adj* traditional, conventional

Her·ku·les <-, -se> [ˈhɛrkulɛs] *m* Hercules; **ein wahrer ~** a regular Hercules

Her·kunft <-, *selten* -künfte> [ˈheːɐkʊnft, *pl* ˈheːɐkʏnftə] *f* ❶ (*Abstammung*) origins *pl*, descent ❷ (*Ursprung*) origin; **von ... ~ sein** to have a/an ... origin

Her·kunfts·land *nt* country of origin

her|lau·fen *vi irreg sein* ❶ (*entlanglaufen*) to run along ❷ (*gelaufen kommen*) to run over here (**zu** to) ❸ (*im Laufe begleiten*) ■ **hinter/neben/vor jdm ~** to run [along] behind/beside/in front of sb

her|lei·ten I. *vt* ■ **etw aus etw** *dat* **~** ❶ (*ableiten*) to derive sth from sth ❷ (*folgern*) to deduce sth from sth **II.** *vr* ■ **sich von etw** *dat* **~** to derive from sth

her|ma·chen I. *vr* (*fam*) ■ **sich über etw/jdn** *akk* **~** ❶ (*beschäftigen*) to get stuck into sth ❷ (*Besitz ergreifen*) to fall upon sth; **er machte sich über die Kekse her** he fell upon the cookies ❸ (*herfallen*) to attack sb **II.** *vt* (*fam*) to be impressive; **das macht doch nicht viel her!** that's not very impressive!

Her·me·lin <-s, -e> [hɛrməˈliːn] *nt* ZOOL (*braun*) stoat; (*weiß*) ermine

her·me·tisch [hɛrˈmeːtɪʃ] **I.** *adj* hermetic **II.** *adv* hermetically, airtight; **~ verschlossen** hermetically sealed

her|neh·men *vt irreg* ❶ (*beschaffen*) ■ **etw irgendwo ~** to get sth somewhere ❷ DIAL (*fam: stark fordern*) to overwork

He·ro·in <-s> [heroˈiːn] *nt kein pl* heroin

he·ro·isch [heˈroːɪʃ] **I.** *adj* (*geh*) heroic **II.** *adv* (*geh*) heroically

Her·pes <-> [ˈhɛrpɛs] *m kein pl* herpes

Herr(in) <-n, -en> [hɛr] *m/f* ❶ *nur m* (*männliche Anrede*) Mr; **die ~en Schmidt und Müller** Messrs Schmidt and Müller; **sehr geehrter ~ ...** Dear Mr ...;

sehr geehrte ~en! Dear Sirs; **der ~ wünscht?** what can I do for you, sir? ❷ *nur m* (*Tanzpartner, Begleiter*) [gentleman] companion, partner ❸ *nur m* (*geh: Mann*) gentleman ❹ (*Herrscher*) ruler; ■ **~/~in über jdn/etw sein** to be ruler of sb/sth; (*Gebieter*) master *masc*, mistress *fem*; **der ~ des Hauses** the master of the house; **~ der Lage sein** to be master of the situation; **sein eigener ~ sein** to be one's own boss ❺ REL (*Gott*) Lord ▶ **mein ~ und Gebieter** (*hum*) my lord and master; **aus aller ~en Länder[n]** from all over the world; **die ~en der Schöpfung** (*hum*) their lordships; **jds alter ~** (*hum fam*) sb's old man

Herr·chen <-s, -> *nt* (*fam*) [young] master

Her·ren·aus·stat·ter <-s, -> *m* [gentle]men's outfitters **Her·ren·be·glei·tung** *f* (*geh*) **in ~** in the company of a gentleman **Her·ren·be·kannt·schaft** *f* gentleman acquaintance **Her·ren·be·klei·dung** *f* menswear **Her·ren·be·such** *m* ❶ (*Besucher*) gentleman visitor ❷ (*Besuch durch einen Herrn*) visit from a gentleman **Her·ren·(fahr·)rad** *nt* men's bicycle **Her·ren·fri·seur, -fri·seu·se** *m*, *f* barber, men's hairdresser **Her·ren·haus** *nt* manor house **her·ren·los** *adj* abandoned; *Hund, Katze* stray **Her·ren·mo·de** *f* men's fashion **Her·ren·to·i·let·te** *f* men's toilet[s] [*or* AM restroom], gents BRIT

Herr·gott [ˈhɛrɡɔt] *m* SÜDD, ÖSTERR (*fam*) ■ **der/unser ~** God, the Lord [God]; **~!** (*fam*) for God's sake!

her|rich·ten I. *vt* ❶ (*vorbereiten*) to prepare, to arrange; **den Tisch ~** to set the table ❷ (*in Stand setzen, ausbessern*) to repair, to fix **II.** *vr* DIAL (*sich zurechtmachen*) ■ **sich ~** to get [oneself] ready

Her·rin <-, -nen> *f fem form von* **Herr** mistress, lady

her·risch [ˈhɛrɪʃ] **I.** *adj* domineering, overbearing; *Ton* commanding, peremptory **II.** *adv* imperiously, peremptorily

herr·je(h) [hɛrˈjeː], **herr·je·mi·ne** [hɛrˈjeːmine] *interj* goodness gracious!

herr·lich I. *adj* ❶ (*prächtig*) marvellous; *Aussicht* magnificent; *Sonnenschein* glorious; *Urlaub* delightful; **das Wetter ist ~ heute!** we're having gorgeous weather today! ❷ (*köstlich*) delicious, exquisite ❸ (*iron*) wonderful **II.** *adv* ❶ (*prächtig*) **sich ~ amüsieren** to have a marvellous time, to have great fun ❷ (*köstlich*) **~ schmecken** to taste delicious

Herr·lich·keit <-, -en> *f* ❶ *kein pl* (*Schönheit, Pracht*) magnificence; **die ~ Gottes**

REL the glory of God ➋ meist pl (prächtiger Gegenstand) treasure ➌ (Köstlichkeit) delicacy

Herr·schaft <-, -en> ['hɛrʃaft] f ➊ kein pl (Macht, Kontrolle) rule, reign; **eine totalitäre ~** totalitarian rule; **unter der ~ der/des ...** under the rule of the ... ➋ pl (Damen und Herren) ■ **die ~en** ladies and gentlemen; **darf ich den ~en sonst noch etwas bringen?** can I bring sir and madam anything else? ▸ **jds alte ~en** (hum fam) sb's old man and old woman sl, sb's folks esp Am

herr·schaft·lich adj grand

Herr·schafts·in·stru·ment nt SOZIOL instrument of power

herr·schen ['hɛrʃn] I. vi ➊ (regieren) to rule (**über** over) ➋ (walten, in Kraft sein) to hold sway ➌ (vorhanden sein) to prevail, to be prevalent; Ruhe, Stille to reign; Hunger, Krankheit, Not to be rampant; **was herrscht hier wieder für eine Unordnung!** what a mess this place is in again! II. vi impers **es herrscht Zweifel, ob ...** there is doubt whether ...; **es herrscht Stille** silence reigns

herr·schend adj ➊ (regierend) ruling, dominant ➋ (Machthaber) ■ **die H~en** the rulers, those in power ➌ (in Kraft befindlich) prevailing

Herr·scher(in) <-s, -> m(f) ruler, sovereign, monarch; ■ **~ über jdn/etw** akk ruler of sb/sth

Herr·scher·ge·schlecht nt, **Herr·scher·haus** nt [ruling] dynasty

Herr·sche·rin <-, -nen> f fem form von **Herrscher**

Herrsch·sucht f thirst for power; PSYCH domineering nature

herrsch·süch·tig adj domineering

her|ru·fen vt irreg ➊ (zu jdm rufen) to call [over sep] ➋ (nachrufen) ■ **etw hinter jdm ~** to call sth after sb

her|rüh·ren vi (geh) ■ **von etw** dat **~** to come from sth

her|schi·cken vt ➊ (zu jdm schicken) to send [here] ➋ (nachschicken) ■ **etw hinter jdm ~** to send sth after sb

her|schie·ben irreg I. vt (schieben) to pull towards oneself II. vr ■ **etw vor sich** dat **~** ➊ (schieben) to push sth ➋ (fig: verschieben) to put off

her|stam·men vi to come from

her|stel·len vt ➊ (erzeugen) to produce, to manufacture ➋ (zustande bringen) to establish, to make ➌ (irgendwohin stellen) to put here

Her·stel·ler(in) <-s, -> m(f) ➊ (Produ-

zent) manufacturer, producer ➋ (Mitarbeiter der Herstellung) production department employee

Her·stel·lung f kein pl ➊ (Produktion) production, manufacturing, making ➋ (Aufbau) establishment; **die ~ von Kontakten** establishing contacts ➌ (Produktionsabteilung) production department

Her·stel·lungs·land nt s. **Herkunftsland**

her|trau·en vr ■ **sich ~** to dare to come [here]; **er traut sich nicht mehr her** he doesn't dare come here any more

Hertz <-, -> [hɛrts] nt hertz

he·rü·ben adv SÜDD, ÖSTERR (auf dieser Seite) over here

he·rü·ber [hɛˈryːbɐ] adv over here

he·rü·ber|kom·men [hɛˈryːbɐkɔmən] vi irreg sein ➊ (hierher kommen) to come over ➋ (hierher gelangen) to get over [or across]

he·rum [hɛˈrʊm] adv ➊ (um etw im Kreis) ■ **um etw** akk **~** [a]round sth ➋ (überall in jds Nähe) ■ **um jdn ~** [all] around sb ➌ (gegen) ■ **um ... ~** around ... ➍ (vorüber sein) ■ **~ sein** to be over

he·rum|al·bern vi (fam) to fool around

he·rum|är·gern vr (fam) ■ **sich mit jdm/etw ~** to keep getting worked up about sb/sth, to have constant trouble with sb/sth **he·rum|be·kom·men*** vt irreg ■ **jdn** [**zu etw** dat] **~** to talk sb round [to sth] **he·rum|brül·len** vi (fam) to shout one's head off **he·rum|bum·meln** vi (fam) ➊ haben (trödeln) to dawdle ➋ sein (herumspazieren) to stroll [a]round **he·rum|dok·tern** vi (fam) ■ **an jdm/etw ~** ➊ (zu kurieren versuchen) to try treating sb ➋ (zu reparieren versuchen) to tinker about with sth **he·rum|dre·hen** I. vt ➊ (um die Achse drehen) to turn ➋ (wenden) to turn over II. vr ■ **sich ~** to turn [a]round **he·rum|druck·sen** vi (fam) to hum and haw BRIT, to hem and haw AM **he·rum|er·zäh·len*** vt (fam) to spread [a]round **he·rum|fa·ckeln** vi ▸ **nicht lange ~** to not beat around the bush **he·rum|fah·ren** irreg vi, vt ➊ sein (umherfahren) to drive [a]round ➋ sein (im Kreis darum fahren) ■ **um jdn/etw ~** to drive [a]round sb/sth ➌ sein (sich rasch umdrehen) to spin [a]round quickly ➍ sein o haben (ziellos streichen, wischen) to wipe **he·rum|fuch·teln** vi (fam) ■ **mit etw** dat **~** to wave sth around, to fidget with sth **he·rum|füh·ren** I. vt ➊ (durch die Gegend führen) to show [a]round ➋ meist passiv (darum herum bauen) to build [a]round II. vi ■ **um etw** akk **~** to go

[a]round sth **he·rụm|fuhr·wer·ken** vi (fam) to fiddle about (**mit** with) **he·rụm|fum·meln** vi (fam) **①** (hantieren, anfassen) to fiddle about (**an** with) **②** (mit sexueller Absicht anfassen) to touch up, to grope **he·rụm|ge·ben** vt irreg to pass [a]round, to circulate **he·rụm|ge·hen** vi irreg sein **①** (einen Kreis gehen) to go [a]round **②** (ziellos umhergehen) to wander around **③** (herumgereicht werden) to be passed [a]round; ▪**etw ~ lassen** to circulate sth **④** (weitererzählt werden) to go [a]round **⑤** (vorübergehen) to go by, to pass **he·rụm|geis·tern** vi sein (fam) to wander [a]round **he·rụm|ha·cken** vi (fam) ▪**auf jdm ~** to pick on sb, to get [on] at sb **he·rụm|hän·gen** vi irreg sein (sl) **①** (ständig zu finden sein) to hang [a]round **②** (untätig sein) to lounge [a]round, to bum [a]round **he·rụm|ir·ren** vi sein to wander [a]round **he·rụm|kom·man·die·ren*** I. vt (fam) to boss about II. vi (fam) to give orders **he·rụm|kom·men** vi irreg sein (fam) **①** (herumfahren können) to get [a]round **②** (vermeiden können) to get out of **③** (reisen) to get around; **viel ~** to do a lot of travelling, to see a great deal **he·rụm|kreb·sen** vi (fam) to struggle [on] **he·rụm|krie·gen** vt (fam) s. **herumbekommen he·rụm|kut·schie·ren*** vt (fam) to drive [a]round **he·rụm|lau·fen** vi irreg sein **①** (um etw laufen) to run [a]round **②** (fam: umherlaufen) to go [a]round; **um Gottes Willen, wie läufst du denn herum?** for heaven's sake, what do you look like!; [noch] **frei ~** to be [still] at large **he·rụm|lie·gen** vi irreg (fam) to lie about; ▪**etw ~ lassen** to leave sth lying about **he·rụm|lun·gern** vi (fam) to loaf [or loiter] [or hang] about **he·rụm|ma·chen** I. vi (fam) **①** (herumtasten) to fiddle [about], to monkey (**an** with) **②** (herumnörgeln) to find fault (**an** with), to nag II. vt (fam) ▪**etw um etw** akk **~** to put sth [a]round sth **he·rụm|me·ckern** vi (fam) to grumble **he·rụm|nör·geln** vi (pej fam) ▪[**an jdm**] **~** to nag [at sb]; ▪**an etw** dat **~** to find fault with sth **he·rụm|quä·len** vr (fam) **①** (sich befassen) ▪**sich mit jdm/etw ~** to struggle with sb/sth **②** (leiden) ▪**sich** [**mit etw** dat] **~** to be plagued [by sth] **he·rụm|re·den** vi (fam) **①** (ausweichend reden) ▪**um etw** akk **~** to talk round [or Am around] sth, to dodge the issue, to beat about [or Am around] the bush **②** (belangloses Zeug reden) to waffle on **he·rụm|rei·chen** vt **①** (geh) s. **herumgeben ②** (fam: allen

möglichen Leuten vorstellen) to introduce to everybody **he·rụm|rei·ten** vi irreg sein **①** (umherreiten) to ride around **②** (reitend umgehen) to ride [a]round **③** (fam: herumhacken) ▪**auf jdm ~** to get at sb; ▪**auf etw** dat **~** (pej) to harp on about sth, to keep going on about sth **he·rụm|schla·gen** irreg I. vt (geh) ▪**etw ~** to wrap sth [a]round II. vr (fam) ▪**sich mit jdm/etw ~** to struggle with sb/sth **he·rụm|schnüf·feln** vi **①** (anhaltend schnüffeln) to sniff [a]round **②** (pej fam: spionieren) to snoop around (**in** in) **he·rụm|schrei·en** vi irreg (fam) to scream and shout **he·rụm|sit·zen** vi irreg sein **①** (fam: untätig dasitzen) to sit [a]round **②** (sitzend gruppiert sein) ▪**um jdn/etw ~** to sit [a]round sb/sth **he·rụm|spie·len** vi to play around **he·rụm|spre·chen** vr irreg ▪**sich ~** to get [a]round, to reach sb; ▪**es hat sich herumgesprochen, dass ...** it has got [a]round that ... **he·rụm|ste·hen** vi irreg sein **①** (fam: in der Gegend stehen) to stand [a]round **②** (stehend gruppiert sein) ▪**um jdn/etw ~** to stand [a]round sb/sth **he·rụm|stö·bern** vi (fam: wahllos stöbern) ▪[**in etw** dat] **~** to rummage around [or about] [in sth] **he·rụm|su·chen** vi ▪**nach etw ~** to rummage around for sth **he·rụm|to·ben** vi (fam) **①** sein o haben (ausgelassen umherlaufen) to romp around **②** haben (wüst schimpfen) to rant and rave **he·rụm|tram·peln** vi sein **①** (fam: umhertrampeln) to trample around [or about] **②** (mit Füßen treten) ▪**auf jdm/etw ~** to trample on sb/sth; ▪**auf jdm ~** (fig) to walk all over sb fig; **auf jds Gefühlen ~** to trample on sb's feelings **he·rụm|trei·ben** vr irreg ▪**sich irgendwo ~** to hang [a]round somewhere; **wo er sich nur wieder herumtreibt?** where's he got to now? **He·rụm·trei·ber(in)** <-s, -> m(f) (pej) **①** (Mensch ohne feste Arbeit, Wohnsitz) down-and-out, tramp, loafer **②** (fam: Streuner) layabout, good-for-nothing **he·rụm|trö·deln** vi (fam) to dawdle around [or about] **he·rụm|wer·fen** irreg vt **①** (achtlos umherstreuen) to throw [a]round **②** (herumreißen) to pull round hard **he·rụm|zie·hen** irreg vi sein **②** (von Ort zu Ort ziehen) to move about **②** (um etw ziehen) ▪**um etw** akk **~** to go [a]round sth

he·run·ten [hɛˈrʊntn̩] adv SÜDD, ÖSTERR (hier unten) down here

he·run·ter [hɛˈrʊntɐ] I. adv down; **sie liefen den Berg ~** they ran down the hill

II. *präp nachgestellt* ■ **etw** ~ down sth; **den Berg** ~ **geht es leichter als hinauf** it's easier to go down the hill than up it **he·run·ter|bren·nen** *vi irreg sein* to burn down; *Feuer* to burn out **he·run·ter|brin· gen** *vt irreg* ❶ (*nach unten bringen*) to bring down *sep* ❷ (*fam*) to get sth off **he· run·ter|fah·ren** *irreg* **I.** *vi sein* to drive down; **wir sind zu meinen Eltern in den Schwarzwald heruntergefahren** we drove down to see my parents in the Black Forest **II.** *vt haben* ❶ (*transportieren*) ■ **jdn/etw** ~ to bring [*or* drive] down sb/sth; **die Seilbahn hat uns herunter· gefahren** we came down on the cable car ❷ INFORM ■ **etw** ~ *PC* to power down [*or* switch off] sth **he·run·ter|fal·len** *vi irreg sein* to fall off; **mir ist der Hammer heruntergefallen** I've dropped the hammer **he·run·ter|ge·hen** *vi irreg sein* ❶ (*nach unten gehen*) to go down ❷ (*aufstehen und weggehen*) ■ **von etw** *dat* ~ to get off sth ❸ (*sinken*) to drop, to fall, to go down ❹ (*Flughöhe verringern*) to descend; **auf 5000 m** ~ to descend to 5000 m ❺ (*fam: abrücken*) ■ **von etw** *dat* ~ to soften sth ❻ (*reduzieren*) to reduce, to lower **he·run·ter·ge·kom·men** *adj* (*pej*) ❶ (*abgewohnt*) run-down, dilapidated ❷ (*verwahrlost*) down-at-[the-]heel BRIT, down-and-out **he·run·ter|han·deln** *vt* (*fam*) to knock down *sep* **he·run· ter|hän·gen** *vi irreg* to hang down (**von** from, **auf** over) **he·run·ter|hau·en** *vt irreg* (*fam*) ■ **jdm eine** ~ to slap sb **he·run·ter|kip·pen** *vt* (*fam*) ■ **etw** ~ *Schnaps, Bier* to down sth in one BRIT, to chug[-a-lug] sth AM **he·run·ter|klap· pen** *vt* to put down *sep; Kragen* to turn down; *Deckel* to close **he·run·ter|kom· men** *vi irreg sein* ❶ (*nach unten kommen*) to come down ❷ (*fam: verfallen*) to become run-down ❸ (*fam: verwahrlosen*) to become down-and-out **he·run·ter|la· den** *vt* INFORM to download **he·run· ter|las·sen** *vt irreg* ■ **etw** ~ to lower sth **he·run·ter|ma·chen** *vt* (*fam*) ❶ (*schlechtmachen*) to run down ❷ (*zurechtweisen*) to tell off **he·run·ter|neh· men** *vt irreg* ■ **etw** ~ to take sth off, to remove sth **he·run·ter|pur·zeln** *vt Treppe* to tumble down; (*vom Baum*) to fall out of **he·run·ter|rei·ßen** *vt irreg* ❶ (*abreißen*) to pull off *sep;* (*von der Wand*) to tear down ❷ (*sl: absitzen*) to get through **he· run·ter|schlu·cken** *vt* (*fam*) *s.* **hinun· terschlucken he·run·ter|spie·len** *vt* ■ **etw** ~ (*verharmlosen*) to play down sth

sep **he·run·ter|sprin·gen** *vi irreg* to jump down **he·run·ter|wer·fen** *vt irreg* to throw down **he·run·ter|wirt· schaf·ten** *vt* (*pej fam*) to ruin

her·vor [hɛɐ̯ˈfoːɐ̯] *interj* ■ ~ **mit dir/euch!** (*geh*) out you come! **her·vor|brin·gen** *vt irreg* to produce **her· vor|ge·hen** *vi irreg sein* ❶ (*geh: entstammen*) ■ **aus etw** *dat* ~ to come from sth ❷ (*sich ergeben*) **aus etw** *dat* **geht hervor ...** it follows from sth ..., sth proves that ... **her·vor|gu·cken** *vi* (*fam*) to peep out (**unter** from under) **her·vor|he·ben** *vt irreg* ❶ (*betonen*) to emphasize, to stress ❷ (*besonders kennzeichnen*) to make stand out **her·vor|ho·len** *vt* to take out *sep* (**aus** from) **her·vor|kom·men** *vi irreg sein* to come out (**aus** of, **hinter** from behind), to emerge (**aus** from) **her·vor|lo· cken** *vt* to entice out *sep* **her·vor|ra·gen** [hɛɐ̯ˈfoːɐ̯ˌʁaːɡn̩] *vi* ❶ (*sich auszeichnen*) to stand out ❷ (*weit vorragen*) to jut out (**aus** from) **her·vor·ra·gend I.** *adj* excellent, outstanding, first-rate **II.** *adv* excellently **her·vor|ru·fen** *vt irreg* to evoke; [**bei jdm**] **Bestürzung** ~ to cause consternation [in sb] **her·vor|tre·ten** *vi irreg sein* ❶ (*heraustreten*) to step out (**hinter** from behind) ❷ (*erhaben werden*) to protrude; *Wangenknochen, Kinn* to protrude ❸ (*erkennbar werden*) to become evident ❹ (*in Erscheinung treten*) to distinguish oneself **her·vor|tun** *vr irreg* (*fam*) ■ **sich** ~ ❶ (*sich auszeichnen*) to distinguish oneself (**mit** with) ❷ (*sich wichtigtun*) to show off **her·vor|wa·gen** *vr* ■ **sich** ~ to dare to come out, to venture forth

her|wa·gen *vr* ■ **sich** ~ to dare to come here

Herz <-ens, -en> [hɛrts] *nt* ❶ ANAT heart; **ihr** ~ **pochte** her heart was pounding; **am offenen** ~ open-heart; **Chirurgie** [*o* **eine Operation**] **am offenen** ~ open-heart surgery ❷ (*Gemüt, Gefühl*) heart; **mit ganzem** ~**en** wholeheartedly; **von ganzem** ~**en** sincerely; **an/mit gebrochenem** ~**en** of/with a broken heart; **jdn von** ~**en gernhaben** to love sb dearly; **etw von** ~**en gern tun** to love doing sth; **im Grunde seines** ~**ens** in his heart of hearts; **leichten** ~**ens** light-heartedly; **jdm wird leicht ums** ~ sb has a load lifted from one's mind; **schweren** ~**ens** with a heavy heart; **ein weiches** ~ **haben** to have a soft heart; **jds** ~ **erweichen** to soften up sb *sep* ❸ (*Zentrum*) heart ❹ (*Schatz, Liebling*) dear, love ❺ KARTEN hearts *pl* ▸ **das** ~ **auf dem rechten** <u>Fleck</u> **haben** to have one's heart in the right place; **ein ~ aus <u>Gold</u> haben** to have a heart of gold; **jdm schlägt das ~ bis zum <u>Hals</u>** sb's heart is in one's mouth; **jdm rutscht das ~ in die <u>Hose</u>** (*fam*) sb's heart sank into his/her boots Brit; **jdn/etw auf ~ und <u>Nieren</u> prüfen** (*fam*) to examine sb/sth thoroughly; **ein ~ und eine <u>Seele</u> sein** to be the best of friends; **jds ~ <u>höher</u> schlagen lassen** to make sb's heart beat faster; **alles, was das ~ <u>begehrt</u>** (*geh*) everything one's heart desires; **jdm das ~ <u>brechen</u>** to break sb's heart; **etw nicht übers ~ <u>bringen</u>** to not have the heart to do sth; **etw auf dem ~en <u>haben</u>** to have sth on one's mind; **jdm etw ans ~ <u>legen</u>** to entrust sb with sth; **jdm <u>liegt</u> etw am ~en** sth concerns sb; **sich** *dat* **etw zu ~en <u>nehmen</u>** to take sth to heart; **jdm sein ~ <u>ausschütten</u>** to pour out one's heart to sb *sep*

Herz·an·fall *m* heart attack **Herz·be·schwer·den** *pl* heart trouble **herz·be·we·gend** *adj s.* **herzerweichend Herz·da·me** *f* KARTEN queen of hearts

her|zei·gen *vt* to show; **zeig mal her!** let me see!

her·zen ['hɛrtsn̩] *vt* (*geh*) to cuddle, to embrace

Her·zens·an·ge·le·gen·heit *f* ❶ (*wichtiges Anliegen*) matter close to one's heart ❷ (*Liebe betreffende Angelegenheit*) affair of the heart **Her·zens·be·dürf·nis** *nt* **jdm ein ~ sein** to be a matter very close to sb's heart **Her·zens·bre·cher(in)** *m(f)* heartbreaker, ladykiller *dated* **her·zens·gut** *adj* good-hearted, kind-hearted **Her·zens·lust** *f kein pl* **nach ~** to one's heart's content **Her·zens·wunsch** *m* dearest wish, heart's desire

herz·er·grei·fend *adj* heart-rending **herz·er·wei·chend I.** *adj* heart-rending **II.** *adv* heart-rendingly **Herz·feh·ler** *m* heart defect **Herz·ge·räu·sche** *nt pl* heart [*or* cardiac] murmurs *pl*

herz·haft I. *adj* ❶ (*würzig-kräftig*) tasty, savoury; *Essen, Eintopf* hearty ❷ (*kräftig*) hearty, substantial **II.** *adv* ❶ (*würzig-kräftig*) ~ **schmecken** to be tasty ❷ (*kräftig*) heartily; **~ gähnen** to yawn loudly

her|zie·hen *irreg* **I.** *vt haben* ❶ (*heranziehen*) to pull closer ❷ (*mitschleppen*) ■ **etw hinter/neben sich** *dat* ~ to pull sth [along] behind/beside one **II.** *vi* ❶ *sein* (*hierhin ziehen*) to move here ❷ *haben* (*fam: sich auslassen*) ■ **über jdn/etw ~** to pull sb/sth to pieces, to run sb/sth down

her·zig ['hɛrtsɪç] *adj* sweet, cute Am

Herz·in·farkt *m* heart attack **Herz·kam·**

mer *f* ANAT ventricle **Herz·kas·per** *m* MED (*sl*) heart attack **Herz·klap·pe** *f* heart valve **Herz·klap·pen·feh·ler** *m* valvular [heart] defect **Herz·klop·fen** *nt kein pl* pounding of the heart, palpitations *pl* **herz·krank** *adj* suffering from a heart condition *pred*; ■ **~ sein** to have a heart condition **Herz–Kreis·lauf-Er·kran·kung** *f* MED cardiovascular disease **Herz·lei·den** *nt* heart disease

herz·lich I. *adj* ❶ (*warmherzig*) warm; *Begrüßung* warm, friendly, cordial; *Lachen* hearty ❷ (*in Grußformeln: aufrichtig*) kind **II.** *adv* ❶ (*aufrichtig*) warmly, with pleasure; **sich bei jdm ~ bedanken** to thank sb sincerely; **jdn ~ gratulieren** to congratulate sb heartily ❷ (*recht*) thoroughly, really; **~ wenig** precious little

Herz·lich·keit <-> *f kein pl* ❶ (*herzliches Wesen*) warmth ❷ (*Aufrichtigkeit*) sincerity, cordiality

herz·los *adj* heartless

Herz·lo·sig·keit <-, -en> *f* heartlessness *no pl*

Herz·mus·kel *m* heart muscle

Her·zog(in) <-s, Herzöge *o selten* -e> ['hɛrtso:k, *pl* -tsø:gə] *m(f)* duke *masc*, duchess *fem*

Her·zog·tum <-s, -tümer> *nt* duchy, dukedom

Herz·schlag *m* ❶ (*Kontraktion des Herzmuskels*) heartbeat ❷ (*Herzstillstand*) heart failure, cardiac arrest **Herz·schritt·ma·cher** *m* pacemaker **Herz·still·stand** *m* cardiac arrest **Herz·stück** *nt* heart, core **Herz·tod** *m* MED cardiac death, death by heart failure **Herz·ton** *m meist pl* heart sound *usu pl* **Herz·trans·plan·ta·ti·on** *f* heart transplant **Herz·ver·sa·gen** *nt kein pl* heart failure *no pl* **herz·zer·rei·ßend** *adj s.* **herzerwei·chend**

Hes·se <-, -n> ['hɛsə] *f* KOCHK [beef] shin

Hes·se, Hes·sin <-n, -n> ['hɛsə, 'hɛsɪn] *m, f* Hessian

Hes·sen <-s> ['hɛsn̩] *nt* Hesse

Hes·sin <-, -nen> *f fem form von* **Hesse**

hes·sisch ['hɛsɪʃ] *adj* Hessian

He·te <-, -n> ['he:tə] *f* (*sl:* *Heterosexuelle(r)*) het[ero] *sl*

he·te·ro·gen [hetero'ge:n] *adj* (*geh*) heterogeneous

He·te·ro·se·xu·a·li·tät <-> [heterozɛksuali'tɛːt] *f kein pl* heterosexuality *no pl*

he·te·ro·se·xu·ell [heterazɛ'ksuɛl] *adj* heterosexual

Het·ze <-, -n> ['hɛtsə] *f* ❶ *kein pl* (*übertriebene Hast*) mad rush ❷ *pl selten* (*pej:*

Aufhetzung) smear campaign; (*gegen Minderheiten*) hate campaign

het·zen ['hɛtsn̩] **I.** *vi* ❶ *haben* (*sich abhetzen*) to rush about ❷ *sein* (*eilen*) to rush ❸ *haben* (*pej: Hass schüren*) to stir up hatred (**gegen** against) **II.** *vt haben* ❶ (*jagen*) to hunt ❷ (*losgehen lassen*) ▪**jdn/einen Hund auf jdn ~** to set sb/a dog [up]on sb ❸ (*fam: antreiben*) to rush ❹ (*vertreiben*) to chase (**von** off)

Het·ze·rei <-, -en> *f* ❶ *kein pl* (*ständige Hetze*) mad rush, rushing around ❷ (*ständiges Hetzen*) malicious agitation, [continual] stirring up of hatred

het·ze·risch *adj* inflammatory, virulent

Hetz·jagd *f* ❶ (*Wildjagd*) hunt ❷ (*pej: Hetze*) smear campaign; (*auf Minderheiten*) hate campaign ❸ (*übertriebene Hast*) mad rush **Hetz·kam·pa·gne** *f* (*pej*) smear campaign **Hetz·pa·ro·le** *f meist pl* (*pej*) inflammatory slogan

Heu <-[e]s> [hɔy] *nt kein pl* hay; **~ machen** to hay ▸**Geld wie ~ haben** to have heaps of money

Heu·bo·den *m* hayloft

Heu·che·lei <-, -en> [hɔyçə'lai] *f* (*pej*) ❶ (*Heucheln*) hypocrisy ❷ (*heuchlerische Äußerung*) hypocritical remark

heu·cheln ['hɔyçl̩n] **I.** *vi* to be hypocritical **II.** *vt* ▪**etw ~** to feign sth

Heu·chler(in) <-s, -> ['hɔyçlɐ] *m(f)* (*pej*) hypocrite

heuch·le·risch I. *adj* (*pej*) ❶ (*unaufrichtig*) insincere ❷ (*geheuchelt*) hypocritical **II.** *adv* (*pej*) hypocritically

heu·er ['hɔyɐ] *adv* SÜDD, ÖSTERR, SCHWEIZ (*in diesem Jahr*) this year

Heu·ga·bel *f* AGR hay fork, pitchfork **Heu·hau·fen** *m* haystack ▸**eine Stecknadel im ~ suchen** to look for a needle in a haystack

heu·len ['hɔylən] *vi* ❶ (*fam: weinen*) to cry; **es ist zum H~** (*fam*) it's enough to make you cry ❷ *Wolf* to howl; *Motor* to wail; *Motorrad, Flugzeug* to roar; *Sturm* to rage

Heul·su·se <-, -n> *f* (*pej fam*) crybaby

Heu·schnup·fen *m* hay fever **Heu·schre·cke** <-, -n> *f* grasshopper; (*Wander~*) locust

heu·te ['hɔytə] *adv* ❶ (*an diesem Tag*) today; **~ Abend** this evening, tonight; **~ Morgen/Nachmittag** this morning/afternoon; **~ Mittag** [at] midday today; **~ Nacht** tonight; **~ früh** [early] this morning; **ab ~** from today; **~ in/vor acht Tagen** a week [from] today/ago today; **können wir das von ~ auf morgen ver-**

schieben? could we not postpone this until tomorrow?; **von ~ an** from today; **die Zeitung von ~** today's newspaper ❷ (*der Gegenwart*) today; **das Deutschland von ~** Germany [of] today; **lieber ~ als morgen** (*fam*) sooner today than tomorrow; **von ~ auf morgen** all of a sudden, overnight ❸ (*heutzutage*) nowadays, today ▸**was du ~ kannst besorgen, das verschiebe nicht auf morgen** (*prov*) never put off till tomorrow what you can do today *prov*

heu·tig ['hɔytɪç] *adj attr* ❶ (*heute stattfindend*) today's; **die ~e Veranstaltung** today's event ❷ (*von heute*) *Zeitung, Nachrichten* today's; **der ~e Anlass** this occasion; **bis zum ~en Tag** to this very day ❸ (*gegenwärtig*) **die ~e Zeit** nowadays; **der ~e Stand der Technik** today's state of the art

heut·zu·ta·ge ['hɔyttsuta:gə] *adv* nowadays, these days

He·xe <-, -n> ['hɛksə] *f* ❶ (*böses Fabelwesen*) witch ❷ (*pej fam: zeternde Frau*) virago, shrew; **eine alte ~** an old crone

he·xen ['hɛksn̩] *vi* to cast spells, to perform magic; **ich kann doch nicht ~** (*fig fam*) I can't work miracles

He·xen·schussᴿᴿ *m kein pl* (*fam*) lumbago *no pl* **He·xen·ver·bren·nung** *f* burning [at the stake] of a witch/witches

He·xer <-s, -> *m* sorcerer

He·xe·rei <-, -en> [hɛksə'rai] *f* magic, sorcery *pej*, witchcraft *pej*

hg. *Abk von* **herausgegeben** ed.

Hick·hack <-s, -s> ['hɪkhak] *m o nt* (*fam*) bickering, squabbling

hieb ['hi:p] *imp von* **hauen**

Hieb <-[e]s, -e> [hi:p, *pl* 'hi:bə] *m* ❶ (*Schlag*) blow; (*Peitschen~*) lash ❷ *pl* (*Prügel*) beating *sing*, hiding *sing*; **sein Vater drohte ihm ~e an** his father threatened him with a beating

hieb- und stich·fest *adj* conclusive, irrefutable; *Alibi* cast-iron

hielt ['hi:lt] *imp von* **halten**

hier [hi:ɐ] *adv* ❶ here; **wo sind wir denn ~?** where have we landed?; **er müsste doch schon längst wieder ~ sein!** he should have been back ages ago!; **~ draußen/drinnen** out/in here; **~ entlang** this way; **~ oben/unten** up/down here; **~ vorn/hinten** here at the front/at the back; **jdn/etw ~ behalten** to keep sb/sth here; ▪**~ geblieben!** you stay here!; **~ ist/ spricht Dr. Beck** [this is] Dr Beck, Dr Beck speaking; **von ~ ab** from here on; **von ~ aus** from here; **von ~ sein** to be from here

❷ (*in diesem Moment*) at this point; **von ~ an** from now on ▶~ **und da** (*stellenweise*) here and there; (*gelegentlich*) now and then

hier·an ['hiːˈran] *adv* on here; **Sie können das Gerät ~ anschließen** you can connect the machine here; **~ kann es keinen Zweifel geben** there can be no doubt of that; **sich ~ erinnern** to remember this

Hie·rar·chie <-, -n> [hi̯erarˈçiː, *pl* -ˈçiːən] *f* hierarchy

hie·rar·chisch [hieˈrarçɪʃ] **I.** *adj* hierarchical **II.** *adv* hierarchically

hier·auf ['hiːˈraʊf] *adv* ❶ (*obendrauf*) [on] here; **setz dich doch einfach ~** just sit yourself down on this ❷ (*daraufhin*) as a result of this/that, thereupon **hie·raus** ['hiːˈraʊs] *adv* ❶ (*aus diesem Gegenstand*) from [*or* out of] here ❷ (*aus diesem Material*) out of this ❸ (*aus dem Genannten*) from this; **~ folgt/geht hervor ...** it follows from this ... ❹ (*aus diesem Werk*) from this

hier·bei ['hiːˈbaɪ] *adv* ❶ (*währenddessen*) while doing this ❷ (*nahe bei etw*) in the same place ❸ (*dabei*) here

hier·durch ['hiːˈdʊrç] *adv* ❶ (*hier hindurch*) through here ❷ (*dadurch*) in this way **hier·für** ['hiːˈfyːɐ] *adv* for this **hier·her** ['hiːˈheːɐ] *adv* (*geh*) here; **~ kommen** to come [over] here; **bis ~** up to here; (*soweit*) so far; **bis ~ und nicht weiter** this far and no further **hier·he·rum** ['hiːɡhɛˈrʊm] *adv* ❶ (*in diese Richtung*) round this way ❷ (*fam: in dieser Gegend*) around here **hier·hin** ['hiːˈhɪn] *adv* here; **~ und dorthin** here and there; **bis ~** up to here **hie·rin** ['hiːˈrɪn] *adv* ❶ (*in diesem Raum*) in here ❷ (*was das angeht*) in this **hier·mit** ['hiːˈmɪt] *adv* (*geh*) with this; **~ erkläre ich, dass ...** I hereby declare that ...; **~ wird bescheinigt, dass ...** this is to certify that ...; **~ ist die Angelegenheit erledigt** that is the end of the matter **Hie·ro·gly·phe** <-, -n> [hieroˈɡlyːfə] *f* ❶ ARCHÄOL hieroglyph ❷ *pl* (*hum: schwer entzifferbare Schrift*) hieroglyphics *pl* **hie·rü·ber** ['hiːˈryːbɐ] *adv* ❶ (*hier über diese Stelle*) over here ❷ (*genau über dieser Stelle*) above here ❸ (*geh: über diese Angelegenheit*) about this **hie·run·ter** ['hiːˈrʊntɐ] *adv* ❶ (*unter diesem Gegenstand*) under here ❷ (*in dieser Gruppe*) among it/them; **~ fallen** to fall into this category **hier·von** ['hiːˈfɔn] *adv* ❶ (*von diesem Gegenstand*) of this/these; **~ habe ich noch reichlich** I've still got a lot [of

it] ❷ (*davon*) among them **hier·zu** ['hiːˈtsuː] *adv* ❶ (*dazu*) with it ❷ (*zu dieser Kategorie*) **~ gehört ...** this includes ... ❸ (*zu diesem Punkt*) to this; **sich ~ äußern** to say something about this **hier·zu·lan·de, hier zu Lan·de** ['hiːɡtsuˈlandə] *adv* [here] in this country, here in these parts

hie·sig ['hiːzɪç] *adj attr* local

hieß ['hiːs] *imp von* **heißen**

hie·ven ['hiːfn̩] *vt* ❶ (*hochwinden*) ■ **etw ~** to hoist sth; **den Anker ~** to weigh anchor ❷ (*hum fam: heben*) ■ **jdn irgendwohin ~** to heave sb somewhere *fam*

Hi-Fi-An·la·ge ['haɪfi-] *f* stereo system, hi-fi

high [haɪ] *adj präd* (*sl*) ❶ (*von Drogen berauscht*) high, loaded *fam,* stoned *fig sl* ❷ (*euphorisch*) euphoric, ecstatic

High So·cie·tyᴿᴿ, **High-So·cie·ty**ᴬᴸᵀ <-> ['haɪzoˈsaɪiti] *f kein pl* high society **High·tech**ᴿᴿ, **High-Tech**ᴬᴸᵀ <-[s]> ['haɪtɛk] *nt kein pl* high-tech

hi·hi [hiˈhiː] *interj* hee hee

Hil·fe <-, -n> ['hɪlfə] *f* ❶ *kein pl* (*Beistand, Unterstützung*) help *no pl,* assistance *no pl;* **lauf und hole ~!** go and get help!; **jdm seine ~ anbieten** to offer sb one's help; **auf jds ~ angewiesen sein** to be dependent on sb's help; **jdn um ~ bitten** to ask sb for help; **jdm eine ~ sein** to be a help to sb; **jdm zu ~ kommen** to come to sb's assistance; **etw zu ~ nehmen** to use sth; **um ~ rufen** to call for help; **jdn zu ~ rufen** to call sb [to help]; **sich ~ suchend umsehen** to look round for help; **sich ~ suchend an jdn wenden** to turn to sb for help; **ein ~ suchender Blick** a pleading look; **jdm seine ~ verweigern** to refuse to help sb; [**zu**] **~! help!**; **ohne fremde ~** without outside help; **erste ~** first aid; **jdm erste ~ leisten** to give sb first aid ❷ (*Zuschuss*) **finanzielle ~** financial assistance; **wirtschaftliche ~** economic aid ❸ (*Hilfsmittel*) aid ❹ (*Haushalts~*) help

Hil·fe·leis·tung *f* (*geh*) help, assistance; **unterlassene ~** failure to render assistance in an emergency **Hil·fe·me·nü** *nt* INFORM help menu **Hil·fe·ruf** *m,* **Hil·fe·schrei** *m* cry for help **Hil·fe·stel·lung** *f* **jdm ~ geben** to give sb a hand

hilf·los ['hɪlfloːs] **I.** *adj* ❶ (*auf Hilfe angewiesen*) helpless ❷ (*ratlos*) at a loss *pred* **II.** *adv* ❶ (*schutzlos*) helplessly; **jdm/etw ~ ausgeliefert sein** to be at the mercy of sb/sth ❷ (*ratlos*) at a loss

Hilf·lo·sig·keit <-> *f kein pl* ❶ (*Hilfsbedürftigkeit*) helplessness ❷ (*Ratlosigkeit*)

bafflement, perplexity

hilf·reich *adj* ❶ (*hilfsbereit*) helpful ❷ (*nützlich*) helpful, useful

Hilfs·ak·ti·on *f* aid programme **Hilfs·ar·bei·ter(in)** *m(f)* (*veraltend*) labourer; (*in einer Fabrik*) unskilled worker **hilfs·be·dürf·tig** *adj* ❶ (*auf Hilfe angewiesen*) in need of help *pred* ❷ FIN (*bedürftig*) needy, in need *pred* **hilfs·be·reit** *adj* helpful **Hilfs·be·reit·schaft** *f* helpfulness, willingness to help **Hilfs·kraft** *f* help *no pl;* ~ **im Haus** domestic help; **wissenschaftliche** ~ assistant [lecturer] **Hilfs·mit·tel** *nt* ❶ MED [health] aid ❷ *pl* (*Geldmittel*) [financial] aid **Hilfs·or·ga·ni·sa·ti·on** *f* aid [*or* relief] organization **Hilfs·pro·gramm** *nt* POL, SOZIOL relief programme **Hilfs·verb** *nt* auxiliary verb **Hilfs·werk** *nt* SOZIOL relief organization

Him·bee·re ['hɪmbeːrə] *f* raspberry

Him·beer·geist *m kein pl* schnapps made out of raspberries **Him·beer·saft** *m* raspberry juice

Him·mel <-s, *poet* -> ['hɪml] *m* ❶ (*Firmament*) sky; **unter freiem** ~ under the open sky; **am** ~ **stehen** to be [up] in the sky ❷ (*Himmelreich*) heaven; **in den** ~ **kommen** to go to heaven; **im** ~ in heaven ❸ (*Baldachin*) canopy ❹ AUTO [interior] roof ▸ ~ **und Hölle in Bewegung setzen** (*fam*) to move heaven and earth; **aus heiterem** ~ out of the blue; **im sieb[en]ten** ~ **sein** to be in seventh heaven; **jdn/etw in den** ~ **heben** to praise sb/sth [up] to the skies; **nicht [einfach] vom** ~ **fallen** to not fall out of the sky; **zum** ~ **schreien** to be scandalous; **um** ~**s willen** (*fam*) for heaven's sake

him·mel·angst ['hɪml|'ʔaŋst] *adj präd* ■ **jdm wird** ~ sb is scared to death **Him·mel·bett** *nt* four-poster [bed] **him·mel·blau** ['hɪml'blau] *adj* sky-blue, azure [blue] **Him·mel·fahrt** *f* ascension into heaven; **Christi** ~**stag** Ascension Day **Him·mel·reich** *nt kein pl* REL heaven, kingdom of God **him·mel·schrei·end** *adj* ❶ (*unerhört*) downright *attr* ❷ (*skandalös*) scandalous

Him·mels·kör·per *m* heavenly body **Him·mels·rich·tung** *f* direction; **die vier** ~**en** the four points of the compass

him·mel·weit I. *adj* (*fam*) enormous; *Unterschied* considerable II. *adv* **sich** ~ **unterscheiden** to be completely different; ~ **voneinander entfernt** far apart from one another

himm·lisch ['hɪmlɪʃ] I. *adj attr* heavenly, divine II. *adv* divinely, wonderfully

hin [hɪn] *adv* ❶ räumlich (*dahin*) there; **wo der so plötzlich** ~ **ist?** where's he gone all of a sudden?; **bis/nach ...** ~ **to ...;** ~ **und her laufen** to run to and fro; **bis zu dieser Stelle** ~ up to here; **der Balkon liegt zur Straße** ~ the balcony faces the street; ~ **und zurück** there and back ❷ zeitlich (*sich hinziehend*) **über die Jahre** ~ over the years ❸ (*fig*) **auf jds Bitte/Vorschlag** ~ at sb's request/suggestion; **auf jds Rat** ~ on sb's advice; **auf die Gefahr** ~, **dass ich mich wiederhole** at the risk of repeating myself; **etw auf etw** akk ~ **prüfen** to test sth for sth ❹ (*fam: kaputt*) ■ ~ **sein** to have had it; (*mechanische Geräte*) to be a write-off ❺ (*verloren sein*) ■ ~ **sein** to be gone ▸ **das H~ und Her** (*Kommen und Gehen*) to-ing and fro-ing; (*der ständige Wechsel*) backwards and forwards; **nach langem H~ und Her** after a lot of discussion; **still vor sich** ~ quietly to oneself; **nach außen** ~ outwardly; ~ **oder her** (*fam*) more or less; **nichts wie** ~ (*fam*) let's go!; ~ **und wieder** from time to time

hi·nab [hɪ'nap] *adv* (*geh*) *s.* hinunter

hin|ar·bei·ten *vi* ■ **auf etw** akk ~ to work [one's way] towards sth

hi·nauf [hɪ'nauf] *adv* up; [**die Treppe**] ~**gehen** to go up[stairs]; **den Fluss** ~ up the river; **bis** ~ **zu etw** *dat* up to sth

hi·nauf|fah·ren *irreg vi sein* to go up **hi·nauf|füh·ren** *vi* to lead up (**auf** to) **hi·nauf|ge·hen** *vi irreg sein* ❶ (*nach oben gehen*) to go up (**auf** to); **die Treppe** ~ to go up the stairs ❷ (*steigen*) to go up, to increase, to rise ❸ (*hochgehen*) **mit dem Preis** ~ to put the price up **hi·nauf|rei·chen** I. *vi* ■ [**bis zu etw** *dat*] ~ to reach [up] [to sth] II. *vt* (*geh: nach oben angeben*) ■ **jdm etw** ~ to hand sb up sth **hi·nauf|stei·gen** *vi irreg sein* to climb up (**auf** onto)

hi·naus [hɪ'naus] I. *interj* (*nach draußen*) get out! II. *adv* ❶ (*von hier nach draußen*) out; **hier/da/dort** ~ **bitte!** this/that way out, please!; ■ ~ **sein** to have gone outside; ■ **aus etw** *dat* ~ out of sth; ■ **durch etw** *dat* ~ out of sth; **nach hinten/vorne** ~ **liegen** to be [situated] at the back/front [of a house] ❷ (*fig*) ■ **über etw** akk ~ **sein** to be past sth; **über etw** akk ~ **reichen** to include sth; (*sich über etw erstreckend*) extending beyond sth ❸ (*zeitlich*) **auf Jahre** ~ for years to come; ■ **über etw** akk ~ more than sth, well over sth

hi·naus|be·för·dern* *vt* (*fam*) to throw out **hi·naus|be·glei·ten** *vt* ■ **jdn** ~ to see sb out **hi·naus|brin·gen** *vt irreg* ❶ (*nach draußen begleiten*) **jdn ~** to see sb out ❷ (*nach draußen bringen*) to take out **hi·naus|dür·fen** *vi irreg* to be allowed to go outside **hi·naus|e·keln** *vt* (*fam*) to drive out (**aus** of) **hi·naus|fah·ren** *irreg* **I.** *vi sein* to drive out; ■ **beim H~** when driving out; (*überfahren*) ■ **über etw** *akk* **~** to drive over sth **II.** *vt haben* (*nach draußen fahren*) ■ **etw ~** to drive sth out **hi·naus|fin·den** *vi irreg* to find one's way out (**aus** of); **finden Sie alleine hinaus?** can you find your own way out? **hi·naus|flie·gen** *vi irreg sein* ❶ (*nach draußen fliegen*) to fly out ❷ (*fam: hinausfallen*) to fall out ❸ (*fam: hinausgeworfen werden*) to be kicked out **hi·naus|ge·hen** [hɪˈnaʊsɡeːən] *irreg* **I.** *vi* ❶ (*nach draußen gehen*) to go out (**aus** of); **auf die Straße ~** to go out to the road ❷ (*führen*) ■ **zu etw** *dat* **~** to lead [out] to sth ❸ (*abgeschickt werden*) to be sent off ❹ (*gerichtet sein*) ■ **auf etw** *akk* **~** to look out on/onto sth; **nach Osten ~** to face east ❺ (*überschreiten*) ■ **[weit] über etw** *akk* **~** to go [far] beyond sth **II.** *vi impers sein* **es geht dort hinaus!** that's the way out! **hi·naus|ja·gen** **I.** *vt haben* ■ **jdn/ein Tier ~** to chase [*or* drive] sb/an animal out; ■ **jdn ~ lassen** to have sb removed **II.** *vi sein* to rush out **hi·naus|kom·men** *vi irreg sein* ❶ (*nach draußen kommen*) to get out/outside ❷ (*gelangen*) ■ **über etw** *akk* **~** to get beyond sth ❸ (*gleichbedeutend mit etw sein*) **das kommt auf dasselbe hinaus** it's all the same **hi·naus|las·sen** *vt irreg* to let out (**aus** of) **hi·naus|lau·fen** *vi irreg sein* ❶ (*nach draußen laufen*) to run out ❷ (*gleichbedeutend mit etw sein*) ■ **auf etw** *akk* **~** to be [*or* mean] the same as sth; **auf was soll das ~?** what's that supposed to mean?; **auf dasselbe ~** to be the same, to come to the same thing **hi·naus|leh·nen** *vr* ■ **sich ~** to lean out **hi·naus|po·sau·nen*** *vt* (*fam*) s. **ausposaunen hi·naus|ra·gen** *vi sein* ❶ (*nach oben ragen*) to rise; ■ **über etw** *akk* **~** to tower over sth ❷ (*nach außen ragen*) ■ **[auf etw** *akk*] **~** to jut out [onto sth] **hi·naus|schi·cken** *vt* to send out **hi·naus|schie·ben** *vt irreg* ❶ (*nach draußen schieben*) to push out ❷ (*auf später verschieben*) to put off, to postpone (**bis** until) **hi·naus|schmei·ßen** *vt irreg* (*fam*) to throw out (**aus** of) **hi·naus|stür·men** *vi sein* to rush out **hi·naus|tra·gen** *vt irreg* ❶ (*nach draußen tragen*) to carry out (**aus** of) ❷ (*geh: nach außen ver-*

breiten) to broadcast **hi·naus|wach·sen** *vi irreg sein* ❶ (*durch Leistung übertreffen*) ■ **über jdn ~** to surpass sb ❷ (*überwinden*) ■ **über etw** *akk* **~** to rise above sth **hi·naus|wer·fen** *vt irreg* ❶ (*nach draußen werfen*) to throw out (**aus** of) ❷ (*fam: entlassen*) to sack **hi·naus|wol·len** *vi* ❶ (*nach draußen wollen*) **auf den Hof/in den Garten ~** to want to go out into the yard/garden; **auf die Straße ~** to want to go out to the street/road ❷ (*etw anstreben*) ■ **auf etw** *akk* **~** to get at sth; **worauf wollen Sie hinaus?** what are you getting at?, what is your point? **hi·naus|zö·gern** **I.** *vt* to put off *sep,* to delay **II.** *vr* ■ **sich ~** to be delayed

hin|be·kom·men* *vt irreg s.* **hinkriegen hin|bie·gen** *vt irreg* (*fam*) ❶ (*bereinigen*) to sort out *sep;* **Problem** *a.* to iron out ❷ (*pej: drehen*) ■ **es so ~, dass ...** to manage it so that ... ❸ (*beeinflussen*) ■ **jdn ~** to lick sb into shape **Hin·blick** *m* **im ~ auf etw** *akk* (*angesichts*) in view of sth; (*in Bezug auf*) with regard to sth **hin|brin·gen** *vt irreg* ❶ (*bringen*) to bring ❷ (*begleiten*) to take **hin|den·ken** *vi irreg* **wo denkst du hin!** what an idea!

hin·der·lich [ˈhɪndɐlɪç] *adj* (*geh*) ❶ (*behindernd*) ■ **~ sein** to be a hindrance, to get in the way ❷ (*ein Hindernis darstellend*) ■ **jdm/für etw** *akk* **~ sein** to be an obstacle for sb/sth

hin·dern [ˈhɪndɐn] *vt* ❶ (*von etw abhalten*) to stop (**an** from); **ich kann Sie nicht ~** I can't stop you ❷ (*stören*) to hamper

Hin·der·nis <-ses, -se> [ˈhɪndɐnɪs] *nt* obstacle; **jdm ~se in den Weg legen** to put obstacles in sb's way; (*bei Leichtathletik*) hurdle

Hin·der·nis·lauf *m* hurdle race

Hin·de·rungs·grund *m* reason [why sth cannot happen]

hin|deu·ten *vi* ■ **auf etw** *akk* **~** to suggest sth

Hin·di <-> [ˈhɪndi] *nt kein pl* LING Hindi; **auf ~** in Hindi

hin|dre·hen **I.** *vt* (*fam: ausbügeln*) to sort out *sep;* **wie hat sie das bloß hingedreht?** how on earth did she manage that? **II.** *vr* ■ **sich** [**zu jdm/etw**] **~** to turn [to sb/sth]

Hin·du <-[s], -[s]> [ˈhɪndu] *m* Hindu

Hin·du·is·mus <-> [hɪnduˈɪsmʊs] *m kein pl* Hinduism *no art*

hin·du·is·tisch [hɪnduˈɪstɪʃ] *adj, adv* Hindu

hin·durch [hɪnˈdʊrç] *adv* ❶ *räumlich*

through ❷ *zeitlich* through, throughout; **das ganze Jahr** ~ throughout the year; **die ganze Nacht** ~ the whole night; **die ganze Zeit** ~ all the time

hi·nein [hɪˈnaɪn] *adv* in; ~ **mit dir!** (*fam*) in with you!

hi·nein|brin·gen *vt irreg* (*hineintragen*) ■ *etw* ~ to bring/take sth in *sep* **hi·nein|den·ken** *vr irreg* ■ **sich in jdn** ~ to put oneself in sb's position; ■ **sich in etw** *akk* ~ to think one's way into sth **hi·nein|fres·sen** *vt irreg* ■ **etw in sich** ~ *akk* ❶ (*fam: verschlingen*) to gobble sth [up], to devour sth, to wolf sth down ❷ (*unterdrücken*) to bottle up sth, to suppress sth **hi·nein|ge·hen** *vi irreg sein* ❶ (*betreten*) to go in[to], to enter ❷ (*fam: hineinpassen*) to fit into sth **hi·nein|ge·ra·ten*** *vi irreg sein* to be drawn in; **in eine Demonstration/Schlägerei/Unannehmlichkeit** ~ to get into a demonstration/a fight/difficulties **hi·nein|las·sen** *vt irreg* to let in[to] **hi·nein|le·gen** I. *vt* ❶ (*in etw legen*) to put in[to] ❷ (*hineindeuten*) to read into II. *vr* ■ **sich** [**in etw** *akk*] ~ to lie down [in sth] **hi·nein|pas·sen** *vi* to fit in[to] **hi·nein|pfu·schen** *vi* (*fam*) ■ **jdm in seine Arbeit** ~ to meddle with sb's work **hi·nein|re·den** *vi* (*dreinreden*) ■ **jdm in seine Angelegenheiten** ~ to meddle in sb's affairs **hi·nein|schlin·gen** *vt irreg* to scoff sth down **hi·nein|spa·zie·ren*** *vi sein* (*fam*) to walk in[to] **hi·nein|ste·cken** *vt* ❶ (*in etw stecken*) to put in[to]; *Nadel* to stick in[to] ❷ (*investieren*) to put in[to] **hi·nein|stei·gern** *vr* ■ **sich in etw** *akk* ~ to get into sth **hi·nein|ver·set·zen*** *vr* ■ **sich in jdn** ~ to put oneself in sb's place; ■ **sich in etw** *akk* ~ to acquaint oneself with sth; **sich in etw** *akk* **hineinversetzt fühlen** to feel as though one is in sth **hi·nein|wach·sen** *vi irreg sein* ❶ (*sich durch Wachstum in etw ausdehnen*) to grow in[to] ❷ (*langsam mit etw vertraut werden*) to get used to **hi·nein|zie·hen** *irreg* I. *vt haben* ■ **jdn mit** [**in etw** *akk*] ~ to involve sb [in sth] II. *vi sein* (*in etw dringen*) ■ [**in etw** *akk*] ~ to drift in[to sth]

hin|fah·ren *irreg* I. *vi sein* ■ **irgendwo** ~ to go [*or* drive] somewhere II. *vt haben* ■ **jdn** ~ to drive sb; **jdn zum Flughafen** ~ to drive sb to the airport

Hin·fahrt *f* drive, trip; (*lange* ~) journey; **auf der** ~ on the way

hin|fal·len *vi irreg sein* to fall [over]

hin·fäl·lig *adj* ❶ (*gebrechlich*) frail ❷ (*ungültig*) invalid

hin|fin·den *vi irreg* (*fam*) to find one's way; **finden Sie alleine hin?** can you find your own way?

Hin·flug *m* flight; **guten** ~**!** have a good flight!

hin|füh·ren I. *vt* (*irgendwohin geleiten*) ■ **jdn** [**irgendwo**] ~ to take sb [somewhere] II. *vi* (*in Richtung auf etw verlaufen*) to lead [to] ▶ **wo soll das** ~**?** where will it [all] end?

hing [hɪŋ] *imp von* **hängen**

Hin·ga·be *f kein pl* (*rückhaltlose Widmung*) dedication; (*Widmung zu einem Mensch*) devotion

hin|ge·ben *irreg* I. *vt* (*geh*) to give II. *vr* ■ **sich einer S.** *dat* ~ to abandon oneself to sth

Hin·ge·bung <-> *f kein pl s.* **Hingabe**

hin·ge·bungs·voll I. *adj* dedicated; *Blick, Pflege* devoted II. *adv* with dedication; **jdn** ~ **pflegen** to care for sb devotedly

hin·ge·gen [hɪnˈgeːgn̩] *konj* (*geh*) but, however; **er raucht, seine Frau** ~ **nicht** he smokes but his wife doesn't

hin|ge·hen *vi irreg sein* ❶ (*dorthin gehen*) to go ❷ (*geh: vergehen*) to pass, to go by

hin|ge·hö·ren* *vi* (*fam*) to belong

hin|ge·ra·ten* *vi irreg sein* ■ **irgendwo** ~ to land somewhere; **wo ist meine Tasche** ~**?** where has my bag got to?; **wo bin ich denn hier** ~**?** what am I doing here?

hin·ge·ris·sen I. *adj* spellbound II. *adv* raptly, with rapt attention

hin|gu·cken *vi* (*fam*) to look

hin|hal·ten *vt irreg* ❶ (*entgegenhalten*) ■ **jdm etw** ~ to hold sth out to sb ❷ (*aufhalten*) to keep waiting; ■ **sich von jdm** ~ **lassen** to be fobbed off by sb

Hin·hal·te·tak·tik *f* delaying tactics

hin|hau·en *irreg* I. *vi* (*fam*) ❶ (*gut gehen*) to work ❷ (*ausreichen*) to be enough ❸ (*zuschlagen*) to lash out II. *vr* (*sl*) ■ **sich** ~ ❶ (*schlafen*) to turn in ❷ (*sich hinflegeln*) to plonk down III. *vt* (*fam: schlampig erledigen*) to rush through; (*ein Schriftstück schlampig erledigen*) to dash off

hin|hö·ren *vi* to listen; **genau** ~ to listen carefully

hin·ken [ˈhɪŋkn̩] *vi* ❶ *haben* (*das Bein nachziehen*) to limp; **mit einem Bein** ~ to have a gammy leg ❷ *haben* (*nicht ganz zutreffen*) **der Vergleich hinkt** the comparison doesn't work

hin|kni·en *vi, vr vi: sein* to kneel down

hin|kom·men *vi irreg sein* ❶ (*irgendwohin gelangen*) ■ **irgendwo** ~ to get somewhere; **ich weiß nicht, wo die Brille**

hingekommen ist I don't know where the glasses have got to ❷ (*an bestimmten Platz gehören*) ■ **irgendwo** ~ to belong somewhere ❸ (*fam: auskommen*) to manage (**mit** with) ❹ (*fam: stimmen*) to be [about] right

hin|krie·gen *vt* (*fam*) ❶ (*richten*) to mend ❷ (*fertig bringen*) to manage; **etw gut** ~ to make a good job of sth

hin·läng·lich I. *adj* sufficient, adequate **II.** *adv* sufficiently, adequately

hin|las·sen *vt irreg* ■ **jdn** ~ to let sb go; (*in die Nähe*) to let sb near

hin|lau·fen *vi irreg sein* ■ [**irgendwo**] ~ ❶ (*an eine bestimmte Stelle eilen*) to run [somewhere] ❷ DIAL (*fam: zu Fuß gehen*) to walk somewhere, to go somewhere on foot

hin|le·gen I. *vt* ❶ (*niederlegen*) to put down ❷ (*flach lagern*) to lay down ❸ (*ins Bett bringen*) to put to bed ❹ (*fam: bezahlen*) to pay ❺ (*fam: eindrucksvoll darbieten*) to do; **eine brillante Rede** ~ to do a brilliant speech **II.** *vr* ■ **sich** ~ ❶ (*schlafen gehen*) to have a lie-down ❷ (*fam: hinfallen*) to fall [over]

hin|neh·men *vt irreg* ❶ (*ertragen*) to accept, to put up with; **etw als selbstverständlich** ~ to take sth for granted; **etw** ~ **müssen** to have to accept sth ❷ (*einstecken*) *Niederlage, Verlust* to suffer

hin·rei·chend I. *adj* sufficient; *Gehalt, Einkommen* adequate **II.** *adv* ❶ (*genügend*) ~ **lange/oft** long/often enough ❷ (*zur Genüge*) sufficiently, adequately

Hin·rei·se *f* trip [somewhere]; (*mit dem Auto*) drive; (*mit dem Schiff*) voyage; **auf der** ~ on the way [there]; **Hin- und Rückreise** both ways

hin|rei·ßen *vt irreg* ❶ (*begeistern*) to enchant; ■ [**von jdm**] **hingerissen sein** to be enchanted [by sb]; (*verliebt sein*) to be smitten with sb ❷ (*spontan verleiten*) **sich zu etw** *dat* ~ **lassen** to allow oneself to be driven to sth; **sich** ~ **lassen** to allow oneself to be carried away, to let oneself be carried away

hin·rei·ßend I. *adj* enchanting, captivating; *Schönheit* striking **II.** *adv* enchantingly; ~ **aussehen** to look enchanting

hin|ren·nen *vi irreg sein s.* **hinlaufen 1**

hin|rich·ten *vt* to execute

Hin·rich·tung *f* execution

Hin·rich·tungs·kom·man·do *nt* execution squad

hin|schau·en *vi* DIAL to look

hin|schei·den *vi irreg* (*geh*) to pass away

hin|schi·cken *vt* to send [to]

hin|schmei·ßen *vt irreg* (*fam*) *s.* **hinwer-**

fen

hin|se·hen *vi irreg* to look; **vom bloßen H~** just the sight [of sth]; **bei genauerem H~** on closer inspection

hin|set·zen I. *vr* ■ **sich** ~ ❶ (*sich niederlassen*) to sit down ❷ (*fam: sich bemühen*) to get down to it **II.** *vt* to put down

Hin·sicht *f kein pl* **in beruflicher** ~ with regard to a career, career-wise *fam;* **in gewisser** ~ in certain respects; **in jeder** ~ in every respect; **in mancher** ~ in some respects

hin·sicht·lich *präp* +*gen* (*geh*) with regard to

hin|stel·len I. *vt* ❶ (*an einen Platz stellen*) to put ❷ (*fam: bauen*) to put up ❸ (*abstellen*) to park ❹ (*charakterisieren*) ■ **jdn als etw** *akk* ~ to make sb out to be sth; **jdn als Beispiel** ~ to hold sb up as an example **II.** *vr* ❶ (*sich aufrichten*) ■ **sich** ~ to stand up straight ❷ (*sich an eine bestimmte Stelle stellen*) ■ **sich vor jdn** ~ to plant oneself in front of sb

hin·ten ['hɪntn̩] *adv* ❶ (*entfernt*) at the end; ~ **im Buch** at the back of the book; **ein Buch von vorn[e] bis** ~ **lesen** to read a book from cover to cover; ~ **im Garten** at the bottom of the garden; **sich** ~ **anstellen** to join the back [of a queue [*or* AM line]]; **weit** ~ **liegen** to be tailed off BRIT; **das wird weiter** ~ **erklärt** that's explained further towards the end ❷ (*auf der abgewandten Seite*) at the back; **ein Zimmer nach** ~ a room at the back; **nach** ~ **durchgehen** to go to the back; **von** ~ **kommen** to come from behind ▶ ~ **und vorn[e]** (*fam*) left, right and centre; **jdn** ~ **und vorn[e] bedienen** to wait on sb hand and foot; ~ **und vorn[e] nicht** (*fam*) no way; **nicht mehr wissen, wo** ~ **und vorn[e] ist** to not know if one's on one's head or one's heels; **jdn am liebsten von** ~ **sehen** (*fam*) to be glad to see the back of sb

hin·ten·dran ['hɪntn̩'dran] *adv* (*fam*) on the back **hin·ten·drauf** ['hɪntn̩'draʊf] *adv* (*fam*) ❶ (*hinten auf der Ladefläche*) at the back ❷ *s.* **hintendran hin·ten·he·rum** ['hɪntn̩hɛ'rʊm] *adv* ❶ (*von der hinteren Seite*) round the back ❷ (*fam: auf Umwegen*) indirectly, in a roundabout way; **ich habe es** ~ **erfahren** a little bird told me *prov* ❸ (*fam: illegal*) through the back door **hin·ten·rum** ['hɪntn̩rʊm] *adv* (*fam*) *s.* **hintenherum**

hin·ter ['hɪntɐ] **I.** *präp* +*dat* ❶ (*da~*) at the back of, behind ❷ (*jenseits von etw*) behind; ~ **diesem Berg/Hügel** on the other side of this mountain/hill; **~ der Grenze** on the other side of the border ❸ (*am Schluss von*) after ❹ (*nach*) after; **~ jdm an die Reihe kommen** to come after sb; **etw ~ sich bringen** to get sth over with ❺ (*fig*) **~ etw kommen** to find out about sth; **sich ~ jdn stellen** to back sb up **II.** *präp* +*akk räumlich* (*auf die Rückseite von etw*) behind; **etw fällt ~ ein Sofa** sth falls behind a sofa; **20 km ~ sich haben** to have covered 20 km **III.** *part* (*fam*) *s.* **dahinter**

Hin·ter·ach·se *f* back [*or* rear] axle **Hin·ter·aus·gang** *m* back exit; (*zu einem privaten Haus*) back door **Hin·ter·ba·cke** *f meist pl* (*fam*) buttock; **■·~n** buttocks, backside **Hin·ter·bänk·ler(in)** <-s, -> [ˈhɪntɐbɛŋklɐ] *m(f)* POL (*pej*) ≈ backbencher (*insignificant member of parliament*) **Hin·ter·bein** *nt* hind leg **Hin·ter·blie·be·ne(r)** [hɪntɐˈbliːbənə, -nɐ] *f(m) dekl wie adj* bereaved [family]; **seine Tochter war die einzige ~** his daughter was his only surviving relative; **■ die ~n** the surviving dependants

hin·te·re(r, s) [ˈhɪntɐrə, -rɐ, -rəs] *adj* **■ der/die/das ~ ...** the rear ...

hin·ter·ein·an·der [hɪntɐʔaɪnˈandɐ] *adv* ❶ *räumlich* (*einer hinter dem anderen*) one behind the other ❷ *zeitlich* (*aufeinanderfolgend*) one after the other; **mehrere Tage ~** several days running, on several consecutive days

Hin·ter·ein·gang *m* the rear entrance; (*zu einem privaten Haus*) back door

hin·ter·fot·zig [ˈhɪntɐfɔtsɪç] *adj* DIAL (*derb*) underhand, devious

hin·ter|fra·gen* [hɪntɐˈfraːgn̩] *vt* (*geh*) to question, to analyse **Hin·ter·ge·dan·ke** *m* ulterior motive **hin·ter|ge·hen*** [ˈhɪntɐgeːən] *vt irreg* ❶ (*betrügen*) to deceive, to go behind sb's back; (*betrügen um Profit zu machen*) to cheat, to double-cross ❷ (*sexuell betrügen*) to be unfaithful to sb **Hin·ter·grund** *m* ❶ (*hinterer Teil des Blickfeldes*) background; **der ~ eines Raums** the back of a room ❷ (*Umstände*) **■ der ~ einer S.** *gen* the background to sth; **der ~ einer Geschichte** the setting to a story *liter* ❸ *pl* (*Zusammenhänge*) **■ die Hintergründe einer S.** *gen* the [true] facts about sth; **vor dem ~ einer S.** *gen* in/ against the setting of sth

hin·ter·grün·dig I. *adj* enigmatic, mysterious **II.** *adv* enigmatically, mysteriously **Hin·ter·halt** *m* (*pej*) ambush; **in einen ~ geraten** to be ambushed; **aus dem ~ angreifen** to attack without warning

hin·ter·häl·tig [ˈhɪntɐhɛltɪç] **I.** *adj* (*pej*) underhand, devious, shifty **II.** *adv* (*pej*) in an underhand manner

Hin·ter·häl·tig·keit <-, -en> *f* (*pej*) ❶ *kein pl* (*Heimtücke*) underhandedness, deviousness, shiftiness ❷ (*heimtückische Tat*) underhand act

Hin·ter·hand *f* ZOOL hindquarters *npl* ► **etw in der ~ haben** to have sth up one's sleeve [*or* in reserve]

hin·ter·her [hɪntɐˈheːɐ̯] *adv* ❶ *räumlich* behind; **■ jdm ~ sein** to be after sb ❷ *zeitlich* after that, afterwards

hin·ter·her|fah·ren *vi irreg sein* to follow, to drive behind **hin·ter·her|he·cheln** *vi* (*pej fam*) to try to catch up with **hin·ter·her|lau·fen** [hɪntɐˈheːɐ̯laʊfn̩] *vi irreg sein* to run after

Hin·ter·hof *m* courtyard, back yard; (*Garten*) back garden

Hin·ter·kopf *m* back of the head ► **etw im ~ behalten** to keep sth in mind **Hin·ter·land** *nt kein pl* hinterland

hin·ter·las·sen* *vt irreg* to leave; **etw in Unordnung ~** to leave sth in a mess; **bei jdm einen Eindruck ~** to make an impression on sb

Hin·ter·las·sen·schaft <-, -en> *f* ❶ (*literarisches Vermächtnis*) posthumous works ❷ (*fam: übrig gelassene Dinge*) leftovers *pl* **hin·ter·le·gen*** [hɪntɐˈleːgn̩] *vt* **■ etw [bei jdm] ~** to leave sth [with sb]; *Sicherheitsleistung, Betrag* to supply [sb with] sth

Hin·ter·list *f kein pl* ❶ (*Heimtücke*) deceit *no pl, no art*, deception *no pl, no art*, duplicity *no pl, no art* ❷ (*Trick, List*) trick, ploy, ruse

hin·ter·lis·tig I. *adj* deceitful, deceptive, shifty **II.** *adv* deceitfully, deceptively, shiftily

hin·term [ˈhɪntɐm] = **hinter dem** *s.* **hinter**

Hin·ter·mann <-männer> *m* ❶ (*räumlich*) the person behind ❷ *pl* (*pej fam: Drahtzieher*) person pulling the strings, brains [behind the operation]

hin·tern [ˈhɪntɐn] = **hinter den** *s.* **hinter**

Hin·tern <-s, -> [ˈhɪntɐn] *m* (*fam*) (*Gesäß*) bottom, behind, backside; **sich auf den ~ setzen** (*fam*) to fall on one's bottom; **jdm den ~ versohlen** to tan sb's bottom ► **jd kann sich in den ~ beißen** (*sl*) sb can kick themselves; **sich auf den ~ setzen** (*fam*) to knuckle down to sth, to get one's finger out BRIT

Hin·ter·rad *nt* rear wheel

Hin·ter·rad·an·trieb *m* rear-wheel drive **hin·ter·rücks** [ˈhɪntɐrʏks] *adv* ❶ (*von hin-*

ten) from behind ❷ (*im Verborgenen*) behind sb's back

hin·ters ['hɪntɐs] = **hinter das** *s*. **hinter**

hin·ter·sin·nig *adj* with a deeper meaning; *Bemerkung a.* subtle, profound

Hin·ter·sitz *m* (*Rücksitz*) back seat

hin·ters·te(r, s) ['hɪntɐstə, -tə, -təs] *adj superl von* **hintere(r, s)** (*entlegenste*) farthest, deepest *hum*

Hin·ter·teil *nt* (*fam*) *s*. **Hintern Hin·ter·tref·fen** *nt kein pl* |**gegenüber jdm**| **ins ~ geraten** to fall behind |sb|; **im ~ sein** to be at a disadvantage **Hin·ter·trep·pe** *f* back stairs **Hin·ter·tür** *f*, **Hin·ter·türl** <-s, -[n]> *nt* ÖSTERR ❶ (*hintere Eingangstür*) back entrance; (*zu einem privaten Haus*) back door ❷ (*fam: Ausweg*) back door, loophole ▸ **sich** *dat* **eine Hintertür offen halten** to leave a back door open; **durch die Hintertür** by the back door

Hin·ter·wäld·ler(in) <-s, -> ['hɪntɐvɛltlɐ] *m(f)* (*pej fam*) country bumpkin, yokel

hin·ter·wäld·le·risch *adj* (*pej fam*) country bumpkin, provincial BRIT

hin·ter|zie·hen* [hɪntɐ'tsiːən] *vt irreg* to evade

Hin·ter·zim·mer *nt* ❶ (*nach hinten liegendes Zimmer*) back room, room at the back ❷ ÖKON back office

hin|tun *vt irreg* (*fam: hinlegen*) ▪**etw irgendwohin ~** to put sth somewhere

hi·nü·ber [hɪ'nyːbɐ] *adv* ❶ (*nach drüben*) across, over ❷ (*fam: verdorben*) off, bad ❸ (*fam: defekt*) ▪**~ sein** to have had it; (*ruiniert sein*) to be done for ❹ (*fam: ganz hingerissen*) bowled over

hi·nü·ber|fah·ren *irreg* I. *vt haben* ▪**jdn/etw ~** to drive [*or* take] sb/sth (**auf** +*akk* to) II. *vi sein* ▪**[nach ...]** ~ to drive across [to ...] **hi·nü·ber|ge·hen** *vi irreg sein* (*nach drüben gehen*) ▪**[nach...]** ~ to go over [to ...]; **man darf erst bei Grün auf die andere Straßenseite ~** you have to wait for the green light before you cross the road **hi·nü·ber|rei·chen** I. *vt* (*geh*) ▪**|jdm| etw ~** to pass sth across [to sb] II. *vi* ▪**[über etw** *akk*] ~ to reach over [sth]; **der Ast reicht drei Meter in Nachbars Garten hinüber!** the branch reaches three metres over the neighbour's garden

Hin·und·her·ge·re·de,   **Hin·und-Her-Ge·re·de** *nt* (*fam*) aimless chatter; (*Streit*) argy-bargy BRIT

hi·nun·ter [hɪ'nʊntɐ] *adv* down

hi·nun·ter|fah·ren *irreg* I. *vi sein* to go down II. *vt* to drive down **hi·nun·ter|fal·len** *irreg sein* I. *vi* to fall down/off; **aus dem 8. Stock/von der Fensterbank ~** to

fall from the 8th floor/off the window sill II. *vt* ▪**etw ~** to fall down sth **hi·nun·ter|ge·hen** [hɪ'nʊntɐgeːən] *irreg sein* I. *vi* ❶ (*nach unten gehen*) to go down ❷ (*die Flughöhe verringern*) to descend (**auf** to) II. *vt* ▪**etw ~** to go down sth **hi·nun·ter|rei·chen** I. *vt* ▪**jdm etw ~** to hand down sth to sb *sep* II. *vi* ▪**jdm| bis zu etw** *dat*~ to reach down to sb's sth; **das Kleid reicht mir bis zu den Knöcheln hinunter** the dress reaches down to my ankles **hi·nun·ter|schlu·cken** *vt* ❶ (*schlucken*) to swallow [down *sep*] ❷ (*fam: sich verkneifen*) to suppress; *Erwiderung* to stifle [*or* to bite back] **hi·nun·ter|spü·len** *vt* ❶ (*nach unten wegspülen*) to flush down *sep* ❷ (*mit einem Getränk hinunterschlucken*) to wash down *sep* (**mit** with) ❸ (*fam: verdrängen*) to ease (**mit** with) **hi·nun·ter|stür·zen** I. *vi sein* ❶ (*heftig hinunterfallen*) to fall [down] ❷ (*eilends hinunterlaufen*) to dash [*or* rush] down; **sie stürzte hinunter, um die Tür aufzumachen** she rushed down|stairs| to answer the door II. *vt* ❶ *sein* (*schnell hinunterlaufen*) ▪**etw ~** to dash [*or* rush] down sth; **die Treppe ~** to rush [*or* dash] down[the]stairs ❷ *haben* (*nach unten stürzen*) ▪**jdn ~** to throw down sb *sep* ❸ *haben* (*fam*) ▪**etw ~** to gulp down sth *sep;* **einen Schnaps ~** to knock back a schnapps *sep fam* III. *vr* ▪**sich ~** to throw oneself down/off; **sich eine Brücke/die Treppe ~** to throw oneself off a bridge/down the stairs **hi·nun·ter|wer·fen** *vt irreg* to throw down **hi·nun·ter|wür·gen** *vt* to choke down *sep*

hin|wa·gen *vr* ▪**sich ~** to dare [to] approach

hin·weg [hɪn'vɛk] *adv* (*veraltend geh*) ▪**~! begone!;** ▪**~ mit jdm/etw** *dat* away with sb/sth; **über jdn/etw ~ sein** to have got over sb/sth; **über lange Jahre ~** for |many long| years

Hin·weg ['hɪnveːk] *m* way there; **auf dem ~** on the way there

hin·weg|ge·hen [hɪn'vɛkgeːən] *vi irreg sein* ▪**über etw** *akk* ~ to disregard sth **hin·weg|hel·fen** *vi irreg* ▪**jdm über etw** *akk* ~ to help sb [to] get over sth **hin·weg|kom·men** *vi irreg sein* ▪**über etw** *akk* ~ to get over sth **hin·weg|se·hen** *vi irreg* ▪**über jdn/etw** ~ ❶ (*unbeachtet lassen*) to overlook sb/sth ❷ (*ignorieren*) to ignore sb/sth ❸ (*darüber sehen*) to see over sb['s head]/sth **hin·weg|set·zen** *vr* ▪**sich über etw** *akk*~ to disregard sth

Hin·weis <-es, -e> ['hɪnvaɪs, *pl* -vaɪzə] *m*

❶ (*Rat*) advice *no pl, no art,* tip ❷ (*Anhaltspunkt*) clue, indication

hin|wei·sen *irreg* **I.** *vt* ▪ **jdn darauf ~, dass ...** to point out [to sb] that ... **II.** *vi* ▪ **auf jdn/etw ~** to point to sb/sth

Hin·weis·schild *nt* sign

hin|wer·fen *irreg vt* ❶ (*zuwerfen*) to throw to ❷ (*irgendwohin werfen*) to throw down *sep*; (*fallen lassen*) to drop ❸ (*fam: aufgeben*) to give up *sep*, to chuck [in *sep*] ❹ (*flüchtig erwähnen*) to drop ❺ (*flüchtig zu Papier bringen*) to dash off **hin|wol·len** *vi* (*fam*) to want to go **hin|zie·hen** *irreg* **I.** *vt haben* ❶ (*zu sich ziehen*) ▪ **jdn/etw zu sich** *dat* **~** to pull sb/sth towards one ❷ (*anziehen*) ▪ **es zieht jdn zu etw** *dat* **hin** sb is attracted to sth ❸ (*hinauszögern*) to delay **II.** *vi sein* (*sich hinbewegen*) to move **III.** *vr* ▪ **sich ~** ❶ (*sich verzögern*) to drag on ❷ (*sich erstrecken*) to extend along **hin|zie·len** *vi* ▪ **auf etw** *akk* **~** (*zum Ziel haben*) to aim at sth; (*auf etw gerichtet sein*) to be aimed at sth, to refer to sth

hin·zu [hɪnˈtsuː] *adv* in addition, besides

hin·zu|fü·gen *vt* ❶ (*beilegen*) to enclose ❷ (*zusätzlich bemerken*) to add; **das ist meine Meinung, dem habe ich nichts mehr hinzuzufügen!** that is my opinion, I have nothing further to add to it ❸ (*nachträglich hineingeben*) to add **hin·zu|kom·men** [hɪnˈtsuːkɔmən] *vi irreg sein* ❶ (*zusätzlich eintreffen*) to arrive; (*aufkreuzen*) to appear [on the scene] ❷ (*sich noch ereignen*) ▪ **es kommt [noch] hinzu, dass ...** there is also the fact that ... ❸ (*dazukommen*) **kommt sonst noch etwas hinzu?** will there be anything else? **hin·zu|zäh·len** *vt* ❶ (*als dazugehörig ansehen*) to include ❷ (*hinzurechnen*) ▪ **etw [mit] ~** to add on sth **hin·zu|zie·hen** *vt irreg* to consult

Hi·obs·bot·schaft [ˈhiːops-] *f* bad news *no pl, no indef art*

Hip-Hop <-s> [ˈhɪphɔp] *m kein pl* MUS, MODE hip-hop *no pl, no art*

Hip·pie <-s, -s> [ˈhɪpi] *m* hippie

Hirn <-[e]s, -e> [hɪrn] *nt* ❶ (*Ge~*) brain ❷ (*~ masse*) brains *pl*

Hirn·ge·spinst *nt* fantasy; ▪ **~e** figments of the imagination **Hirn·haut** *f* meninx *spec* **Hirn·haut·ent·zün·dung** *f* meningitis

hirn·ris·sig *adj* (*pej fam*) hare-brained **Hirn·schlag** *m* MED stroke **Hirn·strom** *m meist pl* BIOL, MED brain wave activity **Hirn·tod** *m* brain death *no pl, no art* **hirn·verbrannt** *adj* (*fam*) *s.* **hirnrissig**

Hirsch <-es, -e> [hɪrʃ] *m* ❶ (*Rot~*) deer ❷ (*~fleisch*) venison *no art, no pl*

Hirsch·ge·weih *nt* antlers *pl* **Hirsch·käfer** *m* stag beetle **Hirsch·kuh** *f* hind

Hir·se <-, -n> [ˈhɪrzə] *f* millet *no pl, no art*

Hirt(in) <-en, -en> [ˈhɪrt] *m(f)* herdsman *masc;* (*Schaf~*) shepherd *masc,* shepherdess *fem*

Hir·ten·brief *m* REL pastoral letter

his, His <-, -> [hɪs] *nt* MUS B sharp

His·pa·nis·tik <-> [hɪspaˈnɪstɪk] *f kein pl* SCH Spanish [language and literature] *no pl*

his·sen [ˈhɪsn̩] *vt* to hoist

His·ta·min <-s> [hɪstaˈmiːn] *nt kein pl* histamine *no pl, no art*

His·to·ri·ker(in) <-s, -> [hɪsˈtoːrikɐ] *m(f)* historian

his·to·risch [hɪsˈtoːrɪʃ] **I.** *adj* ❶ (*die Geschichte betreffend*) historical ❷ (*geschichtlich bedeutsam*) historic **II.** *adv* historically; **~ belegt sein** to be historically proven

Hit <-s, -s> [hɪt] *m* (*fam*) ❶ (*erfolgreicher Schlager*) hit ❷ (*Umsatzrenner*) roaring success

Hit·lis·te *f* charts *npl* **Hit·pa·ra·de** *f* ❶ (*Musiksendung*) chart show, top of the pops *no indef art* BRIT ❷ *s.* **Hitliste**

Hit·ze <-, -n> [ˈhɪtsə] *f* heat *no pl, no indef art;* **bei mittlerer ~ backen** to bake in a medium oven

hit·ze·be·stän·dig *adj* heat-resistant **Hitze·wal·lung** *f meist pl* hot flush **Hitze·wel·le** *f* heat wave

hit·zig [ˈhɪtsɪç] **I.** *adj* ❶ (*leicht aufbrausend*) hot-headed, quick-tempered; *Reaktion* heated; *Temperament* fiery ❷ (*leidenschaftlich*) passionate; *Debatte* heated **II.** *adv* passionately

Hitz·kopf *m* (*fam*) hothead

hitz·köp·fig *adj* (*fam*) hot-headed

Hitz·schlag *m* heatstroke; (*von der Sonne a.*) sunstroke

HIV <-[s]> [haːʔiːˈfaṵ] *nt Abk von* **Human Immunodeficiency Virus** HIV *no pl, no art*

HIV-in·fi·ziert [haːʔiːˈfaṵ-] *adj* HIV-positive **HIV-ne·ga·tiv** [haːʔiːˈfaṵ'-] *adj* HIV-negative **HIV-po·si·tiv** [haːʔiːˈfaṵ'-] *adj* HIV-positive **HIV-Test** [haːʔiːˈfaṵ'-] *m* HIV test

Hi·wi <-s, -s> [ˈhiːvi] *m* (*sl*) assistant

Hl. *Abk von* **Heilige(r)** St

hm *interj* ❶ (*anerkennendes Brummen*) hm ❷ (*fragendes Brummen*) er[m]

H-Milch [ˈhaː] *f* long-life milk

h-Moll [ˈhaːˈmɔl] *nt* MUS B minor

HNO-Arzt, -Ärz·tin [haːʔɛnˈʔoː-] *m, f* ENT specialist

hob [ˈhoːp] *imp von* **heben**
Hob·by <-s, -s> [ˈhɔbi] *nt* hobby
Hob·by·raum *m* hobby room, workroom
Ho·bel <-s, -> [ˈhoːbl̩] *m* ❶ (*Werkzeug*) plane ❷ (*Küchengerät*) slicer
Ho·bel·bank <-bänke> *f* carpenter's bench
ho·beln [ˈhoːbl̩n] *vt, vi* ❶ (*mit dem Hobel glätten*) to plane ❷ (*mit dem Hobel schneiden*) to slice
hoch [hoːx] **I.** *adj* <attr hohe(r, s), höher, attr höchste(r, s)> ❶ (*räumlich*) high, tall; *Baum* tall; **eine hohe Decke** a high ceiling; **eine hohe Schneedecke** deep snow; **20 Meter ~ sein** to be 20 metres tall/high ❷ (*beträchtlich, groß*) high, large; *Betrag* large; *Kosten* high; **ein hoher Lotteriegewinn** a big lottery win; *Temperatur, Geschwindigkeit, Lebensstandard, Druck* high; *Verlust* severe; *Sachschaden* extensive; **du hast aber hohe Ansprüche!** you're very demanding! ❸ (*bedeutend*) great, high; **hohes Ansehen** great respect; **ein hoher Feiertag** an important public holiday; **hohe Offiziere** high-ranking officers ❹ (*sehr*) highly; **~ begabt** highly gifted; **~ besteuert** highly taxed; **~ favorisiert sein** to be the strong favourite; **~ gelobt** highly praised; **~ konzentriert arbeiten** to be completely focused on one's work; **~ qualifiziert** highly qualified; **~ versichert** heavily insured; **~ verschuldet** deep in debt *pred;* **jdm etw ~ anrechnen** to give sb a great credit for sth; **jdn/ etw zu ~ einschätzen** to overestimate sb/sth ❺ *präd* **jdm zu ~ sein** (*fam*) to be above sb's head **II.** *adv* <höher, am höchsten> ❶ (*nach oben*) **wie ~ kannst du den Ball werfen?** how high can you throw the ball?; **etw ~ halten** to hold up sth *sep;* **~ gewachsen** tall; **einen Gang ~ schalten** AUTO to shift [up] gears ❷ (*in einiger Höhe*) **die Sterne stehen ~ am Himmel** the stars are high up in the sky; **~ gelegen** high-lying *attr;* **~ oben** high up; **im Keller steht das Wasser 3 cm ~** the water's 3 cm deep in the cellar ❸ (*äußerst*) extremely, highly *attr* ❹ (*eine hohe Summe umfassend*) highly; **~ gewinnen** to win a large amount; **~ wetten** to bet heavily ❺ MATH (*Bezeichnung der Potenz*) **2 ~ 4** 2 to the power of 4 ▸ **zu ~ gegriffen sein** to be an exaggeration; **~ und heilig schwö·ren, dass ...** to swear blind that ...; **etw ~ und heilig versprechen** to promise sth faithfully; **~ hergehen** (*fam*) to be lively; **~ hinauswollen** (*fam*) to aim high; **wenn es ~ kommt** (*fam*) at the most; [**bei etw

dat] **~ pokern** (*fam*) to take a big chance [with sth]
Hoch¹ <-s, -s> [hoːx] *nt* cheer; **ein drei·faches ~ dem glücklichen Brautpaar** three cheers for the happy couple
Hoch² <-s, -s> [hoːx] *nt* METEO high
Hoch·ach·tung *f* deep respect; **meine ~!** my compliments! **hoch·ach·tungs·voll** *adv* (*geh*) your obedient servant *dated form* **hoch·ak·tu·ell** *adj* ❶ (*äußerst aktu·ell*) highly topical ❷ MODE highly fashionable, all the rage *pred* **Hoch·al·tar** *m* high altar **Hoch·amt** *nt* ■ **das** ~ High Mass **hoch·an·stän·dig** *adj* very decent **hoch|ar·bei·ten** *vr* ■ **sich** ~ to work one's way up **Hoch·bahn** *f* elevated railway **Hoch·bau** *m kein pl* structural engineering *no pl, no art* **hoch|be·kom·men*** *vt irreg* [to manage to] lift up **hoch·be·rühmt** *adj* very famous **hoch·be·tagt** *adj* (*geh*) aged **Hoch·be·trieb** *m* intense activity *no pl;* **~ haben** to be very busy **Hoch·burg** *f* stronghold **hoch·deutsch** [ˈhoːxdɔytʃ] *adj* High [*or* standard] German **Hoch·druck** *m kein pl* high pressure **Hoch·druck·ge·biet** *nt* METEO area of high pressure, high-pressure area **Hoch·ebe·ne** *f* plateau **hoch·er·freut** *adj* overjoyed, delighted **hoch|fah·ren** *irreg* **I.** *vi sein* ❶ (*nach oben fahren*) to go up ❷ (*sich plötzlich aufrichten*) **aus dem Schlaf ~** to start up from one's sleep, to wake up with a start ❸ (*aufbrausen*) to flare up **II.** *vt haben* ❶ (*nach oben fahren*) **können Sie uns nach Hamburg ~?** can you drive us up to Hamburg? ❷ (*auf volle Leistung bringen*) *Produktion* to raise; *Computer* to boot **Hoch·form** *f* top form **Hoch·for·mat** *nt* portrait [*or* vertical] format **Hoch·fre·quenz** *f* high frequency **Hoch·ga·ra·ge** *f* multi-storey car park **Hoch·ge·bir·ge** *nt* high mountains *pl* **Hoch·ge·fühl** *nt* elation **hoch|ge·hen** *irreg sein* **I.** *vi* ❶ (*hinaufgehen*) to go up ❷ (*fam: detonieren*) to go off; ■ **etw ~ las·sen** to blow up sth *sep* ❸ (*fam: wütend werden*) to blow one's top ❹ (*fam*) *Preise* to go up ❺ (*fam: enttarnt werden*) to get caught; ■ **jdn/etw ~ lassen** to bust sb/sth **II.** *vt* ■ **etw ~** to go up sth **Hoch·ge·nuss^{RR}** *m* real delight **Hoch·ge·schwin·dig·keits·zug** *m* high-speed train **hoch·ge·sto·chen I.** *adj* (*pej fam*) ❶ (*geschraubt*) highbrow ❷ (*eingebildet*) conceited, stuck-up **II.** *adv* in a highbrow way **Hoch·glanz** *m* FOTO high gloss; **etw auf ~ bringen** to polish sth till it shines **Hoch·glanz·ma·ga·zin** *nt* glossy [maga-

zine]

hoch·gra·dig I. *adj* extreme II. *adv* extremely

hoch·ha·ckig *adj* high-heeled

hoch|hal·ten *vt irreg* ❶ (*in die Höhe halten*) to hold up *sep* ❷ (*ehren*) to uphold **Hoch·haus** *nt* high-rise [*or* AM multi-story] building **hoch|he·ben** *vt irreg* ❶ (*in die Höhe heben*) to lift up *sep* ❷ (*emporstrecken*) to put up *sep* **hoch·in·tel·li·gent** *adj* highly intelligent **hoch·in·te·res·sant** *adj* most interesting **hoch|ju·beln** *vt* to hype up

hoch·kant ['ho:xkant] *adv* on end; **etw ~ stellen** to stand sth on end

hoch·kan·tig ['hoxkantɪç] *adv* on end

hoch|klet·tern *sein* I. *vi* ■ [**an etw** *dat*] ~ to climb up sth II. *vt* ■ **etw ~** to climb up sth **hoch|kom·men** *irreg sein* I. *vi* ❶ (*nach oben kommen*) to come up; **kommen Sie doch zu mir ins Büro hoch** come up to my office ❷ (*an die Oberfläche kommen*) ■ [**wieder**] ~ to come up [again]; *Taucher a.* to [re]surface ❸ (*fam: aufstehen können*) to get up ❹ (*fam*) ■ **es kommt jdm hoch** it makes sb sick; **wenn ich nur daran denke, kommt es mir schon hoch!** it makes me sick just thinking about it! ❺ (*in Erscheinung treten*) ■ [**in jdm**] ~ to well up [in sb]; *Betrug* to come to light II. *vt* ■ **etw ~** to come up sth **Hoch·kon·junk·tur** *f* [economic] boom **hoch|krem·peln** *vt* to roll up *sep;* **die Hemdsärmel ~** to roll up one's shirt-sleeves **hoch|krie·gen** *vt* (*fam*) *s.* **hochbekommen Hoch·kul·tur** *f* [very] advanced civilization **Hoch·land** ['ho:xlant] *nt* highland *usu pl;* **das schottische ~** the Scottish Highlands *npl* **Hoch·leis·tung** *f* top-class performance **Hoch·leis·tungs·sport** *m* top-level sport **hoch·mo·dern** I. *adj* ultra-modern; ■ **~ sein** to be the latest fashion II. *adv* in the latest fashion[s] **Hoch·moor** *nt* [upland] moor

Hoch·mut ['ho:xmu:t] *m* (*pej*) arrogance ▶ **~ kommt vor dem Fall** (*prov*) pride goes before a fall *prov*

hoch·mü·tig ['ho:xmy:tɪç] *adj* (*pej*) arrogant

hoch·nä·sig ['ho:xnɛ:zɪç] I. *adj* (*pej fam*) conceited, snooty II. *adv* (*pej fam*) conceitedly, snootily

Hoch·ne·bel *m* METEO [low] stratus *spec* **hoch|neh·men** *vt irreg* ❶ (*nach oben heben*) to lift up *sep* ❷ (*fam: auf den Arm nehmen*) ■ **jdn ~** to have sb on

hoch·not·pein·lich *adj* cringeworthy

Hoch·ofen *m* blast furnace **hoch·pro·**

zen·tig *adj* ❶ (*Alkohol enthaltend*) high-proof ❷ (*konzentriert*) highly concentrated **hoch·ran·gig** <*höherrangig, höchstrangig*> *adj attr* high-ranking **hoch|rech·nen** *vt* to project **Hoch·rech·nung** *f* projection **hoch·rot** ['ho:x'ro:t] *adj* bright red **Hoch·sai·son** *f* ❶ (*Zeit stärksten Betriebes*) the busiest time ❷ (*Hauptsaison*) high season **hoch|schla·gen** *irreg* I. *vt* haben ■ **etw ~** to turn up sth *sep;* **mit hochgeschlagenem Kragen** with one's collar turned up II. *vi* sein to surge; *Flammen* to leap up; ■ **~d** surging/leaping **hoch|schnel·len** *vi* sein ■ **von etw** *dat*] ~ to leap up [from/out of sth]; *Sprungfeder* to pop up [out of sth]

Hoch·schul·ab·schluss^RR *m* degree

Hoch·schul·ab·sol·vent(in) <-en, -en> *m(f)* college [*or* university] graduate **Hoch·schul·bil·dung** *f* university/college education; **mit/ohne ~** with/without a university/college education

Hoch·schu·le ['ho:xʃu:lə] *f* ❶ (*Universität*) university ❷ (*Fach~*) college; **pädagogische ~** teacher training college

Hoch·schü·ler(in) *m(f)* student

Hoch·schul·leh·rer(in) *m(f)* university/college lecturer **Hoch·schul·rei·fe** *f* entrance requirement for higher education **Hoch·schul·stu·di·um** *nt* university/college education

hoch·schwan·ger *adj* in an advanced stage of pregnancy *pred*

Hoch·see *f kein pl* high sea[s *npl*]; **auf hoher See** on the high seas

Hoch·see·fi·sche·rei *f* deep-sea fishing *no pl, no art*

hoch·sen·si·bel <*höchstsensibel*> *superl adj* highly sensitive

Hoch·sitz *m* JAGD [raised] hide **Hoch·som·mer** *m* midsummer *no pl, no art,* high summer *no pl, no art;* **im ~** in midsummer **Hoch·span·nung** *f* ❶ ELEK high voltage ❷ *kein pl* (*Belastung*) enormous tension **Hoch·span·nungs·lei·tung** *f* high-voltage line **Hoch·span·nungs·mast** *m* pylon **hoch|spie·len** *vt* ■ **etw ~** to blow up [the importance of] sth; **etw künstlich ~** to blow up sth *sep* out of all proportion **Hoch·spra·che** *f* standard language **Hoch·sprung** *m* high jump

höchst [hø:çst] I. *adj s.* **höchste(r, s)** II. *adv* most, extremely; **~ erfreut** extremely delighted

Höchst·al·ter *nt* maximum age

Hoch·sta·pe·lei <-, -en> [ho:xʃta:pə'laj] *f* (*pej*) fraud *no pl, no art* **Hoch·stap·ler(in)** <-s, -> ['ho:xʃta:plɐ] *m(f)* (*pej*)

con man
Höchst·be·trag *m* maximum amount
höchs·te(r, s) *attr* I. *adj superl von* **hoch**
❶ (*räumlich*) highest, tallest; *Baum* tallest;
Berg highest ❷ (*bedeutendste*) highest;
Profit biggest; **aufs H~** extremely, most;
das H~, was ... the most [that] ...; **zu mei-**
ner ~Bestürzung to my great consternation; **der ~ Feiertag** the most important
public holiday; **der ~ Offizier** the
highest-ranking officer; **die ~n Ansprü-**
che the most stringent demands; **von ~r**
Bedeutung sein to be of the utmost importance II. *adv* ❶ (*räumlich*) the highest;
mittags steht die Sonne am ~n the sun
is highest at midday ❷ (*in größtem Aus-*
maß) the most, most of all; **er war am ~n**
qualifiziert he was the most qualified
❸ (*die größte Summe umfassend*) the
most; **die am ~n versicherten Firmen**
the most heavily insured firms
hoch|stei·gen *vi irreg Wut, Angst, Freude*
to well up
höchs·tens ['høːçstn̩s] *adv* ❶ (*bestenfalls*)
at the most, at best; **er besucht uns sel-**
ten, ~ zweimal im Jahr he seldom visits
us, twice a year at the most ❷ (*außer*) except
Höchst·fall *m* **im ~** at the most, at best
Höchst·form *f* top form **Höchst·ge-**
bot *nt* highest bid **Höchst·ge·schwin-**
dig·keit *f* ❶ (*mögliche Geschwindigkeit*)
maximum speed ❷ (*zulässige Geschwin-*
digkeit) speed limit **Höchst·gren·ze** *f*
upper limit
Hoch·stim·mung *f kein pl* **in ~** in high
spirits
Höchst·leis·tung *f* maximum performance *no pl* **Höchst·maß** *nt* maximum
amount **höchst·per·sön·lich** *adv* in person, personally; **es war die Königin ~** it
was the Queen in person **Höchst·preis** *m*
maximum price **Höchst·stand** *m* highest
level **Höchst·stra·fe** *f* maximum penalty
höchst·wahr·schein·lich
['høːçstvaːɐ̯ʃaɪnlɪç] *adv* most likely
höchst·zu·läs·sig *adj attr* maximum
[permissible]
Hoch·tech·no·lo·gie *f* high technology
Hoch·tour *f* ❶ SPORT (*Hochgebirgstour*)
mountain climbing in a high mountain
range [*or* area] ❷ *pl* TECH (*größte Leistungs-*
fähigkeit) **auf ~en laufen** to operate [*or*
work] at full speed; (*unter Aufbringen aller*
Kraftreserven vonstattengehen) to be in
full swing ▸**jdn auf ~ bringen** (*fam*) to
get sb working flat out; **etw auf ~ bringen**
(*fam*) to increase sth to full capacity **hoch·**

tra·bend (*pej*) I. *adj* pompous II. *adv*
pompously **hoch|trei·ben** *vt irreg* to drive
up *sep; Kosten, Löhne, Preise* a. to force
up **hoch·ver·ehrt** *adj attr* highly respected; **meine ~en Damen und Herren!**
ladies and gentlemen! **Hoch·ver·rat** *m*
high treason *no pl, no art* **Hoch·was-**
ser *nt* ❶ (*Flut*) high tide ❷ (*überhoher*
Wasserstand) high [level of] water; **~ füh-**
ren to be in flood ❸ (*Überschwemmung*)
flood **hoch·wer·tig** ['hoːxveːɐ̯tɪç] *adj*
❶ (*von hoher Qualität*) [of *pred*] high quality ❷ (*von hohem Nährwert*) highly nutritious
Hoch·zeit <-, -en> ['hoːxtsaɪt] *f* wedding
Hoch·zeits·fei·er *f* wedding reception
Hoch·zeits·kleid *nt* wedding dress
Hoch·zeits·nacht *f* wedding night
Hoch·zeits·rei·se *f* honeymoon *no pl*
Hoch·zeits·tag *m* ❶ (*Tag der Hochzeit*)
wedding day ❷ (*Jahrestag*) wedding anniversary
hoch|zie·hen *irreg vt* ❶ (*nach oben zie-*
hen) to pull up *sep;* ■ **sich [an etw** *dat*] **~**
to pull oneself up [on sth] ❷ (*fam: rasch*
bauen) to build [rapidly]
Ho·cke <-, -n> ['hɔkə] *f* ❶ (*Körperhaltung*)
crouching position; **in die ~ gehen** to
crouch down; **in der ~ sitzen** to crouch,
to squat ❷ (*Turnübung*) squat vault
ho·cken ['hɔkn̩] I. *vi* ❶ *haben* (*kauern*) to
crouch, to squat ❷ *haben* (*fam: sitzen*) to
sit ❸ *sein* SPORT (*in die Hocke springen*) to
squat-vault (**über** over) II. *vr* DIAL (*fam:*
sich setzen) ■ **sich [zu jdm] ~** to sit down
[next to sb]
Ho·cker <-s, -> *m* stool; (*in einer Kneipe*
a.) bar stool
Hö·cker <-s, -> ['hœkɐ] *m* ❶ (*Wulst*)
hump ❷ (*kleine Wölbung*) bump
Ho·ckey <-s> ['hɔki] *nt kein pl* hockey *no*
pl, no art, field hockey AM *no pl, no art*
Ho·ckey·schlä·ger *m* hockey stick
Ho·den <-s, -> ['hoːdn̩] *m* testicle
Ho·den·sack *m* scrotum
Hof <-[e]s, Höfe> [hoːf, *pl* ˈhøːfə] *m* ❶ (*In-*
nenhof) courtyard; (*Schulhof*) playground
❷ (*Bauernhof*) farm ❸ HIST (*Fürstensitz*)
court; **bei** [*o* **am**] **~e** at court ❹ (*Halo*)
halo ▸**jdm den ~ machen** (*veraltend*) to
woo sb
Hof·da·me *f* lady of the court; (*der Köni-*
gin) lady-in-waiting
hof·fen ['hɔfn̩] I. *vi* to hope (**auf** for); ■ **auf**
jdn ~ to put one's trust in sb II. *vt* ■ **etw ~**
to hope for sth; **es bleibt zu ~, dass ...** the
hope remains that ...; **das will ich ~** I
hope so

hof·fent·lich [ˈhɔfn̩tlɪç] *adv* hopefully;
■ ~ **nicht** I/we hope not
Hoff·nung <-, -en> [ˈhɔfnʊŋ] *f* hope (**auf**
for/of); **es besteht noch ~** there is still
hope; **jds letzte ~ sein** to be sb's last hope;
sich an eine falsche ~ klammern to
cling to a false hope; **~ auf etw** *akk* **haben**
to have hopes of sth; **sich bestimmten
~en hingeben** to cherish certain hopes; **in
der ~, [dass]** ... *(geh)* in the hope [that] ...;
sich *dat* **~en machen** to have hopes; **sich**
dat **keine ~en machen** to not hold out
any hopes; **jdm ~ machen** to hold out
hope to sb; **neue ~ schöpfen** to find fresh
hope; **die ~ aufgeben** to give up hope;
guter ~ sein *(euph)* to be expecting
hoff·nungs·los I. *adj* hopeless II. *adv*
❶ *(ohne Hoffnung)* without hope ❷ *(völlig, ausweglos)* hopelessly
Hoff·nungs·lo·sig·keit <-> *f kein pl*
hopelessness *no pl, no art;* *(Verzweiflung)*
despair *no pl, no art*
Hoff·nungs·schim·mer *m (geh)* glimmer
of hope **Hoff·nungs·trä·ger(in)** *m(f)* sb's
hope; **sie ist unsere ~in** she's our hope,
we've pinned our hopes on her **hoff·nungs·voll** I. *adj* hopeful; *Karriere* promising II. *adv* full of hope
ho·fie·ren* [hoˈfiːrən] *vt* ■**jdn ~** to pay
court to sb
hö·fisch [ˈhøːfɪʃ] *adj* courtly
höf·lich [ˈhøːflɪç] I. *adj* polite, courteous
II. *adv* politely, courteously
Höf·lich·keit <-, -en> *f* ❶ *kein pl (höfliche
Art)* courtesy *no pl, no art,* politeness *no
pl, no art;* **ich sage das nicht nur aus ~**
I'm not just saying that to be polite ❷ *(höfliche Bemerkung)* compliment
Höf·lich·keits·flos·kel *f* polite phrase
Höf·ling <-s, -e> [ˈhøːflɪŋ] *m* ❶ HIST courtier ❷ *(pej: Schmeichler)* sycophant *pej
form*
Hof·narr *m* HIST court jester
ho·he(r, s) [ˈhoːə, -ɐ, -əs] *adj s.* **hoch**
Hö·he <-, -n> [ˈhøːhə] *f* ❶ *(Ausdehnung
nach oben)* height; **die Wand hat eine ~
von 3 Metern** the wall is 3 metres high;
aus der ~ from above; **auf halber ~** halfway up; **in einer ~ von** at a height of; **in
die ~** into the air; **in schwindelnder ~** at
a dizzy[ing] height; **in die ~ wachsen** to
grow tall ❷ *(Tiefe)* depth; **diese Schicht
hat eine ~ von 80 Zentimetern** this layer
is 80 centimetres deep ❸ *(Gipfel)* summit,
top ❹ *(Ausmaß)* amount, level; **die ~ des
Schadens** the extent of the damage; **in
die ~ gehen** *Preise* to rise; **in unbegrenzter ~** of an unlimited amount ❺ *(Ton~)* tre-

ble ❻ *(Breitenlage)* latitude; **auf der gleichen ~ liegen** to be located in the same
latitude ▶ **nicht ganz auf der ~ sein** to be
a bit under the weather; **das ist doch die
~!** *(fam)* that's the limit!; **auf der ~ sein**
to be in fine form; **die ~n und Tiefen des
Lebens** the ups and downs in life
Ho·heit <-, -en> [ˈhoːhait] *f* ❶ *(Mitglied
einer fürstlichen Familie)* member of the
royal family; **Ihre Königliche ~** Your Royal
Highness ❷ *kein pl (oberste Staatsgewalt)*
sovereignty *no pl, no art*
Ho·heits·ge·biet *nt* sovereign territory
Ho·heits·ge·wäs·ser *nt* territorial waters *npl* **Ho·heits·recht** *nt meist pl* POL
sovereign right **ho·heits·voll** *adj (geh)*
majestic
Hö·hen·angst *f* fear of heights *no pl*
Hö·hen·mes·ser *m* LUFT altimeter **Hö·hen·son·ne** *f (im Gebirge)* mountain
sun ❷ *(UV-Strahler)* sun lamp **Hö·hen·un·ter·schied** *m* difference in altitude
hö·hen·ver·stell·bar *adj* height-adjustable
Hö·he·punkt *m* ❶ *(bedeutendster Teil)*
high point; *einer Veranstaltung* highlight
❷ *(Gipfel)* height, peak; **auf dem ~ seiner
Karriere** at the height of one's career; **die
Krise hatte ihren ~ erreicht** the crisis
had reached its climax ❸ *(Zenith)* zenith
❹ *(Orgasmus)* climax
hö·her [ˈhøːɐ] I. *adj comp von* **hoch**
❶ *(räumlich)* higher, taller ❷ *(bedeutender, größer) Forderungen, Druck, Verlust*
greater; *Gewinn, Preis, Temperatur* higher;
Strafe severer; **ein ~er Offizier** a higher-ranking officer ▶ **sich zu H~em berufen
fühlen** to feel destined for higher
things II. *adv comp von* **hoch** ❶ *(weiter
nach oben)* higher/taller ❷ *(mit gesteigertem Wert)* higher
hö·her|ge·stellt *adj* more senior
hö·her|stu·fen *vt* to upgrade
hohl [hoːl] *adj, adv* ❶ *(leer)* hollow; **mit
der ~en Hand** with cupped hands; **~e
Wangen** sunken cheeks ❷ *(pej: nichts
sagend)* empty
Höh·le <-, -n> [ˈhøːlə] *f* ❶ *(Fels~)* cave
❷ *(Tierbehausung)* cave, lair ❸ *(Höhlung)*
hollow ❹ *(Augen~)* socket ▶ **sich in die ~
des Löwen begeben** to venture into the
lion's den
Höh·len·ma·le·rei *f* cave painting **Höh·len·mensch** *m* cave dweller, caveman
masc, cavewoman *fem,* troglodyte *spec*
Hohl·kopf *m (pej fam)* blockhead, airhead
AM **Hohl·kör·per** *m* hollow body **Hohl·kreuz** *nt* hollow back **Hohl·maß** *nt*

❶ (*Maßeinheit*) measure of capacity, cubic measure *spec* ❷ (*Messgefäß*) dry measure **Hohl·raum** *m* cavity, hollow space **Hohl·spie·gel** *m* concave mirror **Hohl·weg** *m* narrow pass [*or liter* defile]

Hohn <-[e]s> [hoːn] *m kein pl* scorn *no pl, no art,* mockery *no pl, no art;* **das ist blanker ~!** this is utterly absurd

höh·nen *vi* to sneer

höh·nisch ['høːnɪʃ] **I.** *adj* scornful, mocking, sneering **II.** *adv* scornfully, mockingly, sneeringly

hoi [hɔy] *interj* SCHWEIZ hello, hi

Ho·kus·po·kus <-> [hoːkʊs'poːkʊs] *m kein pl* ❶ (*Zauberformel*) abracadabra; (*vor dem Schluss*) hey presto BRIT *fam* ❷ (*fam: fauler Zauber*) hocus-pocus ❸ (*fam: Brimborium*) fuss; **einen ~ veranstalten** to make a fuss

Hol·ding <-, -s> ['hoːldɪŋ] *f,* **Hol·ding·ge·sell·schaft** *f* holding company

ho·len ['hoːlən] **I.** *vt* ❶ (*hervor~*) to get (**aus** out of, **von** from) ❷ (*her~*) ▪ **jdn** [**irgendwohin**] **~** to send sb [somewhere]; **Sie können den Patienten jetzt ~** you can send for the patient now; ▪ **jdn ~ lassen** to fetch sb; **Hilfe ~** to get help **II.** *vr* (*fam*) ▪ **sich** *dat* **etw ~** ❶ (*sich nehmen*) to get oneself sth (**aus** out of, **von** from) ❷ (*sich zuziehen*) to catch sth (**an** from, **bei** in); **bei dem kalten Wetter holst du dir eine Erkältung** you'll catch a cold in this chilly weather ❸ (*sich einhandeln*) *Abfuhr, Rüge* to get

Hol·land <-s> ['hɔlant] *nt* ❶ (*Niederlande*) the Netherlands *npl,* Holland; *s. a.* **Deutschland** ❷ (*Provinz der Niederlande*) Holland

Hol·län·der <-s> ['hɔlɛndɐ] *m kein pl* Dutch cheese *no pl*

Hol·län·der(in) <-s, -> ['hɔlɛndɐ] *m(f)* Dutchman *masc,* Dutchwoman *fem;* ▪ **die ~** the Dutch + *pl vb;* **~ sein** to be Dutch [*or* a Dutchman/Dutchwoman]; **der Fliegende ~** the Flying Dutchman; *s. a.* **Deutsche(r)**

hol·län·disch ['hɔlɛndɪʃ] *adj* Dutch; *s. a.* **deutsch**

Höl·le <-, -n> ['hœlə] *f pl selten* hell *no pl, no art;* **in die ~ kommen** to go to hell; **in der ~** in hell; **jdn zur ~ jagen** (*pej fam*) to tell sb to go to hell ▶ **die ~ auf Erden** hell on earth; **jdm die ~ heißmachen** (*fam*) to give sb hell; **die ~ ist los** (*fam*) all hell has broken loose

Höl·len·angst ['hœlən?aŋst] *f* (*fam*) awful fear; **jdm eine ~ einjagen** to frighten sb to death **Höl·len·lärm** ['hœlən·lɛrm] *m*

hell of a noise *no pl, no def art* **Höl·len·qual** *f* (*fam*) agony *no pl, no art*

höl·lisch ['hœlɪʃ] **I.** *adj* ❶ *attr* infernal ❷ (*fam: fürchterlich*) terrible, dreadful, hell *pred;* **eine ~e Angst haben** to be scared stiff; **ein ~er Lärm** a terrible racket **II.** *adv* (*fam*) dreadfully, terribly; **~ brennen** to burn like hell

Hol·ly·wood·schau·kel ['hɔlivʊt-] *f* garden swing

Holm <-[e]s, -e> [hɔlm] *m* ❶ SPORT bar ❷ (*Rahmen*) side piece; *einer Leiter* upright ❸ (*Handlauf*) rail ❹ AUTO (*tragende Leiste*) cross member; LUFT spar ❺ (*Stiel*) shaft

Ho·lo·caust <-s> ['hoːlokaʊst] *m kein pl* holocaust

Ho·lo·gramm <-e> [holo'gram] *nt* hologram

hol·pe·rig ['hɔlpərɪç] *adj* ❶ *Straße* bumpy, uneven ❷ *Sprache, Stil* clumsy

hol·pern ['hɔlpɐn] *vi* ❶ *haben* (*holperig sein*) to bump, to jolt ❷ *sein* (*sich rüttelnd fortbewegen*) to jolt

holp·rig ['hɔlprɪç] *adj s.* **holperig**

Ho·lun·der <-s, -> [ho'lʊndɐ] *m* elder

Holz <-es, Hölzer> [hɔlts, *pl* 'hœltsɐ] *nt* ❶ *kein pl* (*Material*) wood *no pl, no art;* **~ verarbeitend** wood-processing *attr;* **~ fällen** to cut down trees *sep;* **tropische Hölzer** tropical wood; **aus ~** wooden; **massives ~** solid wood ❷ *pl* (*Bauhölzer*) timber ❸ SPORT *Golf* wood ▶ **aus dem gleichen ~ geschnitzt sein** to be cast in the same mould

Holz·bein *nt* wooden leg, peg leg *dated fam* **Holz·blas·in·stru·ment** *nt* woodwind instrument

höl·zern ['hœltsɐn] **I.** *adj* wooden **II.** *adv* woodenly

Holz·fäl·ler(in) <-s, -> *m(f)* woodcutter, lumberjack AM

holz·ge·tä·felt ['hɔltsgətɛːfl̩t] *adj Raum, Wand* wood-panelled

Holz·ham·mer *m* mallet **Holz·ham·mer·me·tho·de** *f* (*fam*) sledgehammer approach **Holz·han·del** *m* timber [*or* AM lumber] trade

hol·zig ['hɔltsɪç] *adj* KOCHK stringy

Holz·klotz *m* wooden block **Holz·koh·le** *f* charcoal *no pl, no art* **Holz·schnitt** *m* ❶ *kein pl* (*grafisches Verfahren*) wood engraving *no pl, no art* ❷ (*Abzug*) woodcut **Holz·schnit·zer(in)** *m(f)* wood carver **Holz·schuh** *m* clog, wooden shoe **Holz·schutz·mit·tel** *nt* wood preservative **Holz·stich** *m* woodcut **Holz·weg** *m* ▶ **auf dem ~ sein** (*fam*) to be barking up the wrong tree, to be on the wrong track **Holz·wurm** *m* woodworm

Home·ban·king <-[s], -s> ['ho:mbɛŋ-kɪŋ] *nt* FIN, INFORM home banking

Home·com·pu·ter ['ho:mkɔmpju:tɐ] *m* home computer **Home·page** <-, -s> ['ho:mpe:tʃ] *f* INFORM home page

Ho·mo <-s, -s> ['ho:mo] *m* (*veraltend fam*) homo

Ho·mo-Ehe *f* (*fam*) gay marriage

ho·mo·gen [homo'ge:n] *adj* (*geh*) homogen[e]ous

ho·mo·ge·ni·sie·ren* [homogeni'zi:-rən] *vt* to homogenize

Ho·mö·o·path(in) <-en, -en> [homøo-'pa:t] *m(f)* hom[o]eopath

Ho·mö·o·pa·thie <-> [homøopa'ti:] *f kein pl* hom[o]eopathy *no pl, no art*

ho·mö·o·pa·thisch [homøo'pa:tɪʃ] *adj* hom[o]eopathic

Ho·mo·se·xu·a·li·tät [homozɛksu̯ali'tɛ:t] *f* homosexuality *no pl, no art*

ho·mo·se·xu·ell [homozɛ'ksu̯ɛl] *adj* homosexual

Ho·mo·se·xu·el·le(r) *f(m) dekl wie adj* homosexual

Hon·du·ra·ner(in) <-s, -> [hɔndu'ra:nɐ] *m(f)* Honduran; *s. a.* **Deutsche(r)**

hon·du·ra·nisch [hɔndu'ra:nɪʃ] *adj* Honduran; *s. a.* **deutsch**

Hon·du·ras <-> [hɔn'du:ras] *nt* Honduras; *s. a.* **Deutschland**

Ho·nig <-s, -e> ['ho:nɪç] *m* honey *no pl, no art;* **türkischer ~** halva[h] *no pl, no art* ▶ **jdm ~ ums Maul schmieren** (*fam*) to butter up sb *sep*

Ho·nig·bie·ne *f* honeybee **Ho·nig·ku·chen** *m* honey cake **Ho·nig·ku·chen·pferd** *nt* simpleton ▶ **wie ein ~ grinsen** (*hum fam*) to grin like a Cheshire cat

Ho·nig·le·cken *nt* ▶ **kein ~ sein** (*fam*) to be no picnic, to not be a piece of cake

Ho·nig·me·lo·ne *f* honeydew melon **ho·nig·süß** (*pej*) **I.** *adj* honeyed **II.** *adv* as sweet as honey [*or* Am pie] **Ho·nig·wa·be** *f* honeycomb

Ho·no·rar <-s, -e> [hono'ra:ɐ̯] *nt* fee; *eines Autors* royalties *npl;* **gegen ~** on payment of a fee

ho·no·rie·ren* [hono'ri:rən] *vt* ❶ (*würdigen*) to appreciate ❷ (*bezahlen*) to pay ❸ ÖKON (*akzeptieren*) to honour

Hoo·li·gan <-s, -s> ['hu:lɪgn] *m* hooligan

Hop·fen <-s, -> ['hɔpfn] *m* hop ▶ **bei jdm ist ~ und Malz verloren** (*fam*) sb is a hopeless case

hopp [hɔp] (*fam*) **I.** *interj* jump to it! **II.** *adv*

▶ **~, ~!** look lively!

hop·peln ['hɔpln] *vi sein* to lollop

hopp·la ['hɔpla] *interj* ❶ (*o je!*) [wh]oops! ❷ (*Moment!*) hang on!; **~, wer kommt denn da?** hello, who's this coming?

hop·sen ['hɔpsn] *vi sein* (*fam*) to skip; (*auf einem Bein*) to hop

hops·ge·hen *vi irreg sein* (*sl*) ❶ (*umkommen*) to kick the bucket, to snuff it BRIT ❷ (*verloren gehen*) to go missing

hör·bar *adj* audible

Hör·buch *nt* audiobook

hor·chen ['hɔrçn] *vi* ❶ (*lauschen*) to listen (**an** at); (*heimlich a.*) to eavesdrop ❷ (*hinhören*) ◼ **horch!** listen!; ◼ **auf etw** *akk* **~** to listen [out] for sth

Hor·de <-, -n> ['hɔrdə] *f* ❶ (*wilde Schar*) horde ❷ HORT rack

hö·ren ['hø:rən] **I.** *vt* ❶ (*mit dem Gehör vernehmen*) to hear; **sich gern reden ~** to like the sound of one's own voice; **etw zu ~ bekommen** to [get to] hear about sth; **etwas nicht gehört haben wollen** to ignore sth; **nie gehört!** (*fam*) never heard of him/her/it etc.!; **ich will nichts davon ~!** I don't want to hear anything about it; **..., wie ich höre** I hear ...; **wie man hört, ...** word has it ... ❷ (*an~*) to listen ▶ **etwas [von jdm] zu ~ bekommen** to get a rollicking [from sb] BRIT; **ich kann das nicht mehr ~!** I'm fed up with it!; **etwas/nichts von sich ~ lassen** to get/to not get in touch **II.** *vi* ❶ (*zu~*) to listen; **hör mal!, ~ Sie mal!** listen! ❷ (*vernehmen*) ◼ **~, was/wie ...** to hear what/how ...; **gut/schlecht ~** to have good/poor hearing ❸ (*erfahren*) ◼ **~, dass ...** to hear [that] ...; ◼ **von jdm/etw ~** to hear of [*or* about] sb/sth ❹ (*gehorchen*) to listen (**auf** to); **auf dich hört er!** he listens to you! ▶ **na hör/~ Sie mal!** (*euph*) now look here!; **wer nicht ~ will, muss fühlen** (*prov*) if he/she/you etc. won't listen, he/she/you must suffer the consequences; **lass von dir/lassen Sie von sich ~!** keep in touch!; **man höre und staune!** would you believe it!; **Sie werden [noch] von mir ~!** you'll be hearing from me!

Hö·ren·sa·gen ['hørənza:gn] *nt* **vom ~** from hearsay

Hö·rer <-s, -> *m* (*Telefon~*) receiver; **den ~ auflegen** to replace the receiver; **den ~ auf die Gabel knallen** to slam down the phone *sep*

Hö·rer(in) <-s, -> *m(f)* (*Zu~*) listener

Hö·rer·schaft <-, -en> *f meist sing* audience; (*Radio~*) listeners *pl*

Hör·feh·ler *m* hearing defect **Hör·funk** *m*

radio **Hör·ge·rät** nt hearing aid

hö·rig ['høːrɪç] adj ❶ (sexuell abhängig) sexually dependent ❷ HIST (an die Scholle gebunden) in serfdom pred

Ho·ri·zont <-[e]s, -e> [hori'tsɔnt] m horizon; **am ~** on the horizon; **einen begrenzten ~ haben** to have a limited horizon; **über jds ~ gehen** to be beyond sb

ho·ri·zon·tal [horitsɔn'taːl] adj horizontal

Ho·ri·zon·ta·le [horitsɔn'taːlə] f dekl wie adj horizontal [line]

Hor·mon <-s, -e> [hɔr'moːn] nt hormone

hor·mo·nal [hɔrmo'naːl], **hor·mo·nell** [hɔrmo'nɛl] **I.** adj hormone attr; hormonal **II.** adv hormonally; **~ gesteuert** controlled by hormones

Hör·mu·schel f TELEK earpiece

Horn <-[e]s, Hörner> [hɔrn, pl 'hœrnɐ] nt ❶ (Auswuchs) horn; **das ~ von Afrika** the Horn of Africa; **das Goldene ~** the Golden Horn ❷ (Material) horn ❸ MUS horn ❹ AUTO (Hupe) hooter BRIT, horn; (Martins~) siren ▶ **sich** dat **die Hörner absto·ßen** (fam) to sow one's wild oats; **jdm Hörner aufsetzen** (fam) to cuckold sb

Horn·bril·le f horn-rimmed glasses npl

Hörn·chen <-s, -> ['hœrnçən] nt ❶ dim von **Horn 1** small horn ❷ (Gebäck) horn-shaped bread roll of yeast pastry; (aus Blätterteig) croissant

Horn·ge·stell nt spectacle frames of horn

Horn·haut f ❶ (des Auges) cornea ❷ (der Haut) hard skin no pl, no art, callus

Hor·nis·se <-, -n> [hɔr'nɪsə] f hornet

Hor·nist(in) <-en, -en> [hɔr'nɪst] m(f) horn player

Horn·ochs(e) m (fam) stupid idiot

Ho·ro·skop <-s, -e> [horo'skoːp] nt horoscope

hor·rend [hɔ'rɛnt] adj horrendous

Hor·ror <-s> ['hɔroːɐ̯] m kein pl horror; **einen ~ vor etw** dat **haben** to have a horror of sth

Hor·ror·film m horror film [or AM movie]

Hor·ror·sze·na·rio nt horror scenario

Hor·ror·trip m ❶ (grässliches Erlebnis) nightmare ❷ (negativer Drogenrausch) bad trip

Hör·saal m ❶ (Räumlichkeit) lecture hall [or BRIT theatre] ❷ kein pl (Zuhörerschaft) audience **Hör·spiel** nt ❶ kein pl (Gattung) radio drama ❷ (Stück) radio play

Horst <-[e]s, -e> [hɔrst] m ❶ (Nest) nest, eyrie ❷ MIL (Flieger~) military airbase ❸ BOT thicket, shrubbery; (Gras~, Bambus~) tuft

Hör·sturz m sudden deafness

Hort <-[e]s, -e> [hɔrt] m ❶ (Kinder~)

crèche BRIT, after-school care center AM (place for school children to stay after school if parents are at work) ❷ (geh: Zufluchtsort) refuge, shelter ❸ (Goldschatz) hoard, treasure

hor·ten ['hɔrtn̩] vt to hoard; Rohstoffe to stockpile

Hor·ten·sie <-, -n> [hɔr'tɛnzi̯ə] f hortensia

Hör·wei·te f hearing range, earshot; **in/ außer ~** within/out of earshot

Ho·se <-, -n> ['hoːzə] f trousers npl, pants npl AM; **kurze ~** [n] shorts npl; **die ~n voll haben** (fam) to have pooped [or AM also pooped] one's pants ▶ **jdm ist das Herz in die ~ gerutscht** (fam) sb's heart was in their mouth; **die ~n** [gestrichen] **voll haben** (sl) to be scared shitless; **tote ~** (sl) dead boring; **die ~n anhaben** (fam) to wear the trousers; **in die ~ gehen** to be a failure; [sich dat] **in die ~** [n] **machen** to wet oneself

Ho·sen·an·zug m trouser suit **Ho·sen·bein** nt trouser leg **Ho·sen·bo·den** m (Gesäßteil der Hose) seat [of trousers] ▶ **sich auf den ~ setzen** (fam) to buckle down; **jdm den ~ strammziehen** (fam) to give sb a [good] hiding **Ho·sen·rock** m culottes npl **Ho·sen·schei·ßer** m (sl) ❶ (hum: kleines Kind) ankle-biter ❷ (pej: Feigling) chicken, scaredy[-cat] **Ho·sen·schlitz** m flies npl; **dein ~ ist offen!** your flies are down! **Ho·sen·stall** m (hum fam) s. **Hosenschlitz Ho·sen·ta·sche** f trouser [or AM pants] pocket **Ho·sen·trä·ger** pl [a pair of] braces npl BRIT, suspenders npl AM

Hos·pi·tal <-s, -e o Hospitäler> [hɔspi'taːl, pl hɔspi'tɛːlɐ] nt ❶ DIAL hospital ❷ (veraltet: Pflegeheim) old people's home

Hos·piz <-es, -e> [hɔs'piːts] nt ❶ (Sterbeheim) hospice ❷ (christlich geführtes Hotel) hotel run by a religious organization ❸ (Pilgerunterkunft in einem Kloster) hospice, guests' hostel

Hos·tess <-, -en> ['hɔstɛs] f ❶ (im Flugzeug) stewardess, flight attendant; (auf dem Flughafen) airline representative ❷ (auf Reisen, Messen o.ä.) [female] tour guide ❸ (euph: Prostituierte) hostess

Hos·tie <-, -n> ['hɔsti̯ə] f REL host

Hot·dog^RR <-s, -s>, **Hot Dog**^RR <-s, -s>, **Hot dog**^ALT <-s, -s> ['hɔt'dɔk] nt o m hot dog

Ho·tel <-s, -s> [h'tɛl] nt hotel

Ho·tel·boy f page[boy], bellboy AM **Ho·tel·fach·schu·le** f school of hotel management **Ho·tel·ge·wer·be** nt hotel trade

Ho·te·lier <-s, -s> [hotɛ'lɪ̯eː] *m* hotelier
Ho·tel·le·rie <-> [hotɛləˈriː] *f kein pl* hospitality
Ho·tel·zim·mer *nt* hotel room
Hot·line <-, -s> ['hɔtlaɪn] *f* hotline
Hr. *Abk von* **Herr**
Hrsg. *Abk von* **Herausgeber** ed.
HTML <-, -> [haːteːʔɛmˈʔɛl] *nt o f kein pl* INFORM *Abk von* **hypertext markup language** HTML
HTTP <-, -> [haːteːteːˈpeː] *nt* INFORM *Abk von* **Hypertext Transport Protokoll** HTTP
Hub <-[e]s, Hübe> [huːp, *pl* ˈhyːbə] *m* ❶ (*das Heben*) lifting capacity ❷ (*Kolben~*) [piston] stroke
Hub·(b)el <-s, -> ['hʊbl̩] *m* DIAL (*fam*) bump
Hub·raum *m* cubic capacity
hübsch [hʏpʃ] *adj* ❶ (*Aussehen*) pretty; *Gegend* lovely; **na, ihr zwei H~en?** (*fam*) well, my two lovelies?; **sich ~ machen** to get all dressed up ❷ (*fam: beträchtlich*) real, pretty; **ein ~es Sümmchen** a pretty penny ❸ (*fam: sehr angenehm*) nice and ...; **fahr ~ langsam** drive nice and slow[ly]; **das wirst du ~ bleiben lassen** you'll do no such thing
Hub·schrau·ber <-s, -> *m* helicopter
Hub·schrau·ber·lan·de·platz *m* heliport, helipad
huch [hʊx] *interj* (*Ausruf der Überraschung*) oh!; (*Ausruf bei unangenehmen Empfindungen*) ugh!
Hu·cke <-, -n> ['hʊkə] *f* ▸ **jdm die ~ voll hauen** to beat sb up *sep;* **sich** *dat* **die ~ voll saufen** to get hammered
hu·cke·pack ['hʊkəpak] *adv* piggy back, pickaback BRIT; **jdn ~ nehmen** to give sb a piggy back [ride]
Huf <-[e]s, -e> [huːf] *m* hoof
Huf·ei·sen *nt* horseshoe **huf·ei·sen·för·mig** *adj* horseshoe[-shaped] **Huf·na·gel** *m* horseshoe nail **Huf·schmied(in)** *m(f)* blacksmith, farrier
Hüft·bein *nt* hip bone
Hüf·te <-, -n> ['hʏftə] *f* ❶ (*Körperpartie*) hip; **die Arme in die ~n stemmen** to put one's hands on one's hips ❷ *kein pl* KOCHK (*Fleischstück*) topside; (*vom Rind*) top rump
Hüft·ge·lenk *nt* hip joint **Hüft·hal·ter** *m* girdle **Hüft·kno·chen** *m s.* **Hüftbein** **Hüft·steak** *nt* top rump
Hü·gel <-s, -> ['hyːgl̩] *m* hill; (*kleiner a.*) hillock; (*Erdhaufen*) mound
hü·ge·lig ['hyːgəlɪç] *adj,* **hüg·lig** ['hyːglɪç] *adj* hilly; **eine ~e Landschaft** rolling

countryside
Huhn <-[e]s, Hühner> [huːn, *pl* ˈhyːnɐ] *nt* ❶ (*Haus~*) hen, chicken; **frei laufende Hühner** free-range chickens ❷ (*Hühnerfleisch*) chicken ❸ (*Person*) **dummes ~!** (*pej fam*) silly idiot!; **ein verrücktes ~** a nutcase, a queer fish BRIT ▸ **ein blindes ~ findet auch einmal ein Korn** (*prov*) every dog has its day *prov;* **da lachen ja die Hühner** (*fam*) pull the other one, you must be joking
Hühn·chen <-s, -> ['hyːçən] *nt dim von* **Huhn** spring chicken ▸ **mit jdm ein ~ zu rupfen haben** (*fam*) to have a bone to pick with sb
Hüh·ner·au·ge *nt* corn **Hüh·ner·brü·he** *f* chicken broth **Hüh·ner·brust** *f* chicken breast **Hüh·ner·ei** *nt* chicken egg **Hüh·ner·farm** *f* chicken farm **Hüh·ner·stall** *m* hen coop **Hüh·ner·stan·ge** *f* chicken roost
hul·di·gen ['hʊldɪgn̩] *vi* (*geh*) ❶ (*anhängen*) ■**einer S.** *dat* ~ to subscribe to sth ❷ (*veraltend: seine Reverenz erweisen*) ■**jdm** ~ to pay homage to sb
Hul·di·gung <-, -en> *f* (*veraltet*) homage, tribute
Hül·le <-, -n> ['hʏlə] *f* (*Umhüllung*) cover; *Ausweis* wallet; (*Platten~ a.*) sleeve ▸ **die ~n fallen lassen** (*fam*) to strip off one's clothes; **in ~ und Fülle** (*geh*) in abundance
hül·len ['hʏlən] *vt* (*geh*) to wrap (**in** in); **in Dunkelheit gehüllt** shrouded in darkness; **sich in Schweigen ~** to maintain one's silence, to keep mum
hül·len·los *adj* ❶ (*nackt*) naked ❷ (*unverhüllt, offen*) plain, clear
Hül·se <-, -n> ['hʏlzə] *f* ❶ BOT pod ❷ (*röhrenförmige Hülle*) capsule; (*Patronenhülle*) case; (*Film-, Zigarrenhülle*) container
Hül·sen·frucht ['hʏlzn̩-] *f meist pl* pulse
hu·man [huˈmaːn] *adj* ❶ (*menschenwürdig*) humane; *Strafe* lenient ❷ (*nachsichtig*) considerate ❸ (*Menschen betreffend*) human
Hu·ma·nis·mus <-> [humaˈnɪsmʊs] *m kein pl* humanism *no pl*
hu·ma·nis·tisch *adj* ❶ (*im Sinne des Humanismus*) humanistic; **der ~e Geist** the spirit of humanism ❷ HIST (*dem Humanismus angehörend*) humanist ❸ (*altsprachlich*) humanistic, classical; **eine ~e Bildung** a classical education
hu·ma·ni·tär [humaniˈtɛːɐ̯] *adj* humanitarian
Hu·ma·ni·tät [humaniˈtɛːt] *f kein pl* (*geh*)

humanity

Hum·bug <-s> ['hʊmbʊk] m kein pl (pej fam) ❶ (Unfug) rubbish no pl BRIT, trash no pl AM ❷ (Schwindel) humbug no pl

Hum·mel <-, -n> ['hʊml] f bumble-bee ▸~n im <u>Hintern</u> haben (fam) to have ants in one's pants

Hum·mer <-s, -> ['hʊmɐ] m lobster

Hu·mor <-s, selten -e> ['huːmoːɐ̯] m ❶ (Laune) good humour, cheerfulness ❷ (Witz, Wesensart) [sense of] humour; **etw mit ~ nehmen** to take sth good-humouredly; **[einen Sinn für]** ~ **haben** to have a sense of humour; **schwarzer ~** black humour

Hu·mo·rist(in) <-en, -en> [humoˈrɪst] m(f) ❶ (Komiker) comedian ❷ (humoristischer Autor/Künstler) humorist

hu·mo·ris·tisch adj (humorvoll) humorous, amusing ❷ (witzig) comic

hu·mor·los adj humourless; **ein ~er Mensch** a cantankerous person, BRIT a crosspatch

hu·mor·voll adj humorous

hum·peln ['hʊmpln] vi sein o haben to limp, to hobble

Hu·mus ['huːmʊs] m kein pl humus

Hund <-[e]s, -e> [hʊnt, pl 'hʊndə] m ❶ (Tier) dog; (Jagd~) hound; „[Vorsicht,] bissiger ~!" "beware of the dog!" ❷ (Mensch) swine; **ein armer ~ sein** (fam) to be a poor soul; **[du] gemeiner ~** [you] dirty dog ▸ **den <u>Letzten</u> beißen die ~e** the last one [out] has to carry the can BRIT; **bekannt sein wie ein <u>bunter</u> ~** (fam) to be known far and wide; **das ist ja ein <u>dicker</u> ~** (sl) that is absolutely outrageous; **<u>schlafende</u> ~e wecken** (fam) to wake sleeping dogs; **da liegt der ~ <u>begraben</u>** (fam) that's the crux of the matter; **~e, die <u>bellen</u>, beißen nicht** (prov) sb's bark is worse than their bite; **vor die ~e <u>gehen</u>** (sl) to go to the dogs; **auf den ~ <u>kommen</u>** (fam) to go to the dogs

hun·de·elend ['hʊndə'ʔeːlɛnt] adj (fam) **jd fühlt sich ~** sb feels awful

Hun·de·fut·ter nt dog food **Hun·de·hüt·te** f [dog] kennel **Hun·de·ku·chen** m dog biscuit **Hun·de·le·ben** nt (pej fam) dog's life **Hun·de·lei·ne** f dog lead **hun·de·mü·de** ['hʊndə'myːdə] adj präd (fam) dog-tired **Hun·de·ras·se** f breed of dog

hun·dert ['hʊndɐt] adj ❶ (Zahl) [a or one] hundred ❷ (fam: sehr viele) a hundred, hundreds; **sie macht ~ Dinge gleichzeitig** she does a hundred things all at the same time ❸ pl, auch großgeschrieben (viele hundert) hundreds pl

Hun·dert¹ <-s, -e> ['hʊndɐt] nt ❶ (Einheit von 100) hundred; **mehrere ~** several hundred ❷ pl, auch kleingeschrieben (viele hundert) hundreds pl; **einige/viele ~e ...** a few/several hundred ...; **~e von ...** hundreds of ...; **in die ~e gehen** (fam) Kosten, Schaden to run into the hundreds; **zu ~en in** [their] hundreds; **~e und aber ~e** hundreds upon hundreds

Hun·dert² <-, -en> ['hʊndɐt] f [one or a]] hundred

Hun·der·ter <-s, -> ['hʊndɐtɐ] m ❶ (fam: Banknote zu 100 Euro) hundred euro note; **es hat mich einen ~ gekostet** it cost me a hundred euros ❷ (100 als Zahlenbestandteil) hundred

Hun·dert·eu·ro·schein,   100-Eu·ro·Schein m hundred-euro note [or AM usu bill]

hun·dert·fach,   100fach ['hʊndɐtfax] I. adj [a] hundredfold, a hundred times; s. a. **achtfach** II. adv hundredfold, a hundred times over

Hun·dert·jahr·fei·er [hʊndɐt'jaːɐ̯faɪ̯ɐ] f centenary [celebrations pl]

hun·dert·jäh·rig,   100-jährig^RR ['hʊndɐtjɛːrɪç] adj ❶ (Alter) hundred-year-old attr, one hundred years old pred; s. a. **acht·jährig 1** ❷ (Zeitspanne) hundred-year attr; s. a. **achtjährig 2**

Hun·dert·jäh·ri·ge(r),   100-Jährige(r)^RR f(m) dekl wie adj hundred-year-old [person], centenarian

hun·dert·mal,   100-mal^RR ['hʊndɐtmaːl] adv a hundred times

hun·dert·pro·zen·tig ['hʊndɐtprotsɛntɪç] I. adj ❶ (100 % umfassend) one hundred percent; (Alkohol) pure ❷ (fam: typisch) through and through; **er ist ein ~er Bayer** he's a Bavarian through and through; (absolut, völlig) absolute, complete; **du hast ~ Recht** you're absolutely right; **sich** dat **~ sicher sein** to be absolutely sure II. adv (fam) absolutely, completely; **das weiß ich ~** I know that for certain

Hun·derts·tel <-s, -> ['hʊndɐtstl] nt o SCHWEIZ m hundredth

Hun·derts·tel·se·kun·de f hundredth of a second

hun·dert·tau·send ['hʊndɐt'taʊ̯znt] adj ❶ (Zahl) a [or one] hundred thousand ❷ auch großgeschrieben (ungezählte Mengen) hundreds of thousands

Hun·de·schei·ße f (derb) dog shit **Hun·de·schlit·ten** m dog sleigh **Hun·de·sohn** m (pej fam) son of a bitch **Hun·de·wet·ter** nt (fam) s. **Sauwetter**

Hün·din ['hʏndɪn] *f* bitch

hunds·ge·mein ['hʊntsgə'maɪn] *adj* (*fam*) low-down, rotten *fam*; *Lüge* malicious; **er kann ~ sein** he can be really nasty **hunds·mi·se·ra·bel** ['hʊntsmizə'ra:bl̩] *adj* (*fam*) ❶ (*niederträchtig*) low-down ❷ (*äußerst schlecht*) awful; **sich ~ fühlen** to feel really lousy **Hunds·ta·ge** *pl* dog days *pl*

Hü·ne <-n, -n> ['hy:nə] *m* giant

hü·nen·haft *adj* gigantic, colossal

Hun·ger <-s> ['hʊŋɐ] *m kein pl* ❶ (*~gefühl*) hunger; **~ bekommen/haben** to get/be hungry; **~ auf etw** *akk* **haben** to feel like [eating] sth; **~ leiden** (*geh*) to starve, to go hungry; **seinen ~ stillen** to satisfy one's hunger; **~ wie ein Bär haben** to be ravenous[ly hungry]; **vor ~ sterben** to die of hunger ❷ (*Hungersnot*) famine ❸ (*geh: großes Verlangen*) ■**jds ~ nach etw** *dat* sb's thirst for sth ▶ **~ ist der beste** <u>**Koch**</u> (*prov*) hunger is the best sauce *prov*

Hun·ger·ge·biet *nt* famine region **Hun·ger·hil·fe** *f kein pl* famine relief **Hun·ger·kur** *f* starvation diet **Hun·ger·lohn** *m* (*pej*) starvation wage; **für einen ~ arbei·ten** to work for a pittance

hun·gern *vi* ❶ (*Hunger leiden*) to go hungry, to starve; **jdn ~ lassen** to let sb starve; (*fam: fasten*) to fast ❷ (*geh: verlangen*) to thirst, to hunger (**nach** after/for)

Hun·gers·not *f* famine **Hun·ger·streik** *m* hunger strike; **in den ~ treten** to go on hunger strike **Hun·ger·tuch** *nt* ▶ **am ~** <u>**nagen**</u> (*hum fam*) to be starving [*or* on the breadline]

hun·grig ['hʊŋrɪç] *adj* hungry; **~ machen** to work up an appetite

Hun·ne, Hun·nin <-n, -n> ['hʊnə, 'hʊnɪn] *m*, *f* Hun

Hu·pe <-, -n> ['hu:pə] *f* horn; **auf die ~ drücken** to beep the horn

hu·pen ['hu:pn̩] *vi* to beep the horn; ■**das H~** horn-beeping

hüp·fen ['hʏpfn̩] *vi sein* to hop; *Lamm, Zicklein* to frisk; *Ball* to bounce; **vor Freude ~** to jump for joy

Hür·de <-, -n> ['hʏrdə] *f* ❶ SPORT hurdle; **110 Meter ~n laufen** to run the 110 metres hurdles ❷ (*tragbare Einzäunung für Tiere*) fold, pen ▶ **eine ~** <u>**nehmen**</u> to overcome an obstacle

Hür·den·lauf *m* hurdling, hurdles *npl*

Hu·re <-, -n> ['hu:rə] *f* whore

Hu·ren·bock *m* (*pej vulg*) randy bugger BRIT, horny bastard AM **Hu·ren·sohn** *m* (*pej vulg*) son of a bitch

hur·ra [hʊ'ra:] *interj* hurray

Hur·ri·kan <-s, -e> [hʊrikan, 'harikn̩] *m* hurricane

hu·schen ['hʊʃn̩] *vi sein* to dart, to flit; *Maus* to scurry; *Licht* to flash; **ein Lächeln huschte über ihr Gesicht** a smile flitted across her face

hüs·teln ['hy:stl̩n] *vi* to cough [slightly]; **nervös ~** to clear one's throat

hus·ten ['hu:stn̩] I. *vi* to cough II. *vt* (*auswerfen*) *Schleim/Blut* **~** to cough up mucus/blood

Hus·ten <-s> ['hu:stn̩] *m kein pl* cough; **~ stillend** cough-relieving

Hus·ten·an·fall *m* coughing fit **Hus·ten·bon·bon** *m o nt* cough drop [*or* BRIT sweet] **Hus·ten·mit·tel** *nt* cough medicine **Hus·ten·reiz** *m* tickly throat **Hus·ten·saft** *m* cough syrup

Hut[1] <-[e]s, Hüte> [hu:t, *pl* 'hy:tə] *m* ❶ (*Kopfbedeckung*) hat; **den ~ aufsetzen/abnehmen** to put on/take off one's hat ❷ BOT (*oberer Teil bei Hutpilzen*) cap ▶ **ein** <u>**alter**</u> **~ sein** (*fam*) to be old hat; **vor jdm/etw den ~ ziehen** to take one's hat off to sb/sth; **~** <u>**ab**</u> **[vor jdm]**! (*fam*) hats off to sb!; **etw unter einen ~ bringen** to reconcile sth; (*Termine*) to fit in sth; **mit etw** *dat* **nichts am ~ haben** (*fam*) to not go in for sth; **den ~ nehmen müssen** (*fam*) to have to pack one's bags; **etw an den ~ ste·cken können** (*fam*) to stick sth

Hut[2] <-> [hu:t] *f* (*geh*) protection; **auf der ~ [vor etw** *dat*] **sein** to be on one's guard [against sth]

hü·ten ['hy:tn̩] I. *vt* ❶ (*beaufsichtigen*) to look after; *Schafe* to mind ❷ (*geh: bewahren*) to keep II. *vr* (*sich in Acht nehmen*) ■**sich vor etw** *dat* **~** to be on one's guard against sth; ■**sich ~, etw zu tun** to take care not to do sth

Hü·ter(in) <-s, -> *m(f)* (*geh*) guardian; **ein ~ des Gesetzes** (*hum*) a custodian of the law

Hut·ge·schäft *nt* hat shop; (*für Herren*) hatter's; (*für Damen*) milliner's **Hut·krem·pe** *f* brim **Hut·ma·cher(in)** *m(f)* hatter; *für Damen* milliner

Hüt·te <-, -n> ['hʏtə] *f* ❶ (*kleines Haus*) hut; (*ärmliches Häuschen*) shack ❷ (*Berg~*) [mountain] hut; (*Holz~*) cabin; (*Hunde~*) kennel; (*Jagd~*) hunting lodge

Hüt·ten·in·dust·rie *f* iron and steel industry **Hüt·ten·kä·se** *m* cottage cheese

H-Voll·milch ['ha:-] *f* long-life whole milk

Hy·ä·ne <-, -n> [hỹɛ:nə] *f* hy[a]ena

Hy·a·zin·the <-, -n> [hỹa'tsɪntə] *f* hyacinth

Hy·drant <-en, -en> [hy'drant] *m* hydrant

Hy·drau·lik <-> [hy'draʊlɪk] *f kein pl* hydraulics *npl*

hy·drau·lisch [hy'draʊlɪʃ] *adj* hydraulic

Hy·dro·dy·na·mik <-> [hydrody'na:mɪk] *f* hydrodynamics + *sing vb, no art* **Hy·dro·kul·tur** *f* hydroponics + *sing vb spec* **Hy·dro·the·ra·pie** [hydrotɛra'pi:] *f* hydrotherapy

Hy·gi·e·ne <-> [hy'gi̯e:nə] *f kein pl* hygiene *no pl*

hy·gi·e·nisch [hy'gi̯e:nɪʃ] *adj* hygienic

Hym·ne <-, -n> ['hʏmnə] *f* ❶ (*Loblied*) hymn ❷ (*feierliches Gedicht*) literary hymn ❸ (*kurz für Nationalhymne*) national anthem

hy·per·ak·tiv *adj* hyperactive

Hy·per·ak·ti·vi·tät [hypɐaktivi'tɛt] *f* hyperactivity

Hy·per·bel <-, -n> [hy'pɛrbl̩] *f* ❶ MATH hyperbola ❷ LING hyperbole

Hy·per·in·fla·ti·on *f* ÖKON hyperinflation

hy·per·kor·rekt ['hypɐkɔrɛkt] *adj* hypercorrect **Hy·per·link** <-s, -s> ['haɪpɐlɪŋk] *m* INFORM hyperlink **Hy·per·me·dia** [haɪpɐ'me:di̯a] *nt* INFORM hypermedia **hy·per·mo·dern** [hypɐ-] *adj* (*fam*) ultra-modern **hy·per·sen·si·bel** [hypɐ-] *adj* hypersensitive **Hy·per·text** ['haɪpɐtɛkst] *m* INFORM hypertext

Hyp·no·se <-, -n> [hʏp'no:zə] *f* hypnosis;

jdn in ~ **versetzen** to put sb under hypnosis

hyp·no·tisch [hʏp'no:tɪʃ] *adj* hypnotic

Hyp·no·ti·seur(in) <-s, -e> [hʏpno-ti'zø:ɐ̯] *m(f)* hypnotist

hyp·no·ti·sie·ren* [hʏpnoti'zi:rən] *vt* to hypnotize; **wie hypnotisiert** as if hypnotized

Hy·po·chon·der <-s, -> [hypo'xɔndɐ] *m* hypochondriac

Hy·po·phy·se <-, -n> [hypo'fy:zə] *f* ANAT pituitary gland

Hy·po·te·nu·se <-, -n> [hypote'nu:zə] *f* hypotenuse

Hy·po·thek <-, -en> [hypo'te:k] *f* mortgage; **eine ~ [auf etw** *akk*] **aufnehmen** to take out a mortgage [on sth]

Hy·po·the·ken·bank <-banken> *f* bank *dealing primarily with mortgage business* **Hy·po·the·ken·brief** *m* mortgage certificate

Hy·po·the·se <-, -n> [hypo'te:zə] *f* hypothesis; **eine ~ aufstellen/widerlegen** to advance/refute a hypothesis

hy·po·the·tisch [hypo'te:tɪʃ] *adj* hypothetical

Hys·te·rie <-, -n> [hʏste'ri:] *f* hysteria

hys·te·risch [hʏs'te:rɪʃ] *adj* hysterical

Hz *Abk von* **Hertz** herts

I
i

I, i <-, - o fam -s, -s> [i:] nt I, i; s. a. **A 1**

i [i:] interj ❶ (fam: Ausdruck von Ablehnung, Ekel) ugh; ~, **wie ekelig** ugh, that's horrible ❷ (abwertend) ~ **wo!** no way! fam

i.A. Abk von **im Auftrag** pp

i.Allg.RR Abk von **im Allgemeinen** in general

ibe·risch [i'be:rɪʃ] adj Iberian

IC <-, -s> [i:'tse:] m Abk von **Intercity**

ICE <-s, -s> [i:tse:'ʔe:] m Abk von **Intercity Express** a high speed train

ich <gen meiner, dat mir, akk mich> [ɪç] pron pers I, me; ~ **bin/war es** it's/it was me; ~ **nicht!** not me!; ~ **selbst** I myself

Ich <-[s], -s> [ɪç] nt ❶ (das Selbst) self ❷ PSYCH (Ego) ego; **jds anderes** ~ sb's alter ego; **jds besseres** ~ sb's better self

Ich-AG <-, -s> f kurz für **Ich-Arbeitgeber** Me plc (business start-up grant to promote self-employment among the unemployed)

Ich·er·zäh·ler(in)RR, **Ich-Er·zäh·ler(in)**ALT m(f) LIT first-person narrator

Ich·er·zäh·lung f first-person narrative

Ich·form f first person form; **in der** ~ in the first person

Icon <-s, -s> ['ajkən] nt INFORM icon

ide·al [ide'a:l] I. adj ideal II. adv ideally

Ide·al <-s, -e> [ide'a:l] nt ideal

Ide·al·fall m ideal case **Ide·al·ge·wicht** nt ideal weight

ide·a·li·sie·ren* [ideali'zi:rən] vt to idealize

Ide·a·lis·mus <-> [idea'lɪsmʊs] m kein pl idealism

Ide·a·list(in) <-en, -en> [idea'lɪst] m(f) idealist

ide·a·lis·tisch adj idealistic

Ide·al·lö·sung f ideal solution **Ide·al·vor·stel·lung** f ideal

Idee <-, -n> [i'de:, pl i'de:ən] f ❶ (Einfall, Vorstellung) idea; **eine fixe** ~ an obsession; **keine** ~ **haben** to have no idea; **jdn auf eine** ~ **bringen** to give sb an idea; **jdn auf andere** ~**n bringen** to take sb's mind off of sth/it; **auf eine** ~ **kommen** to get an idea; **mir kommt da gerade eine** ~ I've just had an idea ❷ (Leitbild) ideal ❸ (fam: ein wenig) **keine** ~ **besser sein** to be not one bit better; **eine** ~ ... a tad ...

ide·ell [ide'ɛl] adj spiritual

ide·en·los adj unimaginative

ide·en·reich adj imaginative **Ide·en·reich·tum** m kein pl inventiveness no pl

Iden·ti·fi·ka·ti·on <-, -en> [idɛntifi-ka'tsi̯on] f ❶ PSYCH identification ❷ s. **Identifizierung** **Iden·ti·fi·ka·ti·ons·fi·gur** f role model

iden·ti·fi·zie·ren* [idɛntifi'tsi:rən] I. vt to identify (als as, mit with) II. vr ■ **sich mit jdm/etw** ~ to identify with sb/sth

Iden·ti·fi·zie·rung <-, -en> f identification

iden·tisch [i'dɛntɪʃ] adj identical (**mit** to)

Iden·ti·tät <-> [idɛnti'tɛ:t] f kein pl ❶ (Echtheit) identity ❷ (Übereinstimmung) identicalness

Iden·ti·täts·kar·te f bes SCHWEIZ (Personalausweis) identity card **Iden·ti·täts·kri·se** f identity crisis

Ide·o·lo·ge, Ide·o·lo·gin <-n, -n> [ideo'lo:gə, ideo'lo:gɪn] m, f ideologue

Ide·o·lo·gie <-, -n> [ideolo'gi:, pl ideolo'gi:ən] f ideology

Ide·o·lo·gin <-, -nen> f fem form von **Ideologe**

ide·o·lo·gisch [ideo'lo:gɪʃ] I. adj ideologic[al] II. adv ideologically

ide·o·lo·gi·sie·ren* [ideologi'zi:rən] vt SOZIOL ■ **jdn** ~ to indoctrinate sb

Idi·om <-s, -e> [i'di̯o:m] nt ❶ (geh: eigentümlicher Sprachgebrauch einer Gruppe) idiom; **ein schwer verständliches** ~ an almost incomprehensible idiom ❷ (Redewendung) idiom, saying

idi·o·ma·tisch [idi̯o'ma:tɪʃ] I. adj idiomatic II. adv idiomatically

Idi·ot(in) <-en, -en> [i'di̯o:t] m(f) (pej fam) idiot

idi·o·ten·si·cher I. adj (hum fam) foolproof II. adv (fam) effortlessly

Idi·o·tie <-, -n> [idi̯o'ti:] f (pej fam) idiocy

Idi·o·tin <-, -nen> f fem form von **Idiot**

idi·o·tisch [i'di̯o:tɪʃ] adj (fam) idiotic

Idol <-s, -e> [i'do:l] nt idol

Idyll <-s, -e> [i'dyl] nt idyll; **ein ländliches** ~ a rural [or pastoral] idyll

Idyl·le <-, -n> [i'dylə] f idyll

idyl·lisch [i'dylɪʃ] I. adj idyllic II. adv idyllically

Igel <-s, -> ['i:gl] m hedgehog

igitt·(i·gitt) [i'gɪt(igɪt)] interj ugh, yuk

Ig·lu <-s, -s> ['i:glu] m o nt igloo

Ig·no·rant(in) <-en, -en> [ɪgno'rant] m(f) (pej geh) ignoramus hum form

Ig·no·ranz <-> [ɪgno'rants] f kein pl (pej geh) ignorance no pl

ig·no·rie·ren* [ɪgno'ri:rən] vt to ignore

Igu·a·na <-, -s> [i'gu̯a:na] *f* iguana

IHK <-, -s> [i:ha:'ka:] *f Abk von* **Industrie- und Handelskammer** Chamber of Industry and Commerce

ihm [i:m] *pron pers dat von* **er, es**[1] **❶** (*dem Genannten*) him; **es geht ~ nicht gut** he doesn't feel very well; *nach prep* him; **ich war gestern bei ~** I was at his place yesterday; **das ist ein Freund von ~** he's a friend of his **❷** (*dem genannten Tier oder Ding*) it; (*bei Haustieren*) him

ihn [i:n] *pron pers akk von* **er** **❶** (*den Genannten*) him **❷** (*das genannte Tier oder Ding*) it; (*bei Haustieren*) him

ih·nen ['i:nən] *pron pers dat pl von* **sie** them; *nach prep* them; **ich war die ganze Zeit bei ~** I was at their place the whole time

Ih·nen ['i:nən] *pron pers dat sing o pl von* **Sie** you; *nach prep* you

ihr[1] <*gen* euer, *dat* euch, *akk* euch> [i:ɐ̯] *pron pers 2. pers pl nomin von* **sie** you

ihr[2] [i:ɐ̯] *pron pers dat sing von* **sie** **❶** (*weibl. Person*) [to] her **❷** (*Tier o Sache*) [to] it

ihr[3] [i:ɐ̯] *pron poss, adjektivisch* **❶** (*sing, weibl. Person*) her; (*Tier o Sache*) its **❷** *pl* their

Ihr [i:ɐ̯] *pron poss, adjektivisch* **❶** *sing* your **❷** *pl* your

ih·re(r, s) *pron poss, substantivisch* **❶** *sing* (*dieser weiblichen Person*) her; **das ist nicht seine Aufgabe, sondern ~** that isn't his task, it's hers; ■**der/die/das I~** hers **❷** *pl* theirs

Ih·re(r, s)[1] *pron poss, substantivisch, auf Sie bezüglich* **❶** *sing* your, yours; ■**der/die/das ~** yours **❷** *sing und pl* (*Angehörige*) ■**die ~n** your loved ones **❸** *sing und pl* (*Eigentum*) ■**das ~** yours; **Sie haben alle das ~ getan** you have all done your bit

Ih·re(r, s)[2] *pron poss, substantivisch, auf sie sing bezüglich* **❶** (*Angehörige*) ■**der/** [die] **~[n]** her loved one[s] **❷** (*Eigentum*) ■**das ~** hers **❸** (*Aufgabe*) **das ~ besteht darin, sich um die Korrespondenz zu kümmern** its her job to deal with the correspondence

Ih·re(r, s)[3] *pron poss, substantivisch, auf sie pl bezüglich* **❶** (*Angehörige*) ■**der/** [die] **~[n]** their loved ones **❷** (*Eigentum*) ■**das ~** their things **❸** (*Aufgabe*) **nun müssen die Mitarbeiter das ~ tun** now the workers have to do their bit

ih·rer *pron pers gen von* **sie** *sing* (*geh*) her

Ih·rer *pron pers* (*geh*) *gen von* **Sie** **❶** *sing* [of] you **❷** *pl* you

ih·rer·seits ['i:re'zaits] *adv* **❶** *sing* for her [*or* its] part **❷** *pl* for their part

Ih·rer·seits ['i:re'zaits] *adv sing o pl* (*von Ihrer Seite aus*) for your part

ih·res·glei·chen ['i:rəs'glai̯çn̩] *pron* **❶** *sing* (*Leute wie sie* [*sing f*]) her [own] kind **❷** *pl* (*Leute wie sie* [*pl*]) their [own] kind

Ih·res·glei·chen ['i:rəs'glai̯çn̩] *pron* **❶** *sing* (*Leute wie Sie*) people like you; **Sie umgeben sich nur mit ~** you are only surrounded by your own sort **❷** *pl* (*pej: Leute wie Sie*) your [own] kind **❸** (*solches Pack wie Sie*) the likes of you; **ich kenne** [**Sie und**] **~** I know your kind!

ih·ret·we·gen ['i:rət've:gn̩] *adv* **❶** *fem sing* (*wegen ihr*) as far as she is/was concerned; **~ brauchen wir uns keine Sorgen zu machen** we don't need to worry about her **❷** *pl* (*wegen ihnen*) as far as they are/ were concerned; **ich mache mir ~ schon Sorgen** I'm starting to worry about them

Ih·ret·we·gen ['i:rət've:gn̩] *adv sing o pl* because of you, for you

ih·ret·wil·len ['i:rət'vɪlən] *adv* ■**etw um ~ tun** (*ihr zuliebe*) to do sth for her [sake]; (*ihnen zuliebe*) to do sth for their sake

Ih·ret·wil·len ['i:rət'vɪlən] *adv sing und pl* ■**etw um ~ tun** to do sth for your sake

ih·ri·ge(r, s) <-n, -n> ['i:rɪɡə, 'i:rɪɡɐ, 'i:rɪɡəs] *pron poss* (*veraltend geh*) *s.* **ihre(r, s)**

Ih·ri·ge(r, s) <-n, -n> ['i:rɪɡə, 'i:rɪɡɐ, 'i:rɪɡəs] *pron poss* (*veraltend geh*) *s.* **Ihre(r, s)**

Iko·ne <-, -n> [i'ko:nə] *f* icon

il·le·gal ['ɪlega:l] *adj* illegal

Il·le·ga·le(r) <-n, [-n]> ['ɪlega:lə, 'ɪlega:lɐ] *f(m)* illegal immigrant

Il·le·ga·li·tät <-, -en> ['ɪlegalitɛːt, ɪlega-li'tɛːt] *f* **❶** *kein pl* (*Gesetzwidrigkeit*) illegality **❷** (*illegale Tätigkeit*) something illegal

il·le·gi·tim ['ɪlegiti:m, ɪlegi'ti:m] *adj* **❶** (*unrechtmäßig*) unlawful **❷** (*unehelich*) illegitimate **❸** (*nicht berechtigt*) wrongful

il·lo·yal ['ɪlɔai̯al, ɪlɔa'ja:l] **I.** *adj* (*geh*) disloyal (**gegenüber** towards); **II.** *adv* disloyally

il·lu·mi·nie·ren* [ɪlumi'ni:rən] *vt* (*geh*) to illuminate

Il·lu·si·on <-, -en> [ɪlu'zi̯o:n] *f* illusion; **sich der ~ hingeben,** [**dass ...**] to be under the illusion [that ...]; **sich** *dat* [**über etw** *akk*] **~en machen** to harbour illusions [about sth]; **sich** *dat* **keine ~en machen** to not have any illusions

il·lu·si·o·när [ɪluzi̯o'nɛːɐ̯] *adj* (*geh*) **❶** (*auf*

Illusionen beruhend) illusory ❷ KUNST illu-
sionary

il·lu·so·risch [ɪlʊ'zoːrɪʃ] *adj* ❶ (*trügerisch*)
illusory ❷ (*zwecklos*) futile

Il·lus·tra·ti·on <-, -en> [ɪlʊstra'tsi̯oːn] *f*
illustration

Il·lus·tra·tor(in) <-s, -toren> [ɪlʊs'traːtoɐ̯,
pl ɪlʊstra'toːrən] *m(f)* illustrator

il·lus·trie·ren* [ɪlʊs'triːrən] *vt* to illustrate

Il·lus·trier·te <-n, -n> *f* magazine

Il·tis <-ses, -se> ['ɪltɪs] *m* ZOOL polecat

im [ɪm] = **in dem** ❶ (*sich dort befindend*)
in the; ~ **Bett** in bed; ~ **Haus** at the house;
~ **Januar** in January; ~ **Begriff sein, etw
zu tun** to be about to do sth; ~ **Prinzip** in
principle; ~ **Bau sein** to be under construction ❷ (*dabei seiend, etw zu tun*) while;
etw ist ~ **Kommen** sth is coming; **er ist
noch** ~ **Wachsen** he is still growing

Image <-[s], -s> ['ɪmɪtʃ] *nt* image

I·mage·pfle·ge *f kein pl* image-making *no
pl* Image·scha·den ['ɪmɪtʃ-] *m* damage
to sb's [public] image I·mage·ver·lust *m*
blow to one's image

ima·gi·när [imagi'nɛːɐ̯] *adj* (*geh*) imaginary

Im·biss^RR <-es, -e> ['ɪmbɪs] *m*, Im·
biß^ALT <-sses, -sse> ['ɪmbɪs] *m* ❶ (*kleine Mahlzeit*) snack ❷ (*fam*) *s.* Imbiss-
stand

Im·biss·stand^RR *m* fast food stall Im·
biss·stu·be^RR *f* snack bar

Imi·tat <-[e]s, -e> [imi'taːt] *nt* imitation,
fake

Imi·ta·ti·on <-, -en> [imita'tsi̯oːn] *f* imitation

Imi·ta·tor(in) <-s, -toren> [imi'taːtoːɐ̯, *pl*
imita'toːrən] *m(f)* imitator; (*von Personen*) impressionist

imi·tie·ren* [imi'tiːrən] *vt* to imitate; (*im
Kabarett*) to impersonate

Im·ker(in) <-s, -> ['ɪmkɐ] *m(f)* bee-keeper

im·ma·nent [ɪma'nɛnt] *adj* (*geh*) immanent

im·ma·te·ri·ell ['ɪmateri̯ɛl, ɪmateri̯ɛl] *adj*
(*geh*) immaterial; JUR intangible

Im·ma·tri·ku·la·ti·on <-, -en> [ɪmatriku-
la'tsi̯oːn] *f* matriculation; (*an der Universität*) registration

im·ma·tri·ku·lie·ren* [ɪmatriku'liːrən]
I. *vt* ❶ (*einschreiben*) to matriculate [*or*
register] ❷ SCHWEIZ (*zulassen*) *Fahrzeug* to
register **II.** *vr* (*sich einschreiben*) ■ **sich** ~
to matriculate, to register

im·mens [ɪ'mɛns] *adj* (*geh*) immense

im·mer ['ɪmɐ] **I.** *adv* ❶ (*ständig, jedes Mal*)
always, all the time; **für** ~ forever; ~ **und
ewig** for ever and ever; **wie** ~ as usual;

~ **weiter** just [you] carry on; ~ **mit der
Ruhe** take it easy; ~, **wenn** every time;
~ **wieder** again and again; **etw** ~ **wieder
tun** to keep on doing sth ❷ (*zunehmend*)
increasingly; ~ **häufiger** more and more
frequently; ~ **mehr** more and more
❸ (*fam: jeweils*) each; ~ **am vierten Tag**
every fourth day **II.** *part* [**nur**] ~ **her
damit!** (*fam*) hand it/them over!; ~ **mal**
(*fam*) now and again; ~ **noch** still; ~ **noch
nicht** still not; **wann/was/wer/wie/wo**
[**auch**] ~ whenever/whatever/whoever/
however/wherever

im·mer·fort ['ɪmɐfɔrt] *adv* constantly im·
mer·grün ['ɪmɐgryːn] *adj attr* evergreen

im·mer·hin ['ɪmɐhɪn] *adv* ❶ (*wenigstens*)
at least ❷ (*schließlich*) after all ❸ (*allerdings, trotz allem*) all the same

im·mer·wäh·rend^ALT *adj attr* (*geh*) continuous; *Kampf* perpetual

im·mer·zu ['ɪmɐtsuː] *adv s.* immerfort

Im·mi·grant(in) <-en, -en> [ɪmi'grant]
m(f) immigrant

Im·mi·gra·ti·on <-, -en> [ɪmigra'tsi̯oːn] *f*
immigration

im·mi·grie·ren* [ɪmi'griːrən] *vi sein* to im-
migrate

Im·mis·si·on <-, -en> [ɪmɪ'si̯oːn] *f* release of pollutants

Im·mo·bi·lie <-, -n> [ɪmo'biːli̯ə] *f meist pl*
real estate *no pl;* ■ **~n** property *no pl*

Im·mo·bi·li·en·mak·ler(in) *m(f)* estate
agent Im·mo·bi·li·en·markt *m* property
market

im·mun [ɪ'muːn] *adj* (*a. fig*) immune
(**gegen** to)

im·mu·ni·sie·ren* [ɪmuni'ziːrən] *vt* to im-
munize (**gegen** against)

Im·mu·ni·tät <-, *selten* -en> [ɪmuni'tɛːt] *f*
immunity (**gegen** to)

Im·mu·no·lo·ge, Im·mu·no·lo·gin <-n,
-n> [ɪmuno'loːgə, ɪmuno'loːgɪn] *m, f* im-
munologist

Im·mun·schwä·che *f* immunodeficiency
spec Im·mun·schwä·che·krank·heit *f*
immune deficiency syndrome Im·mun·
sys·tem *nt* immune system

Im·pe·ra·tiv <-s, -e> ['ɪmperatiːf, *pl*
-tiːve] *m* LING imperative [form] *spec*

Im·pe·ra·tor <-s, -en> [ɪmpe'raːtoɐ̯, *pl*
ɪmpera'toːrən] *m* HIST emperor; MIL general

Im·per·fekt <-s, -e> ['ɪmpɛrfɛkt] *nt* imperfect [tense] *spec*

Im·pe·ri·a·lis·mus <-, *selten* -lismen>
[ɪmperi̯a'lɪsmʊs] *m* imperialism

Im·pe·ri·a·list(in) <-en, -en> [ɪmperi̯a-
lɪst] *m(f)* (*pej*) imperialist

im·pe·ri·a·lis·tisch [ɪmperi̯a'lɪstɪʃ] *adj*

(*pej*) imperialist[ic]

Im·pe·ri·um <-s, -rien> [ɪm'peːrɪ̯ʊm] *nt* ❶ HIST (*Weltreich, Kaiserreich*) empire ❷ (*geh: Machtbereich*) imperium *fig*

im·per·ti·nent [ɪmpɛrti'nɛnt] *adj* (*geh*) impertinent

Im·per·ti·nenz <-, -en> [ɪmpɛrti'nɛnts] *f* (*geh*) ❶ *kein pl* (*Unverschämtheit*) impertinence ❷ (*selten: unverschämte Äußerung*) impertinent remark

impfen ['ɪmpf̩n] *vt* to inoculate (**gegen** against)

Impf·pass[RR] *m* vaccination card **Impf·stoff** *m* vaccine

Imp·fung <-, -en> *f* vaccination

Im·plan·tat <-[e]s, -e> [ɪmplan'taːt] *nt* implant

im·plan·tie·ren [ɪmplan'tiːrən] *vt* ■ [jdm] **etw** ~ to implant sth [into sb]

im·pli·zie·ren* [ɪmpli'tsiːrən] *vt* (*geh*) to imply

im·pli·zit [ɪmpli'tsiːt] *adj* (*geh*) implicit

im·plo·die·ren* [ɪmplo'diːrən] *vi sein* (*fachspr*) to implode *spec*

Im·plo·si·on <-, -en> [ɪmplo'zi̯oːn] *f* (*fachspr*) implosion *spec*

im·po·nie·ren* [ɪmpo'niːrən] *vi* to impress

im·po·nie·rend *adj* impressive

Im·port <-[e]s, -e> [ɪm'pɔrt] *m* import

Im·por·teur(in) <-s, -e> [ɪmpɔr'tøːɐ] *m(f)* importer

im·por·tie·ren* [ɪmpɔr'tiːrən] *vt* to import

im·po·sant [ɪmpo'zant] *adj* impressive; *Stimme* commanding; *Figur* imposing

im·po·tent ['ɪmpotɛnt] *adj* impotent

Im·po·tenz <-> ['ɪmpotɛnts] *f kein pl* impotence

im·präg·nie·ren* [ɪmprɛgni:rən] *vt* ❶ (*wasserabweisend machen*) to waterproof ❷ (*behandeln*) to impregnate

Im·pres·si·o·nis·mus <-> [ɪmprɛsi̯o'nɪsmʊs] *m* Impressionism

Im·pres·si·o·nist(in) <-en, -en> [ɪmprɛsi̯o'nɪst] *m(f)* Impressionist

im·pres·si·o·nis·tisch *adj* Impressionist

Im·pres·sum <-s, Impressen> [ɪm'prɛsʊm] *nt* imprint

Im·pro·vi·sa·ti·on <-, -en> [ɪmproviza'tsi̯oːn] *f* improvisation

im·pro·vi·sie·ren* [ɪmprovi'ziːrən] *vi, vt* to improvise

Im·puls <-es, -e> [ɪm'pʊls] *m* ❶ (*Anstoß, Auftrieb*) impetus; **etw aus einem ~ heraus tun** to do sth on impulse ❷ ELEK pulse ❸ PHYS impulse

im·pul·siv [ɪmpʊl'ziːf] *adj* impulsive

im·stan·de *adj präd*, **im Stan·de** [ɪm'ʃtandə] *adj präd* ■ **zu etw** *dat* ~ **sein** to be capable of doing sth; ~ **sein, etw zu tun** to be able to do sth; **zu allem** ~ **sein** (*fam*) to be capable of anything; **zu nichts mehr** ~ **sein** (*fam*) to be shattered

in[1] [ɪn] *präp* ❶ +*dat* (*darin befindlich*) in; **bist du schon mal in New York gewesen?** have you ever been to New York?; **ich arbeite seit einem Jahr** ~ **dieser Firma** I've been working for this company for a year ❷ +*akk* (*hin zu einem Ziel*) into; **er warf die Reste** ~ **den Mülleimer** he threw the leftovers in the bin; ~ **die Kirche/Schule gehen** to go to church/school ❸ +*dat* (*innerhalb von*) in; ~ **diesem Sommer** this summer; ~ **diesem Augenblick** at the moment; ~ **diesem Jahr/Monat** this year/month; ~ **einem Jahr bin ich 18** in a year I'll be 18 ❹ +*akk* (*bis zu einer Zeit*) until ❺ +*dat o akk* (*Verweis auf ein Objekt*) at; **sich** ~ **jdm täuschen** to be wrong about sb; **er ist Fachmann** ~ **seinem Beruf** he is an expert in his field ❻ +*dat* (*auf eine Art und Weise*) in; ~ **Wirklichkeit** in reality

in[2] [ɪn] *adj* (*fam*) in; ■ ~ **sein** to be in

in·a·dä·quat ['ɪn?adɛkva:t] *adj* (*geh*) inadequate

in·ak·tiv ['ɪn?aktiːf] *adj* inactive

in·ak·zep·ta·bel ['ɪn?aktsɛpta:b̩l] *adj* (*geh*) unacceptable

In·an·spruch·nah·me <-> *f kein pl* (*geh*) ❶ (*Nutzung*) utilization ❷ (*Belastung, Beanspruchung*) demand

In·be·griff ['ɪnbəɡrɪf] *m kein pl* epitome (+*gen* of)

in·be·grif·fen ['ɪnbəɡrɪfn̩] *adj präd* inclusive; ■ **in etw** *dat* ~ **sein** to be included in sth

In·be·trieb·nah·me <-, -n> *f* (*geh*) ❶ (*erstmalige Nutzung*) opening ❷ (*Einschaltung*) operation

In·brunst <-> *f kein pl* (*geh*) ardour

in·brüns·tig ['ɪnbrʊnstɪç] *adj* (*geh*) ardent

in·dem [ɪn'deːm] *konj* ❶ (*dadurch, dass*) by; **ich halte mich gesund,** ~ **ich viel Sport treibe** I stay healthy by doing lots of sport ❷ (*während*) while

In·der(in) <-s, -> ['ɪndɐ] *m(f)* Indian; *s. a.* **Deutsche(r)**

in·des [ɪn'dɛs], **in·des·sen** [ɪn'dɛsn̩] **I.** *adv* ❶ (*inzwischen*) in the meantime, meanwhile ❷ (*jedoch*) however **II.** *konj* (*geh*) while

In·dex <-[es], -e *o* Indizes> ['ɪndɛks, *pl* 'ɪndɪtseːs] *m* index

In·di·a·ner(in) <-s, -> [ɪn'di̯a:nɐ] *m(f)* Indian *esp pej*, Native American

in·di·a·nisch [ɪn'dia̯:nɪʃ] *adj* Native American, Indian *esp pej*

In·di·en <-s> ['ɪndi̯ən] *nt* India; *s. a.* **Deutschland**

in·di·go·blau *adj* indigo [blue]

In·di·ka·tiv <-s, -e> ['ɪndikati:f] *m* indicative [mood] *spec*

In·di·ka·tor <-s, -toren> [ɪndi'ka:toːɐ̯, *pl* ɪndika'to:rən] *m* (*geh*) *a.* TECH, CHEM indicator

In·dio <-s, -s> ['ɪndi̯o] *m* Indian (*from Central or Latin America*)

in·di·rekt ['ɪndirɛkt, ɪndi'rɛkt] *adj* indirect

in·disch ['ɪndɪʃ] *adj* Indian; *s. a.* **deutsch**

in·dis·kret ['ɪndɪskre:t, ɪndɪs'kre:t] *adj* indiscreet

In·dis·kre·ti·on <-, -en> [ɪndɪskre'tsio̯:n, 'ɪndɪskretsi̯o:n] *f* ❶ (*Mangel an Verschwiegenheit*) indiscretion ❷ (*Taktlosigkeit*) tactlessness

in·dis·ku·ta·bel ['ɪndɪskuta:bl̩] *adj* (*geh*) unworthy of discussion; *Forderung* absurd

In·di·vi·du·a·li·sie·rung [ɪndividu̯ali'zi:rʊŋ] *f kein pl* SOZIOL individualization

In·di·vi·du·a·lis·mus <-> [ɪndividu̯a'lɪsmʊs] *m kein pl* individualism *no pl*

In·di·vi·du·a·list(in) <-en, -en> [ɪndividu̯a'lɪst] *m(f)* (*geh*) individualist

in·di·vi·du·a·lis·tisch *adj* (*geh*) individualistic

In·di·vi·du·a·li·tät <-, -en> [ɪndividu̯ali'tɛ:t] *f* ❶ (*Besonderheit eines Menschen*) individuality *no pl* ❷ (*Persönlichkeit*) personality

in·di·vi·du·ell [ɪndivi'du̯ɛl] *adj* individual

In·di·vi·du·um <-s, Individuen> [ɪndi'vi:duʊm, *pl* ɪndi'vidu̯ən] *nt* (*a. pej geh*) individual

In·diz <-es, -ien> [ɪn'di:ts, *pl* ɪn'di:tsi̯ən] *nt* ❶ JUR piece of circumstantial evidence ❷ (*Anzeichen*) ▪ **ein ~ für etw** *akk* **sein** to be a sign of sth

In·di·zes ['ɪndi:tse:s] *pl von* **Index**

In·di·zi·en·be·weis *m* circumstantial evidence *no pl*

In·do·chi·na [ɪndo'çi:na] *nt* Indo-China

in·do·ger·ma·nisch [ɪndogɛr'ma:nɪʃ] *adj* Indo-European

in·dok·tri·nie·ren* [ɪndɔktri'ni:rən] *vt haben* (*pej*) ▪ **jdn ~** to indoctrinate sb

In·do·ne·si·en <-s> [ɪndo'ne:zi̯ən] *nt* Indonesia; *s. a.* **Deutschland**

In·do·ne·si·er(in) <-s, -> [ɪndo'ne:zi̯ɐ] *m(f)* Indonesian; *s. a.* **Deutsche(r)**

in·do·ne·sisch [ɪndo'ne:zɪʃ] *adj* Indonesian; *s. a.* **deutsch**

In·dos·sa·ment <-[e]s, -e> [ɪndɔsa'mɛnt] *nt* JUR, FIN endorsement, indorse-

ment; **mit einem ~ versehen** endorsed; **gefälschtes/unbefugtes ~** forged/unauthorized endorsement

In·duk·ti·on <-, -en> [ɪndʊktsi̯o:n] *f* induction

in·dus·tri·a·li·sie·ren* [ɪndʊstriali'zi:rən] *vt* to industrialize

In·dus·tri·a·li·sie·rung <-, -en> *f* industrialization

In·dus·trie <-, -n> [ɪndʊs'tri:] *f* industry *no art*

In·dus·trie·ab·was·ser *nt* industrial effluents *pl* **In·dus·trie·be·trieb** *m* industrial plant **In·dus·trie·ge·biet** *nt* industrial area **In·dus·trie·ge·sell·schaft** *f* SOZIOL, ÖKON industrial society **In·dus·trie·kauf·mann, -kauf·frau** *m, f* industrial clerk **In·dus·trie·kon·zern** *m* industrial concern [*or* combine] **In·dus·trie·land** *nt* POL, ÖKON industrial country

in·dus·tri·ell [ɪndʊstri'ɛl] *adj* industrial

In·dus·tri·el·le(r) [ɪndʊstri'ɛlə, ɪndʊstri'ɛlɐ] *f(m)* industrialist

In·dus·trie·müll *m* industrial waste **In·dus·trie·stand·ort** *m* industrial site **In·dus·trie- und Han·dels·kam·mer** *f* Chamber of Commerce **In·dus·trie·zweig** *m* branch of industry

in·ef·fek·tiv ['ɪnʔɛfɛkti:f] *adj* ineffective

in·ef·fi·zi·ent ['ɪnʔɛfitsi̯ɛnt] *adj* (*geh*) inefficient

in·ein·an·der [ɪn'ʔai̯'nandɐ] *adv* in each other; **~ verliebt sein** to be in love with one another; **~ übergehen** to merge

in·ein·an·der|grei·fen *vi irreg* to mesh **in·ein·an·der|schie·ben** *vt irreg* **etw ~** to telescope up *sep* sth BRIT, to telescope sth AM; **sich ~ lassen** to be telescopic

in·fam [ɪn'fa:m] *adj* (*pej*) ❶ (*geh: bösartig*) vicious ❷ (*fam*) *Schmerzen* dreadful

In·fan·te·rie <-, -n> [ɪnfantə'ri:] *f* infantry

In·fan·te·rist(in) <-en, -en> [ɪnfantə'rɪst] *m(f)* infantryman

in·fan·til [ɪnfan'ti:l] *adj* (*pej*) infantile

In·farkt <-[e]s, -e> [ɪn'farkt] *m* ❶ MED infarction *spec* ❷ (*Herzinfarkt*) coronary

In·fekt <-[e]s, -e> [ɪn'fɛkt] *m* infection; **grippaler ~** influenza

In·fek·ti·on <-, -en> [ɪnfɛk'tsi̯o:n] *f* ❶ (*Ansteckung*) infection ❷ (*fam: Entzündung*) inflammation

In·fek·ti·ons·krank·heit *f* infectious disease

In·fer·no <-s> [ɪn'fɛrno] *nt kein pl* (*geh*) ❶ (*entsetzliches Geschehen*) calamity ❷ (*entsetzlicher Zustand*) predicament

in·fil·trie·ren* [ɪnfɪl'tri:rən] *vt* (*geh*) to infiltrate

In·fi·ni·tiv <-s, -e> ['ɪnfiniːtf] *m* infinitive *spec*

in·fi·zie·ren* [ɪnfi'tsiːrən] **I.** *vt* to infect **II.** *vr* ■ **sich** ~ to catch an infection; **er hat sich im Urlaub mit Malaria infiziert** he caught malaria on holiday

in fla·gran·ti [ɪn fla'ɡranti] *adv* (*geh*) in flagrante

In·fla·ti·on <-, -en> [ɪnfla'tsi̯oːn] *f* ❶ ÖKON inflation ❷ (*übermäßig häufiges Auftreten*) proliferation

in·fla·ti·o·när [ɪnflatsi̯onɛːɐ̯] *adj* ❶ *Geld- politik, Preisentwicklung* inflationary ❷ (*übertrieben häufig*) excessive

In·fo <-s, -s> ['ɪnfo] *f* (*fam*) *kurz für* **Infor- mation** info *no pl*

in·fol·ge [ɪn'fɔlɡə] **I.** *präp* +*gen* owing to **II.** *adv* ■ ~ **von etw** *dat* as a result of sth

in·fol·ge·des·sen [ɪnfɔlɡə'dɛsn̩] *adv* con- sequently

In·for·mant(in) <-en, -en> [ɪnfɔr'mant] *m(f)* informant

In·for·ma·tik <-> [ɪnfɔr'maːtɪk] *f kein pl* computing science

In·for·ma·ti·ker(in) <-s, -> [ɪnfɔr'maːtikɐ] *m(f)* computer specialist

In·for·ma·ti·on <-, -en> [ɪnfɔrma'tsi̯oːn] *f* ❶ (*Mitteilung, Hinweis*) [a piece of] infor- mation *no pl;* ~**en liefern/sammeln** to give/collect information ❷ (*das Informie- ren*) informing; **zu Ihrer** ~ for your infor- mation ❸ (*Informationsstand*) information desk

In·for·ma·ti·ons·aus·tausch *m* ex- change of information **In·for·ma·ti·ons- blatt** *nt* MEDIA information sheet **In·for- ma·ti·ons·fluss**^RR <-es> *m kein pl* flow of information *no pl* **In·for·ma·ti·ons- flut** *f* flood of information **In·for·ma·ti- ons·ge·sell·schaft** *f* information society **In·for·ma·ti·ons·ma·te·ri·al** *nt* informa- tive material *no pl*

in·for·ma·tiv [ɪnfɔrma'tiːf] (*geh*) **I.** *adj* in- formative **II.** *adv* in an informative manner *pred*

in·for·mell ['ɪnfɔrmɛl] *adj* informal

in·for·mie·ren* [ɪnfɔr'miːrən] **I.** *vt* to in- form (**über** about); **jd ist gut informiert** sb is well-informed **II.** *vr* ■ **sich** [**über etw** *akk*] ~ to find out [about sth]

In·fo·tain·ment <-s> [ɪnfo'teːnmənt] *nt kein pl* infotainment *no pl*

in·fra·ge^RR [ɪn'fraːɡə] ~ **kommen** to be possible; **nicht** ~ **kommen** to be out of the question

in·fra·rot ['ɪnfraroːt] *adj* infrared

In·fra·rot·licht *nt kein pl* infra-red light *no pl* **In·fra·rot·strahl** <-s, -en> *m* infrared ray

In·fra·struk·tur ['ɪnfraʃtrʊktuːɐ̯] *f* infra- structure

In·fu·si·on <-, -en> [ɪnfu'zi̯oːn] *f* infusion; **eine** ~ **bekommen** to receive a transfu- sion

Ing. *Abk von* **Ingenieur**

In·ge·ni·eur(in) <-s, -e> [ɪnʒe'ni̯øːɐ̯] *m(f)* engineer

Ing·wer <-s> ['ɪŋvɐ] *m kein pl* ginger

Inh. *Abk von* **Inhaber**

In·ha·ber(in) <-s, -> ['ɪnhaːbɐ] *m(f)* ❶ (*Besitzer*) owner ❷ (*Halter*) holder; *Scheck* bearer

in·haf·tie·ren* [ɪnhaf'tiːrən] *vt* ■ **jdn** ~ to take sb into custody

in·ha·lie·ren* [ɪnha'liːrən] *vt, vi* to inhale

In·halt <-[e]s, -e> ['ɪnhalt] *m* ❶ (*enthal- tene Gegenstände*) contents *pl* ❷ (*Sinnge- halt*) content ❸ (*wesentliche Bedeutung*) meaning ❹ MATH (*Flächeninhalt*) area; (*Volumen*) volume

in·halt·lich I. *adj* in terms of content **II.** *adv* with regard to content

In·halts·an·ga·be *f* summary; *Buch, Film, Theaterstück* synopsis **in·halts·los** *adj* (*geh*) lacking in content; *Leben, Satz* meaningless **in·halts·reich** *adj* Leben, Gespräch full; *Bericht, Ausstellung* com- prehensive **In·halts·stoff** *m* ingredient **In·halts·ver·zeich·nis** *nt* list of contents

in·hu·man ['ɪnhumaːn] *adj* inhumane

In·i·ti·a·le <-, -n> [ini'tsi̯aːlə] *f* (*geh*) initial [letter]

in·i·ti·a·li·sie·ren [initsi̯ali'ziːrən] *vt* to ini- tialize

In·i·ti·a·ti·on <-, -en> [initsi̯a'tsi̯oːn] *f* ini- tiation

In·i·ti·a·ti·ve <-, -n> [initsi̯a'tiːvə] *f* ❶ (*ers- ter Anstoß*) initiative; **aus eigener** ~ on one's own initiative; [**in etw** *dat*] **die** ~ **ergreifen** to take the initiative [in sth]; **auf jds** ~ **hin** on sb's initiative ❷ *kein pl* (*Unternehmungsgeist*) drive ❸ (*Bürgerini- tiative*) pressure group ❹ SCHWEIZ (*Volksbe- gehren*) demand for a referendum

In·i·ti·a·tor(in) <-s, -toren> [ini'tsi̯aːtoːɐ̯, *pl* initsi̯a'toːrən] *m(f)* (*geh*) initiator

in·i·ti·ie·ren* [initsi'iːrən] *vt* (*geh*) to initi- ate

In·jek·ti·on <-, -en> [ɪnjɛk'tsi̯oːn] *f* injec- tion

in·ji·zie·ren* [ɪnji'tsiːrən] *vt* (*geh*) ■ [**jdm**] **etw** ~ to inject [sb with] sth

In·ka <-[s], -s> ['ɪŋka] *m* Inca

In·kar·na·ti·on <-, -en> [ɪnkarna'tsi̯oːn] *f* incarnation

In·kas·so <-s, -s *o* ÖSTERR Inkassi>

[ɪn'kaso] *nt* FIN collection

inkl. *präp Abk von* **inklusive** incl.

in·klu·si·ve [ɪnklu'ziːvə] **I.** *präp +gen* inclusive [of] **II.** *adv* including; **bis ~** up to and including; **vom 25. bis zum 28. ~** from 25th to 28th inclusive

In·kog·ni·to <-s, -s> [ɪn'kɔgnito] *nt (geh)* incognito

in·kog·ni·to [ɪn'kɔgnito] *adv (geh)* incognito

in·kom·pa·ti·bel ['ɪnkɔmpati:b!] *adj* incompatible

in·kom·pe·tent ['ɪmkɔmpetɛnt] *adj (geh)* incompetent (**in** in/at)

In·kom·pe·tenz ['ɪnkɔmpetɛnts, ɪnkɔmpe'tɛnts] *f (geh)* incompetence

in·kon·se·quent ['ɪnkɔnzekvɛnt, ɪnkɔnze'kvɛnt] *adj (geh)* inconsistent

In·kon·se·quenz ['ɪnkɔnzekvɛnts, ɪnkɔnze'kvɛnts] *f (geh)* inconsistency

in·kor·rekt ['ɪnkɔrɛkt, ɪnkɔ'rɛkt] *adj (geh)* incorrect

In-Kraft-Tre·ten^{RR} <-s> *nt kein pl*, **In·kraft·tre·ten** <-s> *nt kein pl* coming into effect; **das ~ der neuen Vorschrift wurde für den 1.1. beschlossen** 1st Jan[uary] has been decided as the date on which the new regulation comes into force

In·ku·ba·ti·ons·zeit *f* incubation period

In·land ['ɪnlant] *nt kein pl* ❶ (*das eigene Land*) home ❷ (*Binnenland*) inland

In·land·flug *m* domestic flight

in·län·disch ['ɪnlɛndɪʃ] *adj* domestic; *Industrie, Produkte* home

In·lands·markt *m* home market

in·li·nen ['ɪnlajnən] *vi* to go inlining

In·li·ner <-s, -> ['ɪnlajnɐ] *m* in-line skate *usu pl*

in·mit·ten [ɪn'mɪtn̩] **I.** *präp +gen (geh)* in the middle of **II.** *adv (geh)* in the midst of

in·ne|ha·ben ['ɪnə-] *vt irreg (geh)* to hold

in·ne|hal·ten ['ɪnə-] *vi irreg (geh)* ▪ [in etw *dat*] ~ to pause; **er hielt in seinem Vortrag inne** he paused in the middle of his lecture

in·nen ['ɪnən] *adv* ❶ (*im Inneren*) on the inside; **das Haus ist ~ ganz mit Holz verkleidet** the interior of the house has wood panelling throughout; **~ und außen** on the inside and outside; **nach ~** side; **die Tür geht nach ~ auf** the door opens inwards; **von ~** from the inside ❷ (*auf der Innenseite*) on the inside ❸ *bes* ÖSTERR (*drinnen*) inside

In·nen·an·sicht *f* interior view **In·nen·ar·chi·tekt(in)** *m(f)* interior designer **In·nen·ar·chi·tek·tur** *f* interior design **In·nen·bahn** *f* SPORT inside lane **In·nen·be·**

leuch·tung *f* interior lighting **In·nen·dienst** *m* office work **In·nen·ein·rich·tung** *f* ❶ (*das Einrichten*) interior furnishing *no pl* ❷ (*die Einrichtung*) interior fittings *pl* **In·nen·hof** *m* inner courtyard **In·nen·le·ben** *nt kein pl* ❶ (*fam: Seelenleben*) inner feelings *pl* ❷ (*fam: innere Struktur*) inner workings *pl* **In·nen·mi·nis·ter(in)** *m(f)* Minister [*or* AM Secretary] of the Interior, BRIT *also* Home Secretary **In·nen·mi·nis·te·ri·um** *nt* Ministry [*or* AM Department] of the Interior, BRIT *also* Home Office **In·nen·po·li·tik** *f* home affairs *pl* BRIT, domestic policy AM **in·nen·po·li·tisch** ['ɪnənpoliːtɪʃ] **I.** *adj* concerning home affairs [*or* AM domestic policy] **II.** *adv* with regard to home affairs [*or* AM domestic policy] **In·nen·raum** *m a.* AUTO interior **In·nen·sei·te** *f* inside **In·nen·spie·gel** *m* AUTO rear-view mirror **In·nen·stadt** *f* city/town centre **In·nen·ta·sche** *f* inside pocket **In·nen·tem·pe·ra·tur** *f* inside temperature **In·nen·ver·tei·di·ger(in)** *m(f)* FBALL central defender

in·ner·be·trieb·lich I. *adj* in-house; *Angelegenheit, Konflikt* internal **II.** *adv* internally

in·ne·re(r, s) ['ɪnərə, 'ɪnəre, 'nərəs] *adj* ❶ *räumlich* inner ❷ (*innewohnend*) *a.* MED, ANAT internal ❸ PSYCH inner

In·ne·re(s) ['ɪnərə, 'ɪnərəs] *nt* ❶ (*innerer Teil*) inside ❷ GEOL centre ❸ PSYCH heart; **in jds ~n** in sb's soul; **tief in seinem ~n war ihm klar, dass es nur so funktionieren konnte** deep down he knew that it could only work in this way

In·ne·rei·en [ɪnər'ajən] *pl* KOCHK innards *npl*

in·ner·halb ['ɪnɛhalp] **I.** *präp +gen* ❶ (*in einem begrenzten Bereich*) inside ❷ (*binnen eines gewissen Zeitraums*) within **II.** *adv* ▪ **~ von etw** *dat* within sth

in·ner·lich ['ɪnɛlɪç] **I.** *adj* ❶ MED internal ❷ PSYCH inner **II.** *adv* ❶ (*im Inneren des Körpers*) internally ❷ PSYCH inwardly; **~ war er sehr aufgewühlt** he was in inner turmoil

In·ner·lich·keit <-> *f kein pl* (*geh*) inwardness

in·ner·orts *adv* SCHWEIZ in a built-up area

in·ners·te(r, s) ['ɪnɛstə, 'ɪnɛstə, 'ɪnɛstəs] *adj superl von* **innere(r, s)** innermost

In·ners·te(s) ['ɪnɛstə, 'ɪnɛstəs] *nt* core being; **tief in ihrem ~n wusste sie, dass er Recht hatte** deep down inside she knew he was right

in·ne|woh·nen *vi* ▪ **jdm/einer S.** *dat* ~ to be inherent in sb/a thing

in·nig ['ɪnɪç] **I.** adj ❶ (tief empfunden) deep; Dank heartfelt ❷ Beziehung intimate **II.** adv deeply

In·nig·keit <-> f kein pl sincerity, warmth

In·no·va·ti·on <-, -en> [ɪnova'tsi̯oːn] f innovation

in·no·va·tiv [ɪnova'tiːf] **I.** adj innovative **II.** adv innovatively

In·nung <-, -en> ['ɪnʊŋ] f guild

in·of·fi·zi·ell adj unofficial

in·o·pe·ra·bel ['ɪnʔopeːraːbl̩, ɪnʔope'raːbl̩] adj MED inoperable

in pet·to [ɪn 'pɛto] adv etw [gegen jdn] ~ **haben** (fam) to have sth up one's sleeve [for sb]

in punc·to [ɪn 'pʊŋkto] adv (fam) concerning

In·put <-s, -s> ['ɪnpʊt] m ❶ INFORM input ❷ (Anregung) stimulus; (Einsatz) commitment

In·qui·si·ti·on <-> [ɪnkvizi'tsi̯oːn] f kein pl Inquisition no pl

ins [ɪns] = **in das** s. **in**

In·sas·se, In·sas·sin <-n, -n> ['ɪnzasə, 'ɪnzasɪn] m, f ❶ (Fahrgast) passenger ❷ (Heimbewohner) resident ❸ (Bewohner einer Heilanstalt) patient ❹ (Gefängnis- o Lager~) inmate

ins·be·son·de·re [ɪnsbə'zɔndərə] adv especially

In·schrift ['ɪnʃrɪft] f inscription

In·sekt <-[e]s, -en> [ɪn'zɛkt] nt insect

In·sek·ten·kun·de f entomology **In·sek·ten·stich** m insect sting **In·sek·ten·ver·nich·tungs·mit·tel** f insecticide

In·sek·ti·zid <-s, -e> [ɪnzɛkti'tsiːt] nt insecticide

In·sel <-, -n> ['ɪnzl̩] f island

In·sel·grup·pe f archipelago

In·se·rat <-[e]s, -e> [ɪnze'raːt] nt advertisement

In·se·rent(in) <-en, -en> [ɪnze'rɛnt] m(f) advertiser

In·se·rie·ren* [ɪnze'riːrən] vi, vt to advertise

ins·ge·heim [ɪnsgə'haɪm] adv secretly

ins·ge·samt [ɪnsgə'zamt] adv ❶ (alles zusammen) altogether ❷ (im Großen und Ganzen) on the whole

In·si·der(in) <-s, -> ['ɪnzaɪdɐ] m(f) insider **In·si·der·wis·sen** <-s,> ['ɪnzaɪdɐ-] nt kein pl inside knowledge

in·sis·tie·ren* [ɪnzɪs'tiːrən] vi (geh) to insist (auf on); ■ darauf ~, dass ... to insist that ...

ins·künf·tig ['ɪnskʏnftɪç] adv SCHWEIZ s. **zukünftig**

in·so·fern [ɪnzo'fɛrn, ɪn'zoːfɛrn] **I.** adv in

this respect; ~ ... als in that **II.** konj ÖSTERR (vorausgesetzt, dass) if; ~ als in so far as

in·so·weit [ɪnzo'vaɪt, 'ɪnzovaɪt, ɪn'zovaɪt] **I.** adv in this respect **II.** konj bes ÖSTERR ~ als if

in spe [ɪn 'speː] adj (fam) future

In·spek·ti·on <-, -en> [ɪnspɛk'tsi̯oːn] f ❶ (technische Wartung) service ❷ (Überprüfung) inspection

In·spek·tor, In·spek·to·rin <-s, -toren> [ɪn'spɛktoːɐ̯, pl ɪnspɛk'toːrən] m, f ❶ ADMIN executive officer; (Kriminalpolizei) inspector ❷ (Prüfer) supervisor

In·spi·ra·ti·on <-, -en> [ɪnspira'tsi̯oːn] f (geh) inspiration

In·spi·ra·ti·ons·quel·le f pl selten (geh) source of inspiration

in·spi·rie·ren* [ɪnspi'riːrən] vt ■ jdn [zu etw dat] ~ to inspire sb [to do sth]; ■ sich von etw dat ~ lassen to get one's inspiration from sth

in·spi·zie·ren* [ɪnspi'tsiːrən] vt (geh) to inspect

in·sta·bil [ɪn'stabiːl] adj (geh) unstable

In·sta·bi·li·tät <-, -en> ['ɪnstabiliːtɛt, ɪnstabili'tɛːt] f pl selten (geh) instability

In·stal·la·teur(in) <-s, -e> [ɪnstala'tøːɐ̯] m(f) (Elektroinstallateur) electrician; (Klempner) plumber

In·stal·la·ti·on <-, -en> [ɪnstala'tsi̯oːn] f ❶ kein pl (das Installieren) installation; (installierte Leitungen od. Anlage) installations pl ❷ SCHWEIZ (Amtseinsetzung) installation

in·stal·lie·ren* [ɪnsta'liːrən] vt ❶ TECH (einbauen) ■ [jdm] etw ~ to install sth [for sb]; ■ sich dat etw ~ lassen to have sth installed ❷ INFORM (einprogrammieren) ■ etw [auf etw akk] ~ to load sth [onto sth]

in·stand adj, in Stand [ɪn'ʃtant] adj in working order; etw ~ halten to keep sth in good condition; etw ~ setzen to repair sth

In·stand·hal·tung f (geh) maintenance

in·stän·dig ['ɪnʃtɛndɪç] **I.** adj Bitte, etc urgent **II.** adv urgently; ~ um etw akk bitten to beg for sth

In·stanz <-, -en> [ɪn'stants] f ❶ ADMIN authority ❷ (Stufe eines Gerichtsverfahrens) instance; in erster/zweiter/oberster/letzter ~ trial court/appellate court/supreme court of appeal/court of last instance

In·stinkt <-[e]s, -e> [ɪn'stɪŋkt] m instinct **in·stink·tiv** [ɪnstɪŋk'tiːf] adj instinctive

In·sti·tut <-[e]s, -e> [ɪnsti'tuːt] nt institute **In·sti·tu·ti·on** <-, -en> [ɪnstitu'tsi̯oːn] f institution

in·sti·tu·ti·o·nell [ɪnstitutsi̯o:'nɛl] *adj* (*geh*) institutional

in·stru·ie·ren* [ɪnstru'i:rən] *vt* ❶ (*in Kenntnis setzen*) to advise (**über** about) ❷ (*Anweisungen geben*) to instruct

In·struk·ti·on <-, -en> [ɪnstrʊk'tsi̯o:n] *f* (*Anweisung*) instruction; (*Anleitung*) instruction[s] *usu pl*; **laut** ~ according to instructions

in·struk·tiv <-er, -ste> [ɪnstrʊk'ti:f] *adj* instructive

In·stru·ment <-[e]s, -e> [ɪnstru'mɛnt] *nt* ❶ MUS instrument; (*Gerät für wissenschaftliche Zwecke*) instrument ❷ (*a. fig geh: Werkzeug*) tool

in·stru·men·tal [ɪnstrumɛn'ta:l] **I.** *adj* instrumental **II.** *adv* instrumentally

in·stru·men·ta·li·sie·ren* [ɪnstrumɛntali'zi:rən] *vt* (*geh*) to instrumentalize

In·stru·men·ta·ri·um <-, -rien> [ɪnstrumɛn'ta:ri̯ʊm, *pl* ɪnstrumɛn'ta:ri̯ən] *nt* (*geh*) ❶ (*Gesamtheit der Ausrüstung*) instruments *pl*; (*medizinische Instrumente*) equipment ❷ MUS range of instruments

In·su·la·ner(in) <-s, -> [ɪnzu'la:nɐ] *m(f)* islander

In·su·lin <-s> [ɪnzu'li:n] *nt kein pl* insulin *no pl*

in·sze·nie·ren* [ɪnstse'ni:rən] *vt* ❶ (*dramaturgisch gestalten*) to stage ❷ (*pej*) to stage-manage

In·sze·nie·rung <-, -en> [ɪnstse'ni:rʊŋ] *f* ❶ FILM, THEAT production ❷ (*pej: Bewerkstelligung*) engineering

in·takt [ɪn'takt] *adj* ❶ (*unversehrt*) intact ❷ (*voll funktionsfähig*) in working order

in·te·ger [ɪn'te:gɐ] **I.** *adj* (*geh*) of integrity; ■ ~ **sein** to have integrity **II.** *adv* (*geh*) with integrity

in·te·gral [ɪnte'gra:l] *adj attr* MATH integral

In·te·gral <-s, -e> [ɪnte'gra:l] *nt* MATH integral

In·te·gra·ti·on <-, -en> [ɪntegra'tsi̯o:n] *f* integration

in·te·grie·ren* [ɪnte'gri:rən] **I.** *vt* (*eingliedern*) to integrate (**in** into) **II.** *vr* (*sich einfügen*) ■ **sich** ~ to become integrated (**in** into)

In·te·gri·tät <-> [ɪntegri'tɛ:t] *f kein pl* (*geh*) integrity

In·tel·lekt <-[e]s> [ɪntɛ'lɛkt] *m kein pl* intellect

in·tel·lek·tu·ell [ɪntɛlɛk'tu̯ɛl] *adj* intellectual

In·tel·lek·tu·el·le(r) *f(m)* intellectual

in·tel·li·gent [ɪntɛli'gɛnt] *adj* (*mit Verstand begabt*) *a.* INFORM intelligent; (*strategisch klug*) clever

In·tel·li·genz <-, -en> [ɪntɛli'gɛnts] *f* ❶ *kein pl* (*Verstand*) intelligence *no pl* ❷ *kein pl* (*Gesamtheit der Intellektuellen*) intelligentsia *no pl* ❸ (*vernunftbegabtes Lebewesen*) intelligence ❹ INFORM **künstliche** ~ artificial intelligence

In·tel·li·genz·bes·tie *f* (*fam*) brainbox

In·tel·li·genz·quo·ti·ent *m* intelligence quotient

In·ten·dant(in) <-en, -en> [ɪntɛn'dant] *m(f)* THEAT artistic director; RADIO, TV director-general

In·ten·danz <-, -en> [ɪntɛn'dants] *f* ❶ THEAT directorship; RADIO, TV director-generalship ❷ (*Büro des Intendanten*) THEAT director's office; RADIO, TV director-general's office

In·ten·si·tät <-, *selten* -en> [ɪntɛnzi'tɛ:t] *f* intensity

in·ten·siv [ɪntɛn'zi:f] **I.** *adj* ❶ (*gründlich*) intensive ❷ (*eindringlich, durchdringend*) intense; *Duft, Schmerz* strong **II.** *adv* ❶ (*gründlich*) intensively; ~ **bemüht sein, etw zu tun** to make intense efforts to do sth ❷ (*eindringlich, durchdringend*) strongly

in·ten·si·vie·ren* [ɪntɛnzivi'vi:rən] *vt* to intensify

In·ten·si·vie·rung <-, *selten* -en> *f* intensification

In·ten·siv·kurs *m* intensive course **In·ten·siv·sta·ti·on** *f* intensive care unit

In·ten·ti·on <-, -en> [ɪntɛn'tsi̯o:n] *f* (*geh*) intention

in·ter·agie·ren* [ɪntɐʔa'gi:rən] *vi* PSYCH, SOZIOL ■ **mit jdm/etw** ~ to interact with sb/sth **In·ter·ak·ti·on** <-, -en> [ɪntɐak'tsi̯o:n] *f* PSYCH, SOZIOL interaction

in·ter·ak·tiv [ɪntɐʔak'ti:f] *adj* interactive

In·ter·ci·ty <-s, -s> [ɪntɐ'sɪti] *m,* **In·ter·ci·ty·zug**^RR *m* inter-city [train]

In·ter·ci·ty·ex·press^RR *m,* **Intercity-Express**^ALT *m* inter-city express

in·ter·es·sant [ɪntərɛ'sant] **I.** *adj* ❶ (*Interesse erweckend*) interesting; **sich** [**bei jdm**] ~ **machen** to attract [sb's] attention; **wie** ~! how interesting! ❷ *Angebot, Gehalt* attractive **II.** *adv* interestingly; **der Vorschlag hört sich** ~ **an** the proposal sounds interesting

in·ter·es·san·ter·wei·se *adv* interestingly enough

In·ter·es·se <-s, -n> [ɪntə'rɛsə] *nt* ❶ *kein pl* (*Aufmerksamkeit*) interest; ~ [**an jdm/etw**] **haben** to have an interest [in sb/sth]; **wir haben** ~ **an Ihrem Angebot** we are interested in your offer; **hätten Sie** ~ **daran, für uns tätig zu werden?** would you be interested in working for us? ❷ *pl* (*Neigungen*) interests *pl;* **aus** ~ out of interest ❸ *pl* (*Belange*) interests *pl* ❹ (*Nutzen*) interest; [**für jdn**] **von** ~ **sein** to be of interest [to sb]; **in jds** ~ **liegen** to be in sb's interest

in·ter·es·se·hal·ber *adv* out of interest
in·ter·es·se·los *adj* indifferent
In·ter·es·sen·ge·mein·schaft *f* community of interests **In·ter·es·sen·kon·flikt** *m*, **In·ter·es·sen·kol·li·si·on** *f* conflict [*or* clash] of interests **In·ter·es·sens·kon·flikt** *m* conflict of interests
In·ter·es·sent(in) <-en, -en> [ɪntərɛˈsɛnt] *m(f)* ❶ (*an einer Teilnahme Interessierter*) interested party ❷ (*an einem Kauf Interessierter*) potential buyer
in·ter·es·sie·ren* [ɪntərɛˈsiːrən] **I.** *vt* ❶ (*jds Interesse hervorrufen*) to interest ❷ (*jds Interesse auf etw lenken*) ■ **jdn für etw** *akk* ~ to interest sb in sth **II.** *vr* (*mit Interesse verfolgen*) ■ **sich für jdn/etw** ~ to be interested in sb/sth
in·ter·es·siert *adj* ❶ (*Interesse zeigend*) interested; **sie ist politisch** ~ she is interested in politics ❷ (*mit ernsthaften Absichten*) ■ **an jdm/etw** ~ **sein** to be interested in sb/sth; ■ **daran** ~ **sein, etw zu tun** to be interested in doing sth **II.** *adv* with interest
In·ter·face <-, -s> [ˈɪntəfeːs] *nt* interface
In·ter·fe·renz <-, -en> [ɪntəfeˈrɛnts] *f* interference *no pl*
In·te·ri·eur <-s, -s *o* -e> [ɛ̃teˈrjøːɐ] *nt* (*geh*) interior
In·te·rims·lö·sung *f* (*geh*) interim solution **In·te·rims·re·ge·lung** *f* (*geh*) interim regulation **In·te·rims·re·gie·rung** *f* (*geh*) interim government
In·ter·jek·ti·on <-, -en> [ɪntɛrjɛkˈtsi̯oːn] *f* interjection
in·ter·kon·ti·nen·tal [ɪntɛkɔntinɛnˈtaːl] *adj* intercontinental **in·ter·kul·tu·rell** [ɪntɛkʊltuˈrɛl] *adj* intercultural **In·ter·mez·zo** <-s, -s *o* -mezzi> [ɪntɛˈmɛtso] *nt* ❶ MUS intermezzo ❷ (*geh*) incident
in·tern [ɪnˈtɛrn] **I.** *adj* internal **II.** *adv* internally
In·ter·na [ɪnˈtɛrna] *pl* (*geh*) internal matters *pl*
In·ter·nat <-[e]s, -e> [ɪntɛˈnaːt] *nt* boarding-school
in·ter·na·ti·o·nal [ɪntɛnatsi̯oˈnaːl] **I.** *adj* international **II.** *adv* internationally
in·ter·na·ti·o·na·li·sie·ren* [ɪntɛnatsi̯onaliˈziːrən] *vt* (*geh*) to internationalize
In·ter·nats·schü·ler(in) <-s, -> *m(f)* boarder, boarding school pupil [*or* AM stu-

dent]
In·ter·net <-s> [ˈɪntɛnɛt] *nt* Internet; **im** ~ **surfen** to surf the Internet
In·ter·net·adres·se *f* uniform resource locator, URL **In·ter·net-Ak·ti·ons·haus** [ˈɪntɛntaktsi̯oːnshau̯s] *nt* Internet auction site **In·ter·net·brow·ser** *m* INFORM Internet explorer **In·ter·net·ca·fé** *nt* Internet café **In·ter·net·fo·rum** *nt* Internet [*or* web] forum **In·ter·net·pro·vi·der** [-provaidɐ] *m* Internet provider **In·ter·net·ser·ver** *m* INFORM Internet server **In·ter·net·sur·fer** *m* Internet surfer **In·ter·net-Ter·mi·nal** [-tøːɐ̯minl] *nt* Internet terminal **In·ter·net·zu·gang** *m* INFORM Internet access
in·ter·nie·ren* [ɪntɛˈniːrən] *vt* ❶ (*in staatlichen Gewahrsam nehmen*) to intern ❷ MED to isolate
In·ter·nie·rung <-, -en> *f* ❶ (*Einsperrung*) internment ❷ MED isolation
In·ter·nie·rungs·la·ger *nt* internment camp
In·ter·nist(in) <-en, -en> [ɪntɛˈnɪst] *m(f)* internist
In·ter·pol <-> [ˈɪntɛpoːl] *f* Interpol
In·ter·pret(in) <-en, -en> [ɪntɛˈpreːt] *m(f)* (*geh*) interpreter
In·ter·pre·ta·ti·on <-, -en> [ɪntɛpretaˈtsi̯oːn] *f* interpretation
in·ter·pre·ta·to·risch [ɪntɛpretaˈtoːrɪʃ] *adj* interpretative
in·ter·pre·tie·ren* [ɪntɛpreˈtiːrən] *vt* to interpret
In·ter·punk·ti·on <-, -en> [ɪntɛpʊŋkˈtsi̯oːn] *f* punctuation
In·ter·punk·ti·ons·zei·chen *nt* punctuation mark
In·ter·re·gio <-s, -s> [ɪntɛˈreːgi̯o] *m* regional city stopper (*train that travels between regional centres*)
In·ter·vall <-s, -e> [ɪntɛˈval] *nt* (*geh*) interval
in·ter·ve·nie·ren* [ɪntɛveˈniːrən] *vi* (*geh*) *a.* POL to intervene
In·ter·ven·ti·on <-, -en> [ɪntɛvɛnˈtsi̯oːn] *f* (*geh*) *a.* POL intervention
In·ter·view <-s, -s> [ˈɪntɐvjuː, ɪntɐˈvjuː] *nt* interview
in·ter·view·en* [ɪntɐˈvjuːən, ˈɪntɐvjuːən] *vt* ❶ (*durch ein Interview befragen*) ■ **jdn** ~ to interview sb (**zu** about); ■ **sich** [**von jdm**] ~ **lassen** to give [sb] an interview ❷ (*hum fam: befragen*) ■ **jdn** ~ to consult sb
In·ter·view·er(in) <-s, -> [ɪntɐˈvjuːɐ, ˈɪntɐvjuːɐ] *m(f)* interviewer
in·tim [ɪnˈtiːm] *adj* ❶ (*innig, persönlich*) in-

timate; *Freund, Bekannter* close ➋ (*sexuell liiert*) ■mit jdm ~ sein/werden to be/become intimate with sb

In·tim·be·reich *m* ➊ (*euph: Bereich der Geschlechtsorgane*) private parts *pl* ➋ s. **Intimsphäre**

In·ti·mi·tät <-, -en> [ɪntimi'tɛːt] *f* (*geh*) ➊ *kein pl* (*Vertrautheit*) intimacy *no pl* ➋ *pl* (*private Angelegenheit*) intimate affairs *pl* ➌ *usu pl* (*sexuelle Handlung o Äußerung*) intimacy ➍ *kein pl einer Kneipe* intimacy

In·tim·le·ben *nt* [private] sex life **In·tim·sphä·re** *f* (*geh*) private life **In·tim·ver·kehr** *m kein pl* (*euph*) intimate relations *pl*

in·to·le·rant ['ɪntolerant, ɪntole'rant] **I.** *adj* (*geh*) intolerant **II.** *adv* intolerantly **In·to·le·ranz** ['ɪntolerants, ɪntole'rants] *f* (*geh*) intolerance

In·to·na·ti·on <-, -en> [ɪntona'tsi̯oːn] *f* intonation

in·to·nie·ren * [ɪnto'niːrən] *vt* ■etw ~ MUS to begin singing sth

In·tra·net <-s, -s> ['ɪntranɛt] *nt* INFORM intranet

in·tran·si·tiv ['ɪntranzitiːf] *adj* intransitive

in·tra·ve·nös [ɪntrave'nøːs] *adj* intravenous

in·tri·gant [ɪntri'gant] *adj* (*pej geh*) scheming

In·tri·gant(in) <-en, -en> [ɪntri'gant] *m(f)* (*pej geh*) schemer

In·tri·ge <-, -n> [ɪn'triːgə] *f* (*pej geh*) conspiracy

in·tri·gie·ren * [ɪntri'giːrən] *vi* (*pej geh*) to scheme (**gegen** against)

in·tro·ver·tiert [ɪntrovɛr'tiːɐ̯t] *adj* introverted

In·tro·ver·tiert·heit [ɪntrovɛr'tiːɐ̯thaɪt] *f kein pl* PSYCH introvertedness

In·tu·i·ti·on <-, -en> [ɪntui'tsi̯oːn] *f* intuition

in·tu·i·tiv [ɪntui'tiːf] *adj* intuitive

in·tus ['ɪntʊs] *adj* ➊ *Alkohol, Essen* etw ~ **haben** (*fam*) to have had sth ➋ (*verstanden haben*) to have got sth into one's head

in·va·lid [ɪnva'liːt] *adj,* **in·va·li·de** [ɪnva'liːdə] *adj* invalid

In·va·li·de, In·va·li·din <-n, -n> [ɪnva'liːdə, ɪnva'liːdɪn] *m, f* invalid

In·va·li·den·ren·te *f* disability pension

In·va·li·di·tät <-> [ɪnvalidi'tɛːt] *f kein pl* disability

in·va·ri·a·bel ['ɪnvari̯aːbl̩, ɪnva'ri̯aːbl̩] *adj* invariable

In·va·si·on <-, -en> [ɪnva'zi̯oːn] *f* invasion

In·ven·tar <-s, -e> [ɪnvɛn'taːɐ̯] *nt* inventory

In·ven·tur <-, -en> [ɪnvɛn'tuːɐ̯] *f* stocktaking; ~ **machen** to stocktake

In·ver·si·on <-, -en> [ɪnvɛr'zi̯oːn] *f* inversion

in·ves·tie·ren * [ɪnvɛs'tiːrən] *vt* to invest

In·ves·ti·ti·on <-, -en> [ɪnvɛsti'tsi̯oːn] *f* investment

In·ves·ti·ti·ons·gü·ter *pl* capital equipment *no pl*

In·vest·ment <-s, -s> [ɪn'vɛstmənt] *nt* (*Geldanlage*) investment; (*Geldanlage in Investmentfonds*) investing in investment funds

In·vest·ment·fonds *m* investment fund

In·ves·tor(in) <-s, -en> [ɪn'vɛstoːɐ̯, *pl* ɪnvɛs'toːrən] *m(f)* investor

in·vol·vie·ren * [ɪnvɔl'viːrən] *vt* (*geh*) to involve

in·wen·dig [ɪn'vɛndɪç] **I.** *adv* inside **II.** *adj* (*selten*) inside

in·wie·fern [ɪnvi'fɛrn] *adv interrog* in what way

in·wie·weit [ɪnvi'vaɪt] *adv* how far

In·zah·lung·nah·me <-, -n> *f* HANDEL trade-in; ■die ~ einer S. *gen* the acceptance of a thing in part exchange [*or* payment]

In·zest <-[e]s, -e> [ɪn'tsɛst] *m* (*geh*) incest *no pl*

in·zes·tu·ös [ɪntsɛs'tɥøːs] *adj Beziehung, Verhältnis* incestuous

In·zucht ['ɪntsʊxt] *f* inbreeding

in·zwi·schen [ɪn'tsvɪʃn̩] *adv* in the meantime

Ion <-s, -en> [i̯oːn] *nt* ion

io·nisch ['i̯oːnɪʃ] *adj* ➊ ARCHIT, KUNST ionic ➋ MUS Ionian

io·ni·sie·ren * [i̯oni'ziːrən] *vt* PHYS, MATH to ionize

I-Punkt^RR ['iː-] *m* (*I-Tüpfelchen*) dot on the "i" ▶**bis auf den ~** down to the last detail

IQ <-[s], -[s]> [iː'kuː] *m Abk von* **Intelligenzquotient** IQ

Irak <-s> [i'raːk] *m* ■[**der**] ~ Iraq; *s. a.* **Deutschland**

Ira·ker(in) <-s, -> [i'raːkɐ] *m(f),* **Ira·ki** <-s, -s> [i'raːkiː] *m fem form gleich* Iraqi; *s. a.* **Deutsche(r)**

ira·kisch [i'raːkɪʃ] *adj* Iraqi; *s. a.* **deutsch**

Iran <-s> [i'raːn] *m* ■**der** ~ Iran; *s. a.* **Deutschland**

Ira·ner(in) <-s, -> [i'raːnɐ] *m(f)* Iranian; *s. a.* **Deutsche(r)**

ira·nisch [i'raːnɪʃ] *adj* Iranian; *s. a.* **deutsch**

ir·den ['ɪrdn̩] *adj* (*veraltend: aus Ton*) earthenware

ir·disch ['ɪrdɪʃ] *adj* earthly

Ire, Irin <-n, -n> ['iːrə, 'iːrɪn] *m, f* Irishman *masc*, Irishwoman *fem*; ■ **die ~n** the Irish; |**ein**| ~ **sein** to be Irish

ir·gend ['ɪrgnt] *adv* at all; **wenn ~ mög·lich** if at all possible; **wenn ich ~ kann, werde ich Sie am Bahnhof abholen** if I possibly can, I'll pick you up at the station; ~ **so ein/e ...** some ... or other

ir·gend·ein ['ɪrgnt?aɪn], **ir·gend·ei·ne(r, s)** ['ɪrgnt?aɪnə, -aɪnɐ, -aɪnəs], **ir·gend· eins** ['ɪrgnt?aɪns] *pron indef* ❶ *adjekti· visch* (*was auch immer für ein*) some; **haben Sie noch irgendeinen Wunsch?** would you like anything else?; **nicht irgendein/e ...** *adjektivisch* not any |old| ... ❷ *substantivisch* (*ein Beliebiger*) any |old| one; *substantivisch;* **ich werde doch nicht irgendeinen einstellen** I'm not going to appoint just anybody

ir·gend·et·was^RR *pron indef s.* **irgend· was ir·gend·je·mand**^RR *pron indef pron* someone, somebody; (*fragend, vernei· nend*) anyone, anybody **ir·gend·wann** ['ɪrgnt'van] *adv* some time or other **ir· gend·was** ['ɪrgnt'vas] *pron indef* (*fam*) something; *bei Fragen* anything **ir·gend· wel·che(r, s)** ['ɪrgnt'vɛlçə, -'vɛlçɐ, -'vɛlçəs] *pron indef* ❶ (*welche auch immer*) some; *bei Fragen* any ❷ (*irgendein, beliebig*) some; *substantivisch* anything **ir·gend· wer** ['ɪrgnt'veːɐ] *pron indef* (*fam*) some· body; **hallo! aufmachen! hört mich denn nicht ~?** hallo! open up! can no one hear me?; **nicht |einfach| ~** not just any· body **ir·gend·wie** ['ɪrgnt'viː] *adv* some· how |or other|; **Sie kommen mir ~ bekannt vor, haben wir uns früher schon mal getroffen?** I seem to know you somehow, have we met before? **ir·gend· wo** ['ɪrgnt'voː] *adv* ❶ (*wo auch immer*) somewhere |or other| ❷ (*in irgendeiner Weise*) somehow |or other|; ~ **versteh ich das nicht** somehow I don't understand |that| **ir·gend·wo·her** ['ɪrgntvo'heːɐ] *adv* from somewhere |or other|; **von ~** from somewhere |or other| **ir·gend·wo·hin** ['ɪrgntvo'hɪn] *adv* somewhere |or other|

Irin <-, -nen> ['iːrɪn] *f fem form von* **Ire** Irishwoman

Iris^1 <-, -> ['iːrɪs] *f* BOT iris

Iris^2 <-, - *o* Iriden> ['iːrɪs, *pl* i'riːdən] *f* ANAT iris

irisch ['iːrɪʃ] *adj* Irish; *s. a.* **deutsch**

Ir·land ['ɪrlant] *nt* Ireland, Eire; *s. a.* **Deutschland**

Iro·nie <-, *selten* -n> [iro'niː, *pl* -iːən] *f* iro· ny

iro·nisch [i'roːnɪʃ] I. *adj* ironic|al| II. *adv* ironically; ~ **lächeln** to give an ironic smile

irr [ɪr] *adj s.* **irre**

ir·ra·ti·o·nal ['ɪratsi̯ona:l, ɪratsi̯o'na:l] *adj* (*geh*) irrational

Ir·re <-> ['ɪrə] *f* **jdn in die ~ führen** to mislead sb

ir·re [ɪrə] I. *adj* ❶ (*verrückt*) crazy; **jdn für ~|e| halten** (*fam*) to think sb is mad ❷ (*verstört*) crazy; **so ein Blödsinn! du redest ~s Zeug!** what nonsense! this is just crazy talk!; **jdn |noch| ganz ~ machen** (*fam*) to drive sb crazy *fam* ❸ (*sl: toll*) fantastic II. *adv* ❶ (*verrückt, verstört*) insanely; **was fällt dir ein, mitten in der Nacht so ~ rumzubrüllen!** all this crazy yelling in the middle of the night, what |the hell| do you think you're doing!; **wie ~** (*fam*) like mad ❷ (*sl: ausgeflippt*) wacky; (*toll*) fantastically *fam* ❸ (*sl: äußerst*) in· credibly

Ir·re(r) ['ɪrə, -rə] *f/m)* lunatic

ir·re·al ['ɪrea:l] *adj* (*geh*) unreal

ir·re|füh·ren *vt* to mislead; ■ **sich von jdm/etw ~ lassen** to be misled by sb/sth **ir·re·füh·rend** *adj* misleading **Ir·re·füh· rung** *f* deception

ir·re·gu·lär ['ɪregulɛːɐ] *adj* (*geh*) irregular

ir·re·le·vant ['ɪrelevant, ɪrele'vant] *adj* (*geh*) irrelevant

ir·re|ma·chen *vt* to confuse; ■ **sich nicht ~ lassen** not to be put off (**durch** by)

ir·ren^1 ['ɪrən] *vi sein* ■ **durch/über etw** *akk* ~ to wander through/across sth

ir·ren^2 ['ɪrən] I. *vi* (*geh*) (*sich täuschen*) to be wrong ▶ **I~ ist menschlich** (*prov*) to err is human II. *vr* (*sich täuschen*) ■ **sich ~** to be wrong (**in** about); **da irrst du dich** you're wrong there; **ich irre mich bestimmt nicht** I'm definitely not wrong; **wenn ich mich nicht irre, ...** if I am not mistaken ...

Ir·ren·an·stalt *f* (*pej veraltend*) lunatic asylum **Ir·ren·haus** *nt* (*veraltet o pej*) lu· natic asylum; **wie im ~** (*fam*) like a mad· house

ir·re·pa·ra·bel ['ɪrepara:bl̩, ɪrepa'ra:bl̩] I. *adj* (*geh*) irreparable II. *adv* (*geh*) irrepa· rably

ir·re·ver·si·bel ['ɪrevɛrzi:bl̩, ɪrevɛr'zi:bl̩] *adj* (*fachspr*) irreversible

Irr·fahrt *f* odyssey **Irr·gar·ten** *m* maze **Irr· glau·be(n)** *m* ❶ (*irrige Ansicht*) mistaken belief ❷ (*veraltend: falscher religiöser Glaube*) heretical belief

ir·rig ['ɪrɪç] *adj* (*geh*) wrong

Ir·ri·ta·ti·on <-, -en> [ɪrita'tsi̯oːn] *f (geh)* a. MED irritation

ir·ri·tie·ren* [ɪri'tiːrən] *vt* ❶ *(verwirren)* to confuse ❷ *(stören)* to annoy

Irr·läu·fer *m* misdirected item **Irr·leh·re** *f* false doctrine **Irr·licht** ['ɪrlɪçt] *nt* jack-o'-lantern **Irr·sinn** ['ɪrzɪn] *m kein pl* ❶ *(veraltet: psychische Krankheit)* insanity ❷ *(fam: Unsinn)* madness *no pl* **irr·sin·nig** ['ɪrzɪnɪç] **I.** *adj* ❶ *(veraltet: psychisch krank)* insane ❷ *(fam: völlig wirr, absurd)* crazy, mad ❸ *(fam: stark, intensiv)* tremendous; *Hitze, Kälte, Verkehr* incredible; *Kopfschmerzen* terrible **II.** *adv (fam: äußerst)* terribly; **das schmerzt wie ~!** it's hurting like mad!

Irr·tum <-[e]s, -tümer> ['ɪrtuːm, *pl* 'ɪrtyːmɐ] *m* ❶ *(irrige Annahme)* error; [schwer] **im ~ sein** to be [badly] mistaken ❷ *(fehlerhafte Handlung)* mistake; **einen ~ begehen** to make a mistake

irr·tüm·lich ['ɪrtyːmlɪç] **I.** *adj attr* mistaken **II.** *adv* mistakenly

irr·tüm·li·cher·wei·se *adv* by mistake

Irr·weg *m* wrong track

Is·chi·as <-> ['ɪʃi̯as] *m o nt kein pl* sciatica *no pl*

ISDN <-s> [iː?ɛsdeː'?ɛn] *nt kein pl Abk von* **Integrated Services Digital Network** ISDN

ISDN-An·schluss^RR *m* ISDN connection

Is·lam <-s> [ɪs'laːm, 'ɪslam] *m kein pl* Islam; ▪ **der ~** Islam *no pl*

is·la·misch [ɪs'laːmɪʃ] *adj* Islamic

Is·la·mist(in) <-en, -en> [ɪsla'mɪst] *m(f)* Islamist

is·la·mis·tisch [ɪsla'mɪstɪʃ] *adj* Islamist *attr*

Is·la·mo·pho·bie <-> *f kein pl* SOZIOL islamophobia

Is·land ['iːslant] *nt* Iceland; *s. a.* **Deutschland**

Is·län·der(in) <-s, -> ['iːslɛndɐ] *m(f)* Icelander; **~ sein** to be an Icelander; *s. a.* **Deutsche(r)**

is·län·disch ['iːslɛndɪʃ] *adj* Icelandic; *s. a.* **deutsch**

Iso·la·ti·on <-, -en> [izola'tsi̯oːn] *f* ❶ *(das Abdichten)* insulation ❷ *(das Isolieren) von Patienten, Häftlingen, etc.* isolation ❸ *(Abgeschlossenheit)* isolation (**von** from)

Iso·la·ti·o·nis·mus <-> [izolatsi̯o'nɪsmʊs] *m kein pl* POL isolationism

Iso·la·ti·ons·haft *f* solitary confinement

Iso·lier·band <-bänder> [izo'liːɐ̯-] *nt* insulating tape

iso·lie·ren* [izo'liːrən] **I.** *vt* ❶ TECH to insulate (**gegen** against) ❷ JUR, MED to isolate (**von** from) **II.** *vr (sich absondern)* ▪ **sich ~** to isolate oneself (**von** from)

Iso·lier·kan·ne *f* thermos flask **Iso·lier·ma·te·ri·al** *nt* insulating material **Iso·lier·sta·ti·on** *f* isolation ward

iso·liert I. *adj (aus dem Zusammenhang gegriffen)* isolated **II.** *adv* ❶ *(abgeschlossen, abgesondert)* isolated ❷ *(aus dem Zusammenhang gegriffen)* in an isolated way

Iso·lie·rung <-, -en> *f s.* **Isolation**

Iso·top <-s, -e> [izo'toːp] *nt* PHYS isotope

Is·ra·el <-s> ['ɪsraeːl, 'ɪsraɛl] *nt* Israel; *s. a.* **Deutschland**

Is·ra·e·li <-[s], -[s]> [ɪsra'eːli] *m,* **Is·ra·e·li** <-s, -[s]> *f* Israeli; *s. a.* **Deutsche(r)**

is·ra·e·lisch [ɪsra'eːlɪʃ] *adj* Israeli; *s. a.* **deutsch**

Is·ra·e·lit(in) <-en, -en> [israe'liːt, ɪsrae'liːt] *m(f)* Israelite

is·ra·e·li·tisch *adj* Israelite; *s. a.* **deutsch**

isst^RR [ɪst], **ißt**^ALT [ɪst] *3. pers sing pres von* **essen**

ist [ɪst] *3. pers sing pres von* **sein**^1

Isth·mus <-, Isthmen> ['ɪstmʊs] *m* GEOL *(Landenge)* isthmus

Ist-Zu·stand, Ist·zu·stand^RR *m* actual state

Ita·li·en <-s> [i'taːli̯ən] *nt* Italy; *s. a.* **Deutschland**

Ita·li·e·ner(in) <-s, -> [ita'li̯eːnɐ] *m(f)* Italian; **~ sein** to be [an] Italian; *s. a.* **Deutsche(r)**

ita·li·e·nisch [ita'li̯eːnɪʃ] *adj* Italian; *s. a.* **deutsch**

Ita·li·e·nisch [ita'li̯eːnɪʃ] *nt dekl wie adj* Italian; **auf ~** in Italian; *s. a.* **Deutsch**

Ita·lo·wes·tern ['iːtalo-] *m* spaghetti western

I-Tüp·fel·chen <-s, -> ['iː-] *nt* finishing touch

i.V. *Abk von* **in Vertretung** p.p.

IWF <-> [iː'veː'?ɛf] *m kein pl Abk von* **Internationaler Währungsfonds** IMF

J j

J, j <-, - o fam -s, -s> [jɔt] nt J, j; s. a. **A 1**

ja [ja:] part ❶ (bestätigend: so ist es) yes; ~, **bitte?** yes, hello?; **das sag ich ~!** (fam) that's exactly what I say!; **aber ~!** yes, of course! ❷ (fragend: so? tatsächlich?) really?; **ach ~?** really? ❸ (warnend: bloß) make sure; **sei ~ vorsichtig mit dem Messer!** do be careful with the knife!; **geh ~ nicht dahin!** don't go there whatever you do! ❹ (abschwächend, einschränkend: schließlich) after all; **ich kann es ~ mal versuchen** I can try it of course; **das ist ~ richtig, doch sollten wir trotzdem vorsichtiger sein** that's certainly true, but we should be more careful anyhow ❺ (revidierend, steigernd: und zwar) in fact ❻ (anerkennend, triumphierend: doch) **du bist ~ ein richtiges Schlitzohr!** you really are a crafty devil!; **siehst du, ich habe es ~ immer gesagt!** what did I tell you? I've always said that, you know; **es musste ~ mal so kommen!** it just had to turn out like that!; **auf Sie haben wir ~ die ganze Zeit gewartet** we've been waiting for you the whole time, you know; **wo steckt nur der verfluchte Schlüssel? ach, da ist er ~!** where's the damned key? oh, that's where it's got to! ❼ (bekräftigend: allerdings) „**so war das doch damals, erinnerst du dich?“ — „ach ~!“** "that's how it was in those days, do you remember?" — "oh yes!"; **was Sie mir da berichten, ist ~ kaum zu glauben!** what you're telling me certainly is scarcely believable!; **Ihr Mann ist bei einem Flugzeugabsturz ums Leben gekommen? das ist ~ entsetzlich!** your husband died in a plane crash? why, that's just terrible!; **ich verstehe das ~, aber trotzdem finde ich's nicht gut** I understand that admittedly, even so, I don't think it's good; **das ist ~ die Höhe!** that's the absolute limit!; **es ist ~ immer dasselbe** it's always the same, you know ❽ (na) well ❾ (als Satzabschluss: nicht wahr?) isn't it?; **es bleibt doch bei unserer Abmachung, ~?** our agreement does stand though, doesn't it? ❿ (ratlos: nur) **ich weiß ~ nicht, wie ich es ihm beibringen soll** I'm sure I don't know how I'm going to get him to understand that ⓫ (beschwichtigend) „**he, wo bleibst du denn nur so lange?“ — „ich komm ~ schon!“** "hey, where have you been all this time?" — "all right! all right! I'm coming!" ▶~ **und amen zu etw** dat **sagen** (fam) to give sth one's blessing; **wenn ~** if so

Ja <-s, -[s]> [ja:] nt yes; POL O DIAL aye

Jacht <-, -en> [jaxt] f yacht

Ja·cke <-, -n> [ˈjakə] f (Stoffjacke) jacket; (Strickjacke) cardigan

Ja·cken·ta·sche f jacket pocket

Ja·ckett <-s, -s> [ʒaˈkɛt] nt jacket

Jack·pot <-s, -s> [ˈdʒɛkpɔt] m ❶ KARTEN stake [money] ❷ (Lottogewinn) jackpot

Ja·de <-> [ˈjaːdə] m o f kein pl jade

Jagd <-, -en> [jaːkt] f ❶ (das Jagen) hunting; **auf der ~ sein** to be hunting; **~ auf jdn/etw machen** (pej) to hunt for sb/sth ❷ (Revier) s. **Jagdrevier** ❸ (Verfolgung) hunt (**auf** for) ❹ (pej: wildes Streben) pursuit (**nach** of)

Jagd·beu·te f kill **Jagd·bom·ber** m fighter-bomber **Jagd·flug·zeug** nt fighter plane **Jagd·ge·wehr** nt hunting rifle **Jagd·haus** nt hunting lodge **Jagd·hund** m hound **Jagd·re·vier** [-reviːɐ̯] nt preserve **Jagd·schein** m hunting licence

ja·gen [ˈjaːɡn̩] I. vt haben ❶ (auf die Jagd verfolgen) to hunt ❷ (hetzen) to pursue ❸ (fam: antreiben, vertreiben) ■**jdn aus etw** dat/**in etw** akk ~ to drive sb out of/ into sth; **eine Sache jagt die andere** one thing comes after another ❹ (fam) **jeden Tag kriegte ich eine Spritze in den Hintern gejagt** I got a syringe stuck in my backside everyday ▶**jdn mit etw** dat ~ **können** (fam) to not be able to stand sth II. vi ❶ haben (auf die Jagd gehen) to hunt ❷ sein (rasen) to race; **er kam plötzlich aus dem Haus gejagt** he suddenly came racing out of the house

Jä·ger(in) <-s, -, -nen> [ˈjɛːɡɐ] m(f) hunter

Jä·ger·schnit·zel nt KOCHK escalope chasseur (with mushroom sauce)

Ja·gu·ar <-s, -e> [ˈjaːɡua̯ɐ̯] m jaguar

jäh [jɛː] I. adj (geh) ❶ (abrupt, unvorhergesehen) abrupt; Bewegung sudden ❷ (steil) steep II. adv (geh) ❶ (abrupt, unvorhergesehen) abruptly ❷ (steil) steeply

Jahr <-[e]s, -e> [ˈjaːɐ̯] nt ❶ (Zeitraum von 12 Monaten) year; **die 20er-/30er-~e** etc. the twenties/thirties etc. + sing/pl vb; **anderthalb ~e** a year and a half; **ein dreiviertel ~** nine months; **ein halbes ~** six months; **ein viertel ~** three months; **das**

ganze ~ über throughout the whole year; **das neue ~** the new year; **~ für ~** year after year; **im ~e ...** in [the year] ...; **ich gehe zweimal im ~ zum Arzt** I go to the doctor's twice a year; **letztes/nächstes ~** last/next year; **in diesem/im nächsten ~** this/next year; **vor einem ~** a year ago; **alle hundert ~e ändert sich das Klima** the climate changes every hundred years; **alle ~e wieder** every year; **dieser Bestseller wurde zum Buch des ~es gekürt** this bestseller was chosen as book of the year; **auf ~e hinaus** for years to come ❷ (*Lebensjahre*) **er ist 10 ~e alt** he's 10 years old ▸ **in den besten ~en** [sein] [to be] in one's prime; **in die ~e kommen** (*euph fam*) to be getting on [in years]

jahr·aus [jaːɐ̯ˈʔau̯s] *adv* **jahrein, ~** year in, year out

Jahr·buch *nt* yearbook

jah·re·lang [ˈjaːrəlaŋ] **I.** *adj attr* lasting for years; **das Ergebnis war die Frucht ~er Forschungen** the result was the fruit of years of research **II.** *adv* for years; **ich hoffe, es dauert nicht ~, bis ich an die Reihe komme** I hope it won't take years before it's my turn

jäh·ren [ˈjɛːrən] *vr* (*geh*) ▪ **sich ~** to be the anniversary of

Jah·res·an·fang *m,* **Jah·res·be·ginn** *m* beginning of the year; **bei/nach/vor ~ at/ after/before the beginning of the year Jah·res·bei·trag** *m* annual subscription **Jah·res·durch·schnitt** *m* annual average **Jah·res·ein·kom·men** *nt* annual income **Jah·res·en·de** *nt* end of the year; **bis zum/vor ~** by/before the end of the year **Jah·res·etat** *m* annual budget **Jah·res·frist** *f* **nach ~** after a period of one year; **vor ~** within a period of one year **Jah·res·ge·halt** *nt* annual salary **Jah·res·ring** *m* annual ring **Jah·res·tag** *m* anniversary **Jah·res·ur·laub** *m* annual holiday **Jah·res·wech·sel** *m* turn of the year; **zum ~** at the turn of the year **Jah·res·wen·de** *f* turn of the year **Jah·res·zahl** *f* year **Jah·res·zeit** *f* season **jah·res·zeit·lich** *adj* seasonal

Jahr·gang <-gänge> *m* ❶ (*Personen eines Geburtsjahrs*) age-group; (*Gesamtheit der Schüler eines Schuljahres*) [school] year ❷ (*Erntejahr*) vintage; (*Herstellungsjahr*) year

Jahr·hun·dert <-s, -e> [jaːɐ̯ˈhʊndɐt] *nt* century

jahr·hun·der·te·lang I. *adj* [lasting] for centuries *pred;* **es hat einer ~en Entwicklung bedurft** centuries of develop-

ment were required **II.** *adv* for centuries

Jahr·hun·dert·wen·de *f* turn of the century

jähr·lich [ˈjɛːɐ̯lɪç] *adj* annual

Jahr·markt *m* [fun]fair

Jahr·tau·send <-s, -e> [jaːɐ̯ˈtau̯zn̩t] *nt* millennium

Jahr·tau·send·wen·de *f* turn of the millennium

Jahr·zehnt <-[e]s, -e> [jaːɐ̯ˈtseːnt] *nt* decade

jahr·zehn·te·lang I. *adj* decades of *attr;* **durch diesen Vertrag wurde der Konflikt nach ~er Dauer beendet** decades of conflict were ended by this treaty **II.** *adv* for decades

Jäh·zorn [ˈjɛːtsɔrn] *m* outburst of temper

jäh·zor·nig *adj* violent-tempered

Ja·lou·sie <-, -n> [ʒaluˈziː, *pl* -ˈziːən] *f* venetian blind

Ja·mai·ka <-s> [jaˈmai̯ka] *nt* Jamaica

Ja·mai·ka·ner(in) <-s, -> [jamaˈi̯kaːnɐ] *m(f)* Jamaican

ja·mai·ka·nisch *adj* Jamaican

Jam·mer <-s> [ˈjamɐ] *m kein pl* ❶ (*Kummer*) sorrow; (*fig fam*) **es ist ein ~, dass/ wie ...** it is a terrible shame that/how ...; **es ist ein ~, wie wenig Zeit wir haben** it's deplorable how little time we have ❷ (*das Wehklagen*) wailing

Jam·mer·lap·pen *m* (*pej fam*) scaredy-cat

jäm·mer·lich [ˈjɛmɐlɪç] **I.** *adj attr* ❶ (*beklagenswert*) wretched ❷ (*kummervoll*) sorrowful ❸ (*fam*) *Ausrede* pathetic ❹ (*pej fam: verächtlich*) miserable **II.** *adv* ❶ (*elend*) miserably ❷ (*fam: erbärmlich*) awfully

jam·mern [ˈjamɐn] *vi* ❶ (*a. pej: lamentieren*) to whine (**über/wegen** about); **lass das J~** stop moaning ❷ (*wimmernd verlangen*) to beg (**nach** for)

jam·mer·scha·de [ˈjamɐˈʃaːdə] *adj* (*fam*) ▪ **~** [sein], **dass/wenn/wie ...** to be a terrible pity that/if/how ...

Jän·ner <-s, -> [ˈjɛnɐ] *m* ÖSTERR January

Ja·nu·ar <-[s], -e> [ˈjanu̯aːɐ̯] *m* January; *s. a.* **Februar**

Ja·pan <-s> [ˈjaːpan] *nt* Japan; *s. a.* **Deutschland**

Ja·pa·ner(in) <-s, -> [jaˈpaːnɐ] *m(f)* Japanese; ▪ **die ~** the Japanese; *s. a.* **Deutsche(r)**

ja·pa·nisch [jaˈpaːnɪʃ] *adj* Japanese; *s. a.* **deutsch**

Jar·gon <-s, -s> [ʒarˈgõː] *m* ❶ (*Sondersprache von Gruppen*) jargon ❷ (*saloppe Sprache*) slang

Ja·sa·ger(in) <-s, -> *m(f)* (*pej*) yes-man

Jas·min <-s, -e> [jasˈmiːn] *m* jasmine
Ja·stim·me *f* yes-vote
jä·ten [ˈjɛːtn̩] **I.** *vt* ❶ (*aushacken*) to hoe ❷ (*von Unkraut befreien*) to weed **II.** *vi* to weed
Jau·che <-, -n> [ˈjaʊxə] *f* liquid manure
jauch·zen [ˈjaʊxtsn̩] *vi* (*geh*) to shout with glee
jau·len [ˈjaʊlən] *vi* to howl
ja·wohl [jaˈvoːl] *adv* yes
Ja·wort *nt* jdm das ~ **geben** to consent to marry sb; (*bei Trauung*) to say I do
Jazz <-> [dʒɛs, jats] *m kein pl* jazz *no pl*
Jazz·gym·nas·tik [ˈdʒɛsgʏmnastɪk] *f* ≈ jazz dance *no pl*
je [ˈjeː] **I.** *adv* ❶ (*jemals*) ever ❷ (*jeweils*) each **II.** *präp* +akk (*pro*) per **III.** *konj* ~ **öfter du übst, desto besser kannst du dann spielen** the more you practice the better you will be able to play; ~ **nachdem!** it [all] depends!; ~ **nachdem, wann/wie/ob ...** depending on when/how/whether ...
Jeans <-, -> [ˈdʒiːnz] *f meist pl* jeans *npl*
Jeans·ho·se [ˈdʒiːnz-] *f* pair of jeans
Jeans·ja·cke [ˈdʒiːnz-] *f* denim jacket
je·de(r, s) [ˈjeːdə, ˈjeːdɐ, ˈjeːdəs] *pron indef* ❶ *attr* (*alle einzelnen*) each; ~**s** *attr* (*jegliche*) any ❷ *attr* (*in einem/einer beliebigen*) any ❹ *substantivisch* everyone; **von mir aus kannst du ~n fragen, du wirst immer das Gleiche hören** as far as I'm concerned you can ask anyone, you'll get the same answer; **ich kann doch nicht ~n meiner Angestellten rund um die Uhr kontrollieren!** I can't supervise each one of my employees round the clock!; **das weiß doch ein ~r!** everybody knows that!; DIAL (*jeweils der/die einzelne*) each [one]; ~**e(r, s) zweite/dritte/...** one in two/three ...
je·den·falls [ˈjeːdn̩ˈfals] *adv* ❶ (*immerhin*) anyhow, in any case ❷ (*auf jeden Fall*) definitely
je·der·mann [ˈjeːdɐman] *pron indef, substantivisch* everyone; (*jeder* [*beliebige*]) anyone
je·der·zeit [ˈjeːdɐˈtsaɪt] *adv* ❶ (*zu jeder beliebigen Zeit*) at any time ❷ (*jeden Augenblick*) at any moment
je·des·malᴬᴸᵀ *adv s.* **jede(r, s)** 1
je·doch [jeˈdɔx] *konj, adv* however
Jeep® <-s, -s> [dʒiːp] *m* jeep
jeg·li·che(r, s) [ˈjeːklɪçə, ˈjeːklɪçɐ, ˈjeːklɪçəs] *pron indef* any
je·her [ˈjeːhɛr] *adv* seit ~ (*geh*) always
je·mals [ˈjeːmaːls] *adv* ever

je·mand [ˈjeːmant] *pron indef* somebody, someone; (*bei Fragen, Negation, etc.*) anybody, anyone
Je·men <-s> [ˈjeːmən] *m* Yemen; *s. a.* **Deutschland**
je·ne(r, s) [ˈjeːnə, ˈjeːnɐ, ˈjeːnəs] *pron dem* (*geh*) ❶ (*der/die/das Bewusste*) that *sing*, those *pl* ❷ (*der/die/das dort*) that *sing*, those *pl*
jen·seits [ˈjɛnzaɪts] **I.** *präp* +gen ■ ~ **einer S.** *gen* on the other side of sth; ~ **der Alpen beginnt Norditalien** Northern Italy begins on the other side of the Alps **II.** *adv* (*über ... hinaus*) ■ ~ **von etw** *dat* beyond sth
Jen·seits <-> [ˈjɛnzaɪts] *nt kein pl* hereafter
Jer·sey <-[s], -s> [ˈdʒøːɐzi, ˈdʒœrzi] *m* MODE jersey
Je·ru·sa·lem <-s> [jeˈruːzalɛm] *nt* Jerusalem
Je·su·it <-en, -en> [jezuˈiːt] *m* Jesuit
Je·sus <*dat o gen* Jesu, *akk* Jesum> [ˈjeːzʊs] *m* Jesus; ~ **Christus** Jesus Christ
Jet <-[s], -s> [dʒɛt] *m* (*fam*) jet
Jet·lagᴿᴿ, **Jet-lag**ᴬᴸᵀ <-s, -s> [ˈdʒɛtlɛg] *m* jet lag
Jet·setᴿᴿ, **Jet-set**ᴬᴸᵀ <-s, *pl* -s> [ˈdʒɛtsɛt] *m* (*fam*) jet-set
jet·ten [ˈdʒɛtn̩] *vi sein* (*fam*) ■ **irgendwohin** ~ to jet off somewhere
jet·zig [ˈjɛtsɪç] *adj attr* currant
jetzt [ˈjɛtst] *adv* ❶ (*zurzeit*) now; ~ **gleich** right now; ~ **oder nie!** [it's] now or never!; ~ **noch?** now?; ~ **schon?** already?; **bis ~** so far; **für ~ wollen wir erst mal Schluss machen!** let's call it a day for now! ❷ (*verstärkend: nun*) now; **habe ich ~ den Brief eingeworfen oder nicht?** now, have I posted the letter or not?; **wer ist das ~ schon wieder?** who on earth is that now? ❸ (*heute*) now[adays]
je·wei·lig [ˈjeːˈvaɪlɪç] *adj attr* prevailing
je·weils [ˈjeːˈvaɪls] *adv* ❶ (*jedes Mal*) each time; **die Miete ist ~ monatlich im Voraus fällig** the rent is due each month in advance; **die ~ Betroffenen können gegen die Bescheide Einspruch einlegen** each of the persons concerned can lodge an objection to the decisions taken ❷ (*immer zusammengenommen*) each; ~ **drei Pfadfinder mussten sich einen Teller Eintopf teilen** in each instance three scouts had to share one plate of stew ❸ (*zur entsprechenden Zeit*) at the time
Jh. *Abk von* **Jahrhundert** century
JH *Abk von* **Jugendherberge** YH
Job <-s, -s> [dʒɔp] *m* (*fam*) job

job·ben ['dʒɔbn̩] *vi* (*fam*) to do casual work

Job·hopper(in)ᴿᴿ, **Job-hopper(in)**ᴬᴸᵀ <-s, -> ['dʒɔbhɔpɐ] *m(f)* soziol (*fam*) job hopper **Job-sha·ring**ᴿᴿ <-[s]> ['dʒɔb-ʃɛːrɪŋ] *nt kein pl*, **Job-sha·ring**ᴬᴸᵀ <-[s]> ['dʒɔbʃɛːrɪŋ] *nt kein pl* job-sharing *no pl, no art* **Job·su·che** ['dʒɔb-] *f kein pl* (*fam*) job-hunting *no pl, no art*

Joch <-[e]s, -e> ['jɔx] *nt* (*a. fig*) yoke

Jo·ckei *m*, **Jo·ckey** <-s, -s> ['dʒɔke, 'dʒɔki] *m* jockey

Jod <-s> ['joːt] *nt kein pl* iodine

jo·deln ['joːdl̩n] *vi* to yodel

Jod·ler <-s, -> ['joːdlɐ] *m* yodel

Jod·ler(in) <-s, -> ['joːdlɐ] *m(f)* yodeller

Jod·salz *nt kein pl* iodate; кОСНК iodized salt

Jo·ga <-[s]> ['joːga] *m o nt kein pl* yoga *no pl*

jog·gen ['dʒɔgn̩] *vi* ❶ *haben* (*als Jogger laufen*) to jog ❷ *sein* ■**irgendwohin** ~ to jog somewhere

Jog·ger(in) <-s, -> ['dʒɔgɐ] *m(f)* jogger

Jog·ging <-s> ['dʒɔgɪŋ] *nt kein pl* jogging *no pl*

Jog·ging·an·zug ['dʒɔgɪŋ-] *m* tracksuit

Jo·ghurt <-[s], -[s]> ['joːgʊrt] *m o nt*, **Jo·gurt**ᴿᴿ <-[s], -[s]> ['joːgʊrt] *m o nt* yog[h]urt

Jo·han·nis·bee·re [joˈhanɪs-] *f* currant; **rote/schwarze** ~ redcurrant/blackcurrant

joh·len ['joːlən] *vi* to yell

Joint <-s, -s> [dʒɔynt] *m* (*sl*) joint

Jo·Jo <-s, -s> [joˈjoː] *nt* yo-yo

Jo·ker <-s, -> ['joːke, 'dʒoːke] *m* joker

Jon·gleur(in) <-s, -e> [ʒɔŋˈløːɐ] *m(f)* juggler

jon·glie·ren* [ʒɔŋˈliːrən] *vi* to juggle

Jor·dan <-s> ['jɔrdan] *m* Jordan

Jor·da·ni·en <-s> [jɔrˈdaːni̯ən] *nt* Jordan; *s. a.* **Deutschland**

Jor·da·ni·er(in) <-s, -> [jɔrˈdaːni̯ɐ] *m(f)* Jordanian; *s. a.* **Deutsche(r)**

jor·da·nisch [jɔrˈdaːnɪʃ] *adj* Jordanian; *s. a.* **deutsch**

Joule <-[s], -> [ʒuːl] *nt* joule

Jour·nal <-s, -e> [ʒʊrˈnaːl] *nt* journal

Jour·na·lis·mus <-> [ʒʊrnaˈlɪsmʊs] *m kein pl* ❶ (*Pressewesen*) press ❷ (*journalistische Berichterstattung*) journalism *no pl*

Jour·na·list(in) <-en, -en> [ʒʊrnaˈlɪst] *m(f)* journalist

jour·na·lis·tisch [ʒʊrnaˈlɪstɪʃ] **I.** *adj* journalistic **II.** *adv* journalistically

jo·vi·al [joviˈaːl] *adj* (*geh*) jovial

Joy·stick <-s, -s> ['dʒɔystɪk] *m* joy-stick

jr. *adj Abk von* **junior** j[n]r̃.

Ju·bel <-s> ['juːbl̩] *m kein pl* cheering *no pl*

Ju·bel·ge·schrei *nt* shouting and cheering

ju·beln ['juːbl̩n] *vi* ■[**über etw** *akk*] ~ to celebrate [sth]; **eine ~de Menge** a cheering crowd

Ju·bel·ruf *m* cheer

Ju·bi·lar(in) <-s, -e> [jubiˈlaːɐ] *m(f)* person celebrating an anniversary

Ju·bi·lä·um <-s, Jubiläen> [jubiˈlɛːʊm, *pl* jubiˈlɛːən] *nt* anniversary

ju·bi·lie·ren* [jubiˈliːrən] *vi* (*geh*) ■[**über etw** *akk*] ~ ❶ (*jubeln*) to celebrate [sth] ❷ (*frohlocken*) to rejoice *liter*

juch·zen ['jʊxtsn̩] *vi* (*fam*) to shout with joy

ju·cken ['jʊkn̩] **I.** *vi* (*Juckreiz erzeugen*) to itch **II.** *vi impers* to itch; **zeig mir mal genau, wo es juckt!** show me where it's itching! **III.** *vt impers* ❶ (*zum Kratzen reizen*) ■**es juckt jdn [irgendwo]** sb has an itch [somewhere]; **mich juckt's am Rücken** my back's itching ❷ (*fam: reizen*) ■**jdn juckt es, etw zu tun** sb's itching to do sth **IV.** *vt* ❶ (*kratzen*) **das Unterhemd juckt mich** the vest makes me itch ❷ (*reuen*) ■**jdn juckt es, etw getan zu haben** sb regrets having done sth ❸ *meist verneint* (*fam: kümmern*) ■**jdn juckt etw [nicht]** sth is of [no] concern to sb; **das juckt mich doch nicht** I couldn't care less **V.** *vr* (*fam: sich kratzen*) ■**sich ~** to scratch

Juck·reiz *m* itch[ing *no pl*]

Ju·de, Jü·din <-n, -n> ['juːdə, 'jyːdɪn] *m, f* Jew *masc*, Jewess *fem*; ~ **sein** to be a Jew/Jewess, to be Jewish

Ju·den·tum <-s> *nt kein pl* (*Gesamtheit der Juden*) Jewry *no pl*, Jews *pl*

Ju·den·ver·fol·gung *f* persecution of [the] Jews **Ju·den·ver·nich·tung** *f kein pl* extermination of the Jews; (*im 3. Reich*) Holocaust *no pl*

Jü·din <-, -nen> ['jyːdɪn] *f fem form von* **Jude** Jewess

jü·disch ['jyːdɪʃ] *adj* Jewish

Ju·do <-s> ['juːdo] *nt kein pl* judo *no pl*

Ju·gend <-> ['juːgn̩t] *f kein pl* ❶ (*Jugendzeit*) youth *no pl*; **frühe/früheste ~** early/earliest youth; **in jds ~** in sb's youth; **in meiner ~ kostete ein Brötchen sechs Pfennige** when I was young a roll cost six Pfennigs; **von ~ an** from one's youth ❷ (*Jungsein*) youthfulness ❸ (*junge Menschen*) ■**die ~** young people *pl*; **die euro-**

päische ~ the youth of Europe; **die heu-tige** ~ young people today
Ju·gend·amt *nt government office for youth welfare* **Ju·gend·ar·beit** *f* youth [welfare] work **Ju·gend·ar·beits·lo·sig-keit** *f kein pl* youth unemployment *no pl* **Ju·gend·buch** *nt* book for young readers **ju·gend·frei** *adj* (*veraltend*) *Film* U-cert[ificate] BRIT, [rated] G AM **Ju·gend-freund(in)** *m(f)* childhood friend **ju-gend·ge·fähr·dend** *adj* morally damaging to juveniles **Ju·gend·grup·pe** *f* youth group **Ju·gend·haft** *f kein pl* JUR juvenile detention **Ju·gend·her·ber·ge** *f* youth hostel **Ju·gend·kri·mi·na·li·tät** *f kein pl* juvenile delinquency *no pl*
ju·gend·lich ['juːɡntlɪç] **I.** *adj* **➊** (*jung*) young **➋** (*durch jds Jugend bedingt*) youthful **➌** (*jung wirkend*) youthful **II.** *adv* youthfully
Ju·gend·li·che(r) *f(m)* young person
Ju·gend·lie·be *f* childhood sweetheart **Ju·gend·schutz** *m kein pl* protection of children and young persons **Ju·gend-stil** *m* Art Nouveau **Ju·gend·straf·an-stalt** *f* JUR (*geh*) youth detention centre [*or* AM -er] **Ju·gend·stra·fe** *f* sentence for young offenders **Ju·gend·sün·de** *f* youthful misdeed **Ju·gend·traum** *m* childhood dream **Ju·gend·zeit** *f kein pl* youth *no pl* **Ju·gend·zen·trum** *nt* youth centre
Ju·go·sla·we, Ju·go·sla·win <-n, -n> [jugo'slaːvə, jugo'slaːvɪn] *m, f* (*hist*) Yugoslav; *s. a.* **Deutsche(r)**
Ju·go·sla·wi·en <-s> [jugo'slaːvi̯ən] *nt* (*hist*) Yugoslavia; *s. a.* **Deutschland**
Ju·go·sla·wi·in <-, -nen> [jugo'slaːvɪn] *f* (*hist*) *fem form von* **Jugoslawe**
ju·go·sla·wisch [jugo'slaːvɪʃ] *adj* (*hist*) Yugoslav[ian]; *s. a.* **deutsch**
Ju·li <-[s], -s> ['juːli] *m* July; *s. a.* **Februar**
jun. *adj Abk von* **junior**
jung <jünger, jüngste> ['jʊŋ] **I.** *adj* **➊** (*noch nicht älter*) young; **er ist jünger als seine Freundin** he is younger than his girlfriend; ~ **und alt** young and old alike **➋** (*jung wirkend*) youthful; **das hält** ~! it keeps you young; **➌** (*später geboren*) young; ■**der/die Jüngere/der/die Jüngste** the younger/youngest **➍** (*erst kurz existierend*) new **II.** *adv* (*in jungen Jahren*) young; ~ **heiraten/sterben** to marry/die young; **von** ~ **auf** from an early age
Jun·ge <-n, -n> ['jʊŋə] *m* **➊** (*männliches Kind*) boy **➋** (*fam*) ■**Jungs** *pl* (*veraltend fam: Leute*) chaps *pl* BRIT, guys *pl* AM ▶ **al-**

ter ~ (*fam*) old chap [*or* AM fellow]; **dum-mer** ~ wet behind the ears; **wie ein dum-mer** ~ like a child; **ein schwerer** ~ (*fam*) big-time crook; **mein** ~! (*fam*) my dear boy!; ~ **,** ~! (*fam*) boy oh boy!
Jun·ge(s) ['jʊŋə(s)] *nt* ORN, ZOOL young
jun·gen·haft *adj* boyish
jün·ger ['jʏŋɐ] *adj* **➊** *comp von* **jung** younger **➋** (*noch nicht allzu alt*) youngish **➌** (*wenig zurückliegend*) recent
Jün·ger(in) <-s, -> ['jʏŋɐ] *m(f)* **➊** (*Schüler Jesu*) disciple **➋** (*Anhänger*) disciple
Jung·fer <-, -n> ['jʊŋfɐ] *f* (*veraltet*) mistress *hist;* **eine alte** ~ (*pej*) an old maid *pej*
Jung·fern·fahrt *f* maiden voyage **Jung-fern·häut·chen** *nt* hymen
Jung·frau ['jʊŋfrau̯] *f* **➊** (*Frau vor ihrem ersten Koitus*) virgin; **die** ~ **Maria** the Virgin Mary; **die** ~ **von Orléans** Joan of Arc **➋** ASTROL (*Tierkreiszeichen*) Virgo; ■~ **sein** to be a Virgo
jung·fräu·lich ['jʊŋfrɔy̯lɪç] *adj* (*geh*) **➊** (*Zustand*) virgin **➋** (*noch unberührt*) virgin; ~ **er Schnee** virgin snow
Jung·fräu·lich·keit <-> *f kein pl* (*geh*) virginity *no pl*
Jung·ge·sel·le, -ge·sel·lin ['jʊŋɡəzɛlə, -ɡəzɛlɪn] *m, f* bachelor
Jüng·ling <-s, -e> ['jʏŋlɪŋ] *m* (*geh*) (*junger Mann*) youth ▶ [auch] **kein** ~ **mehr sein** to be no spring chicken anymore
Jung·spund <-s, -e> *m* (*pej fam*) young buck
jüngst ['jʏŋst] *adv* (*geh*) recently
jüngs·te(r, s) *adj* **➊** *superl von* **jung** youngest; [auch] **nicht mehr der/die Jüngste sein** (*hum*) to be no spring chicken anymore [either] **➋** (*nicht lange zurückliegend*) [most] recent **➌** (*neueste*) latest
Jung·tier *nt* young animal **jung·ver·hei-ra·tet** *adj* newly-wed
Ju·ni <-[s], -s> ['juːni] *m* June; *s. a.* **Februar**
ju·ni·or ['juːni̯oːɐ] *adj* (*geh*) junior
Ju·ni·or, Ju·ni·o·rin <-s, -en> ['juːni̯oːɐ, ju'ni̯oːrɪn, *pl* ju'ni̯oːrən] *m, f* **➊** (~ *chef*) son *masc*/daughter *fem* of the boss **➋** (*fam: Sohn*) junior **➌** *pl* SPORT (*junge Sportler zwischen 18 und 23*) juniors *npl*
Ju·ni·or·chef, -che·fin *m, f* boss' [*or* owner's] son *masc*/daughter *fem*
Ju·ni·o·rin <-, -nen> [ju'ni̯oːrɪn] *f fem form von* **Junior**
Junk·food <-s> *nt kein pl,* **Junk-food** <-s> ['dʒaŋkfuːd] *nt kein pl* junk food *no pl*
Jun·kie <-s, -s> ['dʒaŋki] *m* (*sl*) junkie
Jun·ta <-, Junten> ['xʊnta, 'jʊnta,

pl ['xʊntn̩, 'jʊntn̩] *f* POL junta

Ju·pi·ter <-s> ['ju:pite] *m* Jupiter

Ju·ra¹ ['ju:ra] *kein art* SCH law

Ju·ra² <-s> ['ju:ra] *m* GEOL Jurassic [period/system]

Ju·ra³ <-s> ['ju:ra] *nt kein pl* GEOG ❶ (*Gebirge in der Ostschweiz*) Jura Mountains *pl* ❷ (*Schweizer Kanton*) Jura

Ju·ris·pru·denz <-> [jurɪspru'dɛnts] *f kein pl* (*geh*) jurisprudence *no pl*

Ju·rist(in) <-en, -en> [jueɪst] *m(f)* ❶ (*Akademiker*) jurist ❷ (*fam: Jurastudent*) law student

Ju·ris·te·rei <-> [jurɪstə'rai] *f kein pl* law *no pl*

Ju·ris·tin <-, -nen> [ju'rɪstɪn] *f fem form von* Jurist

ju·ris·tisch [ju'rɪstɪʃ] **I.** *adj* ❶ (*Jura betreffend*) legal; ~ **es Studium** law studies; **die** ~ **e Fakultät** Faculty of Law ❷ (*die Rechtsprechung betreffend*) law *attr;* **ein** ~ **es Problem** a juridical problem **II.** *adv* ~ **argumentiert/betrachtet** argued/seen from a legal point of view

Ju·ror, Ju·ro·rin <-s, Juroren> ['ju:ro:ɐ̯, ju'ro:rɪn, *pl* ju'ro:rən] *m, f meist pl* juror

Ju·ry <-, -s> [ʒy'ri:, 'ʒy:ri, 'dʒu:ri] *f* jury

just ['jʊst] *adv* ❶ (*veraltet: eben gerade*) just; **da fällt mir** ~ **ein** I've just remembered ❷ (*liter: genau*) exactly; ~ **in dem Moment** at that very moment

jus·tie·ren* [jʊs'ti:rən] *vt* to adjust

Jus·tiz <-> [jʊs'ti:ts] *f kein pl* JUR ❶ (*Gerichtsbarkeit*) justice *no pl* ❷ (~ *behörden*) legal authorities *pl*

Jus·tiz·be·am·te(r) *f(m)* judicial officer **Jus·tiz·be·hör·de** *f* legal authority **Jus·tiz·ge·bäu·de** *nt* court-house **Jus·tiz·irr·tum** *m* miscarriage of justice **Jus·tiz·mi·nis·ter, -mi·nis·te·rin** *m, f* Minister of Justice BRIT, Attorney General AM **Jus·tiz·mi·nis·te·ri·um** *nt* Ministry of Justice BRIT, Department of Justice AM **Jus·tiz·voll·zugs·an·stalt** [jʊs'ti:tsfɔltsuks-] *f* (*geh*) place of detention

Ju·te <-> ['ju:tə] *f kein pl* jute

Ju·wel¹ <-s, -en> [ju've:l] *m o nt* ❶ (*Schmuckstein*) gem[stone], jewel ❷ *pl* (*Schmuck*) jewel[le]ry *no pl*

Ju·wel² <-s, -e> [ju've:l] *nt* ❶ (*geschätzte Person oder Sache*) gem; **ein** ~ **von einer Köchin sein** to be a gem of a cook ❷ (*prachtvoller Ort*) gem, jewel; **der Schwarzwald ist ein Juwel unter den deutschen Landschaften** the Black Forest is one of the jewels of the German countryside ❸ (*kostbares Exemplar*) gem, jewel; **das Juwel der Sammlung** the jewel of the collection

Ju·we·lier(in) <-s, -e> [juve'li:ɐ̯] *m(f)* ❶ (*Besitzer eines* ~ *geschäftes*) jeweller ❷ (*Juweliergeschäft*) jeweller's

Jux <-es, -e> ['jʊks] *m* (*fam: Scherz*) joke; **aus** [**lauter**] ~ **und Tollerei** (*fam*) out of sheer fun; **sich** *dat* **einen** ~ **aus etw** *dat* **machen** to make a joke out of sth; **aus** ~ as a joke

JVA <-, -s> [jɔtfaʊ'a:] *f Abk von* **Justizvollzugsanstalt** JUR prison

K k

K, k <-, - *o fam* -s, -s> [kaː] *nt* K, k; *s. a.* **A 1**

Ka·ba·rett <-s, -e *o* -s> [kabaˈrɛt] *nt* cabaret

Ka·ba·ret·tist(in) <-en, -en> [kabarɛˈtɪst] *m(f)* cabaret artist

kab·beln [ˈkabl̩n] *vr* (*fam*) to squabble

Ka·bel <-s, -> [ˈkaːbl̩] *nt* ❶ ELEK wire ❷ TE-LEK, TV cable

Ka·bel·an·schluss^RR *m* cable connection **Ka·bel·fern·se·hen** *nt* cable TV

Ka·bel·jau <-s, -e *o* -s> [ˈkaːbl̩jaʊ] *m* cod

Ka·bel·ka·nal *m* TV, RADIO cable channel **Ka·bel·netz** *nt* TV cable network

Ka·bi·ne <-, -n> [kaˈbiːnə] *f* ❶ (*Umkleide-kabine*) changing room ❷ NAUT cabin ❸ (*Gondel*) cable-car

Ka·bi·nett <-s, -e> [kabiˈnɛt] *nt* POL cabinet

Kab·rio <-[s], -s> [ˈkaːbrio] *nt* convertible

Ka·bri·o·lett <-s, -s> [kabrioˈlɛt] *nt* ÖSTERR, SÜDD (*geh: Kabrio*) convertible

Ka·chel <-, -n> [ˈkaxl̩] *f* tile

ka·cheln [ˈkaxl̩n] *vt* to tile

Ka·chel·ofen [ˈkaxl̩ˌʔoːfn̩] *m* tiled stove

Ka·cke <-> [ˈkakə] *f kein pl* (*derb*) shit

ka·cken [ˈkakn̩] *vi* (*vulg*) to shit

Ka·da·ver <-s, -> [kaˈdaːvɐ] *m* carcass

Ka·denz <-, -en> [kaˈdɛnts] *f* MUS cadenza

Ka·der <-, -> [ˈkaːdɐ] *m* ❶ MIL cadre ❷ SPORT squad

Ka·dett <-en, -en> [kaˈdɛt] *m* MIL cadet

Kad·mi·um <-s> [ˈkatmiʊm] *nt kein pl* cadmium

Kä·fer <-s, -> [ˈkɛfɐ] *m* ❶ ZOOL beetle ❷ (*fam: Volkswagen*) beetle

Kaff <-s, -s *o* -e> [ˈkaf] *nt* (*pej fam*) hole

Kaf·fee <-s, -s> [ˈkafe] *m* coffee; **~ mit Milch** white coffee; **schwarzer ~** black coffee; **~ trinken** to have [a] coffee

Kaf·fee·au·to·mat *m* coffee machine **Kaf·fee·boh·ne** *f* coffee bean **kaf·fee·braun** *adj* coffee-coloured **Kaf·fee·fil·ter** *m* ❶ (*Vorrichtung*) coffee filter ❷ (*fam: Filterpapier*) filter paper **Kaf·fee·haus** *nt* ÖSTERR coffee-house **Kaf·fee·kan·ne** *f* coffeepot **Kaf·fee·klatsch** *m kein pl* (*fam*) coffee morning BRIT, kaffeeklatsch AM **Kaf·fee·löf·fel** *m* coffee spoon **Kaf·fee·ma·schi·ne** *f* coffee machine **Kaf·fee·müh·le** *f* coffee grinder **Kaf·fee·pau·se** *f* coffee break **Kaf·fee·satz** *m* coffee grounds *npl* **Kaf·fee·tas·se** *f* coffee cup

Kä·fig <-s, -e> [ˈkɛːfɪç] *m* cage

kahl [kaːl] **I.** *adj* ❶ (*ohne Kopfhaar*) bald; **~ geschoren** shaven ❷ *Wand, Baum* bare ❸ (*ohne Bewuchs*) barren **II.** *adv* **etw ~ fressen** to strip sth bare; **jdn ~ scheren** to shave sb's head

Kahl·heit <-> *f kein pl* ❶ (*Kahlköpfigkeit*) baldness *no pl* ❷ (*Blattlosigkeit*) bareness *no pl* ❸ (*kahle Beschaffenheit*) bleakness *no pl*, barrenness *no pl* **Kahl·kopf** *m* bald head **kahl·köp·fig** *adj* bald-headed **Kahl·schlag** *m* ❶ (*abgeholzte Fläche*) clearing ❷ *kein pl* (*das Abholzen*) deforestation ❸ (*fam: völliger Abriss*) demolition

Kahn <-[e]s, Kähne> [kaːn, *pl* ˈkɛːnə] *m* (*flaches Boot*) small boat; (*Schleppkahn*) barge

Kai <-s, -e *o* -s> [kaj] *m* quay

Kai·man <-s, -e> [ˈkajman] *m* cayman

Kai·ro <-s> [ˈkajro] Cairo

Kai·ser(in) <-s, -> [ˈkajzɐ] *m(f)* emperor *masc*, empress *fem*

kai·ser·lich [ˈkajzɐlɪç] *adj* imperial

Kai·ser·reich *nt* empire **Kai·ser·schmar·ren**, **Kai·ser·schmarrn** *m* KOCHK ÖSTERR, SÜDD shredded pancake-style mixture combined with sugar and dried fruit **Kai·ser·schnitt** *m* Caesarean [section]

Ka·jak <-s, -s> [ˈkaːjak] *m o nt* kayak

Ka·jal <-[s]> [kaˈjaːl] *nt kein pl* kohl

Ka·jü·te <-, -n> [kaˈjyːtə] *f* cabin

Ka·kadu <-s, -s> *m* cockatoo

Ka·kao <-s, -s> [kaˈkaʊ] *m* cocoa; (*heiss*) hot chocolate; (*Pulver*) cocoa [powder]

Ka·kao·boh·ne *f* cocoa bean **Ka·kao·but·ter** *f kein pl* cocoa butter *no pl* **Ka·kao·pul·ver** *nt* cocoa powder

Ka·ker·la·ke <-, -n> [ˈkaːkɐlak] *f* cockroach

Kak·tee <-, -n> [kakˈteːə] *f*, **Kak·tus** <-, Kakteen *o fam* -se> [kakˈteːə, ˈkaktʊs, *pl* kakˈteːən, -ʊsə] *m* cactus

Kalb <-[e]s, Kälber> [kalp, *pl* ˈkɛlbɐ] *nt* calf

kal·ben [ˈkalbn̩] *vi* to calve

Kalb·fleisch *nt* veal **Kalbs·bra·ten** *m* roast veal **Kalbs·ko·te·lett** *nt* veal cutlet **Kalbs·schnit·zel** *nt* veal cutlet

Kal·dau·ne <-, -n> [kalˈdaʊnə] *f meist pl* DIAL entrails *npl*

Ka·lei·dos·kop <-s, -e> [kalajdoˈskoːp] *nt* kaleidoscope

Ka·len·der <-s, -> [ˈkalɛndɐ] *m* calendar

Ka·len·der·jahr *nt* calendar year

Ka·li <-s, -s> ['ka:li] *nt* potash *no pl*

Ka·li·ber <-s, -> [ka'li:bɐ] *nt* calibre

Ka·lif <-en, -en> [ka'li:f] *m* caliph

Ka·li·for·ni·en <-s> [kali'fɔrni̯ən] *nt* California

Ka·li·um <-s> ['ka:li̯ʊm] *nt kein pl* potassium *no pl*

Kalk <-[e]s, -e> [kalk] *m* ❶ BAU whitewash *no pl;* **gebrannter ~** quicklime *no pl* ❷ (*Kalziumkarbonat*) lime *no pl* ❸ (*Kalzium*) calcium *no pl*

Kalk·bo·den *m* lime soil

kal·ken ['kalkn̩] *vt* ❶ (*tünchen*) to whitewash ❷ (*düngen*) to lime

kalk·hal·tig *adj* chalky; (*Wasser*) hard

Kalk·stein *m* limestone

Kal·ku·la·ti·on <-, -en> [kalkula'tsi̯o:n] *f* calculation

kal·ku·lier·bar *adj* calculable

kal·ku·lie·ren* [kalku'li:rən] *vi, vt* to calculate (**mit** with)

Ka·lo·rie <-, -n> [kalo'ri:, *pl* kalo'ri:ən] *f* calorie

ka·lo·ri·en·arm *adj, adv* low-calorie **Ka·lo·rien·bom·be** *f* (*fam*) **eine echte ~** *a food or drink packed with calories* **Ka·lo·rien·ge·halt** *m* calorie content **ka·lo·ri·en·reich** I. *adj* high-calorie II. *adv* **~ essen** to eat foods high in calories

kalt <kälter, kälteste> [kalt] I. *adj* cold; **mir ist ~** I'm cold II. *adv* ❶ (*nicht warm*) **~ duschen** to have a cold shower; **sich ~ waschen** to wash in cold water; **etw ~ essen** to eat sth cold; **etw ~ stellen** to chill sth ❷ (*emotionslos*) **~ lächelnd** (*pej*) cool and calculating ▶ **jdn überläuft es ~** cold shivers run down sb's back

kalt·blü·tig [kaltbly:tɪç] I. *adj* ❶ (*emotionslos*) cold ❷ (*skrupellos*) cold-blooded II. *adv* ❶ (*ungerührt*) coolly ❷ (*skrupellos*) unscrupulously

Kalt·blü·tig·keit <-> *f kein pl* ❶ (*Emotionslosigkeit*) coolness *no pl* ❷ (*Skrupellosigkeit*) unscrupulousness *no pl;* (*Mörder*) cold-bloodedness *no pl*

Käl·te <-> ['kɛltə] *f kein pl* cold *no pl;* **vor ~** with cold; **zehn Grad ~** ten below [zero]

käl·te·be·stän·dig *adj* ❶ (*unempfindlich gegen Kälteeinwirkung*) cold-resistant ❷ (*nicht gefrierend*) non-freezing **Käl·te·ein·bruch** *m* cold spell **käl·te·emp·find·lich** *adj* sensitive to cold *pred* **Käl·te·grad** *m* ❶ (*Grad der Kälte*) degree of coldness ❷ (*fam: Minusgrad*) degrees *pl* below zero **Käl·te·pe·ri·o·de** *f* spell of cold weather **Käl·te·schutz·mit·tel** *nt* antifreeze **Käl·te·wel·le** *f* cold spell

Kalt·front *f* METEO cold front

kalt·ge·presst *adj Öl* cold pressed

kalt·her·zig *adj* cold-hearted

kalt·las·sen *vt irreg* ■ **jdn ~** to leave sb cold **Kalt·luft** *f* cold air **Kalt·mie·te** *f* rent exclusive of heating costs

kalt·schnäu·zig I. *adj* (*fam*) callous II. *adv* (*fam*) callously

Kalt·start *m* cold start

Kal·vi·nis·mus <-> [kalvi'nɪsmʊs] *m kein pl* REL Calvinism *no pl*

kal·vi·nis·tisch *adj* REL Calvinist[ic]

Kal·zi·um <-s> ['kaltsi̯ʊm] *nt kein pl* calcium *no pl*

kam [ka:m] *imp von* **kommen**

Kam·bod·scha <-s> [kam'bɔdʒa] *nt* Cambodia; *s. a.* **Deutschland**

Ka·mel <-[e]s, -e> [ka'me:l] *nt* camel

Ka·mel·haar *nt kein pl* camel hair

Ka·me·lie <-, -n> [ka'me:li̯ə] *f* camellia

Ka·mel·len [ka'mɛlən] *pl* carnival sweets ▶ **das sind alte ~** (*fam*) that's old hat

Ka·mel·trei·ber(in) <-s, -> *m(f)* ❶ (*Kamelbesitzer*) camel-driver ❷ (*pej fam: Araber*) Arab

Ka·me·ra <-, -s> ['kaməra] *f* camera; **vor der ~** on television

Ka·me·rad(in) <-en, -en> [kamə'ra:t, *pl* -a:dn̩] *m(f)* comrade; (*Vereinskamerad*) friend

Ka·me·rad·schaft <-, -en> [kamə'ra:tʃaft] *f* camaraderie *no pl*

ka·me·rad·schaft·lich I. *adj* friendly II. *adv* on a friendly basis

Ka·me·rad·schafts·geist *m kein pl* spirit of comradeship *no pl*

Ka·me·ra·mann, -frau *m, f* cameraman

Ka·me·run <-s> [kamə'ru:n, 'kaməru:n, 'ka:məru:n] *nt* Cameroon; *s. a.* **Deutschland**

Ka·me·ru·ner(in) <-s, -> [kamə'ru:nɐ, 'kaməru:nɐ, 'kaməru:nɐ] *m(f)* Cameroonian; *s. a.* **Deutsche(r)**

ka·me·run·isch *adj* Cameroonian; *s. a.* **deutsch**

Ka·mil·le <-, -n> [ka'mɪlə] *f* camomile

Ka·mil·len·tee *m* camomile tea

Ka·min <-s, -e> [ka'mi:n] *m o* DIAL *nt* ❶ (*offene Feuerstelle*) fireplace ❷ (*Schornstein*) chimney ❸ (*Felsspalt*) chimney

Ka·min·fe·ger(in) <-s, -> *m(f)* DIAL, **Ka·min·keh·rer(in)** <-s, -> *m(f)* DIAL (*Schornsteinfeger*) chimney sweep

Kamm <-[e]s, Kämme> [kam, *pl* 'kɛmə] *m* ❶ (*Frisier-~*) *a.* ORN, ZOOL comb ❷ KOCHK neck; (*von Schweinefleisch*) spare rib ❸ (*Bergrücken*) ridge ❹ (*Wellenkamm*) crest

käm·men [kɛmən] *vt* to comb

Kam·mer <-, -n> ['kamɐ] *f* ❶ (*kleiner Raum*) small room ❷ POL, JUR chamber ❸ (*Berufsvertretung*) professional association

Kam·mer·die·ner *m* valet **Kam·mer·jä·ger(in)** *m(f)* pest controller **Kam·mer·mu·sik** *f* chamber music **Kam·mer·ton** *m kein pl* concert pitch *no pl* **Kam·mer·zo·fe** *f* chambermaid

Kam·pag·ne <-, -n> [kam'panjə] *f* campaign

Kampf <-[e]s, Kämpfe> [kampf, *pl* 'kɛmpfə] *m* ❶ MIL battle; **im ~ fallen** to be killed in action; **in den ~ [gegen jdn/ etwn** *akk*] **ziehen** to take up arms [against sb/sth]; (*eine Herausforderung annehmen*) to accept a challenge ❷ SPORT fight ❸ (*Auseinandersetzung*) fight; (*innere Auseinandersetzung*) struggle ❹ (*das Ringen*) **der ~ ums Dasein** the struggle for existence ▸**jdm/einer S.** *dat* **den ~ ansagen** to declare war on sb/sth

Kampf·an·sa·ge *f* declaration of war

kämp·fen ['kɛmpfn̩] **I.** *vi* ❶ (*sich angestrengt einsetzen*) *a.* MIL, SPORT to fight ❷ (*ringen*) ▪ **mit sich/etw** *dat* ~ to struggle with oneself/sth **II.** *vr* ▪ **sich durch etw** *akk* ~ to struggle through sth

Kamp·fer <-s> *m kein pl* camphor *no pl*

Kämp·fer(in) <-s, -> ['kɛmpfɐ] *m(f)* ❶ (*engagierter Streiter*) *a.* MIL fighter ❷ SPORT contender

kämp·fe·risch I. *adj* ❶ SPORT attacking ❷ (*Kampfgeist aufweisend*) aggressive ❸ MIL fighting **II.** *adv* aggressively

Kämp·fer·na·tur *f* fighter

kampf·er·probt *adj* combat-tested **Kampf·flug·zeug** *nt* combat aircraft **Kampf·gas** *nt* poison gas **Kampf·geist** *m kein pl* fighting spirit *no pl* **Kampf·hand·lung** *f meist pl* MIL hostilities *pl* **Kampf·hund** *m* fighting dog **kampf·los** **I.** *adj* peaceful **II.** *adv* peacefully **kampf·lus·tig** *adj* belligerent **Kampf·platz** *m* SPORT arena **Kampf·rich·ter(in)** *m(f)* referee **Kampf·sport** *m kein pl* martial arts *pl* **Kampf·trin·ken** *nt kein pl* (*fam*) [competitive] binge drinking **kampf·un·fä·hig** *adj* unable to fight; MIL unfit for battle

kam·pie·ren* [kam'pi:rən] *vi* to camp [out]

Ka·na·da <-s> ['kanada] *nt* Canada; *s. a.* **Deutschland**

Ka·na·di·er(in) <-s, -> [ka'na:diɐ] *m(f)* Canadian; *s. a.* **Deutsche(r)**

ka·na·disch [ka'na:dɪʃ] *adj* Canadian; *s. a.*

deutsch

Ka·nail·le <-, -n> [ka'naljə] *f* (*pej*) scoundrel

Ka·na·ke <-n, -n> [ka'na:kə] *m* ❶ (*Südseeinsulaner*) Kanaka ❷ (*pej sl: exotischer Asylant*) dago ❸ (*pej sl: türkischer Arbeitnehmer*) Turkish immigrant worker

Ka·nal <-s, Kanäle> [ka'na:l, *pl* ka'nɛlə] *m* ❶ NAUT, TRANSP canal ❷ (*Abwasserkanal*) sewer ❸ *kein pl* (*Ärmelkanal*) ▪ **der ~** the [English] Channel ❹ RADIO, TV channel ❺ *pl* (*Wege*) **dunkle Kanäle** dubious channels

Ka·nal·de·ckel *m* drain cover **Ka·nal·in·seln** *pl* ▪ **die ~** the Channel Islands *pl*

Ka·na·li·sa·ti·on <-, -en> [kanaliza'tsi̯o:n] *f* ❶ (*Abwassernetz*) sewerage system ❷ *kein pl* (*geh: das Kanalisieren*) canalization *no pl*, *no indef art*

ka·na·li·sie·ren* [kanali'zi:rən] *vt* ❶ (*schiffbar machen*) to canalize ❷ (*mit einer Kanalisation versehen*) to install a sewerage system ❸ (*geh: in Bahnen lenken*) to channel

Ka·nal·tun·nel *m* ▪ **der ~** the Channel Tunnel

Ka·na·ri·en·vo·gel [ka'na:ri̯ənfo:gl̩] *m* canary

Ka·na·ri·er(in) <-s, -> [ka'na:ri̯ɐ] *m(f)* Canary Islander; *s. a.* **Deutsche(r)**

ka·na·risch [ka'na:rɪʃ] *adj* Canary; **die K~en Inseln** the Canary Islands

Ka·na·ri·sche In·seln *pl* Canary Islands *pl*

Kan·da·re <-, -n> [kan'da:rə] *f* (*Gebissstange*) bit ▸**jdn an die ~ nehmen** to keep a tight rein on sb

Kan·di·dat(in) <-en, -en> [kandi'da:t] *m(f)* candidate; **jdn als ~en [für etw** *akk*] **aufstellen** POL to nominate sb [for sth]

Kan·di·da·tur <-, -en> [kandida'tu:ɐ] *f* application

kan·di·die·ren* [kandi'di:rən] *vi* POL ▪ **[für etw** *akk*] ~ to stand [for sth]

kan·diert *adj* candied

Kan·dis <-> *m*, **Kan·dis·zu·cker** ['kandɪs] *m kein pl* rock candy *no pl*

Kän·gu·ruᴿᴿ <-s, -s> *nt*, **Kän·gu·ruhᴬᴸᵀ** <-s, -s> ['kɛŋguru] *nt* kangaroo

Ka·nin·chen <-s, -> [ka'ni:nçən] *nt* rabbit

Ka·nin·chen·stall *m* rabbit hutch

Ka·nis·ter <-s, -> [ka'nɪstɐ] *m* canister

Känn·chen <-s, -> ['kɛnçən] *nt dim von* **Kanne** ❶ (*kleine Kanne*) jug ❷ (*im Café*) pot

Kan·ne <-, -n> ['kanə] *f* ❶ (*Behälter mit Tülle*) pot ❷ (*Gießkanne*) watering can

Kan·ni·ba·le <-n, -n> [kani'ba:lə] *m* cannibal

Kan·ni·ba·lis·mus <-> [kaniba'lɪsmʊs] *m* *kein pl* cannibalism *no pl*

kann·te ['kantə] *imp von* **kennen**

Ka·non <-s, -s> ['ka:nɔn] *m* canon

Ka·no·ne <-, -n> [ka'no:nə] *f* ❶ (*Geschütz*) cannon ❷ (*sl: Pistole*) rod ▶ **unter aller ~ sein** (*fam*) to be lousy

Ka·no·nen·boot *nt* gunboat **Ka·no·nen·fut·ter** *nt* (*sl*) cannon fodder **Ka·no·nen·ku·gel** *f* cannonball **Ka·no·nen·rohr** *nt* gun barrel

Kan·ta·te <-, -n> [kan'ta:tə] *f* MUS cantata

Kan·te <-, -n> ['kantə] *f* (*Rand*) edge ▶ **etw auf die hohe ~ legen** (*fam*) to put sth away [for a rainy day]

kan·tig ['kantɪç] *adj* ❶ (*Kanten besitzend*) squared ❷ (*markant*) angular

Kan·ti·ne <-, -n> [kan'ti:nə] *f* canteen

Kan·ton <-s, -e> [kan'to:n] *m* canton

kan·to·nal [kanto'na:l] *adj* cantonal

Ka·nu <-s, -s> ['ka:nu] *nt* canoe

Ka·nü·le <-, -n> [ka'ny:lə] *f* cannula

Kan·zel <-, -n> ['kantsl̩] *f* ❶ REL pulpit ❷ (*veraltend: Cockpit*) cockpit

Kanz·lei <-, -en> [kants'lai̯] *f* ❶ (*Büro*) office ❷ HIST (*Behörde*) chancellery

Kanz·ler(in) <-s, -> ['kantslɐ] *m(f)* ❶ POL chancellor ❷ SCH vice-chancellor

Kanz·ler·amt *nt* POL ❶ (*Büro*) chancellor's office ❷ (*Amt*) chancellorship

Kanz·le·rin <-, -nen> *f fem form von* **Kanzler**

Kanz·ler·kan·di·dat(in) *m(f)* POL candidate for the position of chancellor **Kanz·ler·mehr·heit** *f* POL *parliamentary majority supporting the Chancellor in the German Bundestag*

Kap <-s, -s> [kap] *nt* cape; **~ der Guten Hoffnung** Cape of Good Hope

Kap. *Abk von* **Kapitel** chapter

Ka·pa·zi·tät <-, -en> [kapatsi'tɛt] *f* ❶ *kein pl* (*Fassungsvermögen*) *a.* ÖKON, INFORM capacity ❷ (*kompetente Person*) expert

Ka·pel·le¹ <-, -n> [ka'pɛlə] *f* chapel

Ka·pel·le² <-, -n> [ka'pɛlə] *f* MUS orchestra

Ka·pell·meis·ter(in) *m(f)* MUS ❶ (*Orchesterdirigent*) conductor ❷ (*Leiter einer Kapelle 2*) director of music; (*Tanzkapelle*) band leader

Ka·per <-, -n> ['ka:pɐ] *f* caper

ka·pern ['ka:pɐn] *vt* HIST to seize

ka·pie·ren * [ka'pi:rən] (*fam*) **I.** *vi* to get; ■ **~, dass/was/wie/wo ...** to understand that/what/how/where ... **II.** *vt* ■ **etw ~** to get sth

Ka·pi·tal <-s, -e *o* -ien> [kapi'ta:l, *pl* -ljən] *nt* FIN, ÖKON capital; **~ aufnehmen** to take up credit; **~ aus etw** *dat* **schlagen** (*pej*) to cash in on sth

Ka·pi·tal·ab·wan·de·rung *f kein pl* exodus of capital **Ka·pi·tal·an·la·ge** *f* capital investment **Ka·pi·tal·auf·wand** *m* FIN capital expenditure **Ka·pi·tal·er·trag** *m* FIN yield on capital [*or* return] **Ka·pi·tal·flucht** *f* flight of capital **Ka·pi·tal·ge·sell·schaft** *f* joint-stock company

ka·pi·ta·li·sie·ren * [kapitali'zi:rən] *vt* ■ **etw ~** to make capital out of sth; **Profit ~** to realize profits

Ka·pi·ta·lis·mus <-> [kapita'lɪsmʊs] *m* *kein pl* capitalism

Ka·pi·ta·list(in) <-en, -en> [kapita'lɪst] *m(f)* capitalist

ka·pi·ta·lis·tisch *adj* capitalist

Ka·pi·tal·kräf·tig *adj* financially strong **Ka·pi·tal·ver·bre·chen** *nt* capital offence

Ka·pi·tän(in) <-s, -e> [kapi'tɛ:n] *m(f)* captain

Ka·pi·tel <-s, -> [ka'pɪtl̩] *nt* ❶ (*Abschnitt*) chapter ❷ (*Angelegenheit*) story

Ka·pi·tell <-s, -e> [kapi'tɛl] *nt* capital

Ka·pi·tu·la·ti·on <-, -en> [kapitula'tsi̯o:n] *f* capitulation

ka·pi·tu·lie·ren * [kapitu'li:rən] *vi* ❶ (*sich ergeben*) to capitulate (**vor** to) ❷ (*fam: aufgeben*) ■ **vor etw** *dat* **~** to give up in the face of sth

Ka·plan <-s, Kapläne> [ka'pla:n, *pl* ka'plɛ:nə] *m* chaplain

Ka·po <-s, -s> ['kapo] *m* SÜDD (*fam: Vorarbeiter*) gaffer

Kap·pe <-, -n> ['kapə] *f* ❶ (*Mütze*) cap ❷ (*Verschluss*) top ❸ (*Schuhaufsatz: vorne*) toecap; (*hinten*) heel

kap·pen ['kapn̩] *vt* ❶ (*durchtrennen*) to cut ❷ (*fam: beschneiden*) to cut back

Kap·pes <-> ['kapəs] *m kein pl* DIAL ❶ (*Weißkohl*) cabbage ❷ (*sl: Unsinn*) rubbish BRIT, nonsense AM

Käp·pi <-s, -s> ['kɛpi] *nt* cap

Ka·pri·o·le <-, -n> [kapri'o:lə] *f* caper

ka·pri·zi·ös [kapri'tsi̯ø:s] *adj* (*geh*) capricious

Kap·sel <-, -n> ['kapsl̩] *f* ❶ PHARM, RAUM capsule ❷ (*kleiner Behälter*) small container

ka·putt [ka'pʊt] *adj* (*fam*) ❶ (*defekt*) broken ❷ (*beschädigt*) damaged; (*Kleidung: zerrissen*) torn ❸ (*erschöpft*) shattered ❹ (*ruiniert*) ruined

ka·putt|ge·hen *vi irreg sein* (*fam*) ❶ (*defekt werden*) to break down; **pass auf! das geht [davon] kaputt!** careful! it'll break! ❷ (*beschädigt werden*) to become damaged ❸ (*ruiniert werden*) ■ [**an etw**

dat] ~ to be ruined [because of sth]; (*Ehe, Partnerschaft*) to break up [because of sth] ❹ *Blume, Pflanze* to die [off] ❺ (*sl*) **bei dieser Schufterei geht man ja kaputt!** this work does you in! **ka·pụtt|la·chen** *vr* (*fam*) ■**sich** ~ to die laughing **ka·pụtt|ma·chen I.** *vt* (*fam*) ❶ (*zerstören*) *Gerät, Auto* to break; *Kleidungsstück, Möbelstück* to ruin; *Geschirr* to smash ❷ (*ruinieren*) to ruin ❸ (*erschöpfen*) ■**jdn** ~ to wear sb out **II.** *vr* (*fam: sich verschleißen*) ■**sich** ~ to wear oneself out

Ka·pu·ze <-, -n> [ka'puːtsə] *f* hood; (*Kutte*) cowl

Ka·pu·zen·pul·li *m*, **Ka·pu·zen·shirt** <-s, -s> [-ʃøːɐt] *nt* MODE hoody *fam*, hoodie *fam*

Ka·pu·zi·ner <-s, -> [kapu'tsiːnɐ] *m* ❶ (*Mönch*) Capuchin [monk] ❷ ÖSTERR (*Milchkaffee*) milk coffee

Ka·ra·bi·ner <-s, -> [kara'biːnɐ] *m* ❶ (*Gewehr*) carbine ❷ (~ *haken*) karabiner

Ka·ra·bi·ner·ha·ken *m* (*beim Bergsteigen*) karabiner

Ka·ra·cho <-s> [ka'raxo] *nt kein pl* **mit** ~ (*fam*) full tilt; **sie fuhr mit** ~ **gegen die Hauswand** she drove smack into the wall

Ka·raf·fe <-, -n> [ka'rafə] *f* decanter

Ka·ram·bo·la·ge <-, -n> [karambo'laːʒə] *f* (*fam*) pile-up

Ka·ra·mel^ALT <-s>, **Ka·ra·mell**^RR <-s> [kara'mɛl] *m kein pl* caramel

Ka·rao·ke <-[s]> [kara'oːkə] *nt kein pl* karaoke *no pl*

Ka·rat <-[e]s, -e *o* -> [ka'raːt] *nt* carat

Ka·ra·te <-[s]> [ka'raːtə] *nt kein pl* karate *no pl*

Ka·ra·wa·ne <-, -n> [kara'vaːnə] *f* caravan

Kar·da·mom <-s> [karda'moːm] *m o nt kein pl* cardamom *no pl*

Kar·dan·wel·le *f* propeller shaft

Kar·di·nal <-s, Kardinäle> [kardi'naːl, *pl* -'nɛːlə] *m* REL, ORN cardinal

Kar·di·nal·feh·ler *m* cardinal error **Kar·di·nal·fra·ge** *f* (*geh*) essential question **Kar·di·nal·zahl** *f* cardinal number

Kar·di·o·gramm <-s, -gramme> [kardi̯o'gram] *nt* cardiogram

Kar·di·o·lo·ge, -lo·gin <-n, -n> [kardi̯o'loːgə, -'loːgɪn] *m, f* MED cardiologist

Kar·di·o·lo·gie <-> [kardi̯o'loːgiː] *f kein pl* cardiology *no pl*

Kar·di·o·lo·gin <-, -nen> *f* MED *fem form von* **Kardiologe**

kar·dio·vas·ku·lär [kardi̯ovasku'lɛːɐ] *adj* MED cardiovascular

Ka·rẹnz·tag *m* day of unpaid sick leave

Ka·rẹnz·zeit *f* ❶ (*Wartezeit*) waiting period ❷ ÖSTERR (*Mutterschaftsurlaub*) maternity leave

Kar·fi·ol <-s> [kar'fi̯oːl] *m kein pl* SÜDD, ÖSTERR (*Blumenkohl*) cauliflower

Kar·frei·tag [ka:ɐ̯'fraɪtaːk] *m* Good Friday

karg [kark] **I.** *adj* ❶ (*unfruchtbar*) to barren ❷ (*dürftig*) sparse; (*Einkommen, Mahl*) meagre **II.** *adv* ❶ (*dürftig*) sparsely ❷ (*knapp*) **die Portionen sind** ~ **bemessen** they're stingy with the helpings

Kạrg·heit <-> *f kein pl* ❶ (*Unfruchtbarkeit*) barrenness *no pl* ❷ (*Dürftigkeit*) sparseness *no pl; Essen, Mahl* meagreness [*or* AM -erness] *no pl*

kärg·lich ['kɛrklɪç] *adj* ❶ (*ärmlich*) shabby; **ein ~es Leben führen** to live a life of poverty ❷ (*sehr dürftig*) meagre; *Mahlzeit* frugal; **der ~e Rest** the last [pathetic] scrap; **ein ~er Lohn** a pittance

Ka·ri·bik <-> [ka'riːbɪk] *f* ■**die** ~ the Caribbean

ka·ri·bisch [ka'riːbɪʃ] *adj* Caribbean

ka·riert [ka'riːrt] *adj* ❶ (*mit Karos gemustert*) checked ❷ (*quadratisch eingeteilt*) squared

Ka·ri·es <-> [ka'ri̯ɛs] *f kein pl* tooth decay *no pl*

Ka·ri·ka·tur <-, -en> [karika'tuːɐ̯] *f* (*a. pej*) caricature

Ka·ri·ka·tu·rist(in) <-en, -en> [karika-tu'rɪst] *m(f)* cartoonist

ka·ri·kie·ren* [kari'kiːrən] *vt* to caricature

ka·ri·ös [ka'ri̯øːs] *adj* decayed

ka·ri·ta·tiv [karita'tiːf] **I.** *adj* charitable **II.** *adv* charitably

kar·me·sin·rot, **kar·min·rot** *adj* crimson

Kar·ne·val <-s, -e *o* -s> ['karnəval] *m* carnival

Kar·ni·ckel <-s, -> [kar'nɪkl̩] *nt* (*fam*) bunny [rabbit]

Kär·nten <-s> ['kɛrntn̩] *nt* Carinthia

Ka·ro <-s, -s> ['kaːro] *nt* ❶ (*Raute*) check ❷ *kein pl* KARTEN diamonds *pl*

Ka·ro·ass^RR <-es, -e> *nt* KARTEN ace of diamonds

Ka·ro·lin·ger(in) <-s, -> ['kaːrolɪŋɐ] *m(f)* Carolingian

Ka·ro·mus·ter *nt* checked pattern

Ka·ros·se <-, -n> [ka'rɔsə] *f* ❶ (*Prunkkutsche*) state coach ❷ *s.* **Karosserie**

Ka·ros·se·rie <-, -n> [karɔsə'riː, *pl* -'riːən] *f* bodywork

Ka·rot·te <-, -n> [ka'rɔtə] *f* carrot

Karp·fen <-s, -> ['karpfn̩] *m* ZOOL, KOCHK carp

Kar·re <-, -n> ['karə] *f* ❶ (*fam: Auto*) old banger [*or* AM clunker] ❷ *s.* **Karren**

Kar·ree <-s, -s> [ka're:] *nt* ❶ (*Geviert*) square ❷ (*Häuserblock*) block; **ums ~** (*fam*) around the block ❸ ÖSTERR (*Rippenstück*) loin

Kar·ren <-s, -> ['karən] *m* ❶ (*Schubkarre*) wheelbarrow ❷ (*offener Pferdewagen*) cart ▶ **den ~** [*für jdn*] **aus dem <u>Dreck</u> ziehen** to get [sb] out of a mess

Kar·rie·re <-, -n> [ka'rǐe:rə] *f* career

Kar·rie·re·frau *f* career woman **Kar·ri·e·re·lei·ter** *f kein pl* (*fam*) career ladder; **die ~ emporklettern** to climb the career ladder [*or hum* slippery pole] **Kar·ri·e·re·sprung** *m* career jump

Kärr·ner·ar·beit ['kɛrnɐarbait] *f* (*pej*) donkey [*or* AM grunt] work *fam*

Kar·sams·tag [ka:ɐ̯'zamsta:k] *m* Easter Saturday

Karst <-[e]s, -e> [karst] *m* karst

Kart·bahn *f* kart[ing] track

Kar·te <-, -n> ['kartə] *f* ❶ (*Ansichts~*) [post]card; (*Eintritts~*) ticket; (*Fahr~*) ticket; (*Kartei~*) index card; (*Telefon~*) phonecard; (*Visiten~*) [business] card; INFORM (*Grafik~, Sound~*) card; FBALL **die gelbe/rote ~** the yellow/red card ❷ (*Auto-/Landkarte*) map; **nach der ~** according to the map ❸ (*Speisekarte*) menu ❹ (*Spielkarte*) card; **jdm die ~n legen** to tell sb's fortune from the cards ▶ **sich** *dat* **nicht in die ~n sehen <u>lassen</u>** (*fam*) to play with one's cards close to one's chest; **alles auf eine ~ <u>setzen</u>** to stake everything on one chance

Kar·tei <-, -en> [kar'tai] *f* card index **Kar·tei·kar·te** *f* index card **Kar·tei·kas·ten** *m* card index box

Kar·tell <-s, -e> [kar'tɛl] *nt* cartel

Kar·tell·amt *nt* monopolies [*or* AM antitrust] commission

Kar·ten·haus *nt* ❶ (*Figur aus Spielkarten*) house of cards ❷ NAUT (*Raum für Seekarten*) chart room **Kar·ten·le·gen** <-s> *nt* fortune telling using cards **Kar·ten·le·ger(in)** <-s, -> *m(f)* fortune-teller [who uses cards] **Kar·ten·le·se·ge·rät** *nt* card reader **Kar·ten·spiel** *nt* ❶ (*ein Spiel mit Karten*) game of cards ❷ (*Satz Karten*) pack of cards **Kar·ten·spie·ler(in)** <-s, -> *m(f)* card player **Kar·ten·te·le·fon** *nt* cardphone **Kar·ten·vor·ver·kauf** *m* advance ticket sale **Kar·ten·vor·ver·kaufs·stel·le** *f* [advance] ticket office

kar·tie·ren* [kar'ti:rən] *vt* ■ **etw ~** ❶ GEOG to map sth ❷ (*in Kartei einordnen*) to file sth

Kar·tof·fel <-, -n> [kar'tɔfl̩] *f* potato

▶ **jdn/etw wie eine <u>heiße</u> ~ fallen lassen** (*fam*) to drop sb/sth like a hot potato **Kar·tof·fel·brei** *m kein pl* mashed potatoes *pl* **Kar·tof·fel·chips** *pl* [potato] crisps [*or* AM chips] *pl* **Kar·tof·fel·kä·fer** *m* Colorado beetle **Kar·tof·fel·klö·ße** *f pl* potato dumplings **Kar·tof·fel·puf·fer** <-s, -> *m* potato fritter **Kar·tof·fel·pü·ree** *nt s.* **Kartoffelbrei Kar·tof·fel·sa·lat** *m* potato salad **Kar·tof·fel·schä·ler** *m* potato peeler

Kar·ton <-s, -s> [kar'tɔŋ] *m* ❶ (*Schachtel*) cardboard box ❷ (*Pappe*) cardboard

kar·to·niert *adj* paperback

Kar·tu·sche <-, -n> [kar'tuʃə] *f* ❶ TECH (*Behälter*) cartouche ❷ (*Tonerpatrone*) cartridge ❸ (*Zierornament*) cartouche ❹ (*Geschosshülse*) cartridge

Ka·rus·sell <-s, -s *o* -e> [karʊ'sɛl] *nt* merry-go-round

Kar·wo·che ['ka:ɐ̯vɔxə] *f* Holy Week

Kar·zi·no·gen <-s, -e> [kartsino'ge:n] *nt* MED carcinogen

Kar·zi·nom <-s, -e> [kartsi'no:m] *nt* malignant growth

Ka·sach·stan <-s> ['kazaxsta:n] *nt* Kazakhstan; *s. a.* **Deutschland**

Ka·schem·me <-, -n> [ka'ʃɛmə] *f* (*pej fam*) dive

ka·schie·ren* [ka'ʃi:rən] *vt* to conceal

Kasch·mir¹ <-s> ['kaʃmi:ɐ̯] *nt* GEOG Kashmir

Kasch·mir² <-s, -e> ['kaʃmi:ɐ̯] *m* cashmere

Kä·se <-s, -> ['kɛ:zə] *m* ❶ (*Lebensmittel*) cheese; **weißer ~** DIAL quark (*low-fat curd cheese*) ❷ (*pej fam: Quatsch*) rubbish BRIT, nonsense AM

Kä·se·blatt *nt* (*pej fam*) local rag **Kä·se·glo·cke** *f* cheese cover **Kä·se·ku·chen** *m* cheesecake

Kä·se·rei <-, -en> *f* cheese dairy

Ka·ser·ne <-, -n> [ka'zɛrnə] *f* barracks *pl* **kä·se·weiß** *adj*, **kä·sig** ['kɛ:zıç] *adj* (*fam*) pasty

Ka·si·no <-s, -s> [ka'zi:no] *nt* ❶ (*Spielkasino*) casino ❷ (*Speiseraum: für Offiziere*) [officers'] mess; (*in einem Betrieb*) cafeteria

Kas·ka·de <-, -n> [kas'ka:də] *f* (*a. fig*) cascade

Kas·ko·ver·si·che·rung *f* fully comprehensive insurance

Kas·per <-s, -> ['kaspɐ] *m*, **Kas·perl** <-s, -[n]> ['kaspɐl] *m o nt* ÖSTERR, SÜDD, **Kas·per·le** <-s, -> ['kaspɐlə] *m o nt* SÜDD Punch

Kas·per·le·the·a·ter *nt* Punch and Judy show

kas·pern [ˈkaspɐn] *vi haben* (*fam*) to fool around

Kas·sa <-, Kassen> [ˈkasa, *pl* ˈkasən] *f bes* ÖSTERR (*Kasse 1*) till

Kas·san·dra·ruf [kaˈsandra-] *m* (*geh*) prophecy of doom

Kas·se <-, -n> [ˈkasə] *f* ❶ (*Zahlstelle*) till; (*Supermarkt*) check-out ❷ (*Kartenverkauf*) ticket office ❸ (*Registrierkasse*) cash register; **jdn zur ~ bitten** to ask sb to pay; **~ machen** to cash up BRIT, to close out a register AM; (*fig*) to earn a packet ❹ (*fam*) **gut/schlecht bei ~ sein** to be well/badly off; **gemeinsame/getrennte ~ machen** to have joint/separate housekeeping

Kas·se·ler <-s, -> [ˈkasələ] *nt smoked pork loin*

Kas·sen·arzt, -ärz·tin *m, f* National Health doctor (*who treats non-privately insured patients*) **Kas·sen·au·to·mat** *m* automatic cash register **Kas·sen·be·stand** *m* cash balance **Kas·sen·bon** *m* [sales] receipt **Kas·sen·buch** *nt* cashbook **Kas·sen·pa·ti·ent(in)** *m(f)* National Health [*or* AM Medicaid] patient **kas·sen·pflich·tig** *adj Medikament, Therapie* covered by statutory health insurance **Kas·sen·schla·ger** *m* (*fam*) ❶ (*erfolgreicher Film*) box-office hit ❷ (*Verkaufsschlager*) best-seller **Kas·sen·stun·den** *pl* cash desk opening hours BRIT, business hours AM **Kas·sen·sturz** *m* cashing-up BRIT, closing out a [cash] register/the [cash] registers AM **Kas·sen·zet·tel** *m s.* **Kassenbon**

Kas·set·te <-, -n> [kaˈsɛtə] *f* ❶ (*Videokassette*) video tape; (*Musikkassette*) [cassette] tape ❷ (*Kästchen*) case ❸ (*Schutzkarton*) box

Kas·set·ten·deck *nt* cassette deck **Kas·set·ten·re·cor·der** *m,* **Kas·set·ten·re·kor·der** *m* cassette recorder

kas·sie·ren [kaˈsiːrən] **I.** *vt* ❶ FIN ▪ **etw** [**bei jdm**] **~** to collect sth [from sb] ❷ (*fam: einstreichen*) ▪ **etw ~** to pick up sth; **sie kassierte den ersten Preis** she picked up first prize ❸ (*fam: einbehalten*) to confiscate ❹ (*fam: einstecken müssen*) ▪ **etw ~ müssen** to have to take sth **II.** *vi* (*abrechnen*) to settle the bill; **darf ich schon** [**bei Ihnen**] **~?** would you mind settling the bill now?

Kas·sie·rer(in) <-s, -> [kaˈsiːrɐ] *m(f)* ❶ (*in Geschäft*) cashier; (*Bankkassierer*) clerk ❷ (*Kassenwart*) treasurer

Kass·ler^RR <-s, -> *nt,* **Kaß·ler**^ALT <-s, -> [ˈkaslɐ] *nt* KOCHK gammon steak (*lightly smoked loin of pork*)

Kas·ta·gnet·te <-, -n> [kastanˈjɛtə] *f* castanet

Kas·ta·nie <-, -n> [kasˈtaːni̯ə] *f* (*Rosskastanie*) [horse]chestnut; (*Esskastanie*) chestnut ▸ **für jdn die ~n aus dem <u>Feuer</u> holen** (*fam*) to pull sb's chestnuts out of the fire

kas·ta·ni·en·braun *adj* maroon

Käst·chen <-s, -> [ˈkɛstçən] *nt dim von* **Kasten** ❶ (*kleiner Kasten*) case ❷ (*Karo*) square

Kas·te <-, -n> [ˈkastə] *f* caste

kas·tei·en [kasˈtai̯ən] *vr* (*veraltend: büßen*) ▪ **sich ~** to castigate oneself

Kas·tell <-s, -e> [kasˈtɛl] *nt* (*Burg*) castle

Kas·ten <-s, Kästen> [ˈkastn̩, *pl* ˈkɛstn̩] *m* ❶ (*kantiger Behälter*) box ❷ (*offene Kiste*) crate ❸ ÖSTERR, SCHWEIZ (*Schrank*) cupboard ❹ (*fam: Briefkasten*) letterbox BRIT, mailbox AM ❺ SPORT vaulting horse ❻ (*Schaukasten*) showcase ▸ **etwas/viel/nichts auf dem ~ <u>haben</u>** (*fam*) to be/not be on the ball

Kas·ti·li·en <-s> [kasˈtiːli̯ən] *nt* Castile

Kas·ti·li·er(in) <-s, -> [kasˈtiːli̯ɐ] *m(f)* Castilian

kas·ti·lisch [kasˈtiːlɪʃ] *adj* Castilian

kas·trie·ren^* [kasˈtriːrən] *vt* to castrate

Ka·sus <-, -> [ˈkaːzʊs] *m* LING case

Kat <-s, -s> [kat] *m kurz für* **Katalysator** cat

Ka·ta·kom·be <-, -n> [kataˈkɔmbə] *f* catacomb

Ka·ta·log <-[e]s, -e> [kataˈloːk, *pl* -loːgə] *m* catalogue

ka·ta·lo·gi·sie·ren^* [katalogiˈziːrən] *vt* to catalogue

Ka·ta·ly·sa·tor <-s, -toren> [kataly̆ˈzaːto̯ɐ, *pl* -ˈtoːrən] *m* ❶ AUTO catalytic converter; **geregelter ~** regulated catalytic converter ❷ CHEM catalyst

Ka·ta·ly·se <-, -n> [kataly̆ˈzə] *f* CHEM catalysis

ka·ta·ly·tisch [kataly̆ˈtɪʃ] *adj* CHEM catalytic

Ka·ta·ma·ran <-s, -e> [katamaˈraːn] *m* NAUT catamaran

Ka·ta·pult <-[e]s, -e> [kataˈpʊlt] *nt o m* catapult

ka·ta·pul·tie·ren^* [katapʊlˈtiːrən] **I.** *vt* (*a. fam*) to catapult **II.** *vr* ▪ **sich irgendwohin ~** ❶ (*sich schleudern*) **sich aus einem Flugzeug ~** to eject from an aircraft ❷ (*fam: sich rasch versetzen*) to catapult oneself somewhere

Ka·tarrh <-s, -e>, **Ka·tarr**^RR <-s, -e> [kaˈtar] *m* catarrh

ka·ta·stro·phal [katastroˈfaːl] **I.** *adj* (*pej*)

❶ (*verheerend*) catastrophic ❷ (*fam: furchtbar*) awful **II.** *adv* (*pej*) ❶ (*verheerend*) catastrophically ❷ (*furchtbar*) awfully

Ka·ta·stro·phe <-, -n> [kata'stro:fə] *f* catastrophe

Ka·ta·stro̱·phen·alarm *m* emergency alert **Ka·ta·stro̱·phen·ge·biet** *nt* disaster area **Ka·ta·stro̱·phen·hil·fe** *f kein pl* aid for disaster victims **Ka·ta·stro̱·phen· op·fer** *nt* disaster victim **Ka·ta·stro̱· phen·schutz** *m* disaster control **Ka·ta· stro̱·phen·stim·mung** *f* hysteria *no pl*

Ka·te·chis·mus <-, Katechismen> [katɛ'çɪsmʊs] *m* catechism

Ka·te·go·rie <-, -n> [katego'ri:, *pl* -ri:ən] *f* ❶ (*Gattung*) category ❷ (*Gruppe*) sort

ka·te·go·risch [kate'go:rɪʃ] (*emph*) **I.** *adj* categorical **II.** *adv* categorically

Ka·ter¹ <-s, -> ['ka:tɐ] *m* tomcat; **der Gestiefelte ~** LIT Puss-in-Boots

Ka·ter² <-s, -> ['ka:tɐ] *m* (*fam*) hangover; **einen ~ haben** to have a hangover

Ka·ter·früh·stück <-[e]s> *nt kein pl* breakfast [which is supposed] to cure a hangover

kath. *adj Abk von* **katholisch**

Ka·the·dra·le <-, -n> [kate'dra:lə] *f* cathedral

Ka·the·ter <-s, -> [ka'te:tɐ] *m* MED catheter

Ka·tho·de <-, -n> [ka'to:də] *f* cathode

Ka·tho·lik(in) <-en, -en> [kato'li:k] *m(f)* [Roman] Catholic

ka·tho·lisch [ka'to:lɪʃ] **I.** *adj* Roman Catholic **II.** *adv* Catholic

Ka·tho·li·zis·mus <-> [katolo'tsɪsmʊs] *m kein pl* Catholicism *no pl*

Katz <-> [kats] *f kein pl* SÜDD (*Katze*) cat ▸ **~ und Maus mit jdm spielen** (*fam*) to play cat and mouse with sb

katz·bu·ckeln ['katsbʊkl̩n] *vi* (*pej fam*) ▥ [**vor jdm**] **~** to grovel [before sb]

Kätz·chen¹ <-s, -> ['kɛtsçən] *nt dim von* **Katze** kitten

Kätz·chen² <-s, -> ['kɛtsçən] *nt* BOT (*Blütenstand*) catkin

Kat·ze <-, -n> ['katsə] *f* cat ▸ **wie die ~ um den heißen Brei herumschleichen** to beat about [*or* AM *also* around] the bush; **die ~ aus dem Sack lassen** (*fam*) to let the cat out of the bag; **die ~ im Sack kaufen** to buy a pig in a poke

Kat·zen·au·ge *nt* ❶ (*veraltend: Rückstrahler*) reflector ❷ (*Halbedelstein*) cat's-eye ❸ (*Auge einer Katze*) a cat's eye

kat·zen·haft *adj* cat-like

Kat·zen·jam·mer *m* (*fam*) the blues

+ *sing vb* **Kat·zen·sprung** *m* (*fam*) [**nur**] **einen ~ entfernt sein** to be [only] a stone's throw away **Kat·zen·streu** *f* cat litter **Kat·zen·wä·sche** *f* (*hum fam*) cat's lick

Kau·der·welsch <-[s]> ['kaʊdɐvɛlʃ] *nt kein pl* (*pej*) ❶ (*Sprachgemisch*) a hotchpotch (*of different languages*) ❷ (*Fachsprache*) jargon

kau·en ['kaʊən] *vt, vi* to chew (**an** on)

kau·ern ['kaʊɐn] **I.** *vi sein* to be huddled [up]; **sie kauerten rund um das Feuer** they were huddled around the fire **II.** *vr haben* ▥ **sich in/hinter etw** *akk* **~** to crouch in/behind sth

Kauf <-[e]s, Käufe> [kaʊf, *pl* 'kɔyfə] *m* ❶ (*das Kaufen*) buying *no pl*; **etw zum ~ anbieten** to offer sth for sale ❷ (*Ware*) buy ▸ **etw in ~ nehmen** to put up with sth

kau·fen ['kaʊfn̩] **I.** *vt* (*ein~*) to buy ▸ **dafür kann ich mir nichts ~!** (*iron*) a lot of use that is to me!; **den/die kaufe ich mir!** I'll tell him/her what's what! **II.** *vi* to shop

Käu·fer(in) <-s, -> ['kɔyfɐ] *m(f)* buyer

Kauf·frau *f fem form von* **Kaufmann** businesswoman

Kauf·haus *nt* department store **Kauf· haus·de·tek·tiv(in)** *m(f)* store detective **Kauf·kraft** *f* ❶ (*Wert*) purchasing power ❷ (*Finanzkraft*) spending power **Kauf·la· den** *m* (*Spielzeug*) [child's] toy shop [*or* AM *usu* store] **Kauf·leu·te** *pl s.* **Kaufmann**

käuf·lich I. *adj* ❶ (*zu kaufen*) for sale *pred* ❷ (*pej: bestechlich*) bribable **II.** *adv* (*geh*) **~ erwerben** to purchase

Kauf·mann, -frau <-leute> ['kaʊfman, -frau] *m*, *f* ❶ (*Geschäftsmann-/-frau*) businessman *masc*, businesswoman *fem* ❷ (*veraltend: Einzelhandelskaufmann*) grocer

kauf·män·nisch I. *adj* commercial **II.** *adv* commercially

Kauf·preis *m* purchase price **Kauf· rausch** *m kein pl* spending spree **Kauf· ver·trag** *m* contract of sale **Kauf· zwang** *m* **ohne ~** without obligation [to buy]

Kau·gu·mmi *m* chewing gum

Kau·ka·sus <-> ['kaʊkazʊs] *m* Caucasus

Kaul·quap·pe <-, -n> ['kaʊlkvapə] *f* tadpole

kaum [kaʊm] **I.** *adv* hardly; [**wohl**] **~!** I don't think so!, hardly; **~ jemals** hardly ever; **wir haben ~ noch Zeit** we've hardly got any time left; **~ eine[r]** hardly anyone; **~ eine Rolle spielen** to be scarcely of any importance **II.** *konj* ▥ **~ dass ...** no sooner ... than ...; **~ dass sie sich kennen gelernt hatten, heirateten sie auch schon** no sooner had they met than they were married

kau·sal [kau'za:l] I. *adj* causal II. *adv* (*geh*) causally

Kau·sa·li·tät [kauzali'tɛt] *f* JUR causality; **hypothetische ~** hypothetical causation; **überholende ~** overtaking causation

Kau·sal·ket·te *f* MATH, PHILOS chain of cause and effect **Kau·sal·satz** *m* LING causal clause **Kau·sal·zu·sam·men·hang** *m* (*geh*) causal connection

Kau·ta·bak *m* chewing tobacco

Kau·ti·on <-, -en> [kau'tsi̯o:n] *f* ❶ JUR bail ❷ (*Mietkaution*) deposit

Kau·tschuk <-s, -e> ['kautʃʊk] *m* caoutchouc

Kauz <-es, Käuze> [kauts, *pl* 'kɔytsə] *m* ❶ (*Eulenvogel*) [tawny] owl ❷ (*Sonderling*) [odd] character

kau·zig ['kautsɪç] *adj* odd

Ka·va·lier <-s, -e> [kava'li:ɐ] *m* gentleman

Ka·va·liers·de·likt *nt* petty offence **Ka·va·lier(s)·start** *m* racing start

Ka·val·le·rie <-, -n> ['kavaləri:, *pl* -'ri:ən] *f* HIST, MIL cavalry

Ka·val·le·rist <-en, -en> ['kavalərɪst] *m* cavalryman

Ka·vi·ar <-s, -e> ['ka:vi̯ar] *m* caviar[e]

KB ['ka:,be:] *nt Abk von* **Kilobyte** kbyte

Ke·bab <-[s], -[s]> [ke'bap] *m* kebab

keck [kɛk] *adj* cheeky

Ke·gel <-s, -> ['ke:gl̩] *m* ❶ (*Spielfigur*) skittle ❷ MATH, GEOG cone ❸ (*Strahl*) beam [of light]

Ke·gel·bahn *f* ❶ (*Anlage*) [ninepin/tenpin] bowling alley ❷ (*einzelne Bahn*) [bowling] lane **ke·gel·för·mig** *adj* conical

ke·geln ['ke:gl̩n] *vi* to go [ninepin/tenpin] bowling

Ke·gel·schnitt *m* MATH conic section

Keh·le <-, -n> ['ke:lə] *f* throat ▸ **jdm dat die ~ aus dem Hals schreien** (*fam*) to scream one's head off; **jdm an die ~ springen können** (*fam*) to want to leap at sb's throat

keh·lig ['ke:lɪç] *adj Lachen, Stimme* guttural, throaty

Kehl·kopf *m* larynx

Kehl·kopf·ent·zün·dung *f* MED laryngitis *no pl, no indef art*

Kehl·laut *m* guttural sound; LING glottal sound

Kehr·be·sen *m* SÜDD broom **Kehr·blech** *nt* SÜDD (*Handschaufel*) small shovel

keh·ren¹ ['ke:rən] I. *vt* ❶ (*wenden*) to turn; **kehre die Innenseite nach außen** turn it inside out; **er ist ein stiller, in sich gekehrter Mensch** he is a quiet, introverted person ❷ (*veraltend: kümmern*) ■ **jdn ~** to matter to sb II. *vr* ❶ (*sich wenden*) ■ **sich gegen jdn ~** (*geh*) to turn against sb; **du wirst sehen, es wird sich alles zum Guten ~** you'll see, everything will turn out for the best ❷ (*sich kümmern*) ■ **sich an etw** *dat* **~** to care about sth

keh·ren² ['ke:rən] *vt, vi bes* SÜDD (*fegen*) to sweep

Keh·richt <-s> ['ke:rɪçt] *m o nt kein pl* ❶ (*geh: zusammengefegter Dreck*) sweepings *npl* ❷ SCHWEIZ (*Müll*) refuse, AM *usu* garbage ▸ **jdn einen feuchten ~ angehen** (*sl*) not to be any of sb's [damned] business

Kehr·ma·schi·ne *f* road-sweeper

Kehr·reim *m* LIT refrain

Kehr·schau·fel *f* dustpan

Kehr·sei·te *f* ❶ (*veraltend: Rückseite*) back ❷ (*Schattenseite*) downside ❸ (*hum: Rücken, Gesäß*) back ▸ **die ~ der Medaille** the other side of the coin

kehrt|ma·chen *vi* ❶ (*den Rückweg antreten*) to turn [round and go] back ❷ MIL (*eine Kehrtwendung machen*) to aboutturn [*or* AM -face] **Kehrt·wen·dung** *f* ❶ MIL about-turn [*or* AM -face] ❷ (*scharfer Positionswechsel*) about-turn [*or* AM -face] *also fig*, U-turn *also fig fam*

Kehr·wo·che *f* SÜDD ≈ cleaning week (*a week in which it is a resident's turn to clean the communal areas in and around a block of flats*); **die ~ machen** to carry out cleaning duties for a week

kei·fen ['kaifn̩] *vi* (*pej*) to nag

Keil <-[e]s, -e> [kail] *m* ❶ AUTO chock ❷ TECH, FORST wedge ❸ (*Zwickel*) gusset

kei·len ['kailən] I. *vt* FORST ■ **etw ~** to split sth with a wedge II. *vr* DIAL (*fam: sich prügeln*) ■ **sie ~ sich** they are scrapping *sl* III. *vi* to kick

Kei·ler <-s, -> ['kailɐ] *m* wild boar

Kei·le·rei <-, -en> [kailə'rai] *f* (*fam*) scrap *sl*

keil·för·mig *adj* wedge-shaped; **~e Schriftzeichen** cuneiform characters **Keil·rie·men** *m* AUTO V-belt

Keim <-[e]s, -e> [kaim] *m* ❶ BOT shoot ❷ (*befruchtete Eizelle*) embryo ❸ (*Erreger*) germ ▸ **etw im ~ [e] ersticken** to nip sth in the bud

Keim·drü·se *f* gonad

kei·men ['kaimən] *vi* ❶ BOT to germinate

● (*geh: zu entstehen beginnen*) to stir

keim·frei *adj* sterile; **etw ~ machen** to sterilize sth

Keim·ling <-s, -e> *m* ● BOT shoot ● (*Embryo*) embryo

keim·tö·tend *adj* germicidal **Keim·zel·le** *f* ● BIOL germ cell ● (*geh: Ausgangspunkt*) nucleus

kein [kaɪn] **I.** *pron indef, attr* ● (*nicht [irgend]ein, niemand*) no; **er sagte ~ Wort** he didn't say a word; **~ anderer/~e andere als ...** none other than ... ● (*nichts davon, nichts an*) not ... any; **ich habe heute einfach ~e Lust, ins Kino zu gehen** I just don't fancy going to the cinema today ● ([*kehrt das zugehörige Adj ins Gegenteil*]) not; **das ist ~ dummer Gedanke** that's not a bad idea ● (*fam: [vor Zahlwörtern] nicht ganz, [noch] nicht einmal*) not, less than; **die Reparatur dauert ~e 5 Minuten** it won't take 5 minutes to repair **II.** *pron indef, substantivisch* ● (*niemand: von Personen*) nobody, no one; (*von Gegenständen*) none; **~[r, s] von beiden** neither [of them] ● ([*überhaupt*] *nicht*) any; **ich gehe zu der Verabredung, aber Lust hab ich ~e** I'm going to keep the appointment, but I don't feel like going; **Lust habe ich schon, aber Zeit habe ich ~e** I'd like to, it's just that I don't have the time

kei·ner·lei [ˈkaɪnɐˈlaɪ] *adj attr* no ... at all [*or* what[so]ever]

kei·nes·falls [ˈkaɪnəsˈfals] *adv* under no circumstances

kei·nes·wegs [ˈkaɪnəsˈveːks] *adv* not at all, by no means

kein·mal [ˈkaɪnmaːl] *adv* not once

Keks <-es, -e> [keːks] *m o nt* (*selten*) biscuit BRIT, cookie AM ▶**jdm auf den ~ gehen** (*sl*) to get on someone's wick

Kelch <-[e]s, -e> [kɛlç] *m* ● (*Sektkelch*) [champagne] glass ● REL chalice

Kel·le <-, -n> [ˈkɛlə] *f* ● (*Schöpflöffel*) ladle ● (*Maurer~*) trowel ● (*Signalstab*) signalling disc

Kel·ler <-s, -> [ˈkɛlɐ] *m* cellar

Kel·ler·as·sel *f* woodlouse

Kel·le·rei <-, -en> [kɛləˈraɪ] *f* winery

Kel·ler·fens·ter *nt* cellar window **Kel·ler·ge·schoss**ᴿᴿ *nt* basement

Kell·ner(in) <-s, -> [ˈkɛlnɐ] *m(f)* waiter *masc*, waitress *fem*

kell·nern [ˈkɛlnɐn] *vi* (*fam*) to work as a waiter [*or* waitress]

Kel·te, Kel·tin <-n, -n> [ˈkɛltə, ˈkɛltɪn] *m, f* Celt

Kel·te·rei <-, -en> [kɛltəˈraɪ] *f* fruit press-

ing plant

kel·tern [ˈkɛltɐn] *vt* to press

Kel·tin <-, -nen> *f fem form von* **Kelte**

kel·tisch [ˈkɛltɪʃ] *adj* Celtic

Ke·nia <-s> [ˈkeːni̯a] *nt* Kenya; *s. a.* **Deutschland**

Ke·ni·a·ner(in) <-s, -> [keˈni̯aːnɐ] *m(f)* Kenyan; *s. a.* **Deutsche(r)**

ke·ni·a·nisch [keˈni̯aːnɪʃ] *adj* Kenyan; *s. a.* **deutsch**

ken·nen <kannte, gekannt> [ˈkɛnən] *vt* ● (*jdm bekannt sein*) to know; **kennst du das Buch/diesen Film?** have you read this book/seen this film?; **ich kannte ihn nicht als Liedermacher** I didn't know he was a songwriter; **das ~ wir [schon]** (*iron*) we've heard all that before; **du kennst dich doch!** you know what you're like!; **kennst du mich noch?** do you remember me?; **jdn ~ lernen** to meet sb; **sich ~ lernen** to meet; **wie ich ihn/sie kenne ...** if I know him/her ...; **so kenne ich dich gar nicht** I've never seen you like this ● (*vertraut sein*) ■**etw ~** to be familiar with sth; **jdn/etw ~ lernen** to get to know sb/sth; **sich ~ lernen** (*miteinander vertraut werden*) to get to know one another ● (*gut verstehen*) to know ● (*wissen*) to know ▶**jdn noch ~ lernen** (*fam*) to have sb to reckon with

Ken·ner(in) <-s, -> [ˈkɛnɐ] *m(f)* expert, authority

Ken·ner·blick *m* expert eye

Ken·ne·rin <-, -nen> *f fem form von* **Kenner**

kennt·lich [ˈkɛntlɪç] *adj* ■~ **sein** to be recognizable (**an** by); **etw [als etw** *akk*] ~ **machen** to identify sth [as sth]

Kennt·nis <-ses, -se> [ˈkɛntnɪs] *f* ● *kein pl* (*Vertrautheit*) knowledge; **etw zur ~ nehmen** to take note of sth; **zur ~ nehmen, dass ...** to note that ...; **jdn von etw** *dat* **in ~ setzen** (*geh*) to inform sb of sth ● *pl* (*Wissen*) knowledge *no pl*

Kennt·nis·nah·me <-> *f kein pl* (*geh*) **zur ~** for sb's attention

Kenn·wort <-wörter> *nt* ● (*Codewort*) code name ● (*Losungswort*) password **Kenn·zahl** *f* ● TELEK (*Ortsnetzkennzahl*) dialling [*or* AM area] code ● (*charakteristischer Zahlenwert*) index **Kenn·zei·chen** *nt* ● (*Autokennzeichen*) number plate BRIT, license plate AM ● (*Merkmal*) mark **kenn·zeich·nen** [ˈkɛntsaɪçnən] **I.** *vt* ● (*markieren*) to mark ● (*charakterisieren*) to characterize **II.** *vr* ■**sich durch etw** *akk* ~ to be characterized by sth **kenn·zeich·nend** *adj* typical, character-

istic **Kenn·zif·fer** f box number
ken·tern ['kɛntɐn] vi sein to capsize
Ke·ra·mik <-, -en> [keˈraːmɪk] f ❶ kein pl (Töpferwaren) pottery no indef art ❷(Kunstgegenstand) piece of pottery ❸ kein pl (gebrannter Ton) fired clay
ke·ra·misch [keˈraːmɪʃ] adj ceramic, pottery attr
Ker·be <-, -n> ['kɛrbə] f notch ▶ **in die gleiche ~ hauen** (fam) to take the same line
Ker·bel <-s> ['kɛrbl̩] m kein pl chervil
Kerb·holz nt ▶ **etw auf dem ~ haben** (fam) to have blotted one's copybook
Ker·ker <-s, -> ['kɛrkɐ] m ❶ HIST (Verlies) dungeon ❷ ÖSTERR (Zuchthaus) prison
Kerl <-s, -e o -s> [kɛrl] m (fam) ❶(Bursche) bloke ❷(Mensch) person
Kern <-[e]s, -e> [kɛrn] m ❶ BOT, HORT von Kernobst pip; von Steinobst stone; **in ihr steckt ein guter ~** (fig) she's good at heart; **einen wahren ~ haben** (fig) to contain a core of truth ❷(Nuss~) kernel ❸(Atom~, Zell~) nucleus ❹(der zentrale Punkt) heart ❺(zentraler Teil) centre; (wichtigster Teil) core
Kern·ar·beits·zeit f core working hours
Kern·ener·gie f nuclear energy **Kern·ener·gie·aus·stieg** m POL policy for reducing dependency on nuclear power and decommissioning nuclear power stations
Kern·ex·plo·si·on f nuclear explosion
Kern·for·schung f nuclear research
Kern·for·schungs·zent·rum nt nuclear research centre **Kern·fra·ge** f central issue **Kern·fu·si·on** f nuclear fusion
Kern·ge·dan·ke m central idea **Kern·ge·häu·se** nt BOT, HORT core **kern·ge·sund** adj fit as a fiddle pred
ker·nig ['kɛrnɪç] adj ❶(markig) robust ❷(urwüchsig) earthy ❸(voller Obstkerne) full of pips pred
Kern·kraft f nuclear power
Kern·kraft·be·für·wor·ter(in) m(f) supporter of nuclear power **Kern·kraft·geg·ner(in)** m(f) opponent of nuclear power
Kern·kraft·werk nt nuclear power plant
Kern·obst nt pomaceous fruit **Kern·phy·sik** f nuclear physics + sing vb, no art **Kern·pro·blem** nt central problem
Kern·punkt m s. Kern 5 **Kern·re·ak·ti·on** f nuclear reaction **Kern·re·ak·tor** m nuclear reactor **Kern·sei·fe** f washing soap **Kern·spal·tung** f nuclear fission no pl, no indef art **Kern·stück** nt crucial part **Kern·tech·nik** f nuclear engineering **Kern·tei·lung** f BIOL nuclear division **Kern·ver·schmel·zung** f ❶ PHYS nuclear

fusion ❷ BIOL cell union **Kern·waf·fe** f meist pl nuclear weapon **Kern·waf·fen·ver·such** m nuclear weapons test
Ke·ro·sin <-s, -e> [keroˈziːn] nt kerosene
Ker·ze <-, -n> ['kɛrtsə] f ❶(Wachs~) candle ❷ AUTO spark plug ❸ SPORT shoulder stand
ker·zen·ge·ra·de I. adj erect II. adv as straight as a die **Ker·zen·leuch·ter** m candlestick **Ker·zen·licht** nt kein pl candlelight **Ker·zen·stän·der** m candlestick
Ke·scher <-s, -> ['kɛʃɐ] m fishing-net
kessᴿᴿ, **keß**ᴬᴸᵀ [kɛs] I. adj ❶(frech und pfiffig) cheeky ❷(flott) jaunty; Hose natty II. adv cheekily
Kes·sel <-s, -> ['kɛsəl] m ❶(Wasser~) kettle ❷(großer Kochtopf) pot ❸(Mulde) basin ❹ MIL encircled area
Ket·chup <-[s], -s> ['kɛtʃap], **Ket·schup**ᴿᴿ <-[s], -s> ['kɛtʃap] m o nt ketchup
Ket·te <-, -n> ['kɛtə] f ❶(Glieder~) chain; (Fahrrad~) [bicycle] chain; (Schmuck~) necklace; **einen Hund an die ~ legen** to put a dog on a chain; **jdn in ~n legen** to put sb in chains; **jdn an die ~ legen** (fig) to keep sb on a tight leash ❷(ununterbrochene Reihe) line; **eine ~ von Ereignissen** a chain of events; **eine ~ von Unglücksfällen** a series of accidents ❸ ÖKON chain
ket·ten ['kɛtn̩] vt ❶(mit einer Kette befestigen) ▪jdn/ein Tier an etw akk ~ to chain sb/an animal to sth ❷(fig: fest binden) ▪jdn an sich ~ to bind sb to oneself
Ket·ten·brief m chain letter **Ket·ten·fahr·zeug** nt tracked vehicle **Ket·ten·glied** nt link **Ket·ten·rau·cher(in)** m(f) chain-smoker **Ket·ten·re·ak·ti·on** f chain reaction
Ket·zer(in) <-s, -> ['kɛtsɐ] m(f) heretic
Ket·ze·rei <-, -en> [kɛtsəˈraɪ] f heresy
Ket·ze·rin <-, -nen> f fem form von Ketzer
ket·ze·risch adj heretical
keu·chen ['kɔʏçn̩] vi to pant
Keuch·hus·ten m whooping cough no art
Keu·le <-, -n> ['kɔʏlə] f ❶(Waffe) club ❷ SPORT Indian club ❸ KOCHK leg
keusch [kɔʏʃ] adj chaste
Keusch·heit <-> f kein pl chastity
Key·board <-s, -s> ['kiːbɔːɐt] nt keyboard
Kfz <-[s], -[s]> [kaːɛfˈtsɛt] nt Abk von **Kraftfahrzeug**
Kfz-Werk·statt f motor vehicle workshop
kg Abk von **Kilogramm** kg
KG <-, -s> [kaːˈgeː] f Abk von **Komman-**

ditgesellschaft

kha·ki·far·ben *adj* khaki[-coloured [*or* AM -ored]]

kHz *Abk von* **Kilohertz** kHz

KI [ka:'i:] *f* INFORM *Abk von* **Künstliche Intelligenz** AI

Kib·buz <-, Kibbuzim *o* -e> [kɪ'buːts, *pl* kɪbu'tsiːm] *m* GEOG kibbutz

Ki·cher·erb·se ['kɪçɐʔɛrpsə] *f* chick-pea

ki·chern ['kɪçɐn] *vi* to giggle

ki·cken ['kɪkn̩] FBALL **I.** *vi* (*fam*) to play football [*or* AM soccer] **II.** *vt* (*fam*) to kick

Ki·cker(in) ['kɪkɐ] *m(f)* FBALL (*fam*) football [*or* AM soccer] player

Ki·cker <-s, -> ['kɪkɐ] *m* (*fam*), **Ki·cker·tisch** *m* (*spiel*) table football [table] BRIT, foosball table AM

Kick·star·ter *m* kick-start[er]

Kid <-s, -s> [kɪt] *nt* (*sl*) kid *fam*

kid·nap·pen ['kɪtnɛpn̩] *vt* to kidnap

Kid·nap·per(in) <-s, -> ['kɪtnɛpɐ] *m(f)* kidnapper

Kid·nap·ping <-s, -s> ['kɪtnɛpɪŋ] *nt* kidnapping

kie·big ['kiːbɪç] *adj* DIAL ❶ (*frech*) cheeky ❷ (*aufgebracht*) ■ ~ **sein/werden** to be/ get annoyed

Kie·bitz <-es, -e> ['kiːbɪts] *m* lapwing

kie·bit·zen ['kiːbɪtsn̩] *vi* haben ❶ (*fam: neugierig beobachten*) to look on curiously ❷ KARTEN, SCHACH to kibitz (*to look on and offer unwelcome advice*)

Kie·fer¹ <-, -n> ['kiːfɐ] *f* ❶ (*Baum*) pine [tree] ❷ *kein pl* (*Holz*) pine[wood]

Kie·fer² <-s, -> ['kiːfɐ] *m* ANAT jaw[-bone]

Kie·fern·na·del *f* pine needle **Kie·fern·wald** *m* pine wood **Kie·fern·zap·fen** *m* pine cone

Kie·fer·or·tho·pä·de, **-or·tho·pä·din** <-n, -n> *m, f* orthodontist

kie·ken ['kiːkn̩] *vi* NORDD (*gucken*) to look

Kiel <-[e]s, -e> [kiːl] *m* ❶ (*Schiffskiel*) keel ❷ (*Federkiel*) quill

Kiel·raum *m* bilge **Kiel·was·ser** *nt* wake; **in jds ~ segeln** (*fig*) to follow in sb's wake

Kie·me <-, -n> ['kiːmə] *f* gill

Kies <-es, -e> [kiːs] *m* ❶ (*kleines Geröll*) gravel *no pl* ❷ *kein pl* (*sl: Geld*) dough *no indef art*

Kie·sel·er·de *f* silica **Kie·sel·stein** *m* pebble

Kies·gru·be *f* gravel pit **Kies·weg** *m* gravel path

Kiew <-s> ['kiːɛf] *nt* Kiev

kif·fen ['kɪfn̩] *vi* (*sl*) to smoke grass

Kif·fer(in) <-s, -> *m(f)* (*sl*) dope-head

ki·ke·ri·ki [kikəri'kiː] *interj* cock-a-doo-dle-doo

kil·len ['kɪlən] *vt* (*sl*) ■ **jdn ~** to bump off *sep* sb

Kil·ler(in) <-s, -> ['kɪlɐ] *m(f)* (*sl*) hit man

Kil·ler·spiel *nt* (*pej fam*) shoot 'em up [computer] game

Ki·lo <-s, -[s]> ['kiːlo] *nt* (*fam*) *s.* **Kilogramm** kilo

Ki·lo·byte ['kiːlobaɪt] *nt* kilobyte **Ki·lo·gramm** *nt* kilogramme **Ki·lo·hertz** *nt* kilohertz **Ki·lo·joule** ['kiːlodʒaʊl, -dʒuːl] *nt* kilojoule **Ki·lo·ka·lo·rie** ['kiːlokaloriː] *f* kilocalorie **Ki·lo·me·ter** [kilo'meːtɐ] *m* ❶ (*1000 Meter*) kilometre ❷ (*fam: Stundenkilometer*) **auf dieser Strecke herrscht eine Geschwindigkeitsbeschränkung von 70 ~ n** there's a speed limit of 70 [kilometres per hour] on this stretch [of road] **Ki·lo·me·ter·geld** *nt* mil[e]age [allowance] **ki·lo·me·ter·lang I.** *adj* stretching for miles *pred* **II.** *adv* for miles on end **Ki·lo·me·ter·stand** *m* mil[e]age [reading] **Ki·lo·me·ter·stein** *m* milestone **ki·lo·me·ter·weit** *adj, adv* for miles [and miles] **Ki·lo·me·ter·zäh·ler** *m* mil[e]age counter **Ki·lo·volt** [kilo'vɔlt, 'kilo-] *nt* kilovolt **Ki·lo·watt** [kilo'vat, 'kilo-] *nt* kilowatt **Ki·lo·watt·stun·de** [kilo'vat-, 'kilo-] *f* kilowatt-hour

Kind <-[e]s, -er> [kɪnt, *pl* kɪndɐ] *nt* child; **ihre ~er sind drei und vier Jahre alt** her children are three and four years old; **ein ~ [von jdm] bekommen** to be expecting a baby [by sb]; **von ~ auf** from an early age; **ein großes ~ sein** to be a big baby; **noch ein halbes ~ sein** to be still almost a child ▸ **das ~ mit dem** Bade **ausschütten** to throw out the baby with the bathwater; **mit ~ und** Kegel (*hum fam*) with the whole family; **kein ~ von** Traurigkeit **sein** (*hum*) to be sb who enjoys life; [ein] gebranntes ~ **scheut das Feuer** (*prov*) once bitten, twice shy; **wir werden das ~ schon** schaukeln (*fam*) we'll manage to sort it out

Kin·der·ar·beit *f* child labour **Kin·der·ar·mut** *f* child poverty **Kin·der·arzt, -ärz·tin** *m, f* paediatrician **Kin·der·bett** *nt* cot **Kin·der·buch** *nt* children's book **Kin·der·dorf** *nt* children's village

Kin·de·rei <-, -en> [kɪndə'raɪ] *f* childishness *no pl, no indef art*

Kin·der·er·zie·hung *f* bringing up children **kin·der·feind·lich I.** *adj* anti-children; **eine ~e Architektur/Planung** architecture/planning which does not cater for children **II.** *adv* with little regard for children **kin·der·freund·lich I.** *adj* child-friendly; **~e** Architektur **architec-**

ture which caters for children **II.** *adv* with children in mind **Kin·der·gar·ten** *m* nursery school, kindergarten Am **Kin·der·gärt·ner(in)** *m(f)* nursery-school [*or* Am kindergarten] teacher **Kin·der·ge·burts·tag** *m* child's birthday **Kin·der·geld** *nt* child benefit **Kin·der·heim** *nt* children's home **Kin·der·hort** *m* day-nursery **Kin·der·kli·nik** *f* children's clinic **Kin·der·krank·heit** *f* ❶ (*Krankheit*) childhood disease ❷ *meist pl* (*fig: Anfangsprobleme*) teething troubles *pl* **Kin·der·krie·gen** <-s> *nt kein pl* (*fam*) giving birth *no art* **Kin·der·krip·pe** *f* day-nursery **Kin·der·läh·mung** *f* polio **kin·der·leicht** ['kɪn·dɐ'laɪçt] (*fam*) **I.** *adj* dead easy; ▪ ~ **sein** to be child's play **II.** *adv* very easily; **etw ist ~ zu bedienen** sth is dead easy to operate **kin·der·lieb** ['kɪndɐli:p] *adj* fond of children **Kin·der·lied** *nt* nursery rhyme **kin·der·los** *adj* childless **Kin·der·mäd·chen** *f* nanny **Kin·der·mär·chen** *nt* (*fam*) fairy-tale **Kin·der·por·no·gra·phie, Kin·der·por·no·gra·fie**^RR *f* child pornography **Kin·der·pro·gramm** *nt* children's programme **kin·der·reich** *adj* with many children *pred;* **eine ~e Fami·lie** a large family **Kin·der·schän·der(in)** <-s, -> *m(f)* child molester **Kin·der·schar** *f* crowd of children **Kin·der·schreck** *m kein pl* bog[e]yman **Kin·der·schuh** *m* child's shoe **Kin·der·si·che·rung** *f* child[proof] safety catch **Kin·der·sitz** *m* ❶ Auto child safety seat ❷ (*Fahr·radaufsatz*) child-carrier seat **Kin·der·spiel** *nt* children's game; [**für jdn**] **ein ~ sein** (*fig*) to be child's play [to sb] **Kin·der·spiel·platz** *m* [children's] playground **Kin·der·sterb·lich·keit** *f* infant mortality **Kin·der·stu·be** *f* DIAL (*Kinderzimmer*) nursery ▶**eine/keine gute ~ gehabt haben** to have been well/badly brought up **Kin·der·ta·ges·stät·te** *f s.* **Kinder·hort Kin·der·tel·ler** *m* child portion **Kin·der·wa·gen** *m* pram BRIT, baby carriage Am **Kin·der·wunsch·zen·trum** *nt* MED fertility clinic **Kin·der·zim·mer** *nt* children's room

Kin·des·al·ter *nt* **seit frühestem ~** from a very early age; **im ~ sein** to be a child

Kin·des·bei·ne *pl* **von ~n an** from childhood **Kin·des·ent·füh·rung** *f* child abduction **Kin·des·miss·brauch**^RR *m* child abuse *no pl* **Kin·des·miss·hand·lung**^RR *f* child abuse **Kin·des·tö·tung** *f* infanticide

kind·ge·mäß **I.** *adj* suitable for children *pred* **II.** *adv* suitably for children

kind·ge·recht *adj* appropriate for children **Kind·heit** <-> *f kein pl* childhood; **von ~ an** from childhood

Kind·heits·er·in·ne·rung *f* childhood memory *usu pl* **Kind·heits·er·leb·nis** *nt* childhood experience **Kind·heits·traum** *m* childhood dream

kin·disch ['kɪndɪʃ] *adj* childish

kind·lich ['kɪntlɪç] **I.** *adj* childlike **II.** *adv* ~ **scheinen/wirken** to appear/seem childlike; **sich ~ verhalten** to behave in a childlike way

Kinds·kopf ['kɪntskɔpf] *m* (*fam*) big kid **Kind(s)·tau·fe** *f* christening

ki·ne·tisch [ki'ne:tɪʃ] *adj* kinetic

King <-s> [kɪŋ] *m* **der ~ sein** (*sl*) to be [the] top dog *fam*

Kin·ker·litz·chen ['kɪŋkɐlɪtsçən] *pl* (*fam*) trifles *pl*

Kinn <-[e]s, -e> [kɪn] *nt* chin

Kinn·ha·ken *m* hook to the chin **Kinn·la·de** *f* jaw[-bone]

Ki·no <-s, -s> ['ki:no] *nt* cinema, Am *usu* [movie] theater; **im ~ kommen** to be on [*or* Am playing] at the cinema [*or* Am *usu* [movie] theater]

Ki·no·be·su·cher(in) *m(f)* cinema-goer **Ki·no·film** *m* cinema film BRIT, movie Am **Ki·no·gän·ger(in)** <-s, -> *m(f)* cin·ema-goer **Ki·no·pro·gramm** *nt* cinema guide **Ki·no·vor·stel·lung** *f* showing [of a film]

Ki·osk <-[e]s, -e> ['ki:ɔsk] *m* kiosk

Kip·pe <-, -n> ['kɪpə] *f* (*fam*) ❶ (*Deponie*) tip BRIT, dump Am ❷ (*Zigarettenstummel*) cigarette end; (*Zigarette*) fag BRIT *sl*, ciga·rette Am ▶ **auf der ~ stehen** to hang in the balance; **auf der ~ stehen, ob ...** it's touch and go whether ...

kip·pen ['kɪpn̩] **I.** *vt haben* ❶ (*schütten*) to tip ❷ (*schräg stellen*) to tilt ❸ (*scheitern lassen*) ▪ **jdn/etw ~** to topple sb/to halt sth; *Artikel, Reportage* to pull; *Gesetzes·vorlage* to vote down *sep; Urteil* to over·turn ▶ [**gerne**] **einen/ein paar ~** (*fam*) to like a drink [or two] **II.** *vi sein* ❶ (*aus dem Schrägstand umfallen*) to topple over; ▪ [**von etw** *dat*] ~ to fall [off sth] ❷ (*zu·rückgehen*) to go down ❸ *Ökosystem* to collapse ▶ **aus den Latschen ~** to fall through the floor

Kipp·fens·ter *nt* laterally pivoted window **Kir·che** <-, -n> ['kɪrçə] *f* ❶ (*Gebäude, Got·tesdienst*) church ❷ (*bestimmte Glaubens·gemeinschaft*) Church, religion ❸ (*Institu·tion*) Church

Kir·chen·asyl *nt* religious asylum *no pl* **Kir·chen·bann** *m* excommunication **Kir·**

K

chen·be·such *m* attendance at church **Kir·chen·buch** *nt* parish register **Kir·chen·chor** *m* church choir **Kir·chen·fens·ter** *nt* church window **Kir·chen·fest** *nt* religious festival **Kir·chen·ge·mein·de** *f* parish **Kir·chen·glo·cke** *f* church bell **Kir·chen·jahr** *nt* ecclesiastical year **Kir·chen·lied** *nt* hymn **Kir·chen·maus** *f* ▶ **arm wie eine ~ sein** (*fam*) to be as poor as a church mouse **Kir·chen·schiff** *nt* ARCHIT (*Längsschiff*) nave; (*Querschiff*) transept **Kir·chen·staat** *m* HIST Papal States *pl* **Kir·chen·steu·er** *f* church tax **Kir·chen·volk** *nt* kein *pl* church members *pl* **Kirch·gän·ger(in)** <-s, -> *m(f)* church-goer

kirch·lich ['kɪrçlɪç] **I.** *adj* church *attr,* ecclesiastical; **ein ~er Feiertag** a religious holiday **II.** *adv* ~ **bestattet werden** to have a church funeral; **sich ~ trauen lassen** to get married in church

Kirch·platz *m* church square **Kirch·turm** *m* [church] steeple **Kirch·turm·po·li·tik** *f* (*pej*) parish-pump politics + *sing vb* **Kir·mes** <-, -sen> ['kɪrmɛs] *f* DIAL (*Kirchweih*) fair (*held on the anniversary of the consecration of a church*)

kir·re ['kɪrə] *adj präd* (*fam*) **jdn ~ machen** to bring sb to heel; **~ werden** to get confused

Kirsch·baum ['kɪrʃbaʊm] *m* ❶ (*Baum*) cherry tree ❷ *kein pl* (*Holz*) cherry[-wood] *no pl* **Kirsch·blü·te** *f* ❶ (*Blüte*) cherry blossom ❷ (*Zeitraum*) **während der ~** during cherry blossom time

Kir·sche <-, -n> ['kɪrʃə] *f* ❶ (*Frucht*) cherry ❷ *kein pl* (*Holz*) cherry[-wood] *no pl* **Kirsch·kern** *m* cherry stone **Kirsch·was·ser** *nt* kirsch

Kis·sen <-s, -> ['kɪsn̩] *nt* (*Kopfkissen*) pillow; (*Zierkissen*) cushion **Kis·sen·be·zug** *m* (*Kopf~*) pillowcase; (*Zier~*) cushion cover **Kis·te** <-, -n> ['kɪstə] *f* ❶ (*hölzerner Behälter*) box, crate ❷ (*fam: Auto*) [old] banger [*or* AM clunker] ❸ (*fam: Fernseher*) the box ❹ (*fam: Bett*) sack; **ab in die ~!** hit the sack!

Kitsch <-es> [kɪtʃ] *m kein pl* kitsch **kit·schig** ['kɪtʃɪç] *adj* kitschy **Kitt** <-[e]s, -> [kɪt] *m* putty **Kitt·chen** <-s, -> ['kɪtçən] *nt* (*fam*) nick **Kit·tel** <-s, -> ['kɪtl̩] *m* ❶ (*Arbeits~*) overall; *eines Arztes/Laboranten* white coat ❷ SÜDD (*Jacke*) jacket **kit·ten** ['kɪtn̩] *vt* ▪ **etw ~** ❶ (*ver~*) to fill sth ❷ (*mit Kitt kleben*) to stick sth together with cement ❸ (*fig: in Ordnung bringen*)

to patch up *sep* sth

Kitz <-es, -e> [kɪts] *nt* kid **Kit·zel** <-s, -> ['kɪtsl̩] *m* ❶ (*Juckreiz*) tickling feeling ❷ (*Lust auf Verbotenes*) thrill **kit·ze·lig** ['kɪtsəlɪç] *adj* ❶ (*gegen Kitzeln empfindlich*) ticklish ❷ (*heikel*) ticklish; *Angelegenheit* delicate

kit·zeln ['kɪtsl̩n] **I.** *vt* ❶ (*einen Juckreiz hervorrufen*) to tickle ❷ (*reizen*) to titillate ❸ (*die Sinne reizen*) to arouse **II.** *vi* to tickle; **hör auf, das kitzelt!** stop it, it tickles! **III.** *vt impers* ❶ (*jucken*) **es kitzelt mich** it's tickling me ❷ (*reizen*) **es kitzelt mich sehr, da mitzumachen** I'm really itching to join in

Kitz·ler <-s, -> *m* ANAT clitoris **kitz·lig** ['kɪtslɪç] *adj s.* **kitzelig** **Ki·wi** <-, -s> ['kiːvi] *f* kiwi [fruit] **kJ** *Abk von* **Kilojoule** kJ **KKW** <-s, -s> [kaːkaːˈveː] *nt Abk von* **Kernkraftwerk**

Klacks <-es, -e> [klaks] *m* (*fam*) blob ▶ **für jdn] ein ~ sein** (*einfach*) to be a piece of cake [for sb]; (*wenig*) to be nothing [to sb]

klaf·fen ['klafn̩] *vi* to yawn; *Schnitt, Wunde* to gape **kläf·fen** ['klɛfn̩] *vi* (*pej fam*) to yap **klaf·fend** *adj* ❶ (*gähnend*) yawning, gaping ❷ (*auseinanderklaffend*) gaping **Kläf·fer** <-s, -> *m* (*pej fam*) yapper

Kla·ge <-, -n> ['klaːgə] *f* ❶ (*geh: Ausdruck von Trauer*) lament[ation] ❷ (*Beschwerde*) complaint ❸ JUR [legal] action; **eine ~ [gegen jdn] einreichen** to take legal action [against sb]; **eine ~ abweisen** to dismiss a suit; **eine ~ auf Schadenersatz** a claim for compensation

Kla·ge·ge·schrei *nt* wailing **Kla·ge·laut** *m* plaintive cry **Kla·ge·lied** *nt* **ein ~ [über jdn/etw] anstimmen/singen** to start to moan [about sb/sth]

kla·gen ['klaːgn̩] **I.** *vi* ❶ (*jammern*) to moan (**über** about); **sie klagt regelmäßig über Kopfschmerzen** she regularly complains of having headaches ❷ (*geh: trauern*) to mourn (**um** for) ❸ (*sich beklagen*) to complain (**bei** to); **ich kann nicht ~** I can't complain; **ohne zu ~** without complaining ❹ JUR (*prozessieren*) ▪ **[gegen jdn]~** to take legal action [against sb]; ▪ **auf etw** *akk* **~** to sue for sth **II.** *vt* ❶ (*Bedrückendes erzählen*) ▪ **jdm etw ~** to pour out one's sth to sb ❷ ÖSTERR ▪ **jdn ~** (*verklagen*) to take legal action against sb

kla·gend *adj* ❶ (*jammernd*) moaning ❷ JUR **die ~e Partei** the plaintiff **Klä·ger(in)** <-s, -> *m(f)* JUR plaintiff

Kla·ge·schrift f JUR statement of claim

kläg·lich ['klɛːklɪç] I. adj ❶ (Mitleid erregend) pathetic; Anblick pitiful ❷ (miserabel) Darbietung wretched; Verhalten despicable ❸ (dürftig) pathetic II. adv pitifully; ~ durchfallen/scheitern to fail miserably

klag·los ['klaːkloːs] adv uncomplainingly

Kla·mauk <-s> [kla'maʊk] m kein pl (pej fam) ❶ (Getöse) din ❷ (übertriebene Komik) slapstick

klamm [klam] adj ❶ (steif vor Kälte) numb ❷ (nass und kalt) dank ❸ (sl: knapp bei Kasse) ■~ sein to be hard up

Klam·mer <-, -n> ['klamɐ] f ❶ (Wäsche~) [clothes-]peg; (Heft~) staple; (Haar~) [hair-]grip; MED clip ❷ (Zahn~) brace ❸ (einschließendes Textsymbol) brackets; eckige/runde/spitze ~n square/round/pointed brackets; geschweifte ~n braces; ~ auf/zu open/close brackets; in ~n in brackets

Klam·mer·af·fe m ❶ ZOOL spider monkey ❷ INFORM at sign

klam·mern ['klamɐn] I. vt ■etw ~ ❶ (zusammenheften) to staple sth (an to) ❷ MED to close sth with clips II. vr (a. fig) to cling (an to) III. vi SPORT to clinch

klamm·heim·lich ['klam'haɪmlɪç] (fam) I. adj on the quiet pred II. adv on the quiet; sich ~ fortstehlen to slip away [unseen]

Kla·mot·te <-, -n> [kla'mɔtə] f meist pl ❶ (fam: Kleidung) clothes npl ❷ (alte Sachen) stuff

Klan <-s, -s> [klaːn] m clan

klang [klaŋ] imp von **klingen**

Klang <-[e]s, Klänge> [klaŋ, pl 'klɛŋə] m ❶ (Ton) sound ❷ pl (harmonische Klangfolgen) sounds

Klang·far·be f MUS timbre **klang·los** adj toneless **klang·voll** adj ❶ (volltönend) sonorous; Melodie tuneful; Stimme melodious ❷ (wohltönend) fine-sounding

Klapp·bett nt folding bed

Klap·pe <-, -n> ['klapə] f ❶ (klappbarer Deckel) flap ❷ (sl: Mund) trap; halt die ~! shut your trap!; eine große ~ haben to have a big mouth ❸ MUS key; einer Trompete valve

klap·pen ['klapn̩] I. vt haben to fold; etw nach oben/unten ~ to lift up/lower sth II. vi haben (fam: funktionieren) to work out; alles hat geklappt everything went as planned

Klap·pen·text m TYPO blurb

Klap·per <-, -n> ['klapɐ] f rattle

klap·per·dürr ['klapɐ'dʏr] adj (fam) [as] thin as a rake pred **Klap·per·ge·stell** nt (hum fam: sehr dünner Mensch) bag of

bones; (altes, klappriges Fahrzeug) boneshaker

klap·pe·rig ['klapərɪç] adj (fam) ❶ (gebrechlich) frail ❷ (instabil und wacklig) rickety

Klap·per·kas·ten m (fam) ❶ s. **Klapperkiste** ❷ (Klavier) key basher ❸ (altes Gerät) old pile of junk **Klap·per·kis·te** f (fam: Auto) boneshaker

klap·pern ['klapɐn] vi to rattle

Klap·per·schlan·ge f rattlesnake **Klap·per·storch** m (Kindersprache) stork

Klapp·fahr·rad nt folding bicycle **Klapp·mes·ser** nt flick-knife **Klapp·rad** nt folding bicycle

klapp·rig ['klaprɪç] adj s. **klapperig**

Klapp·sitz m folding seat **Klapp·stuhl** m folding chair **Klapp·tisch** m folding table

Klaps <-es, -e> [klaps] m smack ▸ einen ~ haben (fam) to have a screw loose

Klap·se <-, -n> ['klapsə] f (sl) funny farm hum

Klaps·müh·le f (sl) loony-bin

klar [klaːɐ] I. adj ❶ (ungetrübt) clear ❷ (unmissverständlich) clear; Antwort straight; Frage direct ❸ (eindeutig) clear; Ergebnis clear-cut; ~er Fall (fam) sure thing; ~ wie Kloßbrühe (fam) as plain as the nose on your face ❹ (bewusst) ■jdm ~ sein to be clear to sb; ■sich dat über etw akk ~ werden to get sth clear in one's mind; alles ~? (fam) is everything clear? ❺ (selbstverständlich) of course; na ~! (fam) of course! ❻ (bereit) ready II. adv ❶ (deutlich) clearly; ~ im Nachteil/Vorteil sein to be at a clear disadvantage/advantage; jdm etw ~ sagen/zu verstehen geben to make sth clear to sb; ~ und deutlich clearly and unambiguously ❷ (eindeutig) jdn ~ besiegen to defeat sb soundly; etw ~ erkennen to see sth clearly ❸ (ungetrübt) ~ denkend clear-thinking; ~ sehen to see clearly

Klär·an·la·ge f sewage-works

Kla·re(r) m (fam) colourless spirit

klä·ren ['klɛːrən] I. vt ❶ (auf~) to clear up sep; Frage to settle; Problem to resolve ❷ (reinigen) Abwässer, Luft to treat II. vr ❶ (sich auf~) ■sich ~ to be cleared up ❷ (sauber werden) ■sich ~ to become clear

klar|ge·hen vi irreg sein (fam) to go OK

Klar·heit <-, -en> f ❶ (Deutlichkeit) clarity; sich dat ~ [über etw akk] verschaffen to find out the facts [about sth]; jdm etw in aller ~ sagen to make sth perfectly clear to sb ❷ (Reinheit) clearness

Kla·ri·net·te <-, -n> [klari'nɛtə] f clarinet

klar|kom·men *vi irreg sein* (*fam*) ❶ (*bewältigen*) ■|**mit etw** *dat* | ~ to manage [sth] ❷ (*zurechtkommen*) ■ **mit jdm** ~ to cope with sb **klar|ma·chen** *vt* ■**jdm etw** ~ to make sth clear to sb; ■**sich** *dat* ~, **dass/wie/wo** ... to realize that/how/where ...

Klär·schlamm *m* sludge

Klar·sicht·fo·lie *f* cling film **Klar·sicht·hül·le** *f* transparent folder **Klar·sicht·tü·te** *f* LUFT clear plastic [re-sealable] bag (*as required by EU policy for the carriage of liquids in cabin luggage*)

klar|stel·len *vt* to clear up *sep;* ■~, **dass** ... to make [it] clear that ...

Klar·stel·lung *f* clarification

Klar·text *m* plain text; **mit jdm** ~ **reden** (*fam*) to give sb a piece of one's mind

Klä·rung <-, -en> *f* ❶ (*Aufklärung*) clarification; *Frage* settling; *Problem* resolving; *Tatbestand* determining ❷ (*Reinigung*) treatment

klas·se ['klasə] *adj* (*fam*) great

Klas·se <-, -n> ['klasə] *f* ❶ (*Schulklasse*) class; **eine** ~ **wiederholen/überspringen** to repeat/skip a year; (*Klassenraum*) classroom ❷ (*Gesellschaftsgruppe*) class ❸ (*Güte~*) class; **wir fahren immer erster** ~ we always travel first-class ❹ BIOL category ▸ **große** ~! (*fam*) great!

Klas·sen·ar·beit *f* [written] class test **Klas·sen·ka·me·rad(in)** *m(f)* classmate **Klas·sen·kampf** *m* POL. class struggle **Klas·sen·leh·rer(in)** *m(f)* class teacher **klas·sen·los** *adj* SOZIOL classless

Klas·sen·spre·cher(in) *m(f)* form captain **Klas·sen·tref·fen** *nt* SCH class reunion **Klas·sen·zim·mer** *nt* classroom

Klas·si·fi·ka·ti·on <-, -en> [klasifi·ka'tsi̯oːn] *f s.* **Klassifizierung**

klas·si·fi·zie·ren* [klasifi'tsiːrən] *vt* to classify (**als** as)

Klas·si·fi·zie·rung <-, -en> *f* classification

Klas·sik <-> ['klasɪk] *f kein pl* ❶ (*kulturelle Epoche*) classical age ❷ (*die antike* ~) Classical Antiquity ❸ (*fam: klassische Musik*) classical music

Klas·si·ker(in) <-s, -> ['klasɪkɐ] *m(f)* ❶ (*klassischer Schriftsteller*) classical writer ❷ (*klassischer Komponist*) classical composer ❸ (*maßgebliche Autorität*) leading authority ❹ (*zeitloses Werk*) classic

klas·sisch ['klasɪʃ] *adj* ❶ KUNST, LIT, MUS classical ❷ (*ideal*) classic

Klas·si·zis·mus <-, -smen> [klasi'tsɪsmʊs] *m* ARCHIT classicism

klas·si·zis·tisch [klasi'tsɪstɪʃ] *adj* ARCHIT,

KUNST classical

Klatsch <-[e]s, -e> [klatʃ] *m* ❶ *kein pl* (*pej fam: Gerede*) tittle-tattle; ~ **und Tratsch** gossip ❷ (*klatschender Aufprall*) smack

Klatsch·ba·se *f* (*pej fam*) gossip[-monger] **Klatsch·blatt** *nt* (*Boulevardzeitschrift*) scandal sheet

klat·schen ['klatʃn] **I.** *vi* ❶ *haben* (*applaudieren*) to clap ❷ *sein* (*mit einem Platsch auftreffen*) ■**auf/in etw** *akk* ~ to land with a splat on/in sth; ■**gegen etw** *akk* ~ to smack into sth; **die Regentropfen klatschten ihr ins Gesicht** the raindrops beat against her face ❸ *haben* (*pej fam: tratschen*) to gossip (**über** about); (*petzen*) to tell tales **II.** *vt haben* ■**etw** ~ to beat out *sep* sth

Klatsch·maul *nt* (*pej fam*) gossip[-monger]; (*bösartig a.*) scandalmonger *pej* **Klatsch·mohn** *m* [corn] poppy **klatsch·nass**^RR *adj* (*fam*) soaking wet; ■~ **sein/werden** to be/get soaked **Klatsch·spal·te** *f* (*pej fam*) gossip column[s *pl*] **Klatsch·tan·te** *f*, **Klatsch·weib** *nt s.* **Klatschbase**

klau·ben ['klaubn̩] *vt* SÜDD, ÖSTERR, SCHWEIZ ❶ (*pflücken*) to pick ❷ (*sammeln*) ■**etw** ~ to collect sth; *Holz, Pilze* to gather; *Kartoffeln* to dig ❸ (*auslesen*) ■**etw aus/von etw** *dat* ~ to pick sth out of/from sth; **etw vom Boden** ~ to pick up *sep* sth [off the floor]

Klaue <-, -n> ['klau̯ə] *f* ❶ (*Krallen*) claw; (*Vogel~ a.*) talon ❷ (*pej sl: Hand*) mitt *fam!* ❸ (*pej sl: Handschrift*) scrawl

klau·en ['klau̯ən] (*fam*) **I.** *vt* ■**jdm** **etw** ~ to pinch sth [from sb] **II.** *vi* to pinch things

Klau·sel <-, -n> ['klau̯zl̩] *f* (*eines Vertrags*) clause

Klaus·tro·pho·bie <-, -n> [klau̯strofo'biː, *pl* -iːən] *f* claustrophobia *no indef art, no pl spec*

Klau·sur <-, -en> [klau̯'zuːɐ] *f* ❶ SCH [written] exam ❷ REL **in** ~ **gehen** to retreat [from the world]

Kla·vi·a·tur <-, -en> [klavi̯a'tuːɐ] *f* ❶ MUS keyboard ❷ (*geh: Sortiment*) range; **die ganze** ~ **der Tricks** the whole gamut of tricks

Kla·vier <-s, -e> [kla'viːɐ] *nt* piano

Kla·vier·kon·zert *nt* ❶ (*Musikstück*) piano concerto ❷ (*Veranstaltung*) piano recital **Kla·vier·leh·rer(in)** *m(f)* piano teacher **Kla·vier·spie·ler(in)** *m(f)* pianist

Kle·be·band <-bänder> ['kleːbə-] *nt* adhesive tape

kle·ben ['kleːbn̩] **I.** *vi* ❶ (*klebrig sein*) to be sticky ❷ (*festhaften*) to stick (**an** to); [**an**

jdm/etw] ~ **bleiben** to stick [to sb/sth] ❸ *(festhalten)* **an alten Überlieferungen und Bräuchen** ~ to cling to old traditions and customs ❹ *(fam: hängen bleiben)* **die ganze Hausarbeit bleibt immer an mir** ~ I am always lumbered with all the housework BRIT II. *vt* ❶ *(mit Klebstoff reparieren)* to glue ❷ *(mit Klebstreifen zusammenfügen)* to stick together *sep* ❸ *(durch K~ befestigen)* to stick ▸**jdm eine** ~ *(fam)* to clock sb one

Kle·ber <-s, -> ['kle:bɐ] *m* ❶ *(fam)* glue *no indef art, no pl* ❷ SCHWEIZ *(Auf~)* sticker

Kle·be·stift *m* Prittstick® BRIT, UHU® AM

Kle·be·strei·fen *m* s. **Klebstreifen**

kleb·rig ['kle:brɪç] *adj* sticky

Kleb·stoff *m* adhesive; *(Leim)* glue *no indef art, no pl* **Kleb·strei·fen** *m* adhesive tape

Kle·cker·be·trag *m meist pl* peanuts *pl fam*

kle·ckern ['klɛkɐn] I. *vt* to spill II. *vi* ❶ *haben (tropfen lassen)* **kannst du das K~ nicht lassen?** can't you stop making a mess? ❷ *haben (tropfen)* to drip; *volles Gefäß* to spill ❸ *sein (tropfen)* ▪[**jdm**] **irgendwohin** ~ to spill somewhere ❹ *sein (in geringen Mengen kommen)* to come in dribs and drabs

kle·cker·wei·se *adv* in dribs and drabs

Klecks <-es, -e> ['klɛks] *m* ❶ *(großer Fleck)* stain ❷ *(kleine Menge)* blob; **ein** ~ **Senf** a dab of mustard

kleck·sen ['klɛksn̩] I. *vi* ❶ *haben (Kleckse verursachen)* ▪[**mit etw** *dat*] ~ to make a mess [with sth] ❷ *haben (tropfen)* to blot; *Farbe* to drip ❸ *sein (tropfen)* ▪**irgendwohin** ~ to spill somewhere II. *vt haben* ▪**etw auf etw** *akk* ~ to splatter sth on sth

Klee <-s> [kle:] *m kein pl* clover *no indef art, no pl*

Klee·blatt *nt* cloverleaf; **vierblättriges** ~ four-leaf clover

Klei·ber <-s, -> ['klaɪbɐ] *m* ORN nuthatch

Kleid <-[e]s, -er> [klaɪt, *pl* 'klaɪdɐ] *nt* ❶ *(Damen~)* dress ❷ *pl (Bekleidungsstücke)* clothes *npl* ▸~**er machen Leute** *(prov)* fine feathers make fine birds

klei·den ['klaɪdn̩] *vt* ❶ *(anziehen)* **sich gut/schlecht** ~ to dress well/badly; ▪[**in etw** *akk*] **gekleidet sein** to be dressed [in sth] ❷ *(jdm stehen)* ▪**jdn** ~ to suit sb ❸ *(geh: durch etw zum Ausdruck bringen)* **etw in schöne Worte** ~ to couch sth in fancy words

Klei·der·bü·gel *m* coat-hanger **Klei·der·bürs·te** *f* clothes brush **Klei·der·ha·ken** *m* coat-hook **Klei·der·schrank** *m*

wardrobe **Klei·der·zwang** *m* [strict] dress code

kleid·sam *adj (geh)* flattering

Klei·dung <-, *selten* -en> *f* clothing *no indef art, no pl*

Klei·dungs·stück *nt* garment

Kleie <-, -n> ['klaɪə] *f* bran *no indef art, no pl*

klein [klaɪn] I. *adj* ❶ *(von geringer Größe)* little, small; **haben Sie es nicht ~er?** haven't you got anything smaller?; **im ~en Format** in a small format; **ein ~[es] bisschen** a little bit; **bis ins K~ste** in minute detail; **etw** ~ **hacken** to chop up sth *sep;* ~ **gehackte Zwiebeln** finely chopped onions ❷ *(Kleidung)* small; **haben Sie das gleiche Modell auch in ~er?** do you have the same style but in a size smaller? ❸ *(jung)* small; *(~ wüchsig a.)* short; **von ~ auf** from childhood ❹ *(kurz)* short ❺ *(kurz dauernd)* short ❻ *(gering)* small ❼ *(geringfügig)* small; **die ~ste Bewegung** the slightest movement; **eine ~e Übelkeit** a slight feeling of nausea; **ein ~er Verstoß** a minor violation ❽ *(pej: unbedeutend)* minor; *(ungeachtet)* lowly; **die ~en Leute** ordinary people II. *adv* ❶ *(in ~er Schrift)* ~ **gedruckt** *attr* in small print *pred;* **etw** ~ **schreiben** to write sth with small initial letters ❷ *(auf ~ e Stufe)* on a low heat; **etw** ~/~**er drehen/stellen** to turn down *sep* sth/to turn sth lower ❸ *(wechseln)* ▪[**jdm**] **etw** ~ **machen** to change sth [for sb] ❹ *(erniedrigen)* **jdn** ~ **machen** to make sb look small ▸~ **anfangen** *(fam: seine Karriere ganz unten beginnen)* to start at the bottom; *(mit ganz wenig beginnen)* to start off in a small way; ~ **beigeben** to give in [quietly]

Klein·ak·ti·o·när(in) *m(f)* small shareholder **Klein·an·zei·ge** *f* classified advertisement, small ad *fam* **Klein·ar·beit** *f kein pl* detailed work; **in mühevoller** ~ with painstaking attention to detail **Klein·asi·en** <-s> [klaɪn'ʔa:ziən] *nt* Asia Minor **Klein·bau·er, -bäu·e·rin** *m, f* smallholder **Klein·bild·ka·me·ra** *f* 35 mm camera **Klein·buch·sta·be** *m* lower-case [letter] **klein·bür·ger·lich** *adj* ❶ *(pej: spießbürgerlich)* petit bourgeois ❷ *(den unteren Mittelstand betreffend)* lower middle-class **Klein·bür·ger·tum** *nt kein pl* lower middle class **Klein·fa·mi·lie** *f* nuclear family **Klein·for·mat** *nt* small format; **im** ~ small-format **Klein·ge·druck·te(s)** *nt* small print *no indef art, no pl* **klein·geis·tig** *adj (pej)* small-minded **Klein·geld** *nt* [loose] change *no indef art,*

no pl **klein·gläu·big** *adj* ❶ *(pej)* ■ ~ **sein**
to lack conviction ❷ REL of little faith
Klein·hirn *nt* cerebellum *spec* **Klein·**
holz *nt kein pl* chopped wood *no indef*
art, no pl; **aus etw** *dat* ~ **machen** *(hum*
fam) to make matchwood of sth ▶ ~ **aus**
jdm **machen** *(fam)* to make mincemeat
[out] of sb
Klei·nig·keit <-, -en> ['klajnɪçkajt] *f*
❶ *(Bagatelle)* small matter; **es ist nur**
eine ~, ein Kratzer, nicht mehr it's only
a trifle, no more than a scratch; **[für jdn]**
eine/keine ~ sein to be a/no simple matter [for sb]; **wegen jeder ~** at every opportunity ❷ *(Einzelheit)* minor detail; **muss**
ich mich um jede ~ kümmern? do I
have to do every little thing myself? ❸ *(ein*
wenig) **eine ~ zu hoch/tief** a little too
high/low; **eine ~ essen** to have a bite to
eat; **etw um eine ~ verschieben** to move
sth a little bit ❹ *(kleiner Artikel)* little
something *no def art, no pl* ▶ **[jdn]** **eine ~**
kosten *(iron)* to cost [sb] a pretty penny
klein·ka·riert I. *adj* ❶ *(mit kleinen Karos)*
finely checked ❷ *(fam: engstirnig)* narrow-minded **II.** *adv* in a narrow-minded
way; ~ **denken** to have narrow-minded
opinions **Klein·kind** *nt* toddler, rug rat AM
fam **Klein·kram** *m (fam)* ❶ *(Zeug)* odds
and ends ❷ *(Trivialitäten)* trivialities *pl*
Klein·krä·me·rei <-> [klajnkrɛːmə'raj] *f*
kein pl (pej) tinkering around the edges
Klein·krieg *m* running battle **klein|krie·**
gen *vt (fam)* ❶ *(zerkleinern)* to chop up
sep ❷ *(kaputtmachen)* to smash ❸ *(gefü-*
gig machen) ■ **jdn ~** to bring sb into line
Klein·kri·mi·nel·le(r) *f(m)* petty criminal
klein·laut I. *adj* sheepish; *(gefügig)* subdued **II.** *adv* sheepishly; ~ **fragen** to ask
meekly; **etw ~ gestehen** to admit sth
shamefacedly
klein·lich ['klajnlɪç] *adj (pej)* ❶ *(knause-*
rig) mean ❷ *(engstirnig)* petty
Klein·lich·keit <-, -en> *f (pej)* ❶ *kein pl*
(Knauserigkeit) meanness *no indef art, no*
pl ❷ *(Engstirnigkeit)* pettiness *no indef art,*
no pl
klein|schrei·benᴿᴿ *irreg vt* ■ **ein Wort ~**
to begin a word without a capital letter
Klein·schrei·bung *f* use of small initial
letters **Klein·stadt** *f* small town **klein·**
städ·tisch *adj* ❶ *(einer Kleinstadt ent-*
sprechend) small-town *attr* ❷ *(pej: provin-*
ziell) provincial **Klein·wa·gen** *m* small
car **klein·wüch·sig** *adj (geh)* small, of
small stature *pred*
Kleis·ter <-, -> ['klajstə] *m* paste
Klemm·brett *nt* clipboard

Klem·me <-, -n> ['klɛmə] *f* ❶ *(Haarklam-*
mer) [hair] clip ❷ *(fam: schwierige Lage)*
fix; **in der ~ sitzen** to be in a fix
klem·men ['klɛmən] **I.** *vt* ■ **etw irgend-**
wohin ~ to stick sth somewhere **II.** *vr*
❶ *(sich quetschen)* **sich den Finger in**
der Tür ~ to get one's finger caught in the
door ❷ *(fam: etw zu erreichen suchen)*
■ **sich hinter etw ~** to get on to sth
❸ *(fam: Druck machen)* **ich werde mich**
mal hinter die Sache ~ I'll get onto it
III. *vi* ❶ *(blockieren)* to jam ❷ *(angeheftet*
sein) ■ **irgendwo ~** to be stuck somewhere
Klemp·ner(in) <-s, -> ['klɛmpnɐ] *m(f)*
plumber
Klemp·ne·rei <-, -en> [klɛmpnə'raj] *f*
❶ *(Handwerk)* plumbing ❷ *(Werkstatt)*
plumber's workshop
Klemp·ne·rin <-, -nen> *f fem form von*
Klempner
Klep·to·ma·ne, Klep·to·ma·nin <-n,
-n> [klɛptoˈmaːnə, klɛptoˈmaːnɪn] *m, f*
kleptomaniac
Klep·to·ma·nie <-> [klɛptomaˈniː] *f kein*
pl kleptomania *no indef art, no pl*
Kle·ri·ker <-s, -> ['kleːrikɐ] *m* cleric
Kle·rus <-> ['kleːrʊs] *m kein pl* clergy *no*
indef art, no pl
Klet·te <-, -n> ['klɛtə] *f* ❶ *(Pflanze)* bur-
dock; **an jdm wie eine ~ hängen** *(fam)*
to cling to sb like a limpet ❷ *(pej fam: zu*
anhänglicher Mensch) nuisance
Klet·te·rer, Klet·te·rin <-s, -> *m, f* climber
Klet·ter·ge·rüst *nt* climbing frame
klet·tern ['klɛtɐn] *vi* ❶ *sein (klimmen)* to
climb; *(mühsam)* to clamber; **auf einen**
Baum ~ to climb a tree ❷ *sein o haben*
SPORT to climb; ~ **gehen** to go climbing
❸ *sein (fam)* ■ **aus einem/in ein Auto ~**
to climb out of/into a car
Klet·ter·pflan·ze *f* climbing plant
Klett·ver·schlussᴿᴿ *m* Velcro® fastener
kli·cken [klɪkn] *vi* to click
Kli·ent(in) <-en, -en> [kliˈɛnt] *m(f)* client
Kli·en·tel <-, -en> [kliɛnˈteːl] *f* clientele
+ *sing/pl vb*
Kli·en·tin <-, -nen> *f fem form von* **Klient**
Kli·ma <-s, -s *o* Klimata> ['kliːma] *nt* climate
Kli·ma·an·la·ge *f* air-conditioning *no indef*
art, no pl **kli·ma·freund·lich** *adj* ÖKOL,
METEO *Energieträger, Technologie* climate-friendly
kli·ma·neu·tral *adj Energie, Technologie*
climate neutral **Kli·ma·schutz** *m* climate
protection

kli·ma·tisch [kli'maːtɪʃ] I. *adj attr* climatic II. *adv* climatically

kli·ma·ti·siert *adj* air-conditioned

Kli·ma·ti·sie·rung *f* air-conditioning

Kli·ma·to·lo·gie <-> [klimatolo'giː] *f kein pl* climatology *no art, no pl*

Kli·ma·ver·än·de·rung *f,* **Kli·ma·wech·sel** *m* change of/in climate **kli·ma·ver·träg·lich** *adj* ÖKOL *Energie, Autos* climate-friendly, sustainable **Kli·ma·zo·ne** *f* climatic zone

klim·men <klomm *o* klimmte, geklommen *o* geklimmt> ['klɪmpen] *vi sein* (*geh*) ▪**irgendwohin** ~ to clamber up somewhere

Klịmm·zug *m* pull-up; **Klimmzüge machen** to do pull-ups

klim·pern ['klɪmpɐn] *vi* ❶ (*Töne erzeugen*) ▪**auf etw** *dat* ~ to plonk away on sth *fam* ❷ (*klirren*) *Münzen* to chink; *Schlüssel* to jangle ❸ (*erklingen lassen*) to jingle (**mit** with)

Klin·ge <-, -n> ['klɪŋə] *f* (*Schneide*) blade; (*Rasier~*) [razor] blade ▶**jdn über die** ~ **springen lassen** (*veraltend: jdn töten*) to dispatch sb *hum form;* (*jdn zugrunde richten*) to ruin sb

Klin·gel <-, -n> ['klɪŋl̩] *f* bell

Klịn·gel·knopf *m* bell-button

klin·geln ['klɪŋl̩n] I. *vi* to ring; **an der Tür** ~ to ring the doorbell; ▪[**nach**] **jdm** ~ to ring for sb II. *vi impers* **hör mal, hat es da nicht eben geklingelt?** listen, wasn't that the phone/doorbell just then? ▶**hat es jetzt endlich geklingelt?** has the penny finally dropped? BRIT

Klịn·gel·ton *m* TELEK ringtone **Klịn·gel·zei·chen** *nt* ring

klin·gen <klang, geklungen> ['klɪŋən] *vi* ❶ (*er~*) *Glas* to clink; *Glocke* to sing; **dumpf/hell** ~ to have a dull/clear ring ❷ (*tönen*) to sound; **die Wand klang hohl** the wall sounded hollow ❸ (*sich anhören*) **das klingt gut/interessant/vielversprechend** that sounds good/interesting/promising

Kli·nik <-, -en> ['kliːnɪk] *f* clinic

kli·nisch ['kliːnɪʃ] I. *adj* clinical II. *adv* clinically

Klin·ke <-, -n> ['klɪnkə] *f* [door-]handle

Klịn·ker·stein *m* clinker [brick]

klipp [klɪp] *adv* ▶ ~ **und klar** quite clearly

Klip·pe <-, -n> ['klɪpə] *f* ❶ (*Fels~*) cliff; (*im Meer*) [coastal] rock ❷ (*Hindernis*) obstacle

klir·ren ['klɪrən] *vi* ❶ *Gläser* to tinkle; *Fensterscheiben* to rattle ❷ *Lautsprecher, Mikrophon* to crackle ❸ *Ketten, Sporen* to

jangle; *Waffen* to clash

klịr·rend I. *adj Frost* severe; *Kälte* biting, piercing II. *adv* bitterly; ~ **kalt** bitterly cold

Kli·schee <-s, -s> [kli'ʃeː] *nt* stereotype

kli·schee·haft *adj* (*pej geh*) stereotypical; *Vortrag, Artikel* cliché-ridden

Kli·to·ris <-, - *o* Klitorides> ['kliːtorɪs, *pl* kli'toːrideːs] *f* clitoris

klitsch·nassᴿᴿ ['klɪtʃ'nas] *adj* (*fam*) *s.* **klatschnass**

klit·ze·klein ['klɪtsə'klaɪn] *adj* (*fam*) teen[s]y ween[s]y, AM *also* itty-bitty

Klo <-s, -s> [kloː] *nt* (*fam*) loo BRIT, john AM

Klo·a·ke <-, -n> [klo'aːkə] *f* (*pej*) cesspool *also fig*

klo·big ['kloːbɪç] *adj* bulky; *Hände* massive

Klo·bril·le *f* (*fam*) toilet seat **Klo·bürs·te** *f* (*fam*) toilet brush **Klo·de·ckel** *m* (*fam*) toilet lid

klomm [klɔm] *imp von* **klimmen**

Klon <-s, -e> [kloːn] *m* clone

klo·nen ['kloːnən] *vt* to clone

klö·nen ['kløːnən] *vi* (*fam*) ▪[**mit jdm**] ~ to chat [to sb]

Klo·pa·pier *nt* (*fam*) toilet paper

klop·fen ['klɔpfn̩] I. *vi* ❶ (*pochen*) to knock (**auf** on, **gegen** against); *Specht* to hammer ❷ (*mit der flachen Hand*) ▪**jdm auf etw** *akk* ~ to pat sb on sth; (*mit dem Finger*) to tap sb on sth II. *vi impers* **es klopft!** there's somebody knocking at the door! III. *vt Teppich, Fleisch* to beat

Klọpf·zei·chen *nt* knock

Klop·pe ['klɔpə] *f* ▶[**von jdm**] ~ **kriegen** NORDD to get a walloping [from sb]

Klöp·pel <-, -> ['klœpl̩] *m* ❶ (*Glocken~*) clapper ❷ (*Spitzen~*) bobbin ❸ (*Taktstock*) [drum]stick

klöp·peln ['klœpl̩n] *vt* ▪**etw** ~ to make sth in pillow lace

klop·pen ['klɔpn̩] I. *vt* NORDD (*fam*) to hit; *Steine* to break; *Teppich* to beat II. *vr* NORDD (*fam*) ▪**sich** [**mit jdm**] ~ to fight [with sb]

Klop·pe·rei <-, -en> [klɔpə'raɪ] *f* NORDD (*fam*) fight; (*mit mehreren Personen a.*) brawl

Klops <-es, -e> [klɔps] *m* ❶ (*Fleischkloß*) meatball ❷ (*fam: Schnitzer*) howler

Klo·sett <-s, -e *o* -s> [klo'zɛt] *nt* (*veraltend*) *s.* **Toilette** privy *old*

Kloß <-es, Klöße> [kloːs, *pl* 'kløːsə] *m* dumpling ▶**einen** ~ **im Hals haben** (*fam*) to have a lump in one's throat

Klos·ter <-s, Klöster> ['kloːstɐ, *pl* 'kløːstɐ] *nt* (*Mönchs~*) monastery; (*Nonnen~*) convent; **ins** ~ **gehen** to enter a

monastery/convent

klös·ter·lich ['klø:stɐlıç] *adj* monastic/conventual; **~e Einsamkeit** cloistered seclusion

Klö·ten ['klø:tn̩] *pl* NORDD (*sl*) balls *npl fam!*

Klotz <-es, Klötze> [klɔts, *pl* 'klœtsə] *m* ❶ (*Holz~*) block [of wood] ❷ (*pej fam: großes hässliches Gebäude*) monstrosity ▸ [jdm] **ein ~ am Bein sein** (*fam*) to be a millstone round sb's neck

klot·zen ['klɔtsən] *vi* (*fam*) ❶ (*hart arbeiten*) to slog [away]; (*schnell arbeiten*) to work like hell ❷ (*Mittel massiv einsetzen*) ▪ [bei etw *dat*] **~** to splurge [out] on sth

klot·zig ['klɔtsıç] (*sl*) I. *adj* ❶ (*ungefüge*) large and ugly; ▪ **~ sein** to be bulky ❷ (*aufwändig*) extravagant II. *adv* ❶ (*überreichlich*) extremely ❷ (*aufwändig*) lavishly

Klub <-s, -s> [klʊp] *m* club

Klub·mit·glied *nt* club member

Kluft[1] <-, Klüfte> [klʊft, *pl* 'klʏftə] *f* ❶ GEOG cleft ❷ (*scharfer Gegensatz*) gulf; **tiefe ~** deep rift

Kluft[2] <-, -en> [klʊft] *f* DIAL (*hum*) uniform

klug <klüger, klügste> [klu:k] I. *adj* ❶ (*vernünftig*) wise; (*intelligent*) intelligent; (*schlau*) clever; (*scharfsinnig*) shrewd; *Entscheidung* prudent; *Rat* sound; **es wäre klüger, ...** it would be more sensible ...; **da soll einer draus ~ werden** I can't make head [n]or tail of it; **ich werde einfach nicht aus ihm/daraus ~** I simply don't know what to make of him/it ❷ (*iron: dumm*) bright *iron;* **genauso ~ wie zuvor sein** to be none the wiser ▸ **der Klügere gibt nach** (*prov*) discretion is the better part of valour II. *adv* (*a. iron*) cleverly

klu·ger·wei·se *adv* [very] cleverly

Klug·heit <-, -en> ['klu:khaɪt] *f kein pl* cleverness; (*Intelligenz*) intelligence; (*Vernunft*) wisdom; (*Scharfsinn*) shrewdness; (*Überlegtheit*) prudence

Klug·schei·ßer(in) <-s, -> *m(f)* (*sl*) smart-ass

Klumpatsch <-s> *m kein pl* (*fam*) junk *no indef art, no pl*

Klümp·chen <-s, -> ['klʏmpçən] *nt dim von* **Klumpen** ❶ (*kleiner Klumpen*) little lump ❷ NORDD (*Bonbon*) sweetie BRIT *fam*

klum·pen ['klʊmpn̩] *vi* to go lumpy; *Salz* to cake

Klum·pen <-s, -> ['klʊmpn̩] *m* lump; **~ bilden** to go lumpy

Klump·fuß *m* club foot

klum·pig ['klʊmpıç] *adj* lumpy

Klün·gel <-s, -> ['klʏŋl̩] *m* NORDD (*pej fam*) old boys' network BRIT; (*zwischen Verwandten*) nepotistic web

Klün·ge·lei <-, -en> ['klʏŋə'laɪ] *f* (*pej*) ❶ (*Vetternwirtschaft*) cronyism ❷ DIAL (*Trödelei*) dawdling *no pl, no indef art*

Klun·ker <-s, -> ['klʊŋkɐ] *m* (*sl: Edelstein*) rock

Klü·ver <-s, -> ['kly:vɐ] *m* NAUT jib

km [ka:'ɛm] *m Abk von* **Kilometer** km

km/h [ka:ɛm'ha:] *m Abk von* **Kilometer pro Stunde** kmph

knab·bern ['knabɐn] I. *vi* ▪ **an etw** *dat* **~** ❶ (*knabbernd verzehren*) to nibble [at] sth ❷ (*etw geistig/emotional verarbeiten*) to chew on sth II. *vt* to nibble; **etwas zum K~** something to nibble

Kna·be <-n, -n> ['kna:bə] *m* (*veraltend geh*) boy; **na, alter ~!** (*fam*) well, old boy!

Knä·cke·brot *nt* crispbread *no indef art, no pl*

kna·cken [knakn̩] I. *vt* to crack (**mit** with) II. *vi* ❶ (*Knacklaut von sich geben*) to crack; *Diele, Knie* to creak; *Zweige* to snap; **es knackt hier immer im Gebälk** the beams are always creaking here; **mit den Fingern ~** to crack one's fingers ❷ (*fam: schlafen*) **eine Runde ~** to have forty winks III. *vi impers* ▪ **es knackt** there's a crackling noise

Kna·cker <-s, -> *m* DIAL (*fam*) guy; **ein alter ~** an old codger

Kna·cki <-s, -s> ['knaki] *m* (*sl*) ex-con

kna·ckig ['knakıç] I. *adj* ❶ (*knusprig*) crunchy ❷ (*fam: drall*) well-formed ❸ (*fam: zünftig*) real; *Typ* natural II. *adv* (*fam*) really; **sie kam ~ braun aus dem Urlaub wieder** she came back from holiday really brown; **~ rangehen** to get really stuck in

Knack·punkt *m* (*fam*) crucial point

Knacks <-es, -e> [knaks] *m* ❶ (*knackender Laut*) crack ❷ (*Sprung*) crack; **einen ~ haben** (*fam*) to have a problem; *Ehe* to be in difficulties; *Freundschaft* to be suffering; **etw einen ~ geben** to damage sth ❸ (*fam: seelischer Schaden*) psychological problem; **einen ~ bekommen** (*fam*) to suffer a minor breakdown; **einen ~ haben** (*fam*) to have a screw loose *hum*

Knack·wurst *f* knockwurst *spec* (*sausage which is heated in water and whose tight skin makes a cracking noise when bitten*)

Knall <-[e]s, -e> [knal] *m* ❶ (*Laut*) bang; *Korken* pop; *Tür* bang ❷ (*fam: Krach*) trouble *no indef art, no pl* ▸ **~ auf Fall** all of a sudden; **einen ~ haben** to be off one's rocker

knal·len ['knalən] I. *vi* ❶ *haben* (*ertönen*) to bang; *Auspuff* to backfire; *Feuerwerks-*

körper to [go] bang; *Korken* to [go] pop; *Schuss* to ring out; (*laut zuschlagen*) to slam; **mit der Peitsche ~** to crack the whip; **mit der Tür ~** to slam the door [shut]; ■**etw ~ lassen** to bang sth ❷ *sein* (*fam: stoßen*) ■**auf/gegen/vor etw** *akk* ~ to bang on/against sth ▶**die Korken ~ lassen** to pop the corks **II.** *vi impers haben* ■**es knallt** there's a bang; **...**, **sonst knallt's!** (*fam: oder/und es gibt eine Ohrfeige!*) ... or/and you'll get a good clout!; (*oder/und ich schieße!*) ... or/and I'll shoot! **III.** *vt* ❶ (*zuschlagen*) to bang ❷ (*werfen*) ■**etw irgendwohin ~** to slam sth somewhere ❸ (*fam: schlagen*) ■**jdm eine ~** to give sb a clout

knall·eng *adj* (*fam*) skin-tight

Knal·ler <-s, -> *m* (*fam*) ❶ (*Knallkörper*) firecracker, BRIT *also* banger ❷ (*Sensation*) sensation, smash *fam*

Knall·erb·se *f* cap bomb, toy torpedo AM **Knall·frosch** *m* jumping jack **Knall·gas** *nt* oxyhydrogen *no indef art, no pl spec* **knall·hart** ['knal'hart] (*fam*) **I.** *adj* ❶ (*rücksichtslos*) really tough, [as] hard as nails *pred* ❷ *Schuss* fierce; *Schlag* crashing **II.** *adv* quite brutally; **etw ~ sagen** to say sth straight out; **~ verhandeln** to drive a hard bargain

knal·lig ['knalɪç] *adj* (*fam*) gaudy

Knall·kopf *m*, **Knall·kopp** *m* (*fam*) idiot **Knall·kör·per** *m* firecracker **knall·rot** ['knaˈroːt] *adj* bright red

knapp [knap] **I.** *adj* ❶ (*gering*) meagre; *Stellenangebote* scarce; *Geld* tight; ■[**mit etw** *dat*] **~ sein** to be short [of sth] ❷ (*eng* [*sitzend*]) tight[-fitting] ❸ (*noch genügend*) just enough; *Mehrheit, Sieg* narrow; *Ergebnis* close ❹ (*nicht ganz*) almost; **in einer ~en Stunde** in just under an hour; ■[**jdm**] **zu ~ sein** to be too tight [for sb] ❺ (*gerafft*) succinct; **in wenigen ~en Worten** in a few brief words; **er gab ihr nur eine ~e Antwort** he replied tersely **II.** *adv* ❶ (*mäßig*) sparingly; **~ bemessen sein** to be not very generous; **seine Zeit ist ~ bemessen** he only has a limited amount of time ❷ (*nicht ganz*) almost; **~ eine Stunde** just under an hour ❸ (*haarscharf*) narrowly; **die Wahl ist denkbar ~ ausgefallen** the election turned out to be extremely close

Knap·pe <-n, -n> ['knapə] *m* ❶ BERGB [qualified] miner ❷ HIST squire

knapp|halten *vt irreg* ■**jdn** [**mit etw** *dat*] **~** to keep sb short [of sth]

Knapp·heit <-> *f kein pl* shortage *no pl* **Knar·re** <-, -n> ['knarə] *f* (*sl*) gun, rod AM

knar·ren ['knarən] *vi* to creak

Knast <-[e]s, Knäste> [knast, *pl* 'knɛstə] *m* (*sl*) prison; ■**im ~** in the slammer [*or* AM *fam* can]; **im ~ sitzen** to do time

Knatsch <-es> [knaːtʃ] *m kein pl* (*fam*) trouble; **ständiger ~ mit seinen Eltern** constant disagreements with one's parents

knat·schig ['knaːtʃɪç] *adj* (*fam: quengelig*) whingey BRIT *pej*; (*brummig*) crotchety

knat·tern ['knatɐn] *vi* to clatter; *Motorrad* to roar; *Maschinengewehr* to rattle; *Schüsse* to rattle out

Knäu·el <-s, -> ['knɔyəl] *m o nt* ball; *von Menschen* knot

Knauf <-[e]s, Knäufe> [knauf, *pl* 'knɔyfə] *m* (*Messer-/Schwert~*) pommel; (*Tür~*) knob; *Spazierstock* knob

knau·se·rig ['knauzərɪç] *adj* (*pej fam*) stingy

knau·sern ['knauzɐn] *vi* (*pej fam*) ■**mit etw** ~ to be stingy [with sth]

knaut·schen ['knautʃn] **I.** *vi* to crease **II.** *vt* to crumple

Knautsch·zo·ne *f* crumple zone

Kne·bel <-s, -> ['kneːbl̩] *m* gag

kne·beln ['kneːbl̩n] *vt* (*a. fig*) to gag

Knecht <-[e]s, -e> [knɛçt] *m* ❶ (*veraltend: Landarbeiter*) farmhand ❷ (*pej: Untergebener*) minion

Knecht·schaft <-, *selten* -en> *f* (*pej*) slavery

knei·fen <kniff, gekniffen> ['knaɪfn̩] **I.** *vt* to pinch; ■**jdn in etw** *akk* ~ to pinch sb's sth **II.** *vi* ❶ (*zwicken*) to pinch ❷ (*fam: zurückscheuen*) ■[**vor etw** *dat*] **~** to chicken out [of sth]; ■**vor jdm ~** to shy away from sb **III.** *vi impers* ■**es kneift** it pinches

Kneif·zan·ge *f* pincers *npl*

Knei·pe <-, -n> ['knaɪpə] *f* (*fam*) pub BRIT, bar AM *usu*

Knei·pen·bum·mel *m*, **Knei·pen·tour** *f* pub crawl BRIT, bar hop AM **Knei·pen·wirt(in)** *m(f)* barkeeper, [pub] landlord *masc*/landlady *fem* BRIT

Kne·te <-> ['kneːtə] *f kein pl* ❶ (*sl: Geld*) dosh BRIT ❷ (*fam*) *s.* **Knetgummi**

kne·ten ['kneːtn̩] **I.** *vt* ❶ (*durchwalken*) to knead ❷ (*durch K~ formen*) to model (**aus** out of) **II.** *vi* to play with Plasticine® [*or* AM Play-Doh®]

Knet·gum·mi *m o nt*, **Knet·mas·se** *f* Plasticine®, Play-Doh® AM

Knick <-[e]s, -e *o* -s> [knɪk] *m* ❶ (*abknickende Stelle*) [sharp] bend; (*im Schlauch/Draht*) kink; **einen ~ machen** to bend [sharply] ❷ (*Kniff*) crease

kni·cken ['knɪkn̩] I. *vt haben* ❶ (*falten*) to fold; „**nicht ~!**" "[please] do not bend!" ❷ (*ein~*) to snap II. *vi sein* to snap

Kni·cker·bo·cker *pl* knickerbockers *npl*, Am *also* knickers *npl*

kni·cke·rig ['knɪkərɪç] *adj,* **knick·rig** ['knɪkrɪç] *adj* DIAL (*knauserig*) mean

Knicks <-es, -e> [knɪks] *m* curts[e]y

knick·sen ['knɪksn̩] *vi* to curts[e]y

Knie <-s, -> [kni:, *pl* 'kni:ə] *nt* knee; **[vor jdm] auf die ~ fallen** (*geh*) to fall on one's knees [before sb]; **in die ~ gehen** to sink to one's knees; **jdn übers ~ legen** (*fam*) to put sb across one's knee; **in die ~ sacken** to sag at the knees; **jdm zittern die ~** sb's knees are shaking; (*aus Angst*) sb's knees are knocking; **jdn in die ~ zwingen** (*geh*) to force sb to his/her knees ▶ **weiche ~ bekommen** (*fam*) to go weak at the knees; **etw übers ~ brechen** (*fam*) to rush into sth; **in die ~ gehen** to give in

Knie·beu·ge *f* knee-bend **Knie·bund·ho·se** *f* [knee] breeches [*or* Am britches] *npl* **Knie·ge·lenk** *nt* knee joint **Knie·keh·le** *f* back of the knee

knien [kni:n] I. *vi* to kneel II. *vr* ❶ (*auf die Knie gehen*) ■ **sich auf etw** *akk* **~** to kneel [down] on sth ❷ (*fam: sich intensiv beschäftigen*) ■ **sich in etw** *akk* **~** to get down to sth

Knies <-> [kni:s] *m kein pl* DIAL (*Knatsch*) quarrel; (*schwächer*) tiff *fam*

Knie·schei·be *f* kneecap **Knie·schüt·zer** *m* SPORT kneeguard **Knie·strumpf** *m* knee-length sock

kniff [knɪf] *imp von* **kneifen**

Kniff <-[e]s, -e> [knɪf] *m* ❶ (*Kunstgriff*) trick ❷ (*Falte*) fold; (*unabsichtlich a.*) crease ❸ (*Zwicken*) pinch

knif·fe·lig ['knɪfəlɪç] *adj,* **kniff·lig** ['knɪflɪç] *adj* (*fam*) fiddly

Knilch <-s, -e> [knɪlç] *m* (*pej sl: Scheißkerl*) bastard *fam!;* (*Niete*) plonker BRIT *fam*

knip·sen ['knɪpsn̩] I. *vt* ❶ (*fam: fotografieren*) ■ **jdn/etw ~** to take a photo of sb/sth ❷ (*durch Lochen entwerten*) to punch II. *vi* (*fam*) to take photos; (*willkürlich*) to snap away

Knirps <-es, -e> [knɪrps] *m* ❶ (*fam: kleiner Junge*) little fellow ❷ (® *Faltschirm*) folding umbrella

knir·schen ['knɪrʃn̩] *vi* to crunch; *Getriebe* to grind

knis·tern ['knɪstən] I. *vi* ❶ (*rascheln*) *Feuer* to crackle; *Papier* to rustle ❷ (*~ de Geräusche verursachen*) ■ **mit etw** *dat* **~** to rustle sth II. *vi impers* ❶ (*Geräusch verursachen*) ■ **es knistert irgendwo** there is a crackling/rustling somewhere ❷ (*kriseln*) ■ **es knistert** there is trouble brewing ❸ (*Spannung aufweisen*) ■ **es knistert [zwischen Menschen]** there is a feeling of tension [between people]

Knit·ter·fal·te *f* crumple

knit·ter·frei *adj* non-crease

knit·tern ['knɪtən] *vi, vt* to crease

knitz [knɪts] *adj* SÜDD (*fam*) slyly humorous

kno·beln ['kno:bl̩n] *vi* ❶ (*würfeln*) to play dice ❷ (*nachgrübeln*) ■ **[an etw** *dat*] **~** to puzzle [over sth]

Knob·lauch <-[e]s> *m kein pl* garlic *no indef art, no pl*

Knob·lauch·pres·se *f* garlic press **Knob·lauch·ze·he** *f* clove of garlic

Knö·chel <-s, -> ['knœçl̩] *m* ❶ (*Fuß~*) ankle ❷ (*Finger~*) knuckle

Kno·chen <-s, -> ['knɔxn̩] *m* bone; **sich** *dat* **[bei etw] den ~ brechen** to break a bone [doing sth] ▶ **bis auf die ~ abgemagert sein** to be all skin and bone[s]; **bis auf die ~ nass werden** to get soaked to the skin; **jdm steckt der Schrecken in den ~** (*fam*) sb is scared stiff

Kno·chen·ar·beit *f* (*fam*) backbreaking work *no indef art, no pl* **Kno·chen·bruch** *m* fracture **Kno·chen·ge·rüst** *nt* skeleton **Kno·chen·job** [-dʒɔp] *m* (*pej fam*) tough job **Kno·chen·mark** *nt* bone marrow *no indef art, no pl* **Kno·chen·mark·trans·plan·ta·ti·on** *f* MED bone marrow transplant **Kno·chen·schwund** *m* atrophy of the bone[s] **kno·chen·tro·cken** ['knɔxn̩ˈtrɔkn̩] *adj* (*fam*) ❶ (*völlig trocken*) bone dry ❷ (*Humor, Bemerkung*) very dry

kno·chig ['knɔxɪç] *adj* bony

knock-out, knock·out [nɔkˈʔaʊt] *adj* KO *fam;* ■ **~ sein** to be knocked out

Knö·del <-s, -> ['knø:dl̩] *m* SÜDD, ÖSTERR dumpling

Knöll·chen <-s, -> ['knœlçən] *nt* (*fam*) [parking] ticket

Knol·le <-, -n> ['knɔlə] *f* ❶ BOT nodule; (*Kartoffel*) tuber; (*Krokus*) corm *spec* ❷ (*fam: rundliche Verdickung*) large round lump

Knol·len·blät·ter·pilz *m* amanita *no indef art, no pl spec* **Knol·len·ge·mü·se** *nt kein pl* tuber vegetables

Knopf <-[e]s, Knöpfe> [knɔpf, *pl* knœpfə] *m* ❶ (*an Kleidungsstück etc*) button ❷ (*Drucktaste*) [push]button ❸ SCHWEIZ, SÜDD (*Knoten*) knot

knöp·fen ['knœpfn̩] *vt* to button

Knopf·loch *nt* buttonhole

Knor·pel <-s, -> ['knɔrpl̩] *m* cartilage *no indef art, no pl;* KOCHK gristle *no indef art, no pl*

knor·pe·lig ['knɔrpəlɪç] *adj* ANAT cartilaginous *spec;* KOCHK gristly

knor·rig ['knɔrɪç] *adj* gnarled

Knos·pe <-, -n> ['knɔspə] *f* bud; **~n trei·ben** to bud

knos·pen *vi* to bud

Knöt·chen <-s, -> ['knøːtçən] *nt dim von* **Knoten** ❶ KOCHK little lump ❷ MED nodule, small lump

kno·ten ['knoːtn̩] *vt* to knot

Kno·ten <-s, -> ['knoːtn̩] *m* ❶ (*Verschlingung*) knot; ▪**einen ~ in etw** *akk* **machen** to tie a knot in sth ❷ MED lump ❸ (*Haar~*) bun

Kno·ten·punkt *m* AUTO, BAHN junction

kno·tig ['knoːtɪç] *adj* ❶ (*Knoten aufweisend*) knotty; ▪**~ sein** to be full of knots ❷ (*knorrig*) gnarled ❸ MED nodular

Know-how <-s> [noːˈhaʊ] *nt kein pl* know-how *no indef art, no pl*

Knub·bel <-s, -> ['knʊbl̩] *m* DIAL lump

knud·deln ['knʊdl̩n] *vt* ❶ (*fam: umarmen, drücken und küssen*) ▪**jdn ~** to hug and kiss sb ❷ DIAL (*zerknüllen*) to crumple up *sep*

knül·le ['knʊlə] *adj* NORDD (*fam*) ▪**~ sein** to be pie-eyed

knül·len ['knʊlən] **I.** *vt* to crumple [up *sep*] **II.** *vi* to crumple

Knül·ler <-s, -> ['knʊlɐ] *m* (*fam*) sensation; (*Nachricht*) scoop

knüp·fen ['knʏpfn̩] **I.** *vt* ❶ (*verknoten*) to tie; *Netz* to mesh; *Teppich* to knot ❷ (*gedanklich verbinden*) **eine Bedingung an etw** *akk* **~** to attach a condition to sth; **Hoffnungen an etw** *akk* **~** to pin hopes on sth **II.** *vr* ▪**sich an etw** *akk* **~** to be linked with sth

Knüp·pel <-s, -> ['knʏpl̩] *m* cudgel, club; (*Polizei~*) truncheon BRIT, nightstick AM ▶**jdm [einen] ~ zwischen die Beine werfen** to put a spoke in sb's wheel, to throw a monkey wrench in sth AM

knüp·pel·dick ['knʏpl̩'dɪk] *adv* (*fam*) excessively; **~ auftragen** to lay it on thick; **wenn's mal losgeht, dann kommt's auch gleich ~** it never rains but it pours *prov*

knur·ren ['knʊrən] *vi, vt* to growl; (*wütend*) to snarl

knur·rig ['knʊrɪç] *adj* grumpy

knus·pe·rig ['knʊspərɪç] *adj,* **knus·p·rig** ['knʊsprɪç] *adj* ❶ (*mit einer Kruste*) crisp[y] ❷ (*kross*) crusty; *Gebäck* crunchy

knut·schen ['knuːtʃn̩] (*fam*) **I.** *vt* to kiss **II.** *vi* ▪[**mit jdm**] **~** to smooch [with sb]

Knutsch·fleck *m* (*fam*) love bite

Ko·a·la <-s, -s> [ko'aːla] *m,* **Ko·a·la·bär** [ko'aːla-] *m* koala [bear]

ko·a·lie·ren* [koʔa'liːrən] *vi* ▪[**mit jdm**] **~** to form a coalition [with sb]

Ko·a·li·ti·on <-, -en> [koʔali'tsi̯oːn] *f* coalition

Ko·a·li·ti·ons·part·ner *m* coalition partner **Ko·a·li·ti·ons·re·gie·rung** *f* coalition government

Ko·balt <-s> ['koːbalt] *nt kein pl* cobalt *no art, no pl*

Kob·lenz <-> ['koːblɛnts] *nt* Koblenz, Coblenz

Ko·bold <-[e]s, -e> ['koːbɔlt, *pl* -ldə] *m* imp, goblin

Kob·ra <-, -s> ['koːbra] *f* cobra

Koch, Kö·chin <-s, Köche> [kɔx, 'kœçɪn, *pl* 'kœçə] *m, f* cook; (*Küchenchef*) chef

Koch·buch *nt* cook[ery]book

ko·chen ['kɔxn̩] **I.** *vi* ❶ (*Speisen zubereiten*) to cook ❷ (*brodeln*) to boil; **etw zum K~ bringen** to bring sth to the boil; **~d heiß** boiling hot; **eine ~d heiße Suppe** a piping hot soup ❸ (*in Aufruhr befinden*) to seethe; **vor Wut ~** to seethe with rage **II.** *vt* ❶ (*heiß zubereiten*) to cook; **Suppe/Kaffee ~** to make [some] soup/coffee ❷ *Wäsche* to boil

Ko·cher <-s, -> ['kɔxɐ] *m* cooker

Kö·cher <-s, -> ['kœçɐ] *m* ❶ (*Pfeilköcher*) quiver ❷ (*für Fernglas*) case

Koch·feld *nt* ceramic hob

koch·fest *adj* suitable for washing at 90° *pred*

Kö·chin <-, -nen> ['kœçɪn] *f fem form von* **Koch**

Koch·kunst *f kein pl* art of cooking *no pl*

Koch·löf·fel *m* wooden spoon **Koch·ni·sche** *f* kitchenette **Koch·plat·te** *f* ❶ (*Herdplatte*) hotplate ❷ (*transportable Herdplatte*) small [electric] stove **Koch·re·zept** *nt* recipe **Koch·salz** *nt kein pl* common salt *no indef art, no pl* **Koch·topf** *m* [cooking] pot; (*mit Stiel*) saucepan **Koch·wä·sche** *f* washing that can be boiled

kod·de·rig ['kɔdərɪç] *adj,* **kodd·rig** ['kɔdrɪç] *adj* NORDD (*fam*) ❶ (*unverschämt*) impertinent ❷ (*unwohl*) ▪**jdm ist ~** [**zumute**] sb feels queasy

Kode <-s, -s> [koːt] *m* code

Kö·der <-s, -> [ko:dɐ] *m* bait

kö·dern ['kø:dɐn] *vt* to lure; **jdn [mit etw** *dat*] **zu ~ versuchen** to woo sb [with sth]; **sich von jdm/etw ~ lassen** to be tempted by sb/sth

Ko·dex <- *o* -es, -e *o* Kodizes> ['ko:dɛks, *pl* 'ko:ditse:s] *m* ❶ *kein pl* (*Verhaltens~*) [moral] code ❷ HIST (*Handschrift*) codex

ko·die·ren* [ko'di:rən] *vt* to [en]code

Ko·die·rung <-, -en> *f* INFORM, LING coding

Ko·edu·ka·tion <-, -en> ['ko:ʔedukatsi̯o:n] *f* co-education *no indef art, no pl*

Ko·ef·fi·zi·ent <-en, -en> [koʔɛfi'tsi̯ɛnt] *m* MATH, PHYS coefficient

Ko·e·xis·tenz ['koʔɛksɪstɛnts] *f kein pl* co-existence *no indef art, no pl*

ko·e·xis·tie·ren* ['ko:ʔɛksɪsti:rən, koʔɛksɪs'ti:rən], **ko·e·xis·tie·ren** ['ko:ʔɛksɪsti:rən] *vi haben* (*geh*) to coexist

Kof·fe·in <-s> [kɔfe'i:n] *nt kein pl* caffeine *no indef art, no pl*

kof·fe·in·frei *adj* decaffeinated

kof·fe·in·hal·tig *adj* containing caffeine *pred*

Kof·fer <-s, -> ['kɔfɐ] *m* [suit]case; ■ **die ~** *pl* the luggage [*or esp* AM baggage] + *sing vb;* **den/die ~ packen** to pack [one's bags]

Kof·fer·ra·dio *nt* portable radio **Kof·fer·raum** *m* boot BRIT, trunk AM

Ko·gnak <-s, -s *o* -e> ['kɔnjak] *m* brandy

ko·hä·rent [kohɛ'rɛnt] *adj* coherent

Ko·hä·renz <-> [kohɛ'rɛnts] *f kein pl* coherence *no pl*

Kohl <-[e]s, -e> [ko:l] *m* (*Gemüse*) cabbage ▸ **das macht den ~ auch nicht fett** that's not much help

Kohl·dampf *m* ▸**~ haben** (*fam*) to be starving

Koh·le <-, -n> ['ko:lə] *f* ❶ (*Brennstoff*) coal *no indef art, no pl* ❷ (*sl: Geld*) dosh BRIT *fam* ▸ **wie auf** [**glühenden**] **~n sitzen** to be on tenterhooks

koh·le·hal·tig *adj* carboniferous **Koh·le·hy·drat** <-[e]s, -e> *nt s.* **Kohlenhydrat Koh·le·kraft·werk** *nt* coal-fired power station

Koh·len·berg·bau *m* coal-mining *no indef art, no pl*

Koh·len·berg·werk *nt* coal mine **Koh·len·di·o·xid** *nt kein pl* carbon dioxide *no indef art, no pl* **Koh·len·gru·be** *f* coal mine **Koh·len·hy·drat** <-[e]s, -e> *nt* carbohydrate **Koh·len·kel·ler** *m* coal cellar **Koh·len·mo·no·xid** *nt kein pl* carbon monoxide *no indef art, no pl* **Koh·len·ofen** *m* [coal-burning] stove **Koh·len·pott** *m* (*fam*) ■ **der ~** the Ruhr [area] **Koh·len·säu·re** *f* carbonic acid *no indef art, no pl;* **mit ~** fizzy; **ohne ~** still *attr* **koh·len·säu·re·hal·tig** *adj* carbonated **Koh·len·stoff** *m* carbon *no indef art, no pl* **Koh·len·was·ser·stoff** *m* hydrocarbon

Koh·le·ofen *m* [coal-burning] stove

Koh·le·pa·pier *nt* carbon paper **Koh·le·stift** *m* charcoal stick **Koh·le·ta·blet·te** *f* charcoal tablet **Koh·le·zeich·nung** *f* charcoal drawing

Kohl·kopf *m* [head of] cabbage

Kohl·mei·se *f* great titmouse

kohl·ra·ben·schwarz ['ko:l'ra:bn̩'ʃvarts] *adj* jet-black; **~es Haar** jet-black [*or liter* raven] hair

Kohl·ra·bi <-[s], -[s]> [ko:l'ra:bi] *m* kohlrabi *no indef art, no pl*

Kohl·rou·la·de [-rula:də] *f* stuffed cabbage **Kohl·weiß·ling** <-s, -e> *m* (*Schmetterlingsart*) cabbage white [butterfly]

Ko·in·zi·denz <-, -en> [koɪntsi'dɛnts] *f* (*geh*) coincidence

ko·i·tie·ren* [koi'ti:rən] *vi* (*geh*) to engage in sexual intercourse (**mit** with)

Ko·i·tus <-, -*o* -se> ['ko:ɪtʊs] *m* (*geh*) coitus *no art, no pl*

Ko·je <-, -n> ['ko:jə] *f* ❶ NAUT bunk ❷ (*fam: Bett*) bed; **sich in die ~ hauen** to hit the sack

Ko·jo·te <-n, -n> [ko'jo:tə] *m* coyote

Ko·ka·in <-s> [koka'i:n] *nt kein pl* cocaine *no indef art, no pl*

ko·ka·in·süch·tig *adj* addicted to cocaine *pred*

ko·keln ['ko:kl̩n] *vi* (*fam*) to play with fire

ko·kett [ko'kɛt] *adj* flirtatious

Ko·ket·te·rie <-, -n> [kokɛtə'ri:, *pl* -ri:ən] *f* coquetry *no indef art, no pl*

ko·ket·tie·ren* [kokɛ'ti:rən] *vi* ❶ (*flirten*) to flirt ❷ (*geh: liebäugeln*) **mit dem Gedanken/einem Plan ~** to toy with the idea/a plan

Ko·ko·lo·res <-> [koko'lo:rɛs] *m kein pl* (*fam*) ❶ (*Quatsch*) nonsense *no indef art, no pl* ❷ (*Umstände*) fuss *no pl*

Ko·kon <-s, -s> [ko'kõ:] *m* cocoon

Ko·kos·fett *nt* coconut butter *no indef art, no pl* **Ko·kos·flo·cken** *pl* desiccated coconut **Ko·kos·milch** *f* coconut milk *no indef art, no pl* **Ko·kos·nuss**ᴿᴿ *f* coconut **Ko·kos·öl** *nt* coconut oil *no indef art, no pl* **Ko·kos·pal·me** *f* coconut palm

Koks¹ <-es, -e> [ko:ks] *m* ❶ (*Brennstoff*) coke *no indef art, no pl* ❷ *kein pl* (*sl: Geld*) dosh BRIT *fam*

Koks² <-es> [ko:ks] *m o nt kein pl* (*sl: Kokain*) coke *fam*

kok·sen [ko:ksn̩] *vi* (*sl*) to snort [*or* take] coke

Ko·la <-, -> ['ko:la] *f* (*fam*) cola

Kol·ben <-s, -> ['kɔlbn̩] *m* ❶ AUTO piston ❷ (*Gewehr~*) butt ❸ CHEM retort ❹ (*Mais~*) cob ❺ (*sl: Nase*) conk BRIT *hum*

fam

Kọl·ben·mo·tor *m* piston engine **Kọl· ben·stan·ge** *f* piston rod

Kol·cho·se <-, -n> [kɔlço:zə] *f* HIST kolk[h]oz (*Soviet collective farm*)

Ko·li·bak·te·ri·en ['ko:libakte:rɪ̯ən] *pl* coli[form bacteria] *pl spec*

Ko·li·bri <-s, -s> [ko:libri] *m* humming- bird

Ko·lik <-, -en> ['ko:lɪk] *f* colic *no indef art, no pl*; **eine ~ haben** to have colic

kol·la·bie·ren* [kɔla'bi:rən] *vi sein* to col- lapse

Kol·la·bo·ra·teur(in) <-s, -e> [kɔlabo- ra'tø:ɐ̯] *m(f)* (*pej*) collaborator

Kol·la·bo·ra·ti·on <-, -en> [kɔlabo- ra'tsɪ̯o:n] *f* POL (*pej*) collaboration *no indef art, no pl* (**mit** +*dat* with)

kol·la·bo·rie·ren* [kɔlabo'ri:rən] *vi* (*pej*) to collaborate

Kol·laps <-es, -e> ['kɔlaps] *m* collapse

Kol·leg <-s, -s *o* -ien> [kɔl'e:k, *pl* -gi̯ən] *nt* college

Kol·le·ge, Kol·le·gin <-n, -n> [kɔ'le:gə, kɔ'le:gɪn] *m, f* colleague

kol·le·gi·al [kɔle'gi̯a:l] **I.** *adj* considerate and friendly (*towards one's colleagues*) **II.** *adv* in a considerate and friendly way

Kol·le·gi·a·li·tät <-> [kɔlegi̯ali'tɛ:t] *f kein pl* friendly cooperation *no pl*

Kol·le·gin <-, -nen> *f fem form von* **Kol· lege**

Kol·le·gi·um <-s, -gien> [kɔ'le:gi̯um, *pl* -gi̯ən] *nt* group [of colleagues]; (*Lehrkör- per*) [teaching] staff + *sing/pl vb*

Kol·lek·te <-, -n> [kɔ'lɛktə] *f* collection

Kol·lek·ti·on <-, -en> [kɔlɛk'tsɪ̯o:n] *f* col- lection

Kol·lek·tiv <-s, -e *o* -s, -s> [kɔlɛk'ti:f, *pl* -i:və] *nt* collective

Kol·ler <-s, -> ['kɔlɐ] *m* (*fam*) rage; **einen ~ bekommen** to fly into a rage/one of one's rages

kol·li·die·ren* [kølidi:rən] *vi* (*geh*) ❶ *sein* (*zusammenstoßen*) to collide ❷ *sein o haben* (*unvereinbar sein*) to clash

Kol·lier <-s, -s> [kɔ'li̯e:] *nt* necklace

Kol·li·si·on <-, -en> [kɔli'zɪ̯o:n] *f* (*geh*) collision

Kol·lo·qui·um <-s, -ien> [kɔ'lo:kvium, *pl* -kvi̯ən] *nt* ❶ (*wissenschaftliches Gespräch*) colloquium *form* ❷ ÖSTERR (*klei- nere Prüfung*) test

Köln [kœln] *nt* Cologne

Köl··nisch·was·ser *nt,* **Köl·nisch Was· ser** ['kœlnɪ̯ʃvasɐ] *nt* [eau de] cologne *no indef art, no pl*

ko·lo·ni·al [kolo'ni̯a:l] *adj* colonial

Ko·lo·ni·al·herr *m* HIST colonial master **Ko·lo·ni·al·herr·schaft** *f* colonial rule *no art, no pl*

Ko·lo·ni·a·lis·mus <-> [koloni̯a'lɪs- mʊs] *m kein pl* colonialism *no indef art, no pl*

Ko·lo·ni·al·macht *f* colonial power

Ko·lo·nie <-, -n> [kolo'ni:, *pl* -'ni:ən] *f* colony

Ko·lo·ni·sa·ti·on <-, -en> [koloni- za'tsɪ̯o:n] *f* colonization

ko·lo·ni·sie·ren* [koloni'zi:rən] *vt* ❶ (*zur Kolonie machen*) to colonize ❷ (*bevöl- kern*) ▪ **etw ~** to settle in sth

Ko·lo·nist(in) <-en, -en> [kolo'nɪst] *m(f)* ❶ (*Siedler*) settler, colonist ❷ BOT colonizer

Ko·lon·ne <-, -n> [ko'lɔnə] *f* ❶ AUTO queue [of traffic]; (*von Polizei*) convoy ❷ (*lange Reihe von Menschen*) column ❸ (*einge- teilte Arbeitsgruppe*) gang ❹ (*senkrechte Zahlenreihe*) column

ko·lo·rie·ren* [kolo'ri:rən] *vt* to colour

Ko·lo·rit <-[e]s, -e> [kolo'ri:t] *nt* ❶ KUNST colouring *no pl* ❷ MUS [tone] colour

Ko·lossᴿᴿ <-es, -e> *m,* **Ko·loß**ᴬᴸᵀ <-sses, -sse> [ko'lɔs] *m* ❶ (*fam: riesiger Mensch*) colossus ❷ (*gewaltiges Gebilde*) colossal thing

ko·los·sal [kolɔ'sa:l] **I.** *adj* colossal **II.** *adv* (*fam: gewaltig*) tremendously; **sich ~ ver· schätzen** to make a huge miscalculation

Kölsch <-, -> [kœlʃ] *nt* Kölsch (*top-fer- mented pale beer brewed in Cologne*) *no art, no pl*

Ko·lum·bi·a·ner(in) <-s, -> [kolʊm'bi̯a- nɐ] *m(f)* Colombian; *s. a.* **Deutsche(r)**

ko·lum·bi·a·nisch [kolʊm'bi̯anɪʃ] *adj* Co- lombian; *s. a.* **deutsch**

Ko·lum·bi·en <-s> [ko'lʊmbi̯ən] *nt* Co- lombia *no art, no pl; s. a.* **Deutschland**

Ko·lum·bus <-> [ko'lʊmbʊs] *m* HIST Columbus

Ko·lum·ne <-, -n> [ko'lʊmnə] *f* column

Ko·lum·nist(in) <-en, -en> [kolʊm'nɪst] *m(f)* columnist

Ko·ma <-s, -s *o* -ta> [ko:ma] *nt* coma; **im ~ liegen** to lie in a coma

Ko·ma·sau·fen *nt* (*sl*) binge-drinking

Kom·bi <-s, -s> ['kɔmbi] *m* (*fam*) estate [car] BRIT, station wagon AM

Kom·bi·na·ti·on <-, -en> [kɔmbi- na'tsɪ̯o:n] *f* ❶ (*Zusammenstellung, Zah- len~*) combination ❷ (*Schlussfolgerung*) deduction ❸ MODE combination[s *pl*]; (*Overall*) jumpsuit

Kom·bi·na·ti·ons·ga·be *f kein pl* powers *pl* of deduction

kom·bi·nie·ren* [kɔmbi'ni:rən] **I.** *vt* to

combine **II.** *vi* to deduce; **gut ~ können** to be good at deducing; **falsch/richtig ~** to come to the wrong/right conclusion

Kom·bi·wa·gen *m s.* **Kombi**

Kom·bü·se <-, -n> [kɔm'byːzə] *f* galley

Ko·met <-en, -en> [ko'meːt] *m* comet

ko·me·ten·haft *adj* meteoric

Kom·fort <-s> [kɔm'foːɐ̯] *m kein pl* comfort *no indef art, no pl*

kom·for·ta·bel [kɔmfɔr'taːbl̩] *adj* ❶ (*großzügig ausgestattet*) luxurious ❷ (*bequem*) comfortable

Ko·mik <-> [ˈkoːmɪk] *f kein pl* comic

Ko·mi·ker(in) <-s, -> [ˈkoːmɪkɐ] *m(f)* comic

ko·misch [ˈkoːmɪʃ] **I.** *adj* ❶ (*zum Lachen reizend*) funny ❷ (*sonderbar*) strange **II.** *adv* (*eigenartig*) strangely; **dein Parfüm riecht aber ~** your perfume smells funny; **sich ~ fühlen** to feel funny; **jdm ~ vorkommen** (*eigenartig*) to seem funny/strange to sb; (*suspekt*) to seem fishy/funny

ko·mi·scher·wei·se *adv* (*fam*) funnily enough

Ko·mi·tee <-s, -s> [komi'teː] *nt* committee

Kom·ma <-s, -s *o* -ta> [ˈkɔma, *pl* -ta] *nt* ❶ (*Satzzeichen*) comma ❷ MATH [decimal] point

Kom·man·dant(in) <-en, -en> [kɔman-ˈdant] *m(f)* MIL commanding officer; (*Marine*) captain

kom·man·die·ren* [kɔman'diːrən] **I.** *vt* ❶ (*befehligen*) ▪ **etw ~** to command sth ❷ (*befehlen*) ▪ **jdn wohin ~** to order sb somewhere **II.** *vi* ❶ (*befehlen*) to be in command ❷ (*fam: Anweisungen erteilen*) ▪ **[gern] ~** [to like] to give [the] orders

Kom·man·dit·ge·sell·schaft [kɔman'diːtgəzɛlʃaft] *f* limited partnership

Kom·man·do <-s, -s> [kɔ'mando] *nt* ❶ (*Befehl[sgewalt]*) command; **auf ~** on command; **das ~ [über jdn/etw] haben** to be in command [of sb/sth] ❷ (*abkommandierte Gruppe*) commando ❸ (*Militärdienststelle*) command

Kom·man·do·brü·cke *f* bridge **Kom·man·do·ton** *m kein pl* commanding tone

kom·men <kam, gekommen> [ˈkɔmən] **I.** *vi sein* ❶ (*eintreffen*) to come; **ich komme schon!** I'm coming!; **der Zug kommt aus Paris** the train is coming from Paris; **da kommt Anne/der Bus** there's Anne/the bus; **der Wind kommt von Osten/von der See** the wind is coming from the East/off the sea; **wann soll das Baby ~?** when's the baby due?; **als Ers-**ter/Letzter ~ to be the first/last to arrive; **mit dem Auto/Fahrrad ~** to come by car/bike; **zu Fuß ~** to come on foot ❷ (*gelangen*) ▪ **irgendwohin ~** to get somewhere; **wie komme ich von hier zum Bahnhof?** how do I get to the station from here?; **zu Fuß kommt man am schnellsten dahin** the quickest way [to get] there is to walk; **ans Ziel ~** to reach the finishing [*or* AM finish] line ❸ (*sich begeben*) to come; **kommst du mit uns ins Kino?** are you coming to the cinema with us? ❹ (*passieren*) ▪ **durch etw** *akk*/**einen Ort ~** to pass through sth/a place ❺ (*teilnehmen*) ▪ **zu etw** *dat* **~** *Kongress, Party, Training* to come to sth ❻ (*besuchen*) ▪ **zu jdm ~** to visit sb ❼ (*herstammen*) ▪ **irgendwoher ~** to come from somewhere ❽ (*folgen, an der Reihe sein*) to come; **wer kommt [jetzt]?** whose turn is it?; **das Schlimmste kommt noch** the worst is yet to come ❾ (*untergebracht werden*) **ins Gefängnis/Krankenhaus ~** to go to prison/into hospital; **vor Gericht ~** *Fall* to come to court; *Mensch* to come before the court; **in die Schule/Lehre ~** to start school/an apprenticeship ❿ (*erlangen*) **zu der Erkenntnis ~, dass ...** to realize that ...; **zu Geld ~** to come into money; **zu Kräften ~** to gain strength; **zu sich ~** to regain consciousness ⓫ (*verlieren*) ▪ **um etw** *akk* **~** to lose sth ⓬ (*gebracht werden*) to come; **kam Post für mich?** was there any post for me? ⓭ (*veranlassen, dass jd kommt*) **den Arzt/Klempner/ein Taxi ~ lassen** to send for the doctor/plumber/a taxi ⓮ (*hingehören*) to belong ⓯ (*herannahen*) to approach; (*eintreten, geschehen*) to come about; **der Termin kommt etwas ungelegen** the meeting comes at a somewhat inconvenient time; **das kam doch anders als erwartet** it/that turned out differently than expected; **es kam eins zum anderen** one thing led to another; **und so kam es, dass ...** and that's how it came about that ...; **wie kommt es, dass ...?** how come ...?; **es musste ja so ~** it/that was bound to happen; **es hätte viel schlimmer ~ können** it could have been much worse; **so weit ~, dass ...** to get to the stage where ...; **was auch immer ~ mag** whatever happens ⓰ (*jdn erfassen*) ▪ **über jdn ~** *Gefühl* to come over sb; **jdm ~ die Tränen** sb starts to cry; **jdm ~ Zweifel, ob ...** sb doubts whether ... ⓱ (*in einen Zustand geraten*) **wir kamen plötzlich ins Schleudern** we suddenly started to skid; **in Gefahr/Not ~** to get into danger/difficulty; **in Verlegenheit ~** to get embarrassed ⓱ *(fam: jdn belästigen)* **komm mir nicht schon wieder damit!** don't give me that again! ⓲ *(seinen Grund haben)* **das kommt davon, dass/weil ...** that's because ...; **das kommt davon, wenn ...** that's what happens when ... ⓴ *(sich an etw erinnern)* ■ **auf etw** *akk* **~** to remember sth ㉑ *(einfallen)* **jdm kommt der Gedanke, dass ...** it occurs to sb that ... ㉒ *(etw herausfinden)* ■ **hinter etw** *akk* **~ Pläne** to find out *sep* sth; **hinter ein Geheimnis ~** to uncover a secret; **wie kommst du darauf?** what makes you think that? ㉓ RADIO, TV *(gesendet werden)* to be on ㉔ *(Zeit für etw finden)* ■ **zu etw** *dat* **~** to get around to doing sth ㉕ *(fam: ähnlich sein)* ■ **nach jdm ~** to take after sb ㉖ *(fam: kosten)* to cost; ■ **auf etw** *akk* **~** to come to sth ㉗ *(ansprechen)* **auf etw** *akk* **zu sprechen ~** to get [a]round to [talking about] sth; **ich werde gleich darauf ~** I'll come to that in a moment; **auf einen Punkt/eine Angelegenheit ~** to broach a point/matter ㉘ *(fam: eine Aufforderung verstärkend)* **komm, sei nicht so enttäuscht** come on, don't be so disappointed **II.** *vi impers sein* ❶ *(sich einfinden)* ■ **es kommt jd** sb is coming ❷ *(beginnen)* ■ **es kommt etw** sth is coming ❸ *(sl: Orgasmus haben)* to come **III.** *vt sein (fam: kosten)* **die Reparatur kam mich sehr teuer** the repairs cost a lot [of money]

kom·mend *adj* ❶ *(nächste)* coming, next ❷ *(künftig)* future; **in den ~en Jahren** in years to come ❸ *(sich demnächst durchsetzend)* of the future *pred*

Kom·men·tar <-s, -e> [kɔmɛn'taːɐ̯] *m* ❶ *(Stellungnahme)* statement; *(Meinung)* opinion; **einen ~** [**zu etw** *dat*] **abgeben** to comment [on] sth; **kein ~!** no comment! ❷ *(kommentierendes Werk)* commentary

kom·men·tar·los I. *adj* without comment *pred* **II.** *adv* **etw ~ zur Kenntnis nehmen** to note sth without comment

Kom·men·ta·tor(in) <-s, -toren> [kɔmɛn'taːtoːɐ̯, kɔmɛnta'toːrɪn, *pl* -'toːrən] *m(f)* commentator

kom·men·tie·ren* [kɔmɛn'tiːrən] *vt* ❶ *(Stellung nehmen)* ■ **etw ~** to comment on sth ❷ *(erläutern)* to annotate

kom·mer·zi·a·li·sie·ren [kɔmɛrtsi̯a·li'ziːrən] *vt* to commercialize

kom·mer·zi·ell [kɔmɛr'tsi̯ɛl] **I.** *adj* commercial **II.** *adv* commercially

Kom·mi·li·to·ne, Kom·mi·li·to·nin <-n,

-n> [kɔmili'toːnə, kɔmili'toːnɪn] *m*, *f* fellow student

Kom·mis·sar(in) <-s, -e> [kɔmɪ'saːɐ̯] *m(f)* ❶ *(Polizeikommissar)* inspector ❷ *kein pl (Dienstgrad)* superintendent ❸ *(bevollmächtigter Beamter)* commissioner ❹ *(EU-Kommissar)* Commissioner

Kom·mis·sär(in) <-s, -e> [kɔmɪ'sɛɐ̯] *m(f)* ÖSTERR, SCHWEIZ *s.* **Kommissar 1**

Kom·mis·sa·ri·at <-[e]s, -e> [kɔmɪsa'ri̯aːt] *nt* ❶ *(Amtszimmer des Kommissars)* commissioner's office ❷ ÖSTERR *(Polizeidienststelle)* police station

Kom·mis·sa·rin <-, -nen> *f fem form von* **Kommissar**

Kom·mis·sä·rin <-, -nen> *f fem form von* **Kommissär**

kom·mis·sa·risch [kɔmɪ'saːrɪʃ] **I.** *adj* temporary **II.** *adv* temporarily

Kom·mis·si·on <-, -en> [kɔmɪ'si̯oːn] *f* ❶ *(Gremium, Ausschuss)* committee ❷ *(EU-Kommission)* Commission ❸ *(Auftrag)* commission; **etw in ~ geben** to commission sb to sell sth

Kom·mo·de <-, -n> [kɔ'moːdə] *f* chest of drawers

kom·mu·nal [kɔmu'naːl] *adj* municipal

Kom·mu·nal·po·li·tik *f* ❶ *(Politik der Kommunalbehörde)* municipal policy ❷ *(politisches Handeln)* local [government] politics *pl* **Kom·mu·nal·ver·wal·tung** *f* local government **Kom·mu·nal·wahl** *f* local [government] elections *pl*

Kom·mu·ne <-, -n> [kɔ'muːnə] *f* ❶ *(Gemeinde)* local authority ❷ *(Wohngemeinschaft)* commune

Kom·mu·ni·ka·ti·on <-, -en> [kɔmunika'tsi̯oːn] *f* communication

Kom·mu·ni·ka·ti·ons·mit·tel *nt* means of communication + *sing vb* **Kom·mu·ni·ka·ti·ons·sys·tem** *nt* communication system **Kom·mu·ni·ka·ti·ons·weg** *m* channel of communication

Kom·mu·ni·kee [kɔmyni'keː], **Kom·mu·ni·qué** <-s, -s> [kɔmyni'keː] *nt* communiqué

Kom·mu·ni·on <-, -en> [kɔmu'ni̯oːn] *f* *(Sakrament der katholischen Kirche)* Holy Communion; *(Erstkommunion)* first Communion

Kom·mu·nis·mus <-> [kɔmu'nɪsmʊs] *m* *kein pl* communism

Kom·mu·nist(in) <-en, -en> [kɔmu'nɪst] *m(f)* communist

kom·mu·nis·tisch [kɔmu'nɪstɪʃ] *adj* communist

kom·mu·ni·zie·ren* [kɔmuni'tsiːrən] *vi* ❶ *(geh: sich verständigen)* to communicate ❷ REL (geh: zur Kommunion gehen) to receive/take Holy Communion

Kom·ö·di·ant(in) <-en, -en> [komø-'di̯ant] m(f) ❶ (pej: jd, der sich verstellt) play-actor ❷ (veraltend: Schauspieler) actor

Ko·mö·die <-, -n> [ko'mø:di̯ə] f ❶ (Bühnenstück) comedy ❷ (pej: Verstellung) play-acting

Kom·pag·non <-s, -s> ['kɔmpanjɔŋ] m partner

kom·pakt [kɔm'pakt] adj ❶ (klein, solide) compact ❷ (Mensch) stocky

Kom·pa·nie <-, -n> [kɔmpa'ni:, pl -'ni:ən] f company

Kom·pa·ra·tiv <-s, -e> ['kɔmparati:f] m comparative

Kom·par·se, Kom·par·sin <-n, -n> [kɔm'parzə, kɔm'parzɪn] m, f extra

Kom·passRR <-es, -e> m, **Kom·paß**ALT <-sses, -sse> ['kɔmpas] m compass

kom·pa·ti·bel [kɔmpa'ti:bl] adj compatible

Kom·pa·ti·bi·li·tät <-, -en> [kɔmpatibili'tɛ:t] f compatibility no pl

Kom·pen·sa·ti·on <-, -en> [kɔmpɛnza'tsi̯o:n] f compensation no pl

kom·pen·sie·ren* [kɔmpɛn'zi:rən] vt to compensate

kom·pe·tent [kɔmpe'tɛnt] I. adj ❶ (sachverständig) competent ❷ (zuständig) responsible II. adv competently

Kom·pe·tenz <-, -en> [kɔmpe'tɛnts] f ❶ (Befähigung) competence ❷ (Befugnis) responsibility

Kom·pe·tenz·strei·tig·kei·ten pl dispute over responsibilities **Kom·pe·tenz·über·schrei·tung** f exceeding of one's area of responsibility

kom·pi·lie·ren* [kɔmpi'li:rən] vt (geh) ■ etw ~ to compile sth

Kom·ple·men·tär·far·be f complementary colour

kom·plett [kɔm'plɛt] I. adj complete II. adv ❶ (vollständig) fully ❷ (insgesamt) completely ❸ (fam: völlig) completely, totally

kom·plet·tie·ren* [kɔmplɛ'ti:rən] vt (geh) to complete

kom·plex [kɔm'plɛks] I. adj complex II. adv complexly, in a complicated manner pred; ~ **aufgebaut sein** to have a complex structure

Kom·plex <-es, -e> [kɔm'plɛks] m complex

Kom·ple·xi·tät <-> [kɔmplɛksi'tɛt] f kein pl (geh) complexity

Kom·pli·ka·ti·on <-, -en> [kɔmpli-ka'tsi̯o:n] f complication

Kom·pli·ment <-[e]s, -e> [kɔmpli'mɛnt] nt compliment; **jdm ein ~ machen** to pay sb a compliment

Kom·pli·ze, Kom·pli·zin <-n, -n> [kɔm'pli:tsə, kɔm'pli:tsɪn] m, f accomplice

kom·pli·zie·ren* [kɔmpli'tsi:rən] I. vt (geh) to complicate II. vr ■ sich ~ to become complicated

kom·pli·ziert I. adj complicated II. adv in a complicated manner pred

Kom·pli·ziert·heit <-> f kein pl complexity, complicated nature

Kom·pli·zin <-, -nen> f fem form von **Komplize**

Kom·plott <-[e]s, -e> [kɔm'plɔt] nt plot; **ein ~ schmieden** to hatch a plot

Kom·po·nen·te <-, -n> [kɔmpo'nɛntə] f ❶ (Bestandteil) component ❷ (Gesichtspunkt) aspect

kom·po·nie·ren* [kɔmpo'ni:rən] vt, vi to compose

Kom·po·nist(in) <-en, -en> [kɔmpo'nɪst] m(f) composer

Kom·po·si·ta [kɔm'po:zita] pl von **Kompositum**

Kom·po·si·ti·on <-, -en> [kɔmpozi'tsi̯o:n] f composition

Kom·po·si·tum <-s, Komposita> [kɔm'po:zitʊm, pl kɔm'po:zita] nt compound

Kom·post <-[e]s, -e> [kɔm'pɔst] m compost no pl

Kom·post·hau·fen m compost heap

Kom·po·s·tier·an·la·ge f compost[ing] plant

kom·pos·tie·ren* [kɔmpɔs'ti:rən] vt to compost

Kom·pos·tie·rung <-> f kein pl composting no pl

Kom·pott <-[e]s, -e> [kɔm'pɔt] nt compote

Kom·pres·se <-, -n> [kɔmprɛsə] f compress

Kom·pres·si·on <-, -en> [kɔm'prɛsi̯o:n] f compression

Kom·pres·sor <-s, -pressoren> [kɔm'prɛso:ɐ̯, pl 'so:rən] m compressor

kom·pri·mie·ren* [kɔmpri'mi:rən] vt to compress

Kom·pro·missRR <-es, -e> m, **Kom·pro·miß**ALT <-sses, -sse> [kɔmpro-'mɪs] m compromise; **fauler ~** false compromise; **[mit jdm] einen ~ schließen** to come to a compromise [with sb]

kom·pro·miss·be·reitRR adj willing to compromise pred; **eine ~e Haltung** a willingness to compromise **Kom·pro·miss·be·reit·schaft**RR f willingness to compromise **kom·pro·miss·los**^{RR} *adj* ❶ (*zu keinem Kompromiss bereit*) uncompromising ❷ (*uneingeschränkt*) unqualified **Kom·pro·miss·lö·sung**^{RR} *f* compromise **Kom·pro·miss·vor·schlag**^{RR} *m* compromise proposal [*or* suggestion]

kom·pro·mit·tie·ren* [kɔmprɔmɪ'tiːrən]-*vt* ■**jdn ~** to compromise sb; ■**sich ~** to compromise oneself

Kon·den·sa·ti·on <-, -en> [kɔndɛnza'tsi̯oːn] *f* condensation *no pl*

Kon·den·sa·tor <-s, -toren> [kɔndɛn'zaːtoːɐ̯, *pl* -'toːrən] *m* condenser; ELEK *a.* capacitor

kon·den·sie·ren* [kɔndɛn'ziːrən] *vi, vt sein o haben* to condense

Kon·dens·milch *f* condensed milk **Kon·dens·strei·fen** *m* condensation trail **Kon·dens·was·ser** *nt kein pl* condensation

Kon·di·ti·on <-, -en> [kɔndi'tsi̯oːn] *f* ❶ (*Leistungsfähigkeit*) [physical] fitness; [**keine**] **~ haben** to [not] be fit ❷ *pl* (*Bedingungen*) conditions

Kon·di·ti·o·nal·satz [kɔnditsi̯o'naːl-] *m* conditional clause

Kon·di·ti·ons·trai·ning *nt* fitness training *no pl*

Kon·di·tor(in) <-s, -toren> [kɔn'diːtoːɐ̯, kɔndi'toːrɪn, *pl* -'toːrən] *m(f)* confectioner

Kon·di·to·rei <-, -en> [kɔndito'raɪ̯] *f* confectioner's

Kon·di·to·rin <-, -nen> *f fem form von* **Konditor**

Kon·do·lenz <-, -en> [kɔndo'lɛnts] *f* condolence

Kon·do·lenz·schrei·ben *nt* letter of condolence

kon·do·lie·ren* [kɔndo'liːrən] *vi* (*geh*) ■[**jdm**] **~** to pay one's condolences [to sb] **Kon·dom** <-s, -e> [kɔn'doːm] *m o nt* condom

Kon·dor <-s, -e> ['kɔndoːɐ̯] *m* condor

Kon·fekt <-[e]s, -e> [kɔn'fɛkt] *nt* confectionery

Kon·fek·ti·on <-, *selten* -en> [kɔnfɛk'tsi̯oːn] *f* ready-made clothing *no pl*

Kon·fek·ti·ons·grö·ße *f* size

Kon·fe·renz <-, -en> [kɔnfe'rɛnts] *f* ❶ (*Besprechung*) conference; **eine ~ anberaumen** to arrange a meeting ❷ (*Komitee*) committee

Kon·fe·renz·saal *m* conference hall **Kon·fe·renz·schal·tung** *f* conference circuit

kon·fe·rie·ren* [kɔnfe'riːrən] *vi* (*geh*) ■**mit jdm ~** to confer with sb (**über** about)

Kon·fes·si·on <-, -en> [kɔnfɛ'si̯oːn] *f* denomination

kon·fes·si·o·nell [kɔnfɛsi̯o'nɛl] **I.** *adj* denominational **II.** *adv* denominationally

kon·fes·si·ons·los *adj* ■**~ sein** not belonging to any denomination

Kon·fet·ti <-s> [kɔn'fɛti] *nt* confetti

Kon·fi·gu·ra·ti·on [kɔnfigura'tsi̯oːn] *f* INFORM configuration

kon·fi·gu·rie·ren [kɔnfigu'riːrən] *vt* INFORM to configure

Kon·fir·mand(in) <-en, -en> [kɔnfɪr'mant, *pl* -mandn̩] *m(f)* confirmand

Kon·fir·ma·ti·on <-, -en> [kɔnfɪrma'tsi̯oːn] *f* confirmation

kon·fir·mie·ren* [kɔnfɪr'miːrən] *vt* to confirm

kon·fis·zie·ren* [kɔnfɪs'tsiːrən] *vt* to confiscate

Kon·fi·tü·re <-, -n> [kɔnfi'tyːrə] *f* preserve

Kon·flikt <-s, -e> [kɔn'flɪkt] *m* conflict; **mit dem Gesetz in ~ geraten** to clash with the law

Kon·flikt·herd *m* area of conflict **Kon·flikt·lö·sung** *f* POL solution to a/the conflict **Kon·flikt·stoff** *m* cause of conflict

Kon·fö·de·ra·ti·on <-, -en> [kɔnfødera'tsi̯oːn] *f* confederation

kon·form [kɔn'fɔrm] *adj* concurrent; **mit jdm** [**in etw** *dat*] **~ gehen** to agree with sb [on sth]

Kon·for·mis·mus <-> [kɔnfɔr'mɪsmʊs] *m kein pl* (*pej geh*) conformity

kon·for·mis·tisch *adj* (*pej geh*) conformist

Kon·fron·ta·ti·on <-, -en> [kɔnfrɔnta'tsi̯oːn] *f* confrontation

Kon·fron·ta·ti·ons·kurs *m* confrontational course; **auf ~** [**mit jdm**] **gehen** to adopt a confrontational course [towards sb]

kon·fron·ta·tiv [kɔnfrɔnta'tiːf] *adj* confrontational

kon·fron·tie·ren* [kɔnfrɔn'tiːrən] *vt* to confront

kon·fus [kɔn'fuːs] **I.** *adj* confused **II.** *adv* confusedly; **~ klingen** to sound confused

Kon·fu·si·on <-, -en> [kɔnfu'zi̯oːn] *f* ❶ (*geh: Verwirrung*) confusion ❷ JUR confusion of rights

Kon·glo·me·rat <-[e]s, -e> [kɔnglome'raːt] *nt* conglomeration; ■**ein ~ aus** *dat* **etw** a conglomeration of sth

Kon·gress^{RR} <-es, -e> *m,* **Kon·greß**^{ALT} <-sses, -sse> [kɔn'grɛs] *m* ❶ (*Fachtagung*) congress ❷ (*Parlament der USA*) ■**der ~** Congress *no art*

Kon·gress·hal·le^{RR} *f* conference hall

kon·gru·ent [kɔngru'ɛnt] *adj* congruent

Kon·gru·enz <-en> [kɔŋgru'ɛnts] *f*
❶ (*geh*) identity, concurrence ❷ MATH congruence ❸ LING agreement ❹ JUR concordance; ~ **des EU-Rechts mit deutschem Recht** concordance of EU law with German law

Kö·nig <-s, -e> ['køːnɪç] *m* king

Kö·ni·gin <-, -nen> ['køːnɪgɪn] *f fem form von* **König** queen

kö·nig·lich ['køːnɪklɪç] **I.** *adj* ❶ (*dem König gehörend*) royal ❷ (*großzügig*) handsome **II.** *adv* ❶ (*fam: köstlich*) ■ **sich ~ amüsieren** to have a whale of a time ❷ (*großzügig*) handsomely

Kö·nig·reich ['køːnɪkraiç] *nt* kingdom; **das Vereinigte ~** the United Kingdom

kö·nigs·treu *adj* loyal to the king *pred*

Kö·nig·tum <-, -tümer> ['køːnɪçtuːm] *nt* ❶ *kein pl* (*Monarchie*) monarchy ❷ (*veraltend*) *s.* **Königreich**

ko·nisch ['koːnɪʃ] **I.** *adj* conical **II.** *adv* conically

Kon·ju·ga·ti·on <-, -en> [kɔnjuga'tsi̯oːn] *f* conjugation

kon·ju·gie·ren* [kɔnju'giːrən] *vt* to conjugate

Kon·junk·ti·on <-, -en> [kɔnjʊnk'tsi̯oːn] *f* conjunction

Kon·junk·tiv <-s, -e> ['kɔnjʊŋktiːf] *m* subjunctive

Kon·junk·tur <-, -en> [kɔnjʊnk'tuɐ̯] *f* state of the economy; **steigende/rückläufige ~** [economic] boom/slump

Kon·junk·tur·be·le·bung *f kein pl* economic upturn **Kon·junk·tur·ein·bruch** *m* [economic] slump

kon·junk·tu·rell [kɔnjʊŋktu'rɛl] *adj* economic

Kon·junk·tur·in·dex *m* economic index **Kon·junk·tur·la·ge** *f* state of the economy **Kon·junk·tur·po·li·tik** *f* economic policy **Kon·junk·tur·sprit·ze** *f* ❶ ÖKON pump priming ❷ (*fam*) boost to the economy **Kon·junk·tur·tief** *nt* trough

kon·kav [kɔn'kaːf] **I.** *adj* concave **II.** *adv* concavely

Kon·kor·danz <-, -en> [kɔnkɔr'dants] *f* concordance

kon·kret [kɔn'kreːt] **I.** *adj* concrete **II.** *adv* specifically; **das kann ich Ihnen noch nicht ~ sagen** I can't tell you for definite yet

kon·kre·ti·sie·ren* [kɔnkreti'ziːrən] *vt* (*geh*) ■ **etw ~** to clearly define sth

Kon·ku·bi·ne <-, -n> [kɔnku'biːnə] *f* (*geh*) concubine

Kon·kur·rent(in) <-en, -en> [kɔnkʊ'rɛnt] *m(f)* competitor

Kon·kur·renz <-, -en> [kɔnkʊ'rɛnts] *f* ❶ (*~ unternehmen*) competitor; **mit jdm in ~ stehen** to be in competition with sb ❷ *kein pl* (*Konkurrenten*) competition; **keine ~ [für jdn] sein** to be no competition [for sb] ❸ *kein pl* (*Wettbewerb*) competition; **außer ~** unofficially

Kon·kur·renz·druck *m* pressure of competition **kon·kur·renz·fä·hig** *adj* competitive **Kon·kur·renz·kampf** *m* competition; (*zwischen Menschen*) rivalry **kon·kur·renz·los** **I.** *adj* ■ **~ sein** to have no competition **II.** *adv* incomparably; **mit unseren Preisen sind wir ~ billig** nobody can match our cheap prices

kon·kur·rie·ren* [kɔnkʊ'riːrən] *vi* to compete

Kon·kurs <-es, -e> [kɔn'kʊrs] *m* ❶ (*Zahlungsunfähigkeit*) bankruptcy; **~ machen** (*fam*) to go bankrupt ❷ (*Verfahren*) bankruptcy proceedings *pl;* **~ anmelden** to declare oneself bankrupt

Kon·kurs·mas·se *f* bankrupt's estate **Kon·kurs·ver·fah·ren** *nt* bankruptcy proceedings *pl*

kön·nen ['kœnən] **I.** *vt* <konnte, gekonnt> ❶ (*beherrschen*) ■ **etw ~** to know sth; **eine Sprache ~** to speak a language ❷ (*verantwortlich sein*) **etwas für etw** *akk* **~** to be able do something about sth/it; **nichts für etw** *akk* **~** to be unable to do anything about sth/it ► **du kannst mich [mal]** (*euph sl*) get lost! *fam,* kiss my ass! AM **II.** *vi* <konnte, gekonnt> to be able; **nicht mehr ~** (*erschöpft sein*) to not be able to go on; (*überfordert sein*) to have had enough; (*satt sein*) to be full [up]; **noch ~** (*weitermachen ~*) to be able to carry on; (*weiteressen ~*) to be able to eat more; **wie konntest du nur!** how could you?! **III.** *modal vb* <konnte, können> ❶ (*vermögen*) ■ **etw tun ~** to be able to do sth ❷ (*dürfen*) **kann ich das Foto sehen?** can/may I see the photo? ❸ (*möglicherweise sein*) **solche Dinge können eben manchmal passieren** these things [can] happen sometimes; **[ja,] kann sein** [yes,] that's possible; **könnte es nicht sein, dass ...?** could it not be that ...?

Kön·nen <-s> ['kœnən] *nt kein pl* ability

Könn·er(in) <-s, -> *m(f)* skilled person; **ein ~ sein** to be skilled

konn·te ['kɔntə] *imp von* **können**

Kon·se·ku·tiv·dol·met·schen *nt kein pl* consecutive interpreting *no pl* **Kon·se·ku·tiv·satz** *m* consecutive clause

Kon·sens <-es, -e> [kɔn'zɛns] *m* (*geh*) consensus *no pl;* **einen ~ [in etw** *dat*]

erreichen to reach a consensus [on sth]

Kon·sens·ge·spräch *nt* discussion leading to a consensus

kon·se·quent [kɔnzeˈkvɛnt] **I.** *adj* ❶ *(folgerichtig)* consistent; ■ ~ **sein** to be consistent (**bei/in** in) ❷ *(unbeirrbar)* resolute **II.** *adv* ❶ *(folgerichtig)* consistently ❷ *(entschlossen)* resolutely

Kon·se·quenz <-, -en> [kɔnzeˈkvɛnts] *f* ❶ *(Folge)* consequence; ~ **en** [**für jdn**] **haben** to have consequences [for sb]; **die ~en tragen** to take the consequences; [**aus etw** *dat*] **die ~en ziehen** to take the necessary action [as a result of sth] ❷ *kein pl (Folgerichtigkeit)* consistency ❸ *kein pl (Unbeirrbarkeit)* resoluteness

kon·ser·va·tiv [ˈkɔnzɛrvatiːf] **I.** *adj* conservative **II.** *adv* ~ **wählen** to vote Conservative; ~ **eingestellt sein** to have a conservative attitude

Kon·ser·va·to·ri·um <-s, -rien> [kɔnˈzɛrvaˈtoːrjʊm, *pl* -riən] *nt* conservatoire, conservatorium

Kon·ser·ve <-, -n> [kɔnˈzɛrvə] *f* preserved food *no pl*

Kon·ser·ven·büch·se [kɔnˈzɛrvən-] *f,* **Kon·ser·ven·do·se** *f* tin BRIT, can AM

kon·ser·vie·ren* [kɔnzɛrˈviːrən] *vt* to preserve

Kon·ser·vie·rung <-, -en> [kɔnzɛrˈviːrʊŋ] *f* ❶ *(das Konservieren)* preserving *no pl* ❷ *(die Erhaltung)* preservation *no pl*

Kon·ser·vie·rungs·mit·tel *nt* preservative **Kon·ser·vie·rungs·stoff** *m* CHEM preservative

Kon·sis·tenz <-> [kɔnzɪsˈtɛnts] *f kein pl (geh)* consistency

Kon·so·le <-, -n> [kɔnˈzoːlə] *f* ❶ *(Bord)* shelf ❷ *(Vorsprung, Bediener~)* console

Kon·so·nant <-en, -en> [kɔnzoˈnant] *m* consonant

Kon·sor·te <-, -n> [kɔnˈzɔrtə] *f (pej fam)* ... **und ~ n** ... and co.

Kon·sor·ti·um <-s, -ien> [kɔnˈzɔrtsiʊm, *pl* -tsiən] *nt* consortium

kon·spi·ra·tiv [kɔnspiraˈtiːf] *adj (geh)* conspiratorial

kon·stant [kɔnstant] **I.** *adj* constant **II.** *adv* constantly

Kon·stan·te <-[n], -n> [kɔnˈstantə] *f* constant

kon·sta·tie·ren* [kɔnstaˈtiːrən] *vt (geh)* to establish

Kon·stel·la·ti·on <-, -en> [kɔnstɛlaˈtsi̯oːn] *f* constellation

kon·ster·nie·ren* [kɔnstɛrˈniːrən] *vt (geh)* to consternate

kon·sti·tu·ie·ren* [kɔnstituˈiːrən] **I.** *vt (geh: gründen)* to constitute **II.** *vr (geh)* ■ **sich** ~ to be set up; ■ **sich als etw** *akk* ~ to form sth

Kon·sti·tu·ti·on <-, -en> [kɔnstitu̯ˈtsi̯oːn] *f* constitution

kon·sti·tu·ti·o·nell [kɔnstitutsi̯oˈnɛl] *adj* constitutional; ~ **e Monarchie** constitutional monarchy

kon·stru·ie·ren* [kɔnstruˈiːrən] *vt* ❶ *(aufbauen)* to construct ❷ *(planerisch erstellen)* to design ❸ *(zeichnen)* to draw ❹ *(pej geh: gezwungener Gedankenaufbau)* to fabricate

Kon·struk·teur(in) <-s, -e> [kɔnstrʊkˈtøːɐ] *m(f)* designer

Kon·struk·ti·on <-, -en> [kɔnstrʊkˈtsi̯oːn] *f* ❶ *(planerische Erstellung)* design ❷ *(Aufbau)* construction

Kon·struk·ti·ons·feh·ler *m* ❶ *(Fehler im Entwurf)* design fault ❷ *(herstellungsbedingter Fehler)* construction fault

kon·struk·tiv [kɔnstrʊkˈtiːf] **I.** *adj* ❶ *(geh: förderlich)* constructive ❷ *(entwurfsbedingt)* design **II.** *adv* constructively

Kon·sul, Kon·su·lin <-s, -n> [ˈkɔnzʊl, kɔnˈzʊlɪn] *m, f* consul

Kon·su·lat <-[e]s, -e> [kɔnzʊˈlaːt] *nt* ❶ *(Amt des Konsuls)* consulate ❷ *(Amtszeit eines Konsuls)* consulship

Kon·su·lin <-, -nen> *f fem form von* **Konsul**

Kon·sul·ta·ti·on <-, -en> [kɔnzʊltaˈtsi̯oːn] *f (geh)* consultation

kon·sul·tie·ren* [kɔnzʊlˈtiːrən] *vt (geh)* ❶ *(um Rat fragen)* ■ **jdn** ~ to consult sb (**wegen** about) ❷ *(hinzuziehen)* ■ **etw** ~ to consult sth

Kon·sum <-s> [kɔnˈzuːm] *m kein pl* consumption

Kon·su·ment(in) <-en, -en> [kɔnzuˈmɛnt] *m(f)* consumer

Kon·su·men·ten·schüt·zer(in) *m(f)* ÖSTERR, SCHWEIZ consumer advocate [*or* watchdog]

kon·sum·geil *adj (sl: dem Kaufrausch verfallen)* in shopping fever *pred* **Kon·sum·ge·sell·schaft** *f* consumer society **Kon·sum·gü·ter** *pl* consumer goods

kon·su·mie·ren* [kɔnzuˈmiːrən] *vt* to consume

Kon·su·mis·mus <-> [kɔnzuˈmɪsmʊs] *m kein pl* SOZIOL consumerism

kon·sum·ori·en·tiert *adj* consumerist **Kon·sum·ver·hal·ten** *nt* consumer behaviour *no pl, no indef art*

Kon·takt <-[e]s, -e> [kɔnˈtakt] *m* ❶ *(Verbindung)* contact; **sexuelle ~e** sexual contact; **[mit jdm] in ~ bleiben** to stay in contact with sb; **keinen ~ mehr [zu jdm] haben** to have lost contact [with sb]; **mit jdm in ~ kommen** to come into contact with sb; **mit jdm ~ aufnehmen** to get in contact with sb; **den ~ [zu jdm] herstellen** to establish contact [with sb]; **[mit jdm] in ~ stehen** to be in contact [with sb]; **den ~ mit jdm suchen** to attempt to establish contact with sb ❷ (*Berührung*) *a.* ELEK contact

Kon·takt·ad·res·se *f* contact address **Kon·takt·an·zei·ge** *f* lonely hearts advertisement BRIT, personal [ad] AM **kon·takt·arm** *adj* ■ *~* **sein** to have little contact with other people **Kon·takt·auf·nah·me** *f* establishing contact **Kon·takt·bild·schirm** *m* touch screen **kon·takt·freu·dig** *adj* ■ *~* **sein** to be sociable **Kon·takt·lin·se** *f* contact lens **Kon·takt·mann** *m* contact [person] **Kon·takt·per·son** *f* contact [person]

Kon·ta·mi·na·ti·on <-, -en> [kɔntamina'tsi̯oːn] *f* contamination *no pl*

kon·ta·mi·nie·ren* [kɔntami'niːrən] *vt* to contaminate

kon·tem·pla·tiv [kɔntɛmpla'tiːf] *adj* (*geh*) contemplative

Kon·ten ['kɔntn̩] *pl von* **Konto**

Kon·ter <-s, -> ['kɔntɐ] *m* SPORT counter[attack]

Kon·ter·fei <-s, -s *o* -e> ['kɔntɐ'fai̯] *nt* (*hum*) picture

kon·tern ['kɔntɐn] *vt, vi* to counter

Kon·ter·re·vo·lu·ti·on [kɔntɐrevolu'tsi̯oːn] *f* counter-revolution

Kon·text <-[e]s, -e> ['kɔntɛkst] *m* context

Kon·ti·nent <-[e]s, -e> ['kɔntinɛnt] *m* continent

kon·ti·nen·tal [kɔntinɛn'taːl] *adj* continental

Kon·tin·gent <-[e]s, -e> [kɔntɪŋ'gɛnt] *nt* ❶ (*Truppen~*) contingent ❷ (*Teil einer Menge*) quota

kon·ti·nu·ier·lich [kɔntinu'iːɐlɪç] **I.** *adj* (*geh*) continuous **II.** *adv* (*geh*) continuously

Kon·ti·nu·i·tät <-> [kɔntinui'tɛt] *f kein pl* (*geh*) continuity *no pl*

Kon·to <-s, Konten *o* Konti> ['kɔnto, *pl* 'kɔntn̩, 'kɔnti] *nt* account; **auf jds ~ gehen** (*fam: etw zu verantworten haben*) to be sb's fault; (*für etw aufkommen*) to be on sb; **auf jds ~** into sb's account

Kon·to·aus·zug *m* bank statement **Kon·to·füh·rung** *f* account management *no pl* **Kon·to·in·ha·ber(in)** *m(f)* account holder **Kon·to·num·mer** *f* account number

Kon·to·stand *m* account balance

kon·tra ['kɔntra] *adv* against

Kon·tra·bass^{RR} *m* double bass

Kon·tra·hent(in) <-en, -en> [kɔntra'hɛnt] *m(f)* (*geh*) adversary

kon·tra·hie·ren* [kɔntra'hiːrən] *vi, vr* ■ **[sich]** *~* to contract

Kon·trak·ti·on <-, -en> [kɔntrak'tsi̯oːn] *f* contraction

kon·tra·pro·duk·tiv ['kɔntraprodʊktiːf] *adj* (*geh*) counterproductive

Kon·tra·punkt ['kɔntrapʊŋkt] *m* counterpoint

kon·trär [kɔn'trɛːɐ̯] *adj* (*geh*) contrary

Kon·trast <-[e]s, -e> [kɔn'trast] *m* contrast; **im ~ zu etw** *dat* **stehen** to contrast with sth

kon·tras·tie·ren* [kɔntrs'tiːrən] *vi* (*geh*) to contrast

Kon·trast·pro·gramm *nt* alternative programme **kon·trast·reich** *adj* rich in contrast

Kon·troll·ab·schnitt *m* stub **Kon·troll·lam·pe**^{ALT} *f s.* **Kontrolllampe**

Kon·trol·le <-, -n> [kɔn'trɔlə] *f* ❶ (*Überprüfung*) check; **eine ~ durchführen** to conduct an inspection ❷ (*passive Überwachung*) monitoring ❸ (*aktive Überwachung*) supervision; **etw unter ~ bringen** to bring sth under control; **jdn/etw unter ~ haben** (*Gewalt über jdn/etw haben*) to have sb/sth under control; (*jdn/etw überwachen*) to have sb/sth monitored; **die ~ über etw** *akk* **verlieren** to lose control of sth; **die ~ über sich verlieren** to lose control of oneself ❹ (*Kontrollstelle*) checkpoint

Kon·trol·leur(in) <-s, -e> [kɔntrɔ'løːɐ̯] *m(f)* inspector

Kon·troll·funk·ti·on *f* supervisory function

kon·trol·lier·bar *adj* ❶ (*beherrschbar*) controllable ❷ (*überprüfbar*) verifiable

kon·trol·lie·ren* [kɔntrɔ'liːrən] *vt* ❶ (*überprüfen*) to check; ■ **etw auf etw** *akk ~* to check sth for sth; **haben Sie Ihre Wertsachen auf Vollständigkeit kontrolliert?** have you checked your valuables to make sure they're all there? ❷ (*überwachen*) to monitor; ■ **jdn/etw** *~* to check sb/sth ❸ (*beherrschen*) to control

Kon·troll·lam·pe^{RR} *f* indicator light **Kon·troll·punkt** *m* checkpoint **Kon·troll·turm** *m* control tower

kon·tro·vers [kɔntro'vɛrs] **I.** *adj* (*geh*) ❶ (*gegensätzlich*) conflicting ❷ (*umstritten*) controversial **II.** *adv* (*geh*) in an argumentative manner *pred*

Kon·tro·ver·se <-, -n> [kɔntro'vɛrzə] *f* (*geh*) conflict

Kon·tur <-, -en> [kɔn'tu:ɐ̯] *f meist pl* contour; ~ **gewinnen** to take shape; **an ~ ver·lieren** to become less clear

Kon·ven·ti·on <-, -en> [kɔnvɛn'tsi̯o:n] *f* convention

Kon·ven·ti·o·nal·stra·fe *f* fixed penalty

kon·ven·tio·nell [kɔnvɛntsi̯o'nɛl] **I.** *adj* conventional **II.** *adv* conventionally

Kon·ver·genz <-, -en> [kɔnvɛr'gɛnts] *f* convergence

Kon·ver·genz·kri·te·ri·um *nt* convergence criterion **Kon·ver·genz·pha·se** *f* POL phase of convergence **Kon·ver·genz·po·li·tik** *f kein pl* POL convergence policy **Kon·ver·genz·pro·gramm** *nt* POL convergence programme

Kon·ver·sa·ti·on <-, -en> [kɔnvɛrza'tsi̯o:n] *f* conversation; ~ **machen** to make conversation

Kon·ver·si·on <-, -en> [kɔnvɛr'zi̯o:n] *f* conversion

Kon·ver·si·ons·kur·se *pl* FIN conversion rates *pl*

kon·ver·tie·ren* [kɔnvɛr'ti:rən] *vi sein o haben* to convert (**zu** to)

Kon·ver·tit(in) <-en, -en> [kɔnvɛr'ti:t] *m(f)* convert

kon·vex [kɔn'vɛks] **I.** *adj* convex **II.** *adv* convexly

Kon·voi <-s, -s> ['kɔnvɔy] *m* convoy; **im ~ fahren** to travel in convoy

Kon·zen·trat <-[e]s, -e> [kɔntsɛn'tra:t] *nt* concentrate

Kon·zen·tra·ti·on <-, -en> [kɔntsɛn'tra'tsi̯o:n] *f* concentration (**auf** on)

Kon·zen·tra·ti·ons·fä·hig·keit *f kein pl* ability to concentrate **Kon·zen·tra·ti·ons·la·ger** *nt* concentration camp **Kon·zen·tra·ti·ons·schwä·che** *f* loss of concentration *no pl* **Kon·zen·tra·ti·ons·stö·rung** *f* weak concentration

kon·zen·trie·ren* [kɔntsɛn'tri:rən] **I.** *vr* ■ **sich** ~ to concentrate (**auf** on) **II.** *vt* (*bündeln*) to concentrate

kon·zen·triert **I.** *adj* concentrated **II.** *adv* in a concentrated manner

kon·zent·risch [kɔn'tsɛntrɪʃ] **I.** *adj* concentric **II.** *adv* concentrically

Kon·zept <-[e]s, -e> [kɔn'tsɛpt] *nt* ❶ (*Entwurf*) draft; **als ~** in draft [form] ❷ (*Plan*) plan; **jdn aus dem ~ bringen** to put sb off; **aus dem ~ geraten** to lose one's train of thought; **jdm nicht ins ~ passen** to not fit in with sb's plans; **jdm das ~ verderben** (*fam*) to foil sb's plan

Kon·zep·ti·on <-, -en> [kɔntsɛp'tsi̯o:n] *f*

(*geh*) concept

Kon·zept·pa·pier *nt* draft paper

Kon·zern <-s, -e> [kɔn'tsɛrn] *m* group

Kon·zert <-[e]s, -e> [kɔn'tsɛrt] *nt* MUS ❶ (*Komposition*) concerto ❷ (*musikalische Aufführung*) concert

Kon·zert·flü·gel *m* concert grand **Kon·zert·meis·ter(in)** *m(f)* concert master **Kon·zert·saal** *m* concert hall

Kon·zes·si·on <-, -en> [kɔntsɛ'si̯o:n] *f* concession (**an** to)

Kon·zes·siv·satz [kɔntsɛ'si:f-] *m* concessive clause

Kon·zil <-s, -e *o* -ien> [kɔn'tsi:l, *pl* -li̯ən] *nt* ❶ (*Versammlung höherer Kleriker*) [ecclesiastical] council ❷ (*Hochschulgremium*) council

kon·zi·pie·ren* [kɔntsi'pi:rən] *vt* ■ **etw** ~ to plan sth

Ko·o·pe·ra·ti·on <-, -en> [ko?ope·ra'tsi̯o:n] *f* cooperation *no indef art, no pl*

ko·o·pe·ra·tiv [ko?opera'ti:f] *adj* co-operative

ko·o·pe·rie·ren* [ko?ope'ri:rən] *vi* to co-operate

Ko·or·di·na·te <-, -en> [ko?ɔrdi'na:tə] *f* coordinate

Ko·or·di·na·ti·on <-, -en> [ko?ɔrdina'tsi̯o:n] *f* coordination

Ko·or·di·na·tor(in) <-s, -toren> [ko?ɔrdi'na:toɐ̯, ko?ɔrdina'to:rɪn, *pl*] *m(f)* coordinator

ko·or·di·nie·ren* [ko?ɔrdi'ni:rən] *vt* to co-ordinate

Ko·pen·ha·gen <-s> [ko:pn̩'ha:gn̩] *nt* Copenhagen

Kopf <-[e]s, Köpfe> [kɔpf, *pl* 'kœpfə] *m* ❶ (*Haupt*) head; **von ~ bis Fuß** from head to toe; **einen roten ~ bekommen** to go red in the face; **~ runter!** duck!; [**mit dem**] **~ voraus** headfirst, headlong AM, AUS; **jdm brummt der ~** (*fam*) sb's head is thumping; **den ~ einziehen** to lower one's head ❷ (*oberer Teil*) head; (*Briefkopf*) letterhead; **~ oder Zahl?** (*bei Münzen*) heads or tails? ❸ (*Gedanken*) head; **etw will jdm nicht aus dem ~** sb can't get sth out of his/her head; **sich** *dat* **etw durch den ~ gehen lassen** to mull sth over; **nichts als Fußball/Arbeit im ~ haben** to think of nothing but football/work; **will das dir denn nicht in den ~?** can't you get that into your head?; **ich habe den ~ voll genug!** I've got enough on my mind; **sich** *dat* [**über etw** *akk*] **den ~ zerbrechen** (*fam*) to rack one's brains [over sth] ❹ (*Verstand, Intellekt*) mind; **nicht ganz richtig**

im ~ sein (*Wille*) mind; **seinen eigenen ~ haben** (*fam*) to have a mind of one's own; **seinen ~ durchsetzen** to get one's way; **sich** *dat* **etw aus dem ~ schlagen** to get sth out of one's head; **sich** *dat* **in den ~ setzen, etw zu tun** to get it into one's head to do sth ⑥ (*Person*) head; ■ **der ~ einer S.** *gen* the person behind sth; **pro ~** per head ▶ **[bei etw] ~ und Kragen riskieren** (*fam*) to risk life and limb [doing sth]; **den ~ in den Sand stecken** to bury one's head in the sand; **mit dem ~ durch die Wand [rennen] wollen** (*fam*) to be determined to get one's way; **~ hoch!** [keep your] chin up!; **jdn einen ~ kürzer machen** (*sl*) to chop sb's head off; **nicht auf den ~ gefallen sein** (*fam*) to not have been born yesterday; **etw auf den ~ hauen** (*fam*) to spend all of sth; **etw auf den ~ stellen** (*etw gründlich durchsuchen*) to turn sth upside down; (*etw ins Gegenteil verkehren*) to turn sth on its head; **jdn vor den ~ stoßen** to offend sb
Kopf-an-Kopf-Ren·nen *nt* (*a. fig*) neck-and-neck race **Kopf·ar·beit** *f* brain-work
Kopf·bahn·hof *m* BAHN station where trains cannot pass through but must enter and exit via the same direction **Kopf·ball** *m* header **Kopf·be·de·ckung** *f* headgear *no indef art, no pl* **Kopf·be·we·gung** *f* movement of the head
Köpf·chen <-s, -> ['kœpfçən] *nt dim von* **Kopf** (*kleiner Kopf*) [little] head ▶ ~ **haben** (*fam*) to have brains
köp·fen ['kœpfn̩] I. *vt* ① (*fam: enthaupten*) to behead ② (*die Triebe beschneiden*) to prune II. *vi* SPORT to head the ball
Kopf·en·de *nt* head **Kopf·ge·burt** *f* (*pej fam*) unrealistic proposal **Kopf·geld** *nt* head money *no pl*, bounty **Kopf·geld·jä·ger(in)** *m(f)* bounty hunter **kopf·ge·steu·ert** *adj* (*pej sl*) ruled by one's head [not one's heart] **Kopf·haar** *nt* hair **Kopf·haut** *f* scalp **Kopf·hö·rer** *m* headphones *pl* **Kopf·kis·sen** *nt* pillow **Kopf·kis·sen·be·zug** *m* pillowcase **Kopf·laus** *f* head louse
kopf·los I. *adj* ① (*ganz verwirrt*) confused ② (*enthauptet*) headless II. *adv* in a bewildered manner
Kopf·mensch *m* (*fam*) cerebral person **Kopf·ni·cken** *nt kein pl* nod [of the head] **Kopf·no·te** *f* SCH school grade awarded for good conduct **Kopf·nuss**^RR *f* ① (*leichter Schlag*) **Kopfnüsse verteilen** to dish out noogies (*to rap sb lightly on the head with ones knuckles*) ② (*Denkauf-*

gabe) brain teaser **Kopf·rech·nen** *nt* mental arithmetic *no pl* **Kopf·sa·lat** *m* lettuce **kopf·scheu** *adj* ▶ **jdn ~ machen** (*fam*) to confuse sb; ~ **werden** (*fam*) to get confused **Kopf·schmerz** *m meist pl* headache; **jdm ~en machen** (*fam*) to give sb a headache; ~ **en haben** to have a headache **Kopf·schmerz·ta·blet·te** *f* headache tablet **Kopf·schup·pen** *pl* MED dandruff *no pl, no indef art* **Kopf·schüt·teln** *nt kein pl* shake of the head **kopf·schüt·telnd** I. *adj* shaking his/her, etc. head *pred* II. *adv* with a shake of the head **Kopf·schutz** *m* protective headgear **Kopf·sprung** *m* header; **einen ~ machen** to take a header **Kopf·stand** *m* headstand; **einen ~ machen** to do a headstand **Kopf·stein·pflas·ter** *nt* cobblestones *pl* **Kopf·stim·me** *f* head-voice **Kopf·stüt·ze** *f* headrest **Kopf·tuch** *nt* headscarf **kopf·über** [kɔpf'ʔy:bɐ] *adv* head first **Kopf·weh** *nt s.* **Kopfschmerz Kopf·zei·le** *f* header **Kopf·zer·bre·chen** *nt* ▶ **jdm ~ bereiten** to cause sb quite a headache; **sich** *dat* **über jdn/etw ~ machen** to worry about sb/sth
Ko·pie <-, -n> [ko'pi:, *pl* ko'pi:ən] *f* ① (*Nachbildung, Durchschrift*) copy ② (*Fotokopie*) photocopy
ko·pie·ren* [ko'pi:rən] *vt* ① (*foto~*) to photocopy; (*pausen*) to trace ② FOTO, FILM (*Abzüge machen*) to print ③ (*Doppel herstellen*) to copy ④ (*nachahmen*) to imitate [*or* copy]
Ko·pie·rer <-s, -> *m* (*fam*) *s.* **Kopiergerät**
Ko·pier·ge·rät *nt* [photo]copier **Kopier·schutz** *m* copy protection *no pl* **Ko·pier·sper·re** *f* anti-copy device
Ko·pi·lot(in) ['ko:pilo:t] *m(f)* co-pilot
Kop·pel¹ <-s, -*o* ÖSTERR -, -n> ['kɔpl̩] *nt o* ÖSTERR *f* belt
Kop·pel² <-, -n> ['kɔpl̩] *f* pasture
kop·peln ['kɔpl̩n] *vt* ■ **etw an etw** *akk* ~ ① (*anschließen*) to connect sth to sth ② (*miteinander verbinden*) to couple sth onto sth ③ (*mit etw verknüpfen*) to make sth dependent on sth
Kop·pe·lung, Kopp·lung <-, -en> *f* connection
Ko·pro·duk·ti·on ['ko:prodʊktsi̯o:n] *f* co-production
Ko·pu·la·ti·on <-, -en> [kopula'tsi̯o:n] *f* copulation
ko·pu·lie·ren* [kopu'li:rən] *vi* to copulate
Ko·ral·le <-, -n> [ko'ralə] *f* coral
Ko·ral·len·riff *nt* coral reef
Ko·ran <-s> [ko'ra:n] *m kein pl* Koran

Ko·ran·vers *m* REL Koranic verse, sura
Korb <-[e]s, Körbe> [kɔrp, pl 'kœrbə] *m*
❶ (*Behälter aus Geflecht*) *a.* SPORT basket;
einen ~ erzielen to score a goal ❷ *kein pl*
(*Weidengeflecht*) wicker ❸ (*fam: Abfuhr*)
rejection; [**von jdm**] **einen ~ bekommen**
(*fam*) to be rejected [by sb]; **jdm einen ~**
geben (*fam*) to turn sb down
Korb·ball *m kein pl* korfball
Körb·chen[1] <-s, -> ['kœrpçən] *nt dim von*
Korb 1 small basket
Körb·chen[2] <-s, -> ['kœrpçən] *nt* (*bei*
Büstenhaltern) cup
Körb·chen·grö·ße *f* MODE cup size
Korb·fla·sche *f* demijohn **Korb·mö·**
bel *nt* piece of wickerwork furniture
Kord <-[e]s, -e> [kɔrt] *m s.* **Cord**
Kor·del <-, -n> ['kɔrdl] *f* cord
Kord·ho·se *f* cord trousers *pl* BRIT, corduroy pants *pl* AM
Ko·rea [ko'reːa] *nt* Korea; *s. a.* **Deutsch-**
land
Ko·re·a·ner(in) [kore'aːnɐ] *m(f)* Korean;
s. a. **Deutsche(r)**
ko·re·a·nisch [kore'aːnɪʃ] *adj* Korean; *s. a.*
deutsch
Ko·ri·an·der <-s, -> [ko'rɪandɐ] *m* coriander *no pl*
Ko·rin·the <-, -n> [ko'rɪntə] *f* currant
Ko·rin·then·ka·cker(in) <-s, -> *m(f)* (*pej*
fam) nitpicker
Kork <-[e]s, -e> [kɔrk] *m* cork
Kork·ei·che *f* cork-oak
Kor·ken <-s, -> ['kɔrkŋ] *m* cork
Kor·ken·zie·her <-s, -> *m* corkscrew
Korn[1] <-[e]s, Körner *o* -e> [kɔrn, *pl*
'kœrnɐ] *nt* ❶ (*Samen~*) grain ❷ (*hartes*
Teilchen) grain ❸ (*Getreide*) corn *no pl*,
grain *no pl* ❹ *kein pl* FOTO (*Feinstruktur*)
grain
Korn[2] <-[e]s, - *o* -s> [kɔrn] *m* (*Korn-*
branntwein) schnapps
Korn[3] <-[e]s, -e> [kɔrn] *nt* **etw aufs ~**
nehmen to hit out at sth; **jdn aufs ~ neh-**
men to have it in for sb
Korn·blu·me *f* cornflower
Körn·chen <-s, -> ['kœrnçən] *nt dim von*
Korn[1] grain; **ein ~ Wahrheit** a grain of
truth
Korn·feld ['kɔrnfɛlt] *nt* cornfield
kör·nig ['kœrnɪç] *adj* ❶ (*aus Körnchen*
bestehend) granular ❷ (*nicht weich*)
grainy ❸ (*eine raue Oberfläche habend*)
granular
Korn·kam·mer *f* (*geh*) granary **Korn·**
kreis *m* crop circle
Kör·per <-s, -> ['kœrpɐ] *m* body; **am gan-**
zen ~ all over

Kör·per·bau *m kein pl* physique **Kör·per·**
be·herr·schung *f kein pl* body control
kör·per·be·hin·dert *adj* physically disabled [*or* handicapped] **Kör·per·be·hin·**
der·te(r) *f(m) dekl wie adj* physically disabled person **kör·per·be·tont** *adj* clinging **kör·per·ei·gen** *adj attr* endogenic
Kör·per·fül·le *f* (*geh*) corpulence **Kör·per·**
ge·ruch *m* body odour **Kör·per·ge·**
wicht *nt* weight **Kör·per·grö·ße** *f* size
Kör·per·hal·tung *f* posture **Kör·per·**
kon·takt *m* body contact
kör·per·lich *adj* ❶ (*den Leib betreffend*)
physical ❷ (*geh: stofflich*) material **II.** *adv*
physically; **~ arbeiten** to do physical work
Kör·per·lo·ti·on *f* body lotion **Kör·per·**
pfle·ge *f* personal hygiene
Kör·per·schaft <-, -en> *f* corporation
Kör·per·schafts·steu·er *f* corporation
tax
Kör·per·spra·che *f* body language **Kör·**
per·teil *m* part of the body **Kör·per·ver·**
let·zung *f* bodily harm *no indef art, no pl*;
fahrlässige ~ bodily injury caused by negligence; **schwere ~** grievous bodily
harm **Kör·per·wär·me** *f* body heat [*or*
warmth] *no pl*
Korps <-, -> [koːɐ] *nt* corps
kor·pu·lent [kɔrpu'lɛnt] *adj* (*geh*) corpulent
Kor·pu·lenz <-> [kɔrpu'lɛnts] *f kein pl*
(*geh*) corpulence
Kor·pus[1] <-, -se> ['kɔrpʊs] *m* ❶ *kein pl*
(*tragende Basis*) base ❷ (*hum fam: Kör-*
per) body ❸ *kein pl* (*der Gekreuzigte*) crucifix
Kor·pus[2] <-, Korpora> ['kɔrpʊs, *pl* 'kɔr-
pora] *nt* ❶ (*Sammlung von Textmateria-*
lien) corpus ❷ *kein pl* (*Klangkörper*) body
kor·rekt [kɔ'rɛkt] **I.** *adj* correct **II.** *adv* correctly
kor·rekt·er·wei·se *adv* properly speaking
Kor·rekt·heit <-> *f kein pl* correctness
Kor·rek·tor, **-to·rin** <-s, -toren>
[kɔ'rɛktoːɐ, -'toːrɪn, *pl* -'toːrən] *m, f* ❶ (*Kor-*
rektur lesen) proof-reader ❷ (*korrigieren-*
der Prüfer) marker
Kor·rek·tur <-, -en> [kɔrɛk'tuːɐ] *f* ❶ (*das*
Korrigieren) correction; [*etw*] **~ lesen** to
proof-read [sth] ❷ (*Veränderung*) adjustment
Kor·rek·tur·flüs·sig·keit *f* correction fluid **Kor·rek·tur·tas·te** *f* correction key
Kor·rek·tur·zei·chen *nt* proof-readers'
mark
Kor·res·pon·dent(in) <-en, -en> [kɔrɛ-
spɔn'dɛnt] *m(f)* correspondent
Kor·res·pon·denz <-, -en> [kɔrɛ-

spɔn'dɛnts] *f* correspondence *no pl*

kor·res·pon·die·ren* *vi* ❶ (*in Briefwechsel stehen*) to correspond (**mit** with) ❷ (*geh: entsprechen*) ▪ **mit etw** *dat* ~ to correspond to sth

Kor·ri·dor <-s, -e> ['kɔridoːɐ̯] *m* corridor

kor·ri·gier·bar *adj* correctable

kor·ri·gie·ren* [kɔri'giːrən] *vt* ❶ (*berichtigen*) to correct; *Klassenarbeit, Aufsatz* to mark; *Manuskript* to proofread ❷ (*verändern*) to alter

Kor·ro·si·on <-, -en> [kɔro'zi̯oːn] *f* ❶ (*das Korrodieren*) corrosion ❷ GEOL (*Zersetzung*) corrosion

kor·rum·pie·ren* [kɔrʊm'piːrən] *vt* (*pej geh*) ▪ **jdn** ~ to corrupt sb

kor·rupt [kɔ'rʊpt] *adj* corrupt

Kor·rup·ti·on <-, -en> [kɔrʊp'tsi̯oːn] *f* corruption

Kor·se, Kor·sin <-n, -n> ['kɔrzə, 'kɔrzɪn] *m, f* Corsican; *s. a.* **Deutsche(r)**

Kor·sett <-s, -s *o* -e> [kɔr'zɛt] *nt* corset

Kor·si·ka <-s> ['kɔrzika] *nt kein pl* Corsica

Kor·sin <-, -nen> *f fem form von* **Korse**

kor·sisch ['kɔrzɪʃ] *adj* Corsican; *s. a.* **deutsch**

Kor·vet·te <-, -n> [kɔr'vɛtə] *f* corvette

Ko·ry·phäe <-, -n> [kory'fɛːə] *f* (*geh*) leading authority

Ko·sak(in) <-en, -en> [ko'zak] *m(f)* Cossack

ko·scher ['koːʃɐ] I. *adj* kosher ▸ **nicht** [**ganz**] ~ **sein** to be not [quite] on the level II. *adv* according to kosher requirements

Ko·se·na·me *m* pet name **Ko·se·wort** *nt* term of endearment

Ko·si·nus <-, -u *o* -se> ['koːzinʊs] *m* cosine

Kos·me·tik <-> [kɔs'meːtɪk] *f kein pl* cosmetics *pl*

Kos·me·ti·ker(in) <-s, -> [kɔs'meːtikɐ] *m(f)* beautician

kos·me·tisch [kɔs'meːtɪʃ] I. *adj* cosmetic II. *adv* cosmetically

kos·misch ['kɔsmɪʃ] *adj* cosmic

Kos·mo·naut(in) <-en, -en> [kɔsmo'naʊt] *m(f)* cosmonaut

Kos·mo·po·lit(in) <-en, -en> [kɔsmopo'liːt] *m(f)* (*geh*) cosmopolitan

kos·mo·po·li·tisch *adj* (*geh*) cosmopolitan

Kos·mos <-> ['kɔsmɔs] *m kein pl* ▪ **der** ~ the cosmos

Ko·so·vo <-s> ['kɔsɔvɔ] *m* ▪ [**der**] ~ Kosovo

Kost <-> [kɔst] *f kein pl* food; [**freie**] ~ **und Logis** [free] board and lodging; **geistige** ~ intellectual fare

kost·bar ['kɔstbaːɐ̯] *adj* ❶ (*wertvoll*) valuable ❷ (*unentbehrlich*) precious

Kost·bar·keit <-, -en> *f* ❶ (*wertvoller Gegenstand*) precious object ❷ (*Erlesenheit*) preciousness

kos·ten¹ ['kɔstn̩] I. *vt* ❶ (*als Preis haben*) to cost ❷ (*als Preis erfordern*) **sich** *dat* **etw** ~ **lassen** (*fam*) to be prepared to spend a lot on sth ❸ (*erfordern*) ▪ **jdn etw** ~ to take [up] sb's time; **das kann uns viel Zeit** ~ it could take us a [good] while ❹ (*rauben*) ▪ **jdn etw** ~ to cost sb sth ▸ **koste es, was es wolle** whatever the cost II. *vi* to cost

kos·ten² ['kɔstn̩] I. *vt* (*geh: probieren*) to taste II. *vi* (*geh*) ▪ [**von etw**] ~ to have a taste [of sth]

Kos·ten ['kɔstn̩] *pl* costs *pl*, expenses *pl*; ~ **sparend** *adjektivisch* economical; *adverbial* economically; **auf seine** ~ **kommen** to get one's money's worth; **die** ~ **tragen** to bear the costs; **auf** ~ **von jdm/etw** *dat* at the expense of sb/sth

Kos·ten·be·tei·li·gung *f* cost sharing *no pl* **kos·ten·de·ckend** I. *adj* cost-effective II. *adv* cost-effectively **Kos·ten·er·spar·nis** *f* FIN, ÖKON cost saving **Kos·ten·er·stat·tung** *f* reimbursement of expenses **Kos·ten·fra·ge** *f* question of cost **kos·ten·güns·tig** *adj* economical **kos·ten·in·ten·siv** *adj* cost-intensive **kos·ten·los** I. *adj* ▪ ~ **sein** to be free [of charge] II. *adv* free [of charge] **Kos·ten·vor·an·schlag** *m* quotation; **sich** *dat* **einen** ~ **machen lassen** to get an estimate

Kost·geld *nt* board

köst·lich ['kœstlɪç] I. *adj* ❶ (*herrlich*) delicious ❷ (*fam: amüsant*) priceless II. *adv* ❶ (*herrlich*) delicious ❷ (*in amüsanter Weise*) **sich** ~ **amüsieren** to have a wonderful time

Kost·pro·be *f* ❶ (*etwas zum Probieren*) taste ❷ (*Vorgeschmack, Beispiel*) sample; **eine** ~ **seines Könnens** a sample of his skill

kost·spie·lig *adj* expensive

Kos·tüm <-s, -e> [kɔs'tyːm] *nt* ❶ MODE suit ❷ HIST, THEAT costume

Kos·tüm·ball *m* fancy-dress ball

kos·tü·mie·ren* [kɔsty'miːrən] *vt* ▪ **sich** [**als etw** *akk*] ~ to dress up [as sth]

Kot <-[e]s> [koːt] *m kein pl* (*geh*) excrement

Ko·tan·gens ['koːtaŋgɛns] *m* MATH cotangent

Ko·te·lett <-s, -s *o selten* -e> [kɔt'lɛt] *nt* chop

Ko·te·let·ten [kotə'lɛtn̩] *pl* sideburns *npl*

Kö·ter <-s, -> ['kø:tɐ] *m* (*pej*) mutt

Kot·flü·gel *m* wing

Kotz·bro·cken *m* (*pej sl*) slimy git BRIT, slimeball AM

Kot·ze <-> ['kɔtsə] *f kein pl* (*vulg*) puke *sl*

kot·zen ['kɔtsn] *vi* (*vulg*) to puke; **das ist zum K~** (*sl*) it makes you sick

kotz·übel ['kɔts'ʔy:bl] *adj* (*fam*) ▪jdm **~ ist/wird** *sb* feels like they're going to puke *sl*

KP <-, -s> [ka:'pe:] *f Abk von* **Kommunistische Partei** Communist Party

Krab·be <-, -n> ['krabə] *f* ❶ ZOOL (*Taschenkrebs*) crab ❷ KOCHK (*Garnele*) prawn

krab·beln ['krabln] *vi, vt sein* to crawl

Krach <-[e]s, Kräche *o* -s> [krax, *pl* 'krɛçə] *m* ❶ *kein pl* (*Lärm*) noise ❷ (*lauter Schlag*) bang ❸ (*Streit*) quarrel; **~** [mit jdm] **haben** (*fam*) to have a row [with sb] ▶**~ schlagen** (*fam*) to make a fuss

kra·chen ['kraxn] I. *vi* ❶ *haben* (*laut hallen*) to crash; *Ast* to creak; *Schuss* to ring out ❷ *sein* (*fam: prallen*) to crash II. *vi impers haben* ❶ (*ein Krachen verursachen*) ▪**es kracht** there is a crashing noise ❷ (*fam: Unfall verursachen*) **auf der Kreuzung hat es gekracht** there's been a crash on the intersection ▶**dass es nur so kracht** with a vengeance; **sonst kracht's!** or/and there'll be trouble III. *vr* (*fam*) to have a row [*or* AM an argument]

Kra·cher <-s, -> ['kraxɐ] *m* banger BRIT, firecracker AM; **alter ~** old codger

kräch·zen ['krɛçtsn] *vi, vt* ❶ ORN to caw ❷ (*fam: heiser sprechen*) to croak

Krä·cker <-s, -> *m* cracker

kraft [kraft] *präp +gen* (*geh*) ▪**~ einer S.** *gen* by virtue of sth

Kraft <-, Kräfte> [kraft, *pl* 'krɛftə] *f* ❶ ([*körperliche*] *Stärke*) strength; **wieder zu Kräften kommen** to regain one's strength; **über jds Kräfte gehen** to be more than sb can cope with; **seine Kräfte sammeln** to gather one's strength; **die ~ aufbringen, etw zu tun** to find the strength to do sth ❷ (*Geltung*) power; **außer ~ sein** to be no longer in force; **in ~ sein** to be in force; **etw außer ~ setzen** to cancel sth; **in ~ treten** to come into force ❸ (*Potenzial*) strength; **mit aller ~** with all one's strength; **mit letzter ~** with one's last ounce of strength; **die treibende ~** the driving force; **mit vereinten Kräften** with combined efforts; **in jds Kräften stehen** to be within sb's powers ❹ PHYS (*Energie*) power; **aus eigener ~** by oneself; **mit frischer ~** with renewed energy ❺ *meist pl*

(*Einfluss ausübende Gruppe*) force

Kraft·akt *m* act of strength **Kraft·anstren·gung** *f* exertion **Kraft·auf·wand** *m* effort **Kraft·aus·druck** *m* swear word **Kraft·brü·he** *f* beef stock

Kräf·te·ver·schleiß *m* loss of energy

Kraft·fah·rer(in) *m(f)* (*geh*) driver **Kraft·fahr·zeug** *nt* (*geh*) motor vehicle **Kraft·fahr·zeug·brief** *m s.* **Fahrzeugbrief** **Kraft·fahr·zeug·me·cha·ni·ker(in)** *m(f)* vehicle mechanic **Kraft·fahr·zeug·pa·pie·re** *pl* (*geh*) vehicle registration papers **Kraft·fahr·zeug·schein** *m s.* **Fahrzeugschein** **Kraft·fahr·zeug·steu·er** *f* vehicle tax **Kraft·fahr·zeug·ver·si·che·rung** *f* car insurance **Kraft·feld** *nt* force field **Kraft·fut·ter** *nt* concentrated feed stuff

kräf·tig ['krɛftɪç] I. *adj* ❶ (*physisch stark*) strong ❷ (*wuchtig*) powerful ❸ (*intensiv*) strong ❹ KOCHK (*nahrhaft*) nourishing ❺ (*ausgeprägt*) strong; *Haarwuchs* healthy II. *adv* ❶ (*angestrengt*) vigorously; **etw ~ rühren** to give sth a good stir; **~ niesen** to sneeze violently ❷ METEO (*stark*) heavily ❸ (*deutlich*) substantially ❹ (*sehr*) very; **jdm ~ die Meinung sagen** to strongly express one's opinion

kräf·ti·gen ['krɛftɪgn] *vt* (*geh*) ❶ (*die Gesundheit festigen*) ▪**jdn/etw ~** to build up sb's/sth's strength; ▪**gekräftigt** invigorated ❷ (*stärken*) to strengthen

kraft·los I. *adj* weak II. *adv* feebly

Kraft·lo·sig·keit <-> *f kein pl* weakness

Kraft·pro·be *f* test of strength **Kraft·protz** <-es, -e> *m* (*fam*) muscle man **Kraft·rad** *nt* (*geh*) motorcycle **Kraft·re·ser·ven** *pl* reserves *pl* of strength **Kraft·stoff** *m* (*geh*) fuel **Kraft·trai·ning** *nt* strength training **Kraft·über·tra·gung** *f* power transmission **kraft·voll** I. *adj* ❶ (*stark*) strong ❷ (*sonor*) powerful II. *adv* forcefully; **~ zubeißen** to take a hearty bite **Kraft·wa·gen** *m* (*geh*) motor vehicle **Kraft·werk** *nt* power station

Kra·gen <-s, - *o* Krägen> ['kra:gən, *pl* 'krɛːgn] *m* MODE collar; **jdn am ~ packen** (*fam*) to take sb by the scruff of his neck ▶**jdm geht es an den ~** sb is in for it; **etw kostet jdn den ~** sth is sb's downfall; **jdm platzt der ~** sb blows their top

Kra·gen·wei·te *f* MODE collar size ▶[genau] **jds ~ sein** (*fam*) to be [just] sb's cup of tea

Krä·he <-, -n> ['krɛːə] *f* crow

krä·hen ['krɛːən] *vi* ❶ ORN to crow ❷ (*fam*) to squeal

Krä·hen·fü·ße *pl* crow's feet

Kra·kau·er <-, -> *f polish garlic sausage*
Kra·ke <-n, -n> ['kraːkə] *m octopus*
kra·kee·len* [kraˈkeːlən] *vi (pej fam)* to make a racket
Kra·ke·lei <-, -en> *f (pej fam)* scribble
kra·ke·lig ['kraːkəlɪç] I. *adj* scrawly II. *adv* scrawly
Kral·le <-, -n> ['kralə] *f* ORN, ZOOL claw
▶ **jdn in seine ~n bekommen** to get one's claws into sb; [jdm] **die ~n zeigen** to show [sb] one's claws
kral·len ['kralən] I. *vr* ❶ *(sich fest~)* ■ **sich an jdn/etw ~** to cling onto sb/sth ❷ *(fest zupacken)* ■ **sich in/um etw** *akk* **~** to cling onto/around sth II. *vt* ❶ *(fest bohren)* ■ **etw in etw** *akk* **~** to dig sth into sth ❷ *(sl: klauen)* ■ [**sich** *dat*] **etw ~** to pinch sth *fam*
Kram <-[e]s> [kraːm] *m kein pl (fam)* ❶ *(Krempel)* junk ❷ *(Angelegenheit)* affairs *pl*; **den ganzen ~ hinschmeißen** to pack the whole thing in; **jdm in den ~ passen** to suit sb fine; **jdm nicht in den ~ passen** to be a real nuisance to sb
kra·men ['kraːmən] I. *vi* ❶ *(fam)* ■ [**in etw** *dat*] **~** to rummage around [in sth] (**nach** for) ❷ SCHWEIZ *(Kleinhandel betreiben)* to hawk II. *vt* ■ **etw aus etw** *dat* **~** to fish sth out of sth
Krampf <-[e]s, Krämpfe> [krampf, *pl* ˈkrɛmpfə] *m* cramp; **einen ~ bekommen** to get a cramp; **sich in Krämpfen winden** to double up in cramps
Krampf·ader *f* varicose vein
kramp·fen ['krampfn̩] I. *vt* ❶ *(geh)* ■ **etw um etw** *akk* **~** to clench sth around sth ❷ DIAL ■ **etw ~** to get one's hands on II. *vr* *(geh)* ■ **sich um etw** *akk* **~** to clench sth
krampf·haft I. *adj* ❶ *(angestrengt)* desperate ❷ MED convulsive II. *adv* desperately
krampf·lin·dernd, **krampf·lö·send** *adj* antispasmodic
Kran <-[e]s, Kräne *o* -e> [kraːn, *pl* ˈkrɛːnə] *m* ❶ TECH crane ❷ DIAL *(Wasserhahn)* tap
Kran·füh·rer(in) *m(f)* crane operator
Kra·nich <-s, -e> ['kraːnɪç] *m* crane
krank <kränker, kränkste> [kraŋk] *adj* ❶ *(nicht gesund)* ill, sick ❷ *(leidend)* ■ **~ vor etw** *dat* **sein** to be sick with sth ❸ FORST, HORT ■ **~ sein** to be diseased ▶ **du bist wohl ~!** *(iron)* are you out of your mind?; **jdn** [**mit etw**] **~ machen** to get on sb's nerves [with sth]
Kran·ke(r) *f(m)* sick person
krän·keln ['krɛŋkln̩] *vi* ❶ *(nicht ganz gesund sein)* to be unwell ❷ ÖKON to be ailing

kran·ken ['kraŋkn̩] *vi (pej)* ■ **an etw** *dat* **~** to suffer from sth
krän·ken ['krɛŋkn̩] *vt* ■ **jdn ~** to hurt sb's feelings; ■ **gekränkt sein** to feel hurt; ■ **es kränkt jdn, dass ...** it hurts sb['s feelings], that ...; ■ **~d** hurtful
Kran·ken·be·such *m* [patient] visit **Kran·ken·bett** *nt* hospital bed **Kran·ken·geld** *nt* sick pay **Kran·ken·gym·nast(in)** <-en, -en> *m(f)* physiotherapist **Kran·ken·gym·nas·tik** *f* physiotherapy **Kran·ken·haus** *nt* hospital, clinic; **ins ~ kommen/müssen** to go/have to go into hospital; [**mit etw**] **im ~ liegen** to be in hospital [with sth] **Kran·ken·haus·auf·ent·halt** *m* hospital stay **kran·ken·haus·reif** *adj* ■ **~ sein** to require hospital treatment; **jdn ~ schlagen** to put sb into hospital **Kran·ken·kas·se** *f* health insurance company **Kran·ken·kost** *f kein pl* [special] diet **Kran·ken·pfle·ge** *f* nursing **Kran·ken·pfle·ger(in)** *m(f)* [male] nurse **Kran·ken·schein** *m* health insurance voucher **Kran·ken·schwes·ter** *f* nurse **Kran·ken·ver·si·cher·ten·kar·te** *f* health insurance card **Kran·ken·ver·si·che·rung** *f* health insurance **Kran·ken·wa·gen** *m* ambulance **Kran·ken·zim·mer** *nt* ❶ *(Krankenhauszimmer)* hospital room ❷ *(Zimmer für erkrankte Insassen)* sickbay ❸ *(geh: Zimmer mit einem Kranken)* sickroom
krank|fei·ern *vi (fam)* to skive off work BRIT, to call in sick
krank·haft I. *adj* morbid II. *adv* morbidly
Krank·heit <-, -en> *f* ❶ MED illness; **wegen ~** due to illness ❷ FORST, HORT disease
Krank·heits·bild *nt* symptoms *pl* **krank·heits·er·re·gend** *adj* pathogenic **Krank·heits·er·re·ger** *m* pathogen
krank|la·chen *vr (fam)* ■ **sich ~** to almost die laughing (**über** about)
kränk·lich ['krɛŋklɪç] *adj* sickly
krank|ma·chen *vi (fam)* s. **krankfeiern**
krank|mel·den[RR] *vr* ■ **sich ~** to report sick **Krank·mel·dung** *f* notification of sickness **krank|schrei·ben**[RR] *vt* ■ **jdn ~** to give sb a sick note *(excusing them from work)*
Krän·kung <-, -en> *f* insult
Kran·wa·gen *m* crane truck
Kranz <-es, Kränze> [krants, *pl* ˈkrɛntsə] *m* ❶ *(Ring aus Pflanzen)* wreath ❷ DIAL *(Hefe~)* ring *(of white sweet bread)*
Kranz·nie·der·le·gung *f* wreath laying
Krap·fen <-s, -> ['krapfn̩] *m* ❶ KOCHK fritter ❷ DIAL *(frittiertes Hefegebäck)* ≈ dough-

nut
krassRR, **kraß**ALT [kras] I. *adj* ❶ *(auffallend)* glaring; *Gegensatz* stark; *Fall* extreme ❷ *(unerhört)* blatant ❸ *(extrem)* complete II. *adv* crassly
Kra·ter <-s, -> ['kra:tɐ] *m* crater
Krätz·bürs·te *f (pej fam)* prickly person
kratz·bürs·tig ['kratsbʏrstɪç] *adj (pej fam)* prickly
Krät·ze <-> ['krɛtsə] *f kein pl* scabies
krat·zen ['kratsn̩] I. *vt* ❶ *(mit den Nägeln ritzen)* to scratch; ▪etw von etw *dat*~ to scratch sth off sth ❷ *(fam: kümmern)* **das kratzt mich nicht** I couldn't care less about that II. *vi* ❶ *(jucken)* to scratch; **das Unterhemd kratzt** the vest is scratchy ❷ *(scharren, mit den Nägeln ritzen)* to scratch ❸ *(beeinträchtigen)* ▪an etw *dat*~ to scratch away at sth; **an jds Ehre** ~ to impugn sb's honour; **an jds Stellung** ~ to undermine sb's position III. *vt impers* **es kratzt mich im Hals** my throat feels rough
Krat·zer <-s, -> ['kratsɐ] *m* scratch
krau·len[1] ['kraʊlən] *vi sein o haben (schwimmen)* to do the crawl
krau·len[2] ['kraʊlən] *vt* to scratch [*or* rub] lightly; **einen Hund zwischen den Ohren** ~ to tickle a dog between its ears
kraus [kraʊs] *adj* ❶ *(stark gelockt)* frizzy ❷ *(zerknittert)* crumpled ❸ *(pej: verworren)* muddled
Krau·se <-, -n> ['kraʊzə] *f* ❶ MODE *(gefältelter Saum)* ruffle; *(gekräuselter Kragen)* ruffled collar ❷ *(fam: künstliche Wellung)* frizzy perm
kräu·seln ['krɔyzl̩n] I. *vt* ❶ *(mit künstlichen Locken versehen)* to crimp; ▪**gekräuselt** frizzy ❷ *(leicht wellig machen)* to ruffle II. *vr* ▪**sich** ~ ❶ *(leicht kraus werden)* to frizz ❷ *(leichte Wellen schlagen)* to ruffle
Kraus·kopf *m (fam)* ❶ *(Frisur)* frizzy hairstyle ❷ *(Mensch)* frizzy head
Kraut <-[e]s, Kräuter> [kraʊt, *pl* krɔytɐ] *nt* ❶ BOT herb ❷ *kein pl (grüne Teile von Pflanzen)* foliage ❸ *kein pl* DIAL *(Kohl)* cabbage; *(Sauerkraut)* pickled cabbage ❹ *kein pl* DIAL *(Sirup)* syrup ▶ **wie ~ und Rüben durcheinanderliegen** *(fam)* to lie about all over the place
Kräu·ter·mi·schung *f* herb mixture **Kräu·ter·tee** *m* herbal tea **Kräu·ter·the·ra·pie** *f* herbal therapy
Kraut·kopf *m* SÜDD, ÖSTERR *(Kohlkopf)* head of cabbage
Kraut·sa·lat *m* coleslaw *(without carrot)*
Kra·wall <-s, -e> [kra'val] *m* ❶ *(Tumult)*

riot; ~ **schlagen** to kick up a row [*or* AM an argument] ❷ *kein pl (fam: Lärm)* racket; ~ **machen** *(pej fam)* to make a racket
kra·wal·lig *adj* loutish, rowdy, yobbish
Kra·wall·ma·cher(in) *m(f) (pej fam)* hooligan
Kra·wat·te <-, -n> [kra'vatə] *f* tie
Kra·wat·ten·na·del *f* tiepin
Kre·a·ti·on <-, -en> [krea'tsi̯oːn] *f* creation
kre·a·tiv [krea'tiːf] I. *adj* creative II. *adv* creatively
Kre·a·tiv·di·rek·tor(in) *m(f)* creative director
Kre·a·ti·vi·tät <-> [kreativi'tɛt] *f kein pl* creativity
Kre·a·tur <-, -en> [krea'tuːɐ̯] *f* creature
Krebs[1] <-es, -e> [kreːps] *m* ❶ ZOOL crayfish ❷ *kein pl* KOCHK *(Krebsfleisch)* crab ❸ *kein pl* ASTROL Cancer
Krebs[2] <-es, -e> [kreːps] *m* MED cancer; ~ **erregend** carcinogenic
krebs·er·re·gend *adj* ~ **wirken** to be carcinogenic **Krebs·er·re·ger** *m* carcinogen **Krebs·for·schung** *f kein pl* cancer research *no pl* **Krebs·früh·er·ken·nung** *f kein pl* early cancer diagnosis **Krebs·ge·schwulst** *f* cancerous tumour [*or* AM -or] **Krebs·ge·schwür** *nt* cancerous ulcer **krebs·krank** *adj* ▪~ **sein** to suffer from cancer **Krebs·kran·ke(r)** *f(m)* cancer victim **Krebs·ope·ra·ti·on** *f* operation conducted on cancer patient **krebs·rot** ['kreːpsroːt] *adj* red as a lobster **Krebs·vor·sor·ge** *f kein pl* precautions *pl* against cancer **Krebs·vor·sor·ge·un·ter·su·chung** *f* cancer check-up **Krebs·zel·le** *f* cancer cell
Kre·dit[1] <-[e]s, -e> [kre'diːt, -'dɪt] *m* credit; *(Darlehen)* loan; [**bei jdm**] ~ **haben** to be given credit by sb; [**für etw** *akk*] **einen** ~ [**bei jdm**] **aufnehmen** to take out a loan [for sth] [with sb]; **auf** ~ on credit
Kre·dit[2] <-s, -s> [kre'diːt] *nt* credit
Kre·dit·brief *m* FIN letter of credit **Kre·dit·ge·ber(in)** *m(f)* creditor **Kre·dit·hai** *m (fam)* loanshark
kre·di·tie·ren* [kredi'tiːrən] *vt* FIN ❶ *(Kredit gewähren)* to grant credit ❷ *(gutschreiben)* ▪**jdm etw** ~ to credit sb with sth
Kre·dit·in·sti·tut *nt* bank **Kre·dit·kar·te** *f* credit card; **mit** ~ **bezahlen** to pay by credit card **Kre·dit·kri·se** *f* ÖKON credit crisis **Kre·dit·neh·mer(in)** <-s, -> *m(f)* borrower **kre·dit·wür·dig** *adj* creditworthy
Krei·de <-, -n> ['kraɪdə] *f* chalk ▶ **bei jdm** [**tief**] **in der** ~ **stehen** *(fam)* to owe sb [a

lot of] money

krei·de·bleich *adj* as white as a sheet **Krei·de·fel·sen** *m* chalk cliff **krei·de·weiß** *adj s.* kreidebleich **Krei·de·zeich·nung** *f* chalk drawing **Krei·de·zeit** *f kein pl* GEOL Cretaceous [period]

kre·ie·ren* [kre'iːrən] *vt* to create

Kreis <-es, -e> [krais, *pl* 'kraizə] *m* ❶ MATH circle; **einen ~ um jdn bilden** to form a circle around sb; **sich im ~[e] drehen** to turn round in a circle; **im ~ gehen** to go round in circles; **im ~ in a circle** ❷ (*Gruppe*) circle ❸ *pl* (*gesellschaftliche Gruppierung*) circles *pl;* **die Hochzeit fand im engsten Kreise statt** only close friends and family were invited to the wedding; **im ~e seiner Familie** in the bosom of his family ❹ (*umgrenzter Bereich*) scope ❺ ADMIN district ▶ **weite ~e** wide sections; **jdm dreht sich alles im ~e** sb's head is spinning

Kreis·bahn *f* orbit **Kreis·be·we·gung** *f* circular movement **Kreis·bo·gen** *m* arc **krei·schen** ['kraiʃn] *vi* ❶ ORN to squawk ❷ (*hysterisch schreien*) to shriek ❸ (*quietschen*) to screech

Krei·sel <-s, -> ['kraizl] *m* ❶ (*Spielzeug*) spinning top ❷ TRANSP (*fam*) roundabout **krei·sen** ['kraizn] *vi* ❶ *sein o haben* ASTRON, RAUM ▪ **um etw** *akk* **~** to orbit sth ❷ *sein o haben* LUFT, ORN ▪ **[über etw** *dat*] **~** to circle [over sth] ❸ *sein o haben* (*in einem Kreislauf befindlich sein*) ▪ **[in etw** *dat*] **~** to circulate [through sth] ❹ *sein o haben* (*sich ständig drehen*) ▪ **um jdn/etw ~** to revolve around sb/sth ❺ *haben* (*herumgereicht werden*) to go around

Kreis·flä·che *f* area of a circle **kreis·för·mig I.** *adj* circular **II.** *adv* in a circle **Kreis·in·sel** *f* TRANSP *central traffic-free area on roundabout*

Kreis·lauf *m* ❶ MED circulation ❷ (*Zirkulation*) cycle

Kreis·lauf·stö·run·gen *pl* circulatory disorder

kreis·rund *adj* ▪ **~ sein** to be perfectly circular **Kreis·sä·ge** *f* circular saw

Kreiß·saal *m* delivery room

Kreis·stadt *f* district principal town **Kreis·um·fang** *m* circumference **Kreis·ver·kehr** *m* roundabout

Kre·ma·to·ri·um <-s, -rien> [krema'toːrɪʊm, *pl* -riən] *nt* crematorium

kre·mig ['kreːmɪç] **I.** *adj* creamy **II.** *adv* **etw ~ schlagen/rühren** to whip/stir sth until creamy

Kreml <-s> ['kreːml̩] *m* ▪ **der ~** the Kremlin

Krem·pe <-, -n> ['krɛmpə] *f* brim

Krem·pel <-s> ['krɛmpl̩] *m kein pl* (*pej fam*) ❶ (*ungeordnete Sachen*) stuff ❷ (*Ramsch*) junk ▶ **den ganzen ~ hinwerfen** to chuck it all in

kre·pie·ren* [kre'piːrən] *vi sein* ❶ (*sl: zugrunde gehen*) to croak; ▪ **jdm ~** to die on sb *fam* ❷ MIL to explode

Krepp¹ <-s, -e *o* -s> [krɛp] *m* crêpe

Krepp^RR2 <-s, -e *o* -s> [krɛp] *m* KOCHK crêpe

Kres·se <-, -en> ['krɛsə] *f* cress

Kre·ta ['kreːta] *nt* Crete

Kre·ter(in) <-s, -> ['kreːtɐ] *m(f)* Cretan; *s. a.* **Deutsche(r)**

kre·tisch ['kreːtɪʃ] *adj* Cretan; *s. a.* **deutsch**

kreuz [krɔyts] ▶ **~ und quer** all over the place *fam,* all over

Kreuz <-es, -e> [krɔyts] *nt* ❶ REL cross; **jdn ans ~ schlagen** to crucify sb ❷ (*Symbol*) crucifix; **das Rote ~** the Red Cross ❸ (*Zeichen in Form eines Kreuzes*) cross; **über[s] ~** crosswise ❹ ANAT (*Teil des Rückens*) lower back; **es im ~ haben** (*fam*) to have back trouble ❺ TRANSP (*fam*) intersection ❻ *kein pl* KARTEN clubs *pl* ❼ MUS sharp ▶ **zu ~e kriechen** to eat humble pie *fam;* **jdn aufs ~ legen** (*fam*) to fool sb; **drei ~e machen** (*fam*) to be so relieved; **sein ~ auf sich nehmen** (*geh*) to take up one's cross; **ein ~ mit jdm/etw sein** (*fam*) to be a constant bother with sb/sth

kreu·zen ['krɔytsn̩] **I.** *vt haben a.* BIOL to cross **II.** *vr haben* ▪ **sich ~** ❶ (*sich entgegenstehen*) to oppose ❷ (*sich begegnen*) to cross ❸ (*sich überschneiden*) to cross **III.** *vi sein o haben* ❶ NAUT (*Zickzackkurs steuern*) to tack ❷ (*sich hin- und herbewegen*) to cruise

Kreu·zer <-s, -> ['krɔytsɐ] *m* NAUT cruiser **Kreuz·fahrt** *f* cruise; **eine ~ machen** to go on a cruise **Kreuz·feu·er** *nt* crossfire ▶ **[von allen Seiten] ins ~ [der Kritik] geraten** to come under fire [from all sides] **Kreuz·gang** *m* cloister **Kreuz·ge·wöl·be** *nt* cross vault

kreu·zi·gen ['krɔytsɪɡn̩] *vt* to crucify **Kreu·zi·gung** <-, -en> *f* crucifixion

Kreuz·ot·ter *f* adder **Kreuz·schlüs·sel** *m* wheel brace **Kreuz·spin·ne** *f* cross spider

Kreu·zung <-, -en> *f* ❶ (*Straßen~*) crossroad *usu pl* ❷ *kein pl* BIOL (*das Kreuzen*) cross-breeding ❸ ZOOL, BIOL mongrel

Kreuz·ver·hör *nt* cross-examination; **jdn ins ~ nehmen** to cross-examine sb

Kreuz·weg ['krɔytsveːk] *m* ❶ (*Wegkreuzung*) crossroad ❷ KUNST, REL (*Darstellung der Passion*) way of the Cross ▸ **am ~ ste·hen** to be at the crossroads **kreuz·wei·se** *adv* crosswise ▸ **du kannst mich/leck mich ~!** (*derb*) fuck off! *fam!* **Kreuz·wort·rät·sel** *nt* crossword [puzzle] **Kreuz·zei·chen** *nt* the sign of the cross **Kreuz·zug** *m* crusade

krib·be·lig ['krɪbəlɪç] *adj* ❶ (*unruhig*) edgy ❷ (*prickelnd*) tingly

krib·beln ['krɪbl̩n] I. *vi* ❶ *haben* (*jucken*) **mir kribbelt es am Rücken** my back is itching ❷ *haben* (*prickeln*) **das kribbelt so schön auf der Haut** it's so nice and tingly on the skin ❸ *sein* (*krabbeln*) **~ und krabbeln** to swarm around II. *vi impers haben* ■ [**von etw** *dat*] **~** to be swarming [with sth]

kribb·lig ['krɪblɪç] *adj s.* **kribbelig**

Kri·cket <-s, -s> ['krɪkət] *nt* cricket

krie·chen <kroch, gekrochen> ['kriːçn̩] *vi* ❶ *sein* (*sich auf dem Bauch bewegen*) to crawl ❷ *sein* (*langsam vergehen*) to creep by ❸ *sein* AUTO (*langsam fahren*) to creep [along] ❹ *sein o haben* (*pej: unterwürfig sein*) ■ [**vor jdm**] **~** to grovel [before sb] **Krie·cher(in)** <-s, -> *m(f)* (*pej fam*) bootlicker

krie·che·risch *adj* (*pej fam*) grovelling **Kriech·spur** *f* TRANSP crawler [*or* AM slow] lane **Kriech·tier** *nt* reptile

Krieg <-[e]s, -e> [kriːk, *pl* 'kriːgə] *m* war; **jdm/einem Land den ~ erklären** to declare war on sb/a country; **~** [**gegen jdn/ mit jdm**] **führen** to wage war [on sb]; **in den ~ ziehen** to go to war

krie·gen¹ ['kriːgn̩] I. *vt* (*fam*) ❶ (*bekommen*) ■ **etw ~** to get sth; **ich kriege noch 20 Euro von dir** you still owe me 20 euros; **das Buch ist nirgends zu ~** you can't get that book anywhere; **hast du die Arbeit auch bezahlt gekriegt?** did you get paid for the work?; **den Schrank in den Aufzug ~** to get the cupboard into the lift; **etw zu sehen ~** to get to see sth; **eine Krankheit ~** to get an illness; **eine Spritze/ein Präparat ~** to get an injection/medication; **ein Kind ~** to have a baby; **Prügel ~** to get a hiding ❷ (*erwischen*) ■ **jdn ~** to catch sb; **den Zug ~** to catch the train ❸ (*es schaffen*) ■ **jdn dazu ~, etw zu tun** to get sb to do sth; **ich kriege das schon geregelt** I'll get it sorted; **den Satz kriegt er bestimmt nicht übersetzt** he won't manage to translate that sentence ▸ **es mit jdm zu tun ~** to be in trouble with sb; **es nicht über sich ~,**

etw zu tun to not be able to bring oneself to do sth II. *vr* (*fam*) ■ **sie ~ sich** they get it together

krie·gen² ['kriːgn̩] *vi* (*Krieg führen*) to make war

Krie·ger(in) <-s, -> ['kriːgɐ] *m(f)* warrior **krie·ge·risch** I. *adj* ❶ (*kämpferisch*) warlike ❷ (*militärisch*) military II. *adv* belligerently

Krieg·füh·rung *f s.* **Kriegsführung** **Kriegs·aus·bruch** *m* outbreak of war **Kriegs·be·ginn** *m* start of the war **Kriegs·beil** *nt* tomahawk ▸ **das ~ begra·ben** to bury the hatchet **Kriegs·be·ma·lung** *f* war paint ▸ **in** [**voller**] **~** (*hum fam: sehr stark geschminkt*) in [full] war paint; (*mit Orden behangen*) decorated like a Christmas tree **Kriegs·be·richt·er·stat·ter(in)** *m(f)* war correspondent **Kriegs·be·schä·dig·te(r)** *f(m)* war-disabled person **Kriegs·dienst·ver·wei·ge·rer** <-s, -> *m* conscientious objector **Kriegs·en·de** *nt* end of the war **Kriegs·er·klä·rung** *f* declaration of war **Kriegs·fall** *m* event of war **Kriegs·film** *m* war film **Kriegs·flücht·ling** *m* war refugee **Kriegs·füh·rung** *f* warfare; (*Art*) conduct of war **Kriegs·fuß** *m* ▸ **mit jdm auf ~ stehen** (*fam*) to be at loggerheads with sb; **mit etw** *dat* **auf ~ stehen** to be no good with sth **Kriegs·ge·fahr** *f* danger of war **Kriegs·ge·fan·ge·ne(r)** *f(m)* prisoner of war **Kriegs·ge·fan·gen·schaft** *f* captivity; **in ~ geraten** to become a prisoner of war **Kriegs·geg·ner(in)** *m(f)* ❶ (*Pazifist*) pacifist ❷ (*Feind*) enemy **Kriegs·ge·richt** *nt* court martial **Kriegs·in·dust·rie** *f* armaments industry **kriegs·mü·de** *adj* SOZIOL war-weary **Kriegs·op·fer** *nt* victim of war **Kriegs·schau·platz** *m* theatre of war **Kriegs·schiff** *nt* war ship **Kriegs·spiel·zeug** *nt* war toy **Kriegs·tanz** *m* war dance **Kriegs·ver·bre·chen** *nt* war crime **Kriegs·ver·bre·cher(in)** *m(f)* war criminal **Kriegs·ver·let·zung** *f* war wound **Kriegs·zu·stand** *m* state of war

Krimi <-s, -s> ['krɪmi] *m* (*fam*) ❶ (*Kriminalroman*) detective novel ❷ TV thriller

Kri·mi·nal·be·am·te(r), -be·am·tin [kri·miˈnaːl-] *m, f* detective **Kri·mi·nal·film** *m* thriller

Kri·mi·na·lis·tik <-> [krimina'lɪstɪk] *f kein pl* criminology

kri·mi·na·lis·tisch I. *adj* criminological II. *adv* **~ begabt sein** to be a good detective

Kri·mi·na·li·tät <-> [kriminali'tɛt] *f kein pl*

K

Kritik äußern	
kritisieren, negativ bewerten	**criticizing, evaluating negatively**
Das gefällt mir gar nicht.	I don't like this at all.
Das sieht aber nicht gut aus.	This doesn't look good.
Das hätte man aber besser machen können.	That could have been done better.
Dagegen lässt sich einiges sagen.	Several things can be said about that.
Da habe ich so meine Bedenken.	I have my doubts about that.
missbilligen	**disapproving**
Das kann ich nicht gutheißen.	I don't approve of that.
Das finde ich gar nicht gut von dir.	That wasn't very nice of you (at all).
Da bin ich absolut dagegen.	I'm completely opposed to it.

❶ (*Straffälligkeit*) criminality ❷ (*Rate der Straffälligkeit*) crime rate

Kri·mi·nal·kom·mis·sar(in) *m(f)* detective superintendent BRIT **Kri·mi·nal·po·li·zei** *f* ❶ (*Abteilung für Verbrechensbekämpfung*) Criminal Investigation Department BRIT, plainclothes police AM ❷ (*Beamte der ~*) CID officers *pl* BRIT, plainclothes police officers *pl* AM **Kri·mi·nal·ro·man** *m* detective novel

kri·mi·nell [krimi'nɛl] *adj* criminal

Kri·mi·nel·le(r) [krimi'nɛlə, -lə] *f(m)* criminal

Krims·krams <-es> ['krɪmskrams] *m kein pl* (*fam*) junk

Krin·gel <-s, -> ['krɪŋl] *m* ❶ KOCHK ring-shaped biscuit [*or* AM cookie] ❷ (*Schnörkel*) squiggle

krin·geln ['krɪŋln] *vr* ❶ (*sich umbiegen*) ■ **sich ~** to curl [up] ❷ (*fam*) ■ **sich** [**vor Lachen**] **~** to kill oneself [laughing]

Kri·po <-, -s> ['krɪːpo] *f* (*fam*) *kurz für* **Kriminalpolizei** ❶ (*Institution Kriminalpolizei*) ■ **die ~** the CID [*or* AM plainclothes police] ❷ (*Beamte der Kriminalpolizei*) CID [*or* AM plainclothes police] officers

Krip·pe <-, -n> ['krɪpə] *f* ❶ (*Futterkrippe*) *a.* REL manger ❷ (*Kinderkrippe*) crèche BRIT, day nursery AM

Krip·pen·spiel *nt* REL nativity play

Kri·se <-, -n> ['kriːzə] *f* crisis

kri·seln ['kriːzln] *vi impers* (*fam*) **es kriselt** there's a crisis looming

kri·sen·an·fäl·lig *adj* crisis-prone **kri·sen·fest** *adj* crisis-proof **Kri·sen·ge·biet** *nt* crisis zone **Kri·sen·herd** *m* trouble spot **Kri·sen·ma·na·ge·ment** *nt* crisis management **Kri·sen·pro·vinz** *f* crisis region **Kri·sen·stab** *m kein pl* action committee

Kri·sen·zeit *f* period of crisis

Kris·tall¹ <-s, -e> [krɪs'tal] *m* crystal

Kris·tall² <-s> [krɪs'tal] *nt kein pl* (*~ glas*) crystal

Kris·tall·glas *nt* crystal glass

kris·tal·lin [krɪsta'liːn] *adj* crystalline

Kris·tal·li·sa·ti·on <-, -en> *f* crystallization

kris·tal·li·sie·ren* *vi, vt* to crystallize (**zu** into)

kris·tall·klar *adj* crystal-clear **Kris·tall·nacht** *f kein pl* HIST ■ **die ~** "Crystal night" **Kris·tall·zu·cker** *m* refined sugar

Kri·te·ri·um <-s, -rien> [kri'teːriʊm, *pl* -riən] *nt* (*geh*) criterion; [**bei et** *dat*] **bestimmte Kriterien anlegen** to apply certain criteria [to sth]

Kri·tik <-, -en> [kri'tiːk] *f* ❶ *kein pl* (*Tadel*) criticism; **an jdm/etw ~ üben** to criticize sb/sth; **ohne jede ~** uncritically ❷ (*Beurteilung*) critique; **gute/schlechte ~en bekommen** to receive good/bad reviews ❸ MEDIA (*Rezension*) review ▶ **unter aller ~ sein** (*pej fam*) to be beneath contempt

Kri·ti·ker(in) <-s, -> ['kriːtikɐ] *m(f)* critic

kri·tik·los **I.** *adj* uncritical **II.** *adv* uncritically

kri·tisch ['kriːtɪʃ] **I.** *adj* critical **II.** *adv* critically

kri·ti·sie·ren* [kriti'ziːrən] *vt, vi* to criticize

Krit·ze·lei <-, -en> [krɪtsə'laɪ] *f* (*pej fam*) ❶ *kein pl* (*das Kritzeln*) scribbling ❷ (*Gekritzel*) scribble

krit·zeln ['krɪtsln] *vi, vt* to scribble

Kro·a·te, Kro·a·tin <-n, -n> [kro'aːtə, kro'aːtɪn] *m, f* Croat; *s. a.* **Deutsche(r)**

Kro·a·ti·en <-s> [kro'aːtsi̯ən] *nt* Croatia; *s. a.* **Deutschland**

kro·a·tisch [kro'aːtɪʃ] *adj* Croatian; *s. a.*

deutsch

kroch [krɔx] *imp von* **kriechen**

Kro·kant <-s> [kro'kant] *m kein pl* KOCHK ❶ (*Masse*) chopped and caramelized nuts ❷ (*gefüllte Praline*) [praline filled with] cracknel

Kro·ket·te <-, -n> [kro'kɛtə] *f* croquette

Kro·ko·dil <-s, -e> [kroko'di:l] *nt* crocodile

Kro·ko·dil·le·der *nt* crocodile leather

Kro·ko·dils·trä·nen *pl* (*fam*) crocodile tears *pl*

Kro·kus <-, - *o* -se> ['kro:kʊs, *pl* -ʊsə] *m* crocus

Kro·ne <-, -n> ['kro:nə] *f* ❶ (*Kopfschmuck, Zahnkrone*) crown ❷ (*Baumkrone*) top ❸ (*Währungseinheit: in Skandinavien*) krone; (*in der Tschechei*) crown ▶ **einen in der ~ haben** (*fam*) to have had one too many; **die ~ sein** (*fam*) to beat everything; **einer S.** *dat* **die ~ aufsetzen** (*fam*) to crown sth

krö·nen ['krø:nən] *vt* to crown

Kro·nen·kor·ken *m* crown cap

Kron·leuch·ter *m* chandelier **Kronprinz, -prin·zes·sin** *m, f* ❶ (*Thronfolger*) crown prince *masc,* crown princess *fem* ❷ (*fig*) heir apparent

Krö·nung <-, -en> *f* ❶ (*Höhepunkt*) high point ❷ (*das Krönen*) coronation

Kron·zeu·ge, -zeu·gin *m, f* ~ **sein** to give King's/Queen's evidence

Kropf <-[e]s, Kröpfe> [krɔpf, *pl* 'krœpfə] *m* ❶ (*Schilddrüsenvergrößerung*) goitre ❷ ORN crop ▶ **so unnötig wie ein ~ sein** (*fam*) to be totally unnecessary

kross^{RR}, **kroß**^{ALT} [krɔs] **I.** *adj* crusty **II.** *adv* crustily

Krö·sus <-, -se> ['krø:zʊs] *m* (*reicher Mensch*) Croesus ▶ **doch kein ~ sein** (*fam*) to not be made of money

Krö·te <-, -n> ['krø:tə] *f* ❶ ZOOL toad ❷ *pl* (*sl: Geld*) pennies *pl* ❸ (*pej: Kind*) brat

Krü·cke <-, -n> ['krʏkə] *f* ❶ (*Stock*) crutch; **an ~n gehen** to walk on crutches ❷ (*sl: Nichtskönner*) washout

Krück·stock *m* walking stick

Krug¹ <-[e]s, Krüge> [kru:k, *pl* 'kry:gə] *m* ❶ (*Gefäß*) jug; (*Trinkgefäß*) tankard ❷ NORDD (*Gasthaus*) inn ▶ **der ~ geht so lange zum Brunnen, bis er bricht** (*prov*) what goes around comes around

Krug² <-es, Krüge> [kru:k, *pl* 'kry:gə] *m* NORDD inn

Kru·me <-, -n> ['kru:mə] *f* (*geh: Krümel*) crumb

Krü·mel <-s, -> ['kry:ml] *m* ❶ (*Brösel*) crumb ❷ DIAL (*fam: kleines Kind*) tiny tot

krü·me·lig ['kry:məlɪç] *adj* crumbly

krü·meln ['kry:mln] *vi* ❶ (*Krümel machen*) to make crumbs ❷ (*leicht zerbröseln*) to crumble; ■ **~ d** crumbly

krumm [krʊm] **I.** *adj* ❶ (*verbogen*) crooked; **~ und schief** askew ❷ (*gebogen*) *Nase* hooked; *Rücken* hunched; *Beine* bandy ❸ (*pej fam: unehrlich*) crooked; **ein ~es Ding drehen** to pull off sth crooked; **es auf die ~e Tour versuchen** to try to fiddle sth ❹ (*nicht rund*) odd **II.** *adv* **etw ~ biegen** to bend sth; **~ gehen** to walk with a stoop; **~ sitzen/stehen** to slouch

krüm·men ['krʏmən] **I.** *vt* ❶ (*biegen*) to bend; **den Rücken ~** to arch one's back; **die Schultern ~** to slouch one's shoulders ❷ MATH, PHYS ■ **gekrümmt** curved **II.** *vr* ❶ (*eine Biegung machen*) ■ **sich ~** *Fluss* to wind; *Straße* to bend ❷ (*sich beugen*) ■ **sich ~** to bend; **sich vor Schmerzen ~** to writhe in pain; ■ **sich** [**vor Lachen**] **~** to double up [with laughter]

krumm|la·chen *vr* (*fam*) ■ **sich ~** to laugh one's head off **krumm|neh·men** *vt* (*fam*) ■ [**jdm**] **etw ~** (*fam*) to take offence at sth [sb said or did]

Krüm·mung <-, -en> *f* ❶ (*Biegung*) bend; (*Weg*) turn ❷ MED, SCI curvature

Krüp·pel <-s, -> ['krʏpl] *m* cripple; **jdn zum ~ schlagen/schießen** to cripple sb

Krus·te <-, -n> ['krʊstə] *f* crust; (*Bratenkruste*) crackling

Krus·ten·tier *nt* crustacean

Kru·zi·fix <-es, -e> ['kru:tsifɪks] *nt* crucifix

Kru·zi·tür·ken [krutsi'tʏrkn̩] *interj* (*sl*) bloody hell! BRIT, damn it! AM

Kryp·ta <-, Krypten> ['krʏpta, *pl* -tən] *f* crypt

KSZE <-> [ka:ʔɛsˀtsɛtˀˀʔe:] *f kein pl Abk von* **Konferenz über Sicherheit und Zusammenarbeit in Europa** CSCE

Kto. *Abk von* **Konto** acc. BRIT, acct. AM, a/c AM

Ku·ba <-s> ['ku:ba] *nt* Cuba

Ku·ba·ner(in) <-s, -> [ku'ba:nɐ] *m(f)* Cuban; *s. a.* **Deutsche(r)**

ku·ba·nisch [ku'ba:nɪʃ] *adj* Cuban; *s. a.* **deutsch**

Kü·bel <-s, -> ['ky:bl] *m* ❶ (*großer Eimer*) bucket ❷ (*Pflanz~*) container ▶ [**wie**] **aus/ in/mit ~n regnen** to rain [in] buckets

Ku·ben ['ku:bən] *pl von* **Kubus**

Ku·bik·me·ter [ku'bi:k-] *m o nt* cubic metre **Ku·bik·wur·zel** *f* cube root **Ku·bikzahl** *f* cube number **Ku·bik·zen·ti·meter** *m* cubic centimetre

ku·bisch ['ku:bɪʃ] *adj* cubic

Ku·bis·mus <-> [ku'bɪsmʊs] *m kein pl* cubism

ku·bis·tisch *adj* cubist

Ku·bus <-, Kuben *o* -> ['ku:bʊs, *pl* ku:bən] *m* (*geh*) cube

Kü·che <-, -n> ['kʏçə] *f* kitchen

Ku·chen <-s, -> ['ku:xn̩] *m* cake

Ku·chen·blech *nt* baking sheet

Kü·chen·chef(in) *m(f)* chef

Ku·chen·di·a·gramm *nt* pie chart **Ku·chen·form** *f* baking tin **Ku·chen·ga·bel** *f* pastry fork **Kü·chen·herd** *m* cooker BRIT, stove AM **Kü·chen·ma·schi·ne** *f* food processor **Kü·chen·mes·ser** *nt* kitchen knife **Kü·chen·rol·le** *f* kitchen roll **Kü·chen·scha·be** *f* cockroach

Ku·chen·teig *m* cake mixture

Kü·cken <-s, -> ['kʏkn̩] *nt* ÖSTERR (*Küken*) chick

ku·cken ['kʊkn̩] *vi* NORDD (*fam*) *s.* **gucken**

ku·ckuck ['kʊkʊk] *interj* cuckoo

Ku·ckuck <-s, -e> ['kʊkʊk] *m* ORN cuckoo ▶ [das] weiß der ~! (*euph fam*) God only knows!; zum ~ [noch mal]! (*euph fam*) damn it!

Ku·ckucks·ei *nt* ❶ ORN cuckoo's egg ❷ (*fam*) unpleasant surprise **Ku·ckucks·uhr** *f* cuckoo clock

Kud·del·mud·del <-s> *m o nt kein pl* (*fam*) muddle; (*Unordnung*) mess; (*Verwirrung*) confusion

Ku·fe <-, -n> ['ku:fə] *f* eines Schlittens runner; *eines Schlittschuhs* blade

Ku·gel <-, -n> ['ku:gl̩] *f* ❶ MATH sphere ❷ SPORT ball; (*Kegelkugel*) bowl ❸ (*Geschoss*) bullet ▶ eine ruhige ~ schieben (*fam*) to have a cushy time *sl*

ku·gel·för·mig *adj* spherical **Ku·gel·ge·lenk** *nt* ball-and-socket joint **Ku·gel·la·ger** *nt* ball bearing

ku·geln ['ku:gl̩n] *vi sein* ■ irgendwohin ~ to roll somewhere ▶ zum K~ sein (*fam*) to be hilarious

ku·gel·rund ['ku:gl̩'rʊnt] *adj* ❶ (*kugelförmig*) ■ ~ sein to be round as a ball ❷ (*fam: feist und rundlich*) tubby **Ku·gel·schreiber** *m* ballpoint, Biro® BRIT, Bic® AM **ku·gel·si·cher** *adj* bullet-proof **Ku·gel·sto·ßen** <-s> *nt kein pl* shot put

Kuh <-, Kühe> [ku:, *pl* 'ky:ə] *f* ❶ ZOOL cow ❷ (*pej fam: Frau*) bitch; **blöde ~** stupid cow BRIT

Kuh·dorf *nt* (*pej fam*) one-horse town **Kuh·fla·den** *m* cow-pat BRIT, cow patty AM **Kuh·han·del** *m* (*pej fam*) horse trade **Kuh·haut** *f* cowhide ▶ das geht auf keine ~ (*sl*) that's going too far *fam* **Kuh·hirt, -hir·tin, Kuh·hir·te, -hir·tin** *m, f*

cowherd, cowboy *masc* AM, cowgirl *fem* AM

kühl [ky:l] **I.** *adj* ❶ (*recht kalt*) cool; **draußen wird es ~** it's getting chilly outside ❷ (*reserviert*) cool **II.** *adv* ❶ (*recht kalt*) etw ~ lagern to store sth in a cool place ❷ (*reserviert*) coolly

Kühl·an·la·ge *f* cold-storage plant **Kühl·box** *f* cooler

Küh·le <-> ['ky:lə] *f kein pl* (*geh*) ❶ (*kühle Beschaffenheit*) cool ❷ (*Reserviertheit*) coolness

Kuh·le <-, -n> ['ku:lə] *f* hollow

küh·len ['ky:lən] **I.** *vt* to chill **II.** *vi* to cool

Küh·ler <-s, -> ['ky:lɐ] *m* bonnet

Küh·ler·hau·be *f* bonnet BRIT, hood AM

Kühl·flüs·sig·keit *f* coolant **Kühl·haus** *nt* refrigerated storage building **Kühl·raum** *m* refrigerated storage room **Kühl·schrank** *m* refrigerator, fridge *fam* **Kühl·ta·sche** *f* cool bag **Kühl·tru·he** *f* freezer chest **Kühl·turm** *m* cooling tower

Küh·lung <-, -en> ['ky:lʊŋ] *f* cooling; **zur ~** to cool down

Kühl·wa·gen *m* ❶ BAHN refrigerator wagon ❷ (*Lkw mit Kühlaggregat*) refrigerator truck **Kühl·was·ser** *nt kein pl* coolant

Kuh·milch *f* cow's milk **Kuh·mist** *m* cow dung

kühn [ky:n] **I.** *adj* ❶ (*wagemutig*) brave ❷ (*gewagt*) bold **II.** *adv* eine ~ geschwungene Nase an aquiline nose

Kühn·heit <-, -en> *f* ❶ *kein pl* (*Wagemut*) bravery ❷ *kein pl* (*Gewagtheit*) boldness ❸ (*Dreistigkeit*) audacity

Kuh·stall *m* cowshed

Kü·ken <-s, -> ['ky:kn̩] *nt* chick

ku·lant [ku'lant] *adj* obliging

Ku·lanz <-> [ku'lants] *f kein pl* willingness to oblige

Ku·li¹ <-s, -s> ['ku:li] *m* (*fam*) Biro® BRIT, Bic® AM

Ku·li² <-s, -s> ['ku:li] *m* (*fam: Knecht*) slave, BRIT *also* dogsbody

ku·li·na·risch [kuli'na:rɪʃ] *adj* culinary

Ku·lis·se <-, -n> [ku'lɪsə] *f* ❶ THEAT scenery ❷ (*Hintergrund*) backdrop ▶ hinter die ~n blicken to look behind the scenes; nur ~ sein (*pej fam*) to be merely a facade

Kul·ler·au·gen *pl* (*fam*) big wide eyes *pl* **kul·lern** ['kʊlɐn] *vi sein* (*fam*) to roll

Kult <-[e]s, -e> [kʊlt] *m* cult

Kult·fi·gur *f* MEDIA cult figure **Kult·film** *m* cult film

kul·tisch *adj* ritual

kul·ti·vie·ren* [kʊlti'vi:rən] *vt* to cultivate

kul·ti·viert [kʊlti'vi:ɐt] **I.** *adj* ❶ (*gepflegt*) refined ❷ (*von feiner Bildung*) ■ ~ sein to be cultured **II.** *adv* ❶ (*gepflegt*) sophisticatedly ❷ (*zivilisiert*) in a refined manner

Kul·ti·vie·rung <-, -en> [kʊlti'viːrʊŋ] *f* cultivation

Kult·se·rie *f* TV cult series

Kult·stät·te *f* place of ritual worship

Kul·tur <-, -en> [kʊl'tuːɐ] *f* ❶ (*Zivilisation*) civilization ❷ *kein pl* (*Zivilisationsniveau*) culture ❸ FORST, HORT (*angebauter Bestand*) plantation ❹ BIOL (*gezüchtete Mikroorganismen*) culture ❺ *kein pl* BIOL (*das Kultivieren*) cultivation

Kul·tur·aus·tausch *m* cultural exchange **Kul·tur·ba·nau·se** *m* (*pej fam*) philistine **Kul·tur·beu·tel** *m* toilet [*or* AM toiletries] bag **Kul·tur·denk·mal** *nt* cultural monument

kul·tu·rell [kʊltu'rɛl] **I.** *adj* cultural **II.** *adv* culturally

Kul·tur·ge·schich·te *f kein pl* cultural history **Kul·tur·gut** *nt* cultural asset **Kul·tur·haupt·stadt** *f* cultural capital **Kul·tur·kreis** *m* cultural environment **Kul·tur·land·schaft** *f* ❶ (*vom Menschen veränderte Naturlandschaft*) artificial landscape ❷ (*fig*) cultural scene **Kul·tur·po·li·tik** *f kein pl* cultural and educational policy **Kul·tur·re·vo·lu·ti·on** *f* POL cultural revolution **Kul·tur·schock** *m* culture shock **Kul·tur·stu·fe** *f* level of civilization **Kul·tur·volk** *nt* civilized nation **Kul·tur·zentrum** *nt* ❶ (*Ort des kulturellen Lebens*) cultural centre ❷ (*Anlage mit kulturellen Einrichtungen*) arts centre

Kul·tus·mi·nis·ter(in) *m(f)* Minister of Education and the Arts BRIT, Secretary of Education and Cultural Affairs AM

Kul·tus·mi·nis·te·ri·um *nt* Ministry of Education and the Arts BRIT, Department of Education and Cultural Affairs AM

Küm·mel <-s, -> ['kʏml] *m* caraway

Kum·mer <-s> ['kʊmɐ] *m kein pl* ❶ (*Betrübtheit*) grief ❷ (*Unannehmlichkeiten*) problem; ~ **haben** to have worries; **jdm ~ machen** to cause sb trouble

küm·mer·lich ['kʏmɐlɪç] **I.** *adj* ❶ (*pej: armselig*) miserable; *Mahlzeit* paltry ❷ (*miserabel*) pitiful ❸ (*unterentwickelt*) puny **II.** *adv* (*notdürftig*) in a miserable way

küm·mern ['kʏmɐn] **I.** *vt* ■ **etw/jd kümmert jdn** sth/sb concerns sb; **was kümmert mich das?** what concern is that of mine? **II.** *vi* (*schlecht gedeihen*) to become stunted **III.** *vr* ❶ (*sich jds annehmen*) ■ **sich um jdn ~** to look after sb ❷ (*etw besorgen*) ■ **sich um etw** *akk* ~ to take care of sth; ■ **sich darum ~, dass ...** to see

to it that ...; **kümmere dich um deine eigenen Angelegenheiten** mind your own business

Kum·mer·speck *m* (*hum fam*) excess weight due to emotional problems **kummer·voll** *adj* (*geh*) sorrowful

Kum·pan(in) <-s, -e> [kʊm'paːn] *m(f)* (*pej fam*) pal

Kum·pel <-s, -> *m* ❶ (*Bergmann*) miner ❷ (*fam: Kamerad*) mate BRIT, buddy AM

kum·pel·haft **I.** *adj* matey *fam*, chummy *fam* **II.** *adv* matily *fam*, chummily *fam*

künd·bar ['kʏntbaːɐ] *adj* terminable; *Arbeitsvertrag* subject to termination

Kun·de¹ <-, *selten* -en> ['kʊndə] *f* (*veraltend geh*) tidings *npl*

Kun·de, Kun·din² <-n, -n> ['kʊndə, 'kʊndɪn] *m, f* customer

Kun·den·be·fra·gung *f* ÖKON customer survey [*or* enquiry] **Kun·den·be·ra·tung** *f* customer advisory service **Kunden·dienst** *m* ❶ *kein pl* (*Service*) after-sales service ❷ (*Stelle für Service*) customer support office **Kun·den·kar·te** *f* store card **Kun·den·num·mer** *f* customer account number **Kun·den·stamm** *m* regular clientele

kund|ge·ben *vt irreg* (*geh*) ■ **[jdm] etw ~** to make sth known [to sb]

Kund·ge·bung <-, -en> *f* rally

kun·dig ['kʊndɪç] *adj* ❶ (*geh: sach~*) knowledgeable ❷ (*veraltend geh: etw beherrschen*) ■ **einer S.** *gen* ~ **sein** to be an adept at sth

kün·di·gen ['kʏndɪgn] **I.** *vt* ❶ (*Arbeitsverhältnis beenden*) ■ **etw ~** to hand in one's notice ❷ (*die Aufhebung von etw anzeigen*) to terminate; **ich habe der Vermieterin die Wohnung gekündigt** I've given the landlady notice that I'm vacating [the flat] ❸ (*die Entlassung ankündigen*) ■ **jdn ~** to dismiss sb; **jdn fristlos ~** to dismiss sb instantly **II.** *vi* ❶ (*das Ausscheiden ankündigen*) ■ **[jdm] ~** to hand in one's notice [to sb] ❷ (*die Entlassung ankündigen*) ■ **jdm ~** to give sb his/her notice ❸ JUR ■ **jdm ~** to give sb notice to quit

Kün·di·gung <-, -en> *f* ❶ (*das Kündigen*) cancelling ❷ JUR cancellation ❸ (*Beendigung des Arbeitsverhältnisses durch den Arbeitnehmer*) handing in one's notice; (*durch den Arbeitgeber*) dismissal

Kün·di·gungs·frist *f* period of notice **Kün·di·gungs·grund** *m* grounds for giving notice

Kun·din <-, -nen> *f fem form von* **Kunde**

Kund·schaft <-, -en> ['kʊntʃaft] *f* customers *pl*; (*bei Dienstleistungen*) clientele

Kụnd·schaf·ter(in) <-s, -> *m(f)* MIL (*veraltend*) scout

kund|tun *vt irreg* (*veraltend geh*) ■ **|jdm**| **etw ~** to make sth known |to sb|

künf·tig ['kʏnftɪç] I. *adj* future II. *adv* in future

Kunst <-, Künste> [kʊnst, *pl* 'kʏnstə] *f* art ▶ **das ist die ganze ~** that's all there is to it; **keine ~ sein** (*fam*) to be easy

Kụnst·aka·de·mie *f* art college **Kụnst·aus·stel·lung** *f* art exhibit|ion| **Kụnst·denk·mal** *nt* artistic historical monument **Kụnst·dün·ger** *m* artificial fertilizer **Kụnst·fa·ser** *f* synthetic fibre **kụnst·feh·ler** *m* professional error **kụnst·fer·tig** I. *adj* skilful II. *adv* skilfully **Kụnst·fer·tig·keit** *f* skill, skilfulness **Kụnst·flug** *m* aerobatics + *sing vb* **Kụnst·gat·tung** *f* genre **Kụnst·ge·gen·stand** *m* objet d'art **Kụnst·ge·schich·te** *f* ① *kein pl* (*Geschichte der Kunst*) art history ② (*Werk über ~*) work on the history of art **Kụnst·ge·wer·be** *nt kein pl* ① (*Wirtschaftszweig*) arts and crafts ② (*kunstgewerbliche Gegenstände*) crafts **Kụnst·griff** *m* trick **Kụnst·han·del** *m* art trade **Kụnst·händ·ler(in)** *m(f)* art dealer **Kụnst·hand·werk** *nt kein pl* craft|work| *no pl* **Kụnst·his·to·ri·ker(in)** *m(f)* art historian **Kụnst·le·der** *nt* imitation leather

Künst·ler(in) <-s, -> ['kʏnstlɐ] *m(f)* |visual| artist

künst·le·risch ['kʏnstlərɪʃ] *adj* artistic

Künst·ler·na·me *m* pseudonym; *Schauspieler* stage name **Künst·ler·pech** *nt kein pl* (*hum fam*) hard luck *no pl*

künst·lich ['kʏnstlɪç] I. *adj* artificial II. *adv* ① (*fam: beabsichtigt*) affectedly; **rege dich doch nicht ~ auf, so schlimm ist es nicht!** stop making out you're upset, it's not that bad! ② (*industriell*) artificially ③ (*mit Hilfe von Apparaten*) artificially

kụnst·los <-er, -este> *adj* purely functional

Kụnst·ma·ler(in) *m(f)* (*geh*) artist, painter **Kụnst·pau·se** *f* deliberate pause **Kụnst·rich·tung** *f* trend in art **Kụnst·samm·lung** *f* art collection **Kụnst·sei·de** *f* imitation silk **Kụnst·stoff** *m* synthetic material **Kụnst·stück** *nt* ① (*artistische Leistung*) trick ② (*schwierige Leistung*) feat; **das ist doch kein ~!** there's nothing to it! **Kụnst·tur·nen** *nt* gymnastics + *sing vb* **kụnst·ver·stän·dig** *adj* appreciative of art **kụnst·voll** I. *adj* elaborate II. *adv* ornately **Kụnst·werk** *nt* work of art

kun·ter·bunt ['kʊntɐbʊnt] I. *adj* ① (*vielfältig*) varied ② (*sehr bunt*) multi-coloured ③ (*wahllos gemischt*) motley; **eine ~es Durcheinander** a jumble II. *adv* (*ungeordnet*) ~ **durcheinander** completely jumbled up

Kup·fer <-s, -> ['kʊpfɐ] *nt* copper *no pl* **Kup·fer·berg·werk** *nt* copper mine **Kup·fer·draht** *m* copper wire **kup·fer·hal·tig** *adj* containing copper *pred* **kup·fern** ['kʊpfɐn] *adj* copper **Kup·fer·schmied(in)** *m(f)* coppersmith **Kup·fer·schmie·de** *f* coppersmith **Kup·fer·stich** *m* copperplate engraving

Ku·pon <-s, -s> [ku'põ:] *m s.* Coupon

Kup·pe <-, -n> ['kʊpə] *f* ① (*Berg~*) |rounded| hilltop ② (*Finger~*) tip

Kup·pel <-, -n> ['kʊpl̩] *f* dome

Kup·pe·lei <-, -en> [kʊpə'laɪ] *f* procuration

kup·peln[1] ['kʊpl̩n] *vi* AUTO to operate the clutch

kup·peln[2] ['kʊpl̩n] *vt* ■ **etw an etw** *akk* ~ to couple sth to sth

Kupp·ler(in) <-s, -> ['kʊplɐ] *m(f)* (*pej*) matchmaker

Kupp·lung <-, -en> ['kʊplʊŋ] *f* ① AUTO clutch ② (*Anhängevorrichtung*) coupling

Kur <-, -en> [ku:ɐ̯] *f* course of treatment; **in ~ fahren** to go to a health resort

Kür <-, -en> [ky:ɐ̯] *f* free style

Ku·ra·to·ri·um <-s, -rien> [kura'to:rɪ̯ʊm, *pl* -rɪ̯ən] *nt* board of trustees

Kur·auf·ent·halt *m* stay at a health resort

Kur·bel <-, -n> ['kʊrbl̩] *f* crank **kur·beln** ['kʊrbl̩n] *vi*, *vt* to wind **Kụr·bel·wel·le** *f* crankshaft

Kür·bis <-ses, -se> ['kʏrbɪs] *m* pumpkin **Kür·bis·kern** *m* pumpkin seed

Kur·de, Kur·din <-n, -n> ['kʊrdə, 'kʊrdɪn] *m, f* Kurd; *s. a.* Deutsche(r)

kur·disch ['kʊrdɪʃ] *adj* Kurdish; *s. a.* deutsch

Kur·dis·tan <-s> ['kʊrdɪsta:n] *nt* Kurdistan; *s. a.* Deutschland

kü·ren <kürte *o selten* kor, gekürt> ['ky:rən] *vt* (*geh*) ■ **jdn** ~ to elect sb; **sie wurde von der Jury zur besten Eisläuferin gekürt** she was chosen by the judges as the best ice-skater

Kụr·fürst *m* elector

Kur·gast *m* visitor to a health resort **Kur·haus** *nt* assembly rooms |at a health resort|

Ku·rier <-s, -e> [ku'ri:ɐ̯] *m* courier **Ku·rier·dienst** *m* (*Dienstleistung*) courier service; (*Firma*) courier firm

ku·rie·ren* [ku'ri:rən] *vt* to cure (**von** of)

ku·ri·os [ku'ri̯o:s] I. *adj* (*geh*) curious II. *adv* (*geh*) curiously

Ku·ri·o·si·tät <-, -en> [kuri̯ozi'tɛt] *f* (*geh*)
❶ (*Merkwürdigkeit*) oddity ❷ (*merkwürdiger Gegenstand*) curiosity
Kur·ort *m* health resort
Kur·pfalz <-> [kuːɐ̯'pfalts] *f* HIST ▪ **die ~** the Electoral Palatinate
Kur·pfu·scher(in) *m(f)* (*pej fam*) quack
Kur·pfu·sche·rei [kuːɐ̯pfʊʃə'rai̯] *f kein pl* (*pej fam*) quackery
Kurs¹ <-es, -e> [kʊrs, *pl* 'kʊrzə] *m*
❶ (*Richtung*) course; **vom ~ abkommen** to deviate from one's/its course; **den/seinen ~ beibehalten** to maintain [one's] course; **den ~ wechseln** to change course ❷ (*Zielsetzung*) course; (*politische Linie*) policy; **jdn auf ~ bringen** to bring sb into line; **einen bestimmten ~ einschlagen** to take a certain course ❸ (*Wechselkurs*) exchange rate ❹ BÖRSE price; **hoch im ~ [bei jdm] stehen** (*a. fig*) to be very popular [with sb]; **im ~ fallen** to fall in price
Kurs² <-es, -e> [kʊrs, *pl* 'kʊrzə] *m* (*Lehrgang*) course
Kurs·buch *nt* [railway] timetable
Kur·se ['kʊrzə] *pl von* **Kursus**
Kurs·ein·bruch *m* slump in prices **Kurs·ge·winn** *m* ÖKON gain
kur·sie·ren* [kʊr'ziːrən] *vi* ❶ (*umgehen*) to circulate ❷ (*umlaufen*) to be in circulation
kur·siv [kʊr'ziːf] I. *adj* italic II. *adv* in italics
Kur·si·ve <-, -n> [kʊr'ziːvə] *f,* **Kur·siv·schrift** [kʊr'ziːf-] *f* italics
Kurs·no·tie·rung *f* quoted price
kur·so·risch [kʊr'zoːrɪʃ] (*geh*) I. *adj* cursory II. *adv* cursorily
Kurs·schwan·kun·gen *pl* BÖRSE price fluctuations **Kurs·teil·neh·mer(in)** *m(f)* participant in a course
Kur·sus <-, Kurse> ['kʊrzʊs, *pl* 'kʊrzə] *m* (*geh*) *s.* **Kurs²**
Kurs·ver·lust *m* price loss **Kurs·wech·sel** *m* change of course
Kur·ti·sa·ne <-, -n> [kʊrti'zaːnə] *f* courtesan
Kur·ve <-, -n> ['kʊrvə] *f* ❶ TRANSP bend; **aus der ~ fliegen** (*fam*) to leave the road on the bend; **sich in die ~ legen** to lean into the bend; **eine ~ machen** to bend ❷ (*gekrümmte Linie*) curve ❸ *pl* (*fam: Körperrundung*) curves *pl* ▪ **die ~ kratzen** (*fam*) to clear off
kur·ven ['kʊrvn̩] *vi sein* (*fam*) ❶ (*sich in einer gekrümmten Linie bewegen*) to turn ❷ (*ziellos fahren*) ▪ **durch etw** *akk* **~** to drive around sth
kur·ven·reich *adj,* **kur·vig** ['kʊrvɪç] *adj* curvy

kurz <kürzer, kürzeste> [kʊrts] I. *adj*
❶ (*räumlich*) short ❷ (*zeitlich*) brief, short ❸ (*knapp*) brief ▸ **den Kürzeren ziehen** (*fam*) to come off worst II. *adv* ❶ (*räumlich*) short; [jdm] **etw kürzer machen** MODE to shorten sth [for sb] ❷ (*zeitlich*) for a short time; **etw ~ braten** to flash-fry sth; **jdn ~ sprechen** to have a quick word with sb; **bis vor ~em** up until a short while ago; **vor ~em** a short while ago; **~ bevor** just before; **~ gesagt** in a word; **~ nachdem** shortly after; **über ~ oder lang** sooner or later ▸ **~ angebunden sein** (*fam*) to be abrupt; **~ entschlossen** without a moment's hesitation; **~ und gut** in a word; **~ und schmerzlos** (*fam*) quick and painlessly; [bei etw *dat*] **zu ~ kommen** to lose out [with sth]
Kurz·ar·beit *f kein pl* short-time work
kurz|ar·bei·ten *vi* to work short-time
kurz·är·me·lig *adj,* **kurz·ärm·lig** *adj* short-sleeved **kurz·at·mig** *adj* short-winded
Kür·ze <-, *selten* -n> ['kʏrtsə] *f* shortness; **in aller ~** very briefly
Kür·zel <-s, -> ['kʏrtsl̩] *nt* ❶ (*stenografisches ~*) shorthand symbol ❷ (*Kurzwort*) abbreviation
kür·zen ['kʏrtsn̩] *vt* ❶ (*Länge/Umfang verringern*) to shorten; **können Sie mir die Hose um einen Zentimeter ~?** can you shorten these trousers for me by a centimetre?; **eine gekürzte Fassung eines Buches** the abridged edition of a book ❷ (*verringern*) to cut, to reduce ❸ MATH **einen Bruch ~** to reduce a fraction
kur·zer·hand ['kʊrtsɐ'hant] *adv* there and then
Kurz·fas·sung *f* abridged version **Kurz·film** *m* short film **Kurz·form** *f* shortened form
kurz·fris·tig ['kʊrtsfrɪstɪç] I. *adj* ❶ (*innerhalb kurzer Zeit erfolgend*) at short notice ❷ (*für kurze Zeit geltend*) short-term II. *adv* ❶ (*innerhalb kurzer Zeit*) within a short [period of] time ❷ (*für kurze Zeit*) briefly
Kurz·ge·schich·te *f* short story **kurz·haa·rig** *adj* short-haired **kurz·le·big** ['kʊrtsleːbɪç] *adj* ❶ (*nicht lange lebend*) *a.* MODE short-lived ❷ (*nicht lange haltend*) non-durable
kürz·lich ['kʏrtslɪç] *adv* not long ago
Kurz·mel·dung *f* newsflash **Kurz·nach·rich·ten** *pl* news in brief + *sing vb* **Kurz·rei·se** *f* short trip
kurz|schlie·ßen *irreg* I. *vt* to short-circuit II. *vr* ▪ **sich mit jdm ~** to get in touch

with sb

Kurz·schluss^RR <-es, Kurzschlüsse> *m*, **Kurz·schluß**^ALT <-sses, Kurzschlüsse> *m* ① ELEK short-circuit ② (*Affekthandlung*) moment of madness **Kurz·schluss·hand·lung**^RR *f*, **Kurz·schluss·re·ak·ti·on**^RR *f* knee-jerk reaction **Kurz·schrift** *f* shorthand **kurz·sich·tig** I. *adj* ① (*an Kurzsichtigkeit leidend*) short [*or esp* AM near]-sighted ② (*einen begrenzten Horizont habend*) short-sighted II. *adv* (*beschränkt*) in a short-sighted manner **Kurz·sich·tig·keit** <-, -en> *f* short-sightedness **Kurz·stre·cken·flug** *m* short-haul flight **kurz·um** [kʊrts'ʔʊm] *adv* in short **Kür·zung** <-, -en> *f* ① (*das Kürzen*) abridgement ② FIN cut

Kurz·ur·laub *m* short holiday **Kurz·wa·ren** *pl* haberdashery BRIT, dry goods AM **Kurz·wa·ren·ge·schäft** *nt* haberdashery [shop] BRIT, dry goods store AM **Kurz·wel·le** *f* short wave

Kurz·zeit·ge·dächt·nis *m* short-term memory

kurz·zei·tig I. *adj* short-term, brief II. *adv* brief, briefly, for a short time

ku·sche·lig [ˈkuʃəlɪç] *adj* cosy

ku·scheln [ˈkʊʃln̩] I. *vr* ■ sich an jdn ~ to cuddle up to sb; ■ sich in etw *akk* ~ to snuggle up in sth II. *vi* ■ [mit jdm] ~ to cuddle up to [sb]

Ku·schel·rock <-s, -> *m kein pl* MUS soft rock **Ku·schel·tier** *nt* cuddly toy

ku·schen [ˈkʊʃn̩] *vi* ■ [vor jdm] ~ to obey [sb]

Ku·si·ne <-, -n> [kuˈziːnə] *f fem form von* **Cousin** cousin

Kuss^RR <-es, Küsse> *m*, **Kuß**^ALT <-sses, Küsse> [kʊs, *pl* ˈkʏsə] *m* kiss

Küss·chen^RR, **Küß·chen**^ALT <-s, -> [ˈkʏsçən] *nt* brief kiss, peck; **gib ~!** give us a kiss!

kuss·echt^RR *adj* kiss-proof

küs·sen [ˈkʏsn̩] *vt, vi* to kiss

Küs·te <-, -n> [ˈkʏstə] *f* coast

Küs·ten·be·woh·ner(in) *m(f)* coastal inhabitant **Küs·ten·ge·biet** *nt* coastal area **Küs·ten·ge·wäs·ser** *pl* coastal waters *pl* **Küs·ten·schif·fahrt**^ALT, **Küs·ten·schiff·fahrt**^RR *f kein pl* coastal shipping *no pl* **Küs·ten·schutz** *m* coastal protection

Küs·ter(in) <-s, -> [ˈkʏstɐ] *m(f)* sexton

Kus·to·de, **Kus·to·din** <-n, -n> [kʊsˈtoːdə, kʊsˈtoːdɪn] *m, f*, **Kus·tos** <-, Kustoden> [ˈkʊstɔs, *pl* kʊsˈtoːdən] *m* curator

Kut·sche <-, -n> [ˈkʊtʃə] *f* carriage

Kut·scher(in) <-s, -> [ˈkʊtʃɐ] *m(f)* coachman

kut·schie·ren* [kʊtˈʃiːrən] I. *vi sein* (*fam*) ■ irgendwohin ~ to go for a drive somewhere II. *vt haben* (*fam*) ■ jdn irgendwohin ~ to give sb a lift somewhere

Kut·te <-, -n> [ˈkʊtə] *f* habit

Kut·tel <-s, -> [ˈkʊtl̩] *f meist pl* tripe *sing*

Kut·ter <-s, -> [ˈkʊtə] *m* cutter

Ku·vert <-s, -s *o* -[e]s, -e> [kuˈveːɐ̯] *nt* envelope

Ku·wait <-s> [kuˈvaɪt] *nt* Kuwait; *s. a.* **Deutschland**

Ku·wai·ter(in) *m(f)* Kuwaiti; *s. a.* **Deutsche(r)**

ku·wai·tisch [kuˈvaɪtɪʃ] *adj* Kuwaiti; *s. a.* **deutsch**

kV [kaˈfaʊ] *Abk von* **Kilovolt** kV

kW <-, -> [kaˈveː] *nt Abk von* **Kilowatt** kW

KW <-, -s> [kaˈveː] *f Abk von* **Kalenderwoche** week no.

kWh <-, -> [kaˈveːˈhaː] *f Abk von* **Kilowattstunde** kWh

Ky·ber·ne·tik <-> [kybɛrˈneːtɪk] *f kein pl* cybernetics + *sing vb*

KZ <-s, -s> [kaˈtsɛt] *nt Abk von* **Konzentrationslager**

L

L, l <-, - o fam -s, -s> [ɛl] nt L, l; s. a. **A 1**
l [ɛl] Abk von **Liter** l

lab·be·rig ['labərɪç] adj, **labb·rig** ['labrɪç]
adj DIAL (fam) ❶ (fade) watery ❷ (schlaff)
sloppy

la·ben ['laːbn̩] vr (geh) ■**sich** [**an etw**
dat] ~ to feast [on sth]

la·bern ['laːbɐn] **I.** vi (pej fam) to prattle on
(**über** about) **II.** vt (pej fam) to talk

la·bil [la'biːl] adj ❶ Gesundheit, Kreislauf etc. poor ❷ (geh: instabil) a. PSYCH unstable

La·bi·li·tät <-, selten -en> [labili'tɛːt] f
❶ MED frailty ❷ (geh: Instabilität) a. PSYCH
instability

La·bor <-s, -s o -e> [la'boːɐ̯] nt laboratory

La·bo·rant(in) <-en, -en> [labo'rant] m(f)
laboratory technician

La·bo·ra·to·ri·um <-s, -rien> [labo-
ra'toːriʊm, pl -riən] nt (geh) s. **Labor**

La·by·rinth <-[e]s, -e> [laby'rɪnt] nt maze

La·che¹ <-, -n> ['la(ː)xə] f puddle

La·che² <-, -n> ['laxə] f (pej fam) laugh

lä·cheln ['lɛçl̩n] vi ❶ (freundlich lächeln)
to smile ❷ (sich lustig machen) to smirk
(**über** at)

Lä·cheln <-s> ['lɛçl̩n] nt kein pl smile

la·chen ['laxn̩] vi ❶ (auf~) to laugh (**über**
at) ❷ (aus~) to laugh (**über** at) ▶ **gut ~**
haben to be all right for sb to laugh; **wer**
zuletzt lacht, lacht am besten (prov) he
who laughs last, laughs longest

La·chen <-s> ['laxn̩] nt kein pl ❶ (Gelächter) laughter no pl ❷ (Lache) laugh

La·cher(in) <-s, -> ['laxɐ] m(f) **die ~ auf**
seiner Seite haben to score by getting the
laughs

Lach·er·folg m **ein ~ sein** to make everyone laugh

lä·cher·lich ['lɛçɐlɪç] **I.** adj ❶ (albern) ridiculous; **jdn/sich ~ machen** to make a
fool of sb/oneself ❷ (geringfügig) trivial
II. adv (sehr) ridiculously

Lä·cher·lich·keit <-, -en> f ❶ kein pl
(Albernheit) ridiculousness no pl ❷ (Geringfügigkeit) triviality

Lach·gas nt laughing gas

lach·haft adj laughable

Lach·krampf m (fig) **einen ~ bekom-**
men to go into fits of laughter

Lachs <-es, -e> [laks] m salmon

lachs·far·ben adj, **lachs·far·big** adj
salmon pink **Lachs·fo·rel·le** f sea trout

Lack <-[e]s, -e> [lak] m ❶ (Lackierung)

paint[work] ❷ (Lackfarbe) gloss paint;
(transparent) varnish

Lack·af·fe m (pej fam) dandy

la·ckie·ren* [la'kiːrən] vt a. Fingernägel to
paint; Holz to varnish

La·ckie·rung <-, -en> f ❶ (das Lackieren)
painting ❷ (aufgetragener Lack) paintwork

Lack·le·der <-s> nt patent leather no pl,
no indef art

Lack·mus <-> ['lakmʊs] nt o m kein pl litmus no pl, no indef art

Lack·mus·pa·pier nt litmus paper

Lack·scha·den m damage to the paintwork **Lack·schuh** m patent leather shoe

La·de·flä·che f AUTO loading space **La·de·**
ge·rät nt battery charger **La·de·hem·**
mung f Feuerwaffe jam, stoppage; ~ **ha-**
ben to be jammed

la·den <lädt, lud, geladen> ['laːdn̩] **I.** vt
❶ (packen) AUTO, INFORM to load (**auf** on[to], **in**
in[to]), to unload (**aus** from) ❷ (sich aufbürden) ■**etw auf sich ~** to saddle oneself
with sth ❸ (mit Munition versehen) to
load (**mit** with) ❹ ELEK to charge (**mit** with)
❺ (geh: ein~) to invite (**zu** to); JUR (geh) to
summon **II.** vi ❶ (mit Munition versehen)
to load ❷ ELEK to charge ▶ **geladen sein**
(fam) to be hopping mad

La·den¹ <-s, Läden> ['laːdn̩, pl 'lɛːdn̩] m
❶ (Geschäft) shop, AM usu store ❷ (fam:
Betrieb) business ▶ **den ~ schmeißen** (sl)
to run the [whole] show

La·den² <-s, Läden o -> ['laːdn̩, pl
'lɛːdn̩] m shutter

La·den·be·sit·zer(in) m(f) shopkeeper
La·den·dieb(in) m(f) shoplifter **La·den·**
dieb·stahl m shoplifting **La·den·hü·**
ter m (pej) shelf warmer **La·den·ket·te** f
chain of shops **La·den·preis** m retail
price

La·den·schlussᴿᴿ m kein pl closing time
La·den·schluss·ge·setzᴿᴿ nt Hours of
Trading Act **La·den·tisch** m shop [or AM
usu store] counter

La·de·ram·pe f loading ramp

La·de·raum m LUFT, NAUT cargo space

lä·die·ren* [lɛ'diːrən] vt to damage;
lädiert sein (hum) to be the worse for
wear

La·dung¹ <-, -en> f ❶ (Fracht) load;
Schiff, Flugzeug cargo ❷ (fam: größere
Menge) load ❸ (Munition o Sprengstoff)
a. ELEK, NUKL charge

La·dung² <-, -en> f JUR summons + sing

vb

Laf·fe <-n, -n> ['lafə] *m* (*veraltend*) *s.* **Lackaffe**

lag [la:k] *imp von* **liegen**

La·ge <-, -n> ['la:gə] *f* ❶ (*landschaftliche Position*) location ❷ (*Liegeposition*) position ❸ (*Situation*) situation; **die ~ peilen** (*fam*) to see how the land lies; **zu etw** *dat* **in der ~ sein** to be in a position to do sth; **sich in jds ~ versetzen** to put oneself in sb's position ❹ (*Schicht*) layer

La·ge·be·richt *m* status report **La·ge·be·spre·chung** *f* discussion regarding the situation

La·ger <-s, -> ['la:gɐ] *nt* ❶ (*Waren~*) warehouse; **etw auf ~ haben** to have sth in stock; (*fig fam*) to have sth at the ready ❷ (*vorübergehende Unterkunft*) camp ❸ (*euph: Konzentrations~*) concentration camp ❹ (*ideologische Gruppierung*) camp ❺ TECH bearing

La·ger·be·stand *m* HANDEL stock [on hand] **La·ger·feu·er** *nt* campfire **La·ger·hal·le** *f* warehouse **La·ger·hal·tung** *f* storekeeping **La·ger·haus** *nt* warehouse

La·ge·rist(in) <-en, -en> [la:gə'rɪst] *m(f)* (*geh*) store supervisor

la·gern ['la:gɐn] **I.** *vt* ❶ (*aufbewahren*) to store ❷ MED to lay; **die Beine hoch ~** to lie with one's legs up **II.** *vi* ❶ (*aufbewahrt werden*) **dunkel/kühl ~** to be stored in the dark/a cold place ❷ (*liegen*) to lie (**auf** on) ❸ (*sich niederlassen*) to camp

La·ger·raum *m* ❶ (*Raum*) storeroom ❷ (*Fläche*) storage space **La·ger·stät·te** *f* ❶ (*geh: Schlafstätte*) bed ❷ GEOL deposit

La·ge·rung <-, -en> *f* ❶ (*das Lagern*) warehousing ❷ TECH (*Lager 5*) bearing

La·gu·ne <-, -n> [la'gu:nə] *f* lagoon

lahm [la:m] *adj* ❶ (*gelähmt*) *Arm, Bein* lame ❷ (*fam: steif*) stiff ❸ (*fam: ohne Schwung arbeitend*) sluggish ❹ (*fam: schwach*) lame; *Erklärung* feeble

Lahm·arsch *m* (*derb*) slowcoach BRIT, slowpoke AM **lahm·ar·schig** *adj* (*sl*) bloody idle BRIT, extremely slow AM

lah·men ['la:mən] *vi* (*lahm sein*) to be lame (**auf** in)

läh·men ['lɛ:mən] *vt* to paralyse

lahm│le·gen *vt* ■**etw ~** to bring sth to a standstill

Läh·mung <-, -en> *f* paralysis

Laib <-[e]s, -e> [laip, *pl* 'laibə] *m bes* SÜDD loaf; (*Käse*) block

Laich <-[e]s, -e> [laiç] *m* spawn

lai·chen ['laiçn] *vi* to spawn

Laie, Lai·in <-, -n> ['laiə, 'laiɪn] *m, f* ❶ (*kein Experte*) layman ❷ REL lay person

Lai·en·dar·stel·ler(in) *m(f)* amateur actor [*or fem* actress]

lai·en·haft *adj* amateurish

Lai·en·spiel *nt* amateur play

Lai·in <-, -nen> *f fem form von* **Laie**

La·kai <-en, -en> [la'kai] *m* (*pej geh*) lackey

La·ke <-, -n> ['la:kə] *f* brine

La·ken <-s, -> ['la:kn̩] *nt* sheet

la·ko·nisch [la'ko:nɪʃ] *adj* laconic

La·krit·ze <-, -n> [la'krɪtsə] *f,* **La·kritz** <-es, -e> [la'krɪts] *m* DIAL liquorice

lal·len ['lalən] *vi, vt* to slur

La·ma¹ <-s, -s> ['la:ma] *nt* ZOOL llama

La·ma² <-[s], -s> ['la:ma] *m* REL lama

La·mäng <-> [la'mɛŋ] *f kein pl* ■**aus der ~** (*hum fam*) off the top of one's head

La·mel·le <-, -n> [la'mɛlə] *f* ❶ (*dünne Platte*) slat ❷ (*Segment*) rib ❸ BOT lamella

la·men·tie·ren* [lamɛn'ti:rən] *vi* (*geh*) to complain (**wegen/über** about)

La·men·to <-s, -s> [la'mɛnto] *nt* (*geh*) lament

La·met·ta <-s> [la'mɛta] *nt kein pl* tinsel

Lamm <-[e]s, Lämmer> [lam, *pl* 'lɛmɐ] *nt* (*a. Fleisch*) lamb

Lamm·fell *nt* lambskin **Lamm·fleisch** *nt* lamb **lamm·fromm** *adj* as meek as a lamb **Lamm·ko·te·lett** *nt* KOCHK lamb chop

Lam·pe <-, -n> ['lampə] *f* lamp

Lam·pen·fie·ber *nt* stage fright **Lam·pen·schirm** *m* lampshade

Lam·pi·on <-s, -s> [lam'pjɔŋ, 'lampjɔŋ] *m* Chinese lantern

lan·cie·ren* [lã'si:rən] *vt* (*geh*) ❶ (*publik werden lassen*) *Nachricht* to leak ❷ (*auf den Markt bringen*) to launch ❸ (*Person*) to place

Land <-[e]s, Länder> [lant, *pl* 'lɛndɐ] *nt* ❶ (*Staat*) country, state, nation; **andere Länder, andere Sitten** every country has its own customs ❷ (*Bundes~*) federal state ❸ NAUT land; **~ in Sicht!** land ahoy!; **an ~ gehen** to go ashore; **jdn/etw an ~ zie·hen** to pull sb/sth ashore; (*fig fam*) to land sth ❹ *kein pl* (*Gelände*) land ❺ *kein pl* (*ländliche Gegend*) country *no pl*; **auf dem ~[e]** in the country

Land·adel *m* [landed] gentry **Land·ar·beit** *f kein pl* agricultural work *no pl, no indef art* **Land·ar·bei·ter(in)** *m(f)* farm hand

land·auf [lant'ʔauf] *adv* (*geh*) **~, landab** the length and breadth of the country

Land·be·sitz *m* landed property **Land·be·völ·ke·rung** *f* rural population

Lan·de·bahn *f* runway **Lan·de·er·laub·nis** *f* permission to land

land·ein·wärts [lant'?ạinvɛrts] *adv* inland
Lạn·de·klap·pe *f* [landing] flap
lan·den ['landn̩] I. *vi sein* ❶ (*niedergehen*) *Flugzeug, Raumschiff, Vogel* to land (**auf** on) ❷ NAUT to land ❸ (*fam: hingelangen o enden*) to end up ❹ (*fam: verbunden werden*) to get through (**bei** to) ❺ (*fam: Eindruck machen*) **mit deinen Schmeicheleien kannst du bei mir nicht ~** your flattery won't get you very far with me II. *vt haben* LUFT, MIL to land
Lạn·de·platz *m* ❶ (*kleiner Flugplatz*) airstrip ❷ (*Landungsplatz*) landing place ❸ NAUT quay
Län·de·rei·en [lɛndə'rạiən] *pl* estates *pl*
Län·der·spiel *nt* international [match]
Lạn·des·ebe·ne *f* regional state level (**auf** at) **Lạn·des·far·ben** *pl* ❶ (*eines Staates*) national colours ❷ (*eines Bundeslandes*) regional state colours **Lạn·des·gren·ze** *f* ❶ (*Staatsgrenze*) frontier ❷ (*Grenze eines Bundeslandes*) federal state boundary **Lạn·des·haupt·mann** *m* ÖSTERR *head of a provincial government* **Lạn·des·haupt·stadt** *f* state capital **Lạn·des·in·ne·re(s)** *nt* interior **Lạn·des·kun·de** *f kein pl* regional studies *pl* **Lạn·des·meis·ter(in)** *m(f)* national champion **Lạn·des·rat, -rä·tin** *m, f* ÖSTERR *member of the government of a province* **Lạn·des·re·gie·rung** *f* state government **Lạn·des·spra·che** *f* national language **Lạn·des·teil** *m* region **Lạn·des·tracht** *f* national costume **lạn·des·üb·lich** *adj* customary **Lạn·des·ver·rat** *m* treason **Lạn·des·wäh·rung** *f* domestic currency
Lạn·de·ver·bot *nt* **~ haben** to be refused permission to land
Lạnd·flucht *f* rural exodus **Lạnd·frie·dens·bruch** *m* breach of the public peace **Lạnd·gang** <-gänge> *m* NAUT shore leave **Lạnd·ge·richt** *nt* district court **Lạnd·gut** *nt* estate **Lạnd·haus** *nt* country house **Lạnd·kar·te** *f* map **Lạnd·kreis** *m* administrative district
lạnd·läu·fig *adj* generally accepted; *Ansicht* popular
Lạnd·le·ben *nt* country life
länd·lich ['lɛntlɪç] *adj* rural; *Idylle* pastoral
Lạnd·luft *f* country air **Lạnd·pla·ge** *f* (*pej*) plague **Lạnd·rat, -rä·tin** *m, f* ❶ BRD *administrative head of a district* (*Landkreis*) ❷ SCHWEIZ *parliament of a canton* **Lạnd·rats·amt** *nt* district administration **Lạnd·rat·te** *f* (*hum fam*) landlubber *dated*
Lạnd·schaft <-, -en> ['lantʃaft] *f* ❶ (*Gegend*) scenery ❷ (*Gemälde einer ~*) landscape

lạnd·schaft·lich I. *adj* scenic II. *adv* scenically
Lạnd·schafts·gärt·ner(in) *m(f)* landscape gardener
Lạnd·schafts·schutz *m* ÖKOL protection of the countryside **Lạnd·schafts·schutz·ge·biet** *nt* conservation area
Lạnd·sitz *m* country estate
Lạnds·mann, Lạnds·män·nin <-leute> *m, f* compatriot
Lạnd·stra·ße ['lantʃtraːsə] *f* secondary road **Lạnd·strei·cher(in)** <-s, -> *m(f)* tramp **Lạnd·streit·kräf·te** *pl* land [*or* ground] forces *pl* **Lạnd·strich** *m* area **Lạnd·tag** *m* federal state parliament
Lạn·dung <-, -en> *f a.* MIL landing
Lạn·dungs·brü·cke *f* pier
Lạnd·ur·laub *m* shore leave **Lạnd·ver·mes·sung** *f* [land] surveying **Lạnd·weg** *m* overland route (**auf** by) **Lạnd·wein** *m* ordinary wine from the locality **Lạnd·wirt(in)** *m(f)* farmer **Lạnd·wirt·schaft** *f* ❶ *kein pl* (*bäuerliche Tätigkeit*) agriculture *no pl* ❷ (*landwirtschaftlicher Betrieb*) farm **lạnd·wirt·schaft·lich** I. *adj* agricultural; **~er Betrieb** farm II. *adv* agriculturally **Lạnd·zun·ge** *f* headland
lang <länger, längste> [laŋ] I. *adj* ❶ (*räumlich ausgedehnt*) long ❷ (*zeitlich ausgedehnt*) long; **bleibst du noch ~ in Stuttgart?** are you staying in Stuttgart for long?; **ich weiß das schon ~** I've known that for a long time ❸ (*fam: groß gewachsen*) tall II. *adv* ❶ (*eine lange Dauer*) long; **die Verhandlungen ziehen sich schon ~e hin** negotiations have been dragging on for a long time; **wir können hier nicht länger bleiben** we can't stay here any longer; **es nicht mehr ~[e] machen** (*sl*) to not last much longer; **wo bist du denn so ~e geblieben?** where have you been all this time?; **da kannst du ~[e] warten!** (*iron*) you can whistle for it ❷ (*für die Dauer von etw*) **sie hielt einen Moment ~ inne** she paused for a moment ❸ (*der Länge nach*) **~ gestreckt** long; **~ gezogen** prolonged
lạng·är·me·lig *adj*, **lạng·ärm·lig** *adj* long-sleeved **lạng·at·mig** *adj* (*pej*) long-winded **lạng·bei·nig** *adj* long-legged
lan·ge ['laŋə] *adv s.* **lang** II 1
Län·ge <-, -n> ['lɛŋə] *f* ❶ (*räumliche Ausdehnung*) length; **in die ~ wachsen** to shoot up; **die Frau fiel der ~ nach hin** the woman fell flat on her face; **ich benötige Pfähle von drei Metern ~** I need

posts three metres in length ❷ (*zeitliche Ausdehnung*) length, duration; **in voller ~** in its entirety; **sich in die ~ ziehen** to drag on ❸ (*fam: Größe*) height ❹ SPORT length ❺ LIT, MEDIA (*langatmige Stelle*) long-drawn-out passage; FILM long-drawn-out scene ❻ (*Abstand vom Nullmeridian*) longitude; **die Insel liegt 38° östlicher ~** the longitudinal position of the island is 38° east

lan·gen ['laŋən] I. *vi* (*fam*) ❶ ([*aus*]*reichen*) ■|jdm| ~ to be enough [for sb] ❷ (*sich erstrecken*) **der Vorhang langt bis ganz zum Boden** the curtain reaches right down to the floor ❸ (*fassen*) **lange bloß nicht mit der Hand an die Herdplatte** make sure you don't touch the hotplate with your hand; **ich kann mit der Hand bis ganz unter den Schrank ~** I can reach right under the cupboard with my hand ❹ DIAL (*auskommen*) **mit dem Brot ~ wir bis morgen** the bread will last us until tomorrow ❺ *impers* (*fam*) **jetzt langt's aber!** I've just about had enough! II. *vt* (*fam*) (*reichen*) ■jdm etw ~ to hand sb sth ► jdm <u>eine</u> ~ (*fam*) to give sb a clip round the ear [*or* AM on the ears]

Län·gen·ein·heit *f* linear measure **Län·gen·grad** *m* degree of longitude **Län·gen·maß** *nt* linear measure

län·ger ['lɛŋɐ] *adj, adv s.* **lang, lange**

län·ger·fris·tig I. *adj* fairly long-term II. *adv* on a fairly long-term basis

Lan·ge·wei·le <*gen* – *gen*, *dat* Langenweile> ['laŋəvaɪlə] *f kein pl* boredom *no pl*; **~ haben** to be bored

Lang·fin·ger ['laŋfɪŋɐ] *m* (*hum*) pickpocket **lang·fris·tig** I. *adj* long-term II. *adv* on a long-term basis **lang|ge·hen** ['laŋgeːən] *vi irreg sein* (*fam*) **~ to go** along somewhere **lang·haa·rig** *adj* long-haired **lang·jäh·rig** *adj* of many years' standing; *Freundschaft* long-standing **Lang·lauf** *m kein pl* cross-country skiing *no pl*

lang·le·big *adj* ❶ (*lange lebend*) long-lived ❷ (*lange Zeit zu gebrauchen*) long-lasting ❸ (*hartnäckig*) persistent

Lang·le·big·keit <-> *f kein pl* ❶ (*Anlage für langes Leben*) longevity ❷ (*lange Gebrauchsfähigkeit*) durability ❸ (*Hartnäckigkeit*) persistence

lang|le·gen *vr* (*fam*) ■sich ~ ❶ (*hinfallen*) to fall flat on one's face ❷ (*sich niederlegen*) to lie down

läng·lich ['lɛŋlɪç] *adj* longish

Lang·mut <-> *f kein pl* (*geh*) forbearance *no pl*

lang·mü·tig I. *adj* (*geh*) forbearing, patient II. *adv* patiently

längs [lɛŋs] I. *präp +gen* ■~ einer S. *gen* along sth, alongside [of] sth II. *adv* (*der Länge nach*) lengthways; ~ **gestreift** with vertical stripes

lang·sam ['laŋzaːm] I. *adj* ❶ (*nicht schnell*) slow ❷ (*allmählich*) gradual II. *adv* ❶ (*nicht schnell*) slowly ❷ (*fam: allmählich*) gradually; **es ist ~ an der Zeit, dass wir uns auf den Weg machen** it's about time we were thinking of going ► ~, **aber** <u>sicher</u> slowly but surely

Lang·sam·keit <-> *f kein pl* slowness *no pl*

Lang·schlä·fer(in) *m(f)* late riser

Lang·spiel·plat·te *f* long-playing record, LP

Längs·schnitt *m* longitudinal section

längst [lɛŋst] *adv* ❶ (*lange*) long since, for a long time ❷ (*bei weitem*) **das ist ~ nicht alles** that's not everything by a long shot

längs·te(r, s) *adj, adv superl von* **lang**

längs·tens ['lɛŋstn̩s] *adv* ❶ (*höchstens*) at the most ❷ (*spätestens*) at the latest

Lang·stre·cken·flug *m* long-haul flight **Lang·stre·cken·lauf** *m* long-distance race

Lan·gus·te <-, -n> [laŋˈgʊstə] *f* crayfish

lang·wei·len ['laŋvaɪlən] I. *vt* to bore II. *vi* (*pej*) to be boring III. *vr* ■sich ~ to be bored

Lang·wei·ler(in) <-s, -> *m(f)* (*pej fam*) ❶ (*jd, der langweilt*) bore ❷ (*langsamer Mensch*) slowcoach BRIT, slowpoke AM

lang·wei·lig ['laŋvaɪlɪç] I. *adj* boring II. *adv* boringly

Lang·wel·le *f* long wave

lang·wie·rig ['laŋviːrɪç] *adj* long-drawn-out

Lang·zeit·ar·beits·lo·se(r) *f(m) dekl wie adj* long-term unemployed person **Lang·zeit·ar·beits·lo·sig·keit** *f* long-term unemployment **Lang·zeit·ge·dächt·nis** *nt* long-term memory **Lang·zeit·stu·dent(in)** *m(f)* long-term student, eternal student *fam* **Lang·zeit·stu·die** *f* long-term study

La·no·lin <-s> [lanoˈliːn] *nt kein pl* CHEM lanolin

Lan·ze <-, -n> ['lantsə] *f* lance

la·pi·dar [lapiˈdaːɐ̯] *adj* (*geh*) terse

Lap·pa·lie <-, -n> [laˈpaːli̯ə] *f* trifle

Lap·pe, Lap·pin <-n, -n> ['lapə, 'lapɪn] *m, f* Laplander; *s. a.* **Deutsche(r)**

Lap·pen <-s, -> ['lapn̩] *m* ❶ (*Stück Stoff*) rag ❷ (*sl: Banknote*) note; *pl* (*Moneten*) dough *no pl, no indef art* ► jdm durch die

~ gehen (*fam*) to slip through sb's fingers

läp·pern ['lɛpɐn] *vr impers* (*fam*) ■**sich ~** to add up

lap·pig ['lapɪç] *adj* ❶ (*fam: schlaff*) limp ❷ (*dünn*) flimsy ❸ (*fam*) **~e 10 Euro** a measly 10 euros

läp·pisch ['lɛpɪʃ] **I.** *adj* ❶ (*fam: lächerlich*) ridiculous ❷ (*pej: albern*) silly **II.** *adv* (*pej*) in a silly manner

lap·pisch ['lapɪʃ] *adj* Lapp; *s. a.* **deutsch**

Lapp·land <-[e]s> ['laplant] *nt* Lapland; *s. a.* **Deutschland**

Lap·sus <-, -> ['lapsʊs] *m* (*geh*) mistake

Lap·top <-s, -s> ['lɛptɔp] *m* laptop

Lär·che <-, -n> ['lɛrçə] *f* larch

La·ri·fa·ri <-s> [lari'faːri] *nt kein pl* (*pej fam*) nonsense *no pl*

Lärm <-[e]s> [lɛrm] *m kein pl* noise; **~ machen** to make a noise ▶**viel ~ um nichts [machen]** [to make] a lot of fuss about nothing

Lärm·be·kämp·fung *f* noise abatement **Lärm·be·läs·ti·gung** *f* noise pollution **lärm·emp·find·lich** *adj* sensitive to noise

lär·men ['lɛrmən] *vi* to make noise

lär·mend I. *adj* noisy; *Menge* raucous **II.** *adv* noisily

Lärm·ku·lis·se *f* background noise **Lärm·pe·gel** *m* noise level **Lärm·schutz** *m* protection against noise

Lar·ve <-, -n> ['larfə] *f* (*Insektenlarve*) larva, grub

las [laːs] *imp von* **lesen**

La·sa·gne <-, -> [la'zanjə] *f* lasagne

lasch [laʃ] **I.** *adj* (*fam*) ❶ (*schlaff*) feeble; *Händedruck* limp ❷ (*nachsichtig*) lax ❸ KOCHK insipid **II.** *adv* (*fam: schlaff*) limply

La·sche <-, -n> ['laʃə] *f* flap; (*Kleidung*) loop

La·ser <-s, -> ['leːzɐ, 'leɪzɐ] *m* laser

La·ser·dru·cker *m* laser printer **La·ser·strahl** *m* laser beam

las·sen <lässt, ließ, gelassen> ['lasn̩] **I.** *vt* ❶ (*unter~*) to stop; **wirst du das wohl ~!** will you stop that!; **lass das, ich mag das nicht!** stop it, I don't like it!; **wenn du keine Lust dazu hast, dann ~ wir es eben** if you don't feel like it we won't bother; **wenn du keine Lust dazu hast, dann lass es doch** if you don't feel like it, then don't do it; **es nicht ~ können** not to be able to stop it ❷ (*zurück~*) ■**jdn/etw irgendwo ~** to leave sb/sth somewhere; **etw hinter sich** *dat* **~** to leave sth behind one ❸ (*über~, behalten*) ■**jdm etw ~** to let sb have sth ❹ (*gehen ~*) **lass den Hund nicht nach draußen** don't let the dog go outside; **mit 13 lasse ich meine Tochter nicht in die Disko** I wouldn't let my daughter go to a disco at 13 ❺ (*in einem Zustand ~*) **jdn ohne Aufsicht ~** to leave sb unsupervised; **~ wir's dabei** let's leave it at that; **etw ~, wie es ist** to leave sth as it is ❻ (*fam: los~*) ■**jdn/etw ~** to let sb/sth go ❼ (*in Ruhe ~*) ■**jdn ~** to leave sb alone ❽ (*gewähren ~*) **Mama, ich möchte so gerne auf die Party gehen, lässt du mich?** Mum, I really want to go to the party, will you let me? ❾ (*hinein~*) **kannst du das Wasser schon mal in die Wanne ~?** can you run a bath for me?; **frische Luft ins Zimmer ~** to let a bit of fresh air into the room ❿ (*hinaus~*) **sie haben mir die Luft aus den Reifen gelassen!** they've let my tyres down! ⓫ (*zugestehen*) **eines muss man ihm ~, er versteht sein Handwerk** you've got to give him one thing, he knows his job ▶**einen ~** (*fam*) to let one rip **II.** *vb aux* <lässt, ließ, lassen> ❶ (*veran~*) ■**jdn etw tun ~** to have sb do sth; **sie wollen alle ihre Kinder studieren ~** they want all of their children to study; **wir sollten den Arzt kommen ~** we ought to send for the doctor; **~ Sie Herrn Braun hereinkommen** send Mr. Braun in; **der Chef hat es nicht gerne, wenn man ihn warten lässt** the boss doesn't like to be kept waiting; **die beiden werden sich wohl scheiden ~** the two will probably get a divorce; **ich muss mir einen Zahn ziehen ~** I must have a tooth pulled; **ich lasse mir die Haare schneiden** I'm having my hair cut; **jdn kommen ~** to send for sb; ■**etw machen ~** to have sth done; **etw reparieren ~** to have sth repaired ❷ (*zu~*) ■**jdn etw tun ~** to let sb do sth; **lass sie gehen!** let her go!; **lass mich doch bitte ausreden!** let me finish speaking, please!; **ich lasse mich nicht länger von dir belügen!** I won't be lied to by you any longer!; **er lässt sich nicht so leicht betrügen** he won't be taken in so easily; **du solltest dich nicht so behandeln ~** you shouldn't allow yourself to be treated like that; **das lasse ich nicht mit mir machen** I won't stand for it!; **viel mit sich machen ~** to put up with a lot ❸ (*be~*) **das Wasser sollte man eine Minute kochen ~** the water should be allowed to boil for a minute; **man sollte die Maschine nicht zu lange laufen ~** the machine shouldn't be allowed to run too long; **er lässt sich zurzeit einen Bart wachsen** he's growing a beard at the moment ❹ (*Möglichkeit ausdrückend*) **das lässt sich machen!** that can be done!; **dieser Witz lässt sich nicht ins Deutsche übersetzen** this joke cannot be translated into German; **dass sie daran beteiligt war, wird sich nicht leicht beweisen ~** it will not be easy to prove that she was involved ❺ *als Imperativ* **lass uns jetzt lieber gehen** let's go now; **lasset uns beten** let us pray; **lass dich hier nie wieder blicken!** don't ever show your face around here again!; **~ Sie sich das gesagt sein, so etwas dulde ich nicht** let me tell you that I won't tolerate anything like that; **lass dich bloß nicht von ihm ärgern** just don't let him annoy you; **lass dir darüber keine grauen Haare wachsen** don't get any grey hairs over it **III.** *vi* <lässt, ließ, gelassen> *(ablassen)* **sie ist so verliebt, sie kann einfach nicht von ihm ~** she is so in love, she simply can't part from him; **~ Sie mal!** that's all right!; **vom Alkohol ~** to give up alcohol

läs·sig ['lɛsɪç] **I.** *adj* ❶ *(ungezwungen)* casual ❷ *(fam: leicht)* **die Fragen waren total ~!** the questions were dead easy! **II.** *adv* ❶ *(ungezwungen)* casually; **du musst das ~er sehen** you must take a more casual view ❷ *(fam: mit Leichtigkeit)* no problem; **das schaffen wir ~!** we'll manage that easily!

Läs·sig·keit <-> *f kein pl* casualness *no pl*

Las·so <-s, -s> ['laso] *m o nt* lasso

Last <-, -en> [last] *f* ❶ *(zu tragender Gegenstand)* load ❷ *(schweres Gewicht)* weight ❸ *(Bürde)* burden ❹ *pl (finanzielle Belastung)* burden; **zu jds ~en gehen** to be charged to sb ▸ **jdm zur ~ fallen** to become a burden on sb; **jdm etw zur ~ legen** to accuse sb of sth

las·ten ['lastn̩] *vi* ❶ *(als Last liegen auf)* ▪ **auf etw** *dat* **~** to rest on sth ❷ *(eine Bürde sein)* ▪ **auf jdm ~** to rest with sb ❸ *(stark belasten)* ▪ **auf etw** *dat* **~** to weigh heavily on sth

Las·ten·auf·zug *m* goods lift Brit, freight elevator Am

las·tend *adj (geh)* oppressive

Las·ter¹ <-s, -> ['lastɐ] *m (fam: Lastwagen)* lorry Brit, truck Am

Las·ter² <-s, -> ['lastɐ] *nt (schlechte Gewohnheit)* vice

Läs·te·rer, Läs·te·rin <-s, -> ['lɛstərɐ, 'lɛstərɪn] *m, f* detractor *form,* knocker *sl*

las·ter·haft *adj (geh)* depraved

Las·ter·höh·le *f (pej fam)* den of vice

Läs·te·rin <-, -nen> *f fem form von* **Lästerer**

Läs·ter·maul *nt (pej fam) s.* **Lästerer**

läs·tern ['lɛstɐn] *vi* to make disparaging remarks (**über** about)

läs·tig ['lɛstɪç] *adj* ❶ *(unangenehm)* Husten, Kopfschmerzen etc. irritating ❷ *(störend)* annoying; **wird dir der Gipsverband nicht ~?** don't you find the plaster cast a nuisance? ❸ *(nervend, aufdringlich)* Mensch annoying; **du wirst mir allmählich ~!** you're beginning to become a nuisance!; **jdm ~ sein/fallen** *(geh)* to annoy sb

Last·kahn *m* barge

Last·kraft·wa·gen *m (geh) s.* **Lastwagen**

Last-Mi·nute-Flug [laːstˈmɪnɪt-] *m* last-minute flight

Last·tier *nt* pack animal **Last·wa·gen** *m* lorry Brit, truck Am **Last·zug** *m* lorry with trailer

La·sur <-, -en> [laˈzuːɐ̯] *f* [clear] varnish

las·ziv [lasˈtsiːf] **I.** *adj (geh)* ❶ *(sexuell herausfordernd)* lascivious ❷ *(anstößig)* rude **II.** *adv (geh)* lasciviously

La·tein <-s> [laˈtain] *nt* Latin ▸ **mit seinem ~ am Ende sein** to be at one's wits' end

La·tein·ame·ri·ka *nt* Latin America; *s. a.* **Deutschland La·tein·ame·ri·ka·ner(in)** <-s, -> *m(f)* Latin American; *s. a.* **Deutsche(r) la·tein·ame·ri·ka·nisch** *adj* Latin American; *s. a.* **deutsch**

la·tei·nisch *adj* Latin; **auf L~** in Latin

la·tent [laˈtɛnt] **I.** *adj (geh)* latent **II.** *adv (geh)* latently

La·ter·ne <-, -n> [laˈtɛrnə] *f* ❶ *(Straßen~)* streetlamp ❷ *(Lichtquelle mit Schutzgehäuse)* lantern ❸ *(Lampion)* Chinese lantern

La·ter·nen·pfahl *m* lamppost

La·tex <-, Latizes> ['laːtɛks, *pl* 'laːtitseːs] *m* latex

La·tri·ne <-, -n> [laˈtriːnə] *f* latrine

Lat·sche <-, -n> ['laːtʃə] *f s.* **Latschenkiefer**

lat·schen ['laːtʃn̩] *vi sein (fam)* ❶ *(schwerfällig gehen)* to trudge; *(lässig gehen)* to wander; *(unbedacht gehen)* to clump ❷ DIAL *(eine Ohrfeige geben)* ▪ **jdm eine ~** to give sb a smack round the head Brit, to slap sb in the face Am

Lat·schen <-s, -> ['laːtʃn̩] *m (fam)* ❶ *(ausgetretener Hausschuh)* worn-out slipper ❷ *(pej: ausgetretener Schuh)* worn-out shoe ▸ **aus den ~ kippen** *(fam)* to keel over; *(sehr überrascht sein)* to be bowled over

Lat·schen·kie·fer *f* mountain pine

Lat·te <-, -n> ['latə] *f* ❶ *(kantiges Brett)* slat ❷ SPORT bar ❸ *(Tor~)* crossbar ❹ *(sl:*

erigierter Penis) stiffy BRIT, woody AM
▸ **eine ganze ~ von etw** *dat* a load of sth;
eine lange ~ beanpole
Lat·ten·rost *m* slatted frame; (*auf dem
Boden*) duckboards *pl* **Lat·ten·zaun** *m*
picket fence
Lat·tich <-s, -e> ['latɪç] *m* lettuce
Latz <-es, Lätze *o* ÖSTERR -e> [lats, *pl*
'lɛtsə] *m* ❶ (*Hosen~*) flap ❷ (*Tuch zum
Vorbinden*) bib
Lätz·chen <-s, -> ['lɛtsçən] *nt dim von*
Latz bib
Latz·ho·se *f* dungarees *npl*
lau [laʊ] *adj* ❶ (*mild*) mild ❷ (*lauwarm*)
lukewarm; (*mäßig*) moderate ❸ (*halbher-
zig*) half-hearted
Laub <-[e]s> [laʊp] *nt kein pl* foliage *no
pl, no indef art*
Laub·baum *m* deciduous tree
Lau·be <-, -n> ['laʊbə] *f* (*Häuschen*) arbour
Laub·frosch *m* tree frog **Laub·sä·ge** *f*
fretsaw **Laub·wald** *m* deciduous forest
Lauch <-[e]s, -e> [laʊx] *m* leek
Lau·er <-> ['laʊɐ] *f* **auf der ~ liegen** to lie
in wait
lau·ern ['laʊɐn] *vi* ❶ (*in einem Versteck
warten*) to lie in wait (**auf** for); **die Löwen
umkreisten ~d die Herde** the lions
lurked around the herd ❷ (*fam*) **die anderen lauerten nur darauf, dass sie einen
Fehler machte** the others were just waiting for her to make a mistake
Lauf <-[e]s, Läufe> [laʊf, *pl* 'lɔyfə] *m*
❶ *kein pl* (*das Laufen*) run ❷ SPORT (*Durchgang*) round; (*Rennen*) heat ❸ *kein pl*
(*Maschine*) **der Motor hat einen unru-
higen ~** the engine is not running smoothly ❹ *kein pl eines Flusses* course; *eines
Sterns* path ❺ (*Ver~, Entwicklung*) course;
das ist der ~ der Dinge that's the way
things go; **seinen ~ nehmen** to take its
course; **im ~e einer Sache** *gen* in the
course of sth; **im ~e der Jahrhunderte**
over the centuries ❻ (*Gewehr~*) barrel
▸ **einer S.** *dat* **freien ~ lassen** to give free
rein to sth; **lasst eurer Fantasie freien ~**
let your imagination run wild; **man sollte
den Dingen ihren ~ lassen** one should
let things take their course
Lauf·bahn *f* career **Lauf·bur·sche** *m*
❶ (*veraltend: Bote*) errand boy ❷ (*pej:
Lakai*) flunk[e]y
lau·fen <läuft, lief, gelaufen> ['laʊfn̩] **I.** *vi*
sein ❶ (*rennen*) to run ❷ (*fam: gehen*) to
go; **seit dem Unfall läuft er mit Krücken** since the accident he gets around on
crutches; **mir sind Kühe vors Auto**
gelaufen cows ran in front of my car ❸ (*zu
Fuß gehen*) to walk ❹ (*gehend an etw stoßen*) **ich bin an einen Pfosten gelaufen**
I walked into a post ❺ (*fließen*) to run;
**lass bitte schon einmal Wasser in die
Badewanne ~** start filling the bath please;
jdm eiskalt über den Rücken ~ (*fig*) a
chill runs up sb's spine ❻ SPORT to run
❼ (*funktionieren*) to work; *Getriebe,
Maschine, Motor* to run; (*eingeschaltet
sein*) to be on ❽ FILM, THEAT (*gezeigt werden*) to be on ❾ (*gültig sein*) to run ❿ (*seinen Gang gehen*) to go; **„was macht das
Geschäft?" — „es könnte besser ~"**
"how's business?" — "could be better";
wie läuft es? how's it going?; **läuft etwas
zwischen euch?** is there anything going
on between you? ⓫ (*geführt werden*)
diese Einnahmen ~ unter „Diverses"
this income comes under the category of
"miscellaneous"; **auf jds Namen ~** to be
issued in sb's name ⓬ (*gut verkäuflich
sein*) **das neue Produkt läuft gut/nicht
so gut** the new product is selling well/not
selling well ▸ **die Sache ist gelaufen** it's
too late now; **das läuft bei mir nicht!** I'm
not having that! **II.** *vt sein o haben* ❶ SPORT
to run; *einen Rekord* to set ❷ (*zurücklegen*) **er will den Marathon in drei Stunden ~** he wants to run the marathon in
three hours **III.** *vr impers haben* **mit diesen Schuhen wird es sich besser ~**
walking will be easier in these shoes; **auf
dem Teppichboden läuft es sich weicher als auf dem Fliesen** a carpet is
softer to walk on than tiles
lau·fend I. *adj attr* ❶ (*geh: derzeitig*) current ❷ (*ständig*) constant ▸ **jdn [über etw
akk] auf dem L~en halten** to keep sb up-
to-date [about sth]; **mit etw** *dat* **auf dem
L~en sein** to be up-to-date with sth **II.** *adv*
(*fam*) constantly
Läu·fer <-s, -> ['lɔyfɐ] *m* ❶ SCHACH bishop
❷ (*Teppich*) runner
Läu·fer(in) <-s, -, -nen> ['lɔyfɐ] *m(f)* runner
Lauf·feu·er *nt* ▸ **sich wie ein ~ verbreiten** to spread like wildfire
läu·fig ['lɔyfɪç] *adj* on heat
Lauf·kund·schaft *f kein pl* passing trade
no pl **Lauf·ma·sche** *f* ladder **Lauf·
pass**ᴿᴿ, **Lauf·paß**ᴬᴸᵀ *m kein pl* ▸ **jdm
den ~ geben** (*fam*) to give sb their marching orders **Lauf·schritt** *m* **im ~** at a run;
MIL at the double **Lauf·stall** *m* playpen
Lauf·steg *m* catwalk **Lauf·werk** *nt*
Maschine drive mechanism; *Uhr* clockwork; *Computer* disc drive **Lauf·zeit** *f*

term

Lau·ge <-, -n> ['laʊɡə] f ❶ (Seifen~) soapy water ❷ (wässrige Lösung einer Base) lye

Lau·ne <-, -n> ['laʊnə] f ❶ (Stimmung) mood; **schlechte/gute ~ haben** to be in a bad/good mood; **seine ~n an jdm auslassen** to take one's temper out on sb ❷ (abwegige Idee) whim; **aus einer ~ heraus** on a whim

lau·nen·haft adj ❶ (kapriziös) moody ❷ Wetter unsettled

lau·nig <-er, -ste> ['laʊnɪç] adj (veraltend) witty

lau·nisch ['laʊnɪʃ] adj s. **launenhaft**

Laus <-, Läuse> [laʊs, pl 'lɔʏzə] f ❶ (Blut saugendes Insekt) louse ❷ (Blatt~) aphid ▶ **jdm ist eine ~ über die** Leber **gelaufen** (fam) sb got out of the wrong side of bed

Laus·bub m SÜDD (fam) rascal

lau·schen ['laʊʃn̩] vi ❶ (heimlich zuhören) to eavesdrop ❷ (geh: zuhören) to listen

Lau·scher <-s, -> ['laʊʃe] m JAGD ear; **sperr deine ~ auf!** (fig fam) listen up! fam

Lau·scher(in) <-s, -> ['laʊʃe] m(f) eavesdropper

lau·schig ['laʊʃɪç] adj (veraltend: gemütlich) snug

Lau·se·ben·gel m (veraltend fam) s. **Lausbub**

lau·sen ['laʊzn̩] vt to delouse

lau·sig ['laʊzɪç] I. adj (pej fam) ❶ (entsetzlich) Arbeit, Zeiten etc. awful ❷ (geringfügig) measly II. adv (pej fam) ❶ (entsetzlich) terribly ❷ (lumpig) lousily

laut¹ [laʊt] I. adj ❶ (weithin hörbar) loud; Farben loud; **musst du immer gleich ~ werden?** do you always have to blow your top right away?; **etw ~er stellen** to turn up sep sth ❷ (voller Lärm) noisy ▶ **etw ~ werden** lassen to make sth known II. adv (weithin hörbar) loudly; **kannst du das ~er sagen?** can you speak up?; **~ denken** to think out loud; **sag das nicht ~!** don't let anyone hear you say that!

laut² [laʊt] präp +gen o dat **~ Zeitungsberichten ...** according to newspaper reports ...

Laut <-[e]s, -e> [laʊt] m noise; **keinen ~ von sich geben** to not make a sound

Lau·te <-, -n> ['laʊtə] f lute

lau·ten ['laʊtn̩] vi ❶ (zum Inhalt haben) to read; **wie lautet der letzte Absatz?** how does the final paragraph go?; **die Anklage lautete auf Erpressung** the charge is blackmail ❷ (ausgestellt sein) ■**auf jdn/**

jds Namen ~ to be in sb's name

läu·ten ['lɔʏtn̩] I. vi Klingel, Telefon to ring; Glocke a. to chime; (feierlich) to toll; ■**nach jdm ~** to ring for sb ▶**ich habe davon ~** gehört, dass ... I have heard rumours that ... II. vi impers ■**es läutet** ❶ DIAL (Glocken ertönen) the bell is/bells are ringing ❷ (die Türklingel/Schulglocke ertönt) the bell is ringing; **es hat geläutet** there was a ring at the door; **es läutet sechs Uhr** the clock's striking six

lau·ter¹ ['laʊte] adj just; **das sind ~ Lügen** that's nothing but lies; **vor ~ ...** because of ...

lau·ter² ['laʊte] adj (geh: aufrichtig) sincere

läu·tern ['lɔʏten] vt (geh) to reform

Läu·te·rung <-, -en> f (geh) reformation

laut·hals ['laʊthals] adv at the top of one's voice pred

Laut·leh·re f kein pl phonetics + sing vb

laut·lich ['laʊtlɪç] I. adj phonetic II. adv phonetically

laut·los ['laʊtloːs] I. adj noiseless II. adv noiselessly

Laut·schrift f phonetic alphabet **Laut·spre·cher** m loudspeaker (**über** by) **Laut·spre·cher·box** f speaker **laut·stark** I. adj loud; Protest strong II. adv loudly, strongly **Laut·stär·ke** f volume; **bei voller ~** at full volume; **etw auf volle ~ stellen** to turn sth up to full volume **Laut·stär·ke·reg·ler** m volume control

lau·warm ['laʊvarm] adj lukewarm

La·va <-, Laven> ['laːva, pl 'laːvən] f lava

La·ven·del <-s, -> [la'vɛndl̩] m lavender

la·vie·ren* [la'viːrən] vi (geh) to manoeuvre

La·wi·ne <-, -n> [la'viːnə] f (a. fig) avalanche; **eine ~ ins Rollen bringen** to start an avalanche

La·wi·nen·ge·fahr f kein pl risk of avalanches

lax [laks] adj lax

Lax·heit <-> f kein pl laxity, laxness

Lay-out^RR, **Lay·out** <-s, -s> [leːˈʔaʊt] nt layout

lay·ou·ten* [leːˈʔaʊtn̩] vt TYPO, INFORM to layout

Lay·ou·ter(in) <-s, -> ['leːʔaʊte, leːˈʔaʊte] m(f) layout man masc, layout woman fem

La·za·rett <-[e]s, -e> [latsaˈrɛt] nt military hospital

LCD <-[s], -s> [ɛltseːˈdeː] nt Abk von **liquid-crystal display** LCD

LCD-Fern·seh·ge·rät nt LCD television

lea·sen ['liːzn̩] vt to lease

Lea·sing <-s, -s> ['liːzɪŋ] nt leasing

Le·be·da·me *f* (*pej*) *fem form von* **Lebe-mann** courtesan **Le·be·mann** *m* (*pej*) playboy
le·ben ['le:bn] **I.** *vi* ❶ (*lebendig sein*) to live; **Gott sei Dank, er lebt** [noch] thank God, he's [still] alive; **lang lebe der/die/das ...!** long live the ...! ❷ (*ein bestimmtes Leben führen*) to live; **getrennt ~** to live apart; **vegetarisch ~** to be vegetarian ❸ (*seinen Lebensunterhalt bestreiten*) **wovon lebt der überhaupt?** whatever does he do for a living?; **vom Schreiben ~** to make a living as a writer ❹ (*wohnen*) to live ❺ (*da sein*) ▪ [**für jdn/etw**] **~** to live [for sb/sth]; **mit etw** *dat* **~ können/müssen** to be able to/have to live with sth ▶ **leb**[**e**] **wohl!** farewell! **II.** *vt* ❶ (*verbringen*) ▪ **etw ~** to live sth; **ich lebe doch nicht das Leben anderer Leute!** I have my own life to lead! ❷ (*verwirklichen*) to live; **seine Ideale/seinen Glauben ~** to live according to one's ideals/beliefs **III.** *vi impers* **wie lebt es sich denn als Millionär** what's life as a millionaire like?; **lebt es sich hier besser als dort?** is life better here than there?
Le·ben <-s, -> ['le:bn] *nt* ❶ (*Lebendigsein*) life; **jdn** [**künstlich**] **am ~ erhalten** to keep sb alive [artificially]; **etw mit dem ~ bezahlen** (*geh*) to pay for sth with one's life; **jdn ums ~ bringen** (*geh*) to take sb's life; **am ~ sein** to be alive; **mit dem ~ davonkommen** to escape with one's life; [**bei etw/während einer S.**] **ums ~ kommen** to die [in sth/during sth]; **jdn am ~ lassen** to let sb live; **um sein ~ laufen** to run for one's life; **sich** *dat* **das ~ nehmen** (*euph*) to take one's life; **jdm das ~ ~ retten** to save sb's life ❷ (*Existieren*) life; **das tägliche ~** everyday life; **am ~ hängen** to love life; **jdm/sich das ~ schwermachen** to make life difficult for sb/oneself; **so ist das ~** [**eben**] that's life; **sich** [**mit etw** *dat*] **durchs ~ schlagen** to struggle to make a living [doing sth]; **nie im ~** never ❸ (*Geschehen, Aktivität*) life; **etw ins ~ rufen** to establish sth; **das öffentliche ~** public life ❹ (*Lebensinhalt*) life ▶ [**bei etw** *dat*] **sein ~ aufs** **Spiel** **setzen** to risk one's life [doing sth]; **es geht um ~ und Tod** it's a matter of life and death
le·bend I. *adj* living **II.** *adv* alive; **~ gebärend** ZOOL bearing live young
le·ben·dig [le'bɛndɪç] **I.** *adj* ❶ (*lebend*) living; ▪ **~ sein** to be alive ❷ (*anschaulich, lebhaft*) vivid; *Kind* lively **II.** *adv* ❶ (*lebend*) alive ❷ (*lebhaft*) **etw ~ gestalten/**

schildern to organize sth in a lively way/give a lively description of sth
Le·ben·dig·keit <-> *f kein pl* vividness *no pl*
Le·bens·abend *m* (*geh*) twilight years *pl* **Le·bens·ab·schnitt** *m* chapter in one's life **Le·bens·al·ter** *nt* age **Le·bens·auf·ga·be** *f* lifelong task; **sich** *dat* **etw zur ~ machen** to make sth one's life's work **Le·bens·be·din·gun·gen** *pl* living conditions **le·bens·be·dro·hend** *adj* life-threatening **le·bens·be·ja·hend** *adj* **eine ~e Einstellung** a positive take on life **Le·bens·dau·er** *f* ❶ (*Dauer des Lebens*) lifespan ❷ (*Dauer der Funktionsfähigkeit*) [working] life **Le·bens·eli·xier** *nt* elixir of life **Le·bens·en·de** *nt kein pl* death; **bis ans/an jds ~** until one's/sb's death **Le·bens·er·fah·rung** *f* experience of life **Le·bens·er·in·ne·run·gen** *pl* memoirs **Le·bens·er·war·tung** *f* life expectancy **le·bens·fä·hig** *adj* ❶ MED (*fähig, zu über-leben*) capable of surviving; [**nicht**] **~ sein** (*fig*) [not] to be viable ❷ BIOL (*in der Lage zu existieren*) viable, capable of living *pred* **Le·bens·form** *f* ❶ (*Lebensweise*) way of life ❷ (*Organisation von biol. Leben*) life-form **Le·bens·freu·de** *f kein pl* love of life *no pl* **le·bens·froh** *adj* full of the joys of life *pred* **Le·bens·ge·fahr** *f* **es besteht ~** there is a risk of death; **jd ist in ~** sb's life is in danger; **jd ist außer ~** sb's life is no longer in danger **le·bens·ge·fähr·lich I.** *adj* extremely dangerous; (*Krankheiten*) life-threatening **II.** *adv* ❶ (*in das Leben bedrohender Weise*) critically ❷ (*fam: sehr gefährlich*) dangerously **Le·bens·ge·fähr·te, -ge·fähr·tin** *m, f* (*geh*) partner **Le·bens·ge·fühl** *nt kein pl* awareness of life *no pl* **Le·bens·geis·ter** *pl* **jds ~ erwecken** to liven sb up **Le·bens·ge·mein·schaft** *f* (*das dauernde Zusammenleben*) long-term relationship **Le·bens·ge·schich·te** *f* life story **Le·bens·ge·wohn·hei·ten** *pl* habits **le·bens·groß** *adj* life-size[d] **Le·bens·hal·tungs·kos·ten** *pl* cost of living *no pl, no indef art* **Le·bens·jahr** *nt* year [of one's life]; **nach/vor dem vollendeten 21. ~** (*geh*) after/before sb's 21st birthday; **bereits im 14. ~ verlor sie ihre Eltern** she lost her parents when she was only fourteen **Le·bens·künst·ler**(**in**) *m(f)* **ein richtiger ~** a person who knows how to make the best of life **Le·bens·la·ge** *f* situation [in life]; **in allen ~n** in any situation
le·bens·lang ['le:bnslaŋ] **I.** *adj* ❶ (*das*

ganze Leben dauernd) lifelong ❷ JUR (*lebenslänglich*) life *attr;* for life *pred*
II. *adv* (*das ganze Leben*) all one's life
le·bens·läng·lich ['le:bn̩slɛŋlɪç] **I.** *adj* JUR life *attr;* for life *pred;* „~" **bekommen** (*fam*) to get "life" **II.** *adv* all one's life
Le·bens·lauf *m* curriculum vitae BRIT, résumé AM **Le·bens·lust** *f* s. **Lebensfreude le·bens·lus·tig** *adj* s. **lebensfroh**
Le·bens·mit·tel *nt meist pl* food **Le·bens·mit·tel·al·ler·gie** *f* food allergy **Le·bens·mit·tel·ge·schäft** *nt* grocer's **Le·bens·mit·tel·händ·ler(in)** *m(f)* ÖKON grocer **Le·bens·mit·tel·ver·gif·tung** *f* food poisoning **le·bens·mü·de** *adj* weary of life *pred;* **bist du ~?** (*hum fam*) are you tired of living? **Le·bens·mut** *m kein pl* courage to face life *no pl* **le·bens·nah** *adj* true-to-life **Le·bens·nerv** *m* vital lifeline **le·bens·not·wen·dig** *adj* s. **lebenswichtig Le·bens·part·ner(in)** *m(f)* s. **Lebensgefährte Le·bens·qua·li·tät** *f kein pl* quality of life **Le·bens·raum** *m* ❶ *kein pl* (*Entfaltungsmöglichkeiten*) living space ❷ (*Biotop*) habitat **Le·bens·ret·ter(in)** *m(f)* life-saver **Le·bens·stan·dard** *m kein pl* standard of living **Le·bens·stil** *m* lifestyle **Le·bens·un·ter·halt** *m kein pl* subsistence; **das deckt noch nicht einmal meinen ~** that doesn't even cover my basic needs; **mit .../ als ... seinen ~ verdienen** to earn one's keep by .../as ... **Le·bens·ver·si·che·rung** *f* life insurance **Le·bens·wan·del** *m kein pl* way of life; **einen einwandfreien/lockeren ~ führen** to lead an irreproachable/a dissolute life **Le·bens·weg** *m* (*geh*) journey through life **Le·bens·wei·se** *f* lifestyle **Le·bens·weis·heit** *f* ❶ (*weise Lebenserfahrung*) worldly wisdom ❷ (*weise Lebensbeobachtung*) maxim **Le·bens·werk** *nt* life['s] work **le·bens·wert** *adj* worth living *pred;* **jdm ist das Leben nicht mehr ~** life is not worth living for sb anymore **le·bens·wich·tig** *adj* vital, essential **Le·bens·wil·le** *m kein pl* will to live **Le·bens·zei·chen** *nt* (*a. fig*) sign of life **Le·bens·zeit** *f* lifetime; **auf ~** for life **Le·bens·ziel** *nt* goal in life
Le·ber <-, -n> ['le:bɐ] *f* (*Organ*) *a.* KOCHK liver ▸ **frei von der ~ weg reden** to speak frankly
Le·ber·fleck *m* liver spot **Le·ber·käs** *m,* **Le·ber·kä·se** *m kein pl* meatloaf made out of finely-ground liver and other meat **Le·ber·knö·del** *m* liver dumpling **Le·ber·pas·te·te** *f* liver pâté **Le·ber·tran** *m* cod-liver oil **Le·ber·wert** *m meist pl* liver

function reading **Le·ber·wurst** *f* liver sausage ▸ **die beleidigte ~ spielen** (*fam*) to get all in a huff
Le·be·we·sen *nt* living thing; **menschliches ~** human being
Le·be·wohl <-[e]s, -s *o geh* -e> [le:bə'vo:l] *nt* (*geh*) farewell
leb·haft ['le:phaft] **I.** *adj* ❶ (*temperamentvoll*) lively ❷ (*angeregt*) lively; *Beifall* thunderous; **eine ~e Fantasie** an active imagination ❸ (*belebt*) lively; *Verkehr* brisk ❹ (*anschaulich*) vivid **II.** *adv* ❶ (*anschaulich*) vividly ❷ (*sehr stark*) intensely
Leb·haf·tig·keit <-> *f kein pl* ❶ (*temperamentvolle Art*) liveliness ❷ (*Anschaulichkeit*) vividness
Leb·ku·chen ['le:pku:xn̩] *m* gingerbread
leb·los ['le:plo:s] *adj* (*geh*) lifeless
Leb·tag ['le:pta:k] *m* (*fam*) jds ~ [lang] for the rest of sb's days; **das hätte ich mein ~ nicht gedacht** never in all my life would I have thought that **Leb·zei·ten** *pl* **zu jds ~** (*Zeit*) in sb's day; (*Leben*) in sb's lifetime
lech·zen ['lɛçtsn̩] *vi* (*geh*) ■**nach etw** *dat* **~** ❶ (*vor Durst verlangen*) to long for sth ❷ (*dringend verlangen*) to crave sth
leck [lɛk] *adj* leaky
Leck <-[e]s, -s> [lɛk] *nt* leak
le·cken¹ ['lɛkn̩] *vi* to leak
le·cken² ['lɛkn̩] **I.** *vi* to lick; **willst du mal [an meinem Eis] ~?** do you want a lick [of my ice cream]?; ■**an jdm/etw ~** to lick sb/sth **II.** *vt* to lick; ■**etw aus etw** *dat/* **von etw** *dat* **~** to lick sth [out of/off sth]; **die Hündin leckte ihre Jungen** the bitch licked her young
le·cker ['lɛkɐ] **I.** *adj* delicious **II.** *adv* deliciously; **den Braten hast du wirklich ~ zubereitet** your roast is really delicious
Le·cker·bis·sen *m* delicacy
Le·cke·rei <-, -en> [lɛkə'raɪ] *f* ❶ KOCHK *s.* **Leckerbissen** ❷ *kein pl* (*pej fam: das Lecken*) licking
Le·cker·maul *nt* (*fam*) ■**ein ~ sein** to have a sweet tooth
Le·der <-s, -> ['le:dɐ] *nt* ❶ (*gegerbte Tierhaut*) leather; (*fam*) **zäh wie ~** tough as old boots ❷ (*fam: Fußball*) leather
Le·der·ho·se *f* ❶ (*lederne Trachtenhose*) lederhosen *npl* ❷ (*Bundhose aus Leder*) leather trousers *npl* **Le·der·ja·cke** *f* leather jacket
le·dern ['le:dɐn] *adj* ❶ (*aus Leder gefertigt*) leather ❷ (*zäh*) leathery
Le·der·rie·men *m* leather strap **Le·der·wa·ren** *pl* leather goods *npl*
le·dig ['le:dɪç] *adj* ❶ (*unverheiratet*) single ❷ (*frei* [*von etw*]) ■**einer S.** *gen* **~ sein** to

be free of sth

le·dig·lich ['le:dɪklɪç] *adv* (*geh*) merely

Lee <-> [le:] *f kein pl* lee; **nach ~** leeward *no pl*

leer [le:ɐ̯] **I.** *adj* ❶ (*ohne Inhalt*) empty; **etw ~ machen** to empty sth ❷ (*menschenleer*) empty; **das Haus steht schon lange ~** the house has been empty for a long time ❸ (*nicht bedruckt*) blank ❹ (*ausdruckslos*) vacant; **seine Augen waren ~** he had a vacant look in his eyes; **sich ~ fühlen** to feel empty inside; *Versprechungen, Worte* empty **II.** *adv* **den Teller ~ essen** to finish one's meal; **das Glas/die Tasse ~ trinken** to finish one's drink; **wie ~ gefegt sein** to be deserted ▶ [**bei etw** *dat*] **~ ausgehen** to go away empty-handed

Lee·re <-> ['le:rə] *f kein pl* emptiness *no pl;* **gähnende ~** a gaping void; (*leerer Raum*) an utterly deserted place

lee·ren ['le:rən] **I.** *vt* ❶ (*entleeren*) to empty; **sie leerte ihre Tasse nur halb** she only drank half a cup ❷ DIAL, ÖSTERR (*aus~*) to empty (**in** into) **II.** *vr* ∎ **sich ~** to empty

Leer·ge·wicht *nt* empty weight; **das ~ eines Fahrzeugs** the kerb [*or* AM curb] weight of a vehicle **Leer·gut** *nt kein pl* empties *pl fam* **Leer·lauf** *m* ❶ (*Gangeinstellung*) neutral gear; **im ~** in neutral ❷ (*unproduktive Phase*) unproductiveness *no pl* **Leer·lauf·dreh·zahl** *f* AUTO idle speed **Leer·stel·le** *f* ❶ TYPO space, blank ❷ PHYS vacancy **Leer·tas·te** *f* space-bar

Lee·rung <-, -en> *f* emptying *no pl; Post* collection

le·gal [le'ga:l] **I.** *adj* legal **II.** *adv* legally

le·ga·li·sie·ren* [legali'zi:rən] *vt* to legalize

Le·ga·li·tät <-> [legali'tɛ:t] *f kein pl* legality *no pl;* [**etwas**] **außerhalb der ~** (*euph*) [slightly] outside the law

Le·gas·the·nie <-, -n> [legaste'ni:, *pl* -'ni:ən] *f* dyslexia *no pl, no art*

Le·gas·the·ni·ker(in) <-s, -> [legas'te:nikɐ] *m(f)* dyslexic

le·gas·the·nisch *adj* dyslexic

Le·gat[1] <-[e]s, -e> [le'ga:t] *nt* JUR legacy, bequest

Le·gat[2] <-en, -en> [le'ga:t] *m* REL legate

le·gen ['le:gn̩] **I.** *vt* ❶ (*hin~*) ∎ **jdn/etw irgendwohin ~** to put sb/sth somewhere; **sich** *dat* **einen Schal um den Hals ~** to wrap a scarf around one's neck; **seinen Arm um jdn ~** to put one's arm around sb; **legst du die Kleine schlafen?** will you put the little one to bed? ❷ (*in Form bringen*) **die Stirn in Falten ~** to frown; **sich**

dat **die Haare ~ lassen** to have one's hair set ❸ *Eier* to lay ❹ (*lagern*) **etw in den Kühlschrank ~** to put sth in the fridge ❺ (*ver~*) **einen Teppich/Rohre/Kabel ~** to lay a carpet/pipes/cables **II.** *vr* ❶ (*hin~*) ∎ **sich ~** to lie down; **sich ins Bett/in die Sonne/auf den Rücken ~** to go to bed/lay down in the sun/lie on one's back; **der Motorradfahrer legte sich in die Kurve** the motorcyclist leaned into the bend ❷ (*sich niederlassen*) ∎ **sich auf etw** *akk* **~** to settle on sth; **dichter Bodennebel legte sich auf die Straße** thick fog formed in the street; (*schädigen*) **sich auf die Nieren/Bronchien/Schleimhäute ~** to settle in one's kidneys/bronchial tubes/mucous membrane ❸ (*nachlassen*) ∎ **sich ~** *Aufregung, Empörung, Sturm, Begeisterung* to subside; *Nebel* to lift

le·gen·där [legɛn'dɛ:ɐ̯] *adj* legendary

Le·gen·de <-, -n> [le'gɛndə] *f* ❶ (*fromme Sage*) legend ❷ (*Lügenmärchen*) myth

le·ger [le'ʒe:ɐ, le'ʒɛ:ɐ] **I.** *adj* ❶ (*bequem*) loose-fitting ❷ (*ungezwungen*) casual **II.** *adv* casually

Leg·gings ['lɛgɪŋs] *pl* leggings

Le·gie·rung <-, -en> *f* (*Mischung von Metallen*) alloy

Le·gi·on <-, -en> [le'gi̯o:n] *f* legion

Le·gi·o·när <-s, -e> [legi̯o'nɛ:ɐ̯] *m* legionary

Le·gis·la·ti·ve <-n, -n> [legɪsla'ti:və] *f* legislative power

Le·gis·la·tur·pe·ri·o·de [legɪsla'tu:ɐ̯-] *f* legislative period

le·gi·tim [legi'ti:m] *adj* (*geh*) legitimate

Le·gi·ti·ma·ti·on <-, -en> [legitima'tsi̯o:n] *f* (*geh*) ❶ (*abstrakte Berechtigung*) authorization ❷ (*Ausweis*) permit

le·gi·ti·mie·ren* [legiti'mi:rən] **I.** *vt* (*geh*) ❶ (*berechtigen*) ∎ **jdn** [**zu etw** *dat*] **~** to authorize sb [to do sth]; **zu Kontrollen legitimiert sein** to be authorized to carry out checks ❷ (*für gesetzmäßig erklären*) ∎ **etw ~** to legitimize sth **II.** *vr* (*geh*) ∎ **sich ~** to identify oneself

Le·gi·ti·mi·tät <-> [legitimi'tɛ:t] *f kein pl* (*geh*) legitimacy *no pl*

Le·gu·an <-s, -e> [le'gu̯a:n, 'le:gu̯a:n] *m* iguana

Lehm <-[e]s, -e> [le:m] *m* clay

leh·mig ['le:mɪç] *adj* (*aus Lehm bestehend*) clay; (*voller Lehm*) clayey; *Weg* muddy

Leh·ne <-, -n> ['le:nə] *f* ❶ (*Arm~*) armrest ❷ (*Rücken~*) back

leh·nen ['le:nən] **I.** *vt* (*an~*) to lean (**an/ gegen** against) **II.** *vi* (*schräg angelehnt*

sein) ■**an etw** *dat* ~ to lean against sth
III. *vr* (*sich beugen*) ■**sich an jdn/etw** ~
to lean on sb/sth; ■**sich über etw** *akk* ~
to lean over sth; ■**sich gegen etw** *akk* ~
to lean against sth; **sich aus dem Fens-**
ter ~ to lean out of the window

Lehn·stuhl *m* armchair **Lehn·wort**
<-wörter> *nt* loan word

Lehr·amt ['leːɐ̯-] *nt* (*geh*) ■**das** ~ the post
of teacher; (*Studiengang*) teacher-training
course

Lehr·an·stalt *f* educational establishment
Lehr·be·auf·trag·te(r) *f(m)* temporary
lecturer **Lehr·be·ruf** *m* teaching profession **Lehr·buch** *nt* textbook

Leh·re¹ <-, -n> ['leːrə] *f* ❶ ([*handwerkli-*
che] *Ausbildung*) apprenticeship; [*bei*
jdm] **in die** ~ **gehen** to serve one's apprenticeship [with sb]; **eine** ~ [**als etw**]
machen to serve an apprenticeship [as a/
an sth] ❷ (*Erfahrung, aus der man lernt*)
lesson; **das soll dir eine** ~ **sein!** let that
be a lesson to you!; **jdm eine** ~ **erteilen** to
teach sb a lesson; **sich** *dat* **etw eine** ~
sein lassen to learn from sth ❸ (*ideologi-*
sches System) doctrine ❹ (*Theorie*) theory

Leh·re² <-, -n> ['leːrə] *f* TECH ga[u]ge

leh·ren ['leːran] *vt* ❶ (*unterrichten*)
■**etw** ~ to teach sth; (*an der Uni*) to lecture in sth ❷ (*beispielhaft zeigen*) ■**jdn**
[**etw** *akk*] ~ to teach sb [sth] ❸ (*zeigen*)
die Erfahrung hat uns gelehrt, dass ...
experience has taught us that ...

Leh·rer(in) <-s, -> ['leːrɐ] *m(f)* teacher

Lehr·fach *nt* subject **Lehr·gang**
<-gänge> *m* course; **auf einem** ~ **sein** to
be on a course **Lehr·geld** *nt* [**für etw**
akk] ~ **zahlen** [**müssen**] to [have to] learn
the hard way

lehr·haft <-er, -este> *adj* ❶ (*belehrend*)
didactic ❷ (*pej: lehrerhaft*) patronizing

Lehr·jahr *nt* year as an apprentice **Lehr·**
kör·per *m* teaching staff + *sing/pl vb*
Lehr·kraft *f* (*geh*) teacher

Lehr·ling <-s, -e> ['leːɐ̯lɪŋ] *m* (*veraltend*)
s. **Auszubildende(r)**

Lehr·mit·tel *nt* (*fachspr*) teaching aid
Lehr·plan *m* syllabus **lehr·reich** *adj* instructive **Lehr·satz** *m* theorem **Lehr·**
stel·le *f* apprenticeship **Lehr·stoff** *m*
(*fachspr*) syllabus [content] **Lehr·stuhl** *m*
(*geh*) chair **Lehr·ver·trag** *m* indentures
pl **Lehr·zeit** *f* (*veraltend*) *s.* **Lehre** ¹ 1

Leib <-[e]s, -er> [laip] *m* ❶ (*Körper*) body;
etw am eigenen ~**e erfahren** to experience sth first hand; **am ganzen** ~**e zittern**
(*geh*) to shake all over; **bei lebendigem**
~**e** alive; **jdm** [**mit etw** *dat*] **vom** ~**e blei-**

ben (*fam*) not to bother sb [with sth]; **sich**
dat **jdn vom** ~**e halten/schaffen** to keep
sb at arm's length/get sb off one's back;
sich *dat* **etw vom** ~**e halten** (*fig*) to
avoid sth ❷ (*geh*) stomach ▶ **mit** ~ **und**
Seele whole-heartedly; **jdm wie auf den**
~ [**zu**]**geschnitten sein** to suit sb down to
the ground; **jdm wie auf den** ~ **geschrie-**
ben sein to be tailor-made for sb; **einer S.**
dat **zu** ~**e rücken** (*fam*) to tackle sth

Leib·arzt, -ärz·tin *m, f* personal physician
form

lei·ben ['laibn̩] *vi* **wie jd leibt und lebt**
through and through

Lei·bes·kraft *f* **aus Leibeskräften** with
all one's might **Lei·bes·übun·gen** *pl*
(*veraltend*) physical education *no pl* **Lei·**
bes·vi·si·ta·ti·on *f* (*geh*) body search
Leib·gar·de *f* bodyguard **Leib·ge·**
richt *nt* favourite meal

leib·haf·tig [laip'haftɪç] **I.** *adj* ❶ (*echt*) real
❷ (*verkörpert*) **sie ist die** ~**e Sanftmut**
she is gentleness personified ▶ **der L**~**e**
(*euph*) the devil incarnate **II.** *adv* in person
pred

leib·lich ['laiplɪç] *adj* ❶ (*körperlich*) physical ❷ (*blutsverwandt*) natural; **jds** ~**e Ver-**
wandten sb's blood relations

Leib·ren·te *f* FIN life annuity **Leib·spei·**
se *f s.* **Leibgericht Leib·wa·che** *f* bodyguard *no pl* **Leib·wäch·ter(in)** *m(f)*
bodyguard

Lei·che <-, -n> ['laiçə] *f* (*toter Körper*)
corpse ▶ **über** ~**n gehen** (*pej fam*) to stop
at nothing

Lei·chen·be·gräb·nis *nt* funeral **Lei·**
chen·be·schau·er(in) <-s, -> *m(f)* doctor who carries out post-mortems **Lei·**
chen·bit·ter·mie·ne *f* *kein pl* (*iron*)
doleful expression **lei·chen·blass**^RR
['laiçn̩'blas] *adj* deathly pale **Lei·chen·**
hal·le *f* mortuary **Lei·chen·schän·**
dung *f* ❶ (*grober Unfug mit einer Leiche*)
desecration of a corpse *no pl* ❷ (*sexuelle*
Handlungen an Leichen) necrophilia **Lei·**
chen·schau·haus *nt* mortuary, *esp* AM
morgue **Lei·chen·schmaus** *m* wake
Lei·chen·star·re *f* rigor mortis **Lei·**
chen·ver·bren·nung *f* cremation **Lei·**
chen·wa·gen *m* ❶ (*Wagen, der Särge*
befördert) hearse ❷ (*Kutsche, die Särge*
befördert) funeral carriage **Lei·chen·**
zug *m* (*geh*) funeral procession

Leich·nam <-s, -e> ['laiçnaːm] *m* (*geh*)
corpse

leicht [laiçt] **I.** *adj* ❶ (*geringes Gewicht*
habend) light ❷ (*eine dünne Konsistenz*
habend) light ❸ (*einfach*) easy, simple; **er**

hat ein **~es Leben** he has an easy time of it; **nichts ~er als das!** no problem ❹ METEO (*schwach*) light; *Brandung* low; *Donner* distant; *Strömung* weak ❺ (*sacht*) light; *Akzent* slight; *Schlag* gentle ❻ *Eingriff, Verbrennung* minor ❼ (*nicht belastend*) light; *Zigarette* mild ❽ (*einfach verständlich*) easy; **~e Lektüre** light reading ❾ (*unbeschwert*) ■**jdm ist ~er** sb is relieved ❿ (*nicht massiv*) lightweight; **~ gebaut** having a lightweight construction II. *adv* ❶ (*aus dünnem Material*) **~ bekleidet** dressed in light clothing ❷ (*einfach*) easily; **das ist ~er gesagt als getan** that's easier said than done; **es |im Leben| ~ haben** to have it easy |in life|; **etw geht |ganz| ~** sth is |quite| easy; **es jdm ~ machen** to make it easy for sb; **es sich** *dat* **~ machen** to make it easy for oneself; **es fällt jdm ~, etw zu tun** it's easy for sb to do sth; **etw fällt jdm ~** sth is easy for sb ❸ METEO (*schwach*) lightly ❹ (*nur wenig, etwas*) lightly; **~ humpeln** to have a slight limp; **~ verärgert sein** to be slightly annoyed ❺ (*schnell*) easily; **das sagst du so ~!** that's easy for you to say!; **etw ~ glauben** to believe sth readily; **der Inhalt ist ~ zerbrechlich** the contents are easy to break ❻ (*problemlos*) easily; **etw ~ schaffen/begreifen** to manage/grasp sth easily

Leicht·ath·let(in) *m(f)* athlete BRIT, track and field athlete AM **Leicht·ath·le·tik** *f* athletics BRIT + *sing vb, no art*, track and field AM + *sing vb, no art* **Leicht·ath·le·tin** *f fem form von* **Leichtathlet leicht·fer·tig** I. *adj* thoughtless II. *adv* thoughtlessly **Leicht·fer·tig·keit** *f kein pl* thoughtlessness *no pl, no indef art* **Leicht·ge·wicht** *nt* ❶ *kein pl* (*Gewichtsklasse*) lightweight category ❷ (*Sportler*) lightweight *also fig* **leicht·gläu·big** *adj* gullible **Leicht·gläu·big·keit** *f kein pl* gullibility *no pl, no indef art*

leicht·hin ['laɪçt'hɪn] *adv* ❶ (*ohne langes Nachdenken*) lightly ❷ (*so nebenbei*) easily

Leich·tig·keit <-> *f* ❶ *kein pl* (*Einfachheit*) simplicity *no pl, no indef art*; **mit ~** effortlessly ❷ (*Leichtheit*) lightness *no pl, no indef art*

leicht·le·big *adj* happy-go-lucky **Leicht·ma·tro·se** *m* ordinary seaman **Leicht·me·tall** *nt* light metal **leicht|neh·men** *vt irreg* ■**etw ~** (*fig*) to take sth lightly **Leicht·sinn** ['laɪçtzɪn] *m kein pl* carelessness *no pl, no indef art* **leicht·sin·nig** ['laɪçtzɪnɪç] I. *adj* careless II. *adv* carelessly

Leicht·sin·nig·keit <-> *f kein pl s.* **Leichtsinn**

leid [laɪt] *adj präd* (*überdrüssig*) **es ~ sein, etw tun zu müssen** to have had enough of having to do sth; **ich bin es ~** I'm tired of it

Leid <-[e]s> [laɪt] *nt kein pl* ❶ (*Unglück*) sorrow; **jdm sein ~ klagen** to tell sb one's troubles ❷ (*Schaden*) harm

lei·den <litt, gelitten> ['laɪdn̩] I. *vi* ❶ (*Schmerzen ertragen*) to suffer ❷ (*an einem Leiden erkrankt sein*) ■**an etw** *dat* **~** to suffer from sth ❸ (*seelischen Schmerz empfinden*) to suffer; ■**unter jdm ~** to suffer because of sb; ■**unter etw** *dat* **~** to suffer from sth; ■**darunter ~, dass ....** to suffer as a result of ... ❹ (*in Mitleidenschaft gezogen werden*) *Beziehung, Gesundheit* to suffer; *Möbelstück, Stoff* to get damaged; *Farbe* to fade II. *vt* (*erdulden*) ■**etw ~** to suffer sth ▸**jdn/etw |gut|/nicht |gut| ~ können** to like/not like sb/sth

Lei·den <-s, -> ['laɪdn̩] *nt* ❶ (*chronische Krankheit*) ailment ❷ *pl* (*leidvolle Erlebnisse*) suffering *no pl, no indef art*

lei·dend *adj* ❶ (*geplagt*) mournful ❷ (*geh: chronisch krank*) ■**~ sein** to be ill

Lei·den·schaft <-, -en> ['laɪdn̩ʃaft] *f* ❶ (*Emotion*) emotion ❷ (*intensive Vorliebe*) passion; **jd ist etw aus ~** sb is passionate about being sth; **mit |großer/wahrer|** ~ passionately ❸ *kein pl* **sie spürte seine ~** she felt his passion

lei·den·schaft·lich I. *adj* passionate II. *adv* passionately; ■**etw ~ gern tun** to be passionate about sth; **ich esse ~ gern Himbeereis** I adore raspberry ice-cream **lei·den·schafts·los** I. *adj* dispassionate II. *adv* dispassionately

Lei·dens·ge·fähr·te, -ge·fähr·tin *m, f*, **Lei·dens·ge·nos·se, -ge·nos·sin** *m, f* fellow-sufferer **Lei·dens·mie·ne** *f* dejected expression; **mit ~** with a dejected expression

lei·der ['laɪdɐ] *adv* unfortunately; **ich habe das ~ vergessen** I'm sorry, I forgot about it; **das ist ~ so** that's just the way it is

lei·dig ['laɪdɪç] *adj attr* (*pej*) tedious; **immer das ~e Geld!** it always comes down to money!

Leid·tra·gen·de(r) *f(m)*, **Leid Tra·gen·de(r)**RR *f(m)* ■**der/die ~** the one to suffer **leid|tun** *vt irreg* **tut mir leid!** |I'm| sorry!; **jdm tut etw leid** sb is sorry about sth; **es tut jdm leid, dass ...** sb is sorry that ...

leid·voll *adj* (*geh*) sorrowful *liter* **Leid·we·sen** *nt kein pl* ■**zu jds ~** much to sb's regret

Lei·er <-, -n> ['laiɐ] *f* MUS lyre ▶ |**es ist**| **immer die alte** ~ (*pej fam*) |it's| always the same old story

Lei·er·kas·ten *m* (*fam*) barrel organ

lei·ern ['laiɐn] I. *vt* ❶ (*fam: lustlos aufsagen*) to drone |out| *sep* ❷ (*fam: kurbeln*) to wind II. *vi* (*Drehorgel spielen*) to play a barrel-organ

Leih·bi·bli·o·thek *f*, **Leih·bü·che·rei** *f* lending library

lei·hen <lieh, geliehen> ['laiən] *vt* ❶ (*aus~*) to lend; ■**geliehen** borrowed ❷ (*borgen*) ■**sich** *dat* **etw** ~ to borrow sth

Leih·frist *f* lending period **Leih·ga·be** *f* loan **Leih·ge·bühr** *f* hire charge BRIT, rental fee AM; (*Buch*) lending fee **Leih·haus** *nt* pawn shop **Leih·mut·ter** *f* surrogate mother **Leih·wa·gen** *m* hire |*or* AM rental| car **leih·wei·se** *adv* on loan; ■**jdm etw** ~ **überlassen** (*geh*) to give sb sth on loan

Leim <-|e|s, -e> [laim] *m* (*zäher Klebstoff*) glue ▶ **jdm auf den** ~ **gehen** to fall for sb's tricks; **aus dem** ~ **gehen** to fall apart

lei·men ['laimən] *vt* ❶ (*mit Leim zusammenfügen*) ■**etw** ~ to glue sth together ❷ (*fam: hereinlegen*) ■**jdn** ~ to take sb for a ride

Lei·ne <-, -n> ['lainə] *f* ❶ (*dünnes Seil*) rope ❷ (*Wäsche~*) |washing |*or* AM laundry|| line ❸ (*Hunde~*) lead, leash ❹ (*sl*) **zieh** ~! (*sl*) piss off!

lei·nen ['lainən] *adj* linen

Lei·nen <-s, -> ['lainən] *nt* linen; **aus** ~ made of linen

Lein·öl *nt* linseed oil **Lein·sa·men** *m* linseed **Lein·tuch** <-tücher> *nt* SÜDD, ÖSTERR, SCHWEIZ (*Laken*) sheet **Lein·wand** *f* ❶ (*Projektionswand*) screen ❷ *kein pl* (*Gewebe aus Flachsfasern*) *a.* KUNST canvas **Lein·wand·held(in)** *m(f)* (*Kinostar*) hero/heroine of the silver screen

Leip·zig <-s> ['laiptsɪç] *nt* Leipzig

lei·se ['laizə] I. *adj* ❶ (*nicht laut*) quiet; **etw** ~ **stellen** to turn down *sep* sth ❷ (*gering*) slight; **es fiel** ~**r Regen** it was raining gently; *Ahnung, Verdacht* vague; **nicht im L~sten** not at all II. *adv* ❶ (*nicht laut*) quietly ❷ (*kaum merklich*) slightly; **der Regen fiel** ~ it was raining gently

Leis·te <-, -n> ['laistə] *f* ❶ (*schmale Latte*) strip ❷ (*Übergang zum Oberschenkel*) groin

leis·ten ['laistn̩] I. *vt* ❶ (*an Arbeitsleistung erbringen*) **ganze Arbeit** ~ to do a good job; **viel/nicht viel** ~ to get/not get a lot done; **etw Anerkennenswertes/**

Bewundernswertes/Besonderes/Erstaunliches ~ to accomplish sth commendable/admirable/special/ amazing ❷ TECH, PHYS to generate ❸ *Funktionsverb* **Hilfe** ~ to render assistance *form;* **eine Anzahlung** ~ to make a down payment; **gute Dienste** ~ to serve sb well; **Gehorsam/Widerstand** ~ to obey/offer resistance; **Zivildienst/Wehrdienst** ~ to do one's community/military service; **einen Eid** ~ to swear an oath; **eine Unterschrift** ~ to sign sth II. *vr* ❶ (*sich gönnen*) ■**sich** *dat* **etw** ~ to treat oneself to sth ❷ (*sich herausnehmen*) ■**sich** *dat* **etw** ~ to permit oneself sth; **da hast du dir ja was geleistet!** you've really outdone yourself |this time|!; (*tragen können*) **tolles Kleid — sie kann es sich** ~, **bei der Figur!** great dress — she can certainly carry it off with a figure like that! ❸ (*finanziell in der Lage sein*) **es sich** *dat* ~ **können, etw zu tun** to be able to afford to do sth

Leis·ten·bruch *m* hernia

Leis·tung <-, -en> *f* ❶ *kein pl* (*das Leisten 1*) performance ❷ (*geleistetes Ergebnis*) accomplishment; **eine hervorragende/sportliche** ~ an outstanding piece of work/athletic achievement; **schulische** ~**en** results at school; **ihre** ~**en lassen zu wünschen übrig** her work leaves a lot to be desired ❸ TECH, PHYS power; *einer Fabrik* output ❹ FIN (*Entrichtung*) payment

Leis·tungs·druck *m kein pl* pressure to perform **leis·tungs·fä·hig** *adj* ❶ (*zu hoher Arbeitsleistung fähig*) efficient ❷ (*zu hoher Produktionsleistung fähig*) productive ❸ (*zur Abgabe großer Energie fähig*) powerful ❹ FIN competitive **Leis·tungs·fä·hig·keit** *f kein pl* ❶ (*Arbeitsleistung*) performance ❷ (*Produktionsleistung*) productivity ❸ (*Abgabe von Energie*) power ❹ FIN competitiveness **Leis·tungs·ge·sell·schaft** *f* meritocracy **Leis·tungs·kurs** *m* SCH advanced course (*course which seeks to impart additional knowledge to a basic course using a style similar to university teaching*) **Leis·tungs·nach·weis** *m* SCH evidence of academic achievement **leis·tungs·schwach** *adj* weak; *Maschine, Motor* low-performance **Leis·tungs·sport** *m* competitive sport *no art* **leis·tungs·stark** *adj* ❶ (*große Produktionskapazität besitzend*) |highly-|efficient ❷ TECH |very| powerful; *Motor* high-performance **Leis·tungs·trä·ger(in)** *m(f)* SPORT, ÖKON go-to guy *fam* **Leis·tungs·ver·mö·gen** *nt kein pl* capability *usu pl*

Leit·ar·ti·kel *m* leader
Leit·bild *nt* [role] model
lei·ten ['laitn̩] **I.** *vt* ❶ (*verantwortlich sein*)
to run; **eine Abteilung/Schule ~** to be
head of a department/school ❷ (*den Vorsitz führen*) to lead; *Sitzung* to chair
❸ TECH to conduct; *Erdöl* to pipe ❹ TRANSP
**der Zug wurde auf ein Nebengleis
geleitet** the train was diverted to a siding
❺ (*führen*) ■**jdn** [*wohin*] **~** to lead sb
[somewhere]; ■ **sich durch etw** *akk* **~ lassen** to [let oneself] be guided by sth; ■ **sich
von etw** *dat* **~ lassen** to [let oneself] be
governed by sth **II.** *vi* PHYS to conduct; **gut/
schlecht ~** to be a good/bad conductor
lei·tend I. *adj* ❶ (*führend*) leading ❷ (*in
hoher Position*) managerial; **~er Angestellter** executive; **~er Redakteur** editor-in-chief ❸ PHYS conductive **II.** *adv*
~ tätig sein to hold a managerial position
Lei·ter¹ <-, -n> ['laitɐ] *f* ❶ (*Sprossen~*)
ladder ❷ (*Steh~*) step-ladder
Lei·ter² <-s, -> ['laitɐ] *m* PHYS conductor
Lei·ter(in) <-s, -> ['laitɐ] *m(f)* ❶ (*leitend Tätiger*) head; *einer Firma,
eines Geschäfts* manager; *einer Schule*
head[master] ❷ (*Sprecher*) leader; *einer
Delegation* head; **~ einer Diskussion/
Gesprächsrunde** person chairing a dis-
cussion/round of talks
Leit·fa·den *m* MEDIA compendium
leit·fä·hig *adj* PHYS conductive **Leit·fä·hig-
keit** *f* PHYS conductivity **Leit·ge·dan-
ke** *m* central idea **Leit·ham·mel** *m* (*fig
fam*) bellwether **Leit·li·nie** *f* ❶ (*Grundsatz*) guideline ❷ (*Fahrbahnmarkierung*)
broken line **Leit·mo·tiv** *nt* ❶ (*Grundgedanke*) central theme ❷ MUS, LIT leitmotiv
Leit·plan·ke *f* crash barrier **Leit·satz** *m*
guiding principle **Leit·spruch** *m* motto
Leit·stel·le *f* headquarters + *sing/pl vb*
Lei·tung <-, -en> *f* ❶ *kein pl* (*Führung*)
management; ■**die ~ einer S. übernehmen** to take over the leadership of sth; **die
~ einer Sitzung/Diskussion haben** to
chair a meeting/discussion; ■**unter der ~
von jdm** MUS conducted by sb ❷ (*leitendes
Gremium*) management ❸ (*Rohr*) pipe
❹ (*Kabel*) cable ❺ TELEK line; **die ~ ist
gestört** it's a bad line ▶**eine lange ~
haben** (*hum fam*) to be slow on the uptake
Lei·tungs·ka·bel *nt* ❶ (*allgemein*) wire
❷ ELEK line cable ❸ AUTO (*Zündkabel*) lead
Lei·tungs·rohr *nt* pipe **Lei·tungs·was·
ser** *nt* tap water
Leit·wäh·rung *f* leading currency
Leit·wolf *m* (*fig*) leader **Leit·zins** *m* prime
rate

Lek·ti·on <-, -en> [lɛk'tsi̯oːn] *f* ❶ SCH
(*Kapitel*) chapter; (*Stunde*) lesson ❷ (*geh:
Lehre*) lesson; **jdm eine ~ erteilen** to
teach sb a lesson
Lek·tor, Lek·to·rin <-s, -toren> ['lɛktoːɐ̯,
lɛk'toːrɪn, *pl* -'toːrən] *m*, *f* ❶ (*in einem Verlag*) editor ❷ (*an der Universität*) foreign
language assistant
Lek·to·rat <-[e]s, -e> [lɛkto'raːt] *nt*
❶ (*Verlagsabteilung*) editorial office
❷ (*Lehrauftrag*) post as [a] foreign language
assistant
Lek·to·rin <-, -nen> *f fem form von* **Lektor**
Lek·tü·re <-, -n> [lɛk'tyːrə] *f* ❶ *kein pl* (*das
Lesen*) reading *no pl, no indef art* ❷ (*Lesestoff*) reading matter *no pl, no indef art*
Lem·ming <-s, -e> ['lɛmɪŋ] *m* ZOOL lemming; **wie die ~e** like lemmings
Len·de <-, -n> ['lɛndə] *f* ANAT, KOCHK loin
Len·den·schurz *m* loincloth **Len·den·
stück** *nt* KOCHK tenderloin
lenk·bar ['lɛŋkbaːɐ̯] *adj* steerable; **gut ~
sein** to be easy to steer
len·ken ['lɛŋkn̩] **I.** *vt* ❶ (*steuern*) to steer
❷ (*dirigieren*) to direct ❸ (*beeinflussen*)
to control ❹ (*geh*) **seinen Blick auf jdn/
etw ~** to turn one's gaze on sb/sth ❺ (*richten*) **jds Aufmerksamkeit auf etw ~** to
draw sb's attention to sth; **geschickt
lenkte sie das Gespräch auf ein weniger heikles Thema** she cleverly steered
the conversation round to a less controversial subject **II.** *vi* to drive
Len·ker <-s, -> *m* handlebars *pl*
Len·ker(in) <-s, -> *m(f)* (*geh*) driver
Lenk·rad *nt* steering-wheel **Lenk·stan·
ge** *f* (*geh*) handlebars *pl*
Len·kung <-, -en> *f* ❶ AUTO steering *no pl,
no indef art* ❷ *kein pl* (*Beeinflussung*) controlling *no pl, no indef art*
Le·o·pard <-en, -en> [leo'part] *m* leopard
Le·pra <-> ['leːpra] *f kein pl* leprosy *no pl,
no art*
Le·pra·kran·ke(r) *f(m) dekl wie adj* leper
le·pros [le'proːs], **le·prös** [le'prøːs] *adj*
leprous
Ler·che <-, -n> ['lɛrçə] *f* ORN lark
lern·be·gie·rig *adj* eager to learn *pred*
lern·be·hin·dert *adj* with learning difficulties *pred;* ■**~ sein** to have learning difficulties **Lern·ei·fer** *m* eagerness to learn
ler·nen ['lɛrnən] **I.** *vt* ❶ (*sich als Kenntnis
aneignen*) to learn; **von ihr können wir
alle noch etwas ~** she could teach us all a
thing or two; **jd lernt's nie** sb'll never
learn ❷ (*im Gedächtnis speichern*) to
learn [by heart] ❸ (*fam: eine Ausbildung*

machen) to train as ▸ **gelernt ist** [eben] **gelernt** once learned, never forgotten; **etw will gelernt sein** sth takes [a lot of] practice **II.** vi ❶ (*Kenntnisse erwerben*) to study ❷ (*beim Lernen unterstützen*) ■ **mit jdm ~** to help sb with their [school]work ❸ (*eine Ausbildung machen*) ■ [**bei jdm**] **~** to be apprenticed to sb; **er hat bei verschiedenen Firmen gelernt** he's been an apprentice with several companies; **sie lernt noch** she's still an apprentice

lern·fä·hig adj ■ **~ sein** to be capable of learning **Lern·fä·hig·keit** f kein pl learning ability **Lern·pro·gramm** nt INFORM learning program **Lern·pro·zessRR** m learning process **Lern·soft·ware** f educational software **Lern·ziel** nt [educational] goal

Les·art f version

les·bar ['le:sbaːɐ̯] adj ❶ Handschrift legible ❷ (*verständlich*) clear

Les·be <-, -n> ['lɛsbə] f (*fam*), **Les·bi·e·rin** <-, -nen> ['lɛsbˌi ərɪn] f lesbian

les·bisch ['lɛsbɪʃ] adj lesbian; ■ **~ sein** to be a lesbian

Le·se <-, -n> ['le:zə] f AGR harvest

Le·se·bril·le f reading-glasses npl **Le·se·buch** nt reader **Le·se·ge·rät** nt INFORM reader **Le·se·lam·pe** f reading lamp

le·sen¹ <liest, las, gelesen> ['le:zn̩] **I.** vt ❶ (*durch~*) to read ❷ (*entnehmen*) to see (**aus** in) **II.** vi ❶ (*als Lektüre*) to read; ■ **an etw** dat **~** to read sth ❷ UNIV to lecture (**über** on) **III.** vr **der Roman liest sich leicht/nicht leicht** the novel is easy/quite difficult to read

le·sen² <liest, las, gelesen> ['le:zn̩] vt ❶ (*sammeln*) to pick ❷ (*auf~*) **etw vom Boden ~** to pick sth up sep off the floor

le·sens·wert adj, ■ worth reading pred

Le·ser(in) <-s, -> ['le:zɐ] m(f) reader

Le·se·rat·te f (*hum fam*) bookworm

Le·ser·brief m reader's letter

Le·se·rin <-, -nen> f fem form von Leser

Le·ser·kreis m readership

le·ser·lich adj legible; **gut/kaum/schwer ~ sein** to be easy/almost impossible/difficult to read

Le·ser·schaft <-, selten -en> f (*geh*) readership

Le·se·saal m reading room **Le·se·stoff** m reading matter no pl, no indef art **Le·se·zei·chen** nt bookmark[er] **Le·se·zir·kel** m magazine subscription service (*company which loans magazines to readers*)

Le·sung <-, -en> f ❶ (*Dichter~*) a. POL reading ❷ REL lesson

Le·thar·gie <-> [letar'giː] f kein pl lethargy

no pl, no indef art

le·thar·gisch [le'targɪʃ] adj lethargic

Let·te, Let·tin <-n, -n> ['lɛtə, 'lɛtɪn] m, f Latvian; s. a. **Deutsche(r)**

Let·ter <-, -n> ['lɛtɐ] f ❶ (*Druckbuchstabe*) letter ❷ TYPO character

Let·tin <-, -nen> f fem form von **Lette**

let·tisch ['lɛtɪʃ] adj Latvian; s. a. **deutsch**

Lett·land ['lɛtlant] nt Latvia; s. a. **Deutschland**

Letzt [lɛtst] f ▸ **zu guter ~** finally

letz·te(r, s) adj ❶ (*den Schluss bezeichnend*) last; **in der Klasse saß sie in der ~n Reihe** she sat in the back row in class; **der L~ des Monats** the last [day] of the month; **als L~[r] kommen/gehen/fertig sein** to arrive/leave/finish last ❷ (*das zuletzt Mögliche bezeichnend*) last; **Versuch** final; **diese Klatschbase wäre die L~, der ich mich anvertrauen würde** that old gossip is the last person I would confide in; ■ **etw ist das L~, was ...** sth is the last thing that ... ❸ SPORT **sie ging als ~ Läuferin durchs Ziel** she was the last runner to finish [the race]; ■ **L~ werden** to finish [in] last [place] ❹ TRANSP (*späteste*) last ❺ (*restlich*) last ❻ (*vorige*) last; **es ist das ~ Mal, dass ...** this is the last time that ...; **beim ~n Mal** last time; **zum ~n Mal** the last time; **im ~n Jahr** last year ❼ (*an ~r Stelle erwähnt*) last ❽ (*neueste*) latest ❾ (*fam: schlechteste*) **das ist doch der ~ Kerl!** what an absolute sleazeball!

Letz·te(s) nt (*letzte Bemerkung*) ■ **ein ~s** one last thing ▸ **sein ~s** [**her**]**geben** to give one's all; **das ist ja wohl das ~!** (*fam*) that really is the limit!

letzt·end·lich ['lɛtst ʔɛntlɪç] adv at the end of the day

letz·tens ['lɛtstn̩s] adv recently; **erst ~** just the other day; **... und ~** ... and lastly; **drittens und ~** thirdly and lastly

letzt·lich ['lɛtstlɪç] adv in the end

letzt·ma·lig [-maːlɪç] adj attr final

Leucht·bo·je f light-buoy

Leuch·te <-, -n> ['lɔyçtə] f (*Stehlampe*) standard lamp ▸ **nicht gerade eine ~ sein** (*fam*) to not be all that bright

leuch·ten ['lɔyçtn̩] vi ❶ (*Licht ausstrahlen*) to shine; **Abendsonne** to glow ❷ (*Licht reflektieren*) to glow ❸ (*auf~*) **die Kinder hatten vor Freude ~de Augen** the children's eyes were sparkling with joy ❹ (*strahlen*) shine; **leuchte mit der Lampe mal hier in die Ecke** can you shine the light here in the corner

leuch·tend adj ❶ (*strahlend*) bright

❷ (*herrlich*) shining *fig;* *Farben* glowing

Leuch·ter <-s, -> *m* candlestick; (*mehrarmig*) candelabra

Leucht·far·be *f* fluorescent paint **Leucht·feu·er** *nt* beacon; (*auf der Landebahn*) runway lights **Leucht·kä·fer** *m* glowworm **Leucht·kraft** *f kein pl* luminosity *no pl* **Leucht·ra·ke·te** *f* [rocket] flare **Leucht·re·kla·me** *f* neon sign **Leucht·schrift** *f* neon letters *pl* **Leucht·sig·nal** *nt* flare signal **Leucht·turm** *m* lighthouse **Leucht·zif·fer·blatt** *nt* luminous dial

leug·nen ['lɔygnən] **I.** *vt* to deny; **es ist nicht zu ~, dass ...** there is no denying the fact that ... **II.** *vi* to deny it

Leug·nung <-, -en> *f* denial

Leu·kä·mie <-, -n> [lɔykɛ'miː, *pl* lɔykɛ'miːən] *f* leukaemia

Leu·mund ['lɔymʊnt] *m kein pl* reputation

Leu·te ['lɔytə] *pl* ❶ (*Menschen*) people *npl;* **alle/keine/kaum ~** everybody/nobody/hardly anybody; **unter ~ gehen** to get out and about [a bit] ❷ (*fam: Kameraden, Kollegen*) folks *pl* ❸ (*Mitarbeiter*) workers *pl* ❹ MIL, NAUT men *pl* ▶ **die kleinen ~** (*einfache Menschen*) [the] ordinary people; **etw unter die ~ bringen** (*fam*) to spread sth around

Leu·te·schin·der(in) <-s, -> *m(f)* (*pej fam*) slave-driver *fig*

Leut·nant <-s, -s *o* -e> ['lɔytnant] *m* second lieutenant; **~ zur See** sub-lieutenant Brit, ensign Am

leut·se·lig *adj* affable

Le·vel <-s, -s> ['lɛvl] *m* (*geh*) level

Le·vi·ten [le'viːtən] *pl* ▶ **jdm die ~ lesen** (*fam*) to read sb the Riot Act

le·xi·ka·lisch [lɛksi'kaːlɪʃ] *adj* LING lexical

Le·xi·ko·graf(in)RR <-en, -en> [lɛksiko'graːf] *m(f)* LING lexicographer

Le·xi·ko·gra·fieRR <-> [leksikogra'fiː] *f kein pl* lexicography

Le·xi·ko·graph(in) <-en, -en> [lɛksiko'graːf] *m(f)* s. **Lexikograf**

Le·xi·ko·gra·phie <-> [leksikogra'fiː] *f kein pl* s. **Lexikografie**

Le·xi·kon <-s, Lexika> ['lɛksikɔn, *pl* 'lɛksika] *nt* ❶ (*Nachschlagewerk*) encyclopaedia ❷ LING lexicon

lfd. *Abk von* **laufend** regular; (*jetzig*) current

Li·ai·son <-, -s> [liɛ'zõː] *f* (*geh*) liaison

Li·a·ne <-, -n> ['lia̯nə] *f* liana

Li·ba·ne·se, Li·ba·ne·sin <-n, -n> [liba'neːzə, liba'neːzɪn] *m, f* Lebanese; *s. a.* **Deutsche(r)**

li·ba·ne·sisch [liba'neːzɪʃ] *adj* Lebanese;

s. a. **deutsch**

Li·ba·non <-[s]> ['liːbanɔn] *m* ❶ (*Land*) ▪ **der ~** the Lebanon; *s. a.* **Deutschland** ❷ (*Gebirge*) the Lebanon Mountains *pl*

Li·bel·le <-, -n> [li'bɛlə] *f* ❶ ZOOL dragonfly ❷ TECH (*Teil eines Messinstruments*) bubble tube; (*bei einer Wasserwaage*) spirit level

li·be·ral [libe'raːl] **I.** *adj a.* POL liberal **II.** *adv* liberally; **~ eingestellt/gestaltet sein** to be liberally minded/have a liberal structure

li·be·ra·li·sie·ren* [liberali'ziːrən] *vt* to liberalize

Li·be·ra·li·sie·rung <-, -en> *f* liberalization

Li·be·ra·lis·mus <-> [libera'lɪsmʊs] *m kein pl* liberalism *no pl*

Li·be·ria <-s> [li'beːria̯] *nt* Liberia; *s. a.* **Deutschland**

Li·be·ri·a·ner(in) <-s, -> [libe'riaːnɐ] *m(f)* Liberian; *s. a.* **Deutsche(r)**

li·be·ri·a·nisch [libe'riaːnɪʃ] *adj* Liberian; *s. a.* **deutsch**

Li·be·ro <-s, -s> ['liːbero] *m* sweeper

Li·bi·do <-> ['liːbido, li'biːdo] *f kein pl* libido

Li·bret·to <-s, -s *o* Libretti> [li'brɛto, *pl* li'brɛti] *nt* MUS libretto

Li·by·en <-s> ['liːbỹən] *nt* Libya; *s. a.* **Deutschland**

Li·by·er(in) <-s, -> ['liːbỹɐ] *m(f)* Libyan; *s. a.* **Deutsche(r)**

li·bysch ['liːbʏʃ] *adj* Libyan; *s. a.* **deutsch**

licht [lɪçt] *adj* ❶ (*hell*) light ❷ (*spärlich*) sparse, thin; **an der Stirn ist sein Haar schon ~** he already has a receding hairline ❸ ARCHIT, BAU **~e Höhe/Weite** headroom/ clear width

Licht <-[e]s, -er> [lɪçt] *nt* ❶ *kein pl* (*Helligkeit*) light *no pl* ❷ ELEK light; **das ~ brennt** the light is on; **das ~ brennen lassen** to leave the light[s] on; **das ~ ausschalten** (*fam*) to turn out the light; **etw gegen das ~ halten** to hold sth up to the light ▶ **das ~ [der Öffentlichkeit] scheuen** to shun publicity; **sein ~ unter den Scheffel stellen** to hide one's light under a bushel; **das ~ der Welt erblicken** (*geh*) to [first] see the light of day; **etw erscheint in einem anderen ~** sth appears in a different light; **kein großes ~ sein** (*fam*) to be no great genius; **grünes ~ [für etw** *akk*] **geben** to give the go-ahead [for sth]; **in einem günstigeren ~** in a [more] favourable light; **etw ins rechte ~ rücken** to show sth in its correct light; **~ in etw** *akk* **bringen** to shed [some] light on sth; **etw ans ~ bringen** to bring sth to light; **jdn hinters ~**

führen to take sb in
Licht·an·la·ge f lights pl, lighting equipment **Licht·bild** nt (veraltend) ❶ (geh: Passbild) passport photograph ❷ (Dia) slide **Licht·blick** m ray of hope **licht·durch·läs·sig** adj translucent **Licht·effekt** m lighting effect **Licht·ein·wir·kung** f effects pl of the light **licht·emp·find·lich** adj sensitive to light pred; FOTO photosensitive
lich·ten ['lɪçtn̩] I. vt FORST, HORT to thin out sep II. vr ■sich ~ ❶ (dünner werden) to [grow] thin ❷ (spärlicher werden) to go down ❸ (klarer werden) to be cleared up
Licht·ter·ket·te f chain of lights
lich·ter·loh ['lɪçtɐ'loː] adv ~ **brennen** to be ablaze
Licht·ter·meer nt (geh) sea of lights
Licht·ge·schwin·dig·keit f kein pl **mit ~** at the speed of light **Licht·grif·fel** m, **Licht·stift** m INFORM electronic pen **Licht·hu·pe** f flash of the headlights **Licht·jahr** nt ❶ ASTRON light year ❷ pl (fam: sehr weit/lange) light years pl **Licht·ke·gel** m cone [or beam] of light **Licht·ma·schi·ne** f generator **Licht·mast** m lamppost **Licht·mess**RR, **Licht·meß**ALT f REL **Mariä** ~ Candlemas **Licht·or·gel** f colour organ **Licht·quel·le** f source of light **Licht·re·kla·me** f s. **Leuchtreklame Licht·schacht** m lightwell **Licht·schal·ter** m light switch **licht·scheu** adj ❶ BOT, ZOOL Pflanze shade-loving; **ein ~es Tier** an animal that shuns the light ❷ (fig) **~es Gesindel** shady characters pl **Licht·schran·ke** f light barrier **Licht·schutz** <-es> m kein pl sun protection **Licht·schutz·fak·tor** m [sun] protection factor **Licht·stär·ke** f ❶ PHYS light intensity ❷ FOTO Objektiv speed **Licht·strahl** m beam of light **licht·un·durch·läs·sig** adj opaque
Licht·tung <-, -en> f clearing
Licht·ver·hält·nis·se pl lighting conditions pl
Lid <-[e]s, -er> [liːt] nt [eye]lid
Lid·schat·ten m eye shadow **Lid·strich** m eyeliner
lieb [liːp] adj ❶ (liebenswürdig) kind, nice; **sei/sein Sie so ~ und ...** would you be so good as to ... ❷ (artig) good; **sei jetzt ~/sei ein ~es Kind!** be a good boy/girl! ❸ (niedlich) cute ❹ (geschätzt) dear; **L~er Karl, L~e Amelie!** (als Anrede in Briefen) Dear Karl and Amelie,; **[mein] L~es** [my] love; **[ach] du ~er Gott/~e Güte** (fam) good heavens!; **jdn/ein Tier ~ haben** to love sb/an animal; **jdn/etw ~**

gewinnen to grow fond of sb/sth; **man muss ihn einfach ~ haben** it's impossible not to like him ❺ (angenehm) welcome; **das wäre mir gar nicht/weniger ~** I'd [much] rather you didn't [do it]; **ich mag Vollmilchschokolade am ~sten** my favourite is milk chocolate; **am ~sten hätte ich ja abgelehnt** I would have liked to have said no
lieb·äu·geln ['liːp?ɔygl̩n] vi ■**mit etw** dat ~ to have one's eye on sth; ■**damit ~, etw zu tun** to toy with the idea of doing sth
Lie·be <-, -n> ['liːbə] f ❶ (Gefühl starker Zuneigung) love; **aus ~ zu jdm** out of love for sb ❷ kein pl (Leidenschaft) **aus ~ zu etw** dat for the love of sth ❸ (Mensch) love; **die ~ meines Lebens** the love of my life ❹ (Sex) making love; **käufliche ~** (geh) prostitution; **~ [mit jdm] machen** (fam) to make love [to sb] ▶ **~ auf den ersten Blick** love at first sight; **~ macht blind** (prov) love is blind; **in ~, dein(e) ...** [with] all my love, ...
Lie·be·lei <-, -en> [liːbə'laj] f (fam) flirtation
lie·ben ['liːbn̩] I. vt ❶ (Liebe entgegenbringen) ■**jdn ~** to love sb; ■**sich ~** to love each other ❷ (gerne mögen) ■**etw ~** to love sth; **es nicht ~, wenn jd etw tut** to not like it when sb does sth ❸ (euph: Geschlechtsverkehr miteinander haben) ■**jdn ~** to make love to sb; ■**sich ~** to make love ▶ **was sich liebt, das neckt sich** (prov) lovers like to tease each other II. vi to be in love
lie·bend I. adj loving II. adv ~ **gern** with great pleasure; **ich würde ja ~ gerne bleiben, aber ich muss gehen** I'd love to stay [here], but I've got to go; **„willst du mich nicht begleiten?" — „aber gern"** "would you like to come with me?" — "I'd love to"
Lie·ben·de(r) f(m) lover
lie·bens·wert adj lovable
lie·bens·wür·dig adj kind
lie·bens·wür·di·ger·wei·se adv kindly
Lie·bens·wür·dig·keit <-, -en> f kindness; **würden Sie die ~ haben, ...?** (geh) would you be so kind as to ...?; **die ~ in Person** kindness personified
lie·ber ['liːbɐ] I. adj comp von **lieb**: **mir wäre es ~, wenn Sie nichts darüber verlauten ließen** I would prefer it if you didn't tell anybody about this; **was ist Ihnen ~, das Theater oder das Kino?** would you prefer to go to the theatre or the cinema? II. adv ❶ comp von **gern** rather;

ich würde ~ in der Karibik als an der Ostsee Urlaub machen I would rather take a holiday in the Caribbean than on the Baltic; **etw ~ mögen** to prefer sth ➋ (*besser*) better; **darüber schweige ich ~** I think it best to remain silent; **wir sollten ~ gehen** we'd better be going; **das hätten Sie ~ nicht gesagt** you shouldn't have said that; **das möchte ich dir ~ nicht sagen** I'd rather not tell you that; **nichts ~ als das** I'd love to

Lie·bes·aben·teu·er *nt* romance **Lie·bes·af·fä·re** *f* love affair **Lie·bes·be·zie·hung** *f* loving relationship **Lie·bes·brief** *m* love letter **Lie·bes·er·klä·rung** *f* declaration of love; **jdm eine ~ machen** to declare one's love to sb **Lie·bes·film** *m* romantic film **Lie·bes·ge·schich·te** *f* ➊ LIT love story ➋ (*fam: Liebesaffäre*) love affair **Lie·bes·kum·mer** *m* lovesickness *no pl;* **~ haben** to be lovesick **Lie·bes·le·ben** *nt* love life **Lie·bes·lied** *nt* love song **Lie·bes·müh**, **Lie·bes·mü·he** *f* ▶ **ver·gebliche ~ sein** to be a waste of time **Lie·bes·paar** *nt* lovers *pl* **Lie·bes·ro·man** *m* romantic novel **lie·bes·toll** *adj* love-crazed

lie·be·voll I. *adj* loving; *Kuss* affectionate **II.** *adv* ➊ (*zärtlich*) affectionately ➋ (*mit besonderer Sorgfalt*) lovingly

Lieb·ha·ber(in) <-s, -> ['li:pha:bɐ] *m(f)* ➊ (*Partner*) lover ➋ (*Freund*) enthusiast **Lieb·ha·be·rei** <-, -en> [li:pha:bə'raɪ] *f* hobby **Lieb·ha·be·rin** <-, -nen> *f fem form von* **Liebhaber**

Lieb·ha·ber·wert *m kein pl* collector's value *no pl*

lieb·ko·sen* [li:p'ko:zn̩] *vt* (*geh*) to caress **Lieb·ko·sung** <-, -en> *f* (*geh*) caress **lieb·lich** ['li:plɪç] **I.** *adj* ➊ (*angenehm süß*) sweet; *Wein* medium sweet ➋ (*erhebend*) lovely; *Töne* melodious **II.** *adv* ~ **duften/ schmecken** to smell/taste sweet

Lieb·ling <-s, -e> ['li:plɪŋ] *m* ➊ (*Geliebte(r)*) darling ➋ (*Favorit*) favourite **Lieb·lings·be·schäf·ti·gung** *f* favourite hobby

lieb·los I. *adj* ➊ (*keine liebevolle Zuwendung gebend*) unloving ➋ (*Nachlässigkeit zeigend*) unfeeling **II.** *adv* any old how *fam*

Lieb·lo·sig·keit <-, -en> *f* ➊ *kein pl* (*Mangel an liebevoller Zuwendung*) lack of feeling *no pl* ➋ (*Verhalten*) unkind act

Lieb·schaft <-, -en> *f* (*veraltend*) *s.* **Liebesaffäre**

liebs·te(r, s) ['li:pstə, 'li:pstɐ, 'li:pstəs] *adj*

superl von **lieb** dearest; **das mag ich am ~n** I like that [the] best; **am ~n möchte ich schlafen** I'd just really like to sleep

Liebs·te(r) ['li:pstə, 'li:pstɐ] *f(m)* ▪ **jds ~** sb's sweetheart

Lieb·stö·ckel <-s, -> ['li:pʃtœkl̩] *m o nt* lovage

Liech·ten·stein <-s> ['lɪçtn̩ʃtaɪn] *nt* Liechtenstein; *s. a.* **Deutschland**

Liech·ten·stei·ner(in) <-s, -> ['lɪçtn̩ʃtaɪnɐ] *m(f)* Liechtensteiner; *s. a.* **Deutsche(r)**

Lied <-[e]s, -er> [li:t] *nt* song ▶ **es ist immer das <u>alte</u> ~** (*fam*) it's always the same old story; **ein ~ von etw** *dat* <u>singen</u> **können** to be able to tell sb a thing or two about sth

Lie·der·buch *nt* songbook **lie·der·lich** ['li:dɐlɪç] *adj* (*veraltend o pej*) slovenly

Lie·der·ma·cher(in) *m(f)* singer-songwriter (*about topical subjects*)

lief [li:f] *imp von* **laufen**

Lie·fe·rant(in) <-en, -en> [lifə'rant] *m(f)* ➊ (*Firma*) supplier ➋ (*Auslieferer*) deliveryman *masc*, deliverywoman *fem*

lie·fer·bar *adj* ➊ (*erhältlich*) available, in stock ➋ (*zustellbar*) **Ihre Bestellung ist leider erst später ~** we won't be able to meet your order until a later date

Lie·fer·be·din·gun·gen *pl* terms of delivery **Lie·fer·frist** *f* delivery deadline

lie·fern ['li:fɐn] **I.** *vt* ➊ (*aus~*) to deliver [*or* supply~] ➋ *Beweis* to provide ➌ (*erzeugen*) to yield; **viele Rohstoffe werden aus dem Ausland geliefert** many raw materials are imported from abroad ➍ SPORT **die Boxer lieferten dem Publikum einen spannenden Kampf** the boxers put on an exciting bout for the crowd **II.** *vi* to deliver

Lie·fer·schein *m* delivery note BRIT, packing slip AM **Lie·fer·stopp** *m* suspension of deliveries **Lie·fer·ter·min** *m* delivery date

Lie·fe·rung <-, -en> *f* ➊ (*das Liefern*) delivery ➋ (*gelieferte Ware*) consignment

Lie·fer·wa·gen *m* delivery van; (*offen*) pickup truck **Lie·fer·zeit** *f s.* **Lieferfrist**

Lie·ge <-, -n> ['li:gə] *f* ➊ (*Bett ohne Fuß-/Kopfteil*) daybed ➋ (*Liegestuhl*) [sun-]lounger

lie·gen <lag, gelegen> ['li:gn̩] *vi* haben *o* SÜDD sein ➊ (*sich in horizontaler Lage befinden*) to lie; **ich liege noch im Bett** I'm still [lying] in bed; **deine Brille müsste eigentlich auf dem Schreibtisch ~** your glasses should be [lying] on the desk; **in diesem Liegestuhl liegt man am bequemsten** this is the most comfortable lounger to lie in; **~ bleiben** (*nicht aufstehen*) to stay in bed; (*nicht mehr aufstehen*) to remain lying [down]; **etw ~ lassen** to leave sth [there] **❷** (*sich abgesetzt haben*) **hier in den Bergen liegt oft bis Mitte April noch Schnee** here in the mountains the snow often lies on the ground until mid-April; **über allen Möbeln lag eine dicke Staubschicht** there was a thick layer of dust over all the furniture **❸** (*lagern*) **Hände weg, das Buch bleibt** [**da**] **~!** hands off, that book's going nowhere!; **~ bleiben** (*nicht verkauft werden*) to remain unsold **❹** (*vergessen*) **irgendwo ~ bleiben** to be left behind somewhere **❺** (*geografisch gelegen sein*) ▪**irgendwo ~** to be somewhere **❻** (*eine bestimmte Lage haben*) **ihr Haus liegt an einem romantischen See** their house is situated by a romantic lake; **diese Wohnung ~ nach vorn zur Straße** [**hinaus**] this flat faces [out onto] the street **❼** (*begraben sein*) ▪**irgendwo ~** to be buried somewhere **❽** NAUT ▪**irgendwo ~** to be [moored] somewhere **❾** AUTO **~ bleiben** to break down **❿** SPORT **wie ~ unsere Schwimmer eigentlich im Wettbewerb?** how are our swimmers doing in the competition?; **die Mannschaft liegt jetzt auf dem zweiten Tabellenplatz** the team is now second in the division **⓫** (*angesiedelt sein*) **der Preis dürfte** [**irgendwo**] **bei 4.500 Euro ~** the price is likely to be [around] 4,500 euros **⓬** (*verursacht sein*) ▪**an jdm/etw ~** to be caused by sb/sth; **woran mag es nur ~, dass mir immer alles misslingt?** why is it that everything I do goes wrong? **⓭** (*wichtig sein*) **du weißt doch, wie sehr mir daran liegt** you know how important it is to me; ▪**jdm ist nichts/viel an jdm/etw gelegen** sb/sth means nothing/a lot to sb **⓮** *meist verneint* (*zusagen*) **körperliche Arbeit liegt ihr nicht** she's not really cut out for physical work **⓯** (*lasten*) ▪**auf jdm ~** to weigh down [up]on sb **⓰** (*abhängig sein*) ▪**bei jdm ~** to be up to sb **⓱** (*nicht ausgeführt werden*) **~ bleiben** to be left undone ► **an mir/uns soll es nicht ~!** don't let me/us stop you!

Lie·gen·schaft <-, -en> *f meist pl* real estate

Lie·ge·platz *m* NAUT berth, moorings *pl*; (*für Hochseeschiffe*) deep-water berth **Lie·ge·sitz** *m* reclining seat **Lie·ge·stuhl** *m* (*Liege*) [sun-]lounger; (*Stuhl*) deckchair

Lie·ge·stütz <-es, -e> *m* press- [*or* AM push-] up **Lie·ge·wa·gen** *m* couchette car **Lie·ge·wie·se** *f* lawn for sunbathing

lieh [liː] *imp von* **leihen**

ließ [liːs] *imp von* **lassen**

liest 3. *pers pres von* **lesen**

Lift <-[e]s, -e *o* -s> [lɪft] *m* lift BRIT, elevator AM

Lift·boy <-s, -s> ['lɪftbɔy] *m* liftboy BRIT, elevator boy AM

lif·ten ['lɪftn̩] *vt* MED to lift; **sich** *dat* **das Gesicht ~ lassen** to have a facelift

Li·ga <-, Ligen> ['liːga, *pl* 'liːgn̩] *f* league

light [laɪt] *adj* GASTR low-calorie

Light·pro·dukt ['laɪt-] *nt* low-fat product

li·ie·ren* [li'iːrən] *vr* (*geh*) ▪**sich ~** to become close friends with each other *euph;* ▪[**mit jdm**] **liiert sein** to have a relationship [with sb]

Li·kör <-s, -e> [li'køːɐ̯] *m* liqueur

li·la ['liːla] *adj* purple

Li·lie <-, -n> ['liːli̯ə] *f* lily

Li·li·pu·ta·ner(in) <-s, -> [lilipu'taːnɐ] *m(f)* dwarf

Li·mit <-s, -s *o* -e> ['lɪmɪt] *nt* limit

li·mi·tie·ren* [limi'tiːrən] *vt* to limit

Li·mo <-, -s> ['lɪmo, 'liːmo] *f* (*fam*) lemonade

Li·mo·na·de <-, -n> [limo'naːdə] *f* lemonade

Li·mou·si·ne <-, -n> [limu'ziːnə] *f* saloon [car] BRIT, sedan AM; (*größerer Luxuswagen*) limousine

Lin·de <-, -n> ['lɪndə] *f* lime [tree]

Lin·den·blü·ten·tee *m* lime blossom tea

lin·dern ['lɪndɐn] *vt a.* MED to alleviate; *Husten, Sonnenbrand* to soothe

Lin·de·rung <-> *f kein pl a.* MED relief *no pl*

Li·ne·al <-s, -e> [line'aːl] *nt* ruler

li·ne·ar [line'aːɐ̯] *adj* linear

Lin·gu·ist(in) <-en, -en> [lɪŋ'guɪst] *m(f)* linguist

Lin·gu·is·tik <-> [lɪŋ'guɪstɪk] *f kein pl* linguistics + *sing vb, no art*

Lin·gu·is·tin <-, -nen> *f fem form von* **Linguist**

lin·gu·is·tisch *adj* linguistic

Li·nie <-, -n> ['liːni̯ə] *f* **❶** (*längerer Strich*) line; **eine geschlängelte/gestrichelte ~** a wavy/broken line; **eine ~ ziehen** to draw a line **❷** (*Verkehrsverbindung*) **eine Bus-/U-Bahn-~** a bus/underground line; **nehmen Sie am besten die ~ 19** you'd best take the number 19 **❸** POL *a.* (*allgemeine Richtung*) line; **auf der gleichen ~ liegen** to follow the same line ► **die schlanke ~** (*fam*) one's figure; **in vor-**

derster ~ **stehen** to be in the front line
Li·ni·en·bus m regular [service] bus **Li·ni·en·flug** m scheduled flight **Li·ni·en·rich·ter** m (*beim Fußball*) referee's assistant; (*beim Tennis*) line-judge; (*beim Rugby*) touch-judge
li·nie·ren* [li'ni:rən], **li·ni·ie·ren*** [lini'i:rən] vt ■**etw** ~ to rule [lines on] sth
li·niert adj lined
link [lɪŋk] adj (*fam*) shady
Link <-s, -s> [lɪŋk] nt INFORM link
Lin·ke <-n, -n> ['lɪŋkə] f ❶ (*linke Hand*) left [hand]; **zu jds** ~**n** (*geh*) to sb's left ❷ POL ■**die** ~ the left [*or* Left]
lin·ke(r, s) adj attr ❶ (*auf der Seite des Herzens*) left; *Fahrbahn, Spur* left-hand ❷ POL left-wing
Lin·ke(r) ['lɪŋkə] f(m) POL left-winger
lin·ken ['lɪŋkn̩] vt (*sl*) ■**jdn** ~ to take sb for a ride *fam*
lin·kisch ['lɪŋkɪʃ] adj clumsy
links [lɪŋks] **I.** adv ❶ (*auf der linken Seite*) on the left; **sich** ~ **halten** to keep to the left; ■~ **hinter/neben/von/vor ...** to the left behind/directly to the left of/to the left of/to the left in front of ...; ~ **oben/unten** in the top/bottom left-hand corner; **nach** ~ [to the] left; **nach** ~ /**rechts gehen** to turn left/right; **von** ~ from the left ❷ TRANSP ~ **abbiegen** to turn [off to the] left; **sich** ~ **einordnen** to move into the left-hand lane; **sich** ~ **halten** to keep to the left ❸ MODE ~ **stricken** to purl; **eine** [**Masche**] ~, **drei** [**Maschen**] **rechts** purl one, knit three ❹ POL ~ **eingestellt sein** to have left-wing tendencies; ~ **stehen** to be left-wing ❺ MIL ~ **um!** left about turn! ▶**jdn** ~ **liegen lassen** to ignore sb; **mit** ~ easily **II.** *präp* + *gen* ■~ **einer S.** to the left of sth
Links·au·ßen <-, -> [lɪŋks'ʔau̯sn̩] m ❶ FBALL left wing ❷ POL (*fam*) extreme left-winger **links·bün·dig** adj TYPO left-justified *attr*, left justified *pred* **Links·ex·trem** adj extreme left-wing *attr* **Links·ex·tre·mis·mus** m left-wing extremism **Links·ex·tre·mist(in)** m(f) left-wing extremist **links·ex·tre·mis·tisch** adj left-wing extremist **links·ge·rich·tet** adj POL left-wing orientated **Links·hän·der(in)** <-s, -> ['lɪŋkshɛndɐ] m(f) left-hander **links·hän·dig** ['lɪŋkshɛndɪç] **I.** adj left-handed **II.** adv with one's left hand **links·her·um** ['lɪŋkshɛrʊm] adv ❶ (*nach links*) to the left ❷ (*mit linker Drehrichtung*) anticlockwise BRIT, counter-clockwise AM **Links·kur·ve** f left-hand bend **links·ra·di·kal I.** adj radical left-wing *attr* **II.** adv radically left-wing **links·rum** adv (*fam*) s. **linksherum**

links·sei·tig adj on the left side *pred* **Links·ver·kehr** m driving on the left *no pl, no art*
Li·no·le·um <-s> [li'no:leʊm, lino'le:ʊm] nt kein pl linoleum *no pl*
Li·nol·schnitt [li'no:lʃnɪt] m linocut
Lin·se <-, -n> ['lɪnzə] f ❶ *meist pl* BOT, KOCHK lentil ❷ ANAT, PHYS lens
Lip·gloss^RR <-, -> nt, **Lipgloß**^ALT <-, -> ['lɪpɡlɔs] nt lip gloss
Lip·pe <-, -n> ['lɪpə] f ANAT lip; **jdm etw von den** ~**n ablesen** to read sth from sb's lips ▶**etw nicht über die** ~**n bringen** to not be able to bring oneself to say sth; **an jds** ~**n hängen** to hang on sb's every word **Lip·pen·be·kennt·nis** nt lip-service **Lip·pen·kon·tu·ren·stift** m lipliner **Lip·pen·stift** m lipstick
li·quid [li'kvi:t] adj, **li·qui·de** [li'kvi:də] adj FIN ❶ (*geh: solvent*) solvent ❷ (*verfügbar*) ~**es Vermögen** liquid assets *pl*
li·qui·die·ren* [likvi'di:rən] vt ÖKON (*a. euph*) to liquidate
Li·qui·di·tät <-> [likvidi'tɛ:t] f kein pl ÖKON [financial] solvency
lis·peln ['lɪspl̩n] **I.** vi to lisp **II.** vt to whisper
Lis·sa·bon <-s> ['lɪsabɔn, lɪsa'bɔn] nt Lisbon
List <-, -en> [lɪst] f (*Täuschung*) trick; **eine** ~ **anwenden** to use a little cunning ▶**mit** ~ **und Tücke** (*fam*) with cunning and trickery
Lis·te <-, -n> ['lɪstə] f list ▶**auf der schwarzen** ~ **stehen** to be on the blacklist
lis·tig ['lɪstɪç] adj cunning
Li·ta·nei <-, -en> [lita'nai̯] f (*a. pej*) litany
Li·tau·en <-s> ['li:tau̯ən] nt Lithuania; *s. a.* **Deutschland**
Li·tau·er(in) <-, -en> ['li:tau̯ɐ] m(f) Lithuanian; *s. a.* **Deutsche(r)**
li·tau·isch ['li:tau̯ɪʃ, 'lɪtau̯ɪʃ] adj Lithuanian; *s. a.* **deutsch**
Li·ter <-s, -> ['li:tə] m o nt litre
li·te·ra·risch [lɪtə'ra:rɪʃ] adj literary
Li·te·rat(in) <-en, -en> [lɪtə'ra:t] m(f) (*geh*) writer
Li·te·ra·tur <-, -en> [lɪtəra'tu:ɐ] f literature *no pl, no indef art*
Li·te·ra·tur·an·ga·be f bibliographical reference **Li·te·ra·tur·kri·tik** f literary criticism **Li·te·ra·tur·preis** m literary prize **Li·te·ra·tur·wis·sen·schaft** f literary studies *pl* **Li·te·ra·tur·wis·sen·schaft·ler(in)** m(f) literary specialist
li·ter·wei·se adv by the litre
Lit·faß·säu·le ['lɪtfaszɔy̯lə] f advertising pillar

Lob

loben, positiv bewerten	**giving praise**
Ausgezeichnet!/Hervorragend!	Excellent!/Outstanding!
Das hast du gut gemacht.	You did (that) very well.
Das hast du prima hingekriegt. *(fam)*	You've made a great job of that.
Das lässt sich (aber) sehen! *(fam)*	That's (really) something to be proud of!
Daran kann man sich ein Beispiel nehmen.	That's an example worth following.
Das hätte ich nicht besser machen können.	I couldn't have done better myself.

Wertschätzung ausdrücken	**expressing regard**
Ich finde es super, wie er sich um die Kinder kümmert.	**I think it's great** how he looks after the children.
Ich schätze Ihren Einsatz **(sehr)**.	**I (really) appreciate** your dedication.
Ich weiß Ihre Arbeit **sehr zu schätzen**.	**I very much appreciate** your work.
Ich möchte Ihren guten Rat **nicht missen**.	**I wouldn't like to be without** your good advice.
Ich finde die Vorlesungen dieses Professors **sehr gut**.	**I think** this professor's lectures **are very good**.
Ich wüsste nicht, was wir ohne Ihre Hilfe **tun sollten**.	**I don't know what we would do without** your help.

Li·tho·gra·phie <-, -n> *f*, **Li·tho·gra·fie**ᴿᴿ <-, -n> [litograˈfiː, *pl* -graˈfiːən] *f* ❶ *kein pl* (*Technik*) lithography *no pl, no art* ❷ (*Druck*) lithograph

Lit·schi <-, -s> [ˈlɪtʃi] *f* BOT litchi

litt [lɪt] *imp von* **leiden**

Li·tur·gie <-, -n> [litʊrˈgiː, *pl* -ˈgiːən] *f* liturgy

li·tur·gisch [liˈtʊrgɪʃ] *adj* liturgical

Lit·ze <-, -n> [ˈlɪtsə] *f* ❶ MODE braid ❷ ELEK litz [*or* Litz] wire

live [laɪf] *adj präd* live

Live·sen·dungᴿᴿ [ˈlaɪf-] *f*, **Live-Sen·dung** [ˈlaɪf-] *f* live broadcast

Live·über·tra·gungᴿᴿ [ˈlaɪf-] *f*, **Live-Über·tra·gung** [ˈlaɪf-] *f* live broadcast

Li·vree <-, -n> [liˈvreː, *pl* -eːən] *f* MODE livery

Li·zenz <-, -en> [liˈtsɛnts] *f* licence

Li·zenz·aus·ga·be *f* licensed edition **Li·zenz·ge·bühr** *f* licence fee; VERLAG royalty

Lkw, LKW <-[s], -[s]> [ˈɛlkaːveː] *m Abk von* **Lastkraftwagen** HGV BRIT

Lob <-[e]s, *selten* -e> [loːp] *nt* praise *no pl, no indef art*; **~ für etw** *akk* **bekommen** to be praised for sth; **des ~es voll** [**über jdn/etw**] **sein** to be full of praise [for sb/sth]

Lob·by <-, -s> [ˈlɔbi] *f* lobby

Lob·by·ist(in) <-en, -en> [lɔbiˈɪst] *m(f)* lobbyist

lo·ben [ˈloːbn̩] **I.** *vt* ❶ (*anerkennend beurteilen*) to praise ❷ (*sehr gefallen*) **solches Engagement lob ich mir** that's the sort of commitment I like [*or* to see] **II.** *vi* to praise

lo·bend **I.** *adj* laudatory; **~e Worte** words of praise, laudatory words **II.** *adv* **sich über jdn/etw ~ äußern** to praise [*or* commend] sb/sth

lobens·wert *adj* commendable

löb·lich [ˈløːplɪç] *adj* (*geh*) laudable

Lob·lied *nt* ▸ **ein ~ auf jdn/etw singen** to sing sb's praises/the praises of sth **Lob·re·de** *f* eulogy; **eine ~ auf jdn halten** to eulogize sb

Loch <-[e]s, Löcher> [lɔx, *pl* ˈlœçə] *nt* ❶ (*offene Stelle*) hole; **ein ~ im Reifen** a puncture; **schwarzes ~** ASTRON black hole ❷ (*fam: elende Wohnung*) hole ▸ **jdm ein ~ in den Bauch fragen** to drive sb up the wall with [one's] questions; **Löcher in die Luft starren** to stare into space; **auf dem letzten ~ pfeifen** (*finanziell am Ende sein*) to be broke; (*völlig erschöpft sein*) to be on one's/its last legs; **saufen wie ein ~** to drink like a fish

lo·chen [ˈlɔxn̩] *vt* ❶ (*mit dem Locher stanzen*) to punch holes in ❷ (*veraltend: mit* *der Lochzange entwerten*) to punch

Lo·cher <-s, -> ['lɔxɐ] *m* [hole] punch[er]

lö·che·rig ['lœçərɪç] *adj* full of holes *pred,* holey

lö·chern ['lœçɐn] *vt* (*fam*) to pester

Loch·kar·te *f* punch card

Lock·an·ge·bot *nt* ÖKON customer incentive; (*günstiges Angebot*) bargain [offer]; (*Lockartikel*) loss leader

Lo·cke <-, -n> ['lɔkə] *f* curl; **~n haben** to have curly hair

lo·cken¹ ['lɔkn̩] **I.** *vt* to curl; **sich** *dat* **das Haar ~ lassen** to have one's hair set **II.** *vr* ▪ **sich ~** to curl

lo·cken² ['lɔkn̩] *vt* ❶ (*an~*) to lure ❷ (*ver~*) to tempt; **Ihr Vorschlag könnte mich schon ~** I'm [very] tempted by your offer ❸ (*ziehen*) **mich lockt es jedes Jahr in die Karibik** every year I feel the lure of the Caribbean

lo·ckend *adj* tempting

Lo·cken·stab *m* curling tongs *npl* [*or* AM iron] **Lo·cken·wick·ler** <-s, -> *m* roller

lo·cker ['lɔkɐ] **I.** *adj* ❶ (*nicht stramm*) loose ❷ (*nicht fest*) loose, loose-packed *attr,* loosely packed *pred* ❸ KOCHK light ❹ (*nicht gespannt*) slack; **~e Muskeln** relaxed muscles; **ein ~es Mundwerk haben** (*fig fam*) to have a big mouth ❺ (*leger, unverkrampft*) relaxed, laid-back *attr fam,* laid back *pred fam* ❻ (*oberflächlich*) casual **II.** *adv* ❶ (*nicht stramm*) loosely; **~ sitzen** to be loose ❷ (*oberflächlich*) casually; **ich kenne ihn nur ~** I only know him in passing ❸ (*sl: ohne Schwierigkeiten*) just like that *fam*

lo·cker-flo·ckig I. *adj* (*sl*) laid-back *attr fam,* laid back *pred fam* **II.** *adv* (*sl: unbekümmert*) laid back *fam;* (*spielend leicht*) no sweat *fam*

Lo·cker·heit <-> *f kein pl* ❶ (*lockere Beschaffenheit*) looseness *no pl* ❷ (*bei einem Seil*) slackness *no pl* ❸ KOCHK lightness *no pl*

lo·cker\|las·sen *vi irreg* (*fam*) **~ to** not give up **lo·cker\|ma·chen** *vt* (*fam*) to shell out; **ob du bei Mutter noch 50 Euro Taschengeld für mich ~ könntest?** do you think you could get Mum to up my pocket money by another 50 euros?

lo·ckern ['lɔkɐn] **I.** *vt* ❶ (*locker machen*) to loosen ❷ (*entspannen*) to loosen up *sep* ❸ (*weniger streng gestalten*) to relax **II.** *vr* ▪ **sich ~** ❶ (*locker werden*) Backstein, Schraube, Zahn to work loose; Bremsen to become loose; Bewölkung, Nebel to lift ❷ SPORT (*die Muskulatur entspannen*) to loosen up ❸ (*sich entkrampfen*) **die Ver-**

krampfung lockerte sich zusehends the tension eased visibly

lo·ckig ['lɔkɪç] *adj* ❶ (*gelockt*) curly ❷ (*lockiges Haar besitzend*) curly-headed

Lock·mit·tel *nt* lure

Lo·ckung <-, -en> *f* temptation

Lock·vo·gel *m* (*a. pej*) decoy

lo·dern ['lo:dɐn] *vi* ❶ haben (*emporschlagen*) to blaze ❷ *sein* (*schlagen*) **die Flammen sind zum Himmel gelodert** the flames reached up [in]to the sky

Löf·fel <-s, -> ['lœfl̩] *m* ❶ (*als Besteck*) spoon ❷ KOCHK (*Maßeinheit*) a spoonful [of] ▸ **den ~ abgeben** (*sl*) to kick the bucket; **sich** *dat* **etw hinter die ~ schreiben** to get sth into one's head

löf·feln ['lœfl̩n] *vt* ❶ (*essen*) to eat with a spoon ❷ (*schöpfen*) to spoon

löf·fel·wei·se *adv* by the spoonful

log¹ [lɔk] *m Abk von* **Logarithmus** log

log² [lo:k] *imp von* **lügen**

Lo·ga·rith·mus <-, -rithmen> [loga'rɪtmʊs, *pl* -rɪtmən] *m* logarithm

Log·buch ['lɔkbu:x] *nt* log[book]

Lo·ge <-, -n> ['lo:ʒə] *f* ❶ FILM, THEAT box ❷ (*Pförtner~*) lodge ❸ (*Geheimgesellschaft von Freimaurern*) lodge

lo·gie·ren* [lo'ʒi:rən] *vi* to stay

Lo·gik <-> ['lo:gɪk] *f kein pl* logic *no pl, no indef art*

Lo·gis <-> [lo'ʒi:] *nt kein pl* lodgings *pl;* **Kost und ~** board and lodging

lo·gisch ['lo:gɪʃ] *adj* ❶ (*in sich stimmig*) logical ❷ (*fam: selbstverständlich*) **na, ~!** of course!

lo·gi·scher·wei·se *adv* naturally [enough]

Lo·gis·tik <-> [lo'gɪstɪk] *f kein pl* logistics *npl*

lo·gis·tisch [lo'gɪstɪʃ] *adj attr* logistic[al]

lo·go ['lo:go] *interj* (*sl*) you bet *fam*

Lo·go <-s, -s> ['lo:go] *nt* logo

Lo·go·pä·de, Lo·go·pä·din <-n, -n> [logo'pɛ:də, logo'pɛ:dɪn] *m, f* speech therapist

Lohn <-[e]s, Löhne> [lo:n, *pl* 'lø:nə] *m* ❶ (*Arbeitsentgelt*) wage[s *pl*], pay *no pl, no indef art* ❷ *kein pl* (*Belohnung*) reward; **jds gerechter ~** sb's just deserts

Lohn·ab·bau *m* reduction of earnings *pl*

Lohn·ab·rech·nung *f* payroll accounting **Lohn·aus·fall** *m* loss of earnings **Lohn·aus·gleich** *m* pay compensation **Lohn·emp·fän·ger(in)** *m(f)* (*geh*) wage-earner

loh·nen ['lo:nən] **I.** *vr* ❶ (*sich bezahlt machen*) ▪ **sich ~** to be worthwhile; **unsere Mühe hat sich gelohnt** our efforts were worth it ❷ (*es wert sein*) ▪ **sich**

~, etw zu tun to be worth doing sth **II.** *vt* ❶ (*rechtfertigen*) to be worth ❷ (*be~*) **sie hat mir meine Hilfe mit Undank gelohnt** she repaid my help with ingratitude **III.** *vi impers* to be worth it; ■**~, etw** *akk* **zu tun** to be worth[while] doing sth

löh·nen ['løːnən] (*fam*) **I.** *vi* to pay up **II.** *vt* ■**etw [für etw** *akk***] ~** to fork out sth [for sth]

loh·nend *adj* (*einträglich*) lucrative; (*nutzbringend*) worthwhile; (*sehens-/hörenswert*) worth seeing/hearing

loh·nens·wert *adj* worthwhile

Lohn·er·hö·hung *f* pay rise **Lohn·for·de·rung** *f* wage demand **Lohn·fort·zah·lung** *f* continued payment of wages **Lohn·grup·pe** *f* wage group [*or* bracket] **Lohn·kos·ten** *pl* wage costs *pl* **Lohn·kür·zung** *f* wage cut **Lohn·steu·er** *f* income tax [on wages and salaries] **Lohn·steu·er·jah·res·aus·gleich** *m* annual adjustment of income tax **Lohn·steu·er·kar·te** *f* card showing income tax and social security contributions paid by an employee in any one year **Lohn·stopp** *m* JUR wage freeze, pay restraint; **Lohn- und Preisstopp** freeze on wages and prices **Lohn·un·ter·gren·ze** *f* POL minimum wage

Loi·pe <-, -n> ['lɔypə] *f* SKI cross-country course, loipe

Lok <-, -s> [lɔk] *f* (*fam*) *kurz für* **Lokomotive**

lo·kal [loˈkaːl] *adj* local

Lo·kal <-s, -e> [loˈkaːl] *nt* ❶ (*Gaststätte*) pub BRIT, bar AM; (*Restaurant*) restaurant ❷ (*Vereins~*) [club] meeting place

Lo·kal·blatt *nt* local paper

lo·ka·li·sie·ren* [lokaliˈziːrən] *vt* ❶ (*örtlich bestimmen*) to locate ❷ (*eingrenzen*) to localize; **den Konflikt ~** to contain the conflict

Lo·ka·li·tät <-, -en> [lokaliˈtɛːt] *f* locality

Lo·kal·ko·lo·rit *nt* local colour **Lo·kal·nach·rich·ten** *pl* local news + *sing vb*, *no indef art* **Lo·kal·pa·tri·o·tis·mus** *m* local patriotism *no pl*, *no indef art* **Lo·kal·sei·te** *f* local page **Lo·kal·ter·min** *m* visit to the scene of the crime **Lo·kal·ver·bot** *nt* ~ **bekommen/haben** to get/be banned from a pub [*or* AM bar]

Lok·füh·rer(in) *m(f)* (*fam*) train driver BRIT, engineer AM

Lo·ko·mo·ti·ve <-, -n> [lokomoˈtiːvə, -fə] *f* locomotive

Lo·ko·mo·tiv·füh·rer(in) *m(f)* train driver BRIT, engineer AM

Lo·kus <-, - *o* -ses, -se> ['loːkʊs, *pl*

'loːkʊsə] *m* (*fam*) loo BRIT, john AM

Lol·li <-s, -s> ['lɔli] *m* (*fam*) lolly BRIT *also*

Lon·don <-s> ['lɔndɔn] *nt* London

Lon·do·ner ['lɔndɔnɐ] *adj attr* London; **im ~ Hyde-Park** in London's Hyde Park

Lon·do·ner(in) <-s, -> ['lɔndɔnɐ] *m(f)* Londoner

Long·drink ['lɔŋdrɪŋk] *m* long drink

Look <-s, -s> [lʊk] *m* MODE look

Loo·ping <-s, -s> ['luːpɪŋ] *m o nt* LUFT loop; **einen ~ machen** to loop the loop

Lor·beer <-s, -en> ['lɔrbeːɐ̯] *m* ❶ (*Baum*) laurel[tree] ❷ (*Gewürz*) bay leaf ▸ **sich auf seinen ~en ausruhen** (*fam*) to rest on one's laurels

Lor·beer·blatt *nt* bay leaf **Lor·beer·kranz** *m* laurel wreath

Lord <-s, -s> [lɔrt] *m* ❶ (*Adelstitel*) Lord ❷ (*Titelträger*) lord

los [loːs] **I.** *adj präd* ❶ (*von etwas getrennt*) ■**~ sein** to have come off ❷ (*fam: losgeworden*) ■**jdn/etw ~ sein** to be shot of sb/sth; **er ist sein ganzes Geld ~** he's lost all his money ▸ **hier ist etwas/viel/nichts ~** something/a lot/nothing is going on here; **da ist immer viel ~** that's where the action always is; **mit jdm ist etwas ~** sth's up with sb; **mit jdm ist nichts ~** (*jd fühlt sich nicht gut*) sb isn't up to much; (*jd ist langweilig*) sb is a dead loss; **was ist ~?** what's up?; **was ist denn hier/da ~?** what's going on here/there? **II.** *adv* ❶ (*fortgegangen*) **Ihre Frau ist schon vor fünf Minuten ~** your wife left five minutes ago ❷ (*gelöst*) ■**etw ist ~** sth is loose; **noch ein paar Umdrehungen, dann ist die Schraube ~!** a couple more turns and the screw will be off! ❸ (*mach!*) come on!; (*voran!*) get moving!

Los <-es, -e> [loːs] *nt* ❶ (*Lotterie~*) [lottery] ticket; (*Kirmes~*) [tombola [*or* AM raffle]] ticket ❷ (*für Zufallsentscheidung*) lot; **das ~ entscheidet** to be decided by drawing lots; **das ~ fällt auf jdn** it falls to sb ❸ *kein pl* (*geh: Schicksal*) lot *no pl* ▸ **jd hat mit jdm/etw das große ~ gezogen** sb has hit the jackpot with sb/sth

lös·bar [løːs-] *adj* ❶ *Problem* solvable ❷ (*löslich*) soluble

los|bin·den *vt irreg* to untie (**von** from)

los|bre·chen *irreg* **I.** *vt haben* to break off **II.** *vi sein* ❶ (*abbrechen*) to break off ❷ (*plötzlich beginnen*) to break out; **gleich wird das Gewitter/Unwetter ~** the storm is about to break

Lösch·blatt *nt* sheet of blotting-paper

lö·schen¹ ['lœʃn] **I.** *vt* ❶ (*auslöschen*) *Feuer, Flammen* to extinguish; *Licht* to switch off ❷ (*tilgen*) *a.* INFORM to delete ❸ (*eine Aufzeichnung entfernen*) to erase II. *vi* to extinguish a/the fire

lö·schen² ['lœʃn] *vt, vi* NAUT to unload

Lösch·fahr·zeug *nt* fire engine **Lösch·mann·schaft** *f* firefighting team **Lösch·pa·pier** *nt* blotting paper **Lösch·tas·te** *f* INFORM delete key

Lö·schung¹ <-, -en> *f* cancellation; *von Schulden* repayment; *von Eintragungen* deletion; *von Computerdaten* erasing; *von Bankkonto* closing

Lö·schung² <-, -en> *f* (*das Ausladen*) unloading *no pl*

lo·se ['lo:zə] *adj* ❶ (*locker, einzeln*) loose ❷ (*hum: frech*) **ein ~s Mundwerk haben** to have a big mouth

Lö·se·geld ['lø:zə-] *nt* ransom **Lö·se·geld·for·de·rung** *f* ransom demand

los|ei·sen I. *vt* (*fam*) ❶ (*mit Mühe freimachen*) to tear away; **es ist schwer, die Kinder vom Fernseher loszueisen** it is difficult to tear the children away from the TV ❷ (*etw beschaffen*) **bei jdm etw ~** to wangle sth [out of sb] II. *vr* (*fam*) ■ **sich ~** to tear oneself away (**von** from)

Lö·se·mit·tel *nt s.* Lösungsmittel

lo·sen ['lo:zn] *vi* to draw lots (**um** for)

lö·sen ['lø:zn] I. *vt* ❶ (*ab~*) to remove (**von** from) ❷ (*aufbinden*) to untie; *Fesseln, Knoten* to undo ❸ *Bremse* to release ❹ *Schraube, Verband* to loosen ❺ (*klären*) to solve; *Konflikt, Schwierigkeit* to resolve ❻ (*aufheben, annullieren*) to break off; *Bund der Ehe* to dissolve; *Verbindung* to sever; *Vertrag* to cancel ❼ (*zergehen lassen*) to dissolve ❽ (*geh: den Abzug betätigen*) to press the trigger; *Schuss* to fire ❾ (*ein Ticket kaufen*) to buy (**an** at) II. *vr* ❶ (*sich ab~*) to come off; **die Tapete löst sich von der Wand** the wallpaper is peeling off the wall ❷ (*sich freimachen, trennen*) ■ **sich von jdm/etw ~** to free oneself of sb/sth ❸ (*sich aufklären*) ■ **sich ~** to be solved ❹ (*sich auf~*) ■ **sich** [**in etw** *dat*] **~** to dissolve [in sth] ❺ (*sich lockern*) to loosen; **langsam löste sich die Spannung** (*fig*) the tension faded away

los|fah·ren *vi irreg sein* ❶ (*abfahren*) ■ [**von etw** *dat*] **~** to leave [somewhere] ❷ (*auf etw zufahren*) ■ **auf jdn/etw ~** to drive towards sb/sth **los|ge·hen** *irreg* I. *vi sein* ❶ (*weggehen*) ■ [**von etw** *dat*] **~** to leave sth ❷ (*auf ein Ziel losgehen*) ■ **auf etw** *akk* **~** to set off for [*or* towards] sth ❸ (*fam: beginnen*) **das Konzert geht erst in einer Stunde los** the concert will only start in an hour ❹ (*angreifen*) ■ **auf jdn ~**

to lay into sb ❺ *Schusswaffen* to go off II. *vi impers sein* (*fam: beginnen*) to start; **jetzt geht's los** (*fam*) here we go **los|hel·len** *vi* (*fam*) *Menschen* to burst into tears; *Tiere* to howl **los|kau·fen** *vt* to ransom **los|kom·men** *vi irreg sein* (*fam*) ❶ (*wegkommen*) to get away; **wann bist du denn zu Hause losgekommen?** so when did you [manage to] leave home ❷ (*sich befreien*) ■ **von jdm ~** to free oneself of sb; **von einem Gedanken ~** to get sth out of one's head; **von einer Sucht ~** to overcome an addiction **los|krie·gen** *vt* (*fam*) ❶ (*lösen können*) to get off (**von** of) ❷ (*loswerden*) ■ **jdn/etw ~** to get rid of sb/sth ❸ (*verkaufen können*) to flog **los|la·chen** *vi* to burst into laughter **los|las·sen** *vt irreg* ❶ (*nicht mehr festhalten*) ■ **jdn/etw ~** to let sb/sth go ❷ (*beschäftigt halten*) **der Gedanke lässt mich nicht mehr los** I can't get the thought out of my mind ❸ (*fam: auf den Hals hetzen*) ■ **etw/jdn auf etw/jdn ~** to let sth/sb loose on sth/sb ❹ (*fam: von sich geben*) **einen Fluch ~** to curse; **einen Witz ~** to come out with a joke **los|lau·fen** *vi irreg sein* to start running **los|le·gen** *vi* (*fam*) ■ [**mit etw** *dat*] **~** to start [doing sth]; **leg los!** go ahead

lös·lich ['lø:slɪç] *adj* soluble

los|lö·sen I. *vt* (*ablösen*) to remove (**von** from) II. *vr* ❶ (*sich ablösen*) ■ **sich ~** to come off ❷ (*sich freimachen*) ■ **sich von jdm ~** to free oneself of sb **los|ma·chen** I. *vt* (*losbinden*) to untie (**von** from) II. *vi* NAUT ■ [**von etw** *dat*] **~** to cast off **los|müs·sen** *vi irreg* (*fam*) to have to leave **los|rei·ßen** *irreg haben* I. *vt* to tear off; **der Sturm hat das Dach losgerissen** the storm tore the roof off; **die Augen von etw/jdm nicht ~ können** to not be able to take one's eyes off sth/sb II. *vr* ■ **sich ~** to tear oneself away; **der Hund hat sich von der Leine losgerissen** the dog snapped ped its lead **los|ren·nen** *vi irreg sein* (*fam*) *s.* loslaufen

Löss^RR <-es, -e> [lœs] *m*, **Löß** <Lösses *o* Lößes, Lösse *o* Löße> [lø:s] *m* loess *no pl*

los|sa·gen *vr* (*geh*) ■ **sich von jdm/etw ~** to renounce sb/sth **los|schi·cken** *vt* to send (**zu** to)

Lo·sung <-, -en> ['lo:zʊŋ] *f* ❶ (*Wahlspruch*) slogan ❷ (*Kennwort*) password

Lö·sung <-, -en> ['lø:zʊŋ] *f* ❶ (*das Lösen*) *a.* CHEM solution ❷ (*Aufhebung*) cancellation; *einer Beziehung/Verlobung* breaking off; *einer Ehe* dissolution ❸ (*das Sichlö-*

sen) breaking away (**von** from)

Lö·sungs·mit·tel *nt* solvent

los|wer·den *vt irreg sein* ❶ (*sich entledigen*) to get rid of ❷ (*aussprechen*) to tell ❸ (*fam: ausgeben*) to shell out ❹ (*fam: verkaufen*) to flog **los|wol·len** *vi irreg haben* (*fam*) to want to be off **los|zie·hen** *vi irreg sein* (*fam*) ❶ (*losgehen, starten*) to set off ❷ (*pej: herziehen*) **über jdn** ~ to pull sb to pieces

Lot <-[e]s, -e> [loːt] *nt* ❶ (*Senkblei*) plumb line; (*mit Senkblei gemessene Senkrechte*) perpendicular; **etw ins [rechte] ~ brin·gen** to put sth right; **aus dem/nicht im ~ sein** (*fig*) to be out of sorts; **im ~ sein** (*fig*) to be alright ❷ NAUT sounding line ❸ MATH perpendicular; **das ~ auf eine Gerade fäl·len** to drop a perpendicular

lo·ten ['loːtn̩] *vt* ❶ (*senkrechte Lage bestimmen*) to plumb ❷ NAUT to take soundings

lö·ten ['løːtn̩] *vt* to solder (**an** to)

Loth·rin·gen <-s> ['loːtrɪŋən] *nt* Lorraine; *s. a.* **Deutschland**

Loth·rin·ger(in) <-s, -> ['loːtrɪŋɐ] *m(f)* Lorrainer; HIST Lotharingian; *s. a.* **Deutsche(r)**

loth·rin·gisch ['loːtrɪŋɪʃ] *adj* Lotharingian; *s. a.* **deutsch**

Lo·ti·on <-, -en> [loˈtsi̯oːn] *f* lotion

Löt·kol·ben ['løːt-] *m* soldering iron

Lo·tos <-, -> ['loːtɔs] *m* lotus

Lo·tos·blu·me *f* lotus

Lot·se, Lot·sin <-n, -n> ['loːtsə, 'loːtsɪn] *m, f* pilot

lot·sen ['loːtsn̩] *vt* ❶ (*als Lotse dirigieren*) to pilot ❷ (*fam: führen*) ▪ **jdn irgendwo·hin** ~ to take sb somewhere

Lot·sin <-, -nen> *f fem form von* **Lotse**

Löt·stel·le *f* soldered joint

Lot·te·rie <-, -n> [lɔtəˈriː, *pl* -ˈriːən] *f* lottery; **in der ~ spielen** to play the lottery

Lot·te·rie·los *nt* lottery ticket

Lot·ter·le·ben *nt kein pl* (*pej fam*) slovenly lifestyle

Lot·to <-s, -s> ['lɔto] *nt* ❶ (*Zahlen~*) [national] lottery; ~ **spielen** to play the [national] lottery ❷ (*Spiel*) lotto

Lot·to·schein *m* lottery ticket **Lot·to·zah·len** *pl* winning lottery numbers

Lo·tus <-, -> ['loːtʊs] *m* lotus

Lö·we ['løːvə] *m* ❶ (*Raubtierart*) lion ❷ ASTROL Leo

Lö·wen·an·teil *m* (*fam*) lion's share *no pl, no indef art* **Lö·wen·zahn** *m kein pl* dandelion

Lö·win *f* lioness

lo·yal [loaˈjaːl] *adj* (*geh*) loyal

Lo·ya·li·tät <-, *selten* -en> [loajaliˈtɛːt] *f* loyalty (**gegenüber** to)

LP <-, -s> [ɛlˈpeː, ɛlˈpiː] *f Abk von* **Lang·spielplatte** LP

lt. *präp kurz für* **laut²** according to

Luchs <-es, -e> [lʊks] *m* lynx

Lü·cke <-, -n> ['lʏkə] *f* ❶ (*Zwischenraum*) gap; (*Zahn~*) a gap between two teeth ❷ (*Unvollständigkeit*) gap; (*Gesetzes~*) loophole

Lü·cken·bü·ßer(in) <-s, -> *m(f)* (*fam*) stopgap

lü·cken·haft I. *adj* ❶ (*leere Stellen aufweisend*) full of gaps ❷ (*unvollständig*) fragmentary; *Wissen, Sammlung* incomplete; *Bericht, Erinnerung* sketchy **II.** *adv* (*unvollständig*) fragmentarily; **einen Fra·gebogen ~ ausfüllen** to fill in a questionnaire leaving gaps

lü·cken·los *adj* ❶ (*ohne Lücke*) comprehensive ❷ (*vollständig*) complete; *Alibi* solid; *Kenntnisse* thorough; **etw ~ bewei·sen/nachweisen** to prove sth conclusively

lud [luːt] *imp von* **laden**

Lu·der <-s, -> ['luːdɐ] *nt* (*pej fam: durchtriebene Frau*) crafty bitch

Luft <-, *liter* Lüfte> [lʊft, *pl* 'lʏftə] *f* ❶ *kein pl* (*Atem~*) air *no pl;* **die ~ anhalten** to hold one's breath; **keine ~ mehr bekom·men** to not be able to breathe; **an die [fri·sche] ~ gehen** (*fam*) to get some fresh air; **[tief] ~ holen** to take a deep breath; **nach ~ schnappen** to gasp for breath; ▪ **ir·gendwo ist dicke ~** (*fam*) there is a tense atmosphere somewhere; **die ~ ist rein** (*fam*) the coast is clear; **sich in ~ auflösen** to vanish into thin air; **jdm bleibt [vor Erstaunen] die ~ weg** sb is flabbergasted ❷ *pl geh* (*Raum über dem Erdboden*) air; **in die ~ gehen** (*fam o fig*) to explode; **etw ist aus der ~ gegriffen** (*fig*) sth is completely made up; **es liegt etwas in der ~** there's sth in the air ❸ *kein pl* (*Platz, Spielraum*) space *no pl* ▪ **jdn/etw in der ~ zerreißen** (*sehr wütend auf jdn sein*) to [want to] make mincemeat of sb/sth; (*jdn scharf kritisieren*) to tear sb to pieces

Luft·ab·wehr *f* air defence **Luft·an·griff** *m* air raid (**auf** on) **Luft·bal·lon** *m* balloon **Luft·be·feuch·ter** *m* TECH humidifier **Luft·bild** *nt* aerial photo **Luft·bla·se** *f* bubble **Luft·brü·cke** *f* air bridge **luft·dicht** *adj* airtight **Luft·druck** *m kein pl* air pressure *no pl*

lüf·ten ['lʏftn̩] **I.** *vt* ❶ (*mit Frischluft versorgen*) to air ❷ (*geh*) *Hut* to raise ❸ (*preisge·ben*) to reveal; *Geheimnis* to disclose **II.** *vi*

(*Luft hereinlassen*) to let some air in
Luft·ent·feuch·ter *m* dehumidifier **Luft·fahrt** *f kein pl* (*geh*) aviation **Luft·fahr·zeug** *nt* (*geh*) aircraft **Luft·feuch·tig·keit** *f* humidity *no pl, no indef art* **Luft·fil·ter** *nt o m* air filter **Luft·fracht** *f* ❶ (*Frachtgut*) air freight ❷ (*Frachtgebühr*) air freight charge **Luft·ge·wehr** *nt* airgun **Luft·gi·tar·re** *f* (*hum fam*) air guitar
luf·tig ['lʊftɪç] *adj* ❶ (*gut belüftet*) well ventilated ❷ (*dünn und luftdurchlässig*) airy; *Kleid* light ❸ (*hoch gelegen*) dizzy
Luf·ti·kus <-[ses], -se> ['lʊftikʊs] *m* (*pej veraltend fam: sprunghafter Mensch*) happy-go-lucky character
Luft·kis·sen *nt* air cushion **Luft·kis·sen·boot** *nt,* **Luft·kis·sen·fahr·zeug** *nt* hovercraft **Luft·kor·ri·dor** *m* air corridor **Luft·küh·lung** *f* air-cooling **Luft·kur·ort** *m* health resort with particularly good air **luft·leer** *adj präd* vacuous **Luft·li·nie** *f* as the crow flies **Luft·loch** *nt* ❶ (*Loch zur Belüftung*) air hole ❷ (*fam: Veränderung der Luftströmung*) air pocket **Luft·ma·trat·ze** *f* inflatable mattress **Luft·pi·rat(in)** *m(f)* [aircraft] hijacker **Luft·post** *f* per Luftpost by airmail **Luft·pum·pe** *f* pump; *Fahrrad* bicycle pump **Luft·raum** *m* airspace **Luft·röh·re** *f* windpipe **Luft·schicht** *f* air layer **Luft·schiff** *nt* airship **Luft·schlan·ge** *f* [paper] streamer **Luft·schloss**[RR] *nt meist pl* castle in the air ▶ Luftschlösser bauen to build castles in the air **Luft·schutz·bun·ker** *m* air raid bunker **Luft·sprung** *m* jump; einen ~/ Luftsprünge machen to jump in the air **Luft·strom** *m* stream of air **Luft·stütz·punkt** *m* airbase **Luft·tem·pe·ra·tur** *f* air temperature **Luft·trans·port** *m* air transport **Luft- und Raum·fahrt·in·dus·trie** *f* aerospace industry
Lüf·tung <-, -en> *f* ❶ (*das Lüften*) ventilation ❷ (*Ventilationsanlage*) ventilation system
Lüf·tungs·schacht *m* ventilation shaft **Luft·ver·än·de·rung** *f* change of climate **Luft·ver·kehr** *m* air traffic *no pl, no indef art* **Luft·ver·schmut·zung** *f* air pollution *no pl, no indef art* **Luft·waf·fe** *f* air force + *sing vb* **Luft·weg** *m* ❶ *kein pl* (*Flugweg*) airway ❷ *pl* (*Atemwege*) respiratory tract *no pl, no indef art* **Luft·wi·der·stand** *m kein pl* drag, air resistance **Luft·zu·fuhr** *f kein pl* air supply **Luft·zug** *m* breeze; (*durch das Fenster*) draught
Lü·ge <-, -n> ['lyːɡə] *f* lie; **jdm ~n auftischen** (*fam*) to tell sb lies ▶ **~n haben**

kurze Beine (*prov*) the truth will out; jdn ~n strafen (*geh*) to give the lie to sb
lü·gen <log, gelogen> ['lyːɡn̩] *vi* to lie; etw ist gelogen sth is a lie; das ist alles gelogen that's a total lie ▶ ~ wie gedruckt to lie one's head off
Lü·gen·bold <-[e]s, -e> *m* (*hum fam*) incorrigible liar **Lü·gen·de·tek·tor** *m* lie detector **Lü·gen·ge·schich·te** *f* made-up story
lü·gen·haft *adj* (*pej*) ❶ (*erlogen*) mendacious ❷ (*selten: zum Lügen neigend*) disreputable
Lü·gen·mär·chen *nt s.* Lügengeschichte **Lüg·ner(in)** <-s, -> ['lyːɡnɐ] *m(f)* (*pej*) liar **lüg·ne·risch** ['lyːɡnərɪʃ] *adj* (*pej: voller Lügen*) mendacious
Lu·ke <-, -n> ['luːkə] *f* ❶ *bes* NAUT (*verschließbarer Einstieg*) hatch ❷ (*Dach~*) skylight; (*Keller~*) trapdoor
lu·kra·tiv [lukra'tiːf] *adj* (*geh*) lucrative
Lu·latsch <-[e]s, -e> ['luːla(ː)tʃ] *m* langer ~ (*hum fam*) beanpole
Lüm·mel <-s, -> ['lʏml̩] *m* (*pej: Flegel*) lout *fam*
Lump <-en, -en> [lʊmp] *m* (*pej*) rat
lum·pen ['lʊmpn̩] *vt haben* ▶ sich nicht ~ lassen (*fam*) to splash out BRIT, to splurge AM
Lum·pen <-s, -> ['lʊmpn̩] *m* ❶ *pl* (*pej: zerschlissene Kleidung, Stofffetzen*) rags *pl* ❷ DIAL (*Putzlappen*) rag
Lum·pen·ge·sin·del *nt* (*pej*) riffraff **Lum·pen·händ·ler(in)** *m(f)* (*veraltend*) *s.* Altwarenhändler **Lum·pen·pack** *nt* (*veraltend o pej*) riff-raff *no pl, no indef art*
lum·pig ['lʊmpɪç] *adj* (*pej*) ❶ *attr* (*pej fam: kümmerlich*) miserable ❷ (*pej: gemein*) mean ❸ (*selten: zerlumpt*) shabby
Lunch <-[e]s *o* -, -[e]s *o* -e> [lanʃ] *m* lunch
lun·chen ['lanʃn̩, 'lantʃn̩] *vi* to [have] lunch
Lun·ge <-, -n> ['lʊŋə] *f* ❶ (*Atemorgan*) lungs *pl* ❷ KOCHK lights *pl* ▶ sich *dat* die ~ aus dem Leib schreien (*fam*) to shout oneself hoarse
Lun·gen·bläs·chen *nt* pulmonary alveolus **Lun·gen·ent·zün·dung** *f* pneumonia *no pl, no art* **Lun·gen·flü·gel** *m* lung **Lun·gen·krank** *adj* suffering from a lung complaint *pred* **Lun·gen·zug** *m* einen ~ machen to inhale
Lun·te <-, -n> ['lʊntə] *f* (*Zündschnur*) fuse ▶ ~ riechen (*fam*) to smell a rat
Lu·pe <-, -n> ['luːpə] *f* magnifying glass ▶ jdn/etw unter die ~ nehmen (*fam*) to examine sb/sth with a fine-tooth comb
lu·pen·rein *adj* ❶ (*bei Edelsteinen*) flaw-

less ❷ (*mustergültig*) exemplary; **ein ~er Gentleman** a perfect gentleman

Lu·pi·ne <-, -n> [lu'piːnə] *f* lupin[e]

Lurch <-[e]s, -e> [lʊrç] *m* amphibian

Lust <-, Lüste> [lʊst, *pl* 'lʏstə] *f* ❶ *kein pl* (*freudiger Drang*) desire; **~ zu etw** *dat* **haben** to feel like doing sth; **das kannst du machen, wie du ~ hast!** (*fam*) do it however you want!; **da vergeht einem jegliche ~** it's enough to make one lose interest in sth; **jdm die ~ an etw** *dat* **nehmen** to put sb off sth; **~ an etw** *dat* **empfinden** to enjoy doing sth; **die ~ an etw** *dat* **verlieren** to lose interest in sth ❷ (*Freude*) joy ❸ (*sexuelle Begierde*) desire

lüs·tern ['lʏstən] *adj* (*geh: sexuell begierig*) lustful

Lüs·tern·heit <-> *f kein pl* (*geh*) lustfulness, lust, lasciviousness

Lust·ge·fühl *nt* feeling of pleasure *no pl*

lus·tig ['lʊstɪç] **I.** *adj* (*fröhlich*) cheerful; *Abend* fun; **sich über jdn/etw ~ machen** to make fun of sb/sth; **er kam und ging wie er ~ war** he came and went as he pleased **II.** *adv* (*fam: unbekümmert*) happily

Lüst·ling <-, -e> ['lʏstlɪŋ] *m* (*pej veraltend*) debauchee

lust·los *adj* ❶ (*antriebslos*) listless ❷ BÖRSE (*ohne Kauflust*) sluggish **Lust·molch** *m* (*meist hum fam*) *s.* **Lüstling Lust·**

mord *m* sexually motivated murder **Lust·schloss**^RR *nt* summer residence **Lust·spiel** *nt* comedy **lust·voll** *adj* (*geh: mit Lust*) full of relish; *Schrei* passionate

lut·schen ['lʊtʃn] *vt, vi* to suck

Lut·scher <-s, -> *m* lollipop

Lu·xem·burg <-s> ['lʊksmbʊrk] *nt* Luxembourg; *s. a.* **Deutschland**

Lu·xem·bur·ger(in) <-s, -> ['lʊksmbʊrgə] *m(f)* Luxembourger; *s. a.* **Deutsche(r)**

lu·xem·bur·gisch ['lʊksmbʊrgɪʃ] *adj* Luxembourgian; *s. a.* **deutsch**

lu·xu·ri·ös [lʊksu'rɪ̯øːs] *adj* luxurious

Lu·xus <-> ['lʊksʊs] *m kein pl* luxury *no pl*

Lu·xus·ar·ti·kel *m* luxury item **Lu·xus·aus·füh·rung** *f* de luxe model **Lu·xus·ho·tel** *nt* luxury hotel

Lu·zern <-s> [lu'tsɛrn] *nt* Lucerne

Lu·zer·ne <-, -n> [lu'tsɛrnə] *f* BOT lucerne

Lu·zi·fer <-s> ['luːtsifɛr] *m* Lucifer

LW *Abk von* **Langwelle** LW

Lym·phe <-, -n> ['lʏmfə] *f* lymph

Lymph·kno·ten *m* lymph node

lyn·chen ['lʏnçn] *vt* (*a hum*) to lynch

Lynch·jus·tiz *f* lynch law

Ly·o·ner <-, -> ['lɪ̯oːnɐ] *f*, **Ly·o·ner Wurst** <-, -> *f* (*pork*) sausage from Lyon

Ly·rik <-> ['lyːrɪk] *f kein pl* lyric [poetry]

Ly·ri·ker(in) <-s, -> ['lyːrikɐ] *m(f)* poet

ly·risch ['lyːrɪʃ] *adj* ❶ (*zur Lyrik gehörend*) lyric ❷ (*dichterisch, stimmungsvoll*) poetic

M m

M, m <-, - o fam -s, -s> [ɛm] nt M, m; s. a. **A 1**

m m kurz für **Meter** m

M.A. [ɛm'aː] m Abk von **Master of Arts** MA

Maas·tricht <-(e)s, -> ['maːstrɪçt] nt Maastricht; **~er Vertrag** Maastricht Treaty

Mach·art f style

mach·bar adj feasible

Ma·che <-> ['maxə] f ▶ **etw/jdn in der ~ haben** (sl) to be working on sth/sb

ma·chen ['maxn̩] I. vt ❶ (tun, unternehmen) to do; **mit mir kann man es ja ~** the things I put up with; **mach's gut** take care; **wie man's macht, ist es verkehrt** you [just] can't win; **was macht denn deine Frau?** how's your wife?; **mach nur!** go ahead! ❷ (erzeugen, verursachen) to make; **einen Fleck in etw** akk **machen** to stain sth; **das macht überhaupt keine Mühe** that's no trouble at all; **jdm Angst ~** to frighten sb; **sich** dat **Sorgen ~** to worry; **jdm Hoffnung/Mut/Kopfschmerzen ~** to give sb hope/courage/a headache; **sich** dat **Mühe/Umstände ~** to go to a lot of trouble ❸ (durchführen) to do; **eine Reise/einen Spaziergang ~** to go on a journey/for a walk; **einen Besuch ~** to [pay sb a] visit; **das ist zu ~** that's possible; **nichts zu ~!** nothing doing!; **wird gemacht!** (herstellen) to make; Fotos to take; **sich** dat **die Haare ~ lassen** to have one's hair done ❺ (erlangen, verdienen) Punkte to score ❻ (absolvieren) to do; **einen Kurs ~** to take a course; **eine Ausbildung ~** to train to be sth ❼ MATH **drei mal drei macht neun** three times three makes nine; (kosten) **das macht zehn Euro** that's ten euros [please]; **was macht das zusammen?** what does that come to? ❽ (ausmachen) **macht nichts!** no problem!; **macht das was?** does it matter?; **das macht [doch] nichts!** never mind!; **es macht ihr nichts aus** she doesn't mind II. vi ❶ (werden lassen) **Liebe macht blind** love makes you blind ❷ (aussehen lassen) **Querstreifen ~ dick** horizontal stripes make you look fat ❸ (fam: sich beeilen) **mach [schon]!** get a move on! ❹ (gewähren) **jdn [mal/nur] ~ lassen** to leave sb to it III. vr ❶ (viel leisten) **die neue Sekretärin macht sich gut** the new secretary is doing well ❷ (passen) **das Bild macht sich gut an der** Wand the picture looks good on the wall ❸ (sich begeben) ▪ **sich an etw** akk **~** to get on with sth; **sich an die Arbeit ~** to get down to work ❹ (gewinnen) **sich** dat **Feinde ~** to make enemies ❺ mit adj (werden) **sich verständlich ~** to make oneself understood ❻ (gelegen sein) **sich** dat **etwas/viel/wenig aus jdm/etw ~** to care/care a lot/not care much for sb/sth ❼ (sich ärgern) **mach dir nichts d[a]raus!** don't worry about it!

Ma·chen·schaft <-, -en> pl (pej) machinations npl

Ma·cher(in) <-s, -> m(f) (fam) doer

Ma·che·te <-, -n> [ma'xeːtə] f machete

Ma·cho <-s, -s> ['matʃo] m (fam) macho

Macht <-, Mächte> ['maxt, pl 'mɛçtə] f ❶ kein pl (Befugnis) power; **etw liegt in jds ~** sth is within sb's power ❷ kein pl (Herrschaft) rule; **an die ~ kommen** to gain power

Macht·er·grei·fung f seizure of power no pl **Macht·fra·ge** f question of power **Macht·ha·ber(in)** <-s, -> [-haːbɐ] m(f) ruler

mäch·tig adj ❶ (einflussreich) powerful ❷ (gewaltig, beeindruckend) mighty ❸ (fam: sehr stark, enorm) extreme; **sich ~ beeilen** to hurry like mad; **einen ~en Schlag bekommen** to receive a powerful blow

Macht·kampf m power struggle **macht·los** adj (ohnmächtig, hilflos) powerless; **jdm/etw ~ gegenüberstehen** to be powerless against sb/sth **Macht·lo·sig·keit** <-> f kein pl powerlessness no pl **Macht·miss·brauch**RR m abuse of power **Macht·po·li·tik** f power politics npl **macht·po·li·tisch** adj power-political; **das war eine reine ~e Entscheidung** that decision had everything to do with power politics **Macht·pro·be** f trial of strength **Macht·stel·lung** f position of power **Macht·über·nah·me** f s. **Macht·ergreifung macht·voll** adj (mächtig) powerful, mighty **Macht·wech·sel** m change of government **Macht·wort** nt **ein ~ sprechen** to exercise one's authority

Mach·werk nt (pej) **ein übles ~** a poor piece of workmanship

Ma·cke <-, -n> ['makə] f (fam) ❶ (Schadstelle) defect ❷ (fam: Tick, Eigenart) foible; **eine ~ haben** to have a screw loose

Ma·cker <-s, -> ['makɐ] m (sl) ❶ (Typ)

guy, bloke BRIT ❷ NORDD (*Arbeitskollege*) colleague

Ma·da·gas·kar <-s> [mada'gaskar] *nt* Madagascar; *s. a.* **Deutschland**

Ma·da·gas·se, Ma·da·gas·sin <-n, -n> [mada'gasə, mada'gasɪn] *m, f* Malagasy; *s. a.* **Deutsche(r)**

ma·da·gas·sisch [mada'gasɪʃ] *adj* Malagasy, Madagascan; *s. a.* **deutsch**

Mäd·chen <-s, -> ['mɛːtçən] *nt* ❶ (*weibliches Wesen*) girl; **ein ~ bekommen** to have a [baby] girl ❷ (*fig*) **~ für alles** girl/man Friday, BRIT *also* dogsbody

mäd·chen·haft *adj* girlish

Mäd·chen·na·me *m* ❶ (*Geburtsname einer Ehefrau*) maiden name ❷ (*Vorname*) girl's name

Ma·de <-, -n> ['maːdə] *f* maggot ▶ **wie die ~[n] im Speck** leben to live the life of Riley

Ma·dei·ra[1] [ma'deːra] *nt* Madeira

Ma·dei·ra[2] <-s, -s> [ma'deːra] *m*, **Ma·dei·ra·wein** [ma'deːra-] *m* Madeira

Mä·del <-s, -[s]> ['mɛːdl] *nt*, **Ma·d(e)l** <-s, -n> [ma'dl] *nt* SÜDD, ÖSTERR girl

ma·dig ['maːdɪç] *adj* worm-eaten

ma·dig|ma·chen *vt* ▶ **jdm etw ~** (*fam*) to spoil sth [for sb]

Ma·don·na <-, Madonnen> [ma'dɔna, *pl* ma'dɔnən] *f* Madonna

Ma·drid <-s> [ma'drɪt] *nt* Madrid

Ma·dri·der(in) [ma'drɪte] I. *m/f)* native of Madrid II. *adj attr* Madrid

Ma·fia <-, -s> ['mafi̯a] *f* ▪ **die ~** the Mafia

Ma·ga·zin[1] <-s, -e> [maga'tsiːn] *nt* (*Patronenbehälter*) magazine; (*Behälter für Dias*) feeder

Ma·ga·zin[2] <-s, -e> [maga'tsiːn] *nt* (*Zeitschrift*) magazine

Magd <-, Mägde> ['maːkt, *pl* 'mɛːkdə] *f* maid

Mag·de·burg ['makdəbʊrk] *nt* Magdeburg

Ma·gen <-s, Mägen *o* -> ['maːgn̩, *pl* 'mɛːgn̩] *m* stomach; **auf nüchternen ~** on an empty stomach; **sich** *dat* [**mit etw** *dat*] **den ~ verderben** to give oneself an upset stomach [by eating/drinking sth] ▶ **jdm dreht sich der ~ um** sb's stomach turns; **etw schlägt jdm auf den ~** (*fam*) sth gets to sb

Ma·gen·bit·ter <-s, -> *m* bitters *npl* **Ma·gen·ge·schwür** *nt* stomach ulcer **Ma·gen·gru·be** *f* pit of the stomach **Ma·gen·knur·ren** *nt* stomach rumble **Ma·gen·krampf** *m meist pl* gastric disorder **Ma·gen·lei·den** *nt* stomach trouble **Ma·gen·mit·tel** *nt* medicine for the stomach

Ma·gen·säu·re *f* hydrochloric acid **Ma·gen·schleim·haut** *f* stomach lining *no pl*, gastric mucous membrane *no pl spec* **Ma·gen·schmer·zen** *pl* stomach ache **Ma·gen·ver·stim·mung** *f* stomach upset

ma·ger ['maːgɐ] *adj* ❶ (*dünn*) thin ❷ (*fettarm*) low-fat; **~es Fleisch** lean meat ❸ (*wenig ertragreich*) **eine ~e Ernte** a poor harvest; (*dürftig*) feeble

Ma·ger·milch *f kein pl* skimmed milk *no pl* **Ma·ger·sucht** *f kein pl* anorexia *no pl* **ma·ger·süch·tig** *adj* MED anorexic

Ma·gie <-> [ma'giː] *f* magic

Ma·gier(in) <-s, -> ['maːgiɐ] *m(f)* magician

ma·gisch ['maːgɪʃ] *adj* magic; **eine ~e Anziehungskraft haben** to have magical powers of attraction

Ma·gis·ter, Ma·gis·tra <-s, -> [ma'gɪstɐ, ma'gɪstra] *m, f* ❶ *kein pl* (*Universitätsgrad* [*~ Artium*]) Master's degree ❷ ÖSTERR (*Apotheker*) pharmacist

Ma·gis·trat[1] <-[e]s, -e> [magɪs'traːt] *m* (*Stadtverwaltung*) municipal administration

Ma·gis·trat[2] <-en, -en> [magɪs'traːt] *m* SCHWEIZ federal councillor

Mag·ma <-s, Magmen> ['magma, *pl* 'magmən] *nt* magma

Ma·gne·si·um <-s, *kein Pl*> [ma'geːziu̯m] *nt* magnesium

Ma·gnet <-[e]s *o* -en, -e[n]> [ma'gneːt] *m* magnet

Ma·gnet·band *nt* magnetic tape **Ma·gnet·feld** *nt* magnetic field

ma·gne·tisch [ma'gneːtɪʃ] *adj* magnetic

ma·gne·ti·sie·ren* [magneti'ziːrən] *vt* (*magnetisch machen*) to magnetize

Ma·gne·tis·mus <-> [magne'tɪsmʊs] *m kein pl* magnetism

Ma·gnet·na·del *f* magnetic needle **Ma·gnet·schwe·be·bahn** *f* magnetic railway **Ma·gnet·strei·fen** *m* magnetic strip

Ma·gno·lie <-, -n> [ma'gnoːli̯ə] *f* magnolia

Ma·ha·go·ni <-s> [maha'goːni] *nt kein pl* mahogany

Mäh·dre·scher <-s, -> *m* combine harvester

mä·hen ['mɛːən] *vt Gras* to mow; *Feld* to harvest

Mahl <-[e]s, -e *o* Mähler> ['maːl, *pl* 'mɛːlə] *nt pl selten* (*geh*) meal

mah·len <mahlte, gemahlen> ['maːlən] *vt* to grind; **gemahlener Kaffee** ground coffee

Mahl·zeit ['maːltsai̯t] *f* meal; **~!** DIAL (*fam*)

≈ [good] afternoon!, *greeting used during the lunch break in some parts of Germany*

Mäh·ma·schi·ne *f (für Gras)* mower; *(für Getreide)* harvester, reaper

Mäh·ne <-, -n> ['mɛːnə] *f* mane

mah·nen ['maːnən] *vt* ❶ *(nachdrücklich erinnern)* to warn ❷ *(an eine Rechnung erinnern)* to remind

Mahn·ge·bühr *f* dunning charge

Mahn·mal <-[e]s, -e *o selten* -mäler> ['maːnmaːl, *pl* -mɛːlɐ] *nt* memorial

Mah·nung <-, -en> *f* ❶ *(mahnende Äußerung)* warning ❷ *(Mahnbrief)* reminder

Mahn·wa·che *f* vigil

Mai <-[e]s *o* -*o poet* -en, -e> ['maj] *m* May; *s. a.* **Februar**

Mai·glöck·chen *nt* lily of the valley **Mai·kä·fer** *m* cockchafer

Mai·land <-s> ['majlant] *nt* Milan

Mail·box <-, -en> ['meːlbɔks] *f* INFORM mailbox

mai·len ['meːlən] *vt, vi* INET *(fam)* to [e-]mail

Main <-, -[e]s> ['majn] *m* the River Main

Mainz <-> ['majnts] *nt* Mainz

Mais <-es, -e> ['majs, *pl* 'majzə] *m* ❶ *(Anbaupflanze)* maize *no pl* BRIT, corn *no pl* AM ❷ *(Maisfrucht)* sweet corn

Mais·kol·ben *m* corncob

Ma·jes·tät <-, -en> [majɛs'tɛːt] *f* Majesty; **Seine/Ihre/Eure ~** His/Her/Your Majesty

ma·jes·tä·tisch [majɛs'tɛːtɪʃ] **I.** *adj* majestic **II.** *adv* majestically

Ma·jo·nä·se <-, -n> [majo'nɛːzə] *f* mayonnaise

Ma·jor(in) <-s, -e> [ma'joːɐ̯] *m(f)* major

Ma·jo·ran <-s, -e> ['maːjoran] *m* marjoram

ma·ka·ber [ma'kaːbɐ] *adj* macabre

Ma·ke·do·ni·en <-s> [make'doːniən] *nt s.* **Mazedonien**

Ma·kel <-s, -> ['maːkl̩] *m* flaw

Mä·ke·lei <-, -en> [mɛːkə'laj] *f kein pl (Nörgelei)* whing[e]ing *no pl* BRIT *fam*, whining *no pl* AM

ma·kel·los *adj* ❶ *(untadelig)* untarnished ❷ *(fehlerlos)* perfect

mä·keln ['mɛːkl̩n] *vi* to whinge [about sth]

Make-up <-s, -s> [meːk'?ap] *nt* make-up *no pl*

Mak·ka·ro·ni [maka'roːni] *pl* macaroni

Mak·ler(in) <-s, -> ['maːklɐ] *m(f)* broker; *(Immobilien~)* estate agent BRIT, realtor AM

Mak·ler·ge·bühr *f* brok[er]age *no pl*

Ma·kre·le <-, -n> [ma'kreːlə] *f* mackerel

Ma·kro <-s, -s> ['maːkro] *m o nt* INFORM *kurz für* **Makrobefehl** macro

Ma·kro·ne <-, -n> [ma'kroːnə] *f* macaroon

mal¹ ['maːl] *adv* ❶ MATH multiplied by; **drei mal drei ergibt neun** three times three is nine ❷ *(eben so)* **gerade ~** *(fam)* only

mal² [maːl] *adv (fam) kurz für* **einmal**

Mal¹ <-[e]s, -e *o nach Zahlwörtern* -> [maːl] *nt (Zeitpunkt)* time; **einige/etliche ~e** sometimes/very often; **ein/kein einziges ~** once/not once; **zum ersten/letzten ~** for the first/last time; **bis zum nächsten ~!** see you [around]!; **das x-te ~** *(fam)* the millionth time; **er wird von ~ zu ~ besser** he gets better every time; **das eine oder andere ~** now and again; **ein für alle ~e** *(fig)* once and for all; **mit einem ~[e]** *(fig)* all of a sudden

Mal² <-[e]s, -e *o pl* Mäler> ['maːl, *pl* 'mɛːlɐ] *nt* mark; *(Mutter~)* birthmark

ma·la·d(e) [ma'laːt, ma'laːdə] *adj (selten fam)* unwell

Ma·lai·se [ma'lɛːzə] *f (geh)* malaise

Ma·la·ria <-> [ma'laːriːa] *f kein pl* malaria *no pl*

Ma·lay·sia <-s> [ma'lajziːa] *nt* Malaysia; *s. a.* **Deutschland**

Ma·lay·si·er(in) <-s, -> [ma'lajziːɐ] *m(f)* Malaysian; *s. a.* **Deutsche(r)**

ma·lay·sisch [ma'lajzɪʃ] *adj* Malayan; *s. a.* **deutsch**

Mal·buch *nt* colouring book

ma·len ['maːlən] *vt, vi* ❶ *(ein Bild herstellen)* to paint; **■ sich ~ lassen** to have one's portrait painted ❷ DIAL *(anstreichen)* to paint

Ma·ler(in) <-s, -> ['maːlɐ] *m(f)* painter

Ma·le·rei <-, -en> [maːlə'raj] *f* ❶ *kein pl (das Malen als Gattung)* painting *no pl* ❷ *meist pl (gemaltes Werk)* picture

ma·le·risch *adj* picturesque

Mal·heur <-s, -s *o* -e> [ma'løːɐ̯] *nt* mishap

Ma·li <-s> ['maːli] *nt* Mali

Mal·kas·ten *m* paint box

Mal·lor·ca [ma'jɔrka] *nt* Mallorca

mal·neh·men ['maːlneːmən] *vt irreg (fam)* to multiply *(mit* by)

Ma·lo·che <-> [ma'loːxə] *f kein pl (sl)* [hard] work *no pl*

ma·lo·chen* [ma'loːxn̩] *vi (sl)* to slog away

Mal·stift *m* crayon

Mal·ta ['malta] *nt* Malta

Mal·te·ser(in) <-s, -> [mal'teːzɐ] *m(f)* Maltese + *sing/pl vb*

mal·te·sisch [mal'teːzɪʃ] *adj* Maltese

mal·trä·tie·ren* [maltrɛ'tiːrən] *vt (geh)* to maltreat

Mal·ve <-, -n> ['malvə] f BOT mallow, malva

Malz <-es> ['malts] nt kein pl malt no pl **Malz·bier** nt malt beer **Malz·kaf·fee** m malted coffee substitute

Ma·ma <-, -s> [ma'ma:] f, **Ma·mi** <-, -s> ['mami] f (fam) mummy

Mam·mon <-s> ['mamɔn] m kein pl (pej o hum) mammon; **der schnöde ~** filthy lucre

Mam·mut <-s, -s o -e> ['mamʊt, 'mamu:t] nt mammoth

Mam·mut·ver·an·stal·tung f mammoth event

mamp·fen ['mampfn̩] vt, vi (sl) to munch

man¹ <dat einem, akk einen> ['man] pron indef ❶ (irgendjemand) one form, you; **das hat ~ mir gesagt** that's what I was told ❷ (die Leute) people; **so etwas tut ~ nicht** that just isn't done ❸ (ich) ~ **versteht sein eigenes Wort nicht** I can't hear myself think

man² ['man] adv NORDD (fam: nur [als Bekräftigung]) just; **lass ~ gut sein** just leave it alone

Ma·nage·ment <-s, -s> ['mɛnɪtʃmənt] nt management + sing/pl vb

ma·na·gen ['mɛnɪdʒn̩] vt to manage

Ma·na·ger(in) <-s, -> ['mɛnɪdʒɐ] m(f) manager

manch ['manç] pron indef many [a]; **~ eine(r)** many

man·che(r, s) pron indef ❶ adjektivisch, mit pl (einige) some ❷ adjektivisch a lot of, many a; **~es Gute** much good

man·cher·lei ['mançɐlaɪ] adjektivisch (dieses und jenes) various

manch·mal ['mançma:l] adv ❶ (gelegentlich) sometimes ❷ SCHWEIZ (oft) often

Man·dant(in) <-en, -en> [man'dant] m(f) client

Man·da·ri·ne <-, -n> [manda'ri:nə] f mandarin

Man·dat <-[e]s, -e> [man'da:t] nt ❶ (Abgeordnetensitz) seat ❷ (Auftrag eines Juristen) mandate

Man·del¹ <-, -n> ['mandl̩] f almond; **gebrannte ~n** sugared almonds

Man·del² <-, -n> ['mandl̩] f meist pl ANAT tonsils pl

Man·del·baum m almond tree **Man·del·ent·zün·dung** f tonsillitis no art, no pl **man·del·för·mig** adj almond-shaped

Man·do·li·ne <-, -n> [mando'li:nə] f mandolin[e]

Ma·ne·ge <-, -n> [ma'ne:ʒə] f ring

Man·gan <-s> [maŋ'ga:n] nt kein pl manganese no pl

Man·gel¹ <-s, Mängel> ['maŋl̩, pl 'mɛŋl̩] m ❶ (Fehler) flaw ❷ kein pl (Knappheit) lack (an of); **ein ~ an Vitamin C** vitamin C deficiency; **einen ~ an Zuversicht haben** to have little confidence; **wegen ~s an Beweisen** due to a lack of evidence

Man·gel² <-, -n> ['maŋl̩] f mangle ▸ **jdn in die ~ nehmen** (fam) to grill sb

Man·gel·er·schei·nung f deficiency symptom

man·gel·haft adj ❶ (unzureichend) inadequate ❷ (Mängel aufweisend) faulty

man·geln¹ ['maŋl̩n] vi ■**es mangelt an etw** dat there is a shortage of sth; **es mangelt jdm an Ernst** sb is not serious enough

man·geln² ['maŋl̩n] vt (mit der Mangel² glätten) to press

man·gelnd adj inadequate; **~es Selbstvertrauen** lack of self-confidence

man·gels ['maŋls] präp mit gen (geh) due to the lack of sth

Man·gel·wa·re f scarce commodity

Man·go <-, -gonen o -s> ['maŋgo, pl -'go:nən] f mango

Man·gold <-[e]s, -e> ['maŋgɔlt, pl 'maŋgɔldə] m Swiss chard

Ma·nie <-, -n> [ma'ni:, pl ma'ni:ən] f (geh) obsession

Ma·nier <-, -en> [ma'ni:ɐ] f ❶ kein pl (geh: Art und Weise) manner; **nach bewährter ~** following a tried and tested method ❷ pl (Umgangsformen) manners

Ma·nie·ris·mus <-> [mani'rɪsmʊs] m kein pl mannerism no art

ma·nier·lich [ma'ni:ɐlɪç] adj (veraltend) **~ essen** to eat properly

Ma·ni·fest <-[e]s, -e> [mani'fɛst] nt manifesto

ma·ni·fes·tie·ren* [manifɛs'ti:rən] vr (geh) ■**sich in etw** dat **~** to manifest itself in sth

Ma·ni·kü·re <-> [mani'ky:rə] f kein pl manicure

ma·ni·kü·ren* [mani'ky:rən] vt ■**jdn ~** to give sb a manicure

Ma·ni·ok <-s, -s> [ma'ni̯ɔk] m BOT, AGR manioc, cassava

Ma·ni·pu·la·ti·on <-, -en> [manipula'tsi̯o:n] f manipulation

ma·ni·pu·lier·bar adj manipulable; **leicht/schwer ~ sein** to be easily manipulated/difficult to manipulate

ma·ni·pu·lie·ren* [manipu'li:rən] I. vt to manipulate II. vi ■**an etw** dat **~** to tamper with sth

ma·nisch ['ma:nɪʃ] adj manic

ma·nisch-de·pres·siv adj MED, PSYCH

manic-depressive

Man·ko <-s, -s> ['maŋko] nt ❶ (*Nachteil*) shortcoming ❷ FIN (*Fehlbetrag*) deficit

Mann <-[e]s, Männer o Leute> ['man, pl 'mɛnɐ] m ❶ (*männlicher Mensch*) man; ■ **Männer** men; (*im Gegensatz zu den Frauen a.*) males; **der ~ auf der Straße** the man in the street, Joe Bloggs BRIT, John Doe AM; **ein ganzer ~** a real man; **jd ist ein gemachter ~** sb has got it made; **ein ~, ein Wort** an honest man's word is as good as his bond ❷ (*Ehemann*) husband; **sie hat Peter zum Mann** Peter is her husband ❸ (*Person*) man; **seinen/ihren ~ stehen** to hold one's own; **~ für ~** every single one; **pro ~** per head; **selbst ist der ~!** there's nothing like doing things yourself; NAUT (*Besatzungsmitglied a.*) hand; **~ über Bord!** man overboard!; **alle ~ an Bord!** all aboard! ❹ (*fam: in Ausrufen*) **[mein] lieber ~!** (*herrje!*) my God!; **~, o ~!** oh boy!; **~!** (*bewundernd*) wow! ▶ **etw an den ~ bringen** (*fam*) to get rid of sth

Männ·chen <-s, -> ['mɛnçən] nt ❶ *dim von* **Mann** little man; **~ machen** *Hund, dressiertes Tier* to stand up on its/their hind legs ❷ (*männliches Tier*) male

Man·ne·quin <-s, -s> ['manəkɛ̃, manə'kɛ:] nt [fashion] model

Män·ner ['mɛnɐ] pl von **Mann**

Män·ner·be·kannt·schaft f meist pl male friend **Män·ner·chor** m male-voice [or men's] choir **män·ner·do·mi·niert** adj male-dominated **Män·ner·sa·che** f man's affair; (*Arbeit*) man's job

Man·nes·al·ter nt manhood no art; **im besten ~ sein** to be in one's prime

man·nig·fach ['manɪçfax] adj attr (geh) multifarious

man·nig·fal·tig ['manɪçfaltɪç] adj (geh) diverse

männ·lich ['mɛnlɪç] adj a. *Tier, Pflanze* male

Männ·lich·keit <-> f kein pl masculinity no pl

Männ·lich·keits·ri·tu·al nt SOZIOL manhood ritual

Manns·bild nt SÜDD, ÖSTERR (fam) he-man

Mann·schaft <-, -en> f ❶ SPORT team ❷ (*Schiffs- o Flugzeugbesatzung*) crew ❸ (*Gruppe von Mitarbeitern*) staff + sing/ pl vb

manns·hoch adj [as] tall as a man pred **manns·toll** adj (pej) man-crazy

Manns·weib nt (pej) mannish woman

Ma·no·me·ter¹ <-s, -> [mano'me:tɐ] nt TECH pressure gauge

Ma·no·me·ter² [mano'me:tɐ] interj (fam)

boy oh boy!

Ma·nö·ver <-s, -> [ma'nø:vɐ] nt ❶ MIL manoeuvre ❷ (*das Manövrieren eines Fahrzeugs*) manoeuvre; **das war vielleicht ein ~** that took some manoeuvring! ❸ (*pej: Winkelzug*) trick

Ma·nö·ver·kri·tik [ma'nø:vɐkriti:k] f ❶ MIL critique of a manoeuvre [or AM maneuver] ❷ (*abschließende Besprechung*) inquest, post-mortem *fig fam*

ma·nö·vrie·ren* [manø'vri:rən] I. vi ❶ (*hin und her lenken*) ■ **[mit etw** dat] **~** to manoeuvre [sth] ❷ (*meist pej: lavieren*) **[geschickt] ~** to manoeuvre cleverly II. vt to manoeuvre

Man·sar·de <-, -n> [man'zardə] f (*Dachzimmer*) mansard

Man·schet·te <-, -n> [man'ʃɛtə] f (*Ärmelaufschlag*) [shirt] cuff

Man·schet·ten·knopf m cuff link

Man·tel <-s, Mäntel> ['mantl̩, pl 'mɛntl̩] m (*Kleidungsstück*) coat; (*Wintermantel*) overcoat

ma·nu·ell [ma'nuɛl] I. adj manual II. adv manually

Ma·nu·fak·tur <-, -en> [manufak'tu:ɐ̯] f (hist) manufactory

Ma·nu·skript <-[e]s, -e> [manu'skrɪpt] nt manuscript; (*geschrieben a.*) MS

Map·pe <-, -n> ['mapə] f ❶ (*Schnellhefter*) folder ❷ (*Aktenmappe*) briefcase

Mär <-, -en> ['mɛ:ɐ̯] f (hum) fairytale

Ma·ra·cu·ja <-, -s> [mara'ku:ja] f passion fruit

Ma·ra·thon <-s, -s> ['ma:ratɔn] m SPORT (a. fig) marathon

Ma·ra·thon·lauf m marathon **Ma·ra·thon·läu·fer(in)** m(f) marathon runner

Mär·chen <-s, -> ['mɛ:ɐ̯çən] nt fairytale

Mär·chen·buch nt book of fairytales

mär·chen·haft I. adj fabulous II. adv fabulously

Mär·chen·land nt kein pl ■ **das ~** fairyland **Mär·chen·prinz, -prin·zes·sin** m, f fairy prince masc, fairy princess fem

Mar·der <-s, -> ['mardɐ] m marten

Mar·ga·ri·ne <-, -en> [marga'ri:nə] f margarine, BRIT also marge fam

Mar·ge·ri·te <-, -n> [margə'ri:tə] f BOT marguerite

mar·gi·na·li·sie·ren* [marginali'zi:rən] vt SOZIOL (geh) to marginalize

Ma·ri·en·kä·fer m ZOOL ladybird BRIT, ladybug AM

Ma·ri·hu·a·na <-s> [mari'hµa:na] nt kein pl marihuana no pl

Ma·ril·le <-, -n> [ma'rɪlə] f ÖSTERR apricot

Ma·ri·na·de <-, -n> [mari'na:də] f marinade

Ma·ri·ne <-, -n> [ma'riːnə] *f* NAUT, MIL navy; ■ **bei der ~** in the navy

ma·ri·ne·blau *adj* navy blue

ma·ri·nie·ren* [mari'niːrən] *vt* to marinate

Ma·ri·o·net·te <-, -n> [mari̯o'nɛtə] *f* puppet *also fig*

Ma·ri·o·net·ten·re·gie·rung *f* (*pej*) puppet government *pej* **Ma·ri·o·net·ten·the·a·ter** *nt* puppet theatre

Mark[1] <-, - *o hum* Märker> ['mark, *pl* 'mɛrkə] *f* (*hist*) mark; **Deutsche ~** German mark

Mark[2] <-[e]s> ['mark] *nt kein pl* marrow; **etw geht jdm durch ~ und Bein** (*hum fam*) sth sets sb's teeth on edge

mar·kant [mar'kant] *adj* ❶ (*ausgeprägt*) bold ❷ (*auffallend*) striking

mark·durch·drin·gend *adj* (*geh*) bloodcurdling

Mar·ke <-, -n> ['markə, *pl* 'markn̩] *f* ❶ (*fam*) stamp; **eine ~ zu 55 Cent** a 55-cent stamp ❷ (*Warensorte*) brand; **das ist ~ Eigenbau** (*hum*) I made it myself ❸ SPORT mark; **die ~ von 7 Meter** the 7-metre mark

Mar·ken·ar·ti·kel *m* branded article **Mar·ken·iden·ti·tät** *f* ÖKON brand identity **Mar·ken·na·me** *m* brand name **Mar·ken·zei·chen** *nt* trademark *also fig*

Mar·ker ['markɐ] *m* (*Stift*) marker [pen]

mark·er·schüt·ternd *adj* heart-rending

Mar·ke·ting <-s> ['maːrkətɪŋ] *nt kein pl* marketing *no pl, no indef art*

Mar·ke·ting·ak·ti·on *f* ÖKON advertising campaign

mar·kie·ren* [mar'kiːrən] *vt* ❶ (*kennzeichnen*) to mark ❷ (*fam*) to play; **den Dummen ~** to play the idiot

Mar·kie·rung <-, -en> *f* ❶ *kein pl* (*das Kennzeichnen*) marking ❷ (*Kennzeichnung*) marking[s *pl*]

Mar·ki·se <-, -n> [mar'kiːzə] *f* awning

Mark·kno·chen *m* marrow bone

Mark·stein *m* milestone

Mark·stück *nt* (*hist*) mark, [one-]mark piece

Markt <-[e]s, Märkte> ['markt, *pl* 'mɛrktə] *m* ❶ (*Wochenmarkt*) market; **auf den/zum ~ gehen** to go to [the] market ❷ (*Marktplatz*) marketplace ❸ ÖKON, FIN market; **auf dem ~** on the market; **der schwarze ~** the black market; **etw auf den ~ bringen** to put sth on the market

Markt·ana·ly·se *f* market analysis **Markt·an·teil** *m* market share **Markt·bu·de** *f* market stall **Markt·durch·drin·gung** *f kein pl* ÖKON market penetration **Markt·**

for·schung *f kein pl* market research *no pl* **Markt·frau** *f* [woman] stallholder **Markt·füh·rer** *m* market leader **Markt·hal·le** *f* indoor market **Markt·la·ge** *f* state of the market **Markt·lü·cke** *f* gap in the market; **in eine ~ stoßen** to fill a gap in the market (**mit** with) **Markt·platz** *m* marketplace; ■ **auf dem ~** in the marketplace **Markt·preis** *m* ÖKON market price **markt·schrei·e·risch** I. *adj* (*pej*) vociferous; *Propaganda* blatant II. *adv* vociferously

Markt·stand *m* [market] stall **Markt·stel·lung** *f kein pl* market position **Markt·wert** *m* market value **Markt·wirt·schaft** *f kein pl* **die soziale ~** social market economy

Mar·me·la·de <-, -n> [marmə'laːdə] *f* jam; (*aus Zitrusfrüchten*) marmalade

Mar·mor <-s, -e> ['marmoːɐ̯] *m* marble

mar·mo·rie·ren* [marmo'riːrən] *vt* to marble

mar·mo·riert *adj* marbled

Mar·mor·ku·chen *m* marble cake

mar·morn ['marmɔrn] *adj* (*aus Marmor*) marble

Ma·rok·ka·ner(in) <-s, -> [marɔ'kaːnɐ] *m(f)* Moroccan; *s. a.* **Deutsche(r)**

ma·rok·ka·nisch [marɔ'kaːnɪʃ] *adj* Moroccan; *s. a.* **deutsch**

Ma·rok·ko <-s> [ma'rɔko] *nt* Morocco; *s. a.* **Deutschland**

Ma·ro·ne <-, -n> [ma'roːnə], **Ma·ro·ni** <-, -> [ma'roːni] *f* SÜDD, ÖSTERR [edible] chestnut

Ma·rot·te <-, -n> [ma'rɔtə] *f* quirk

Mars <-> ['mars] *m kein pl* ■ **der ~** Mars

marsch ['marʃ] *interj* (*fam*) be off with you!

Marsch <-[e]s, Märsche> ['marʃ, *pl* 'mɛrʃə] *m* ❶ (*Fußmarsch*) march; **sich in ~ setzen** to move off ❷ (*Marschmusik*) march

Mar·schall <-s, Marschälle> ['marʃal, *pl* 'marʃɛlə] *m* [field] marshal

Marsch·be·fehl *m* marching orders *pl* **Marsch·flug·kör·per** *m* cruise missile

mar·schie·ren* [mar'ʃiːrən] *vi sein* ❶ MIL to march ❷ (*zu Fuß gehen*) to go at a brisk pace

Marsch·mu·sik *f* marching music **Marsch·rich·tung** *f* direction of march **Mars·lan·dung** *f* Mars landing **Mars·mensch** *m* Martian

Mar·ter <-, -n> ['martɐ] *f* (*geh*) torture *no pl*

mar·tern ['martɐn] *vt* (*geh*) to torture

Mar·ter·pfahl *m* HIST stake

Mär·ty·rer(in) <-s, -> ['mɛrtyrɐ, 'mɛr-tyrərɪn] *m(f)* (*a. fig*) martyr

Mar·ty·ri·um <-, -rien> [mar'ty:ri̯ʊm, *pl* -ri̯ən] *nt* martyrdom

Mar·xis·mus <-> [mar'ksɪsmʊs] *m kein pl*
■ **der ~** Marxism *no pl*

Mar·xist(in) <-en, -en> [mar'ksɪst] *m(f)* Marxist

mar·xis·tisch [mar'ksɪstɪʃ] *adj* Marxist

März <-[es] *o liter* -en, -e> ['mɛrts] *m* March; *s. a.* **Februar**

Mar·zi·pan <-s, -e> [martsi'pa:n] *nt o m* marzipan

Ma·sche <-, -n> ['maʃə] *f* ❶ (*Strickmasche*) stitch; **eine linke und eine rechte ~ stricken** to knit one [plain], purl one ❷ SÜDD, ÖSTERR, SCHWEIZ (*Schleife*) bow
▶ **durch die ~n des Gesetzes schlüpfen** to slip through a loophole in the law

Ma·schen·draht *m* wire netting

Ma·schi·ne <-, -n> [ma'ʃi:nə] *f* ❶ (*Automat*) machine; ■ **~n** *pl* machinery *nsing* ❷ (*Motorrad*) bike ❸ (*Schreibmaschine*) typewriter; **~ schreiben** to type

ma·schi·nell [maʃi'nɛl] **I.** *adj* machine *attr* **II.** *adv* by machine

Ma·schi·nen·bau *m kein pl* ❶ (*Konstruktion von Maschinen*) machine construction ❷ SCH mechanical engineering

Ma·schi·nen·ge·wehr *nt* machine gun, MG *spec;* **im Feuer der ~e** in machine-gun fire **ma·schi·nen·les·bar** *adj* machine-readable **Ma·schi·nen·öl** *nt* machine[ry] oil **Ma·schi·nen·pis·to·le** *f* submachine gun **Ma·schi·nen·raum** *m a.* NAUT engine room **Ma·schi·nen·schlos·ser(in)** *m(f)* [machine] fitter **Ma·schi·nen·schrift** *f* in type[script] **Ma·schi·nen·stür·mer(in)** *m(f)* (*pej hist*) Luddite *hist*

Ma·schi·ne·rie <-, -n> [maʃinə'ri:, *pl* maʃinə'ri:ən] *f* piece of machinery

Ma·schi·nist(in) <-en, -en> [maʃi'nɪst] *m(f)* machinist

Ma·schin·schrift *f* ÖSTERR *s.* **Maschinenschrift**

Ma·sern ['ma:zɐn] *pl* ■ **die ~** the measles

Ma·se·rung <-, -en> *f* grain

Mas·ke <-, -n> ['maskə] *f* ❶ (*a. fig*) mask ❷ (*Reinigungsmaske*) [face] mask

Mas·ken·ball *m* masked ball **Mas·ken·bild·ner(in)** *m(f)* make-up artist

mas·ken·haft *adj* mask-like

Mas·ke·ra·de <-, -n> [maskə'ra:də] *f* ❶ (*Verkleidung*) [fancy-dress] costume ❷ (*pej geh*) pretence

mas·kie·ren* [mas'ki:rən] *vt* ❶ (*unkenntlich machen*) to disguise ❷ (*verkleiden*)

■ **sich ~** to dress up ❸ (*verdecken*)
■ **etw ~** to mask [*or* disguise] sth

Mas·kott·chen <-s, -> [mas'kɔtçən] *nt* [lucky] mascot

mas·ku·lin [masku'li:n] *adj* masculine

Ma·so·chis·mus <-> [mazɔ'xɪsmʊs] *m kein pl* masochism *no pl*

Ma·so·chist(in) <-en, -en> [mazɔ'xɪst] *m(f)* masochist

ma·so·chis·tisch *adj* masochistic

maß [ma:s] *imp von* **messen**

Maß¹ <-es, -e> ['ma:s] *nt* ❶ (*Maßeinheit*) measure; **mit zweierlei ~ messen** (*a. fig*) to operate a double standard ❷ *pl* (*gemessene Größe*) measurements; (*Raum*) dimensions; **jds ~e nehmen** to measure sb ❸ (*Ausmaß*) extent; **in besonderem ~[e]** especially; **in großem ~[e]** to a great extent; **in zunehmendem ~e** increasingly; **in ~en** in moderation; **weder ~ noch Ziel kennen** to know no bounds ▶ **das ~ aller Dinge** the measure of all things; **das ~ ist voll** enough is enough

Maß² <-, -> ['ma:s] *f* SÜDD litre [tankard] of beer; **eine ~ Bier** a litre of beer

Mas·sa·ge <-, -n> [ma'sa:ʒə] *f* massage

Mas·sa·ge·sa·lon *m* (*veraltend: Massageinstitut*) massage parlour [*or* AM -or]; (*euph: Bordell*) massage parlour [*or* AM -or]

Mas·sa·ker <-s, -> [ma'sa:kɐ] *nt* massacre

mas·sa·krie·ren* [masa'kri:rən] *vt* to massacre

Maß·an·ga·be *f* measurement **Maß·an·zug** *m* made-to-measure suit **Maß·ar·beit** *f* ■ **etw in ~** sth made to measure **Maß·band** *nt* tape measure

Mas·se <-, -n> ['masə] *f* ❶ (*breiiges Material*) *a.* PHYS mass; **eine [ganze] ~ [etw]** a lot [of sth] ❷ (*Menschen~*) crowd; **in ~n** in droves

Maß·ein·heit *f* unit of measurement

Mas·sen·an·drang *m* crush [of people] **Mas·sen·ar·beits·lo·sig·keit** *f* mass unemployment *no art* **Mas·sen·ar·ti·kel** *m* mass-produced article **Mas·sen·be·we·gung** *f* SOZIOL mass movement **Mas·sen·ent·las·sung** *f meist pl* mass redundancies *pl* **Mas·sen·flucht** *f* mass exodus **Mas·sen·grab** *nt* mass grave **mas·sen·haft I.** *adj* on a huge scale **II.** *adv* (*fam*) in droves **Mas·sen·hys·te·rie** [-hʏsteri:] *f* mass hysteria **Mas·sen·ka·ram·bo·la·ge** [-karambola:ʒə] *f* pile-up **mas·sen·kom·pa·ti·bel** *adj* suitable for the masses *pred,* in line with popular taste *pred* **Mas·sen·kund·ge·bung** *f* mass rally **Mas·sen·**

me·di·en pl mass media + *sing/pl vb*
Mas·sen·mord m mass murder **Mas·sen·mör·der(in)** m(f) mass murderer **Mas·sen·pro·duk·ti·on** f mass production **Mas·sen·tier·hal·tung** f intensive livestock farming **Mas·sen·tou·ris·mus** m kein pl mass tourism no pl **Mas·sen·ver·an·stal·tung** f mass event **Mas·sen·ver·nich·tungs·waf·fe** meist pl f weapon of mass destruction usu pl **mas·sen·wei·se** adj s. **massenhaft**

Mas·seur(in) <-s, -e> [ma'søːɐ] m(f) masseur masc, masseuse fem

Mas·seu·se <-, -n> [ma'søːzə] f ❶ (euph: Prostituierte) masseuse ❷ (veraltend) fem form von **Masseur**

Maß·ga·be <-, -n> f (geh) ■ **mit der ~, dass ...** on [the] condition that ... **maß·ge·bend, maß·geb·lich** ['maːsɡeːplɪç] adj ❶ (ausschlaggebend) decisive ❷ (bedeutend) significant **maß·ge·schnei·dert** adj made-to-measure

mas·sie·ren* [ma'siːrən] I. vt to massage II. vi to give a massage

mas·sig ['masɪç] I. adj massive II. adv (fam) stacks

mä·ßig ['mεːsɪç] I. adj ❶ (maßvoll, gering) moderate ❷ (leidlich) indifferent II. adv ❶ (in Maßen) with moderation ❷ (leidlich) indifferently

mä·ßi·gen ['mεːsɪɡn] I. vt to curb II. vr ■ **sich ~** to restrain oneself

Mä·ßi·gung <-> f kein pl restraint

Mas·siv <-s, -e> [ma'siːf, pl ma'siːvə] nt massif

mas·siv [ma'siːf] adj ❶ (solide) solid attr ❷ (wuchtig) solid, massive ❸ (drastisch, heftig) serious; **~e Kritik** heavy criticism

Maß·klei·dung f kein pl tailored clothing no pl **Maß·krug** m beer mug **maß·los** I. adj extreme; ■ **~ sein** to be immoderate II. adv ❶ (äußerst) extremely ❷ (unerhört) hugely **Maß·lo·sig·keit** <-> f kein pl ■ **~ in etw** dat lack of moderation in sth

Maß·nah·me <-, -n> ['maːsnaːmə] f measure

Maß·re·gel f meist pl rule **maß·re·geln** vt to reprimand

Maß·stab ['maːsʃtaːp] m ❶ (Größenverhältnis) scale; **im ~ 1:250000** on a scale of 1:250000 ❷ (Kriterium) criterion; **einen hohen/strengen ~ anlegen** to apply a high/strict standard (**an** to); **Maßstäbe setzen** to set standards **maß·stab(s)·ge·recht, maß·stab(s)·ge·treu** adj true to scale

maß·voll I. adj moderate; **~es Verhalten** moderation II. adv moderately

Mast¹ <-[e]s, -en o -e> ['mast] m ❶ NAUT mast ❷ (Stange) pole ❸ ELEK pylon; TELEK pole

Mast² <-, -en> ['mast] f kein pl (das Mästen) fattening

Mast·darm m rectum

mäs·ten ['mεstn] vt to fatten

Mas·tur·ba·ti·on <-, -en> [mastʊrba'tsi̯oːn] f (geh) masturbation

mas·tur·bie·ren* [mastʊr'biːrən] vi, vt (geh) to masturbate

Mast·vieh nt fattened livestock + pl vb

Ma·ta·dor <-s, -e> [mata'doːɐ] m matador

Match <-(e)s, -s> [mεtʃ] nt o SCHWEIZ m SPORT match

Match·ball ['mεtʃ-] m TENNIS match point

Ma·te <-> ['maːtə] m kein pl maté

Ma·te·ri·al <-s, -ien> [mate'ri̯aːl, pl -li̯ən] nt material

Ma·te·ri·al·feh·ler m material defect

Ma·te·ri·a·lis·mus <-> [materi̯a'lɪsmʊs] m kein pl ■ **[der]** ~ materialism no pl

Ma·te·ri·a·list(in) <-en, -en> [materi̯a'lɪst] m(f) materialist

ma·te·ri·a·lis·tisch [materi̯a'lɪstɪʃ] adj materialist[ic]

Ma·te·ri·al·kos·ten pl material costs pl

Ma·te·rie <-, -n> [ma'teːri̯ə] f ❶ kein pl PHYS, CHEM matter no pl ❷ (Thema) subject

ma·te·ri·ell [mate'ri̯εl] I. adj FIN financial; (Güter betreffend) material; **~ abgesichert [sein]** [to be] financially secure II. adv (pej) materialistically; **~ eingestellt sein** to be materialistic

Ma·the <-> ['matə] f kein pl (fam) maths + sing vb BRIT fam, math AM fam

Ma·the·ma·tik <-> [matema'tiːk] f kein pl ■ **[die]** ~ mathematics + sing vb, maths + sing vb BRIT fam, math AM fam

Ma·the·ma·ti·ker(in) <-s, -> [mate'maː-tikɐ] m(f) mathematician

ma·the·ma·tisch [mate'maːtɪʃ] adj mathematical

Ma·ti·nee <-, -n> [mati'neː, pl mati'neː-ən] f morning performance; (Konzert a.) morning concert

Mat·jes <-, -> ['matjəs], **Mat·jes·he·ring** ['matjəs-] m young herring

Ma·trat·ze <-, -n> [ma'tratsə] f mattress

Mä·tres·se <-, -n> [mε'trεsə] f mistress

ma·tri·ar·cha·lisch [matriar'çaːlɪʃ] adj matriarchal

Ma·tri·ar·chat <-[e]s, -e> [matriar'çaːt] nt matriarchy

Ma·tri·kel <-, -n> [ma'triːkl̩] f ❶ SCH matriculation register ❷ ADMIN ÖSTERR register

Ma·trix <-, Matrizen o Matrizes>

['ma:trɪks, pl ma'tri:tsən, ma'tri:tse:s] f BIOL, MATH matrix

Ma·trix·dru·cker m INFORM dot-matrix [printer]

Ma·tri·ze <-, -n> [ma'tri:tsə] f stencil

Ma·tro·ne <-, -n> [ma'tro:nə] f matron

Ma·tro·se <-n, -n> [ma'tro:zə] m sailor

Matsch <-[e]s> ['matʃ] m kein pl ❶(schlammige Erde) mud; (Schnee-matsch) slush ❷(breiige Masse) mush

mat·schig ['matʃɪç] adj (fam) ❶(schlammig) muddy; ~er Schnee slush[y] snow ❷(breiig) mushy

matt ['mat] I. adj ❶(nicht kräftig) weak; Händedruck limp; Lächeln, Stimme faint ❷(glanzlos) matt[e] BRIT; Augen dull ❸(trübe) Licht dim ❹(schwach) Farben pale ❺(schachmatt) [check]mate II. adv ❶(schwach) dimly ❷(ohne Nachdruck) feebly

Mat·te¹ <-, -n> ['matə] f mat

Mat·te² <-, -n> ['matə] f SCHWEIZ, ÖSTERR (Bergwiese) alpine meadow

Mat·tig·keit <-> ['matɪçkait] f kein pl weariness, tiredness

Matt·schei·be f (fam: Bildschirm) screen; (Fernseher) telly BRIT, tube AM ▶~ haben to have a mental blank

Ma·tu·ra <-> [ma'tu:ra] f kein pl SCHWEIZ, ÖSTERR (Abitur) ≈ A levels pl BRIT, high-school diploma AM

Mätz·chen <-s, -> ['mɛtsçən] nt meist pl (fam) ❶(Tricks) trick ❷(Albernheiten) antics

Mau·er <-, -n> ['maue] f (a. fig) wall

Mau·er·blüm·chen nt wallflower

mau·ern ['mauen] I. vi ❶(bauen) ▪[an etw dat] ~ to build [sth] ❷(fam) to stall, to play for time II. vt to build

Mau·er·öff·nung f POL opening of the [Berlin] Wall **Mau·er·seg·ler** m ORN swift **Mau·er·werk** nt kein pl walls pl

Maul <-[e]s, Mäuler> ['maul, pl 'mɔyle] nt ❶(bei Tieren) mouth; Raubtier jaws pl ❷(derb: Mund) trap, BRIT also gob ❸(derb: Mundwerk) jdm übers ~ fahren to cut sb short; halt's ~! shut your face!; jdm das ~ stopfen to shut sb up ▶sich dat das ~ [über jdn/etw] zerreißen (fam) to bad-mouth sb/sth sl

Maul·bee·re ['maulbe:rə] f mulberry

mau·len ['maulən] vi (fam) to moan

Maul·esel ['maulʔe:zl] m mule **maul·faul** adj (fam) uncommunicative **Maul·held(in)** m/f big-mouth **Maul·korb** m muzzle **Maul·ta·schen** pl KOCHK SÜDD large pasta squares filled with meat or cheese **Maul·tier** ['maulti:ɐ] nt s. Maul-

esel

Maul·wurf <-[e]s, -würfe> ['maulvurf, pl -vvrfə] m (a. fig) mole

Maul·wurfs·hü·gel m molehill

Mau·rer(in) <-s, -> ['maure] m/f bricklayer

Mau·rer·kel·le f [bricklayer's] trowel

Mau·re·ta·ni·en <-s> [maure'ta:niən] nt Mauritania; s. a. **Deutschland**

Mau·re·ta·ni·er(in) <-s, -> [maure'ta:niɐ] m/f Mauritanian; s. a. **Deut·sche(r)**

mau·re·ta·nisch [maure'ta:nɪʃ] adj Mauritanian; s. a. **deutsch**

mau·risch ['maurɪʃ] adj Moorish

Maus <-, Mäuse> ['maus, pl 'mɔyzə] f ❶(Tier) a. INFORM mouse ❷pl (sl: Geld) dough sing, dosh sing BRIT ▶**weiße Mäuse sehen** (fam) to see pink elephants

Mau·sche·lei <-, -en> [mauʃə'lai] f (pej fam) fiddle, bent deal

mau·scheln ['mauʃln] vi (pej fam) to fiddle

Mäus·chen <-s, -> ['mɔysçən] nt dim von **Maus 1** little mouse

Mäu·se·bus·sard m [common] buzzard **Mau·se·fal·le** f mousetrap **Mau·se·loch** nt mouse hole

mau·sen ['mauzn] I. vt (hum: heimlich wegnehmen) to pinch fam II. vi (veraltend) to catch mice ▶**die Katze lässt das Mausen nicht** (prov) a leopard cannot change its spots prov

Mau·ser <-> ['mauze] f kein pl ZOOL moult; **in der ~ sein** to be moulting

mau·sern ['mauzen] vr ❶ORN ▪**sich ~** to moult ❷(fig) ▪**sich ~** to blossom out (zu to)

mau·se·tot ['mauzə'to:t] adj (fam) stone-dead

Maus·klick [-klɪk] m INFORM click of the/a mouse

Mau·so·le·um <-s, Mausoleen> [mauzo'le:ʊm, pl mauzo'le:ən] nt mausoleum

Maus·pad <-s, -s> [-pɛt] m INFORM mouse pad

Maus·steu·e·rung f INFORM mouse control no art

Maut <-, -en> ['maut] f, **Maut·ge·bühr** f toll [charge]

Maut·stel·le f tollgate

Ma·xi·ma ['maksima] pl von **Maximum**

ma·xi·mal [maksi'ma:l] I. adj maximum attr; (höchste a.) highest attr II. adv at maximum; **das ~ zulässige Gesamtge-wicht** the maximum permissible weight; **~ 25.000 Euro** 25,000 euros at most

Ma·xi·me <-, -n> [ma'ksi:mə] f (geh)

M

maxim

ma·xi·mie·ren* [maksi'mi:rən] *vt* to maximize

Ma·xi·mum <-s, Maxima> ['maksimʊm, *pl* 'maksima] *nt* maximum

Ma·yon·nai·se <-, -n> [majɔ'nɛ:zə] *f s.* **Majonäse**

Ma·ze·do·ni·en <-s> [matse'do:niən] *nt* Macedonia; *s. a.* **Deutschland**

ma·ze·do·nisch [matse'do:nɪʃ] *adj* Macedonian

Ma·ze·do·nisch [matse'do:nɪʃ] *nt dekl wie adj* Macedonian

Mä·zen <-s, -e> [mɛ'tse:n] *m* patron

MB [ɛm'be:] *nt* INFORM *Abk von* **Megabyte** MB

m.E. *Abk von* **meines Erachtens** in my opinion

Me·cha·nik <-, -en> [me'ça:nɪk] *f* mechanics + *sing vb*

Me·cha·ni·ker(in) <-s, -> [me'ça:nɪkɐ] *m(f)* mechanic

me·cha·nisch [me'ça:nɪʃ] I. *adj* (*a. fig*) mechanical II. *adv* mechanically

Me·cha·ni·sie·rung <-, -en> *f* mechanization

Me·cha·nis·mus <-, -nismen> [meça-'nɪsmʊs, *pl* -mən] *m* mechanism

Me·cke·rei <-, -en> *f* (*pej fam: dauerndes Nörgeln*) moaning

Me·cker·frit·ze, **Me·cker·lie·se** <-n, -n> [-frɪtsə, -li:zə] *m, f* (*pej fam*) bellyacher, moaning minnie BRIT

me·ckern ['mɛkɐn] *vi* ❶ (*der Ziege*) to bleat ❷ (*fig fam*) to gripe [*or fam* bellyache] (**über** about)

Meck·len·burg <-s> ['mɛklənbʊrk] *nt* Mecklenburg

meck·len·bur·gisch ['mɛklənbʊrgɪʃ] *adj* Mecklenburg *attr*

Meck·len·burg-Vor·pom·mern <-s> ['mɛklənbʊrkˀfo:ɐpɔmɐn] *nt* Mecklenburg-West Pomerania

Me·dail·le <-, -n> [me'daljə] *f* medal

Me·dail·len·ge·win·ner(in) [me'daljən-] *m(f)* SPORT medallist BRIT, medalist AM, medal winner

Me·dail·lon <-s, -s> [medal'jõ:] *nt* locket

Me·di·en ['me:diən] *pl* ❶ *pl von* **Medium** ❷ (*Informationsträger*) ▪ **die ~** the media + *sing/pl vb*

Me·di·en·er·eig·nis *nt* media event **Me·di·en·for·schung** *f* media research *no pl* **me·di·en·ge·recht** *adj* suitable for the media **Me·di·en·ge·sell·schaft** *f* ❶ SOZIOL media [dominated] society ❷ (*im Bereich der Medien tätig*) media group **Me·di·en·land·schaft** *f* media landscape

Me·di·en·mo·gul ['me:diənmogu:l] *m* media mogul **Me·di·en·rie·se** *m* media giant **Me·di·en·rum·mel** *m* (*fam*) media excitement **Me·di·en·spek·ta·kel** *nt* media spectacle **me·di·en·wirk·sam** *adj* well-covered by the media **Me·di·en·zar** *m* MEDIA (*fam*) media mogul [*or* tycoon]

Me·di·ka·ment <-[e]s, -e> [medika-'mɛnt] *nt* medicine

Me·di·ka·men·ten·miss·brauchRR *m* drug abuse **Me·di·ka·men·ten·sucht** *f* drug addiction

me·di·ka·men·tös [medikamɛn'tø:s] I. *adj* medicinal II. *adv* **jdn ~ behandeln** to give sb medication

Me·di·ta·ti·on <-, -en> [medita'tsi̯o:n] *f* meditation (**über** on)

me·di·ter·ran [meditɛ'ra:n] *adj* Mediterranean

me·di·tie·ren* [medi'ti:rən] *vi* to meditate

Me·di·um <-s, -dien> ['me:di̯ʊm, *pl* 'me:diən] *nt* medium

Me·di·zin <-, -en> [medi'tsi:n] *f* ❶ *kein pl* (*Heilkunde*) medicine *no pl* ❷ (*fam: Medikament*) medicine

Me·di·zi·ner(in) <-s, -> [medi'tsi:nɐ] *m(f)* doctor

me·di·zi·nisch [medi'tsi:nɪʃ] I. *adj* ❶ (*ärztlich*) medical ❷ (*heilend*) medicinal II. *adv* medically; **jdn ~ behandeln** to give sb medical treatment

Me·di·zin·mann <-männer> [-man, *pl* -mɛnɐ] *m* (*indianisch*) medicine man; (*afrikanisch*) witchdoctor **Me·di·zin·stu·dent(in)** <-en, -en> *m(f)* medical student

Meer <-[e]s, -e> ['me:ɐ] *nt* (*Ozean*) sea; (*Weltmeer*) ocean; **das Schwarze/Tote ~** the Black/Dead Sea; **auf dem [weiten] ~** on the high seas; **ans ~ fahren** to go to the seaside; **am ~** by the sea

Meer·bu·sen *m* (*veraltend*) bay **Meer·en·ge** *f* strait[s *pl*]

Mee·res·al·ge *f* seaweed *no pl, + sing vb* **Mee·res·arm** *m* arm of the sea **Mee·res·for·schung** *f* oceanography **Mee·res·früch·te** *pl* seafood *no pl, + sing vb* **Mee·res·grund** *m kein pl* seabed **Mee·res·spie·gel** *m* sea level; **[zehn Meter] über/unter dem ~** [ten metres] above/below sea level

Meer·kat·ze *f* ZOOL meerkat

Meer·ret·tich *m* BOT, KOCHK horseradish **Meer·schwein·chen** *nt* ZOOL guinea pig **Meer·was·ser** *nt* sea water

Mee·ting <-s, -s> ['mi:tɪŋ] *nt* meeting

Me·ga·byte [mega'baɪt, 'me:gabaɪt] *nt* INFORM megabyte

Me·ga·fon[RR] [mega'fo:n], **Me·ga·phon** <-s, -e> [mega'fo:n] *nt* megaphone

Me·ga·hertz ['mɛgahɛrts] *nt* PHYS megahertz **Me·ga·watt** *nt* megawatt

Mehl <-[e]s, -e> ['me:l] *nt* flour

meh·lig ['me:lɪç] *adj Kartoffeln* floury

Mehl·schwit·ze *f* KOCHK roux **Mehl·tau** ['me:ltaʊ] *m kein pl* BOT mildew **Mehl·wurm** *m* mealworm

mehr ['me:ɐ̯] **I.** *pron indef comp von* **viel** more; **immer ~** more and more **II.** *adv* ❶ *(eher)* more; **~ wie etw aussehen** to look rather like sth ❷ *(in höherem Maße)* **~ oder weniger** more or less; **mit ~ oder weniger Erfolg** with modest success; **unser Großvater ist nicht ~** our grandfather is no longer with us; **~ Glück als Verstand** more luck than brains; **nicht ~** not any longer; **nie ~** never again; **niemand ~** nobody else

Mehr <-[s]> ['me:ɐ̯] *nt kein pl* ❶ *(zusätzlicher Aufwand)* **mit einem [kleinen] ~ an Mühe** with a [little] bit more effort ❷ POL SCHWEIZ majority

Mehr·auf·wand *m* additional expenditure **Mehr·aus·ga·be** *f* ❶ ÖKON additional expense ❷ BÖRSE overissue **mehr·bän·dig** *adj* multi[-]volume *attr form,* in several volumes *pred* **Mehr·be·las·tung** *f (fig)* additional burden **Mehr·be·trag** *m* ❶ *(zusätzliche Kosten)* additional amount ❷ *(Überschuss)* surplus **mehr·deu·tig** *adj* ambiguous **Mehr·deu·tig·keit** <-> *f kein pl* ambiguity **mehr·di·men·si·o·nal** *adj* multidimensional

meh·ren ['me:rən] *(geh)* **I.** *vt* to increase **II.** *vr* ▪**sich ~** to multiply

meh·re·re ['me:rərə] *pron indef* ❶ *adjektivisch (einige)* several *attr;* (*mehr als eine*) various ❷ *substantivisch (einige)* several; **~ davon** several [of them]; **von ~n** by/from several persons

mehr·fach ['me:ɐ̯fax] **I.** *adj* numerous, multiple; **eine ~e Medaillengewinnerin** a winner of numerous medals; **ein ~er Meister im Hochsprung** several-times champion in the pole vault **II.** *adv* several times

Mehr·fach·steck·do·se *f* multiple socket **Mehr·fach·ste·cker** *f* multiple plug **Mehr·fach·tä·ter(in)** *m(f)* JUR serial offender

Mehr·fa·mi·li·en·haus [-liən-] *nt* multiple[-]family dwelling

mehr·far·big *adj* multicoloured

Mehr·heit <-, -en> *f a.* POL majority; **in der ~ sein** to be in the majority; **die schweigende ~** the silent majority

mehr·heit·lich *adv* **~ entscheiden** to reach a majority decision

Mehr·heits·be·schluss[RR] *m* POL majority decision **Mehr·heits·wahl·recht** *nt kein pl* majority vote [*or* BRIT *also* first past the post] system

mehr·jäh·rig *adj attr* several years of *attr,* of several years *pred* **Mehr·kos·ten** *pl* additional costs *pl*

mehr·ma·lig ['me:ɐ̯ma:lɪç] *adj attr* repeated

mehr·mals ['me:ɐ̯ma:ls] *adv* repeatedly

Mehr·par·tei·en·sys·tem *nt* multiparty system **mehr·sil·big** *adj* polysyllabic *spec* **mehr·spra·chig** *adj* multilingual **mehr·stim·mig** MUS **I.** *adj* polyphonic **II.** *adv* **~ singen** to sing in harmony **mehr·stö·ckig** *adj* multi-storey **mehr·stün·dig** *adj* of several hours *pred* **mehr·tä·gig** *adj* lasting several days *pred* **Mehr·ver·brauch** *m kein pl* additional consumption **Mehr·weg·fla·sche** *f* returnable bottle **Mehr·weg·ver·pa·ckung** *f* re-usable packaging

Mehr·wert *m kein pl* FIN added value *no pl* **Mehr·wert·steu·er** *f* value-added tax, VAT

mehr·wö·chig *adj* lasting several weeks *pred*

Mehr·zahl *f kein pl* ❶ *(Mehrheit)* majority; **die ~ aller Leute** most people ❷ LING plural [form]

mei·den <mied, gemieden> ['maɪdn̩] *vt* to avoid

Mei·le <-, -n> ['maɪlə] *f* mile ▸ **etw drei ~en gegen den Wind riechen können** to be able to smell sth a mile off

Mei·len·stein *m (a. fig)* milestone **mei·len·weit** ['maɪlənvaɪt] *adv* for miles

Mei·ler <-s, -> ['maɪlɐ] *m (Atomreaktor)* [nuclear] reactor

mein ['maɪn] *pron poss, adjektivisch* my; **~e Damen und Herren!** Ladies and Gentlemen!

mei·ne(r, s) ['maɪnə] *pron poss, substantivisch (geh)* ❶ *(mir Gehörendes)* ▪[*geh der/die/das*] **M~** mine ❷ *(das mir Zukommende)* ▪**das M~** my share ❸ *(das mir Gehörige)* what is mine

Mein·eid ['maɪn?aɪt] *m* JUR perjury *no art, no pl*

mein·ei·dig ['maɪn?aɪdɪç] *adj* perjured

mei·nen ['maɪnən] **I.** *vi* ❶ *(denken, annehmen)* to think; **ich würde/man möchte ~, ...** I/one would think ...; **~ Sie?** [do] you think so? ❷ *(sagen)* to say; **ich meinte nur so** *(fam)* it was just a thought; ▪**zu jdm ~, [dass]** ... to tell sb that ...; **wenn**

Meinungen äußern

Meinungen/Ansichten ausdrücken	expressing opinions/views

Ich finde/meine/denke, sie sollte sich für Ihr Verhalten entschuldigen.

I think she should apologize for her behaviour.

Er war **meiner Meinung nach** ein begnadeter Künstler.

In my opinion he was a highly gifted artist.

Ich bin der Meinung/Ansicht, dass jeder ein Mindesteinkommen erhalten sollte.

I believe/am of the opinion/take the view that everyone should receive a minimum income.

Die Anschaffung weiterer Maschinen ist **meines Erachtens** nicht sinnvoll.

The purchase of more machinery is, **in my opinion**, not a sensible option.

Meinungen erfragen, um Beurteilung bitten	asking for opinions and assessments

Was ist Ihre Meinung?

What's your opinion?

Was meinen Sie dazu?

What do you think (about it)?

Wie sollten wir **Ihrer Meinung nach** vorgehen?

How do **you think** we should proceed?

Was hältst du von der neuen Regierung?

What do you think of the new government?

Findest du das Spiel langweilig?

Do you find this game boring?

Denkst du, so kann ich gehen?

Do you think I can go like this?

Was sagst du zu ihrem neuen Freund?

What do you think of her new boyfriend?

Wie gefällt dir meine neue Haarfarbe?

How do you like my new hair colour?

Kannst du mit dieser Theorie **etwas anfangen?**

Does this theory **mean anything to you?**

Wie lautet Ihr Urteil über unser neues Produkt?

What's your opinion of our new product?

Wie urteilen Sie darüber?

What's your opinion of it?

Sie ~! if you wish; **wie ~ Sie?** [I] beg your pardon?; [**ganz**] **wie Sie ~!** [just] as you wish; (*drohend a.*) have it your way **II.** *vt* ❶ (*der Ansicht sein*) ■ **~, [dass**] ... to think [that] ... ❷ (*über etw denken*) **und was ~ Sie dazu?** and what do you say? ❸ (*sagen wollen*) **was ~ Sie [damit**]? what do you mean [by that]?; **das will ich [doch** ~]! I should think so too! ❹ (*ansprechen*) **damit bist du gemeint** that means you ❺ (*beabsichtigen*) to mean, to intend; **ich meine es ernst** I'm serious [about it]; **es gut ~** to mean well; **es gut mit jdm ~** to do one's best for sb; **es nicht böse ~** to mean no harm; **so war das nicht gemeint** I didn't mean it like that; **es ~, wie man es sagt** to mean what one says
mei·ner ['majnɐ] *pron pers gen von* ich (*geh*)
mei·ner·seits ['majnɐ'zajts] *adv* as far as I'm concerned; **ganz ~** the pleasure was

[all] mine
mei·nes·glei·chen ['majnəs'glajçn̩] *pron* ❶ (*Leute meines Standes*) my own kind ❷ (*jd wie ich*) people like me
mei·net·hal·ben ['majnət'halbn̩] *adv* (*geh*), **mei·net·we·gen** ['majnət've:gn̩] *adv* ❶ (*wegen mir*) because of me; (*mir zuliebe*) for my sake ❷ (*von mir aus*) as far as I'm concerned **mei·net·wil·len** ['majnət'vɪlən] *adv* **um ~** for my sake
mei·ni·ge ['majnɪgə] *pron poss* (*veraltend geh*) *s.* meine(r, s)
Mei·nung <-, -en> ['majnʊŋ] *f* opinion; (*Anschauung a.*) view; **geteilter ~ sein** to have differing opinions; **ähnlicher/anderer ~ sein** to be of a similar/different opinion; **eine eigene ~ haben** to have an opinion of one's own; **nach meiner ~** in my opinion; **die öffentliche ~** public opinion; **seine ~ ändern** to change one's mind; **bei seiner ~ bleiben** to stick to

one's opinion; **jdm die ~ sagen** to give sb a piece of one's mind; **genau meine ~!** exactly what I think!

Mei·nungs·äu·ße·rung f expression of an opinion **Mei·nungs·aus·tausch** m exchange of views (**zu** on) **Mei·nungs·for·schung** f kein pl opinion polling no pl **Mei·nungs·frei·heit** f kein pl free[dom of] speech **Mei·nungs·um·fra·ge** f opinion poll **Mei·nungs·ver·schie·den·heit** f ❶ (unterschiedliche Ansichten) difference of opinion ❷ (Auseinandersetzung) argument

Mei·se <-, -n> ['majzə] f ORN tit ▶ **eine ~ haben** (fam) to have a screw loose

Mei·ßel <-s, -> ['majsl] m chisel

mei·ßeln ['majsln] vi, vt to chisel (**in** into); ▪ **an etw** dat ~ to chisel at sth

meist ['majst] adv ❶ s. **meistens** ❷ superl von **viel**

meist·bie·tend adj attr ÖKON highest-bidding attr

meis·te(r, s) pron indef superl von **viel** ❶ adjektivisch, + n sing most; **das ~ Geld** the most money; (als Anteil) most of the money; **die ~ Zeit** [the] most time; (adverbial) most of the time ❷ substantivisch ▪ **die ~n** most people; **die ~n von uns** most of us; ▪ **das ~** (nicht zählbares) most of it; (als Anteil) the most; ▪ **das ~ von dem, was ...** most of what ... ❸ (adverbial: vor allem) ▪ **am ~n** [the] most

meis·tens ['majstns] adv mostly, more often than not; (zum größten Teil) for the most part

meis·ten·teils adv (geh) s. **meistens**

Meis·ter(in) <-s, -> ['majstə] m(f) ❶ (Handwerksmeister) master [craftsman]; **seinen ~ machen** to take one's master craftsman's diploma ❷ SPORT champion ▶ **es ist noch kein ~ vom Himmel gefallen** (prov) practice makes perfect

Meis·ter·brief m master craftsman's diploma

meis·ter·haft I. adj masterly; (geschickt) masterful II. adv in a masterly manner; (geschickt) masterfully

Meis·te·rin <-, -nen> f fem form von **Meister**

Meis·ter·leis·tung f (hervorragende Leistung) masterly performance; **nicht gerade eine ~** nothing to write home about

meis·ter·lich adj (geh) s. **meisterhaft**

meis·tern ['majstn] vt to master; **Schwierigkeiten ~** to overcome difficulties

Meis·ter·prü·fung f examination for the master[craftsman]'s diploma

Meis·ter·schaft <-, -en> f ❶ (Wettkampf) championship; (Veranstaltung) championships pl ❷ kein pl (Können) mastery

Meis·ter·stück nt ❶ (Werkstück) work done to qualify as a master craftsman ❷ (Meisterwerk) masterpiece **Meis·ter·werk** nt masterpiece

Mek·ka <-s> ['mɛka] nt (a. fig) Mecca

Me·lan·cho·lie <-, -n> [melaŋko'li:, pl melaŋko'li:ən] f melancholy

me·lan·cho·lisch [melaŋ'ko:lɪʃ] adj melancholy

Mel·de·amt nt (fam) registration office **Mel·de·frist** f registration period

mel·den ['mɛldn] I. vt ❶ (anzeigen) to report; **eine Geburt ~** to register a birth; **etw schriftlich ~** to notify sth in writing ❷ RADIO, TV to report; **für morgen ist Schneefall gemeldet** snow is forecast for tomorrow; **das Wahlergebnis wurde soeben gemeldet** the results of the election have just been announced ❸ (an~) **~ Sie mich bitte bei Ihrem Chef!** please tell your boss [that] I'm here! ▶ **nichts zu ~ haben** (fam) to have no say II. vr ❶ SCH ▪ **sich ~** to put one's hand up ❷ (sich zur Verfügung stellen) **sich zur Arbeit ~** to report for work; **sich zu etw** dat **freiwillig ~** to volunteer for sth ❸ TELEK **sich am Telefon ~** to answer the telephone; **es meldet sich keiner** there's no reply ❹ (in Kontakt bleiben) ▪ **sich [bei jdm] ~** to get in touch [with sb]

Mel·de·pflicht f obligation to report sth; **polizeiliche ~** compulsory registration [with the police] **mel·de·pflich·tig** adj notifiable

Mel·dung <-, -en> f ❶ (Nachricht) piece of news; **kurze ~ en vom Tage** the day's news headlines ❷ (offizielle Mitteilung) report ❸ kein pl (das Denunzieren) report

me·liert [me'li:ɐt] adj ❶ (Haar) greying ❷ (Gewebe) flecked, mottled

Me·lis·se <-, -n> [me'lɪsə] f BOT [lemon] balm

mel·ken <melkte o veraltend molk, gemolken o selten gemelkt> ['mɛlkn] vt, vi ❶ AGR to milk ❷ (fam: finanziell ausnutzen) ▪ **jdn ~** to fleece sb

Melk·ma·schi·ne f milking machine

Me·lo·die <-, -n> [melo'di:, pl melo'di:ən] f melody, tune

me·lo·di·ös [melo'djø:s] adj (geh) s. **melodisch**

me·lo·disch [me'lo:dɪʃ] I. adj melodic II. adv melodically

Me·lo·dram <-s, -en> [melo'dra:m], **Me·lo·dra·ma** [melo'dra:ma] nt melodrama

me·lo·dra·ma·tisch [melodra'ma:tɪʃ] **I.** *adj* melodramatic **II.** *adv* melodramatically

Me·lo·ne <-, -n> [me'lo:nə] *f* ❶ (*Frucht*) melon ❷ (*fam: Hut*) bowler [hat], AM *also* derby

Mem·bran <-, -e *o* -en> [mɛm'bra:n] *f*, **Mem·bra·ne** <-, - *o* -n> [mɛm'bra:nə] *f* ❶ TECH, PHYS diaphragm ❷ ANAT membrane

Me·mo <-s, -s> ['me:mo] *nt* (*fam*) memo

Me·moi·ren [me'mɒa:rən] *pl* memoirs

Me·mo·ran·dum <-s, Memoranden *o* Memoranda> [memo'randʊm, *pl* memo'randən, memo'randa] *nt* memorandum

Men·ge <-, -n> ['mɛŋə] *f* ❶ (*bestimmtes Maß*) **eine große ~ Kies** a large amount of gravel; **in ausreichender ~** in sufficient quantities ❷ (*viel*) **eine ~ Geld** a lot of money; **eine ~ zu sehen** a lot to see; **in rauen ~n** in vast quantities; **jede ~ Arbeit** loads of work ❸ (*Menschen~*) crowd ❹ MATH set

men·gen ['mɛŋən] **I.** *vt* (*geh*) to mix **II.** *vr* (*geh*) ▪ **sich unter die Leute ~** to mingle

men·gen·mä·ßig *adv* quantitatively

Men·gen·ra·batt *m* bulk discount

Me·nis·kus <-, Menisken> [me'nɪskʊs, *pl* menɪskən] *m* ANAT meniscus

Men·sa <-, Mensen> ['mɛnza, *pl* 'mɛnzn̩] *f* SCH canteen

Mensch <-en, -en> ['mɛnʃ] *m* ❶ (*menschliches Lebewesen*) man *no pl, no art;* ▪ **die ~en** *sing, no art,* human beings *pl;* **auch nur ein ~ sein** to be only human ❷ (*Persönlichkeit*) person; ▪ **~en** people; **ein anderer ~ werden** to become a different person; **kein ~** no one; **sie sollte mehr unter ~en gehen** she should get out more ▸ **wie der erste ~** very clumsily; **~!** for goodness' sake!; **~, das habe ich ganz vergessen!** blast, I completely forgot!; **~, war das anstrengend** boy, was that exhausting

Men·schen·af·fe *m* [anthropoid] ape

Men·schen·al·ter *nt* generation

Men·schen·an·samm·lung *f* gathering [of people]

Men·schen·auf·lauf *m* crowd [of people]

Men·schen·feind(in) *m(f)* misanthropist

men·schen·feind·lich *adj* ❶ (*misanthropisch*) misanthropic ❷ GEOG hostile [to man], inhospitable

Men·schen·fres·ser(in) <-s, -> *m(f)* cannibal

Men·schen·freund(in) *m(f)* philanthropist

Men·schen·ge·den·ken ['mɛnʃŋɡədɛŋkn̩] *nt kein pl* **seit ~** as long as anyone can remember

Men·schen·han·del *m kein pl* trade in human beings

Men·schen·ken·ner(in) *m(f)* judge of character

Men·schen·kennt·nis *f kein pl* ability to judge character

Men·schen·ket·te *f* human chain

Men·schen·le·ben *nt* ❶ (*Todesopfer*) life ❷ (*Lebenszeit*) lifetime

men·schen·leer *adj* ❶ (*unbesiedelt*) uninhabited ❷ (*unbelebt*) deserted

Men·schen·lie·be *f* **aus reiner ~** out of the sheer goodness of one's heart

Men·schen·mas·se *f* (*pej*), **Men·schen·men·ge** *f* crowd [of people]

men·schen·mög·lich ['mɛnʃn̩møːklɪç] *adj* humanly possible; **ich werde alles M~e tun** (*fam*) I'll do all that is humanly possible

Men·schen·recht *nt meist pl* JUR human right *usu pl* **Men·schen·rechts·grup·pe** *f* human rights organization

Men·schen·rechts·ver·let·zung *f* violation of human rights

men·schen·scheu *adj* afraid of people

Men·schen·schlag *m kein pl* breed [of people]

Men·schen·see·le ['mɛnʃn̩'ze:lə] *f* human soul; **keine ~** not a [living] soul

Men·schens·kind ['mɛnʃn̩skɪnt] *interj* (*fam*) good grief

men·schen·un·mög·lich *adj* not humanly possible; ▪ **das M~e** the impossible

men·schen·un·wür·dig **I.** *adj* inhumane; (*Behausung*) unfit for human habitation **II.** *adv* in an inhumane way, inhumanely

men·schen·ver·ach·tend *adj* inhuman

Men·schen·ver·ach·tung *f kein pl* contempt for other people

Men·schen·ver·stand *m* **gesunder ~** common sense

Men·schen·wür·de *f kein pl* human dignity *no pl, no art*

men·schen·wür·dig **I.** *adj* humane **II.** *adv* humanely; **~ leben/wohnen** to live in conditions fit for human beings

Mensch·heit <-> *f kein pl* ▪ **die ~** mankind *no pl, no def art,* humanity *no pl, no art*

mensch·lich ['mɛnʃlɪç] **I.** *adj* ❶ (*des Menschen*) human ❷ (*human*) humane; *Vorgesetzter* sympathetic **II.** *adv* ❶ (*human*) humanely ❷ (*fam*) **wieder ~ aussehen** to look presentable again

Mensch·lich·keit <-> *f kein pl* humanity *no pl, no art*

Men·sen *pl von* **Mensa**

Mens·tru·a·ti·on <-, -en> [mɛnstrua'tsi̯o:n] *f* menstruation *no pl, no art*

mens·tru·ie·ren* [mɛnstru'i:rən] *vi* to menstruate

men·tal [mɛn'ta:l] **I.** *adj* mental **II.** *adv* mentally

Men·ta·li·tät <-, -en> [mɛntali'tɛ:t] *f* mentality

Men·thol <-s, -e> [mɛn'toːl] *nt* menthol

Me·nu <-s, -s> *nt* (*geh*), **Me·nü** <-s, -s> [me'nyː] *nt a.* INFORM menu

me·nü·ge·steu·ert *adj* INFORM menu-driven

Me·nü·leis·te *f,* **Me·nü·zei·le** *f* INFORM menu bar

Me·ri·di·an <-s, -e> [meri'dĭaːn] *m* meridian

Merk·blatt *nt* leaflet

mer·ken ['mɛrkn̩] **I.** *vt, vi* ❶ (*spüren*) to feel; **es war kaum zu ~** it was scarcely noticeable ❷ (*wahrnehmen*) **ich habe nichts davon gemerkt** I didn't notice a thing; **das merkt keiner!** no one will notice!; **das ist zu ~** you can tell; **du merkst auch alles!** (*iron*) nothing escapes you, does it?; **jdn etw ~ lassen** to let sb feel sth ❸ (*behalten*) ■ **leicht zu ~ sein** to be easy to remember **II.** *vr* ❶ (*im Gedächtnis behalten*) ■ **sich** *dat* **etw ~** to remember sth; **das werde ich mir ~!** (*fam*) I'll remember that!; **merk dir das!** [just] remember that! ❷ (*im Auge behalten*) ■ **sich** *dat* **jdn/etw ~** make a mental note of sb/sth

merk·lich ['mɛrklɪç] **I.** *adj* noticeable **II.** *adv* noticeably

Merk·mal <-s, -e> ['mɛrkmaːl] *nt* feature

Merk·satz *m* mnemonic sentence

Mer·kur <-s> [mɛr'kuːɐ̯] *m* ASTRON ■ **der ~** Mercury

merk·wür·dig I. *adj* strange; **zu ~!** how strange! **II.** *adv* strangely; **hier riecht es so ~** there's a very strange smell here

merk·wür·di·ger·wei·se *adv* strangely enough

me·schug·ge [me'ʃʊgə] *adj* (*veraltend fam*) ■ **~ sein** to be nuts

Mes·ner <-s, -> ['mɛsnɐ] *m* DIAL (*Küster*) sexton

mess·barRR *adj,* **meß·bar**ALT *adj* measurable; ■ **gut/schwer ~ sein** to be easy/difficult to measure

Mess·be·cherRR *m* measuring jug **Mess·die·ner(in)**RR *m(f)* REL server

Mes·se¹ <-, -n> ['mɛsə] *f* ❶ (*Gottesdienst*) mass *no pl;* **in die ~ gehen** to go to mass; **schwarze ~** Black Mass; **die ~ lesen** to say mass ❷ MUS mass

Mes·se² <-, -n> ['mɛsə] *f* (*Ausstellung*) [trade] fair; **auf der ~** at the fair

Mes·se·ge·län·de *nt* exhibition centre **Mes·se·hal·le** *f* exhibition hall

mes·sen <misst, maß, gemessen> [',ɛsn] **I.** *vt* ❶ (*Ausmaß oder Größe ermitteln*) to measure ❷ (*beurteilen nach*) to judge (**an** by); ■ **gemessen an etw** *dat* judging by

sth **II.** *vr* (*geh*) **sich mit jdm ~ können** to be able to compete with sb

Mes·ser <-s, -> ['mɛsɐ] *nt* knife ▸ **unters ~ kommen** MED (*fam*) to go under the knife; **[jdm] ins [offene] ~ laufen** to play right into sb's hands; **jdn ans ~ liefern** to shop sb; **bis aufs ~** to the bitter end

mes·ser·scharf ['mɛsɐʃarf] **I.** *adj* razor-sharp *also fig* **II.** *adv* very astutely **Mes·ser·spit·ze** *f* knife point; **eine ~ Muskat** a pinch of nutmeg **Mes·ser·ste·che·rei** <-, -en> *f* knife fight **Mes·ser·stich** *m* knife thrust; (*Wunde*) stab wound

Mes·se·stand *m* exhibition stand

Mess·ge·rätRR *nt* measuring instrument, gauge, AM *also* gage

Mes·si·as <-> [mɛ'siːas] *m* REL ■ **der ~** the Messiah

Mes·sing <-s> ['mɛsɪŋ] *nt kein pl* brass *no pl*

Mess·in·stru·mentRR *nt* measuring instrument **Mess·lat·te**RR *f* surveyor's wooden rod **Mess·tech·nik**RR *f* measurement technology

Mes·sung <-, -en> *f* (*das Messen*) measuring *no pl*

Mess·wertRR *m* reading

MESZ <-> *f kein pl Abk von* **mitteleuropäische Sommerzeit** CEST

Me·tall <-s, -e> [me'tal] *nt* metal

Me·tall·ar·bei·ter(in) *m(f)* metalworker **me·tal·lic** [me'talɪk] *adj* metallic

me·tal·lisch [me'talɪʃ] **I.** *adj* ❶ (*aus Metall bestehend*) metal ❷ (*metallartig*) metallic **II.** *adv* like metal

Me·tall·ur·gie <-> [metalʊr'giː] *f kein pl* metallurgy *no pl, no art*

Me·tall·ver·ar·bei·tung <-> *f kein pl* metalworking *no pl*

Me·ta·mor·pho·se <-, -n> [metamɔr'foːzə] *f* (*geh*) metamorphosis

Me·ta·pher <-, -n> [me'tafɐ] *f* metaphor

me·ta·pho·risch [meta'foːrɪʃ] *adj* metaphoric[al]

Me·ta·phy·sik [metafy'ziːk] *f* metaphysics *no art,* + *sing vb*

me·ta·phy·sisch [meta'fyːzɪʃ] *adj* metaphysical

Me·ta·sta·se <-, -n> [meta'staːzə] *f* MED metastasis

Me·te·or <-s, -e> [mete'oːɐ̯, *pl* mete'oːrə] *m* meteor

Me·te·o·rit <-en, -en> [meteo'riːt] *m* meteorite

Me·te·o·ro·lo·ge, -lo·gin <-n, -n> [meteoro'loːgə, -'loːgɪn] *m, f* meteorologist; (*im Fernsehen*) weather forecaster

Me·te·o·ro·lo·gie <-> [meteorolo'giː] *f*

M

kein pl meteorology *no pl*

Me·te·o·ro·lo·gin <-, -nen> [meteoro'lo:gɪn] *f fem form von* **Meteorologe**

me·te·o·ro·lo·gisch [meteoro'lo:gɪʃ] *adj* meteorological

Me·ter <-s, -> ['me:tɐ] *m o nt* metre; **in ~n verkauft werden** to be sold by the metre; **etw nach ~n messen** to measure sth in metres; **der laufende ~** per metre

Me·ter·maß *nt* ❶ (*Bandmaß*) tape measure ❷ (*Zollstock*) metre rule

me·ter·wei·se *adv* by the metre

Me·tha·don <-s> [meta'do:n] *nt kein pl* methadone

Me·tho·de <-, -n> [me'to:də] *f* method

Me·tho·dik <-, -en> [me'to:dɪk] *f* methodology *no pl*

me·tho·disch [me'to:dɪʃ] **I.** *adj* methodical **II.** *adv* methodically

Me·tier <-s, -s> [me'tie̯:] *nt* métier; **sein ~ beherrschen** to know one's job

Me·trik <-, -en> ['me:trɪk] *f* ❶ LIT metrics + *sing vb* ❷ *kein pl* MUS study of rhythm and tempo

me·trisch ['me:trɪʃ] *adj* ❶ (*auf dem Meter aufbauend*) metric ❷ LIT metrical

Me·tro <-, -s> ['me:tro] *f* metro *no pl*, underground BRIT *no pl*, subway AM *no pl*

Me·tro·nom <-s, -e> [metro'no:m] *nt* metronome

Me·tro·po·le <-, -n> [metro'po:lə] *f* metropolis

me·tro·se·xu·ell *adj* SOZIOL *Mann* metrosexual

Mett <-[e]s> [mɛt] *nt kein pl* KOCHK DIAL (*Schweinegehacktes*) minced pork *no pl*

Mett·wurst *f* smoked beef/pork sausage

Met·ze·lei <-, -en> [mɛtsə'lai̯] *f* slaughter *no pl*

Metz·ger(in) <-s, -> ['mɛtsgɐ] *m(f)* DIAL (*Fleischer*) butcher; **beim ~** at the butcher's; **vom ~** from the butcher['s]

Metz·ge·rei <-, -en> [mɛtsgə'rai̯] *f* DIAL (*Fleischerei*) butcher's [shop] BRIT, butcher shop AM; **aus der ~** from the butcher's

Metz·ge·rin <-, -nen> ['mɛtsgərɪn] *f fem form von* **Metzger**

Meu·chel·mord *m* insidious murder

Meu·chel·mör·der(in) *m(f)* insidious murderer

Meu·te <-, -n> ['mɔy̯tə] *f* ❶ (*pej: Gruppe*) mob ❷ JAGD pack [of hounds]

Meu·te·rei <-, -en> [mɔy̯tə'rai̯] *f* mutiny

Meu·te·rer <-s, -> *m* mutineer

meu·tern ['mɔy̯tɐn] *vi* ❶ (*sich auflehnen*) to mutiny; **■~d** mutinous ❷ (*fam: meckern*) to moan

Me·xi·ka·ner(in) <-s, -> [mɛksi'ka:nɐ] *m(f)* Mexican; *s. a.* **Deutsche(r)**

me·xi·ka·nisch [mɛksi'ka:nɪʃ] *adj* Mexican; *s. a.* **deutsch**

Me·xi·ko <-s> ['mɛksiko] *nt* Mexico

MEZ *Abk von* **mitteleuropäische Zeit** CET

mg *Abk von* **Milligramm** mg

MHz *Abk von* **Megahertz** MHz

mi·au·en* [mi'au̯ən] *vi* to meow [*or* miaou]

mich ['mɪç] **I.** *pron pers akk von* **ich** me **II.** *pron refl* myself; **ich will ~ da ganz raushalten** I want to keep right out of it; **ich fühle ~ nicht so gut** I don't feel very well

mi·ck(e)·rig ['mɪk(ə)rɪç] *adj* ❶ (*sehr gering*) measly, paltry ❷ (*schwächlich*) puny ❸ (*zurückgeblieben*) stunted

Mid·life·cri·sisᴿᴿ, **Mid·life-Cri·sis**ᴿᴿ, **Mid·life-cri·sis**ᴬᴸᵀ <-> ['mɪtlai̯fkrai̯sɪs] *f kein pl* midlife crisis

mied ['mi:t] *imp von* **meiden**

Mie·der <-s, -> ['mi:dɐ] *nt* ❶ (*eines Trachtenkleides*) bodice ❷ (*Korsage*) girdle

Mie·der·hös·chen [-hø:sçən] *nt* panty girdle **Mie·der·wa·ren** *pl* corsetry *sing*

Mief <-s> ['mi:f] *m kein pl* (*fam*) fug *no pl*

mie·fen ['mi:fn̩] *vi* (*fam*) to pong BRIT, to stink; **was mieft denn hier so?** what's that awful pong?

Mie·ne <-, -n> ['mi:nə] *f* expression; **mit freundlicher ~ begrüßte sie ihre Gäste** she welcomed her guests with a friendly smile ▸ **gute ~ zum bösen** <u>Spiel</u> **machen** to grin and bear it; **ohne eine ~ zu** <u>verziehen</u> without turning a hair

Mie·nen·spiel *nt kein pl* facial expressions *pl*

mies ['mi:s] *adj* (*fam*) lousy, rotten; **~e zehn Euro** a miserable ten euros; **~e Laune haben** to be in a foul mood

Mie·se ['mi:zə] *pl* (*fam*) **in den ~en sein** to be in the red

Mie·se·pe·ter <-, -> ['mi:zəpe:tɐ] *m* (*fam*) misery[-guts] BRIT, sourpuss AM

mie·se·pe·t(e)·rig ['mi:zəpe:t(ə)rɪç] *adj* (*fam*) grumpy

mies·ma·chen *vt* ■ **etw/jdn ~** to run down sth/sb *sep*

Mies·ma·cher *m* (*pej fam*) killjoy

Mies·mu·schel ['mi:smʊʃl̩] *f* [common] mussel

Miet·au·to *nt* hire car BRIT, rental car AM

Mie·te <-, -n> ['mi:tə] *f* rent; **zur ~ woh·nen** to live in rented accommodation [*or* AM accommodations]

mie·ten ['mi:tn̩] *vt* to rent; *Boot, Wagen* BRIT *also* to hire; *Haus, Wohnung, Büro* to lease

Mie·ter(in) <-s, -> *m(f)* tenant

Miet·er·hö·hung *f* rent increase

Mie·te·rin <-, -nen> *f fem form von* **Mie·ter**

Mie·ter·schutz *m kein pl* tenant protection *no pl*

miet·frei I. *adj* rent-free II. *adv* rent-free

Miet·rück·stand *m* rent arrears *pl*

Miets·haus *nt* tenement, block of rented flats BRIT, apartment house AM

Miet·spie·gel *m* rent table **Miet·ver·trag** *m* tenancy agreement, lease; (*Wagen etc*) rental agreement **Miet·wa·gen** *m* hire[d] [*or* AM rental] car **Miet·woh·nung** *f* rented flat [*or* AM *also* apartment]

Mie·ze·kat·ze *f* (*Kindersprache*) pussy-cat

Mi·grä·ne <-, -n> [mi'grɛ:nə] *f* migraine; **ich habe** ~ I've got a migraine

Mi·gra·ti·on <-, -en> [migra'tsi̯oːn] *f* migration

Mi·kro <-s, -s> ['miːkro] *nt* (*fam*) *kurz für* **Mikrofon** mike

Mi·kro·be <-, -n> [mi'kroːbə] *f* microbe

Mi·kro·bio·lo·gie [mikrobiolo'giː] *f kein pl* microbiology *no pl* **Mi·kro·chip** <-s, -s> [-tʃɪp] *m* microchip **Mi·kro·com·pu·ter** [-kɔmpjuːtɐ] *m* microcomputer **Mi·kro·elek·tro·nik** *f* microelectronics *no art, + sing vb* **Mi·kro·fa·ser** *f* microfibre **Mi·kro·fiche** <-s, -s> [-fiʃ] *m o nt* microfiche **Mi·kro·film** [-fɪlm] *m* microfilm

Mi·kro·fon <-s, -e> [mikro'foːn] *nt* microphone

Mi·kro·kos·mos [-kɔsmɔs] *m* microcosm **Mi·kro·or·ga·nis·mus** ['miːkroʔɔrganɪsmʊs] *m* micro-organism

Mi·kro·phon <-s, -e> [mikro'foːn] *nt s.* **Mikrofon**

Mi·kro·pro·zes·sor ['miːkroprotsɛsoːɐ̯] *m* microprocessor

Mi·kro·skop <-s, -e> [mikro'skoːp] *nt* microscope

mi·kro·sko·pisch I. *adj* microscopic; **von ~ er Kleinheit sein** to be microscopically small II. *adv* microscopically; **etw ~ untersuchen** to examine sth under the microscope

Mi·kro·wel·le ['miːkrovɛlə] *f* microwave **Mi·kro·wel·len·herd** *m* microwave oven

Mi·lan <-s, -e> ['miːlan, mi'laːn] *m* ORN kite

Mil·be <-, -n> ['mɪlbə] *f* ZOOL mite

Milch <-> ['mɪlç] *f kein pl* milk *no pl*

Milch·bar *f* milk bar **Milch·fla·sche** *f* milk bottle; (*für Babys*) baby's bottle **Milch·glas** *nt* milk glass

mil·chig ['mɪlçɪç] *adj* milky

Milch·kaf·fee *m* milky coffee **Milch·kan·ne** *f* [milk] churn; (*kleiner*) milk can **Milch·kuh** *f* dairy cow **Milch·mäd·chen·rech·nung** *f* naive miscalculation **Milch·mann, -frau** *m, f* (*fam*) milkman *masc,* milkwoman *fem* **Milch·pro·dukt** *nt* dairy product **Milch·pul·ver** *nt* powdered milk *no pl* **Milch·reis** *m* ❶ (*Gericht*) rice pudding ❷ (*Reis*) pudding rice **Milch·scho·ko·la·de** *f* milk chocolate **Milch·shake** <-s, -s> [-ʃeːk] *m* milk shake **Milch·stra·ße** *f* ■ **die** ~ the Milky Way **Milch·tü·te** *f* milk carton **Milch·zahn** *m* milk tooth

mild ['mɪlt] I. *adj* ❶ *a.* METEO, KOCHK mild ❷ (*nachsichtig*) lenient II. *adv* leniently; **das Urteil fiel ~e aus** the sentence was lenient; **jdn ~ er stimmen** to encourage sb to be more lenient; **~e ausgedrückt** to put it mildly

Mil·de <-> ['mɪldə] *f kein pl* ❶ (*Nachsichtigkeit*) leniency *no pl* ❷ KOCHK, METEO mildness *no pl*

mil·dern ['mɪldɐn] I. *vt* ❶ (*abschwächen*) to moderate; **das Strafmaß ~** to reduce the sentence; **~ de Umstände** mitigating circumstances ❷ (*weniger schlimm machen*) to alleviate II. *vr* METEO ■ **sich ~** to become milder

Mil·de·rung <-> *f kein pl* alleviation *no pl;* **eine ~ des Strafmaßes** a reduction in sentence

Mil·de·rungs·grund *m* mitigating circumstance

mild·tä·tig *adj* (*geh*) charitable

Mild·tä·tig·keit *f kein pl* (*geh*) charity *no pl, no indef art*

Mi·li·eu <-s, -s> [mi'li̯øː] *nt* environment

mi·li·eu·ge·schä·digt [mi'li̯øː-] *adj* PSYCH maladjusted

mi·li·tant [mili'tant] *adj* militant

Mi·li·tär <-s> [mili'tɛːɐ̯] *nt kein pl* ❶ (*Armeeangehörige*) soldiers *pl* ❷ (*Armee*) armed forces *pl,* military *no pl, no indef art;* **beim ~ sein** to be in the forces *pl*

Mi·li·tär·dienst *m kein pl* military service *no pl* **Mi·li·tär·dik·ta·tur** *f* military dictatorship **Mi·li·tär·ge·richt** *nt* court martial **mi·li·tä·risch** [-'tɛːrɪʃ] *adj* military

Mi·li·ta·ris·mus <-> [milita'rɪsmʊs] *m kein pl* (*pej*) militarism *no pl*

Mi·li·ta·rist <-en, -en> [milita'rɪst] *m* (*pej*) militarist

mi·li·ta·ris·tisch *adj* (*pej*) militaristic

Mi·li·tär·po·li·zei *f* military police **Mi·li·tär·putsch** *m* military coup **Mi·li·tär·re·gie·rung** *f* military government **Mi·li·tär·zeit** *f* army days *pl*

M

Mi·liz <-, -en> [mi'li:ts] f ❶ (*Bürgerwehr*) militia ❷ (*in sozialistischen Staaten: Polizei*) police

Mil·le <-, -> ['mɪlə] f (*sl*) grand

Mill·en·ni·um <-s, -ien> [mɪ'lɛnɪ̯ʊm, *pl* -nɪ̯ən] nt (*geh*) millennium

Mil·li·ar·där(in) <-s, -e> [mɪlɪ̯ar'dɛːɐ̯] m(f) billionaire

Mil·li·ar·de <-, -n> [mɪl'ɪ̯ardə] f billion

Mil·li·ar·den·be·trag m amount of a billion **mil·li·ar·den·schwer** adj (*Unternehmen, Vermögen*) worth billions

Mil·li·bar ['mɪlibaːɐ̯] nt METEO millibar **Mil·li·gramm** [mɪli'gram] nt milligram **Mil·li·li·ter** ['mɪlili:tɐ, 'mɪlilɪtɐ, mɪli'li:tɐ] m o nt millilitre **Mil·li·me·ter** <-s, -> [mɪli'me:tɐ] m o nt millimetre **Mil·li·me·ter·pa·pier** nt graph paper

Mil·li·on <-, -en> [mɪ'lɪ̯oːn] f million; **drei ~ en Einwohner** three million inhabitants

Mil·li·o·när(in) <-s, -e> [mɪlɪ̯o'nɛːɐ̯] m(f) millionaire *masc*, millionairess *fem*

Mil·li·o·nen·ge·schäft nt deal worth millions **Mil·li·o·nen·ge·winn** m prize of a million **Mil·li·o·nen·grab** nt (*pej fam*) bottomless pit, black hole **mil·li·o·nen·schwer** adj (*fam*) worth millions *pred* **Mil·li·o·nen·stadt** f town with over a million inhabitants

Milz <-, -en> ['mɪlts] f spleen

Milz·brand m kein pl anthrax no pl

mi·men ['mi:mən] I. vt to fake; **mime hier nicht den Ahnungslosen!** don't act the innocent! II. vi to pretend

Mi·mik <-> ['mi:mɪk] f kein pl [gestures and] facial expression

mi·misch ['mi:mɪʃ] I. adj mimic II. adv by means of [gestures and] facial expressions

Mi·mo·se <-, -n> [mi'mo:zə] f ❶ BOT mimosa ❷ (*fig: sehr empfindlicher Mensch*) sensitive plant

min., Min. f Abk von **Minute(n)** min.

Mi·na·rett <-s, -e o -s> [mina'rɛt] nt minaret

min·der ['mɪndɐ] adv less; **nicht ~** no less

min·der·be·gabt adj less gifted **min·der·be·mit·telt** adj (*geh*) less well-off; **geistig ~** (*pej*) mentally deficient

min·de·re(r, s) adj attr lesser; **von ~ r Qualität sein** to be of inferior quality

Min·der·heit <-, -en> f minority; **in der ~ sein** to be in the/a minority

Min·der·hei·ten·schutz m protection of minorities

min·der·jäh·rig ['mɪndəjɛːrɪç] adj underage **Min·der·jäh·ri·ge(r)** f(m) dekl wie adj minor

min·dern ['mɪndɐn] vt (*geh*) to reduce

(**um** by)

Min·de·rung <-, -en> f FIN (*geh*) reduction

min·der·wer·tig adj inferior **Min·der·wer·tig·keit** <-> f kein pl inferiority no pl **Min·der·wer·tig·keits·ge·fühl** nt feeling of inferiority **Min·der·wer·tig·keits·kom·plex** m inferiority complex **Min·der·zahl** f kein pl minority; **in der ~ sein** to be in the minority

Min·dest·ab·stand m minimum distance **Min·dest·al·ter** nt minimum age **Min·dest·an·for·de·rung** f minimum requirement

min·des·te(r, s) adj attr ▪ der/die/das **~** the slightest; **das wäre das M~ gewesen** that's the least he/she/you etc could have done; **zum M~ n** at least; **nicht das M~ an Geduld** not the slightest trace of patience; **nicht im M~ n** not in the least

Min·dest·ein·kom·men nt minimum income

min·des·tens ['mɪndəstns] adv at least

Min·dest·ge·bot nt reserve price **Min·dest·ge·schwin·dig·keit** f minimum speed no pl **Min·dest·halt·bar·keits·da·tum** nt best-before date **Min·dest·lohn** m ÖKON minimum wage; **gesetzlicher ~** legal minimum wage **Min·dest·maß** nt minimum measure **Min·dest·re·ser·ve·sys·tem** nt ÖKON minimum reserve system **Min·dest·stra·fe** f minimum sentence

Mi·ne <-, -n> ['mi:nə] f ❶ (*Bleistift*) lead no pl; (*Filz-, Kugelschreiber*) refill ❷ (*Sprengkörper*) mine; **auf eine ~ laufen** to hit a mine ❸ (*Bergwerk*) mine

Mi·nen·feld nt MIL, NAUT minefield **Mi·nen·wer·fer** <-s, -> m MIL, HIST trench mortar

Mi·ne·ral <-s, -e o -ien> [mine'ra:l, *pl* -lɪ̯ən] nt mineral

Mi·ne·ral·bad nt spa

mi·ne·ra·lisch [mine'ra:lɪʃ] adj mineral

Mi·ne·ra·lo·gie <-> [mineralo'gi:] f kein pl mineralogy no pl, no art

Mi·ne·ral·öl nt mineral oil **Mi·ne·ral·öl·steu·er** f tax on oil **Mi·ne·ral·stoff** m meist pl mineral salt **Mi·ne·ral·was·ser** nt mineral water

Mi·ni <-s, -s> ['mɪni] m MODE (*fam*) mini[skirt]

Mi·ni·a·tur <-, -en> [minɪ̯a'tu:ɐ̯] f miniature

Mi·ni·bar f minibar **Mi·ni·golf** nt kein pl minigolf no pl **Mi·ni·job** m ÖKON (*fam*) McJob hum (*a menial job which is poorly·paid and usually temporary*) **Mi·ni·**

kleid *nt* minidress

Mi·ni·ma ['miːnima] *pl von* **Minimum**

mi·ni·mal [mini'maːl] I. *adj* minimal
II. *adv* minimally

mi·ni·mie·ren* [mini'miːrən] *vt* (*geh*) to minimize

Mi·ni·mum <-s, Minima> ['miːnimʊm, *pl* 'miːnima] *nt* minimum (**an** of); **ein ~ an Respekt** a modicum of respect

Mi·ni·pil·le *f* mini-pill **Mi·ni·rock** *m* mini-skirt

Mi·nis·ter(in) <-s, -> [mi'nɪstɐ] *m(f)* POL minister, BRIT *also* Secretary of State

mi·nis·te·ri·ell [minɪste'riˌɛl] *adj attr* ministerial

Mi·nis·te·rin <-, -nen> [mi'nɪstərɪn] *f fem form von* **Minister**

Mi·nis·te·ri·um <-s, -rien> [minɪs'teːriˌʊm, *pl* -riˌən] *nt* POL ministry, department **Mi·nis·ter·kon·fe·renz** *f* ministerial conference **Mi·nis·ter·prä·si·dent(in)** *m(f)* minister-president (*leader of a German state*) **Mi·nis·ter·rat** *m kein pl* ▪**der ~** the [EU] Council of Ministers

Mi·nis·trant(in) <-en, -en> [minɪs'trant] *m(f)* REL server

Min·ne·sän·ger ['mɪnəzɛŋɐ] *m* LIT, HIST Minnesinger

Mi·no·ri·tät <-, -en> [minori'tɛːt] *f* (*geh*) *s.* **Minderheit**

mi·nus ['miːnʊs] I. *präp* **2.000€ ~ 5 % Rabatt** €2,000 less 5% discount II. *konj* MATH minus III. *adv* ❶ METEO minus, below zero; **~ 15° C** minus 15° C; **15° C ~** 15° C below zero ❷ ELEK negative

Mi·nus <-, -> ['miːnʊs] *nt* ❶ (*Fehlbetrag*) deficit; **~ machen** to make a loss ❷ (*Manko*) bad point

Mi·nus·pol *m* ❶ELEK negative terminal ❷ PHYS negative pole **Mi·nus·punkt** *m* minus point **Mi·nus·zei·chen** *nt* minus sign

Mi·nu·te <-, -n> [mi'nuːtə] *f* minute; **in letzter ~** at the last minute; **auf die ~** on the dot ▸**es ist fünf ~n vor zwölf** we've reached crisis point

mi·nu·ten·lang I. *adj attr* lasting [for] several minutes *pred* II. *adv* for several minutes **Mi·nu·ten·zei·ger** *m* minute hand

mi·nu·ti·ös, **mi·nu·zi·ös** [minu'tsi̯øːs] I. *adj* (*geh*) meticulously exact II. *adv* (*geh*) meticulously

Min·ze <-, -n> ['mɪntsə] *f* BOT mint *no pl*

mir ['miːɐ̯] *pron pers dat von* **ich** ❶ [to] me; **gib es ~ zurück!** give it back [to me]!; **und das ~!** why me [of all people]! ❷ *nach präp* me; **eine alte Bekannte von ~** an old acquaintance of mine; **komm mit zu ~** come

back to my place; **von ~ aus!** (*fam*) I don't mind! ▸**~ nichts, dir nichts** (*fam*) just like that

Mi·ra·bel·le <-, -n> [mira'bɛlə] *f* ❶ (*Baum*) mirabelle [tree] ❷ (*Frucht*) mirabelle

Misch·brot *nt* bread made from rye and wheat flour **Misch·ehe** *f* mixed marriage **mi·schen** ['mɪʃn̩] I. *vt* ❶ to mix; **den Pferden Hafer unter's Futter ~** to mix oats in with the feed for the horses; **einen Cocktail aus Saft und Rum ~** to mix a cocktail from juice and rum ❷ KARTEN to shuffle II. *vr* ❶ (*sich mengen*) **sich unter Leute ~** to mingle ❷ (*sich ein~*) ▪**sich in etw** *akk* **~** to interfere in sth; **sich in ein Gespräch ~** to butt into a conversation III. *vi* KARTEN to shuffle

Misch·form *f* mixture (**aus** of) **Misch·gewe·be** *nt* mixed fibres *pl* **Misch·haut** *f kein pl* combination skin

Misch·ling <-s, -e> ['mɪʃlɪŋ] *m* ❶ (*Mensch*) half caste ❷ ZOOL half-breed; (*Hund*) mongrel

Misch·lings·kind *nt* half-caste child **Misch·masch** <-[e]s, -e> ['mɪʃmaʃ] *m* (*fam*) mishmash *no pl* **Misch·ma·schi·ne** *f* [cement] mixer **Misch·pult** *nt* FILM, RADIO, TV mixing desk **Mi·schung** <-, -en> *f* mixture; (*Kaffee, Tee, Tabak*) blend **Mi·schungs·ver·hält·nis** *nt* ratio **Misch·wald** *m* mixed forest

mi·se·ra·bel [miza'raːbl̩] I. *adj* (*pej*) dreadful II. *adv* (*pej*) dreadfully; **sich ~ aufführen** to behave abominably; **~ schlafen** to sleep really badly; **das Bier schmeckt ~** the beer tastes awful

Mi·se·re <-, -n> [mi'zeːrə] *f* (*geh*) dreadful state

miss·ach·ten[RR]*** *vt*, **miß·ach·ten**[ALT]*** [mɪs'ʔaxtn̩] *vt* ❶ (*ignorieren*) to disregard; **eine Vorschrift ~** to flout a regulation ❷ (*geringschätzen*) ▪**jdn ~** to disparage sb; ▪**etw ~** to disdain sth

Miss·ach·tung[RR] *f*, **Miß·ach·tung**[ALT] ['mɪsʔaxtʊŋ] *f* ❶ (*Ignorierung*) disregard *no pl;* **bei ~ dieser Vorschriften** if these regulations are flouted ❷ (*Geringschätzung*) disdain *no pl*

miss·be·ha·gen[RR]*** *vi*, **miß·be·hagen**[ALT]*** ['mɪsbəhaːgn̩] *vi* (*geh*) ▪**jdm ~** to displease sb

Miss·be·ha·gen[RR] <-s> *nt kein pl* (*geh*) ❶ (*Unbehagen*) uneasiness *no pl* ❷ (*Missfallen*) displeasure *no pl*

Miss·bil·dung[RR] <-, -en> *f*, **Miß·bildung**[ALT] <-, -en> ['mɪsbɪldʊŋ] *f* deformity

miss·bil·li·genRR* *vt*, **miß·bil·li·gen**ALT* [mɪsˈbɪlɪɡn̩] *vt* ▪ **etw ~** to disapprove of sth

miss·bil·li·gendRR, **miß·bil·li·gend**ALT [mɪsˈbɪlɪɡn̩t] **I.** *adj* disapproving **II.** *adv* disapprovingly

Miss·bil·li·gungRR <-, -en> *f*, **Miß·bil·li·gung**ALT <-, -en> *f* disapproval *no pl*

Miss·brauchRR *m*, **Miß·brauch**ALT [ˈmɪsbraʊx] *m* abuse; **~ mit etw** *dat* **treiben** (*geh*) to abuse sth

miss·brau·chenRR*, **miß·brau·chen**ALT* [mɪsˈbraʊ:xn̩] *vt* to abuse; **jds Vertrauen ~** to abuse sb's trust; **jdn sexuell ~** to sexually abuse sb

miss·bräuch·lichRR *adj*, **miß·bräuch·lich**ALT [ˈmɪsbrɔʏçlɪç] *adj* (*geh*) improper

miss·deu·tenRR* *vt*, **miß·deu·ten**ALT* [mɪsˈdɔʏtn̩] *vt* to misinterpret

Miss·deu·tungRR, **Miß·deu·tung**ALT [ˈmɪsdɔʏtʊŋ] *f* misinterpretation

mis·sen [ˈmɪsn̩] *vt* **mein Telefon möchte ich nicht ~** I wouldn't want to have to do without my phone

Miss·er·folgRR *m*, **Miß·er·folg**ALT [ˈmɪsɛɐ̯fɔlk] *m* failure

Miss·ern·teRR *f*, **Miß·ern·te**ALT [ˈmɪsɛrntə] *f* crop failure

Mis·se·tat [ˈmɪsəta:t] *f* (*hum*) prank

Mis·se·tä·ter(in) [ˈmɪsətɛ:tɐ] *m(f)* (*hum*) culprit

miss·fal·lenRR* *vi*, **miß·fal·len**ALT* [mɪsˈfalən] *vi irreg* **jdm missfällt etw [an jdm]** sb dislikes sth [about sb]

Miss·fal·lenRR <-s> *nt*, **Miß·fal·len**ALT [ˈmɪsfalən] *nt kein pl* displeasure *no pl*

miss·ge·bil·detRR, **miß·ge·bil·det**ALT [ˈmɪsɡəbɪldət] **I.** *adj* malformed **II.** *adv* deformed

Miss·ge·burtRR *f*, **Miß·ge·burt**ALT [ˈmɪsɡəbu:ɐ̯t] *f* (*pej*) monster

miss·ge·launtRR *adj*, **miß·ge·launt**ALT [ˈmɪsɡəlaʊnt] *adj* (*geh*) ill-humoured

Miss·ge·schickRR *nt*, **Miß·ge·schick**ALT [ˈmɪsɡəʃɪk] *nt* mishap

miss·ge·stal·tetRR *adj*, **miß·ge·stal·tet**ALT [ˈmɪsɡəʃtaltət] *adj* (*geh*) misshapen; *Person* deformed

miss·ge·stimmtRR *adj*, **miß·ge·stimmt**ALT [ˈmɪsɡəʃtɪmt] *adj* (*geh*) ill-humoured

miss·glü·ckenRR* *vi*, **miß·glü·cken**ALT* [mɪsˈɡlʏkn̩] *vi sein* ▪ **etw missglückt** sth fails

miss·gön·nenRR*, **miß·gön·nen**ALT* [mɪsˈɡœnən] *vt* **jdm seinen Erfolg ~** to resent sb's success

Miss·griffRR *m*, **Miß·griff**ALT [ˈmɪsɡrɪf] *m* mistake

Miss·gunstRR *f kein pl*, **Miß·gunst**ALT [ˈmɪsɡʊnst] *f kein pl* envy *no pl*

miss·güns·tigRR, **miß·güns·tig**ALT [ˈmɪsɡʏnstɪç] **I.** *adj* envious **II.** *adv* enviously

miss·han·delnRR* *vt*, **miß·han·deln**ALT* [mɪsˈhandl̩n] *vt* ▪ **jdn/ein Tier ~** to mistreat sb/an animal

Miss·hand·lungRR, **Miß·hand·lung**ALT [mɪsˈhandlʊŋ] *f* mistreatment *no indef art, no pl*

miss·in·ter·pre·tie·renRR* *vt*, **miß·in·ter·pre·tie·ren**ALT* [ˈmɪsɪntepreti:rən] *vt* to misinterpret

Mis·si·on <-, -en> [mɪˈsi̯o:n] *f* ❶ (*geh: Sendung*) mission; **in geheimer ~** on a secret mission ❷ *kein pl* REL mission; **in die ~ gehen** to become a missionary

Mis·si·o·nar(in) <-s, -e> [mɪsi̯oˈnaːɐ̯] *m(f)*, **Mis·si·o·när(in)** <-s, -e> [mɪsi̯oˈnɛːɐ̯] *m(f)* ÖSTERR missionary

mis·si·o·na·risch [mɪsi̯oˈnaːrɪʃ] **I.** *adj* (*geh*) missionary **II.** *adv* as a missionary

mis·si·o·nie·ren* [mɪsi̯oˈniːrən] **I.** *vi* to do missionary work **II.** *vt Menschen, Völker* to convert

Miss·klangRR *m*, **Miß·klang**ALT [ˈmɪsklaŋ] *m* MUS dissonance *no indef art, no pl*

Miss·kre·ditRR *m kein pl*, **Miß·kre·dit**ALT [ˈmɪskredi:t] *m kein pl* **jdn/etw [bei jdm] in ~ bringen** to bring sb/sth into discredit [with sb]; **in ~ geraten** to become discredited

miss·langRR [mɪsˈlaŋ] *imp von* **misslingen**

miss·lichRR *adj*, **miß·lich**ALT [ˈmɪslɪç] *adj* (*geh*) awkward

miss·lie·bigRR *adj*, **miß·lie·big**ALT [ˈmɪsliːbɪç] *adj* unpopular

miss·lin·genRR <misslang, misslungen> *vi*, **miß·lin·gen**ALT <mißlang, mißlun­gen> [mɪsˈlɪŋən] *vi sein* to fail

Miss·lin·genRR <-s> *nt*, **Miß·lin·gen**ALT <-s> [mɪsˈlɪŋən] *nt kein pl* failure

miss·lun·genRR, **miß·lun·gen**ALT [mɪsˈlʊŋən] **I.** *pp von* **misslingen II.** *adj* **ein ~er Versuch** a failed [*or* unsuccessful] attempt

Miss·mutRR *m kein pl*, **Miß·mut**ALT [ˈmɪsmu:t] *m kein pl* moroseness *no pl*

miss·mu·tigRR *adj*, **miß·mu·tig**ALT [ˈmɪsmu:tɪç] *adj* morose, sullen

miss·ra·tenRR* *vi*, **miß·ra·ten**ALT* [mɪsˈra:tn̩] *vi irreg sein* (*geh*) ❶ (*schlecht erzogen sein*) to turn out badly ❷ (*nicht gelingen*) to go wrong

Miss·standRR *m,* **Miß·stand**ALT ['mɪsʃtant] *m* deplorable state of affairs *no pl;* **soziale Missstände** social evils

Miss·stim·mungRR *f kein pl,* **Miß·stim·mung**ALT ['mɪsʃtɪmʊŋ] *f kein pl* ill humour *no indef art, no pl*

misstRR ['mɪst] *3. pers pres von* **messen**

miss·trau·enRR *vi,* **miß·trau·en**ALT* [mɪs'trauən] *vi* to mistrust

Miss·trau·enRR <-s>, **Miß·trau·en**ALT <-s> ['mɪstrauən] *nt kein pl* mistrust *no pl;* **jdm** ~ **entgegenbringen** to mistrust sb

Miss·trau·ens·an·tragRR *m* POL motion of no confidence **Miss·trau·ens·vo·tum**RR *nt* vote of no confidence

miss·trau·ischRR, **miß·trau·isch**ALT ['mɪstrauɪʃ] I. *adj* mistrustful; (*argwöhnisch*) suspicious II. *adv* mistrustfully; (*argwöhnisch*) suspiciously

Miss·ver·hält·nisRR *nt,* **Miß·ver·hält·nis**ALT ['mɪsfɛɡhɛltnɪs] *nt* disproportion *no pl;* **im** ~ **zu etw** *dat* **stehen** to be disproportionate to sth

miss·ver·ständ·lichRR, **miß·ver·ständ·lich**ALT ['mɪsfɛɡʃtɛntlɪç] I. *adj* unclear; ▪[zu] ~ **sein** to be [too] liable to be misunderstood II. *adv* unclearly

Miss·ver·ständ·nisRR <-ses, -se> *nt,* **Miß·ver·ständ·nis**ALT <-ses, -se> ['mɪsfɛɡʃtɛntnɪs] *nt* misunderstanding *no pl*

miss·ver·ste·henRR*, **miß·ver·ste·hen**ALT* ['mɪsfɛɡʃteːən] *vt irreg* to misunderstand

Miss·wahlRR, **Miß·wahl**ALT *f* beauty pageant

Miss·wirt·schaftRR *f,* **Miß·wirt·schaf·t**ALT ['mɪsvɪrtʃaft] *f* mismanagement *no pl*

Mist <-es> ['mɪst] *m kein pl* ❶ (*Stalldünger*) dung *no pl* ❷ (*fam: Quatsch*) nonsense *no pl,* BRIT *also* rubbish *no pl* ❸ (*fam: Schund*) junk *no pl* ▸ ~ **bauen** (*fam*) to screw up; **so ein** ~! (*fam*) damn!, BRIT *also* blast!

Mis·tel <-, -n> ['mɪstl̩] *f* mistletoe *no pl*

Mist·ga·bel *f* pitchfork **Mist·hau·fen** *m* dung heap **Mist·kä·fer** *m* dung beetle **Mist·kerl** *m* (*fam*) bastard *fam!* **Mist·stück** *nt* (*fam*) bastard *masc fam!,* bitch *fam!* **Mist·vieh** *nt* (*fam*) damned [*or* BRIT *also* bloody] animal **Mist·wet·ter** *nt kein pl* (*fam*) lousy weather *no pl, no indef art*

mit ['mɪt] I. *präp* ❶ (*in Begleitung von*) with; **Kaffee** ~ **Milch** coffee with milk ❷ (*mittels*) with; ▪ **bequemen Schuhen läuft man besser** it's easier to walk in comfortable shoes; ~ **Kugelschreiber geschrieben** written in biro ❸ (*per*) by;

mit der Bahn/dem Fahrrad/der Post by train/bicycle/post ❹ (*unter Aufwendung von*) with; ~ **etwas mehr Mühe** with a little more effort ❺ *zeitlich* at; ~ **18** [**Jahren**] at [the age of] 18 ❻ (*bei Maß-, Mengenangaben*) with; ~ **einem Kilometerstand von 24.567 km** with 24,567 km on the clock; **das Spiel endete** ~ **1:1 unentschieden** the game ended in a 1-1 draw ❼ (*was jdn/etw angeht*) with; ~ **meiner Gesundheit steht es nicht zum Besten** I am not in the best of health; ~ **jdm/etw rechnen** to reckon on sb/sth II. *adv* too, as well; ~ **dabei sein** to be there too; **sie gehört** ~ **zu den Besten** she is one of the best

Mit·an·ge·klag·te(r) *f(m) dekl wie adj* co-defendant **Mit·ar·beit** *f* ❶ (*Arbeit an etw*) collaboration; **unter** ~ **von jdm** in collaboration with sb ❷ SCH participation *no pl* **mit|ar·bei·ten** ['mɪt?arbaɪtn̩] *vi* ❶ (*als Mitarbeiter tätig sein*) ▪ **an etw** *dat* ~ to collaborate on sth ❷ SCH to participate (**in** in) **Mit·ar·bei·ter(in)** *m(f)* ❶ (*Mitglied der Belegschaft*) employee; **neue** ~ **einstellen** to take on new staff; **freier** ~ freelance ❷ (*Kollege*) colleague

mit|be·kom·men* *vt irreg* ❶ (*mitgegeben bekommen*) ▪ **etw** [**von jdm**] ~ to be given sth [by sb] ❷ (*wahrnehmen*) ▪ **etw** ~ to be aware of sth; **hast du etwas davon** ~? did you catch any of it? ❸ (*fam: vererbt bekommen*) ▪ **etw von jdm** ~ to get sth from sb **mit|be·nut·zen*** *vt,* **mit|be·nüt·zen*** *vt* SÜDD to share **mit|be·stim·men*** I. *vi* to have a say (**bei** in) II. *vt* to have an influence on **Mit·be·stim·mung** *f* ❶ (*das Mitbestimmen*) participation; **das Recht zu** ~ **bei ...** the right to participate in ... ❷ (*Mitentscheidung*) **betriebliche** ~ worker participation

Mit·be·stim·mungs·recht *nt* right of co-determination **Mit·be·wer·ber(in)** *m(f)* ❶ (*ein weiterer Bewerber*) fellow applicant ❷ (*Konkurrent*) competitor **Mit·be·woh·ner(in)** *m(f)* flatmate BRIT, housemate AM; (*in einem Zimmer*) roommate **mit|brin·gen** ['mɪt?brɪŋən] *vt irreg* ❶ *Gegenstand* to bring ❷ *Begleitung* **hast du denn niemanden mitgebracht?** didn't you bring anyone with you? ❸ *Voraussetzungen* to meet

Mitbring·sel <-s, -> ['mɪtbrɪŋzl̩] *nt* small present

Mit·bür·ger(in) *m(f)* fellow citizen **mit|den·ken** *vi irreg* ▪ **bei etw** *dat* ~ to follow sth; (*bemerken*) to pick up on sth **mit|dür·fen** *vi irreg* **darf ich auch mit**

dir mit? can I come with you [too]? **Mịt·ei·gen·tü·mer(in)** *m(f)* joint owner

mit·ein·an·der [mɪt?aɪˈnandɐ] *adv* ❶ (*jeder mit dem anderen*) with each other; ~ **reden** to talk to each other; ~ **verfeindet sein** to be enemies ❷ (*zusammen*) together; **alle ~** all together

Mit·ein·an·der <-s> [mɪt?aɪˈnandɐ] *nt kein pl* cooperation *no pl*

Mịt·er·be, -er·bin [ˈmɪt?ɛrbə, -ɛrbɪn] *m, f* joint heir **mịt|er·le·ben*** *vt Ereignisse* to live through; *eine Zeit* to witness; *im Fernsehen* to follow **mịt|es·sen** *irreg* **I.** *vt* **setz dich doch, iss einen Teller Suppe mit!** sit down and have a bowl of soup with us! **II.** *vi irreg* ■ [bei jdm] ~ to have a meal [with sb] **Mịt·es·ser** <-s, -> *m* blackhead **mịt|fah·ren** *vi irreg sein* ■ jdn ~ **lassen** to give sb a lift; **darf ich** [bei Ihnen] ~? can you give me a lift? **Mịt·fah·rer(in)** *m(f)* fellow passenger

Mịt·fahr·ge·le·gen·heit *f* lift **Mịt·fahr·zen·tra·le** *f* lift-arranging [*or* AM ride-sharing] agency

mịt|füh·len I. *vt* **ich kann lebhaft ~, wie dir zu Mute sein muss** I can well imagine how you must feel **II.** *vi* ■ [mit jdm] ~ to sympathize [with sb] **mịt·füh·lend** *adj* sympathetic **mịt|füh·ren** *vt* ■ etw ~ ❶ (*geh: bei sich haben*) to carry sth ❷ (*transportieren*) to carry sth along **mịt|ge·ben** *vt irreg* ■ jdm etw ~ to give sb sth; **ich gebe dir einen Apfel für Chris mit** I'll give you an apple to take for Chris **Mịt·ge·fan·ge·ne(r)** *f(m) dekl wie adj* fellow prisoner **Mịt·ge·fühl** *nt kein pl* sympathy *no pl*; [mit jdm] ~ **empfinden** to have sympathy [for sb] **mịt|ge·hen** *vi irreg sein* ❶ (*begleiten*) ■ mit jdm ~ to go with sb ❷ (*sich mitreißen lassen*) ■ [bei etw *dat*] ~ to respond [to sth] ❸ (*stehlen*) etw ~ **lassen** to walk off with sth **mịt·ge·nom·men I.** *pp von* **mitnehmen II.** *adj* (*fam*) worn-out

Mịt·gift <-, -en> *f* dowry

Mịt·glied [ˈmɪtgliːt] *nt* member; ~ **einer S.** *gen* **sein** to be a member of sth; **Zutritt nur für ~er** members only; **ordentliches ~** full member; **passives ~** non-active member

Mịt·glie·der·ver·samm·lung *f* general meeting

Mịt·glieds·aus·weis *m* membership card **Mịt·glieds·bei·trag** *m* membership fee **Mịt·glied·schaft** <-, -en> *f* membership; **die ~ in einer Partei beantragen** to apply for membership of [*or* AM in] a party **Mịt·glieds·land** *nt* POL member country

Mịt·glieds·staat *m* member state

mịt|ha·ben *vt irreg* ■ etw ~ to have got sth [with one] **mịt|hal·ten** *vi irreg* (*fam*) to keep up (**bei** with); **bei einer Auktion ~** to stay in the bidding **mịt|hel·fen** *vi irreg* to help (**bei** with) **Mịt·hil·fe** [ˈmɪthɪlfə] *f kein pl* assistance *no pl*; **unter jds ~** with sb's help; **unter ~ von jdm** with the aid of sb **mịt|hö·ren** *vt, vi* to listen in; **ein Gespräch ~** to listen in on a conversation; (*zufällig*) to overhear a conversation **Mịt·in·ha·ber(in)** *m(f)* joint owner **mịt|klin·gen** *vi irreg* to sound; **in deinen Worten klingt Enttäuschung mit** there is a note of disappointment in your words **mịt|kom·men** *vi irreg sein* ❶ (*begleiten*) to come ❷ (*Schritt halten können*) to keep up ❸ (*mithalten können*) **in der Schule gut ~** to get on well at school ❹ (*fam: verstehen*) **da komme ich nicht mit** it's beyond me **mịt|kön·nen** *vi irreg* (*fam*) ❶ (*begleiten dürfen*) **sie kann ruhig mit** she is welcome to come too ❷ (*fam: verstehen*) ■ bei etw *dat* nicht mehr ~ to no longer be able to follow sth **mịt|krie·gen** *vt* (*fam*) *s.* **mitbekommen mịt|lau·fen** *vi irreg sein* ❶ (*zusammen mit anderen laufen*) to run (**bei** in); **beim Marathonlauf sind über 500 Leute mitgelaufen** over 500 people took part in the marathon ❷ *Band, Stoppuhr* to run **Mịt·läu·fer(in)** *m(f)* POL (*pej*) fellow traveller **Mịt·laut** [ˈmɪtlaʊt] *m* consonant **Mịt·leid** [ˈmɪtlaɪt] *nt kein pl* sympathy *no pl*, pity; ~ [mit jdm/einem Tier] **haben** to have sympathy [for sb/an animal]; ~ **erregender Anblick** pitiful sight; **aus ~** out of pity **Mịt·lei·den·schaft** *f kein pl* jdn **in ~ ziehen** to affect sb; **etw in ~ ziehen** to have a detrimental effect on sth **mịt·leid·er·re·gend** *adj Anblick* pitiful

mịt·lei·dig [ˈmɪtlaɪdɪç] **I.** *adj* ❶ (*mitfühlend*) sympathetic ❷ (*verächtlich*) pitying **II.** *adv* ❶ (*voller Mitgefühl*) sympathetically ❷ (*verächtlich*) pityingly

mịt·leid(s)·los I. *adj* pitiless **II.** *adv* pitilessly, without pity **mịt·leid(s)·voll** *adj* (*geh*) *s.* **mitleidig 1**

mịt|ma·chen I. *vi* ❶ (*teilnehmen*) to take part (**bei** in); **bei einem Ausflug/Kurs ~** to go on a trip/do a course ❷ (*fam: gut funktionieren*) **wenn das Wetter mitmacht** if the weather cooperates; **solange meine Beine ~** as long as my legs hold out **II.** *vt* ❶ (*fam: etw hinnehmen*) to go along with ❷ (*sich beteiligen*) to join in ❸ (*erleiden*) **viel ~** to go through a lot **Mịt·mensch** *m* fellow man **mịt·mensch·**

lich adj attr Beziehungen, Kontakte interpersonal **mit|mi·schen** vi (fam) to be involved (**bei/in** in) **mit|müs·sen** vi irreg to have to come too

Mit·nah·me·markt m cash and carry

mit|neh·men vt irreg **①** (mit sich nehmen) to take with one; **zum M~** free **②** (transportieren) take with one; (im Auto) **könnten Sie mich ~?** could you give me a lift? **③** (erschöpfen) to take it out of one; **du siehst mitgenommen aus** you look worn out

mit·nich·ten [mɪt'nɪçtn̩] adv (geh) by no means

mit|rech·nen I. vt to include [in a calculation] II. vi to count too

mit|re·den vi **①** (mitbestimmen) to have a say (**bei** in) **②** (sich beteiligen) **bei einer Diskussion ~ können** to be able to join in a discussion; **da kann ich nicht ~** I wouldn't know anything about that **Mit·rei·sen·de(r)** f(m) fellow passenger **mit|rei·ßen** vt irreg **①** (mit sich reißen) to sweep away **②** (begeistern) to get going **mit·rei·ßend** adj rousing; Spiel thrilling, exciting

mit·samt [mɪt'zamt] präp ■ **~ einer S.** dat complete with sth

mit|schi·cken vt (im Brief) to enclose **mit|schlei·fen** vt to drag along **mit|schlep·pen** vt (fam) to lug [with one] **mit|schrei·ben** irreg I. vt to take down II. vi to take notes **Mit·schuld** f **die ~ eingestehen** to admit one's share of the blame (**an** for); **eine ~ tragen** to be partly to blame (**an** for) **mit·schul·dig** adj ■ **an etw** dat **~ sein** to be partly to blame for sth **Mit·schul·di·ge(r)** f(m) JUR accomplice **Mit·schü·ler(in)** m(f) SCH classmate **mit|sin·gen** irreg vi to sing along; **in einem Chor ~** to sing in a choir **mit|spie·len** vi **①** SPORT to play (**bei** in); **in einer Mannschaft ~** to play for a team **②** FILM, THEAT to act (**bei/in** in) **③** (bei Kinderspielen) to play **④** (fam: mitmachen) to go along with it; **das Wetter spielte nicht mit** the weather wasn't kind to us **⑤** (beteiligt sein) ■ **[bei etw** dat] **~** to play a part [in sth] **⑥** (umgehen) **jdm übel ~** to play sb a nasty trick **Mit·spie·ler(in)** m(f) **①** SPORT team-mate **②** THEAT member of the cast **Mit·spra·che** f say no def art; **ein Recht auf ~ haben** to be entitled to have a say **Mit·spra·che·recht** nt kein pl right to have a say; **ein ~ bei etw** dat **haben** to have a say in sth; **jdm ein ~ [bei etw** dat] **einräumen** to grant sb a say [in sth] **mit|spre·chen** irreg I. vt **das Tischge-**

bet ~ to join in saying grace II. vi to have a say (**bei/in** in) **Mit·strei·ter(in)** <-s, -> m(f) comrade-in-arms

Mit·tag <-[e]s, -e> ['mɪtaːk, pl 'mɪtaːɡə] m (zwölf Uhr) midday, noon; (Essenszeit) lunchtime; ■ **gegen ~** around midday; **zu ~ essen** to have lunch; **etw zu ~ essen** to have sth for lunch; **~ haben/machen** to be on one's lunch break

Mit·tag·es·sen nt lunch

mit·täg·lich ['mɪtɛːklɪç] adj attr midday, lunchtime

mit·tags ['mɪtaːks] adv at midday [or lunchtime]

Mit·tags·pau·se f lunch break **Mit·tags·ru·he** f kein pl ≈ siesta; **~ halten** to rest after lunch **Mit·tags·schlaf** m after-lunch nap; **einen ~ machen** to have an after-lunch nap **Mit·tags·stun·de** f (geh) midday; ■ **in der ~** at midday; ■ **um die ~** around midday **Mit·tags·tisch** m lunch table **Mit·tags·zeit** f kein pl lunchtime; ■ **in der ~** at lunchtime; ■ **um die ~** around lunchtime

Mit·tä·ter(in) m(f) accomplice

Mit·tä·ter·schaft <-> f kein pl complicity no pl (**an** in)

Mit·te <-, -n> ['mɪtə] f **①** (einer Strecke) midpoint **②** (Mittelpunkt) centre; ■ **in der ~ einer S.** gen in the middle of sth; **in der ~ zwischen ...** halfway between ...; **aus unserer ~** from our midst **③** POL **die linke/rechte ~** the centre-left/centre-right **④** (zur Hälfte) **~ Januar** mid-January; **~ des Jahres** in the middle of the year; **sie ist ~ dreißig** she's in her mid-thirties **▶ die goldene ~** the golden mean; **ab durch die ~!** (fam) come on, let's get out of here!

mit|tei·len ['mɪttaɪlən] I. vt ■ **jdm etw ~** to tell sb sth; ■ **jdm ~, dass ...** to tell sb that ... II. vr (sich erklären) ■ **sich [jdm] ~** to communicate [with sb]

mit·teil·sam adj talkative

Mit·tei·lung f notification; **eine amtliche ~** an official communication; **eine ~ bekommen, dass ...** to be notified that ...

Mit·tei·lungs·blatt nt newsletter

Mit·tel <-s, -> ['mɪtl̩] nt **①** PHARM (Präparat) drug; **ein ~ gegen etw** akk a remedy for sth **②** (Methode) means sing; **es gibt ein ~, das herauszufinden** there are ways of finding that out; **~ und Wege finden** to find ways and means; **ein ~ zum Zweck** a means to an end; **als letztes ~** as a last resort; **jdm ist jedes ~ recht** sb will go to any length[s]; **mit allen ~n** by every means **③** pl (Geld~) funds **④** (Mittelwert) average; **im** ~ on average

Mit·tel·al·ter ['mɪt|ʔaltɐ] *nt kein pl* HIST ■**das** ~ the Middle Ages *npl* **mit·tel·al·ter·lich** ['mɪt|ʔaltɐlɪç] *adj* HIST medieval **Mit·tel·ame·ri·ka** ['mɪt|ʔa'me:rika] *nt* Central America **mit·tel·ame·ri·ka·nisch** *adj* Central American

mit·tel·bar ['mɪt|ba:ɐ̯] I. *adj* indirect; **~er Schaden** consequential damage II. *adv* indirectly

Mit·tel·ding *nt* (*fam*) ■**ein** ~ something in between; **ein** ~ **zwischen ... und ...** something between ... and ... **Mit·tel·eu·ro·pa** ['mɪt|ʔɔy'ro:pa] *nt* Central Europe **Mit·tel·eu·ro·pä·er(in)** *m(f)* Central European **mit·tel·eu·ro·pä·isch** ['mɪt|ʔɔyro'pɛ:ɪʃ] *adj* Central European **Mit·tel·feld** *nt kein pl* SPORT midfield **Mit·tel·feld·spie·ler(in)** *m(f)* midfielder, midfield player **Mit·tel·fin·ger** *m* middle finger **mit·tel·fris·tig** I. *adj* medium-term *attr* II. *adv* ~ **planen** to plan for the medium term **Mit·tel·ge·bir·ge** *nt* low mountain range **Mit·tel·ge·wicht** *nt kein pl* SPORT middleweight **mit·tel·groß** ['mɪt|gro:s] *adj* of medium height *pred* **Mit·tel·klas·se** *f* middle range; **ein Wagen der** ~ a mid-range car **Mit·tel·klas·se·wa·gen** *m* AUTO mid-range car **Mit·tel·li·nie** *f* ❶ (*Straße*) centre line ❷ (*Spielfeld*) halfway line **mit·tel·los** *adj* destitute

Mit·tel·lo·sig·keit <-> *f kein pl* poverty *no pl*

Mit·tel·maß *nt kein pl* average **mit·tel·mä·ßig** I. *adj* average; (*pej*) mediocre II. *adv* **er spielte nur** ~ his performance was mediocre **Mit·tel·mä·ßig·keit** <-> *f kein pl* mediocrity **Mit·tel·meer** ['mɪt|me:ɐ̯] *nt* ■**das** ~ the Mediterranean [Sea] **Mit·tel·meer·raum** *m* ■**der** ~ the Mediterranean [region] **mit·tel·präch·tig** I. *adj* (*iron fam*) great II. *adv* (*fam*) not particularly good **Mit·tel·punkt** *m* ❶ MATH midpoint; (*Zentrum*) centre ❷ (*zentrale Figur*) **im** ~ **sein** [*o* **stehen**] to be the centre of attention

mit·tels ['mɪt|s] *präp* (*geh*) by means of **Mit·tel·schicht** *f* SOZIOL middle class **Mit·tel·schiff** *nt* ARCHIT nave

Mit·tels·mann <-**männer** *o* -**leute**> *m* middleman **Mit·tels·per·son** *f* (*form*) intermediary

Mit·tel·stand *m* ❶ SOZIOL middle class ❷ (*Unternehmen*) small and medium-sized businesses *pl*

mit·tel·stän·disch *adj* medium-sized

Mit·tel·stre·cken·ra·ke·te *f* MIL medium-range missile **Mit·tel·strei·fen** *m*

TRANSP central reservation **Mit·tel·stu·fe** *f* SCH ≈ middle school **Mit·tel·stür·mer(in)** *m(f)* SPORT centre-forward, striker **Mit·tel·weg** *m* middle course; **der goldene** ~ the golden mean **Mit·tel·wel·le** *f* RADIO medium wave **Mit·tel·wert** *m* mean [value]

mit·ten ['mɪtn̩] *adv* ❶ (*direkt*) ■~ **aus etw** *dat* from the midst of sth; ■~ **auf der Straße** in the middle of the street ❷ (*fam: gerade*) **ich war** ~ **beim Kochen, als ...** I was [right] in the middle of cooking, when ... ❸ (*geradewegs*) ■~ **durch etw** *akk* right through [the middle of] sth ❹ (*inmitten von*) ■~ **unter Menschen** in the midst of people; ~ **unter Dingen** [right] in the middle of things

mit·ten·drin [mɪtn̩'drɪn] *adv* right in the middle (**im** of) **mit·ten·durch** [mɪtn̩'dʊrç] *adv* right through the middle **Mit·ter·nacht** ['mɪtɐnaxt] *f kein pl* midnight *no art*

mit·ter·nächt·lich *adj attr* midnight *attr* **mitt·le·re(r, s)** ['mɪtlərə] *adj attr* ❶ (*in der Mitte von zweien*) ■**der/die/das** ~ the middle one ❷ (*durchschnittlich*) average *attr or pred* ❸ **Größe** medium-sized ❹ (*in einer Hierarchie*) middle; **eine ~e Position** a middle-ranking position

mitt·ler·wei·le ['mɪtlɐ'vaɪlə] *adv* (*unterdessen*) in the mean time; (*seit dem*) since then; (*bis zu diesem Zeitpunkt*) by now

Mitt·woch <-s, -e> ['mɪtvɔx] *m* Wednesday; *s. a.* **Dienstag**

mitt·wochs ['mɪtvɔxs] *adv* [on] Wednesdays

mit·un·ter [mɪt'ʔʊntɐ] *adv* now and then **mit·ver·ant·wort·lich** *adj* jointly responsible *pred* **mit|ver·die·nen*** *vi* to go out to work as well **Mit·ver·fas·ser(in)** *m(f)* co-author **mit|ver·si·chern*** *vt* ~ **jdn** ~ to co-insure sb; ■**etw** ~ to include sth in one's insurance **mit|wir·ken** *vi* ❶ (*beteiligt sein*) to collaborate (**bei/an** on) ❷ FILM, THEAT **in einem Theaterstück** ~ to appear in a play ❸ (*eine Rolle spielen*) to play a part **Mit·wir·ken·de(r)** *f(m)* ❶ (*mitwirkender Mensch*) participant ❷ FILM, THEAT actor; **die ~n** the cast *+ sing/pl vb* **Mit·wir·kung** *f kein pl* collaboration; **unter** ~ **von** in collaboration with **Mit·wis·sen** *nt kein pl* JUR knowledge of a matter **Mit·wis·ser(in)** <-s, -> *m(f)* ~ [*einer S. gen*] **sein** to be in the know [about sth]; **jdn zum** ~ [*einer S. gen*] **machen** to let sb in [on sth] **mit|wol·len** ['mɪtvɔlən] *vi* to want to come too; **wir gehen jetzt einkaufen, willst du nicht auch mit?** we're going shopping, do you want to come as well? **mit|zäh·len I.** *vi* to count **II.** *vt* ◼**jdn/etw ~** to include sb/sth **mit|zie·hen** *vi irreg* ❶ *sein* (*in einer Menge mitgehen*) to tag along (**in** with) ❷ *haben* (*fam: mitmachen*) ◼**bei etw** *dat* **~** to go along with sth

Mix <-, -e> ['mɪks] *m* mix

mi·xen ['mɪksn̩] *vt* to mix

Mi·xer <-s, -> ['mɪksɐ] *m* ELEK blender, mixer

Mi·xer(in) <-s, -> ['mɪksɐ] *m(f)* cocktail waiter, barman

Mix·ge·tränk *nt* mixed drink

Mix·tur <-, -en> [mɪks'tuːɐ̯] *f* PHARM mixture

mm *m o nt Abk von* **Millimeter** mm

MMS <-, -> [ɛm'ɛmɛs] *f* MEDIA, TELEK *Abk von* **Multimedia Messaging Service** MMS

Mob <-s> ['mɔp] *m kein pl* (*pej*) mob

Mob·bing <-s> ['mɔbɪŋ] *nt kein pl* PSYCH bullying in the workplace *no pl*

Mö·bel <-s, -> ['møːbl̩] *nt* ❶ *sing* piece of furniture ❷ *pl* furniture *no pl*

Mö·bel·pa·cker(in) *m(f)* removal man BRIT, mover AM **Mö·bel·po·li·tur** *f* furniture polish **Mö·bel·spe·di·ti·on** *f* [furniture] removal firm BRIT, moving company AM **Mö·bel·stück** *nt* piece [*or* item] of furniture **Mö·bel·wa·gen** *m* removal [*or* AM moving] van

mo·bil [mo'biːl] *adj* ❶ (*beweglich*) mobile; **~er Besitz** movable possessions; **~es Vermögen** movables; **jdn/etw ~ machen** to mobilize sb/sth ❷ (*fam: munter*) lively

Mo·bi·le <-s, -s> ['moːbilə] *nt* mobile

Mo·bil·funk *m* TELEK mobile communications *pl* **Mo·bil·funk·ge·rät** *nt* mobile [*or* AM cellular] [tele]phone

Mo·bi·li·ar <-s> [mobi'lɪ̯aːɐ̯] *nt kein pl* furnishings *npl*

mo·bi·li·sie·ren* [mobili'ziːrən] *vt* ❶ *a.* MIL (*aktivieren*) to mobilize ❷ (*verfügbar machen*) to make available; *Kraft* to summon up

Mo·bi·li·sie·rung <-, -en> *f* mobilization; *Kapital* making liquid, freeing-up

Mo·bi·li·tät <-> [mobili'tɛːt] *f kein pl* mobility *no pl*

Mo·bil·ma·chung <-, -en> *f* MIL mobilization

Mo·bil·te·le·fon *nt* mobile [tele]phone

mö·blie·ren* [mø'bliːrən] *vt* to furnish

moch·te *imp von* **mögen**

Mo·da·li·tät <-, -en> [modali'tɛːt] *f* LING modality *no pl* **Mo·dal·verb** *nt* LING modal verb

Mo·de <-, -n> ['moːdə] *f* fashion; **große ~**

sein to be very fashionable; **mit der ~ gehen** to follow fashion; **aus der ~ kommen** to go out of fashion; **in ~ kommen** to come into fashion

mo·de·be·wusst^{RR} *adj* fashion-conscious **Mo·de·de·si·gner(in)** <-s, -> [-dizaɪnɐ] *m(f)* fashion designer **Mo·de·ge·schäft** *nt* fashion store **Mo·de·krank·heit** *f* fashionable complaint

Mo·del <-s, -s> ['mɔdl̩] *nt* model

Mo·dell <-s, -e> [mo'dɛl] *nt* ❶ ARCHIT, MODE model ❷ KUNST (*Akt~*) nude model; [**jdm**] **~ stehen** to sit for sb ❸ (*geh: Vorbild*) model

mo·del·lie·ren* [modɛ'liːrən] *vt* to model **Mo·dell·ver·such** *m* (*geh*) pilot scheme [*or* AM experiment]; TECH model test

mo·deln ['mɔdl̩n] *vi* MODE to [work as a] model

Mo·dem <-s, -s> ['moːdɛm] *nt o m* INFORM modem

Mo·den·schau *f* fashion show

Mo·de·püpp·chen *nt,* **Mo·de·pup·pe** *f* (*pej fam*) fashion victim

Mo·der <-s> ['moːdɐ] *m kein pl* (*geh*) mould *no pl*

mo·de·rat <-er, -este> [mode'raːt] *adj* (*geh*) moderate

Mo·de·ra·ti·on <-, -en> [modera'tsi̯oːn] *f* RADIO, TV presentation

Mo·de·ra·tor, Mo·de·ra·to·rin <-s, -toren> [mode'raːtoɐ̯, modera'toːrɪn, *pl* -'toːrən] *m, f* RADIO, TV presenter

mo·de·rie·ren* [mode'riːrən] *vt* RADIO, TV to present

mo·de·rig ['moːdərɪç] *adj* musty

mo·dern¹ ['moːdɐn] *vi sein o haben* to decay, to go mouldy

mo·dern² [mo'dɛrn] **I.** *adj* ❶ (*zeitgemäß*) modern; **~ste Technik** state-of-the-art technology ❷ (*modisch*) fashionable **II.** *adv* (*fortschrittlich*) progressively; **~ eingestellte Eltern/Lehrer** parents/teachers with progressive ideas

Mo·der·ne <-> [mo'dɛrnə] *f kein pl* ◼**die ~** the modern age

mo·der·ni·sie·ren* [modɛrni'ziːrən] *vt* to modernize

Mo·der·ni·sie·rung <-, -en> *f* modernization *no pl*

Mo·de·schmuck *m* costume jewellery **Mo·de·schöp·fer(in)** *m(f)* fashion designer **Mo·de·wort** *nt* buzzword **Mo·de·zeit·schrift** *f* fashion magazine

Mo·di ['mɔdi] *pl von* **Modus**

mo·di·fi·zie·ren* [modifi'tsiːrən] *vt* (*geh*) to modify

mo·disch ['moːdɪʃ] **I.** *adj* fashionable,

trendy **II.** *adv* fashionably, trendily

mod·rig ['moːdrɪç] *adj s.* **moderig**

Mo·dul <-s, -e> [moˈduːl] *nt* module

Mo·du·la·ti·on <-, -en> [modulaˈtsi̯oːn] *f* modulation

mo·du·lie·ren* [moduˈliːrən] *vt* ■etw ~ to modulate sth

Mo·dus <-, Modi> ['moːdʊs, *pl* 'moːdi] *m* INFORM mode

Mo·fa <-s, -s> ['moːfa] *nt* moped

mo·geln ['moːgl̩n] *vi* (*fam*) to cheat (**bei** at)

Mo·gel·pa·ckung *f* ÖKON deceptive packaging

mö·gen ['møːgn̩] **I.** *modal vb* <mochte, hat ... mögen> + *infin* ➊ (*wollen*) **etw tun ~** to want to do sth; **ich möchte jetzt einfach Urlaub machen können** I wish I could just take off on holiday now; **~ Sie noch ein Glas Bier trinken?** would you like another beer? ➋ (*den Wunsch haben*) **ich möchte gerne kommen** I'd like to come; **man möchte meinen, ...** you'd think that ... ➌ (*Vermutung*) **sie mag sogar Recht haben** she may be right; **hm, das mag schon stimmen** hmm, that might [well] be true; **was mag das wohl bedeuten?** what's that supposed to mean?; **wie dem auch sein mag** be that as it may ➍ (*sollen*) ■**jd möge etw tun** sb should do sth; **bestellen Sie ihm bitte, er möchte mich morgen anrufen** please tell him to ring me tomorrow; **Sie möchten gleich mal zur Chefin kommen** you're to go and see the boss right away **II.** *vt* <mochte, gemocht> ➊ (*gernhaben*) to like; (*lieben*) to love ➋ (*eine Vorliebe haben*) **am liebsten mag ich Eintopf** stew is my favourite [meal] ➌ (*haben wollen*) to want; **ich möchte ein Stück Kuchen** I'd like a slice of cake; **was möchten Sie bitte?** what can I get for you?; **ich möchte gern, dass er mir öfters schreibt** I wish he would write [to me] more often **III.** *vi* ➊ (*wollen*) to want [*or* like] to; **ich mag so recht ~** to not [really] feel like it ➋ (*fam: gehen/fahren wollen*) **ich mag nach Hause** I want to go home

Mog·ler(in) <-s, -> ['moːglɐ] *m(f)* (*fam*) cheat

mög·lich ['møːklɪç] *adj* ➊ *attr* (*denkbar*) possible; **es für ~ halten, dass ...** to think it possible that ...; **sein M~stes tun** to do everything in one's power; **alle ~en ...** all kinds of ...; **schon ~** (*fam*) maybe ➋ *präd* (*durchführbar*) possible; **ist denn so was ~?** is this really possible?; **falls [irgend] ~** if [at all] possible; [**das ist doch] nicht ~!** [that's] impossible!

mög·li·cher·wei·se *adv* possibly

Mög·lich·keit <-, -en> *f* ➊ (*Gelegenheit*) opportunity ➋ (*Möglichsein*) possibility; **nach ~** if possible

mög·lichst *adv* **~ bald** as soon as possible

Mo·här, Mo·hair <-s, -e> [moˈhɛːɐ] *m* mohair

Mohn <-[e]s, -e> ['moːn] *m* poppy; (**~ samen**) poppy seed

Mohn·ku·chen *m* poppy-seed cake

Mohr(in) <-en, -en> ['moːɐ] *m(f)* (*veraltet: Neger*) negro *pej*

Möh·re <-, -n> ['møːrə] *f* carrot

Mohr·rü·be *f* BOT NORDD (*Möhre*) carrot

mo·kie·ren* [moˈkiːrən] *vr* (*geh*) ■**sich über jdn/etw ~** to mock sb/sth

Mok·ka <-s, -s> ['mɔka] *m* mocha

Molch <-[e]s, -e> ['mɔlç] *m* newt

Mole <-, -n> ['moːlə] *f* NAUT mole

Mo·le·kül <-s, -e> [moleˈkyːl] *nt* molecule

Mol·ke <-> ['mɔlkə] *f kein pl* whey *no pl*

Mol·ke·rei <-, -en> [mɔlkəˈrai̯] *f* dairy

Moll <-, -> ['mɔl] *nt* MUS minor [key]; **f-~** F minor

mol·lig ['mɔlɪç] *adj* (*fam*) ➊ (*rundlich*) plump ➋ (*behaglich*) cosy ➌ (*angenehm warm*) snug

Mo·lo·tow·cock·tail ['moːlotɔfkɔkteːl] *m* Molotov cocktail

Mo·ment <-[e]s, -e> [moˈmɛnt] *m* moment; ■**im ~** at the moment; **im ersten ~** at first; **im falschen/letzten ~** at the wrong/last moment; **einen [kleinen] ~!** just a minute!; **jeden ~** [at] any moment; **~ mal!** hang on a minute!; **einen ~ zögern** to hesitate for a second

mo·men·tan [momɛnˈtaːn] **I.** *adj* ➊ (*derzeitig*) present *attr,* current *attr* ➋ (*vorübergehend*) momentary **II.** *adv* ➊ (*derzeit*) at present ➋ (*vorübergehend*) momentarily

Mo·ment·auf·nah·me *f* snapshot

Mo·na·co <-s> [moˈnako] *nt* Monaco; *s. a.* **Deutschland**

Mon·arch(in) <-en, -en> [moˈnarç] *m(f)* monarch

Mon·ar·chie <-, -n> [monarˈçiː, *pl* monarˈçiːən] *f* monarchy

Mon·ar·chin <-, -nen> [moˈnarçɪn] *f fem form von* **Monarch**

Mon·ar·chist(in) <-en, -en> [monarˈçɪst] *m(f)* monarchist

mon·ar·chis·tisch *adj* monarchist

Mo·nat <-[e]s, -e> ['moːnat] *m* month; [**im] kommenden/vorigen ~** next/last month; **im vierten ~ sein** to be four months pregnant; **im ~** a month; **von ~ zu ~** from month to month

mo·na·te·lang ['moːnatəlaŋ] **I.** *adj attr* lasting for months *pred;* **nach ~er Abwesenheit** after being absent for several months **II.** *adv* for months

mo·nat·lich ['moːnatlɪç] **I.** *adj* monthly **II.** *adv* monthly

Mo·nats·an·fang *m* beginning of the month; **am/zum ~** at the beginning of the month **Mo·nats·bin·de** *f* sanitary towel [*or* AM napkin] **Mo·nats·blu·tung** *f* ANAT *s.* **Menstruation Mo·nats·ein·kom·men** *nt* monthly income **Mo·nats·en·de** *nt* end of the month; **am/zum ~** at the end of the month **Mo·nats·ers·te(r)** *m* first of the month **Mo·nats·ge·halt** *nt* monthly salary **Mo·nats·kar·te** *f* (*Fahrkarte*) monthly travel card ❷ (*Berechtigungskarte*) monthly pass **Mo·nats·ra·te** *f* monthly instalment

Mönch <-[e]s, -e> ['mœnç] *m* monk

Mönchs·klos·ter *nt* monastery

Mond <-[e]s, -e> ['moːnt, *pl* 'moːndə] *m* moon; **der ~ nimmt ab/zu** the moon is waning/waxing ▸ **hinter dem ~ leben** to be out of touch; **jd möchte jdn auf den ~ schießen** sb would gladly be shot [*or* AM rid] of sb

Mond·bahn *f* lunar orbit **Mond·fins·ter·nis** *f* eclipse of the moon **Mond·ge·sicht** *nt* (*fam*) moon-face **mond·hell** *adj* (*geh*) moonlit **Mond·land·schaft** *f* lunar landscape **Mond·lan·dung** *f* moon landing **Mond·licht** *nt* moonlight **Mond·pha·se** *f* ASTRON phase of the moon **Mond·ra·ke·te** *f* lunar rocket **Mond·schein** *m* moonlight *no pl* **Mond·schein·ta·rif** *m* TELEK ≈ cheap rate **Mond·si·chel** *f* (*geh*) crescent moon **Mond·son·de** *f* RAUM lunar probe **mond·süch·tig** *adj* MED sleep-walking *attr;* ▪ **~ sein** to be a sleepwalker

Mo·ne·gas·se, Mo·ne·gas·sin <-n, -n> [mone'gasə, mone'gasɪn] *m, f* Monégasque; *s. a.* **Deutsche(r)**

Mo·ne·ten [mo'neːtn̩] *pl* (*sl*) dough *no pl, no indef art,* dosh BRIT *no pl, no indef art*

Mon·go·le, Mon·go·lin <-n, -n> [mɔŋ'goːlə, mɔŋ'goːlɪn] *m, f* ❶ (*Bewohner der Mongolei*) Mongol, Mongolian; *s. a.* **Deutsche(r)** ❷ *pl* HIST ▪ **die ~n** the Mongols

Mon·go·lei <-> [mɔŋgo'laj] *f* ▪ **die ~** Mongolia; *s. a.* **Deutschland**

Mon·go·lin <-, -nen> [mɔŋ'goːlɪn] *f fem form von* **Mongole**

mon·go·lisch [mɔŋ'goːlɪʃ] *adj* Mongolian; *s. a.* **deutsch**

Mon·go·lis·mus <-> [mɔŋgo'lɪsmʊs] *m*

kein pl MED mongolism

mon·go·lo·id [mɔŋgolo'iːt] *adj* MED mongoloid

mo·nie·ren* [mo'niːrən] *vt* ▪ **etw ~** to find fault with sth

Mo·ni·tor <-s, -toren *o* -e> ['moːnitoːɐ̯, *pl* -'toːrən] *m* monitor

mo·no ['moːno] *adj* RADIO, TECH *kurz für* **monophon** mono

mo·no·chrom [mono'kroːm] *adj* monochrome

mo·no·gam [mono'gaːm] *adj* monogamous

Mo·no·ga·mie <-> [monoga'miː] *f kein pl* monogamy *no pl*

Mo·no·gra·fieᴿᴿ [monogra'fiː, *pl* monogra'fiːən], **Mo·no·gra·phie** <-, -n> [monogra'fiː, *pl* monogra'fiːən] *f* monograph

Mo·no·gramm <-s, -e> [mono'gram] *nt* monogram

Mo·no·kel <-s, -> [mo'nɔkl̩] *nt* monocle

Mo·no·kul·tur ['mɔnokʊltuːɐ̯] *f* AGR, FORST monoculture

Mo·no·log <-[e]s, -e> [mono'loːk, *pl* mono'loːgə] *m* monologue; **einen ~ hal·ten** to hold a monologue

Mo·no·pol <-s, -e> [mono'poːl] *nt* monopoly; **ein ~ auf etw** *akk* **haben** to have a monopoly on sth

mo·no·po·li·sie·ren* [monopoli'ziːrən] *vt* ÖKON ▪ **etw ~** to monopolize sth

Mo·no·pol·stel·lung *f* ÖKON monopoly

mo·no·the·is·tisch *adj* REL (*geh*) monotheistic

mo·no·ton [mono'toːn] **I.** *adj* monotonous **II.** *adv* monotonously; **~ klingen** to sound monotonous

Mo·no·to·nie <-, -n> [monoto'niː, *pl* monoto'niːən] *f* monotony

Mon·o·xid <-[e]s, -e> ['mɔnɔksiːt] *nt* CHEM monoxide

Mons·ter <-s, -> ['mɔnstɐ] *nt* monster

Mons·tren ['mɔnstrən] *pl von* **Monstrum**

mons·trös [mɔn'strøːs] *adj* (*geh*) monstrous

Mons·trum <-s, Monstren> ['mɔnstrʊm, *pl* 'mɔnstrən] *nt* monster

Mon·sun <-s, -e> [mɔn'zuːn] *m* monsoon

Mon·tag <-s, -e> ['moːntaːk, *pl* 'moːntaːgə] *m* Monday; *s. a.* **Dienstag**

mon·tag·a·bendsᴿᴿ *adv* [on] Monday evenings

Mon·ta·ge <-, -n> [mɔn'taːʒə] *f* ❶ TECH assembly ❷ FOTO montage

mon·tags ['moːntaːks] *adv* [on] Mondays; **~ abends/nachmittags** [on] Monday evenings/afternoons

Mon·teur(in) <-s, -e> [mɔn'tøːɐ] *m(f)* mechanic, fitter

mon·tie·ren* [mɔn'tiːrən] *vt* ❶ (*zusammenbauen*) to assemble ❷ (*installieren*) to install, to fit (**an/auf** to)

Mon·tur <-, -en> [mɔn'tuːɐ] *f* work clothes *npl*

Mo·nu·ment <-[e]s, -e> [monu'mɛnt] *nt* monument

mo·nu·men·tal [monumɛn'taːl] *adj* monumental

Moor <-[e]s, -e> ['moːɐ] *nt* swamp

moo·rig ['moːrɪç] *adj* swampy

Moos¹ <-es, -e> ['moːs, *pl* 'moːzə] *nt* moss

Moos² <-es> ['moːs] *nt kein pl* (*sl*) dough, dosh Brit

moo·sig ['moːzɪç] *adj* moss-covered

Mop^ALT <-s, -s> ['mɔp] *m s.* **Mopp**

Mo·ped <-s, -s> ['moːpɛt] *nt* moped

Mopp^RR <-s, -s> ['mɔp] *m* mop

mop·pe·lig, mopplig ['mɔp(ə)lɪç] *adj* (*hum fam: pummelig*) podgy [*or* Am pudgy]

Mops <-es, Möpse> ['mɔps, *pl* 'mœpsə] *m* ❶ zool pug[-dog] ❷ (*fam: Dickerchen*) podge Brit, pudge Am

mop·sen ['mɔpsn̩] *vt* DIAL (*fam: klauen*) to pinch [*or* Brit *also* nick]

Mo·ral <-> [mo'raːl] *f kein pl* ❶ (*ethische Grundsätze*) morals *pl;* **eine doppelte ~ haben** to have double standards ❷ (*einer Geschichte*) moral

Mo·ral·apos·tel *m s.* **Moralprediger**

mo·ra·lisch [mo'raːlɪʃ] **I.** *adj* moral **II.** *adv* morally; **~ verpflichtet sein** to be dutybound

mo·ra·li·sie·ren* [morali'ziːrən] *vi* to moralize

Mo·ral·pre·di·ger(in) *m(f)* (*pej*) moralizer **Mo·ral·pre·digt** *f* homily; **jdm eine ~ halten** to deliver a homily to sb **Mo·ral·vor·stel·lung** *f* ideas on morality

Mo·rä·ne <-, -n> [mo'rɛːnə] *f* GEOL moraine

Mo·rast <-[e]s, -e *o* Moräste> [mo'rast, *pl* mo'rɛstə] *m kein pl* mud

mo·ras·tig *adj* marshy, muddy

mor·bid [mɔr'biːt] *adj* (*geh*) degenerate; **einen ~en Charme haben** to have a [certain] morbid charm

Mor·chel <-, -n> ['mɔrçl̩] *f* BOT morel

Mord <-[e]s, -e> ['mɔrt, *pl* 'mɔrdə] *m* murder; **jdn wegen ~es anklagen** to charge sb with murder; **einen ~ begehen** to commit a murder ▶ **dann gibt es ~ und Totschlag** there'll be hell to pay

Mord·an·schlag *m* attempt on sb's life; POL *a.* assassination attempt **Mord·dro-**

-hung *f* death threat

mor·den ['mɔrdn̩] *vi* to murder, to kill

Mör·der(in) <-s, -> ['mœrdɐ] *m(f)* murderer

mör·de·risch ['mœrdərɪʃ] **I.** *adj* ❶ (*fam: schrecklich*) murderous ❷ (*fam*) *Hitze* terrible **II.** *adv* (*fam: furchtbar*) dreadfully; **~ weh tun** to hurt like hell

Mord·fall *m* murder case **Mord·kom·mis·si·on** *f* murder squad

Mords·glück *nt* incredibly good luck; **ein ~ haben** to be incredibly lucky **Mords·hun·ger** *m* ravenous hunger; **einen ~ haben** to be incredibly hungry **Mords·kerl** ['mɔrts'kɛrl] *m* (*fam*) great guy [*or* Brit *also* bloke] **Mords·krach** *m* (*Lärm*) terrible din; (*Streit*) big argument **Mords·lärm** ['mɔrtslɛrm] *m* a hell of a noise **mords·mä·ßig** ['mɔrtsmɛːsɪç] **I.** *adj* (*fam*) terrible; **ich habe einen ~en Hunger** I'm terribly hungry **II.** *adv* (*fam*) terribly **Mords·schre·cken** *m* one hell of a fright **Mords·spaß** *m* **einen ~ haben** to have a whale of a time **Mords·wut** *f* (*fam*) terrible rage

Mord·ver·dacht *m* suspicion of murder; **unter ~ stehen** to be suspected of murder **Mord·ver·such** *m* attempted murder **Mord·waf·fe** *f* murder weapon

mor·gen ['mɔrgn̩] *adv* tomorrow; **~ früh** tomorrow morning; **bis ~!** see you tomorrow!; **~ ist auch [noch] ein Tag!** tomorrow is another day

Mor·gen <-s, -> ['mɔrgn̩] *m* morning; **den ganzen ~** [*über*] all morning; **gu·ten ~!** good morning!; **der ~ dämmert** dawn is breaking; **zu ~ essen** SCHWEIZ (*frühstücken*) to have breakfast; **am ~** in the morning; **bis in den [frühen] ~ hinein** into the early hours; **eines ~s** one morning

Mor·gen·aus·ga·be *f* MEDIA morning edition **Mor·gen·däm·me·rung** *f s.* **Morgengrauen**

mor·gend·lich ['mɔrgn̩tlɪç] *adj* ❶ (*morgens üblich*) morning *attr* ❷ (*morgens stattfindend*) in the morning *pred*

Mor·gen·es·sen *nt* SCHWEIZ (*Frühstück*) breakfast **Mor·gen·grau·en** <-s, -> *nt* daybreak **Mor·gen·man·tel** *m s.* **Morgenrock Mor·gen·muf·fel** <-s, -> *m* (*fam*) **ein [großer] ~ sein** to be [very] grumpy in the mornings **Mor·gen·rock** *m* dressing gown **Mor·gen·rot** *nt kein pl* red sky [in the morning]

mor·gens ['mɔrgn̩s] *adv* in the morning; **von ~ bis abends** from morning till night; **~ und abends** all day long

mor·gig ['mɔrgɪç] *adj attr* tomorrow's; **der ~e Termin** the appointment tomorrow

Mor·mo·ne, Mor·mo·nin <-n, -n> [mɔr'mo:nə, mɔr'mo:nɪn] *m, f* REL Mormon

Mor·phi·um <-s> ['mɔrfi̯ʊm] *nt kein pl* CHEM morphine

Mor·pho·lo·gie <-> [mɔrfolo'gi:] *f kein pl* LING morphology

morsch ['mɔrʃ] *adj* rotten; **~es Holz** rotting wood

Mor·se·al·pha·bet *nt* Morse [code]

mor·sen ['mɔrzn̩] **I.** *vi* to signal in Morse [code] **II.** *vt* ∎ **etw morsen** to send sth in Morse [code]

Mör·ser <-s, -> ['mœrzɐ] *m* mortar

Mor·se·zei·chen *nt* Morse signal

Mör·tel <-s, -> ['mœrtl̩] *m* mortar

Mo·sa·ik <-s, -e[n]> [moza'i:k] *nt* mosaic

Mo·sam·bik <-s> [mozam'bi:k] *nt* Mozambique; *s. a.* **Deutschland**

Mo·sam·bi·ka·ner(in) <-s, -> *m(f)* Mozambican; *s. a.* **Deutsche(r)**

mo·sam·bi·ka·nisch *adj* Mozambican; *s. a.* **deutsch**

Mo·schee <-, -n> [mo'ʃe:, *pl* mo'ʃe:ən] *f* mosque

Mo·schus <-> ['mɔʃʊs] *m kein pl* musk *no pl*

Mö·se <-, -n> ['mø:zə] *f* (*vulg*) cunt

Mo·sel <-> ['mo:zl̩] *f* GEOG ∎ **die ~** the Moselle

Mo·sel·wein *m* Moselle [wine]

mo·sern ['mo:zɐn] *vi* DIAL (*fam: nörgeln*) to gripe

Mos·kau <-s> ['mɔskau̯] *nt* Moscow

Mos·kau·er(in) <-s, -> ['mɔskau̯ɐ] *m(f)* Muscovite

Mos·ki·to <-s, -s> [mos'ki:to] *m* mosquito

Mos·ki·to·netz *nt* mosquito net

Mos·lem, Mos·le·min <-s, -s> ['mɔslɛm, mɔs'le:mɪn] *m, f* Muslim

mos·le·misch [mɔs'le:mɪʃ] *adj attr* Muslim

Most <-[e]s> ['mɔst] *m kein pl* ❶ (*natur-trüber Fruchtsaft*) fruit juice ❷ SÜDD, SCHWEIZ, ÖSTERR (*Obstwein*) cider

Mo·tel <-s, -s> [mo'tɛl] *nt* motel

Mo·tiv <-s, -e> [mo'ti:f, *pl* mo'ti:və] *nt* motive

Mo·ti·va·ti·on <-, -en> [motiva'tsi̯o:n] *f* (*geh*) motivation

mo·ti·vie·ren* [moti'vi:rən] *vt* ∎ **jdn ~** to motivate sb

Mo·ti·vie·rung <-, -en> [-'vi:-] *f* (*geh*) motivation

Mo·tor <-s, -toren> ['mo:to:ɐ̯, *pl* -'to:rən] *m* (*Verbrennungs~*) engine; (*Elek-*

tro~) motor

Mo·tor·boot *nt* motor boat **Mo·tor·hau·be** *f* bonnet BRIT, hood AM

mo·to·risch [mo'to:rɪʃ] *adj* ANAT motor *attr*

mo·to·ri·sie·ren* [motori'zi:rən] *vt* to motorize

mo·to·ri·siert *adj* ∎ ~ **sein** to have wheels *fam;* **eine ~e Gesellschaft** a car-oriented society

Mo·tor·öl *nt* motor oil **Mo·tor·pum·pe** *f* motor-powered pump **Mo·tor·rad** ['motorat, mo'to:rat] *nt* motorbike *fam* **Mo·tor·rad·fah·rer(in)** *m(f)* motorcyclist **Mo·tor·rol·ler** *m* [motor] scooter **Mo·tor·sä·ge** *f* power saw **Mo·tor·scha·den** *m* engine breakdown **Mo·tor·sport** *m* motor sport *no art*

Mot·te <-, -n> ['mɔtə] *f* moth

Mot·ten·ku·gel *f* mothball

Mot·to <-s, -s> ['mɔto] *nt* motto

mot·zen ['mɔtsn̩] *vi* (*fam*) to moan

Moun·tain·bike <-s, -s> ['mau̯ntn̩bai̯k] *nt* mountain bike

Mouse·pad ['mau̯spɛd] *nt* INFORM mouse mat

Mö·we <-, -n> ['mø:və] *f* [sea]gull

MS [ɛm'ɛs] *f Abk von* **Multiple Sklerose** MS

mtl. *Abk von* **monatlich** monthly

Mü·cke <-, -n> [mʏkə] *f* mosquito ►**aus einer ~ einen** **Elefanten machen** to make a mountain out of a molehill

mu·cken ['mʊkn̩] **I.** *vi* (*fam*) to complain; **ohne zu ~** without complaining **II.** *vr* DIAL (*sich regen*) ∎ **sich ~** to stir

Mu·cken ['mʊkn̩] *pl* (*fam*) [**seine**] **~ haben** to be acting [*or* BRIT *also* playing] up; **jdm die ~ austreiben** to sort sb out BRIT

Mü·cken·stich *m* mosquito bite

Mucks <-es, -e> ['mʊks] *m* (*fam*) **keinen ~ sagen** to not say a word; **ohne einen ~** without a murmur

mucks·mäus·chen·still ['mʊksmɔysçən̩ʃtɪl] *adj* (*fam*) completely quiet; **~ sein** to not have made a sound

mü·de ['my:də] *adj* ❶ (*schlafbedürftig*) tired; *Arme, Beine* weary ❷ (*überdrüssig*) ∎ **einer S.** *gen* ~ **sein/werden** to be/grow tired of sth; ∎ **nicht ~ werden, etw zu tun** to never tire of doing sth

Mü·dig·keit <-> ['my:dɪçkai̯t] *f kein pl* tiredness *no pl;* **mir fallen schon vor ~ die Augen zu** I'm so tired I can hardly keep my eyes open

Muff[1] <-s> ['mʊf] *m kein pl* musty smell

Muff[2] <-[e]s, -e> ['mʊf] *m* MODE muff

Muf·fe <-, -n> ['mʊfə] *f* TECH sleeve ►**jdm**

geht die ~ (sl) sb is scared stiff

Muf·fel <-s, -> ['mʊfl] m (fam) grouch

muf·f(e)·lig ['mʊf(ə)lɪç] adj (fam) grouchy

Muf·fen·sau·sen <-> nt kein pl ▸ ~ **haben/kriegen** (fam) to be/get scared stiff

muf·fig ['mʊfɪç] I. adj ❶ (dumpf) musty ❷ (schlecht gelaunt) grumpy II. adv ❶ (dumpf) musty; ~ **riechen** to smell musty ❷ (lustlos) listlessly

muff·lig ['mʊflɪç] adj s. **muffelig**

muh ['mu:] interj moo

Mü·he <-, -n> ['my:ə] f trouble; **der ~ wert sein** to be worth the trouble; **sich** dat [große] ~ **geben** [, etw zu tun] to take [great] pains [to do sth]; **sich** dat **keine ~ geben** [, etw zu tun] to make no effort [to do sth]; ~ **haben, etw zu tun** to have trouble doing sth; [jdn] ~ **kosten** to be hard work [for sb]; **die ~ lohnt sich** it is worth the trouble; [jdm] ~ **machen** to give [sb] trouble; **machen Sie sich keine ~!** [please] don't go to any trouble!; **mit ~ und Not** only just

mü·he·los I. adj easy II. adv effortlessly

mu·hen ['mu:ən] vi to moo

mü·hen ['my:ən] vr (geh) ❶ (sich be~) ■**sich ~, etw zu tun** to strive to do sth ❷ (sich ab~) ■**sich mit jdm/etw ~** to struggle with sb/sth

mü·he·voll adj (geh) s. **mühsam**

Müh·le <-, -n> ['my:lə] f ❶ (Wasser-, Getreide~) mill ❷ (~ spiel) ≈ nine men's morris no pl

Mühl·rad <-s, -räder> nt mill·wheel **Mühl·stein** m millstone

Müh·sal <-, -e> ['my:za:l] f (geh) tribulation

müh·sam ['my:za:m] I. adj arduous II. adv laboriously; ~ **verdientes Geld** hard-earned money

müh·se·lig ['my:ze:lɪç] adj (geh) s. **mühsam**

Mul·de <-, -n> ['mʊldə] f ❶ (Bodenvertiefung) hollow ❷ NORDD (großer Trog) skip

Mu·li <-s, -[s]> ['mu:li] nt o m ZOOL mule

Mull <-[e]s, -e> ['mʊl] m MED gauze

Müll <-[e]s> ['mʏl] m kein pl rubbish, garbage esp AM; **etw in den ~ werfen** to throw sth in the [dust]bin [or AM garbage [can]]

Müll·ab·fuhr <-, -en> f ❶ **die ~** the dust·cart BRIT, the garbage truck AM **Müll·auf·be·rei·tung** f waste treatment no pl **Müll·auf·be·rei·tungs·an·la·ge** f waste processing plant **Müll·berg** m mountain of rubbish [or esp AM garbage] **Müll·be·sei·ti·gung** f kein pl waste [or esp AM gar-

bage] collection **Müll·beu·tel** m garbage sack esp AM, bin liner BRIT also

Mull·bin·de f MED gauze bandage

Müll·con·tai·ner [-kɔnte:nɐ] m rubbish [or esp AM garbage] container **Müll·de·po·nie** f waste disposal site, garbage dump esp AM **Müll·ei·mer** m dustbin BRIT, garbage can AM

Mül·ler(in) <-s, -> ['mʏlɐ] m(f) miller

Müll·hal·de f waste [or esp AM garbage] disposal site **Müll·kip·pe** f garbage dump esp AM, rubbish tip esp BRIT **Müll·kom·pos·tie·rung** f refuse form [or esp AM garbage] composting **Müll·mann** m (fam) dustman BRIT, garbage man AM **Müll·schlu·cker** <-s, -> m refuse [or rubbish] [or esp AM garbage] chute **Müll·sor·tier·an·la·ge** f refuse separation plant **Müll·ton·ne** f dustbin BRIT, garbage can AM **Müll·tren·nungs·sys·tem** nt waste sorting system **Müll·ver·bren·nung** f refuse form [or esp AM garbage] incineration **Müll·ver·bren·nungs·an·la·ge** f refuse [or esp AM garbage] incineration plant **Müll·ver·wer·tung** f refuse recycling **Müll·wa·gen** m refuse [or esp AM garbage] collection vehicle

mul·mig ['mʊlmɪç] adj (fam) ❶ (unbehaglich) uneasy; **jdm ist ~ zumute** sb has an uneasy feeling ❷ (brenzlig) precarious; **es wird ~** it's getting dicey [fam]

Mul·ti <-s, -s> ['mʊlti] m (fam) multinational [company]

mul·ti·eth·nisch adj SOZIOL Gesellschaft, Schulklasse multi·ethnic **Mul·ti·eth·ni·zi·tät** <-> [-ɛtnitsitɛ:t] f kein pl SOZIOL multiethnicity **mul·ti·funk·ti·o·nal** adj multifunctional, multi·functional **mul·ti·kul·ti** [-kʊlti] adj multi cultural, multiculti **mul·ti·kul·tu·rell** adj multicultural **Mul·ti·me·dia** <-[s]> [mʊlti'me:dia] nt kein pl INFORM, MEDIA multimedia no pl **Mul·ti·me·dia·an·wen·dung** f INFORM multimedia application **Mul·ti·me·dia·be·reich** m INFORM multimedia sector **mul·ti·me·dia·fä·hig** adj INFORM mediagenic **mul·ti·me·di·al** ['mʊltimedia:l] adj multi·media attr **Mul·ti·me·dia·PC** m multimedia PC **Mul·ti·me·dia·sys·tem** nt multimedia system **Mul·ti·mil·li·o·när(in)** [mʊltimɪljo'nɛ:ɐ̯] m(f) multimillionaire **mul·ti·na·ti·o·nal** [mʊltinatsjo'na:l] adj multinational **Mul·ti·ple Skle·ro·se** <-n, -> [mʊl'ti:plə skle'ro:zə] f kein pl MED multiple sclerosis **Mul·ti·plex·ki·no** ['mʊltiplɛks-] nt multiplex [cinema]

Mul·ti·pli·ka·ti·on <-, -en> [mʊltipli-ka'tsi̯oːn] f MATH multiplication

Mul·ti·pli·ka·tor <-s, -en> [mʊlti-pli'kaːtoːɐ̯, pl -'toːrən] m ❶ MATH multiplier ❷ (geh) disseminator form

mul·ti·pli·zie·ren* [mʊltipli'tsiːrən] vt to multiply (**mit** by)

Mul·ti·ta·lent nt all-round talent **Mul·ti·tas·king** <-[s]> [mʊltiˈtaːskɪŋ] nt kein pl INFORM multitasking [system]

Mu·mie <-, -n> ['muːmi̯ə] f mummy

mu·mi·fi·zie·ren* [mumifi'tsiːrən] vt to mummify

Mumm <-s> ['mʊm] m kein pl guts npl, bottle BRIT sl

Mum·pitz <-es> ['mʊmpɪts] m kein pl (veraltend fam) claptrap

Mumps <-> ['mʊmps] m kein pl MED [the] mumps + sing/pl vb

Mün·chen <-s> ['mʏnçn̩] nt Munich

Mün·che·ner ['mʏnçənɐ], **Münch·ner** ['mʏnçnɐ] adj attr Munich attr, of Munich after n; **die ~ Altstadt** Munich's old town

Mün·che·ner(in) <-s, -> ['mʏnçənɐ] m(f), **Münch·ner(in)** <-s, -> ['mʏnçnɐ] m(f) inhabitant of Munich

Mund <-[e]s, Münder> ['mʊnt, pl 'mʏndɐ] m mouth; **etw in den ~ neh·men** to put sth in one's mouth; **mit vollem ~e** with one's mouth full ▸ **den ~ [zu] voll nehmen** to talk [too] big; **jdm über den ~ fahren** to cut sb short; **[jd ist] nicht auf den ~ gefallen** (fam) [sb is] never at a loss for words; **halt den ~!** shut up!; **jdm etw in den ~ legen** to put [the] words into sb's mouth; **jdm nach dem ~[e] reden** to say what sb wants to hear; **etw ist in aller ~e** sth is the talk of the town; **wie aus einem ~e** with one voice

Mund·art ['mʊntʔaːɐ̯t] f LING dialect **Mund·du·sche** f water jet

Mün·del <-s, -> ['mʏndl̩] nt o m JUR ward

mun·den ['mʊndn̩] vi (geh) ▪ **sich** dat **etw ~ lassen** to enjoy [eating] sth

mün·den ['mʏndn̩] vi sein o haben ❶ (hineinfließen) ▪ **in etw** akk **~** to flow into sth ❷ (auf etw hinlaufen) ▪ **auf/in etw** akk **~** to lead into sth

mund·faul adj (fam) uncommunicative; **sei doch nicht so ~!** come on, speak up!

mund·ge·recht I. adj bite-sized attr II. adv **~ zuschneiden** to cut into bite-sized pieces **Mund·ge·ruch** m bad breath no indef art **Mund·har·mo·ni·ka** f mouth organ **Mund·höh·le** f ANAT oral cavity **Mund·hy·gi·e·ne** f kein pl oral hygiene no pl, no indef art

mün·dig ['mʏndɪç] adj ▪ **~ sein/werden** to be/come of age; **jdn für ~ erklären** JUR to declare sb of age

münd·lich ['mʏntlɪç] I. adj oral II. adv orally; **etw ~ abmachen** to agree sth [or Am to sth] verbally

Mund·pro·pa·gan·da f word of mouth; **durch ~** by word of mouth **Mund·raub** m petty theft [of food] **Mund·schutz** m MED [surgical] mask **Mund·stück** nt a. MUS mouthpiece **mund·tot** adj **jdn ~ machen** (fam) to silence sb

Mün·dung <-, -en> ['mʏndʊŋ] f ❶ GEOG mouth ❷ (vordere Öffnung) muzzle

Mund·was·ser nt mouthwash **Mund·werk** nt **ein freches/loses/unverschämtes ~ haben** to be cheeky/have a loose tongue/be foul-mouthed **Mund·win·kel** m corner of one's mouth **Mund·zu-Mund-Be·at·mung** f mouth-to-mouth resuscitation

Mu·ni·ti·on <-> [muni'tsi̯oːn] f kein pl ammunition no pl

mun·keln ['mʊŋkl̩n] vt to rumour; **man gemunkelt, dass ...** there is a rumour that ...

Müns·ter <-s, -> ['mʏnstɐ] nt cathedral, minster esp BRIT

mun·ter ['mʊntɐ] adj ❶ (aufgeweckt) bright ❷ (heiter) lively ❸ (wach) ▪ **~ sein/werden** to be awake/wake up

Mun·ter·ma·cher <-s, -> m stimulant; (Getränk bes.) pick-me-up

Münz·au·to·mat m vending-machine **Mün·ze** <-, -n> ['mʏntsə] f coin ▸ **etw für bare ~ nehmen** to take sth at face value; **jdm etw mit gleicher ~ heimzahlen** to pay sb back in their own coin for sth **Münz·ein·wurf** m [coin] slot

mün·zen ['mʏntsn̩] vt ▪ **auf jdn/etw gemünzt sein** to be aimed at sb/sth **Münz·fern·spre·cher** m (geh) pay phone

Mu·rä·ne <-, -n> [mu'rɛːnə] f moray [eel]

mür·b(e) ['mʏrp, 'mʏrbə] adj ❶ (zart) tender; Gebäck short ❷ (brüchig) worn-out ▸ **jdn ~ machen** to wear sb down **Mür·be·teig** m short[-crust] pastry

Murks <-es> ['mʊrks] m kein pl (fam) botch-up; **~ machen** to do a botched job **murk·sen** ['mʊrksn̩] vi (fam) to do a botched job

Mur·mel <-, -n> ['mʊrml̩] f marble

mur·meln ['mʊrml̩n] I. vi to murmur II. vt to mutter

Mur·mel·tier ['mʊrml̩tiːɐ̯] nt marmot ▸ **wie ein ~ schlafen** to sleep like a log **mur·ren** ['mʊrən] vi to grumble

mür·risch ['mʏrɪʃ] I. adj grumpy II. adv

grumpily

Mus <-es, -e> ['muːs, *pl* 'muːzə] *nt o m* KOCHK purée

Mu·schel <-, -n> ['mʊʃl] *f* ❶ *a.* KOCHK mussel ❷ (*~ schale*) [sea] shell

Mu·schi <-, -s> ['mʊʃi] *f* (*sl*) pussy *vulg*

Mu·se <-, -n> ['muːzə] *f* Muse

Mu·se·um <-s, Museen> [mu'zeːʊm] *nt* museum

Mu·se·ums·füh·rer(in) <-s, -> *m(f)* museum guide **mu·se·ums·reif** *adj* (*hum*) ancient *fam;* ■*~* **sein** to be a museum piece

Mu·si·cal <-s, -s> ['mjuːzikl] *nt* musical

Mu·sik <-, -en> [mu'ziːk] *f* music *no art, no pl; ~* **hören** to listen to music

Mu·sik·aka·de·mie <-, -n> *f* academy of music

mu·si·ka·lisch [muzi'kaːlɪʃ] I. *adj* musical II. *adv* musically; *~* **begabt sein** to be musically gifted

Mu·si·kant(in) <-en, -en> [muzi'kant] *m(f)* musician

Mu·sik·be·glei·tung *f* musical accompaniment **Mu·sik·box** *f* jukebox

Mu·si·ker(in) <-s, -> ['muːzikɐ] *m(f)* musician

Mu·sik·hoch·schu·le *f* college of music **Mu·sik·in·stru·ment** *nt* [musical] instrument **Mu·sik·ka·pel·le** *f* band **Mu·sik·kas·set·te** *f* tape **Mu·sik·leh·rer(in)** *m(f)* music teacher **Mu·sik·stück** *nt* piece of music **Mu·sik·un·ter·richt** *m* music lessons *pl;* SCH music *no art, no pl* **Mu·sik·wis·sen·schaft** *f kein pl* musicology *no pl*

mu·sisch ['muːzɪʃ] I. *adj* ❶ (*künstlerisch begabt*) artistic ❷ (*die Künste betreffend*) in/of the [fine] arts *pred* II. *adv* artistically; *~* **begabt** talented in the arts

mu·si·zie·ren* [muzi'tsiːrən] *vi* to play a musical instrument

Mus·kat <-[e]s, -e> [mʊs'kaːt] *m* nutmeg *no art, no pl*

Mus·kel <-s, -n> ['mʊskl] *m* muscle

Mus·kel·ka·ter *m kein pl* muscle ache **Mus·kel·kraft** *f* muscular strength *no art, no pl* **Mus·kel·protz** <-es, -e> *m* (*fam*) muscleman **Mus·kel·zer·rung** *f* pulled muscle

Mus·ke·tier <-s, -e> [mʊskə'tiːɐ] *m* musketeer; „**Die drei ~e**" "The Three Musketeers"

Mus·ku·la·tur <-, -en> [mʊskula'tuːɐ] *f* musculature *no indef art, no pl*

mus·ku·lös [mʊsku'løːs] I. *adj* muscular II. *adv ~* **gebaut sein** to have muscular build

Müs·li <-[s], -s> ['myːsli] *nt* muesli

Mus·lim, Mus·li·min <-, -e> ['mʊslɪm, mʊs'liːmɪn] *m*, *f* Muslim

Muss^RR <-> *nt kein pl*, **Muß**^ALT <-> ['mʊs] *nt kein pl* must *fam*

Mu·ße <-> ['muːsə] *f kein pl* leisure *no art, no pl*

müs·sen ['mʏsn̩] I. *modal vb* <musste, müssen> ❶ (*gezwungen sein*) ■**etw tun** *~* to have to do sth ❷ (*notwendig sein*) ■**etw** [**nicht**] **tun** *~* to [not] need to do sth; **warum muss es heute regnen?** why does it have to rain today?; **muss das** [**denn**] **sein?** is that really necessary?; **wenn es** [**denn/unbedingt**] **sein muss** if it's really necessary; **das muss nicht unbedingt stimmen** that needn't be true ❸ *verneinend* (*brauchen*) **du musst das nicht tun** you don't have to do that ❹ (*eigentlich sollen*) ought to; ■**jd/etw müsste etw tun** sb/sth should do sth; **ich hätte es ahnen ~!** I should have known! ❺ (*eine Wahrscheinlichkeit ausdrückend*) **es müsste jetzt acht Uhr sein** it must be eight o'clock now; **es müsste bald ein Gewitter geben** there should be a thunderstorm soon; **das muss wohl stimmen** that must be true II. *vi* <musste, gemusst> ❶ (*gehen ~*) to have to go ❷ (*gebracht werden ~*) ■**irgendwohin** *~* to have to get somewhere; **dieser Brief muss heute noch zur Post** this letter has to be posted today ❸ (*euph fam*) [*mal*] *~* to have to go to the loo [*or* AM john]

Mu·ße·stun·de *f* hour of leisure

mü·ßig ['myːsɪç] (*geh*) I. *adj* futile, pointless II. *adv* ❶ (*untätig*) idly ❷ (*gemächlich*) with leisure

Mü·ßig·gang ['myːsɪçgaŋ] *m kein pl* (*geh*) idleness *no art, no pl*

muss·te^RR, **muß·te**^ALT ['mʊstə] *imp von* **müssen**

Mus·ter <-s, -> ['mʊstɐ] *nt* ❶ (*Waren~*) sample ❷ MODE pattern ❸ (*Vorlage*) pattern ❹ (*Vorbild*) ■**ein** *~* **an etw** *dat* **sein** to be a paragon of sth; **ein** *~* **an Vollkommenheit sein** to be the pink of perfection

Mus·ter·bei·spiel *nt* prime example **Mus·ter·brief** *m* sample letter **Mus·ter·ex·em·plar** *nt* ❶ (*vorbildlich*) fine specimen ❷ (*Warenmuster*) sample **mus·ter·gül·tig** *adj* (*geh*) **mus·ter·haft** I. *adj* exemplary; **ein ~es Beispiel** a perfect example II. *adv* exemplary **Mus·ter·kna·be** *m* (*iron*) paragon of virtue

mus·tern ['mʊstɐn] *vt* ❶ (*eingehend betrachten*) to scrutinize ❷ MIL ■**jdn** *~* to give sb his/her medical

Mus·ter·schü·ler(in) *m(f)* model pupil

Mus·te·rung <-, -en> *f* ❶ MIL *von Truppen* inspection; *von Wehrdienstpflichtigen* medical [examination] [for military service] ❷ (*das eingehende Betrachten*) scrutiny *no art, no pl*

Mus·te·rungs·be·scheid *f* MIL, ADMIN summons to attend one's medical examination

Mut <-[e]s> ['muːt] *m kein pl* ❶ (*Courage*) courage *no art, no pl* ❷ (*Zuversicht*) heart *no art, no pl;* **jdm den ~ nehmen** to discourage sb; **nur ~!** take heart!; **~ fassen** to take heart; **jdm [wieder] ~ machen** to encourage sb

Mu·ta·ti·on <-, -en> [mutaˈtsi̯oːn] *f* ❶ (*Missbildung*) mutation ❷ SCHWEIZ (*Änderungen im Personal*) change of personnel

mu·tie·ren* [muˈtiːrən] *vi* (*fam*) ▪zu **etw/jdm ~** to mutate into sth/sb

mu·tig ['muːtɪç] **I.** *adj* brave **II.** *adv* bravely

mut·los *adj* discouraged; **jdn ~ machen** to discourage sb

Mut·lo·sig·keit <-> *f kein pl* discouragement *no art, no pl*

mut·ma·ßen ['muːtmaːsn̩] **I.** *vi* to conjecture **II.** *vt* to suspect

mut·maß·lich **I.** *adj attr* presumed, suspected **II.** *adv* presumably

Mut·ma·ßung <-, -en> *f* conjecture

Mut·pro·be *f* test of courage

Mut·ter¹ <-, Mütter> ['mʊtɐ, *pl* 'mɤtɐ] *f* mother; **~ werden** to be having a baby

Mut·ter² <-, -n> ['mʊtɐ] *f* TECH nut

Müt·ter·be·ra·tungs·stel·le *f advisory centre for pregnant or nursing women*

Mut·ter·ge·sell·schaft *f* ÖKON parent company **Mut·ter·got·tes** <-> [mʊtɐˈɡɔtəs] *f kein pl* Mother of God *no indef art, no pl* **Mut·ter·in·stinkt** *m* maternal instinct **Mut·ter·Kind-Pass**ᴿᴿ *m* ÖSTERR *document held by pregnant women with details of the pregnancy* **Mut·ter·ku·chen** *m* ANAT placenta **Mut·ter·land** *nt* mother country **Mut·ter·leib** *m* womb

müt·ter·lich ['mɤtɐlɪç] *adj* ❶ (*von der Mutter*) maternal ❷ (*umsorgend*) motherly; **ein ~er Typ sein** to be the maternal type

müt·ter·li·cher·seits *adv* on one's mother's side; **meine Oma ~** my maternal grandmother

Mut·ter·lie·be *f* motherly love *no art, no pl* **Mut·ter·mal** *nt* birthmark; (*kleiner*) mole **Mut·ter·milch** *f* mother's milk **Mut·ter·mund** *m* ANAT cervix

Mut·ter·schaft <-> *f kein pl* (*geh*) motherhood

Mut·ter·schafts·ur·laub *m* maternity leave

Mut·ter·schiff *nt* NAUT mother ship; LUFT parent ship **Mut·ter·schutz** *m* JUR *legal protection of working mothers*

mut·ter·see·len·al·lein ['mʊtɐˈzeːlənˈlaɪn] **I.** *adj präd* all alone *pred* **II.** *adv* all on one's own

Mut·ter·söhn·chen <-s, -> *nt* (*pej fam*) mummy's [*or* Am mama's] boy *fam* **Mut·ter·spra·che** *f* mother tongue **Mut·ter·sprach·ler(in)** <-s, -> [-ˈʃpraːxlɐ] *m(f)* native speaker **Mut·ter·tag** *m* Mother's Day

Mut·ti <-, -s> ['mʊti] *f* (*fam*) mummy BRIT, mommy AM

Mut·wil·le <-ns> *m kein pl* (*Übermut*) mischief; (*Bosart*) malice

mut·wil·lig **I.** *adj* mischievous; (*böswillig*) malicious **II.** *adv* deliberately

Müt·ze <-, -n> ['mɤtsə] *f cap* ▶ **[von jdm] was auf die ~ <u>kriegen</u>** to get smacked [by sb]

MwSt., MWST. *f Abk von* **Mehrwertsteuer** VAT, Vat

My·ri·a·de <-, -n> [myˈri̯aːdə] *f meist pl* myriad *no def art*

Myr·reᴿᴿ <-, -n> ['mɤrə], **Myr·rhe** <-, -n> ['mɤrə] *f* myrrh *no art, no pl*

Myr·te <-, -n> ['mɤrtə] *f* myrtle

mys·te·ri·ös [mɤstəˈri̯øːs] *adj* mysterious

Mys·te·ri·um <-s, -ien> [mɤsˈteːri̯ʊm, *pl* -ri̯ən] *nt* (*geh*) mystery

Mys·ti·fi·<u>zie</u>·rung <-, -en> *f* mystification

Mys·tik <-> ['mɤstɪk] *f kein pl* mysticism *no pl*

mys·tisch ['mɤstɪʃ] *adj* ❶ (*geh*) mysterious ❷ REL mystic[al]

my·thisch ['myːtɪʃ] *adj* (*geh*) mythical

My·tho·lo·gie <-> [mytoloˈɡiː] *f kein pl* mythology *no pl*

my·tho·lo·gisch [mytoˈloːɡɪʃ] *adj* mythological

My·thos ['myːtɔs], **My·thus** <-, Mythen> ['myːtʊs] *m* myth

N n

N, n <-, - o fam -s, -s> [ɛn] nt N, n; s. a. A 1

N Abk von **Norden**

na [na] interj (fam) ❶ (zweifelnder Ausruf) well; ~ **gut** all right; ~ **ja** well ❷ (Ausruf der Entrüstung) well; ~, ~! now, now! ❸ (Ausruf der Anerkennung) well; ~ **also!** [well,] there you go [then]; ~ **so was!** well I never [did]! ▸ ~, **du?** how's it going?; ~ **und ob!** you bet! fam; ~ **und?** so what?

Na·be <-, -n> ['na:bə] f TECH hub

Na·bel <-s, -> ['na:bl̩] m navel

Na·bel·schnur f (a. fig) umbilical cord

nach [na:x] I. präp +dat ❶ (räumlich: bis hin zu) ~ **etw** to sth; **der Weg führt direkt** ~ **...** this is the way to ... ❷ (räumlich: hinter) behind; **du stehst** ~ **mir auf der Liste** you're after me on the list ❸ (zeitlich: im Anschluss an) after; ~ **wie vor** still ❹ (gemäß) ■ ~ **etw** dat according to sth; ~ **Artikel 23/den geltenden Vorschriften** under article 23/present regulations; ~ **allem, was ich gehört habe** from what I've heard; ~ **dem, was wir jetzt wissen** as far as we know ❺ (in Anlehnung an) after; **diese Wandlampe ist** ~ **einer Fackel geformt** this lamp was shaped after a torch II. adv **ihm** ~! after him!; **los, mir** ~! let's go, follow me! ▸ ~ **und** ~ little by little

nach|äf·fen vt (pej: zur Belustigung) to mimic; (dilettantisch) to ape

nach|ah·men vt ❶ (imitieren) to imitate ❷ (kopieren) to copy

nach·ah·mens·wert adj exemplary

Nach·ah·mer(in) <-s, -> m(f) ❶ (Imitator) imitator ❷ (Kopist) copyist

Nach·ah·mer·pro·dukt nt PHARM copycat product

Nach·ah·mung <-, -en> f ❶ kein pl (Imitation) imitation ❷ (Kopie) copy

nach|ar·bei·ten vt ❶ (aufholen) to make up sep for ❷ (nachträglich bearbeiten) to touch up sep

Nach·bar(in) <-n o -s, -n> ['naxba:ɐ̯] m(f) ❶ (jd, der in jds Nähe wohnt) neighbour; (in einer Nachbarwohnung a.) next-door neighbour ❷ (nebenan Sitzender) **sie wandte sich ihrer** ~ **in [am Tisch] zu** she turned to the woman [sitting] next to her [at the table] ❸ (benachbartes Land) neighbour

Nach·bar·haus nt house next door

Nach·bar·land nt neighbouring country

nach·bar·lich adj ❶ (benachbart) neighbouring attr ❷ (unter Nachbarn üblich) neighbourly

Nach·bar·schaft <-, -en> f ❶ (nähere Umgebung) neighbourhood ❷ (die Nachbarn) neighbours

Nach·bau <-[e]s, -ten> m replica **Nach·be·ben** nt aftershock **Nach·be·hand·lung** f follow-up treatment no pl

nach|be·rei·ten vt to go through again

nach|bes·sern I. vt to retouch; **ein Produkt** ~ to make improvements to a product; Vertrag to amend II. vi to make improvements **nach|be·stel·len** vt to reorder [or order some more of] **Nach·be·stel·lung** f (weitere Bestellung) repeat order; (nachträgliche Bestellung) late order **nach|be·zah·len** vt to pay later **nach|bil·den** vt to reproduce; **etw aus dem Gedächtnis** ~ to copy sth from memory **Nach·bil·dung** f reproduction; (exakt) copy **nach|da·tie·ren** vt to backdate

nach·dem [na:x'de:m] konj ❶ temporal after ❷ kausal (da) since

nach|den·ken vi irreg to think (**über** about); **denk doch mal nach!** think about it!; (mahnend) use your head [, will you]!; **laut** ~ to think out loud

nach·denk·lich ['na:xdɛŋklɪç] adj pensive; **jdn** ~ **machen** to make sb think

Nach·denk·lich·keit <-> f kein pl pensiveness no art, no pl

Nach·druck¹ m kein pl emphasis no pl; [besonderen] ~ **auf etw** akk **legen** to place [special] emphasis on sth; **mit [allem]** ~ with vigour; **etw mit** ~ **sagen** to say sth emphatically

Nach·druck² <-[e]s, -e> m VERLAG ❶ (nachgedrucktes Werk) reprint ❷ kein pl (das Nachdrucken) reprinting no art, no pl **nach|dru·cken** vt VERLAG ❶ (abermals drucken) to reprint ❷ (abdrucken) to reproduce **nach·drück·lich** ['na:xdrʏklɪç] I. adj insistent; Warnung firm II. adv firmly **Nach·durst** m (nach übermäßigem Alkoholgenuss) dehydration **nach|ei·fern** vi (geh) ■ **jdm** ~ to emulate sb **nach|ei·len** vi sein ■ **jdm** ~ to hurry after sb **nach·ein·an·der** [na:x'ʔaɪ̯'nandɐ] adv one after another; **kurz/schnell** ~ in quick/rapid succession **nach|emp·fin·den*** vt irreg ■ **etw** ~ **können** to be able to sympathize with sth; ■ **jdm** ~ **können, dass/wie er/**

sie ... to be able to understand that/how sb ... **nach|er·zäh·len*** vt to retell **Nach·er·zäh·lung** f SCH account; (geschrieben a.) written account (of something heard/read)

Nach·fahr(in) <-en o -s, -en> ['naːxfaːɐ̯] m(f) (geh) s. **Nachkomme**

nach|fah·ren vi irreg sein ❶ (hinterherfahren) ■jdm ~ to follow sb ❷ (im Nachhinein folgen) ■jdm [irgendwohin] ~ to follow sb on [somewhere] **nach|fei·ern** vt to celebrate later **Nach·fol·ge** f kein pl succession (in in); **jds ~ antreten** to succeed sb **nach·fol·gend** adj (geh) following

Nach·fol·ger(in) <-s, -> m(f) successor **nach|for·schen** vi to make [further] inquiries (in about); ■~, **ob/wann/wie/ wo ...** to find out whether/when/how/ where ... **Nach·for·schung** f inquiry; (polizeilich) investigation; [in etw dat] **~en anstellen** to make inquiries/carry out investigations [into sth] **Nach·fra·ge** f ❶ ÖKON demand (nach for); **die ~ steigt/ sinkt** demand is increasing/falling ❷ (Erkundigung) inquiry; **danke der ~!** nice of you to ask! **nach|fra·gen** vi to inquire **nach|füh·len** vt ■jdm] etw ~ to sympathize with sb; **ich kann dir das ~** I know how you must feel; ■jdm ~ **können, dass/wie er/sie ...** to be able to understand that/how sb ... **nach·füll·bar** adj refillable **nach|fül·len** I. vt ❶ (noch einmal füllen) to refill ❷ s. **nachgießen** II. vi ■jdm] ~ to top up [or AM off] sb sep fam **Nach·füll·pack** <-s, -s> m, **Nach·füll· pa·ckung** f refill pack

nach|ge·ben irreg I. vi ❶ (einlenken) ■jdm/etw] ~ to give way [to sb/sth] ❷ (zurückweichen) to give way ❸ BÖRSE Aktien to fall II. vt ■jdm etw ~ to give sb some more of sth **Nach·ge·bühr** f excess postage no pl **Nach·ge·burt** f ❶ (ausgestoßene Plazenta) afterbirth no pl ❷ kein pl (Vorgang der Ausstoßung) expulsion of the afterbirth **nach|ge·hen** vi irreg sein ❶ (hinterhergehen) ■jdm ~ to follow sb ❷ (zu langsam gehen) Uhr to be slow ❸ (zu ergründen suchen) ■etw dat ~ to look into sth ❹ (form: ausüben) to practise; Interessen to pursue **nach·ge· macht** adj imitation; **~es Geld** counterfeit money **Nach·ge·schmack** m aftertaste; [bei jdm] **einen bitteren ~ hinterlassen** to leave a nasty taste [in sb's mouth] **nach·ge·wie·se·ner·ma·ßen** adv as has been proved

nach·gie·big ['naːxgiːbɪç] adj ❶ (leicht nachgebend) compliant, accommodating; ■[jdm gegenüber] ~ **sein** to be soft [on sb] ❷ (auf Druck nachgebend) pliable, yielding attr **Nach·gie·big·keit** <-> f kein pl softness no art, no pl

nach|gie·ßen irreg I. vt ■[jdm] etw ~ to give sb some more of sth II. vi ■[jdm] ~ to top up [or AM off] sb sep fam; **darf ich ~?** would you like some more? **nach|grü· beln** vi to think (über about) **nach|gu· cken** vi (fam) to [take a] look (in in) **nach|ha·ken** vi (fam) to dig deeper (mit with) **Nach·hall** m echo **nach|hal·len** vi Schlussakkord to reverberate

nach·hal·tig ['naːxhaltɪç] I. adj lasting II. adv **jdn ~ beeindrucken/beeinflussen** to leave a lasting impression/have a lasting influence on sb

nach|hän·gen vi irreg ■etw dat ~ to lose oneself in sth

Nach·hau·se·weg [naːxˈhaʊ̯zəveːk] m way home

nach|hel·fen vi irreg ❶ (zusätzlich beeinflussen) to help along sep; ■mit etw dat ~ to help things along with sth ❷ (auf die Sprünge helfen) ■jdm/etw ~ to give sb/ sth a helping hand

nach·her [naːxˈeːɐ̯, ˈnaːxeːɐ̯] adv ❶ (danach) afterwards ❷ (irgendwann später) later; **bis ~!** see you later! ❸ (fam: womöglich) ~ **behauptet er noch, dass ...** he might just claim [that] ...

Nach·hil·fe f private tuition [or AM usu tutoring] **Nach·hil·fe·stun·de** f private lesson

nach·hin·ein adv **im N~** looking back; (nachträglich) afterwards

Nach·hol·be·darf m additional requirements pl; **einen [großen] ~ haben** to have a lot to catch up on

nach|ho·len vt ❶ (aufholen) to make up for ❷ (nachkommen lassen) ■jdn ~ to let sb join one

Nach·hut <-, -en> f MIL rearguard BRIT **nach|ja·gen** vi irreg sein ❶ (zu erreichen trachten) to pursue ❷ (eilends hinterherlaufen) to chase after **nach|kau·fen** vt to buy later

Nach·kom·me <-n, -n> ['naːxkɔmə] m descendant

nach|kom·men vi irreg sein ❶ (danach folgen) to follow on; ■jdn ~ lassen to let sb join one later; **sein Gepäck ~ lassen** to have one's luggage sent on ❷ (Schritt halten) to keep up (mit with) ❸ (erfüllen) to fulfil; Anordnung, Pflicht to carry out sep; Forderung to meet ❹ (als Konsequenz fol-

gen) to follow as a consequence ❺ SCHWEIZ (*verstehen*) to follow

Nach·kom·men·schaft <-, -en> *f* (*geh*) descendants *pl*

Nach·kömm·ling <-s, -e> ['naːxkœmlɪŋ] *m* (*Nachzügler*) latecomer; (*Kind*) afterthought *hum*; (*Nachkomme*) descendant

nach|kon·trol·lie·ren* *vt* to check over *sep* (**auf** for); ■ ~, **ob/wann/wie ...** to check whether/when/how ... **Nach·kriegs·zeit** *f* post-war period

Nach·lass[RR] <-es, -e *o* -lässe>, **Nach·laß**[ALT] <-lasses, -lasse *o* -lässe> ['naːxlas, *pl* 'naːxlɛsə] *m* ❶ (*hinterlassene Werke*) unpublished works *npl* ❷ (*hinterlassener Besitz*) estate ❸ (*Preis~*) discount (**auf** on)

nach|las·sen *irreg* I. *vi* ❶ (*schwächer werden*) to diminish; *Druck, Schmerz* to ease off; *Gehör, Sehkraft* to deteriorate; *Interesse* to wane; *Nachfrage* to drop [off]; *Sturm* to die down ❷ *in der Leistung schlechter werden* to deteriorate in one's performance ❸ (*aufhören*) to stop; **nicht ~!** keep it up! II. *vt* [jdm] **10 % vom Preis ~** to give [sb] a 10% discount

nach·läs·sig ['naːxlɛsɪç] I. *adj* careless; *Arbeit* slipshod *pej* II. *adv* carelessly

Nach·läs·sig·keit <-, -en> *f* ❶ *kein pl* (*nachlässige Art*) carelessness *no art, no pl* ❷ (*nachlässige Handlung*) negligence *no art, no pl*

nach|lau·fen *vi irreg sein* (*a. fig*) ■jdm ~ to run after *sep* **nach|le·sen** *vt irreg* to read up on **nach|lie·fern** *vt* ❶ (*später liefern*) to deliver at a later date ❷ (*später abgeben*) to hand in *sep* at a later date **nach|lö·sen** I. *vt* **eine Fahrkarte/einen Zuschlag ~** to buy a ticket/a supplement on the train II. *vi* to pay on the train **nach|ma·chen** *vt* ❶ (*imitieren*) to imitate ❷ (*nachahmen*) ■jdm etw ~ to copy sth from sb ❸ (*fälschen*) to forge ❹ (*fam: nachträglich anfertigen*) to make up *sep* **nach|mes·sen** *irreg* I. *vt* to measure again II. *vi* to check; ■**das N~** checking; **der Fehler ist mir erst beim N~ aufgefallen** I only noticed the mistake whilst checking through **Nach·mie·ter(in)** *m(f)* next tenant *no indef art*

nach·mit·tag[ALT] *adv s.* **Nachmittag** **Nach·mit·tag** ['naːxmɪtaːk] *m* afternoon; **am/bis zum [frühen/späten] ~** in the/ until the [early/late] afternoon; **im Laufe des ~s** during [the course of] the afternoon **nach·mit·tags** *adv* ❶ (*am Nachmittag*) in the afternoon ❷ (*jeden Nachmittag*) in the afternoons

Nach·mit·tags·vor·stel·lung *f* matinee [performance]

Nach·nah·me <-, -n> ['naːxnaːmə] *f* cash [*or* AM *also* collect] on delivery *no art, no pl; etw per ~ schicken* to send sth COD **Nach·na·me** *m* surname, family name; **wie hießen Sie mit ~n?** what's your surname?

nach|plap·pern *vt* (*fam*) to parrot *pej* **nach·prüf·bar** *adj* verifiable **nach|prü·fen** I. *vt* ❶ (*etw überprüfen*) to verify, to check ❷ SCH (*nachträglich prüfen*) ■jdn ~ to examine sb at a later date; (*nochmals prüfen*) to re-examine sb II. *vi* to verify; ■~, **ob/wann/wie ...** to verify whether/when/how ... **nach|rech·nen** I. *vi* to check again II. *vt* to check **Nach·re·de** *f* JUR **üble ~** defamation [of character] *form*, slander **nach|re·den** *vt* ❶ (*wiederholen*) to repeat ❷ (*nachsagen*) **jdm übel ~** to speak ill of sb **nach|rei·chen** *vt* ■[jdm] **etw ~** to hand sth [to sb] later

Nach·richt <-, -en> ['naːxrɪçt] *f* ❶ MEDIA news *no indef art, + sing vb;* ■**eine ~** a news item; ■**die ~en** the news *+ sing vb* ❷ (*Mitteilung*) news *no indef art, + sing vb;* ■**eine ~** a piece of news; **jdm ~ geben** to let sb know

Nach·rich·ten·agen·tur *f* news agency **Nach·rich·ten·dienst** *m* ❶ (*Geheimdienst*) intelligence *no art, no pl* [service] ❷ *s.* **Nachrichtenagentur Nach·rich·ten·ma·ga·zin** *nt* news magazine **Nach·rich·ten·sen·dung** *f* news broadcast **Nach·rich·ten·sper·re** *f* news embargo **Nach·rich·ten·spre·cher(in)** *m(f)* newscaster, BRIT *also* newsreader

Nach·ruf *m* obituary

Nach·ruhm *m* posthumous fame *no art, no pl form* **nach|rüs·ten** I. *vt* to update; *Computer* to upgrade II. *vi* MIL to deploy new arms **Nach·rüs·tung** *f* *kein pl* ❶ TECH modernization ❷ MIL deployment of new arms **nach|sa·gen** *vt* ❶ (*von jdm behaupten*) ■jdm etw ~ to say sth of sb; **es wird ihr nachgesagt, dass sie eine bösartige Intrigantin sei** they say that she is a nasty schemer; **ich lasse mir von dieser Frau nicht ~, dass ich lüge** I'm not having that woman say I'm a liar ❷ (*nachsprechen*) ■[jdm] etw ~ to repeat sth [sb said] **Nach·sai·son** [-zɛˌzõ:, -zɛˌzɔŋ] *f* off-season **nach|schau·en** I. *vt* to look up *sep* II. *vi* ❶ (*nachschlagen*) ■~, **ob/wie ...** to [have a] look whether/how ... ❷ (*nachsehen*) ■~[, **ob ...**] to [have a] look [and see] [whether ...] **nach|schen·**

ken (*geh*) **I.** *vt* ■ |**jdm**| **etw ~** to top up [*or* Am *off*] sb's glass *sep* **II.** *vi* ■ |**jdm**| **~** to top up [*or* Am *off*] sb *sep fam;* **darf ich ~?** may I top you up? *fam* **nach**|**schi·cken** *vt* ❶ (*nachsenden*) ■ |**jdm**| **etw ~** to forward sth [to sb] ❷ (*hinterdrein schicken*) ■ **jdm jdn ~** to send sb after sb **nach**|**schie· ßen** *vt irreg* Fin (*fam*) ■ **etw ~** to give sth additionally; *Geld* to pump additional cash into sth **Nach·schlag** *m von Essen* second helping **nach**|**schla·gen** *irreg* **I.** *vt* to look up *sep* (**in** in) **II.** *vi* ❶ *haben* (*nachlesen*) ■ |**in etw** *dat*| **~** to consult sth ❷ *sein* (*geh: jdm ähneln*) ■ **jdm ~** to take after sb **Nach·schla·ge·werk** *nt* reference book **Nach·schlüs·sel** *m* duplicate key **Nach·schub** <-[e]s, Nachschübe> [ˈnaːxʃuːp, *pl* ˈnaːxʃyːbə] *m pl selten* ❶ Mil [new] supplies *npl* ❷ (*fam: zusätzlich erbetene Verpflegung*) second helpings *pl* **nach**|**se·hen** *irreg* **I.** *vi* ❶ (*mit den Blicken folgen*) ■ **jdm/etw ~** to follow sb/ sth with one's eyes; (*mit Bewunderung/ Sehnsucht a.*) to gaze after sb/sth ❷ (*nachschlagen*) to look it up ❸ (*prüfen*) ■ **~, ob/ wo ...** to [have a] look whether/where ... **II.** *vt* ❶ (*nachschlagen*) to look up *sep* ❷ (*kontrollieren*) to check; **etw auf Fehler hin ~** to check sth for defects/errors ❸ (*geh: verzeihen*) ■ **jdm etw ~** to forgive sb for sth **Nach·se·hen** <-s> *nt kein pl* ▸ |**bei/in etw** *dat*| **das ~ haben** to be left standing [in sth]; (*leer ausgehen*) to be left empty-handed [in sth]; (*keine Chance haben*) to not get a look-in **Nach·sen·de·an·trag** *f* application to have one's mail forwarded **nach**|**sen·den** *vt irreg* ■ **jdm etw ~** to forward sth to sb; ■ **sich** *dat* **etw ~ lassen** to have sth forwarded to one['s new address] **Nach·sicht** <-> *f kein pl* leniency *no art, no pl;* |**mehr**| **~ üben** (*geh*) to be [more] lenient; **ohne ~** without mercy **nach·sich·tig I.** *adj* lenient; (*verzeihend*) merciful **II.** *adv* leniently **Nach·sil·be** *f* suffix **nach**|**sin·nen** *vi irreg* to ponder (**über** over) **nach**|**sit·zen** *vi irreg* Sch ■ **~ müssen** to have detention; ■ **jdn ~ lassen** to give sb detention **Nach·spann** <-s, -e> *m* Film, TV credits *npl* **Nach·spei·se** *f* dessert; ■ **als ~** for dessert **Nach·spiel** *nt* ❶ Theat epilogue; Mus closing section ❷ (*unangenehme Folgen*) consequences *pl;* **ein ~ haben** to have consequences **nach**|**spi·o·nie·ren*** *vi* (*fam*) to spy on **nach**|**spre·chen** *irreg* **I.** *vt*

■ |**jdm**| **etw ~** to repeat sth [after sb] **II.** *vi* ■ **jdm ~** to repeat after sb **nächst** [ˈnɛːçst] *präp +dat* (*geh*) ■ **~ jdm** (*örtlich am nächsten*) beside [*or* next to] sb; (*außer*) apart [*or esp* Am *aside*] from sb **nächst·bes·te**(**r**, **s**) [ˈnɛːçstˈbɛstə] *adj attr* ■ **der/die/das ~ ...** the first ... one/sb sees; **die ~ Gelegenheit** the first occasion that comes along

nächs·te(**r**, **s**) [ˈnɛːçstə] *adj superl von* **nah**(**e**) ❶ *räumlich* (*zuerst folgend*) next; **im ~n Haus** next door; **beim ~n Halt** at the next stop; (*nächstgelegen*) nearest ❷ *Angehörige* close ❸ *temporal* (*darauffolgend*) next; **beim ~n Aufenthalt** on the next visit; **bis zum ~n Mal!** till the next time!; **am ~n Tag** the next day; **in den ~n Tagen** in the next few days; **in der ~n Woche** next week; **als N~s** next; **der N~, bitte!** next please! **Nächs·te**(**r**) *f(m)* neighbour

nach|**ste·hen** *vi irreg* **jdm an Intelligenz/Kraft nicht ~** to be every bit as intelligent/strong as sb; ■ **jdm in nichts ~** to be sb's equal in every way **nach**|**stel·len I.** *vt* ❶ Ling to be put after; **im Französischen wird das Adjektiv** |**dem Substantiv**| **nachgestellt** in French the adjective is placed after the noun ❷ Tech (*neu einstellen*) to adjust; (*wieder einstellen*) to readjust; (*korrigieren*) to correct, to put back *sep* (**um** by) ❸ (*nachspielen*) to reconstruct **II.** *vi* ■ **jdm ~** ❶ (*geh: verfolgen*) to follow sb ❷ (*umwerben*) to pester sb **Nächs·ten·lie·be** *f* compassion *no art, no pl*

nächs·tens [ˈnɛːçstn̩s] *adv* ❶ (*bald*) [some time] soon ❷ (*das nächste Mal*) [the] next time ❸ (*fam: womöglich*) next **nächst·ge·le·gen** *adj attr* nearest **nächst·lie·gend** *adj attr* most plausible **nächst·mög·lich** [ˈnɛːçstˈmøːklɪç] *adj attr* ❶ *zeitlich* next possible *attr; Termin a.* earliest possible; *Gelegenheit* next (**bei** at) ❷ *räumlich* next possible *attr* **nach**|**su·chen** *vi* ❶ (*durch Suchen nachsehen*) to look (**in** in) ❷ (*form: beantragen*) ■ |**bei jdm**| **um etw** *akk* **~** to request sth [of sb]

Nacht <-, Nächte> [ˈnaxt, *pl* ˈnɛçtə] *f* night; ■ **~ sein/werden** to be/get dark; **bis weit in die ~** far into the night; **bei ~** at night; **in der ~** at night; **über ~** overnight; **über ~ bleiben** to stay the night; **diese/letzte ~** tonight/last night ▸ **bei ~ und Nebel** (*fam*) at dead of night; **die ~ zum Tage machen** to stay up all night; **gute ~!** good night!; **jdm gute ~ sagen** to say good night to sb; **zu ~ essen** SÜDD to have supper [*or* dinner]

nacht·ak·tiv *adj* *Tier* nocturnal *spec*

nacht·blind *adj* suffering from night blindness *pred* **Nacht·blind·heit** <-> *f* *kein pl* night blindness *no pl* **Nacht·dienst** *m* night shift

Nach·teil <-[e]s, -e> ['na:xtail] *m* disadvantage; **es soll nicht Ihr ~ sein** you won't lose [anything] by it; **jdm ~e bringen** to be disadvantageous to sb; **durch etw** *akk* **~e haben** to lose out by sth; [**jdm gegenüber**] **im ~ sein** to be at a disadvantage [with sb]; **sich zu seinem ~ verändern** to change for the worse

nach·tei·lig ['na:xtailɪç] **I.** *adj* disadvantageous (**für** for) **II.** *adv* unfavourably

näch·te·lang ['nɛçtəlaŋ] *adv* for nights on end

Nacht·es·sen *nt* SÜDD, ÖSTERR, SCHWEIZ (*Abendessen*) supper **Nacht·fal·ter** *m* moth **Nacht·frost** *m* night frost **Nacht·hemd** *nt* nightdress, AM *also* nightgown **Nach·ti·gall** <-, -en> ['naxtɪgal] *f* nightingale

näch·ti·gen ['nɛçtɪgn̩] *vi* (*geh*) to stay the night (**bei** with)

Nach·tisch *m* dessert

Nacht·klub *m s.* **Nachtlokal Nacht·lager** *nt* (*geh*) place to sleep [for the night] **Nacht·le·ben** *nt* nightlife *no indef art, no pl*

näch·tlich ['nɛçtlɪç] *adj attr* nightly

Nacht·licht *nt* glowlight, pluglight **Nacht·lo·kal** *nt* nightclub **Nacht·mensch** *m* night person **Nacht·por·tier** [-pɔrtie:] *m* night porter **Nacht·quar·tier** *nt s.* **Nachtlager**

Nach·trag <-[e]s, -träge> ['na:xtra:k, *pl* -trɛːgə] *m* ❶ (*im Brief*) postscript ❷ *pl* (*Ergänzung*) supplement

nach·tra·gen *vt irreg* ❶ (*nachträglich ergänzen*) to add (**zu** to) ❷ (*nicht verzeihen können*) ■**jdm etw** [**nicht**] **~** to [not] hold sth against sb; ■**jdm ~, dass ...** to hold it against sb that ... ❸ (*hinterhertragen*) ■**jdm etw ~** to carry sth after sb

nach·tra·gend ['na:xtra:gn̩t] *adj* unforgiving

nach·träg·lich ['na:xtrɛːklɪç] **I.** *adj* later; (*verspätet*) belated **II.** *adv* later, belatedly

nach·trau·ern *vi* ■**jdm/etw ~** to mourn after sb/sth

Nacht·ru·he *f* night's rest *no pl*

nachts ['naxts] *adv* at night; **montags ~** [on] Monday nights

Nacht·schat·ten·ge·wächs *nt* solanum *spec* **Nacht·schicht** *f* night shift;

~ **haben** to be on night shift **Nacht·schwär·mer** *m* ZOOL *s.* **Nachtfalter Nacht·schwär·mer(in)** *m(f)* (*veraltend*) night owl *fam* **Nacht·schwes·ter** *f* night nurse

nachts·über ['naxts?yːbɐ] *adv* at night

Nacht·ta·rif *m* off-peak rate; *von Verkehrsmittel* night fares *pl* **Nacht·tisch** *m* bedside table **Nacht·tisch·lam·pe** *f* bedside lamp **Nacht·topf** *m* chamber pot **Nacht·tre·sor** *m* night safe **Nacht-und-Nebel-Ak·ti·on** *f* cloak-and-dagger operation **Nacht·wa·che** *f* night duty *no art, no pl* **Nacht·wäch·ter(in)** *m(f)* ❶ (*Aufsicht*) night guard ❷ HIST (*städtischer Wächter*) [night] watch

Nach·un·ter·su·chung *f* follow-up examination

nach·voll·zieh·bar *adj* comprehensible; **es ist für mich nicht ganz ~, wie ...** I don't quite understand how ...

nach|voll·zie·hen* *vt irreg* to understand **nach|wach·sen** *vi irreg sein* ❶ (*erneut wachsen*) to grow back ❷ (*neu aufwachsen*) to grow in this place **Nach·wahl** *f* POL by-election **Nach·we·hen** *pl* ❶ (*nach der Entbindung*) afterpains *npl* ❷ (*geh: üble Folgen*) painful aftermath **nach|wei·nen** *vi* ■**jdm/etw ~** to mourn after sb/sth

Nach·weis <-es, -e> ['na:xvais, *pl* -vaizə] *m* ❶ (*Beweis des Behaupteten*) proof *no art, no pl*; **zum ~ einer S.** *gen* as proof of sth ❷ (*Beweis*) proof *no art, no pl*, evidence *no art, no pl* ❸ ÖKOL evidence *no art, no pl*

nach·weis·bar **I.** *adj* ❶ (*beweisbar*) provable; ■**es ist ~, dass/warum/wie ...** it can be proved that/why/how ... ❷ ÖKOL evident **II.** *adv* provably

nach|wei·sen *vt irreg* ❶ (*den Nachweis erbringen*) to establish proof of sth; ■**jdm ~, dass ...** to give sb proof that ... ❷ (*beweisen*) ■**jdm etw ~** to prove that sb has done sth ❸ ÖKOL to detect (**in** in)

nach·weis·lich ['na:xvaislɪç] **I.** *adj* provable **II.** *adv* provably

Nach·welt *f* *kein pl* ■**die ~** posterity **nach|wer·fen** *vt irreg* ❶ (*hinterherwerfen*) ■**jdm etw ~** to throw sth after sb ❷ (*zusätzlich einwerfen*) ■**etw ~** to throw in *sep* more of/another sth **nach|wir·ken** *vi* ❶ (*verlängert wirken*) to continue to have an effect ❷ (*als Eindruck anhalten*) ■[**in jdm**] **~** to continue to have an effect [on sb] **Nach·wir·kung** *f* after-effect; (*fig*) consequence **Nach·wort** <-worte> *nt* epilogue

Nach·wuchs *m* *kein pl* ❶ (*fam: Kinder*)

offspring *hum* ❷ (*junge Fachkräfte*) young professionals *pl*

nach|zah·len I. *vt* ❶ (*etw nachträglich entrichten*) to pay extra *sep* ❷ (*etw nachträglich bezahlen*) ▪ **jdm etw ~** to pay sb sth at a later date II. *vi* to pay extra

nach|zäh·len *vt, vi* to check **Nach·zah·lung** *f* ❶ (*nachträglich*) back payment ❷ (*zusätzlich*) additional payment

nach|zeich·nen *vt* to copy **nach|zie·hen** *irreg* I. *vt* ❶ (*nachträglich anziehen*) to tighten up *sep* ❷ (*hinter sich herziehen*) to drag behind one ❸ (*noch einmal zeichnen*) to go over; **sich** *dat* **die Augenbrauen ~** to pencil in *sep* one's eyebrows; **sich** *dat* **die Lippen ~** to paint over *sep* one's lips II. *vi sein* to follow (**mit** with)

Nach·züg·ler(in) <-s, -> ['naːxtsyːklɐ] *m(f)* late arrival

Na·cke·dei <-[e]s, -e *o* -s> ['nakədaɪ] *m* (*hum fam*) little bare monkey

Na·cken <-s, -> ['nakn̩] *m* ANAT neck ▶ **jdm im ~** <u>**sitzen**</u> to breathe down sb's neck

na·ckend ['naknt̩] *adj* (*fam*) *s.* **nackt**

Na·cken·haar *nt meist pl* hair[s *pl*] on the back of one's neck **Na·cken·schmerz** *m* neck pain [*or* ache] **Na·cken·stüt·ze** *f* ❶ (*Stütze für den Nacken*) headrest ❷ MED surgical collar

na·ckig ['nakɪç] *adj* (*fam*) *s.* **nackt**

nackt ['nakt] I. *adj* ❶ (*unbekleidet*) naked, nude ❷ (*bloß, kahl*) bare ❸ (*unverblümt*) naked; *Tatsachen* bare; *Wahrheit* plain II. *adv* naked

Nackt·ba·de·strand *m* nudist beach

Nackt·heit <-> *f kein pl* nudity *no art, no pl*

Na·del <-, -n> ['naːdl̩] *f* ❶ (*Näh~*) needle; **eine ~ einfädeln** to thread a needle ❷ (*Zeiger*) needle ❸ BOT needle ▶ **an der ~** <u>**hängen**</u> (*sl*) to be hooked on heroin

Na·del·baum *m* conifer **Na·del·drucker** *m* dot-matrix printer *spec* **Na·del·kis·sen** *nt* pincushion **Na·del·öhr** *nt* ❶ (*Teil einer Nadel*) eye of a/the needle ❷ (*fig*) narrow passage **Na·del·stich** *m* ❶ (*Nähen*) stitch ❷ (*Pieksen*) prick **Na·del·strei·fen·an·zug** *m* pinstripe [suit] **Na·del·wald** *m* coniferous forest

Na·gel¹ <-s, Nägel> ['naːgl̩, *pl* 'nɛːgl̩] *m* (*Metallstift*) nail ▶ **etw an den ~** <u>**hängen**</u> to chuck [in *sep*] sth; **den ~ auf den** <u>**Kopf**</u> <u>**treffen**</u> to hit the nail on the head; **Nägel mit** <u>**Köpfen**</u> **machen** to do the thing properly

Na·gel² <-s, Nägel> ['naːgl̩, *pl* 'nɛːgl̩] *m* (*Finger~*) nail ▶ **jdm** <u>**brennt**</u> **es unter**

den Nägeln[, etw zu tun] (*fam*) sb is dying to [do sth]; **sich** *dat* **etw unter den ~** <u>**reißen**</u> (*sl*) to snaffle sth

Na·gel·bürs·te *f* nailbrush **Na·gel·fei·le** *f* nail file **Na·gel·haut** *f* cuticle **Na·gel·lack** *m* nail polish **Na·gel·lack·ent·fer·ner** *m* nail polish remover

na·geln ['naːgl̩n] I. *vt* to nail (**an** to, **auf** [on]to) II. *vi* to hammer nails

na·gel·neu ['naːgl̩ˈnɔy] *adj* (*fam*) brand-new **Na·gel·sche·re** *f* nail scissors *npl*

na·gen ['naːgn̩] I. *vi* ❶ (*mit den Nagezähnen beißen*) to gnaw (**an** at) ❷ (*schmerzlich wühlen*) ▪ **an jdm ~** to nag [at] sb II. *vt* to gnaw (**durch** through, **von** off)

na·gend ['naːgnt̩] *adj* nagging; *Hunger* gnawing

Na·ger <-s, -> *m*, **Na·ge·tier** *nt* rodent

nah ['naː] *adj* **von ~ und fern** from near and far

Nah·auf·nah·me *f* close-up (**von** of)

na·he <näher, nächste> ['naːə] I. *adj* ❶ *räumlich* nearby, close [by] *pred*; **von ~ m** from close up ❷ *zeitlich* near, approaching ❸ (*eng*) ▪ **jdm ~ sein** to be close to sb II. *adv* ❶ *räumlich* nearby, close [by]; ▪ **~ an/bei etw** *dat* close to sth; **~ beieinander** close together ❷ *zeitlich* close ❸ (*fast*) ▪ **~ an etw** *dat* almost sth ❹ (*eng*) closely; **~ mit jdm verwandt sein** to be a close relative of sb ▶ **~ daran** <u>**sein**</u>**, etw zu tun** to be close to doing sth III. *präp* + *dat* ▪ **~ etw** *dat* near to sth

Nä·he <-> ['nɛːə] *f kein pl* ❶ (*geringe Entfernung*) proximity *no pl form*; **aus der ~** from close up; **in der ~** ❷ (*Anwesenheit*) ▪ **jds ~** sb's closeness; **jds ~ brauchen** to need sb [to be] close [to one]; **in jds ~** close to sb ❸ (*naher Zeitpunkt*) closeness *no pl*

na·he·bei ['naːəˈbaɪ] *adv* nearby **na·he|ge·hen** *vt irreg sein* ▶ **jdm ~** to upset sb **na·he|kom·men** *irreg sein* I. *vt* **jdm/etw zu ~** to get too close to sb/sth II. *vr* **sich** *dat*/**einander ~** to become close **na·he|le·gen** *vt* ▪ **jdm ~, etw zu tun** to advise sb to do sth **na·he|lie·gend** *adj* natural; **~ sein** to seem to suggest itself, to be obvious; **aus ~en Gründen** for obvious reasons; **das N~e** the obvious thing to do

na·hen ['naːən] (*geh*) I. *vi sein* to approach II. *vr* (*veraltend*) ▪ **sich** [**jdm**] **~** to approach sb (**mit** with)

nä·hen ['nɛːən] I. *vt* ❶ (*zusammen~*) to sew (**auf** onto) ❷ MED to stitch II. *vi* ▪ [**an etw** *dat*] **~** to sew [sth]; **das N~ lernte sie von ihrer Großmutter** she learned to sew from her grandmother

nä·her ['nɛːɐ] I. *adj comp von* **nahe** ❶ (*in geringerer Entfernung*) nearer, closer ❷ (*kürzer bevorstehend*) closer, sooner *pred; Zukunft* ❸ (*detaillierter*) further *attr;* **die ~en Umstände sind leider nicht bekannt** the precise circumstances are not known ❹ (*enger*) closer; *Verwandte* immediate II. *adv comp von* **nahe** ❶ (*in geringerer Abstand*) closer, nearer; **kommen Sie ~!** come closer! ❷ (*eingehender*) in more detail; **etw ~ untersuchen** to examine sth more closely; **etw ~ ansehen** to have a closer look at sth; **sich ~ mit etw** *dat* **befassen** to go into sth in greater detail; **jdm etw ~ bringen** to bring sth home to sb ❸ (*enger*) closer; **jdn/eine Sache ~ kennen** to know sb/sth well; **jdn/eine Sache ~ kennen lernen** to get to know sb/sth better; **mit etw** *dat* **~ vertraut sein** to know more about sth ▶ **etw** *dat* [**schon**] **~ kommen** to be nearer the mark; **~ liegen, etw zu tun** it makes more sense to do sth

Nä·her(in) <-s, -> *m(f)* sewer *masc,* seamstress *fem*

Nah·er·ho·lungs·ge·biet *nt* local holiday spot

Nä·he·rin <-, -nen> *f fem form von* **Näher**

nä·hern ['nɛːɐn] *vr* ❶ (*näher herankommen*) ■ **sich** [**jdm/etw**] **~** to approach [sb/ sth] ❷ (*geh: einen Zeitpunkt erreichen*) ■ **sich etw** *dat* **~** to get close to sth; **unser Urlaub nähert sich seinem Ende** our holiday is drawing to an end

na·he|ste·hen *vr irreg* ▶ **sich** *dat* **~** to be close **na·he|tre·ten** *vt* ▶ **jdm zu ~** to offend sb

na·he·zu ['naːə'tsuː] *adv* almost, virtually

Näh·garn *nt* cotton

Nah·kampf *m* close combat

Näh·käst·chen <-s, -> *nt* sewing box ▶ **aus dem ~ plaudern** (*fam*) to give out private gossip **Näh·kas·ten** *m* sewing box

nahm [naːm] *imp von* **nehmen**

Näh·ma·schi·ne *f* sewing machine **Näh·na·del** *f* [sewing] needle

Nah·ost [naː'ʔɔst] *m kein pl* the Middle East

Nähr·bo·den *m* ❶ BIOL culture medium ❷ (*Boden*) breeding ground

näh·ren ['nɛːɐn] I. *vt* ❶ (*füttern*) to feed ❷ *Befürchtungen, Erwartungen, Hoffnungen* to nourish II. *vi* to be nourishing

nahr·haft *adj* nutritious

Nähr·stoff *m* nutrient

Nah·rung <-> ['naːrʊŋ] *f kein pl* food; **flüssige/feste ~** liquids/solids *pl*

Nah·rungs·ket·te *f* food chain **Nah-**

rungs·mit·tel *nt* food **Nah·rungs·mit·tel·al·ler·gie** *f* food allergy **Nah·rungs·mit·tel·in·dus·trie** *f kein pl* food industry **Nah·rungs·mit·tel·ver·gif·tung** *f s.* **Lebensmittelvergiftung**

Nähr·wert *m* nutritional value

Näh·sei·de *f* sewing silk Brit, silk thread Am

Naht <-, Nähte> ['naːt, *pl* 'nɛːtə] *f* ❶ (*bei Kleidung*) seam ❷ MED suture *spec* ❸ TECH weld

naht·los I. *adj* ❶ (*lückenlos*) smooth ❷ MODE seamless II. *adv* smoothly

Nah·ver·kehr *m* local traffic; **der öffentliche ~** local public transport

Nah·ver·kehrs·mit·tel *pl* means *pl* of local public transport **Nah·ver·kehrs·zug** *m* local train

Näh·zeug *nt* sewing kit

na·iv [na'iːf] *adj* naive

Na·i·vi·tät <-> [najvi'tɛːt] *f kein pl* naivety *no pl*

Na·me <-ns, -n> ['naːmə] *m* ❶ (*Personenname*) name; **auf jds ~n** in sb's name; **in jds ~n** on behalf of sb; **im ~n des Gesetzes** in the name of the law; **im ~n des Volkes** in the name of the people; **er ist mir nur mit ~n bekannt** I only know him by name ❷ (*Benennung*) name ❸ (*Ruf*) name; **sich** *dat* **einen ~n als etw machen** to make a name for oneself as sth

na·men·los I. *adj* ❶ (*anonym*) nameless; *Helfer, Spender* anonymous ❷ (*geh: unbeschreiblich*) unspeakable ❸ (*keine Marke aufweisend*) no-name *attr* II. *adv* (*geh*) terribly

na·mens ['naːməns] I. *adv* by the name of II. *präp* +*gen* (*form*) in the name of

Na·mens·ge·dächt·nis *nt kein pl* memory for names **Na·mens·schild** *nt* nameplate; (*an Kleidung*) name badge **Na·mens·tag** *m* Saint's day **Na·mens·vet·ter** *m* namesake

na·ment·lich ['naːməntlɪç] I. *adj* by name; **~e Abstimmung** roll call vote II. *adv* ❶ (*mit Namen*) by name ❷ (*insbesondere*) in particular

nam·haft *adj* ❶ (*beträchtlich*) substantial ❷ (*berühmt*) famous

näm·lich ['nɛːmlɪç] *adv* ❶ (*und zwar*) namely ❷ (*denn*) because; **entschuldigen Sie mich bitte, ich erwarte ~ noch einen anderen Anruf** please excuse me, [but] you see, I'm expecting another call

nann·te ['nantə] *imp von* **nennen**

na·nu [na'nuː] *interj* what's this?

Napf <-[e]s, Näpfe> ['napf, *pl* 'nɛpfə] *m* bowl

Napf·ku·chen *m* pound cake

Nar·be <-, -n> ['narbə] *f* scar

nar·big ['narbɪç] *adj* scarred

Nar·ko·se <-, -n> [nar'ko:zə] *f* MED anaesthesia BRIT

Nar·ko·se·mit·tel *nt* anaesthetic BRIT

Nar·ko·ti·kum <-s, -kotika> [nar'ko:tikʊm, *pl* nar'kotika] *nt* MED narcotic

nar·ko·ti·sie·ren* [narkoti'zi:rən] *vt* to drug

Narr, När·rin <-en, -en> ['nar, 'nɛrɪn] *m, f* ❶ (*Dummkopf*) fool ❷ HIST (*Hof~*) court jester ▸ **jdn zum ~en halten** to make a fool of sb; **sich zum ~en machen** to make a fool of oneself

nar·ren ['narən] *vt* (*veraltend geh*) ❶ (*zum Narren halten*) ▪**jdn ~** to make a fool of sb ❷ (*täuschen*) ▪**jdn ~** to fool sb

Nar·ren·frei·heit *f* ▸ **~ haben** to have the freedom to do whatever one wants **Nar·ren·haus** *nt* madhouse **Nar·ren·kap·pe** *f* ❶ (*Karnevalsmütze*) cap worn by carnival office-bearers ❷ HIST fool's cap **nar·ren·si·cher** *adj* foolproof

När·rin <-, -nen> ['nɛrɪn] *f fem form von* **Narr**

när·risch ['nɛrɪʃ] *adj* ❶ (*veraltend: verrückt*) mad; **wie ~** (*geh*) like mad ❷ (*fam: versessen*) ▪**[ganz] ~ auf jdn/etw sein** to be mad about sb/sth

Nar·zis·se <-, -n> [nar'tsɪsə] *f* narcissus

Nar·ziss·mus^RR <->, **Nar·ziß·mus**^ALT <-> [nar'tsɪsmʊs] *m kein pl* narcissism

nar·ziss·tisch^RR *adj*, **nar·ziß·tisch**^ALT *adj* narcissistic

na·sal [na'za:l] *adj* nasal

Na·sal <-s, -e> [na'za:l] *m*, **Na·sal·laut** *m* nasal [sound]

na·schen ['naʃn̩] I. *vi* **habe ich dich wieder beim N~ erwischt?** did I catch you eating sweets again?; **etwas zum N~** something sweet II. *vt* (*verspeisen*) to nibble

nasch·haft *adj* fond of sweet things **Nasch·kat·ze** *f* (*fam*) person with a sweet tooth

Na·se <-, -n> ['na:zə] *f* ANAT nose; **jds ~ läuft** sb has a runny nose; **sich** *dat* **die ~ putzen** to blow one's nose ▸ **jdm etw auf die ~ binden** (*fam*) to tell sb sth; **sich an seine eigene ~ fassen** (*fam*) to blame oneself; **auf die ~ fliegen** (*fam*) to fall flat on one's face; **jdm eins auf die ~ geben** (*fam*) to punch sb on the nose; **sich** *dat* **eine goldene ~ verdienen** to earn a fortune; **die ~ vorn haben** to be one step ahead; **jdm etw unter die ~ halten** (*fam*) to rub sb's nose in sth; **jdn [mit etw** *dat*]

an der ~ herumführen (*fam*) to lead sb on; **jdm auf der ~ herumtanzen** (*fam*) to walk all over sb; **seine ~ in alles hineinstecken** (*fam*) to stick one's nose into everything; **[immer] der ~ nach** (*fam*) follow your nose; **pro ~** (*hum fam*) per head; **jdm etw unter die ~ reiben** (*fam*) to rub sb's nose in it; **die ~ von jdm/etw voll haben** (*fam*) to be fed up with sb/sth; **jdm etw vor der ~ wegschnappen** (*fam*) to take sth from right under sb's nose; **jdm etw aus der ~ ziehen** (*fam*) to get sth out of sb

nä·seln ['nɛ:zl̩n] *vi* to talk through one's nose

Na·sen·bein *nt* nasal bone **Na·sen·bluten** <-s> *nt kein pl* nosebleed; **~ haben** to have a nosebleed **Na·sen·flü·gel** *m* side of the nose **Na·sen·kor·rek·tur** *f* rhinoplasty, nose job *fam* **Na·sen·län·ge** *f* ▸ **mit einer ~** by a nose; **jdm eine ~ voraus sein** to be a hair's breadth in front of sb **Na·sen·loch** *nt* nostril **Na·sen·rü·cken** *m* bridge of the nose **Na·sen·schleim·haut** *f* mucous membrane of the nose **Na·sen·spit·ze** *f* ANAT tip of the nose ▸ **jdm etw an der ~ ansehen** to be able to tell sth from sb's face **Na·sen·spray** *m o nt* nasal spray **Na·sen·trop·fen** *pl* nose drops **Na·sen·wur·zel** *f* bridge [of the nose]

na·se·weis ['na:zəvaɪs] *adj* (*fragend*) nosey *fam*; *Kind bes* precocious

Na·se·weis <-es, -e> ['na:zəvaɪs] *m* cheeky monkey BRIT *fam*; (*Besserwisser*) know-all *esp* BRIT *fam*, wise guy AM *fam*

Nas·horn *nt* rhino[ceros]

nass^RR <-er *o* nässer, -este *o* nässeste> ['nas] *adj*, **naß**^ALT <nasser *o* nässer, nasseste *o* nässeste> ['nas] *adj* wet; **sich ~ machen** (*fam*) to get oneself wet; **~ geschwitzt** soaked with sweat *pred*

Nas·sau·er(in) <-s, -> ['nasaʊɐ] *m(f)* (*pej fam*) scrounger

Näs·se <-> ['nɛsə] *f kein pl* wetness; **vor ~ triefen** to be dripping wet

näs·sen ['nɛsn̩] I. *vi* to weep II. *vt* to wet

nass·kalt^RR *adj* cold and damp **Nass·ra·sur**^RR *f* ▪**eine ~** a wet shave

Na·ti·on <-, -en> [nats i̯o:n] *f* nation; **die Vereinten ~en** the United Nations

na·ti·o·nal [natsi̯o'na:l] *adj* ❶ (*die Nation betreffend*) national ❷ (*patriotisch*) nationalist ❸ (*nationalistisch*) nationalistic **Na·ti·o·nal·fei·er·tag** *m* national holiday **Na·ti·o·nal·hym·ne** *f* national anthem **Na·ti·o·na·lis·mus** <-> [natsi̯ona'lɪsmʊs] *m kein pl* nationalism *no pl*

Na·ti·o·na·list(in) <-en, -en> [natsi̯o·na'lɪst] *m(f)* nationalist

na·ti·o·na·lis·tisch I. *adj* nationalist[ic] II. *adv* nationalistically

Na·ti·o·na·li·tät <-, -en> [natsi̯ona·li'tɛːt] *f* ❶ (*Staatsangehörigkeit*) nationality ❷ (*Volkszugehörigkeit*) ethnic origin

Na·ti·o·nal·mann·schaft *f* national team **Na·ti·o·nal·park** *m* national park **Na·ti·o·nal·rat** *m kein pl* SCHWEIZ National Council; ÖSTERR National Assembly **Na·ti·o·nal·so·zi·a·lis·mus** [natsi̯o'na:lzots i̯alɪsmʊs] *m* National Socialism **na·ti·o·nal·so·zi·a·lis·tisch** *adj* Nazi, National Socialist **Na·ti·o·nal·spie·ler(in)** *m(f)* national player **Na·ti·o·nal·ver·samm·lung** *f* National Assembly

NA·TO, Na·to <-> ['na:to] *f kein pl Akr von* **North Atlantic Treaty Organization:** ■die ~ NATO

Na·tri·um <-s> ['na:tri̯ʊm] *nt kein pl* sodium *no pl*

Na·tron <-s> ['na:trɔn] *nt kein pl* sodium bicarbonate *no pl*

Nat·ter <-, -n> ['nate] *f* adder

Na·tur <-, -en> [na'tu:ɐ, *pl* na'tu:rən] *f* ❶ *kein pl* BIOL nature *no pl* ❷ *kein pl* (*Landschaft*) countryside *no pl;* **die freie ~** the open countryside ❸ (*geh: Art*) nature; **in der ~ von etw** *dat* **liegen** to be in the nature of sth ❹ (*Wesensart*) nature; **sie hat eine empfindsame ~** she has a sensitive nature; **von ~ aus** by nature

Na·tu·ra·li·en [-li̯ən] *pl* natural produce; **in ~** in kind

Na·tu·ra·lis·mus <-> [natura'lɪsmʊs] *m kein pl* naturalism *no pl*

Na·tu·ra·list(in) <-en, -en> [natura'lɪst, *pl* -lɪsdn̩] *m(f)* KUNST naturalist

na·tu·ra·lis·tisch *adj* ❶ (*geh: wirklichkeitsgetreu*) naturalistic ❷ KUNST naturalist

Na·tur·denk·mal *nt* natural monument

Na·tu·rell <-s, -e> [natu'rɛl] *nt* (*geh*) temperament

Na·tur·er·eig·nis *nt* natural phenomenon **na·tur·far·ben** *adj* natural-coloured **Na·tur·fa·ser** *f* natural fibre **Na·tur·for·scher(in)** *m(f)* natural scientist **Na·tur·freund(in)** *m(f)* nature lover **na·tur·ge·mäß** I. *adj* natural II. *adv* ❶ (*natürlich*) naturally ❷ (*der Natur entsprechend*) in accordance with nature **Na·tur·ge·setz** *nt* law of nature **na·tur·ge·treu** *adj* true to life **Na·tur·heil·kun·de** *f* natural healing **Na·tur·heil·mit·tel** *nt* natural medicine **Na·tur·ka·ta·stro·phe** *f* natural disaster **Na·tur·kost** *f kein pl* natural food *no pl* **Na·tur·kost·la·den** *m* natural

food[stuffs *npl*] shop **Na·tur·kreis·lauf** *m* natural cycle **Na·tur·kun·de** *f* SCH (*veraltet*) natural history

na·tür·lich [na'ty:ɐlɪç] I. *adj* natural II. *adv* ❶ (*selbstverständlich*) naturally, of course; **~!** of course! ❷ (*in der Natur*) naturally

Na·tür·lich·keit <-> *f kein pl* naturalness *no pl*

Na·tur·park *m* national park **Na·tur·pro·dukt** *nt* natural product **Na·tur·schutz** *m* [nature] conservation; **unter ~ stehen** to be under conservation **Na·tur·schutz·ge·biet** *nt* nature reserve **Na·tur·ta·lent** *nt* natural talent **na·tur·ver·bun·den** *adj* nature-loving **na·tur·ver·träg·lich** *adj* ecofriendly **Na·tur·volk** *nt* primitive people **Na·tur·wis·sen·schaft** *f* ❶ (*Wissenschaft*) natural sciences *pl* ❷ (*Fach der ~*) natural science **Na·tur·wis·sen·schaft·ler(in)** *m(f)* natural scientist **na·tur·wüch·sig** [na'tu:ɐvy:ksɪç] *adj* natural

Nau·tik <-> ['naʊtɪk] *f kein pl* ❶ (*Schifffahrtskunde*) nautical science ❷ (*Navigation*) navigation *no pl*

nau·tisch ['naʊtɪʃ] *adj* nautical

Na·vi·ga·ti·on <-> [naviga'tsi̯o:n] *f kein pl* navigation *no pl*

Na·vi·ga·tor, -to·rin <-s, -en> [navi'ga:to:ɐ, -'to:rɪn, *pl* -'to:rən] *m, f* navigator, navigation officer

na·vi·gie·ren* [navi'gi:rən] I. *vi* to navigate (**nach** +*dat* according to) II. *vt* ■**etw ~** to navigate sth

Na·vi-Sys·tem, Na·vi·sys·tem *nt* TECH (*fam*) satnav *fam,* sat nav *fam*

Na·zi <-s, -s> ['na:tsi] *m* Nazi

Na·zis·mus <-> [na'tsɪsmʊs] *m kein pl* HIST Nazism

NC <-[s], -s> [ɛn'tse:] *m Abk von* **Numerus clausus** numerus clausus

n. Chr. *Abk von* **nach Christus** AD

ne ['ne:] *adv* (*fam*) no

'ne ['nə] *art indef* (*fam*) *kurz für* **eine** a

Ne·an·der·ta·ler <-s, -> [ne'andeta:le] *m* Neanderthal man

Ne·a·pel <-s> [ne'a:pl̩] *nt* Naples

Ne·bel <-s, -> ['ne:bl̩] *m* ❶ METEO fog; **bei ~** in foggy conditions ❷ ASTRON nebula

ne·be·lig ['ne:bəlɪç] *adj* foggy

Ne·bel·schein·wer·fer *m* fog-light **Ne·bel·schwa·den** *pl* wafts of mist *pl*

ne·ben ['ne:bn̩] *präp* ❶ +*akk, dat* (*an der Seite*) beside, next to ❷ +*dat* (*außer*) apart from ❸ +*dat* (*verglichen mit*) ■**~ jdm/ etw** compared with [*or* to]

ne·ben·an [ne:bn̩'ʔan] *adv* (*unmittelbar daneben*) next-door

Ne·ben·an·schluss^{RR} *m* TELEK extension
Ne·ben·be·deu·tung *f* secondary meaning
ne·ben·bei [neːbn̩ˈbaɪ] *adv* ❶ (*neben der Arbeit*) on the side ❷ (*beiläufig*) incidentally; ~ [**bemerkt**] by the way
Ne·ben·be·mer·kung *f* incidental remark
Ne·ben·be·ruf *m* second job **ne·ben·be·ruf·lich** I. *adj* **eine ~e Tätigkeit** a second job II. *adv* as a second job **Ne·ben·be·schäf·ti·gung** *f* sideline **Ne·ben·buh·ler(in)** <-s, -> *m(f)* rival
ne·ben·ein·an·der [neːbn̩ʔaɪˈnandɐ] *adv* ❶ (*Seite an Seite*) side by side ❷ (*zugleich*) simultaneously, at the same time **ne·ben·ein·an·der|set·zen** *vt* ■ **sich ~** to sit [down] next to each other
Ne·ben·ein·gang *m* side entrance **Ne·ben·er·schei·nung** *f* side effect **Ne·ben·fach** *nt* subsidiary [subject] **Ne·ben·fluss**^{RR} *m* tributary **Ne·ben·ge·bäu·de** *nt* ❶ (*untergeordneter Bau*) outbuilding ❷ (*benachbartes Gebäude*) neighbouring building **Ne·ben·ge·räusch** *nt* [background] noise **Ne·ben·hand·lung** *f* subplot
ne·ben·her [neːbn̩ˈheːɐ̯] *adv* in addition **Ne·ben·ho·den** *m meist pl* epididymis **Ne·ben·höh·le** *f* ANAT sinus **Ne·ben·job** [-dʒɔp] *m* (*fam*) *s.* **Nebenbeschäftigung Ne·ben·kla·ge** *f* ancillary suit **Ne·ben·klä·ger(in)** *m(f)* joint plaintiff **Ne·ben·kos·ten** *pl* ❶ (*zusätzliche Kosten*) additional costs *pl* ❷ (*Betriebskosten*) running costs *pl* **Ne·ben·mann** <-es, -männer *o* -leute> *m* neighbour **Ne·ben·pro·dukt** *nt* CHEM by-product **Ne·ben·raum** *m* ❶ (*Raum nebenan*) next room ❷ (*kleiner, nicht als Wohnraum genutzter Raum*) storage room **Ne·ben·rol·le** *f* FILM, THEAT supporting role **Ne·ben·sa·che** *f* trivial matter; ~ **sein** to be irrelevant
ne·ben·säch·lich *adj* irrelevant **Ne·ben·säch·lich·keit** <-, -en> *f* triviality
Ne·ben·sai·son *f* off-season **Ne·ben·satz** *m* LING subordinate clause ▶ **im ~** in passing **Ne·ben·stra·ße** *f* side street **Ne·ben·ver·dienst** *m* additional income **Ne·ben·wir·kung** *f* side effect **Ne·ben·zim·mer** *nt* next room
ne·blig [ˈneːblɪç] *adj s.* **neb(e)lig**
nebst [ˈneːpst] *präp +dat* (*veraltend*) together with
ne·bu·lös [nebuˈløːs] I. *adj* (*geh*) nebulous II. *adv* vaguely
Ne·ces·saire <-s, -s> [nesɛˈsɛːɐ̯] *nt* ❶ (*Kulturbeutel*) vanity bag ❷ (*Nagel~*) manicure set

ne·cken [ˈnɛkn̩] *vt* to tease
ne·ckisch *adj* ❶ (*schelmisch*) mischievous ❷ (*fam: kess*) saucy
nee [ˈneː] *adv* (*fam*) no
Nef·fe <-n, -n> [ˈnɛfə] *m* nephew
ne·ga·tiv [ˈneːgatiːf] I. *adj* negative II. *adv* negatively
Ne·ga·tiv <-s, -e> [ˈneːgatiːf, *pl* ˈneːgatiːvə] *nt* negative
Ne·ger(in) <-s, -> [ˈneːgɐ] *m(f)* (*pej*) nigger
Ne·ger·kuss^{RR} *m* (*veraltend*) chocolate marshmallow
ne·gie·ren* [neˈgiːrən] *vt* ❶ (*geh: leugnen*) to deny ❷ LING to negate
ne·gro·id [negroˈiːt] *adj* negroid
neh·men <nahm, genommen> [ˈneːmən] *vt* ❶ (*ergreifen*) to take ❷ (*wegnehmen*) ■ **|jdm| etw ~** to take sth [away] [from sb] ❸ (*verwenden*) *Milch, Zucker* to take; *Pfeffer, Salz* to use; **davon braucht man nur ganz wenig zu ~** you only need to use a small amount ❹ (*annehmen*) to accept ❺ (*verlangen*) to ask (**für** for); **was nimmst du dafür?** what do you want for it? ❻ (*wählen*) to take ❼ TRANSP to take; **heute ~ ich lieber den Bus** I'll take the bus today ❽ (*einnehmen*) to take; **etw zu sich** *dat* ~ (*geh*) to partake of sth ❾ (*vergehen lassen*) **jdm die Furcht/die Bedenken/die Hoffnung/den Spaß ~** to take away sb's fear/doubts/hope/fun ❿ (*überwinden*) to overcome ▶ **etw auf sich ~** to take sth upon oneself; **jdn ~, wie er ist** to take sb as he is; **etw nehmen, wie es kommt** to take sth as it comes; **sich** *dat* **etw nicht ~ lassen** to not be robbed of sth; **es sich** *dat* **nicht ~ lassen, etw zu tun** to insist on doing sth; **woher ~ und nicht stehlen?** (*fam*) where on earth is one going to get that from?; **jdn zu ~ wissen** to know how to take sb
Neid <-[e]s> [ˈnaɪt] *m kein pl* jealousy, envy (**auf** of); **|jds| ~ erregen** to make sb jealous; **grün vor ~** green with envy; **vor ~ platzen können** to go green with envy ▶ **das muss jdm der ~ lassen** (*fam*) you've got to hand it to sb
nei·den [ˈnaɪdn̩] *vt* ■ **jdm etw ~** to envy sb [for] sth
Nei·der(in) <-s, -> *m(f)* jealous person
neid·er·füllt [ˈnaɪdɛɐ̯fʏlt] I. *adj* (*geh*) filled with envy II. *adv* enviously
Nei·de·rin <-, -nen> *f fem form von* **Nei·der Neid·ham·mel** *m* (*fam*) **du alter ~!** you're just jealous!
nei·disch [ˈnaɪdɪʃ], **nei·dig** [ˈnaɪdɪç] SÜDD,

ÖSTERR I. *adj* jealous, envious II. *adv* jealously, enviously

neid·los I. *adj* unbegrudging II. *adv* unbegrudgingly

Nei·ge <-, -n> ['najgə] *f* (*Flüssigkeitsrest*) remains; **etw bis zur ~ leeren** to drain sth to the dregs ▶ **zur ~ gehen** (*geh*) to draw to an end

nei·gen ['najgn] I. *vr* ❶ (*sich beugen*) ■**sich zu jdm ~** to lean over to sb; **sich nach hinten/vorne/rechts/zur Seite ~** to lean backwards/forwards/to the right/to the side ❷ (*schräg abfallen*) ■**etw neigt sich** sth slopes ❸ (*geh: sich niederbeugen*) to bow down ❹ (*kippen*) ■**sich ~** to tilt II. *vt* ❶ (*beugen*) to bend ❷ (*geh: kippen*) to tilt III. *vi* ❶ (*anfällig für etw sein*) ■**zu etw** *dat* ~ to be prone to sth ❷ (*tendieren*) ■**zu etw** *dat* ~ to tend to sth; **du neigst zu Übertreibungen** you tend to exaggerate

Nei·gung <-, -en> *f* ❶ (*Vorliebe*) inclination ❷ (*Zuneigung*) affection ❸ (*Tendenz*) tendency; **du hast eine ~ zur Ungeduld** you have a tendency to be impatient ❹ (*Gefälle*) slope ❺ BAU pitch

Nei·gungs·win·kel *m* angle of inclination

nein ['najn] *adv* ❶ (*Negation*) no; **o ~!** certainly not! ❷ (*sogar*) no ❸ *fragend* **du wirst dem Kerl doch nicht helfen, ~?** you won't help this guy, will you? ❹ (*ach*) well; **~, wen haben wir denn da?** well, who have we got here then? ▶ **~, so was!** oh no!

Nein <-s> ['najn] *nt kein pl* no

Nein·sa·ger(in) <-s, -> [-za:gɐ] *m(f)* person who always says no **Nein·stim·me** *f* no[-vote]

Nek·tar <-s, -e> ['nɛktar] *m* nectar

Nek·ta·ri·ne <-, -n> [nɛkta'ri:nə] *f* nectarine

Nel·ke <-, -n> ['nɛlkə] *f* ❶ BOT carnation ❷ KOCHK clove

'nen ['nən] *art indef* (*fam*) *kurz für* **einen** a

nen·nen <nannte, genannt> ['nɛnən] I. *vt* ❶ (*benennen, anreden*) to call ❷ (*bezeichnen*) to call; **wie nennt man das?** what do you call that? [*or* is that called?] ❸ (*mitteilen*) **ich nenne Ihnen einige Namen** I'll give you a few names; **können Sie mir einen guten Anwalt ~?** can you give me the name of a good lawyer?; **das genannte Restaurant ...** the restaurant mentioned ... ▶ **das nenne ich ...** I call that ... II. *vr* (*heißen*) ■**sich ~** to call oneself ▶ **und so was nennt sich ...!** (*fam*) and they call that a ...!; **du bist gemein! und so was nennt sich Freundin!** you're mean! and you call yourself a friend!

nen·nens·wert *adj* considerable; ■**etwas/nichts Nennenswertes** sth/nothing worth mentioning

Nen·ner <-s, -> *m* MATH denominator; **der kleinste gemeinsame ~** the lowest common denominator

Nen·nung <-, -en> *f* naming

Nenn·wert *m* ❶ BÖRSE nominal value ❷ FIN (*von Währung*) denomination

Neo·fa·schis·mus <-> ['ne:ofaʃɪsmʊs] *m kein pl* neo-fascism *no pl*

Neo·lo·gis·mus <-, -gismen> [neolo'ɡɪsmʊs, *pl* -'ɡɪsmən] *m* neologism

Ne·on <-s> ['ne:ɔn] *nt kein pl* neon *no pl*

Neo·na·zi <-s, -s> ['ne:ona:tsi] *m kurz für* **Neonazist** neo-Nazi

Ne·on·licht *nt* neon light **Ne·on·re·kla·me** *f* neon sign **Ne·on·röh·re** *f* strip light

Ne·pal <-s> ['ne:pal, ne'pa:l] *nt* Nepal; *s. a.* **Deutschland**

Ne·pa·le·se, **Ne·pa·le·sin** <-n, -n> [nepa'le:zə, nepa:'le:zɪn] *m, f,* **Nepaler(in)** <-s, -> ['ne:pa:lɐ] *m(f)* Nepalese; *s. a.* **Deutsche(r)**

ne·pa·le·sisch [nepa'le:zɪʃ] *adj* Nepalese; *s. a.* **deutsch**

Nepp <-s> ['nɛp] *m kein pl* (*fam*) rip-off **nep·pen** ['nɛpn̩] *vt* (*fam*) ■**jdn ~** to rip sb off

Nep·tun <-s> [nɛp'tu:n] *m* Neptune; ■**der ~** Neptune

Nerv <-s *o* -en, -en> ['nɛrf, *pl* 'nɛrfn̩] *m* ANAT nerve ▶ **die ~en behalten** to keep calm; **~en wie Drahtseile haben** (*fam*) to have nerves of steel; **jdm auf die ~en gehen** (*fam*) to get on sb's nerves; **gute/schlechte ~en haben** to have strong/bad nerves; **du hast vielleicht ~en!** you've got a nerve!

ner·ven ['nɛrfn̩] *vt, vi* (*fam*) to irritate

Ner·ven·arzt, -ärz·tin *m, f* neurologist **ner·ven·auf·rei·bend** *adj* nerve-racking **Ner·ven·be·las·tung** *f* nervous strain **Ner·ven·bün·del** *nt* (*fam*) bundle of nerves **Ner·ven·gas** *nt* nerve gas **Ner·ven·heil·an·stalt** *f* (*veraltend*) mental hospital **Ner·ven·kit·zel** <-s, -> *m* (*fam*) thrill **Ner·ven·kos·tüm** *nt* (*fam*) nerves *pl* **Ner·ven·krank·heit** *f* (*physisch*) disease of the nervous system; (*psychisch*) mental illness **Ner·ven·krieg** *m* war of nerves **Ner·ven·nah·rung** *f* food for the nerves **Ner·ven·pro·be** *f* trial of nerves **Ner·ven·sa·che** *f* [eine/reine] ~ **sein** (*fam*) to be all a question of nerves **Ner·ven·sä·ge** *f* (*fam*) pain in the neck **Ner·ven·sys·tem** *nt* nervous system

Ner·ven·zel·le *f* nerve cell **Ner·ven·zen·trum** *nt* nerve centre **Ner·ven·zu·sam·men·bruch** *m* nervous breakdown

ner·vig ['nɛrfɪç] *adj* ❶ (*sl: nervenaufreibend*) irritating ❷ (*veraltend geh*) wiry

nerv·lich I. *adj* nervous *attr* **II.** *adv* ❶ (*psychisch*) **jd ist ~ erschöpft/belastet** sb's nerves are at a breaking point/strained ❷ (*in der psychischen Verfassung*) **~ bedingt** nervous

ner·vös [nɛr'vøːs] *adj* nervous; ■**~ sein/werden** to be/become nervous

Ner·vo·si·tät <-> [nɛrvozi'tɛːt] *f kein pl* nervousness

nerv·tö·tend ['nɛrftøːtənt] *adj* (*fam*) nerve-racking

Nerz <-es, -e> ['nɛrts] *m* mink

Nes·sel[1] <-, -n> ['nɛsl] *f* BOT nettle ▶ **sich in die ~n setzen** (*fam*) to put one's foot in it

Nes·sel[2] <-s, -> ['nɛsl] *m* MODE untreated cotton

Nes·ses·sär <-s, -s> [nɛsɛ'sɛːɐ̯] *nt* ❶ (*Kulturbeutel*) vanity bag ❷ (*Nagel~*) manicure set

Nest <-[e]s, -er> ['nɛst] *nt* ❶ (*Brutstätte*) *a.* ORN nest ❷ (*fam: Kaff*) hole ▶ **das eigene ~ beschmutzen** to foul one's own nest; **sich ins gemachte ~ setzen** (*fam*) to have got it made

Nest·be·schmut·zung *f* fouling one's own nest **Nest·häk·chen** <-s, -> *nt* (*fam*) baby of the family **Nest·wär·me** *f* warmth and security

Ne·ti·quet·te <-, -n> [nɛti'kɛtə] *f* netiquette

nett ['nɛt] *adj* ❶ (*liebenswert*) nice; **sei so ~ und ...** would you mind ...; **er war so nett und hat mich nach Hause gebracht** he was so kind as to take me home ❷ (*angenehm*) nice ❸ (*beträchtlich*) nice; **ein ~es Sümmchen** a tidy sum [of money] ❹ (*iron fam: unerfreulich*) nice; **das sind ja ~e Aussichten!** what a nice prospect!

net·ter·wei·se [nɛtɐ'vaɪzə] *adv* kindly

Net·tig·keit <-, -en> ['nɛtɪçkaɪt] *f* ❶ *kein pl* (*Liebenswürdigkeit*) kindness ❷ (*liebenswürdige Bemerkung*) kind words *pl* ❸ *pl* (*iron fam: boshafte Bemerkung*) insult

net·to ['nɛto] *adv* net

Net·to·ein·kom·men *nt* net income **Net·to·ge·wicht** *nt* net weight

Netz <-es, -e> ['nɛts] *nt* ❶ (*Fischnetz*) net ❷ (*Einkaufs~*) string bag; (*Gepäck~*) [luggage] rack; (*Haar~*) hair net ❸ SPORT net; **ins ~ gehen** to go into the net; *Tennisball*

to hit the net ❹ (*Spinnen~*) web ❺ ELEK, TELEK network; (*Strom*) [national] grid [*or* AM power supply system] ❻ *kein pl* INFORM network; ■**das ~** the Net ❼ TRANSP system ▶ **jdm ins ~ gehen** to fall into sb's trap; **das soziale ~** the social net

Netz·an·schluss[RR] *m* ❶ (*Anschluss an das Stromnetz*) mains *npl* [*or* AM power] supply ❷ (*Anschluss an ein Kommunikationsnetz*) telephone line connection

netz·ar·tig *adj* netlike

Netz·au·ge *nt* compound eye **Netz·gerät** *nt* mains receiver BRIT, power supply unit AM **Netz·haut** *f* retina **Netzhemd** *nt* string vest **Netz·ste·cker** *m* mains *npl* [*or* AM power] plug **Netzstrumpf** *m* fish-net stocking

Netz·werk *nt* ❶ (*engverbundenes System*) network ❷ INFORM network

Netz·wer·ker(in) *m(f)* SOZIOL (*fam*) networker

neu ['nɔy] **I.** *adj* ❶ (*gerade produziert/erworben/vorhanden*) new; **das ist die ~e/~este Mode!** it's the new/latest fashion!; ■**etwas/nichts Neues** something/nothing new; ■**der/die Neue** the newcomer; **ein ~eres System** a more up to date system; ■**das N~este** the latest [thing]; ■**jdm ~ sein** to be news to sb; **was gibt's Neues?** (*fam*) what's new?; **seit ~[e]stem** [since] recently; **von ~em** all over again ❷ (*frisch*) fresh ❸ (*abermalig*) new; **einen ~en Anfang machen** to make a fresh start; **einen ~en Anlauf nehmen** to have another go; **einen ~en Versuch machen** to have another try ▶ **auf ein N~es!** here's to a fresh start!; (*Neujahr*) here's to the New Year! **II.** *adv* ❶ (*von vorn*) **~ bearbeitet** MEDIA revised; **~ anfangen** to start all over again; **etw ~ gestalten** to redesign ❷ (*zusätzlich*) anew; **die Firma will 33 Mitarbeiter ~ einstellen** the firm wants to employ 33 new employees ❸ (*erneut*) again ❹ (*seit kurzem da*) **~ entwickelt** newly-developed; **~ eröffnet** newly opened; (*erneut eröffnet*) re-opened ▶ **wie ~ geboren** like a new man/woman

Neu·an·kömm·ling <-s, -e> *m* newcomer **Neu·an·schaf·fung** *f* ❶ (*Anschaffung von etw Neuem*) new acquisition ❷ (*neu Angeschafftes*) recent acquisition

neu·ar·tig ['nɔy?aːɐ̯tɪç] *adj* ❶ (*von neuer Art*) new ❷ (*nach neuer Methode*) new type of

Neu·ar·tig·keit <-> *f kein pl* novelty **Neu·auf·la·ge** *f* ❶ *kein pl* (*Neuausgabe*) new edition ❷ (*Nachdruck*) reprint **Neu·**

bau <-bauten> ['nɔybau̯, pl -bau̯tn̩] m ❶ *kein pl (die neue Errichtung)* [new] building ❷ *(neu erbautes Gebäude)* new building **Neu·bau·ge·biet** nt development area; *(schon bebaut)* area of new housing **Neu·bau·woh·nung** f newly-built flat [*or* Am *also* apartment] **Neu·be·ar·bei·tung** f ❶ MEDIA *(erneutes Bearbeiten)* revision ❷ MEDIA *(revidierte Fassung)* revised edition ❸ MUS, THEAT new version **Neu·be·ginn** m new beginning **Neu·be·wer·tung** f re-assessment; ÖKON revaluation **Neu·bil·dung** f ❶ *(Umbildung)* reshuffle ❷ LING neologism ❸ MED neoplasm **Neu-De·lhi** <-s> [nɔy'de:li] nt New Delhi **Neu·ein·stel·lung** f ❶ *eines Videorekorders, Computers etc.* resetting, retuning ❷ *eines Arbeitnehmers* new appointment, hiring **Neu·ent·wick·lung** f new development

neu·er·dings ['nɔye̯dɪŋs] adv recently
neu·er·lich ['nɔyeʰlɪç] I. adj further II. adv *(selten)* again
Neu·er·öff·nung f ❶ *(neue Eröffnung)* new opening ❷ *(Wiedereröffnung)* re-opening **Neu·er·schei·nung** f new publication
Neu·e·rung <-, -en> ['nɔyərʊŋ] f reform
Neu·fas·sung f ❶ *kein pl (Vorgang)* revising; *eines Films* remaking ❷ *(Ergebnis des Vorgangs)* new version; *eines Films* remake
Neu·fund·land [nɔy'fʊntlant] nt Newfoundland
neu·ge·bo·ren adj newly born; **wie ~** like a new man/woman **Neu·ge·bo·re·ne(s)** nt newborn
Neu·gier(·de) <-> ['nɔygi:ɐ̯(də)] f kein pl curiosity
neu·gie·rig I. adj ❶ *(auf Informationen erpicht)* curious; **sei nicht so ~!** don't be so nosey! ❷ *(gespannt)* ◼~ **sein, ob/wie ...** to be curious to know, whether/how ... II. adv curiously
Neu·gui·nea <-s> [-gi'ne:a] nt New Guinea
Neu·hei·de, -hei·din m, f REL Druid
Neu·heit <-, -en> ['nɔyhai̯t] f ❶ *(Neusein)* novelty ❷ ÖKON innovation
Neu·ig·keit <-, -en> ['nɔyɪçkai̯t] f news
Neu·ins·ze·nie·rung f new production **Neu·jahr** nt kein pl *(der erste Januar)* New Year ▶ **prost ~!** here's to the New Year! **Neu·jahrs·tag** m New Year's Day
Neu·ka·le·do·ni·en <-s> [nɔyka·le'do:nɪ̯ən] nt New Caledonia
Neu·land nt kein pl AGR uncultivated land ▶~ **betreten** to enter unknown territory

neu·lich ['nɔylɪç] adv the other day
Neu·ling <-s, -e> ['nɔylɪŋ] m beginner
neu·mo·disch I. adj ❶ *(sehr modern)* fashionable ❷ *(pej: unverständlich neu)* new-fangled II. adv fashionably
Neu·mond m kein pl new moon
neun ['nɔyn] adj nine; s. a. **acht**[1]
Neun <-, -en> ['nɔyn] f nine
Neun·au·ge ['nɔyn?au̯gə] nt ZOOL lamprey
neu·ner·lei ['nɔyn?ɐ'lai̯] adj attr nine [different]; s. a. **achterlei**

neun·fach, 9·fach ['nɔynfax] I. adj ninefold; **die ~e Menge** nine times the amount; s. a. **achtfach** II. adv ninefold, nine times over; s. a. **achtfach neun·hun·dert** ['nɔyn'hʊndɐt] adj nine hundred **neun·mal** ['nɔynma:l] adv nine times **neun·mal·klug** ['nɔynma:lklu:k] adj *(iron fam)* smart-aleck attr **neun·tau·send** ['nɔyn'tau̯znt] adj ❶ *(Zahl)* nine thousand ❷ *(fam: Geld)* nine grand no pl
neun·te(r, s) ['nɔyntə(e̯, s)] adj ❶ *(nach dem achten kommend)* ninth; **die ~ Klasse** fourth year [*or* Am grade] *(secondary school)*; s. a. **achte(r, s)** 1 ❷ *(Datum)* ninth, 9th; s. a. **achte(r, s)** 2
neun·tel ['nɔyntl̩] nt ninth
Neun·tel <-s, -> ['nɔyntl̩] nt ninth
neun·tens ['nɔyntəns] adv ninthly
neun·zehn ['nɔyntse:n] adj nineteen; s. a. **acht**[1]
neunzehnte(r, s) adj nineteenth; s. a. **achte(r, s)**
neun·zig ['nɔyntsɪç] adj ninety; s. a. **achtzig** 1, 2
neun·zig·ste(r, s) ['nɔyntsɪgstə] adj ninetieth; s. a. **achte(r, s)**
Neu·ord·nung f reform **Neu·ori·en·tie·rung** f *(geh)* reorientation
Neu·ral·gie <-, -n> [nɔyral'gi:, pl nɔyral'gi:ən] f neuralgia
neur·al·gisch [nɔy'ralgɪʃ] adj ❶ MED neuralgic ❷ *(geh: störungsanfällig)* **ein ~er Punkt** a trouble spot
Neu·re·ge·lung f, **Neu·reg·lung** f revision; *Verkehr, Ampelphasen* new scheme
neu·reich adj nouveau riche **Neu·rei·che(r)** f(m) nouveau riche **Neu·ro·chir·urg(in)** m(f) neurosurgeon
Neu·ro·chir·ur·gie ['nɔyroçirʊrgi:] f neurosurgery
Neu·ro·der·mi·tis <-, dermitiden> [nɔyrodɛr'mi:tɪs] f neurodermatitis
Neu·ro·lo·ge, -lo·gin <-n, -en> [nɔyro'lo:gə, -'lo:gɪn] m, f neurologist
neu·ro·lo·gisch [nɔyro'lo:gɪʃ] adj neurological
Neu·ron <-s, -ronen> ['nɔyrɔn, pl

nɔy'ro:nən] *nt* neuron

Neu·ro·se <-, -n> [nɔy'ro:zə] *f* neurosis

Neu·ro·ti·ker(in) <-s, -> [nɔy'ro:tikɐ] *m(f)* neurotic

neu·ro·tisch [nɔy'ro:tɪʃ] *adj* neurotic

Neu·schnee *m* fresh snow

Neu·see·land [nɔy'ze:lant] *nt* New Zealand; *s. a.* **Deutschland**

Neu·see·län·der(in) <-s, -> [nɔy'ze:lɛn·dɐ] *m(f)* New Zealander; *s. a.* **Deutsche(r)**

neu·see·län·disch [nɔy'ze:lɛndɪʃ] *adj* New Zealand *attr*, from New Zealand *pred*

Neu·start *m* new start

Neu·tra ['nɔytra] *pl von* **Neutrum**

neu·tral [nɔy'tra:l] *adj, adv* neutral

neu·tra·li·sie·ren* [nɔytrali'zi:rən] *vt* to neutralize

Neu·tra·li·sie·rung <-, -en> *f* POL, CHEM neutralization

Neu·tra·li·tät <-> [nɔytrali'tɛ:t] *f kein pl* neutrality *no pl*

Neu·tren ['nɔytrən] *pl von* **Neutrum**

Neu·tron <-s, -tronen> ['nɔytrɔn, *pl* nɔy'tro:nən] *nt* neutron

Neu·tro·nen·bom·be *f* neutron bomb

Neu·trum <-s, Neutra *o* Neutren> ['nɔy·trʊm, *pl* 'nɔytra, 'nɔytrən] *nt* LING neuter

Neu·ver·schul·dung *f* new borrowing

Neu·wahl *f* re-election **neu·wer·tig** *adj* as new **Neu·zeit** *f kein pl* ◼ **die ~** modern times *pl*

neu·zeit·lich I. *adj* ➊ (*der Neuzeit zugehö·rig*) of modern times, of the modern age [*or* era] *pred* ➋ (*modern*) modern II. *adv* (*modern*) modern

News·group <-, -s> ['nju:zgru:p] *f* newsgroup

Ni·ca·ra·gua <-s> [nika'ra:gu̯a] *nt* Nicaragua; *s. a.* **Deutschland**

Ni·ca·ra·gu·a·ner(in) <-s, -> [nika·ra'gu̯a:nɐ] *m(f)* Nicaraguan; *s. a.* **Deutsche(r)**

ni·ca·ra·gu·a·nisch [nikara'gu̯a:nɪʃ] *adj* Nicaraguan; *s. a.* **deutsch**

nicht [nɪçt] I. *adv* ➊ (*Verneinung*) not; **ich weiß ~** I don't know; **ich bin es ~ gewesen** it wasn't me; **nein, danke, ich rauche ~** no thank you, I don't smoke; **~ öffentlich** *attr* not open to the public *pred;* **~ rostend** non-rusting; **~ [ein]mal** not even; **~ mehr** not any longer; **~ mehr als** no more than; **jedes andere Hemd, aber das bitte ~** any other shirt, just not that one; **bitte ~!** please don't!; **~ doch!** stop it!; **~ eine(r]** not one; **~! don't!** ➋ (*ver·neinende Aufforderung*) do not, don't II. *part* ➊ *in Fragen* (*stimmt's?*) isn't that

right; **sie schuldet dir doch noch Geld, ~?** she still owes you money, doesn't she? ➋ *in Fragen* (*wohl*) not; **kannst du mir ~ 1.000 Euro leihen?** could you not lend me 1,000 euros?

Nicht·ach·tung *f* disregard; **~ des Gerichts** JUR contempt of court **Nicht·an·er·ken·nung** *f* ➊ POL non-recognition *no pl* ➋ JUR repudiation **Nicht·an·griffs·pakt** [nɪçt'?angrɪfs‚pakt] *m* non-aggression pact **Nicht·be·ach·tung** *f*, **Nicht·be·fol·gung** *f* JUR non-compliance

Nich·te <-, -n> ['nɪçtə] *f* niece

nicht·ehe·lich *adj* illegitimate **Nicht·ein·hal·tung** *f kein pl* JUR non-compliance *no pl* **Nicht·er·schei·nen** <-s> *nt kein pl* failure to appear **Nicht·eu·ro·pä·er(in)** *m(f)* non-European

nich·tig ['nɪçtɪç] *adj* ➊ JUR (*ungültig*) invalid ➋ (*geh: belanglos*) trivial

Nich·tig·keit <-, -en> *f* ➊ *kein pl* JUR (*Ungültigkeit*) invalidity ➋ *meist pl* (*geh*) triviality

Nicht·lei·ter *m* non-conductor **Nicht·mit·glied** *nt* non-member **Nicht·rau·cher(in)** *m(f)* non-smoker **Nicht·rau·cher·ab·teil** *nt* BAHN non-smoking area [*or* compartment] **Nicht·rau·che·rin** <-, -nen> *f fem form von* **Nichtraucher**

nicht·ros·tend [-rɔstn̩d] *adj attr* (*fachspr*) *Stahl* stainless

nichts ['nɪçts] *pron indef* ➊ (*nicht etwas*) not anything; **es ist ~** it's nothing; **~ als ...** (*nur*) nothing but; **~ mehr** nothing more; **~ wie raus!** let's get out!; **~ sagend** meaningless; **damit will ich ~ zu tun haben** I don't want anything to do with it; **das geht Sie ~ an!** that's none of your business! ➋ *vor substantiviertem adj* nothing; **~ anderes** [*als ...*] nothing other than ...; **hoffentlich ist es ~ Ernstes** I hope it's nothing serious ▸ **~ da!** (*fam*) no chance!; **für ~** for nothing; **für ~ und wieder ~** (*fam*) for nothing [at all]

Nichts <-, -e> ['nɪçts] *nt* ➊ *kein pl* (*Nicht·sein*) ◼ **das/ein ~** nothingness *no pl* ➋ (*leerer Raum*) void ➌ (*Nullmenge*) nothing; **aus dem ~** out of nothing; **aus dem ~ auftauchen** to show up from out of nowhere ➍ (*unbedeutender Mensch*) ◼ **ein ~** a nonentity ▸ **vor dem ~ stehen** to be left with nothing

Nicht·schwim·mer(in) *m(f)* non-swimmer

nichts·des·to·trotz [nɪçtsdɛsto'trɔts] *adv* nonetheless ▸ **aber ~, ...** but nevertheless, ...

nichts·des·to·we·ni·ger [nɪçtsdɛsto've:-

nɪgə] *adv* nevertheless

Nichts·nutz <-es, -e> ['nɪçtsnʊts] *m* (*pej*) good-for-nothing

nichts·nut·zig *adj* (*pej*) useless

Nichts·tun *nt* ❶ (*das Faulenzen*) idleness *no pl* ❷ (*Untätigkeit*) inactivity *no pl*

nichts·wür·dig <-er, -ste> *adj* (*geh*) despicable; *Tat a.* base

Nicht·wäh·ler(in) *m(f)* non-voter **Nicht·zah·lung** *f* non-payment

Ni·ckel <-s> ['nɪkl̩] *nt kein pl* nickel *no pl*

ni·cken ['nɪkn̩] *vi* ❶ (*mit dem Kopf nicken*) to nod; **zustimmend ~** to nod in agreement ❷ (*fam: schlafen*) to nod [off]

Ni·cker·chen <-s> ['nɪkeçən] *nt kein pl* (*fam*) nap; **ein ~ machen** to take a nap

nie ['niː] *adv* ❶ (*zu keinem Zeitpunkt*) never; **~ mehr** never again; **einmal und ~ wieder** once and never again; **das hätte ich ~ im Leben gedacht** I never would have thought so; **~ und nimmer** never ever ❷ (*bestimmt nicht*) never

nie·der ['niːdɐ] *adv* down

nie·der|beu·gen *vr* ■ **sich** [**zu jdm/ etw**] **~** to bend down [to sb/sth] **nie·der|bren·nen** *irreg* I. *vi sein* to burn down II. *vt haben* ■ **etw ~** to burn down sth *sep* **nie·der·deutsch** ['niːdɐdɔytʃ] *adj* Low German **nie·der|drü·cken** *vt* (*geh*) ❶ (*herunterdrücken*) ■ **etw ~** to press [*or* push] down sth *sep* ❷ (*deprimieren*) ■ **jdn ~** to depress sb, to make sb feel down; ■ **~d** depressing **Nie·der·fre·quenz** *f* low frequency **Nie·der·ge·drückt** <-[e]s> *m kein pl* decline **nie·der·ge·drückt** *adj s.* **niedergeschlagen nie·der·ge·las·sen** [-ɡələsn̩] *adj* SCHWEIZ resident **nie·der·ge·schla·gen** [-ɡəʃlaːɡn̩] *adj* downcast **Nie·der·ge·schla·gen·heit** <-> *f kein pl* despondency *no pl* **nie·der|kni·en** I. *vi sein* to kneel [down] II. *vr haben* ■ **sich ~** to kneel [down] (**vor** before) **nie·der|kom·men** *vi irreg sein* (*veraltend geh*) ■ **mit jdm ~** to be delivered of sb

Nie·der·la·ge *f* defeat

Nie·der·lan·de ['niːdɐlandə] *pl* ■ **die ~** the Netherlands; *s. a.* **Deutschland**

Nie·der·län·der(in) <-s, -> ['niːdɐlɛndɐ] *m(f)* Dutchman *masc*, Dutchwoman *fem*; *s. a.* **Deutsche(r)**

nie·der·län·disch ['niːdɐlɛndɪʃ] *adj* ❶ (*zu den Niederlanden gehörend*) Dutch ❷ (*die niederländische Sprache*) Dutch; *s. a.* **deutsch**

nie·der|las·sen I. *vr irreg* ❶ (*ansiedeln*) ■ **sich irgendwo ~** to settle down somewhere ❷ (*beruflich etablieren*) ■ **sich**

irgendwo ~ to establish oneself somewhere; **niedergelassener Arzt** registered doctor with their own practice ❸ (*geh: hinsetzen*) ■ **sich ~** to sit down; *Vogel* to settle II. *vt* (*veraltend*) to lower

Nie·der·las·sung <-, -en> *f* ❶ *kein pl* (*berufliche Etablierung*) establishment *no pl* ❷ (*Zweigstelle*) branch

nie·der|le·gen I. *vt* ❶ (*hinlegen*) to put down *sep* ❷ (*aufgeben*) to give up; *Amt, Mandat* to resign; *Arbeit* to stop ❸ (*geh: schlafen legen*) **ein Kind ~** to put a child to bed ❹ (*geh: schriftlich fixieren*) ■ **etw irgendwo ~** to put sth down [in writing] somewhere II. *vr* (*sich hinlegen*) ■ **sich ~** to lie down ▶ **da legst di nieder!** SÜDD (*fam*) I'll be blowed! [*or* AM damned!]

Nie·der·le·gung <-, -en> *f* ❶ (*das Hinlegen*) laying ❷ (*einer Aufgabe*) resignation (+*gen* from) ❸ (*schriftliche Fixierung*) writing down ❹ (*Deponierung*) submission

nie·der|ma·chen *vt* (*fam*) ❶ (*kaltblütig töten*) to butcher ❷ (*heruntermachen*) ■ **jdn/etw ~** to run sb/sth down *fam* **nie·der|met·zeln** *vt* ■ **jdn ~** to massacre sb **Nie·der·ös·ter·reich** ['niːdɐʔøːstəraɪç] *nt* Lower Austria **nie·der|pras·seln** *vi* to pelt [*or* rain] down **nie·der|rei·ßen** *vt irreg* to pull down *sep* **Nie·der·sach·sen** <-s> ['niːdɐzaksn̩] *nt* Lower Saxony **nie·der|schie·ßen** *irreg* I. *vt haben* to shoot down *sep* II. *vi sein* (*niederstoßen*) **der Vogel schoss auf die Beute nieder** the bird swooped down on its prey **Nie·der·schlag** *m* ❶ METEO (*Regen*) rainfall *no pl*; (*Schnee*) snowfall *no pl*; (*Hagel*) hail *no pl* ❷ CHEM sediment ❸ (*schriftlich fixierter Ausdruck*) **seinen ~ in etw** *dat* **finden** (*geh*) to find expression in sth **nie·der|schla·gen** *irreg* I. *vt* ❶ (*zu Boden schlagen*) to floor ❷ (*unterdrücken*) to crush; *Streik* to break up; *Unruhen* to suppress ❸ (*geh*) *Augen* to lower **das Verfahren ~** to quash the proceedings II. *vr* ■ **sich ~** ❶ (*kondensieren*) to condense (**an** on) ❷ CHEM (*ausfällen*) to sediment ❸ (*zum Ausdruck kommen*) to find expression (**in** in) **nie·der|schmet·tern** *vt* ■ **jdn ~** ❶ (*niederschlagen*) to send sb crashing to the ground ❷ (*fig: erschüttern*) to devastate **nie·der·schmet·ternd** ['niːdɐʃmɛtɐnt] *adj* deeply distressing; *Nachricht* devastating; **ein ~es Wahlergebnis** a crushing electoral defeat **nie·der|schrei·ben** *vt irreg* to write down *sep* **Nie·der·schrift** *f* ❶ (*Protokoll*) record ❷ *kein pl* (*das Nie-*

derschreiben) writing down **Nie·der·** **span·nung** *f* low voltage **nie·der|sto·** **ßen** *irreg* **I.** *vt haben* to knock down **II.** *vi* *sein* **der Vogel stieß auf die Beute nie·** **der** the bird swooped down on its prey

Nie·der·tracht <-> *f kein pl* ❶ (*Gesin·* *nung*) malice ❷ (*Tat*) despicable act

nie·der·träch·tig I. *adj* (*pej*) ❶ (*übelwol·* *lend*) contemptible; *Einstellung, Lüge, Person a.* despicable ❷ (*fam: stark*) *Kälte* extreme; *Schmerz a.* excruciating **II.** *adv* dreadfully

Nie·der·träch·tig·keit <-, -en> *f* ❶ (*nie·* *derträchtige Tat*) despicable act ❷ *kein pl* *s.* **Niedertracht**

Nie·de·rung <-, -en> ['niːdərʊŋ] *f* (*Senke*) lowland; (*Mündungsgebiet*) flats *pl*

nie·der|wer·fen *irreg* **I.** *vr* ▪ **sich** |**vor** **jdm**| ~ to throw oneself down |before/in front of sb| **II.** *vt* (*geh*) ❶ (*niederschlagen*) to crush ❷ (*besiegen*) to overcome ❸ (*er·* *schüttern*) to shatter *fam*

nied·lich ['niːtlɪç] **I.** *adj* cute, sweet **II.** *adv* sweetly

nied·rig ['niːdrɪç] **I.** *adj* ❶ (*nicht hoch*) low ❷ (*gering*) low; *Betrag* small ❸ (*gemein*) base; *Herkunft* humble ❹ JUR base **II.** *adv* low

Nied·rig·keit <-> *f kein pl* ❶ (*von Einkom·* *men, Löhnen*) low level ❷ (*geringe Höhe*) lowness; **die ~ der Decken wirkte** **bedrückend** the lowness of the ceilings was oppressive ❸ (*fig*) vileness

Nied·rig·lohn·be·reich *m,* **Nied·rig·** **lohn·sek·tor** *m* POL, ÖKON low-wage sec· tor **Nied·rig·was·ser** *nt kein pl* METEO ❶ (*Ebbe*) low tide [*or* water] ❷ (*niedriger* *Wasserstand von Flüssen*) low level; **nach** **drei Monaten ohne Regen führen die** **Flüsse ~** after three months without any rain the level of the rivers is low

nie·mals ['niːmaːls] *adv* (*emph*) never

nie·mand ['niːmant] *pron indef* (*keiner*) nobody, no one; **ist denn da ~?** isn't there anyone there?; **ich will ~en sehen** I don't want to see anybody

Nie·mands·land ['niːmantslant] *nt kein* *pl* no man's land

Nie·re <-, -n> ['niːrə] *f* kidney ▸ **jdm an** **die ~n gehen** (*fam*) to get to sb

Nie·ren·be·cken *nt* renal pelvis **nie·ren·** **för·mig** *adj* kidney-shaped **Nie·ren·** **gurt** *m* kidney belt **Nie·ren·lei·den** *nt* kidney disease **Nie·ren·stein** *m* kidney stone **Nie·ren·ver·sa·gen** *nt kein pl* kid· ney failure *no pl*

nie·seln ['niːzl̩n] *vi impers* ▪ **es nieselt** it's drizzling

Nie·sel·re·gen ['niːzl̩-] *m* drizzle *no pl*

nie·sen ['niːzn̩] *vi* to sneeze

Nieß·brauch ['niːsbraʊx] *m kein pl* JUR [right of] usufruct **Nieß·nut·zer(in)** <-s, -> *m(f)* JUR usufructuary

Nie·te¹ <-, -n> ['niːtə] *f* ❶ (*Nichttreffer*) blank ❷ (*fam: Versager*) loser

Nie·te² <-, -n> ['niːtə] *f* TECH rivet

nie·ten ['niːtn̩] *vt* to rivet

niet- und na·gel·fest ['niːtʔʊntˈnaːgl̩fɛst] *adj* ▸ **alles, was nicht ~ ist** (*fam*) every· thing that's not nailed down

Ni·ger <-s> ['niːgɐ] *nt* Niger

Ni·ge·ria <-s> [niˈgeːri̯a] *nt* Nigeria; *s. a.* **Deutschland**

Ni·ge·ri·a·ner(in) <-s, -> [nigeˈri̯aːnɐ] *m(f)* Nigerian; *s. a.* **Deutsche(r)**

ni·ge·ri·a·nisch [nigeˈri̯aːnɪʃ] *adj* Ni· gerian; *s. a.* **deutsch**

Ni·hi·lis·mus <-> [nihiˈlɪsmʊs] *m kein pl* nihilism *no pl*

Ni·hi·list(in) <-en, -en> [nihiˈlɪst] *m(f)* ni· hilist

ni·hi·lis·tisch *adj* nihilistic

Ni·ko·laus <-, -e *o* -läuse> ['nɪkolaʊs, *pl* -lɔyzə] *m* ❶ (*verkleidete Gestalt*) St. Nicholas (*figure who brings children pre·* *sents on 6th December*) ❷ *kein pl* (*Niko·* *laustag*) St. Nicholas' Day

Ni·ko·tin <-s> [nikoˈtiːn] *nt kein pl* nico· tine

ni·ko·tin·frei *adj* nicotine-free **Ni·ko·tin·** **ver·gif·tung** *f* nicotine poisoning

Nil <-s> ['niːl] *m* ▪ **der ~** the Nile

Nil·pferd *nt* hippopotamus

Nim·bus <-, -se> ['nɪmbʊs, *pl* 'nɪm· bʊsə] *m* ❶ *kein pl* (*geh: Aura*) aura ❷ (*Heiligenschein*) nimbus, aura

nim·mer ['nɪmɐ] *adv* ❶ (*veraltend geh:* *niemals*) never ❷ SÜDD, ÖSTERR (*nicht* *mehr*) no longer

Nim·mer·satt <-[e]s, -e> ['nɪmezat] *m* ❶ (*fam*) glutton ❷ ORN wood ibis **Nim·mer·wie·der·se·hen** [nɪmɐviːdə· zeːən] *nt* **auf ~** (*fam*) never to be seen again; **auf ~!** (*fam*) good riddance!

nimmt ['nɪmt] *3. pers pres von* **nehmen**

nip·pen ['nɪpn̩] *vi* to sip (**an** from, **von** at)

Nip·pes ['nɪpəs, 'nɪps, 'nɪp] *pl* |k|nick· |k|nacks *pl*

nir·gends ['nɪrgn̩ts] *adv* nowhere; **ich** **konnte ihn ~ finden** I couldn't find him anywhere

nir·gend·wo ['nɪrgn̩tˈvoː] *adv s.* **nirgends**

nir·gend·wo·hin ['nɪrgn̩tvoˈhɪn] *adv* no· where

Nir·wa·na <-[s]> [nɪrˈvaːna] *nt kein pl* nir·

N

vana

Ni·sche <-, -n> ['niːʃə] f niche

Ni·schen·da·sein nt BIOL, SOZIOL marginal existence

Nis·se <-, -n> ['nɪsə] f nit

nis·ten ['nɪstn̩] vi to nest

Nist·kas·ten m nesting box

Ni·trat <-[e]s, -e> [ni'traːt] nt nitrate

Ni·tro·gly·ze·rin [nitroglytseˈriːn] nt kein pl nitroglycerine

Ni·veau <-s, -s> [ni'voː] nt ❶ (Anspruch) calibre; **~ haben** to have class; **kein ~ haben** to be lowbrow; **etw ist unter jds ~** dat sth is beneath sb fig; **er blieb mit diesem Buch unter seinem [üblichen] ~** this book wasn't up to his usual standard ❷ (Höhe einer Fläche) level

ni·veau·los [ni'voː-] adj primitive

ni·veau·voll adj intellectually stimulating

ni·vel·lie·ren* [nivɛ'liːrən] vt ❶ (geh: einander angleichen) to even out sep ❷ (planieren) to level [off/out]

Ni·vel·lie·rung <-, -en> f (geh) evening out

nix ['nɪks] pron indef (fam) s. **nichts**

Ni·xe <-, -n> ['nɪksə] f mermaid

Niz·za <-s> ['nɪtsa] nt Nice

no·bel ['noːbl̩] I. adj ❶ (edel) noble ❷ (luxuriös) luxurious ❸ (großzügig) generous II. adv ❶ (edel) honourably ❷ (großzügig) generously

No·bel·ka·ros·se ['noːbl̩karɔsə] f AUTO (pej fam) posh [or AM fancy] car

No·bel·preis [no'bɛlpraɪs] m Nobel prize

No·bel·preis·trä·ger(in) m(f) Nobel prize winner

No·bles·se <-> [no'blɛs(ə)] f (geh) noble-mindedness

No·bo·dy <-s, -s> ['noːbodi] m nobody

noch ['nɔx] I. adv ❶ (bis jetzt) still; **ein ~ ungelöstes Problem** an as yet unsolved problem; **ich rauche kaum ~** I hardly smoke any more; ■**~ nicht** not yet; ■**~ nichts** nothing yet; ■**~ nie** never; **die Sonne schien und die Luft war klar wie ~ nie** the sun was shining and the sky was clearer than ever before; **bisher ist ~ niemand gekommen** nobody has arrived yet ❷ (irgendwann) some time ❸ (nicht später als) by the end of; **gestern habe ich davon nicht das Geringste gewusst** even yesterday I didn't have the slightest idea of it; **~ heute** today ❹ (bevor etw anderes geschieht) **bleib ~ ein wenig** stay a bit longer ❺ (womöglich sogar) **wir kommen ~ zu spät** we're going to end up being late ❻ (obendrein) in addition; **bist du satt oder möchtest du ~ etwas**

essen? are you full or would you like something more to eat?; **mein Geld ist alle, hast du ~ etwas?** I don't have any money left, do you have any?; **möchten Sie ~ eine Tasse Kaffee?** would you like another cup of coffee?; ■**~ eine(r, s)** another ❼ vor comp (mehr als) even [more] ❽ in Verbindung mit so **er kommt damit nicht durch, mag er auch ~ so lügen** he won't get away with it, however much he lies; **du kannst ~ so bitten, ...** you can beg as much as you like ... ❾ einschränkend (so eben) just about II. konj ■**weder ... ~** neither ... nor III. part ❶ (drückt Erregung aus) **die wird sich ~ wundern!** she's in for a [bit of a] shock! ❷ (drückt Empörung, Erstaunen aus) **sag mal, was soll der Quatsch, bist du ~ normal?** what is this nonsense, are you quite right in the head? ❸ (doch) **wie hieß er ~ gleich?** what was his name again?

noch·ma·lig ['nɔxmaːlɪç] adj attr further

noch·mals ['nɔxmaːls] adv again

No·cken·wel·le ['nɔkn̩-] f camshaft

No·ma·de, No·ma·din <-n, -n> [no'maː-də, no'maːdɪn] m, f nomad

No·ma·den·tum <-s> nt kein pl nomadism no pl

No·ma·din <-, -nen> f fem form von **Nomade**

No·men <-s, Nomina> ['noːmən, pl 'noːmina] nt LING noun

No·men·kla·tur <-, -en> [nomɛn-kla'tuːɐ̯] f nomenclature

No·mi·na ['noːmina] nt pl von **Nomen**

No·mi·na·tiv <-[e]s, -e> ['noːminatiːf, pl 'noːminatiːvə] m nominative

no·mi·nell [nomi'nɛl] I. adj (geh: nach außen hin) nominal II. adv nominally; **~ ist er noch Präsident** he is still president but in name only

no·mi·nie·ren* [nomi'niːrən] vt to nominate

No·mi·nie·rung <-, -en> f (geh) nomination

No-Name(-Pro·dukt)[RR] ['noːneːm-], **No-name(-Pro·dukt)**[ALT] ['noːneːm-] nt no-name [product]

non·kon·for·mis·tisch adj (geh) nonconformist

Non·ne <-, -n> ['nɔnə] f nun

Non·nen·klos·ter nt convent [of nuns]

Non·plus·ul·tra <-> [nɔnplʊs'ʔʊltra] nt kein pl (geh) ■**das ~** the ultimate

Non-Pro·fit-Un·ter·neh·men [ˌnɔn'proːfɪt-] nt ÖKON not-for-profit organization

Non·sens <-[es]> ['nɔnzɛns] m kein pl nonsense no pl

non·stop [nɔn'ʃtɔp, nɔn'stɔp] *adv* non-stop

Nord <-[e]s, -e> ['nɔrt, *pl* 'nɔrdə] *m* **1** *kein art, kein pl bes* NAUT north; **aus** [*o von*] ~ from the north **2** *pl selten* NAUT (*Nordwind*) north wind

Nord·ame·ri·ka ['nɔrt?a'me:rika] *nt* North America **nord·deutsch** ['nɔrtdɔytʃ] *adj* North German **Nord·deutsch·land** ['nɔrtdɔytʃlant] *nt* North Germany

Nor·den <-s> ['nɔrdn̩] *m kein pl, kein indef art* **1** (*Himmelsrichtung*) north; **im** ~ in the north; **in Richtung** ~ to[wards] the north; **nach** ~ to the north **2** (*nördliche Gegend*) north; **er wohnt im** ~/**im** ~ **der Stadt**/**im** ~ **Deutschlands** he lives in the north/in the northern part of town/in North[ern] Germany

Nord·eu·ro·pa <-s> ['nɔrt?ɔy'ro:pa] *nt kein pl* northern Europe *no pl* **Nord·halb·ku·gel** *f* northern hemisphere

Nor·dic Wal·king <-s> ['nɔ:dɪk wɔ:kɪŋ] *nt kein pl* SPORT Nordic walking

Nord·ir·land ['nɔrt'?ɪrlant] *nt* Northern Ireland

nor·disch ['nɔrdɪʃ] *adj* Nordic

Nord·küs·te ['nɔrtkʏstə] *f* north coast

nörd·lich ['nœrtlɪç] **I.** *adj* **1** (*Himmelsrichtung*) northern **2** (*im Norden liegend*) northern; **weiter** ~ **liegen** to lie further [to the] north **3** (*von/nach Norden*) northerly; **in** ~**e Richtung** northwards **II.** *adv* ■ ~ **von ...** north of ... **III.** *präp* +*gen* ~ **der Alpen/der Stadt** [to the] north of the Alps/the town

Nord·licht *nt* **1** (*Polarlicht*) ■ **das** ~ the Northern Lights *pl* **2** (*fam: Mensch aus Norddeutschland*) North German **Nord·os·ten** [nɔrt'?ɔstn̩] *m kein pl, kein indef art* **1** (*Himmelsrichtung*) north-east; **nach** ~ to[wards] the north-east **2** (*nordöstliche Gegend*) north-east **nord·öst·lich** [nɔrt'?œstlɪç] **I.** *adj* **1** (*in* ~ *er Himmelsrichtung befindlich*) north-eastern **2** (*im Nordosten liegend*) north-eastern **3** (*von/nach Nordosten*) north-eastwards **II.** *adv* ■ ~ **von ...** north-east of ... **III.** *präp* +*gen* ■ ~ **einer S.** *gen* north-east of sth **Nord·pol** ['nɔrtpo:l] *m kein pl* ■ **der** ~ the North Pole

Nord·rhein-West·fa·len ['nɔrtraɪn-vɛst'fa:lən] *nt* North Rhine-Westphalia **Nord·see** ['nɔrtze:] *f* ■ **die** ~ the North Sea; **an der** ~ on the North Sea coast **Nord·sei·te** *f* north side **Nord·Süd-Ge·fäl·le** *nt* North-South divide

nord·wärts ['nɔrtvɛrts] *adv* northwards, to the north, in a northerly direction

Nord·wes·ten [nɔrt'vɛstn̩] *m kein pl, kein indef art* **1** (*Himmelsrichtung*) north-west; **nach** ~ to[wards] the north-west **2** (*nordwestliche Gegend*) north-west **nord·west·lich** [nɔrt'vɛstlɪç] **I.** *adj* **1** (*in* ~ *er Himmelsrichtung befindlich*) north-western **2** (*im Nordwesten liegend*) north-western **3** (*von/nach Nordwesten*) north-westwards **II.** *adv* ■ ~ **von ...** north-west of ... **III.** *präp* +*gen* ■ ~ **einer S.** [to the] north-west of sth **Nord·wind** *m* north wind

Nör·ge·lei <-, -en> *f* **1** (*nörgelnde Äußerung*) moaning **2** (*dauerndes Nörgeln*) nagging

nör·geln ['nœrgl̩n] *vi* to moan (**über** about)

Nörg·ler(**in**) <-s, -> ['nœrglə] *m(f)* moaner

Norm <-, -en> ['nɔrm] *f* **1** (*festgelegte Größe*) standard **2** (*verbindliche Regel*) norm **3** (*Durchschnitt*) ■ **die** ~ the norm **4** (*festgesetzte Arbeitsleistung*) quota

nor·mal [nɔr'ma:l] **I.** *adj* **1** (*üblich*) normal **2** (*geistig gesund*) normal **3** *meist verneint* (*fam: zurechnungsfähig*) right in the head **II.** *adv* normally

Nor·mal·ben·zin *nt* low-octane petrol [*or* AM gas[oline]]

nor·ma·ler·wei·se *adv* normally

Nor·mal·fall *m* normal case **Nor·mal·ge·wicht** *nt* normal weight

nor·ma·li·sie·ren* [nɔrmali'zi:rən] **I.** *vt* to normalize **II.** *vr* ■ **sich** ~ to normalize

Nor·ma·li·sie·rung <-, -en> *f* normalization *no pl*

Nor·ma·li·tät <-> [nɔrmali'tɛ:t] *f kein pl* normality *no pl*

Nor·mal·ver·brau·cher(**in**) *m(f)* average consumer; **Otto** ~ (*fam*) the man in the street **Nor·mal·zu·stand** *m kein pl* normal state

Nor·man·die <-> [nɔrman'di:] *f* ■ **die** ~ Normandy

nor·ma·tiv [nɔrma'ti:f] *adj* (*geh*) normative; *Grammatik* normative

nor·men ['nɔrmən] *vt* to standardize

Nor·men·kon·trol·le *f* JUR judicial review of the constitutionality of an Act

nor·mie·ren* [nɔr'mi:rən] *vt* (*geh*) to standardize

Nor·mie·rung <-, -en> *f* (*geh*) standardization *no pl*

Nor·mung <-, -en> *f* standardization *no pl*

Nor·we·gen <-s> ['nɔrve:gn̩] *nt* Norway; *s. a.* **Deutschland**

Nor·we·ger(**in**) <-s, -> ['nɔrve:gə] *m(f)* Norwegian; *s. a.* **Deutsche(r)**

nor·we·gisch ['nɔrveːgɪʃ] *adj* Norwegian; *s. a.* **deutsch**

Nost·al·gie <-> [nɔstalˈgiː] *f kein pl* (*geh*) nostalgia *no pl*

nost·al·gisch [nɔsˈtalgɪʃ] *adj* (*geh*) nostalgic

Not <-, Nöte> ['noːt, *pl* 'nøːtə] *f* ❶ *kein pl* (*Armut*) poverty *no pl* ❷ (*Bedrängnis*) distress; **in ~ geraten** to get into difficulties; **jdm seine ~ klagen** to pour out one's troubles to sb ❸ (*Mühe*) **seine [liebe] ~ haben mit jdm/etw** to have one's work cut out with sb/sth; **mit knapper ~** just ▶ **~ macht erfinderisch** (*prov*) necessity is the mother of invention; **wenn ~ am Mann ist** in times of need; **aus der ~ eine Tugend machen** to make a virtue out of necessity; **zur** ~ if need[s] be

No·tar(in) <-s, -e> [noˈtaːɐ̯] *m(f)* notary

No·ta·ri·at <-[e]s, -e> [notaˈri̯aːt] *nt* (*Kanzlei*) notary's office

no·ta·ri·ell [notaˈri̯ɛl] *adj* notarial

No·ta·rin <-, -nen> *f fem form von* **Notar**

Not·arzt, -ärz·tin *m, f* ❶ (*Arzt für Notfälle*) casualty [*or* Am emergency] doctor (*who treats patients at the scene of an accident*) ❷ (*Arzt im Notdienst*) doctor on call **Not·auf·nah·me** *f* MED (*eines Kranken in einem Notfall*) emergency admission; (*Krankenhausstation*) accident and emergency department, emergency room Am **Not·aus·gang** *m* emergency exit **Not·be·helf** *m* stopgap [measure] **Not·brem·se** *f* emergency brake **Not·dienst** *m* duty

Not·durft ['noːtdʊrft] *f* **seine ~ verrichten** (*geh*) to relieve oneself *dated or hum*

not·dürf·tig ['noːtdʏrftɪç] **I.** *adj* makeshift **II.** *adv* in a makeshift manner *pred*

No·te <-, -n> ['noːtə] *f* ❶ (*musikalisches Zeichen*) note; **ganze/halbe ~** semibreve/minim ❷ (*Zensur*) grade ❸ (*Banknote*) [bank]note ❹ *kein pl* (*Eigenart*) special character

Note·book <-s, -s> ['noːtbʊk] *nt* INFORM notebook

No·ten·bank *f* issuing bank **No·ten·blatt** *nt* sheet of music **No·ten·schlüs·sel** *m* clef **No·ten·stän·der** *m* music stand

Note·pad-Com·pu·ter ['noːtpɛd-] *m* notepad [computer]

Not·fall *m* emergency

not·falls ['noːtfals] *adv* if needs be

not·ge·drun·gen *adv* willy-nilly **Not·gro·schen** *m* savings for a rainy day

no·tie·ren* [noˈtiːrən] **I.** *vt* ❶ (*aufschreiben*) to write down ❷ BÖRSE (*ermitteln*)

nicht **notierte Tochtergesellschaft** unquoted subsidiary; **notierte Währung** quoted exchange **II.** *vi* ❶ (*schreiben*) to write down ❷ BÖRSE (*ermitteln*) to be quoted; **die Aktie notiert mit 70 Euro** the share is quoted at 70 euros

No·tie·rung <-, -en> *f* BÖRSE quotation

nö·tig ['nøːtɪç] **I.** *adj* (*erforderlich*) necessary; ■ **alles N~e** everything necessary; **etw [bitter] ~ haben** to be in [urgent] need of sth; **wir haben es nicht ~, uns so von ihm unter Druck setzen zu lassen** we don't have to put up with him pressurizing us like this; **er hat es nicht ~, sich anzustrengen** he doesn't need to try hard; **der hat es gerade ~, von Treue zu reden ...** he's a one to tell us about faithfulness ... **II.** *adv* urgently

nö·ti·gen ['nøːtɪgn̩] *vt* to force

nö·ti·gen·falls ['nøːtɪgn̩fals] *adv* (*form*) if necessary

Nö·ti·gung <-, -en> *f* (*Zwang*) coercion

No·tiz <-, -en> [noˈtiːts] *f* ❶ (*Vermerk*) note ❷ (*kurze Zeitungsmeldung*) short report ▶ **[keine] ~ [von jdm/etw] nehmen** to take [no] notice [of sb/sth]

No·tiz·block <-blöcke> *m* notepad **No·tiz·buch** *nt* notebook **No·tiz·zet·tel** *m* page of a notebook

Not·la·ge *f* desperate situation

not·lan·den <notlandete, notgelandet> ['noːtlandn̩] *vi sein* to make an emergency landing **Not·lan·dung** *f* emergency landing **Not·lö·sung** *f* stopgap [solution] **Not·lü·ge** *f* white lie **not·ope·rie·ren*** *vt* MED to perform emergency surgery

no·to·risch [noˈtoːrɪʃ] **I.** *adj* (*geh*) notorious; (*allbekannt*) well-known **II.** *adv* (*geh*) notoriously

Not·ruf *m* ❶ (*Anruf auf einer Notrufnummer*) emergency call ❷ *s.* **Notrufnummer Not·ruf·num·mer** *f* emergency number **Not·ruf·säu·le** *f* emergency telephone

not·schlach·ten <notschlachtete, notgeschlachtet> *vt* ■ **ein Tier ~** to slaughter an animal out of necessity **Not·si·gnal** *nt* emergency signal **Not·sitz** *m* spare foldaway seat

Not·stand *m* (*Notlage*) desperate situation; JUR [state of] emergency

Not·stands·ge·biet *nt* disaster area

Not·strom·ag·gre·gat *nt* emergency generator **Not·un·ter·kunft** *f* emergency accommodation **Not·wehr** <-> *f kein pl* [aus] ~ [in] self-defence *no pl*

not·wen·dig ['noːtvɛndɪç] **I.** *adj* necessary **II.** *adv* necessarily; **etw ~ brauchen** to absolutely need sth

not·wen·di·ger·wei·se ['noːtvɛndɪgɐ'vaɪzə] *adv* necessarily

Not·wen·dig·keit <-, -en> ['noːtvɛndɪçkaɪt, noːt'vɛndɪçkaɪt] *f* necessity

Not·zucht <-> *f kein pl s.* **Vergewaltigung**

Nou·gat <-s, -s> ['nuːgat] *m o nt s.* **Nugat**

No·vel·le <-, -n> [no'vɛlə] *f* ❶ (*Erzählung*) short novel ❷ (*novelliertes Gesetz*) amendment

No·vem·ber <-s, -> [no'vɛmbɐ] *m* November; *s. a.* **Februar**

No·vi·ze, No·vi·zin <-n, -n> [no'viːtsə, no'viːtsɪn] *m, f* novice

Nr. *Abk von* **Nummer** no.

NS¹ [ɛn'ɛs] *Abk von* **Nachschrift** PS

NS² [ɛn'ɛs] *Abk von* **Nationalsozialismus** National Socialism

Nu ['nuː] *m* **im ~** in a flash

Nu·an·ce <-, -n> ['nỹãːsə] *f* nuance

nu·an·cen·reich ['nỹãːsən-] *adj* highly nuanced

nüch·tern ['nʏçtɐn] *adj* ❶ (*mit leerem Magen*) ■ **~ sein** with an empty stomach ❷ (*nicht betrunken*) sober ❸ (*realitätsbewusst*) down-to-earth ❹ (*bloß*) plain

Nüch·tern·heit <-> *f kein pl* ❶ (*Realitätsbewusstsein*) rationality *no pl* ❷ (*nicht alkoholisierter Zustand*) sobriety *no pl*

Nu·del <-, -n> ['nuːdl̩] *f* ❶ *meist pl* pasta + *sing vb, no indef art;* (*in Suppe*) noodle *usu pl* ❷ *meist pl* DIAL (*krapfenähnliches Gebäck*) pastry

Nu·del·holz *nt* rolling pin **Nu·del·sup·pe** *f* noodle soup

Nu·dist(in) <-en, -en> [nu'dɪst] *m(f)* (*geh*) nudist

Nu·gat <-s, -s> ['nuːgat] *m o nt* nougat

nu·kle·ar [nukle'aː̯ɐ] I. *adj attr* nuclear II. *adv* with nuclear weapons *pred*

Nu·kle·ar·ab·fall <-s, -abfälle> *m* nuclear waste **Nu·kle·ar·auf·rüs·tung** *f* nuclear armament **Nu·kle·ar·pro·gramm** *nt* nuclear programme [*or* AM program] **Nu·kle·ar·waf·fe** *f* nuclear weapon

null ['nʊl] *adj* ❶ (*Zahl*) zero, nought ❷ SPORT (*kein*) no ▶ **gleich ~ sein** (*so gut wie nicht vorhanden*) to be nil; **in ~ Komma nichts** (*fam*) in a flash; **~ und nichtig sein** to be null and void; **die Stunde ~** zero hour

Null¹ <-, -en> ['nʊl, *pl* 'nʊln] *f* ❶ (*Zahl*) zero, null ❷ (*fam: Versager*) nothing

Null² <-[s], -s> ['nʊl, *pl* 'nʊls] *m o nt* KARTEN null[o]

null·acht·fuff·zehn [nʊl?axt'fʊftse:n] *adj*, **null·acht·fünf·zehn** ['nʊl'?axt'fʏnftse:n] *adv* (*fam*) run-of-the-mill **Null·di·ät** *f* starvation diet **Null·lö·sung^RR** *f*, **Nullö-**

sung^ALT *f* zero option **Null·punkt** *m kein pl* freezing point ▶ **auf den ~ sinken** to reach rock bottom **Null·run·de** *f* round of wage negotiations where demand for a wage rise is dropped **Null·ta·rif** *m kein pl* ■ **zum ~** for free

Nu·me·ri ['nuːmeri] *pl von* **Numerus**

nu·me·rie·ren^ALT* [numə'riːrən] *s.* **nummerieren**

nu·me·risch [nu'meːrɪʃ] *adj* numeric[al]

Nu·me·rus <-, Numeri> ['nuːmerʊs, *pl* 'nuːmeri] *m* number

Num·mer <-, -n> ['nʊmɐ] *f* ❶ (*Zahl*) number ❷ (*Telefonnummer*) number ❸ MEDIA issue ❹ (*Größe*) size ❺ (*Autonummer*) registration number ❻ (*derb: Koitus*) fuck; **eine ~** [mit jdm] **schieben** (*sl*) to have it off BRIT [*or* AM get it on] [with sb] ▶ **auf ~ Sicher gehen** (*fam*) to play it safe

num·me·rie·ren^RR* [numə'riːrən] *vt* to number

Num·mern·kon·to *nt* numbered account **Num·mern·schild** *nt* number [*or* AM license] plate

nun ['nuːn] I. *adv* ❶ (*jetzt*) now ❷ (*na ja*) well ❸ (*~ mal*) but; **ich will ~ mal nicht im Norden Urlaub machen!** but I just don't want to go on holiday in the north! ❹ (*etwa*) well; **hat sich die Mühe ~ gelohnt?** well, was it worth the trouble? ❺ *in Fragesätzen* (*denn*) then; **ob es ~ auch sein kann ...** could it be then ... ❻ (*gar*) really; **wenn sie sich ~ wirklich etwas angetan hat?** what if she has really done sth to herself? ❼ (*eben*) just; **Mathematik liegt ihr ~ mal nicht** maths just isn't her thing ▶ **~ denn** so; **~ gut** alright; **~ ja, aber ...** well yes, but ...; **es ist ~ [ein]mal so** that's the way it is II. *konj* (*veraltend geh: jetzt da*) now that

nun·mehr ['nuːnˈmeːɐ̯] *adv* (*geh*) now

nur ['nuːɐ̯] *adv* ❶ (*nicht mehr als*) only, just; **ich habe ~ noch einen Euro** I've only one euro left ❷ (*ausschließlich*) only, just; **~ sie darf das** only she is allowed to do that ❸ (*bloß*) only, just; **wie konnte ich das ~ vergessen!** how on earth could I forget that!; **~ schade, dass ...** it's just a pity that ... ❹ (*ruhig*) just ❺ (*einschränkend*) but, the only thing is ...; **~ kann man nie wissen, ob ...** but you never can tell if ... ▶ **~ her damit!** (*fam: gib/gebt es ruhig!*) give it here!; **warum/was/wer/ wie ... ~?** just why/what/who/how ...?; **~ zu!** come on then

Nürn·berg <-s> ['nʏrnbɛrk] *nt* Nuremberg

nu·scheln ['nʊʃln̩] *vi, vt* (*fam*) to mumble

Nussᴿᴿ <-, Nüsse> ['nʊs, *pl* 'nʏsə],
Nußᴬᴸᵀ <-, Nüsse> ['nʊs, *pl* 'nʏsə] *f*
❶ (*Haselnuss*) hazelnut; (*Walnuss*) walnut
❷ (*fam: Kopf*) nut ▸ **dumme ~** (*fam*) silly
twit; **jdm eine harte ~ zu knacken
geben** (*fam*) to give sb a tough nut to
crack

Nuss·baumᴿᴿ *m* **❶** (*Walnussbaum*) walnut tree **❷** *kein pl* (*Walnussholz*) walnut
no pl

nus·sig [nʊsɪç] *adj* ᴋᴏᴄʜᴋ nutty

Nuss·kna·ckerᴿᴿ *m* nutcracker **Nuss·
scha·le**ᴿᴿ *f* **❶** (*Schale einer Nuss*)
[nut]shell **❷** (*winziges Boot*) cockleshell
Nuss·tor·teᴿᴿ *f* nut gateau Bʀɪᴛ, cream
cake with hazelnuts Aᴍ

Nüs·ter <-, -n> ['nʏstɐ, 'nyːstɐ] *f* ᴢᴏᴏʟ nostril

Nut·te <-, -n> ['nʊtə] *f* (*sl*) whore

nutz·bar *adj* usable

Nutz·bar·ma·chung <-> *f kein pl* utilization; *von Bodenschätzen* exploitation

nutz·brin·gend I. *adj* gainful **II.** *adv* gain-
fully

nüt·ze ['nʏtsə] *adj* präd, **nutz** ['nʊts] *adj
präd* sÜᴅᴅ, Ösᴛᴇʀʀ ■ **zu etw** *dat* **~ sein** to
be useful; ■ **zu nichts ~ sein** to be good
for nothing

nut·zen ['nʊtsn̩], **nüt·zen** ['nʏtsn̩] **I.** *vi*
(*von Nutzen sein*) ■ [etwas] **nutzen** to be
of use; ■ [jdm] **nichts nutzen** to be [of] no
use; **ich will Geld sehen, ein Schuldschein nützt mir nichts** I want to see
money — an IOU is no good to me **II.** *vt*
❶ (*in Gebrauch nehmen*) to use **❷** (*ausnutzen*) to exploit, to take advantage of

Nut·zen <-s> ['nʊtsən] *m kein pl* benefit;
welchen ~ versprichst du dir davon?
what do you hope to gain from it?; [jdm] **~
bringen** to be of advantage [to sb]; [jdm]
von ~ sein to be of use [to sb]

Nut·zer·füh·rung *f* ɪɴᴇᴛ, ɪɴꜰᴏʀᴍ navigation
Nutz·fahr·zeug *nt* utility vehicle **Nutz·
flä·che** *f* utilizable space of land **Nutz·
last** *f* ᴛʀᴀɴsᴘ live weight, payload

nütz·lich ['nʏtslɪç] *adj* **❶** (*nutzbringend*)
useful **❷** (*hilfreich*) helpful

Nütz·lich·keit <-> *f* kein pl advantage
nutz·los I. *adj* useless **II.** *adv* in vain *pred*
Nutz·lo·sig·keit <-> *f kein pl* uselessness
no pl

Nutz·nie·ßer(in) <-s, -> ['nʊtsniːsɐ] *m(f)*
ᴊᴜʀ usufructuary

Nutz·pflan·ze *f* [economically] useful plant
Nut·zung <-, -en> *f* use

Nut·zungs·recht *nt* right of use; ᴊᴜʀ usufruct

NW *Abk von* **Nordwesten**

Ny·lon® <-[s]> ['naɪlɔn] *nt kein pl* nylon
Nym·phe <-, -n> ['nʏmfə] *f* nymph
Nym·pho·ma·nin <-, -nen> *f* nymphoma-
niac

O
o

O, **o** <-, - *o fam* -s, -s> [oː] *nt* O, o; *s. a.*
A 1

o [oː] *interj* oh

O *Abk von* **Osten**

Oa·se <-, -n> [oˈaːzə] *f* oasis

ob [ɔp] *konj* ❶ (*indirekte Frage*) whether;
~ **er morgen kommt?** I wonder whether
he'll come tomorrow? ❷ (*sei es, dass ...*)
whether ...; ■ ~ ..., ~ ... whether ... or ...;
~ **reich**, ~ **arm, jeder muss sterben** rich
or poor, everyone must die ❸ (*sei es dass*)
sie muss mitgehen, ~ **es ihr passt oder
nicht** she has to go whether she likes it or
not

OB <-s, -s> [oːˈbeː] *m Abk von* **Oberbür-
germeister**

Ob·dach <-[e]s> [ˈɔpdax] *nt kein pl* (*geh*)
shelter

ob·dach·los *adj* homeless

Ob·dach·lo·se(**r**) *f(m)* homeless person

Ob·dach·lo·sen·asyl *nt*, **Ob·dach·lo·
sen·heim** *nt* refuge for homeless persons

Ob·duk·ti·on <-, -en> [ɔpdʊkˈtsi̯oːn] *f*
post-mortem [examination]

ob·du·zie·ren* [ɔpduˈtsiːrən] *vt* ■ **jdn** ~
to perform a post-mortem on sb

O-Bei·ne *pl* bandy legs *pl*

o-bei·nig [ˈoːbajnɪç] *adj* bandy-[*or*
bow-]legged

oben [ˈoːbn̩] *adv* ❶ (*in der Höhe*) top; **ich
möchte die Flasche** ~ **links** I'd like the
bottle on the top left; ■ ~ **auf etw** *dat o akk*
on top of sth; **ganz** ~ right at the top; **hier** ~
up here; **hoch** ~ high; **bis** ~ [**hin**] up to the
top; **nach** ~ **zu** further up; **nach** ~ up;
von ~ (*vom oberen Teil*) from above ❷ (*im
oberen Stockwerk*) upstairs; **nach** ~ upstairs; **von** ~ from upstairs ❸ (*fam: auf
höherer Ebene*) **wir haben keine
Ahnung von dem, was** ~ **geschieht** we
have no idea what happens among the
powers that be; **solche Dinge werden** ~
entschieden these things are decided by
the powers that be; **ich gebe Ihren
Antrag dann weiter, die** ~ **sollen sich
damit beschäftigen** I'll pass your application on, the powers that be can deal with it
❹ (*vorher*) above; ~ **erwähnt** above-mentioned ❺ (*auf der Oberseite*) **der Stoff ist**
~ **glänzend, unten matt** the upper part of
the material is shiny, the lower part matt
▶ **jdn von** ~ **herab** behandeln to behave
in a superior manner toward sb; **jdm bis**
[**hier**] ~ stehen to have it up to here; **nicht**

mehr wissen, **wo** ~ **und unten ist** to not
know whether you are coming or going;
~ **ohne** topless; **von** ~ **bis** unten from top
to bottom

oben·an [ˈoːbn̩ˈʔan] *adv* first **oben·auf**
[ˈoːbn̩ˈʔaʊf] *adv* ❶ DIAL (*obendrauf*) on top
❷ (*fig*) ■ ~ **sein** (*guter Laune*) to be
chirpy; (*im Vorteil*) to be in a strong position **oben·drauf** [ˈoːbn̩ˈdraʊf] *adv* (*fam*)
on top; **sie setzte sich auf den Koffer** ~
she sat on top of the suitcase **oben·drein**
[ˈoːbn̩ˈdrajn] *adv* on top **oben·her·um**
[ˈoːbn̩hɛˈrʊm] *adv* (*fam*) ❶ (*um die Brüste
herum*) in the boobs ❷ (*im Bereich
des Oberteils*) in the bust **oben·hin**
[ˈoːbn̩ˈhɪn] *adv* in passing **oben·oh·ne**
[ˈoːbn̩ˈʔoːnə] *adj* topless **oben·rum**
[ˈoːbn̩ˈrʊm] *adv s.* **obenherum**

Ober <-s, -> [ˈoːbɐ] *m* [head] waiter

Ober·arm *m* upper arm **Ober·arzt, -ärz·
tin** *m, f* senior consultant **Ober·be·
fehl** *m kein pl* supreme command; **den** ~
haben to be in supreme command **Ober·
be·fehls·ha·ber**,   **-be·fehls·ha·be·
rin** *m, f* commander-in-chief **Ober·be·
griff** *m* generic term **Ober·be·klei·
dung** *f* outer clothing **Ober·bür·ger·
meis·ter, -bür·ger·meis·te·rin** [ˈoːbɐ-
byrgɐmajstɐ, -majstɛrɪn] *m, f* mayor, BRIT
also ≈ Lord Mayor **ober·cool** [ˈoːbɐkuːl]
adj (*sl*) totally cool

obe·re(**r**, **s**) [ˈoːbərə, -rɐ, -rəs] *adj attr*
❶ (*oben befindlich*) top ❷ (*rangmäßig
höher*) higher ❸ (*vorhergehend*) previous
❹ (*höher gelegen*) upper

ober·faul [ˈoːbɐfaʊl] *adj* (*fam*) incredibly
lazy

Ober·flä·che [ˈoːbɐflɛçə] *f* surface; **an die**
~ **kommen** to surface

ober·fläch·lich [ˈoːbɐflɛçlɪç] **I.** *adj* superficial **II.** *adv* ❶ (*allgemein*) superficially
❷ (*flüchtig*) in a slapdash manner *pred*
Ober·fläch·lich·keit <-> *f kein pl* superficiality

Ober·ge·schoss^RR *nt* top floor **Ober·
gren·ze** *f* upper limit **Ober·gu·ru** *m kein
fem* (*hum o pej*) big cheese [*or* boss] *fam*
ober·halb [ˈoːbɐhalp] **I.** *präp* +*gen* above
II. *adv* above

Ober·hand [ˈoːbɐhant] *f kein pl* upper
hand; **die** ~ **gewinnen** to gain the upper
hand (**über** over) **Ober·haupt** *nt* head
Ober·haus *nt* **das britische** ~ the House
of Lords **Ober·hemd** *nt* shirt

Obe·rin ['oːbərɪn] *f* ❶ (*Oberschwester*) matron ❷ (*Äbtissin*) Mother Superior
ober·ir·disch I. *adj* overground; *Kabel* overhead II. *adv* overground
Ober·kell·ner, -kell·ne·rin *m, f* head waiter *masc*, head waitress *fem* **Ober·kie·fer** *m* upper jaw **Ober·kom·man·do** ['oːbɛkɔmando] *nt* MIL supreme command (**über** over) **Ober·kör·per** *m* torso; **mit bloßem ~** topless **Ober·lei·tung** *f* ❶ (*Führung*) overall management ❷ (*Fahr·draht*) overhead cable[s *pl*] (*on trolley·buses and trams/streetcars*) **Ober·leut·nant** ['oːbɛlɔytnant] *m* ❶ (*im Heer*) lieu·tenant BRIT, first lieutenant AM ❷ (*bei der Luftwaffe*) flying officer BRIT, first lieuten·ant AM **Ober·licht** *nt* ❶ (*oberer Fenster·teil*) transom ❷ GEOL (*Fenster über einer Tür*) fanlight, AM *usu* transom [window] **Ober·lip·pe** *f* upper lip **Ober·ma·te·ri·al** *nt eines Schuhs* upper[s] **Ober·ös·ter·reich** ['oːbɐʔøːstərajç] *nt* Upper Austria **ober·pein·lich** ['oːbɐpajnlɪç] *adj* (*sl*) cringe·worthy
Obers <-> ['oːbɐs] *nt kein pl* ÖSTERR (*Sahne*) whipping cream
Ober·schen·kel *m* thigh **Ober·schicht** *f* ❶ *der Gesellschaft* upper class ❷ GEOL up·per stratum **Ober·schu·le** *f* ❶ (*meist fam*) secondary school ❷ HIST (*in der frühe·ren DDR*) unified comprehensive school **Ober·schwes·ter** *f* matron **Ober·sei·te** *f* top
Oberst <-en *o* -s, -e[n]> ['oːbɛst] *m* MIL ❶ (*im Heer*) colonel ❷ (*in der Luftwaffe*) group captain BRIT, colonel AM
Ober·staats·an·walt, -an·wäl·tin *m, f* senior public prosecutor BRIT, attorney ge·neral AM
obers·te(r, s) ['oːbɐstə, -tɐ, -təs] *adj* ❶ (*ganz oben befindlich*) top ❷ (*rangmä·ßig am höchsten*) highest
Ober·stüb·chen *nt* ▶ **nicht ganz richtig im ~ sein** (*veraltend fam*) to be not quite right in the head **Ober·stu·fe** *f* ≈ sixth form [*or* AM grade] **Ober·teil** *nt o m* ❶ (*Aufsatz*) top part ❷ (*oberes Teil*) top **Ober·trot·tel** *m* (*fam*) prize idiot **Ober·wei·te** *f* bust size
ob·gleich [ɔpˈglajç] *konj* although
Ob·hut <-> ['ɔphuːt] *f kein pl* (*geh*) care; **unter jds ~ stehen** to be in sb's care
obi·ge(r, s) ['oːbɪgə] *adj attr* ❶ (*oben genannt*) above-mentioned ❷ (*zuvor abge·druckt*) above
Ob·jekt <-[e]s, -e> [ɔpˈjɛkt] *nt* ❶ (*Gegen·stand*) object ❷ (*Immobilie*) [piece of] property ❸ (*Kunstgegenstand*) objet d'art

❹ (*Gegenteil von Subjekt*) object
ob·jek·tiv [ɔpjɛkˈtiːf] I. *adj* objective II. *adv* objectively
Ob·jek·tiv <-s, -e> [ɔpjɛkˈtiːf, *pl* ɔpjɛkˈtiːvə] *nt* lens
Ob·jek·ti·vi·tät <-> [ɔpjɛktiviˈtɛːt] *f kein pl* objectivity
Ob·la·te <-, -n> [oˈblaːtə] *f* wafer
ob·lie·gen* ['ɔpliːgn̩, ɔpˈliːgn̩] *vi irreg, impers sein o haben* (*form: verantwortlich sein*) ■ **jdm ~** to be sb's responsibility
ob·li·ga·to·risch [obligaˈtoːrɪʃ] *adj* (*geh*) compulsory
Oboe <-, -n> [oˈboːə] *f* oboe
Obo·lus <-, -se> ['oːbɔlʊs, *pl* 'oːbɔlʊsə] *m* (*geh*) contribution
Ob·rig·keit <-, -en> ['oːbrɪçkajt] *f* (*Ver·waltung*) (*geh*) ■ **die ~** the authorities
ob·schon [ɔpˈʃoːn] *konj* (*geh*) *s.* **obgleich**
Ob·ser·va·to·ri·um <-, -torien> [ɔpzɛr·vaˈtoːrjʊm, *pl* -riən] *nt* observatory
ob·ser·vie·ren* [ɔpzɛrˈviːrən] *vt* (*form*) to observe
ob·skur [ɔpsˈkuːɐ̯] *adj* (*geh*) ❶ (*unbe·kannt*) obscure ❷ (*verdächtig*) suspicious
Obst <-[e]s> ['oːpst] *nt kein pl* fruit
Obst·an·bau <-s> *m*, **Obst·bau** *m kein pl* fruit growing **Obst·baum** *m* fruit tree **Obst·gar·ten** *m* orchard **Obst·hand·lung** *f* fruiterer's BRIT, fruit store AM
obs·ti·nat [ɔpstiˈnaːt] *adj* (*geh*) obstinate
Obst·ku·chen *m* fruit flan **Obst·mes·ser** *nt* fruit knife **Obst·saft** *m* fruit juice **Obst·sa·lat** *m* fruit salad
ob·szön [ɔpsˈtsøːn] *adj* obscene
Ob·szö·ni·tät <-, -en> [ɔpstsøniˈtɛːt] *f* ob·scenity
ob·wohl [ɔpˈvoːl] *konj* although
Och·se <-n, -n> ['ɔksə] *m* ❶ (*kastriertes Rind*) ox ❷ (*fam: Dummkopf*) idiot
Och·sen·schwanz·sup·pe *f* oxtail soup
Ocker <-s, -> ['ɔkɐ] *m o nt* ochre
Ode <-, -n> ['oːdə] *f* ode
öde ['øːdə] *adj* ❶ (*verlassen*) desolate ❷ (*fade*) dull ❸ (*unfruchtbar*) bleak
Öde <-, -n> ['øːdə] *f* (*geh*) ❶ *kein pl* (*Verlassenheit*) desolation ❷ (*unwirtliches Land*) wasteland ❸ (*Leere*) dreariness
oder ['oːdɐ] *konj* ❶ (*eines oder anderes*) or; **~ aber** or else; **~ auch** or [even]; **~ auch nicht** or [maybe] not ❷ (*stimmt's?*) **der Film hat dir auch gut gefallen, ~?** you liked the film too, didn't you?; **soviel ich weiß, schuldet er dir noch Geld, ~?** as far as I know he still owes you money, doesn't he?; **du traust mir doch, ~ [etwa] nicht?** you do trust me, don't you?
Ödi·pus·kom·plex ['øːdipʊs-] *m* Oedipus

complex *no pl*

Öd·land ['ø:tlant] *nt kein pl* wasteland *no pl*

Odys·see <-, -n> [odʏ'se:, *pl* odʏ'se:ən] *f* odyssey

Ofen <-s, Öfen> ['o:fn̩, *pl* 'ø:fn̩] *m* ❶ (*Heiz~*) heater; (*Kohle-, Kachel-, Öl~*) stove ❷ (*Back~*) oven ❸ TECH furnace; (*Brenn~*) kiln; (*Müllverbrennungs~*) incinerator ❹ DIAL (*Herd*) cooker ❺ (*sl: Pkw, Motorrad*) wheels *fam;* **ein heißer ~** (*fam: Motorrad*) fast bike; (*Auto*) fast set of wheels ▸ **jetzt ist der ~ aus** (*fam*) that does it

ofen·frisch *adj* oven-fresh **Ofen·hei·zung** *f* stove heating *no art, no pl* **Ofen·rohr** *nt* stovepipe

of·fen ['ɔfn̩] I. *adj* ❶ (*nicht geschlossen*) open; **mit ~em Fenster** with the window open ❷ (*unerledigt*) open; *Punkt* moot; *Problem, Rechnung* unsettled ❸ (*unentschieden*) uncertain; **etw ~ lassen** to leave sth open ❹ (*freimütig*) frank, candid (**zu** with) ❺ (*frei zugänglich*) open ❻ (*nicht abgepackt*) loose; **~er Wein** wine by the glass/carafe ❼ *Laden, Geschäft* ▪ **~ haben** to be open II. *adv* openly; **~ gestanden** to be [perfectly] honest

of·fen·bar [ɔfn̩'ba:ɐ̯] I. *adj* obvious II. *adv* obviously

of·fen·ba·ren <*pp* offenbart *o* geoffenbart> [ɔfn̩'ba:rən] I. *vt* ❶ (*geh: enthüllen*) ▪ **jdm etw ~** to reveal sth to sb ❷ (*mitteilen*) ▪ **jdm ~, dass ...** to inform sb that ... II. *vr* ❶ (*sich anvertrauen*) ▪ **sich jdm ~** to confide in sb ❷ (*erweisen*) ▪ **sich als etw ~** to show oneself to be sth ❸ (*Liebe erklären*) ▪ **sich jdm ~** to reveal one's feelings to sb

Of·fen·ba·rung <-, -en> [ɔfn̩'ba:rʊŋ] *f* revelation

Of·fen·ba·rungs·eid *m* JUR oath of disclosure [*or* AM *also* manifestation]; **den ~ leisten** to swear an oath of disclosure

Of·fen·heit <-> *f kein pl* openness *no art, no pl;* **in aller ~** quite frankly

of·fen·her·zig *adj* ❶ (*freimütig*) open ❷ (*hum fam: tief ausgeschnitten*) revealing

of·fen·kun·dig [ɔfn̩kʊndɪç] *adj* obvious **of·fen·sicht·lich** ['ɔfn̩zɪçtlɪç] I. *adj* obvious; *Irrtum, Lüge* blatant II. *adv* obviously **of·fen·siv** [ɔfɛn'zi:f] I. *adj* (*geh*) offensive; *Verhalten, Art* aggressive II. *adv* (*geh*) offensively, aggressively

Of·fen·si·ve <-, -n> [ɔfɛn'zi:və] *f* offensive; **in die ~ gehen** to go on the offensive

öf·fent·lich ['œfn̩tlɪç] I. *adj* public II. *adv* publicly

Öf·fent·lich·keit <-> *f kein pl* ▪ **die ~** the [general] public + *sing/pl vb;* **in aller ~** in public; **etw an die ~ bringen** to make sth public; **die ~ scheuen** to shun publicity

öf·fent·lich·keits·ar·beit *f* public relations work *no art, no pl* **öf·fent·lich·keits·wirk·sam** *adj* ▪ **~ sein** to be good publicity

öf·fent·lich-recht·lich *adj attr* under public law *pred; Anstalt* public; **eine ~e Rundfunkanstalt** public service broadcasting

of·fe·rie·ren* [ɔfe'ri:rən] *vt* (*geh*) to offer **Of·fer·te** <-, -n> [ɔ'fɛrtə] *f* offer

of·fi·zi·ell [ɔfi'tsi̯ɛl] I. *adj* ❶ (*amtlich*) official ❷ (*förmlich*) formal II. *adv* officially; **jdn ~ einladen** to give sb an official invitation

Of·fi·zier(in) <-s, -e> [ɔfi'tsi:ɐ̯] *m(f)* officer **off·line**^RR, **off line**^ALT ['ɔflaɪn] *adj* INFORM off-line, offline

öff·nen ['œfnən] I. *vt* to open II. *vi* ▪ **[jdm] ~** to open the door [for sb] III. *vr* ❶ (*aufgehen*) ▪ **sich ~** to open ❷ (*weiter werden*) ▪ **sich ~** to open out ❸ (*sich [innerlich] zuwenden*) ▪ **sich [jdm] ~** to open up [to sb]

Öff·ner <-s, -> *m* ❶ (*Dosen~*) can [*or* BRIT *also* tin] opener; (*Flaschen~*) bottle opener ❷ (*Tür~*) door opener

Öff·nung <-, -en> *f* ❶ (*offene Stelle*) opening ❷ *kein pl* (*geh: das Öffnen*) opening ❸ *kein pl* POL opening up

Öff·nungs·po·li·tik *f* policy of openness **Öff·nungs·zei·ten** *pl* hours of business *pl; einer öffentlichen Anstalt* opening times *pl*

Off·roa·der <-s, -> ['ɔfro:dɐ] *m* TECH offroader

Off·set·druck <-drucke> ['ɔfsɛt-] *m* offset [printing] *no art, no pl*

oft <öfter> ['ɔft] *adv* often

öf·ter(s) ['œfte(s)] *adv* [every] once in a while; **ist dir das schon ~ passiert?** has that happened to you often?

öf·tes·ten ['œftəstən] *superl von* **oft**

oft·mals *adv* (*geh*) *s.* **oft**

oh ['o:] *interj* oh

oh·ne ['o:nə] I. *präp* +*akk* ❶ (*nicht versehen mit*) without; **~ Geld** without any money; **sei ~ Furcht!** don't be afraid!; **~ Schutz** unprotected ❷ (*nicht eingerechnet*) excluding ❸ (*nicht mit jdm*) without; **~ Kinder/Nachwuchs** childless/without offspring; **~ Erben sterben** to die heirless; **~ mich!** count me out! II. *konj* ▪ **~ etw zu**

O

tun without doing sth; ■~ **dass etw geschieht** without sth happening; ■~ **dass jd etw tut** without sb doing sth

oh·ne·dies [oːnəˈdiːs] *adv s.* **ohnehin oh· ne·glei·chen** [oːnəˈglaiçn̩] *adj* ❶ (*unnachahmlich*) unparalleled ❷ (*außergewöhnlich*) [quite] exceptional **oh·ne·hin** [oːnəˈhɪn] *adv* anyhow, anyway[s Am *also fam*]

Ohn·macht <-, -en> [ˈoːnmaxt] *f* ❶ (*Bewusstseinszustand*) faint *no pl*; **aus der ~ erwachen** to come round; **in ~ fallen** to faint ❷ (*geh: Machtlosigkeit*) powerlessness *no art, no pl*

ohn·mäch·tig [ˈoːnmɛçtɪç] I. *adj* ❶ (*bewusstlos*) unconscious; ■~ **werden** to faint ❷ (*geh: machtlos*) powerless; ■**gegenüber etw** *dat* ~ **sein** to be powerless to stop/in the face of sth ❸ *attr Wut* helpless II. *adv* helplessly

Ohn·machts·an·fall *m* fainting fit; **einen ~ bekommen** to have a fainting fit

Ohr <-[e]s, -en> [ˈoːɐ] *nt* ear; **auf einem ~ taub sein** to be deaf in one ear; **die ~en anlegen** *Hund, Hase* to put its ears back; **sich die ~en zuhalten** to put one's hands over one's ears ▶**es faustdick hinter den ~en haben** to be a crafty one; **ganz ~ sein** (*hum fam*) to be all ears; **auf dem ~ taub sein** (*fam*) to be deaf to that sort of thing; **bis über beide ~en verliebt sein** to be head over heels in love; **jdm eins hinter die ~en geben** (*fam*) to give sb a clip round the ear; **ins ~ gehen** to be catchy; **viel um die ~en haben** (*fam*) to have a great deal on one's plate; **jdn übers ~ hauen** (*fam*) to pull a fast one on sb; **sich aufs ~ legen** (*fam*) to put one's head down; **jdm [mit etw** *dat*] **in den ~en liegen** to badger sb [with sth]; **die ~en spitzen** to prick up one's ears; **seinen ~en nicht trauen** to not believe one's ears

Öhr <-[e]s, -e> [ˈøːɐ] *nt* eye

Oh·ren·arzt, -ärz·tin <-es, -ärzte> *m, f* ear specialist **oh·ren·be·täu·bend** I. *adj* deafening II. *adv* deafeningly **Oh·ren·ent· zün·dung** *f* ear infection **Oh·ren·müt· ze** *f* MODE cap with ear flaps **Oh·ren·sau· sen** <-s> *nt kein pl* buzzing in the ears **Oh·ren·schmalz** *nt kein pl* earwax *no art, no pl* **Oh·ren·schmaus** *m kein pl* (*fam*) treat for the ear[s] **Oh·ren·schüt· zer** *m meist pl* earmuff *usu pl* **Oh·ren· trop·fen** *pl* eardrops *pl* **Oh·ren·zeu·ge, -zeu·gin** *m, f* (*veraltend form*) witness (*to something heard*)

Ohr·fei·ge <-, -n> *f* box on the ears **ohr·fei·gen** *vt* ■**jdn** ~ to box sb's ears

Ohr·läpp·chen <-s, -> *nt* earlobe **Ohr· mu·schel** *f* [outer *form*] ear **Ohr·ring** *m* earring **Ohr·stöp·sel** *m* earplug **Ohr· wurm** *m* ❶ (*fam*) catchy tune ❷ ZOOL earwig

oje, oje·mi·ne [oˈjeː(mine)] *interj* (*veraltend*) oh dear

o.k. [oˈkeː] *adj Abk von* **okay** OK

okay [oˈkeː] (*fam*) I. *adv* okay II. *adj präd* okay; **Ihr Termin geht ~!** there'll be no problem with your appointment

ok·kult [ɔˈkʊlt] *adj* occult

Ok·kul·tis·mus <-> [ɔkʊlˈtɪsmʊs] *m kein pl* occultism *no art, no pl*

Öko <-[s], -s> [ˈøːko] *m* POL, SOZIOL (*fam*) environmental activist

Öko·bau·er, -bäu·e·rin *m, f* organic farmer **Öko·la·den** [ˈøːkolaːdn̩] *m* health food shop

Öko·lo·ge, Öko·lo·gin <-n, -n> [økoˈloːgə, økoˈloːgɪn] *m, f* ecologist

Öko·lo·gie <-> [økoloˈgiː] *f kein pl* ecology *no art, no pl*

Öko·lo·gie·be·we·gung *f* environmental movement

Öko·lo·gin <-, -nen> [økoˈloːgɪn] *f fem form von* **Ökologe**

öko·lo·gisch [økoˈloːgɪʃ] I. *adj* ecological II. *adv* ecologically

Öko·nom(in) <-en, -en> [økoˈnoːm] *m(f)* (*geh*) economist

Öko·no·mie <-, -n> [økonoˈmiː, *pl* økonoˈmiːən] *f* ❶ *kein pl* (*Wirtschaftlichkeit*) economy ❷ (*Wirtschaft*) economy *no indef art, no pl* ❸ (*Wirtschaftswissenschaft*) economics + *sing vb*

Öko·no·min <-, -nen> [økoˈnoːmɪn] *f fem form von* **Ökonom**

öko·no·misch [økoˈnoːmɪʃ] I. *adj* ❶ (*die Wirtschaft betreffend*) economic ❷ (*sparsam*) economical II. *adv* economically

Öko·par·tei *f* ecology party **Öko·steu·er** *f* environmental tax (*tax added to the price of energy sources and substances regarded as harmful to the environment*) **Öko· sys·tem** *nt* ecosystem **Öko·test** *m* ecotest

Ok·ta·e·der <-s, -> [ɔktaˈʔeːdɐ] *nt* octahedron *spec*

Ok·tan·zahl [ɔkˈtaːn-] *f* octane [number [*or* rating]]; **Benzin mit hoher ~** high-octane petrol

Ok·ta·ve <-, -n> [ɔkˈtaːvə] *f* octave

Ok·to·ber <-s, -> [ɔkˈtoːbɐ] *m* October; *s. a.* **Februar**

Oku·lar <-s, -e> [okuˈlaːɐ] *nt* eyepiece,

ocular *spec*

Öku·me·ne <-> [øku'me:nə] *f kein pl* ecumenical Christianity *no art, no pl form*

öku·me·nisch [øku'me:nɪʃ] *adj* ecumenical *form*

Ok·zi·dent <-s> ['ɔktsidɛnt] *m kein pl (geh)* ■ **der ~** the Occident *form o poet*

Öl <-[e]s, -e> ['ø:l] *nt* ❶ *(fette Flüssigkeit)* oil; ❷ *(Erd~)* oil; *(Heiz~)* fuel oil; *(Schmier~)* lubricating oil ❸ *(Sonnen~)* sun oil ❹ *kein pl (~ farben)* oil-based paints *pl;* **in ~ malen** to paint in oils ▶ **~ ins Feuer gießen** to add fuel to the flames

Öl·bild *nt s.* **Ölgemälde**

Ol·die <-s, -s> ['o:ldi] *m* oldie

Old·ti·mer <-s, -> ['o:lttaɪmɐ] *m (altes wertvolles Auto)* vintage car; *(historisches Flugzeug)* vintage aeroplane *[or* Am *airplane]*

Ole·an·der <-s, -> [ole'andɐ] *m* oleander

ölen ['ø:lən] *vt* to oil

Öl·far·be *f* ❶ *(ölhaltige Farbe)* oil-based paint ❷ KUNST oil paint; **mit ~n malen** to paint in oils **Öl·fleck** *m* oil spot **Öl·för·de·rung** *f* oil production *no pl* **Öl·ge·mäl·de** *nt* oil painting **Öl·göt·ze** *m (pej sl)* **dastehen wie ein ~** to stand there like a [stuffed] dummy **öl·hal·tig** *adj* containing oil **Öl·hei·zung** *f* oil-fired [central] heating

ölig ['ø:lɪç] *adj* ❶ *(voller Öl)* oily; *(fettig)* greasy ❷ *(pej)* slimy

Olig·ar·chie <-, -n> [oligar'çiː, *pl* oligar'çiːən] *f (geh)* oligarchy

Oli·ve <-, -n> [o'li:və] *f* olive

Oli·ven·baum *m* olive tree **Oli·ven·öl** *nt* olive oil

oliv·grün *adj* olive-green, olive *attr*

Öl·ja·cke *f* oilskin jacket **Öl·känn·chen** *nt dim von* **Ölkanne** oilcan **Öl·kon·zern** *m* oil company **Öl·kri·se** *f* oil crisis **Öl·lei·tung** *f* oil pipe; *(Pipeline)* oil pipeline **Öl·pest** *f* oil pollution *no art, no pl* **Öl·platt·form** *f* oilrig **Öl·pum·pe** *f* oil pump **Öl·quel·le** *f* oil well **Öl·raf·fi·ne·rie** *f* oil refinery **Öl·sar·di·ne** *f* sardine [in oil] ▶ **wie die ~n** *(fam)* like sardines **Öl·scheich** *m (pej)* oil sheikh **Öl·schicht** *f* film of oil **Öl·schin·ken** *m* KUNST *(pej: großes Ölgemälde)* large pretentious oil painting **Öl·stand** *m kein pl* oil level **Öl·stands·mes·ser** *m* oil pressure gauge **Öl·tan·ker** *m* oil tanker **Öl·tep·pich** *m* oil slick

Ölung <-, -en> *f* oiling *no art, no pl;* **die Letzte ~** REL extreme unction

Öl·ver·brauch *m* oil consumption *no indef art, no pl* **Öl·vor·kom·men** *nt* oil deposit **Öl·wech·sel** *m* oil change

Olym·pi·a·de <-, -n> [olym'pĭa:də] *f* Olympic Games *pl*

Olym·pia·sie·ger, -sie·ge·rin *m, f* Olympic champion **Olym·pia·sta·di·on** *nt* Olympic stadium

Olym·pi·o·ni·ke, Olym·pi·o·ni·kin <-n, -n> [olympĭo'ni:kə, olympĭo'ni:kɪn] *m, f* Olympic athlete

olym·pisch [o'lʏmpɪʃ] *adj* Olympic *attr*

Öl·zeug *nt* oilskins *pl*

Öl·zweig *m* olive branch

Oma <-, -s> ['o:ma] *f (fam)* gran[ny]

Om·buds·mann, -frau ['ɔmbʊts-] *m, f* ombudsman *masc*, ombudswoman *fem*

Ome·lett <-[e]s, -e *o* -s> *nt,* **Ome·lette** <-, -n> [ɔm(ə)'lɛt, *pl* ɔm(ə)'lɛtn] *f* SÜDD, SCHWEIZ, ÖSTERR omelette

Omen <-s, - *o* Omina> ['o:mən, *pl* 'o:mina] *nt (geh)* omen

omi·nös [omi'nø:s] *adj (geh)* ominous

Om·ni·bus ['ɔmnibʊs] *m* bus

Om·ni·bus·hal·te·stel·le *f* bus stop

ona·nie·ren* [ona'ni:rən] *vi* to masturbate

On·kel <-s, -> ['ɔŋkl] *m* uncle

on·line[RR] ['ɔnlaɪn] *adj* online

On·line·bank ['ɔnlaɪn-] *f* FIN, INET Internet bank **On·line·ban·king** ['ɔnlaɪn-bɛŋkɪŋ] *nt* online banking **On·line·be·trieb** ['ɔnlaɪn-] *m kein pl* online operation *no pl* **On·line·chat** ['ɔnlaɪntʃɛt] *m* online chat **On·line·da·ten·bank·dienst** [ɔnlaɪn-] *m* online database service **On·line·dienst** ['ɔnlaɪn-] *m* online service **On·line·ler·nen** ['ɔnlaɪn-] *nt kein pl* cyberstudy **On·line·shop·ping** ['ɔnlaɪn-ʃɔpɪŋ] *nt* online shopping

Onyx <-[es], -e> ['o:nʏks] *m* onyx *no art, no pl*

OP <-s, -s> [o:'pe:] *m* MED *Abk von* **Operationssaal** OR *no art* AM

Opa <-s, -s> ['o:pa] *m (fam)* grand[d]ad

Opal <-s, -e> [o'pa:l] *m* opal

Oper <-, -n> ['o:pɐ] *f* opera

Ope·ra·ti·on <-, -en> [opəra'tsi̯o:n] *f* operation

Ope·ra·ti·ons·saal *m* operating theatre *[or* AM room*]*

ope·ra·tiv [opəra'ti:f] **I.** *adj* ❶ MED operative; **~er Eingriff** surgery ❷ MIL operational **II.** *adv* ❶ MED surgically ❷ MIL strategically

Ope·ret·te <-, -n> [opə'rɛtə] *f* operetta

ope·rie·ren* [opə'ri:rən] **I.** *vt* ■ **jdn/etw ~** to operate on sb/sth; ■ **sich** *dat* **etw ~ lassen** to have sth operated on **II.** *vi* to operate **(an** on)

Opern·glas *nt* opera glasses *npl* **Opern·haus** *nt* opera house **Opern·sän·ger(in)**

m(f) opera singer

Op·fer <-s, -> [ˈɔpfɐ] *nt* ① *(verzichtende Hingabe)* sacrifice; **~ bringen** to make sacrifices ② REL sacrifice ③ *(geschädigte Person)* victim; **jdm/etw zum ~ fallen** to fall victim to sb/sth

Op·fer·be·reit·schaft *f kein pl* readiness to make sacrifices **Op·fer·ga·be** *f* [sacrificial] offering

op·fern [ˈɔpfɐn] **I.** *vt* ① *(als Opfer darbringen)* ▪**jdn ~** to sacrifice sb; ▪**etw ~** to offer up sth ② *(spenden)* to donate ③ *(aufgeben)* to give II. *vi* ① *(ein Opfer darbringen)* to [make a] sacrifice ② *(geh: spenden)* to give III. *vr* ▪**sich ~** to sacrifice oneself

Op·fe·rung <-, -en> *f* sacrifice

Opi·at <-[e]s, -e> [oˈpi̯aːt] *nt* opiate

Opi·um <-s> [ˈoːpi̯ʊm] *nt kein pl* opium *no art, no pl*

Opos·sum <-s, -s> [oˈpɔsʊm] *nt* ZOOL opossum

Op·po·nent(in) <-en, -en> [ɔpoˈnɛnt] *m(f) (geh)* opponent

op·po·nie·ren* [ɔpoˈniːrən] *vi (geh)* to take the opposite view

op·por·tun [ɔpɔrˈtuːn] *adj (geh)* opportune

Op·por·tu·nis·mus <-> [ɔpɔrtuˈnɪsmʊs] *m kein pl (geh)* opportunism *no art, no pl*

Op·por·tu·nist(in) <-en, -en> [ɔpɔrtuˈnɪst] *m(f)* opportunist

op·por·tu·nis·tisch I. *adj* opportunist[ic] **II.** *adv* opportunistically

Op·po·si·ti·on <-, -en> [ɔpoziˈtsi̯oːn] *f* ① POL ▪**die ~** the Opposition ② *(geh: Widersetzlichkeit)* contrariness **(aus** out of)

op·po·si·ti·o·nell [ɔpozitsi̯oˈnɛl] *adj* ① *(geh: gegnerisch)* opposed, opposing *attr* ② POL opposition *attr*

Op·po·si·ti·ons·füh·rer(in) *m(f)* ▪**der ~/die ~in** the Leader of the Opposition **Op·po·si·ti·ons·par·tei** *f* opposition party

OP-Schwes·ter *f* theatre nurse BRIT, operating-room nurse AM

op·tie·ren* [ɔpˈtiːrən] *vi (geh)* to opt **(für** for)

Op·tik <-, -en> [ˈɔptɪk] *f* ① PHYS ▪**die ~** optics + *sing vb* ② FOTO lens [system] ③ *kein pl (Eindruck)* appearance *no art, no pl*

Op·ti·ker(in) <-s, -> [ˈɔptɪkɐ] *m(f)* [ophthalmic] optician BRIT, *esp* AM optometrist

op·ti·mal [ɔptiˈmaːl] **I.** *adj* optimal **II.** *adv* in the best possible way

op·ti·mie·ren* [ɔptiˈmiːrən] *vt* to optimize

Op·ti·mie·rung <-, -en> *f* optimization

Op·ti·mis·mus <-> [ɔptiˈmɪsmʊs] *m kein pl* optimism *no art, no pl*

Op·ti·mist(in) <-en, -en> [ɔptiˈmɪst] *m(f)* optimist

op·ti·mis·tisch I. *adj* optimistic **II.** *adv* optimistically

Op·ti·mum <-s, Optima> [ˈɔptimʊm, *pl* ˈɔptima] *nt (geh)* optimum *no pl*

Op·ti·on <-, -en> [ɔpˈtsi̯oːn] *f* ① BÖRSE, FIN option ② *(das Optieren)* ▪**die ~ [von etw *dat*]** opting [for sth] ③ *(geh: Möglichkeit)* option

op·tisch [ˈɔptɪʃ] **I.** *adj* ① PHYS optical ② *(geh)* visual **II.** *adv* optically, visually

Opus <-, Opera> [ˈoːpʊs, *pl* ˈoːpəra] *nt* ① *(künstlerisches Werk)* work, oeuvre; MUS opus ② *(hum: Erzeugnis)* opus *form or* hum

Ora·kel <-s, -> [oˈraːkl̩] *nt* oracle; **das ~ befragen** to consult the oracle

oral [oˈraːl] **I.** *adj* oral **II.** *adv* orally

Oral·ver·kehr *m kein pl* oral sex

orange [oˈrãːʒə, oˈraŋʒə] *adj (Farbe)* orange

Orange <-, -n> [oˈrãːʒə, oˈraŋʒə] *f (Frucht)* orange

oran·ge·far·ben, **oran·ge·far·big** [oˈraŋʒ-] *adj* orange[-coloured [*or* AM -colored]]

Oran·gen·baum [oˈrãːʒn̩-, oˈraŋʒn̩-] *m* orange tree **oran·gen·far·ben** [oˈrãːʒn̩-], **oran·gen·far·big** [oˈrãːʒn̩-] *adj* orange[-coloured] **Oran·gen·haut** [oˈrãːʒn̩-] *f kein pl* MED cellulite *no pl* **Oran·gen·mar·me·la·de** [oˈrãːʒn̩-] *f* marmalade **Oran·gen·saft** [oˈrãːʒn̩-] *m* orange juice **Oran·gen·scha·le** [oˈrãːʒn̩-] *f* orange peel

Orang-U·tan <-s, -s> [ˈoːraŋˈʔuːtan] *m* orang-utan

Ora·to·ri·um <-s, -torien> [oraˈtoːri̯ʊm, *pl* -toːri̯ən] *nt* oratorio

Or·bit <-s, -s> [ˈɔrbɪt] *m* orbit; **im ~** in orbit

Or·ches·ter <-, -> [ɔrˈkɛstɐ, ɔrˈçɛstɐ] *nt* orchestra

Or·ches·ter·gra·ben *m* MUS orchestra pit **Or·chi·dee** <-, -n> [ɔrçiˈdeː(ə)] *f* orchid

Or·den <-s, -> [ˈɔrdn̩] *m* ① *(Ehrenzeichen)* decoration, medal; **jdm einen ~ [für etw *akk*] verleihen** to decorate sb [for sth] ② *(Gemeinschaft)* [holy] order; **einem ~ beitreten** to join a holy order

or·dent·lich [ˈɔrdntlɪç] **I.** *adj* ① *(aufgeräumt)* tidy ② *(Ordnung liebend)* orderly; *(Person)* tidy ③ *(fam: tüchtig)* proper; *Portion* decent; **eine ~e Tracht Prügel** a

[real] good hiding *hum* ❹ (*ordnungsgemäß*) proper; **ein ~es Gericht** a court of law; *Mitglied, Professor* full **II.** *adv* ❶ (*säuberlich*) neatly ❷ (*gesittet*) properly ❸ (*fam: tüchtig*) properly; **~ essen** to eat well ❹ (*diszipliniert*) properly; **~ zu arbeiten beginnen** to get down to work

Or·der <-, -s *o* -n> ['ɔrdɐ] *f* order

or·dern ['ɔrdɐn] *vt, vi* to order

Or·di·nal·zahl [ɔrdi'na:l-] *f* ordinal [number]

or·di·när [ɔrdi'nɛ:ɐ̯] **I.** *adj* ❶ (*vulgär*) vulgar ❷ (*alltäglich*) ordinary **II.** *adv* crudely

Or·di·na·ri·us, Or·di·na·ria <-, Ordinarien> [ɔrdi'na:riʊs, ɔrdi'na:ri̯a, *pl* -ri̯ən] *m, f* professor

ord·nen ['ɔrdnən] **I.** *vt* ■**etw ~** ❶ (*sortieren*) to arrange sth; **etw neu ~** to rearrange sth ❷ (*in Ordnung bringen*) to put sth in order **II.** *vr* ■**sich ~** to get clearer

Ord·ner <-s, -> *m* file

Ord·ner(in) <-s, -> *m(f)* steward, marshal

Ord·nung <-, -en> ['ɔrdnʊŋ] *f* ❶ *kein pl* (*das Sortieren*) ■**die ~ von etw** *dat* ordering sth ❷ (*Aufgeräumtheit*) order *no art, no pl*; **etw in ~ bringen** to tidy sth up; **~ halten** to keep things tidy; **~ schaffen** to tidy things up ❸ *kein pl* (*ordentliches Verhalten*) order *no art, no pl*; **die öffentliche ~** public order ❹ (*Gesetzmäßigkeit*) structure ❺ (*Vorschrift*) rules *pl*; **der ~ halber** as a matter of form ❻ BIOL order; ASTRON magnitude *spec* ▶**etw in ~ bringen** (*etw reparieren*) to fix sth; **es [ganz] in ~ finden, dass ...** to find it [quite] right that ...; **es nicht in ~ finden, dass ...** to not think it's right that ...; **geht in ~!** (*fam*) that's OK; **etwas ist mit jdm/etw nicht in ~** there's something wrong with sb/sth; **[wieder] in ~ kommen** ([*wieder*] *gut gehen*) to turn out all right; (*wieder funktionieren*) to start working [again]; **in ~ sein** (*fam*) to be OK; **nicht in ~ sein** (*nicht funktionieren*) to not be working properly; (*sich nicht gehören*) to be not right; (*nicht stimmen*) to be not right; **[das ist] in ~!** [that's] OK!

Ord·nungs·amt *nt* regulatory agency (*municipal authority responsible for registration, licensing, and regulating public events*) **Ord·nungs·geld** *nt* fine **ord·nungs·ge·mäß I.** *adj* according to the rules *pred* **II.** *adv* in accordance with the regulations **ord·nungs·hal·ber** *adv* as a matter of form **Ord·nungs·hü·ter(in)** *m(f)* (*hum*) custodian of the law **Ord·nungs·lie·be** *f kein pl* love of [good] order **ord·nungs·lie·bend** *adj* tidy-minded

Ord·nungs·sinn *m kein pl* sense of order **Ord·nungs·stra·fe** *f* fine **ord·nungs·wid·rig I.** *adj* illegal **II.** *adv* illegally **Ord·nungs·wid·rig·keit** *f* infringement [of the regulations/law] **Ord·nungs·zahl** *f s.* **Ordinalzahl**

Ore·ga·no <-s> [o're:gano] *m kein pl* oregano

Or·gan <-s, -e> [ɔr'ga:n] *nt* ❶ ANAT organ ❷ (*fam: Stimme*) voice ❸ *pl selten* (*form: offizielle Zeitschrift/Einrichtung*) organ

Or·gan·bank *f* organ bank **Or·gan·han·del** <-s> *m kein pl* [illegal] trade in [body] organs

Or·ga·ni·sa·ti·on <-, -en> [ɔrganiza'tsi̯o:n] *f* organization

Or·ga·ni·sa·ti·ons·ta·lent *nt* ❶ *kein pl* (*Eigenschaft*) talent for organization ❷ (*Mensch*) person with a talent for organization

Or·ga·ni·sa·tor, -to·rin <-s, -toren> [ɔrgani'za:to:ɐ̯, -'to:rɪn, *pl* -'to:rən] *m, f* organizer

or·ga·ni·sa·to·risch [ɔrganiza'to:rɪʃ] **I.** *adj* organizational **II.** *adv* organizationally

or·ga·nisch [ɔr'ga:nɪʃ] **I.** *adj* organic **II.** *adv* organically

or·ga·ni·sie·ren* [ɔrgani'zi:rən] **I.** *vt* ■**etw ~** ❶ (*systematisch vorbereiten*) to organize sth ❷ (*sl: unrechtmäßig beschaffen*) to get hold of sth **II.** *vi* to organize; **er kann ausgezeichnet ~** he's an excellent organizer **III.** *vr* ■**sich ~** to organize

or·ga·ni·siert *adj* organized; **~es Verbrechen** organized crime; **~e Maßnahmen** coordinated measures

Or·ga·nis·mus <-, -nismen> [ɔrga'nɪsmʊs, *pl* -mən] *m* organism

Or·ga·nist(in) <-en, -en> [ɔrga'nɪst] *m(f)* organist

Or·gan·spen·de *f* organ donation **Or·gan·spen·der(in)** *m(f)* organ donor **Or·gan·trans·plan·ta·ti·on** *f,* **Or·gan·ver·pflan·zung** *f* organ transplant

Or·gas·mus <-, Orgasmen> [ɔr'gasmʊs, *pl* ɔr'gasmən] *m* orgasm

or·gas·tisch [ɔr'gastɪʃ] *adj* orgasmic

Or·gel <-, -n> ['ɔrgl] *f* organ

Or·gel·pfei·fe *f* organ pipe

or·gi·as·tisch *adj* (*geh*) orgiastic

Or·gie <-, -n> ['ɔrgi̯ə] *f* orgy

Ori·ent <-s> ['o:riɛnt, o'riɛnt] *m kein pl* ❶ **der [Vordere] ~** the [Near and] Middle East ❷ (*veraltet: Osten*) Orient

Ori·en·ta·le, Ori·en·ta·lin <-n, -n> [ori̯ɛn'ta:lə, ori̯ɛn'ta:lɪn] *m, f person from the Middle East*

ori·en·ta·lisch [orien'taːlɪʃ] *adj* oriental

ori·en·tie·ren* [orien'tiːrən] I. *vr* ◼ **sich ~** ❶ (*sich informieren*) to inform oneself (**über** about) ❷ (*sich zurechtfinden*) to get one's bearings ❸ (*sich einstellen*) to adapt oneself (**an** to) II. *vt* (*geh*) ❶ (*informieren*) ◼ **jdn ~** to inform sb (**über** about) ❷ (*ausgerichtet sein*) **ich bin eher links/ rechts/liberal orientiert** I tend more to the left/right/I am more liberally orientated

Ori·en·tie·rung <-, -en> [orien'tiːrʊŋ] *f* ❶ (*das Zurechtfinden*) orientation; **die ~ verlieren** to lose one's bearings ❷ (*geh: Unterrichtung*) information; **zur/zu jds ~** (*geh*) for [sb's] information ❸ (*geh: Ausrichtung*) ◼ **die/jds ~ an etw** *dat* the/sb's orientation towards sth

Ori·en·tie·rungs·hil·fe *f* aid to orientation

Ori·en·tie·rungs·punkt *m* point of reference **Ori·en·tie·rungs·sinn** *m kein pl* sense of direction

ori·gi·nal [origiˈnaːl] I. *adj* ❶ (*echt*) genuine ❷ (*ursprünglich*) original II. *adv* in the original [condition]

Ori·gi·nal <-s, -e> [origiˈnaːl] *nt* ❶ (*Urversion*) original; **im ~** in the original ❷ (*Mensch*) character

Ori·gi·nal·auf·nah·me *f* ❶ MUS original recording ❷ FOTO original photograph ❸ FILM original print **ori·gi·nal·ge·treu** I. *adj* true to the original *pred* II. *adv* in a manner true to the original

Ori·gi·na·li·tät <-> [originaliˈtɛːt] *f kein pl* ❶ (*Echtheit*) authenticity *no art, no pl* ❷ (*Ursprünglichkeit*) naturalness *no art, no pl* ❸ (*Einfallsreichtum*) originality *no art, no pl*

ori·gi·nell [origiˈnɛl] *adj* original

Or·kan <-[e]s, -e> [ɔrˈkaːn] *m* hurricane **or·kan·ar·tig** *adj* hurricane-force *attr*

Or·na·ment <-[e]s, -e> [ɔrnaˈmɛnt] *nt* ornament

or·na·men·tal [ɔrnamɛnˈtaːl] I. *adj* ornamental II. *adv* ornamentally

Or·nat <-[e]s, -e> [ɔrˈnaːt] *m* regalia + *sing/pl vb*

Or·ni·tho·lo·ge, -lo·gin <-n, -n> [ɔrnitoˈloːɡə, -ˈloːɡɪn] *m, f* ornithologist

Oro·pax® <-, -> [ˈoːropaks] *nt* earplug *usu pl*

Ort <-[e]s, -e> [ɔrt] *m* ❶ (*Stelle*) place; **der ~ der Handlung** the scene of the action ❷ (*~schaft*) village, [small] town; **am ~** in the place/the village/[the] town; **von ~ zu ~** from place to place ► **an ~ und Stelle** on the spot, there and then; **vor ~** on the spot

Ört·chen <-s, -> [ˈœrtçən] *nt* ► **das [stille] ~** (*euph fam*) the smallest room BRIT, the john AM

or·ten [ˈɔrtn̩] *vt* ❶ (*ausfindig machen*) to locate ❷ (*ausmachen*) to sight ❸ (*fam: sehen*) to spot

or·tho·dox [ɔrtoˈdɔks] I. *adj* ❶ REL Orthodox ❷ (*geh: strenggläubig*) orthodox II. *adv* REL according to Orthodox ritual

Or·tho·gra·phie, Or·tho·gra·fieᴿᴿ <-, -n> [ɔrtograˈfiː, *pl* ɔrtograˈfiːən] *f* spelling

or·tho·gra·phisch, or·tho·gra·fischᴿᴿ [ɔrtoˈɡraːfɪʃ] I. *adj* orthographic[al] *spec* II. *adv* orthographically *spec*

Or·tho·pä·de, Or·tho·pä·din <-n, -n> [ɔrtoˈpɛːdə, ɔrtoˈpɛːdɪn] *m, f* orthopaedist

Or·tho·pä·die <-> [ɔrtopɛˈdiː] *f kein pl* orthopaedics + *sing vb*

or·tho·pä·disch [ɔrtoˈpɛːdɪʃ] *adj* orthopaedic

ört·lich [ˈœrtlɪç] I. *adj* ❶ (*lokal*) local ❷ METEO localized II. *adv* locally; **~ verschieden sein/variieren** to vary from place to place; **jdn ~ betäuben** to give sb a local anaesthetic

Ört·lich·keit <-, -en> *f* area

Orts·an·ga·be *f* ❶ (*Standortangabe*) [name of] location; (*in Anschrift*) [name of the] town/city ❷ (*Erscheinungsort*) **ohne ~** no place of publication indicated **orts·an·säs·sig** *adj* local; ◼ **~ sein** to live locally **Orts·aus·gang** *m* end of a village [*or* town] **Orts·be·stim·mung** *f* bearing of position

Ort·schaft <-, -en> *f* village/[small] town; **eine geschlossene ~** a built-up area

Orts·ein·gang *m* start of a village [*or* town] **orts·fremd** *adj* non-local; ◼ **~ sein** to be a stranger **Orts·ge·spräch** *nt* local call **Orts·kennt·nis·se** *pl* local knowledge; [**gute**] **~ haben** to know the place [well] **orts·kun·dig** *adj* ◼ **~ sein** to know one's way around **Orts·kun·di·ge(r)** *f(m)* person who knows his/her way around **Orts·na·me** *m* place name **Orts·netz** *nt* ❶ TELEK local exchange network ❷ ELEK local grid **Orts·netz·kenn·zahl** *f* (*form*) dialling [*or* AM area] code **Orts·schild** *nt* place name sign **Orts·ta·rif** *m* local [call] rate **Orts·teil** *m* part of a village [*or* town] **Orts·wech·sel** *m* change of one's place of residence **Orts·zeit** *f* local time

Or·tung <-, -en> *f* ❶ *kein pl* (*das Orten*) ◼ **die ~** [**von etw** *dat*] locating [sth] ❷ (*geortetes Objekt*) signal; (*auf Anzeige a.*) reading

O-Saft [ˈoːzaft] *m* (*fam: Orangensaft*) OJ

Öse <-, -n> [ˈøːzə] *f* eye[let]

Os·lo <-s> ['ɔslo] *nt* Oslo *no pl, no art*

Os·ma·ne, **Os·ma·nin** <-n, -n> [ɔs'maːnə, ɔs'maːnɪn] *m, f* Ottoman *hist*

Os·mo·se <-, -n> [ɔs'moːzə] *f* osmosis *no pl, no art spec*

Os·si <-, -s> ['ɔsi] *m o f* (*fam*) East German

Ost <-[e]s, -e> ['ɔst] *m kein pl, kein art* east

Os·tal·gi·ker(in) <-s, -> [ɔs'talgike] *m(f)* SOZIOL, POL (*iron*) someone who looks back nostalgically on the former GDR

Ọst·a·si·en *nt* East[ern] Asia *no pl, no art*
  ost·deutsch ['ɔstdɔytʃ] *adj* East German **Ost·deutsch·land** ['ɔstdɔytʃlant] *nt* East[ern] Germany *no pl, no art*

Os·ten <-s> ['ɔstn̩] *m kein pl, no indef art*
  ❶ (*Himmelsrichtung*) east; **die Sonne geht im ~ auf** the sun rises in the east; **der Ferne ~** the Far East; **der Nahe ~** the Middle East ❷ (*östliche Gegend*) east

Os·teo·po·ro·se <-, -n> [ɔsteopo'roːzə] *f* osteoporosis *no pl, no art*

Os·ter·ei *nt* Easter egg **Os·ter·glo·cke** *f* BOT daffodil **Os·ter·ha·se** *m* Easter bunny **Os·ter·in·sel** *f* **die ~** Easter Island **Os·ter·lamm** *nt* paschal lamb *spec*

ös·ter·lich ['øːstelɪç] **I.** *adj* Easter *attr* **II.** *adv* like Easter **Os·ter·mon·tag** ['oːste'moːntaːk] *m* Easter Monday

Os·tern <-, -> ['oːsten] *nt* Easter; **frohe ~!** Happy Easter!

Ös·ter·reich <-s> ['øːstərajç] *nt* Austria; *s. a.* **Deutschland**

Ös·ter·rei·cher(in) <-s, -> ['øːstərajçe] *m(f)* Austrian; *s. a.* **Deutsche(r)**

ös·ter·rei·chisch ['øːstərajçɪʃ] *adj* Austrian; **das Ö~e** Austrian; *s. a.* **deutsch**

Os·ter·sonn·tag ['oːste'zɔntaːk] *m* Easter Sunday

Ọst·er·wei·te·rung *f kein pl* eastward expansion [of the EU]

Os·ter·wo·che *f* Holy Week (*week before Easter*)

Ost·eu·ro·pa ['ɔst?ɔy'roːpa] *nt* East[ern] Europe **Ọst·frie·se, -frie·sin** <-n, -n> *m, f* East Frisian **ost·frie·sisch** ['ɔst'friːzɪʃ] *adj* East Frisian **Ost·fries·land** ['ɔst'friːslant] *nt* East Friesland

öst·lich ['œstlɪç] **I.** *adj* ❶ (*in ~ er Himmelsrichtung befindlich*) eastern ❷ (*im Osten liegend*) eastern ❸ (*von/nach Osten*) eastwards, easterly ❹ (*den osteuropäischen und asiatischen Raum betreffend*) eastern **II.** *adv* **~ von ...** east of ... **III.** *präp +gen* **~ einer S.** *gen* [to the] east of sth

Ost·preu·ßen ['ɔstprɔysn̩] *nt* East Prussia **Ös·tro·gen** <-s, -e> [œstro'geːn] *nt* oestrogen *no pl, no art*

Ost·see ['ɔstzeː] *f* **die ~** the Baltic [Sea]

Ọst·staa·ten *pl* (*in den USA*) Eastern states *pl* **Ọst·ta·rif** *m pl selten a pay scale applicable in the Länder that formerly belonged to the German Democratic Republic* **Ọst·ver·trä·ge** *pl* treaties *pl* with the Eastern bloc countries

ost·wärts ['ɔstvɛrts] *adv* eastwards, to the east

Ost-West-Be·zie·hun·gen ['ɔst'vɛst-] *pl* East-West relations *pl* **Ọst·wind** *m* east wind

OSZE [oː?ɛstsɛt?'eː] *f Abk von* **Organisation für Sicherheit und Zusammenarbeit in Europa** OSCE *hist*

os·zil·lie·ren* [ɔstsɪ'liːrən] *vi* PHYS to oscillate

Ot·ter¹ <-, -n> ['ɔte] *f* (*Schlangenart*) adder

Ot·ter² <-s, -> ['ɔte] *m* (*Fisch~*) otter

ÖTV <-> [øːteː'faʊ] *f kein pl Abk von* **Gewerkschaft Öffentliche Dienste, Transport und Verkehr** ≈ TGWU BRIT, ≈ TWU AM

out [aʊt] *adj* (*fam*) **~ sein** to be out

Out·fit <-s, -s> ['aʊtfɪt] *nt* (*sl*) outfit

Ou·ting <-s, -s> ['aʊtɪŋ] *nt* (*fam*) coming out

Out·put <-s, -s> ['aʊtpʊt] *m o nt* ÖKON, INFORM output

Out·sour·cing <-> ['aʊtsoːesɪŋ] *nt kein pl* outsourcing *no pl*

Ou·ver·tü·re <-, -n> [uver'tyːrə] *f* overture

oval [o'vaːl] *adj* oval

Oval <-s, -e> [o'vaːl] *nt* oval

Ova·ti·on <-, -en> [ova'tsi̯oːn] *f* (*geh*) ovation; **jdm ~en darbringen** to give sb an ovation

Over·all <-s, -s> ['oːvəraːl, -roːl] *m* (*für schmutzige Arbeit*) overalls *npl,* BRIT *also* overall; (*bei kaltem Wetter*) jumpsuit

Over·head·pro·jek·tor ['oːvehɛt-] *m* overhead projector

Over·kill <-> ['oːvekɪl] *m kein pl* overkill *no pl, no art pej*

ÖVP <-> [øːfaʊ'peː] *f Abk von* **Österreichische Volkspartei** Austrian People's Party

Ovu·la·ti·on <-, -en> [ovula'tsi̯oːn] *f* ovulation *no pl, no art*

Ovu·la·ti·ons·hem·mer <-s, -> *m* ovulation inhibitor *form*

oxi·die·ren* [ɔksi'diːrən] *vi, vt sein o haben* to oxidize

Oxyd <-[e]s, -e> [ɔ'ksyːt, *pl* ɔ'ksyːdə] *nt* oxide

Oxy·da·ti·on <-, -en> [ɔksy:da'tsi̯oːn] *f* oxidation

oxy·die·ren* [ɔksyˈdiːrən] *vt, vi* to oxidize

Oze·an <-s, -e> [ˈoːtseaːn] *m* ocean; **der Atlantische/Pazifische ~** the Atlantic/ Pacific Ocean

Oze·an·damp·fer *m* ocean liner

Oze·lot <-s, -e> [ˈoːtselɔt, ˈɔtselɔt] *m* ZOOL ocelot *spec*

Ozon <-s> [oˈtsoːn] *nt o m kein pl* ozone *no pl, no art*

Ozon·alarm *m kein pl* ozone warning **Ozon·ge·halt** *m* ozone concentration *no pl* **Ozon·loch** *nt* ▪ **das ~** the ozone hole **Ozon·schicht** *f kein pl* ▪ **die ~** the ozone layer **Ozon·smog** [-smɔk] *m* ozone smog

P p

P, p <-, - o fam -s, -s> [pe:] nt P, p; s. a. **A 1**

paar [pa:ɐ̯] adj ■ein ~ … a few …; **ein ~ Mal** a couple of times; **alle ~ Tage/ Wochen** every few days/weeks

Paar <-s, -e> [pa:ɐ̯] nt ❶ (Mann und Frau) couple ❷ (zwei zusammengehörende Dinge) pair; **ein ~ Würstchen** a couple of sausages; **ein ~ neue Socken** a pair of new socks

paa·ren [pa:rən] I. vr ❶ (kopulieren) ■sich ~ to mate ❷ (sich verbinden) ■sich mit etw dat ~ to be coupled with sth II. vt (zur Kopulation zusammenbringen) ■etw ~ to mate sth; SPORT ■jdn ~ to match sb

paa·rig [pa:rɪç] I. adj paired II. adv in pairs; ~ **angeordnet** arranged in pairs

Paar·lauf m pair-skating, pairs + sing vb

Paa·rung <-, -en> f mating

Paa·rungs·zeit f mating season

paar·wei·se adv in pairs

Pacht <-, -en> [paxt] f ❶ (Entgelt) rent[al] no indef art, no pl ❷ (Nutzungsvertrag) lease; **etw in ~ haben** to have sth on lease

pach·ten [paxtn̩] vt to lease (**von** from)

Päch·ter(in) <-s, -> [pɛçtɐ] m(f) tenant

Pacht·ver·trag m lease

Pack¹ <-[e]s, -e o Päcke> [pak, pl 'pɛkə] m (Stapel) stack; (zusammengeschnürt) pack

Pack² <-s> [pak] nt kein pl (pej: Pöbel) riff-raff + pl vb

Päck·chen <-s, -> ['pɛkçən] nt ❶ (Postversand) small parcel ❷ (Packung) packet ❸ (kleiner Packen) pack

Pack·eis nt pack ice no art, no pl

pa·cken ['pakn̩] vt ❶ (ergreifen) ■jdn/ etw ~ to grab [hold of] sb/sth (**bei/an** by); **jdn am Kragen ~** to grab sb by the collar ❷ (voll ~) to pack; **ein Paket ~** to make up sep a parcel ❸ (verstauen) to pack (**in** in[to]); **Gepäck in den Kofferraum ~** to put luggage in the boot ❹ (überkommen) to seize; **von Ekel/Abenteuerlust gepackt** seized by revulsion/a thirst for adventure; **mich packt auf einmal ein unwiderstehliches Verlangen nach Island zu fliegen** I suddenly have an irresistible urge to fly to Iceland ❺ (sl: bewältigen) to manage; **Prüfung** to pass ❻ (erreichen) **beeilt euch, sonst ~ wir es nicht mehr!** hurry up, otherwise we won't make it! ❼ (sl: kapieren) ■etw ~ to get sth fam

Pa·cken <-s, -> ['pakn̩] m stack; (unordentlich a.) pile; (zusammengeschnürt) bundle

pa·ckend adj absorbing; Buch, Film thrilling

Pack·esel m (Lasttier) pack mule; (fig) packhorse

Pack·pa·pier nt wrapping paper no art, no pl

Pa·ckung <-, -en> f ❶ (Schachtel) pack[et]; **eine ~ Pralinen** a box of chocolates ❷ MED pack

Pad <-s, -s> [pɛt] nt ❶ INFORM [mouse] pad ❷ (Watte~) cotton [wool] pad

Pä·da·go·ge, Pä·da·go·gin <-n, -n> [pɛda'go:gə, pɛda'go:gɪn] m, f ❶ (Lehrer) teacher ❷ (Erziehungswissenschaftler) education[al]ist

Pä·da·go·gik <-> [pɛda'go:gɪk] f kein pl pedagogy no art, no pl spec

Pä·da·go·gin <-, -nen> f fem form von **Pädagoge**

pä·da·go·gisch [pɛda'go:gɪʃ] I. adj educational attr; ~**e Fähigkeiten** teaching ability II. adv educationally

Pad·del <-s, -> ['padl̩] nt paddle

Pad·del·boot nt canoe

pad·deln ['padl̩n] vi sein o haben to paddle

Pa·el·la <-, -s> [pa'ɛlja] f KOCHK paella

paf·fen ['pafn̩] I. vi (fam: rauchen) to puff away; (nicht inhalieren) to puff II. vt (fam) ■etw ~ to puff away at sth

Pa·ge <-n, -n> ['pa:ʒə] m page [boy]

Pa·go·de <-, -n> [pa'go:də] f pagoda

Pail·let·te <-, -n> [paj'jɛtə] f sequin

Pa·ket <-[e]s, -e> [pa'ke:t] nt ❶ (Sendung) parcel ❷ (umhüllter Packen) package ❸ (Packung) packet ❹ (Gesamtheit) package ❺ (Stapel) stack

Pa·ket·an·nah·me f (Paketschalter) parcels counter **Pa·ket·aus·ga·be** f parcels counter **Pa·ket·bom·be** f parcel bomb **Pa·ket·schal·ter** m parcels counter

Pa·kis·tan <-s> ['pa:kɪsta:n] nt Pakistan; s. a. **Deutschland**

Pa·kis·ta·ner(in) <-s, -> [pakɪs'ta:nɐ] m(f), **Pa·kis·ta·ni** <-[s], -[s] o fem -, -> [pakɪs'ta:ni] m o f Pakistani; s. a. **Deutsche(r)**

pa·kis·ta·nisch [pakɪs'ta:nɪʃ] adj Pakistani; s. a. **deutsch**

Pakt <-[e]s, -e> [pakt] m pact

pak·tie·ren* [pak'ti:rən] vi ■mit jdm ~ to make a pact with sb

Pa·lais <-, -> [pa'lɛː, pl -'ɛːs] nt palace

Pa·last <-[e]s, Paläste> [pa'last, pl pa'lɛstə] m palace

Pa·läs·ti·na <-s> [palɛs'tiːna] nt Palestine; s. a. **Deutschland**

Pa·läs·ti·nen·ser(in) <-s, -> [palɛs-ti'nɛnzɐ] m(f) Palestinian; s. a. **Deutsche(r)**

Pa·läs·ti·nen·ser·or·ga·ni·sa·ti·on f Palestinian organization **Pa·läs·ti·nen·ser·tuch** nt keffiyeh

pa·läs·ti·nen·sisch [palɛsti'nɛnzɪʃ] adj Palestinian; s. a. **deutsch**

Pa·la·ver <-s, -> [pa'laːvɐ] nt (fam) palaver no pl

pa·la·vern* [pa'laːvɐn] vi (fam) to palaver

Pa·let·te <-, -n> [pa'lɛtə] f ❶ (Stapelplatte) pallet ❷ KUNST palette ❸ (geh: reiche Vielfalt) range

pa·let·ti [pa'lɛti] adv ▸ **alles ~** (sl) everything's OK fam

Pa·li·sa·de <-, -n> [pali'zaːdə] f pale, stake, palisade

Palm <-s, -s> [pɑːm] m INFORM palmtop

Pal·me <-, -n> ['palmə] f palm [tree] ▸ **jdn [mit etw dat] auf die ~ bringen** (fam) to drive sb up the wall [with sth]

Palm·sonn·tag [palm'zɔntaːk] m Palm Sunday

Palm·top <-s, -s> ['pɑːm-] nt INFORM palmtop

Palm·we·del m palm frond

Pam·pa <-, -s> ['pampa] f pampas pl ▸ **[mitten] in der ~** (fam) in the middle of nowhere

Pam·pe <-> ['pampə] f kein pl (pej fam) mush; (klebrig a.) goo

Pam·pel·mu·se <-, -n> ['pampl̩muːzə, pampl̩'muːzə] f grapefruit

Pam·pers® <-, -> ['pɛmpɐs] f Pampers®

Pam·phlet <-[e]s, -e> [pam'fleːt] nt (pej geh) defamatory pamphlet

pam·pig adj (fam) ❶ (frech) stroppy BRIT, ill-tempered AM ❷ (zäh breiig) mushy; (klebrig a.) gooey

Pa·na·de <-, -n> [pa'naːdə] f breadcrumb coating

Pa·na·ma¹ <-s> ['panama] nt Panama; s. a. **Deutschland**

Pa·na·ma² <-s, -s> ['panama] m (Hut) Panama [hat]

Pa·na·ma·er(in) <-s, -> ['panamaɐ] m(f) Panamanian; s. a. **Deutsche(r)**

pa·na·ma·isch [pana'maːɪʃ] adj Panamanian; s. a. **deutsch**

Pan·da <-s, -s> ['panda] m [giant] panda

Pan·flö·te ['pɑːn-] f panpipes npl

pa·nie·ren* [pa'niːrən] vt to bread (to coat sth in seasoned, whisked egg and breadcrumbs)

Pa·nier·mehl nt breadcrumbs pl

Pa·nik <-, -en> ['paːnɪk] f panic no pl; **in ~ geraten** to [get in a] panic

pa·nik·ar·tig adj panic-stricken

Pa·nik·kauf m FIN panic buying **Pa·nik·ma·che** <-> f kein pl (pej fam) scaremongering no pl, no art **Pa·nik·stim·mung** f state of panic **Pa·nik·ver·kauf** m BÖRSE panic selling

pa·nisch ['paːnɪʃ] I. adj attr panic-stricken II. adv in panic; **sich ~ fürchten** to be terrified

Pan·ne <-, -n> ['panə] f ❶ AUTO, TECH breakdown ❷ (Missgeschick) mishap

Pan·nen·dienst <-es, -e> m breakdown [or AM towing] service

Pa·no·ra·ma <-s, Panoramen> [pano'raːma, pl -'raːmən] nt panorama

pan·schen ['panʃn̩] I. vt ▪ **etw ~** to adulterate sth II. vi ❶ (mit Wasser verdünnen) to adulterate a[n alcoholic] drink ❷ (fam: planschen) to splash about

Pan·ter^RR <-s, -> ['pantɐ], **Pan·ther** <-s, -> ['pantɐ] m panther

Pan·tof·fel <-s, -n> [pan'tɔfl̩] m [backless] slipper

Pan·tof·fel·held m (fam) henpecked husband **Pan·tof·fel·tier·chen** nt slipper animalcule spec

Pan·to·mi·me <-, -n> [panto'miːmə] f mime no pl, no art

pan·to·mi·misch [panto'miːmɪʃ] I. adj mimed, in mime pred II. adv in mime

Pan·zer¹ <-s, -> ['pantsɐ] m MIL tank

Pan·zer² <-s, -> ['pantsɐ] m ❶ (Schutzhülle) shell; einer Schildkröte, eines Krebses a. carapace spec; eines Krokodils bony plate; eines Nashorns, Sauriers armour no pl, no indef art ❷ HIST breastplate

Pan·zer·glas nt bullet-proof glass no pl

pan·zern ['pantsɐn] vt ▪ **etw ~** to armour-plate sth; ▪ **gepanzert** armour-plated

Pan·zer·schrank m safe

Pan·ze·rung <-, -en> f (gepanzertes Gehäuse) armour-plating no pl, no indef art; eines Reaktors shield

Pan·zer·wa·gen m ❶ (Panzer) tank ❷ (Wagen) armoured vehicle

Pa·pa <-s, -s> [pa'paː, 'papa] m (fam) dad[dy esp childspeak], esp AM pop

Pa·pa·gei <-s, -en> [papa'gaj] m parrot

Pa·pa·raz·zi [papa'ratsi] pl paparazzi npl

Pa·pa·ya <-, -s> [pa'paːja] f papaya

Pa·per·back <-s, -s> ['peːpɐbɛk] nt paperback

Pa·pe·te·rie <-, -n> [papɛtə'riː, pl -'riːən] f

SCHWEIZ (*Schreibwarengeschäft*) stationer's
Pa·pi <-s, -s> ['papi] *m* (*fam*) daddy *esp childspeak*

Pa·pier <-s, -e> [pa'piːɐ̯] *nt* ❶ *kein pl* (*Material*) paper *no pl, no art*; **etw zu ~ bringen** to put down *sep* sth in writing ❷ (*Schriftstück*) paper, document ❸ (*Ausweise*) ■ **~ e** [identity] papers *pl* ❹ FIN security

Pa·pier·ein·zug *m* paper feed **Pa·pier·fa·brik** *f* paper mill **Pa·pier·for·mat** *nt* TYPO ❶ (*Papiergröße*) paper size ❷ (*Druckbereich*) page orientation **Pa·pier·geld** *nt* paper money *no pl, no art* **Pa·pier·hand·tuch** *nt* paper towel **Pa·pier·korb** *m* [waste]paper basket **Pa·pier·kram** *m* (*fam*) [tiresome] paperwork *no pl, no indef art* **Pa·pier·krieg** *m* (*fam: Schreibtischarbeit*) [tiresome] paperwork *no pl, no indef art*; (*Korrespondenz*) tiresome exchange of letters **Pa·pier·stau** *m* paper jam **Pa·pier·ta·schen·tuch** *nt* paper handkerchief **Pa·pier·tü·te** *f* paper bag **Pa·pier·vor·schub** *m* paper feed[er]

Papp·be·cher *m* paper cup **Papp·de·ckel** *m* cardboard *no pl, no art*

Pap·pe <-, -n> ['papə] *f* cardboard *no art, no pl*

Pap·pel <-, -n> ['papl] *f* poplar

pap·pen ['papn̩] *vt, vi* (*fam*) to stick (**an/auf** on[to])

Pap·pen·hei·mer ['papn̩haimɐ] *pl* ▸ **seine ~ kennen** (*fam*) to know what to expect from that lot **Papp·pen·stiel** *m* (*fam*) ▸ **kein ~ sein** to not be chickenfeed

pap·per·la·papp [papɐla'pap] *interj* (*veraltend fam*) poppycock

pap·pig ['papɪç] *adj* (*fam*) ❶ (*klebrig*) sticky ❷ (*breiig*) mushy

Papp·kar·ton *m* ❶ (*Pappschachtel*) cardboard box ❷ (*Pappe*) cardboard *no pl, no art* **Papp·ma·ché**, **Papp·ma·schee**[RR] <-s, -s> ['papmaʃeː] *nt* papier-mâché *no pl, no art* **Papp·schnee** *m* wet snow *no pl, no art* **Papp·tel·ler** *m* paper plate

Pap·ri·ka <-s, -[s]> ['paprika] *m* ❶ *kein pl* (*Strauch*) paprika *no pl* ❷ (*Schote*) pepper ❸ *kein pl* (*Gewürz*) paprika *no pl, no art* **Pap·ri·ka·scho·te** *f* pepper; **gelbe/grüne/rote ~** yellow/green/red pepper; **gefüllte ~n** stuffed peppers

Papst <-[e]s, Päpste> [paːpst, *pl* 'pɛːpstə] *m* ■ **der Papst** the Pope

päpst·lich ['pɛːpstlɪç] *adj* papal *also pej*

Papst·mo·bil <-s> *nt kein pl* Popemobile

Papst·tum <-[e]s> *nt kein pl* papacy

Pa·py·rus <-, Papyri> [pa'pyːrʊs, *pl* -ri] *m* ❶ (*Schreibmaterial*) papyrus *no art, no pl*

❷ (*gerollter ~*) papyrus scroll

Pa·ra·bel <-, -n> [pa'raːbl̩] *f* ❶ LIT parable ❷ MATH parabolic curve

Pa·ra·bol·an·ten·ne [parabo:l-] *f* satellite dish

Pa·ra·de <-, -n> [pa'raːdə] *f* ❶ MIL parade ❷ SPORT (*beim Ballspiel*) save

Pa·ra·de·bei·spiel *nt* perfect example

Pa·ra·dei·ser <-s, -> [para'daizɐ] *m* ÖSTERR tomato

Pa·ra·de·stück *nt* showpiece

Pa·ra·dies <-es, -e> [para'diːs, *pl* -iːzə] *nt* paradise *no def art* ▸ **das ~ auf Erden** heaven on earth

pa·ra·die·sisch [para'diːzɪʃ] I. *adj* heavenly II. *adv* ▸ **leer/ruhig sein** to be blissfully empty/quiet; **~ schön sein** to be [like] paradise

Pa·ra·dies·vo·gel *m* bird of paradise; (*fig*) flamboyant personality

Pa·ra·dig·ma <-s, -ta *o* Paradigmen> [para'dɪgma, *pl* -dɪgmən] *nt* paradigm

pa·ra·dox [para'dɔks] I. *adj* (*geh*) paradoxical II. *adv* (*geh*) paradoxically

pa·ra·do·xer·wei·se *adv* paradoxically

Pa·raf·fin <-s, -e> [para'fiːn] *nt* paraffin

Pa·ra·gli·ding <-s> ['paraglaidɪŋ] *nt kein pl* paragliding

Pa·ra·graf[RR] <-en, -en> [para'graːf] *m*, **Pa·ra·graph** <-en, -en> [para'graːf] *m* paragraph

Pa·ra·gra·phen·dschun·gel *m* (*pej*) sea of regulations **Pa·ra·gra·phen·rei·ter(in)** *m(f)* (*pej fam*) pedant

Pa·ra·guay <-s> ['paːragvai] *nt* Paraguay; *s. a.* **Deutschland**

Pa·ra·gua·yer(in) <-s, -> ['paːragvaiɐ] *m(f)* Paraguayan; *s. a.* **Deutsche(r)**

pa·ra·guay·isch ['paːragvaiɪʃ] *adj* Paraguayan; *s. a.* **deutsch**

pa·ral·lel [para'leːl] *adj, adv* parallel

Pa·ral·le·le <-, -n> [para'leːlə] *f* ❶ MATH parallel [line] ❷ (*Entsprechung*) parallel; **eine ~ zu etw** *dat* **ziehen** to draw a parallel [with sth]

Pa·ral·le·li·tät <-, -en> [paraleli'tɛt] *f kein pl* MATH parallelism

Pa·ral·lel·klas·se *f* parallel class **Pa·ral·lel·kul·tur** *f* SOZIOL parallel culture

Pa·ral·le·lo·gramm <-s, -e> [paralelo'gram] *nt* parallelogram

Pa·ral·lel·schal·tung *f* parallel connection **Pa·ral·lel·stra·ße** *f* parallel street **Pa·ral·lel·um·lauf** *m* FIN dual circulation

Pa·ra·lym·pics [para'lʏmpɪks] *pl* SPORT Paralympics

Pa·ra·me·ter <-s, -> [pa'ramete] *m* parameter

pa·ra·mi·li·tä·risch ['paːramilitɛrɪʃ] *adj* paramilitary

Pa·ra·noia <-> [para'nɔya] *f kein pl* paranoia

pa·ra·no·id [parano'iːt] *adj* paranoid

pa·ra·no·isch [para'noːɪʃ] *adj* paranoiac

Pa·ra·nuss^{RR} *f* Brazil nut

Pa·ra·phra·se [para'fraːzə] *f* paraphrase

pa·ra·phra·sie·ren* [parafra'ziːrən] *vt a.* MUS to paraphrase

Pa·ra·psy·cho·lo·gie [paːrapsyço'loːgiː] *f* parapsychology

Pa·ra·sit <-en, -en> [para'ziːt] *m* parasite

pa·ra·si·tär [parazi'tɛɐ̯] **I.** *adj* parasitic **II.** *adv* parasitically

pa·rat [pa'raːt] *adj* (*geh*) ready; **etw ~ haben** to have sth ready

Pär·chen <-s, -> ['pɛːɐ̯çən] *nt* ❶ (*Liebespaar*) couple ❷ (*zwei verbundene Teile*) pair

Par·don <-s> [par'dõː] *m o nt kein pl* pardon; **kein ~ kennen** (*fam*) to know no mercy

par ex·cel·lence [paːɐ̯ ɛksɛ'lãːs] *adv* (*geh*) par excellence

Par·füm <-s, -e *o* -s> [par'fyːm] *nt* perfume

Par·fü·me·rie <-, -n> [parfymə'riː, *pl* -'riːən] *f* perfumery

par·fü·mie·ren* [parfy'miːrən] *vt* to perfume; ■**sich ~** to put on *sep* perfume

Pa·ria <-s, -s> ['paːri̯a] *m* pariah

pa·rie·ren*1 [pa'riːrən] *vi* (*geh*) to obey

pa·rie·ren*2 [pa'riːrən] *vt* (*geh*) to parry; (*beim Fußball*) to deflect

Pa·ris <-> [pa'riːs] *nt* Paris

Pa·ri·ser1 [pa'riːzɐ] *adj attr* ❶ (*in Paris befindlich*) in Paris; **~ Flughafen** Paris airport ❷ (*aus Paris stammend*) Parisian

Pa·ri·ser2 <-s, -> [pa'riːzɐ] *m* (*sl: Kondom*) French letter *dated fam*

Pa·ri·ser(in) <-s, -> [pa'riːzɐ] *m(f)* Parisian

Pa·ri·tät <-, -en> [pari'tɛt] *f pl selten* ❶ FIN parity, par of exchange ❷ INFORM (*Gleichheit*) parity

pa·ri·tä·tisch [pari'tɛːtɪʃ] **I.** *adj* (*geh*) equal **II.** *adv* (*geh*) equally

Park <-s, -s> [park] *m* park

Par·ka <-[s], -s> ['parka] *m* parka

Park-and-ride-Sys·tem ['paːɐ̯kʔɛnt'rajt-] *nt* park-and-ride system

Park·bank *f* park bench

Park·bucht *f* lay-by

par·ken [parkn] *vi, vt* to park

Par·kett <-s, -e> [par'kɛt] *nt* ❶ (*Holzfußboden*) parquet [flooring] ❷ (*Tanzfläche*) dance floor

Par·kett·(fuß-)bo·den *m* parquet flooring

Park·ge·bühr *f* parking fee **Park·haus** *nt* multi-storey car park [*or* AM parking lot]

par·kin·son·sche Krank·heit^{RR} *f*, **Par·kin·son'·sche Krank·heit**^{RR} *f*, **Par·kin·son·sche Krank·heit**^{ALT} ['parkɪnzɔn-] *f* Parkinson's disease

Park·kral·le *f* wheel clamp **Park·leit·sys·tem** *nt* system guiding parkers to free spaces **Park·lü·cke** *f* parking space **Park·mög·lich·keit** *f* parking facility **Park·platz** *m* ❶ (*Parkbereich*) car park BRIT, parking lot AM ❷ (*Parklücke*) parking space **Park·schei·be** *f* parking disc (*a plastic dial with a clockface that drivers place in the windscreen to show the time from when the car has been parked*) **Park·schein** *m* car park [*or* AM parking lot] ticket **Park·schein·au·to·mat** *m* car park [*or* AM parking lot] ticket machine **Park·strei·fen** *m* lay-by **Park·sün·der(in)** *m(f)* parking offender **Park·uhr** *f* parking meter **Park·ver·bot** *nt* ❶ (*Verbot zu parken*) parking ban ❷ (*Parkverbotszone*) no-parking zone **Park·wäch·ter(in)** *m(f)* car park [*or* AM parking lot] attendant

Par·la·ment <-[e]s, -e> [parla'mɛnt] *nt* parliament

Par·la·men·ta·ri·er(in) <-s, -> [parlamɛn'taːri̯ɐ] *m(f)* parliamentarian

par·la·men·ta·risch [parlamɛn'taːrɪʃ] *adj* parliamentary

Par·la·men·ta·ris·mus <-> [parlamɛnta'rɪsmʊs] *m kein pl* parliamentar[ian]ism *no pl*

Par·la·ments·aus·schuss^{RR} *m* parliamentary committee **Par·la·ments·be·schluss**^{RR} *m* parliamentary decision [*or* vote] **Par·la·ments·ge·bäu·de** *nt* parliament building **Par·la·ments·mit·glied** *nt* member of parliament **Par·la·ments·sit·zung** *f* sitting of parliament **Par·la·ments·wahl** *f* parliamentary election

Par·me·san(·kä·se) <-s> [parme'zaːn-] *m kein pl* Parmesan [cheese]

Pa·ro·die <-, -n> [paro'diː, *pl* -'diːən] *f* parody

pa·ro·die·ren* [paro'diːrən] *vt* to parody

pa·ro·dis·tisch [paro'dɪstɪʃ] *adj* parodic

Pa·ro·don·to·se <-, -n> [parodɔn'toːzə] *f* receding gums, periodontosis *spec*

Pa·ro·le <-, -n> [pa'roːlə] *f* ❶ MIL password ❷ (*Leitspruch*) slogan

Pa·ro·li [pa'roːli] *nt* ▶**jdm/einer S.** *dat* **~ bieten** (*geh*) to defy sb/to counter a thing

Par·sing <-s, -> ['parzɪŋ] *nt kein pl* INFORM

parsing
Part <-s, -e> [pɑːt] *m* ❶ (*Anteil*) share ❷ THEAT, MUS part

Par·tei <-, -en> [par'taɪ] *f* ❶ POL party; **über den ~en stehen** to be impartial ❷ JUR party; **die streitenden/vertragsschließenden ~en** the contending/contracting parties; **für/gegen jdn ~ ergreifen** to side with/against sb ❸ (*Miet~*) tenant

Par·tei·buch *nt* party membership book; **das falsche/richtige ~ haben** (*fam*) to belong to the wrong/right party

Par·tei·en·land·schaft *f kein pl* political constellation **Par·tei·en·wirt·schaft** *f kein pl* (*pej*) political cronyism

Par·tei·freund(in) *m(f)* fellow party member **Par·tei·füh·rung** *f* party leadership *no pl* **Par·tei·ge·nos·se, -ge·nos·sin** <-n, -n> *m, f* party member

par·tei·isch [par'taɪɪʃ] **I.** *adj* biased **II.** *adv* in a biased way

par·tei·lich [par'taɪlɪç] *adj* ❶ (*eine Partei betreffend*) party ❷ (*selten*) *s.* **parteiisch**
Par·tei·lich·keit <-> *f kein pl* partiality, bias

Par·tei·li·nie *f* party line
par·tei·los *adj* independent

Par·tei·mit·glied *nt* party member **Par·tei·nah·me** <-, -n> *f* partisanship **Par·tei·po·li·tik** *f* party politics + *sing vb* **Par·tei·pro·gramm** *nt* [party] manifesto **Par·tei·spen·de** *f* party donation **Par·tei·spen·den·af·fä·re** *f* party donations scandal **Par·tei·tag** *m* ❶ (*Parteikonferenz*) party conference ❷ (*Beschlussorgan*) party executive **par·tei·über·greifend** *adj* cross-party **Par·tei·vor·sit·zende(r)** *f(m)* party chairman *masc*, party chairwoman *fem* **Par·tei·zu·ge·hö·rigkeit** *f* party membership

par·terre [par'tɛr] *adv* on the ground floor
Par·terre·woh·nung *f* ground-floor flat [*or* AM *also* apartment]

Par·tie <-, -n> [par'tiː, *pl* -'tiːən] *f* ❶ (*Köperbereich*) area ❷ SPORT game; **eine ~ Schach/Tennis/Squash** a game of chess/tennis/squash ❸ (*Posten*) lot ▸ **eine gute ~ machen** to marry well; **mit von der ~ sein** to be in on it

par·ti·ell [par'tsɪɛl] (*geh*) **I.** *adj* partial **II.** *adv* partially

Par·ti·kel <-, -n> [par'tiːkl̩] *f* particle

Par·ti·san(in) <-s *o* -en, -en> [parti'zaːn] *m(f)*

par·ti·ti·o·nie·ren *vt* INFORM to partition

Par·ti·tur <-, -en> [parti'tuːɐ̯] *f* score

Par·ti·zip <-s, -ien> [parti'tsiːp, *pl* -p·ɪ·ən] *nt* participle

par·ti·zi·pie·ren* [partitsi'piːrən] *vi* (*geh*) to participate (**an** in)

Part·ner(in) <-s, -> ['partnɐ] *m(f)* partner

Part·ner·look <-s> [-lʊk] *m kein pl* **im ~ gehen** to wear [matching] his-and-hers outfits

Part·ner·schaft <-, -en> *f* partnership; **in einer ~ leben** to live with somebody; (*Städte~*) twinning

part·ner·schaft·lich I. *adj* based on a partnership; **~es Zusammenleben/~e Zusammenarbeit** living/working together as partners **II.** *adv* as partners

Part·ner·stadt *f* twin town **Part·ner·tausch** *m* exchange of partners **Part·ner·ver·mitt·lung** *f* dating agency

par·tout [par'tuː] *adv* (*geh*) **etw ~ tun wollen** to insist on doing sth; **er wollte ~ nicht mitkommen** he really did not want to come at all

Par·ty <-, -s> ['paːɐ̯ti] *f* party; **eine ~ geben** to have a party

Par·ty·mei·le *f* (*fam*) clubbing district **Par·ty·ser·vice** ['paːɐ̯tizøːɐ̯vɪs] *m* party catering service

Par·zel·le <-, -n> [par'tsɛlə] *f* plot [of land]

Pasch <-[e]s, -e *o* Päsche> [paʃ, *pl* 'pɛʃə] *m* (*beim Würfelspiel*) doubles *pl*, triplets *pl*

Pas·pel <-, -n> ['paspl̩] *f* piping *no pl*

Pass[RR1] <-es, Pässe>, **Paß**[ALT] <Passes, Pässe> [pas, *pl* 'pɛsə] *m* (*Ausweis*) passport

Pass[RR2] <-es, Pässe>, **Paß**[ALT] <Passes, Pässe> [pas, *pl* 'pɛsə] *m* GEOG pass

pas·sa·bel [pa'saːbl̩] *adj* (*geh*) reasonable

Pas·sa·ge <-, -n> [pa'saːʒə] *f* ❶ (*Textstück*) passage ❷ (*Ladenstraße*) arcade ❸ NAUT passage

Pas·sa·gier <-s, -e> [pasa'ʒiːɐ̯] *m* passenger; **ein blinder ~** a stowaway

Pas·sa·gier·flug·zeug *nt* passenger aircraft **Pas·sa·gier·kon·trol·le** *f* LUFT passenger inspection [*or* control] **Pas·sa·gier·lis·te** *f* passenger list

Pas·sant(in) <-en, -en> [pa'sant] *m(f)* passer-by

Pass·bild[RR] *nt* passport photo[graph]

pas·sé, pas·see[RR] [pa'seː] *adj präd* passé

pas·sen¹ ['pasn̩] *vi* ❶ MODE ■ [*jdm*] **~** to fit [*sb*] ❷ (*harmonieren*) ■ **zu jdm ~** to suit sb; ■ **zu etw** *dat* **~** to go well with sth; **so ein riesiger Tisch passt nicht in diese Ecke** a huge table like that doesn't look right in this corner; **sie passt einfach nicht in unser Team** she simply doesn't fit in with this team; **gut zueinander ~** to be suited to each other; **das passt zu dir!** that's typical of you! ❸ (*gelegen sein*) ■**jdm ~** to suit sb; **der Termin passt mir zeitlich leider gar nicht** that date isn't at all convenient for me; **würde Ihnen der Dienstag besser ~?** would the Tuesday be better for you?; **passt es Ihnen, wenn wir uns morgen treffen?** would it be ok to meet up tomorrow?; **das könnte dir so ~!** (*iron fam*) you'd like that wouldn't you! ❹ (*unangenehm sein*) ■**jdm passt etw nicht** sb doesn't like sth; **ihr passt dieser Ton/seine Art nicht** she doesn't like that tone of voice/his attitude; **es passt ihm nicht, dass wir ab und zu mal lachen** he doesn't like us laughing now and then; ■**jdm passt etw nicht an** jdm sb does not like sth about sb; **passt dir an mir was nicht?** is there something bugging you about me?; **er passt mir nicht als neuer Chef** I don't fancy him as my new boss; **die neue Lehrerin passte ihren Kollegen nicht** the new teacher wasn't liked by her colleagues

pas·sen[2] ['pasn̩] *vi* ❶ (*überfragt sein*) ■**~ müssen** to have to pass (**bei** on) ❷ KARTEN to pass

pas·send *adj* ❶ (*den Maßen entsprechend*) fitting; **ein ~er Anzug/Schlüssel** a suit/key that fits ❷ (*abgestimmt*) matching; **das passt nicht dazu** that doesn't go with it; ■**etwas Passendes** sth suitable ❸ (*genehm*) convenient ❹ (*richtig*) suitable; (*angemessen*) appropriate; *Bemerkung* fitting; **die ~en Worte finden** to know the right thing to say ❺ (*abgezählt*) exact; **es ~ haben** to have the right money **II.** *adv* ❶ MODE (*den Maßen entsprechend*) to fit ❷ (*abgezählt*) exactly; **bitte halten Sie den Fahrpreis beim Einsteigen ~ bereit!** please have the exact fare ready!

Pas·se·par·tout <-s, -s> [paspar'tu:] *nt* passe-partout

Pass·fo·to[RR] *nt* passport photo

pas·sier·bar *adj* negotiable

pas·sie·ren* [pa'si:rən] **I.** *vi sein* ❶ (*sich ereignen*) to happen; **ist was passiert?** has something happened?; **wie konnte das nur ~?** how could that happen?; **... sonst passiert was!** (*fam*) ... or there'll be trouble!; **so etwas passiert eben** things like that do happen sometimes ❷ (*unterlaufen*) ■**jdm ~** to happen to sb; **das kann doch jedem mal ~** that can happen to anyone ❸ (*zustoßen*) ■**jdm ist etwas/nichts passiert** something/nothing has happened to sb ❹ (*durchgehen*) to pass; ■**jdn ~ lassen** to let sb pass **II.** *vt haben*

❶ (*überqueren*) to cross ❷ KOCHK ■**etw ~** to strain sth (**durch** through)

Pas·sier·schein *m* permit

Pas·si·on <-, -en> [pa'sio̯:n] *f* ❶ (*geh: Leidenschaft*) passion ❷ REL ■**die ~** Passion

pas·si·o·niert [pasi̯o'ni:ɐt] *adj* (*geh*) passionate

Pas·si·ons·blu·me *f* passion flower **Pas·si·ons·frucht** *f* passion fruit

pas·siv ['pasi:f] **I.** *adj* passive **II.** *adv* passively

Pas·siv <-s, -e> ['pasi:f] *nt* passive

Pas·si·va [pa'si:va] *pl* liabilities *pl*

Pas·si·vi·tät <-> [pasivi'tɛ:t] *f kein pl* (*geh*) passivity

Pas·siv·rau·chen *nt* passive smoking

Pass·kon·trol·le[RR] *f* ❶ (*das Kontrollieren des Passes*) passport control ❷ (*Kontrollstelle*) passport control point **Pass·stel·le**[RR] *f* passport office **Pass·stra·ße**[RR] *f* pass

Pas·sus <-, -> ['pasʊs] *m* (*geh*) passage

Pass·wort[RR] <-es, -wörter> *nt* password

Pas·te <-, -n> ['pastə] *f* paste

Pas·tell <-s, -e> [pas'tɛl] *nt* KUNST ❶ *kein pl* (*Malen mit Pastellfarbe*) pastel [drawing]; **in ~ arbeiten** to work in pastels ❷ (*Pastellgemälde*) pastel [drawing]

Pas·tell·far·be *f* ❶ (*Pastellton*) pastel colour ❷ (*Malfarbe*) pastel **Pas·tell·ton** *m* pastel shade

Pas·te·te <-, -n> [pas'te:tə] *f* pâté

pas·teu·ri·sie·ren* [pastøri'zi:rən] *vt* to pasteurize

Pas·til·le <-, -n> [pas'tɪlə] *f* pastille

Pas·tor, Pas·to·rin <-s, -toren> ['pasto:ɐ, pas'to:rɪn, *pl* -'to:rən] *m, f* NORDD *s.* Pfarrer

Patch·work <-s, -s> ['pɛtʃwøːɐk] *nt* patchwork

Pa·te, Pa·tin <-n, -n> ['pa:tə, 'pa:tɪn] *m, f* REL godparent, godfather *masc,* godmother *fem*

Pa·ten·kind *nt* godchild **Pa·ten·on·kel** *m* godfather

Pa·ten·schaft <-, -en> *f* ❶ REL godparenthood ❷ (*Fürsorgepflicht*) sponsorship

Pa·ten·stadt *f s.* Partnerstadt

pa·tent [pa'tɛnt] *adj* ❶ (*sehr brauchbar*) ingenious ❷ (*fam: tüchtig*) top-notch

Pa·tent <-[e]s, -e> [pa'tɛnt] *nt* ❶ (*amtlicher Schutz*) patent; **etw zum ~ anmelden** to apply for a patent on sth ❷ (*Ernennungsurkunde*) commission ❸ SCHWEIZ (*staatliche Erlaubnis*) permit

Pa·tent·amt *nt* Patent Office

Pa·ten·tan·te *f* godmother

pa·ten·tie·ren* [patɛnˈtiːrən] *vt* ▪ **etw ~** to patent sth; ▪ **sich** *dat* **etw ~ lassen** to have sth patented

Pa·tent·in·ha·ber(in) <-s, -> *m(f)* patentee, patent holder **Pa·tent·lö·sung** *f* s. **Patentrezept Pa·tent·recht** *nt* JUR ❶ (*gesetzliche Regelungen*) patent law ❷ (*Recht auf ein Patent*) patent right **Pa·tent·re·zept** *nt* patent remedy **Pa·tent·ver·schluss**^RR *m* swing stopper

Pa·ter <-s, - *o* Patres> [ˈpaːtɐ, *pl* ˈpaːtreːs] *m* REL Father

pa·the·tisch [paˈteːtɪʃ] I. *adj* (*geh*) impassioned II. *adv* (*geh*) [melo]dramatically

Pa·tho·lo·ge,   **-lo·gin**   <-n,   -n> [patoˈloːgə, -loːgɪn] *m, f* pathologist

Pa·tho·lo·gie <-, -n> [patoloˈgiː, *pl* -ˈgiːən] *f* pathology

Pa·tho·lo·gin <-, -nen> *f fem form von* **Pathologe**

pa·tho·lo·gisch [patoˈloːgɪʃ] I. *adj* pathological II. *adv* pathologically

Pa·thos <-> [ˈpaːtɔs] *nt kein pl* emotiveness

Pa·ti·ence <-, -n> [paˈsi̯ãːs] *f* KARTEN patience; **~ n legen** to play patience

Pa·ti·ent(in) <-en, -en> [paˈtsi̯ɛnt] *m(f)* patient; **stationärer ~** in-patient

Pa·ti·en·ten·recht *nt* MED, JUR patients' rights

Pa·tin <-, -nen> [ˈpaːtɪn] *f fem form von* **Pate** godmother

Pa·ti·na <-> [ˈpaːtina] *f kein pl* patina

Pa·tis·se·rie <-, -n> [patɪsəˈriː, *pl* -ˈriːən] *f* SCHWEIZ ❶ (*Konditorei*) patisserie ❷ (*Café*) café ❸ (*Gebäck*) pastry

Pa·tri·arch <-en, -en> [patriˈarç] *m* patriarch

pa·tri·ar·cha·lisch [patriarˈçaːlɪʃ] *adj* patriarchal

Pa·tri·ar·chat <-[e]s, -e> [patriarˈçaːt] *nt* patriarchy

Pa·tri·ot(in) <-en, -en> [patriˈoːt] *m(f)* patriot

pa·tri·o·tisch [patriˈoːtɪʃ] I. *adj* patriotic II. *adv* patriotically

Pa·tri·o·tis·mus <-> [patrioˈtɪsmʊs] *m* *kein pl* patriotism

Pa·tri·zi·er(in) <-s, -> [paˈtriːtsi̯ɐ] *m(f)* patrician

Pa·tron(in) <-s, -e> [paˈtroːn] *m(f)* ❶ REL patron saint ❷ (*Schirmherr*) patron ❸ (*pej: Typ*) old devil ❹ SCHWEIZ (*Arbeitgeber*) employer

Pa·tro·ne <-, -n> [paˈtroːnə] *f* cartridge **Pa·tro·nen·hül·se** *f* cartridge case

Pa·tro·nin <-, -nen> *f fem form von* **Patron**

Pa·trouil·le <-, -n> [paˈtrʊljə] *f* patrol; **auf ~ gehen** to patrol

pa·trouil·lie·ren* [patrʊlˈjiːrən, patrʊˈliː-rən] *vi* to patrol

Pat·sche <-, -n> [ˈpatʃə] *f* (*fam*) (*Fliegenklatsche*) swat ▸ **jdm aus der ~ helfen** to get sb out of a tight spot; **in der ~ sitzen** to be in a tight spot

patsch·nass^RR [ˈpatʃˈnas] *adj* (*fam*) soaking wet

Patt <-s, -s> [pat] *nt* stalemate

Patt·si·tu·a·ti·on *f* stalemate

Pät·zer <-s, -> *m* ❶ (*fam: Fehler*) slip-up ❷ ÖSTERR (*Klecks*) blob

Pau·ke <-, -n> [ˈpaʊkə] *f* kettledrum ▸ **mit ~n und Trompeten durchfallen** to fail miserably; **auf die ~ hauen** (*angeben*) to blow one's own trumpet; (*ausgelassen feiern*) to paint the town red

pau·ken [ˈpaʊkn̩] I. *vi* (*fam*) to cram, BRIT *also* to swot up II. *vt* (*fam*) ▪ **etw ~** to cram for [*or* BRIT *also* swot up on] sth

Pau·ken·schlag *m* beat of a kettledrum

Pau·ker(in) <-s, -> [ˈpaʊkɐ] *m(f)* (*fam*) teacher

Paus·ba·cken [ˈpaʊs-] *pl* chubby cheeks *pl*

paus·bä·ckig [ˈpaʊsbɛkɪç] *adj* chubby-cheeked

pau·schal [paʊˈʃaːl] I. *adj* ❶ (*undifferenziert*) sweeping ❷ FIN flat-rate *attr,* all-inclusive II. *adv* ❶ (*allgemein*) **etw ~ beurteilen** to make a wholesale judgement about sth ❷ FIN at a flat rate; **~ bezahlen** to pay in a lump sum

Pau·schal·be·trag *m* lump sum

Pau·scha·le <-, -n> [paʊˈʃaːlə] *f* flat rate

pau·scha·li·sie·ren* [paʊʃaliˈziːrən] *vt* (*verallgemeinern*) to over-simplify; (*zusammenfassen*) to group together

Pau·schal·preis *m* all-inclusive price **Pau·schal·rei·se** *f* package holiday **Pau·schal·ur·laub** *m* package holiday **Pau·schal·ur·teil** *nt* sweeping judgement

Pau·se <-, -n> [ˈpaʊzə] *f* ❶ (*Unterbrechung*) break, AM *also* recess; **die große/kleine ~** SCH long [mid-morning]/short break; [**eine**] **~ machen** to have a break ❷ (*Sprechpause*) pause ❸ MUS rest

pau·sen [ˈpaʊzn̩] *vt* to trace; FOTO to photostat

Pau·sen·brot *nt* sandwich (*eaten during break*) **Pau·sen·clown** [-klaʊn] *m* SOZIOL (*pej fam*) class clown **Pau·sen·fül·ler** *m* filler **Pau·sen·hof** *m* school yard **pau·sen·los** I. *adj attr* continuous II. *adv* continuously **Pau·sen·zei·chen** *nt* ❶ RADIO,

TV call sign ➋ MUS rest

pau·sie·ren* [pau'zi:rən] *vi* (*geh*) to take a break

P<u>au</u>s·pa·pier *nt* ➊ (*durchsichtiges Papier*) tracing paper ➋ (*Kohlepapier*) carbon paper

Pa·vi·an <-s, -e> ['pa:vi̯a:n] *m* baboon

Pa·vil·lon <-s, -s> ['pavɪljõ, 'pavɪljɔn] *m* pavilion

Pay-TV <-s, -s> ['pe:ti:vi:] *nt* Pay-TV

Pa·zi·fik <-s> [pa'tsi:fɪk] *m* ■ **der** ~ the Pacific

pa·zi·fisch [pa'tsi:fɪʃ] *adj* Pacific; ■ **der P~e Ozean** the Pacific Ocean

Pa·zi·fis·mus <-> [patsi'fɪsmʊs] *m kein pl* ■ **der** ~ pacifism

Pa·zi·fist(in) <-en, -en> [patsi'fɪst] *m(f)* pacifist

pa·zi·fis·tisch *adj* pacifist

PC <-s, -s> [pe:'tse:] *m Abk von* **Personal Computer** PC

PC-Sta·ti·on *f* PC-workstation

PDS <-> [pe:de:'ɛs] *f kein pl* POL *Abk von* **Partei des Demokratischen Sozialismus** German Socialist Party

Pea·nuts ['pi:nʌts] *pl* (*mickrige Summe*) peanuts *pl*

Pech <-[e]s, -e> [pɛç] *nt* ➊ (*unglückliche Fügung*) bad luck; [bei etw *dat*] ~ **haben** to be unlucky [in sth]; ~ **gehabt!** tough!; **so ein** ~! just my/our etc luck ➋ (*Rückstand bei Destillation von Erdöl*) pitch

pech·schwarz ['pɛçˈʃvarts] *adj* (*fam*) pitch black; *Haar* jet-black **Pech·sträh·ne** *f* run of bad luck **Pech·vo·gel** *m* (*fam*) walking disaster *hum*

Pe·dal <-s, -e> [pe'da:l] *nt* pedal

Pe·dant(in) <-en, -en> [pe'dant] *m(f)* pedant

Pe·dan·te·rie <-, -n> [pedantə'ri:] *f* pedantry

Pe·dan·tin <-, -nen> *f fem form von* **Pedant**

pe·dan·tisch [pe'dantɪʃ] I. *adj* pedantic II. *adv* pedantically

Pe·di·kü·re <-, -n> [pedi'ky:rə] *f* pedicure

pee·len [pi:lən] *vi* to exfoliate

Pee·ling <-s, -s> ['pi:lɪŋ] *nt* exfoliation.

Peep·show^RR <-, -s> ['pi:pʃo:] *f*, **Peep-Show**^ALT <-, -s> ['pi:pʃo:] *f* peep show

Pe·gel <-s, -> ['pe:gl̩] *m* ➊ (*Messlatte*) water level gauge ➋ *s.* **Pegelstand**

Pe·gel·stand *m* water level

pei·len ['pailən] I. *vt* NAUT ■ **etw** ~ to get a bearing on sth II. *vi* (*fam*) to peek

Peil·ge·rät *nt* direction-finder **Peil·sen·der** *m* DF transmitter *spec*

Pein <-> [pain] *f kein pl* (*veraltend geh*) agony

pei·ni·gen ['painɪgn̩] *vt* ■ **jdn** ~ ➊ (*zermürben*) to torment sb ➋ (*jdm zusetzen*) to torture sb

Pei·ni·ger(in) <-s, -> *m(f)* (*geh*) tormentor

pein·lich ['painlɪç] I. *adj* ➊ (*unangenehm*) embarrassing; *Frage, Situation, Lage* awkward; **es war ihr sehr** ~ she was very embarrassed about it; ■ **etwas Peinliches** sth awful ➋ (*äußerst*) painstaking; *Genauigkeit* meticulous; *Sauberkeit* scrupulous II. *adv* ➊ (*unangenehm*) **jdn** ~ **berühren** to be awkward for sb; **auf jdn** ~ **wirken** to be embarrassing for sb ➋ (*gewissenhaft*) painstakingly; ~ **befolgen** to follow diligently ➌ (*äußerst*) meticulously

Pein·lich·keit <-, -en> *f* ➊ *kein pl* (*peinliche Art*) embarrassment ➋ (*Genauigkeit*) meticulousness

Peit·sche <-, -n> ['paitʃə] *f* whip

peit·schen ['paitʃn̩] I. *vt haben* to whip II. *vi sein* ■ **gegen etw** *akk* ~ to lash against sth; *Regen* peitscht gegen etw *akk* rain is lashing against sth; **Wellen** ~ **an etw** *akk* the waves are beating against sth

Peit·schen·hieb *m* lash [of the whip]

pe·jo·ra·tiv [pejora'ti:f] I. *adj* pejorative II. *adv* pejoratively

Pe·ki·ne·se <-n, -n> [peki'ne:zə] *m* Pekinese

Pe·king <-s> ['pe:kɪŋ] *nt* Beijing

Pek·tin <-s, -e> [pɛk'ti:n] *nt* pectin

pe·ku·ni·är [peku'nɪɛːɐ̯] *adj* FIN pecuniary

Pe·li·kan <-s, -e> ['pe:lika:n] *m* pelican

Pel·le <-, -n> ['pɛlə] *f* (*fam: Haut*) skin ▸ **jdm auf die** ~ **rücken** (*fam: sich dicht herandrängen*) to crowd sb; (*jdn bedrängen*) to badger sb

pel·len ['pɛlən] (*fam*) I. *vt* (*schälen*) to peel II. *vr* ■ **sich** ~ to peel

Pell·kar·tof·feln *pl* potatoes boiled in their jackets

Pelz <-es, -e> [pɛlts] *m* fur

pel·zig ['pɛltsɪç] *adj* furry

Pelz·kra·gen *m* fur collar **Pelz·man·tel** *m* fur coat

Pen·dant <-s, -s> [pã'dã:] *nt* (*geh*) counterpart; ■ ~ [**zu etw** *dat*] the counterpart [to sth]

Pen·del <-s, -> ['pɛndl̩] *nt* pendulum

pen·deln ['pɛndl̩n] *vi* ➊ *haben* (*schwingen*) ■ [**hin und her**] ~ to swing [to and fro] ➋ *sein* TRANSP to commute

Pen·del·ver·kehr *m* ➊ (*Nahverkehrsdienst*) shuttle service ➋ (*Berufsverkehr*) commuter traffic

Pend·ler(in) <-s, -> ['pɛndlɐ] *m(f)* commuter

Pend·ler·pau·scha·le *f tax-deductible commuting expenses for employees*

Pend·ler·vor·stadt *f* commuterville

Pe·nes ['pe:nɛːs] *pl von* **Penis**

pe·ne·trant [pene'trant] **I.** *adj* ❶ *(durchdringend)* penetrating; *Geruch* pungent ❷ *(aufdringlich)* overbearing **II.** *adv* penetratingly

peng [pɛŋ] *interj (Schussgeräusch)* bang

pe·ni·bel [pe'ni:bl] *adj (geh) Ordnung* meticulous; *Mensch* fastidious (**in** about)

Pe·ni·cil·lin <-s, -e> [penitsɪ'liːn] *nt s.* **Penizillin**

Pe·nis <-, -se *o* Penes> ['pe:nɪs, *pl* 'pe:nɛːs] *m* penis

Pe·ni·zil·lin <-s, -e> [penitsɪ'liːn] *nt* penicillin

Penn·bru·der *m (pej fam)* dosser

Pen·ne <-, -n> ['pɛna] *f* SCH *(sl)* school

pen·nen ['pɛnən] *vi (fam)* ❶ *(schlafen)* to kip BRIT, to sleep AM ❷ *(nicht aufpassen)* to sleep

Pen·ner(in) <-s, -> *m(f) (pej fam)* ❶ *(Stadtstreicher)* bum ❷ *(langsamer Mensch)* slowcoach BRIT, slowpoke AM

Pen·sa ['pɛnza], **Pen·sen** [pɛnzən] *pl von* **Pensum**

Pen·si·on <-, -en> [pã'zi̯oːn, pɛn'zi̯oːn] *f* ❶ TOURIST guest house ❷ *(Ruhegehalt)* pension; **in ~ gehen** to go into retirement; **in ~ sein** to be retired ❸ *kein pl* TOURIST *(Verpflegung)* **mit ~** with full board

Pen·si·o·när(in) <-s, -e> [pãzi̯o'nɛːɐ, pɛnzi̯o'nɛːɐ] *m(f)* ❶ *(Ruhestandsbeamter)* pensioner ❷ SCHWEIZ boarding house guest

pen·si·o·nie·ren* [pãzi̯o'niːrən, pɛnzi̯o'niːrən] *vt* ■ **pensioniert werden** to be pensioned off; ■ **sich ~ lassen** to retire

Pen·si·o·nie·rung <-, -en> *f* retirement

Pen·si·ons·al·ter *nt* retirement age **pen·si·ons·be·rech·tigt** *adj* entitled to a pension **Pen·si·ons·gast** *m* hotel [*or* boarding house] guest

Pen·sum <-s, Pensa *o* Pensen> ['pɛnzʊm, *pl* 'pɛnza, 'pɛnzən] *nt (geh)* work quota

Pen·ta·gon <-s, -e> [pɛnta'goːn] *nt* ❶ *(Fünfeck)* pentagon ❷ *kein pl (US-Verteidigungsministerium)* Pentagon

Pent·haus ['pɛnthaʊs] *nt* penthouse

Pent·house <-, -s> ['pɛnthaʊs] *nt* penthouse

Pep <-[s]> [pɛp] *m kein pl* oomph

Pe·pe·ro·ni [pepe'roːni] *pl* ❶ *(scharfe Paprikas)* chillies *pl* ❷ SCHWEIZ *(Gemüsepaprika)* peppers *pl*

pep·pig ['pɛpɪç] *adj (fam)* peppy

per [pɛr] *präp* ❶ *(durch)* by; **~ Post/Bahn** by post [*or* AM mail]/train ❷ *(pro)* per ▶ **mit jdm ~ du/Sie sein** *(fam)* to address sb with "du"/"Sie"

per·fekt [pɛr'fɛkt] **I.** *adj* ❶ *(vollkommen)* perfect ❷ *präd (abgemacht)* ■ **~ sein** to be settled; **etw ~ machen** to settle sth **II.** *adv* perfectly

Per·fekt <-s, -e> ['pɛrfɛkt] *nt* LING ❶ *(vollendete Zeitform)* perfect [tense] ❷ *(Verbform im ~)* perfect

Per·fek·ti·on <-> [pɛrfɛk'tsi̯oːn] *f kein pl (geh)* perfection; ■ **mit ~** to perfection; **in höchster ~** to the highest perfection

per·fek·ti·o·nie·ren* [pɛrfɛktsio'niːrən] *vt (geh)* to perfect

Per·fek·ti·o·nis·mus <-> [pɛrfɛktsi̯o'nɪsmʊs] *m kein pl (geh)* perfectionism

Per·fek·ti·o·nist(in) <-en, -en> [pɛrfɛktsi̯o'nɪst] *m(f)* perfectionist

per·fi·de [pɛr'fiːdə] **I.** *adj (geh)* perfidious **II.** *adv (geh)* perfidiously

Per·fo·ra·ti·on <-, -en> [pɛrfora'tsi̯oːn] *f* ❶ *(Lochung)* perforation ❷ *(Trennlinie)* perforated line ❸ MED perforation

per·fo·rie·ren* [pɛrfo'riːrən] *vt* to perforate

Per·for·man·ce <-, -s> [pø:ɐ̯'fo:ɐ̯məns] *f* performance

Per·ga·ment <-[e]s, -e> [pɛrga'mɛnt] *nt* parchment

Per·ga·ment·pa·pier *nt* greaseproof paper

Per·go·la <-, Pergolen> ['pɛrgola, *pl* -golen] *f* pergola

Pe·ri·o·de <-, -n> [pe'ri̯oːdə] *f* period

Pe·ri·o·den·sys·tem *nt* periodic table

pe·ri·o·disch [peri'oːdɪʃ] **I.** *adj* periodic[al] **II.** *adv* periodically

pe·ri·pher [peri'feːɐ̯] **I.** *adj (geh) a.* ANAT peripheral **II.** *adv (geh)* peripherally, on the periphery

Pe·ri·phe·rie <-, -n> [perife'riː, *pl* -'riːən] *f a.* MATH periphery; INFORM peripheral [device]

Per·le <-, -n> ['pɛrla] *f* ❶ *(Schmuckperle)* pearl ❷ *(Kügelchen, Tropfen)* bead ❸ *(Haushälterin)* gem ❹ *(Luftbläschen)* bubble

per·len ['pɛrlən] *vi* ❶ *(sprudeln)* to fizz ❷ *(geh: in Tropfen stehen)* ■ **auf etw** *dat* **~** to form beads on sth ❸ *(geh: in Tropfen rinnen)* ■ **von etw** *dat* **~** to trickle from sth

Per·len·ket·te *f* pearl necklace

Perl·huhn *nt* guinea fowl

Perl·mutt <-s> ['pɛrlmʊt] *nt,* **Perl·mut·ter** <-> ['pɛrlmʊtɐ] *nt kein pl* mother·of·pearl

Per·lon® <-s> ['pɛrlɔn] *nt kein pl* [type of] nylon

Per·ma·frost·bo·den *m* GEOG permafrost

per·ma·nent [pɛrma'nɛnt] I. *adj* permanent II. *adv* permanently

per·plex [pɛr'plɛks] *adj* dumbfounded

Per·ser(in) <-s, -> ['pɛrzɐ] *m(f)* Persian; *s. a.* **Deutsche(r)**

Per·ser·tep·pich *m* Persian rug

Per·si·en <-s> ['pɛrzi̯ən] *nt* Persia; *s. a.* **Deutschland**

Per·si·fla·ge <-, -n> [pɛrzi'fla:ʒə] *f* (*geh*) satire

per·sisch ['pɛrzɪʃ] *adj* Persian; *s. a.* **deutsch**

Per·son <-, -en> [pɛr'zo:n] *f* ❶ *meist pl* (*Mensch*) s. LING person; **juristische ~** JUR legal entity; **jd als ~** sb as a person; **ich für meine ~** I myself; **in einer ~** rolled into one; **zur ~** JUR concerning a person's identity ❷ (*pej*) character

Per·so·nal <-s> [pɛrzo'na:l] *nt kein pl* staff

Per·so·nal·ab·bau *m* downsizing *no pl, no indef art,* staff cuts *pl* **Per·so·nal·ab·tei·lung** *f* personnel department **Per·so·nal·ak·te** *f* personal file **Per·so·nal·aus·weis** *m* identity card **Per·so·nal·bü·ro** *nt* personnel office **Per·so·nal·chef(in)** *m(f)* head of personnel

Per·so·nal Com·pu·ter ['pə:sənəl-] *m* personal computer

Per·so·na·li·en [pɛrzo'na:li̯ən] *pl* particulars *npl*

Per·so·nal·kos·ten *pl* personnel costs *npl* **Per·so·nal·pro·no·men** *nt* personal pronoun

per·so·nell [pɛrzo'nɛl] I. *adj* personnel *attr,* staff *attr* II. *adv* as regards personnel

Per·so·nen·auf·zug *m* (*form*) passenger lift BRIT, AM elevator **Per·so·nen·be·för·de·rung** *f* carriage of passengers **Per·so·nen·be·schrei·bung** *f* personal description **Per·so·nen·ge·dächt·nis** *nt* memory for faces **Per·so·nen·kraft·wa·gen** *m* (*geh*) motorcar **Per·so·nen·kreis** *m* group of people **Per·so·nen·kult** *m* personality cult **Per·so·nen·nah·ver·kehr** *m* local passenger transport *no pl* **Per·so·nen·scha·den** *m* personal injury **Per·so·nen·schutz** *m* personal security **Per·so·nen·ver·kehr** *m* passenger transport **Per·so·nen·waa·ge** *f* (*form*) scales *npl* (*for weighing persons*) **Per·so·nen·wa·gen** *m* (*form*) private car

Per·so·ni·fi·ka·ti·on <-, -en> [pɛrzonifika'tsi̯o:n] *f* (*geh*) personification

per·so·ni·fi·zie·ren* [pɛrzonifi'tsi:rən] *vt* to personify

per·sön·lich [pɛr'zø:nlɪç] I. *adj* ❶ (*jdn selbst betreffend*) personal ❷ (*intim*) **ich möchte ein ~es Wort an Sie richten** I would like to address you directly ❸ (*anzüglich*) ■**~ werden** to get personal II. *adv* ❶ (*selbst*) personally; **~ erscheinen/auftreten** to appear/perform in person ❷ (*privat*) personally; **~ befreundet sein** to be personal friends

Per·sön·lich·keit <-, -en> *f* ❶ *kein pl* (*individuelle Eigenart*) personality ❷ (*markanter Mensch*) character ❸ (*Prominenter*) celebrity

Per·sön·lich·keits·ent·fal·tung *f kein pl* personality development **Per·sön·lich·keits·stö·rung** *f* personality disorder **Per·sön·lich·keits·test** *m* PSYCH personality test

Per·spek·ti·ve <-, -n> [pɛrspɛk'ti:və] *f* ❶ (*Blickwinkel*) *a.* ARCHIT, KUNST perspective ❷ (*geh: Aussichten*) prospect *usu pl*

per·spek·ti·visch [pɛrspɛk'ti:vɪʃ] I. *adj* perspective *attr* II. *adv* in perspective

per·spek·tiv·los *adj* without prospects **Per·spek·tiv·lo·sig·keit** <-> *f kein pl* hopelessness *no pl*

Pe·ru <-s> [pe'ru:] *nt* Peru; *s. a.* **Deutschland**

Pe·ru·a·ner(in) <-s, -> [pe'ru̯a:nɐ] *m(f)* Peruvian; *s. a.* **Deutsche(r)**

pe·ru·a·nisch [pe'ru̯a:nɪʃ] *adj* Peruvian; *s. a.* **deutsch**

Pe·rü·cke <-, -n> [pe'rʏkə] *f* wig

per·vers [pɛr'vɛrs] I. *adj* ❶ PSYCH perverted ❷ (*sl: unnormal*) perverse II. *adv* PSYCH **~ veranlagt sein** to have a perverted disposition

Per·ver·si·on <-, -en> [pɛrvɛr'zi̯o:n] *f* perversion

Per·ver·si·tät <-, -en> [pɛrvɛrzi'tɛt] *f* perversity

per·ver·tie·ren* [pɛrvɛr'ti:rən] I. *vt haben* (*geh*) to warp II. *vi sein* (*geh*) ■**zu etw** *dat*] **~** to become perverted [into sth]

pe·sen ['pe:zn̩] *vi sein* (*fam*) to dash

Pes·sar <-s, -e> [pɛ'sa:ɐ̯] *nt* diaphragm

Pes·si·mis·mus <-> [pɛsi'mɪsmʊs] *m kein pl* pessimism

Pes·si·mist(in) <-en, -en> [pɛsi'mɪst] *m(f)* pessimist

pes·si·mis·tisch [pɛsi'mɪstɪʃ] I. *adj* pessimistic II. *adv* pessimistically

Pest <-> [pɛst] *f kein pl* MED ■**die ~** the plague ▸**jdm die ~ an den Hals wünschen** to wish sb would drop dead; **wie die ~ stinken** to stink to high heaven; **jdn wie die ~ fürchten/hassen** to be terribly afraid of sb/to hate sb's guts

Pes·ti·zid <-s, -e> [pɛstiˈtsiːt] nt pesticide

Pe·ter·si·lie <-, -n> [peteˈziːliə] f parsley

Pe·ti·ti·on <-, -en> [petiˈtsi̯oːn] f petition

Pe·tro·le·um <-s> [peˈtroːleʊm] nt kein pl paraffin

Pe·tro·le·um·lam·pe f paraffin lamp

Pet·ting <-s, -s> [ˈpɛtɪŋ] nt petting

pet·to [ˈpɛto] adv ▶ etw in ~ haben (fam) to have sth up one's sleeve

Pe·tu·nie <-, -n> [peˈtuːni̯ə] f petunia

Pet·ze <-, -n> [ˈpɛtsə] f (pej fam) telltale

pet·zen [ˈpɛtsn̩] I. vt (pej fam) to tell tales about sth II. vi (pej fam) to tell tales

Pf m (hist) Abk von **Pfennig**

Pfad <-[e]s, -e> [pfaːt, pl ˈpfaːdə] m path

Pfad·fin·der(in) <-s, -> m(f) [boy] scout masc, [girl] guide fem

Pfaf·fe <-n, -n> [ˈpfafə] m (pej) cleric

Pfahl <-[e]s, Pfähle> [pfaːl, pl ˈpfɛːlə] m ❶ (Zaun~) post ❷ (angespitzter Rundbalken) stake

Pfahl·bau <-bauten> m structure on stilts

Pfalz <-, -en> [pfalts] f GEOG palatinate; **Rheinland-~** the Rhineland-Palatinate

Pfäl·zer(in) <-s, -> [ˈpfɛltsɐ] m(f) sb from the Palatinate

pfäl·zisch [ˈpfɛltsɪʃ] adj Palatine

Pfand <-[e]s, Pfänder> [pfant, pl ˈpfɛndɐ] nt deposit

pfänd·bar adj JUR distrainable form

Pfand·brief m mortgage bond

pfän·den [ˈpfɛndn̩] vt JUR ❶ (beschlagnahmen) ▪ etw ~ to impound sth; ▪ das P~ seizing of possessions ❷ (Pfandsiegel anbringen) ▪ jdn ~ to seize some of sb's possessions; ▪ jdn ~ lassen to get the bailiffs onto sb

Pfand·fla·sche f returnable bottle

Pfand·geld nt deposit **Pfand·haus** nt pawnbroker's **Pfand·lei·he** <-, -n> f pawnshop **Pfand·lei·her(in)** <-s, -> m(f) pawnbroker **Pfand·schein** m pawn ticket

Pfän·dung <-, -en> f seizure

Pfan·ne <-, -n> [ˈpfanə] f ❶ KOCHK [frying] pan ❷ SCHWEIZ (Topf) pot ▶ jdn in die ~ hauen (sl) to do the dirty [or Am play a mean trick] on sb

Pfann·ku·chen m pancake

Pfarr·amt nt vicarage

Pfarr·be·zirk m parish

Pfar·rei <-, -en> [pfaˈraɪ] f ❶ (Gemeinde) parish ❷ s. **Pfarramt**

Pfar·rer(in) <-s, -> [ˈpfarɐ] m(f) (katholisch) priest; (evangelisch) pastor; (anglikanisch) vicar

Pfarr·ge·mein·de f s. **Pfarrei 1 Pfarr·haus** nt (katholisch) presbytery; (anglikanisch) vicarage **Pfarr·kir·che** f parish church

Pfau <-[e]s o -en, -en> [pfaʊ] m peacock

Pfau·en·au·ge nt peacock butterfly

Pfef·fer <-s, -> [ˈpfɛfɐ] m pepper ▶ hingehen, wo der ~ wächst to go to hell

Pfef·fer·korn [ˈpfɛfɐkɔrn] nt peppercorn

Pfef·fer·minz·bon·bon nt peppermint

Pfef·fer·min·ze f kein pl peppermint

Pfef·fer·minz·tee m peppermint tea

Pfef·fer·müh·le f pepper mill

pfef·fern [ˈpfɛfɐn] vt ❶ KOCHK to season with pepper ❷ (fam: schleudern) ▪ etw irgendwohin ~ to fling sth somewhere ▶ jdm eine ~ (fam) to give sb a smack in the face

Pfef·fer·streu·er <-s, -> m pepper pot

Pfei·fe <-, -n> [ˈpfaɪfə] f ❶ (Tabaks~, Musikinstrument) pipe; ~ rauchen to smoke a pipe ❷ (Triller~) whistle ❸ (sl: Nichtskönner) loser ▶ nach jds ~ tanzen to dance to sb's tune

pfei·fen <pfiff, gepfiffen> [ˈpfaɪfn̩] I. vi ❶ (Pfeiftöne erzeugen) to whistle ❷ (fam) ▪ auf etw akk ~ not to give a damn about sth II. vt to whistle

Pfei·fen·kopf m bowl [of a pipe] **Pfei·fen·rei·ni·ger** m pipe-cleaner **Pfei·fen·stop·fer** <-s, -> m tamper **Pfei·fen·ta·bak** m pipe tobacco

Pfeif·kon·zert nt chorus of catcalls **Pfeif·ton** m whistle

Pfeil <-s, -e> [pfaɪl] m arrow; ~ und **Bogen** bow and arrow

Pfei·ler <-s, -> [ˈpfaɪlɐ] m ❶ ARCHIT pillar ❷ BAU pylon

pfeil·schnell [ˈpfaɪlʃnɛl] adj like a shot

Pfeil·spit·ze f arrowhead

Pfen·nig <-s, -e o meist nach Zahlenangabe -> [ˈpfɛnɪç] m (hist) pfennig; **keinen ~ [Geld] haben** to be penniless; **keinen ~ wert sein** to be worth nothing ▶ **jeden ~ umdrehen** (fam) to think twice about every penny one spends

Pfen·nig·ab·satz m (fam) stiletto heel **Pfen·nig·fuch·ser(in)** <-s, -> [-fʊksɐ] m(f) (fam) stinge

Pferch <-es, -e> [pfɛrç] m pen

pfer·chen [ˈpfɛrçn̩] vt ▪ jdn/Tiere in etw akk ~ to cram sb/animals into sth

Pferd <-[e]s, -e> [pfeːɐ̯t, pl -də] nt ❶ (Tier) horse; **arbeiten wie ein ~** to work like a horse; **zu ~e** (geh) on horseback ❷ SCHACH knight ▶ **das ~ beim Schwanz[e] aufzäumen** to put the cart before the horse; **die ~e scheu machen**

to put people off; **keine zehn ~e könn-ten mich je dazu bringen** wild horses couldn't make me do that; **mit jdm ~e stehlen können** sb is game for anything; **ich glaub mich tritt ein ~!** well I'll be blowed! [*or* Am damned!]

Pfer·de·ap·fel *m meist pl* horse droppings *npl* **Pfer·de·fuß** *m* ❶ (*Huf*) cloven hoof ❷ (*Haken*) catch **Pfer·de·renn·bahn** *f* racecourse **Pfer·de·ren·nen** *nt* horse-rac-ing **Pfer·de·renn·sport** *m* horse racing **Pfer·de·schwanz** *m* ❶ (*vom Pferd*) horse's tail ❷ (*Frisur*) ponytail **Pfer·de·stall** *m* stable **Pfer·de·stär·ke** *f* (*ver-altend*) horsepower **Pfer·de·wa·gen** *m* [horse-drawn] carriage; *für Güter* cart **Pfer·de·zucht** *f* horse breeding

pfiff [pfɪf] *imp von* **pfeifen**

Pfiff <-s, -e> [pfɪf] *m* ❶ (*Pfeifton*) whistle ❷ (*fam: Reiz*) pizzazz

Pfif·fer·ling <-[e]s, -e> ['pfɪfɐlɪŋ] *m* BOT, KOCHK chanterelle ▶ **keinen ~ wert sein** to not be worth a thing

pfif·fig ['pfɪfɪç] **I.** *adj* smart **II.** *adv* smartly

Pfif·fi·kus <-[ses], -se> ['pfɪfɪkʊs] *m* (*hum fam*) smart lad *masc* [*or fem* lass] BRIT

Pfing·sten <-, -> ['pfɪŋstn̩] *nt meist ohne art* Whitsun; (*Pfingstwochenende*) Whit-suntide

Pfingst·mon·tag *m* Whit Monday **Pfingst·ro·se** *f* peony **Pfingst·sonn·tag** *m* Whit Sunday

Pfir·sich <-s, -e> ['pfɪrzɪç] *m* peach **Pfir·sich·baum** *m* peach tree

Pflan·ze <-, -n> ['pflantsə] *f* plant

pflan·zen ['pflantsn̩] **I.** *vt* to plant **II.** *vr* (*fam*) ■ **sich irgendwohin ~** to plonk one-self somewhere

Pflan·zen·fa·ser *f* plant fibre **Pflan·zen·fett** *nt* vegetable fat **Pflan·zen·fres·ser** *m* herbivore **Pflan·zen·kun·de** *f* botany **Pflan·zen·öl** *nt* vegetable oil **Pflan·zen·reich** *nt kein pl* plant kingdom *no pl* **Pflan·zen·schutz** *m* pest control **Pflan·zen·schutz·mit·tel** *nt* pesticide **Pflan·zen·welt** *f* plant life

pflanz·lich **I.** *adj attr* ❶ (*vegetarisch*) veg-etarian ❷ (*aus Pflanzen gewonnen*) plant-based **II.** *adv* **sich ~ ernähren** to eat a veg-etarian diet

Pflan·zung <-, -en> *f* ❶ *kein pl* (*das Pflan-zen*) planting ❷ AGR *s.* **Plantage**

Pflas·ter <-s, -> ['pflastɐ] *nt* ❶ MED plaster ❷ BAU road surface ▶ **ein gefährliches ~** (*fam*) a dangerous place

pflas·tern ['pflastɐn] **I.** *vt* ■ **etw ~** to sur-face sth; **etw mit Steinplatten ~** to pave sth with flagstones **II.** *vi* to pave

Pflas·ter·stein ['pflastɐ-] *m* paving stone

Pflau·me <-, -n> ['pflaʊmə] *f* ❶ KOCHK plum ❷ BOT, HORT plum tree ❸ (*fam: Pfeife*) twat *pej*

Pflau·men·baum *m* plum tree **Pflau·men·mus** *nt* plum jam

Pfle·ge <-> ['pfle:gə] *f kein pl* ❶ (*kosmeti-sche Behandlung*) grooming ❷ MED nurs-ing; **jdn/ein Tier [bei jdm] in ~ geben** to have sb/an animal looked after [by sb]; **jdn/ein Tier in ~ nehmen** to look after sb/an animal ❸ HORT care ❹ (*geh: Kultivie-rung*) fostering

pfle·ge·be·dürf·tig *adj* ❶ (*der Fürsorge bedürfend*) in need of care *pred* ❷ (*Versor-gung erfordernd*) ■ **~ sein** to need looking after **Pfle·ge·dienst** *m* nursing service **Pfle·ge·el·tern** *pl* foster parents *pl* **Pfle·ge·fall** *m* **jd ist ein ~** sb needs constant nursing care **Pfle·ge·heim** *nt* nursing home **Pfle·ge·kind** *nt* foster child **pfle·ge·leicht** *adj* easy-care *attr;* **ein ~es Tier/~er Mensch** a low-maintenance animal/person **Pfle·ge·mut·ter** *f* foster mother

pfle·gen ['pfle:gn̩] **I.** *vt* ❶ (*umsorgen*) to care for [*or* nurse] ❷ *Garten* to tend ❸ *Mö-bel, Auto* to look after ❹ (*kosmetisch behandeln*) to treat ❺ (*geh: kultivieren*) *Freundschaft, Kunst* to cultivate; *Beziehungen, Kooperation* to foster; *Hobby* to keep up *sep* ❻ (*gewöhnlich tun*) ■ **etw zu tun ~** to usually do sth **II.** *vr* ■ **sich ~** ❶ (*Körperpflege betreiben*) to take care of one's appearance; **ich pflege mich regel-mäßig mit Körperlotion** I use body lotion regularly ❷ (*sich schonen*) to take it easy *fam*

Pfle·ge·per·so·nal *nt* nursing staff + *pl vb* **Pfle·ger(in)** <-s, -> *m(f)* [male] nurse *masc,* nurse *fem*

Pfle·ge·satz *m* hospital charges *pl* **Pfle·ge·spü·lung** *f* conditioner **Pfle·ge·va·ter** *m* foster father **Pfle·ge·ver·si·che·rung** *f* private nursing insurance

pfleg·lich ['pfle:klɪç] **I.** *adj* careful; **ich bitte um ~e Behandlung!** please handle with care **II.** *adv* carefully, with care

Pfleg·schaft <-, -en> *f* guardianship

Pflicht <-, -en> [pflɪçt] *f* ❶ (*Verpflich-tung*) duty; **die ~ ruft** duty calls; **nur seine ~ tun** to only do one's duty ❷ SPORT compulsory section

pflicht·be·wusst[RR] *adj* conscientious **Pflicht·be·wusst·sein**[RR] *nt* sense of duty *no pl* **Pflicht·fach** *nt* compulsory subject **Pflicht·ge·fühl** *nt kein pl* *s.* **Pflichtbewusstsein** **pflicht·ge·mäß**

I. *adj* dutiful **II.** *adv* dutifully **Pflicht·übung** *f* compulsory exercise **pflicht·ver·ges·sen** *adj* negligent, neglectful of one's duty; ~ **handeln** to act negligently [*or* irresponsibly] **Pflicht·ver·tei·di·ger(in)** *m(f)* JUR court-appointed defence counsel

Pflock <-[e]s, Pflöcke> [pflɔk, *pl* 'pflœkə] *m* stake; (*Zelt~*) peg

pflü·cken ['pflʏkn̩] *vt* to pick

Pflü·cker(in) <-s, -> *m(f)* picker

Pflug <-es, Pflüge> [pflu:k, *pl* 'pfly:gə] *m* plough

pflü·gen *vi, vt* to plough

Pflüm·li <-, -s> *nt* SCHWEIZ plum schnapps

Pfor·te <-, -n> ['pfɔrtə] *f* gate

Pfört·ner(in) <-s, -> ['pfœrtnɐ] *m(f)* porter

Pfört·ner·lo·ge [-lo:ʒə] *f* doorkeeper's office

Pfos·ten <-s, -> ['pfɔstn̩] *m* ❶ (*Pfahl*) a. SPORT post ❷ (*Stützpfosten*) post; (*Tür, Fenster*) jamb

Pfo·te <-, -n> ['pfo:tə] *f* ❶ (*von Tieren*) paw ❷ (*fam*) paw; **sich** *dat* **die ~n ver·brennen** (*fam*) to burn one's fingers

Pfropf <-[e]s, -e *o* Pröpfe> [pfrɔpf, *pl* 'pfrœpfə] *m* MED clot

pfrop·fen ['pfrɔpfn̩] *vt* ■ **etw in etw** *akk* ~ ❶ (*hineindrücken*) to shove sth into sth ❷ (*hineinzwängen*) to cram sth into sth

Pfrop·fen <-s, -> ['pfrɔpfn̩] *m* stopper

Pfrün·de <-, -n> ['pfrʏndə] *f* sinecure

pfui [pfui] *interj* tut tut; (*Ekel*) yuck

Pfund <-[e]s, -e *o nach Zahlenangabe* -> [pfʊnt, *pl* 'pfʊndə] *nt* ❶ (*500 Gramm*) pound ❷ (*Währungseinheit*) pound; **in ~** in pounds

pfun·dig [pfʊndɪç] *adj* (*fam*) great

Pfunds·kerl ['pfʊnts'kɛrl] *m* DIAL (*fam*) great guy

Pfusch <-[e]s> [pfʊʃ] *m kein pl* (*fam*) botch-up

Pfusch·ar·beit *f* (*fam*) s. **Pfusch**

pfu·schen ['pfʊʃn̩] *vi* ❶ (*mogeln*) to cheat (**bei** at/in) ❷ (*schlampen*) to be sloppy

Pfu·scher(in) <-s, -> *m(f)* (*fam*) ❶ SCH cheat ❷ (*pfuschender Handwerker*) cowboy

Pfu·sche·rei <-, -en> [pfʊʃɛ'rai] *f* bungling

Pfüt·ze <-, -n> ['pfʏtsə] *f* puddle

phal·lisch ['falɪʃ] *adj* (*geh*) phallic

Phal·lus <-, -se> ['falʊs, *pl* 'fali, 'falən] *m* (*geh*) phallus

Phä·no·men <-s, -e> [fɛno'me:n] *nt* phenomenon

phä·no·me·nal [fɛnome'na:l] *adj* phe-nomenal

Phan·ta·sie <-, -n> [fanta'zi:, *pl* -'zi:ən] *f* s. **Fantasie**

Phan·ta·sie·ge·bil·de *nt* s. **Fantasiege-bilde**

Phan·ta·sie·lo·sig·keit <-> *f* s. **Fantasie-losigkeit**

phan·ta·sie·ren* [fanta'zi:rən] *s.* **fanta-sieren**

Phan·tast(in) <-en, -en> [fan'tast] *m(f)* s. **Fantast**

Phan·tas·te·rei <-, -en> [fantastə'rai] *f* s. **Fantasterei**

Phan·tas·tin <-, -nen> *f fem form von* **Fantast**

phan·tas·tisch [fan'tastɪʃ] *adj, adv* s. **fan-tastisch**

Phan·tom <-s, -e> [fan'to:m] *nt* phantom

Phan·tom·bild *nt* identikit® [picture] BRIT, composite sketch AM **Phan·tom·schmerz** *m* phantom [limb] pain

Pha·rao, Pha·ra·o·nin <-s, Pharaonen> ['fa:rao, fara'o:nɪn, *pl* fara'o:nən] *m, f* Pharaoh

Pha·ri·sä·er <-s, -> [fari'zɛ:ɐ] *m* ❶ HIST Pharisee ❷ (*Getränk*) coffee with rum

Phar·ma·in·dust·rie *f* pharmaceutical industry

Phar·ma·ko·lo·ge, -lo·gin <-n, -n> [farmako'lo:gə, -'lo:gɪn] *m, f* pharmacologist

Phar·ma·ko·lo·gie <-> [farmakolo'gi:] *f kein pl* pharmacology *no pl, no art*

Phar·ma·ko·lo·gin <-, -nen> *f fem form von* **Pharmakologe**

phar·ma·ko·lo·gisch [farmako'lo:gɪʃ] *adj* pharmacological

Phar·ma·zeut(in) <-en, -en> [far-ma'tsɔyt] *m(f)* pharmacist

Phar·ma·zeu·tik <-> [farma'tsɔytɪk] *f kein pl* pharmaceutics + *sing vb*

phar·ma·zeu·tisch [farma'tsɔytɪʃ] *adj* pharmaceutical

Phar·ma·zie <-> [farma'tsi:] *f kein pl* pharmacy *no pl, no art*

Pha·se <-, -n> ['fa:zə] *f* a. ELEK phase

Phi·la·te·lie <-> *f kein pl* philately *no pl*

Phi·la·te·list(in) <-en, -en> [filate'lɪst] *m(f)* (*form*) philatelist

Phil·har·mo·nie <-, -n> [fɪlharmo'ni:, *pl* -'ni:ən] *f* ❶ (*Institution*) Philharmonic [orchestra] ❷ (*Gebäude*) Philharmonic hall

Phil·har·mo·ni·ker(in) <-s, -> [fɪl-har'mo:nɪkɐ] *m(f)* member of a/the phil-harmonic orchestra

Phi·lip·pi·nen [filɪ'pi:nən] *pl* ■ **die** ~ the Phillipines *pl*

Phi·lip·pi·ner(in) <-s, -> [filɪ'pi:nɐ] *m(f)* Filipino; *s. a.* **Deutsche(r)**

phi·lip·pi·nisch [filɪˈpiːnɪʃ] *adj* Filipino; *s. a.* **deutsch**

Phi·lo·lo·ge, -lo·gin <-n, -n> [filoˈloːɡə, -ˈloːɡɪn] *m, f* philologist

Phi·lo·lo·gie <-, -n> [filoloˈɡiː, *pl* -ˈɡiːən] *f* philology *no pl, no art*

Phi·lo·lo·gin <-, -nen> *f fem form von* **Philologe**

phi·lo·lo·gisch [filoˈloːɡɪʃ] *adj* philological

Phi·lo·soph(in) <-en, -en> [filoˈzoːf] *m(f)* philosopher

Phi·lo·so·phie <-, -n> [filozoˈfiː, *pl* -ˈfiːən] *f* philosophy

phi·lo·so·phie·ren* [filozoˈfiːrən] *vi* to philosophize (**über** about)

Phi·lo·so·phin <-, -nen> *f fem form von* **Philosoph**

phi·lo·so·phisch [filoˈzoːfɪʃ] *adj* philosophical

Phleg·ma <-s> [ˈflɛɡma] *nt kein pl (geh)* apathy *no pl*, torpidity *no pl form*

phleg·ma·tisch [flɛɡˈmaːtɪʃ] *adj* phlegmatic

Pho·bie <-, -n> [foˈbiː, *pl* -ˈbiːən] *f* phobia

Phon <-s, -s *o nach Zahlenangabe* -> [foːn] *nt* phon

Pho·nem <-s, -e> [foˈneːm] *nt s.* **Fonem**

Pho·ne·tik <-> [foˈneːtɪk] *f kein pl* phonetics + *sing vb*

pho·ne·tisch [foˈneːtɪʃ] *adj* phonetic

Phö·nix <-[es], -e> [ˈføːnɪks] *m* phoenix

Phö·ni·zi·er(in) <-s, -> [føˈniːtsi̯ɐ] *m(f)* Phoenician

Pho·no·ty·pist(in) <-en, -en> [fonoty'pɪst] *m(f)* audio typist

Phos·phat <-[e]s, -e> [fɔsˈfaːt] *nt* phosphate

Phos·phor <-s> [ˈfɔsfoːɐ̯] *m kein pl* phosphorus *no pl, no indef art*

phos·pho·res·zie·ren* [fɔsfɔrɛsˈtsiːrən] *vi* to phosphoresce

Pho·to <-s, -s> [ˈfoːto] *nt s.* **Foto**

Pho·to·syn·the·se [fotozʏnteˈzə] *f s.* **Fotosynthese**

Phra·se <-, -n> [ˈfraːzə] *f* ❶ *(pej: sinnentleerte Redensart)* empty phrase ❷ *(Ausdruck)* phrase

pH-Wert [peːˈhaː-] *m* pH-value

Phy·sik <-> [fyˈziːk] *f kein pl* physics + *sing vb, no art*

phy·si·ka·lisch [fyziˈkaːlɪʃ] *adj* physical

Phy·si·ker(in) <-s, -> [ˈfyːzikɐ] *m(f)* physicist

Phy·si·o·gno·mie <-, -n> [fyzi̯ognoˈmiː, *pl* -ˈmiːən] *f (geh)* physiognomy

Phy·sio·lo·ge, -lo·gin <-n, -n> [fyzi̯oˈloːɡə, -ˈloːɡɪn] *m, f* physiologist

Phy·si·o·lo·gie <-> [fyzi̯oloˈɡiː] *f kein pl* physiology

phy·si·o·lo·gisch [fyzi̯oˈloːɡɪʃ] *adj* physiological

Phy·sio·the·ra·peut(in) <-en, -en> [fyzi̯oteraˈpɔyt] *m(f)* physiotherapist **Phy·sio·the·ra·pie** [fyzi̯oteraˈpiː] *f kein pl* physiotherapy

phy·sisch [ˈfyːzɪʃ] *adj* physical

Pi <-[s], -s> [piː] *nt* pi

Pi·a·nist(in) <-en, -en> [pi̯aˈnɪst] *m(f)* pianist

Pi·a·no <-s, -s> [ˈpi̯aːno] *nt (geh)* piano

pi·cheln [ˈpɪçl̩n] I. *vi* DIAL *(fam)* to booze II. *vt* ▸ **einen** ~ DIAL *(fam)* to knock 'em back

Pi·ckel <-s, -> [ˈpɪkl̩] *m* ❶ *(Hautunreinheit)* pimple, BRIT *also* spot, AM zit ❷ *(Spitzhacke)* pickaxe; *(Eis~)* ice pick

pi·cke·lig [ˈpɪkəlɪç] *adj* spotty BRIT, pimply AM

pi·cken [ˈpɪkn̩] I. *vi* ORN to peck (**nach** at) II. *vt* to pick

pick·lig [ˈpɪklɪç] *adj s.* **pickelig**

Pick·nick <-s, -s *o* -e> [ˈpɪknɪk] *nt* picnic

pick·ni·cken [ˈpɪknɪkn̩] *vi* to [have a] picnic

pi·co·bel·lo [pikoˈbɛlo] *adv (fam)* spick and span

piek·fein [ˈpiːkˈfaɪ̯n] *adj (fam)* posh **piek·sau·ber** *adj (fam)* spotless

piep [piːp] *interj* peep

Piep <-s> [piːp] *m (fam)* ▸ **keinen** ~ **sagen** to not make a sound; **keinen** ~ **mehr sagen** to have had it

pie·pe [ˈpiːpə], **piep·e·gal** [ˈpiːpʔeˈɡaːl] *adj präd (fam)* **mir ist das** ~! I couldn't care less!

pie·pen [ˈpiːpn̩] *vi* ❶ *(leise Pfeiftöne erzeugen)* to peep; *(Maus)* to squeak ❷ *Gerät* to bleep ❸ *(fam)* **bei jdm piept es** sb is off their head

Pie·pen [ˈpiːpn̩] *pl (fam)* **keine** ~ **haben** to have no dough

piep·sen [ˈpiːpsn̩] I. *vi* ❶ *s.* **piepen** ❷ *(mit hoher Stimme sprechen/singen)* to pipe II. *vt* ■ **etw** ~ to say/sing sth in a high delicate voice

Piep·ser <-s, -> *m (fam)* bleeper

piep·sig [ˈpiːpsɪç] *adj (fam)* ❶ *(hoch und leise)* squeaky ❷ *(klein und zart, winzig)* tiny

Pier <-s, -s *o* -e> [piːɐ̯] *m* pier

pier·cen [ˈpiːɐ̯sən] *vt* to pierce; **sich** *dat* **den Bauchnabel** ~ **lassen** to get one's belly button pierced

Pier·cing <-[s]> [ˈpiːɐ̯sɪŋ] *nt kein pl* piercing *no pl, no art*

pie·sa·cken *vt (fam)* to pester

pie·seln ['piːzl̩n] *vi* (*fam*) *Regen* to drizzle; *Urin* to pee

Pi·e·tät <-> [pi̯eˈtɛːt] *f kein pl* (*geh: Ehrfurcht*) reverence *no pl;* (*Frömmigkeit*) piety *no pl*

pi·e·tät·los [pi̯eˈtɛːt-] *adj* (*geh*) irreverent

pi·e·tis·tisch [pi̯eˈtɪstɪʃ] *adj* pietistic

Pig·ment <-s, -e> [pɪɡˈmɛnt] *nt* pigment

Pik[1] [piːk] *m* (*Bergspitze*) peak

Pik[2] <-s, -> [piːk] *nt* KARTEN ❶ (*Farbe*) spades *pl* ❷ (*Karte*) spade

pi·kant [piˈkant] **I.** *adj* ❶ KOCHK spicy ❷ (*frivol*) racy **II.** *adv* piquantly

Pi·ke <-, -n> ['piːkə] *f* HIST pike ▸ **von der ~ auf lernen** to start at the bottom

pi·ken ['piːkn̩] **I.** *vt* (*fam*) to prick (**mit** with) **II.** *vi* (*fam*) to prickle

pi·kiert [piˈkiːrt] **I.** *adj* (*geh*) peeved **II.** *adv* (*geh*) peevishly

Pik·ko·lo[1] <-s, -s> ['pɪkolo] *m* ❶ (*Kellner*) trainee waiter ❷ (*fam*) mini bottle (*of champagne o sparkling wine*)

Pik·ko·lo[2] <-s, -s> ['pɪkolo] *nt* MUS piccolo

Pik·ko·lo·flö·te *f* piccolo [flute]

pik·sen ['piːksn̩] *vt, vi* (*fam*) to prick

Pik·to·gramm <-s, -e> [pɪkto-] *nt* pictogram, icon, ikon

Pil·ger(in) <-s, -> ['pɪlɡɐ] *m(f)* pilgrim

Pil·ger·fahrt *f* pilgrimage

Pil·ge·rin <-, -nen> *f fem form von* **Pilger**

pil·gern ['pɪlɡɐn] *vi sein* ▪ **irgendwohin ~** ❶ (*fam*) to wend one's way somewhere ❷ (*wallfahren*) to make a pilgrimage to somewhere

Pil·le <-, -n> ['pɪlə] *f* pill; ▪ **die ~** (*Antibabypille*) the pill; **die ~ nehmen** to be on the pill; **die ~ danach** the morning-after pill ▸ **eine bittere ~ schlucken müssen** (*fam*) to have to swallow a bitter pill

Pil·len·knick *m* decline in the birth rate (*due to the pill*)

Pi·lot(in) <-en, -en> [piˈloːt] *m(f)* pilot

Pi·lot·film *m* pilot film

Pi·lo·tin <-, -nen> *f fem form von* **Pilot**

Pi·lot·pro·jekt *nt* pilot scheme **Pi·lot·versuch** *m* pilot project

Pils <-, -> [pɪls], **Pil·se·ner** <-s, ->, **Pils·ner** <-s, -> *nt* pilsner

Pilz <-es, -e> [pɪlts] *m* ❶ BOT fungus; (*Speise~*) mushroom ❷ MED fungal skin infection ▸ **wie ~e aus dem Boden schießen** to mushroom

Pilz·er·kran·kung *f* fungal disease

Pi·ment <-s> [piˈmɛnt] *m kein pl* allspice, pimento

Pim·mel <-s, -> ['pɪml̩] *m* (*fam*) willie BRIT, weenie AM

Pimpf <-[e]s, -e> [pɪmpf] *m* (*fam*) squirt

Pin, PIN <-, -s> [pɪn] *nt Akr von* **personal identification number** PIN [number]

pin·ge·lig ['pɪŋəlɪç] *adj* (*fam*) fussy

Ping·pong <-s, -s> ['pɪŋpɔŋ] *nt* ping-pong

Pin·gu·in <-s, -e> ['pɪŋɡuiːn] *m* penguin

Pi·nie <-, -n> ['piːni̯ə] *f* stone pine

pink [pɪŋk] *adj* pink

Pin·kel[1] <-s, -> ['pɪŋkl̩] *m* ▪ **ein feiner ~** (*fam*) dandy

Pin·kel[2] <-, -n> ['pɪŋkl̩] *f* KOCHK NORDD spicy, smoked fatty pork/beef sausage (*eaten with curly kale*)

pin·keln ['pɪŋkl̩n] *vi* (*fam*) to pee

Pinn·wand *f* pinboard

Pin·scher <-s, -> ['pɪnʃɐ] *m* pinscher

Pin·sel <-s, -> ['pɪnzl̩] *m* brush

pin·seln ['pɪnzl̩n] **I.** *vt* ❶ (*streichen*) a. MED to paint ❷ (*mit dem Pinsel auftragen*) ▪ **etw irgendwohin ~** to daub sth somewhere ❸ (*fam: schreiben*) to pen **II.** *vi* (*fam*) to paint

Pin·te <-, -n> ['pɪntə] *f* (*fam*) pub BRIT, bar AM

Pin·zet·te <-, -n> [pɪnˈtsɛtə] *f* tweezers *npl*

Pi·o·nier(in) <-s, -e> [pi̯oˈniːɐ̯] *m(f)* ❶ (*Wegbereiter*) pioneer ❷ MIL sapper

Pi·o·nier·ar·beit *f* pioneering work

Pi·pa·po <-s> [pipaˈpoː] *nt kein pl* (*fam*) ▪ **mit allem ~** with all the frills; **das ganze ~** the whole shebang

Pipe·line <-, -s> ['paɪplaɪn] *f* pipeline

Pi·pet·te <-, -n> [piˈpɛtə] *f* pipette

Pi·pi <-s, -s> [piˈpiː] *nt* (*Kindersprache*) wee BRIT, wee-wee AM; **~ machen** to do a wee[-wee]

Pi·pi·fax <-> ['pɪpifaks] *nt kein pl* (*fam*) nonsense

Pi·ran·ha <-[s], -s> [piˈranja] *m* piranha

Pi·rat(in) <-en, -en> [piˈraːt] *m(f)* pirate

Pi·ra·ten·sen·der *m* pirate station

Pi·ra·te·rie <-, -n> [piratəˈriː, *pl* -ˈriːən] *f* piracy *no pl, no art*

Pi·ra·tin <-, -nen> *f fem form von* **Pirat**

Pi·rou·et·te <-n, -n> [piˈrʊɛtə] *f* pirouette

Pirsch <-> [pɪrʃ] *f kein pl* **auf die ~ gehen** to go stalking

PISA ['piːza] *Akr von* **Programme for International Student Assessment** PISA

PISA-Mus·ter·land *nt* top-performing country in the PISA studies **PISA-Schock** *m* shock and dismay felt by Germany on account of its bad PISA results in 2002 **PISA-Stu·die, Pisastudie** *f* PISA study

Pis·se <-> ['pɪsə] *f kein pl* (*derb*) piss

pis·sen ['pɪsn̩] *vi* ❶ (*derb: urinieren*) to

piss ❷ *impers* (*sl: stark regnen*) **es pisst schon wieder** it's pissing down again

Pis·soir <-s, -s *o* -e> [pɪˈsʊ̯aːɐ̯] *nt* urinal

Pis·ta·zie <-, -n> [pɪsˈtaːtsi̯ə] *f* ❶ (*Baum*) pistachio tree ❷ (*Kern*) pistachio

Pis·te <-, -n> [ˈpɪstə] *f* ❶ (*Ski~*) piste, ski run ❷ (*Rennstrecke*) track ❸ (*unbefestigter Weg*) track ❹ (*Rollbahn*) runway

Pis·to·le <-, -n> [pɪsˈtoːlə] *f* pistol ▸**jdm die ~ auf die Brust setzen** to hold a gun to sb's head; **wie aus der ~ geschossen** (*fam*) like a shot

pit·to·resk [pɪtoˈrɛsk] *adj* (*geh*) picturesque

Pi·xel <-s, -> [ˈpɪksl̩] *nt* INFORM *Akr von* **picture element** pixel

Pi·xel·gra·fik *f* INFORM pixel graphics + *sing vb*

Piz·za <-, -s> [ˈpɪtsa] *f* pizza

Pkw <-s, -s> [ˈpeːkaːveː] *m Abk von* **Personenkraftwagen**

Pla·ce·bo <-s, -s> [plaˈtseːbo] *nt* MED, PSYCH placebo

Pla·cke·rei <-, -en> [plakəˈraɪ̯] *f* (*fam*) grind *no pl*

plä·die·ren* [plɛˈdiːrən] *vi* ❶ JUR **auf etw** *akk* **~** to plead sth; **auf schuldig/unschuldig ~** to plead guilty/not guilty ❷ (*geh*) **für etw** *akk* **~** to plead for sth; **dafür ~, dass …** to plead, that …

Plä·doy·er <-s, -s> [plɛdɔ̯aˈjeː] *nt* ❶ JUR [counsel's] summing-up BRIT, summation AM ❷ (*geh*) plea

Pla·ge <-, -n> [ˈplaːgə] *f* nuisance

Pla·ge·geist *m* (*pej fam*) nuisance

pla·gen [ˈplaːgn̩] **I.** *vt* **jdn ~** ❶ (*behelligen*) to pester sb ❷ (*quälen*) to bother sb **II.** *vr* **sich** [**mit etw** *dat*] **~** ❶ (*sich abrackern*) to slave away [over sth] ❷ (*sich herumplagen*) to be bothered [by sth]

Pla·gi·at <-[e]s, -e> [plaˈgi̯aːt] *nt* plagiarism

Pla·kat <-[e]s, -e> [plaˈkaːt] *nt* poster

pla·ka·tie·ren* [plakaˈtiːrən] *vt* to placard

pla·ka·tiv [plakaˈtiːf] *adj* ❶ (*wie ein Plakat wirkend*) poster-like *attr*, like a poster *pred* ❷ (*grell, bunt*) *Farben* bold ❸ (*betont auffällig, einprägsam*) pithy

Pla·kat·trä·ger(in) *m(f)* man/woman carrying a sandwich board **Pla·kat·wand** *f* [advertising] hoarding BRIT, billboard AM

Pla·ket·te <-, -n> [plaˈkɛtə] *f* ❶ (*Abzeichen*) badge ❷ (*Aufkleber*) sticker ❸ KUNST plaque

Plan <-[e]s, Pläne> [plaːn, *pl* ˈplɛːnə] *m* ❶ (*geplantes Vorgehen*) plan; **nach ~ laufen** to go according to plan ❷ *meist pl*

(*Absicht*) **jds Pläne durchkreuzen** to thwart sb's plans; **einen ~ fassen** to [make a] plan; **auf dem ~ stehen** to be planned ❸ GEOG, TRANSP map ❹ (*zeichnerische Darstellung*) plan ▸**jdn auf den ~ bringen/rufen** to bring sb on to the scene

Pla·ne <-, -n> [ˈplaːnə] *f* tarpaulin, tarp *esp* AM *fam*

pla·nen [ˈplaːnən] *vt* to plan; **~, etw zu tun** to be planning to do sth

Pla·ner(in) <-s, -> *m(f)* planner

Pla·net <-en, -en> [plaˈneːt] *m* planet; **der blaue P~** the blue planet

pla·ne·ta·risch *adj* planetary

Pla·ne·ta·ri·um <-s, -tarien> [planeˈtaːri̯ʊm, *pl* -ˈtaːri̯ən] *nt* planetarium

Pla·ne·ten·sys·tem *nt* planetary system

pla·nie·ren* [plaˈniːrən] *vt* **etw ~** to level sth [off]

Pla·nier·rau·pe *f* bulldozer

Plan·ke <-, -n> [ˈplaŋkə] *f* plank

Plank·ton <-s> [ˈplaŋktɔn] *nt kein pl* plankton

plan·los *adj* ❶ (*ziellos*) aimless ❷ (*ohne System*) unsystematic

plan·mä·ßig **I.** *adj* ❶ TRANSP scheduled ❷ (*systematisch*) systematic **II.** *adv* ❶ TRANSP as scheduled, according to schedule ❷ (*systematisch*) systematically

Plan·qua·drat *nt* grid square **Plan·sch·be·cken** *nt* paddling [*or* AM kiddie] pool

plan·schen [ˈplanʃn̩] *vi* to splash about

Plan·stel·le *f* post

Plan·ta·ge <-, -n> [planˈtaːʒə] *f* plantation

Pla·nung <-, -en> [ˈplaːnʊŋ] *f* ❶ (*das Planen*) planning; **in der ~ befindlich** in/at the planning stage ❷ (*Plan*) plan

Plan·wa·gen *m* covered wagon

Plan·wirt·schaft *f kein pl* planned economy

Plap·per·maul *nt* (*pej fam*) chatterbox

plap·pern [ˈplapɐn] **I.** *vi* to chatter **II.** *vt* (*undeutlich reden*) **etw ~** to babble sth

plär·ren [ˈplɛrən] *vi* (*fam*) ❶ (*heulen*) to bawl ❷ (*blechern ertönen*) to blare [out]

Plas·ma <-s, Plasmen> [ˈplasma, *pl* ˈplasmən] *nt* plasma *no pl, no indef art*

Plas·tik¹ <-s> [ˈplastɪk] *nt kein pl* plastic; **aus ~** plastic

Plas·tik² <-, -en> [ˈplastɪk] *f* (*Kunstwerk*) sculpture

Plas·tik·be·cher *m* plastic cup **Plas·tik·beu·tel** *m* plastic bag **Plas·tik·fo·lie** *f* plastic film **Plas·tik·geld** *nt* (*fam*) plastic money **Plas·tik·tü·te** *f* plastic bag

plas·tisch [ˈplastɪʃ] **I.** *adj* ❶ (*formbar*) malleable ❷ (*räumlich*) three-dimensional

❸ (*anschaulich*) vivid ❹ MED plastic **II.** *adv* ❶ (*räumlich*) three-dimensional; **~ hervor-treten/wirken** to stand out ❷ (*anschaulich*) vividly

Pla·ta·ne <-, -n> [pla'ta:nə] *f* plane tree

Pla·teau <-s, -s> [pla'to:] *nt* plateau

Pla·tin <-s> ['pla:ti:n] *nt kein pl* platinum *no pl, no indef art*

Pla·ti·ne <-, -n> [pla'ti:nə] *f* ❶ TECH circuit board ❷ INFORM card

pla·to·nisch [pla'to:nɪʃ] *adj* (*geh*) platonic

platsch [platʃ] *interj* splash

plat·schen ['platʃn̩] **I.** *vi* sein (*fam*) to splash **II.** *vi impers* haben (*fam*) to pour, BRIT *also* to bucket down *fam*

plät·schern ['plɛtʃən] *vi* ❶ haben (*Geräusch verursachen*) *Brunnen* to splash; *Bach* to burble; *Regen* to patter ❷ (*planschen*) to splash about ❸ sein (*platschend fließen*) to burble along

platt [plat] **I.** *adj* ❶ (*flach*) flat; **einen P~en haben** (*fam*) to have a flat ❷ (*geistlos*) dull ❸ (*fam: verblüfft*) **~ sein** to be flabbergasted **II.** *adv* flat; **~ drücken/pressen/rollen/walzen** to flatten

Platt <-[s]> [plat] *nt kein pl* LING (*fam*) Low German

Platt·deutsch ['platdɔytʃ] *nt* Low German

Plat·te <-, -n> ['platə] *f* ❶ (*Stein~*) slab ❷ (*Metalltafel*) sheet ❸ (*Schall~*) record ❹ (*Servierteller, Gericht*) platter ❺ (*Koch~*) hotplate ❻ (*fam: Glatze*) bald head; **eine ~ haben** to be bald ▸ **die ~ schon kennen** (*fam*) to have heard that one before

Plätt·ei·sen *nt*, **Platt·ei·sen** *nt* NORDD, DIAL [smoothing] iron

plät·ten ['plɛtn̩] *vt* DIAL to iron

Plat·ten·co·ver <-s, -> *nt* record sleeve

Plat·ten·fir·ma *f* record company **Plat·ten·lauf·werk** *nt* disk drive **Plat·ten·spie·ler** *m* record player **Plat·ten·tel·ler** *m* turntable

Platt·form *f* ❶ (*begehbare Fläche*) *a.* INFORM platform ❷ (*geh*) basis

Platt·fuß *m* ❶ MED flat foot ❷ (*fam: Reifenpanne*) flat

plattⅼma·chen *vt* ❚jdn/etw ~ (*fig sl*) to destroy sb/sth

Platz <-es, Plätze> [plats, *pl* 'plɛtsə] *m* ❶ ARCHIT square ❷ (*Sitzplatz*) seat; **~ neh-men** (*geh*) to take a seat ❸ (*freier Raum*) room; **~ sparend sein** to save space ❹ (*üblicher Aufbewahrungsort*) place ❺ SPORT (*Rang*) place; **die Mannschaft liegt jetzt auf ~ drei** the team is now in third place; **seinen ~ behaupten** to main-

tain one's place; (*Sportplatz*) playing field; **jdn vom ~ stellen** to send sb off ❻ (*Möglichkeit an etw teilzunehmen*) *Kurs, Reise* place ❼ (*Ort*) place ▸ |**irgendwo**| **fehl am ~ |e| sein** to be out of place |somewhere|; **in etw** *dat* **keinen ~ haben** to have no place for sth; **auf die Plätze, fertig, los!** on your marks, get set, go!; **~ !** (*Hund*) sit!

Platz·angst *f* ❶ (*fam*) claustrophobia; **~ bekommen** to get claustrophobic ❷ (*Agoraphobie*) agoraphobia **Platz·an-wei·ser(in)** <-s, -> *m(f)* usher *masc*, usherette *fem*

Plätz·chen <-s, -> ['plɛtsçən] *nt* ❶ *dim von* **Platz** spot ❷ KOCHK biscuit BRIT, cookie AM

plat·zen ['platsn̩] *vi sein* ❶ (*zer~*) to burst ❷ (*auf~*) to split ❸ (*scheitern*) to fall through; **das Fest ist geplatzt** the party is off; ❚etw ~ **lassen** to call sth off ❹ (*sich nicht mehr halten können*) to be bursting; **vor Ärger/Neid/Wut/Neugier ~** to be bursting with anger/envy/rage/curiosity

Platz·hal·ter *m* ❶ LING functor ❷ INFORM free variable parameter

plat·zie·ren[RR]* **I.** *vt a.* MEDIA to place **II.** *vr* ❶ (*geh*) ❚sich irgendwo ~ to take a seat somewhere ❷ SPORT ❚sich ~ to be placed; (*Tennis*) to be seeded

Plat·zie·rung[RR] <-, -en> *f* place; **eine ~ unter den ersten zehn** a place in the top ten

Platz·kar·te *f* seat reservation **Platz·man·gel** *m* lack of room **Platz·pa·tro·ne** *f* blank |cartridge| **Platz·re·gen** *m* cloudburst **Platz·re·ser·vie·rung** *f* reservation |of a seat| **Platz·ver·weis** *m* SPORT sending-off BRIT, ejection AM **Platz·wun·de** *f* laceration

Plau·de·rei <-, -en> [plaʊdə'raɪ] *f* chat

plau·dern ['plaʊdən] *vi* ❶ (*sich gemütlich unterhalten*) to |have a| chat ❷ (*fam: ausplaudern*) to gossip

Plau·der·stünd·chen *nt* |little| chat **Plau·der·ton** *m kein pl* chatty tone

Plausch <-[e]s, -e> [plaʊʃ] *m* (*fam*) chat

plau·schen ['plaʊʃn̩] *vi* (*fam*) to |have a| chat

plau·si·bel [plaʊ'zi:bl̩] *adj* plausible; **jdm etw ~ machen** to explain sth to sb

Plau·si·bi·li·tät <-, -> [plaʊzibili'tɛ:t] *f* plausibility

Play-back[RR], **Play·back** <-, -s> ['ple:bɛk] *nt* ❶ (*aufgenommene Musikbegleitung*) backing track ❷ (*komplette Film- o Gesangsaufnahme*) miming track

Play·boy <-s, -s> ['ple:bɔy] *m* playboy

Pla·zen·ta <-, -s *o* Plazenten> [pla-

'tsɛnta, pl -tsɛntən] f placenta

pla·zie·renALT* [pla'tsi:rən] vt, vr s. **plat·zieren**

Pla·zie·rungALT <-, -en> f s. **Platzierung**

plei·te ['plaitə] adj (fam) broke

Plei·te <-, -n> ['plaitə] f (fam) ❶ (Bankrott) bankruptcy; **~ machen** to go bust ❷ (Reinfall) flop; [**mit jdm/etw**] **eine ~ erleben** to suffer a flop [with sb/sth]

plei·te|ge·hen vi irreg sein to go bust

plem·plem [plɛm'plɛm] adj (sl) ■**~ sein** to be nuts

Ple·nar·saal m chamber **Ple·nar·sit·zung** f plenary session **Ple·nar·ver·samm·lung** f plenary session

Ple·num <-s, Plena> ['ple:nʊm, pl ple:na] nt plenum **Pleu·el·stan·ge** f connecting rod

Ple·xi·glas® <-es> ['plɛksigla:s] nt kein pl Plexiglas®

Plis·see <-s, -s> [plɪ'se:] nt pleats pl

PLO <-> [pe:ʔɛl'ʔo:] f kein pl Abk von **Palestine Liberation Organization** PLO

Plom·be <-, -n> ['plɔmbə] f ❶ MED filling ❷ (Bleisiegel) lead seal

plom·bie·ren* [plɔm'bi:rən] vt ❶ MED to fill ❷ (amtlich versiegeln) to seal

Plot·ter <-s, -> ['plɔtɐ] m INFORM plotter

plötz·lich ['plœtslɪç] I. adj sudden II. adv suddenly, all of a sudden; **das kommt alles etwas/so ~** it's all happening rather/ so suddenly; **aber etwas ~!** (fam) [and] hurry up!

Plug-In <-s, -s> ['plagʔɪn] m INFORM plug-in

plump [plʊmp] I. adj ❶ (massig) plump ❷ (schwerfällig) ungainly ❸ (dummdreist) obvious; Lüge blatant II. adv ❶ (schwerfällig) clumsily ❷ (dummdreist) crassly

plumps [plʊmps] interj plop; (ins Wasser) splash; **~ machen** to make a plop/splash

Plumps <-es, -e> [plʊmps] m (fam) plop; (ins Wasser) splash

plump·sen ['plʊmpsn̩] vi sein (fam) ❶ (dumpf fallen) **der Sack plumpste auf den Boden** the sack thudded onto the floor; ■**etw irgendwohin ~ lassen** to let sth fall somewhere with a thud ❷ (fallen) to fall; **aus/von etw** dat **~** to fall out of/off sth; ■**sich irgendwohin ~ lassen** to flop down somewhere

Plumps·klo(·**sett**) nt (fam) earth closet BRIT, outhouse AM

Plun·der <-s> ['plʊndɐ] m kein pl junk no pl, no indef art

Plün·de·rer, **Plün·de·rin** <-s, -> ['plʏndərɐ, 'plʏndərɪn] m, f looter, plunderer

plün·dern ['plʏndɐn] I. vt ❶ (ausrauben) to plunder ❷ (fam: leeren) to raid II. vi to plunder

Plün·de·rung <-, -en> f looting no pl, no indef art

Plu·ral <-s, -e> [pl'ura:l] m plural

plu·ra·lis·tisch [plura'lɪstɪʃ] adj (geh) pluralistic

plus [plʊs] I. präp +gen plus II. adv ❶ (über 0°) plus; **die Temperaturen liegen bei ~ drei Grad C** temperatures will be around three degrees C ❷ MATH, ELEK plus III. konj MATH plus; **~/minus X** plus or minus X

Plus <-, -> [plʊs] nt ❶ (~ zeichen, -punkt) plus ❷ ÖKON surplus; [**mit etw** dat] **im ~ sein** to be in the black [with sth]; [**bei etw** dat] **ein ~ machen** to make a profit [in sth]

Plüsch <-[e]s, -e> [plyʃ] m plush

plü·schig adj ❶ (weich) plush ❷ (pej) ostentatious

Plüsch·tier nt [furry] soft-toy

Plus·pol m positive pole **Plus·punkt** m ❶ (Positivum) bonus ❷ (Wertungseinheit) point

Plus·quam·per·fekt <-s, -e> ['plʊskvampɛrfɛkt] nt past perfect

Plus·zei·chen nt plus sign

Plu·to <-s> ['plu:to] m Pluto

Plu·to·ni·um <-s> [plu'to:ni̯ʊm] nt kein pl plutonium no pl

PLZ <-> f Abk von **Postleitzahl**

pneu·ma·tisch [pnɔʏ'ma:tɪʃ] adj pneumatic

Po <-s, -s> [po:] m (fam) bottom

Pö·bel <-s> ['pø:bl̩] m kein pl (pej) rabble

Pö·be·lei <-, -en> [pø:bə'lai] f (fam) ❶ kein pl (das Pöbeln) loutishness no pl ❷ (ausfallende Bemerkung) swearing no pl, no indef art

pö·bel·haft adj loutish

pö·beln ['pø:bl̩n] vi (ausfallend reden) to swear; (sich ausfallend benehmen) to behave yobbishly [or AM loutishly]

po·chen ['pɔxn̩] vi ❶ (anklopfen) to knock (**gegen** against, **auf** on) ❷ Herz, Blut to pound ❸ (bestehen) to insist (**auf** on)

po·chie·ren* [pɔ'ʃi:rən] vt KOCHK ■**etw ~** to poach sth

Po·cken pl smallpox no art

po·cken·nar·big adj pockmarked **Po·cken·**(**schutz·**)**imp·fung** f smallpox vaccination

Po·cket·ka·me·ra ['pɔkət-] f pocket camera

Po·dest <-[e]s, -e> [po'dɛst] nt o m rostrum

Po·dex <-[es], -e> ['po:dɛks] *m* (*fam*) backside

Po·di·um <-s, Podien> ['po:di̯ʊm, *pl* -di̯ən] *nt* rostrum

Po·di·ums·dis·kus·si·on *f*, **Po·di·ums· ge·spräch** *nt* panel discussion

Po·e·sie <-> [poe'zi:] *f kein pl* poetry *no pl*

Po·et(in) <-en, -en> [po'e:t] *m(f)* poet *masc o fem*, poetess *fem*

po·e·tisch [po'e:tɪʃ] *adj* poetic[al]

po·fen ['po:fn̩] *vi* (*fam*) ❶ (*schlafen*) to kip Brit, to sleep Am ❷ (*unaufmerksam sein*) to doze

Po·grom <-s, -e> [po'gro:m] *nt o m* pogrom

Poin·te <-, -n> ['pɔ̃ː:tə] *f einer Erzählung* point; *eines Witzes* punch line

poin·tie·ren* [pɔ̃ː'ti:rən] *vt* (*geh: betonen*) to emphasize

poin·tiert [poɛ̃'ti:ɐt] *adj* (*geh*) pointed

Po·kal <-s, -e> [po'ka:l] *m* ❶ (*Trinkbecher*) goblet ❷ sport cup

Po·kal·sie·ger *m* cup-winners *pl* **Po·kal· spiel** *nt* cup tie [*or* Am game]

Pö·kel·fleisch *nt* salt[ed] meat

pö·keln ['pø:kl̩n] *vt Fleisch* to preserve; *Fisch* to pickle

Po·ker <-s> ['po:kɐ] *nt kein pl* poker

Po·ker·face <-, -s> ['po:kɐfe:s] *nt* poker face **Po·ker·ge·sicht** *nt,* **Po·ker·mie· ne** *f* poker face

po·kern ['po:kɐn] *vi* ❶ karten to play poker; ▪[**um etw** *akk*] ~ to gamble [for sth] ❷ (*viel riskieren*) to stake a lot

Pol <-s, -e> [po:l] *m* geog, sci pole ▸ **der ruhende** ~ the calming influence

po·lar [po'la:ɐ] *adj* polar

Po·lar·for·scher(in) <-s, -> *m(f)* polar explorer

po·la·ri·sie·ren* [polari'zi:rən] **I.** *vr* (*geh*) ▪ **sich** ~ to polarize, to become polarized Brit **II.** *vt* phys to polarize

Po·la·ri·sie·rung <-, -en> *f* polarization

Po·la·ri·tät <-, -en> [polari'tɛt] *f* polarity

Po·lar·kreis *m* polar circle; **nördlicher/ südlicher** ~ Arctic/Antarctic circle **Po· lar·licht** *nt s.* **Nordlicht Po·lar·stern** *m* Pole Star

Po·le, Po·lin <-n, -n> ['po:lə, 'po:lɪn] *m, f* Pole; *s. a.* **Deutsche(r)**

Po·le·mik <-, -en> [po'le:mɪk] *f* (*geh*) ❶ *kein pl* (*polemischer Gehalt*) polemic ❷ (*scharfe Attacke*) polemics + *sing vb*

po·le·misch [po'le:mɪʃ] **I.** *adj* (*geh*) polemical **II.** *adv* (*geh*) **sich** ~ **äußern** to voice a polemic

po·le·mi·sie·ren* [polemi'zi:rən] *vi* (*geh*) to polem[ic]ize; **in dem Artikel wurde**

scharf polemisiert the article was of a sharply polemic nature

Po·len <-s> ['po:lən] *nt* Poland; *s. a.* **Deutschland**

Pole·po·si·tionᴿᴿ, **Pole-Po·si·tion**ᴿᴿ, **Pole-po·si·tion**ᴬᴸᵀ <-> ['po:lpozɪʃn̩] *f kein pl* sport pole position

Po·li·ce <-, -n> [po'li:sə] *f* policy

po·lie·ren* [po'li:rən] *vt* ❶ (*glänzend reiben*) to polish ❷ (*sl: malträtieren*) **jdm die Fresse** ~ (*sl*) to smash sb's face in

Po·li·kli·nik ['po:likli:nɪk] *f* outpatients' clinic

Po·lin <-, -nen> *f fem form von* **Pole**

Po·lit·bü·ro [po'lɪt-] *nt* politburo

Po·li·tes·se <-, -n> [poli'tɛsə] *f* [female] traffic warden Brit, meter maid Am

Po·lit·ge·ran·gel *nt* pol political wrangling [*or* infighting]

Po·li·ti·cal Cor·rect·ness [pə'lɪtɪkəl kə'rektnəs] *f* political correctness

Po·li·tik <-, -en> [poli'ti:k] *f* ❶ *kein pl* (*die politische Welt*) politics + *sing vb, no art;* **in die** ~ **gehen** to go into politics ❷ (*politischer Standpunkt*) politics + *sing vb, no art* ❸ (*Strategie*) policy; **eine bestimmte** ~ **verfolgen** to pursue a certain policy

Po·li·ti·ka [po'li:tika] *pl von* **Politikum**

Po·li·ti·ker(in) <-s, -> [po'li:tikɐ] *m(f)* politician

Po·li·ti·kum <-s, Politika> [po'li:tikʊm, *pl* -ka] *nt* (*geh: Sache*) political issue; (*Ereignis*) political event

Po·li·tik·ver·dros·sen·heit *f kein pl* political apathy *no pl*

po·li·tisch [po'li:tɪʃ] **I.** *adj* ❶ pol political ❷ (*geh*) politic **II.** *adv* ❶ pol politically ❷ (*klug*) judiciously

po·li·ti·sie·ren* [politi'zi:rən] **I.** *vi* (*geh*) to talk politics **II.** *vt* (*geh*) to politicize; ▪ **jdn** ~ to make sb politically aware **III.** *vr* ▪ **sich** ~ to become politicized

Po·li·to·lo·ge, -lo·gin <-n, -n> [polito'lo:gə, -'lo:gɪn] *m, f* political scientist

Po·li·to·lo·gie <-> [politolo'gi:] *f kein pl* political science *no pl, no art*

Po·li·to·lo·gin <-, -nen> *f fem form von* **Politologe**

Po·li·tur <-, -en> [poli'tu:ɐ] *f* polish

Po·li·zei <-, -en> [poli'tsai] *f* ❶ (*Institution*) ▪ **die** ~ the police + *sing/pl vb;* **zur** ~ **gehen** to go to the police; **bei der** ~ **sein** to be in the police [force] ❷ *kein pl* (*Dienstgebäude*) police station ▸ **dümmer als die** ~ **erlaubt** (*fam*) as thick as two short planks

Po·li·zei·auf·ge·bot *nt* police presence *no pl* **Po·li·zei·auf·sicht** <-> *f kein pl* police supervision **Po·li·zei·be·am·te(r)** *f(m)*, **Po·li·zei·be·am·tin** <-, -nen> *f* police officer **Po·li·zei·dienst·stel·le** *f* police station **Po·li·zei·di·rek·ti·on** *f* police authority **Po·li·zei·funk** *m* police radio **Po·li·zei·hund** *m* police dog

po·li·zei·lich I. *adj attr* police *attr* II. *adv* by the police; **~ gemeldet sein** to be registered with the police

Po·li·zei·prä·si·dent(in) *m(f)* chief constable Brit, chief of police Am **Po·li·zei·prä·si·di·um** *nt* police headquarters + *sing/pl vb* **Po·li·zei·re·vier**, **Po·li·zei·pos·ten** *nt* SCHWEIZ **❶** (*Dienststelle*) police station **❷** (*Bezirk*) [police] district [*or* Am precinct] **Po·li·zei·schutz** *m* police protection; **unter ~ stehen** to be under police protection **Po·li·zei·spit·zel** *m* police informer **Po·li·zei·staat** *m* police state **Po·li·zei·strei·fe** *f* police patrol **Po·li·zei·stun·de** *f* closing time **Po·li·zei·wa·che** *f* police station

Po·li·zist(in) <-en, -en> [poli'tsɪst] *m(f)* policeman *masc,* policewoman *fem,* police officer

Pol·ka <-, -s> ['pɔlka] *f* polka

Pol·len <-s, -> ['pɔlən] *m* pollen

Pol·len·al·ler·gie *f* pollen allergy **Pol·len·flug** *m kein pl* pollen dispersal *no pl* **Pol·len·flug·vor·her·sa·ge** *f* pollen count forecast

Pol·ler <-s, -> ['pɔlɐ] *m* bollard; *Schiffsdeck a.* bitt *spec*

pol·nisch ['pɔlnɪʃ] *adj* Polish; *s. a.* **deutsch**

Po·lo <-s, -> [po:lo] *nt* polo

Po·lo·hemd *nt* polo shirt

Po·lo·nä·se <-, -n> *f,* **Po·lo·nai·se** <-, -n> [polo'nɛːzə] *f* polonaise

Pols·ter <-s, -> ['pɔlstɐ] *nt o* ÖSTERR *m* **❶** (*Polsterung*) upholstery *no pl, no indef art* **❷** MODE pad **❸** FIN cushion **❹** ÖSTERR (*Kissen*) cushion

Pols·ter·gar·ni·tur *f* suite **Pols·ter·mö·bel** *nt meist pl* upholstered furniture *no pl*

pols·tern ['pɔlstɐn] *vt* **❶** (*mit Polster versehen*) to upholster **❷** (*fam: genügend Finanzen haben*) **gut gepolstert sein** to be comfortably off [*or* Am well-off]

Pols·te·rung <-, -en> *f* **❶** (*Polster*) upholstery *no pl, no indef art* **❷** (*das Polstern*) upholstering *no pl, no indef art*

Pol·ter·abend ['pɔltɐ-] *m* party at the house of the bride's parents on the eve of a wedding, at which crockery is smashed to bring good luck

pol·tern ['pɔltɐn] *vi* **❶** *haben* (*rumpeln*) to bang **❷** *sein* (*krachend fallen*) **der Schrank polterte die Treppe hinunter**

the wardrobe went crashing down the stairs **❸** *sein* (*lärmend gehen*) ■**irgendwohin ~** to stump [*or* Am stomp] somewhere

Po·ly·äthy·len <-s, -e> [polʔɛty'leːn] *nt* CHEM, TECH polyethylene, polythene

Po·ly·es·ter <-s, -> [poly'ʔɛstɐ] *m* polyester

po·ly·gam [pol'gaːm] *adj* polygamous

Po·ly·ga·mie <-> [polyga'miː] *f kein pl* polygamy *no pl*

po·ly·glott [poly'glɔt] *adj* (*geh*) **❶** (*viele Sprachen sprechend*) polyglot **❷** (*mehrsprachig*) multilingual

Po·ly·mer <-s, -e> [poly'meːɐ̯] *nt,* **Po·ly·me·re** <-n, -n> [poly'meːrə] *nt meist pl* CHEM polymer

Po·ly·ne·si·en <-s> [poly'neːzjən] *nt* Polynesia

Po·lyp <-en, -en> [po'lyːp] *m* polyp

Po·ly·tech·ni·kum <-s, -ka *o* -ken> [poly'tɛçnikʊm, *pl* -ka] *nt* polytechnic

Po·ly·the·is·mus <-> [polyte'ɪsmʊs] *m kein pl* polytheism

Po·ma·de <-, -n> [po'maːdə] *f* pomade

Pom·mern <-s> ['pɔmɐn] *nt* Pomerania

Pom·mes ['pɔməs] *pl* (*fam*), **Pom·mes fri·tes** [pɔm'frɪt] *pl* chips Brit *also pl,* French fries *pl* Am

Pomp <-[e]s> [pɔmp] *m kein pl* pomp *no pl*

pom·pös [pɔm'pøːs] I. *adj* grandiose II. *adv* grandiosely

Pon·cho <-s, -s> ['pɔntʃo] *m* poncho

Pon·ton <-s, -s> [põ'tõː] *m* NAUT, MIL pontoon

Po·ny¹ <-s, -s> ['pɔni] *nt* (*Pferd*) pony

Po·ny² <-s, -s> ['pɔni] *m* fringe Brit, bangs *npl* Am

Pool <-s, -s> [puːl] *m* pool

Pool·bil·lard ['puːlbɪljart] *nt* pool

Pop <-s> [pɔp] *m kein pl* pop

Pop·corn <-s> ['pɔpkɔrn] *nt kein pl* popcorn *no pl, no indef art*

Po·pel <-s, -> ['poːpl̩] *m* (*fam*) bogey Brit, booger Am

po·pe·lig ['poːpəlɪç] *adj* (*fam*) **❶** (*lausig*) lousy **❷** (*gewöhnlich*) crummy

Po·pe·lin <-s, -e>, **Po·pe·li·ne** <-, -> [popə'liːn] *f* poplin

po·peln ['poːpl̩n] *vi* (*fam*) to pick one's nose

Pop·grup·pe *f* pop group

pop·lig ['pɔplɪç] *adj s.* **popelig**

Pop·li·te·ra·tur *f* pop literature **Pop·mu·sik** *f* pop music

Po·po <-s, -s> [po'po:] *m* (*fam*) bottom, BRIT *also* bum

pop·pig ['pɔpɪç] *adj* (*fam*) trendy

po·pu·lär [popu'lɛ:ɐ̯] *adj* popular

po·pu·la·ri·sie·ren* [populari'zi:rən] *vt* to popularize

Po·pu·la·ri·tät <-> [populari'tɛt] *f kein pl* popularity *no pl*

po·pu·lär·wis·sen·schaft·lich I. *adj* popular scientific II. *adv* in popular scientific terms

Po·pu·la·ti·on <-, -en> [popula'tsi̯o:n] *f* population

Po·re <-, -n> ['po:rə] *f* pore

Por·no <-s, -s> ['pɔrno] *m* (*fam*) porn

por·no ['pɔrno] *adj undeklinierbar* (*sl: prima, cool*) wicked *sl*, phat *sl*, beltin' *sl*

Por·no·film *m* (*fam*) skin flick

Por·no·gra·phie <-> *f*, **Por·no·gra·fie**^RR <-> [pɔrnogra'fi:] *f kein pl* pornography *no pl, no indef art*

por·no·gra·phisch *adj*, **por·no·gra·fisch**^RR *adj* pornographic

po·rös [po'rø:s] *adj* porous

Por·ree <-s, -s> ['pɔre] *m* leek

Por·tal <-s, -e> [pɔr'ta:l] *nt* portal

Porte·mon·naie <-s, -s> [pɔrtmɔ'ne:] *nt s.* **Portmonee**

Port·fo·lio [pɔrt'fo:li̯o] *nt* portfolio

Por·ti ['pɔrti] *pl von* **Porto**

Por·tier <-s, -s> [pɔr'ti̯e:] *m* porter BRIT, doorman AM

Por·ti·on <-, -en> [pɔr'tsi̯o:n] *f* ❶ KOCHK portion; (*fam*) helping ❷ (*fam: Anteil*) amount ► **eine halbe ~** (*fam*) a half-pint

Port·monee <-s, -s> [pɔrtmɔ'ne:] *nt* purse

Por·to <-s, -s *o* Porti> ['pɔrto, *pl* pɔrti] *nt* postage *no pl, no indef art*

por·to·frei *adj* postage-prepaid **por·to·pflich·tig** *adj* liable to postage *pred*

Por·trät <-s, -s> [pɔr'trɛ:] *nt* portrait

por·trä·tie·ren* [pɔrtrɛ'ti:rən] *vt* to portray

Por·trät·ma·ler(in) [pɔr'trɛ:] *m(f)* portrait painter

Por·tu·gal <-s> ['pɔrtugal] *nt* Portugal; *s. a.* **Deutschland**

Por·tu·gie·se, Por·tu·gie·sin <-n, -n> [pɔrtu'gi:zə, pɔrtu'gi:zɪn] *m, f* Portuguese; *s. a.* **Deutsche(r)**

por·tu·gie·sisch [pɔrtu'gi:zɪʃ] *adj* Portuguese; *s. a.* **deutsch**

Port·wein ['pɔrtvain] *m* port

Por·zel·lan <-s, -e> [pɔrtsɛ'la:n] *nt* ❶ (*Material*) porcelain *no pl, no indef art* ❷ *kein pl* (*Geschirr*) china *no pl, no indef art*

Por·zel·lan·ge·schirr *nt* china *no pl, no indef art* **Por·zel·lan·la·den** *m* china shop ► **wie ein Elefant im ~** (*prov*) like a bull in a china shop

Po·sau·ne <-, -n> [po'zau̯nə] *f* trombone

Po·sau·nist(in) <-en, -en> [pozau̯'nɪst] *m(f)* (*form*) trombonist

Po·se <-, -n> ['po:zə] *f* pose; **eine bestimmte ~ einnehmen** to take up a certain pose

po·sie·ren* [po'zi:rən] *vi* (*geh*) to pose

Po·si·ti·on <-, -en> [pozi'tsi̯o:n] *f* position

po·si·ti·o·nie·ren* [pozitsi̯o'ni:rən] *vr* (*geh*) to take a stand

Po·si·ti·ons·licht *nt* navigation light

po·si·tiv ['po:ziti:f] I. *adj* ❶ (*zustimmend*) positive ❷ (*geh*) definite; **~ e Vertragsverletzung** special breach of contract ❸ PHYS, ELEK positive II. *adv* positively; **etw ~ beeinflussen** to have a positive influence on sth; **etw ~ bewerten** to judge sth favourably; **sich ~ verändern** to change for the better

Po·si·tiv¹ <-s, -e> ['po:ziti:f] *nt* ❶ FOTO positive ❷ MUS positive [organ]

Po·si·tiv² <-s, -e> ['po:ziti:f] *m* LING positive

Pos·se <-, -n> ['pɔsə] *f* farce

pos·se·nhaft *adj* farcical

Pos·ses·siv·pro·no·men [pɔsɛ'si:f-] *nt*, **Pos·ses·si·vum** <-s, Possessiva> [pɔsɛ'si:vʊm] *nt* possessive pronoun

pos·sier·lich [pɔ'si:ɐ̯lɪç] *adj* sweet BRIT, cute AM

Post <-> [pɔst] *f kein pl* ❶ (*Institution*) Post Office; **etw mit der/durch die/per ~ schicken** to send sth by post [*or* AM mail]; (*Dienststelle*) post office; **auf die/zur ~ gehen** to go to the post office; **etw zur ~ bringen** to take sth to the post office ❷ (*Briefsendungen*) mail *no pl, indef art rare;* **mit gleicher/getrennter ~** by the same post/under separate cover; **heute ist keine ~ für dich da** there's no post for you today; **von jdm viel ~ bekommen** to get a lot of letters from sb; **elektronische ~** electronic mail ► **[und] ab geht die ~!** (*fam*) off we go!

pos·ta·lisch [pɔs'ta:lɪʃ] I. *adj* postal; **die Ware wird Ihnen auf ~ em Weg zugestellt** the goods will be sent by post II. *adv* by post [*or* AM mail]

Post·amt *nt* post office **Post·an·wei·sung** *f* ❶ (*Überweisungsträger*) postal [*or* AM money] order ❷ (*angewiesener Betrag*) money paid in at a post office and delivered to the addressee **Post·au·to** *nt* postal van **Post·bank** *f* Post Office Giro Bank Brit, postal bank Am **Post·be·am· te(r)**, **-be·am·tin** *m*, *f* post office official **Post·bo·te**, **-bo·tin** *m*, *f* postman *masc*, postwoman *fem* Brit, mail carrier Am

Pos·ten <-s, -> ['pɔstn̩] *m* ❶ (*zugewiesene Position*) post ❷ (*Anstellung*) position ❸ (*Wache*) guard; **irgendwo ~ beziehen** to take up position somewhere ❹ ÖKON (*Position*) item; (*Menge*) lot ▸ **auf verlorenem ~ kämpfen** to be fighting a losing battle; **nicht ganz auf dem ~ sein** (*fam*) to be a bit under the weather

Pos·ter <-s, -[s]> ['po:stɐ] *nt* poster

Post·fach *nt* ❶ (*Schließfach*) post office [*or* PO] box ❷ (*offenes Fach*) pigeonhole **Post·ge·heim·nis** *nt* postal secrecy **Post·gi·ro·amt** [-ʒi:ro-] *nt* Girobank **Post·gi·ro·kon·to** *nt* giro [*or* Am postal checking] account

post·hum [pɔst'hu:m] *adj* (*geh*) posthumous

pos·tie·ren* [pɔs'ti:rən] *vt* ■**jdn/sich irgendwo ~** to position sb/oneself somewhere

Post·kar·te *f* postcard **Post·kut·sche** *f* stagecoach

post·la·gernd *adj* poste restante Brit, general delivery Am

Post·leit·zahl *f* postcode Brit, zip code Am **post·mo·dern** ['pɔstmodɛrn] *adj* postmodern

Post·mo·der·ne <-> ['pɔstmodɛrnə] *f* kein pl postmodernism

Post·sack *m* mailbag, Brit *also* postbag **Post·scheck** *m* giro cheque

Post·script·file <-s, -s> ['pɔst-skrɪptfaɪl] *nt* Postscript file

Post·sen·dung *f* postal [*or* Am mail] item **Post·skript** <-[e]s, -e> [pɔst'skrɪpt] *nt*, **Post·skrip·tum** <-s, -ta> [pɔst'skrɪp-tʊm] *nt* (*geh*) postscript

Post·spar·kas·se *f* Post Office Giro [*or* Am postal savings] bank **Post·stem·pel** *m* ❶ (*Abdruck*) postmark ❷ (*Gerät*) postmark stamp[er]

post·trau·ma·tisch [pɔsttraʊ'ma:tɪʃ] *adj* PSYCH post-traumatic; **~e Belastungsstörung** post-traumatic stress disorder **Post·über·wei·sung** *f* Girobank transfer **Pos·tu·lat** <-[e]s, -e> [pɔstu'la:t] *nt* ❶ (*geh: Forderung*) postulate, demand ❷ PHILOS, SCI postulate ❸ REL postulancy **pos·tu·lie·ren*** [pɔstu'li:rən] *vt* (*geh*) to postulate

pos·tum [pɔs'tu:m] *adj attr* posthumous **post·wen·dend** *adv* by return [of post] [*or* Am mail] **Post·wert·zei·chen** *nt* (*form*)

postage stamp Post·wurf·sen·dung *f* mailshot

po·tent [po'tɛnt] *adj* ❶ (*sexuell fähig*) potent ❷ (*zahlungskräftig*) affluent

Po·ten·tat(in) <-en, -en> [potɛn'ta:t] *m(f)* (*geh*) potentate

Po·ten·ti·al <-s, -e> [potɛn'tsi̯a:l] *nt* s. **Potenzial**

po·ten·ti·ell [potɛn'tsi̯ɛl] *adj* s. **potenziell** **Po·tenz** <-, -en> [po'tɛnts] *f* ❶ MED potency ❷ (*Leistungsfähigkeit*) strength ❸ MATH **zweite/dritte ~** square/cube; **etw in eine bestimmte ~ erheben** to raise sth to the power of ...

Po·ten·zi·alRR <-s, -e> *nt* potential **po·ten·zi·ell**RR *adj* (*geh*) potential **po·ten·zie·ren*** [potɛn'tsi:rən] *vt* ❶ (*geh*) ■**etw ~** to multiply sth ❷ MATH **6 mit 4 potenziert** 6 to the power [of] 4 **Po·tenz·stö·rung** *f* MED potency disorder **Pot·pour·ri** <-s, -s> ['pɔtpʊri] *nt* potpourri

Pots·dam <-s> ['pɔtsdam] *nt* Potsdam **Pott** <-[e]s, Pötte> ['pœtə] *m* (*fam*) ❶ (*Topf*) pot ❷ (*a. pej: Schiff*) tub **Pott·asche** ['pɔtʔaʃə] *f* potash no pl, no indef art

pott·häss·lichRR ['pɔtʰɛslɪç] *adj* (*fam*) plug-ugly

Pott·wal ['pɔtva:l] *m* sperm whale

Po·wer <-> ['paʊɐ] *f* kein pl (*sl*) power no pl, no indef art

Pow·er·frau ['paʊɐ-] *f* (*fam*) superwoman **po·wern** ['paʊɐn] (*sl*) **I.** *vi* (*sich voll einsetzen*) to give it all one's got *fam* **II.** *vt* (*fördern*) to promote heavily

Prä·am·bel <-, -n> [prɛ'ambl̩] *f* preamble **PR-Ab·tei·lung** [pe:'ɛr-] *f* PR department **Pracht** <-> [praxt] *f* kein pl splendour; **eine wahre ~ sein** (*fam*) to be [really] great

Pracht·ex·em·plar *nt* fine specimen

präch·tig ['prɛçtɪç] *adj* ❶ (*prunkvoll*) magnificent ❷ (*großartig*) splendid

Pracht·kerl *m* (*fam*) great guy **Pracht· stück** *nt* s. **Prachtexemplar pracht· voll** *adj* (*geh*) s. **prächtig**

prä·des·ti·nie·ren* [prɛdɛsti'ni:rən] *vt* (*geh*) to predestine (**zu** to); **für etw** *akk* [**wie**] **prädestiniert sein** to be made for sth

Prä·di·kat <-[e]s, -e> [prɛdi'ka:t] *nt* ❶ LING predicate ❷ SCH grade ❸ (*Auszeichnung*) rating

prä·di·ka·tiv [prɛdika'ti:f] *adj* LING predicative

Prä·dis·po·si·ti·on <-, -en> [prɛdɪspo-zi'tsi̯o:n] *f* MED predisposition (**zu**

toward[s])

Prä·fe·renz <-, -en> [prɛfe'rɛnts] f (geh) preference

Prä·fix <-es, -e> ['prɛfɪks] nt prefix

Prag <-s> [pra:k] nt Prague

prä·gen ['prɛgn̩] vt ❶ Münzen to mint ❷ Modewort to coin ❸ (mit einer Prägung versehen) to emboss (auf on[to], in into), to stamp; sich dat etw ins Gedächtnis ~ (fig) to engrave sth on one's mind ❹ (fig: formen) ■ jdn ~ to leave its/their mark [on sb]

prag·ma·tisch [prag'ma:tɪʃ] I. adj pragmatic II. adv pragmatically; ~ eingestellt sein to be pragmatic

präg·nant [prɛ'gnant] I. adj (geh) succinct; Sätze concise II. adv sich ~ ausdrücken to be succinct; etw ~ beschreiben/darstellen to give a succinct description/account of sth

Präg·nanz <-> [prɛ'gnants] f kein pl (geh) conciseness no pl

Prä·gung <-> f ❶ (Einprägen von Münzen) minting ❷ (mit Muster versehen) embossing; Einband, Leder a. tooling ❸ LING coinage

prä·his·to·risch [prɛhɪs'to:rɪʃ] adj prehistoric

prah·len ['pra:lən] vi to boast [or brag] (mit about); ■ damit ~, dass ... to boast that ...

Prah·ler(in) <-s, -> m(f) boaster

Prah·le·rei <-, -en> [pra:lə'raɪ] f ❶ kein pl (Angeberei) boasting ❷ (prahlerische Äußerung) boast

Prah·le·rin <-, -nen> f fem form von **Prahler**

prah·le·risch adj boastful

Prahl·hans <-es, -hänse> m (fam) show-off

Prak·tik <-, -en> ['praktɪk] f meist pl practice

Prak·ti·ka ['praktika] pl von **Praktikum**

prak·ti·ka·bel [prakti'ka:bl̩] adj practicable

Prak·ti·kant(in) <-en, -en> [prakti'kant] m(f) person doing work experience, intern Am (student or trainee working at a trade or occupation to gain work experience)

Prak·ti·ker(in) <-s, -> ['praktikɐ] m(f) practical person; sci practitioner

Prak·ti·kum <-s, Praktika> ['praktikʊm, pl -ka] nt work placement, internship Am

prak·tisch ['praktɪʃ] I. adj ❶ (wirklichkeitsbezogen) practical; ~er Arzt GP ❷ (zweckmäßig) practical; Beispiel concrete ❸ (geschickt im Umgang mit Problemen) practical[-minded]; ein ~er Mensch a practical person; ~ veranlagt sein to be

practical II. adv ❶ (so gut wie, im Grunde) practically; (wirklich) in practice ❷ (wirklichkeitsbezogen) ~ arbeiten to do practical work; etw ~ umsetzen to put sth into practice

prak·ti·zie·ren* [prakti'tsi:rən] I. vt ❶ (in die Praxis umsetzen) etw ~ to put sth into practice; seinen Glauben ~ to practise one's religion ❷ (fam: gelangen lassen) ■ etw in etw akk ~ to slip sth into sth II. vi to practise; ~ der Arzt practising doctor

Pra·li·ne <-, -n> [pra'li:nə] f, **Pra·li·né** <-s, -s> [prali'ne:] nt, **Pra·li·nee** <-s, -s> [prali'ne:] nt ÖSTERR, SCHWEIZ chocolate [cream]

prall [pral] adj ❶ (sehr voll) Brüste well-rounded; eine ~ gefüllte Brieftasche a bulging wallet; Euter swollen; Segel billowing; Tomaten firm; Fußball, Luftballon hard; Schenkel, Waden sturdy; etw ~ aufblasen to inflate sth to bursting point; etw ~ füllen to fill sth to bursting ❷ (voll scheinend) in der ~en Sonne in the blazing sun

prall·len ['pralən] vi sein ❶ (heftig auftreffen) to crash; Ball to bounce; [mit dem Wagen] gegen etw akk ~ to crash [one's car] into sth; mit dem Kopf gegen etw akk ~ to bang one's head on sth ❷ Sonne to blaze

prall·voll ['pral'fɔl] adj (fam) bulging; Kofferraum tightly packed

Prä·mie <-, -n> ['prɛ:mjə] f ❶ (zusätzliche Vergütung) bonus ❷ (Versicherungsbeitrag) [insurance] premium ❸ FIN [government] premium ❹ (zusätzlicher Gewinn im Lotto) extra dividend

prä·mie·ren* [prɛ'mi:rən] vt jdn/etw mit 50.000 Euro ~ to award sb/sth a/the prize of 50,000 euros; ein prämierter Film/Regisseur an award-winning film/director

Prä·mis·se <-, -n> [prɛ'mɪsə] f (geh) condition; unter der ~, dass ... on condition that ...

prä·na·tal [prɛna'ta:l] adj prenatal

pran·gen [praŋən] vi (geh) ❶ (auffällig angebracht sein) to be emblazoned ❷ (in voller Schönheit erstrahlen) to be resplendent

Pran·ger <-s, -> ['praŋɐ] m HIST pillory; jdn/etw an den ~ stellen (fig) to severely criticize sb/sth

Pran·ke <-, -n> ['praŋkə] f paw; (hum a.) mitt sl

Prä·pa·rat <-[e]s, -e> [prɛpa'ra:t] nt (Arzneimittel) medicament

Prä·pa·ra·tor(in) <-s, -en> [prɛpa'raːtoːɐ̯, prɛparaːˈtoːrɪn] *m(f)* BIOL, SCI laboratory technician

prä·pa·rie·ren* [prɛpa'riːrən] **I.** *vt* ➊ BIOL, MED (*konservieren*) to preserve ➋ (*geh: vorbereiten*) to prepare **II.** *vr* (*geh*) ■ **sich ~** to prepare [oneself] (**für** for)

Prä·po·si·ti·on <-, -en> [prɛpozi'tsi̯oːn] *f* preposition

Prä·rie <-, -n> [prɛ'riː, *pl* -'riːən] *f* prairie

Prä·sens <-, Präsentia *o* Präsenzien> ['prɛzɛns, *pl* prɛ'zɛntsi̯a, prɛ'zɛntsi̯ən] *nt* ➊ (*Zeitform*) present tense ➋ (*Verb im Präsens 1*) present

prä·sent [prɛ'zɛnt] *adj* (*geh*) present; **etw ~ haben** to remember sth

Prä·sent <-[e]s, -e> [prɛ'zɛnt] *nt* (*geh*) gift

Prä·sen·ta·ti·on <-, -en> [prɛzɛnta'tsi̯oːn] *f* presentation *no pl*

prä·sen·tie·ren* [prɛzɛn'tiːrən] **I.** *vt* ■ **etw ~** to present sth; ■ **jdn/sich ~** to present sb/oneself **II.** *vi* MIL to present arms

Prä·sen·tier·tel·ler *m* salver ▶ **auf dem ~ sitzen** (*fam*) to be exposed to all and sundry

Prä·sent·korb *m* gift hamper BRIT, basket of goodies AM

Prä·senz <-> [prɛ'zɛns] *f kein pl* (*geh*) presence

Prä·senz·bib·li·o·thek *f* reference library

Prä·ser <-s, -> ['prɛzɐ] *m* (*sl*) *kurz für* **Präservativ** johnny BRIT, rubber AM

Prä·ser·va·tiv <-s, -e> [prɛzɛrva'tiːf] *nt* condom

Prä·si·dent(in) <-en, -en> [prɛzi'dɛnt] *m(f)* president

Prä·si·dent·schaft <-, -en> *f* presidency

Prä·si·dent·schafts·kan·di·dat(in) *m(f)* presidential candidate

prä·si·die·ren* [prɛzi'diːrən] **I.** *vi* to preside over **II.** *vt* SCHWEIZ **einen Verein ~** to be president of a society

Prä·si·di·um <-s, Präsidien> [prɛ'ziːdi̯ʊm, *pl* -di̯ən] *nt* ➊ (*Vorstand, Vorsitz*) chairmanship; (*Führungsgruppe*) committee ➋ (*Polizeihauptstelle*) [police] headquarters + *sing/pl vb*

pras·seln ['prasl̩n] *vi* ➊ *sein o haben* Regen to drum (**gegen** against, **auf** on); (*stärker*) to beat ➋ *haben* Feuer to crackle

pras·sen ['prasn̩] *vi* to live it up; (*schlemmen*) to pig out *fam*

Prä·te·ri·tum <-s, -ta> [prɛ'teːritʊm, *pl* -ta] *nt* preterite

Prä·ven·ti·on <-, -en> [prɛvɛn'tsi̯oːn] *f* prevention

prä·ven·tiv [prɛvɛn'tiːf] *adj* prevent[at]ive

Pra·xis <-, Praxen> ['praksɪs, *pl* 'praksən] *f* ➊ (*Arztpraxis*) surgery BRIT, doctor's office AM; (*Anwaltsbüro*) office ➋ *kein pl* (*praktische Erfahrung*) [practical] experience; **langjährige ~** many years of experience ➌ *kein pl* (*praktische Anwendung*) practice *no art*; **etw in die ~ umsetzen** to put sth into practice

Pra·xis·be·zug *m* practical orientation

pra·xis·fern *adj* impractical **Pra·xis·ge·bühr** *f* ADMIN, MED practice charge (*a quarterly payment that a patient with medical insurance must make for visits to the doctor*) **pra·xis·nah** **I.** *adj* practical **II.** *adv* practically

Prä·ze·denz·fall *m* judicial precedent; **einen ~ schaffen** to set a precedent

prä·zis [prɛ'tsiːs] *adj*, **prä·zi·se** [prɛ'tsiːzə] *adj* (*geh*) precise; *Beschreibung* exact

prä·zi·sie·ren* [prɛtsi'ziːrən] *vt* (*geh*) ■ **etw ~** to state sth more precisely

Prä·zi·si·on <-> [prɛtsi'zi̯oːn] *f kein pl* precision

Prä·zi·si·ons·bom·be [prɛtsi'zi̯oːnsbɔmbə] *f* MIL smart bomb

pre·di·gen ['preːdɪɡn̩] **I.** *vt* to preach; ■ **jdm etw ~** to lecture sb on sth **II.** *vi* ➊ (*eine Predigt halten*) to preach (**gegen** against) ➋ (*fam: mahnend vorhalten*) to tell

Pre·di·ger(in) <-s, -> *m(f)* preacher *masc*, [woman] preacher *fem*

Pre·digt <-, -en> ['preːdɪçt] *f* (*a. fam*) sermon; **eine ~** [**gegen/über etw** *akk*] **halten** to deliver a sermon [on/about sth]

Preis <-es, -e> [praɪs] *m* ➊ (*Kauf~*) price (**für** of); **einen hohen ~ für etw** *akk* **zahlen** (*fig*) to pay a high price for sth; **zum halben ~** at half-price ➋ (*Gewinnprämie*) prize; **der erste/zweite ~** [the] first/second prize ▶ **um jeden ~** at all costs

Preis·an·stieg *m* price increase **Preis·auf·schlag** *m* supplementary charge **Preis·aus·schrei·ben** *nt* competition [to win a prize] **Preis·aus·zeich·nung** *f* pricing **Preis·ein·bruch** *m* collapse of prices

Prei·sel·bee·re ['praɪzl̩beːrə] *f* [mountain *spec*] cranberry

Preis·emp·feh·lung *f* recommended price

prei·sen <pries, gepriesen> ['praɪzn̩] *vt* (*geh*) to praise

Preis·er·hö·hung *f* price increase **Preis·er·mä·ßi·gung** *f* price reduction **Preis·fra·ge** *f* ➊ (*Quizfrage*) [prize] question ➋ (*vom Preis abhängende Entscheidung*) question of price

Preis·ga·be *f kein pl* (*geh*) ❶ (*Enthüllung*) divulgence ❷ (*das Ausliefern, Aussetzen*) abandonment ❸ (*Aufgabe*) relinquishment; (*Gebiet*) surrender; **zur ~ einer S. gen gezwungen werden** to be forced to surrender sth

preis|ge·ben ['praɪsgeːbn̩] *vt irreg* (*geh*) ❶ (*aufgeben*) to relinquish; *Gebiet* to surrender ❷ (*verraten*) ▪ **jdm| etw ~** to betray sth [to sb]; *Geheimnis* to divulge ❸ (*überlassen*) **jdn der Lächerlichkeit ~** to expose sb to ridicule; **jdn dem Elend/ Hungertod ~** to condemn sb to a life of misery/to starvation

preis·ge·krönt *adj* award-winning *attr* **Preis·geld** <-[e]s, -er> *nt* prize money *no pl* **Preis·ge·richt** *nt* jury **preis·güns·tig** *adj* inexpensive, good value *attr; Angebot* reasonable; **etw ~ bekommen** to obtain sth at a low price **Preis·in·dex** *m* ÖKON price index **Preis·klas·se** *f* price range **Preis·la·ge** *f* price bracket **Preis-Leis·tungs-Ver·hält·nis, Preis-Leis·tungs·ver·hält·nis** *nt kein pl* cost effectiveness

preis·lich ['praɪslɪç] *adj attr* price, in price **Preis·lis·te** *f* price list **Preis·nach·lass**[RR] *m* discount **Preis·rät·sel** *nt* puzzle competition **Preis·rich·ter(in)** *m(f)* judge [in a competition] **Preis·rück·gang** *m* fall in prices **Preis·schild** *nt* price tag **Preis·schwan·kung** <-, -en> *f meist pl* price fluctuation *usu pl* **Preis·sen·kung** *f* reduction in prices **Preis·stei·ge·rung** *f* price increase **Preis·trä·ger(in)** *m(f)* prizewinner; (*Auszeichnung*) award winner **Preis·trei·be·rei** <-, -en> [praɪstraɪbəˈraɪ] *f* (*pej*) forcing up of prices; (*Wucher*) profiteering *pej* **Preis·un·ter·schied** *m* difference in price **Preis·ver·gleich** *m* price comparison **Preis·ver·lei·hung** *f* presentation [of awards/prizes] **preis·wert** *adj s.* **preisgünstig**

pre·kär [preˈkɛːɐ̯] *adj* (*geh*) precarious

Prell·bock *m* BAHN buffer, bumping post AM

prel·len ['prɛlən] **I.** *vt* ❶ (*betrügen*) ▪ **jdn** [**um etw** *akk*] ~ to cheat sb [out of sth]; **die Zeche ~** (*fam*) to avoid paying the bill ❷ SPORT *Ball* to bounce; *Prellball* to smash **II.** *vr* **sich am Arm ~** to bruise one's arm; **sich** *dat* **das Knie ~** to bruise one's knee

Prel·lung <-, -en> *f* bruise, contusion *spec*

Pre·mie·re <-, -n> [prəˈmi̯eːrə] *f* première

Pre·mier·mi·nis·ter(in) [prəˈmi̯eː-, pre-ˈmi̯e:-] *m(f)* prime minister

Pres·se[1] <-> ['prɛsə] *f kein pl* ▪ **die ~** the press

Pres·se[2] <-, -n> ['prɛsə] *f* press; (*Fruchtpresse*) juice extractor

Pres·se·agen·tur *f* press agency **Pres·se·amt** *nt* press office **Pres·se·aus·weis** *m* press card [*or* AM ID] **Pres·se·bü·ro** *nt* press office **Pres·se·chef(in)** <-s, -s> *m(f)* chief press officer **Pres·se·dienst** *m* news agency service **Pres·se·er·klä·rung** *f* press release **Pres·se·fo·to·graf(in)** *m(f)* press photographer **Pres·se·frei·heit** *f kein pl* freedom of the press **Pres·se·kon·fe·renz** *f* press conference **Pres·se·mel·dung** *f* press report **Pres·se·mit·tei·lung** *f* press release

pres·sen ['prɛsn̩] **I.** *vt* ❶ (*durch Druck glätten*) to press ❷ (*drücken*) to press (**an/auf** on); **etw mit gepresster Stimme sagen** (*fig*) to say sth in a strained voice ❸ (*auspressen*) *Obst* to press; *Saft* to squeeze (**aus** out of) ❹ (*herstellen*) to press; *Plastikteile* to mould ❺ (*zwingen*) ▪ **jdn zu etw** *dat* ~ to force sb to do sth **II.** *vi* (*bei der Geburt*) to push; (*bei Verstopfung*) to strain oneself

Pres·se·schau *f* press review **pres·se·scheu** *adj* media-shy **Pres·se·spie·gel** *m* press review **Pres·se·spre·cher(in)** *m(f)* press officer **Pres·se·stel·le** *f* press office **Pres·se·stim·me** *f* press commentary **Pres·se·we·sen** <-s> *nt kein pl* press **Pres·se·zen·sur** *f* censorship of the press

pres·sie·ren* [prɛˈsiːrən] **I.** *vi* SÜDD, ÖSTERR, SCHWEIZ (*dringlich sein*) to be pressing **II.** *vi impers* SÜDD, ÖSTERR, SCHWEIZ ▪ **es pressiert** it's urgent; ▪ **es pressiert jdm** sb is in a hurry; **es pressiert nicht** there's no hurry

Press·luft·boh·rer[RR] *m* pneumatic drill, jackhammer AM **Press·luft·ham·mer**[RR] *m* pneumatic hammer **Press·we·hen**[RR], **Preß·we·hen**[ALT] *pl* MED second stage contractions *pl*

Pres·tige <-s> [prɛsˈtiːʒə] *nt kein pl* (*geh*) prestige

Pres·tige·den·ken [prɛsˈtiːʒ-] *nt kein pl* preoccupation with one's prestige **Pres·tige·ob·jekt** *nt* object of prestige

Preu·ße, Preu·ßin <-n, -n> ['prɔysə, 'prɔysɪn] *m, f* Prussian **Preu·ßen** <-s> ['prɔysn̩] *nt kein pl* Prussia **Preu·ßin** <-, -nen> *f fem form von* **Preuße preu·ßisch** ['prɔysɪʃ] *adj* Prussian

pri·ckeln ['prɪkl̩n] *vi* ❶ (*kribbeln*) to tingle; **ein P~ in den Beinen** pins and needles in one's legs ❷ *Champagner* to bubble ❸ (*fam: erregen, reizen*) to thrill

pri·ckelnd *adj Gefühl* tingling; *Humor* piquant; *Champagner* sparkling

Priel <-[e]s, -e> [pri:l] *m* narrow channel (*in North Sea shallows*)

pries [pri:s] *imp von* **preisen**

Pries·ter(in) <-s, -> ['pri:stɐ] *m(f)* priest

Pries·ter·amt *nt* priesthood **Pries·ter·ge·wand** *nt* vestment

Pries·ter·tum <-s> *nt kein pl* priesthood

Pries·ter·wei·he *f* ordination [to the priesthood]

pri·ma ['pri:ma] *adj* (*fam*) great; **es läuft alles ~** everything is going really well; **du hast uns ~ geholfen** you have been a great help

Pri·ma·bal·le·ri·na [primabale'ri:na] *f* prima ballerina **Pri·ma·don·na** <-, -don·nen> [prima'dɔna] *f* prima donna *also pej*

pri·mär [pri'mɛg] **I.** *adj* ❶ (*vorrangig*) primary, prime *attr;* **die Kritik richtet sich ~ gegen die Politiker** criticism is mainly directed at the politicians ❷ (*anfänglich*) initial **II.** *adv* primarily

Pri·mar·schu·le *f* SCHWEIZ (*Grundschule*) primary [*or* AM grammar] school

Pri·mas <-, -se *o* Primaten> ['pri:mas, pl pri'ma:tən] *m* REL ❶ *kein pl* (*Ehrentitel*) primate ❷ (*Träger des Titels*) Primate ❸ MUS (*in Zigeunerkapelle*) leading fiddle player, first fiddler

Pri·mat[1] <-en, -en> [pri'ma:t] *m* primate **Pri·mat[2]** <-[e]s, -e> [pri'ma:t] *m o nt* (*geh*) primacy (**vor** over)

Pri·mel <-, -n> ['pri:ml] *f* primrose

pri·mi·tiv [primi'ti:f] *adj* ❶ (*elementar*) basic ❷ (*a. pej: simpel*) primitive ❸ (*pej: geistig tief stehend*) primitive; **ein ~er Kerl** a lout

Pri·mi·ti·vi·tät <-, -en> [primitivi'tɛt] *f* ❶ *kein pl* (*Einfachheit, primitive Beschaffenheit*) primitiveness ❷ (*pej: Mangel an Bildung*) primitiveness ❸ (*pej: primitive Bemerkung, Handlung*) crudity

Pri·mi·tiv·ling <-s, -e> *m* (*pej fam*) peasant

Prim·zahl ['pri:m-] *f* prime [number]

Print·me·di·en *pl* [print] media

Print·out <-s, -s> ['prɪntaʊt] *nt* INFORM printout

Prinz, Prin·zes·sin <-en, -en> [prɪnts, prɪn'tsɛsɪn] *m, f* prince *masc* [*or* princess] *fem*

Prin·zip <-s, -ien> [prɪn'tsi:p, pl -pi̯ən] *nt* principle; (*in den Wissenschaften a.*) law; **aus ~** on principle; **im ~** in principle

prin·zi·pi·ell [prɪntsi'pi̯ɛl] **I.** *adj* Erwägungen, Möglichkeit, Unterschiede fundamental **II.** *adv* (*aus Prinzip*) on principle; (*im Prinzip*) in principle

Prin·zi·pi·en·rei·ter(in) *m(f)* (*pej*) stickler for [one's] principles

Pri·or(in) <-s, Prioren> ['pri:o:g, pl pri'o:rən] *m(f)* ❶ (*Klostervorsteher bei bestimmten Orden*) prior ❷ (*Stellvertreter des Abtes*) [claustral [*or spec* cloistral]] prior

Pri·o·ri·tät <-, -en> [priori'tɛt] *f* (*geh*) priority (**vor** over); **~en setzen** to set [one's] priorities

Pri·se <-, -n> ['pri:zə] *f* ❶ (*kleine Menge*) pinch; **eine ~ Salz** a pinch of salt; **eine ~ Sarkasmus** (*fig*) a touch of sarcasm ❷ NAUT prize

Pris·ma <-s, Prismen> ['prɪsma, pl -mən] *nt* prism

Prit·sche <-, -n> ['prɪtʃə] *f* ❶ (*primitive Liege*) plank bed ❷ (*offene Ladefläche*) platform

prit·schen ['prɪtʃn] *vt* SPORT to set

pri·vat [pri'va:t] **I.** *adj* ❶ (*jdm persönlich gehörend*) private ❷ (*persönlich*) personal; *Angelegenheiten* private ❸ (*nicht öffentlich*) private; **eine ~e Schule** a private school; **eine ~e Vorstellung** a private [*or* AM closed] performance **II.** *adv* ❶ (*nicht geschäftlich*) privately; **jdn ~ sprechen** to speak to sb in private ❷ FIN, MED **~ behandelt werden** to have private treatment; **sich ~ versichern** to take out a private insurance

Pri·vat·an·ge·le·gen·heit *f* private matter **Pri·vat·be·sitz** *m* private property **Pri·vat·de·tek·tiv(in)** *m(f)* private investigator **Pri·vat·ei·gen·tum** *nt* private property **Pri·vat·fern·se·hen** *nt* (*form*) commercial television *no art* **Pri·vat·ge·spräch** *nt* private conversation; (*am Telefon*) private [*or* AM personal] call **Pri·vat·grund·stück** *nt* private property **Pri·vat·ini·ti·a·ti·ve** *f* private initiative

pri·va·ti·sie·ren* [privati'zi:rən] *vt* to privatize

Pri·va·ti·sie·rung <-, -en> *f* privatization *no pl*

Pri·vat·le·ben *nt kein pl* private life **Pri·vat·leh·rer(in)** *m(f)* private tutor **Pri·vat·mann** <-leute> *m* private citizen **Pri·vat·num·mer** *f* private number **Pri·vat·pa·ti·ent(in)** *m(f)* private patient **Pri·vat·per·son** *f* private person **Pri·vat·sa·che** *f s.* **Privatangelegenheit Pri·vat·schu·le** *f* private [*or* BRIT independent] school **Pri·vat·se·kre·tär(in)** <-s, -e> *m(f)* private secretary **Pri·vat·sphä·re** *f kein pl* **die ~ verletzen** to invade sb's privacy **Pri·vat·un·ter·richt** *m kein pl* private tuition *no pl* **Pri·vat·ver·gnü·gen** *nt* private pleasure **Pri·vat·ver·mö·gen** *nt* private property **Pri·vat·wirt·schaft** *f* ■ **die** ~ the private sector

Pri·vi·leg <-[e]s, -ien> [privi'le:k, *pl* -g̠i̠ən] *nt* (*geh*) privilege

pri·vi·le·gie·ren* [privile'gi:rən] *vt* (*geh*) ■ **jdn** ~ to grant privileges to sb

pri·vi·le·giert *adj* (*geh*) privileged

pro [pro:] **I.** *präp* per; ~ **Kopf** a head; ~ **Person** per person; ~ **Stück** each **II.** *adv* **sind Sie** ~ **oder kontra?** are you for or against it?

Pro <-> [pro:] *nt kein pl* |**das**| ~ **und** |**das**| **Kontra** the pros and cons *pl*

pro·bat [pro'ba:t] *adj* (*geh*) proven

Pro·be <-, -n> ['pro:bə] *f* ❶ (*Warenprobe, Testmenge*) sample ❷ MUS, THEAT rehearsal ❸ (*Prüfung*) test; **jdn auf die** ~ **stellen** to put sb to the test; **jds Geduld auf eine harte** ~ **stellen** to sorely try sb's patience; **auf** ~ on probation; **zur** ~ for a trial

Pro·be·ab·zug *m* proof **Pro·be·alarm** *m* practice alarm **Pro·be·ent·nah·me** *f* sampling **Pro·be·fahrt** *f* test drive **Pro·be·lauf** *m* trial run

pro·ben ['pro:bn̩] *vt*, *vi* to rehearse

pro·be·wei·se *adv* on a trial basis

Pro·be·zeit *f* probationary period

pro·bie·ren* [pro'bi:rən] **I.** *vt* ❶ (*kosten*) to try ❷ (*versuchen*) to try; ■ ~, **etw zu tun** to try to do sth; **ein neues Medikament** ~ to try out a new medicine; **ich habe es schon mit vielen Diäten probiert** I have already tried many diets ❸ (*anprobieren*) ■ **etw** ~ to try on *sep* sth ❹ THEAT to rehearse **II.** *vi* ❶ (*kosten*) ■ **etw** ~ to try [*or* taste] sth ❷ (*versuchen*) ■ ~, **ob/was/wie ...** to try and see whether/what/how ...; **ich werde** ~, **ob ich das alleine schaffe** I'll see if I can do it alone ▸ **P**~ **geht über Studieren** (*prov*) the proof of the pudding is in the eating **III.** *vr* (*fam*) **sich als Dozent/Schreiner** ~ to work as a lecturer/carpenter for a short time

Pro·blem <-s, -e> [pro'ble:m] *nt* ❶ (*Schwierigkeit*) problem; **vor einem** ~ **stehen** to be faced a problem; |**für jdn**| **zum** ~ **werden** to become a problem |for sb| ❷ (*geh: schwierige Aufgabe*) problem; |**nicht**| **jds** ~ **sein** to [not] be sb's business; **kein** ~! (*fam*) no problem!

Pro·ble·ma·tik <-> [proble'ma:tɪk] *f kein pl* (*geh*) problematic nature

pro·ble·ma·tisch [proble'ma:tɪʃ] *adj* problematic[al]; *Kind* difficult

Pro·blem·be·reich *m* problem area **Pro·blem·fall** *m* (*geh*) problem; (*Mensch*)

problem case **pro·blem·los I.** *adj* problem-free, unproblematic *attr* **II.** *adv* without any problems; **etw** ~ **meistern** to master sth easily; ~ **ablaufen** to run smoothly

Pro·ce·de·re <-, -> [pro'tse:dərə] *nt* (*geh*) procedure

Pro·dukt <-[e]s, -e> [pro'dʊkt] *nt a.* MATH product

Pro·dukt·haf·tung *f* product liability

Pro·duk·ti·on <-, -en> [prodʊkts̠i̠o:n] *f* production

Pro·duk·ti·ons·kos·ten *pl* production costs **Pro·duk·ti·ons·mit·tel** *pl* means of production *no pl* **Pro·duk·ti·ons·rück·gang** *m* fall in output **Pro·duk·ti·ons·stei·ge·rung** *f* rise in production

pro·duk·tiv [prodʊk'ti:f] *adj* (*geh*) productive; ~ **zusammenarbeiten** to work together productively

Pro·duk·ti·vi·tät <-> [prodʊktivi'tɛt] *f kein pl* productivity

Pro·dukt·pa·let·te *f* product range **Pro·dukt·pi·ra·te·rie** *f* [copyright] piracy

Pro·du·zent(in) <-en, -en> [produ'tsɛnt] *m(f)* producer

pro·du·zie·ren* [produ'tsi:rən] **I.** *vt*, *vi* to produce **II.** *vr* (*pej fam*) ■ **sich** ~ to show off

Prof. [prɔf] *Abk von* **Professor**

pro·fan [pro'fa:n] *adj* (*geh*) ❶ (*alltäglich*) prosaic; *Probleme* mundane ❷ (*weltlich*) profane; *Bauwerke, Kunst* secular

Pro·fes·si·o·na·li·tät <-> *f kein pl* professionalism *no pl*

pro·fes·si·o·nell [profɛs̠i̠o'nɛl] *adj* professional

Pro·fes·sor, Pro·fes·so·rin <-s, -soren> [pro'fɛso:ɐ̯, profɛ'so:rɪn, *pl* -'so:rən] *m, f* ❶ *kein pl* (*Titel*) professor ❷ (*Träger des Professorentitels*) **Herr** ~/**Frau** ~**in** Professor ❸ ÖSTERR (*Gymnasiallehrer*) master *masc*, mistress *fem*

Pro·fes·sur <-, -en> [profɛ'su:ɐ̯] *f* [professor's] chair (**für** in/of)

Pro·fi <-s, -s> ['pro:fi] *m* (*fam*) pro

Pro·fil <-s, -e> [pro'fi:l] *nt* ❶ *Reifen, Schuhsohlen* tread ❷ (*seitliche Ansicht*) profile; **jdn im** ~ **fotografieren** to photograph sb in profile ❸ (*geh: Ausstrahlung*) image; **an** ~ **gewinnen** to improve one's image; **die Polizei konnte ein ziemlich gutes** ~ **des Täters erstellen** the police were able to give a fairly accurate profile of the criminal

pro·fi·lie·ren* [profi'li:rən] **I.** *vt* ■ **etw** ~ to put a tread on sth **II.** *vr* **sich politisch** ~ to make one's mark as a politician; **sie hat sich als Künstlerin profiliert** she distinguished herself as an artist

Pro·fil·neu·ro·se *f* PSYCH image complex

Pro·fit <-[e]s, -e> [pro'fɪt, -'fi:t] *m* profit; ~ **bringende Geschäfte** profitable deals; **wo ist dabei für mich der ~?** what do I get out of it?; **von etw** *akk* [keinen] ~ **haben** [not] to profit from sth; **etw mit ~ verkaufen** to sell sth at a profit

pro·fi·ta·bel [profi'ta:bl̩] *adj* (*geh*) profitable; (*stärker*) lucrative

Pro·fi·teur(in) <-s, -e> [profi'tø:ɐ̯] *m(f)* (*pej*) profiteer

Pro·fit·gier <-> *f kein pl* (*pej*) money-grubbing *no pl*

pro·fi·tie·ren* [profi'ti:rən] *vi* to make a profit (**bei/von** from)

Pro·fit·jä·ger(in) <-s, -> *m(f)* (*pej*) profiteer

pro for·ma [pro: 'fɔrma] *adv* (*geh*) pro forma; **etw ~ unterschreiben** to sign sth as a matter of form

Pro·gno·se <-, -n> [pro'gno:zə] *f a.* MED prognosis (**für** for); (*Wetter*) forecast

pro·gnos·ti·zie·ren* [pro'gnɔsti'tsi:rən] *vt* (*geh*) to predict

Pro·gramm <-s, -e> [pro'gram] *nt* ❶ (*geplanter Ablauf*) programme; (*Tagesordnung*) agenda; (*Zeitplan*) schedule; **ein volles ~ haben** to have a full day/week etc. ahead of one; **auf dem ~ stehen** to be on the programme/agenda/schedule; **was steht für heute auf dem ~?** what's the programme/agenda/schedule for today? ❷ RADIO, TV channel ❸ (*festgelegte Darbietungen*) bill; **im ~** on the bill ❹ (*Programmheft*) programme ❺ INFORM [computer] program (**für** for)

Pro·gramm·ab·bruch *m* INFORM [program] crash

pro·gram·ma·tisch [progra'ma:tɪʃ] *adj* (*geh*) ❶ (*einem Programm gemäß*) programmatic ❷ (*Richtung weisend*) defining

Pro·gramm·feh·ler *m* INFORM program error **pro·gramm·ge·mäß** I. *adj* [as *pred*] planned II. *adv* [according] to plan; ~ **ver·laufen** to run according to plan **Pro·gramm·heft** *nt* programme

pro·gram·mie·ren* [progra'mi:rən] *vt* ❶ INFORM to program ❷ (*von vornherein festgelegt*) ▪**programmiert sein** to be preprogrammed

Pro·gram·mie·rer(in) <-s, -> *m(f)* programmer

Pro·gram·mier·spra·che *f* programming language

Pro·gram·mie·rung <-, -en> *f* INFORM, TECH programming

Pro·gramm·ki·no *nt* arts [*or* AM repertory] cinema **Pro·gramm·lauf** *m* INFORM program run **Pro·gramm·punkt** *m* item on the agenda; (*in einer Show*) act **Pro·gramm·steu·e·rung** *f* INFORM program control **Pro·gramm·vor·schau** *f* trailer **Pro·gramm·zeit·schrift** *f* programme guide; (*von Fernsehen a.*) TV guide

pro·gres·siv [progrɛ'si:f] *adj* (*geh*) progressive

Pro·jekt <-[e]s, -e> [pro'jɛkt] *nt* project

pro·jek·tie·ren* [projɛk'ti:rən] *vt* (*geh*) to draw up [the] plans

Pro·jek·til <-s, -e> [projɛk'ti:l] *nt* projectile

Pro·jek·ti·on <-, -en> [projɛk'tsi̯o:n] *f* projection

Pro·jek·ti·ons·flä·che *f* FILM, FOTO screen

Pro·jekt·lei·ter(in) <-s, -> *m(f)* project leader [*or* manager] **Pro·jekt·ma·nage·ment** <-s> *nt kein pl* ÖKON project management

Pro·jek·tor <-s, -toren> [pro'jɛkto:ɐ̯, *pl* -'to:rən] *m* projector

pro·ji·zie·ren* [proji'tsi:rən] *vt* to project (**auf** on[to])

pro·kla·mie·ren* [prokla'mi:rən] *vt* (*geh*) to proclaim

Pro-Kopf-Ein·kom·men *nt* income per capita

Pro·ku·rist(in) <-en, -en> [proku'rɪst] *m(f)* authorized signatory (*of a company*)

Pro·let <-en, -en> [pro'le:t] *m* ❶ (*veraltend fam*) proletarian ❷ (*pej*) prole *fam*

Pro·le·ta·ri·at <-[e]s, -e> [proleta'ri̯a:t] *nt* (*veraltend*) ▪**das** ~ the proletariat

Pro·le·ta·ri·er(in) <-s, -> [prole'ta:ri̯ɐ] *m(f)* (*veraltend*) proletarian

pro·le·ta·risch [prole'ta:rɪʃ] *adj* (*veraltend*) proletarian

Proll <-s, -s> ['prɔl] *m* (*pej sl*) pleb *no pl*

prol·lig [prɔlɪç] *adj* (*pej sl*) plebby, coarse

Pro·lo <-s, -s> ['pro:lo] *m* (*pej sl*) pleb

Pro·log <-[e]s, -e> [pro'lo:k, *pl* -o:gə] *m* prologue

Pro·me·na·de <-, -n> [promə'na:də] *f* promenade

Pro·me·na·den·deck *nt* promenade [deck] **Pro·me·na·den·mi·schung** *f* (*hum fam*) mongrel, mutt AM

pro·me·nie·ren* [promə'ni:rən] *vi sein o haben* to promenade

Pro·mi <-s, -s> ['prɔmɪ] *m* (*sl*) *kurz für* **Prominente(r)** VIP

Pro·mil·le <-[s], -> [pro'mɪlə] *nt* ❶ (*Tausendstel*) per mill[e]; **nach ~** in per mill[e] ❷ *pl* (*fam: Alkoholpegel*) alcohol level; **0,5 ~** 50 millilitres alcohol level

Pro·mil·le·gren·ze *f* legal [alcohol] limit

pro·mi·nent *adj* prominent
Pro·mi·nenz <-, -en> [promi'nɛnts] *f*
❶ *kein pl* (*Gesamtheit der Prominenten*)
prominent figures *pl* **❷** (*geh: das Promi-
nentsein*) fame
pro·mo·ten* [pro'mo:tn̩] *vt* to promote
Pro·mo·ti·on¹ <-, -en> [promo'tsi̯o:n] *f*
❶ (*Verleihung des Doktorgrads*) doctorate,
PhD **❷** SCHWEIZ (*Versetzung*) moving
up [*into the next class*] **❸** ÖSTERR (*offizielle
Feier mit Verleihung der Doktorwürde*)
ceremony at which one receives one's
doctorate
Pro·mo·tion² <-> [pro'mo:ʃn̩] *f* promotion
pro·mo·vie·ren* [promo'vi:rən] **I.** *vt*
■**jdn** ~ to award sb a doctorate **II.** *vi*
❶ (*eine Dissertation schreiben*) ■**über
etw** *akk/***jdn** ~ to do a doctorate in sth/the
works of sb **❷** (*den Doktorgrad erwerben*)
■[**in etw** *dat*] ~ to obtain a doctorate [in
sth]
prompt [prɔmpt] **I.** *adj* (*unverzüglich*)
prompt **II.** *adv* (*meist iron fam: erwar-
tungsgemäß*) of course; **er ist ~ auf den
Trick hereingefallen** naturally he fell for
the trick
Pro·no·men <-s, - *o* Pronomina>
[pro'no:mən, *pl* -mina] *nt* pronoun
Pro·pa·gan·da <-> [propa'ganda] *f kein
pl* **❶** (*a. pej: manipulierende Verbreitung
von Ideen*) propaganda **❷** (*Werbung*) publicity
Pro·pa·gan·dist(in) <-en, -en> [propa-
gan'dɪst] *m(f)* **❶** (*pej: jd, der Propaganda
betreibt*) propagandist *also pej* **❷** (*Werbefachmann*) demonstrator
pro·pa·gan·dis·tisch *adj* propagandist[ic]
also pej
pro·pa·gie·ren* [propa'gi:rən] *vt* (*geh*) to
propagate
Pro·pan <-s> [pro'pa:n] *nt kein pl* propane
Pro·pan·gas *nt kein pl* propane [gas]
Pro·pel·ler <-s, -> [pro'pɛlɐ] *m* propeller
Pro·phet(in) <-en, -en> [pro'fe:t] *m(f)*
prophet *masc,* prophetess *fem*
pro·phe·tisch [pro'fe:tɪʃ] *adj* prophetic
pro·phe·zei·en* [profe'tsai̯ən] *vt* REL to
prophesy; (*fig*) to predict
Pro·phe·zei·ung <-, -en> *f* prophecy
pro·phy·lak·tisch [profy'laktɪʃ] *adj* **❶** MED
Medikament prophylactic; **etw ~ anwen-
den/einnehmen** to apply/take sth as a
prophylactic measure **❷** (*geh: zur Sicherheit*) preventative, preventive; ~**e Maßnahmen** preventative [*or* preventive]
measures; **etw ~ machen/vornehmen** to

do sth as a preventive [*or* form prophylac-
tic] measure
Pro·phy·la·xe <-, -n> [profy'laksə] *f* MED
prophylaxis *spec;* **ein Medikament zur ~
nehmen** to take medicine as a prophylactic measure
Pro·por·ti·on <-, -en> [propɔr'tsi̯o:n] *f*
proportion
pro·por·ti·o·nal [propɔrtsi̯o'na:l] *adj*
(*geh*) proportional (**zu** to)
pro·por·ti·o·niert [propɔrtsi̯o'ni:ɐt] *adj*
proportioned
prop·pen·voll ['prɔpn̩'fɔl] *adj* (*fam*) jam-
packed
Pro·sa <-> ['pro:za] *f kein pl* prose
pro·sa·isch [pro'za:ɪʃ] *adj* **❶** (*meist fig
geh: nüchtern*) prosaic *form;* (*langweilig*)
dull **❷** (*aus Prosa bestehend*) prose *attr,* in
prose *pred*
pro·sit ['pro:zɪt] *interj* (*fam*) *s.* **prost**
Pro·spekt <-[e]s, -e> [pro'spɛkt] *m*
❶ (*Werbebroschüre*) brochure; (*Werbezet-
tel*) leaflet **❷** THEAT backdrop **❸** ÖKON pro-
spectus
prost [pro:st] *interj* cheers
Pros·ta·ta <-, Prostatae> ['prɔstata, *pl*
-tɛ] *f* prostate gland
pros·ten ['pro:stn̩] *vi* **❶** (*prost rufen*) to say
cheers **❷** (*ein Prost ausbringen*) ■**auf
jdn/etw** ~ to toast sb/sth
pros·ti·tu·ie·ren* [prostitu'i:rən] *vr*
■**sich** ~ to prostitute oneself
Pros·ti·tu·ier·te(r) [prostitu'i:ɐtə, -tɛ] *f(m)*
(*form*) prostitute
Pros·ti·tu·ti·on <-> [prostitu'tsi̯o:n] *f
kein pl* (*form*) prostitution
Pro·ta·go·nist(in) <-en, -en> [prota-
go'nɪst] *m(f)* (*geh*) protagonist
Pro·te·gé <-s, -s> [prote'ʒe:] *m* (*geh*) protégé
pro·te·gie·ren* [prote'ʒi:rən] *vt* (*geh*) to
promote
Pro·te·in <-s, -e> [prote'i:n] *nt* protein
Pro·tek·ti·o·nis·mus <-> [protɛkt-
si̯o'nɪsmʊs] *m kein pl* protectionism
Pro·tek·to·rat <-[e]s, -e> [protɛk-
to'ra:t] *nt* **❶** (*Schutzherrschaft über einen
Staat*) protectorate; (*Staat unter Schutzherrschaft*) protectorate **❷** (*geh: Schirmherrschaft*) patronage
Pro·test <-[e]s, -e> [pro'tɛst] *m* protest
Pro·tes·tant(in) <-en, -en> [protɛs'tant]
m(f) Protestant
pro·tes·tan·tisch [protɛs'tantɪʃ] *adj* Protestant
Pro·tes·tan·tis·mus <-> [protɛstan'tɪs-
mʊs] *m kein pl* ■**der** ~ Protestantism
Pro·test·be·we·gung *f* protest move-

P

ment **Pro·test·ge·heul** nt kein pl (pej fam) outcry

pro·tes·tie·ren* [protɛs'tiːrən] vi to protest (**gegen** against)

Pro·test·kund·ge·bung f [protest] rally

Pro·test·ler(in) <-s, -> [pro'tɛstlɐ] m(f) (oft pej) protester

Pro·test·marsch m protest march **Pro·test·marsch** m(f) protest voter

Pro·the·se <-, -n> [pro'teːzə] f prosthesis spec

Pro·to·koll <-s, -e> [proto'kɔl] nt ❶ (Niederschrift) record[s pl]; (bei Gericht a.) transcript; (von Sitzung) minutes npl; **[das] ~ führen** (bei einer Prüfung) to write a report; (bei Gericht) to keep a record of the proceedings; (bei einer Sitzung) to take the minutes; **etw [bei jdm] zu ~ geben** to have sth put on record; (bei der Polizei) to make a statement [in sb's presence]; **etw zu ~ nehmen** to put sth on record; (von einem Polizisten) to take down [a statement]; (bei Gericht) to enter [an objection/ statement] on record ❷ DIAL (Strafmandat) ticket ❸ kein pl (diplomatisches Zeremoniell) **gegen das ~ verstoßen** to break with protocol

pro·to·kol·la·risch [protokɔ'laːrɪʃ] adj (im Protokoll fixiert) recorded, on record pred; (von Sitzung) minuted, entered in the minutes pred; **etw ~ festhalten** to take sth down in the minutes

Pro·to·koll·füh·rer(in) m(f) secretary; (bei Gericht) clerk [of the court]

pro·to·kol·lie·ren* [protokɔ'liːrən] I. vt to record; Polizist to take down sep; (bei einer Sitzung) to enter in the minutes II. vi to keep the record[s]/the minutes

Pro·ton <-s, Protonen> ['proːtɔn, pl pro'toːnən] nt proton

Pro·to·typ ['proːtotyːp] m prototype; (fig) archetype

prot·zen ['prɔtsn] vi (pej) ■**mit etw** dat] ~ to flaunt sth

prot·zig ['prɔtsɪç] adj (fam) swanky; Auto fancy

Pro·vi·ant <-s, selten -e> [pro'vi̯ant] m provisions; MIL supplies

Pro·vi·der <-s, -> [pro'vaɪdɐ] m INFORM provider

Provinz <-, -en> [pro'vɪnts] f ❶ (Verwaltungsgebiet) province ❷ kein pl (kulturell rückständige Gegend) provinces pl also pej; **in der ~ leben** to live [out] in the sticks fam

pro·vin·zi·ell [provɪn'tsi̯ɛl] adj provincial also pej

Pro·vinz·ler(in) <-s, -> [pro'vɪntslɐ] m(f) (pej fam) provincial

Pro·vinz·stadt f provincial town

Pro·vi·si·on <-, -en> [provi'zi̯oːn] f commission; **auf ~ arbeiten** to work on a commission basis

pro·vi·so·risch [provi'zoːrɪʃ] I. adj (vorläufig) provisional; Unterkunft temporary II. adv temporarily, for the time being; **etw ~ herrichten** to make makeshift repairs

Pro·vi·so·ri·um <-s, -rien> [pro·vi'zoːri̯ʊm, pl -ri̯ən] nt (geh) provisional solution

pro·vo·kant [provo'kant] adj (geh) provocative

Pro·vo·ka·ti·on <-, -en> [provoka'tsi̯oːn] f (geh) provocation

pro·vo·ka·tiv [provoka'tiːf] adj (geh) s. **provokant**

pro·vo·zie·ren* [provo'tsiːrən] I. vt ❶ (herausfordern) to provoke; **ich lasse mich von ihm nicht ~** I won't be provoked by him ❷ (bewirken) to provoke; **einen Streit ~** to cause an argument II. vi to provoke

pro·vo·zie·rend adj (geh) s. **provokant**

Pro·ze·de·re <-, -> [pro'tseːdərə] nt (geh) procedure

Pro·ze·dur <-, -en> [protse'duːɐ̯] f (geh) procedure

Pro·zent <-[e]s, -e> [pro'tsɛnt] nt ❶ (Hundertstel) per cent no pl ❷ (Alkoholgehalt) alcohol content ❸ pl (Rabatt) discount

Pro·zent·punkt m percentage, point

Pro·zent·satz m percentage

pro·zen·tu·al [protsɛn'tu̯aːl] adj (geh) **~er Anteil/~e Beteiligung** percentage (an of); **etw ~ ausdrücken** to express sth as a percentage

Pro·zess^RR^ <-es, -e> m, **Pro·zeß**^ALT^ <-sses, -sse> [pro'tsɛs] m ❶ (Gerichtsverfahren) [court] case; (Strafverfahren) trial; **einen ~ [gegen jdn] führen** to take sb to court; **[mit jdm/etw] kurzen ~ machen** (fig fam) to make short work of sb/sth ❷ (geh: Vorgang) process

Pro·zess·geg·ner^RR^ m adversary

pro·zes·sie·ren* [protsɛ'siːrən] vi to litigate (**gegen** with); ■**mit jdm ~** to bring a lawsuit against sb

Pro·zes·si·on <-, -en> [protsɛ'si̯oːn] f procession

Pro·zess·kos·ten^RR^ pl court costs

Pro·zes·sor <-s, -soren> [pro'tsɛsoːɐ̯, pl -'soːrən] m processor

Pro·zess·ord·nung^RR^ f legal procedure

prü·de ['pryːdə] adj (oft pej) prudish

Prü·de·rie <-> f kein pl prudishness, prudery

prü·fen ['pry:fn̩] I. *vt* ❶ (*examinieren*) to examine (**in** in) ❷ (*überprüfen, untersuchen*) to check (**auf** for); *Material* to test ❸ (*geh: übel mitnehmen*) jdn [hart/schwer] ~ to [sorely] try sb II. *vi* SCH ▪[in einem Fach] ~ to examine pupils/students [in a subject] III. *vr* (*geh*) ▪sich ~ to examine oneself

Prü·fer(in) <-s, -> ['pry:fɐ] *m(f)* ❶ (*Examinator*) examiner ❷ (*Prüfingenieur*) inspector ❸ (*Betriebsprüfer*) auditor

Prüf·ling <-s, -e> *m* [examination] candidate

Prüf·sie·gel *nt* ÖKON emblem **Prüf·stand** *m* test stand **Prüf·stein** *m* (*geh*) touchstone

Prü·fung <-, -en> *f* ❶ (*Examen*) exam[ination]; (*für den Führerschein*) test; **schriftliche/mündliche** ~ [in etw *dat*] written/oral exam[ination] [in sth] ❷ (*Überprüfung*) checking; (*Untersuchung a.*) examination; *Wasserqualität* test ❸ (*geh: Heimsuchung*) trial

Prüf·ungs·angst *f* exam nerves *npl* **Prüfungs·auf·ga·be** *f* exam[ination] question **Prü·fungs·kom·mis·si·on** *f* board of examiners **Prü·fungs·zeug·nis** *nt* exam[ination] certificate

Prüf·ver·fah·ren *nt* test[ing] procedure

Prü·gel¹ ['pry:gl̩] *pl* (*Schläge*) thrashing *no pl;* **jdm eine Tracht ~ verabreichen** to give sb a [good] hiding

Prü·gel² <-s, -> ['pry:gl̩] *m* DIAL (*Stock*) cudgel

Prü·ge·lei <-, -en> ['pry:gə'lai̯] *f* (*fam*) punch-up

Prü·gel·kna·be *m* whipping boy

prü·geln ['pry:gl̩n] I. *vt, vi* to beat II. *vr* ▪sich ~ to fight

Prü·gel·stra·fe *f* ▪die ~ corporal punishment

Prunk <-s> [prʊŋk] *m kein pl* magnificence; *eines Saals a.* sumptuousness

prunk·voll *adj* splendid; *Kleidung* magnificent

prus·ten ['pru:stn̩] *vi* (*fam*) to snort; (*beim Trinken*) to splutter; **vor Lachen** ~ to snort with laughter

PS <-, -> [peːʔɛs] *nt* ❶ *Abk von* **Pferdestärke** hp ❷ *Abk von* **Postskript(um)** PS

Psalm <-s, -en> [psalm] *m* psalm

Pseu·do·nym <-s, -e> [psɔy̯do'ny:m] *nt* pseudonym

Psy·che <-, -n> ['psyːçə] *f* psyche

psy·che·de·lisch [psyçə'de:lɪʃ] *adj Droge, Musik* psychedelic

Psy·chi·a·ter(in) <-s, -> [psy'çi̯a:tɐ] *m(f)* psychiatrist

Psy·chi·a·trie <-, -n> [psyçi̯a'tri:, *pl* -'tri:ən] *f* ❶ *kein pl* (*medizinisches Fachgebiet*) psychiatry *no art* ❷ (*fam: psychiatrische Abteilung*) psychiatric ward

psy·chi·a·trisch [psy'çi̯a:trɪʃ] *adj* psychiatric

psy·chisch ['psy:çɪʃ] *adj* ❶ (*seelisch*) psychological ❷ (*geistig*) mental

Psy·cho·ana·ly·se [psyço?ana'ly:zə] *f* psychoanalysis *no art* **Psy·cho·ana·ly·ti·ker(in)** [psyço?ana'lytikɐ] *m(f)* psychoanalyst

Psy·cho·lo·ge, -lo·gin <-n, -n> [psyço'lo:gə, -'lo:gɪn] *m, f* psychologist

Psy·cho·lo·gie <-> [psyçolo'gi:] *f kein pl* psychology

Psy·cho·lo·gin <-, -nen> *f fem form von* **Psychologe**

psy·cho·lo·gisch [psyço'lo:gɪʃ] *adj* psychological

Psy·cho·path(in) <-en, -en> [psyço'pa:t] *m(f)* psychopath

psy·cho·pa·thisch *adj* PSYCH psychopathic

Psy·cho·scho·cker ['psy:çoʃɔkɐ] *m* (*fam*) psychothriller

Psy·cho·se <-, -n> [psy'ço:zə] *f* psychosis

psy·cho·so·ma·tisch [psyçozo'ma:tɪʃ] I. *adj* psychosomatic II. *adv* psychosomatically

Psy·cho·ter·ror *m* (*fam*) psychological terror **Psy·cho·the·ra·peut(in)** [psyçotera'pɔyt] *m(f)* psychotherapist **Psy·cho·the·ra·pie** [psyçotera'pi:, *pl* -i:ən] *f* psychotherapy

PTT ['peːteːteː] *pl* SCHWEIZ *Abk von* **Post-, Telefon- und Telegrafenbetriebe**: ▪die ~ the P.T.T. (*Swiss postal, telephone, and telegram services*)

pu·ber·tär [pubɛr'tɛ:ɐ] *adj* adolescent, of puberty *pred; Störungen* pubescent

Pu·ber·tät <-> [pubɛr'tɛt] *f kein pl* puberty *no art*

pu·ber·tie·ren* [pubɛr'ti:rən] *vi* (*geh*) to reach puberty

Pu·bli·ci·ty <-> [pa'blɪsiti] *f kein pl* publicity

Pu·blic Re·la·tions ['pablɪkri'leːʃn̩s] *pl* ÖKON, POL public relations + *sing vb*, PR + *sing vb*

Pub·lic Vie·wing <-s, -s> ['pablɪk-'vju:rɪŋ] *nt* SPORT public viewing *no pl*

pu·blik [pu'bli:k] *adj präd* public; ▪~ **sein/werden** to be/become public knowledge; **etw ~ machen** to publicize sth

Pu·bli·ka·ti·on <-, -en> [publika'tsi̯oːn] *f* publication

Pu·bli·kum <-s> ['pu:blikʊm] *nt kein pl*

audience; (*im Theater a.*) house; (*beim Sport*) crowd

Pu·bli·kums·an·drang *m kein pl* rush of spectators **Pu·bli·kums·er·folg** *m* hit; (*Film*) box office hit **Pu·bli·kums·lieb·ling** *m* public's darling **Pu·bli·kums·ma·gnet** *m* crowd-puller BRIT, magnet AM **Pu·bli·kums·ver·kehr** *m kein pl* **das Amt ist nur morgens für den ~ geöffnet** the office is only open to the public in the morning[s] **pu·bli·kums·wirk·sam** *adj* with public appeal

pu·bli·zie·ren* [publi'tsi:rən] *vt, vi* to publish; **ich werde den Aufsatz bald ~** I'm going to have the essay published soon

Pu·bli·zist(in) <-en, -en> [publi'tsɪst] *m(f)* journalist, *commentator* [*on current affairs and politics*]

Pu·bli·zis·tik <-> [publi'tsɪstɪk] *f kein pl* ■ [**die**] ~ the science of the media; (*als Universitätsfach*) media studies *npl*

Pu·bli·zis·tin <-, -nen> *f fem form von* **Publizist**

Pu·bli·zi·tät <-> [publitsi'tɛt] *f kein pl* (*geh*) publicity

Puck <-s, -s> [pʊk] *m* puck

Pud·ding <-s, -s> [ˈpʊdɪŋ] *m* milk based dessert similar to blancmange

Pu·del <-s, -> [ˈpuːdl̩] *m* poodle

Pu·del·müt·ze *f* bobble cap **pu·del·nass**RR [ˈpuːdl̩'nas] *adj* (*fam*) ■ ~ **sein/werden** to be/get soaking wet **pu·del·wohl** [ˈpuːdl̩'voːl] *adj* (*fam*) **sich ~ fühlen** to feel on top of the world

Pu·der <-s, -> [ˈpuːdɐ] *m o fam nt* powder **Pu·der·do·se** *f* [powder] compact **pu·dern** [ˈpuːdɐn] I. *vt* to powder II. *vr* ■ **sich ~** to powder oneself

Pu·der·quas·te *f* powder puff **Pu·der·zu·cker** *m* icing sugar

Pu·er·to Ri·co [ˈpuɛrto ˈriːko] *nt* Puerto Rico; *s. a.* **Deutschland**

Puff[1] <-[e]s, Püffe> [pʊf, *pl* 'pʏfə] *m* (*fam: Stoß*) thump; (*in die Seite*) prod

Puff[2] <-[e]s, -e *o* -s> [pʊf] *m* ❶ (*Wäschepuff*) linen basket ❷ (*Sitzpolster ohne Beine*) pouffe

Puff[3] <-[e]s, -s> [pʊf] *m* (*fam: Bordell*) brothel, *whorehouse* AM

Puf·fer <-s, -> [ˈpʊfɐ] *m* ❶ BAHN buffer, bumper AM ❷ INFORM *s.* **Pufferspeicher** ❸ DIAL (*Reibekuchen*) potato fritter

puf·fern *vt* TECH to buffer

Puf·fer·spei·cher *m* buffer memory **Puf·fer·zo·ne** *f* buffer zone

puh [puː] *interj* ❶ (*Ausruf bei Ekel*) ugh ❷ (*Ausruf bei Anstrengung*) phew

pu·len [ˈpuːlən] I. *vt bes* NORDD (*fam*) ■ **etw**

aus etw *dat* ~ to pick sth out of sth; *Krabben, Nüsse, Erbsen* to shell; **ein Etikett von einer Flasche** ~ to peel a label off a bottle II. *vi* (*fam*) ■ [**an etw** *dat*] ~ to pick at sth; **in der Nase** ~ to pick one's nose

Pul·le <-, -n> [ˈpʊlə] *f* (*sl*) bottle ▸ **volle ~ fahren** (*fig*) to drive flat out

Pul·li <-s, -s> [ˈpʊli] *m* (*fam*) *kurz für* **Pullover** jumper

Pul·lo·ver <-s, -s> [pʊˈloːvɐ] *m* pullover, jumper

Pul·lun·der <-s, -> [pʊˈlʊndɐ] *m* tank top

Puls <-es, -e> [pʊls] *m* pulse

Puls·ader *f* artery

pul·sie·ren* [pʊlˈziːrən] *vi* to pulsate

Puls·schlag *m* ❶ (*Puls*) pulse ❷ (*einzelnes Pochen*) [pulse-]beat

Pult <-[e]s, -e> [pʊlt] *nt* ❶ (*Redner~*) lectern ❷ (*Schalt~*) control desk

Pul·ver <-s, -> [ˈpʊlvɐ] *nt* ❶ (*pulverisiertes Material*) powder ❷ (*Schieß~*) [gun]powder ▸ **sein** ~ **verschossen haben** (*fam*) to have shot one's [last] bolt

Pul·ver·fassRR *nt* (*a. fig*) powder keg

pul·ve·ri·sie·ren* [pʊlveriˈziːrən] *vt* ■ **etw** ~ *Arzneistoffe* to pulverize sth

Pul·ver·kaf·fee *m* instant coffee **Pul·ver·schnee** *m* powder[y] snow

Pu·ma <-s, -s> [ˈpuːma] *m* puma BRIT, mountain lion AM, cougar AM

pum·me·lig [ˈpʊməlɪç], **pumm·lig** [ˈpʊmlɪç] *adj* (*fam*) chubby

Pump <-[e]s> [pʊmp] *m kein pl* **auf ~** (*fam*) on tick

Pum·pe <-, -n> [ˈpʊmpə] *f* ❶ (*Fördergerät*) pump ❷ (*fam: Herz*) heart

pum·pen[1] [ˈpʊmpn̩] I. *vt* ❶ TECH to pump (**in** into, **aus** out of) ❷ (*fam: investieren*) to plough (**in** into) II. *vi* to pump

pum·pen[2] [ˈpʊmpn̩] *vt* (*fam*) ❶ (*verleihen*) to lend; **kannst du mir dein Fahrrad** ~? can you lend me your bike? ❷ (*entleihen*) to borrow; **könnte ich mir bei dir etwas Geld** ~? could I borrow some money from you?

Pum·per·ni·ckel <-s, -> *m* pumpernickel

Pump·ho·se *f* knickerbockers *npl*

Pumps <-, -> [pœmps] *m* court shoe BRIT, pump AM

Punk <-s> [pʌŋk] *m kein pl* ❶ (*Lebenseinstellung, Protestbewegung*) punk ❷ (*fam*) *s.* **Punkrock** ❸ *s.* **Punker**

Pun·ker(in) <-s, -> [ˈpʌŋkɐ] *m(f)* punk [rocker]

Punk·rock <-s> [ˈpʌŋkrɔk] *m kein pl* punk [rock]

Punkt <-[e]s, -e> [pʊŋkt] *m* ❶ (*Satzzeichen*) full stop BRIT, period AM; (*auf i,*

Auslassungszeichen) dot; **ohne ~ und Komma reden** (*fig*) to talk nineteen to the dozen BRIT; **nun mach aber mal einen ~!** (*fam*) come off it! ❷ (*kreisrunder Fleck*) spot; (*in der Mathematik*) point; **ein dunkler ~** |in jds **Vergangenheit**| a dark chapter |in sb's past| ❸ (*Stelle*) spot; (*genauer*) point; **bis zu einem gewissen ~** up to a |certain| point; **der tote ~** (*fig*) the low|est| point; *bei Verhandlungen* deadlock; **ein wunder ~** (*fig*) a sore point ❹ (*Bewertungseinheit*) point; **einen ~ bekommen/verlieren** to score/lose a point ❺ (*Detailpunkt*) point; (*auf der Tagesordnung*) item; **der springende ~** (*fig*) the crucial point ❻ (*Zeitpunkt*) point; **~ acht |Uhr|** on the stroke of eight

punkt·ge·nau I. *adj* precise, exact II. *adv* precisely, exactly **Punkt·ge·winn** *m* number of points won **punkt·gleich** *adj* SPORT level on points BRIT; **~ ausgehen** to end in a draw

punk·tie·ren* [pʊŋkˈtiːrən] *vt* ▪etw ~ ❶ MED to puncture sth; **das Rückenmark ~** to perform a spinal tap ❷ (*mit Punkten versehen*) to dot sth; **eine Fläche ~** to stipple an area; **ein punktiertes Blatt** a spotted leaf; **eine punktierte Linie** a dotted line

pünkt·lich [ˈpʏŋktlɪç] I. *adj* punctual II. *adv* punctually **Pünkt·lich·keit** <-> *f kein pl* punctuality **Punkt·rich·ter(in)** *m(f)* judge **Punkt·sie·ger(in)** <-s, -> *m(f)* winner on points **punk·tu·ell** [pʊŋkˈtuɛl] *adj* ❶ (*Punkt für Punkt*) **~ vorgehen** to proceed point by point ❷ (*vereinzelt*) *Kontrollen* spot *attr* **Punkt·zahl** *f* SPORT score

Punsch <-es, -e> [pʊnʃ] *m* |hot| punch **Pu·pil·le** <-, -n> [puˈpɪlə] *f* pupil **Püpp·chen** <-s, -> [ˈpʏpçən] *nt dim von* **Puppe** [little] doll|y *childspeak*| **Pup·pe** <-, -n> [ˈpʊpə] *f* ❶ (*Spielzeug*) doll ❷ ZOOL pupa ▸ **bis in die ~n** until the small hours of the morning; **bis in die ~n schlafen** to sleep till all hours; **die ~n tanzen lassen** (*hart durchgreifen*) to raise |all| hell; (*hemmungslos feiern*) to have a hell of a party

Pup·pen·haus *nt* doll's house BRIT, dollhouse AM **Pup·pen·spiel** *nt* ❶ (*Form des Theaterspiels mit Puppen*) *s.* **Puppentheater** ❷ (*Theaterstück mit Puppen*) puppet show **Pup·pen·spie·ler(in)** *m(f)* puppeteer **Pup·pen·the·a·ter** *nt* puppet theatre **Pup·pen·wa·gen** *m* doll's pram [*or* AM carriage]

Pups <-es, -e> [puːps] *m* (*fam*) fart

pup·sen [ˈpuːpsn̩] *vi* (*fam*) to fart **pur** [puːɐ̯] *adj* ❶ (*rein*) pure; **etw ~ anwenden** to apply sth in its pure form; **etw ~ trinken** to drink sth neat; *Lüge* blatant; *Wahrheit* naked; *Wahnsinn* absolute ❷ (*fam: blank, bloß*) sheer

Pü·ree <-s, -s> [pyˈreː] *nt* ❶ (*passiertes Gemüse/Obst*) purée ❷ (*Kartoffelbrei*) mashed potatoes *pl*

pü·rie·ren [pyˈriːrən] *vt* to purée **Pü·rier·stab** *m* hand-held blender **Pu·rist(in)** <-en, -en> [puˈrɪst] *m(f)* (*geh*) purist

Pu·ri·ta·ner(in) <-s, -> [puriˈtaːnɐ] *m(f)* ❶ HIST Puritan ❷ (*fig*) puritan

pu·ri·ta·nisch [puriˈtaːnɪʃ] *adj* ❶ HIST Puritan ❷ (*oft pej*) puritanical

Pur·pur <-s> [ˈpʊrpʊr] *m kein pl* ❶ (*Farbe*) purple ❷ (*geh: purpurner Stoff*) purple material (*used for cardinals' robes*)

pur·pur·far·ben, pur·pur·far·big *adj* purple

Pur·zel·baum [ˈpʊrtsl̩-] *m* (*fam*) somersault; **Purzelbäume machen** to do somersaults

pur·zeln [ˈpʊrtsl̩n] *vi sein a. Preise* to tumble (**von** off, **in** into)

pus·seln [ˈpʊsl̩n] *vi* (*fam*) to fiddle **Pus·te** <-> [ˈpuːstə] *f kein pl* (*fam*) breath; **außer ~ sein** to be out of puff; **aus der ~ kommen** to get out of breath

Pus·te·blu·me *f* (*Kindersprache*) dandelion **Pus·te·ku·chen** [ˈpuːstəkuːxn̩] *m* |ja| **~!** (*fam*) not a chance!

Pus·tel <-, -n> [ˈpʊstl̩] *f* pimple **pus·ten** [ˈpuːstn̩] I. *vt* (*fam*) to blow; **die Haare aus dem Gesicht ~** to blow one's hair out of one's face; **ich musste bei einer Verkehrskontrolle ~** I had to blow into the little bag when I was stopped by the police II. *vi* (*fam*) ❶ (*blasen*) to blow (**auf** on, **in** into) ❷ (*keuchen*) **pustend kam er die Treppe herauf** he came up the stairs puffing and panting

Pu·te <-, -n> [ˈpuːtə] *f* ❶ (*Truthenne*) turkey |hen| ❷ (*fam: dümmliche Frau*) cow **Pu·ten·fleisch** <-[e]s> *nt kein pl* turkey |meat| *no pl*

Pu·ter <-s, -> [ˈpuːtɐ] *m* turkey |cock| **pu·ter·rot** [ˈpuːtɐˈroːt] *adj* scarlet

Putsch <-[e]s, -e> [pʊtʃ] *m* coup [d'état]; **ein missglückter ~** an unsuccessful coup

Put·schist(in) <-en, -en> [pʊtˈʃɪst] *m(f)* rebel

Put·te <-, -n> [ˈpʊtə] *f* KUNST cherub, putto *spec*

Putz <-es> [pʊts] *m kein pl* (*Wandverkleidung*) plaster; (*bei Außenmauern*) render-

P

ing; **auf/über** ~ ELEK exposed; **unter** ~ ELEK concealed; **Leitungen auf/unter** ~ **verlegen** to lay exposed/concealed cables; **etw mit** ~ **verkleiden** to plaster sth ▸ **auf den** ~ **hauen** (*fam: angeben*) to show off; (*übermütig und ausgelassen sein*) to have a wild time [of it]; (*übermütig und ausgelassen feiern a.*) to have a rave-up; ~ **machen** (*fam*) to cause aggro; **er kriegt** ~ **mit seiner Frau** he's in trouble with his wife

put·zen ['pʊtsn̩] **I.** *vt* ❶ (*säubern*) to clean; (*polieren*) to polish; **seine Schuhe** ~ to clean one's shoes; **die Brille** ~ to clean one's glasses; **sich** *dat* **die Nase** ~ to blow one's nose; **ein Pferd** ~ to groom a horse; **die Treppe/Wohnung** ~ to clean the steps/flat; **sich** *dat* **die Zähne** ~ to clean one's teeth; (*Gemüse vorbereiten*) to prepare; **Spinat** ~ to wash and prepare spinach; ▪**sich** ~ to wash itself; **Katzen** ~ **sich sehr gründlich** cats wash themselves thoroughly; *Vögel* to preen ❷ (*veraltend: schmücken*) to decorate; **den Christbaum** ~ to decorate the Christmas tree; **eine Urkunde putzte die Wand** a certificate adorned the wall ❸ (*wischen*) to wipe; [**sich** *dat*] **etw aus den Mundwinkeln** ~ to wipe sth out of the corners of one's mouth; **putz dir den Dreck von den Schuhen!** wipe the mud off your shoes! **II.** *vi* ~ **gehen** to work as a cleaner

Putz·fim·mel *m* (*fam o pej*) **einen** ~ **haben** to be cleaning mad **Putz·frau** *f* cleaner

put·zig ['pʊtsɪç] *adj* (*fam*) ❶ (*niedlich*) sweet; **ein** ~**es Tier** a cute animal ❷ (*merkwürdig*) odd; **das ist ja** ~**!** that's really odd

Putz·ko·lon·ne *f* team of cleaners **Putz·lap·pen** *m* [cleaning] cloth **Putz·mit·tel** *nt* cleaning things *pl* **putz·mun·ter** *adj* (*fam*) full of beans *pred;* **trink ein paar Tassen Kaffee, dann bist du bald wieder** ~ drink a few cups of coffee, and you'll soon perk up **Putz·teu·fel** *m* (*fam*) housework maniac **Putz·tuch** *nt* ❶ (*Poliertuch*) cloth [for cleaning] ❷ *s.* **Putzlappen Putz·wol·le** *f* cotton waste **putz·wü·tig** *adj* (*fam*) in a cleaning frenzy **Putz·zeug** *nt kein pl* (*fam*) cleaning things *pl*

Puz·zle <-s, -s> ['pʊzl̩, 'pazl̩] *nt* jigsaw

PVC <-[s]> [peːfaʊ̯'tseː] *nt kein pl Abk von* **Polyvinylchlorid** PVC

Pyg·mäe <-n, -n> [pʏg'mɛːə] *m* pygmy

Py·ja·ma <-s, -s> [py'dʒaːma] *m* pyjamas *npl;* **im** ~ in his/her pyjamas

Py·ra·mi·de <-, -n> [pyra'miːdə] *f* pyramid

py·ra·mi·den·för·mig *adj* pyramid-shaped **Py·re·nä·en** [pyre'nɛːən] *pl* ▪**die** ~ the Pyrenees *npl*

Py·ro·ma·ne, -ma·nin <-n, -n> [pyro-'maːnə, -'maːnɪn] *m, f* pyromaniac

Py·thon <-, -s> ['pyːtɔn] *m,* **Py·thon·schlan·ge** *f* python

Q q

Q, q <-, - o fam -s, -s> [kuː] nt Q, q; s. a.
A 1

q [kuː] SCHWEIZ, ÖSTERR Abk von **Zentner**
100 kg

Quack·sal·ber(in) <-s, -> ['kvakzalbɐ]
m(f) (pej) quack [doctor]

Qua·der <-s, -> ['kvaːdɐ] m ❶ ARCHIT, BAU
ashlar ❷ MATH cuboid

Qua·drant <-en, -en> [kva'drant] m
ASTRON, MATH quadrant

Qua·drat <-[e]s, -e> [kva'draːt] nt square;
etw ins ~ erheben (geh) to square sth
qua·dra·tisch adj square

Qua·drat·ki·lo·me·ter m mit Maßangaben square kilometre **Qua·drat·lat-
schen** pl (fam) ❶ (riesige Schuhe) clod-
hoppers ❷ (riesige Füße) great big feet
Qua·drat·me·ter m square metre **Qua·
drat·schä·del** m (fam) ❶ (kantiger
Kopf) great big head ❷ (Starrkopf) [obsti-
nate] mule

Qua·dra·tur <-, -en> [kvadra'tuːɐ̯] f
quadrature

Qua·drat·wur·zel f square root **Qua·
drat·zahl** f square number **Qua·drat·
zen·ti·me·ter** m square centimetre

qua·drie·ren* [kva'driːrən] vt to square

Qua·dro·pho·nie <-> f, **Qua·dro·fo-
nie**RR <-> [kvadrofo'niː] f kein pl quadro-
phony

Quai <-s, -s> [kɛː, keː] m o nt SCHWEIZ (Kai)
quay

qua·ken ['kvaːkn̩] I. vi ❶ Frosch to croak;
Ente to quack ❷ (fam: reden) to natter
II. vt (fam) to waffle on sep pej (**über**
about)

Quä·ker(in) <-s, -> ['kvɛːkɐ] m(f) Quaker

Qual <-, -en> ['kvaːl] f ❶ (Quälerei) struggle ❷ meist pl (Pein) agony no pl ▶ **die ~
der Wahl haben** (hum) to be spoilt for
choice

quä·len ['kvɛːlən] I. vt ❶ (jdm zusetzen) to
pester ❷ (misshandeln) ■**jdn/etw ~** to be
cruel to sb/sth ❸ (peinigen) to torment fig
❹ (Beschwerden verursachen) to trouble
II. vr ❶ (leiden) ■**sich ~** to suffer ❷ (sich
herumquälen) ■**sich mit etw** dat ~
Gedanken, Gefühle to torment oneself
with sth; Hausaufgaben, Arbeit to struggle
[hard] with sth ❸ (sich mühsam bewegen)
■**sich ~** to struggle

quä·lend ['kvɛːlənt] adj attr agonizing;
Gedanken, Gefühle a. tormenting; **ein ~er**
Husten a hacking cough; **~e Schmerzen**

excruciating [or agonizing] pain

Quä·le·rei <-, -en> [kvɛːlə'raj] f ❶ (physisch) torture; (psychisch) torment
❷ (ständiges Zusetzen) pestering no pl

Quäl·geist m (fam) pest fig

Qua·li·fi·ka·ti·on <-, -en> [kvalifi-
ka'tsi̯oːn] f ❶ (berufliche Befähigung)
qualifications pl ❷ SPORT qualification no pl;
(Wettkampf a.) qualifier

qua·li·fi·zie·ren* [kvalifi'tsiːrən] I. vr
■**sich ~** to qualify (**für** for) II. vt (geh)
❶ (befähigen) ■**jdn für etw** akk ~ to
qualify sb for sth ❷ (klassifizieren) ■**etw**
als etw akk ~ to qualify sth as sth

qua·li·fi·ziert adj qualified (**für** +akk for);
~e Arbeitskraft skilled worker; **~e**
Arbeit leisten to do a professional job; **~e**
Mehrheit JUR qualified majority

Qua·li·fi·zie·rung <-, selten -en> f ❶ (Erwerben einer Qualifikation) qualification
no pl ❷ (Ausbildung) training no pl

Qua·li·tät <-, -en> [kvali'tɛːt] f ❶ (Güte,
Beschaffenheit) quality ❷ pl (gute Eigenschaften) qualities pl

qua·li·ta·tiv [kvalita'tiːf] I. adj qualitative
II. adv qualitatively

Qua·li·täts·ar·beit f high-quality
work[manship] no pl **Qua·li·täts·er-
zeug·nis** nt [high-]quality product **Qua·li·
täts·kon·trol·le** f quality control **Qua·li·
täts·merk·mal** nt sign of quality **Qua·li·
täts·si·che·rung** f quality assurance
Qua·li·täts·sie·gel nt seal of quality
Qua·li·täts·un·ter·schied m ÖKON difference in quality **Qua·li·täts·wa·re** f
quality goods pl

Qual·le <-, -n> ['kvalə] f jellyfish

Qualm <-[e]s> ['kvalm] m kein pl [thick]
smoke

qual·men ['kvalmən] I. vi (a. fam: rauchen) to smoke II. vt (fam) ■**jd qualmt**
etw sb puffs away at sth

Qual·me·rei <-> f kein pl (fam) smoking

qual·mig ['kvalmɪç] adj smoke-filled

qual·voll I. adj agonizing II. adv ~ **sterben**
to die in agony

Quant <-s, -en> ['kvant] nt quantum

Quänt·chenRR <-s, -> nt **ein ~ Glück** a
little bit of luck; **ein ~ Hoffnung** a glimmer of hope; **kein ~** not one iota

Quan·ten ['kvantən] pl ❶ pl von **Quant,
Quantum** ❷ (sl: Füße) great big feet

Quan·ten·the·o·rie f quantum theory

Quan·ti·tät <-, -en> [kvanti'tɛːt] f quantity

quan·ti·ta·tiv [ˈkvantitatiːf, kvantitaˈtiːf] *adj* quantitative

Quan·tum <-s, Quanten> [ˈkvantʊm, *pl* ˈkvantən] *nt* quantum

Qua·ran·tä·ne <-, -n> [karanˈtɛːnə] *f* quarantine *no pl;* **unter ~ stehen** to be in quarantine; **jdn/etw unter ~ stellen** to place sb/sth under quarantine

Quark <-s> [ˈkvark] *m kein pl* ❶ KOCHK fromage frais ❷ (*fam: Quatsch*) rubbish [*or* AM *usu* nonsense]

Quar·tal <-s, -e> [kvarˈtaːl] *nt* quarter

Quar·tal(s)·säu·fer, -säu·fe·rin *m, f* (*fam*) periodic heavy drinker

Quar·te <-, -n> [ˈkvartə] *f* MUS (*vierter Ton*) fourth

Quar·tett¹ <-[e]s, -e> [kvarˈtɛt] *nt* KARTEN ❶ (*Kartensatz*) set of four matching cards in a game of Quartett ≈ *kein pl* (*Kartenspiel*) ≈ happy families + *sing vb* (*game of cards in which one tries to collect sets of four matching cards*)

Quar·tett² <-[e]s, -e> [kvarˈtɛt] *nt a.* MUS quartet

Quar·tier <-s, -e> [kvarˈtiːɐ̯] *nt* ❶ (*Unterkunft*) accommodation *no indef art, no pl;* **~ beziehen** MIL to take up quarters ❷ SCHWEIZ (*Stadtviertel*) district

Quarz <-es, -e> [ˈkvaːɐ̯ts] *m* quartz

Quarz·uhr *f* quartz clock [*or* watch]

qua·si [ˈkvaːzi] *adv* almost

Quas·se·lei <-, -en> [kvasəˈlaɪ̯] *f* (*fam*) babbling *no pl*

quas·seln [ˈkvasl̩n] **I.** *vi* (*fam*) to babble **II.** *vt* (*fam*) ■ **etw ~** to babble on about sth

Quas·sel·strip·pe <-, -n> *f* (*fam*) ❶ (*hum: Telefon*) **an der ~ hängen** to be on the phone ❷ (*pej: jd, der unentwegt redet*) windbag

Quas·te <-, -n> [ˈkvastə] *f* tassel

Quatsch <-es> [ˈkvatʃ] *m kein pl* (*fam*) ❶ (*dummes Gerede*) rubbish, AM *usu* nonsense ❷ (*Unfug*) nonsense; **~ machen** to mess around

quat·schen [ˈkvaːtʃn̩] **I.** *vt* (*fam*) to spout (**von** about); **quatsch kein dummes Zeug** don't talk nonsense; **er hat irgendwas von einem Unfall gequatscht, aber ich habe gedacht, er redet Unsinn** he garbled something about an accident, but I thought he was talking rubbish **II.** *vi* (*fam*) ❶ (*sich unterhalten*) to natter; ■ **von etw** *dat* **~** to talk about sth ❷ (*etw ausplaudern*) to blab

Quatsch·kopf *m* (*pej fam*) babbling idiot

Que·bec <-s> [keˈbɛk] *nt* Quebec

Queck·sil·ber [ˈkvɛkzɪlbɐ] *nt* mercury

Queck·sil·ber·ther·mo·me·ter *nt* mercury thermometer

Quel·le <-, -n> [ˈkvɛlə] *f* source

quel·len <quoll, gequollen> [ˈkvɛlən] *vi sein* ❶ (*herausfließen*) ■ [**aus etw** *dat*] **~** to pour out [of sth] ❷ (*aufquellen*) to swell [up]

Quel·len·an·ga·be *f* reference **Quel·len·for·schung** *f* research into sources **Quel·len·steu·er** *f* tax deducted at source **Quel·len·text** *m* source text

Quell·ge·biet *nt* GEOG head **Quell·was·ser** *nt* spring water

Quen·ge·lei <-, -en> *f* whining *no pl*

quen·ge·lig [ˈkvɛŋ(ə)lɪç] *adj* whining; **sei nicht so ~** stop [your] whining

quen·geln [ˈkvɛŋl̩n] *vi* (*fam*) ❶ (*weinerlich sein*) to whine ❷ (*nörgeln*) to moan

Quent·chen^ALT^ <-s, -> [ˈkvɛntçən] *nt s.* **Quäntchen**

quer [ˈkveːɐ̯] *adv* diagonally; **~ geht der Schrank nicht durch die Tür, nur längs** the cupboard won't go through the door sideways, only lengthways; **~ gestreift** horizontally striped; **~ durch/über etw** *akk* straight through/across sth

Quer·ach·se *f* transverse axis **Quer·bal·ken** *m* crossbeam **quer·beet** [kveːɐ̯ˈbeːt] *adv* (*fam*) all over **Quer·den·ker, -den·ke·rin** *m, f* awkward and intransigent thinker **quer·durch** [kveːɐ̯ˈdʊrç] *adv* straight through

Que·re <-> [ˈkveːrə] *f kein pl* ▶ **jdm in die ~ kommen** to get in sb's way

Que·re·le <-, -n> [kvɛˈreːlə] *f* (*geh*) argument

quer·feld·ein [kveːɐ̯fɛltˈʔaɪ̯n] *adv* across country

Quer·flö·te *f* transverse flute **Quer·for·mat** *nt* ❶ (*Format*) landscape format ❷ (*Bild*) picture/photo etc. in landscape format **quer|ge·hen** *vt irreg sein* (*fam*) ■ **jdm ~** to go wrong for sb **Quer·kopf** *m* (*fam*) awkward customer **Quer·lat·te** *f* ❶ (*quer verlegte Holzlatte*) horizontal slat ❷ SPORT (*waagerechte Latte eines Tores*) crossbar **quer|le·gen** *vr* ■ **sich** [**bei etw** *dat*] **~** to make difficulties [concerning sth] **Quer·leis·te** *f* crosspiece; (*einer Tür*) rail **Quer·ru·der** *nt* LUFT aileron **quer|schie·ßen** *vr irreg* (*sl*) to throw a spanner in the works, to throw a [monkey] wrench in sth AM **Quer·schiff** *nt* transept **Quer·schlä·ger** *m* ricochet [shot] **Quer·schnitt** *m* cross-section **quer·schnitt(s)·ge·lähmt** *adj* paraplegic **Quer·schnitt(s)·läh·mung** *f* paraplegia *no pl* **Quer·stra·ße** *f* side-street **Quer·strich** *m* horizontal line **Quer·sum·me** *f* sum of the digits [in a number] **Quer·trei·ber, -trei·be·rin** <-s, -> *m, f* (*fam*) obstructive devil

Que·ru·lant(**in**) <-en, -en> [kveru'lant] *m(f)* (*geh*) querulous person

Quer·ver·bin·dung *f* ❶ TRANSP direct connection ❷ (*gegenseitige Beziehung*) link

Quer·ver·weis *m* cross-reference

quet·schen ['kvɛtʃn] I. *vt* to squeeze (**aus** out of), to crush (**an/gegen** against) II. *vr* ❶ (*durch Quetschung verletzen*) ▪ **sich ~** to bruise oneself; **ich habe mir den Fuß gequetscht** I've crushed my foot ❷ (*fam: sich zwängen*) **sich gegen etw** *akk* ~ to squeeze [oneself] against sth; **ich konnte mich gerade noch in die U-Bahn ~** I was just able to squeeze [myself] into the tube BRIT; **nur mit Mühe quetschte sie sich durch die Menge** she was only able to squeeze [her way] through the crowd with difficulty

Quet·schung <-, -en> *f* MED ❶ *kein pl* (*Verletzung durch Quetschen*) crushing ❷ (*verletzte Stelle*) bruise

Queue <-s, -s> [køː] *nt o m* cue

Qui·ckie <-, -s> ['kvɪki] *m* (*sl*) quickie *fam*

quick·le·ben·dig ['kvɪkleˈbɛndɪç] *adj* (*fam*) full of beans

quie·ken ['kviːkn̩] *vi* ❶ (*quiek machen*) to squeak ❷ (*schrille Laute ausstoßen*) to squeal (**vor** with)

quiet·schen ['kviːtʃn̩] *vi* ❶ (*ein schrilles Geräusch verursachen*) to squeak; **mit ~ den Reifen hielt der Wagen vor der roten Ampel an** the car pulled up at the red light with screeching tyres; **unter lautem Quietschen kam das Fahrzeug zum Stehen** the vehicle came to a halt with a loud screech ❷ *s.* **quieken 2**

quietsch·fi·del ['kviːtʃfi'deːl], **quietsch·ver·gnügt** ['kviːtʃfɛɐ̯'gnyːkt] *adj* (*fam*) full of the joys of spring BRIT *pred,* chipper AM *pred*

Quin·te <-, -n> ['kvɪntə] *f* MUS (*fünfter Ton*) fifth

Quint·es·senz ['kvɪntɛsɛnts] *f* (*geh*) quintessence *no pl*

Quin·tett <-[e]s, -e> [kvɪn'tɛt] *nt a.* MUS quintet

Quirl <-s, -e> ['kvɪrl] *m* KOCHK whisk

quir·len ['kvɪrlən] *vt* to whisk (**zu** into)

quir·lig ['kvɪrlɪç] *adj* lively

quitt ['kvɪt] *adj* ▪ [**mit jdm**] ~ **sein** (*mit jdm abgerechnet haben*) to be quits [with sb] *fam;* (*sich von jdm getrennt haben*) to be finished [with sb]

Quit·te <-, -n> ['kvɪtə] *f* quince

quit·tie·ren* [kvɪ'tiːrən] I. *vt* ❶ (*durch Unterschrift bestätigen*) ▪ [**jdm**] **etw ~** to give [sb] a receipt for sth; **sich** *dat* **etw lassen** to obtain a receipt for sth; (*bestätigen*) ▪ **etw ~** to acknowledge [the] receipt of sth ❷ (*geh: beantworten*) ▪ **etw mit etw** *dat* ~ to meet sth with sth II. *vi* **du hast ihm 5.000 Euro bezahlt und dir [von ihm] nicht ~ lassen?** you paid him 5,000 euros and didn't get a receipt [from him]?

Quit·tung <-, -en> ['kvɪtʊŋ] *f* ❶ (*Empfangsbestätigung, Zahlungsbeleg*) receipt; **jdm eine ~ [für etw** *akk*] **ausstellen** to issue sb with a receipt [for sth]; **gegen ~** on production of a receipt ❷ (*Folge*) ▪ **die ~ für etw** *akk* [the just] deserts for sth

Quiz <-, -> [kvɪs] *nt* quiz

Quiz·mas·ter, -mas·te·rin <-, -> ['kvɪsmaːstɐ, -maːstərɪn] *m, f* quiz master

quoll [kvɔl] *imp von* **quellen**

Quo·rum <-s> ['kvoːrʊm] *nt kein pl* quorum

Quo·te <-, -n> ['kvoːtə] *f* ❶ (*Anteil*) proportion ❷ (*Gewinnanteil*) payout ❸ (*Rate*) rate ❹ POL (*fam: ~ nregelung*) quota system

Quo·ten·frau *f* (*pej*) ≈ token woman [appointee] *pej* (*woman who is appointed to a position simply to increase the proportion of women in an organization*) **Quo·ten·re·ge·lung** *f* ≈ quota regulation (*requirement for a sufficient number of female appointees in an organization*)

Quo·ti·ent <-en, -en> [kvo'tsi̯ɛnt] *m* quotient

Quo·tie·rung <-, -en> *f* ❶ BÖRSE quotation ❷ (*Verteilung nach Quoten*) quota system (*system requiring a certain proportion of a certain number of posts in an organization be reserved for women*)

R r

R, r <-, - *o fam* -s, -s> [ɛr] *nt* R, r; **das ~ rollen** to roll the r; *s. a.* **A 1**

Ra·batt <-[e]s, -e> [ra'bat] *m* discount; **jdm ~ [auf etw** *akk*] **geben** to give sb a discount [on sth]

Ra·bat·te <-, -n> [ra'batə] *f* HORT border

Ra·batz <-es> [ra'bats] *m kein pl* (*sl*) racket *fam;* **~ machen** to kick up a stink

Ra·bau·ke <-n, -n> [ra'baʊkə] *m* (*fam*) lout

Rab·bi <-[s], -s *o* Rabbinen> ['rabi, *pl* ra'bi:nən] *m,* **Rab·bi·ner** <-s, -> [ra'bi:ne] *m* rabbi

Ra·be <-n, -n> ['ra:bə] *m* raven

Ra·ben·el·tern *pl* (*pej fam*) ≈ cruel parents *pl* **Ra·ben·mut·ter** *f* (*pej fam*) ≈ cruel mother **ra·ben·schwarz** ['ra:bn̩ʃvarts] *adj* jet-black **Ra·ben·va·ter** *m* (*pej fam*) ≈ cruel father

ra·bi·at [ra'bi̯a:t] **I.** *adj* ❶ (*gewalttätig*) aggressive ❷ (*rücksichtslos*) ruthless **II.** *adv* ruthlessly

Ra·che <-> ['raxə] *f kein pl* revenge; **[an jdm] ~ nehmen** to take revenge [on sb] ▸ **~ ist süß** revenge is sweet

Ra·che·akt *m* act of revenge **Ra·che·feld·zug** *m* (*fig*) campaign of revenge

Ra·chen <-s, -> ['raxn̩] *m* ❶ (*Schlund*) throat ❷ (*Maul*) jaws *pl* ▸ **den ~ nicht voll [genug] kriegen können** to not be able to get enough

rä·chen ['rɛçn̩] **I.** *vt* ❶ (*durch Rache vergelten*) ▪etw **~** to take revenge for sth ❷ (*jdm Sühne verschaffen*) ▪jdn **~** to avenge sb **II.** *vr* ❶ (*Rache nehmen*) ▪sich **~** to take [*or* exact] one's revenge (**für** for) ❷ (*sich nachteilig auswirken*) ▪sich [**an jdm**] **~** to come back and haunt sb; **früher oder später rächt sich das viele Rauchen** sooner or later [the] heavy smoking will take its toll

Ra·che·plan *m* plan of revenge

Rä·cher(in) <-s, -> *m(f)* (*geh*) avenger

Ra·chi·tis <-> [ra'xi:tɪs] *f kein pl* rickets *no pl, no art*

Rach·sucht *f kein pl* vindictiveness *no pl, no indef art* **rach·süch·tig** *adj* vindictive

Ra·cke·rei <-> [rakə'raj] *f kein pl* (*fam*) slog *no pl*

ra·ckern ['rakɐn] *vi* (*fam*) to slave away

Rad¹ <-[e]s, Räder> [ra:t, *pl* 'rɛ:dɐ] *nt* ❶ AUTO wheel ❷ (*Zahn~*) cog ❸ SPORT cartwheel; **ein ~ schlagen** to do a cartwheel ▸ **ein ~ ab haben** (*sl*) to have a screw

loose *hum fam*

Rad² <-[e]s, Räder> [ra:t, *pl* 'rɛ:dɐ] *nt* (*Fahr~*) bicycle, bike *fam;* **~ fahren** to cycle, to ride a bike *fam;* **mit dem ~** by bicycle [*or fam* bike]

Rad·ach·se *f* axle

Ra·dar <-s> [ra'da:ɐ̯] *m o nt kein pl* radar

Ra·dar·fal·le *f* (*fam*) speed trap **Ra·dar·ge·rät** *nt* radar [device] **Ra·dar·kon·trol·le** *f* [radar] speed check **Ra·dar·schirm** *m* radar screen

Ra·dau <-s> [ra'daʊ] *m kein pl* (*fam*) racket

Ra·dau·bru·der *m* (*pej*) thug

Rad·auf·hän·gung *f* AUTO wheel suspension

Räd·chen ['rɛ:tçən] *nt dim von* Rad (*kleines Zahnrad*) [small] cog ▸ **nur ein ~ im Getriebe sein** to be just a small cog in the works

Rad·damp·fer *m* paddle steamer

ra·de·bre·chen ['ra:dəbrɛçn̩] *vi* **auf Deutsch/Englisch ~** to speak [in] broken German/English

ra·deln ['ra:dl̩n] *vi sein* (*fam*) to cycle

Rä·dels·füh·rer(in) ['rɛ:dl̩sfy:rɐ] *m(f)* ringleader

Rad|fah·ren *nt* ▪[**das**] ~ cycling, riding a bicycle [*or fam* bike] **Rad·fah·rer(in)** *m(f)* cyclist **Rad·fahr·weg** *m* (*geh*) *s.* **Radweg Rad·fel·ge** *f* wheel rim **Rad·ga·bel** *f* fork

ra·di·al [ra'di̯a:l] *adj* radial

Ra·di·a·tor <-s, -toren> [ra'di̯a:to:ɐ̯, *pl* -'to:rən] *m* radiator

ra·die·ren [ra'di:rən] *vi* ❶ (*tilgen*) to erase ❷ KUNST to etch

Ra·die·rer <-s, -> *m* (*fam*), **Ra·dier·gum·mi** <-s, -s> *m* rubber BRIT, eraser AM

Ra·die·rung <-, -en> *f* KUNST etching

Ra·dies·chen <-s, -> [ra'di:sçən] *nt* radish

ra·di·kal [radi'ka:l] **I.** *adj* ❶ POL radical ❷ (*völlig*) complete ❸ (*tief greifend*) drastic **II.** *adv* ❶ POL radically ❷ (*völlig*) completely ❸ (*tief greifend*) drastically; **~ gegen jdn vorgehen** to take drastic action against sb

Ra·di·ka·le(r) *f(m)* POL extremist

Ra·di·ka·lis·mus <-> [radika'lɪsmʊs] *m kein pl* POL radicalism, extremism

Ra·di·kal·kur *f* ❶ MED drastic remedy ❷ (*tief greifende Maßnahmen*) drastic measures *pl*

Ra·dio <-s, -s> ['raːdi̯o] *nt o* SCHWEIZ, SÜDD *m* radio; ~ **hören** to listen to the radio; **im** ~ on the radio

ra·dio·ak·tiv [radi̯oʔak'tiːf] I. *adj* radioactive II. *adv* ~ **verseucht/verstrahlt** contaminated by radioactivity

Ra·dio·ak·ti·vi·tät <-> [radi̯oʔaktivi'tɛːt] *f kein pl* radioactivity *no pl, no indef art*

Ra·dio·ap·pa·rat *m* radio [set]

Ra·di·o·lo·ge,   **-lo·gin**   <-n, -n> [radi̯o'loːɡə, -'loːɡɪn] *m, f* radiologist

Ra·di·o·lo·gie <-> [radi̯olo'giː] *f kein pl* radiology *no pl, no art*

Ra·dio·re·cor·der ['raːdi̯orekɔrdɐ], **Ra·dio·re·kor·der** <-s, -> ['raːdi̯orekɔrdɐ] *m* radio cassette recorder **Ra·dio·sen·der** *m* radio transmitter **Ra·dio·we·cker** *m* radio alarm [clock] **Ra·dio·wel·le** *f* radio wave

Ra·di·um <-s> ['raːdi̯ʊm] *nt kein pl* radium *no pl, no art*

Ra·di·us <-, Radien> ['raːdi̯ʊs, *pl* 'raːdi̯ən] *m* radius

Rad·kap·pe *f* AUTO hub cap **Rad·la·ger** *nt* wheel bearing

Rad·ler(in) <-s, -> ['raːdlɐ] *m(f) (fam)* cyclist

Rad·ler·ho·se *f* cycle shorts *npl*

Rad·renn·bahn *f* cycle [racing] track **Rad·ren·nen** *nt* cycle race **Rad·renn·fah·rer(in)** *m(f)* racing cyclist

Ra·dscha <-s, -s> ['raː(ː)dʒa] *m* rajah

Rad·sport *m* cycling *no pl* **Rad·tour** [-tuːɐ] *f* bicycle [*or fam* bike] ride **Rad·wan·dern** *nt* cycling tourism **Rad·wan·de·rung** *f s.* Radtour **Rad·wech·sel** *m* AUTO wheel change **Rad·weg** *m* cycle path

RAF <-> [ɛrʔaːʔˈɛf] *f kein pl Abk von* **Rote-Armee-Fraktion** Red Army Faction

raf·fen ['rafn̩] *vt* ■ **etw** ~ ❶ *(eilig greifen)* to grab sth ❷ *(in Falten legen)* to gather sth ❸ *(kürzen)* to shorten sth ❹ *(sl: begreifen)* to get sth *fam*

Raff·gier *f* greed *no pl* **raff·gie·rig** *adj* greedy

Raf·fi·ne·rie <-, -n> [rafinə'riː, *pl* -ri:ən] *f* refinery

Raf·fi·nes·se <-, -n> [rafi'nɛsə] *f* ❶ *kein pl (Durchtriebenheit)* cunning ❷ *(Feinheit)* refinement

raf·fi·nie·ren* [rafi'niːrən] *vt* to be refined **raf·fi·niert** I. *adj* ❶ *(durchtrieben)* cunning ❷ *(ausgeklügelt)* clever ❸ *(geh: verfeinert)* refined II. *adv* ❶ *(durchtrieben)* cunningly ❷ *(geh: verfeinert)* ~ **würzen/zusammenstellen** to season/put together with

great refinement

Raf·fi·niert·heit <-> *f kein pl s.* **Raffinesse**

Raf·ting <-s> ['raːftɪŋ] *nt kein pl* SPORT rafting *no pl*

Ra·ge <-> ['raːʒə] *f kein pl* rage; **jdn in** ~ **bringen** to make sb hopping mad; |**über etw** *akk*] **in** ~ **kommen** to get annoyed [about sth]

ra·gen ['raːɡn̩] *vi* ❶ *(empor~)* ■ **aus etw** *dat* ~ to rise up out of sth ❷ *(vor~)* ■ **irgendwohin** ~ to stick out somewhere

Ra·gout <-s, -s> [ra'guː] *nt* ragout

Rahm <-[e]s, -s> [raːm] *m kein pl* SÜDD, SCHWEIZ *(Sahne)* cream; ÖSTERR *(saure Sahne)* sour cream

rah·men ['raːmən] *vt* to frame; *Dia* to mount

Rah·men <-s, -> ['raːmən] *m* ❶ *(Einfassung)* frame ❷ *(Fahrradgestell)* frame; AUTO chassis [frame] ❸ *(begrenzter Umfang o Bereich)* framework; **im** ~ **des Möglichen** within the bounds of possibility; **sich im** ~ **halten** to keep within reasonable bounds; **den** ~ **[von etw** *dat*] **sprengen** to go beyond the scope of sth; **in einem größeren/kleineren** ~ on a large/small scale; **[mit etw** *dat*] **aus dem** ~ **fallen** to stand out [because of sth] ❹ *(Atmosphäre)* atmosphere

Rah·men·be·din·gung *f meist pl* basic conditions *pl* **Rah·men·hand·lung** *f* framework story

Rahm·so·ße *f* cream[y] sauce

Rain <-[e]s, -e> [raɪn] *m* boundary [strip]

rä·keln ['rɛːkl̩n] *vr s.* rekeln

Ra·ke·te <-, -n> [ra'keːtə] *f (Flugkörper)* rocket; MIL missile

Ra·ke·ten·ab·schuss·ram·pe[RR] *f* rocket launching pad **Ra·ke·ten·ab·wehr·sys·tem** *nt* MIL missile defence system **Ra·ke·ten·flug·zeug** *nt* rocket aircraft **Ra·ke·ten·stütz·punkt** *m* missile base

Ral·lye <-, -s> ['rali, 'rɛli] *f* rally

Ral·lye·fah·rer(in) ['rali-, 'rɛli-] *m(f)* rally driver

RAM <-, -s> [ram] *nt Akr von* **random access memory** RAM

Ram·ba·zam·ba <-s> *nt kein pl (fam)* ~ **machen** to kick up a fuss

Ram·bo <-s, -s> ['rambo] *m (sl)* Rambo *fam*

ramm·dö·sig ['ramdøːzɪç] *adj* DIAL *(fam)* giddy

ram·meln ['raml̩n] *vi* ❶ *(Tiere)* to mate ❷ *(vulg)* to screw

ram·men ['ramən] *vt* to ram (**in** into)

Ramm·ler <-s, -> ['ramlɐ] *m* buck

Ram·pe <-, -n> ['rampə] *f* ❶ (*schräge Auffahrt*) ramp; (*Laderampe*) loading ramp ❷ THEAT apron

Ram·pen·licht *nt* THEAT footlights *pl* ▸ **im ~ |der Öffentlichkeit| stehen** to be in the limelight

ram·po·nie·ren* [rampo'ni:rən] *vt* (*fam*) to ruin

Ramsch <-[e]s> [ramʃ] *m kein pl* (*fam*) junk *no pl*

Ramsch·la·den *m* (*pej fam*) junk shop

RAM-Spei·cher *m* RAM memory

ran [ran] **I.** *interj* (*fam*) let's go! **II.** *adv* (*fam*) *s.* **heran**

Rand <-es, Ränder> [rant, *pl* 'rɛndɐ] *m* ❶ (*abfallendes Ende einer Fläche*) edge ❷ (*obere Begrenzungslinie*) *von Glas, Tasse* brim; *von Teller* edge; *von Wanne* rim ❸ (*äußere Begrenzung/Einfassung*) edge; *von Hut* brim; *von Wunde* lip ❹ (*Grenze*) verge ❺ (*auf Papier*) margin ❻ (*Schatten, Spur*) mark; **|dunkle/rote| Ränder um die Augen haben** to have |dark/red| rings [a]round one's eyes; **ein |schmutziger| ~ um die Badewanne** a tidemark around [the rim of] the bath ▸ **außer ~ und Band geraten** to be beside oneself; **|mit etw| zu ~e kommen** to cope [with sth]; **mit jdm zu ~e kommen** to get on with sb; **am ~e** in passing

Ran·da·le <-> [ran'da:lə] *f* (*sl*) rioting *no pl;* **~ machen** to riot

ran·da·lie·ren* [randa'li:rən] *vi* to riot

Ran·da·lie·rer(in) <-s, -> *m(f)* hooligan

Rand·be·mer·kung *f* ❶ (*beiläufige Bemerkung*) passing comment ❷ (*Notiz auf einer Schriftseite*) note in the margin

Rand·er·schei·nung *f* peripheral phenomenon; (*Nebenwirkung*) side effect

Rand·fi·gur *f* minor figure **Rand·ge·biet** *nt* ❶ GEOG outlying district ❷ (*Sachgebiet*) fringe area **Rand·grup·pe** *f* fringe group **rand·los** *adj* rimless **Rand·phä·no·men** *nt* marginal [*or* fringe] phenomenon **Rand·pro·blem** *nt* secondary problem **Rand·stein** *m s.* **Bordstein Rand·strei·fen** *m* verge; *einer Autobahn* hard shoulder **Rand·zo·ne** *f s.* **Randgebiet 1**

rang [raŋ] *imp von* **ringen**

Rang <-[e]s, Ränge> [raŋ, *pl* 'rɛŋə] *m* ❶ *kein pl* (*Stellenwert*) status; *Entdeckung, Neuerung* importance ❷ (*gesellschaftliche Position*) [social] standing; **alles, was ~ und Namen hat** everybody who is anybody ❸ MIL rank ❹ SPORT place ❺ FILM, THEAT circle

Rang·ab·zei·chen *nt* MIL insignia *npl* [of rank]

ran|ge·hen ['range:ən] *vi* (*fam*) ■ **|an etw akk|** ~ ❶ (*herangehen*) to go up [to sth] ❷ (*in Angriff nehmen*) to get stuck in[to sth]

Ran·ge·lei <-, -en> [raŋə'laɪ] *f* (*fam*) scrapping *no pl*

ran·geln ['raŋln] *vi* (*fam*) ■ **|mit jdm|** ~ to scrap [with sb]

Rang·fol·ge *f* order of priority

Ran·gier·bahn·hof [raŋ'ʒi:ɐ̯-] *m* marshalling yard

ran·gie·ren* [rã'ʒi:rən] **I.** *vi* ❶ (*eingestuft sein*) to rank ❷ (*laufen*) ■ **unter etw** *dat* ~ to come under sth **II.** *vt* BAHN ■ **etw irgendwohin** ~ to shunt sth somewhere

Rang·lis·te *f* ranking[s] list **Rang·ord·nung** *f* hierarchy

ran|hal·ten *vr irreg* (*fam*) ■ **sich** ~ to put one's back into it

rank [raŋk] *adj* (*hum*) **~ und schlank** slim and sylphlike

Ran·ke <-, -n> ['raŋkə] *f* tendril

ran·ken ['raŋkn̩] **I.** *vr haben* ❶ HORT ■ **sich irgendwohin** ~ to climb somewhere ❷ *Legenden, Sagen etc* ■ **sich um jdn/ etw** ~ to have grown up around sb/developed around sth **II.** *vi sein o haben* to put out tendrils

ran|klot·zen *vi* (*sl*) to get stuck in [*or* AM cracking] *fam* **ran|kom·men** *vi irreg sein* (*fam*) ❶ (*drankommen*) ■ **|an etw** *akk*| ~ to [be able to] reach [sth] ❷ (*vordringen*) **man kommt an ihn einfach nicht ran** it's impossible to get at him; **an diese Frau kommt keiner ran** nobody has a chance with her **ran|krie·gen** *vt* (*fam*) ❶ (*zu Arbeit verpflichten*) ■ **jdn |zu etw** *dat*| ~ to get sb else to do sth ❷ (*zur Rechenschaft ziehen*) ■ **jdn** ~ to bring sb to account (**wegen** for) **ran|las·sen** *vt irreg o vi* (*fam: heranlassen*) ■ **jdn** ~ to let sb near ❷ (*fam: versuchen lassen*) ■ **jdn** ~ to let sb have a go ❸ (*sl: den Geschlechtsakt gestatten*) **den lasse ich bestimmt nicht an mich ran** I'm definitely not letting him do it [*or* hum have his evil way] with me **ran|ma·chen** *vr* (*fam*) ■ **sich an jdn** ~ to make a pass at sb

rann [ran] *imp von* **rinnen**

rann·te ['rantə] *imp von* **rennen**

ran|schmei·ßen *vr irreg* (*fam*) ■ **sich an jdn** ~ to throw oneself at sb

Ran·zen <-s, -> ['rantsn̩] *m* ❶ SCH satchel ❷ (*fam: Bauch*) gut

ran·zig ['rantsɪç] *adj* rancid

Rap <-> [rɛp] *m kein pl* MUS rap

ra·pi·de [ra'pi:də] *adj* rapid

Rap·pe <-n, -n> ['rapə] *m* black [horse]

Rap·pel <-s, -> ['rapl̩] *m* **den/seinen ~ kriegen** (*fam*) to go completely mad
rap·pe·lig ['rapəlɪç] *adj* DIAL (*fam*) jumpy
rap·peln ['rapl̩n] *vi* (*fam*) to rattle
rap·pel·voll *adj* (*fam*) jam-packed
rap·pen ['rɛpn̩] *vi* MUS to rap
Rap·pen <-s, -> ['rapn̩] *m* [Swiss] centime
rapp·lig ['raplɪç] *adj s.* **rappelig**
Rap·port <-[e]s, -e> [ra'pɔrt] *m* (*geh*)
  ❶ (*Bericht*) report ❷ (*psychischer Kontakt*) rapport
Raps <-es, -e> [raps] *m* rape[seed]
rar [raːɐ̯] *adj* rare; ■ **~ sein/werden** to be/become hard to find
Ra·ri·tät <-, -en> [rari'tɛːt] *f* rarity
rar|ma·chen *vr* ■ **sich ~** (*fam*) to make oneself scarce
ra·sant [ra'zant] **I.** *adj* ❶ (*schnell*) fast; *Beschleunigung* terrific; *Tempo* breakneck ❷ (*stürmisch*) rapid; *Zunahme* sharp **II.** *adv* ❶ (*zügig*) **~ fahren** to drive at breakneck speed ❷ (*stürmisch*) rapidly; **~ zunehmen** to increase sharply
rasch [raʃ] **I.** *adj* quick **II.** *adv* quickly
ra·scheln ['raʃl̩n] *vi* to rustle
ra·sen ['raːzn̩] *vi* ❶ *sein* (*sehr schnell fahren*) to speed; ■ **gegen/in etw** *akk* **~** to crash into sth; ■ **über etw** *akk* **~** to race across sth ❷ *sein vor Zeit* to fly [by] ❸ *haben* (*toben*) **sie raste [vor Wut]** she was beside herself [with rage]
Ra·sen <-s, -> ['raːzn̩] *m* ❶ (*grasbewachsene Fläche*) lawn ❷ SPORT (*Rasenplatz*) field
ra·send **I.** *adj* ❶ (*äußerst schnell*) breakneck ❷ (*wütend*) furious; *Mob* angry; **~ vor Wut sein** to be beside oneself with rage ❸ (*furchtbar*) terrible; *Durst* raging; **~e Eifersucht** a mad fit of jealousy; *Schmerz* excruciating; *Wut* blind ❹ *Beifall* thunderous **II.** *adv* (*fam*) very; **ich würde das ~ gern tun** I'd love to do it
Ra·sen·mä·her <-s, -> *m* lawnmower **Ra·sen·spren·ger** <-s, -> *m* [lawn-]sprinkler
Ra·ser(in) <-s, -> ['raːzɐ] *m(f)* (*fam*) speed merchant
Ra·se·rei <-, -en> [raːzə'raɪ] *f* ❶ (*fam: schnelles Fahren*) speeding *no pl* ❷ *kein pl* (*Wutanfall*) rage; **jdn zur ~ bringen** to drive sb mad
Ra·se·rin <-, -nen> *f fem form von* **Raser**
Ra·sier·ap·pa·rat *m* ❶ (*Elektrorasierer*) [electric] shaver ❷ (*Nassrasierer*) [safety] razor
ra·sie·ren* [ra'ziːrən] *vt* ❶ (*Bartstoppeln entfernen*) ■ **sich ~** to [have a] shave; **sich trocken ~** to use a[n] [electric] shaver; **sich**

nass ~ to [have a] wet shave ❷ (*von Haaren befreien*) **sich** *dat* **die Beine ~** to shave one's legs
Ra·sie·rer <-s, -> *m* (*fam*) [electric] shaver
Ra·sier·klin·ge *f* razor blade **Ra·sier·mes·ser** *nt* cut-throat [*or* AM straight] razor **Ra·sier·pin·sel** *m* shaving brush **Ra·sier·schaum** *m* shaving foam **Ra·sier·was·ser** *nt* aftershave
Ras·pel <-, -n> ['raspl̩] *f* rasp; KOCHK grater
ras·peln ['raspl̩n] *vt* to grate
Ras·se <-, -n> ['rasə] *f* ❶ (*Menschen~*) race ❷ (*Tier~*) breed
Ras·se·hund *m* pedigree dog
Ras·sel <-, -n> ['rasl̩] *f* rattle
ras·seln ['rasl̩n] *vi* ❶ *haben* to rattle; ■ **mit/an etw** *dat* **~** to rattle sth ❷ *sein* (*fam: durchfallen*) ■ **durch etw** *akk* **~** to fail [*or* AM *also* flunk] sth
Ras·sen·dis·kri·mi·nie·rung *f* racial discrimination *no pl* **Ras·sen·tren·nung** *f* *kein pl* racial segregation
ras·se·rein *adj s.* **reinrassig**
ras·sig ['rasɪç] *adj* vivacious
ras·sisch ['rasɪʃ] *adj* racial
Ras·sis·mus <-> [ra'sɪsmʊs] *m* *kein pl* racism
Ras·sist(in) <-en, -en> [ra'sɪst] *m(f)* racist
ras·sis·tisch *adj* racist
Rast <-, -en> [rast] *f* break; [*irgendwo*] **~ machen** to stop for a break [somewhere]
ras·ten ['rastn̩] *vi* to have a break
Ras·ter¹ <-s, -> ['rastɐ] *m* TYPO ❶ (*Glasplatte, Folie*) screen ❷ (*Rasterung*) screening
Ras·ter² <-s, -> ['rastɐ] *nt* ❶ TV (*Gesamtheit der Bildpunkte*) raster ❷ (*geh: System von Kategorien*) category
Ras·ter·fahn·dung *f* ≈ computer search (*search for wanted persons by using computers to assign suspects to certain categories*) **Ras·ter·mi·kro·skop** *nt* scanning electron microscope
Rast·haus *nt* roadhouse; (*Autobahn*) motorway [*or* AM freeway] service area **Rast·hof** *m* [motorway [*or* AM freeway]] service area
rast·los *adj* ❶ (*unermüdlich*) tireless ❷ (*unruhig*) restless
Rast·platz *m* picnic area **Rast·stät·te** *f s.* **Rasthof**
Ra·sur <-, -en> [ra'zuːɐ̯] *f* ❶ (*das Rasieren*) shaving *no pl* ❷ (*Resultat des Rasierens*) shave
Rat¹ <-[e]s> [raːt] *m* *kein pl* advice; **jdn um ~ fragen** to ask sb for advice; **jdm einen ~ geben** to give sb some advice; **jdm den ~ geben, etw zu tun** to advise

R

sb to do sth; **sich** *dat* **keinen ~ [mehr] wissen** to be at one's wit's end; **jdn/etw zu ~ e ziehen** to consult sb/sth

Rat² <-[e]s, Räte> [ra:t, *pl* 'rɛ:tə] *m* POL council; **Großer ~** SCHWEIZ [Swiss] cantonal parliament; **im ~ sitzen** *(fam)* ≈ to be Councillor *(to be a member of a [Swiss] cantonal parliament)*

Rat, Rä·tin <-[e]s, Räte> [ra:t, 'rɛ:tɪn, *pl* 'rɛ:tə] *m, f* ❶ *(Stadt~)* councillor ❷ ADMIN *(fam)* senior official

Ra·te <-, -n> ['ra:tə] *f* instalment; **etw in ~n bezahlen** to pay for sth in instalments

ra·ten <rät, riet, geraten> ['ra:tn̩] **I.** *vi* ❶ *(Ratschläge geben)* ■ [jdm] **zu etw** *dat* **~** to advise [sb to do] sth ❷ *(schätzen)* to guess; **mal ~ to have a guess II.** *vt* ❶ *(als Ratschlag geben)* ■ **jdm etw raten** to advise sb to do sth ❷ *(erraten)* to guess

Ra·ten·kauf *m* hire purchase BRIT, installment plan AM **Ra·ten·zah·lung** *f* ❶ *kein pl (Zahlung in Raten)* payment in instalments ❷ *(Zahlung einer Rate)* payment of an instalment

Ra·te·spiel *nt* quiz

Rat·ge·ber <-s, -> *m* ❶ *(Werk)* manual ❷ *(beratende Person)* advisor

Rat·haus *nt* town hall

ra·ti·fi·zie·ren* [ratifi'tsi:rən] *vt* to ratify

Ra·ti·fi·zie·rung <-, -en> *f* ratification *no pl*

Rä·tin <-, -nen> *f fem form von* **Rat**

Ra·tio <-> ['ra:tsio] *f kein pl (geh)* reason *no art*

Ra·ti·on <-, -en> [ra'tsi̯o:n] *f* ration

ra·tio·nal [ratsi̯o'na:l] *adj (geh)* rational

ra·ti·o·na·li·sie·ren* [ratsi̯onali'zi:rən] *vt, vi* to rationalize *[or* AM *usu* streamline]

Ra·ti·o·na·li·sie·rung <-, -en> *f* rationalization *no pl,* streamlining AM *usu no pl*

ra·ti·o·nell [ratsi̯o'nɛl] *adj* efficient

ra·ti·o·nie·ren* [ratsi̯o'ni:rən] *vt* to ration

Ra·ti·o·nie·rung <-, -en> *f* rationing *no pl*

rat·los *adj* helpless; **ich bin völlig ~** I'm completely at a loss

Rat·lo·sig·keit <-> *f kein pl* helplessness

Rä·to·ro·ma·ne, -ro·ma·nin <-n, -n> [rɛtoro'ma:nə, -ro'ma:nɪn] *m, f* Rhaetian; *s. a.* **Deutsche(r)**

rä·to·ro·ma·nisch [rɛtoro'ma:nɪʃ] *adj* Rhaeto-Romanic; *s. a.* **deutsch**

rat·sam ['ra:tza:m] *adj* advisable; ■ **~ sein, etw zu tun** to be advisable to do sth; **es für ~ halten, etw zu tun** to think it wise to do sth

Rat·sche <-, -n> ['ra:tʃə] *f,* **Rät·sche** <-, -n> ['rɛ:tʃə] *f* MUS SÜDD, ÖSTERR rattle

Rat·schlag <-s, Ratschläge> ['ra:tʃla:k, *pl* -ʃlɛ:gə] *m* advice; **jdm [in etw** *dat*] **einen ~ geben** to give sb a piece of advice [on sth]

Rät·sel <-s, -> ['rɛ:tsl̩] *nt* ❶ *(Geheimnis)* mystery; **es ist [jdm] ein ~ warum/wie ...** it is a mystery [to sb] why/how ... ❷ *(Denkaufgabe)* riddle; **des ~s Lösung** the answer to the riddle; **jdm ein ~ aufgeben** to pose a riddle for sb; **vor einem ~ stehen** to be baffled ❸ *(Kreuzwort~)* crossword [puzzle]

rät·sel·haft *adj* mysterious; ■ **es ist jdm ~, warum/wie ...** it's a mystery to sb why/how ...

rät·seln ['rɛ:tsl̩n] *vi* to rack one's brains

Rät·sel·ra·ten <-s> *nt kein pl* ❶ *(das Lösen von Rätseln)* [the] solving [of] puzzles ❷ *(das Mutmaßen)* guessing game

Rats·herr *m* councillor **Rats·sit·zung** *f* council meeting

Rat·tan <-s, selten -e> ['ratan] *nt* rattan

Rat·te <-, -n> ['ratə] *f (a. fig)* rat

Rat·ten·fal·le *f* rat trap **Rat·ten·gift** *nt* rat poison *no pl* **Rat·ten·schwanz** *m* ❶ *(Schwanz einer Ratte)* rat['s]-tail ❷ *(fam: verbundene Serie von Ereignissen)* string

rat·tern ['ratɐn] *vi* ❶ *haben (klappernd vibrieren)* to rattle ❷ *sein (sich ratternd fortbewegen)* to rattle along

rat·ze·kahl ['ratsə'ka:l] *adv (fam)* completely; **~ aufessen** to polish off the whole lot

rat·zen ['ratsn̩] *vi* DIAL *(fam: schlafen)* to kip BRIT

rat·ze·putz *adv* DIAL *(fam)* totally; **den Teller ~ leer essen** to polish off everything on the plate

ratz·fatz ['ratsfats] *adv (fam)* lickety-split *fam,* quick as a flash

rau^{RR} [raʊ] *adj* ❶ *(spröde)* rough; *Lippen* chapped ❷ *(heiser)* sore; *Stimme* husky ❸ *(unwirtlich)* harsh; *Gegend* inhospitable ❹ *(barsch)* harsh; *Benehmen, Sitten* uncouth

Raub <-[e]s, selten -e> [raʊp] *m kein pl* ❶ *(das Rauben)* robbery ❷ *(das Geraubte)* booty

Raub·bau *m kein pl* over-exploitation **(an** of) **Raub·druck** *m* pirate[d] edition

Rau·bein^{RR} *nt (fam)* rough diamond BRIT, diamond in the rough AM

rau·bei·nig^{RR} *adj (fam)* rough-and-ready

rau·ben ['raʊbn̩] **I.** *vt* ❶ *(stehlen)* to rob; **das hat mir viel Zeit geraubt** this has cost me a lot of time ❷ *(entführen)* to abduct **II.** *vi* to rob

Räu·ber(in) <-s, -> ['rɔʏbɐ] *m(f)* robber

Räu·ber·ban·de *f* bunch of crooks **Räu·ber·höh·le** *f* (*veraltend*) robbers' den **Räu·be·rin** <-, -nen> *f fem form von* **Räuber**

räu·be·risch *adj* ❶ (*als Räuber lebend*) predatory ❷ (*einen Raub bezweckend*) **ein ~er** Überfall/**eine ~e** Unternehmung a raid/robbery

Raub·fisch *m* predatory fish **Raub·katze** *f* [predatory] big cat **Raub·ko·pie** *f* pirate[d] copy **Raub·mord** *m* murder with robbery as a motive **Raub·mör·der(in)** *m(f)* murderer and robber **Raub·rit·ter** *m* robber baron **Raub·tier** *nt* predator **Raub·über·fall** *m* robbery; (*auf Geldtransport etc a.*) raid **Raub·vo·gel** *m* bird of prey

Rauch <-[e]s> [raʊx] *m kein pl* smoke; **sich in ~ auflösen** to go up in smoke *fig* **Rauch·ab·zug** *m* smoke outlet

rau·chen ['raʊxn] *vi, vt* to smoke; **sehr stark ~** to be a very heavy smoker; **darf man hier/bei Ihnen ~?** may I smoke [in] here/do you mind if I smoke?

Rau·cher <-s, -> *m* BAHN (*fam*) smoking compartment [*or* AM car]

Rau·cher(in) <-s, -, -nen> *m(f)* smoker **Rau·cher·ab·teil** *nt* BAHN smoking compartment [*or* AM car] **Rau·cher·bein** *nt* smoker's leg

Räu·cher·fisch *m* smoked fish **Rau·cher·hus·ten** *m* smoker's cough **Rau·che·rin** <-, -nen> *f fem form von* **Raucher**

Räu·cher·lachs *m* smoked salmon *no pl* **räu·chern** [ˈrɔʏçɐn] *vt, vi* to smoke **Räu·cher·speck** *m* smoked bacon **Räu·cher·stäb·chen** *nt* joss stick **Rau·cher·zo·ne** *f* smoking area **Rauch·fang** *m* ❶ (*Abzugshaube*) chimney hood ❷ ÖSTERR (*Schornstein*) chimney **Rauch·fleisch** *nt* smoked meat

rau·chig [ˈraʊxɪç] *adj* smoky

Rauch·mel·der *m* smoke alarm **Rauch·schwa·den** <-s, -> *m meist pl* cloud of smoke **Rauch·sig·nal** *nt* smoke signal **Rauch·ver·bot** *nt* ban on smoking; **darf ich rauchen, oder besteht hier/bei euch ~?** may I smoke, or do you prefer people not to smoke? **Rauch·ver·gif·tung** *f* smoke poisoning **Rauch·wol·ke** *f* cloud of smoke

Räu·de <-, -n> [ˈrɔʏdə] *f* mange *no pl* **räu·dig** [ˈrɔʏdɪç] *adj* mangy

rauf [raʊf] **I.** *interj* (*fam*) up **II.** *adv* (*fam*) **~ mit euch!** up you go!

Rau·fa·ser(·ta·pe·te) [RR] *f* woodchip [wallpaper]

Rauf·bold <-[e]s, -e> [ˈraʊfbɔlt] *m* thug **rau·fen** [ˈraʊfn̩] **I.** *vi* to fight (**mit** with) **II.** *vr* ■ **sich ~** to fight (**um** over) **Rau·fe·rei** <-, -en> [raʊfəˈraɪ] *f* fight

rauhᴬᴸᵀ [raʊ] *adj s.* **rau Rauh·bein**ᴬᴸᵀ *nt s.* **Raubein rauh·bei·nig**ᴬᴸᵀ *adj s.* **raubeinig Rau·heit** <-> [ˈraʊhaɪt] *f kein pl* ❶ (*Sprödigkeit*) roughness *no pl* ❷ (*Unwirtlichkeit*) harshness; *Gegend* bleakness **Rauh·fa·ser(·ta·pe·te)**ᴬᴸᵀ *f s.* **Raufasertapete Rauh·reif**ᴬᴸᵀ *m kein pl s.* **Raureif**

Raum <-[e]s, Räume> [raʊm, *pl* ˈrɔʏmə] *m* ❶ (*Zimmer*) room ❷ *kein pl* (*Platz*) room *no art,* space *no art;* **auf engstem ~** in a very confined space; **~** [**für etw** *akk*] **schaffen** to make room [for sth] ❸ *kein pl* PHYS space *no pl, no art* [outer] space *no pl, no art* ❹ GEOG (*Gebiet*) region, area; **im ~ Hamburg** in the Hamburg area ▶ **im ~** [**e**] **stehen** to be unresolved; **etw in den ~ stellen** to raise sth; **eine Hypothese/These in den ~ stellen** to put forward a hypothesis/theory

Raum·an·zug *m* spacesuit **Räum·dienst** *m* snow-clearing service **räu·men** [ˈrɔʏmən] **I.** *vt* ❶ (*entfernen*) to remove (**aus/von** from); **räum deine Unterlagen bitte vom Tisch** clear your papers off the table, please ❷ (*einsortieren*) ■ **etw in etw** *akk* **~** to put away *sep* sth in sth ❸ *Wohnung* to vacate; *Straße* to clear ❹ (*evakuieren*) ■ **geräumt werden** to be evacuated **II.** *vi* DIAL (*umräumen*) to rearrange things

Raum·fäh·re *f* space shuttle **Raum·fahrer(in)** *m(f)* (*veraltend*) *s.* **Astronaut Raum·fahrt** *f kein pl* space travel *no art;* (*einzelner Raumflug*) space flight; **bemannte/unbemannte ~** manned/unmanned space travel **Raum·fahrt·behör·de** *f* space agency

Räum·fahr·zeug *nt* bulldozer; (*für Schnee*) snowplough **Raum·flug** *m* ❶ (*Flug in den Weltraum*) space flight ❷ *kein pl* (*Raumfahrt*) space travel **Raum·for·schung** *f kein pl* space research *no pl* **Raum·ge·stal·tung** *f* interior design **Raum·in·halt** *m* MATH volume **Raum·kap·sel** *f* ❶ (*Kabine einer Raumfähre*) space capsule ❷ *s.* **Raumsonde**

räum·lich [ˈrɔʏmlɪç] **I.** *adj* ❶ (*den Raum betreffend*) spatial; **in großer ~er Entfernung** a long way away ❷ (*dreidimensional*) three-dimensional **II.** *adv* ❶ (*platzmäßig*) spatially; **~** [**sehr**] **beengt sein** to be [very] cramped for space ❷ (*dreidimensio-*

nal) three-dimensionally

Räum·lich·keit <-, -en> *f* ❶ *kein pl* (*räumliche Wirkung*) spatiality *no pl* ❷ *pl* (*geh: zusammengehörende Räume*) premises *pl*

Raum·par·füm [-parfy:m] *nt* room scent **Raum·pfle·ger(in)** *m(f)* cleaner **Raum·schiff** *nt* spaceship **Raum·son·de** *f* space probe **Raum·sta·ti·on** *f* space station

Räu·mung <-, -en> *f* ❶ (*das Freimachen eines Ortes*) *Kreuzung, Unfallstelle* clearing; *Wohnung* vacation; (*zwangsweise*) eviction ❷ (*Evakuierung*) evacuation

Räu·mungs·ar·bei·ten *pl* clearance operations *pl* **Räu·mungs·be·fehl** *m* eviction order **Räu·mungs·kla·ge** *f* action of ejectment **Räu·mungs·ver·kauf** *m* clearance sale

rau·nen ['raʊnən] *vi, vt* (*geh*) to murmur

Rau·pe <-, -n> ['raʊpə] *f* ❶ ZOOL caterpillar ❷ (*Planier~*) bulldozer

Rau·pen·fahr·zeug *nt* caterpillar® [vehicle]

Rau·reifRR *m kein pl* hoar frost

raus [raʊs] **I.** *interj* [get] out; **schnell ~ hier!** quick, get out of here! **II.** *adv* (*fam*) out; **Sie können da nicht ~** you can't get out that way; **aufmachen, ich will hier ~!** let me out of here!

raus|be·kom·men* *vt irreg* (*fam*) s. **herausbekommen raus|brin·gen** *vt irreg* (*fam*) ❶ (*äußern*) **kein Wort ~** to not [be able to] utter a word ❷ (*nach draußen bringen*) *Müll* to take out *sep*

Rausch <-[e]s, Räusche> [raʊʃ, *pl* 'rɔyʃə] *m* ❶ (*Trunkenheit*) intoxication; **einen ~ haben** to be drunk; **seinen ~ ausschlafen** to sleep it off; **sich** *dat* **einen ~ antrinken** to get drunk ❷ (*Ekstase*) ecstasy

rausch·arm *adj* TECH low-noise

rau·schen ['raʊʃn] *vi* ❶ *haben* (*anhaltendes Geräusch erzeugen*) *Wasser, Verkehr* to roar; (*sanft*) to murmur; *Baum, Blätter* to rustle; *Lautsprecher* to hiss; *Rock, Vorhang* to swish ❷ *sein* (*sich geräuschvoll bewegen*) *Wasser* to rush; *Vogelschwarm* to swoosh ❸ *sein* (*fam: zügig gehen*) to sweep (**aus** out of, **in** into)

rau·schend *adj* (*prunkvoll*) *Ballnacht, Fest* glittering; (*stark*) *Beifall* resounding

rausch·frei *adj* TELEK, MEDIA free of background noise; *CDs* hiss-free **Rausch·gift** *nt* drug **Rausch·gift·han·del** *m* drug trafficking **Rausch·gift·händ·ler(in)** <-s, -> *m(f)* drug dealer; (*international*) drug trafficker **Rausch·gift·**

sucht *f* drug addiction **rausch·gift·süch·tig** *adj* addicted to drugs *pred* **Rausch·gift·süch·ti·ge(r)** <-n, -n> *f(m)* drug addict

raus|e·keln ['raʊsʔe:kln] *vt* (*fam*) ▪**jdn** [**aus etw** *dat*] **~** to hound sb [out of sth]; (*durch Schweigeterror*) to freeze sb out *sep* [of sth] **raus|flie·gen** *vi irreg sein* (*fam*) ❶ (*hinausgeworfen werden*) **aus der Schule ~** to be chucked [*or* Am kicked] out of school; **aus einem Betrieb ~** to be given the boot ❷ (*weggeworfen werden*) to get chucked out **raus|ge·ben** *vt irreg* (*fam*) **Geld ~** to give change **raus|ge·hen** *vi irreg sein* (*fam*) to go out; *Fleck, Korken* to come out **raus|kom·men** *vi irreg* (*fam*) s. **herauskommen, hinauskommen raus|krie·gen** *vt* (*fam*) ▪**etw ~** to cotton on to sth; ▪**~, was/wer/wie/wo ...** to find out what/who/how/where ...; *Rätsel* to figure out *sep* **raus|neh·men** *vt, vr irreg* (*fam*) s. **herausnehmen**

räus·pern ['rɔyspɐn] *vr* ▪**sich ~** to clear one's throat

raus|rü·cken *vt* s. **herausrücken raus|schmei·ßen** *vt irreg* (*fam*) to chuck [*or* throw] out **Raus·schmei·ßer** <-s, -> *m* (*fam*) bouncer **Raus·schmiss**RR <-es, -e> *m*, **Raus·schmiß**ALT <-sses, -sse> *m* (*fam*) booting [*or* Am *usu* throwing] out; **mit dem ~ hat er rechnen müssen** he had to expect the boot

Rau·te <-, -n> ['raʊtə] *f* rhombus

Ra·ve <-[s], -s> [re:f] *nt* rave

Raz·zia <-, Razzien> ['ratsi̯a, *pl* -tsiən] *f* raid

Re·a·genz·glas *nt* test tube

re·a·gie·ren* [rea'gi:rən] *vi a.* CHEM to react (**auf** to, **mit** with)

Re·ak·ti·on <-, -en> [reak'tsi̯o:n] *f* reaction (**auf** to)

re·ak·ti·o·när [reaktsi̯o'nɛ:ɐ̯] **I.** *adj* (*pej*) reactionary **II.** *adv* in a reactionary way; **~ eingestellt sein** to be a reactionary

Re·ak·ti·ons·ver·mö·gen *nt kein pl* ability to react *no pl*

Re·ak·ti·ons·zeit *f* reaction time

re·ak·ti·vie·ren* [reakti'vi:rən] *vt* to recall **Re·ak·tor** <-s, -toren> [re'akto:ɐ̯, *pl* -'to:rən] *m* reactor

Re·ak·tor·kern *m* reactor core **Re·ak·tor·si·cher·heit** *f* reactor safety **Re·ak·tor·un·glück** *nt* reactor accident

re·al [re'a:l] **I.** *adj* real **II.** *adv* **ein ~ den·kender Mensch** a realistic thinker; ÖKON **in real terms**

Re·al·ein·kom·men *nt* real income

re·a·li·sier·bar *adj* realizable; **schwer ~e Pläne/Projekte** plans/projects that are hard to accomplish

re·a·li·sie·ren* [reali'ziːrən] *vt* to realize

Re·a·li·sie·rung <-, *selten* -en> *f* realization; *Idee, Plan* implementation

Re·a·lis·mus <-> [rea'lɪsmʊs] *m kein pl* realism *no pl*

Re·a·list(in) <-en, -en> [rea'lɪst] *m(f)* realist

re·a·lis·tisch [rea'lɪstɪʃ] *adj* realistic

Re·a·li·tät <-, -en> [reali'tɛːt] *f* ❶ (*Wirklichkeit*) reality ❷ *pl* (*Gegebenheiten*) facts ❸ *pl* ÖSTERR (*Immobilien*) real estate *no pl*

re·a·li·täts·fern *adj* unrealistic; *Person* out of touch with reality **re·a·li·täts·nah** *adj* realistic; *Person* in touch with reality **Re·a·li·täts·sinn** *m kein pl* sense of reality *no pl*

Re·a·li·ty-TV <-[s]> [ri'ɛliti-] *nt kein pl* reality TV *no pl*

Re·al·lohn *m* real wage

Re·al·schu·le *f* ≈ secondary modern school BRIT *hist*

Re·a·ni·ma·ti·on <-, -en> [reʔanima'tsi̯oːn] *f* resuscitation

re·a·ni·mie·ren* [reʔani'miːrɛn] *vt* to resuscitate

Re·be <-, -n> ['reːbə] *f* [grape]vine

Re·bell(in) <-en, -en> [re'bɛl] *m(f)* rebel

re·bel·lie·ren* [rebɛ'liːrən] *vi* to rebel (**gegen** against)

Re·bel·lin <-, -nen> *f fem form von* **Rebell**

Re·bel·li·on <-, -en> [rebɛ'li̯oːn] *f* rebellion; *Studenten* revolt

re·bel·lisch [re'bɛlɪʃ] *adj* rebellious

Reb·huhn ['rɛːphuːn] *nt* partridge **Reb·sor·te** *f* type of grape **Reb·stock** *m* vine

re·chen ['rɛçn] *vt* to rake

Re·chen <-s, -> ['rɛçn] *m* rake

Re·chen·art *f* type of arithmetic[al] calculation **Re·chen·auf·ga·be** *f* arithmetic[al] problem **Re·chen·buch** *nt* SCH (*veraltend*) arithmetic book **Re·chen·feh·ler** *m* arithmetic[al] error **Re·chen·ma·schi·ne** *f* calculator; (*Abakus*) abacus **Re·chen·ope·ra·ti·on** *f* MATH arithmetic operation

Re·chen·schaft <-> *f kein pl* account; **jdm** [**über etw** *akk*] **~ schulden** to be accountable to sb [for sth]; **jdn** [**für etw** *akk*] **zur ~ ziehen** to call sb to account [for sth]

Re·chen·schie·ber *m* slide rule **Re·chen·schritt** *m* INFORM calculation **Re·chen·zen·trum** *nt* computer centre

Re·cher·che <-, -en> [re'ʃɛrʃə] *meist pl f* investigation; **~n** [**über jdn/etw**] **anstellen** to investigate [sb/sth]

re·cher·chie·ren* [reʃɛr'ʃiːrən] *vi, vt* to investigate

rech·nen ['rɛçnən] **I.** *vt* ❶ (*mathematisch lösen*) to calculate ❷ (*zählen, messen*) to work out *sep;* **etw in Euro ~** to calculate sth in Euros ❸ (*veranschlagen*) to reckon; **wir müssen mindestens zehn Stunden ~** we must reckon on at least ten hours; **zu hoch/niedrig gerechnet sein** to be an over-/underestimate ❹ (*einbeziehen, miteinrechnen*) to include ❺ (*berücksichtigen*) to take into account ❻ (*einstufen, gehören*) to count (**zu/unter** among); **ich rechne sie zu meinen besten Freundinnen** I count her amongst my best [girl]friends **II.** *vi* ❶ (*Rechenaufgaben lösen*) to do arithmetic; **ich konnte noch nie gut ~** I was never any good at arithmetic; **falsch/richtig ~** to make a mistake [in one's calculations]/to calculate correctly ❷ (*sich verlassen*) **mit jdn/etw ~** to count on sb/sth ❸ (*einkalkulieren*) **mit etw** *dat* **~** to reckon on sth; **mit allem/dem Schlimmsten ~** to be prepared for anything/the worst; **für wann ~ Sie mit einer Antwort?** when do you expect an answer? ❹ (*fam: Haus halten*) to economize; **wir müssen mit jedem Cent ~** we have to watch every penny **III.** *vr* (*mit Gewinn zu kalkulieren sein*) **sich ~** to be profitable

Rech·ner <-s, -> *m* ❶ (*Taschenrechner*) calculator ❷ INFORM computer

rech·ner·ge·steu·ert *adj* INFORM computer-controlled **rech·ner·ge·stützt** *adj meist attr* computer-aided

rech·ne·risch I. *adj* arithmetic[al] **II.** *adv* ❶ (*kalkulatorisch*) arithmetically ❷ (*durch Rechnen*) by calculation; **rein ~** purely arithmetically

Rech·ner·si·mu·la·ti·on *f* computer simulation

Rech·nung <-, -en> *f* ❶ (*schriftliche Abrechnung*) bill, AM *also* check; **etw auf die ~ setzen** to put sth on the bill; [**jdm**] **etw in ~ stellen** to charge [sb] for sth; „**~ beiliegend**" "invoice enclosed"; **das geht auf meine ~** I'm paying for this ❷ (*Berechnung*) calculation; **die ~ stimmt nicht** the sum just doesn't work ▶ **die ~ ohne den Wirt machen** to fail to reckon with sb/sth; **mit jdm eine** [**alte**] **~ zu begleichen haben** to have a[n old] score to settle with sb

Rech·nungs·buch *nt* account[s] book **Rech·nungs·füh·rer**(in) <-s, -> *m(f)*

❶ (*Kassenwart*) treasurer ❷ (*Buchhalter*) bookkeeper **Rech·nungs·prü·fer(in)** <-s, -> *m(f)* auditor

recht [rɛçt] **I.** *adj* ❶ (*passend*) right ❷ (*richtig*) right; **ganz ~!** quite right! ❸ (*wirklich*) real ❹ (*angenehm*) ■**jdm ist etw ~** sth is all right with sb; **das soll mir ~ sein** that's fine by me; **dieser Kompromiss ist mir durchaus nicht ~** I'm not at all happy with this compromise; **ist Ihnen der Kaffee so ~?** is your coffee all right?; **ja, ja, ist schon ~!** (*fam*) yeah, yeah, OK! ❺ SCHWEIZ, SÜDD (*anständig*) decent; (*angemessen*) appropriate ▸ **nicht mehr als ~ und billig sein** to be only right and proper; **irgendwo nach dem Rechten sehen** to see that everything's all right somewhere **II.** *adv* ❶ (*richtig*) correctly; **höre ich ~?** am I hearing things?; **ich sehe doch wohl nicht ~** I must be seeing things; **versteh mich bitte ~** please don't misunderstand me ❷ (*genau*) really; **nicht ~ wissen** to not really know ❸ (*ziemlich*) rather; (*gehörig*) properly ❹ (*fam: gelegen*) **jdm gerade ~ kommen** to come just in time [for sb]; (*iron*) to be all sb needs; **man kann es nicht allen ~ machen** you cannot please everyone; **jdm ~ geschehen** to serve sb right ▸ **jetzt erst ~** now more than ever

Recht <-[e]s, -e> [rɛçt] *nt* ❶ *kein pl* (*Rechtsordnung*) law; **alle ~e vorbehalten** all rights reserved; **das ~ mit Füßen treten** to fly in the face of the law ❷ (*juristischer od. moralischer Anspruch*) right; **jds gutes ~ sein**, [etw zu tun] to be sb's [legal] right [to do sth]; **jdm ~ geben** to agree with sb; **~ haben** to be [in the] right; **ein ~ auf jdn/etw haben** to have a right to sb/sth; **von ~s wegen** (*fam*) by rights; **kein ~ haben, etw zu tun** to have no right to do sth; **im ~ sein** to be in the right ❸ (*Befugnis*) right; **was gibt Ihnen das ~, ...?** what gives you the right ...?; **mit welchem ~?** by what right?; **mit ~** rightly; **und das mit ~!** and rightly so!

rech·te(r, s) *adj attr* ❶ (*Gegenteil von linke*) right; **die ~ Seite** the right-hand side; **das ~ Fenster/Haus** the window/house on the right ❷ (*außen befindlich*) the right way round ❸ POL right[-wing] ❹ MATH **ein ~r Winkel** a right angle

Rech·te <-n, -n> ['rɛçtə] *f* ❶ (*rechte Hand*) right [hand]; **zu jds ~n** (*geh*) to sb's right ❷ POL **die ~** the right [*or* Right]; **ein Vertreter der radikalen ~n** a representative of the extreme right

Recht·eck <-[e]s, -e> *nt* rectangle **recht·**

eckig *adj* rectangular

rech·tens ['rɛçtn̩s] *adv* (*geh*) ■**~ sein** to be legal

recht·fer·ti·gen I. *vt* to justify (**gegenüber** to) **II.** *vr* (*sich verantworten*) ■**sich ~** to justify oneself

Recht·fer·ti·gung *f* justification

recht·gläu·big *adj* orthodox

recht·ha·be·risch *adj* (*pej*) dogmatic

recht·lich I. *adj* legal **II.** *adv* legally

recht·los *adj* without rights *pred*

recht·mä·ßig *adj* ❶ (*legitim*) lawful ❷ (*legal*) legal; **nicht ~** illegal

Recht·mä·ßig·keit <-> *f kein pl* ❶ (*Legitimität*) legitimacy ❷ (*Legalität*) legality

rechts [rɛçts] **I.** *adv* ❶ (*auf der rechten Seite*) on the right; **dein Schlüsselbund liegt ~ neben dir** your keys are just to your right; **etw ~ von etw** *dat* **aufstellen** to put sth to the right of sth; **~ oben/unten** at the top/bottom on the right; **nach ~** to the right; **von ~** from the right ❷ TRANSP (*nach rechts*) [to the] right; **~ abbiegen** to turn [off to the] right; **sich ~ einordnen** to get into the right-hand lane; **~ ranfahren** to pull over to the right; **halte dich ganz ~** keep to the right; **~ vor links** right before left ❸ POL right; **~ eingestellt sein** to lean to the right; **~ [von jdm/etw] stehen** to be on the right [of sb/sth] ❹ (*richtig herum*) the right way round ❺ (*beim Stricken*) **zwei ~, zwei links** knit two, purl two; **~ stricken** to knit plain ▸ **nicht mehr wissen, wo ~ und links ist** (*fam*) to not know whether one is coming or going **II.** *präp* ■**~ einer S.** *gen* to [*or* on] the right of sth

Rechts·ab·tei·lung *f* legal department

Rechts·an·spruch *m* legal right [*or* entitlement] **Rechts·an·walt, -an·wäl·tin** *m, f* lawyer, solicitor BRIT, attorney AM; (*vor Gericht*) barrister BRIT, lawyer AM; **sich** *dat* **einen ~ nehmen** to get a lawyer

Rechts·au·ßen <-, -> [rɛçts'?aʊsn̩] *m* ❶ FBALL right wing[er] ❷ POL (*fam*) extreme right-winger

Rechts·be·ra·tung *f* ❶ (*das Beraten*) legal advice *no pl, no indef art* ❷ (*Rechtsberatungsstelle*) legal advice *no pl, no art*

Rechts·bruch *m* breach of the law

rechts·bün·dig TYPO **I.** *adj* right justified **II.** *adv* with right justification

recht·schaf·fen ['rɛçtʃafn̩] **I.** *adj* ❶ (*redlich*) upright ❷ (*fam: ziemlich*) really **II.** *adv* ❶ (*redlich*) honestly ❷ (*fam: ziemlich*) really

Recht·schaf·fen·heit <-> *f kein pl* honesty *no pl,* uprightness *no pl*

Recht·schreib·feh·ler *m* spelling mistake
Recht·schreib·re·form *f* spelling reform
Recht·schrei·bung *f* spelling *no pl, no indef art*
Rechts·emp·fin·den *nt* sense of [what is] right and wrong
rechts·ex·trem *adj* extreme right-wing
Rechts·ex·tre·mis·mus <-> *m kein pl* right-wing extremism *no pl* **Rechts·ex·tre·mist(in)** *m(f)* right-wing extremist
rechts·ex·tre·mis·tisch *adj* right-wing extremist
rechts·fä·hig *adj präd* ~ **sein** to have legal capacity
Rechts·fall *m* JUR law [*or* court] case; **schwebender** ~ pending case **Rechts·fra·ge** *f* question of law
rechts·ge·rich·tet *adj* right-wing
Rechts·grund·la·ge *f* legal basis **rechts·gül·tig** *adj* legally valid
Rechts·hän·der(in) <-s, -> ['rɛçtshɛndɐ] *m(f)* right-hander; ~ **sein** to be right-handed
rechts·hän·dig ['rɛçtshɛndɪç] **I.** *adj* right-handed **II.** *adv* right-handed, with one's right hand
rechts·her·um ['rɛçtshɛrʊm] *adv* [round] to the right; **etw** ~ **drehen** to turn sth clockwise
rechts·kräf·tig I. *adj* legally valid; *Urteil* final **II.** *adv* with the force of law; **jdn** ~ **ver·urteilen** to pass a final sentence on sb
Rechts·kur·ve *f* right-hand bend; **eine** ~ **machen** to [make a] bend to the right
Rechts·la·ge *f* legal position **Rechts·mit·tel** *nt* means of legal redress **Rechts·mit·tel·be·leh·rung** *f* instruction on rights of redress **Rechts·nach·fol·ge** *m* legal succession **Rechts·ord·nung** *f* system of laws **Rechts·pfle·ge** *f* **Organe der** ~ law enforcement officers; ~ **ausüben** to administer justice
Recht·spre·chung <-, *selten* -en> *f kein pl* dispensation of justice
rechts·ra·di·kal I. *adj* extreme right-wing **II.** *adv* with extreme right-wing tendencies; ~ **eingestellt sein** to have a tendency to the far-right
rechts·rum ['rɛçtsrʊm] *adv* (*fam*) *s.* **rechtsherum**
Rechts·schutz *m* legal protection **Rechts·schutz·ver·si·che·rung** *f* legal costs insurance
rechts·sei·tig ['rɛçtszajtɪç] **I.** *adj* ~**e Arm·amputation** amputation of the right arm; ~**e Blindheit/Lähmung** blindness in the right eye/paralysis of the right side **II.** *adv* on the right side; ~ **gelähmt sein** to be

paralysed down the/one's right side
Rechts·si·cher·heit *f* legal security **Rechts·staat** *m* state under the rule of law **rechts·staat·lich** *adj* founded on the rule of law *pred* **Rechts·streit** *m* lawsuit **Rechts·ver·dre·her(in)** <-s, -> *m(f)* ❶ (*hum fam: Anwalt*) legal eagle *fam* ❷ (*pej: dubioser Rechtsanwalt*) shyster
Rechts·ver·kehr *m* driving on the right *no pl, no indef art*
Rechts·ver·let·zung *f* infringement of the law **Rechts·ver·ord·nung** *f* statutory instrument **Rechts·weg** *m kein pl* judicial process; **den** ~ **beschreiten** (*geh*) to take legal action **rechts·wid·rig** *adj* unlawful **rechts·wirk·sam** *adj* JUR legally effective, valid; **etw** ~ **machen** to validate sth **Rechts·wis·sen·schaft** *f kein pl* (*geh*) jurisprudence *no pl*
recht·win·ke·lig *adj,* **recht·wink·lig** *adj* right-angled
recht·zei·tig I. *adj* punctual **II.** *adv* on time; ~ **ankommen** to arrive just in time; **Sie hätten mich** ~ **informieren müssen** you should have told me in good time
Reck <-[e]s, -e> [rɛk] *nt* high bar
re·cken ['rɛkn̩] **I.** *vt* to stretch; **den Hals/ Kopf [nach oben]** ~ to crane one's neck [upwards] **II.** *vr* ■ **sich** ~ [to have a] stretch; **reck dich nicht so weit aus dem Fenster** don't lean so far out of the window
Re·cor·der <-s, -> [re'kɔrdɐ] *m* ❶ (*Kassetten*~) cassette recorder ❷ (*Video*~) video [recorder]
re·cy·celn* [ri'sajkl̩n] *vt* to recycle
re·cy·cle·bar [ri'sajkl̩baːɐ] *adj* recyclable
Re·cy·cling <-s> [ri'sajklɪŋ] *nt kein pl* recycling
Re·cy·cling·pa·pier [ri'sajklɪŋ-] *nt* recycled paper
Re·dak·teur(in) <-s, -e> [redak'tøːɐ] *m(f)* editor
Re·dak·ti·on <-, -en> [redak'tsi̯oːn] *f* ❶ (*redaktionelles Büro*) editorial department ❷ (*Mitglieder eines redaktionellen Büros*) editorial staff ❸ *kein pl* (*das Redigieren*) editing
re·dak·ti·o·nell [redaktsi̯o'nɛl] **I.** *adj* editorial; ~**e Bearbeitung** editing **II.** *adv* editorially; **etw** ~ **bearbeiten** to edit sth
Re·dak·ti·ons·schlussᴿᴿ *m* time of going to press
Re·dak·tor(in) <-s, -en> [re'dakto:ɐ] *m(f)* SCHWEIZ editor
Re·de <-, -n> ['re:də] *f* ❶ (*Ansprache*) speech; **eine** ~ **halten** to make a speech; **direkte/indirekte** ~ LING direct/indirect speech ❷ (*das [miteinander] Sprechen*)

talk; **wovon ist die ~?** what's it [all] about?; **von jdm/etw ist die ~** there is talk of sb/sth; **es war gerade von der die ~** we/they were just talking about you; **die ~ kam auf jdn/etw** *akk* the conversation turned to sb/sth ❸ *pl (Äußerungen)* language *no pl;* **das sind nur ~n** that's just talk ▶ **|jdm| |für etw** *akk*| **~ und Antwort stehen** to account [to sb] [for sth]; **jdn |für etw** *akk*| **zur ~ stellen** to take sb to task [for sth]; **der langen ~ kurzer Sinn** (*prov*) the long and the short of it; **langer Rede kurzer Sinn** (*fam*) in short; **nicht der ~ wert sein** to be not worth mentioning; **das ist doch nicht der ~ wert!** don't mention it!; **davon kann keine ~ sein** that's out of the question

re·de·faul *adj* uncommunicative **Re·de·flussᴿᴿ** *m kein pl* flow of words; **ich musste seinen ~ unterbrechen** I had to interrupt him in mid-flow **Re·de·frei·heit** *f kein pl* freedom of speech **re·de·ge·wandt** *adj* eloquent **Re·de·ge·wandt·heit** <-> *f kein pl* eloquence *no pl* **Re·de·kunst** *f kein pl* rhetoric *no pl*

re·den ['reːdn̩] **I.** *vi* ❶ *(sprechen)* to talk **(mit** to, **über** about); **so nicht mit sich ~ lassen** to not let oneself be talked to in such a way; **du hast gut ~** it's easy for you to talk; **mit jdm zu ~ haben** to need to speak to sb; **schlecht von jdm ~** to speak ill of sb ❷ *(sich unterhalten)* to talk; **über manche Themen wurde zu Hause nie geredet** some topics were never discussed at home; **~ wir nicht mehr davon** let's not talk about it any more ❸ *(eine Rede halten)* to speak **(über** about/on) ❹ *(ausdiskutieren, verhandeln)* to talk, to discuss; **darüber lässt sich ~** that's a possibility; **mit sich |über etw** *akk*| **~ lassen** *(sich umstimmen lassen)* to be willing to discuss [sth]; *(mit sich verhandeln lassen)* to be open to offers; **nicht mit sich |über etw** *akk*| **~ lassen** *(bei seiner Entscheidung bleiben)* to be adamant [about sth] ❺ *(sl: etw verraten, gestehen)* to talk **II.** *vt* ❶ *(sagen)* to talk; **ich möchte gerne hören, was ihr redet** I'd like to hear what you're saying ❷ *(klatschen)* ▪ **etw |über jdn/etw| ~** to say sth [about sb/sth]; **es wird über uns geredet** we're being talked about **III.** *vr* **sich in Rage/Wut ~** to talk oneself into a rage/fury; **sich in Begeisterung ~** to get carried away with what one is saying; **sich heiser ~** to talk oneself hoarse

Re·dens·art *f* expression; **das ist nur so eine ~** it's just a figure of speech; **eine**

feste ~ a stock phrase *also pej* **Re·de·recht** *nt kein pl* right to speak [out] **Re·de·schwall** <-[e]s> *m kein pl (pej)* torrent of words **Re·de·ver·bot** *nt* ban on speaking **Re·de·wei·se** *f* manner of speaking **Re·de·wen·dung** *f* idiom **re·di·gie·ren*** [rediˈgiːrən] *vt* to edit **red·lich** ['reːtlɪç] **I.** *adj* ❶ *(aufrichtig)* honest ❷ *(sehr groß)* real **II.** *adv* really **Red·lich·keit** <-> *f kein pl* honesty *no pl* **Red·ner(in)** <-s, -> ['reːdnɐ] *m(f)* speaker **Red·ner·pult** *nt* lectern **red·se·lig** ['reːtzeːlɪç] *adj* talkative **Red·se·lig·keit** <-> *f kein pl* talkativeness *no pl* **Re·duk·ti·on** <-, -en> [redʊkˈtsi̯oːn] *f (form)* reduction **re·dun·dant** [redʊnˈdant] *adj (geh)* redundant **Re·dun·danz** <-, -en> [redʊnˈdants] *f* LING redundancy *no pl* **re·du·zier·bar** *adj* ▪ **auf etw** *akk* **~ sein** to be reducible to sth **re·du·zie·ren*** [reduˈtsiːrən] *vt* to reduce **Re·du·zie·rung** <-, -en> *f* reduction; **eine ~ der Kosten** a reduction in costs **Ree·de·rei** <-, -en> [reːdəˈraɪ] *f* shipping company **re·ell** [reˈɛl] *adj* ❶ *(tatsächlich)* real ❷ *(anständig)* straight; *Angebot, Preis* fair; *Geschäft* sound **Re·fe·rat¹** <-[e]s, -e> [refeˈraːt] *nt* [seminar] paper; *(in der Schule)* project; **ein ~ |über jdn/etw| halten** to present a paper/project [on sb/sth] **Re·fe·rat²** <-[e]s, -e> [refeˈraːt] *nt* ADMIN department **Re·fe·ren·dar(in)** <-s, -e> [referɛnˈdaːɐ̯] *m(f)* candidate for a higher post in the civil service who has passed the first set of state examinations *(Staatsexamen) and is undergoing practical training* **Re·fe·ren·da·ri·at** <-[e]s, -e> [referɛnˈdaːriaːt] *nt* traineeship; SCH teacher training; JUR [time in] articles BRIT **Re·fe·ren·da·rin** <-, -nen> *f fem form von* **Referendar** **Re·fe·ren·dum** <-s, Referenden *o* Referenda> [refeˈrɛndʊm, *pl* -da] *nt* referendum **Re·fe·rent(in)** <-en, -en> [refeˈrɛnt] *m(f)* ❶ *(Berichterstatter)* speaker ❷ ADMIN head of an advisory department ❸ *(Gutachter)* examiner **Re·fe·renz** <-, -en> [refeˈrɛnts] *f* ❶ *meist pl (Beurteilung)* **gute ~en aufzuweisen haben** to have good references ❷ *(Person)* referee ❸ LING reference

re·fe·rie·ren* [refe'riːrən] *vi* to present a paper [*or* give a talk] (**über** on)

re·flek·tie·ren* [reflɛk'tiːrən] **I.** *vt* to reflect **II.** *vi* ❶ (*zurückstrahlen*) to reflect ❷ (*fam: interessiert sein*) ▪ **auf etw** *akk* ~ to be interested in sth ❸ (*geh: kritisch erwägen*) to reflect (**über** on/upon)

Re·flek·tor <-s, -toren> [re'flɛktoːɐ̯, *pl* -'toːrən] *m* reflector

Re·flex <-es, -e> [re'flɛks] *m* ❶ (*Nerven~*) reflex ❷ (*Licht~*) reflection

Re·flex·be·we·gung *f* reflex [movement]
Re·flex·hand·lung *f* reflex action

Re·fle·xi·on <-, -en> [reflɛ'ksi̯oːn] *f a.* PHYS reflection

re·fle·xiv [reflɛ'ksiːf] *adj* LING reflexive

Re·fle·xiv·pro·no·men *nt* reflexive pronoun **Re·fle·xiv·verb** *nt* reflexive verb

Re·form <-, -en> [re'fɔrm] *f* reform

Re·for·ma·ti·on <-> [refɔrma'tsi̯oːn] *f kein pl* ▪ **die** ~ the Reformation *no pl*

re·for·ma·to·risch [refɔrma'toːrɪʃ] *adj* reformatory

re·form·be·dürf·tig *adj* in need of reform *pred*

Re·for·mer(in) <-s, -> [re'fɔrmɐ] *m(f)* reformer

re·for·me·risch [re'fɔrmərɪʃ] *adj* reforming

Re·form·haus *nt* health food shop [*or* AM *usu* store]

re·for·mie·ren* [refɔr'miːrən] *vt* to reform
re·for·mis·tisch *adj* POL reformist
Re·form·kost *f* health food **Re·form·pro·zess**[RR] *m* reform process, process of reform

Re·frain <-s, -s> [re'frɛ̃ː, rə-] *m* refrain

Re·gal <-s, -e> [re'gaːl] *nt* shelves *pl*, shelving *no pl, no indef art*, rack; **etw aus dem** ~ **nehmen** to take sth off the shelf; **etw ins** ~ **zurückstellen** to put sth back on the shelf; **in/auf dem** ~ **stehen** to stand on the shelf

Re·gat·ta <-, Regatten> [re'gata, *pl* re'gatən] *f* regatta

re·ge ['reːgə] **I.** *adj* ❶ (*lebhaft*) lively; *Anteilnahme, Beteiligung* active ❷ (*wach*) ▪ **in jdm** ~ **werden** to be awakened in sb **II.** *adv* actively

Re·gel[1] <-, -n> ['reːgl̩] *f* rule; **sich** *dat* **etw zur** ~ **machen** to make a habit of sth; **in der** ~ as a rule ▸ **nach allen** ~**n der Kunst** with all the tricks of the trade

Re·gel[2] <-> ['reːgl̩] *f kein pl* (*Menstruation*) period

Re·gel·ar·beits·zeit *f* core time **Re·gel·blu·tung** *f* menstruation **Re·gel·fall** *m kein pl* rule; **im** ~ as a rule

re·gel·mä·ßig I. *adj* regular **II.** *adv* ❶ (*in gleichmäßiger Folge*) regularly ❷ (*immer wieder*) always

Re·gel·mä·ßig·keit <-> *f kein pl* regularity

re·geln ['reːgl̩n] **I.** *vt* ❶ (*in Ordnung bringen*) to settle; *Problem* to resolve ❷ (*festsetzen*) to arrange ❸ (*regulieren*) to regulate **II.** *vr* ▪ **sich** [**von selbst**] ~ to sort itself out

re·gel·recht ['reːgl̩rɛçt] **I.** *adj* real; *Frechheit* downright **II.** *adv* really; ~ **betrunken sein** to be well and truly plastered

Re·ge·lung <-, -en> ['reːgəlʊŋ] *f* ❶ (*festgelegte Vereinbarung*) arrangement; (*Bestimmung*) ruling ❷ *kein pl* (*das Regulieren*) regulation

Re·gel·werk *nt* set of rules and regulations

re·gel·wid·rig I. *adj* against the rules *pred* **II.** *adv* against the rules

Re·gel·wid·rig·keit *f* breach of the rules [*or* regulations]

re·gen ['reːgn̩] *vr* ▪ **sich** ~ to stir

Re·gen <-s, -> ['reːgn̩] *m* rain; **saurer** ~ acid rain; **bei/in strömendem** ~ in [the] pouring rain ▸ **vom** ~ **in die Traufe kommen** (*prov*) to jump out of the frying pan into the fire; **jdn im** ~ **stehen lassen** (*fam*) to leave sb in the lurch

Re·gen·bö(e) *f* rain squall

Re·gen·bo·gen *m* rainbow **Re·gen·bo·gen·pres·se** *f* gossip magazines *pl*

Re·gen·cape [-keːp] *nt* waterproof poncho

re·ge·ne·rie·ren* [regene'riːrən] **I.** *vr* ▪ **sich** ~ ❶ (*geh: sich erneuern*) to recuperate ❷ BIOL to regenerate **II.** *vt* TECH to reclaim

Re·gen·front *f* band of rain **Re·gen·man·tel** *m* raincoat **Re·gen·rin·ne** *f s.* **Dachrinne Re·gen·schau·er** *m* shower [of rain] **Re·gen·schirm** *m* umbrella

Re·gent(in) <-en, -en> [re'gɛnt] *m(f)* ruler; (*Vertreter des Herrschers*) regent

Re·gen·trop·fen *m* raindrop

Re·gent·schaft <-, -en> *f* ❶ (*Herrschaft*) reign ❷ (*Amtszeit*) regency

Re·gen·wald *m* rainforest **Re·gen·wet·ter** *nt* rainy weather **Re·gen·wurm** *m* earthworm **Re·gen·zeit** *f* rainy season

Re·gie <-, -n> [re'ʒiː, *pl* re'ʒiːən] *f* FILM, THEAT direction; RADIO production; [**bei etw** *dat*] **die** ~ **haben** to direct [sth] ▸ **in eigener** ~ off one's own bat BRIT, on one's own AM

Re·gie·an·wei·sung [re'ʒiː-] *f* stage direction **Re·gie·as·sis·tent(in)** *m(f)* assistant director

re·gie·ren* [reˈɡiːrən] *vi, vt* to rule (**über** over); *Monarch a.* to reign

Re·gie·rung <-, -en> [reˈɡiːrʊŋ] *f* POL ① (*Kabinett*) government ② (*Herrschaftsgewalt*) rule; **jdn an die ~ bringen** to put sb into power; **an der ~ sein** to be in power; **die ~ antreten** to take power [*or* office] **Re·gie·rungs·ab·kom·men** *nt* governmental agreement **Re·gie·rungs·be·zirk** *m* ≈ region BRIT, ≈ county AM (*primary administrative division of a Land*) **Re·gie·rungs·chef(in)** *m(f)* head of [a/the] government **Re·gie·rungs·er·klä·rung** *f* government statement **Re·gie·rungs·form** *f* form of government; **parlamentarische ~** parliamentary government **Re·gie·rungs·frak·ti·on** *f* POL party in government (*where a coalition of parties form the government*) **Re·gie·rungs·ko·a·li·ti·on** *f* government coalition **Re·gie·rungs·kri·se** *f* government crisis **re·gie·rungs·nah** *adj* close to the government *pred* **Re·gie·rungs·par·tei** *f* ruling party **Re·gie·rungs·rat** *m kein pl* SCHWEIZ canton government **Re·gie·rungs·spre·cher(in)** *m(f)* government spokesperson **Re·gie·rungs·wech·sel** *m* change of government **Re·gie·rungs·zeit** *f* term of office

Re·gime <-s, -s> [reˈʒiːm] *nt* (*pej*) regime

Re·gime·kri·ti·ker(in) *m(f)* dissident

Re·gi·ment¹ <-[e]s, -er> [reɡiˈmɛnt] *nt* MIL regiment

Re·gi·ment² <-[e]s, -e> [reɡiˈmɛnt] *nt* (*geh: Herrschaft*) rule

re·gime·treu [reˈʒiːm-] *adj* POL loyal to the regime *pred*

Re·gi·on <-, -en> [reˈɡi̯oːn] *f* region

re·gi·o·nal [reɡi̯oˈnaːl] I. *adj* regional II. *adv* regionally **Re·gi·o·nal·teil** *m* MEDIA local news section

Re·gis·seur(in) <-s, -e> [reʒɪˈsøːɐ̯] *m(f)* FILM, THEAT director; RADIO producer

Re·gis·ter <-s, -> [reˈɡɪstɐ] *nt* ① (*alphabetischer Index*) index ② (*amtliches Verzeichnis*) register ③ MUS register; (*einer Orgel*) stop ▸ **alle ~ ziehen** to pull out all the stops

Re·gis·tra·tur <-, -en> [reɡɪstraˈtuːɐ̯] *f* ① ADMIN records office ② (*Orgel*) stop

re·gis·trie·ren* [reɡɪsˈtriːrən] I. *vt* to register II. *vi* (*fam*) ■ **~, dass/wie ...** to register that ...

Re·gis·trier·kas·se *f* cash register

Re·gle·ment <-s, -s> [reɡləˈmãː] *nt* ① SPORT rules *pl* ② SCHWEIZ (*Vorschriften*) regulations *pl*

re·gle·men·tie·ren* [reɡlemɛnˈtiːrən] *vt*

(*geh*) ① (*genau regeln*) to regulate ② (*gängeln*) to regiment

Reg·ler <-s, -> [ˈreːɡlɐ] *m* ELEK regulator; AUTO governor

reg·los [ˈreːkloːs] *adj s.* **regungslos**

reg·nen [ˈreːɡnən] I. *vi impers* to rain; ■ **es regnet** it's raining II. *vt* ■ **etw ~** to rain down sth; **es regnet Beschwerden** complaints are pouring in

reg·ne·risch *adj* rainy

Re·gressRR <-es, -e> *m,* **Re·greß**ALT <-sses, -sse> [reˈɡrɛs] *m* recourse

Re·gres·si·on <-, -en> [reɡrɛˈsi̯oːn] *f* regression

re·gres·siv [reɡrɛˈsiːf] *adj* (*geh*) regressive

re·gress·pflich·tigRR *adj* liable for compensation

re·gu·lär [reɡuˈlɛːɐ̯] I. *adj* ① (*vorgeschrieben*) regular ② (*normal*) normal II. *adv* normally

re·gu·lier·bar *adj* adjustable

re·gu·lie·ren* [reɡuˈliːrən] I. *vt* ① (*einstellen*) to regulate ② *Bach, Fluss* to straighten II. *vr* ■ **sich (von) selbst ~** to regulate itself

Re·gu·lie·rung <-, -en> *f* ① (*Einstellung*) regulation ② (*Begradigung eines Gewässers*) straightening

Re·gu·lie·rungs·be·hör·de *f* regulatory authority

Re·gung <-, -en> *f* ① (*Bewegung*) movement ② (*Empfindung*) feeling; **menschliche ~** human emotion

re·gungs·los *adj* motionless; *Miene* impassive

Reh <-[e]s, -e> [reː] *nt* roe deer

Re·ha·bi·li·ta·ti·on <-, -en> [rehabilita'tsi̯oːn] *f* rehabilitation

Re·ha·bi·li·ta·ti·ons·zen·trum *nt* rehabilitation centre

re·ha·bi·li·tie·ren* [rehabiliˈtiːrən] *vt* to rehabilitate

Reh·bock *m* [roe]buck, stag **Reh·kitz** *nt* roe deer fawn **Reh·kuh** *f* doe (*of the roe deer*) **Reh·rü·cken** *m* KOCHK saddle of venison

Rei·bach <-s> [ˈraɪbax] *m kein pl* (*sl*) hefty profit; [**bei etw** *dat*] **einen ~ machen** to make a killing [at sth]

Rei·be <-, -n> [ˈraɪbə] *f* grater

Rei·be·ku·chen *m* KOCHK DIAL (*Kartoffelpuffer*) ≈ potato fritter BRIT, ≈ latke AM (*grated raw potatoes fried into a pancake*)

rei·ben <rieb, gerieben> [ˈraɪbn̩] I. *vt* ① (*über etw hin- und herfahren*) to rub (**auf** onto, **von** off) ② (*mit der Reibe zerkleinern*) to grate II. *vr* ① (*sich kratzen*) ■ **sich ~** to rub oneself (**an** on/against)

2 (*über etw hin- und herfahren*) **sich** *dat* **die Augen/Hände ~** to rub one's eyes/ hands; **sich** *dat* **die Haut/die Hände wund reiben** to chafe one's skin/hands **3** (*fig: sich mit jdm auseinandersetzen*) ■ **sich an jdm ~** to rub sb up the wrong way **III.** *vi* to rub (**an** on)

Rei·be·rei·en [r̪ai̯bəˈr̪ai̯ən] *pl* (*fam*) friction *no pl*

Reib·flä·che *f Streichholzschachtel* striking surface; *Reibe* scraping surface

Rei·bung <-, -en> *f* **1** *kein pl* PHYS friction **2** *pl s.* **Reibereien**

Rei·bungs·flä·che *f* **1** TECH frictional surface **2** (*Grund zur Auseinandersetzung*) source of friction

rei·bungs·los I. *adj* smooth **II.** *adv* smoothly

reich [r̪ai̯ç] **I.** *adj* **1** (*sehr wohlhabend*) rich, wealthy **2** (*in Fülle habend*) rich (**an** in); **~ an Erfahrung sein** to have a wealth of experience **3** (*viel materiellen Wert erbringend*) wealthy; (*viel ideellen Wert erbringend*) rich; *Erbschaft* substantial; **eine ~e Heirat** a good catch **4** (*kostbar*) costly; *Schmuck* expensive **5** (*ergiebig*) rich; *Ernte* abundant; *Ölquelle* productive; *Mahlzeit* lavish; *Haar* luxuriant **6** (*vielfältig*) wide; *Möglichkeiten* rich; *Auswahl, Wahl* large; *Bestände* copious; *Leben* varied **7** (*viel von etw enthalten*) rich **II.** *adv* **1** (*reichlich*) richly; **jdn ~ beschenken** to shower sb with presents **2** (*mit viel Gelderwerb verbunden*) **~ erben/heiraten** to come into/marry into money **3** (*reichhaltig*) richly

Reich <-[e]s, -e> [r̪ai̯ç] *nt* **1** (*Imperium*) empire; **das ~ Gottes** the Kingdom of God; **das Dritte ~** HIST the Third Reich; **das Großdeutsche ~** HIST the Greater German Reich; **das Römische ~** HIST the Roman Empire **2** (*Bereich*) realm

Rei·che(r) *f(m)* rich man *masc,* rich woman *fem*

rei·chen [ˈr̪ai̯çn] **I.** *vi* **1** (*aus~*) to be enough; **die Vorräte ~ noch Monate** the stores will last for months still **2** (*genug sein*) ■ **es reicht** it's enough; **muss es jetzt sein, reicht es nicht, wenn ich es morgen mache?** does it have to be now, won't tomorrow do? **3** (*überdrüssig sein*) ■ **etw reicht jdm** sth is enough for sb; **mir reicht's!** I've had enough!; **es hat ihm einfach gereicht** he had simply had enough; **langsam reicht es mir, wie du dich immer benimmst!** I'm beginning to get fed up with the way you always behave!; **jetzt reicht's** [mir] [aber]! [right,]

that's enough! **4** (*sich erstrecken*) ■ **bis zu etw** *dat/***über etw** *akk* **~** to reach to sth/over sth; **meine Ländereien ~ von hier bis zum Horizont** my estates stretch from here to the horizon **5** (*gelangen*) **wenn ich mich strecke, reiche ich mit der Hand gerade bis oben hin** if I stretch I can just reach the top; **ich reiche nicht ganz bis an die Wand** I can't quite reach the wall **II.** *vt* (*geh*) **1** (*geben*) ■ **jdm etw ~** to give [*or* pass] sb sth **2** (*zur Begrüßung*) ■ **sich** *dat* **die Hand ~** to shake hands **3** (*anbieten*) ■ [**jdm**] **etw ~** to serve [sb] sth

reich·hal·tig [ˈr̪ai̯çhaltɪç] *adj* **1** (*vielfältig*) wide; *Programm* varied **2** *Bibliothek, Sammlung, etc* well-stocked **3** (*üppig*) rich

reich·lich [ˈr̪ai̯çlɪç] **I.** *adj* large; *Belohnung* ample; *Trinkgeld* generous **II.** *adv* **1** (*überreich*) amply; **~ Geld/Zeit haben** to have plenty of money/time **2** (*fam: mehr als ungefähr*) over **3** (*ziemlich*) rather

Reichs·tag *m* **1** HIST (*vor 1871*) Imperial Diet **2** HIST (*1871-1945*) Reichstag **3** (*Gebäude in Berlin*) Reichstag

Reichs·tags·brand *m kein pl* HIST burning of the Reichstag

Reich·tum <-[e]s, Reichtümer> [ˈr̪ai̯çtuːm, *pl* -tyːmɐ] *m* **1** *kein pl* (*große Wohlhabenheit*) wealth; **zu ~ kommen** to get rich **2** *pl* (*materieller Besitz*) riches *npl* **3** *kein pl* (*Reichhaltigkeit*) wealth (**an/ von** of)

Reich·wei·te *f* range; **außerhalb/innerhalb der ~ einer S.** *gen* outside the range/within range of sth

reif [r̪ai̯f] *adj* **1** AGR, HORT ripe **2** (*ausgereift*) *a. Persönlichkeit* mature; **im ~en Alter von ...** at the ripe old age of ... **3** (*fam: im erforderlichen Zustand*) ■ **~ für etw** *akk* **sein** to be ready for sth

Reif¹ <-[e]s> [r̪ai̯f] *m kein pl* METEO hoar frost

Reif² <-[e]s, -e> [r̪ai̯f] *m* (*Arm~*) bracelet; (*Stirn~*) circlet

Rei·fe <-> [ˈr̪ai̯fə] *f kein pl* **1** (*das Reifen*) ripening; (*Reifezustand*) ripeness **2** (*Abschluss der charakterlichen Entwicklung*) maturity; **mittlere ~** SCH ≈ GCSEs BRIT, ≈ GED AM (*school-leaving qualification awarded to pupils leaving the 'Realschule' or year 10 of the 'Gymnasium'*)

rei·fen [ˈr̪ai̯fn] *vi sein* **1** AGR, HORT to ripen; BIOL to mature **2** (*sich entwickeln*) to mature (**zu** into)

Rei·fen <-s, -> [ˈr̪ai̯fn] *m* tyre

Rei·fen·druck *m* tyre pressure **Rei·fen·**

R

pan·ne *f* flat **Rei·fen·wech·sel** *m* tyre change

Rei·fe·prü·fung *f* SCH (*geh*) *s*. **Abitur**

reif·lich ['raɪflɪç] *adj* (*ausführlich*) thorough; **nach ~er Überlegung** after [very] careful consideration

Rei·gen <-s, -> ['raɪgn̩] *m* (*veraltend*) round dance

Rei·he <-, -n> ['raɪə] *f* ❶ (*fortlaufende Folge*) row; **arithmetische/geometrische ~** arithmetic[al]/geometric[al] series; **sich in ~n aufstellen** to form lines; **aus der ~ treten** to step out of the line; **außer der ~** out of [the usual] order; **der ~ nach** in order; **ich war jetzt an der ~!** I was next!; **jeder kommt an die ~** everyone will get a turn; **du bist an der ~** it's your turn ❷ (*Menge*) **eine ~ von zusätzlichen Informationen** a lot of additional information; **eine ganze ~ [von Personen]** a whole lot [of people]; **eine ganze ~ von Beschwerden** a whole string of complaints ❸ *pl* (*Gesamtheit der Mitglieder*) ranks *npl* ❹ (*Linie von Menschen*) line ▶ [mit etw] an der ~ sein to be next in line [for sth]; **etw auf die ~ kriegen** (*fam: etw kapieren*) to get sth into one's head; (*in Ordnung bringen*) to get sth together; **aus der ~ tanzen** to step out of line

rei·hen ['raɪən] **I.** *vr* ■ **sich an etw** *akk* **reihen** to follow [after] sth **II.** *vt* to string (**auf** on)

Rei·hen·fol·ge *f* order **Rei·hen·haus** *nt* terraced [*or* AM row] house **rei·hen·wei·se** *adv* ❶ (*in großer Zahl*) by the dozen ❷ (*nach Reihen*) in rows

Rei·her <-s, -> ['raɪə] *m* heron

rei·hern ['raɪən] *vi* (*sl*) to puke [up]

reih·um [raɪ'ʔʊm] *adv* in turn; **etw ~ gehen lassen** to pass sth round [*or* AM around]

Reim <-[e]s, -e> [raɪm] *m* ❶ (*End~*) rhyme ❷ *pl* (*Verse*) verse[s] ▶ **sich** *dat* **keinen ~ auf etw** *akk* **machen können** to not be able to make head or tail of sth

rei·men ['raɪmən] **I.** *vr, vt* ■ **sich ~** to rhyme (**auf/mit** with) **II.** *vt* ■ **etw ~** to rhyme sth **III.** *vi* to make up rhymes

re·im·por·tie·ren* *vt* to reimport

rein¹ [raɪn] *adv* (*fam*) **ich krieg das Paket nicht in die Tüte ~** I can't get the packet into the carrier bag; **„~ mit dir!"** "come on, get in!"

rein² [raɪn] **I.** *adj* ❶ (*absolut*) pure; *Blödsinn* sheer; *Unsinn* utter; *Wahrheit* plain; **das Kinderzimmer ist der ~ste Schweinestall!** the children's room is an absolute pigsty! ❷ (*ausschließlich*) purely ❸ (*unver-*

mischt) pure ❹ (*völlig sauber*) clean ❺ (*makellos*) clear ❻ MUS pure ▶ **etw [für jdn] ins R~e bringen** to clear up sth *sep* [for sb]; **mit sich** *dat* [selbst]/etw ins R~e kommen to get oneself/sth straightened out; **mit jdm/mit sich selbst im R~en sein** to have got things straightened out with sb/oneself; **etw ins R~e schreiben** to make a fair copy of sth **II.** *adv* ❶ (*ausschließlich*) purely ❷ MUS (*klar*) in a pure manner ❸ (*absolut*) absolutely

Rei·ne·ma·che·frau *f* cleaner BRIT, AM *also* cleaning lady; (*in großen Gebäuden*) custodian AM

Rein·er·lös *m s*. **Reingewinn**

Rein·fall ['raɪnfal] *m* (*fam*) disaster; **„so ein ~, nichts hat geklappt!"** "what a washout, nothing went right!"; **die neue Mitarbeiterin war ein absoluter ~** the new employee was a complete disaster

rein|fal·len *vi irreg sein* (*fam*) ❶ (*eine schwere Enttäuschung erleben*) to be taken in (**mit** by) ❷ (*herein-, hineinfallen*) to fall in; **„geh nicht zu nahe an den Brunnen, sonst fällst du womöglich rein!"** "don't go too close to the fountain, or you might fall in!"

Rein·ge·winn *m* net profit **Rein·hal·tung** *f kein pl* keeping clean

rein|hau·en *vi* (*fig fam*) to stuff oneself, to pig out; **hau rein!** tuck in! BRIT, dig in! AM

Rein·heit <-> ['raɪnhaɪt] *f kein pl* ❶ (*frei von Beimengungen*) purity *no pl* ❷ (*Sauberkeit*) cleanness *no pl*

rei·ni·gen ['raɪnɪgn̩] *vt* to clean

Rei·ni·ger ['raɪnɪgɐ] *m* cleanser

Rei·ni·gung <-, -en> *f* ❶ *kein pl* (*das Reinigen*) cleaning *no pl* ❷ (*Reinigungsbetrieb*) cleaner's; **die chemische ~** the dry cleaner's

Rei·ni·gungs·kraft *f* (*form*) cleaner **Rei·ni·gungs·milch** *f* cleansing milk *no pl* **Rei·ni·gungs·mit·tel** *nt* cleansing agent **Re·in·kar·na·ti·on** [reʔɪnkarnaˈtsi̯oːn] *f* reincarnation *no pl*

Rein·kul·tur *f* pure culture; **in ~** unadulterated

rein|le·gen *vt* (*fam*) ❶ (*hineinlegen*) ■ **etw ~** to put sth in sth ❷ (*hintergehen*) ■ **jdn ~** to take sb for a ride

rein·lich *adj* ❶ (*sauberkeitsliebend, sauber*) clean ❷ (*klar*) clear

Rein·ma·che·frau *f s*. **Reinemachefrau** **rein·ras·sig** *adj* thoroughbred

rein|rei·ten *vt irreg* (*fam*) ■ **jdn ~** to drop sb in it

rein|schnei·en *vi sein o haben* (*fam*) ❶ (*schneien*) **es schneit rein** the

snow's coming in ❷ (*hineingehen*) ■ |**ir-gendwo**| ~ to drop in |somewhere|
Rein·schrift *f* fair copy
Re·in·te·gra·ti·on <-, -en> [reʔ integrat-si̯o:n] *f* (*geh*) reintegration
rein|wür·gen *vt* ❶ (*fam:* *widerwillig essen*) ~ to force down ❷ (*fig*) **jdm eine|n| ~** to teach sb a lesson
rein|zie·hen *vr irreg* (*sl*) ❶ (*konsumieren*) ■ **sich** *dat* **etw ~**: **ich ziehe mir erst mal ein kaltes Bierchen rein** the first thing I'm going to do is have a cold beer ❷ (*ansehen*) to watch sth
Reis <-es, -e> [ʀa̯is] *m* AGR, BOT rice *no pl*
Rei·se <-, -n> ['ʀa̯izə] *f* journey; **gute ~!** have a good trip!; **auf ~n gehen** to travel; **eine ~ machen** to go on a journey
Rei·se·an·den·ken *nt* souvenir **Rei·se·apo·the·ke** *f* first aid kit **Rei·se·bü·ro** *nt* travel agency **Rei·se·bus** *m* coach **rei·se·fer·tig** *adj* ready to go **Rei·se·fie·ber** *nt kein pl* travel nerves *npl* **Rei·se·füh·rer** *m* travel guide[book] **Rei·se·füh·rer(in)** *m(f)* courier, guide **Rei·se·ge·päck** *nt* luggage **Rei·se·ge·sell·schaft** *f*, **Rei·se·grup·pe** *f* party of tourists **Rei·se·kos·ten** *pl* travelling expenses *pl* **Rei·se·krank·heit** *f kein pl* travel sickness *no pl* **Rei·se·land** *nt* holiday destination **Rei·se·lei·ter(in)** *m(f)* guide
rei·sen ['ʀa̯izn̩] *vi sein* ❶ (*fahren*) to travel ❷ (*ab~*) to leave
Rei·sen·de(r) *f(m)* passenger
Rei·se·pass[RR] *m* passport **Rei·se·pro·spekt** *m* travel brochure **Rei·se·rou·te** *f* itinerary **Rei·se·ruf** *m* SOS call to a motorists' association issued by drivers experiencing problems while on the road **Rei·se·scheck** *m* ❶ (*bargeldloses Zahlungsmittel*) traveller's cheque BRIT, traveler's check AM ❷ (*hist: Berechtigung zu einer Ferienreise*) certificate issued in the GDR, authorizing the travel to a designated place **Rei·se·ta·sche** *f* holdall **Rei·se·ver·an·stal·ter(in)** *m(f)* tour operator **Rei·se·ver·kehr** *m kein pl* holiday traffic *no pl* **Rei·se·ver·kehrs·kauf·mann, -kauf·frau** *m, f* travel agent **Rei·se·ver·si·che·rung** *f* travel insurance **Rei·se·wel·le** *f* stream of holiday traffic **Rei·se·wet·ter·be·richt** *m* holiday weather forecast **Rei·se·zeit** *f* holiday period **Rei·se·ziel** *nt* destination
Reis·feld *nt* paddy [field]
Rei·sig <-s> ['ʀa̯izɪç] *nt kein pl* brushwood *no pl*
Reiß·aus [ʀa̯is'ʔa̯us] *m* |**vor jdm/etw**| ~

nehmen to run away |from sb/sth|
Reiß·brett *nt* drawing-board
rei·ßen <riss, gerissen> ['ʀa̯isn̩] **I.** *vi* ❶ *sein* (*trennen*) *Seil, Faden* to break; *Papier, Stoff* to tear; **das Seil riss unter dem Gewicht** the rope broke under the weight ❷ *sein* (*rissig werden*) to crack ❸ *haben* (*zerren*) to tug [*or* pull]; **an seiner Leine ~** *Hund* to strain at its lead; **an den Nerven ~** (*fig*) to be nerve-racking ❹ *haben* SPORT (*hochstemmen*) to snatch **II.** *vt* ❶ (*trennen*) *Seil, Faden* to break; *Papier, Stoff* to tear; **etw in Fetzen/Stücke ~** to tear sth to shreds/pieces; **ich hätte mich in Stücke ~ können** (*fig fam*) I could have kicked myself ❷ (*Risse erzeugen*) to crack ❸ (*hervorrufen*) **die Bombe riss einen Trichter in das Feld** the bomb left a crater in the field; **ein Loch in jds Ersparnisse ~** (*fig fam*) to make a hole in sb's savings ❹ (*wegziehen*) ■ **etw von etw** *dat* ~ *Ast, Bauteil* to break sth off sth; *Papier, Stoff* to tear sth off sth ❺ (*entreißen*) ■ **etw von jdm ~** to snatch sth from sb; **sich die Kleider vom Leib ~** to tear off *sep* one's clothes ❻ (*stoßen*) **der Wind riss sie zu Boden** the wind threw her to the ground; **sie wurde in den Sog gerissen** she was pulled into the current ❼ (*unterbrechen*) **jdn aus seinen Gedanken ~** to break in on sb's thoughts ❽ (*zerren*) to pull ❾ (*töten*) **ein Tier ~** to kill an animal ❿ (*bemächtigen*) ■ **etw an sich ~** to seize sth ⓫ (*fam: machen*) **einen Witz ~** to crack a joke ⓬ SPORT (*umwerfen*) **ein Hindernis ~** to knock down *sep* a fence ⓭ SPORT (*hochstemmen*) to snatch **III.** *vr haben* ❶ (*verletzen*) ■ **sich ~** to cut oneself ❷ (*befreien*) ■ **sich von etw** *dat* ~ to tear oneself from sth ❸ (*fam: bemühen*) ■ **sich um jdm/etw ~** to scramble to get/see sb/sth; **um diese Arbeit reiße ich mich nicht** I am not keen to get this work
rei·ßend *adj* ❶ (*Fluss*) raging ❷ (*Tier*) rapacious ❸ (*fam*) **die neuen Videospiele finden ~en Absatz** the new video games are selling like hot cakes
Rei·ßer <-s, -> *m* (*fam*) ❶ (*Buch/Film*) thriller ❷ (*Verkaufserfolg*) big seller
rei·ße·risch **I.** *adj* sensational **II.** *adv* sensationally
reiß·fest *adj* tearproof **Reiß·lei·ne** *f* ripcord **Reiß·ver·schluss**[RR] *m* zip BRIT, zipper AM **Reiß·ver·schluss·prin·zip**[RR] *nt kein pl* principle of alternation **Reiß·wolf** *m* ❶ (*Gerät zum Zerkleinern*) devil ❷ (*Aktenvernichter*) shredder **Reiß·zwe·cke** <-, -n> *f* drawing pin

Reit·bahn f arena

rei·ten <ritt, geritten> ['rajtn̩] **I.** vi sein to ride; **bist du schon mal geritten?** have you ever been riding?; **bist du schon mal auf einem Pony geritten?** have you ever ridden a pony?; **im Galopp/Trab** ~ to gallop/trot **II.** vt haben to ride; **sie ritten einen leichten Trab** they rode at a gentle trot

Rei·ter(in) <-s, -, -nen> ['rajte] m(f) rider

Rei·te·rin <-, -nen> f fem form von **Reiter**

Rei·ter·stand·bild nt equestrian statue

Reit·ger·te f riding whip **Reit·ho·se** f jodhpurs pl **Reit·peit·sche** f riding crop **Reit·pferd** nt mount **Reit·schu·le** f riding school **Reit·stie·fel** m riding-boot **Reit·tier** nt mount **Reit·weg** m bridle-path

Reiz <-es, -e> [rajts] m **①** (Verlockung) appeal; **[auf jdn] einen bestimmten ~ ausüben** to hold a particular attraction [for sb]; **[für jdn] den ~ verlieren** to lose its appeal [for sb] **②** (Stimulus) stimulus **③** pl (sl: nackte Haut) charms npl

reiz·bar adj irritable

Reiz·bar·keit <-> f kein pl irritability no pl

rei·zen ['rajtsn̩] **I.** vt **①** (verlocken) to tempt **②** MED to irritate **③** (provozieren) to provoke (**zu** into) **II.** vi **①** (herausfordern) **▪ zu etw** dat ~ to invite sth; **der Anblick reizte zum Lachen** what we saw made us laugh **②** MED to irritate; **zum Husten ~** to make one cough **③** KARTEN to bid

rei·zend adj **①** (attraktiv) attractive **②** (iron) charming

Reiz·kli·ma nt **①** MED, METEO bracing climate **②** (konfliktgeladene Atmosphäre) tense atmosphere

reiz·los adj dull

Reiz·the·ma nt emotive subject **Reiz·über·flu·tung** f overstimulation no pl **Rei·zung** <-, -en> f irritation

reiz·voll adj attractive

Reiz·wä·sche f kein pl (fam) sexy underwear no pl **Reiz·wort** <-wörter> nt emotive word

re·ka·pi·tu·lie·ren* [rekapitu'li:rən] vt (geh) to recapitulate

re·keln ['re:kl̩n] vr **▪ sich** ~ to stretch out **Re·kla·ma·ti·on** <-, -en> [reklama'tsi̯o:n] f complaint

Re·kla·me <-, -n> [re'kla:mə] f **①** (Werbeprospekt) advertising brochure **②** (veraltend: Werbung) advertising no pl

Re·kla·me·schild nt advertising sign **Re·kla·me·ta·fel** f advertisement hoarding Brit, billboard Am

re·kla·mie·ren* [rekla'mi:rən] **I.** vi **▪ [bei**

jdm] ~ to make a complaint [to sb] (**wegen** about) **II.** vt **▪ etw** ~ **①** (bemängeln) to complain about sth **②** (geh: beanspruchen) to claim sth **③** (geh: in Anspruch nehmen) **▪ etw für sich** akk ~ to lay claim to sth

re·kon·stru·ie·ren* [rekɔnstru'i:rən] vt **①** (a. fig: nachbilden) to reconstruct (**aus** from) **②** Gebäude to renovate

Re·kon·struk·ti·on [rekɔnstrʊk'tsi̯o:n] f **①** kein pl (a. fig: das Nachbilden) reconstruction no pl **②** (Modernisierung) renovation

Re·kon·va·les·zenz <-> [rekɔnvalɛs-'tsɛnts] f kein pl (geh) convalescence no pl

Re·kord <-s, -e> [re'kɔrt] m record; **die Besucherzahlen stellten alle bisherigen ~e in den Schatten** the number of visitors has beaten all previous records

Re·kor·der <-s, -> [re'kɔrdɐ] m **①** (Kassetten~) cassette recorder **②** (Video~) video [recorder]

Re·kord·hal·ter(in) <-s, -> m(f) record-holder **Re·kord·zeit** f record time

Re·krut(in) <-en, -en> [re'kru:t] m(f) recruit

re·kru·tie·ren* [rekru'ti:rən] **I.** vt to recruit **II.** vr **▪ sich aus etw** dat ~ to consist of sth

Re·kru·tie·rung <-, -en> f recruitment no pl

Re·kru·tin <-, -nen> f fem form von **Rekrut**

Rek·tor, Rek·to·rin <-s, -toren> ['rɛkto:ɐ̯, rɛk'to:rɪn, pl -'to:rən] m, f SCH **①** einer Hochschule vice-chancellor Brit, president Am **②** einer Schule head teacher Brit, principle Am

Rek·to·rat <-[e]s, -e> [rɛkto'ra:t] nt **①** (Amtsräume: Universität) vice-chancellor's [or Am vice-president's] office; (Schule) head teacher's study Brit, principle's office Am **②** (Amtszeit: Universität) vice-chancellor's [or Am vice-president's] term of office; (Schule) headship Brit

Rek·to·rin <-, -nen> f fem form von **Rektor**

Re·kul·ti·vie·rung <-, -en> f recultivation **Re·la·ti·on** <-, -en> [rela'tsi̯o:n] f (geh) **①** (Verhältnismäßigkeit) proportion; **in ~ zu etw** dat **stehen** to be proportional to sth; **in keiner ~ zu etw** dat **stehen** to bear no relation to sth **②** (wechselseitige Beziehung) relationship

re·la·tiv [rela'ti:f] adj relative

re·la·ti·vie·ren* [relati'vi:rən] (geh) **I.** vt to qualify **II.** vi to think in relative terms

Re·la·ti·vi·tät <-, -en> [relativi'tɛːt] *meist sing f(geh)* relativity
Re·la·ti·vi·täts·the·o·rie <-> *f kein pl*
■ **die** ~ the theory of relativity
Re·la·tiv·pro·no·men *nt* relative pronoun
Re·la·tiv·satz *m* relative clause
re·laxed [ri'lɛkst] *adv* chilled [out]
re·la·xen* [ri'lɛksn] *vi* to relax
Re·le·ga·ti·ons·spiel [relega'tsi̯oːns-] *nt* SPORT relegation match
re·le·vant [rele'vant] *adj (geh)* relevant
Re·le·vanz <-> [rele'vants] *f kein pl (geh)* relevance *no pl*
Re·li·ef <-s, -s *o* -e> [re'li̯ɛf] *nt* ❶ KUNST relief ❷ (*plastische Nachbildung*) plastic relief model
Re·li·gi·on <-, -en> [reli'gi̯oːn] *f* religion
Re·li·gi·ons·aus·ü·bung *f* religious practise **Re·li·gi·ons·frei·heit** *f* freedom *no pl* of worship **Re·li·gi·ons·ge·mein·schaft** *f* religious community **re·li·gi·ons·los** *adj* unreligious **Re·li·gi·ons·zu·ge·hö·rig·keit** <-, -en> *f meist sing* denomination
re·li·gi·ös [reli'gi̯øːs] I. *adj* religious II. *adv* ❶ (*im Sinne einer Religion*) in a religious manner ❷ (*mit religiösen Gründen*) for religious reasons
Re·li·gi·o·si·tät <-> [religi̯ozi'tɛːt] *f kein pl* religiousness *no pl*
Re·likt <-[e]s, -e> [re'lɪkt] *nt (geh)* relic
Re·ling <-, -s *o* -e> [ˈreːlɪŋ] *f* rail
Re·li·quie <-, -n> [re'liːkvi̯ə] *f* relic
Re·make <-s, -s> [ri'meːk, 'riːmeːk] *nt* remake
re·mis [rə'miː] *adj* SCHACH drawn
Rem·mi·dem·mi <-s> ['rɛmi'dɛmi] *nt kein pl (veraltend sl)* racket *no pl*
Re·mou·la·de <-, -n> [remu'laːdə] *f,* **Re·mou·la·den·so·ße** *f* tartar sauce
rem·peln ['rɛmpln] I. *vi (fam)* to jostle II. *vt* SPORT to push
Re·nais·sance <-, -en> [rənɛ'sãːs] *f* ❶ *kein pl* KUNST, HIST Renaissance *no pl* ❷ (*geh: Wiederbelebung*) renaissance
Ren·dez·vous <-, -> [rãde'vuː, 'rãːdevu] *nt* rendezvous *also hum*
Ren·di·te <-, -n> [rɛn'diːtə] *f* return
re·ni·tent [reni'tɛnt] *adj (geh)* awkward
Renn·bahn *f* racetrack
ren·nen <rannte, gerannt> ['rɛnən] I. *vi sein* ❶ (*schnell laufen*) to run ❷ (*fam: hingehen*) ■ **zu jdm** ~ to run [off] to sb ❸ (*stoßen*) ■ **an/gegen/vor etw** *akk* ~ to bump into sth; **sie ist mit dem Kopf vor einen Dachbalken gerannt** she banged her head against a roof joist II. *vt* ❶ *sein o haben* SPORT to run ❷ *haben (stoßen)* **er**

rannte mehrere Passanten zu Boden he knocked several passers-by over; **er rannte ihm ein Schwert in den Leib** he ran a sword into his body
Ren·nen <-s, -> ['rɛnən] *nt* race; **gut/ schlecht im** ~ **liegen** to be well/badly placed; *(fig)* to be in a good/bad position ▶ **das** ~ **ist gelaufen** *(fam)* the show is over; [**mit etw** *dat*] **das** ~ **machen** to make the running [with sth]; **jdn ins** ~ **schicken** to put forward *sep* sb
Ren·ner <-s, -> ['rɛnɐ] *m (fam)* big seller
Renn·fah·rer(in) *m(f)* ❶ (*Autorennen*) racing driver BRIT, racecar driver AM ❷ (*Radrennen*) racing cyclist **Renn·pferd** *nt* racehorse **Renn·rad** *nt* racing bike **Renn·sport** *m* ❶ (*Motorrennen*) motor racing *no pl* ❷ (*Radrennsport*) cycle racing ❸ (*Pferderennsport*) horse racing **Renn·stre·cke** *f* racetrack **Renn·wa·gen** *m* racing [*or* AM race] car
Re·nom·mee <-s, -s> [renɔ'meː] *nt (geh)* reputation (**von** of)
re·nom·miert *adj (geh)* renowned
re·no·vie·ren* [reno'viːrən] *vt* to renovate
Re·no·vie·rung <-, -en> *f* renovation
ren·ta·bel [rɛn'taːbl̩] I. *adj* profitable II. *adv* profitably
Ren·ta·bi·li·tät <-> [rɛntabili'tɛːt] *f kein pl* profitability *no pl*
Ren·te <-, -n> ['rɛntə] *f* ❶ (*Altersruhegeld*) pension; **in** ~ **gehen** to retire ❷ (*regelmäßige Geldzahlung*) annuity
Ren·ten·al·ter *nt* retirement age **Ren·ten·an·spruch** *m* right to a pension **Ren·ten·bei·trag** *m* pension contribution **Ren·ten·po·li·tik** *f kein pl* pensions policy, pension plans *pl* **Ren·ten·ver·si·che·rung** *f* pension scheme BRIT, retirement insurance AM
Ren·tier [rɛn'ti̯eː] *nt* reindeer
ren·tie·ren* [rɛn'tiːrən] *vr* ■ **sich** ~ to be worthwhile
Rent·ner(in) <-s, -> *m(f)* pensioner
Rep <-s, -s> [rɛp] *m kurz für* **Republikaner** republican (*member of the German right-wing Republican Party*)
re·pa·ra·bel [repa'raːbl̩] *adj* repairable
Re·pa·ra·ti·on <-, -en> [reparaˈtsi̯oːn] *f* reparations *pl*
Re·pa·ra·tur <-, -en> [repara'tuːɐ̯] *f* repair; **etw in** ~ **geben** to have sth repaired **re·pa·ra·tur·an·fäl·lig** *adj* prone to breaking down *pred* **re·pa·ra·tur·be·dürf·tig** *adj* in need of repair *pred* **Re·pa·ra·tur·kos·ten** *pl* repair costs *pl* **Re·pa·ra·tur·werk·statt** *f* ❶ (*Werkstatt*) repair workshop ❷ AUTO garage

re·pa·rie·ren* [repa'riːrən] *vt* to repair

Re·per·toire <-s, -s> [repɛr'toaːɐ̯] *nt* repertoire

Re·port <-[e]s, -e> [re'pɔrt] *m* report

Re·por·ta·ge <-, -n> [repɔr'taːʒə] *f* report; (*live*) live coverage

Re·por·ter(in) <-s, -> [re'pɔrtɐ] *m(f)* reporter

Re·prä·sen·tant(in) <-en, -en> [reprɛzɛn'tant] *m(f)* representative

Re·prä·sen·ta·ti·on <-, -en> [reprɛzɛnta'tsi̯oːn] *f* representation

re·prä·sen·ta·tiv [reprɛzɛnta'tiːf] **I.** *adj* ❶ (*aussagekräftig*) representative ❷ (*etwas Besonderes darstellend*) prestigious **II.** *adv* imposingly

Re·prä·sen·ta·tiv·um·fra·ge *f* representative survey

re·prä·sen·tie·ren* [reprɛzɛn'tiːrən] **I.** *vt* to represent **II.** *vi* to perform official and social functions

Re·pres·sa·lie <-, -n> [reprɛ'saːli̯ə] *f* (*geh*) reprisal *usu pl*

re·pres·siv [reprɛ'siːf] *adj* (*geh*) repressive

Re·pro·duk·ti·on <-, -en> [reproduk'tsi̯oːn] *f* reproduction

re·pro·du·zie·ren* [reprodu'tsiːrən] *vt* to reproduce

Rep·til <-s, -ien> [rɛp'tiːl, *pl* -li̯ən] *nt* reptile

Re·pub·lik <-, -en> [repu'bliːk] *f* republic

Re·pub·li·ka·ner(in) <-s, -> [republi'kaːnɐ] *m(f)* ❶ (*in den USA*) Republican ❷ (*in Deutschland*) member of the German Republican Party

re·pub·li·ka·nisch [republi'kaːnɪʃ] *adj* republican

Re·qui·em <-s, Requiem> ['reːkvi̯ɛm, *pl* -vi̯ən] *nt* requiem

Re·qui·sit <-s, -en> [rekvi'ziːt] *nt* ❶ (*geh: Zubehör*) accessory ❷ THEAT prop

Re·qui·si·teur(in) <-s, -e> [rekvizi'tøːɐ̯] *m(f)* THEAT, FILM props master *masc* [*or fem* mistress]

Re·ser·vat <-[e]s, -e> [rezɛr'vaːt] *nt* reservation

Re·ser·ve <-, -n> [re'zɛrvə] *f* ❶ (*Rücklage*) reserve ❷ (*Zurückhaltung*) reserve; **jdn [durch/mit etw** *dat*] **aus der ~ locken** to bring sb out of his/her shell [with sth]

Re·ser·ve·ka·nis·ter *m* spare can **Re·ser·ve·rad** *nt* spare wheel **Re·ser·ve·rei·fen** *m* spare tyre **Re·ser·ve·spie·ler(in)** *m(f)* substitute

re·ser·vie·ren* [rezɛr'viːrən] *vt* to reserve

Re·ser·vie·rung <-, -en> *f* reservation

Re·ser·vist(in) <-en, -en> [rezɛr'vɪst] *m(f)* reservist

Re·ser·voir <-s, -e> [rezɛr'voaːɐ̯] *nt* (*geh*) ❶ (*Vorrat*) store ❷ (*Becken*) reservoir

Re·si·denz <-, -en> [rezi'dɛnts] *f* ❶ (*repräsentativer Wohnsitz*) residence ❷ HIST royal seat

re·si·die·ren* [rezi'diːrən] *vi* (*geh*) to reside

Re·sig·na·ti·on <-, selten -en> [rezɪgna'tsi̯oːn] *f* (*geh*) resignation

re·sig·nie·ren* [rezɪ'gniːrən] *vi* (*geh*) to give up

re·sis·tent [rezɪs'tɛnt] *adj* resistant (**gegen** to)

re·so·lut [rezo'luːt] **I.** *adj* resolute **II.** *adv* resolutely

Re·so·lu·ti·on <-, -en> [rezolu'tsi̯oːn] *f* resolution

Re·so·nanz <-, -en> [rezo'nants] *f* ❶ (*geh: Entgegnung*) response (**auf** to) ❷ MUS resonance *no pl*

re·so·zi·a·li·sie·ren* [rezotsi̯ali'ziːrən] *vt* ▪ **jdn ~** to reintegrate sb into society

Re·so·zi·a·li·sie·rung <-, -en> *f* reintegration *no pl* into society

Re·spekt <-s> [re'spɛkt, rɛ-] *m kein pl* respect *no pl;* **voller ~** respectful; **vor jdm/etw ~ haben** to have respect for sb/sth; **sich** *dat* **[bei jdm] ~ verschaffen** to earn [sb's] respect; **bei allem ~!** with all due respect!

re·spek·ta·bel [respɛk'taːbl̩, rɛ-] *adj* ❶ (*beachtlich*) considerable ❷ (*zu respektieren*) estimable ❸ (*ehrbar*) respectable

re·spek·tie·ren* [respɛk'tiːrən, rɛ-] *vt* to respect

re·spek·ti·ve [respɛk'tiːvə, rɛ-] *adv* (*geh*) or rather

re·spekt·los *adj* disrespectful

Re·spekt·lo·sig·keit <-, -en> *f* ❶ *kein pl* (*respektlose Art*) disrespect *no pl* ❷ (*respektlose Bemerkung*) disrespectful comment

Re·spekts·per·son *f* person commanding respect

re·spekt·voll *adj* respectful

Res·sen·ti·ment <-s, -s> [rɛsãti'mãː] *nt* (*geh*) resentment *no pl*

Res·sort <-s, -s> [rɛ'soːɐ̯] *nt* ❶ (*Zuständigkeitsbereich*) area of responsibility ❷ (*Abteilung*) department

Res·sour·ce <-, -n> [rɛ'sʊrsə] *f* ❶ (*Bestand an Geldmitteln*) resources *npl* ❷ (*natürlich vorhandener Bestand*) resource; *Energie* reserves *pl*

Rest <-[e]s, -e *o* SCHWEIZ *a.* -en> [rɛst] *m* ❶ (*Übriggelassenes*) rest; *Essen* leftovers *npl;* **~ e machen** NORDD to finish up what's left; **der letzte ~** the last bit; *Wein* the last drop; **den Kuchen haben wir bis auf den letzten ~ aufgegessen** we ate the whole cake down to the last crumb ❷ (*Endstück*) remnant ▶**jdm den ~ geben** (*fam*) to be the final straw for sb

Re·stau·rant <-s, -s> [rɛsto'rã:] *nt* restaurant

Re·stau·ra·ti·on <-, -en> [rɛstau̯ra'tsi̯o:n, rɛ-] *f* ❶ (*geh: Restaurieren*) restoration ❷ POL (*Wiederherstellung*) restoration; **die Zeit der ~** HIST the Restoration

Re·stau·ra·tor, -to·rin <-s, -toren> [rɛstau̯'ra:to:ɐ̯, -'to:rɪn, *pl* -'to:rən] *m, f* restorer

re·stau·rie·ren* [rɛstau̯'ri:rən, rɛ-] *vt* to restore

Rest·be·trag *m* FIN balance; **geschuldeter/unbezahlter ~** balance due/arrearage

rest·lich *adj* remaining; **wo ist das ~e Geld?** where is the rest of the money?

rest·los I. *adj* complete II. *adv* ❶ (*ohne etwas übrig zu lassen*) completely ❷ (*fam: endgültig*) finally

Rest·pos·ten *m* remaining stock

re·strik·tiv [rɛstrɪk'ti:f, rɛ-] *adj* (*geh*) restrictive

Rest·ri·si·ko *nt* residual risk

Re·sul·tat <-[e]s, -e> [rezʊl'ta:t] *nt* result

re·sul·tie·ren* [rezʊl'ti:rən] *vi* (*geh*) to result (**aus** from, **in** in)

Re·sü·mee <-s, -s> [rezy'me:] *nt* (*geh*) ❶ (*Schlussfolgerung*) conclusion ❷ (*Zusammenfassung*) summary

re·sü·mie·ren* [rezy'mi:rən] *vi, vt* (*geh*) to summarize

Re·tor·te <-, -n> [re'tɔrtə] *f* retort; **aus der ~** (*fam*) artificially produced

Re·tor·ten·ba·by [-be:bi] *nt* (*fam*) test-tube baby

re·tour [re'tu:ɐ̯] *adv* SCHWEIZ, ÖSTERR (*geh*) back; **„eine Fahrkarte nach Wien und wieder ~!"** "a return ticket to Vienna, please"

Re·tour·bil·lett ['rətu:ɐ̯bɪljɛt] *nt* SCHWEIZ (*Rückfahrkarte*) return ticket **Re·tour·geld** ['rətu:ɐ̯-] *nt* SCHWEIZ (*Wechselgeld*) change *no pl* **Re·tour·kut·sche** *f* (*fam*) retort

Re·tro·spek·ti·ve <-, -n> [retro-] *f* (*geh*) retrospective

ret·ten ['rɛtn̩] I. *vt* to save (**vor** from); **das ist der ~de Einfall!** that's the idea that will save the day! ▶**bist du noch zu ~?** (*fam*) are you out of your mind? II. *vr* ▪**sich ~** to save oneself (**vor** from); **er konnte sich gerade noch ans Ufer ~** he was just able to reach the safety of the bank; **rette sich, wer kann!** run for your lives!; **sich vor etw** *dat/***jdm nicht mehr ~ können** to be swamped by sth/mobbed by sb

Ret·ter(in) <-s, -> *m(f)* rescuer, saviour *liter*

Ret·tich <-s, -e> ['rɛtɪç] *m* radish

Ret·tung <-, -en> *f* ❶ (*das Retten*) rescue; **jds [letzte] ~ sein** to be the sb's last hope [of being saved]; **für jdn gibt es keine ~ mehr** sb is beyond help ❷ (*das Erhalten*) preservation *no pl*

Ret·tungs·ak·ti·on *f* rescue operation **Ret·tungs·an·ker** *m* sheet-anchor **Ret·tungs·boot** *nt* lifeboat **Ret·tungs·dienst** *m* rescue service **Ret·tungs·hub·schrau·ber** *m* emergency rescue helicopter **ret·tungs·los** *adj* hopeless **Ret·tungs·mann·schaft** *f* rescue party **Ret·tungs·ring** *m* ❶ NAUT lifebelt ❷ (*hum fam: Fettpolster*) spare tyre **Ret·tungs·schwim·mer(in)** *m(f)* life-guard **Ret·tungs·wa·gen** *m* ambulance **Ret·tungs·wes·te** *f* life jacket

re·tu·schie·ren* [retu'ʃi:rən] *vt* to retouch

Reue <-> ['rɔy̯ə] *f kein pl* remorse *no pl*

reu·ig ['rɔy̯ɪç] *adj* remorseful

reu·mü·tig ['rɔy̯my:tɪç] I. *adj* remorseful; *Sünder* repentant II. *adv* remorsefully; **~ zu jdm zurückkommen** to come crawling back to sb *fam*

Re·vanche <-, -n> [re'vã:ʃə, re'vaŋʃə] *f* ❶ (*~ spiel*) return match BRIT, rematch AM ❷ (*Vergeltung*) revenge *no pl*

re·van·chie·ren* [retu'ʃi:rən, revaŋ'ʃi:rən] *vr* ❶ (*sich erkenntlich zeigen*) ▪**sich [bei jdm] ~** to return [sb] a favour ❷ (*sich rächen*) ▪**sich [an jdm] ~** to get one's revenge [on sb]

Re·vers <-, -> [re'vɛrs] *nt o m* MODE lapel

re·vi·die·ren* [revi'di:rən] *vt* (*geh*) ❶ (*rückgängig machen*) to reverse ❷ (*abändern*) to revise

Re·vier <-s, -e> [re'vi:ɐ̯] *nt* ❶ (*Polizeidienststelle*) police station ❷ (*Jagd~*) shoot ❸ (*Zuständigkeitsbereich*) area of responsibility ❹ *kein pl* (*fam*) ▪**das ~** the Ruhr/Saar mining area

Re·vi·si·on <-, -en> [revi'zi̯o:n] *f* ❶ FIN, ÖKON audit ❷ JUR appeal ❸ TYPO final proofreading *no pl* ❹ (*geh: Abänderung*) revision

Re·vol·te <-, -n> [re'vɔltə] *f* revolt

re·vol·tie·ren* [revɔl'ti:rən] *vi* (*geh*) to rebel

Re·vo·lu·ti·on <-, -en> [revolu'tsi̯o:n] *f* revolution

re·vo·lu·ti·o·när [revolutsi̯o'nɛ:ɐ̯] *adj* revolutionary

Re·vo·lu·ti·o·när(in) <-s, -e> [revolut-sjo'nɛːɐ] *m(f)* ❶ POL revolutionary ❷ (*radikaler Neuerer*) revolutionist

re·vo·lu·ti·o·nie·ren* [revolutsjo'niːrən] *vt* to revolutionize

Re·vo·luz·zer(in) <-s, -> [revo'lʊtsɐ] *m(f)* (*pej*) would-be revolutionary *pej*

Re·vol·ver <-s, -> [re'vɔlvɐ] *m* revolver

Re·vol·ver·held *m* (*iron*) gunslinger

Re·vue <-, -n> [re'vyː, rə'vyː, *pl* -'vyːən] *f* THEAT revue ▸ **jdn/etw ~ passieren lassen** (*geh*) to recall sb/to review sth

Re·zen·sent(in) <-en, -en> [retsɛn'zɛnt] *m(f)* reviewer

re·zen·sie·ren* [retsɛn'ziːrən] *vt* to review

Re·zen·si·on <-, -en> [retsɛn'zjoːn] *f* review

Re·zept <-[e]s, -e> [re'tsɛpt] *nt* ❶ KOCHK recipe ❷ MED prescription ❸ (*fig: Verfahren*) remedy (**gegen** for)

re·zept·frei I. *adj* without prescription *after n*; **~e Medikamente** over-the-counter medicines; ■**~ sein** to be available without prescription II. *adv* over-the-counter; **~ zu bekommen sein** to be available without prescription

Re·zep·ti·on <-, -en> [retsɛp'tsjoːn] *f* reception

re·zept·pflich·tig *adj* requiring a prescription; ■**~ sein** to be available only on prescription

Re·zes·si·on <-, -en> [retsɛ'sjoːn] *f* recession

Re·zi·pi·ent(in) <-en, -en> [retsi'pjɛnt] *m(f)* ❶ (*geh*) *eines Textes, Musikstücks u.ä.* percipient ❷ PHYS vacuum jar

re·zi·tie·ren* [retsi'tiːrən] *vt, vi* to recite (**aus** from)

R-Ge·spräch ['ɛr-] *nt* reverse charge [*or* AM collect] call

Rha·bar·ber <-s, -> [ra'barbɐ] *m* rhubarb [plant]

Rhein <-s> [rajn] *m* ■**der ~** the Rhine; **am ~** on the Rhine

Rhein·land <-[e]s> ['rajnlant] *nt* Rhineland

Rhein·län·der(in) <-s, -> ['rajnlɛndɐ] *m(f)* Rhinelander

Rhein·land-Pfalz ['rajnlant-'pfalts] *no art* Rhineland-Palatinate

Rhe·sus·fak·tor *m* rhesus factor

Rhe·to·rik <-, -en> [re'toːrɪk] *f* rhetoric *no pl*

rhe·to·risch [re'toːrɪʃ] I. *adj* rhetorical II. *adv* rhetorically; **rein ~** purely rhetorically

Rheu·ma <-s> ['rɔyma] *nt kein pl* (*fam*) rheumatism *no pl*

Rheu·ma·mit·tel *nt* preparation for rheumatism

rheu·ma·tisch [rɔy'maːtɪʃ] *adj* rheumatic

Rheu·ma·tis·mus <-> [rɔyma'tɪsmʊs] *m kein pl* rheumatism *no pl*

Rhi·no·ze·ros <-[ses], -se> [ri'noːtserɔs] *nt* ❶ (*Nashorn*) rhinoceros ❷ (*Dummkopf*) twit *pej*

Rhom·bus <-, Rhomben> ['rɔmbʊs, *pl* 'rɔmbn̩] *m* rhombus

rhyth·misch ['rʏtmɪʃ] *adj* rhythmic[al]

Rhyth·mus <-, -Rhythmen> ['rʏtmʊs, *pl* 'rʏtmən] *m* rhythm

rich·ten ['rɪçtn̩] I. *vr* ❶ (*bestimmt sein*) ■**sich an jdn ~** to be directed at sb; **dieser Vorwurf richtet sich an dich** this reproach is aimed at you; ■**sich an jdn/etw ~** to consult sb/sth ❷ (*sich orientieren*) ■**sich nach jdm/etw ~** to comply with sb/sth; **wir richten uns ganz nach Ihnen** we'll fit in with you ❸ (*abhängen von*) ■**sich nach etw** *dat* **~** to be dependent on sth; **das richtet sich danach, ob Sie mit uns zusammenarbeiten oder nicht** that depends on whether you co-operate with us or not II. *vt* ❶ (*lenken*) to direct (**auf** towards/at); **seinen Blick auf etw** *akk* **~** to [have a] look at sth; **eine Schusswaffe auf jdn ~** to point a gun at sb ❷ (*adressieren*) to address (**an** to) ❸ (*reparieren*) to fix ❹ (*bereiten*) to prepare III. *vi* (*veraltend*) to pass judgement (**über** on)

Rich·ter(in) <-s, -> ['rɪçtɐ] *m(f)* judge

rich·ter·lich *adj attr* judicial

Rich·ter·ska·la *f kein pl* Richter scale *no pl*

Richt·fest *nt* topping out [ceremony]

Richt·ge·schwin·dig·keit *f* recommended speed limit

rich·tig ['rɪçtɪç] I. *adj* ❶ (*korrekt*) right; *Lösung* correct ❷ (*angebracht*) right; **es war ~, dass du gegangen bist** you were right to leave ❸ (*am richtigen Ort*) ■**irgendwo/bei jdm ~ sein** to be at the right place/address ❹ (*echt*) real; **ich bin nicht deine ~e Mutter** I'm not your real mother ❺ (*fam: regelrecht*) **du bist ein ~er Idiot!** you're a real idiot! ❻ (*passend*) right ❼ (*ordentlich*) **es ist lange her, dass wir einen ~en Winter mit viel Schnee hatten** it's been ages since we've had a proper winter with lots of snow ❽ (*fam: in Ordnung*) all right II. *adv* ❶ (*korrekt*) correctly; **Sie haben irgendwie nicht ~ gerechnet** you've miscalculated somehow; **höre ich ~?** did I hear right?; **ich höre doch wohl nicht ~?** you must be joking!; **sehr**

~! quite right! ❷ (*angebracht*) correctly; (*passend a.*) right ❸ (*fam: regelrecht*) really ❹ (*tatsächlich*) ~, **das war die Lösung** right, that was the solution

rich·tig·ge·hend I. *adj attr* (*fam*) real; **eine ~e Erkältung** a very heavy cold **II.** *adv* (*fam*) totally; ~ **betrunken sein** to be well and truly plastered

Rich·tig·keit <-> *f kein pl* ❶ (*Korrektheit*) correctness *no pl*; **das wird schon seine ~ haben** I'm sure that'll be right ❷ (*Angebrachtheit*) appropriateness *no pl*

rich·tig·lie·gen *vi irreg* ■ [**mit etw** *dat*] ~ (*fam*) to be right [with sth]; ■ **bei jdm ~** to have come to the right person **rich·tig·stel·len** *vt* ■ **etw ~** to correct sth

Richt·li·nie *f meist pl* guideline *usu pl* **Richt·preis** *m* recommended price **Richt·schnur** *f* ❶ BAU plumb-line ❷ *kein pl* (*Grundsatz*) guiding principle

Rich·tung <-, -en> ['rɪçtʊŋ] *f* ❶ (*Himmelsrichtung*) direction; **aus welcher ~ kam das Geräusch?** which direction did the noise come from?; **eine ~ einschlagen** to go in a direction ❷ (*Tendenz*) trend; **sie vertritt politisch eine gemäßigte ~** she takes a politically moderate line; **irgendwas in der ~** something along those lines; (*Betrag*) something around that mark

Rich·tungs·än·de·rung *f* change of [*or* in] direction

Richt·wert *m* guideline

rieb [riːp] *imp von* **reiben**

rie·chen <roch, gerochen> ['riːçn̩] **I.** *vi* ❶ (*duften*) to smell (**nach** of); (*stinken a.*) to stink *pej*; **das riecht hier ja so angebrannt** there's a real smell of burning here ❷ (*schnuppern*) ■ **an jdm/etw ~** to smell sb/sth; **„hier, riech mal an den Blumen!"** "here, have a sniff of these flowers" **II.** *vt* to smell; **riechst du nichts?** can't you smell anything?; **es riecht hier ja so nach Gas** there's a real stink of gas here ▸ **etw ~ können** to know sth; **das konnte ich nicht riechen!** how was I supposed to know that!; **jdn nicht ~ können** not to be able to stand sb **III.** *vi impers* **es riecht ekelhaft** there's a disgusting smell; ■ **es riecht nach etw** *dat* there's a smell of sth; **wonach riecht es hier so köstlich?** what's that lovely smell in here?

Rie·cher <-s, -> ['riːçɐ] *m* **einen guten ~** [**für etw** *akk*] **haben** to have the right instinct [for sth]

Riech·kol·ben *m* (*hum fam*) conk BRIT, big schnozz AM

Ried <-(e)s, -e> ['riːt, *pl* 'riːdə] *nt*

❶ (*Schilf*) reeds *pl* ❷ SÜDD, SCHWEIZ (*Moor*) marsh

Ried·dach [riːt-] *nt* thatched roof

rief [riːf] *imp von* **rufen**

Rie·ge <-, -n> ['riːɡə] *f* ❶ SPORT team ❷ (*pej: Gruppe*) clique

Rie·gel <-s, -> ['riːɡl̩] *m* ❶ (*Verschluss*) bolt; **vergiss nicht, den ~ vorzulegen!** don't forget to bolt the door ❷ (*Schoko~*) bar ▸ **einer S.** *dat* **einen ~ vorschieben** to put a stop to sth

Rie·men¹ <-s, -> ['riːmən] *m* (*schmaler Streifen*) strap ▸ **den ~ enger schnallen** to tighten one's belt; **sich am ~ reißen** to get a grip on oneself

Rie·men² <-s, -> ['riːmən] *m* NAUT, SPORT oar

Rie·se, Rie·sin <-n, -n> ['riːzə, 'riːzɪn] *m, f* giant

rie·seln ['riːzl̩n] *vi sein* ❶ (*rinnen*) to trickle (**auf** onto) ❷ (*bröckeln*) ■ **von etw** *dat* ~ to flake off sth

Rie·sen·er·folg *m* (*fam*) huge success **rie·sen·groß** ['riːzn̩'ɡroːs] *adj* (*fam*) ❶ (*sehr groß*) enormous ❷ (*außerordentlich*) colossal **Rie·sen·hun·ger** *m* (*fam*) enormous appetite **Rie·sen·rad** *nt* Ferris wheel **Rie·sen·schritt** *m* giant stride; **der Termin für die Prüfung nähert sich mit ~en** the date of the exam is fast approaching **Rie·sen·sla·lom** *m* giant slalom

rie·sig ['riːzɪç] **I.** *adj* ❶ (*ungeheuer groß*) gigantic ❷ (*gewaltig*) enormous; *Anstrengung* huge ❸ *präd* (*fam: gelungen*) great **II.** *adv* (*fam*) enormously; **das war ~ nett von Ihnen** that was terribly nice of you

Rie·sin <-, -nen> *f fem form von* **Riese**

Ries·ling <-s, -e> ['riːslɪŋ] *m* Riesling

riet [riːt] *imp von* **raten**

Riff <-[e]s, -e> [rɪf] *nt* reef

ri·go·ros [riɡo'roːs] *adj* rigorous

Ril·le <-, -n> ['rɪlə] *f* groove

Rind <-[e]s, -er> [rɪnt] *nt* ❶ (*geh: Kuh*) cow ❷ (*~fleisch*) beef *no pl*

Rin·de <-, -n> ['rɪndə] *f* ❶ (*Borke*) bark *no pl* ❷ *kein pl* KOCHK crust; *Käse, Speck* rind *no pl* ❸ ANAT cortex

Rin·der·bra·ten *m* roast beef *no pl* **Rin·der·fi·let** *nt* fillet of beef *no pl* **Rin·der·wahn·sinn** *m kein pl* mad cow disease *no art, no pl fam*

Rind·fleisch *nt* beef *no art, no pl*

Rinds·le·der *nt* cowhide, leather

Rind·vieh <-viecher> *nt* ❶ *kein pl* (*Rinder*) cattle *no art, + pl vb* ❷ (*sl: Dummkopf*) ass

Ring <-[e]s, -e> [rɪŋ] *m* ❶ (*Finger~, Öse*)

ring ❷ (*Kreis*) circle ❸ (*Syndikat*) *Händler, Dealer* ring; *Lebensmittelhändler, Versicherungen* syndicate ❹ (*~ straße*) ring road BRIT, AM *usu* beltway ❺ (*Box~*) ring ❻ *pl* (*Turngerät*) rings *npl*

Ring·buch *nt* ring binder

Rin·gel·blu·me *f* marigold

rin·geln ['rɪŋln] I. *vt* **etw** [um etw *akk*] ~ to wind sth [around sth] II. *vr* ■ **sich** ~ to coil up

Rin·gel·nat·ter *f* grass snake **Rin·gel·reihen** <-s, -> *m kein pl* ring-a-ring o' roses

rin·gen <rang, gerungen> ['rɪŋən] I. *vi* ❶ (*im Ringkampf kämpfen*) to wrestle ❷ (*mit sich kämpfen*) ■ **mit sich** *dat* ~ to wrestle with oneself ❸ (*schnappen*) **nach Atem** ~ to struggle for breath ❹ (*sich bemühen*) ■ **um etw** *akk* ~ to struggle for sth II. *vt* **ich habe ihm die Pistole aus der Hand gerungen** I wrenched the pistol from his hand

Rin·gen <-s> ['rɪŋən] *nt kein pl* wrestling *no art, no pl*

Rin·ger(in) <-s, -> *m(f)* wrestler

Ring·fahn·dung *f* manhunt [over an extensive area] **Ring·fin·ger** *m* ring finger **ring·för·mig** I. *adj* ring-like; *Autobahn* circular II. *adv* in the shape of a ring; **die Umgehungsstraße führt ~ um die Ortschaft herum** the bypass encircles the town **Ring·kampf** *m* wrestling match **Ring·kämp·fer(in)** *m(f)* s. **Ringer Ring·ord·ner** *m* ring binder **Ring·rich·ter(in)** *m(f)* referee

rings [rɪŋs] *adv* [all] around

rings·he·rum ['rɪŋshɛˈrʊm] *adv* s. **ringsum**

Ring·stra·ße *f* ring road BRIT, AM *usu* beltway

rings·um ['rɪŋsˈʔʊm] *adv* [all] around

rings·um·her ['rɪŋsʔʊmˈheːɐ̯] *adv* (*geh*) s. **ringsum**

Rin·ne <-, -n> ['rɪnə] *f* ❶ (*Rille*) channel; (*Furche*) furrow ❷ (*Dach~*) gutter

rin·nen <rann, geronnen> ['rɪnən] *vi sein* ❶ (*fließen*) to run ❷ (*rieseln*) to trickle

Rinn·sal <-[e]s, -e> ['rɪnzaːl] *nt* ❶ (*winziger Wasserlauf*) rivulet *liter* ❷ (*rinnende Flüssigkeit*) trickle

Rinn·stein *m* ❶ (*Gosse*) gutter ❷ (*Bordstein*) kerb BRIT, curb AM

Ripp·chen <-s, -> ['rɪpçən] *nt* smoked rib [of pork]

Rip·pe <-, -n> ['rɪpə] *f* ❶ ANAT, KOCHK rib ❷ TECH fin

Rip·pen·fell *nt* [costal] pleura

Rip·pen·fell·ent·zün·dung *f* pleurisy **Rip·pen·stoß** *m* dig in the ribs

Ripp·li <-s, -> ['rɪpli] *nt* KOCHK SCHWEIZ salted rib [of pork]

Ri·si·ko <-s, -s *o* Risiken *o* ÖSTERR Risken> ['riːziko] *nt* risk; **bei dieser Unternehmung laufen Sie das ~, sich den Hals zu brechen** you run the risk of breaking your neck with this venture; **auf jds ~** at sb's own risk

Ri·si·ko·ab·wä·gung *f* risk assessment **ri·si·ko·be·reit** *adj* prepared to take a risk *pred* **Ri·si·ko·be·reit·schaft** *f* willingness to take [high] risks **Ri·si·ko·fak·tor** *m* risk factor **ri·si·ko·freu·dig** *adj* prepared to take risks *pred* **Ri·si·ko·grup·pe** *f* [high-]risk group **Ri·si·ko·ka·pi·tal** *nt* FIN venture capital

ris·kant [rɪsˈkant] *adj* risky

ris·kie·ren* [rɪsˈkiːrən] *vt* ❶ (*aufs Spiel setzen*) **den guten Ruf** ~ to risk one's good reputation ❷ (*ein Risiko eingehen*) **beim Versuch, dir zu helfen, habe ich viel riskiert** I've risked a lot trying to help you ❸ (*wagen*) **ich riskiere es!** I'll chance it!; ■ **es** ~, **etw zu tun** to risk doing sth

rissRR, **riß**ALT [rɪs] *imp von* **reißen**

RissRR <-es, -e> *m*, **Riß**ALT <Risses, Risse> [rɪs] *m* ❶ (*eingerissene Stelle*) crack; (*in Papier*) tear ❷ (*Knacks*) rift ❸ (*Umrisszeichnung*) [outline] sketch

ris·sig ['rɪsɪç] *adj* ❶ (*mit Rissen versehen*) cracked ❷ *Hände* chapped ❸ (*brüchig*) brittle

Ri·ten *pl von* **Ritus**

ritt [rɪt] *imp von* **reiten**

Ritt <-[e]s, -e> [rɪt] *m* ride

Rit·ter <-s, -> ['rɪte] *m* knight

Rit·ter·burg *f* knight's castle

rit·ter·lich *adj* ❶ (*höflich zu Damen*) chivalrous ❷ HIST knightly *attr*

Rit·ter·lich·keit *f kein pl* chivalrousness

Rit·ter·ro·man *m* tale of courtly love **Rit·ter·rüs·tung** *f* knight's armour **Rit·ter·sporn** *m* BOT delphinium, larkspur

ritt·lings ['rɪtlɪŋs] *adv* astride

Ri·tu·al <-s, -e *o* -ien> [riˈtʊ̯aːl, *pl* -lɪ̯ən] *nt* ritual

ri·tu·ell [riˈtʊ̯ɛl] *adj* ritual

Ri·tus <-, Riten> ['riːtʊs, *pl* 'riːtən] *m* rite

Ritz <-es, -e> [rɪts] *m* ❶ (*Kratzer*) scratch ❷ s. **Ritze**

Rit·ze <-, -n> ['rɪtsə] *f* crack

rit·zen ['rɪtsn] I. *vt* ❶ (*einkerben*) ■ **etw auf/in etw** *akk* ~ to carve sth on/in sth ❷ (*kratzen*) to scratch ▸ **geritzt sein** (*sl*) to be okay *fam* II. *vr* ■ **sich** ~ to scratch oneself (**an** on)

Ri·va·le, Ri·va·lin <-n, -n> [riˈvaːlə, riˈvaːlɪn] *m*, *f* rival (**um** for)

ri·va·li·sie·ren* [rivali'ziːrən] *vi* (*geh*) ■ **mit jdm** ~ to compete with sb; ■ **~d** rival *attr*

Ri·va·li·tät <-, -en> [rivali'tɛːt] *f* (*geh*) rivalry

Ri·vi·e·ra <-> [ri'vi̯eːra] *f* riviera; ■ **die** ~ the Riviera

Ri·zi·nus <-, - *o* -se> ['riːtsinʊs] *m* ❶ (*Pflanze*) castor-oil plant ❷ *kein pl* (*fam:* ~ *öl*) castor oil *no art, no pl*

Ri·zi·nus·öl *nt* castor oil *no art, no pl*

RNS <-> [ɛrʔɛn'ʔɛs] *f kein pl Abk von* **Ribonukleinsäure** RNA *no art, no pl*

Roast·beef <-s, -s> ['roːstbiːf] *nt* roast beef *no indef art, no pl*

Rob·be <-, -n> ['rɔbə] *f* seal

rob·ben ['rɔbn̩] *vi sein* to crawl

Ro·be <-, -n> ['roːbə] *f* ❶ (*langes Abendkleid*) evening gown ❷ (*Talar*) robe[s *pl*]

Ro·bo·ter <-s, -> ['rɔbɔte] *m* robot

Ro·bo·tik <-> ['rɔbɔtɪk] *f kein pl* robotics

ro·bust [ro'bʊst] *adj* robust

Ro·bust·heit <-> *f kein pl* robustness *no art, no pl*

roch [rɔx] *imp von* **riechen**

rö·cheln ['rœçln̩] *vi* to breathe stertorously *form; Sterbender* to give the death rattle *liter*

Ro·chen <-s, -> ['rɔxn̩] *m* ray

Rock[1] <-[e]s, Röcke> [rɔk, *pl* 'rœkə] *m* ❶ (*Damen~*) skirt ❷ SCHWEIZ (*Kleid*) dress ❸ SCHWEIZ (*Jackett*) jacket

Rock[2] <-[s], -[s]> [rɔk] *m kein pl* MUS rock *no art, no pl*

ro·cken ['rɔkn̩] *vi* to rock

Ro·cker(in) <-s, -> ['rɔke] *m(f)* rocker

Rock·grup·pe *f* rock group

ro·ckig ['rɔkɪç] *adj* MUS rocking

Ro·del·bahn *f* toboggan run

ro·deln ['roːdln̩] *vi sein o haben* to sledge, to toboggan

ro·den ['roːdn̩] *vt* to clear

Ro·dung <-, -en> *f* ❶ (*gerodete Fläche*) clearing ❷ *kein pl* (*das Roden*) clearance *no art, no pl*

Ro·gen <-s, -> ['roːgn̩] *m* roe *no art, no pl*

Rog·gen <-s> ['rɔgn̩] *m kein pl* rye *no art, no pl*

Rog·gen·brot *nt* rye bread *no pl* **Rog·gen·mehl** *nt* rye flour

roh [roː] I. *adj* ❶ (*nicht zubereitet*) raw ❷ (*unbearbeitet*) crude; *Holzklotz* rough; *Marmorblock* unhewn ❸ (*brutal*) rough ❹ (*rüde*) coarse II. *adv* ❶ (*in rohem Zustand*) raw, in a raw state; **er schluckte das Ei ~ hinunter** he swallowed the egg raw ❷ (*ungefüge*) roughly

Roh·bau <-bauten> *m* shell

Ro·heit^ALT <-, -en> ['roːhaɪt] *f s.* **Rohheit**

Roh·ge·wicht *nt* gross weight

Roh·heit^RR <-, -en> ['roːhaɪt] *f* ❶ *kein pl* (*Brutalität*) brutality *no art, no pl* ❷ *kein pl* (*Rauheit*) coarseness *no art, no pl* ❸ (*brutale Handlung*) brutal act

Roh·kost *f* uncooked vegetarian food *no art, no pl*

Roh·ling <-s, -e> ['roːlɪŋ] *m* ❶ (*brutaler Kerl*) brute ❷ (*unbearbeitetes Werkstück*) blank

Roh·ma·te·ri·al *nt* raw material **Roh·öl** *nt* crude oil

Rohr[1] <-[e]s, -e> [roːɐ̯] *nt* ❶ TECH pipe; (*mit kleinerem Durchmesser, flexibel*) tube ❷ (*Lauf*) barrel ❸ SÜDD, ÖSTERR (*Backofen*) oven

Rohr[2] <-[e]s, -e> [roːɐ̯] *nt* ❶ *kein pl* (*Ried*) reed ❷ *kein pl* (*Röhricht*) reeds *pl*

Rohr·bruch *m* burst pipe

Röh·re <-, -n> ['røːrə] *f* ❶ (*Hohlkörper*) tube ❷ (*Leuchtstoff~*) neon tube ❸ (*Backofen*) oven ▶ **in die ~ gucken** (*fam*) to be left out

röh·ren ['røːrən] *vi* ❶ *Hirsch* to bellow ❷ (*fam: heiser grölen*) to bawl ❸ (*laut dröhnen*) to roar

Rohr·lei·tung *f* pipe **Rohr·mat·te** *f* rush mat **Rohr·netz** *nt* network of pipes **Rohr·spatz** *m* ▶ **wie ein ~ schimpfen** (*fam*) to swear like a trooper [*or* AM sailor]

Rohr·stock *m* cane **Rohr·zan·ge** *f* pipe wrench **Rohr·zu·cker** *m* cane sugar *no art, no pl*

Roh·sei·de *f* raw silk *no art, no pl*

Roh·stoff *m* raw material **Roh·stoff·ver·knap·pung** *f* shortage of raw materials **Roh·zu·cker** *m* cane sugar **Roh·zu·stand** *m* im ~ in an/the unfinished state

Ro·ko·ko <-[s]> ['rɔkoko, roko'koː] *nt kein pl* ❶ (*Stil*) rococo *no art, no pl* ❷ (*Zeitalter*) Rococo period *no indef art, no pl*

Rolla·den^ALT <-s, Rolläden *o* -> *m s.* **Rollladen**

Roll·bahn *f* LUFT runway **Roll·bra·ten** *m* rolled joint

Rol·le[1] <-, -n> ['rɔlə] *f* ❶ (*aufgewickeltes Material*) **eine ~ Draht/Zitronendrops** a roll of wire/lemon drops ❷ (*Garn~*) reel ❸ (*Laufrad*) roller; (*Möbel~*) caster ❹ (*Spule*) reel; *Flaschenzug, Seilwinde* pulley ❺ (*Turnübung*) roll; **eine ~ machen** to do a roll

Rol·le[2] <-, -n> ['rɔlə] *f* ❶ FILM, THEAT (*a. fig*) role, part; **eine ~ spielen** to play a part ❷ (*Beteiligung, Part*) role, part; **das spielt doch keine ~!** it's of no importance! ❸ SOZIOL role; **eine Ehe mit streng verteil-**

ten ~**n** a marriage with strict allocation of roles ▸ **aus der ~ fallen** to behave badly; **sich in jds ~ versetzen** to put oneself in sb's place

rol·len ['rɔlən] **I.** *vi sein* to roll; *Fahrzeug* to roll [along]; *Flugzeug* to taxi; *Lawine* to slide ▸ **etw ins R~ bringen** to set sth in motion **II.** *vt* ❶ (*zusammen~*) ■ **etw ~** to roll [*up sep*] sth ❷ (*~d fortbewegen*) ■ **etw irgendwohin ~** to roll sth somewhere **III.** *vr* (*sich ein~*) ■ **sich in etw** *akk* ~ to curl up in sth

Rol·len·mus·ter *nt* SOZIOL role stereotype, role pattern **Rol·len·spiel** *nt* role play **Rol·len·tausch** *m kein pl* role reversal **Rol·len·ver·hal·ten** *nt kein pl* role[-specific] behaviour

Rol·ler <-s, -> ['rɔlɐ] *m* ❶ (*Kinderfahrzeug*) scooter; (*Motor~*) [motor] scooter ❷ ÖSTERR (*Rollo*) [roller] blind, shade AM

Rol·ler·bla·der(in) ['roːlɐbleːdɐ] *m(f)* inline skater

Roll·feld *nt* runway

Rol·li <-s, -s> ['rɔli] *m* MODE (*fam*) polo neck, turtleneck AM

Roll·kra·gen, Roll·kra·gen·pull·o·ver *m* polo neck, turtleneck AM *usu*

Roll·la·den[RR] <-s, Rollläden *o* -> *m* shutter *usu pl* **Roll·mops** ['rɔlmɔps] *m* rollmop BRIT

Rol·lo <-s, -s> ['rɔlo, rɔ'loː] *nt* [roller] blind, shade AM

Roll·schuh *m* roller skate; **~ laufen** to roller·skate

Roll·stuhl *m* wheelchair **Roll·stuhl·fah·rer(in)** *m(f)* wheelchair user **roll·stuhl·ge·recht** *adj* suitable for wheelchairs

Roll·trep·pe *f* escalator

Rom <-s> [roːm] *nt kein pl* Rome *no art, no pl*

ROM <-[s], -[s]> [rɔm] *nt Abk von* **read-only memory** ROM

Ro·ma [roːma] *pl* Roma *pl*

Ro·man <-s, -e> [roˈmaːn] *m* novel

Ro·man·ci·er <-s, -s> [romãˈsieː] *m* (*geh*) novelist

Ro·ma·ne, Ro·ma·nin <-n, -n> [roˈmaːnə, roˈmaːnɪn] *m, f* neo-Latin

Ro·man·fi·gur <-, -en> *f* character in a novel

Ro·ma·nik <-> [roˈmaːnɪk] *f kein pl* ■ **die ~** the Romanesque period *spec*

Ro·ma·nin <-, -nen> *f fem form von* **Romane**

ro·ma·nisch [roˈmaːnɪʃ] *adj* ❶ LING, GEOG Romance ❷ HIST Romanesque *spec* ❸ SCHWEIZ (*rätoromanisch*) Rhaeto-Romanic

Ro·ma·nist(in) <-en, -en> [romaˈnɪst] *m(f)* scholar/student/teacher of Romance languages and literature

Ro·ma·nis·tik <-> [romaˈnɪstɪk] *f kein pl* Romance studies

Ro·ma·nis·tin <-, -nen> *f fem form von* **Romanist**

Ro·man·schrift·stel·ler(in) <-s, -> *m(f)* novelist

Ro·man·tik <-> [roˈmantɪk] *f kein pl* ❶ (*Epoche*) ■ **die ~** the Romantic period ❷ (*gefühlsbetonte Stimmung*) romanticism *no art, no pl*; [**einen**] **Sinn für ~ haben** to have a sense of romance

Ro·man·ti·ker(in) <-s, -> [roˈmantikɐ] *m(f)* ❶ (*Künstler der Romantik*) Romantic writer/composer/poet ❷ (*gefühlsbetonter Mensch*) romantic

ro·man·tisch [roˈmantɪʃ] **I.** *adj* ❶ (*zur Romantik gehörend*) Romantic ❷ (*gefühlvoll*) romantic ❸ (*malerisch*) picturesque **II.** *adv* picturesquely

Ro·man·ze <-, -n> [roˈmantsə] *f* LIT romance; (*Liebesbeziehung*) romantic affair

Rö·mer(in) <-s, -> ['røːmɐ] *m(f)* Roman; **die alten ~** the ancient Romans

rö·misch ['røːmɪʃ] *adj* Roman

ROM-Spei·cher *m* ROM [store]

rönt·gen ['rœntɡn̩] *vt* to x·ray; ■ **sich ~ lassen** to be x·rayed

Rönt·gen <-s> ['rœntɡn̩] *nt kein pl* x·raying *no art, no pl*

Rönt·gen·auf·nah·me *f* X·ray [photograph] **Rönt·gen·ge·rät** *nt* X·ray apparatus **Rönt·gen·strah·len** *pl* X·rays *pl* **Rönt·gen·un·ter·su·chung** *f* X·ray examination

ro·sa ['roːza] *adj* pink **ro·sa·rot** *adj* rose pink

Ro·se <-, -n> ['roːzə] *f* ❶ (*Strauch*) rose bush ❷ (*Blüte*) rose

Ro·sé <-s, -s> [roˈzeː] *m* rosé

Ro·sen·kohl *m* [Brussels] sprouts **Ro·sen·kranz** *m* rosary **Ro·sen·mon·tag** *m* Monday before Shrove Tuesday, climax of the German carnival celebrations **Ro·sen·stock** <-[e]s, -stöcke> *m* standard rose

Ro·set·te <-, -n> [roˈzɛtə] *f* ❶ (*Fenster*) rose window ❷ (*Schmuck~*) rosette

ro·sig ['roːzɪç] *adj* rosy

Ro·si·ne <-, -n> [roˈziːnə] *f* raisin

Ros·ma·rin <-s> ['roːsmariːn] *m kein pl* rosemary *no art, no pl*

Ross[RR] <-es, -e *o* Rösser> *nt*, **Roß**[ALT] <Rosses, Rosse *o* Rösser> [rɔs, 'rœsə] *nt* ❶ (*liter: Reitpferd*) steed ❷ SÜDD, ÖSTERR, SCHWEIZ (*Pferd*) horse

Ross·haar^RR *nt kein pl* horsehair *no art, no pl* **Ross·kas·ta·nie**^RR *f* [horse] chestnut **Ross·kur**^RR *f* (*hum*) drastic cure

Rost^1 <-[e]s> [rɔst] *m kein pl* TECH, BOT rust *no art, no pl*

Rost^2 <-[e]s, -e> [rɔst] *m* ❶ (*Gitter*) grating; (*Schutz~*) grille ❷ (*Grill~*) grill ❸ (*Bett~*) base

Rost·bra·ten *m* ❶ (*Braten*) roast beef *no art, no pl* ❷ (*Steak*) grilled steak

rost·braun *adj Haar* auburn; *Kleidungs·stück, Fell* russet

ros·ten ['rɔstn̩] *vi sein o haben* to rust

rös·ten ['rø:stn̩, 'rœstn̩] *vt* to roast; *Brot* to toast

rost·frei *adj* stainless

Rös·ti ['rø:sti] *pl* SCHWEIZ [sliced] fried potatoes *pl*

ros·tig ['rɔstɪç] *adj* rusty

Röst·kar·tof·feln *pl* fried potatoes *pl*

Rost·lau·be *f* (*hum fam*) rust bucket **Rost·schutz·far·be** *f* antirust[ing] paint **Rost·schutz·mit·tel** *nt* rust prevention agent

rot <-er *o* röter, -este *o* röteste> [ro:t] **I.** *adj* red; ■~ **werden** to go red; (*aus Scham a.*) to blush; (*Ampel*) ■ **es ist** ~ it's red **II.** *adv* red; *etw* ~ **unterstreichen** to underline sth in red; **vor Scham lief er im Gesicht** ~ **an** his face went red with shame; ~ **glühend** red-hot; [**bei etw** *dat*] ~ **sehen** (*fig fam*) to see red [as a result of sth]

Ro·ta·ti·on <-, -en> [rota'tsi̯o:n] *f* rotation

Ro·ta·ti·ons·ach·se [-aksə] *f* axis of rotation

Rot·barsch *m* rosefish **rot·blond** *adj* sandy; **eine ~e Frau** a strawberry blonde; **ein ~er Mann** a sandy-haired man **rot·braun** *adj* reddish brown **Rot·bu·che** *f* [common] beech

Rö·te <-> ['rø:tə] *f kein pl* (*geh*) red[ness]

Ro·te-Ar·mee-Frak·ti·on *f* ■ **die** ~ the Red Army Faction **Ro·te-Au·gen-Kor·rek·tur** *f* FOTO red eye correction

Rö·tel <-s, -> ['rø:tl̩] *m* red chalk *no art, no pl*

Rö·teln ['rø:tl̩n] *pl* rubella *no art, no pl* spec

rö·ten ['rø:tn̩] **I.** *vr* ■ **sich** ~ to turn red; *Wangen a.* to flush **II.** *vt* to redden

Rot·fuchs *m* (*Pferd*) chestnut **rot·haa·rig** *adj* red-haired; ■~ **sein** to have red hair **Rot·haut** *f* (*fam*) redskin *dated or pej*

ro·tie·ren* [ro'ti:rən] *vi sein o haben* ❶ (*sich um die eigene Achse drehen*) a. POL to rotate ❷ (*fam: hektisch agieren*) to

rush around like mad

Rot·käpp·chen <-s> *nt kein pl* Little Red Ridinghood *no art, no pl* **Rot·kehl·chen** <-s, -> *nt* robin **Rot·kohl** *m*, **Rot·kraut** *nt* SÜDD, ÖSTERR red cabbage *no art, no pl*

röt·lich ['rø:tlɪç] *adj* reddish

Rot·licht·mi·li·eu *nt* demi-monde *liter* **Rot·licht·vier·tel** *nt* red-light district

Rot·schopf *m* redhead **rot|se·hen** *vi irreg* (*fam*) to see red **Rot·stift** *m* red pencil/crayon/pen ▶[**bei etw** *dat*] **den** ~ **ansetzen** to make cutbacks [in sth]

Rö·tung <-, -en> *f* reddening *no pl*

Rot·wein *m* red wine **Rot·wild** *nt* red deer

Rotz <-es> [rɔts] *m kein pl* snot ▶~ **und Wasser heulen** (*fam*) to cry one's eyes out

Rotz·fah·ne *f* (*sl*) snot-rag *pej fam* **rotz·frech** ['rɔts'frɛç] *adj* (*fam*) cocky

rot·zig <-er, -ste> ['rɔtsɪç] *adj* ❶ *Nase, Taschentuch* snotty ❷ (*unverschämt frech*) cheeky

Rotz·jun·ge *m* (*pej fam*) snotty little brat **Rotz·lüm·mel** *m* (*sl*) snotty-nosed brat **Rotz·na·se** *f* (*fam*) ❶ (*schleimige Nase*) snotty nose ❷ (*freches Kind*) snotty-nosed brat *pej*

Rouge <-s, -s> [ru:ʒ] *nt* rouge *no art, no pl*

Rou·la·de <-, -n> [ru'la:də] *f* roulade *spec*

Rou·lette <-s, - *o* -s> [ru'lɛt] *nt* roulette *no art, no pl*

Rou·te <-, -n> ['ru:tə] *f* route

Rou·ti·ne <-> [ru'ti:nə] *f kein pl* (*Erfahrung*) experience *no art, no pl;* (*Gewohnheit*) routine *no pl*

Rou·ti·ne·ar·beit *f* routine work **rou·ti·ne·mä·ßig** **I.** *adj* routine **II.** *adv* as a matter of routine **Rou·ti·ne·un·ter·su·chung** *f* routine examination

Rou·ti·ni·er <-s, -s> [ruti'ni̯e:] *m* experienced person

rou·ti·niert [ruti'ni:ɐt] **I.** *adj* ❶ (*mit Routine erfolgend*) routine ❷ (*erfahren*) experienced **II.** *adv* in a practised manner

Row·dy <-s, -s> ['raʊdi] *m* hooligan

Ro·ya·list(in) <-en, -en> [rɔaja'lɪst] *m(f)* royalist

rub·beln ['rʊbl̩n] **I.** *vt* ■ **etw** ~ to rub sth hard **II.** *vi* to rub hard; ■ **sich** ~ to give oneself a rub-down

Rü·be <-, -n> ['ry:bə] *f* ❶ KOCHK, BOT turnip; **Gelbe** ~ SÜDD, SCHWEIZ carrot; **Rote** ~ beetroot ❷ (*fam: Kopf*) nut; [**von jdm**] **eins auf die** ~ **kriegen** to get a clout round the ear [from sb]

Ru·bel <-s, -> ['ruːbl̩] *m* rouble, Rubel Am

rü·ber ['ryːbɐ] *adv* (*fam*) *s.* **herüber, hinü·ber**

rü·ber|brin·gen *vt irreg* (*fam*) ■[jdm] **etw** ~ to get across *sep* sth [to sb] **rü·ber|kom·men** *vi irreg sein* (*sl*) ■[zu jdm] ~ to come across [to sb] **rü·ber|schie·ben** *vt* (*sl*) **jdm Geld** ~ to cough up *sep* [money]

Ru·bin <-s, -e> [ruˈbiːn] *m* ruby

Ru·brik <-, -en> [ruˈbriːk] *f* ❶ (*Kategorie*) category ❷ (*Spalte*) column

ruch·los ['ruːxloːs] *adj* (*geh*) heinous; (*niederträchtig a.*) dastardly *liter*

Ruck <-[e]s, -e> [rʊk] *m* jolt ▶ **sich** *dat* **einen** ~ **geben** (*fam*) to pull oneself together

ruck [rʊk] *interj* ~, **zuck** (*fam*) in a jiffy; **etw** ~, **zuck erledigen** to do sth in no time at all

ruck·ar·tig I. *adj* jerky, jolting *attr* II. *adv* with a jerk **Rück·be·sin·nung** *f* recollection (**auf** of) **Rück·bil·dung** *f* ❶ (*Abheilung*) regression *no pl* ❷ (*Verkümmerung*) atrophy *no art, no pl* ❸ BIOL degeneration *no pl* **Rück·blen·de** *f* flashback **Rück·blick** *m* look *no pl* back (**auf** at); **im** ~ **auf etw** *akk* looking back at sth **rück·bli·ckend** I. *adj* retrospective II. *adv* in retrospect

ru·ckeln ['rʊkl̩n] *vi* to tug (**an** at)

ru·cken ['rʊkn̩] *vi* to jerk

rü·cken ['rʏkn̩] I. *vi sein* ❶ (*weiter~*) ■[irgendwohin] ~ to move [somewhere]; **zur Seite** ~ to move aside; (*auf einer Bank a.*) to budge up Brit *fam*, to slide down Am ❷ (*gelangen*) **ein bemannter Raumflug zum Mars ist in den Bereich des Wahrscheinlichen gerückt** a manned space flight to Mars is now within the bounds of probability; **in den Mittelpunkt des Interesses** ~ to become the centre of interest II. *vt* ❶ (*schieben*) ■ **etw irgendwohin** ~ to move sth somewhere ❷ (*zurecht~*) **er rückte den Hut in die Stirn** he pulled his hat down over his forehead; **seine Krawatte gerade** ~ to straighten one's tie **Rü·cken** <-s, -> ['rʏkn̩] *m* ❶ ANAT back; **jdm den** ~ **decken** MIL to cover sb's back; (*fig*) to back up *sep* sb; **jdm den** ~ **zudrehen** to turn one's back on sb; ~ **an** ~ back to back; **auf dem** ~ on one's back; **hinter jds** ~ (*a. fig*) behind sb's back; **mit dem** ~ **zu jdm/etw** *dat* with one's back to sb/sth ❷ KOCHK saddle (*Buch~*) spine ▶ **mit dem** ~ **zur Wand stehen** to have one's back to the wall; **jdm läuft es [eis|kalt über den** ~ cold shivers run down sb's

spine; **jdm in den** ~ **fallen** to stab sb in the back; **jdm/sich** *dat* **den** ~ **freihalten** to keep sb's/one's options open; **jdm den** ~ [**gegen jdn**] **stärken** to give sb moral support [against sb]

Rü·cken·de·ckung *f* backing *no art, no pl;* **finanzielle** ~ financial backing; MIL **jdm** ~ **geben** to cover sb's rear **Rü·cken·leh·ne** *f* back rest Brit, seat back Am **Rü·cken·mark** *nt* spinal cord *no pl* **Rü·cken·schmer·zen** *pl* back pain *n sing,* backache *nsing* **Rü·cken·schwim·men** *nt* backstroke *no pl* **Rü·cken·wind** *m* tail wind **rück·er·stat·ten*** *vt nur infin und pp* ■ **etw** ~ to refund sth; **jdm seine Verluste** ~ to reimburse sb for his/her losses *form* **Rück·er·stat·tung** *f* refund; *von Verlusten* reimbursement *form* **Rück·fahr·kar·te** *f* return ticket

Rück·fahrt *f* return journey **Rück·fall** *m* ❶ MED relapse *form* ❷ JUR subsequent offence ❸ (*geh: erneutes Aufnehmen*) ■ **ein** ~ **in etw** *akk* a relapse into sth

rück·fäl·lig *adj* JUR recidivist *attr; Täter* repeat

Rück·flug *m* return flight **Rück·flug·ti·cket** *nt* return air [*or* Am roundtrip plane] ticket **Rück·fra·ge** *f* query (**zu** regarding) **Rück·ga·be** *f* return

Rück·gang *m* ■ **der/ein** ~ **einer S.** *gen* the/a drop in sth; **im** ~ **begriffen sein** (*geh*) to be falling

rück·gän·gig *adj* **etw** ~ **machen** to cancel sth

Rück·ge·win·nung *f* recovery *no pl* **Rück·grat** <-[e]s, -e> *nt* ❶ (*Wirbelsäule*) spine ❷ *kein pl* (*geh: Stehvermögen*) backbone ▶ **jdm das** ~ **brechen** to break sb; (*jdn ruinieren*) to ruin sb; **ohne** ~ spineless *pej* **Rück·griff** *m* recourse *no indef art, no pl* (**auf** to) **Rück·halt** *m* support *no art, no pl* ▶ **ohne** ~ unreservedly **rück·halt·los** I. *adj* ❶ (*bedingungslos*) unreserved ❷ (*schonungslos*) unsparing; *Kritik* ruthless; *Offenheit* complete II. *adv* unreservedly **Rück·hand** *f kein pl* SPORT backhand

Rück·kehr <-> *f kein pl* ❶ (*das Zurückkommen*) return ❷ (*erneutes Auftreten*) comeback

Rück·kop·pe·lung, Rück·kopp·lung *f* feedback *no pl* **Rück·la·ge** *f* ❶ (*Ersparnisse*) savings *npl* ❷ FIN (*Reserve*) reserve fund **Rück·lauf** <-[e]s> *m kein pl* ❶ TECH return pipe; *Maschine* return stroke ❷ (*Genströmung*) return flow ❸ (*bei einem Aufnahmegerät*) rewind ❹ (*bei einer Schusswaffe*) recoil **rück·läu·fig** ['rʏklɔy-

Rückfrage

rückfragen	enquiring
Meinst du damit, dass ...?	Do you mean that ...?
Soll das heißen, dass ...?	Does that mean that ...?
Habe ich Sie richtig verstanden, dass ...?	Have I understood you correctly that ...?
Wollen Sie damit sagen, dass ...?	Do you mean to say that ...?

kontrollieren, ob Inhalt/Zweck eigener Äußerungen verstanden wurde	ascertaining whether something has been understood
Kapito? *(sl)*	Got it? *(fam)*
Alles klar? *(fam)*/Ist das klar?	Everything clear?/Is that clear?
Verstehst du, was ich (damit) meine?	Do you understand what I mean?
Haben Sie verstanden, auf was ich hinaus möchte?	Have you understood what I'm trying to get at?
Ich weiß nicht, ob ich mich verständlich machen konnte.	I don't know if I made myself clear.

fɪç] *adj* declining **Rück·licht** *nt* tail light; *eines Fahrrads a.* back light
rück·lings ['rʏklɪŋs] *adv* ❶ *(von hinten)* from behind ❷ *(verkehrt herum)* the wrong way round ❸ *(nach hinten)* backwards ❹ *(mit dem Rücken)* ▪~ **an/zu etw** *dat* with one's back against/to sth
Rück·marsch *m* ❶ *(Rückweg)* march back ❷ MIL retreat **Rück·mel·de·frist** *f* re-registration period **rück|mel·den** *vr* SCH to re-register BRIT, to register AM *(used of continuing students)*
Rück·nah·me <-, -n> *f* taking back; **wir garantieren die anstandslose ~ der Ware** we promise to take back the goods without objection; JUR ~ **der Klage** withdrawal of the action
Rück·por·to *nt* return postage *no indef art, no pl* **Rück·rei·se** *f* return journey **Rück·rei·se·ver·kehr** *m kein pl* homebound traffic **Rück·ruf** *m* ❶ *(Anruf als Antwort)* return call ❷ ÖKON *(das Einziehen)* recall **Ruck·sack** ['rʊkzak] *m* rucksack, backpack AM *usu* **Ruck·sack·tou·rist(in)** [-turɪst] *m(f)* backpacker **Rück·schau** <-> *f kein pl* ❶ *(Rückblick)* reflection; **~ auf die letzten Jahre halten** to look back over the last few years ❷ MEDIA review **Rück·schlag** *m* ❶ *(Verschlechterung)* setback ❷ *(Rückstoß)* recoil *no pl* **Rück·schlussᴿᴿ** *m* conclusion **(aus** from); **einen ~ auf etw** *akk* **erlauben** to allow a conclusion to be drawn about sth; [aus etw *dat*] **den ~ ziehen, dass ...** to conclude [from sth] that ... **Rück·**

schritt *m* step backwards
rück·schritt·lich *adj* ❶ *(einen Rückschritt bedeutend)* retrograde ❷ *s.* **reaktionär**
Rück·sei·te *f* ❶ *(rückwärtige Seite)* reverse [side] ❷ *(hintere Seite)* rear; **auf der/die ~** at/to the rear
Rück·sicht <-, -en> ['rʏkzɪçt] *f* consideration *no art, no pl;* **ohne ~ auf Verluste** *(fam)* regardless of losses; **keine ~ kennen** to be ruthless; **~** [auf jdn] **nehmen** to show consideration [for sb]; **~ auf etw** *akk* **nehmen** to take sth into consideration
Rück·sicht·nah·me <-> *f kein pl* consideration *no art, no pl*
rück·sichts·los **I.** *adj* ❶ *(keine Rücksicht kennend)* inconsiderate ❷ *(schonungslos)* ruthless **II.** *adv* ❶ *(ohne Nachsicht)* inconsiderately ❷ *(schonungslos)* ruthlessly
Rück·sichts·lo·sig·keit <-, -en> *f* thoughtlessness *no art, no pl*
rück·sichts·voll *adj* considerate **(zu** towards)
Rück·sitz *m* rear seat **Rück·spie·gel** *m* rear [view] mirror **Rück·spiel** *nt* return match BRIT, rematch AM **Rück·spra·che** *f* consultation; **~** [mit jdm] **halten** to consult [with sb]
Rück·stand¹ *m* ❶ *(Zurückbleiben hinter der Norm)* backlog *no pl* ❷ *pl* FIN outstanding payments *pl* ❸ SPORT deficit **(von** of); [gegenüber jdm] **mit etw** *dat* **im ~ sein** to be behind [sb] by sth ❹ *(Zurückliegen in der Leistung)* inferior position; **seinen ~ aufholen** to make up lost ground

Rück·stand² m ❶ (*Bodensatz*) remains npl ❷ (*Abfallprodukt*) residue *form*
rück·stän·dig¹ ['rʏkʃtɛndɪç] *adj* (*überfällig*) overdue
rück·stän·dig² ['rʏkʃtɛndɪç] *adj* (*zurückgeblieben*) backward
Rück·stän·dig·keit <-> *f kein pl* backwardness *no art, no pl*
Rück·stoß m ❶ (*bei Gewehren*) recoil *no pl* ❷ (*Antriebskraft bei Raketen etc.*) thrust *no pl* **Rück·strah·ler** <-s, -> m reflector
Rück·tritt m ❶ (*Amtsniederlegung*) resignation ❷ JUR withdrawal (**von** from) ❸ (*~ bremse*) back-pedal brake **Rück·tritt·brem·se** *f s.* Rücktritt 3 **Rück·tritts·recht** nt right of withdrawal [from a contract] **rück|ver·gü·ten*** *vt nur infin und pp* ∎**jdm etw** ~ to refund sb's sth **rück|ver·si·chern*** *vr nur infin und pp* ∎**sich** ~ to check [up [*or* back]] **Rück·wand** *f* ❶ (*rückwärtige Mauer*) back wall ❷ (*rückwärtige Platte*) back [panel]
rück·wär·tig ['rʏkvɛrtɪç] *adj* back *attr*, rear *attr*
rück·wärts ['rʏkvɛrts] *adv* ❶ (*rücklings*) backwards; ~ **einparken** to reverse into a parking space ❷ (*nach hinten*) backward ❸ ÖSTERR (*hinten*) at the back; **von** ~ SÜDD, ÖSTERR (*von hinten*) from behind
Rück·wärts·gang m reverse [gear]; **den** ~ **einlegen** to engage reverse [gear]
Rück·weg m way back; **sich auf den** ~ **machen** to head back **ruck·wei·se** *adv* **sich** ~ **bewegen** to move jerkily **rück·wir·kend** I. *adj* retrospective II. *adv* retrospectively **Rück·wir·kung** *f* repercussion **Rück·zah·lung** *f* repayment **Rück·zie·her** <-s, -> m **einen** ~ **machen** (*fam: eine Zusage zurückziehen*) to back out; (*nachgeben*) to climb down **Rück·zug** m ❶ MIL retreat *no pl;* **den** ~ **antreten** to retreat ❷ SCHWEIZ (*Abhebung von einem Konto*) withdrawal **Rück·zugs·ge·biet** nt area of retreat
rü·de ['ryːdə] *adj* (*geh*) coarse; *Benehmen* uncouth
Rü·de <-n, -n> ['ryːdə] m [male] dog
Ru·del <-s, -> ['ruːdl̩] nt herd; *von Wölfen* pack; *von Menschen* swarm
Ru·der <-s, -> ['ruːdɐ] nt ❶ (*langes Paddel*) oar ❷ (*Steuer~*) helm; *eines kleineren Bootes a.* rudder
Ru·der·boot nt rowing boat, rowboat AM
Ru·de·rer, Ru·de·rin <-s, -> m, f rower
ru·dern ['ruːdɐn] I. *vi* ❶ *sein o haben* (*durch Ruder bewegen*) to row ❷ *haben* (*paddeln*) to paddle II. *vt* ❶ *haben* (*im Ruderboot befördern*) to row ❷ *sein o*

haben (~ *d zurücklegen*) to row
Ru·der·re·gat·ta *f* rowing regatta
ru·di·men·tär [rudimɛnˈtɛːɐ̯] *adj* rudimentary
Ruf <-[e]s, -e> [ruːf] m ❶ (*Aus~*) shout; (*an jdn gerichtet*) call ❷ *kein pl* (*Ansehen*) reputation; **einen guten/schlechten** ~ **haben** to have a good/bad reputation (**als** as); **jdn in schlechten** ~ **bringen** to get sb a bad reputation ❸ UNIV offer of a chair
ru·fen <rief, gerufen> ['ruːfn̩] I. *vi* ❶ (*aus~*) to cry out ❷ (*a. fig: nach jdm/ etw verlangen*) ∎**nach jdm**] ~ to call [for sb] ❸ (*nach Erfüllung drängen*) **die Pflicht ruft** duty calls ❹ (*durch ein Signal auffordern*) ∎**zu etw** *dat*] ~ to call [to sth] II. *vi impers* ∎**es ruft** [jd/etw] sb/sth is calling III. *vt* ❶ (*aus~*) to shout ❷ (*herbestellen*) to call; ∎**jdn zu sich** *dat* ~ to summon sb [to one]; ∎**jdn** ~ **lassen** to send for sb; **jdm] wie ge~ kommen** to come just at the right moment
Rüf·fel <-s, -> ['rʏfl̩] m (*fam*) telling off
Ruf·mord m character assassination **Ruf·na·me** m [fore]name **Ruf·num·mer** *f* [tele]phone number **Ruf·schä·di·gung** *f* JUR disparagement **Ruf·wei·te** *f* **außer/in** ~ out of/[with]in earshot **Ruf·zei·chen** nt ❶ TELEK ringing tone ❷ ÖSTERR (*Ausrufungszeichen*) exclamation mark [*or* AM point]
Rug·by <-> ['rakbi] nt *kein pl* rugby *no art, no pl*
Rü·ge <-, -n> ['ryːgə] *f* (*geh*) reprimand; **jdm eine** ~ **erteilen** to reprimand sb (**wegen** for)
rü·gen ['ryːgn̩] *vt* (*geh*) ∎**etw** ~ to censure sth; ∎**jdn** ~ to reprimand sb
Ru·he <-> ['ruːə] *f kein pl* ❶ (*Stille*) quiet *no art, no pl,* silence *no art, no pl;* ~! quiet!; ~ **geben** to be quiet ❷ (*Frieden*) peace *no art, no pl;* **jdm keine** ~ **gönnen** to not give sb a minute's peace; **jdn [mit etw** *dat*] **in** ~ **lassen** to leave sb in peace [with sth] ❸ (*Erholung*) rest; **sich dat keine** ~ **gönnen** to not allow oneself any rest; **jdm keine** ~ **lassen** to not give sb a moment's rest ❹ (*Gelassenheit*) calm[ness] *no pl;* **[die]** ~ **bewahren** to keep calm; **jdn aus der** ~ **bringen** to disconcert sb; **sich [von jdm/etw] nicht aus der** ~ **bringen lassen** to not let oneself get worked up [by sb/sth]; **die** ~ **weg haben** (*fam*) to be unflappable; **in [aller]** ~ [really] calmly; **immer mit der** ~! (*fam*) take things easy! ▶ **die** ~ **vor dem Sturm** the calm before the storm; **jdn zur letzten** ~ **betten** (*geh*) to lay sb to rest; **keine** ~ **geben, bis ... to**

Um Ruhe bitten	
zum Schweigen auffordern	**asking for silence**
Psst! *(fam)*	Shh!/Shush! *(fam)*
Ruhig!	Quiet!
Halt's Maul! *(sl)*/Schnauze! *(sl)*	Shut up! *(fam!)*/Shut your gob! *(sl)*
Jetzt seien Sie doch mal ruhig!	Do be quiet a minute!
Jetzt hör mir mal zu!	Now just listen to me!
Jetzt sei mal still!	Be quiet a minute!
Ich möchte auch noch etwas sagen!	I'd like to get a word in too!
Danke! ICH meine dazu, ...	Thank you! I think ...
(an ein Publikum): Ich bitte um Ruhe!	*(to an audience):* Quiet please!
(an Schüler): Wenn ihr jetzt bitte mal ruhig sein könnt!	*(to pupils):* Quieten down now please!

not rest until ...; **sich zur ~ setzen** to retire

ru·he·be·dürf·tig *adj* *(geistig)* in need of peace; *(körperlich)* in need of rest

ru·he·los *adj* restless

Ru·he·lo·sig·keit <-> *f kein pl* restlessness *no art, no pl*

ru·hen ['ruːən] *vi* ❶ *(geh: aus~)* to [have a] rest; **nicht eher ~ werden, bis ...** to not rest until ... ❷ *(geh: sich stützen)* to rest **(auf** on) ❸ *Blick* to rest **(auf** on) ❹ *(eingestellt sein)* to be suspended; **etw ~ lassen** to let sth rest; **ein Projekt ~ lassen** to drop a project; **die Vergangenheit ~ lassen** to forget the past; **am Samstag ruht in den meisten Betrieben die Arbeit** most firms don't work on a Saturday ❺ *(geh: begraben sein)* to lie

Ru·he·pau·se *f* break **Ru·he·raum** *m* ❶ *(im Büro)* rest room ❷ *(fig: sicherer Ort)* haven **Ru·he·stand** *m kein pl* retirement *no art, no pl;* **in den ~ gehen** to retire; **im ~** retired **Ru·he·ständ·ler(in)** <-s, -> ['ruːəʃtɛntlɐ] *m(f)* retired person **Ru·he·stät·te** *f* **letzte ~** *(geh)* final resting-place **Ru·he·stel·lung** *f* ❶ *einer Maschine* off position ❷ *eines Körpers, Pendels* resting position ❸ MED **das Bein muss in ~ bleiben** the leg must be kept immobile **Ru·he·stö·rung** *f* breach of the peace *no pl* **Ru·he·tag** *m* *(arbeitsfreier Tag)* day off; *(Feiertag)* day of rest

ru·hig ['ruːɪç] I. *adj* ❶ *(still, geruhsam)* quiet ❷ *(keine Bewegung aufweisend)* calm ❸ *(störungsfrei)* smooth ❹ *(gelassen)* calm; **ganz ~ sein können** to not have to worry ❺ *Blick* steady II. *adv* ❶ *(untätig)* idly; **~ dastehen** to stand idly by ❷ *(gleichmäßig)* smoothly ❸ *(gelassen)*

calmly ❹ *(beruhigt)* with peace of mind; **jetzt kann ich ~ nach Hause gehen und mich ausspannen** now I can go home with my mind at rest and relax III. *part* *(fam)* really; **geh ~, ich komme schon alleine zurecht** don't worry about going, I can manage on my own

Ruhm <-es> [ruːm] *m kein pl* fame *no art, no pl*

rüh·men ['ryːmən] I. *vt* to praise II. *vr* ▪ **sich einer S.** *gen* **~** to boast about sth **Ruh·mes·blatt** *nt* glorious chapter **rühm·lich** *adj* praiseworthy **ruhm·los** <-er, -este> *adj* inglorious **ruhm·reich** *adj* *(geh)* glorious **ruhm·voll** <-er, -ste> *adj* glorious **Ruhr**¹ <-> [ruːɐ] *f* ▪ **die ~** the Ruhr **Ruhr**² <-> [ruːɐ] *f kein pl* MED ▪ **die ~** dysentery

Rühr·ei ['ryːɐʔaɪ] *nt* scrambled eggs *pl*

rüh·ren ['ryːrən] I. *vt* ❶ *(um~)* to stir ❷ *(erweichen)* ▪ **jdn ~** to move sb; *Gemüt, Herz* to touch; **das kann mich nicht ~** that doesn't bother me ❸ *(veraltend: bewegen)* to move II. *vi* ❶ *(um~)* to stir ❷ *(die Rede auf etw bringen)* to touch **(an** on) ❸ *(geh: her~)* to stem **(von** from); ▪ **daher ~, dass ...** to stem from the fact that ... III. *vr* ❶ *(sich bewegen)* ▪ **sich ~** to move; **rührt euch!** MIL at ease! ❷ *(sich bemerkbar machen)* ▪ **sich ~** to be roused ❸ *(reagieren)* **die Firmenleitung hat sich nicht auf meinen Antrag gerührt** the company management hasn't done anything about my application

rüh·rend I. *adj* ❶ *(ergreifend)* touching, moving ❷ *(reizend)* ▪ **~ [von jdm] sein** to be sweet [of sb] II. *adv* touchingly

Ruhr·ge·biet *nt kein pl* ▪ **das ~** the Ruhr

.[Area]
rüh·rig ['ry:rɪç] *adj* active
rühr·se·lig *adj* (*pej*) tear-jerking *fam*; **ein ~er Film/ein ~es Buch** a tear jerker *fam*
Rühr·teig *m* sponge mixture
Rüh·rung <-> *f kein pl* emotion *no art, no pl*
Ru·in <-s> [ru'i:n] *m kein pl* ruin *no pl*
Ru·i·ne <-, -n> [ru'i:nə] *f* ruin[s *pl*]
ru·i·nie·ren* [rui'ni:rən] *vt* to ruin
rülp·sen ['rʏlpsn̩] *vi* to belch
Rülp·ser <-s, -> *m* (*fam*) burp
Rum <-s, -s> [rʊm] *m* rum *no art, no pl*; **rum** [rʊm] *adv* (*fam*) s. **herum** around
Ru·mä·ne, Ru·mä·nin <-n, -n> [ru'mɛ:nə, ru'mɛ:nɪn] *m*, *f* Romanian; *s. a.* **Deutsche(r)**
Ru·mä·ni·en <-s> [ru'mɛ:niən] *nt* Romania; *s. a.* **Deutschland**
Ru·mä·nin <-, -nen> *f fem form von* **Rumäne**
ru·mä·nisch [ru'mɛ:nɪʃ] *adj* Romanian; *s. a.* **deutsch**
Rum·ba <-s, -s> ['rʊmba] *m* rumba
rum|dis·ku·tie·ren *vi* (*fam*) to blather [on] **rum|krie·gen** *vt* (*sl*) **❶** (*zu etw bewegen*) ■**jdn** [**zu etw** *dat*] ~ to talk sb into sth; ■**jdn dazu ~, etw zu tun** to talk sb into doing sth **❷** (*verbringen*) **einen Tag irgendwie ~** to get through a day somehow **rum|ma·chen** *vi* (*pej sl*) ■**mit jdm ~** to play around with sb
Rum·mel <-s> ['rʊml̩] *m kein pl* **❶** (*fam: Aufhebens*) [hustle and] bustle *no art, no pl* **❷** (*Betriebsamkeit*) commotion *no art, no pl* **❸** DIAL (~ *platz*) fair
Rum·mel·platz *m* fairground
ru·mo·ren* [ru'mo:rən] I. *vi* **❶** (*herumhantieren*) to tinker around **❷** (*sich bewegen*) to go around II. *vi impers* **in meinem Magen rumort es so** my stomach's rumbling so much
Rum·pel·kam·mer ['rʊmpl̩-] *f* junk room
rum·peln ['rʊmpl̩n] *vi* **❶** *haben* (*dröhnen*) to rumble; (*klappern*) to clatter **❷** *sein* (*mit Dröhnen fortbewegen*) to rumble; (*klappernd fortbewegen*) to clatter
Rumpf <-[e]s, Rümpfe> [rʊmpf, *pl* 'rʏmpfə] *m* **❶** (*Torso*) torso **❷** TECH *eines Flugzeugs* fuselage; *eines Schiffes* hull
rümp·fen ['rʏmpfən] *vt* **die Nase** [**über etw** *akk*] ~ to turn up *sep* one's nose [at sth]; (*etw verachten*) to sneer [at sth]
Rump·steak ['rʊmpsteːk, -ʃteːk] *nt* rump steak
Rum·topf *m* a rum and sugar mixture with fruit
rum|trei·ben *vr irreg* (*fam*) to hang out

Rum·trei·ber(in) <-s, -> *m(f)* layabout BRIT, goof-off AM
Run <-s, -s> [ran] *m* run (**auf** on)
rund [rʊnt] I. *adj* **❶** (*kreisförmig*) round **❷** (*rundlich*) plump **❸** (*überschläglich*) **eine ~e Summe** a round sum; **~e fünf Jahre** a good five years + *sing vb* **❹** *Geschmack* full II. *adv* **❶** (*im Kreis*) **wir können ~ um den Block spazieren** we can walk around the block **❷** (*überschläglich*) around **❸** (*kategorisch*) flatly **❹** (*gleichmäßig*) smoothly
Rund·bau <-bauten> *m* rotunda **Rund·blick** *m* panorama **Rund·brief** *m* circular
Run·de <-, -n> ['rʊndə] *f* **❶** (*Gesellschaft*) company **❷** (*Rundgang*) rounds *pl*; *eines Polizisten* beat *no pl*; *eines Briefträgers* round; **eine ~ [um etw** *akk*] **drehen** AUTO to drive/ride around [sth]; LUFT to circle [over sth]; **seine ~ machen** to do one's rounds; *Polizist* to be on one's beat **❸** SPORT lap; (*Boxen*) round **❹** *von* [*Tarif*]*gesprächen* round **❺** (*Bestellung*) round; **eine ~ spendieren** to get in a round ▶ [**mit etw** *dat*] **über die ~n kommen** to make ends meet [with sth]
run·den ['rʊndn̩] (*geh*) I. *vr* ■**sich ~** **❶** (*rundlich werden*) to become round; (*von Gesicht*) to fill out **❷** (*konkreter werden*) to take shape II. *vt* MATH to round up
Rund·er·neu·e·rung *f* AUTO retread
Rund·fahrt *f* [sightseeing] tour **Rund·flug** *m* [short] circular [sightseeing] flight
Rund·fra·ge *f* survey (**zu** of)
Rund·funk *m* **❶** (*geh*) radio; **im ~** (*veraltend*) on the wireless BRIT **❷** ■**der ~** (*die Sendeanstalten*) broadcasting; (*die Organisationen*) the broadcasting corporations **Rund·funk·an·stalt** *f* (*geh*) broadcasting corporation **Rund·funk·ge·bühr** *f meist pl* radio licence fee **Rund·funk·ge·rät** *nt* (*geh*) radio [set] **Rund·funk·sen·der** *m* radio station **Rund·funk·sen·dung** *f* radio programme
Rund·gang *m* walk; (*zur Besichtigung*) tour
rund|ge·hen *irreg* I. *vi sein* **❶** (*herumgereicht werden*) to be passed around; ■**etw ~ lassen** to pass around sth *sep* **❷** (*herumerzählt werden*) to do the rounds; **wie der Blitz ~** to spread like wildfire II. *vi impers sein* **❶** (*fam*) **es geht rund im Büro** it's all happening at the office **❷** (*fam: Ärger geben*) **jetzt geht es rund!** now there'll be [all] hell to pay!
rund·her·aus ['rʊnthɛ'raʊs] *adv* bluntly
rund·her·um ['rʊnthɛ'rʊm] *adv* **❶** (*rings herum*) ■**~ [um etw** *akk*] all round [sth]

❷ (fam) s. **rundum**

rund·lich ['rʊntlɪç] adj plump; Hüften well-rounded; Wangen chubby

Rund·rei·se f tour (durch of) **Rund· schrei·ben** nt (geh) s. **Rundbrief**

rund·um ['rʊnt'ʔʊm] adv ❶ (ringsum) all round ❷ (völlig) completely

Rund·um·schlag m sweeping blow

Run·dung <-, -en> f ❶ (Wölbung) curve ❷ pl (fam) curves

Rund·wan·der·weg m circular walk

rund·weg ['rʊntvɛk] adv flatly

Run·kel ['rʊŋkl̩-], **Run·kel·rü·be** ['rʊŋkl̩-] f ÖSTERR, SCHWEIZ mangold

run·ter ['rʊntɐ] interj (fam: weg) ~ **mit dem Zeug von meinem Schreibtisch!** get that stuff off my desk!; ~ **vom Baum/ von der Leiter!** get out of that tree/get [down] off that ladder!

run·ter|hau·en vt (fam) **jdm eine** ~ to give sb a clip round the ear BRIT, to slap sb in the kisser AM **run·ter|ho·len** vt ❶ (herunternehmen) to fetch (von from) ❷ (sl) ■ **sich** dat **einen** ~ to [have a] wank BRIT, to choke one's chicken AM **run·ter|kom· men** vi irreg sein ❶ (fam: herunterkommen) to get [or come] down ❷ (sl: clean werden) ■ **von etw** dat ~ to come off sth

Run·zel <-, -n> ['rʊntsl̩] f wrinkle

run·ze·lig <-er, -ste> ['rʊntsəlɪç] adj wrinkled

run·zeln ['rʊntsl̩n] I. vt to crease; Brauen to knit; Stirn to wrinkle II. vr ■ **sich** ~ to become wrinkled

runz·lig <-er, -ste> ['rʊntslɪç] adj s. **runzelig**

Rü·pel <-s, -> ['ry:pl̩] m lout

rü·pel·haft adj loutish; ~ **er Kerl** lout

rup·fen ['rʊpfn̩] vt ❶ (Huhn) to pluck ❷ (zupfen) to pull up sep (aus out of)

rup·pig ['rʊpɪç] I. adj gruff; Antwort abrupt II. adv gruffly; **sich** ~ **verhalten** to be gruff

Rü·sche <-, -n> ['ry:ʃə] f frill

Ruß <-es> [ru:s] m kein pl soot; Dieselmotor particulate; Kerze smoke; Lampe lampblack

Rus·se, **Rus·sin** <-n, -n> ['rʊsə, 'rʊsɪn] m, f Russian; s. a. **Deutsche(r)**

Rüs·sel <-s, -> ['rʏsl̩] m ❶ (Tier~) snout; Elefant a. trunk; eines Insekts proboscis spec ❷ (sl: Mund) trap

ru·ßen ['ru:sn̩] I. vi to produce soot; Fackel, Kerze to smoke II. vt SCHWEIZ, SÜDD (entrußen) ■ **etw** ~ to clean the soot out of sth; **den Kamin** ~ to sweep the chimney

ru·ßig ['ru:sɪç] adj blackened [with soot pred]; (verschmutzt a.) sooty

Rus·sin <-, -nen> f fem form von **Russe**

rus·sisch ['rʊsɪʃ] adj Russian; s. a. **deutsch**

Russ·land^{RR} <-s> nt, **Ruß·land**^{ALT} <-s> ['rʊslant] nt Russia; s. a. **Deutschland**

Russ·land·deut·sche(r)^{RR} f(m) ethnic German from Russia; s. a. **Deutsche(r)**

rüs·ten ['rʏstn̩] I. vi to arm II. vr (geh) ■ **sich zu etw** dat ~ to prepare for sth III. vt SCHWEIZ (vorbereiten) ■ **etw** ~ to get together sep sth

rüs·tig ['rʏstɪç] adj sprightly

rus·ti·kal [rʊsti'ka:l] I. adj rustic II. adv **sich** ~ **einrichten** to furnish one's home in a farmhouse style

Rüs·tung <-, -en> ['rʏstʊŋ] f ❶ kein pl (das Rüsten) [re]armament ❷ (Ritter~) armour

Rüs·tungs·in·dus·trie f armament[s] industry **Rüs·tungs·müll** m kein pl arms waste no pl **Rüs·tungs·un·ter·neh· men** nt armaments concern

Rüst·zeug nt kein pl ❶ (Werkzeug) equipment no pl, no indef art ❷ (Know-how) skills pl; (Qualifikationen) qualifications pl

Ru·te <-, -n> ['ru:tə] f ❶ (Gerte) switch ❷ (Angel~) [fishing] rod ❸ (Wünschel~) dowsing [rod]

Ru·ten·gän·ger(in) <-s, -> m(f) dowser

Rutsch <-es, -e> [rʊtʃ] m landslide; **in einem** ~ (fig fam) in one go; **guten** ~! (fam) happy New Year!

Rutsch·bahn f ❶ (Kinder~) slide ❷ (Rummelplatz) helter-skelter

Rut·sche <-, -n> ['rʊtʃə] f ❶ TECH chute ❷ (fam) Rutschbahn 1

rut·schen ['rʊtʃn̩] vi sein ❶ (aus~) to slip ❷ (fam: rücken) to move; **auf dem Stuhl hin und her** ~ to fidget on one's chair; **rutsch mal!** move over ❸ (gleiten) to slide (auf on) ❹ (auf Rutschbahn) ■ **auf der Rutschbahn** ~ to play on the slide ❺ (von Erde, Kies) **ins R~ geraten** to start slipping

rutsch·fest adj non-slip **Rutsch·ge·fahr** f kein pl danger of slipping; (von Auto) risk of skidding

rut·schig ['rʊtʃɪç] adj slippery

rüt·teln ['rʏtl̩n] I. vt to shake (an by) II. vi ■ **an etw** dat ~ to shake sth; **daran ist nicht zu** ~ (kein Zweifel) there's no doubt about it

S_s

S, s <-, -> [ɛs] *nt* S, s; *(Mehrzahl)* S[']s, s's; *s. a.* **A 1**

s. *Abk von* **siehe**

S *Abk von* **Süden** S[.], So. AM

S. *Abk von* **Seite** p[.]; *(Mehrzahl)* pp[.]

Saal <-[e]s, Säle> [zaːl, *pl* 'zɛːlə] *m* hall

Saar <-> [zaːɐ̯] *f* ● **die ~** the Saar

Saat <-, -en> [zaːt] *f* ● *kein pl (das Säen)* sowing ● (*~ gut*) seed[s *pl*]

Saat·gut *nt kein pl* seed[s *pl*] **Saat· korn** *nt* seed corn [*or* AM grain]

Sab·bat <-s, -e> ['zabat] *m* ■ **der ~** the Sabbath

sab·bern ['zabɐn] *vi* to slaver, to slobber *pej*

Sä·bel <-s, -> ['zɛːbl̩] *m* sabre

Sa·bo·ta·ge <-, -n> [zabo'taːʒə] *f* sabotage

Sa·bo·teur(in) <-s, -e> [zabo'tøːɐ̯] *m(f)* saboteur

sa·bo·tie·ren* [zabo'tiːrən] I. *vt* to sabotage II. *vi* to practise sabotage

Sa(c)·cha·rin <-s> [zaxa'riːn] *nt kein pl* saccharin

Sac·(c)ha·ro·se <-, -> [zaxa'roːzə] *f kein pl* sucrose

Sach·be·ar·bei·ter(in) *m(f)* specialist; *(in einer Behörde)* official in charge; *(im Sozialamt)* caseworker **Sach·be·schä·di·gung** *f* vandalism **Sach·buch** *nt* non[-]fiction book **sach·dien·lich** *adj* relevant; **~ e Hinweise** relevant information

Sa·che <-, -n> ['zaxə] *f* ● *(Ding)* thing ● *(Angelegenheit)* matter; **eine gute ~** a good cause; ■ **jds ~ sein** to be sb's affair; **nicht jedermanns ~ sein** to be not everyone's cup of tea; ■ **eine ~ für sich sein** to be a matter apart ● *pl (Stundenkilometer)* **mit 255 ~n** at 255 [kph [*or* AM klicks]] ● **mit jdm gemeinsame ~ machen** to make common cause with sb; **keine halben ~n machen** to not do things by halves; **er macht seine ~ gut** he's doing well ● *(Sachlage)* **sich** *dat* **seiner ~ sicher sein** to be sure of one's ground; **zur ~ kommen** to come to the point; **bei der ~ sein** to give one's full attention; **nichts zur ~ tun** to be irrelevant

Sach·ge·biet *nt* [specialized] field **sach· ge·mäß** I. *adj* proper; **bei ~er Verwendung** when properly used II. *adv* properly **Sach·kennt·nis** *f* expert knowledge *no pl* **Sach·kun·de** *f kein pl s.* **Sachkennt-nis** **sach·kun·dig** I. *adj* [well-]informed II. *adv* **~ antworten** to give an informed answer **Sach·la·ge** *f kein pl* situation, state of affairs **Sach·leis·tung** *f* FIN payment in kind

sach·lich ['zaxlɪç] I. *adj* ● *(objektiv)* objective ● *(inhaltlich)* factual ● *(schmucklos)* functional II. *adv* ● *(objektiv)* objectively ● *(inhaltlich)* factually

säch·lich ['zɛçlɪç] *adj* LING neuter

Sach·lich·keit <-> *f kein pl* objectivity

Sach·re·gis·ter *nt* subject index **Sach· scha·den** *m* damage to property

Sach·se, Säch·sin <-n, -n> ['zaksə, 'zɛksɪn] *m, f* Saxon

Sach·sen <-s> ['zaksn̩] *nt* Saxony

Sach·sen-An·halt <-s> [zaksn̩'anhalt] *nt* Saxony-Anhalt

Säch·sin <-, -nen> ['zɛksɪn] *f fem form von* **Sachse**

säch·sisch ['zɛksɪʃ] *adj* Saxon, of Saxony *pred*

sacht [zaxt], **sach·te** ['zaxtə] I. *adj* gentle II. *adv* gently

Sach·ver·halt <-[e]s, -e> *m* facts *pl* [of the case] **sach·ver·stän·dig** *adj* competent; **~er Zeuge** expert witness **Sach· ver·stän·di·ge(r)** *f(m) dekl wie adj* expert **Sach·wert** *m* commodity value

Sack <-[e]s, Säcke> [zak, *pl* 'zɛkə] *m* ● *(großer Beutel)* sack ● SÜDD, ÖSTERR, SCHWEIZ *(Hosentasche)* [trouser [*or* AM pants]] pocket ● *(vulg: Hoden~)* balls *npl* ▶ **in ~ und Asche gehen** *(fig)* to wear sackcloth and ashes; **es ist leichter, einen ~ Flöhe zu hüten** I'd rather climb Mount Everest; **mit ~ und Pack** with bag and baggage

Sack·bahn·hof *m* station where trains cannot pass through but must enter and exit via the same direction

sa·cken ['zakn̩] *vi sein* ● *(sich senken)* to subside; *(zur Seite)* to lean ● *(sinken)* to sink; *Kopf a.* to droop

Sack·gas·se *f (a. fig)* dead end *also fig;* **in einer ~ stecken** to have come to a dead end **Sack·hüp·fen** *nt kein pl* sack race **Sack·mes·ser** <-s, -> *nt* SCHWEIZ pen knife **Sack·tuch** *nt* SÜDD, ÖSTERR, SCHWEIZ *(Taschentuch)* handkerchief

Sa·dis·mus <-> [za'dɪsmʊs] *m kein pl* sadism

Sa·dist(in) <-en, -en> [za'dɪst] *m(f)* sadist

sa·dis·tisch I. *adj* sadistic II. *adv* sadistically

sä·en ['zɛːən] *vt, vi* to sow ▸ **Wind ~ und Sturm ernten** to sow the wind and reap the whirlwind *dated*

Sa·fa·ri <-, -s> [za'faːri] *f* safari

Safe <-s, -s> [seːf] *m* safe

Saf·ran <-s, -e> ['zafraːn] *m* saffron

Saft <-[e]s, Säfte> [zaft, *pl* 'zɛftə] *m* ❶ (*Frucht~*) |fruit| juice *no pl* ❷ (*Pflanzen~*) sap *no pl* ❸ (*fam: Strom*) juice

saf·tig ['zaftɪç] *adj* ❶ (*viel Saft enthaltend*) juicy, succulent ❷ (*üppig*) lush ❸ *Rechnung* steep

Saft·la·den *m* (*pej fam*) dump **Saft·pres·se** *f* fruit press

Sa·ge <-, -n> ['zaːgə] *f* legend

Sä·ge <-, -n> ['zɛːgə] *f* ❶ (*Werkzeug*) saw ❷ ÖSTERR (*Sägewerk*) sawmill

Sä·ge·blatt *nt* saw blade **Sä·ge·mehl** *nt* sawdust

sa·gen ['zaːgn̩] I. *vt* ❶ (*äußern*) ▪ etw |zu jdm| ~ to say sth |to sb|; **warum haben Sie das nicht gleich gesagt?** why didn't you say that before?; **was ich noch ~ wollte, ...** just one more thing, ...; **gesagt, getan** no sooner said than done; **leichter gesagt als getan** easier said than done ❷ (*mitteilen*) ▪ jdm etw ~ to tell sb sth; **das hätte ich dir gleich ~ können** I could have told you that before; **wem ~ Sie das!/wem sagst du das!** (*fam*) who are you trying to tell that?; **etwas/nichts zu ~ haben** to have the say/to have nothing to say; **das ist nicht gesagt** that is by no means certain ❸ (*meinen*) **was ~ Sie dazu?** what do you say to it?; **das kann man wohl ~** you can say that again ❹ (*bedeuten*) ▪ jdm etwas/nichts/wenig ~ to mean something/to not mean anything/to mean little to sb; **nichts zu ~ haben** to not mean anything II. *vi imperativisch* ▪ **sag/~ Sie, ...** tell me, ...; **genauer gesagt** or more precisely; **ich muss schon ~!** I must say!; **unter uns gesagt** between you and me; **sag bloß!** you don't say!; ▪ **um nicht zu ~ ...** not to say ...

sä·gen ['zɛːgn̩] *vt, vi* to saw

sa·gen·haft I. *adj* ❶ (*phänomenal*) incredible ❷ (*legendär*) legendary II. *adv* incredibly

Sä·ge·spä·ne *pl* wood shavings *pl* **Sä·ge·werk** *nt* sawmill, lumbermill AM

sah [zaː] *imp von* **sehen**

Sa·ha·ra <-> [za'haːra, 'zaːhara] *f kein pl* ▪ **die ~** the Sahara |Desert|

Sah·ne <-> ['zaːnə] *f kein pl* cream; **saure/süße ~** sour cream/|fresh| cream; (*Schlagsahne*) whipping cream

Sah·ne·tor·te *f* cream gateau

sah·nig ['zaːnɪç] *adj* creamy

Sai·son <-, -s *o* SÜDD, ÖSTERR -en> [zɛ'zõː, zɛ'zɔŋ] *f* season; **außerhalb der ~** in the off-season

Sai·son·ar·beit [zɛ'zõː-, zɛ'zɔŋ-] *f* seasonal work **Sai·son·ar·bei·ter(in)** *m(f)* seasonal worker **sai·son·be·dingt** *adj* seasonal **Sai·son·kraft** *f* seasonal worker

Sai·te <-, -n> ['zaɪtə] *f* MUS string ▸ **andere ~n aufziehen** to get tough

Sai·ten·in·stru·ment *nt* string|ed| instrument

Sak·ko <-s, -s> ['zako] *m o nt* sports jacket

sa·kral [za'kraːl] *adj* sacred

Sa·kra·ment <-[e]s, -e> [zakra'mɛnt] *nt* sacrament

Sa·kri·leg <-s, -e> [zakri'leːk] *nt* sacrilege

Sa·kris·tei <-, -en> [zakrɪs'taɪ] *f* sacristy

Sa·la·man·der <-s, -> [zala'mandɐ] *m* salamander

Sa·la·mi <-, -s> [za'laːmi] *f* salami

Sa·lat <-[e]s, -e> [za'laːt] *m* ❶ (*Pflanze*) lettuce ❷ (*Gericht*) salad ▸ **jetzt haben wir den ~!** now we're in a fine mess

Sa·lat·be·steck *nt* salad servers *pl* **Sa·lat·gur·ke** *f* cucumber **Sa·lat·schleu·der** *m* salad drainer **Sa·lat·schüs·sel** *f* salad bowl **Sa·lat·so·ße** *f* salad dressing

Sal·be <-, -n> ['zalbə] *f* ointment, salve

Sal·bei <-s> ['zalbaɪ] *m kein pl* sage *no pl*

Sal·bung <-, -en> *f* anointing, unction

sal·bungs·voll I. *adj* (*pej*) unctuous II. *adv* (*pej*) unctuously, with unction

Sal·do <-s, -s *o* Saldi *o* Salden> ['zaldo, *pl* 'zaldi, *pl* 'zaldn̩] *m* FIN balance

Sä·le *pl von* **Saal**

Sa·li·ne <-, -n> [za'liːnə] *f* ❶ (*Gradierwerk*) salt collector ❷ (*Salzwerk*) salt works + *sing/pl vb*

Salm <-[e]s, -e> [zalm] *m* (*Lachs*) salmon

Sal·mi·ak <-s> [zal'mi̯ak, 'zalmi̯ak] *m o nt kein pl* ammonium chloride

Sal·mi·ak·geist <-s> *m kein pl* |household| |liquid| ammonia

Sal·mo·nel·le <-, -n> [zalmo'nɛlə] *f meist pl* salmonella

Sal·mo·nel·len·ver·gif·tung *f* salmonella poisoning

sa·lo·mo·nisch [zalo'moːnɪʃ] *adj* ❶ GEOG Solomon; *s. a.* **deutsch** ❷ REL |worthy| of Solomon *pred*

Sa·lon <-s, -s> [za'lõː, za'lɔŋ] *m* salon

sa·lon·fä·hig [za'lõː-, za'lɔŋ-] *adj* socially acceptable

sa·lopp [za'lɔp] I. *adj* ❶ (*leger*) casual ❷ (*ungezwungen*) slangy II. *adv* ❶ (*leger*) casually ❷ *(ungezwungen)* **sich ~ aus·drücken** to use slang[y] expressions

Sal·pe·ter <-s> [zal'pe:te] *m kein pl* saltpetre [*or* AM -er] *no pl,* nitre [*or* AM -er] *no pl spec*

Sal·pe·ter·säu·re *f kein pl* nitric acid *no pl*

Sal·to <-s, -s *o* Salti> ['zalto, *pl* 'zalti] *m* somersault; **~ mortale** death-defying leap; **einen ~ machen** to somersault

sa·lü [za'ly:, 'zaly] *interj* SCHWEIZ *(fam)* ❶ *(hallo)* hi ❷ *(tschüs)* bye

Sal·va·do·ri·a·ner(in) <-s, -> [zalvado'rǐa:nɐ] *m(f)* Salvador[e]an; *s. a.* **Deutsche(r)**

sal·va·do·ri·a·nisch [zalvado'rǐa:nɪʃ] *adj* Salvador[e]an; *s. a.* **deutsch**

Salz <-es, -e> [zalts] *nt* salt

sal·zen <salzte, gesalzen *o* selten gesalzt> ['zaltsn̩] **I.** *vt* to salt **II.** *vi* to add salt

salz·hal·tig *adj* salty

sal·zig ['zaltsɪç] *adj* salty

Salz·kar·tof·feln *pl* boiled potatoes **Salz·säu·re** *f kein pl* hydrochloric acid **Salz·stan·ge** *f* salt[ed] stick **Salz·streu·er** <-s, -> *m* salt cellar BRIT, [salt] shaker AM **Salz·was·ser** *nt kein pl* salt water

Sa·ma·ri·ter <-s, -> [zama'ri:tɐ] *m* Samaritan; **ein barmherziger ~** a good Samaritan

Sam·ba <-s, -s> ['zamba] *m* samba

Sam·bia <-s> ['zambǐa] *nt* Zambia; *s. a.* **Deutschland**

Sa·men <-s, -> ['za:mən] *m* ❶ *(Pflanzen~)* seed ❷ *kein pl (Sperma)* sperm

Sa·men·bank *f* sperm bank **Sa·men·er·guss**ᴿᴿ *m* ejaculation **Sa·men·flüs·sig·keit** *f* seminal fluid **Sa·men·spen·der** *m* sperm donor

Sam·mel·band *m* anthology

Sam·mel·be·cken *nt* collecting tank **Sam·mel·be·griff** *m* collective term **Sam·mel·be·häl·ter** *m* collection bin **Sam·mel·be·stel·lung** *f* collective order **Sam·mel·büch·se** *f* collecting [*or* AM collection] box **Sam·mel·kla·ge** *f* JUR class-action lawsuit **Sam·mel·la·ger** *nt* refugee camp

sam·meln ['zamln̩] **I.** *vt* ❶ *(pflücken)* to pick ❷ *(auf~)* to gather ❸ *(an~, ein~)* to collect ❹ *(zusammentragen)* to gather; *Belege* to retain ❺ *(um sich scharen)* **Truppen ~** to gather [*or* assemble] troops ❻ *(aufspeichern)* to gain **II.** *vr* ❶ *(zusammenkommen)* ▪ **sich ~** to gather ❷ *(sich anhäufen)* ▪ **sich in etw** *dat* **~** to collect in sth ❸ *(sich konzentrieren)* ▪ **sich ~** to collect one's thoughts **III.** *vi*

▪ [**für jdn/etw**] **~** to collect [for sb/sth]

Sam·mel·su·ri·um <-s, -rien> [zaml'zu:rǐʊm, *pl* -rǐən] *nt* hotchpotch, hodgepodge AM

Sam·mel·ta·xi *nt* [collective] taxi

Samm·ler(in) <-s, -> *m(f)* ❶ *(von Gegenständen)* collector ❷ *(von Beeren etc.)* picker

Samm·ler·stück *nt* collector's item

Samm·lung <-, -en> *f* collection

Sam·ple <-s, -s> ['zampl] *nt* MUS sample

Sams·tag <-[e]s, -e> ['zamsta:k] *m* Saturday; *s. a.* **Dienstag**

Sams·tag·a·bendᴿᴿ *m* Saturday evening; *s. a.* **Dienstag sams·tag·a·bends**ᴿᴿ *adv* [on] Saturday evenings

sams·tags *adv* [on] Saturdays; **~ abends/nachmittags/vormittags** [on] Saturday evenings/afternoons/mornings

samt [zamt] **I.** *präp* along with **II.** *adv* **~ und sonders** all and sundry

Samt <-[e]s, -e> [zamt] *m* velvet

samt·ar·tig *adj* velvety, like velvet *pred*

Samt·hand·schuh *m* velvet glove; **jdn mit ~en anfassen** *(fig)* to handle sb with kid gloves

sam·tig ['zamtɪç] *adj* velvety, velvet *attr*

sämt·lich ['zɛmtlɪç] *adj* ❶ *(alle)* all; **~e Unterlagen wurden vernichtet** the documents were all destroyed ❷ *(ganze)* ▪ **jds ~e(r̩,s)** ... all [of] sb's ...

Sa·na·to·ri·um <-, -rien> [zana'to:rǐʊm, *pl* -rǐən] *nt* sanatorium, sanitarium AM

Sand <-[e]s, -e> [zant] *m* sand *no pl* ▸ **jdm ~ in die Augen streuen** to throw dust in sb's eyes; **das gibt es wie ~ am Meer** there are heaps of them; **etw** *akk* **in den ~ setzen** to blow sth [to hell]; **im ~e verlaufen** to peter out

San·da·le <-, -n> [zan'da:lə] *f* sandal

San·da·let·te <-, -n> [zanda'lɛtə] *f* high-heeled sandal

Sand·bank <-bänke> *f* sandbank

Sand·dorn *m* BOT sea buckthorn

San·del·holz ['zandl̩hɔlts] *nt* sandalwood

sand·far·ben, sand·far·big *adj* sand-coloured **Sand·gru·be** *f* sandpit **Sand·hau·fen** *m* pile of sand

san·dig ['zandɪç] *adj* sandy, full of sand *pred*

Sand·kas·ten *m* sandpit BRIT, sandbox AM **Sand·korn** *nt* grain of sand **Sand·männ·chen** *nt* ▪ **das ~** the sandman **Sand·sack** *m* ❶ *(zum Boxen)* punchbag ❷ *(zum Schutz)* sandbag **Sand·stein** *m* sandstone **Sand·strand** *m* sandy beach **Sand·sturm** *m* sandstorm

sand·te ['zantə] *imp von* **senden²**

Sand·uhr *f* hourglass

Sand·wich <-[s], -[e]s> ['zɛntvɪtʃ] *nt o m* sandwich

sanft [zanft] **I.** *adj* ❶ *Berührung, Stimme* gentle ❷ *Farben, Musik* soft **II.** *adv* gently

Sänf·te <-, -n> ['zɛnftə] *f* litter

Sanft·heit <-> *f kein pl* ❶ *(sanfte Wesensart)* gentleness ❷ *(sanfte Beschaffenheit)* Stimme *a., von Musik* softness; *Blick* tenderness

Sanft·mut <-> *f kein pl (geh)* gentleness, sweetness [of temper]

sanft·mü·tig *adj* gentle

sang [zaŋ] *imp von* **singen**

Sän·ger(in) <-s, -> ['zɛŋɐ] *m(f)* singer

San·gria <-, -s> [zaŋ'gri:a] *f* sangria

sang- und klang·los *adv (fam)* unwept and unsung

sa·nie·ren* [za'ni:rən] *vt* ❶ *(renovieren)* to redevelop ❷ *(wieder rentabel machen)* to rehabilitate

Sa·nie·rung <-, -en> *f* ❶ *(Renovierung)* redevelopment ❷ *(von Firma, etc.)* rehabilitation

Sa·nie·rungs·plan *m* ÖKON redevelopment plan

sa·ni·tär [zani'tɛːɐ̯] *adj attr* sanitary; **~e Anlagen** sanitation *no pl*

Sa·ni·tät <-, -en> [zani'tɛːt] *f* ❶ *kein pl* ÖSTERR *(Gesundheitsdienst)* ■ **die ~** the medical service ❷ SCHWEIZ *(Ambulanz)* ambulance ❸ ÖSTERR, SCHWEIZ *(~ struppe)* medical corps

Sa·ni·tä·ter(in) <-s, -> [zani'tɛːtɐ] *m(f)* first-aid attendant, paramedic; MIL [medical] orderly

Sa·ni·täts·dienst *m* MIL medical corps **Sa·ni·täts·we·sen** *nt kein pl* medical service[s]

sank [zaŋk] *imp von* **sinken**

Sankt [zaŋkt] *adj* Saint, St[.]

Sank·ti·on <-, -en> [zaŋk'tsi̯oːn] *f* sanction; **gegen jdn/etw ~en verhängen** to impose sanctions against sb/sth

sank·ti·o·nie·ren* [zaŋktsi̯o'niːrən] *vt* to sanction

sann [zan] *imp von* **sinnen**

Sa·phir <-s, -e> ['zaːfɪr, 'zafiːɐ, za'fiːɐ] *m* sapphire

Sar·de, Sar·din <-n, -> ['zardə, 'zardɪn] *m, f* Sardinian

Sar·del·le <-, -n> [zar'dɛlə] *f* anchovy

Sar·din <-, -nen> *f fem form von* **Sarde**

Sar·di·ne <-, -n> [zar'diːnə] *f* sardine

Sar·di·ni·en <-s> [zar'diːni̯ən] *nt* Sardinia

sar·di·nisch [zar'diːnɪʃ], **sar·disch** ['zardɪʃ] *adj* Sardinian, of Sardinia *pred*

Sarg <-[e]s, Särge> [zark, *pl* 'zɛrgə] *m* coffin, casket AM

Sar·kas·mus <-, -men> [zar'kasmʊs, *pl* -'kasmən] *m kein pl* sarcasm

sar·kas·tisch [zar'kastɪʃ] **I.** *adj* sarcastic **II.** *adv* sarcastically

Sar·ko·phag <-[e]s, -e> [zarko'faːk, *pl* -faːgə] *m* sarcophagus

saß [zaːs] *imp von* **sitzen**

Sa·tan <-s, -e> ['zaːtan] *m kein pl* Satan

sa·ta·nisch [za'taːnɪʃ] **I.** *adj attr* satanic, diabolical **II.** *adv* diabolically

Sa·tel·lit <-en, -en> [zatɛ'liːt] *m* satellite

Sa·tel·li·ten·fern·se·hen *nt kein pl* satellite television *no pl* **Sa·tel·li·ten·fo·to** *nt* satellite photo **Sa·tel·li·ten·schüs·sel** *f* satellite dish **Sa·tel·li·ten·stadt** *f* satellite town **Sa·tel·li·ten·te·le·fon** *nt* TELEK satellite [tele]phone

Sa·tin <-s, -s> [za'tɛ̃ː] *m* satin

Sa·ti·re <-, -n> [za'tiːrə] *f kein pl* satire (**auf** on)

sa·ti·risch [za'tiːrɪʃ] *adj* satirical

satt [zat] *adj* ❶ *(gesättigt)* full [BRIT up] *pred fam*, replete *pred form;* ■ **~ sein** to have had enough [to eat], to be full [BRIT up] *fam [or form* replete]; **sich [an etw** *dat]* **~ essen** to eat one's fill [of sth]; **~ machen** to be filling ❷ *(kräftig)* rich, deep

Sat·tel <-s, Sättel> ['zatl, *pl* 'zɛtl] *m* saddle; **fest im ~ sitzen** *(a. fig)* to be firmly in the saddle

sat·tel·fest *adj* experienced

sat·teln ['zatln] *vt* to saddle

Sat·tel·schlep·per <-s, -> *m (Zugmaschine)* truck [*or* AM semi-trailer] [tractor]; *(Sattelzug)* articulated lorry BRIT, semi-trailer [truck] AM **Sat·tel·ta·sche** *f* saddlebag

satt|ha·ben *vt (fig)* ■ **etw ~** to be fed up with sth

sät·ti·gen ['zɛtɪgn] **I.** *vt* to satiate; ■ **gesättigt sein** to be saturated **II.** *vi* to be filling

sät·ti·gend *adj* filling

Sät·ti·gung <-, selten -en> *f* ❶ *(das Sättigen)* repletion ❷ *(Saturierung)* saturation

Satt·ler(in) <-s, -> ['zatlɐ] *m(f)* saddler

Sa·turn <-s> [za'tʊrn] *m kein pl* Saturn

Satz¹ <-es, Sätze> [zats, *pl* 'zɛtsə] *m* ❶ LING sentence; **mitten im ~** in mid-sentence ❷ MUS movement ❸ *(Set)* set; **ein ~ Schraubenschlüssel** a set of spanners [*or* AM wrenches] ❹ *(Schrift~)* setting; *(das Gesetzte)* type [matter] *no pl* ❺ SPORT set ❻ MATH **der ~ des Pythagoras** Pythagoras theorem

Satz² <-es, Sätze> [zats, *pl* 'zɛtsə] *m* leap, jump; **einen ~ machen** to leap, to jump

Satz³ <-es> [zats] *m kein pl* dregs *npl; (Kaffee~)* grounds *npl*

S

Satz·bau <-s> *m kein pl* sentence construction **Satz·leh·re** *f kein pl* LING syntax **Satz·teil** *m* LING part of a sentence

Sat·zung <-, -en> ['zatsʊŋ] *f* constitution, statutes *npl*

Satz·zei·chen *nt* LING punctuation mark **Sau** <-, Säue *o* Sauen> [zaʊ, *pl* 'zɔyə, 'zaʊən] *f* ❶ <*pl* a. Sauen> (*weibliches Schwein*) sow ❷ (*sl: schmutziger Mensch*) filthy pig ▸ **jdn zur ~ machen** *dat* to bawl sb out; **die ~ rauslassen** to let it all hang out; **unter aller ~** it's enough to make me/you puke; **keine ~** not a single bastard

sau·ber ['zaʊbɐ] **I.** *adj* ❶ (*rein*) clean ❷ (*stubenrein*) ■ **~ sein** to be housetrained ❸ (*sorgfältig*) neat ❹ (*anständig*) **bleib ~!** (*hum fam*) keep your nose clean **II.** *adv* ❶ (*sorgfältig*) **etw ~ halten** to keep sth clean; **etw ~ putzen** to wash sth [clean] ❷ (*perfekt*) neatly

Sau·ber·keit <-> *f kein pl* ❶ (*Reinlichkeit*) clean[li]ness ❷ (*Reinheit*) cleanness

säu·ber·lich ['zɔybɐlɪç] **I.** *adj* neat **II.** *adv* neatly

säu·bern ['zɔybɐn] *vt* ❶ (*reinigen*) to clean ❷ (*euph: befreien*) ■ **etw von etw** *dat* ~ to purge sth of sth

Säu·be·rung <-, -en> *f* (*euph*) purge; **ethnische ~** ethnic cleansing

Sau·ce <-, -n> ['zoːsə] *f s.* **Soße**

Sau·ci·e·re <-, -n> [zo'sieːrə, zo'siɛːrə] *f* sauce boat; (*bes mit Fleischsoße*) gravy boat

Sau·di-A·ra·bi·en ['zaʊdi-, za'uːdi-] *nt* Saudi Arabia

sau·di-a·ra·bisch ['zaʊdi-, za'uːdi-] *adj* Saudi, Saudi-Arabian; *s. a.* **deutsch**

sau·dumm I. *adj* (*sl*) damn stupid **II.** *adv* (*sl*) **~ fragen** to ask stupid questions

sau·er ['zaʊɐ] **I.** *adj* ❶ (*nicht süß*) sour; (*~ eingelegt*) pickled ❷ (*Säure enthaltend*) acid[ic] ❸ (*übel gelaunt*) mad, pissed off *pred;* ■ **~ sein** to be mad [*or* AM pissed] (**auf** at) **II.** *adv* ❶ (*mühselig*) the hard way ❷ (*übel gelaunt*) **~ reagieren** to get mad [*or* AM pissed]

Sau·er·amp·fer <-, -n> *m* sorrel **Sau·er·bra·ten** *m* sauerbraten AM (*beef roast marinated in vinegar and herbs*)

Sau·e·rei <-, -en> [zaʊə'raɪ] *f* (*sl*) ❶ (*schmutziger Zustand*) God-awful mess ❷ (*unmögliches Benehmen*) [downright] disgrace ❸ (*Obszönität*) filthy joke/story **Sau·er·kir·sche** *f* sour cherry **Sau·er·kohl** *m*, **Sau·er·kraut** *nt* DIAL sauerkraut **säu·er·lich** ['zɔyɐlɪç] **I.** *adj* ❶ (*leicht sauer*) [slightly] sour ❷ (*übellaunig*) annoyed

II. *adv* ❶ (*leicht sauer*) **~ schmecken** to taste sour/tart ❷ (*übellaunig*) sourly **Sau·er·rahm** *m* sour cream **Sau·er·stoff** *m kein pl* oxygen *no pl* **Sau·er·stoff·fla·sche**^{RR} *f* oxygen cylinder **Sau·er·stoff·ge·rät** *nt* ❶ (*Atemgerät*) breathing apparatus ❷ (*Beatmungsgerät*) respirator **Sau·er·stoffla·sche**^{ALT} *f s.* **Sauerstoffflasche Sau·er·stoff·man·gel** *m kein pl* lack of oxygen **Sau·er·stoff·mas·ke** *f* oxygen mask **Sau·er·stoff·zelt** *nt* oxygen tent; **unter einem ~** in an oxygen tent

Sau·er·teig *m* sourdough

Sauf·bold <-[e]s, -e> ['zaʊfbɔlt, *pl* -bɔldə] *m* (*sl*) drunk[ard]

sau·fen <säuft, soff, gesoffen> ['zaʊfn] **I.** *vt* (*sl*) to drink; (*schneller*) to knock back *sep* **II.** *vi* ❶ (*sl: Alkoholiker sein*) to drink, to take to the bottle ❷ (*Tiere*) to drink

Säu·fer(in) <-s, -> ['zɔyfɐ] *m(f)* (*sl*) drunk[ard], boozer

Sau·fe·rei <-, -en> [zaʊfə'raɪ] *f* (*sl: Besäufnis*) booze-up; (*übermäßiges Trinken*) boozing *no art, no pl fam*

Säu·fe·rin <-, -nen> *f fem form von* **Säufer**

Sauf·kum·pan(in) *m(f)* (*sl*) drinking pal [*or* AM buddy]

säuft [zɔyft] *3. pers pres von* **saufen**

sau·gen <sog *o* saugte, gesogen *o* gesaugt> ['zaʊgn] *vi, vt* to suck (**an** on) **säu·gen** ['zɔygn] *vt* ■ **sein Junges ~** to suckle its young

Sau·ger <-s, -> *m* (*auf Flasche*) teat, nipple AM

Säu·ger <-s, -> *m* (*geh*), **Säu·ge·tier** *nt* mammal

saug·fä·hig *adj* absorbent

Säug·ling <-s, -e> ['zɔyklɪŋ] *m* baby **Säug·lings·nah·rung** *f* baby food **Säug·lings·schwes·ter** *f* baby nurse **Säug·lings·sterb·lich·keit** *f kein pl* infant mortality *no pl*

sau·kalt ['zaʊ'kalt] *adj* (*sl*) damn cold **Sau·kerl** *m* (*sl*) bastard

Säu·le <-, -n> ['zɔylə] *f* ❶ ARCHIT column ❷ (*Stütze*) pillar; **die ~n der Gesellschaft** the pillars of society

Säu·len·gang *m* colonnade

Saum <-[e]s, Säume> [zaʊm, *pl* 'zɔymə] *m* hem

sau·mä·ßig I. *adj* (*sl*) ❶ (*unerhört*) bastard *attr* ❷ (*miserabel*) lousy **II.** *adv* (*sl*) like hell; **~ kalt/schwer** bastard [*or* BRIT bloody] cold/heavy

säu·men ['zɔymən] *vt* ❶ (*Kleidung*) to hem ❷ (*zu beiden Seiten stehen*) to line;

(*zu beiden Seiten liegen*) to skirt

säu·mig ['zɔʏmɪç] *adj* **ein ~er Schuldner** a slow debtor

Säum·nis <-, -se *o wenn nt* -ses, -se> ['zɔʏmnɪs] *f o nt* JUR default; **~ im Termin** failure to appear in court

Sau·na <-, -s *o* Saunen> ['zaʊna] *f* sauna; **in die ~ gehen** to go for a sauna

sau·nie·ren* [zaʊ'niːrən] *vi* to [take a] sauna

Säu·re <-, -n> ['zɔʏrə] *f* ❶ CHEM acid ❷ (*saure Beschaffenheit*) sourness, acidity

säu·re·hal·tig *adj* acid[ic]

Sau·ri·er <-s, -> ['zaʊriɐ] *m* dinosaur

Saus [zaʊs] *m* **in ~ und Braus leben** to live it up

säu·seln ['zɔʏzln̩] *vi* ❶ (*leise sausen*) to sigh ❷ (*schmeichelnd sprechen*) to purr

sau·sen ['zaʊzn̩] *vi* ❶ *haben* (*von Wind*) to whistle; (*von Sturm*) to roar ❷ *sein* (*von Kugel*) to whistle ❸ *sein* (*sich schnell bewegen*) to dash; (*schnell fahren*) to roar ❹ (*sein lassen*) **etw ~ lassen** to forget sth

Sau·stall *m* pigsty **sau·stark** *adj* (*sl*) wicked **Sau·wet·ter** *nt* (*sl*) bastard weather *no indef art* **sau·wohl** *adj* ■ **jd fühlt sich ~** (*sl*) sb feels really good [*or* AM like a million bucks]

Sa·van·ne <-, -n> [za'vanə] *f* savanna[h]

Sa·xo·phon, Sa·xo·fon^RR <-[e]s, -e> [zakso'foːn] *nt* saxophone, sax *fam*

Sa·xo·pho·nist, Sa·xo·fo·nist(in)^RR <-en, -en> [zaksofo'nɪst] *m(f)* saxophone [*or fam* sax] player, saxophonist

SB [ɛs'beː] *Abk von* **Selbstbedienung** self-service

S-Bahn ['ɛs-] *f* suburban train

S-Bahn·hof *m* suburban station

SBB [ɛsbeː'beː] *f Abk von* **schweizerische Bundesbahn** ≈ BR BRIT, ≈ Amtrak AM

SB-Tank·stel·le *f* self-service petrol [*or* AM gas] station

scan·nen ['skɛnən] *vt* to scan

Scan·ner <-s, -> ['skɛnɐ] *m* scanner

Scan·ner·kas·se *f* electronic checkout

Scha·be <-, -n> ['ʃaːbə] *f* cockroach, roach AM

scha·ben ['ʃaːbn̩] *vt* to scrape

Scha·ber·nack <-[e]s, -e> ['ʃaːbɐnak] *m* (*veraltend*) prank; **jdm einen ~ spielen** to play a prank on sb

schä·big ['ʃɛːbɪç] *adj* ❶ (*unansehnlich*) shabby ❷ (*gemein*) mean ❸ (*dürftig*) paltry

Scha·blo·ne <-, -n> [ʃa'bloːnə] *f* stencil

Schach <-s> [ʃax] *nt kein pl* (*Spiel*) chess *no art, no pl*; (*Stellung*) check!; **eine Par·tie ~** a game of chess; **~ und matt!** check-

mate!; **jdn in ~ halten** (*fig*) to keep sb in check

Schach·brett *nt* chessboard **schach·brett·ar·tig** *adj* chequered

scha·chern ['ʃaxɐn] *vi* to haggle (**um** over)

Schach·fi·gur *f* chess piece **schach·matt** [ʃax'mat] *adj* ❶ (*Stellung in Brett und Figuren*) chess set ❷ (*das Schachspielen*) chess **Schach·spiel** *nt* ❶ (*Brett und Figuren*) chess set ❷ (*das Schachspielen*) chess **Schach·spie·ler(in)** *m(f)* chess player

Schacht <-[e]s, Schächte> [ʃaxt, *pl* 'ʃɛçtə] *m* shaft; *Brunnen* well

Schach·tel <-, -n> ['ʃaxtl̩] *f* box; **eine ~ Zigaretten** a packet [*or* AM pack] of cigarettes

Schach·zug *m* move [at chess]

scha·de ['ʃaːdə] *adj präd* ❶ (*bedauerlich*) **wie ~!** what a pity, that's too bad; **ich finde es ~, dass ...** it's a shame [*or* pity] that; ■ **es ist ~ um jdn/etw** it's a shame [*or* pity] about sb/sth ❷ (*zu gut*) ■ **für etw** *akk* **zu ~ sein** to be too good for sth; ■ **sich** *dat* **für etw** *akk* **zu ~/nicht zu ~ sein** to think oneself too good for sth/to not think sth [to be] beneath one

Schä·del <-s, -> ['ʃɛːdl̩] *m* skull; **jdm den ~ einschlagen** to smash sb's skull in; **einen dicken ~ haben** (*fam*) to have a hangover; **jdm brummt der ~** (*fam*) sb's head is throbbing

Schä·del·bruch *m* fractured skull

scha·den ['ʃaːdn̩] *vi* ■ **jdm ~** to do harm to sb; ■ **etw** *dat* **~** to damage sth

Scha·den <-s, Schäden> ['ʃaːdn̩, *pl* 'ʃɛːdn̩] *m* damage *no indef art, no pl* (**durch** caused by); **einen ~ verursachen** to cause damage; **jdm ~ zufügen** to harm sb

Scha·den·er·satz *m s.* **Schadensersatz Scha·den·er·satz·an·spruch** *m* claim for compensation **Scha·den·freu·de** *f* malicious joy **scha·den·froh** **I.** *adj* malicious, gloating; ■ **~ sein** to delight in others' misfortunes **II.** *adv* **~ grinsen** to grin with gloating

Scha·dens·be·gren·zung *f* loss [*or* damage] limitation; ■ **zur ~** to limit the losses [*or* damage] **Scha·dens·er·satz** *m kein pl* compensation; **~ fordern** to claim damages; **jdn auf ~ verklagen** to sue sb for damages

schad·haft ['ʃaːthaft] *adj* faulty, defective; (*beschädigt*) damaged

schä·di·gen ['ʃɛːdɪɡn̩] *vt* ❶ (*beeinträchtigen*) to harm (**durch** with) ❷ (*finanziell belasten*) to cause losses (**durch** with)

S

Schä·di·gung <-, -en> f harm *no indef art, no pl* (+gen to)

schäd·lich ['ʃɛːtlɪç] adj harmful; (giftig) noxious; ■ ~ **sein** to be harmful [or damaging]

Schäd·ling <-s, -e> ['ʃɛːtlɪŋ] m pest

Schäd·lings·be·kämp·fung f pest control **Schäd·lings·be·kämp·fungs·mit·tel** nt pesticide

Schad·stoff m harmful substance; (in der Umwelt) pollutant

schad·stoff·arm adj containing a low level of harmful substances *pred*; *Motor* low-emission **Schad·stoff·aus·stoß** m [pollution] emissions pl **Schad·stoff·be·las·tung** f pollution **schad·stoff·hal·tig** adj containing pollutants **Schad·stoff·kon·zen·tra·ti·on** f concentration of harmful substances

Schaf <-[e]s, -e> [ʃaːf] nt sheep; **das schwarze ~ sein** (fig) to be the black sheep

Schaf·bock m ram

Schäf·chen <-s, -> ['ʃɛːfçən] nt dim von **Schaf** little sheep ▶ **sein ~ ins Trockene bringen** to see oneself all right

Schäf·chen·wol·ken pl fleecy clouds

Schä·fer(in) <-s, -> ['ʃɛːfɐ] m(f) shepherd *masc*, shepherdess *fem*

Schä·fer·hund m Alsatian [dog], German shepherd [dog] Aᴍ

Schä·fe·rin <-, -nen> f fem form von **Schäfer**

Schaf·fell nt sheepskin

schaf·fen¹ <schaffte, geschafft> ['ʃafn̩] vt ❶ (bewältigen) to manage [to do]; *Examen* to pass; **einen Termin ~** to make a date; **es ist geschafft** it's done; ■ **es ~, etw zu tun** to manage to do sth; **ich habe es nicht mehr geschafft, dich anzurufen** I didn't get round to calling you ❷ (gelangen) **wir müssen es bis zur Grenze ~** we've got to get to the border ❸ (bringen) to bring ❹ (erschöpfen) ■ **jdn ~** to take it out of sb; ■ **geschafft sein** to be exhausted

schaf·fen² <schuf, geschaffen> ['ʃafn̩] vt ❶ (herstellen) to create; **dafür bist du wie ge~** you're just made for it ❷ (verursachen) to cause; **Frieden ~** to make peace

schaf·fen³ <schaffte, geschafft> ['ʃafn̩] vi sÜᴅᴅ, ÖSTERR, SCHWEIZ (arbeiten) to work; **nichts mit jdm/etw zu ~ haben** to have nothing to do with sb/sth; **jdn zu ~ machen** to cause sb trouble

Schaf·fens·kraft f kein pl creative power

Schaff·ner(in) <-s, -> ['ʃafnɐ] m(f) guard Bʀɪᴛ, conductor Aᴍ

Schaf·fung <-> f kein pl creation

Schaf·her·de f flock of sheep

Scha·fott <-[e]s, -e> [ʃaˈfɔt] nt scaffold

Schafs·kä·se m sheep's milk cheese

Schaft <-[e]s, Schäfte> [ʃaft, pl 'ʃɛftə] m ❶ (lang gestreckter Teil) shaft ❷ (Stiefel~) leg

Schaft·stie·fel pl high boots

Schaf·wol·le f sheep's wool

Schah <-s, -s> [ʃaː] m shah

Scha·kal <-s, -e> [ʃaˈkaːl] m jackal

schä·kern ['ʃɛːkɐn] vi to flirt

schal [ʃaːl] adj flat; *Wasser* stale

Schal <-s, -s o -e> [ʃaːl] m scarf

Scha·le¹ <-, -n> ['ʃaːlə] f ❶ (Nuss~) shell ❷ (Frucht~) skin; (abgeschält) peel ❸ (Tier) shell ▶ **eine raue ~ haben** to be a rough diamond; **sich in ~ werfen** to get dressed up

Scha·le² <-, -n> ['ʃaːlə] f bowl; (flacher) dish

schä·len ['ʃɛːlən] I. vt to peel; ■ **etw aus etw ~** dat ~ to unwrap sth [from sth] II. vr ■ **sich ~** to peel

Scha·len·tier nt shellfish

Schalk <-[e]s, -e o Schälke> [ʃalk, pl 'ʃɛlkə] m (veraltend) rogue ▶ **jdm sitzt der ~ im Nacken** sb is a real rogue

Schall <-s, -e o Schälle> [ʃal, pl 'ʃɛlə] m ❶ (Laut) sound ❷ kein pl PHYS sound no art ▶ **etw ist ~ und Rauch** sth signifies nothing

Schall·däm·mung f sound-absorption **Schall·dämp·fer** <-s, -> m einer Schusswaffe silencer; eines Auspuffs a. muffler Aᴍ **schall·dicht** adj soundproof

schal·len ['ʃalən] vi to resound

Schall·ge·schwin·dig·keit f kein pl PHYS speed of sound **Schall·gren·ze** f s. Schallmauer **Schall·iso·lie·rung** f soundproofing **Schall·mau·er** f sound barrier; **die ~ durchbrechen** to break the sound barrier **Schall·plat·te** f record collection **Schall·wel·le** f sound wave

Scha·lot·te <-, -n> [ʃaˈlɔtə] f shallot

schalt [ʃalt] imp von **schelten**

Schalt·an·la·ge f [ʃalt-] f switchgear

schal·ten ['ʃaltn̩] I. vi ❶ AUTO to change gear ❷ (fam: begreifen) to get it ❸ (sich einstellen) to switch to II. vt (einstellen) to switch, to turn (auf to)

Schal·ter <-s, -> ['ʃaltɐ] m ❶ ELEK switch ❷ ADMIN, BAHN counter; (mit Sichtfenster) window

Schal·ter·be·am·te(r), **-be·am·tin** m, f dekl wie adj clerk **Schal·ter·hal·le** f main hall; BAHN travel centre **Schal·ter·raum** m hall; (im Bahnhof) ticket office

Schal·ter·stun·den pl opening hours pl
Schalt·he·bel m AUTO gear lever
Schalt·jahr nt leap year **Schalt·knüp·pel** m gearstick **Schalt·kreis** m circuit **Schalt·plan** m diagram of a wiring system; INFORM, ELEK circuit diagram **Schalt·pult** nt control desk [or panel], controls npl **Schalt·ta·fel** f control panel **Schalt·tag** m leap day
Schal·tung <-, -en> f ❶ AUTO gears pl ❷ ELEK circuit
Scha·lup·pe <-, -n> [ʃaˈlʊpə] f NAUT ❶ (hist: kleineres Frachtschiff) sloop ❷ (Beiboot eines Seglers) dinghy
Scham <-> [ʃaːm] f kein pl ❶ (Beschämung) shame; ~ **empfinden** to be ashamed ❷ (Verlegenheit) embarrassment; **vor ~ in den Boden versinken** to die of embarrassment ❸ (Geschlechtsteile) private parts
Scha·ma·ne <-n, -n> [ʃaˈmaːnə] m shaman
Scham·bein nt pubic bone
schä·men [ˈʃɛːmən] vr ❶ (Scham empfinden) ■ **sich ~** to be ashamed (**wegen** of); ■ **sich vor jdm ~** to be ashamed in front of sb; (einem peinlich werden in jds Gegenwart) to be embarrassed in front of sb; **schäm dich!** shame on you! ❷ (sich scheuen) ■ **sich ~, etw zu tun** to be embarrassed to do sth
Scham·ge·fühl nt kein pl sense of shame **Scham·ge·gend** f pubic region **Scham·haar** nt pubic hair
scham·haft adj shy, bashful
Scham·lip·pen pl labia pl
scham·los adj shameless, rude; Lüge barefaced
Scha·mot·te·stein [ʃaˈmɔt-] m firebrick
Scham·rö·te f blush of embarrassment
Schan·de <-> [ˈʃandə] f kein pl disgrace, shame; **eine ~ sein** to be a disgrace; **mach mir [nur] keine ~!** (hum) don't let me down!
schän·den [ˈʃɛndn̩] vt ❶ (verächtlich machen) to discredit ❷ (entweihen) to desecrate
Schand·fleck m blot [on the landscape]
schänd·lich [ˈʃɛntlɪç] I. adj ❶ (niederträchtig) disgraceful, shameful; Verbrechen despicable ❷ (schlecht) appalling II. adv shamefully, disgracefully
Schand·tat f abomination; **zu jeder ~ bereit sein** (hum) to be ready for anything
Schän·dung <-, -en> f desecration; (Vergewaltigung) violation
Schän·ke^RR <-, -n> [ˈʃɛŋkə] f pub; (auf dem Land) inn

Schan·ze <-, -n> [ˈʃantsə] f ski jump
Schar <-, -n> [ʃaːɐ̯] f von Vögeln flock; von Menschen crowd
Scha·ra·de <-, -n> [ʃaˈraːdə] f charade; ~ **n spielen** to play charades
scha·ren [ˈʃaːrən] I. vt ■ **Dinge/Menschen um sich ~** to gather things/people around oneself II. vr ■ **sich um jdn/etw ~** to gather around sb/sth
scha·ren·wei·se adv in hordes
scharf <schärfer, schärfste> [ʃarf] I. adj ❶ (gut geschliffen) sharp ❷ (spitz zulaufend) sharp; **eine ~e Kurve** a hairpin bend ❸ KOCHK hot; (hochprozentig) strong ❹ (ätzend) aggressive ❺ (schonungslos, heftig) harsh, severe, tough; Kontrolle rigorous; Konkurrenz fierce; Kritik biting ❻ (bissig) fierce, vicious; **eine ~e Zunge haben** to have a sharp tongue ❼ (echt) real; **eine ~e Bombe** a live bomb ❽ (konzentriert, präzise) careful; Beobachtung astute; Beobachter, Verstand keen ❾ FOTO sharp; Augen keen; Umrisse sharp ❿ (sl: aufreizend) spicy; ■ **auf jdn ~ sein** to fancy sb, to have the hots for sb AM; ■ **auf etw** akk ~ **sein** to be keen on sth II. adv ❶ (in einen scharfen Zustand) **etw ~ schleifen** to sharpen sth ❷ (intensiv gewürzt) **ich esse gerne ~** I like eating hot food; **etw ~ würzen** to highly season sth ❸ (heftig) sharply; kritisieren harshly; verurteilen strongly ❹ (konzentriert, präzise) carefully; ~ **beobachten** to observe carefully; ~ **sehen** to have keen eyes ❺ (streng) carefully, closely; **jdn ~ bewachen** to keep a close guard on sb; **gegen etw** akk ~ **vorgehen** to take drastic action against sth ❻ (abrupt) abruptly, sharply; ~ **links/ rechts abbiegen** to take a sharp left/right; ~ **bremsen** to brake sharply ❼ TECH, FOTO (klar) sharply; **das Bild ~ einstellen** to sharply focus the picture
Scharf·blick m kein pl astuteness no pl
Schär·fe <-, -n> [ˈʃɛrfə] f ❶ (guter Schliff) sharpness ❷ KOCHK spiciness; von Senf/Chilis hotness ❸ (Heftigkeit) einer Ablehnung severity; der Konkurrenz keenness, strength; der Kritik severity, sharpness; von Worten harshness; (Präzision) sharpness, keenness; der Augen/des Verstandes keenness ❹ FOTO sharpness; einer Brille strength ❺ (ätzende Wirkung) causticity
schär·fen [ˈʃɛrfn̩] vt ❶ (scharf schleifen) to sharpen ❷ (verfeinern) to make sharper
scharf·kan·tig adj sharp-edged
scharf|ma·chen vt ■ **jdn ~** to turn sb on
Scharf·rich·ter m executioner **Scharf·schüt·ze, -schüt·zin** m, f marksman

masc, markswoman *fem* **scharf·sich·tig** *adj* sharp-sighted **Scharf·sinn** *m kein pl* astuteness *no pl* **scharf·sin·nig I.** *adj* astute, perceptive **II.** *adv* astutely, perceptively

Schar·lach¹ <-s> [ˈʃarlax] *m kein pl* MED scarlet fever

Schar·lach² <-> [ˈʃarlax] *nt kein pl* scarlet

Schar·la·tan <-s, -e> [ˈʃarlatan] *m* ❶ (*Betrüger*) fraud ❷ (*Kurpfuscher*) charlatan, quack *fam*

Schar·nier <-s, -e> [ʃarˈniːɐ̯] *nt* hinge

Schär·pe <-, -n> [ˈʃɛrpə] *f* sash

schar·ren [ˈʃarən] *vi* to scratch; (*mit der Pfote*) to paw

Schar·te <-, -n> [ˈʃartə] *f* ❶ (*Einschnitt*) nick, notch ❷ (*Schießscharte*) embrasure

schar·wen·zeln* [ʃarˈvɛntsl̩n] *vi sein o haben* ■ [**um jdn**] ~ to suck up [to sb]

Schasch·lik <-s, -s> [ˈʃaʃlɪk] *nt* [shish] kebab

Schat·ten <-s, -> [ˈʃatn̩] *m* ❶ (*schattige Stelle*) shade; **30° im ~** 30 degrees in the shade; **~ spenden** to afford shade; **lange ~ werfen** to cast long shadows ❷ (*schemenhafte Gestalt, dunkle Stelle*) shadow ▸ **im ~ bleiben** to stay in the shade; **nicht über seinen [eigenen] ~ springen können** to be unable to act out of character; **in jds ~ stehen** to be in sb's shadow; **jdn/etw in den ~ stellen** to put sb/sth in the shade; **seinen ~ vorauswerfen** to cast one's shadow before one; **einen ~ [auf etw** *akk*] **werfen** to cast a shadow [over sth]

Schat·ten·sei·te *f* dark side **Schat·ten·spiel** *nt* shadow play

schat·tie·ren* [ʃaˈtiːrən] *vt* KUNST to shade [in]

Schat·tie·rung <-, -en> *f* KUNST shading

schat·tig [ˈʃatɪç] *adj* shady

Scha·tul·le <-, -n> [ʃaˈtʊlə] *f* casket

Schatz <-es, Schätze> [ʃats, *pl* ˈʃɛtsə] *m* ❶ (*kostbare Dinge*) treasure ❷ (*fam: Liebling*) sweetheart, love; **ein ~ sein** (*fam*) to be a dear

Schätz·chen <-s, -> [ˈʃɛtsçən] *nt* (*fam*) *dim von* **Schatz 2**

schät·zen [ˈʃɛtsn̩] **I.** *vt* ❶ (*einschätzen*) to guess; **meistens werde ich jünger geschätzt** people usually think I'm younger; **ich schätze sein Gewicht auf ca. 100 kg** I reckon he weighs about 100 kilos; **grob geschätzt** at a rough guess ❷ (*wertmäßig einschätzen*) to assess (*auf* at) ❸ (*würdigen*) to value (**als** as); ■ **jdn ~** to hold sb in high esteem; ■ **etw ~** to appreciate sth **II.** *vi* to guess

Schät·zer(in) <-s, -> *m(f)* assessor

Schatz·kam·mer *f* treasure-house **Schatz·meis·ter(in)** *m(f)* treasurer

Schät·zung <-, -en> *f* ❶ *kein pl* (*wertmäßiges Einschätzen*) valuation ❷ (*Anschlag*) estimate; **nach einer groben ~** at a rough estimate

schät·zungs·wei·se *adv* approximately

Schätz·wert *m* estimated value

Schau <-, -en> [ʃaʊ] *f* ❶ (*Ausstellung*) exhibition; **etw zur ~ stellen** to display sth ❷ (*Vorführung*) show ▸ **jdm** [**mit etw** *dat*] **die ~ stehlen** to steal the show from sb [with sb]

Schau·bild *nt* diagram **Schau·bu·de** *f* [show] booth

Schau·der <-s, -> [ˈʃaʊdɐ] *m* shudder

schau·der·haft *adj* ❶ (*grässlich*) ghastly, horrific ❷ (*furchtbar*) awful

schau·dern [ˈʃaʊdɐn] **I.** *vt impers* ■ **es schaudert jdn bei etw** *dat* sth makes sb shudder **II.** *vi* ❶ (*erschauern*) to shudder ❷ (*frösteln*) to shiver

schau·en [ˈʃaʊən] *vi* SÜDD, ÖSTERR, SCHWEIZ ❶ (*blicken*) to look; **auf die Uhr ~** to look at the clock ❷ (*darauf achten*) ■ **auf etw** *akk* ~ to pay attention to sth ❸ (*sich kümmern*) ■ **nach jdm/etw ~** to have a look at sb/sth ❹ (*suchen*) ■ [**nach etw** *dat*] ~ to look [for sth] ▸ **da schaust du aber!** (*fam*) how about that!

Schau·er <-s, -> [ˈʃaʊɐ] *m* ❶ (*Regenschauer*) shower ❷ *s.* **Schauder**

Schau·er·ge·schich·te *f* (*fam*) *s.* **Schauermärchen**

schau·er·lich *adj* ❶ (*grässlich*) ghastly, horrific ❷ (*furchtbar*) awful

Schau·er·mär·chen *nt* horror story

Schau·fel <-, -n> [ˈʃaʊfl̩] *f* shovel; (*für Mehl o.Ä.*) scoop; (*für Kehricht*) dustpan; (*Spielzeug*~) spade; (*am Bagger*) shovel

schau·feln [ˈʃaʊfl̩n] *vi, vt* to shovel, to dig

Schau·fens·ter *nt* shop window **Schau·fens·ter·bum·mel** *m* window-shopping *no pl, no indef art;* **einen ~ machen** to go window-shopping **Schau·fens·ter·pup·pe** *f* mannequin, shop dummy BRIT

Schau·kampf *m* exhibition fight **Schau·kas·ten** *m* showcase

Schau·kel <-, -n> [ˈʃaʊkl̩] *f* swing

schau·keln [ˈʃaʊkl̩n] **I.** *vi* to swing; (*auf und ab wippen*) to rock; (*schwanken*) to roll **II.** *vt* ❶ (*hin und her bewegen*) to swing ❷ (*bewerkstelligen*) to manage

Schau·kel·pferd *nt* rocking horse **Schau·kel·stuhl** *m* rocking chair

schau·lus·tig *adj* curious, gawping *pej*

Schaum <-s, Schäume> [ʃaʊm, *pl* ˈʃɔʏmə] *m* ❶ (*blasige Masse*) foam; (*auf*

einer Flüssigkeit) froth ❷ (*Seifen~*) lather
Schaum·bad *nt* bubble bath
schäu·men ['ʃɔymən] *vi* ❶ (*in Schaum übergehen*) to lather ❷ (*aufschäumen*) to froth
Schaum·fes·ti·ger *m* setting mousse
Schaum·gum·mi *m* foam rubber
schau·mig ['ʃaʊmɪç] *adj* frothy
Schaum·kro·ne *f* ❶ (*auf Wellen*) white crest ❷ (*auf einem Bier*) head **Schaum·stoff** *m* foam **Schaum·wein** *m* sparkling wine
Schau·platz *m* scene
schau·rig ['ʃaʊrɪç] *adj* ❶ (*unheimlich*) eerie ❷ (*gruselig*) macabre, scary ❸ (*fam: furchtbar*) awful
Schau·spiel ['ʃaʊʃpiːl] *nt* ❶ THEAT play, drama *no indef art* ❷ (*geh*) spectacle
Schau·spie·ler(in) ['ʃaʊʃpiːlɐ] *m(f)* actor *masc*, actress *fem*
schau·spie·lern ['ʃaʊʃpiːlɐn] *vi* to act
Schau·spiel·haus *nt* theatre, playhouse **Schau·spiel·schu·le** *f* drama school **Schau·spiel·un·ter·richt** *m* drama lesson
Schau·stel·ler(in) <-s, -> *m(f)* showman
Schau·ta·fel *f* chart
Scheck <-s, -s> [ʃɛk] *m* cheque (**über** for); **einen ~ ausstellen** to write a cheque; **mit ~ bezahlen** to pay by cheque; **einen ~ einlösen** to cash a cheque
Scheck·buch *nt* chequebook
sche·ckig ['ʃɛkɪç] *adj* patched
Scheck·kar·te *f* cheque card
schef·feln ['ʃɛfln] *vt* to accumulate; **Geld ~** to rake in money
Schei·be <-, -n> ['ʃaɪbə] *f* ❶ (*dünnes Glasstück*) [piece of] glass; (*Fensterscheibe*) window[pane] ❷ KOCHK slice ❸ (*kreisförmiger Gegenstand*) disc ▸ **sich** *dat* **von jdm eine ~ abschneiden können** to [be able to] take a leaf out of sb's book
Schei·ben·brem·se *f* disc brake **Schei·ben·he·ber** *m* AUTO (*manuell*) window winder; (*elektrisch*) window switch **Schei·ben·wasch·an·la·ge** *f* windscreen [*or* AM windshield] washer system **Schei·ben·wi·scher** <-s, -> *m* windscreen wiper
Scheich <-s, -e> [ʃaɪç] *m* sheikh
Schei·de <-, -n> ['ʃaɪdə] *f* ❶ (*Schwert-/ Dolch~*) scabbard ❷ (*Vagina*) vagina
schei·den <schied, geschieden> ['ʃaɪdn̩]
I. *vt haben* ❶ (*eine Ehe lösen*) to divorce; ▪**sich ~ lassen** to get divorced (**von** from); ▪**geschieden** divorced ❷ (*trennen*) to separate (**von** from) **II.** *vi sein* ▪**aus etw** *dat* **~** to leave sth; **aus einem**

Amt ~ to retire from a position **III.** *vr* **haben an diesem Punkt ~ sich die Ansichten** opinions diverge at this point
Schei·de·wand *f* partition **Schei·de·weg** *m* **am ~ stehen** (*fig*) to stand at a crossroads
Schei·dung <-, -en> *f* divorce; **in ~ leben** to be separated; **die ~ einreichen** to start divorce proceedings
Schei·dungs·grund *m* grounds *npl* for divorce **Schei·dungs·kind** *nt* SOZIOL child from a broken home **Schei·dungs·krieg** *m* divorce battle [*or* row]
Schein <-[e]s, -e> [ʃaɪn] *m* ❶ *kein pl* (*Lichtschein*) light ❷ *kein pl* (*Anschein*) appearance; **sich vom ~ täuschen lassen** to be blinded by appearances; **der ~ trügt** appearances are deceptive; **den ~ wahren** to keep up appearances; **etw zum ~ tun** to pretend to do sth ❸ (*Banknote*) [bank]note ❹ (*fam: Bescheinigung*) certificate
schein·bar *adj* apparent, seeming
Schein·ehe *f* sham marriage
schei·nen <schien, geschienen> ['ʃaɪnən] *vi* ❶ (*leuchten*) to shine ❷ (*den Anschein haben*) to appear, to seem
Schein·fir·ma *f* bogus company **schein·hei·lig** ['ʃaɪnhaɪlɪç] **I.** *adj* hypocritical; **~ tun** to play the innocent **II.** *adv* hypocritically **Schein·schwan·ger·schaft** *f* phantom [*or* AM false] pregnancy **schein·tot** *adj* apparently dead
Schein·wer·fer *m* ❶ (*Strahler*) spotlight; (*Licht zum Suchen*) searchlight ❷ AUTO headlight; **die ~ aufblenden** to turn the headlights on full [*or* AM high beam]
Schein·wer·fer·licht *nt* spotlight ▸ **im ~ stehen** to be in the public eye
Scheiß <-> [ʃaɪs] *m* *kein pl* (*sl*) ❶ (*Quatsch*) crap; **he, was soll der ~!** hey, what [the bloody hell] are you doing!; **lass doch den ~** [bloody well] stop it; **mach keinen ~!** don't be so bloody stupid! ❷ (*Fluchwort*) **so ein ~** shit!
Scheiß·dreck *m* (*sl*) crap ▸ **jdn einen ~ angehen** to be none of sb's [damn] business; **sich einen ~ um etw** *akk* **kümmern** to not give a shit about sth; **wegen jedem ~** for every little thing
Schei·ße <-> ['ʃaɪsə] *f* *kein pl* ❶ (*derb: Darminhalt*) shit ❷ (*sl: Mist*) **~!** shit!; **~ sein** to be a load of crap; **~ bauen** to make a [complete] mess [of sth] ▸ **in der ~ sitzen** (*sl*) to be in the shit
scheiß·egal ['ʃaɪsʔeˈɡaːl] *adj* (*sl*) ▪**jdm ist es ~** sb couldn't give a damn; ▪**es ist ~** it does not matter a damn
schei·ßen <schiss, geschissen> ['ʃaɪsn̩]

vi ➊ (*vulg*) to shit ➋ (*sl: verzichten können*) ■auf etw *akk* ~ to not give a damn about sth

scheiß·freund·lich ['ʃaɪsˈfrɔʏntlɪç] *adj* (*sl*) ■~ sein to be as nice as pie Scheiß· haus *nt* (*vulg*) bog BRIT, john AM; auf dem ~ sitzen to sit in the bog Scheiß· kerl *m* (*sl*) bastard

Scheit <-[e]s, -e *o* ÖSTERR, SCHWEIZ -er> [ʃaɪt] *m* log [of wood]

Schei·tel <-s, -> ['ʃaɪtl̩] *m* ➊ (*Teilung der Frisur*) parting ➋ MATH vertex ▶vom ~ bis zur Sohle from head to foot

schei·teln ['ʃaɪtl̩n] *vt* to part

Schei·tel·punkt *m* ➊ (*höchster Punkt*) highest point, vertex *form* ➋ (*Zenit*) highest point, zenith *form*

Schei·ter·hau·fen *m* pyre; (*für zum Tode Verurteilte*) stake

schei·tern ['ʃaɪtɐn] *vi sein* to fail (an because of); ■etw scheitert an etw *dat* sth flounders on sth

Schei·tern <-s> ['ʃaɪtɐn] *nt kein pl* failure

Schel·le <-, -n> ['ʃɛlə] *f* clamp

schel·len ['ʃɛlən] *vi* (*klingeln*) to ring

Schell·fisch *m* haddock

Schelm <-[e]s, -e> [ʃɛlm] *m* rascal

Schel·men·ro·man *m* LIT picaresque novel

schel·misch *adj* mischievous

Schel·te <-, -n> ['ʃɛltə] *f* (*Schimpfe*) reprimand *form*, telling-off

schel·ten <schilt, schalt, gescholten> ['ʃɛltn̩] *vt* (*schimpfen*) to scold (wegen/ für for)

Sche·ma <-s, -ta *o* Schemen> ['ʃeːma, *pl* 'ʃeːmata, 'ʃeːmən] *nt* ➊ (*Konzept*) scheme; nach einem ~ according to a scheme ➋ (*Darstellung*) chart, diagram

sche·ma·tisch [ʃeˈmaːtɪʃ] I. *adj* schematic II. *adv* schematically; ~ arbeiten to work according to a scheme; etw ~ darstellen to show sth in the form of a chart/diagram

sche·ma·ti·sie·ren* [ʃemati'ziːrən] *vt* ➊ (*schematisch darstellen*) to make a chart/diagram of sth; ■schematisiert in the form of a chart/diagram ➋ (*stark vereinfachen*) to [over]simplify

Sche·mel <-s, -> ['ʃeːml̩] *m* stool

Sche·men *pl von* Schema

sche·men·haft I. *adj* shadowy II. *adv* (*geh*) etw ~ erblicken/sehen to make out the outline [*or* silhouette] of sth

Schen·ke <-, -n> ['ʃɛŋkə] *f* pub; (*auf dem Land*) inn

Schen·kel <-s, -> ['ʃɛŋkl̩] *m* ➊ (*Oberschenkel*) thigh ➋ MATH side

schen·ken ['ʃɛŋkn̩] I. *vt* ➊ (*als Geschenk geben*) ■jdm etw ~ to give sb sth as a present; jdm etw zum Geburtstag ~ to give sb sth for his/her birthday ➋ (*gewähren*) to give; sie schenkte ihm ein Lächeln she favoured him with a smile; sie schenkte ihm einen Sohn (*geh*) she bore him a son ➌ (*widmen*) to give; jdm Aufmerksamkeit ~ to pay attention to sb; jdm Vertrauen ~ to trust sb ▶jdm wird nichts geschenkt sb is spared nothing II. *vi* to give presents III. *vr* (*sich sparen*) ■sich *dat* etw ~ to spare oneself sth, to give sth a miss *fam*

Schen·kung <-, -en> *f* gift

schep·pern ['ʃɛpɐn] *vi* to rattle

Scher·be <-, -n> ['ʃɛrbə] *f* [sharp] piece ▶~n bringen Glück (*prov*) broken glass/china is lucky

Sche·re <-, -n> ['ʃeːrə] *f* ➊ (*Werkzeug*) scissors *npl* ➋ ZOOL claw

sche·ren¹ <schor, geschoren> ['ʃeːrən] *vt* ➊ (*abrasieren*) to shear; jdm eine Glatze ~ to shave sb's head ➋ (*stutzen*) sich den Bart ~ lassen to have one's beard cropped ➌ Hecke to prune

sche·ren² ['ʃeːrən] I. *vr* ➊ (*sich kümmern*) ■sich [nicht] [um etw *akk*] ~ to [not] bother [about sth] ➋ (*fam: abhauen*) scher dich [weg]! get out [of here]!; jd kann sich zum Teufel ~ sb can go to hell II. *vt* ■jdn schert etw nicht sb couldn't care less about sth

Sche·ren·schlei·fer(in) <-s, -> *m(f)* knife-grinder Sche·ren·schnitt *m* silhouette [out of paper]

Sche·re·rei <-, -en> [ʃeːrəˈraɪ] *f meist pl* trouble *sing* (wegen because of)

Scherz <-es, -e> [ʃɛrts] *m* joke; einen ~ machen to joke; sich einen ~ [mit jdm] erlauben to have sb on

Scherz·ar·ti·kel *m meist pl* joke article

scher·zen ['ʃɛrtsn̩] *vi* (*geh*) to crack a joke/jokes; mit jdm/etw ist nicht zu ~ sb/sth is not to be trifled with

Scherz·fra·ge *f* riddle

scherz·haft I. *adj* (*aus Spaß erfolgend*) jocular, joke *attr* II. *adv* in a jocular fashion

Scherz·keks *m* (*fam*) [practical] joker

scheu [ʃɔʏ] *adj* shy; (*vorübergehend ~*) bashful

Scheu <-> [ʃɔʏ] *f kein pl* shyness *no pl;* (*vorübergehend*) bashfulness; ohne jede ~ without holding back

scheu·chen ['ʃɔʏçn̩] *vt* ➊ (*treiben*) to drive ➋ (*fam: jagen*) to chase

scheu·en ['ʃɔʏən] I. *vt* ■[etw] ~ to shrink [from sth] II. *vi* ■[vor etw *dat*] ~ to shy [at sth]

Scheu·er·lap·pen *m* floorcloth

scheu·ern ['ʃɔyɐn] **I.** *vt* to scour; **etw blank** ~ to scour sth clean ▸ **jdm eine** ~ (*sl*) to give sb a clout BRIT, to hit somebody AM **II.** *vi* to rub, to chafe **III.** *vr* ▪ **sich an etw** *dat* ~ to rub one's sth

Scheu·klap·pe *f* blinkers *pl* BRIT, blinders *pl* AM

Scheu·ne <-, -n> ['ʃɔynə] *f* barn

Scheu·sal <-s, -e> ['ʃɔyza:l] *nt* beast

scheuß·lich ['ʃɔyslɪç] **I.** *adj* ❶ (*abstoßend*) repulsive ❷ (*ekelhaft*) disgusting, revolting ❸ (*fam*) dreadful, awful, terrible **II.** *adv* ❶ (*widerlich*) in a disgusting manner ❷ (*fam*) dreadfully, terribly; ~ **wehtun** to hurt dreadfully

Scheuß·lich·keit <-, -en> *f* ❶ *kein pl* (*Abscheulichkeit*) dreadfulness *no pl*; *Gewalttat* barbarity, hideousness *no pl* ❷ (*abscheuliche Tat*) barbarity, monstrosity ❸ (*grausame Tat*) atrocity

Schi <-s, -er *o* -> [ʃi:, *pl* 'ʃi:ɐ] *m s.* **Ski**

Schicht <-, -en> [ʃɪçt] *f* ❶ (*aufgetragene Lage*) layer; *Farbe* coat ❷ ARCHÄOL, GEOL stratum, layer ❸ (*Gesellschaftsschicht*) class ❹ (*Arbeits~*) shift; ~ **arbeiten** to do shift work

Schicht·ar·beit *f kein pl* shift work *no pl*

Schicht·ar·bei·ter(in) *m(f)* shift worker

schich·ten ['ʃɪçtn̩] *vt* to stack [up *sep*] (**auf** on/on top of)

Schicht·wech·sel [-vɛksl̩] *m* change of shift **schicht·wei·se** *adv* in layers, layer upon layer

schick [ʃɪk] **I.** *adj* (*modisch elegant*) chic, fashionable; (*gepflegt*) smart; **du bist heute wieder so** ~ you look very smart again today **II.** *adv* (*modisch elegant*) fashionably, stylishly; (*gepflegt*) smartly

schi·cken ['ʃɪkn̩] **I.** *vt* ❶ (*senden*) to send; ÖKON to dispatch; **etw mit der Post** ~ to send sth by post [*or* AM mail] ❷ (*kommen/gehen lassen*) ▪ **jdn** [**irgendwohin**] ~ to send sb [somewhere] **II.** *vi* ▪ **nach jdm** ~ to send for sb **III.** *vr* ▪ **etw schickt sich** [**für jdn**] sth is suitable [for sb]

Schi·cke·ria <-> [ʃɪkə'ri:a] *f kein pl* jet set

Schi·cki·mi·cki <-s, -s> [ʃɪki'mɪki] *m* (*fam*) jet-setter

schick·lich ['ʃɪklɪç] *adj* seemly

Schick·sal <-s, -e> ['ʃɪkza:l] *nt* destiny, fate; **Ironie des** ~**s** irony of fate; **ein hartes** ~ a cruel fate; **das** ~ **nimmt seinen Lauf** fate takes its course; **jds** ~ **ist besiegelt** sb's fate is sealed; **sich in sein** ~ **ergeben** to be reconciled to one's fate; **jdn seinem** ~ **überlassen** to leave sb to their fate; **etw dem** ~ **überlassen** to leave sth to fate

schick·sal·haft *adj* ❶ (*folgenschwer*) fateful ❷ (*unabwendbar*) fated, inevitable

schick·sals·ge·beu·telt *adj* plagued by bad luck *pred* **Schick·sals·schlag** *m* stroke of fate

Schie·be·dach *nt* sun-roof **Schie·be·fens·ter** *nt* sliding window

schie·ben <schob, geschoben> ['ʃi:bn̩] **I.** *vt* ❶ (*bewegen*) to push ❷ (*stecken*) to put, to stick; **sich etw in den Mund** ~ to put sth in one's mouth; **die Pizza in den Ofen** ~ to stick the pizza into the oven ❸ (*zuweisen*) ▪ **etw auf jdn** ~ to lay sth on sb; **die Schuld auf jdn** ~ to lay the blame on sb; ▪ **etw auf etw** *akk* ~ to blame sth for sth ❹ (*abweisen*) ▪ **etw von sich** *dat* ~ to reject sth **II.** *vr* (*sich drängen*) ▪ **sich** ~ to shove one's way

Schie·ber <-s, -> ['ʃi:bɐ] *m* (*Absperrvorrichtung*) bolt

Schie·ber(in) <-s, -> ['ʃi:bɐ] *m(f)* (*Schwarzhändler*) black marketeer

Schie·be·tür *f* sliding door

Schie·bung <-> *f kein pl* ❶ (*Begünstigung*) pulling strings ❷ (*unehrliches Geschäft*) shady deal ❸ POL rigging ❹ SPORT fixing

schied [ʃi:t] *imp von* **scheiden**

Schieds·ge·richt *nt* ❶ JUR arbitration tribunal ❷ SPORT *highest authority which can rule on a point of dispute* **Schieds·richter(in)** *m(f)* ❶ SPORT referee; (*bei Tennis, Baseball*) umpire ❷ JUR arbitrator **Schieds·spruch** *m* decision of an arbitration tribunal

schief [ʃi:f] **I.** *adj* ❶ (*schräg*) crooked, not straight *pred*, lopsided *fam* ❷ (*entstellt*) distorted **II.** *adv* ❶ (*schräg*) crooked, not straight, lopsided ❷ (*fig: scheel*) wryly; **jdn** ~ **ansehen** to look askance at sb

Schie·fer <-s, -> ['ʃi:fɐ] *m* slate

Schie·fer·dach *nt* slate roof

schief|ge·hen *vi irreg sein* (*fam*) to go wrong ▸ [**es**] **wird schon** ~**!** (*iron*) it'll be OK! **schief|la·chen** *vr* (*fam*) ▪ **sich** ~ to crack up **schief|lie·gen** *vi* (*fam*) to be on the wrong track

schie·len ['ʃi:lən] *vi* ❶ MED to squint, to be cross-eyed ❷ (*haben wollen*) ▪ **auf etw** *akk* ~ to look at sth out of the corner of one's eye; ▪ **nach etw** *dat* ~ to steal a glance at sth

schien [ʃi:n] *imp von* **scheinen**

Schien·bein ['ʃi:nbaɪn] *nt* shinbone; **jdm gegen das** ~ **treten** to kick sb in the shin **Schie·ne** <-, -n> ['ʃi:nə] *f* ❶ (*Führungsschiene*) rail *usu pl* ❷ MED splint

schie·nen [ˈʃiːnən] vt MED to splint

Schie·nen·aus·bau m kein pl extension of a/the railway **Schie·nen·bus** m rail bus **Schie·nen·fahr·zeug** nt BAHN track vehicle **Schie·nen·netz** nt BAHN rail network **Schie·nen·ver·kehr** m kein pl rail traffic no pl

schier¹ [ʃiːɐ̯] adj attr ❶ (pur) pure; (perfekt) perfect ❷ (bloß) sheer

schier² [ʃiːɐ̯] adv (beinahe) almost

Schieß·be·fehl m order[s] to shoot **Schieß·bu·de** f shooting gallery

schie·ßen <schoss, geschossen> [ˈʃiːsn̩] vi, vt ❶ haben (feuern) to shoot (auf at) ❷ haben FBALL to shoot; **aufs Tor ~** to shoot [for goal] ❸ sein (schnell bewegen) **das Auto kam um die Ecke geschossen** the car came flying round the corner; **jdm durch den Kopf ~** to flash through sb's mind

Schie·ße·rei <-, -en> [ʃiːsəˈraɪ̯] f shooting

Schieß·platz m firing range **Schieß·pulver** nt gunpowder **Schieß·schar·te** f slit **Schieß·schei·be** f target

Schiff <-[e]s, -e> [ʃɪf] nt ship

SchiffahrtALT f s. **Schifffahrt**

schiff·bar adj navigable

Schiff·bau m kein pl shipbuilding no indef art, no pl **Schiff·bruch** m shipwreck; **~ erleiden** to be shipwrecked **schiff·brü·chig** adj shipwrecked **Schiff·brü·chi·ge(r)** f(m) dekl wie adj shipwrecked person

Schiff·chen <-s, -> nt dim von **Schiff**

schif·fen [ˈʃɪfn̩] I. vi (sl: urinieren) to go for a whizz II. vi impers (sl: regnen) ■ **es schifft** it's raining cats and dogs

Schif·fer(in) <-s, -> [ˈʃɪfɐ] m(f) skipper

Schiff·fahrtRR [ˈʃɪffaːɐ̯t] f shipping no indef art, no pl

Schiff·fahrts·ge·sell·schaftRR f shipping company

Schiff·schau·kel f swingboat

Schiffs·jun·ge m ship['s] boy **Schiffs·la·dung** f [ship's] cargo **Schiffs·schrau·be** f ship's propeller **Schiffs·ver·kehr** m shipping no indef art, no pl

Schi·it(in) <-en, -en> [ʃiˈiːt] m(f) Shiite

schi·i·tisch adj Shiite

Schi·ka·ne <-, -n> [ʃiˈkaːnə] f ❶ (Quälerei) harassment no indef art ❷ SPORT chicane ▶ **mit allen ~n** with all the modern conveniences

schi·ka·nie·ren* [ʃikaˈniːrən] vt to harass

Schi·ko·reeRR <- o -s> [ˈʃɪkore, ʃikoˈreː] m kein pl s. **Chicorée**

Schild¹ <-[e]s, -er> [ʃɪlt, pl ˈʃɪldɐ] nt (Hinweisschild) sign

Schild² <-[e]s, -e> [ʃɪlt, pl ˈʃɪldə] m shield ▶ **etw im ~e führen** to be up to sth

Schild·drü·se f thyroid [gland]

schil·dern [ˈʃɪldɐn] vt to describe; **etw in allen Einzelheiten ~** to give an exhaustive account of sth

Schil·de·rung <-, -en> f description; Ereignisse a. account

Schild·krö·te [ˈʃɪltkrøːtə] f tortoise; (See~) turtle **Schild·laus** f scale insect

Schilf <-[e]s, -e> [ʃɪlf] nt ❶ (Pflanze) reed ❷ (bewachsene Fläche) reeds pl

Schilf·gras nt reed **Schilf·rohr** nt s. **Schilf**

schil·lern [ˈʃɪlɐn] vi to shimmer

schil·lernd adj shimmering; Persönlichkeit flamboyant

Schil·ling <-s, -e o bei Preisangaben -> [ˈʃɪlɪŋ] m schilling

schilt [ʃɪlt] imp sing von **schelten**

Schim·mel¹ <-s> [ˈʃɪml̩] m kein pl mould

Schim·mel² <-s, -> [ˈʃɪml̩] m ZOOL white horse

schim·me·lig [ˈʃɪm(ə)lɪç] adj mouldy; Leder, Buch mildewed

schim·meln [ˈʃɪml̩n] vi sein o haben to go mouldy

Schim·mel·pilz m mould

Schim·mer <-s, -> [ˈʃɪmɐ] m kein pl ❶ (matter Glanz) shimmer ❷ (kleine Spur) ■ **ein ~ einer S.** gen the slightest trace of sth; **ein ~ von Hoffnung** a glimmer of hope ▶ **keinen blassen ~ [von etw** dat] **haben** (fam) to not have the faintest idea [about sth]

schim·mern [ˈʃɪmɐn] vi to shimmer

schimm·lig [ˈʃɪmlɪç] adj s. **schimmelig**

Schim·pan·se <-n, -n> [ʃɪmˈpanzə] m chimpanzee

schimp·fen [ˈʃɪmpfn̩] vi ❶ (sich ärgerlich äußern) to grumble (über/auf about) ❷ (fluchen) to [curse and] swear; **wie ein Rohrspatz ~** to curse like a washerwoman [or AM sailor] ❸ (zurechtweisen) ■ **mit jdm ~** to scold sb, to tell sb off

Schimpf·wort nt swear word

Schin·del <-, -n> [ˈʃɪndl̩] f shingle

schin·den <schindete, geschunden> [ˈʃɪndn̩] I. vr ■ **sich ~** to slave [away] (**mit** at) II. vt ❶ (grausam antreiben) ■ **jdn ~** to work sb like a slave; Tier to ill-treat ❷ (fam) **Eindruck ~** to play to the gallery; **Zeit ~** to play for time

Schin·de·rei <-, -en> [ʃɪndəˈraɪ̯] f grind

Schind·lu·der nt ▶ **mit jdm/etw ~ treiben** to gravely abuse sb/sth

Schin·ken <-s, -> [ˈʃɪŋkn̩] m ham

Schin·ken·speck m bacon **Schin·ken·**

wurst *f* ham sausage [meat]
Schip·pe <-, -n> ['ʃɪpə] *f* ❶ *bes* NORDD (*Schaufel*) shovel ❷ KARTEN NORDD spades *npl* ▸**jdn auf die ~ nehmen** to pull sb's leg; **etw auf die ~ nehmen** to make fun of sth
Schirm <-[e]s, -e> [ʃɪrm] *m* ❶ (*Regenschirm*) umbrella ❷ (*Sonnenschirm*) sunshade; (*tragbar*) parasol ❸ (*Mützenschirm*) peak
Schirm·herr(in) *m(f)* patron **Schirm·herr·schaft** *f* patronage **Schirm·müt·ze** *f* peaked cap **Schirm·stän·der** *m* umbrella stand
Schi·rok·ko <-s, -s> [ʃiˈrɔko] *m* sirocco
schiss^{RR}, **schiß**^{ALT} [ʃɪs] *imp von* **scheißen**
Schiss^{RR} <-es> *m kein pl*, **Schiß**^{ALT} <-sses> [ʃɪs] *m kein pl* **~ haben** (*sl*) to be shit-scared [of sb/sth]
schi·zo·phren [ʃitsoˈfreːn, sçitsoˈfreːn] *adj* schizophrenic
Schi·zo·phre·nie <-, *selten* -n> [ʃitsofreˈniː, sçitso-, *pl* -ˈniːən] *f* schizophrenia
Schlab·ber·look <-, -s> [-lʊk] *m kein pl* MODE loose-fitting [hippie] clothes
schlab·bern ['ʃlabɐn] **I.** *vi* (*fam*) ❶ (*Essen aussabbern*) to dribble ❷ *Kleidung* to fit loosely **II.** *vt* (*fam*) to lap [up]
Schlacht <-, -en> [ʃlaxt] *f* battle
Schlacht·bank *f* ▸**jdn zur ~ führen** to lead sb like a lamb to the slaughter
schlach·ten ['ʃlaxtn̩] *vt, vi* to slaughter
Schlach·ten·bumm·ler(in) *m(f)* SPORT away supporter
Schläch·ter(in) <-s, -> *m(f)* ❶ (*Metzger*) butcher ❷ (*Schlachthofangestellter*) slaughterer ❸ (*Fleischerladen*) butcher's [shop]
Schlach·te·rei <-, -en> [ʃlaxtəˈraɪ] *f s.* **Schlachter 3**
Schlacht·feld *nt* battlefield **Schlacht·fest** *nt* KOCHK *feast following the home-slaughtering of a farm animal* **Schlacht·haus** *nt* slaughterhouse **Schlacht·hof** *m s.* **Schlachthaus Schlacht·plan** *m* ❶ MIL plan of battle ❷ (*Plan für ein Vorhaben*) plan of action; **einen ~ machen** to draw up a plan of action **Schlacht·rei·fe** *f kein pl* AGR slaughter age **Schlacht·schiff** *nt* battleship **Schlacht·vieh** *nt* animals kept for meat production
Schla·cke <-, -n> ['ʃlakə] *f* ❶ (*Verbrennungsrückstand*) slag ❷ (*Ballaststoffe*) roughage ❸ MED waste products ❹ GEOL scoria
Schlaf <-[e]s> [ʃlaːf] *m kein pl* sleep *no pl;* **einen festen/leichten ~ haben** to be a

deep/light sleeper; **versäumten ~ nachholen** to catch up on one's sleep; **jdm den ~ rauben** to keep sb awake ▸**nicht im ~ an etw** *akk* **denken** to not dream of [doing] sth; **etw im ~ können** (*fam*) to be able to do sth in one's sleep
Schlaf·an·zug *m* pyjamas *npl* **Schlaf·couch** *f* sofa bed
Schlä·fe <-, -n> ['ʃlɛːfə] *f* temple
schla·fen <schlief, geschlafen> ['ʃlaːfn̩] *vi* ❶ (*nicht wach sein*) to sleep, to be asleep; **darüber muss ich erst ~** I'll have to sleep over that; **ein Kind ~ legen** to put a child to bed; **~ gehen** to go to bed; **gut/ schlecht ~** to sleep well/badly; **fest/tief ~** to sleep deeply/soundly ❷ (*unaufmerksam sein*) to doze; **die Konkurrenz hat geschlafen** our competitors were asleep
Schla·fens·zeit *f* bedtime, time for bed
Schlä·fer(in) <-s, -> ['ʃlɛːfɐ] *m(f)* sleeper
schlaff [ʃlaf] **I.** *adj* ❶ (*locker fallend*) slack ❷ (*nicht straff*) sagging; *Händedruck* limp **II.** *adv* ❶ (*locker fallend*) slackly ❷ (*kraftlos*) feebly
Schlaff·heit <-> *f kein pl* ❶ *der Haut* slackness ❷ *der Muskulatur* flabbiness ❸ (*fig: Trägheit*) listlessness
Schlaf·ge·le·gen·heit *f* place to sleep **Schlaf·lied** *nt* lullaby
schlaf·los I. *adj* sleepless **II.** *adv* sleeplessly
Schlaf·lo·sig·keit <-> *f kein pl* sleeplessness *no pl*
Schlaf·mit·tel *nt* sleep-inducing medication **Schlaf·müt·ze** *f* ❶ (*Kopfbedeckung*) nightcap ❷ (*fam: verschlafene Person*) sleepy head
schläf·rig ['ʃlɛːfrɪç] *adj* sleepy, drowsy
Schlaf·saal *m* dormitory **Schlaf·sack** *m* sleeping bag **Schlaf·stö·run·gen** *pl* insomnia **Schlaf·ta·blet·te** *f* sleeping pill
schlaf·trun·ken I. *adj* drunk with sleep, sleepy **II.** *adv* sleepily **Schlaf·wa·gen** *m* sleeper **schlaf·wan·deln** *vi sein o haben* to sleepwalk **Schlaf·wand·ler(in)** <-s, -> *m(f)* sleepwalker **Schlaf·zim·mer** *nt* bedroom
Schlag <-[e]s, Schläge> [ʃlaːk, *pl* 'ʃlɛːgə] *m* ❶ (*Hieb*) blow, wallop *fam;* (*mit der Faust*) punch; (*mit der Hand*) slap; SPORT stroke; [von jdm] **Schläge bekommen** to get a beating; **jdm einen ~ versetzen** to deal sb a blow ❷ (*dumpfer Hall*) thud; **ein ~ an der Tür** a bang on the door ❸ (*rhythmisches Geräusch*) **die Schläge des Herzens** the beats of the heart; **der ~ einer Uhr** the striking of a clock; **~ Mitternacht** on the stroke of midnight ❹ (*Schicksals~*) blow; **seine Entlassung war ein**

schrecklicher ~ **für ihn** being made redundant was a terrible blow to him ❺ (*Menschen~*) type; **vom alten ~** |e| from the old school ❻ ÖSTERR (*Schlagsahne*) |whipped| cream ❼ (*Stromstoß*) shock; **einen ~ kriegen** to get an electric shock ❽ (*Schlaganfall*) stroke; **einen ~ bekommen** to suffer a stroke ❾ MODE **eine Hose mit ~** flared trousers ▶ **ein ~ ins Gesicht** a slap in the face; **ein ~ unter die Gürtellinie** (*fam*) a blow below the belt; **ein ~ ins Wasser** (*fam*) a |complete| washout; **jdn trifft der ~** (*fam*) sb is flabbergasted; **etw auf einen ~ tun** to get things done all at once; **keinen ~ tun** (*fam*) to not do a stroke of work; **~ auf ~** in rapid succession

Schlag·ab·tausch *m* ❶ (*Rededuell*) exchange of words ❷ (*beim Boxen*) exchange of blows **Schlag·ader** *f* artery **Schlag·an·fall** *m* stroke **schlag·ar·tig** **I.** *adj* sudden, abrupt **II.** *adv* suddenly, abruptly **Schlag·baum** *m* barrier **Schlag·bohr·ma·schi·ne** *f* hammer drill

Schlä·gel <-s, -> ['ʃlɛːgl] *m* ❶ MUS |drum|stick ❷ TECH mallet

schla·gen <schlug, geschlagen> ['ʃlaːgn] **I.** *vt haben* ❶ (*hauen*) to hit; (*mit der Faust*) to punch; (*mit der Hand*) to slap; **die Hände vors Gesicht ~** to cover one's face with one's hands; **jdm** |wohlwollend| **auf die Schulter ~** to give sb a |friendly| slap on the back; **etw in Stücke ~** to smash sth to pieces ❷ (*prügeln*) to beat; **jdn bewusstlos ~** to beat sb senseless ❸ (*besiegen*) to defeat, SPORT to beat (**in** at); **jd ist nicht zu ~** sb is unbeatable; **sich ge~ geben** to admit defeat ❹ (*fällen*) to fell ❺ (*durch Schläge treiben*) **einen Nagel in die Wand ~** to knock a nail into the wall; **den Ball ins Aus ~** to kick the ball out of play ❻ MUS to beat ❼ KOCHK *Sahne* to whip; **Eier in die Pfanne ~** to crack eggs into the pan ❽ (*wickeln*) ■ **etw in etw** *akk* ~ to wrap sth in sth ❾ (*hinzufügen*) **die Unkosten auf den Verkaufspreis ~** to add the costs to the retail price ❿ (*legen*) **ein Bein über das andere ~** to cross one's legs; **die Decke zur Seite ~** to throw off the blanket **II.** *vi* ❶ *haben* (*hauen*) to hit; **gegen ein Tor ~** to knock at the gate; **jdm in die Fresse ~** to punch sb in the face; ■ |**mit etw** *dat*| **um sich ~** to lash about |with sth|; ■ **nach jdm ~** to hit out at sb ❷ *sein* (*auftreffen*) ■ **an** |*o* **gegen**| **etw** *akk* ~ to land on sth, to strike against sth ❸ *haben* (*pochen*) to beat ❹ *haben* (*läuten*) ■ **etw schlägt** sth is

striking ❺ *sein* (*fam: jdm ähneln*) ■ **nach jdm ~** to take after sb ❻ *haben* (*sich wenden*) **sich in die Büsche ~** to slip away; (*euph, hum*) to go behind a tree; **sich auf jds Seite ~** to take sb's side **III.** *vr haben* ❶ (*sich prügeln*) ■ **sich ~** to have a fight; ■ **sich** |**mit jdm**| **~** to fight |sb| ❷ (*rangeln*) ■ **sich** |**um etw** *akk*| **~** to fight |over sth| ❸ (*sich anstrengen*) ■ **sich** |**irgendwie**| **~** to do somehow; **sich gut ~** to do well

schla·gend **I.** *adj* forceful, compelling, convincing; **ein ~er Beweis** conclusive proof **II.** *adv* **~ beweisen/widerlegen** to prove/disprove convincingly

Schla·ger <-s, -> ['ʃlaːgɐ] *m* MUS ❶ (*Lied*) |pop| song ❷ (*Erfolg*) |big| hit, great success

Schlä·ger <-s, -> ['ʃlɛːgɐ] *m* SPORT ❶ (*Tennis~*) racquet, racket; (*Tischtennis~*) table tennis paddle ❷ (*Stock~*) stick, bat; (*Golf~*) golf club

Schlä·ger(in) <-s, -> ['ʃlɛːgɐ] *m(f)* ❶ (*Raufbold*) thug ❷ SPORT batsman *masc*, batswoman *fem*

Schlä·ge·rei <-, -en> [ʃlɛːgəˈraɪ] *f* fight, brawl

Schla·ger·sän·ger(in) *m(f)* pop singer

schlag·fer·tig **I.** *adj* quick-witted **II.** *adv* quick-wittedly

Schlag·fer·tig·keit *f kein pl* quick-wittedness

Schlag·holz *nt* SPORT bat **Schlag·in·stru·ment** *nt* percussion instrument **Schlag·kraft** *f kein pl* ❶ MIL strike power ❷ (*Wirksamkeit*) effectiveness **schlag·kräf·tig** *adj* ❶ (*kampfkräftig*) powerful |in combat| ❷ *Argument* forceful; *Beweis* compelling **Schlag·licht** *nt* KUNST, FOTO highlight ▶ **ein ~ auf jdn/etw werfen** to put sb/sth into a characteristic/particular light **Schlag·loch** *nt* pothole **Schlag·mann** *m* SPORT stroke **Schlag·ring** *m* knuckleduster, brass knuckles AM **Schlag·sah·ne** *f* (*flüssig*) whipping cream; (*geschlagen*) whipped cream **Schlag·sei·te** *f kein pl* NAUT list ▶ **~ ha·ben** (*fam*) to be three sheets to the wind **Schlag·stock** *m* club; (*Gummiknüppel*) truncheon **Schlag·wort** *nt* ❶ <-worte> (*Parole*) slogan ❷ <-wörter> (*Stichwort*) keyword **Schlag·zei·le** *f* headline; **~n machen** to make headlines **Schlag·zeug** <-[e]s, -e> *nt* drums *pl;* (*im Orchester*) percussion *no pl* **Schlag·zeu·ger(in)** <-s, -> *m(f),* **Schlag·zeug·spie·ler(in)** <-s, -> *m(f)* drummer; (*im Orchester*) percussionist

schlak·sig ['ʃlaːksɪç] *adj* gangling, lanky **Schla·mas·sel** <-s, -> [ʃlaˈmasl] *m o nt* mess; **jetzt haben wir den ~!** now we're in a [right] mess!

Schlamm <-[e]s, -e o Schlämme> [ʃlam, pl 'ʃlɛmə] m mud; (breiige Rückstände) sludge no indef art, no pl

schlam·mig ['ʃlamɪç] adj muddy

Schlamm·la·wi·ne f GEOG mudslide **Schlamm·schlacht** f ❶ (Fußballspiel) mudbath ❷ (fig: Streit) mud-slinging no pl, no indef art

Schlam·pe <-, -n> ['ʃlampə] f slut

Schlam·pe·rei <-, -en> [ʃlampə'raɪ] f ❶ (Nachlässigkeit) sloppiness ❷ (Unordnung) mess, untidiness

schlam·pig ['ʃlampɪç] I. adj ❶ (nachlässig) sloppy; (liederlich) slovenly ❷ (ungepflegt) unkempt II. adv ❶ (nachlässig) sloppily ❷ (ungepflegt) in an unkempt way

schlang [ʃlaŋ] imp von **schlingen**

Schlan·ge <-, -n> ['ʃlaŋə] f ❶ ZOOL snake ❷ (lange Reihe) queue, line Aᴍ; ~ **stehen** to queue up, to stand in line Aᴍ

schlän·geln ['ʃlɛŋln] vr ◼sich ~ ❶ (sich winden) to crawl; **sie schlängelte sich durch die Menschenmenge** she wormed her way through the crowd ❷ (kurvenreich verlaufen) to snake [one's way]; Fluss, Straße to meander

Schlan·gen·bissᴿᴿ m snake bite **Schlan·gen·gift** nt snake poison **Schlan·gen·le·der** nt snakeskin **Schlan·gen·li·nie** f wavy line; **in ~n fahren** to weave [one's way] [from side to side]

schlank ['ʃlaŋk] adj ❶ (dünn) slim; ~ **machen** Essen to be good for losing weight; Kleidung to be slimming ❷ (schmal) slender

Schlank·heit <-> f kein pl slimness, slenderness

Schlank·heits·kur f diet; **eine ~ machen** to be on a diet

schlapp [ʃlap] adj ❶ präd (erschöpft) worn out; (nach einer Krankheit) washed out ❷ (ohne Antrieb) feeble, listless ❸ (mager) **für ~e 10 Euro** for a measly 10 euros

Schlap·pe <-, -n> ['ʃlapə] f setback

Schlapp·hut m floppy hat **schlapp|ma·chen** vi ❶ (aufgeben) to give up ❷ (langsamer machen) to flag ❸ (umkippen) to pass out **Schlapp·schwanz** m (pej) wimp

Schla·raf·fen·land [ʃla'rafn̩-] nt ❶ LIT Cockaigne ❷ (Land des Überflusses) land of milk and honey

schlau [ʃlaʊ] I. adj ❶ (clever) clever, shrewd ❷ (gerissen) crafty, wily; Fuchs sly; Plan ingenious; **ich werde nicht ~ aus der Bedienungsanleitung** I can't make head nor tail of the operating instructions II. adv cleverly, shrewdly, craftily, ingeniously

Schlau·ber·ger(in) <-s, -> ['ʃlaʊbɛrɡɐ] m(f) (fam) ❶ (pfiffiger Mensch) clever one ❷ (iron: Besserwisser) clever clogs, smart alec

Schlauch <-[e]s, Schläuche> [ʃlaʊx, pl 'ʃlɔʏçə] m ❶ (biegsame Leitung) hose ❷ (Reifenschlauch) [inner] tube ▸ **auf dem ~ stehen** to be at a loss

Schlauch·boot nt rubber dinghy

schlau·chen ['ʃlaʊxn̩] vt, vi to take it out of sb; **das schlaucht ganz schön!** that really takes it out of you!

Schlau·fe <-, -n> ['ʃlaʊfə] f loop; (aus Leder) strap

Schlau·heit <-> f kein pl shrewdness

Schlau·kopf m, **Schlau·mei·er** m s. **Schlauberger**

Schla·wi·ner(in) <-s, -> [ʃla'vi:nɐ] m(f) rascal

schlecht [ʃlɛçt] I. adj ❶ (nicht gut) bad, poor; **von ~er Qualität** of poor quality; **noch zu ~** still not good enough; **ein ~es Gehalt** a poor salary; **~e Zeiten** hard times; **~e Augen** weak eyes ❷ (moralisch verkommen) bad, wicked, evil; **ein ~es Gewissen haben** to have a bad conscience ❸ (übel) ◼jdm ist [es] ~ sb feels sick ❹ (verdorben) bad; **das Fleisch ist ~ geworden** the meat has gone off ▸ **jdn aber ~ kennen** to not know sb [very well]; **es sieht ~ aus** things don't look good II. adv ❶ (nicht gut) badly, poorly; **so ~ habe ich selten gegessen** I've rarely had such bad food; **die Geschäfte gehen ~** business is bad; **~ beraten** ill-advised; **~ gelaunt** bad-tempered, in a bad mood pred ❷ MED **jdm geht es ~** sb feels unwell; (Übelkeit) sb feels sick; **~ hören** to be hard of hearing; **~ sehen** to have poor eyesight ▸ **mehr ~ als recht** (hum fam) more or less; **auf jdn/etw ~ zu sprechen sein** to not want anything to do with sb/sth

schlecht·ge·launtᴬᴸᵀ adj, adv bad-tempered

schlecht·hin ['ʃlɛçt'hɪn] adv ❶ (in reinster Ausprägung) **etw ~ sein** to be the epitome of sth ❷ (geradezu) just, absolutely

schlecht·ma·chen vt ◼jdn ~ to run sb down

schle·cken ['ʃlɛkn̩] I. vt to lick; Katze to lap up sep II. vi ❶ SÜDD, ÖSTERR, SCHWEIZ (naschen) to nibble ❷ (lecken) ◼an etw dat ~ to lick sth

Schle·cker·maul nt (fam) s. **Lecker·maul**

Schle·gel <-s, -> ['ʃleːgl̩] m ❶ MUS s. **Schlägel** ❷ TECH s. **Schlägel** ❸ KOCHK SÜDD, ÖSTERR, SCHWEIZ (Hinterkeule) drumstick

Schle·he <-, -n> ['ʃleːə] f sloe

schlei·chen <schlich, geschlichen> ['ʃlaɪçn̩] I. vi sein ❶ (leise gehen) to creep, to sneak ❷ (langsam gehen/fahren) to crawl along II. vr haben ◼ sich irgendwo·hin ~ to creep somewhere; sich aus dem Haus ~ to steal away softly

schlei·chend I. adj attr insidious II. adv insidiously

Schleich·weg m back way; (geheimer Weg) secret path **Schleich·wer·bung** f plug

Schleie <-, -n> ['ʃlaɪə] f ZOOL tench

Schlei·er <-s, -> ['ʃlaɪɐ] m veil

Schlei·er·eu·le f barn owl

schlei·er·haft adj ◼ ~ sein to be a mystery

Schlei·fe <-, -n> ['ʃlaɪfə] f ❶ MODE bow ❷ Fluss oxbow; Straße horseshoe bend ❸ LUFT loop

schlei·fen[1] ['ʃlaɪfn̩] I. vt haben (ziehen) to drag II. vi ❶ haben (reiben) to rub (an against); die Kupplung ~ lassen to slip the clutch ❷ sein o haben (gleiten) to slide (über over); Schleppe to trail ▶ etw ~ las·sen (fam) to let sth slide

schlei·fen[2] <schliff, geschliffen> ['ʃlaɪfn̩] vt ❶ (schärfen) to sharpen ❷ (in Form polieren) to polish; (mit Sandpapier) to sand; Edelsteine to cut

Schleif·ma·schi·ne f sander **Schleif·pa·pier** nt sandpaper

Schleim <-[e]s, -e> [ʃlaɪm] m ❶ MED mucus; (in Bronchien) phlegm ❷ (klebrige Masse) slime ❸ (Brei) gruel; Hafer~ porridge

schlei·men ['ʃlaɪmən] vi (pej fam) to crawl **Schlei·mer(in)** <-s, -> m(f) (pej fam) crawler BRIT, brown-noser AM

Schleim·haut f mucous membrane

schlei·mig ['ʃlaɪmɪç] I. adj ❶ MED mucous ❷ (glitschig) slimy ❸ (pej: unterwürfig) slimy, obsequious II. adv (pej) in a slimy way, obsequiously

Schleim·schei·ßer(in) <-s, -> m(f) (pej derb) crawler BRIT, brown-noser AM

schlem·men ['ʃlɛmən] vi to have a feast **Schlem·mer(in)** <-s, -> ['ʃlɛmɐ] m(f) gourmet

Schlem·me·rei <-, -en> [ʃlɛməˈraɪ] f ❶ (das Schlemmen) feasting ❷ (Schmaus) feast

schlen·dern ['ʃlɛndɐn] vi sein to stroll along

schlen·kern ['ʃlɛŋkɐn] vi ❶ (pendeln) to dangle; ◼ etw ~ lassen to let sth dangle; mit den Beinen ~ to swing one's legs ❷ (schlackern) to flap

Schlep·pe <-, -n> ['ʃlɛpə] f MODE train

schlep·pen ['ʃlɛpn̩] I. vt ❶ (tragen) to carry; ◼ etw [herum]~ to lug sth around ❷ (zerren) to drag ❸ (ab~) to tow II. vr ❶ (sich mühselig fortbewegen) ◼ sich ~ to drag oneself ❷ (sich hinziehen) ◼ sich ~ to drag on

schlep·pend I. adj ❶ (zögerlich) slow ❷ (schwerfällig) shuffling ❸ (gedehnt) [long-]drawn-out II. adv ❶ (zögerlich) slowly; ~ in Gang kommen to be slow in getting started ❷ (schwerfällig) ~ gehen to shuffle along ❸ (gedehnt) in a [long] drawn-out way, slowly

Schlep·per <-s, -> ['ʃlɛpɐ] m ❶ NAUT tug ❷ (veraltend: Zugmaschine) tug [and tow]

Schlepp·kahn m lighter **Schlepp·lift** m ski tow **Schlepp·netz** nt trawl [·net] **Schlepp·tau** nt towline; im ~ in tow

Schle·si·en <-s> [ʃleːzi̯ən] nt kein pl Silesia

Schle·si·er, Schle·si·e·rin <-s, -> ['ʃleː-zi̯ɐ, 'ʃleːzi̯ərɪn] m, f Silesian

schle·sisch ['ʃleːzɪʃ] adj Silesian

Schles·wig-Hol·stein <-s> ['ʃleːsvɪçˈhɔl-ʃtaɪn] nt Schleswig-Holstein

Schleu·der <-, -n> ['ʃlɔydɐ] f ❶ (Waffe) catapult ❷ (Wäsche~) spin drier

Schleu·der·ge·fahr f kein pl risk of skidding

schleu·dern ['ʃlɔydɐn] I. vt haben ❶ (werfen) to hurl ❷ (zentrifugieren) to spin II. vi sein to skid; ins S~ geraten to go into a skid; (fig) to find one is losing control of a situation

Schleu·der·preis m knock-down price **Schleu·der·sitz** m ejector seat

schleu·nigst adv straight away, at once

Schleu·se <-, -n> ['ʃlɔyzə] f lock; (Tor) sluice gate

schleu·sen ['ʃlɔyzn̩] vt (fam) ❶ (heimlich leiten) ◼ jdn [irgendwohin] ~ to smuggle sb in [somewhere] ❷ (geleiten) ◼ jdn [durch etw akk] ~ to escort sb [through sth] ❸ NAUT to take through a lock

Schleu·sen·tor nt sluice gate **Schleu·ser·ban·de** <-, -n> f human traffickers pl

schlich [ʃlɪç] imp von **schleichen**

Schlich <-[e]s, -e> [ʃlɪç] m ◼ ~e pl tricks pl; jdm auf die ~e kommen to get wise to sb

schlicht [ʃlɪçt] I. adj ❶ (einfach) simple, plain ❷ (wenig gebildet) simple, unsophisticated ❸ attr (bloß) plain; das ist eine ~ e

Tatsache it's a simple fact **II.** *part* (*ganz einfach*) simply; ~ **und einfach** [just] plain; ~ **und ergreifend** plain and simple

schlich·ten [ˈʃlɪçtn̩] **I.** *vt* to settle **II.** *vi* to mediate (**in** in)

Schlich·ter(in) <-s, -> [ˈʃlɪçtɐ] *m(f)* arbitrator, mediator; **einen ~ einschalten** to go to arbitration

Schlicht·heit <-> *f kein pl* simplicity, plainness

Schlich·tung <-, -en> *f* mediation, settlement

Schlick <-[e]s, -e> [ʃlɪk] *m* silt

schlid·dern [ˈʃlɪdɐn] *vi sein o haben* NORDD (*schlittern*) to slide

schlief [ʃliːf] *imp von* **schlafen**

Schlie·re <-, -n> [ˈʃliːrə] *f* smear

schlie·ßen <schloss, geschlossen> [ˈʃliːsn̩] **I.** *vi* ❶ (*zugehen*) to close (properly); **die Tür schließt nicht richtig** the door doesn't close properly ❷ (*zumachen*) to close, to shut ❸ (*enden*) to close; **der Vorsitzende schloss mit den Worten ...** the chairman closed by saying ... ❹ (*schlussfolgern*) to conclude; **etw lässt auf etw** *akk* ~ sth indicates sth/that sth ... **II.** *vt* ❶ (*zumachen*) to close ❷ (*geh: beenden*) to close, to wind up; **die Verhandlung ist geschlossen!** the proceedings are closed! ❸ (*eingehen*) **ein Bündnis ~** to enter into an alliance; **Freundschaft ~** to become friends; **Frieden ~** to make peace; **einen Kompromiss ~** to reach a compromise; **einen Pakt ~** to make a pact ❹ *eine Lücke* to fill ❺ (*schlussfolgern*) ■**etw ~** to conclude sth (**aus** from) ❻ (*umfassen*) **jdn in die Arme ~** to take sb in one's arms

Schließ·fach *nt* ❶ (*Gepäck~*) locker ❷ (*Bank~*) safe-deposit box ❸ (*Postfach*) post-office box

schließ·lich [ˈʃliːslɪç] *adv* ❶ (*endlich*) at last, finally; ~ **und endlich** in the end ❷ (*immerhin*) after all

Schließ·mus·kel *m* sphincter

Schlie·ßung <-, -en> *f* closing

schliff [ʃlɪf] *imp von* **schleifen**[2]

Schliff <-[e]s, -e> [ʃlɪf] *m* ❶ *kein pl* (*das Schleifen*) sharpening ❷ *kein pl* (*von Edelsteinen*) cutting; (*von Glas*) cutting and polishing ❸ (*geschliffener Zustand*) edge ❹ (*polierter Zustand*) cut; **einer S.** *dat* **den letzten ~ geben** to put the finishing touches to sth ❺ (*fig: Umgangsformen*) polish

schlimm [ʃlɪm] **I.** *adj* ❶ (*übel*) bad, dreadful; ■**etwas S~es/S~eres** sth dreadful/ worse; ■**das S~ste** the worst; **es gibt nichts S~eres als ...** there's nothing

worse than ...; ■**nicht** [so] ~ **sein** to be not [so] bad ❷ (*ernst*) serious ❸ (*moralisch schlecht*) bad, wicked ▶ **etw ist halb so ~** sth is not as bad as all that; **ist nicht ~!** no problem!, don't worry! **II.** *adv* ❶ (*gravierend*) seriously ❷ (*äußerst schlecht*) dreadfully; **jdn ~ zurichten** to give sb a severe beating; ~ **dran sein** (*fam*) to be in a bad way; **wenn es ganz ~ kommt** if the worst comes to the worst; **es hätte ~er kommen können** it could have been worse; ~ **genug, dass ...** it's bad enough that ...; **um so ~er** so much the worse

schlimms·ten·falls [ˈʃlɪmstn̩ˈfals] *adv* if the worst comes to the worst

Schlin·ge <-, -n> [ˈʃlɪŋə] *f* ❶ (*Schlaufe*) loop; (*um jdn aufzuhängen*) noose ❷ (*Falle*) snare ❸ MED sling

Schlin·gel <-s, -> [ˈʃlɪŋl̩] *m* (*fam*) [little] rascal

schlin·gen[1] <schlang, geschlungen> [ˈʃlɪŋən] **I.** *vt* to wind (**um** about); **etw zu einem Knoten ~** to tie sth; **die Arme um jdn ~** to wrap one's arms around sb **II.** *vr* ■**sich** [**um etw** *akk*] ~ ❶ (*sich winden*) to wind itself [around sth] ❷ BOT to creep [around sth]

schlin·gen[2] <schlang, geschlungen> [ˈʃlɪŋən] *vi* (*fam*) to gobble one's food

Schlin·ger·kurs [ˈʃlɪŋɐkʊrs] *m kein pl* (*fig sl*) [political] agenda full of U-turns; **die Regierung fährt einen ~** the government's agenda is full of U-turns

schlin·gern [ˈʃlɪŋɐn] *vi* NAUT to roll

Schling·pflan·ze *f* creeper

Schlips <-es, -e> [ʃlɪps] *m* tie ▶ **sich auf den ~ getreten fühlen** (*fam*) to feel offended by sb; **jdm auf den ~ treten** (*fam*) to tread on sb's toes

Schlit·ten <-s, -> [ˈʃlɪtn̩] *m* ❶ (*Rodel*) sledge, sled; (*Rodel~*) toboggan; (*mit Pferden*) sleigh ❷ (*sl: Auto*) wheels *pl*

Schlit·ten·fahrt *f* sleigh ride

schlit·tern [ˈʃlɪtɐn] *vi* ❶ *sein o haben* (*rutschen*) to slide; *Wagen* to skid ❷ *sein* (*fam: unversehens geraten*) ■**[in etw** *akk*] ~ to slide [into sth]

Schlitt·schuh [ˈʃlɪtʃuː] *m* skate; ~ **laufen** to skate

Schlitt·schuh·bahn *f* ice rink **Schlitt·schuh·läu·fer(in)** *m(f)* skater

Schlitz <-es, -e> [ʃlɪts] *m* ❶ (*Einsteck~*) slot ❷ (*schmale Öffnung*) slit ❸ MODE slit

Schlitz·au·ge *nt* (*pej*) ❶ (*Augenform*) slit eye *pej* ❷ (*Person*) Chink *pej*

schlit·zen [ˈʃlɪtsn̩] *vt* to slit [open]

Schlitz·ohr *nt* rogue

schloss[RR], **schloß**[ALT] [ʃlɔs] *imp von*

schließen

Schloss^RR <-es, Schlösser>, **Schloß**^ALT <-sses, Schlösser> [ʃlɔs, pl 'ʃlœsə] nt ❶ (Palast) palace ❷ (Tür~) lock; **ins ~ fallen** to snap shut ❸ (Verschluss) catch; (an einer Handtasche) clasp; (an einem Rucksack) buckle ❹ (Vorhänge~) padlock ▸ **jdn hinter ~ und Riegel bringen** to put sb behind bars

Schlos·ser(in) <-s, -> ['ʃlɔsɐ] m(f) locksmith; (Metall~) metalworker; (Maschinen~) fitter

Schlos·se·rei <-, -en> [ʃlɔsə'raɪ] f smith's shop

Schlos·se·rin <-, -nen> f fem form von **Schlosser**

Schloss·herr(in)^RR <-en, -en> m(f) owner of a/the castle **Schloss·park**^RR m castle park

Schlot <-[e]s, -e> [ʃloːt] m chimney ▸ **rauchen wie ein ~** (fam) to smoke like a chimney

schlot·te·rig ['ʃlɔtərɪç] adj (fam) ❶ (zittrig) shaky ❷ (schlaff herabhängend) baggy

schlot·tern ['ʃlɔtɐn] vi ❶ (zittern) to tremble (**vor** with) ❷ (schlaff herabhängen) to flap (**um** around)

schlott·rig ['ʃlɔtrɪç] adj s. **schlotterig**

Schlucht <-, -en> [ʃlʊxt] f gorge, ravine

schluch·zen ['ʃlʊxtsn̩] vi to sob

Schluch·zer <-s, -> ['ʃlʊxtsɐ] m sob

Schluck <-[e]s, -e> [ʃlʊk] m ❶ (geschluckte Menge) mouthful; **einen ~ [von etw** dat] **nehmen** to have a sip [of sth]; **~ für ~** sip by sip; **in einem ~** in one swallow ❷ (das Schlucken) swallow; (größer) gulp; (kleiner) sip

Schluck·auf <-s> ['ʃlʊkʔaʊf] m kein pl hiccup; **den ~ haben** to have hiccups

schlu·cken ['ʃlʊkn̩] vt, vi ❶ (hinunterschlucken) to swallow ❷ AUTO (fam) **der alte Wagen schluckt 14 Liter** the old car guzzles 14 litres for every 100 km ❸ (fam: hinnehmen, glauben) to swallow ❹ (dämpfen) to absorb ▸ [**erst mal**] **~ müssen** to [first] take a deep breath

Schlu·cker <-s, -> m ▸ **armer ~** poor blighter

Schluck·imp·fung f oral vaccination

schluck·wei·se adv in sips

schlu·de·rig ['ʃluːdərɪç] adj (fam) s. **schlampig**

schlu·dern ['ʃluːdɐn] vi (fam) to do a sloppy job

schlud·rig ['ʃluːdrɪç] adj s. **schlampig**

Schluf·fi <-s, -s> ['ʃlafi] m (pej fam) slacker sl

schluf·fig adj (sl: teilnahmslos, ambitions-

los, träge) apathetic

schlug [ʃluːk] imp von **schlagen**

Schlum·mer <-s> ['ʃlʊmɐ] m kein pl slumber

schlum·mern ['ʃlʊmɐn] vi to slumber

Schlund <-[e]s, Schlünde> [ʃlʊnt, pl 'ʃlʏndə] m ❶ ANAT throat; (eines Tiers) maw ❷ (geh) abyss, chasm

schlüp·fen ['ʃlʏpfn̩] vi sein ❶ ORN, ZOOL to hatch (**aus** out) ❷ (rasch kleiden) to slip (**aus** out of, **in** into) ❸ (rasch bewegen) ■ [**irgendwohin**] **~** to slip somewhere; **unter die Decke ~** to slide under the blanket

Schlüp·fer <-s, -> ['ʃlʏpfɐ] m MODE (veraltend) panties npl, knickers npl BRIT

Schlupf·loch nt ❶ (Öffnung) opening, hole ❷ (fig) loophole ❸ s. **Schlupfwinkel**

schlüpf·rig ['ʃlʏpfrɪç] adj ❶ (unanständig) lewd ❷ (glitschig) slippery

Schlupf·win·kel m (Versteck) hiding place; (von Gangstern) hideout

schlur·fen ['ʃlʊrfn̩] vi sein to shuffle; (absichtlich) to scuff [one's feet]

schlür·fen ['ʃlʏrfn̩] vt, vi to slurp

Schluss^RR <-es, Schlüsse> m, **Schluß**^ALT <Schlusses, Schlüsse> [ʃlʊs, pl 'ʃlʏsə] m ❶ kein pl (zeitliches Ende) end; **mit etw** dat **ist ~** sth is over with; **zum ~ kommen** to finish; [**mit etw** dat] **~ machen** (fam) to stop [sth]; **~ für heute!** that's enough for today!; **~ damit!** stop it!; **~ [jetzt]!** that's enough!; **kurz vor ~** just before closing time; **zum ~** at the end ❷ kein pl (hinterster Teil) end; **am ~ des Zuges** at the back of the train ❸ (abschließender Abschnitt) end, last part ❹ (Folgerung) conclusion; **zu dem ~ kommen, dass ...** to come to the conclusion that ... ▸ [**mit jdm**] **~ machen** to break it off [with sb]

Schluss·be·mer·kung^RR f final remark

Schlüs·sel <-s, -> ['ʃlʏsl̩] m key; ■ **der ~ zu etw** dat the key to sth

Schlüs·sel·an·hän·ger m [key] fob **Schlüs·sel·bein** nt collar bone **Schlüs·sel·blu·me** f cowslip **Schlüs·sel·bund** m o nt bunch of keys **Schlüs·sel·dienst** m security key service **Schlüs·sel·er·leb·nis** nt crucial experience **schlüs·sel·fer·tig** adj ready to move into **Schlüs·sel·fi·gur** f key [or central] figure **Schlüs·sel·loch** nt keyhole **Schlüs·sel·qua·li·fi·ka·ti·on** f key qualifications pl **Schlüs·sel·wort** nt keyword

schluss·fol·gern^RR vt, **schluß·fol·gern**^ALT vt to deduce (**aus** from)

Schluss·fol·ge·rung^RR <-, -en> f,

Schluß·fol·ge·rungALT <-, -en> *f* deduction, conclusion; **eine ~ [aus etw** *dat*] **ziehen** to draw a conclusion [from sth]

schlüs·sig ['ʃlʏsɪç] *adj* ❶ (*folgerichtig*) logical; *Beweisführung* conclusive ❷ (*im Klaren*) ■ **sich** *dat* ~ **werden** to make up one's mind (**über** about)

Schluss·lichtRR *nt* AUTO rear [*or* AM tail] light ▸ **das ~ sein** to bring up the rear [of sth] **Schluss·pfiff**RR *m* final whistle **Schluss·strich**RR *m* (*Strich am Ende*) line at the end of sth ▸ **einen ~ [unter etw** *akk*] **ziehen** to put an end to sth **Schluss·ver·kauf**RR *m* sales *pl* **Schluss·wort**RR *nt* final word

Schmach <-> [ʃmaːx] *f kein pl* humiliation

schmach·ten ['ʃmaxtn̩] *vi* (*geh*) ❶ (*leiden*) to languish; ■ **jdn ~ lassen** to leave sb languishing [for sth] ❷ (*sich sehnen*) to crave

schmach·tend *adj* soulful

schmäch·tig ['ʃmɛçtɪç] *adj* slight, weedy BRIT *pej*

schmack·haft *adj* tasty ▸ **jdm etw ~ machen** to make sth tempting to sb **Schmäh·schrift** *f* lampoon *form*

schmal <-er *o* schmäler, -ste *o* schmälste> [ʃmaːl] *adj* ❶ (*nicht breit*) narrow; *Mensch* slim ❷ (*dürftig*) meagre **schmä·lern** ['ʃmɛːlɐn] *vt* to belittle **Schmal·film** *m* 8/16mm [cine] film **Schmal·spur** *f* BAHN narrow gauge **Schmalz**1 <-es, -e> [ʃmalts] *nt* KOCHK dripping; (*vom Schwein*) lard **Schmalz**2 <-es> [ʃmalts] *m kein pl* (*pej fam*) schmaltz

schmal·zig ['ʃmaltsɪç] *adj* (*pej fam*) schmaltzy

schma·rot·zen* [ʃmaˈrɔtsn̩] *vi* to sponge **Schma·rot·zer** <-s, -> *m* BIOL parasite **Schma·rot·zer(in)** <-s, -> *m(f)* (*pej*) sponger BRIT *pej*, freeloader *pej* **Schmar·ren** ['ʃmarən], **Schmarrn** <-s, -> ['ʃmar(ə)n] *m* SÜDD, ÖSTERR ❶ KOCHK pancake torn into small pieces ❷ (*fam: Quatsch*) rubbish, nonsense

schmat·zen ['ʃmatsn̩] *vi* to eat/drink noisily; (*mit Genuss ~*) to smack one's lips; **musst du beim Essen immer so ~?** do you have to make such a noise when you're eating?

schmau·sen ['ʃmaʊzn̩] *vi* to eat with relish

schme·cken ['ʃmɛkn̩] I. *vi* ❶ (*munden*) **hat es geschmeckt?** did you enjoy it?; **das schmeckt aber gut** that tastes wonderful; **es sich** *dat* ~ **lassen** to enjoy one's food; **lasst es euch ~!** tuck in! ❷ (*Geschmack haben*) to taste (**nach** of) ❸ (*fam: gefallen*) **das schmeckt mir gar nicht!** I don't like the sound of that at all ❹ SÜDD, ÖSTERR, SCHWEIZ (*riechen*) smell II. *vt* ■ **jd schmeckt etw** sb tastes sth

Schmei·che·lei <-, -en> [ʃmaɪçəˈlaɪ] *f* flattery *no pl, no indef art*

schmei·chel·haft *adj* flattering; ~ **e Worte** kind words

schmei·cheln ['ʃmaɪçl̩n] *vi* ■ **jdm/einer S.** ~ to flatter sb/sth; ■ **es schmeichelt jdm, dass ...** sb is flattered that ...

Schmeich·ler(in) <-s, -> ['ʃmaɪçlɐ] *m(f)* flatterer

schmeich·le·risch *adj* flattering

schmei·ßen <schmiss, geschmissen> ['ʃmaɪsn̩] I. *vt, vi* (*fam*) ❶ (*werfen*) to throw (**nach** at); (*mit Kraft*) to hurl, to fling ❷ (*sl: spendieren*) **eine Party ~** to throw a party; **eine Runde ~** to stand a round; ■ **mit etw** *dat* **um sich ~** to throw sth about [*or* AM around] ❸ (*sl: managen*) to run ❹ (*fam: hinauswiesen*) ■ **jdn aus etw** *dat* ~ to throw sb out of sth ❺ (*fam: abbrechen*) to pack in II. *vr* ❶ (*sich fallen lassen*) ■ **sich ~** to throw oneself (**auf** onto, **vor** in front of) ❷ (*sich kleiden*) **sich in Schale ~** to put on one's glad rags

Schmeiß·flie·ge *f* blowfly

Schmelz <-[e]s, -e> [ʃmɛlts] *m* ❶ (*Zahn~*) enamel ❷ (*Glasur*) glaze

Schmel·ze <-, -n> ['ʃmɛltsə] *f* ❶ (*geschmolzenes Metall*) molten metal, melt ❷ (*Magma*) magma

schmel·zen <schmolz, geschmolzen> ['ʃmɛltsn̩] I. *vi* sein to melt II. *vt* haben ■ **etw ~** to melt sth; *Metall* to smelt

Schmelz·hüt·te *f* smelting works + *sing/pl vb* **Schmelz·kä·se** *m* KOCHK ❶ (*in Scheiben*) processed cheese ❷ (*streichfähig*) cheese spread **Schmelz·ofen** *m* smelting furnace **Schmelz·punkt** *m* melting point **Schmelz·tie·gel** *m* melting pot **Schmelz·was·ser** *nt* meltwater

Schmerz <-es, -en> [ʃmɛrts] *m* ❶ (*körperliche Empfindung*) pain; (*anhaltend und pochend*) ache; ~ **en haben** to be in pain ❷ *kein pl* (*Kummer*) [mental] anguish *no indef art, no pl*; (*über den Tod eines Menschen*) grief *no indef art, no pl* ❸ (*Enttäuschung*) heartache

schmerz·emp·find·lich *adj* sensitive [to pain *pred*]

schmer·zen ['ʃmɛrtsn̩] *vi* to hurt; (*anhaltend und pochend*) to ache; ■ ~ **d** painful, aching

Schmer·zens·geld *nt* compensation

Schmer·zens·schrei *m* scream of pain

Schmerz·gren·ze *f* (*fam: absolutes Limit*) bottom line; (*Grenze des Erträglichen*) limit

schmerz·haft *adj* painful

schmerz·lich I. *adj* (*geh*) painful, distressing **II.** *adv* painfully

schmerz·lin·dernd I. *adj* pain-relieving **II.** *adv* ~ **wirken** to relieve pain

schmerz·los *adj* painless ▸ **kurz und** ~ short and sweet

Schmerz·mit·tel *nt* analgesic, painkiller

schmerz·stil·lend *adj* painkilling; ■ ~ **sein** to be a painkiller **Schmerz·ta·blet·te** *f* painkiller, analgesic [tablet] **schmerz·voll** *adj* (*geh*) *s.* **schmerzlich**

Schmet·ter·ling <-s, -e> ['ʃmɛtɐlɪŋ] *m* butterfly

schmet·tern ['ʃmɛtɐn] **I.** *vt* **haben** ➊ (*schleudern*) to fling ➋ SPORT to smash ➌ MUS to blare out; *Lied* to bawl out **II.** *vi* **sein** (*aufprallen*) ■ **irgendwohin** ~ to smash against sth

Schmied(in) <-[e]s, -e> [ʃmiːt, *pl* 'ʃmiːdə] *m(f)* smith; (*Huf-*) blacksmith

Schmie·de <-, -n> ['ʃmiːdə] *f* forge, smithy

schmie·de·ei·sern *adj* wrought-iron

schmie·den ['ʃmiːdn̩] *vt* ➊ (*glühend hämmern*) to forge ➋ (*aushecken*) **einen Plan** ~ to hammer out a plan ➌ (*festmachen*) to chain (**an** to)

Schmie·din <-, -nen> *f fem form von* **Schmied**

schmie·gen ['ʃmiːgn̩] *vr* to snuggle, to nestle; ■ **sich** [**an jdn**] ~ to cuddle up close [to sb]

Schmie·re <-, -n> ['ʃmiːrə] *f* (*schmierige Masse*) grease; (*schmieriger Schmutz*) ooze ▸ ~ **stehen** to keep watch

schmie·ren ['ʃmiːrən] **I.** *vt* ➊ (*streichen*) to spread; **Salbe auf eine Wunde** ~ to apply cream to a wound ➋ (*fetten*) to lubricate, to grease ➌ (*pej: malen*) to scrawl; **Parolen an die Häuser** ~ to daub slogans on the walls of houses ➍ (*fam: bestechen*) ■ **jdn** ~ to grease sb's palm ▸ **jdm eine** ~ (*fam*) to give sb a thump; **wie geschmiert** (*fam*) like clockwork **II.** *vi* ➊ (*pej: schmierend verbreiten*) to smear about ➋ (*pej: unsauber schreiben*) to smudge

Schmie·re·rei <-, -en> [ʃmiːrə'raɪ] *f* (*pej fam*) [smudgy] mess

Schmier·fett *nt* grease **Schmier·fink** *m* (*pej*) ➊ (*schmutziges Kind*) mucky pup BRIT, dirty kid AM ➋ (*Journalist*) muckraker **Schmier·geld** *nt* (*fam*) bribe, kickback **Schmier·geld·zah·lung** *f* POL payment

of bribe money

schmie·rig ['ʃmiːrɪç] *adj* ➊ (*nass und klebrig*) greasy ➋ (*pej: schleimig*) slimy; **was für ein** ~ **er Typ!** what a smarmy guy!

Schmier·mit·tel *nt* lubricant **Schmier·öl** *nt* lubricating oil **Schmier·pa·pier** *nt* rough paper **Schmier·sei·fe** *f* soft soap **Schmier·stoff** *m* lubricant **Schmier·zet·tel** *m* notepaper

Schmin·ke <-, -n> ['ʃmɪŋkə] *f* make-up

schmin·ken ['ʃmɪŋkn̩] *vt* to put make-up on; ■ **sich** ~ to put on make-up; **stark/dezent geschminkt sein** to be heavily/discreetly made up

Schmink·kof·fer *m* cosmetic case

schmir·geln ['ʃmɪrgl̩n] *vt, vi* to sand down **Schmir·gel·pa·pier** ['ʃmɪrgl̩-] *nt* sandpaper

schmiss^RR, **schmiß**^ALT [ʃmɪs] *imp von* **schmeißen**

Schmö·ker <-s, -> ['ʃmøːkɐ] *m* (*fam*) longish escapist book

schmö·kern ['ʃmøːkɐn] *vi* (*fam*) **in einem Buch** ~ to bury oneself in a book **schmol·len** ['ʃmɔlən] *vi* to sulk **Schmoll·mund** *m* **einen** ~ **machen** to pout

schmolz [ʃmɔlts] *imp von* **schmelzen**

Schmor·bra·ten ['ʃmoːɐ̯-] *m* pot roast

schmo·ren ['ʃmoːrən] *vt, vi* ➊ KOCHK to braise ➋ (*fam: schwitzen*) to swelter; **in der Sonne** ~ to roast in the sun ▸ **jdn** ~ **lassen** (*fam*) to let sb stew

Schmuck <-[e]s> [ʃmʊk] *m kein pl* ➊ (*Schmuckstücke*) jewellery ➋ (*Verzierung*) decoration, ornamentation

schmü·cken ['ʃmʏkn̩] **I.** *vt* (*dekorieren*) to decorate, to embellish; **die Stadt war mit bunten Lichterketten geschmückt** the town was illuminated with strings of coloured lights **II.** *vr* ■ **sich** ~ to wear jewellery

Schmuck·käst·chen *nt* jewellery box **schmuck·los** *adj* bare; *Fassade* plain **Schmuck·sa·chen** *pl* jewellery *no indef art, no pl* **Schmuck·stück** *nt* ➊ (*Schmuckgegenstand*) piece of jewellery ➋ (*fam: Prachtstück*) jewel, masterpiece, gem

schmud·de·lig ['ʃmʊd(ə)lɪç] *adj*, **schmudd·lig** ['ʃmʊdlɪç] *adj* (*etwas dreckig*) grubby; (*sehr dreckig*) filthy; (*schmierig*) grimy

Schmug·gel <-s> ['ʃmʊgl̩] *m kein pl* smuggling *no art, no pl*

schmug·geln ['ʃmʊgl̩n] *vt* to smuggle

Schmug·gel·wa·re *f* smuggled goods *pl*, contraband *no pl*

Schmugg·ler(in <-s, -> ['ʃmʊglɐ] *m(f)* smuggler

schmun·zeln ['ʃmʊntsl̩n] *vi* to grin quietly to oneself (**über** about)

Schmun·zeln <-s> ['ʃmʊntsl̩n] *nt kein pl* grin

schmu·sen ['ʃmuːzn̩] *vi* (*fam*) to cuddle, to neck

Schmutz <-es> [ʃmʊts] *m kein pl* ① (*Dreck*) dirt ② (*Schlamm*) mud ▸ **jdn/ etw in den ~ ziehen** to blacken sb's name/sth's reputation

Schmutz·fink *m* (*fam*) ① (*pej*) s. **Schmierfink** 1 ② (*unmoralischer Mensch*) dirty bastard **Schmutz·fleck** *m* dirt stain

schmut·zig ['ʃmʊtsɪç] *adj* ① (*dreckig*) dirty; **sich [bei etw** *dat*] **~ machen** to get dirty [doing sth] ② (*obszön*) smutty, lewd; *Witz* dirty ③ (*pej: unlauter*) dubious, crooked; *Geld* dirty; *Geschäfte* shady

Schmutz·kam·pa·gne [-kamˈpanʒə] *f* smear campaign

Schna·bel <-s, Schnäbel> ['ʃnaːbl̩, *pl* 'ʃnɛːbl̩] *m* ① (*Vogel~*) beak ② (*lange Tülle*) spout ③ (*fam: Mund*) trap; **halt den ~!** shut your trap! ▸ **reden, wie der ~ gewachsen ist** to say what one thinks

schnack·seln ['ʃnaksl̩n] *vi* SÜDD (*fam*) to screw *fam!*

Schna·ke <-, -n> ['ʃnaːkə] *f* ① (*Weberknecht*) crane fly, daddy-long-legs *fam* ② DIAL (*Stechmücke*) midge, gnat

Schnal·le <-, -n> ['ʃnalə] *f* buckle

schnal·len ['ʃnalən] *vt* to buckle up, to fasten; **etw enger/weiter ~** to tighten/loosen sth; **sich etw auf den Rücken ~** to strap sth onto one's back

schnal·zen ['ʃnaltsn̩] *vi* **mit den Fingern ~** to snap one's fingers; **mit der Zunge ~** to click one's tongue

Schnäpp·chen <-s, -> ['ʃnɛpçən] *nt* bargain

Schnäpp·chen·jagd *f* bargain hunting **Schnäpp·chen·markt** *m* ÖKON (*fam*) bargain basement

schnap·pen ['ʃnapn̩] **I.** *vi* ① *haben* (*greifen*) to grab (**nach** for), to snatch (**nach** at) ② *haben* (*mit den Zähnen*) to snap (**nach** at) ③ *sein* (*klappen*) **der Riegel schnappte ins Schloss** the bolt snapped to the holder **II.** *vt haben* (*fam*) ① (*ergreifen*) ▦ [**sich** *dat*] **etw ~** to grab sth; **etwas frische Luft ~** to get a gulp of fresh air ② (*festnehmen*) to catch

Schnapp·mes·ser *nt* flick knife BRIT, switchblade AM **Schnapp·schuss**ᴿᴿ *m* snapshot

Schnaps <-es, Schnäpse> [ʃnaps, *pl* 'ʃnɛpsə] *m* schnapps

Schnaps·fla·sche *f* bottle of schnapps **Schnaps·idee** *f* daft idea

schnar·chen ['ʃnarçn̩] *vi* to snore; ▦ **das S~** snoring

schnar·ren ['ʃnarən] *vi* (*dumpf surren*) to buzz

schnat·tern ['ʃnatən] *vi* ① ORN to cackle ② (*fam: schwatzen*) to chatter

schnau·fen ['ʃnaʊfn̩] *vi* ① *haben* (*angestrengt atmen*) to puff, to pant ② *haben bes* SÜDD (*atmen*) to breathe

Schnauz·bart *m* large moustache

Schnau·ze <-, -n> ['ʃnaʊtsə] *f* ① ZOOL snout ② (*sl: Mund*) gob BRIT, trap; **eine große ~ haben** to have a big mouth; **die ~ halten** to keep one's trap shut ▸ **frei [nach] ~** (*fam*) as one thinks fit; **die ~ [von etw** *dat*] **[gestrichen] voll haben** (*sl*) to be fed up to the [back] teeth [with sth] BRIT; **[mit etw** *dat*] **auf die ~ fallen** (*sl*) to fall flat on one's face [with sth]

schnau·zen ['ʃnaʊtsn̩] *vi* (*fam: barsch reden*) to bark

schnäu·zenᴿᴿ ['ʃnɔʏtsn̩] *vr* **sich ~** to blow one's nose

Schnau·zer <-s, -> ['ʃnaʊtsɐ] *m* ① ZOOL schnauzer ② (*fam*) s. **Schnauzbart**

Schne·cke <-, -n> ['ʃnɛkə] *f* ① ZOOL snail; (*Nackt~*) slug ② (*Gebäck*) Chelsea bun ▸ **jdn zur ~ machen** to give sb what for

Schne·cken·ge·häu·se *nt* (*geh*), **Schne·cken·haus** *nt* snail shell **Schne·cken·tem·po** *nt* **im ~** at a snail's pace

Schnee <-s> [ʃneː] *m kein pl* snow ▸ **~ von gestern** stale [news]

Schnee·ball *m* snowball **Schnee·ball·ef·fekt** *m kein pl* snowball effect **Schnee·ball·schlacht** *f* snowball fight; **eine ~ machen** to have a snowball fight **Schnee·ball·sys·tem** *nt* FIN, ÖKON pyramid selling *no art, no pl* **schnee·bedeckt** *adj* snow-covered **Schnee·besen** *m* whisk **Schnee·de·cke** *f* blanket of snow **Schnee·fall** *m* snowfall **Schnee·flo·cke** *f* snowflake **Schnee·ge·stö·ber** *nt* snowstorm **Schnee·glöck·chen** <-s, -> *nt* snowdrop **Schnee·gren·ze** *f* snowline **Schnee·ket·te** *f meist pl* snow chain[s *pl*] **Schnee·mann** *m* snowman **Schnee·matsch** *m* slush **Schnee·pflug** *m* snowplough **Schnee·re·gen** *m* sleet **Schnee·schau·fel** *f* snow shovel **Schnee·schip·pe** *f* DIAL snow shovel **Schnee·schmel·ze** *f* thaw **Schnee·sturm** *m* snowstorm **Schnee·trei·**

ben *nt* snowstorm **schnee·weiß** ['ʃne:'vaɪs] *adj* as white as snow *pred,* snow-white

Schnee·witt·chen <-s> [ʃne:'vɪtçən] *nt* Snow White

Schneid <-[e]s> [ʃnaɪt] *m kein pl* guts *npl;* ~ **haben** to have guts

Schnei·de <-, -n> ['ʃnaɪdə] *f* edge, blade

schnei·den <schnitt, geschnitten> ['ʃnaɪdn̩] **I.** *vt* ❶ (*zerteilen*) to cut; **Wurst in die Suppe** ~ to slice sausage into the soup ❷ (*kürzen*) to cut, to trim; **Baum** to prune ❸ (*gravieren*) to carve ❹ (*knapp einscheren*) ▪ **jdn** ~ to cut sb ❺ FILM to edit ❻ (*meiden*) ▪ **jdn** ~ to snub sb **II.** *vr* ▪ **sich** ~ ❶ (*sich verletzen*) to cut oneself; **sich in den Finger** ~ to cut one's finger ❷ (*sich kreuzen*) to intersect ▸ **sich** [**gründlich**] **geschnitten** haben to have made a [big] mistake

schnei·dend *adj* ❶ (*durchdringend*) biting ❷ (*scharf*) sharp

Schnei·der(in) <-s, -> ['ʃnaɪdɐ] *m(f)* tailor ▸ **aus dem** ~ **sein** to be in the clear

Schnei·de·rei <-, -en> [ʃnaɪdə'raɪ] *f* tailor's [shop]

Schnei·de·rin <-, -nen> *f fem form von* **Schneider**

schnei·dern ['ʃnaɪdɐn] **I.** *vi* to work as a tailor; (*als Hobby*) to do [some] dressmaking **II.** *vt* to make; **Anzug** to tailor; **selbst geschneidert** home-made

Schnei·der·sitz *m* **im** ~ cross-legged

Schnei·de·zahn *m* incisor

schnei·dig ['ʃnaɪdɪç] *adj* smart, dashing

schnei·en ['ʃnaɪən] **I.** *vi impers* to snow; **es hat geschneit** it has been snowing **II.** *vt impers* ▪ **es schneit etw** *akk* it is snowing sth; **es schneite Konfetti** there was a shower of confetti

Schnei·se <-, -n> ['ʃnaɪzə] *f* aisle

schnell [ʃnɛl] **I.** *adj* ❶ (*eine hohe Geschwindigkeit erreichend*) fast ❷ (*zügig*) prompt, rapid ❸ *attr* (*baldig*) swift, speedy **II.** *adv* (*mit hoher Geschwindigkeit*) fast; ~/~ **er fahren** to drive fast/ faster ❷ (*zügig*) quickly; ~ **gehen** to be done quickly; **geht das** ~? will it take long?; ~ **machen** to hurry up

Schnell·boot *nt* speedboat

schnelle·big^{ALT} *adj s.* **schnelllebig**

schnel·len ['ʃnɛlən] *vi sein* **in die Höhe** ~ to shoot up

Schnell·hef·ter *m* loose-leaf binder

Schnel·lig·keit <-, *selten* -en> *f* ❶ (*Geschwindigkeit*) speed ❷ (*Zügigkeit*) speediness; **Ausführung** promptness

Schnell·im·biss^{RR} *m* takeaway **Schnell·**

koch·topf *m* pressure cooker **Schnell·kurs** *m* crash course **schnell·le·big**^{RR} *adj* fast-moving

schnells·tens *adv* as soon as possible

Schnell·stra·ße *f* expressway **Schnell·such·lauf** <-[e]s> *m kein pl* rapid search **Schnell·ver·fah·ren** *nt* ❶ JUR summary trial ❷ (*fam*) **im** ~ in a rush **Schnell·zug** *m* fast train

Schnep·fe <-, -n> ['ʃnɛpfə] *f* ❶ ORN snipe ❷ (*pej fam*) stupid cow

schneu·zen^{ALT} ['ʃnɔytsn̩] *vr s.* **schnäuzen**

Schnick·schnack <-s> ['ʃnɪkʃnak] *m kein pl* (*fam*) ❶ (*Krimskrams*) junk *no pl* ❷ (*dummes Geschwätz*) twaddle *no pl*

schnie·fen ['ʃni:fn̩] *vi* to sniffle

schnip·peln ['ʃnɪpl̩n] **I.** *vi* to snip (**an** at) **II.** *vt* (*fam*) ▪ **etw** ~ to cut sth

schnip·pen ['ʃnɪpn̩] **I.** *vi* **mit den Fingern** ~ to snap one's fingers **II.** *vt* ▪ **etw** [**von etw** *dat*] ~ to flick sth [off sth]

schnip·pisch ['ʃnɪpɪʃ] **I.** *adj* saucy, cocky **II.** *adv* saucily, cockily

Schnip·sel <-s, -> ['ʃnɪpsl̩] *m o nt* shred

schnitt [ʃnɪt] *imp von* **schneiden**

Schnitt <-[e]s, -e> [ʃnɪt] *m* ❶ (*Schnittwunde*) cut ❷ (*Haarschnitt*) cut ❸ MODE cut ❹ FILM editing ❺ ARCHIT, MATH section; **im** ~ ARCHIT in section; (*durchschnittlich*) on average; **der Goldene** ~ the golden section

Schnitt·blu·men *pl* cut flowers *pl*

Schnit·te <-, -n> ['ʃnɪtə] *f* ❶ KOCHK slice ❷ (*belegtes Brot*) open sandwich

Schnitt·flä·che *f* cut surface

schnit·tig ['ʃnɪtɪç] *adj* stylish, streamlined

Schnitt·lauch ['ʃnɪtlaʊx] *m kein pl* chives *npl*

Schnitt·men·ge *f* intersection **Schnitt·mus·ter** *nt* MODE [paper] pattern **Schnitt·punkt** *m* ❶ MATH point of intersection ❷ (*Kreuzung*) intersection **Schnitt·stel·le** *f* INFORM interface **Schnitt·ver·let·zung** *f* cut **Schnitt·wun·de** *f* cut

Schnit·zel¹ <-s, -> ['ʃnɪtsl̩] *nt* KOCHK pork escalope; **Wiener** ~ Wiener schnitzel

Schnit·zel² <-s, -> ['ʃnɪtsl̩] *nt o m* shred

Schnit·zel·jagd *f* paperchase

schnit·zen ['ʃnɪtsn̩] *vt, vi* to carve; ▪ **das S~** carving

Schnit·zer(in) <-s, -> ['ʃnɪtsɐ] *m(f)* woodcarver

Schnit·zer <-s, -> ['ʃnɪtsɐ] *m* (*fam*) blunder

Schnit·zer(in) <-s, -> ['ʃnɪtsɐ] *m(f)* woodcarver

Schnit·ze·rei <-, -en> [ʃnɪtsə'raɪ] *f* woodcarving

Schnit·ze·rin <-, -nen> *f fem form von* **Schnitzer**

schnö·de ['ʃnøːdə] I. *adj* despicable II. *adv* despicably

Schnor·chel <-s, -> ['ʃnɔrçl̩] *m* snorkel

schnor·cheln ['ʃnɔrçl̩n] *vi* to go snorkelling

Schnör·kel <-s, -> ['ʃnœrkl̩] *m* scroll

schnor·ren ['ʃnɔrən] *vi, vt* to scrounge

Schnor·rer(in) <-s, -> *m(f)* scrounger

Schnö·sel <-s, -> ['ʃnøːzl̩] *m* snotty[-nosed] little git

schnu·cke·lig ['ʃnʊkəlɪç] *adj* cute

schnüf·feln ['ʃnʏfl̩n] *vi* ❶ (*schnuppern*) to sniff ❷ (*fam: spionieren*) to nose around

Schnüff·ler(in) <-s, -> *m(f)* ❶ (*Detektiv*) detective, snooper BRIT ❷ (*sl: Süchtiger*) glue-sniffer

Schnul·ler <-s, -> ['ʃnʊlɐ] *m* dummy

Schnul·ze <-, -n> ['ʃnʊltsə] *f* schmaltz

schnul·zig ['ʃnʊltsɪç] *adj* schmaltzy

schnup·fen ['ʃnʊpfn̩] I. *vi* to sniff II. *vt* **Tabak ~** to take snuff; **Kokain ~** to snort cocaine

Schnup·fen <-s, -> ['ʃnʊpfn̩] *m* cold; [einen] **~ haben** to have a cold

Schnupf·ta·bak *m* snuff

schnup·pe ['ʃnʊpə] *adj* **die Ergebnisse waren ihm ~** he couldn't have cared less about the results

schnup·pern ['ʃnʊpɐn] *vi, vt* to sniff (**an** at)

Schnur <-, Schnüre> [ʃnuːɐ̯, *pl* 'ʃnyːrə] *f* cord

Schnür·band <-[e]s, -bänder> *nt* DIAL lace

Schnür·chen <-s, -> ['ʃnyːɐ̯çən] *nt dim von* **Schnur** thin cord ▸ **wie am ~** like clockwork

schnü·ren ['ʃnyːrən] *vt* to tie together (**zu** in); ▪ **etw [auf etw** *akk*] **~** to tie sth [onto sth]; *Schuhe* to lace up

schnur·ge·ra·de ['ʃnuːɐ̯gəra'raːdə] I. *adj* dead straight II. *adv* in a straight line

schnur·los *adj* cordless

Schnurr·bart ['ʃnʊrbaːɐ̯t] *m* moustache

schnur·ren ['ʃnʊrən] *vi* ❶ (*Katze*) to purr ❷ (*surren*) to whirr

Schnurr·haa·re *pl* whiskers *pl*

Schnür·schuh *m* lace-up shoe **Schnür·sen·kel** *m* shoelace **Schnür·stie·fel** *m* laced boot

schnur·stracks ['ʃnuːɐ̯ʃtraks] *adv* straight; **~ nach Hause gehen** to go straight home

Schnu·te <-, -n> ['ʃnuːtə] *f* NORDD (*Mündchen*) pout; **eine ~ ziehen** (*fam*) to pout

schob [ʃoːp] *imp von* **schieben**

Scho·ber <-s, -> ['ʃoːbɐ] *m* AGR SÜDD, ÖSTERR (*Heuhaufen*) haystack

Schock <-[e]s, -s> [ʃɔk] *m* shock; **unter ~ stehen** to be in [a state of] shock; [jdm] **einen ~ versetzen** to shock [sb]

scho·cken ['ʃɔkn̩] *vt* to shock

scho·ckie·ren* [ʃɔ'kiːrən] *vt* to shock; ▪ **schockiert sein** to be shocked (**über** about)

Schock·star·re *f kein pl* PSYCH rigidity induced by shock, state of shock **Schock·the·ra·pie** *f* shock therapy

Schöf·fe, Schöf·fin <-n, -n> ['ʃœfə, 'ʃœfɪn] *m, f* juror

Scho·ko·la·de <-, -n> [ʃoko'laːdə] *f* ❶ (*Kakaomasse*) chocolate ❷ (*Kakaogetränk*) hot chocolate

Scho·ko·rie·gel *m* chocolate bar

Scho·las·tik <-> [ʃo'lastɪk] *f kein pl* scholasticism *no pl*

Schol·le <-, -n> ['ʃɔlə] *f* ❶ ZOOL plaice ❷ (*flacher Erdklumpen*) clod [of earth] ❸ (*Eisbrocken*) [ice] floe

schon [ʃoːn] I. *adv* ❶ (*bereits*) already, yet; **sind wir ~ da?** are we there yet?; **du willst ~ gehen?** you want to leave already?; **es ist ~ spät** it is already late; **~ damals** even at that time; **~ lange** for a long time; **~ mal** ever; **hast du ~ mal Austern gegessen?** have you ever eaten oysters?; **~ oft** several times already ❷ (*allein*) **~ aus dem Grunde** for that reason alone; **~ die Tatsache, dass ...** the fact alone that ... ❸ (*irgendwann*) in the end, one day; **es wird ~ noch klappen** it will work out in the end ❹ (*durchaus*) well ❺ (*denn*) **was macht das ~** what does it matter ❻ (*irgendwie*) all right; **danke, es geht ~** thanks, I can manage; **es wird ~ klappen** it will work out all right ❼ (*ja*) **ich sehe ~, ...** I can see, ...; **~ immer** always; **~ längst** for ages, ages ago; **~ wieder** [once] again; **und wenn ~!** so what? II. *part* ❶ (*auffordernd*) **geh ~!** go on!; **gib ~ her!** come on, give it here!; **mach ~!** hurry up!; [nun] **sag ~!** go on, tell me! ❷ (*nur*) **wenn ich das ~ rieche/sehe!** the mere smell/sight of that!; **wenn ich das ~ höre!** just hearing about it!

schön [ʃøːn] I. *adj* ❶ (*hübsch*) beautiful; (*ansprechend*) lovely, nice ❷ (*angenehm*) good, great, nice, splendid; **ich wünsche euch ~e Ferien** have a good holiday; **zu ~, um wahr zu sein** too good to be true ❸ (*iron: unschön*) great; **das sind ja ~e Aussichten!** what wonderful prospects!; **das wird ja immer ~er!** things are getting worse and worse! ❹ (*beträchtlich*) great, good; **ein ~ es Stück Arbeit** quite a bit of work; **[das ist ja alles] ~ und gut, aber ...** that's all very well, but ...; **na ~** all right then **II.** *adv* **❶** (*ansprechend*) well; **~ singen** to sing well **❷** (*fam: genau*) thoroughly **❸** (*fam: besonders*) **~ groß** nice and big **❹** (*iron: ziemlich*) really; **das hat ganz ~ wehgetan!** that really hurt!

Schon·be·zug *m* protective cover

scho·nen ['ʃo:nən] **I.** *vt* **❶** (*pfleglich behandeln*) to take care of **❷** (*nicht überbeanspruchen*) to go easy on; **das schont die Gelenke** it is easy on the joints **❸** (*verschonen*) **▪ jdn ~** to spare sb **II.** *vr* **▪ sich ~** to take things easy

scho·nend I. *adj* **❶** (*pfleglich*) careful **❷** (*rücksichtsvoll*) considerate **❸** (*nicht strapazierend*) gentle **II.** *adv* **❶** (*pfleglich*) carefully, with care **❷** (*rücksichtsvoll*) **jdm etw ~ beibringen** to break sth to sb gently

schön|fär·ben *vt* (*iron*) **▪ etw ~** to whitewash sth *iron*

Schön·fär·be·rei <-, -en> [ʃø:nfɛrbə'raɪ] *f* whitewash

Schon·frist *f* period of grace

schön·geis·tig *adj* aesthetic

Schön·heit <-, -en> *f* beauty

Schön·heits·chir·ur·gie *f* cosmetic surgery **Schön·heits·farm** *f* beauty farm **Schön·heits·feh·ler** *m* **❶** (*kosmetische Beeinträchtigung*) blemish **❷** (*geringer Makel*) flaw **Schön·heits·ope·ra·ti·on** *f* cosmetic operation **Schön·heits·sa·lon** *m* beauty salon

Schon·kost *f* special diet foods *pl*

schön|re·den *vt* **▪ etw ~** to play sth down

Scho·nung <-> *f kein pl* **❶** (*das pflegliche Behandeln*) care **❷** (*Schutz*) protection **❸** (*Rücksichtnahme*) consideration **❹** (*Verschonung*) mercy

scho·nungs·los I. *adj* blunt, merciless; *Kritik* savage; *Offenheit* unabashed **II.** *adv* bluntly, mercilessly

Schon·zeit *f* JAGD close season

Schopf <-[e]s, Schöpfe> [ʃɔpf, *pl* 'ʃœpfə] *m* **❶** (*Haarschopf*) shock of hair **❷** ORN tuft

schöp·fen ['ʃœpfn̩] *vt* **❶** (*mit einem Behältnis entnehmen*) to scoop (**aus** from); *Suppe* to ladle **❷** (*gewinnen*) to draw; *Kraft* to summon [up] **❸** (*kreieren*) to create; (*Ausdruck, Wort*) to coin

Schöp·fer(in) <-s, -> *m(f)* **❶** (*Gott*) **▪ der ~** the Creator **❷** (*Erschaffer*) creator

schöp·fe·risch ['ʃœpfərɪʃ] **I.** *adj* creative **II.** *adv* creatively

Schöpf·kel·le *f* ladle

Schöpf·löf·fel *m* ladle

Schöp·fung <-, -en> *f* **❶** (*Erschaffung*) creation **❷** *kein pl* REL **▪ die ~** the Creation

Schöp·fungs·ge·schich·te *f kein pl* **▪ die ~** the story of the Creation

Schop·pen <-s, -> ['ʃɔpn̩] *m* **❶** (*Viertelliter*) quarter-litre **❷** SÜDD, SCHWEIZ (*Babyfläschchen*) bottle

schor [ʃo:ɐ̯] *imp von* **scheren**[1]

Schorf <-[e]s, -e> [ʃɔrf] *m* scab

Schor·le <-, -n> ['ʃɔrlə] *f* spritzer

Schorn·stein ['ʃɔrnʃtaɪn] *m* chimney

Schorn·stein·fe·ger(in) <-s, -> *m(f)* chimney sweep

schoss[RR], **schoß**[ALT] [ʃɔs] *imp von* **schießen**

Schoß <-es, Schöße> [ʃɔs, *pl* 'ʃø:sə] *m* **❶** ANAT lap **❷** (*Mutterleib*) womb **▶ im ~ der Familie** in the bosom of the family; **etw fällt jdm in den ~** sth falls into sb's lap

Schoß·hund *m* lapdog

Schöss·ling[RR] <-s, -e> *m*, **Schöß·ling**[ALT] <-s, -e> ['ʃœslɪŋ] *m* shoot

Scho·te <-, -n> ['ʃo:tə] *f* pod

Schot·te, Schot·tin <-n, -n> ['ʃɔtə, 'ʃɔtɪn] *m, f* Scot, Scotsman *masc*, Scotswoman *fem; s. a.* **Deutsche(r)**

Schot·ten·rock *m* **❶** (*Rock mit Schottenmuster*) tartan skirt **❷** (*Kilt*) kilt

Schot·ter <-s, -> ['ʃɔtɐ] *m* gravel

Schot·tin <-, -nen> *f fem form von* **Schotte**

schot·tisch ['ʃɔtɪʃ] *adj* Scottish; *s. a.* **deutsch**

Schott·land ['ʃɔtlant] *nt* Scotland; *s. a.* **Deutschland**

schraf·fie·ren* [ʃra'fi:rən] *vt* to hatch

Schraf·fie·rung <-, -en> *f kein pl* hatching

Schraf·fur <-, -en> [ʃra'fu:ɐ̯] *f* hatching

schräg [ʃrɛːk] **I.** *adj* **❶** (*schief*) sloping, (*Position, Wuchs*) slanted; (*Linien*) diagonal, oblique; (*Kante*) bevelled **❷** TYPO (*kursiv*) italic **❸** (*unharmonisch*) strident **❹** (*von der Norm abweichend*) offbeat **II.** *adv* **❶** (*schief*) at an angle, askew, at a slant; **einen Hut ~ aufsetzen** to put a hat on at a slant; **das Bild hängt ~** the picture is hanging askew **❷** (*im schiefen Winkel*) **~ überqueren** to cross diagonally **▶ jdn ~ ansehen** to look askance at sb

Schrä·ge <-, -n> ['ʃrɛːɡə] *f* **❶** (*schräge Fläche*) slope, sloping surface **❷** (*Neigung*) slant

Schräg·strich *m* oblique

Schram·me <-, -n> ['ʃramə] *f* **❶** (*Schürfwunde*) graze **❷** (*Kratzer*) scratch

schram·men ['ʃramən] *vi* to scrape (**über**

across)

Schrank <-[e]s, Schränke> [ʃraŋk, *pl* 'ʃrɛŋkə] *m* cupboard

Schran·ke <-, -n> ['ʃraŋkə] *f* ❶ BAHN barrier, gate ❷ (*Grenze*) limit; **jdn in seine ~n weisen** to put sb in their place

Schran·ken <-s, -> ['ʃraŋkŋ] *m* BAHN ÖSTERR (*Schranke 1*) [railway] gate, [railway] barrier

schran·ken·los *adj* unlimited, boundless

Schrank·wand *f* wall unit

Schrau·be <-, -n> ['ʃraʊbə] *f* ❶ TECH screw ❷ NAUT propeller ❸ SPORT twist ▸ **bei jdm ist eine ~ locker** (*fam*) sb has a screw loose

schrau·ben ['ʃraʊbn] *vt* ❶ (*mit Schrauben befestigen*) ▪ **etw ~** to screw sth (**an** into, **auf** onto) ❷ (*drehen*) **etw höher/niedriger ~** to raise/lower sth; **etw fester/loser ~** to tighten/loosen sth; **einen Deckel vom Glas ~** to unscrew a jar

Schrau·ben·dre·her <-s, -> *m* *s.* **Schraubenzieher Schrau·ben·schlüs·sel** *m* spanner [*or* AM wrench] **Schrau·ben·zie·her** <-s, -> *m* screwdriver

Schrau·ber <-s, -> ['ʃraʊbɐ] *m* (*hum fam*) Saturday mechanic

Schraub·stock *m* vice **Schraub·ver·schluss**ᴿᴿ *m* screw top

Schre·ber·gar·ten ['ʃreːbɐ] *m* allotment

Schreck <-s> [ʃrɛk] *m kein pl* fright *no pl;* **einen ~ bekommen** to get a fright; **jdn einen ~ einjagen** to give sb a fright; **vor ~** with fright

schre·cken ['ʃrɛkn] **I.** *vt* <schreckte, geschreckt> *haben* ▪ **etw schreckt jdn** sth frightens sb **II.** *vi* <schrak, geschrocken> *sein* ▪ **[aus etw** *dat*] **~** to be startled [out of sth]

Schre·cken <-s, -> ['ʃrɛkn] *m* (*Entsetzen*) fright, horror; **~ erregend** terrifying, horrifying; **mit dem ~ davonkommen** to escape with no more than a fright

Schre·ckens·herr·schaft *f* reign of terror

Schreck·ge·spenst *nt* bogey

schreck·haft *adj* jumpy

schreck·lich ['ʃrɛklɪç] **I.** *adj* terrible, dreadful **II.** *adv* terribly, awfully, dreadfully

Schreck·schrau·be *f* (*pej fam*) old bag

Schreck·schussᴿᴿ *m* warning shot **Schreck·schuss·pis·to·le**ᴿᴿ *f* blank gun **Schreck·se·kun·de** *f* moment of shock

Schrei <-[e]s, -e> [ʃraɪ] *m* scream, cry ▸ **der letzte ~** (*fam*) the latest style

Schreib·block <s, -blöcke> *m* writing pad

schrei·ben <schrieb, geschrieben> ['ʃraɪbn] **I.** *vt* ❶ (*verfassen*) to write ❷ (*schriftlich darstellen*) to spell; **etw falsch/richtig/klein/groß ~** to spell sth wrongly/right/with small/capital letters ❸ (*verzeichnen*) **man schrieb das Jahr 1822** it was the year 1822; **rote Zahlen ~** to be in the red **II.** *vi* ❶ (*Schrift erzeugen*) to write; ▪ **etwas zum S~** something to write with ❷ (*schreibend arbeiten*) ▪ **[an etw** *dat*] **~** to be writing [sth] ❸ (*einen Brief schicken*) ▪ **jdm ~** to write to sb **III.** *vr* (*geschrieben werden*) ▪ **sich ~** to be spelt; **wie schreibt sich das Wort?** how do you spell that word?

Schrei·ben <-s, -> ['ʃraɪbn] *nt* (*geh*) letter **Schrei·ber** <-s, -> ['ʃraɪbɐ] *m* (*fam*) pen **Schrei·ber(in)** <-s, -> ['ʃraɪbɐ] *m(f)* (*Verfasser*) author, writer

Schrei·ber·ling <-s, -e> ['ʃraɪbɐlɪŋ] *m* (*pej*) scribbler

schreib·faul *adj* ▪ **~ sein** to be a bad letter writer **Schreib·fe·der** *f* quill *old* **Schreib·feh·ler** *m* spelling mistake **Schreib·heft** *nt* exercise book **Schreib·kraft** *f* (*geh*) typist **Schreib·map·pe** *f* writing case **Schreib·ma·schi·ne** *f* typewriter; **~ schreiben können** to be able to type; **etw auf der ~ schreiben** to type sth [up] **Schreib·pa·pier** *nt* writing paper **Schreib·pult** *nt* [writing] desk **Schreib·schrift** *f* script, cursive writing **Schreib·tisch** *m* desk **Schreib·tisch·lam·pe**, **Schreib·tisch·leuch·te** *f* desk lamp

Schrei·bung <-, -en> *f* spelling

Schreib·un·ter·la·ge *f* desk pad

Schreib·wa·ren *pl* stationery *no pl* **Schreib·wa·ren·ge·schäft** *nt* stationer's **Schreib·wa·ren·händ·ler(in)** *m(f)* stationer **Schreib·wa·ren·hand·lung** *f* stationer's **Schreib·wei·se** *f* ❶ (*Rechtschreibung*) spelling ❷ (*Stil*) style [of writing] **Schreib·zeug** *nt* writing utensils *pl*

schrei·en <schrie, geschrie[e]n> ['ʃraɪən] **I.** *vi* ❶ (*brüllen*) to yell ❷ ORN, ZOOL to cry ❸ (*laut rufen*) to shout (**nach** for) ❹ (*heftig verlangen*) to cry out; **das Kind schreit nach der Mutter** the child is crying out for its mother **II.** *vt* (*etw brüllen*) to shout [out]

schrei·end *adj* ❶ (*grell*) garish, loud ❷ (*flagrant*) flagrant, glaring

Schrei·e·rei <-, -en> [ʃraɪəˈraɪ] *f* yelling **Schrei·hals** *m* (*fam*) rowdy, bawler BRIT **Schrein** <-[e]s, -e> [ʃraɪn] *m* (*geh*) ❶ (*Schränkchen*) shrine ❷ (*Sarg*) coffin

Schrei·ner(in) <-s, -> [ˈʃraɪnɐ] *m(f)* carpenter

Schrei·ne·rei <-, -en> [ʃraɪnəˈraɪ] *f* ❶ (*Tischlerei*) carpenter's workshop ❷ (*das Tischlern*) carpentry

schrei·nern [ˈʃraɪnɐn] *vi, vt* to do carpentry; ◼ **etw ~** to make sth

schrei·ten <schritt, geschritten> [ˈʃraɪtn̩] *vi sein* ❶ (*gehen*) to stride ❷ (*etw in Angriff nehmen*) to proceed (**zu** with); **zur Tat ~** to get down to action

schrie [ʃriː] *imp von* **schreien**

schrieb [ʃriːp] *imp von* **schreiben**

Schrieb <-s, -e> [ʃriːp] *m* (*fam*) missive

Schrift <-, -en> [ʃrɪft] *f* ❶ (*Handschrift*) [hand]writing ❷ (*Schriftsystem*) script ❸ TYPO (*Druckschrift*) type; (*Computer*) font ❹ (*Abhandlung*) paper; **die Heilige ~** the [Holy] Scriptures *pl*

Schrift·art *f* type, typeface **Schrift·deutsch** *nt* standard German **Schrift·füh·rer(in)** *m(f)* secretary **Schrift·grö·ße** *f* font size

schrift·lich [ˈʃrɪftlɪç] **I.** *adj* written; ◼ **etwas S~es** something in writing **II.** *adv* in writing; **jdm etw ~ geben** to give sb sth in writing

Schrift·re·li·gi·on *f* REL religion based on written scriptures

Schrift·satz *m* JUR legal document **Schrift·spra·che** *f* standard language **Schrift·stel·ler(in)** <-s, -> [ˈʃrɪftʃtɛlɐ] *m(f)* author, writer **Schrift·stück** *nt* document **Schrift·wech·sel** *m* correspondence **Schrift·zei·chen** *nt* character

schrill [ʃrɪl] **I.** *adj* ❶ (*durchdringend hell*) shrill ❷ (*nicht moderat*) brash; (*Farbe*) garish **II.** *adv* shrilly

schritt [ʃrɪt] *imp von* **schreiten**

Schritt <-[e]s, -e> [ʃrɪt] *m* ❶ (*Tritt*) step; **auf ~ und Tritt** every move sb makes; **~e machen** to take steps; **seinen ~ beschleunigen** to quicken one's step; **er trat einen ~ zurück** he took a step back; [**mit jdm/etw**] **~ halten** to keep up [with sb/sth]; **~ für ~** step by step; **mit großen/kleinen ~en** in big strides/small steps ❷ *kein pl* (*Gang*) walk, gait ❸ (*Maßnahme*) measure, step; **~e in die Wege leiten** to arrange for steps to be taken; **~e** [**gegen jdn/etw**] **unternehmen** to take steps [against sb/sth] ❹ MODE crotch

Schrittem·poᴬᴸᵀ *nt s.* **Schritttempo Schritt·ge·schwin·dig·keit** *f* walking speed **Schritt·ma·cher** <-s, -> *m* pacemaker **Schritt·tem·po**ᴿᴿ *nt* walking speed; **im ~ fahren** to drive at walking speed **schritt·wei·se** **I.** *adv* gradual

II. *adv* gradually

schroff [ʃrɔf] **I.** *adj* ❶ (*barsch*) curt, brusque ❷ (*abrupt*) abrupt ❸ (*steil*) steep **II.** *adv* ❶ (*barsch*) curtly, brusquely ❷ (*steil*) steeply

Schroff·heit <-, -en> *f* ❶ *kein pl* (*barsche Art*) curtness, brusqueness ❷ (*schroffe Äußerung*) brusque comment, curt comment

schröp·fen [ˈʃrœpfn̩] *vt* (*fam: ausnehmen*) ◼ **jdn ~** to cheat sb

Schrot <-[e]s, -e> [ʃroːt] *m o nt* ❶ *kein pl* AGR coarsely ground wholemeal ❷ JAGD shot

Schrot·brot *nt* [coarse] wholemeal bread **Schrot·flin·te** *f* shotgun

Schrott <-[e]s> [ʃrɔt] *m kein pl* ❶ (*Metallmüll*) scrap metal ❷ (*fam: wertloses Zeug*) rubbish *no pl*, junk *no pl*; **etw zu ~ fahren** (*fam*) to write sth off

Schrott·hal·de *f* scrap heap **Schrott·händ·ler(in)** *m(f)* scrap dealer **Schrott·hau·fen** *m* scrap heap **Schrott·platz** *m* scrapyard **schrott·reif** *adj* fit for the scrap heap

schrub·ben [ˈʃrʊbn̩] *vt, vi* to scrub

Schrub·ber <-s, -> [ˈʃrʊbɐ] *m* scrubbing brush

schrul·lig [ˈʃrʊlɪç] *adj* (*fam*) quirky

schrum·pe·lig [ˈʃrʊmpəlɪç] *adj* (*fam*) wrinkled

schrump·fen [ˈʃrʊmpfn̩] *vi sein* to shrink (**auf** to); (*Ballon*) to shrivel up; (*Frucht*) to shrivel; (*Muskeln*) to waste

schrump·lig [ˈʃrʊmplɪç] *adj s.* **schrumpelig**

Schub <-[e]s, Schübe> [ʃuːp, *pl* ˈʃyːbə] *m* ❶ PHYS (*Vortrieb*) thrust ❷ MED (*einzelner Anfall*) phase ❸ (*Antrieb*) drive ❹ (*Gruppe*) batch

Schub·kar·re *f,* **Schub·kar·ren** *m* wheelbarrow **Schub·kraft** *f* PHYS *s.* **Schub 1 Schub·la·de** <-, -n> [ˈʃuːpla·də] *f* drawer

Schubs <-es, -e> [ʃʊps] *m* (*fam*) shove **schub·sen** [ˈʃʊpsn̩] *vt* (*fam*) to shove

schub·wei·se *adv* ❶ MED in phases ❷ (*in Gruppen*) in batches

schüch·tern [ˈʃʏçtɐn] *adj* ❶ (*gehemmt*) shy ❷ (*zaghaft*) timid; (*Versuch*) half-hearted

Schüch·tern·heit <-> *f kein pl* shyness

schuf [ʃuːf] *imp von* **schaffen**²

Schuft <-[e]s, -e> [ʃʊft] *m* villain

schuf·ten [ˈʃʊftn̩] *vi* (*fam*) to slave away (**an** at)

Schuf·te·rei <-, -en> [ʃʊftəˈraɪ] *f* (*fam*) drudgery

Schuh <-[e]s, -e> [ʃuː] *m* shoe ▸ **wo drückt der ~?** (*fam*) what's bothering you?; **jdm etw in die ~e schieben** (*fam*) to put the blame for sth on sb

Schuh·band <-[e]s, -bänder> *nt*, **Schuh·bän·del** <-s, -> *m* SÜDD, SCHWEIZ (*Schnürsenkel*) shoelace **Schuh·bürs·te** *f* shoe brush **Schuh·creme** *f* shoe polish **Schuh·ge·schäft** *nt* shoe shop **Schuh·grö·ße** *f* shoe size **Schuh·löf·fel** *m* shoehorn **Schuh·ma·cher(in)** <-s, -> [ˈʃuːmaxɐ] *m(f)* shoemaker **Schuh·put·zer(in)** <-s, -> *m(f)* shoeshine boy/girl **Schuh·putz·mit·tel** *nt* shoe polish **Schuh·soh·le** *f* sole [of a/one's shoe] **Schuh·span·ner** *m* shoetree **Schuh·werk** <-[e]s> *nt kein pl* footwear

Schul·ab·bre·cher(in) [ˈʃuːl-] *m(f)* high school dropout

Schul·ab·bruch *m* dropout; **Schulabbrüche und Schulverweisungen sollen vermieden werden** dropouts and expulsions are to be avoided **Schul·ab·gän·ger(in)** <-s, -> *m(f)* (*geh*) school-leaver **Schul·ar·beit** *f* ➊ *meist pl* (*Hausaufgaben*) homework *no pl;* **die/seine ~en machen** to do one's homework ➋ ÖSTERR (*Klassenarbeit*) [class] test **Schul·auf·ga·be** *f pl s.* **Schularbeit 1 Schul·bank** *f* school desk; **die ~ drücken** (*fam*) to go to school **Schul·bil·dung** *f kein pl* school education *no pl* **Schul·buch** *nt* school book, textbook **Schul·bus** *m* school bus

schuld [ʃʊlt] *adj* ▪ **[an etw** *dat*] **~ sein** to be to blame [for sth]

Schuld <-> [ʃʊlt] *f kein pl* ➊ (*Verschulden*) fault *no pl,* blame *no pl;* ▪ **die ~** [an **etw** *dat*] the blame [for sth]; **jdm [die] ~ geben** *dat* to blame sb; **~ haben** to be [the one] to blame; **es ist jds ~, dass/wenn ...** it is sb's fault that/when ...; **die ~ auf sich nehmen** to take the blame; **jdn trifft keine ~** sb is not to blame ➋ (*verschuldete Missetat*) guilt *no pl;* REL sin; **er ist sich keiner ~ bewusst** he's not aware of having done anything wrong ➌ *meist pl* FIN debt; **~en machen** to go into debt

schuld·be·wusst[RR] **I.** *adj* (*Mensch*) guilt-ridden; (*Gesicht*) guilty **II.** *adv* guiltily **Schuld·be·wusst·sein**[RR] *nt* guilty conscience

schul·den [ˈʃʊldn̩] *vt* ▪ **jdm etw ~** to owe sb sth

Schuld·den·er·lass[RR] *m* FIN remission of debts **Schuld·den·fal·le** *f* FIN (*fam*) debt trap **schuld·den·frei** *adj* free of debt **Schuld·den·klem·me** *f* debt crisis **Schuld·fra·ge** *f* question of guilt

Schuld·ge·fühl *nt* feeling of guilt

schuld·haft **I.** *adj* JUR culpable **II.** *adv* culpably

schul·dig [ˈʃʊldɪç] *adj* ➊ (*verantwortlich*) to blame ➋ JUR guilty; ▪ **~ sein** to be guilty; **sich ~ bekennen** to plead guilty ➌ (*verpflichtet*) ▪ **jdm etw ~ sein** to owe sb sth

Schul·di·ge(r) *f(m) dekl wie adj* guilty person

Schul·dig·keit <-> *f kein pl* duty; **seine ~ getan haben** to have met one's obligations **schul·dig|spre·chen** *vt irreg* ▪ **jdn ~** to find sb guilty

schuld·los **I.** *adj* blameless **II.** *adv* blamelessly

Schuld·ner(in) <-s, -> [ˈʃʊldnɐ] *m(f)* debtor

Schuld·schein *m* promissory note **Schuld·zu·wei·sung** *f* accusation

Schu·le <-, -n> [ˈʃuːlə] *f* ➊ SCH (*Lehranstalt*) school; **in die ~ gehen** to go to school; **in die ~ kommen** to start school; **in der ~** at school; **morgen ist keine ~** there is no school tomorrow; **die ~ ist aus** school is out ➋ (*bestimmte Richtung*) school; **der alten ~** of the old school ▸ **~ machen** to catch on

schu·len [ˈʃuːlən] *vt* to train

Schü·ler(in) <-s, -> [ˈʃyːlɐ] *m(f)* ➊ SCH schoolboy *masc,* schoolgirl *fem* ➋ (*Adept*) pupil

Schü·ler·aus·tausch *m* school exchange **Schü·ler·aus·weis** *m* school identity card

Schü·le·rin <-, -nen> *f fem form von* **Schüler**

Schü·ler·lot·se, -lot·sin *m, f* lollipop man *masc* BRIT, lollipop lady *fem* BRIT, crossing guard AM

Schü·ler·schaft <-, -en> *f* (*geh*) pupils *pl* **Schü·ler·zei·tung** *f* school newspaper

Schul·fach *nt* [school] subject **Schul·fe·ri·en** *pl* school holidays *pl,* summer vacation AM **schul·frei** *adj* **~ haben** not to have school; **an Feiertagen ist ~** there is no school on public holidays **Schul·freund(in)** *m(f)* school friend **Schul·ge·bäu·de** *nt* school building **Schul·geld** *nt* school fees *pl* **Schul·heft** *nt* exercise book **Schul·hof** *m* school playground

schu·lisch [ˈʃuːlɪʃ] *adj* ➊ (*die Schule betreffend*) school *attr* ➋ (*den Unterricht betreffend*) at school

Schul·jahr *nt* SCH ➊ (*Zeitraum*) school year ➋ (*Klasse*) year **Schul·ka·me·rad(in)** *m(f)* (*veraltend*) school friend **Schul·kind** *nt* schoolchild **Schul·klas·se** *f* [school] class **Schul·lei·ter(in)** *m(f)*

S

headmaster/headmistress BRIT, principal AM **Schul·me·di·zin** f orthodox medicine **Schul·pflicht** f kein pl compulsory school attendance **schul·pflich·tig** adj of school age; **~ sein** to be required to attend school **Schul·ran·zen** m satchel **Schul·rat, -rä·tin** m, f schools inspector **Schul·schiff** nt NAUT training ship **Schul·schluss**^RR m kein pl end of school **Schul·schwän·zer(in)** [ˈʃuːlʃvɛntsɐ] m(f) SCH (fam) pupil who bunks off [or AM skips] school **Schul·spre·cher(in)** m(f) head boy BRIT **Schul·stun·de** f period, lesson **Schul·ta·sche** f satchel

Schul·ter <-, -n> [ˈʃʊltɐ] f ANAT shoulder; **mit hängenden ~n** with a slouch; **mit den ~n zucken** to shrug one's shoulders ▶ **jd zeigt jdm die kalte ~** sb gives sb the cold shoulder; **jd nimmt etw auf die leichte ~** sb takes sth very lightly

Schul·ter·blatt nt shoulder blade **schul·ter·frei** adj off the shoulder pred **Schul·ter·ge·lenk** nt shoulder joint **schul·ter·lang** adj shoulder-length **schul·tern** [ˈʃʊltɐn] vt to shoulder **Schul·ter·pols·ter** nt shoulder pad

Schu·lung <-, -en> f training; (von Gedächtnis) schooling

Schul·uni·form f SCH school uniform **Schul·un·ter·richt** m kein pl school lessons pl **Schul·ver·weis** m SCH exclusion; (befristet) suspension **Schul·weg** m way to/from school **Schul·weis·heit** f (pej) book learning **Schul·we·sen** nt kein pl school system **Schul·zeit** f kein pl schooldays pl **Schul·zeug·nis** nt school report BRIT, report card AM

schum·meln [ˈʃʊmln] vi (fam) to cheat **schum·me·rig** [ˈʃʊmərɪç] adj, **schumm·rig** [ˈʃʊm(ə)rɪç] adj dim

Schund <-[e]s> [ʃʊnt] m kein pl (pej) trash no pl

Schund·ro·man m trashy novel

schun·keln [ˈʃʊŋkln] vi to sway rhythmically with linked arms

Schup·pe <-, -n> [ˈʃʊpə] f ❶ ZOOL scale ❷ pl MED dandruff no pl ▶ **jdm fällt es wie ~n von den Augen** the scales fall from sb's eyes

schup·pen [ˈʃʊpn] I. vt KOCHK to remove the scales II. vr **sich ~** to flake ❶ (unter schuppender Haut leiden) to peel ❷ (sich abschuppen) to flake

Schup·pen <-s, -> [ˈʃʊpn] m ❶ (Verschlag) shed ❷ (fam: Lokal) joint

Schup·pen·flech·te f psoriasis **Schup·pen·tier** nt scaly anteater

schup·pig [ˈʃʊpɪç] adj (Schuppen aufwei-

send) scaly; (Haut) flaky; **~e Haare haben** to have dandruff

schü·ren [ˈʃyːrən] vt ❶ (anfachen) to poke ❷ (anstacheln) **etw [bei jdm] ~** to stir sth up in sb

schür·fen [ˈʃʏrfn] I. vi ❶ (graben) to dig (nach for) ❷ (schleifen) to scrape (über across) II. vt **etw ~** to mine sth III. vr **sich** dat **etw ~** to graze one's sth

Schürf·wun·de f graze

Schür·ha·ken m poker

Schur·ke <-n, -n> [ˈʃʊrkə] m (veraltend) scoundrel

Schur·ken·staat m POL (pej sl) rogue state **schur·kisch** [ˈʃʊrkɪʃ] adj (veraltend) despicable

Schur·wol·le f virgin wool; **„reine ~"** "pure new wool"

Schür·ze <-, -n> [ˈʃʏrtsə] f apron

Schür·zen·jä·ger m philanderer

Schuss^RR <-es, Schüsse> m, **Schuß**^ALT <-sses, Schüsse> [ʃʊs, pl ˈʃʏsə] m ❶ (Ab- o Einschuss) shot ❷ (Patrone) round ❸ (Spritzer) splash; **Cola mit einem ~ Rum** cola with a splash of rum ❹ FBALL shot ❺ (sl: Drogeninjektion) shot; **sich** dat **einen ~ setzen** to shoot up ▶ **einen ~ vor den Bug bekommen** to receive a warning signal; **ein ~ in den Ofen** (sl) a dead loss; **weit vom ~ sein** (fam) to be miles away; **in ~** in top shape; **mit ~** with a shot (of alcohol)

Schüs·sel <-, -n> [ˈʃʏsl] f ❶ (große Schale) bowl, dish ❷ (Wasch~) washbasin ❸ (Satelliten~) [satellite] dish ❹ (WC-Becken) toilet bowl

schus·se·lig, schuss·lig^RR, **schuß·lig**^ALT [ˈʃʊs(ə)lɪç] adj (fam) scatterbrained

Schuss·li·nie^RR [-liːniə] f line of fire; **in jds ~ geraten** akk to come under fire from sb fig **schuss·si·cher**^RR adj bulletproof **Schuss·ver·let·zung**^RR f gunshot wound **Schuss·waf·fe**^RR f firearm[s pl] **Schuss·wech·sel**^RR m exchange of fire **Schuss·wei·te**^RR f range [of fire]; **sich in/außer ~ befinden** to be within/out of range **Schuss·wun·de**^RR f s. Schussverletzung

Schus·ter(in) <-s, -> [ˈʃuːstɐ] m(f) shoemaker ▶ **~, bleib bei deinen Leisten!** (prov) cobbler, keep to your last! prov

Schutt <-[e]s> [ʃʊt] m kein pl rubble no indef art ▶ **etw in ~ und Asche legen** to reduce sth to rubble; **in ~ und Asche liegen** to be in ruins

Schüt·tel·frost m (violent) shivering fit **schüt·teln** [ˈʃʏtln] I. vt ❶ (rütteln) to shake ❷ (erzittern lassen) ■**etw schüttelt jdn**

sth makes sb shiver **II.** *vr* **sich vor Kälte ~** to shake with [the] cold **III.** *vi impers* ■ **es schüttelt jdn** sb shudders

Schüt·tel·reim *m* ≈ deliberate spoonerism

schüt·ten [ˈʃʏtn̩] **I.** *vt* ❶ (*kippen*) to tip ❷ (*gießen*) to pour **II.** *vi* ■ **es schüttet** *impers* (*fam*) it's pouring [down]

schüt·ter [ˈʃʏtɐ] *adj Haar, Stimme* thin

Schutt·hal·de *f* pile of rubble **Schutt· hau·fen** *m* pile of rubble

Schutz <-es, -e> [ʃʊts] *m* ❶ *kein pl* (*Sicherheit*) protection (**vor** from); **~ suchen** to seek refuge; **im ~**[e] **der Dunkelheit** under cover of darkness; **zu jds ~** for sb's own protection; **~ bieten** to offer protection; **jdn** [**vor etw** *dat*] **in ~ nehmen** to protect sb [from sth]; **unter jds** *dat* **~ stehen** to be under the protection of sb ❷ TECH protector

Schutz·an·zug *m* protective clothes *npl* **schutz·be·dürf·tig** *adj* in need of protection *pred* **Schutz·be·haup·tung** *f* self-serving declaration **Schutz·blech** *nt* mudguard **Schutz·brief** *m* [international] travel insurance **Schutz·bril·le** *f* protective goggles *npl*

Schüt·ze, Schüt·zin <-n, -n> [ˈʃʏtsə, ˈʃʏt· sɪn] *m*, *f* ❶ SPORT marksman/markswoman; (*beim Fußball*) scorer ❷ JAGD hunter ❸ MIL private, rifleman ❹ *kein pl* ASTROL Sagittarius

schüt·zen [ˈʃʏtsn̩] **I.** *vt* ❶ (*beschirmen*) to protect (**vor** against/from); **Gott schütze dich!** may the Lord protect you! ❷ (*geschützt aufbewahren*) ■ **etw** [**vor etw** *dat*] **~** to keep sth away from sth ❸ (*unter Naturschutz stellen*) ■ **etw ~** to place a protection order on sth; **geschützte Pflanzen** protected plants ❹ (*patentieren*) to patent; **gesetzlich geschützt** registered [as a trade mark]; **urheberrechtlich geschützt** protected by copyright **II.** *vi* ■ [**vor etw** *dat*] **~** to give protection [from sth]

schüt·zend *adj* protective

Schüt·zen·fest *nt* rifle club[']s] festival **Schutz·en·gel** *m* REL guardian angel **Schüt·zen·gra·ben** *m* trench **Schüt· zen·haus** *nt* rifle club clubhouse **Schüt· zen·pan·zer** *m* armoured personnel carrier **Schüt·zen·ver·ein** *m* rifle club **Schutz·fak·tor** *m* safety factor; *Sonnenmilch* protection factor **Schutz·ge·biet** *nt* ❶ POL protectorate ❷ (*Natur~*) [nature] reserve **Schutz·ge·bühr** *f* token charge **Schutz·geld** *nt* protection money *no pl* **Schutz·geld·er·pres·sung** *f* JUR extortion [*or* protection] racket, racketeering

Schutz·haft *f* ❶ POL preventive detention ❷ JUR protective custody **Schutz·helm** *m* protective helmet, hard hat **Schutz·hül· le** *f* s. **Schutzumschlag Schutz·imp· fung** *f* vaccination, inoculation

Schüt·zin <-, -nen> *f fem form von* **Schütze**

Schütz·ling <-s, -e> [ˈʃʏtslɪŋ] *m* ❶ (*Protegé*) protégé ❷ (*Schutzbefohlene*) charge

schutz·los I. *adj* defenceless **II.** *adv* **jdm ~ ausgeliefert sein** to be at the mercy of sb **Schutz·mar·ke** *f* trademark **Schutz· mas·ke** *f* protective mask **Schutz·maß· nah·me** *f* precautionary measure, precaution (**vor/gegen** against) **Schutz·pa· tron(in)** <-s, -e> *m(f)* REL patron saint **Schutz·raum** *m* [fallout] shelter **Schutz· schicht** *f* protective layer **Schutz·um· schlag** *m* dust jacket, dust cover **Schutz·ver·ei·ni·gung** *f* ÖKON [campaigning] organization **Schutz·vor·rich· tung** *f* safety device **Schutz·wes·te** *f* bulletproof vest

schwab·be·lig [ˈʃvabəlɪç] *adj* (*fam*) flabby, wobbly

Schwa·be, Schwä·bin <-n, -n> [ˈʃvaːbə, ˈʃvɛːbɪn] *m*, *f* Swabian

Schwa·ben <-s> [ˈʃvaːbn̩] *nt* Swabia

Schwä·bin <-, -nen> *f fem form von* **Schwabe**

schwä·bisch [ˈʃvɛːbɪʃ] *adj* Swabian

schwach <schwächer, schwächste> [ʃvax] **I.** *adj* ❶ (*nicht stark*) weak ❷ (*wenig leistend*) weak; *Sportler, Schüler* poor; *Batterie* low ❸ (*gering*) weak; *Anzeichen* faint, slight; *Beteiligung* poor; **ein ~es Interesse** [very] little interest ❹ (*leicht*) *Atmung* faint; *Bewegung* slight; *Druck, Wind, Strömung* light; ■ **schwächer werden** to become fainter ❺ (*dünn*) weak ❻ (*dürftig*) weak, poor; **ein ~er Trost** little comfort **II.** *adv* ❶ (*leicht*) faintly ❷ (*spärlich*) sparsely; **die Ausstellung war nur ~ besucht** the exhibition was poorly attended ❸ (*dürftig*) feebly; **die Mannschaft spielte ~** the team put up a feeble performance; **eine ~e Erinnerung an etw** *akk* **haben** to vaguely remember sth

Schwä·che <-, -n> [ˈʃvɛçə] *f* ❶ *kein pl* (*geringe Stärke*) weakness; **jds ~ ausnutzen** to exploit sb's vulnerability ❷ *kein pl* (*Unwohlsein*) [feeling of] faintness ❸ (*Vorliebe*) ■ **eine ~ für etw** *akk* a weakness for sth

Schwä·che·an·fall *m* sudden feeling of faintness

schwä·chen [ˈʃvɛçn̩] **I.** *vt* to weaken;

■**geschwächt** weakened **II.** *vi* to have a weakening effect

Schwach·kopf *m* (*fam*) idiot, blockhead

schwäch·lich ['ʃvɛçlıç] *adj* weakly, feeble

Schwäch·ling <-s, -e> ['ʃvɛçlıŋ] *m* weakling

Schwach·punkt *m* weak spot; **jds ~ treffen** to hit upon sb's weak spot **Schwach·sinn** *m kein pl* ❶ MED mental deficiency ❷ (*fam: Quatsch*) rubbish *no art* BRIT, garbage AM; **so ein ~!** what a load of rubbish!

schwach·sin·nig *adj* ❶ MED mentally deficient ❷ (*fam: blödsinnig*) idiotic, daft

Schwach·stel·le *f* ❶ (*Problemstelle*) weak spot ❷ (*undichte Stelle*) leak

Schwach·strom *m* weak current

Schwä·chung <-, -en> *f* weakening

schwach|wer·den *vi* ► [bei jdm/etw] ~ (*fam*) to be unable to refuse [sb/sth]; **nur nicht ~!** don't give in!

Schwa·den <-s, -> ['ʃva:dn̩] *m meist pl* cloud

schwa·feln ['ʃva:fl̩n] *vi* (*pej fam: faseln*) to talk drivel

Schwa·ger, Schwä·ge·rin <-s, Schwäger> ['ʃva:gɐ, 'ʃvɛ:gərın, *pl* 'ʃvɛ:gɐ] *m, f* brother-in-law *masc*, sister-in-law *fem*

Schwal·be <-, -n> ['ʃvalbə] *f* ORN swallow ► **eine ~ macht noch keinen Sommer** (*prov*) one swallow doesn't make a summer

Schwal·ben·nest *nt* ORN swallow's nest **Schwal·ben·schwanz** *m* ZOOL swallowtail [butterfly]

Schwall <-[e]s, -e> [ʃval] *m* ❶ (*Guss*) stream, gush ❷ (*Flut*) torrent *fig*

schwamm [ʃvam] *imp von* **schwimmen**

Schwamm <-[e]s, Schwämme> [ʃvam, *pl* 'ʃvɛmə] *m* ❶ (*zur Reinigung*) sponge ❷ (*Hausschwamm*) dry rot *no indef art, no pl* ❸ SÜDD, ÖSTERR, SCHWEIZ (*essbarer Pilz*) mushroom ► **~ drüber!** let's forget it!

schwam·mig ['ʃvamıç] **I.** *adj* ❶ (*weich und porös*) spongy ❷ (*aufgedunsen*) puffy, bloated ❸ (*vage*) vague, woolly **II.** *adv* vaguely

Schwan <-[e]s, Schwäne> [ʃva:n, *pl* 'ʃvɛ:nə] *m* swan

schwand [ʃvant] *imp von* **schwinden**

schwang [ʃvaŋ] *imp von* **schwingen**

schwan·ger ['ʃvaŋɐ] *adj* pregnant (**von** by); **sie ist im sechsten Monat ~** she's six months pregnant

Schwan·ge·re *f dekl wie adj* pregnant woman

schwän·gern ['ʃvɛŋɐn] *vt* ■**jdn ~** to get sb pregnant

Schwan·ger·schaft <-, -en> *f* pregnancy

Schwan·ger·schafts·ab·bruch *m* abortion **Schwan·ger·schafts·früh·test** *m* early pregnancy test **Schwan·ger· schafts·test** *m* pregnancy test **Schwan· ger·schafts·ver·hü·tung** *f* contraception *no indef art, no pl*

Schwank <-[e]s, Schwänke> [ʃvaŋk, *pl* 'ʃvɛŋkə] *m* ❶ THEAT farce ❷ (*Erzählung*) comical tale ❸ (*Begebenheit*) amusing story

schwan·ken ['ʃvaŋkn̩] *vi* ❶ *haben* (*schwingen*) to sway; **ins S~ geraten** to begin to sway ❷ *sein* (*wanken*) to stagger ❸ *haben* (*nicht stabil sein*) to fluctuate; **seine Stimme schwankte** his voice wavered ❹ *haben* (*unentschlossen sein*) to be undecided; ■**zwischen zwei Dingen ~** to be torn between two things

schwan·kend *adj* ❶ *Baum* swaying ❷ *Boot* rocking; (*heftiger*) rolling ❸ *Boden* shaking ❹ *Charakter* wavering; (*zögernd*) hesitant ❺ *Schritte* unsteady; *Gang* rolling ❻ *Kurs, Preis* fluctuating; *Gesundheit* unstable

Schwan·kung <-, -en> *f* ❶ (*Schwingung*) swaying *no pl*; **etw in ~en versetzen** to make sth sway ❷ (*ständige Veränderung*) fluctuation, variation

Schwanz <-es, Schwänze> [ʃvants, *pl* 'ʃvɛntsə] *m* ❶ ZOOL tail ❷ ORN train, trail ❸ (*vulg: Penis*) cock, dick, prick ► **den ~ einziehen** (*fam*) to climb down

schwän·zeln ['ʃvɛntsl̩n] *vi* to wag one's tail

schwän·zen ['ʃvɛntsn̩] *vt, vi* SCH (*fam*) to skive off BRIT, to play hooky AM

Schwanz·flos·se *f* tail fin

schwap·pen ['ʃvapn̩] *vi* ❶ *sein* (*sich im Schwall ergießen*) to splash; **das Wasser schwappte über den Rand** the water splashed over the edge ❷ *haben* (*sich hin und her bewegen*) to slosh around

Schwarm[1] <-[e]s, Schwärme> [ʃvarm, *pl* 'ʃvɛrmə] *m* swarm; *Fische* shoal

Schwarm[2] <-[e]s> [ʃvarm] *m* (*fam: verehrter Mensch*) heart-throb

schwär·men[1] ['ʃvɛrmən] *vi sein* to swarm

schwär·men[2] ['ʃvɛrmən] *vi* ❶ *haben* (*begeistert reden*) to go into raptures (**von** about) ❷ (*begeistert verehren*) ■**für jdn ~** to be mad about sb ❸ (*sich begeistern*) ■**für etw** *akk* **~** to have a passion for sth

Schwär·mer <-s, -> *m* ❶ (*Schmetterling*) hawkmoth ❷ (*Feuerwerkskörper*) ≈ serpent, ≈ jumping jack

Schwär·mer(in) <-s, -> *m(f)* ❶ (*sentimentaler Mensch*) sentimentalist ❷ (*Begeisterter*) enthusiast ❸ (*Fantast*) dreamer

Schwär·me·rei <-, -en> [ʃvɛrmə'raj] *f*
❶ (*Wunschtraum*) [pipe] dream ❷ (*Pas-*
sion)　passion　❸ (*Begeisterungsreden*)
sich in ~en ergehen to go into raptures
Schwär·me·rin <-, -nen> *f fem form von*
Schwärmer
schwär·me·risch *adj* impassioned; *Lei-*
denschaft enraptured
Schwar·te <-, -n> ['ʃvartə, 'ʃva:ɐ̯tə] *f*
❶ KOCHK rind ❷ (*pej fam*) thick old book
schwarz <schwärzer, schwärzeste>
[ʃvarts] *adj* ❶ (*Farbe*) black ❷ *attr* (*fam:*
illegal) illicit; *Geld* untaxed ❸ (*negrid*)
black ▶ **~ auf weiß** in black and white
Schwarz <-[es]> [ʃvarts] *nt kein pl* black
Schwarz·afri·ka　*nt*　Black　Africa
Schwarz·afri·ka·ner(in) *m(f)* Black African **schwarz·afri·ka·nisch** *adj* Black
African **Schwarz·ar·beit** *f kein pl* illicit
work **schwarz|ar·bei·ten** *vi* to do illicit
work, to work cash in hand **Schwarz·ar·**
bei·ter(in) *m(f)* person doing illicit work
schwarz|är·gern *vr* (*fam*) ▶ **sich ~**
(*fam*) to be hopping mad **Schwarz·**
brot *nt* brown bread
Schwar·ze(r)　*f(m)*　*dekl*　*wie*　*adj*
❶ (*Mensch*) black ❷ (*pej fam: Christde-*
mokrat) [German] Christian Democrat
Schwär·ze <-, -n> ['ʃvɛrtsə] *f kein pl*
❶ (*Dunkelheit*) darkness ❷ (*Farbe*) black
schwär·zen　['ʃvɛrtsn̩]　*vt*　❶ (*schwarz*
machen) to blacken ❷ SÜDD, ÖSTERR (*fam*)
to smuggle
schwarz|fah·ren *vi irreg sein* to dodge
paying one's fare **Schwarz·fah·rer(in)**
m(f) fare-dodger **schwarz·haa·rig** *adj*
black-haired; ▪~ **sein** to have black hair
Schwarz·han·del *m kein pl* black mar-
ket (**mit** for) **schwarz|hö·ren** *vi* RADIO to
use a radio without a licence
schwarz·lich ['ʃvɛrtslɪç] *adj* blackish
Schwarz·markt　*m*　black　market
schwarz|se·hen *vi* ❶ (*ohne Gebühren*)
to watch television without a licence
❷ (*pessimistisch*) to be pessimistic (**für**
about) **Schwarz·se·her(in)** *m(f)* ❶ (*Pes-*
simist) pessimist ❷ TV [television] licence
[*or* AM -se] dodger, person who watches
television without a licence **Schwarz·**
tee *m* black tea
Schwär·zung <-, -en> *f* blackening *no pl*
Schwarz·wald ['ʃvartsvalt] *m* ▪ **der ~**
the Black Forest **schwarz-weiß**[RR],
schwarz·weiß　[ʃvarts'vajs]　*adj,*　*adv*
black-and-white *attr,* black and white *pred*
Schwarz·weiß·fern·se·her *m* black-
and-white television [set] **Schwarz·weiß·**
fo·to　*nt*　black-and-white　photograph

Schwarz·wur·zel *f* black salsify
Schwatz <-es, -e> [ʃvats] *m* (*fam*) chat;
einen ~ mit jdm halten to have a chat
with sb
schwat·zen　['ʃvatsn̩],　**schwät·zen**
['ʃvɛtsn̩] *vi* SÜDD, ÖSTERR ❶ (*sich unterhal-*
ten) to chat ❷ (*etw ausplaudern*) to blab
fam ❸ (*im Unterricht reden*) to talk [out of
turn] in class
Schwät·zer(in)　<-s, ->　*m(f)*　(*pej*)
❶ (*Schwafler*) windbag *fam* ❷ (*Angeber*)
boaster ❸ (*Klatschmaul*) gossip, waffler
BRIT
schwatz·haft *adj* (*pej*) talkative, garru-
lous
Schwatz·haf·tig·keit <-> *f kein pl* talkativeness, garrulousness
Schwe·be <-> ['ʃve:bə] *f kein pl* **in der ~**
sein to be in the balance; **etw in der ~**
lassen to leave sth undecided
Schwe·be·bahn *f* ❶ (*an Schienen*) overhead railway ❷ *s.* **Seilbahn Schwe·be·**
bal·ken *m* SPORT [balance] beam
schwe·ben ['ʃve:bn̩] *vi haben* to float;
Vogel to hover; **in Lebensgefahr ~** to be
in danger of one's life; (*Patient*) to be in a
critical condition
Schwe·be·zu·stand *m* state of uncertainty; **sich im ~ befinden** to be in a state of
uncertainty
Schwe·de, Schwe·din <-n, -n> ['ʃve:də,
'ʃve:dɪn] *m, f* Swede; *s. a.* **Deutsche(r)**
Schwe·den <-s> ['ʃve:dn̩] *nt* Sweden; *s. a.*
Deutschland
Schwe·din <-, -nen> *f fem form von*
Schwede
schwe·disch ['ʃve:dɪʃ] *adj* Swedish; *s. a.*
deutsch ▶ **hinter ~en Gardinen sitzen**
(*fam*) to be behind bars
Schwe·fel <-s> ['ʃve:fl̩] *m kein pl* sulphur
▶ **wie Pech und ~ sein** to be inseparable
Schwe·fel·di·o·xid *nt* sulphur dioxide
schwe·fel·hal·tig　*adj*　sulphur[e]ous
Schwe·fel·säu·re *f* sulphuric acid
Schweif <-[e]s, -e> [ʃvajf] *m* tail
schwei·fen ['ʃvajfn̩] *vi sein* (*geh*) to roam,
to wander; **seine Blicke ~ lassen** to let
one's gaze wander
Schwei·ge·geld *nt* hush money **Schwei·**
ge·marsch *m* silent [protest] march
Schwei·ge·mi·nu·te *f* minute's silence;
eine ~ einlegen to hold a minute's silence
schwei·gen <schwieg, geschwiegen>
['ʃvajgn̩] *vi* to remain silent [*or* keep quiet]
▶ **ganz zu ~ von etw** *dat* quite apart from
sth
Schwei·gen <-s> ['ʃvajgn̩] *nt kein pl* silence; **das ~ brechen** to break the silence;

jdn zum ~ **bringen** to silence sb
schwei·gend I. *adj* silent **II.** *adv* in silence;
~ **verharren** to remain silent; ~ **zuhören**
to listen in silence
Schwei·ge·pflicht *f* obligation to [pre-serve] secrecy; **der ~ unterliegen** to be bound to maintain confidentiality
schweig·sam ['ʃvaikzaːm] *adj* ❶ (*wort-karg*) taciturn ❷ (*wenig gesprächig*) ■ ~ **sein** to be quiet
Schweig·sam·keit <-> *f kein pl* quiet-ness, reticence
Schwein <-s, -e> [ʃvain] *nt* ❶ ZOOL pig ❷ *kein pl* (*Schweinefleisch*) pork *no indef art, no pl* ❸ (*pej fam: gemeiner Kerl*) bastard ❹ (*fam: unsauberer Mensch*) ❺ (*fam: obszöner Mensch*) lewd person, dirty bugger BRIT ❻ (*fam: ausgelieferter Mensch*) [**ein**] **armes** ~ [a] poor devil ▸[**großes**] ~ **haben** (*fam*) to be lucky; **kein** ~ (*fam*) nobody
Schwei·ne·bra·ten *m* joint of pork
Schwei·ne·fleisch *nt* pork *no indef art, no pl* **Schwei·ne·hund** *m* (*sl*) bastard ▸**seinen inneren ~ überwinden** (*fam*) to overcome one's weaker self **Schwei·ne·ko·te·lett** *nt* pork chop **Schwei·ne·pest** *f* swine fever
Schwei·ne·rei <-, -en> [ʃvainəˈrai] *f* (*fam*) ❶ (*Unordnung*) mess ❷ (*Gemein-heit*) mean trick; ~! what a bummer! ❸ (*Skandal*) scandal ❹ (*Obszönität*) smut **Schwei·ne·schmalz** *nt* lard, dripping **Schwei·ne·stall** *m* [pig]sty, pigpen
schwei·nisch I. *adj* (*fam*) smutty, dirty **II.** *adv* (*fam*) **sich ~ aufführen** to behave like a pig
Schwein·kram *m* (*fam*) smut *no indef art, no pl*
Schweins·hach·se, Schweins·ha·xe *f* SÜDD knuckle of pork **Schweins·le·der** *nt* pigskin
Schweiß <-es> [ʃvais] *m kein pl* sweat; **jdm bricht der ~ aus** sb breaks out in a sweat; **in ~ gebadet sein** to be bathed in sweat ▸**im ~e seines Angesichts** (*geh*) in the sweat of one's brow
Schweiß·aus·bruch *m* [profuse] sweating *no indef art, no pl* **Schweiß·bren·ner** *m* welding torch **Schweiß·drü·se** *f* sweat gland
schwei·ßen ['ʃvaisn̩] *vt, vi* to weld
Schwei·ßen <-s> ['ʃvaisn̩] *nt kein pl* weld-ing *no indef art, no pl*
Schweiß·fuß *m meist pl* sweaty foot **schweiß·ge·ba·det** *adj* bathed in sweat *pred*
Schweiß·naht *f* TECH weld [seam]

schweiß·nassᴿᴿ *adj* dripping with sweat *pred* **schweiß·trei·bend** *adj* MED sudori-fic; (*fig, hum*) arduous **Schweiß·trop·fen** *m* bead of sweat
Schweiz <-> [ʃvaits] *f* Switzerland; **die französische/italienische ~** French-speaking/Italian-speaking Switzerland; *s. a.* **Deutschland**
Schwei·zer [ʃvaitsɐ] *adj attr* Swiss
Schwei·zer(in) <-s, -> [ʃvaitsɐ] *m(f)* Swiss; *s. a.* **Deutsche(r)**
schwei·zer·deutsch [ʃvaitsɐdɔytʃ] *adj* LING Swiss-German; *s. a.* **deutsch**
Schwei·zer·deutsch <-[s]> ['ʃvait-sɐdɔytʃ] *nt dekl wie adj* LING Swiss Ger-man; *s. a.* **Deutsch**
Schwei·ze·rin <-, -nen> *f fem form von* **Schweizer**
schwei·ze·risch ['ʃvaitsərɪʃ] *adj s.* **Schweizer**
schwel·gen ['ʃvɛlɡn̩] *vi* (*geh*) ❶ (*sich güt-lich tun*) to indulge oneself ❷ (*übermäßig verwenden*) ■**in etw** *dat* ~ to over-indulge in sth; **in Erinnerungen ~** to wallow in memories
schwel·ge·risch *adj* (*geh*) sumptuous
Schwel·le <-, -n> ['ʃvɛlə] *f* ❶ (*Tür~*) threshold ❷ (*Bahn~*) sleeper ▸**auf der ~ zu etw** *dat* **stehen** to be on the verge of sth
schwel·len <schwoll, geschwollen> ['ʃvɛlən] **I.** *vi sein* ❶ MED to swell [up] ❷ (*sich verstärken*) to grow **II.** *vt* (*geh*) to swell out; **mit geschwellter Brust** [with] one's breast swelled with pride
Schwel·len·angst *f* PSYCH fear of entering a place **Schwel·len·land** *nt* threshold country
Schwell·kör·per *m* ANAT corpus caverno-sum
Schwel·lung <-, -en> *f* swelling
Schwem·me <-, -n> ['ʃvɛmə] *f* (*Überan-gebot*) glut
schwem·men ['ʃvɛmən] *vt* **an Land ~** to wash ashore
Schwen·gel <-s, -> ['ʃvɛŋl̩] *m* ❶ (*an Pumpe*) handle ❷ (*Klöppel*) clapper
Schwenk <-[e]s, -s> [ʃvɛŋk] *m* ❶ TV (*Schwenkbewegung*) pan, panning move-ment ❷ (*Richtungsänderung*) wheeling about *no indef art, no pl* ❸ (*Änderung der Politik*) about-face, U-turn
schwenk·bar *adj* swivelling; *Kamera* swivel-mounted
schwen·ken ['ʃvɛŋkn̩] **I.** *vt haben* ❶ (*we-deln*) to wave ❷ (*die Richtung verändern*) to swivel; *Kamera* to pan ❸ (*spülen*) to rinse sth ❹ KOCHK to toss **II.** *vi* ❶ *sein* (*zur*

Seite bewegen) to wheel [about] ❷ *haben* (*sich richten*) to pan

schwer <schwerer, schwerste> [ʃveːɐ̯] I. *adj* ❶ (*nicht leicht*) heavy; ■**20/30 kg ~ sein** to weigh 20/30 kg; **~ wie Blei** as heavy as lead ❷ (*beträchtlich*) serious; *Verlust* bitter; **~e Mängel aufweisen** to be badly defective; **~e Verwüstung[en] anrichten** to cause utter devastation ❸ (*hart*) hard; *Schicksal* cruel; *Strafe* harsh ❹ (*körperlich belastend*) serious, grave; *Operation* difficult ❺ (*schwierig*) hard, difficult; *Lektüre* heavy ❻ *attr* (*fam: heftig*) heavy ❼ (*intensiv*) strong; *Duft, Parfüm* pungent II. *adv* ❶ (*hart*) hard; **~ arbeiten** to work hard; **es ~ haben** to have it hard; **jdm ~ zu schaffen machen** to give sb a hard time ❷ (*mit schweren Lasten*) heavily; **~ bepackt sein** to be heavily laden ❸ (*fam: sehr*) deeply; **~ beleidigt sein** to be deeply offended; **~ betrunken** dead drunk ❹ (*mit Mühe*) with [great] difficulty; **~ erarbeitet** hard-earned; **~ erziehbar** maladjusted; **ein ~ erziehbares Kind** a problem child; **~ verdaulich** indigestible ❺ (*ernstlich*) seriously; **~ behindert** severely disabled; **sich ~ erkälten** to catch a bad cold; **~ verunglückt sein** to have had a bad accident; **~ wiegend** serious; **eine ~ wiegende Entscheidung** a momentous decision; **ein ~ wiegender Grund** a sound reason ❻ (*schwierig*) difficult, not easy; **~ verständlich** (*kaum nachvollziehbar*) scarcely comprehensible; (*kaum zu verstehen*) hard to understand *pred*; **es [jdm] ~ machen, etw zu tun** to make it difficult [for sb] to do sth; **jdm das Leben ~ machen** to make life difficult for sb ❼ (*hart*) severely

Schwer·ar·beit *f kein pl* heavy work **Schwer·be·hin·der·te(r)** *f(m) dekl wie adj* severely disabled [*or dated* handicapped] person **Schwer·be·schä·dig·te(r)** <-n, -n> *f(m) dekl wie adj* MED, ADMIN (*veraltet*) seriously disabled [*or dated* handicapped] person

Schwe·re <-> [ˈʃveːrə] *f kein pl* ❶ (*Härte*) seriousness, gravity ❷ MED (*ernste Art*) seriousness, severity ❸ (*Schwierigkeit*) difficulty; *einer Aufgabe a.* complexity ❹ (*Gewicht*) heaviness, weight ❺ *eines Parfüms* pungency

schwe·re·los *adj* weightless

Schwe·re·lo·sig·keit <-> *f kein pl* weightlessness

Schwe·re·nö·ter <-s, -> [ˈʃveːrənøːtɐ] *m* (*veraltend*) ladykiller

schwer|fal·len *vt irreg* ■**etw fällt jdm**

schwer sth is difficult for sb [to do] **schwer·fäl·lig** <-er, -ste> I. *adj* ❶ (*ungeschickt*) awkward, clumsy ❷ (*umständlich*) pedestrian, ponderous II. *adv* awkwardly, clumsily **Schwer·fäl·lig·keit** <-> *f kein pl* ❶ (*körperlich*) heaviness ❷ (*geistig*) dullness ❸ (*Ungeschicktheit*) clumsiness **Schwer·ge·wicht** *nt* ❶ (*Gewichtsklasse*) heavyweight ❷ (*Schwerpunkt*) emphasis **schwer·ge·wich·tig** *adj* heavy **schwer·hö·rig** *adj* hard of hearing *pred* **Schwer·hö·rig·keit** *f kein pl* hardness of hearing **Schwer·in·dus·trie** *f* heavy industry **Schwer·kraft** *f kein pl* gravity

schwer·lich *adv* hardly, scarcely

Schwer·me·tall *nt* heavy metal **Schwer·mut** <-> *f kein pl* melancholy **schwer·mü·tig** <-er, -ste> [ˈʃveːɐ̯myːtɪç] *adj* melancholy **schwer|neh·men** *vt irreg* ■**etw ~** to take sth hard **Schwer·punkt** *m* ❶ (*Hauptgewicht*) main emphasis; **auf etw** *akk* **den ~ legen** to put the main emphasis on sth; **~e setzen** to establish priorities ❷ PHYS centre of gravity **schwer·punkt·mä·ßig** I. *adj attr* **ein ~er Streik** a pinpoint strike II. *adv* selectively **schwer·reich** *adj attr* (*fam*) stinking [*or* AM filthy] rich

Schwert <-[e]s, -er> [ʃveːɐ̯t] *nt* ❶ (*Waffe*) sword ❷ NAUT centreboard

Schwert·fisch *m* swordfish **Schwert·li·lie** *f* iris

Schwer·trans·port *m* HANDEL carriage of heavy goods

schwer|tun *vr irreg* ■**sich mit etw** *dat* ~ to have trouble with sth

Schwert·wal *m* killer whale

Schwer·ver·bre·cher(in) *m(f)* serious offender **Schwer·ver·letz·te(r)** *f(m) dekl wie adj* seriously injured person

Schwes·ter <-, -n> [ˈʃvɛstɐ] *f* ❶ (*weibliches Geschwisterteil*) sister ❷ (*Krankenschwester*) nurse ❸ (*Nonne*) nun

Schwes·ter·ge·sell·schaft *f* sister company

schwes·ter·lich *adj* sisterly

Schwes·tern·hel·fe·rin *f* nursing auxiliary BRIT

schwieg [ʃviːk] *imp von* **schweigen**

Schwie·ger·el·tern [ˈʃviːɡɐ-] *pl* parents-in-law *pl* **Schwie·ger·mut·ter** *f* mother-in-law **Schwie·ger·sohn** *m* son-in-law **Schwie·ger·toch·ter** *f* daughter-in-law **Schwie·ger·va·ter** *m* father-in-law

Schwie·le <-, -n> [ˈʃviːlə] *f* callus **schwie·lig** [ˈʃviːlɪç] *adj* callous

schwie·me·lig [ˈʃviːməlɪç] *adj* (*fam*) nasty

schwie·rig [ˈʃviːrɪç] **I.** *adj* ❶ (*nicht ein-fach*) difficult, hard ❷ (*verwickelt*) complicated; *Situation* tricky ❸ (*problematisch*) complex **II.** *adv* with difficulty

Schwie·rig·keit <-, -en> *f* ❶ *kein pl* (*Problematik*) difficulty; *eines Falles* problematical nature; *einer Lage, eines Problems* complexity; *einer Situation* trickiness ❷ *pl* (*Probleme*) problems *pl;* **finanzielle ~en** financial difficulties *pl;* **jdn in ~en bringen** to get sb into trouble; **in ~en geraten** to get into trouble; **[jdm] ~en machen** to give sb trouble; **ohne ~en** without any difficulty

Schwie·rig·keits·grad *m* degree of difficulty; SCH level of difficulty

Schwimm·bad *nt* swimming-pool

Schwimm·be·cken *nt* [swimming-]pool

schwim·men <schwamm, geschwommen> [ˈʃvɪmən] *vi* ❶ *sein* (*sich im Wasser fortbewegen*) to swim; **~ gehen** to go swimming ❷ *haben* (*fam: sich in Flüssigkeit bewegen*) to float (**auf** on, **in** in) ❸ *haben* (*unsicher sein*) to be at sea ▶ **mit-/gegen den** Strom **~** to swim with/against the current

Schwim·mer(in) <-s, -> [ˈʃvɪmɐ] *m(f)* ❶ (*schwimmender Mensch*) swimmer ❷ TECH float

Schwimm·flos·se *f* flipper **Schwimm·flü·gel** *m* water wing **Schwimm·hal·le** *f* indoor [swimming-]pool **Schwimm·leh·rer(in)** *m(f)* swimming instructor **Schwimm·sport** *m* swimming *no indef art* **Schwimm·wes·te** *f* life jacket

Schwin·del <-s> [ˈʃvɪndl̩] *m kein pl* ❶ (*Betrug*) swindle, fraud ❷ MED dizziness, vertigo; **~ erregend** (*fig*) astronomical

Schwin·del·an·fall *m* MED attack of dizziness

Schwin·de·lei <-, -en> [ʃvɪndəˈlaɪ] *f* (*fam*) ❶ (*Lüge*) lying *no indef art, no pl* ❷ (*Betrügerei*) fiddle

schwin·del·frei *adj* ■ **~ sein** to have a [good] head for heights **Schwin·del·ge·fühl** *nt* feeling of dizziness [*or* giddiness] [*or* vertigo]

schwin·de·lig [ˈʃvɪndəlɪç] *adj präd* dizzy, giddy

schwin·deln [ˈʃvɪndl̩n] **I.** *vi* ❶ (*lügen*) to lie ❷ (*schwindlig sein*) to be dizzy; **in ~der Höhe** at a dizzy height **II.** *vi impers* ■ **jdm schwindelt** [**es**] sb feels dizzy

schwin·den <schwand, geschwunden> [ˈʃvɪndn̩] *vi sein* ❶ (*geh: abnehmen*) to run out, to dwindle ❷ (*vergehen*) ■ **etw schwindet** sth is fading away; *Wirkung* to

be wearing off; *Interesse* to be flagging; *Zuversicht* to be failing

Schwind·ler(in) <-s, -> [ˈʃvɪndlɐ] *m(f)* ❶ (*Betrüger*) swindler ❷ (*Lügner*) liar

schwind·lig [ˈʃvɪndlɪç] *adj s.* **schwindelig**

Schwind·sucht *f* MED (*veraltend*) consumption

schwind·süch·tig *adj* MED (*veraltend*) consumptive

Schwin·ge <-, -n> [ˈʃvɪŋə] *f* ❶ (*geh*) wing ❷ TECH (*im Getriebe*) tumbler lever; (*in der Mechanik*) crank

schwin·gen <schwang, geschwungen> [ˈʃvɪŋən] **I.** *vt haben* ❶ (*mit etw wedeln*) ■ **etw schwingen** to wave sth ❷ (*mit etw ausholen*) to brandish; **er schwang die Axt** he brandished the axe ❸ (*hin und her bewegen*) to swing; *Fahne* to wave; **das Tanzbein ~** to shake a leg **II.** *vi sein o haben* ❶ (*vibrieren*) to vibrate; *Brücke* to sway; **etw zum S~ bringen** to make sth vibrate ❷ (*pendeln*) to swing (**an** on) ❸ PHYS *Wellen* to oscillate ❹ SCHWEIZ (*ringen*) wrestle **III.** *vr haben* ❶ (*sich schwungvoll bewegen*) ■ **sich auf/in etw** *akk* **~** to jump onto/into sth; **sich aufs Fahrrad ~** to hop on one's bike ❷ (*schwungvoll überspringen*) ■ **sich über etw** *akk* **~** to jump over sth; *Turner* to vault [sth]

Schwin·gung <-, -en> *f* oscillation; **[etw] in ~ versetzen** to set [sth] swinging

Schwips <-es, -e> [ʃvɪps] *m* (*fam*) tipsiness *no indef art, no pl;* **einen ~ haben** to be tipsy

schwir·ren [ˈʃvɪrən] *vi sein Mücken* to buzz; *Vogel* to whir[r]

Schwitz·bad *nt* sweating bath

schwit·zen [ˈʃvɪtsn̩] **I.** *vi* ❶ (*Schweiß absondern*) to sweat ❷ (*Kondenswasser absondern*) to steam up ▶ **Blut und Wasser ~** to sweat blood **II.** *vr* **sich nass ~** to get soaked with sweat

Schwitz·kas·ten *m* (*Griff*) headlock ▶ **jdn in den ~** nehmen to get sb in a headlock

schwo·fen [ˈʃvoːfn̩] *vi* (*fam*) to dance

schwoll [ʃvɔl] *imp von* **schwellen**

schwö·ren <schwor, geschworen> [ˈʃvøːrən] **I.** *vi* to swear; **auf die Verfassung ~** to swear on the constitution; **er schwört auf Vitamin C** he swears by vitamin C **II.** *vt* ■ **jdm etw ~** to swear sth to sb

schwuch·te·lig [ˈʃvʊxtəlɪç] *adj* (*hum o pej*) camp

schwul [ʃvuːl] *adj* (*fam*) gay, queer *pej*

schwül [ʃvyːl] *adj* METEO sultry, muggy *fam*

Schwu·le(r) *m dekl wie adj* (*fam*) gay, queer *pej*, shirtlifter BRIT *pej*, faggot AM

Schwü·le <-> ['ʃvy:lə] *f kein pl* METEO sultriness, closeness, mugginess *fam*

Schwulst <-[e]s> [ʃvʊlst] *m kein pl* (*pej*) [over-]ornateness, floridity, floridness

schwuls·tig ['ʃvʊlstɪç] *adj* ❶ (*geschwollen*) swollen, puffed up ❷ ÖSTERR (*schwülstig*) [over-]ornate, florid

schwüls·tig ['ʃvʏlstɪç] **I.** *adj* (*pej*) [over-]ornate, florid; *Stil* bombastic **II.** *adv* (*pej*) bombastically, pompously

Schwund <-[e]s> [ʃvʊnt] *m kein pl* ❶ (*Rückgang*) decline, decrease; *Vorräte* dwindling ❷ (*Gewichtsverringerung*) weight loss; (*Schrumpfung*) shrinkage

Schwung <-[e]s, Schwünge> [ʃvʊŋ, *pl* 'ʃvʏŋə] *m* ❶ (*schwingende Bewegung*) swing[ing movement]; ~ **holen** to build up momentum ❷ *kein pl* (*Antriebskraft*) drive, verve; **in ~ kommen** (*fam*) to get going; [**richtig**] **in ~ sein** (*fam*) to be in full swing ❸ (*Linienführung*) sweep

Schwung·fe·der *f* ORN wing feather

schwung·haft I. *adj* flourishing **II.** *adv* **sich ~ entwickeln** to be booming

Schwung·rad *nt* TECH flywheel

schwung·voll I. *adj* ❶ (*weit ausholend*) sweeping ❷ (*mitreißend*) lively; *Rede* passionate **II.** *adv* lively

Schwur <-[e]s, Schwüre> [ʃvu:ɐ̯] *m* ❶ (*Versprechen*) vow; **einen ~ leisten** to take a vow ❷ (*Eid*) oath

Schwur·ge·richt *nt* court with a jury

Sci·ence·fic·tion^{RR},   **Sci·ence-Fic·tion**^{RR}, **Sci·ence-fic·tion**^{ALT} <-, -s> ['saɪəns'fɪkʃn] *f* LIT science fiction, sci-fi *fam*

sec *f Abk von* **Sekunde** sec

sechs [zɛks] *adj* six; *s. a.* **acht**¹

Sechs <-, -en> [zɛks] *f* ❶ (*Zahl*) six ❷ KARTEN six; *s. a.* **Acht**¹ ❸ SCH (*schlechteste Zensur*) bottom mark [*or* AM grade] ❹ SCHWEIZ (*beste Zensur*) top mark [*or* AM grade]

Sechs·eck *nt* hexagon **sechs·eckig** *adj* hexagonal

sechs·er·lei ['zɛksɐ'laɪ̯] *adj* six [different]; *s. a.* **achterlei**

Sechs·er·pack *m* pack of six, six-pack AM

sechs·fach, 6·fach ['zɛksfax] **I.** *adj* sixfold; **die ~e Menge** six times the amount; *s. a.* **achtfach II.** *adv* sixfold, six times over; *s. a.* **achtfach**

sechs·hun·dert ['zɛks'hʊndɐt] *adj* six hundred

sechs·mal, 6-mal^{RR} *adv* six times

Sechs·ta·ge·ren·nen [zɛks'ta:gərɛnən] *nt* six-day [cycling] race

sechs·tau·send ['zɛks'taʊ̯znt] *adj* six thousand

sechs·te(r, s) ['zɛkstə, 'zɛkstɐ, 'zɛkstəs] *adj* ❶ (*nach dem fünften kommend*) sixth; *s. a.* **achte(r, s)** 1 ❷ (*Datum*) sixth, 6th; *s. a.* **achte(r, s)** 2

sechs·tel ['zɛkstl̩] *adj* sixth

Sechs·tel <-s, -> ['zɛkstl̩] *nt* sixth

sechs·tens ['zɛkstn̩s] *adv* sixthly, in sixth place

sech·zehn [zɛçtse:n] *adj* sixteen; *s. a.* **acht**¹

sech·zehn·te(r, s) *adj* sixteenth; *s. a.* **achte(r, s)**

sech·zig ['zɛçtsɪç] *adj* sixty

Sech·zi·ger·jah·re *pl* ▪ **die ~** the sixties [*or* 60s] *npl*

sech·zig·ste(r, s) *adj* sixtieth; *s. a.* **achte(r, s)**

Se·cond·hand·la·den [zɛknt'hɛnt-] *m* second-hand shop

SED <-> [ɛsʔeː'deː] *f* HIST *Abk von* **Sozialistische Einheitspartei Deutschlands** state party of the former GDR

se·die·ren* [ze'di:rən] *vt* MED, PHARM ▪ **jdn ~** to sedate sb

Se·di·ment <-[e]s, -e> [zedi'mɛnt] *nt* ❶ GEOL sediment ❷ CHEM deposit

Se·di·ment·ge·stein *nt* GEOL sedimentary rock

See¹ <-s, -n> [ze:] *m* lake

See² <-, -n> [ze:] *f* ❶ (*Meer*) sea; **an der ~** by the sea; **auf ~** at sea; **auf hoher ~** on the high seas; **in ~ stechen** to put to sea ❷ (*Seegang*) heavy sea, swell

See·ad·ler *m* ORN sea eagle **See·bad** *nt* seaside resort **See·bär** *m* ❶ (*hum fam: erfahrener Seemann*) sea dog, old salt ❷ ZOOL fur seal **See·ele·fant**^{RR} *m*, **See-E·le·fant** *m* ZOOL sea elephant **See·fah·rer** *m* seafarer **See·fahrt** *f kein pl* sea travel, seafaring *no art* **See·fisch** *m* saltwater fish, sea fish **See·frau** *f fem form von* **Seemann** **See·gang** *m kein pl* swell; **schwerer ~** heavy seas **See·gras** *nt* BOT seagrass **See·ha·fen** *m* seaport **See·hecht** *m* hake **See·hund** *m* common seal **See·igel** *m* sea urchin **See·kar·te** *f* sea chart **See·kli·ma** *nt* maritime climate **see·krank** *adj* seasick **See·krank·heit** *f kein pl* seasickness **See·krieg** *m* MIL naval warfare **See·lachs** *m* coalfish

See·le <-, -n> ['ze:lə] *f* ❶ REL soul ❷ PSYCH (*Psyche*) mind; **mit Leib und ~** wholeheartedly; **aus tiefster ~** from the bottom of one's heart; **jdm tut etw in der ~ weh** sth breaks sb's heart ❸ (*Mensch*) soul; **eine treue ~** a faithful soul ▶ **ein Herz und eine ~ sein** to be inseparable; **eine ~ von Mensch sein** to be a good[-hearted] soul;

sich *dat* etw von der ~ reden to get sth off one's chest; jdm aus der ~ sprechen (*fam*) to say exactly what sb is thinking

See·len·frie·de(n) *m* peace of mind See·len·heil *nt* ■jds ~ the salvation of sb's soul See·len·le·ben *nt kein pl* inner life See·len·ru·he *f* in aller ~ as cool as you please see·len·ru·hig ['ze:lənˈruːɪç] *adv* calmly see·len·ver·wandt *adj* kindred; ■~ sein to be kindred spirits See·len·wan·de·rung *f* REL transmigration of souls

See·leu·te *pl von* Seemann

see·lisch ['ze:lɪʃ] I. *adj* psychological, emotional; ~es Gleichgewicht mental balance II. *adv* ~ bedingt sein to have psychological causes

See·lö·we, -lö·win <-n, -n> *m, f* sea lion

Seel·sor·ge *f kein pl* spiritual welfare

Seel·sor·ger(in) <-s, -> ['ze:lzɔrgɐ] *m(f)* pastor

See·luft *f kein pl* sea air See·macht *f* naval power See·mann <-leute> ['ze:man, *pl* -lɔytə] *m* sailor, seaman See·manns·lied *nt* [sea] shanty See·mei·le *f* nautical [*or* sea] mile See·not *f kein pl* distress [at sea] *no pl;* in ~ geraten to get into difficulties See·pferd(·chen) *nt* sea horse See·räu·ber(in) *m(f)* pirate See·recht *nt kein pl* JUR maritime law, law of the seas See·rei·se *f* voyage; (*Kreuzfahrt*) cruise See·ro·se *f* ❶ BOT water lily ❷ ZOOL sea anemone See·sack *m* sailor's kitbag, seabag AM See·schiff·fahrt^{RR} *f kein pl* maritime shipping See·schlacht *f* sea battle See·schlan·ge *f* sea snake See·stern *m* starfish See·tang *m* seaweed See·teu·fel *m* monkfish see·tüch·tig *adj* seaworthy See·ufer *nt* lakeside, shore of a lake See·vo·gel *m* seabird See·weg *m* sea route; auf dem ~ by sea See·zun·ge *f* sole

Se·gel <-s, -> ['ze:gl] *nt* sail; die ~ hissen to hoist the sails; [die] ~ setzen to set sail Se·gel·boot *nt* sailing boat, sailboat AM se·gel·flie·gen *vi nur infin* to glide Se·gel·flie·gen *nt* gliding Se·gel·flie·ger(in) *m(f)* glider pilot Se·gel·flug *m* glider flight Se·gel·flug·zeug *nt* glider Se·gel·jacht *f* [sailing] yacht Se·gel·klub *m* sailing club

se·geln ['ze:gln] *vi sein* to sail; durch die Luft ~ to sail through the air

Se·geln <-s> ['ze:gln] *nt kein pl* sailing

Se·gel·oh·ren *pl* (*pej fam*) mug ears Se·gel·schiff *nt* sailing ship Se·gel·törn *m* yacht cruise Se·gel·tour *f* sailing cruise Se·gel·tuch *nt* sailcloth, canvas

Se·gen <-s, -> ['ze:gn̩] *m no pl* blessing; den ~ sprechen to say the benediction; seinen ~ [zu etw *dat*] geben to give one's blessing [to sth]; ein ~ für die Menschheit a benefit for mankind; ein wahrer ~ sein to be a real godsend

se·gens·reich *adj* (*geh*) beneficial; *Erfindung* heaven-sent, blessed; *Tätigkeit* worthwhile

Seg·ler(in) <-s, -> ['ze:glɐ] *m(f)* yachtsman/yachtswoman

Seg·ment <-[e]s, -e> [zɛgˈmɛnt] *nt* segment

seg·nen ['ze:gnən] *vt* to bless (mit with)

Seg·nung <-, -en> *f* ❶ REL (*das Segnen*) blessing ❷ *meist pl* (*Vorzüge*) benefits, advantages

seh·be·hin·dert *adj* visually impaired

Seh·be·hin·der·te(r) *f(m) dekl wie adj* partially sighted person

se·hen <sah, gesehen> ['ze:ən] I. *vt* ❶ (*erblicken, bemerken*) to see; etw nicht gerne ~ to not like sth; gut/schlecht zu ~ sein to be well/badly visible; etw kommen ~ to see sth coming; ich kann kein Blut ~ I can't stand the sight of blood; sich ~ lassen können to be something to be proud of; sich [bei jdm] ~ lassen (*fam*) to show one's face [at sb's house]; das muss man ge~ haben one has to see it to believe it; das wollen wir [doch] erst mal ~! (*fam*) [well,] we'll see about that!; so ge~ from that point of view ❷ (*ansehen, zusehen*) to watch ❸ (*treffen*) ■jdn ~ to see sb ❹ (*einschätzen*) ■etw [irgendwie] ~ to see sth [somehow]; ich sehe das so: ... the way I see it, ... II. *vi* ❶ (*ansehen*) to look; lass mal ~ let me see ❷ (*Sehvermögen haben*) gut/schlecht ~ to have good/bad eyesight; mit der neuen Brille sehe ich viel besser I can see much better with my new glasses ❸ (*blicken*) to look; aus dem Fenster ~ to look out of the window; auf das Meer ~ to look at the sea; auf die Uhr ~ to look at the time ❹ ([*be*]*merken*) ~ Sie [wohl]!, siehste! (*fam*) you see! ❺ (*sich kümmern um*) ■nach jdm ~ to go and see sb; ■nach etw *dat* ~ to check on sth; ich werde ~, was ich für Sie tun kann I'll see what I can do for you; (*abwarten*) to wait and see; wir müssen ~, was die Zukunft bringt we'll have to wait and see what the future holds III. *vr* (*beurteilen*) sich betrogen/enttäuscht ~ to feel cheated/disappointed; sich gezwungen ~, etw zu tun to feel compelled to do sth

se·hens·wert *adj* worth seeing Se·hens·

wür·dig·keit <-, -en> *f* sight; **~en besichtigen** to do the sights

Se·her(in) <-s, -> *m(f)* (*veraltend*) seer

se·he·risch *adj attr* prophetic

Seh·feh·ler *m* visual defect **Seh·kraft** *f kein pl* [eye]sight

Seh·ne <-, -n> ['ze:nə] *f* ❶ ANAT tendon, sinew ❷ (*Bogensehne*) string

seh·nen ['ze:nən] *vr* ▪ **sich nach jdm/ etw ~** to long for sb/sth

Seh·nen <-s> ['ze:nən] *nt kein pl* (*geh*) longing, yearning

Seh·nen·schei·den·ent·zün·dung *f* inflammation of a/the tendon's sheath

Seh·nerv *m* optic nerve

seh·nig ['ze:nɪç] *adj* sinewy, stringy

sehn·lich ['ze:nlɪç] *adj* ardent, eager; **etw ~ wünschen** to long for sth

Sehn·sucht <-, -süchte> ['ze:nzʊxt, *pl* -zʏçtə] *f* longing, yearning (**nach** for); **vor ~** with longing

sehn·süch·tig ['ze:nzʏçtɪç] *adj attr* longing, yearning; *Blick* wistful; *Erwartung* eager; *Verlangen, Wunsch* ardent

sehn·suchts·voll *adj* (*geh*) *s.* **sehnsüchtig**

sehr <[noch] mehr, am meisten> ['ze:ɐ̯] *adv* ❶ *vor vb* (*in hohem Maße*) very much, a lot; **danke ~!** thanks a lot; **bitte ~, bedienen Sie sich** go ahead and help yourself; **das will ich doch ~ hoffen** I very much hope so; **das freut mich ~** I'm very pleased about that ❷ *vor adj, adv* (*besonders*) very; **jdm ~ dankbar sein** to be very grateful to sb; **das ist aber ~ schade** that's a real shame

Seh·schär·fe *f* visual acuity **Seh·stö·rung** *f* visual defect **Seh·test** *m* eye test **Seh·ver·mö·gen** *nt kein pl* sight **Seh·wei·se** *f* way of seeing things

seicht [zaɪçt] *adj* shallow

seid [zaɪt] *2. pers pl pres* **sein**

Sei·de <-, -n> ['zaɪdə] *f* silk

sei·den ['zaɪdn̩] *adj attr* silk

Sei·den·ma·le·rei *f* silk painting **Sei·den·pa·pier** *nt* tissue paper **Sei·den·rau·pe** *f* silkworm **Sei·den·strumpf** *m* silk stocking

sei·dig ['zaɪdɪç] *adj* silky

Sei·fe <-, -n> ['zaɪfə] *f* soap

Sei·fen·bla·se *f* soap bubble **Sei·fen·oper** *f* TV (*sl*) soap opera **Sei·fen·scha·le** *f* soap dish **Sei·fen·spen·der** *m* soap dispenser

sei·fig ['zaɪfɪç] *adj* soapy

Seil <-[e]s, -e> [zaɪl] *nt* ❶ (*dünnes Tau*) rope; **in den ~en hängen** (*a. fig*) to be on the ropes, to be shattered *fig* ❷ (*Drahtseil*)

cable; **auf dem ~ tanzen** to dance on the high wire

Seil·bahn *f* ❶ TRANSP cable railway, funicular ❷ (*Drahtseilbahn*) cable car **seil‖hüp·fen** *vi nur infin und pp sein s.* **seilspringen**

Seil·schaft <-, -en> *f* ❶ (*Bergsteiger*) roped party ❷ (*in der Politik*) working party

seil‖sprin·gen *vi irreg, nur infin und pp sein* to skip [rope] **Seil·tän·zer(in)** *m(f)* tightrope acrobat

sein¹ <bin, bist, ist, sind, war, gewesen> [zaɪn] **I.** *vi sein* ❶ (*existieren*) to be; **es ist schon immer so gewesen** it's always been this way; **was nicht ist, kann noch werden** there's still hope ❷ (*sich befinden*) ▪ **[irgendwo] ~** to be [somewhere]; **ich bin wieder da** I'm back again; **ist da jemand?** is somebody there? ❸ (*stimmen, zutreffen*) **dem ist so** that's right; **dem ist nicht so** that's not the case ❹ (*sich [so] verhalten, Eigenschaft haben*) **böse/klug etc. ~** to be angry/clever etc.; **freundlich/gemein zu jdm ~** to be friendly/mean to sb; **jdm zu dumm/primitiv ~** to be too stupid/primitive for sb [to bear]; **er war so freundlich und hat das überprüft** he was kind enough to check it out; **sei so lieb und störe mich bitte nicht** I would be grateful if you didn't disturb me ❺ (*in eine Klassifizierung eingeordnet*) ▪ **jd ~** to be sb; **sie ist Geschäftsführerin** she is a company director; **Deutscher/Däne ~** to be German/Danish ❻ (*gehören*) **das Buch ist meins** the book is mine; **er ist mein Cousin** he is my cousin ❼ (*zum Resultat haben*) **zwei mal zwei ist vier** two times two is four ❽ (*sich ereignen*) to be, to take place; **was ist [denn schon wieder]?** what is it [now]?; **war was?** (*fam*) did anything happen? ❾ (*hergestellt ~*) ▪ **aus etw** *dat* **~** to be [made of] sth ❿ + *comp* (*gefallen*) **etw wäre jdm lieber [gewesen]** sb would prefer sth ⓫ (*sich fühlen*) **jdm ist heiß/kalt** sb is hot/cold; **jdm ist übel** sb feels sick ⓬ (*Lust haben auf*) **mir ist jetzt nicht danach** I don't feel like it right now ⓭ *mit Modalverb* (*passieren*) **etw kann/darf/ muss ~** sth can/might/must be; **sei's drum** (*fam*) so be it; **das darf doch nicht wahr ~!** that can't be true!; **etw ~ lassen** (*fam*) to stop [doing sth]; **muss das ~?** do you have to?; **es hat nicht ~ sollen** it wasn't [meant] to be; **was ~ muss, muss ~** (*fam*) what will be will be ⓮ *mit infin + zu* (*werden können*) to be; **sie ist nicht zu**

sehen she cannot be seen; **etw ist zu schaffen** sth can be done ⑮ *mit infin + zu* (*werden müssen*) **etw ist zu erledigen** sth must be done **II.** *vi impers* ❶ (*bei Zeitangaben*) **es ist Januar/hell/Nacht** it is January/daylight/night; **es ist jetzt 9 Uhr** it is now 9 o'clock ❷ (*sich ereignen*) **mit etw** *dat* **ist es nichts** (*fam*) sth comes to nothing ❸ (*das Klima betreffend*) **jdm ist es zu kalt** sb is too cold ❹ (*mit Adjektiv*) **jdm ist es peinlich** sb is embarrassed; **jdm ist es übel** sb feels sick ❺ (*der Fall ~*) **es sei denn, dass ...** unless ...; **wie wäre es mit jdm/etw?** how about sb/sth?; **es war einmal ...** once upon a time ...; **wie dem auch sei** be that as it may, in any case; **es ist so, [dass]** ... it's just that ... **III.** *vb aux* ❶ + *pp* ■**etw gewesen/ geworden ~** to have been/become sth; **sie ist lange krank gewesen** she has been ill for a long time ❷ + *pp, passiv* **jd ist gebissen/verurteilt worden** sb has been bitten/convicted ❸ *bei Bewegungsverben zur Bildung des Perfekts* **jd ist gefahren/gegangen/gehüpft** sb drove/ left/hopped

sein² [zaɪn] *pron poss adjektivisch* ❶ (*einem Mann gehörend*) his; (*zu einem Gegenstand gehörend*) its; (*einem Mädchen gehörend*) her; (*zu einer Stadt, einem Land gehörend*) its ❷ *auf man bezüglich* one's; *auf jeder bezüglich* his, their *fam;* **jeder bekam ~ eigenes Zimmer** everyone got his own room

Sein <-s> [zaɪn] *nt kein pl* existence

sei·ne(r, s) ['zaɪnɐ, -nɐ, -nəs] *pron poss, substantivisch* (*geh*) ❶ *ohne Substantiv* (*jdm gehörender Gegenstand*) his; ■**der/ die/das ~** his; **ist das dein Schal oder der ~?** is that your scarf or his? ❷ (*jds Besitztum*) ■**das S~** his [own]; **das S~ tun** (*geh*) to do one's bit; **jedem das S~** each to his own ❸ (*Angehörige*) ■**die S~n** his family

sei·ner *pron pers* (*veraltend*) *gen von* **er, es¹** him; **wir wollen ~ gedenken** we will remember him

sei·ner·seits ['zaɪnɐ'zaɪts] *adv* on his part

sei·ner·zeit ['zaɪnɐtsaɪt] *adv* in those days, back then

sei·nes·glei·chen ['zaɪnəs'glaɪçn̩] *pron* ❶ (*Leute seines Standes*) people of his [own] kind ❷ (*jd wie er*) someone like him ❸ (*etw wie dies*) **~ suchen** to have no equal

sei·net·hal·ben ['zaɪnət'halbn̩] *adv* (*veraltend geh*), **sei·net·we·gen** ['zaɪnət've:gn̩] *adv* because of him **sei·**

net·wil·len ['zaɪnət'vɪlən] *adv* **um ~** for his sake

sei·ni·ge ['zaɪnɪgə] *pron poss* (*veraltend geh*) *s.* **seine(r, s)**

seins *pron poss s.* **seine(r, s)**

Seis·mo·grafᴿᴿ <-en, -en> [zaɪsmo'gra:f] *m* GEOL seismograph

Seis·mo·graph <-en, -en> [zaɪsmo'gra:f] *m* seismograph

seis·mo·lo·gisch [zaɪsmo'lo:gɪʃ] *adj* seismological

seit [zaɪt] **I.** *präp* +*dat* (*Anfangspunkt*) since; (*Zeitspanne*) for; **diese Regelung ist erst ~ kurzem in Kraft** this regulation has only been effective [for] a short while; **~ einiger Zeit** for a while; **~ damals** since then; **~ neuestem** recently; **~ wann?** since when? **II.** *konj* (*seitdem*) since

seit·dem [zaɪt'de:m] **I.** *adv* since then; **~ hat sie kein Wort mehr mit ihr gesprochen** she hasn't spoken a word to her since [then] **II.** *konj* since

Sei·te <-, -n> ['zaɪtə] *f* ❶ (*Fläche eines Körpers*) side; **die vordere/hintere/ untere/obere ~** the front/back/bottom/ top; **alles hat [seine] zwei ~n** there's two sides to everything ❷ (*rechts oder links der Mitte*) **zur ~ gehen** to step aside; [*etw/ jdn*] **auf die ~ legen** to lie [sth/sb] on its side; **jdn zur ~ nehmen** to take sb aside; **zur ~** beside ❸ (*sparen*) **etw auf die ~ legen** to put sth aside ❹ (*Papierblatt*) page; **Gelbe Seiten®** Yellow Pages®; **eine ~ aufschlagen** to open at a page; (*Seite eines Blattes*) side ❺ (*Beistand*) **jdm zur ~ stehen** to stand by sb; **~ an** side by side ❻ (*Aspekt*) **sich von seiner besten ~ zeigen** to show oneself at one's best; **von dritter ~** from a third party; **auf der einen ~ ..., auf der anderen [~]** ... on the one hand, ..., on the other [hand], ...; **etw von der heiteren ~ sehen** to look on the bright side [of sth]; **von jds ~ aus** as far as sb is concerned; **das ist ja eine ganz neue ~ an dir** that's a whole new side to you; **jds starke ~ sein** (*fam*) to be sb's forte ❼ (*Partei, Gruppe*) side; **jdn auf seine ~ bringen** to get sb on one's side; **auf jds ~ stehen** to be on sb's side; **die ~n wechseln** SPORT to change ends; (*zu jdm übergehen*) to change sides; **von allen ~n** from all sides ❽ (*Richtung*) side; **nach allen ~n** in all directions ❾ (*genealogische Linie*) **von mütterlicher ~ her** from the maternal side

Sei·ten·an·ga·be *f* page reference **Sei·ten·an·sicht** *f* side view **Sei·ten·auf·bau** *m* INET page construction; **die Seite**

hat einen extrem langsamen ~ the page is extremely slow to load **Sei·ten·auf· prall·schutz** *m kein pl* AUTO side-impact protection **Sei·ten·aus·gang** *m* side exit **Sei·ten·blick** *m* sidelong glance; **jdm einen ~ zuwerfen** to glance at sb from the side **Sei·ten·ein·gang** *m* side entrance **Sei·ten·flü·gel** *m* ARCHIT side wing **Sei·ten·gang** *m* ❶ ARCHIT corridor ❷ NAUT lateral drift ❸ (*beim Reiten*) sidestep **Sei· ten·hieb** *m* sideswipe; **jdm einen ~ ver· setzen** to sideswipe sb **Sei·ten·la·ge** *f* side position; **in der ~** on one's side; **sta· bile ~** stable side position **sei·ten·lang** I. *adj* several pages long II. *adv* in several pages **Sei·ten·li·nie** *f* ❶ ZOOL lateral line ❷ FBALL touchline ❸ TENNIS sideline ❹ BAHN branch line

sei·tens ['zajtns] *präp* +*gen* on the part of **Sei·ten·schei·tel** *m* side parting **Sei·ten· schiff** *nt* side aisle **Sei·ten·sprung** *m* (*fam*) bit on the side **Sei·ten·ste·chen** *nt kein pl* stitch; **~ haben** to have a stitch **Sei·ten·stra·ße** *f* side street **Sei·ten· strei·fen** *m* hard shoulder **sei·ten·ver· kehrt** *adj* back to front, the wrong way around **Sei·ten·wind** *m* crosswind **Sei· ten·zahl** *f* ❶ (*Anzahl der Seiten*) number of pages ❷ (*Ziffer*) page number

seit·her [zajt'he:ɐ] *adv* since then

seit·lich ['zajtlıç] I. *adj* side *attr* II. *adv* at the side; **~ stehen** to stand sideways; **~ gegen etw** *akk* **prallen** to crash side· ways into sth III. *präp* +*gen* ■ **~ einer S.** at the side of sth

seit·wärts ['zajtvɛrts] I. *adv* ❶ (*zur Seite*) sideways ❷ (*auf der Seite*) on one's side II. *präp* +*gen* (*geh*) beside; **~ des Weges** on the side of the path

sek. *f,* **Sek.** *f Abk von* **Sekunde** sec.

Se·kan·te <-, -n> [ze'kantə] *f* secant

Se·kret <-[e]s, -e> [ze'kre:t] *nt* secretion

Se·kre·tär(in) <-s, -e> [zekre'tɛ:ɐ] *m(f)* secretary

Se·kre·ta·ri·at <-[e]s, -e> [zekre· ta'rja:t] *nt* secretary's office

Se·kre·tä·rin <-, -nen> *f fem form von* **Sekretär**

Sekt <-[e]s, -e> [zɛkt] *m* sparkling wine

Sek·te <-, -n> ['zɛktə] *f* sect

Sekt·glas *nt* champagne flute

Sek·ti·on <-, -en> [zɛk'tsjo:n] *f* ❶ (*Abtei· lung*) section ❷ MED autopsy, post mortem [examination] ❸ (*fachspr: vorgefertigtes Bauteil*) section

Sek·tor <-s, -toren> ['zɛkto:ɐ, *pl* zɛk· 'to:rən] *m* sector

se·kun·där [zekʊn'dɛ:ɐ] *adj* secondary

Se·kun·där·li·te·ra·tur *f* secondary litera· ture

Se·kun·dar·schu·le *f* SCHWEIZ secondary school **Se·kun·dar·stu·fe** *f* secondary school level; **~ I** *classes with students aged 10 to 15;* **~ II** *fifth and sixth form classes*

Se·kun·de <-, -n> [ze'kʊndə] *f* second; **auf die ~ genau** to the second

Se·kun·den·kle·ber *m* instant adhesive **Se·kun·den·zei·ger** *m* second hand

sel·be(r, s) ['zɛlbə, 'zɛlbɐ, 'zɛlbəs] *pron* ■ **der/die/das ~ ...** the same ...; **im ~n Haus** in the same house; **an der ~n Stelle** on the [very] same spot; **zur ~n Zeit** at the same time

sel·ber ['zɛlbɐ] *pron dem* (*fam*) myself/ yourself/himself etc.; **ich geh lieber ~** I'd better go myself

selbst [zɛlpst] I. *pron dem* ❶ (*persönlich*) myself/yourself/himself etc.; **mit jdm ~ sprechen** to speak to sb oneself; **das möchte ich ihm lieber ~ sagen** I'd like to tell him that myself ❷ (*ohne Hilfe, alleine*) by oneself; **etw ~ machen** to do sth by oneself; **von ~** automatically; **etw versteht sich von ~** it goes without saying ❸ (*verkörpern*) ■ **etw ~ sein** to be sth in person; **er ist die Ruhe ~** he is calmness itself II. *adv* ❶ (*eigen*) self; **~ ernannt** self-appointed; **~ gemacht** home-made; **~ gestrickt** hand-knitted ❷ (*sogar*) even; **~ der Direktor war anwesend** even the director was present; **~ wenn** even if

Selbst·ach·tung *f* self-respect

selb·stän·dig ['zɛlpʃtɛndıç] *adj s.* **selbst· ständig**

Selb·stän·dig·keit <-> *f kein pl s.* **Selbst· ständigkeit**

Selbst·auf·ga·be *f kein pl* PSYCH mental collapse **Selbst·aus·lö·ser** *m* delayed-ac· tion shutter release **Selbst·be·die·nung** *f* self-service **Selbst·be·die·nungs·la· den** *m* self-service shop **Selbst·be·frie· di·gung** *f* masturbation **Selbst·be·herr· schung** *f* self-control **Selbst·be·stä·ti· gung** *f* self-affirmation **Selbst·be·stim· mung** *f kein pl* self-determination **Selbst· be·stim·mungs·recht** *nt kein pl* right to self-determination **Selbst·be·trug** *m kein pl* self-deception **selbst·be·wusst**[RR] *adj* self-confident **Selbst·be·wusst· sein**[RR] *nt* self-confidence **Selbst·be·zo· gen·heit** <-> ['zɛlpstbətso:gnhajt] *f kein pl* PSYCH solipsism **Selbst·bräu·nungs· creme** *f* self-tanning cream **Selbst·dar· stel·ler(in)** *m(f)* showman **Selbst·er· fah·rung** *f kein pl* self-awareness **Selbst· er·fah·rungs·grup·pe** *f* self-awareness group **Sẹlbst·er·hal·tungs·trieb** *m* survival instinct **Sẹlbst·er·kennt·nis** *f kein pl* self-knowledge ▶ ~ **ist der erste Schritt zur Besserung** (*prov*) self-knowledge is the first step to self-improvement **sẹlbst· ge·fäl·lig** *adj* self-satisfied **Sẹlbst·ge·fäl·lig·keit** *f kein pl* self-satisfaction, smugness *fam* **sẹlbst·ge·recht** *adj* (*pej*) self-righteous **Sẹlbst·ge·spräch** *nt* monologue; **Selbstgespräche führen** to talk to oneself **sẹlbst·herr·lich** *adj* (*pej*) high-handed **Sẹlbst·hil·fe** *f kein pl* self-help; **Hilfe zur ~ leisten** to help sb to help himself/herself **Sẹlbst·hil·fe·grup·pe** *f* self-help group **Sẹlbst·jus·tiz** *f* vigilantism **sẹlbst·kle·bend** *adj* self-adhesive **Sẹlbst·kos·ten·preis** *m* cost price BRIT, cost AM; **zum ~** at cost price **Sẹlbst·kri·tik** *f kein pl* self-criticism; **~ üben** to criticize oneself **sẹlbst· kri·tisch** *adj* self-critical **Sẹlbst·laut** *m* vowel **Sẹlbst·lie·be** *f* love for oneself **sẹlbst·los** *adj* selfless, unselfish **Sẹlbst· mit·leid** *nt* self-pity **Sẹlbst·mord** *m* suicide; **~ begehen** to commit suicide **Sẹlbst·mör·der(in)** *m(f)* suicidal person **sẹlbst·mör·de·risch** *adj* suicidal **Sẹlbst·mord·kan·di·dat(in)** *m(f)* potential suicide **Sẹlbst·mord·ver·such** *m* suicide attempt **Sẹlbst·schutz** *m* self-protection; **zum ~** for self-protection **sẹlbst·si·cher** *adj* self-confident **Sẹlbst· si·cher·heit** *f kein pl* self-confidence **sẹlbst·stän·dig**ᴿᴿ ['zɛlpstʃtɛndɪç] *adj* ❶ (*eigenständig*) independent ❷ (*beruflich unabhängig*) self-employed; **sich ~ machen** to start up one's own business ▶ **etw macht sich ~** (*hum fam*) sth grows legs **Sẹlbst·stän·di·ge(r)**ᴿᴿ *f(m) dekl wie adj* self-employed person **Sẹlbst·stän·dig·keit**ᴿᴿ <-> *f kein pl* ❶ (*Eigenständigkeit*) independence ❷ (*selbstständige Stellung*) self-employment **sẹlbst·süch·tig** <-er, -ste> *adj* selfish **sẹlbst·tä·tig I.** *adj* automatic **II.** *adv* automatically **Sẹlbst·täu·schung** *f* self-delusion **Sẹlbst·über·schät·zung** *f* over-estimation of one's abilities **Sẹlbst·über·win·dung** *f* self-discipline **Sẹlbst·ver·leug·nung** *f kein pl* self-denial **sẹlbst· ver·schul·det** *adj* due to one's [own] fault **Sẹlbst·ver·sor·ger(in)** *m(f)* self-sufficient person **sẹlbst·ver·ständ·lich I.** *adj* natural; **das ist doch ~** don't mention it; **etw für ~ halten** to take sth for granted **II.** *adv* naturally, of course; **wie ~** as if it were the most natural thing in the world;

[aber] ~! [but] of course! **Sẹlbst·ver· ständ·lich·keit** <-, -en> *f* naturalness; **etw als ~ ansehen** to regard sth as a matter of course BRIT; **etw mit der größten ~ tun** to do sth as if it were the most natural thing in the world; **eine ~ sein** to be the least that could be done **Sẹlbst·ver·tei· di·gung** *f* self-defence **Sẹlbst·ver·trau·en** *nt* self-confidence **Sẹlbst·ver·wal·tung** *f* self-government **Sẹlbst·ver·wirk·li·chung** *f* self-realization **Sẹlbst·wahr·neh·mung** *f* introspection **Sẹlbst·wert·ge·fühl** *nt* self-esteem **sẹlbst·zer·stö·re·risch** *adj* self-destructive **sẹlbst·zu·frie·den** *adj* (*pej*) self-satisfied **Sẹlbst· zweck** *m kein pl* end in itself

se·lek·tie·ren* [zelɛk'tiːrən] *vt* to select **Se·lek·ti·on** <-, -en> [zelɛk'tsi̯oːn] *f* selection

Se·len <-s> [ze'leːn] *nt* selenium

se·lig ['zeːlɪç] *adj* ❶ (*überglücklich*) overjoyed ❷ REL **jdn ~ sprechen** to beatify sb; **Gott habe ihn ~** God rest his soul ▶ **wer's glaubt, wird ~** (*iron fam*) that's a likely story

Se·lig·keit <-> *f kein pl* ❶ REL salvation ❷ (*Glücksgefühl*) bliss

Se·lig·spre·chung <-, -en> *f* beatification

Sel·le·rie <-s, -[s]> ['zɛləri] *m* (*Knollen~*) celeriac; (*Stangen~*) celery

sel·ten ['zɛltn̩] *adj* ❶ (*nicht häufig*) rare ❷ (*besonders*) exceptional; **ein ~ schönes Exemplar** an exceptionally beautiful specimen

Sel·ten·heit <-, -en> *f* ❶ *kein pl* (*seltenes Vorkommen*) rare occurrence ❷ (*seltene Sache*) rarity

Sẹl·ten·heits·wert *m kein pl* rarity value; **~ haben** to possess a rarity value

Sel·ters <-, -> ['zɛltɐs] *nt* (*fam*) **Sẹl·ters· was·ser** *nt* DIAL soda [water]

selt·sam ['zɛltzaːm] *adj* strange; *Mensch a.* odd; *Geschichte, Umstände a.* peculiar; **ein ~es Gefühl haben** to have an odd feeling; **sich ~ benehmen** to behave in an odd way

sẹlt·sa·mer·wei·se *adv* strangely enough **Sẹlt·sam·keit** <-, -en> *f* ❶ *kein pl* (*seltsame Art*) strangeness, peculiarity ❷ (*seltsame Erscheinung*) oddity

Se·mes·ter <-s, -> [ze'mɛstɐ] *nt* semester, term (*lasting half of the academic year*)

Se·mẹs·ter·fe·ri·en *pl* [university] vacation

Se·mi·fi·na·le ['zeːmifinaːlə] *nt* semi-final **Se·mi·ko·lon** <-s, -s *o* -kola> [zemi-'koːlɔn, *pl* -koːla] *nt* semicolon

Se·mi·nar <-s, -e o ÖSTERR -ien> [zemi'naːɐ̯, pl -riən] nt ❶ (Lehrveranstaltung) seminar ❷ (Universitätsinstitut) department; **das historische ~** the History Department

Se·mi·nar·ar·beit f seminar paper

Se·mit(in) <-en, -en> [ze'miːt] m(f) Semite

se·mi·tisch [ze'miːtɪʃ] adj Semitic

Sem·mel <-, -n> [zɛml] f DIAL [bread] roll ▶**weggehen wie warme ~n** (fam) to go like hot cakes

sen. adj Abk von **senior**

Se·nat <-[e]s, -e> [ze'naːt] m ❶ POL senate ❷ JUR Supreme Court

Se·na·tor, Se·na·to·rin <-s, -toren> [ze'naːtoːɐ̯, zena'toːrɪn, pl -'toːrən] m, f senator

Sen·de·an·stalt f broadcasting institution **Sen·de·be·reich** m transmission area **Sen·de·ge·biet** nt transmission area

sen·den¹ ['zɛndn̩] I. vt to broadcast; Botschaft to transmit II. vi to be on the air

sen·den² <sandte o sendete, gesandt o gesendet> ['zɛndn̩] vt to send; Truppen to despatch; ▪**jdm etw ~** to send sth to sb

Sen·de·pau·se f interval; **~ haben** (fig fam) to keep silent **Sen·de·platz** m TV, RADIO slot

Sen·der <-s, -> ['zɛndɐ] m ❶ (Sendeanstalt) channel; Radio station ❷ (Sendegerät) transmitter

Sen·de·raum m studio **Sen·de·rei·he** f series + sing vb **Sen·de·schluss**ᴿᴿ m close down **Sen·de·zeit** f broadcasting time; **zur besten ~** at prime time

Sen·dung¹ <-, -en> f TV, RADIO ❶ (Ausstrahlung) broadcasting; Signal transmission; **auf ~ gehen/sein** to go/be on the air ❷ (Rundfunk-, Fernsehsendung) programme

Sen·dung² <-, -en> f ❶ (Briefsendung) letter; (Paketsendung) parcel; (Warensendung) consignment ❷ (das Senden) sending no pl

Se·ne·gal <-s> ['zeːnegal] nt kein pl ❶ (Fluss) Senegal [River] ❷ (Republik Senegal) Senegal; s. a. **Deutschland**

Se·ne·ga·le·se, Se·ne·ga·le·sin <-n, -n> [zenega'leːzə, zenega'leːzɪn] m, f Senegalese; s. a. **Deutsche(r)**

se·ne·ga·le·sisch [zenega'leːsɪʃ] adj Senegalese; s. a. **deutsch**

Senf <-[e]s, -e> [zɛnf] m mustard ▶**seinen ~ [zu etw** dat**] dazugeben** (fam) to get one's three ha'p'orth in [sth] BRIT, to add one's 2 cents [to sth] AM

Senf·gur·ke f gherkin (pickled with mustard seeds)

sen·gen ['zɛŋən] I. vt ▪**etw ~** to singe sth II. vi to scorch

se·nil [ze'niːl] adj senile

se·ni·or ['zeːnjoːɐ̯] adj senior

Se·ni·or <-s, Senioren> ['zeːnjoːɐ̯, pl ze'njoːrən] m meist pl (ältere Menschen) senior citizen, OAP BRIT

Se·ni·or·chef(in) [-ʃɛf] m(f) senior boss

se·ni·o·ren·ge·recht I. adj suitable for senior citizens II. adv **~ ausgestattet sein** to be suitable for senior citizens **Se·ni·o·ren·heim** nt home for the elderly **Se·ni·o·ren·re·si·denz** f (euph) [residential] home for the elderly

Sen·ke <-, -n> ['zɛŋkə] f depression

sen·ken ['zɛŋkn̩] I. vt ❶ (niedriger machen) to lower; Fieber to reduce ❷ (abwärtsbewegen) **den Kopf ~** to bow one's head; **die Stimme ~** (fig) to lower one's voice II. vr ❶ (niedriger werden) to sink; ▪**sich ~** to drop (**um** by) ❷ (sich niedersenken) ▪**sich ~** to lower itself/oneself (**auf** onto)

Senk·fuß m MED flat feet pl **Senk·gru·be** f cesspit

senk·recht ['zɛŋkrɛçt] adj vertical

Senk·rech·te <-n, -n> f dekl wie adj ❶ MATH perpendicular ❷ (senkrechte Linie) vertical line

Senk·recht·star·ter m LUFT vertical take-off aircraft

Senk·recht·star·ter(in) m(f) (fig fam) whizz kid

Sen·kung <-, -en> f ❶ kein pl Preise reductions; Löhne cut; Steuern decrease ❷ (das Senken) drop, subsidence; Fieber subsidence; Stimme lowering ❸ GEOL subsidence

Sen·sa·ti·on <-, -en> [zɛnza'tsi̯oːn] f sensation

sen·sa·ti·o·nell [zɛnzatsi̯o'nɛl] adj sensational

Sen·sa·ti·ons·blatt nt (pej) sensationalist newspaper **Sen·sa·ti·ons·gier** f kein pl sensationalism **Sen·sa·ti·ons·lust** f desire for sensation **Sen·sa·ti·ons·ma·che** f (pej) sensationalism

Sen·se <-, -n> ['zɛnzə] f scythe

Sen·sen·mann <-männer> m ▪**der ~** the [Grim] Reaper liter

sen·si·bel [zɛn'ziːbl] adj sensitive

Sen·si·bel·chen <-s, -> [zɛn'ziːblçən] nt (fam) softy

sen·si·bi·li·sie·ren* [zɛnzibili'ziːrən] vt (geh) ▪**jdn [für etw** akk**] ~** to make sb aware [of sth]

Sen·si·bi·li·tät <-, -en> [zɛnzibili'tɛːt] f

sensitivity

Sen·sor <-s, -soren> ['zɛnzoːɐ̯, pl -'zoːrən] m sensor

sen·ti·men·tal [zɛntimɛn'taːl] adj sentimental

Sen·ti·men·ta·li·tät <-, -en> [zɛntimɛntali'tɛːt] f sentimentality

se·pa·rat [zepa'raːt] adj separate

Se·pa·ra·tis·mus <-> [zepara'tɪsmʊs] m kein pl separatism

Se·pa·ra·tist(in) <-en, -en> [zepara'tɪst] m(f) separatist

se·pa·ra·tis·tisch adj separatist

Sé·pa·rée <-s, -s> nt, **Se·pa·ree** <-s, -s> [zepa're:] nt private room

Sep·tem·ber <-[s], -> [zɛp'tɛmbɐ] m September; s. a. **Februar**

se·quen·ti·ell [zekvɛn'tsi̯ɛl] adj s. **sequenziell**

Se·quenz <-, -en> [ze'kvɛnts] f sequence

se·quen·zi·ellRR [zekvɛn'tsi̯ɛl] adj INFORM sequential

Se̱·ra ['ze:ra] pl von **Serum**

Ser·be, Ser·bin <-n, -n> ['zɛrbə, 'zɛrbɪn] m, f Serb, Serbian; s. a. **Deutsche(r)**

Ser·bi·en <-s> ['zɛrbi̯ən] nt Serbia; s. a. **Deutschland**

Ser·bi·en und Mon·te·ne·gro [-mɔnte'ne:gro] nt Union of Serbia and Montenegro

Ser·bin <-, -nen> f fem form von **Serbe**

ser·bisch ['zɛrbɪʃ] adj Serbian; s. a. **deutsch**

Ser·bo·kro·a·tisch [zɛrbokro'a:tɪʃ] nt dekl wie adj Serbo-Croat; s. a. **Deutsche**

Se̱·ren ['ze:rən] pl von **Serum**

Se·re·na·de <-, -n> [zere'na:də] f serenade

Se̱·rie ['ze:ri̯ə] f ❶ (Reihe) series + sing vb; **eine ~ von Anschlägen** a series of attacks ❷ ÖKON line; **in ~ gehen** to go into production ❸ MEDIA, TV series + sing vb

se·ri·ell [ze'ri̯ɛl] adj ❶ (als Reihe) series ❷ INFORM serial

Se·ri·en·aus·stat·tung f standard fittings pl **se·ri·en·mä·ßig** adj ❶ (in Serienfertigung) mass-produced ❷ (bereits eingebaut sein) standard; ■**~ sein** to be a standard feature **Se·ri·en·mord** ['ze:ri̯ən-] m meist pl JUR serial killing usu pl **Se·ri·en·num·mer** f serial number **Se·ri·en·pro·duk·ti·on** f mass production **Se·ri·en·schal·tung** f ELEK series connection **Se·ri·en·tä·ter(in)** m(f) repeat offender

se·ri·en·wei·se ['ze:ri̯ən-] adv in series; ■**etw ~ herstellen** to mass-produce sth

se·ri·ös [ze'ri̯ø:s] **I.** adj ❶ (gediegen) respectable; (ernst zu nehmend) serious;

Absichten honourable ❷ ÖKON (vertrauenswürdig) respectable; Unternehmen reputable **II.** adv respectably

Ser·pen·ti·ne <-, -n> [zɛrpɛn'ti:nə] f ❶ (Straße) winding road ❷ (Windung) sharp bend; **in ~n** in winds

Se·rum <-s, Seren o Sera> ['ze:rʊm, pl 'ze:rən, pl 'ze:ra] nt serum

Ser·ver <-s, -> ['sœ:rvɐ] m INFORM server

Ser·vice¹ <-, -s> ['zøɐ̯vɪs] m ❶ kein pl (Bedienung) service ❷ TENNIS serve

Ser·vice² <-[s], -> [zɛr'vi:s] nt dinner/coffee service

ser·vie·ren* [zɛr'vi:rən] vt to serve; **was darf ich Ihnen ~?** what can I offer you?

Ser·vier·vor·schlag m KOCHK serving suggestion

Ser·vi·et·te <-, -n> [zɛr'vi̯ɛtə] f napkin

Ser·vi·et·ten·ring m napkin ring

Ser·vo·brem·se ['zɛrvo-] f power-assisted brake **Ser·vo·len·kung** f power steering

ser·vus ['zɛrvʊs] interj ÖSTERR, SÜDD (hallo) hi; (tschüs) [good]bye

Se·sam <-s, -s> [ze'zam] m BOT sesame ▶**~ öffne dich** (hum fam) open sesame

Ses·sel <-s, -> ['zɛsl̩] m armchair

Ses·sel·lift m chairlift

sess·haftRR adj, **seß·haft**ALT ['zɛshaft] adj ❶ (bodenständig) settled ❷ (ansässig) ■**~ sein** to be a resident; ■**~ werden** to settle down

Set <-s, -s> [zɛt] m o nt set

Set·up [sɛt'ap] nt INFORM setup

set·zen ['zɛtsn̩] **I.** vt haben ❶ (platzieren) to put, to place ❷ (festlegen) to set; **eine Frist ~** to set a deadline; **ein Ziel ~** to set a goal ❸ (bringen) **etw in Betrieb ~** to set sth in motion; **jdn auf Diät ~** to put sb on a diet ❹ (pflanzen) to plant ❺ (errichten) [jdm] **ein Denkmal ~** to set up a monument [to sb] ❻ (wetten) **seine Hoffnung in jdn ~** to put one's hopes on sb; **auf ein Pferd ~** to place a bet on a horse; **Geld auf jdn/etw ~** to stake money on sb/sth ❼ TYPO to set ▶**es setzt was** (fam) there'll be trouble **II.** vr haben ■**sich ~** ❶ (sich niederlassen) to sit [down]; **sich ins Auto ~** to get into the car; **bitte ~ Sie sich doch!** please sit down!; ■**sich zu jdm ~** to sit next to sb; **wollen Sie sich nicht zu uns ~?** won't you join us? ❷ (sich senken) to settle **III.** vi ❶ haben (wetten) ■**auf jdn/etw ~** to bet on sb/sth ❷ sein o haben ■**über etw** akk **~** (springen) to jump over sth; (überschiffen) to cross sth

Set·zer(in) <-s, -> m(f) typesetter

Set·ze·rei <-, -en> [zɛtsə'raj] f composing room

Sẹt·ze·rin <-, -nen> *f fem form von* **Setzer**

Sẹtz·kas·ten *m* ❶ HORT seed box ❷ TYPO case

Setz·ling <-s, -e> ['zɛtslɪŋ] *m* HORT seedling

Seu·che <-, -n> ['zɔyçə] *f* epidemic

Seu·chen·be·kämp·fung *f* epidemic control **Seu·chen·ge·biet** *nt* epidemic zone **Seu·chen·herd** *m* centre of an epidemic

seuf·zen ['zɔyftsn̩] *vi* to sigh

Seuf·zer <-s, -> *m* sigh; **einen ~ ausstoßen** to heave a sigh

Sex <-[es]> [zɛks] *m kein pl* ❶ (*Sexualität*) sex ❷ (*sexuelle Anziehungskraft*) sex appeal ❸ (*Geschlechtsverkehr*) sex

Sex·film *m* sex film

Se·xis·mus <-> [zɛˈksɪsmʊs] *m kein pl* sexism *no pl*

se·xis·tisch *adj, adv* sexist

Sex·muf·fel <-s, -> ['zɛks-] *m* (*hum sl*) grump [who is] uninterested in sex **Sex·shop** <-s, -s> [-ʃɔp] *m* sex shop **Sex·sym·bol** *nt* sex symbol

Sex·tant <-en, -en> [zɛksˈtant] *m* sextant

se·xy ['zɛksi] *adj* (*fam*) sexy *fam*

Se·zes·si·o·nis·mus <-> [zɛtsɛsjoˈnɪsmʊs] *m kein pl* POL secessionism

se·zie·ren* [zeˈtsiːrən] **I.** *vt* ◼ *etw* ~ *eine Leiche* to dissect sth **II.** *vi* to dissect

Se·zier·tisch [zeˈtsiːr-] *m* MED autopsy table

Share·ware <-, -s> ['ʃɛːɐ̯vɛːɐ̯] *f* INFORM shareware

Shoo·ting·star <-s, -s> ['ʃuːtɪŋstaːɐ̯] *m* (*fam*) overnight success, whizz-kid

Show·ge·schäft *nt kein pl* show business **Show·mas·ter** <-s, -> [-maːstɐ] *m* compère BRIT

si·a·me·sisch [zja̯meːzɪʃ] *adj* Siamese **Si·am·kat·ze** *f* Siamese cat

Si·bi·rer(in) <-s, -> [ziˈbiːrɐ] *m(f)* Siberian **Si·bi·ri·en** <-s> [ziˈbiːri̯ən] *nt* Siberia **si·bi·risch** [ziˈbiːrɪʃ] *adj* Siberian

sich [zɪç] *pron refl* ❶ *im akk* oneself; ◼ **er/sie/es ... ~** he/she/it ... himself/herself/itself; ◼ **Sie ... ~** you ... yourself/yourselves; ◼ **sie ... ~** they ... themselves; **er sollte ~ da heraushalten** he should keep out of it; **man fragt ~, was das soll** one asks oneself what it's all about; **~ freuen** to be pleased; **~ gedulden** to be patient; **~ schämen** to be ashamed of oneself; **~ wundern** to be surprised ❷ *im dat* one's; **~ etw einbilden** to imagine sth; **~ etw kaufen** to buy sth for oneself; **die Katze leckte ~ die Pfote** the cat licked its paw

❸ *pl* (*einander*) each other, one another; **~ lieben** to love each other ❹ *unpersönlich* **hier arbeitet es ~ gut** it's good to work here; **das Auto fährt ~ prima** the car drives well ❺ *mit prep* **die Schuld bei ~ suchen** to blame oneself; **wieder zu ~ kommen** (*fam*) to come round; **etw von ~ aus tun** to do sth of one's own accord; **er denkt immer nur an ~** he only ever thinks of himself

Si·chel <-, -n> ['zɪçl̩] *f* ❶ (*Werkzeug*) sickle ❷ (*Gebilde*) crescent

si·cher ['zɪçɐ] **I.** *adj* ❶ (*gewiss*) certain, sure; *Zusage* definite; ◼ **~ sein** to be certain, to be for sure; ◼ **sich** *dat* **~ sein, dass ...** to be sure that ...; ◼ **sich** *dat* **einer S.** *gen* **~ sein** to be sure of sth; **so viel ist ~** that much is certain ❷ (*ungefährdet*) safe (**vor** from); *Anlage* secure; *Arbeitsplatz* steady; **~ ist ~** you can't be too careful ❸ (*zuverlässig*) reliable; *Methode* foolproof ❹ (*geübt*) competent ❺ (*selbstsicher*) self-assured **II.** *adv* surely; **du hast ~ Recht** you are certainly right; **es ist ~ nicht das letzte Mal** this is surely not the last time; **[aber] ~!** (*fam*) sure!

si·cher|ge·hen *vi irreg sein* to make sure

Si·cher·heit <-, -en> *f* ❶ *kein pl* (*gesicherter Zustand*) safety; **die öffentliche ~** public safety; **soziale ~** social security; **etw in ~ bringen** to get sth to safety; **in ~ sein** to be safe; **der ~ halber** to be on the safe side ❷ *kein pl* (*Gewissheit*) certainty; **mit ~ for certain** ❸ *kein pl* (*Gewandtheit*) competence ❹ (*Kaution*) surety

Si·cher·heits·ab·stand *m* safe distance **Si·cher·heits·be·am·te(r)**, **-be·am·tin** *m, f* security officer **Si·cher·heits·bin·dung** *f* safety binding **Si·cher·heits·gurt** *m* seat belt **si·cher·heits·hal·ber** *adv* to be on the safe side **Si·cher·heits·ko·pie** *f* INFORM back-up **Si·cher·heits·na·del** *f* safety pin **Si·cher·heits·rat** *m kein pl* security council **Si·cher·heits·schloss**ᴿᴿ *nt* safety lock **Si·cher·heits·stan·dard** *m* safety standard **Si·cher·heits·sys·tem** *nt* security system, system of security **Si·cher·heits·vor·keh·rung** *f* security precaution

si·cher·lich *adv* surely

si·chern ['zɪçɐn] *vt* ❶ (*schützen*) to safeguard (**gegen** from) ❷ *Schusswaffe* to put on a safety catch; *Tür* to secure ❸ (*absichern*) to protect (**gegen** against); *Bergsteiger, Tatort* to secure; ◼ **gesichert sein** to be protected ❹ (*sicherstellen*) to secure ❺ INFORM to save

si·cher|stel·len *vt* ❶ (*in Gewahrsam neh-*

men) to confiscate ❷(*garantieren*) to guarantee

Si·cher·stel·lung *f* ❶(*das Sicherstellen*) confiscation ❷(*das Garantieren*) guarantee

Si·che·rung <-, -en> *f* ❶(*das Sichern*) securing, safeguarding ❷ ELEK fuse; **die ~ ist durchgebrannt** the fuse has blown ❸(*Schutzvorrichtung*) safety catch ❹ IN-FORM back-up ▶**jdm brennt die ~ durch** (*fam*) sb blows a fuse

Si·che·rungs·kas·ten *m* fuse box **Si·che·rungs·ko·pie** *f* INFORM back-up [*or* Am dump] copy

Sicht <-, *selten* -en> [zɪçt] *f* ❶(*Aussicht*) view; **eine gute/schlechte ~ haben** to have a good/poor view; **du nimmst mir die ~** you're blocking my view; **die ~ beträgt heute nur 20 Meter** visibility is down to 20 metres today; **auf kurze/mittlere/lange ~** (*fig*) in the short term /mid-term /long term; **in ~ sein** to be in sight; **Land in ~!** land ahoy!; **etw ist in ~** (*fig*) sth is on the horizon ❷(*Meinung*) [point of] view; **aus jds ~** from sb's point of view

sicht·bar *adj* (*wahrnehmbar*) visible; (*offensichtlich*) apparent

sich·ten [zɪçtn̩] *vt* ❶(*ausmachen*) ▪**etw ~** to sight sth; ▪**jdn ~** to spot sb *fam* ❷(*durchsehen*) **die Akten ~** to look through the files

Sicht·ge·rät *nt* monitor **Sicht·gren·ze** *f* limit of visibility **Sicht·hül·le** *f* clear plastic pocket

sicht·lich *adv* **~ beeindruckt sein** to be visibly impressed

Sich·tung <-, -en> *f* ❶ *kein pl* (*das Sichten*) sighting ❷(*Durchsicht*) sifting

Sicht·ver·hält·nis·se *pl* visibility *no pl;* **gute /schlechte ~** good/poor visibility **Sicht·ver·merk** *m* visa [stamp]; *Wechsel* endorsement **Sicht·wei·te** *f* visibility; **außer/in ~ sein** to be out of/in sight; **die ~ beträgt 100 Meter** visibility is 100 metres

si·ckern ['zɪkɐn] *vi sein* to seep (**aus** from, **durch** through)

Side·board <-s, -s> ['zaɪtbɔːɐ̯t] *nt* sideboard

sie [ziː] *pron pers, 3. pers* ❶ <*gen* ihrer, *dat* ihr, *akk* sie> *sing* she; **~ ist es!** it's her!; (*weibliche Sache bezeichnend*) it; (*Tier bezeichnend*) it; (*bei weiblichen Haustieren*) she ❷<*gen* ihrer, *dat* ihnen, *akk* sie> *pl* they

Sie[1] <*gen* Ihrer, *dat* Ihnen, *akk* Sie> [ziː] *pron pers, 2. pers sing o pl* (*förmliche Anrede*) you; **könnten ~ mir bitte die**

Milch reichen? could you pass me the milk, please?

Sie[2] <-s> [ziː] *nt kein pl* **jdn mit ~ anreden** to address sb in the "Sie" form

Sie[3] [ziː] *f kein pl* (*fam*) ▪**eine ~** a female; **der Hund ist eine ~** the dog is female

Sieb <-[e]s, -e> [ziːp, *pl* 'ziːbə] *nt* ❶(*Küchensieb*) sieve; (*größer*) colander; (*Kaffeesieb, Teesieb*) strainer ❷(*Filtersieb*) filter

sie·ben[1] ['ziːbn̩] *adj* seven; *s. a.* **acht**[1]

sie·ben[2] ['ziːbn̩] *vt* ❶(*durchsieben*) to sieve ❷(*fam: aussortieren*) to pick and choose

Sie·ben <-, - *o* -en> ['ziːbn̩] *f* seven

sie·be·ner·lei ['ziːbənɐ'laɪ] *adj attr* seven [different]; *s. a.* **achterlei**

sie·ben·fach, 7·fach ['ziːbn̩fax] I. *adj* sevenfold; **die ~e Menge** seven times the amount; *s. a.* **achtfach** II. *adv* sevenfold, seven times over; *s. a.* **achtfach**

Sie·ben·ge·bir·ge <-s> ['ziːbn̩gəbɪrɡə] *nt* Siebengebirge (*range of hills on the Rhine, near Bonn*)

sie·ben·hun·dert ['ziːbn̩'hʊndɐt] *adj* seven hundred

sie·ben·mal ['ziːbn̩maːl] *adv* seven times **Sie·ben·sa·chen** ['ziːbn̩zaxn̩] *pl* (*fam*) things, stuff

Sie·ben·schlä·fer *m* ZOOL fat dormouse **sie·ben·tä·gig, 7-tä·gig**RR *adj* seven-day *attr* **sie·ben·tau·send** ['ziːbn̩'taʊznt] *adj* seven thousand

sieb·te(r, s) ['ziːptə, 'ziːptɐ, 'ziːptəs] *adj* ❶(*nach dem sechsten kommend*) seventh; *s. a.* **achte(r, s)** ❶ ❷(*Datum*) seventh, 7th; *s. a.* **achte(r, s)** ❷

Sieb·tel <-s, -> ['ziːptl̩] *nt* seventh

sieb·tens ['ziːptn̩s] *adv* seventhly

sieb·zehn ['ziːptseːn] *adj* seventeen; *s. a.* **acht**[1]

sieb·zehn·te(r, s) *adj* seventeenth; *s. a.* **achte(r, s)**

sieb·zig ['ziːptsɪç] *adj* seventy; *s. a.* **achtzig 1, 2**

Sieb·zi·ger·jah·re *pl* **in den ~n** in the seventies

sieb·zig·jäh·rig, 70-jäh·rigRR *adj attr* ❶(*Alter*) seventy-year-old *attr;* seventy [years old] *pred* ❷(*Zeitspanne*) seventy-year

sieb·zigs·te(r, s) *adj* seventieth; *s. a.* **achte(r, s)**

sie·deln ['ziːdl̩n] *vi* to settle

sie·den <siedete *o* sott, gesiedet *o*

gesotten> ['zi:dn̩] *vi* to boil ▶ **~d heiß** (*fam*) boiling hot
Sie·de·punkt *m* boiling point
Sied·ler(in) <-s, -> ['zi:dlɐ] *m(f)* settler
Sied·lung <-, -en> ['zi:dlʊŋ] *f* ❶ (*Wohnhausgruppe*) housing estate ❷ (*Ansiedlung*) settlement
Sieg <-[e]s, -e> [zi:k, *pl* 'zi:gə] *m* victory (**über** over); **jdn den ~ kosten** to cost sb his/her victory; **um den ~ kämpfen** to fight for victory
Sie·gel <-s, -> ['zi:gl̩] *nt* seal; (*privates a.*) signet ▶ **unter dem ~ der Verschwiegenheit** under pledge of secrecy
Sie·gel·lack *m* sealing wax
sie·geln ['zi:gl̩n] *vt* ■ **etw ~** to affix a seal to sth
Sie·gel·ring *m* signet ring
sie·gen ['zi:gn̩] *vi* to win [sth]; **haushoch ~** to win hands down; **nur knapp ~** to scrape a win
Sie·ger(in) <-s, -> *m(f)* ❶ MIL victor ❷ SPORT winner; **der zweite ~** the runner-up
Sie·ger·eh·rung *f* SPORT presentation ceremony
Sie·ge·rin <-, -nen> *f fem form von* **Sieger**
Sie·ger·po·dest *nt* winners' rostrum **Sie·ger·po·se** *f* victory pose **Sie·ger·typ** *m* [natural] winner, one of life's winners **Sie·ger·ur·kun·de** *f* SPORT winner's certificate
sie·ges·be·wusst[RR] *adj s.* **siegessicher**
sie·ges·si·cher *adj* certain of victory *pred;* **ein ~es Lächeln** a confident smile
Sie·ges·zug *m* MIL triumphal march; (*fig: gewaltiger Erfolg*) triumph
sieg·reich I. *adj* ❶ MIL victorious ❷ SPORT winning *attr,* successful II. *adv* in triumph
sieh [zi:], **sie·he** ['zi:ə] (*geh*) *imp sing von* **sehen**
sie·zen ['zi:tsn̩] *vt* ■ **jdn/sich ~** to address sb/each other in the “Sie” form
Sight·see·ing <-s> ['zaitzi:ɪŋ] *nt* sightseeing *no art*
Si·gnal <-s, -e> [zɪ'gna:l] *nt* ❶ (*Zeichen*) signal; **~e aussenden** to transmit signals ❷ BAHN signal; **ein ~ überfahren** to overrun a signal ❸ *pl* (*geh: Ansätze*) signs; **~e setzen** to blaze a trail
si·gna·li·sie·ren* [zɪgnali'zi:rən] *vt* ❶ (*durch Signale übermitteln*) to signal ❷ (*zu verstehen geben*) to give to understand
Si·gnal·lam·pe *f* ❶ (*Taschenlampe*) signalling lamp ❷ BAHN signal lamp **Si·gnal·wir·kung** *f* signal
Si·gna·tur <-, -en> [zɪgna'tu:ɐ̯] *f* ❶ (*in der Bibliothek*) shelf mark ❷ (*Kartenzeichen*) symbol ❸ (*Unterschrift*) signature
si·gnie·ren* [zɪ'gni:rən] *vt* to sign; (*bei einer Autogrammstunde*) to autograph; ■ **signiert** signed, autographed
Sil·be <-, -n> ['zɪlbə] *f* syllable; **etw mit keiner ~ erwähnen** not to mention sth at all
Sil·ben·rät·sel *nt word game in which words are made up from a given list of syllables* **Sil·ben·tren·nung** *f* LING syllabification; TYPO hyphenation
Sil·ber <-s> ['zɪlbɐ] *nt kein pl* silver *no pl*
Sil·ber·be·steck *nt* silver cutlery **Sil·ber·blick** *m* (*hum fam*) **einen ~ haben** to have a cast **sil·ber·far·ben, sil·ber·far·big** *adj* silver[-coloured] **Sil·ber·ge·halt** *m* silver content **Sil·ber·hoch·zeit** *f* silver wedding **Sil·ber·me·dail·le** *f* silver medal; **die ~ holen** to win a silver [medal]
sil·bern ['zɪlbɐn] *adj* ❶ (*aus Silber bestehend*) silver ❷ (*Farbe*) silver[y]
Sil·ber·streif, Sil·ber·strei·fen *m* **ein ~ am Horizont** (*geh*) a ray of hope
silb·rig ['zɪlbrɪç] I. *adj* silver[y] II. *adv* **~ glänzen** to have a silvery lustre
Sil·hou·et·te <-, -n> [zi'lu̯ɛtə] *f* silhouette; *Stadt* skyline
Si·li·kon <-s, -e> [zili'ko:n] *nt* silicone
Si·li·zi·um <-s> [zi'li:tsi̯ʊm] *nt kein pl* silicon *no pl*
Si·lo <-s, -s> ['zi:lo] *m* silo
Sil·ves·ter <-s, -> [zɪl'vɛstɐ] *m o nt* New Year's Eve
Sil·ves·ter·fei·er *f* New Year['s Eve] party **Sil·ves·ter·par·ty** *f* New Year's Eve party
Sim·bab·we <-s> [zɪm'bapvə] *nt* Zimbabwe; *s. a.* **Deutschland**
sim·mern ['zɪmɐn] *vi* KOCHK to simmer
sim·pel ['zɪmpl̩] I. *adj* simple II. *adv* simply
Sims <-es, -e> [zɪms] *m o nt* (*Fenster~: innen*) [window]sill; (*Fenster~: außen*) [window] ledge; (*Kamin~*) mantelpiece
sim·sen ['zɪmzən] *vt, vi* TELEK (*fam*) to text, AM *usu* to send a text message
Si·mu·lant(in) <-en, -en> [zimu'lant] *m(f)* malingerer
Si·mu·la·ti·on <-, -en> [zimula'tsi̯o:n] *f* simulation
Si·mu·la·tor <-s, -toren> [zimu'la:toɐ̯, *pl* -'to:rən] *m* simulator
si·mu·lie·ren* [zimu'li:rən] I. *vi* to malinger II. *vt* ❶ (*vortäuschen*) **eine Krankheit ~** to pretend to be ill ❷ SCI to [computer-]simulate
si·mul·tan [zimʊl'ta:n] I. *adj* simultaneous II. *adv* simultaneously, at the same time; **~ dolmetschen** to interpret simultaneously

Si·mul·tan·dol·met·scher(in) *m(f)* simultaneous interpreter

sind [zɪnt] *1. und 3. pers pl von* **sein**

Sin·fo·nie <-, -n> [zɪnfo'niː, *pl* -fo'niːən] *f* symphony

Sin·fo·nie·kon·zert *nt* symphony concert **Sin·fo·nie·or·ches·ter** *nt* symphony orchestra

Sin·ga·pur <-s> ['zɪŋgapuːɐ̯] *nt* Singapore

sin·gen <sang, gesungen> ['zɪŋən] *vi, vt* to sing

Sin·gha·le·se, Sin·gha·le·sin <-n, -n> [zɪŋga'leːzə, zɪŋga'leːzɪn] *m, f* Sin[g]halese

Sin·gle¹ <-, -[s]> ['zɪŋl̩] *f* (*Schallplatte*) single

Sin·gle² <-s, -s> ['zɪŋl̩] *m* (*Ledige[r]*) single person

Sin·gle·bör·se *f* INET [online] dating site **Sin·gle·par·ty** *f* singles party

Sing·sang <-s, -s> ['zɪŋzaŋ] *m* [monotonous] singing

Sing·spiel *nt* Singspiel

Sin·gu·lar <-s, -e> ['zɪŋgulaːɐ̯] *m* LING singular

Sing·vo·gel *m* songbird

sin·ken <sank, gesunken> ['zɪŋkn̩] *vi sein* ❶ (*versinken*) to sink; *Schiff* to go down ❷ (*herabsinken*) to descend ❸ (*niedersinken*) to drop, to fall; **ins Bett ~** to fall into bed; **die Hände ~ lassen** to let one's hands fall ❹ (*abnehmen*) to go down, to abate; *Fieber, Preis* to fall ❺ (*schwinden*) to diminish, to decline; *Hoffnung* to sink; **den Mut ~ lassen** to lose courage

Sinn <-[e]s, -e> [zɪn] *m* ❶ *meist pl* (*Organ der Wahrnehmung*) sense; **der sechste ~** the sixth sense; **bist du noch bei ~en?** (*geh*) have you taken leave of your senses?; **von ~en sein** to be out of one's mind ❷ *kein pl* (*Bedeutung*) meaning; **im wahrsten ~e des Wortes** in the truest sense of the word; **im eigentlichen ~e** literally; **im übertragenen ~e** in the figurative sense; **~ machen** to make sense; **in diesem ~e** in that respect ❸ (*Zweck*) point; **der ~ des Lebens** the meaning of life; **einen bestimmten ~ haben** to have a particular purpose; **es hat keinen ~[, etw zu tun]** there's no point [in doing sth] ❹ *kein pl* (*Verständnis*) **~ für etw** *akk* **haben** to appreciate sth ❺ (*Intention, Gedanke*) inclination; **in jds** *dat* **~ handeln** to act according to sb's wishes; **etw [mit jdm/etw] im ~ haben** to have sth in mind [with sb/sth]; **sich** *dat* **etw aus dem ~ schlagen** (*fam*) to put sth out of one's

mind; **jdm in den ~ kommen** to come to sb

Sinn·bild *nt* symbol **sinn·bild·lich** I. *adj* symbolic II. *adv* symbolically

sin·nen <sann, gesonnen> ['zɪnən] *vi* ▪**auf etw** *akk* **~** think of sth; **auf Rache ~** to plot revenge

sinn·ent·stel·lend *adj* distorting [the meaning *pred*]

Sin·nes·ein·druck *m* sensory impression **Sin·nes·or·gan** *nt* sense organ **Sin·nes·täu·schung** *f* (*Illusion*) illusion; (*Halluzination*) hallucination **Sin·nes·wahr·neh·mung** *f* sensory perception *no pl* **Sin·nes·wan·del** *m* change of heart

sinn·fäl·lig *adj* (*geh: einleuchtend*) meaningful

sinn·ge·mäß I. *adj* **eine ~e Wiedergabe einer Rede** an account giving the gist of a speech II. *adv* in the general sense; **etw ~ wiedergeben** to give the gist of sth

sin·nie·ren* [zɪ'niːrən] *vi* to brood (**über** over)

sin·nig ['zɪnɪç] *adj* appropriate

sinn·lich I. *adj* ❶ (*sexuell*) sexual, carnal *form* ❷ (*sexuell verlangend*) sensual; (*stärker*) voluptuous ❸ (*gern genießend*) sensuous, sensual ❹ (*die Sinne ansprechend*) sensory, sensorial II. *adv* ❶ (*sexuell*) sexually ❷ (*mit den Sinnen*) sensuously

Sinn·lich·keit <-> *f kein pl* sensuality *no pl, no art*

sinn·los *adj* ❶ (*unsinnig*) senseless; *Bemühungen* futile; *Geschwätz* meaningless; **das ist doch ~!** that's futile! ❷ (*pej: maßlos*) frenzied; *Hass, Wut* blind

Sinn·lo·sig·keit <-, -en> *f* senselessness *no pl,* meaninglessness *no pl,* futility *no pl*

sinn·reich <-er, -ste> *adj* ❶ (*zweckmäßig*) useful ❷ (*tiefsinnig*) profound **sinn·ver·wandt** *adj* synonymous

sinn·voll I. *adj* ❶ (*zweckmäßig*) practical, appropriate ❷ (*Erfüllung bietend*) meaningful ❸ (*eine Bedeutung habend*) meaningful, coherent II. *adv* sensibly

sinn·wid·rig *adj* nonsensical

Sint·flut ['zɪntfluːt] *f* ▪**die ~** the Flood ▶**nach mir die ~** (*fam*) who cares when I'm gone?

Sin·ti ['zɪnti] *pl* Manush, Sinti

Sip·pe <-, -n> ['zɪpə] *f* ❶ SOZIOL [extended] family ❷ (*hum fam: Verwandtschaft*) relations *pl,* clan

Sipp·schaft <-, -en> *f* (*pej fam*) clan, relatives *pl*

Si·re·ne <-, -n> [zi'reːnə] *f* siren

Si·re·nen·ge·heul *nt* wail of a siren

sir·ren ['zɪrən] *vi* to buzz

Si·rup <-s, -e> ['ziːrʊp] *m* syrup, treacle BRIT, molasses + *sing vb* AM

Sit·te <-, -n> ['zɪtə] *f* ❶ (*Gepflogenheit*) custom; **es ist bei uns ~, ...** it is our custom ...; **nach alter ~** traditionally ❷ *meist pl* (*Manieren*) manners *npl;* (*moralische Normen*) moral standards *pl* ▸**andere Länder, andere ~n** other countries, other customs

Sit·ten·leh·re *f* ethics + *sing vb*

sit·ten·los <-er, -este> *adj* immoral **Sit·ten·strolch** *m* (*pej veraltend*) sex fiend **Sit·ten·ver·fall** *m kein pl* decline in moral standards **Sit·ten·wäch·ter(in)** *m(f)* (*pej*) [self-appointed] guardian of public morals **sit·ten·wid·rig** *adj* immoral

Sit·tich <-s, -e> ['zɪtɪç] *m* parakeet

sitt·lich *adj* moral

Sitt·lich·keit <-> *f kein pl* (*veraltend*) morality

Sitt·lich·keits·ver·bre·chen *nt* sex crime **Si·tu·a·ti·on** <-, -en> [zituaˈtsi̯oːn] *f* situation; (*persönlich a.*) position

si·tu·ie·ren* [zituˈiːrən] I. *vt bes* SCHWEIZ (*platzieren*) to situate II. *vr* ▪**sich situieren** to orientate oneself

Sitz <-es, -e> [zɪts] *m* ❶ (*~ gelegenheit*) seat ❷ (*Amts~*) seat; *Verwaltung* headquarters + *sing/pl vb; Unternehmen* head office; *Universität* seat; (*Hauptniederlassung*) principal establishment

Sitz·bad *nt* hipbath **Sitz·bank** *f* bench **Sitz·blo·cka·de** *f* sit-in **Sitz·ecke** *f* seating corner

sit·zen <saß, gesessen> ['zɪtsn̩] *vi haben o* SÜDD, ÖSTERR, SCHWEIZ *sein* ❶ (*sich gesetzt haben*) to sit; **gut ~** to be comfortable; ▪**das S~** sitting; **im S~** when seated, sitting down; [**bitte**] **bleib/bleiben Sie ~!** [please] don't get up ❷ (*beschäftigt sein*) ▪**an etw** *dat* **~** to sit over sth; **er sitzt im Vorstand** he has a seat on the management board ❸ (*fam: inhaftiert sein*) to do time ❹ (*seinen Sitz haben*) to have its headquarters ❺ (*befestigt sein*) to be [installed]; **locker/schief ~** to be loose/lopsided ❻ (*Passform haben*) to sit ❼ (*treffen*) to hit home ❽ SCH **~ bleiben** (*fam*) to repeat a year ❾ (*nicht absetzen können*) **auf etw** *dat* **~ bleiben** to be left with sth ▸**einen ~ haben** (*fam*) to have had one too many; **jdn ~ lassen** (*fam: im Stich lassen*) to leave sb in the lurch; (*versetzen*) to stand sb up; (*nicht heiraten*) to jilt sb; **etw nicht auf sich dat ~ lassen** not to take sth

Sitz·ge·le·gen·heit *f* seats *pl,* seating [accommodation] **Sitz·ord·nung** *f* seating plan **Sitz·platz** *m* seat **Sitz·rei·he** *f* row

[of seats]; (*in Theater*) tier **Sitz·streik** *m* sit-in

Sit·zung <-, -en> *f* ❶ (*Konferenz*) meeting; (*im Parlament*) [parliamentary] session ❷ (*Behandlung*) visit

Sit·zungs·saal *m* conference hall

Sitz·ver·tei·lung *f* POL distribution of seats **Sitz·wür·fel** *m* cube footstool, AM *also* ottoman

Six·pack <-s, -s> ['zɪkspɛk] *m* six-pack

Si·zi·li·a·ner(in) <-s, -> [zitsiˈli̯aːnɐ] *m(f)* Sicilian; *s. a.* **Deutsche(r)**

Si·zi·li·en <-s> [ziˈtsiːli̯ən] *nt* Sicily; *s. a.* **Deutschland**

Ska·la <-, Skalen *o* -s> ['skaːla, *pl* 'skaːlən] *f* ❶ (*Maßeinteilung*) scale ❷ (*Palette*) range

Skalp <-s, -e> [skalp] *m* scalp

Skal·pell <-s, -e> [skalˈpɛl] *nt* scalpel

skal·pie·ren* [skalˈpiːrən] *vt* to scalp

Skan·dal <-s, -e> [skanˈdaːl] *m* scandal; **einen ~ machen** (*fam*) to kick up a fuss

skan·da·lös [skandaˈløːs] I. *adj* scandalous, outrageous II. *adv* outrageously, shockingly

skan·dal·um·wit·tert *adj* surrounded by scandal

Skan·di·na·vi·en <-s> [skandiˈnaːvi̯ən] *nt* Scandinavia

Skan·di·na·vi·er(in) <-s, -> [skandiˈnaːvi̯ɐ] *m(f)* Scandinavian

skan·di·na·visch [skandiˈnaːvɪʃ] *adj* Scandinavian

Skat <-[e]s, -e> [skaːt] *m* KARTEN skat

Skate·board <-s, -s> ['skeːtboːɐ̯t] *nt* skateboard; **~ fahren** to skateboard

ska·ten ['skeːtn̩] *vi* (*fam*) to blade

Skat·spiel *nt* pack of skat cards

Ske·lett <-[e]s, -e> [skeˈlɛt] *nt* skeleton

Skep·sis <-> ['skɛpsɪs] *f kein pl* scepticism; **etw** *dat* **mit ~ begegnen** to be very sceptical about sth

skep·tisch ['skɛptɪʃ] I. *adj* sceptical II. *adv* sceptically

Skep·ti·zis·mus <-> [skɛptiˈtsɪsmʊs] *m kein pl* scepticism *no pl*

Sketch <-[es], -e[s]> [skɛtʃ] *m,* **Sketsch**RR <-[es], -e[s]> [skɛtʃ] *m* sketch

Ski <-s, *o* -er> [ʃiː, 'ʃiːe] *m* ski; **~ laufen** to ski

Ski·an·zug *m* ski suit

Ski·er ['ʃiːɐ] *pl von* **Ski**

Ski·fah·rer(in) *m(f)* skier **Ski·ho·se** *f* ski pants *pl* **Ski·läu·fer(in)** *m(f)* skier **Ski·leh·rer(in)** *m(f)* ski instructor **Ski·lift** *m* ski lift

Skin·head <-s, -s> ['skɪnhɛt] *m* skinhead **Ski·pis·te** *f* ski run **Ski·sprin·gen** *nt kein*

pl ski jumping *no pl, no art* **Ski·sprin·ger**(**in**) *m(f)* ski jumper **Ski·stie·fel** *m* ski boot **Ski·stock** *m* ski stick

Skiz·ze <-, -n> ['skɪtsə] *f* sketch

skiz·zen·haft I. *adj* ❶ (*einer Skizze ähnelnd*) roughly sketched ❷ (*in Form einer Skizze*) rough II. *adv* **etw ~ beschreiben/zeichnen** to give a rough description of sth/ to sketch sth roughly

skiz·zie·ren* [skɪ'tsi:rən] *vt* ❶ (*umreißen*) to outline; **etw knapp ~** to give the bare bones of sth ❷ (*als Skizze darstellen*) to sketch

Skla·ve, Skla·vin <-n, -n> ['skla:və, 'skla:vɪn] *m, f* slave

Skla·ven·hal·ter(**in**) *m(f)* slave keeper **Skla·ven·han·del** *m kein pl* slave trade *no pl*

Skla·ve·rei <-, -en> [skla:və'raɪ] *f* slavery *no art*

Skla·vin <-, -nen> *f fem form von* **Sklave**

skla·visch ['skla:vɪʃ] (*pej*) I. *adj* slavish, servile II. *adv* slavishly, with servility

Skle·ro·se <-, -n> [skle'ro:zə] *f* sclerosis; **multiple ~** multiple sclerosis

Skon·to <-s, -s *o* Skonti> ['skɔnto, *pl* 'skɔnti] *nt o m* [cash] discount

Skor·pi·on <-s, -e> [skɔr'pi̯o:n] *m* ❶ ZOOL scorpion ❷ ASTROL Scorpio

Skript <-[e]s, -en> [skrɪpt] *nt* ❶ SCH lecture notes *pl* ❷ (*schriftliche Vorlage*) transcript ❸ FILM [film] script

Skru·pel <-s, -> ['skru:pl] *m meist pl* scruple, qualms *pl;* [**keine**] **~ haben, etw zu tun** to have [no] qualms about doing sth

skru·pel·los (*pej*) I. *adj* unscrupulous II. *adv* without scruple

Skru·pel·lo·sig·keit <-> *f kein pl* (*pej*) unscrupulousness

Skulp·tur <-, -en> [skʊlp'tu:ɐ̯] *f* sculpture

skur·ril [skʊ'ri:l] *adj* bizarre

Sky·sur·fingᴿᴿ, **Sky Sur·fing** ['skaɪzø:ɐ̯fɪŋ] *nt* sky surfing

Sla·lom <-s, -s> ['sla:lɔm] *m* slalom; **~ fahren** to career [from side to side]

Slang <-s> [slɛŋ] *m kein pl* ❶ (*Umgangssprache*) slang *no art* ❷ (*Fachjargon*) jargon

Sla·we, Sla·win <-n, -n> ['sla:və, 'sla:vɪn] *m, f* Slav; *s. a.* **Deutsche**(**r**)

sla·wisch ['sla:vɪʃ] *adj* Slav[on]ic; *s. a.* **deutsch**

Sla·wis·tik <-> [sla'vɪstɪk] *f kein pl* Slavonic studies + *sing vb*

Slip <-s, -s> [slɪp] *m* panties *pl*

Slip·ein·la·ge *f* panty liner

Slo·gan <-s, -s> ['slo:gn̩] *m* slogan

Slo·wa·ke, Slo·wa·kin <-n, -n> [slo'va:-kə, slo'va:kɪn] *m, f* Slovak; *s. a.* **Deutsche**(**r**)

Slo·wa·kei <-> [slova'kaɪ] *f* ■ **die ~** Slovakia; *s. a.* **Deutschland**

Slo·wa·kin <-, -nen> *f fem form von* **Slowake**

slo·wa·kisch [slo'va:kɪʃ] *adj* Slovak[ian]; *s. a.* **deutsch**

Slo·we·ne, Slo·we·nin <-n, -n> [slo-'ve:nə, slo've:nɪn] *m, f* Slovene; *s. a.* **Deutsche**(**r**)

Slo·we·ni·en <-s> [slo've:ni̯ən] *nt* Slovenia; *s. a.* **Deutschland**

Slo·we·nin <-, -nen> *f fem form von* **Slowene**

slo·we·nisch [slo've:nɪʃ] *adj* Slovenian, Slovene; *s. a.* **deutsch**

Slum <-s, -s> [slam] *m* slum

Small·talkᴿᴿ, **Small Talk**ᴿᴿ, **Small talk**ᴬᴸᵀ <-> ['smɔ:lto:k] *m kein pl* (*geh*) small talk *no pl*

Sma·ragd <-[e]s, -e> [sma'rakt] *m* emerald

sma·ragd·grün I. *adj* emerald [green] II. *adv* like emerald

Smi·ley <-s, -s> ['smaɪli] *m* smiley

Smog <-[s], -s> [smɔk] *m* smog

Smog·alarm *m* smog alert

Smo·king <-s, -s> ['smo:kɪŋ] *m* dinner jacket, tuxedo Aᴹ

SMS <-, -> [ɛs?ɛm'ɛs] *f* MEDIA, TELEK *Abk von* **Short Message Service** text [message]

Snob <-s, -s> [snɔp] *m* snob

sno·bis·tisch [sno'bɪstɪʃ] *adj* snobby, snobbish

Snow·board <-s, -s> ['sno:bo:ɐ̯t] *nt* snowboard

so [zo:] I. *adv* ❶ *mit adj und adv* (*derart*) so; **~ viel** as much; **~ viel wie** as much as; **~ viel wie etw sein** to amount to sth; **das ist ~ weit richtig, aber ...** on the whole that is right, but ...; **~ weit sein** (*fam*) to be ready; **~ weit das Auge reicht** as far as the eye can see; **~ wenig wie möglich** as little as possible; **es ist ~, wie du sagst** it is [just] as you say ❷ *mit vb* (*derart*) **sie hat sich darauf so gefreut** she was so looking forward to it; **ich habe mich ~ über ihn geärgert!** I was so angry with him; **~ sehr, dass ...** to such a degree that ... ❸ (*auf diese Weise*) [just] like this/that, this/that way, thus *form;* **~ musst du es machen** this is how you must do it; **es ist besser ~** it's better that way; **~ ist das nun mal** (*fam*) that's the way things are; **~ ist es** that's right; **~, als ob ...** as if ...; **~ oder ~** either way, in the end; **und ~ weiter** [**und**

~ **fort**] et cetera[, et cetera]; ~ **genannt** so-called ❹ (*solch*) ■~ **ein**(e) ... such a/an ...; ~ **etwas** such a thing; ~ **etwas sagt man nicht** you shouldn't say such things ❺ (*fam: etwa*) **wir treffen uns ~ gegen 7 Uhr** we'll meet at about 7 o'clock ❻ (*fam*) **und/oder** ~ or so; **ich fahre um 5 oder ~** I'm away at 5 or so ❼ (*fam: umsonst*) for nothing **II.** *konj* ❶ (*konsekutiv*) ■~ **dass**, ■**sodass** ÖSTERR so that ❷ (*obwohl*) ~ **leid es mir auch tut** as sorry as I am **III.** *interj* ❶ (*also*) so, right; ~, **jetzt gehen wir ...** right, let's go and ... ❷ (*ätsch*) so there! ❸ (*ach*) ~, ~! (*fam*) [what] you don't say! *also iron*

s.o. *Abk von* **siehe oben** see above

so·bald [zoˈbalt] *konj* as soon as

Söck·chen <-s, -> [ˈzœkçən] *nt dim von* **Socke**

So·cke <-, -n> [ˈzɔkə] *f* sock ▸ **sich auf die ~n machen** (*fam*) to get a move on; **von den ~n sein** (*fam*) to be flabbergasted

So·ckel <-s, -> [ˈzɔkl̩] *m* ❶ (*Pedestal*) plinth, pedestal ❷ (*von Gebäude*) plinth, base course AM ❸ (*Schraubteil*) holder

So·da <-s> [ˈzoːda] *nt kein pl* ❶ CHEM soda ❷ (*Sodawasser*) soda [water]

so·dass^RR [zoˈdas] *konj* ÖSTERR (*so*) so that

So·da·was·ser *nt* soda [water]

Sod·bren·nen [zoːt-] *nt* heartburn

So·do·mie <-> [zodoˈmiː] *f kein pl* sodomy *no pl, no art*

so·e·ben [zoˈʔeːbn̩] *adv* (*geh*) **er hat ~ das Haus verlassen** he has just left the building

So·fa <-s, -s> [ˈzoːfa] *nt* sofa

So·fa·kis·sen *nt* sofa cushion

so·fern [zoˈfɛrn] *konj* if, provided that

soff [zɔf] *imp von* **saufen**

so·fort [zoˈfɔrt] *adv* immediately, at once, [right] now, this instant

So·fort·bild·ka·me·ra *f* instant camera

so·for·tig [zoˈfɔrtɪç] *adj* immediate; **mit ~er Wirkung** immediately effective

So·fort·maß·nah·me *f* immediate measure; ~**n ergreifen** to take immediate action

Soft·drink <-s, -s> [ˈzɔft-] *m* soft drink

Sof·tie <-s, -s> [ˈzɔfti] *m* (*fam*) softie

Soft·por·no [ˈsɔft-] *m* soft[-core] porn [film]

Soft·ware <-, -s> [ˈsɔftvɛːɐ̯] *f* software

Soft·ware·ent·wick·ler, **-ent·wick·le·rin** [ˈsɔftvɛːɐ̯-] *m, f* INFORM software developer **Soft·ware·pa·ket** [ˈsɔftvɛːɐ̯-] *nt* software package

sog [zoːk] *imp von* **saugen**

sog. *adj Abk von* **so genannt** so-called

Sog <-[e]s, -e> [zoːk] *m* suction

so·gar [zoˈgaːɐ̯] *adv* even; ~ **mein Bruder kam** even my brother came

so·gleich [zoˈglaɪ̯ç] *adv* (*geh*) *s.* **sofort**

Soh·le <-, -n> [ˈzoːlə] *f* sole ▸ **auf lei·sen** ~**n** noiselessly

Sohn <-[e]s, Söhne> [zoːn, *pl* ˈzøːnə] *m* son

So·ja <-s, -jen> [ˈzoːja, *pl* ˈzoːjən] *meist sing f* soy *no pl*

So·ja·boh·ne *f* soybean **So·ja·öl** *nt* soy oil **So·ja·so·ße** *f* soy sauce **So·ja·spross**^RR *m* [soya] bean sprout

so·lang [zoˈlaŋ] *konj*, **so·lan·ge** [zoˈlaŋ(ə)] *konj* as long as

so·lar [zoˈlaːɐ̯] *adj* solar

So·lar·ener·gie *f* solar energy

So·la·ri·um <-s, -ien> [zoˈlaːri̯ʊm, *pl* -ˈlaːri̯ən] *nt* solarium

So·lar·kraft·werk *nt* solar power station **So·lar·tech·nik** *f* solar [cell] technology **So·lar·zel·le** *f* solar cell

solch [zɔlç] *adj* such; ~ **ein Mann** such a man

sol·che(r, s) *adj* ❶ *attr* such; ~ **Frauen** such women, women like that; **sie hatte ~ Angst ...** she was so afraid ... ❷ *substantivisch* (~ *Menschen*) such people, people like that; (*ein ~ r Mensch*) such a person, a person like this/that; ~ **wie wir** people like us; **als ~**(r, s) as such, in itself; **der Mensch als ~ r** man as such; **es gibt ~ und ~ Kunden** there are customers and customers

sol·cher·lei [ˈzɔlçɐˈlaɪ̯] *adj attr* such; ~ **Dinge** such things, things like that

Sold <-[e]s> [zɔlt] *m kein pl* MIL pay

Sol·dat(in) <-en, -en> [zɔlˈdaːt] *m(f)* soldier

Söld·ner(in) <-s, -> [ˈzœldnɐ] *m(f)* mercenary

So·li [ˈzoːli] *pl von* **Solo**

so·lid [zoˈliːt] **I.** *adj* ❶ (*haltbar, fest*) solid; *Kleidung* durable ❷ (*fundiert*) sound, thorough ❸ (*untadelig*) respectable, steady-being ❹ (*finanzkräftig*) solid, sound, well-established *attr*; (*zuverlässig, seriös*) sound **II.** *adv* ❶ (*haltbar, fest*) solidly ❷ (*untadelig*) respectably

So·li·dar·bei·trag [zoliˈdaːɐ̯-] *m* contribution to social security

so·li·da·risch [zoliˈdaːrɪʃ] **I.** *adj* **eine ~e Haltung** an attitude of solidarity; **sich** [mit **jdm/etw**] ~ **erklären** to declare one's solidarity [with sb/sth] **II.** *adv* in solidarity; **sich ~ verhalten** to show one's solidarity

so·li·da·ri·sie·ren* [zolidariˈziːrən] *vr* ■**sich ~** to show [one's] solidarity (**mit**

with)

So·li·da·ri·tät <-> [zolidari'tɛːt] *f kein pl* solidarity; **aus ~** out of solidarity

So·li·da·ri·täts·zu·schlag *m* POL *surcharge on income tax to finance the economic rehabilitation of former East Germany*

so·li·de [zoˈliːdə] *adj, adv s.* **solid**

So·list(in) <-en, -en> [zoˈlɪst] *m(f)* MUS soloist

Soll <-[s], -[s]> [zɔl] *nt* ❶ (~ *seite*) debit side; **~ und Haben** debit and credit ❷ (*Produktionsnorm*) target; **sein ~ erfüllen** to reach one's target

sol·len [ˈzɔlən] **I.** *vb aux* <sollte, sollen> ❶ (*etw zu tun haben*) **du sollst herkommen, habe ich gesagt!** I said [you should] come here!; **man hat mir gesagt, ich soll Sie fragen** I was told to ask you; **du sollst morgen anrufen** you're to give her/him a ring tomorrow; **was ~ wir machen?** what shall we do? ❷ *konditional* (*falls*) **sollte das passieren, ...** should that happen ... ❸ *konjunktivisch* (*eigentlich müssen*) **du sollst dich schämen!** you should be ashamed [of yourself]; **was hätte ich tun ~?** what should I have done?; **das solltest du unbedingt sehen** you have to see this; **so soll es sein** that's how it ought to be ❹ (*angeblich sein*) ■ **etw sein/tun ~** to be supposed to be/do sth; **er soll sehr reich sein** he is said to be very rich; **was soll das heißen?** what's that supposed to mean? ❺ (*dürfen*) **du hättest das nicht tun ~** you should not have done that ❻ *in der Vergangenheit* **es sollte ganz anders kommen** things were to turn out quite differently; **es hat nicht sein ~** it wasn't to be **II.** *vi* <sollte, gesollt> ❶ (*eine Anweisung befolgen*) **soll er reinkommen? — ja, er soll** should he come in? — yes, he should ❷ (*müssen*) **du sollst sofort nach Hause** you should go home at once ❸ (*bedeuten*) **was soll der Blödsinn?** (*fam*) what's all this nonsense about?; **was soll das?** (*fam*) what's that supposed to mean?; **was soll's?** (*fam*) who cares?

Soll·sei·te *f* ÖKON debit side

So·lo <-s, Soli> [ˈzoːlo, *pl* ˈzoːli] *nt* MUS solo

So·ma·lia <-> [zoˈmaːli̯a] *nt* Somalia; *s. a.* **Deutschland**

So·ma·li·er(in) <-s, -> *m(f)* Somali; *s. a.* **Deutsche(r)**

so·ma·lisch *adj* Somali; *s. a.* **deutsch**

so·mit [zoˈmɪt] *adv* therefore, hence *form*

Som·mer <-s, -> [ˈzɔmɐ] *m* summer; **im nächsten ~** next summer

Som·mer·fe·ri·en *pl* summer holidays *pl* [*or* AM vacation] **Som·mer·klei·dung** *f* summer clothing

som·mer·lich **I.** *adj* summer *attr;* **~es Wetter** summer[-like] weather **II.** *adv* like in summer; **sich ~ kleiden** to wear summer clothes

Som·mer·loch *nt* POL (*sl*) silly season BRIT **Som·mer·pau·se** *f* POL summer recess **Som·mer·rei·fen** *m* normal tyre **Som·mer·schluss·ver·kauf**RR *m* summer sale[s *pl*] **Som·mer·se·mes·ter** *nt* summer semester, ≈ summer term BRIT **Som·mer·spros·se** *f meist pl* freckle **Som·mer·ur·laub** <-(e)s, -e> *m* summer holiday **Som·mer·zeit** *f* summertime

So·na·te <-, -n> [zoˈnaːtə] *f* sonata

Son·de <-, -n> [ˈzɔndə] *f* ❶ MED (*Schlauch~*) tube; (*Operations~*) probe ❷ (*Raum~*) probe

Son·der·an·ge·bot *nt* special offer; **etw im ~ haben** to have sth on special offer **Son·der·aus·ga·be** *f* ❶ MEDIA special edition ❷ *kein pl* ÖKON additional expenses *pl* **son·der·bar** [ˈzɔndɐbaːɐ̯] **I.** *adj* peculiar, strange, odd **II.** *adv* strangely **Son·der·er·mitt·ler** *m* special envoy **Son·der·fall** *m* special case **Son·der·ge·neh·mi·gung** *f* special authorization *no art;* **eine ~ haben** to have special authorization

son·der·glei·chen [ˈzɔndɐˈglai̯çn̩] *adj* **eine Frechheit ~** the height of cheek BRIT **son·der·lich** [ˈzɔndɐlɪç] **I.** *adj* ❶ *attr* (*besonders*) particular ❷ (*seltsam*) strange, peculiar, odd **II.** *adv* particularly; **nicht ~ begeistert** not particularly enthusiastic

Son·der·ling <-s, -e> [ˈzɔndɐlɪŋ] *m* queer bird BRIT, oddball

Son·der·mar·ke *f* special stamp **Son·der·müll** *m* hazardous waste

son·dern [ˈzɔndɐn] *konj* but; **nicht sie war es, ~ er** it wasn't her, but him

Son·der·preis *m* special [reduced] price **Son·der·recht** *nt* [special] privilege **Son·der·re·ge·lung** *f* special provision **Son·der·schu·le** *f* special school; (*für geistig Behinderte a.*) school for the mentally disabled **Son·der·schul·leh·rer(in)** *m(f)* teacher at a special school/a school for the mentally handicapped **Son·der·stel·lung** *f* special position **Son·der·zug** *m* special train

son·die·ren* [zɔnˈdiːrən] *vt* (*erkunden*) to sound out *sep;* MED to probe

So·nett <-[e]s, -e> [zoˈnɛt] *nt* sonnet

Song <-s, -s> [zɔŋ] *m* song
Sonn·abend ['zɔn?a:bn̩t] *m* DIAL *(Samstag)* Saturday
sonn·abends *adv* DIAL *(samstags)* on Saturday[s]
Son·ne <-, -n> ['zɔnə] *f* ❶ *kein pl* sun; **die ~ geht auf/unter** the sun rises/sets ❷ *(Stern)* star; *(mit Planeten a.)* sun
son·nen ['zɔnən] *vr* ❶ *(sonnenbaden)* ■ **sich** *akk* ~ to sun oneself, to sunbathe ❷ *(genießen)* ■ **sich in etw** *dat* ~ to bask in sth
Son·nen·auf·gang *m* sunrise, sunup AM
Son·nen·bad *nt* sunbathing *no art, no pl;* **ein ~ nehmen** to sunbathe **Son·nen·blu·me** *f* sunflower **Son·nen·brand** *m* sunburn *no art;* **einen ~ bekommen** to get sunburnt **Son·nen·bril·le** *f* sunglasses *npl,* shades *npl* **Son·nen·creme** *f* suncream **Son·nen·dach** *nt* ❶ *(Sonnenschutz)* awning ❷ AUTO *(veraltend)* sunroof **Son·nen·ein·strah·lung** *f* insolation **Son·nen·ener·gie** *f* solar energy **Son·nen·fins·ter·nis** *f* solar eclipse **son·nen·klar** ['zɔnən'kla:ɐ̯] *adj (fam)* crystal-clear, clear as daylight *pred* **Sonn·en·kol·lek·tor** *m* solar panel **Son·nen·kraft·werk** *nt* solar power station **Son·nen·licht** *nt kein pl* sunlight *no pl* **Son·nen·milch** *f* suntan lotion **Son·nen·öl** *nt* suntan oil **Son·nen·schein** *m* sunshine; **bei strahlendem ~** in brilliant sunshine **Son·nen·schirm** *m* sunshade; *(tragbar)* parasol **Son·nen·sei·te** *f* side facing the sun, sunny side **Son·nen·stich** *m* sunstroke *no art;* **einen ~ haben** to have sunstroke **Son·nen·strahl** *m* sunbeam **Son·nen·sys·tem** *nt* solar system **Son·nen·uhr** *f* sundial **Son·nen·un·ter·gang** *m* sunset, sundown AM **Son·nen·wen·de** *f* solstice
son·nig ['zɔnɪç] *adj* sunny
Sonn·tag ['zɔnta:k] *m* Sunday; *s. a.* **Dienstag**
sonn·täg·lich *adj* [regular] Sunday *attr*
Sonn·tag·nach·mit·tagᴿᴿ *m* Sunday afternoon; *s. a.* **Dienstag**
sonn·tags *adv* on Sundays, on a Sunday
Sonn·tags·ar·beit *f* Sunday working **Sonn·tags·dienst** *m (von Polizist)* Sunday duty; *(von Apotheker)* opening on Sundays *no art* **Sonn·tags·red·ner(in)** *m(f)* SOZIOL, POL *(pej)* speechifier *hum*
so·nor [zo'no:ɐ̯] *adj* sonorous
sonst [zɔnst] *adv* ❶ *(andernfalls)* or [else], otherwise ❷ *(gewöhnlich)* usually; **du hast doch ~ keine Bedenken** you don't usually have any doubts; **kälter als ~** cold-

er than usual ❸ *(früher)* before; **fuhr er ~ nicht immer einen anderen Wagen?** didn't he always drive a different car before? ❹ *(außerdem)* **wer war ~ anwesend?** who else was present?; **~ noch Fragen?** any more questions?; ■ **~ noch etwas** something else; ■ **~ keine(r/s)** nothing/nobody else; **~ nichts** nothing else; **~ was** whatever
sons·tig ['zɔnstɪç] *adj attr* ❶ *(weitere[s])* [all/any] other; **„S~es"** "other" ❷ *(anderweitig)* **und wie sind ihre ~en Leistungen?** and how is her performance otherwise?
so·oft [zo'?ɔft] *konj* whenever
So·pran <-s, -e> [zo'pra:n] *m kein pl* soprano
Sor·bet <-s, -s> ['zɔrbɛt, zɔr'be:] *m o nt,* **Sorbett** <-[e]s, -e> [zɔr'bɛt] *m o nt* sherbe[r]t
Sor·ge <-, -n> ['zɔrgə] *f* worry *(um* for); **das ist meine geringste ~** that's the least of my worries; **eine große ~** a serious worry; **~n haben** to have problems; **jdm ~n machen** to cause sb a lot of worry; **es macht jdm ~n, dass ...** it worries sb that ...; **wir haben uns solche ~n gemacht!** we were so worried; **machen Sie sich deswegen keine ~n!** don't worry about that; **mit ~** with concern; **lassen Sie das meine ~ sein!** let me worry about that; **keine ~!** *(fam)* don't [you] worry; **eine ~ weniger** one less thing to worry about
sor·gen ['zɔrgn̩] **I.** *vi* ❶ *(sich kümmern)* ■ **für jdn ~** to provide for sb, to look after sb ❷ *(besorgen)* **für etw** *akk* ~ to get sth; **für gute Stimmung/die Musik ~** to create a good atmosphere/attend to the music; ■ **dafür ~, dass ...** to see to it that; **dafür ist gesorgt** that's taken care of ❸ *(bewirken)* **für Aufsehen ~** to cause a sensation **II.** *vr* ■ **sich um jdn/etw ~** to be worried about sb/sth
sor·gen·frei I. *adj* carefree, free of care *pred* **II.** *adv* free of care **Sor·gen·kind** *nt* problem child **sor·gen·voll I.** *adj* ❶ *(besorgt)* worried ❷ *(viele Probleme bietend)* full of worries *pred* **II.** *adv* worriedly, anxiously
Sor·ge·recht *nt kein pl* custody
Sorg·falt <-> ['zɔrkfalt] *f kein pl* care
sorg·fäl·tig I. *adj* careful **II.** *adv* carefully, with care
sorg·los ['zɔrklo:s] **I.** *adj* ❶ *(achtlos)* careless ❷ *s.* **sorgenfrei II.** *adv* ❶ *(achtlos)* carelessly ❷ *(sorgenfrei)* free of care
Sorg·lo·sig·keit <-> *f kein pl* carelessness;

(*ohne Sorge*) carefreeness

sorg·sam [ˈzɔrkzaːm] *adj s.* **sorgfältig**

Sor·te <-, -n> [ˈzɔrtə] *f* ❶ (*Art*) kind, variety ❷ (*Marke*) brand

sor·tie·ren [zɔrˈtiːrən] *vt* ❶ (*ordnen*) **etw** [**nach Farbe**] ~ to sort sth [according to colour]; **etw** [**alphabetisch**] ~ to arrange sth in alphabetical order ❷ (*einordnen*) **Dias in einen Kasten** ~ to sort slides and place them in a box

Sor·ti·ment <-[e]s, -e> [zɔrtiˈmɛnt] *nt* range [of goods]

SOS <-, -> [ɛsʔoːˈʔɛs] *nt Abk von* **save our souls** SOS; ~ **funken** to put out an SOS

so·sehr [zoˈzeːɐ̯] *konj* ■ ~ [**... auch**] however much ..., no matter how much ...

So·ße <-, -n> [ˈzoːsə] *f* sauce; (*Braten~*) gravy

So·ßen·löf·fel *m* sauce spoon

sott [zɔt] (*veraltend*) *imp von* **sieden**

Souf·flé, **Souf·flee**[RR] <-s, -s> [zuˈfleː] *nt* KOCHK soufflé

Souf·fleur <-s, -e> [zuˈfløːɐ̯] *m,* **Souf·fleu·se** <-, -n> [zuˈfløːzə] *f* THEAT prompter

Souf·fleur·kas·ten [zuˈfløːɐ̯-] *m* THEAT prompt[er's] box

souf·flie·ren [zuˈfliːrən] *vi* THEAT to prompt

Sound <-s, -s> [zaʊnt] *m* MUS sound

Sound·kar·te [ˈzaʊnt-] *f* INFORM sound board

so·und·so [ˈzoːʔʊntzoː] **I.** *adv* (*fam*) such and such; ~ **breit/groß** of such and such a width/size; ~ **viele** so and so many **II.** *adj* so-and-so; **auf Seite** ~ on page so-and-so

so·und·so·viel·te(r, s) [ˈzoːʔʊntzoˈfiːltə, -ˈfiːltɐ, -ˈfiːltəs] *adj* (*fam*) such and such; **am ~n August** on such and such a date in August

Sou·ter·rain <-s, -s> [sutɛˈrɛ̃ː, ˈzuːtɛrɛ̃] *nt* basement

Sou·ve·nir <-s, -s> [zuvəˈniːɐ̯] *nt* souvenir

Sou·ve·nir·la·den *m* souvenir shop

sou·ve·rän [zuvəˈrɛːn] **I.** *adj* ❶ (*unabhängig*) sovereign *attr* ❷ (*überlegen*) superior **II.** *adv* with superior ease; **etw** ~ **machen** to do sth with consummate ease

Sou·ve·rä·ni·tät <-> [zuvərɛniˈtɛːt] *f kein pl* sovereignty *no pl;* (*Überlegenheit*) superior ease

so·viel [zoˈfiːl] *konj* as far as; ~ **ich weiß** as far as I know; ~ **ich auch trinke ...** no matter how much I drink ...

so·weit [zoˈvait] *konj* as far as; ~ **ich weiß** as far as I know

so·we·nig [zoˈveːnɪç] *konj* ■ ~ ... auch

so·wie [zoˈviː] *konj* ❶ (*sobald*) as soon as, the moment [that] ❷ (*und auch*) as well as

so·wie·so [zoviˈzoː] *adv* anyway, anyhow

So·wjet <-s, -s> [zɔˈvjɛt, ˈzɔvjɛt] *m* soviet

So·wjet·bür·ger(in) *m(f)* (*hist*) Soviet citizen

so·wje·tisch [zɔˈvjɛtɪʃ, zɔˈvjeːtɪʃ], **so·wje·tisch** [zɔˈvjɛtɪʃ] *adj* Soviet

So·wjet·uni·on [zɔˈvjɛtʔunjoːn] *f* (*hist*) ■ **die** ~ the Soviet Union

so·wohl [zoˈvoːl] *konj* ■ ~ ... **als auch** ... both ... and ..., ... as well as ...

So·zi <-s, -s> [ˈzoːtsi] *m* (*fam*) *s.* **Sozialdemokrat** Socialist, pinko *pej*

So·zia <-, -s> [ˈzoːtsi̯a] *f fem form von* **Sozius**

so·zi·al [zoˈtsi̯aːl] **I.** *adj* ❶ (*gesellschaftlich*) social ❷ (*für Hilfsbedürftige gedacht*) social security *attr,* by social security *pred;* ~**e Leistungen** social security payments ❸ (*gesellschaftlich verantwortlich*) public-spirited; **eine ~e Ader** a streak of [the] public spirit **II.** *adv* ❶ socially ❷ socially deprived; ~ **denken** to be social-minded

So·zi·al·ab·bau *m kein pl* cuts in social services **So·zi·al·ab·ga·ben** *pl* social security contributions **So·zi·al·amt** *nt* social security office BRIT, welfare department AM **So·zi·al·ar·bei·ter(in)** *m(f)* social worker **So·zi·al·bei·trä·ge** *pl* social contributions **So·zi·al·be·trü·ger(in)** *m(f)* JUR (*pej fam*) person committing benefit fraud **So·zi·al·de·mo·krat(in)** [zoˈtsi̯aːldemokraːt] *m(f)* social democrat **So·zi·al·de·mo·kra·tie** [zoˈtsi̯aːldemokratiː] *f kein pl* social democracy *no pl, no art* **So·zi·al·de·mo·kra·tin** *f fem form von* **Sozialdemokrat so·zi·al·de·mo·kra·tisch** *adj* social-democratic **So·zi·al·fall** *m* hardship case **So·zi·al·ge·fü·ge** *nt* SOZIOL social welfare net **So·zi·al·hil·fe** *f kein pl* income support, [social] welfare AM **So·zi·al·hil·fe·emp·fän·ger(in)** *m(f)* person receiving income support

so·zi·a·li·sie·ren [zotsi̯aliˈziːrən] *vt* ❶ POL (*verstaatlichen*) to nationalize ❷ SOZIOL, PSYCH to socialize

So·zi·a·lis·mus <-> [zotsi̯aˈlɪsmʊs] *m kein pl* socialism

So·zi·a·list(in) <-en, -en> [zotsi̯aˈlɪst] *m(f)* socialist

so·zi·a·lis·tisch [zotsi̯aˈlɪstɪʃ] *adj* ❶ (*Sozialismus betreffend*) socialist ❷ ÖSTERR (*sozialdemokratisch*) social-democratic

So·zi·al·kom·pe·tenz *f* PSYCH, SOZIOL (*fachspr*) social competence **So·zi·al·leis·tun·gen** *pl* social security benefit **So·zi·**

al·pä·da·go·gik f social education **So·zi· al·plan** m redundancy payments scheme BRIT, severance scheme AM **So·zi·al·po·li· tik** f kein pl social policy **So·zi·al·pro· dukt** nt ÖKON [gross] national product **So· zi·al·staat** m welfare state **So·zi·al·ver· si·che·rung** f National Insurance BRIT, Social Security AM **So·zi·al·ver·si·che· rungs·aus·weis** m National Insurance card BRIT **So·zi·al·wis·sen·schaf·ten** pl social sciences **So·zi·al·woh·nung** f council house BRIT, [housing] project AM

So·zi·o·lo·ge, -lo·gin <-n, -n> [zot- si̯o'lo:gə, -'lo:gɪn] m, f sociologist

So·zi·o·lo·gie <-> [zotsi̯olo'gi:] f kein pl sociology

So·zi·o·lo·gin <-, -nen> f fem form von **Soziologe**

so·zi·o·lo·gisch [zotsi̯o'lo:gɪʃ] adj sociological

So·zi·us, So·zia[1] <-, Sozii> ['zo:tsi̯ʊs, 'zo:tsi̯a, pl 'zo:tsii] m, f (Teilhaber) partner

So·zi·us, So·zia[2] <-, -se> ['zo:tsi̯ʊs, 'zo:tsi̯a, pl 'zo:tsi̯ʊsə] m, f (Beifahrer) pillion rider; **als ~ mitfahren** to ride pillion

so·zu·sa·gen [zo:tsu'za:gn̩] adv as it were, so to speak

Spach·tel <-s, -> ['ʃpaxtl̩] m spatula

spach·teln ['ʃpaxtl̩n] vi **❶** (mit Spachtel arbeiten) to do some filling **❷** DIAL (fam: reichlich essen) to tuck in

spac·ig ['spe:sɪç] I. adj (sl) space-age attr, out of this world pred II. adv (fam) futuristically; **~ gekleidete Mitarbeiter** employees in space-age uniforms

Spa·gat <-[e]s, -e> [ʃpa'ga:t] m o nt the splits npl; [einen] **~ machen** to do the splits

Spa·get·ti[RR] [ʃpa'gɛti] pl, **Spa·ghet·ti** [ʃpa'gɛti] pl spaghetti + sing vb

spä·hen ['ʃpɛ:ən] vi **❶** (suchend blicken) **aus dem Fenster ~** to peer out of the window; **■ durch etw** akk **~** to peep through sth **❷** (Ausschau halten) to look out (nach for)

Spä·her(in) <-s, -> ['ʃpɛ:ɐ] m(f) MIL scout **Späh·trupp** ['ʃpɛ:-] m MIL reconnaissance party

Spa·lier <-s, -e> [ʃpa'li:ɐ̯] nt **❶** (Gitterge- stell) trellis **❷** (Gasse aus Menschen) row, line; **~ stehen** to form a line; (Ehrenforma- tion) to form a guard of honour

Spalt <-[e]s, -e> [ʃpalt] m gap; (Riss) crack; (Fels~) crevice; **die Tür einen ~ öffnen/offen lassen** to open the door slightly/leave the door ajar

spalt·bar adj NUKL fissionable

Spal·te <-, -n> ['ʃpaltə] f **❶** (Öffnung) fissure; (Fels~ a.) crevice; (Gletscher~) crevasse **❷** TYPO, MEDIA column

spal·ten ['ʃpaltn̩] I. vt <pp gespalten o gespaltet> **❶** (zerteilen) to split; Holz to chop **❷** (trennen) to rend, to divide II. vr <pp gespalten> **■ sich ~ ❶** (der Länge nach reißen) to split **❷** (sich teilen) to divide

Spal·tung <-, -en> f **❶** NUKL splitting, fission **❷** (Aufspaltung in Fraktionen) division; (von Partei a.) split

Spam·mail <-, -s> ['spɛmme:l] f INET (pej) spam [mail]

Span <-[e]s, Späne> [ʃpa:n, pl 'ʃpɛ:nə] m (Holz~) shaving, [wood]chip; (Bohr~) boring ▶ **wo gehobelt wird, [da] fallen Späne** (prov) you can't make an omelette without breaking eggs prov

Span·fer·kel ['ʃpa:nfɛrkl̩] nt sucking pig

Span·ge <-, -n> ['ʃpaŋə] f **❶** (Haar~) hairslide BRIT, barrette AM **❷** (Zahn~) [dental] brace

Spa·ni·en <-s> ['ʃpa:ni̯ən] nt Spain; s. a. **Deutschland**

Spa·ni·er(in) <-s, -> ['ʃpa:ni̯ɐ] m(f) Spaniard; **■ die ~** the Spanish; s. a. **Deutsche(r)**

spa·nisch ['ʃpa:nɪʃ] adj Spanish; **das kommt mir ~ vor** (fig fam) I don't like the look of it/this; s. a. **deutsch**

Spa·nisch ['ʃpa:nɪʃ] nt dekl wie adj Spanish; **auf S~** in Spanish; s. a. **Deutsch**

spann [ʃpan] imp von **spinnen**

Spann <-[e]s, -e> [ʃpan] m ANAT instep

Spann·bett·tuch[RR] nt fitted sheet **Spann·brei·te** f kein pl spectrum

Span·ne <-, -n> ['ʃpanə] f **❶** (Handels~) [trade] margin; (Gewinn~) [profit] margin **❷** (Zeit~) span

span·nen ['ʃpanən] I. vt **❶** (straffen) to tighten **❷** (auf~) to put up; **ein Seil zwi- schen etw** akk **~** to stretch a rope between sth **❸** (an~) **■ ein Tier vor etw** akk **~** to harness an animal to sth **❹** (straff befesti- gen) to clamp a workpiece in/between sth II. vr **■ sich ~ ❶** Seil to become taut **❷** (geh: sich wölben) to stretch (über across) III. vi **❶** (zu eng sitzen) to be [too] tight **❷** (zu straff sein) to be taut

span·nend I. adj exciting; (stärker) thrilling; **mach's nicht so ~!** don't keep us/me in suspense II. adv **etw ~ darstellen** to bring across sth as exciting; **~ schreiben** to write in an exciting manner

Span·ner <-s, -> m (Schuhspanner) shoe tree

Span·ner(in) <-s, -> m(f) (sl: Voyeur) peeping Tom

Spann·kraft *f kein pl* buoyancy; (*von Haar*) elasticity; PHYS tension force

Span·nung <-, -en> *f* ❶ *kein pl* (*fesselnde Art*) tension, suspense ❷ *kein pl* (*gespannte Erwartung*) suspense; **etw** *akk* **mit ~ erwarten** to await sth full of suspense ❸ *meist pl* (*Anspannung*) tension ❹ *kein pl* (*straffe Beschaffenheit*) tension, tautness; TECH stress ❺ ELEK voltage; **unter ~ stehen** to be live

Span·nungs·ge·biet *nt* area of tension

Spann·wei·te *f* ❶ ORN, ZOOL wingspan ❷ BAU span

Spar·buch *nt* savings book **Spar·büch·se** *f* piggy bank

spa·ren ['ʃpaːrən] I. *vt* ❶ (*einsparen*) to save ❷ (*ersparen*) ▪ **jdm/sich etw ~** to spare sb/oneself sth; **den Weg hätten wir uns ~ können** we could have saved ourselves that journey ❸ (*verzichten*) ▪ **sich** *dat* **etw ~** to keep sth to oneself; **deine Ratschläge kannst du dir ~** you can keep your advice to yourself II. *vi* ❶ FIN (*Geld zurücklegen*) to save; ▪ **für etw** *akk* **~** to save up for sth ❷ (*sparsam sein*) to economize (**an** on)

Spa·rer(in) <-s, -> *m(f)* saver

Spar·flam·me *f* ▸ **auf ~** just ticking over BRIT

Spar·gel <-s, -> ['ʃpargl] *m* asparagus *no pl*

Spar·gut·ha·ben *nt* savings *npl* **Spar·kas·se** *f* bank (*supported publicly by the commune or district*) **Spar·kon·to** *nt* savings account

spär·lich ['ʃpɛːɐ̯lɪç] I. *adj* (*Haarwuchs, Vegetation*) sparse; (*Ausbeute, Reste*) meagre II. *adv* sparsely; **~ bekleidet** scantily clad; **~ besucht** poorly attended

Spar·maß·nah·me *f* cost-cutting measure **Spar·pa·ckung** *f* economy pack **Spar·preis** *m* budget price

spar·sam ['ʃpaːɐ̯zaːm] I. *adj* ❶ (*wenig verbrauchend*) thrifty ❷ (*ökonomisch*) economical II. *adv* ❶ (*wenig verbrauchend*) thriftily; **damit sollte man ~ umgehen** this should be used sparingly ❷ (*ökonomisch*) sparingly

Spar·sam·keit <-> *f kein pl* thriftiness *no pl*

Spar·schwein *nt* piggy bank **Spar·tarif** *m* TELEK, INET, TRANSP budget tariff BRIT, budget rate AM

Spar·te <-, -n> ['ʃpartə] *f* ❶ (*Branche*) line of business ❷ (*Spezialbereich*) area, branch ❸ (*Rubrik*) section, column

Spar·ver·trag *m* savings agreement **Spar·wut** *f kein pl* (*pej fam*) obsessive thrift

Spaß <-es, Späße> [ʃpaːs, *pl* 'ʃpɛːsə] *m* ❶ *kein pl* (*Vergnügen*) fun *no pl;* **~ haben** to have fun; **an etw** *dat* **~ haben** to enjoy sth; [**nur**] **~ machen** to be [just] kidding; **es macht jdm ~, etw zu tun** sb enjoys doing sth; **sich** *dat* **einen ~ daraus machen, etw zu tun** to get pleasure out of doing sth; **jdm den ~ verderben** to spoil sb's fun; **„viel ~!"** "have fun!", "enjoy yourself/yourselves!" ❷ (*Scherz*) joke; **irgendwo hört der ~ auf** that's going beyond a joke; **~ muss sein** (*fam*) there's no harm in a joke; **keinen ~ verstehen** to not stand for any nonsense; **~ beiseite** joking apart ▸ **ein teurer ~ sein** to be an expensive business

Spaß·bad *nt* waterpark

spa·ßen ['ʃpaːsn̩] *vi* to joke; **mit etw** *dat* **ist nicht zu ~** sth is no joking matter

spa·ßes·hal·ber *adv* for the fun of it

Spaß·ge·sell·schaft *f* SOZIOL (*pej*) hedonistic society

spaß·haft I. *adj* joking II. *adv* jokingly

spa·ßig ['ʃpaːsɪç] *adj* funny

Spaß·ver·der·ber(in) <-s, -> *m(f)* spoilsport **Spaß·vo·gel** *m* joker

Spas·ti·ker(in) <-s, -> ['ʃpastikɐ] *m(f)* spastic

spas·tisch ['ʃpastɪʃ] *adj* spastic

spät [ʃpɛːt] I. *adj* late; **am ~en Abend** in the late evening; ▪ **~ sein/werden** to be/ be getting late II. *adv* late; **du kommst zu ~** you're too late; **~ dran sein** to be late; **zu ~** too late ▸ **wie ~** what time; **wie ~ kommst du heute nach Hause?** what time are you coming home today?

Spät·aus·sied·ler(in) *m(f)* German emigrant who returned to Germany long after the end of World War II **Spät·bu·cher(in)** *m(f)* holidaymaker with a late booking **Spät·dienst** <-(e)s, -> *m kein pl* late shift

Spa·ten <-s, -> ['ʃpaːtn̩] *m* spade

Spät·ent·wick·ler(in) *m(f)* MED, PSYCH late developer

spä·ter ['ʃpɛːtɐ] I. *adj* later II. *adv* ❶ (*zeitlich danach*) later [on]; **bis ~!** see you later!; **nicht ~ als** not later than ❷ (*die Zukunft*) the future; **jeder Mensch sollte für ~ vorsorgen** every person should make provisions for the future; **jdn auf ~ vertrösten** to put sb off; **~ [ein]mal** at a later date

spä·tes·tens ['ʃpɛːtəstn̩s] *adv* at the latest

Spät·fol·ge <-, -n> *f meist pl* delayed effect **Spät·go·tik** <-> *f* ARCHIT late Gothic **Spät·le·se** *f* AGR late vintage **Spät·schicht** *f* late shift **Spät·som·mer** *m* late summer *no pl* **Spät·vor·stel·lung** *f*

Spatz <-es *o* -es, -en> [ʃpats] *m* ORN sparrow ▶ **das pfeifen die ~en von den Dächern** (*fam*) everybody knows that; **besser ein ~ in der Hand als eine Taube auf dem Dach** (*prov*) a bird in the hand is worth two in the bush *prov*

Spätz·le [ˈʃpɛtslə] *pl* SÜDD spaetzle + *sing/ pl vb*, small dough dumplings

Spät·zün·dung *f* retarded ignition *no pl*

spa·zie·ren * [ʃpaˈtsiːrən] *vi sein* to stroll [*or* walk]; **den Hund ~ führen** to take the dog for a walk; **~ fahren** to go for a drive; **~ gehen** to go for a walk

Spa·zier·fahrt *f* drive; **eine ~ machen** to go for a drive **Spa·zier·gang** <-gänge> *m* walk, stroll; **einen ~ machen** to go for a walk ▶ **kein ~ sein** to be no child's play **Spa·zier·gän·ger(in)** <-s, -> *m(f)* stroller **Spa·zier·stock** *m* walking stick

SPD <-> [ɛspeːˈdeː] *f kein pl* POL *Abk von* **Sozialdemokratische Partei Deutschlands** *the largest popular party in Germany*

Specht <-[e]s, -e> [ʃpɛçt] *m* woodpecker

Speck <-[e]s, -e> [ʃpɛk] *m* bacon *no pl*

spe·ckig [ˈʃpɛkɪç] *adj* greasy

Speck·rol·le *f* (*hum fam*) roll of fat, BRIT *also* spare tyre **Speck·schwar·te** *f* bacon rind *no pl*

Spe·di·teur(in) <-s, -e> [ʃpediˈtøːɐ] *m(f)* (*Transportunternehmer*) haulage [*or* AM shipping] contractor; (*Umzugsunternehmer*) removal firm BRIT, moving company AM

Spe·di·ti·on <-, -en> [ʃpediˈtsi̯oːn] *f* (*Transportunternehmen*) haulage company; (*Umzugsunternehmen*) removal firm

Speed <-s, -s> [spiːt] *nt* speed

Speer <-[e]s, -e> [ʃpeːɐ] *m* ① SPORT javelin ② (*Waffe*) spear

Speer·wer·fen *nt kein pl* SPORT the javelin *no pl* **Speer·wer·fer(in)** *m(f)* ① SPORT javelin thrower ② HIST spear carrier

Spei·che <-, -n> [ˈʃpaiçə] *f* ① TECH spoke ② ANAT radius

Spei·chel <-s> [ˈʃpaiçl̩] *m kein pl* saliva *no pl*

Spei·chel·drü·se *f* salivary gland **Spei·chel·pro·be** *f* MED, JUR saliva sample **Spei·chel·test** *m* JUR, MED saliva test

Spei·cher <-s, -> [ˈʃpaiçɐ] *m* ① (*Dachboden*) attic, loft; **auf dem ~** in the attic ② (*Lagerhaus*) storehouse ③ INFORM memory

Spei·cher·funk·ti·on *f* INFORM memory function **Spei·cher·ka·pa·zi·tät** *f* ① IN-

FORM memory capacity ② (*Lagermöglichkeit*) storage capacity

spei·chern [ˈʃpaiçɐn] *vt, vi* ① INFORM to save (**auf** on[to]); **etw unter ... ~** to save sth as ... ② (*aufbewahren*) to store

Spei·cher·platz *m* INFORM memory space; (*auf Festplatte*) disk space **Spei·cher·schutz** *m* INFORM memory protection

Spei·che·rung <-, -en> *f* INFORM storage *no pl*

spei·en <spie, gespie[e]n> [ˈʃpaiən] *vt* ① (*ausspeien*) to spew ② (*spucken*) to spit

Spei·se <-, -n> [ˈʃpaizə] *f meist pl* meal

Spei·se·kam·mer *f* larder, pantry **Spei·se·kar·te** *f* menu

spei·sen [ˈʃpaizn̩] *vi* to dine, to eat

Spei·se·öl *nt* culinary oil **Spei·se·röh·re** *f* gullet **Spei·se·saal** *m* dining room **Spei·se·wa·gen** *m* restaurant car

Spek·ta·kel¹ <-s, -> [ʃpɛkˈtaːkl̩] *m* (*fam*) ① (*Lärm*) racket *no pl* ② (*Ärger*) palaver *no pl*

Spek·ta·kel² <-s, -> [ʃpɛkˈtaːkl̩] *nt* spectacle

spek·ta·ku·lär [ʃpɛktakuˈlɛːɐ] *adj* spectacular

Spek·tra *pl von* **Spektrum**

Spek·tral·far·be *f* colour of the spectrum

Spek·trum <-s, Spektren *o* Spektra> [ˈʃpɛktrʊm, *pl* ˈʃpɛktrən, ˈʃpɛktra] *nt* spectrum

Spe·ku·lant(in) <-en, -en> [ʃpekuˈlant] *m(f)* speculator

Spe·ku·la·ti·on <-, -en> [ʃpekulaˈtsi̯oːn] *f* speculation; **[über etw *akk*] ~en anstellen** to speculate [about sth]

Spe·ku·la·ti·ons·bla·se *f* BÖRSE speculative bubble

spe·ku·lie·ren * [ʃpekuˈliːrən] *vi* to speculate (**auf** +*akk* on)

Spe·lun·ke <-, -n> [ʃpeˈlʊŋkə] *f* (*pej*) dive

spen·da·bel [ʃpɛnˈdaːbl̩] *adj* generous

Spen·de <-, -n> [ˈʃpɛndə] *f* donation

spen·den [ˈʃpɛndn̩] *vt, vi* to donate (**für** to); *Blut* to give

Spen·den·af·fä·re *f* scandal involving undeclared donations **Spen·den·auf·ruf** *m* donation appeal **Spen·den·kon·to** *nt* donations account

Spen·der <-s, -> [ˈʃpɛndɐ] *m* (*Dosierer*) dispenser

Spen·der(in) <-s, -> [ˈʃpɛndɐ] *m(f)* ① (*jd, der spendet*) donator ② MED donor

Spen·der·aus·weis *m* donor card

spen·die·ren * [ʃpɛnˈdiːrən] *vt* (*fam*) ■ **[jdm] etw ~** to buy [sb] sth; **das Essen spendiere ich** the dinner's on me

Sper·ber <-s, -> [ˈʃpɛrbɐ] *m* sparrowhawk

S

Sper·ling <-s, -e> ['ʃpɛrlɪŋ] *m* sparrow

Sper·ma <-s, Spermen *o* -ta> ['ʃpɛrma, 'spɛrma, *pl* -mata] *nt* sperm

sperr·an·gel·weit ['ʃpɛr'ʔaŋl'vait] *adv* ~ **offen stehen** to be wide open

Sperr·be·zirk *m* area of town where prostitution is prohibited

Sper·re <-, -n> ['ʃpɛrə] *f* ① (*Barrikade*) barricade ② (*Sperrvorrichtung*) barrier ③ (*Spielverbot*) ban

sper·ren ['ʃpɛrən] **I.** *vt* ① SÜDD, ÖSTERR (*schließen*) to close off (**für** to) ② (*blockieren*) to block; *Konto* to freeze; *Scheck* to stop ③ (*einschließen*) ▪ **jdn in etw** *akk* ~ to lock sb up in sth ④ (*ein Spielverbot verhängen*) to ban ⑤ (*verbieten*) **jdm den Ausgang** ~ to confine sb **II.** *vr* ▪ **sich** ~ to back away (**gegen** from)

Sperr·feu·er *nt* MIL barrage; **ins** ~ **der Kritik geraten** (*fig*) to run into a barrage of criticism **Sperr·ge·biet** *nt* prohibited area **Sperr·holz** *nt* plywood *no pl*

sper·rig ['ʃpɛrɪç] *adj* unwieldy, bulky

Sperr·müll *m* skip refuse *no pl* **Sperr·sitz** *m kein pl* THEAT back seats *pl* **Sperr·stun·de** *f* closing time

Sper·rung <-, -en> *f* ① (*Schließung*) closing off *no pl* ② (*Blockierung*) blocking *no pl*

Sperr·ver·merk *m* restriction notice

Spe·sen ['ʃpe:zn̩] *pl* expenses *npl;* **auf** ~ on expenses

Spe·zi¹ <-s, -s> ['ʃpe:tsi] *m* SÜDD (*fam: Kumpel*) mate BRIT

Spe·zi² <-, -s> ['ʃpe:tsi] *nt* (*Mixlimonade*) cola and orangeade

Spe·zi·al·ef·fekt *m* special effect **Spe·zi·al·ge·biet** *nt* special field

spe·zi·a·li·sie·ren* [ʃpetsiali'zi:rən] *vr* ▪ **sich** ~ to specialize (**auf** in)

Spe·zi·a·li·sie·rung <-, -en> *f* specialization

Spe·zi·a·list(in) <-en, -en> [ʃpetsia'lɪst] *m(f)* specialist

Spe·zi·a·li·tät <-, -en> [ʃpetsiali'tɛ:t] *f* speciality

spe·zi·ell [ʃpe'tsiɛl] **I.** *adj* special **II.** *adv* especially, specially

Spe·zi·es <-, -> ['ʃpe:tsiɛs, 'sp-] *f* species + *sing vb*

spe·zi·fisch [ʃpe'tsi:fɪʃ] **I.** *adj* specific **II.** *adv* typically

spe·zi·fi·zie·ren* [ʃpetsifi'tsi:rən] *vt* to specify

Sphä·re <-, -n> ['sfɛ:rə] *f* sphere ▪ **in höheren** ~**n schweben** to have one's head in the clouds

sphä·risch ['sfɛ:rɪʃ] *adj* spherical

Sphinx <-, -e *o* Sphingen> [sfɪŋks, *pl* 'sfɪŋən] *f* sphinx

spi·cken ['ʃpɪkn̩] *vt* ① (*fam: durchsetzen*) ▪ **etw mit etw** *dat* ~ to lard sth with sth; ▪ **gespickt** larded ② (*fam: abschreiben*) to crib

Spick·zet·tel *m* crib

spie [ʃpi:] *imp von* **speien**

Spie·gel <-s, -> ['ʃpi:gl̩] *m* mirror ▸ **jdm den** ~ **vorhalten** to hold up a mirror to sb

Spie·gel·bild *nt* mirror image **spie·gel·blank** *adj* shining **Spie·gel·ei** *nt* fried egg **spie·gel·glatt** ['ʃpi:gl̩'glat] *adj* smooth as glass

spie·geln ['ʃpi:gl̩n] **I.** *vi* ① (*spiegelblank sein*) to gleam ② (*reflektieren*) to reflect **II.** *vr* ▪ **sich in etw** *dat* ~ to be reflected in sth

Spie·gel·re·flex·ka·me·ra *f* reflex camera **Spie·gel·schrift** *f* mirror writing

Spie·ge·lung <-, -en> ['ʃpi:gəlʊŋ] *f* ① MED endoscopy ② (*Luftspiegelung*) mirage

spie·gel·ver·kehrt *adj* mirror-image

Spiel <-[e]s, -e> [ʃpi:l] *nt* ① (*Gesellschafts-, Kinder-, Glücksspiel*) game ② (*Kartenspiel*) game of cards ③ SPORT match; **die Olympischen** ~**e** the Olympic Games ▸ **ein abgekartetes** ~ (*fam*) a set-up; **leichtes** ~ **haben** to have an easy job of it; **etw [mit] ins** ~ **bringen** to bring sth up; **das** ~ **ist aus** the game is up; [**bei etw**] **im** ~ **sein** to be involved [in sth]; **jdn/etw aus dem** ~ **lassen** to keep sb/sth out of it; **etw aufs** ~ **setzen** to put sth on the line; **auf dem** ~ **stehen** to be at stake; **jdm das** ~ **verderben** (*fam*) to ruin sb's plans

Spiel·an·zug *m* playsuit **Spiel·au·to·mat** *m* gambling machine, fruit machine BRIT **Spiel·ball** *m* TENNIS game point ▸ **ein** ~ **einer S. sein** *gen* (*geh*) to be at the mercy of sth **Spiel·bank** *f* casino **Spiel·brett** *nt* game board **Spiel·com·pu·ter** [-kɔmpju:te] *m* PlayStation® (*computer designed primarily for playing computer games*)

spie·len ['ʃpi:lən] **I.** *vt* to play; **Lotto** ~ to play the lottery ▸ **was wird hier gespielt?** what's going on here? **II.** *vi* ① (*ein Spiel machen*) to play ② (*auftreten*) ▪ **in etw** *dat* ~ to star in sth; **gut/schlecht** ~ to play well/badly ③ (*als Szenario haben*) ▪ **irgendwann/irgendwo** ~ to be set in some time/place ④ SPORT to play ⑤ (*Glücksspiel betreiben*) to gamble

spie·lend *adv* easily

Spie·ler(in) <-s, -> ['ʃpi:le] *m(f)* ① (*Mitspieler*) player ② (*Glücksspieler*) gambler

Spie·le·rei <-, -en> [ʃpiːləˈraɪ] f ❶ *kein pl* (*leichte Beschäftigung*) doddle *no pl* BRIT ❷ *meist pl* (*Kinkerlitzchen*) knick-knacks *pl*

Spie·le·rin <-, -nen> f *fem form von* **Spieler**

spie·le·risch I. *adj* playful II. *adv* playfully; ~ **war unsere Mannschaft den Gegnern weit überlegen** our team outshone the opponents in terms of playing skill

Spiel·feld [ˈʃpiːlfɛlt] *nt* playing field; FBALL *a.* pitch **Spiel·film** *m* film **Spiel·hal·le** f amusement arcade **Spiel·höl·le** f (*fam*) gambling den **Spiel·ka·me·rad(in)** *m(f)* playmate **Spiel·kar·te** f playing card **Spiel·ka·si·no** *nt* casino **Spiel·mar·ke** f chip

Spie·lo·thek [ʃpiloˈteːk] f (*Spielhalle*) amusement arcade

Spiel·plan *m* THEAT, FILM programme **Spiel·platz** *m* playground **Spiel·raum** *m* scope *no pl* **Spiel·re·gel** f *meist pl* rules *pl* **Spiel·sa·chen** *pl* toys *pl* **Spiel·sucht** f compulsive gambling *no pl* **Spiel·süch·ti·ge(r)** *dekl wie adj* f(m) compulsive gambler **Spiel·uhr** f musical box **Spiel·ver·der·ber(in)** <-s, -> *m(f)* spoilsport **Spiel·wa·ren** *pl* toys *pl* **Spiel·wa·ren·ge·schäft** *nt* toy shop **Spiel·zeit** f ❶ FILM run ❷ THEAT season ❸ SPORT playing time **Spiel·zeug** *nt* toy

Spieß <-es, -e> [ʃpiːs] *m* ❶ (*Bratspieß*) spit; (*kleiner*) skewer ❷ MIL (*sl*) sarge ❸ (*Stoßwaffe*) spike ▶ **wie am ~ brüllen** to squeal like a stuck pig; **den ~ umdrehen** to turn the tables

Spieß·bür·ger(in) *m(f)* s. **Spießer spieß·bür·ger·lich** *adj* s. **spießig**

spie·ßen [ˈʃpiːsn̩] *vt* ▪ **etw auf etw** *akk* ~ to skewer sth on sth; (*auf einer Nadel*) to pin sth on sth

Spie·ßer(in) <-s, -> [ˈʃpiːsɐ] *m(f)* (*fam*) pedant

spie·ßig [ˈʃpiːsɪç] *adj* (*fam*) pedantic

Spie·ßig·keit <-> f *kein pl* (*pej fam*) narrow-mindedness

Spieß·ru·te f ▶ ~**n laufen** to run the gauntlet

Spikes [ʃpaɪks, sp-] *pl* (*an Schuhen*) spikes *pl*; (*an Reifen*) studs *pl*

Spi·nat <-[e]s> [ʃpiˈnaːt] *m kein pl* spinach *no pl*

Spind <-[e]s, -e> [ʃpɪnt, *pl* ˈʃpɪndə] *m* locker

Spin·del <-, -n> [ˈʃpɪndl̩] f spindle

spin·del·dürr [ˈʃpɪndl̩ˈdʏr] *adj* (*fam*) thin as a rake

Spi·nett <-s, -e> [ʃpiˈnɛt] *nt* MUS spinet

Spin·ne <-, -n> [ˈʃpɪnə] f spider

spin·nen <spann, gesponnen> [ˈʃpɪnən] I. *vt* ❶ *Wolle* to spin ❷ *Geschichte* to invent II. *vi* ❶ (*am Spinnrad*) to spin ❷ (*fam: nicht bei Trost sein*) to be mad; **sag mal, spinnt der?** is he off his head?; **du spinnst wohl!** you must be mad!

Spin·nen·netz *nt* spider's web

Spin·ner(in) <-s, -> [ˈʃpɪnɐ] *m(f)* (*fam*) nutcase

Spin·ne·rei <-, -en> [ʃpɪnəˈraɪ] f ❶ MODE spinning ❷ *kein pl* (*fam: Blödsinn*) nonsense *no pl*

Spin·ne·rin <-, -nen> f *fem form von* **Spinner**

Spinn·rad *nt* spinning wheel **Spinn·we·be** <-, -n> f cobweb

Spi·on(in) <-s, -e> [ʃpiˈoːn] *m(f)* spy

Spi·o·na·ge <-> [ʃpioˈnaːʒə] f *kein pl* espionage *no pl*

Spi·o·na·ge·ab·wehr f counter-intelligence service

spi·o·nie·ren* [ʃpioˈniːrən] *vi* to spy

Spi·o·nin <-, -nen> f *fem form von* **Spion**

Spi·ral·block *m* spiral-bound notebook

Spi·ra·le <-, -n> [ʃpiˈraːlə] f ❶ (*gewundene Linie*) spiral ❷ MED coil

Spi·ri·tis·mus <-> [ʃpiriˈtɪsmʊs, sp-] *m kein pl* spiritualism *no pl*

spi·ri·tis·tisch *adj* spiritualistic

spi·ri·tu·ell [ʃpiriˈtuɛl, sp-] *adj* spiritual

Spi·ri·tu·o·sen [ʃpiriˈtuoːzn̩, sp-] *pl* spirits *pl*

Spi·ri·tus <-> [ˈʃpiːrɪtʊs] *m kein pl* spirit *no pl*

Spi·ri·tus·ko·cher *m* spirit stove

Spi·tal <-s, Spitäler> [ʃpiˈtaːl, *pl* -ˈtɛːlə] *nt* ÖSTERR, SCHWEIZ hospital

spitz [ʃpɪts] I. *adj* ❶ (*mit einer Spitze*) pointed, sharp ❷ (~ *zulaufend*) tapered; *Nase, Kinn* pointy ❸ *Bemerkung* sharp II. *adv* ❶ (*V-förmig*) tapered ❷ (*spitzzüngig*) sharply

Spitz <-[e]s, -e> [ʃpɪts] *m* ❶ (*Hund*) Pomeranian ❷ DIAL (*leichter Rausch*) slight inebriation

Spitz·bart *m* goatee **Spitz·bo·gen** *m* ARCHIT pointed arch **Spitz·bu·be** *m* scallywag **spitz·bü·bisch** I. *adj* cheeky II. *adv* cheekily

Spit·ze <-, -n> [ˈʃpɪtsə] f ❶ (*spitzes Ende*) point; *Schuh* pointed toe ❷ (*vorderster Teil*) front ❸ (*erster Platz*) top ❹ (*Höchstwert*) peak ❺ *pl* (*führende Leute*) Gesellschaft the top; *Unternehmen* the heads ❻ MODE lace *no pl* ▶ **nur die ~ des Eisbergs sein** to be only the tip of the iceberg; ~ **sein** (*fam*) to be great; **etw auf die ~**

S

treiben to take sth to extremes
Spit·zel <-s, -> ['ʃpɪtsl] *m* informer
spit·zeln ['ʃpɪtsln] *vi* to spy
spit·zen ['ʃpɪtsn] *vt* to sharpen
Spit·zen·ge·schwin·dig·keit *f* top speed
Spit·zen·klas·se *f* top-class **Spit·zen·leis·tung** *f* top performance **spit·zen·mä·ßig** *adj* (*sl*) brilliant **II.** *adv* (*sl*) brilliantly **Spit·zen·rei·ter** *m* top seller **Spit·zen·sport·ler(in)** *m(f)* top sportsperson **Spit·zen·tech·no·lo·gie** *f* state-of-the-art technology
Spit·zer <-s, -> ['ʃpɪtsɐ] *m* sharpener
spitz·fin·dig *adj* hair-splitting
Spitz·fin·dig·keit <-, -en> *f* ❶ (*spitzfindige Art*) hair-splitting nature ❷ (*spitzfindige Äußerung*) hair-splitting *no pl*
Spitz·ha·cke *f* pickaxe
spitz|krie·gen *vt* (*fam*) to cotton [*or* AM catch] on to
Spitz·maus *f* shrew **Spitz·na·me** *m* nickname; **sie gaben ihm den ~n ...** they nicknamed him ... **spitz·win·ke·lig, spitz·wink·lig I.** *adj Dreieck* acute-angled; *Ecke* sharp[-cornered] **II.** *adv* sharply
spitz·zün·gig [ʃpɪts'tsʏŋɪç] *adj* sharp-tongued
Splat·ter·film ['splɛtɐfɪlm] *m* FILM gory film
Spleen <-s, -s> [ʃpliːn, sp-] *m* (*fam*) eccentricity
Splitt <-[e]s, -e> [ʃplɪt] *m* stone chippings *pl*
Split·ter <-s, -> ['ʃplɪtɐ] *m* splinter
split·ter(·fa·ser)·nackt ['ʃplɪtɐ('faːzɐ)'nakt] *adj* stark naked **Split·ter·grup·pe** *f* POL splinter group
split·tern *vi sein o haben* to splinter
Split·ter·par·tei *f* splinter group
Split·ting <-s, -s> ['ʃplɪtɪŋ, 'sp-] *nt* ❶ FIN, ADMIN *separate taxing of husband and wife* ❷ POL splitting *no pl*
SPÖ <-> [espeː'ʔøː] *f kein pl* POL *Abk von* **Sozialdemokratische Partei Österreichs:** ■ **die** ~ the Austrian Socialist Party
Spoi·ler <-s, -> ['ʃpɔylɐ, 'sp-] *m* spoiler
spon·sern ['ʃpɔnzɐn, 'sp-] *vt* to sponsor
Spon·sor, Spon·so·rin <-s, -soren> ['ʃpɔnzɐ, 'ʃp-, -'zoːrɪn, *pl* -'zoːrən] *m, f* sponsor
Spon·so·ring <-s> ['ʃpɔnzorɪŋ, 'sp-] *nt kein pl* sponsoring *no pl*
spon·tan [ʃpɔn'taːn, sp-] *adj* spontaneous
Spon·ta·ne·i·tät <-> [ʃpɔntanei'tɛːt, sp-] *f kein pl* spontaneity *no pl*
spo·ra·disch [ʃpoˈraːdɪʃ, sp-] *adj* sporadic
Sport <-[e]s, *selten* -e> [ʃpɔrt] *m* ❶ SPORT sport *no pl;* ~ **treiben** to do sport ❷ SCH

games *pl* ❸ MEDIA sports news; ~ **sehen** to watch [the] sport
Sport·ab·zei·chen *nt* sports certificate
Sport·an·zug *m* tracksuit **Sport·art** *f* discipline, kind of sport **Sport·be·richt** *m* sports report **Sport·fest** *nt* sports festival **Sport·ge·schäft** *nt* sports shop **Sport·hal·le** *f* sports hall **Sport·leh·rer(in)** *m(f)* PE teacher
Sport·ler(in) <-s, -> ['ʃpɔrtlɐ] *m(f)* sportsman *masc,* sportswoman *fem*
sport·lich ['ʃpɔrtlɪç] **I.** *adj* ❶ (*den Sport betreffend*) sporting ❷ (*trainiert*) athletic ❸ (*fair*) sportsmanlike ❹ MODE casual ❺ AUTO sporty **II.** *adv* ❶ SPORT (*in einer Sportart*) in sports; **sich ~ betätigen** to do sport ❷ (*flott*) casually ❸ AUTO sportily
Sport·platz *m* sports field **Sport·re·por·ter(in)** *m(f)* MEDIA, SPORT sports journalist **Sport·un·fall** *m* sporting accident **Sport·ver·an·stal·tung** *f* sports event **Sport·ver·ein** *m* sports club **Sport·wa·gen** *m* AUTO sports car
Spot <-s, -s> [spɔt, ʃp-] *m* ❶ MEDIA commercial, ad *fam* ❷ ELEK spot
Spott <-[e]s> [ʃpɔt] *m kein pl* mockery *no pl*
spott·bil·lig ['ʃpɔt'bɪlɪç] *adj* dirt cheap
Spöt·te·lei <-, -en> [ʃpœtə'laɪ] *f* teasing *no pl*
spöt·teln ['ʃpœtln] *vi* to make fun (**über** of)
spot·ten ['ʃpɔtn̩] *vi* to mock; ■ [**über jdn/etw**] ~ to make fun [of sb/sth]
Spöt·ter(in) <-s, -> ['ʃpœtɐ] *m(f)* mocker
spöt·tisch ['ʃpœtɪʃ] *adj* mocking
Spott·preis *m* snip BRIT
sprach [ʃpraːx] *imp von* **sprechen**
sprach·be·gabt *adj* linguistically talented; ■ ~ **sein** to be good at languages **Sprach·be·ga·bung** *f* linguistic talent *no pl* **Sprach·com·pu·ter** *m* voice computer
Spra·che <-, -n> ['ʃpraːxə] *f* ❶ (*Kommunikationssystem*) language ❷ *kein pl* (*Sprechweise*) way of speaking ❸ *kein pl* (*das Sprechen*) speech *no pl;* **etw zur ~ bringen** to bring sth up; **zur ~ kommen** to come up ▸ **eine deutliche ~ sprechen** to speak for itself; **die ~ wiederfinden** to find one's tongue again; **mit der ~ heraus·rücken** (*fam*) to come out with it; **jdm die ~ verschlagen** to leave sb speechless; **heraus mit der ~!** (*fam*) out with it!
Sprach·er·ken·nung *f* INFORM voice recognition *no pl* **Sprach·feh·ler** *m* speech impediment **Sprach·füh·rer** *m* phrase book **Sprach·ge·brauch** *m* language usage *no pl* **Sprach·ge·fühl** *nt kein pl* feel

for language *no pl* **Sprach·kennt·nis·se**
pl language skills *pl* **Sprach·kurs** *m* language course **Sprach·la·bor** *nt* language laboratory **Sprach·leh·re** *f* grammar **Sprach·leh·rer(in)** <-s, -> *m(f)* language teacher

sprach·lich I. *adj* linguistic II. *adv* ❶ LING grammatically ❷ (*stilistisch*) stylistically

sprach·los *adj* speechless

Sprach·raum *m* LING language area **Sprach·rohr** *nt* megaphone **Sprach· schu·le** *f* language school **Sprach·stö· rung** *f* speech disorder **Sprach·stu·di· um** *nt* course of study in languages **Sprach·the·ra·peut(in)** *m(f)* speech therapist **Sprach·the·ra·pie** *f* speech therapy **Sprach·ur·laub** *m* language-learning holiday **Sprach·wis·sen· schaft** *f* linguistics + *sing vb* **Sprach· wis·sen·schaft·ler(in)** *m(f)* linguist **Sprach·witz** *m kein pl* way with words **Sprach·zen·trum** *nt* ❶ MED, PSYCH speech centre ❷ (*Sprachschule*) language centre

sprang [ʃpraŋ] *imp von* **springen**

Spray <-s, -s> [ʃpreː, spreː] *m o nt* spray **Spray·do·se** [ʃpreː-, ʹspreː-] *f* aerosol, spray

spray·en [ʹʃpreːən, ʹsp-] *vi, vt* to spray **Sprech·an·la·ge** *f* intercom **Sprech· chor** *m* chorus

spre·chen <spricht, sprach, gespro· chen> [ʹʃprɛçn̩] I. *vi* ❶ (*reden*) to speak (**mit** with), to talk (**mit** to); **ich konnte vor Aufregung kaum ~** I could hardly speak for excitement; **sprich nicht so laut** don't talk so loud; **sprich nicht in diesem Ton mit mir!** don't speak to me like that!; **wovon ~ sie eigentlich?** what are you talking about?; **für sich [selbst] ~** to speak for itself; **über etw** *akk* **spricht man nicht** sth is not talked about; **mit sich selbst ~** to talk to oneself; **„hallo, wer spricht denn da?"** "hello, who's speak· ing?" ❷ (*empfehlen*) ■ **für etw ~** to be in favour of sth; ■ **gegen etw** *akk* **~** to speak against sth II. *vt* ❶ (*können*) ■ **etw ~** to speak sth; **~ Sie Chinesisch?** can you speak Chinese? ❷ (*aussprechen*) ■ **etw ~** to say sth; **sie konnte keinen vernünfti· gen Satz ~** she couldn't say a single coher· ent sentence; **wie spricht man dieses Wort?** how do you pronounce this word? ❸ (*sich unterreden*) ■ **jdn ~** to speak to sb ▶ **nicht gut auf jdn zu ~ sein** to be on bad terms with sb; **für jdn/niemanden zu ~ sein** to be available for sb/not be available for anyone; **wir ~ uns noch!** you haven't

heard the last of this!

Spre·cher(in) <-s, -> *m(f)* ❶ (*Wortführer*) spokesperson ❷ (*Beauftragter*) speaker ❸ RADIO, TV announcer; (*Nachrichten~*) newsreader

Sprech·stun·de *f* surgery; **~ halten** to hold surgery **Sprech·stun·den·hil·fe** *f* receptionist **Sprech·übung** *f* elocution exercise **Sprech·wei·se** *f* way of speak· ing **Sprech·zim·mer** *nt* consultation room

sprei·zen [ʹʃprajtsn̩] *vt* to spread **Spreiz·fuß** *m* spread-foot **Spreng·bom·be** *f* high-explosive bomb **spren·gen**[1] [ʹʃprɛŋən] I. *vt* ❶ (*zur Explo· sion bringen*) to blow up ❷ (*bersten las· sen*) to burst ❸ (*gewaltsam auflösen*) to break up II. *vi* to blast

spren·gen[2] [ʹʃprɛŋən] *vt Rasen* to water **Spreng·kopf** *m* warhead **Spreng·kör· per** *m* explosive device **Spreng·kraft** *f kein pl* explosive force *no pl* **Spreng·la· dung** *f* explosive charge **Spreng·satz** *m* explosive device **Spreng·stoff** *m* explo· sive **Spreng·stoff·an·schlag** *m* bomb attack **Spreng·stoff·gür·tel** *m* explosive belt

Spren·gung <-, -en> *f* blasting

Spreu <-> [ʃprɔy] *f kein pl* AGR chaff *no pl* ▶ **die ~ vom Weizen trennen** to separate the wheat from the chaff

Sprich·wort <-wörter> [ʹʃprɪçvɔrt, *pl* -værtə] *nt* proverb

sprich·wört·lich *adj* proverbial

sprie·ßen <spross *o* sprießte, gespros· sen> [ʹʃpriːsn̩] *vi sein* BOT to sprout; *Haare* to grow

Spring·brun·nen *m* fountain

sprin·gen[1] <sprang, gesprungen> [ʹʃprɪŋən] *vi sein* to shatter; (*einen Sprung bekommen*) to crack

sprin·gen[2] <sprang, gesprungen> [ʹʃprɪŋən] *vi sein* to jump [*or* leap]; **er sprang hin und her** he leapt about; **jeder hat zu ~, wenn der Chef es verlangt** everyone has to jump at the boss's request; **der Knopf sprang ihm von der Hose** the button flew off his trousers ▶ **etw ~ lassen** (*fam*) to fork out sth

Sprin·ger <-s, -> [ʹʃprɪŋe] *m* SCHACH knight

Sprin·ger(in) <-s, -> [ʹʃprɪŋe] *m(f)* SPORT, SKI jumper

Spring·flut *f* spring tide **Spring·rei·ten** *nt* show jumping *no pl*

Sprit <-[e]s> [ʃprɪt] *m kein pl* ❶ (*Benzin*) petrol *no pl* ❷ (*Schnaps*) booze *no pl*

Sprit·fres·ser *m* (*fam: Auto*) gas guzzler

fam

Sprit·ze <-, -n> ['ʃprɪtsə] *f* ❶ (*Injektionsspritze*) syringe ❷ (*Injektion*) injection, jab *fam;* **eine ~ bekommen** to have an injection [*or fam* a jab]

sprit·zen ['ʃprɪtsn̩] **I.** *vi* ❶ *haben* (*in Tropfen*) to spray; *Fett* to spit ❷ *sein* (*im Strahl*) to spurt **II.** *vt haben* ❶ (*im Strahl verteilen*) to squirt ❷ (*bewässern*) to sprinkle ❸ (*injizieren*) to inject ❹ (*mit Bekämpfungsmittel besprühen*) to spray (**gegen** against)

Sprit·zer <-s, -> *m* splash

sprit·zig ['ʃprɪtsɪç] *adj* ❶ (*prickelnd*) tangy ❷ (*flott*) sparkling

Spritz·ku·chen *m* KOCHK doughnut **Spritz·pis·to·le** *f* spray gun **Spritztour** *f* spin

sprö·de ['ʃprøːdə] *adj* ❶ (*unelastisch*) brittle ❷ (*rau*) rough; *Haar* brittle; *Lippen* chapped ❸ (*abweisend*) aloof

sprossRR, **sproß**ALT [ʃprɔs] *imp von* **sprießen**

SprossRR <-es, -e> *m,* **Sproß**ALT <-sses, -sse> [ʃprɔs] *m* ❶ (*Schössling*) shoot ❷ (*Nachkomme*) scion

Spros·se <-, -n> ['ʃprɔsə] *f* step

Spros·sen·wand *f* SPORT wall bars *pl*

Spröss·lingRR <-s, -e> *m,* **Spröß·ling** ALT <-s, -e> ['ʃprœslɪŋ] *m* offspring

Spruch <-[e]s, Sprüche> [ʃprʊx, *pl* 'ʃprʏçə] *m* ❶ (*Ausspruch*) saying, slogan ❷ (*einstudierter Text*) quotation ❸ (*Schiedsspruch*) award, verdict ▶ **Sprüche klopfen** (*fam*) to drivel

Spruch·band <-bänder> *nt* banner **spruch·reif** *adj* (*fam*) ■ ~ / **noch nicht ~ sein** to be/not be definite

Spru·del <-s, -> ['ʃpruːdl̩] *m* ❶ (*Mineralwasser*) sparkling mineral water ❷ ÖSTERR (*Erfrischungsgetränk*) fizzy drink

spru·deln ['ʃpruːdl̩n] *vi* ❶ *haben* (*aufschäumen*) to fizz ❷ *sein* (*heraussprudeln*) to bubble

Sprüh·do·se *f* aerosol

sprü·hen ['ʃpryːən] **I.** *vt* to spray **II.** *vi* ❶ (*spritzen*) to spray ❷ (*lebhaft sein*) to sparkle; **vor Begeisterung ~** to bubble with excitement

sprü·hend *adj* sparkling

Sprüh·re·gen *m* drizzle *no pl*

Sprung <-[e]s, Sprünge> [ʃprʊŋ, *pl* 'ʃprʏŋə] *m* ❶ (*Riss*) crack ❷ (*Satz*) leap, jump; **einen ~ machen** to leap [*or* jump]; **zum ~ ansetzen** to get ready to jump ▶ **einen ~ in der Schüssel haben** to not be quite right in the head; **ein großer ~ nach vorn** a giant leap forwards; [**mit etw** *dat*] **keine großen Sprünge machen kön-**

nen (*fam*) to not be able to live it up [with sth]; **jdm auf die Sprünge helfen** to give sb a helping hand; **auf dem ~ sein** to be about to leave; **auf einen ~ [bei jdm] vorbeikommen** (*fam*) to pop in to see sb

Sprung·brett *nt* ❶ (*ins Wasser*) diving board ❷ (*Turngerät*) springboard **Sprungfe·der** *f* spring

sprung·haft I. *adj* ❶ (*in Schüben erfolgend*) rapid ❷ (*unstet*) volatile, fickle **II.** *adv* in leaps and bounds

Sprung·schan·ze *f* ski jump **Sprungtuch** *nt* jumping blanket

Spu·cke <-> ['ʃpʊkə] *f kein pl* (*fam*) spit *no pl* ▶ **jdm bleibt die ~ weg** sb is flabbergasted

spu·cken ['ʃpʊkn̩] **I.** *vi* ❶ (*ausspucken*) to spit ❷ DIAL (*sich übergeben*) to throw up **II.** *vt* ■ **etw ~** to spit sth out

Spuck·napf *m* spittoon

Spuk <-[e]s, -e> [ʃpuːk] *m* spook

spu·ken ['ʃpuːkn̩] *vi impers* to haunt; ■ **irgendwo spukt es** somewhere is haunted

Spuk·ge·schich·te *f* ghost story

Spül·be·cken *nt* sink

Spu·le <-, -n> ['ʃpuːlə] *f* ❶ (*Garnrolle*) bobbin ❷ FILM spool ❸ ELEK coil

Spü·le <-, -n> ['ʃpyːlə] *f* [kitchen] sink

spu·len ['ʃpuːlən] *vt, vi* to wind [on]

spü·len ['ʃpyːlən] **I.** *vi* ❶ (*Geschirr abwaschen*) to wash up ❷ (*die Toilette abziehen*) to flush **II.** *vt* ❶ (*abspülen*) to wash up *sep* ❷ (*schwemmen*) to wash

Spül·ma·schi·ne *f* dishwasher **spül·maschi·nen·fest** *adj* dishwasher-safe **Spülmit·tel** *nt* washing-up liquid, dish soap AM **Spül·stein** *m* sink **Spül·trog** <-(e)s, -tröge> *m* SCHWEIZ sink [unit]

Spü·lung <-, -en> *f* ❶ (*gegen Mundgeruch*) rinsing *no art* ❷ (*Wasserspülung*) flush ❸ (*Haarspülung*) conditioner

Spul·wurm *m* roundworm

Spund[1] <-[e]s, Spünde *o* Spunde> [ʃpʊnt, *pl* 'ʃpʏndə] *m* bung, spigot

Spund[2] <-[e]s, -e> [ʃpʊnt] *m* ■ **junger ~** (*fam*) stripling, young pup *fam*

Spur <-, -en> [ʃpuːɐ̯] *f* ❶ (*Anzeichen*) trace; **~en der Verwüstung** signs of devastation; **~en hinterlassen** to leave traces; *Schicksal a.* to leave its mark; *Verbrecher a.* to leave clues; **jdm auf der ~ sein** to be on sb's trail; **auf der falschen/ richtigen ~ sein** to be on the wrong/right track; **eine heiße ~** a firm lead; **jdm auf die ~ kommen** to get onto sb ❷ (*Fuß~ en*) track[s *pl*], trail *no pl* ❸ (*kleine Menge*) trace; *Knoblauch, etc.* touch ❹ (*Fünkchen*) scrap ❺ (*Fahrstreifen*) lane; **aus der**

~ **geraten** to move out of lane; ~ **halten** to keep in lane

spür·bar *adj* perceptible, noticeable

spü·ren ['ʃpyːrən] **I.** *vt* ❶ (*körperlich wahrnehmen*) to feel ❷ (*merken*) to sense; ▪**jdn seine Verärgerung ~ lassen** to let sb feel one's annoyance; **etw zu ~ bekommen** to feel the force of sth **II.** *vi* ▪**~, dass ...** to sense that ...; ▪**jdn [deutlich] ~ lassen, dass ...** to leave sb in no doubt that ...

spu·ren ['ʃpuːrən] *vi* (*fam*) to do as one is told, to toe the line *fam*

Spu·ren·ele·ment *nt* trace element **Spuren·si·che·rung** *f* securing of evidence *no pl, no indef art*

Spür·hund *m* tracker dog

spur·los I. *adj* without [a] trace *pred* **II.** *adv* without [leaving a] trace; **an jdm ~ vorübergehen** to not leave its mark on sb

Spür·na·se *f* flair *no pl,* intuition *no pl* **Spür·pan·zer** *m* MIL nuclear, biological, chemical [*or* NBC] reconnaissance vehicle **Spür·sinn** *m kein pl* nose; **einen ~ für etw** *akk* **haben** to have a nose for sth

Spurt <-s, -s *o* -e> [ʃpʊrt] *m* spurt; **zum ~ ansetzen** to make a final spurt

spur·ten ['ʃpʊrtn] *vi sein* to spurt

Spur·wei·te <-, -n> *f* ❶ AUTO track ❷ BAHN gauge

Squash <-> [skvɔʃ] *nt* squash

Sri Lan·ka <-s> ['sriː 'laŋka] *nt* Sri Lanka

Sri-Lan·ker(in) <-s, -> [sri'laŋkɐ] *m(f)* Sri Lankan; *s. a.* **Deutsche(r)**

sri-lan·kisch [sri'laŋkɪʃ] *adj* Sri Lankan; *s. a.* **deutsch**

SSV <-[s], -s> *m Abk von* **Sommerschlussverkauf** summer sales

St. ❶ *Abk von* **Stück** pce[.], pcs[.] *pl* ❷ *Abk von* **Sankt** St, SS *pl*

Staat <-[e]s, -en> [ʃtaːt] *m* ❶ (*Land*) country ❷ (*staatliche Institutionen*) state ❸ *pl* (*USA*) ▪**die ~en** the States; **die Vereinigten ~en [von Amerika]** the United States [of America] ▶**damit ist kein ~ zu machen** that's nothing to write home about *fam;* **von ~s wegen** on the part of the [state] authorities

Staa·ten·bund <-bünde> *m* confederation [of states] **staa·ten·los** *adj* stateless **Staa·ten·lo·se(r)** *f(m) dekl wie adj* stateless person

staat·lich I. *adj* ❶ (*staatseigen*) state-owned; (~ *geführt*) state-run; ~ **e Einrichtungen** state facilities ❷ (*den Staat betreffend*) state *attr,* national ❸ (*aus dem Staatshaushalt stammend*) government *attr,* state *attr* **II.** *adv* ~ **anerkannt** state-approved; ~ **gefördert** government-sponsored; ~ **geprüft** [state-]certified; ~ **subventioniert** state-subsidized, subsidized by the state *pred*

Staats·akt *m* ❶ (*Festakt*) state ceremony ❷ (*Rechtsvorgang*) act of state **Staats·ange·hö·ri·ge(r)** *f(m) dekl wie adj* citizen **Staats·an·ge·hö·rig·keit** *f* nationality **Staats·an·lei·he** *f* government [*or* public] loan **Staats·an·walt, -an·wältin** *m, f* public prosecutor BRIT, District Attorney AM **Staats·an·walt·schaft** <-, -en> *f* public prosecutor's office, prosecuting attorney's office AM **Staats·aus·gabe** *f meist pl* public expenditure **Staatsaus·ga·ben** *pl* public expenditure *no pl* **Staats·be·am·te(r), -be·am·tin** *m, f* civil servant **Staats·be·gräb·nis** *nt* state [*or* AM national] funeral **Staats·besuch** *m* state visit **Staats·bür·ger(in)** *m(f)* citizen **staats·bür·ger·lich** *adj attr* civic; ~ **e Rechte** civil rights **Staats·bürger·schaft** *f* nationality; **doppelte ~** dual nationality **Staats·chef(in)** [-ʃɛf] *m(f)* head of state **Staats·dienst** *m* civil service **Staats·ei·gen·tum** *nt* state ownership **Staats·ex·a·men** *nt* state exam[ination]; (*zur Übernahme in den Staatsdienst*) civil service examination **Staatsfeind(in)** *m(f)* enemy of the state **Staatsfi·nan·zen** *pl* public finances *pl* **Staatsflag·ge** *f* national flag **Staats·form** *f* form of government **Staats·ge·biet** *nt* national territory **Staats·ge·heim·nis** *nt* state secret **Staats·ge·walt** *f kein pl* state authority **Staats·gren·ze** *f* [national] border **Staats·haus·halt** *m* national budget **Staats·kas·se** *f* treasury, public purse BRIT **Staats·kos·ten** *pl* public expenses **Staats·mann** *m* statesman

staats·män·nisch *adj* statesmanlike

Staats·mi·nis·ter(in) <-s, -> *m(f)* secretary of state **Staats·ober·haupt** *nt* head of state **Staats·prä·si·dent(in)** *m(f)* president [of a/the state] **staats·rechtlich** *adj attr* constitutional **Staats·re·ligi·on** *f* POL, REL state religion **Staats·säckel** <-s, -> *m* POL, FIN (*hum fam*) state coffer *usu pl* **Staats·se·kre·tär(in)** *m(f)* state secretary BRIT, undersecretary AM **Staats·streich** *m* coup [d'état] **Staatsthe·a·ter** *nt* national theatre **Staats·verschul·dung** *f* national debt *no pl, no indef art*

Stab <-[e]s, Stäbe> [ʃtaːp, *pl* 'ʃtɛːbə] *m* ❶ (*runde Holzlatte*) rod ❷ (*Stabhochsprung~*) pole; (*Staffel~*) baton ❸ (*beigeordnete Gruppe*) staff; *Experten* panel

Stäb·chen <-s, -> ['ʃtɛːpçən] *nt* (*Ess~*)

S

chopstick

Stab·hoch·sprin·ger(in) *m(f)* pole-vaulter

Stab·hoch·sprung *m* pole vault

sta·bil [ʃtaˈbiːl, st-] *adj* ❶ (*strapazierfähig*) sturdy ❷ (*beständig*) stable ❸ (*nicht labil*) steady; *Gesundheit* sound

sta·bi·li·sie·ren [ʃtabiliˈziːrən] *vt* to stabilize

Sta·bi·li·sie·rung <-, -en> *f* stabilization

Sta·bi·li·tät <-> [ʃtabiliˈtɛːt, st-] *f kein pl* stability, solidity

Sta·bi·li·täts·pakt *m* ÖKON stability pact

Stab·mi·xer *m* hand-held blender

Stab·reim *m* alliteration

Stabs·chef, -che·fin [-ʃɛf, -ʃɛfɪn] *m, f* chief of staff

Stab·wech·sel *m* SPORT baton change, changeover

stach [ʃtaːx] *imp von* **stechen**

Sta·chel <-s, -n> [ˈʃtaxl̩] *m* ❶ (*von Rose*) thorn; (*von Kakteen*) spine ❷ (*von Igel*) spine ❸ (*Giftstachel*) sting ❹ (*spitzes Metallstück*) spike; *Stacheldraht* barb

Sta·chel·bee·re *f* gooseberry **Sta·chel·draht** *m* barbed wire **Sta·chel·draht·zaun** *m* barbed wire fence

sta·che·lig [ˈʃtaxəlɪç] *adj Rosen* thorny; *Kakteen, Tier* spiny; (*mit kleineren Stacheln*) prickly

Sta·chel·schwein *nt* porcupine

stach·lig [ˈʃtaxlɪç] *adj s.* **stachelig**

Sta·di·on <-s, Stadien> [ˈʃtaːdiɔn, *pl* ˈʃtaːdiən] *nt* stadium, AM *also* bowl

Sta·di·um <-s, Stadien> [ˈʃtaːdiʊm, *pl* ˈʃtaːdiən] *nt* stage; **im letzten ~** MED at a terminal stage

Stadt <-, Städte> [ʃtat, *pl* ˈʃtɛ(ː)tə] *f* ❶ (*Ort*) town; (*Groß~*) city; **am Rande der ~** on the edge of [the] town ❷ (*~·verwaltung*) [city/town] council

stadt·be·kannt *adj* well-known, known all over town *pred* **Stadt·be·zirk** *m* municipal district **Stadt·bi·bli·o·thek** *f* town/city library **Stadt·bum·mel** *m* stroll in the [*or* through] town; **einen ~ machen** to go for a stroll through town

Städt·chen <-s, -> [ˈʃtɛ(ː)tçən] *nt dim von* **Stadt** small town

Städ·te·bau *m kein pl* urban development *no pl*

städ·te·bau·lich I. *adj* in/of urban development *pred* II. *adv* in terms of urban development

Städ·te·part·ner·schaft *f* town twinning BRIT

Städ·ter(in) <-s, -> [ˈʃtɛ(ː)tɐ] *m(f)* city/town dweller

Stadt·ge·biet *nt* municipal area **Stadt·hal·le** *f* city hall

städ·tisch [ˈʃtɛ(ː)tɪʃ] *adj* ❶ (*kommunal*) municipal, city/town *attr* ❷ (*urban*) urban

Stadt·kern *m* city/town centre **Stadt·mau·er** *f* city/town wall **Stadt·mit·te** *f* city/town centre **Stadt·plan** *m* [street] map **Stadt·rand** *m* edge of [the] town, outskirts *npl* of the city **Stadt·rat** *m* [city/town [*or* municipal]] council **Stadt·rund·fahrt** *f* sightseeing tour **Stadt·staat** *m* city state **Stadt·strei·cher(in)** *m(f)* city/town tramp [*or esp* AM vagrant] **Stadt·teil** *m* district **Stadt·vä·ter** *pl* city fathers *pl* **Stadt·ver·wal·tung** *f* [city/town] council **Stadt·vier·tel** *nt* district **Stadt·wer·ke** *pl* municipal services *pl* **Stadt·zen·trum** *nt* city/town centre; ■ **im ~** in the city/town centre, downtown AM

Staf·fel <-, -n> [ˈʃtafl̩] *f* ❶ (*Luftwaffeneinheit*) squadron; (*Formation*) echelon ❷ SPORT relay team ❸ TV season

Staf·fe·lei <-, -en> [ʃtafəˈlaɪ] *f* easel

Staf·fel·lauf *m* relay [race]

staf·feln [ˈʃtafl̩n] *vt* ❶ (*einteilen*) to grade ❷ (*formieren*) to stack [up *sep*]

Staf·fe·lung, Staff·lung <-, -en> *f* ❶ (*Einteilung*) graduation ❷ (*Formierung*) stacking [in the shape of a pyramid] ❸ SPORT *Startzeiten* staggering *no pl, no indef art*

Stag·na·ti·on <-, -en> [ʃtagnaˈtsi̯oːn, st-] *f* stagnation, stagnancy

stag·nie·ren* [ʃtaˈɡniːrən, st-] *vi* to stagnate

stahl [ʃtaːl] *imp von* **stehlen**

Stahl <-[e]s, -e *o* Stähle> [ʃtaːl, *pl* ˈʃtɛːlə] *m* steel; **rostfreier ~** stainless steel

Stahl·be·ton *m* reinforced concrete **Stahl·blech** *nt* steel sheet

stäh·lern [ˈʃtɛːlɐn] *adj* ❶ (*aus Stahl hergestellt*) steel, of steel *pred* ❷ (*fig*) iron *attr*, of iron *pred*

Stahl·fe·der *f* ❶ (*Schreibfeder*) steel nib ❷ (*Sprungfeder*) steel spring **Stahl·ge·rüst** *nt* [tubular] steel scaffolding *no pl, no indef art* **Stahl·helm** *m* steel helmet **Stahl·in·dus·trie** *f kein pl* steel industry **Stahl·trä·ger** *m* steel girder **Stahl·werk** *nt* steel mill

stak [ʃtaːk] *imp von* **stecken**

Sta·lag·mit <-en *o* -s, -en> [ʃtalaˈgmiːt, st-] *m* stalagmite

Sta·li·nis·mus <-> [ʃtaliˈnɪsmʊs, st-] *m kein pl* Stalinism *no art*

sta·li·nis·tisch *adj* Stalinist

Stal·ker <-s, -> [ˈstoːkɐ] *m* stalker

Stal·king <-[s]> [ˈstoːkɪŋ] *nt kein pl* stalking

Stall <-[e]s, Ställe> [ʃtal, *pl* 'ʃtɛlə] *m* (*Hühner~*) coop; (*Kaninchen~*) hutch; (*Kuh~*) cowshed, [cow] barn AM; (*Pferde~*) stable; (*Schweine~*) [pig]sty, [pig]pen AM

Stall·bur·sche *m* groom

Stal·lung <-, -en> *f meist pl* stables *pl*

Stamm <-[e]s, Stämme> [ʃtam, *pl* 'ʃtɛmə] *m* ❶ (*Baumstamm*) [tree] trunk ❷ LING stem ❸ (*Volksstamm*) tribe

Stamm·ak·tie *f* ordinary share, common stock AM **Stamm·baum** *m* family tree **Stamm·buch** *nt* family register

stam·meln ['ʃtam|n] *vi, vt* to stammer; ■ **das S~** stammering

stam·men ['ʃtamən] *vi* ❶ (*gebürtig sein*) **aus Berlin ~** to come from Berlin; **woher ~ Sie?** where are you from [originally]? ❷ (*herrühren*) **aus dem 16. Jahrhundert ~** to date from the 16th century; **diese Unterschrift stammt nicht von mir** this signature isn't mine

Stamm·form *f* LING base form **Stamm·gast** *m* regular [guest] **Stamm·hal·ter** *m* son and heir **Stamm·haus** *nt* ÖKON parent company

stäm·mig ['ʃtɛmɪç] *adj* sturdy

Stamm·knei·pe *f* local pub [*or* AM bar] **Stamm·kun·de, -kun·din** *m, f* regular [customer] **Stamm·lo·kal** *nt* local café/restaurant/bar **Stamm·platz** *m* regular seat **Stamm·tisch** *m* table reserved for the regulars **Stamm·wäh·ler(in)** *m(f)* loyal voter

stamp·fen ['ʃtampfn̩] I. *vi* ❶ *haben* (*auf~*) to stamp [one's foot] ❷ *sein* ■ **irgendwohin ~** to stamp off somewhere II. *vt haben* ❶ (*fest~*) to tamp [down *sep*] ❷ (*zer~*) to mash

stand [ʃtant] *imp von* **stehen**

Stand <-[e]s, Stände> [ʃtant, *pl* 'ʃtɛndə] *m* ❶ (*das Stehen*) standing [position]; **einen sicheren ~ haben** to have a safe foothold; **aus dem ~** from a standing position ❷ (*Verkaufsstand*) stand; (*Messe~ a.*) booth; (*Markt~ a.*) stall BRIT ❸ (*Anzeige*) reading; **laut ~ des Barometers** according to the barometer [reading] ❹ *kein pl* (*Zustand*) state; **der ~ der Forschung** the level of research; **der neueste ~ der Technik** state of the art; **der ~ der Dinge** the [present] state of affairs; **sich auf dem neuesten ~ befinden** to be up-to-date ❺ (*Spielstand*) score ❻ SCHWEIZ (*Kanton*) canton ▶ **[bei jdm] einen schweren ~ haben** to have a hard time of it [with sb]; **aus dem ~ [heraus]** off the cuff

Stan·dard <-s, -s> ['ʃtandart, 'st-] *m* standard

Stan·dard·aus·füh·rung *f* standard design

stan·dar·di·sie·ren* [ʃtandardi'ziːrən, st-] *vt* to standardize

Stan·dar·di·sie·rung <-, -en> *f* standardization

Stand·bild *nt* statue

Ständ·chen <-s, -> ['ʃtɛntçən] *nt* serenade; **jdm ein ~ bringen** to serenade sb

Stän·der <-s, -> ['ʃtɛndɐ] *m* ❶ (*Gestell*) stand ❷ (*sl: erigierter Penis*) hard-on

Stän·de·rat *m* SCHWEIZ upper chamber (*of the Swiss parliament*)

Stan·des·amt *nt* registry office *esp* BRIT **stan·des·amt·lich** I. *adj* **eine ~e Bescheinigung** a certificate from the registry office; **eine ~e Heirat** a registry office wedding II. *adv* **sich ~ trauen lassen** to get married in a registry office, to be married by the Justice of the Peace AM **Stan·des·be·am·te(r), -be·am·tin** *m, f* registrar **stan·des·ge·mäß** I. *adj* befitting one's social status *pred* II. *adv* **~ heiraten** to marry within one's social class

stand·fest *adj* steady

Stand·fes·tig·keit *f kein pl* ❶ (*Stabilität*) stability *no pl* ❷ *s.* **Standhaftigkeit**

stand·haft I. *adj* steadfast II. *adv* steadfastly

Stand·haf·tig·keit <-> *f kein pl* steadfastness

stand|hal·ten ['ʃtanthaltn̩] *vi irreg* ■ **[einer S.** *dat*] ~ ❶ (*widerstehen*) to hold out against sth; **der Belastung von etw** *dat* ~ to put up with the strain of sth ❷ (*aushalten*) to endure sth

Stand·hei·zung *f* parking heater

stän·dig ['ʃtɛndɪç] I. *adj* constant, permanent II. *adv* constantly, all the time

Stand·licht *nt kein pl* sidelights *pl* BRIT, parking lights *pl* AM **Stand·ort** <-[e]s, -e> *m* ❶ (*Unternehmenssitz*) location ❷ (*Standpunkt*) position ❸ MIL garrison **Stand·ort·fak·tor** *m* locational factor **Stand·ort·si·che·rung** *f kein pl* eines *Betriebs* protection of a location

Stand·pau·ke *f* (*fam*) telling-off; **jdm eine ~ halten** to give sb a telling-off

Stand·punkt *m* ❶ (*Meinung*) [point of] view, standpoint; **etw von einem anderen ~ aus betrachten** to see sth from a different point of view; **[in etw** *dat*] **einen anderen ~ vertreten** to take a different [point of] view [of sth]; **den ~ vertreten, dass ...** to take the view that ... ❷ (*Beobachtungsplatz*) vantage point, viewpoint

Stand·recht <-[e]s> *nt kein pl* MIL martial law **stand·recht·lich** *adv* summarily

S

Stand·spur f hard shoulder BRIT, shoulder AM **Stand·uhr** f grandfather clock

Stan·ge <-, -n> ['ʃtaŋə] f ❶ (Stab) pole; (kürzer) rod ❷ (Metall~) bar ❸ Zigaretten carton ▸ **eine [schöne] ~ Geld** (fam) a pretty penny; **bei der ~ bleiben** (fam) to stick at it; **jdn bei der ~ halten** (fam) to keep sb at it; **von der ~** (fam) off the peg [or AM rack]

Stän·gel^RR <-s, -> ['ʃtɛŋl] m stalk, stem

Stan·gen·brot nt French loaf

Stan·gen·wa·re f kein pl off-the-peg clothing

stank [ʃtaŋk] imp von **stinken**

stän·kern ['ʃtɛŋkɐn] vi to stir things up

Stan·ni·ol <-s, -e> [ʃtaˈni̯oːl, st-] nt silver foil

Stan·ni·ol·pa·pier nt silver paper

stan·zen ['ʃtantsn̩] vt ❶ (aus~) to press ❷ (ein~) **Löcher in etw** akk ~ to punch holes in sth

Sta·pel <-s, -> ['ʃtaːpl̩] m ❶ (geschichteter Haufen) stack; (unordentlicher Haufen) pile; Wäsche mound ❷ NAUT **vom ~ laufen** to be launched ▸ **etw vom ~ lassen** (fam) to come out with sth

Sta·pel·lauf m NAUT launch[ing]

sta·peln ['ʃtaːpl̩n] I. vt to stack II. vr ■ **sich ~** to pile up

stap·fen ['ʃtapfn̩] vi sein ■ **durch etw** akk ~ to tramp through sth

Star^1 <-[e]s, -e> [ʃtaːɐ̯, st-] m ❶ (Vogel) starling ❷ MED cataract; **grauer ~** grey cataract; **grüner ~** glaucoma

Star^2 <-s, -s> [ʃtaːɐ̯] m (berühmte Person) star

starb [ʃtarp] imp von **sterben**

stark <stärker, stärkste> [ʃtark] I. adj ❶ (kräftig) strong ❷ (mächtig) powerful, strong ❸ (dick) thick ❹ Hitze, Kälte severe; Regen heavy; Strömung strong; Sturm violent ❺ Erkältung bad ❻ Schlag hard; Druck high ❼ Gefühle, Schmerzen intense; Bedenken considerable; Liebe deep ❽ (leistungsfähig) powerful ❾ Medikamente, Schnaps strong ❿ (zahlenstark) **120 Mann ~** 120 strong; **ein 500 Seiten ~es Buch** a book of 500 pages ⓫ (fam: hervorragend) great II. adv ❶ (heftig) a lot; **~ regnen** to rain heavily ❷ (erheblich) **~ beschädigt** badly damaged; **~ bluten** to bleed profusely; **~ erkältet sein** to have a bad cold; **~ gewürzt** highly spiced ❸ (in höherem Maße) greatly, a lot; **~ übertreiben** to greatly exaggerate; **~ vertreten** strongly represented

Stär·ke <-, -n> ['ʃtɛrkə] f ❶ (Kraft) strength ❷ (Macht) power ❸ (Dicke) thickness

❹ (zahlenmäßiges Ausmaß) size; Armee strength; Partei numbers pl ❺ (Fähigkeit) **jds ~ sein** to be sb's strong point ❻ CHEM starch

stär·ken ['ʃtɛrkn̩] I. vt to strengthen II. vi ■ **~d** fortifying III. vr ■ **sich ~** to take some refreshment

stark|ma·chen vr ▸ **sich für jdn/etw ~** (fam) to stand up for sb/sth

Stark·strom m heavy current **Stark·strom·ka·bel** nt power cable **Stark·strom·lei·tung** f power line

Stär·kung <-, -en> f ❶ kein pl (das Stärken) strengthening no pl ❷ (Kräftigung) refreshment

Stär·kungs·mit·tel nt tonic

starr [ʃtar] I. adj ❶ (steif) rigid ❷ (erstarrt) stiff; ■ **~ vor etw** dat paralyzed with sth; **~ vor Kälte** numb with cold; **~er Blick** [fixed] stare ❸ (rigide) inflexible; Haltung unbending II. adv ❶ (bewegungslos) **etw ~ ansehen** to stare at sth ❷ (rigide) **~ an etw** dat **festhalten** to hold rigidly to sth

Star·re <-> ['ʃtarə] f kein pl immovability no pl; Leiche stiffness no pl

star·ren ['ʃtarən] vi ❶ (starr blicken) to stare ❷ (bedeckt sein) **vor Dreck ~** to be thick with dirt

Starr·heit <-> f kein pl intransigence no pl **starr·köp·fig** adj s. **starrsinnig Starr·sinn** m stubbornness no pl **starr·sin·nig** adj stubborn

Start <-s, -s> [ʃtart, start] m ❶ LUFT take-off; RAUM lift-off, launch ❷ SPORT start; **am ~ sein** (von Läufern) to be on the starting line; (von Rennwagen) to be on the starting grid ❸ (Beginn) start; Projekt launch[ing]

Start·bahn f LUFT [take-off] runway **start·be·reit** adj ❶ LUFT ready for take-off pred ❷ SPORT ready to go pred **Start·block** m SPORT starting block; (Schwimmen) starting platform

star·ten ['ʃtartn̩, 'st-] I. vi sein ❶ LUFT to take off; RAUM to lift off ❷ SPORT to start; **die Läufer sind gestartet!** the runners are off!; ■ **für jdn/etw ~** to participate for sb/sth ❸ (beginnen) to start; Projekt to be launched II. vt haben ❶ Auto to start; Computer to initialize, to boot [up sep]; INFORM Programm to run ❷ (abschließen) to launch ❸ (beginnen lassen) to launch, to start

Start·er·laub·nis f clearance for take-off; **jdm ~ geben** to clear sb for take-off **Start·hil·fe** f ❶ (Zuschuss) initial aid ❷ AUTO **jdm ~ geben** to give sb a jump start **Start·hil·fe·ka·bel** nt jump leads pl, jumper cables *pl* Am **Start·ka·pi·tal** *nt* starting capital **start·klar** *adj s.* **startbereit Start·li·nie** *f* starting line **Start·num·mer** *f* [starting] number **Start·pha·se** *f* start-up phase **Start·schuss**RR *m* starting signal ▸**den ~ [für etw] geben** to give [sth] the green light

Sta·si <-> ['ʃtaːzi] *f kein pl kurz für* **Staats·sicherheit(sdienst)** *state security service of the former GDR*

Sta·tik <-> ['ʃtaːtɪk, 'stː-] *f* ❶ *kein pl* (*Stabilität*) stability *no pl* ❷ *kein pl* PHYS statics + *sing vb*

Sta·ti·on <-, -en> [ʃtaˈtsi̯oːn] *f* ❶ (*Haltestelle*) stop ❷ (*Aufenthalt*) stopover; **~ machen** to have a rest ❸ (*Klinikabteilung*) ward ❹ (*Sender*) station ❺ METEO, SCI station

sta·ti·o·när [ʃtatsi̯oˈnɛːɐ̯] **I.** *adj* ❶ MED in-patient *attr;* **ein ~er Aufenthalt** a stay in [Am the] hospital ❷ (*örtlich gebunden*) stationary **II.** *adv* MED in [Am the] hospital; **jdn ~ behandeln** to treat sb in hospital

sta·ti·o·nie·ren* [ʃtatsi̯oˈniːrən] *vt* ❶ (*installieren*) to station ❷ (*aufstellen*) to deploy

Sta·ti·o·nie·rung <-, -en> *f* ❶ (*das Installieren*) stationing, posting ❷ (*Aufstellung*) deployment

Sta·ti·ons·arzt, -ärz·tin *m, f* ward doctor **Sta·ti·ons·schwes·ter** *f* ward sister Brit, senior nurse Am

sta·tisch ['ʃtaːtɪʃ, 'stː-] *adj* ❶ BAU, ELEK static ❷ (*keine Entwicklung aufweisend*) in abeyance *pred*

Sta·tist(in) <-en, -en> [ʃtaˈtɪst] *m(f)* FILM extra; THEAT supernumerary

Sta·tis·tik <-, -en> [ʃtaˈtɪstɪk] *f* statistics + *sing vb*

Sta·tis·ti·ker(in) <-s, -> [ʃtaˈtɪstikɐ] *m(f)* statistician

Sta·tis·tin <-, -nen> *f fem form von* **Statist**

sta·tis·tisch [ʃtaˈtɪstɪʃ] **I.** *adj* statistical; **~e Zahlen** statistics **II.** *adv* statistically; **etw ~ erfassen** to make a statistical survey of sth

Sta·tiv <-s, -e> [ʃtaˈtiːf, *pl* ʃtaˈtiːvə] *nt* tripod

statt [ʃtat] **I.** *präp +gen* ▪ **~ jds/einer S.** instead of sb/sth **II.** *konj* (*anstatt*) ▪ **~ etw zu tun** instead of doing sth

Statt <-> [ʃtat] *f kein pl* ▪ **an jds ~** in sb's place

statt·des·senRR *adv* instead

Stät·te <-, -n> ['ʃtɛtə] *f* place

statt|fin·den ['ʃtatfɪndn̩] *vi irreg* ❶ (*abgehalten werden*) to take place; *Veranstaltung a.* to be held ❷ (*sich ereignen*) to take place, to happen **statt|ge·ben** *vi irreg*

(*geh*) **einem Antrag/Einspruch ~/nicht ~** to sustain/overrule a motion/an objection **Statt·hal·ter(in)** ['ʃtathaltɐ] *m(f)* HIST governor

statt·lich ['ʃtatlɪç] *adj* ❶ (*imposant*) imposing ❷ (*beträchtlich*) considerable

Sta·tue <-, -n> ['ʃtaːtu̯ə, 'stː-] *f* statue

Sta·tur <-, -en> [ʃtaˈtuːɐ̯] *f* build; **von kräftiger ~ sein** to be of powerful stature

Sta·tus <-, -> ['ʃtaːtʊs, 'stː-] *m* status, position

Sta·tus·sym·bol *nt* status symbol **Sta·tus·zei·le** *f* INFORM status line

Sta·tut <-[e]s, -en> [ʃtaˈtuːt] *nt meist pl* statute; *Verein a.* standing rules *pl*

Stau <-[e]s, -e *o* -s> [ʃtaʊ̯] *m* ❶ (*Verkehrsstau*) traffic jam ❷ (*von beweglichen Massen*) build-up

Staub <-[e]s, -e *o* Stäube> [ʃtaʊ̯p, *pl* 'ʃtɔʏbə] *m kein pl* dust *no pl, no indef art;* **~ saugen** to vacuum, to hoover Brit; **~ wischen** to dust; **zu ~ werden** to turn to dust ▸**~ aufwirbeln** (*fam*) to kick up a lot of dust; **sich aus dem ~[e] machen** (*fam*) to clear off

Stau·be·cken *nt* [catchment] reservoir [*or* Am basin]

stau·ben ['ʃtaʊ̯bn̩] *vi impers* **bei etw** *dat* **staubt es sehr** sth makes a lot of dust

Staub·fän·ger <-s, -> *m* dust collector **Staub·ge·fäß** *nt* BOT stamen

stau·big ['ʃtaʊ̯bɪç] *adj* dusty

Staub·korn <-körner> *nt* speck of dust **Staub·par·ti·kel** *f meist pl* dust particle **staub·sau·gen** <*pp* staubgesaugt>, **Staub sau·gen** <*pp* Staub gesaugt> *vi, vt* to vacuum, to hoover Brit **Staub·sau·ger** *m* vacuum [cleaner], hoover Brit **Staub·tuch** *nt* duster **Staub·wol·ke** *f* cloud of dust

Stau·damm *m* dam

Stau·de <-, -n> ['ʃtaʊ̯də] *f* HORT perennial [plant]

Stau·den·sel·le·rie *m kein pl* celery *no pl, no indef art*

stau·en ['ʃtaʊ̯ən] **I.** *vt* to dam [up *sep*] **II.** *vr* ▪ **sich ~** ❶ (*sich anstauen*) to collect; (*von Wasser a.*) to rise ❷ (*Schlange bilden*) to pile up

Stau·mel·dung *f* traffic news + *sing vb*, traffic jam information [*or* report]

stau·nen ['ʃtaʊ̯nən] *vi* to be astonished (**über** at); **da staunst du, was?** you weren't expecting that, were you?

Stau·nen <-s> ['ʃtaʊ̯nən] *nt kein pl* astonishment *no pl,* amazement *no pl*

Stau·raum *m* cargo space, storage capacity **Stau·see** *m* reservoir

Stau·ung <-, -en> f ❶ (*Verkehrsstau*) traffic jam ❷ *kein pl* (*das Anstauen*) build-up

Steak <-s, -s> [stɛːk, ʃteːk] *nt* steak

ste·chen <sticht, stach, gestochen> [ˈʃtɛçn̩] I. *vi* ❶ (*pieksen*) to prick; *Werkzeug* to be sharp ❷ (*von Insekten*) to sting; *Mücken* to bite ❸ (*mit spitzem Gegenstand eindringen*) to stab ❹ KARTEN to take the trick II. *vt* ■ jdn ~ to stab sb III. *vr* ■ sich ~ to prick oneself (**an** on)

ste·chend *adj* ❶ (*scharf*) sharp ❷ (*durchdringend*) piercing ❸ (*beißend*) acrid

Stech·gins·ter *m* BOT gorse, furze **Stech·kar·te** f time [*or* BRIT clocking] card **Stech·mü·cke** f gnat, midge; ([*sub*]tropisch) mosquito **Stech·pal·me** f holly **Stech·uhr** f time clock, telltale BRIT **Steck·brief** *m* "wanted" poster **Steck·do·se** f [wall] socket, electrical outlet

ste·cken [ˈʃtɛkn̩] I. *vi* <steckte *o geh* stak, gesteckt> ❶ (*festsitzen*) to be [sticking] in sth; ■ zwischen/in etw *dat* ~ to be stuck between/in sth; ~ **bleiben** to get stuck ❷ (*eingesteckt sein*) ■ hinter/in/zwischen etw *dat* ~ to be behind/in/among sth; **den Schlüssel ~ lassen** to leave the key in the lock ❸ (*verborgen sein*) **wo hast du denn gesteckt?** (*fam*) where have you been [hiding]?; **wo steckt er denn bloß wieder?** (*fam*) where has he got to again? ❹ (*verwickelt sein in*) [**tief**] **in der Arbeit ~** to be bogged down in [one's] work; **in einer Krise ~** to be in the throes of a crisis; **in Schwierigkeiten ~** to be in difficulties ❺ (*stocken*) ~ **bleiben** to falter II. *vt* <steckte, gesteckt> ❶ (*schieben*) ■ etw hinter/in/unter etw *akk* ~ to put sth behind/in[to]/under sth; **sich** *dat* **einen Ring an den Finger ~** to slip a ring on one's finger ❷ (*fam: befördern*) **jdn ins Bett ~** to put sb to bed; **jdn ins Gefängnis ~** to stick sb in prison ❸ (*fam: investieren*) ■ etw in etw *akk* ~ to put sth into sth; **viel Zeit in etw** *akk* ~ to devote a lot of time to sth ❹ (*sl: verraten*) ■ jdm etw ~ to tell sb sth

Ste·cken·pferd *nt* (*fig a.*) hobby horse

Ste·cker <-s, -> *m* plug

Steck·ling <-s, -e> [ˈʃtɛklɪŋ] *m* HORT cutting

Steck·na·del f pin ▶ **eine ~ im Heuhaufen suchen** to look for a needle in a haystack **Steck·rü·be** f swede, rutabaga AM

Steg <-[e]s, -e> [ʃteːk] *m* ❶ (*schmale Holzbrücke*) footbridge ❷ (*Boots~*) landing stage, jetty

Steg·reif [ˈʃteːkraɪf] *m* ■ etw aus dem ~ tun to do sth off the cuff

---

Steh·auf·männ·chen [ˈʃteːʔaʊfmɛnçən] *nt* tumbler

Steh·ca·fé *nt* stand-up cafe

ste·hen <stand, gestanden> [ˈʃteːən] I. *vi* haben *o* SÜDD, ÖSTERR, SCHWEIZ sein ❶ (*in aufrechter Stellung sein*) to stand ❷ (*hingestellt sein*) to be; ~ **bleiben** to be left [behind]; ~ **lassen** to leave; (*nicht anfassen*) to leave sth where it is; (*vergessen*) to leave sth behind; **alles ~ und liegen lassen** to drop everything ❸ (*gedruckt sein*) ■ [auf/in etw *dat*] ~ to be [on/in sth]; **wo steht das?** where does it say that?; **was steht in seinem Brief?** what does his letter say? ❹ (*nicht mehr in Betrieb sein*) to have stopped; (*von Maschine a.*) to be at a standstill; **zum S~ kommen** to come to a stop ❺ (*anhalten*) ■ auf/in etw *dat* ~ to be parked on/in sth; ~ **bleiben** to stop ❻ (*nicht verzehren*) ~ **bleiben** to be left untouched; **etw ~ lassen** to leave sth untouched ❼ (*von etw betroffen sein*) **unter Drogen ~** to be under the influence of drugs; **unter Schock ~** to be in a state of shock ❽ (*passen zu*) **jdm** [gut/nicht] ~ to suit sb [well]/to not suit sb ❾ (*einen bestimmten Spielstand haben*) **wie steht das Spiel?** what's the score? ❿ (*allein lassen*) **jdn einfach ~ lassen** to walk out on sb ⓫ (*fam: fest sein*) to be finally settled; (*fertig sein*) to be ready ⓬ (*an etw festhalten*) ■ zu etw *dat* ~ to stand by sth ⓭ (*zu jdm halten*) ■ zu jdm ~ to stand by sb ⓮ (*stellvertretend eingesetzt sein*) ■ für etw *akk* ~ to stand for sth ⓯ (*eingestellt sein*) **wie ~ Sie dazu?** what are your views on it? ⓰ (*unterstützen*) ■ hinter jdm/etw ~ to be behind sb/sth ⓱ (*anzeigen*) ■ auf etw *dat* ~ to be at sth; **die Ampel steht auf Rot** the traffic light is red ⓲ (*sl: gut finden*) ■ auf jdn ~ to be mad about sb; **stehst du auf Techno?** are you into techno? ▶ **mit jdm/etw ~ und fallen** to depend on sb/sth; **jdm steht etw bis hier** (*fam*) sb is fed up with sth II. *vi impers* ❶ (*sich darstellen*) **es steht gut/schlecht** it's looking good/bad; **wie steht es bei euch?** how are things with you? ❷ (*bestellt sein*) **es steht gut/schlecht um jdn/etw** things look good/bad for sb/sth; (*gesundheitlich*) sb is doing well/badly

ste·hend *adj attr* stagnant

Steh·kra·gen *m* stand-up collar **Steh·lam·pe** f floor lamp

steh·len <stahl, gestohlen> [ˈʃteːlən] I. *vt, vi* to steal; **es wird dort viel gestohlen** there's a lot of stealing there; ■ **das S~**

S

stealing ▸ **jdm die Zeit** ~ to take up sb's time; **das kann mir gestohlen bleiben!** (fam) to hell with it! **II.** vr to sneak; ■ **sich von etw** dat ~ to steal away from sth

Steh·ver·mö·gen nt kein pl staying power no pl, no indef art

Stei·er·mark <-> ['ʃtajɐmark] f ■ **die** ~ Styria

steif [ʃtajf] adj ❶ (starr) stiff; Begrüßung formal ❷ (erigiert) erect ▸ ~ **und fest** obstinately

steif·hal·ten vt ▸ **die Ohren** ~ to keep one's chin up

Steif·heit <-, -> f kein pl ❶ (Festigkeit, Unbeweglichkeit) stiffness no pl ❷ (fig: Förmlichkeit) formality

Steig·bü·gel ['ʃtajk-] m stirrup

Stei·ge <-, -n> ['ʃtajgə] f DIAL ❶ (steile Straße) steep track ❷ s. **Stiege**

Steig·ei·sen nt ❶ (für Schuhe) climbing iron; (Bergsteigen) crampon ❷ (an Mauern) step iron, rung [set into a wall]

stei·gen <stieg, gestiegen> ['ʃtajgn] **I.** vi sein ❶ (klettern) to climb; **durchs Fenster** ~ to climb through the window; ■ **auf etw** akk ~ to climb [up] sth ❷ (be~) ■ **auf etw** akk ~ to get on[to] sth ❸ (ein~) ■ **in etw** akk ~ to get into sth; **in einen Zug** ~ to get on a train ❹ (aus~) ■ **aus etw** dat ~ to get out of sth; **aus einem Bus** ~ to get off a bus ❺ (ab~) ■ **von etw** dat ~ to get off sth ❻ (sich aufwärtsbewegen) to rise [up]; **das Blut stieg ihm ins Gesicht** the blood rushed to his face; **der Sekt ist mir zu Kopf gestiegen** the sparkling wine has gone to my head; ■ **etw** ~ **lassen** to fly sth ❼ Achtung to rise; Flut to swell; Preis, Wert to increase; Temperatur to climb ❽ (sich intensivieren) to increase; (von Spannung, Ungeduld, a.) to mount **II.** vt sein ■ **Treppen** ~ to climb [up] stairs

stei·gend adj ❶ (sich erhöhend) Preise, Löhne rising ❷ (sich intensivierend) Spannung, Ungeduld mounting ❸ Flugzeug, Straße climbing

stei·gern ['ʃtajgɐn] **I.** vt ❶ (erhöhen) to increase (**auf** to, **um** by) ❷ (verbessern) to improve **II.** vr ❶ (sich intensivieren) ■ **sich** ~ to increase; Spannung a. to mount ❷ (seine Leistung verbessern) ■ **sich** ~ to improve ❸ (sich hineinsteigern) ■ **sich in etw** akk ~ to work oneself [up] into sth

Stei·ge·rung <-, -en> f ❶ (Erhöhung) increase (+gen in), rise (+gen of) ❷ (Verbesserung) improvement (+gen to)

Stei·gung <-, -en> f ❶ (ansteigende Strecke) ascent ❷ (Anstieg) slope; **eine** ~ **von**

10 % a gradient of 10%

steil [ʃtajl] **I.** adj ❶ (stark abfallend/ansteigend) steep ❷ (sehr rasch) rapid; **ein** ~ **er Aufstieg** a rapid rise **II.** adv steeply

Steil·hang m steep slope **Steil·küs·te** f steep coast

Stein <-[e]s, -e> [ʃtajn] m ❶ (Gesteinsstück) stone, rock AM ❷ (Obstkern) stone ❸ (Spiel~) piece ▸ **bei jdm einen** ~ **im Brett haben** (fam) to be well in with sb; **mir fällt ein** ~ **vom Herzen!** that's [taken] a load off my mind!; **den** ~ **ins Rollen bringen** (fam) to start the ball rolling; **jdm** ~ **e in den Weg legen** to put a spoke in sb's wheel BRIT; **keinen** ~ **auf dem anderen lassen** to leave no stone standing

Stein·ad·ler m golden eagle **stein·alt** ['ʃtajn'ʔalt] adj ancient; ■ ~ **sein** to be as old as Methuselah **Stein·bock** m ❶ ZOOL ibex ❷ ASTROL Capricorn **Stein·bruch** m quarry **Stein·butt** m turbot **Stein·ei·che** f holm oak

stei·nern ['ʃtajnɐn] adj stone attr, [made] of stone pred

Stei·ne·wer·fer(in) m(f) JUR (fam) stone-thrower

Stein·frucht f stone fruit **Stein·fuß·bo·den** m stone floor **Stein·gut** nt kein pl earthenware no pl, no indef art **stein·hart** ['ʃtajn'hart] adj rock-hard, [as] hard as [a] rock pred

stei·nig ['ʃtajnɪç] adj stony

stei·ni·gen ['ʃtajnɪgn] vt to stone

Stein·koh·le f kein pl hard coal **Stein·koh·len·berg·werk** nt coal mine **Stein·mar·der** m ZOOL stone marten **Stein·metz(in)** <-en, -en> ['ʃtajnmɛts] m(f) stonemason **Stein·obst** nt stone fruit[s pl] **Stein·pilz** m cep **stein·reich** ['ʃtajn'rajç] adj stinking rich **Stein·schlag** m rockfall[s pl] **Stein·zeit** f kein pl ■ **die** ~ the Stone Age; **der Mensch der** ~ Stone Age man

Steiß <-es, -e> [ʃtajs] m ANAT coccyx

Steiß·bein nt ANAT coccyx

Stell·dich·ein <-[s], -[s]> ['ʃtɛldɪç?ajn] nt **sich** dat **ein** ~ **geben** to come together

Stel·le <-, -n> ['ʃtɛlə] f ❶ (Platz) place; (genauer) spot; **an dieser** ~ in this place; (genauer) on this spot; (fig) at this point; **eine** ~ **im Wald** a place in the woods; **auf der** ~ **laufen** to run on the spot; **sich nicht von der** ~ **rühren** to not move; **schwache** ~ (fig) weak point; **eine undichte** ~ (fig fam) a leak; **an anderer** ~ elsewhere; **an erster/zweiter** ~ in the first/second place ❷ (umrissener Bereich) spot; **fettige/rostige** ~ grease/rust spot

❸(*im Buch*) place; (*Verweis*) reference; (*Abschnitt*) passage ❹MATH; **eine Zahl mit sieben ~n** a seven-digit number; **etw auf 5 ~n hinter dem Komma berechnen** to calculate sth to 5 decimal places ❺(*Posten*) place; **an jds ~ treten** to take sb's place; (*eines Spielers*) to sub sb; **ich gehe an Ihrer ~** I'll go in your place; **an ~ von etw** *dat* instead of sth; (*Lage*) position; **an deiner ~ würde ich ...** in your position I would ... ❻(*Arbeitsplatz*) job; **eine freie ~** a vacancy; **offene ~n** (*in der Zeitung*) situations vacant ▸**zur ~ sein** to be on the spot; **auf der ~ treten** to not make any progress; **auf der ~** at once; **er war auf der ~ tot** he died immediately

stel·len [ˈʃtɛlən] **I.** *vt* ❶(*hin~*, *ab~*) to put; **das Auto in die Garage ~** to put the car in the garage; **den Wein kalt ~** to chill the wine ❷(*aufrecht hin~*) to stand [up] ❸(*ein~*) **die Heizung höher/kleiner ~** to turn up/down *sep* the heating [*or* AM heater]; **den Fernseher lauter/leiser ~** to turn up/down the television *sep;* **etw auf volle Lautstärke ~** to turn sth up [at] full blast; **den Wecker auf 7 Uhr ~** to set the alarm for 7 o'clock ❹(*zur Aufgabe zwingen*) ▪**jdn ~** to hunt down *sep* sb ❺(*vorgeben*) *Aufgabe* to set; *Bedingungen* to make; [**jdm**] **eine Frage ~** to ask [sb] a question ❻(*richten*) **einen Antrag ~** to put forward a motion; **Forderungen ~** to make demands ❼(*konfrontieren*) ▪**jdn vor etw** *akk* **~** to confront sb with sth; **jdn vor ein Rätsel ~** to baffle sb ❽(*arrangieren*) to set up *sep;* **dieses Foto wirkt gestellt** this photo looks posed ❾(*zur Verfügung ~*) ▪[**jdm**] **etw ~** to provide [sb with] sth ▸**auf sich** *akk* **selbst gestellt sein** to have to fend for oneself **II.** *vr* ❶(*sich hin~*) ▪**sich ~** to take up position ❷(*entgegentreten*) ▪**sich jdm/einer S. ~** to face sb/sth ❸(*Position ergreifen*) ▪**sich gegen etw** *akk* **~** to oppose sth; ▪**sich hinter jdn ~** to support sb; ▪**sich vor jdn ~** to stand up for sb ❹(*sich melden*) ▪**sich** [**jdm**] **~** to turn oneself in [to sb] ❺(*etw vorgeben*) **sich ahnungslos ~** to play the innocent; **sich dumm ~** to act stupid [*or* AM dumb]; **sich tot ~** to pretend to be dead

Stel·len·an·ge·bot *nt* job offer; „**~e**" "situations vacant"; **jdm ein ~ machen** to offer sb a job **Stel·len·an·zei·ge** *f* job advertisement [*or* fam ad] **Stel·len·aus·schrei·bung** *f* job advertisement **Stel·len·be·schrei·bung** *f* ÖKON job descrip-

tion **Stel·len·ge·such** *nt* "employment wanted" advertisement **Stel·len·ver·mitt·lung** *f* ❶(*das Vermitteln einer Arbeitsstelle*) finding of jobs ❷(*Einrichtung zur Vermittlung von Arbeitsstellen*) employment agency **stel·len·wei·se** *adv* in [some] places **Stel·len·wert** *m* status *no art, no pl;* [**für jdn**] **einen bestimmten ~ haben** to be of particular importance to sb

Stell·platz *m* parking space

Stel·lung <-, -en> *f* ❶(*Arbeitsplatz*) job ❷(*Rang*) position ❸(*Körperhaltung*) position ❹(*Position*) position; **in ~ gehen** to take up position; **die ~ halten** to hold the fort ❺(*Standpunkt*) **~ zu etw** *dat* **beziehen** to take a stand on sth; **~ zu etw** *dat* **nehmen** to express an opinion on sth

Stel·lung·nah·me <-, -n> *f* statement; **eine ~** [**zu etw** *dat*] **abgeben** to make a statement [about sth]

stell·ver·tre·tend **I.** *adj attr* (*vorübergehend*) acting *attr;* (*zweiter*) deputy *attr* **II.** *adv* ▪**~ für jdn** on sb's behalf; ▪**~ für etw** *akk* **sein** to stand for sth **Stell·ver·tre·ter(in)** *m(f)* deputy **Stell·ver·tre·tung** *f* (*Stellvertreter*) deputy; **die ~ von jdm übernehmen** to deputize for sb; **in jds ~** *dat* on sb's behalf **Stell·werk** *nt* BAHN signal box [*or* AM tower]

Stel·ze <-, -n> [ˈʃtɛltsə] *f* ❶(*hölzerne ~*) stilt ❷ORN wagtail

stel·zen [ˈʃtɛltsn] *vi sein* (*auf Stelzen gehen*) to walk on stilts; (*staksen*) to stalk **Stelz·vo·gel** *m* ORN wader

Stemm·ei·sen *nt* chisel

stem·men [ˈʃtɛmən] **I.** *vt* ❶(*hochdrücken*) to lift ❷(*stützen*) **die Arme in die Seiten ~** to put one's hands on one's hips; **die Füße gegen etw** *akk* **~** to brace one's feet against sth **II.** *vr* ▪**sich gegen etw** *akk* **~** to brace oneself against sth

Stem·pel <-s, -> [ˈʃtɛmpl̩] *m* ❶(*Gummi~*) [rubber-] stamp ❷(*~abdruck*) stamp; **der Brief trägt den ~ vom 23.5.** the letter is stamped 23/5 ❸(*Punzierung*) hallmark ▸**etw** *dat* **seinen ~ aufdrücken** to leave one's mark on sth

Stem·pel·far·be *f* [stamp-pad] ink **Stem·pel·kis·sen** *nt* stamp pad

stem·peln [ˈʃtɛmpl̩n] *vt, vi* to stamp ▸**~ gehen** (*veraltend fam*) to be on the dole BRIT

Stem·pel·uhr *f* time clock

Sten·gelALT <-s, -> [ˈʃtɛŋl] *m s.* **Stängel**

Ste·no <-> [ˈʃteːno] *f kein pl* (*fam*) *Abk von* **Stenografie**

Ste·no·graf(in) <-en, -en> [ʃtenoˈɡraːf]

m(f) shorthand typist Brit, stenographer Am

Ste·no·gra·fie <-, -n> [ʃtenogra'fiː] *f* shorthand *no art, no pl,* stenography *no art, no pl* Am

ste·no·gra·fie·ren* [ʃtenogra'fiːrən] **I.** *vt* to take down sth *sep* in shorthand **II.** *vi* to do shorthand

Ste·no·gra·fin <-, -nen> *f fem form von* **Stenograf**

Ste·no·gramm <-gramme> [ʃteno'gram] *nt* text in shorthand

Ste·no·graph(in) <-en, -en> [ʃteno'graːf] *m(f) s.* **Stenograf**

Ste·no·gra·phie <-, -n> [ʃtenogra'fiː] *f s.* **Stenografie**

ste·no·gra·phie·ren* [ʃtenogra'fiːrən] *vt, vi s.* **stenografieren**

Ste·no·gra·phin <-, -nen> *f fem form von* **Stenograph**

Ste·no·ty·pist(in) <-en, -en> [ʃteno-ty'pɪst] *m(f)* shorthand typist Brit, stenographer Am

Stepp^{RR} <-s, -s> [ʃtɛp, stɛp] *m* tap [dance]

Stepp·de·cke *f esp* Brit duvet, comforter Am

Step·pe <-, -n> ['ʃtɛpə] *f* steppe

step·pen^1 ['ʃtɛpn̩, 'st-] *vt (nähen)* to backstitch

step·pen^2 ['ʃtɛpn̩, 'st-] *vi* to tap-dance

Stepp·tanz^{RR} ['ʃt-, 'st-] *m,* **Step·tanz**^{ALT} ['ʃt-, 'st-] *m* tap dance

Ster·be·be·glei·ter(in) <-s, -> *m(f)* carer for the terminally ill **Ster·be·be·glei·tung** *f kein pl* care for the terminally ill **Ster·be·bett** *nt* deathbed **Ster·be·fall** *m* fatality **Ster·be·hil·fe** *f kein pl* euthanasia *no art, no pl*

ster·ben <starb, gestorben> ['ʃtɛrbn̩] *vi sein* ❶ *(aufhören zu leben)* to die **(an** of); **mein Großonkel ist gestorben** my great uncle died; **daran wirst du [schon] nicht ~!** *(hum fam)* it won't kill you! ❷ *(vergehen)* ■**vor etw** *dat* **~** to be dying of sth ▶ **gestorben sein** *(aufgegeben worden sein)* to be shelved; **für jdn ist jd/etw gestorben** sb is finished with sb/sth

Ster·bens·wort ['ʃtɛrbn̩s'vɔrt] *nt,* **Ster·bens·wört·chen** ['ʃtɛrbn̩s'vœrtçən] *nt* **kein ~** not a [single] word

Ster·be·ra·te *f* death rate **Ster·be·ur·kun·de** *f* death certificate

sterb·lich ['ʃtɛrplɪç] *adj (geh)* mortal **Sterb·lich·keit** <-> *f kein pl* mortality **Sterb·lich·keits·zif·fer** *f* mortality rate

Ste·reo <-> ['ʃteːreo, 'st-] *nt kein pl* stereo *no art, no pl*

Ste·reo·an·la·ge *f* stereo [system]

Ste·reo·skop <-s, -e> [ʃtereosko:p, st-] *nt* stereoscope

ste·reo·typ [ʃtereo'ty:p, st-] **I.** *adj* stereotype *attr;* stereotypical **II.** *adv* stereotypically

Ste·reo·typ <-s, -e> [ʃtereo'ty:p, st-] *nt* stereotype

ste·ril [ʃte'ri:l, st-] *adj* ❶ *(keimfrei)* sterile ❷ *(unfruchtbar)* infertile

Ste·ri·li·sa·ti·on <-, -en> [ʃteriliza'tsi̯oːn, st-] *f* sterilization

ste·ri·li·sie·ren* [ʃterili'ziːrən] *vt* to sterilize; ■**sich ~ lassen** to get sterilized

Ste·ri·li·tät <-> [ʃterili'tɛːt, st-] *f kein pl* ❶ *(Keimfreiheit)* sterility *no art, no pl* ❷ *(Unfruchtbarkeit)* infertility *no art, no pl*

Stern <-[e]s, -e> [ʃtɛrn] *m* star ▶ **jdm die ~e vom Himmel holen** to go to the ends of the earth and back again for sb; **nach den ~en greifen** to reach for the stars; **~e sehen** *(fam)* to see stars; **in den ~en ste·hen** to be written in the stars

Stern·bild *nt* constellation

Stern·chen <-s, -> *nt dim von* **Stern** ❶ *(kleiner Stern)* little [*or* small] star ❷ typo asterisk, star

Ster·nen·him·mel *m* starry sky **ster·nen·klar** *adj* starry *attr;* starlit

Stern·frucht *f* star-fruit

Stern·gu·cker(in) *m(f) (hum fam)* stargazer **stern·ha·gel·blau, stern·ha·gel·voll** ['ʃtɛrn'ha:gl̩'fɔl] *adj (sl)* plastered *fam,* pissed Brit **stern·klar** ['ʃtɛrnkla:ɐ̯] *adj* starlit, starry **Stern·schnup·pe** <-, -n> *f* shooting star **Stern·sin·ger(in)** *m(f)* carol singer **Stern·stun·de** *f* ■**jds ~** sb's great moment **Stern·war·te** *f* observatory **Stern·zei·chen** *nt* [star] sign

stet [ʃteːt] *adj attr s.* **stetig**

Ste·tho·skop <-s, -e> [ʃteto'skoːp] *nt* stethoscope

ste·tig ['ʃteːtɪç] *adj* steady **Ste·tig·keit** <-> *f kein pl* ❶ *(Beständig·keit)* steadiness *no pl* ❷ math continuousness *no pl*

stets [ʃteːts] *adv* at all times

Steu·er^1 <-s, -> ['ʃtɔy̯ɐ] *nt* ❶ auto [steering] wheel; **hinterm ~ sitzen** *(fam)* to be behind the wheel ❷ naut helm; **am ~ stehen** to be at the helm

Steu·er^2 <-, -n> ['ʃtɔy̯ɐ] *f* ökon tax; **etw von der ~ absetzen** to set off sth *sep* against tax

steu·er·be·güns·tigt *adj* with tax privileges *pred* **Steu·er·be·las·tung** *meist sing f* tax burden **Steu·er·be·ra·ter(in)** *m(f)* tax consultant **Steu·er·be·scheid** *m* tax assessment **Steu·er·be·**

trug *m kein pl* tax evasion

steu·er·bord ['ʃtɔyebɔrt] *adv* starboard

Steu·er·bord ['ʃtɔyebɔrt] *nt kein pl* starboard *no art, no pl*

Steu·er·er·hö·hung *f* tax increase **Steu·er·er·klä·rung** *f* tax return **Steu·er·er·lass**ᴿᴿ *m* FIN remission of tax **Steu·er·er·mä·ßi·gung** *f* FIN tax reduction **Steu·er·flücht·ling** *m sb who avoids tax by transferring assets abroad* **steu·er·frei I.** *adj* tax-exempt *attr,* exempt from tax *pred* **II.** *adv* without paying tax **Steu·er·frei·heit** *f* tax exemption **Steu·er·gel·der** *pl* taxes *pl,* tax revenue[s *pl]* **Steu·er·hin·ter·zie·hung** *f* tax evasion *no art, no pl* **Steu·er·kar·te** *f* tax card **Steu·er·klas·se** *f* tax category

Steu·er·knüp·pel *m* joystick

steu·er·lich I. *adj* tax *attr* **II.** *adv* ~ **absetz·bar** tax-deductible; *etw* ~ **berücksichtigen** to provide tax allowance on sth; ~ **vor·teilhaft** tax-incentive *attr,* carrying tax benefits *pred*

Steu·er·mann <-männer *o* -leute> ['ʃtɔyeman, *pl* -mɛnɐ, -lɔytə] *m* NAUT helmsman **Steu·er·mar·ke** *f* stamp BRIT, [revenue] stamp AM

steu·ern ['ʃtɔyɐn] **I.** *vt* ❶ *(lenken)* to steer ❷ LUFT to fly ❸ *(regulieren)* to control **II.** *vi* AUTO to drive

steu·er·pflich·tig *adj* ❶ *(zu versteuern)* taxable ❷ *(zur Steuerzahlung verpflichtet)* liable to [pay] tax *pred* **Steu·er·prü·fer**(in) *m(f)* tax inspector [*or* AM auditor] **Steu·er·prü·fung** *f* tax inspection [*or* AM audit] **Steu·er·rad** *nt* wheel, helm **Steu·er·re·form** *f* tax reform **Steu·er·ru·der** *nt* rudder **Steu·er·satz** *m* tax rate **Steu·er·schuld** *f* tax[es *pl]* owing *no indef art,* AM *also* tax delinquency *no art, no pl* **Steu·er·sen·kung** *f* tax cut **Steu·er·sün·der, -sün·de·rin** *m, f* tax evader **Steu·er·sys·tem** *nt* tax[ation] system **Steu·er·topf** *m* POL, FIN *(fam)* tax [*or* revenue] coffers *pl*

Steu·e·rung¹ <-> *f kein pl (Regulierung)* control

Steu·e·rung² <-, -en> *f* ◼ **die** ~ [**einer S.** *gen]* ❶ LUFT piloting [sth] *no art, no pl;* **die** ~ **übernehmen** to take over control ❷ NAUT steering [sth] *no art, no pl*

Steu·er·ver·güns·ti·gung *f* tax concession **Steu·er·zah·ler**(in) *m(f)* taxpayer **Steu·er·zei·chen** *nt* ❶ INFORM control character ❷ *(form: Banderole)* revenue stamp

Ste·ward <-s, -s> ['stjuːɐt] *m* steward **Ste·war·dess**ᴿᴿ <-, -en> *f,* **Ste·war·deß**ᴬᴸᵀ <-, -ssen> ['stjuːɐdɛs] *f fem form von* **Steward** stewardess

StGB <-[s]> [ɛste:ge:'be:] *nt Abk von* **Strafgesetzbuch**

sti·bit·zen* [ʃti'bɪtsn] *vt* to nick [*or* pinch]

Stich <-[e]s, -e> [ʃtɪç] *m* ❶ *(Messer~)* stab; *(~wunde)* stab wound; ◼ **ein** ~ **durch/in etw** *akk* a stab through/in sth ❷ *(Insekten~)* sting; *(Mücken~)* bite ❸ *(stechender Schmerz)* stabbing pain ❹ *(Nadel~)* stitch ❺ KUNST engraving ❻ *(Farbschattierung)* **ein** ~ **ins Rote** a tinge of red ❼ KARTEN trick; **einen** ~ **machen** to get a trick ▸ **einen** ~ **haben** *(fam: verdorben sein)* to have gone off; *(übergeschnappt sein)* to be nuts; **jdn im** ~ **lassen** to let down sb

Sti·che·lei <-, -en> [ʃtɪçə'lai] *f* ❶ *(das Sticheln)* needling *no art, no pl* ❷ *(Bemerkung)* jibe

sti·cheln ['ʃtɪçln] *vi* to make nasty remarks

Stich·flam·me *f* jet of flame

stich·hal·tig *adj,* **stich·häl·tig** *adj* ÖSTERR *Alibi* unassailable; *Argumentation* sound; *Beweis* conclusive; ◼ **[nicht]** ~ **sein** to [not] hold water

Stich·hal·tig·keit <-> *f kein pl Begründung* soundness *no pl; Argument, Grund, Antwort* validity *no pl; Beweis* conclusiveness *no pl*

Stich·ling <-s, -e> ['ʃtɪçlɪŋ] *m* ZOOL stickleback

Stich·pro·be *f* spot check; ~**n machen** to carry out a spot check **Stich·punkt** *m* note **Stich·tag** *m* *(maßgeblicher Termin)* fixed date; *(letzte Möglichkeit)* deadline **Stich·waf·fe** *f* stabbing weapon **Stich·wahl** *f* final ballot, run-off AM

Stich·wort ['ʃtɪçvɔrt] *nt* ❶ *(Haupteintrag)* reference ❷ *meist pl (Wort als Gedächtnisstütze)* cue; *(Schlüsselwort)* keyword; **jdm das** ~ **geben** to give sb the lead-in; THEAT to cue in sb *sep*

stich·wort·ar·tig *adv* briefly **Stich·wort·ka·ta·log** *m* classified catalogue **Stich·wun·de** *f* stab wound

sti·cken ['ʃtɪkn] *vt, vi* to embroider **Sti·cke·rei** <-, -en> [ʃtɪkə'rai] *f* embroidery *no art, no pl*

sti·ckig ['ʃtɪkɪç] *adj* stuffy; *Luft* stale **Stick·na·del** *f* embroidery needle **Stick·stoff** ['ʃtɪkʃtɔf] *m kein pl* nitrogen *no art, no pl*

stie·ben <stob *o* stiebte, gestoben *o* gestiebt> ['ʃtiːbn] *vi* **nach allen Seiten** ~ to scatter in all directions

Stief·bru·der ['ʃtiː-f-] *m* stepbrother

Stie·fel <-s, -> ['ʃtiːfl] *m* boot; **ein Paar** ~ a

pair of boots

Stie·fe·let·te <-, -n> [ʃtiːfəˈlɛtə] f ankle boot

Stief·el·tern pl step-parents pl **Stief·kind** nt stepchild **Stief·mut·ter** f stepmother **Stief·müt·ter·chen** nt BOT pansy **stief·müt·ter·lich** I. adj poor, shabby II. adv etw ~ **behandeln** to pay little attention to sth **Stief·schwes·ter** f stepsister **Stief·sohn** m stepson **Stief·tochter** f stepdaughter **Stief·va·ter** m stepfather

stieg [ʃtiːk] imp von **steigen**

Stie·ge <-, -n> [ˈʃtiːgə] f narrow staircase

Stieg·litz <-es, -e> [ˈʃtiːglɪts] m ORN goldfinch

Stiel <-[e]s, -e> [ʃtiːl] m ❶ (Handgriff) handle; (Besen~) broomstick ❷ (Blumen~) stem, stalk

Stiel·au·gen pl ▶ ~ **machen** to look goggle-eyed

stier [ʃtiːɐ̯] I. adj (starr) vacant II. adv vacantly

Stier <-[e]s, -e> [ʃtiːɐ̯] m ❶ (Bulle) bull ❷ ASTROL Taurus ▶ **den ~ bei den Hörnern packen** to take the bull by the horns

stie·ren [ˈʃtiːrən] vi to stare vacantly (auf at)

Stier·kampf m bullfight **Stier·kampf·are·na** f bullring **Stier·kämp·fer(in)** m(f) bullfighter

stieß [ʃtiːs] imp von **stoßen**

Stift¹ <-[e]s, -e> [ʃtɪft] m ❶ (Stahl~) tack, pin ❷ (zum Schreiben) pen, pencil ❸ (Lehrling) apprentice

Stift² <-[e]s, -e> [ʃtɪft] nt ❶ (Heim) home ❷ (christliches Internat) church boarding school ❸ (Männerkloster) monastery; (Frauenkloster) convent

stif·ten [ˈʃtɪftn̩] vt ❶ (spenden) ▪[jdm] etw ~ to donate sth [to sb] ❷ (verursachen) to cause; **Unruhe ~** to create unrest ❸ (fam: abhauen) ~ **gehen** to scram

Stif·ter(in) <-s, -> [ˈʃtɪftɐ] m(f) ❶ (Spender) don[at]or ❷ (Gründer) founder

Stifts·kir·che f collegiate church

Stif·tung <-, -en> f ❶ (Organisation) foundation ❷ (Schenkung) donation

Stift·zahn m post crown

stig·ma·ti·sie·ren [ʃtɪɡmatiˈziːrən] vt SOZIOL (geh) to stigmatize

Stig·ma·ti·sie·rung [ʃtɪɡmatiˈziːrʊŋ] f SOZIOL (geh) stigmatization

Stil <-[e]s, -e> [ʃtiːl] m ❶ (Ausdrucksform) style ❷ (Verhaltensweise) ▪jds ~ sb's conduct; **das ist nicht unser ~** that's not the way we do things [here] ▶ **im großen ~** on a grand scale

stil·bil·dend adj SOZIOL, KUNST trendsetting **Stil·bruch** m inconsistency in style; KUNST, LING stylistic incongruity **stil·echt** I. adj period usu attr II. adv in period style

sti·li·sie·ren* [ʃtiliˈziːrən, st-] vt to stylize

Sti·lis·tik <-, -en> [ʃtiˈlɪstɪk] f kein pl (Stilkunde) stylistics + sing vb, no art

sti·lis·tisch I. adj stylistic II. adv stylistically

still [ʃtɪl] adj ❶ (ruhig) quiet, peaceful; etw ~ **halten** to keep sth still; **sei ~!** be quiet! ❷ (beschaulich) quiet; **eine ~e Stunde** a quiet time ❸ (verschwiegen) quiet ❹ (heimlich) **im S~en** in secret; **im S~en hoffen** to secretly hope ▶ **es ist um jdn ~ geworden** you don't hear much about sb anymore

Stil·le <-> [ˈʃtɪlə] f kein pl ❶ (Ruhe) quiet no art, no pl; (ohne Geräusch) silence no art, no pl; **es herrschte ~** there was silence; **in aller ~** quietly ❷ (Abgeschiedenheit) peace no art, no pl

Stil·le·benALT nt s. **Stillleben**

stil·le·genALT <stillgelegt> vt s. **stilllegen**

Stil·le·gungALT <-, -en> f s. **Stilllegung**

stil·len [ˈʃtɪlən] vt ❶ (säugen) to breastfeed ❷ (befriedigen) to satisfy; **den Durst ~** to quench sb's thirst ❸ (aufhören lassen) to stop; Blutverlust to staunch

still·hal·ten vi irreg to keep still **stillie·gen**ALT <stillgelegen> vi s. **stillliegen**

Still·le·benRR [ˈʃtɪle:bn̩] nt still life

still·le·genRR <stillgelegt> vt to close [down sep]; ▪**stillgelegt** closed [down]

Still·le·gungRR <-, -en> f closure

still·lie·genRR <stillgelegen> vi sein o haben to be closed [down]

stil·los adj lacking any definite style pred

Still·schwei·gen nt silence no art, no pl; **über etw** akk ~ **bewahren** to keep quiet about sth **still·schwei·gend** [ˈʃtɪlʃvaɪɡn̩t] I. adj tacit II. adv tacitly; **etw ~ billigen** to give sth one's tacit approval **still·sit·zen** vi irreg sein o haben to sit still **Still·stand** m kein pl standstill no pl; **zum ~ kommen** (zum Erliegen) to come to a standstill; (aufhören) to stop **still·ste·hen** vi irreg sein o haben ❶ (außer Betrieb sein) to stand idle ❷ MIL ▪**stillgestanden!** attention!

Stil·mö·bel nt meist pl period furniture no pl

stil·voll adj stylish

Stimm·ab·ga·be f POL vote, voting no art, no pl **Stimm·band** nt meist pl vocal c[h]ord **stimm·be·rech·tigt** adj entitled to vote pred **Stimm·be·rech·tig·te(r)** f(m) dekl wie adj person entitled to vote; ▪**die ~n** the voters pl **Stimm·bruch** m er war mit 12 im ~ his voice broke when he was 12

Stim·me <-, -n> ['ʃtɪmə] f ❶ (*Art des Sprechens*) voice; **mit leiser ~ sprechen** to speak in a quiet voice ❷ POL vote; **sich der ~ enthalten** to abstain ❸ (*Meinungsäußerung*) voice; **es werden ~n laut, die sich gegen das Projekt aussprechen** voices are being raised against the project

stim·men¹ ['ʃtɪmən] vi ❶ (*zutreffen*) to be right; ■**es stimmt, dass ...** it is true that ...; **stimmt!** right! ❷ (*korrekt sein*) to be correct; **diese Rechnung stimmt nicht!** there's something wrong with this bill!; **da stimmt was nicht!** there's something wrong here!; **stimmt so!** keep the change!

stim·men² ['ʃtɪmən] vt MUS to tune

Stim·men·aus·zäh·lung f vote count

Stim·men·ge·wirr nt babble of voices

Stim·men·gleich·heit f tie **Stim·men·mehr·heit** f majority of votes; **jdn durch ~ besiegen** to outvote sb

Stimm·ent·hal·tung f abstention **Stimm·ga·bel** f tuning fork

stimm·haft adj LING voiced

stim·mig ['ʃtɪmɪç] adj ■[in sich dat] ~ **sein** to be consistent

Stimm·la·ge f voice

stimm·los adj LING voiceless

Stimm·recht nt right to vote

Stim·mung <-, -en> f ❶ (*Gemütslage*) mood; ■**in der ~ sein** to be in the mood (**zu** for); **in ~ kommen** to get in the [right] mood ❷ (*Atmosphäre*) atmosphere; **eine geladene ~** a tense atmosphere ❸ (*öffentliche Einstellung*) public opinion no art, no pl; ~ **für/gegen etw** akk **machen** to stir up [public] opinion for/against sth

Stim·mungs·la·ge f mood, atmosphere **Stim·mungs·tief** <-s, -s> nt PSYCH, POL (*fam*) low [period] **Stim·mungs·um·schwung** m change of mood [or atmosphere]

stim·mungs·voll adj sentimental usu pej **Stimm·zet·tel** m voting slip

Sti·mu·la·ti·on <-, -en> [ʃtimula'tsi̯oːn] f stimulation

sti·mu·lie·ren* [ʃtimu'liːrən] vt to stimulate; ■**jdn [zu etw** dat] ~ to encourage sb [to do sth]

Stink·bom·be f stink bomb

Stin·ke·fin·ger m (*fam*) **jdm den ~ zeigen** to tell sb to fuck off, to flip sb the bird AM

stin·ken <stank, gestunken> ['ʃtɪŋkn̩] vi ❶ (*unangenehm riechen*) to stink (**nach** of) ❷ (*verdächtig sein*) **die Sache stinkt** the whole business stinks ❸ (*sl: zuwider sein*) ■**jdm stinkt etw** sb is fed up with sth; **mir stinkt's!** I'm fed up [to the back teeth] with it!

stin·kend adj stinking

stink·faul ['ʃtɪŋk'fau̯l] adj bone idle **stink·lang·wei·lig** adj dead boring **stink·reich** ['ʃtɪŋk'rai̯ç] adj (*fam*) rolling in it pred fam, stinking rich pred pej fam **stink·sau·er** ['ʃtɪŋk'zau̯ɐ] adj ~ **auf jdn sein** to be pissed off with sb **Stink·tier** nt skunk **Stink·wut** ['ʃtɪŋk'vuːt] f towering rage no pl; ■**eine ~ haben** to seethe with rage; ■**eine ~ auf jdn haben** to livid with sb

Sti·pen·di·at(in) <-en, -en> [ʃtipɛn'di̯aːt] m(f) person receiving a scholarship

Sti·pen·di·um <-s, -dien> [ʃti'pɛndi̯ʊm, pl -di̯ən] nt scholarship

Stipp·vi·si·te ['ʃtɪpviziːtə] f (*fam*) quick [or BRIT flying] visit; **bei jdm eine ~ machen** to pay sb a flying visit

Stirn <-, -en> [ʃtɪrn] f forehead; **die ~ runzeln** to frown ▸**jdm die ~ bieten** to face up to sb; **jdm auf der ~ geschrieben stehen** to be written on sb's face

Stirn·band <-bänder> nt headband **Stirn·höh·le** f sinus **Stirn·höh·len·ent·zün·dung** f sinusitis no art, no pl **Stirn·run·zeln** <-s> nt kein pl frown **Stirn·sei·te** f [narrow] side; **eines Hauses** end wall

stob [ʃtoːp] imp von **stieben**

stö·bern ['ʃtøːbɐn] vi ■**in etw** dat ~ to rummage in sth

sto·chern ['ʃtɔxɐn] vi ■**in etw** dat ~ to poke [around in] sth

Stock¹ <-[e]s, Stöcke> [ʃtɔk, pl 'ʃtœkə] m ❶ (*Holzstange*) stick ❷ (*Topfpflanze*) plant ▸**über ~ und Stein** across country

Stock² <-[e]s, -> [ʃtɔk] m floor, storey; **der 1. ~** the ground [or AM first] floor

stock·be·sof·fen ['ʃtɔkbə'zɔfn̩] adj (*fam*) stinking drunk **stock·dun·kel** ['ʃtɔk'dʊŋkl̩] adj pitch-black

Stö·ckel·ab·satz m high heel **Stö·ckel·schuh** m high heel

sto·cken ['ʃtɔkn̩] vi ❶ (*innehalten*) to falter ❷ (*zeitweilig stillstehen*) to come to a halt

sto·ckend adj ❶ Unterhaltung flagging ❷ Verkehr stop-start ❸ ÖKON stagnant

stock·fins·ter adj s. **stockdunkel Stock·fisch** m dried cod

Stock·holm <-s> ['ʃtɔkhɔlm] nt Stockholm no art, no pl

stock·kon·ser·va·tiv ['ʃtɔkkɔnzɛrva'tiːf] adj (*fam*) diehard **stock·sau·er** ['ʃtɔk'zau̯ɐ] adj (*fam*) pissed off pred; ■~ **sein** to be pissed off **stock·steif** ['ʃtɔk'ʃtai̯f] adj, adv [as] stiff as a poker pred

Sto·ckung <-, -en> *f* hold-up (+*gen* in)
Stock·werk *nt s.* **Stock²**
Stoff <-[e]s, -e> [ʃtɔf] *m* ❶ (*Textil*) material, cloth ❷ (*Material*) material ❸ CHEM substance ❹ (*thematisches Material*) material *no indef art, no pl* ❺ (*Lehr~*) subject material *no indef art, no pl* ❻ *kein pl* (*sl: Rauschgift*) dope *no art, no pl*
Stoffet·zenALT, **Stoff·fet·zen**RR *m* scrap of material **stoff·ge·bun·den** *adj* MED, PSYCH (*fachspr*) substance-related; **~e Süchte** substance addictions **Stoff·tier** *nt* soft [*or* BRIT *also* cuddly] toy
Stoff·wech·sel *m* metabolism *no art, no pl*
stöh·nen [ˈʃtøːnən] *vi* to moan; (*vor Schmerz*) to groan
sto·isch [ˈʃtoːɪʃ, ˈst-] *adj* stoic[al]
Sto·la <-, Stolen> [ˈʃtoːla, ˈst-] *f* ❶ MODE shawl; (*aus Pelz*) stole ❷ REL stole
Stol·len <-s, -> [ˈʃtɔlən] *m* ❶ BERGB tunnel; **senkrechter/waagrechter ~** shaft/gallery ❷ KOCHK stollen AM (*sweet bread made with dried fruit often with marzipan in the centre, eaten at Christmas*)
stol·pern [ˈʃtɔlpɐn] *vi sein* ❶ (*zu fallen drohen*) to trip, to stumble (**über** over) ❷ (*als auffallend bemerken*) ■**über etw** *akk* **~** to be puzzled by sth
Stol·per·stein *m* stumbling block
stolz [ʃtɔlts] *adj* proud; ■**~ auf jdn/etw sein** to be proud of sb/sth; **eine ~e Summe** a tidy sum
Stolz <-es> [ʃtɔlts] *m kein pl* pride *no art, no pl*; **jds ganzer ~ sein** to be sb's pride and joy
stol·zie·ren* [ʃtɔlˈtsiːrən] *vi sein* to strut
stop [ʃtɔp] *interj s.* **stopp**
StopALT <-s, -s> [ʃtɔp] *m s.* **Stopp**
Stop-and-go(-Ver·kehr) <-s> [ˈstɔpʔəndˈɡoː-] *nt kein pl* stop-and-go traffic *no art, no pl*
stop·fen [ˈʃtɔpfn̩] I. *vt* ❶ (*hineinzwängen*) to stuff ❷ (*mit Nadel und Faden*) to darn II. *vi* ❶ (*sättigen*) to be filling ❷ (*die Verdauung hemmen*) to cause constipation
Stopf·na·del *f* darning needle
stopp [ʃtɔp] *interj* stop
StoppRR <-s, -s> [ʃtɔp] *m* stop; **ohne ~** without stopping
Stop·pel¹ <-, -n> [ˈʃtɔpl̩] *f meist pl* stubble *no art, no pl*
Stop·pel² <-s, -> [ˈʃtɔpl̩] *m* ÖSTERR (*Stöpsel*) plug
Stop·pel·bart *m* stubbly beard **Stop·pel·feld** *nt* stubble field
stop·pe·lig [ˈʃtɔpəlɪç] *adj* stubbly
stop·pen [ˈʃtɔpn̩] *vt, vi* ❶ (*anhalten*) to

stop ❷ (*Zeit nehmen*) to time
stopp·lig [ˈʃtɔplɪç] *adj s.* **stoppelig**
Stopp·schild <-schilder> *nt* stop [*or* BRIT *also* halt] sign **Stopp·uhr** *f* stopwatch
Stöp·sel <-s, -> [ˈʃtœpsl̩] *m* stopper; (*für Badewanne*) plug; (*Fass~*) bung
Stör <-[e]s, -e> [ʃtøːɐ̯] *m* ZOOL sturgeon
Storch <-[e]s, Störche> [ʃtɔrç, *pl* ˈʃtœrçə] *m* stork
Stor·chen·nest *nt* stork's nest
Stör·chin [ˈʃtœrçɪn] *f fem form von* **Storch**
stö·ren [ˈʃtøːrən] I. *vt* ❶ (*unterbrechen*) ■**jdn ~** to disturb sb; **jdn bei der Arbeit ~** to disturb sb at his/her work; **entschuldigen Sie, wenn ich Sie störe** I'm sorry to bother you ❷ (*beeinträchtigen*) **jds Pläne ~** to interfere with sb's plans; **jds Schlaf ~** to disturb sb's sleep ❸ (*unangenehm berühren*) **stört es Sie, wenn ich ...?** do you mind if I ...?; **das stört mich nicht** that doesn't bother me; **das stört mich!** that's annoying me! II. *vi* ❶ (*bei etw unterbrechen*) to disturb; **ich will nicht ~, aber ...** I hate to disturb you, but ... ❷ (*lästig sein*) to be irritating; **etw als ~d empfinden** to find sth irritating III. *vr* ■**sich an etw** *dat* **~** to let sth bother one
Stö·ren·fried <-[e]s, -e> *m* troublemaker
Stör·fall *m* (*technischer Defekt*) fault; (*Fehlfunktion*) malfunction; **im ~** in case of malfunction **Stör·ge·räusch** *nt* interference *no art, no pl*
Stor·ni *pl s.* **Storno**
stor·nie·ren* [ʃtɔrˈniːrən] *vt* to cancel
Stor·nie·rung <-, -en> *f* ❶ HANDEL *eines Auftrags* cancellation ❷ FIN *einer Buchung* reversal, correcting entry
Stor·no <-s, Storni> [ˈʃtɔrno, *pl* ˈʃtɔrni] *m o nt* reversal
stör·risch [ˈʃtœrɪʃ] I. *adj* obstinate, stubborn II. *adv* obstinately, stubbornly
Stö·rung <-, -en> *f* ❶ (*Unterbrechung*) interruption, disruption, disturbance ❷ (*Störsignale*) interference *no art, no pl* ❸ (*technischer Defekt*) fault; (*Fehlfunktion*) malfunction
Stö·rungs·dienst *m* TELEK faults service BRIT, repair service AM **Stö·rungs·stel·le** *f* TELEK customer hotline
Sto·ry <-, -s> [ˈstoːri, ˈstɔri] *f* story
Stoß <-es, Stöße> [ʃtoːs, *pl* ˈʃtøːsə] *m* ❶ (*Schubs*) push; (*mit dem Ellbogen*) dig; (*mit der Faust*) punch; (*mit dem Fuß*) kick; **jdm einen ~ versetzen** to give sb a push etc. ❷ *einer Waffe* thrust ❸ (*Erschütterung*) bump ❹ (*Stapel*) pile, stack ▸ **sich** *dat* **einen ~ geben** to pull oneself to-

S

gether

Stoß·dämp·fer *m* shock absorber

Stö·ßel <-s, -> ['ʃtøːsl] *m* pestle

sto·ßen <stößt, stieß, gestoßen> ['ʃtoːsn̩]
I. *vt* ❶ (*schubsen*) to push, to shove (**aus** out of, **von** off) ❷ (*aufmerksam machen*) ▪ **jdn auf etw** *akk* ~ to point out sth *sep* to sb II. *vr* ▪ **sich** [**an etw** *dat*] ~ to hurt oneself [on sth]; [**sich** *dat*] **den Kopf** ~ to bang one's head III. *vi* ❶ *sein* (*aufschlagen*) ▪ **an etw** *akk* ~ to knock against sth; **mit dem Kopf an etw** *akk* ~ to bang one's head on sth; ▪ **gegen etw** *akk* ~ to knock into sth ❷ *sein* (*grenzen*) ▪ **an etw** *akk* ~ to be bordered by sth ❸ *sein* (*treffen*) ▪ **zu jdm** ~ to join sb ❹ *sein* (*finden*) ▪ **auf etw** *akk* ~ to find sth; **auf Erdöl** ~ to strike oil ❺ *sein* (*konfrontiert werden*) **auf Ablehnung/Zustimmung** ~ to meet with disapproval/approval ❻ SCHWEIZ (*schieben*) to push, to shove

Stoß·ge·bet *nt* [quick] prayer; **ein** ~ **zum Himmel schicken** to send up a [quick] prayer **Stoß·seuf·zer** *m* deep sigh **Stoß·stan·ge** *f* bumper **Stoß·ver·kehr** *m* rush hour [traffic] *no art, no pl* **stoß·wei·se** *adv* ❶ (*ruckartig*) in fits and starts ❷ (*in Stapeln*) in piles **Stoß·zahn** *m* tusk **Stoß·zeit** *f* ❶ (*Hauptverkehrszeit*) rush hour *no art, no pl* ❷ (*Hauptgeschäftszeit*) peak time

Stot·te·rer, Stot·te·rin <-s, -> *m, f* stutterer

stot·tern ['ʃtɔtɐn] I. *vi* ❶ (*stockend sprechen*) to stutter ❷ *Motor* to splutter II. *vt* ▪ **etw** ~ to stammer [out *sep*] sth

Stöv·chen <-s, -> ['ʃtøːfçən] *nt* [teapot/coffee pot] warmer

Str. *Abk von* **Straße** St

stracks [ʃtraks] *adv* straight; **jetzt aber ~ nach Hause!** home with you, straight away!

Straf·an·stalt *f* penal institution **Straf·an·trag** *m* petition (*for a particular penalty or sentence*) **Straf·an·zei·ge** *f* [criminal] charge; ~ [**gegen jdn**] **erstatten** to bring a criminal charge against sb **Straf·ar·beit** *f* SCH lines *pl* BRIT, extra work AM; **jdm eine ~ aufgeben** to punish sb/to give sb lines **Straf·bank** *f* SPORT penalty bench; **die ~ drücken** (*fam o fig*) to be in the sin bin

straf·bar *adj* punishable [by law]; **sich** [**mit etw** *dat*] ~ **machen** to make oneself liable to prosecution

Straf·be·fehl *m* order of summary punishment (*on the application of the public prosecutor's office*)

Stra·fe <-, -n> ['ʃtraːfə] *f* ❶ (*Bestrafung*) punishment *no pl*; **das ist die ~** [**dafür**]! that's what you get [for doing it]!; ~ **muss sein!** discipline is necessary!; **zur ~** as a punishment ❷ (*Geld~*) fine; ~ **zahlen** to pay a fine; (*Haft~*) sentence; **seine ~ absitzen** to serve [out] one's sentence ▸ **die ~ folgt auf dem Fuße** [the] punishment follows swiftly

stra·fen ['ʃtraːfn̩] *vt* ❶ (*be~*) ▪ **jdn** ~ to punish sb (**für** for); **mit etw** *dat* **gestraft sein** to be stuck with sth *fam* ❷ (*behandeln*) **jdn mit Verachtung** ~ to treat sb with contempt

stra·fend I. *adj attr* punitive, punishing *attr;* **jdn mit ~en Worten tadeln** to speak sharply to sb II. *adv* punishingly; **jdn ~ ansehen** to give sb a withering look

Straf·er·lass^{RR} *m* remission [of a/the sentence]; **ein vollständiger ~** a pardon

straff [ʃtraf] I. *adj* ❶ (*fest gespannt*) taut, tight ❷ (*nicht schlaff*) firm II. *adv* tightly

straf·fäl·lig *adj* JUR punishable, criminal *attr;* **ein ~er Jugendlicher** a young offender; ▪ ~ **werden** to become a criminal

Straf·fäl·lig·keit *f kein pl* JUR (*fachspr*) delinquency, criminal activity

straf·fen ['ʃtrafn̩] *vt* ❶ (*straff anziehen*) to tighten ❷ (*kürzen*) to shorten; (*präziser machen*) to tighten up *sep*

Straff·heit <-> *f kein pl* ❶ *der Haut* firmness; *eines Seils* tautness ❷ (*fig*) *einer Ordnung* strictness

straf·frei *adj* unpunished; ~ **bleiben** to go unpunished **Straf·frei·heit** *f kein pl* immunity from criminal prosecution **Straf·ge·fan·ge·ne(r)** *f(m) dekl wie adj* prisoner **Straf·ge·richt** *nt* punishment; **ein ~ abhalten** to hold a trial **Straf·ge·setz** *nt* criminal law **Straf·ge·setz·buch** *nt* penal code **Straf·jus·tiz** *f kein pl* criminal justice *no pl, no art*

sträf·lich ['ʃtrɛːflɪç] *adj* criminal *attr*

Sträf·ling <-s, -e> ['ʃtrɛːflɪŋ] *m* prisoner

straf·los *adj* unpunished

Straf·maß *nt* sentence **straf·mil·dernd** *adj* mitigating **straf·mün·dig** *adj* of the age of criminal responsibility **Straf·por·to** *nt* excess postage **Straf·pre·digt** *f* sermon; **jdm eine ~ halten** to lecture sb **Straf·pro·zess**^{RR} *m* trial **Straf·pro·zess·ord·nung**^{RR} *f* code of criminal procedure **Straf·punkt** *m* SPORT penalty spot **Straf·raum** *m* FBALL penalty area **Straf·recht** *nt* criminal law *no art, no pl* **straf·recht·lich** *adj* criminal *attr;* **eine ~e Frage** a question concerning criminal law **Straf·re·gis·ter** *nt* criminal records *pl*

Straf·stoß *m* SPORT penalty [kick] **Straf·tat** *f* [criminal] offence **Straf·tä·ter(in)** *m(f)* criminal, offender **Straf·ver·fah·ren** *nt* criminal proceedings *pl* **Straf·ver·fol·ger(in)** *m(f)* public prosecutor BRIT, district attorney AM **Straf·ver·set·zung** *f* disciplinary transfer **Straf·ver·tei·di·ger(in)** *m(f)* counsel for the defence BRIT, defending counsel AM **Straf·voll·zug** *m* penal system **Straf·voll·zugs·an·stalt** *f* penal institution **Straf·zet·tel** *m* ticket

Strahl <-[e]s, -en> [ʃtraːl] *m* ❶ (*Licht~*) ray [of light]; (*Sonnen~*) sunbeam BRIT, sunray AM; (*konzentriertes Licht*) beam ❷ (*Wasser~*) jet

strah·len ['ʃtraːlən] *vi* ❶ (*leuchten*) to shine (**auf** on) ❷ (*Radioaktivität abgeben*) to be radioactive ❸ (*ein freudiges Gesicht machen*) to beam (**vor** with); **über das ganze Gesicht ~** to beam all over one's face ❹ (*glänzen*) to shine (**vor** with)

Strah·len·be·hand·lung *f* radiotherapy *no art, no pl* **Strah·len·be·las·tung** *f* radiation *no art, no pl,* radioactive contamination *no pl*

strah·lend **I.** *adj* ❶ (*sonnig*) glorious ❷ (*freudestrahlend*) beaming ❸ (*radioaktiv verseucht*) radioactive **II.** *adv* **jdn ~ ansehen** to beam at sb

Strah·len·do·sis *f* MED dose of radiation **strah·len·ge·schä·digt** *adj* suffering from radiation sickness, damaged by radiation **Strah·len·krank·heit** *f* MED radiation sickness *no art, no pl* **Strah·len·schutz** *m kein pl* radiation protection *no art, no pl* **Strah·len·the·ra·pie** *f s.* **Strahlenbehandlung** **strah·len·ver·seucht** *adj* contaminated with radioactivity *pred*

Strah·ler <-s, -> *m* (*Leuchte*) spotlight, spot *fam*

Strah·lung <-, -en> *f* PHYS radiation *no art, no pl;* **radioaktive ~** radioactivity

Strähn·chen <-s, -> *nt meist pl* streak, streaks *pl;* **~ machen lassen** to have highlights put in

Sträh·ne <-, -n> ['ʃtrɛːnə] *f* strand; **eine weiße ~** a white streak

sträh·nig ['ʃtrɛːnɪç] *adj* straggly

stramm [ʃtram] **I.** *adj* ❶ (*straff*) tight; **etw ~ ziehen** to tighten sth ❷ (*kräftig*) strong, brawny, strapping *hum fam* ❸ (*drall*) taut; *Beine* sturdy ❹ *Marsch* brisk ❺ KOCHK **S~er Max** ham and fried eggs on toast **II.** *adv* ❶ (*eng anliegend*) tightly ❷ (*fam: intensiv*) intensively; **~ marschieren** to march briskly

stramm|ste·hen *vi irreg* to stand to attention

Stram·pel·an·zug *m* romper suit **Stram·pel·hös·chen** [-høːsçən] *nt* romper suit, Babygro® BRIT

stram·peln ['ʃtrampl̩n] *vi* ❶ *haben* (*heftig treten*) to kick about ❷ *haben* (*fam: sich abmühen*) to struggle

Strand <-[e]s, Strände> [ʃtrant, *pl* 'ʃtrɛndə] *m* beach; **am ~** on the beach; *eines Sees* shore

Strand·bad *nt* bathing beach

stran·den ['ʃtrandn̩] *vi sein* (*auf Grund laufen*) to run aground ▶ **irgendwo gestrandet sein** to be stranded somewhere

Strand·gut *nt kein pl* flotsam and jetsam + *sing vb* **Strand·korb** *m* beach chair **Strand·pro·me·na·de** *f* promenade

Strang <-[e]s, Stränge> [ʃtraŋ, *pl* 'ʃtrɛŋə] *m* ❶ (*dicker Strick*) rope ❷ (*Bündel von Fäden*) hank ▶ **am gleichen ~ ziehen** to [all] pull together; **über die Stränge schlagen** (*fam*) to run riot

stran·gu·lie·ren* [ʃtraŋguˈliːrən] *vt* to strangle

Stra·pa·ze <-, -n> [ʃtraˈpaːtsə] *f* stress *no art, no pl,* strain *no art, no pl*

stra·pa·zie·ren* [ʃtrapaˈtsiːrən] **I.** *vt* ❶ (*stark beanspruchen*) to wear; (*abnutzen*) to wear out *sep;* **man darf diese Seidenhemden nicht zu sehr ~** you can't put too much wear [and tear] on these silk shirts ❷ (*überbeanspruchen*) **jds Geduld ~** to tax sb's patience; **jds Nerven ~** to get on sb's nerves ❸ (*fam: zu häufig verwenden*) to flog to death **II.** *vr* ◼ **sich** [**bei etw** *dat*] **~** to overdo it [when doing sth]

stra·pa·zier·fä·hig *adj* hard-wearing

stra·pa·zi·ös [ʃtrapaˈtsi̯øːs] *adj* strenuous

Straps <-es, -e> [ʃtraps] *m meist pl* suspender[s *pl*] BRIT, garter AM

Straß·burg <-s> ['ʃtraːsbʊrk] *nt* Strasbourg

Stra·ße <-, -n> ['ʃtraːsə] *f* (*Verkehrsweg*) road; (*bewohnte ~*) street; (*enge ~ auf dem Land*) lane; **auf die ~ gehen** to demonstrate; **auf der ~ sitzen** (*fam*) to be [out] on the streets ▶ **auf offener ~** in broad daylight; **jdn auf die ~ setzen** (*fam*) to throw out sb

Stra·ßen·an·zug *m* lounge [*or* AM business] suit **Stra·ßen·ar·bei·ter(in)** *m(f)* [road] construction worker **Stra·ßen·bahn** *f* tram[car] BRIT, streetcar AM; **mit der ~ fahren** to go by tram **Stra·ßen·bahn·hal·te·stel·le** *f* tram stop **Stra·ßen·bahn·li·nie** *f* tram route BRIT, streetcar line AM **Stra·ßen·bau** *m kein pl* road construction *no art* **Stra·ßen·be·lag** *m*

road surface **Stra·ßen·block** <-s, -s o -blöcke> m block **Stra·ßen·fe·ger(in)** <-s, -> m(f) road sweeper, street cleaner AM **Stra·ßen·fest** nt street party **Stra·ßen·füh·rung** f route **Stra·ßen·gra·ben** m [roadside] ditch **Stra·ßen·jun·ge** m (pej) street urchin **Stra·ßen·kar·te** f road map **Stra·ßen·keh·rer(in)** <-s, -> m(f) road sweeper **Stra·ßen·kreu·zer** <-s, -> m (fam) limousine **Stra·ßen·kreu·zung** f crossroads + sing vb, intersection AM **Stra·ßen·la·ter·ne** f street lamp, street light **Stra·ßen·lo·kal** nt pavement [or AM sidewalk] café, roadside pub **Stra·ßen·mu·si·kant(in)** m(f) street musician, busker BRIT **Stra·ßen·rand** m roadside **Stra·ßen·schild** nt street sign **Stra·ßen·schlucht** f street (between high-rise buildings) **Stra·ßen·sei·te** f (Straße) roadside; (Gebäude) side next to the road/street **Stra·ßen·sper·re** f roadblock **Stra·ßen·strich** m (fam) red-light district **Stra·ßen·über·füh·rung** f für Fußgänger footbridge; für Fahrzeuge flyover BRIT, overpass AM **Stra·ßen·un·ter·füh·rung** f für Fahrzeuge underpass; für Fußgänger [pedestrian] subway, underpass esp AM **Stra·ßen·ver·hält·nis·se** pl road conditions pl **Stra·ßen·ver·kehr** m [road] traffic **Stra·ßen·ver·kehrs·ord·nung** f road traffic act
Stra·te·ge, Stra·te·gin <-n, -n> [ʃtraˈteːgə, st-, ˈʃtraˈteːgɪn] m, f strategist **Stra·te·gie** <-, -en> [ʃtrateˈgiː, st-, pl -ˈgiːən] f strategy **Stra·te·gin** <-, -nen> f fem form von **Stra·tege**
stra·te·gisch [ʃtraˈteːgɪʃ, st-] adj strategic **Stra·to·sphä·re** [ʃtratoˈsfɛːrə, st-] f kein pl stratosphere
sträu·ben [ˈʃtrɔybn̩] vr ❶ (sich widersetzen) ■sich [gegen etw akk] ~ to resist [sth] ❷ (sich aufrichten) ■sich ~ Fell, Haar to stand on end
Strauch <-[e]s, Sträucher> [ʃtraʊx, pl ˈʃtrɔyçɐ] m shrub, bush
strau·cheln [ˈʃtraʊxln̩] vi sein (geh) ❶ (stolpern) to stumble (über over) ❷ (straffällig werden) to go astray
Strauß¹ <-es, Sträuße> [ʃtraʊs, pl ˈʃtrɔysə] m bunch [of flowers]
Strauß² <-es, -e> [ʃtraʊs] m ostrich
Stre·be <-, -n> [ˈʃtreːbə] f brace, strut
stre·ben [ˈʃtreːbn̩] vi ❶ haben (sich bemühen) to strive (nach for) ❷ sein (geh: sich hinbewegen) zum Ausgang ~ to make for the exit
Stre·ben <-s> [ˈʃtreːbn̩] nt kein pl striving

(nach for)
Stre·be·pfei·ler m ARCHIT buttress
Stre·ber(in) <-s, -> [ˈʃtreːbɐ] m(f) (pej fam) swot BRIT, grind AM
streb·sam [ˈʃtreːpzaːm] adj assiduous
Streb·sam·keit <-> f kein pl assiduousness
Stre·cke <-, -n> [ˈʃtrɛkə] f ❶ (Weg~) distance; eine ~ von zehn Kilometern zurücklegen to cover a distance of ten kilometres; ich habe auf der ganzen ~ geschlafen I slept the whole way; auf halber ~ halfway; über weite ~n for long stretches ❷ BAHN [section of] line; auf freier ~ on the open line ▸ auf der ~ blei·ben dat (fam) to fall by the wayside; jdn zur ~ bringen to hunt sb down
stre·cken [ˈʃtrɛkn̩] I. vt ❶ (recken) to stretch; den Arm/die Beine ~ to stretch one's arm/legs; den Finger ~ to raise one's finger ❷ (ergiebiger machen) to stretch; Drogen etc. to thin down II. vr ■sich ~ to [have a] stretch
Stre·cken·ab·schnitt m BAHN section of the line **Stre·cken·netz** nt BAHN rail network **stre·cken·wei·se** adv in parts
Streck·mus·kel m ANAT extensor [muscle]
Stre·ckung <-, -en> f MATH dilation
Street·wor·ker(in) <-s, -> [ˈstriːtvøːɐke] m(f) street worker
Streich <-[e]s, -e> [ʃtraɪç] m ❶ (Schabernack) prank; ein böser ~ a nasty trick; jdm einen ~ spielen to play a trick on sb ❷ (geh: Schlag) blow
Strei·chel·ein·hei·ten pl (Zärtlichkeit) tender loving care, TLC fam; ein paar ~ a bit of tender loving care; (Lob) praise and appreciation
strei·cheln [ˈʃtraɪçln̩] vt to stroke, to caress
strei·chen <strich, gestrichen> [ˈʃtraɪçn̩] I. vt haben ❶ (anmalen) to paint ❷ (schmieren) ■etw ~ to spread sth (auf on) ❸ (ausstreichen) to delete ❹ (zurückziehen) to cancel, to withdraw II. vi haben (darüberfahren) ■über etw akk ~ to stroke sth ❷ sein (streifen) to prowl
Strei·cher(in) <-s, -> [ˈʃtraɪçe] m(f) MUS string player
Streich·holz nt match **Streich·holz·schach·tel** f matchbox **Streich·in·stru·ment** nt string[ed] instrument **Streich·kä·se** m cheese spread **Streich·mu·sik** f string music **Streich·or·ches·ter** nt string orchestra **Streich·quar·tett** nt string quartet
Strei·chung <-, -en> f ❶ (das Streichen) deletion ❷ (das Zurückziehen) Auftrag, Projekt cancellation; Zuschüsse withdraw-

al ❸ (*gestrichene Textstelle*) deletion

Streich·wurst *f* sausage for spreading

Strei·fe <-, -n> ['ʃtrai̯fə] *f* patrol; **auf ~ sein** to be on patrol

strei·fen ['ʃtrai̯fn̩] **I.** *vt haben* ❶ (*flüchtig berühren*) to touch; **der Schuss streifte ihn nur** the shot just grazed him ❷ (*flüchtig erwähnen*) ▪ **etw** [**nur**] **~** to [just] touch [up]on sth ❸ (*überziehen*) ▪ **etw auf/über etw** *akk* **~** to slip sth on/over sth ❹ (*abstreifen*) ▪ **etw von etw** *dat* **~** to slip sth off sth **II.** *vi sein* (*geh*) to roam

Strei·fen <-s, -> ['ʃtrai̯fn̩] *m* ❶ (*schmaler Abschnitt*) stripe ❷ (*schmales Stück*) strip

Strei·fen·po·li·zist(in) *m(f)* policeman/policewoman on patrol **Strei·fen·wa·gen** *m* patrol car

Streif·schuss^RR *m* graze **Streif·zug** *m* ❶ (*Bummel*) expedition; **einen ~ durch etw** *akk* **machen** to take a wander through sth ❷ (*Raubzug*) raid ❸ (*Exkurs*) digression

Streik <-[e]s, -s *o selten* -e> [ʃtrai̯k] *m* strike; **mit ~ drohen** to threaten strike action; **in den ~ treten** to come out on strike

Streik·bre·cher(in) *m(f)* strike-breaker

strei·ken ['ʃtrai̯kn̩] *vi* ❶ (*die Arbeit niederlegen*) to come out on strike ❷ (*nicht arbeiten*) to be on strike, to strike (**für** for) ❸ (*hum fam: nicht funktionieren*) to pack up ❹ (*fam: sich weigern*) to go on strike

Strei·ken·de(r) *f(m) dekl wie adj* striker

Streik·pos·ten *m* picket; **~ aufstellen** to mount a picket **Streik·recht** *nt kein pl* right to strike

Streit <-[e]s, -e> [ʃtrai̯t] *m* argument, dispute, quarrel, row Brit; [**mit jdm**] **~** [**wegen etw** *dat*] **bekommen** to get into an argument [with sb] [about sth]; **~ haben** to have an argument; **~ suchen** to be looking for an argument; **im ~** during an argument

strei·ten <stritt, gestritten> ['ʃtrai̯tn̩] *vi, vr* to argue, to quarrel (**über** about); ▪ **sich um etw** *akk* **~** to argue [*or* fight] over sth

Strei·te·rei <-, -en> [ʃtrai̯tə'rai̯] *f* (*fam*) arguing *no indef art, no pl*

Streit·fall *m* dispute, conflict; **im ~** in case of dispute **Streit·fra·ge** *f* [disputed] issue **Streit·ge·spräch** *nt* debate

strei·tig ['ʃtrai̯tɪç] *adj* disputed; jur contentious; **jdm etw ~ machen** to challenge sb's sth

Strei·tig·keit *f meist pl* dispute, quarrel

Streit·kräf·te *pl* [armed] forces *pl* **streit·lus·tig** *adj* pugnacious **Streit·punkt** *m* pol contentious issue **streit·süch·tig** *adj* quarrelsome

streng [ʃtrɛŋ] **I.** *adj* ❶ (*auf Disziplin achtend*) strict ❷ (*unnachsichtig*) severe; *Kontrolle* strict ❸ *Geruch* pungent ❹ *Winter* severe ❺ (*konsequent*) strict; **ich bin ~er Vegetarier/Moslem** I am a strict vegetarian/Muslim ❻ schweiz (*anstrengend*) strenuous **II.** *adv* ❶ (*unnachsichtig*) strictly; **wir wurden sehr ~ erzogen** we were brought up very strictly; **~ durchgreifen** to take rigorous action ❷ (*durchdringend*) pungently; **was riecht hier so ~?** what's that strong smell?

Stren·ge <-> ['ʃtrɛŋə] *f kein pl* ❶ (*Unnachsichtigkeit*) strictness *no pl* ❷ (*Härte*) severity ❸ *Geschmack* sharpness; *Geruch* pungency

streng·gläu·big *adj* strict; ▪ **~ sein** to be strictly religious

Stress^RR <-es, -e> [ʃtrɛs, st-] *m*, **Streß**^ALT <-sses, -sse> [ʃtrɛs, st-] *m* stress; **~ haben** to experience stress; **im ~ sein/unter ~ stehen** to be under stress; **ich bin voll im ~** I am completely stressed out

stres·sen ['ʃtrɛsn̩] *vt* to put under stress

stress·frei^RR *adj* stress-free

stres·sig ['ʃtrɛsɪç] *adj* stressful

Stres·sor <-s, -en> ['ʃtrɛsoːɐ̯] *m* psych stressor

Stress·si·tu·a·ti·on^RR *f* stress situation

Stret·ching <-, -> ['strɛtʃɪŋ] *nt* stretching

Streu <-> [ʃtrɔy̯] *f kein pl* litter

Streu·bom·be ['ʃtrɔy̯bɔmbə] *f* mil cluster bomb

streu·en ['ʃtrɔy̯ən] **I.** *vt* ❶ (*hinstreuen*) to scatter, to spread ❷ (*verbreiten*) to spread **II.** *vi* ❶ (*Streumittel anwenden*) to grit Brit, to put down salt ❷ phys to scatter

Streu·er <-s, -> *m* shaker; (*Salzstreuer*) cellar; (*Pfefferstreuer*) pot

Streu·fahr·zeug *nt* gritter Brit **Streu·gut** *nt* grit Brit

streu·nen *vi* ❶ *sein o haben* (*umherstreifen*) to roam about; **~de Hunde/Katzen** stray dogs/cats ❷ *sein* (*ziellos umherziehen*) to wander around; **durch die Straßen ~** to roam the streets

Streu·sel <-s, -> ['ʃtrɔy̯zl̩] *nt* streusel *esp* Am, crumble [topping]

Streu·sel·ku·chen *m* streusel [cake] *esp* Am, crumble

Streu·ung <-, -en> *f* ❶ mil (*Abweichung*) dispersion ❷ media (*Verbreitung*) distribution ❸ (*Verteilung*) spread[ing]

strich [ʃtrɪç] *imp von* **streichen**

Strich <-[e]s, -e> [ʃtrɪç] *m* ❶ (*gezogene Linie*) line; **einen ~** [**unter etw** *akk*] **ziehen** to draw a line [under sth] ❷ (*fam: Gegend mit Prostitution*) red-light district;

S

auf den ~ gehen to go on the game BRIT, to become a streetwalker AM ►**nach ~ und** Faden (fam) good and proper; **ein ~ in der** Landschaft **sein** (hum fam) to be as thin as a rake; **jd/etw macht jdm einen ~ durch die** Rechnung sb/sth messes up sb's plans; **jdm gegen den ~ gehen** (fam) to go against the grain; **einen ~ unter etw** akk ziehen to put sth behind one; **unterm ~** (fam) at the end of the day

Strich·code [-ko:t] m bar code

stri·cheln ['ʃtrɪçl̩n] vt to sketch in; ■**ge·strichelte Linie** dotted line; **Straße** broken line

Stri·cher <-s, -> m (sl) rent boy BRIT, young male prostitute AM

Strich·jun·ge m (fam) rent boy fam

Strich·kode [-ko:t] f s. **Strichcode**

Strich·lis·te f list **Strich·mäd·chen** nt (fam) streetwalker, hooker AM **Strich·männ·chen** <-s, -> nt matchstick man

Strich·punkt m semicolon

Strick <-[e]s, -e> [ʃtrɪk] m rope ►**jdm aus etw** dat **einen ~** drehen (fam) to use sth against sb; **wenn alle ~e reißen** (fam) if all else fails

stri·cken ['ʃtrɪkn̩] vi, vt to knit

Strick·garn nt knitting wool **Strick·ja·cke** f cardigan **Strick·lei·ter** f rope ladder **Strick·na·del** f knitting needle **Strick·wa·ren** pl knitwear no pl **Strick·wes·te** f cardigan **Strick·zeug** nt knitting

strie·geln ['ʃtri:gl̩n] vt to groom

Strie·men <-s, -> ['ʃtri:mən] m weal

strikt [ʃtrɪkt, st-] **I.** adj strict; **Weigerung** point-blank **II.** adv strictly; **~ gegen etw** akk **sein** to be totally against sth

Strip <-s, -s> [ʃtrɪp, st-] m (sl) strip[tease] **Strip·lo·kal** ['ʃtrɪploka:l] nt (fam) strip joint

Strip·pe <-, -n> ['ʃtrɪpə] f (fam) ❶ (Schnur) string ❷ (Leitung) cable ►**jdn an der ~** haben to have sb on the line

strip·pen ['ʃtrɪpn̩, 'st-] vi to strip

Strip·tease <-> ['ʃtrɪpti:s, 'st-] m o nt kein pl striptease

stritt [ʃtrɪt] imp von **streiten**

strit·tig ['ʃtrɪtɪç] adj contentious; **Fall** controversial; **Grenze** disputed; **der ~e Punkt** the point at issue; ■**~ sein** to be in dispute

Stroh <-[e]s> [ʃtro:] nt kein pl straw ►**[nur] ~ im** Kopf **haben** (fam) to be dead from the neck up; **wie ~ brennen** to go up like dry tinder

stroh·blond adj **Mensch** flaxen-haired; **Haare** straw-coloured **Stroh·blu·me** f strawflower **stroh·dumm** adj (fam)

brainless, thick **Stroh·feu·er** nt ►**nur ein ~** sein to be a flash in the pan **Stroh·frau** f fem form von **Strohmann Stroh·halm** m straw **Stroh·hut** m straw hat **Stroh·mann, -frau** m, f front man masc, front woman fem **Stroh·wit·wer, -wit·we** m, f (hum fam) grass widower masc, grass widow fem

Strolch <-[e]s, -e> [ʃtrɔlç] m rascal

Strom <-[e]s, Ströme> [ʃtro:m, pl 'ʃtrø:mə] m ❶ ELEK electricity no indef art, no pl; **elektrischer ~** electric current; **unter ~ stehen** (elektrisch geladen sein) to be live; (überaus aktiv sein) to be a live wire fig ❷ (großer Fluss) [large] river ❸ (Schwarm) stream; **Ströme von Besuchern** streams of visitors ►**in Strömen gießen** to pour [down] [with rain]; **mit dem/gegen den ~ schwimmen** to swim with/against the current

strom·ab·wärts [ʃtroːm'ʔapvɛrts] adv downstream **strom·auf·wärts** [ʃtroːm'ʔaufvɛrts] adv upstream

Strom·aus·fall m power cut [or AM outage]

strö·men ['ʃtrø:mən] vi sein ❶ (in Mengen fließen) to pour (aus out of) ❷ (in Scharen eilen) to stream (aus out of); **die Touristen strömten zum Palast** the tourists flocked to the palace

Strom·er·zeu·gung f generation of electricity **Strom·ka·bel** nt electric[ity] [or power] cable **Strom·kreis** m electric[al] circuit **Strom·lei·tung** f electric cable **strom·li·ni·en·för·mig** [-li:niən-] adj streamlined

Strom·mast m pylon **Strom·netz** nt electricity supply system **Strom·rech·nung** f electricity [or AM electric] bill **Strom·schnel·le** f meist pl rapids npl **Strom·stär·ke** f current [strength] **Strom·stoß** m electric shock

Strö·mung <-, -en> f ❶ (fließendes Wasser) current ❷ (Tendenz) trend

Strom·ver·brauch m electricity consumption **Strom·ver·sor·gung** f electricity supply **Strom·zäh·ler** m electricity meter

Stro·phe <-, -n> ['ʃtro:fə] f ❶ (Lieder~) verse ❷ (Gedicht~) stanza

strot·zen ['ʃtrɔtsn̩] vi ■**vor etw** dat **~** to be full of sth

strub·be·lig ['ʃtrʊbəlɪç] adj, **strubb·lig** ['ʃtrʊblɪç] adj (fam) tousled; **Fell** tangled

Stru·del <-s, -> ['ʃtru:dl̩] m ❶ (Wasserwirbel) whirlpool; (kleiner) eddy ❷ (rascher Lauf) **der ~ der Ereignisse** the whirl of events ❸ (Gebäck) strudel

stru·deln ['ʃtru:dl̩n] vi to swirl; (sanfter) to

eddy

Struk·tur [ʃtrʊk'tuːɐ̯, strʊ-] *f* ❶ (*Aufbau*) structure ❷ (*von Stoff usw.*) texture

struk·tu·rell [ʃtrʊktu'rɛl] *adj* structural

struk·tu·rie·ren* [ʃtrʊktu'riːrən, st-] *vt* to structure

Struk·tu·rie·rung <-, -en> *f* ❶ *kein pl* (*das Strukturieren*) structuring ❷ (*Struktur*) structure; (*von Stoff usw.*) texture

struk·tur·schwach *adj* economically underdeveloped **Struk·tur·wan·del** *m* structural change

Strumpf <-[e]s, Strümpfe> [ʃtrʊmpf, *pl* 'ʃtrʏmpfə] *m* ❶ (*Knie~*) knee-high; (*Socke*) sock ❷ (*Damen~*) stocking

Strumpf·band <-bänder> *nt*, **Strumpf·hal·ter** <-s, -> *m* suspender, garter AM **Strumpf·ho·se** *f* tights *npl*, pantyhose AM; ■ **eine** ~ a pair of tights

strunz·doof, strun·zen·doof *adj* (*pej sl*) dense

strup·pig ['ʃtrʊpɪç] *adj Haare* tousled; *Fell* shaggy

Stu·be <-, -n> ['ʃtuːbə] *f* DIAL (*Wohnzimmer*) living room; **die gute** ~ the front room

Stu·ben·ar·rest *m* ~ **haben** (*fam*) to be confined to one's room **Stu·ben·flie·ge** *f* housefly **Stu·ben·ho·cker(in)** <-s, -> *m(f)* (*pej fam*) house mouse **stu·ben·rein** *adj* house-trained, housebroken AM

Stuck <-[e]s> [ʃtʊk] *m kein pl* stucco, cornices *pl*

Stück <-[e]s, -e *o nach Zahlenangaben* -> [ʃtʏk] *nt* ❶ (*einzelnes Teil*) piece; **ein ~ Kuchen** a piece of cake; **etw in ~e rei·ßen** to tear sth to pieces; **aus einem ~** from one piece; **~ für ~** bit by bit; **am ~** in one piece; **geschnitten oder am ~?** sliced or unsliced?; **das** [*o* **pro**] ~ each ❷ (*besonderer Gegenstand*) piece, item ❸ (*Abschnitt*) part; **ich begleite dich noch ein ~ [Weges]** I'll come part of the way with you; **ein ~ Acker/Land** part of a field/a plot of land ❹ THEAT play ❺ MUS piece ▸ **ein ~ Arbeit** (*fam*) a job; **ein ziemliches/hartes ~ Arbeit** quite a job/a tough job; **ein schönes ~ Geld** (*fam*) a pretty penny; **jds bestes ~** (*hum fam*) sb's pride and joy; **aus freien ~en** of one's own free will; **große ~e auf jdn halten** (*fam*) to think highly of sb

Stu·cka·teur(in)^RR <-s, -e> [ʃtʊka'tøːɐ̯] *m(f)* stucco plasterer

Stück·chen <-s, -> *nt dim von* **Stück** ❶ (*kleines Teil*) little piece [*or* bit] ❷ (*kleine Strecke*) little way

stü·ckeln ['ʃtʏkl̩n] *vt* FIN to split into de-

nominations

Stück·gut *nt* single item **Stück·preis** *m* unit price

stück·wei·se *adv* individually, separately **Stück·zahl** *f* number of units

Stu·dent(in) <-en, -en> [ʃtu'dɛnt] *m(f)* student

Stu·den·ten·aus·weis *m* student card **Stu·den·ten·schaft** <-, -en> *f pl selten* students *pl*, student body

Stu·den·ten·ver·bin·dung *f* students' society; *für Männer* fraternity AM; *für Frauen* sorority AM **Stu·den·ten·werk** *nt* student union **Stu·den·ten·wohn·heim** *nt* hall of residence, student hostel BRIT, residence hall AM

Stu·den·tin <-, -nen> *f fem form von* **Student**

stu·den·tisch *adj attr* student *attr*

Stu·die <-, -n> ['ʃtuːdi̯ə] *f* study

Stu·di·en ['ʃtuːdi̯ən] *pl von* **Studium**

Stu·di·en·ab·bre·cher(in) <-s, -> *m(f)* dropout *fam* (*student who fails to complete his/her course of study*) **Stu·di·en·ab·schluss**^RR *m* degree **Stu·di·en·be·ra·tung** *f* course guidance and counselling service **Stu·di·en·fach** *nt* subject **Stu·di·en·gang** *m* course [of study] **Stu·di·en·ge·büh·ren** *pl* tuition fees ▸ **Stu·di·en·platz** *m* university/college place **Stu·di·en·rat, -rä·tin** *m, f* secondary-school teacher (*with the status of a civil servant*) **Stu·di·en·rei·se** *f* educational trip

stu·die·ren* [ʃtu'diːrən] *vi, vt* to study; **sie studiert noch** she is still a student; **~ wol·len** to want to go to [AM a] university/college; **ich studiere derzeit im fünften/sechsten Semester** I'm in my third year [at university/college]

stu·diert *adj* (*fam*) educated

Stu·dio <-s, -s> ['ʃtuːdi̯o] *nt* studio

Stu·di·um <-, Studien> ['ʃtuːdi̯ʊm, *pl* 'ʃtuːdi̯ən] *nt* ❶ SCH studies *pl*; **ein ~ auf·nehmen** to begin one's studies ❷ (*eingehende Beschäftigung*) study ❸ *kein pl* (*genaues Durchlesen*) study; **das ~ der Akten ist noch nicht abgeschlossen** the files are still being studied

Stu·fe <-, -n> ['ʃtuːfə] *f* ❶ (*Treppenabschnitt*) step; **~ um ~** step by step ❷ (*geh: Niveau*) level; **auf der gleichen ~ stehen** to be on the same level ❸ (*Abschnitt*) stage, phase

stu·fen ['ʃtuːfn̩] *vt* ■ **etw ~** ❶ *Preise* to graduate sth ❷ *Haare* to layer sth ❸ *Gelände* to terrace [*or* step] sth

Stu·fen·bar·ren *m* asymmetric bars *pl* **stu·fen·för·mig** *adj* ❶ (*stufig*) terraced

② (*fig: schrittweise*) gradual **Stu·fen·lei·ter** *f* ladder *fig;* **die ~ des Erfolgs** the ladder of success

stu·fen·los I. *adj* continuously variable **II.** *adv* smoothly

Stu·fen·schnitt *m* (*Frisur*) layered cut **stu·fen·wei·se I.** *adj* phased **II.** *adv* step by step

stu·fig ['ʃtuːfɪç] **I.** *adj Haarschnitt* layered **II.** *adv* in layers; **~ schneiden** to layer

Stuhl <-[e]s, Stühle> [ʃtuːl, *pl* 'ʃtyːlə] *m* chair ▸ **jdn vom ~ hauen** (*sl*) to knock sb sideways; **sich zwischen zwei Stühle setzen** to fall between two stools; **jdm den ~ vor die Tür setzen** to kick sb out *fam*

Stuhl·bein *nt* chair leg

Stuhl·gang *m kein pl* MED (*geh*) bowel movement[s]

Stuhl·leh·ne *f* chair back

Stuk·ka·teur (**in**)^ALT <-s, -e> [ʃtʊka'tøːɐ̯] *m(f)* stucco plasterer

Stul·le <-, -n> ['ʃtʊlə] *f* NORDD piece of bread and butter; (*belegt*) sandwich

stül·pen ['ʃtʏlpn̩] *vt* **①** (*überziehen*) to put (**auf** on, **über** over) **②** (*wenden*) to turn [inside] out

stumm [ʃtʊm] **I.** *adj* **①** (*nicht sprechen können*) dumb **②** (*schweigend*) silent; ■ **~ werden** to go silent **③** LING mute, silent **II.** *adv* silently

Stum·mel <-s, -> ['ʃtʊml̩] *m Glied* stump; *Bleistift, Kerze* stub

Stumm·film *m* silent film [*or* movie]

Stüm·per(**in**) <-s, -> ['ʃtʏmpɐ] *m(f)* (*pej*) bungler

Stüm·pe·rei <-, -en> [ʃtʏmpə'raɪ̯] *f* (*pej*) **①** *kein pl* (*stümperhaftes Vorgehen*) bungling *no pl,* incompetence **②** (*stümperhafte Leistung*) bungled [*or* botched] job

stüm·per·haft I. *adj* (*pej*) amateurish; **eine ~e Arbeit/Leistung** a botched job/botch-up **II.** *adv* incompetently

Stüm·pe·rin <-, -nen> *f fem form von* **Stümper**

stumpf [ʃtʊmpf] *adj* **①** (*nicht scharf*) blunt; ■ **~ werden** to go blunt **②** MATH **ein ~er Winkel** an obtuse angle **③** (*glanzlos*) dull **④** (*abgestumpft*) apathetic

Stumpf <-[e]s, Stümpfe> [ʃtʊmpf, *pl* 'ʃtʏmpfə] *m* stump ▸ **mit ~ und Stiel** root and branch BRIT

Stumpf·heit *f kein pl* **①** (*Nichtscharfsein*) bluntness **②** (*Abgestumpftheit*) apathy, impassiveness

Stumpf·sinn *m kein pl* **①** (*geistige Trägheit*) apathy **②** (*Stupidität*) mindlessness, tedium **stumpf·sin·nig** *adj* **①** (*geistig*

träge) apathetic **②** (*stupide*) mindless, tedious

Stun·de <-, -n> ['ʃtʊndə] *f* **①** (*60 Minuten*) hour; **nur noch eine knappe ~** just under an hour to go; **die ~ der Wahrheit** the moment of truth; **jds große ~** sb's big moment; **jds letzte ~ hat geschlagen** sb's hour has come; **zu später ~** at a late hour; **in einer stillen ~** in a quiet moment; **eine Viertel~** a quarter of an hour; **eine halbe ~** half an hour; **eine Dreiviertel~** three-quarters of an hour; **anderthalb ~n** an hour and a half; **volle ~** on the hour; **der Zug fährt jede volle ~** the train departs every hour on the hour; **zu dieser ~** (*geh*) at the present time; **zu jeder ~** [at] any time; **alle** [**halbe**] **~** every [half an] hour **②** *kein pl* (*festgesetzter Zeitpunkt*) time, hour *form;* **bis zur ~** up to the present moment, as yet **③** (*Unterrichts~*) lesson, period **④** *meist pl* (*Zeitraum von kurzer Dauer*) times *pl;* **sich nur an die angenehmen ~n erinnern** to remember only the pleasant times ▸ **die ~ Null** zero hour, the new beginning; **ein Mann/eine Frau der ersten ~** a prime mover

stun·den ['ʃtʊndn̩] *vt* ■ **jdm etw ~** to give sb time to pay sth

Stun·den·ge·schwin·dig·keit *f* speed per hour; **bei einer ~ von 80 km** at a speed of 80 kph **Stun·den·ho·tel** *nt* sleazy hotel (*where rooms are rented by the hour*) **Stun·den·ki·lo·me·ter** *pl* kilometres *pl* per hour **stun·den·lang I.** *adj* lasting several hours *pred;* **nach ~em Warten** after hours of waiting; **~e Telefonate** hour-long phone calls **II.** *adv* for hours **Stun·den·lohn** *m* hourly wage **Stun·den·plan** *m* timetable, schedule AM **Stun·den·takt** *m* ■ **im ~** at hourly intervals **stun·den·wei·se I.** *adv* for an hour or two [at a time] **II.** *adj* for a few hours *pred* **Stun·den·zei·ger** *m* hour hand

stünd·lich ['ʃtʏntlɪç] **I.** *adj* hourly **II.** *adv* hourly, every hour

Stunk <-s> [ʃtʊŋk] *m kein pl* (*fam*) trouble; **~ machen** to make a stink *fam*

Stunt·man, -wo·man <-s, -men> ['stantman, 'stantvʊmən] *m, f* stuntman *masc,* stuntwoman *fem*

stu·pend [ʃtuˈpɛnt, st-] *adj* (*geh*) amazing **stu·pid** [ʃtuˈpiːt, st-] *adj,* **stu·pi·de** [ʃtuˈpiːdə, st-] *adj* (*pej geh*) mindless

Stups <-es, -e> [ʃtʊps] *m* (*fam*) nudge **stup·sen** ['ʃtʊpsn̩] *vt* to nudge **Stups·na·se** *f* snub nose

stur [ʃtuːɐ̯] **I.** *adj* stubborn, obstinate **II.** *adv* **①** (*ohne abzuweichen*) doggedly; **~ nach**

Vorschrift arbeiten to work strictly to [the] regulations ❷ (*uneinsichtig*) obstinately; **sich ~ stellen** (*fam*) to dig one's heels in

Stur·heit <-> *f kein pl* stubbornness, obstinacy

Sturm <-[e]s, Stürme> [ʃtʊrm, *pl* 'ʃtʏrmə] *m* ❶ (*starker Wind*) storm ❷ FBALL forward line; **im ~ spielen** to play in attack ❸ (*heftiger Andrang*) ■**ein ~ auf etw** *akk* a rush for sth ▶**die Herzen im ~ <u>erobern</u>** to capture people's hearts; **gegen etw** *akk* **~ <u>laufen</u>** to be up in arms against sth; **~ <u>läuten</u>** to lean on the [door]bell

Sturm·bö *f* squall

stür·men ['ʃtʏrmən] **I.** *vi impers haben* ■**es stürmt** a gale is blowing **II.** *vi* ❶ *haben* SPORT to attack ❷ *sein* (*rennen*) to storm; **aus dem Haus ~** to storm out of the house **III.** *vt haben* ❶ MIL ■**etw ~** to storm sth ❷ (*fam: auf etw eindringen*) ■**etw ~** to storm sth; **die Bühne ~** to storm the stage

Stür·mer(in) <-s, -> ['ʃtʏrmɐ] *m(f)* forward; FBALL striker

Sturm·flut *f* storm tide

stür·misch ['ʃtʏrmɪʃ] **I.** *adj* ❶ METEO blustery; (*mit Regen*) stormy; **~ See** rough sea ❷ (*vehement*) tumultuous; *Mensch* impetuous; **nicht so ~!** take it easy! ❸ (*leidenschaftlich*) passionate **II.** *adv* tumultuously

Sturm·tief *nt* storm front **Sturm·war·nung** *f* gale warning

Sturz¹ <-es, Stürze> [ʃtʊrts, *pl* 'ʃtʏrtsə] *m* fall; ■**ein ~ aus/von etw** *dat* a fall out of/ from [*or* off] sth; **ein ~ der Temperatur** a drop in temperature

Sturz² <-es, Stürze> [ʃtʊrts, *pl* 'ʃtʏrtsə] *m* ❶ BAU lintel ❷ AUTO (*Achs~*) camber ❸ ÖS-TERR, SCHWEIZ, SÜDD (*Käseglocke*) cheese cover

sturz·be·sof·fen *adj*, **sturz·be·trun·ken** *adj* (*fam*) completely hammered, drunk as a skunk

stür·zen ['ʃtʏrtsn] **I.** *vi sein* ❶ (*fallen*) to fall; **schwer ~** to fall heavily; **vom Dach/ Fahrrad ~** to fall off the roof/bicycle ❷ (*rennen*) to rush; **ins Zimmer ~** to burst into the room **II.** *vt haben* ❶ (*werfen*) ■**jdn/sich ~** to throw sb/oneself (**aus** out of, **vor** in front of) ❷ POL (*absetzen*) ■**jdn/ etw ~** to bring sb/sth down; *Minister* to make sb resign; *Diktator* to overthrow sb; *Regierung* to topple sb/sth ❸ KOCHK (*aus der Form kippen*) to turn upside down **III.** *vr* ❶ (*sich werfen*) ■**sich auf jdn ~** to pounce [on sb]; **die Gäste stürzten sich**

aufs kalte Büfett the guests fell on the cold buffet ❷ (*sich mit etw belasten*) ■**sich in etw** *akk* **~** to plunge into sth; **sich in solche Unkosten ~** to go to such expense

Sturz·flug *m* LUFT nosedive; ORN steep dive **Sturz·helm** *m* crash helmet

Stuss^RR <-es> [ʃtʊs] *m kein pl*, **Stuß**^ALT <-sses> [ʃtʊs] *m kein pl* (*fam*) rubbish, garbage AM

Stu·te <-, -n> ['ʃtuːtə] *f* mare

Stüt·ze <-, -n> ['ʃtʏtsə] *f* ❶ (*Stützpfeiler*) support [pillar] ❷ (*Halt*) support, prop ❸ (*Unterstützung*) support ❹ (*sl: finanzielle Hilfe vom Staat*) dole BRIT, welfare *esp* AM

stut·zen¹ ['ʃtʊtsn] *vi* to hesitate, to stop short

stut·zen² ['ʃtʊtsn] *vt* ❶ HORT to prune ❷ ZOOL to clip; **gestutzte Flügel** clipped wings ❸ (*kürzen*) to trim

stüt·zen ['ʃtʏtsn] **I.** *vt* ❶ (*Halt geben*) to support ❷ (*aufstützen*) ■**etw auf etw** *akk* **~** to rest sth on sth; **die Ellbogen auf den Tisch ~** to rest one's elbows on the table; **den Kopf auf die Hände gestützt** head in hands ❸ (*gründen*) ■**etw auf etw** *akk* **~** to base sth on sth ❹ (*untermauern*) to back up; *Theorie* to support ❺ (*verstärken*) to increase; *Vertrauen* to reinforce **II.** *vr* ■**sich ~** ❶ (*sich aufstützen*) ■**sich auf jdn/etw ~** to lean on sb/sth ❷ (*basieren*) ■**sich auf etw** *akk* **~** to be based on sth

stut·zig ['ʃtʊtsɪç] *adj* **jdn ~ machen** to make sb suspicious; **~ werden** to get suspicious

Stütz·pfei·ler *m* supporting pillar; (*einer Brücke*) pier **Stütz·punkt** *m* MIL base

sty·len ['staɪlən] *vt* to design; *Haar* to style

Sty·ling <-s> ['staɪlɪŋ] *nt kein pl* styling

Sty·ro·por® <-s> [ʃtyro'poːɐ̯] *nt kein pl* polystyrene

s.u. *Abk von* **siehe unten** see below

Sub·jekt <-[e]s, -e> [zʊp'jɛkt] *nt* ❶ LING subject ❷ (*pej: übler Mensch*) creature

sub·jek·tiv [zʊpjɛk'tiːf, 'zʊp-] *adj* subjective

Sub·jek·ti·vi·tät <-> [zʊpjɛktivi'tɛːt] *f kein pl* subjectivity *no pl*

Sub·kul·tur ['zʊpkʊltuːɐ̯] *f* subculture

sub·ku·tan [zʊpku'taːn] *adj* MED subcutaneous

Sub·stan·tiv <-s, -e *o selten* -a> ['zʊp-stantiːf] *nt* noun

Sub·stanz <-, -en> [zʊp'stants] *f* ❶ (*Material*) substance ❷ *kein pl* (*geh: Essenz*) essence; [**jdm**] **an die ~ gehen** (*fam*) to take it out of sb

sub·sti·tu·ie·ren* [zʊpstitu'iːrən] *vt* ■**etw ~** to substitute sth (**durch** for)

Sub·sti·tut(in) <-en, -en> [zʊpsti'tuːt] *m(f)* SCHWEIZ assistant manager

sub·til [zʊp'tiːl] *adj* subtle

sub·tra·hie·ren* [zʊptra'hiːrən] *vt, vi* to subtract (**von** from)

Sub·trak·ti·on <-, -en> [zʊptrak'ts i̯oːn] *f* subtraction

Sub·tro·pen ['zʊptroːpn̩] *pl* ■**die ~** the subtropics *pl*

sub·tro·pisch ['zʊptroːpɪʃ] *adj* subtropical

Sub·un·ter·neh·mer(in) <-s, -> ['zʊpʔ-ʊntɐneːmɐ] *m(f)* subcontractor

Sub·ven·ti·on <-, -en> [zʊpvɛn'ts i̯oːn] *f* subsidy

sub·ven·ti·o·nie·ren* [zʊpvɛnts i̯o'niː-rən] *vt* to subsidize

sub·ver·siv [zʊpvɛr'ziːf] I. *adj* subversive II. *adv* subversively

Such·ak·ti·on *f* organized search **Such·be·griff** *m* target word; INFORM search key **Such·dienst** *m* missing persons tracing service

Su·che <-, -n> ['zuːxə] *f* search (**nach** for); **sich auf die ~** [**nach jdm/etw**] **machen** to go in search [of sb/sth]; **auf der ~** [**nach jdm/etw**] **sein** to be looking [for sb/sth]

su·chen ['zʊxn̩] I. *vt* ❶ (*zu finden versu-chen*) ■**etw ~** to look for sth; (*intensiver*) to search for sth; **du hast hier nichts zu ~!** you have no right to be here! ❷ (*nach etw trachten*) to seek; **den Nervenkit-zel ~** to be looking for thrills II. *vi* to search [*or* be looking] (**nach** for); **such!** find!

Su·cher <-s, -> *m* viewfinder

Such·funk·ti·on *f* INFORM search function **Such·lauf** *m* search process **Such·mann·schaft** *f* search party **Such·ma·schi·ne** *f* search engine

Sucht <-, Süchte> [zʊxt, *pl* 'zʏçtə] *f* ❶ (*Abhängigkeit*) addiction; **~ erzeugend** addictive ❷ (*Verlangen*) obsession; ■**jds ~ nach etw** *dat* sb's craving for sth

Sucht·ge·fahr *f* danger of addiction

süch·tig ['zʏçtɪç] *adj* ❶ (*abhängig*) addict-ed *pred*; **~ machen** to be addictive ❷ (*be-gierig*) ■**~ sein** to be hooked (**nach** on)

Süch·ti·ge(r) *f(m) dekl wie adj* addict

Sucht·kran·ke(r) <-n, -n> *f(m) dekl wie adj* addict **Sucht·mit·tel** *nt* PSYCH addic-tive substance

Süd <-[e]s, -e> [zyːt] *m kein pl, kein art* south; *s. a.* **Nord 1**

Süd·afri·ka ['zyːt'ʔaːfrika] *nt* South Africa; *s. a.* **Deutschland Süd·afri·ka·ner(in)** *m(f)* South African; *s. a.* **Deutsche(r)**

süd·afri·ka·nisch ['zyːt'ʔafri'kaːnɪʃ] *adj* South African; *s. a.* **deutsch Süd·ame·ri·ka** ['zyːt'ʔa'meːrika] *nt* South America; *s. a.* **Deutschland Süd·ame·ri·ka·ner(in)** *m(f)* South American; *s. a.* **Deutsche(r) süd·ame·ri·ka·nisch** *adj* South Ameri-can; *s. a.* **deutsch**

Su·dan <-> [zu'daːn] *m* [the] Sudan; *s. a.* **Deutschland**

Su·da·ner(in) <-s, -> [zu'daːnɐ] *m(f)*, **Su·da·ne·se, Su·da·ne·sin** <-n, -n> [zuda'neːzə, zuda'neːzɪn] *m, f* Sudanese; *s. a.* **Deutsche(r)**

su·da·ne·sisch [zuda'neːzɪʃ] *adj* Suda-nese; *s. a.* **deutsch**

süd·deutsch ['zyːtdɔʏtʃ] *adj* South Ger-man; *s. a.* **deutsch**

Süd·deut·sche(r) *f(m) dekl wie adj* South German; *s. a.* **Deutsche(r) Süd·deutsch·land** ['zyːtdɔʏtʃlant] *nt* South[ern] Germany; *s. a.* **Deutschland**

Su·de·lei <-, -en> [zuːdə'lai̯] *f* (*fam*) ❶ (*Schmiererei*) making a mess ❷ (*Schlamperei*) botch[-up]

su·deln ['zuːdl̩n] *vi* ❶ (*schmieren*) ■[**mit etw** *dat*] **~** to make a mess; **mit Farbe ~** to daub with paint ❷ (*nachlässig schreiben*) to scribble

Sü·den <-s> ['zyːdn̩] *m kein pl, kein indef art* ❶ (*Himmelsrichtung*) south; *s. a.* **Nor·den 1** ❷ (*südliche Gegend*) south; **gen ~ ziehen** to fly south; *s. a.* **Norden 2**

Süd·eu·ro·pa <-s> ['zyːt'ʔɔʏ'roːpa] *nt* southern Europe **Süd·frank·reich** *nt* southern France, the south of France **Süd·frucht** *f* [sub]tropical fruit **Süd·halb·ku·gel** *f* southern hemisphere **Süd·ko·rea** ['zyːtko're:a] *nt* South Korea; *s. a.* **Deutschland Süd·küs·te** *f* south[ern] coast

Süd·län·der(in) <-s, -> ['zyːtlɛndɐ] *m(f)* Southern European; **sie bevorzugt ~** she prefers Mediterranean types

süd·län·disch *adj* Southern European

süd·lich ['zyːtlɪç] I. *adj* ❶ (*in ~ er Himmels-richtung befindlich*) southern; *s. a.* **nörd·lich I 1** ❷ (*im Süden liegend*) southern; *s. a.* **nördlich I 2** ❸ (*von/nach Süden*) southwards, southerly; *s. a.* **nördlich I 3** II. *adv* ■**~ von etw** *dat* [to the] south of sth III. *präp* +*gen* [to the] south of sth

Süd·ost·asi·en [zyːt'ʔɔst'ʔaːzi̯ən] *nt* South-East Asia **Süd·os·ten** [zyːt'ʔɔstn̩] *m kein pl, kein indef art* southeast **süd·öst·lich** [zyːt'ʔœstlɪç] I. *adj* ❶ (*im Südosten gelegen*) south-eastern ❷ (*von/nach Süd-osten*) south-eastwards, south-easterly II. *adv* southeast (**von** of) III. *präp* +*gen* [to the] southeast of sth **Süd·pol** ['zy:tpo:l] *m* ■ **der** ~ the South Pole **Süd·see** ['zy:tze:] *f* *kein pl* ■ **die** ~ the South Seas *pl,* the South Pacific **Süd·spa·ni·en** <-s, -> *nt* southern Spain **Süd·staa·ten** ['zy:tʃta:tn̩] *pl (in den USA)* ■ **die** ~ Southern States **Süd·staat·ler(in)** <-s, -> *m(f) (in USA)* Southerner **Süd·wes·ten** [zy:t'vɛstn̩] *m kein pl, kein indef art* south **süd·west·lich** [zy:t'vɛstlɪç] I. *adj* ❶ *(im Südwesten liegend)* south-western ❷ *(von/nach Südwesten)* south-westwards II. *adv* [to the] south-west; ■ ~ **von etw** *dat* [to the] south-west of sth III. *präp +gen* ■ ~ **einer S.** south-west of sth **Süd·wind** *m* south wind

Su·es·ka·nal, Su·ez·ka·nal ['zu:ɛskana:l] *m* ■ **der** ~ the Suez Canal

Suff <-[e]s> [zʊf] *m kein pl (fam)* boozing *no pl, no indef art;* **im** ~ while under the influence

süf·feln ['zʏfl̩n] *vt (fam)* ■ **etw** ~ to sip on sth

süf·fig ['zʏfɪç] *adj* very drinkable

Suf·fix <-es, -e> [zʊ'fɪks, 'zʊ-] *nt* suffix

sug·ge·rie·ren* [zʊge'ri:rən] *vt* to suggest

Sug·ges·ti·on <-, -en> [zʊgɛs'tio̯:n] *f kein pl* suggestion

sug·ges·tiv [zʊgɛs'ti:f] *adj* suggestive

Sug·ges·tiv·fra·ge *f (geh)* leading question

suh·len ['zu:lən] *vr* ■ **sich** ~ to wallow (**in** in)

Süh·ne <-, -n> ['zy:nə] *f* atonement

süh·nen ['zy:nən] *vt* ■ **etw** ~ to atone for sth

Sui·te <-, -n> ['svi:tə, zu'i:tə] *f* suite

su·i·zid·ge·fähr·det *adj* PSYCH suicidal, at risk of [committing] suicide *pred;* ~ **e Menschen** people at risk of [committing] suicide

Su·jet <-s, -s> [zy'ʒe:] *nt* subject

suk·zes·siv [zʊktsɛ'si:f] *adj (geh)* gradual

Sul·fat <-[e]s, -e> [zʊl'fa:t] *nt* sulphate

Sul·tan, Sul·ta·nin <-s, -e> ['zʊlta:n, zʊl'ta:nɪn] *m, f* sultan *masc,* sultana *fem*

Sül·ze <-, -n> ['zʏltsə] *f* ❶ *(Fleisch)* brawn ❷ *(Aspik)* aspic

sül·zen ['zʏltsn̩] I. *vi (fam)* to rabbit [*or* AM ramble] on [about sth] II. *vt (fam)* ■ **etw** ~ to spout sth *fam;* **was sülzt der da?** what's he spouting on about?

sum·ma cum lau·de ['zʊma kʊm 'la̯ʊdə] *adv* summa cum laude *(with the utmost distinction)*

sum·ma·risch [zʊ'ma:rɪʃ] I. *adj* summary II. *adv* summarily

Sum·me <-, -n> ['zʊmə] *f* ❶ *(Additions-*

ergebnis) sum, total ❷ *(Betrag)* sum, amount ❸ *(geh: Gesamtheit)* sum total

sum·men ['zʊmən] *vi, vt* to hum; *Biene* to buzz

sum·mie·ren* [zʊ'mi:rən] I. *vt* ❶ *(zusammenfassen)* to summarize, to sum up *sep* ❷ *(addieren)* to add up II. *vr* ■ **sich** [**auf etw** *akk*] ~ to amount to sth

Sumpf <-[e]s, Sümpfe> [zʊmpf, *pl* 'zʏmpfə] *m* marsh, bog; *(in den Tropen)* swamp

Sumpf·fie·ber *nt* malaria **Sumpf·ge·biet** *nt* marsh[land]; *in den Tropen* swamp[land]

sump·fig ['zʊmpfɪç] *adj* marshy, boggy; *(in den Tropen)* swampy

Sün·de <-, -n> ['zʏndə] *f* sin; **eine** ~ **begehen** to commit a sin

Sün·den·bock *m* scapegoat **Sün·den·fall** *m kein pl* ■ **der** ~ the Fall [of Man]

Sün·der(in) <-s, -> *m(f)* sinner

sünd·haft ['zʏnthaft] *adj* ❶ *(exorbitant hoch)* outrageous ❷ REL sinful

sün·dig ['zʏndɪç] *adj* ❶ REL sinful ❷ *(lasterhaft)* dissolute, wanton

sün·di·gen ['zʏndɪgn̩] *vi* to sin

su·per ['zu:pɐ] I. *adj* super II. *adv* great; **sie kann** ~ **singen** she's a great singer

Su·per <-s> [zu:pe] *nt kein pl* AUTO four-star BRIT, premium AM

Su·per-8-Film [zu:pɐ'ʔaxt-] *m* super-8-film **Su·per·ben·zin** *nt* super, AM *also* premium **Su·per·chip** *m* superchip **Su·per-GAU** *m kein pl (fam)* ultimate MCA **Su·per·la·tiv** <-[e]s, -e> ['zu:pɐlati:f] *m* superlative

Su·per·macht *f* superpower **Su·per·mann** *m kein pl (Comicfigur)* Superman *no pl* **Su·per·markt** ['zu:pɐmarkt] *m* supermarket **Su·per·markt·ket·te** *f* ÖKON supermarket chain **su·per·reich** ['zu:pɐ-] *adj* SOZIOL *(pej)* super-rich **Su·per·star** *m* superstar

Sup·pe <-, -n> ['zʊpə] *f* soup; **klare** ~ consommé ▸ **die** ~ **auslöffeln müssen** *(fam)* to have to face the music

Sup·pen·ge·mü·se *nt* vegetables for making soup **Sup·pen·grün** *nt* herbs and vegetables for making soup **Sup·pen·huhn** *nt* boiling chicken **Sup·pen·löf·fel** *m* soup spoon **Sup·pen·schüs·sel** *f* soup tureen **Sup·pen·tel·ler** *m* soup plate **Sup·pen·wür·fel** *m* stock cube

Surf·brett ['zø:ɐf-] *nt* ❶ *(zum Windsurfen)* windsurfer ❷ *(zum Wellensurfen)* surfboard

Sur·fen <-s> ['zø:ɐfn̩] *nt kein pl* surfing *no pl, no indef art*

S

sur·fen ['zø:ɐ̯fn̩] *vi* to surf; **im Internet ~** to surf the Internet

Sur·fer(in) <-s, -> ['sø:ɐ̯fɐ] *m(f)* surfer

Sur·re·a·lis·mus <-> [zʊrea'lɪsmʊs, zʏr-] *m kein pl* surrealism

sur·re·a·lis·tisch [zʊrea'lɪstɪʃ, zʏr-] *adj Autor, Maler* surrealist; *Film, Buch* surrealistic

sur·ren ['zʊrən] *vi Insekt* to buzz; *Motor* to hum; *Kamera* to whirr

su·spekt [zʊs'pɛkt] *adj* (*geh*) suspicious; ■ **jdm ~ sein** to look suspicious to sb

sus·pen·die·ren* [zʊspɛn'di:rən] *vt* to suspend (**von** from)

süß [zy:s] I. *adj* sweet II. *adv* ❶ (*mit Zucker zubereitet*) with sugar; **ich trinke meinen Kaffee nie ~** I never take sugar in coffee ❷ (*lieblich*) sweetly

sü·ßen ['zy:sn̩] *vt* to sweeten

Süß·holz *nt kein pl* liquorice [root] ▸ **~ raspeln** to be full of sweet talk

Sü·ßig·keit <-, -en> ['zy:sɪçkai̯t] *f meist pl* sweet, candy AM

süß·lich *adj* sickly sweet; *Parfüm* cloying

süß·sau·er ['zy:s'zau̯ɐ] I. *adj* sweet-and-sour II. *adv* in a sweet-and-sour sauce **Süß·spei·se** *f* sweet, dessert **Süß·stoff** *m* sweetener **Süß·wa·ren** *pl* confectionery *no pl* **Süß·wa·ren·ge·schäft** *nt* confectionery shop **Süß·was·ser** *nt* fresh water

SW [ɛs've:] *Abk von* **Südwesten**

Sweat·shirt <-s, -s> ['svɛtʃœrt] *nt* sweatshirt **Sweat·shop** <-s, -s> ['svɛtʃɔp] *m* ÖKON, SOZIOL sweatshop

Swim·ming·pool ['svɪmɪŋpu:l] *m* swimming pool

Sym·bi·o·se <-, -n> [zʏm'bi̯o:zə] *f* symbiosis; **eine ~ eingehen** to form a symbiotic relationship

Sym·bol <-s, -e> [zʏmbo:l] *nt* symbol

Sym·bol·fi·gur *f* symbol[ic figure]

sym·bo·lisch [zʏm'bo:lɪʃ] *adj* symbolic

sym·bo·li·sie·ren* [zʏmboli'zi:rən] *vt* to symbolize

Sym·bol·leis·te *f* INFORM toolbar

Sym·me·trie <-, -n> [zʏme'tri:, *pl* -'tri:ən] *f* symmetry

sym·me·trisch [zʏ'me:trɪʃ] *adj* symmetrical

Sym·pa·thie <-, -en> [zʏmpa'ti:, *pl* -'ti:ən] *f* sympathy

Sym·pa·thi·sant(in) <-en, -en> [zʏmpati'zant] *m(f)* sympathizer

sym·pa·thisch [zʏm'pa:tɪʃ] *adj* nice, likeable; ■ **jdm ~ sein** to appeal to sb; **sie war mir gleich ~** I liked her at once; ■ **er war ihr nicht ~** she did not like him

sym·pa·thi·sie·ren* [zʏmpati'zi:rən] *vi* to

sympathize (**mit** with)

Sym·pho·nie <-, -en> [zʏmfo'ni:, *pl* -'ni:ən] *f* symphony

Sym·po·si·um <-s, -ien> [zʏm'po:zi̯ʊm, *pl* -i̯ən] *nt* symposium

Symp·tom <-s, -e> [zʏmp'to:m] *nt* symptom (**für** of)

symp·to·ma·tisch [zʏmpto'ma:tɪʃ] *adj* symptomatic (**für** of)

Sy·na·go·ge <-, -n> [zyna'go:gə] *f* synagogue

syn·chron [zʏn'kro:n] I. *adj* synchronous II. *adv* synchronously

Syn·chro·ni·sa·ti·on <-, -en> [zʏnkroniza'tsi̯o:n] *f* ❶ FILM, TV dubbing ❷ (*Abstimmung*) synchronization

syn·chro·ni·sie·ren* [zʏnkroni'zi:rən] *vt* ❶ FILM, TV to dub ❷ (*zeitlich abstimmen*) to synchronize

Syn·di·kat <-[e]s, -e> [zʏndi'ka:t] *nt* syndicate

Syn·drom <-s, -e> [zʏn'dro:m] *nt* syndrome

Sy·no·de <-, -n> [zy'no:də] *f* REL synod

sy·no·nym [zyno'ny:m] *adj* synonym

Sy·no·nym <-s, -e> [zyno'ny:m] *nt* synonym

syn·tak·tisch [zʏn'taktɪʃ] *adj* syntactic

Syn·tax <-, -en> ['zʏntaks] *f* syntax

Syn·the·se <-, -n> [zʏn'te:zə] *f* synthesis

Syn·the·si·zer <-s, -> ['zʏntəsai̯zɐ] *m* synthesizer

Syn·the·tik <-> [zʏn'te:tɪk] *nt kein pl* synthetic fibre; **das Hemd ist aus ~** the shirt is made of artificial fibres

syn·the·tisch [zʏn'te:tɪʃ] *adj* synthetic; **eine ~e Faser** a man-made fibre

syn·the·ti·sie·ren* [zʏnteti'zi:rən] *vt* CHEM to synthesize

Sy·phi·lis <-> ['zy:filɪs] *f kein pl* syphilis *no pl*

Sy·rer(in) <-s, -> [y:rɐ] *m(f)* Syrian; *s. a.* **Deutsche(r)**

Sy·ri·en <-s> ['zy:ri̯ən] *nt* Syria; *s. a.* **Deutschland**

Sy·ri·er(in) <-s, -> ['zy:ri̯ɐ] *m(f)* Syrian; *s. a.* **Deutsche(r)**

sy·risch ['zy:rɪʃ] *adj* Syrian; *s. a.* **deutsch**

Sys·tem <-s, -e> [zʏs'te:m] *nt* system; **~ in etw** *akk* **bringen** to bring some order into sth; **mit ~** systematically; **duales ~** refuse recycling system implemented in Germany

Sys·te·ma·tik <-, -en> [zʏste'ma:tɪk] *f* ❶ (*Ordnungsprinzip*) system ❷ *kein pl* BIOL systematology

sys·te·ma·tisch [zʏste'ma:tɪʃ] *adj* systematic

sys·te·ma·ti·sie·ren* [zʏstematiˈziːrən] *vt* to systemize

Sys·tem·feh·ler *m* system error **Sys·tem·kri·ti·ker(in)** *m/f)* critic of the system

Sze·na·ri·um <-s, -ien> [stseˈnaːrɪ̯ʊm, *pl* -rɪ̯ən] *nt (a. fig)* scenario

Sze·ne <-, -n> [ˈstseːnə] *f* ❶ THEAT, FILM scene; [**etw**] **in ~ setzen** (*a. fig*) to stage sth; **sich in ~ setzen** (*fig*) to play to the gallery ❷ (*Krach*) scene; [**jdm**] **eine ~ machen** to make a scene [in front of sb] ❸ *kein pl* (*Milieu*) scene; ▪**die ~** the scene; **sich in der ~ auskennen** to know one's way around the scene

Sze·ne·la·den *m* (*fam: Kneipe*) trendy bar; (*Disco oder Club*) trendy club

Sze·nen·ken·ner(in) *m/f)* insider **Sze·nen·wech·sel** *m* change of scene

Sze·ne·rie <-, -n> [stsenəˈriː, *pl* -ˈriːən] *f* ❶ (*Umgebung*) scenery ❷ FILM, LIT setting

T t

T, t <-, - *o fam* -s, -s> [te:] *nt* T, t; *s. a.* **A 1**

t *Abk von* **Tonne**

Ta·bak <-s, -e> ['tabak, 'ta:bak, ÖSTERR ta'bak] *m* tobacco

Ta·bak·in·dus·trie *f,* **Ta·bak·in·dus·trie** *f* ÖSTERR tobacco industry **Ta·bak·la·den** *m* tobacconist's **Ta·baks·do·se** *f* tobacco tin **Ta·bak·steu·er** *f* duty on tobacco **Ta·bak·wa·ren** *pl* tobacco products [pl]

ta·bel·la·risch [tabɛ'la:rɪʃ] **I.** *adj* tabular **II.** *adv* in tabular form

Ta·bel·le <-, -n> [ta'bɛlə] *f* table; FBALL *a.* league [table]

Ta·bel·len·füh·rer(in) *m(f)* SPORT top of the league **Ta·bel·len·kal·ku·la·tion** *f* spreadsheet

Ta·blett <-[e]s, -s *o* -e> [ta'blɛt] *nt* tray

Ta·blet·te <-, -n> [ta'blɛtə] *f* pill

Ta·blet·ten·sucht *f kein pl* addiction to pills **ta·blet·ten·süch·tig** *adj* addicted to pills

ta·bu [ta'bu:] *adj* taboo

Ta·bu <-s, -s> *nt* taboo [subject]

Ta·bu·bruch [ta'bu:-] *m* breaking of a taboo

ta·bu·i·sie·ren* [tabui'zi:rən] *vt* ■etw ~ to make sth a taboo subject

Ta·bu·la ra·sa ['ta:bula 'ra:za] *f kein pl* ►~ ~ **machen** to make a clean sweep of sth

Ta·bu·la·tor <-s, -toren> [tabu'la:to:ɐ̯, *pl* -'to:rən] *m* tabulator

Ta·ch(e)·les ['taxələs] ►[mit jdm] ~ **reden** to do some straight talking [to sb]

Ta·cho <-s, -s> ['taxo] *m* (*fam*) *kurz für* **Tachometer** speedometer

Ta·cho·me·ter *m o nt* speedometer

Ta·del <-s, -> ['ta:dl̩] *m* ❶ (*Verweis*) reprimand; **jdm einen ~ erteilen** to reproach sb (**wegen** *für*) ❷ (*Makel*) **ohne ~** faultless

ta·del·los **I.** *adj* perfect **II.** *adv* perfectly

ta·deln *vt* ❶ (*zurechtweisen*) to reprimand ❷ (*missbilligen*) to express one's disapproval

ta·delns·wert *adj* reprehensible

Ta·dschi·ki·stan <-s> [ta'dʒi:kista:n] *nt* Tajikistan; *s. a.* **Deutschland**

Ta·fel <-, -n> ['ta:fl̩] *f* ❶ (*Platte*) board; **eine ~ Schokolade** a bar of chocolate; (*Anzeige~*) board; (*Gedenk~*) plaque; SCH [black]board ❷ (*Bild~*) plate ❸ (*geh: festlicher Esstisch*) table

Ta·fel·berg *m kein pl* table mountain

ta·feln ['ta:fl̩n] *vi* (*geh*) to feast

tä·feln [tɛ:fl̩n] *vt* to panel

Ta·fel·sil·ber *nt* silver

Tä·fe·lung <-, -en> *f* panelling

Ta·fel·was·ser *nt* (*geh*) table water **Ta·fel·wein** *m* (*geh*) table wine

Taft <-[e]s, -e> [taft] *m* taffeta

Tag <-[e]s, -e> [ta:k, *pl* ta:gə] *m* ❶ (*Abschnitt von 24 Stunden*) day; **ein freier ~** a day off; **den ganzen ~** [**lang**] the whole day; **guten ~!** hello!, good afternoon/morning!; **~ für ~** every day; **von einem ~ auf den anderen** overnight; **von ~ zu ~** from day to day; **eines** [**schönen**] **~es** one day; **der Brief muss jeden ~ kommen** the letter should arrive any day now ❷ (*Datum*) day; **~ der offenen Tür** open day; **der ~ X** D-day; **bis zum heutigen ~** up to the present day; **auf den ~** [**genau**] [exactly] to the day ❸ (*Tageslicht*) light; **es ist noch nicht ~** it's not light yet; **am ~** during the day; **bei ~**[**e**] while it's light ❹ *pl* (*fam: Menstruation*) period ►**es ist noch nicht aller ~e** **Abend** it's not all over yet; **man soll den ~ nicht vor dem Abend loben** (*prov*) one shouldn't count one's chickens before they're hatched; **etw kommt an den ~** sth comes to light; **in den ~ hinein leben** to live from day to day; **über/unter ~e** above/below ground

tag·aus [ta:k'ʔaʊ̯s] *adv* **~, tagein** day in, day out

Ta·ge·bau *m kein pl* open-cast mining **Ta·ge·buch** *nt* ❶ (*tägliche Aufzeichnungen*) diary; **ein ~ führen** to keep a diary ❷ (*Terminkalender*) appointments diary **Ta·ge·dieb(in)** *m(f)* (*pej veraltet*) idler **Ta·ge·geld** *nt* ❶ (*tägliches Krankengeld*) daily invalidity pay ❷ (*tägliche Spesenpauschale*) daily allowance

tag·ein [ta:k'ʔaɪ̯n] *adv s.* **tagaus**

ta·ge·lang **I.** *adj* lasting for days; **nach ~em Warten** after days of waiting **II.** *adv* for days **Ta·ge·löh·ner(in)** <-s, -> ['ta:gəlø:nɐ] *m(f)* (*veraltend*) day labourer

ta·gen¹ ['ta:gn̩] *vi impers* (*geh*) **es tagt!** day is breaking!

ta·gen² ['ta:gn̩] *vi* to meet

Ta·ges·ab·lauf *m* daily routine **Ta·ges·an·bruch** *m* daybreak (**bei** at, **nach** after, **vor** before) **Ta·ges·cre·me** *f* day cream **Ta·ges·de·cke** *f* bedspread **Ta·ges·ein·nah·men** *pl* day's takings *npl* **Ta·ges·fahrt** *f* day-trip **Ta·ges·ge·richt** *nt* KOCHK dish of the day **Ta·ges·ge·schäft** *nt* daily

business *no pl; *BÖRSE day order **Ta·ges·ge·**
sche·hen *nt* daily events *pl* **Ta·ges·ge·**
spräch *nt* talking point of the day **Ta·**
ges·kar·te *f* ❶ (*Speisekarte*) menu of the
day ❷ (*einen Tag gültige Eintrittskarte*)
day ticket **Ta·ges·licht** *nt kein pl* daylight
no pl (**bei** by/in) ▸ **etw ans ~ bringen** to
bring sth to light **Ta·ges·licht·pro·jek·**
tor *m* overhead projector **Ta·ges·mut·**
ter *f* childminder **Ta·ges·ord·nung** *f*
agenda; **etw auf die ~ setzen** to put sth
on the agenda; **auf der ~ stehen** to be on
the agenda ▸ **[wieder] zur ~ übergehen**
to carry on as usual **Ta·ges·schau** *f kein*
pl TV news + *sing vb* (*daily TV news show*
of the ARD) **Ta·ges·um·satz** *m* daily
sales returns *pl* **Ta·ges·zeit** *f* time [of day]
Ta·ges·zei·tung *f* daily [paper]
ta·ge·wei·se *adv* on a daily basis
tag·hell ['ta:k'hɛl] *adj* as bright as day
täg·lich ['tɛ:klɪç] *adj, adv* daily
Tag·schicht *f* ❶ (*Arbeitszeitraum*) day
shift ❷ (*personelle Besetzung*) day shift
workers *pl*
tags·über ['ta:ks?y:bɐ] *adv* during the day
tag·täg·lich ['ta:k'tɛ:klɪç] I. *adj* daily II. *adv*
on a daily basis
Tag·traum *m* daydream
Tag·und·nacht·glei·che <-, -n> *f* equi-
nox
Ta·gung <-, -en> *f* ❶ (*Fach~*) conference
❷ (*Sitzung*) meeting
Ta·gungs·teil·neh·mer(in) *m(f)* participant in a conference
Tai·fun <-s, -e> [taɪ'fu:n] *m* typhoon
Tai·ga <-> ['taɪga] *f kein pl* ■ **die ~** the tai-
ga
Tail·le <-, -n> ['taljə] *f* waist
tail·liert [ta(l)'ji:et] *adj* fitted at the waist
Tai·wan <-s> ['taɪ'va:n] *nt* Taiwan; *s. a.*
Deutschland
Tai·wa·ner(in) <-s, -> ['taɪ'va:nɐ] *m(f)* Taiwanese; *s. a.* **Deutsche(r)**
tai·wa·nisch ['taɪ'va:nɪʃ] *adj* Taiwanese;
s. a. **deutsch**
Takt <-[e]s, -e> [takt] *m* ❶ MUS bar ❷ *kein*
pl (*Rhythmus*) rhythm; **den ~ angeben** to
beat time; **jdn aus dem ~ bringen** to
make sb lose their rhythm; **im ~** in time
(**zu/mit** to) ❸ *kein pl* (*~ gefühl*) tact
Takt·ge·fühl *nt* ❶ (*Feingefühl*) sense of
tact ❷ MUS sense of rhythm
tak·tie·ren* [tak'i:rən] *vi* to use tactics
Tak·tik <-, -en> ['taktɪk] *f* tactics *pl*
Tak·ti·ker(in) <-s, -> ['taktikɐ] *m(f)* tacti-
cian
tak·tisch ['taktɪʃ] I. *adj* tactical II. *adv* tacti-
cally

takt·los *adj* tactless
Takt·lo·sig·keit <-, -en> *f* ❶ *kein pl* (*takt-*
lose Art) tactlessness ❷ (*taktlose Aktion*)
piece of tactlessness
Takt·stock *m* baton
takt·voll *adj* tactful
Tal <-[e]s, Täler> [ta:l, *pl* tɛ:lɐ] *nt* valley
Ta·lar <-s, -e> [ta'la:ɐ] *m* JUR robe; REL cas-
sock; SCH gown
Ta·lent <-[e]s, -e> [ta:'lɛnt] *nt* talent
ta·len·tiert [talɛn'ti:ɐt] I. *adj* talented
II. *adv* in a talented way
Ta·ler <-s, -> ['ta:lɐ] *m* thaler
Talg <-[e]s, -e> ['talk, *pl* 'talgə] *m*
❶ (*festes Fett*) suet ❷ (*Absonderung der*
Talgdrüsen) sebum
Talg·drü·se *f* sebaceous gland
Ta·lis·man <-s, -e> ['ta:lɪsman] *m* lucky
charm
Tal·kes·sel *m* basin
Talk·mas·ter(in) <-s, -> ['tɔ:kmastɐ]
m(f) chat show host BRIT, talk show host
AM **Talk·show**RR, **Talk show**ALT <-, -s>
['tɔ:kʃo:] *f* talk show, chat show BRIT
Tal·soh·le *f* ❶ (*Boden eines Tales*) bottom
of a valley ❷ (*fig: Tiefstand*) rock bottom;
(*Wirtschaft*) trough
Tal·sper·re *f* TECH *s.* **Staudamm Tal·sta·**
ti·on *f* valley station
Tam·bur·in <-s, -e> [tãbu'rɛ̃:] *nt* tambou-
rine
Tam·pon <-s, -s> ['tampɔn, tam'po:n,
tã'põ:] *m* tampon
Tan·dem <-s, -s> ['tandɛm] *nt* tandem;
~ fahren to ride a tandem
Tang <-[e]s, -e> ['taŋ] *m* seaweed
Tan·ga <-s, -s> ['taŋga] *m* tanga
Tan·gens <-, -> ['taŋgɛns] *m* tangent
Tan·gen·te <-, -n> [taŋ'gɛntə] *f* MATH tangent
tan·gie·ren* [taŋ'gi:rən] *vt* ❶ (*geh: strei-*
fen) to touch upon ❷ (*geh: betreffen*) to
affect; **jdn nicht ~** (*fam*) not to bother sb
❸ MATH ■ **etw ~** to be tangent to
Tan·go <-s, -s> ['taŋgo] *m* tango
Tank <-s, -s> [taŋk] *m* tank
Tank·de·ckel *m* fuel [*or* BRIT *also* filler] cap
[*or* BRIT *also* petrol]
tan·ken ['taŋkn] I. *vi* (*Auto*) to fill up with
petrol [*or* AM gas]; (*Flugzeug*) to refuel
II. *vt* ❶ (*als Tankfüllung*) ■ **etw ~** to fill up
with sth ❷ (*fam: in sich aufnehmen*) **fri-**
sche Luft/Sonne ~ to get some fresh air/
sun ▸ **[ganz schön] getankt haben** (*fam*)
to have downed a fair amount
Tan·ker <-s, -> ['taŋkɐ] *m* tanker
Tank·fül·lung *f* a tankful **Tank·last·**
zug *m* tanker **Tank·säu·le** *f* petrol [*or*

AM gas] pump **Tank·stel·le** f garage, filling [or AM gas] station **Tank·ver·schluss**^RR m ❶ (*Verschluss eines Tanks* 2) tank lid ❷ AUTO (*geh*) s. **Tankdeckel** **Tank·wart(in)** *m(f)* petrol pump attendant BRIT, gas station attendant AM

Tan·ne <-, -n> ['tanə] f fir

Tan·nen·baum m ❶ (*Weihnachtsbaum*) Christmas tree ❷ (*fam: Tanne*) fir-tree **Tan·nen·na·del** f fir needle **Tan·nen·wald** m pine forest **Tan·nen·zap·fen** m fir cone

Tan·te <-, -n> ['tantə] f aunt

Tan·te-Em·ma-La·den m (*fam*) corner shop

Tan·ti·e·me <-, -n> [tã'tie:mə, tã'tiɛ:me] f ❶ (*Absatzhonorar*) royalty ❷ *meist pl* (*Gewinnbeteiligung*) percentage of the profits

Tanz <-es, Tänze> ['tants, *pl* 'tɛntsə] m dance; **jdn zum ~ auffordern** to ask sb to dance

Tanz·bein *nt* **das ~ schwingen** (*hum fam*) to take to the floor

tän·zeln ['tɛntsl̩n] vi ❶ haben (*auf und ab federn*) *Boxer* to dance; *Pferd* to prance ❷ sein (*sich leichtfüßig fortbewegen*) to skip

tan·zen ['tantsn̩] I. vi ❶ haben (*einen Tanz ausführen*) to dance ❷ sein (*sich tanzend fortbewegen*) to dance ❸ haben (*hüpfen*) *Gläser, Würfel* to jump in the air; **das kleine Boot tanzte auf den Wellen** the little boat bobbed up and down on the waves; **ihm tanzte alles vor den Augen** the room was spinning before his eyes **II.** vt haben to dance

Tän·zer(in) <-s, -> ['tɛntsɐ] *m(f)* dancer **tän·ze·risch I.** *adj* dancing **II.** *adv* in terms of dancing

Tanz·flä·che f dance floor **Tanz·kurs** m dance class **Tanz·leh·rer(in)** *m(f)* dance teacher **Tanz·lo·kal** *nt* café with a dance floor **Tanz·mu·sik** f dance music **Tanz·part·ner(in)** *m(f)* dancing partner **Tanz·schu·le** f dancing school **Tanz·stun·de** f ❶ kein pl (*Kurs*) dancing class ❷ (*Unterrichtsstunde*) dancing lesson; **~n nehmen** to have dancing lessons **Tanz·tur·nier** *nt* dance tournament

Ta·pe·te <-, -n> [ta'pe:tə] f wallpaper no pl

Ta·pe·ten·wech·sel m (*fam*) change of scene

ta·pe·zie·ren* [tape'tsi:rən] vt to wallpaper

Ta·pe·zie·rer(in) <-s, -> *m(f)* decorator **Ta·pe·zier·tisch** m wallpapering-table

tap·fer ['tapfɐ] *adj* brave **Tap·fer·keit** <-> f kein pl courage

Ta·pir <-s, -e> ['ta:piɐ̯] m tapir

tap·pen ['tapn̩] vi ❶ sein (*schwerfällig gehen*) **schlaftrunken tappte er zum Telefon** he shuffled drowsily to the phone ❷ haben (*tasten*) to grope (**nach** for)

tap·sen ['tapsn̩] vi sein *Kleinkind* to toddle; *Bär* to lumber

Ta·ran·tel <-, -n> [ta'rantl̩] f tarantula

Ta·rif <-[e]s, -e> [ta'ri:f] m ❶ (*gewerkschaftliche Gehaltsvereinbarung*) pay scale ❷ (*festgesetzter Einheitspreis*) charge **Ta·rif·abschluss**^RR m wage agreement **Ta·rif·grup·pe** f wage group **Ta·rif·kampf** [ta'ri:f-] m [tense] wage negotiations pl

ta·rif·lich I. *adj* negotiated **II.** *adv* by negotiation

Ta·rif·lohn m standard wage **Ta·rif·part·ner(in)** *m(f)* party to a wage agreement **Ta·rif·run·de** f pay round **Ta·rif·ver·hand·lung** f meist pl collective wage negotiations pl **Ta·rif·ver·trag** m collective wage agreement

tar·nen ['tarnən] vt ❶ MIL to camouflage (**gegen** against) ❷ (*Identität wechseln*) to disguise

Tarn·far·be f camouflage paint **Tarn·na·me** m cover name

Tar·nung <-, -en> f ❶ kein pl (*das Tarnen*) a. MIL camouflage ❷ (*tarnende Identität*) cover

Ta·sche <-, -n> ['taʃə] f ❶ (*Hand~*) [hand]bag; (*Einkaufs~*) [shopping] bag; (*Akten~*) briefcase ❷ (*in Kleidungsstücken*) pocket ▸ **tief in die ~ greifen müssen** to have to dig deep into one's pocket; [etw] **aus der eigenen ~ bezahlen** to pay for sth out of one's own pocket; **jdm auf der ~ liegen** to live off sb; **jdn in die ~ stecken** to be head and shoulders above sb; **in die eigene ~ wirtschaften** to line one's own pocket[s]

Ta·schen·aus·ga·be f pocket edition **Ta·schen·buch** *nt* paperback **Ta·schen·buch·aus·ga·be** f paperback edition **Ta·schen·com·pu·ter** m hand-held computer **Ta·schen·dieb(in)** *m(f)* pickpocket **Ta·schen·geld** *nt* pocket money **Ta·schen·krebs** m [common] crab **Ta·schen·lam·pe** f torch **Ta·schen·mes·ser** *nt* penknife **Ta·schen·rech·ner** m pocket calculator **Ta·schen·tuch** *nt* handkerchief **Ta·schen·uhr** f pocket watch **Ta·schen·wör·ter·buch** *nt* pocket dictionary

Tas·se <-, -n> ['tasə] f (*Trinkgefäß*) cup;

eine ~ Tee a cup of tea ▶ **nicht alle ~n im Schrank haben** not to be right in the head

Tas·ta·tur <-, -en> [tasta'tuːɐ̯] *f* keyboard

Tas·te <-, -n> ['tastə] *f* key; (*Telefon*) button

tas·ten ['tastn̩] **I.** *vi* (*fühlend suchen*) to feel (**nach** for) **II.** *vr* (*sich vortasten*) ▪**sich irgendwohin ~** to grope one's way to somewhere **III.** *vt* to feel

Tas·ten·in·stru·ment *nt* keyboard instrument

Tast·sinn *m kein pl* sense of touch

tat [taːt] *imp von* **tun**

Tat <-, -en> [taːt] *f* ❶ (*Handlung*) act; **eine gute ~** a good deed; **zur ~ schreiten** (*geh*) to proceed to action; **etw in die ~ umsetzen** to put sth into effect ❷ (*Straf~*) crime; **jdn auf frischer ~ ertappen** to catch sb red-handed *fig* ▶ **in der ~** indeed

Tat·be·stand *m* ❶ (*Sachlage*) facts [of the matter] ❷ JUR elements of an offence **Tat·be·tei·lig·te(r)** *f(m)* JUR accomplice

Ta·ten·drang *m kein pl* (*geh*) thirst for action

ta·ten·durs·tig [taːtən'dʊrstɪç] *adj* (*geh*) eager for action *pred*

ta·ten·los *adj* idle; **~ zusehen** to stand idly by

Tä·ter(in) <-s, -> ['tɛːtɐ] *m(f)* perpetrator

tä·tig ['tɛːtɪç] *adj* ❶ (*beschäftigt*) employed; **sie ist in der pharmazeutischen Industrie ~** she works in the pharmaceutical industry ❷ *attr* (*tatkräftig*) active ❸ (*aktiv*) active; **unentwegt ~ sein** to be always on the go *fam*

tä·ti·gen ['tɛːtɪɡn̩] *vt* (*geh*) to effect; *Abschluss* to conclude

Tä·tig·keit <-, -en> *f* ❶ (*Beschäftigung*) occupation ❷ *kein pl* (*Aktivität*) activity; **in ~ sein** to be operating; **in ~ treten** to intervene

Tä·tig·keits·be·reich *m* field of activity

Tat·kraft *f kein pl* drive *no pl* **tat·kräf·tig** *adj* active

tät·lich ['tɛːtlɪç] *adj* violent (**gegen** towards)

Tat·mo·tiv *nt* motive **Tat·ort** *m* scene of the crime **Tat·ort·spur** *f* sample taken from a crime scene

tä·to·wie·ren* [tɛto'viːrən] *vt* to tattoo

Tä·to·wie·rung <-, -en> *f* ❶ (*eingeritztes Motiv*) tattoo ❷ *kein pl* (*das Tätowieren*) tattooing

Tat·sa·che ['taːtzaxə] *f* fact; **~ ist [aber], dass ...** the fact of the matter is [however] that ... ▶ **den ~n ins Auge sehen** to face the facts

Tat·sa·chen·be·richt *m* factual report

tat·säch·lich ['taːtzɛçlɪç, taːt'zɛçlɪç] **I.** *adj attr* (*wirklich*) actual *attr*, real **II.** *adv* ❶ (*in Wirklichkeit*) actually ❷ (*in der Tat*) really

tät·scheln ['tɛːtʃl̩n] *vt* to pat

tat·te·rig *adj*, **tatt·rig** ['tatrɪç] *adj* (*fam*) doddery BRIT, shaky AM

Tat·ver·dacht *m* suspicion **tat·ver·däc·htig** *adj* under suspicion **Tat·ver·däch·ti·ge(r)** *f(m)* suspect **Tat·waf·fe** *f* murder weapon

Tat·ze <-, -n> ['tatsə] *f* paw

Tat·zeit *f* time of the crime **Tat·zeu·ge**, **-zeu·gin** *m, f* incident-witness

Tau¹ <-[e]s> [tau̯] *m kein pl* (*~tropfen*) dew

Tau² <-[e]s, -e> [tau̯] *nt* (*Seil*) rope

taub [tau̯p] *adj* ❶ (*gehörlos*) deaf; **sich ~ stellen** to turn a deaf ear ❷ (*gefühllos*) numb ❸ *Nuss* empty; *Boden* barren; *Metall* dull

Tau·be <-, -n> ['tau̯bə] *f* pigeon

Tau·ben·schlag *m* pigeon loft

Tau·be·rich ['tau̯bərɪç], **Täu·be·rich** <-s, -e> ['tɔy̯bərɪç] *m* male dove

Taub·heit <-> *f kein pl* ❶ (*Gehörlosigkeit*) deafness *no pl* ❷ (*Gefühllosigkeit*) numbness *no pl*

taub·stumm *adj* deaf and dumb **Taub·stum·me(r)** *f(m)* deaf mute **Taub·stum·men·spra·che** *f* language for deaf-mutes

tau·chen [tau̯xn̩] **I.** *vi* ❶ *sein o haben* (*unter~*) to dive (**nach** for) ❷ *sein* (*auf~*) to emerge, to surface **II.** *vt haben* ❶ (*ein~*) to dip; **in [gleißendes] Licht getaucht** bathed in [glistening] light ❷ (*unter~*) to duck

Tau·chen <-s> [tau̯xn̩] *nt kein pl* diving

Tau·cher(in) <-s, -> [tau̯xɐ] *m(f)* diver

Tau·cher·an·zug *m* diving suit **Tau·cher·aus·rüs·tung** *f* diving equipment **Tau·cher·bril·le** *f* diving goggles *npl*

Tau·che·rin <-, -nen> *f fem form von* **Taucher**

Tau·cher·mas·ke *f* diving mask

Tauch·sie·der <-s, -> *m* immersion heater **Tauch·sta·ti·on** *f* **auf ~ gehen** (*fam*) to make oneself scarce

tau·en ['tau̯ən] **I.** *vi* ❶ *haben* (*Tauwetter setzt ein*) ▪**es taut** it is thawing ❷ *sein* ([*ab*]*schmelzen*) to melt (**von** on) **II.** *vt* to melt

Tauf·be·cken *nt* font

Tau·fe <-, -n> ['tau̯fə] *f* baptism ▶ **etw aus der ~ heben** (*hum fam*) to launch sth

tau·fen ['tau̯fn̩] *vt* ❶ (*die Taufe vollziehen*) to baptize ❷ (*in der Taufe benennen*) to christen ❸ (*fam: benennen*) to christen

Täuf·ling <-s, -e> *m* person to be baptized

Tauf·name *m* Christian name **Tauf·pa·te, -pa·tin** *m, f* godfather *masc,* godmother *fem*

tau·frisch *adj* dewy; *Blumen* fresh

tau·gen ['tau̯gn̩] *vi* ➊ *(wert sein)* ▪ **etwas/viel/nichts** ~ to be useful/very useful/useless ➋ *(geeignet sein)* to be suitable **(als** for)

Tau·ge·nichts <-[es], -e> ['tau̯gənɪçts] *m* *(veraltend)* good-for-nothing

taug·lich ['tau̯klɪç] *adj* ➊ *(geeignet)* suitable ➋ MIL fit [for military service]

Taug·lich·keit <-> *f kein pl* ➊ *(Eignung)* suitability ➋ MIL fitness [for military service]

Tau·mel <-s> ['tau̯ml̩] *m kein pl (geh)* ➊ *(Schwindelgefühl)* dizziness ➋ *(geh: Überschwang)* frenzy

tau·meln ['tau̯ml̩n] *vi sein* to stagger

Tausch <-[e]s, -e> [tau̯ʃ] *m* swap; **im ~ gegen** [etw *akk*] in exchange for [sth]

tau·schen ['tau̯ʃn̩] **I.** *vt* ➊ *(gegeneinander einwechseln)* to swap **(gegen** for) ➋ *(geh: austauschen)* to exchange **II.** *vi* to swap ▸ **mit niemandem ~ wollen** not to wish to change places with anybody

täu·schen ['tɔʏʃn̩] **I.** *vt (irreführen)* to deceive; **wenn mich nicht alles täuscht** if I'm not completely mistaken; **wenn mich mein Gedächtnis nicht täuscht** unless my memory deceives me **II.** *vr (sich irren)* ▪ **sich ~** to be mistaken **(in** about); **darin täuschst du dich** you're wrong about that **III.** *vi (irreführen)* to be deceptive

täu·schend I. *adj* deceptive; *Ähnlichkeit* striking **II.** *adv* deceptively; **sie sieht ihrer Mutter ~ ähnlich** she bears a striking resemblance to her mother

Tausch·ge·schäft *nt* exchange **Tausch·han·del** *m* ➊ *kein pl* ÖKON barter; ~ **treiben** to [practise [*or* AM -ce]] barter ➋ *s.* **Tauschgeschäft Tausch·ob·jekt** *nt* **ein begehrtes** ~ a sought after object for bartering

Täu·schung <-, -en> ['tɔʏʃʊŋ] *f* ➊ *(Betrug)* deception ➋ *(Irrtum)* error; **optische** ~ optical illusion

Täu·schungs·ma·nö·ver *nt* ploy

Tausch·wert *m* exchange value

tau·send ['tau̯znt] *adj* ➊ *(Zahl)* a [*or* one] thousand; **einige** ~ **Euro** several thousand euros ➋ *(fam: sehr viele)* thousands of …

Tau·send[1] <-s, -e> ['tau̯znt, *pl* -ndə] *nt* ➊ *(Einheit von 1000 Dingen)* a thousand; **[zehn/zwanzig etc] von** ~ [ten/twenty etc] out of every thousand ➋ *pl, auch kleingeschrieben (viele tausend)* thousands *pl* **(von** of); **einige** ~**e …** several thousand …;

einer von ~ one in a thousand; **in die ~e gehen** *Kosten, Schaden* to run into the thousands; **zu** ~**en** by the thousands

Tau·send[2] <-, -en> ['tau̯znt, *pl* -ndn̩] *f* thousand

Tau·sen·der <-s, -> ['tau̯zndə] *m* ➊ *(fam: Geldschein)* thousand-dollar/euro etc. note ➋ *(1000 als Bestandteil einer Zahl)* thousands

tau·send·fach, 1000·fach ['tau̯zntfax] **I.** *adj* thousandfold; **die ~e Menge** a thousand times the amount; *s. a.* **achtfach II.** *adv* thousand fold, a thousand times over; *s. a.* **achtfach**

Tau·send·füß·ler <-s, -> ['tau̯zntfyːslə] *m* centipede **tau·send·jäh·rig, 1000·jäh·rig**[RR] ['tau̯zntjɛːrɪç] *adj* ➊ *(Alter)* thousand-year-old *attr,* one thousand years old *pred; s. a.* **achtjährig 1** ➋ *(Zeitspanne)* thousand year *attr; s. a.* **achtjährig 2 tau·send·mal, 1000·mal**[RR] ['tau̯zntmaːl] *adv* a thousand times; **bitte** ~ **um Entschuldigung!** *(fam)* a thousand apologies!

Tau·sends·tel ['tau̯zntstl̩] *nt o* SCHWEIZ *m* thousandth

Tau·trop·fen *m* dewdrop **Tau·was·ser** <-s, -wasser> *nt* melt water **Tau·wet·ter** *nt* thaw

Tau·zie·hen *nt kein pl (a. fig)* tug-of-war

Ta·xa·me·ter <-s, -> [taksaˈmeːtə] *m* taximeter, clock *fam*

Ta·xe <-, -n> ['taksə] *f* ➊ *(Kur~)* charge ➋ *(Schätzwert)* estimate ➌ DIAL *(Taxi)* taxi

Ta·xi <-s, -s> ['taksi] *nt* cab, taxi

Ta·xi·fah·rer(in) *m(f)* taxi [*or* cab] driver **Ta·xi·fahrt** *f* taxi [*or* cab] journey **Ta·xi·stand** *m* taxi [*or* cab] rank

Tb <-, -s> [teːˈbeː], **Tbc** <-, -s> [teːbeːˈtseː] *f Abk von* **Tuberkulose** TB

Team <-s, -s> [tiːm] *nt* team

Team·ar·beit ['tiːm-] *f* teamwork **team·fä·hig** *adj* able to work in a team **Team·geist** *m kein pl* team spirit **Team·work** <-s> *nt kein pl s.* **Teamarbeit**

Tech·nik <-, -en> ['tɛçnɪk] *f* ➊ *kein pl (Technologie)* technology ➋ *kein pl (technische Ausstattung)* technical equipment ➌ *kein pl (technische Konstruktion)* technology ➍ *(besondere Methode)* technique ➎ ÖSTERR *(technische Hochschule)* college of technology

Tech·ni·ker(in) <-s, -> ['tɛçnɪkə] *m(f)* *(Fachmann der Technik 1)* engineer; *(der Technik 2,3)* technician

Tech·nik·freak <-s, -s> ['tɛçnɪkfriːk] *m* *(fam)* technogeek *pej sl*

Tech·ni·kum <-s, Technika> ['tɛçnɪkʊm, *pl* -ka] *nt* college of technology

tech·nisch ['tɛçnɪʃ] **I.** adj ❶ attr (technologisch) technical ❷ (~ es Wissen vermittelnd) technical; **~ e Hochschule** college of technology ❸ Können, Probleme technical **II.** adv technically

tech·ni·sie·ren* [tɛçni'ziːrən] vt to mechanize

Tech·ni·sie·rung <-, -en> f mechanization

Tech·no <-[s]> ['tɛçno] m o nt kein pl techno

Tech·no·lo·gie <-, -n> [tɛçnolo'giː] f technology

Tech·no·lo·gie·park m technology park **Tech·no·lo·gie·zen·trum** nt technology centre

tech·no·lo·gisch [tɛçno'loːɡɪʃ] adj technological

Tech·tel·mech·tel <-s, -> [tɛçtl'mɛçtl] nt (fam) affair

Ted·dy·bär m teddy [bear]

Tee <-s, -s> [teː] m tea; (aus Heilkräutern) herbal tea; **eine Tasse ~** a cup of tea; **schwarzer/grüner ~** black/green tea; **~ kochen** to make some tea ▶ **abwarten und ~ trinken** (fam) to wait and see

Tee·beu·tel m tea bag **Tee·ei**^RR, **Tee-Ei** nt tea infuser **Tee·fil·ter** m tea-strainer **Tee·kan·ne** f teapot **Tee·licht** nt tea warmer candle **Tee·löf·fel** m ❶ (Löffel) teaspoon ❷ (Menge) teaspoon[ful]

Teen <-s, -s> [tiːn] m, **Teen·ager** <-s, -> ['tiːneːdʒɐ] m teenager

Tee·nie <-s, -s> ['tiːni], **Tee·ny** <-s, -s> m (fam) young teenager

Teer <-[e]s, -e> [teːɐ̯] m tar

tee·ren ['teːrən] vt to tar

Tee·ser·vice [-zɛrviːs] nt tea service **Tee·stu·be** f tea-room **Tee·wurst** f smoked sausage spread

Tef·lon® <-s-> ['tɛfloːn] nt kein pl teflon®

Teich <-[e]s, -e> [taɪç] m pond

Teig <-[e]s, -e> [taɪk] m (Hefe-, Rühr-, Nudelteig) dough; (Mürbe-, Blätterteig) pastry; (flüssig) batter; (in Rezepten) mixture

tei·gig [taɪɡɪç] adj ❶ (nicht ausgebacken) doughy ❷ (mit Teig bedeckt) covered in dough ❸ Teint pasty

Teig·wa·ren pl (geh) pasta + sing vb

Teil^1 <-[e]s, -e> [taɪl] m ❶ (Bruch~) part; **in zwei ~e zerbrechen** to break in two; **sie waren zum größten ~ einverstanden** for the most part they were in agreement; **zum ~** partly; (gelegentlich) on occasion ❷ (Anteil) share; **zu gleichen ~en** equally ❸ (Bereich) einer Stadt district;

(einer Strecke) stretch; (eines Gebäudes, einer Zeitung, eines Buches) section ▶ **sich** dat **seinen ~ denken** to draw one's own conclusions; **ich für meinen ~** I, for my part

Teil^2 <-[e]s, -e> [taɪl] nt ❶ (Einzel~) component ❷ (sl: Ding) thing

Teil·an·sicht f partial view

teil·bar adj ■ **~ sein** ❶ (aufzuteilen) which can be divided (**in** into) ❷ MATH to be divisible (**durch** by)

Teil·be·reich m section **Teil·be·trag** m instalment

Teil·chen <-s, -> nt dim von **Teil**^1 1 ❶ (Partikel) particle ❷ NUKL nuclear particle ❸ KOCHK DIAL pastries pl

tei·len ['taɪlən] **I.** vt ❶ (auf~) to share (**in** into) ❷ MATH to divide (**durch** by) ❸ (trennen) to separate **II.** vr ■ **sich ~** ❶ (sich auf~) to split up (**in** into) ❷ (sich gabeln) to fork; **da vorne teilt sich die Straße** the road forks up ahead ❸ (unter sich auf~) to share; **sie teilten sich die Kosten** they split the costs between them ❹ (gemeinsam benutzen) to share **III.** vi (abgeben) to share

teil·ha·ben vi irreg (geh) to participate (**an** in)

Teil·ha·ber(in) <-s, -> m(f) partner

Teil·kas·ko·ver·si·che·rung f partially comprehensive insurance

Teil·nah·me <-, -en> ['taɪlnaːmə] f ❶ (Beteiligung) participation (**an** in) ❷ (geh: Mitgefühl) sympathy ❸ (geh: Interesse) interest

teil·nahms·los adj apathetic

Teil·nahms·lo·sig·keit <-> f kein pl apathy

teil·neh·men vi irreg ❶ (anwesend sein) ■ [**an** etw dat] **~** to attend [sth] ❷ (sich beteiligen) to participate (**an** in); Wettbewerb to take part **Teil·neh·mer(in)** <-s, -> m(f) ❶ (Anwesender) person present ❷ (Beteiligter) participant ❸ (sl; ~ **an einem Kurs** student ❸ (Telefoninhaber) subscriber **Teil·neh·mer·ge·bühr** f attendance fee **Teil·neh·mer·wäh·rung** f FIN participating currency

teils [taɪls] adv partly; **~, ~** (fam) yes and no

Teil·stück nt part

Tei·lung <-, -en> f division

teil·wei·se ['taɪlvaɪzə] **I.** adv partly **II.** adj attr partial

Teil·zah·lung f instalment **Teil·zeit·ar·beit** f part-time work **Teil·zeit·be·schäf·tig·te(r)** f(m) dekl wie adj part-time worker **Teil·zeit·be·schäf·ti·gung** f part-time employment

Teint <-s, -s> [tɛ̃:] *m* complexion

Tel·co <-, -s> *f* TELEK (*Telefongesellschaft*) phone company

Te·le·ar·beit *f kein pl* telework **Te·le·ar· bei·ter(in)** ['te:lə-] *m(f)* telecommuter **Te· le·bank·ing** *nt* home banking **Te· le·brief** *m* telemessage **Te·le·fax** ['te:ləfaks] *nt* fax **te·le·fa·xen** ['te:ləfaksn̩] *vt, vi* (*geh*) s. **faxen**

Te·le·fon <-s, -e> ['te:lefo:n, tele'fo:n] *nt* telephone, phone *fam*

Te·le·fon·an·ruf *m* telephone call **Te·le· fon·an·schluss^RR** *m* telephone connection

Te·le·fo·nat <-[e]s, -e> [telefo'na:t] *nt* (*geh*) telephone call

Te·le·fon·aus·kunft *f* directory enquiries *pl* **Te·le·fon·buch** *nt* telephone book **Te· le·fon·buch·se** [tele'fo:n-] *f* telephone point [*or* AM jack] **Te·le·fon·ge·bühr** *f meist pl* telephone charge[s *pl*] **Te·le·fon· ge·sell·schaft** *f* [tele]phone company **Te· le·fon·ge·spräch** *nt* telephone call; **ein ~ führen** to make a telephone call **Te·le· fon·hö·rer** *m* telephone receiver

te·le·fo·nie·ren* [telefo'ni:rən] *vi* to make a [tele]phone call; ■**[mit jdm]** ~ to telephone [sb]

te·le·fo·nisch I. *adj* telephone II. *adv* by telephone

Te·le·fo·nist(in) <-en, -en> [telefo'nɪst] *m(f)* switchboard operator, telephonist

Te·le·fon·kar·te *f* phonecard **Te·le·fon· ket·te** *f* telephone chain **Te·le·fon·lei· tung** *f* telephone line **Te·le·fon·mar·ke· ting** *nt* telephone marketing **Te·le·fon· netz** *nt* telephone network **Te·le·fon· num·mer** *f* telephone number **Te·le·fon· rech·nung** *f* [tele]phone bill **Te·le·fon· seel·sor·ge** *f* Samaritans *pl* **Te·le·fon· sex** *m* telephone sex **Te·le·fon·ter·ror** *m kein pl* telephone harassment **Te·le·fon· ver·bin·dung** *f* telephone connection **Te· le·fon·zel·le** *f* pay phone **Te·le·fon·zen· tra·le** *f* switchboard

Te·le·graf <-en, -en> [tele'gra:f] *m* telegraph

Te·le·gra·fen·amt *nt* telegraph office **Te· le·gra·fen·mast** *m* telegraph pole

te·le·gra·fie·ren* [telegra:'fi:rən] *vi, vt* to telegraph

te·le·gra·fisch *adj* telegraphic

Te·le·gramm <-gramme> [tele'gram] *nt* telegram

Te·le·gramm·stil *m kein pl* abrupt style

Te·le·heim·ar·beit *f* teleworking [from home] **Te·le·kol·leg** ['te:ləkɔle:k] *nt*

Open University BRIT

Te·le·kom <-> ['te:ləkɔm] *f kein pl kurz für* **Deutsche Telekom AG:** ■**die ~** German *Telecommunications company*

Te·le·kom·mu·ni·ka·ti·on *f* telecommunication **Te·le·mar·ke·ting** ['te:ləmarkə- tɪŋ] *nt* telesales *pl* **Te·le·no·ve·la** <-, -s> *f* TV *long-running drama series, similar in format to a soap opera, but with a set number of episodes* **Te·le·ob·jek·tiv** *nt* telephoto lens

Te·le·pa·thie <-> [telepa'ti:] *f kein pl* telepathy

Te·le·promp·ter <-s, -> *m* autocue, teleprompter AM **Te·le·shop·ping** <-s> ['te:leʃɔpɪŋ] *nt kein pl* teleshopping

Te·le·skop <-s, -e> [tele'sko:p] *nt* telescope

Te·le·spiel *nt* (*veraltend*) video game

Te·le·text <-> ['teletɛkst] *nt kein pl* teletext *no pl*

Te·lex <-, -e> ['te:lɛks] *nt* telex

te·le·xen ['te:lɛksn̩] *vt* to telex

Tel·ler <-s, -> ['tɛlɐ] *m* **❶** (*Geschirrteil*) plate; **flacher ~** dinner plate; **tiefer ~** soup plate **❷** (*Menge*) plateful; **ein ~ Spaghetti** a plateful of spaghetti

Tel·ler·ge·richt *nt* KOCHK one-course meal **Tel·ler·rand** *m* ▸**über den ~ hinaus· schauen** to not be restricted in one's thinking; **über den ~ nicht hinausschauen** to not see further than [the end of] one's nose **Tel·ler·wä·scher(in)** *m(f)* dishwasher

Tem·pel <-s, -> ['tɛmpl̩] *m* temple

Tem·pe·ra·far·be *f* tempera colour

Tem·pe·ra·ment <-[e]s, -e> [tɛmpəra- 'mɛnt] *nt* **❶** (*Wesensart*) temperament **❷** *kein pl* (*Lebhaftigkeit*) vivacity; **~ haben** to be very lively

tem·pe·ra·ment·voll I. *adj* lively, vivacious II. *adv* vivaciously

Tem·pe·ra·tur <-, -en> [tɛmpəra'tu:ɐ̯] *f* **❶** (*Wärmegrad*) temperature **❷** (*Körper~*) temperature; **[seine/die] ~ messen** to take one's temperature; **[erhöhte] ~ haben** to have a temperature

Tem·pe·ra·tur·an·stieg *m* rise in temperature **Tem·pe·ra·tur·rück·gang** *m* drop in temperature **Tem·pe·ra·tur· schwan·kung** *f* fluctuation in temperature **Tem·pe·ra·tur·sturz** *m* sudden drop in temperature

Tempo¹ <-s, -s *o fachspr* Tempi> ['tɛmpo, *pl* 'tɛmpi] *nt* **❶** (*Geschwindigkeit*) speed; **mit hohem ~** at high speed **❷** (*musikalisches Zeitmaß*) tempo; **das ~ angeben** to set the tempo

Tem·po®² <-s, -s> *nt* (*fam: Papierta-*

schentuch) [paper] tissue

Tem·po·li·mit *nt* speed limit

Ten·denz <-, -en> [tɛn'dɛnts] *f* ❶ (*Trend*) trend ❷ (*Neigung*) tendency (**zu** to); **die ~ haben,** [etw zu tun] to have a tendency [to do sth]

ten·den·zi·ell [tɛndɛn'tsiɛl] *adj* **es zeichnet sich eine ~e Entwicklung zum Besseren ab** trends indicate a change for the better

ten·den·zi·ös <-er, -este> [tɛndɛn'tsiøːs] *adj* (*pej*) tendentious

ten·die·ren* [tɛn'diːrən] *vi* ❶ (*hinneigen*) to tend (**zu** towards); ◼ **dazu ~, etw zu tun** to tend to do sth ❷ (*sich entwickeln*) **die Aktien tendieren schwächer** shares are tending to become weaker

Te·ne·rif·fa [tene'rɪfa] *nt* Tenerife

Ten·nis <-> ['tɛnɪs] *nt kein pl* tennis **Ten·nis·ball** *m* tennis ball **Ten·nis·klub** *m* tennis club **Ten·nis·platz** *m* ❶ (*Spielfeld*) tennis court ❷ (*Anlage*) outdoor tennis complex **Ten·nis·schlä·ger** *m* tennis racket **Ten·nis·spiel** *nt* ❶ (*Sportart*) tennis ❷ (*Einzelspiel*) game of tennis **Ten·nis·spie·ler(in)** *m(f)* tennis player **Ten·nis·tur·nier** *nt* tennis tournament

Te·nor <-s, Tenöre> [te'noːɐ̯, *pl* te'nøː-rə] *m* ❶ MUS tenor ❷ *kein pl* LING, JUR tenor

Ten·ta·kel <-s, -> [tɛn'takl̩] *m o nt* tentacle

Tep·pich <-s, -e> ['tɛpɪç] *m* carpet; (*Wand~*) tapestry ▸ **etw unter den ~ kehren** (*fam*) to sweep sth under the carpet

Tep·pich·bo·den *m* fitted carpet **Tep·pich·klop·fer** <-s, -> *m* carpet-beater **Tep·pich·rei·ni·ger** *m* carpet cleaner

Ter·min <-s, -e> [tɛr'miːn] *m* ❶ (*verabredeter Zeitpunkt*) appointment; **sich** *dat* **einen ~** [für etw *akk*] **geben lassen** to make an appointment [for sth]; **einen ~ vereinbaren** to arrange an appointment; **einen ~ verpassen** to miss an appointment ❷ (*festgelegter Zeitpunkt*) deadline

Ter·mi·nal[1] <-s-, -s> ['tøːɐ̯mɪnl̩] *nt* INFORM terminal

Ter·mi·nal[2] <-s, -s> ['tøːɐ̯mɪnl̩] *nt o m* LUFT, TRANSP terminal

Ter·min·druck *m kein pl* time pressure **ter·min·ge·recht** **I.** *adj* according to schedule **II.** *adv* on time

Ter·mi·ni *pl von* **Terminus**

Ter·min·ka·len·der *m* [appointments] diary [*or* AM calendar]

Ter·mi·no·lo·gie <-, -n> [tɛrminolo'giː, *pl* -'giːən] *f* terminology

Ter·min·plan *m* schedule

Ter·min·pla·ner <-s, -> *m* ❶ (*Kalender*) schedule, diary BRIT ❷ TECH, INFORM electronic diary [*or* AM organizer]

Ter·mi·nus <-, Termini> ['tɛrminʊs, *pl* -ni] *m* term

Ter·mi·te <-, -n> [tɛr'miːtə] *f* termite

Ter·pen·tin <-s, -e> [tɛrpɛn'tiːn] *nt o* ÖSTERR *m* ❶ (*flüssiges Harz*) turpentine ❷ (*Terpentinöl*) oil of turpentine

Ter·rain <-s, -s> [tɛ'rɛ̃ː] *nt* ❶ (*Gelände*) terrain ❷ ([*Bau*]*grundstück*) site

Ter·ra·ri·um <-s, -rien> [tɛ'raːriʊm, *pl* -riən] *nt* terrarium

Ter·ras·se <-, -n> [tɛ'rasə] *f* ❶ (*Freisitz*) terrace; (*Balkon*) [large] balcony ❷ (*Geländestufe*) terrace

ter·ras·sen·för·mig *adj* terraced

Ter·ri·er <-s, -> ['tɛriɐ] *m* terrier

Ter·ri·ne <-, -n> [tɛ'riːnə] *f* tureen

ter·ri·to·ri·al [tɛrito'riaːl] *adj* territorial

Ter·ri·to·ri·um <-s, -rien> [tɛri'toːriʊm, *pl* -riən] *nt* territory

Ter·ror <-s> ['tɛroːɐ̯] *m kein pl* ❶ (*terroristische Aktivitäten*) terrorism ❷ (*Furcht und Schrecken*) terror ❸ (*fam: Stunk*) huge fuss

Ter·ror·ab·wehr *f kein pl* counterterrorism **Ter·ror·akt** *m* act of terrorism **Ter·ror·an·schlag** *m* terror[ist] attack

ter·ro·ri·sie·ren* [tɛrori'ziːrən] *vt* ❶ (*fam: schikanieren*) to intimidate ❷ (*in Angst und Schrecken versetzen*) to terrorize

Ter·ro·ris·mus <-> [tɛro'rɪsmʊs] *m kein pl* terrorism

Ter·ro·ris·mus·be·kämp·fung *f* counterterrorism

Ter·ro·rist(in) <-en, -en> [tɛro'rɪst] *m(f)* terrorist

ter·ro·ris·tisch *adj* terrorist *attr*

Ter·ror·op·fer *nt* victim of terror[ism] **Ter·ror·pa·te** *m* terror chief **Ter·ror·schutz** *m* POL protection against terrorism **Ter·ror·zel·le** *f* terrorist cell

Terz <-, -en> [tɛrts] *f* MUS third

Ter·zett <-[e]s, -e> [tɛr'tsɛt] *nt* MUS trio

Te·sa·film® ['teːzafɪlm] *m* Sellotape® BRIT, Scotch tape® AM

Tes·sin <-s> [tɛ'siːn] *nt* ◼ **das ~** Ticino

Test <-[e]s, -s *o* -e> [tɛst] *m* test

Tes·ta·ment <-[e]s, -e> [tɛsta'mɛnt] *nt* ❶ JUR will ❷ REL **Altes/Neues ~** Old/New Testament

tes·ta·men·ta·risch **I.** *adj* testamentary **II.** *adv* in the will

Tes·ta·ments·er·öff·nung *f* reading of the will **Tes·ta·ments·voll·stre·cker(in)** *m(f)* executor

Test·bild *nt* TV test card BRIT, test pattern AM

tes·ten ['tɛstn̩] *vt* to test (**auf** for)

Test·er·geb·nis *nt* test result **Test·per·son** *f* subject **Test·rei·he** *f* series of tests

Te·ta·nus <-> ['te:tanʊs] *m kein pl* tetanus *no pl*

Te·ta·nus·schutz·imp·fung *f* tetanus vaccination

Tete-a-tete^RR <-, -s> [tɛta'tɛ:t] *nt,* **Tête-à-tête** <-, -s> [tɛta'tɛ:t] *nt* tête-à-tête

Te·tra·e·der <-s, -> [tetra'ʔe:dɐ] *nt* MATH tetrahedron

teu·er ['tɔyɐ] **I.** *adj* ❶ (*viel kostend*) expensive ❷ (*geh: geschätzt*) dear **II.** *adv* expensively; **das hast du aber zu ~ eingekauft** you paid too much for that; **sich** *dat* **etw ~ bezahlen lassen** to demand a high price for sth ▶ **etw ~ bezahlen müssen** to pay a high price for sth; **~ erkauft** dearly bought; **jdn ~ zu stehen kommen** to cost sb dear

Teu·e·rungs·ra·te *f* rate of price increase

Teu·fel <-s, -> [tɔyfl̩] *m* ❶ *kein pl* (*Satan*) ▪ **der ~** the Devil ❷ (*teuflischer Mensch*) devil ▶ **in ~s Küche kommen** to get into a hell of a mess; **den ~ an die Wand malen** to imagine the worst; **geh zum ~!** (*fam*) go to hell!; **soll jdn [doch] der ~ holen** (*fam*) to hell with sb; **irgendwo ist der ~ los** (*fam*) all hell is breaking loose somewhere; **weiß der ~** (*fam*) who the hell knows

Teu·fels·kerl *m* (*fam*) amazing fellow **Teu·fels·kreis** *m* vicious circle **Teu·fels·zeug** *nt* (*fam: Substanz*) evil [*or* nasty] stuff; (*Sache*) devilish thing

teuf·lisch ['tɔyflɪʃ] **I.** *adj* diabolical **II.** *adv* ❶ (*diabolisch*) diabolically ❷ (*fam: höllisch*) like hell

Teu·ro <-s, -[s]> ['tɔyro] *m meist sing* (*pej*) expensive euro (*amalgamation of teuer and Euro; used pejoratively in reference to the Euro*)

Text <-[e]s, -e> [tɛkst] *m* ❶ (*schriftliche Darstellung*) text ❷ (*Lied~*) lyrics ❸ (*Wortlaut*) text; *einer Rede* script ▶ **jdn aus dem ~ bringen** (*fam*) to confuse sb

Text·auf·ga·be *f* problem **Text·bau·stein** *m* text block **Text·buch** *nt* libretto

tex·ten ['tɛkstn̩] **I.** *vt* to write **II.** *vi* to write songs; (*in der Werbung*) to write copy

Tex·ter(in) <-s, -> *m(f)* songwriter; (*in der Werbung*) copywriter

Tex·til·fa·brik *f* textile factory

Tex·ti·li·en [tɛks'ti:liən] *pl* fabrics *pl*

Tex·til·in·dus·trie *f* textile industry

Text·stel·le *f* passage **Text·ver·ar·bei·tung** *f* word processing **Text·ver·ar·bei·tungs·pro·gramm** *nt* word processing programme **Text·ver·ar·bei·tungs·sys·tem** *nt* word processing system

TH <-, -s> [te'ha] *f Abk von* **Technische Hochschule** *training college providing degree courses in technical and scientific subjects*

Thai [taj] *nt* Thai; *s. a.* **Deutsch**

Thai·land ['tajlant] *nt* Thailand; *s. a.* **Deutschland**

Thai·län·der(in) <-s, -> ['tajlɛndɐ] *m(f)* Thai; *s. a.* **Deutsche(r)**

thai·län·disch ['tajlɛndɪʃ] *adj* Thai; *s. a.* **deutsch**

The·a·ter <-s, -> [te'a:tɐ] *nt* ❶ (*Gebäude*) theatre ❷ (*Schauspielkunst*) theatre; **zum ~ gehen** to go on the stage; **~ spielen** to act; **nur ~ sein** (*fam*) to be only an act ❸ (*fam: Umstände*) fuss; **[ein] ~ machen** to make a fuss

The·a·ter·auf·füh·rung *f* theatre performance **The·a·ter·be·such** *m* theatre visit **The·a·ter·be·su·cher(in)** <-s, -> *m(f)* theatregoer **The·a·ter·kar·te** *f* theatre ticket **The·a·ter·kas·se** *f* theatre box office **The·a·ter·stück** *nt* play **The·a·ter·vor·stel·lung** *f* theatre performance

the·a·tra·lisch [tea'tra:lɪʃ] *adj* theatrical

The·ke <-, -n> ['te:kə] *f* counter; (*in einem Lokal*) bar

The·ma <-s, Themen *o* -ta> ['te:ma, *pl* -mən, -ta] *nt* ❶ (*Gesprächs~*) topic; **ein ~ ist [für jdn] erledigt** (*fam*) a matter is closed as far as sb is concerned; **beim ~ bleiben** to stick to the subject; **jdn vom ~ abbringen** to get sb off the subject ❷ (*schriftliches ~*) subject ❸ (*Bereich*) subject area ❹ MUS theme ▶ **ein/kein ~ sein** to be/not be an issue

The·ma·tik <-> [te'ma:tɪk] *f kein pl* topic

the·ma·ti·sie·ren* [temati'zi:rən] *vt* to discuss

The·men ['te:mən] *pl von* **Thema**

The·men·park ['te:mən-] *m* TOURIST theme [*or* amusement] park

The·o·lo·ge, **The·o·lo·gin** <-n, -n> [teo'lo:gə, teo'lo:gɪn] *m, f* theologian

The·o·lo·gie <-, -n> [teolo'gi:, *pl* -gi:ən] *f* theology

The·o·lo·gin <-, -nen> *f fem form von* **Theologe**

the·o·lo·gisch [teo'lo:gɪʃ] **I.** *adj* theological **II.** *adv* ❶ (*in der Theologie*) in theological matters ❷ (*für die Theologie*) theologically

The·o·re·ti·ker(in) <-s, -> [teo're:tikɐ] *m(f)* theorist

the·o·re·tisch [teo're:tɪʃ] I. *adj* theoretical II. *adv* theoretically

the·o·re·ti·sie·ren* [teoreti'zi:rən] *vi* to theorize

The·o·rie <-, -n> [teo'ri:, *pl* -ri:ən] *f* theory

The·ra·peut(in) <-en, -en> [tera'pɔyt] *m(f)* therapist

the·ra·peu·tisch [tera'pɔytɪʃ] I. *adj* therapeutic II. *adv* as therapy

The·ra·pie <-, -n> [tera'pi:, *pl* i:ən] *f* therapy

the·ra·pie·ren [tera'pi:rən] *vt* to treat

Ther·mal·bad [tɛr'ma:l-] *nt* ❶ (*Hallenbad*) thermal baths *pl* ❷ (*Heilbad*) hot springs *npl* ❸ (*Kurort*) spa resort

Ther·mal·quel·le *f* thermal spring

Ther·mo·me·ter <-s, -> [tɛrmo'me:tɐ] *nt* thermometer

Ther·mo·me·ter·stand *m* temperature

Ther·mos·fla·sche ['tɛrmosflaʃə] *f* Thermos® [flask] **Ther·mos·kan·ne** *f* Thermos® flask

Ther·mo·stat <-[e]s, -e *o* -en, -en> [tɛrmo'sta:t] *m* thermostat

The·se <-, -n> ['te:zə] *f* thesis

The·sen·pa·pier *nt* theory paper

Think·tank <-s, -s> ['θɪŋktɛŋk] *m* POL, ÖKON (*sl*) think tank

Thril·ler <-s, -> [θrɪlɐ] *m* thriller

Throm·bo·se <-, -n> [trɔm'bo:sə] *f* thrombosis

Thron <-[e]s, -e> [tro:n] *m* throne

Thron·be·stei·gung *f* accession [to the throne]

thro·nen ['tro:nən] *vi* to sit enthroned

Thron·fol·ge *f* line of succession **Thron·fol·ger(in)** <-s, -> *m(f)* heir to the throne

Thun·fisch ['tu:nfɪʃ] *m* tuna [fish]

Thü·rin·gen <-s> ['ty:rɪŋən] *nt* Thuringia **Thü·rin·ger(in)** <-s, -> ['ty:rɪŋɐ] *m(f)* Thuringian

thü·rin·gisch ['ty:rɪŋɪʃ] *adj* Thuringian

THW <-[s], -s> [te:ha:'ve:] *nt Abk von* **Technisches Hilfswerk** technical support/breakdown service

Thy·mian <-s, -e> ['ty:mi̯a:n] *m* thyme

Ti·bet <-s> ['ti:bɛt] *nt* Tibet; *s. a.* **Deutschland**

Tick <-[e]s, -s> [tɪk] *m* (*fam*) ❶ (*Marotte*) quirk ❷ (*geringe Menge*) tad

ti·cken ['tɪkn̩] *vi* to tick ▸ **nicht richtig** ~ to be out of one's mind

Tie·break^RR <-s, -s> *m o nt*, **Tie-Break** <-s, -s> ['tai̯bre:k] *m o nt* tie-break

tief [ti:f] I. *adj* ❶ (*eine große Tiefe/Dicke aufweisend*) deep; ▪ **ein Meter** ~ one metre deep ❷ (*niedrig*) low ❸ MUS (*tief klingend*) low; *Stimme* deep ❹ (*intensiv emp-*

funden) intense ❺ (*tiefgründig*) profound ❻ (*mitten in etw liegend*) deep; **im** ~**sten Winter** in the depths of winter ❼ (*weit hineinreichend*) deep; *Ausschnitt* low II. *adv* ❶ (*weit eindringend*) deep; ~ **greifend** far-reaching ❷ (*vertikal hinunter*) deep; **er stürzte 350 Meter** ~ he fell 350 metres [deep] ❸ (*dumpf tönend*) low; **zu** ~ **singen** to sing flat; ~ **sprechen** to talk in a deep voice ❹ (*zutiefst*) deeply; **etw** ~ **bedauern** to regret sth profoundly; **jdn** ~ **erschrecken** to frighten sb terribly ❺ (*intensiv*) deeply; ~ **schlafen** to sleep soundly ❻ (*niedrig*) low; ~ **liegend** low-lying; ~ **stehend** (*fig*) low-level

Tief <-[e]s, -e> [ti:f] *nt* ❶ METEO low ❷ (*depressive Phase*) low [point]

Tief·bau *m kein pl* civil engineering *no pl* **tief·blau** *adj* deep blue **Tief·druck**^1 *m kein pl* TYPO gravure *no pl* **Tief·druck**^2 *m kein pl* METEO low pressure *no pl* **Tief·druck·ge·biet** *nt* low pressure area

Tie·fe <-, -n> ['ti:fə] *f* ❶ (*vertikale/horizontale Ausdehnung*) depth; **der Schacht führt hinab bis in 1200 Meter** ~ the shaft goes 1200 metres deep ❷ *kein pl* (*Intensität*) intensity; *einer Farbe* depth ❸ (*Tiefgründigkeit*) depth ❹ (*dunkler Klang*) deepness

Tief·ebe·ne *f* lowland plain

Tie·fen·psy·cho·lo·gie *f* psychoanalysis **Tie·fen·schär·fe** *f kein pl* depth of field *no pl* **Tie·fen·wir·kung** *f eines Kosmetikums* deep action; ▪ **mit** ~ deep-acting

Tief·flie·ger *m* low-flying aircraft **Tief·gang** *m* NAUT draught ▸ ~ **haben** to have depth **Tief·ga·ra·ge** *f* underground car park BRIT, underground parking lot AM **tief·ge·fro·ren**, **tief·ge·kühlt** *adj* frozen **tief·grei·fend**^ALT *adj* far-reaching

tief·grün·dig ['ti:fɡryndɪç] I. *adj* ❶ *Gedanken* profound ❷ *Boden* deep II. *adv* diskutieren, untersuchen in depth

Tief·kühl·kost *f* frozen foods *pl* **Tief·kühl·schrank** *m* freezer **Tief·kühl·truhe** *f* freezer chest

Tief·land ['ti:flant] *nt* lowlands *pl* **Tief·punkt** *m* low point **Tief·schlaf** *m kein pl* deep sleep *no pl* **Tief·schlag** *m* ❶ SPORT hit below the belt ❷ (*schwerer Schicksalsschlag*) body blow **tief·schwarz** *adj Haar* jet black; *Nacht* pitch-black **Tief·see** *f* deep sea **Tief·sinn** <-[e]s> *m kein pl* profundity; **in** ~ **verfallen** to become depressed **tief·sin·nig** *adj* profound **Tief·stand** *m* low **tief|sta·peln** *vi* to be modest

Tiefst·tem·pe·ra·tur *f* lowest temperature

Tie·gel <-s, -> ['ti:gl̩] *m* ❶ *(flacher Kochtopf)* [sauce] pan ❷ *(Cremebehälter)* jar ❸ *(Schmelz~)* pot

Tier <-[e]s, -e> [ti:ɐ] *nt* animal

Tier·art *f* animal species + *sing vb* **Tier·arzt, -ärz·tin** *m, f* vet

Tier·chen <-s, -> *nt dim von* **Tier** little creature

Tier·fa·brik *f* AGR *(pej fam)* factory farm

Tier·gar·ten *m* ZOO **Tier·hand·lung** *f* pet shop **Tier·heim** *nt* animal home

tie·risch ['ti:rɪʃ] I. *adj* ❶ *(bei Tieren anzutreffend)* animal *attr* ❷ *(sl: gewaltig)* **einen ~en Durst/Hunger haben** to be thirsty/hungry as hell ❸ *(grässlich)* bestial II. *adv* *(sl)* ~ **schuften/schwitzen** to work/sweat like hell; ~ **wehtun** to hurt like hell

Tier·kli·nik *f* animal hospital **Tier·kreis·zei·chen** *nt* sign of the zodiac **tier·lieb** *adj* animal-loving *attr;* ■ ~ **sein** to be fond of animals **Tier·mehl** *nt* meat and bone meal *spec,* animal feed **Tier·pfle·ger(in)** *m(f)* zoo-keeper **Tier·quä·ler(in)** <-s, -> *m(f)* person who is cruel to animals **Tier·quä·le·rei** ['ti:ɐkvɛːləraj] *f* cruelty to animals **Tier·reich** *nt kein pl* animal kingdom **Tier·schutz** *m* protection of animals **Tier·schüt·zer(in)** *m(f)* animal welfare activist **Tier·schutz·ver·ein** *m* society for the prevention of cruelty to animals **Tier·ver·such** *m* animal experiment

Ti·ger <-s, -> [ti:gɐ] *m* tiger

ti·gern ['ti:gɐn] *vi sein (fam)* to mooch [about] BRIT, to loiter AM

Ti·ger·staat *m* ÖKON, POL tiger economy

Til·de <-, -n> ['tɪldə] *f* tilde

til·gen ['tɪlgn̩] *vt (geh)* ❶ FIN *(abtragen)* to pay off ❷ *(beseitigen)* to wipe out *sep;* ■ **etw von etw** *dat* ~ to erase sth from sth

Til·gung <-, -en> *f (geh)* ❶ FIN *(das Tilgen)* repayment ❷ *(Beseitigung)* deletion

timen ['tajmən] *vt* to time

Time-sha·ringRR <-s> *nt kein pl,* **Time-sha·ring**ALT <-s> ['tajmʃɛːrɪŋ] *nt kein pl* ❶ INFORM *(gemeinsame Benutzung eines Großrechners)* time-sharing ❷ *(gemeinsamer Besitz von Ferienwohnungen)* time share

Ti·ming <-s> ['tajmɪŋ] *nt* timing

Tink·tur <-, -en> [tɪŋk'tu:ɐ] *f* tincture

Tin·te <-, -n> ['tɪntə] *f* ink ▸ **in der** ~ **sit·zen** *(fam)* to be in a scrape

Tin·ten·fassRR *nt* inkpot **Tin·ten·fisch** *m* squid **Tin·ten·fleck** *m* ink blot; *(auf Kleidung)* ink stain **Tin·ten·klecks** *m* ink blot **Tin·ten·strahl·dru·cker** *m* ink-jet

printer

TipALT <-s, -s> [tɪp] *m s.* **Tipp**

TippRR <-s, -s> [tɪp] *m* ❶ *(Hinweis)* tip, hint ❷ SPORT tip

tip·pen1 [tɪpn̩] I. *vi* ❶ *(Wettscheine ausfüllen)* to fill in one's coupon; **im Lotto/ Toto** ~ to play the lottery/pools ❷ *(etw vorhersagen)* to guess; ■ **auf jdn/etw** ~ to put one's money on sb/sth; ■ **darauf** ~, **dass etw geschieht** to bet that sth happens II. *vt* **eine Zahl** ~ to play a number

tip·pen2 [tɪpn̩] I. *vi* ❶ *(fam: Schreibmaschine schreiben)* to type ❷ *(kurz anstoßen)* to tap **(an/auf** on] II. *vt (fam)* to type

Tipp-Ex® <-> ['tɪpɛks] *nt kein pl* Tipp-Ex® BRIT, Liquid Paper® AM

Tipp·feh·ler *m* typing mistake

Tipp·schein *m* lottery coupon

Tipp·se <-, -n> ['tɪpsə] *f (pej fam)* typist

tipp·topp ['tɪp'tɔp] *(fam)* I. *adj* tip-top II. *adv* immaculately

Ti·rol <-s> [ti'ro:l] *nt* Tyrol

Ti·ro·ler(in) <-s, -> [ti'ro:lɐ] *m(f)* Tyrolean

Tisch <-[e]s, -e> [tɪʃ] *m* table; **am** ~ **sit·zen** to sit at the table ▸ **reinen** ~ **machen** to sort things out; **unter den** ~ **fallen** *(fam)* to go by the board; **jdn unter den** ~ **trinken** to drink sb under the table; **vom** ~ **sein** to be cleared up; **sich** [mit jdm] **an einen** ~ **setzen** to get round the table [with sb]; **jdn über den** ~ **ziehen** *(fam)* to lead sb up the garden path

Tisch·bein ['tɪʃbajn] *nt* table-leg **Tisch·de·cke** *f* tablecloth **Tisch·fuß·ball** *nt* table football **Tisch·ge·bet** *nt* grace **Tisch·ge·sell·schaft** *f* dinner party **Tisch·ge·spräch** *nt* table talk **Tisch·kan·te** *f* table-edge **Tisch·kar·te** *f* place card **Tisch·lam·pe** *f* table lamp

Tisch·ler(in) <-s, -> ['tɪʃlɐ] *m(f)* carpenter **Tisch·le·rei** <-, -en> [tɪʃlə'raj] *f* carpenter's workshop

Tisch·le·rin <-, -nen> *f fem form von* **Tischler**

tisch·lern ['tɪʃlɐn] I. *vi (fam)* to do woodwork II. *vt* ■ **etw** ~ to make sth from wood

Tisch·ma·nie·ren ['tɪʃmaniːrən] *pl* table manners *pl* **Tisch·nach·bar(in)** <-n, -n> *m(f) immediate neighbour when sat at a* [dinner] *table* **Tisch·re·de** *f* after-dinner speech **Tisch·ten·nis** *nt* table tennis **Tisch·ten·nis·ball** *m* table-tennis ball **Tisch·ten·nis·plat·te** *f* table-tennis table **Tisch·ten·nis·schlä·ger** *m* table-tennis bat

Ti·tel <-s, -> ['ti:tl̩] *m* ❶ *(Überschrift)* heading ❷ *(Namenszusatz)* [academic] title ❸ *(Adels~)* title ❹ MEDIA, SPORT title

Ti·tel·an·wär·ter(in) <-s, -> *m(f)* contender for the title **Ti·tel·bild** *nt* cover [picture] **Ti·tel·blatt** *nt* ❶ (*Buchseite mit dem Titel*) title page ❷ *einer Zeitung* front page; *einer Zeitschrift* cover **Ti·tel·ge·schich·te** *f* lead [*or* cover] story **Ti·tel·mäd·chen** *nt* cover girl

ti·teln ['tiːtl̩n] *vt* to headline

Ti·tel·rol·le *f* title role **Ti·tel·sei·te** *f* front page; (*einer Zeitschrift*) cover **Ti·tel·ver·tei·di·ger(in)** *m(f)* title holder

Tit·te <-, -n> ['tɪtə] *f* (*derb*) tit

ti·tu·lie·ren* [titu'liːrən] *vt* (*geh*) ▪**jdn irgendwie ~** to address (**als** as), to call sb sth

tja [tja] *interj* well

TNT <-[s]> ['teːʔɛn'ʔteː] *nt kein pl Abk von* **Trinitrotoluol** TNT

Toast¹ <-[e]s, -e> [toːst] *m* ❶ *kein pl* (*~ brot*) toast ❷ (*Scheibe ~ brot*) ▪**ein ~** a slice of toast

Toast² <-[e]s, -e> [toːst] *m* toast; **einen ~ auf jdn/etw ausbringen** to propose a toast to sb/sth

Toast·brot *nt* toasting bread

toas·ten¹ [toːstn̩] *vt* ▪**etw ~** to toast sth

toas·ten² [toːstn̩] *vi* (*geh*) ▪[**auf jdn/etw**] **~** to toast [to sb/sth]

Toas·ter <-s, -> *m* toaster

to·ben ['toːbn̩] *vi* ❶ *haben* (*wüten*) to be raging [*or* go wild] (**vor** with) ❷ *haben* (*ausgelassen spielen*) to romp [around] ❸ *sein* (*fam: sich ausgelassen fortbewegen*) to charge

Tob·sucht *f kein pl* rage **tob·süch·tig** *adj* raving mad **Tob·suchts·an·fall** *m* (*fam*) fit of rage

To·chter <-, Töchter> ['tɔxtɐ, *pl* 'tœçtɐ] *f* ❶ (*weibliches Kind*) daughter ❷ (*~ firma*) subsidiary

Toch·ter·fir·ma *f s.* **Tochtergesellschaft**

Toch·ter·ge·sell·schaft *f* subsidiary [firm]

Tod <-[e]s, -e> [toːt] *m* death; **~ durch Ertrinken** death by drowning; **eines friedlichen ~es sterben** to die a peaceful death; **etw mit dem ~e bezahlen** (*geh*) to pay for sth with one's life ▶**jdn/etw auf den ~ nicht** ausstehen **können** to be unable to stand sb/sth; **sich** *dat* **den ~** holen to catch one's death [of cold]; **sich zu ~e** langweilen to be bored to death; **sich zu ~e** schämen to be utterly ashamed; **zu ~e** betrübt **sein** to be deeply despaired

tod·ernst ['toːt'ʔɛrnst] **I.** *adj* deadly serious **II.** *adv* in a deadly serious manner

To···des·angst *f* ❶ (*fam: entsetzliche Angst*) mortal fear; **Todesängste ausste-**

hen (*fam*) to be scared to death ❷ (*Angst vor dem Sterben*) fear of death **To·des·an·zei·ge** *f* obituary **To·des·fall** *m* death **To·des·fol·ge** *f kein pl* JUR **Körperverletzung mit ~** physical injury resulting in death **To·des·ge·fahr** *f* mortal danger **To·des·kampf** *m* death throes **To·des·kan·di·dat(in)** *m(f)* goner *sl* **to·des·mu·tig I.** *adj* [completely] fearless **II.** *adv* fearlessly **To·des·op·fer** *nt* casualty **To·des·schuss**ᴿᴿ *m* **gezielter ~** JUR shot to kill **To·des·schüt·ze, -schüt·zin** *m, f* assassin **To·des·sprit·ze** *f* lethal injection **To·des·stoß** *m* deathblow; **einer S.** *dat* **den ~ versetzen** (*fig*) to deal the deathblow to sth **To·des·stra·fe** *f* death penalty; **auf etw** *akk* **steht die ~** sth is punishable by death **To·des·tag** *m* anniversary of sb's death **To·des·ur·sa·che** *f* cause of death **To·des·ur·teil** *nt* death sentence **To·des·zel·le** *f* death cell

Tod·feind(in) ['toːtfaɪnt] *m(f)* mortal enemy

tod·krank ['toːt'kraŋk] *adj* terminally ill **tod·lang·wei·lig** ['toːt'laŋvaɪlɪç] *adj* deadly boring

töd·lich ['tøːtlɪç] **I.** *adj* deadly; **das ist mein ~er Ernst** I'm deadly serious **II.** *adv* ❶ (*mit dem Tod als Folge*) ▪**verunglücken** to be killed in an accident ❷ (*fam: entsetzlich*) **sich ~ langweilen** to be bored to death

tod·mü·de ['toːt'myːdə] *adj* (*fam*) dead tired **tod·schick** *adj* (*fam*) dead smart BRIT, snazzy **tod·si·cher I.** *adj* dead certain; *Methode* sure-fire **II.** *adv* for sure **Tod·sün·de** *f* deadly sin **tod·un·glück·lich** ['toːt'ʔʊnglʏklɪç] *adj* (*fam*) deeply unhappy

To·hu·wa·bo·hu <-[s], -s> [toːhuva'boː-huː] *nt* chaos

toi, toi, toi ['tɔy 'tɔy 'tɔy] *interj* (*fam*) ❶ (*ich drücke die Daumen*) good luck ❷ (*hoffentlich auch weiterhin*) touch [*or* AM knock on] wood

To·i·let·te <-, -n> [tɔa'lɛtə] *f* toilet; **ich muss mal auf die ~** I need to go to the toilet; **öffentliche ~** public toilet

To·i·let·ten·ar·ti·kel *pl* toiletries *pl* **Toi·let·ten·frau** [tɔa'lɛtən-] *f* toilet attendant **To·i·let·ten·pa·pier** *nt* toilet paper

To·kio <-s> ['tokio̯] *nt* Tokyo

to·le·rant [tole'rant] *adj* tolerant (**gegenüber** towards)

To·le·ranz <-, -en> [tole'rants] *f kein pl* tolerance (**gegenüber** towards)

To·le·ranz·be·reich *m* range of tolerance

to·le·rie·ren* [tole'riːrən] *vt* to tolerate

toll [tɔl] I. *adj* great II. *adv* ❶ (*wild*) wild; **ihr treibt es manchmal wirklich zu ~!** you really go too far sometimes! ❷ (*fam: sehr gut*) very well

Tol·le <-, -n> ['tɔlə] *f* quiff

tol·len ['tɔlən] *vi* ❶ *haben* (*umhertoben*) to romp around ❷ *sein* (*ausgelassen laufen*) to charge about

Toll·kir·sche *f* deadly nightshade **toll·kühn** ['tɔlkyːn] *adj* daring **Toll·kühn·heit** *f kein pl* daring *no pl*

Toll·patsch[RR] <-es, -e> ['tɔlpatʃ] *m* (*fam*) clumsy fool

toll·pat·schig[RR] ['tɔlpatʃɪç] I. *adj* clumsy II. *adv* **sich ~ anstellen** to act clumsily

Toll·wut *f* rabies

toll·wü·tig *adj* ▪ **~ sein** ❶ ZOOL to have rabies ❷ (*rasend*) to be raving mad

Tol·patsch[ALT] <-es, -e> *m s.* Tollpatsch

tol·pat·schig[ALT] *adj, adv s.* tollpatschig

Töl·pel <-s, -> ['tœlpl] *m* (*fam*) fool

To·ma·te <-, -n> [to'maːtə] *f* tomato ▶ **~n auf den Augen haben** to be blind; **du treulose ~!** you're a fine friend!

To·ma·ten·ket·schup[RR] *nt*, **To·ma·ten·ket·chup** *nt* [tomato] ketchup [*or* AM *also* catsup] **To·ma·ten·mark** *nt* tomato puree **To·ma·ten·sau·ce**, **To·ma·ten·so·ße** *f* tomato sauce **To·ma·ten·sup·pe** *f* tomato soup

Tom·bo·la <-, -s *o* Tombolen> ['tɔmbola, *pl* -bolən] *f* raffle

To·mo·gra·phie <-, -n> *f*, **To·mo·gra·fie**[RR] <-, -n> [tomogra'fiː] *f* tomography

Ton[1] <-[e]s, -e> [toːn] *m* clay

Ton[2] <-[e]s, Töne> [toːn, *pl* tøːnə] *m* ❶ (*hörbare Schwingung*) sound; **halber/ganzer ~** MUS semitone/tone ❷ FILM, RADIO, TV sound ❸ (*fam: Wort*) sound; **ich will keinen ~ mehr hören!** not another sound!; **große Töne spucken** (*sl*) to brag about *fam;* **keinen ~ herausbringen** to not be able to utter a word ❹ (*Tonfall*) tone; **einen ~ am Leibe haben** (*fam*) to be [very] rude; **einen anderen ~ anschlagen** to change one's tune; **ich verbitte mir diesen ~!** I will not be spoken to like that! ❺ (*Farb~*) tone ▶ **der ~ macht die Musik** (*prov*) it's not what you say but the way you say it; **jdn/etw in den höchsten Tönen loben** to praise sb/sth to the skies; **den ~ angeben** to set the tone; **hast du Töne!** you're not serious!

ton·an·ge·bend *adj* setting the tone *pred;* ▪ **~ sein** to set the tone **Ton·arm** *m* pick-up arm **Ton·art** *f* ❶ MUS key ❷ (*Typ von Ton*[1]) type of clay **Ton·auf·nah·me** *f* sound recording **Ton·band** <-bänder> *nt*

tape; **etw auf ~ aufnehmen** to tape sth **Ton·band·auf·nah·me** *f* tape recording **Ton·band·ge·rät** *nt* tape recorder

tö·nen[1] ['tøːnən] *vi* ❶ (*klingen*) to sound ❷ (*großspurig reden*) to boast

tö·nen[2] ['tøːnən] *vt* to tint; *Haare* to colour

Ton·er·de *f kein pl* alumina

tö·nern ['tøːnɐn] *adj attr* clay

Ton·fall *m* tone of voice **Ton·film** *m* sound film

Ton·ge·fäß <-es, -e> *nt* earthenware vessel

Ton·hö·he *f* pitch

To·nic <-[s], -s> ['tɔnɪk] *nt* tonic

Ton·in·ge·ni·eur, -in·ge·ni·eu·rin [-ɪnʒeniøː̯ɐ] *m, f* sound engineer **Ton·kopf** *m* recording head

Ton·krug *m* earthenware jug

Ton·la·ge *f* pitch **Ton·lei·ter** *f* scale **ton·los** *adj* flat

Ton·na·ge <-, -n> [tɔ'naːʒə] *f* tonnage

Ton·ne <-, -n> ['tɔnə] *f* ❶ (*zylindrischer Behälter*) barrel ❷ (*Müll~*) bin BRIT, can AM; **grüne ~** recycling bin for paper ❸ (*Gewichtseinheit*) ton ❹ NAUT (*Bruttoregister~*) [register] ton ❺ (*fam: fetter Mensch*) fatty

Ton·nen·ge·wöl·be *nt* ARCHIT barrel vaulting

ton·nen·wei·se *adv* by the tonne [*or* ton]

Ton·spur *f s.* Tonstreifen **Ton·stö·rung** *f* sound interference **Ton·strei·fen** *m* soundtrack

Ton·tau·be *f* clay pigeon **Ton·tau·ben·schie·ßen** *nt* clay pigeon shooting

Ton·tech·ni·ker(in) *m(f)* sound technician **Ton·trä·ger** *m* sound carrier

Tö·nung <-, -en> *f* ❶ (*das Tönen*) tinting ❷ (*Produkt für Haare*) hair colour ❸ (*Farbton*) shade

Tool <-s, -s> [tuːl] *nt* INFORM tool

Tool·box <-en> ['tuːlbɔks] *f* INFORM toolbox

Top <-s, -s> [tɔp] *nt* top

Top·act <-s, -s> ['tɔpɛkt] *m* MUS headline act

To·pas <-es, -e> [to'paːs] *m* topaz

Topf <-[e]s, Töpfe> [tɔpf, *pl* 'tœpfə] *m* ❶ (*Koch~*) pot, sauce pan ❷ (*Nacht~*) bedpan ❸ (*~ für Kleinkinder*) potty *fam* ▶ **alles in einen ~ werfen** to lump everything together

Töpf·chen <-s, -> ['tœpfçən] *nt dim von* **Topf** ❶ (*kleiner Topf*) small pot ❷ (*Toilettentopf für Kinder*) potty

Töp·fer(in) <-s, -> ['tœpfɐ] *m(f)* potter

Töp·fe·rei <-, -en> [tœpfə'raɪ̯] *f* pottery

Töp·fe·rin <-, -nen> *f fem form von* **Töp·fer**

töp·fern ['tœpfɐn] **I.** *vi* to do pottery **II.** *vt* ■ **etw ~** to make sth from clay

Töp·fer·schei·be *f* potter's wheel **Töp·fer·wa·ren** *pl* pottery

top·fit ['tɔp'fɪt] *adj* (*fam*) ■ **~ sein** to be as fit as a fiddle

Topf·lap·pen *m* oven cloth BRIT, pot holder AM **Topf·pflan·ze** *f* potted plant

Top·mo·del ['tɔpmɔdl̩] *nt* supermodel

To·po·gra·phie <-, -n> *f*, **To·po·gra·fie**^RR <-, -n> [topogra'fi:, *pl* -iən] *f* topography

to·po·gra·phisch *adj*, **to·po·gra·fisch**^RR *adj* topographic[al]

Tor <-[e]s, -e> [toːɐ̯] *nt* ❶ (*breite Tür*) gate; *Garage* door ❷ (~*bau*) gateway ❸ SPORT goal; **ein ~ schießen** to score a goal; **im ~ stehen** to be goalkeeper

Tor·bo·gen *m* archway

To·re·ro <-[s], -s> [to'reːro] *m* torero

Torf <-[e]s, -e> [tɔrf] *m* peat

Tor·heit <-, -en> *f* (*geh*) ❶ *kein pl* (*Unvernunft*) foolishness ❷ (*unvernünftige Handlung*) foolish action

Tor·hü·ter(in) *m(f)* s. **Torwart**

tö·richt ['tœrɪçt] **I.** *adj* foolish **II.** *adv* foolishly

tor·keln ['tɔrkl̩n] *vi sein* ❶ (*taumeln*) to reel ❷ (*irgendwohin taumeln*) to stagger

Tor·li·nie *f* goal-line **Tor·mann** *m* goalkeeper

Törn <-s, -s> [tœrn] *m* NAUT cruise

Tor·na·do <-s, -s> [tɔr'naːdo] *m* tornado, AM *also* twister

Tor·nis·ter <-s, -> [tɔr'nɪstɐ] *m* ❶ MIL knapsack ❷ DIAL (*Schulranzen*) satchel

tor·pe·die·ren* [tɔrpe'diːrən] *vt* ❶ NAUT to torpedo ❷ (*geh: zu Fall bringen*) to sabotage

Tor·pe·do <-s, -s> [tɔr'peːdo] *m* torpedo

Tor·pfos·ten *m* goalpost **Tor·raum** *m* goal-mouth **Tor·schluss·pa·nik**^RR *f* (*fam*) ~ **haben** to be afraid of missing the boat **Tor·schüt·ze**, **-schüt·zin** *m, f* scorer **Tor·schüt·zen·kö·nig**, **-kö·ni·gin** *m, f* top [goal] scorer

Tor·so <-s, -s *o* Torsi> ['tɔrzo, *pl* -zi] *m* KUNST torso

Tor·te <-, -n> ['tɔrtə] *f* gateau; (*Obstkuchen*) flan

Tor·ten·bo·den *m* flan case **Tor·ten·he·ber** <-s, -> *m* cake slice

Tor·tur <-, -en> [tɔr'tuːɐ̯] *f* (*geh*) torture

Tor·wart(in) *m(f)* goalkeeper

to·sen ['toːzn̩] *vi sein o haben* to roar; *Wasserfall* to foam; *Sturm* to rage

Tos·ka·na <-> [tɔs'kaːna] *f* Tuscany

tot [toːt] *adj* ❶ (*gestorben*) dead; **sich ~ stellen** to play dead; **~ umfallen** to drop dead ❷ (*nicht mehr genutzt*) disused

to·tal [to'taːl] *adj* total

To·tal·aus·ver·kauf *m* clearance sale

to·ta·li·tär [totali'tɛːɐ̯] **I.** *adj* totalitarian **II.** *adv* in a totalitarian manner

To·ta·li·tät <-, -en> [totali'tɛːt] *f* totality

To·tal·scha·den *m* write-off

tot|ar·bei·ten *vr* (*fam*) ■ **sich ~** to work oneself to death **tot|är·gern** *vr* (*fam*) ■ **sich ~** to be hopping mad (**über** with)

To·te(r) ['toːtə] *f(m)* (*toter Mensch*) dead person; (*Todesopfer*) fatality

tö·ten ['tøːtn̩] *vt* to kill

To·ten·bett *nt* s. **Sterbebett To·ten·blass**^RR ['toːtn̩'blas] *adj* s. **leichenblass To·ten·glo·cke** *f* knell **To·ten·grä·ber(in)** <-s, -> *m(f)* gravedigger **To·ten·kopf** *m* ❶ ANAT skull ❷ (*Zeichen*) skull and crossbones **To·ten·mas·ke** *f* death mask **To·ten·mes·se** *f* requiem mass **To·ten·schä·del** *m* s. **Totenkopf 1 To·ten·schein** *m* death certificate **To·ten·sonn·tag** *m* protestant church holiday on the last Sunday of the church year commemorating the dead **To·ten·star·re** *f* rigor mortis **to·ten·still** ['toːtn̩'ʃtɪl] *adj* ■ **es ~** it is deadly silent **To·ten·stil·le** ['toːtn̩'ʃtɪlə] *f* dead[ly] silence **To·ten·tanz** *m* dance of death **To·ten·wa·che** *f* **die ~ halten** to hold the wake

tot|fah·ren *irreg vt* (*fam*) ■ **jdn/etw ~** to run over and kill sb/sth

Tot·ge·burt *f* stillbirth **tot|krie·gen** *vt* (*fam*) **jd ist nicht totzukriegen** you can't get the better of sb; (*äußerst strapazierfähig*) sb can go on for ever **tot|la·chen** *vr* (*fam*) ■ **sich ~** to kill oneself laughing (**über** about)

To·to <-s, -s> ['toːto] *nt o m* pools *npl* BRIT, pool AM

To·to·schein *m* pool[BRIT -s] ticket

tot|sa·gen *vt* ■ **jdn/etw ~** to declare sb/sth as dead **tot|schie·ßen** *vt irreg* (*fam*) ■ **jdn/etw ~** to shoot sb/sth dead **Tot·schlag** *m kein pl* manslaughter *no pl* **Tot·schlag·ar·gu·ment** *nt* (*pej fam*) dead-end argument **tot|schla·gen** *vt irreg* ■ **jdn/etw ~** to beat sb/sth to death **Tot·schlä·ger** *m* cosh BRIT, blackjack AM **tot|schwei·gen** *vt irreg* ❶ (*über etw nicht sprechen*) to hush up ❷ (*über jdn nicht sprechen*) ■ **jdn ~** to keep quiet about sb

Tö·tung <-, *selten* -en> *f* killing; **fahrlässige ~** culpable manslaughter

T

Tö·tungs·ver·such *m* attempted murder

Touch·screenRR <-s, -s> ['tatʃskri:n] *m* touch screen

Tou·pet <-s, -s> [tu'pe:] *nt* toupee

tou·pie·ren* [tu'pi:rən] *vt* ▪ jdm/sich die Haare ~ to backcomb sb's/one's hair

Tour <-, -en> [tu:ɐ̯] *f* ❶ (*Geschäftsfahrt*) trip ❷ (*Ausflugsfahrt*) tour; **eine ~ machen** to go on a tour ❸ (*fam: Vorhaben*) wheeling and dealing; **jdm auf die dumme ~ kommen** to try to cheat sb ▶ **auf ~en kommen** to get into top gear; (*wütend werden*) to get worked up; **in einer ~** non-stop

tou·ren [tu:rən] *vi* to [be on] tour

Tou·ren·zahl *f* number of revolutions

Tou·ri <-s, -s> ['tu:ri] *m* (*fam o pej*) [mass] tourist

Tou·ris·mus <-> [tu'rɪsmʊs] *m kein pl* tourism *no pl*

Tou·rist(in) <-en, -en> [tu'rɪst] *m(f)* tourist

Tou·ris·ten·klas·se *f* tourist class **Tou·ris·ten·nep·per, -nep·pe·rin** *m, f* rip-off merchant who preys on tourists **Tou·ris·ten·zen·trum** *nt* tourist centre

Tou·ris·tik <-> [tu'rɪstɪk] *f kein pl* tourism *no pl*

Tou·ris·tin <-, -nen> *f fem form von* **Tourist**

tou·ris·tisch *adj* touristic *attr*

Tour·nee <-, -n *o* -s> [tʊr'ne:, *pl* -'ne:ən] *f* tour; **auf ~ gehen/sein** to go/be on tour

Tow·er <-s, -> ['taʊə] *m* control tower

to·xisch ['tɔksɪʃ] *adj* toxic

Trab <-[e]s> [tra:p] *m kein pl* trot; **im ~** at a trot ▶ **jdn auf ~ bringen** to make sb get a move on; **jdn in ~ halten** to keep sb on the go

Tra·bant <-en, -en> [tra'bant] *m* satellite **Tra·ban·ten·stadt** *f* satellite town

tra·ben ['tra:bn] *vi sein o haben* to trot

Trab·renn·bahn *f* trotting course

Tracht <-, -en> [traxt] *f* ❶ (*Volks~*) [national] costume ❷ (*Berufskleidung*) uniform ▶ **eine ~ Prügel** a good hiding

trach·ten ['traxtn̩] *vi* (*geh*) to strive (**nach** for); ▪ **danach ~, etw zu tun** to strive to do sth

träch·tig ['trɛçtɪç] *adj* pregnant

Track <-s, -s> [trɛk] *m* MUS (*sl: Song*) track

Tra·di·ti·on <-, -en> [tradi'tsi̯o:n] *f* tradition; **aus ~** traditionally

Tra·di·ti·o·na·list(in) <-en, -en> [tradits-i̯ona'lɪst] *m(f)* traditionalist

tra·di·tio·nell [tradits-i̯on'ɛl] *adj meist attr* traditional

tra·di·ti·ons·be·wusstRR *adj* traditional

traf [tra:f] *imp von* **treffen**

Tra·fo <-[s], -s> ['tra:fo] *m kurz für* **Transformator** transformer

Tra·fo·sta·ti·on ['tra:foʃtatsi̯o:n] *f* substation

Trag·bah·re *f* stretcher

trag·bar *adj* ❶ (*portabel*) portable ❷ (*akzeptabel*) acceptable

trä·ge ['trɛːgə] **I.** *adj* ❶ (*schwerfällig*) lethargic ❷ PHYS, CHEM inert **II.** *adv* lethargically

tra·gen <trägt, trug, getragen> ['tra:gn̩] **I.** *vt* ❶ (*schleppen*) to carry ❷ (*mit sich führen*) ▪ **etw bei sich ~** to have sth on one ❸ (*anhaben*) to wear ❹ (*in bestimmter Weise frisiert sein*) **einen Bart ~** to have a beard; **das Haar lang/kurz ~** to have long/short hair ❺ (*stützen*) to support ❻ AGR, HORT to produce ❼ (*ertragen*) to bear ❽ (*für etw aufkommen*) to bear **II.** *vi* ❶ AGR, HORT to crop ❷ (*trächtig sein*) to be pregnant ❸ (*das Begehen aushalten*) to withstand weight ❹ MODE to wear; **sie trägt lieber kurz** she likes to wear short clothes ▶ **an etw** *dat* **schwer zu ~ haben** to have a heavy cross to bear with sth; **zum T~ kommen** to come into effect **III.** *vr* ❶ (*sich schleppen lassen*) **sich leicht/schwer ~** to be light/heavy to carry ❷ MODE **die Hose trägt sich bequem** the pants are comfortable ❸ (*geh: in Erwägung ziehen*) ▪ **sich mit etw** *dat* **~** to contemplate sth ❹ FIN ▪ **sich ~** to pay for itself

Trä·ger <-s, -> *m* ❶ *meist pl* MODE strap; *Hose* braces *npl* BRIT, suspenders *npl* AM ❷ BAU girder

Trä·ger(in) <-s, -> *m(f)* ❶ (*Lasten~*) porter ❷ (*Inhaber*) bearer ❸ ADMIN (*verantwortliche Körperschaft*) responsible body; JUR agency; **~ öffentlicher Gewalt** agencies in whom state power is vested

Trä·ger·kleid *nt* pinafore dress **Trä·ger·ra·ke·te** *f* booster

Tra·ge·ta·sche *f* [carrier] bag

trag·fä·hig *adj* ▪ **~ sein** to be able to take weight **Trag·flä·che** *f* wing

Träg·heit <-, *selten* -en> *f* ❶ (*Schwerfälligkeit*) sluggishness; (*Faulheit*) laziness ❷ PHYS inertia

Tra·gik <-> ['tra:gɪk] *f kein pl* tragedy

tra·gi·ko·misch ['tra:giko:mɪʃ] *adj* tragicomic

Tra·gi·ko·mö·die [tra:giko:m'ø:di̯ə] *f* tragicomedy

tra·gisch ['tra:gɪʃ] **I.** *adj* tragic; **es ist nicht** [so] **~** (*fam*) it's not the end of the world **II.** *adv* tragically; **nimm's nicht so ~!** (*fam*) don't take it to heart!

Trag·kraft *f kein pl* weight-bearing capacity **Trag·last** *f* load

Tra·gö·die <-, -n> [tra'gø:diə] *f a.* LIT, THEAT tragedy

Trag·wei·te *f* scale; *(einer Entscheidung, Handlung)* consequence

Trai·ler <-s, -> ['trɛːlɐ] *m* FILM trailer

Trai·ner <-s, -> ['trɛːnɐ] *m* SCHWEIZ track-suit

Trai·ner(in) <-s, -> ['trɛːnɐ] *m(f)* trainer

trai·nie·ren* [trɛ'niːrən] **I.** *vt* ❶ *(durch Training üben)* to practice ❷ *(auf Wettkämpfe vorbereiten)* ▪ **jdn ~** to coach sb **II.** *vi* ❶ *(üben)* to practice ❷ *(sich auf Wettkämpfe vorbereiten)* to train

Trai·ning <-s, -s> ['trɛːnɪŋ] *nt* training

Trai·nings·an·zug *m* tracksuit **Trai·nings·ho·se** *f* track-suit trousers *npl,* track pants *npl* AM

Trakt <-[e]s, -e> [trakt] *m* ARCHIT wing

Trak·tor <-s, -toren> ['trakto:ɐ̯, *pl* -'to:rən] *m* tractor

träl·lern ['trɛlɐn] *vi, vt* to warble

Tram <-s, -s> [tram] *f o nt* SCHWEIZ tramway

Tram·bahn *f* SÜDD tram BRIT, streetcar AM

Tram·pel <-s, -> ['trampl̩] *m o nt (fam)* clumsy oaf

tram·peln ['trampl̩n] *vi* ❶ *haben (stampfen)* **mit den Füßen ~** to stamp one's feet ❷ *sein (sich ~ d bewegen)* to stomp along; **sie trampelten die Treppe hinunter** they stomped down the stairs

Tram·pel·pfad *m* track **Tram·pel·tier** *nt* ❶ ZOOL camel ❷ *(fam: unbeholfener Mensch)* clumsy oaf

tram·pen [trɛmpn̩] *vi sein* to hitch-hike

Tram·per(in) <-s, -> ['trɛmpɐ] *m(f)* hitch-hiker

Tram·po·lin <-s, -e> ['trampoliːn] *nt* trampoline

Tram·way <-s, -s> ['tramvaɪ̯] *f* ÖSTERR *(Straßenbahn)* tram[way]

Tran <-[e]s, -e> [traːn] *m (vom Wal)* train oil; *(von Fischen)* fish oil ▶ **wie im ~** *(fam)* in a daze

Tran·ce <-, -n> ['trãːs(ə)] *f* trance

tran·chie·ren* [trã'ʃiːrən] *vt* to carve

Tran·chier·mes·ser *nt* carving-knife

Trä·ne <-, -n> ['trɛːnə] *f* tear; **in ~n aufgelöst** in tears; **den ~n nahe sein** to be close to tears; **jdm kommen die ~n** sb is starting to cry; **~n lachen** to laugh until one cries

trä·nen ['trɛːnən] *vi* to water

Trä·nen·drü·se *f meist pl* lachrymal gland **Trä·nen·gas** *nt* tear gas **Trä·nen·sack** *m* lachrymal sac

trank [traŋk] *imp von* **trinken**

Trän·ke <-, -n> ['trɛŋkə] *f* watering place

trän·ken ['trɛŋkn̩] *vt* ❶ *(durchnässen)* to soak ❷ *Tier* to water

Trans·ak·ti·on [transʔak'tsi̯oːn] *f* transaction

Trans·ak·ti·ons·kos·ten *pl* transaction costs *pl*

tran·schie·ren* [tran'ʃiːrən] *vt* ÖSTERR *s.* **tranchieren**

Tran·schier·mes·ser [tran'ʃiːr-] *nt* ÖSTERR *s.* **Tranchiermesser**

Trans·fer <-s, -s> [trans'fɛɐ̯] *m* transfer

Trans·for·ma·tor <-s, -toren> [transfɔr'ma:to:ɐ̯, *pl* -'to:rən] *m* transformer

Trans·fu·si·on <-, -en> [transfu'zi̯oːn] *f* transfusion

Tran·sis·tor <-s, -toren> [tran'zɪsto:ɐ̯, *pl* -'to:rən] *m* transistor

Tran·sis·tor·ra·dio *nt* transistor radio

Tran·sit <-s, -e> [tran'ziːt] *m* transit

tran·si·tiv ['tranzitiːf] *adj* LING transitive

Tran·sit·rei·sen·de(r) *f(m) dekl wie adj* transit passenger **Tran·sit·ver·kehr** *m* transit traffic

trans·kri·bie·ren* [transkri'biːrən] *vt* ❶ *(in andere Schrift umschreiben)* to transcribe ❷ MUS to arrange

Tran·skrip·ti·on <-, -en> [transkrɪp-'tsi̯oːn] *f* LING, MUS transcription

trans·pa·rent [transpa'rɛnt] *adj* transparent

Trans·pa·rent <-[e]s, -e> [transpa-'rɛnt] *nt* banner

Trans·pa·renz <-> [transpa'rɛnts] *f kein pl* transparency *no pl*

trans·pi·rie·ren* [transpi'riːrən] *vi (geh)* to perspire

Trans·plan·tat <-[e]s, -e> [transplan-'ta:t] *nt* transplant

Trans·plan·ta·ti·on <-, -en> [transplan-ta'tsi̯oːn] *f* transplant; *(Haut)* graft

trans·plan·tie·ren* [transpla'tiːrən] *vt* to transplant

Trans·port <-[e]s, -e> [trans'pɔrt] *m* transport

Trans·port·band *nt* conveyer belt

Trans·por·ter <-s, -> [trans'pɔrtɐ] *m* ❶ *(Lieferwagen)* van ❷ LUFT transport plane

trans·port·fä·hig *adj* transportable **Trans·port·flug·zeug** *nt* transport plane

trans·por·tie·ren* [transpɔr'tiːrən] *vt* ❶ *(befördern)* to transport; *(Person)* to move ❷ FOTO to wind

Trans·port·kos·ten *pl* transport[ation] costs *pl* **Trans·port·mit·tel** *nt* means of transport[ation] **Trans·port·un·ter·neh·**

men *nt* haulage contractor

trans·se·xu·ell [transze'ksu̯ɛl] *adj* transsexual

Trans·se·xu·el·le(r) *f(m)* transsexual

Trans·ves·tit <-en, -en> [transvɛs'tiːt] *m* transvestite

trans·zen·den·tal [transtsɛndɛn'taːl] *adj* transcendental

Tra·pez <-es, -e> [tra'peːts] *nt* ❶ MATH trapezium Brit, trapezoid Am ❷ (*Artistenschaukel*) trapeze

Tras·se <-, -n> ['trasə] *f* ❶ (*abgesteckter Verkehrsweg*) marked route ❷ (*Bahn~*) railway line

trat [traːt] *imp von* **treten**

Tratsch <-[e]s> [traːtʃ] *m kein pl* (*fam*) gossip *no pl*

trat·schen ['traːtʃn] *vi* (*fam*) to gossip (**über** about)

Trau·al·tar *m* altar; **vor den ~ treten** (*geh*) to walk down the aisle

Trau·be <-, -n> ['traʊbə] *f* ❶ *meist pl* (*Wein~*) grape *usu pl* ❷ (*Ansammlung*) cluster

Trau·ben·saft *m* grape juice **Trau·ben·zu·cker** *m* glucose

trau·en¹ ['traʊən] *vt* ■ **jdn ~** to join sb in marriage; ■ **sich ~ lassen** to marry

trau·en² ['traʊən] **I.** *vi* (*ver~*) to trust **II.** *vr* ■ **sich ~, etw zu tun** to dare to do sth

Trau·er <-> ['traʊɐ] *f kein pl* grief *no pl*

Trau·er·fall *m* bereavement **Trau·er·fei·er** *f* funeral service **Trau·er·got·tes·dienst** *m* funeral service **Trau·er·klei·dung** *f* mourning **Trau·er·kloß** *m* (*fam*) wet blanket **Trau·er·marsch** *m* funeral march **Trau·er·mie·ne** *f* (*fam*) long face **trau·ern** ['traʊɐn] *vi* to mourn (**um** for) **Trau·er·spiel** *nt* fiasco **Trau·er·wei·de** *f* weeping willow **Trau·er·zug** *m* funeral procession

Trau·fe <-, -n> ['traʊfə] *f* eaves *npl*

träu·feln ['trɔyfln] **I.** *vt haben* ■ **etw ~** to drip sth **II.** *vi sein o haben* (*geh*) to trickle

Traum <-[e]s, Träume> [traʊm, *pl* trɔymə] *m* dream; **es war immer mein ~, mal so eine Luxuslimousine zu fahren** I've always dreamed of being able to drive a limousine like that ▸ **jdm fällt im ~ nicht ein, etw zu tun** sb wouldn't dream of doing sth; **aus der ~!** so much for that!

Trau·ma <-s, Traumen *o* -ta> ['traʊma, *pl* -mən, -mata] *nt* trauma

tra·uma·tisch [traʊ'maːtɪʃ] *adj* traumatic

trau·ma·ti·sie·ren [traʊmaːtiˈsiːʀən] *vt* to traumatize

Traum·be·ruf *m* dream job

Trau·men *pl von* **Trauma**

träu·men ['trɔymən] **I.** *vi* ❶ (*Träume haben*) to dream; **schlecht ~** to have bad dreams ❷ (*Wünsche haben*) ■ **von jdm/etw ~** to dream about sb/sth; **sie hat immer davon geträumt, Ärztin zu werden** she had always dreamt of becoming a doctor ❸ (*abwesend sein*) to daydream **II.** *vt* to dream

Träu·mer(in) <-s, -> ['trɔymɐ] *m(f)* [day]dreamer

Träu·me·rei <-, -en> [trɔyməˈʀai] *f meist pl* dream *usu pl;* **das sind alles ~en** that's building castles in the air

Träu·me·rin <-, -nen> *f fem form von* **Träumer**

träu·me·risch *adj* dreamy

traum·haft *adj* (*fam*) dreamlike

Traum·paar *nt* perfect couple **Traum·prinz** *m* (*iron fam*) handsome prince **Traum·tän·zer(in)** *m(f)* (*pej*) person living in a dream world

trau·rig ['traʊʀɪç] **I.** *adj* ❶ (*betrübt*) sad ❷ (*betrüblich*) sorry; **die ~e Tatsache ist, dass ...** it's a sad fact that ...; **in ~en Verhältnissen leben** to live in a sorry state ❸ (*sehr bedauerlich*) ■ **[es ist] ~, dass ...** it's unfortunate that ... **II.** *adv* (*betrübt*) sadly ▸ **mit etw** *dat* **sieht es ~ aus** sth doesn't look too good

Trau·rig·keit <-> *f kein pl* sadness *no pl*

Trau·ring *m* wedding ring [*or* Am *also* band] **Trau·schein** *m* marriage certificate **Trau·ung** <-, -en> ['traʊʊŋ] *f* marriage ceremony

Trau·zeu·ge, -zeu·gin *m, f* best man, [marriage] witness

Tre·cking <-s, -s> ['trɛkɪŋ] *nt s.* **Trekking**

Treff <-s, -s> [trɛf] *m* (*fam*) ❶ (*Treffen*) get-together ❷ (*~ punkt*) meeting point

tref·fen <trifft, traf, getroffen> [trɛfn] **I.** *vt haben* ❶ (*mit jdm zusammenkommen*) to meet ❷ (*antreffen*) to find; **ich habe ihn zufällig in der Stadt getroffen** I bumped into him in town ❸ (*mit einem Wurf, Schlag etc. erreichen*) to hit ❹ (*innerlich bewegen*) ■ **jdn mit etw** *dat* **~** to hit a sore spot with sth; ■ **jdn ~** to affect sb; **sich durch etw** *akk* **getroffen fühlen** to take sth personally ❺ (*Maßnahmen, Vorkehrungen*) to take ❻ (*Entscheidung*) to make; **eine Abmachung ~** to have an agreement ❼ (*wählen*) **den richtigen Ton ~** to strike the right note; **damit hast du genau meinen Geschmack getroffen** that's exactly my taste; **auf dem Foto bis du wirklich gut getroffen** that's a good photo of you; **mit seinem Chef hat er es wirklich gut getroffen** he's really fortunate to have a

Traurigkeit/Enttäuschung/Bestürzung ausdrücken	
Traurigkeit ausdrücken	**expressing sadness**
Es macht/stimmt mich traurig, dass wir uns nicht verstehen.	It makes me sad that we don't get on.
Es ist so schade, dass er sich so gehen lässt.	It's such a shame he's letting himself go like that.
Diese Ereignisse **deprimieren mich**.	I find these events **very depressing**.
Enttäuschung ausdrücken	**expressing disappointment**
Ich bin über seine Reaktion **(sehr) enttäuscht**.	I am (very) disappointed by his reaction.
Du hast mich (schwer) enttäuscht.	You have (deeply) disappointed me.
Das hätte ich nicht von ihr erwartet.	I wouldn't have expected that of her.
Ich hätte mir etwas anderes gewünscht.	I would have wished for something different.
Bestürzung ausdrücken	**expressing dismay**
Das ist (ja) nicht zu fassen!	That's unbelievable!
Das ist (ja) ungeheuerlich!	That's outrageous!
Das ist ja (wohl) die Höhe!	That's the limit!
Das kann doch nicht dein Ernst sein!	You cannot be serious!
Ich fass es nicht!	I don't believe it!
Das bestürzt mich.	I find that very disturbing.
Das kann/darf (doch wohl) nicht wahr sein!	That can't be true!

boss like that; **du hättest es auch schlechter ~ können** you could have been worse off **II.** *vi* ❶ *sein* (*antreffen*) ■ **auf jdn ~** to meet sb ❷ *haben* (*sein Ziel erreichen*) to hit ❸ *haben* (*verletzen*) to hurt **III.** *vr haben* ■ **sich [mit jdm]** ~ to meet [sb]; **das trifft sich [gut]** that's [very] convenient

Tref·fen <-s, -> [ˈtrɛfn̩] *nt* meeting

tref·fend *adj* appropriate

Tref·fer <-s, -> *m* ❶ (*ins Ziel gegangener Schuss*) hit ❷ (*Tor*) goal ❸ (*Gewinnlos*) winner

Tref·fer·quo·te *f* hit rate

treff·lich <-er, -ste> **I.** *adj attr* (*veraltend*) splendid **II.** *adv* (*veraltend*) splendidly

Treff·punkt *m* meeting point **treff·si·cher** *adj* accurate; *Bemerkung* apt **Treff·si·cher·heit** *f kein pl* ❶ (*sicher treffende Schussweise*) accuracy *no pl* ❷ (*das präzise Zutreffen*) accuracy *no pl,* soundness *no pl,* aptness *no pl*

Treib·eis *nt* drift ice

trei·ben <trieb, getrieben> [ˈtraɪbn̩] **I.** *vt haben* ❶ (*drängen*) to drive; **jdn zur** **Eile** ~ to rush sb ❷ (*fortbewegen*) **der Wind treibt mir den Schnee ins Gesicht** the wind is blowing snow in my face ❸ (*bringen*) ■ **jdn zu etw** *dat* ~ to drive sb to sth; **jdn in den Wahnsinn ~** to drive sb mad ❹ *Nagel* to drive (**in** into) ❺ TECH to propel ❻ (*fam: anstellen*) ■ **etw ~** to be up to sth; **dass ihr mir bloß keinen Blödsinn treibt!** don't you get up to any nonsense! ❼ *Tiere* to drive ❽ BOT to sprout ❾ (*betreiben*) *Gewerbe* to carry out; *Handel* ~ to trade; **es zu bunt/wild ~** to go too far ❿ (*sl: Sex haben*) **es [mit jdm]** ~ to do it [with sb] **II.** *vi* ❶ *sein* (*sich fortbewegen*) to drift; (*im Wasser*) to float; **sich von einer Stimmung ~ lassen** to let oneself be carried along by a mood ❷ *haben* BOT to sprout ❸ *haben* KOCHK to rise ▶ **sich ~ lassen** to drift

Trei·ben <-s> [ˈtraɪbn̩] *nt kein pl* ❶ (*pej: üble Aktivität*) dirty tricks ❷ (*geschäftige Aktivität*) hustle and bustle

Trei·ber <-s, -> [ˈtraɪbɐ] *m* INFORM driver

Trei·ber(in) <-s, -> [ˈtraɪbɐ] *m/f* JAGD beater

Treib·gas *nt* propellant
Treib·haus *nt* greenhouse **Treib·haus·ef·fekt** *m kein pl* ■ **der** ~ the greenhouse effect **Treib·haus·kli·ma** *nt* global warming
Treib·holz *nt kein pl* driftwood *no pl*
Treib·jagd *f* battue **Treib·netz** *nt* drift-net **Treib·sand** *m kein pl* quicksand **Treib·stoff** *m* fuel **Treib·stoff·kos·ten** *f pl* fuel costs *pl*
Trek·king <-s, -s> ['trɛkɪŋ] *nt* trekking
Trench·coat <-[s], -s> ['trɛntʃkoːt] *m* trench coat
Trend <-s, -s> [trɛnt] *m* trend; **das Buch liegt voll im** ~ the book is very of the moment
Trend·for·scher(in) *m(f)* trend analyst **Trend·scout** <-s, -s> ['trɛntskaut] *m* trendspotter **Trend·set·ter(in)** <-s, -> *m(f)* trendsetter **Trend·sport** ['trɛnt-] *m* trendy sport **Trend·wen·de** *f* change [of direction]
tren·dy ['trɛndi] *adj* (*fam*) trendy
trenn·bar *adj* ❶ LING separable ❷ (*voneinander zu trennen*) ■ [voneinander] ~ sein to be detachable [from each other]
tren·nen ['trɛnən] **I.** *vt* ❶ (*ab~*) ■ etw von etw *dat* ~ to cut sth off sth; (*bei einem Unfall*) to sever sth from sth ❷ (*ablösen*) die Knöpfe von etw *dat* ~ to remove the buttons from sth ❸ (*auseinanderbringen*) to separate (**von** from) ❹ (*teilen*) to separate (**von** from) ❺ LING to divide **II.** *vr* ❶ (*getrennt weitergehen*) ■ sich ~ to part company; **hier** ~ **wir uns** this is where we part company ❷ (*die Beziehung lösen*) ■ sich von jdm ~ to split up with sb ❸ (*von etw lassen*) ■ sich von etw *dat* ~ to part with sth **III.** *vi* to differentiate (**zwischen** between)
Trenn·li·nie *f* dividing line
Tren·nung <-, -en> *f* ❶ (*Scheidung*) separation; **in** ~ **leben** to be separated ❷ (*Unterscheidung*) distinction ❸ LING division
Tren·nungs·strich *m* hyphen
Trenn·wand *f* partition [wall]
trepp·ab [trɛpˈʔap] *adv* downstairs; **trepp·auf,** ~ up and down the stairs
trepp·auf [trɛpˈʔauf] *adv* upstairs; ~, **treppab** up and down stairs
Trep·pe <-, -n> ['trɛpə] *f* stairs *pl*
Trep·pen·ab·satz *m* landing **Trep·pen·ge·län·der** *nt* ban[n]ister[s *pl*] **Trep·pen·haus** *nt* stairwell **Trep·pen·stu·fe** *f* step
Tre·sen <-s, -> ['treːzn̩] *m* ❶ (*Theke*) bar ❷ (*Ladentisch*) counter
Tre·sor <-s, -e> [treˈzoːɐ̯] *m* ❶ (*Safe*) safe ❷ (*Tresorraum*) strongroom

Tret·boot *nt* pedal-boat
tre·ten <tritt, trat, getreten> ['treːtn̩] **I.** *vt* haben ❶ (*mit dem Fuß stoßen*) to kick ❷ (*mit dem Fuß betätigen*) to step on; **die Bremse** ~ to brake **II.** *vi* ❶ haben (*mit dem Fuß stoßen*) to kick; ■ nach jdm ~ to kick out at sb; **sie trat ihm in den Bauch** she kicked him in the stomach ❷ sein (*einen Schritt machen*) to step; ~ **Sie bitte zur Seite** please step aside; **pass auf, wohin du trittst** watch where you step ❸ sein o haben (*den Fuß setzen*) to tread (**auf** on) ❹ sein o haben (*betätigen*) to step (**auf** on); **auf die Bremse** ~ to brake ❺ sein (*hervorkommen*) ■ aus etw *dat* ~ to come out of sth; **aus der undichten Stelle im Rohr trat Gas** gas was escaping from the leak in the pipe; **der Fluss trat über seine Ufer** the river broke its banks; **Schweiß trat ihm auf die Stirn** sweat appeared on his forehead **III.** *vr* **sie trat sich einen Nagel in den Fuß** she ran a nail into her foot
Tret·mi·ne *f* anti-personnel mine **Tret·müh·le** *f* (*fam*) treadmill
treu [trɔy] **I.** *adj* ❶ (*loyal*) loyal; **sich** *dat* **selbst** ~ **bleiben** to remain true to oneself ❷ (*keinen Seitensprung machend*) faithful ❸ (*fig*) **der Erfolg blieb ihm** ~ his success continued **II.** *adv* ❶ (*loyal*) loyally ❷ (*treuherzig*) trustingly
Treue <-> ['trɔyə] *f kein pl* ❶ (*Loyalität*) loyalty ❷ (*Verlässlichkeit*) loyalty ❸ (*monogames Verhalten*) fidelity *no pl;* **jdm die** ~ **halten** to be faithful to sb
Treue·prä·mie *f* loyalty bonus **Treue·schwur** *m* ❶ (*Schwur, jdm treu zu sein*) vow to be faithful ❷ HIST (*Eid*) oath of allegiance
Treu·hän·der(in) <-s, -> ['trɔyhɛndɐ] *m(f)* trustee
Treu·hand·ge·sell·schaft *f* trust company
treu·her·zig **I.** *adj* trustful **II.** *adv* trustingly **Treu·her·zig·keit** <-> *f kein pl* **sie ist von großer** ~ she's very trusting
treu·los **I.** *adj* ❶ *Ehemann* unfaithful ❷ (*ungetreu*) disloyal **II.** *adv* disloyally
Treu·lo·sig·keit <-> *f kein pl* disloyalty, unfaithfulness *no pl*
Tri·an·gel <-s, -> ['triːaŋl̩] *m* o ÖSTERR *nt* MUS triangle
Tri·ath·lon <-n, -s> ['triːatlɔn] *m* triathlon
Tri·bu·nal <-s, -e> [tribuˈnaːl] *nt* tribunal
Tri·bü·ne <-, -n> [triˈbyːnə] *f* stand
Tri·but <-[e]s, -e> [triˈbuːt] *m* HIST tribute; **einer S.** *dat* ~ **zollen** (*fig*) to pay tribute to a thing

tri·but·pflich·tig *adj* obliged to pay tribute

Trich·ter <-s, -> ['trɪçtɐ] *m* ❶ (*Einfüll~*) funnel ❷ (*Explosionskrater*) crater

trich·ter·för·mig *adj* funnel-shaped

Trick <-s, -s *o selten* -e> [trɪk] *m* ❶ (*Täuschungsmanöver*) trick; **keine faulen ~s!** (*fam*) no funny business! ❷ (*Kunstgriff*) trick; **den ~ raushaben[, wie etw gemacht wird]** (*fam*) to have [got] the knack [of doing sth]

Trick·auf·nah·me *f* FILM special effect **Trick·be·trug** *m* confidence trick **Trick·be·trü·ger(in)** *m(f)* confidence trickster **Trick·film** *m* cartoon [film] **trick·reich** *adj* (*fam*) cunning

trick·sen ['trɪksn̩] I. *vi* to do a bit of wangling II. *vt* to wangle

trieb [triːp] *imp von* **treiben**

Trieb¹ <-[e]s, -e> [triːp, *pl* 'triːbə] *m* BOT shoot

Trieb² <-[e]s, -e> [triːp, *pl* 'triːbə] *m* ❶ (*innerer Antrieb*) drive ❷ (*Sexual~*) sex[ual] drive

Trieb·fe·der *f* motivating force **trieb·ge·steu·ert** [triːpgə'ʃtɔʏɐt] *adj* (*pej*) PSYCH driven by desire *pred*

trieb·haft *adj* driven by physical urges *pred* **Trieb·kraft** *f* ❶ (*fig*) driving force ❷ BOT germinating power **Trieb·tä·ter(in)** *m(f)* sex[ual] offender **Trieb·ver·bre·chen** *nt* sex[ual] crime **Trieb·wa·gen** *m* railcar **Trieb·werk** *nt* engine

trie·fen <triefte *o geh* troff, getrieft *o selten* getroffen> ['triːfn̩] *vi* ❶ (*rinnen*) to run; (*Auge*) to water; ■**aus etw** *dat* **~** to pour from sth ❷ (*tropfen*) **vor Nässe ~** to be dripping wet ❸ (*geh: strotzen*) ■**vor etw** *dat* **~** to be dripping with sth *fig*

trie·zen ['triːtsn̩] *vt* (*fam*) ■**jdn ~** to crack the whip over sb

trifft [trɪft] *3. pers sing von* **treffen**

trif·tig ['trɪftɪç] I. *adj* good; *Argument, Grund* convincing; II. *adv* convincingly; **[jdm etw] ~ begründen** to make a valid case for sth [to sb]

Tri·go·no·me·trie <-> [trigonome'triː] *f kein pl* trigonometry *no indef art*

Tri·kot¹ <-s> [tri'koː, 'trɪko] *m o nt kein pl* (*dehnbares Gewebe*) tricot

Tri·kot² <-s, -s> [tri'koː, 'trɪko] *nt* MODE, SPORT jersey

tril·lern ['trɪlɐn] *vi a.* ORN to trill

Tril·ler·pfei·fe *f* [shrill-sounding] whistle

Tri·lo·gie <-, -n> [trilo'giː, *pl* -'giːən] *f* trilogy

Trimm-dich-Pfad *m* keep-fit trail

trim·men ['trɪmən] I. *vt* ❶ (*trainieren*) to train (**auf** for); **sie hatten ihre Kinder auf gute Manieren getrimmt** they had taught their children good manners ❷ (*scheren*) to clip II. *vr* ■**sich ~** to keep fit

trink·bar *adj* drinkable

trin·ken <trank, getrunken> ['trɪŋkn̩] I. *vt* to drink; **möchten Sie lieber Kaffee oder Tee ~?** would you prefer coffee or tea [to drink]?; **ich trinke gerne Orangensaft** I like drinking orange juice; ■**etw zu ~** sth to drink; **[mit jdm] einen ~ gehen** (*fam*) to go for a drink [with sb]; ■**auf jdn/etw ~** to drink to sb/sth II. *vi* to drink

Trin·ker(in) <-s, -> *m(f)* drunkard; (*Alkoholiker*) alcoholic

Trin·ker·heil·an·stalt *f* (*veraltet*) detoxification centre

trink·fest *adj* ■**~ sein** to be able to hold one's drink **Trink·fla·sche** *f* sports bottle **Trink·ge·fäß** *nt* drinking-vessel **Trink·ge·la·ge** *nt* drinking session **Trink·geld** *nt* tip; **~ geben** to give a tip **Trink·glas** *nt* [drinking-]glass **Trink·halm** *m* [drinking-]straw **Trink·jogurt**ᴿᴿ, **Trink·joghurt** *m o nt* KOCHK yoghurt drink **Trink·spruch** *m* toast; **einen ~ auf jdn/ etw ausbringen** to propose a toast to sb/ sth **Trink·was·ser** *nt* drinking water **Trink·was·ser·auf·be·rei·tung** *f* drinking water purification **Trink·was·ser· auf·be·rei·tungs·an·la·ge** *f* drinking water treatment plant

Trio <-s, -s> ['triːo] *nt* trio

Trip <-s, -s> [trɪp] *m* ❶ (*Ausflug*) trip ❷ (*sl: Drogenrausch*) trip; **auf einem ~ sein** to be tripping

trip·peln ['trɪpl̩n] *vi sein* to patter

Trip·per <-s, -> ['trɪpɐ] *m* MED gonorrhoea *no art*

trist [trɪst] *adj* (*geh*) dismal, dreary, dull

Tris·tesse <-, *selten* -n> [trɪs'tɛs, *pl* -sn̩] *f* (*geh*) dreariness

tritt [trɪt] *3. pers sing von* **treten**

Tritt <-[e]s, -e> [trɪt] *m* ❶ (*Fuß~*) kick; **jdm/etw einen ~ geben** to kick sb/sth ❷ *kein pl* (*Gang*) step ❸ (*Stufe*) step

Tritt·brett *nt* step **Tritt·brett·fah·rer(in)** *m(f)* (*fam*) fare-dodger BRIT, freerider AM; (*fig: Nachahmer*) copycat

Tri·umph <-[e]s, -e> [tri'ʊmf] *m* triumph

Tri·umph·bo·gen *m* triumphal arch

tri·um·phie·ren* [triʊm'fiːrən] *vi* ❶ (*frohlocken*) to rejoice; **höhnisch ~** to gloat ❷ (*erfolgreich sein*) to triumph (**über** over)

tri·um·phie·rend I. *adj* triumphant II. *adv* triumphantly

Tri·umph·zug *m* triumphal procession

tri·vi·al [tri'vĭa:l] *adj* banal

Tri·vi·al·li·te·ra·tur *f kein pl* light fiction

tro·cken ['trɔkn̩] **I.** *adj* dry; **im T~en** in the dry ▸ **auf dem ~en** sitzen (*fam*) to be broke **II.** *adv* ~ **aufbewahren** to keep in a dry place; **sich ~ rasieren** to use an electric razor

Tro·cken·dock *nt* NAUT dry dock **Tro·cken·eis** *nt* dry ice **Tro·cken·hau·be** *f* [salon] hair-dryer

Tro·cken·heit <-, selten -en> *f* ❶ (*Dürreperiode*) drought ❷ (*trockene Beschaffenheit*) dryness *no pl*

tro·cken‖le·gen *vt* ❶ (*windeln*) **ein Baby ~** to change a baby's nappy [*or* AM diaper] ❷ (*entwässern*) to drain **Tro·cken·milch** *f* dried milk **Tro·cken·obst** *nt kein pl* dried fruit **Tro·cken·pe·ri·o·de** ['trɔknperi̯o:də] *f* METEO dry spell **Tro·cken·ra·sur** *f* dry shave **tro·cken‖rei·ben** *vt irreg* ▪ **jdn/etw ~** to rub sb/sth dry **Tro·cken·zeit** *f* dry season

trock·nen ['trɔknən] **I.** *vi sein* to dry **II.** *vt haben* ❶ (*trocken machen*) a. KOCHK to dry ❷ (*abtupfen*) **sie trocknete ihm den Schweiß von der Stirn** she dabbed up the sweat from his brow; **komm, ich trockne dir die Tränen** come and let me dry your tears

Trock·ner <-s, -> *m* drier

Trö·del <-s> ['trø:dl̩] *m kein pl* junk *no indef art, no pl*

Trö·de·lei <-, -en> [trø:də'lai̯] *f* (*fam*) dawdling *no pl, no indef art*

Trö·del·markt *m s.* **Flohmarkt**

trö·deln ['trø:dl̩n] *vi* ❶ *haben* (*langsam sein*) to dawdle ❷ *sein* (*langsam schlendern*) to [take a] stroll

Tröd·ler(in) <-s, -> ['trø:dlɐ] *m(f)* ❶ (*Altwarenhändler*) second-hand dealer ❷ (*fam: trödelnder Mensch*) dawdler

troff [trɔf] *imp von* **triefen**

trog *imp von* **trügen**

Trog <-[e]s, Tröge> [tro:k, *pl* 'trø:gə] *m* trough

Tro·ja·ner [tro'ja:nɐ] *m* INFORM Trojan [horse]

Troll <-s, -e> [trɔl] *m* troll

Trol·ley·bus ['trɔlibʊs] *m bes* SCHWEIZ trolley bus

Trom·mel <-, -n> ['trɔml̩] *f* MUS, TECH drum

Trom·mel·fell *nt* ear-drum

trom·meln ['trɔml̩n] **I.** *vi* to drum **II.** *vt* MUS to beat out *sep*

Trom·mel·wir·bel *m* MUS drum-roll

Tromm·ler(in) <-s, -> *m(f)* drummer

Trom·pe·te <-, -n> [trɔm'pe:tə] *f* trumpet

trom·pe·ten * [trɔm'pe:tn̩] **I.** *vi* ❶ MUS (*Trompete spielen*) to play the trumpet ❷ (*trompetenähnliche Laute hervorbringen*) to trumpet **II.** *vt* (*fam*) ▪ **etw ~** to shout sth from the roof-tops

Trom·pe·ter(in) <-s, -> *m(f)* trumpeter

Tro·pen ['tro:pn̩] *pl* ▪ **die ~** the tropics *pl*

Tro·pen·helm *m* sun-helmet **Tro·pen·holz** *nt* wood from tropical trees *pl* **Tro·pen·krank·heit** *f* tropical disease **Tro·pen·wald** *m* tropical rain forest

Tropf¹ <-[e]s, -e> [trɔpf] *m* MED drip

Tropf² <-[e]s, Tröpfe> [trɔpf, *pl* 'trœpfə] *m* ▸ **armer ~** (*fam*) poor devil

tröp·feln ['trœpfl̩n] **I.** *vi* ❶ *haben* (*ständig tropfen*) to drip ❷ *sein* (*rinnen*) to drip (aus from) **II.** *vi impers* to spit [with rain] **III.** *vt* ▪ **etw auf/in etw** *akk* ~ to put sth onto/into sth

trop·fen ['trɔpfn̩] *vi* ❶ *haben* (*Tropfen fallen lassen*) to drip; (*Nase*) to run ❷ *sein* (*tropfenweise gelangen*) ▪ **aus etw** *dat* ~ to drip from sth

Trop·fen <-s, -> ['trɔpfn̩] *m* ❶ (*kleine Menge Flüssigkeit*) drop; **bis auf den letzten ~** [down] to the last drop ❷ *pl* PHARM, MED drops *pl* ▸ **ein ~ auf den heißen Stein** a [mere] drop in the ocean; **ein guter ~** a good drop [of wine]

trop·fen·wei·se *adv* in drops

tropf·nassᴿᴿ *adj* dripping wet **Tropf·stein** *m* ❶ (*Stalaktit*) stalactite ❷ (*Stalagmit*) stalagmite **Tropf·stein·höh·le** *f* stalactite cave

Tro·phäe <-, -n> [tro'fɛ:ə] *f* trophy

tro·pisch ['tro:pɪʃ] *adj* tropical

Trost <-[e]s> [tro:st] *m kein pl* ❶ (*Linderung*) consolation; **ein schwacher ~ sein** to be of little consolation; **das ist ein schöner ~** (*iron*) some comfort that is; **als ~** as a consolation ❷ (*Zuspruch*) words of comfort; **jdm ~ spenden** to comfort sb ▸ **nicht** [ganz] **bei ~ sein** (*fam*) to have taken leave of one's senses

trös·ten ['trø:stn̩] **I.** *vt* to comfort; **sie war von nichts und niemandem zu ~** she was utterly inconsolable; ▪ **etw tröstet jdn** sth is of consolation to sb **II.** *vr* ▪ **sich ~** to console oneself

trös·tend I. *adj* comforting, consoling, consolatory **II.** *adv* **jdn ~ umarmen** to give sb a comforting [*or* consoling] hug

tröst·lich *adj* comforting

trost·los *adj* ❶ (*deprimierend*) miserable ❷ (*öde und hässlich*) desolate; *Landschaft* bleak

Trost·lo·sig·keit <-> *f kein pl* ❶ (*depri-*

mierende Art) miserableness *no pl* ❷ (*triste Beschaffenheit*) desolateness *no pl*

Trost·pflas·ter *nt* als ~ as a consolation

Trost·preis *m* consolation prize

Trott <-s> [trɔt] *m kein pl* routine

Trot·tel <-s, -> ['trɔtl̩] *m* (*fam*) bonehead *sl*

trot·te·lig ['trɔtəlɪç] (*fam*) **I.** *adj* stupid **II.** *adv* sich ~ **anstellen** to act stupidly

trot·ten ['trɔtn̩] *vi sein* to trudge [along]

trotz [trɔts] *präp* +*gen* despite

Trotz <-es> [trɔts] *m kein pl* defiance; **aus** ~ out of spite (**gegen** for); **jdm/einer S.** *dat* **zum** ~ in defiance of sb/a thing

Trotz·al·ter *nt* difficult age

trotz·dem ['trɔtsdeːm] *adv* nevertheless; (*aber*) still

trot·zen ['trɔtsn̩] *vi* ▪ **jdm/einer S.** *dat* ~ (*die Stirn bieten*) to resist sb/brave a thing; (*sich widersetzen*) to defy sb/a thing; **einer Herausforderung** ~ to meet a challenge

trot·zig ['trɔtsɪç] *adj* awkward

Trotz·kopf *m* awkward little so-and-so ▶ **seinen** ~ **durchsetzen** to have one's way **Trotz·re·ak·ti·on** *f* act of defiance

trü·be ['tryːbə] *adj* ❶ (*unklar*) murky; *Saft* cloudy; *Glas* dull ❷ (*matt*) dim ❸ *Himmel* dull ❹ (*deprimierend*) bleak; *Stimmung* gloomy ▶ [mit] **etw** *dat* **sieht** [es] ~ **aus** the prospects are [looking] bleak [for sth]

Tru·bel <-s> ['truːbl̩] *m kein pl* hustle and bustle

trü·ben ['tryːbn̩] **I.** *vt* ▪ **etw** ~ ❶ (*unklar machen*) to make sth murky ❷ (*beeinträchtigen*) to cast a cloud over sth; *Beziehung* to strain **II.** *vr* ▪ **sich** ~ to go murky; **sein Gedächtnis trübte sich im Alter** his memory deteriorated in his old age

Trüb·sal ['tryːpzaːl] *f kein pl* ❶ (*Betrübtheit*) grief ❷ (*Leid*) suffering ▶ ~ **blasen** to mope

trüb·se·lig *adj* ❶ (*betrübt*) miserable; *Miene* gloomy ❷ (*trostlos*) bleak

Trüb·sinn *m kein pl* gloom[iness *no pl*] **trüb·sin·nig** *adj* miserable; *Miene* gloomy

Trü·bung <-, -en> *f* ❶ (*Veränderung zum Unklaren*) clouding ❷ (*Beeinträchtigung*) straining

tru·deln ['truːdl̩n] *vi sein o haben* to spin

Trüf·fel[1] <-, -n> ['trʏfl̩] *f* (*Pilz*) truffle

Trüf·fel[2] <-s, -> ['trʏfl̩] *m* (*Praline*) truffle

trug [truːk] *imp von* **tragen**

Trug <-[e]s> [truːk] *m kein pl* (*Betrug*) delusion; **Lug und** ~ lies and deception

Trug·bild *nt* (*veraltend geh*) illusion

trü·gen <trog, getrogen> ['tryːgn̩] **I.** *vt*

wenn mich nicht alles trügt unless I'm very much mistaken **II.** *vi* to be deceptive

trü·ge·risch ['tryːgərɪʃ] *adj* deceptive

Trug·schlussᴿᴿ *m* fallacy

Tru·he <-, -n> ['truːə] *f* chest

Trüm·mer ['trʏmɐ] *pl* rubble; *eines Flugzeugs* wreckage; **in ~n liegen** to lie in ruins *pl*

Trüm·mer·feld *nt* expanse of rubble **Trüm·mer·frau** *f* HIST *woman who helped clear debris after WWII* **Trüm·mer·hau·fen** *m* pile of rubble

Trumpf <-[e]s, Trümpfe> [trʊmpf, *pl* 'trʏmpfə] *m* ❶ KARTEN trump [card]; ~ **sein** to be trumps ❷ (*fig: entscheidender Vorteil*) trump card; **noch einen** ~ **in der Hand haben** to have another ace up one's sleeve; **seinen letzten** ~ **ausspielen** to play one's last trump card

Trunk <-[e]s, Trünke> [trʊŋk, *pl* 'trʏŋkə] *m* (*geh*) beverage

trun·ken ['trʊŋkn̩] *adj* (*geh*) ▪ ~ **vor etw** *dat* **sein** to be intoxicated with sth

Trun·ken·bold <-[e]s, -e> *m* (*pej*) drunkard

Trun·ken·heit <-> *f kein pl* drunkenness *no pl*; ~ **am Steuer** drunken driving

Trunk·sucht <-> *f kein pl* (*geh*) alcoholism *no indef art* **trunk·süch·tig** *adj* (*geh*) ▪ ~ **sein** to be an alcoholic

Trupp <-s, -s> [trʊp] *m* group; MIL squad, detachment; **die Wanderer lösten sich in kleinere ~s auf** the walkers split up into smaller groups

Trup·pe <-, -n> ['trʊpə] *f* ❶ *kein pl* MIL (*Soldaten an der Front*) combat unit ❷ MIL (*Soldatenverband mit bestimmter Aufgabe*) squad ❸ (*gemeinsam auftretende Gruppe*) company

Trup·pen·ab·bau *m* reduction of troops **Trup·pen·ab·zug** *m* withdrawal of troops **Trup·pen·trans·por·ter** *m* MIL troop carrier **Trup·pen·übung** *f* military exercise **Trup·pen·übungs·platz** *m* military training area **Trup·pen·ver·la·ge·rung** *f* MIL transfer [*or* relocation] of troops

Trut·hahn ['truːthaːn] *m* turkey

Tschad <-s> [tʃat] *nt* Chad; *s. a.* **Deutschland**

Tsche·che, Tsche·chin <-n, -n> ['tʃɛçə, 'tʃɛçɪn] *m, f* Czech; *s. a.* **Deutsche(r)**

Tsche·chi·en <-s> ['tʃɛçi̯ən] *nt* Czech Republic; *s. a.* **Deutschland**

Tsche·chin <-, -nen> *f fem form von* **Tscheche**

tsche·chisch ['tʃɛçɪʃ] *adj* Czech; *s. a.* **deutsch**

Tschęchi·sche Re·pu·blik *f* Czech Republic; *s. a.* **Deutschland**

Tsche·cho·slo·wa·ke, Tsche·cho·slo·wa·kin <-n, -n> [tʃɛçoslo'va:kə, tʃɛçoslo'va:kɪn] *m, f* (*hist*) Czechoslovak(ian)

Tsche·cho·slo·wa·kei [tʃɛçoslova'kaj] *f* (*hist*) ◼ **die ~** Czechoslovakia

tsche·cho·slo·wa·kisch [tʃɛçoslo'va:kɪʃ] *adj* (*hist*) Czechoslovak(ian)

tschüs *interj*, **tschüss**RR [tʃy:s] *interj* (*fam*) bye; **jdm ~ sagen** to say bye to sb

T-Shirt <-s, -s> ['ti:ʃøːɐ̯t] *nt* T-shirt

Tsu·na·mi <-, -s> [tsu'na:mi] *m* tsunami

TU <-, -s> [te:'ʔu:] *f Abk von* **technische Universität** technical university

Tu·ba <-, Tuben> ['tu:ba, *pl* 'tu:bn̩] *f* tuba

Tu·be <-, -n> ['tu:bə] *f* tube ▶ **auf die ~ drücken** (*fam*) to step on it

Tu·ber·ku·lo·se <-, -n> [tubɛrku'lo:zə] *f* tuberculosis *no indef art, no pl*

Tuch¹ <-[e]s, Tücher> [tu:x, *pl* 'ty:çɐ] *nt* ❶ (*Kopf~*) [head]scarf; (*Hals~*) scarf ❷ (*dünne Decke*) cloth

Tuch² <-[e]s, -e> [tu:x,] *nt* (*textiles Gewebe*) cloth

Tuch·füh·lung *f* ▶ **mit jdm auf ~ sein** (*fam*) to sit close to sb

tüch·tig ['tʏçtɪç] **I.** *adj* ❶ (*fähig*) capable ❷ (*fam: groß*) big; **eine ~e Tracht Prügel** a good hiding **II.** *adv* (*fam*) ❶ (*viel*) **~ anpacken** to muck in BRIT; **~ essen** to eat heartily ❷ (*stark*) **~ regnen/schneien** to rain/snow hard

Tüch·tig·keit <-> *f* ❶ *kein pl* efficiency

Tücke <-, -n> ['tʏkə] *f* ❶ *kein pl* (*Heim~*) malice; (*einer Tat*) maliciousness ❷ *kein pl* (*Gefährlichkeit*) dangerousness; (*von Krankheiten*) perniciousness ❸ (*Unwägbarkeiten*) ◼ **~n** *pl* vagaries *pl*; **seine ~n haben** to be temperamental ▶ **das ist die ~ des Objekts** these things have a will of their own!

tu·ckern ['tukɐn] *vi sein o haben* to chug

tü·ckisch ['tʏkɪʃ] *adj* ❶ (*hinterhältig*) malicious ❷ (*heim~*) pernicious ❸ (*gefährlich*) treacherous

tüf·teln ['tʏftl̩n] *vi* (*fam*) to fiddle about (**an** with)

Tu·gend <-, -en> ['tu:gn̩t] *f* virtue

tu·gend·haft *adj* virtuous

Tüll <-s, -e> [tʏl] *m* tulle

Tul·pe <-, -n> ['tʊlpə] *f* tulip

tum·meln ['tʊml̩n] *vr* ◼ **sich ~** ❶ (*froh umherbewegen*) to romp [about] ❷ (*sich beeilen*) to hurry [up]

Tüm·mler <-s, -> ['tʏmlɐ] *m* porpoise

Tu·mor <-s, Tumoren> ['tu:moːɐ̯, tu'moːɐ̯, *pl* tu'moːrən] *m* tumour

Tüm·pel <-s, -> ['tʏmpl̩] *m* [small] pond

Tu·mult <-[e]s, -e> [tu'mʊlt] *m* ❶ *kein pl* (*lärmendes Durcheinander*) commotion ❷ *meist pl* (*Aufruhr*) disturbance

tun <tat, getan> [tu:n] **I.** *vt* ❶ *mit unbestimmtem Objekt* (*machen*) to do; **was sollen wir bloß ~?** whatever shall we do?; **was tust du da?** what are you doing [there]?; **was tut er nur den ganzen Tag?** what does he do all day?; **noch viel ~ müssen** to have still got a lot to do; **etw aus Liebe ~** to do sth out of love; **er tut nichts, als sich zu beklagen** he does nothing but complain; **~ und lassen können, was man will** to do as one pleases; **~ , was man nicht lassen kann** (*fam*) to do sth if one must; **so etwas tut man nicht!** you just don't do things like that! ❷ (*unternehmen*) ◼ **etwas/nichts/einiges für jdn ~** to do something/nothing/quite a lot for sb; **was tut man nicht alles für seine Nichten und Neffen!** the things we do for our nephews and nieces!; **etw gegen etw** *akk* **~** to do sth about sth; **etwas für jdn ~ können** to be able to do something for sb; **ich will versuchen, was sich da ~ lässt** I'll see what I can do [about it] ❸ (*an~*) **keine Angst, der Hund tut Ihnen nichts** don't worry, the dog won't hurt you ❹ (*fam: legen o stecken*) ◼ **etw irgendwohin ~** to put sth somewhere ❺ (*fam: funktionieren*) **tut es dein altes Tonbandgerät eigentlich noch?** is your old tape recorder still working? ❻ (*fam: ausmachen*) **das tut nichts** it doesn't matter ❼ (*fam: ausreichen*) **für heute tut's das** that'll do for today ▶ **was kann ich für Sie ~?** can I help you?; **man tut, was man kann** one does what one can; **es [mit jdm] ~** (*sl*) to do it [with sb] **II.** *vr impers* ◼ **es tut sich etwas/nichts/einiges** something/nothing/quite a lot is happening **III.** *vi* ❶ (*sich benehmen*) to act; **albern/dumm ~** to play dumb; **informiert/kompetent ~** to pretend to be well-informed/competent; **so ~ , als ob …** to pretend that …; **er ist doch gar nicht wütend, er tut nur so** he's not angry at all, he's [just] pretending [to be] ❷ (*Dinge erledigen*) ◼ **zu ~ haben** to be busy ▶ **es mit jdm zu bekommen** (*fam*) to get into trouble with sb; **es mit jdm zu ~ haben** to be dealing with sb; **etwas/nichts mit jdm/etw zu ~ haben** to have something/nothing to do with sb/sth; **mit jdm/etw nichts zu ~ haben wollen** to want to have nothing to do with sb/sth **IV.** *vb aux* ❶ *mit vorgestelltem infin* **singen**

tut sie ja gut she's a good singer ❷ *mit nachgestelltem infin* DIAL **ich tu nur schnell den Braten anbraten** I'll just brown the joint [off]; **tust du die Kinder ins Bett bringen?** will you put the children to bed?; **er tut sich schrecklich ärgern** he's really getting worked up ❸ *konjunktivisch mit vorgestelltem infin* DIAL **deine Gründe täten mich schon interessieren** I would be interested to hear your reasons; **er täte zu gerne wissen, warum ich das nicht gemacht habe** he would love to know why I didn't do it

Tun <-s> [tu:n] *nt kein pl* action; **ihr ganzes ~ und Trachten** everything she does

Tün·che <-, -n> ['tʏnçə] *f* whitewash *no pl*

tün·chen ['tʏnçn̩] *vt* to whitewash

Tun·dra <-, Tundren> ['tʊndra] *f* tundra *no pl*

tu·nen ['tju:nən] *vt* to tune

Tu·ner <-s, -> ['tju:nɐ] *m* tuner

Tu·ne·si·en <-s> [tu'ne:ziən] *nt* Tunisia; *s. a.* **Deutschland**

Tu·ne·si·er(in) <-s, -> [tu'ne:ziɐ] *m(f)* Tunisian; *s. a.* **Deutsche(r)**

tu·ne·sisch [tu'ne:zɪʃ] *adj* Tunisian; *s. a.* **deutsch**

Tun·fischᴿᴿ ['tu:nfɪʃ] *m s.* **Thunfisch**

Tun·ke <-, -n> ['tʊŋkə] *f* KOCHK sauce; (*Braten~*) gravy

tun·ken ['tʊŋkən] *vt* to dip (**in** into)

tun·lichst *adv* if possible

Tun·nel <-s, - *o* -s> ['tʊnl̩] *m* tunnel; (*für Fußgänger*) subway

Tun·te <-, -n> ['tʊntə] *f* (*fam*) queen

tun·tig ['tʊntɪç] *adj* (*pej fam*) sissy

Tüp·fel·chen <-s, -> *nt* dot ▸ **das ~ auf dem i** the final touch

tup·fen ['tʊpfn̩] *vt* ■ **etw von etw** *dat* ~ to dab sth from sth; ■ **sich** *dat* **etw** ~ to dab one's sth

Tup·fen <-s, -> ['tʊpfn̩] *m* dot

Tup·fer <-s, -> *m* MED swab

Tür <-, -en> [ty:ɐ] *f* door; **an die ~ gehen** to go to the door ▸ **zwischen ~ und Angel** (*fam*) in passing; **mit der ~ ins Haus fallen** (*fam*) to blurt it [straight] out; **jdm die ~ vor der Nase zuschlagen** (*fam*) to slam the door in sb's face; [bei jdm] [mit etw *dat*] **offene ~en einrennen** to be preaching to the converted [with sth]; **jdm** [fast] **die ~ einrennen** (*fam*) to pester sb constantly; **vor der ~ sein** to be just [a]round the corner; **jdn vor die ~ setzen** (*fam*) to kick sb out

Tur·ban <-s, -e> ['tʊrbaːn] *m* turban

Tur·bi·ne <-, -n> [tʊrbiːnə] *f* turbine

Tur·bo <-s, -s> ['tʊrbo] *m* AUTO ❶ (*Turbolader*) turbocharger ❷ (*Auto mit Turbomotor*) car with a turbocharged engine

Tur·bo·abi·tur *nt* (*fam*) school-leaving exam that is taken after 12 years rather than 13 **Tur·bo·die·sel** *m* car with a turbocharged diesel engine, turbodiesel car **Tur·bo·ka·pi·ta·lis·mus** *m kein pl* (*pej fam*) unbridled capitalism

tur·bu·lent [tʊrbu'lɛnt] I. *adj* turbulent; *Wochenende* tumultuous; **die Wochen vor Weihnachten waren reichlich ~** the weeks leading up to Christmas were really chaotic II. *adv* turbulently; **~ verlaufen** to be turbulent

Tur·bu·lenz <-, -en> [tʊrbu'lɛnts] *f a.* METEO turbulence *no pl*

Tür·flü·gel *m* one of the doors in a double door **Tür·griff** *m* door-handle

Tür·ke, Tür·kin <-n, -n, -nen> ['tʏrkə, 'tʏrkɪn] *m, f* Turk; *s. a.* **Deutsche(r)**

Tür·kei <-> [tʏr'kaj] *f* ■ **die ~** Turkey; *s. a.* **Deutschland**

tür·ken ['tʏrkn̩] *vt* (*sl*) to fabricate

Tür·kin <-, -nen> *f fem form von* **Türke**

tür·kis [tʏr'ki:s] *adj* turquoise

Tür·kis¹ <-es, -e> [tʏr'ki:s] *m* GEOL turquoise

Tür·kis² <-> [tʏr'ki:s] *nt kein pl* (*Farbe*) turquoise

tür·kisch ['tʏrkɪʃ] *adj* Turkish; *s. a.* **deutsch**

Tür·kisch ['tʏrkɪʃ] *nt dekl wie adj* Turkish; *s. a.* **Deutsch**

tür·kis·far·ben *adj* turquoise

Tür·klin·ke *f* door-handle **Tür·klop·fer** *m* door-knocker **Tür·knauf** *m* doorknob

Turm <-[e]s, Türme> [tʊrm, *pl* 'tʏrmə] *m* ❶ ARCHIT tower; (*spitzer Kirchturm*) spire ❷ SPORT (*Sprung~*) diving-platform ❸ SCHACH castle

tür·men¹ ['tʏrmən] I. *vt haben* ■ **etw** ~ to pile up sth *sep* (**auf** on) II. *vr* ■ **sich** ~ to pile up (**auf** on)

tür·men² ['tʏrmən] *vi sein* (*fam*) to clear off; **aus dem Knast ~** to break out of jail

Turm·fal·ke *m* kestrel **Turm·sprin·gen** *nt kein pl* high diving *no indef art, no pl* **Turm·sprin·ger(in)** *m(f)* SPORT BASE jumper (*Building, Antenna, Span, Earth*) **Turm·uhr** *f* [tower] clock

Turn·an·zug *m* leotard

tur·nen ['tʊrnən] I. *vi haben* ❶ SPORT to do gymnastics; **am Pferd/Boden/Balken ~** to do exercises on the horse/floor/beam ❷ *sein* (*fam: sich flink bewegen*) to dash II. *vt haben* SPORT ■ **etw** ~ to do sth; **für**

diese fehlerfrei geturnte Übung erhielt **er 9,9 Punkte** he received 9.9 points for this flawlessly performed exercise

Tur·nen <-s> ['tʊrnən] *nt kein pl* ❶ SPORT gymnastics + *sing vb* ❷ SCH physical education *no pl, no art*

Tur·ner(in) <-s, -> ['tʊrnɐ] *m(f)* gymnast

Tụrn·ge·rät *nt* gymnastic apparatus **Tụrn·hal·le** *f* gymnasium **Tụrn·hose** *f* gym shorts

Tur·nier <-s, -e> [tʊr'niːɐ̯] *nt* ❶ SPORT (*längerer Wettbewerb*) tournament; *der Springreiter* show-jumping competition ❷ HIST tournament

Tụrn·schuh *m* trainer **Tụrn·übung** *f* gymnastic exercise **Tụrn·un·ter·richt** *m kein pl* SCH gymnastics + *sing vb*

Tur·nus <-, -se> [tʊrnʊs] *m* (*regelmäßige Abfolge*) regular cycle; **für die Kontrollgänge gibt es einen festgesetzten ~** there is a set rota for the tours of inspection; **im** [**regelmäßigen**] ~ [**von etw** *dat*] at regular intervals [of sth]

Tụrn·ver·ein *m* gymnastics club

Tür·öff·ner *m* automatic door-opener **Tür·pfos·ten** *m* doorpost **Tür·rah·men** *m* door-frame **Tür·schild** *nt* name-plate **Tür·schloss**[RR] *nt* door-lock **Tür·schwel·le** *f* threshold **Tür·spalt** *m* space between door frame and door **Tür·ste·her** *m* doorman

tur·teln ['tʊrtln̩] *vi* ■ [**miteinander**] ~ to whisper sweet nothings [to one another]

Tusch <-es, -e> [tʊʃ] *m* flourish

Tu·sche <-, -n> ['tʊʃə] *f* Indian ink

tu·scheln ['tʊʃln̩] *vi* to gossip secretly (**über** about)

Tụsch·zeich·nung *f* pen-and-ink drawing

Tus·si <-, -s> ['tʊsi] *f* (*pej sl*) chick; (*Freundin*) bird

Tü·te <-, -n> ['tyːtə] *f* bag; **ich esse heute eine Suppe aus der** ~ I'm going to eat a packet soup today; **eine** ~ **Popcorn** a bag of popcorn ▶ [**das**] **kommt nicht in die** ~! no way!

tu·ten ['tuːtn̩] *vi* to hoot; **es hat getutet, das Taxi ist da** I heard a hoot, the taxi is here; *Schiff* to sound its fog-horn ▶ **von T~ und Blasen keine Ahnung haben** not to have a clue

Tu·tor, Tu·to·rin <-s, Tutoren> ['tuːtoːɐ̯, tuːˈtoːrɪn, *pl* tuˈtoːrən] *m, f* SCH ❶ (*Leiter eines Universitätstutoriums*) seminar conducted by a post-graduate student ❷ (*Mentor*) tutor

TÜV <-s, -s> [tʏf] *m Akr von* **Technischer Überwachungsverein** Technical Inspection Agency (*also performing MOTs on*

vehicles); **ich muss in der nächsten Woche** [**mit dem Wagen**] **zum** ~ I've got to get the car MOT'd next week; **jds/der** ~ **läuft ab** sb's/the MOT is about to run out; [**noch**] **eine bestimmte Zeit** ~ **haben** to have a certain amount of time left on the MOT; **durch den** ~ **kommen** to get [a vehicle] through its MOT

TV[1] <-[s], -s> [teːˈfaʊ̯] *m Abk von* **Turnverein** sports club

TV[2] <-[s], -s> [tiːˈviː, teːˈfaʊ̯] *nt Abk von* **Television** TV

TV-Mo·de·ra·tor(in) *m(f)* TV presenter

Twist <-s, -s> [tvɪst] *m* (*Tanz*) twist *no pl*

Typ <-s, -en> [tyːp] *m* ❶ (*Ausführung*) model; **dieser** ~ **Computer** this model of computer; **dieser** ~ **Sportwagen** this sports car model ❷ (*Art Mensch*) type [of person]; **was ist er für ein** ~, **dein neuer Chef?** what type of person is your new boss?; **jds** ~ **sein** (*fam*) to be sb's type; ■ **der** ~ ... **sein, der** ... to be the type of ... who ...; **dein** ~ **ist nicht gefragt** (*fam*) we don't want your sort here; **dein** ~ **wird verlangt** (*fam*) you're wanted ❸ (*sl: Kerl*) guy ❹ (*sl: Freund*) guy

Ty·pe <-, -n> ['tyːpə] *f* ❶ TYPO (*Druck~*) type ❷ (*fam: merkwürdiger Mensch*) character; **was ist denn das für eine** ~? what a weirdo!

Ty·pen ['tyːpn̩] *pl von* **Typus**

Ty·pen·be·zeich·nung *f* TECH model designation

Ty·phus <-> ['tyːfʊs] *m kein pl* typhoid [fever] *no pl*

ty·pisch ['tyːpɪʃ] **I.** *adj* typical; ■ ~ **für jdn sein** to be typical of sb; [**das ist**] ~! (*fam*) [that's] [just] typical! **II.** *adv* ■ ~ **jd** [that's] typical of sb; ~ **Frau/Mann!** typical woman/man!; ~ **britisch/deutsch** typically British/German; **sein unterkühlter Humor ist** ~ **hamburgisch** his dry humour is typical of a person from Hamburg

Ty·po·gra·fie[RR] <-, -n> [typoˈgraːfiː] *f* typography

ty·po·gra·fisch[RR] [typoˈgraːfɪʃ] *adj* typographic[al]

Ty·po·gra·phie <-, -n> [typoˈgraːfiː] *f s.* **Typografie**

ty·po·gra·phisch [typoˈgraːfɪʃ] *adj s.* **typografisch**

Ty·po·lo·gie <-, -ien> [typoloˈgiː] *f* PSYCH typology

ty·po·lo·gisch [typoˈloːgɪʃ] *adj* PSYCH typologic[al]

Ty·pus <-, Typen> ['tyːpʊs, *pl* tyːpn̩] *m* ❶ (*Menschenschlag*) race [of people] [*or* breed] ❷ (*geh: Typ 2*) type

Ty·rann(in) <-en, -en> [ty'ran] *m(f)* tyrant

Ty·ran·nei <-, -en> [tyran'naɪ] *f* tyranny

Tyran·nin <-, -nen> *f fem form von* **Tyrann**

tyran·nisch [ty'ranɪʃ] **I.** *adj* tyrannical

II. *adv* **sich ~ aufführen/herrschen** to behave/rule tyrannically

tyrannisieren* *vt* ■ **jdn ~** to tyrannize sb; ■ **sich ~ lassen** to [allow oneself to] be tyrannized (**von** by)

U u

U, u <-, - o fam -s, -s> [u:] nt U, u; s. a. **A 1**

u. konj Abk von **und**

u.a. ❶ Abk von **und andere(s)** and other things ❷ Abk von **unter anderem** among other things

U-Bahn [u:-] f ❶ (Untergrundbahn) underground BRIT fam, subway AM; **mit der ~ fahren** to go on the [or by] underground ❷ (U-Bahn-Zug) [underground] train

U-Bahn·hof [u:-] m, **U-Bahn-Sta·ti·on** f underground [or AM subway] station

übel ['y:bl̩] I. adj ❶ (schlimm) bad, nasty; Affäre ugly ❷ (unangenehm) nasty ❸ (ungut) bad ❹ (verkommen) low; Stadtviertel bad ❺ (schlecht) ■ jdm ist/wird ~ sb feels sick II. adv ❶ (geh: unangenehm) **was riecht hier so ~?** what's that nasty smell [in] here?; **bäh, das Zeug schmeckt aber ~!** ugh, that stuff tastes awful!; **das fette Essen scheint mir ~ zu bekommen** the fatty food seems to have disagreed with me; **nicht ~** not so bad [at all]; **ihr wohnt ja gar nicht mal so ~** you live quite comfortably ❷ (schlecht) **sich ~ fühlen** to feel bad; **es geht jdm ~** sb feels bad; **jdm ist es ~ zumute** sb feels bad; **~ dran sein** (fam) to be in a bad way ❸ (gemein) badly; **jdn ~ behandeln** to treat sb badly; **~ über jdn reden** to speak badly of sb ❹ (nachteilig) **jdm etw ~ auslegen** to hold sth against sb

Übel <-s, -> ['y:bl̩] nt evil ▸ **das klei-nere ~** the lesser evil; **ein notwendiges ~** a necessary evil; **zu allem ~** to cap it all

Übel·keit <-, -en> f nausea

Übel·tat f (geh) wicked deed **Übel·tä-ter(in)** m(f) wrongdoer

üben ['y:bn̩] I. vt a. SPORT, MUS to practise II. vr ■ **sich in etw** dat ~ to practise sth III. vi ❶ (sich durch Übung verbessern) to practise ❷ s. **geübt**

über ['y:bɐ] I. präp ❶ +dat (oberhalb von etw) above; **~ der Plane sammelt sich Regenwasser an** rain-water collects on top of the tarpaulin ❷ +akk (quer hinüber) over; **reichst du mir mal den Kaffee ~ den Tisch?** can you pass me the coffee across the table? ❸ +akk (höher als etw) above, over; **bis ~ die Knöchel im Dreck versinken** to sink ankle-deep in mud ❹ +akk (etw erfassend) over; **ein Über-blick ~ etw** an overview of sth ❺ +akk (quer darüber) over; **er strich ihr ~ das**

Haar/die Wange he stroked her hair/cheek ❻ +akk (jdn/etw betreffend) about ❼ +dat (zahlenmäßig größer als) above ❽ +dat (in Beschäftigung mit etw) in; **irgendwie muss ich ~ diesem Gedanken wohl eingeschlafen sein** I must have somehow fallen asleep [whilst] thinking about it ❾ (durch jdn/etw) through ❿ (via) via; **seid ihr auf eurer Tour auch ~ München gekommen?** did you go through Munich on your trip?; **~ Satellit empfange ich 63 Programme** I can receive 63 channels via satellite ⓫ (während) over; **habt ihr ~ die Feiertage/das Wochenende schon was vor?** have you got anything planned for the holiday/weekend? ▸ **~ alles** more than anything; **Fehler ~ Fehler!** nothing but mistakes!; **es waren Vögel ~ Vögel, die über uns hinwegrauschten!** what seemed like] an endless stream of birds flew over us! II. adv ❶ (älter als) over ❷ (mehr als) more than ▸ **~ und ~** completely; **~ und ~ verdreckt sein** to be absolutely filthy III. adj (fam) ❶ (übrig) ■ **~ sein** to be left; Essen to be left [over] ❷ (überlegen) **jdm auf einem bestimmten Gebiet ~ sein** to be better than sb in a certain field

über·all [y:bɐ'ʔal] adv ❶ (an allen Orten) everywhere; (an jeder Stelle) all over [the place]; **sie hatte ~ am Körper blaue Fle-cken** she had bruises all over her body; **~ wo** wherever ❷ (wer weiß wo) anywhere ❸ (in allen Dingen) everything; **er kennt sich ~ aus** he knows a bit about everything ❹ (bei jedermann) everyone; **er ist ~ beliebt/verhasst** everyone likes/hates him

über·all·her [y:bɐʔal'he:ɐ̯] adv ■ **von ~** from all over

über·all·hin [y:bɐʔal'hɪn] adv all over; **sie kann ~ verschwunden sein** she could have disappeared anywhere

Über·al·te·rung <-> [y:bɐʔaltərʊŋ] f kein pl increase in the percentage of elderly people **Über·an·ge·bot** nt surplus (an of) **über·ängst·lich** adj over-anxious; ■ [in etw dat] ~ **sein** to be over-anxious [about sth] **über·an·stren·gen*** [y:bɐ'ʔan-ʃtrɛŋən] vt ■ **sich ~** to over-exert oneself; ■ **etw ~** to put too great a strain on sth **Über·an·stren·gung** f ❶ kein pl (das Überbeanspruchen) overstraining no pl ❷ (zu große Beanspruchung) overexertion

über·ar·bei·ten* [y:bɐ'ʔarbaitn̩] **I.** *vt* (*bearbeiten*) to revise **II.** *vr* ■ **sich ~** to overwork oneself

Über·ar·bei·tung¹ <-, -en> [y:bɐ'ʔarbaitʊŋ] *f* MEDIA ❶ *kein pl* (*das Bearbeiten*) revision, reworking ❷ (*bearbeitete Fassung*) revised version [*or* edition]

Über·ar·bei·tung² <-, -en> [y:bɐ'ʔarbaitʊŋ] *f pl selten* (*überarbeitete Körperverfassung*) overwork *no pl*

über·aus ['y:bɐʔaus] *adv* extremely

über·ba·cken* [y:bɐ'bakn̩] *vt irreg* **etw mit Käse ~** to top sth with cheese and brown it **Über·bau** <-[e]s, -ten *o* -e> ['y:bɐbau] *m* superstructure **über·be·las·ten*** *vt* to overload **Über·be·le·gung** *f kein pl* overcrowding *no pl* **über·be·lich·ten*** *vt* to overexpose **Über·be·lich·tung** *f* FOTO overexposure **über·be·to·nen*** *vt* ❶ (*zu große Bedeutung beimessen*) to overemphasize ❷ MODE to overaccentuate **über·be·völ·kert** *adj* overpopulated **Über·be·völ·ke·rung** *f kein pl* overpopulation *no pl* **über·be·wer·ten*** *vt* ❶ (*zu gut bewerten*) to overvalue ❷ (*überbetonen*) to overestimate; **du überbewertest diese Äußerung** you're attaching too much importance to this comment **über·be·zah·len*** *f* to overpay **über·bie·ten*** [y:bɐ'bi:tn̩] *irreg vt* ❶ SPORT to better (**um** by); *Rekord* to break ❷ (*durch höheres Gebot übertreffen*) to outbid (**um** by)

Über·bleib·sel <-s, -> ['y:bɐblaipsl̩] *nt meist pl* ❶ (*Relikt*) relic ❷ (*Reste*) remnant **Über·blick** ['y:bɐblɪk] *m* view (**über** of) ▶ **einen ~** [über etw *akk*] **haben** to have an overview [of sth]; **den ~** [über etw *akk*] **verlieren** to lose track [of sth]; **sich** *dat* **einen ~** [über etw *akk*] **verschaffen** to gain an overview [of sth]

über·bli·cken* [y:bɐ'blɪkn̩] *vt* ■ **etw ~** ❶ (*überschauen*) to look out over sth ❷ (*in der Gesamtheit einschätzen*) to have an overview of sth

über·brin·gen* [y:bɐ'brɪŋən] *vt irreg* ■ **[jdm] etw ~** to deliver sth [to sb]

Über·brin·ger(in) <-s, -> *m(f)* bringer, bearer

über·brü·cken* [y:bɐ'brʏkn̩] *vt* ❶ (*notdürftig bewältigen*) to get through; *Krise* to ride out ❷ (*ausgleichen*) ■ **etw ~** to reconcile sth

Über·brü·ckung <-, -en> *f* ❶ (*das Überbrücken*) getting through ❷ (*das Ausgleichen*) reconciliation

Über·brü·ckungs·kre·dit *m* FIN bridging [*or* interim] loan

über·bu·chen* *vt* ■ **etw ~** to overbook sth **über·da·chen*** [y:bɐ'dauən] *vt* to roof over *sep;* ■ **überdacht** covered **über·dau·ern*** *vt* to survive **überlde·cken¹** ['y:bɐdɛkn̩] *vt* (*fam: auflegen*) to cover [up *sep*] **über·de·cken*²** [y:bɐ'dɛkn̩] *vt* (*verdecken*) to cover [over] *sep; Gestank, Geschmack* to mask, to cover up *sep*

über·den·ken* [y:bɐ'dɛŋkn̩] *vt irreg* to think over *sep*

über·dies [y:bɐdi:s] *adv* (*geh*) furthermore

über·di·men·si·o·nal *adj* colossal **Über·do·sis** *f* overdose (**an** of) **über·dreht** *adj* (*fam*) over-excited **Über·druck** *m* excess pressure *no pl*

Über·drussRR <-es> *m kein pl,* **Über·druß**ALT <-sses> ['y:bɐdrʊs] *m kein pl* aversion; **aus ~** [**an** etw *dat*] out of an aversion [to sth]; **ich habe das nun schon bis zum ~ gehört** I've heard that ad nauseam [by now]

über·drüs·sig ['y:bɐdrʏsɪç] *adj* ■ **jds/ einer S.** *gen* **~ sein/werden** to be/grow tired of sb/a thing

über·durch·schnitt·lich I. *adj* above-average *attr,* above average *pred* **II.** *adv* above average **über·eif·rig** *adj* (*pej*) overzealous **über·ei·len*** *vt* to rush **über·eilt I.** *adj* rash **II.** *adv* rashly **über·ei·nan·der** [y:bɐ'ai'nandɐ] *adv* ❶ (*eins über dem anderen/das andere*) on top of each other ❷ (*über sich*) about each other **über·ei·nan·derlschla·gen** *vt* **die Arme/Beine ~ schlagen** to fold one's arms/cross one's legs

über·einlkom·men [y:bɐ'ʔainkɔmən] *vi irreg sein* to agree

Über·ein·kom·men [y:bɐ'ʔainkɔmən] *nt* agreement; **ein ~ erzielen** to reach an agreement (**in** on)

Über·ein·kunft <-, -künfte> [y:bɐ'ʔainkʊnft, *pl* -kʏnftə] *f* agreement, arrangement, understanding *no pl;* **eine ~ erzielen** to reach an agreement

über·einlstim·men [y:bɐ'ʔainʃtɪmən] *vi* ❶ (*der gleichen Meinung sein*) to agree (**in** on); ■ **mit jdm darin ~, dass ...** to agree with sb that ... ❷ (*sich gleichen*) ■ **[mit etw** *dat*] **~** to match [sth]

über·ein·stim·mend I. *adj* ❶ (*einhellig*) unanimous ❷ (*sich gleichend*) corresponding; ■ **~ sein** to correspond [to each other] **II.** *adv* ❶ (*einhellig*) unanimously ❷ (*in gleicher Weise*) concurrently

Über·ein·stim·mung *f* agreement (**in** on) **über·emp·find·lich I.** *adj* ❶ (*allzu emp-*

findlich) over-sensitive ❷ MED hypersensitive (**gegen** to) **II.** *adv* ❶ (*überempfindlich*) over-sensitively ❷ over-sensitively **Über·emp·find·lich·keit** *f* ❶ (*zu große Empfindlichkeit*) over-sensitivity, touchiness *no pl* ❷ *kein pl* MED (*Neigung zu Allergien*) hypersensitivity **über|fah·ren** ['y:bɐfaːrən] *vt irreg* ❶ (*niederfahren*) to run over *sep* ❷ (*nicht beachten*) **eine rote Ampel ~** to go through a red light ❸ (*fam: übertölpeln*) ■**jdn ~** to railroad sb [into doing sth] **Über·fahrt** *f* NAUT crossing **Über·fall** <-s, Überfälle> *m* attack; (*Raub~*) robbery; (*Bank~*) raid **über·fal·len*** ['y:bɐˈfalən] *vt irreg* ❶ (*unversehens angreifen*) to mug; *Bank* to rob; *Land* to attack; MIL to raid ❷ (*überkommen*) **Heimweh überfiel sie** she was overcome by homesickness ❸ (*hum fam: überraschend besuchen*) ■**jdn ~** to descend [up]on sb ❹ (*hum: bestürmen*) ■**jdn ~** to bombard sb (**mit** with) **über·fäl·lig** *adj* ❶ TRANSP delayed; **der Zug ist seit 20 Minuten ~** the train is 20 minutes late ❷ FIN overdue ❸ (*längst zu tätigen*) overdue **Über·fall·kom·man·do,** **Über·falls·kom·man·do** *nt* ÖSTERR (*fam*) flying squad **über·flie·gen*** ['y:bɐˈfliːgn̩] *vt irreg* ■**etw ~** ❶ LUFT to fly over sth ❷ (*flüchtig ansehen*) to take a quick look at sth; (*Text a.*) to skim through sth **über|flie·ßen** ['y:bɐfliːsn̩] *vi irreg sein* to overflow **Über·fluss**^RR *m kein pl,* **Über·fluß**^ALT *m kein pl* abundance; **im ~ vorhanden sein** to be in plentiful supply; **etw im ~ haben** to have plenty of sth ▶**zu allem ~** to cap it all **Über·fluss·ge·sell·schaft**^RR *f* affluent society **über·flüs·sig** *adj* superfluous; *Anschaffungen, Bemerkung* unnecessary **über·flu·ten*** [y:bɐˈfluːtn̩] *vt* ■**etw ~** ❶ (*überschwemmen*) to flood sth ❷ (*über etw hinwegströmen*) to come over the top of sth ❸ (*fig: in Mengen hereinbrechen*) to flood sth **Über·flu·tung** <-, -en> [y:bɐˈfluːtʊŋ] *f* flooding *no pl* **über·for·dern*** [y:bɐˈfɔrdɐn] *vt* to overtax; ■**überfordert sein** to be out of one's depth **über·fra·gen*** [y:bɐˈfraːgn̩] *vt* to not know the answer; **da bin ich überfragt** I don't know [the answer to that] **Über·frem·dung** <-, -en> *f* (*pej*) domination by foreign influences **über·füh·ren*¹** ['y:bɐfyːrən, y:bɐˈfyːrən] *vt* (*woandershin transportieren*) to transfer;

Leiche to transport **über·füh·ren*²** [y:bɐˈfyːrən] *vt* JUR ■**jdn ~** to convict sb; ■**jdn einer S.** *gen*~ to convict sb of sth **Über·füh·rung¹** [y:bɐˈfyːrʊŋ] *f* TRANSP (*überquerende Brücke*) bridge; (*über eine Straße*) bridge, overpass; (*für Fußgänger*) [foot-]bridge **Über·füh·rung²** [y:bɐˈfyːrʊŋ] *f* transferral *no pl* **Über·füh·rung³** [y:bɐˈfyːrʊŋ] *f* JUR (*Überlisten*) conviction **Über·fül·le** <-> *f kein pl* profusion, superabundance **über·füllt** *adj* overcrowded; *Kurs* oversubscribed **Über·funk·ti·on** *f* MED hyperactivity **Über·ga·be** *f* ❶ (*das Übergeben*) handing over *no pl* ❷ MIL surrender **Über·gang¹** <-gänge> *m* ❶ (*Grenz~*) border crossing[-point] ❷ *kein pl* (*das Überqueren*) crossing **Über·gang²** <-gänge> *m* ❶ *kein pl* (*Übergangszeit*) interim; **für den ~** in the interim [period] ❷ (*Wechsel*) transition ❸ (*Zwischenlösung*) interim solution **Über·gangs·frist** *f* transition period **Über·gangs·geld** *nt* retirement bonus **über·gangs·los** *adv* seamless **Über·gangs·lö·sung** *f* temporary solution **Über·gangs·pha·se** <-, -n> *f* transitional phase **Über·gangs·sta·di·um** *nt* transitional stage **Über·gangs·zeit** *f* ❶ (*Zeit zwischen zwei Phasen*) transition ❷ (*Zeit zwischen den Jahreszeiten*) in-between [or AM off] season **über·ge·ben*¹** [y:bɐˈgeːbn̩] *vt irreg* ❶ (*überreichen*) ■**[jdm] etw ~** to hand over *sep* sth [to sb] ❷ (*ausliefern*) ■**jdn jdm ~** to hand over *sep* sb to sb ❸ MIL (*überlassen*) to surrender **über·ge·ben*²** [y:bɐˈgeːbn̩] *vr irreg* (*sich erbrechen*) ■**sich ~** to be sick **über|ge·hen¹** ['y:bɐgeːən] *vi irreg sein* ❶ (*überwechseln*) to move on (**zu** to); **dazu ~, etw zu tun** to go over to doing sth ❷ (*übertragen werden*) **in anderen Besitz ~** to become sb else's property ❸ (*einen anderen Zustand erreichen*) **in Fäulnis/Gärung/Verwesung ~** to begin to rot/ferment/decay ❹ (*verschwimmen*) ■**ineinander ~** to merge into one another **über·ge·hen*²** [y:bɐˈgeːən] *vt irreg* ❶ (*nicht berücksichtigen*) to pass over *sep* (**bei/in** in) ❷ (*nicht beachten*) to ignore ❸ (*auslassen*) to skip [over *sep*] **über·ge·ord·net** *adj* ❶ (*vorrangig*) paramount ❷ (*vorgesetzt*) higher **Über·ge·päck** *nt* excess luggage **über·**

ge·schnappt adj (fam) crazy **Über·ge·wicht** nt kein pl ❶ (zu hohes Körpergewicht) overweight no pl; ~ **haben** to be overweight ❷ (vorrangige Bedeutung) predominance **über·ge·wich·tig** adj overweight **über·gie·ßen*** [y:bɐˈgiːsn̩] vt irreg ▪jdn/sich/etw mit etw dat ~ to pour sth over sb/oneself/sth **über·glück·lich** adj extremely happy, overjoyed pred **über|grei·fen** vi irreg to spread (**auf** to) **Über·griff** m infringement of [one's/sb's] rights **über·groß** adj oversize[d], enormous; **~e Kleidung** outsize[d] clothing **Über·grö·ße** f outsize

über·hand|neh·men [y:bɐˈhant-] vi to get out of hand **Über·hang** <-s, -hänge> m ❶ (überhängende Felswand) overhang[ing ledge] ❷ (Bestand) surplus; **~ an Aufträgen** backlog of [unfulfilled] orders ❸ TYPO kern **über|hän·gen¹** [ˈyːbɐhɛŋən] vi irreg sein o haben ❶ (hinausragen) to hang over ❷ (vorragen) to project **über|hän·gen²** [ˈyːbɐhɛŋən] vt ▪jdm/sich etw ~ to put sth round sb's/one's shoulders; **sich ein Gewehr ~** to sling a rifle over one's shoulder; **sich** dat **eine Tasche ~** to hang a bag over one's shoulder **über·häu·fen*** [y:bɐˈhɔyfn̩] vt ❶ (überreich bedenken) to heap sth [up]on sb ❷ (in sehr großem Maße konfrontieren) to heap sth [up]on sb['s head]; **jdn mit Beschwerden ~** to inundate sb with complaints **über·haupt** [y:bɐˈhaʊpt] **I.** adv ❶ (zudem) **„das ist ~ die Höhe!"** "this is insufferable!" ❷ (in Verneinungen) ▪~ **kein**(e, r) nobody/nothing/none at all; **~ kein Geld haben** to have no money at all; ▪~ **nicht** not at all; ▪~ **nichts** nothing at all; ▪~ [**noch**] **nie** never [at all]; ▪**und ~, ...?** and anyway, ...?; ▪**wenn ~** if at all; **Sie bekommen nicht mehr als 4.200 Euro, wenn ~** you'll get no more than 4,200 euros, if that **II.** part (eigentlich) **was soll das ~?** what's that supposed to mean?; **wissen Sie ~, wer ich bin?** do[n't] you know who I am?

über·heb·lich [y:bɐˈheːplɪç] adj arrogant **Über·heb·lich·keit** <-, selten -en> f arrogance no pl **über·hit·zen*** [y:bɐˈhɪtsn̩] vt ▪etw ~ to overheat sth **über·höht** adj excessive; **mit ~er Geschwindigkeit fahren** to drive over the speed limit **über|ho·len¹** [ˈyːbɐhoːlən] **I.** vt ❶ (schneller vorbeifahren) to overtake ❷ (übertref-

fen) to surpass **II.** vi to pass **über·ho·len*²** [y:bɐˈhoːln̩] vt (prüfen und verbessern) ▪**etw ~** to overhaul sth **Über·hol·spur** f fast [or BRIT overtaking] lane **über·holt** adj outdated **Über·hol·ver·bot** nt restriction on passing [or BRIT overtaking]; (Strecke) no passing [or BRIT overtaking] zone **über·hö·ren*** [y:bɐˈhøːrən] vt ▪**etw ~** (nicht hören) to not hear sth; (nicht hören wollen) to ignore sth **Über·ich**ᴿᴿ nt, **Über·Ich** <-[s], -[s]> [ˈyːbɐʔɪç] nt PSYCH superego **über·in·ter·pre·tie·ren*** vt to overinterpret **über·ir·disch** [ˈyːbɐʔɪrdɪʃ] adj celestial poet; Schönheit divine **Über·ka·pa·zi·tät** f overcapacity; **seine ~ loswerden** to work off excess capacity **über|ko·chen** [ˈyːbɐkɔxn̩] vi sein to boil over **über·kom·men*¹** [y:bɐˈkɔmən] irreg vt ▪etw überkommt jdn sb is overcome with sth; **es überkam mich plötzlich** it suddenly overcame me **über·kom·men²** [y:bɐˈkɔmən] adj traditional **über·kreu·zen*** [y:bɐˈkrɔytsn̩] **I.** vt ❶ (überqueren) **einen Platz ~** to cross a square ❷ (verschränken) **die Arme~** to fold one's arms **II.** vr **sich ~de Linien** intersecting lines **über·la·den*¹** [y:bɐˈlaːdn̩] vt irreg to overload **über·la·den²** [y:bɐˈlaːdn̩] adj ❶ (zu stark beladen) overloaded ❷ (geh: überreich ausgestattet) over-ornate; Stil florid **Über·land·bus** [ˈyːbɐlant-] m country bus **Über·län·ge** f extra length; Film exceptional length **über·lap·pen*** [y:bɐˈlapn̩] **I.** vi to overlap; **einen Zentimeter ~** to overlap by one centimetre **II.** vr ▪**sich ~** to overlap **über·las·sen*** [y:bɐˈlasn̩] vt irreg ❶ (zur Verfügung stellen/verkaufen) ▪**jdm etw ~** to let sb have sth ❷ (lassen) ▪**jdm etw ~** to leave sth to sb; **ich überlasse dir die Wahl** it's your choice; **jdm ~ sein** to be up to sb; **das müssen Sie schon mir ~** you must leave that to me ❸ (preisgeben) ▪**jdn jdm/etw ~** to leave sb to sb/sth; **sich** dat **selbst ~ sein** to be left to one's own devices; **jdn sich** dat **selbst ~** to leave sb to his/her own devices **über·las·ten*** [y:bɐˈlastn̩] vt ❶ (zu stark in Anspruch nehmen) ▪**jdn ~** to overburden sb; ▪**etw ~** to overstrain sth ❷ (zu stark belasten) ▪**etw ~** to overload sth **Über·las·tung** <-, -en> f ❶ (zu starke Inanspruchnahme) overstrain no pl ❷ (zu starke Belastung) overloading no pl **über·lau·fen*¹** [yːbɐˈlaʊfn̩] vt irreg ▪**etw überläuft jdn** sb is seized with sth; **es überlief mich kalt** a cold shiver ran down my back **über|lau·fen²** [ˈyːbɐlaʊfn̩] vi irreg sein ❶ (über den Rand fließen) to overflow; Tasse a. to run over also poet ❷ (überkochen) to boil over ❸ MIL to desert **über·lau·fen³** [yːbɐˈlaʊfn̩] adj pp overrun **Über·läu·fer(in)** m(f) MIL deserter **über·le·ben*** [yːbɐˈleːbn̩] I. vt ❶ (lebend überstehen) to survive ❷ (lebend überdauern) ▪**etw ~** to last sth ❸ (über jds Tod hinaus leben) ▪**jdn ~** to outlive sb II. vi to survive III. vr ▪**sich** [**bald**] **~** to [soon] be[come] a thing of the past

Über·le·ben·de(r) f(m) survivor

Über·le·bens·chan·ce f chance of survival

über·le·bens·groß [ˈyːbəleːbn̩sɡroːs] I. adj larger-than-life II. adv larger than life

Über·le·bens·künst·ler, -künst·le·rin m, f (euph fam) [born] survivor

über·le·gen*¹ [yːbɐˈleːgn̩] I. vi to think [about it]; **nach kurzem/langem Ü~** after a short time of thinking/after long deliberation; **was gibt es denn da zu ~?** what's there to think about?; ▪[**sich** dat] **~, dass …** to think that …; **ohne zu ~** without thinking; **überleg** [**doch**] **mal!** just [stop and] think about it! II. vt ▪**sich** dat **etw ~** to consider sth; **sich etw reiflich ~** to give serious thought to sth; **ich will es mir noch einmal ~** I'll think it over again; **es sich** [**anders**] **~** to change one's mind; **das wäre zu ~** it is worth considering; **wenn man es sich recht überlegt** on second thoughts; **sich etw hin und her ~** (fig) to consider sth from all angles

über|le·gen² [ˈyːbəleːgn̩] vt ▪**jdm etw ~** to put sth over sb; **sich** dat **etw ~** to put on sep sth

über·le·gen³ [yːbɐˈleːgn̩] I. adj ❶ (jdn weit übertreffend) superior; Sieg convincing; ▪**jdm ~ sein** to be superior to sb (**auf/in** in); **dem Feind im Verhältnis von 3:1 ~ sein** to outnumber the enemy by 3 to 1 ❷ (herablassend) superior II. adv ❶ (mit großem Vorsprung) convincingly ❷ (herablassend) superciliously pej

Über·le·gen·heit <-> f kein pl ❶ (überlegener Status) superiority no pl (**über** over) ❷ (Herablassung) superiority no pl

über·legt [yːbɐˈleːkt] I. adj [well-]considered II. adv with consideration, in a considered way

Über·le·gung <-, -en> f ❶ kein pl (das

Überlegen) consideration no pl, no indef art, thought no pl, no indef art; **nach eingehender ~** after close reflection ❷ pl (Erwägungen) considerations pl; (Bemerkungen) observations pl

über|lei·ten vi ▪**zu etw** dat **~** to lead to sth **Über·lei·tung** f transition **über·lie·fern*** [yːbɐˈliːfɐn] vt to hand down sep; ▪**überliefert sein** to have come down **Über·lie·fe·rung** f ❶ kein pl (das Überliefern) **im Laufe der ~** in the course of being passed down from generation to generation; **mündliche ~** oral tradition ❷ (überliefertes Brauchtum) tradition

über·lis·ten* [yːbɐˈlɪstn̩] vt ❶ (durch eine List übervorteilen) to outwit ❷ (gewieft umgehen) to outsmart

überm [ˈyːbəm] = **über dem** (fam) **~ Berg** over the mountain

Über·macht f kein pl superiority no pl; **in der ~ sein** to have the greater strength

über·mäch·tig adj ❶ (die Übermacht besitzend) superior ❷ (geh: alles beherrschend) overpowering; Verlangen overwhelming

über|ma·len [ˈyːbəmaːlən] vt to paint over **Über·maß** nt kein pl ▪**das ~ einer S.** gen the excess[ive amount] of sth; **unter dem ~ der Verantwortung** under the burden of excessive responsibility; ▪**ein ~ an/von etw** dat an excess[ive amount] of sth; **ein ~ von Freude** excessive joy; **im ~** in excess **über·mä·ßig** I. adj excessive; Freude, Trauer intense; Schmerz violent II. adv ❶ (in zu hohem Maße) excessively; **sich ~ anstrengen** to try too hard ❷ (unmäßig) too much **über·mensch·lich** adj superhuman

über·mit·teln* [yːbɐˈmɪtl̩n] vt (geh) ❶ (überbringen) ▪**jdm etw ~** to bring sth to sb ❷ (zukommen lassen) ▪**jdm** **etw ~** to convey sth [to sb] form

über·mor·gen [ˈyːbəmɔrgn̩] adv the day after tomorrow, in two days' time; ▪**~ früh** the day after tomorrow in the morning, in the morning in two days' time

über·mü·det [yːbɐˈmyːdət] adj overtired; (erschöpft a.) overfatigued form

Über·mü·dung <-> f kein pl overtiredness no pl; (Erschöpfung a.) overfatigue no pl form

Über·mut m high spirits npl; **aus ~** just for the hell of it fam

über·mü·tig [ˈyːbəmyːtɪç] I. adj high-spirited; (zu dreist) cocky fam II. adv boisterously

übern [ˈyːbən] = **über den** (fam) **~ Fluss/Graben/See** over the river/

ditch/lake

über·nächs·te(r, s) ['y:bnɛ:çstə, -tɐ, -təs] *adj attr* **~ s Jahr/~ Woche** the year/week after next, in two years'/weeks' time; **die ~ Tür** the next door but one

über·nach·ten* [y:bɐ'naxtn̩] *vi* ■**irgendwo/bei jdm ~** to stay the night somewhere/at sb's place

über·näch·tig [y:bɐ'nɛçtɪç/t)] *adj* ÖSTERR, **über·näch·tigt** [y:bɐ'nɛçtɪçt] *adj* worn out [from lack of sleep] *pred;* (*a. mit trüben Augen*) bleary-eyed

Über·nach·tung <-, -en> *f* ❶ *kein pl* (*das Übernachten*) spending the/a night ❷ (*verbrachte Nacht*) overnight stay; **mit zwei ~ en in Bangkok** with two nights in Bangkok; **~ mit Frühstück** bed and breakfast

Über·nah·me <-, -n> ['y:bɐna:mə] *f* ❶ (*Inbesitznahme*) taking possession *no pl* ❷ (*das Übernehmen*) assumption *no pl;* *von Verantwortung a.* acceptance *no pl* ❸ ÖKON takeover

über·na·tür·lich *adj* ❶ (*nicht erklärlich*) supernatural ❷ (*die natürliche Größe übertreffend*) larger than life

über·neh·men* [y:bɐ'ne:mən] *irreg* **I.** *vt* ❶ (*in Besitz nehmen*) to take; (*kaufen*) to buy; *Geschäft* to take over *sep* ❷ (*auf sich nehmen, annehmen*) to accept; **lassen Sie es, das übernehme ich** let me take care of it; *Auftrag, Verantwortung* to take on *sep; Kosten* to pay; *Verpflichtungen* to assume ❸ (*fortführen*) to take over *sep* (**von** from) ❹ (*verwenden*) to take; **eine Sendung in sein Abendprogramm ~** to include a broadcast in one's evening programmes ❺ (*weiterbeschäftigen*) to take over *sep;* **jdn ins Angestelltenverhältnis ~** to employ sb on a permanent basis **II.** *vr* (*sich übermäßig belasten*) ■**sich ~** to take on too much **III.** *vi* to take over

über|ord·nen *vt* ❶ (*Vorgesetzter*) ■**jdn jdm ~** to place sb over sb ❷ (*Prioritäten setzen*) ■**etw einer Sache ~** to give sth precedence over sth **über·par·tei·lich** *adj* non-partisan

über·prüf·bar *adj* verifiable

über·prü·fen* [y:bɐ'pry:fn̩] *vt* ❶ (*durchchecken*) to vet; *Papiere, Rechnung* to check (**auf** for) ❷ (*die Funktion von etw nachprüfen*) to examine ❸ (*erneut bedenken*) to examine **Über·prü·fung** *f* ❶ *kein pl* (*das Durchchecken*) vetting *no pl;* (*das Kontrollieren*) check ❷ (*Funktionsprüfung*) check ❸ (*erneutes Bedenken*) review

über·que·ren* [y:bɐ'kve:rən] *vt* ❶ (*sich*

über etw hinweg bewegen) to cross [over] ❷ (*über etw hinwegführen*) to lead over

über·ra·gen*1 [y:bɐ'ra:gn̩] *vt* ❶ (*größer sein*) to tower above (**um** by); (*um ein kleineres Maß*) to be taller than ❷ (*über etw vorstehen*) ■**etw ~** to jut out over sth ❸ (*übertreffen*) to outclass

über|ra·gen2 ['y:bɐra:gn̩] *vi* (*überstehen*) to project **über·ra·gend** *adj* outstanding; *Bedeutung* paramount; *Qualität* superior

über·ra·schen* [y:bɐ'raʃn̩] *vt* ❶ (*unerwartet erscheinen*) to surprise (**mit** with) ❷ (*ertappen*) ■**jdn bei etw** *dat* **~** to surprise sb doing sth; ■**jdn dabei ~, wie jd etw tut** to catch sb doing sth ❸ (*überraschend erfreuen*) to surprise (**mit** with); **lassen wir uns ~!** (*fam*) let's wait and see [what happens] ❹ (*erstaunen*) to surprise; (*stärker*) to astound ❺ (*unerwartet überfallen*) ■**jdn ~** to take sb by surprise; **vom Regen überrascht werden** to get caught in the rain

über·ra·schend I. *adj* unexpected **II.** *adv* unexpectedly

über·ra·schen·der·wei·se *adv* surprisingly

Über·ra·schung <-, -en> *f* ❶ *kein pl* (*Erstaunen*) surprise *no pl;* (*stärker*) astonishment *no pl;* **voller ~** completely surprised ❷ (*etwas Unerwartetes*) surprise; **eine ~ für jdn kaufen** to buy something as a surprise for sb; ■[**für jdn**] **eine ~ sein** to come as a surprise [to sb]

Über·ra·schungs·ef·fekt *m* surprise effect; *von Plan* element of surprise

Über·re·ak·ti·on *f* overreaction *no pl*

über·re·den* [y:bɐ're:dn̩] *vt* to persuade; ■**jdn zu etw** *dat* **~** to talk sb into sth

über·re·gi·o·nal *adj* national

über·rei·chen* [y:bɐ'raɪçn̩] *vt* ■**jdm etw ~** to hand over *sep* sth to sb; (*feierlich*) to present sth to sb

über·reich·lich I. *adj* [more than] ample **II.** *adv* **~ speisen/trinken** to eat/drink more than ample; **jdn ~ bewirten** to provide sb with [more than] ample fare

Über·rei·chung <-, -en> *f* presentation

über·reizt *adj* ❶ (*überanstrengt*) overstrained; **~ e Nerven** overstrained [*or* overwrought] nerves ❷ (*übererregt*) overexcited

Über·rest *m meist pl* remains *npl;* **jds sterbliche ~ e** sb's [mortal] remains

über·rol·len* [y:bɐ'rɔlən] *vt* ■**jdn/etw ~** to run over sb/sth; *Panzer* to roll over sb/sth **über·rum·peln*** [y:bɐ'rʊmpl̩n] *vt* ■**jdn ~** to take sb by surprise **über·run·den*** [y:bɐ'rʊndn̩] *vt* ■**jdn ~** ❶ SPORT to lap sb ❷ (*leistungsmäßig übertreffen*) to outstrip sb; *Schüler* to run rings round sb

übers ['yːbɐs] = **über das** (*fam*) *s.* **über**

über·sät [yːbɐˈzɛːt] *adj* covered

über·sät·tigt *adj* sated *form,* satiated *form*

über·säu·ern* *vt* to overacidify

Über·schall·flug·zeug *nt* supersonic aircraft

über·schat·ten* [yːbɐˈʃatn̩] *vt* ▪ **etw ~** to cast a shadow over sth

über·schät·zen* [yːbɐˈʃɛtsn̩] *vt* to overestimate; ▪ **sich ~** to think too highly of oneself

über·schau·bar *adj* ❶ (*abschätzbar*) *Größe* manageable; *Kosten, Preis* clear; *Risiko* contained ❷ (*einen begrenzten Rahmen habend*) tightly structured

Über·schau·bar·keit <-> *f kein pl* comprehensibility *no pl*

über·schau·en* [yːbɐˈʃaʊən] *vt* (*geh*) *s.* **überblicken**

über|schäu·men ['yːbɐʃɔymən] *vi sein* ❶ (*mit Schaum überlaufen*) to foam over ❷ (*fig: ganz ausgelassen sein*) ▪ **vor etw** *dat* ~ to brim [over] with sth

über·schla·fen* [yːbɐˈʃlaːfn̩] *vt irreg* ▪ **etw ~** *Frage, Problem* to sleep on sth

Über·schlag *m* ❶ SPORT handspring; **einen ~ machen** to do a handspring ❷ (*überschlägliche Berechnung*) [rough] estimate

über·schla·gen*¹ [yːbɐˈʃlaːgn̩] *irreg* **I.** *vt* ❶ (*beim Lesen auslassen*) to skip [over] ❷ (*überschläglich berechnen*) to [roughly] estimate **II.** *vr* ❶ (*eine vertikale Drehung ausführen*) *sich ~ Mensch* to fall head over heels; *Fahrzeug* to overturn ❷ (*rasend schnell aufeinanderfolgen*) ▪ **sich ~** to come thick and fast ❸ (*besonders beflissen sein*) **sich [vor Freundlichkeit/Hilfsbereitschaft] ~** to fall over oneself to be friendly/helpful ❹ (*schrill werden*) ▪ **sich ~** to crack

über|schla·gen² ['yːbɐʃlaːgn̩] *irreg* **I.** *vt* **haben die Beine ~** to cross one's legs; **mit ~en Beinen sitzen** to sit cross-legged **II.** *vi sein* ❶ (*fig*) ▪ **in etw** *akk* ~ to turn into sth ❷ (*brechen*) to overturn; **die Wellen schlugen über** the waves broke ❸ (*übergreifen*) to spread (**auf** to)

über|schnap·pen *vi sein* (*fam*) ❶ (*verrückt werden*) to crack [up] ❷ (*schrill werden*) to crack

über·schnei·den* [yːbɐˈʃnaɪdn̩] *vr irreg* ❶ (*sich zeitlich überlappen*) ▪ **sich ~** to overlap (**um** by) ❷ (*sich mehrfach kreuzen*) ▪ **sich ~** to intersect

über·schrei·ben* [yːbɐˈʃraɪbn̩] *vt irreg* ❶ (*betiteln*) to head ❷ (*darüber schrei-

ben*) to write over; INFORM to overwrite ❸ (*übertragen*) ▪ **jdm etw ~** to sign over sth to sb

über·schrei·ten* [yːbɐˈʃraɪtn̩] *vt irreg* ❶ (*geh: zu Fuß überqueren*) to cross [over] ❷ (*über etw hinausgehen*) to exceed (**um** by) ❸ (*sich nicht im Rahmen von etw halten*) to overstep

Über·schrei·tung <-, -en> *f* ❶ (*Überquerung*) crossing ❷ (*das Überschreiten*) exceeding

Über·schrift *f* title; *einer Zeitung* headline

Über·schussᴿᴿ *m,* **Über·schuß**ᴬᴸᵀ *m* ❶ (*Reingewinn*) profit ❷ (*überschüssige Menge*) surplus *no pl* (**an** of)

über·schüs·sig ['yːbɐʃʏsɪç] *adj* surplus *attr*

über·schüt·ten* [yːbɐˈʃʏtn̩] *vt* ❶ (*übergießen*) ▪ **etw mit etw** *dat* ~ to pour sth over sth ❷ (*bedecken*) to cover ❸ (*überhäufen*) to inundate; **jdn mit Geschenken/Komplimenten ~** to shower sb with presents/compliments; **jdn mit Vorwürfen ~** to heap accusations on sb

Über·schwang <-[e]s> *m kein pl* exuberance *no pl;* **im ersten ~** in the first flush of excitement

über·schwäng·lichᴿᴿ **I.** *adj* effusive **II.** *adv* effusively

über·schwem·men* [yːbɐˈʃvɛmən] *vt* ❶ (*überfluten*) to flood ❷ (*in Mengen hineinströmen*) to pour into ❸ (*mit großen Mengen eindecken*) to flood (**mit** with)

Über·schwem·mung <-, -en> *f* flood[ing *no pl*]

Über·schwem·mungs·ge·biet *nt* flood area **Über·schwem·mungs·ka·ta·stro·phe** *f* flood disaster

über·schweng·lichᴬᴸᵀ ['yːbɐʃvɛŋlɪç] *adj, adv s.* **überschwänglich**

Über·see ['yːbɐzeː] *kein art* ▪ **aus ~** from overseas; ▪ **in ~** overseas; ▪ **nach ~** overseas

über·seh·bar [yːbɐˈzeːbaːɐ̯] *adj* ❶ (*abschätzbar*) *Auswirkungen* containable; *Dauer, Kosten, Schäden* assessable; *Konsequenzen* clear; ▪ **etw ist ~/noch nicht ~** sth is in sight/sth is still not known ❷ (*mit Blicken erfassen*) visible

über·se·hen*¹ [yːbɐˈzeːən] *vt irreg* ❶ (*versehentlich nicht erkennen*) to overlook ❷ (*abschätzen*) to assess ❸ (*mit Blicken erfassen*) to have a view of

über|se·hen² ['yːbɐzeːən] *vr irreg* ▪ **sich an etw** *dat* ~ to get tired of seeing sth

über·set·zen*¹ [yːbɐˈzɛtsn̩] **I.** *vt* to translate; **etw [aus dem Polnischen] [ins

Französische| ~ to translate sth [from Pol-ish] [into French] **II.** *vi* **aus dem Deutschen ins Englische** ~ to translate from German to English

über|set·zen² [yːˈbɛzɛtsn̩] **I.** *vt haben* ■ **jdn** ~ to ferry across *sep* sb **II.** *vi sein* to cross [over]

Über·set·zer(in) *m(f)* translator

Über·set·zung¹ <-, -en> *f* TECH transmission ratio

Über·set·zung² <-, -en> *f* ❶ (*übersetzter Text*) translation ❷ *kein pl* (*das Übersetzen*) translation *no pl*

Über·set·zungs·bü·ro *nt* translation agency

Über·sicht <-, -en> *f* ❶ *kein pl* (*Überblick*) overall view; **die ~ verlieren** to lose track of things ❷ (*knappe Darstellung*) outline

über·sicht·lich **I.** *adj* ❶ (*rasch erfassbar*) clear ❷ (*gut zu überschauen*) open *attr;* ■ ~ **sein** to offer a clear view [on all sides]; (*wenig Deckung bietend*) to be exposed; ■ **nicht ~ sein** to impede the/one's view [on all sides] **II.** *adv* ❶ (*rasch erfassbar*) clearly ❷ (*gut überschaubar*) **etw ~ anlegen** to give sth an open layout

Über·sicht·lich·keit <-> *f kein pl* ❶ (*rasche Erfassbarkeit*) clarity *no pl* ❷ (*übersichtliche Anlage*) openness *no pl*

über|sie·deln [yːbeˈziːdl̩n] *vi sein* to move (**in/nach** to) **Über·sied·ler(in)** *m(f)* migrant; (*Einwanderer*) immigrants; (*Auswanderer*) emigrants **über·sinn·lich** *adj* paranormal

über·spannt *adj* ❶ (*übertrieben*) extravagant ❷ (*exaltiert*) eccentric ❸ (*überanstrengt*) overwrought

über·spie·len*¹ [yːbeˈʃpiːlən] *vt* (*audiovisuell übertragen*) to record (**auf** on[to]); **etw auf Kassette** ~ to tape sth

über·spie·len*² [yːbeˈʃpiːlən] *vt* (*verdecken*) to cover up *sep* (**durch** with)

über·spitzt **I.** *adj* exaggerated **II.** *adv* in an exaggerated fashion

über·sprin·gen*¹ [yːbeˈʃprɪŋən] *vt irreg* ❶ (*über etw hinwegspringen*) to jump; *Mauer* to vault ❷ (*auslassen*) to skip [over] ❸ SCH *Klasse* to skip

über|sprin·gen² [ˈyːbeʃprɪŋən] *vi irreg sein* ❶ (*sich übertragen*) *a.* MED to spread (**auf** to) ❷ (*plötzlich übergreifen*) to spread quickly

über·ste·hen*¹ [yːbeˈʃteːən] *vt* (*durchstehen*) to come through; **die Belastung** ~ to hold out under the stress; *Krankheit, Operation* to get over; **die nächsten Tage** ~ to live through the next few days; **jetzt**

haben wir es überstanden (*fam*) thank heavens that's over now

über|ste·hen² [ˈyːbeʃteːən] *vi irreg sein o haben* (*herausragen*) to jut out, to project

über·stei·gen* [yːbeˈʃtaɪɡn̩] *vt irreg* ❶ (*über etw klettern*) to climb over; *Mauer* to scale ❷ (*über etw hinausgehen*) to exceed **über·stim·men*** [yːbeˈʃtɪmən] *vt* ❶ (*mit Stimmenmehrheit besiegen*) to outvote ❷ (*mit Stimmenmehrheit ablehnen*) to defeat **über·stra·pa·zie·ren*** *vt* ❶ (*zu sehr ausnutzen*) to abuse ❷ (*zu oft verwenden*) to wear out *sep* **über|stül·pen** *vt* ■ **jdm/sich etw** ~ to slip sth over sb's/one's head **Über·stun·de** *f* hour of overtime; ■ ~ **n** overtime *no pl;* ~ **n machen** to do overtime **über·stür·zen*** [yːbeˈʃtʏrtsn̩] **I.** *vt* ■ **etw** ~ to rush into sth **II.** *vr* ■ **sich** ~ to follow in quick succession; *Nachrichten a.* to come thick and fast

über·stürzt **I.** *adj* overhasty, rash, precipitate *form* **II.** *adv* overhastily, rashly, precipitately *form;* ~ **handeln** to go off at half cock *fam,* to go off half-cocked *fam* **über·ta·rif·lich** *adj, adv* above the agreed rate

über·teu·ert [yːbeˈtɔyet] *adj* overexpensive **über·tö·nen*** *vt* ■ **jdn** ~ to drown [out *sep*] sb['s words/screams/etc.]; ■ **etw** ~ to drown [out *sep*] sth **Über·topf** *m* flower pot holder

Über·trag <-[e]s, Überträge> [ˈyːbetraːk, *pl* -trɛːɡə] *m* FIN carryover

über·trag·bar [yːbeˈtraːkbaːɐ̯] *adj* ❶ (*durch Infektion weiterzugeben*) communicable *form* (**auf** to); (*durch Berührung*) contagious ❷ (*anderweitig anwendbar*) to be applicable (**auf** to) ❸ (*von anderen zu benutzen*) ■ ~ **sein** to be transferable

über·tra·gen*¹ [yːbeˈtraːɡn̩] *irreg* **I.** *vt* ❶ (*senden*) to broadcast ❷ (*geh: übersetzen*) to translate ❸ (*infizieren*) to communicate (**auf** to) ❹ (*von etw woanders eintragen*) to transfer (**auf** to, **in** into) ❺ (*übergeben*) *Besitz* to transfer (**auf** to); ■ **jdm die Verantwortung** ~ to entrust sb with the responsibility; ■ **jdm ein Recht** ~ to assign sb a right ❻ (*überspielen*) to record (**auf** on) ❼ (*anwenden*) to apply (**auf** to) ❽ TECH to transmit (**auf** to) **II.** *vr* ❶ MED ■ **sich** [**auf jdn**] ~ to be communicated [to sb] ❷ (*ebenfalls beeinflussen*) ■ **sich auf jdn** ~ to spread to sb

über·tra·gen² [yːbeˈtraːɡn̩] **I.** *adj* figurative; (*durch Metapher*) transferred **II.** *adv* figuratively

Über·trä·ger(in) [yːbeˈtrɛːɡe] *m(f)* MED carrier

Über·tra·gung <-, -en> f ❶ (*das Senden*) transmission *no pl*; (*übertragene Sendung*) broadcast ❷ (*geh: das Übersetzen*) translation *no pl* ❸ (*das Infizieren*) transmission *no pl* ❹ (*das Eintragen an andere Stelle*) carryover ❺ *von Verantwortung* entrusting *no pl* ❻ JUR transfer; *von Rechten a.* assignment *no pl* ❼ (*das Anwenden*) application *no pl* (**auf** to) ❽ *kein pl* TECH transmission *no pl* (**auf** to)

über·tref·fen* [y:bɐ'trɛfn̩] *vt irreg* ❶ (*besser/größer sein*) to surpass (**an/in** in) ❷ (*über etw hinausgehen*) to exceed (**um** by)

über·trei·ben* [y:bɐ'traɪbn̩] *irreg* I. *vi* to exaggerate II. *vt* to overdo; ▪ **ohne zu ~** I'm not joking

Über·trei·bung <-, -en> f exaggeration

über|tre·ten¹ [y:bɐtre:tn̩] *vi irreg sein* ❶ (*konvertieren*) to convert (**zu** to) ❷ SPORT to overstep ❸ (*übergehen*) ▪ **in etw** *akk* ~ to enter sth

über·tre·ten*² [y:bɐ'tre:tn̩] *vt irreg Gesetz, Vorschrift* to break

Über·tre·tung <-, -en> [y:bɐ'tre:rʊŋ] f ❶ (*das Übertreten*) violation *no pl* ❷ (*strafbare Handlung*) misdemeanour

über·trie·ben I. *adj* exaggerated; (*zu stark*) excessive II. *adv* excessively

Über·tritt m ▪ **der/ein/jds ~ zu etw** *dat* the/a/sb's conversion to sth

über·trump·fen* [y:bɐ'trʊmpfn̩] *vt* ▪ **jdn/etw ~** to outdo sb/surpass sth

über·tün·chen* [y:bɐ'tʏnçn̩] *vt* ▪ **etw ~** (*fig*) to whitewash sth; *Problem* to cover up sth *sep* **über·voll** *adj* ❶ (*mehr als voll*) full to the brim [*or* to overflowing] *pred*; **ein ~er Teller** a heaped[-up] plate ❷ (*überfüllt*) crowded; ▪ **~ sein** to be overcrowded [*or fam* crammed] **über·vor·sich·tig** *adj* over[ly] cautious

über·wa·chen* [y:bɐ'va:xn̩] *vt* ❶ (*heimlich kontrollieren*) ▪ **jdn/etw ~** to keep sb/sth under surveillance ❷ (*durch Kontrollen sicherstellen*) to supervise; *Kamera* to monitor

Über·wa·chung <-, -en> f ❶ (*das heimliche Kontrollieren*) surveillance *no pl*; *eines Telefons* bugging *no pl* ❷ (*das Überwachen*) supervision *no pl*; (*durch eine Kamera*) monitoring *no pl*

Über·wa·chungs·ka·me·ra f security camera **Über·wa·chungs·staat** m police state **Über·wa·chungs·sys·tem** nt surveillance system

über·wäl·ti·gen* [y:bɐ'vɛltɪgn̩] *vt* ❶ (*bezwingen*) to overpower ❷ (*geh: übermannen*) ▪ **etw überwältigt jdn** sth over-

whelms sb

über·wäl·ti·gend *adj* overwhelming; *Schönheit* stunning; *Sieg* crushing

über|wech·seln [y:bɐvɛksl̩n] *vi sein* ❶ (*sich jd anderem anschließen*) to go over (**zu** to); ▪ **zu jdm ~** to go over to sb's side ❷ (*ausscheren*) ▪ **auf etw** *akk* ~ to move [in]to sth ❸ (*umsatteln*) ▪ **von etw** *dat* **zu etw** *dat* ~ to change from sth to sth

über·wei·sen* [y:bɐ'vaɪsn̩] *vt irreg* ❶ (*durch Überweisung gutschreiben lassen*) to transfer ❷ (*durch Überweisung hinschicken*) to refer (**an** to)

Über·wei·sung <-, -en> f ❶ (*Anweisung von Geld*) transfer ❷ (*das Überweisen*) referral (**an** to); (*Überweisungsformular*) referral form

Über·wei·sungs·auf·trag m banker's order **Über·wei·sungs·for·mu·lar** nt transfer form

über·wie·gen* [y:bɐ'vi:gn̩] *irreg* I. *vi* (*hauptsächlich vorkommen*) to be predominant II. *vt* (*vorherrschen*) to prevail; *Vorteile, Nachteile* to outweigh

über·wie·gend [y:bɐ'vi:gn̩t] I. *adj* predominant; *Mehrheit* vast II. *adv* mainly

über·win·den* [y:bɐ'vɪndn̩] *irreg* I. *vt* ❶ (*nicht länger an etw festhalten*) to overcome ❷ (*im Kampf besiegen*) to defeat ❸ (*ersteigen*) to surmount II. *vr* ▪ **sich ~** to overcome one's feelings/inclinations etc.; ▪ **sich zu etw** *dat* ~ to force oneself to do sth

Über·win·dung <-> f *kein pl* ❶ (*das Überwinden*) overcoming *no pl*; *Minenfeld* negotiation *no pl* ❷ (*Selbst~*) conscious effort; **jdn ~ kosten[, etw zu tun]** to take sb a lot of will power [to do sth]

über·win·tern* [y:bɐ'vɪntɐn] *vi* to [spend the] winter; *Pflanzen* to overwinter; (*Winterschlaf halten*) to hibernate

Über·zahl f *kein pl* the greatest number; ▪ **in der ~ sein** to be in the majority; *Feind* to be superior in number

über·zäh·lig *adj* (*überschüssig*) surplus *attr*; (*übrig*) spare

über·zeich·nen* [y:bɐ'tsaɪçnən] *vt* (*geh*) to overdraw

über·zeu·gen* [y:bɐ'tsɔygn̩] I. *vt* to convince (**von** of); (*umstimmen a.*) to persuade II. *vi* ❶ (*überzeugend sein*) to be convincing ❷ (*eine überzeugende Leistung zeigen*) ▪ **bei etw** *dat* ~ to prove oneself in sth III. *vr* ▪ **sich [selbst]** ~ to convince oneself; **~ Sie sich selbst!** [go and] see for yourself

über·zeu·gend I. *adj* convincing; (*umstimmend a.*) persuasive II. *adv* convincingly

über·zeugt *adj* convinced (**von** of); |**sehr**| **von sich ~ sein** to be |very| sure of oneself

Über·zeu·gung <-, -en> [yːbɐˈtsɔ͜yɡʊŋ] *f* convictions *npl;* **zu der ~ gelangen, dass ...** to become convinced that ...; **der** |**festen**| **~ sein, dass ...** to be |firmly| convinced that ...

Über·zeu·gungs·kraft *f kein pl* persuasiveness *no pl*

über·zie·hen*[1] [yːbɐˈtsiːən] *irreg* **I.** *vt* ❶ (*bedecken*) to cover; *Belag* to coat ❷ *Konto* to overdraw (**um** by) ❸ (*überbeanspruchen*) to overrun (**um** by) ❹ (*zu weit treiben*) ▪ **etw ~** to carry sth too far; ▪ **überzogen** exaggerated **II.** *vi* ❶ *Konto* to be overdrawn ❷ *Zeitlimit* to overrun |one's allotted time|

über|zie·hen[2] [ˈyːbɐtsiːən] *vt irreg* ❶ (*anlegen*) ▪ |**sich**| **etw ~** to put on *sep* sth ❷ (*fam: schlagen*) **jdm eins** |**mit etw** *dat*| **~** to give sb a clout |with sth|

Über·zie·hung <-, -en> *f* overdraft

Über·zie·hungs·kre·dit *m* overdraft provision

über·zo·gen *adj* ❶ (*bedeckt*) covered; *Himmel* overcast ❷ FIN *Konto* overdrawn ❸ (*übertrieben*) *Vorstellungen* excessive

über·züch·tet [yːbɐˈtsʏçtət] *adj* overbred; AUTO overdeveloped

Über·zug <-s, Überzüge> *m* ❶ (*überziehende Schicht*) coat|ing|; (*dünner*) film; (*Zuckerguss*) icing, frosting AM ❷ (*Hülle*) cover

üb·lich [ˈyːplɪç] *adj* usual; **es ist bei uns hier** |**so**| **~** that's the custom with us here; **wie ~** as usual

üb·li·cher·wei·se *adv* usually

U-Boot [ˈuːboːt] *nt* submarine

üb·rig [ˈyːbrɪç] *adj* (*restlich*) remaining, rest of *attr;* (*andere a.*) other *attr;* ▪ **die Ü~en** the remaining ones; ▪ **das Ü~e** the rest; ▪ **alles Ü~e** all the rest; |**jdm**| **etw ~ lassen** to leave sth |for sb|; ▪ **~ sein** to be left |over|

üb·rig|blei·ben *vt irreg sein* **es wird ihm gar nichts anderes ~ bleiben** he won't have any choice

üb·ri·gens [ˈyːbrɪɡn̩s] *adv* ❶ (*nebenbei bemerkt*) by the way ❷ (*außerdem*) besides

üb·rig|ha·ben *vt* (*fig*) **für jdn viel ~** to be very fond of sb; **für etw nichts ~** to be not at all interested in sth

Übung[1] <-> [ˈyːbʊŋ] *f kein pl* (*das Üben*) practice *no pl;* **aus der ~ sein** to be out of practice; **das ist alles nur ~** it |all| comes with practice; **zur ~** for practice ▶ **~ macht**

den **Meister** (*prov*) practice makes perfect

Übung[2] <-, -en> [ˈyːbʊŋ] *f* ❶ (*Lehrveranstaltung*) seminar (**zu** on) ❷ (*~sstück*) exercise ❸ SPORT exercise ❹ (*Probeeinsatz*) drill

Übungs·auf·ga·be *f* exercise **Übungs·buch** *nt* book of exercises

UdSSR <-> [uːdeːʔɛsʔɛsˈʔɛr] *f Abk von* **Union der Sozialistischen Sowjetrepubliken** HIST ▪ **die ~** the USSR

UEFA-Cup <-s, -s> [uˈeːfakap] *m,* **UEFA-Po·kal** [uˈeːfa-] *m* ▪ **der ~** the UEFA Cup

Ufer <-s, -> [ˈuːfɐ] *nt* (*Fluss~*) bank; (*See~*) shore; **ans ~ schwimmen** to swim ashore/to the bank; **über die ~ treten** to break its banks; **am ~** on the waterfront

ufer·los *adj* endless; **ins U~e gehen** (*zu keinem Ende führen*) to go on forever; (*jeden Rahmen übersteigen*) to go up and up

Ufer·pro·me·na·de *f* |riverside/seaside| promenade

Ufo, UFO <-[s], -s> [ˈuːfo] *nt Abk von* **Unbekanntes Flugobjekt** UFO

Ugan·da <-> [uˈɡanda] *nt kein pl* Uganda; *s. a.* **Deutschland**

Ugan·der(in) <-s, -> [uˈɡandɐ] *m(f)* Ugandan; *s. a.* **Deutsche(r)**

ugan·disch [uˈɡandɪʃ] *adj* Ugandan; *s. a.* **deutsch**

U-Haft [ˈuː-] *f* (*fam*) *s.* **Untersuchungshaft**

Uhr <-, -en> [uːɐ] *f* ❶ (*Instrument zur Zeitanzeige*) clock; (*Armband~*) watch; ▪ **nach jds ~** by sb's watch; **auf die ~ sehen** to look at the clock/one's watch; **die ~en** |**auf Sommer-/Winterzeit**| **umstellen** to set the clock/one's watch |to summer/winter time|; **diese ~ geht nach/vor** this watch is slow/fast; (*allgemein*) this watch loses/gains time; ▪ **rund um die ~** round the clock ❷ (*Zeitangabe*) o'clock; **15 ~** 3 o'clock |in the afternoon|, 3 pm; **7 ~ 30** half past 7 |in the morning/evening|, seven thirty |am/pm|; **8 ~ 23** 23 minutes past 8 |in the morning/evening|, eight twenty-three |am/pm|; **10 ~ früh/abends/nachts** ten |o'clock| in the morning/in the evening/at night; **wie viel ~ ist es?** what time is it?; **um wie viel ~?** |at| what time?; **um 10 ~** at ten |o'clock| |in the morning/evening|

Uhr·ma·cher(in) *m(f)* watchmaker/clockmaker **Uhr·werk** *nt* clockwork mechanism **Uhr·zei·ger** *m* hand |of a clock/watch|; **der große/kleine ~** the big |or minute|/small |or hour| hand **Uhr·zei·**

ger·sinn *m* ◾**im** ~ clockwise; ◾**entge-gen dem** ~ anticlockwise, counterclock-wise AM **Uhr·zeit** *f* time [of day]

Uhu <-s, -s> ['u:hu] *m* eagle owl

Ukra·i·ne <-> [ukra'i:nə] *f* ◾**die** ~ [the] Ukraine; *s. a.* **Deutschland**

Ukra·i·ner(in) <-s, -> [ukra'i:nɐ] *m(f)* Ukrainian; *s. a.* **Deutsche(r)**

ukra·i·nisch [ukra'i:nɪʃ] *adj* Ukrainian; *s. a.* **deutsch**

UKW <-> [u:ka've:] *nt kein pl Abk von* **Ultrakurzwelle** ≈ VHF *no pl* (**auf** on)

Ulk <-[e]s, -e> [ʊlk] *m* (*fam*) joke; **aus** ~ for a lark

ul·kig ['ʊlkɪç] *adj* ❶ (*lustig*) funny ❷ (*selt-sam*) odd

Ul·me <-, -n> ['ʊlmə] *f* elm

ul·ti·ma·tiv [ʊltima'ti:f] I. *adj* ◾**eine ~e Forderung/ein ~es Verlangen** an ulti-matum II. *adv* in the form of an ultimatum; **jdn** ~ **auffordern, etw zu tun** to give sb an ultimatum to do sth; *Streitmacht* to de-liver an ultimatum to sb to do sth

Ul·ti·ma·tum <-s, -s *o* Ultimaten> [ʊlti'ma:tʊm, *pl* -ma:tən] *nt* ultimatum; **jdm ein** ~ **stellen** to give sb an ultimatum; *Streitmacht* to deliver an ultimatum to sb

Ul·tra·kurz·wel·le [ʊltra'kʊrtsvɛlə] *f* ❶ (*elektromagnetische Welle*) ultrashort wave ❷ (*Empfangsbereich*) ≈ very high frequency

Ul·tra·schall ['ʊltraʃal] *m* ultrasound *no pl*

Ul·tra·schall·bild *nt* ultrasound picture

Ul·tra·schall·ge·rät *nt* [ultrasound] scan-ner **Ul·tra·schall·un·ter·su·chung** *f* ultrasound

ul·tra·vi·o·lett [ʊltravi̯o'lɛt] *adj* ultraviolet

um [ʊm] I. *präp* +*akk* ❶ (*etw umgebend*) ◾~ **etw** [**herum**] around sth; **ganz um etw** [**herum**] all around sth ❷ (*gegen*) ~ **Ostern/den 15./die Mitte des Monats** [**herum**] around Easter/the 15th/ the middle of the month ❸ (*über*) ~ **etw streiten** to argue about sth ❹ *Unter-schiede im Vergleich ausdrückend* ~ **eini-ges besser** quite a bit better; ~ **einen Kopf größer/kleiner** a head taller/ shorter by a head; ~ **10 cm länger/kür-zer** 10 cm longer/shorter ❺ (*für*) **Minute** ~ **Minute** minute by minute ❻ (*nach allen Richtungen*) ~ **sich schlagen/treten** to hit/kick out in all directions ❼ (*vorüber*) ◾~ **sein** to be over; *Zeit* to be up; *Frist* to expire II. *konj* ◾~ **etw zu tun** [in order] to do sth III. *adv* ~ **die 80 Meter** about 80 metres

um|län·dern *vt* to alter

um·ar·men * [ʊm'ʔarmən] *vt* to embrace;

(*fester*) to hug

Um·ar·mung <-, -en> *f* embrace, hug

Um·bau[1] *m kein pl* rebuilding *no pl,* reno-vation *no pl;* (*zu etw anderem a.*) conver-sion *no pl*

Um·bau[2] <-bauten> *m* renovated/con-verted building; (*Teil von Gebäude*) reno-vated/converted section

um|bau·en[1] ['ʊmbau̯ən] I. *vt* to convert II. *vi* to renovate

um·bau·en *[2] [ʊm'bau̯ən] *vt* to enclose

um|be·nen·nen * *vt irreg* ◾**etw** ~ to re-name sth

Um·be·nen·nung *f* ◾**die ~ von etw** *dat/* **einer S.** *gen* renaming sth

um|be·set·zen * *vt* ❶ FILM, THEAT to recast ❷ POL to reassign

um|be·stel·len * *vt, vi* to change the order

um|bie·gen *irreg* I. *vt haben* ❶ (*durch Bie-gen krümmen*) to bend ❷ (*auf den Rücken biegen*) **jdm den Arm** ~ to twist sb's arm [behind sb's back] II. *vi sein* ❶ (*kehrtma-chen*) to turn back ❷ (*abbiegen*) **nach links/rechts** ~ to take the left/right road/ path/etc.; *Pfad, Straße* to bend to the left/ right

um|bil·den *vt* to reshuffle

Um·bil·dung *f* reshuffle

um|bin·den ['ʊmbɪndn̩] *vt irreg* ◾**jdm etw** ~ to put sth around sb's neck; (*mit Knoten a.*) to tie sth around sb's neck; ◾**sich** *dat* **etw** ~ to put on *sep* sth; (*mit Knoten a.*) to tie on *sep* sth

um|blät·tern *vi* to turn over

um|bli·cken *vr* ❶ (*nach hinten blicken*) ◾**sich** ~ to look back; ◾**sich nach jdm/ etw** ~ to turn round to look at sb/sth ❷ (*zur Seite blicken*) **sich nach links/ rechts** ~ to look to the left/right; (*vor Stra-ßenüberquerung a.*) to look left/right; **sich nach allen Seiten** ~ to look in all direc-tions

um|brin·gen *irreg* I. *vt* to kill; (*vorsätzlich a.*) to murder (**durch** with); **jdn mit einem Messer** ~ to stab sb to death II. *vr* ◾**sich** ~ to kill oneself ▸ **sich** [**fast**] **vor Freundlichkeit/Höflichkeit** ~ to [practi-cally] fall over oneself to be friendly/polite

Um·bruch ['ʊmbrʊx, *pl* 'ʊmbrʏçə] *m* ❶ (*grundlegender Wandel*) radical change ❷ *kein pl* TYPO making up *no pl*

um|bu·chen I. *vt* ❶ *Reise* ◾**etw** ~ to alter one's booking/reservation for sth (**auf** to); **den Flug auf einen anderen Tag** ~ to change one's flight reservation to another day ❷ *Geld* to transfer (**auf** to) II. *vi* to alter one's booking/reservation (**auf** to)

um|de·fi·nie·ren * [ʊmdefi'ni:rən] *vt* to redefine

um|den·ken *vi irreg* ■[in etw *dat*] ~ to change one's ideas/views [of sth]

um|dis·po·nie·ren* *vi* to change one's plans

um|dre·hen I. *vt haben* ❶ (*auf die andere Seite drehen*) to turn over *sep* ❷ (*herumdrehen*) to turn II. *vr haben* ■**sich** ~ to turn round III. *vi sein o haben* to turn round; *Mensch a.* to turn back

Um·dre·hung [ʊmˈdreːʊŋ] *f* AUTO revs *pl*

Um·dre·hungs·zahl *f* number of revolutions per minute/second

um·ei·nan·der [ʊmʔaɪˈnandɐ] *adv* about each other; **wir haben uns nie groß ~ gekümmert** we never really had much to do with each other

um|er·zie·hen* [ˈʊmɛ̯ɐtsiːən] *vt irreg* to re-educate

um|fah·ren¹ [ˈʊmfaːrən] *irreg vt* (*fam*) ❶ (*überfahren*) to run over *sep* ❷ *Baum etc* to hit

um·fa·hren*² [ʊmˈfaːrən] *vt irreg* (*vor etw ausweichen*) to circumvent *form; Auto a.* to drive around

Um·fah·rung <-, -en> [ʊmˈfaːrʊŋ] *f* ÖSTERR, SCHWEIZ bypass

um|fal·len *vi irreg sein* ❶ (*umkippen*) to topple over; *Baum a.* to fall [down] ❷ (*zu Boden fallen*) to fall over; (*schwerfällig*) to slump to the floor/ground; **tot ~** to drop [down] dead ❸ (*fam: die Aussage widerrufen*) to retract one's statement

Um·fang <-[e]s, Umfänge> *m* ❶ (*Perimeter*) circumference; *eines Baums a.* girth ❷ (*Ausdehnung*) area ❸ (*Ausmaß*) **in großem ~** on a large scale; **in vollem ~** completely

um·fang·reich *adj* extensive; *Buch* thick

um·fas·sen* [ʊmˈfasn̩] *vt* ❶ (*umschließen*) to clasp; (*umarmen*) to embrace ❷ (*aus etw bestehen*) to comprise

um·fas·send [ʊmˈfasn̩t] *adj* ❶ (*weitgehend*) extensive ❷ (*alles enthaltend*) full

Um·feld *nt* sphere

um|for·men *vt* to transform

Um·fra·ge *f* survey; POL [opinion] poll; **eine ~ machen** to hold a survey (**zu/über** on)

um|fül·len *vt* ■**etw** [**in etw** *akk*] ~ to transfer sth [into sth]; **Wein in eine Karaffe ~** to decant wine

um|funk·ti·o·nie·ren* *vt* to turn (**zu** into)

Um·gang <-gänge> *m* ❶ (*gesellschaftlicher Verkehr*) dealings *pl;* **kein ~ für jdn sein** to be not fit company for sb ❷ (*Beschäftigung*) ■**jds ~ mit etw** *dat* sb's having to do with sth

um·gäng·lich [ˈʊmgɛŋlɪç] *adj* friendly;

(*entgegenkommend*) obliging

Um·gangs·for·men *pl* [social] manners *pl*

Um·gangs·spra·che *f* ❶ LING colloquial speech *no pl;* **die griechische ~** colloquial Greek ❷ (*übliche Sprache*) **in dieser Schule ist Französisch die ~** the language spoken at this school is French **um·gangs·sprach·lich** *adj* colloquial **Um·gangs·ton** *m* tone

um·gar·nen* [ʊmˈgarnən] *vt* (*geh*) to ensnare

um·ge·ben* [ʊmˈgeːbn̩] *irreg* I. *vt* ❶ (*einfassen*) to surround ❷ (*sich rings erstrecken*) **etw von drei Seiten ~** to lie to three sides of sth II. *vr* ■**sich mit jdm/ etw** ~ to surround oneself with sb/sth

Um·ge·bung <-, -en> [ʊmˈgeːbʊŋ] *f* ❶ (*umgebende Landschaft*) environment, surroundings *pl; einer Stadt a.* environs *npl;* (*Nachbarschaft*) vicinity ❷ (*jdn umgebender Kreis*) people around one

um|ge·hen¹ [ˈʊmgeːən] *vi irreg sein* ❶ (*behandeln*) to treat; **mit jdm nicht ~ können** to not know how to handle sb; **mit etw** *dat* **gleichgültig/vorsichtig ~** to handle sth indifferently/carefully ❷ *Gerücht* to circulate ❸ (*spuken*) **im Schloss geht ein Gespenst um** the castle is haunted [by a ghost]

um·ge·hen*² [ʊmˈgeːən] *vt irreg* ❶ (*vermeiden*) to avoid ❷ (*an etw vorbei handeln*) to circumvent *form*

um·ge·hend [ˈʊmgeːənt] I. *adj* immediate II. *adv* immediately

Um·ge·hung¹ <-, -en> [ʊmˈgeːʊŋ] *f* ❶ (*das Vermeiden*) avoidance *no pl* ❷ (*das Umgehen*) circumvention *no pl form*

Um·ge·hung² <-, -en> [ʊmˈgeːʊŋ] *f,* **Um·ge·hungs·stra·ße** *f* bypass

um·ge·kehrt I. *adj* reverse *attr;* **in ~er Reihenfolge** in reverse order; (*rückwärts*) backwards; *Richtung* opposite; [**es ist**] **gerade ~!** just the opposite! II. *adv* the other way round

Um·ge·stal·tung <-, -en> *f* reorganization *no pl; von Gesetzeswerk, Verfassung* reformation *no pl; eines Parks, Schaufensters* redesign *no pl; Anordnung* rearrangement *no pl*

um|ge·wöh·nen* *vr* ■**sich** ~ to re-adapt

um|gra·ben *vt irreg* to dig over *sep*

Um·hang <-[e]s, Umhänge> *m* cape

um|hän·gen¹ [ˈʊmhɛŋən] *vt* (*umlegen*) ■**sich** *dat* **etw** ~ to put on *sep* sth; ■**jdm etw ~** to wrap sth around sb

um|hän·gen² [ˈʊmhɛŋən] *vt* (*woanders hinhängen*) ■**etw ~** to rehang sth, to hang sth somewhere else

Um·hän·ge·ta·sche *f* shoulder bag

um|hau·en ['ʊmhaʊ̯ən] *vt irreg* (*fam*) **①** (*fällen*) to chop down *sep; Bäume* to fell **②** (*völlig verblüffen*) to stagger **③** (*lähmen*) to knock out *sep*

um·her [ʊm'heːɐ̯] *adv* around; **überall ~** everywhere; **weit ~** all around

um·her|bli·cken [ʊm'heːɐ̯blɪkn̩] *vi* to glance around **um·her|ge·hen** *vi irreg sein* **|in etw** *dat* ~ to walk about sth **um·her|ir·ren** *vi sein* to wander about **um·her|lau·fen** *vi irreg sein* ■ **|in etw** *dat*| ~ to walk around |sth|; (*rennen*) to run around |sth| **um·her|zie·hen** *vi irreg sein* to wander [*or* roam] about [*or* around]

um·hin|kön·nen [ʊm'hɪnkœnən] *vi irreg* **jd kann nicht umhin, etw zu tun** sb cannot avoid doing sth

um|hö·ren *vr* ■ **sich ~** to ask around

um·ju·belt *adj* extremely popular

um·kämpft [ʊm'kɛmpft] *adj* disputed

Um·kehr <-> ['ʊmkeːɐ̯] *f kein pl* turning back

um|kehr·bar *adj* reversible; ■ **nicht ~** irreversible

um|keh·ren I. *vi sein* to turn back **II.** *vt haben* (*geh*) to reverse

Um·keh·rung <-, -en> *f* (*geh*) reversal

um|kip·pen I. *vi sein* **①** (*seitlich umfallen*) to tip over; *Stuhl, Fahrrad* to fall over **②** (*fam: bewusstlos zu Boden fallen*) to pass out **③** (*sl: die Meinung ändern*) to come round **④** ÖKOL to become polluted **⑤** (*ins Gegenteil umschlagen*) ■ **in etw** *akk* ~ to turn into sth; **seine Laune kann von einer Minute auf die andere ~** his mood can blow hot and cold from one minute to the next **II.** *vt haben* to tip over *sep*

um·klam·mern* [ʊm'klamɐn] *vt* **①** (*sich an jdm festhalten*) ■ **jdn ~** to cling [on] to sb **②** (*fest umfassen*) ■ **etw ~** to hold sth tight

Um·klam·me·rung <-, -en> *f* **①** *kein pl* (*Umarmung*) embrace **②** (*umklammernder Griff*) clutch; SPORT clinch

um|klap·pen *vt* to fold down *sep*

Um·klei·de·ka·bi·ne *f* changing cubicle [*or* AM stall]

Um·klei·de·raum *m* changing room

um|kni·cken I. *vi sein* **①** (*brechen*) *Stab, Zweig* to snap **②** (*zur Seite knicken*) |**mit dem Fuß**| ~ to twist one's ankle **II.** *vt haben* to snap; (*Papier, Pappe*) to fold over; (*Pflanze, Trinkhalm*) to bend [over]

um|kom·men *vi irreg sein* **①** (*sterben*) to be killed (**bei/in** in) **②** (*fam: verderben*) to go off **③** (*fam: es nicht mehr aushalten*) to be unable to stand sth [any longer]; **vor**

Langeweile ~ to be bored to death

Um·kreis *m* vicinity; **im ~ von 100 Metern** within a radius of 100 metres

um·krei·sen* [ʊm'kraɪ̯zn̩] *vt* ASTRON, RAUM to orbit

um|krem·peln *vt* **①** (*aufkrempeln*) ■ **sich** *dat* **etw** *akk* ~ to roll up *sep* sth; (*Hosenbein*) to turn up *sep* **②** (*gründlich durchsuchen*) ■ **etw ~** to turn sth upside down **③** (*grundlegend umgestalten*) ■ **etw/jdn ~** to give sth/sb a good shake up

um|la·den *vt irreg* to reload

um·la·gern* [ʊmla:gɐn] *vt* to surround

Um·land *nt kein pl* surrounding area

Um·lauf ['ʊmlaʊ̯f, *pl* -lɔʏ̯fə] *m* **①** ASTRON rotation **②** (*internes Rundschreiben*) circular **③** (*Weitergabe von Person zu Person*) **etw in ~ bringen** to circulate sth; *Gerücht, Lüge* to spread sth; (*etw kursieren lassen*) *Geld* to put into circulation

Um·lauf·bahn *f* orbit

Um·laut *m* umlaut

um|le·gen ['ʊmle:gn̩] *vt* **①** *Schalter* to turn **②** (*um Körperteil legen*) ■ **jdm/sich etw ~** to put sth around sb/oneself **③** (*flachdrücken*) to flatten **④** (*fällen*) to bring down *sep* **⑤** (*sl: umbringen*) ■ **jdn ~** to do in *sep* sb; (*mit Pistole*) to bump off *sep* sb **⑥** (|*auf einen anderen Zeitpunkt*| *verlegen*) to reschedule (**auf** for)

um|lei·ten *vt* to divert

Um·lei·tung <-, -en> *f* diversion

um·lie·gend ['ʊmliːgn̩t] *adj* surrounding

um|mel·den *vt* **jdn/sich an einen anderen Wohnort ~** to register sb's/one's change of address

um|mün·zen *vt* (*pej fam*) ■ **etw zu etw** *dat* ~ to convert sth into sth

um·nach·tet [ʊm'naxtət] *adj* **geistig ~** |**sein**| (*geh*) |to be| mentally deranged

um|or·ga·ni·sie·ren* *vt* to reorganize

um|pflü·gen ['ʊmpflyːgn̩] *vt* to plough up *sep*

um|pro·gram·mie·ren* *vt* INFORM to reprogram

um·rah·men* [ʊm'raːmən] *vt* **①** (*einrahmen*) to frame **②** HORT to border

um·ran·den* [ʊm'randn̩] *vt* to circle

um|räu·men I. *vi* to rearrange **II.** *vt* **①** (*woandershin räumen*) ■ **etw** |**irgendwohin**| ~ to move sth |somewhere| **②** (*die Möblierung umordnen*) to rearrange

um|rech·nen *vt* to convert (**in** into)

Um·rech·nung <-, -en> *f* conversion

Um·rech·nungs·kurs *m* exchange rate

um·rei·ßen* [ʊm'raɪ̯sn̩] *vt irreg* ■ **etw ~** (*Situation, Lage*) to outline sth; (*Ausmaß,*

Kosten) to estimate sth

um|ren·nen *vt irreg* ∎ **jdn/etw ~** to [run into and] knock sb/sth over

um·rin·gen* [ʊmˈrɪŋən] *vt* ∎ **jdn/etw ~** to surround sb/sth; (*drängend umgeben*) to crowd around sb/sth

Um·rissᴿᴿ *m meist pl,* **Um·riß**ᴬᴸᵀ *m meist pl* contour[s *pl*], outline[s *pl*]; **in Umrissen** in outline

um·ris·sen *adj* well defined; **fest ~e Vorstellungen** clear-cut impressions

um|rüh·ren *vi, vt* to stir

ums [ʊms] = **um das** (*fam*) *s.* **um**

um|sat·teln *vi* (*fam*) [auf einen anderen **Beruf**] **~** to change jobs

Um·satz *m* turnover

Um·satz·stei·ge·rung *f* increase in turnover **Um·satz·steu·er** *f* sales tax

um·säu·men* [ʊmˈzɔymən] *vt* (*geh*) ∎ **etw ~** to line sth

um|schal·ten I. *vi* ❶ RADIO, TV to switch over; **auf einen anderen Kanal/Sender ~** change the channel/station ❷ *Ampel* to change; **auf Rot/Orange/Grün ~** to turn red/amber [*or* AM yellow]/green ❸ (*fam: sich einstellen*) to adapt (**auf** to) **II.** *vt* RADIO, TV (*auf anderen Sender wechseln*) ∎ **etw auf etw** *akk* **~** to switch sth to sth; **das Fernsehgerät/Radio** [*o* SÜDD, ÖSTERR, SCHWEIZ **den Radio**] **~** to change the television channel/radio station

Um·schau *f* **nach jdm/etw ~ halten** to look out for sb/sth

um|schau·en *vr* (*geh*) *s.* **umsehen**

Um·schlag¹ <-[e]s> *m kein pl* ÖKON transfer

Um·schlag² <-[e]s, -schläge> *m* ❶ (*Kuvert*) envelope ❷ (*Buch~*) jacket ❸ MED compress

um|schla·gen¹ [ʊmˈʃlaːɡn̩] *irreg* **I.** *vt haben Kragen* to turn down *sep; Ärmel* to turn up *sep* **II.** *vi sein* METEO to change

um|schla·gen² [ʊmˈʃlaːɡn̩] *vt irreg* (*umladen*) to transfer

Um·schlag·platz *m* place of transshipment

um·schlie·ßen* [ʊmˈʃliːsn̩] *vt irreg* ❶ (*umgeben, umzingeln*) to enclose ❷ (*geh: umarmen*) **jdn/etw mit den Armen ~** to take sb/sth in one's arms ❸ (*eng anliegen*) ∎ **jdn/etw ~** to fit sth closely ❹ (*einschließen*) to include

um·schlin·gen* [ʊmˈʃlɪŋən] *vt irreg* ❶ (*geh: eng umfassen*) to embrace; **jdn mit den Armen ~** to hold sb tightly in one's arms ❷ (*um etw winden*) to twine around

um·schlun·gen *adj* **eng ~** with one's arms tightly around one another; **jdn** [**fest**] **~**

halten (*geh*) to hold sb [tightly] in one's arms

um|schnal·len *vt* ∎ **etw ~** to buckle on *sep* sth

um|schrei·ben¹ [ˈʊmʃraɪbn̩] *vt irreg* ❶ (*grundlegend umarbeiten*) to rewrite ❷ (*im Grundbuch übertragen*) to transfer (**auf** to)

um·schrei·ben*² [ʊmˈʃraɪbn̩] *vt irreg* ❶ (*indirekt ausdrücken*) to talk around ❷ (*beschreiben*) to outline; (*in andere Worten fassen*) to paraphrase

um|schu·len *vt* ❶ (*für andere Tätigkeit ausbilden*) to retrain (**zu** as); ∎ **sich ~ lassen** to undergo retraining ❷ (*auf andere Schule schicken*) ∎ **jdn ~** to transfer sb to another school

Um·schu·lung *f* ❶ (*Ausbildung für andere Tätigkeit*) retraining ❷ SCH transfer

um|schüt·ten *vt* ❶ (*verschütten*) to spill ❷ (*umwerfen*) to upset

um·schwär·men* [ʊmˈʃvɛrmən] *vt* to idolize; (*bedrängen*) to swarm around

Um·schwei·fe [ˈʊmʃvaɪfə] *pl* **ohne ~** without mincing one's words; **keine ~!** stop beating about the bush!

Um·schwung *m* ❶ (*plötzliche Veränderung*) drastic change ❷ SCHWEIZ (*umgebendes Gelände*) surrounding property

um·se·geln* [ʊmˈzeːɡl̩n] *vt* to sail around

um|se·hen *vr irreg* ❶ (*in Augenschein nehmen*) ∎ **sich irgendwo/bei jdm ~** to have [*or esp* AM take] a look around somewhere/in sb's home ❷ (*nach hinten blicken*) ∎ **sich ~** to look back [*or* BRIT round]; ∎ **sich nach jdm/etw ~** to turn to look at sb/sth ❸ (*suchen*) ∎ **sich nach jdm/etw ~** to look around for sb/sth

um·sei·tig [ˈʊmzaɪtɪç] *adj, adv* overleaf

um|set·zen¹ [ˈʊmzɛtsn̩] *vt* ❶ (*an anderen Platz setzen*) to move ❷ (*umwandeln*) to convert (**in** to); **etw in die Praxis ~** to put sth to practice

um|set·zen² [ˈʊmzɛtsn̩] *vt* (*verkaufen*) to turn over

Um·set·zung <-, -en> *f* ❶ (*Übertragung*) transfer; (*Versetzung*) transfer of duties; **~ eines Beamten** transfer of an official to a different position ❷ *Pflanze* transplant[ing]; (*in einen anderen Topf*) repotting ❸ (*Verwirklichung*) realization; *eines Plans* implementation ❹ TECH, PHYS conversion ❺ ÖKON turnover

Um·sicht *f kein pl* prudence

um·sich·tig I. *adj* prudent **II.** *adv* prudently

um|sie·deln I. *vt haben* to resettle **II.** *vi sein* ∎ **irgendwohin ~** to resettle somewhere

Ụm·sied·lung <-, -en> f resettlement

um·sonst [ʊmˈzɔnst] *adv* ❶ (*gratis*) for free, free of charge; (*Werbegeschenk*) to be complimentary ❷ (*vergebens*) in vain; ▪ ~ **sein** to be pointless; **nicht** ~ not without reason

um·sor·gen* [ʊmˈzɔrgṇ] *vt* ▪ **jdn** ~ to look after sb

Ụm·span·ner *m* ELEK [voltage] transformer

um|sprin·gen [ˈʊmʃprɪŋən] *vi irreg sein* ❶ (*grob behandeln*) ▪ **mit jdm grob** ~ to treat sb roughly; **so lasse ich nicht mit mir** ~! I won't be treated like that! ❷ ME-TEO to veer round ❸ *Ampel* to change (**auf** to)

um·spü·len* [ʊmˈʃpyːlən] *vt* (*geh*) to wash around [*or* BRIT round]

Ụm·stand <-[e]s, -stände> *m* ❶ (*wichtige Tatsache*) fact; **mildernde Umstände** JUR mitigating circumstances; **den Umständen entsprechend [gut]** [as good] as can be expected under the circumstances; **unter Umständen** possibly; **unter diesen Umständen hätte ich das nie unterschrieben** I would never have signed this under these circumstances; **unter allen Umständen** at all costs ❷ *pl* (*Schwierigkeiten*) trouble; **nicht viele Umstände [mit jdm/etw] machen** to make short work [of sb/sth]; **ohne [große] Umstände** without a great deal of fuss; **bitte keine Umstände!** please don't put yourself out! ❸ *pl* (*Förmlichkeiten*) fuss; **wozu die Umstände?** what's this fuss all about? ▸ **in anderen** Umständen **sein** to be expecting

um·stän·de·hal·ber *adv* due to circumstances

um·ständ·lich [ˈʊmʃtɛntlɪç] I. *adj* ❶ (*mit großem Aufwand verbunden*) laborious; (*Anweisung, Beschreibung*) elaborate; (*Aufgabe, Reise*) complicated; (*Erklärung, Anleitung*) long-winded; ▪ ~ **sein** to be inconvenient; ▪ **etw ist jdm zu** ~ sth's too much [of a] bother for sb ❷ (*unpraktisch veranlagt*) ▪ ~ **sein** to be awkward II. *adv* ❶ (*weitschweifig*) long-windedly ❷ (*mühselig und aufwändig*) laboriously

Ụm·stands·kleid *nt* maternity dress **Ụm·stands·wort** *nt* s. **Adverb**

um·ste·hend [ˈʊmʃteːənt] *adj attr* ❶ (*ringsum stehend*) surrounding ❷ (*geh*) s. **umseitig**

um|stei·gen *vi irreg sein* ❶ TRANSP to change; **in Mannheim müssen Sie nach Frankfurt** ~ in Mannheim you must change for Frankfurt ❷ (*überwechseln*) to

switch [over] (**auf** to)

um|stel·len¹ [ˈʊmʃtɛlən] I. *vt* ❶ (*anders hinstellen*) to move ❷ (*anders anordnen*) to reorder ❸ (*anders einstellen*) to switch over *sep* (**auf** to); **die Uhr** ~ to turn the clock back/forward ❹ (*zu etw anderem übergehen*) to convert (**auf** to); **die Ernährung** ~ to change one's diet II. *vt* (*zu etw anderem übergehen*) ▪ **auf etw** *akk* ~ to change over to sth III. *vr* (*sich veränderten Verhältnissen anpassen*) ▪ **sich** ~ to adapt (**auf** to)

um|stel·len*² [ʊmˈʃtɛlən] *vt* (*umringen*) ▪ **jdn/etw** ~ to surround sb/sth

Ụm·stel·lung *f* ❶ (*Übergang*) change (**von** from, **auf** to); (*Beheizung, Ernährung*) conversion ❷ (*Anpassung an veränderte Verhältnisse*) adjustment

um|stim·men *vt* ▪ **jdn** ~ to change sb's mind; ▪ **sich [von jdm]** ~ **lassen** to let oneself be persuaded [by sb]

um|sto·ßen *vt irreg* ❶ (*umkippen*) to knock over *sep* ❷ (*rückgängig machen*) to change; (*Plan*) to upset

um·strit·ten [ʊmˈʃtrɪtṇ] *adj* ❶ (*noch nicht entschieden*) disputed ❷ (*in Frage gestellt*) controversial

um|struk·tu·rie·ren* *vt* to restructure **Ụm·struk·tu·rie·rung** *f* restructuring

um|stül·pen [ˈʊmʃtʏlpn̩] *vt* ❶ (*das Innere nach außen kehren*) to turn out *sep* ❷ (*auf den Kopf stellen*) to turn upside down *sep*

Ụm·sturz *m* coup [d'état]

um|stür·zen I. *vi sein* to fall II. *vt haben* ❶ (*umkippen*) to knock over *sep;* (*politisches Regime etc*) to overthrow

Ụm·tausch *m a.* FIN exchange (**gegen** for) **um|tau·schen** *vt* to exchange (**in/gegen** for); ▪ **jdm etw** ~ to exchange sth for sb; (*Währung*) to change (**in** into)

um|top·fen *vt* to repot

Ụm·wäl·zung <-, -en> *f* ❶ *kein pl* TECH circulation ❷ (*grundlegende Veränderung*) revolution

um|wan·deln [ˈʊmvandl̩n] *vt* to convert (**in** into); **wie umgewandelt sein** to be a changed person

Ụm·wand·lung *f* conversion

Ụm·weg *m* detour

Ụm·welt [ˈʊmvɛlt] *f kein pl* environment **um·welt·be·las·tend** *adj* damaging to the environment *pred,* environmentally harmful **Ụm·welt·be·las·tung** *f* environmental damage **um·welt·be·wusst**ᴿᴿ *adj* environmentally aware **Ụm·welt·be·wusst·sein**ᴿᴿ *nt kein pl* environmental awareness **Ụm·welt·ein·fluss**ᴿᴿ *m* environmental impact **Ụm·welt·er·zie·hung** *f* *kein pl* education on environmental issues **Ụm·welt·fak·tor** *m* environmental factor **ụm·welt·feind·lich** *adj* harmful to the environment **ụm·welt·freund·lich** *adj* environmentally friendly **Ụm·welt·ge·fahr** *f* endangering the environment **Ụm·welt·ge·fähr·dung** *f* environmental threat **ụm·welt·ge·recht** *adj* environmentally suitable **Ụm·welt·gift** *nt* environmental pollution **Ụm·welt·ka·ta·stro·phe** *f* ecological disaster **Ụm·welt·kri·mi·na·li·tät** *f* environmental crime **Ụm·welt·mi·nis·ter(in)** *m(f)* Minister for the Environment BRIT, Environmental Secretary AM **Ụm·welt·po·li·tik** *f* environmental policy **Ụm·welt·schä·den** *pl* environmental damage **Ụm·welt·schutz** *m* conservation **Ụm·welt·schüt·zer(in)** *m(f)* environmentalist **Um·welt·schutz·pa·pier** *nt* recycled paper **Ụm·welt·schutz·tech·nik** *f* conservation technology **Ụm·welt·steu·er** *f* ecology tax **Ụm·welt·sün·de** *f* (*fam*) crime against the environment, violation of the environment **Ụm·welt·sün·der(in)** *m(f)* (*fam*) s. **Umweltverschmutzer** 1 **Ụm·welt·tech·no·lo·gie** *f* ❶ (*zum Schutz der Umwelt*) environmental technology ❷ (*umweltschonend*) green technology **Ụm·welt·ver·gif·tung** *f* pollution [of the environment] **Ụm·welt·ver·schmut·zer(in)** <-s, -> *m(f)* ❶ (*die Umwelt verschmutzender Mensch*) **ein ~ sein** to be environmentally irresponsible ❷ (*Quelle der Umweltverschmutzung*) pollutant **Ụm·welt·ver·schmut·zung** *f* pollution **ụm·welt·ver·träg·lich** *adj* environmentally friendly **Ụm·welt·ver·träg·lich·keit** *f kein pl* environmental tolerance **Ụm·welt·ver·träg·lich·keits·prü·fung** *f* environmental assessment **Ụm·welt·vor·schrift** *f* environmental regulation *usu pl* **Ụm·welt·zer·stö·rung** *f* destruction of the environment

um·wer·ben* [ʊmˈvɛrbn̩] *vt irreg* ▪**jdn ~** to woo sb

ụm|wer·fen *vt irreg* ❶ (*zum Umfallen bringen*) to knock over *sep* ❷ (*fam: fassungslos machen*) to bowl over *sep* ❸ (*zunichtemachen*) ▪**etw ~** (*Ordnung, Plan*) to upset sth; (*Vorhaben*) to knock sth on the head ❹ (*rasch umlegen*) ▪**jdm etw ~** to throw sth on sb; **er warf seinen Mantel um** he threw on his coat

ụm·wer·fend *adj* incredible

um·wi·ckeln* [ʊmˈvɪkl̩n] *vt* ▪**etw mit etw** *dat* **~** to wrap sth around sth

um·zäu·nen* *vt* to fence in *sep*

um|zie·hen¹ [ˈʊmtsi:ən] *vi irreg sein* to move [house]

um|zie·hen² [ˈʊmtsi:ən] *vt irreg* ▪**sich ~** to get changed

um·zin·geln* [ʊmˈtsɪŋl̩n] *vt* to surround; (*durch die Polizei*) to cordon off *sep*

Ụm·zug *m* ❶ (*das Umziehen*) move ❷ (*Parade*) parade

Ụm·zugs·kar·ton *m* removal [*or* AM moving] box

UN <-> [uːˈʔɛn] *pl Abk von* **Vereinte Nationen** UN

un·ab·än·der·lich [ʊnʔapˈʔɛndɐlɪç] *adj* unchangeable; (*Tatsache*) well-established; (*Entschluss*) irrevocable, irreversible

un·ab·hän·gig [ˈʊnʔaphɛŋɪç] *adj* ❶ (*von niemandem abhängig*) independent (**von** of) ❷ (*ungeachtet*) ▪**~ von etw** *dat* regardless of sth; **~ davon, ob/wann/was/wie ...** regardless of whether/when/what/how ...; **~ voneinander** separately

Ụn·ab·hän·gig·keit *f kein pl a.* POL independence (**von** of)

Ụn·ab·hän·gig·keits·er·klä·rung *f* declaration of independence

un·ab·kömm·lich [ʊnʔapkœmlɪç] *adj* unavailable

un·ab·läs·sig [ʊnʔapˈlɛsɪç] **I.** *adj* unremitting; (*Lärm*) incessant; (*Versuche, Bemühungen*) unceasing **II.** *adv* incessantly

un·ab·seh·bar [ʊnʔapˈzeːbaːɐ̯] *adj* unforeseeable; (*Schäden*) incalculable

un·ab·sicht·lich [ʊnʔapzɪçtlɪç] **I.** *adj* unintentional; (*Beschädigung*) accidental **II.** *adv* accidentally

un·acht·sam [ˈʊnʔaxtzaːm] *adj* careless; (*unsorgsam*) thoughtless; (*unaufmerksam*) inattentive

Ụn·acht·sam·keit *f* carelessness

un·an·fecht·bar [ʊnʔanˈfɛçtbaːɐ̯] *adj* ❶ JUR incontestable ❷ (*unbestreitbar*) irrefutable; (*Tatsache*) indisputable

un·an·ge·bracht [ˈʊnʔangəbraxt] *adj* ❶ (*nicht angebracht*) misplaced ❷ (*unpassend*) inappropriate

un·an·ge·foch·ten [ˈʊnʔangəfɔxtn̩] **I.** *adj* unchallenged **II.** *adv* without challenger; **er liegt ~ an der Spitze** he remains unchallenged at the top

un·an·ge·mel·det [ˈʊnʔangəmɛldət] *adj, adv* unannounced; (*Patient*) without an appointment

un·an·ge·mes·sen [ˈʊnʔangəmɛsn̩] **I.** *adj* ❶ (*überhöht*) unreasonable ❷ (*nicht angemessen*) inappropriate **II.** *adv* unreasonably

un·an·ge·nehm [ˈʊnʔangənɛːm] **I.** *adj* ❶ (*nicht angenehm*) unpleasant ❷ (*pein-*

lich) ■ **jdm ist etw** ~ sb feels bad about sth ❸ (*unsympathisch*) unpleasant; **sie kann ganz schön werden** she can get quite nasty II. *adv* unpleasantly

un·an·ge·tas·tet [ˈʊnʔaŋgətastət] *adj* untouched

un·an·greif·bar [ˈʊnʔangrạjfbaːɐ̯] *adj* irrefutable, unassailable

Un·an·nehm·lich·keit [ˈʊnʔannɛ·mlɪçkạjt] *f meist pl* trouble *no pl;* ~**en bekommen/haben** to get into/be in trouble

un·an·schau·lich [ʊnanˈʃạu̯lɪç] *adj* abstract

un·an·sehn·lich [ˈʊnʔanzeːnlɪç] *adj* ❶ (*unscheinbar*) unprepossessing ❷ (*heruntergekommen*) shabby

un·an·stän·dig [ˈʊnʔanʃtɛndɪç] I. *adj* ❶ (*obszön*) dirty ❷ (*rüpelhaft*) rude II. *adv* rudely

Un·an·stän·dig·keit <-, -en> *f* ❶ *kein pl* (*obszöne Art*) rudeness, bad manners *pl* ❷ (*Obszönität*) dirt, smut *pej*

un·an·tast·bar [ʊnʔanˈtastbaːɐ̯] *adj* sacrosanct

un·ap·pe·tit·lich [ˈʊnʔapetiːtlɪç] *adj* ❶ (*nicht appetitlich*) unappetizing ❷ (*ekelhaft*) disgusting

Un·art [ˈʊnʔaːɐ̯t] *f* terrible habit

un·ar·tig [ˈʊnʔaːɐ̯tɪç] *adj* naughty

un·äs·the·tisch [ˈʊnʔɛsteːtɪʃ] *adj* unappetizing

un·auf·dring·lich [ˈʊnʔạu̯fdrɪŋlɪç] *adj* ❶ (*dezent*) unobtrusive ❷ (*nicht aufdringlich*) discrete

un·auf·fäl·lig [ˈʊnʔạu̯ffɛlɪç] I. *adj* discrete II. *adv* discretely

un·auf·find·bar [ʊnʔạu̯ffɪntbaːɐ̯] *adj* nowhere to be found; (*Person*) untraceable

un·auf·ge·for·dert [ˈʊnʔạu̯fgəfɔrdət] I. *adj* unsolicited; (*Kommentar, Bemerkung*) uncalled-for II. *adv* without having been asked; ~ **eingesandte Manuskripte** unsolicited manuscripts

un·auf·halt·sam [ʊnʔạu̯fhaltzaːm] I. *adj* unstoppable II. *adv* without being able to be stopped

un·auf·hör·lich [ʊnʔạu̯fhøːɐ̯lɪç] I. *adj* constant II. *adv* ❶ (*fortwährend*) constantly ❷ (*ununterbrochen*) incessantly

un·auf·lös·lich [ʊnʔạu̯fløːslɪç] *adj* ❶ CHEM indissoluble ❷ MATH insoluble ❸ *Widerspruch, Bindung* insoluble

un·auf·merk·sam [ˈʊnʔạu̯fmɛrkaːm] *adj* ❶ (*nicht aufmerksam*) inattentive ❷ (*nicht zuvorkommend*) thoughtless

Un·auf·merk·sam·keit *f kein pl* ❶ (*unaufmerksames Verhalten*) inattentiveness ❷ (*unzuvorkommende Art*) thoughtlessness

un·auf·rich·tig [ˈʊnʔạu̯frɪçtɪç] *adj* insincere (**gegen**[**über**] towards)

un·auf·schieb·bar [ʊnʔạu̯fʃiːpbaːɐ̯] *adj* urgent

un·aus·ge·füllt [ˈʊnʔạu̯sgəfʏlt] *adj* ❶ (*nicht ausgefüllt*) blank ❷ (*nicht voll beansprucht*) unfulfilled

un·aus·ge·gli·chen [ˈʊnʔạu̯sgəglɪçn̩] *adj* unbalanced; (*Mensch*) moody; (*Wesensart*) uneven

Un·aus·ge·gli·chen·heit *f* moodiness

un·aus·ge·schla·fen [ˈʊnʔạu̯sgəʃlaːfn̩] I. *adj* tired II. *adv* not having slept long enough

un·aus·ge·spro·chen *adj* unspoken; ~ **bleiben** to be left unsaid

un·aus·ge·wo·gen *adj* unbalanced

un·aus·lösch·lich [ʊnʔạu̯sˈlœʃlɪç] *adj* (*geh*) indelible

un·aus·rott·bar [ʊnʔạu̯sˈrɔtbaːɐ̯] *adj* deep-rooted, ineradicable

un·aus·sprech·bar [ʊnʔạu̯sˈʃprɛçbaːɐ̯] *adj* unpronounceable

un·aus·sprech·lich [ʊnʔạu̯sˈʃprɛçlɪç] *adj* ❶ (*unsagbar*) inexpressible ❷ *s.* **unaussprechbar**

un·aus·steh·lich [ʊnʔạu̯sˈʃteːlɪç] *adj* intolerable; *Mensch, Art a.* insufferable

un·aus·weich·lich [ʊnʔạu̯sˈvại̯çlɪç] I. *adj* inevitable II. *adv* inevitably

un·bän·dig [ˈʊnbɛndɪç] I. *adj* ❶ (*ungestüm*) boisterous ❷ (*heftig*) enormous; (*Hunger*) huge; (*Wut*) unbridled II. *adv* ❶ (*ungestüm*) boisterously ❷ (*überaus*) enormously

un·barm·her·zig [ˈʊnbarmhɛrtsɪç] I. *adj* merciless II. *adv* mercilessly

Un·barm·her·zig·keit *f* mercilessness

un·be·ab·sich·tigt I. *adj* (*versehentlich*) accidental; (*nicht beabsichtigt*) unintentional II. *adv* accidentally

un·be·ach·tet [ˈʊnbəˀaxtət] I. *adj* overlooked *pred*, unnoticed II. *adv* without any notice

un·be·auf·sich·tigt *adj* unattended

un·be·dacht [ˈʊnbədaxt] I. *adj* thoughtless; (*Handlung*) hasty; ■ ~ **von jdm sein** to be thoughtless [of sb] II. *adv* thoughtlessly; (*handeln*) hastily

un·be·darft [ˈʊnbədarft] *adj* simple-minded

un·be·denk·lich [ˈʊnbədɛŋklɪç] I. *adj* harmless; (*Situation, Vorhaben*) acceptable II. *adv* quite safely

un·be·deu·tend [ˈʊnbədɔy̯tn̩t] I. *adj* ❶ (*nicht bedeutend*) insignificant ❷ (*ge-*

ringfügig) minimal; (*Änderung, Modifikation*) minor **II.** *adv* insignificantly

un·be·dingt ['ʊnbədɪŋt] **I.** *adj attr* absolute **II.** *adv* (*auf jeden Fall*) really; **erinnere mich ~ daran, sie anzurufen** you mustn't forget to remind me to call her; **nicht ~** not necessarily; **~!** absolutely!

un·be·fan·gen ['ʊnbəfaŋən] **I.** *adj* ❶ (*unvoreingenommen*) objective; (*Ansicht*) unbiased ❷ (*nicht gehemmt*) uninhibited **II.** *adv* ❶ (*unvoreingenommen*) objectively; **etw ~ beurteilen** to judge sth impartially ❷ (*nicht gehemmt*) uninhibitedly

Ụn·be·fan·gen·heit *f kein pl* ❶ (*Unvoreingenommenheit*) objectiveness ❷ (*ungehemmte Art*) uninhibitedness

un·be·frie·di·gend ['ʊnbəfri:dɪgnt] **I.** *adj* unsatisfactory; **■~ sein** to be unsatisfactory **II.** *adv* in an unsatisfactory way

un·be·frie·digt ['ʊnbəfri:dɪçt] *adj* unsatisfied (**von** with); (*Gefühl, Mensch*) dissatisfied

un·be·fris·tet ['ʊnbəfrɪstət] **I.** *adj* lasting for an indefinite period; (*Aufenthaltserlaubnis, Visum*) permanent; **■~ sein** to be [valid] for an indefinite period **II.** *adv* indefinitely; **~ gelten** to be valid indefinitely

un·be·fugt ['ʊnbəfu:kt] **I.** *adj* unauthorized **II.** *adv* without authorization

Ụn·be·fug·te(r) *f(m)* unauthorized person

un·be·gabt ['ʊnbəga:pt] *adj* untalented; **für Mathematik bin ich einfach ~** I'm absolutely useless at maths

un·be·greif·lich ['ʊnbəgraɪflɪç] *adj* incomprehensible; (*Dummheit, Leichtsinn*) inconceivable

un·be·grenzt ['ʊnbəgrɛntst] **I.** *adj* unlimited; (*Vertrauen*) boundless **II.** *adv* indefinitely

un·be·grün·det ['ʊnbəgrʏndət] *adj* ❶ (*grundlos*) unfounded; (*Kritik, Maßnahme*) unwarranted ❷ JUR unfounded

un·be·haart ['ʊnbəha:ɐt] *adj* hairless; (*Kopf*) bald

Ụn·be·ha·gen ['ʊnbəha:gn] *nt* apprehension

un·be·hag·lich ['ʊnbəha:klɪç] **I.** *adj* uneasy **II.** *adv* uneasily

un·be·herrscht ['ʊnbəhɛrʃt] **I.** *adj* uncontrolled; **■~ sein** to lack self-control **II.** *adv* ❶ (*ohne Selbstbeherrschung*) without self-control ❷ (*gierig*) greedily

un·be·hol·fen ['ʊnbəhɔlfn̩] **I.** *adj* (*schwerfällig*) clumsy; (*wenig gewandt*) awkward **II.** *adv* clumsily

Ụn·be·hol·fen·heit <-> *f kein pl* clumsiness

un·be·irr·bar [ʊnbə'ʔɪrba:ɐ̯] **I.** *adj* unwa-

vering **II.** *adv* perseveringly

un·be·irrt [ʊnbə'ʔɪrt] *adv s.* **unbeirrbar**

un·be·kannt ['ʊnbəkant] *adj* unknown; **■jdm ~ sein** to be unknown to sb; (*Gesicht, Name, Wort*) to be unfamiliar to sb; **der Name ist mir ~** I have never come across that name before; **~ verzogen** moved — address unknown

Ụn·be·kann·te(r) *f(m)* stranger

un·be·klei·det ['ʊnbəklaɪdət] **I.** *adj* (*geh*) unclothed; **■~ sein** to have no clothes on **II.** *adv* (*geh*) without any clothes on

un·be·küm·mert ['ʊnbəkʏmɐt] **I.** *adj* carefree; **sei/seien Sie [ganz] ~** don't upset yourself **II.** *adv* in a carefree manner

un·be·las·tet ['ʊnbəlastət] **I.** *adj* ❶ (*frei*) **■von etw** *dat* **~ [sein]** [to be] free of sth ❷ FIN unencumbered **II.** *adv* freely; **er fühlt sich wieder frei und ~** he feels free and easy again

un·be·lebt ['ʊnbəle:pt] *adj* quiet; (*stärker*) deserted

un·be·lehr·bar ['ʊnbəle:ɐ̯ba:ɐ̯] *adj* obstinate

un·be·liebt ['ʊnbəli:pt] *adj* unpopular

Ụn·be·liebt·heit *f kein pl* unpopularity

un·be·mannt ['ʊnbəmant] *adj* RAUM unmanned

un·be·merkt ['ʊnbemɛrkt] *adj, adv* unnoticed

ụn·be·nom·men *adj präd* (*geh*) **es bleibt jdm ~, etw zu tun** sb's free to do sth

un·be·nutzt ['ʊnbənʊtst] **I.** *adj* unused; (*Bett*) not slept in; (*Kleidung*) unworn **II.** *adv* unused, unworn

un·be·ob·ach·tet ['ʊnbə'ʔo:baxtət] *adj* unnoticed; (*Gebäude, Platz*) unwatched

un·be·quem ['ʊnbəkve:m] *adj* ❶ (*nicht bequem*) uncomfortable ❷ (*lästig*) awkward

un·be·re·chen·bar [ʊnbə'rɛçn̩ba:ɐ̯] *adj* ❶ (*nicht einschätzbar: Gegner, Mensch*) unpredictable ❷ (*nicht vorhersehbar*) unforeseeable

Ụn·be·rẹ·chen·bar·keit *f kein pl* unpredictability

un·be·rech·tigt ['ʊnbərɛçtɪçt] *adj* unfounded; (*Vorwurf*) unwarranted

un·be·rück·sich·tigt ['ʊnbərʏkzɪçtɪçt] *adj* unconsidered

un·be·rührt ['ʊnbə'ry:ɐ̯t] *adj* ❶ (*im Naturzustand erhalten*) unspoiled ❷ (*nicht benutzt*) untouched

un·be·scha·det ['ʊnbəʃa:dət] *präp +gen* (*geh*) disregarding

ụn·be·schä·digt *adj* undamaged

un·be·schol·ten ['ʊnbəʃɔltn̩] *adj* upstanding

un·be·schrankt [ˈʊnbəʃraŋkt] *adj* BAHN without barriers

un·be·schränkt [ˈʊnbəʃrɛŋkt] *adj* unrestricted; (*Macht*) limitless; (*Möglichkeiten*) unlimited

un·be·schreib·lich [ˈʊnbəʃraɪplɪç] **I.** *adj* ❶ (*maßlos*) tremendous ❷ (*nicht zu beschreiben*) indescribable **II.** *adv* **sich ~ freuen** to be enormously happy; **sich ~ ärgern** to be terribly angry

un·be·schrie·ben [ʊnbəˈʃriːbn̩] *adj* blank

un·be·schwert [ˈʊnbəʃveːɐ̯t] *adj* carefree

un·be·sieg·bar [ʊnbəˈziːkbaːɐ̯] *adj* ❶ MIL (*a. fig*) invincible ❷ SPORT unbeatable

un·be·son·nen [ˈʊnbəzɔnən] *adj* (*Entschluss*) rash; (*Wesensart*) impulsive

Ụn·be·son·nen·heit <-, -en> *f* ❶ *kein pl* (*unbesonnene Art*) impetuosity, impulsiveness ❷ (*unbesonnene Äußerung*) hasty remark ❸ (*unbesonnene Handlung*) rashness

un·be·sorgt [ˈʊnbəzɔrkt] **I.** *adj* unconcerned **II.** *adv* without worrying; **die Pilze kannst du ~ essen** you needn't worry about eating the mushrooms

un·be·stän·dig [ˈʊnbəʃtɛndɪç] *adj* ❶ METEO unsettled ❷ (*wankelmütig*) fickle

Ụn·be·stän·dig·keit *f* ❶ METEO (*unbeständige Beschaffenheit*) unsettledness ❷ PSYCH (*Wankelmut*) changeability, fickleness

un·be·stech·lich [ˈʊnbəʃtɛçlɪç] *adj* ❶ (*nicht bestechlich*) incorruptible ❷ (*nicht zu täuschen*) unerring

Un·be·stech·lich·keit *f* incorruptibility

un·be·stimmt [ˈʊnbəʃtɪmt] *adj* ❶ (*unklar*) vague ❷ (*noch nicht festgelegt*) indefinite; (*Alter*) uncertain; (*Anzahl, Menge*) indeterminate; (*Grund, Zeitspanne*) unspecified

un·be·streit·bar [ˈʊnbəʃtraɪtbaːɐ̯] **I.** *adj* unquestionable **II.** *adv* unquestionably

un·be·strit·ten [ˈʊnbəʃtrɪtn̩] **I.** *adj* ❶ (*nicht bestritten*) undisputed; (*Argument*) irrefutable ❷ JUR uncontested **II.** *adv* ❶ (*wie nicht bestritten wird*) unquestionably ❷ (*unstreitig*) unarguably

un·be·tei·ligt [ˈʊnbətaɪlɪçt] *adj* ❶ (*an etw nicht beteiligt*) uninvolved ❷ (*desinteressiert*) indifferent; (*in einem Gespräch*) uninterested

un·be·tont [ˈʊnbətoːnt] *adj* unstressed

un·be·trächt·lich [ˈʊnbətrɛçtlɪç] *adj* insignificant; (*Problem*) minor; (*Preisänderung*) slight

un·beug·sam [ʊnˈbɔykzaːm] *adj* ❶ (*nicht zu beeinflussen*) uncompromising ❷ (*unerschütterlich*) unshakable, unflagging, tireless

un·be·waff·net [ˈʊnbəvafnət] *adj* unarmed

un·be·weg·lich [ˈʊnbɛvɛːklɪç] *adj* ❶ (*starr*) fixed; (*Konstruktion, Teil*) immovable ❷ (*unveränderlich*) inflexible; (*Gesichtsausdruck*) rigid; (*fig*) unmoved

Ụn·be·weg·lich·keit <-> *f kein pl* ❶ (*sich nicht bewegen lassen*) stiffness, inflexibility ❷ (*Starre des Gesichtsausdrucks*) rigidity ❸ (*unbeweglicher Zustand*) immovability

un·be·wohn·bar [ʊnbəˈvoːnbaːɐ̯] *adj* uninhabitable

un·be·wohnt *adj* ❶ (*nicht besiedelt*) uninhabited ❷ (*nicht bewohnt*) unoccupied

un·be·wusst^RR [ˈʊnbəvʊst] **I.** *adj a.* PSYCH unconscious **II.** *adv* unconsciously

Ụn·be·wuss·te(s)^RR *nt kein pl* ■ **das ~** the unconscious

un·be·zahl·bar [ʊnbəˈtsaːlbaːɐ̯] *adj* ❶ (*nicht aufzubringen*) totally unaffordable ❷ (*äußerst nützlich*) invaluable ❸ (*immens wertvoll*) priceless

un·be·zähm·bar [ʊnbəˈtsɛmbaːɐ̯] *adj* irrepressible; (*Lust, Zorn*) uncontrollable

un·be·zwing·bar [ʊnbəˈtsvɪŋlɪç] *adj*, **un·be·zwing·lich** [ʊnbəˈtsvɪŋlɪç] *adj* (*geh*) ❶ (*uneinnehmbar: Festung*) impregnable ❷ (*unbezähmbar*) uncontrollable ❸ *s.* **unüberwindlich**

un·blu·tig [ˈʊnbluːtɪç] **I.** *adj* ❶ (*ohne Blutvergießen*) bloodless ❷ MED non-invasive **II.** *adv* ❶ (*ohne Blutvergießen*) without bloodshed ❷ MED non-invasively

un·brauch·bar [ˈʊnbrauxbaːɐ̯] *adj* useless

un·bü·ro·kra·tisch [ˈʊnbyrokraːtɪʃ] **I.** *adj* unbureaucratic **II.** *adv* unbureaucratically

und [ʊnt] *konj* ❶ *verbindend* (*dazu*) and ❷ *konsekutiv* (*mit der Folge*) and ❸ *konzessiv* (*selbst*) ■ **~ wenn jd etw tut** even if sb does sth; **~ wenn es auch stürmt und schneit, wir müssen weiter** we must continue our journey, come storm or snow ❹ (*dann*) and ❺ *fragend* (*aber*) and; **~ dann?** then what?; (*nun*) well?; (*herausfordernd: was soll's*) **na ~?** so what?

Ụn·dank [ˈʊndaŋk] *m* (*geh*) ingratitude

un·dank·bar [ˈʊndaŋkbaːɐ̯] *adj* ❶ (*nicht dankbar*) ungrateful ❷ (*nicht lohnend*) thankless

un·da·tiert [ˈʊndatiːɐ̯t] *adj* undated

un·de·fi·nier·bar [ˈʊndefiniːɐ̯baːɐ̯] *adj* indefinable

un·de·mo·kra·tisch [ˈʊndemokraːtɪʃ] *adj* undemocratic

un·denk·bar [ʊnˈdɛŋkbaːɐ̯] *adj* unthinkable

un·denk·lich [ʊn'dɛŋklɪç] *adj* **seit ~en Zeiten** since time immemorial

un·deut·lich ['ʊndɔytlɪç] **I.** *adj* ❶ (*nicht deutlich vernehmbar*) unclear ❷ (*nicht klar sichtbar*) blurred; (*Schrift*) illegible ❸ (*vage*) vague **II.** *adv* ❶ (*nicht deutlich vernehmbar*) unclearly; ~ **sprechen** to mumble ❷ (*nicht klar*) unclearly ❸ (*vage*) vaguely

un·dicht ['ʊndɪçt] *adj* (*luftdurchlässig*) not airtight; (*wasserdurchlässig*) not watertight

Un·ding ['ʊndɪŋ] *nt kein pl* **ein ~ sein,** [**etw zu tun**] to be absurd [to do sth]

un·dis·zi·pli·niert ['ʊndɪstsiplini:ɐt] **I.** *adj* undisciplined **II.** *adv* in an undisciplined manner

Un·duld·sam·keit *f* intolerance (**gegen·über** +*dat* of)

un·durch·dacht [ʊn'dʊrçdaxt] *adj* ill thought out

un·durch·dring·lich ['ʊndʊrçdrɪŋlɪç] *adj* ❶ (*kein Durchdringen ermöglichend*) impenetrable ❷ (*verschlossen*) inscrutable

un·durch·führ·bar ['ʊndʊrçfy:ɐba:ɐ] *adj* impracticable, unfeasible; (*Vorhaben*) impracticable, unviable; (*Plan*) unworkable, unviable

un·durch·läs·sig ['ʊndʊrçlɛsɪç] *adj* impermeable

un·durch·schau·bar [ʊndʊrç'ʃaʊba:ɐ] *adj* unfathomable; (*Verbrechen*) baffling; (*Wesensart, Miene*) enigmatic

un·durch·sich·tig ['ʊndʊrçzɪçtɪç] *adj* ❶ (*nicht transparent*) non-transparent; (*Glas*) opaque ❷ (*fig: Geschäfte*) shadowy ❸ (*fig: zweifelhaft*) obscure

un·eben ['ʊnʔe:bn̩] *adj* uneven; (*Straße*) bumpy

Un·eben·heit <-, -en> *f* ❶ *kein pl* (*unebene Beschaffenheit*) unevenness ❷ (*unebene Stelle*) bump

un·echt ['ʊnʔɛçt] *adj* ❶ (*imitiert*) fake *usu pej*; *Haar* artificial; *Zähne* false ❷ (*unaufrichtig*) false

un·ehe·lich ['ʊnʔe:əlɪç] *adj* illegitimate

un·eh·ren·haft ['ʊnʔe:rənhaft] **I.** *adj* (*geh: unlauter*) *a.* MIL dishonourable **II.** *adv* ❶ (*unlauter*) dishonourably ❷ MIL dishonourably; **jdn ~ entlassen** to discharge sb for dishonourable conduct

un·ehr·lich ['ʊnʔe:ɐlɪç] **I.** *adj* dishonest **II.** *adv* dishonestly

Un·ehr·lich·keit *f* dishonesty

un·ei·gen·nüt·zig ['ʊnʔaɪɡn̩nʏtsɪç] *adj* selfless

un·ein·ge·schränkt ['ʊnʔaɪŋɡəʃrɛŋkt] **I.** *adj* absolute; (*Handel*) free; (*Lob*) unreserved **II.** *adv* absolutely, unreservedly

un·ein·heit·lich *adj* varied

un·ei·nig ['ʊnʔaɪnɪç] *adj* disagreeing; ■ ~ **sein** to disagree (**in** on); ■ [**sich** *dat*] **mit jdm ~ sein** to disagree with sb

Un·ei·nig·keit *f* disagreement; [**über etw** *akk*] **herrscht ~** there are sharp divisions [over sth]

un·ein·nehm·bar [ʊn'ʔaɪn'ne:mba:ɐ] *adj* impregnable

un·eins ['ʊn'ʔaɪns] *adj präd s.* **uneinig**

un·ein·sich·tig ['ʊn'ʔaɪnzɪçtɪç] *adj* unreasonable

un·emp·fäng·lich ['ʊnʔɛmpfɛŋlɪç] *adj* impervious (**für** to)

un·emp·find·lich ['ʊnʔɛmpfɪntlɪç] *adj* insensitive (**gegen** to); (*durch Erfahrung*) inured; (*Pflanze*) hardy; (*Material*) practical

Un·emp·find·lich·keit *f kein pl* unsusceptibility, hardiness

un·end·lich [ʊn'ʔɛntlɪç] **I.** *adj* ❶ (*nicht überschaubar*) infinite ❷ (*unbegrenzt*) endless ❸ (*überaus groß*) infinite; *Strapazen* endless ❹ FOTO **etw auf ~ einstellen** to focus sth at infinity **II.** *adv* (*fam*) endlessly; ~ **viele Leute** heaven knows how many people; **sich ~ freuen** to be terribly happy

Un·end·lich·keit *f kein pl* infinity

un·ent·behr·lich ['ʊnʔɛntbe:ɐlɪç] *adj* ❶ (*unbedingt erforderlich*) essential; **sich** ~ **machen** to make oneself indispensable ❷ (*unverzichtbar*) indispensable

un·ent·gelt·lich ['ʊnʔɛntɡɛltlɪç] **I.** *adj* free of charge; **die ~e Benutzung von etw** *dat* free use of sth **II.** *adv* for free

un·ent·rinn·bar [ʊnʔɛnt'rɪnba:ɐ] *adj* (*geh*) inescapable

un·ent·schie·den ['ʊnʔɛntʃi:dn̩] **I.** *adj* ❶ SPORT drawn ❷ (*noch nicht entschieden*) undecided **II.** *adv* SPORT ~ **ausgehen** to end in a draw; ~ **spielen** to draw

Un·ent·schie·den <-s, -> ['ʊnʔɛntʃi:dn̩] *nt* SPORT draw

un·ent·schlos·sen ['ʊnʔɛntʃlɔsn̩] **I.** *adj* indecisive **II.** *adv* indecisively

Un·ent·schlos·sen·heit *f* indecision

un·ent·schuld·bar [ʊn'ʔɛnt'ʃʊltba:ɐ] *adj* inexcusable; ■ ~ **sein, dass jd etw getan hat** to be inexcusable of sb, to do sth

un·ent·schul·digt ['ʊnʔɛntʃʊldɪçt] **I.** *adj* unexcused **II.** *adv* unexcused; ~ **fehlen** to play truant, to cut class AM

un·ent·wegt [ʊnʔɛnt've:kt] **I.** *adj* persevering; *Einsatz, Fleiß* untiring **II.** *adv* incessantly

un·ent·wirr·bar [ʊnʔɛnt'vɪrba:ɐ] *adj*

Geflecht, Knäuel tangled; **eine ~e politische Lage** a complex political situation

un·er·bitt·lich [ʊnʔɛɐ̯'bɪtlɪç] *adj* ❶ *(nicht umzustimmen)* unrelenting ❷ *(gnadenlos)* pitiless

un·er·fah·ren ['ʊnʔɛɐ̯faːrən] *adj* inexperienced

Un·er·fah·ren·heit *f* lack of experience

un·er·find·lich ['ʊnʔɛɐ̯fɪntlɪç] *adj (geh)* incomprehensible

un·er·freu·lich ['ʊnʔɛɐ̯frɔylɪç] **I.** *adj* unpleasant; *Neuigkeiten, Nachrichten* bad; *Zwischenfall* unfortunate **II.** *adv* unpleasantly

un·er·gründ·bar [ʊnʔɛɐ̯'grʏntbaːɐ̯] *adj,* **un·er·gründ·lich** [ʊnʔɛɐ̯'grʏntlɪç] *adj* puzzling; *(Blick, Lächeln)* enigmatic

un·er·heb·lich ['ʊnʔɛɐ̯heːplɪç] **I.** *adj* insignificant; ■**~ sein, ob ...** to be irrelevant whether ... **II.** *adv* insignificantly

un·er·hört ['ʊnʔɛɐ̯høːɐ̯t] **I.** *adj attr* ❶ *(pej: skandalös)* outrageous ❷ *(außerordentlich)* incredible **II.** *adv* ❶ *(skandalös)* outrageously ❷ *(außerordentlich)* incredibly

un·er·kannt ['ʊnʔɛɐ̯kant] *adv* unrecognized

un·er·klär·bar [ʊnʔɛɐ̯'klɛːɐ̯baːɐ̯] *adj,* **un·er·klär·lich** [ʊnʔɛɐ̯'klɛːɐ̯lɪç] *adj* inexplicable; ■**jdm ist ~, warum/was/wie ...** sb cannot understand why/what/how ...

un·er·läss·lich^RR *adj,* **un·er·läß·lich**^ALT *adj* essential

un·er·laubt ['ʊnʔɛɐ̯laʊpt] **I.** *adj* ❶ *(nicht gestattet)* unauthorized ❷ JUR illegal **II.** *adv* without permission

un·er·le·digt ['ʊnʔɛɐ̯leːdɪçt] **I.** *adj* unfinished; *(Antrag)* incomplete; *(Post)* unanswered **II.** *adv* unfinished; **~ liegen bleiben** to be left unfinished

un·er·mess·lich^RR, **un·er·meß·lich**^ALT [ʊnʔɛɐ̯'mɛslɪç] **I.** *adj (geh)* ❶ *(schier unendlich)* immeasurable ❷ *(gewaltig)* immense; *(Wert, Wichtigkeit)* inestimable; *(Zerstörung)* untold **II.** *adv (geh)* immensely

un·er·müd·lich [ʊnʔɛɐ̯'myːtlɪç] **I.** *adj* tireless **II.** *adv* tirelessly

un·er·reich·bar [ʊnʔɛɐ̯'raiçbaːɐ̯] *adj* unattainable; *(telefonisch)* unavailable

un·er·sätt·lich [ʊnʔɛɐ̯'zɛtlɪç] *adj* insatiable; *(Wissensdurst)* unquenchable

un·er·schöpf·lich [ʊnʔɛɐ̯'ʃœpflɪç] *adj* inexhaustible

un·er·schro·cken ['ʊnʔɛɐ̯ʃrɔkn̩] **I.** *adj* fearless **II.** *adv* fearlessly

un·er·schüt·ter·lich [ʊnʔɛɐ̯'ʃʏtɐlɪç] *adj* unshakable **II.** *adv* unshakably

un·er·schwing·lich [ʊnʔɛɐ̯'ʃvɪŋlɪç] *adj*

exorbitant; ■**für jdn ~ sein** to be beyond sb's means

un·er·setz·lich [ʊnʔɛɐ̯'zɛtslɪç] *adj* indispensable; *(Wertgegenstand)* irreplaceable; *(Schaden)* irreparable

un·er·träg·lich [ʊnʔɛɐ̯'trɛːklɪç] **I.** *adj* ❶ *(nicht auszuhalten)* unbearable ❷ *(pej: unmöglich)* impossible **II.** *adv* ❶ *(nicht auszuhalten)* unbearably ❷ *(pej: unmöglich)* impossibly

un·er·war·tet ['ʊnʔɛɐ̯vartət] **I.** *adj* unexpected **II.** *adv* unexpectedly

un·er·wünscht ['ʊnʔɛɐ̯vʏnʃt] *adj* ❶ *(nicht willkommen)* unwelcome ❷ *(lästig)* undesirable

un·er·zo·gen ['ʊnʔɛɐ̯tsoːgn̩] *adj* badly behaved

UNESCO <-> [u'nɛsko] *f Akr von* **United Nations Educational, Scientific and Cultural Organization** UNESCO; ■**die ~** UNESCO

un·fä·hig ['ʊnfɛːɪç] *adj* ❶ *(inkompetent)* incompetent ❷ *(nicht imstande)* incapable; ■**zu etw dat ~** [sein] [to be] incapable of sth; ■**~ sein, etw zu tun** to be incapable of doing sth

Un·fä·hig·keit *f kein pl* incompetence

un·fair ['ʊnfɛːɐ̯] **I.** *adj* unfair (**gegen[über]** to[wards]) **II.** *adv* unfairly

Un·fall ['ʊnfal] *m* accident

Un·fall·arzt, -ärz·tin *m, f* [medical] specialist for accident injuries **Un·fall·be·tei·lig·te(r)** <-n, -n> *f(m)* person involved in an accident **Un·fall·chir·ur·gie** *f* casualty surgery **Un·fall·flucht** *f* failure to stop after being involved in an accident; *(mit Verletzten)* hit-and-run [driving] **Un·fall·op·fer** *nt* accident victim **Un·fall·ort** *m* scene of an/the accident **Un·fall·quo·te** *f* accident quota **Un·fall·scha·den** *m* accident damage *no pl* **Un·fall·schutz** *m kein pl* accident prevention **Un·fall·sta·ti·on** *f* casualty [ward] BRIT, emergency room AM **Un·fall·stel·le** *f* place of the accident **Un·fall·ur·sa·che** *f* cause of an/the accident **Un·fall·ver·si·che·rung** *f* accident insurance **Un·fall·wa·gen** *m* car involved in an accident

un·fass·bar^RR *adj,* **un·faß·bar**^ALT [ʊn'fasbaːɐ̯] *adj,* **un·fass·lich**^RR *adj,* **un·faß·lich**^ALT [ʊn'faslɪç] *adj* ❶ *(unbegreiflich)* incomprehensible; *(Phänomen)* incredible; ■**jdm ~ sein, was/wie ...** to be incomprehensible to sb, what/how ... ❷ *(unerhört)* outrageous

un·fehl·bar [ʊn'feːlbaːɐ̯] **I.** *adj* infallible; *(Geschmack)* impeccable; *(Gespür, Instinkt)* unerring **II.** *adv* without fail

Un·fehl·bar·keit <-> *f kein pl* infallibility
un·fein ['ʊnfain] *adj* unrefined
un·fer·tig ['ʊnfɛrtɪç] *adj* ❶ *Arbeiten, Erzeugnisse* unfinished, incomplete ❷ (*unreif*) immature
un·flä·tig ['ʊnflɛːtɪç] I. *adj* (*geh*) uncouth, crude; (*Ausdrucksweise*) obscene; (*Verhaltensweise*) coarse II. *adv* crudely, in an uncouth manner, coarsely
un·för·mig ['ʊnfœrmɪç] I. *adj* shapeless; (*groß*) cumbersome; (*Gesicht*) misshapen; (*Bein*) unshapely II. *adv* shapelessly
un·fran·kiert ['ʊnfraŋkiːɐt] I. *adj* unstamped II. *adv* without a stamp
un·frei·wil·lig ['ʊnfraivɪlɪç] I. *adj* ❶ (*gezwungen*) compulsory ❷ (*unbeabsichtigt*) unintentional II. *adv* ■ etw ~ tun to be forced to do sth
un·freund·lich ['ʊnfrɔyntlɪç] I. *adj* ❶ (*nicht liebenswürdig*) unfriendly ❷ (*unangenehm*) unpleasant; (*Klima*) inhospitable; (*Jahreszeit, Tag*) dreary; (*Raum*) cheerless II. *adv* jdn ~ behandeln to be unfriendly to sb
Un·frie·de(n) ['ʊnfriːdə] *m kein pl* trouble; ~n stiften to cause trouble
un·frucht·bar ['ʊnfrʊxtbaːɐ] *adj* infertile
Un·frucht·bar·keit *f kein pl* ❶ MED infertility ❷ AGR barrenness
Un·fug <-s> ['ʊnfuːk] *m kein pl* nonsense; mach keinen ~! stop that nonsense!
Un·gar(in) <-n, -n> ['ʊŋgar] *m(f)* Hungarian; *s. a.* **Deutsche(r)**
un·ga·risch ['ʊŋgarɪʃ] *adj* Hungarian; *s. a.* **deutsch**
Un·garn <-s> ['ʊŋgarn] *nt* Hungary; *s. a.* **Deutschland**
un·gast·lich ['ʊŋgastlɪç] *adj* uninviting, inhospitable *form*
un·ge·ach·tet ['ʊŋgəʔaxtət] *präp* +gen (*geh*) despite sth; ■ ~ dessen, dass ... in spite of the fact that ...
un·ge·ahnt ['ʊŋgəʔaːnt] *adj* undreamed of
un·ge·be·ten ['ʊŋgəbeːtn̩] I. *adj* unwelcome II. *adv* ❶ (*ohne eingeladen zu sein*) without being invited ❷ (*ohne aufgefordert zu sein*) without an invitation
un·ge·bil·det ['ʊŋgəbɪldət] *adj* uneducated
un·ge·bo·ren ['ʊŋgəboːrən] *adj* unborn
un·ge·bräuch·lich ['ʊŋgəbrɔyçlɪç] *adj* uncommon, not in use *pred;* (*Methode, Verfahren*) [out]dated
un·ge·bun·den ['ʊŋgəbʊndn̩] *adj* unattached
un·ge·deckt ['ʊŋgədɛkt] *adj* ❶ FIN uncovered ❷ (*noch nicht gedeckt*) unlaid
Un·ge·duld ['ʊŋgədʊlt] *f* impatience; vor ~ with impatience; voller ~ impatiently
un·ge·dul·dig ['ʊŋgədʊldɪç] I. *adj* impatient II. *adv* impatiently
un·ge·eig·net ['ʊŋgəʔaignət] *adj* unsuitable; ■ ~ sein to be unsuited (für to)
un·ge·fähr ['ʊŋgəfɛːɐ] I. *adv* ❶ (*zirka*) approximately, about *fam;* um ~ ... by about ...; (*Zeit*) at about ... ❷ (*etwa*) ~ da around there, *esp* BRIT thereabouts; ~ hier around here; ~ so something like this/that ❸ (*in etwa*) more or less; das dürfte ~ hinkommen that's more or less it ▸ nicht von ~ not for nothing II. *adj attr* approximate
un·ge·fähr·lich ['ʊŋgəfɛːɐlɪç] *adj* harmless; ■ ~ sein, etw zu tun to be safe to do sth
un·ge·hal·ten ['ʊŋgəhaltn̩] I. *adj* (*geh*) indignant II. *adv* (*geh*) indignantly
un·ge·hemmt ['ʊŋgəhɛmt] I. *adj* uninhibited II. *adv* uninhibitedly
un·ge·heu·er ['ʊŋgəhɔyɐ] I. *adj* ❶ (*ein gewaltiges Ausmaß besitzend*) enormous ❷ (*größte Intensität besitzend*) tremendous; (*Schmerz, Leiden*) dreadful ❸ (*größte Bedeutung besitzend*) tremendous II. *adv* ❶ (*äußerst*) terribly ❷ (*ganz besonders*) enormously
Un·ge·heu·er <-s, -> ['ʊŋgəhɔyɐ] *nt* monster
un·ge·heu·er·lich [ʊŋgə'hɔyɐlɪç] *adj* outrageous
Un·ge·heu·er·lich·keit <-, -en> *f* ❶ *kein pl* (*empörende Art*) outrageousness ❷ (*unerhörte Bemerkung*) outrageous remark; das ist ja eine ~! how outrageous! ❸ (*unerhörte Handlung*) monstrosity; (*Verbrechen*) atrocity
un·ge·hin·dert ['ʊŋgəhɪndɐt] I. *adj* unhindered II. *adv* without hindrance
un·ge·ho·belt ['ʊŋgəhoːbl̩t] *adj* ❶ (*schwerfällig*) uncouth, boorish; (*grob*) coarse ❷ (*nicht glatt gehobelt*) unplaned
un·ge·hö·rig ['ʊŋgəhøːrɪç] I. *adj* impertinent II. *adv* impertinently
Un·ge·hö·rig·keit <-, -en> *f kein pl* impertinence *no pl*
un·ge·hor·sam ['ʊŋgəhoːɐzaːm] *adj* disobedient (*gegenüber* towards)
Un·ge·hor·sam ['ʊŋgəhoːɐzaːm] *m* disobedience
un·ge·klärt ['ʊŋgəklɛːɐt] I. *adj* ❶ (*nicht aufgeklärt*) unsolved ❷ ÖKOL (*nicht geklärt*) untreated II. *adv* ÖKOL untreated
un·ge·kün·digt ['ʊŋgəkʏndɪçt] *adj* ■ ~ sein to not be under notice of resignation
un·ge·küns·telt <-er, -este> ['ʊŋgəkʏnstl̩t] *adj* natural, unaffected

un·ge·kürzt ['ʊngəkʏrtst] **I.** *adj* MEDIA unabridged; FILM uncut **II.** *adv* in its unabridged version; FILM in its uncut version

un·ge·la·den ['ʊngəla:dn̩] *adj* ➊ (*nicht geladen*) unloaded ➋ (*nicht eingeladen*) uninvited

un·ge·le·gen ['ʊngəle:gn̩] *adj* inconvenient; [jdm] ~ **kommen** to be inconvenient [for sb]; (*zeitlich*) to be an inconvenient time [for sb]

un·ge·len·kig ['ʊngəlɛŋkɪç] *adj* inflexible

un·ge·lernt ['ʊngəlɛrnt] *adj attr* unskilled

un·ge·löst ['ʊngəløːst] *adj* unsolved; (*Fragen*) unresolved

un·ge·mein ['ʊngəmaɪn] **I.** *adj* immense **II.** *adv* immensely

un·ge·müt·lich ['ʊngəmy:tlɪç] *adj* ➊ (*nicht gemütlich*) uninviting ➋ (*unerfreulich*) uncomfortable ▸ ~ **werden** (*fam*) to become nasty

un·ge·nannt ['ʊngənant] *adj* unnamed

un·ge·nau ['ʊngənaʊ] **I.** *adj* ➊ (*nicht exakt*) vague ➋ (*nicht korrekt*) inaccurate **II.** *adv* ➊ (*nicht exakt*) vaguely ➋ (*nicht korrekt*) incorrectly

Un·ge·nau·ig·keit <-, -en> *f* ➊ *kein pl* (*nicht exakte Beschaffenheit*) vagueness ➋ *kein pl* (*mangelnde Korrektheit*) inaccuracy ➌ (*ungenaues Zitat*) inaccuracy

un·ge·niert ['ʊnʒeni:ɐ̯t] **I.** *adj* unconcerned **II.** *adv* freely

un·ge·nieß·bar ['ʊngəni:sba:ɐ̯] *adj* ➊ (*nicht zum Genuss geeignet*) inedible; (*Getränke*) undrinkable ➋ (*schlecht schmeckend*) unpalatable ➌ (*fam: unausstehlich*) unbearable

un·ge·nü·gend ['ʊngəny:gn̩t] **I.** *adj* ➊ (*nicht ausreichend*) insufficient; *Information* inadequate ➋ SCH unsatisfactory (*the lowest mark*) **II.** *adv* insufficiently, inadequately

un·ge·nutzt ['ʊngənʊtst] **I.** *adj* unused; (*materielle/personelle Ressourcen*) unexploited; (*Gelegenheit*) missed **II.** *adv* **eine Chance ~ verstreichen lassen** to miss a chance

un·ge·pflegt ['ʊngəpfle:kt] *adj Haus, Garten* neglected; *Person* unkempt

un·ge·ra·de ['ʊngəra:də] *adj* odd

un·ge·recht ['ʊngərɛçt] **I.** *adj* unjust; ■~ **sein** to be unfair (**gegen** to); ~**e Behandlung** unjust treatment; **ein ~er Richter** a partial judge **II.** *adv* unjustly, unfairly

un·ge·rech·ter·wei·se *adv* unfairly

un·ge·recht·fer·tigt ['ʊngərɛçtfɛrtɪçt] *adj* unjustified

Un·ge·rech·tig·keit <-, -en> *f* injustice

un·ge·re·gelt ['ʊngəre:gl̩t] *adj* unsettled

un·gern ['ʊngɛrn] *adv* reluctantly

un·ge·rührt ['ʊngəry:ɐ̯t] *adj, adv* unmoved

un·ge·sal·zen ['ʊngəzaltsn̩] *adj* unsalted

un·ge·sche·hen ['ʊngəʃe:ən] *adj* undone; **etw ~ machen** to undo sth

Un·ge·schick <-[e]s> ['ʊngəʃɪk] *nt kein pl* (*geh*) clumsiness

un·ge·schickt ['ʊngəʃɪkt] *adj* ➊ (*unbeholfen*) clumsy; (*unbedacht*) careless ➋ DIAL, SÜDD (*unhandlich*) unwieldy; (*ungelegen*) awkward; **etw kommt ~** sth happens at an awkward time

un·ge·schlecht·lich *adj* asexual

un·ge·schlif·fen ['ʊngəʃlɪfn̩] *adj* ➊ (*nicht geschliffen*) uncut; *Messer, Klinge* blunt ➋ (*pej: grob, ohne Manieren*) uncouth

un·ge·schminkt ['ʊngəʃmɪŋkt] *adj* ➊ (*nicht geschminkt*) without make-up ➋ (*unbeschönigt*) unvarnished

un·ge·scho·ren ['ʊngəʃo:rən] **I.** *adj* unshorn **II.** *adv* unscathed; ~ **davonkommen** to get away with it

un·ge·se·hen ['ʊngəze:ən] **I.** *adj* (*selten*) unseen **II.** *adv* unseen, without being seen

un·ge·sel·lig ['ʊngəzɛlɪç] *adj* unsociable

un·ge·setz·lich ['ʊngəzɛtslɪç] *adj* unlawful

un·ge·stört ['ʊngəʃtø:ɐ̯t] **I.** *adj* undisturbed; ~ **sein wollen** to want to be left alone **II.** *adv* without being disturbed

un·ge·straft ['ʊngəʃtra:ft] *adv* with impunity; ~ **davonkommen** to get away scot-free

un·ge·stüm ['ʊngəʃty:m] **I.** *adj Art, Temperament* impetuous; *Wind* gusty; *Meer* rough; *Begrüßung* enthusiastic **II.** *adv* enthusiastically

un·ge·sund ['ʊngəzʊnt] **I.** *adj* unhealthy **II.** *adv* unhealthily; **sich ~ ernähren** to not have a healthy diet

un·ge·teilt ['ʊngətaɪlt] *adj* ➊ (*vollständig*) complete ➋ (*ganz*) **mit ~er Freude** with total pleasure

un·ge·trübt ['ʊngətry:pt] *adj Freude, Glück* unclouded; *Tage, Zeit* perfect

Un·ge·tüm <-[e]s, -e> ['ʊngəty:m] *nt* monster

un·ge·übt ['ʊngəʔy:pt] *adj* unpractised; *Lehrlinge* inexperienced; ■~ **sein** to be out of practice (**in** at)

un·ge·wiss[RR] ['ʊngəvɪs] *adj* ➊ (*nicht feststehend*) uncertain ➋ (*unentschlossen*) uncertain ➌ (*geh: unbestimmbar*) indefinable

Un·ge·wiss·heit[RR] <-, -en> *f* uncertainty

un·ge·wöhn·lich ['ʊngəvø:nlɪç] **I.** *adj* ➊ (*vom Üblichen abweichend*) unusual ➋ (*außergewöhnlich*) remarkable **II.** *adv*

❶ (*äußerst*) exceptionally **❷** (*in nicht üblicher Weise*) unusually

un·ge·wohnt [ˈʊngəvoːnt] *adj* unusual; ▪ **jdm ~ sein** to be unfamiliar to sb

un·ge·wollt [ˈʊngəvɔlt] **I.** *adj* unintentional; *Schwangerschaft* unwanted **II.** *adv* unintentionally; **ich musste ~ grinsen** I couldn't help grinning

Un·ge·zie·fer <-s> [ˈʊngətsiːfɐ] *nt kein pl* pests *pl*

un·ge·zo·gen [ˈʊngətsoːgn̩] **I.** *adj Kind* naughty; *Bemerkung* impertinent; ▪ **~ sein** to be ill-mannered **II.** *adv* impertinently; **sich ~ benehmen** to behave badly

Un·ge·zo·gen·heit <-, -en> *f* **❶** *kein pl* (*ungezogene Art*) naughtiness, bad behaviour [*or* Am *-or*] **❷** (*ungezogene Äußerung*) impertinent remark; (*ungezogene Handlung*) bad manners *npl*

un·ge·zü·gelt [ˈʊngətsyːglt] *adj* unbridled

un·ge·zwun·gen [ˈʊngətsvʊŋən] *adj* informal

Un·ge·zwun·gen·heit *f* casualness, informality

Un·glau·be [ˈʊnglaʊbə] *m* **❶** (*Zweifel*) disbelief **❷** (*Gottlosigkeit*) unbelief

un·glaub·haft [ˈʊnglaʊphaft] **I.** *adj* unbelievable; **~ wirken** to appear to be implausible **II.** *adv* unbelievably

un·gläu·big [ˈʊnglɔybɪç] *adj* **❶** (*etw nicht glauben wollend*) disbelieving; **ein ~es Kopfschütteln** an incredulous shake of the head **❷** (*gottlos*) unbelieving

un·glaub·lich [ˈʊnglaʊplɪç] **I.** *adj* **❶** (*nicht glaubhaft*) unbelievable **❷** (*unerhört*) outrageous **II.** *adv* (*fam: überaus*) incredibly

un·glaub·wür·dig [ˈʊnglaʊpvʏrdɪç] **I.** *adj* implausible; *Zeuge* unreliable **II.** *adv* implausibly; **seine Aussage klingt ~** his statement sounds dubious

un·gleich [ˈʊnglaɪç] **I.** *adj* **❶** (*unterschiedlich*) *Bezahlung* unequal; *Belastung* uneven; *Paar* odd; *Gegenstände* dissimilar **❷** (*unterschiedliche Voraussetzungen*) unequal **II.** *adv* **❶** (*unterschiedlich*) unequally **❷** *vor comp* (*weitaus*) far **III.** *präp mit dat* (*geh*) unlike

Un·gleich·ge·wicht *nt* imbalance

Un·gleich·heit <-, -en> *f* dissimilarity

un·gleich·mä·ßig **I.** *adj* **❶** (*unregelmäßig*) irregular **❷** (*nicht zu gleichen Teilen*) uneven **II.** *adv* **❶** (*unregelmäßig*) irregularly **❷** (*ungleich*) unevenly

Un·glück <-glücke> [ˈʊnglʏk] *nt* **❶** *kein pl* (*Pech*) bad luck; **jdn ins ~ stürzen** (*geh*) to be sb's undoing; **zu allem ~** to make matters worse **❷** (*katastrophales Ereignis*) disaster **❸** *kein pl* (*Elend*) unhappiness

▶ **ein ~ kommt selten allein** (*prov*) it never rains but it pours

un·glück·lich [ˈʊnglʏklɪç] **I.** *adj* **❶** (*betrübt*) unhappy; **sich ~ machen** to bring misfortune on oneself **❷** (*ungünstig*) unfortunate **❸** (*ungeschickt*) unfortunate; **eine ~e Bewegung machen** to move awkwardly **II.** *adv* unfortunately; **~ verliebt sein** to be crossed in love

un·glück·li·cher·wei·se *adv* unfortunately

un·glück·se·lig [ˈʊnglʏkzeːlɪç] *adj* **❶** (*vom Unglück verfolgt*) unfortunate **❷** (*unglücklich* [*verlaufend*]) disastrous, unfortunate

Un·glücks·fall *m* **❶** (*Unfall*) accident **❷** (*unglückliche Begebenheit*) mishap **Un·glücks·ra·be** *m* (*fam*) unlucky person

Un·gna·de [ˈʊngnaːdə] *f* disgrace; [**bei jdm**] **in ~ falle** to be out of favour [with sb]

un·gnä·dig [ˈʊngnɛːdɪç] **I.** *adj* **❶** (*gereizt, unfreundlich*) ungracious **❷** (*geh: verhängnisvoll*) fated; *Schicksal* cruel **II.** *adv* ungraciously; **jdn ~ ansehen** to look at sb with little enthusiasm

un·gül·tig [ˈʊngʏltɪç] *adj* **❶** (*nicht mehr gültig*) invalid; *Tor* disallowed; **ein ~er Sprung** a no-jump **❷** (*nichtig*) void; **eine ~e Stimme** a spoiled ballot-paper; **etw für ~ erklären** to declare sth null and void; **eine Ehe für ~ erklären** to annul a marriage

Un·gül·tig·keit *f* invalidity

Un·gunst *f* **❶** (*geh: Unwillen*) disgrace **❷** (*Nachteil*) **zu jds ~en** to sb's disadvantage

un·güns·tig [ˈʊngʏnstɪç] *adj Zeit*[*punkt*] inconvenient; *Wetter* inclement; **in einem ~en Licht erscheinen** (*fig*) to appear in an unfavourable light

un·gut [ˈʊnguːt] *adj* bad; *Verhältnis* strained ▶ **nichts für ~!** no offence!

un·halt·bar [ˈʊnhaltbaːɐ̯] *adj* **❶** (*haltlos*) untenable **❷** (*unerträglich*) intolerable **❸** SPORT unstoppable

un·hand·lich [ˈʊnhantlɪç] *adj* unwieldy

Un·heil [ˈʊnhaɪl] *nt* disaster; **~ anrichten** (*fam*) to get up to mischief; **jdm droht ~** sth spells disaster for sb; **großes/viel ~ anrichten** to wreak havoc

un·heil·bar [ˈʊnhaɪlbaːɐ̯] **I.** *adj* incurable **II.** *adv* incurably; **~ krank sein** to be terminally ill

un·heil·voll [ˈʊnhaɪlfɔl] *adj* fateful; *Blick* ominous

un·heim·lich [ˈʊnhaɪmlɪç] **I.** *adj* **❶** (*Grauen erregend*) eerie **❷** (*fam: unglaublich, sehr*) incredible **❸** (*fam: sehr groß, sehr viel*) terrific; **~en Hunger**

haben to die of hunger *fig* **II.** *adv* (*fam*) incredibly

un·höf·lich ['ʊnhøːflɪç] *adj* impolite

Un·höf·lich·keit *f* ❶ *kein pl* (*unhöfliche Art*) impoliteness ❷ (*unhöfliche Bemerkung*) discourteous remark; (*unhöfliche Handlung*) rudeness

un·hör·bar [ʊnˈhøːɐ̯baːɐ̯] *adj* inaudible; ■ [für jdn] ~ **sein** to be inaudible [to sb]

un·hy·gi·e·nisch ['ʊnhygi̯eːnɪʃ] *adj* unhygienic

uni ['ʏni] *adj* plain

Uni <-, -s> ['ʏni] *f* (*fam*) *kurz für* **Universität** uni *BRIT*

UNICEF <-> ['uːnitsɛf] *f kein pl Akr von* **United Nations International Children's Emergency Fund:** ■ [die] ~ UNICEF

uni·far·ben ['ʏni-] *adj* plain

Uni·form <-, -en> [uniˈfɔrm, 'ʊnifɔrm] *f* uniform

uni·for·miert [unifɔrˈmiːɐ̯t] *adj* uniformed; ■ ~ **sein** to be in uniform

Uni·kat <-[e]s, -e> [uniˈkaːt] *nt* ❶ (*einzigartiges Exemplar*) unique specimen ❷ (*einzigartiges Schriftstück*) unicum

un·in·te·res·sant ['ʊnʔɪntərɛsant] *adj* uninteresting; **ein ~es Angebot** an offer that is of no interest

Uni·on <-, -en> [uˈni̯oːn] *f* ❶ (*Bund*) union ❷ *kein pl POL* (*fam: die CDU/CSU*) ■ **die** ~ the CDU and CSU

uni·ver·sal [univɛrˈzaːl] **I.** *adj* universal; **ein ~es Werkzeug** an all-purpose tool; **~es Wissen** broad knowledge **II.** *adv* universally; **das Gerät ist ~ verwendbar** the appliance can be used for all purposes

Uni·ver·sal·er·be, -er·bin *m, f* sole heir *masc*, sole heiress *fem*

uni·ver·sell [univɛrˈzɛl] *adj s.* **universal**

Uni·ver·si·tät <-, -en> [univɛrziˈtɛːt] *f* university; **die ~ München** the University of Munich; **an der ~ studieren** to study at university; **die ~ besuchen** to attend university; **auf die ~ gehen** to go to university

Uni·ver·si·täts·bib·li·o·thek *f* university library **Uni·ver·si·täts·stadt** *f* university town

Uni·ver·sum <-s, *selten* -sen> [uniˈvɛrzʊm] *nt* universe

Un·ke <-, -n> ['ʊŋkə] *f* ❶ (*Kröte*) toad ❷ (*fam: Schwarzseher*) prophet of doom

un·kennt·lich ['ʊnkɛntlɪç] *adj* unrecognizable; *Eintragung* indecipherable; **sich** [mit etw *dat*] ~ **machen** to disguise oneself [with sth]

Un·kennt·lich·keit <-> *f* unrecognizable

state, indecipherability; **bis zur** ~ beyond recognition

Un·kennt·nis ['ʊnkɛntnɪs] *f kein pl* ignorance; **aus** ~ out of ignorance; **jdn in** ~ **über etw** *akk* **lassen** not to keep sb informed about sth

un·klar ['ʊnklaːɐ̯] **I.** *adj* ❶ (*unverständlich*) unclear ❷ (*ungeklärt*) unclear; [**sich** *dat*] **im U~en sein** to be uncertain (**über** about); **jdn im U~en lassen** to leave/keep sb in the dark (**über** about) ❸ (*verschwommen*) indistinct; *Wetter* hazy; *Umrisse* blurred; *Erinnerungen* vague **II.** *adv* ❶ (*verschwommen*) **nur** ~ **zu erkennen sein** to be difficult to make out ❷ (*unverständlich*) unclearly

Un·klar·heit <-, -en> *f* ❶ *kein pl* (*Ungewissheit*) uncertainty ❷ (*Undeutlichkeit*) lack of clarity

un·klug ['ʊnkluːk] *adj* unwise

un·komp·li·ziert ['ʊnkɔmplitsiːɐ̯t] *adj* straightforward; *Fall* simple; *Mensch* uncomplicated

un·kon·trol·lier·bar ['ʊnkɔntrɔliːɐ̯baːɐ̯] *adj* uncontrollable

un·kon·ven·ti·o·nell ['ʊnkɔnvɛntsi̯onɛl] *adj* (*geh*) unconventional

un·kon·zen·triert ['ʊnkɔntsɛntriːɐ̯t] *adj* distracted

Un·kos·ten ['ʊnkɔstn̩] *pl* costs *npl*; [**mit etw** *dat*] ~ **haben** to incur expense [with sth]; **sich in** ~ **stürzen** (*fam*) to go to a lot of expense

Un·kos·ten·bei·trag *m* contribution towards expenses

Un·kraut ['ʊnkraʊ̯t] *nt* weed

Un·kraut·be·kämp·fungs·mit·tel *nt,* **Un·kraut·ver·til·gungs·mit·tel** *nt,* **Un·kraut·ver·nich·ter** <-s, -> *m* herbicide

un·kri·tisch ['ʊnkriːtɪʃ] *adj* uncritical

un·künd·bar ['ʊnkʏntbaːɐ̯] *adj Stellung* not subject to notice; *Vertrag* not subject to termination

un·längst ['ʊnlɛŋst] *adv* (*geh*) recently

un·lau·ter ['ʊnlaʊ̯tɐ] *adj* dishonest

un·le·ser·lich ['ʊnleːzɐlɪç] *adj* illegible

un·leug·bar ['ʊnlɔy̯kbaːɐ̯] *adj* undeniable, indisputable; **eine ~e Tatsache** an indisputable fact

un·lieb·sam ['ʊnliːpzaːm] **I.** *adj* unpleasant **II.** *adv* ~ **auffallen** to make a bad impression

un·lo·gisch *adj* illogical

un·lös·bar [ʊnˈløːsbaːɐ̯], **un·lös·lich** [ʊnˈløːslɪç] *adj* ❶ (*nicht zu lösen*) insoluble; *Problem* unsolvable; *Widerspruch* irreconcilable ❷ *CHEM* insoluble

Un·lust ['ʊnlʊst] *f kein pl* reluctance

un·männ·lich ['ʊnmɛnlɪç] *adj* unmanly

un·maß·geb·lich ['ʊnmaːsgeːplɪç] *adj* inconsequential; **nach meiner ~en Meinung** in my humble opinion *hum*

un·mä·ßig ['ʊnmɛːsɪç] I. *adj* excessive II. *adv* excessively

Un·men·ge ['ʊnmɛŋə] *f* enormous amount (**an** of)

Un·mensch ['ʊnmɛnʃ] *m* monster

un·mensch·lich ['ʊnmɛnʃlɪç] *adj* ❶ (*grausam*) inhuman[e]; *Diktator* brutal ❷ (*inhuman*) appalling ❸ (*fam: mörderisch, unerträglich*) tremendous

Un·mensch·lich·keit *f* ❶ *kein pl* (*unmenschliche Art*) inhumanity ❷ (*unmenschliche Tat*) inhuman act

un·merk·lich ['ʊnmɛrklɪç] *adj* imperceptible

un·miss·ver·ständ·lich[RR] ['ʊnmɪsfɛɐ̯ʃtɛntlɪç] I. *adj* unequivocal; *Antwort* blunt II. *adv* unequivocally

un·mit·tel·bar ['ʊnmɪtl̩baːɐ̯] I. *adj* ❶ (*direkt*) direct ❷ (*räumlich/zeitlich nicht getrennt*) **ein ~er Nachbar** a next-door neighbour II. *adv* ❶ (*sofort*) immediately ❷ (*ohne Umweg*) directly ❸ (*direkt*) imminently; **etw ~ erleben** to experience sth at first hand

un·mo·dern ['ʊnmodɛrn] I. *adj* old-fashioned II. *adv* in an old-fashioned way; **sich ~ kleiden** to wear old-fashioned clothes

un·mög·lich ['ʊnmøːklɪç] I. *adj* ❶ (*nicht machbar*) impossible; *Vorhaben* unfeasible; **jdn/sich** [**bei jdm/irgendwo**] **~ machen** to make a fool of sb/oneself [in front of sb/somewhere]; **das U~e möglich machen** to make the impossible happen ❷ (*pej fam: nicht tragbar/lächerlich*) impossible II. *adv* (*fam*) not possibly; **das geht ~** that's out of the question

Un·mög·lich·keit *f kein pl* impossibility

un·mo·ra·lisch ['ʊnmoraːlɪʃ] *adj* immoral

un·mo·ti·viert ['ʊnmotiviːɐ̯t] I. *adj* unmotivated; *Wutausbruch* unprovoked II. *adv* without motivation; **~ loslachen** to start laughing for no reason

un·mün·dig ['ʊnmʏndɪç] *adj* ❶ (*noch nicht volljährig*) underage; **jdn für ~ erklären** to declare sb to be a minor ❷ (*geistig unselbstständig*) dependent

un·mu·si·ka·lisch ['ʊnmuzikaːlɪʃ] *adj* unmusical

Un·mut ['ʊnmuːt] *m* (*geh*) displeasure

un·nach·ahm·lich ['ʊnnaːxʔaːmlɪç] *adj* inimitable

un·nach·gie·big ['ʊnnaːxgiːbɪç] I. *adj* intransigent II. *adv* in an intransigent way;

sich ~ zeigen to show oneself to be intransigent

Un·nach·gie·big·keit *f* intransigence, inflexibility

un·nach·sich·tig ['ʊnnaːxzɪçtɪç] I. *adj* strict, severe; **eine ziemlich ~e Chefin** a fairly strict boss; **ein ~er Kritiker** a severe critic II. *adv* mercilessly; **jdn ~ bestrafen** to punish sb unmercifully

un·nah·bar [ʊn'naːbaːɐ̯] *adj* unapproachable

un·na·tür·lich ['ʊnnaːtyːɐ̯lɪç] *adj* ❶ (*nicht natürlich*) unnatural; (*abnorm*) abnormal ❷ (*gekünstelt*) artificial; **ein ~es Lachen** a forced laugh

un·nor·mal ['ʊnnɔrmaːl] *adj* abnormal

un·nö·tig ['ʊnnøːtɪç] *adj* unnecessary

un·nö·ti·ger·wei·se *adv* unnecessarily

un·nütz ['ʊnnʏts] I. *adj* useless II. *adv* needlessly

UNO <-> ['uːno] *f kein pl Akr von* **United Nations Organisation:** ◼ **die ~** the UN

UNO-Frie·dens·trup·pen *pl* UN peacekeeping forces *npl*

un·or·dent·lich ['ʊnʔɔrdn̩tlɪç] I. *adj* untidy II. *adv* untidily; **~ arbeiten** to work carelessly; **sich ~ kleiden** to dress carelessly

Un·ord·nung ['ʊnʔɔrdnʊŋ] *f kein pl* mess

un·par·tei·isch ['ʊnpartaɪʃ] *adj* impartial

un·pas·send ['ʊnpasn̩t] *adj* ❶ (*unangebracht*) inappropriate ❷ (*ungelegen*) inconvenient; *Augenblick* inopportune

un·pas·sier·bar ['ʊnpasiːɐ̯baːɐ̯] *adj* impassable

un·päss·lich[RR], **un·päß·lich**[ALT] ['ʊnpɛslɪç] *adj* (*geh*) indisposed *form*; **sich ~ fühlen** to feel unwell; **~ sein** to be indisposed

Un·päss·lich·keit[RR] <-, -en> *f pl selten* indisposition *form*

un·per·sön·lich ['ʊnpɛrzøːnlɪç] *adj* ❶ (*distanziert*) *Mensch* distant; *Gespräch, Art* impersonal ❷ LING impersonal

un·po·li·tisch ['ʊnpoliːtɪʃ] *adj* unpolitical

un·po·pu·lär ['ʊnpopu/lɛːɐ̯] *adj* unpopular

un·prak·tisch ['ʊnpraktɪʃ] *adj* ❶ (*nicht handwerklich veranlagt*) unpractical ❷ (*nicht praxisgerecht*) impractical

un·pro·ble·ma·tisch ['ʊnproblemaːtɪʃ] I. *adj* unproblematic II. *adv* without problem

un·pro·duk·tiv ['ʊnprodʊktiːf] *adj* unproductive

un·pünkt·lich ['ʊnpʏŋktlɪç] I. *adj* (*generell nicht pünktlich*) unpunctual; (*verspätet*) late II. *adv* late

Un·pünkt·lich·keit *f* ❶ (*unpünktliche Art*) unpunctuality ❷ (*verspätetes Eintreffen*)

late arrival

un·ra·siert ['ʊnrazi:ɐ̯t] *adj* unshaven

Un·rat <-[e]s> ['ʊnra:t] *m kein pl (geh)* refuse

un·ra·ti·o·nell ['ʊnratsi̯onɛl] *adj* inefficient

un·re·a·lis·tisch ['ʊnrealɪstɪʃ] **I.** *adj* unrealistic **II.** *adv* unrealistically

un·recht ['ʊnrɛçt] *adj* ❶ *(geh: nicht rechtmäßig)* wrong ❷ *(nicht angenehm)* ■ jdm ~ **sein** to disturb sb

Un·recht ['ʊnrɛçt] *nt kein pl* ❶ *(unrechte Handlung)* wrong; **ein großes** ~ a great injustice; **jdm ein** ~ **antun** to do sb an injustice ❷ *(dem Recht entgegengesetztes Prinzip)* ~ **haben** to be wrong; **im** ~ **sein** to be [in the] wrong; **zu** ~ wrongly; **jdm** ~ **geben** to disagree with sb; **nicht zu** ~ not without good reason

un·recht·mä·ßig ['ʊnrɛçtmɛ:sɪç] *adj* illegal; **der** ~ **e Besitzer** the unlawful owner

Un·red·lich·keit *f* JUR dishonesty

un·re·gel·mä·ßig ['ʊnreːɡlmɛ:sɪç] *adj* irregular

Un·re·gel·mä·ßig·keit <-, -en> *f* irregularity

un·reif ['ʊnrai̯f] **I.** *adj* ❶ AGR, HORT unripe ❷ *(Person)* immature **II.** *adv* AGR, HORT unripe

un·rein ['ʊnrai̯n] *adj* impure; *Haut* bad; *Teint* poor

un·ren·ta·bel ['ʊnrɛnta:bl̩] *adj* unprofitable

un·rich·tig ['ʊnrɪçtɪç] *adj* incorrect

Un·ru·he ['ʊnru:ə] *f* ❶ *(Ruhelosigkeit)* restlessness *no pl;* **in** ~ **sein** to be anxious **(wegen** about) ❷ *(ständige Bewegung)* agitation ❸ *(erregte Stimmung)* agitation *no pl;* ❹ *(Aufstand)* ■ ~ **n** *pl* riots *pl*

Un·ru·he·stif·ter(in) <-s, -> *m(f) (pej)* troublemaker

un·ru·hig ['ʊnru:ɪç] **I.** *adj* ❶ *(ständig gestört)* restless; *Zeit* troubled; *(ungleichmäßig)* uneven; *Herzschlag* irregular ❷ *(laut)* noisy ❸ *(ruhelos)* agitated; *Leben* eventful; *Geist* restless; *Schlaf* fitful **II.** *adv* ❶ *(ruhelos)* anxiously ❷ *(unter ständigen Störungen)* restlessly; ~ **schlafen** to sleep fitfully

un·rühm·lich ['ʊnry:mlɪç] *adj* ignominious

uns [ʊns] **I.** *pron pers* ❶ *dat von* **wir** [to/ for] us; ■ **bei** ~ at our house; **er hat den Tag mit** ~ **verbracht** he spent the day with us; ■ **von** ~ from us ❷ *akk von* **wir** us **II.** *pron refl* ❶ *akk o dat von* **wir** ourselves; **wir haben** ~ **die Entscheidung nicht**

leicht **gemacht** we've made the decision difficult for ourselves ❷ *(einander)* each other; **wir sollten** ~ **immer gegenseitig helfen** we always ought to help each other

un·sach·ge·mäß ['ʊnzaxɡəmɛ:s] **I.** *adj* improper **II.** *adv* improperly

un·sach·lich ['ʊnzaxlɪç] *adj* unobjective

un·sag·bar [ʊn'za:kba:ɐ̯] *adj,* **un·säg·lich** [ʊn'zɛ:klɪç] *adj (geh)* ❶ *(unbeschreiblich, sehr groß/stark)* indescribable ❷ *(übel, albern)* awful

un·sanft ['ʊnzanft] **I.** *adj* rough; *Erwachen* rude **II.** *adv* roughly; ~ **geweckt werden** to be rudely awoken

un·sau·ber ['ʊnzau̯bɐ] **I.** *adj* ❶ *(schmutzig)* dirty ❷ *(unordentlich, nachlässig)* careless; *(unpräzise)* unclear **II.** *adv* carelessly

un·schäd·lich ['ʊnʃɛ:tlɪç] *adj* harmless; **jdn** ~ **machen** *(euph fam)* to eliminate sb

un·scharf ['ʊnʃarf] **I.** *adj* ❶ *(ohne klare Konturen)* blurred ❷ *(nicht scharf)* out of focus ❸ *(nicht präzise)* imprecise **II.** *adv* ❶ *(nicht präzise)* out of focus ❷ *(nicht exakt)* imprecisely

un·schätz·bar [ʊn'ʃɛtsba:ɐ̯] *adj* inestimable; **etw ist von** ~ **em Wert** sth is priceless

un·schein·bar ['ʊnʃai̯nba:ɐ̯] *adj* inconspicuous

un·schick·lich ['ʊnʃɪklɪç] *adj (geh)* improper

un·schlag·bar [ʊn'ʃla:kba:ɐ̯] *adj* unbeatable **(in** at)

un·schlüs·sig ['ʊnʃlʏsɪç] *adj* ❶ *(unentschlossen)* indecisive; ■ **sich** *dat* ~ **sein** to be undecided **(über** about) ❷ *(selten: nicht schlüssig)* undecided

Un·schuld ['ʊnʃʊlt] *f* ❶ *(Schuldlosigkeit)* innocence ❷ *(Reinheit)* purity; *(Naivität)* innocence ❸ *(veraltend: Jungfräulichkeit)* virginity

un·schul·dig ['ʊnʃʊldɪç] **I.** *adj* innocent **II.** *adv* ❶ JUR despite sb's/one's innocence ❷ *(arglos)* innocently

Un·schulds·mie·ne *f kein pl* innocent expression

un·selb·stän·dig ['ʊnzɛlpʃtɛndɪç] *adj s.* **unselbstständig**

un·selbst·stän·dig^RR ['ʊnzɛlp(st)ʃtɛndɪç] *adj (von anderen abhängig)* dependent on others; *(angestellt)* employed

un·se·lig ['ʊnze:lɪç] *adj (geh)* ❶ *(beklagenswert)* **ein** ~ **es Schicksal** a cruel fate ❷ *(verhängnisvoll)* ill-fated

un·ser ['ʊnze] **I.** *pron poss* our; ~ **er Meinung nach** in our opinion **II.** *pron pers gen von* **wir** *(geh)* of us; **in** ~ **aller Inte-**

resse in all our interests

un·se·re(r, s) ['ʊnzərə, -zərɐ, - zərəs] *pron poss, substantivisch* (*geh*) ours; ◼**der/ die/das** ~ ours; ◼**das U~** what is ours; **wir tun das U~** we're doing our part

un·ser·ei·ner ['ʊnzɐʔainɐ] *pron indef,* **un·ser·eins** ['ʊnzɐʔains] *pron indef* (*fam*) ❶ (*jemand, wie wir*) the likes of us ❷ (*ich*) people like me

un·ser·(**er·**)**seits** ['ʊnzɐ(ɐ)'zaits] *adv* (*von uns*) on our part

un·se·res·glei·chen ['ʊnzərəs'glaiçn̩] *pron indef* people like us

un·se·ret·we·gen ['ʊnzərət've:gn̩] *adv s.* **unsertwegen**

un·se·ret·wil·len ['ʊnzərət'vɪlən] *adv s.* **unsertwillen**

un·se·ri·ge(r, s) ['ʊnzərɪgə, -zərɪgɐ, -zərɪgəs] *pron poss* ❶ (*veraltend*) ◼**der/ die/das** ~ ours ❷ (*geh: unsere Familie*) ◼**die U~n** our family

un·se·ri·ös ['ʊnreriø:s] *adj Firma, Geschäftsmann* untrustworthy; *Angebot* dubious

un·sert·we·gen ['ʊnzɐt've:gn̩] *adv* ❶ (*wegen uns*) because of us, on our account ❷ (*von uns aus*) as far as we are concerned

un·sert·wil·len ['ʊnzɐt'vɪlən] *adv* **um** ~ for our sake

un·si·cher ['ʊnzɪçɐ] **I.** *adj* ❶ (*gefährlich*) unsafe; *Gegend* dangerous ❷ (*gefährdet*) insecure, at risk *pred* ❸ (*nicht selbstsicher*) unsure; *Blick* uncertain; **jdn** ~ **machen** to make sb uncertain ❹ (*unerfahren, ungeübt*) **sich** ~ **fühlen** to feel unsure of oneself; **noch** ~ **sein** to still be uncertain ❺ (*schwankend*) unsteady; *Hand* shaky ❻ (*ungewiss*) uncertain ❼ (*nicht verlässlich*) unreliable; **das ist mir zu** ~ that's too dodgy for my liking *fam* **II.** *adv* ❶ (*schwankend*) unsteadily ❷ (*nicht selbstsicher*) ~ **fahren** to drive with little confidence

Un·si·cher·heit *f* ❶ *kein pl* (*mangelnde Selbstsicherheit*) insecurity ❷ *kein pl* (*mangelnde Verlässlichkeit*) unreliability ❸ *kein pl* (*Ungewissheit*) uncertainty ❹ (*Gefährlichkeit*) dangers *pl* ❺ *meist pl* (*Unwägbarkeit*) uncertainty

Un·si·cher·heits·fak·tor *m* uncertainty factor

un·sicht·bar ['ʊnzɪçtba:ɐ̯] *adj* invisible

Un·sinn ['ʊnzɪn] *m kein pl* nonsense; **lass den** ~! stop fooling around!; ~ **machen** to mess about; **mach kein** ~! don't do anything stupid!; ~ **reden** to talk nonsense; **so ein** ~! what nonsense!

un·sin·nig ['ʊnzɪnɪç] **I.** *adj* absurd; *Plan* ridiculous **II.** *adv* (*fam: unerhört*) terribly;

~ **hohe Preise** ridiculously high prices

Un·sit·te ['ʊnzɪtə] *f* bad habit

un·sitt·lich ['ʊnzɪtlɪç] **I.** *adj* indecent **II.** *adv* indecently

un·so·li·de ['ʊnzoli:də] *adj* dissolute; *Arbeit* shoddy; *Bildung* superficial; *Möbel* flimsy

un·so·zi·al ['ʊnzotsia:l] *adj* anti-social; *Arbeitszeit* unsocial

un·sport·lich [ʊn'ʃpɔrtlɪç] *adj* ❶ (*nicht sportlich*) unathletic ❷ (*nicht fair*) unsporting

uns·re(r, s) ['ʊnz(ə)rə, -z(ə)rɐ, - z(ə)rəs] *pron s.* **unser**

uns·rer·seits ['ʊnzre'zaits] *adv s.* **unsererseits**

uns·res·glei·chen ['ʊnzrəs'glaiçn̩] *pron indef s.* **unseresgleichen**

un·sterb·lich ['ʊnʃtɛrplɪç] **I.** *adj* ❶ (*ewig lebend*) immortal ❷ (*unvergänglich*) *Liebe* undying **II.** *adv* (*fam: über alle Maßen*) incredibly; **sich** ~ **blamieren** to make a complete fool of oneself; **sich** ~ **verlieben** to fall madly in love

Un·sterb·lich·keit *f* immortality

un·still·bar [ʊn'ʃtɪlba:ɐ̯] *adj* (*geh*) *Wissensdurst* unquenchable; *Sehnsucht, Verlangen* insatiable

Un·stim·mig·keit <-, -en> ['ʊnʃtɪmɪçkait] *f* ❶ *meist pl* (*Differenz*) differences *pl* ❷ (*Ungenauigkeit*) discrepancy

Un·sum·men ['ʊnzʊmən] *pl* vast sums *pl* [of money]

un·sym·me·trisch ['ʊnzyme:trɪʃ] *adj* asymmetric

un·sym·pa·thisch ['ʊnzympa:tɪʃ] *adj* unpleasant

un·tade·lig ['ʊnta:dəlɪç], **un·tad·lig** ['ʊnta:d(ə)lɪç] **I.** *adj* impeccable **II.** *adv* impeccably

Un·tat ['ʊnta:t] *f* atrocity

un·tä·tig ['ʊntɛ:tɪç] **I.** *adj* (*müßig*) idle **II.** *adv* idly; ~ **zusehen** to stand idly by

Un·tä·tig·keit *f kein pl* inaction, inactivity; (*Müßiggang*) idleness; ~ **der Unternehmensführung** management inertia

un·taug·lich ['ʊntaʊklɪç] *adj* ❶ (*ungeeignet*) unsuitable ❷ MIL unfit

Un·taug·lich·keit *f kein pl* unsuitability

un·teil·bar [ʊn'tailba:ɐ̯] *adj* indivisible

un·ten ['ʊntn̩] *adv* ❶ (*an einer tieferen Stelle*) down; **hier** ~ down here; **weiter** ~ further down; **nach** ~ **zu** further down; **von** ~ from down below; **von** ~ [**her**] from the bottom up[wards]; ~ **an/in etw** *dat* at/in the bottom of sth; **das Buch steht weiter** ~ **im Bücherschrank** the book is lower down in the bookcase; **ich habe die**

jemanden unterbrechen	
jemanden unterbrechen	**interrupting someone**
Entschuldigen Sie bitte, dass ich Sie unterbreche, ...	Sorry for interrupting, ...
Wenn ich Sie einmal kurz unterbrechen dürfte: ...	If I may interrupt you for a moment ...
anzeigen, dass man weitersprechen will	**indicating that you wish to continue speaking**
Moment, ich bin noch nicht fertig.	Just a moment, I haven't finished.
Lässt du mich bitte ausreden?/Könntest du mich bitte ausreden lassen?	Will you please let me finish?/Could you please let me finish?
Lassen Sie mich bitte ausreden!	Please let me finish!
Lassen Sie mich bitte diesen Punkt noch zu Ende führen.	Please let me finish my point.
ums Wort bitten	**asking to speak**
Darf ich dazu etwas sagen?	May I comment on that?
Wenn ich dazu noch etwas sagen dürfte: ...	If I may add to that ...

Bücher ~ ins Regal gelegt I've put the books down below on the shelf; ~ **links/rechts** [at the] bottom left/right ❷ (*Unterseite*) bottom ❸ (*in einem tieferen Stockwerk*) downstairs; **nach** ~ downstairs; **der Aufzug fährt nach** ~ the lift is going down ❹ (*in sozial niedriger Position*) bottom ❺ (*hinten im Text*) bottom; ~ **erwähnt** mentioned below *pred;* **siehe** ~ see below ❻ (*am hinteren Ende*) at the bottom; ~ **an etw** *dat* at the bottom of sth

un·ter ['ʊntɐ] **I.** *präp* ❶ +*dat* (*unterhalb von etw*) under, underneath; ~ **freiem Himmel** in the open air ❷ +*akk* (*in den Bereich unterhalb von etw*) under; **sich** ~ **die Dusche stellen** to have a shower ❸ +*dat* (*zahlenmäßig kleiner als*) below ❹ +*dat* (*inmitten*) among[st]; (*von*) among; ~ **uns gesagt** between you and me; ~ **anderem** amongst other things; ~ **Menschen gehen** to get out [of the house] ❺ +*dat* (*begleitet von, hervorgerufen durch*) under; ~ **Zwang** under duress; ~ **Lebensgefahr** at risk to one's life; ~ **der Bedingung, dass ...** on condition that ...; ~ **Umständen** possibly ❻ +*dat* o *akk* (*zugeordnet sein*) under; **etw** ~ **ein Motto stellen** to put sth under a motto; **jdn** ~ **sich haben** to have sb under one ❼ +*dat* (*in einem Zustand*) under; ~ **Druck/Strom stehen** to be under pressure; ~ **einer Krankheit leiden** to suffer

from an illness ❽ +*dat* SÜDD (*während*) during; ~ **der Woche** during the week; ~ **Mittag** in the morning **II.** *adv* ❶ (*jünger als*) under ❷ (*weniger als*) less than

Un·ter·arm ['ʊntɐʔarm] *m* forearm

un·ter·be·lich·ten *vt* to underexpose **un·ter·be·lich·tet** *adj* (*hum fam*) dim[-witted] **un·ter·be·wer·ten** *vt* to undervalue

un·ter·be·wusstᴿᴿ *adj* subconscious

Un·ter·be·wusst·seinᴿᴿ ['ʊntɐbəvʊstzain] *nt* ■ **das/jds** ~ the/sb's subconscious; **im** ~ subconsciously

un·ter·be·zahlt *adj* underpaid **un·ter·bie·ten** [ʊntɐ'biːtn̩] *vt irreg* ❶ (*billiger sein*) to undercut (**um** by) ❷ SPORT **einen Rekord** ~ to beat a record

un·ter·bin·den [ʊntɐ'bɪndn̩] *vt irreg* (*geh*) to stop

un·ter·blei·ben [ʊntɐ'blaibn̩] *vi irreg sein* (*geh*) ❶ (*aufhören*) to stop ❷ (*nicht geschehen*) not to happen

un·ter·bre·chen [ʊntɐ'brɛçn̩] *vt irreg* ❶ (*vorübergehend beenden*) to interrupt ❷ (*räumlich auflockern*) to break up *sep*

Un·ter·bre·chung <-, -en> *f* interruption; **mit** ~**en** with breaks

un·ter·brei·ten [ʊntɐ'braitn̩] *vt* (*geh*) ❶ (*vorlegen*) ■ **jdm etw** ~ to present sth to sb ❷ (*informieren*) ■ **jdm** ~**, dass ...** to advise sb that ...

un·ter|brin·gen *vt irreg* ❶ (*Unterkunft ver-*

schaffen) ▪ jdn ~ to put sb up; **die Kinder sind gut untergebracht** (*fig*) the children are being well looked after ② (*abstellen*) ▪ **etw** ~ to put sth somewhere ③ (*fam: eine Anstellung verschaffen*) ▪ **jdn** ~ to get sb a job

Un·ter·brin·gung <-, -en> *f* ① (*das Unterbringen*) accommodation ② (*Unterkunft*) accommodation *no indef art*

un·ter·der·handᴬᴸᵀ *adv s.* **Hand 4**

un·ter·des·sen [ʊntɐˈdɛsn̩] *adv* (*geh*) meanwhile

Un·ter·druck <-drücke> *m* ① PHYS vacuum ② *kein pl* (*niedriger Blutdruck*) low blood pressure

un·ter·drü·cken* [ʊntɐˈdrʏkn̩] *vt* ① (*niederhalten*) ▪ **jdn** ~ to oppress sb; ▪ **etw** ~ to suppress sth ② (*zurückhalten*) to suppress

Un·ter·drü·cker(in) <-s, -> *m(f)* oppressor

Un·ter·drü·ckung <-, -en> *f* ① *kein pl* (*das Unterdrücken*) *Bürger, Einwohner, Volk* oppression; *Aufstand, Unruhen* suppression ② (*das Unterdrücktsein*) oppression

un·te·re(r, s) <unterste(r, s)> [ˈʊntərə, -tərɐ, -tərəs] *adj attr* lower

un·ter·ei·nan·der [ʊntɐʔaiˈnandɐ] *adv* ① (*miteinander*) among yourselves/themselves etc; **sich ~ helfen** to help each other ② (*eines unterhalb des anderen*) one below the other

un·ter·ent·wi·ckelt *adj* underdeveloped; **geistig ~** mentally retarded **un·ter·er·nährt** *adj* undernourished **Un·ter·er·näh·rung** *f* malnutrition **Un·ter·füh·rung** [ʊntɐˈfyːrʊŋ] *f* underpass; *Fußgänger* subway **Un·ter·funk·ti·on** *f* MED hypofunction **Un·ter·gang** <-gänge> *m* ① *Schiff* sinking ② *Sonne* setting ③ (*Zerstörung*) destruction; **der ~ einer Zivilisation** the decline of civilization; **der ~ des Römischen Reiches** the fall of the Roman Empire

Un·ter·ge·be·ne(r) *f(m)* subordinate

un·ter|ge·hen *vi irreg sein* ① (*versinken*) to sink; **ihre Worte gingen in dem Lärm unter** (*fig*) her words were drowned in the noise ② *Sonne* to set ③ (*zugrunde gehen*) to be destroyed; **untergegangene Kulturen** lost civilizations **un·ter·ge·ord·net** *adj* ① (*zweitrangig*) secondary ② (*subaltern*) subordinate **Un·ter·ge·schoss**ᴿᴿ *nt* basement **Un·ter·ge·wicht** *nt* underweight; **~ haben** to be underweight **un·ter·ge·wich·tig** *adj* underweight **un·ter·glie·dern*** *vt* to

subdivide (**in** into) **un·ter·gra·ben***¹ [ʊntɐˈɡraːbn̩] *vt irreg* to undermine sth **un·ter|gra·ben**² [ˈʊntɐɡraː-bn̩] *vt irreg* ▪ **etw** ~ to dig sth into the soil **Un·ter·grund** [ˈʊntɐɡrʊnt] *m* ① GEOL subsoil ② *kein pl* (*politische Illegalität*) underground; **in den ~ gehen** to go underground; **im ~** underground ③ KUNST, MODE (*tragende Fläche*) background; (*unterste Farbschicht*) undercoat **Un·ter·grund·bahn** *f* underground **Un·ter·grund·or·ga·ni·sa·ti·on** *f* POL underground organization

un·ter·halb [ˈʊntɐhalp] **I.** *präp +gen* (*darunter befindlich*) below **II.** *adv* (*tiefer gelegen*) below; *Fluss* downstream; ▪ **~ von etw** *dat* below sth

Un·ter·halt <-[e]s> [ˈʊntɐhalt] *m kein pl* ① (*Lebens~*) keep; (*Unterhaltsgeld*) maintenance ② (*Instandhaltung*) upkeep

un·ter·hal·ten¹ [ˈʊntɐhaltn̩] *vt irreg* ① (*für jds Lebensunterhalt sorgen*) to support ② (*instand halten, pflegen*) to maintain ③ (*betreiben*) to run ④ (*innehaben*) **ein Konto ~** to have an account

un·ter·hal·ten² [ʊntɐˈhaltn̩] *irreg* **I.** *vt* (*die Zeit vertreiben*) to entertain **II.** *vr* ① (*sich vergnügen*) ▪ **sich ~** to keep oneself amused ② (*sprechen*) ▪ **sich** [mit jdm] ~ to talk [to sb] (**über** about); **wir müssen uns mal ~** we must have a talk

un·ter·hal·tend [ʊntɐˈhaltənt] *adj*, **un·ter·halt·sam** [ʊntɐˈhaltzaːm] *adj* entertaining

Un·ter·halts·an·spruch *m* entitlement to maintenance **un·ter·halts·be·rech·tigt** *adj* entitled to maintenance **Un·ter·halts·be·rech·tig·te(r)** *f(m) dekl wie adj* JUR person entitled to maintenance payments **Un·ter·halts·kos·ten** *pl* ① JUR maintenance ② (*Instandhaltungskosten*) maintenance costs *npl* ③ (*Betriebskosten*) running costs *pl* **Un·ter·halts·pflicht** *f* obligation to pay maintenance **un·ter·halts·pflich·tig** *adj* under obligation to provide maintenance **Un·ter·halts·zah·lung** *f* maintenance payment

Un·ter·hal·tung¹ <-> *f kein pl* ① (*Instandhaltung*) maintenance ② (*Betrieb*) running **Un·ter·hal·tung**² <-, -en> *f* ① (*Gespräch*) conversation ② *kein pl* (*Zeitvertreib*) entertainment; **gute ~!** enjoy yourselves!

Un·ter·hal·tungs·in·dust·rie *f* entertainment industry

Un·ter·händ·ler(in) [ˈʊntɐhɛndlɐ] *m(f)* negotiator

Un·ter·haus [ˈʊntɐhaus] *nt* **das britische ~** the House of Commons **Un·ter·**

hemd ['ʊntɐhɛmt] *nt* vest **Ụn·ter·holz** *nt kein pl* undergrowth **Ụn·ter·ho·se** ['ʊntɐhoːzə] *f* [under]pants **un·ter·ir·disch** ['ʊntɐʔɪrdɪʃ] **I.** *adj* underground; *Fluss* subterranean **II.** *adv* underground **ụn·ter|ju·beln** *vt* (*sl*) ❶ (*andrehen*) ■**jdm etw** ~ to palm sth off on sb ❷ (*anlasten*) ■**jdm etw** ~ to pin sth on sb **Ụn·ter·kie·fer** ['ʊntɐkiːfɐ] *m* lower jaw **ụn·ter|kom·men** *vi irreg sein* ❶ (*eine Unterkunft finden*) ■**bei jdm/irgendwo** ~ to find accommodation at sb's house/somewhere ❷ (*fam: eine Anstellung bekommen*) ■[**als etw**] ~ to find a job [as sth] ❸ DIAL (*begegnen*) ■**jdm** ~ to come across sth/sb ❹ DIAL (*erleben*) ■**jdm** ~ to experience; **ein so wundersame Gelegenheit kommt einem nicht alle Tage unter** you don't get such a wonderful opportunity like that every day **Ụn·ter·kör·per** *m* lower part of the body **ụn·ter|krie·gen** *vt* (*fam*) ■**sich** [**von jdm/etw**] ~ **lassen** to allow sb/sth to get one down; **von einem kleinen Rückschlag darf man sich nicht ~ lassen** you shouldn't allow a trivial setback to get you down wn **un·ter·küh·len*** [ʊntɐ'kyːlən] **I.** *vt* ■**jdn** ~ to reduce sb's body temperature **II.** *vr* (*fam*) ■**sich** ~ to get cold **un·ter·kühlt** *adj* ❶ (*mit niedriger Körpertemperatur*) suffering from hypothermia ❷ (*betont kühl, distanziert*) cool **Un·ter·küh·lung** *f* hypothermia **Un·ter·kunft** <-, -künfte> ['ʊntɐkʊnft, *pl* -kʏnftə] *f* accommodation; **eine ~ suchen** to look for accommodation; **~ mit Frühstück** bed and breakfast; **~ und Verpflegung** board and lodging **Un·ter·la·ge** ['ʊntɐlaːgə] *f* ❶ (*etw zum Unterlegen*) mat; **eine Decke diente für den Patienten als ~** a blanket was used for the patient to lie on ❷ *meist pl* (*Dokument*) document *usu pl* **Un·ter·lass**RR *m*, **Un·ter·laß**ALT ['ʊntɐlas] *m* **ohne ~** (*geh*) incessantly **un·ter·las·sen*** [ʊntɐ'lasn] *vt irreg* ❶ (*nicht ausführen*) ■**etw** ~ to omit to do sth; **warum haben Sie es ~, mich zu benachrichtigen?** why did you fail to inform me? ❷ (*mit etw aufhören*) ■**etw** ~ to refrain from doing sth **Un·ter·las·sung** <-, -en> [ʊntɐ'lasʊŋ] *f* ❶ (*das Unterlassen*) omission, failure [to do sth]; **ich bestehe auf sofortiger ~ dieser Lärmbelästigung** I insist that this noise pollution be stopped immediately ❷ JUR failure, negligence; **fahrlässige ~** passive negligence **un·ter·lau·fen*** [ʊntɐ'laʊfn] *irreg* **I.** *vt*

haben to evade **II.** *vi sein* ❶ (*versehentlich vorkommen*) ■**jdm unterläuft etw** sth happens to sb; **da muss mir ein Fehler ~ sein** I must have made a mistake ❷ (*fam: begegnen*) ■**jdm** ~ to happen to sb; **so etwas Lustiges ist mir selten ~** something as funny as that has rarely happened to me **un·ter·le·gen**¹ ['ʊntɐleːgn] *vt* ❶ (*darunter platzieren*) ■[**jdm**] **etw** ~ to put sth under[neath] [sb] ❷ (*abweichend interpretieren*) ■**einer S.** *dat* **etw** ~ to read another meaning into sth **un·ter·le·gen***² [ʊntɐ'leːgn] *vt* ❶ (*mit Untermalung versehen*) **einem Film Musik ~** to put music to a film ❷ (*mit einer Unterlage versehen*) to underlay **un·ter·le·gen**³ [ʊntɐ'leːgn] *adj* ❶ (*schwächer als andere*) inferior; ■**jdm** ~ **sein** to be inferior to sb; **zahlenmäßig ~ sein** to be outnumbered ❷ SPORT ■**jdm** ~ **sein** to be defeated by sb **Un·ter·le·gen·heit** <-, *selten* -en> *f* inferiority **Ụn·ter·leib** *m* [lower] abdomen **un·ter·lie·gen*** ['ʊnteliːgn] *vi irreg sein* ❶ (*besiegt werden*) ■[**jdm**] ~ to lose [to sb] ❷ (*unterworfen sein*) **einer Täuschung ~** to be the victim of a deception; **der Schweigepflicht ~** to be bound to maintain confidentiality **Ụn·ter·lip·pe** *f* bottom lip **un·term** ['ʊntɐm] (*fam*) = **unter dem** *s.* **unter un·ter·mau·ern*** [ʊntɐ'maʊɐn] *vt* ■**etw** ~ to support sth; BAU to underpin sth **Ụn·ter·me·nü** *nt* INFORM submenu **Un·ter·mie·te** ['ʊntɐmiːtə] *f* ❶ (*Mieten eines Zimmers*) subtenancy; **zur ~ wohnen** to rent a room from an existing tenant ❷ (*das Untervermieten*) sublease; **jdn in ~ nehmen** to take in sb as a lodger **Ụn·ter·mie·ter(in)** *m(f)* subtenant **un·ter|mi·schen** ['ʊntɐmɪʃn] *vt* to add **un·tern** ['ʊntɐn] (*fam*) = **unter den** *s.* **unter un·ter·neh·men*** [ʊntɐ'neːmən] *vt irreg* ❶ (*in die Wege leiten*) ■**etw/nichts** ~ to take action/no action (**gegen** against) ❷ (*Vergnügliches durchführen*) **wollen wir nicht etwas zusammen ~?** why don't we do something together? ❸ (*geh: machen*) **einen Ausflug ~** to go on an outing; **einen Versuch ~** to make an attempt ❹ (*geh: auf sich nehmen*) ■**es ~, etw zu tun** to take it upon oneself to do sth **Un·ter·neh·men** <-s, -> [ʊntɐ'neːmən] *nt* ❶ ÖKON firm ❷ (*Vorhaben*) venture **Un·ter·neh·mens·be·ra·ter(in)** *m(f)* management consultant **Un·ter·neh·mens·spit·ze** f top management

Un·ter·neh·mer(in) <-s, -> [ʊntɐˈneːmɐ] m(f) entrepreneur

un·ter·neh·me·risch [ʊntɐˈneːmərɪʃ] I. adj entrepreneurial II. adv in a business-like manner; ~ **denken** to think in a business-like manner

Un·ter·neh·mung <-, -en> [ʊntɐˈneː-mʊŋ] f (geh) s. **Unternehmen 2**

Un·ter·neh·mungs·geist m kein pl entrepreneurial spirit **un·ter·neh·mungs·lus·tig** adj enterprising

Un·ter·of·fi·zier [ˈʊntɐʔɔfitsiːɐ̯] m non-commissioned officer **un·ter|ord·nen** I. vt ❶ (vor etw hintanstellen) ■ **etw einer S.** dat ~ to put sth before sth ❷ (jdm/einer Institution unterstellen) ■ **jdm/einer S.** dat **untergeordnet sein** to be [made] subordinate to sb/sth II. vr ■ **sich** [jdm] ~ to take on a subordinate role [to sb] **Un·ter·punkt** m sub-point

Un·ter·re·dung <-, -en> f discussion

un·ter·re·prä·sen·tiert adj under-represented

Un·ter·richt <-[e]s, selten -e> [ˈʊntɐ-rɪçt] m lesson; **theoretischer/prakti-scher** ~ theoretical/practical classes; **im Sommer beginnt der** ~ **um zehn vor acht** in summer lessons begin at ten to eight; **bei wem haben wir nächste Stunde** ~? who's our next lesson with?; **im** ~ **sein** to be in a lesson; **heute fällt der** ~ **in Mathe aus** there will be no maths lesson today

un·ter·rich·ten* [ʊntɐˈrɪçtn] I. vt ❶ (lehren) to teach; **Chemie** ~ to teach Chemistry ❷ (informieren) ■ **jdn** ~ (über etw) to inform sb (über about) II. vi (als Lehrer tätig sein) **in einem Fach** ~ to teach a subject; **an welcher Schule** ~ **Sie?** which school do you teach at? III. vr (sich informieren) ■ **sich über etw** akk ~ to obtain information about sth

Un·ter·richts·fach nt subject **Un·ter·richts·stun·de** f lesson

Un·ter·rock [ˈʊntɐrɔk] m petticoat

un·ters [ˈʊntɐs] (fam) = **unter das** s. **unter**

un·ter·sa·gen* [ʊntɐˈzaːgn] vt ■ **jdm etw** ~ to forbid sb to do sth; **das Rauchen ist in diesen Räumen untersagt** smoking is prohibited in these rooms **Un·ter·satz** [ˈʊntɐzats] m mat **un·ter·schät·zen*** [ʊntɐʃɛtsn] vt to underestimate

un·ter·schei·den* [ʊntɐˈʃaidn] irreg I. vt ❶ (differenzieren) to distinguish (**zwi-schen** between); ■ **etw** [**von etw** dat] ~

to tell sth from sth; **was sie von ihrer Schwester unterscheidet, ist ihre musikalische Begabung** what distinguishes her from her sister is her musical talent ❷ (auseinanderhalten) **ich kann die beiden nie** ~ I can never tell the difference between the two; **Ulmen und Linden kann man leicht** ~ you can easily tell elm trees from lime trees; **er kann ein Schneeglöckchen nicht von einer Schlüsselblume** ~ he can't tell the difference between a snowdrop and a cowslip II. vi [zwischen Dingen] ~ to differentiate [between things] III. vr ■ **sich voneinan-der/von jdm/etw** ~ to differ from sb/sth

Un·ter·schei·dung f distinction

Un·ter·schen·kel m lower leg; (vom gebratenen Huhn) [chicken] drumstick **Un·ter·schicht** f lower class

Un·ter·schied <-[e]s, -e> [ˈʊntɐʃiːt] m difference; **einen/keinen** ~ [zwischen Din-gen] **machen** to draw a/no distinction [between things]; **im** ~ **zu dir bin ich aber vorsichtiger** unlike you I'm more careful; **ohne** ~ indiscriminately

un·ter·schied·lich [ˈʊntɐʃiːtlɪç] I. adj different; ~ **er Auffassung sein** to have different views II. adv differently

un·ter·schla·gen* [ʊntɐˈʃlaːgn] vt irreg ❶ (unrechtmäßig für sich behalten) to misappropriate; **Geld** to embezzle; **Brief, Beweise** to withhold; **eine Nachricht** ~ to keep quiet about sth ❷ (vorenthalten) ■ **jdm etw** ~ to withhold sth from sb

Un·ter·schla·gung <-, -en> [ʊntɐˈʃla:-gʊŋ] f embezzlement

Un·ter·schlupf <-[e]s, -e> [ˈʊntɐʃlʊpf] m hideout; **bei jdm** ~ **suchen/finden** to look for/find shelter with sb

un·ter·schrei·ben* [ʊntɐˈʃraibn] irreg vt, vi to sign

Un·ter·schrift [ˈʊntɐʃrɪft] f ❶ (eigene Sig-natur) signature ❷ (Bildunterschrift) caption

Un·ter·schrif·ten·lis·te f petition **Un·ter·schrif·ten·samm·lung** f collection of signatures

un·ter·schwel·lig [ˈʊntɐʃvɛlɪç] adj subliminal

Un·ter·see·boot [ˈʊntɐzeːboːt] nt submarine **Un·ter·sei·te** f underside **Un·ter·set·zer** <-s, -> [ˈʊntɐzɛtsɐ] m s. **Unter-satz**

un·ter·setzt [ʊntɐˈzɛtst] adj stocky

un·ter|sprit·zen* vt med **Falten** ~ to treat with anti-wrinkle injections

un·ters·te(r, s) [ˈʊntɐstə, -təstə, təstəs] adj superl von **untere(r, s)**: **das U~ zuoberst**

kehren (fam) to turn everything upside down

un·ter·ste·hen*¹ [ʊntɐˈʃteːən] irreg **I.** vi ■**jdm/einer S.** dat ~ to be subordinate to sb/sth; **der Abteilungsleiterin ~ 17 Mitarbeiter** seventeen employees report to the departmental head; **jds Befehl ~** to be under sb's command **II.** vr ■**sich ~, etw zu tun** to have the audacity to do sth; **untersteh dich!** don't you dare!

un·ter|ste·hen² [ˈʊntɐʃteːən] vi irreg haben SÜDD, ÖSTERR, SCHWEIZ (Schutz suchen) to take shelter

un·ter·stel·len*¹ [ʊntɐˈʃtɛlən] **I.** vt ❶ (unterordnen) ■**jdm jdn/etw ~** to put sb in charge of sb/sth; **Sie sind ab sofort der Redaktion III unterstellt** as from now you report to editorial department III ❷ (unterschieben) ■**jdm etw ~** to imply that sb has said/done sth **II.** vi ■**~, [dass]** ... to suppose [that] ...

un·ter|stel·len² [ˈʊntɐʃtɛlən] **I.** vt ❶ (abstellen) ■**etw irgendwo/bei jdm ~** to store sth somewhere/at sb's house; **ein Auto bei jdm ~** to leave one's car at sb's house ❷ (darunter stellen) **einen Eimer ~** to put a bucket underneath **II.** vr ■**sich ~** to take shelter

Un·ter·stel·lung f ❶ (falsche Behauptung) insinuation ❷ kein pl (Unterordnung) subordination

un·ter·strei·chen* [ʊntɐˈʃtraiçn̩] vt irreg ❶ (markieren) to underline ❷ (betonen) to emphasize

Un·ter·stu·fe f lower school

un·ter·stüt·zen* [ʊntɐˈʃtʏtsn̩] vt ❶ (durch Hilfe fördern) a. INFORM to support (**bei/in** in) ❷ (sich dafür einsetzen) to back

Un·ter·stüt·zung f ❶ kein pl (Hilfe) support; **ich möchte Sie um Ihre ~ bitten** I should like to ask you for your support ❷ (finanzielle Hilfe) income support; (Arbeitslosen~) benefit

un·ter·su·chen* [ʊntɐˈzuːxn̩] vt ❶ (den Gesundheitszustand überprüfen) to examine (**auf** for) ❷ (überprüfen) to investigate; Fahrzeug to check ❸ (genau betrachten) to scrutinize ❹ (durchsuchen) to search (**auf** for) ❺ (aufzuklären suchen) to investigate

Un·ter·su·chung <-, -en> f ❶ (Überprüfung des Gesundheitszustandes) examination; **sich einer ~ unterziehen** (geh) to undergo a medical examination ❷ (Durchsuchung) search ❸ (Überprüfung) investigation ❹ (analysierende Arbeit) investigation

Un·ter·su·chungs·aus·schuss^RR m committee of inquiry **Un·ter·su·chungs·er·geb·nis** nt ❶ JUR findings ❷ MED results pl **Un·ter·su·chungs·haft** f custody; **in ~ sein** to be on remand **Un·ter·su·chungs·rich·ter(in)** m(f) examining magistrate

Un·ter·tan(in) <-en, -en> [ˈʊntɐtaːn] m(f) subject

un·ter·tä·nig <-er, -ste> [ˈʊntɐtɛːnɪç] adj (pej) submissive

Un·ter·tas·se f saucer; **fliegende ~** (fam) flying saucer **un·ter|tau·chen** [ˈʊntɐtauxn̩] **I.** vt haben ■**jdn ~** to duck [or AM dunk] sb's head under water **II.** vi sein ❶ (tauchen) to dive [under]; U-Boot to submerge ❷ (sich verstecken) to go underground; ■**bei jdm ~** to hide out at sb's place; **im Ausland ~** to go underground abroad ❸ (verschwinden) ■**irgendwo ~** to disappear somewhere **Un·ter·teil** [ˈʊntɐtail] nt o m bottom part **un·ter·tei·len*** [ʊntɐˈtailən] vt ❶ (einteilen) to subdivide (**in** into) ❷ (aufteilen) to partition (**in** into) **Un·ter·tei·lung** <-, -en> f subdivision **Un·ter·tel·ler** m SCHWEIZ, SÜDD (Untertasse) saucer **Un·ter·ti·tel** [ˈʊntɐtiːtl̩] m ❶ (eingeblendete Übersetzung) subtitle ❷ (zusätzlich erläuternder Titel) subheading **Un·ter·ton** m undertone

un·ter·trei·ben* [ʊntɐˈtraibn̩] irreg **I.** vt to understate **II.** vi to play sth down

un·ter·ver·mie·ten* vt, vi to sublet **un·ter·ver·sorgt** adj undersupplied **Un·ter·ver·sor·gung** f kein pl shortage

un·ter·wan·dern* [ʊntɐˈvandɐn] vt ■**etw ~** to infiltrate sth **Un·ter·wan·de·rung** f infiltration **Un·ter·wä·sche** <-, -n> [ˈʊntɐvɛʃə] f kein pl underwear no pl

un·ter·wegs [ʊntɐˈveːks] adv on the way; **Herr Müller ist gerade nach München ~** Mr. Müller is on his way to Munich at the moment; **für ~** for the journey; **wir haben ein paar Blumen von ~ mitgebracht** we've brought a few flowers back from our outing; **er hat mich von ~ angerufen** he phoned me while he was on his way

un·ter·wei·sen* [ʊntɐˈvaizn̩] vt irreg (geh) to instruct

Un·ter·wei·sung f (geh) instruction form **Un·ter·welt** [ˈʊntɐvɛlt] f kein pl underworld

un·ter·wer·fen* [ʊntɐˈvɛrfn̩] irreg **I.** vt ❶ (unterjochen) to subjugate ❷ (unterziehen) ■**jdn einer S.** dat ~ to subject sb to sth **II.** vr ❶ (sich fügen) **sich jds Willkür ~** to bow to sb's will; **sich einem Herr-**

scher ~ to obey a ruler ❷ (*sich unterzie-hen*) ■**sich einer S.** *dat*~ to submit to sth
Un·ter·wer·fung <-, -en> *f* subjugation
un·ter·wor·fen *adj* ■jdm/einer S. *dat* ~ **sein** to be subject to sb/sth
un·ter·wür·fig [ʊntɐˈvʏrfɪç] *adj* (*pej*) servile
un·ter·zeich·nen* [ʊntɐˈtsai̯çnən] *vt* (*geh*) to sign
Un·ter·zeich·ner(in) [ʊntɐˈtsai̯çnɐ] *m(f)* (*geh*) signatory
un·ter·zie·hen*¹ [ʊntɐˈtsiːən] *irreg* I. *vt* ■jdn/etw einer S. *dat*~ to subject sb/sth to sth; **das Fahrzeug muss noch einer Generalinspektion unterzogen werden** the vehicle still has to undergo a general inspection II. *vr* ■sich einer S. *dat*~ to undergo sth; **sich einer Operation** ~ to have an operation
un·ter|zie·hen² [ˈʊntɐtsiːən] *vt irreg* to put on *sep* underneath; **Sie sollten sich einen Pullover** ~ you ought to put a pullover on underneath
Un·tie·fe [ˈʊntiːfə] *f* ❶ (*seichte Stelle*) shallow *usu pl* ❷ (*geh: große Tiefe*) depth *usu pl*
Un·tier [ˈʊntiːɐ̯] *nt* monster
un·trag·bar [ʊnˈtraːkbaːɐ̯] *adj* ❶ (*unerträglich*) unbearable ❷ (*nicht tolerabel*) intolerable
un·trenn·bar [ʊnˈtrɛnbaːɐ̯] *adj* inseparable
un·treu [ˈʊntrɔy̯] *adj* unfaithful; ■jdm ~ **sein/werden** to be unfaithful to sb; **sich** *dat* ~ **werden** (*geh*) to be untrue to oneself; **einer S.** *dat* ~ **werden** to be disloyal to sth
Un·treue *f* ❶ (*untreues Verhalten*) unfaithfulness ❷ JUR embezzlement
un·tröst·lich [ʊnˈtrøːstlɪç] *adj* inconsolable
Un·tu·gend [ˈʊntuːɡn̩t] *f* bad habit
un·ty·pisch *adj* untypical
un·über·legt [ˈʊnʔyːbɐleːkt] I. *adj* rash II. *adv* rashly
un·über·seh·bar [ʊnʔyːbɐˈzeːbaːɐ̯] *adj* ❶ (*nicht zu übersehen*) obvious ❷ (*nicht abschätzbar*) incalculable; *Konsequenzen* unforeseeable
un·über·sicht·lich [ˈʊnʔyːbɐzɪçtlɪç] *adj* ❶ (*nicht übersichtlich*) confusing ❷ (*schwer zu überblicken*) unclear; **eine ~e Kurve** a blind bend
un·über·treff·lich [ʊnʔyːbɐˈtrɛflɪç] I. *adj* unsurpassable; *Rekord* unbeatable II. *adv* superbly, magnificently
un·über·trof·fen [ʊnʔyːbɐˈtrɔfn̩] *adj* unsurpassed; *Rekord* unbroken
un·über·wind·lich [ʊnʔyːbɐˈvɪntlɪç] *adj*

❶ (*nicht abzulegen*) deep[-rooted] ❷ (*nicht zu meistern*) insurmountable ❸ (*unbesiegbar*) invincible
un·üb·lich [ˈʊnʔyːplɪç] I. *adj* uncustomary; ■~ **sein** not to be customary II. *adv* unusually
un·um·gäng·lich [ʊnʔʊmˈɡɛŋlɪç] *adj* inevitable
un·um·schränkt [ʊnʔʊmˈʃrɛŋkt] I. *adj* absolute II. *adv* ~ **herrschen** to have absolute rule
un·um·stöß·lich [ʊnʔʊmˈʃtøːslɪç] I. *adj* irrefutable; *Entschluss* irrevocable II. *adv* irrefutably; **die Entscheidung des Gerichts steht ~ fest** the court's decision is irrevocable
un·um·strit·ten [ʊnʔʊmˈʃtrɪtn̩] I. *adj* undisputed II. *adv* undisputedly
un·um·wun·den [ˈʊnʔʊmvʊndn̩] *adv* frankly, openly
un·un·ter·bro·chen [ˈʊnʔʊntɐbrɔxn̩] I. *adj* ❶ (*unaufhörlich andauernd*) incessant ❷ (*nicht unterbrochen*) uninterrupted II. *adv* incessantly
un·ver·än·der·lich [ʊnfɛɐ̯ˈʔɛndɐlɪç] *adj* unchanging
un·ver·än·dert [ˈʊnfɛɐ̯ʔɛndɐt] I. *adj* ❶ (*keine Änderungen aufweisend*) unrevised ❷ (*gleich bleibend*) unchanged; *Einsatz, Fleiß* unchanging II. *adv* **trotz dieser Meinungsverschiedenheiten begegnete sie uns ~ freundlich** her greeting was as friendly as ever, despite our [little] difference of opinion; **auch morgen ist es wieder ~ kalt** it will remain [just as] cold tomorrow; **auch für den neuen Auftraggeber arbeitete er ~ zuverlässig** his work was just as reliable for his new client
un·ver·ant·wort·lich [ʊnfɛɐ̯ˈʔantvɔrtlɪç] I. *adj* irresponsible II. *adv* irresponsibly
un·ver·äu·ßer·lich [ʊnfɛɐ̯ˈʔɔy̯sɐlɪç] *adj* ❶ (*geh: nicht zu entäußern*) inalienable ❷ (*selten: unverkäuflich*) unmarketable, unsaleable
un·ver·bes·ser·lich [ʊnfɛɐ̯ˈbɛsɐlɪç] *adj* incorrigible; *Optimist* incurable
un·ver·bind·lich [ˈʊnfɛɐ̯bɪntlɪç] I. *adj* ❶ (*nicht verpflichtend*) not binding *pred*; **ein ~es Angebot machen** to make a non-binding offer ❷ (*distanziert*) detached II. *adv* without obligation
un·ver·bleit [ˈʊnfɛɐ̯blai̯t] *adj* unleaded
un·ver·blümt [ʊnfɛɐ̯ˈblyːmt] I. *adj* blunt II. *adv* bluntly
un·ver·dau·lich [ˈʊnfɛɐ̯dau̯lɪç] *adj* indigestible
un·ver·dor·ben [ˈʊnfɛɐ̯dɔrbn̩] *adj* unspoilt
un·ver·dros·sen [ˈʊnfɛɐ̯drɔsn̩] *adv*

undauntedly

un·ver·dünnt ['ʊnfɛɐ̯dʏnt] **I.** *adj* undiluted; *Alkohol* neat **II.** *adv* **etw ~ anwenden** to use sth in an undiluted state; **ich trinke meinen Whisky ~** I like [to drink] my whisky neat

un·ver·ein·bar [ʊnfɛɐ̯'ʔai̯nbaːɐ̯] *adj* incompatible; *Gegensätze* irreconcilable

un·ver·fälscht ['ʊnfɛɐ̯fɛlʃt] *adj* unadulterated

un·ver·fäng·lich ['ʊnfɛɐ̯fɛŋlɪç] *adj* harmless; **auf die Trickfragen hat er mit ~en Antworten reagiert** he gave non-committal answers to the trick questions

un·ver·fro·ren ['ʊnfɛɐ̯froːrən] *adj* insolent

Un·ver·fro·ren·heit <-, -en> *f* ❶ (*Dreistigkeit*) audacity, impudence ❷ (*Äußerung*) insolent remark; **solche ~en muss ich mir nicht anhören** I don't have to listen to such insolent remarks [*or* insolence] ❸ (*dreistes Benehmen*) insolence *no pl*; **also ehrlich, mir so was zu sagen, ist schon eine ~** well really, you've got a cheek saying something like that to me

un·ver·gäng·lich ['ʊnfɛɐ̯gɛŋlɪç] *adj* ❶ (*bleibend*) abiding; *Eindruck* lasting ❷ (*nicht vergänglich*) immortal

un·ver·gess·lich^{RR} *adj*, **un·ver·geß·lich**^{ALT} [ʊnfɛɐ̯'gɛslɪç] *adj* unforgettable

un·ver·gleich·lich [ʊnfɛɐ̯'glai̯çlɪç] **I.** *adj* incomparable **II.** *adv* incomparably

un·ver·hält·nis·mä·ßig ['ʊnfɛɐ̯hɛltnɪsmɛːsɪç] *adv* excessively; **wir alle litten unter dem ~ heißen Wetter** we are all suffering as a result of the unusually hot weather

un·ver·hei·ra·tet ['ʊnfɛɐ̯hai̯raːtət] *adj* unmarried

un·ver·hofft ['ʊnfɛɐ̯hɔft] **I.** *adj* unexpected **II.** *adv* unexpectedly; **sie besuchten uns ~** they paid us an unexpected visit

un·ver·hoh·len ['ʊnfɛɐ̯hoːlən] **I.** *adj* undisguised, unconcealed **II.** *adv* openly

un·ver·hüllt <-er, -este> ['ʊnfɛɐ̯hʏlt] *adj* undisguised

un·ver·käuf·lich ['ʊnfɛɐ̯kɔy̯flɪç] *adj* not for sale *pred*

un·ver·kenn·bar [ʊnfɛɐ̯'kɛnbaːɐ̯] *adj* unmistakable; ■**~ sein/werden, dass ...** to be/become clear that ...

un·ver·letzt ['ʊnfɛɐ̯lɛtst] *adj* unhurt

un·ver·meid·bar [ʊnfɛɐ̯'mai̯tbaːɐ̯] *adj* s. **unvermeidlich**

un·ver·meid·lich [ʊnfɛɐ̯'mai̯tlɪç] *adj* unavoidable

un·ver·min·dert ['ʊnfɛɐ̯mɪndɐt] **I.** *adj* undiminished **II.** *adv* unabated

un·ver·mit·telt ['ʊnfɛɐ̯mɪtl̩t] **I.** *adj* sudden

II. *adv* suddenly

Un·ver·mö·gen ['ʊnfɛɐ̯møːgn̩] *nt kein pl* powerlessness; ■**jds ~, etw zu tun** sb's inability to do sth

un·ver·mu·tet ['ʊnfɛɐ̯muːtət] **I.** *adj* unexpected **II.** *adv* unexpectedly

Un·ver·nunft ['ʊnfɛɐ̯nʊnft] *f* stupidity

un·ver·nünf·tig ['ʊnfɛɐ̯nʏnftɪç] *adj* stupid

un·ver·öf·fent·licht ['ʊnfɛɐ̯ʔœfn̩tlɪçt] *adj* unpublished

un·ver·rich·tet ['ʊnfɛɐ̯rɪçtət] *adj* **~er Dinge** without having achieved anything

un·ver·schämt ['ʊnfɛɐ̯ʃɛːmt] **I.** *adj* ❶ (*dreist*) impudent ❷ (*unerhört*) outrageous **II.** *adv* ❶ (*dreist*) insolently; **~ lügen** to tell barefaced lies ❷ (*fam: unerhört*) outrageously

Un·ver·schämt·heit <-, -en> *f* ❶ *kein pl* (*Dreistigkeit*) insolence ❷ (*unverschämte Bemerkung*) impertinent remark; [**das ist eine**] **~!** that's outrageous! ❸ (*unverschämte Handlung*) impertinence *no pl*

un·ver·schul·det ['ʊnfɛɐ̯ʃʊldət] *adj, adv* through no fault of one's own

un·ver·se·hens ['ʊnfɛɐ̯zeːəns] *adv* unexpectedly

un·ver·sehrt ['ʊnfɛɐ̯zeːɐ̯t] *adj* undamaged; (*Mensch*) unscathed

un·ver·söhn·lich ['ʊnfɛɐ̯zøːnlɪç] *adj* irreconcilable

un·ver·ständ·lich ['ʊnfɛɐ̯ʃtɛntlɪç] *adj* ❶ (*akustisch nicht zu verstehen*) unintelligible; ■**~ sein** to be unintelligible ❷ (*unbegreifbar*) incomprehensible; ■**~ sein, warum/wie ...** to be incomprehensible why/how ...

Un·ver·ständ·nis *nt kein pl* lack of understanding

un·ver·steu·ert ['ʊnfɛɐ̯ʃtɔy̯ɐt] *adj* FIN untaxed

un·ver·sucht ['ʊnfɛɐ̯zuːxt] *adj* **nichts ~ lassen** to leave no stone unturned

un·ver·träg·lich ['ʊnfɛɐ̯trɛːklɪç] *adj* ❶ (*sich mit keinem vertragend*) cantankerous ❷ (*nicht gut bekömmlich*) indigestible

Un·ver·träg·lich·keit <-> *f kein pl* ❶ (*Streitsucht*) cantankerousness ❷ MED intolerance ❸ (*Unvereinbarkeit*) incompatibility

un·ver·wech·sel·bar [ʊnfɛɐ̯'vɛksl̩baːɐ̯] *adj* unmistakable

un·ver·wund·bar [ʊnfɛɐ̯'vʊntbaːɐ̯] *adj* invulnerable

un·ver·wüst·lich [ʊnfɛɐ̯'vyːstlɪç] *adj* tough; *Gesundheit* robust

un·ver·zeih·lich [ʊnfɛɐ̯'tsai̯lɪç] *adj* inexcusable

un·ver·zicht·bar [ʊnfɛɐ̯'tsɪçtbaːɐ̯] *adj* essential, indispensable

un·ver·zins·lich [ʊnfɛɐ̯'tsɪnslɪç] *adj* ÖKON interest-free

un·ver·zollt [ˈʊnfɛɐ̯tsɔlt] *adj* duty-free

un·ver·züg·lich [ʊnfɛɐ̯'tsyːklɪç] I. *adj* immediate II. *adv* immediately; **~ gegen jdn vorgehen** to take immediate action against sb

un·voll·en·det [ˈʊnfɔlʔɛndət] *adj* unfinished

un·voll·kom·men [ˈʊnfɔlkɔmən] *adj* incomplete

Un·voll·kom·men·heit *f* imperfection

un·voll·stän·dig [ˈʊnfɔlʃtɛndɪç] I. *adj* incomplete II. *adv* incompletely

Un·voll·stän·dig·keit *f* incompleteness

un·vor·be·rei·tet [ˈʊnfoːɐ̯bəraɪ̯tət] I. *adj* unprepared II. *adv* ❶ (*ohne sich vorbereitet zu haben*) without any preparation ❷ (*unerwartet*) unexpectedly

un·vor·ein·ge·nom·men [ˈʊnfoːɐ̯ʔaɪ̯ŋənɔmən] I. *adj* unbiased II. *adv* impartially

Un·vor·ein·ge·nom·men·heit *f* impartiality

un·vor·her·ge·se·hen [ˈʊnfoːɐ̯heːɐ̯gəzeːən] I. *adj* unforeseen; *Besuch* unexpected II. *adv* unexpectedly; **jdn ~ besuchen** to pay sb an unexpected visit

un·vor·sich·tig [ˈʊnfoːɐ̯zɪçtɪç] I. *adj* ❶ (*unbedacht*) rash ❷ (*nicht vorsichtig*) careless II. *adv* ❶ (*unbedacht*) rashly; **sich ~ äußern** to make a rash comment ❷ (*nicht vorsichtig*) carelessly

un·vor·sich·ti·ger·wei·se *adv* carelessly; **dieses Wort ist mir ~ entschlüpft** this word just [kind of] slipped out

Un·vor·sich·tig·keit <-, -en> *f* ❶ *kein pl* (*unbedachte Art*) rashness ❷ (*unbedachte Bemerkung*) rash comment ❸ (*unbedachte Handlung*) rash act

un·vor·stell·bar [ʊnfoːɐ̯'ʃtɛlbaːɐ̯] I. *adj* inconceivable II. *adv* inconceivably

un·vor·teil·haft [ˈʊnfɔrtaɪ̯lhaft] I. *adj* ❶ (*nicht vorteilhaft aussehend*) unflattering ❷ (*nachteilig*) disadvantageous II. *adv* unflatteringly; **sich ~ kleiden** not to dress in a very flattering way

Un·wäg·bar·keit <-, -en> *f* unpredictability

un·wahr [ˈʊnvaːɐ̯] *adj* untrue, false

Un·wahr·heit *f* untruth; **die ~ sagen** to lie, to tell untruths

un·wahr·schein·lich [ˈʊnvaːɐ̯ʃaɪ̯nlɪç] I. *adj* ❶ (*kaum denkbar*) unlikely; *Zufall* remarkable ❷ (*fam: unerhört*) incredible; *Mistkerl* absolute II. *adv* (*fam*) incredibly;

ich habe mich ~ darüber gefreut I was really pleased about it; **letzten Winter haben wir ~ gefroren** we were incredibly cold last winter; **du hast ja ~ abgenommen!** you've lost a hell of a lot of weight!

Un·wahr·schein·lich·keit <-, -en> *f* improbability

un·weg·sam [ˈʊnveːkzaːm] *adj* [almost] impassable

un·wei·ger·lich [ˈʊnvaɪ̯gɐlɪç] I. *adj attr* inevitable II. *adv* inevitably

un·weit [ˈʊnvaɪ̯t] I. *präp* ■ ~ **einer S.** *gen* not far from a thing II. *adv* ■ ~ **von etw** *dat* not far from sth

Un·we·sen [ˈʊnveːzn̩] *nt kein pl* dreadful state of affairs; **sein ~ treiben** to ply one's dreadful trade

un·we·sent·lich [ˈʊnveːzn̩tlɪç] I. *adj* insignificant II. *adv* slightly

Un·wet·ter [ˈʊnvɛtɐ] *nt* violent [thunder]storm

un·wich·tig [ˈʊnvɪçtɪç] *adj* unimportant

un·wi·der·leg·bar [ʊnviːdɐ'leːkbaːɐ̯] *adj* irrefutable

un·wi·der·ruf·lich [ʊnviːdɐ'ruːflɪç] I. *adj* irrevocable II. *adv* irrevocably

un·wi·der·steh·lich [ʊnviːdɐ'ʃteːlɪç] *adj* irresistible

un·wie·der·bring·lich [ʊnviːdɐ'brɪŋlɪç] *adj* (*geh*) irretrievable

Un·wil·le [ˈʊnvɪlə] *m* displeasure

un·wil·lig [ˈʊnvɪlɪç] I. *adj* ❶ (*verärgert*) angry ❷ (*widerwillig*) reluctant II. *adv* reluctantly

un·will·kom·men [ˈʊnvɪlkɔmən] *adj* unwelcome

un·will·kür·lich [ˈʊnvɪlkyːɐ̯lɪç] I. *adj* involuntary II. *adv* involuntarily

un·wirk·lich [ˈʊnvɪrklɪç] *adj* unreal

un·wirk·sam [ˈʊnvɪrkzaːm] *adj* ineffective

Un·wirk·sam·keit <-> *f kein pl* JUR (*Nichtigkeit*) voidness, ineffectiveness; (*Ungültigkeit*) invalidity; **schwebende/teilweise ~** pending/partial voidness

un·wirsch <-er, -[e]ste> [ˈʊnvɪrʃ] *adj* curt, *esp* BRIT brusque

un·wirt·lich [ˈʊnvɪrtlɪç] *adj* inhospitable

un·wirt·schaft·lich [ˈʊnvɪrtʃaftlɪç] *adj* uneconomic[al]

Un·wis·sen *nt s.* **Unwissenheit**

un·wis·send [ˈʊnvɪsn̩t] *adj* (*über kein Wissen verfügend*) ignorant; (*ahnungslos*) unsuspecting

Un·wis·sen·heit <-> [ˈʊnvɪsn̩haɪ̯t] *f kein pl* ignorance

un·wis·sent·lich [ˈʊnvɪsn̩tlɪç] *adv* unwittingly

un·wohl [ˈʊnvoːl] *adj* ■ **jdm ist ~** ❶ (*ge-*

sundheitlich nicht gut) sb feels unwell [*or* Am *usu* sick] ❷(*unbehaglich*) sb feels uneasy

Un·wohl·sein ['ʊnvoːlzaɪ̯n] *nt* [slight] nausea

un·wür·dig ['ʊnvʏrdɪç] *adj* ❶(*nicht würdig*) unworthy ❷(*schändlich*) disgraceful

Un·zahl ['ʊntsaːl] *f* ■**eine ~** a huge number (**von** of)

un·zäh·lig [ʊn'tsɛːlɪç] *adj* countless; **~e Anhänger** huge numbers of supporters; **~e Mal** time and again

Un·ze <-, -n> ['ʊntsə] *f* ounce

un·zeit·ge·mäß ['ʊntsaɪ̯tɡəmɛːs] *adj* old-fashioned

un·zer·brech·lich ['ʊntsɛɐ̯brɛçlɪç] *adj* unbreakable

un·zer·stör·bar [ʊntsɛɐ̯'ʃtøːɐ̯baːɐ̯] *adj* indestructible

un·zer·trenn·lich [ʊntsɛɐ̯'trɛnlɪç] *adj* inseparable

Un·zucht ['ʊntsʊxt] *f kein pl* (*veraltend*) illicit sexual relations *pl*

un·züch·tig ['ʊntsʏçtɪç] *adj* ❶(*veraltend: unsittlich*) indecent ❷ JUR (*pornografisch*) obscene

un·zu·frie·den ['ʊntsufriːdn̩] *adj* dissatisfied

Un·zu·frie·den·heit *f* dissatisfaction

un·zu·gäng·lich ['ʊntsuːɡɛŋlɪç] *adj* ❶(*schwer erreichbar*) inaccessible ❷(*nicht aufgeschlossen*) unapproachable

un·zu·läng·lich ['ʊntsuːlɛŋlɪç] I. *adj* inadequate; *Erfahrungen, Kenntnisse* insufficient II. *adv* inadequately

Un·zu·läng·lich·keit <-, -en> *f*❶ *kein pl* (*Mangelhaftigkeit*) inadequacy ❷ *meist pl* (*mangelhafter Zug*) shortcoming[s *pl*], inadequacy

un·zu·läs·sig ['ʊntsuːlɛsɪç] *adj* inadmissible

un·zu·mut·bar ['ʊntsuːmuːtbaːɐ̯] *adj* unreasonable

un·zu·rech·nungs·fä·hig ['ʊntsuːrɛçnʊŋsfɛːɪç] *adj* of unsound mind *pred*; **jdn für ~ erklären** to certify sb insane

un·zu·rei·chend ['ʊntsuːraɪ̯çn̩t] *adj s.* **unzulänglich**

un·zu·sam·men·hän·gend ['ʊntsuzamənhɛŋənt] *adj* incoherent

un·zu·stän·dig ['ʊntsuːʃtɛndɪç] *adj* ADMIN, JUR incompetent; ■[**für etw** *akk*] **~ sein** not to be competent [for sth]

un·zu·stell·bar ['ʊntsuːʃtɛlbaːɐ̯] *adj* undeliverable

un·zu·tref·fend ['ʊntsuːtrɛfn̩t] *adj* incorrect

un·zu·ver·läs·sig ['ʊntsuːfɛɐ̯lɛsɪç] *adj* unreliable

Un·zu·ver·läs·sig·keit *f* unreliability

un·zweck·mä·ßig ['ʊntsvɛkmɛːsɪç] *adj* ❶(*nicht zweckdienlich*) inappropriate ❷(*nicht geeignet*) unsuitable

un·zwei·deu·tig ['ʊntsvaɪ̯dɔy̯tɪç] I. *adj* unambiguous II. *adv* unambiguously

un·zwei·fel·haft ['ʊntsvaɪ̯fl̩haft] I. *adj* (*geh*) unquestionable, undoubted II. *adv* (*geh*) *s.* **zweifellos**

Up·date <-s, -s> ['apdeːt] *m* INFORM update

up·da·ten ['apdeːtən] *vt* INFORM to update

üp·pig ['ʏpɪç] *adj* ❶(*schwellend*) voluptuous ❷(*reichhaltig*) sumptuous ❸(*geh: in großer Fülle vorhanden*) luxuriant

Ur·ab·stim·mung *f* ballot [vote] **Ur·ahn, -ah·ne** ['uːɐ̯ʔaːn, -ʔaːnə] *m, f* ancestor

Ural <-s> [uˈraːl] *m* ■**der ~** ❶(*Gebirge*) the Urals *pl* ❷(*Fluss*) the [river] Ural

ur·alt ['uːɐ̯ʔalt] *adj* ❶(*sehr alt*) very old ❷(*schon lange existent*) ancient ❸(*fam: schon lange bekannt*) ancient; *Problem* perennial

Uran <-s> [uˈaːn] *nt kein pl* uranium

Ura·nus <-s> ['uːranʊs] *m kein pl* Uranus *no art*

ur·auf·füh·ren ['uːɐ̯ʔau̯ffyːrən] *vt nur infin und pp* to première **Ur·auf·füh·rung** *f* first night; *Film* première **Ur·bild** *nt* ❶(*Prototyp*) original transcript ❷(*Inbegriff*) **ein ~ an Kraft** an epitome of vigour

ur·ei·gen ['uːɐ̯ʔaɪ̯ɡn̩] *adj* very own; **es ist in Ihrem ~en Interesse** it's in your own best interests **Ur·ein·woh·ner(in)** *m(f)* native inhabitant **Ur·en·kel(in)** ['uːɐ̯ʔɛŋkl̩] *m(f)* great-grandchild, great-grandson *masc*, great-granddaughter *fem* **Ur·ge·schich·te** ['uːɐ̯ɡəʃɪçtə] *f kein pl* prehistory **Ur·groß·el·tern** ['uːɐ̯ɡroːsʔɛltɐn] *pl* great-grandparents *pl* **Ur·groß·mut·ter** ['uːɐ̯ɡroːsmʊtɐ] *f* great-grandmother **Ur·groß·va·ter** *m* great-grandfather

Ur·he·ber(in) <-s, -> ['uːɐ̯heːbɐ] *m(f)* ❶(*Autor*) author ❷(*Initiator*) originator **Ur·he·ber·recht** *nt* ❶(*Recht des Autors*) copyright (**an** on) ❷(*urheberrechtliche Bestimmungen*) copyright law

ur·he·ber·recht·lich I. *adj* copyright *attr* II. *adv* **~ geschützt** copyright[ed] **Ur·he·ber·schaft** <-, -en> *f* JUR ■**jds ~** sb's authorship

Uri <-s> ['uːri] *nt* Uri

urig ['uːrɪç] *adj* (*fam*) ❶(*originell*) eccentric ❷(*Lokalkolorit besitzend*) with a local flavour *pred*; **dieses Lokal ist besonders ~** this pub has a real local flavour

Urin <-s, -e> [uˈriːn] *m* urine

uri·nie·ren* [uriˈniːrən] *vi* (*geh*) to urinate

Urin·pro·be f urine sample **Urin·test** m urine test

Ur·knall m big bang **ur·ko·misch** ['uːɐ̯-'koːmɪʃ] adj hilarious

Ur·kun·de <-, -n> ['uːɐ̯kʊndə] f document

Ur·kun·den·fäl·schung f forgery of a document

ur·kund·lich ['uːɐ̯kʊntlɪç] **I.** adj documentary **II.** adv ~ **belegen** to prove by documents

URL <-, -s> [uːʔɛrˈʔɛl] f o m kein pl INET Abk von **Uniform Resource Locator** URL

Ur·laub <-[e]s, -e> ['uːɐ̯lau̯p] m holiday BRIT, vacation AM; **in ~ fahren, ~ machen** to go on holiday [or AM vacation]; **~ haben, in ~ sein** to be on holiday [or AM vacation]

ur·lau·ben* ['uːɐ̯lau̯bən] vi (fam) to [go on] holiday [or AM vacation]

Ur·lau·ber(in) <-s, -> m(f) holiday-maker BRIT, vacationer AM

Ur·laubs·an·spruch m holiday [or AM vacation] entitlement **Ur·laubs·geld** nt holiday pay **Ur·laubs·ort** m [holiday] resort, [holiday] destination **ur·laubs·reif** adj ▪ ~ **sein** to be ready for a holiday **Ur·laubs·rei·se** f holiday [trip]

Ur·ne <-, -n> ['ʊrnə] f ❶ (Grab~) urn ❷ (Wahl~) ballot-box; **zu den ~n gehen** to go to the polls

Ur·nen·gang m election

Uro·lo·gie <-> [urolo'giː] f kein pl urology **Ur·oma** f (fam) great-grandma **Ur·opa** m (fam) great-granddad **ur·plötz·lich I.** adj attr (fam) very sudden **II.** adv very suddenly

Ur·sa·che f reason; **ich suche immer noch die ~ für das Flackern der Lampen** I'm still trying to find out why the lights are flickering; **~ und Wirkung** cause and effect; **defekte Bremsen waren die ~ für den Unfall** the accident was caused by faulty brakes ▸ **keine ~!** you're welcome

ur·säch·lich ['uːɐ̯zɛçlɪç] adj causal **Ur·sprung** <-s, Ursprünge> ['uːɐ̯ʃprʊŋ, pl -ʃprʏŋə] m origin

ur·sprüng·lich ['uːɐ̯ʃprʏŋlɪç] **I.** adj ❶ attr (anfänglich) original ❷ (im Urzustand befindlich) unspoiled ❸ (urtümlich) ancient **II.** adv originally

Ur·teil <-s, -e> ['ʊrtai̯l] nt ❶ JUR judgement, verdict; **ein ~ fällen** to pass a judgement ❷ (Meinung) opinion; **sich** dat **ein ~ bilden** to form an opinion (**über** about); **ein ~ fällen** to pass judgement (**über** on); **nach jds ~** in sb's opinion

ur·tei·len ['ʊrtai̯lən] vi to pass judgement (**über** on); **du neigst aber dazu, voreilig**

zu ~ you [do] like to make hasty judgements[, don't you?]; **nach seinem Gesichtsausdruck zu ~, ist er unzufrieden mit dem Ergebnis** judging by his expression he is dissatisfied with the result

Ur·teils·be·grün·dung f reasons for [a/ the] judgement pl **Ur·teils·kraft** f kein pl faculty of judgement **Ur·teils·spruch** m verdict **Ur·teils·ver·mö·gen** nt kein pl power [or faculty] of judgement

ur·tüm·lich ['uːɐ̯tyːmlɪç] adj ancient

Uru·gu·ay <-s> [uru'gu̯ai̯] nt Uruguay; s. a. **Deutschland**

Uru·gu·ay·er(in) <-s, -> [uːru'gu̯ai̯ɐ] m(f) Uruguayan; s. a. **Deutsche(r)**

uru·gu·ay·isch ['uːrugu̯ai̯ɪʃ] adj Uruguayan; s. a. **deutsch**

Ur·ur·enkel(in) ['uːɐ̯ʔ-ɐ̯-] m(f) great-great-grandchild, great-great-grandson masc, great-great-granddaughter fem **Ur·ur·groß·mut·ter** f great-great-grandmother **Ur·ur·groß·va·ter** m great-great-grandfather

Ur·wald ['uːɐ̯valt] m primeval forest

ur·wüch·sig adj ❶ (im Urzustand erhalten) unspoiled ❷ (unverbildet) earthy ❸ (ursprünglich) original **Ur·zeit** f kein pl GEOL ▪ **die ~** primeval times pl; **seit ~en** (fam) for donkey's years; **vor ~en** (fam) donkey's years ago **ur·zeit·lich** adj primeval **Ur·zu·stand** m kein pl original state

USA [uːʔɛsˈʔaː] pl Abk von **United States of America:** ▪ **die ~** the USA + sing vb, the US + sing vb

US-a·me·ri·ka·nisch [uːʔɛsʔamerika:nɪʃ] adj American, US

Us·be·ke, Us·be·kin <-n, -n> [ʊs'beːkə, ʊs'beːkɪn] m, f Uzbek[istani]; s. a. **Deutsche(r)**

us·be·kisch [ʊs'beːkɪʃ] adj Uzbek, AM also Uzbekistani; s. a. **deutsch**

Us·be·ki·stan <-s> [ʊs'beːkista:n] nt Uzbekistan; s. a. **Deutschland**

U·ser(in) <-s, -> ['juːzɐ] m(f) INFORM user

usw. Abk von **und so weiter** etc.

Uten·sil <-s, -ien> [utɛn'ziːl, pl -li̯ən] nt meist pl utensil

Ute·rus <-, Uteri> ['uːterʊs, pl -ri] m uterus

Uto·pie <-, -n> [uto'piː, pl -pi:ən] f Utopia

uto·pisch [u'toːpɪʃ] adj ❶ (völlig absurd) utopian ❷ LIT Utopian

u.U. Abk von **unter Umständen** possibly

u.v.a.(m.) Abk von **und vieles andere [mehr]** and much [more] besides

UV-Strah·len pl UV-rays pl

Ü-Wa·gen m OB vehicle

V

V, v <-, - o fam -s, -s> [fa̯u] nt V, v; s. a.
A 1

V Abk von **Volt** V

Va·ga·bund(in) <-en, -en> [vaga'bʊnt, pl
-bʊndn̩] m(f) vagabond

va·ge ['va:gə] I. adj vague II. adv vaguely

Va·gi·na <-, Vaginen> [va'gi:na, 'va:gina] f
vagina

va·gi·nal [vagi'na:l] I. adj vaginal II. adv
vaginally

Va·ku·um <-s, Vakuen o Vakua>
['va:kuʊm, 'va:kuən, 'va:kua] nt vacuum

Va·ku·um·kam·mer ['va:kuʊm-] f TECH
vacuum chamber **va·ku·um·ver·packt**
adj vacuum-packed

Va·lu·ta <-, Valuten> [va'lu:ta, pl -tən] f
FIN ❶ (ausländische Währung) foreign currency ❷ (Wertstellung) value date

Vamp <-s, -s> [vɛmp] m vamp

Vam·pir <-s, -e> [vam'pi:ɐ̯] m vampire

Van·da·le, Van·da·lin <-n, -n> [van'da:-
lə, van'da:lɪn] m, f ❶ (zerstörungswütiger
Mensch) vandal ❷ HIST Vandal

Van·da·lis·mus <-> [vanda'lɪsmʊs] m kein
pl vandalism

Va·nil·le <-, -en> [va'nɪljə, va'nɪlə] f vanilla

Va·nil·le·eis [va'nɪljə-, va'nɪlə-] nt vanilla
ice-cream **Va·nil·le·pud·ding** m vanilla
pudding **Va·nil·le·zu·cker** m vanilla sugar

va·ri·a·bel [va'ri̯a:bl̩] adj variable

Va·ri·ab·le <-n, -n> [va'ri̯a:blə] dekl wie
adj f variable

Va·ri·an·te <-, -n> [va'ri̯antə] f ❶ (Ab-
wandlung) variation ❷ (veränderte Ausführung) variant

Va·ri·a·ti·on <-, -en> [varia'tsi̯o:n] f variation

Va·ri·e·té <-s, -s> [vari̯e'te:], **Va·ri·e·
tee**ᴿᴿ <-s, -s> [vari̯e'te:] nt variety show

va·ri·ie·ren* [vari'i:rən] vi to vary

Va·se <-, -n> ['va:zə] f vase

Va·ter <-s, Väter> ['fa:tɐ, pl 'fɛtɐ] m father;
ganz der ~ sein to be just like one's father

Va·ter·land ['fa:tɐlant] nt fatherland,
motherland BRIT

vä·ter·lich ['fɛtɐlɪç] I. adj ❶ (dem Vater
gehörend) sb's father's ❷ (zum Vater gehörend) paternal ❸ (fürsorglich) fatherly
II. adv like a father

vä·ter·li·cher·seits adv on sb's father's
side

va·ter·los adj fatherless

Va·ter·mord m patricide

Va·ter·schaft <-, -en> f paternity

Va·ter·schafts·kla·ge f paternity suit **Va·
ter·schafts·test** m paternity test

Va·ter·tag m Father's Day

Va·ter·un·ser <-s, -> [fa:tɐ'ʔʊnzɐ] nt REL
■ **das ~** the Lord's Prayer

Va·ti <-s, -s> ['fa:ti] m (fam) daddy

Va·ti·kan <-s> [vati'ka:n] m Vatican

V-Aus·schnitt ['fa̯u-] m V-neck; **ein Pullover mit ~** a V-neck jumper

v.Chr. Abk von **vor Christus** BC

Ve·ga·ner(in) <-s, -> [ve'ga:nɐ] m(f) vegan

Ve·ge·ta·ri·er(in) <-s, -> [vege'ta:ri̯ɐ]
m(f) vegetarian

ve·ge·ta·risch [vege'ta:rɪʃ] I. adj vegetarian II. adv **sich ~ ernähren** to be a vegetarian

Ve·ge·ta·ti·on <-, -en> [vegeta'tsi̯o:n] f
vegetation

ve·ge·ta·tiv [vegeta'ti:f] adj vegetative

ve·ge·tie·ren* [vege'ti:rən] vi to vegetate

Ve·hi·kel <-s, -> [ve'hi:kl̩] nt (fam) vehicle

Veil·chen <-s, -> ['fa̯ilçən] nt ❶ BOT violet
❷ (fam: blaues Auge) shiner

Vek·tor <-s, -toren> ['vɛkto:ɐ̯, pl
-'to:rən] m MATH vector

Ve·lo <-s, -s> ['ve:lo] nt SCHWEIZ (Fahrrad)
bicycle, bike fam

Ve·lours¹ <-, -> [və'lu:ɐ̯] nt s. **Veloursle-
der**

Ve·lours² <-, -> [və'lu:ɐ̯] m MODE velour[s]

Ve·lours·le·der [və'lu:ɐ̯-] nt suede

Ve·ne <-, -n> ['ve:nə] f vein

Ve·ne·dig <-s> [ve'ne:dɪç] nt kein pl
Venice

Ve·nen·ent·zün·dung ['ve:-] f phlebitis
no pl

ve·ne·zi·a·nisch [vene'tsi̯a:nɪʃ] adj Venetian; s. a. **Deutsch**

Ve·ne·zo·la·ner(in) <-s, -> [venet-
so'la:nɐ] m(f) Venezuelan; s. a. **Deut-
sche(r)**

ve·ne·zo·la·nisch [venetso'la:nɪʃ] adj
Venezuelan; s. a. **deutsch**

Ve·ne·zu·e·la <-s> [vene'tsu̯e:la] nt Venezuela; s. a. **Deutschland**

Ven·til <-s, -e> [vɛn'ti:l] nt ❶ (Absperrhahn) stopcock ❷ (Schlauch~) valve

Ven·ti·la·tor <-s, -toren> [vɛnti'la:to:ɐ̯, pl
-'to:rən] m ventilator, fan

Ve·nus <-s> ['ve:nʊs] f kein pl Venus

ver·ab·re·den* I. vr ■ **sich [mit jdm] ~** to

sich verabschieden

sich verabschieden	saying goodbye
Auf Wiedersehen!	Goodbye!
Auf ein baldiges Wiedersehen!	Hope to see you again soon!
Tschüss! *(fam)*/Ciao! *(fam)*	Bye! *(fam)*/Cheerio! *(fam)*
Mach's gut! *(fam)*	See you!/Take care!/All the best!/Take it easy! *(fam)*
(Also dann,) bis bald! *(fam)*	(OK then,) see you soon/later!
Bis morgen!	See you tomorrow!
Man sieht sich! *(fam)*	See you around! *(fam)*
Komm gut heim! *(fam)*	Safe journey home!
Pass auf dich auf! *(fam)*	Look after yourself!/Take care!
Kommen Sie gut nach Hause!	Safe journey home!
Einen schönen Abend noch!	Have a nice evening!

sich am Telefon verabschieden	saying goodbye on the phone
Auf Wiederhören! *(form)*	Goodbye!
Also dann, bis bald wieder!	OK then, speak to you again soon!
Tschüss! *(fam)*/Ciao! *(fam)*	Bye! *(fam)*/Cheerio! *(fam)*

arrange to meet [sb]; ■[mit jdm] **verabredet sein** to have arranged to meet [sb] II. *vt* ■**etw** [mit jdm] ~ to arrange sth [with sb]; ■**verabredet** agreed; **wie verabredet** as agreed

Ver·ạb·re·dung <-, -en> *f* ❶ (*Treffen*) date, meeting ❷ (*Vereinbarung*) arrangement; **eine ~ treffen** to come to an arrangement ❸ (*das Verabreden*) arranging; **eine ~ treffen** to arrange a meeting

ver·ạb·rei·chen* *vt* ■[jdm] etw ~ to administer sth [to sb]

ver·ạb·scheu·en* *vt* to detest, to loathe

ver·ạb·schie·den* I. *vr* ■**sich** ~ to say goodbye (**von** to) II. *vt* ❶ (*offiziell Abschied nehmen*) ■**jdn** ~ to take one's leave of sb ❷ *Gesetz* to pass

Ver·ạb·schie·dung <-, -en> *f* ❶ POL (*Beschließung*) passing; *Haushalt* adoption ❷ (*feierliche Entlassung*) honourable [*or* Am honorable] discharge

ver·ạch·ten* *vt* ❶ (*verächtlich finden*) to despise ❷ (*nicht achten*) to scorn; **nicht zu ~ sein** [sth is] not to be sneezed at

ver·ächt·lich [fɛɐ̯'ʔɛçtlɪç] I. *adj* ❶ (*Verachtung zeigend*) contemptuous, scornful ❷ (*verabscheuungswürdig*) despicable II. *adv* contemptuously, scornfully

Ver·ạch·tung *f* contempt, scorn; **jdn mit ~ strafen** to treat sb with contempt

ver·all·ge·mei·nern* I. *vt* ■**etw ~** to generalize about sth II. *vi* to generalize

Ver·all·ge·mei·ne·rung <-, -en> *f* generalization

ver·al·ten* [fɛɐ̯'ʔaltn̩] *vi sein* to become obsolete; *Ansichten, Methoden* to become outdated; ■**veraltet** obsolete

ver·al·tet I. *pp von* **veralten** II. *adj* old; *Ausdruck* antiquated

Ve·ran·da <-, Veranden> [ve'randa, *pl* -dən] *f* veranda

ver·än·der·lich *adj* ❶ (*variierbar*) variable ❷ METEO changeable

ver·än·dern* I. *vt* to change II. *vr* ■**sich ~** to change

Ver·än·de·rung *f* change; (*leicht*) alteration, modification

ver·ängs·ti·gen* *vt* ■**jdn ~** to frighten sb; ■**verängstigt** frightened, scared

ver·an·kern* *vt* to anchor (**in** in)

ver·an·lagt [fɛɐ̯'ʔanla:kt] *adj* **ein künstlerisch ~er Mensch** a person with an artistic disposition; ■[irgendwie] ~ **sein** to have a certain bent; **er ist praktisch ~** he is practically minded

Ver·an·la·gung <-, -en> *f* disposition; **eine bestimmte ~ haben** to have a certain bent; **eine ~** [zu etw *dat*] **haben** to have a tendency towards sth

ver·an·las·sen* I. *vt* ❶ (*in die Wege leiten*) to arrange ❷ (*dazu bringen*) ■**jdn** [zu etw *dat*] ~ to induce sb to do sth; **sich**

dazu veranlasst fühlen, etw zu tun to feel obliged to do sth **II.** *vi* ■~, **dass etw geschieht** to see to it that sth happens
Ver·an·las·sung<-, -en> *f* ❶ (*Einleitung*) **auf jds ~** at sb's instigation ❷ (*Anlass*) cause, reason
ver·an·schau·li·chen* [fɛɐ̯'ʔanʃaulɪçn̩] *vt* ■**etw ~** to illustrate sth
ver·an·schla·gen* *vt* to estimate (**mit** at)
ver·an·stal·ten* [fɛɐ̯'ʔanʃtaltn̩] *vt* to organize
Ver·an·stal·ter(in) <-s, -> *m(f)* organizer
Ver·an·stal·tung <-, -en> *f* ❶ *kein pl* (*das Durchführen*) organizing ❷ (*Ereignis*) event
Ver·an·stal·tungs·ka·len·der *m* calendar of events **Ver·an·stal·tungs·ort** *m* venue
ver·ant·wor·ten* **I.** *vt* ■**etw ~** to take responsibility for sth **II.** *vr* ■**sich** [**vor jdm**] **~** to answer [to sb] (**für** for)
ver·ant·wort·lich *adj* responsible
Ver·ant·wort·li·che(r) *f(m) dekl wie adj* person responsible; (*für Negatives a.*) responsible party
Ver·ant·wort·lich·keit <-, -en> *f* responsibility; (*Haftbarkeit*) liability; (*Rechenschaftspflicht*) accountability
Ver·ant·wor·tung <-, -en> *f* responsibility; **jdn** [**für etw**] **zur ~ ziehen** to call sb to account [for sth]; **auf deine ~!** on your head be it! BRIT, it'll be on your head! AM; **die ~** [**für etw**] **tragen** to be responsible [for sth]; **die ~** [**für etw**] **übernehmen** to take responsibility [for sth]; **auf eigene ~** on one's own responsibility ▸ **sich aus der ~ stehlen** to dodge responsibility
ver·ant·wor·tungs·be·wusst[RR] **I.** *adj* responsible **II.** *adv* ~ **handeln** to act responsibly **ver·ant·wor·tungs·los I.** *adj* irresponsible **II.** *adv* ~ **handeln** to act irresponsibly **Ver·ant·wor·tungs·trä·ger(in)** *m(f)* POL, SOZIOL responsible party **ver·ant·wor·tungs·voll** *adj* responsible
ver·ar·bei·ten* *vt* ❶ÖKON to use; *Fleisch* to process; ■**etw** [**zu etw** *dat*] **~** to make sth into sth ❷ PSYCH to assimilate; **eine Enttäuschung ~** to come to terms with a disappointment
Ver·ar·bei·tung <-, -en> *f* ❶ (*das Verarbeiten*) processing ❷ (*Fertigungsqualität*) workmanship *no pl, no indef art*
ver·är·gern* *vt* to annoy
ver·är·gert I. *adj* angry, annoyed (**über** +*akk* at/with) **II.** *adv* in an annoyed manner
Ver·är·ge·rung <-, -en> *f* annoyance

ver·ar·men* *vi sein* to become poor; ■**verarmt** impoverished
Ver·ar·mung <-, -en> *f* impoverishment *no pl*
ver·ar·schen* [fɛɐ̯'ʔarʃn̩] *vt* (*derb*) ■**jdn ~** to mess around with sb, to take the piss out of sb BRIT *vulg*
ver·arz·ten* [fɛɐ̯'ʔa:ɐ̯tstn̩] *vt* (*fam*) ❶ (*behandeln*) ■**jdn ~** to treat sb ❷ (*versorgen*) ■**etw ~** to fix sth *fam*
Ver·äs·te·lung <-, -en> *f* branching; (*fig*) ramifications *pl*
ver·aus·ga·ben* [fɛɐ̯'ʔau̯sga:bn̩] *vr* ■**sich ~** (*körperlich*) to overexert; (*finanziell*) to overspend
ver·äu·ßern* *vt* to sell
Verb<-s, -en> [vɛrp] *nt* verb
ver·bal [vɛr'ba:l] **I.** *adj* verbal **II.** *adv* verbally
Ver·band <-[e]s, Verbände> [fɛɐ̯'bant, *pl* -'bɛndə] *m* ❶ (*Bund*) association ❷ MED bandage, dressing *no pl*
Ver·band(s)·kas·ten *m* first-aid box **Ver·band(s)·zeug** *nt* dressing material
ver·ban·nen* *vt* ❶ (*ins Exil schicken*) to banish ❷ (*ausmerzen*) to ban (**aus** from)
Ver·ban·nung <-, -en> *f* exile, banishment
ver·bar·ri·ka·die·ren* **I.** *vt* to barricade **II.** *vr* ■**sich** *akk* **~** to barricade oneself (**in** +*dat* in)
ver·bau·en *vt* ■**etw ~** ❶ (*versperren*) to spoil sth; **jdm die ganze Zukunft ~** to ruin sb's prospects for the future ❷ (*durch ein Bauwerk nehmen*) to block sth
ver·ber·gen* *vt irreg* to hide, to conceal (**vor** from)
ver·bes·sern* **I.** *vt* ❶ (*besser machen*) to improve ❷ (*korrigieren*) to correct **II.** *vr* ■**sich ~** to improve (**in** in)
Ver·bes·se·rung <-, -en> *f* ❶ (*qualitative Anhebung*) improvement ❷ (*Korrektur*) correction
Ver·bes·se·rungs·vor·schlag *m* suggestion for improvement
ver·beu·gen* *vr* ■**sich ~** to bow
Ver·beu·gung *f* bow; **eine ~ machen** to bow
ver·bie·gen* *irreg* **I.** *vt* to bend; ■**verbogen** bent **II.** *vr* ■**sich ~** to bend
ver·bie·ten <verbot, verboten> *vt* ■**etw ~** to forbid [*or* ban] sth; (*offiziell*) to outlaw; ■**jdm ~, etw zu tun** to forbid sb to do sth; **ist es verboten, hier zu fotografieren?** am I allowed to take photo[graph]s [in] here?
ver·bild·li·chen* [fɛɐ̯'bɪltlɪçn̩] *vt* (*geh*) ■**etw ~** to illustrate sth

etwas verbieten	
etwas verbieten	**forbidding**
Du darfst heute **nicht** fernsehen.	**You're not allowed** to watch TV today.
Das kommt gar nicht in Frage.	**That's out of the question.**
Finger weg von meinem Computer! *(fam)*	**Don't touch** my computer! *(fam)*
Lass die Finger von meinem Tagebuch! *(fam)*	**Hands off** my diary! *(fam)*
Das kann ich nicht zulassen.	**I can't allow that.**
Bitte unterlassen Sie das Rauchen. *(form)*	**Please refrain from** smoking. *(form)*

ver·bil·li·gen* *vt* to reduce [in price] (**um** by)

ver·bin·den*¹ *vt irreg* (*einen Verband anlegen*) ▪**jdn** ~ to dress sb's wound[s]; ▪**etw** ~ to dress sth

ver·bin·den² *irreg* I. *vt* ❶ (*zusammenfügen*) ▪**etw** ~ to join sth (**mit** to) ❷ TELEK ▪**jdn [mit jdm]** ~ to put sb through [*or* AM *usu* connect sb] [to sb]; **falsch verbunden!** [you've got the] wrong number!; [**ich**] **verbinde!** I'll put you through, AM *usu* I'll connect you ❸ TRANSP to connect ❹ (*verknüpfen*) ▪**etw** ~ to combine sth; **das Nützliche mit dem Angenehmen** ~ to combine business with pleasure ❺ (*assoziieren*) ▪**etw [mit etw** *dat*] ~ to associate sth with sth II. *vr* CHEM ▪**sich** ~ to combine (**mit** with)

ver·bind·lich [fɛɐ̯'bɪntlɪç] I. *adj* ❶ (*bindend*) binding ❷ (*entgegenkommend*) friendly II. *adv* ❶ (*bindend*) ~ **zusagen** to make a binding commitment ❷ (*entgegenkommend*) in a friendly manner

Ver·bin·dung *f* ❶ CHEM compound ❷ (*direkte Beziehung*) contact; **in** ~ **bleiben** to keep in touch; **~en zu jdm/etw haben** to have good connections *pl* with sb/sth; **seine ~en spielen lassen** to [try and] pull a few strings; **sich [mit jdm] in** ~ **setzen** to contact sb ❸ TELEK connection; **eine/ keine** ~ **bekommen** to get/not to be able to get through ❹ TRANSP connection (**nach** to) ❺ (*Verknüpfung*) combining; **in** ~ **mit etw** *dat* in conjunction with sth ❻ (*Zusammenhang*) **jdn [mit etw** *dat*] **in** ~ **bringen** to connect sb with sth; **in** ~ **mit** in connection with ❼ (*Korporation*) [student] society BRIT; (*für Männer*) fraternity AM; (*für Frauen*) sorority AM

Ver·bin·dungs·mann, -frau *m, f* intermediary **Ver·bin·dungs·stück** *nt* connecting piece **Ver·bin·dungs·tür** *f* connecting door

ver·bis·sen I. *adj* ❶ (*hartnäckig*) dogged ❷ (*verkrampft*) grim II. *adv* doggedly

Ver·bis·sen·heit <-> *f kein pl* doggedness

ver·bit·ten* *vr irreg* ▪**sich** *dat* **etw** ~ not to tolerate sth; **ich verbitte mir diesen Ton!** I won't be spoken to like that!

ver·bit·tern* [fɛɐ̯'bɪtɐn] *vt* to embitter

ver·bit·tert I. *adj* embittered, bitter II. *adv* bitterly

Ver·bit·te·rung <-, *selten* -en> *f* bitterness

ver·blas·sen* *vi sein* ❶ (*blasser werden*) to pale ❷ (*schwächer werden*) to fade

Ver·bleib <-[e]s> [fɛɐ̯'blaɪp] *m kein pl* (*geh*) whereabouts *npl*

ver·blei·ben* *vi irreg sein* ❶ (*eine Vereinbarung treffen*) ▪**so ~, dass ...** to agree that ... ❷ (*geh: bleiben*) to remain

ver·blei·chen *vi irreg sein* to fade

ver·bleit *adj* leaded

ver·blen·den* *vt* to blind; ▪**verblendet sein** to be blinded

Ver·blen·dung *f* blindness

ver·bli·chen [fɛɐ̯'blɪçn̩] I. *pp von* **verbleichen** II. *adj Farbe* faded

ver·blö·den* [fɛɐ̯'blø:dn̩] *vi sein* (*fam*) to turn into a zombie

ver·blüf·fen* [fɛɐ̯'blʏfn̩] *vt* ▪**jdn** ~ to astonish sb

ver·blüfft I. *adj* astonished, amazed II. *adv* in astonishment [*or* amazement]; **warum reagierst du denn auf diese Nachricht so ~?** why are you so astonished by this news?

Ver·blüf·fung <-, -en> *f* astonishment, amazement; **zu jds** ~ to sb's astonishment [*or* amazement]

ver·blü·hen* *vi sein* to wilt

ver·blu·ten* *vi sein* to bleed to death

ver·bohrt *adj* obstinate

Ver·bohrt·heit <-, -en> *f* obstinacy

ver·bor·gen *adj* hidden, concealed; **jdm** ~ **bleiben** to remain a secret to sb

Ver·bor·gen·heit <-> *f kein pl* seclusion

Ver·bot <-[e]s, -e> [fɛɐ̯'bo:t] *nt* ban

ver·bo·ten [fɛɐ̯'boːtn̩] *adj* prohibited, forbidden; **hier ist das Parken ~!** this is a "no parking" area!; ■**jdm ist es ~, etw zu tun** sb is prohibited from doing sth

Ver·bots·schild *nt* sign [prohibiting something]

ver·brannt I. *pp von* **verbrennen** II. *adj Pizza, Kuchen* burnt; *Erde* scorched

ver·bra·ten* *vt irreg* (*sl: vergeuden*) ■**etw ~** to blow sth

Ver·brauch *m kein pl* consumption (**an** of); **sparsam im ~ sein** to be economical

ver·brau·chen* *vt* ❶ *Vorräte* to use up *sep* ❷ *Benzin, Öl* to consume

Ver·brau·cher(in) <-s, -> *m(f)* consumer

ver·brau·cher·feind·lich *adj* not in the interests of the consumer *pred* **ver·brau·cher·freund·lich** *adj* consumer-friendly

Ver·brau·che·rin <-n, -nen> *f fem form von* **Verbraucher**

Ver·brau·cher·mi·nis·te·ri·um [fɛɐ̯'braʊ̯xɐmɪnɪsteːrɪ̯ʊm] *nt* POL *German ministry of consumer affairs, food and agriculture* **Ver·brau·cher·schutz** *m* consumer protection *no pl* **Ver·brau·cher·zen·tra·le** *f* consumer advice centre

Ver·brauchs·gü·ter *pl* HANDEL consumer [*or* non-durable] goods *npl;* **kurzlebige/langlebige ~** perishables/[consumer] durables

ver·braucht *adj* exhausted, burnt-out *fam*

ver·bre·chen <verbrach, verbrochen> *vt* (*fam*) to be up to; **was hast du denn da wieder verbrochen!** what have you been up to now?

Ver·bre·chen <-s, -> *nt* crime

Ver·bre·chens·be·kämp·fung *f no pl* crime fighting *no pl, no indef art*

Ver·bre·cher(in) <-s, -> *m(f)* criminal

Ver·bre·cher·ban·de *f* gang of criminals

ver·bre·che·risch *adj* criminal; ■**~ sein** to be a criminal act

ver·brei·ten* I. *vt* ❶ (*ausstreuen*) to spread; **eine gute Stimmung ~** to radiate a good atmosphere ❷ MEDIA (*vertreiben*) to sell ❸ (*sich ausbreiten lassen*) *Virus, Krankheit* to spread II. *vr* ■**sich** [**in etw** *dat*] **~** to spread [through sth]

ver·brei·tern* [fɛɐ̯'braɪ̯tɐn] *vt* to widen (**um** by, **auf** to)

ver·brei·tet *adj* popular; ■[**weit**] **~ sein** to be [very] widespread

Ver·brei·tung <-, -en> *f* ❶ *kein pl* (*das Verbreiten*) spreading ❷ MEDIA sale *no pl* ❸ MED spread ❹ BOT distribution

Ver·brei·tungs·ge·biet *nt* distribution area

ver·bren·nen* *irreg* I. *vt haben* ❶ (*in*

Flammen aufgehen lassen) to burn ❷ (*versengen*) to scorch II. *vr haben* ❶ (*sich verbrühen*) **sich die Zunge ~** to scald one's tongue ❷ (*sich ansengen*) **sich die Finger** [**an etw** *dat*] **~** to burn one's fingers [on sth] III. *vi sein* to burn; ■**verbrannt** burnt

Ver·bren·nung <-, -en> *f* ❶ *kein pl* (*das Verbrennen*) burning ❷ MED burn ❸ AUTO, TECH combustion

Ver·bren·nungs·mo·tor *m* [internal] combustion engine **Ver·bren·nungs·ofen** *m* furnace

ver·brin·gen* *vt irreg* to spend; **ich verbringe den ganzen Tag mit Arbeiten** I spend all day working

ver·bro·chen *pp von* **verbrechen**

ver·brü·dern* [fɛɐ̯'bryːdɐn] *vr* ■**sich ~** to fraternize (**mit** with)

Ver·brü·de·rung <-, -en> *f* fraternization

ver·brü·hen* *vt* to scald

ver·bu·chen* *vt* ❶ FIN to credit (**auf** to) ❷ (*verzeichnen*) to mark up *sep* (**als** as); ■**etw ~** to notch up sth

ver·bum·meln* *vt* (*fam*) ❶ (*vertrödeln*) to waste ❷ (*verlieren*) to mislay

Ver·bund <-bunde> [fɛɐ̯'bʊnt, *pl* -'bʏndə] *m* ÖKON combine

ver·bun·den *adj* (*geh*) ■**jdm ~ sein** to be obliged to sb

ver·bün·den* [fɛɐ̯'bʏndn̩] *vr* ■**sich ~** to form an alliance (**mit** with, **gegen** against)

Ver·bun·den·heit <-> *f kein pl* closeness

Ver·bün·de·te(r) *f(m) dekl wie adj* ally

Ver·bund·glas *nt kein pl* laminated glass **Ver·bund·netz** *nt* ❶ TECH, ELEK grid system ❷ TRANSP public transport [*or* Am transportation] network **Ver·bund·sys·tem** *nt* TRANSP public transport [*or* Am transportation] system

ver·bür·gen* I. *vr* ■**sich für jdn/etw ~** to vouch for sb/sth II. *vt* ■**etw ~** to guarantee

ver·bü·ßen* *vt* JUR to serve

ver·chromt *adj* chrome-plated

Ver·dacht <-[e]s> [fɛɐ̯'daxt] *m kein pl* suspicion; **gibt es schon einen ~?** do you have a suspect yet?; **~ erregen** to arouse suspicion; **jdn im ~ haben** to suspect sb; [**gegen jdn**] **~ schöpfen** to become suspicious [of sb]; **etw auf ~ tun** to do sth on the strength of a hunch

ver·däch·tig [fɛɐ̯'dɛçtɪç] I. *adj* suspicious; **jdm ~ vorkommen** to seem suspicious to sb; **sich ~ machen** to arouse suspicion II. *adv* suspiciously

Ver·däch·ti·ge(r) *f(m) dekl wie adj* suspect

ver·däch·ti·gen* [fɛɐ̯'dɛçtɪɡn̩] *vt* ■**jdn ~** to suspect sb; ■**jdn ~, etw getan zu**

haben to suspect sb of having done sth

Ver·dachts·mo·ment *nt* JUR [piece of] circumstantial evidence

ver·dam·men* [fɛɐ̯'damən] *vt* to condemn; ■**verdammt sein** to be doomed

Ver·damm·nis <-> [fɛɐ̯'damnɪs] *f kein pl* **die ewige ~** REL eternal damnation *no art*

ver·dammt *adj* ❶ (*sl: Ärger ausdrückend*) damned, bloody BRIT; **~!** damn!; **du ~er Idiot!** you bloody idiot! ❷ (*sehr groß*) **wir hatten ~es Glück!** we were damn lucky!

ver·damp·fen* *vi sein* to evaporate

ver·dan·ken* *vt* ❶ (*durch etw erhalten*) ■**[jdm] etw ~** to have sb to thank for sth; ■**es ist jdm zu ~, dass/wenn ...** it is thanks to sb that/if ... ❷ SCHWEIZ (*Dank aussprechen*) ■**[jdm] etw ~** to express one's thanks [to sb]

ver·darb [fɛɐ̯'darp] *imp von* **verderben**

ver·dau·en* [fɛɐ̯'daʊ̯ən] *vt* ❶ *Nahrung* to digest ❷ *Niederlage, etc* to get over

ver·dau·lich *adj* digestible; **gut/schwer ~** easy/difficult to digest

Ver·dau·ung <-> *f kein pl* digestion

Ver·dau·ungs·ap·pa·rat *m* digestive system **Ver·dau·ungs·mit·tel** *nt* substance to aid digestion **Ver·dau·ungs·stö·rung** *f meist pl* indigestion

Ver·deck <-[e]s, -e> *nt* hood, convertible top

ver·de·cken* *vt* ❶ (*die Sicht nehmen*) to cover [up *sep*] ❷ (*maskieren*) to conceal

ver·deckt *adj* ❶ (*geheim*) undercover ❷ (*verborgen*) hidden

ver·den·ken* *vt irreg* ■**es jdm nicht ~ können, dass/wenn jd etw tut** not to be able to blame sb for doing/if sb does sth

ver·der·ben <verdarb, verdorben> [fɛɐ̯'dɛrbn̩] **I.** *vt haben* ❶ (*moralisch korrumpieren*) to corrupt ❷ (*ruinieren*) to ruin ❸ (*zunichtemachen*) to spoil ❹ (*verscherzen*) **sie will es mit niemandem ~** she wants to keep in with [*or* please] everybody **II.** *vi sein* to spoil, to go off *esp* BRIT, to go bad *esp* AM

Ver·der·ben <-s> [fɛɐ̯'dɛrbn̩] *nt kein pl* doom; **jdn ins ~ stürzen** to bring ruin upon sb

ver·derb·lich [fɛɐ̯'dɛrplɪç] *adj* ❶ (*nicht lange haltbar*) perishable ❷ (*unheilvoll*) corrupting

ver·deut·li·chen* [fɛɐ̯'dɔytlɪçn̩] *vt* ■**etw ~** to explain sth; **die Schautafeln sollen den Sachverhalt ~** the illustrative charts should make the facts clearer

ver·dich·ten* **I.** *vt* to compress **II.** *vr* ■**sich ~** ❶ METEO to become thicker ❷ *Eindruck, Gefühl* to intensify; *Verdacht* to

grow ❸ *Verkehr* to increase

Ver·dich·tung <-, -en> *f* ❶ (*Zunahme*) **~ der städtischen Siedlung** urbanization ❷ INFORM (*Komprimierung*) compression ❸ PHYS (*Kondensation*) condensation

Ver·dich·tungs·raum *m* ADMIN densely-populated space

ver·die·nen* **I.** *vt* ❶ (*als Verdienst bekommen*) to earn ❷ (*Gewinn machen*) ■**etw ~** to make sth (**an** on) ❸ (*sich erarbeiten*) ■**[sich** *dat*] **etw ~** to earn the money for sth; **seinen Lebensunterhalt ~** to earn one's living ❹ (*zustehen*) ■**etw ~** to deserve sth (**für** for); **es nicht besser ~** to not deserve anything better **II.** *vi* ❶ (*einen Verdienst bekommen*) to earn [a wage]; **du verdienst viel zu wenig** you earn far too little ❷ (*Gewinn machen*) to make a profit (**an** on)

Ver·dienst¹ <-[e]s, -e> [fɛɐ̯'diːnst] *m* FIN income, earnings *npl*

Ver·dienst² <-[e]s, -e> [fɛɐ̯'diːnst] *nt* merit; (*anerkennenswerte Tat*) **seine ~e um die Heimatstadt** his services to his home town; **es ist sein ~, dass die Termine eingehalten werden konnten** it's thanks to him [*or* to his credit] that the schedules could be adhered to

Ver·dienst·aus·fall *m* loss of earnings *pl* **Ver·dienst·span·ne** *f* profit margin **ver·dienst·voll** *adj* ❶ (*anerkennenswert*) commendable ❷ *s.* **verdient 2**

ver·dient [fɛɐ̯'diːnt] **I.** *adj* ❶ (*zustehend*) well-deserved; *Strafe* rightful ❷ (*Verdienste aufweisend*) of outstanding merit **II.** *adv* (*leistungsgemäß*) deservedly; **die Mannschaft hat ~ gewonnen** the team deserved to win

ver·dien·ter·ma·ßen, ver·dien·ter·wei·se *adv* deservedly

ver·dirbt [fɛɐ̯'dɪrpt] *3. pers pres von* **verderben**

ver·don·nern* *vt* (*fam*) ■**jdn [zu etw** *dat*] **~** ❶ (*verurteilen*) to sentence sb [to sth] ❷ (*anweisen*) to order sb [to do sth]

ver·dop·peln* **I.** *vt* ❶ (*auf das Doppelte erhöhen*) to double (**auf** to) ❷ (*deutlich verstärken*) to redouble **II.** *vr* ■**sich ~** to double (**auf** to)

Ver·dop·pe·lung <-, -en>, **Ver·dopp·lung** <-, -en> *f* ❶ (*Erhöhung auf das Doppelte*) doubling ❷ (*deutliche Verstärkung*) redoubling

ver·dor·ben [fɛɐ̯'dɔrbn̩] **I.** *pp von* **verderben II.** *adj* ❶ (*ungenießbar*) bad, off *pred* BRIT (*moralisch korrumpiert*) corrupt ❸ MED **einen ~en Magen haben** to have an upset stomach

ver·dor·ren* [fɛɐ̯ˈdɔrən] *vi sein* to wither

ver·drah·ten* *vt* ■**etw ~** to wire up sth *sep*

ver·drän·gen* *vt* ❶ (*vertreiben*) ■**jdn ~** to drive sb out ❷ (*unterdrücken*) *Erinnerung, Gefühl* to suppress ❸ PHYS *Wasser* to displace

Ver·drän·gung <-, -en> *f* ❶ (*Vertreibung*) driving out ❷ (*Unterdrückung*) suppression ❸ PHYS displacement

ver·dre·cken* **I.** *vi sein* (*dreckig werden*) to get filthy; ■**etw ~ lassen** to let sth get filthy **II.** *vt haben* (*dreckig machen*) to make filthy

ver·dreckt *adj* filthy

ver·dre·hen* *vt* ❶ (*wenden*) to twist; *Augen* to roll; *Hals* to crane ❷ *Tatsachen* to distort ▸ **jdm den Kopf ~** to turn sb's head

ver·drei·fa·chen* [fɛɐ̯ˈdrajfaxn̩] **I.** *vt* to treble [*or* triple] (**auf** to) **II.** *vr* ■**sich ~** to treble [*or* triple]; **ihr Einkommen hat sich verdreifacht** her income has increased threefold

ver·dre·schen* *vt irreg* (*fam*) ■**jdn ~** to beat up sb *sep*

ver·drie·ßen <verdross, verdrossen> [fɛɐ̯ˈdriːsn̩] *vt* (*geh*) ■**jdn ~** to irritate sb

ver·drieß·lich [fɛɐ̯ˈdriːslɪç] *adj* (*geh*) ❶ *Gesicht* sullen; *Stimmung* morose ❷ (*misslich*) tiresome

ver·dros·sen [fɛɐ̯ˈdrɔsn̩] **I.** *pp von* **verdrießen II.** *adj* sullen, morose

Ver·dros·sen·heit <-> *f kein pl* sullenness *no pl,* moroseness *no pl*

ver·drü·cken* **I.** *vt* (*fam: verzehren*) to polish off *sep* **II.** *vr* (*fam: verschwinden*) ■**sich ~** to slip away

ver·druckst [fɛɐ̯ˈdrʊkst] *adj* (*pej fam*) close-minded, hidebound

Ver·druss^RR <-es, -e> *m,* **Ver·druß**^ALT <-sses, -sse> [fɛɐ̯ˈdrʊs] *m meist sing* annoyance; **jdm ~ bereiten** to annoy sb

ver·duf·ten* *vi sein* (*fam*) to clear off

Ver·dum·mung <-> *f kein pl* dulling of sb's mind *no pl*

ver·dun·keln* **I.** *vt* ❶ (*abdunkeln*) to black out ❷ (*verdüstern*) to darken **II.** *vr* (*dunkler werden*) ■**sich ~** to darken; **der Himmel verdunkelt sich** the sky is growing darker

Ver·dun·ke·lung <-, -en> *f* black-out

Ver·dun·ke·lungs·ge·fahr *f* JUR danger of suppression of evidence

Ver·dunk·lung <-, -en> *f s.* **Verdunkelung**

Ver·dunk·lungs·ge·fahr *f s.* **Verdunkelungsgefahr**

ver·dün·nen* [fɛɐ̯ˈdʏnən] *vt* to dilute;

■**verdünnt** diluted

Ver·dün·ner <-s, -> *m* thinner

Ver·dün·nung <-, -en> *f kein pl* ❶ (*das Verdünnen*) dilution *no pl* ❷ (*verdünnter Zustand*) diluted state, dilution ❸ TECH (*Verdünner*) diluent

Ver·dün·nungs·mit·tel *nt* thinning agent

ver·duns·ten* *vi sein* to evaporate

Ver·duns·tung <-> *f kein pl* evaporation *no pl*

ver·durs·ten* *vi sein* to die of thirst

ver·dutzt [fɛɐ̯ˈdʊtst] **I.** *adj* (*fam*) ❶ (*verwirrt*) baffled, confused; **ein ~es Gesicht machen** to appear baffled ❷ (*überrascht*) taken aback *pred* **II.** *adv* in a baffled manner; **sich ~ umdrehen** to turn round in bafflement

ver·eb·ben* *vi sein* (*geh*) to subside

ver·e·deln* [fɛɐ̯ˈʔeːdl̩n] *vt* to refine; ■**veredelt** refined

Ver·ed(e)·lung <-, -en> *f* refinement

ver·eh·ren* *vt* ❶ (*bewundernd*) to admire ❷ REL to worship

Ver·eh·rer(in) <-s, -> *m(f)* ❶ (*Bewunderer*) admirer ❷ REL worshipper

Ver·eh·rung *f kein pl* ❶ (*Bewunderung*) admiration *no pl* ❷ REL worship *no pl*

ver·ei·di·gen* [fɛɐ̯ˈʔajdɪɡn̩] *vt* to swear in sb *sep*

ver·ei·digt [fɛɐ̯ˈʔajdɪçt] *adj* sworn; **gerichtlich ~** certified before the court

Ver·ei·di·gung <-, -en> *f* swearing in

Ver·ein <-[e]s, -e> [fɛɐ̯ˈʔajn] *m* club, association; **aus einem ~ austreten** to resign from a club; **in einen ~ eintreten** to join a club; **eingetragener ~** registered society; **gemeinnütziger ~** charitable organization

ver·ein·bar *adj* compatible (**mit** with)

ver·ein·ba·ren* [fɛɐ̯ˈʔajnbaːrən] *vt* ❶ (*absprechen*) ■**etw [mit jdm] ~** to agree sth [with sb]; **wir hatten 20 Uhr vereinbart** we had agreed eight o'clock ❷ (*in Einklang bringen*) to reconcile; ■**sich ~ lassen** to be compatible

Ver·ein·ba·rung <-, -en> *f* ❶ *kein pl* (*das Vereinbaren*) arranging *no pl* ❷ (*Abmachung*) agreement; **laut ~** as agreed; **nach ~** by arrangement

ver·ei·nen* *vt* to unite

ver·ein·fa·chen* [fɛɐ̯ˈʔajnfaxn̩] *vt* to simplify

Ver·ein·fa·chung <-, -en> *f* simplification

ver·ein·heit·li·chen* [fɛɐ̯ˈʔajnhajtlɪçn̩] *vt* to standardize

ver·ei·ni·gen* **I.** *vt* to unite; *Firmen/Organisationen* to merge **II.** *vr* ■**sich ~** to merge; **die beiden Flüsse ~ sich zur Weser** the two rivers meet to form the

Weser

ver·ei·nigt *adj* united

Ver·ei·ni·gung <-, -en> *f* ❶ (*Organisation*) organization ❷ *kein pl* (*Zusammenschluss*) amalgamation

ver·ein·nah·men* [fɛɐ̯'ʔaɪnnaːmən] *vt* ▪ **jdn** ~ to take up sb's time, to monopolize sb

ver·ein·sa·men* [fɛɐ̯'ʔaɪnzaːmən] *vi sein* to become lonely

ver·ein·samt *adj* ❶ (*einsam*) lonely ❷ (*abgeschieden*) isolated

Ver·ei·n·sa·mung <-> *f kein pl* loneliness *no pl*

Ver·eins·lo·kal *nt* pub [*or* Am bar] belonging to a club or society

ver·ein·zelt [fɛɐ̯'ʔaɪntsl̩t] *adj* occasional; ~**e Regenschauer** *pl* isolated showers

ver·ei·sen* I. *vi sein* to ice up; **eine vereiste Fahrbahn** an icy road; **die Straße ist vereist** there's ice on the road II. *vt haben* (*lokal anästhesieren*) to freeze

ver·ei·teln* [fɛɐ̯'ʔaɪtl̩n] *vt* to thwart

ver·ei·tern* *vi sein* to go septic; ▪ **vereitert sein** to be septic

ver·en·den* *vi sein* to perish

ver·en·gen* [fɛɐ̯'ʔɛŋən] I. *vr* ❶ ANAT ▪ **sich** ~ *Pupillen* to contract; *Gefäße* to become constricted ❷ TRANSP **die Autobahn verengt sich auf zwei Fahrspuren** the motorway narrows to two lanes II. *vt* ANAT **Nikotin verengt die Gefäße** nicotine constricts the blood vessels

ver·er·ben* I. *vt* ▪ **[jdm] etw** ~ ❶ (*hinterlassen*) to leave [sb] sth ❷ (*durch Vererbung weitergeben*) to pass on sth *sep* [to sb]; (*schenken*) to hand on sth *sep* [to sb] II. *vr* ▪ **sich** ~ to be hereditary

ver·erb·lich *adj* hereditary

Ver·er·bung <-, *selten* -en> *f* BIOL heredity *no pl, no art*

ver·e·wi·gen* [fɛɐ̯'ʔeːvɪgn̩] I. *vr* ▪ **sich** ~ to leave one's mark for posterity II. *vt* ▪ **etw** ~ ❶ (*perpetuieren*) to perpetuate sth ❷ (*unsterblich machen*) to immortalize sth

ver·fah·ren*¹ [fɛɐ̯'ʔfaːrən] *vi irreg sein* ❶ (*vorgehen*) to proceed ❷ (*umgehen*) ▪ **[mit jdm]** ~ to deal with sb

ver·fah·ren*² [fɛɐ̯'ʔfaːrən] *irreg* I. *vt Benzin* to use up *sep* II. *vr* ▪ **sich** ~ to lose one's way

ver·fah·ren³ [fɛɐ̯'ʔfaːrən] *adj* muddled; **die Situation ist völlig** ~ the situation is a total mess

Ver·fah·ren <-s, -> [fɛɐ̯'ʔfaːrən] *nt* ❶ (*Methode*) process ❷ (*Gerichts~*) proceedings *npl;* **gegen jdn läuft ein** ~ proceedings are

being brought against sb

Ver·fah·rens·tech·nik *f* TECH process engineering

Ver·fall [fɛɐ̯'ʔfal] *m kein pl* ❶ (*das Verfallen*) dilapidation *no pl, no indef art* ❷ (*das Ungültigwerden*) expiry *no pl, no indef art* ❸ (*geh*) decline *no pl;* **der** ~ **der Moral** the decline in morals *npl*

Ver·fall·da·tum *nt s.* **Verfallsdatum**

ver·fal·len*¹ *vi irreg sein* ❶ (*zerfallen*) to decay ❷ (*immer schwächer werden*) to deteriorate ❸ (*ungültig werden*) *Ticket, Gutschein* to expire; *Anspruch, Recht* to lapse ❹ (*erliegen*) ▪ **[jdm]** ~ to be captivated [by sb]; ▪ **[einer S. dat]** ~ to become enslaved [by a thing]

ver·fal·len² *adj* ❶ (*völlig baufällig*) dilapidated ❷ (*abgelaufen*) expired

Ver·falls·da·tum *nt* ÖKON ❶ (*der Haltbarkeit*) use-by date ❷ (*der Gültigkeit*) expiry date

ver·fäl·schen* *vt* ❶ (*falsch darstellen*) to distort ❷ (*in der Qualität mindern*) to adulterate (**durch** with)

Ver·fäl·schung *f* ❶ (*das Verfälschen*) distortion ❷ (*Qualitätsminderung*) adulteration

ver·fan·gen* *irreg vr* ▪ **sich** ~ ❶ (*hängen bleiben*) to get caught ❷ (*sich verstricken*) to become entangled

ver·fäng·lich [fɛɐ̯'ʔfɛŋlɪç] *adj* embarrassing

ver·fär·ben* I. *vr* to change colour; **im Herbst** ~ **sich die Blätter** the leaves change colour in autumn; *Wäsche* to discolour II. *vt* ▪ **etw** ~ to discolour sth

Ver·fär·bung *f* ❶ *kein pl* (*Wechsel der Farbe*) change of colour ❷ (*abweichende Färbung*) discolouration *no pl, no indef art*

ver·fas·sen* *vt* to write; *Gesetz, Urkunde* to draw up

Ver·fas·ser(in) <-s, -> [fɛɐ̯'ʔfasɐ] *m(f)* author

Ver·fas·sung *f* ❶ *kein pl* (*Zustand*) condition *no pl;* (*körperlich*) state [of health]; (*seelisch*) state [of mind]; **in einer bestimmten** ~ **sein** to be in a certain state; **in guter** ~ in good form ❷ POL constitution

ver·fas·sung·ge·bend *adj attr* **die** ~**e Versammlung** the constituent assembly

Ver·fas·sungs·än·de·rung *f* JUR constitutional amendment **Ver·fas·sungs·be·schwer·de** *f* complaint about constitutional infringements *pl* **Ver·fas·sungs·ge·richt** *nt* constitutional court **Ver·fas·sungs·kla·ge** *f* formal complaint about unconstitutional decision made by the courts **Ver·fas·sungs·schutz** *m*

❶ (*Schutz*) protection of the constitution **❷** (*fam: Amt*) Office for the Protection of the Constitution **ver·fas·sungs·wid·rig** *adj* unconstitutional

ver·fau·len* *vi sein* to rot; **verfault** rotten

ver·fech·ten* *vt irreg* to champion

Ver·fech·ter(in) *m(f)* advocate, champion

ver·feh·len* *vt* **❶** (*nicht treffen, verpassen*) to miss; **■ nicht zu ~ sein** to be impossible to miss **❷** (*nicht erreichen*) not to achieve; **das Thema ~** to go completely off the subject; **seinen Beruf ~** to miss one's vocation

ver·fehlt *adj* **❶** (*misslungen*) unsuccessful **❷** (*unangebracht*) inappropriate

ver·fein·den* *vr* **■ sich ~** to fall out (**mit** with); **■ verfeindet sein** to be enemies; **verfeindete Staaten** enemy states

ver·fei·nern* [fɛɐˈfaɪnɐn] *vt* **❶** KOCHK to improve (**mit** with) **❷** (*raffinierter gestalten*) to refine

Ver·fei·ne·rung <-, -en> *f* **❶** KOCHK improvement **❷** (*raffiniertere Gestaltung*) refinement

ver·fil·men* *vt* to film, to make a film of

Ver·fil·mung <-, -en> *f* **❶** *kein pl* (*das Verfilmen*) filming *no pl, no indef art* **❷** (*Film*) film

ver·fil·zen* *vi sein Kleidungsstück* to become felted; *Kopfhaar* to become matted; **■ verfilzt** felted, matted

ver·filzt *adj* (*fam*) interconnected; **■ [miteinander] ~ sein** to be inextricably linked

ver·fins·tern* [fɛɐˈfɪnstɐn] **I.** *vt* to darken; *die Sonne* to eclipse **II.** *vr* **■ sich ~** to darken

ver·flech·ten* *vt irreg* **■ etw [miteinander] ~** to interweave [*or* intertwine] sth

Ver·flech·tung <-, -en> *f* interconnection

ver·flie·gen* *irreg* **I.** *vi sein* **❶** *Zorn* to pass; *Kummer* to vanish **❷** *Geruch* to evaporate **II.** *vr haben* **■ sich ~** *Pilot* to lose one's bearings *pl; Flugzeug* to stray off course

ver·flixt [fɛɐˈflɪkst] **I.** *adj* (*fam*) **❶** (*verdammt*) blasted **❷** (*ärgerlich*) unpleasant **II.** *adv* (*fam: ziemlich*) damn[ed]; **diese Aufgabe ist ~ schwer** this exercise is damned difficult **III.** *interj* (*fam: verdammt*) blast [it]!

ver·flu·chen* *vt* to curse

ver·flucht **I.** *adj* (*fam: verdammt*) damn[ed], bloody BRIT **II.** *adv* (*fam: äußerst*) **gestern war es ~ kalt** it was damned cold yesterday **III.** *interj* (*fam: verdammt*) damn!

ver·flüch·ti·gen* [fɛɐˈflʏçtɪgn̩] *vr* **■ sich ~** to evaporate ► **sich verflüchtigt haben** (*hum fam*) to have disappeared

ver·flüs·si·gen* [fɛɐˈflʏsɪgn̩] **I.** *vt* **❶** (*flüssig machen*) to liquefy **❷** (*hydrieren*) to hydrogenate **II.** *vr* **■ sich ~** to liquefy

ver·fol·gen* *vt* **❶** (*nachgehen*) to follow; (*politisch*) to persecute **❷** (*zu erreichen suchen*) **■ etw ~** to pursue sth; **eine Absicht ~** to have sth in mind **❸** (*belasten*) **■ jdn ~** to dog sb; **vom Pech verfolgt sein** to be dogged by bad luck

Ver·fol·ger(in) <-s, -> *m(f)* pursuer

Ver·folg·te(r) [fɛɐˈfɔlktə, -tə] *f(m) dekl wie adj* victim of persecution

Ver·fol·gung <-, -en> *f* **❶** (*das Verfolgen*) pursuit *no pl, no indef art;* **die ~** [**von jdm**] **aufnehmen** to start in pursuit [of sb]; (*politisch*) persecution *no pl, no indef art* **❷** *kein pl* (*Bezwecken*) pursuance *no pl, no indef art* **❸** (*das Vorgehen gegen etw*) prosecution

Ver·fol·gungs·jagd *f* pursuit, chase **Ver·fol·gungs·wahn** *m* persecution mania

ver·for·men* **I.** *vt* to distort **II.** *vr* **■ sich ~** to become distorted, to go out of shape

Ver·for·mung *f* **❶** (*das Verformen*) distortion **❷** (*verformte Stelle*) distortion

ver·frach·ten* [fɛɐˈfraxtn̩] *vt* **❶** (*fam: bringen*) **■ jdn ~** to bundle sb off; **■ etw irgendwohin ~** to put sth somewhere **❷** ÖKON to ship, to transport

ver·frem·den* *vt* to make [appear] unfamiliar

Ver·frem·dung <-, -en> *f* LIT, THEAT alienation

ver·fres·sen* *adj* (*pej sl*) [piggishly] greedy

ver·frü·hen* [fɛɐˈfryːən] *vr* **■ sich ~** to arrive too early

ver·früht *adj* premature; **etw für ~ halten** to consider sth to be premature

ver·füg·bar *adj* available

ver·fü·gen* **I.** *vi* **■ über etw** *akk* **~** to have sth at one's disposal; **wir ~ nicht über die nötigen Mittel** we don't have the necessary resources at our disposal; **~ Sie über mich!** I am at your disposal! **II.** *vt* (*anordnen*) to order

Ver·fü·gung <-, -en> *f* **❶** (*Anordnung*) order; **einstweilige ~** JUR temporary injunction **❷** (*Disposition*) **■ etw zur ~ haben** to have sth at one's disposal; **halten Sie sich bitte weiterhin zur ~** please continue to be available; **■ jdm zur ~ stehen** to be available to sb; **■ [jdm] etw zur ~ stellen** to make sth available [to sb]

ver·füh·ren* *vt* **❶** (*verleiten*) **■ jdn ~** to entice sb; (*sexuell*) to seduce sb **❷** (*hum: verlocken*) to tempt (**zu** to)

Ver·füh·rer(in) *m(f)* seducer *masc,* seductress *fem*

ver·füh·re·risch [fɛɐ̯'fyːrərɪʃ] *adj* ❶ (*verlockend*) tempting ❷ (*aufreizend*) seductive

Ver·füh·rung *f* ❶ (*Verleitung*) seduction; **~ Minderjähriger** *pl* JUR seduction of minors *pl* ❷ (*Verlockung*) temptation

ver·füt·tern* *vt* ■ etw |an Tiere| ~ to feed sth to animals

Ver·füt·te·rung [fɛɐ̯'fʏtərʊŋ] *f* AGR feeding

Ver·ga·be [fɛɐ̯'ɡaːbə] *f von Arbeit, Studienplätze* allocation; *eines Auftrags, Preises* award

ver·gam·meln* *vi sein Wurst, Essen* to go bad; *Brot, Käse* to go stale

ver·gam·melt <-er, -este> *adj* (*fam*) scruffy, tatty; (*Auto*) decrepit

ver·gan·gen *adj* past, former

Ver·gan·gen·heit <-, selten -en> [fɛɐ̯'ɡaŋənhaɪ̯t] *f* ❶ *kein pl* (*Vergangenes*) past; **die jüngste ~** the recent past; **der ~ angehören** to belong to the past; **eine bewegte ~ haben** to have an eventful past ❷ LING past [tense]

Ver·gan·gen·heits·be·wäl·ti·gung *f* coming to terms with the past

ver·gäng·lich [fɛɐ̯'ɡɛŋlɪç] *adj* transient

Ver·gäng·lich·keit <-> *f kein pl* transience *no pl*

ver·ga·sen* *vt* to gas

Ver·ga·ser <-s, -> *m* AUTO carburettor

ver·gaß [fɛɐ̯'ɡaːs] *imp von* **vergessen**

ver·ge·ben* *irreg* I. *vi* to forgive II. *vt* ❶ (*verzeihen*) ■ |jdm| etw ~ to forgive |sb| sth ❷ (*zuteilen*) ■ etw |an jdn| ~ to allocate sth [to sb]; *Preis, Auftrag* to award ▶ **bereits ~ sein** (*liiert*) to be already spoken for

ver·ge·bens [fɛɐ̯ɡeːbns̩] I. *adj präd in* vain *pred* II. *adv s.* **vergeblich**

ver·geb·lich [fɛɐ̯'ɡɪːplɪç] I. *adj* (*erfolglos bleibend*) futile; **ein ~er Versuch** a futile attempt II. *adv* (*umsonst*) in vain

Ver·ge·bung <-, -en> *f* forgiveness *no pl, no indef art;* |jdn| um ~ bitten to ask for [sb's] forgiveness

ver·ge·gen·wär·ti·gen* [fɛɐ̯'ɡeːɡn̩vɛrtɪɡn̩] *vt* ■ sich *dat* etw ~ to realize sth

ver·ge·hen* [fɛɐ̯'ɡeːən] *irreg* I. *vi sein* ❶ (*verstreichen*) to go by, to pass ❷ (*schwinden*) to wear off; **igitt! da vergeht einem ja der Appetit** yuk! it's enough to make you lose your appetite ❸ (*sich zermürben*) to die (**vor** of); **vor Sehnsucht ~** to pine away II. *vr haben* ■ sich |an jdm| ~ to indecently assault sb

Ver·ge·hen <-s, -> [fɛɐ̯'ɡeːən] *nt* offence

ver·gel·ten *vt irreg* ■ |jdm| etw ~ to repay sb for sth

Ver·gel·tung <-, -en> *f* revenge; **~ üben** to take revenge

Ver·gel·tungs·maß·nah·me *f* reprisal

Ver·gel·tungs·schlag *m* retaliatory strike

ver·ges·sen <vergisst, vergaß, vergessen> [fɛɐ̯'ɡɛsn̩] I. *vt* ❶ (*nicht mehr daran denken*) to forget; **das werde ich dir nie ~** I won't forget what you did; **nicht zu ~ ...** not forgetting; **schon vergessen!** never mind! ❷ (*liegen lassen*) to leave behind II. *vr* (*die Beherrschung verlieren*) ■ sich ~ to forget oneself

Ver·ges·sen·heit <-> *f kein pl* oblivion *no pl, no art;* **in ~ geraten** to fall into oblivion

ver·gess·lich[RR] *adj,* **ver·geß·lich**[ALT] [fɛɐ̯'ɡɛslɪç] *adj* forgetful

Ver·gess·lich·keit[RR] <-> *f kein pl* forgetfulness *no pl*

ver·geu·den* [fɛɐ̯'ɡɔyda̩n] *vt* to waste

ver·ge·wal·ti·gen* [fɛɐ̯ɡə'valtɪɡn̩] *vt* to rape

Ver·ge·wal·ti·gung <-, -en> *f* rape

ver·ge·wis·sern* [fɛɐ̯ɡə'vɪsɐn] *vr* ■ sich ~, dass ... to make sure that ...

ver·gie·ßen* *vt irreg* ❶ (*danebengießen*) to spill ❷ *Tränen* to shed

ver·gif·ten* I. *vt* to poison II. *vr* ■ sich ~ to be poisoned (**an** by)

Ver·gif·tung <-, -en> *f* ❶ *kein pl* (*das Vergiften*) poisoning *no pl, no indef art* ❷ MED intoxication *no pl, no indef art*

ver·gilbt *adj Foto, Papier* yellowed

Ver·giss·mein·nicht[RR] <-[e]s, -[e]> *nt,* **Ver·giß·mein·nicht**[ALT] <-[e]s, -[e]> [fɛɐ̯'ɡɪsmaɪ̯nnɪçt] *nt* forget-me-not

ver·gisst[RR], **ver·gißt**[ALT] [fɛɐ̯'ɡɪst] *3. pers pres von* **vergessen**

ver·gla·sen* *vt* to glaze; ■ **verglast** glazed

Ver·gleich <-[e]s, -e> [fɛɐ̯'ɡlaɪ̯ç] *m* comparison; **im ~** |zu jdm/etw| in comparison [with sb/sth]; **in keinem ~** |zu etw *dat*| **stehen** to be out of all proportion [to sth] ▶ **der ~ hinkt** that's a poor [*or* weak] comparison

ver·gleich·bar *adj* comparable (**mit** to); ■ etwas V~es something comparable

ver·glei·chen* *irreg vt* to compare (**mit** with/to); **ich vergleiche die Preise immer genau** I always compare prices very carefully

ver·glei·chend *adj* comparative; **die ~e Sprachwissenschaft** comparative linguistics + *sing vb*

Ver·gleichs·grup·pe *f* control group

ver·gleichs·wei·se *adv* comparatively; **das ist ~ wenig/viel** that is a little/a lot in

sich vergewissern/versichern

sich vergewissern	making sure
Alles in Ordnung?	**Everything OK?**
Habe ich das so richtig gemacht?	**Have I done that right?**
Hat es Ihnen geschmeckt?	**Did you like it?**
Ist das der Bus nach Frankfurt?	Is that/this the **bus to Frankfurt?**
(am Telefon): **Bin ich hier richtig bei der** Agentur für Arbeit?	*(on the phone):* **Is that the** jobcentre?
Ist das der Film, von dem du so geschwärmt hast?	**Is that** the film you were raving about? *(fam)*
Bist du dir sicher, dass die Hausnummer stimmt?	**Are you sure** you've got the right door number?

jemandem etwas versichern, beteuern	assuring someone of something
Der Zug hatte **wirklich** Verspätung gehabt.	The train **really was** late.
Ganz ehrlich, ich habe nichts davon gewusst.	I **honestly** didn't know anything about it.
Ob du es nun glaubst oder nicht: Sie haben sich **tatsächlich** getrennt.	**Believe it or not**; they **really** have split up.
Ich kann Ihnen versichern, dass das Auto noch einige Jahre fahren wird.	**I assure you (that)** the car will go on running for several more years.
Glaub mir, das Konzert wird ein Riesenerfolg.	**Trust me,** the concert is going to be a huge success.
Du kannst ganz sicher sein, er hat nichts gemerkt.	**You can be sure/certain** he didn't notice a thing.
Ich garantiere Ihnen, dass die Mehrheit dagegen stimmen wird.	**I guarantee (you)** the majority will vote against (it).
Die Einnahmen sind ordnungsgemäß versteuert, **das kann ich beschwören.**	**I can vouch for the fact that** the takings have been properly declared.

comparison
ver·glü·hen* *vi sein* ❶ (*verglimmen*) to die away ❷ (*glühend zerfallen*) to burn up
ver·gnü·gen* [fɛɐ̯ˈgnyːgn̩] *vr* ■ **sich ~** to amuse [*or* enjoy] oneself
Ver·gnü·gen <-s, -> [fɛɐ̯ˈgnyːgn̩] *nt* (*Freude*) enjoyment *no pl;* (*Genuss*) pleasure *no pl;* **ein teures ~ sein** to be an expensive way of enjoying oneself; **~ [an etw** *dat*] **finden** to find pleasure in sth; **es ist mir ein ~** it is a pleasure; **kein ~ sein, etw zu tun** to not be exactly a pleasure doing sth; [*jdm*] **~ bereiten** to give sb pleasure; **mit größtem ~** with the greatest of pleasure ▶ **mit wem** <u>habe</u> **ich das ~?** (*geh*) with whom do I have the pleasure of speaking?; **sich ins ~** <u>stürzen</u> to join the fun; **viel ~!** have a good time!
ver·gnügt [fɛɐ̯ˈgnyːkt] I. *adj* happy, cheerful II. *adv* happily, cheerfully

Ver·gnü·gung <-, -en> *f* pleasure
Ver·gnü·gungs·park *m* amusement park
Ver·gnü·gungs·vier·tel *nt* entertainment quarter
ver·gol·den* [fɛɐ̯ˈgɔldn̩] *vt Schmuckstück* to gold-plate; **Bilderrahmen** to gild
ver·göt·tern* [fɛɐ̯ˈgœtɐn] *vt* to idolize
ver·gra·ben* *irreg* I. *vt* to bury II. *vr* ❶ (*sich zurückziehen*) ■ **sich ~** to hide oneself away ❷ (*sich mit etw beschäftigen*) ■ **sich in Arbeit ~** to bury oneself in work
ver·grämt *adj* troubled
ver·grät·zen* [fɛɐ̯ˈgrɛtsn̩] *vt* (*fam*) to vex
ver·grau·len* *vt* (*fam*) to scare away
ver·grei·fen* *vr irreg* ❶ (*stehlen*) ■ **sich [an etw** *dat*] **~** to steal sth ❷ (*Gewalt antun*) ■ **sich [an jdm] ~** to assault sb ❸ (*sich unpassend ausdrücken*) ■ **sich im Ton ~** to adopt the wrong tone

ver·grei·sen [fɛɐ̯ˈɡraɪzn̩] *vi sein* ❶ (*senil werden*) to become senile ❷ *Bevölkerung* to age

ver·grif·fen *adj Buch* out of print |OP| *pred; Ware* unavailable

ver·grö·ßern [fɛɐ̯ˈɡrøːsɐn] **I.** *vt* ❶ *Fläche, Umfang* to extend, to enlarge (**um** by, **auf** to) ❷ *Distanz* to increase ❸ *Firma* to expand ❹ (*größer erscheinen lassen*) to magnify ❺ FOTO to enlarge [*or sep* blow up] (**auf** to) **II.** *vr* ∎ **sich ~** (*anschwellen*) to become enlarged

Ver·grö·ße·rung <-, -en> *f* ❶ (*das Vergrößern*) enlargement, increase, expansion, magnification ❷ (*vergrößertes Foto*) enlargement, blow-up; **in 20.000-facher ~** enlarged by a factor of twenty thousand ❸ (*Anschwellung*) enlargement

Ver·grö·ße·rungs·glas *m* magnifying glass

ver·gu·cken* *vr* (*fam*) ❶ (*nicht richtig sehen*) to see wrong ❷ (*verlieben*) ∎ **sich in jdn ~** to fall for sb

ver·güns·tigt [fɛɐ̯ˈɡʏnstɪçt] *adj* cheaper

Ver·güns·ti·gung <-, -en> *f* ❶ (*finanzieller Vorteil*) perk ❷ (*Ermäßigung*) reduction, concession

ver·gü·ten* [fɛɐ̯ˈɡyːtn̩] *vt* ∎ |**jdm**| **etw ~** ❶ (*ersetzen*) to reimburse sb for sth ❷ (*bezahlen*) to pay sb for sth

Ver·gü·tung <-, -en> *f* ❶ (*das Ersetzen*) refunding *no pl,* reimbursement *no pl* ❷ (*geh: das Bezahlen*) payment *no pl* ❸ (*Geldsumme*) payment, remuneration; (*Honorar*) fee

ver·haf·ten* *vt* to arrest; **Sie sind verhaftet!** you are under arrest!

Ver·haf·te·te(r) *f(m) dekl wie adj* person under arrest

Ver·haf·tung <-, -en> *f* arrest

ver·hal·len* *vi sein* to die away

ver·hal·ten*¹ [fɛɐ̯ˈhaltn̩] *vr irreg* ∎ **sich** |**irgendwie**| **~** ❶ (*sich benehmen*) to behave [in a certain manner] ❷ (*beschaffen sein*) to be [a certain way]; **die Sache verhält sich anders, als du denkst** the matter is not as you think ❸ CHEM (*als Eigenschaft zeigen*) to react [in a certain way]

ver·hal·ten² [fɛɐ̯ˈhaltn̩] **I.** *adj* ❶ (*zurückhaltend*) restrained ❷ (*unterdrückt*) suppressed **II.** *adv* in a restrained manner

Ver·hal·ten <-s> [fɛɐ̯ˈhaltn̩] *nt kein pl* behaviour *no pl*

ver·hal·tens·auf·fäl·lig *adj* PSYCH displaying behavioural problems **Ver·hal·tens·auf·fäl·lig·keit** *f* PSYCH display[s] of behavioural problems **Ver·hal·tens·for·schung** *f kein pl* behavioural research *no*

pl **ver·hal·tens·ge·stört** *adj* disturbed **Ver·hal·tens·ko·dex** *m* SOZIOL (*geh*) code of behaviour **Ver·hal·tens·stö·rung** *f meist pl* behavioural disturbance **Ver·hal·tens·wei·se** *f* behaviour

Ver·hält·nis <-ses, -se> [fɛɐ̯ˈhɛltnɪs] *nt* ❶ (*Relation*) ratio; **in keinem ~** |**zu etw** *dat*| **stehen** to bear no relation to sth; **im ~** in a ratio (**von** of, **zu** to); **im ~** |**zu jdm**| in comparison [with sb] ❷ (*persönliche Beziehung*) relationship (**zu** with); (*Liebes~*) affair ❸ *pl* (*Bedingungen*) conditions *pl;* **räumliche ~se** physical conditions ❹ *pl* (*Lebensumstände*) circumstances *pl;* **über seine ~se** *pl* **leben** to live beyond one's means *pl;* **in bescheidenen ~sen leben** to live in modest circumstances; **klare ~se schaffen** to get things straightened out; **unter anderen ~sen** under different circumstances

ver·hält·nis·mä·ßig *adv* relatively

Ver·hält·nis·mä·ßig·keit <-, -en> *f meist sing* JUR (*Angemessenheit*) appropriateness *no pl,* commensurability *no pl;* **~ der Mittel/der Gerichtsentscheidung** reasonableness of means/of the decision

Ver·hält·nis·wort *nt* LING preposition

ver·han·deln* **I.** *vi* to negotiate (**mit** with, **über** about) **II.** *vt* ∎ **etw ~** ❶ (*aushandeln*) to negotiate sth ❷ JUR to hear sth; **das Gericht wird diesen Fall nicht ~** the court won't hear this case

Ver·hand·lung *f* ❶ *meist pl* (*das Verhandeln*) negotiation; **~en** *pl* **aufnehmen** to enter into negotiations *pl;* **in ~en** *pl* **stehen** to be engaged in negotiations *pl* ❷ JUR trial, hearing

Ver·hand·lungs·ba·sis *f* basis for negotiation[s]; *Preis* or near offer, o.n.o. BRIT, or best offer AM, o.b.o. AM **Ver·hand·lungs·fä·hig** *adj* JUR able to stand trial *pred* **Ver·hand·lungs·ma·ra·thon** [fɛɐ̯ˈhandlʊŋsmaːratɔn] *m* POL marathon negotiations *pl* **Ver·hand·lungs·part·ner(in)** *m(f)* negotiating party **Ver·hand·lungs·sa·che** *f* matter of negotiation **Ver·hand·lungs·tisch** *m* negotiating table

ver·han·gen *adj* overcast

ver·hän·gen* *vt* ❶ (*zuhängen*) to cover ❷ (*aussprechen*) to award; **der Schiedsrichter verhängte einen Elfmeter** the referee awarded a penalty ❸ (*verfügen*) ∎ **etw ~** to impose sth (**über** on); *Ausnahmezustand* to declare; *Ausgangssperre* to impose

Ver·häng·nis <-, -se> [fɛɐ̯ˈhɛŋnɪs] *nt* disaster; |**jdm**| **zum ~ werden** to be sb's undoing

ver·häng·nis·voll *adj* disastrous, fatal

ver·harm·lo·sen* [fɛɐ̯'harmloːzn̩] *vt* to play down *sep*

Ver·harm·lo·sung <-, -en> *f* playing down

ver·härmt [fɛɐ̯'hɛrmt] *adj* careworn

ver·har·ren* *vi sein o haben* (*geh*) ❶ (*stehen bleiben*) to pause ❷ (*hartnäckig bleiben*) to persist (**bei** in)

ver·här·ten* I. *vt* to harden II. *vr* ▪ **sich ~** to become hardened

Ver·här·tung *f* ❶ *kein pl* (*Erstarrung*) hardening *no pl* ❷ (*verhärtete Stelle*) induration

ver·has·peln* *vr* ▪ **sich ~** to get into a muddle

ver·hasst^{RR} *adj,* **ver·haßt^{ALT}** [fɛɐ̯'hast] *adj* hated (**wegen** for); ▪ **~ sein** to be hated; **dieser Beruf wurde mir immer ~er** I hated this profession more and more

ver·hät·scheln *vt* to spoil, to pamper

Ver·hau <-[e]s, -e> [fɛɐ̯'haʊ̯] *m* MIL entanglement

ver·hau·en* <verhaute, verhauen> I. *vt* (*fam*) ❶ (*verprügeln*) to beat up *sep;* ▪ **sich ~** to have a fight ❷ SCH **ich habe den Aufsatz** [**gründlich**] **~!** I've made a [complete] mess of the essay! II. *vr* (*fam: sich verkalkulieren*) ▪ **sich ~** to slip up

ver·hed·dern* [fɛɐ̯'hɛdɐn] *vr* ▪ **sich ~** ❶ (*sich verfangen*) to get tangled up ❷ (*sich versprechen*) to get into a muddle ❸ (*sich verschlingen*) to get into a tangle

ver·hee·rend I. *adj* devastating II. *adv* devastatingly; **sich ~ auswirken** to have a devastating effect; **~ aussehen** (*fam*) to look dreadful

ver·heh·len* *vt* (*geh*) ▪ **etw** [**jdm gegenüber**] **~** to conceal sth [from sb]; ▪ **nicht ~, dass ...** to not hide the fact that ...

ver·hei·len* *vi sein* to heal [up]

ver·heim·li·chen* [fɛɐ̯'haɪ̯mlɪçn̩] *vt* (*geheim halten*) ▪ [**jdm**] **etw ~** to conceal sth [from sb], to keep sth secret [from sb]; ▪ **jdm ~, dass ...** to conceal from sb the fact that ...; **etw** [*o* **nichts**] **zu ~ haben** to have sth [*or* nothing] to hide

ver·hei·ra·ten* *vr* ▪ **sich** [**mit jdm**] **~** to marry [sb]; ▪ **verheiratet** married

ver·hei·ra·tet *adj* married

ver·hei·ßen* *vt irreg* ▪ **etw ~** to promise sth

Ver·hei·ßung <-, -en> *f* promise

Ver·hei·ßungs·voll I. *adj* promising; **wenig ~** unpromising II. *adv* full of promise; **Ihr Vorschlag hört sich ~ an** your suggestion sounds promising

ver·hel·fen* *vi irreg* ▪ [**jdm**] **zu etw** *dat* **~**

to help sb to achieve sth; **dieser Erfolg verhalf ihm endlich zum Durchbruch** this success finally helped him achieve a breakthrough

ver·herr·li·chen* [fɛɐ̯'hɛrlɪçn̩] *vt* to glorify

Ver·herr·li·chung <-, -en> *f* glorification *no pl*

ver·heult *adj* puffy from crying

ver·he·xen* *vt* to bewitch; **wie verhext sein** to be jinxed

ver·hin·dern* *vt* to prevent; ▪ **~, dass jd etw tut** to prevent sb from doing sth

ver·hin·dert *adj* ❶ (*nicht anwesend*) ▪ **~ sein** to be unable to come ❷ (*fam: mit einer verborgenen Begabung*) ▪ **ein ~er** [*o* **eine ~e**] **... sein** to be a would-be ...

Ver·hin·de·rung <-, -en> *f* ❶ (*das Verhindern*) prevention *no pl, no indef art* ❷ (*zwangsläufiges Nichterscheinen*) inability to come [*or* attend]

ver·höh·nen* *vt* to mock

ver·hö·kern* *vt* (*fam*) to flog [off] (**an** to)

Ver·hör <-[e]s, -e> [fɛɐ̯'høːɐ̯] *nt* questioning *no pl, no art,* interrogation; **jdn einem ~ unterziehen** to subject sb to questioning

ver·hö·ren* I. *vt* (*offiziell befragen*) ▪ **jdn ~** to question, to interrogate II. *vr* ▪ **sich ~** to mishear

ver·hül·len* *vt* to cover (**mit** with)

ver·hun·gern* *vi sein* to starve [to death]; **am V~ sein** to be starving

ver·hü·ten* *vt* to prevent; **eine Empfängnis verhüten** to prevent conception

Ver·hü·tung <-, -en> *f* ❶ (*das Verhindern*) prevention *no pl, no indef art* ❷ (*Empfängnis~*) contraception *no pl, no art*

Ver·hü·tungs·mit·tel *nt* contraceptive

ve·ri·fi·zie·ren* [verifi'tsiːrən] *vt* to verify

ver·in·ner·li·chen* [fɛɐ̯'ʔɪnɐlɪçn̩] *vt* to internalize

ver·ir·ren* *vr* ▪ **sich ~** to get lost

ver·ja·gen* *vt* to chase away *sep*

ver·jäh·ren* *vi sein* to become statute-barred; ▪ **verjährt** statute-barred

Ver·jäh·rung <-, -en> *f* limitation

Ver·jäh·rungs·frist *f* [statutory] period of limitation

ver·ju·beln* *vt* to blow

ver·jün·gen* [fɛɐ̯'jʏŋən] I. *vi* (*vitalisieren*) to make one feel younger II. *vt* ❶ (*vitalisieren*) ▪ **jdn ~** to rejuvenate sb ❷ ÖKON **wir sollten das Management der Firma ~** we should bring some young blood into the management of the company III. *vr* ▪ **sich ~** ❶ (*schmaler werden*) to narrow ❷ (*ein jüngeres Aussehen bekommen*) to look younger

Ver·jün·gung <-, -en> f ❶ (das Verjüngen) rejuvenation; Personal recruitment of younger blood ❷ (Verengung) narrowing no pl

ver·ka·beln* vt to connect to the cable network

Ver·ka·be·lung <-, -en> f connecting no pl to the cable network

ver·kal·ken vi sein ❶ (Kalk einlagern) to fur [or AM clog] up; ■**verkalkt** furred up ❷ Arterien to become hardened; Gewebe to calcify ❸ MED (fam) ■**jd verkalkt** sb suffers from hardening of the arteries pl; (senil werden) sb's going senile

ver·kal·ku·lie·ren* vr ■**sich ~** ❶ (sich verrechnen) to miscalculate ❷ (sich irren) to be mistaken

Ver·kal·kung <-, -en> f ❶ (das Verkalken) furring no pl BRIT, clogging AM ❷ Arterien hardening no pl; Gewebe calcification no pl ❸ MED (fam: Arteriosklerose) hardening of the arteries pl; (Senilität) senility no pl

ver·kannt adj unrecognized

ver·kappt adj attr disguised; **ein ~er Kommunist** a communist in disguise

ver·ka·tert [fɛɐ̯ˈkaːtɐt] adj (fam) hung-over pred

Ver·kauf <-s, Verkäufe> [fɛɐ̯ˈkaʊ̯f, pl fɛɐ̯ˈkɔʏfə] m ❶ (das Verkaufen) sale, selling no pl; **etw zum ~ anbieten** to offer sth for sale; **zum ~ stehen** to be up for sale ❷ kein pl (Verkaufsabteilung) sales no art, + sing/pl vb

ver·kau·fen* I. vt to sell (**für, an** to); **zu ~ sein** to be for sale; „**zu ~**" "for sale" II. vr ■**sich ~** ❶ (verkauft werden) to sell; **das Buch verkauft sich gut** the book is selling well ❷ (sich selbst darstellen) to sell oneself

Ver·käu·fer(in) [fɛɐ̯ˈkɔʏfɐ] m(f) ❶ (verkaufender Angestellter) sales [or shop] assistant ❷ (verkaufender Eigentümer) seller; JUR vendor

ver·käuf·lich adj ❶ (zu verkaufen) for sale pred ❷ ÖKON saleable

ver·kaufs·of·fen adj open for business **Ver·kaufs·preis** m retail price **Ver·kaufs·schla·ger** m best-seller **ver·kaufs·träch·tig** adj ÖKON Ware marketable **Ver·kaufs·zah·len** pl sales figures pl

Ver·kehr <-[e]s> [fɛɐ̯ˈkeːɐ̯] m kein pl ❶ (Straßen~) traffic no pl, no indef art ❷ (Transport) transport no pl, no indef art ❸ (Umgang) contact, dealings pl; **jdn aus dem ~ ziehen** (fam) to take sb out of circulation ❹ (Handel) **etw in den ~ bringen** to put sth into circulation; **etw aus**

dem ~ ziehen to withdraw sth from circulation ❺ (Geschlechts~) intercourse

ver·keh·ren* I. vi ❶ sein o haben (fahren) to run; **der Zug verkehrt nur zweimal am Tag** the train only runs twice a day ❷ haben (häufiger Gast sein) to visit regularly ❸ haben (Umgang pflegen) ■**mit jdm**] ~ to associate [with sb] II. vr haben (sich umkehren) ■**sich [in etw** akk] ~ to turn into sth

Ver·kehrs·am·pel f traffic lights pl **Ver·kehrs·amt** nt tourist information office **Ver·kehrs·an·bin·dung** f transport link BRIT usu pl, transportation connection AM usu pl **Ver·kehrs·auf·kom·men** nt volume of traffic **ver·kehrs·be·ru·higt** adj traffic-calmed **Ver·kehrs·cha·os** nt road chaos **Ver·kehrs·de·likt** nt traffic offence [or AM -se] **Ver·kehrs·dich·te** f kein pl traffic density **Ver·kehrs·durch·sa·ge** f traffic announcement **Ver·kehrs·er·zie·hung** f road safety training **Ver·kehrs·flug·zeug** nt commercial aircraft **Ver·kehrs·funk** m radio traffic service **ver·kehrs·güns·tig** adj close to public transport **Ver·kehrs·hin·der·nis** nt obstruction to traffic **Ver·kehrs·hin·weis** m traffic announcement **Ver·kehrs·in·sel** f traffic island **Ver·kehrs·kno·ten·punkt** m traffic junction **Ver·kehrs·kon·trol·le** f spot check on the traffic **Ver·kehrs·la·ge** f traffic [conditions pl] **Ver·kehrs·mit·tel** nt means + sing/pl vb of transport; **öffentliches/privates ~** public/private transport **Ver·kehrs·netz** nt transport system **Ver·kehrs·ord·nung** f kein pl Road Traffic Act **Ver·kehrs·pla·nung** f traffic planning **Ver·kehrs·po·li·zei** f traffic police **Ver·kehrs·po·li·zist(in)** m(f) traffic policeman masc, policewoman fem **Ver·kehrs·re·gel** f traffic regulation **Ver·kehrs·re·ge·lung** f traffic control **ver·kehrs·reich** adj ~**e Straße** busy street **Ver·kehrs·row·dy** m road hog fam **Ver·kehrs·schild** nt road sign **ver·kehrs·si·cher** adj Fahrzeug safe; (bes. Auto) roadworthy **Ver·kehrs·si·cher·heit** f kein pl road safety **Ver·kehrs·stra·ße** f road open to traffic **Ver·kehrs·sün·der(in)** m(f) (fam) traffic offender **Ver·kehrs·teil·neh·mer(in)** m(f) road-user **Ver·kehrs·to·te(r)** f(m) dekl wie adj road fatality **Ver·kehrs·un·fall** m road accident **Ver·kehrs·ver·bund** m association of transport companies pl **Ver·kehrs·ver·ein** m tourist promotion agency **Ver·kehrs·weg** m [traffic] route, communication **Ver·kehrs·we·sen** <-s> nt

kein pl communications *pl* [system]

ver·kehrs·wid·rig *adj* contrary to road traffic regulations *pl*

Ver·kehrs·zei·chen *nt s.* **Verkehrsschild**

ver·kehrt I. *adj* (*falsch*) wrong; **die ~e Richtung** the wrong direction; ■ **der V~e** the wrong person; ■ **etwas V~es** the wrong thing ▶ **mit dem ~en Bein aufgestanden sein** to have got out of bed on the wrong side **II.** *adv* wrongly; **du machst ja doch wieder alles ~!** you're doing everything wrong again!; **~ herum** the wrong way round

ver·kei·len *vt* ❶ (*befestigen*) to wedge tight ❷ DIAL ■ **jdn ~** to thrash sb

ver·keilt *adj* gridlocked

ver·ken·nen *vt irreg* (*falsch einschätzen*) to misjudge; ■ **~, dass ...** to fail to recognize that ...; **es ist nicht zu ~, dass ...** it cannot be denied that ...

ver·ket·ten I. *vt* ❶ (*verbinden*) to chain (**mit** to) ❷ (*verschließen*) to put a chain on **II.** *vr* ■ **sich ~** ❶ *Ereignisse* to follow close on one another ❷ *Moleküle* to combine

Ver·ket·tung <-, -en> *f* chain

ver·kla·gen *vt* ■ **jdn ~** to take proceedings against sb; **jdn auf Schadenersatz ~** to sue sb for damages

ver·klap·pen *vt* to dump [in the sea]

ver·klärt <-er, -este> *adj* transfigured

ver·kle·ben I. *vt haben* ■ **etwas ~** *dat* (*zukleben*) to cover sth; (*zusammenkleben*) to stick sth together; (*festkleben*) to stick sth [down] **II.** *vi sein* (*zusammenkleben*) to stick together; **verklebte Hände** sticky hands

ver·klei·den* I. *vt* ❶ (*kostümieren*) to dress up *sep* (**als** as) ❷ (*ausschlagen*) to line ❸ BAU (*überdecken*) to cover **II.** *vr* ■ **sich ~** to dress up

Ver·klei·dung *f* ❶ (*Kostüm*) disguise, fancy dress ❷ BAU lining

ver·klei·nern [fɛɐ̯'klaɪnɐn] **I.** *vt* ❶ (*verringern*) to reduce ❷ (*schrumpfen lassen*) to shrink ❸ FOTO to reduce; INFORM to scale down **II.** *vr* ❶ (*sich verringern*) to be reduced in size (**um** by) ❷ (*schrumpfen*) to shrink

ver·klei·nert I. *pp von* **verkleinern II.** *adj* reduced

Ver·klei·ne·rung <-, -en> *f* reduction *no pl*

Ver·klei·ne·rungs·form *f* LING diminutive [form]

ver·klem·men *vr* ■ **sich ~** to jam, to get stuck

ver·klemmt *adj* uptight [about sex *pred*]

Ver·klemmt·heit [fɛɐ̯'klɛmthaɪt] *f* PSYCH

(*fam*) uptightness

ver·klin·gen *vi irreg sein* to fade away

ver·kna·cken *vt* (*fam*) ■ **jdn ~** to put sb away; **jdn zu einer Geldstrafe ~** to fine sb; ■ [**für etw** *akk*] **verknackt werden** to get done [for sth]

ver·knack·sen *vt* **sich den Fuß verknacksen** to sprain one's ankle

ver·knal·len *vr* (*fam*) ■ **sich ~** to fall head over heels in love (**in** with); ■ **verknallt sein** to be head over heels in love

Ver·knap·pung *f* shortage

ver·knei·fen *vr irreg* (*fam*) ■ **sich** *dat* **etw ~** ❶ (*nicht offen zeigen*) to repress sth; **ich konnte mir ein Grinsen nicht ~** I couldn't help grinning ❷ (*sich versagen*) to do without sth

ver·knif·fen *adj Miene* a pinched; **etw ~ sehen** to take a narrow view of sth

ver·knit·tern *vt* to crumple

ver·kno·ten I. *vt* to knot; ■ **etw miteinander ~** to knot together sth *sep* **II.** *vr* ■ **sich ~** to get knotted

ver·knüp·fen *vt* ❶ (*verknoten*) to tie [together *sep*] ❷ (*verbinden*) to combine (**mit** with) ❸ (*in Zusammenhang bringen*) to link (**mit** to)

Ver·knüp·fung <-, -en> *f* ❶ (*Verbindung*) combination ❷ (*Zusammenhang*) link, connection

ver·ko·chen *vi sein* ❶ (*verdampfen*) to boil away ❷ (*zerfallen*) to fall apart; (*zu einer breiigen Masse*) to go mushy *fam*

ver·koh·len*¹ *vi sein* to turn to charcoal

ver·koh·len² *vt* (*fam: veräppeln*) ■ **jdn ~** to pull sb's leg

ver·kokst [fɛɐ̯'koːkst] *adj* (*pej sl*) coked-up

ver·kom·men*¹ *vi irreg sein* ❶ (*verwahrlosen*) to decay; *Mensch* to go to rack [*or esp* AM wrack] and ruin; *Gebäude* to decay ❷ (*herunterkommen*) to go to the dogs; ■ **zu etw** *dat* **~** to degenerate into sth ❸ (*verderben*) to spoil

ver·kom·men² *adj* ❶ (*verwahrlost*) degenerate ❷ (*im Verfall begriffen*) decayed, dilapidated

ver·kork·sen [fɛɐ̯'kɔrksn̩] *vt* (*fam*) ■ **etw ~** to screw up sth

ver·korkst <-er, -este> *adj* screwed-up; *Magen* upset

ver·kör·pern [fɛɐ̯'kœrpɐn] *vt* ❶ FILM, THEAT to play [the part of] ❷ (*personifizieren*) to personify

Ver·kör·pe·rung <-, -en> *f* ❶ *kein pl* FILM, THEAT portrayal ❷ (*Inbegriff*) personification ❸ (*Abbild*) embodiment

ver·kös·ti·gen [fɛɐ̯'kœstɪɡn̩] *vt bes* ÖSTERR ■ **jdn ~** to cater for sb

ver·kra·chen* *vr* (*fam*) ■**sich ~** to fall out (**mit** with)

ver·kracht *adj* (*fam*) failed

ver·kraf·ten* [fɛɐ̯'kraftn̩] *vt* to cope with; **ich könnte ein Bier ~** (*hum*) I could do with a beer

ver·krampf·fen* *vr* ■**sich ~** ❶ (*zusammenkrümmen*) to be/get cramped ❷ (*sich anspannen*) to tense [up]

ver·krampft I. *adj* tense II. *adv* tensely; **~ wirken** to seem unnatural

ver·krie·chen* *vr irreg* ■**sich ~** to creep away

ver·krüm·men* *vt* to bend

ver·krüp·peln* I. *vt* to cripple II. *vi sein* to be/grow stunted

ver·krüp·pelt <-er, -este> *adj* ❶ (*missgestaltet gewachsen*) stunted ❷ (*missgestaltet zugerichtet*) crippled

ver·krus·tet *adj* time-honoured, set *attr*

ver·küh·len* *vr* DIAL, BES ÖSTERR (*fam*) ■**sich ~** to catch a cold; **sich die Blase ~** to get a chill on the bladder

ver·küm·mern* *vi sein* ❶ MED to degenerate ❷ (*eingehen*) to [shrivel and] die ❸ (*verloren gehen*) to wither away ❹ (*die Lebenslust verlieren*) to waste away

ver·kün·den* *vt* to announce; ■**~, dass ...** to announce that ...; **ein Urteil ~** to pronounce sentence; **Gutes/Unheil ~** to augur/to not augur well *form*

ver·kün·di·gen* *vt* ■**etw ~** to proclaim sth

Ver·kün·di·gung *f* (*geh*) ❶ (*das Verkündigen*) announcement; *Evangelium* preaching *no art, no pl* ❷ (*Proklamation*) proclamation

Ver·kün·dung <-, -en> *f* announcement; *Urteil* pronouncement

ver·kup·peln* *vt* ■**jdn ~** to pair off sb *sep*

ver·kür·zen I. *vt* ❶ (*kürzer machen*) to shorten (**auf** to, **um** by) ❷ (*zeitlich vermindern*) to reduce (**auf** to, **um** by); **die Arbeitszeit ~** to reduce working hours; *Urlaub* to cut short *sep* ❸ (*weniger lang erscheinen lassen*) ■**etw ~** to make sth pass more quickly II. *vr* ■**sich ~** to become shorter

Ver·kür·zung *f* ❶ (*das Verkürzen*) shortening, cutting short ❷ (*zeitliche Verminderung*) reduction

ver·la·den* *vt irreg* ❶ (*aufladen*) to load (**auf** on, **in** in) ❷ (*hintergehen*) ■**jdn ~** to take sb for a ride

Ver·la·de·ram·pe *f* loading ramp; (*für Autos*) loading bay

Ver·la·dung *f* loading *no art, no pl*

Ver·lag <-[e]s, -e> [fɛɐ̯'la:k, *pl* -'la:gə] *m*

publisher's, publishing house *form*

ver·la·gern* *vt* to move; **den Schwerpunkt ~** to shift the emphasis

Ver·la·ge·rung *f* **die ~ der Kunstgegenstände diente dem Schutz vor Bombenangriffen** the works of art were moved to protect them from bombs

Ver·lags·buch·hand·lung *f* publishing house purveying its own booksellers **Ver·lags·haus** *nt* publishing house **Ver·lags·kauf·mann, -kauf·frau** *m, f* publishing manager **Ver·lags·re·dak·teur(in)** *m(f)* [publishing] editor **Ver·lags·we·sen** *nt* publishing

ver·lan·gen* I. *vt* ❶ (*fordern*) ■**etw ~** to demand sth (**von** of); **einen Preis ~** to ask a price ❷ (*erfordern*) to require ❸ (*erwarten*) to expect; **das ist ein bisschen viel verlangt** that's a bit much; **das ist nicht zu viel verlangt** that is not too much to expect II. *vi* ❶ (*erfordern*) ■**nach etw** *dat* **~** to demand sth ❷ (*jd zu sehen wünschen*) ■**nach jdm ~** to ask for sb ❸ (*um etw bitten*) ■**nach etw** *dat* **~** to ask for sth

Ver·lan·gen <-s, -> *nt* ❶ (*dringender Wunsch*) desire (**nach** for) ❷ (*Forderung*) demand; **auf ~** on demand; **auf jds** *akk* **~ [hin]** at sb's request

ver·län·gern* [fɛɐ̯'lɛŋɐn] I. *vt* ❶ (*länger machen*) to lengthen, to extend (**um** by) ❷ (*länger dauern lassen*) to extend; *Leben* to prolong; *Vertrag* to renew II. *vr* ■**sich ~** to be longer (**um** by); *Leben, Leid* to be prolonged [by sth]

Ver·län·ge·rung <-, -en> *f* ❶ *kein pl* (*räumlich*) lengthening sth; (*durch ein Zusatzteil*) extension ❷ *kein pl* (*zeitliche*) extension ❸ SPORT extra time *no art, no pl*

Ver·län·ge·rungs·ka·bel *nt,* **Ver·län·ge·rungs·schnur** *f* extension [cable]

ver·lang·sa·men* [fɛɐ̯'laŋza:mən] I. *vt* ❶ (*langsamer werden lassen*) to reduce; **das Tempo ~** to reduce [one's] speed ❷ (*aufhalten*) to slow down *sep* sth; *Verhandlungen* to hold up *sep* II. *vr* ■**sich ~** to slow [down]

Ver·lass ^{RR} <-es> *m,* **Ver·laß** ^{ALT} <-sses> [fɛɐ̯'las] *m kein pl* ■**auf jdn ist/ist kein ~** you can/cannot rely on sb; ■**es ist ~ darauf, dass jd etw tut** you can depend on sb doing sth

ver·las·sen*¹ *irreg* I. *vt* ❶ (*im Stich lassen*) to abandon ❷ (*hinausgehen, fortgehen*) to leave ❸ (*verloren gehen*) ■**jdn ~** to desert sb; **der Mut verließ ihn** he lost courage II. *vr* ■**sich auf jdn/etw ~** to rely [up]on sb/sth; **worauf du dich ~ kannst!** you bet!

ver·las·sen[2] *adj* deserted; (*verwahrlost*) desolate

ver·läss·lich[RR] *adj*, **ver·läß·lich**[ALT] [fɛɐ̯'lɛslɪç] *adj* reliable

Ver·läss·lich·keit[RR] <-> *f kein pl* reliability *no art, no pl*

Ver·laub [fɛɐ̯'laʊp] *m* ■ **mit** ~ with respect

Ver·lauf [fɛɐ̯'laʊf] *m* course; **im ~ einer S.** *gen* in the course of; **im ~ der nächsten Monate** in the course of the next few months; **einen bestimmten ~ nehmen** to take a particular course

ver·lau·fen* *irreg* **I.** *vi sein* ❶ (*ablaufen*) **das Gespräch verlief nicht wie erhofft** the discussion didn't go as hoped ❷ (*sich erstrecken*) to run **II.** *vr* ❶ (*sich verirren*) ■ **sich** ~ to get lost ❷ (*auseinandergehen*) ■ **sich** ~ to disperse; (*panisch*) to scatter

Ver·laufs·form *f* LING continuous form

ver·laust *adj* louse-ridden; ■~ **sein** to have lice

ver·laut·ba·ren* [fɛɐ̯'laʊbaːrən] *vt* (*geh*) ■ **etw** ~ **lassen** to let sth be announced

ver·lau·ten* *vt sein* ■ **etw** ~ **lassen** to say sth

ver·le·ben* *vt* to spend; **eine schöne Zeit** ~ to have a nice time; **seine Kindheit in der Großstadt** ~ to spend one's childhood in the city

ver·lebt *adj* ruined, raddled; *Aussehen* disreputable

ver·le·gen*[1] [fɛɐ̯'leːgn̩] *vt* ❶ *Schlüssel, etc* to mislay ❷ *Termin* to postpone (**auf** until) ❸ *Gleise, Teppich* to lay; ■ **etw** ~ **lassen** to have sth laid ❹ *Buch* to publish ❺ *Patient, Abteilung* to transfer

ver·le·gen[2] [fɛɐ̯'leːgn̩] **I.** *adj* embarrassed; **er ist nie um eine Entschuldigung** ~ he's never lost for an excuse **II.** *adv* in embarrassment

Ver·le·gen·heit <-, -en> *f kein pl* embarrassment *no pl;* **jdn in ~ bringen** to put sb in an embarrassing situation

Ver·le·ger(in) <-s, -> *m(f)* publisher

Ver·le·gung <-, -en> *f* ❶ (*Verschiebung*) rescheduling *no art, no pl;* (*auf einen späteren Zeitpunkt*) postponement ❷ TECH installation, laying *no art, no pl* ❸ (*das Publizieren*) publication ❹ (*Ortswechsel*) transfer

Ver·leih <-[e]s, -e> [fɛɐ̯'laɪ] *m* ❶ (*Unternehmen*) rental [*or* BRIT hire] company ❷ *kein pl* (*das Verleihen*) renting [*or* BRIT hiring] out *no art, no pl*

ver·lei·hen* *vt irreg* ❶ (*verborgen*) ■ **etw** ~ to lend sth (**an** to); (*gegen Geld*) to rent [*or* BRIT hire] out sth *sep* ❷ (*jdn mit etw auszeichnen*) ■ [**jdm**] **etw** ~ to award

sth [*to sb*] ❸ (*geben*) to give; **die Wut verlieh ihm neue Kräfte** anger gave him new strength

Ver·lei·hung <-, -en> *f* ❶ (*das Verleihen*) lending *no art, no pl;* (*für Geld*) renting [*or* BRIT hiring] out *no art, no pl* ❷ (*Zuerkennung*) award

ver·lei·ten* *vt* ■ **jdn** [**zu etw**] ~ ❶ (*dazu bringen*) to persuade sb [to do sth] ❷ (*verführen*) to entice sb [to do sth]

ver·ler·nen* *vt* to forget; **das Tanzen** ~ to forget how to dance

ver·le·sen*[1] *irreg* **I.** *vt* (*vorlesen*) to read [aloud *sep*] **II.** *vr* ■ **sich** ~ to read sth wrongly

ver·le·sen[2] *vt irreg* (*aussortieren*) to sort

ver·letz·bar *adj s.* **verletzlich**

ver·let·zen* [fɛɐ̯'lɛtsn̩] *vt* ❶ (*verwunden*) to injure, to hurt; ■ **sich** ~ to injure [*or* hurt] oneself ❷ (*kränken*) to offend; **jdn in seinem Stolz** ~ to hurt sb's pride ❸ (*missachten*) to wound; **jds Gefühle** ~ to hurt sb['s feelings] ❹ (*übertreten*) to violate

ver·let·zend *adj* hurtful

ver·letz·lich *adj* vulnerable

Ver·letz·te(r) *f(m) dekl wie adj* injured person; (*Opfer*) casualty; ■ **die ~n** the injured + *pl vb*

Ver·let·zung <-, -en> *f* ❶ MED injury ❷ *kein pl* (*Übertretung*) violation

Ver·let·zungs·ri·si·ko *nt* risk of injury

ver·leug·nen* *vt* ■ **jdn** ~ to deny sb

ver·leum·den* [fɛɐ̯'lɔymdn̩] *vt* ■ **jdn** ~ to slander sb; (*schriftlich*) to libel sb

ver·leum·de·risch [fɛɐ̯'lɔymdərɪʃ] *adj* slanderous, libellous [*or* AM libelous]

Ver·leum·dung <-, -en> *f* slander *no art, no pl*, libel *no art, no pl*

Ver·leum·dungs·kam·pa·gne *f* smear campaign

ver·lie·ben* *vr* ■ **sich** ~ to fall in love (**in** with); (*für jdn schwärmen*) to have a crush on sb

ver·liebt *adj* ❶ (*durch Liebe bestimmt*) loving; ~ **e Worte** words of love ❷ (*von Liebe ergriffen*) enamoured, charmed; (*stärker*) infatuated; ■ ~ **sein** to be in love (**in** with)

ver·lie·ren <verlor, verloren> [fɛɐ̯'liːrən] **I.** *vt* to lose; *Flüssigkeit, Gas* to leak ▸ **irgendwo nichts verloren haben** to have no business [being] somewhere **II.** *vr* ■ **sich** ~ *akk* ❶ (*verschwinden*) to disappear ❷ (*sich verirren*) to get lost; **sich in Gedanken** ~ to be lost in thought

Ver·lie·rer(in) <-s, -> *m(f)* loser

Ver·lies <-es, -e> [fɛɐ̯'liːs, *pl* 'liːzə] *nt* dungeon

ver·lin·ken* [fɛɐ̯'lɪŋkən] *vt* ■ **etw mit etw**

dat ~ INET to link sth to sth

ver·lo·ben* *vr* ■ **sich** ~ to get engaged (**mit** to)

ver·lobt *adj* engaged (**mit** +*dat* to), betrothed *old form* (**mit** +*dat* to); ■ **sie sind miteinander** ~ they are engaged [to each other]

Ver·lob·te(r) *f(m) dekl wie adj* fiancé *masc,* fiancée *fem*

Ver·lo·bung <-, -en> *f* engagement

ver·lo·cken* *vi* to tempt

ver·lo·ckend *adj* tempting

Ver·lo·ckung <-, -en> *f* temptation

ver·lo·gen [fɛɐ̯ˈloːgn̩] *adj* ❶ (*lügnerisch*) lying *attr;* **durch und durch** ~ **sein** *Behauptung* to be a blatant lie; *Mensch* to be a rotten liar ❷ (*heuchlerisch*) insincere, phoney

Ver·lo·gen·heit <-> *f kein pl* ❶ (*lügnerisches Wesen*) untruthfulness *no art, no pl;* (*mit falschem Spiel*) duplicity *no art, no pl form* ❷ (*Heuchelei*) insincerity *no art, no pl*

ver·lor [fɛɐ̯ˈloːɐ̯] *imp von* **verlieren**

ver·lo·ren [fɛɐ̯ˈloːrən] I. *pp von* **verlieren** II. *adj* ■ ~ **sein** to be finished; **sich** ~ **fühlen** to feel lost; **jdn/etw** ~ **geben** to give up *sep* sb/sth for lost; ~ **gehen** to get lost ▶ **an jdm ist eine** <u>Künstler</u> **etc.** ~ **gegangen** somebody would have made a good artist etc.

ver·lo·sen* *vt* to raffle

Ver·lo·sung *f* raffle, draw

ver·lu·dern* (*fam*) I. *vt Geld* to squander II. *vi* to go to the bad

Ver·lust <-[e]s, -e> [fɛɐ̯ˈlʊst] *m* loss; **der** ~ **von etw** *dat* the loss of sth; ~ **bringend** loss-making; ~**e machen** to make losses

Ver·lust·mel·dung *f* ❶ (*Anzeige*) report of the loss ❷ MIL casualty report **ver·lust·reich** *adj* ❶ FIN loss-making ❷ MIL *Schlacht* involving heavy losses

ver·ma·chen* *vt* ■ **etw** ~ to bequeath sth

Ver·mächt·nis <-ses, -se> [fɛɐ̯ˈmɛçtnɪs] *nt* legacy

ver·mäh·len* [fɛɐ̯ˈmɛːlən] *vr* ■ **sich** [**mit jdm**] ~ to marry [sb]; **frisch vermählt** newly married *attr;* **die frisch Vermählten** the newly-weds

Ver·mäh·lung <-, -en> *f* (*geh*) marriage, wedding

ver·mark·ten* *vt* to market

Ver·mark·tung <-, -en> *f* marketing

ver·mas·seln* [fɛɐ̯ˈmasl̩n] *vt* ■ **etw** ~ to mess up sth *sep*

ver·meh·ren* *vr* ■ **sich** ~ ❶ (*sich fortpflanzen*) to reproduce; (*stärker*) to multiply ❷ (*zunehmen*) to increase (**um** by, **auf** to)

Ver·meh·rung <-, -en> *f* ❶ (*Fortpflanzung*) reproduction *no art, no pl;* (*stärker*) multiplying *no art, no pl* ❷ HORT propagation ❸ (*das Anwachsen*) increase

ver·meid·bar *adj* avoidable

ver·mei·den* *vt irreg* to avoid; **sich nicht** ~ **lassen** to be inevitable

ver·meint·lich [fɛɐ̯ˈmaɪ̯ntlɪç] I. *adj attr* supposed *attr* II. *adv* supposedly

ver·men·gen* *vt* ❶ (*vermischen*) ■ **etw** [**mit etw** *dat*] ~ to mix sth [with sth] ❷ (*durcheinanderbringen*) ■ **etw** ~ to confuse sth

ver·mensch·li·chen* [fɛɐ̯ˈmɛnʃlɪçn̩] *vt* ■ **etw/ein Tier** ~ to give sth/an animal human characteristics

Ver·merk <-[e]s, -e> [fɛɐ̯ˈmɛrk] *m* note

ver·mer·ken* *vt* to note [down *sep*]

ver·mes·sen*¹ [fɛɐ̯ˈmɛsn̩] *irreg* I. *vt* to measure; *Grundstück, Gebäude* to survey II. *vr* ■ **sich** ~ to measure [sth] wrongly

ver·mes·sen² [fɛɐ̯ˈmɛsn̩] *adj* presumptuous

Ver·mes·sen·heit <-, -en> *f* presumption *no art, no pl*

Ver·mes·sung *f* measurement; (*bei einem Katasteramt*) survey

Ver·mes·sungs·in·ge·ni·eur(in) *m(f)* [land] surveyor

ver·mie·sen* [fɛɐ̯ˈmiːzn̩] *vt* (*fam*) ■ **jdm etw** ~ to spoil sth [for sb]

ver·mie·ten* I. *vt* to lease out *sep;* (*für kurze Zeit a.*) to rent [*or* BRIT hire] out *sep;* **ein Haus** ~ to let a house; „**Zimmer zu** ~" "rooms to let" II. *vi* ■ [**an jdn**] ~ to let [to sb]

Ver·mie·ter(in) *m(f)* landlord *masc,* landlady *fem*

Ver·mie·tung <-, -en> *f* letting *no art, no pl,* renting out *no art, no pl; Auto, Boot* renting [*or* BRIT hiring] [out] *no art, no pl*

ver·min·dern* I. *vt* to reduce II. *vr* ■ **sich** ~ to decrease, to diminish

Ver·min·de·rung *f* reduction, decrease

ver·mi·schen* I. *vt* to mix; (*um eine bestimmte Qualität zu erreichen*) to blend II. *vr* ■ **sich** [**miteinander**] ~ to mix

Ver·mi·schung *f* mixing *no art, no pl*

ver·mis·sen* *vt* ❶ (*das Fehlen bemerken*) ■ **etw** ~ to have lost sth ❷ (*jds Abwesenheit bedauern*) ■ **jdn** ~ to miss sb ❸ (*jds Abwesenheit feststellen*) **wir** ~ **unsere Tochter** our daughter is missing ❹ (*das Fehlen von etw bedauern*) **was ich an den jungen Menschen vermisse, ist**

Höflichkeit what I think young people lack is politeness; ■**etw ~ lassen** to lack sth

Ver·miss·ten·an·zei·ge^RR *f* **eine ~ aufgeben** to report sb as missing

Ver·miss·ten·mel·dung *f* missing persons report

Ver·miss·te(r)^RR *f(m)*, **Ver·miß·te(r)**^ALT *f(m) dekl wie adj* missing person

ver·mit·tel·bar *adj* employable; **ältere Arbeiter sind kaum mehr ~** it is almost impossible to find jobs for older people

ver·mit·teln* **I.** *vt* ❶(*beschaffen*) **jdm eine Stellung ~** to find sb a job; **jdn an eine Firma ~** to place sb with a firm ❷(*weitergeben*) ■**etw ~** to pass on *sep* sth; **jdm ein schönes Gefühl ~** to give sb a good feeling ❸(*arrangieren*) **einen Kontakt ~** to arrange for a contact **II.** *vi* to mediate (**in** in)

ver·mit·telnd **I.** *adj* conciliatory; **~e Bemühungen** attempts to mediate **II.** *adv* **sich ~ einschalten** to intervene as a mediator

Ver·mitt·ler(in) <-s, -> *m(f)* ❶(*Schlichter*) mediator ❷ÖKON agent

Ver·mitt·lung <-, -en> *f* ❶ÖKON *Geschäft* negotiating *no art, no pl; Stelle, Wohnung* finding *no art, no pl* ❷(*Schlichtung*) mediation ❸(*Telefonzentrale*) operator ❹(*das Weitergeben*) imparting *no art, no pl*

ver·mö·beln* [fɛɐ̯ˈmøːbl̩n] *vt* (*fam*) ■**jdn ~** to beat up sb *sep*

ver·mo·dern* *vi sein* to rot, to decay

ver·mö·gen [fɛɐ̯ˈmøːgn̩] *vt irreg* ■**~, etw zu tun** to be capable of doing sth

Ver·mö·gen <-s, -> [fɛɐ̯ˈmøːgn̩] *nt* ❶FIN assets *pl; (Geld)* capital *no art, no pl; (Eigentum)* property *no art, no pl; (Reichtum)* fortune, wealth ❷*kein pl (geh)* ■**jds ~** sb's ability

ver·mö·gend [fɛɐ̯ˈmøːgn̩t] *adj* wealthy

Ver·mö·gens·steu·er *f* net worth tax

ver·mö·gens·wirk·sam *adj* asset-creating *attr;* **~e Leistungen** wealth creation benefits

ver·mül·len* [fɛɐ̯ˈmʏlən] *vt* ■**etw ~** to trash sth

ver·mum·men* [fɛɐ̯ˈmʊmən] **I.** *vt* to wrap up *sep* **II.** *vr* ■**sich ~** to wear a mask

ver·mummt *adj* masked

Ver·mum·mungs·ver·bot *nt* law which forbids demonstrators to wear masks at a demonstration

ver·mu·ten* *vt* to suspect; ■**jdn irgendwo ~** to think that sb is somewhere

ver·mut·lich **I.** *adj attr* probable, likely

II. *adv* probably

Ver·mu·tung <-, -en> *f* assumption

ver·nach·läs·si·gen* [fɛɐ̯ˈnaxlɛsɪɡn̩] *vt* ❶(*sich nicht genügend kümmern*) to neglect; **sich vernachlässigt fühlen** to feel neglected; ■**sich ~** to be neglectful of oneself ❷(*unberücksichtigt lassen*) to ignore

Ver·nach·läs·si·gung <-, -en> *f* ❶ *kein pl (das Vernachlässigen)* neglect *no art, no pl* ❷(*die Nichtberücksichtigung*) disregard *no pl*

ver·na·geln* *vt* to nail up *sep; (Fenster, Tür)* to board up *sep*

ver·nagelt *adj (fam)* **wie ~ sein** to not get through to sb

ver·nä·hen* *vt* to sew together *sep*

ver·nar·ben* *vi sein* to form a scar; ■**vernarbt** scarred

ver·nar·ren* *vr (fam)* ■**in jdn/etw vernarrt sein** to be besotted by sb/sth

ver·na·schen* *vt* ❶(*fam*) ■**etw ~** to like to eat sth ❷(*sl: mit jdm Sex haben*) ■**jdn ~** to lay sb

ver·neh·men* *vt irreg* ❶JUR to question (**zu** about) ❷(*geh: hören*) to hear

Ver·neh·men *nt* **dem ~ nach** from what one hears

ver·nehm·lich [fɛɐ̯ˈneːmlɪç] (*geh*) **I.** *adj* [clearly] audible **II.** *adv* audibly; **laut und ~** loud and clear

Ver·neh·mung <-, -en> *f* questioning

ver·neh·mungs·fäh·ig *adj* in a fit state to be questioned

ver·nei·gen* *vr* ■**sich ~** to bow

Ver·nei·gung *f* bow; **eine ~ [vor jdm] machen** to bow [to sb]

ver·nei·nen* [fɛɐ̯ˈnaɪnən] *vt* ❶(*negieren*) to say no to; **eine Frage ~** to answer a question in the negative ❷(*leugnen*) to deny

Ver·nei·nung <-, -en> *f* ❶(*das Verneinen*) **die ~ einer Frage** a negative answer to a question ❷(*Leugnung*) denial ❸LING negative

ver·net·zen *vt* ❶INFORM to network, to link up *sep* ❷(*fig: verknüpfen*) ■**[mit etw dat] vernetzt sein** to be linked [up] [to sth]

ver·netzt *adj* networked

Ver·net·zung <-, -en> *f* ❶INFORM networking *no art, no pl* ❷(*Verflechtung*) network

ver·nich·ten* [fɛɐ̯ˈnɪçtn̩] *vt* ❶(*zerstören*) to destroy ❷(*ausrotten*) to exterminate

ver·nich·tend **I.** *adj* devastating; *Niederlage* crushing **II.** *adv* **jdn ~ schlagen** to inflict a crushing defeat on sb

Ver·nich·tung <-, -en> *f* ❶(*Zerstörung*) destruction ❷(*Ausrottung*) extermination

Ver·nich·tungs·la·ger *nt* extermination camp

ver·nied·li·chen* [fɛɐ̯'niːtlɪçn̩] *vt* to play down *sep*

ver·nie·ten* *vt* to rivet

Ver·nis·sa·ge <-, -n> [vɛrnɪ'saːʒə] *f* vernissage

Ver·nunft <-> [fɛɐ̯'nʊnft] *f kein pl* reason *no art, no pl*, common sense *no art, no pl;* ~ **beweisen** to show sense; **jdn zur ~ bringen** to make sb see sense; **zur ~ kommen** to see sense

ver·nünf·tig [fɛɐ̯'nʏnftɪç] **I.** *adj* ① (*klug*) reasonable, sensible ② (*fam*) proper, decent; ~ **e Preise** decent prices **II.** *adv* (*fam*) properly, decently

ver·öf·fent·li·chen* [fɛɐ̯'ʔœfn̩tlɪçn̩] *vt* to publish

Ver·öf·fent·li·chung <-, -en> *f* publication

ver·ord·nen* *vt* ① (*verschreiben*) to prescribe; ■ **sich** *dat* **etw ~ lassen** to get a prescription for sth ② (*geh*) to decree

Ver·ord·nung <-, -en> *f* ① (*Verschreibung*) prescribing *no art, no pl* ② (*geh*) order, enforcement

ver·pach·ten* *vt* to lease (**an** to)

Ver·pach·tung <-, -en> *f* leasing

ver·pa·cken* *vt* to pack [up *sep*]; (*als Geschenk*) to wrap [up *sep*]; **etw diplomatisch ~** to couch sth in diplomatic terms

Ver·pa·ckung <-, -en> *f* ① *kein pl* (*das Verpacken*) packing *no art, no pl* ② (*Hülle*) packaging *no art, no pl*

Ver·pa·ckungs·ma·te·ri·al *nt* packaging *no art, no pl* [material] **Ver·pa·ckungs·müll** *m* waste packaging

ver·pas·sen* *vt* ① (*versäumen*) to miss ② (*fam: aufzwingen*) ■ **jdm etw ~** to give sb sth

ver·pat·zen* *vt* ■ **etw ~** to make a mess of sth

ver·pen·nen (*fam*) **I.** *vt* ■ **etw ~** to miss sth **II.** *vi* to oversleep

ver·pes·ten* [fɛɐ̯'pɛstn̩] *vt* to pollute; **die Luft im Büro ~** to stink out *sep* the office

ver·pet·zen* *vt* (*fam*) ■ **jdn ~** to tell on sb

ver·pfän·den* *vt* to pawn; *Grundstück, Haus* to mortgage

ver·pfei·fen* *vt irreg* ■ **jdn ~** to inform on sb

ver·pflan·zen* *vt* ① (*umpflanzen*) to replant ② MED ■ **jdm ein Organ ~** to give sb an organ transplant; **jdm ein Stück Haut ~** to give sb a skin graft

ver·pfle·gen* *vt* to cater for

Ver·pfle·gung <-, *selten* -en> *f* ① *kein pl* (*das Verpflegen*) catering *no art, no pl;* **mit**

voller ~ with full board ② (*Nahrung*) food *no art, no pl*

ver·pflich·ten* [fɛɐ̯'pflɪçtn̩] **I.** *vt* ① (*eine Pflicht auferlegen*) ■ **jdn** [**zu etw** *dat*] ~ to oblige sb to do sth ② (*einstellen*) ■ **jdn** [**für etw** *akk*] ~ to engage sb [for sth] **II.** *vr* ① (*sich bereit erklären*) ■ **sich zu etw** *dat* ~ to commit oneself to doing sth ② MIL ■ **sich für etw** *akk* ~ to sign up for sth

Ver·pflich·tung <-, -en> *f* ① *meist pl* (*Pflichten*) duty *usu pl;* **seinen ~en nachkommen** to do one's duties; **finanzielle ~en** financial commitments ② *kein pl* (*das Engagieren*) engagement *no pl; Fußballspieler* signing [up *sep*]

ver·pfu·schen* *vt* to make a mess of

ver·pis·sen *vr* (*vulg*) ■ **sich ~** to piss off

ver·pla·nen* *vt* ① (*falsch planen*) to plan badly; (*falsch berechnen*) to miscalculate ② (*für etw vorsehen*) ■ **etw** [**für etw** *akk*] ~ to mark off *sep* sth [for sth] ③ (*fam*) ■ **verplant sein** to be booked up

ver·plap·pern *vr* ■ **sich ~** to blab

ver·plem·pern* *vt* (*fam*) ■ **etw ~** to waste sth

ver·pönt [fɛɐ̯'pøːnt] *adj* deprecated

ver·pras·sen* *vt* to squander (**für** on)

ver·prü·geln* *vt* ■ **jdn ~** to beat up *sep* sb; (*als Strafe*) to thrash sb

ver·puf·fen* *vi sein* ① (*plötzlich abbrennen*) to go phut [*or* AM *pop*] ② (*ohne Wirkung bleiben*) to fizzle out

ver·pul·vern* *vt* (*fam*) ■ **etw ~** to blow sth [on sth] *fam*

Ver·putz *m* plaster *no pl;* (*Rauputz*) roughcast *no pl*

ver·put·zen* *vt* ① (*mit Putz versehen*) to plaster ② (*fam: aufessen*) to polish off *sep*

ver·quat·schen* *vr* (*fam*) ① (*lange plaudern*) to chat away ② (*Geheimnis verraten*) to blab

ver·quol·len *adj* swollen

ver·ram·schen* *vt* to sell dirt cheap

Ver·rat <-[e]s> [fɛɐ̯'raːt] *m* ① *kein pl* betrayal *no art, no pl;* ~ **an jdm üben** to betray sb ② JUR treason *no art, no pl*

ver·ra·ten <verriet, verraten> **I.** *vt* ① (*ausplaudern*) to give away *sep;* **nichts ~!** keep it to yourself! ② (*Verrat üben*) ■ **jdn ~** to betray sb ③ (*preisgeben*) to betray ④ (*erkennen lassen*) to show ▸ ~ **und verkauft sein** (*fam*) to be sunk **II.** *vr* ■ **sich ~** to give oneself away

Ver·rä·ter(in) <-s, -> [fɛɐ̯'rɛːte] *m(f)* traitor

ver·rä·te·risch **I.** *adj* ① (*auf Verrat zielend*) treacherous ② (*etw andeutend*) meaningful, tell-tale *attr* **II.** *adv* meaningfully

ver·rau·chen* I. *vi sein* to disappear; *Zorn, Ärger* to blow over II. *vt* ■ etw ~ to smoke sth

ver·rech·nen* I. *vr* ■ sich ~ to miscalculate II. *vt* ■ etw mit etw *dat* ~ to set off sth *sep* against sth

Ver·rech·nung *f* ❶ (*rechnerische Gegenüberstellung*) settlement ❷ (*Gutschrift*) credit (*on an account*)

Ver·rech·nungs·scheck *m* crossed cheque BRIT, voucher check AM

ver·re·cken* *vi sein* (*sl*) ❶ (*krepieren*) to die a miserable death ❷ (*kaputtgehen*) to break ▸ nicht ums V~! not on your life!

ver·reg·net <-er, -este> *adj* spoiled by rain; *Tag* rainy

ver·rei·ben* *vt irreg* to rub in *sep*

ver·rei·sen* *vi sein* to go away; geschäftlich verreist sein to be away on business

ver·rei·ßen* *vt irreg* to tear apart

ver·ren·ken* *vt* to twist; sich *dat* ein Gelenk ~ to dislocate a joint

Ver·ren·kung <-, -en> *f* distortion; *Gelenk* dislocation

ver·ren·nen* *vr irreg* ■ sich ~ to get on the wrong track; ■ sich in eine Idee ~ to be obsessed with an idea

ver·rich·ten* *vt* to perform

ver·rie·geln* *vt* to bolt

ver·rin·gern* [fɛɐ̯'rɪŋɐn] I. *vt* to reduce (um by) II. *vr* ■ sich ~ to decrease

Ver·rin·ge·rung <-> *f kein pl* reduction

Ver·rissRR *m*, **Ver·riß**ALT *m* damning criticism *no art, no pl*

ver·ros·ten* *vi sein* to rust; ■ verrostet rusty

ver·rot·ten* [fɛɐ̯'rɔtn̩] *vi sein* ❶ (*faulen*) to rot ❷ (*verwahrlosen*) to decay

ver·rucht [fɛɐ̯'ruːxt] *adj* ❶ (*anstößig*) despicable, wicked ❷ (*lasterhaft*) depraved; *Lokal, Viertel* a disreputable

ver·rü·cken* *vt* to move

ver·rückt [fɛɐ̯'rʏkt] *adj* ❶ (*geisteskrank*) nuts, mad; ■ ~ sein/werden to be/go nuts; bist du ~? are you out of your mind?; jdn ~ machen to drive sb crazy ❷ (*in starkem Maße*) wie ~ like crazy ❸ (*ausgefallen*) crazy, wild ❹ (*versessen*) ■ ~ nach etw/jdm sein to be crazy about sth/sb ▸ ich werd ~! (*fam*) well, I'll be damned

Ver·rückte(r) *f(m) dekl wie adj* lunatic

Ver·rückt·heit <-, -en> *f* ❶ (*fam: etwas Verrücktes*) craziness *no art, no pl*, madness *no art, no pl* ❷ *kein pl* MED insanity *no art, no pl*

Ver·ruf *m kein pl* in ~ kommen to fall into disrepute

ver·ru·fen *adj* disreputable

ver·rüh·ren* *vt* to stir

ver·rut·schen* *vi sein* to slip

Vers <-es, -e> [fɛrs, *pl* 'fɛrzə] *m* verse, lines *pl*

ver·sach·li·chen* [fɛɐ̯'zaxlɪçn̩] *vt* to objectify

ver·sa·gen* I. *vi* to fail II. *vt* ■ jdm etw ~ to refuse sb sth III. *vr* ■ sich *dat* etw ~ to deny oneself sth

Ver·sa·gen <-s> *nt kein pl* failure *no art, no pl*; menschliches ~ human error

Ver·sa·ger(in) <-s, -> *m(f)* failure

ver·sal·zen* *vt irreg* to put too much salt in/on

ver·sam·meln* I. *vr* ■ sich ~ to gather, to assemble II. *vt* (*zusammenkommen lassen*) to call together; *Truppen* to rally

Ver·samm·lung *f* ❶ (*Zusammenkunft*) meeting ❷ (*versammelte Menschen*) assembly

Ver·sand <-[e]s> [fɛɐ̯'zant] *m kein pl* ❶ (*das Versenden*) despatch; im ~ beschädigt werden to be damaged in the post ❷ (*~ abteilung*) despatch, distribution

Ver·sand·han·del *m* mail-order selling *no art* **Ver·sand·haus** *nt* mail-order company **Ver·sand·haus·ka·ta·log** *m* mail-order catalogue **Ver·sand·kos·ten** *pl* shipping charges *pl* **Ver·sand·ta·sche** *f* large envelope

ver·sau·en* *vt* (*sl*) ❶ (*verdrecken*) to make filthy ❷ (*verderben*) ■ jdm etw ~ to ruin sb's sth

ver·sau·ern* [fɛɐ̯'zaʊən] *vi sein* ❶ (*sauer werden*) *Wein* to become acidic ❷ ÖKOL, AGR *Böden* to acidify ❸ (*fig fam: vereinsamen*) to stagnate

ver·säu·men* *vt* to miss

Ver·säum·nis <-ses, -se> [fɛɐ̯'zɔʏmnɪs] *nt* omission

ver·scha·chern* *vt* (*fam*) to sell off (an to)

ver·schach·telt [fɛɐ̯'ʃaxtl̩t] *adj* INFORM nested

ver·schaf·fen* *vt* ❶ (*beschaffen*) ■ jdm/ sich etw ~ to get [hold of] sth for sb/oneself ❷ (*vermitteln*) to earn; was verschafft mir die Ehre? to what do I owe the honour?; jdm Respekt ~ to earn sb respect; jdm eine Stellung ~ to get sb a job; sich *dat* Gewissheit ~ to make certain

ver·schämt [fɛɐ̯'ʃɛːmt] *adj* shy, bashful

ver·schan·deln* [fɛɐ̯'ʃandl̩n] *vt* ❶ (*ruinieren*) to ruin sth; die Landschaft ~ to ruin the landscape; *Gebäude* to be a blot on the landscape ❷ (*verunstalten*) to disfigure

Ver·schan·de·lung, **Ver·schand·lung** <-, -en> *f* disfigurement *no art, no pl*;

Landschaft ruination *no art, no pl*

ver·schan·zen* I. *vt* MIL to fortify II. *vr* ■ **sich** ~ ❶ MIL to take up a fortified position ❷ (*verstecken*) to take refuge

ver·schär·fen* I. *vr* ■ **sich** ~ to get worse; *Krise* to intensify II. *vt* ❶ (*rigoroser machen*) to make more rigorous; *Strafe* to make more severe ❷ (*zuspitzen*) to aggravate

Ver·schär·fung <-, -en> *f* ❶ (*Zuspitzung*) intensification, worsening *no art, no pl* ❷ (*das Verschärfen*) tightening up *no art, no pl*

ver·schätz·zen* *vr* ■ **sich** ~ to misjudge sth

ver·schau·keln* *vt* ■ **jdn** ~ to fool sb

ver·schen·ken* *vt* ❶ (*schenken*) to give (**an** to) ❷ (*ungenutzt lassen*) to waste

ver·scher·beln* *vt* to sell [off *sep*]

ver·scher·zen* *vr* ■ **sich** *dat* etw ~ to lose sth; ■ **es sich** *dat* **mit jdm** ~ to fall out with sb

ver·scheu·chen* *vt* to chase away *sep*

ver·schi·cken* *vt* to send (**an** to)

ver·schieb·bar *adj* ❶ (*räumlich*) movable ❷ (*zeitlich*) *Termin* postponable; **ist unser Termin** ~? can we postpone our appointment?

ver·schie·ben *irreg* I. *vt* ❶ *Gegenstand* to move (**um** by) ❷ *Termin* to postpone (**auf** until, **um** by) II. *vr* ■ **sich** ~ ❶ (*später stattfinden*) to be postponed ❷ (*verrutschen*) to slip

Ver·schie·bung *f* postponement

ver·schie·den [fɛɐ̯ˈʃiːdn̩] I. *adj* ❶ (*unterschiedlich*) different; (*mehrere*) various ❷ *attr* (*einige*) several *attr*, a few *attr*; ■ **V~es** various things *pl* ▶ **das ist** ~ (*das kommt darauf an*) it depends II. *adv* differently; ~ **lang** of different lengths

ver·schie·den·ar·tig *adj* different kinds of *attr*, diverse

Ver·schie·den·heit <-, -en> *f* (*Unterschiedlichkeit*) difference; (*Unähnlichkeit*) dissimilarity

ver·schie·dent·lich [fɛɐ̯ˈʃiːdn̩tlɪç] *adv* ❶ (*mehrmals*) several times, on several occasions ❷ (*vereinzelt*) occasionally

ver·schif·fen* *vt* to ship

ver·schim·meln* *vi sein* to go mouldy; ■ **verschimmelt** mouldy

ver·schis·sen *adj* (*sl*) ■ **bei jdm** ~ **haben** to be finished with sb; **du hast bei mir** ~! I'm finished with you

ver·schla·fen*¹ *irreg* I. *vi* to oversleep II. *vt* ■ **etw** ~ ❶ (*fam*) to miss sth ❷ (*schlafend verbringen*) to sleep through sth

ver·schla·fen² *adj* sleepy

Ver·schlag <-[e]s, -schläge> *m* shed

ver·schla·gen*¹ *vt irreg* ❶ (*nehmen*) **jdm die Sprache** ~ to leave sb speechless ❷ (*geraten*) ■ **irgendwohin** ~ **werden** to end up somewhere

ver·schla·gen² I. *adj* devious, sly *pej*; **ein** ~ **er Blick** a furtive look II. *adv* slyly; (*verdächtig*) shiftily

ver·schlam·pen* *vt* **etw** ~ to manage to lose sth

ver·schlech·tern* [fɛɐ̯ˈʃlɛçtɐn] I. *vt* to make worse II. *vr* ■ **sich** ~ to get worse, to worsen

Ver·schlech·te·rung <-, -en> *f* worsening *no art, no pl* (+*gen* of)

ver·schlei·ern* [fɛɐ̯ˈʃlaɪ̯ɐn] *vt* ❶ (*mit einem Schleier bedecken*) to cover with a veil ❷ (*verdecken*) to cover up *sep*; **die Tatsachen** ~ to disguise the facts

ver·schlei·ert *adj* *Blick* blurred; *Himmel* misty; *Gesicht* veiled

Ver·schleiß <-es, -e> [fɛɐ̯ˈʃlaɪ̯s] *m* wear [and tear] *no art, no pl*

ver·schlei·ßen <verschliss, verschlissen> *vi, vt sein* to wear out

Ver·schleiß·er·schei·nung *f* sign of wear [and tear] **Ver·schleiß·teil** *nt* working part

ver·schlep·pen* *vt* ❶ (*deportieren*) to take away *sep* ❷ (*hinauszögern*) to prolong ❸ MED to delay treatment [of]

Ver·schlep·pung <-, -en> *f* ❶ (*Deportation*) taking away *sep, no art, no pl* ❷ (*Hinauszögerung*) prolonging *no art, no pl*

Ver·schlep·pungs·tak·tik *f* delaying tactics *pl*

ver·schleu·dern* *vt* to sell [off *sep*] cheaply, to flog [off *sep*] BRIT

ver·schlie·ßen* *irreg* I. *vt* ❶ (*zumachen*) to close; (*mit einem Schlüssel*) to lock [up *sep*] ❷ (*wegschließen*) to lock away *sep* (**vor** from) ❸ (*versagt bleiben*) ■ **jdm verschlossen bleiben** to be closed off to sb II. *vr* ■ **sich einer S.** *dat* ~ to ignore sth

ver·schlim·mern* I. *vt* to make worse II. *vr* ■ **sich** ~ to get worse; *Zustand, Lage a.* to deteriorate

Ver·schlim·me·rung <-, -en> *f* worsening *no art, no pl* (+*gen* of); *Zustand, Lage a.* deterioration *no pl* (+*gen* in)

ver·schlin·gen*¹ *vt irreg* ❶ *Nahrung, Buch* to devour ❷ *Treibstoff* to consume

ver·schlin·gen² *vr irreg* ■ **sich** [ineinander] ~ to intertwine; (*zu einem Knoten*) to become entangled

ver·schlissᴿᴿ, **ver·schliß**ᴬᴸᵀ *imp von* **verschleißen**

ver·schlis·sen I. *pp von* **verschleißen**
II. *adj* worn-out

ver·schlos·sen [fɛɐ̯ˈʃlɔsn̩] *adj* ❶ (*zuge-macht*) closed; (*mit einem Schlüs-sel*) locked ❷ (*zurückhaltend*) reserved; (*schweigsam*) taciturn ▸ **jdm ~ bleiben** to be a mystery to sb

ver·schlu·cken* **I.** *vt* ❶ (*hinunterschlu-cken*) to swallow ❷ (*unhörbar machen*) to absorb ❸ (*undeutlich aussprechen*) to slur; (*nicht aussprechen*) to bite back on **II.** *vr* ▪ **sich ~** to choke (**an** on)

ver·schlun·gen I. *pp von* **verschlingen**
II. *adj* entwined

Ver·schluss^{RR} *m,* **Ver·schluß^{ALT}** *m* ❶ (*Schließvorrichtung*) clasp; *Deckel* fas-tening; *Gürtel* buckle; *Klappe, Tür* catch; *Benzintank* cap; **etw unter ~ halten** to keep sth under lock and key ❷ (*Deckel*) lid; *Flasche* top

ver·schlüs·seln* [fɛɐ̯ˈʃlʏsl̩n] *vt* to [en]code
Ver·schlüs·se·lung <-, -en> *f* ❶ (*Ver-schlüsseln*) [en]coding *no art, no pl* ❷ (*Kode*) cipher, encryption

Ver·schlüs·se·lungs·tech·nik *f* INFORM encryption technology

Ver·schluss·kap·pe^{RR} *f* sealable cap

ver·schmä·hen* *vt* to reject; (*stärker*) to scorn; **das Essen ~** to turn up one's nose at the food

ver·schmel·zen* *irreg* **I.** *vi sein* to melt to-gether **II.** *vt* (*löten*) to solder; (*verschwei-ßen*) to weld

Ver·schmel·zung <-, -en> *f* ❶ (*das Ver-schmelzen*) fusing *no art, no pl* ❷ ÖKON merger

ver·schmer·zen* *vt* to get over

ver·schmie·ren* **I.** *vt* ❶ (*verstreichen*) to apply; (*auf einer Scheibe Brot*) to spread ❷ (*verwischen*) to smear ❸ (*zuschmieren*) to fill [in *sep*] ❹ (*beschmieren*) to make dirty **II.** *vi* to smear, to get smeared

ver·schmitzt [fɛɐ̯ˈʃmɪtst] **I.** *adj* mischie-vous, roguish; (*listig*) sly *pej* **II.** *adv* mis-chievously, roguishly; (*listig*) slyly *pej;* **~ lächeln** to give a mischievous smile

ver·schmo·ren* *vi sein* (*fam*) to burn

ver·schmut·zen* **I.** *vt* ❶ (*schmutzig machen*) to make dirty ❷ ÖKOL to pollute **II.** *vi sein* ❶ (*schmutzig werden*) to get dirty ❷ ÖKOL to get polluted

Ver·schmut·zung <-, -en> *f* ❶ *kein pl* soiling *no art, no pl* ❷ ÖKOL pollution *no art, no pl*

ver·schnarcht [fɛɐ̯ˈʃnarçt] *adj* (*pej sl*) stuffy, uptight

ver·schnau·fen *vi, vr* to have a breather
Ver·schnauf·pau·se *f* breather; **eine ~**

einlegen to have a breather

ver·schneit *adj* snow-covered *attr;* ▪ **~ sein** to be covered in snow

Ver·schnitt *m* ❶ (*Mischung*) blend ❷ (*Rest*) cutting loss, waste

ver·schnör·kelt *adj* adorned with flour-ishes

ver·schnupft [fɛɐ̯ˈʃnʊpft] *adj* (*fam*) ❶ (*er-kältet*) with a cold *pred;* ▪ **~ sein** to have a cold ❷ (*indigniert*) ▪ **~ sein** to be in a huff

ver·schnü·ren* *vt* to tie up *sep* [with a string]

ver·schol·len [fɛɐ̯ˈʃɔlən] *adj* missing; ▪ **~ sein** to have gone missing [*or* AM *usu* have disappeared]

ver·scho·nen* *vt* to spare; **verschone mich mit den Einzelheiten!** spare me the details!; **von etw** *dat* **verschont blei-ben** to escape sth

ver·schö·nern* [fɛɐ̯ˈʃøːnɐn] *vt* to brighten up *sep*

Ver·schö·ne·rung <-, -en> *f* ❶ *kein pl* (*das Verschönern*) brightening up ❷ (*ver-schönernder Faktor*) improvement

ver·schrän·ken* *vt* **die Arme/Beine/Hände ~** to fold one's arms/cross one's legs/clasp one's hands

ver·schrei·ben* *irreg* **I.** *vt* ▪ **jdm etw ~** to prescribe sb sth (**gegen** for) **II.** *vr* ❶ (*falsch schreiben*) ▪ **sich ~** to make a mistake ❷ (*sich widmen*) ▪ **sich einer S.** *dat* **~** to devote oneself to sth

ver·schrei·bungs·pflich·tig *adj* available only on prescription *pred*

ver·schrien [fɛɐ̯ˈʃriː(ə)n] *adj* notorious

ver·schro·ben [fɛɐ̯ˈʃroːbn̩] *adj* eccentric, cranky *fam*

ver·schro·ten* *vt* to scrap

Ver·schro·tung <-, -en> *f* scrapping

ver·schrum·pelt <-er, -este> *adj* shriv-elled

ver·schüch·tert *adj* intimidated

ver·schul·den* **I.** *vt* ▪ **etw ~** to be to blame for sth **II.** *vi sein* ▪ **verschuldet sein** to be in debt **III.** *vr* ▪ **sich ~** to get into debt

Ver·schul·den <-s> *nt kein pl* fault *no indef art, no pl;* **ohne jds ~** through no fault of sb's [own]

Ver·schul·dung <-, -en> *f* ❶ (*verschuldet sein*) indebtedness *no art, no pl* ❷ (*Schul-den*) debts *pl*

ver·schüt·ten* [fɛɐ̯ˈʃʏtən] *vt* ❶ (*daneben-schütten*) to spill ❷ (*unter etw begraben*) to bury

ver·schwä·gert [fɛɐ̯ˈʃvɛːɡɐt] *adj* related by marriage *pred*

ver·schwei·gen* *vt irreg* to hide (**vor**

from); *Informationen* to withhold; ■**jdm ~, dass …** to keep from sb the fact that …

ver·schwen·den* *vt* to waste (**für** on)

Ver·schwen·der(in) <-s, -> *m(f)* wasteful person; *Geld a.* spendthrift

ver·schwen·de·risch I. *adj* ❶ (*sinnlos ausgebend*) wasteful ❷ (*sehr üppig*) extravagant, sumptuous II. *adv* wastefully; **~ leben** to live extravagantly

Ver·schwen·dung <-, -en> *f* wasting *no art, no pl;* **so eine ~!** what a waste!

Ver·schwen·dungs·sucht *f kein pl* prodigality *no art, no pl form*

ver·schwie·gen [fɛɐˈʃviːɡn̩] *adj* discreet

ver·schwim·men* *vi irreg sein* to become blurred

ver·schwin·den* *vi irreg sein* ❶ (*nicht mehr da sein*) to disappear; **am Horizont ~** to disappear over the horizon; ■**verschwunden [sein]** [to be] missing; **etw in etw** *dat* **~ lassen** to slip sth into sth ❷ (*sich auflösen*) to vanish ❸ (*fam: sich davonmachen*) to disappear; **nach draußen ~** to pop outside; **verschwinde!** clear off!

Ver·schwin·den <-s> *nt kein pl* disappearance (+*gen* of)

ver·schwit·zen* *vt* ❶ (*mit Schweiß durchtränken*) to make sweaty; ■**ganz verschwitzt sein** to be all sweaty ❷ (*fam: vergessen*) **etw völlig ~** to forget all about sth

ver·schwitzt <-er, -este> *adj* ❶ (*mit Schweiß durchsetzt*) sweaty ❷ (*fam: vergessen*) forgotten

ver·schwol·len *adj* swollen

ver·schwom·men *adj* ❶ (*undeutlich*) blurred; *Umrisse* vague ❷ (*unklar*) hazy, vague

ver·schwo·ren *adj attr* sworn *attr;* (*verschwörerisch*) conspiratorial; (*heimlich tuend*) secretive

ver·schwö·ren* *vr irreg* ■**sich ~** to conspire [*or* plot] (**gegen** against); ■**sich zu etw** *dat* **~** to conspire to do sth

Ver·schwö·rer(in) <-s, -> *m(f)* conspirator

Ver·schwö·rung <-, -en> *f* conspiracy, plot

Ver·schwö·rungs·the·o·rie *f* conspiracy theory

ver·se·hen* [fɛɐˈzeːən] *irreg vt* to provide (**mit** with); **etw mit einem Vermerk ~** to add a note to sth ▶ **ehe man sich's versieht** before you know where you are

Ver·se·hen <-s, -> [fɛɐˈzeːən] *nt* (*Irrtum*) mistake; (*Unachtsamkeit*) oversight; **aus ~** inadvertently; (*aufgrund einer Verwechs-*

lung a.) by mistake

ver·se·hent·lich [fɛɐˈzeːəntlɪç] I. *adj attr* inadvertent II. *adv* inadvertently; (*aufgrund einer Verwechslung a.*) by mistake

ver·selb·stän·di·gen* [fɛɐˈzɛlpʃtɛndɪɡn̩] *vr,* **ver·selbst·stän·di·gen**^RR* [fɛɐˈzɛlp-(st)ʃtɛndɪɡn̩] *vr* ■**sich ~** ❶ (*sich selbstständig machen*) to become self-employed ❷ (*hum fam: verschwinden*) to go AWOL

ver·sen·den* *vt irreg o reg* to send (**an** to)

ver·sen·gen* *vt* to singe

ver·sen·ken* *vt* ❶ (*sinken lassen*) to sink ❷ (*einklappen, hinunterlassen*) to lower (**in** in)

Ver·sen·kung *f* ❶ (*das Versenken*) sinking, lowering ❷ THEAT trap[door] ▶ **aus der ~ auftauchen** (*fam*) to re[-]emerge on the scene; **in der ~ verschwinden** to vanish from the scene

ver·ses·sen [fɛɐˈzɛsn̩] *adj* ■**auf etw** *akk* **~ sein** to be crazy about sth; **auf[s] Geld ~ sein** to be obsessed with money; ■**~ darauf sein, etw zu tun** to be dying to do sth

ver·set·zen* I. *vt* ❶ (*woandershin beordern*) to move ❷ SCH **einen Schüler [in die nächste Klasse] ~** to move up *sep* a pupil [to the next class], to promote a student [to the next class [*or* grade] AM ❸ (*bringen*) **jdn in Begeisterung ~** to fill sb with enthusiasm; **eine Maschine in Bewegung ~** to set a machine in motion; **jdn in Panik/Wut ~** to send sb into a panic/a rage ❹ (*verrücken*) to move ❺ (*verpfänden*) to pawn ❻ (*warten lassen*) ■**jdn ~** to stand up sb *sep* ❼ (*mischen*) ■**etw mit etw** *dat* **~** to mix sth with sth II. *vr* (*sich hineindenken*) ■**sich in jdn ~** to put oneself in sb's place

Ver·set·zung <-, -en> *f* ❶ ADMIN transfer ❷ SCH moving up *no art, no pl,* AM *also* promotion *no art, no pl*

Ver·set·zungs·zeug·nis *nt* SCH end-of-year report, report card AM

ver·seu·chen* [fɛɐˈzɔɣçn̩] *vt* to contaminate; *Umwelt* to pollute

Ver·seu·chung <-, -en> *f* contamination, pollution *no art, no pl*

Vers·fuß *m* LIT [metrical] foot *spec*

ver·si·chern*[1] *vt* to insure (**gegen** against)

ver·si·chern*[2] I. *vt* ■**jdm ~, [dass]** … to assure sb [that] … II. *vr* ■**sich einer S.** *gen* **~** to make sure of sth

Ver·si·cher·te(r) *f(m) dekl wie adj* insured

Ver·si·cher·ten·kar·te *f* medical insurance card

Ver·si·che·rung[1] *f* ❶ (*Versicherungsver-*

trag) insurance *no pl; Lebens~ a.* assurance *no pl* BRIT ❷ (*Versicherungsgesellschaft*) insurance company

Ver·si·che·rung² *f* (*Beteuerung*) assurance

Ver·si·che·rungs·an·spruch *m* insurance claim **Ver·si·che·rungs·be·trug** *m* insurance fraud **Ver·si·che·rungs·fall** *m* insurance job **Ver·si·che·rungs·ge·sell·schaft** *f* insurance company **Ver·si·che·rungs·kauf·mann, -kauf·frau** *m, f* insurance salesman *masc [or fem* saleswoman] **ver·si·che·rungs·pflich·tig** *adj* **eine ~e Person** a person liable to pay compulsory insurance **Ver·si·che·rungs·po·li·ce** *f* insurance policy; (*Lebensversicherung a.*) assurance policy BRIT **Ver·si·che·rungs·prä·mie** *f* insurance premium **Ver·si·che·rungs·schutz** *m kein pl* insurance cover **Ver·si·che·rungs·sum·me** *f* sum insured; (*Lebensversicherung a.*) sum assured BRIT **Ver·si·che·rungs·ver·tre·ter(in)** *m(f)* insurance agent

ver·si·ckern* *vi sein* to seep away

ver·sie·geln* *vt* to seal [up *sep*]

ver·sie·gen* *vi sein* to dry up

ver·siert [vɛrˈziːɐ̯t] *adj* experienced (**in** in)

ver·sil·bern* [fɛɐ̯ˈzɪlbɐn] *vt* to silver-plate

ver·sin·ken *vi irreg sein* to sink; ■**versunken** sunken *attr*

ver·sinn·bild·li·chen* [fɛɐ̯ˈzɪnbɪltlɪçn̩] *vt* to symbolize

Ver·si·on <-, -en> [vɛrˈzi̯oːn] *f* version

Ver·skla·vung <-, -en> [-vʊŋ] *f* enslavement *no art, no pl*

Vers·maß *nt* metre

ver·sof·fen [fɛɐ̯ˈzɔfn̩] *adj* (*sl*) boozy *fam;* **ein ~er Kerl** a boozer *fam*

ver·söh·nen* [fɛɐ̯ˈzøːnən] I. *vr* ■**sich mit jdm ~** to make it up with sb II. *vt* ❶ (*aussöhnen*) to reconcile ❷ (*besänftigen*) to mollify

ver·söhn·lich [fɛɐ̯ˈzøːnlɪç] *adj* conciliatory; **jdn ~ stimmen** to appease sb

Ver·söh·nung <-, -en> *f* reconciliation *no art, no pl;* **zur ~** in reconciliation

ver·sor·gen* *vt* ❶ (*betreuen*) to take care of, to look after ❷ (*versehen*) to supply; ■**sich mit etw** *dat* **~** to provide oneself with sth; **sich selbst ~** to look after oneself; ■[**mit etw** *dat*] **versorgt sein** to be supplied [with sth] ❸ (*medizinisch behandeln*) to treat

Ver·sor·gung <-> *f kein pl* ❶ (*das Versorgen*) care *no art, no pl* ❷ (*das Ausstatten*) supply *no pl;* **medizinische ~** provision of medical care

ver·sor·gungs·be·rech·tigt *adj* entitled to benefit **Ver·sor·gungs·lü·cke** *f* gap in supplies

ver·spä·ten* [fɛɐ̯ˈʃpɛːtn̩] *vr* ■**sich ~** to be late

ver·spä·tet I. *adj* ❶ (*zu spät eintreffend*) delayed ❷ (*zu spät erfolgend*) late II. *adv* late; (*nachträglich*) belatedly

Ver·spä·tung <-, -en> *f* delay; **entschuldigen Sie bitte meine ~** I'm sorry I'm late; **~ haben** to be late; **mit einer Stunde ~ ankommen** to arrive an hour late

ver·spei·sen* *vt* to consume

ver·sper·ren* *vt* ■**etw ~** to block sth; **jdm den Weg ~** to bar sb's way

ver·spie·len* I. *vt* ❶ (*beim Glücksspiel verlieren*) to gamble away *sep* ❷ (*sich um etw bringen*) to squander II. *vi* ▶ **verspielt haben** to have had it III. *vr* ■**sich ~** to play a bum note

ver·spielt *adj* ❶ (*gerne spielend*) playful ❷ MODE fanciful

ver·spot·ten* *vt* to mock

ver·spre·chen* *irreg* I. *vt* ■[**jdm**] **etw ~** to promise [sb] sth; **das Wetter verspricht schön zu werden** the weather looks promising II. *vr* ❶ (*sich erhoffen*) ■**sich** *dat* **etw von jdm/etw ~** to hope for sth from sb/sth ❷ (*falsch sprechen*) to make a slip of the tongue; **sich ständig versprechen** to keep getting the words mixed up

Ver·spre·chen <-s, -> *nt* promise

Ver·spre·cher <-s, -> *m* slip of the tongue; **ein freudscher ~** a Freudian slip

Ver·spre·chung <-, -en> *f meist pl* promise

ver|sprengt *adj* isolated

ver·sprit·zen* *vt* to spray; *Weihwasser* to sprinkle

ver·sprü·hen* *vt* to spray; *Funken* to cut; *Optimismus* to dispense

ver·spü·ren* *vt* to feel; **keinerlei Reue ~** to feel no remorse at all

ver·staat·li·chen* [fɛɐ̯ˈʃtaːtlɪçn̩] *vt* to nationalize; ■**verstaatlicht** nationalized

Ver·staat·li·chung <-, -en> *f* nationalization *no art, no pl*

ver·stand [fɛɐ̯ˈʃtant] *imp von* **verstehen**

Ver·stand <-[e]s> [fɛɐ̯ˈʃtant] *m kein pl* reason *no art, no pl;* **bei klarem ~ sein** to be in full possession of one's faculties; **seinen ~ anstrengen** to think hard; **jdn um den ~ bringen** to drive sb out of his/her mind; **nicht bei ~ sein** to not be in one's right mind; **den ~ verlieren** to lose one's mind

ver·stan·den *pp von* **verstehen**

ver·stän·dig [fɛɐ̯ˈʃtɛndɪç] *adj* (*vernünftig*) sensible; (*einsichtig*) cooperative; (*sach~*)

informed; **sich ~ zeigen** to show cooperation

ver·stän·di·gen* [fɛɐ̯ˈʃtɛndɪɡn̩] **I.** *vt* ■ **jdn ~** to notify sb (**von** of) **II.** *vr* ■ **sich ~** ❶ (*sich verständlich machen*) to communicate ❷ (*sich einigen*) to reach an agreement

Ver·stän·di·gung <-, *selten* -en> *f* ❶ (*Benachrichtigung*) notification *no art, no pl* ❷ (*Kommunikation*) communication *no art, no pl* ❸ (*Einigung*) agreement *no pl*, understanding *no pl*

Ver·stän·di·gungs·schwie·rig·kei·ten *pl* communication difficulties *pl*

ver·ständ·lich [fɛɐ̯ˈʃtɛntlɪç] **I.** *adj* ❶ (*begreiflich*) understandable; **jdm etw ~ machen** to make sb understand sth; **sich ~ machen** to make oneself understood ❷ (*gut zu hören*) clear, intelligible ❸ (*leicht zu verstehen*) clear, comprehensible **II.** *adv* ❶ (*vernehmbar*) clearly ❷ (*verstehbar*) comprehensibly

ver·ständ·li·cher·wei·se *adv* understandably

Ver·ständ·lich·keit <-> *f kein pl* ❶ (*Begreiflichkeit*) understandability *no art, no pl* ❷ (*Hörbarkeit*) audibility *no art, no pl* ❸ (*Klarheit*) clarity *no art, no pl*, comprehensibility *no art, no pl*

Ver·ständ·nis <-ses, *selten* -se> [fɛɐ̯ˈʃtɛntnɪs] *nt* ❶ (*Einfühlungsvermögen*) understanding *no art, no pl*; **für etw** *akk* **~ haben** to have sympathy for sth ❷ (*das Verstehen*) comprehension *no art, no pl*, understanding *no art, no pl*

ver·ständ·nis·los **I.** *adj* uncomprehending; **ein ~er Blick** a blank look **II.** *adv* uncomprehendingly, blankly **ver·ständ·nis·voll** *adj* understanding, sympathetic

ver·stär·ken* **I.** *vt* ❶ (*stärker machen*) to strengthen; (*durch stärkeres Material a.*) to reinforce ❷ (*intensivieren*) to intensify ❸ (*erhöhen*) to increase **II.** *vr* ■ **sich ~** to increase; **der Eindruck verstärkte sich** the impression was reinforced

Ver·stär·ker <-s, -> *m* TECH amplifier, amp *fam*

Ver·stär·kung *f* ❶ (*das Verstärken*) strengthening *no art, no pl; Signale* amplification *no art, no pl* ❷ (*Vergrößerung*) reinforcement *no art, no pl* ❸ (*Intensivierung*) intensification *no art, no pl* ❹ (*Erhöhung*) increase ❺ BIOL, PSYCH reinforcement

ver·stau·ben* *vi sein* (*staubig werden*) to get dusty; (*unberührt liegen*) to gather dust; ■ **verstaubt** dusty

ver·staubt *adj* dusty; (*fig*) outmoded

ver·stau·chen* *vt* ■ **sich** *dat* **etw ~** to sprain one's sth

Ver·stau·chung <-, -en> *f* sprain

ver·stau·en* *vt* to pack [away *sep*]

Ver·steck <-[e]s, -e> [fɛɐ̯ˈʃtɛk] *nt* hiding place

ver·ste·cken* *vt* to hide; ■ **sich vor jdm ~** to hide from sb

Ver·steck·spiel *nt* [game of] hide-and-seek

ver·steckt **I.** *adj* ❶ (*verborgen*) hidden; (*vorsätzlich a.*) concealed ❷ (*abgelegen*) secluded ❸ (*unausgesprochen*) veiled **II.** *adv* ~ **liegen** to be secluded

ver·ste·hen <verstand verstanden> **I.** *vt* ❶ (*hören*) to hear; ~ **Sie mich gut?** can you hear me properly? ❷ (*begreifen*) to understand; **haben Sie das jetzt verstanden?** have you got it now?; **jdm etw zu ~ geben** to make sb understand sth ❸ (*können*) to understand; **ich verstehe kein Französisch** I don't know any French; ■ **es ~, etw zu tun** to know how to do sth; ■ **nichts von etw** *dat* **~** to know nothing about sth ❹ (*auslegen*) ■ **etw unter etw** *dat* **~** to understand sth by sth; **wie darf ich das ~?** how am I to interpret that?; **dieser Brief ist als Drohung zu ~** this letter is to be taken as a threat **II.** *vr* ❶ (*auskommen*) ■ **sich mit jdm ~** to get on [*or* AM along] with sb; **wir ~ uns** we understand one another ❷ (*beherrschen*) ■ **sich auf etw** *akk* **~** to know all about sth ❸ (*sich einschätzen*) ■ **sich als etw ~** to see oneself as sth ❹ (*zu verstehen sein*) **etw versteht sich von selbst** sth goes without saying **III.** *vi* **wenn ich recht verstehe** if I understand correctly; **verstehst du?** [do you] understand?, you know?, [you] see?

ver·stei·fen* **I.** *vr* ❶ (*sich verhärten*) ■ **sich ~** to harden ❷ (*auf etw beharren*) ■ **sich auf etw** *akk* **~** to insist on sth ❸ MED ■ **sich ~** to stiffen [up] **II.** *vt* ■ **etw ~** to strengthen sth

ver·stei·gern* *vt* to auction [off]

Ver·stei·ge·rung *f* ❶ (*das Versteigern*) auctioning *no art, no pl* ❷ (*Auktion*) auction

ver·stei·nern* [fɛɐ̯ˈʃtaɪnɐn] **I.** *vi sein* to fossilize, to become fossilized; *Holz* to petrify, to become petrified **II.** *vt* ■ **etw ~** to harden sth **III.** *vr* ■ **sich ~** to harden; *Lächeln* to become fixed

Ver·stei·ne·rung <-, -en> *f* fossil

ver·stell·bar *adj* adjustable; **in der Höhe ~ sein** to be adjustable for height

ver·stel·len* **I.** *vt* ❶ (*anders einstellen*) to adjust; **etw in der Höhe ~** to adjust sth for height ❷ (*woandershin stellen*) to move

Verständnis

Verständnis signalisieren	signalling understanding
(Ja, ich) verstehe!	(Yes,) I understand!
Genau!	Exactly!
Ja, das kann ich nachvollziehen.	Yes, I appreciate that.

Verständnislosigkeit signalisieren	signalling incomprehension
Was meinen Sie damit?	What do you mean by that?
Wie bitte? – Das habe ich eben akustisch nicht verstanden.	Pardon? – I didn't quite catch that.
Könnten Sie das bitte noch einmal wiederholen?	Could you repeat that please?
Versteh ich nicht!/Kapier ich nicht! *(fam)*	I don't understand!/I don't get it! *(fam)*
Das verstehe ich nicht (ganz).	I don't (quite) understand that.
(Entschuldigen Sie bitte, aber) das habe ich eben nicht verstanden.	(I'm sorry, but) I didn't understand that.
Ich kann Ihnen nicht ganz folgen.	I don't quite follow you.

kontrollieren, ob man akustisch verstanden wird	ascertaining whether one can be understood
(an ein Publikum): Verstehen Sie mich alle?	*(to an audience):* Can everyone hear me?
(am Telefon): Können Sie mich hören?	*(on the phone):* Can you hear me?
(am Telefon): Verstehen Sie, was ich sage?	*(on the phone):* Can you hear what I'm saying?

❸ (*unzugänglich machen*) to block ❹ (*verändern*) to disguise **II.** *vr* ■ **sich** ~ to put on an act

Ver·stel·lung *f* ❶ (*das Verstellen*) adjustment ❷ *kein pl* (*Heuchelei*) pretence *no pl*

ver·steu·ern* *vt* to pay tax on; ■ **zu** ~ **d** taxable

Ver·steu·e·rung *f* payment of tax

ver·stim·men* *vt* ❶ MUS to put out of tune ❷ (*verärgern*) to put out

ver·stimmt I. *adj* ❶ MUS out of tune ❷ (*verärgert*) ■ ~ **sein** to be put out **II.** *adv* illtemperedly

ver·stockt *adj* obstinate

ver·stoh·len [fɛɐ̯ˈʃtoːlən] **I.** *adj* furtive **II.** *adv* furtively; **jdn** ~ **ansehen** to give sb a furtive look

ver·stop·fen* **I.** *vt* to block up *sep* **II.** *vi sein* to get blocked [up]; ■ **verstopft** blocked [up]

ver·stopft *adj* blocked, congested

Ver·stop·fung <-, -en> *f* ❶ MED constipation *no art, no pl;* ~ **haben** to be constipated ❷ (*Blockierung*) blockage

ver·stor·ben [fɛɐ̯ˈʃtɔrbn̩] *adj* deceased, late *attr*

Ver·stor·be·ne(r) *f(m) dekl wie adj* deceased

ver·stört [fɛɐ̯ˈʃtøːɐ̯t] **I.** *adj* distraught **II.** *adv* in distress

Ver·stoß [fɛɐ̯ˈʃtoːs] *m* violation (**gegen** of); JUR offence

ver·sto·ßen* *irreg* **I.** *vi* ■ **gegen etw** *akk* ~ to violate sth; **gegen das Gesetz** ~ to contravene the law **II.** *vt* ■ **jdn** ~ to expel sb

ver·strah·len *vt* to contaminate with radiation

ver·strahlt <-er, -este> *adj* contaminated [by radiation]

ver·strei·chen* *irreg* **I.** *vt Farbe* to apply (**auf** to); *Butter* to spread **II.** *vi sein Zeit* to pass [by]; *Zeitspanne a.* to elapse; ■ **eine Frist ~ lassen** to let a deadline pass

ver·streut *adj* (*einzeln liegend*) isolated; (*verteilt*) scattered

ver·stri·cken* *vt* **I.** *vt* ■ **jdn in etw** *akk* ~ to involve sb in sth **II.** *vr* ■ **sich in etw** *akk* ~

to get entangled in sth

ver·strö·men* *vt* (*geh*) ■ **etw ~** to exude sth

ver·stüm·meln* [fɛɐ̯'ʃtʏmln̩] *vt* ❶ (*entstellen*) to mutilate; (*verkrüppeln*) to maim ❷ (*durch Lücken entstellen*) to disfigure ❸ (*unverständlich machen*) to garble

Ver·stüm·me·lung <-, -en> *f* mutilation

ver·stum·men* [fɛɐ̯'ʃtʊmən] *vi sein* to fall silent; ■ **jdn ~ lassen** to silence sb

Ver·such <-[e]s, -e> [fɛɐ̯'zuːx] *m* ❶ (*Bemühen*) attempt; **einen ~ machen** to make an attempt; **einen ~ starten** to have a go; **es auf einen ~ ankommen lassen** to give it a try ❷ (*Experiment*) experiment; **einen ~ machen** to carry out an experiment

ver·su·chen* *vt* ❶ (*probieren*) to try; ■ **es mit jdm/etw ~** to give sb/sth a try ❷ (*in Versuchung führen*) to tempt; ■ **versucht sein, etw zu tun** to be tempted to do sth II. *vi* ■ **~, etw zu tun** to try doing/ to do sth III. *vr* ■ **sich an/auf/in etw** *dat* **~** to try one's hand at sth

Ver·suchs·an·la·ge *f* ❶ (*Prüffeld*) testing plant ❷ (*Erprobungsanlage*) experimental plant **Ver·suchs·ka·nin·chen** *nt* guinea pig **Ver·suchs·per·son** *f* test subject **Ver·suchs·rei·he** *f* series of experiments **Ver·suchs·tier** *nt* laboratory animal

ver·suchs·wei·se *adv* on a trial basis

Ver·suchs·zweck *m* **zu ~en** for experimental purposes

Ver·su·chung <-, -en> *f* temptation *no art, no pl;* **der ~ erliegen** to succumb to temptation; **jdn in ~ führen** to lead sb into temptation; **in ~ geraten** to be tempted

ver·sun·ken [fɛɐ̯'zʊŋkn̩] *adj* ❶ (*untergegangen*) sunken *attr;* **Kultur** submerged ❷ (*vertieft*) ■ **in etw** *akk* **~ sein** to be absorbed in sth; **in Gedanken ~ sein** to be lost in thought

ver·sü·ßen* *vt* to sweeten

Ver·tä·fe·lung <-, -en> *f* panelling

ver·ta·gen* I. *vt* to adjourn (**auf** until); *Entscheidung* to postpone II. *vr* ■ **sich ~** to be adjourned

Ver·ta·gung *f* adjournment

ver·täu·en* [fɛɐ̯'tɔyən] *vt* NAUT ■ **etw ~** to moor sth

ver·tau·schen* *vt* to switch, to mix up *sep;* ■ **etw mit etw** *dat* **~** to exchange sth for sth

ver·tei·di·gen* [fɛɐ̯'taɪ̯dɪɡn̩] *vt, vi* to defend (**gegen** against)

Ver·tei·di·ger(in) <-s, -> *m(f)* ❶ JUR defence counsel ❷ SPORT defender

Ver·tei·di·gung <-, -en> *f* defence (**gegen** against)

Ver·tei·di·gungs·mi·nis·ter(in) *m(f)* minister of defence BRIT, defence minister BRIT, secretary of defense AM **Ver·tei·di·gungs·mi·nis·te·ri·um** *nt* Ministry of Defence BRIT, Department of Defense AM **Ver·tei·di·gungs·zweck** *m* **zu ~en** for purposes of defence

ver·tei·len* I. *vt* ❶ (*austeilen*) to distribute (**an** to) ❷ (*platzieren*) to place ❸ (*ausstreuen, verstreichen*) to spread (**auf** on) II. *vr* ❶ (*sich verbreiten*) ■ **sich ~** to spread out; **sich unter den Gästen ~** to mingle with the guests ❷ (*umgelegt werden*) ■ **sich auf jdn ~** to be distributed to sb

Ver·tei·ler *m* AUTO distributor

Ver·tei·ler·kas·ten *m* ELEK distribution box

Ver·tei·lung *f* distribution *no pl* (**auf**)

Ver·tei·lungs·kampf *m* **einen ~ um etw** *akk* **führen** to battle for a share of sth

ver·teu·ern* [fɛɐ̯'tɔyɐn] I. *vt* to increase the price of (**um** by) II. *vr* ■ **sich ~** to become more expensive

Ver·teu·e·rung *f* increase in price

ver·teu·feln* [fɛɐ̯'tɔyfl̩n] *vt* to demonize, to condemn

ver·teu·felt (*fam*) I. *adj* devilish[ly tricky] II. *adv* damned *fam,* devilishly

ver·tie·fen* [fɛɐ̯'tiːfn̩] I. *vt* ❶ (*tiefer machen*) to deepen (**um** by, **auf** to) ❷ (*verschlimmern*) to deepen ❸ (*festigen*) to reinforce II. *vr* ■ **sich in etw** *akk* **~** to become absorbed in sth; **sich in ein Buch ~** to bury oneself in a book; **in Gedanken vertieft sein** to be deep in thought

Ver·tie·fung <-, -en> *f* ❶ (*vertiefte Stelle*) depression; (*Boden a.*) hollow ❷ *kein pl* (*das Vertiefen*) deepening ❸ (*Festigung*) consolidation *no art, no pl*

ver·ti·kal [vɛrti'kaːl] I. *adj* vertical II. *adv* vertically

Ver·ti·ka·le <-, -n> [vɛrti-] *f* vertical [line]; ■ **in der ~n** vertically

ver·til·gen* *vt* ■ **etw ~** ❶ (*aufessen*) to demolish ❷ (*ausrotten*) to eradicate

Ver·til·gung *f* eradication *no art, no pl; Ungeziefer a.* extermination *no art, no pl*

Ver·til·gungs·mit·tel *nt gegen Unkraut* weed-killer; *gegen Ungeziefer* pesticide

ver·tip·pen* *vr* (*fam*) ■ **sich ~** to make a typing [*or fam* typo] error

ver·to·nen* *vt* to set to music

ver·trackt [fɛɐ̯'trakt] *adj* tricky

Ver·trag <-[e]s, Verträge> [fɛɐ̯'traːk, *pl* -'trɛːɡə] *m* contract; (*international*) treaty; **der Versailler ~** the Treaty of Versailles; **jdn unter ~ nehmen** to contract sb

ver·tra·gen* *irreg* I. *vt* ❶ (*aushalten*) to

bear, to stand ❷ (*gegen etw widerstandsfähig sein*) to tolerate ❸ (*fam: zu sich nehmen können*) **nervöse Menschen ~ starken Kaffee nicht gut** nervous people cannot cope with strong coffee ❹ (*fam: benötigen*) **das Haus könnte einen neuen Anstrich ~** the house could do with a new coat of paint ❺ SCHWEIZ (*austragen*) to deliver II. *vr* ❶ (*auskommen*) ■**sich mit jdm ~** to get on with sb ❷ (*zusammenpassen*) ■**sich mit etw** *dat* **~** to go with sth

ver·trag·lich [fɛɡˈtraːklɪç] I. *adj* contractual II. *adv* contractually, by contract; **~ festgelegt werden** to be laid down in a contract

ver·träg·lich [fɛɡˈtrɛːklɪç] *adj* ❶ (*umgänglich*) good-natured; ■**~ sein** to be easy to get on with ❷ (*bekömmlich*) digestible; **gut/schwer ~** easily digestible/indigestible

Ver·träg·lich·keit <-> *f kein pl* ❶ (*Umgänglichkeit*) good nature *no art, no pl* ❷ (*Bekömmlichkeit*) digestibility *no art, no pl*

Ver·trags·ab·schluss^RR *m* completion of [a/the] contract **Ver·trags·bruch** *m* breach of contract **ver·trags·brü·chig** *adj* in breach of contract *pred*

ver·trag·schlie·ßend *adj attr* **die ~en Parteien** the contracted parties

Ver·trags·ent·wurf *m* draft [of a] contract/treaty **Ver·trags·part·ner(in)** *m(f)* party to a/the contract **Ver·trags·ver·ein·ba·rung** *f meist pl* JUR contractual term **Ver·trags·werk·statt** *f* authorized garage **ver·trags·wid·rig** I. *adj* contrary to the contract *pred* II. *adv* in breach of contract

ver·trau·en* *vi* ■**jdm ~** to trust sb; ■**auf jdn ~** to trust in sb; **auf sein Glück ~** to trust to luck; **auf Gott ~** to put one's trust in God; ■**darauf ~, dass ...** to be confident that ...

Ver·trau·en <-s> *nt kein pl* trust *no art, no pl*, confidence *no art, no pl*; **einen ~ erweckenden Eindruck auf jdn machen** to make a trustworthy impression on sb; **~ erweckend sein** to inspire confidence; **~ [zu jdm] haben** to have confidence [in sb]; **jdn ins ~ ziehen** to take sb into one's confidence; **im ~ [gesagt]** [strictly] in confidence; **im ~ auf etw** *akk* trusting to sth

ver·trau·en·er·we·ckend^ALT *adj s.* **Ver·trauen**

Ver·trau·ens·arzt, -ärz·tin *m, f* independent examining doctor **Ver·trau·ens·**

ba·sis *f kein pl* basis of trust **Ver·trau·ens·bruch** *m* breach of confidence **Ver·trau·ens·fra·ge** *f* **es ist eine ~, ob ...** it is a question of trust whether ...; **die ~ stellen** POL to ask for a vote of confidence **Ver·trau·ens·kri·se** *f* lack of [mutual] trust **Ver·trau·ens·sa·che** *f* ❶ (*vertrauliche Angelegenheit*) confidential matter ❷ *s.* **Vertrauensfrage** **ver·trau·ens·se·lig** *adj* [too] trusting; (*leichtgläubig*) credulous **Ver·trau·ens·ver·hält·nis** *nt* trusting relationship **ver·trau·ens·voll** I. *adj* trusting, trustful, based on trust *pred* II. *adv* trustingly; **sich ~ an jdn wenden** to turn to sb with complete confidence **Ver·trau·ens·vo·tum** *nt* POL vote of confidence **ver·trau·ens·wür·dig** *adj* trustworthy

ver·trau·lich I. *adj* ❶ (*diskret*) confidential; **streng ~** strictly confidential ❷ (*freundschaftlich*) familiar, chummy *fam* II. *adv* confidentially

Ver·trau·lich·keit <-, -en> *f* ❶ *kein pl* (*das Vertraulichsein*) confidentiality *no art, no pl* ❷ *pl* (*Zudringlichkeit*) familiarity *no art, no pl*

ver·träumt *adj* ❶ (*idyllisch*) sleepy ❷ (*realitätsfern*) dreamy

ver·traut *adj* ❶ (*wohlbekannt*) familiar; **sich mit etw** *dat* **~ machen** to familiarize oneself with sth; ■**mit etw** *dat* **~ sein** to be familiar with sth; **sich mit dem Gedanken ~ machen, dass ...** to get used to the idea that ... ❷ (*eng verbunden*) close, intimate

Ver·trau·te(r) *f(m) dekl wie adj* confidant *masc*, confidante *fem*

Ver·traut·heit <-, -en> *f* ❶ *kein pl* (*gute Kenntnis*) familiarity (**mit** with) ❷ (*Verbundenheit*) closeness *no art, no pl*, intimacy *no art, no pl*

ver·trei·ben*^1 *vt irreg* (*verjagen*) to drive away [*or* out] *sep*

ver·trei·ben*^2 *vt irreg* (*verkaufen*) to sell **Ver·trei·bung** <-, -en> *f* driving out [*or* away] *no art, no pl*; **die ~ aus dem Paradies** the expulsion from Paradise

ver·tret·bar *adj* ❶ (*zu vertreten*) tenable; ■**nicht ~** untenable ❷ (*akzeptabel*) justifiable; ■**nicht ~** unjustifiable

ver·tre·ten*^1 *vt irreg* ❶ (*jdn vorübergehend ersetzen*) ■**jdn ~** to stand in for sb; **durch jdn ~ werden** to be replaced by sb ❷ (*repräsentieren*) to represent ❸ (*verfechten*) to support; *Ansicht* to take; *Meinung* to hold; *Theorie* to advocate ❹ (*verantwortlich sein*) ■**etw zu ~ haben** to be responsible for sth

ver·tre·ten² *vr irreg* (*verstauchen*) **sich** *dat* **den Fuß ~** to twist one's ankle ▸ **sich** *dat* **die Beine ~** to stretch one's legs

Ver·tre·ter(in) <-s, -> *m(f)* ❶ (*Stell~*) deputy, stand-in ❷ (*Handels~*) sales representative ❸ (*Repräsentant*) representative

Ver·tre·tung <-, -en> *f* ❶ (*das Vertreten*) deputizing *no art, no pl;* **in** [*jds*] **~** in sb's place, on behalf of sb ❷ (*Stellvertreter*) deputy, stand-in; **eine diplomatische ~** a diplomatic mission ❸ (*Handels~*) agency, branch

Ver·trieb <-[e]s, -e> *m* ❶ *kein pl* (*das Vertreiben*) sale[s *pl*] ❷ (*~sabteilung*) sales *pl* [department]

Ver·trie·be·ne(r) *f(m) dekl wie adj* deportee, displaced person

Ver·triebs·ge·sell·schaft *f* sales company **Ver·triebs·lei·ter(in)** *m(f)* sales manager

ver·trock·nen* *vi sein Vegetation* to dry out; *Lebensmittel* to dry up

ver·trock·net *adj* dried; *Mensch* scrawny; *Blätter* dried

ver·trö·deln* *vt* to idle away *sep*

ver·trös·ten* *vt* to put off *sep* (**auf** until)

ver·trot·telt *adj* (*fam*) senile

ver·tun* *irreg vr* ■ **sich ~** to make a mistake

ver·tu·schen* *vt* to hush up *sep*

ver·ü·beln* [fɛɐ̯'ʔyːbl̩n] *vt* ■ **jdm etw ~** to hold sth against sb

ver·üben* *vt* to commit; **einen Anschlag auf jdn ~** to make an attempt on sb's life; **ein Attentat** [**auf jdn**] **~** to assassinate sb

ver·un·glimp·fen* [fɛɐ̯'ʔʊnɡlɪmpfn̩] *vt* to denigrate

ver·un·glü·cken* [fɛɐ̯'ʔʊnɡlʏkn̩] *vi sein* ❶ (*einen Unfall haben*) to have an accident; **mit dem Flugzeug ~** to be in a plane crash; **tödlich ~** to be killed in an accident ❷ (*fam: misslingen*) to go wrong

ver·un·rei·ni·gen* *vt* to dirty; (*Umwelt*) to pollute

ver·un·si·chern* [fɛɐ̯'ʔʊnzɪçɐn] *vt* ■ **jdn ~** to make sb [feel] unsure; (*verstören*) to unsettle sb

ver·un·si·chert <-er, -este> *adj* uncertain

Ver·un·si·che·rung <-, -en> *f* ❶ (*das Verunsichern*) unsettling *no art, no pl* ❷ (*verunsicherte Stimmung*) [feeling of] uncertainty

ver·un·stal·ten* [fɛɐ̯'ʔʊnʃtaltn̩] *vt* to disfigure

Ver·un·stal·tung <-, -en> *f* disfigurement

ver·un·treu·en* [fɛɐ̯'ʔʊntrɔʏən] *vt* to embezzle

Ver·un·treu·ung <-, -en> *f* embezzle-

ment *no art, no pl*

ver·ur·sa·chen* [fɛɐ̯'ʔuːɐ̯zaxn̩] *vt* to cause; [*jdm*] **Schwierigkeiten ~** to create difficulties [for sb]

Ver·ur·sa·cher(in) <-s, -> *m(f)* causal agent

ver·ur·tei·len* *vt* ❶ (*für schuldig befinden*) to convict; ■ **jdn zu etw** *dat* **~** to sentence sb to sth ❷ (*verdammen*) to condemn ❸ (*bestimmt sein*) ■ **zu etw** *dat* **verurteilt sein** to be condemned to sth; **zum Scheitern verurteilt sein** to be bound to fail

Ver·ur·teil·te(r) *f(m) dekl wie adj* convicted man *masc* [*or fem* woman]

Ver·ur·tei·lung <-, -en> *f* conviction *no art, no pl*, sentencing *no art, no pl*

ver·viel·fa·chen* [fɛɐ̯'fiːlfaxn̩] **I.** *vt* to increase greatly **II.** *vr* ■ **sich ~** to multiply

ver·viel·fäl·ti·gen* [fɛɐ̯'fiːlfɛltɪɡn̩] *vt* to duplicate; (*fotokopieren*) to photocopy

Ver·viel·fäl·ti·gung <-, -en> *f* duplication

ver·vier·fa·chen* [fɛɐ̯'fiːɐ̯faxn̩] *vt, vr* to quadruple

ver·voll·komm·nen* [fɛɐ̯'fɔlkɔmnən] **I.** *vt* to perfect **II.** *vr* ■ **sich ~** to reach perfection

ver·voll·stän·di·gen* [fɛɐ̯'fɔlʃtɛndɪɡn̩] *vt* to complete

ver·wäh·len* *vr* TELEK ■ **sich ~** to dial the wrong number

ver·wah·ren* [fɛɐ̯'vaːrən] **I.** *vt* to keep safe; ■ **etw in etw** *dat* **~** to keep sth in sth **II.** *vr* ■ **sich gegen etw** *akk* **~** to protest against sth

ver·wahr·lo·sen* [fɛɐ̯'vaːɐ̯loːzn̩] *vi sein* to get into a bad state; *Gebäude* to fall into disrepair; *Mensch* to go to pot; **völlig ~** to go to rack [*or esp* AM wrack] and ruin; ■ **etw ~ lassen** to let sth fall into disrepair

ver·wahr·lost <-er, -este> *adj* neglected

Ver·wahr·lo·sung <-> *f kein pl Grundstück, Gebäude* dilapidation *no art, no pl; Mensch* neglect *no art, no pl;* **bis zur völligen ~ herunterkommen** to sink into a state of total neglect

Ver·wah·rung <-> *f kein pl* ❶ (*das Verwahren*) [safe]keeping *no art, no pl* ❷ (*zwangsweise Unterbringung*) detention *no art, no pl;* **jdn in ~** *akk* **nehmen** to take sb into custody

ver·wai·sen* [fɛɐ̯'vaɪzn̩] *vi sein* ❶ (*zur Waise werden*) to become an orphan; ■ **verwaist** orphaned ❷ (*verlassen werden*) to become deserted; ■ **verwaist** deserted

ver·wal·ten* [fɛɐ̯'valtn̩] *vt* ❶ FIN, ADMIN to administer; *Besitz* to manage ❷ INFORM to manage

Ver·wal·ter(in) <-s, -> [fɛɡ'valtɐ] *m(f)* administrator; *Gut* manager; *Nachlass* trustee

Ver·wal·tung <-, -en> [fɛɡ'valtʊŋ] *f* ❶ *kein pl* (*das Verwalten*) administration *no art, no pl*, management *no art, no pl* ❷ (*Verwaltungsabteilung*) administration *no pl*, admin *no pl fam;* **städtische ~** municipal authority ❸ INFORM management *no art, no pl*

Ver·wal·tungs·ap·pa·rat *m* administrative machine[ry] *no pl* **Ver·wal·tungs·be·am·te(r)** *f(m)* admin[istration] official **Ver·wal·tungs·be·zirk** *m* administrative district, precinct AM **Ver·wal·tungs·ge·richt** *nt* administrative court

ver·wan·deln* I. *vt* ❶ (*umwandeln*) ▪**jdn in etw** *akk* **~** to turn sb into sth; ▪**jd ist wie verwandelt** sb is a changed person ❷ TECH to convert (**in** into) ❸ (*anders erscheinen lassen*) to transform II. *vr* ▪**sich in etw** *akk* **~** to turn into sth

Ver·wand·lung *f* ❶ (*Umformung*) transformation ❷ TECH conversion

ver·wandt¹ [fɛɡ'vant] *adj* related (**mit** to); *Methoden* similar; *Sprachen, Wörter* cognate

ver·wandt² [fɛɡ'vant] *pp von* **verwenden**

ver·wand·te *imp von* **verwenden**

Ver·wand·te(r) *f(m) dekl wie adj* relation, relative; **ein entfernter ~r von mir** a distant relation of mine

Ver·wandt·schaft <-, -en> *f* ❶ (*die Verwandten*) relations *pl*, relatives *pl;* **die nähere ~** close relatives *pl* ❷ (*gemeinsamer Ursprung*) affinity (**mit** with)

ver·wandt·schaft·lich *adj* family *attr*

ver·war·nen* *vt* to warn

Ver·war·nung *f* warning, caution

Ver·war·nungs·geld *nt* exemplary fine

ver·wa·schen *adj* faded

ver·wech·seln* [-'vɛksln] *vt* ▪**etw ~** to get sth mixed up; ▪**jdn** [**mit jdm**] **~** to confuse sb with sb; **jdm zum V~ ähnlich sehen** to be the spitting image of sb

Ver·wechs·lung <-, -en> [-'vɛkslʊŋ] *f* ❶ (*das Verwechseln*) mixing up *no art, no pl*, confusing *no art, no pl* ❷ (*Vertauschung*) confusion *no art, no pl;* **das muss eine ~ sein** there must be some mistake

ver·we·gen [fɛɡ've:gn] *adj* daring, bold; (*Kleidung*) rakish

ver·we·hen* *vt* ❶ (*auseinandertreiben*) to scatter ❷ (*verwischen*) to cover [over *sep*]

ver·weh·ren* *vt* ▪**jdm etw ~** to refuse sb sth

Ver·we·hung <-, -en> *f* ❶ *kein pl* (*das Verwehen*) covering over *no art, no pl* ❷ (*Schnee~*) [snow]drift; (*Sand~*) [sand]drift

Ver·wei·ge·rer, Ver·wei·ge·rin <-s, -> *m, f* ❶ (*allgemein*) objector ❷ (*Kriegsdienst~*) conscientious objector

ver·wei·gern* *vt, vi* to refuse; **jede Auskunft ~** to refuse to give any information; **einen Befehl ~** to refuse to obey an order; **den Kriegsdienst ~** to refuse to do military service

Ver·wei·ge·rung *f* refusal; **die ~ des Wehrdienstes** the refusal to do military service

ver·wei·len* *vi* (*geh*) ❶ (*sich aufhalten*) to stay; **kurz ~** to stay for a short time; **vor einem Gemälde ~** to linger in front of a painting ❷ (*sich mit etw beschäftigen*) ▪**bei etw** *dat* **~** to dwell on sth

ver·weint *adj Augen* red from crying; *Gesicht* tear-stained

Ver·weis <-es, -e> [fɛɡ'vais] *m* ❶ (*Tadel*) reprimand; **jdm einen ~ erteilen** to reprimand sb ❷ (*Hinweis*) reference (**auf** to); (*Quer~*) cross-reference

ver·wei·sen* *irreg vt, vi* to refer (**an/auf** to)

ver·wel·ken* *vi sein* to wilt

ver·welt·licht [fɛɡ'vɛltlɪçt] *adj* REL, SOZIOL secularized

ver·wend·bar *adj* usable

ver·wen·den <verwendete *o* verwandte, verwendet *o* verwandt> *vt* to use (**für** for)

Ver·wen·dung <-, -en> *f* use; **~/keine ~ für etw** *akk* **haben** to have a/no use for sth

Ver·wen·dungs·mög·lich·keit *f* [possible] use **Ver·wen·dungs·zweck** *m* purpose

ver·wer·fen* *irreg vt Plan, Vorschlag* to reject; *Gedanken* to dismiss

ver·werf·lich *adj* reprehensible

Ver·wer·fung <-, -en> *f* ❶ *kein pl* (*Ablehnung*) rejection, dismissal ❷ GEOL fault ❸ BAU warp[ing] ❹ SOZIOL **gesellschaftliche/ökonomische Verwerfungen** social/economic upheaval

ver·wert·bar *adj* ❶ (*brauchbar*) usable ❷ (*auszuwerten*) utilizable

ver·wer·ten* *vt* ❶ (*ausnutzen, heranziehen*) to use ❷ (*nutzbringend anwenden*) to exploit

Ver·wer·tung <-, -en> *f* ❶ (*Ausnutzung*) utilization *no art, no pl* ❷ (*Heranziehung*) use ❸ (*nutzbringende Anwendung*) exploitation *no art, no pl*

Ver·wer·tungs·ge·sell·schaft *f* exploitation company

ver·we·sen* [fɛɡ've:zn] *vi sein* to rot, to decompose; ▪**verwest** decomposed

Ver·west·li·chung <-> [fɛɐ̯'vɛstlɪçʊŋ] *f* SOZIOL Westernization

Ver·we·sung <-> *f kein pl* decomposition *no art, no pl*

ver·wet·ten* *vt* to gamble away *sep*

ver·wi·ckeln I. *vt* ▪jdn in etw *akk* ~ to involve sb in sth; **jdn in ein Gespräch** ~ to engage sb in conversation; ▪in etw *akk* **verwickelt sein** to be involved in sth II. *vr* ▪sich ~ to get tangled up

ver·wi·ckelt *adj* complicated, intricate

Ver·wi·cke·lung <-, -en>, **Ver·wick·lung** <-, -en> *f* ❶ (*Verstrickung*) entanglement ❷ *pl* (*Komplikationen*) complications *pl*

ver·wil·dern* *vi sein* ❶ *Garten* to become overgrown ❷ *Tier* to go wild; ▪**verwildert** feral ❸ *Mensch* to run wild

ver·wil·dert *adj* ❶ *Garten* overgrown ❷ *Tier* feral; *Haustier* neglected ❸ (*fig*) *Aussehen* unkempt

ver·win·kelt [fɛɐ̯'vɪŋkl̩t] *adj* twisting, winding; *Gebäude* full of nooks and crannies

ver·wir·ken* *vt* (*geh*) ▪etw ~ to forfeit sth

ver·wirk·li·chen* [fɛɐ̯'vɪrklɪçn̩] I. *vt* to realize; *Idee, Plan* to put into practice; *Projekt* to carry out *sep* II. *vr* ▪sich ~ to fulfil oneself; **sich in etw** *dat* ~ to find fulfilment in sth

Ver·wirk·li·chung <-, -en> *f* realization

ver·wir·ren* *vt* to confuse

ver·wirrt <-er, -este> *adj* confused

Ver·wir·rung <-, -en> *f* ❶ (*Verstörtheit*) confusion *no art, no pl* ❷ (*Chaos*) chaos *no art, no pl*

ver·wi·schen* I. *vt* ❶ (*verschmieren*) to smudge; *Farbe* to smear ❷ (*unkenntlich machen*) to cover [up *sep*]; **seine Spur** ~ to cover one's tracks II. *vr* ▪sich ~ to become blurred; (*Erinnerung*) to fade

ver·wit·tern* *vi sein* to weather

ver·wit·tert I. *pp von* **verwittern** II. *adj* weathered

ver·wit·wet [fɛɐ̯'vɪtvət] *adj* widowed

ver·wöh·nen* [fɛɐ̯'vøːnən] *vt* to spoil; **jdn zu sehr** ~ to pamper sb

ver·wöhnt *adj* ❶ (*Exquisites gewöhnt*) gourmet *attr* ❷ (*anspruchsvoll*) discriminating

ver·wor·fen I. *adj* degenerate; (*stärker*) depraved II. *adv* degenerately

ver·wor·ren [fɛɐ̯'vɔrən] *adj* confused, muddled

ver·wund·bar *adj* vulnerable

ver·wun·den* [fɛɐ̯'vʊndn̩] *vt* to wound; **schwer verwundet** seriously wounded

ver·wun·der·lich *adj* odd, strange; ▪**nicht** ~ **sein** to be not surprising

ver·wun·dern* *vt* to surprise; ▪**es verwundert jdn, dass ...** sb is surprised that ...

ver·wun·dert I. *adj* astonished, surprised (**über** at) II. *adv* in amazement

Ver·wun·de·rung <-> *f kein pl* amazement *no art, no pl*

ver·wun·det *adj* (*fig a.*) wounded, hurt

Ver·wun·de·te(r) *f(m) dekl wie adj* casualty, wounded person

Ver·wun·dung <-, -en> *f* wound

ver·wun·schen [fɛɐ̯'vʊndn̩] *adj* enchanted

ver·wün·schen* *vt* ❶ (*verfluchen*) to curse ❷ (*verzaubern*) to cast a spell on

Ver·wün·schung <-, -en> *f* curse

ver·wur·zelt *adj* rooted

ver·wüs·ten* *vt* to devastate; *Wohnung* to wreck; *Land* to ravage

Ver·wüs·tung <-, -en> *f meist pl* devastation *no art, no pl;* **die** ~**en des Krieges** the ravages of war

ver·zäh·len* *vr* ▪sich ~ to miscount

ver·zah·nen* *vt* ❶ TECH to dovetail ❷ (*fig: eng verbinden*) ▪etw mit etw *dat* ~ to link sth to sth

ver·zahnt *adj* ineinander ~ sein to mesh [together]

Ver·zah·nung <-, -en> *f* ❶ *von Balken* dovetailing ❷ *von Rädern* gearing

ver·zau·bern* *vt* ❶ (*verhexen*) to put a spell on sb; ▪jdn in jdn/etw ~ to turn sb into sb/sth ❷ (*betören*) to enchant

Ver·zau·be·rung <-, -en> *f* enchantment

ver·zehn·fa·chen* [fɛɐ̯'tseːnfaxn̩] *vt, vr* to increase tenfold

Ver·zehr <-[e]s> [fɛɐ̯'tseːɐ̯] *m kein pl* consumption

ver·zeh·ren* I. *vt* ❶ (*essen*) to consume ❷ (*verbrauchen*) to use up II. *vr* ▪sich nach jdm ~ to pine for sb

ver·zeich·nen* *vt* to list; **etw** ~ **können** (*fig*) to be able to record sth; **einen Erfolg** ~ to score a success

Ver·zeich·nis <-ses, -se> *nt* list; (*Tabelle*) table; (*Computer*) directory

ver·zei·hen* *vt* <verzieh, verziehen> I. *vt* to excuse; *Unrecht, Sünde* to forgive; ▪jdm etw ~ to forgive sb sth II. *vi* to forgive; ~ **Sie!** I beg your pardon!, AM *usu* excuse me!; ~ **Sie, dass ich störe** excuse me for interrupting

ver·zeih·lich *adj* excusable, forgivable

Ver·zei·hung <-> *f kein pl* forgiveness; [jdn] **um** ~ **bitten** to apologize [to sb] (**für** for); ~! sorry!; ~, **darf ich mal hier vor-**

bei? excuse me, may I get past?

ver·zer·ren* **I.** vt ❶ (verziehen, entstellen) to distort ❷ Muskel to pull; Sehne to strain **II.** vr (sich verziehen) ■ **sich ~** to become contorted; **ihre Züge verzerrten sich zu einer grässlichen Fratze** her features became contorted in a hideous grin

Ver·zer·rung f distortion

ver·zet·teln* **I.** vt to waste; Geld to fritter away; Energie to dissipate **II.** vr ■ **sich ~** to take on too much at once

Ver·zicht <-[e]s, -e> [fɛɐ̯'tsɪçt] m renunciation (**auf** of); eines Amtes, auf Eigentum relinquishment

ver·zich·ten* [fɛɐ̯'tsɪçtn̩] vi to go without, to relinquish; **zu jds Gunsten ~** to do without in favour of sb; ■ **auf etw** akk **~** to do without sth; **auf sein Recht ~** to renounce one's right; **ich möchte im Urlaub auf nichts ~** on holiday I don't want to miss out on anything

ver·zieh imp von **verzeihen**

ver·zie·hen*[1] irreg **I.** vi sein (umziehen) to move; **unbekannt verzogen** moved — address unknown **II.** vr haben (verschwinden) ■ **sich ~** to disappear; **verzieh dich!** clear off!; **das Gewitter verzieht sich** the storm is passing

ver·zie·hen*[2] irreg **I.** vt ❶ (verzerren) to twist, to screw up sep; **das Gesicht [vor Schmerz] ~** to pull a face [with pain] ❷ Kind to bring up badly; **ein verzogener Bengel** a spoilt brat **II.** vr ■ **sich ~** ❶ (verzerren) to contort, to twist ❷ (verformen) to go out of shape

ver·zie·hen[3] pp von **verzeihen**

ver·zie·ren* vt to decorate

Ver·zie·rung <-, -en> f decoration; (an Gebäuden) ornamentation

ver·zin·ken* vt ■ **etw ~** to galvanize sth

ver·zin·sen* **I.** vt (für etw Zinsen zahlen) to pay interest on; **die Bank verzinst dein Erspartes mit 3 Prozent** the bank pays three percent on your savings **II.** vr (Zinsen erwirtschaften) ■ **sich mit etw** dat **~** to bear a certain rate of interest

ver·zo·cken vt to gamble away sep

ver·zo·gen [fɛɐ̯'tso:gn̩] adj badly brought up; **die Kinder sind völlig ~** the children are completely spoilt

ver·zö·gern* **I.** vt ❶ (später erfolgen lassen) to delay (**um** by) ❷ (verlangsamen) to slow down **II.** vr (später erfolgen) ■ **sich ~** to be delayed (**um** by)

Ver·zö·ge·rung <-, -en> f delay, hold-up fam; (Verlangsamung) slowing down

Ver·zö·ge·rungs·tak·tik f delaying tactics pl

ver·zol·len* vt to pay duty on; **haben Sie etwas zu ~?** have you anything to declare?

ver·zückt I. adj (geh) ecstatic, enraptured **II.** adv (geh) ecstatically

Ver·zü·ckung <-, -en> f (geh) ecstasy; **[über etw** akk**] in ~ geraten** to go into raptures [over sth]

Ver·zug <-[e]s> m kein pl delay; **[mit etw** dat**] in ~ geraten** to fall behind [with sth]

ver·zwei·feln* vi sein to despair (**an** of); **es ist zum V~ mit dir!** you drive me to despair

ver·zwei·felt I. adj ❶ (völlig verzagt) despairing; **ein ~es Gesicht machen** to look despairingly; **ich bin völlig ~** I'm at my wits' end ❷ (hoffnungslos) desperate ❸ (mit aller Kraft) **ein ~er Kampf ums Überleben** a desperate struggle for survival **II.** adv (völlig verzagt) despairingly; **sie rief ~ nach ihrer Mutter** she called out desperately for her mother

Ver·zweif·lung <-> f kein pl (Gemütszustand) despair; (Ratlosigkeit) desperation; **jdn zur ~ bringen** to drive sb to despair; **etw aus ~ tun** to do sth out of desperation

Ver·zweif·lungs·tat f act of desperation

ver·zwei·gen* [fɛɐ̯'tsvai̯gn̩] vr ■ **sich ~** to branch out; Straße to branch off

Ver·zwei·gung <-, -en> f ❶ (verzweigtes Astwerk) branches pl; (verzweigter Teil) fork ❷ (weite Ausbreitung) intricate network ❸ SCHWEIZ (Kreuzung) crossroads sing o pl, intersection AM

ver·zwickt [fɛɐ̯'tsvɪkt] adj tricky

Ves·per[1] <-, -n> ['fɛspɐ] f REL vespers npl

Ves·per[2] <-s, -> ['fɛspɐ] f o nt DIAL snack

Ves·per·brot nt SÜDD (Pausenbrot) sandwich

Ve·suv <-[s]> [ve'zu:f] m Vesuvius

Ve·te·ran <-en, -en> [vete'ra:n] m veteran

Ve·te·ri·när(in) <-s, -e> [veteri'nɛ:ɐ̯] m(f) vet fam, veterinary surgeon BRIT, veterinarian AM

Ve·to <-s, -s> ['ve:to] nt veto; **sein ~ einlegen** to exercise one's veto

Ve·to·recht nt right of veto

Vet·ter <-s, -n> ['fɛtɐ] m cousin

Vet·tern·wirt·schaft f kein pl nepotism no pl

V-Frau ['fau̯-] f fem form von **Verbindungsmann**

vgl. interj Abk von **vergleiche** cf.

VHS <-> [fau̯ha:'ʔɛs] f Abk von **Volkshochschule**

via ['vi:a] präp + akk ❶ (über) via ❷ (durch) by

Via·dukt <-[e]s, -e> [via'dʊkt] m o nt viaduct

Vi·bra·ti·on <-, -en> [vibraˈtsi̯oːn] f vibration

Vi·bra·tor <-s, -toren> [viˈbraːtoːɐ̯, pl -ˈtoːrən] m vibrator

vi·brie·ren* [viˈbriːrən] vi to vibrate

Vi·deo <-s, -s> [ˈviːdeo] nt video; **etw auf ~ aufnehmen** to video sth

Vi·deo·auf·zeich·nung f video recording **Vi·deo·clip** <-s, -s> m video clip **Vi·deo·film** m video film **Vi·deo·ka·me·ra** f video camera **Vi·deo·kas·set·te** f video cassette **Vi·deo·kas·set·ten·re·cor·der** [-rekɔrdɐ] m video recorder **Vi·deo·kon·fe·renz** f video conference **Vi·deo·re·cor·der** <-s, -> m, **Vi·deo·re·kor·der** <-s, -> m video [recorder], AM usu VCR **Vi·deo·link** [ˈviːdeo-] f TELEK video link **Vi·deo·spiel** nt video game **Vi·deo·text** m kein pl teletext no pl **Vi·deo·thek** <-, -en> [videoˈteːk] f video shop [or AM usu store]; (Sammlung) video library

Vi·deo·ü·ber·wa·chung f monitoring by closed circuit TV **Vi·deo·ver·leih** m video library

Viech <-[e]s, -er> [fiːç] nt (fam) creature

Vieh <-[e]s> [fiː] nt kein pl ❶ AGR livestock; (Rinder) cattle; **jdn wie ein Stück ~ behandeln** to treat sb like dirt ❷ (fam: Tier) animal, beast

Vieh·be·stand m livestock **Vieh·hal·ter(in)** <-s, -> m(f) cattle farmer **Vieh·hal·tung** <-> f kein pl animal husbandry **Vieh·her·de** f livestock herd **Vieh·markt** m cattle market **Vieh·zucht** f cattle [or livestock] breeding **Vieh·züch·ter(in)** m(f) cattle [or livestock] breeder

viel [fiːl] I. adj <mehr, meiste> ❶ sing, adjektivisch a lot of; **er braucht ~ Geld** he needs a lot of money; **~ Erfolg!** good luck!; **~ Spaß!** enjoy yourself/yourselves! ❷ sing, mit art, poss **das ~e Essen ist mir nicht bekommen** all that food hasn't done me any good ❸ substantivisch a lot, much; **ich habe zu ~ zu tun** I have too much to do; **obwohl er ~ weiß, prahlt er nicht damit** although he knows a lot, he doesn't brag about it ❹ pl, adjektivisch ■~e a lot of, a great number of, many; **und ~e andere** and many others; **~e deiner Bücher kenne ich schon** I know many of your books already; **wir haben gleich ~e Dienstjahre** we've been working here for the same number of years ❺ + pl, substantivisch (eine große Anzahl von Menschen) ■~e a lot, many; **diese Ansicht wird von ~en vertreten** this

view is held by many people; (eine große Anzahl von Dingen) a lot; **es gibt noch einige Fehler, aber ~e haben wir bereits verbessert** there are still some errors, but we've already corrected a lot II. adv <mehr, am meisten> ❶ (häufig) a lot; **sie hat ihre Mutter immer ~ besucht** she used to visit her mother a lot; **~ diskutiert** much discussed; **eine ~ befahrene Straße** a [very] busy street ❷ (wesentlich) a lot; **die Mütze ist ~ zu groß** the cap is far too big

viel·deu·tig adj ambiguous

Viel·eck [ˈfiːlʔɛk] nt polygon

vie·ler·lei adj all kinds of, many different

vie·ler·orts [ˈfiːleʔɔrts] adv in many places

viel·fach [ˈfiːlfax] I. adj ❶ (mehrere Male so groß) many times; **die ~e Menge [von etw** dat] many times that amount [of sth] ❷ (mehrfach) multiple II. adv (häufig) frequently, in many cases; (mehrfach) many times

Viel·fa·che(s) nt dekl wie adj Mathematik multiple; **ein ~r Millionär** a multimillionaire; **um ein ~s** many times over

Viel·falt <-> [ˈfiːlfalt] f diversity, [great] variety (an of)

viel·fäl·tig [ˈfiːlfɛltɪç] adj diverse, varied

viel·far·big adj multicoloured [or AM -ored]

Viel·flie·ger(in) m(f) frequent flier [or flyer]

Viel·fraß <-es, -e> [ˈfiːlfraːs] m glutton; **du ~!** you greedy guts!

viel·leicht [fiˈlai̯çt] I. adv ❶ (eventuell) perhaps, maybe ❷ (ungefähr) about; **er ist ~ 30 Jahre alt** he is about 30 years old II. part ❶ (bitte [mahnend]) please; **würdest du mich ~ einmal ausreden lassen?** would you please let me finish for once? ❷ (etwa) by any chance; **erwarten Sie ~, dass ich Ihnen das Geld gebe?** you don't, by any chance, expect me to give you the money? ❸ (wirklich) really; **du erzählst ~ einen Quatsch** you're really talking rubbish

viel·mals [ˈfiːlmaːls] adv ❶ (sehr) **danke ~!** thank you very much; **entschuldigen Sie ~ die Störung** I do apologize for disturbing you ❷ (oft) many times

viel·mehr [ˈfiːlmeːɐ̯] adv rather; **ich bin ~ der Meinung, dass du richtig gehandelt hast** I rather think that you did the right thing

viel·schich·tig adj ❶ (aus vielen Schichten bestehend) multilayered ❷ (fig: komplex) complex

viel·sei·tig [ˈfiːlzai̯tɪç] I. adj Mensch, Maschine versatile; Angebot varied II. adv ❶ (in vieler Hinsicht) widely ❷ (in ver-

schiedener Weise) having a variety of...; **eine Küchenmaschine ist ~ anwendbar** a food processor has a variety of applications

viel·spra·chig *adj* multilingual **Viel·zahl** *f kein pl* ■ **eine ~ von etw** *dat* a large number of sth

vier [fiːɐ̯] *adj* four; *s. a.* **acht**[1] ▸ **ein Gespräch unter ~ Augen führen** to have a private conversation; **in den eigenen ~ Wänden wohnen** to live within one's own four walls

Vier <-, -en> [fiːɐ̯] *f* ❶ (*Zahl*) four; **eine ~ würfeln** to roll a four ❷ (*Zeugnisnote*) **er hat in Deutsch eine ~** he got a D in German ▸ **alle ~e von sich strecken** to stretch out; **auf allen ~en** on all fours

vier·bän·dig *adj* four-volume *attr* **Vier·bei·ner** <-s, -> *m* four-legged friend *hum* **vier·blätt·te·rig** *adj*, **vier·blätt·rig** *adj* four-leaf *attr*, four-leaved **Vier·eck** [ˈfiːɐ̯-ʔɛk] *nt* four-sided figure; MATH quadrilateral **vier·eckig** [ˈfiːɐ̯ʔɛkɪç] *adj* rectangular

vier·ein·halb [ˈfiːɐ̯ʔai̯nˈhalp] *adj* four and a half

Vie·rer <-s, -> [ˈfiːrɐ] *m* ❶ (*Ruderboot mit 4 Ruderern*) four ❷ (*fam: vier richtige Gewinnzahlen*) four winning numbers ❸ SCH (*fam: Zeugnisnote*) D ❹ SPORT foursome

Vie·rer·bob *m* four-man bob **vie·rer·lei** [ˈfiːrɐˈlai̯] *adj attr* four [different]; *s. a.* **achterlei**

vier·fach, 4·fach I. *adj* fourfold; **die ~e Menge** four times the amount; *s. a.* **achtfach II.** *adv* fourfold, four times over; *s. a.* **achtfach Vier·fü·ßer** <-s, -> [ˈfiːɐ̯fyːsɐ] *m* quadruped **vier·hän·dig** [ˈfiːɐ̯hɛndɪç] **I.** *adj* four-handed **II.** *adv* as a duet **vier·hun·dert** [ˈfiːɐ̯ˈhʊndɐt] *adj* four hundred **vier·jäh·rig, 4-jäh·rig**[RR] *adj* ❶ (*Alter*) four-year-old *attr*, four years old *pred*; *s. a.* **achtjährig 1** ❷ (*Zeitspanne*) four-year *attr*; *s. a.* **achtjährig 2 vier·kan·tig** *adj* square **Vier·kant·schlüs·sel** *m* square spanner **vier·köp·fig** *adj* four-person *attr* **Vier·ling** <-s, -e> [ˈfiːɐ̯lɪŋ] *m* quadruplet **vier·mal, 4-mal**[RR] [ˈfiːɐ̯maːl] *adv* four times

vier·mo·to·rig *adj* four-engined **Vier·rad·an·trieb** *m* four-wheel drive **vier·spu·rig I.** *adj* four-lane *attr* **II.** *adv* to four lanes; **die Umgehungsstraße wird ~ ausgebaut** the by-pass will be widened to four lanes **vier·stel·lig** *adj* four-figure *attr;* **eine ~e Zahl** a four-figure number; ■ **~ sein** to be four figures **vier·stö·ckig** *adj* four-storey *attr*

viert [ˈfiːɐ̯t] *adv* **zu ~ sein** to be a party of four; **wir waren zu ~** there were four of us **Vier·takt·mo·tor** *m* four-stroke engine **vier·tau·send** [ˈfiːɐ̯ˈtau̯zn̩t] *adj* four thousand

vier·te(r, s) [ˈfiːɐ̯tə, -tɐ, -təs] *adj* ❶ (*nach dem dritten kommend*) fourth; *s. a.* **achte(r, s) 1** ❷ (*Datum*) 4th; *s. a.* **achte(r, s) 2 vier·tei·len** *vt* HIST to quarter **vier·tei·lig, 4-tei·lig**[RR] *adj Film* four-part; *Besteck* four-piece

vier·tel [ˈfɪrtl̩] *adj* quarter; **drei ~** three-quarters **Vier·tel**[1] <-s, -> [ˈfɪrtl̩] *nt* district, quarter **Vier·tel**[2] <-s, -> [ˈfɪrtl̩] *nt o* SCHWEIZ *m* ❶ (*der vierte Teil*) quarter ❷ (*15 Minuten*) **~ vor/nach drei** [a] quarter to/past [*or* AM *also* after] three

Vier·tel·fi·na·le *nt* quarter-final **Vier·tel·jahr** [fɪrtlˈjaːɐ̯] *nt* quarter of the year; **es dauerte ein ~** it lasted three months **vier·tel·jäh·rig** [fɪrtlja:gjeːrɪç] *adj attr* three-month **vier·tel·jähr·lich** [fɪrtljeːglɪç] *adj, adv* quarterly **Vier·tel·li·ter** *m o nt* quarter of a litre **vier·teln** [ˈfɪrtl̩n] *vt* to divide into quarters **Vier·tel·no·te** *f* MUS crotchet **Vier·tel·stun·de** [fɪrtlˈʃtʊndə] *f* quarter of an hour **vier·tel·stün·dig** [ˈfɪrtlˌʃtʏndɪç] *adj attr* lasting [*or* of] a quarter of an hour; **eine ~e Verspätung** a delay of a quarter of an hour **vier·tel·stünd·lich** [ˈfɪrtlˌʃtʏndlɪç] **I.** *adj attr* quarter-hour, of a quarter of an hour **II.** *adv* every quarter of an hour, quarter-hourly

vier·tens [ˈfiːɐ̯tn̩s] *adv* fourth[ly], in the fourth place

Vier·tü·rer <-s, -> *m* four-door model **Vier·vier·tel·takt** [ˈfɪrtl-] *m* four-four time **vier·zehn** [ˈfɪrtseːn] *adj* fourteen; **~ Tage** a fortnight *esp* BRIT; *s. a.* **acht**[1] **vier·zehn·tä·gig** *adj* two-week *attr;* **eine ~e Reise** a two-week journey **vier·zehn·täg·lich** *adj, adv* every two weeks **vier·zehn·te(r, s)** *adj* fourteenth; *s. a.* **achte(r, s) Vier·zei·ler** <-s, -> [ˈfiːɐ̯tsai̯lɐ] *m* four-line stanza; (*Gedicht*) quatrain **vier·zig** [ˈfɪrtsɪç] *adj* forty; *s. a.* **achtzig vier·zi·ger** *adj,* **40er** [ˈfɪrtsɪgɐ] *adj attr* the forties, the 40s **vier·zig·ste(r, s)** *adj* fortieth; *s. a.* **achte(r, s) Vier·zig·stun·den·wo·che** *f* 40-hour week **Vier·zim·mer·woh·nung** *f* four-room flat [*or* AM apartment]

Viet·nam <-s> [vjɛtˈna(ː)m] *nt* Vietnam;

s. a. **Deutschland**

Viet·na·me·se, Viet·na·me·sin <-n, -n> [vi̯ɛtna'meːzə, vi̯ɛtna'meːzɪn] *m, f* Vietnamese; *s. a.* **Deutsche(r)**

viet·na·me·sisch [vi̯ɛtna'meːzɪʃ] *adj* Vietnamese; *s. a.* **deutsch**

Vi·gnet·te <-, -n> [vɪn'jɛtə] *f* (*Gebührenmarke*) sticker showing fees paid

Vi·kar(in) <-s, -e> [vi'kaːɐ̯] *m(f)* curate

Vil·la <-, Villen> ['vɪla, *pl* 'vɪlən] *f* villa

Vil·len·vier·tel ['vɪlənfɪrtl] *nt* exclusive residential area with many mansions

vi·o·lett [vi̯o'lɛt] *adj* violet, purple

Vi·o·li·ne <-, -n> [vi̯o'liːnə] *f* violin

Vi·o·li·nist(in) <-en, -en> [vi̯oli'nɪst] *m(f)* violinist

Vi·o·lin·schlüs·sel *m* treble clef

Vi·o·lon·cel·lo <-s, -celli> *nt* violoncello

VIP <-, -s> [vɪp] *m Abk von* **very important person** VIP

Vi·per <-, -n> ['viːpɐ] *f* viper

Vi·ren ['viːrən] *pl von* **Virus**

Vi·ren·such·pro·gramm *nt* INFORM antivirus software **Vi·ren·war·nung** *f* INET, INFORM virus warning

vir·tu·ell [vɪr'tu̯ɛl] *adj* virtual

vir·tu·os [vɪr'tu̯oːs] **I.** *adj* virtuoso **II.** *adv* in a virtuoso manner; **ein Instrument ~ beherrschen** to be a virtuoso on an instrument

Vi·rus <-, Viren> ['viːrʊs, *pl* 'viːrən] *nt o m* virus

Vi·rus·grip·pe *f* virus of influenza **Vi·rus·hül·le** *f* BIOL virus envelope **Vi·rus·in·fek·ti·on** *f* viral infection **Vi·rus·krank·heit** *f* viral disease

Vi·sa ['viːza] *pl von* **Visum**

Vi·sa·ge <-, -n> [vi'zaːʒə] *f* (*pej sl*) mug; **jdm in die ~ schlagen** to smash sb in the face *fam*

Vi·sa·gist(in) <-en, -en> [viza'ʒɪst] *m(f)* make-up artist

vis-à-vis, vis-a-vis [viza'viː] *adv* opposite

Vi·sen ['viːzən] *pl von* **Visum**

Vi·sier <-s, -e> [vi'ziːɐ̯] *nt* ❶ (*Zielvorrichtung*) sight ❷ (*Klappe am Helm*) visor ▶ **etw ins ~ nehmen** to train one's sights on sth; **jdn/etw im ~ haben** to keep tabs on sb/sth; **jdn ins ~ nehmen** (*jdn beobachten*) to target sb, to keep an eye on sb; (*jdn kritisieren*) to pick on sb

Vi·si·on <-, -en> [vi'zi̯oːn] *f* ❶ (*übernatürliche Erscheinung*) apparition; (*Halluzination*) vision; **~en haben** to see things ❷ (*Zukunftsvorstellungen*) vision

Vi·si·te <-, -n> [vi'ziːtə] *f* (*Arztbesuch*) round; **~ machen** to do one's round

Vi·si·ten·kar·te *f* business card

Vis·ko·se <-> [vɪs'koːzə] *f kein pl* viscose *no pl*

vi·su·ell [vi'zu̯ɛl] *adj* visual

Vi·sum <-s, Visa *o* Visen> ['viːzʊm, *pl* 'viːza, 'viːzən] *nt* visa

vi·tal [vi'taːl] *adj* (*geh*) ❶ (*Lebenskraft besitzend*) lively, vigorous ❷ (*lebenswichtig*) vital

Vi·ta·li·tät <-> [vitali'tɛt] *f kein pl* vitality, vigour

Vi·ta·min <-s, -e> [vita'miːn] *nt* vitamin ▶ **~ B** (*hum fam*) good contacts *pl*

Vi·ta·min·man·gel *m* vitamin deficiency **Vi·ta·min·prä·pa·rat** *nt* vitamin supplement **Vi·ta·min·ta·blet·te** *f* vitamin tablet [*or* AM *usu* pill]

Vi·tri·ne <-, -n> [vi'triːnə] *f* (*Schaukasten*) display case; (*Glas~*) glass cabinet

Vi·ze·kanz·ler(in) *m(f)* vice-chancellor

Vi·ze·prä·si·dent(in) *m(f)* vice president

Vlies <-es, -e> [fliːs, *pl* 'fliːzə] *nt* fleece

V-Mann <-leute> ['faṷ-] *m s.* **Verbindungsmann** intermediary

Vo·gel <-s, Vögel> ['foːgl, *pl* 'føːgl] *m* ❶ ORN bird ❷ (*fam: auffallender Mensch*) **ein lustiger ~** a bit of a joker; **ein seltsamer ~** a queer [*or* AM strange] bird ▶ **einen ~ haben** to have a screw loose; **jdm den ~ zeigen** to indicate to sb that they're crazy by tapping one's forehead

Vo·gel·beer·baum *m* rowan [tree] **Vo·gel·bee·re** *f* rowan berry **Vo·gel·fut·ter** *nt* bird food **Vogel·grip·pe** *f* MED bird flu *fam*, avian influenza *spec* **Vo·gel·haus** *nt* bird house **Vo·gel·kä·fig** *m* birdcage **Vo·gel·kir·sche** *f* gean

vö·geln ['føːgln] *vi* (*derb*) to screw

Vo·gel·nest *nt* bird's nest **Vo·gel·per·spek·ti·ve** *f* bird's eye view **Vo·gel·scheu·che** <-, -n> *f* scarecrow **Vo·gel·schutz·ge·biet** *nt* bird sanctuary [*or* AM reserve] **Vo·gel-Strauß-Po·li·tik** [foːgl'ʃtraṷspolitiːk] *f kein pl* (*fam*) head-in-the-sand policy

Vo·ge·sen <-> [vo'geːzn̩] *pl* Vosges *pl*

Vo·ka·bel <-, -n> [vo'kaːbl] *f* word; **~n lernen** to learn vocabulary *sing*

Vo·ka·bu·lar <-s, -e> [vokabu'laːɐ̯] *nt* vocabulary

Vo·kal <-s, -e> [vo'kaːl] *m* vowel

Volk <-[e]s, Völker> [fɔlk, *pl* 'fœlkɐ] *nt* ❶ (*Nation*) nation, people ❷ *kein pl* (*fam: die Masse Mensch*) masses *pl;* **das ~ aufwiegeln** to incite the masses; **sich unters ~ mischen** to mingle with the people ❸ *kein pl* (*untere Bevölkerungsschicht*) people *npl;* **ein Mann aus dem ~** a man of the people ❹ (*Insektengemeinschaft*) colony

Völ·ker·ball *m kein pl* SPORT *game played by two teams who try to eliminate the members of the opposing team by hitting them with a ball* **Völ·ker·bund** *m kein pl* HIST League of Nations **Völ·ker·ge·mein·schaft** *f* international community **Völ·ker·kun·de** <-> *f kein pl* ethnology **Völ·ker·kun·de·mu·se·um** *nt* museum of ethnology **Völ·ker·mord** *m* genocide **Völ·ker·recht** *nt kein pl* international law **völ·ker·recht·lich I.** *adj* of international law **II.** *adv* under international law **Völ·ker·ver·stän·di·gung** *f kein pl* international understanding **Völ·ker·wan·de·rung** *f* ❶ HIST migration of peoples ❷ (*fam*) mass exodus

Volks·ab·stim·mung *f* referendum

Volks·bank *f* people's bank **Volks·be·fra·gung** *f* referendum **Volks·be·geh·ren** *nt* petition for a referendum **volks·ei·gen** *adj* ❶ (*in Namen*) People's Own ❷ HIST (*in der ehemaligen DDR*) nationally-owned **Volks·ent·scheid** *m* referendum **Volks·fest** *nt* fair **Volks·front** *f* POL popular front **Volks·held(in)** *m(f)* national hero **Volks·hoch·schu·le** *f* adult education centre **Volks·in·it·ia·ti·ve** *f* SCHWEIZ (*Volksbegehren*) petition for a referendum **Volks·krank·heit** *f* common illness

volks·kund·lich [ˈfɔlkskʊntlɪç] *adj* folkloric

Volks·lied *nt* folk song **Volks·mär·chen** *nt* folktale **Volks·mund** *m kein pl* vernacular; **im ~** in the vernacular **Volks·mu·sik** *f* folk music **Volks·nähe** *f* approachability **Volks·re·pu·blik** *f* People's Republic **Volks·schau·spie·ler(in)** *m(f)* FILM, THEAT crowd-pleasing actor **Volks·schu·le** *f* ÖSTERR (*Grundschule*) primary school **Volks·sport** *m* national sport **Volks·stamm** *m* tribe **Volks·tanz** *m* folk dance

volks·tüm·lich [ˈfɔlksty:mlɪç] *adj* traditional

Volks·ver·dum·mung <-> *f kein pl* stupefaction of the people **Volks·ver·het·zung** *f* incitement of the people **Volks·ver·tre·ter(in)** *m(f)* representative [*or* delegate] of the people **Volks·wirt(in)** *m(f)* economist **Volks·wirt·schaft** *f* national economy **volks·wirt·schaft·lich I.** *adj* economic **II.** *adv* economically **Volks·wirt·schafts·leh·re** *f* economics *nsing* **Volks·zäh·lung** *f* [national] census **Volks·zorn** *m kein pl* SOZIOL public anger

voll [fɔl] **I.** *adj* ❶ (*gefüllt*) full (**mit** of); **das**

Glas ist **~ Wasser** the glass is full of water; **eine Hand ~ Reis** a handful of rice; **~ sein** (*fam: satt*) to be full up; **~ gestopft** *Koffer* stuffed full ❷ (*vollständig*) full, whole; **den ~en Preis bezahlen** to pay the full price; **etw in ~en Zügen genießen** to enjoy sth to the full; **ein ~er Erfolg** a total success; **ich musste ein ~es Jahr warten** I had to wait a whole year; **jede ~e Stunde** every hour on the hour; **in ~er Größe** full-size ❸ (*kräftig*) *Stimme* rich; *Haar* thick ❹ (*sl: betrunken*) ∎**~ sein** to be plastered ▸ **jdn nicht für ~ nehmen** not to take sb seriously; **aus dem V~en schöpfen** to draw on plentiful resources **II.** *adv* ❶ (*vollkommen*) completely; **ihr Sehvermögen wurde wieder ~ hergestellt** her sight was completely restored ❷ (*uneingeschränkt*) fully; **~ und ganz** totally; **wir standen ~ hinter dieser Entscheidung** we were fully behind this decision; **etw ~ ausnutzen** to take full advantage of sth; **nicht ~ da sein** to not be quite with it; (*total*) really; **die Band finde ich ~ gut** I think the band is brilliant ❸ (*mit aller Wucht*) right, smack; **der Wagen war ~ gegen den Pfeiler geprallt** the car ran smack into the pillar

voll·auf [ˈfɔlʔaʊf] *adv* fully, completely; **~ zufrieden sein** to be absolutely satisfied

voll·au·to·ma·tisch I. *adj* fully automatic **II.** *adv* fully automatically **Voll·bad** *nt* bath **Voll·bart** *m* full beard **Voll·be·schäf·ti·gung** *f kein pl* full employment **Voll·be·sitz** *m* **im ~ seiner Kräfte sein** to be in full possession of one's strength *sing* **Voll·blut** *nt* ❶ (*reinrassiges Pferd*) thoroughbred ❷ *kein pl* MED whole blood

Voll·blü·ter <-s, -> *m s.* Vollblut 1

Voll·brem·sung *f* emergency stop **voll·brin·gen*** *vt irreg* to accomplish; *Wunder* to perform **voll·bu·sig** *adj* buxom, busty; ∎**~ sein** to have large breasts **Voll·dampf** *m* ▸ **mit ~** flat out; **~ voraus** full steam ahead

Völ·le·ge·fühl <-[e]s> *nt kein pl* unpleasant feeling of fullness

voll·en·den* [fɔlˈʔɛndn̩] *vt* to complete; **jdn vor ~e Tatsachen stellen** to present sb with a fait accompli

voll·en·det *adj* *Redner* accomplished; *Schönheit* perfect

voll·ends [ˈfɔlɛnts] *adv* (*völlig*) completely, totally

Voll·en·dung <-, -en> [fɔlˈʔɛndʊŋ] *f* ❶ (*das Vollenden*) completion; **mit ~ des 50. Lebensjahres** on completion of his/her fiftieth year ❷ *kein pl* (*Perfektion*) perfection

vol·ler *adj* ❶ *(voll bedeckt)* **ein Gesicht ~ Falten** a very wrinkled face; **ein Hemd ~ Flecken** a shirt covered in stains ❷ *(erfüllt)* full of; **ein Leben ~ Schmerzen** a life full of pain

Völ·le·rei <-, -en> [fœlə'raɪ] *f* gluttony

Vol·ley·ball ['vɔli-] *m* volleyball

voll·füh·ren* [fɔl'fyːrən] *vt* to perform

Voll·gas *nt kein pl* full speed; **~ geben** to put one's foot down; **mit ~** at full throttle; *(mit größter Intensität)* flat out **Voll·idi·ot(in)** *m(f)* complete idiot

völ·lig ['fœlɪç] **I.** *adj* complete **II.** *adv* completely; **Sie haben ~ recht** you're absolutely right

voll·jäh·rig ['fɔljɛːrɪç] *adj* of age; ■ **~ werden** to come of age

Voll·jäh·rig·keit <-> *f kein pl* majority

Voll·ju·rist(in) *m(f)* fully qualified lawyer

voll·kas·ko·ver·si·chert *adj* comprehensively insured; **ist Ihr Auto ~?** is your car fully comp? *fam* **Voll·kas·ko·ver·si·che·rung** *f* fully comprehensive insurance **voll·kli·ma·ti·siert** *adj* fully air-conditioned

voll·kom·men [fɔl'kɔmən] **I.** *adj* ❶ *(perfekt)* perfect ❷ *(völlig)* complete **II.** *adv* completely; **~ unmöglich sein** to be absolutely impossible; **er blieb ~ ruhig** he remained completely calm

Voll·kom·men·heit <-> *f kein pl* perfection

Voll·korn·brot *nt* wholemeal [*or* Am wholegrain] bread **Voll·macht** <-, -en> ['fɔlmaxt] *f* ❶ *(Ermächtigung)* authorization; **jdm [die] ~ für etw** *akk* **geben** to authorize sb to do sth ❷ *(Schriftstück)* power of attorney; **eine ~ haben** to have power of attorney **Voll·milch** *f* full-cream milk Brit, whole milk Am **Voll·milch·scho·ko·la·de** *f* full-cream [*or* Am whole] milk chocolate **Voll·mit·glied** *nt* full member **Voll·mit·glied·schaft** *f* full membership **Voll·mond** *m kein pl* full moon; **bei ~** when the moon is full

voll·mun·dig **I.** *adj* ❶ *(voll im Geschmack)* full-bodied ❷ *(pej: übertrieben formuliert)* overblown *pej;* **vor den Wahlen machen Politiker immer diese ~en Versprechungen** before the election politicians always make these overblown promises **II.** *adv* ❶ *(abgerundet)* Bier, Wein full-bodied ❷ *(pej: großspurig)* grandiosely *pej;* **was gestern noch ~ versprochen wurde, ist heute vergessen** all the grandiose promises made yesterday are forgotten today

Voll·nar·ko·se *f* general anaesthetic **Voll·pen·si·on** *f kein pl* full board; **mit ~** for full board **Voll·play·back** <-s, -s> [-'pleːbɛk] *nt* MUS, MEDIA full playback **Voll·rausch** *m* drunken stupor; **einen ~ haben** to be in a drunken stupor **voll·schlank** *adj* plump

voll·stän·dig ['fɔlʃtɛndɪç] **I.** *adj* complete, entire; **nicht ~** incomplete **II.** *adv* completely

Voll·stän·dig·keit <-> *f kein pl* completeness *no pl;* **der ~ halber** for the sake of completeness

voll·stre·cken [fɔl'ʃtrɛkn̩] *vt* to carry out; *Testament* to execute

Voll·stre·ckung <-, -en> *f* execution

Voll·stre·ckungs·be·fehl *m* enforcement order

Voll·tref·fer *m* ❶ *(direkter Treffer)* direct hit, bull's eye *fig fam;* **einen ~ landen** to land a good punch ❷ *(fam: voller Erfolg)* complete success **Voll·ver·samm·lung** *f* general meeting **Voll·wai·se** *f* orphan **Voll·wasch·mit·tel** *nt* laundry detergent *that can be used for all temperatures* **voll·wer·tig** *adj* ❶ *Lebensmittel* nutritious ❷ *Ersatz* fully adequate; **jdn als ~ behandeln** to treat sb as an equal **Voll·wert·kost** *f kein pl* wholefoods *pl*

voll·zäh·lig ['fɔltsɛːlɪç] **I.** *adj* *(komplett)* complete, whole; ■ **~ sein** to be all present **II.** *adv* at full strength; **nun, da wir ~ versammelt sind, können wir ja anfangen** well, now everyone's here, we can begin

voll·zie·hen* [fɔl'tsiːən] *irreg* **I.** *vt* to carry out *sep; Urteil* to execute **II.** *vr* ■ **sich ~** to take place

Voll·zug [fɔl'tsuːk] *m kein pl* ❶ *(das Vollziehen)* execution ❷ *(Straf-)* imprisonment **Voll·zugs·an·stalt** *f* penal institution **Voll·zugs·be·am·te(r)** *f(m) dekl wie adj* [prison] warden

Vo·lon·tär(in) <-s, -e> [volɔn'tɛːɐ̯] *m(f)* trainee, intern Am

Vo·lon·ta·ri·at <-[e]s, -e> [volɔn-ta'rḭaːt] *nt* ❶ *(Ausbildungszeit)* period of training, internship Am ❷ *(Stelle)* trainee position, internship Am

Volt <-[e]s, -> [vɔlt] *nt* volt

Vo·lu·men <-s, - *o* Volumina> [vo'luːmən, *pl* -mina] *nt* volume

vo·lu·mi·nös [volumi'nøːs] *adj* voluminous

vom [fɔm] = **von dem** from

von [fɔn] *präp* +*dat* ❶ *räumlich (ab, herkommend)* from; **~ woher...?** where ...from?, from where...?; **~ diesem Fenster kann man alles sehen** you can see everything from this window; **diese Eier sind ~ unserem eigenen Hof** these eggs are from our own farm; (*aus ... herab/ heraus*) off; **er fiel ~ der Leiter** he fell off the ladder ❷ *räumlich* (*etw entfernend*) from, off; **die Wäsche ~ der Leine nehmen** to take the washing off the line; **Schweiß ~ der Stirn wischen** to wipe sweat from one's brow ❸ *zeitlich* (*stammend*) from; **die Zeitung ~ gestern** yesterday's paper; **ich kenne sie ~ früher** I knew her a long time ago; **~ jetzt an** from now on; **~ wann ist der Brief?** when is the letter from? ❹ (*Urheber, Ursache*) **~ jdm gelobt werden** to be praised by sb; **müde ~ der Arbeit** tired of work; **~ wem ist dieses Geschenk?** who is this present from?; **~ wem weißt du das?** who told you that?; **~ wem ist dieser Roman?** who is this novel by?; **das war nicht nett ~ dir!** that was not nice of you! ❺ *statt gen* (*Zugehörigkeit*) of; **die Königin ~ England** the Queen of England; **die Musik ~ Beethoven** Beethoven's music ❻ (*Gruppenangabe*) of; **einer ~ vielen** one of many; **keiner ~ uns wusste Bescheid** none of us knew about it ❼ (*Eigenschaft*) of; **ein Mann ~ Charakter** a real character; **eine Angelegenheit ~ größter Wichtigkeit** an extremely important matter ❽ (*bei Maßangaben*) of; **eine Pause ~ zehn Minuten** a ten minute break; **einen Abstand ~ zwei Metern** a distance of two metres ▶ **~ wegen!** no way!

von·ein·an·der [fɔnʔaiˈnandɐ] *adv* from each other, from one another; **wir könnten viel ~ lernen** we could learn a lot from each other; **die beiden Städte sind 20 Kilometer ~ entfernt** the two towns are twenty kilometres apart

von·stat·ten|ge·hen [fɔnˈʃtatn̩-] *vi* to take place

vor [fo:ɐ] **I.** *präp* ❶ (*davor befindlich*) in front of; **sie ließ ihn ~ sich her gehen** she let him go in front of her; **~ sich hin summen** (*fam*) to hum to oneself; **der Unfall geschah 2 km ~ der Stadt** the accident happened 2 km outside the town; **~ etw** *dat* **davonlaufen** (*fig*) to run away from sth; **sich ~ jdm schämen** to feel ashamed in front of sb ❷ (*in Bezug auf*) regarding, with regards to; **jdn ~ jdm warnen** to warn sb about sb ❸ (*eher*) before; **vor kurzem/hundert Jahren** a short time/hundred years ago; **es ist zehn ~ zwölf** it is ten to twelve; **~ jdm am Ziel sein** to get somewhere before sb else; **ich war ~ dir dran** I was before you ❹ (*be-*

dingt durch) with; **starr ~ Schreck** rigid with horror; **~ Kälte zittern** to shake with cold **II.** *adv* forward; **~ und zurück** backwards and forwards; **Freiwillige ~!** volunteers one step forward!

vor·ab [foːɐ̯ˈʔap] *adv* first, to begin with; **~ einige Informationen** let me first give you some information

Vor·abend <-s, -e> [ˈfoːɐ̯ʔaːbn̩t] *m* **am ~** [einer **S.** *gen*] on the evening before [sth], on the eve [of sth]

Vor·ah·nung *f* premonition; **~en haben** to have a premonition

vo·ran [foˈran] *adv* ❶ (*vorn befindlich*) first; **der Lehrer geht ~** the teacher goes first ❷ (*vorwärts*) forwards

vo·ran|brin·gen [foˈranbrɪŋən] *vt irreg* ▪ **etw ~** to advance sth; ▪ **jdn ~** to allow sb to advance **vo·ran|ge·hen** *vi irreg sein* ❶ (*an der Spitze gehen*) to go ahead [of sb]; **geht ihr mal voran, ihr kennt den Weg** you go ahead, you know the way ❷ *a. impers* (*Fortschritte machen*) to make progress; **die Arbeiten gehen zügig voran** rapid progress is being made with the work ❸ (*einer Sache vorausgehen*) to precede; **dem Projekt gingen lange Planungsphasen voran** the project was preceded by long phases of planning **vo·ran|kom·men** *vi irreg sein* ❶ (*vorwärtskommen*) to make headway ❷ (*Fortschritte machen*) to make progress (**mit** with); **wie kommt ihr voran mit der Arbeit?** how are you getting along with the work?

Vor·an·kün·di·gung *f* advance notice

Vor·an·mel·dung [ˈfoːɐ̯ʔanmɛldʊŋ] *f* appointment, booking

Vor·an·schlag *m* estimate

vo·ran|trei·ben *vt irreg* to push ahead; (*Projekt*) to make progress

Vor·ar·beit *f* groundwork, preliminary [*or* preparatory] work; [*gute*] **~ leisten** to prepare the ground [well] *also fig;* **es ist noch einige ~ zu leisten** there's still some preparatory work to do

Vor·ar·bei·ter(in) *m(f)* foreman *masc,* forewoman *fem*

Vor·arl·berg [ˈfoːɐ̯ʔarlbɛrk] Vorarlberg (*federal state of Austria*)

vo·raus [foˈraus] *adv* in front, ahead; **jdm ~ sein** to be ahead of sb; **im V~** in advance

Vo·raus·ex·em·plar *nt* TYPO advance copy

vo·raus|fah·ren *vi irreg sein* to drive on ahead **vo·raus|ge·hen** [foˈrausgeːən] *vi irreg sein* to go on ahead; **einem Unwetter geht meistens ein Sturm voraus** bad weather is usually preceded by a storm

vo·raus·ge·setzt *adj* ▪ **~,** [dass] ... provided [that]

vo·raus|ha·ben *vt irreg* ▪ |jdm| etw ~ to have the advantage of sth [over sb] **Vo· raus·sa·ge** <-, -en> *f* prediction **vo· raus|sa·gen** *vt* to predict **Vo·raus· schau** *f* foresight; (*finanziell*) projection; **in kluger/weiser ~** with sensible/wise foresight **vo·raus·schau·en** *vi* to look ahead **vo·raus·schau·end I. *adj*** fore-sighted **II. *adv*** foresightedly; **bei langfristigen Projekten muss ~ geplant werden** with long-term projects planning must be conducted with an eye to the future **vo· raus|schi·cken** *vt* ❶ (*vor jdm losschicken*) to send on ahead ❷ (*vorher sagen*) to say in advance **vo·raus|se·hen** *vt irreg* to foresee; **das war vorauszusehen!** that was to be expected! **vo·raus|set·zen** *vt* ❶ (*als selbstverständlich erachten*) to assume; **gewisse Fakten muss ich als bekannt ~** I have to assume that certain facts are known ❷ (*erfordern*) to require; **diese Position setzt besondere Kenntnisse voraus** this position requires special knowledge **Vo·raus·set·zung** <-, -en> *f* ❶ (*Vorbedingung*) precondition; **unter der ~, dass ...** on condition that ...; **unter bestimmten ~en** under certain conditions; **er hat für diesen Job nicht die richtigen ~en** he hasn't got the right qualifications for this job ❷ (*Annahme*) assumption, premise

Vo·raus·sicht *f kein pl* foresight; **in weiser ~** (*hum*) with great foresight; **aller ~ nach** in all probability

vo·raus·sicht·lich [fo'rauszʏçtlɪç] **I. *adj*** (*erwartet*) expected **II. *adv*** (*wahrscheinlich*) probably

vo·raus|zah·len *vt* to pay in advance **Vo· raus·zah·lung** *f* advance payment

Vor·bau <-[e]s, -bauten> ['fo:ɐ̯bau̯, *pl* -bau̯tən] *m* porch

Vor·be·dacht ['fo:ɐ̯bədaxt] *m* **mit ~** intentionally; **ohne ~** unintentionally

Vor·be·din·gung *f* precondition

Vor·be·halt <-[e]s, -e> ['fo:ɐ̯bəhalt] *m* reservation; **~e gegen etw** *akk* **haben** to have reservations about sth; **ohne ~** without reservation; **unter ~** with reservations *pl*

vor|be·hal·ten* *vt irreg* ▪ **sich** *dat* |etw| ~ to reserve [sth] for oneself; **Änderungen ~** subject to alterations; **alle Rechte ~** all rights reserved; **die Entscheidung bleibt natürlich Ihnen ~** the decision will be left to you of course

vor·be·halt·lich I. *präp* ▪ **~ einer S.** *gen* subject to sth **II. *adj*** **eine ~e Genehmi-**

gung conditional approval

vor·be·halt·los I. *adj* unreserved **II. *adv*** unreservedly, without reservation

vor·bei [fo:ɐ̯'bai̯] *adv* ❶ (*vorüber*) ▪ **an etw** *dat* ~ past sth; **wir sind schon an München ~** we have already passed Munich; **schon wieder ~, ich treffe nie** missed again, I never score ❷ (*vergangen*) ▪ **~ sein** to be over; **es ist drei Uhr ~** it's gone three o'clock; **aus und ~** over and finished

vor·bei|brin·gen *vt irreg* ▪ **etw ~** to drop sth off; **wir bringen Ihnen Ihre Pizza zu Hause vorbei** we'll deliver your pizza to your doorstep **vor·bei|fah·ren** *irreg* **I. *vt*** **haben** (*fam: hinbringen*) ▪ **jdn ~** to drop sb off **II. *vi sein*** ❶ (*vorüberfahren*) to drive past; **ich habe im V~ nicht sehen können, was auf dem Schild stand** I couldn't see in passing what was on the sign ❷ (*kurz aufsuchen*) **ich fahre noch beim Supermarkt vorbei** I'm going to call in at the supermarket **vor·bei|füh·ren** *vi* ▪ **an etw** *dat* ~ to lead past sth **vor· bei|ge·hen** [fo:ɐ̯'bai̯ɡeːən] *vi irreg sein* ❶ (*vorübergehen*) to go past; ▪ **im V~** in passing; (*überholen*) to overtake; (*danebengehen*) to miss [sb/sth]; **sie ging dicht an uns vorbei, erkannte uns aber nicht** she walked right past us, but didn't recognize us ❷ (*aufsuchen*) to call in; **gehe doch bitte auf dem Rückweg bei der Apotheke vorbei** please could you drop in at the chemist's on the way back ❸ (*vergehen*) ▪ **etw geht vorbei** sth passes **vor· bei|kom·men** *vi irreg sein* ❶ (*passieren*) to pass; **sag Bescheid, wenn wir an einer Telefonzelle ~** let me know when we pass a telephone box ❷ (*besuchen*) to drop in (**bei** at) ❸ (*vorbeigehen können*) to get past; **an dieser Tatsache kommen wir nicht vorbei** (*fig*) we can't escape this fact **vor·bei|las·sen** *vt irreg* ❶ (*vorbeigehen lassen*) to let pass; **lassen Sie uns bitte vorbei!** let us through please! ❷ (*verstreichen lassen*) to let go by; **eine Gelegenheit ungenutzt ~** to let an opportunity slip **vor·bei|re·den** *vi* **am Thema ~** to miss the point; **aneinander ~** to be talking at cross purposes *pl* **vor·bei|zie·hen** *vi irreg sein* (*vorüberziehen*) to pass by; *Wolken, Rauch* to drift past; **die Ereignisse in der Erinnerung ~ lassen** (*fig fam*) to let events go through one's mind

vor·be·las·tet *adj* at a disadvantage; **erb·lich ~ sein** to have an inherited defect

Vor·be·mer·kung *f* preface, foreword

vor|be·rei·ten* **I. *vt*** to prepare (**für/auf**

for) **II.** *vr* ▪ **sich ~** to prepare oneself (**für/ auf** for); **wir bereiten uns auf ihre Ankunft vor** we're preparing for her arrival

vor·be·rei·tend *adj attr* preparatory

Vor·be·rei·tung <-, -en> *f* preparation; **~en** [**für etw** *akk*] **treffen** to make preparations [for sth]

Vor·be·sit·zer(in) <-s, -> *m(f)* previous owner

vor|be·stel·len * *vt* to order in advance; **ich möchte bitte zwei Karten ~** I'd like to book two tickets please

Vor·be·stel·lung *f* advance booking

Vor·be·stim·mung <-, -en> *f* fate

vor·be·straft *adj* (*fam*) previously convicted (**wegen** for); **mehrfach ~ sein** to have several previous convictions; **nicht ~ sein** to not have a criminal record

Vor·be·straf·te(r) *f(m) dekl wie adj* person with a previous conviction

vor|beu·gen I. *vt* (*nach vorne beugen*) to bend forward **II.** *vi* (*Prophylaxe betreiben*) **einer Krankheit/Gefahr ~** to prevent an illness/danger **III.** *vr* ▪ **sich ~** to lean forward

vor·beu·gend I. *adj* preventive; **eine ~e Maßnahme** a preventive measure **II.** *adv* as a precautionary measure; **sich ~ imp·fen lassen** to be vaccinated as a precaution

Vor·beu·gung <-, -en> *f* prevention; **zur ~ [gegen etw** *akk*] as a prevention [against sth]

Vor·bild <-[e]s, -er> [ˈfoːɐ̯bɪlt] *nt* example; **nach dem ~ von ...** following the example set by ...; **ein leuchtendes/schlechtes ~** a shining/poor example; [**jdm**] **als ~ die·nen** to serve as an example [for sb]

vor·bild·lich I. *adj* exemplary **II.** *adv* in an exemplary manner

Vor·bil·dung *f kein pl* educational background

Vor·bo·te *m* harbinger, herald

vor|brin·gen *vt irreg* ▪ **etw ~** to have sth to say (**gegen** about); *Argument* to put forward; *Bedenken* to express; *Einwand* to raise

vor·christ·lich *adj attr* **in ~er Zeit** in pre-Christian times

Vor·dach *nt* canopy

vor|da·tie·ren * [foːɐ̯datiːrən] *vt* to post-date

Vor·den·ker(in) *m(f)* progressive thinker

Vor·der·ach·se *f* front axle

Vor·der·a·si·en <-s> *nt* Near East

vor·de·re(r, s) [ˈfɔrdərə, -rə, -rəs] *adj* front; **die Explosion zerstörte den ~n Bereich des Domes** the explosion

destroyed the front [section] of the cathedral

Vor·der·front *f* frontage

Vor·der·grund *m a.* KUNST, FOTO foreground; **etw in den ~ stellen** to give priority to sth; **im ~ stehen** to be the centre of attention; **in den ~ treten** to come to the fore

vor·der·grün·dig I. *adj* superficial **II.** *adv* at first glance

Vor·der·mann *m* ▪ **jds ~** person in front of sb ▸ **etw auf ~ bringen** (*fam*) to lick sth into shape **Vor·der·rad** *nt* front wheel **Vor·der·rad·an·trieb** *m* front-wheel drive **Vor·der·schin·ken** *m* shoulder ham *no indef art, no pl* **Vor·der·sei·te** *f* front [side] **Vor·der·sitz** *m* front seat

vor·der·ste(r, s) [ˈfɔrdəstə, -stə, -stəs] *adj superl von* **vordere(r, s)** foremost; **die ~n Plätze** the seats at the very front

Vor·der·teil [ˈfɔrdətaɪl] *m o nt* front [part]

Vor·di·plom *nt* intermediate diploma (*first part of the final exams towards a diploma*)

vor|drän·geln *vr*, **vor|drän·gen** *vr* ▪ **sich ~** to push to the front

vor|drin·gen *vi irreg sein* to reach, to get as far as

vor·dring·lich [ˈfoːɐ̯drɪŋlɪç] **I.** *adj* ADMIN (*form*) urgent, pressing, most important; **~e Aufgaben** priority tasks **II.** *adv* as a matter of urgency; **~ zu besprechende Punkte** points in urgent need of discussion

Vor·druck <-[e]s, -drucke> *m* form

vor·ehe·lich *adj attr* pre-marital

vor·ei·lig [ˈfoːɐ̯ʔaɪlɪç] **I.** *adj* rash, over-hasty **II.** *adv* rashly, hastily; **~ schließen, dass ...** to jump to the conclusion that ...

vor·ein·an·der [foːɐ̯ʔaɪˈnandɐ] *adv* in front of each other; **Angst ~ haben** to be afraid of each other; **Geheimnisse ~ haben** to have secrets from each other

vor·ein·ge·nom·men [ˈfoːɐ̯ʔaɪŋənɔmən] *adj* prejudiced (**gegenüber** against)

Vor·ein·ge·nom·men·heit <-> *f kein pl* prejudice

Vor·ein·stel·lung *f* INFORM previously installed setting

vor|ent·hal·ten * [ˈfoːɐ̯ʔɛnthaltn̩] *vt irreg* ▪ [**jdm**] **etw ~** to withhold sth [from sb]

Vor·ent·schei·dung *f* preliminary decision

vor·erst [ˈfoːɐ̯ʔeːɐ̯st] *adv* for the time being, for the present

Vor·fahr(in) <-en, -en> [ˈfoːɐ̯faːɐ̯] *m(f)* forefather, ancestor

vor|fah·ren *irreg* **I.** *vi sein* ❶ (*vor ein Gebäude fahren*) to drive up ❷ (*ein Stück*

weiterfahren) to move up ③ (*früher fahren*) to drive on ahead **II.** *vt haben* (*vor ein Gebäude fahren*) ■**etw ~** to bring sth around; ■**etw ~ lassen** to have sth brought around

Vor·fahrt ['foːɐ̯faːɐ̯t] *f kein pl* right of way; **~ haben** to have [the] right of way; **jdm die ~ nehmen** to fail to give way to sb

Vor·fahrts·schild *nt* right of way sign

Vor·fahrts·stra·ße *f* main road

Vor·fall *m* incident, occurrence

vor|fal·len *vi irreg sein* to happen, to occur *form*

Vor·feld *nt* ▶**im ~ von etw** *dat* in the run-up to sth

vor|fin·den *vt irreg* to find

Vor·freu·de *f* [excited] anticipation (**auf** of)

vor|füh·len *vi* to put out a few feelers; ■**bei jdm ~** to sound out *sep* sb

vor|füh·ren *vt* ① MODE (*präsentieren*) to model ② (*darbieten*) to perform ③ JUR **jdn dem Richter ~** to bring sb before the judge ④ (*bloßstellen*) ■**jdn ~** to show sb up

Vor·füh·rung *f* ① FILM showing ② MODE modelling

Vor·ga·be *f* ① *meist pl* (*Richtwert*) guideline ② SPORT [head] start

Vor·gang <-(e)s, -gänge> *m* ① (*Geschehnis*) event ② (*Prozess*) process

Vor·gän·ger(in) <-s, -> *m(f)* predecessor

Vor·gän·ger·re·gie·rung *f* previous government

Vor·gar·ten *m* front garden

vor|gau·keln *vt* ■**jdm etw ~** to lead sb to believe in sth

vor|ge·ben *irreg* **I.** *vt* ① (*vorschützen*) to use as an excuse ② (*nach vorn geben*) to pass forward ③ (*festlegen*) to set in advance **II.** *vi* ■**~** [**, dass ...**] to pretend [that ...]

Vor·ge·bir·ge *nt* foothills *pl*

vor·ge·fasst[RR] *adj,* **vor·ge·faßt**[ALT] *adj* preconceived

vor·ge·fer·tigt *adj* prefabricated

vor|ge·hen *vi irreg sein* ① (*vorausgehen*) to go on ahead ② (*zu schnell gehen*) to be fast; **meine Uhr geht fünf Minuten vor** my watch is five minutes fast ③ (*Priorität haben*) to have priority, to come first ④ (*Schritte ergreifen*) to take action (**gegen** against) ⑤ (*sich abspielen*) ■[**ir·gendwo**] **~** to go on [somewhere]; ■[**in jdm**] **~** to go on [inside sb] ⑥ (*verfahren*) to proceed (**bei** in)

Vor·ge·hens·wei·se *f* procedure

vor·ge·la·gert *adj* GEOG offshore

Vor·ge·plän·kel *nt* preliminary skirmish

Vor·ge·schich·te *f* ① (*vorausgegangener Verlauf*) [past] history ② *kein pl* (*Prähistorie*) prehistory *no indef art, no pl,* prehistoric times *pl*

Vor·ge·schmack *m kein pl* foretaste; **jdm einen ~** [**von etw** *dat*] **geben** to give sb a foretaste [of sth]

Vor·ge·setz·te(r) *f(m) dekl wie adj* superior

Vor·ge·spräch *nt* first interview

vor·ges·tern ['foːɐ̯gɛstɐn] *adv* the day before yesterday; **~ Abend/Mittag** the evening before last/the day before yesterday at midday; **~ Morgen/Nacht** the morning/night before last

vor|grei·fen *vi irreg* to anticipate; **aber fahren Sie doch fort, ich will Ihnen nicht ~** do continue, I didn't mean to jump in ahead of you

vor|ha·ben ['foːɐ̯haːbn̩] *vt irreg* ■**etw ~** to have sth planned; **wir haben große Dinge mit Ihnen vor** we've got great plans for you; **hast du etwa vor, noch weiterzuarbeiten?** do you intend to carry on working?

Vor·ha·ben <-s, -> ['foːɐ̯haːbn̩] *nt* plan, project

Vor·hal·le *f* entrance hall; (*eines Hotels/Theaters*) foyer

vor|hal·ten *irreg* **I.** *vt* ■**jdm etw ~** ① (*vorwerfen*) to reproach sb for sth ② (*davorhalten*) to hold sth [in front of sb] **II.** *vi* to last

Vor·hal·tung *f meist pl* reproach; **jdm ~en machen** *gen* to reproach sb (**wegen** for)

Vor·hand <-> ['foːɐ̯hant] *f kein pl* forehand

vor·han·den ['foːɐ̯handn̩] *adj* ① (*verfügbar*) available; ■**~ sein** to be left ② (*existierend*) which exist *pred,* existing

Vor·han·den·sein <-s> *nt kein pl* availability

Vor·hang <-s, Vorhänge> ['foːɐ̯haŋ, *pl* 'foːɐ̯hɛŋə] *m* curtain

Vor·hän·ge·schloss[RR] *nt* padlock

Vor·haut *f* ANAT foreskin

vor·her [foːɐ̯'heːɐ̯] *adv* beforehand; **wir fahren bald los, ~ sollten wir aber noch etwas essen** we're leaving soon, but we should have something to eat before we go; **die Besprechung dauert bis 15 Uhr, ~ darf ich nicht gestört werden** the meeting is due to last until 3 o'clock, I mustn't be disturbed until then

vor·her|be·stim·men* *vt* to predetermine; ■**vorherbestimmt sein** to be predestined **vor·her·ge·hend** *adj* previous *attr,* preceding

vor·he·rig [foːɐ̯'heːrɪç] *adj attr* prior; (*Abmachung, Vereinbarung*) previous

Vor·herr·schaft *f* POL hegemony, [pre]dominance

vor|herr·schen *vi* to predominate

vor·herr·schend *adj* predominant, prevailing; (*weitverbreitet*) prevalent

Vor·her·sa·ge [foːɐ̯ˈheːɐ̯zaːgə] *f* ❶ METEO forecast ❷ (*Voraussage*) prediction **vor·her|sa·gen** *vt* to predict **vor·her·seh·bar** *adj* foreseeable **vor·her|se·hen** *vt irreg* to foresee

vor·hin [foːɐ̯ˈhɪn] *adv* a moment ago, just [now]

Vor·hof *m* ARCHIT forecourt

Vor·hut <-, -en> *f* MIL vanguard

vo·rig [ˈfoːrɪç] *adj attr* last, previous; **diese Konferenz war genauso langweilig wie die ~e** this conference was just as boring as the previous one

Vor·jahr *nt* last year; **im Vergleich zum ~** compared to last year

vor|jam·mern *vt* ▪**jdm etw ~** to moan to sb

Vor·kämp·fer(in) *m(f)* pioneer

Vor·kaufs·recht *nt* right of first refusal

Vor·keh·rung <-, -en> *f* precaution; **~en treffen** to take precautions

Vor·kennt·nis *f meist pl* previous experience *no pl, no indef art*

vor|knöp·fen *vt* ▪**sich** *dat* **jdn ~** to give sb a good talking-to, to take sb to task

vor|ko·chen *vt* KOCHK to partially cook

vor|kom·men *vi irreg sein* ❶ (*passieren*) to happen; ▪**es kommt vor, dass ... ** it can happen that ...; **das kann [schon mal] ~** these things [can] happen; **das soll nicht wieder ~** it won't happen again ❷ (*vorhanden sein*) to be found, to occur ❸ (*erscheinen*) to seem; **du kommst dir wohl sehr schlau vor?** you think you're very clever, don't you?; **das Lied kommt mir bekannt vor** this song sounds familiar to me ❹ (*nach vorn kommen*) to come to the front ❺ (*zum Vorschein kommen*) to come out; **hinter etw** *dat* **~** to come out from behind sth

Vor·kom·men <-s, -> *nt* ❶ *kein pl* MED incidence ❷ *meist pl* BERGB deposit

Vor·komm·nis <-ses, -se> [ˈfoːɐ̯kɔmnɪs] *nt* incident, occurrence; **besondere/keine besonderen ~se** particular incidents /nothing out of the ordinary

Vor·kriegs·zeit *f* pre-war period

vor|la·den *vt irreg* JUR to summon; (*unter Strafandrohung*) to subpoena

Vor·la·dung *f* JUR ❶ (*das Vorladen*) summoning ❷ (*Schreiben*) summons; (*unter Strafandrohung*) subpoena

Vor·la·ge *f* ❶ *kein pl* (*das Vorlegen*) pres-

entation; **ohne ~ von Beweisen können wir der Sache nicht nachgehen** if you can't produce any evidence we can't look into the matter ❷ KUNST pattern ❸ SCHWEIZ (*Vorleger*) mat

vor|las·sen *vt irreg* ❶ (*den Vortritt lassen*) to let go first ❷ (*nach vorn durchlassen*) to let past

Vor·lauf *m* ❶ SPORT (*Qualifikationslauf*) qualifying heat, preliminary round ❷ TECH (*schnelles Vorspulen*) fast-forward[ing]; (*Heizungsvorlauf*) flow [pipe] ❸ TRANSP, ÖKON forward planning

Vor·läu·fer(in) *m(f)* precursor

vor·läu·fig [ˈfoːɐ̯lɔyfɪç] **I.** *adj* temporary; (*Ergebnis*) provisional; (*Regelung*) interim **II.** *adv* for the time being; **jdn ~ festnehmen** to take sb into temporary custody

vor·laut [ˈfoːɐ̯laut] *adj* cheeky, impertinent

Vor·le·ben *nt kein pl* ▪**jds ~** sb's past [life]

vor|le·gen *vt* (*einreichen*) ▪**jdm] etw ~** to present sth [to sb]; ▪**jdm] Beweise ~** to produce evidence [for sb]

vor|leh·nen *vr* ▪**sich ~** to lean forward

vor|le·sen *irreg* **I.** *vt* ▪**etw ~** to read out *sep* sth; **soll ich dir den Artikel aus der Zeitung ~?** shall I read you the article from the newspaper? **II.** *vi* to read aloud (*aus* from); **liest du den Kindern bitte vor?** will you read to the children, please?

Vor·le·sung *f* lecture; **eine ~ [über etw** *akk*] **halten** to give a lecture [on sth]

Vor·le·sungs·ver·zeich·nis *nt* lecture timetable

vor·letz·te(r, s) [ˈfoːɐ̯lɛtstə, -stɐ, -stəs] *adj* ❶ (*vor dem Letzten liegend*) before last *pred;* **das ~ Treffen** the meeting before last ❷ (*in einer Aufstellung*) penultimate, last but one BRIT, next to last AM; **sie ging als ~ durchs Ziel** she was the second last to finish

Vor·lie·be [foːɐ̯ˈliːbə] *f* preference (**für** for); **eine ~ [für jdn/etw] haben** to have a particular liking [of sb/sth]

vor·lieb|neh·men [foːɐ̯ˈliːp-] *vt* ▪**[mit jdm/etw] ~** to make do [with sb/sth]

vor|lie·gen *vi irreg* ❶ (*eingereicht sein*) to have come in; **mein Antrag liegt Ihnen seit vier Monaten vor!** my application's been with you for four months! ❷ (*bestehen*) to be; **hier muss ein Irrtum ~** there must be some mistake here ❸ JUR **ich habe ein Recht zu erfahren, was gegen mich vorliegt** I have a right to know what I've been charged with **vor|lü·gen** *vt irreg* ▪**jdm] etw ~** to lie to sb **vor|ma·chen** *vt* ❶ (*täuschen*) ▪**jdm etw ~** to fool sb; ▪**sich** *dat* **etw ~** to fool oneself; **machen**

wir uns doch nichts vor let's not kid ourselves ❷ (*demonstrieren*) ▪ **jdm etw ~** to show sb [how to do] sth **Vor·macht·stel·lung** *f kein pl* POL. hegemony, supremacy; **eine ~** [**gegenüber jdm**] [**inne**]**haben** to have supremacy [over sb]

vor·ma·lig ['foːɐ̯maːlɪç] *adj attr* former

Vor·marsch *m a.* MIL advance; **auf dem ~ sein** to be advancing; (*fig*) to be gaining ground

vor|mer·ken *vt* ❶ (*im Voraus eintragen*) **lassen Sie bitte zwei Doppelzimmer ~** please book two double rooms for me; **ich habe mir den Termin vorgemerkt** I've made a note of the appointment ❷ (*reservieren*) to reserve; ▪ **vorgemerkt** reserved

Vor·mit·tag ['foːɐ̯mɪtaːk] *m* morning; **am** [**frühen/späten**] ~ [early/late] in the morning

vor·mit·tags ['foːɐ̯mɪtaːks] *adv* in the morning

Vor·mund <-[e]s, -e *o* Vormünder> ['foːɐ̯mʊnt, *pl* -mʏndə] *m* guardian

Vor·mund·schaft <-, -en> ['foːɐ̯mʊntʃaft] *f* guardianship

vorn [fɔrn] *adv* at the front; ▪ **~ in etw** *dat* at the front of sth; **nach ~** to the front; **nach ~ fallen** to fall forward; **von ~** (*von der Vorderseite her*) from the front; (*von Anfang an*) from the beginning; **von ~ bis hinten** (*fam*) from beginning to end; **jetzt kann ich wieder von ~ anfangen** now I'll have to start again from scratch

Vor·na·me *m* first [*or* Christian] name

vorne *adv s.* **vorn**

vor·nehm ['foːɐ̯neːm] *adj* ❶ (*adelig*) aristocratic, noble ❷ (*elegant*) elegant, distinguished ❸ (*luxuriös*) exclusive, posh ▸ **~ tun** (*pej fam*) to put on airs [and graces]

vor|neh·men *vt irreg* ❶ (*einplanen*) ▪ **sich** *dat* **etw ~** to plan sth; **für morgen haben wir uns viel vorgenommen** we've got a lot planned for tomorrow ❷ (*sich eingehend beschäftigen*) ▪ **sich** *dat* **etw ~** to get to work on sth, to have a stab at sth *fam* ❸ (*fam: sich vorknöpfen*) ▪ **sich** *dat* **jdn ~** to give sb a good talking-to, to take sb to task ❹ (*ausführen*) to carry out *sep;* **Änderungen ~** to make changes; **eine Untersuchung ~** to do an examination

vor·nehm·lich *adv* primarily

vor|nei·gen I. *vt* ▪ **etw ~** to bend sth forward **II.** *vr* ▪ **sich ~** to lean forward

vorn·he·rein ['fɔrnhɛraɪ̯n] *adv* ▪ **von ~** from the start

vorn·über [fɔrnʔyːbɐ] *adv* forwards

Vor·ort ['foːɐ̯ʔɔrt] *m* suburb

Vor·platz *m* forecourt

vor·pro·gram·miert *adj* pre-programmed; *Weg* predetermined

Vor·rang *m kein pl* ❶ (*Priorität*) priority (**vor** over); **mit ~** as a matter of priority ❷ ÖSTERR (*Vorfahrt*) right of way

vor·ran·gig I. *adj* priority *attr,* of prime importance *pred;* ▪ **~ sein** to have priority **II.** *adv* as a matter of priority

Vor·rang·stel·lung *f* pre-eminence *no pl, no indef art*

Vor·rat <-[e]s, Vorräte> ['foːɐ̯raːt, *pl* 'foːɐ̯rɛːtə] *m* stocks *pl,* supplies *npl;* **unser ~ an Heizöl ist erschöpft** our stock of heating oil has run out; **etw auf ~ haben** to have sth in stock; **etw auf ~ kaufen** to stock up on sth; **Vorräte anlegen** to lay in stock[s *pl*]; **so lange der ~ reicht** while stocks last

vor·rä·tig ['foːɐ̯rɛːtɪç] *adj* in stock *pred;* **etw ~ haben** to have sth in stock

Vor·rats·kam·mer *f* store cupboard; (*kleiner Vorratsraum*) larder, pantry

Vor·rats·raum *m* store room

Vor·raum *m* anteroom

vor|rech·nen *vt* ▪ **etw ~** to calculate sth

Vor·recht *nt* privilege

Vor·rei·ter(in) *m(f)* pioneer

Vor·rich·tung <-, -en> *f* device, gadget

vor|rü·cken I. *vi sein* ❶ MIL to advance (**gegen** on) ❷ (*nach vorn rücken*) to move forward **II.** *vt haben* ▪ **etw ~** to move sth forward

Vor·ru·he·stand *m* early retirement

Vor·run·de *f* SPORT preliminary round

vor|sa·gen *vt* ▪ **etw ~** to whisper sth

Vor·sai·son *f* low season

Vor·satz <-[e]s, Vorsätze> ['foːɐ̯zats, *pl* foːɐ̯zɛtsə] *m* resolution; **den ~ fassen, etw zu tun** to resolve to do sth

vor·sätz·lich ['foːɐ̯zɛtslɪç] **I.** *adj* deliberate, intentional **II.** *adv* deliberately, intentionally

Vor·schau <-, -en> *f* FILM, TV trailer (**auf** for)

Vor·schein *m* **etw zum ~ bringen** (*finden*) to find sth; (*zeigen*) to produce sth; **zum ~ kommen** (*sich bei Suche zeigen*) to turn up; (*offenbar werden*) to come to light

vor|schie·ben *vt irreg* ❶ (*vorschützen*) to use as an excuse ❷ (*für sich agieren lassen*) ▪ **jdn ~** to use sb as a front man/woman ❸ (*nach vorn schieben*) to push forward ❹ (*vor etw schieben*) to push across

vor|schie·ßen *vt irreg* ▪ **etw ~** to advance sth

etwas vorschlagen

etwas vorschlagen	suggesting something
Wie wär's, wenn wir heute mal ins Kino gehen würden? (*fam*)	**How about** going to the cinema today? (*fam*)
Wie wär's mit einer Tasse Tee? (*fam*)	**How do you fancy** a cup of tea? (*fam*)
Was hältst du davon, wenn wir mal eine Pause machen würden?	**What about** having a break now?
Hättest du Lust, spazieren zu gehen?	**Would you like** to go for a walk?
Ich schlage vor, wir vertagen die Sitzung.	**I suggest** we postpone the meeting.

Vor·schlag *m* proposal, suggestion; |jdm| **einen ~ machen** to make a suggestion [to sb]; **auf jds ~ |hin|** on sb's recommendation

vor|schla·gen *vt irreg* ❶ (*als Vorschlag unterbreiten*) ■etw ~ to suggest sth; ■jdm ~, etw zu tun to suggest that sb do sth ❷ (*empfehlen*) to recommend

Vor·schlag·ham·mer *m* sledgehammer

vor·schnell *adj* s. **voreilig**

vor|schrei·ben *vt irreg* ■jdm etw ~ to stipulate sth to sb; ■jdm ~, wann/was/ wie ... to tell sb when/what/how ...

Vor·schrift *f* ADMIN regulation, rule; (*Anweisung*) instructions *pl*; (*polizeilich*) orders *pl*; ~ **sein** to be the regulation[s]; **jdm ~en machen** to tell sb what to do; **sich** *dat* **von jdm ~en/keine ~en machen lassen** to be/not be told what to do by sb; **nach ~** to rule

vor·schrifts·mä·ßig *adj, adv* according to the regulations **vor·schrifts·wid·rig** *adj, adv* against the regulations *pred*

Vor·schub *m* einer S. *dat* ~ **leisten** to encourage sth

Vor·schul·al·ter *nt kein pl* pre-school age; **im ~ sein** to be of pre-school age

Vor·schu·le *f* pre-school

Vor·schussRR <-es, Vorschüsse> *m*, **Vor·schuß**ALT <-sses, Vorschüsse> ['foːɐ̯ʃʊs] *m* advance (**auf** on)

vor|schüt·zen *vt* to use as an excuse; ■~, |dass ...| to pretend [that ...]

vor|schwe·ben *vi* to have in mind; **was schwebt dir da genau vor?** what exactly is it that you have in mind?

vor|se·hen *irreg* **I.** *vr* ❶ (*sich in Acht nehmen*) ■sich |vor jdm| ~ to watch out [for sb] ❷ (*aufpassen*) ■sich ~, dass/was ... to take care that/what ...; **sieh dich vor!** watch it! **II.** *vt* ❶ (*eingeplant haben*) ■etw ~ to intend to use sth; ■jdn ~ to designate sb; **Sie hatte ich für eine andere Aufgabe ~** I had you in mind for a different task ❷ (*bestimmen*) to call for; (*in Gesetz, Vertrag*) to provide for **III.** *vi* (*bestimmen*) ■~, **dass ...** to provide for the fact that ...; **es ist vorgesehen, |dass ...|** it is planned [that ...]

Vor·se·hung <-> ['foːɐ̯ʃʊs] *f kein pl* providence

vor|set·zen *vt* (*auftischen*) ■etw ~ to serve up *sep* sth

Vor·sicht <-> ['foːɐ̯ze:ʊŋ] *f kein pl* care; **etw ist mit ~ zu genießen** (*fam*) sth should be taken with a pinch of salt; **mit ~** carefully; **zur ~** as a precaution; **~!** watch out! ► **~ ist besser als** Nachsicht (*prov*) better [to be] safe than sorry

vor·sich·tig I. *adj* ❶ (*umsichtig*) careful ❷ (*zurückhaltend*) cautious **II.** *adv* ❶ (*umsichtig*) carefully ❷ (*zurückhaltend*) cautiously

vor·sichts·hal·ber *adv* as a precaution, just to be on the safe side

Vor·sichts·maß·nah·me *f* precaution; ~**n treffen** to take precautions

Vor·sil·be *f* prefix

vor|sin·gen *irreg vt* ■etw ~ to sing sth; **sing uns doch was vor!** sing us something!

vor·sint·flut·lich ['foːɐ̯zɪntfluːtlɪç] *adj* (*fam*) ancient

Vor·sitz ['foːɐ̯zɪts] *m* chairmanship; **den ~ haben** to be chairman/-woman/-person; **den ~ bei etw** *dat* **haben** to chair sth; **unter dem ~ von jdm** under the chairmanship of sb

Vor·sit·zen·de(r) *f(m) dekl wie adj* chairman/-woman/-person

Vor·sor·ge *f* provisions *pl*; ~ **für etw** *akk* **treffen** to make provisions for sth

vor|sor·gen *vi* to provide (**für** for)

Vor·sor·ge·un·ter·su·chung *f* medical check-up

vor·sorg·lich I. *adj* precautionary **II.** *adv* as a precaution

Vor·spann <-[e]s, -e> ['foːɐ̯ʃpan] *m* FILM,

TV opening credits *npl*

Vor·spei·se *f* starter

Vor·spie·ge·lung *f* feigning; *einer Notlage* pretence; **unter ~ von etw** *dat* under the pretence of sth

Vor·spiel *nt* ❶ MUS audition ❷ (*vor dem Liebesakt*) foreplay *no pl, no indef art*

vor|spie·len I. *vt* ■**etw ~** ❶ MUS to play sth ❷ (*vorheucheln*) to put on sth II. *vi* MUS to play

vor|spre·chen *irreg* I. *vt* ■**jdm etw ~** to say sth for sb first II. *vi* ❶ (*offiziell aufsuchen*) ■**bei jdm/etw ~** to call on sb/at sth ❷ THEAT, TV to recite; **dann sprechen Sie mal vor!** let's hear your recital!

vor|sprin·gen *vi irreg sein Fels* to project; *Nase* to be prominent

vor·sprin·gend *adj* prominent, protruding; (*Backenknochen*) prominent, high

Vor·sprung *m* ❶ (*Distanz*) lead; **sie haben mittlerweile einen beträchtlichen ~** they will have got a considerable start by now ❷ ARCHIT projection

Vor·sta·di·um *nt* early stage

Vor·stadt *f* suburb

Vor·stand *m* ❶ (*Geschäftsführung*) board [of management]; (*einer Partei*) executive; (*eines Vereins*) [executive] committee ❷ (*Vorstandsmitglied*) director, board member; (*einer Partei*) executive; (*eines Vereins*) [member of the] executive [committee]

vor|ste·hen *vi irreg sein o haben* ❶ (*hervorragen*) to be prominent [*or* protrude] ❷ (*Vorsteher sein*) ■**einer S.** *dat* **~** to be the head of sth

Vor·ste·her(in) <-s, -> ['fo:ɐʃteːɐ] *m(f)* head; (*einer Schule*) headteacher BRIT, principal

vor·stell·bar *adj* conceivable, imaginable; **kaum ~** almost inconceivable

vor|stel·len I. *vt* ❶ (*gedanklich sehen*) ■**sich** *dat* **etw ~** to imagine sth; **das muss man sich mal ~!** just imagine [it]! ❷ (*als angemessen betrachten*) ■**sich** *dat* **etw ~** to have sth in mind ❸ (*mit etw verbinden*) **unter dem Namen Schlüter kann ich mir nichts ~** the name Schlüter doesn't mean anything to me ❹ (*bekannt machen*) ■**jdm jdn ~** to introduce sb to sb ❺ (*präsentieren*) ■**jdm etw ~** to present sth to sb ❻ (*vorrücken*) to move forward II. *vr* ■**sich ~** ❶ (*bekannt machen*) to introduce oneself ❷ (*vorstellig werden*) to go for an interview

Vor·stel·lung *f* ❶ (*gedankliches Bild*) idea; **in jds ~** in sb's mind; **jds ~ entsprechen** to meet sb's requirements; **das Gehalt**

entspricht nicht ganz meinen **~en** the salary doesn't quite match [up to] my expectations; **bestimmte ~en haben** to have certain ideas; **falsche ~en haben** to have false hopes; **sich** *dat* **keine ~ machen, was/wie …** to have no idea what/how … ❷ THEAT performance; FILM showing ❸ (*Präsentation*) presentation

Vor·stel·lungs·ge·spräch *nt* interview

Vor·stel·lungs·kraft *f kein pl,* **Vor·stel·lungs·ver·mö·gen** *nt kein pl* [powers *npl* of] imagination

Vor·stoß *m* MIL (*plötzlicher Vormarsch*) advance, push, thrust

vor|sto·ßen *irreg* I. *vi sein* to venture; *Truppen* to advance II. *vt haben* ■**jdn ~** to push sb forward

Vor·stra·fe *f* previous conviction

Vor·stra·fen·re·gis·ter *nt* criminal record

vor|stre·cken *vt* ❶ (*leihen*) ■**jdm etw ~** to advance sb sth ❷ (*nach vorn strecken*) to stretch forward; **den Arm/die Hand ~** to stretch out one's arm/hand

Vor·stu·fe *f* preliminary stage

Vor·tag *m* **am ~** the day before; **vom ~** from yesterday

vor|täu·schen *vt Unfall* to fake; *Interesse* to feign

Vor·täu·schung *f* pretence, faking; **unter ~ falscher Tatsachen** under false pretences

Vor·teil <-s, -e> ['fo:ɐtail] *m* advantage; **er ist nur auf seinen ~ bedacht** he only ever thinks of his own interests; [**jdm gegenüber**] **im ~ sein** to have an advantage [over sb]; [**für jdn**] **von ~ sein** to be advantageous [to sb]; **sich zu seinem ~ verändern** to change for the better

vor·teil·haft I. *adj* ❶ FIN favourable (**für** for); (*Geschäft*) lucrative, profitable ❷ MODE flattering II. *adv* **du solltest dich etwas ~er kleiden** you should wear clothes which are a bit more flattering

Vor·trag <-[e]s, Vorträge> ['fo:ɐtra:k, *pl* 'fo:ɐtrɛːgə] *m* lecture; **einen ~** [**über etw** *akk*] **halten** to give a lecture [on sth]

vor|tra·gen *vt irreg* ❶ (*berichten*) ■**etw ~** to present sth; *Beschluss* to convey sth; *Wunsch* to express sth ❷ (*rezitieren*) to recite; *Lied* to sing a song; *Musikstück* to play

Vor·trags·rei·he *f* course of lectures *npl*

vor·treff·lich [fo:ɐtrɛflɪç] I. *adj* excellent; (*Gedanke, Idee a.*) splendid II. *adv* excellently

vor|tre·ten *vi irreg sein* ❶ (*nach vorn treten*) to step forward ❷ (*vorstehen*) to jut out

Vor·tritt¹ *m* precedence, priority; ■**jdm**

den ~ **lassen** to let sb go first

Vor·tritt² m kein pl SCHWEIZ (Vorfahrt) right of way

vo·rü·ber [fo'ryːbɐ] adv ■~ **sein ❶** räumlich to have gone past; **wir sind an dem Geschäft sicher schon** ~ we must have already passed the shop **❷** zeitlich to be over; (Schmerz) to be gone

vo·rü·ber|ge·hen [fo'ryːbɛgeːən] vi irreg sein **❶** (entlanggehen) ■ **an jdm/etw** ~ to go [or walk] past sb/sth; **im V~** in passing **❷** (vorbeigehen) to pass; Schmerz to go **vo·rü·ber·ge·hend I.** adj temporary **II.** adv for a short time; **das Geschäft bleibt** ~ **geschlossen** the business will be temporarily closed

Vor- und Zu·na·me m Christian [or first] name and surname

Vor·un·ter·su·chung f JUR preliminary investigation

Vor·ur·teil ['foːɐ̯ʔʊrtail] nt prejudice; ~**e** [gegenüber jdm] **haben** to be prejudiced [against sb]; **das ist ein** ~ that's prejudiced **vor·ur·teils·los I.** adj unprejudiced **II.** adv without prejudice

Vor·ver·gan·gen adj (vorletzt) last but one; **in der** ~**en Woche** [in] the week before last

Vor·ver·gan·gen·heit f LING pluperfect

Vor·ver·kauf m advance sale no pl

Vor·ver·kaufs·stel·le f advance ticket office

vor|ver·le·gen* vt **❶** (zeitlich) to bring forward (**auf** to) **❷** (räumlich) to move forward

Vor·ver·ur·tei·lung f SOZIOL, JUR rush to judgement; ~ **durch die Medien** trial by media

vor·vor·ges·tern ['foːɐ̯foːɐ̯ɡɛstɐn] adv three days ago

vor·vor·letz·te(r, s) adj third last, third to last AM

Vor·wahl f **❶** (vorherige Auswahl) pre-selection [process] **❷** POL preliminary election, primary AM **❸** TELEK area code

vor|wäh·len vt TELEK ■ **etw** ~ to dial sth first

Vor·wand <-[e]s, Vorwände> ['foːɐ̯vant, pl -vɛndə] m pretext, excuse; **unter einem** ~ on a pretext

vor|war·nen vt to warn [in advance]

Vor·war·nung f [advance] warning; **ohne** ~ without warning

vor·wärts ['foːɐ̯vɛrts] adv forward; ~**!** onwards! [or esp AM onward!], move!; **wie geht's mit deiner Doktorarbeit** ~**?** how's your thesis coming along?

vor·wärts|brin·gen vt irreg ■ **jdn** ~ to help sb to make progress **Vor·wärts·gang** <-gänge> m forward gear **vor·wärts|kom·men** vi irreg sein to get on

Vor·wä·sche <-, -n> f pre-wash

vor|wa·schen vt irreg to pre-wash

vor·weg [foːɐ̯'vɛk] adv **❶** (zuvor) beforehand **❷** (an der Spitze) in front

Vor·weg·nah·me <-, -n> [foːɐ̯'vɛkna·mə] f indication **vor·weg|neh·men** [foːɐ̯'vɛkne·mən] vt irreg to anticipate

vor·weih·nacht·lich adj Zeit, Stimmung pre-Christmas; **die** ~**e Zeit** the holiday season

vor|wei·sen vt irreg **❶** (nachweisen) ■ **etw** ~ **können** to have sth; **er kann einen mehrjährigen Auslandsaufenthalt** ~ he has [the experience of having] spent a number of years abroad **❷** (vorzeigen) to show

vor|wer·fen vt irreg **❶** (als Vorwurf vorhalten) ■ **jdm etw** ~ to reproach sb for sth; **sich** dat **nichts vorzuwerfen haben** to have a clear conscience **❷** (als Futter hinwerfen) ■ **einem Tier etw** ~ to throw sth to an animal

vor·wie·gend adv predominantly, mainly

vor·wit·zig adj cheeky

Vor·wort <-worte> nt foreword, preface

Vor·wurf <-[e]s, Vorwürfe> m reproach; ■ **jdm Vorwürfe machen** to reproach sb (**wegen** for)

vor·wurfs·voll I. adj reproachful **II.** adv reproachfully

Vor·zei·chen nt **❶** (Omen) omen **❷** (Anzeichen) sign **❸** MUS accidental

vor·zeig·bar adj presentable

vor|zei·gen vt ■ **etw** ~ to show sth

Vor·zei·ge·ob·jekt nt showpiece

Vor·zeit ['foːɐ̯tsait] f prehistoric times ▸ **in grauer** ~ in the dim and distant past

vor·zei·tig ['foːɐ̯tsaitɪç] adj early; Geburt premature; Tod untimely

vor·zeit·lich ['foːɐ̯tsaitlɪç] adj prehistoric

vor|zie·hen vt irreg **❶** (bevorzugen) to prefer; ■ **etw** ~ to prefer sth; **ich ziehe es vor spazieren zu gehen** I'd rather go for a walk **❷** (zuerst erfolgen lassen) to bring forward **❸** (nach vorn ziehen) to pull forward

Vor·zim·mer nt **❶** (Sekretariat) secretariat, secretary's office **❷** ÖSTERR (Diele) hall

Vor·zim·mer·da·me f (fam) secretary

Vor·zug <-[e]s, Vorzüge> ['foːɐ̯tsuːk, pl 'foːɐ̯tsyːɡə] m **❶** (gute Eigenschaft) asset, merit; **seine Vorzüge haben** to have one's assets **❷** (Vorteil) advantage **❸** (Bevorzu-

gung) **einer S. den ~ geben** to prefer sth
vor·züg·lich [foːˈɡ̊tsyːɡlɪç] **I.** *adj* excellent,
first-rate **II.** *adv* excellently; **~ speisen** to
have a sumptuous meal
Vor·zugs·preis *m* concessionary [*or* Aᴍ
discount] fare **vor·zugs·wei·se** *adv* primarily
Vo·tum <-s, Voten *o* Vota> [ˈvoːtʊm, *pl*
ˈvoːtən, ˈvoːta] *nt* ❶ (*Entscheidung*) decision ❷ ᴘᴏʟ vote
Vo·yeur <-s, -e> [vɔ̯aˈjøːɐ̯] *m* voyeur

Vo·yeu·ris·mus <-> [vɔ̯aˈjøːɐ̯ɪsmʊs] *m*
kein pl voyeurism
vo·yeu·ris·tisch *adj* voyeuristic
vul·gär [vʊlˈɡɛːɐ̯] **I.** *adj* vulgar **II.** *adv* **~ aus-**
sehen to look vulgar; **sich ~ ausdrücken**
to use vulgar language
Vul·kan <-[e]s, -e> [vʊlˈkaːn] *m* volcano
Vul·kan·aus·bruch [vʊ-] *m* volcanic eruption
vul·ka·nisch [vʊlˈkaːnɪʃ] *adj* volcanic

W

W, w <-, - *o fam* -s, -s> [ve:] *nt* W, w; *s. a.* **A 1**

W *Abk von* **Westen** W

Waadt <-s> [va:t] *nt* Vaud

Waa·ge <-, -n> ['va:gə] *f* ❶ TECH scales *npl* ❷ *kein pl* ASTROL Libra

waa·ge·recht ['va:gərɛçt] **I.** *adj* horizontal **II.** *adv* horizontally

Waage·rech·te <-n, -n> *f* horizontal [line]; **in der ~n** level

waag·recht ['va:krɛçt] *s.* **waagerecht**

Waag·scha·le *f* [scale-]pan

wab·be·lig ['vabəlɪç] *adj,* **wabb·lig** ['vablɪç] *adj* wobbly

Wa·be <-, -n> ['va:bə] *f* honeycomb

wach [vax] *adj* awake; ■**~ werden** to wake up

Wa·che <-, -n> ['vaxə] *f* ❶ *kein pl* (*Wachdienst*) guard duty; **~ stehen** to be on guard duty ❷ (*Wachposten*) guard ❸ (*Polizeiwache*) police station

wa·chen ['vaxn̩] *vi* ❶ (*Wache halten*) to keep watch ❷ (*auf etw achten*) ■**über etw** *akk* **~** to ensure that sth is done

Wach·hund *m* watchdog **wach·küs·sen** *vt* to wake up *sep* with a kiss; (*fig*) ■**jdn/etw ~** to breathe new life into sb/sth **Wach·mann** <-leute *o* -männer> *m* ❶ (*Wächter*) [night-]watchman ❷ ÖSTERR (*Polizist*) policeman

Wa·chol·der <-s, -> [va'xɔldɐ] *m* juniper **Wa·chol·der·bee·re** *f* juniper berry

Wach·pos·ten *m s.* **Wachtposten**

wachǀruǀfen *vt irreg Erinnerungen* to evoke **wach·rüt·teln** *vt* ■**jdn ~** to wake up sb *sep* by shaking them

Wachs <-es, -e> [vaks] *nt* wax

wach·sam ['vaxza:m] **I.** *adj* vigilant, watchful **II.** *adv* vigilantly, watchfully

Wach·sam·keit <-> *f kein pl* vigilance *no indef art, no pl*

wach·sen[1] <wuchs, gewachsen> ['vaksn̩] *vi sein* to grow (**um** by); **in die Breite/Höhe ~** to grow broader/taller; ■**sich** *dat* **etw** *akk* **~ lassen** to grow sth ▸ **gut gewachsen** evenly-shaped

wach·sen[2] ['vaksn̩] *vt* (*mit Wachs einreiben*) to wax

wäch·sern ['vɛksɐn] *adj* waxen

Wachs·fi·gur *f* wax figure **Wachs·fi·gu·ren·ka·bi·nett** *nt* waxworks *npl* [museum *nsing*] **Wachs·mal·krei·de** *f,* **Wachs·mal·stift** *m* wax crayon **Wachs·tuch** *nt* oilcloth

Wachs·tum <-[e]s> ['vakstu:m] *nt kein pl* growth

Wachs·tums·chan·ce *f* prospects *pl* for growth [*or* expansion] **wachs·tums·för·dernd** *adj* ❶ BIOL growth-promoting ❷ ÖKON boosting economic growth **wachs·tums·hem·mend** *adj* growth-inhibiting **Wachs·tums·hor·mon** *nt* growth hormone **Wachs·tums·markt** *m* growth market **Wachs·tums·ra·te** *f* growth rate

Wach·tel <-, -n> ['vaxtl̩] *f* quail

Wäch·ter(in) <-s, -> ['vɛçtɐ] *m(f)* ❶ (*einer Anstalt*) guard; (*Wachmann*) [night-]watchman ❷ ([*moralischer*] *Hüter*) guardian

Wacht·meis·ter(in) *m(f)* [police] constable BRIT, police officer AM **Wacht·posten** *m* guard **Wach(t)·turm** *m* watchtower

Wach- und Schließ·ge·sell·schaft *f kein pl* ■**die ~** the security corps BRIT **Wach·zu·stand** *m* **im ~** awake

wa·cke·lig ['vakəlɪç] *adj Konstruktion* rickety; *Säule* shaky; *Stuhl* unsteady

Wa·ckel·kon·takt *m* loose connection

wa·ckeln ['vakln̩] *vi* ❶ (*wackelig sein*) to wobble; *Konstruktion* to shake ❷ (*hin und her bewegen*) ■**mit etw** *dat* **~** to rock on [one's] sth; **mit dem Kopf ~** to shake one's head; **mit den Ohren ~** to wiggle one's ears

Wa·ckel·pud·ding *m* jelly BRIT, jello AM **wack·lig** ['vaklɪç] *adj s.* **wackelig**

Wa·de <-, -n> ['va:də] *f* calf

Wa·den·bein *nt* fibula

Waf·fe <-, -n> ['vafə] *f* weapon, arm; **zu den ~n greifen** to take up arms ▸ **jdn mit seinen eigenen ~n schlagen** to beat sb at his own game

Waf·fel <-, -n> ['vafl̩] *f* waffle

Waf·fel·ei·sen *nt* waffle iron

Waf·fen·be·sitz *m* possession of firearms **Waf·fen·brü·der·schaft** *f* MIL (*geh*) band of brothers **Waf·fen·em·bar·go** *nt* arms embargo **Waf·fen·gang** *m* MIL (*geh*) military action **Waf·fen·han·del** *m* arms trade **Waf·fen·händ·ler** *m* arms dealer **Waf·fen·hil·fe** *f* MIL, POL arms shipments **Waf·fen·in·spek·tor, -in·spek·to·rin** *m, f* weapons inspector **Waf·fen·la·ger** *nt* arsenal **Waf·fen·lie·fe·rung** *f* arms supply **Waf·fen·ru·he** *f* ceasefire **Waf·fen·schein** *m* firearms licence **Waf·**

fen·schmug·gel *m* MIL gunrunning, arms smuggling **waf·fen·star·rend** ['vafənʃtarənd] *adj* (*geh*) heavily armed **Waf·fen·still·stand** *m* armistice

Wa·ge·mut *m* daring *no indef art, no pl* **wa·ge·mu·tig** *adj* daring

wa·gen ['va:gn̩] I. *vt* ❶ (*riskieren*) to risk ❷ (*sich getrauen*) ■ es ~, etw zu tun to dare [to] do sth ▶ wer nicht wagt, der nicht <u>gewinnt</u> (*prov*) nothing ventured, nothing gained II. *vr* ❶ (*sich zutrauen*) ■ sich an etw *akk* ~ to venture to tackle sth ❷ (*sich trauen*) ■ sich irgendwohin ~ to venture [out] to somewhere

Wa·gen <-, Wagen *o* SÜDD, ÖSTERR Wägen> ['va:gn̩, *pl* 've:gn̩] *m* ❶ (*Pkw*) car ❷ (*Waggon*) carriage, coach ❸ (*Fahrzeug mit Deichsel*) cart

wä·gen <wog *o* wägte, gewogen *o* gewägt> ['vε:gn̩] *vt* (*geh*) to weigh

Wa·gen·füh·rer(in) *m(f)* [tram] driver **Wa·gen·he·ber** <-s, -> *m* jack **Wa·gen·park** *m* s. **Fuhrpark Wa·gen·rad** *nt* cartwheel **Wa·gen·ren·nen** *nt* chariot race

Wag·gon <-s, -s> [va'gɔŋ] *m* [goods] wag[g]on

wag·hal·sig ['va:khalzɪç] *adj* daring

Wag·nis <-ses, -se> ['va:knɪs] *nt* ❶ (*riskantes Vorhaben*) risky venture ❷ (*Risiko*) risk

Wag·nis·ka·pi·tal *nt* FIN, ÖKON venture capital

Wa·gon <-s, -s> [va'gõ, va'gɔŋ] *m* s. **Waggon**

Wahl <-, -en> [va:l] *f* ❶ POL election; **zur ~ gehen** to vote ❷ *kein pl* (*Auswahl*) choice; **eine ~ treffen** to make a choice; **jdm die ~ lassen** to let sb choose; **jdm keine ~ lassen** to leave sb [with] no alternative ❸ (*Klasse*) **erste/zweite ~** top quality/second-class quality ▶ wer die ~ hat, hat die <u>Qual</u> (*prov*) sb is spoilt for choice **Wähl·au·to·ma·tik** *f* TELEK automatic dialling

wähl·bar *adj* POL eligible

Wahl·be·nach·rich·ti·gung *f* polling card **wahl·be·rech·tigt** *adj* entitled to vote *pred* **Wahl·be·rech·tig·te(r)** <-n, -n> *f(m) dekl wie adj* person entitled to vote **Wahl·be·tei·li·gung** *f* turnout **Wahl·be·zirk** *m* ward

wäh·len ['vε:lən] I. *vt* ❶ *a.* POL ■ jdn/etw ~ to vote for sb/sth; ■ jdn zu etw *dat* ~ to elect sb as sth ❷ TELEK to dial II. *vi* ❶ POL to vote ❷ (*auswählen*) to choose (**unter** from) ❸ TELEK to dial

Wäh·ler(in) <-s, -> *m(f)* voter

Wahl·er·geb·nis *nt* election result **Wäh·le·rin** <-, -nen> *f fem form von* **Wähler**

wäh·le·risch ['vε:lərɪʃ] *adj* particular, choos[e]y *fam;* (*Kunde*) discerning **Wäh·ler·schaft** <-, -en> *f* electorate *no indef art, no pl* **Wäh·ler·stim·me** *f* vote

Wahl·fach *nt* SCH option[al subject] **wahl·frei** *adj kein pl* SCH optional **Wahl·gang** *m* ballot **Wahl·ge·heim·nis** *nt kein pl* secrecy of the ballot **Wahl·hei·mat** *f* ■ jds ~ sb's adopted place [*or* country] of residence **Wahl·hel·fer(in)** *m(f)* POL ❶ (*Helfer eines Kandidaten*) election assistant ❷ (*amtlich bestellte Aufsicht*) polling officer **Wahl·ka·bi·ne** *f* polling booth **Wahl·kampf** *m* election campaign **Wahl·kampf·tak·tik** *f* election campaign tactics *pl* **Wahl·kom·mis·si·on** *f* Electoral Commission BRIT, Federal Election Commission AM **Wahl·kreis** *m* constituency **Wahl·lo·kal** *nt* polling station [*or* AM place]

wahl·los ['va:llo:s] I. *adj* indiscriminate II. *adv* indiscriminately

Wahl·mög·lich·keit *f* choice, option, possibility **Wahl·nie·der·la·ge** *f* electoral defeat **Wahl·pa·ro·le** *f* election slogan **Wahl·pla·kat** *nt* election poster **Wahl·recht** *nt kein pl* [right to] vote; **das allge·meine ~** universal suffrage

Wähl·schei·be *f* TELEK dial

Wahl·schein *m* postal vote form BRIT, absentee ballot AM **Wahl·sieg** *m* election victory **Wahl·spruch** *m* motto, slogan **Wahl·sys·tem** *nt* electoral system

Wähl·ton *m* TELEK dialling [*or* AM dial] tone **Wahl·ur·ne** *f* ballot box **Wahl·ver·lie·rer(in)** *m(f)* POL election loser **Wahl·ver·samm·lung** *f* election meeting **Wahl·volk** *nt* POL (*fam*) voting masses

wahl·wei·se *adv* as desired

Wahl·wie·der·ho·lung *f* TELEK automatic redial **Wahl·zet·tel** *m* ballot paper

Wahn <-[e]s> [va:n] *m kein pl* ❶ (*irrige Vorstellung*) delusion; **in einem ~ leben** to labour under a delusion ❷ (*Manie*) mania

Wahn·sinn *m kein pl* ❶ (*Unsinn*) madness ❷ MED insanity; **heller ~ sein** (*fam*) to be sheer madness; **jdn zum ~ treiben** to drive sb mad; **~!** wild!

wahn·sin·nig I. *adj* ❶ MED insane, mad ❷ *attr* (*fig: gewaltig*) terrible, dreadful ❸ (*wahnwitzig*) crazy ❹ (*kirre*) **jdn ~ machen** to drive sb mad II. *adv* terribly, dreadfully; **~ viel** a heck of a lot

Wahn·sin·ni·ge(r) *f(m) dekl wie adj* madman *masc*, madwoman *fem*

Wahn·vor·stel·lung *f* delusion

wahr [va:ɐ̯] *adj* ❶ (*zutreffend*) true ❷ *attr* (*wirklich*) real; ~ **werden** to become a reality ▸ **das einzig W~ e** just the thing; **das darf doch nicht ~ sein!** (*verärgert*) I don't believe this!; (*entsetzt*) it can't be true!; **da ist etwas W~es dran** there's some truth in it; (*als Antwort*) you're not wrong there; **etw ist [auch] nicht das W~ e** sth is not quite the thing; **etw ~ machen** to carry out sth

wah·ren ['va:rən] *vt* ❶ (*schützen*) to protect; **jds Interessen ~** to look after sb's interests ❷ (*erhalten*) to maintain

wäh·rend ['vɛ:rənt] **I.** *präp* +*gen* during **II.** *konj* ❶ (*zur selben Zeit*) while ❷ (*wohingegen*) whereas

wäh·rend·des·sen ['vɛ:rənt'dɛsn̩] *adv* meanwhile, in the meantime

wahr·ha·ben *vt irreg* ▪ **etw nicht ~ wollen** not to want to admit sth

wahr·haft ['va:ɐ̯haft] *adj attr* real, true

wahr·haf·tig ['va:ɐ̯'haftɪç] **I.** *adj* real, true **II.** *adv* really

Wahr·heit <-, -en> ['va:ɐ̯haɪt] *f* truth *no pl;* **es mit der ~ nicht so genau nehmen** to stretch the truth; **die ~ sagen** to tell the truth

Wahr·heits·ge·halt *m* truth; *einer Behauptung* validity **wahr·heits·ge·treu I.** *adj* truthful; *Darstellung* accurate **II.** *adv* berichten truthfully; *darstellen* accurately

wahr·lich ['va:ɐ̯lɪç] *adv* really

wahr·nehm·bar *adj* audible; *Geruch* perceptible

wahr|neh·men ['va:ɐ̯ne:mən] *vt irreg* ❶ (*merken*) to perceive; *Geräusch* to detect ❷ *Termin* to keep; *Rechte* to exercise; *Gelegenheit* to take advantage of; *Interessen* to look after

Wahr·neh·mung <-, -en> *f Geräusch* detection *no pl; Geruch* perception *no pl*

wahr|sa·gen ['va:ɐ̯za:gn̩] *vi* to tell fortunes

Wahr·sa·ger(in) <-s, -> ['va:ɐ̯za:gɐ] *m(f)* fortune teller

Wahr·sa·gung <-, -en> *f* prediction

wahr·schein·lich [va:ɐ̯'ʃaɪnlɪç] **I.** *adj* probable, likely **II.** *adv* probably

Wahr·schein·lich·keit <-, -en> *f* probability; **aller ~ nach** in all probability

Wah·rung <-> ['va:rʊŋ] *f kein pl* protection *no pl*

Wäh·rung <-, -en> ['vɛ:rʊŋ] *f* currency

Wäh·rungs·buch·hal·tung *f* currency accounting **Wäh·rungs·ein·heit** *f* currency unit **Wäh·rungs·fonds** *m* monetary fund **Wäh·rungs·po·li·tik** *f* monetary policy **Wäh·rungs·re·form** *f* currency reform **Wäh·rungs·sys·tem** *nt* monetary system **Wäh·rungs·uni·on** *f* monetary union

Wahr·zei·chen ['va:ɐ̯tsaɪçn̩] *nt* landmark

Wai·se <-, -n> ['vaɪzə] *f* orphan

Wai·sen·haus *nt* orphanage **Wai·sen·kind** *nt* orphan **Wai·sen·ren·te** *f* orphan's allowance

Wal <-[e]s, -e> [va:l] *m* whale

Wald <-[e]s, Wälder> [valt, *pl* 'vɛldɐ] *m* wood, forest

Wald·brand *m* forest fire

Wäl·dchen <-s, -> ['vɛltçən] *nt dim von* **Wald** small wood

Wald·horn *nt* MUS French horn **Wald·lauf** *m* cross-country run **Wald·meis·ter** *m* woodruff

Wal·dorf·schule ['valdɔrf-] *f* Rudolf Steiner School

Wald·rand *m* edge of the forest **Wald·scha·den** *m* damage to forests **Wald·ster·ben** *nt* death of the forest[s] as a result of pollution **Wald·weg** *m* forest path

Wales <-> [weɪlz] *nt* Wales *no pl*

Wal·fang ['va:lfaŋ] *m kein pl* whaling **Wal·fän·ger(in)** <-s, -> *m(f)* whaler

Wa·li·ser(in) <-s, -> [va'li:zɐ] *m(f)* Welshman *masc*, Welsh woman *fem; s. a.* **Deutsche(r)**

wa·li·sisch [va'li:zɪʃ] *adj* Welsh; *s. a.* **deutsch**

Wal·kie-Tal·kie^{RR} <-[s], -s> ['vo:ki'to:ki] *nt,* **Wal·kie-tal·kie**^{ALT} <-[s], -s> *nt* walkie-talkie

Walk·man® <-s, -men> ['vo:kmɛn] *m* walkman®

Wall <-[e]s, Wälle> [val, *pl* 'vɛlə] *m* embankment; *Burg* rampart

Wal·lach <-[e]s, -e> ['valax] *m* gelding

wal·len ['valən] *vi Wasser* to bubble

wal·lend *adj* (*geh*) flowing; **ein ~er Bart** a flowing beard

Wall·fah·rer(in) *m(f)* pilgrim **Wall·fahrt** ['valfa:ɐ̯t] *f* pilgrimage **Wall·fahrts·ort** *m* place of pilgrimage

Wal·lis <-> ['valɪs] *nt* Valais (*Swiss Canton*)

Wal·li·ser(in) <-s, -> [va'li:zɐ] *m(f)* inhabitant of Valais (*in Switzerland*)

Wal·lung <-, -en> *f* (*Hitze~*) [hot] flush *usu pl* ▸ **jdn in ~ bringen** to make sb's blood surge

Wal·lungs·wert *m* (*oft iron geh*) emotional punch

Wal·nuss^{RR} ['valnʊs] *f* walnut

Wal·nuss·baum^{RR} *m* walnut [tree] **Wal·**

W

nuss·holz^RR *nt* walnut
Wal·pur·gis·nacht [val'pʊrgɪs-] *f* Walpurgis night
Wal·ross^RR *nt,* **Wal·roß**^ALT ['valrɔs] *nt* walrus
wal·ten ['valtn̩] *vi* (*geh*) ❶ (*herrschen*) to reign ❷ (*üben*) **Nachsicht ~ lassen** to show leniency
Wal·ze <-, -n> ['valtsə] *f* roller
wal·zen ['valtsn̩] *vt* to roll
wäl·zen ['vɛltsn̩] **I.** *vt* ❶ (*rollen*) to roll ❷ *Probleme* to turn over in one's mind ❸ *Bücher* to pore over **II.** *vr* to roll (**in** in); **sie wälzte sich im Bett hin und her** she tossed and turned in bed
wal·zen·för·mig *adj* cylindrical
Wal·zer <-s, -> ['valtsɐ] *m* waltz; **Wie·ner ~** Viennese waltz
Wam·pe <-, -n> ['vampə] *f* (*fam*) paunch
wand *imp von* **winden**¹
Wand <-, Wände> [vant, *pl* 'vɛndə] *f* ❶ (*Mauer*) wall ❷ (*Wandung*) side ▸ **spa·nische ~** folding screen; **in jds vier Wän·den** within sb's own four walls; **die ~ hoch gehen können** to drive sb up the wall; **jdn an die ~ spielen** SPORT to thrash sb; MUS, THEAT to outshine sb
Wan·da·lis·mus [vanda'lɪsmʊs] *m s.* **Van·dalismus**
Wan·del <-s> ['vandl̩] *m kein pl* change; **einem ~ unterliegen** to be subject to change
wan·deln¹ ['vandl̩n] **I.** *vt* (*ändern*) to change **II.** *vr* ▪ **sich ~** to change
wan·deln² ['vandl̩n] *vi sein* (*geh*) to stroll
Wan·der·aus·stel·lung *f* travelling exhibition **Wan·der·büh·ne** *f* THEAT touring company
Wan·de·rer, Wan·de·rin <-s, -> ['vandə̯rɐ, 'vandərɪn] *m, f* hiker
Wan·der·kar·te *f* map of walks
wan·dern ['vanden] *vi sein* ❶ (*eine Wanderung machen*) to hike ❷ GEOG to shift ❸ ZOOL to migrate
Wan·der·po·kal *m* challenge cup
Wan·der·schaft <-> *f kein pl* travels *npl;* **auf ~ sein** to be on one's travels
Wan·de·rung <-, -en> ['vandə̯rʊŋ] *f* hike; **eine ~ machen** to go on a hike
Wan·der·vo·gel *m* ❶ (*Zugvogel*) migratory bird ❷ (*hum*) keen hiker **Wan·der·weg** *m* walk, trail **Wan·der·zir·kus** *m* travelling circus
Wand·ge·mäl·de *nt* mural, wall painting
Wand·lung <-, -en> ['vandlʊŋ] *f* change; *Schau·spieler* versatile
Wand·schrank *m* built-in cupboard

wand·te ['vantə] *imp von* **wenden**
Wand·tep·pich *m* tapestry **Wand·uhr** *f* wall clock
Wan·ge <-, -n> ['vaŋə] *f* cheek
wan·kel·mü·tig ['vaŋkl̩my:tɪç] *adj* inconsistent
wan·ken ['vaŋkn̩] *vi* ❶ *haben* (*schwanken*) to sway ❷ *sein* (*sich wankend bewegen*) to stagger ▸ **ins W~ geraten** to begin to sway
wann [van] *adv interrog* when; **bis ~** until when; **seit ~** since when; **~ |auch| immer** whenever
Wan·ne <-, -n> ['vanə] *f* tub
Wanst <-[e]s, Wänste> [vanst, *pl* 'vɛnstə] *m* paunch
Wan·ze <-, -n> ['vantsə] *f* bug
WAP-Han·dy *nt* WAP phone
Wap·pen <-s, -> ['vapn̩] *nt* coat of arms
Wap·pen·kun·de *f kein pl* heraldry *no pl* **Wap·pen·schild** *m o nt* shield
wapp·nen ['vapnən] *vr* ▪ **sich ~** to prepare oneself (**gegen** for)
war [va:ɐ̯] *imp von* **sein**¹
warb [varp] *imp von* **werben**
Wa·re <-, -n> ['va:rə] *f* article, product ▸ **heiße ~** hot goods
Wa·ren·an·ge·bot *nt* range of goods on offer **Wa·ren·au·to·mat** *m* vending machine **Wa·ren·be·stand** *m* stock *no pl* **Wa·ren·bör·se** *f* commodity exchange **Wa·ren·haus** *nt* (*veraltend*) department store **Wa·ren·la·ger** *nt* goods depot **Wa·ren·ver·kehr** *m kein pl* movement of goods **Wa·ren·zei·chen** *nt* trade mark
warf [varf] *imp von* **werfen**
War·lord <-s, -s> ['vo:lɔrd] *m* MIL (*sl*) warlord
warm <wärmer, wärmste> [varm] **I.** *adj* warm; **etw ~ halten** to keep sth warm; **etw ~ machen** to heat sth up; **es ~ haben** to be warm; **mir ist zu ~** I'm too hot ▸ **sich ~ laufen** to warm up **II.** *adv* (*im Warmen*) warmly; (*gewärmt*) warm; **den Motor ~ laufen lassen** to let the engine warm up ▸ **etw wärmstens empfehlen** to recommend sth most warmly
Warm·blü·ter <-s, -> *m* warm-blooded animal **Warm·du·scher** <s, -> *m* (*pej sl*) wimp
Wär·me <-> ['vɛrmə] *f kein pl* warmth *no pl*
Wär·me·aus·tausch *m kein pl* heat exchange **Wär·me·be·las·tung** *f kein pl* ❶ ÖKOL thermal pollution ❷ TECH thermal stress **wär·me·be·stän·dig** *adj* heat-resistant **Wär·me·däm·mung** *f* heat insulation **Wär·me·ener·gie** *f* thermal ener-

gy **Wär·me·haus·halt** *m* heat regulation **Wär·me·iso·lie·rung** *f* thermal insulation **Wär·me·kraft·werk** *nt* thermal power station **Wär·me·leh·re** *f kein pl* theory of heat

wär·men ['vɛrmən] **I.** *vt* to warm up; ■ **sich [gegenseitig] ~** to keep each other warm **II.** *vi* to be warm

Wär·me·pum·pe *f* heat pump **Wär·me·reg·ler** *m* thermostat **Wär·me·spei·cher** *m* thermal store **Wär·me·strah·lung** *f* thermal radiation *no pl* **Wär·me·tech·nik** *f kein pl* heat technology

Wärm·fla·sche *f* hot-water bottle

Warm·front *f* METEO warm front **Warm·hal·te·kan·ne** *f* thermos **warm|hal·ten** *vt irreg* ▶ **sich** *dat* **jdn ~ halten** to keep sb warm [*or* BRIT in with sb] **Warm·hal·te·plat·te** *f* hotplate **warm·her·zig** *adj* warm-hearted **Warm·luft** *f* warm air *no pl* **Warm·mie·te** *f* rent including heating [*or* AM heat] **Warm·start** *m* INFORM soft reset

Warm·was·ser·be·rei·ter <-s, -> [varm-'vasɐbəraitɐ] *m* water heater

Warm·was·ser·spei·cher *m* hot-water tank **Warm·was·ser·ver·sor·gung** *f* hot-water supply

warm|wer·den *vi irreg sein* ▶ **mit jdm ~ werden** to warm to sb

Warn·blink·an·la·ge *f* hazard warning lights *pl* **Warn·drei·eck** *nt* hazard warning triangle

war·nen ['varnən] *vt* to warn (**vor** about)

Warn·kreuz *nt* BAHN warning cross **Warn·licht** *nt* AUTO hazard warning light **Warn·schild** *nt* warning sign **Warn·schuss**[RR] *m*, **Warn·schuß**[ALT] *m* warning shot **Warn·sig·nal** *nt* warning signal **Warn·streik** *m* token strike

War·nung <-, -en> *f* warning (**vor** about) **Warn·zei·chen** *nt* warning sign

War·schau <-s> ['varʃau] *nt* Warsaw

War·te·hal·le *f* waiting room **War·te·lis·te** *f* waiting list

war·ten[1] ['vartn̩] *vi* to wait (**auf** for); **auf sich ~ lassen** to be a long time [in] coming; **warte mal!** hold on!; **na warte!** just you wait!; **worauf wartest du noch?** what are you waiting for?

war·ten[2] ['vartn̩] *vt* to service

Wär·ter(in) <-s, -> ['vɛrtɐ] *m(f)* ❶ (*Gefängnis~*) prison officer [*or* AM guard], warder BRIT ❷ (*Tierpfleger*) keeper

War·te·raum *m* waiting room

Wär·te·rin <-, -nen> *f fem form von* **Wärter**

War·te·saal *m* waiting room **War·te·**

schlan·ge *f* queue, line AM **War·te·zeit** *f* wait *no pl* **War·te·zim·mer** *nt* waiting room

War·tung <-, -en> *f* service, maintenance *no pl*

wa·rum [va'rʊm] *adv interrog* why; **~ nicht?** why not?; **~ nicht gleich so!** (*fam*) why couldn't I/you do that before!

War·ze <-, -n> ['vartsə] *f* wart

was [vas] **I.** *pron interrog* ❶ (*welches Ding*) what; **~ ist?** what's the matter? ❷ (*fam: warum?*) why? ❸ (*fam: nicht wahr?*) isn't it/doesn't it/aren't you? **II.** *pron rel* what; ■ **das, ~ ...** that which ... *form,* what ... **III.** *pron indef* (*fam: etwas*) something, anything; **kann ich ~ helfen?** is there anything I can do to help?; **iss nur, es ist ~ ganz Leckeres!** just eat it, it's something really tasty!

Wasch·an·la·ge *f* car wash **Wasch·an·lei·tung** *f* washing instructions *pl* **wasch·bar** *adj* washable **Wasch·bär** *m* racoon **Wasch·be·cken** *nt* washbasin

Wä·sche <-, -en> *f* ❶ *kein pl* (*Schmutz~*) washing *no pl;* **etw in die ~ tun** to put sth in the wash; (*das Waschen*) washing *no pl* ❷ *kein pl* (*Unter~*) underwear *no pl* ❸ *kein pl* (*Haushalts~*) linen *no pl*

wasch·echt *adj* ❶ (*typisch*) genuine, real ❷ (*nicht verbleichend*) colourfast

Wä·sche·klam·mer *f* [clothes]peg **Wä·sche·korb** *m* laundry basket **Wä·sche·lei·ne** *f* [clothes]line

wa·schen <wusch, gewaschen> ['vaʃn̩] *vt* to wash

Wä·sche·rei <-, -en> [vɛʃə'rai] *f* laundry **Wä·sche·schleu·der** *f* spin dryer **Wä·sche·schrank** *m* linen cupboard **Wä·sche·stän·der** *m* clothes horse **Wä·sche·trock·ner** <-s, -> *m* drier

Wasch·gang <-gänge> *m* wash (*stage of a washing programme*) **Wasch·kü·che** *f* wash house **Wasch·lap·pen** *m* ❶ (*Lappen*) flannel ❷ (*fam: Feigling*) sissy **Wasch·ma·schi·ne** *f* washing machine **Wasch·mit·tel** *nt* detergent **Wasch·pul·ver** *nt* washing powder **Wasch·raum** *m* washroom **Wasch·sa·lon** *m* launderette BRIT, laundromat AM **Wasch·schüs·sel** *f* washtub **Wasch·stra·ße** *f* car wash

Wa·schung <-, -en> *f* ❶ MED washing *no pl* ❷ REL ablution *no pl*

Wasch·weib *nt* (*fam*) gossip **Wasch·zeug** *nt* washing things *pl*

Was·ser <-s, - *o* Wässer> ['vasɐ, *pl* 'vɛsɐ] *nt* water *no pl;* **~ abweisend** water-repellent; **~ durchlässig** porous ▶ **das ~ bis zum Hals stehen haben** to be up to one's ears in debt; **jdm läuft das ~ im Mund[e] zusammen** sb's mouth is watering; **fließend ~** running water; **stille ~ sind tief** still waters run deep *prov;* **ins ~ fallen** to fall through; **mit allen ~n gewaschen sein** to know every trick in the book; **sich über ~ halten** to keep oneself above water; **jdm das ~ reichen können** to be a match for sb; **~ lassen** MED to pass water; **etw zu ~ lassen** NAUT to launch sth; **etw unter ~ setzen** to flood sth; **unter ~ stehen** to be flooded; **zu ~** by sea

Was·ser·ader *f* subterranean watercourse **Was·ser·an·schluss**^{RR} *m* mains hose BRIT, water main connection AM **Was·ser·auf·be·rei·tung** *f* water treatment **Was·ser·auf·be·rei·tungs·an·la·ge** *f* water treatment plant **Was·ser·bad** *nt* ❶ KOCHK bain-marie ❷ FOTO water bath **Was·ser·ball** *m* ❶ *kein pl* SPORT water polo *no pl* ❷ *(Spielball)* beach ball **Was·ser·be·häl·ter** *m* water container **Was·ser·bett** *nt* waterbed **Was·ser·dampf** *m* steam *no pl* **was·ser·dicht** *adj* watertight; *Uhr* water-resistant **Was·ser·fall** *m* waterfall **Was·ser·far·be** *f* watercolour **was·ser·fest** *adj* waterproof, water-resistant **Was·ser·floh** *m* water flea **Was·ser·flug·zeug** *nt* seaplane **Was·ser·glas** *nt* glass, tumbler **Was·ser·gra·ben** *m* ❶ *(Graben)* ditch ❷ SPORT water jump ❸ *(Burggraben)* moat **Was·ser·hahn** *m* [water] tap [*or* AM faucet] **Was·ser·här·te** *f* hardness of the water **Was·ser·haus·halt** <-[e]s> *m kein pl* ❶ MED, BIOL water balance ❷ ÖKOL hydrologic balance **wäs·se·rig** ['vɛsərɪç] *adj s.* **wässrig Was·ser·kes·sel** *m* KOCHK kettle; TECH boiler **Was·ser·kraft** *f kein pl* water power *no pl* **Was·ser·kraft·werk** *nt* hydroelectric power station **Was·ser·lauf** *m* watercourse **Was·ser·lei·che** *f* corpse found in water **Was·ser·lei·tung** *f* water pipe **Was·ser·li·lie** *f* water lily **was·ser·lös·lich** *adj* soluble in water **Was·ser·man·gel** *m* water shortage **Was·ser·mann** ['vasɐman] *m* ❶ ASTROL Aquarius *no pl, no def art* ❷ *(Nöck)* water sprite **Was·ser·me·lo·ne** *f* watermelon **Was·ser·müh·le** *f* watermill **wäs·sern** ['vɛsɐn] *vt* to water **Was·ser·pfei·fe** *f* hookah **Was·ser·pflan·ze** *f* aquatic plant **Was·ser·pis·to·le** *f* water pistol **Was·ser·rad** *nt* water wheel **Was·ser·rat·te** *f* ❶ *(Schermaus)*

water rat ❷ *(gerne badender Mensch)* keen swimmer **Was·ser·rohr** *nt* water pipe **Was·ser·scha·den** *m* water damage *no pl* **Was·ser·schei·de** *f* watershed **was·ser·scheu** *adj* scared of water **Was·ser·schutz·ge·biet** *nt* water protection area **Was·ser·schutz·po·li·zei** *f* river police **Was·ser·ski** ❶ *kein pl (Sportart)* waterskiing *no pl* ❷ *(Sportgerät)* waterski **Was·ser·spei·er** <-s, -> *m* gargoyle **Was·ser·spie·gel** *m* water level **Was·ser·sport** *m* water sports *pl* **Was·ser·sport·ler, -sport·le·rin** *m, f* water sports enthusiast **Was·ser·spü·lung** *f* flush **Was·ser·stand** *m* water level **Was·ser·stoff** *m* hydrogen *no pl* **Was·ser·stoff·blon·di·ne** *f (hum fam)* peroxide blonde **Was·ser·stoff·bom·be** *f* hydrogen bomb **Was·ser·stoff·per·o·xyd** *nt* hydrogen peroxide **Was·ser·stoff·ver·bren·nungs·mo·tor** *m* AUTO hydrogen[-fuelled] internal combustion engine **Was·ser·strahl** *m* jet of water **Was·ser·stra·ße** *f* waterway **Was·ser·tem·pe·ra·tur** *f* water temperature **Was·ser·trop·fen** *m* water drop **Was·ser·ver·brauch** *m* water consumption **Was·ser·ver·schmut·zung** *f* water pollution **Was·ser·ver·sor·gung** *f* water supply **Was·ser·vo·gel** *m* aquatic bird **Was·ser·waa·ge** *f* spirit level **Was·ser·weg** *m* waterway; **auf dem ~** by water **Was·ser·wel·le** *f* MODE shampoo and set **Was·ser·wer·fer** *m* water cannon **Was·ser·werk** *nt* waterworks + *sing/pl vb* **Was·ser·zäh·ler** *m* water meter **Was·ser·zei·chen** *nt* watermark **wäss·rig**^{RR} *adj*, **wäß·rig**^{ALT} ['vɛsrɪç] *adj* ❶ *Suppe* watery ❷ *Lösung* aqueous **wa·ten** ['va:tn] *vi sein* to wade **Wat·sche** <-, -> ['va:tʃə], **Wat·schen** ['va:tʃn] *f* ÖSTERR, SÜDD *(fam)* clip round the ear **wat·scheln** ['va:tʃln] *vi sein* to waddle **Watt**¹ <-s, -> [vat] *nt* PHYS watt **Watt**² <-[e]s, -en> [vat] *nt* mudflats *pl* **Wat·te** <-, -n> ['vatə] *f* cotton wool *no pl* **Wat·te·bausch** *m* wad of cotton wool **Wat·ten·meer** *nt kein pl* mudflats *pl* **Wat·te·stäb·chen** *nt* cotton bud **wat·tie·ren*** [va'ti:rən] *vt* to pad **wau wau** ['vau̯ 'vau̯] *interj* woof-woof **WC** <-s, -s> [ve:'tse:] *nt* WC BRIT, bathroom AM **Web** <-[s]> [wɛb] *nt kein pl* INET web, Web **Web·cam** <-, -s> ['wɛbkɛm] *f* webcam **we·ben** <webte *o geh* wob, gewebt *o geh* gewoben> ['ve:bn] *vt, vi* to weave

We·ber(in) <-s, -> ['ve:bɐ] *m(f)* weaver

We·be·rei <-, -en> [ve:bə'raɪ] *f* weaving mill

We·be·rin <-, -nen> *f fem form von* **Weber**

We·ber·knecht *m* ZOOL daddy-long-legs

Web·log <-s, -s> ['vɛblɔg] *m* INET blog **Web·sei·te** *f* web page **Web·ser·ver** *m* web server **Web·site** <-, -s> ['wɛb‚saɪt] *f* web site **Web-Soap** <-, -s> [wɛb'zo:p] *f* TV, INET websoap

Web·stuhl *m* loom

Wech·sel¹ <-s, -> ['vɛksl̩] *m* ❶ *kein pl (das Wechseln)* change; **in stündlichem ~** in hourly rotation ❷ SPORT *(Übergabe)* changeover

Wech·sel² <-s, -> ['vɛksl̩] *m* FIN *(Schuldurkunde)* bill [of exchange]; *(fam: Monats~)* allowance

Wech·sel·bad *nt* alternating hot and cold water baths *pl;* **das ~ der Gefühle** emotional roller coaster **Wech·sel·be·zie·hung** *f* correlation, interrelation **Wech·sel·fäl·le** *pl* vicissitudes *pl,* ups and downs *fam* **Wech·sel·geld** *nt* change *no pl, no indef art*

wech·sel·haft ['vɛksl̩-] I. *adj* changeable II. *adv* in a changeable way

Wech·sel·jah·re *pl* menopause *no pl;* **in die ~ kommen** to reach the menopause **Wech·sel·kurs** *m* exchange rate

Wech·sel·kurs·me·cha·nis·mus *m* exchange rate mechanism **Wech·sel·kurs·ri·si·ko** *nt* exchange rate risk **Wech·sel·kurs·schwan·kung** *f* fluctuation in the exchange rate **Wech·sel·kurs·sys·tem** *nt* exchange rate system

wech·seln ['vɛksl̩n] *vt, vi* to change

wech·selnd *adj* ❶ *(immer andere)* changing ❷ *(veränderlich)* changeable ❸ *(unterschiedlich)* **mit ~em Erfolg** with varying [degrees of] success

wech·sel·sei·tig *adj* mutual

Wech·sel·spiel *nt* interplay **Wech·sel·strom** *m* alternating current **Wech·sel·stu·be** *f* exchange booth **Wech·sel·wäh·ler(in)** *m(f)* floating [or Am undecided] voter

wech·sel·wei·se *adv* alternately

Wech·sel·wir·kung *f* interaction

we·cken ['vɛkn̩] *vt* ❶ *(auf~)* to wake [up] ❷ *(hervorrufen)* to bring back *sep; Assoziationen* to create; *Interesse, Verdacht* to arouse

We·cken <-s, -> ['vɛkn̩] *m* ÖSTERR, SÜDD *(Brötchen)* long roll

We·cker <-s, -> ['vɛkɐ] *m* alarm clock

we·deln ['ve:dl̩n] *vi* ❶ *(fuchteln)* **mit etw** *dat* **~** to wave sth; *Schwanz* to wag ❷ SKI to wedel

we·der ['ve:dɐ] *konj* **~ ... noch ...** neither ... nor; **~ du noch er** neither you nor him; **~ noch** neither

weg [vɛk] *adv* ❶ *(fort)* ∎**~ sein** to have gone; **~ mit dir** away with you!; **von etw** *dat* **~** from sth; **nichts wie ~ hier!** let's get out of here!; **~ da!** [get] out of the way! ❷ *(fam: hinweggekommen)* ∎**über etw** *akk* **~ sein** to have got over sth

Weg <-[e]s, -e> [ve:k, *pl* 've:gə] *m* ❶ *(Pfad)* path ❷ *(unbefestigte Straße)* track ❸ *(Strecke)* way ❹ *(Methode)* way ▸ **auf dem ~e der <u>Besserung</u> sein** to be on the road to recovery; **auf dem <u>besten</u> ~e sein, etw zu tun** to be well on the way to doing sth; **auf <u>friedlichem</u> ~e** by peaceful means; **jdm auf <u>halbem</u> ~e entgegenkommen** to meet sb halfway; **vom <u>rechten</u> ~ abkommen** to wander from the straight and narrow; **<u>geh</u> mir aus dem ~!** get out of my way!; **jdm/einer Sache** *dat* **aus dem ~e <u>gehen</u>** to avoid sb/sth; **auf dem ~ <u>sein</u>** to be on one's way; **jdm über den ~ <u>laufen</u>** to run into sb; **etw in die ~e <u>leiten</u>** to arrange sth; **auf jds ~ <u>liegen</u>** to be on sb's way; **sich auf den ~ <u>machen</u>** to set off; **etw aus dem ~ <u>räumen</u>** to remove sth; **sich jdm in den ~ <u>stellen</u>** to bar sb's way; **jdm nicht über den ~ <u>trauen</u>** not to trust sb an inch; **hier <u>trennen</u> sich unsere ~e** this is where we part company; **<u>aus</u> dem ~!** stand aside!, make way!

weg|be·kom·men* *vt irreg (fam)* ❶ *(entfernen können)* to remove ❷ *(fortbewegen können)* to move away

Weg·be·rei·ter(in) <-s, -> *m(f)* forerunner, precursor

weg|bla·sen *vt irreg* ∎**etw ~** to blow away sth *sep* ▸ **von etw** *dat* **völlig weggeblasen sein** *(fam)* to be completely blown away by sth **weg|blei·ben** *vi irreg sein* to stay away; **bleib nicht so lange weg!** don't stay out too long **weg|brin·gen** *vt irreg* to take away **weg|den·ken** *vt irreg* ∎**sich** *dat* **etw ~** to imagine sth without sth **weg|dre·hen** *vt* to turn away *sep* **weg|drü·cken** *vt* ❶ *(move aside)* to push away ❷ *(fam) Angst, Gefühl* to repress **weg|dür·fen** *vi irreg (fam)* to be allowed to go out

we·gen ['ve:gn̩] *präp +gen* ❶ *(aus Gründen)* because of, due to ❷ *(bedingt durch)* ∎**~ jdm** on account of sb ❸ *(bezüglich)* ∎**~ einer S.** *gen* regarding a thing

We·ge·rich <-s, -e> ['ve:gərɪç] *m* BOT

plantain

weg|fah·ren *irreg* **I.** *vi sein* to leave **II.** *vt haben* ❶ (*wegbringen*) to take away ❷ (*woandershin fahren*) to move

Weg·fahr·sper·re *f* AUTO **elektronische ~** immobilizer

weg|fal·len *vi irreg sein* to cease to apply **weg|flie·gen** *vi irreg sein* ❶ (*fortfliegen*) to fly away ❷ (*weggeblasen werden*) to blow away **weg|füh·ren** *vt, vi* to lead away **Weg·gang** *m kein pl* (*geh*) departure **weg|ge·ben** *vt irreg* to give away *sep*

Weg·ge·fähr·te, -ge·fähr·tin *m, f* fellow traveller

weg|ge·hen *vi irreg sein* ❶ (*fortgehen*) to go away ❷ (*fam: sich entfernen lassen*) to remove; **der Fleck geht nicht weg** the stain won't come out **weg|gie·ßen** *vt irreg* to pour away *sep* **weg|gu·cken** *vi* (*fam*) *s.* **wegsehen weg|ho·len I.** *vt* to take away *sep* **II.** *vr* (*fam*) **sich** *dat* **eine Grippe ~** to catch flu **weg|hö·ren** *vi* to stop listening **weg|ja·gen** *vt* to drive away *sep* **weg|kom·men** *vi irreg sein* (*fam*) ❶ (*weggehen können*) to get away; **mach, dass du wegkommst!** clear off! ❷ (*abhandenkommen*) to disappear ❸ (*abschneiden*) to fare somehow **Weg·kreu·zung** *f* crossroads

weg|krie·gen *vt s.* **wegbekommen 1 weg|las·sen** *vt irreg* ❶ (*auslassen*) to leave out *sep* ❷ (*weggehen lassen*) to let go ❸ (*darauf verzichten*) ▪**etw ~** not to have sth, to give sth a miss BRIT **weg|lau·fen** *vi irreg sein* to run away (**vor** from) **weg|le·gen** *vt* ❶ (*beiseitelegen*) to put down *sep* ❷ (*aufbewahren*) to put aside *sep* **weg|ma·chen** *vt* to get rid of **weg|müs·sen** *vi irreg* to have to go **weg|neh·men** *vt irreg* ▪**etw ~** to take sth away *sep* (**von** from); ▪**jdm etw ~** to take away sth *sep* from sb **Weg·rand** *m* side of the road

weg|ra·ti·o·na·li·sie·ren* *vt* ▪**jdn/etw ~** to get rid of sb/sth as part of a rationalization programme **weg|räu·men** *vt* to clear away *sep* **weg|ren·nen** *vi irreg sein* (*fam*) *s.* **weglaufen weg|rut·schen** *vi sein* to slip away **weg|schaf·fen** *vt* to remove **weg|schau·en** *vi* (*geh*) *s.* **wegsehen weg|schi·cken** *vt* ❶ (*abschicken*) to send off *sep* ❷ (*fortgehen heißen*) to send away **weg|schie·ben** *vt irreg* to push away *sep* **weg|schlep·pen** *vt* to drag away *sep* **weg|schlie·ßen** *vt irreg* to lock away *sep* (**vor** from) **weg|schmei·ßen** *vt irreg* (*fam*) *s.* **wegwerfen**

weg|schnap·pen *vt* ▪**jdm etw ~** to take sth from sb **weg|schüt·ten** *vt s.* **weggießen weg|se·hen** *vi irreg* to look away **weg|set·zen** *vt* to move away **weg|ste·cken** *vt* ❶ (*einstecken*) to put away *sep* ❷ (*verkraften*) to get over **weg|steh·len** *vr irreg* (*verschwinden*) to steal away **weg|stel·len** *vt* to move out of the way **weg|sto·ßen** *vt irreg* to push away *sep*; (*mit Fuß*) to kick away *sep* **Weg·stre·cke** *f* stretch of road

weg|tra·gen *vt irreg* to carry away *sep* **weg|tre·ten** *vi irreg sein* MIL to fall out; ▪**jdn ~ lassen** to dismiss sb ▸ **weggetreten sein** to be miles away **weg|tun** *vt irreg* ❶ (*wegwerfen*) to throw away *sep* ❷ (*weglegen*) to put down *sep*

weg·wei·send *adj Taten* pioneering; *Erfindung* revolutionary

Weg·wei·ser <-s, -> *m* signpost

weg|wer·fen *vt irreg* to throw away *sep* **Weg·werf·ge·sell·schaft** *f* throwaway society **Weg·werf·pa·ckung** *f* disposable packaging **Weg·werf·win·del** *f* disposable nappy [*or* AM diaper] **weg|wi·schen** *vt* to wipe away *sep* **weg|zie·hen** *vi irreg sein* to move away

Weg·zoll *m* TRANSP, ADMIN [highway] toll **weh** [ve:] *adj* sore

we·he ['ve:ə] *interj* [don't] you dare!

We·he <-, -n> ['ve:ə] *f* ❶ (*Schnee~, Sand~*) drift ❷ *meist pl* (*Geburts~n*) labour pains; **in den ~n liegen** to be in labour

we·hen ['ve:ən] *vi* ❶ *haben* (*blasen*) to blow ❷ *haben Haare* to blow about; *Fahne* to flutter ❸ *sein Duft* to waft; *Klang* to drift **We·hen·mit·tel** *nt* MED ecbolic **weh·kla·gen** ['ve:kla:gn] *vi* to lament **weh·lei·dig** *adj* oversensitive **Weh·mut** <-> ['ve:mu:t] *f kein pl* wistfulness *no pl;* **voller ~** melancholy **weh·mü·tig** ['ve:my:tɪç] *adj* (*geh*) melancholy; *Erinnerung* nostalgic

Wehr¹ [ve:ɐ̯] *f* **sich zur ~ setzen** to defend oneself

Wehr² <-[e]s, -e> [ve:ɐ̯] *nt* BAU weir

Wehr·be·auf·trag·te(r) *f(m) dekl wie adj* parliamentary commissioner for the armed forces

Wehr·dienst *m kein pl* military service *no pl;* **den ~ verweigern** to refuse to do military service

wehr·dienst·taug·lich *adj* fit for military service **Wehr·dienst·ver·wei·ge·rer** *m* conscientious objector **Wehr·dienst·ver·wei·ge·rung** *f* refusal to do military service

weh·ren ['ve:rən] *vr* ❶ (*sich widersetzen*) ■ **sich gegen etw** *akk* **~** to fight against sth ❷ (*sich sträuben*) ■ **sich dagegen ~, etw zu tun** to resist doing sth

Wehr·er·satz·dienst *m* alternative to national service

wehr·los I. *adj* defenceless (**gegen** against) II. *adv* in a defenceless state; **etw ~ gegenüberstehen** to be defenceless against sth

Wehr·macht *f* armed forces; HIST ■ **die ~** the Wehrmacht **Wehr·pflicht** *f kein pl* compulsory military service *no pl* **wehrpflich·tig** *adj* liable for military service **Wehr·pflich·ti·ge(r)** *f(m) dekl wie adj* person liable for military service **Wehrsport·übung** *f* POL militia training **wehrtaug·lich** *adj* fit for military service

wehltun *vt* to hurt

Weh·weh·chen <-s, -> [ve:'ve:çən] *nt* (*fam*) slight pain; **ein ~ haben** to suffer from a little complaint

Weib <-[e]s, -er> [vaip, *pl* 'vaibɐ] *nt* (*pej*) woman; **ein furchtbares ~** a terrible woman

Weib·chen <-s, -> ['vaipçən] *nt* female **Wei·ber·held** *m* (*pej*) ladykiller **wei·bisch** ['vaibɪʃ] *adj* effeminate **weib·lich** ['vaiplɪç] *adj* ❶ (*fraulich*) feminine ❷ ANAT female ❸ LING feminine **Weib·lich·keit** <-> *f kein pl* femininity *no pl*

weich [vaiç] I. *adj* soft II. *adv* softly; **~ abbremsen** to brake gently

Wei·che <-, -n> ['vaiçə] *f* BAHN points *pl* ▶ **die ~n [für etw** *akk*] **stellen** to determine the course [for sth]

wei·chen <wich, gewichen> ['vaiçn̩] *vi sein* ❶ (*nachgeben*) ■ **etw ~** to give way to sth ❷ (*schwinden*) to subside ❸ (*verschwinden*) to go; **er wich nicht von der Stelle** he didn't budge from the spot

Weich·heit <-, *selten* -en> *f* softness *no pl* **weich·her·zig** *adj* soft-hearted **Weichkä·se** *m* soft cheese **weich·lich** *adj* weak **Weich·ling** <-s, -e> ['vaiçlɪŋ] *m* (*pej*) weakling **Weich·spü·ler** <-s, -> *m* fabric softener **Weich·tei·le** *pl* ❶ (*Eingeweide*) soft parts *pl* ❷ (*Geschlechtsteile*) private parts *pl* **Weich·tier** *nt* mollusc **weichlwer·den** *vi irreg sein* (*fig*) to weaken

Wei·de <-, -n> ['vaidə] *f* ❶ BOT willow ❷ AGR meadow

Wei·de·land *nt* pastureland *no pl*

wei·den ['vaidn̩] I. *vi* (*grasen*) to graze II. *vr* ■ **sich an etw** *dat* **~** ❶ (*sich ergötzen*) to feast one's eyes on sth ❷ (*genie-ßen*) to revel in sth

Wei·den·kätz·chen *nt* willow catkin **Wei·den·korb** *m* wicker[work] basket **Wei·den·ru·te** *f* willow rod

wei·gern ['vaigɐn] *vr* ■ **sich ~** to refuse **Wei·ge·rung** <-, -en> *f* refusal

Weih·bi·schof [vai-] *m* suffragan bishop **Weihe** <-, -n> ['vaiə] *f* REL consecration *no pl;* **die ~n empfangen** to take orders

wei·hen ['vaiən] *vt* ❶ REL to consecrate ❷ (*widmen*) ■ **jdm geweiht sein** to be dedicated to sb

Wei·her <-s, -> ['vaiɐ] *m* pond

Weih·nach·ten <-, -> ['vainaxtn̩] *nt* Christmas, Xmas *fam;* **fröhliche ~!** merry Christmas!

weih·nacht·lich I. *adj* Christmassy, festive II. *adv* festively

Weih·nachts·abend *m* Christmas Eve **Weih·nachts·baum** *m* Christmas tree **Weih·nachts·fei·er** *f* Christmas celebrations *pl* **Weih·nachts·fest** *nt kein pl* Christmas **Weih·nachts·geld** *nt* Christmas bonus **Weih·nachts·ge·schenk** *nt* Christmas present **Weih·nachts·lied** *nt* [Christmas] carol **Weih·nachts·mann** *m* Father Christmas, Santa Claus **Weih·nachts·markt** *m* Christmas fair

Weih·rauch ['vai-] *m* incense **Weih·was·ser** *nt* holy water

weil [vail] *konj* because, as, cos *sl*

Weil·chen <-s> *nt kein pl* ■ **ein ~** a little while

Wei·le <-> ['vailə] *f kein pl* while *no pl;* **eine ganze ~** quite a while

Wei·ler <-s, -> ['vailɐ] *m* hamlet

Wein <-[e]s, -e> [vain] *m* ❶ (*Getränk*) wine ❷ *kein pl* (*~ rebe*) vines *pl* ▶ **jdm reinen ~ einschenken** to tell sb the truth

Wein·bau *m kein pl* wine-growing *no pl* **Wein·bau·er(in)** *m(f) s.* **Winzer Weinbau·ge·biet** *nt* wine-growing area **Wein·bee·re** *f* ❶ (*Traube*) grape ❷ SÜDD, ÖSTERR, SCHWEIZ (*Rosine*) raisin **Wein·berg** *m* vineyard **Wein·berg·schne·cke** *f* edible snail **Wein·brand** *m* brandy

wei·nen ['vainən] *vi* to cry (**um** for); **vor Freude ~** to cry with joy

wei·ner·lich I. *adj* tearful II. *adv* tearfully **Wein·ern·te** *f* grape harvest **Wein·es·sig** *m* wine vinegar **Wein·fass**RR *nt* wine cask **Wein·fla·sche** *f* wine bottle **Wein·geist** *m kein pl* ethyl alcohol *no pl* **Wein·glas** *nt* wine glass **Wein·gut** *nt* wine-growing estate **Wein·jahr** *nt* vintage **Wein·kar·te** *f* wine list **Wein·kel·ler** *m* wine cellar **Wein·krampf** *m* crying fit **Wein·le·se** *f* grape harvest **Wein·**

pro·be f wine-tasting **Wein·re·be** f grape[vine] **wein·rot** adj claret **Wein·sor·te** f type of wine **Wein·stu·be** f wine bar **Wein·trau·be** f grape

wei·se ['vaizə] I. adj wise II. adv wisely

Wei·se <-, -n> ['vaizə] f ❶ (Methode) way; **auf bestimmte ~** in a certain way; **auf diese ~** in this way; **in gewisser ~** in certain respects; **auf jds ~** in sb's own way ❷ (geh: Melodie) tune

Wei·se(r) ['vaizə, -zə] f(m) dekl wie adj wise man ▶ **die** [**drei**] **~n aus dem Mor·genland** the three Wise Men from the East

wei·sen <wies, gewiesen> ['vaizn̩] I. vt ◼ **jdn aus etw** dat **~** to expel sb from sth ▶ **etw von sich** dat **~** to reject sth II. vi (geh) ◼ **irgendwohin ~** to point somewhere

Weis·heit <-, -en> ['vaishait] f ❶ kein pl (kluge Einsicht) wisdom; **eine alte ~ sein** to be a wise old saying ❷ meist pl (weiser Rat) word usu pl of wisdom ▶ **mit seiner ~ am Ende sein** to be at one's wits' end

Weis·heits·zahn m wisdom tooth

weis|ma·chen vt ◼ **jdm etw ~** to have sb believe sth; ◼ **jdm ~, dass ...** to lead sb to believe, that ...

weiß [vais] adj, adv white

Weiß <-[es]> [vais] nt white; [**ganz**] **in ~** dressed [all] in white

weis·sa·gen I. vi ◼ **jdm ~** to tell sb's fortune II. vt ◼ **etw ~** to prophesy sth

Weis·sa·gung <-, -en> f prophecy

Weiß·bier nt weissbier (light, top-fermented beer) **Weiß·blech** nt tin plate **Weiß·brot** nt white bread **Weiß·dorn** m hawthorn

Wei·ße(r) f(m) dekl wie adj white, white man/woman; ◼ **die ~n** white people

wei·ßeln ['vaisl̩n] vt SÜDD, **wei·ßen** ['vaisn̩] vt to whitewash

weiß·glü·hend adj white-hot **Weiß·glut** f kein pl white heat ▶ **jdn zur ~ bringen** to make sb livid with rage **Weiß·gold** nt white gold **weiß·haa·rig** adj white-haired **Weiß·kohl** m, **Weiß·kraut** nt SÜDD, ÖSTERR white cabbage **Weiß·russ·land**ᴿᴿ nt White Russia **Weiß·wein** m white wine **Weiß·wurst** f Bavarian veal sausage (cooked in hot water and served mid-morning with sweet mustard)

Wei·sung <-, -en> f instruction, direction; ◼ **auf ~** [**von jdm**] on [sb's] instructions

wei·sungs·be·rech·tigt adj JUR authorized to give instructions

weit [vait] I. adj ❶ (räumlich/zeitlich ausgedehnt) long; **bis dahin ist es noch ~** it will be a long time yet before we get there ❷ (breit) wide, vast; (Meer, Wüste) open; (Kleidung) baggy; **~er werden** to widen II. adv ❶ (eine große Strecke) far, a long way; ◼ **...** **~er** **...** further on; **am ~esten** furthest, farthest; **es noch ~ haben** to have a long way to go; **~ weg** far away; **von ~em** from afar; **von ~ her** from far away ❷ räumlich (ganz) wide; **etw ~ öff·nen** to open sth wide ❸ (erheblich) far; **~ besser/schöner** far better/more beautiful; **~ hergeholt** far-fetched; **~ reichend** extensive; **~ verbreitet** widespread; ◼ **bei ~em/bei ~em nicht** by far/not nearly; **~ nach etw** dat well after sth ❹ (zeitlich lang) **~ zurückliegen** to be a long time ago ▶ **~ und breit** for miles around; **so ~, so gut** so far so good; **jdn so ~ bringen, dass er/sie etw tut** to bring sb to the point where he/she does sth; **es weit** [**im Leben**] **bringen** to go far [in life]; **das würde zu ~ führen** that would be getting too far away from the issue; **es ~ gebracht haben** to have come a long way; **zu ~ gehen** to go too far; **mit etw** dat **ist es nicht ~ her** sth is nothing much to write home about; **so ~ kommt es** [**noch**]! you'd like that, wouldn't you!

weit·ab ['vait?ap] adv far away; ◼ **~ von etw** dat far from sth

weit·aus ['vait?aus] adv ❶ vor comp (in hohem Maße) far, much; **~ schlechter sein als etw** to be far [or much] worse than sth ❷ vor superl (bei weitem) [by] far

Weit·blick m kein pl ❶ (Voraussicht) farsightedness, vision ❷ s. **Fernblick** **weit·bli·ckend**ᴬᴸᵀ adj visionary

Wei·te¹ <-, -n> ['vaitə] f ❶ (weite Ausdehnung) expanse, vastness ❷ (Länge) length ❸ (Breite) width

Wei·te² <-n> ['vaitə] nt (Entfernung) distance ▶ **das ~ suchen** to take to one's heels

wei·ten ['vaitn̩] I. vt MODE to widen II. vr ◼ **sich ~** to widen; (Pupille) to dilate

wei·ter ['vaitə] adv (sonst) further; **wenn es ~ nichts ist, ...** well, if that's all ...; **~ bestehen** to continue to exist; **nicht ~ wissen** not to know what [else] to do; **und so ~** [**und so fort**] and so on [and so forth]; **~!** keep going!

wei·ter|ar·bei·ten ['vaitə?arbaitn̩] vi to carry on working (**an** on) **Wei·ter·be·ste·hen** nt continued existence, continuation **wei·ter|bil·den** vr ◼ **sich in etw** dat **~** to develop one's knowledge of sth **Wei·ter·bil·dung** f further education **wei·ter|brin·gen** vt irreg to help along

wei·te·re(r, s) adj (zusätzlich) further, ad-

ditional; **alles W~** everything else ▸ **bis auf ~s** until further notice, for the time being; **ohne ~s** easily, just like that
wei·ter|emp·feh·len vt irreg ■ etw ~ to recommend sth **wei·ter|ent·wi·ckeln** vt, vr to develop further **Wei·ter·ent·wick·lung** f further development
wei·ter|er·zäh·len vt ~ to pass on sth sep **wei·ter|fah·ren** irreg vi sein to continue driving; ■ **[irgendwohin]** ~ to drive on [to somewhere] **Wei·ter·fahrt** f kein pl continuation of the journey **wei·ter|füh·ren** vt ❶ (fortsetzen) to continue ❷ (weiterbringen) **jdn** ~ to be a help to sb **Wei·ter·ga·be** f transmission **wei·ter|ge·ben** vt irreg to pass on sep (an to) **wei·ter|ge·hen** vi irreg sein ❶ (seinen Weg fortsetzen) to walk on ❷ (seinen Fortgang nehmen) to go on; **so kann es nicht ~** things can't go on like this **wei·ter|hel·fen** vi irreg to help further; (auf die Sprünge helfen) to help along
wei·ter·hin ['vaite'hɪn] adv ❶ (fortgesetzt) still ❷ (außerdem) furthermore, in addition
wei·ter|kom·men vi irreg sein to get further (mit with) **wei·ter|lau·fen** vi irreg sein to continue running; (nicht unterbrochen werden) Produktion to continue; Gehalt to continue to be paid **wei·ter|le·ben** vi to live on **wei·ter|lei·ten** vt to pass on sep (an to) **wei·ter|ma·chen** vi to carry on, to continue **wei·ter|sa·gen** vt ■ etw ~ to repeat sth; **nicht ~!** don't tell anyone! **wei·ter|ver·ar·bei·ten** vt to process (**zu** into) **Wei·ter·ver·ar·bei·tung** f [re]processing
wei·test·ge·hend I. adj superl von **weitgehend** most extensive II. adv to the greatest possible extent
weit·ge·hend^ALT <weitgehender o ÖSTERR weitergehend, weitestgehend o weitgehendste(r, s)> I. adj (umfassend) extensive II. adv extensively, to a large extent
weit·her·zig ['vaithɛrtsɪç] adj generous
weit·läu·fig ['vaitlɔyfɪç] I. adj ❶ (ausgedehnt) extensive ❷ (entfernt) distant II. adv extensively, distantly
weit·räu·mig I. adj spacious II. adv spaciously; **den Verkehr ~ umleiten** to divert the traffic around a wide area
weit·rei·chend^ALT adj extensive
weit·schwei·fig ['vaitʃvaifɪç] I. adj longwinded II. adv long-windedly, at great length
Weit·sicht ['vaitzɪçt] f s. **Weitblick**
weit·sich·tig ['vaitzɪçtɪç] adj ❶ MED long-sighted BRIT, farsighted AM ❷ s. **weit-**blickend
Weit·sich·tig·keit <-> f kein pl MED long-sightedness BRIT, far-sight AM **Weit·sprin·ger(in)** m(f) long-jumper **Weit·sprung** m kein pl long-jump **Weit·win·kel·ob·jek·tiv** nt wide-angle lens
Wei·zen <-s, -> ['vaitsn] m wheat **Wei·zen·bier** nt weissbier (light, top fermented beer) **Wei·zen·keim·öl** nt wheatgerm oil **Wei·zen·mehl** nt wheat flour
welch [vɛlç] pron ■ ~ **[ein]** ... what [a] ... **wel·che(r, s)** I. pron interrog which II. pron rel (der, die, das: Mensch) who; (Sache) which III. pron indef ❶ (etwas) some; **wenn du Geld brauchst, kann ich dir ~s leihen** if you need money, I can lend you some ❷ pl (einige) some; ■ ~, **die ...** some [people], who
welk [vɛlk] adj ❶ (verwelkt) wilted ❷ (schlaff) worn-out
wel·ken ['vɛlkn] vi sein to wilt
Well·blech nt corrugated iron
Wel·le <-, -n> ['vɛlə] f wave
wel·len ['vɛlən] vr ■ **sich** ~ to be/become wavy; (Papier) to crinkle
Wel·len·bad nt wave pool **Wel·len·bre·cher** <-s, -> m breakwater, groyne **Wel·len·gang** <-[e]s> m kein pl waves pl; **starker ~** heavy seas pl **Wel·len·län·ge** f PHYS wavelength ▸ **die gleiche ~ haben** to be on the same wavelength **Wel·len·li·nie** f wavy line **Wel·len·rei·ten** nt surfing **Wel·len·sit·tich** m budgerigar, budgie fam
wel·lig ['vɛlɪç] adj ❶ (gewellt) wavy ❷ (wellenförmig) uneven
Well·pap·pe f corrugated cardboard
Wel·pe <-n, -n> ['vɛlpə] m pup, whelp
Wels <-es, -e> [vɛls] m catfish
Welt <-, -en> [vɛlt] f world; **auf der ~** in the world; **in aller ~** all over the world; **die ~ des Films** the world of film ▸ **die dritte/vierte ~** the Third/Fourth World; **in seiner eigenen ~** to live in a world of one's own; **eine ~ bricht für jdn zusammen** sb's whole world collapses about sb; **jdn zur ~ bringen** to bring sb into the world; **davon geht die ~ nicht unter** it's not the end of the world; **auf die ~ kommen** to be born; **in einer anderen ~ leben** to live on another planet; **etw in die ~ setzen** Gerücht to spread sth; **sie trennen ~en** they are worlds apart; **um nichts in der ~** not for the world; **alle ~** the whole world
welt·ab·ge·wandt adj SOZIOL insular, inward-looking **Welt·all** nt kein pl universe

Welt·an·schau·ung *f* philosophy of life; (*philosophisch und politisch*) ideology **Welt·aus·stel·lung** *f* world exhibition **welt·be·rühmt** *adj* world-famous **Welt·be·völ·ke·rung** *f kein pl* world population **welt·be·we·gend** *adj* earth-shaking **Welt·bild** *nt* world view **Welt·bür·ger(in)** *m(f)* citizen of the world **Welt·cup** <-s, -s> [-kap] *m* World Cup

Wel·ten·bumm·ler(in) *m(f)* globetrotter **Welt·er·folg** *m* world[-wide] success **welt·er·schüt·ternd** *adj* earth-shattering, world-shaking **Welt·flucht** *f kein pl* SOZIOL escape from reality **welt·fremd** *adj* unworldly **Welt·ge·schich·te** *f kein pl* world history ►**in der ~** all over the place **welt·ge·schicht·lich** *adj* **von ~er Bedeutung sein** to be of great significance in world history **Welt·han·del** *m* world trade **Welt·herr·schaft** *f kein pl* world domination **Welt·kar·te** *f* world map **Welt·kli·ma** *nt kein pl* METEO global climate **Welt·kli·ma·rat** *m kein pl* POL, ÖKOL Intergovernmental Panel on Climate Change, IPCC **Welt·krieg** *m* world war; **der Erste/Zweite ~** World War One/Two **Welt·ku·gel** *f* globe

Welt·läu·fig·keit ['vɛltlɔyfɪgkait] *f kein pl* SOZIOL global adaptability

welt·lich ['vɛltlɪç] *adj* (*geh*) ❶ (*irdisch*) worldly ❷ (*profan*) mundane **Welt·macht** *f* world power **welt·män·nisch** *adj* sophisticated

Welt·markt *m* world market **Welt·markt·preis** *m* world market price **Welt·meer** *nt* ocean **Welt·meis·ter(in)** *m(f)* world champion (**in** at) **Welt·meis·ter·schaft** *f* world championship **Welt·mu·sik** *f* world music *no indef art, no pl* **welt·of·fen** *adj* cosmopolitan **Welt·of·fen·heit** *f kein pl* cultural openness **Welt·ord·nung** *f* world order **Welt·pre·mi·ere** *f* world premiere **Welt·rang·lis·te** *f* world rankings *pl*

Welt·raum *m kein pl* [outer] space **Welt·raum·be·hör·de** *f* space agency **Welt·raum·fäh·re** *f* space shuttle **Welt·raum·for·schung** *f kein pl* space research **Welt·raum·müll** *m* cosmic debris **Welt·raum·spa·zier·gang** *m* space walk **Welt·raum·sta·ti·on** *f* space station **Welt·reich** *nt* empire **Welt·rei·se** *f* world trip; **eine ~ machen** to go on a journey around the world **Welt·re·kord** *m* world record **Welt·re·li·gi·on** *f* world religion **Welt·ruhm** *m* world[wide] fame **Welt·schmerz** *m kein pl* world-weariness **Welt·si·cher·heits·rat** *m* [United Na-

tions] Security Council **Welt·spra·che** *f* world language **Welt·stadt** *f* international city **Welt·star** *m* international star **Welt·un·ter·gang** *m* end of the world **Welt·un·ter·gangs·stim·mung** *f* apocalyptic mood **Welt·ver·bes·se·rer, -bes·se·rin** *m, f* (*pej*) sb who thinks they can cure the world's ills **welt·weit I.** *adj* global, world-wide **II.** *adv* globally **Welt·wirt·schaft** *f* world economy **Welt·wirt·schafts·fo·rum** *nt* world economic forum **Welt·wirt·schafts·gip·fel** *m* World Economic Summit **Welt·wirt·schafts·kri·se** *f* world economic crisis **Welt·wun·der** *nt* **die sieben ~** the Seven Wonders of the World

wem [ve:m] **I.** *pron interrog dat von* **wer** (*welcher Person?*) who ... to, to whom *form;* **~ gehört dieser Schlüssel?** who does this key belong to?; **mit/von ~** with/from whom **II.** *pron rel dat von* **wer** (*derjenige, dem*) ■**~ ...**, [**der**] ... the person to whom ..., the person who ... to **III.** *pron indef dat von* **wer** (*fam*) to/for somebody

wen [ve:n] **I.** *pron interrog akk von* **wer** (*welche Person?*) who, whom; **an ~** to whom *form,* who ... to; **für ~** for whom *form,* who ... for **II.** *pron rel akk von* **wer** (*derjenige, den*) ■**~ ...**, [**der**] ... the person who [*or* whom] ...; **an ~** to whom *form,* who ... to; **für ~** for whom *form,* who ... for **III.** *pron indef akk von* **wer** (*fam*) somebody

Wen·de <-, -n> ['vɛndə] *f* ❶ (*Veränderung*) change, turn ❷ SPORT face vault **Wen·de·kreis** *m* ❶ AUTO turning circle ❷ GEOG, ASTRON tropic

Wen·del·trep·pe *f* spiral staircase

wen·den ['vɛndn̩] **I.** *vr* <wendete *o geh* wandte, gewendet *o geh* gewandt> ❶ (*sich drehen*) ■**sich irgendwohin ~** to turn to somewhere ❷ (*kontaktieren*) ■**sich an jdn ~** to turn to sb ❸ (*zielen*) ■**sich an jdn ~** to be directed at sb ❹ (*entgegentreten*) ■**sich gegen jdn ~** to turn against sb; ■**sich gegen etw** *akk* **~** to oppose sth ❺ (*sich verkehren*) **sich zum Besseren ~** to take a turn for the better **II.** *vt* <wendete, gewendet> (*umdrehen*) to turn over *page;* **bitte ~!** please turn over **III.** *vi* <wendete, gewendet> AUTO to turn **Wen·de·platz** *m* turning area **Wen·de·punkt** *m* turning point

wen·dig ['vɛndɪç] *adj* manoeuvrable **Wen·dung** <-, -en> *f* ❶ (*Veränderung*) turn; **eine bestimmte ~ nehmen** to take a certain turn ❷ (*Rede~*) expression

we·nig ['ve:nɪç] **I.** *pron indef* ❶ *sing* (*nicht*

viel) ■ **~ sein** to be not [very] much ❷ *pl, substantivisch (ein paar)* ■ **~e** a few II. *adv* little; **ein** ~ a little; **nicht** ~ more than a little; **zu** ~ too little; **zu** ~ **schlafen** to not get enough sleep; ■ **~e ...** few

we·ni·ger ['ve:nɪɡɐ] I. *pron indef comp von* **wenig** less; **du solltest** ~ **essen** you should eat less II. *adj comp von* **wenig** less, fewer ▶ ~ **ist mehr** it's quality not quantity that counts III. *adv comp von* **wenig** ■ **~ ... als ...** less ... than ▶ **je mehr ... desto** ~ **...** the more ... the less ...

we·nig·ste(r, s) I. *pron* ■ **die ~n** very few; ■ **das ~, was ...** the least that ... II. *adv* **am ~n** least of all

we·nigs·tens ['ve:nɪçstn̩s] *adv* at least

wenn [vɛn] *konj* ❶ *konditional (falls)* if; **~ das so ist** if that's the way it is ❷ *temporal (sobald)* as soon as

wenn·gleich [vɛn'ɡlaɪç] *konj s.* **obgleich** **wenn·schon** [vɛn'ʃo:n] *adv* ▶ **~, denn·schon!** I/you etc. may as well go the whole hog [*or* Am the whole nine yards]; **[na,] ~!** so what?

wer [ve:ɐ̯] I. *pron interrog* who; ■ **~ von ...** which of ... II. *pron rel* ■ **~ ..., [der]** ... the person who ..., whoever ... III. *pron indef (fam)* somebody; ■ **~ von ...** which of ... ▶ **~ sein** to be somebody

Wer·be·ab·tei·lung *f* advertising department **Wer·be·agen·tur** *f* advertising agency **Wer·be·an·ruf** *m* ÖKON, TELEK telemarketing call **Wer·be·an·zei·ge** *f* advertisement **Wer·be·ban·ner** *nt* INFORM banner ad **Wer·be·block** *nt* advertising block **Wer·be·bran·che** *f* advertising **Wer·be·bro·schü·re** *f* brochure **Wer·be·fach·mann, -fach·frau** *m, f* publicity expert, adman *fam* **Wer·be·fern·se·hen** *nt* commercials *pl* **Wer·be·film** *m* promotional film **Wer·be·fritz** <-en, -en> ['vɛrbafrɪts] *m (pej sl)* adman *fam* **Wer·be·ge·schenk** *nt* promotional gift **Wer·be·kam·pa·gne** *f* advertising campaign **wer·ben** <wirbt, warb, geworben> ['vɛrbn̩] I. *vt* ■ **jdn** ~ to recruit sb **(für** for) II. *vi* ❶ *(Reklame machen)* ■ **für etw** *akk* ~ to advertise sth ❷ *(zu erhalten suchen)* **um eine Frau** ~ to woo a woman; **um neue Wähler** ~ to try to attract new voters **Wer·be·pros·pekt** *m* promotional brochure **Wer·be·rum·mel** *m (oft pej fam)* advertising blitz **Wer·be·sei·te** *f* full-page ad[vertisement] **Wer·be·slo·gan** *m* advertising slogan **Wer·be·spot** *m* commercial **Wer·be·text** *m* publicity copy *no pl, no indef art* **Wer·be·tex·ter(in)** *m(f)* advertising copywriter **Wer·be·trä·ger** *m*

advertising medium **Wer·be·trom·mel** *f* ▶ **die ~ für jdn/etw rühren** to beat the drum for sb/sth **Wer·be·un·ter·bre·chung** *f (für Werbespots)* commercial break **wer·be·wirk·sam** *adj* promotionally effective

Wer·bung <-> *f kein pl* ÖKON ❶ *(Branche)* advertising ❷ *(Reklame)* advertisement; **~ für etw** *akk* **machen** to advertise sth ❸ *(Werbespot)* commercial; *(Werbeprospekte)* advertising literature ❹ *(das Werben)* recruitment; *von Kunden* attracting

Wer·de·gang <*selten* -gänge> *m* career

wer·den ['ve:ɐ̯dn̩] I. *vi* <wurde *o liter* ward, geworden> **sein** ❶ *(in einen anderen Zustand übergehen)* to become, to get; **alt/älter** ~ to get old/older; **verrückt** ~ to go mad; **kalt** ~ to go cold; **es wird dunkel** it is getting dark; **es wird besser** ~ it is going to get better; **es wird Sommer** summer is coming; **sie ist gerade 98 geworden** she has just turned 98 ❷ *(als Empfindung auftreten)* **jdm wird heiß/übel** sb feels hot/sick ❸ *(eine Ausbildung zu etw machen)* ■ **etw** ~ to become sth; **was möchtest du einmal ~?** what do you want to be? ❹ *(eine Entwicklung durchmachen)* **Wirklichkeit/Mode** ~ to become reality/fashionable; ■ **aus jdm wird etw** sb will turn out to be sth; ■ **aus etw** *dat* **wird etw** sth turns into sth; ■ **zu etw** *dat* ~ to turn into sth ❺ *(sich gut entwickeln)* **aus etw** *dat* **wird etwas/nichts** sth will turn into sth/nothing is going to come of sth; **es wird schon [wieder]** ~ it'll turn out okay in the end II. *vb aux* <wurde, worden> ❶ *zur Bildung des Futurs* ■ **etw tun** ~ to be going to do sth; ■ **es wird etw geschehen** sth is going to happen; ■ **jd wird etw getan haben** sb will have done sth ❷ *zur Bildung des Konjunktivs* ■ **jd würde etw tun** sb would do sth ❸ *mutmaßend (dürfte)* **es wird gegen 20 Uhr sein** it's probably getting on for 8 o'clock ❹ *in Bitten* ■ **würde jd etw tun?** would [*or* could] sb please do sth? III. *vb aux* <wurde *o liter* ward, worden> *zur Bildung des Passivs* ■ **... ~** to be ...; **sie wurde entlassen** she was dismissed; ■ **etw wird ... sth** is ...; **das wird bei uns häufig gemacht** that is often done in our house

Wer·den <-s> ['ve:ɐ̯dn̩] *nt kein pl (geh)* development; **im ~ sein** to be in the making

wer·fen <wirft, warf, geworfen> ['vɛrfn̩] I. *vt* to throw **(nach** at) II. *vi* ❶ *(Werfer sein)* to throw ❷ *(Junge gebären)* to throw

spec, to give birth
Wer·fer(in) <-s, -> *m(f)* thrower
Werft <-, -en> [vɛrft] *f* shipyard
Werft·ar·bei·ter(in) *m(f)* shipyard worker
Werk <-[e]s, -e> [vɛrk] *nt* ❶ *(gesamtes Schaffen)* works *pl* ❷ KUNST, LIT work ❸ *kein pl (Arbeit)* work; **ans ~ gehen** to go to work; **am ~ sein** to be at work ❹ *(Fabrik)* factory; **ab ~ ex** works ▶ **ein gutes ~ tun** to do a good deed; **das ist jds ~** that's sb's doing
Werk·bank <-bänke> *f* workbench
wer·keln ['vɛrkl̩] *vi (fam)* ■ **~** to potter [*or* AM putter] about
werk·ge·treu *adj* **eine ~e Wiedergabe** a faithful reproduction **Werk·hal·le** *f* factory building **Werk·meis·ter(in)** *m(f)* foreman **Werk(s)·an·ge·hö·ri·ge(r)** *f(m) dekl wie adj* factory employee **Werk·schutz** *m* ❶ *(Schutzmaßnahmen)* factory security ❷ *(Personal)* factory security service
Werks·ge·län·de *nt* works premises *npl* **Werk·statt** *f* ❶ *(Arbeitsraum)* workshop ❷ AUTO garage **Werk·stoff** *m* material **Werk·stück** *nt* workpiece **Werk·tag** *m* workday, working day *esp* BRIT **werk·tags** *adv* on workdays [*or esp* BRIT working days]
werk·tä·tig ['vɛrktɛ:tɪç] *adj* **die ~e Bevölkerung** the working population **Werk·tä·ti·ge(r)** *f(m) dekl wie adj* working person **Werk·treue** *f kein pl* FILM, THEAT, MUS faithfulness to the original [version] **Werk·un·ter·richt** *m* woodwork/metalwork class **Werk·ver·trag** *m* service contract
Werk·zeug <-[e]s, -e> *nt* tool *usu pl*
Werk·zeug·kas·ten *m* toolbox **Werk·zeug·ma·schi·ne** *f* machine tool **Werk·zeug·schrank** *m* tool cabinet
Wer·mut <-[e]s> ['ve:ɐ̯mu:t] *m kein pl* ❶ BOT wormwood ❷ *(aromatisierter Wein)* vermouth
Wer·muts·trop·fen *m* a bitter pill
wert [ve:ɐ̯t] *adj* ■ **etw ~ sein** to be worth sth; **Paris ist immer eine Reise ~** Paris is always worth a visit
Wert <-[e]s, -e> [ve:ɐ̯t] *m* ❶ *(Preis)* value; **im ~ steigen** to increase in value; **an ~ verlieren** to decrease in value; **im ~e von etw** *dat* worth sth ❷ *pl (Daten)* results *pl* ❸ *(Wichtigkeit)* **~ auf etw** *akk* **legen** to attach value to sth; **~ darauf legen, etw zu tun** to find it important to do sth ▶ **das hat keinen ~** it's useless
Wert·ar·beit *f* first-class workmanship **wert·be·stän·dig** *adj* stable in value *pred* **Wert·brief** *m* registered letter *(with*

valuable content)
Wer·te·ge·mein·schaft *f* SOZIOL, POL community of [shared] values **Wer·te·ka·non** ['ve:ɐ̯taka:nɔn] *m* SOZIOL *(geh)* core values
wer·ten *vt* to rate
Wer·te·sys·tem *nt* system of values **Wer·te·wan·del** *m* change in values
wert·frei *adj* impartial **Wert·ge·gen·stand** *m* valuable object; ■ **Wertgegenstände** valuables
Wer·tig·keit <-, -en> [ve:ɐ̯tɪç-] *f* valency
wert·los *adj* worthless
Wert·maß·stab *m* standard **Wert·min·de·rung** *f* depreciation, loss of value, decrease in value; **~ durch Überalterung** depreciation for age; **eine ~ erfahren** to fall in value **Wert·pa·pier** *nt* bond **Wert·pa·pier·markt** *m* stock market **Wert·sa·che** *f meist pl* valuable object; ■ **~en** valuables **Wert·schät·zung** *f* esteem **Wert·stei·ge·rung** *f* increase in value **Wert·stoff** *m* recyclable material **Wert·stoff·con·tai·ner** *m* recycling container
Wer·tung <-, -en> *f* ❶ SPORT rating, score ❷ *(das Werten)* grading ❸ *(Be~)* evaluation, assessment
Wert·ver·lust *m* depreciation
wert·voll *adj* valuable
Wert·vor·stel·lung *f meist pl* moral concept *usu pl* **Wert·zei·chen** *nt (form)* stamp
Wer·wolf ['ve:ɐ̯vɔlf] *m* werewolf
We·sen <-s, -> ['ve:zn̩] *nt* ❶ *(Geschöpf)* being; *(tierisch)* creature ❷ *kein pl (kennzeichnende Grundzüge)* nature
We·sens·art *f* nature **We·sens·zug** *m* characteristic
we·sent·lich ['ve:zn̩tlɪç] **I.** *adj* ❶ *(erheblich)* considerable ❷ *(gewichtig)* essential; ■ **das W~e** the essential part; **im W~en** essentially **II.** *adv* considerably
We·ser <-> ['ve:zɐ] *f* Weser *(river in northwest Germany)*
wes·halb [vɛs'halp] **I.** *adv interrog* why **II.** *adv rel* why
Wes·pe <-, -n> ['vɛspə] *f* wasp
Wes·pen·nest *nt* wasp's nest **Wes·pen·stich** *m* wasp sting
wes·sen ['vɛsn̩] **I.** *pron gen von* **wer** ❶ *interrog* whose ❷ *rel, indef* whose; ■ **~ ... auch [immer]** ... no matter whose ... **II.** *pron interrog (geh) gen von* **was** of what
Wes·si <-s, -s> ['vɛsi] *m,* **Wes·si** <-, -s> ['vɛsi] *f (fam)* West German
West <-[e]s, -e> [vɛst] *m kein art, kein pl* west; *s. a.* **Nord 1**
west·deutsch ['vɛstdɔytʃ] *adj* West Ger-

man, in West Germany **West·deutsch·land** ['vɛstdɔytʃlant] *nt* West Germany

Wes·te <-, -n> ['vɛstə] *f* waistcoat

Wes·ten <-s> ['vɛstn̩] *m kein indef art, kein pl* ❶ *(Himmelsrichtung)* west; *s. a.* **Norden 1** ❷ *(westliche Gegend)* west; **der Wilde ~** the Wild West; *s. a.* **Norden 2** ❸ POL **der ~** the West

Wes·ten·ta·sche *f* waistcoat pocket ▶**etw wie seine ~ kennen** to know sth like the back of one's hand

Wes·tern <-[s], -> ['vɛstɐn] *m* western

West·eu·ro·pa ['vɛstʔɔy'roːpa] *nt* Western Europe **west·eu·ro·pä·isch** ['vɛstʔɔy-roːpɛːɪʃ] *adj* West European

West·fa·le, West·fä·lin <-n, -n> [vɛst-'faːlə, vɛst'fɛːlɪn] *m, f* Westphalian

West·fa·len <-s> [vɛst'faːlən] *nt* Westphalia

West·fä·lin <-, -nen> [vɛst'fɛːlɪn] *f fem form von* **Westfale**

west·fä·lisch [vɛst'fɛːlɪʃ] *adj* Westphalian

West·küs·te *f* west coast

west·lich ['vɛstlɪç] **I.** *adj* ❶ *(im Westen liegend)* western ❷ *(von/nach Westen)* westwards, westerly; *s. a.* **nördlich I** **II.** *adv* ❸ **~ von etw** *dat* to the west of sth; *s. a.* **nördlich II III.** *präp +gen* ■**~ einer S.** [to the] west of sth; *s. a.* **nördlich III**

West·mäch·te *pl* western powers **West·ta·rif** *m selten pl a pay scale applicable in the Länder which formerly belonged to the German Federal Republic* **West·wind** *m* west wind

wes·we·gen [vɛs've:gn̩] *adv s.* **weshalb**

Wett·be·werb <-[e]s, -e> ['vɛtbəvɛrp] *m* competition

Wett·be·wer·ber(in) *m(f)* competitor

wett·be·werbs·fä·hig *adj* competitive **Wett·be·werbs·fä·hig·keit** *f kein pl* ÖKON competitiveness *no pl;* **internationale ~** international competitive ability; **die ~ stärken** to whet one's competitive edge **wett·be·werbs·feind·lich** *adj* anticompetitive **Wett·be·werbs·hü·ter(in)** *m(f)* ADMIN competition [enforcement] official

Wett·bü·ro *nt* bookmaker's

Wet·te <-, -n> ['vɛtə] *f* bet; ■**jede ~ ein·gehen, dass ...** to bet anything that ...; **die ~ gilt!** you're on!; **um die ~ essen** to race each other eating; **um die ~ laufen** to race each other; **eine ~ machen** to make a bet

Wett·ei·fer <-s> ['vɛtʔajfɐ] *m kein pl* competitiveness

wett·ei·fern *vi* ■**miteinander ~** to contend with each other

wet·ten ['vɛtn̩] **I.** *vi* to bet **(auf** on); ■**um**

etw *akk* **~** to bet sth; **um was wollen wir ~?** what shall we bet?; [**wollen wir**] **~?** [do you] want to bet? ▶**so haben wir nicht gewettet!** that's not on! BRIT, that wasn't the deal! AM **II.** *vt* ■**etw ~** to bet sth

Wet·ter <-s, -> ['vɛtɐ] *nt kein pl* weather; **bei jedem ~** in all kinds of weather

Wet·ter·amt *nt* met[eorological] office **Wet·ter·aus·sich·ten** *pl* weather outlook **Wet·ter·be·richt** *m* weather report **Wet·ter·dienst** *m* weather service **Wet·ter·fah·ne** *f* weather vane **wet·ter·fest** *adj* weatherproof **Wet·ter·frosch** *m* ❶ *(Frosch)* tree frog ❷ *(hum fam: Meteorologe)* weatherman **wet·ter·füh·lig** *adj* sensitive to weather changes *pred* **Wet·ter·hahn** *m* weathercock **Wet·ter·kar·te** *f* weather chart **Wet·ter·la·ge** *f* weather situation **Wet·ter·leuch·ten** ['vɛtɐlɔyçtn̩] *nt kein pl* sheet lightning

wet·tern ['vɛtɐn] *vi* to curse

Wet·ter·pro·gno·se *f* weather forecast **Wet·ter·sa·tel·lit** *m* weather satellite **Wet·ter·sta·ti·on** *f* weather station **Wet·ter·um·schwung** *m* sudden change in the weather **Wet·ter·vor·aus·sa·ge** *f,* **Wet·ter·vor·her·sa·ge** *f* weather forecast

Wett·kampf *m* competition

Wett·kämp·fer(in) *m(f)* competitor, contestant **Wett·lauf** *m* race ▶**ein ~ gegen die Zeit** a race against time **Wett·läu·fer(in)** *m(f)* runner [in a/the] race **wett|ma·chen** ['vɛtmaxn̩] *vt* ❶ *(aufholen)* to make up ❷ *(gutmachen)* to make up for **Wett·ren·nen** *nt s.* **Wettlauf Wett·rüs·ten** <-s> *nt kein pl* arms race; **das atomare ~** the nuclear arms race **Wett·streit** ['vɛtstrajt] *m* competition

wet·zen ['vɛtsn̩] **I.** *vt haben* ❶ *(schleifen)* to whet ❷ *(reiben)* to rub **(an** on) **II.** *vi sein* *(fam)* ■[**irgendwohin**] **~** to scoot [off] [somewhere]

Wetz·stein ['vɛtsʃtajn] *m* whetstone

WG <-, -s> [veː'geː] *f Abk von* **Wohngemeinschaft**

Whirl·pool <-s, -s> ['vøːɐlpuːl] *m* whirlpool

Whis·ky <-s, -s> ['vɪski] *m* whisky; **irischer Whiskey** [Irish] whiskey; **schottischer ~** Scotch

wich [vɪç] *imp von* **weichen**

Wich·se <-, -n> ['vɪksə] *f* *(veraltend)* ❶ *(Schuhcreme)* shoe polish ❷ *kein pl* *(fam)* **~ beziehen** to get a good hiding

wich·sen ['vɪksn̩] **I.** *vi* *(vulg)* to jack [*or esp* AM jerk] off, to wank BRIT **II.** *vt Schuhe* to polish

Wich·ser <-s, -> *m* (*vulg*) wanker BRIT, jack-off AM

Wicht <-[e]s, -e> [vɪçt] *m* ❶ (*schmächtiger Kerl*) wimp *pej fam* ❷ (*Kobold*) goblin; (*Zwerg*) dwarf

Wich·tel <-s, -> ['vɪçtl̩] *m* goblin

Wich·tel·männ·chen <-s, -> ['vɪçtl̩-mɛnçən] *nt* (*Zwerg*) gnome; (*Kobold*) goblin

wich·tig ['vɪçtɪç] *adj* important; **W~eres zu tun haben** to have more important things to do; ▪ **das W~ste** the most important thing; **sich** *dat* ~ **vorkommen** to be full of oneself

Wich·tig·keit <-> *f kein pl* importance, significance

wich·tig|ma·chen *vr* ▪ **sich** ~ to be full of one's own importance

Wich·tig·ma·cher(in) *m(f)* ÖSTERR, **Wich·tig·tu·er(in)** <-s, -> [-tu:ɐ] *m(f)* stuffed shirt

wich·tig·tu·e·risch ['vɪçtɪçtu:ərɪʃ] *adj* (*pej*) pompous *pej;* ▪ ~ **sein** to be pompous, to be full of oneself

wich·tig|tun *vr irreg* to act important

Wi·ckel <-s, -> ['vɪkl̩] *m* (*Umschlag*) compress ▸ **jdn beim** ~ **packen** to grab sb by the scruff of the neck

Wi·ckel·kom·mo·de *f* [baby] changing table

wi·ckeln ['vɪkl̩n] *vt* ❶ (*binden*) to wrap (**um** round, **in** in); **etw auf eine Spule** ~ to coil sth on a spool; ▪ **etw von etw** *dat* ~ to unwrap sth from sth ❷ *Baby* to change

Wid·der <-s, -> ['vɪdɐ] *m* ❶ ZOOL ram ❷ *kein pl* ASTROL Aries

wi·der ['vi:dɐ] *präp* +*akk* (*geh*) against

wi·der·bors·tig ['vi:dɐbɔrstɪç] *adj* contrary; (*Haare, Fragen*) unruly

wi·der·fah·ren* [vi:dɐ'fa:rən] *vi irreg sein* to happen, to befall

Wi·der·ha·ken *m* barb

Wi·der·hall <-s, -e> ['vi:dɐhal] *m* echo ▸ **keinen** ~ **finden** to meet with no response

wi·der|hal·len ['vi:dɐhalən] *vi* ▪ **von etw** *dat* ~ to reverberate [*or* echo] with sth **wi·der·le·gen*** [vi:dɐ'le:gn̩] *vt* to refute

wi·der·lich ['vi:dɐlɪç] *adj* ❶ (*ekelhaft*) disgusting, revolting ❷ (*unsympathisch*) repulsive ❸ (*unangenehm*) nasty, horrible

wi·der·na·tür·lich ['vi:dɐnaty:ɐlɪç] *adj* perverted, unnatural **Wi·der·part** <-[e]s, -e> *m* (*geh*) opponent, foe *liter* **wi·der·recht·lich** I. *adj* unlawful II. *adv* unlawfully **Wi·der·re·de** ['vi:dɐre:də] *f* **ohne** ~ without protest; **keine** ~ **!** don't argue! **Wi·der·ruf** ['vi:dɐru:f] *m* revocation **wi·der·**

ru·fen* [vi:dɐ'ru:fn̩] *irreg* I. *vt* ❶ (*für ungültig erklären*) to revoke ❷ (*zurücknehmen*) to retract II. *vi* to recant

Wi·der·sa·cher(in) <-s, -> ['vi:dɐzaxɐ] *m(f)* antagonist

wi·der·set·zen* [vi:dɐ'zɛtsn̩] *vr* ▪ **sich jdm** ~ to resist sb; ▪ **sich einer S.** *dat* ~ to refuse to comply with a thing

wi·der·spens·tig ['vi:dɐʃpɛnstɪç] *adj* ❶ (*störrisch*) stubborn ❷ (*schwer zu handhaben*) unmanageable

wi·der|spie·geln ['vi:dɐʃpi:gl̩n] I. *vt* to mirror, to reflect II. *vr* **sich** ~ to be reflected **wi·der·spre·chen*** [vi:dɐ'ʃprɛçn̩] *irreg* I. *vi* ▪ **jdm** ~ to contradict sb II. *vr* ▪ **sich** *dat* ~ to be contradictory

Wi·der·spruch ['vi:dɐʃprʊx] *m* ❶ *kein pl* (*das Widersprechen*) contradiction; **in** ~ **zu etw** *dat* contrary to sth ❷ (*Unvereinbarkeit*) inconsistency; **in** ~ **zu etw** *dat* **stehen** to conflict with sth ❸ JUR objection (**gegen** to); ~ **einlegen** to file an objection

wi·der·sprüch·lich ['vi:dɐʃprʏçlɪç] I. *adj* inconsistent; ▪ ~ **sein** to be contradictory II. *adv* contradictory

wi·der·spruchs·los I. *adj* unopposed II. *adv* without protest

Wi·der·stand <-[e]s, -stände> ['vi:dɐʃtant, *pl* -ʃtɛndə] *m* ❶ *kein pl* (*Gegenwehr*) opposition, resistance; ~ **leisten** to put up resistance ❷ *kein pl* PHYS resistance ❸ ELEK (*Schaltelement*) resistor

wi·der·stän·dig *adj* SOZIOL, POL opposing **Wi·der·ständ·ler(in)** ['vi:dɐʃtɛndlɐ] *m(f)* SOZIOL, POL opposer

Wi·der·stands·be·we·gung *f* resistance movement; (*bewaffnet*) partisan movement **wi·der·stands·fä·hig** *adj* resistant (**gegen** to) **Wi·der·stands·fä·hig·keit** *f kein pl* robustness; ▪ **jds** ~ **gegen etw** *akk* sb's resistance to sth **Wi·der·stands·kämp·fer(in)** *m(f)* partisan **Wi·der·stands·kraft** *f s.* **Widerstandsfähigkeit wi·der·stands·los** *adj, adv* without resistance

wi·der·ste·hen* [vi:dɐ'ʃte:ən] *vi irreg* ❶ (*standhalten*) to withstand ❷ (*nicht nachgeben*) to resist **wi·der·stre·ben*** [vi:dɐʃtre:bn̩] *vi* ▪ **jdm widerstrebt es, etw zu tun** sb is reluctant to do sth **Wi·der·stre·ben** <-s> [vi:dɐʃtre:bn̩] *nt kein pl* reluctance

wi·der·wär·tig ['vi:dɐvɛrtɪç] I. *adj* disgusting; (*Kerl*) nasty II. *adv* disgustingly **Wi·der·wil·le** ['vi:dɐvɪlə] *m* distaste (**gegen** for) **wi·der·wil·lig** I. *adj* reluctant II. *adv* reluctantly

wid·men ['vɪtmən] I. *vt* to dedicate to II. *vr*

W

widersprechen, einwenden	
widersprechen	**contradicting**
Das stimmt doch gar nicht! *(fam)*	That's not right at all!
Ach was!/Unsinn!/Blödsinn!/Quatsch! *(fam)*	Nonsense!/Rubbish!
Das sehe ich anders.	I see things differently.
Nein, das finde ich nicht.	No, I don't think so.
Da muss ich Ihnen widersprechen.	I have to contradict you there.
Das entspricht nicht den Tatsachen.	That doesn't fit the facts.
So kann man das nicht sehen.	You can't look at it like that.
Davon kann gar nicht die Rede sein.	There can be no question of that.
einwenden	**objecting**
Ja, aber ...	Yes, but ...
Du hast vergessen, dass ...	You have forgotten that ...
Das siehst du aber völlig falsch.	You're completely wrong about that.
Sie haben schon Recht, aber bedenken Sie doch auch ...	You may well be right, but don't forget ...
Das ist ja alles schön und gut, aber ...	That's all well and good but ...
Ich habe dagegen einiges einzuwenden.	I've got several objections to that.
Das ist aber weit hergeholt.	That's rather far-fetched.

❶ *(sich kümmern)* ■ **sich jdm ~** to attend to sb **❷** *(sich beschäftigen)* ■ **sich einer S.** *dat ~* to devote oneself to sth
Wid·mung <-, -en> ['vɪtmʊŋ] *f* dedication
wid·rig ['vi:drɪç] *adj* adverse; *(Umstände, Verhältnisse)* unfavourable
wie [vi:] **I.** *adv interrog* how?; ■ ~ ... **auch** [immer] whatever, however; **wie heißt er?** what's his name?; ~ **bitte?** pardon?, sorry?; ~ **geht es Ihnen?** how do you do?; ~ **geht es dir?** how are you?; ~ **wär's mit ...?** how about ...?; ~ **viel** how much; ~ **viele ...?** how many ...?; ~ **sehr** [*o* ÖSTERR **wiesehr**] ... how much ... **II.** *konj* **❶** *(vergleichend)* ■ **... ~ ...** as ... as; **so alt ~ sie** as old as her; **er ist genau ~ du** he's just like you **❷** *(beispielsweise)* like; **K ~ Konrad** K for kilo **❸** *(und)* and ... [alike], as well as **❹** *(die Art und Weise, in der)* how; **er sah, ~ sie aus dem Bus ausstieg** he saw her get off the bus **❺** *(als ob)* ■ **...,** ~ **wenn** as if
Wie·de·hopf <-[e]s, -e> ['vi:dəhɔpf] *m* ORN hoopoe
wie·der ['vi:dɐ] *adv* again, once more; **Verhandlungen ~ aufnehmen** to resume negotiations; **Kontakte ~ aufnehmen** to re-establish contacts; **etw ~ einführen** to reintroduce sth; **tu das nie ~!** don't ever

do it again; ~ **mal** again
Wie·der·auf·bau <-bauten> [vi:dɐ'ʔaʊfbaʊ] *m* reconstruction **Wie·der·auf·be·rei·tung** <-, -en> *f* recycling; *(von Atommüll)* reprocessing **Wie·der·auf·nah·me** [vi:dɐ'ʔaʊfna:mə] *f von Verhandlungen* resumption; *von Kontakten* re-establishment **Wie·der·auf·rüs·tung** *f* MIL rearmament **wie·der·be·kom·men*** *vt irreg* to get back **wie·der·be·le·ben*** *vt* to revive **Wie·der·be·le·bung** *f* MED resuscitation **Wie·der·be·le·bungs·ver·such** *m meist pl* MED attempt at resuscitation **Wie·der·be·schaf·fung** *f (Wiederauffindung)* recovery; *(Ersetzung)* replacement **wie·der·be·schreib·bar** *adj CD* rewritable **wie·der·brin·gen** ['vi:dɐbrɪŋən] *vt irreg* to bring back *sep* **wie·der·ent·de·cken*** *vt* to rediscover **wie·der·er·ken·nen*** *vt irreg* to recognize; **nicht wiederzuerkennen sein** to be unrecognizable **Wie·der·er·ken·nungs·wert** *m kein pl* ÖKON Q rating, recognition factor **Wie·der·er·öff·nung** *f* reopening **wie·der·er·stat·ten*** ['vi:dɐʔɛɐʃtatn̩] *vt* to refund; ■ **jdm etw ~** to reimburse sb for sth **wie·der·fin·den** *irreg* **I.** *vt* **❶** *(auffinden)* to find again **❷** *Fassung* to regain **II.** *vr* ■ **sich ~** to turn up again; **der Schlüssel**

findet sich bestimmt wieder the key is sure to turn up again **Wie·der·ga·be** ['vi:dɐga:bə] f ❶ (*Schilderung*) account, report ❷ FOTO, TYPO reproduction **wie·der|ge·ben** ['vi:dɐge:bn̩] vt irreg ❶ (*zurückgeben*) ▪ jdm etw ~ to give sth back to sb ❷ (*zitieren*) to quote **Wie·der·ge·burt** ['vi:dɐgəbu:ɐt] f reincarnation **wie·der|ge·win·nen*** ['vi:dɐgəvɪnən] vt irreg ❶ (*zurückgewinnen*) to reclaim ❷ (*wiedererlangen*) to regain **Wie·der·ge·win·nung** f retrieval **wie·der|gut|ma·chen** vt etw ~ to make up for sth **Wie·der·gut·ma·chung** <-, -en> f compensation

wie·der·her|stel·len [vi:dɐ'he:ɐʃtɛlən] vt ❶ (*restaurieren*) to restore ❷ (*gesundheitlich*) ▪ jdn ~ to restore sb back to health ❸ Ordnung to re-establish **Wie·der·her·stel·lung** f ❶ (*Restaurierung*) restoration ❷ (*das Wiederherstellen*) re-establishment **wie·der·ho·len*¹** [vi:dɐ'ho:lən] **I.** vt ❶ (*abermals durchführen*) to repeat ❷ (*repetieren*) to revise **II.** vr ▪ sich ~ ❶ (*sich wiederum ereignen*) to recur ❷ (*noch einmal sagen*) to repeat oneself **wie·der|ho·len²** ['vi:dɐho:lən] vt to get back

wie·der·holt I. adj repeated **II.** adv repeatedly **Wie·der·ho·lung** <-, -en> [vi:dɐ'ho:lʊŋ] f ❶ (*erneute Durchführung*) repetition ❷ (*erneutes Zeigen*) repeat ❸ (*Repetition*) revision ❹ (*erneutes Vorbringen*) repetition **Wie·der·ho·lungs·tä·ter(in)** m(f) persistent offender **Wie·der·hö·ren** ['vi:dɐhø:rən] nt [auf] ~! goodbye! **wie·der|keh·ren** ['vi:dɐke:rən] vi sein ❶ Mensch to return ❷ Problem s. wiederkommen 3 **wie·der|kom·men** ['vi:dɐkɔmən] vi irreg sein ❶ (*zurückkommen*) to come back ❷ (*erneut kommen*) to come again ❸ (*sich noch einmal bieten*) to reoccur **wie·der|se·hen** ['vi:dɐze:ən] vt irreg ▪ jdn ~ to see sb again; ▪ sich ~ to meet again **Wie·der·se·hen** <-, -> ['vi:dɐze:ən] nt [another] meeting; (*nach längerer Zeit*) reunion; [auf] ~ sagen to say goodbye; [auf] ~ goodbye **wie·de·rum** ['vi:dərʊm] adv ❶ (*abermals*) again ❷ (*andererseits*) on the other hand, though ❸ (*für jds Teil*) in turn **wie·der|ver·ei·ni·gen*** vt POL to reunify **Wie·der·ver·ei·ni·gung** ['vi:dɐfɛɐʔajnɪgʊŋ] f POL reunification **wie·der·ver·**

wend·bar adj reusable **Wie·der·ver·wen·dung** f reuse **Wie·der·ver·wer·tung** f recycling **Wie·der·wahl** ['vi:dɐva:l] f re-election

Wie·ge <-, -n> ['vi:gə] f cradle **Wie·ge·mes·ser** nt chopping knife **wie·gen¹** <wog, gewogen> ['vi:gn̩] vt, vi to weigh **wie·gen²** ['vi:gn̩] vt (*hin und her bewegen*) to rock; Hüften to sway **Wie·gen·lied** nt lullaby **wie·hern** [vi:ɐn] vi to neigh **Wien** <-s> [vi:n] nt Vienna **Wie·ner** ['vi:nɐ] adj attr (*aus Wien stammend*) Viennese **Wie·ner(in)** <-s, -> ['vi:nɐ] m(f) Viennese **wie·nern** ['vi:nɐn] vt to polish **wies** [vi:s] imp von weisen **Wie·se** <-, -n> ['vi:zə] f meadow **Wie·sel** <-s, -> ['vi:zl̩] nt weasel ▶ **flink** wie ein ~ sein to be as quick as a flash **wie·so** [vi'zo:] adv ❶ interrog why, how come ❷ rel why **wie·viel·mal** [vi'fi:lma:l] adv interrog how many times **wie·viel·te(r, s)** ['vi:fi:ltə -tə, -təs] adj interrog ▪ der/die/das ~ ...? how many ...?; den W~n haben wir heute? what's the date today?

Wi·kin·ger(in) <-s, -> ['vi:kɪŋɐ] m(f) Viking

wild [vɪlt] **I.** adj ❶ BOT, ZOOL wild ❷ (*illegal*) illegal ❸ (*maßlos*) ~e Fantasie a wild imagination ❹ Fahrt, Leidenschaft reckless; Kampf frenzied ❺ (*fam: versessen*) ▪ ~ auf jdn/etw sein to be crazy about sb/sth ❻ (*zum Äußersten gereizt*) furious; jdn ~ machen to drive sb wild; ~ werden to go wild; wie ~ wildly ▶ **halb** so ~ sein to not be important **II.** adv ❶ (*ungeordnet*) strewn around ❷ (*hemmungslos*) wildly, furiously ❸ (*in freier Natur*) wild pred; ~ wachsen to grow wild **Wild** <-[e]s> [vɪlt] nt kein pl ❶ KOCHK game; von Rotwild venison ❷ ZOOL wild animals

Wild·bach m torrent **Wild·bahn** f in freier ~ leben to live in the wild **Wil·de(r)** ['vɪldə -dɐ] f(m) dekl wie adj savage **Wil·de·rei** <-, -en> [vɪldə'raj] f poaching **Wil·de·rer(in)** <-s, -> [vɪldə'raj] m(f) poacher **wil·dern** ['vɪldɐn] vi to poach **wild·fremd** ['vɪlt'frɛmt] adj completely strange **Wild·heit** <-, -en> f kein pl savagery **Wild·hü·ter(in)** <-s, -> m(f) gamekeeper

Wild·kat·ze *f* wildcat **Wild·le·der** *nt* suede

Wild·nis <-, -se> ['vɪltnɪs] *f* wilderness

Wild·park *m* game park **Wild·sau** *f* wild sow **Wild·schwein** *nt* wild boar

Wild·west·film [vɪlt'vɛst-] *m* western

Wild·wuchs *m* rank growth

Wil·le <-ns> ['vɪlə] *m kein pl* will *no pl;* **seinen eigenen ~n haben** to have a mind of one's own; **der gute ~** good will; **jds letzter ~** sb's last will and testament; **seinen ~n durchsetzen** to get one's own way ▸ **wo ein ~ ist, ist auch ein** Weg (*prov*) where there is a will there is a way

wil·len ['vɪlən] *präp* **um jds/einer S.** *gen* **~** for the sake of sb/a thing

wil·len·los *adj* spineless

wil·lens ['vɪləns] *adj* ■**~ sein, etw zu tun** to be willing to do sth

Wil·lens·kraft *f kein pl* willpower **wil·lens·stark** *adj* strong-willed

wil·lent·lich ['vɪləntlɪç] *adj s.* absichtlich

wil·lig ['vɪlɪç] *adj* willing

will·kom·men [vɪl'kɔmən] *adj* welcome; ■**~ sein** to be welcome; **jdn ~ heißen** to welcome sb; **seid/seien Sie [herzlich] ~!** welcome!

Will·kom·men <-s, -> [vɪl'kɔmən] *nt* welcome; **ein herzliches ~** a warm welcome

Will·kür <-> ['vɪlky:ɐ̯] *f kein pl* arbitrariness; (*politisch*) despotism

will·kür·lich ['vɪlky:ɐ̯lɪç] **I.** *adj* arbitrary **II.** *adv* arbitrarily

wim·meln ['vɪmln̩] *vi impers* ■**es wimmelt von etw** *dat* it is teeming with sth; **Menschen** to swarm with

wim·mern ['vɪmɐn] *vi* to whimper

Wim·pel <-s, -> ['vɪmpl̩] *m* pennant

Wim·per <-, -n> ['vɪmpɐ] *f* [eye]lash ▸ **ohne mit der ~ zu** zucken without batting an eyelid

Wim·pern·tu·sche *f* mascara

Wind <-[e]s, -e> [vɪnt, *pl* 'vɪndə] *m* wind ▸ **bei ~ und** Wetter in all weathers; **~ von etw** *dat* bekommen to get wind of sth; **viel ~ um etw** *akk* machen to make a fuss about sth; **in alle [vier] ~e** zerstreut **werden** to be scattered to the four winds

Wind·beu·tel *m* ᴋᴏᴄʜᴋ cream puff **Wind·böe** *f* gust of wind

Win·de <-, -n> ['vɪndə] *f* ᴛᴇᴄʜ winch

Win·del <-, -n> ['vɪndl̩] *f* napkin Bʀɪᴛ, diaper Aᴍ

Win·del·hös·chen *nt*, **Win·del·ho·se** *f* nappy [*or* Aᴍ diaper] pants *pl* **win·delweich** *adv* **jdn ~ schlagen** to beat sb black and blue

win·den[1] <wand, gewunden> ['vɪndn̩]

I. *vr* ■**sich ~** ❶(*nach Ausflüchten suchen*) to attempt to wriggle out of sth ❷(*sich krümmen*) to writhe (**vor** in) ❸ *Weg* to wind its way; *Bach* to meander ❹ ʙᴏᴛ to wind [itself] (**um** around) **II.** *vt* ■**etw um etw** *akk* **~** to wind sth around sth

win·den[2] ['vɪndn̩] *vi impers* to blow

Wind·ener·gie *f* wind energy **Wind·ener·gie·an·la·ge** *f* wind energy plant

wind·ge·schützt I. *adj* sheltered [from the wind] **II.** *adv* in a sheltered place

Wind·ge·schwin·dig·keit *f* wind speed

Wind·hauch *m* breath of wind **Windho·se** *f* vortex **Wind·hund** *m* greyhound

win·dig ['vɪndɪç] *adj* windy

Wind·ja·cke *f* windcheater Bʀɪᴛ, windbreaker Aᴍ **Wind·kraft·an·la·ge** *f,* **Wind·kraft·werk** *nt* wind[-driven] power station **Wind·müh·le** *f* windmill **Wind·park** *m* wind park [*or* farm] **Wind·pocken** *pl* chickenpox *sing* **Wind·rad** *nt* wind turbine **Wind·rich·tung** *f* wind direction **Wind·ro·se** *f* wind rose **Wind·schat·ten** *m* slipstream **wind·schief** *adj* crooked **Wind·schutz·schei·be** *f* windscreen Bʀɪᴛ, windshield Aᴍ **Wind·sei·te** *f* windward side **Wind·stär·ke** *f* wind force **wind·still** *adj* windless; ■**~ sein** to be calm **Wind·stil·le** *f* calm **Windstoß** *m* gust of wind **wind·sur·fen** ['vɪntzø:ɐ̯fn̩] *vi nur infin* to windsurf **Wind·sur·fer(in)** *m(f)* windsurfer **Windsur·fing** ['vɪntzø:ɐ̯fɪŋ] *nt* windsurfing

Win·dung <-, -en> *f* ❶(*Mäander*) meander ❷(*Serpentine*) bend, curve

Wink <-[e]s, -e> [vɪŋk] *m* ❶(*Hinweis*) hint; **einen ~ bekommen** to receive a tipoff ❷(*Handbewegung*) signal ▸ **ein ~ mit dem** Zaunpfahl a broad hint

Win·kel <-s, -> ['vɪŋkl̩] *m* ❶ ᴍᴀᴛʜ angle; **rechter/spitzer/stumpfer ~** a right/an acute/obtuse angle ❷(*Ecke*) corner ❸(*Bereich*) place, spot; **toter ~** a blind spot

Win·kel·ad·vo·kat(in) *m(f)* (*pej*) incompetent lawyer

win·ke·lig ['vɪŋkəlɪç] *adj s.* winklig

Win·kel·mes·ser *m* protractor

win·ken <gewinkt *o* ᴅɪᴀʟ gewunken> ['vɪŋkn̩] **I.** *vi* to wave; ■**mit etw** *dat* **~** to wave sth; **einem Taxi ~** to hail a taxi **II.** *vt* ■**jdn zu sich** *dat* **~** to beckon sb over to one

wink·lig ['vɪŋklɪç] *adj* full of nooks and crannies; *Gasse* twisty

win·seln ['vɪnzl̩n] *vi* to whimper; ■**um etw** *akk* **~** to plead for sth

Win·ter <-s, -> ['vɪntɐ] *m* winter

Win·ter·an·fang *m* beginning of winter
Win·ter·ein·bruch *m* onset of winter
Win·ter·fell *nt* winter coat **Win·ter·fe·ri·en** *pl* winter holidays *pl* **win·ter·fest** *adj* suitable for winter; **ein Auto ~ machen** to get a car ready for winter **Win·ter·gar·ten** *m* conservatory **win·ter·hart** *adj* HORT hardy **Win·ter·klei·dung** *f* winter clothing **Win·ter·land·schaft** *f* winter landscape
win·ter·lich ['vɪntɐlɪç] **I.** *adj* wintry; **~e Temperaturen** winter temperatures **II.** *adv* **~ gekleidet** dressed for winter
Win·ter·man·tel *m* winter coat **Win·ter·rei·fen** *m* winter tyre **Win·ter·sai·son** *f* winter season **Win·ter·schlaf** *m* hibernation; **~ halten** to hibernate **Win·ter·schluss·ver·kauf**RR *m,* **Win·ter·schluß·ver·kauf**ALT *m* winter sale **Win·ter·se·mes·ter** *nt* winter semester **Win·ter·speck** *m kein pl* (*hum geh*) winter fat **Win·ter·sport** *m* winter sport **Win·ter(s)·zeit** *f kein pl* wintertime *no pl, no indef art* **Win·ter·ur·laub** *m* winter holiday **Win·ter·zeit** *f* wintertime *no pl, no indef art*
Win·zer(in) <-s, -> ['vɪntsɐ] *m(f)* wine-grower
win·zig ['vɪntsɪç] *adj* tiny; **~ klein** minute
Winz·ling <-s, -e> ['vɪntslɪŋ] *m* tiny thing
Wip·fel <-s, -> ['vɪpfl̩] *m* treetop
Wip·pe <-, -n> ['vɪpə] *f* seesaw
wip·pen ['vɪpn̩] *vi* to bob up and down (**auf** on); (*auf einer Wippe*) to seesaw
wir <*gen* unser, *dat* uns, *akk* uns> [viːɐ̯] *pron pers* we; **~ nicht** not us
Wir·bel <-s, -> ['vɪrbl̩] *m* ❶ ANAT vertebra ❷ (*fam: Trubel*) turmoil ❸ (*kleiner Strudel*) whirlpool
wir·beln ['vɪrbl̩n] *vi, vt* ❶ *sein* (*sich drehend wehen*) to swirl ❷ *sein* (*sich drehend bewegen*) to whirl
Wir·bel·säu·le *f* spinal column **Wir·bel·sturm** *m* whirlwind **Wir·bel·tier** *nt* vertebrate **Wir·bel·wind** *m* whirlwind
wir·ken ['vɪrkn̩] *vi* ❶ (*Wirkung haben*) to have an effect; (*beabsichtigten Effekt haben*) to work; **dieses Medikament wirkt sofort** this medicine takes effect immediately; **etw auf sich ~ lassen** to take sth in ❷ (*etwas ausrichten*) to be effective ❸ (*einen bestimmten Eindruck machen*) to seem, to appear ❹ (*tätig sein*) ■ **ir·gendwo ~** to work somewhere
wirk·lich ['vɪrklɪç] **I.** *adj* real **II.** *adv* really
Wirk·lich·keit <-, -en> *f* reality; **~ wer·den** to come true
wirk·lich·keits·fremd *adj* unrealistic

wirk·lich·keits·ge·treu **I.** *adj* realistic **II.** *adv* realistically, in a realistic way
wirk·sam ['vɪrkzaːm] **I.** *adj* effective **II.** *adv* effectively
Wirk·sam·keit <-> *f kein pl* effectiveness
Wirk·stoff *m* active substance
Wir·kung <-, -en> ['vɪrkʊŋ] *f* effect
Wir·kungs·be·reich *m* area of activity, domain **Wir·kungs·grad** *m* [degree of] effectiveness **Wir·kungs·kreis** *m* sphere of activity **wir·kungs·los** *adj* ineffective **wir·kungs·voll** *adj s.* **wirksam**
wirr [vɪr] *adj* ❶ (*unordentlich*) tangled ❷ (*verworren*) weird ❸ (*durcheinander*) confused, muddled
Wir·ren ['vɪrən] *pl* confusion *sing*
Wirr·kopf *m* (*pej*) scatterbrain
Wirr·warr <-s> ['vɪrvar] *m kein pl* ❶ (*Durcheinander*) confusion ❷ (*Unordnung*) tangle
Wir·sing <-s> ['vɪrzɪŋ] *m kein pl,* **Wir·sing·kohl** ['vɪrzɪŋ-] *m* savoy cabbage
Wirt(in) <-[e]s, -e> [vɪrt] *m(f)* (*Gast~*) landlord *masc,* landlady *fem*
Wirt·schaft <-, -en> ['vɪrtʃaft] *f* ❶ ÖKON economy; (*Industrie und Handel*) industry [and commerce]; **er ist in der ~ tätig** he works in industry ❷ (*Gast~*) pub BRIT, bar AM
wirt·schaf·ten ['vɪrtʃaftn̩] *vi* to keep house; **sparsam ~** to economize
Wirt·schaf·ter(in) <-s, -> *m(f)* housekeeper
wirt·schaft·lich ['vɪrtʃaftlɪç] **I.** *adj* ❶ ÖKON economic ❷ (*sparsam*) economical **II.** *adv* economically
Wirt·schaft·lich·keit <-> *f kein pl* economy
Wirt·schafts·ab·kom·men *nt* economic agreement **Wirt·schafts·auf·schwung** *m* economic upturn **Wirt·schafts·de·likt** *nt* economic crime **Wirt·schafts·em·bar·go** *nt* economic embargo **Wirt·schafts·ex·per·te, -ex·per·tin** *m, f* economic expert **Wirt·schafts·fak·tor** *m* economic factor **Wirt·schafts·flücht·ling** *m* economic refugee **Wirt·schafts·geld** *nt* housekeeping money *no pl, no indef art* **Wirt·schafts·hil·fe** *f* economic aid *no pl, no indef art* **Wirt·schafts·kri·mi·na·li·tät** *f* white-collar crime **wirt·schafts·kri·mi·nell** *adj* economic criminal *attr* **Wirt·schafts·kri·se** *f* economic crisis **Wirt·schafts·la·ge** *f* economic situation **Wirt·schafts·macht** *f* economic power **Wirt·schafts·mi·nis·ter(in)** *m(f)* Minister for Economic Affairs BRIT, Secretary of Commerce AM

Nichtwissen

Nichtwissen ausdrücken	expressing ignorance
Das weiß ich (auch) nicht./Weiß nicht. *(fam)*	I don't know (either)./Don't know./Dunno. *(fam)*
Keine Ahnung!	No idea!
Hab keinen blassen Schimmer. *(fam)*	Haven't the foggiest *(fam)*/faintest idea.
Ich kenne mich da leider nicht aus.	I'm afraid I don't know anything about that.
Da bin ich überfragt.	You've got me there.
Darüber weiß ich nicht Bescheid.	That's new to me.
Die genaue Anzahl **entzieht sich meiner Kenntnis.** *(geh)*	I have no knowledge of the exact number. *(form)*
Woher soll ich das wissen?	How should I know?

Wịrt·schafts·mi·nis·te·ri·um *nt* Ministry of Economic Affairs [*or* of Trade and Commerce] BRIT, Department of Trade and Industry [*or* AM of Commerce] **Wịrt·schafts·po·li·tik** *f* economic policy **Wịrt·schafts·prü·fer(in)** *m(f)* accountant **Wịrt·schafts·sank·ti·o·nen** *pl* economic sanctions *pl* **Wịrt·schafts- und Wäh·rungs·uni·on** *f* economic and monetary union **Wịrt·schafts·wachs·tum** *nt kein pl* economic growth **Wịrt·schafts·wis·sen·schaft** *f meist pl* economics *sing* **Wịrt·schafts·wis·sen·schaft·ler(in)** *m(f)* economist **Wịrt·schafts·wun·der** *nt* economic miracle **Wịrt·schafts·zweig** *m* branch of industry
Wịrts·haus *nt* pub BRIT, bar AM, inn *dated*
Wịrts·leu·te *pl* landlord and landlady
Wisch <-[e]s, -e> [vɪʃ] *m* *(pej fam)* piece of bumph
wi·schen [ˈvɪʃn̩] **I.** *vt* ① *(ab~)* to wipe ② SCHWEIZ *(fegen)* to sweep ▸ **einen gewischt bekommen** to get an electric shock; [von jdm] **eine gewischt bekommen** to get a clout [from sb] **II.** *vi* ① *(putzen)* to clean ② SCHWEIZ *(fegen)* to sweep
Wi·schi·wa·schi <-s> [vɪʃiˈvaʃi] *nt kein pl* *(fam)* drivel
Wịsch·lap·pen *m* cloth
Wi·sent <-s, -e> [ˈviːzɛnt] *nt* ZOOL bison
wis·pern [ˈvɪspɐn] *vt, vi* to whisper
Wiss·be·gier[RR] <-> *f kein pl*, **Wiß·be·gier**[ALT] <-> [ˈvɪsbəɡiːɐ̯] *f kein pl*, **Wiss·be·gier·de**[RR] *f kein pl*, **Wiß·be·gier·de**[ALT] [ˈvɪsbəɡiːɐ̯də] *f kein pl* thirst for knowledge
wiss·be·gie·rig[RR] *adj*, **wiß·be·gie·rig**[ALT] *adj* eager to learn
wis·sen <wusste, gewusst> [ˈvɪsn̩] **I.** *vt*

① *(kennen)* to know; **jdn etw ~ lassen** to let sb know sth; **woher soll ich das ~?** how should I know that?; **dass du es [nur] [gleich] weißt** just so you know; **davon weiß ich nichts** I don't know anything about it; **ich wüsste nicht, dass ...** I would not know that/what ...; **wenn ich nur wüsste, ...** if only I knew ... ② *(als Kenntnisse besitzen)* **von nichts ~** to have no idea [about sth]; **weißt du noch/~ Sie noch?** do you remember?; **soviel** [*o* **soweit**] **jd weiß** as far as sb knows ③ *(können)* **etw zu schätzen ~** to appreciate sth; **sich zu helfen ~** to be resourceful ▸ **von jdm/etw nichts [mehr] ~ wollen** *(fam)* to not want to have anything more to do with sb/sth; **oder was weiß ich** *(fam)* ... or sth **II.** *vi* ■**von etw** *dat* ~ to know sth; **man kann nie wissen!** you never know!; **wer weiß wo er bleibt** who knows where he's got to ▸ **nicht mehr aus noch ein ~** to be at one's wits' end; **gewusst wie!** sheer brilliance!
Wis·sen <-s> [ˈvɪsn̩] *nt kein pl* knowledge *no pl*
wịs·send **I.** *adj (geh)* knowing; **~e Blicke [aus]tauschen** to exchange knowing looks **II.** *adv (geh)* knowingly
Wis·sen·schaft <-, -en> [ˈvɪsn̩ʃaft] *f* science; **eine ~ für sich sein** to be a science in itself
Wịs·sen·schaft·ler(in) <-s, -> *m(f)* scientist
wis·sen·schaft·lich [ˈvɪsn̩ʃaftlɪç] **I.** *adj* scientific; *(akademisch)* academic **II.** *adv* scientifically; *(akademisch)* academically
Wịs·sens·drang *m*, **Wịs·sens·durst** *m* thirst for knowledge **Wịs·sens·ge·biet** *nt* field of knowledge **Wịs·sens·lü·cke** *f*

gap in sb's knowledge **wis·sens·wert** *adj* worth knowing

wis·sent·lich ['vɪsn̩tlɪç] **I.** *adj* deliberate **II.** *adv* deliberately, knowingly

wit·tern ['vɪtɐn] **I.** *vt* ❶ (*ahnen*) to suspect ❷ JAGD to smell **II.** *vi* JAGD to sniff the air

Wit·te·rung <-, -en> *f* ❶ METEO weather ❷ JAGD sense of smell; ~ **aufnehmen** to find the scent

Wit·te·rungs·ver·hält·nis·se *pl* weather conditions *pl*

Wit·we <-, -n> ['vɪtvə] *f fem form von* **Witwer** widow *fem*

Wit·wer <-s, -> ['vɪtvɐ] *m* widower *masc*

Witz <-es, -e> [vɪts] *m* ❶ (*Scherz*) joke; **einen ~ machen** to make a joke ❷ *kein pl* (*Esprit*) wit

Witz·bold <-[e]s, -e> *m* joker

wit·zeln ['vɪtsl̩n] *vi* to joke (**über** about)

Witz·fi·gur *f* figure of fun

wit·zig ['vɪtsɪç] *adj* funny

witz·los *adj* pointless

WM <-, -s> *f Abk von* **Weltmeisterschaft** world championship; (*im Fußball*) World Cup

wo [voː] **I.** *adv* ❶ *interrog* (*an welcher Stelle*) where ❷ *rel* **pass auf, ~ du hintrittst!** look where you are going! ❸ *rel, zeitlich* when; **zu dem Zeitpunkt, wo ...** when ... **II.** *konj* (*zumal*) when, as; ~ **er doch wusste, dass ich keine Zeit hatte** when he knew that I had no time

wo·an·ders [voˈʔandɐs] *adv* somewhere else, elsewhere

wo·an·ders·hin [voˈʔandɐsˈhɪn] *adv* somewhere else

wo·bei [voˈbaɪ] *adv* ❶ *interrog* how; ~ **ist das passiert?** how did that happen? ❷ *rel* in which; ~ **mir gerade einfällt ...** which reminds me ...

Wo·che <-, -n> ['vɔxə] *f* week; **diese/nächste ~** this/next week; **jede ~** every week; **pro ~** a week; **unter der ~** during the week

Wo·chen·bett *nt* ▪**im ~ liegen** to be lying in **Wo·chen·blatt** *nt* weekly

Wo·chen·end·be·zie·hung *f* weekend relationship

Wo·chen·en·de ['vɔxn̩ʔɛndə] *nt* weekend; **schönes ~!** have a nice weekend!; **am ~** at the weekend

Wo·chen·end·haus ['vɔxn̩ʔɛnthaʊs] *nt* weekend home **Wo·chen·end·ti·cket** [-tɪkət] *nt* TRANSP weekend [discount] ticket **Wo·chen·kar·te** *f* TRANSP weekly season ticket **wo·chen·lang** ['vɔxn̩laŋ] *adj, adv* for weeks **Wo·chen·lohn** *m* weekly wage **Wo·chen·markt** *m* weekly market **Wo·**

chen·tag *m* weekday; **was ist heute für ein ~?** what day of the week is it today? **wo·chen·tags** ['vɔxn̩taːks] *adv* on weekdays

wö·chent·lich ['vœçn̩tlɪç] *adj, adv* weekly **Wo·chen·zei·tung** *f* weekly [newspaper]

Wöch·ne·rin <-, -nen> ['vœçnərɪn] *f* MED woman who has recently given birth

Wod·ka <-s, -s> ['vɔtka] *m* vodka

wo·durch [voˈdʊrç] *adv* ❶ *interrog* (*durch was*) how? ❷ *rel* (*durch welchen Vorgang*) which

wo·für [voˈfyːɐ] *adv* ❶ *interrog* for what, what ... for; ~ **hast du denn so viel Geld bezahlt?** what did you pay so much money for? ❷ *rel* (*für welche Tat*) for which

wog [voːk] *imp von* **wägen, wiegen¹**

Wo·ge <-, -n> ['voːgə] *f* ❶ (*große Welle*) wave ❷ (*fig*) **wenn sich die ~n geglättet haben** when things have calmed down

wo·ge·gen [voˈgeːgn̩] *adv* ❶ *interrog* against what; ~ **hilft dieses Mittel?** what is this medicine for? ❷ *rel* against what/which

wo·gen ['voːgn̩] *vi* to surge

wo·her [voˈheːɐ] *adv* ❶ *interrog* where ... from?; ~ **hast du dieses Buch?** where did you get this book [from]? ❷ *rel* from ... which, where ... from

wo·hin [voˈhɪn] *adv* ❶ *interrog* where [to]?; ~ **damit?** where shall I put it? ❷ *rel* where

wo·hin·ge·gen [vohɪnˈgeːgn̩] *konj* while, whereas

wohl¹ [voːl] *adv* ❶ (*wahrscheinlich*) probably; ~ **kaum** hardly ❷ (*durchaus*) well; **das ist ~ wahr** that is perfectly true ❸ (*doch*) after all ❹ (*zirka*) about ▸ **siehst du ~!** I told you!

wohl² [voːl] *adv* ❶ (*gut*) well; **sich ~ fühlen** to feel well; ~ **bekomm's!** your good health!; **jdm ~ bekannt sein** to be well-known to sb; ~ **geformt** well-formed; *Körperteil* shapely; ~ **genährt** well-fed; ~ **überlegt** well thought out ❷ (*behaglich*) ▪**jdm ist ~ bei etw** *dat* sb is comfortable with sth; ▪**jdm ist nicht ~ bei etw** *dat* sb is uneasy about sth; **sich irgendwo ~ fühlen** to feel at home somewhere ▸ ~ **oder übel** whether you like it or not; **leb ~/leben Sie ~** farewell

Wohl <-[e]s> [voːl] *nt kein pl* welfare, well-being; **auf jds ~ trinken** to drink to sb's health; **zum ~!** cheers!

wohl·auf [voːlˈʔaʊf] *adj präd* ▪**~ sein** to be well **Wohl·be·fin·den** <-s> *nt kein pl* well-being **Wohl·be·ha·gen** <-s> *nt kein pl* feeling of well-being **wohl·be·hal·ten** *adv* safe and sound **wohl·er·zo·gen**

<besser erzogen, besterzogen> *adj* well-bred

Wohl·fahrt ['voːlfaːɐ̯t] *f kein pl* welfare **Wohl·fahrts·staat** *m* welfare state **Wohl·ge·fal·len** [voːlgəfalən] *nt* pleasure, satisfaction ▸ **sich in ~ auflösen** to vanish into thin air **wohl·ge·merkt** ['voːlgəmɛrkt] *adv* mind you **wohl·ge·ra·ten** *adj* ❶ *(gut gelungen)* successful ❷ *(gut entwickelt)* well turned-out *pred*, well-adjusted *attr* **wohl·ge·sinnt** <wohlgesinnter, wohlgesinnteste> *adj* well-meaning; ■**jdm ~ sein** to be well-disposed towards sb **wohl·ha·bend** <wohlhabender, wohlhabendste> *adj* well-to-do

woh·lig ['voːlɪç] **I.** *adj (behaglich)* pleasant **II.** *adv (genießerisch)* luxuriously

wohl·klin·gend <wohlklingender, wohlklingendste> *adj* melodious **wohl·mei·nend** <wohlmeinender, wohlmeinendste> *adj* well-meaning **wohl·rie·chend** <wohlriechender, wohlriechendste> *adj* fragrant **wohl·schme·ckend** <wohlschmeckender, wohlschmeckendste> *adj* palatable **Wohl·stand** *m kein pl* affluence, prosperity **Wohl·stands·ge·sell·schaft** *f* affluent society **Wohl·stands·müll** *m kein pl* refuse of the affluent society **Wohl·tat** *f* ❶ *kein pl (Erleichterung)* relief; **eine ~ sein** to be a relief ❷ *(wohltätige Unterstützung)* good deed **Wohl·tä·ter(in)** *m(f)* benefactor *masc,* benefactress *fem;* **ein ~ der Menschheit** a champion of mankind **wohl·tä·tig** *adj* charitable **Wohl·tä·tig·keit** *f kein pl* charity **Wohl·tä·tig·keits·ver·an·stal·tung** *f* charity event **Wohl·tä·tig·keits·ver·ein** *m* charity **wohl·tu·end** <wohltuender, wohltuendste> *adj* agreeable **wohl·ver·dient** *adj* well-earned; **seine ~e Strafe erhalten** to get one's just deserts **wohl·weis·lich** ['voːlvaislɪç] *adv* very wisely **Wohl·wol·len** <-s> ['voːlvɔlən] *nt kein pl* goodwill; **auf jds ~ angewiesen sein** to rely on sb's goodwill **wohl·wol·lend** <wohlwollender, wohlwollendste> **I.** *adj* benevolent; ■**jdm gegenüber ~ sein** to be kindly disposed towards sb **II.** *adv* benevolently

Wohn·an·la·ge *f* housing development **Wohn·be·zirk** *m* residential district **Wohn·block** *m* block of flats BRIT, apartment building AM

woh·nen ['voːnən] *vi* to live; *(im Hotel)* to stay

Wohn·flä·che *f* living space **Wohn·ge·biet** *nt* residential area **Wohn·ge·gend** *f* residential area; **eine gute ~ sein** to be a nice area to live in **Wohn·geld** *nt* housing benefit **Wohn·ge·mein·schaft** *f* communal residence, house- [*or* flat-] [*or* AM apartment-] share; **in einer ~ leben** to share a house/flat with sb **wohn·haft** ['voːnhaft] *adj (geh)* resident; ■**irgendwo ~ sein** to live somewhere **Wohn·haus** *nt* residential building **Wohn·heim** *nt (Studenten~)* hall of residence BRIT, residence hall AM, dormitory AM; *(Arbeiter~)* hostel **Wohn·kü·che** *f* kitchen-cum-living room **Wohn·la·ge** *f* residential area

wohn·lich ['voːnlɪç] *adj* cosy

Wohn·mo·bil <-s, -e> *nt* camper **Wohn·ort** *m* place of residence **Wohn·raum** *m kein pl* living space **Wohn·si·lo** *m o nt (pej)* concrete monolith **Wohn·sitz** *m* ADMIN domicile; **erster ~** main place of residence; **ohne festen ~** of no fixed abode **Woh·nung** <-, -en> *f* flat, apartment **Woh·nungs·bau** *m kein pl* house building; **sozialer ~** council houses **Woh·nungs·be·set·zer(in)** <-s, -> *m(f)* squatter **Woh·nungs·ei·gen·tü·mer(in)** *m(f)* property owner **Woh·nungs·ein·rich·tung** *f* furnishings *pl* **Woh·nungs·markt** *m* housing market **Woh·nungs·not** *f kein pl* serious housing shortage **Woh·nungs·schlüs·sel** *m* key to the flat [*or* AM apartment] **Woh·nungs·su·che** *f* flat- [*or* apartment-] hunting; **auf ~ sein** to be flat-hunting **Woh·nungs·tür** *f* front door **Wohn·vier·tel** *nt* residential area **Wohn·wa·gen** *m* ❶ *(Campinganhänger)* caravan BRIT, trailer AM ❷ *(mobile Wohnung)* mobile home **Wohn·zim·mer** *nt* living room, lounge

Wok <-, -s> [vɔk] *m* wok **wöl·ben** ['vœlbn̩] *vr* ❶ *(sich biegen)* to bend ❷ *(in einem Bogen überspannen)* ■**sich über etw** *akk* **~** to arch over sth **Wöl·bung** <-, -en> *f* ❶ BAU dome; *(Bogen)* arch ❷ *(Rundung)* bulge **Wolf** <-[e]s, Wölfe> [vɔlf, *pl* 'vœlfə] *m* wolf **Wöl·fin** <-, -nen> ['vœlfɪn] *f* she-wolf **Wolfs·hun·ger** ['vɔlfs'hʊŋɐ] *m kein pl (fam)* ravenous hunger **Wol·ke** <-, -n> ['vɔlkə] *f* cloud ▸ **aus allen ~n fallen** to be flabbergasted **Wol·ken·bruch** *m* cloudburst **Wol·ken·de·cke** *f* cloud cover **Wol·ken·krat·**

zer *m* skyscraper **Wol·ken·ku·ckucks· heim** *nt* (*iron*) cloud-cuckoo-land Brit, fantasyland **wol·ken·los** *adj* cloudless **wol·kig** ['vɔlkɪç] *adj* cloudy **Woll·de·cke** *f* [woollen] blanket **Wol·le** <-, -n> ['vɔlə] *f* wool **wol·len¹** ['vɔlən] *adj attr* MODE woollen **wol·len²** ['vɔlən] **I.** *vb aux* <will, wollte, wollen> ❶ (*vorhaben*) ■ **etw tun ~** to want to do sth; ■ **etw gerade tun ~** to be [just] about to do sth; **wollen wir uns nicht setzen?** why don't we sit down?; **etw haben ~** to want [to have] sth; **etw schon lange tun ~** to have been wanting to do sth for ages ❷ (*behaupten*) ■ **etw getan haben ~** to claim to have done sth; **und so jemand will Arzt sein!** and he calls himself a doctor! ❸ *passivisch* **diese Aktion will gut vorbereitet sein** this operation has to be well prepared **II.** *vi* <will, wollte, gewollt> ❶ (*den Willen haben*) to want; **ob du willst oder nicht** whether you like it or not; **wenn du willst** if you like; [**ganz**] **wie du willst** just as you like ❷ (*gehen ~*) ■ **irgendwohin ~** to want to go somewhere; **zu wem ~ Sie?** who[m] do you wish to see? ❸ (*anstreben*) **ich wollte, es wäre schon Weihnachten** I wish it were Christmas already; **ich wollte, das würde nie passieren** I would never want that to happen ▶ **wer nicht will, der hat schon** (*prov*) if you don't like it you can lump it!; **dann ~ wir mal** let's get started; **wenn man so will** as it were **III.** *vt* <will, wollte, gewollt> ❶ (*haben ~*) ■ **etw ~** to want sth; **willst du lieber Tee oder Kaffee?** would you prefer tea or coffee?; **was willst du mehr!** what more do you want!; **ich will, dass du jetzt sofort gehst!** I want you to go immediately ❷ (*bezwecken*) ■ **etw mit etw** *dat* **~** to want sth with [*or* for] sth; **ohne es zu ~** without wanting to ▶ **da ist nichts mehr zu ~** there is nothing else we/you can do; **was du nicht willst, dass man dir tu', das füg auch keinem andern zu** (*prov*) do unto others as you would others unto you

wol·lig ['vɔlɪç] *adj* woolly **Woll·ja·cke** *f* woollen cardigan **Woll· knäu·el** *nt* ball of wool **Woll·sie·gel** *nt* Woolmark®

Wol·lust <-, lüste> ['vɔlʊst, *pl* 'vɔlʏstə] *f* lust

wol·lüs·tig ['vɔlʏstɪç] *adj* lascivious **wo·mit** [vo'mɪt] *adv* ❶ *interrog* with what, what ... with; **~ reinigt man Seidenhem· den?** what do you use to clean silk shirts

with ?; **~ habe ich das verdient?** what did I do to deserve this? ❷ *rel* with which **wo·mög·lich** [vo'mø:klɪç] *adv* possibly **wo·nach** [vo'na:x] *adv* ❶ *interrog* what ... for, what ... of; **~ suchst du?** what are you looking for?; **~ riecht das hier?** what's that smell in here? ❷ *rel* which [*or* what] ... for, of which; **das ist der Schatz, ~ gesucht wird** that is the treasure that has been hunted for; (*demzufolge*) according to which

Won·ne <-, -n> ['vɔnə] *f* joy, delight **wo·ran** [vo'ran] *adv* ❶ *interrog* (*an wel· chem/welchen Gegenstand*) what ... on, on what; **~ soll ich das befestigen?** what should I fasten this to?; (*an welchem/wel· chen Umstand*) what ... of, of what; **~ haben Sie ihn erkannt?** how did you recognize him?; **~ können Sie sich erin· nern?** what can you remember?; **~ denkst du?** what are you thinking of?; **~ ist sie gestorben?** what did she die of? ❷ *rel* (*an welchem/welchen Gegenstand*) on which; **das Seil, ~ der Kübel befestigt war, riss** the rope on which the pail was fastened broke; (*an welchem/welchen Umstand*) by which; **das ist das einzige, ~ ich mich noch erinnere** that's the only thing I can remember; **es gibt einige Punkte, ~ man echte Banknoten von Blüten unterscheiden kann** there are a few points by which you can distinguish real bank notes from counterfeits

wo·rauf [vo'rauf] *adv* ❶ *interrog* on what ..., what ... on; **~ wartest du noch?** what are you waiting for?; **~ stützen sich deine Behauptungen?** what are your claims based on?; **~ darf ich mich setzen?** what can I sit on? ❷ *rel* (*auf welcher/welche Sache*) on which; **das Bett, ~ wir liegen, gehörte meinen Großeltern** the bed we're lying on belonged to my grandpa- rents; **der Grund, ~ das Haus steht, ist sehr hart** the ground on which the house is built is very hard; (*woraufhin*) where- upon

wo·rauf·hin *adv* ❶ *interrog* for what rea- son ❷ *rel* (*wonach*) whereupon, after which

wo·raus [vo'raus] *adv* ❶ *interrog* what ... out of, out of what; **~ bestehen Rubine?** what are rubies made out of?; **und ~ schließen Sie das?** and from what do you deduce that? ❷ *rel* (*aus welcher Sache/ welchem Material*) from which, what ... out of, out of which; **das Material, ~ die Socken bestehen, kratzt** the material the socks are made of is itchy; (*aus welchem*

Umstand) from which; **es gab Anzeichen, ~ das geschlossen werden konnte** there were signs from which this could be deduced

wor·den *pp von* **werden**

wo·rin [vo'rɪn] *adv* ❶ *interrog* in what, what ... in; **~ besteht der Unterschied?** where is the difference? ❷ *rel* in which; **es gibt etwas, ~ sich Original und Fälschung unterscheiden** there is one point in which the original and the copy differ

Work·a·ho·lic <-s, -s> [vøːˈʁkaˈhɔlɪk] *m* workaholic

Work·shop <-s, -s> [ˈvøːʁkʃɔp] *m* workshop

World Wide Web <-> [ˈvøːʁltˈvaɪtˈvɛp, ˈvœrlt-] *nt kein pl* World Wide Web

Wort <-[e]s, Wörter *o* -e> [vɔrt, *pl* ˈvœrtɐ, ˈvɔrtə] *nt* ❶ LING word; **im wahrsten Sinne des ~es** in the true sense of the word ❷ *meist pl* (*Äußerung*) word *usu pl;* **das letzte ~ ist noch nicht gesprochen** that's not the end of it; **mit anderen ~en** in other words; [**bei jdm**] **ein gutes ~ für jdn einlegen** to put in a good word for sb [with sb]; **etw in ~e fassen** to put sth into words; **jdm fehlen die ~e** sb is speechless; **jdm kein ~ glauben** to not believe a word sb says; **kein ~ herausbringen** to not get a word out; **ein ernstes ~ mit jdm reden** to have a serious talk with sb; **kein ~ verstehen** to not understand a word; (*hören*) to be unable to hear a word; **~e des Dankes** words of thanks; **kein ~ mehr!** not another word! ❸ *kein pl* (*Ehren~*) **das ist ein ~!** [that's a] deal!; **sein ~ brechen/halten** to break/keep one's word; **das glaube ich dir aufs ~** I can well believe it; **jdn beim ~ nehmen** to take sb's word for it ❹ *kein pl* (*Rede*[*erlaubnis*]) **jdm das ~ abschneiden** to cut sb short; **das ~ ergreifen** to begin to speak; *Diskussionsteilnehmer* to take the floor; **jdm das ~ erteilen** to allow sb to speak; **jdm ins ~ fallen** to interrupt sb; **als Nächstes haben Sie das ~** it's your turn to speak next; **zu ~ kommen** to get a chance to speak; **sich zu ~ melden** to ask to speak; **das ~ an jdn richten** to address sb ▸ **jdm das ~ im Munde herumdrehen** to twist sb's words; **aufs ~ gehorchen** to obey sb's every word

Wort·art *f* part of speech **wort·brü·chig** *adj* treacherous

Wört·chen <-s, -> [ˈvœrtçən] *nt dim von* **Wort** (*fam*) **mit jdm noch ein ~ zu reden haben** (*fig*) to have a bone to pick with sb; **da habe ich [noch] ein ~ mitzu-**

reden (*fig*) I think I have something to say about that

Wör·ter·buch *nt* dictionary **Wör·ter·buch·com·pu·ter** *m* dictionary computer

Wort·er·ken·nung *f* INFORM word recognition

Wör·ter·ver·zeich·nis *nt* ❶ (*Vokabular*) glossary ❷ (*Wortindex*) index

Wort·fet·zen *pl* scraps of conversation *pl* **Wort·füh·rer(in)** *m(f)* spokesperson, spokesman *masc,* spokeswoman *fem* **Wort·ge·fecht** *nt* battle of words **Wort·ge·klin·gel** <-s> *nt kein pl* (*pej fam*) empty rhetoric **wort·ge·treu** I. *adj* verbatim *form;* *Übersetzung* faithful II. *adv* verbatim; **etw ~ wiedergeben** to repeat sth word for word **wort·ge·wandt** *adj* eloquent **Wort·hül·se** *f* (*pej*) empty word **wort·karg** *adj* taciturn **Wort·klau·be·rei** <-, -en> [vɔrtklaʊbəˈraɪ] *f* (*pej*) hair-splitting *no pl* **Wort·laut** *m kein pl* wording; **folgenden ~ haben** to read as follows

wört·lich [ˈvœrtlɪç] I. *adj* ❶ *Wiedergabe* word-for-word, verbatim ❷ *Übersetzung* literal II. *adv* ❶ (*genauso*) word for word ❷ (*dem originalen Wortlaut gemäß*) literally; **etw ~ nehmen** to take sth literally

wort·los I. *adj* silent II. *adv* silently, without saying a word **Wort·mel·dung** *f* request to speak **Wort·schatz** *m* vocabulary **Wort·schwall** <-[e]s> *m kein pl* torrent of words **Wort·spiel** *nt* pun **Wort·stamm** *m* LING stem [of a/the word] **Wort·stel·lung** *f* word order **Wort·wech·sel** *m* verbal exchange **Wort·witz** *m* pun, wordplay **wort·wört·lich** [ˈvɔrtˈvœrtlɪç] *adj, adv* word-for-word

wo·rü·ber [voˈryːbɐ] *adv* ❶ *interrog* (*über welches Thema*) what ... about, about what; **~ habt ihr euch so lange unterhalten?** what was it you talked about for so long?; (*über welchem/welchen Gegenstand*) above which ❷ *rel* (*über welche Sache*) about which, what ... about, for which; **es geht Sie gar nichts an, ~ wir uns unterhalten!** it's none of your business what we are talking about!; (*über welchem/welchen Gegenstand*) over which **wo·rum** [voˈrʊm] *adv* ❶ *interrog* (*um welche Sache*) what ... about; **~ handelt es sich?** what is this about?; (*um welchen Gegenstand*) what ... around; **~ hatte sich der Schal gewickelt?** what had the scarf wrapped itself around? ❷ *rel* (*um welche Sache*) what ... about; **alles, ~ du mich bittest, sei dir gewährt** (*geh*) all that you ask of me will be granted; (*um welchen Gegenstand*) around; **das Bein, ~ der Verband gewickelt ist, ist viel dünner** the leg the bandage is around is much thinner

wo·run·ter [voˈrʊntɐ] *adv* ❶ *interrog* (*unter welcher Sache*) what ... from; **~ lei-det Ihre Frau?** what is your wife suffering from?; (*unter welchem/welchen Gegen-stand*) under what, what ... under; **~ hat-test du dich versteckt?** what did you hide under? ❷ *rel* (*unter welcher Sache*) under which, which ... under; **Freiheit ist ein Begriff, ~ vieles verstanden wer-den kann** freedom is a term that can mean many different things; (*unter welchem/welchen Gegenstand*) under which; **das ist der Baum, ~ wir uns küssten** that's the tree under which we kissed; (*inmitten deren*) amongst which

wo·von [voˈfɔn] *adv* ❶ *interrog* (*von wel-cher Sache*) what ... about; **~ bist du denn so müde?** what has made you so tired?; (*von welchem Gegenstand*) from what, what ... from; **~ mag dieser Knopf wohl stammen?** where could this button be from? ❷ *rel* (*von welchem Gegenstand*) from which; **der Baum, ~ das Holz stammt, ist sehr selten** the tree from which the wood originates is very rare; (*von welcher Sache*) about which, which ... about; **das ist eine Sache, ~ du nichts verstehst** it's something you don't know anything about; (*durch welchen Umstand*) as a result of which; **er hatte einen Unfall, ~ er sich nur langsam erholte** he had an accident from which he only re-covered slowly

wo·vor [voˈfoːɐ̯] *adv* ❶ *interrog* (*vor wel-cher Sache*) what ... of; **~ fürchtest du dich denn?** what are you afraid of?; (*vor welchem/welchen Gegenstand*) in front of what, what ... in front of ❷ *rel* (*vor wel-cher Sache*) what ... of, of which; **ich habe keine Ahnung, ~ er solche Angst hat** I have no idea what he's so frightened of; (*vor welchem/welchen Gegenstand*) in front of which

wo·zu [voˈtsuː] *adv* ❶ *interrog* (*zu wel-chem Zweck*) why, how come, what ... for; **~ soll das gut sein?** what's the purpose of that?; **~ hast du das gemacht?** what did you do that for?; (*zu welcher Sache*) for what, what ... for; **~ bist du interviewt worden?** what were you interviewed for? ❷ *rel* (*zu welchem Zweck*) for which rea-son; (*zu welcher Sache*) what; **ich weiß, ~ du mich überreden willst!** I know

what you want to talk me into!; (*zusätzlich zu dem*) to which

Wrack <-[e]s, -s> [vrak] *nt* ❶ (*Schiffs~*) wreck; (*Flugzeug~, Auto~*) wreckage ❷ (*verbrauchter Mensch*) wreck

wrin·gen <wrang, gewrungen> [ˈvrɪ-ŋən] *vt* to wring

Wu·cher <-s> [ˈvuːxɐ] *m kein pl* extortion *no pl;* (*Zinsen*) usury; **das ist ~!** that's day-light [*or* Am highway] robbery!

Wu·che·rer, Wu·che·rin <-s, -> [ˈvuːxərɐ, ˈvuːxərɪn] *m, f* (*pej*) profiteer, usurer

wu·che·risch [ˈvuːxərɪʃ] *adj* extortionate

wu·chern [ˈvuːxɐn] *vi* ❶ *sein o haben* HORT to grow rampant ❷ *sein* MED to proliferate ❸ *haben* (*Wucher treiben*) to practise usury

Wu·cher·preis *m* (*pej*) extortionate price

Wu·che·rung <-, -en> *f* ❶ (*Gewebever-mehrung*) proliferation ❷ (*Geschwulst*) growth

wuchs [vuːks] *imp von* **wachsen**[1]

Wuchs <-es> [vuːks] *m kein pl* ❶ (*Wachs-tum*) growth ❷ (*Form, Gestalt*) stature, build ❸ (*Pflanzenbestand*) cluster

Wucht <-> [vʊxt] *f kein pl* force; (*Schläge, Hiebe*) brunt; **mit voller ~** with full force; **eine ~ sein** (*fam*) to be smashing

wuch·tig [ˈvʊxtɪç] *adj* ❶ (*mit großer Wucht*) forceful; *Schlag* powerful ❷ (*mas-sig*) massive

wüh·len [ˈvyːlən] **I.** *vi* ■**in etw** *dat* **~** ❶ (*kramen*) to rummage through sth (**nach** for) ❷ (*graben, aufwühlen*) to root through sth (**nach** for); **in jds Haaren ~** to tousle sb's hair **II.** *vr* ■**sich durch etw** *akk* **~** to burrow one's way through sth; (*sich durcharbeiten*) to slog through sth

Wühl·maus *f* vole **Wühl·tisch** *m* bargain counter

Wulst <-[e]s, Wülste> [vʊlst, *pl* ˈvʏlstə] *m o f* bulge

wuls·tig [ˈvʊlstɪç] *adj* bulging; (*Lippen*) thick

wum·mern [ˈvʊmɐn] *vi* to boom

wund [vʊnt] **I.** *adj* sore **II.** *adv* **~ gelegen** having bedsores *pl;* **sich** *dat* **die Finger ~ schreiben** (*fig*) to wear one's fingers to the bone writing

Wund·brand *m kein pl* gangrene *no pl*

Wun·de <-, -n> [ˈvʊndə] *f* wound

Wun·der <-s, -> [ˈvʊndɐ] *nt* miracle; **~ tun** to work a miracle; **ein/kein ~ sein, dass ...** to be a/no wonder, that ...; **wie durch ein ~** miraculously; **die ~ der Natur** the wonders of nature; **ein ~ an Präzision** a miracle of precision ▶**sein**

W

blaues ~ erleben to be in for a nasty surprise

wun·der·bar ['vʊndɐbaːɐ̯] I. *adj* ❶ (*herrlich*) wonderful, marvellous ❷ (*wie ein Wunder*) miraculous II. *adv* (*fam*) wonderfully

Wun·der·hei·ler(in) <-s, -> *m(f)* miracle healer **Wun·der·ker·ze** *f* sparkler **Wun·der·kind** *nt* child prodigy

wun·der·lich ['vʊndɐlɪç] *adj* odd, strange **Wun·der·mit·tel** *nt* miracle cure; (*Zaubertrank*) magic potion

wun·dern [vʊndɐn] I. *vt* ▪jdn ~ to surprise sb; **das wundert mich [nicht]** I'm [not] surprised at that; **es wundert mich, dass ...** I am surprised that ... II. *vr* ▪sich ~ to be surprised (**über** at); **du wirst dich ~!** you're in for a surprise

wun·der·schön ['vʊndɐ'ʃøːn] *adj* wonderful

wun·der·voll *adj s.* wunderbar

Wund·sal·be *f* ointment **Wund·starr·krampf** *m kein pl* tetanus *no pl*

Wunsch <-[e]s, Wünsche> [vʊnʃ, *pl* 'vʏnʃə] *m* ❶ (*Verlangen*) wish; (*stärker*) desire; (*Bitte*) request; **jdm jeden ~ erfüllen** to grant sb's every wish; **ihr sehnlichster ~ ging in Erfüllung** her most ardent desire was fulfilled; **haben Sie sonst noch einen ~?** would you like anything else?; **Ihr ~ ist mir Befehl** your wish is my command; **auf jds ~ [hin]** at/on sb's request ❷ *meist pl* (*Glück~*) wish; **mit besten Wünschen** best wishes

Wunsch·bild *nt* ideal **Wunsch·denken** *nt kein pl* wishful thinking *no pl*

Wün·schel·ru·te ['vʏnʃluːtə] *f* divining rod

wün·schen ['vʏnʃn] I. *vt* ❶ (*als Geschenk erbitten*) ▪sich *dat* etw ~ to ask for sth; **was wünschst du dir?** what would you like?; **nun darfst du dir etwas ~** now you can say what you'd like for a present; (*im Märchen*) now you may make a wish ❷ (*erhoffen*) ▪etw ~ to wish; **ich wünschte, der Regen würde aufhören** I wish the rain would stop; ▪jdm etw ~ to wish sb sth; **jdm zum Geburtstag alles Gute ~** to wish sb a happy birthday; **jdm eine gute Nacht ~** to wish sb good night; **ich will dir ja nichts Böses ~** I don't mean to wish you any harm; ▪~, dass ... to hope for ... ❸ (*haben wollen*) ▪sich *dat* etw ~ to want sth; **man hätte sich kein besseres Wetter ~ können** one couldn't have wished for better weather; **ich wünsche sofort eine Erklärung!** I demand an explanation immediately!; **jemand**

wünscht Sie zu sprechen somebody would like to speak with you; **was ~ Sie?** how may I help you? II. *vi* (*geh: wollen*) to want; **wenn Sie ~, kann ich ein Treffen arrangieren** if you want I can arrange a meeting; **Sie ~?** may I help you?; (*Bestellung*) what would you like?; **[ganz] wie Sie ~** just as you wish; **nichts/viel zu ~ übrig lassen** to leave nothing/much to be desired

wün·schens·wert *adj* desirable

Wunsch·kind *nt* planned child **Wunsch·kon·zert** *nt* RADIO musical request programme **wunsch·los** *adj* ~ **glücklich sein** to be perfectly happy **Wunsch·traum** *m* dream **Wunsch·zet·tel** *m* wish list

wur·de ['vʊrdə] *imp von* werden

Wür·de <-, -n> ['vʏrdə] *f kein pl* dignity; **es ist für unseren Chef unter seiner ~, das zu tun** our boss finds it beneath him to do that

wür·de·los I. *adj* undignified II. *adv* without dignity

Wür·den·träg·er(in) *m(f)* dignitary

wür·de·voll *adj* dignified

wür·dig ['vʏrdɪç] I. *adj* ❶ (*ehrbar*) dignified ❷ (*wert, angemessen*) worthy; **ein ~er Vertreter** a worthy replacement; **einer Sache [nicht] ~ sein** to be [not] worthy of sb/sth; **sich einer S.** *gen* ~ **erweisen** to prove oneself to be worthy of sth II. *adv* (*mit Würde*) with dignity; (*gebührend*) worthy

wür·di·gen ['vʏrdɪɡn] *vt* ❶ (*anerkennend erwähnen*) to acknowledge ❷ (*schätzen*) **etw zu ~ wissen** to appreciate sth

Wür·di·gung <-, -en> *f* appreciation, acknowledgement

Wurf <-[e]s, Würfe> [vʊrf, *pl* 'vʏrfə] *m* ❶ (*das Werfen*) throw; (*gezielter ~*) shot; (*Baseball*) pitch; (*Kegeln*) bowl; (*Würfel*) throw; **zum ~ ausholen** to get ready to throw ❷ (*Tierjunge*) litter

Wür·fel <-s, -> ['vʏrfl] *m* ❶ (*Spiel~*) dice, die ❷ (*Kubus*) cube; **etw in ~ schneiden** to dice sth ► **die ~ sind gefallen** the dice is cast

Wür·fel·be·cher *m* shaker

wür·feln ['vʏrfln] I. *vi* to play dice; ▪um etw *akk* ~ to throw dice for sth II. *vt* ❶ (*Würfel werfen*) **eine sechs ~** to throw a six ❷ (*in Würfel schneiden*) to dice

Wür·fel·spiel *nt* game of dice **Wür·fel·zucker** *m kein pl* sugar cube[s]

Wurf·ge·schossRR *nt* missile **Wurf·sendung** *f* direct mail item **Wurf·spieß** *m* spear

wür·gen ['vʏrgn̩] **I.** *vt* ▪jdn ~ to throttle sb ▶ mit **Hängen** und **W~** by the skin of one's teeth **II.** *vi* ❶ (*kaum schlucken können*) ▪an etw *dat* ~ to choke on sth ❷ (*hoch~*) to retch

Wurm <-[e]s, Würmer> [vʊrm, *pl* 'vʏrmɐ] *m* worm ▶ da ist der ~ **drin** there's something fishy about it

Würm·chen <-s, -> ['vʏrmçən] *nt dim von* **Wurm** little worm; (*Kind*) [poor] little mite

wur·men ['vʊrmən] *vt* (*fam*) to bug; es **wurmt** mich sehr, dass ich verloren **habe** it really bugs me that I lost

Wu̱rm·fort·satz *m* appendix

wurm·sti·chig ['vʊrmʃtɪçɪç] *adj* ❶ *Apfel* maggoty ❷ *Holz* full of woodworm

Wurst <-, Würste> [vʊrst, *pl* 'vʏrstə] *f* sausage; (*Brotauflage*) sliced, cold sausage Bᴿɪᴛ, cold cuts *pl* Aᴍ ▶ jetzt **geht** es um **die** ~ the moment of truth has come; jdm ~ **sein** to be all the same to sb

Wu̱rst·brot *nt* open sandwich with slices *of sausage*

Würst·chen <-s, -> ['vʏrstçən] *nt dim von* **Wurst** little sausage; **Frankfurter/Wiener** ~ frankfurter/wiener sausages Bᴿɪᴛ, hot dog Aᴍ

Würst·chen·bu·de *f,* **Würst·chen·stand** *m* hot dog stand

Wu̱rst·fin·ger *pl* (*pej fam*) chubby fingers *pl fam* **Wu̱rst·sa·lat** *m* sausage salad **Wu̱rst·wa·ren** *pl* sausages and cold meats *pl,* cold cuts Aᴍ *pl*

Würz·burg <-s> ['vʏrtsbʊrk] *nt* Würzburg

Wür·ze <-, -n> ['vʏrtsə] *f* seasoning

Wur·zel <-, -n> ['vʊrts̩l] *f* ❶ (*Pflanzen~, Zahn~*) root; ~n schlagen (*a fig*) to put down roots ❷ ᴍᴀᴛʜ root; die ~ **aus** etw *dat* ziehen to find the root of sth ❸ (*geh: Ursprung*) root; die ~ **allen Übels** the root of all evil; etw mit der ~ **ausrotten** to eradicate sth

Wu̱r·zel·be·hand·lung *f* root treatment **Wu̱r·zel·ge·mü·se** *nt* root vegetables *pl* **wur·zeln** ['vʊrts̩ln] *vi* ▪in etw *dat* ~ to be rooted in sth

Wu̱r·zel·zei·chen *nt* ᴍᴀᴛʜ radical sign

wür·zen ['vʏrts̩n] *vt* to season

wür·zig ['vʏrtsɪç] **I.** *adj* tasty **II.** *adv* tastily

Würz·stoff *m* flavouring

wusch [vuːʃ] *imp von* **waschen**

wu·sche·lig ['vʊʃəlɪç] *adj* woolly, fuzzy; *Tier* shaggy

Wu̱·schel·kopf *m* mop of curls, fuzz

wusch·lig ['vʊʃ(ə)lɪç] *adj s.* **wuschelig**

wu·seln ['vuːz̩ln] *vi* to bustle about

wussteᴿᴿ, **wu̱ßte**ᴬᴸᵀ *imp von* **wissen**

Wust <-[e]s> [vʊst] *m kein pl* (*fam*) pile; **ein** ~ **von Papieren** a pile of papers; **ein** ~ **von Problemen** (*fig*) a load of problems

wüst [vyːst] **I.** *adj* ❶ (*öde*) waste, desolate ❷ (*fig: wild, derb*) vile, rude ❸ (*fam: unordentlich*) hopeless, terrible **II.** *adv* vilely, terribly; jdn ~ **beschimpfen** to use vile language to sb

Wüs·te <-, -n> ['vyːstə] *f* desert, wasteland *fig;* **die** ~ **Gobi** the Gobi Desert

Wüs·ten·kli·ma *nt kein pl* desert climate

Wüst·ling <-s, -e> ['vyːstlɪŋ] *m* (*pej*) lecher

Wut <-> [vuːt] *f kein pl* fury, rage; **seine** ~ **an jdm/etw auslassen** to take one's anger out on sb/sth; **eine** ~ **bekommen** to get into a rage; **eine** ~ [**auf jdn**] **haben** to be furious [with sb]; **vor** ~ **kochen** to seethe with rage

Wu̱t·an·fall *m* fit of rage; (*Kind*) tantrum; **einen** ~ **bekommen** to throw a tantrum **Wu̱t·aus·bruch** *m* tantrum

wü·ten ['vyːtn̩] *vi* to rage; *Sturm* to cause havoc

wü·tend I. *adj* furious, enraged; ~ **auf jdn sein** to be furious with sb **II.** *adv* furiously, in a rage

wu̱t·ent·brannt *adv* in a fury **wu̱t·schnau·bend I.** *adj* snorting with rage **II.** *adv* in a mad fury

WWF <-> [veːveːˈɛf] *m Abk von* **World Wide Fund for Nature** WWF

WWU <-> [veːveːˈʔuː] *f kein pl Abk von* **Wirtschafts- und Währungsunion** EMU

WWW <-[s]> [veːveːˈveː] *nt Abk von* **World Wide Web** WWW

WWW-Cli·ent <-, -s> [veːveːˈveːklaɪənt] *m* WWW client **WWW-Ser·ver** <-s, -> [veːveːˈveːsəːvə] *m* WWW server

Wz *nt Abk von* **Warenzeichen** TM

W

X

X, x <-, -> [ɪks] *nt* ❶ (*Buchstabe*) X, x; *s. a.*
A 1 ❷ (*unbekannter Namen*) x; **Herr/
Frau** ~ Mr/Mrs X; **der Tag X** the day X
❸ (*eine unbestimmte Zahl*) x; **~ Bücher** x number of books; **ich habe
sie schon ~-mal gefragt, aber sie ant-
wortet nie** I have already asked her umpteen times, but she never answers ❹ MATH
(*unbekannter Wert*) x; **eine Gleichung
nach ~ auflösen** to solve an equation for x
x-Ach·se *f* x-axis
Xan·thip·pe <-, -n> [ksan'tɪpə] *f* (*pej
fam*) shrew *dated*
X-Bei·ne ['ɪksbajnə] *pl* knock-knees *pl;*
~ haben to be knock-kneed **x-bei·nig** *adj*
knock-kneed **x-be·lie·big** [ɪksbə'liːbɪç]
I. *adj* (*fam*) any old; **es kann nicht jeder
X~e hier Mitglied werden** we/they

don't let just anybody become a member
here **II.** *adv* (*fam*) as often as one likes
xe·no·phob [kseno'foːp] *adj* (*geh*) xenophobic
Xe·no·pho·bie [ksenofo'biː] *f kein pl*
(*geh*) xenophobia
x-fach ['ɪksfax] **I.** *adj* (*fam*) umpteen; **die
~e Menge** MATH n times the amount
II. *adv* (*fam*) umpteen times **x-för·mig**^RR
adj X-shaped *pred* **x-mal** ['ɪksmaːl] *adv*
(*fam*) umpteen times
x-te(r, s) ['ɪkstə, 'ɪkstɐ, 'ɪkstəs] *adj* (*fam*)
■**der/die/das ~** the umpteenth; **beim ~n
Mal** after the umpteenth time; **zum ~n
Mal** for the umpteenth time
Xy·lo·fon^RR <-s, -e>, **Xy·lo·phon** <-s,
-e> [ksylo'foːn] *nt* xylophone

Y

Y, y <-, - *o fam* -s, -s> ['ʏpsilɔn] *nt* Y, y; *s. a.*
A 1
y-Ach·se ['ʏpsilɔnˀaksə] *f* y-axis
Yacht <-, -en> [jaxt] *f* yacht
Yak <-s, -s> [jak] *nt* yak
Yan·kee <-s, -s> ['jɛŋki] *m* Yankee
Yen <-[s], -[s]> [jɛn] *m* yen
Ye·ti <-s, -s> ['jeːti] *m* yeti
Yo·ga <-[s]> ['joːga] *m o nt* yoga

Yo·ga·sitz *m* lotus position
Yo·ghurt <-s, -s> ['joːgʊrt] *m o nt s.*
Joghurt
Yo-Yo <-s, -s> [jo'joː] *nt* yo-yo
Yp·si·lon <-[s], -s> ['ʏpsilɔn] *nt* ❶ (*Buch-
stabe*) upsilon ❷ *s.* Y
Yuc·ca <-, -s> ['jʊka] *f* yucca
Yup·pie <-s, -s> ['jʊpi] *m* yuppie

Z_z

Z, z <-, -> [tsɛt] *nt* Z, z; *s. a.* **A 1**

zack [tsak] *interj* (*fam*) zap; **~, ~!** chop-chop!

Za·cke <-, -n> ['tsakə] *f* point; (*vom Kamm, Sägeblatt*) tooth; *Berg* peak; *Gabel* prong

Za·cken <-s, -> ['tsakn̩] *m* DIAL *s.* **Zacke** ▶ **sich** *dat* **keinen ~ aus der Krone brechen** (*fam*) to not lose face by doing sth

za·ckig ['tsakɪç] *adj* ❶ (*gezackt*) jagged; *Stern* pointed ❷ (*schnell*) *Bewegungen* brisk; *Musik* upbeat

zag·haft ['tsa:khaft] *adj* timid

Zag·haf·tig·keit *f* timidity

zäh [tsɛ:] **I.** *adj* ❶ (*eine feste Konsistenz aufweisend*) tough ❷ (*zähflüssig*) glutinous ❸ (*hartnäckig*) tenacious; *Gespräch* dragging; *Verhandlungen* tough **II.** *adv* tenaciously

zäh·flüs·sig *adj* thick; (*fig*) *Verkehr* slow-moving

Zä·hig·keit <-> ['tsɛ:ɪçkait] *f kein pl* tenacity *no pl*

Zahl <-, -en> [tsa:l] *f* ❶ MATH number, figure; **ganze/gerade/ungerade ~** whole/even/odd number; **eine vierstellige ~** a four figure number ❷ *pl* (*Zahlenangaben*) numbers; (*Verkaufszahlen*) figures; **arabische/römische ~en** Arabic/Roman numerals; **in die roten/schwarzen ~en geraten** to get into the red/black ❸ *kein pl* (*Anzahl*) number

zahl·bar *adj* (*geh*) payable

zähl·bar *adj* countable

zah·len ['tsa:lən] *vt, vi* to pay; [**bitte**] **~!** [can I/we have] the bill please!

zäh·len ['tsɛ:lən] **I.** *vt* ❶ (*addieren*) to count ❷ (*geh: Anzahl aufweisen*) to number ❸ (*geh: dazurechnen*) ◼ **jdn/sich zu etw** *dat* **~** to regard sb/oneself as belonging to sth **II.** *vi* ❶ (*Zahlen aufsagen*) **bis zehn ~** to count to ten ❷ (*addieren*) to count; **falsch ~** to miscount ❸ (*gehören*) to belong (**zu** to) ❹ (*sich verlassen*) to count (**auf** on) ❺ (*wert sein*) to count; **der Sprung zählte nicht** that jump didn't count

Zah·len·fol·ge *f* numerical sequence **Zah·len·kom·bi·na·ti·on** *f* combination of numbers

zah·len·mä·ßig **I.** *adj* numerical **II.** *adv* (*an Anzahl*) in number

Zah·len·schloss^{RR} *nt* combination lock

Zah·ler(in) <-s, -> *m(f)* payer

Zäh·ler <-s, -> *m* ❶ MATH numerator ❷ TECH meter, counter

Zäh·ler·stand *m* meter reading

Zahl·kar·te *f* giro transfer form

zahl·los *adj* countless

Zahl·meis·ter(in) *m(f)* purser; (*MIL*) paymaster **zahl·reich I.** *adj* ❶ (*sehr viele*) numerous ❷ (*eine große Anzahl*) large **II.** *adv* (*in großer Anzahl*) **~ erscheinen/kommen** to appear/come in large numbers **Zahl·tag** *m* payday

Zah·lung <-, -en> *f* payment

Zäh·lung <-, -en> *f* count; (*Volks~*) census

Zah·lungs·an·wei·sung *f* giro transfer order **Zah·lungs·auf·for·de·rung** *f* request for payment **Zah·lungs·be·fehl** *m* JUR (*veraltet*) order to pay **Zah·lungs·bi·lanz** *f* ÖKON balance of payments **zah·lungs·fä·hig** *adj* solvent **zah·lungs·kräf·tig** *adj* wealthy **Zah·lungs·mit·tel** *nt* means of payment + *sing vb* **Zah·lungs·mo·ral** *f kein pl* paying habits *pl* **zah·lungs·un·fä·hig** *adj* insolvent **Zah·lungs·ver·kehr** *m* payment transactions *pl*

Zähl·werk *nt* counter

Zahl·wort <-wörter> *nt*, **Zahl·zei·chen** *nt* numeral

zahm [tsa:m] *adj* tame

zäh·men ['tsɛ:mən] *vt* to tame

Zäh·mung <-, -en> *f* taming

Zahn <-[e]s, Zähne> [tsa:n, *pl* tsɛ:nə] *m* ❶ (*Teil des Gebisses*) tooth; **fauler ~** rotten tooth; **die zweiten Zähne** one's second set of teeth; **Zähne bekommen** to be teething; **jd klappert mit den Zähnen** sb's teeth chatter; **mit den Zähnen knirschen** to grind one's teeth; **sich** *dat* **die Zähne putzen** to brush one's teeth; **sich** *dat* **einen ~ ziehen lassen** to have a tooth pulled; **jdm einen ~ ziehen** to pull sb's tooth ❷ (*fam: hohe Geschwindigkeit*) **einen ~ draufhaben** to drive at a breakneck speed; **einen ~ zulegen** to step on it ▶ **sich** *dat* **an jdm/etw die Zähne ausbeißen** to have a tough time of it with sb/sth; **jdm auf den ~ fühlen** (*fam*) to grill sb

Zahn·arzt, -ärz·tin *m, f* dentist **Zahn·arzt·be·such** *m* dentist appointment **zahn·ärzt·lich I.** *adj* dental *attr* **II.** *adv* **~ behandelt werden** to have dental treatment **Zahn·be·hand·lung** *f* dental treatment **Zahn·be·lag** *m kein pl* plaque *no*

pl **Zahn·bürs·te** *f* toothbrush **Zahn·creme** *f* toothpaste

Zäh·ne·knir·schen *nt kein pl* grinding of one's teeth **zäh·ne·knir·schend** *adv* gnashing one's teeth

zah·nen ['tsa:nən] *vi* to teethe

Zahn·er·satz *m* dentures *pl* **Zahn·fäu·le** *f kein pl* tooth decay *no pl* **Zahn·fleisch** *nt* gum[s *pl*] **Zahn·fleisch·blu·ten** *nt kein pl* bleeding of the gums **Zahn·fül·lung** *f* filling **Zahn·gold** *nt* dental gold **Zahn·kli·nik** *f* dental clinic

zahn·los *adj* toothless

Zahn·lü·cke *f* gap between the teeth **Zahn·me·di·zin** *f kein pl* dentistry *no pl* **Zahn·pas·ta** *f* toothpaste **Zahn·pfle·ge** *f kein pl* dental hygiene **Zahn·pro·the·se** *f* dentures *pl* **Zahn·putz·glas** *nt* toothbrush glass **Zahn·rad** *nt* AUTO gearwheel; TECH cogwheel **Zahn·rad·bahn** *f* rack railway **Zahn·schmelz** *m* [tooth] enamel **Zahn·schmer·zen** *pl* toothache *no pl* **Zahn·sei·de** *f* dental floss **Zahn·span·ge** *f* braces *pl* **Zahn·stein** *m kein pl* tartar *no pl* **Zahn·sto·cher** <-s, -> *m* toothpick **Zahn·tech·ni·ker(in)** *m(f)* dental technician **Zahn·weh** *nt* (*fam*) *s.* **Zahnschmerzen**

Za·i·re <-s> [zaˈiːʁə] *nt* Zaire; *s. a.* **Deutschland**

Zan·der <-s, -> [ˈtsandɐ] *m* pikeperch

Zan·ge <-, -n> [ˈtsaŋə] *f* pliers *npl*, a pair of pliers; *Hummer, Krebs* pincer; MED forceps *npl*; (*für Zucker*) tongs *npl* ▶ **jdn in die ~ nehmen** to give sb the third degree

Zan·gen·ge·burt *f* MED forceps delivery *spec*

Zank <-[e]s> [tsaŋk] *m kein pl* quarrel **Zank·ap·fel** *m* bone of contention *fig*

zan·ken [ˈtsaŋkn̩] I. *vi* ❶ (*streiten*) to quarrel ❷ DIAL (*schimpfen*) to scold II. *vr* ■ **sich ~** to quarrel (**um** over)

zän·kisch [ˈtsɛŋkɪʃ] *adj* quarrelsome

Zäpf·chen <-s, -> [ˈtsɛpfçən] *nt* ❶ *dim von* **Zapfen** small plug ❷ ANAT uvula ❸ MED suppository

zap·fen [ˈtsapfn̩] *vt* to draw; **gezapftes Bier** draught beer

Zap·fen <-s, -> [ˈtsapfn̩] *m* ❶ BOT, ANAT cone ❷ (*Eis~*) icicle ❸ (*länglicher Holzstöpsel*) spigot

Zap·fen·streich *m* (*Signal*) last post BRIT, taps AM

Zapf·hahn *m* tap **Zapf·säu·le** *f* petrol [*or* AM gas] pump

zap·pe·lig [ˈtsapəlɪç] *adj* ❶ (*sich unruhig bewegend*) fidgety ❷ (*voller Unruhe*) ■ [ganz] ~ **sein** to be [all] restless

zap·peln [ˈtsapl̩n] *vi* to fidget; **an der Angel ~** to wriggle on the fishing rod ▶ **jdn ~ lassen** (*fam*) to keep sb in suspense

Zap·pel·phi·lipp <-s, -e *o* -s> [ˈtsaplˌfilɪp] *m* (*fig fam*) fidget

zap·pen [ˈtsapn̩] *vi* TV (*sl*) to channel-hop, AM *also* to zap

Zap·ping <-s> [ˈtsapɪŋ, ˈzɛpɪŋ] *nt kein pl* TV (*sl*) channel-hopping *no pl*, AM *also* zapping *no pl*

zapp·lig [ˈtsaplɪç] *adj s.* **zappelig**

Zar(in) <-en, -en> [tsaːɐ̯] *m(f)* tsar *masc*, tsarina *fem*

zart [tsaːɐ̯t] *adj* ❶ (*mürbe*) tender; *Gebäck* delicate ❷ (*weich und empfindlich*) delicate; **im ~en Alter von zehn Jahren** at the tender age of ten; *Haut* soft ❸ (*mild, dezent*) mild; *Berührung, Andeutung* gentle; *Farbe, Duft* delicate

zart·bit·ter *adj* (*Schokolade*) dark **Zart·bit·ter·scho·ko·la·de** *f* dark chocolate; (*zum Kochen*) plain chocolate **Zart·ge·fühl** <-[e]s> *nt kein pl* (*geh*) ❶ (*Taktgefühl*) delicacy ❷ (*selten: Empfindlichkeit*) sensitivity **zart·glie·de·rig** [ˈtsaːɐ̯tˌgliːdərɪç], **zart·glied·rig** *adj* (*fein*) dainty; (*zerbrechlich*) delicate

Zart·heit <-> *f kein pl* tenderness *no pl*; *Gebäck* delicateness *no pl*, softness *no pl*

zärt·lich [ˈtsɛːɐ̯tlɪç] I. *adj* ❶ (*liebevoll*) tender, affectionate ❷ (*geh: fürsorglich*) solicitous II. *adv* tenderly, affectionately

Zärt·lich·keit <-, -en> *f* ❶ *kein pl* (*zärtliches Wesen*) tenderness *no pl* ❷ *pl* (*Liebkosung*) caresses *pl*; (*zärtliche Worte*) tender words *pl* ❸ *kein pl* (*geh: Fürsorglichkeit*) solicitousness

Zas·ter <-s> [ˈtsastɐ] *m kein pl* (*sl*) dough

Zä·sur <-, -en> [tsɛˈzuːɐ̯] *f* (*geh: Einschnitt*) break [with tradition]; LIT, MUS caesura

Zau·ber <-s, -> [ˈtsaʊbɐ] *m* ❶ (*magische Handlung*) magic; **fauler ~** (*fam*) humbug; **einen ~ anwenden/aufheben** to cast/break a spell; (*magische Wirkung*) spell ❷ *kein pl* (*Faszination, Reiz*) charm; **etw übt einen ~ auf jdn aus** sth holds a great fascination for sb ❸ *kein pl* (*fam: Aufhebens*) palaver; (*Kram*) stuff

Zau·be·rei <-, -en> [tsaʊbəˈraɪ] *f* ❶ *kein pl* (*Magie*) magic ❷ *s.* **Zauberkunststück**

Zau·be·rer, Zau·be·rin <-s, -> [ˈtsaʊbərɐ, ˈtsaʊbərɪn] *m, f* ❶ (*Magier*) sorcerer *masc*, sorceress *fem*, wizard ❷ (*Zauberkünstler*) magician

Zau·ber·for·mel *f* magic formula

zau·ber·haft *adj* enchanting; *Kleid* gorgeous; *Abend, Urlaub* splendid

Zau·be·rin <-, -nen> *f fem form von* **Zauberer**

Zau·ber·künst·ler(in) *m(f)* magician

Zau·ber·kunst·stück *nt* magic trick

zau·bern ['tsaʊbən] **I.** *vt* ❶ (*erscheinen lassen*) to conjure (**aus** from); **einen Hasen aus einem Hut ~** to pull a rabbit out of a hat ❷ (*a. fam: schaffen*) ■**etw ~** to conjure up sth **II.** *vi* (*Magie anwenden*) to perform magic; (*Zauberkunststücke vorführen*) to do magic tricks

Zau·ber·spruch *m* magic spell **Zau·ber·stab** *m* magic wand **Zau·ber·trank** *m* magic potion **Zau·ber·trick** *m s.* **Zauberkunststück** **Zau·ber·wort** *nt* magic word

zau·dern ['tsaʊdən] *vi* to hesitate

Zaum <-[e]s, Zäume> [tsaʊm, *pl* 'tsɔymə] *m* bridle; **etw/jdn/sich in ~ halten** (*fig*) to keep sth/sb/oneself in check

zäu·men ['tsɔymən] *vt* ■**ein Tier ~** to bridle an animal

Zaum·zeug <-[e]s, -e> *nt* bridle

Zaun <-[e]s, Zäune> [tsaʊn, *pl* 'tsɔynə] *m* fence ▸**etw vom ~ brechen** to provoke sth

Zaun·gast <-gäste> *m* uninvited spectator **Zaun·kö·nig** *m* wren **Zaun·pfahl** *m* [fence] post

zau·sen ['tsaʊzn̩] **I.** *vt* to tousle **II.** *vi* ■**in/an etw** *dat* **~** to play with sth

z.B. *Abk von* **zum Beispiel** e.g.

Ze·bra <-s, -s> ['tseːbra] *nt* zebra

Ze·bra·strei·fen *m* zebra [*or* AM *also* pedestrian] crossing

Ze·che¹ <-, -n> ['tsɛçə] *f* BERGB coal mine

Ze·che² <-, -n> ['tsɛçə] *f* (*Rechnung für Verzehr*) bill

ze·chen ['tsɛçn̩] *vi* to booze

Zech·kum·pan(in) *m(f)* (*fam*) drinking-mate BRIT, drinking-buddy AM **Zech·prel·ler(in)** <-s, -> *m(f)* walk-out (*person who leaves without paying the bill*) **Zech·tour** [-tuːɐ̯] *f* pub crawl BRIT *fam*, bar hopping AM

Zeck <-[e]s, -en> [tsɛk] *m* ÖSTERR (*fam*), **Ze·cke** <-, -n> ['tsɛkə] *f* tick

Ze·cken·biss^{RR} *m* tick bite

Ze·der <-, -n> ['tseːdɐ] *f* ❶ BOT cedar ❷ *kein pl* (*Zedernholz*) cedar[wood]

Ze·dern·holz *nt* cedar wood

Zeh <-s, -en> [tseː] *m*, **Ze·he** <-, -n> ['tseːə] *f* ❶ ANAT toe; **großer/kleiner ~** big/little toe; **sich auf die ~en stellen** to stand on tiptoes ❷ (*Knoblauch~*) clove

Ze·hen·na·gel *m* toenail **Ze·hen·spit·ze** *f* tip of the toe; **auf [den] ~n gehen** to tiptoe; **sich auf die ~n stellen** to stand on tiptoe

zehn [tseːn] *adj* ten; *s. a.* **acht¹**

Zehn <-, -en> [tseːn] *f* ❶ (*Zahl*) ten ❷ KARTEN ten; *s. a.* **Acht¹** ❸ (*Verkehrslinie*) ■**die ~** the [number] ten

Zeh·ner <-s, -> ['tseːnɐ] *m* (*Zahl zwischen 10 und 90*) ten

Zeh·ner·kar·te *f* TRANSP ten-journey ticket; TOURIST ten-visit ticket

zeh·ner·lei ['tseːnɐlaɪ] *adj attr* ten [different]; *s. a.* **achterlei**

zehn·fach, 10·fach ['tseːnfax] **I.** *adj* tenfold; **die ~e Menge** ten times the amount; *s. a.* **achtfach** **II.** *adv* tenfold, ten times over; *s. a.* **achtfach**

Zehn·kampf ['tseːnkampf] *m* decathlon **Zehn·kämp·fer(in)** *m(f)* decathlete

zehn·mal, 10-mal^{RR} ['tseːnmaːl] *adv* ten times

zehnt [tseːnt] *adv* ■**zu ~ sein** to be a party of ten

zehn·tau·send ['tseːn'taʊznt] *adj* ❶ (*Zahl*) ten thousand ❷ (*sehr viele*) ■**Z~e von ...** tens of thousands of ...

zehn·te(r, s) ['tseːntə, 'tseːntɐ, 'tseːntəs] *adj* ❶ (*nach dem neunten kommend*) tenth; **die ~ Klasse** fourth year (*secondary school*); *s. a.* **achte(r, s) 1** ❷ (*Datum*) tenth, 10th; *s. a.* **achte(r, s) 2**

zehn·tel ['tseːntl̩] *adj* tenth

Zehn·tel <-s, -> ['tseːntl̩] *nt* ■**ein ~** a tenth

zehn·tens ['tseːntn̩s] *adv* in [the] tenth place

zeh·ren ['tseːrən] *vi* ❶ (*erschöpfen, schwächen*) ■**an jdm/etw ~** to wear sb/sth out; **an jds Nerven/Gesundheit ~** to ruin sb's nerves/health ❷ (*sich ernähren*) ■**von etw** *dat* **~** to live on sth

Zei·chen <-s, -> ['tsaɪçn̩] *nt* ❶ (*Symbol*) symbol; (*Schrift~*) character; (*Satz~*) punctuation mark ❷ (*Markierung*) sign; **ein ~ auf etw** *akk* **machen** to make a mark on sth ❸ (*Hinweis*) sign; (*Symptom*) symptom ❹ (*Signal*) signal; **jdm ein ~ geben** to give sb a signal; **sich durch ~ verständigen** to communicate using signs; **das ~ zu etw** *dat* **geben** to give the signal to do sth; **ein ~ setzen** to set an example; **zum ~, dass ...** to show that ... ❺ ASTROL sign; **im ~ einer S.** *gen* **geboren sein** to be born under the sign of sth

Zei·chen·block <-blöcke *o* -blocks> *m* sketch pad **Zei·chen·brett** *nt* drawing board **Zei·chen·er·klä·rung** *f* key; (*Landkarte*) legend **Zei·chen·kunst** *f* [art of] drawing **Zei·chen·pa·pier** *nt* drawing

paper **Zei·chen·set·zung** <-> f kein pl
punctuation **Zei·chen·spra·che** f sign
language **Zei·chen·stun·de** f drawing
lesson **Zei·chen·trick·film** m cartoon
zeich·nen ['tsaiçnən] I. vt ❶ KUNST, ARCHIT
to draw ❷ (schriftlich anerkennen)
Aktien ~ to subscribe for shares; **einen
Scheck** ~ to validate a cheque ❸ (mit Zeichen versehen) to mark II. vi ❶ KUNST ▪ **an**
etw dat ~ to draw sth ❷ (geh: verantwort-
lich sein) **für etw** akk **|verantwortlich|** ~
to be responsible for sth
Zeich·ner(in) <-s, -> m(f) ❶ KUNST
draughtsman masc, draughtswoman fem
❷ FIN subscriber
zeich·ne·risch I. adj graphic; ~**e Begabung** talent for drawing II. adv graphically
Zeich·nung <-, -en> f ❶ KUNST drawing
❷ BOT, ZOOL markings pl ❸ FIN subscription
Zei·ge·fin·ger m index finger
zei·gen ['tsaign] I. vt ❶ (deutlich machen)
to show ❷ (vorführen) to show; **sich** dat
**von jdm ~ lassen, wie etw gemacht
wird** to get sb to show one how to do sth;
zeig mal, was du kannst! (fam) let's see
what you can do!; **es jdm ~** (fam) to show
sb ❸ (geh: erkennen lassen) to show II. vi
❶ (deuten/hinweisen) to point (**auf** at);
nach rechts/oben/hinten ~ to point
right/upwards/to the back ❷ (erkennen
lassen) ▪ **~, dass …** to show that … III. vr
❶ (sich sehen lassen) ▪ **sich |jdm|** ~ to
show oneself [to sb]; **komm, zeig dich
mal!** let me see what you look like; **sich
von seiner besten Seite** ~ to show oneself at one's best ❷ (erkennbar werden)
▪ **sich ~** to appear
Zei·ger <-s, -> ['tsaigɐ] m (Uhr~) hand;
(Messnadel) needle
Zei·ge·stock m pointer
Zei·le <-, -n> ['tsailə] f ❶ (geschriebene
Reihe) line; **jdm ein paar ~n schreiben**
(fam) to drop sb a line; **zwischen den ~n
lesen** to read between the lines ❷ (Reihe)
row
Zei·len·ab·stand m line spacing
Zei·sig <-s, -e> ['tsaizɪç] m siskin
zeit [tsait] präp + gen ~ **meines Lebens** all
my life, as long as I live
Zeit <-, -en> [tsait] f ❶ (verstrichener zeit-
licher Ablauf) time; **mit der** ~ in time;
~ **raubend** time-consuming; ~ **sparend**
time-saving ❷ (Zeitraum) time; ▪**eine** ~
lang for a while; **Vertrag auf** ~ fixed-term
contract; **die ganze** ~ **|über|** (whole
time; **in letzter** ~ lately; **in nächster** ~ in
the near future; **auf unabsehbare** ~ for an
unforeseeable period; **auf unbestimmte** ~

for an indefinite period; **eine ganze/
einige/längere** ~ **dauern** to take quite
some/some/a long time; ~ **gewinnen** to
gain time; **zehn Minuten/zwei Tage** ~
haben |, etw zu tun] to have ten minutes/
two days [to do sth]; **haben Sie einen
Augenblick ~?** have you got a moment to
spare?; **das hat noch** ~ that can wait; **sich
[mit etw** dat] ~ **lassen** to take one's time
[with sth]; **sich** dat ~ **für jdn/etw nehmen** to devote time to sb/sth; ~ **schinden**
to play for time; **jdm die** ~ **stehlen** to
waste sb's time; **jdn auf** ~ **beschäftigen** to
employ sb on a temporary basis ❸ (Zeitpunkt) time; **zu gegebener** ~ in due
course; **es ist höchste Zeit, dass wir die
Tickets kaufen** it's high time we bought
the tickets; **seit dieser** ~ since then; **von** ~
zu ~ from time to time; **zur** ~ at the moment; **zu jeder** ~ at any time ❹ (Epoche,
Lebensabschnitt) time, age; **mit der** ~
gehen to move with the times; **die** ~ **der
Aufklärung** the age of enlightenment; **seit
uralten** ~**en** since/from time immemorial; **für alle** ~**en** for ever; **etw war vor
jds** ~ sth was before sb's time; **zu jener** ~
at that time ❺ LING tense ❻ SPORT time;
eine gute ~ **laufen** to run a good time ▶ ~
ist Geld time is money; **die** ~ **heilt alle
Wunden** (prov) time heals all wounds; **ach
du liebe** ~**!** (fam) goodness me!
Zeit·ab·schnitt m period [of time] **Zeit·al·
ter** nt age; **in unserem** ~ nowadays **Zeit·
an·ga·be** f (Angabe der Uhrzeit) time;
(Angabe des Zeitpunktes) date ❷ LING temporal adverb **Zeit·an·sa·ge** f TELEK speaking clock; RADIO time check **Zeit·ar·beit** f
kein pl temporary work no pl **Zeit·ar·
beits·fir·ma** f temporary employment
agency **Zeit·auf·wand** m expenditure of
time; **mit großem** ~ **verbunden sein** to
be extremely time-consuming **zeit·auf·
wän·dig**^RR adj time-consuming **Zeit·
bom·be** f time bomb **Zeit·druck** m kein
pl time pressure **Zeit·ein·tei·lung** f time
management **Zeit·fen·ster** nt time window, window of time **Zeit·fra·ge** f ❶ kein
pl (Frage der Zeit) question of time ❷ (Problem der Zeit) contemporary concern
Zeit·ge·fühl nt kein pl sense of time **Zeit·
geist** m kein pl Zeitgeist
zeit·ge·mäß adj, adv up-to-date, modern
Zeit·ge·nos·se, -ge·nos·sin ['tsaitgə-
nɔsə, -gənɔsɪn] m, f contemporary
zeit·ge·nös·sisch ['tsaitgənœsɪʃ] adj contemporary
Zeit·ge·sche·hen nt kein pl events of the
day **Zeit·ge·schich·te** f kein pl contem-

porary history *no pl* **Zeit·ge·schmack** *m* *kein pl* prevailing taste **Zeit·ge·winn** *m* time-saving **zeit·gleich I.** *adj* contemporaneous **II.** *adv* at the same time

zei·tig ['tsaitıç] *adj, adv* early

Zeit·kar·te *f* TRANSP monthly/weekly/weekend etc. ticket

zeit·le·bens [tsait'le:bns] *adv* all one's life

zeit·lich I. *adj* chronological **II.** *adv* ❶ (*terminlich*) timewise *fam;* ~ **zusammenfallen** to coincide; **etw ~ abstimmen** to synchronize sth ❷ (*vom Zeitraum her*) ~ **begrenzt** for a limited time

zeit·los *adj* timeless; *Kleidung* classic; **~ er Stil** style that doesn't date

Zeit·lu·pe *f kein pl* slow motion *no art* **Zeit·lu·pen·tem·po** *nt* **im ~** in slow motion; **sich im ~ bewegen** (*hum*) to move at a snail's pace **Zeit·lu·pen·wie·der·ho·lung** *f* slow-motion replay **Zeit·man·gel** *m kein pl* lack of time **Zeit·not** *f kein pl* shortage of time; **in ~ sein** to be short of time **Zeit·plan** *m* schedule **Zeit·punkt** *m* time; **zum jetzigen ~** at this moment in time **Zeit·raf·fer** <-s> *m kein pl* time-lapse photography **Zeit·raum** *m* period of time **Zeit·rech·nung** *f* ❶ (*Kalendersystem*) calendar ❷ (*Berechnung der Zeit*) calculation of time **Zeit·rei·se** *f* travel through time **Zeit·schrift** ['tsaitʃrıft] *f* magazine; (*wissenschaftlich*) journal **Zeit·span·ne** *f* period of time **Zeit·ta·fel** *f* chronological table **Zeit·takt** *m* unit length; **in einem ~ von drei Minuten** every three minutes **Zeit·um·stel·lung** *f* changing the clocks

Zei·tung <-, -en> ['tsaitʊŋ] *f* newspaper **Zei·tungs·abon·ne·ment** *nt* newspaper subscription **Zei·tungs·an·non·ce** *f* newspaper advertisement; (*Geburt, Tod, Ehe*) announcement **Zei·tungs·an·zei·ge** *f* newspaper advertisement **Zei·tungs·ar·ti·kel** *m* newspaper article **Zei·tungs·aus·schnitt** *m* newspaper cutting **Zei·tungs·aus·trä·ger(in)** *m(f)* paper boy *masc,* paper girl *fem* **Zei·tungs·be·richt** *m* newspaper article **Zei·tungs·mel·dung** *f* newspaper report **Zei·tungs·pa·pier** *nt* newspaper **Zei·tungs·ver·käu·fer(in)** *m(f)* person selling newspapers

Zeit·ver·lust *m* loss of time; **ohne ~** without losing any time **Zeit·ver·schie·bung** *f* time difference **Zeit·ver·schwen·dung** *f kein pl* waste of time **Zeit·ver·trag** *m* temporary contract **Zeit·ver·treib** <-[e]s, -e> *m* pastime; **zum ~** to pass the time **Zeit·ver·zö·ge·rung** *f* delay

zeit·wei·lig ['tsaitvailıç] **I.** *adj* ❶ (*gelegentlich*) occasional ❷ (*vorübergehend*) temporary **II.** *adv s.* **zeitweise**

zeit·wei·se *adv* ❶ (*gelegentlich*) occasionally ❷ (*vorübergehend*) temporarily

Zeit·wort *nt* verb **Zeit·zeu·ge, -zeugin** *m, f* contemporary witness **Zeit·zo·ne** *f* time zone **Zeit·zün·der** *m* time fuse

ze·le·brie·ren* [tsele'bri:rən] *vt* to celebrate

Zel·le <-, -n> ['tsɛlə] *f* cell

Zell·ge·we·be *nt* cell tissue **Zell·kern** *m* nucleus [of a/the cell] **Zell·kul·tur** *f* cell culture

Zel·lo·phan <-s> [tsɛlo'fa:n] *nt kein pl s.* **Cellophan**

Zell·stoff ['tsɛlʃtɔf] *m s.* **Zellulose Zell·tei·lung** *f* cell division

Zel·lu·li·tis <-, Zellulitiden> [tsɛlu'li:tıs, *pl* -li'ti:dn] *f meist sing* MED cellulitis

Zel·lu·loid <-[e]s> [tsɛlu'lɔyt] *nt kein pl* celluloid *no pl*

Zel·lu·lo·se <-, -n> [tsɛlu'lo:zə] *f* cellulose **Zell·wu·che·rung** *f* rampant cell growth

Zelt <-[e]s, -e> [tsɛlt] *nt* tent; (*Fest~*) marquee; (*Zirkus~*) big top; **ein ~ aufschlagen** to pitch a tent ▸ **seine ~e abbrechen** (*hum fam*) to up sticks BRIT, to pack one's bags AM; **seine ~e irgendwo aufschlagen** (*hum fam*) to settle down somewhere

zel·ten ['tsɛltn] *vi* to camp [somewhere] **Zel·ten** <-s> ['tsɛltn] *nt* camping

Zelt·la·ger *nt* camp **Zelt·pflock** *m* tent peg **Zelt·pla·ne** *f* tarpaulin **Zelt·platz** *m* campsite **Zelt·stan·ge** *f* tent pole

Ze·ment <-[e]s, -e> [tse'mɛnt] *m* cement **ze·men·tie·ren*** [tsemɛn'ti:rən] *vt* (*a. fig*) to cement

Ze·nit <-[e]s> [tse'ni:t] *m kein pl* zenith

zen·sie·ren* [tsɛn'zi:rən] *vt* ❶ (*der Zensur unterwerfen*) to censor ❷ SCH to mark [*or* AM *usu* grade]

Zen·sor, Zen·so·rin <-s, -soren> ['tsɛn-zo:ɐ̯, tsɛn'zo:rın, *pl* -'zo:rən] *m, f* censor

Zen·sur <-, -en> [tsɛn'zu:ɐ̯] *f* ❶ SCH mark ❷ *kein pl* (*prüfende Kontrolle*) censorship

zen·su·rie·ren* [tsɛnzu'ri:rən] *vt* ÖSTERR, SCHWEIZ *s.* **zensieren**

Zen·ti·gramm [tsɛnti'gram] *nt* centigram[me]

Zen·ti·li·ter [tsɛnti'li:tɐ] *m o nt* centilitre **Zen·ti·me·ter** [tsɛnti'me:tɐ] *m o nt* centimetre

Zen·ti·me·ter·maß *nt* [metric] tape measure

Zent·ner <-s, -> ['tsɛntnɐ] *m* [metric] hundredweight; ÖSTERR, SCHWEIZ 100kg

zen·tral [tsɛn'traːl] I. *adj* central II. *adv* centrally

Zen·tral·af·ri·ka *nt* Central Africa **Zen·tral·ame·ri·ka** <-s> *nt* Central America **Zen·tral·bank** *f* FIN central bank **Zen·tral·bank·sta·tut** *nt* central bank statute **Zen·tra·le** <-, -n> [tsɛn'traːlə] *f* ❶ (*Hauptgeschäftsstelle:* Bank, Firma) head office; (*Militär, Polizei, Taxiunternehmen*) headquarters + *sing/pl* *vb*; (*Busse*) depot; (*Schalt~*) central control [office] ❷ TELEK exchange; *Firma* switchboard

Zen·tral·hei·zung *f* central heating **zen·tra·li·sie·ren*** [tsɛntrali'ziːrən] *vt* to centralize

Zen·tra·li·sie·rung <-, -en> *f* centralization

Zen·tra·lis·mus <-> [tsɛntra'lɪsmʊs] *m* kein pl centralism

Zen·tral·ko·mi·tee *nt* central committee **Zen·tral·ner·ven·sys·tem** *nt* central nervous system **Zen·tral·rat** *m* central committee **Zen·tral·rech·ner** *m* mainframe **Zen·tral·stel·le** *f* central point **Zen·tral·ver·rie·ge·lung** <-, -en> *f* central [door] locking

Zen·tren *pl von* **Zentrum** **zen·trie·ren*** [tsɛn'triːrən] *vt* to centre **zen·tri·fu·gal** [tsɛntrifu'gaːl] *adj* centrifugal **Zen·tri·fu·gal·kraft** *f* centrifugal force **Zen·tri·fu·ge** <-, -n> [tsɛntri'fuːgə] *f* centrifuge

zen·tri·pe·tal [tsɛntripe'taːl] *adj* centripetal **Zen·tri·pe·tal·kraft** *f* kein pl centripetal force

zen·trisch ['tsɛntrɪʃ] *adj* ❶ (*einen Mittelpunkt besitzend*) centric ❷ (*im/durch den Mittelpunkt*) central **Zen·trum** <-s, Zentren> ['tsɛntrʊm, pl 'tsɛntrən] *nt* centre

Zep·pe·lin <-s, -e> ['tsɛpəliːn] *m* zeppelin **Zep·ter** <-s, -> ['tsɛptɐ] *nt* sceptre

zer·bei·ßen* [tsɛɐ̯'baisn̩] *vt irreg* ❶ (*kaputtbeißen*) to chew; *Bonbon* to crunch; *Hundeleine* to chew through *sep* ❷ (*überall stechen*) to bite

zer·beu·len* *vt* to dent **zer·bom·ben*** *vt* ∎ **etw** ~ to bomb sth to smithereens

zer·bre·chen* *irreg* I. *vt haben* ❶ (*in Stücke* ~) ∎ **etw** ~ to break sth into pieces; *Glas, Teller* to smash; *Kette* to break ❷ (*zunichtemachen*) to break down; *Freundschaft, Lebenswille* to destroy II. *vi sein* ❶ (*entzweibrechen*) to break into pieces ❷ (*in die Brüche gehen*) to be destroyed;

Partnerschaft to break up ❸ (*seelisch zugrunde gehen*) ∎ **an etw** *dat* ~ to be destroyed by sth

zer·brech·lich *adj* ❶ (*leicht zerbrechend*) fragile ❷ (*geh: zart*) frail

zer·brö·ckeln* I. *vt haben* to crumble II. *vi sein* to crumble

zer·drü·cken* *vt* ❶ (*zu einer Masse pressen*) to crush; *Kartoffeln* to mash ❷ *Zigarette* to stub out *sep* ❸ *Stoff* to crease

Ze·re·mo·nie <-, -n> [tseremo'niː, -'moː·niə, *pl* -mo'niːən, -'moː·niən] *f* ceremony **ze·re·mo·ni·ell** [tseremo'niɛl] I. *adj* (*geh*) ceremonial II. *adv* (*geh*) ceremonially **Ze·re·mo·ni·ell** <-s, -e> [tseremo'niɛl] *nt* (*geh*) ceremonial

Zer·fall *m* ❶ kein pl (*das Auflösen*) disintegration no pl; *Fassade, Gebäude* decay; *nuklear* decay; *Leiche, Holz* decomposition ❷ *Land, Kultur* decline

zer·fal·len* *vi irreg sein* ❶ (*sich zersetzen*) *Fassade, Gebäude* to disintegrate; *Körper, Materie* to decompose; *Atom* to decay; *Gesundheit* to decline ❷ (*auseinanderbrechen*) *Reich, Sitte* to decline ❸ (*sich gliedern*) ∎ **in etw** *akk* ~ to fall into sth

Zer·falls·pro·zess^{RR} *m* kein pl decomposition

zer·fet·zen* *vt* ❶ (*klein reißen*) ∎ **etw** ~ to tear sth up [into tiny pieces]; **einen Körper** ~ to tear a body to pieces ❷ (*zerreißen*) ∎ **jdn/etw** ~ to tear sb/sth to pieces **zer·fled·dern*** [tsɛɐ̯'flɛdɐn], **zer·fle·dern*** [tsɛɐ̯'fleːdɐn] *vt* (*fam*) ∎ **etw** ~ to get sth tatty

zer·flei·schen* [tsɛɐ̯'flaiʃn̩] I. *vt* ∎ **jdn/ein Tier** ~ to tear sb/an animal to pieces II. *vr* ∎ **sich** ~ to torture oneself

zer·flie·ßen* *vi irreg sein* ❶ (*sich verflüssigen*) *Butter, Make-up, Salbe* to run; *Eis* to melt ❷ (*fig*) **vor Mitleid** ~ to be overcome with compassion

zer·franst *adj* frayed **zer·fres·sen*** *vt irreg* ❶ (*korrodieren*) to corrode ❷ (*durch Fraß zerstören*) to eat ❸ MED (*durch Wuchern zerstören*) to eat **zer·ge·hen*** *vi irreg sein* to melt (**auf** on) **zer·glie·dern*** *vt* ❶ (*auseinandernehmen*) to dismember; BIOL to dissect ❷ LING *Satz* to parse

zer·kau·en* *vt* ❶ (*durch Kauen zerkleinern*) to chew ❷ (*durch Kauen beschädigen*) to chew up *sep*

zer·klei·nern* [tsɛɐ̯'klainɐn] *vt* to cut up *sep; Holz* to chop; *Pfefferkörner* to crush **zer·klüf·tet** [tsɛɐ̯'klʏftət] *adj* rugged; **tief ~es Gestein** rock with deep fissures, deeply fissured rock

zer·knirscht [tsɛɐ̯'knɪrʃt] *adj* remorseful
zer·knit·tern* *vt* to crease
zer·knül·len* *vt* to crumple up *sep*
zer·ko·chen* *vi sein* to overcook
zer·krat·zen* *vt* to scratch
zer·krü·meln* *vt* to crumble; *Erde* to loosen
zer·las·sen* *vt irreg* KOCHK to melt
zer·lau·fen* *vi irreg sein s.* **zerfließen 1**
zer·leg·bar *adj* able to be dismantled
zer·le·gen* *vt* ❶ KOCHK to cut [up *sep*]; *Braten* to carve ❷ BIOL to dissect ❸ (*auseinandernehmen*) to take apart *sep*; *Maschine* to dismantle; *Getriebe, Motor* to strip down *sep* ❹ (*analysieren*) *Theorie* to break down *sep*; *Satz* to analyze; MATH to reduce [to]
Zer·le·gung <-, -en> *f* ❶ KOCHK carving ❷ (*das Zerlegen*) dismantling
zer·lumpt *adj* tattered
zer·mal·men* *vt* to crush
zer·mür·ben* [tsɛɐ̯'myrbn̩] *vt* to wear down *sep*
zer·pflü·cken* *vt* ▪ **etw** ~ to pluck sth; (*fig*) to pick sth to pieces
zer·plat·zen* *vi sein* to burst; *Glas* to shatter
zer·quet·schen* *vt* ❶ (*zermalmen*) to squash ❷ (*zerdrücken*) to mash
Zerr·bild *nt* distorted picture
zer·re·den* *vt* ▪ **etw** ~ to flog sth to death *fig fam*
zer·rei·ben* *vt irreg* to crush
zer·rei·ßen* *irreg* I. *vt haben* ❶ (*in Stücke reißen*) ▪ **etw** ~ to tear sth to pieces ❷ (*durchreißen*) to tear; *Brief, Scheck* to tear up *sep* ❸ (*mit den Zähnen in Stücke reißen*) to tear apart *sep* II. *vi sein* to tear; *Seil, Faden* to break III. *vr haben* (*fam*) (*sich überschlagen*) ▪ **sich vor etw** *dat* ~ to go to no end of trouble to do sth ▸ **ich kann** mich doch nicht ~! I can't be in two places at once; **ich könnte mich vor Wut** ~! I'm hopping mad!
Zer·reiß·pro·be *f* real test
zer·ren ['tsɛrən] I. *vt* to drag II. *vi* to tug (**an** at); **an den Nerven** ~ to be nerve-racking III. *vr* MED ▪ **sich** *dat* **etw** ~ to pull sth
zer·rin·nen* *vi irreg sein* (*geh*) ❶ (*zunichtewerden*) to melt away ❷ (*ausgegeben werden*) to disappear
zer·ris·sen *adj Mensch* [inwardly] torn; *Partei, Volk* disunited
Zer·rung <-, -en> *f* MED pulled muscle
zer·rüt·ten* [tsɛɐ̯'rytn̩] *vt* to destroy; *Ehe* to ruin; *Nerven* to shatter
zer·sä·gen* *vt* to saw up *sep*

zer·schel·len* *vi sein* to be smashed to pieces
zer·schla·gen*[1] *irreg* I. *vt* ❶ (*durch Schläge zerbrechen*) ▪ **etw** ~ to smash sth to pieces ❷ (*zerstören*) to break up *sep*; *Angriff, Opposition* to crush; *Plan* to shatter II. *vr* (*nicht zustande kommen*) ▪ **sich** ~ to fall through
zer·schla·gen[2] *adj präd* shattered
zer·schlis·sen *adj s.* **verschlissen**
zer·schmet·tern* *vt* to shatter
zer·schnei·den* *vt irreg* ❶ (*in Stücke schneiden*) to cut up *sep* ❷ (*durchschneiden*) ▪ **etw** ~ to cut sth in two
zer·set·zen* I. *vt* ❶ *Säure* to corrode ❷ (*untergraben*) to undermine II. *vr* (*sich auflösen*) ▪ **sich** ~ to decompose
Zer·set·zung <-> *f kein pl* ❶ (*Auflösung*) decomposition; (*durch Säure*) corrosion ❷ (*Untergrabung*) undermining, subversion; *Gesellschaft* decline, decay
zer·spal·ten* *vt* to split
zer·split·tern* I. *vt haben* to shatter; *Gruppe, Partei* to fragment II. *vi sein* to shatter; *Holz, Knochen* to splinter
zer·sprin·gen* *vi irreg sein* ❶ (*zerbrechen*) to shatter ❷ (*einen Sprung bekommen*) to crack ❸ (*zerspringen*) *Saite* to break
zer·stamp·fen* *vt* ❶ (*zerkleinern*) to crush; *Kartoffeln* to mash ❷ (*zertreten*) to stamp on *sep*
zer·stäu·ben* *vt* to spray
Zer·stäu·ber <-s, -> *m* spray; (*Parfüm*) atomizer
zer·ste·chen* *vt irreg* ❶ (*durch Stiche beschädigen*) ▪ **etw** ~ to lay into sth with a knife; **sich den Finger** ~ to prick one's finger [several times] ❷ (*durch Bisse verletzen*) ▪ **jdn/etw** ~ *Mücken, Moskitos* to bite sb/sth [all over]; *Bienen, Wespen* to sting sb/sth [all over]
zer·stör·bar *adj* destructible; **nicht** ~ indestructible
zer·stö·ren* *vt* ❶ (*kaputtmachen*) to destroy ❷ (*zugrunde richten*) to ruin ▸ **am Boden** zerstört sein to be devastated
Zer·stö·rer <-s, -> *m* NAUT destroyer
Zer·stö·rer(in) <-s, -> *m(f)* destroyer
zer·stö·re·risch I. *adj* destructive II. *adv* destructively
Zer·stö·rung <-, -en> *f* ❶ *kein pl* (*das Zerstören*) destruction *no pl* ❷ (*Verwüstung*) wrecking; *Katastrophe, Krieg* devastation *no pl*
Zer·stö·rungs·wut *f kein pl* destructive frenzy
zer·sto·ßen* *vt irreg* ▪ **etw** ~ to crush [*or*

Z

grind] sth; CHEM *Kristalle* to triturate sth
zer·streu·en* I. *vt* ❶ (*auseinandertreiben*) to disperse ❷ (*unterhalten*) ▪jdn ~ to take sb's mind off sth ❸ *Ängste, Sorgen* to dispel ❹ (*verteilen*) to scatter; *Licht* to diffuse II. *vr* ▪sich ~ ❶ (*auseinandergehen*) to scatter; *Menge* to disperse ❷ (*sich auflösen*) to be dispelled ❸ (*sich amüsieren*) to amuse oneself
zer·streut *adj* ❶ (*gedankenlos*) absent-minded ❷ (*weit verteilt*) scattered
Zer·streut·heit <-> *f kein pl* absent-mindedness *no pl*
Zer·streu·ung <-, -en> *f* ❶ (*unterhaltender Zeitvertreib*) diversion ❷ (*Verteilung*) scattering ❸ *s.* **Zerstreutheit**
zer·stü·ckeln* *vt* to cut up *sep*; *Leiche* to dismember; *Land* to carve up *sep*
Zer·stü·cke·lung <-, -en> *f* dismemberment
zer·tei·len* I. *vt* to cut up *sep* (**in** into) II. *vr* ▪sich ~ *Wolkendecke* to part
Zer·ti·fi·kat <-[e]s, -e> [tsɛrtifiˈkaːt] *nt* certificate
zer·tre·ten* *vt irreg* to crush; *Rasen* to ruin
zer·trüm·mern* [tsɛɐ̯ˈtrʏmɐn] *vt* to smash; *Gebäude, Ordnung* to wreck
zer·wüh·len* *vt* to tousle; *Bett* to rumple; *Acker, Erde* to churn up *sep*
zer·zau·sen* *vt* to ruffle
ze·tern [ˈtseːtɐn] *vi* (*pej*) to nag
Zet·tel <-s, -> [ˈtsɛtl̩] *m* piece of paper
Zet·tel·kas·ten *m* (*Kasten für Zettel*) filecard box; (*Zettelkartei*) card index
Zeug <-[e]s> [tsɔyk] *nt kein pl* (*fam*) ❶ (*Krempel*) stuff *no pl, no indef art;* **altes ~** junk ❷ (*Quatsch*) crap; **dummes ~ reden** to talk a load of nonsense; **dummes ~ treiben** to mess around ❸ (*persönliche Sachen*) stuff; (*Ausrüstung*) gear ❹ (*undefinierbare Masse*) **was trinkst du denn da für ein ~?** what's that stuff you're drinking? ▶**das ~ zu etw** *dat* **haben** to have [got] what it takes [to be/do sth]; **was das ~ hält** for all one is worth; **lügen, was das ~ hält** to lie one's head off; **sich ins ~ legen** to work flat out; **sich für jdn ins ~ legen** to stand up for sb
Zeu·ge, Zeu·gin <-n, -n> [ˈtsɔygə, ˈtsɔygɪn] *m, f* witness
zeu·gen¹ [ˈtsɔygn̩] *vt* ▪jdn ~ to father sb
zeu·gen² [ˈtsɔygn̩] *vi* ❶ (*auf etw schließen lassen*) ▪**von etw** *dat* ~ to show sth ❷ JUR to testify
Zeu·gen·aus·sa·ge *f* testimony **Zeu·gen·stand** *m* witness box [*or* AM stand] **Zeu·gen·ver·neh·mung** *f* examination of the witness[es]

Zeu·gin <-, -nen> *f fem form von* **Zeuge**
Zeug·nis <-ses, -se> [ˈtsɔyknɪs] *nt* ❶ SCH report ❷ (*Empfehlung*) certificate; (*Arbeits~*) reference ❸ (*Zeugenaussage*) evidence
Zeu·gung <-, -en> *f* fathering
zeu·gungs·fä·hig *adj* fertile **zeu·gungs·un·fä·hig** *adj* (*geh*) sterile
z.H(d). *Abk von* **zu Händen** attn.
Zi·cho·rie <-, -n> [tsɪˈçoːri̯ə] *f* chicory
Zi·cke <-, -n> [ˈtsɪkə] *f* ❶ (*weibliche Ziege*) nanny goat ❷ (*pej fam: launische Frau*) bitch
zi·cken [ˈtsɪkən] *vi* (*sl*) to kick up a fuss
zi·ckig [ˈtsɪkɪç] *adj* uptight
Zick·lein <-s, -> *nt* (*junge Ziege*) kid
Zick·zack [ˈtsɪktsak] *m* zigzag; **im ~ gehen/fahren** to zigzag
Zie·ge <-, -n> [ˈtsiːgə] *f* ❶ (*Tier*) goat ❷ (*pej fam: blöde Frau*) bitch
Zie·gel <-s, -> [ˈtsiːgl̩] *m* ❶ (*~ stein*) brick ❷ (*Dach~*) tile
Zie·gel·dach *nt* tiled roof
Zie·ge·lei <-, -en> [tsiːgəˈlai̯] *f* brickworks + *sing/pl vb*; (*für Dachziegel*) tile-making works + *sing/pl vb*
Zie·gel·stein *m* brick
Zie·gen·bart *m* goat's beard; (*hum fam: Spitzbart*) goatee **Zie·gen·bock** *m* billy goat **Zie·gen·kä·se** *m* goat's cheese **Zie·gen·le·der** *nt* kidskin **Zie·gen·milch** *f* goat's milk **Zie·gen·pe·ter** <-s, -> [ˈtsiːgn̩peːtɐ] *m* (*fam: Mumps*) mumps + *sing/pl vb*
zie·hen <zog, gezogen> [ˈtsiːən] I. *vt haben* ❶ (*hinter sich her schleppen*) to pull ❷ (*bewegen*) *Choke, Starter* to pull out *sep*; *Handbremse* to put on *sep*; **sie zog das Kind an sich** she pulled the child to[wards] her; **die Knie in die Höhe ~** to raise one's knees; **die Stirn in Falten ziehen** to knit one's brow; **ich kann den Faden nie durchs Öhr ~** I can never thread a needle ❸ (*zerren*) **das Kind zog mich an der Hand zum Karussell** the child dragged me by the hand to the carousel; **warum ziehst du mich denn am Ärmel?** why are you tugging at my sleeve?; **der Felix hat mich an den Haaren gezogen** Felix pulled my hair ❹ (*hervorholen*) **sie zog ein Feuerzeug aus der Tasche** she took a lighter out of her pocket/bag ❺ (*heraus~*) *Fäden, Zahn* to take out *sep*; *Los, Revolver, Spielkarte, Vergleich* to draw ❻ (*auf~*) **neue Saiten auf die Gitarre ~** to restring a guitar; **Perlen auf eine Schnur ~** to thread pearls; **ein Bild auf Karton ~** to mount a picture onto

cardboard ❼(*rücken*) **er zog sich den Hut tief ins Gesicht** he pulled his hat down over his eyes; **zieh bitte die Vorhänge vor die Fenster** please draw the curtains; **die Rollläden nach oben ~** to pull up the blinds; **zieh doch eine Bluse unter den Pulli** put on a blouse underneath the jumper; **er zog sich die Schutzbrille über die Augen** he put on protective glasses ❽(*züchten*) *Pflanzen* to grow; *Tiere* to breed ❾*Kreis, Linie* to draw ❿(*an~*) ■*etw auf sich* *akk* **~** to attract sth; **jdn ins Gespräch ~** to draw sb into the conversation ⓫(*zur Folge haben*) ■*etw nach sich dat* **~** to have consequences **II.** *vi* ❶ *haben* (*zerren*) to pull (**an** on) ❷ *sein* (*um~*) **nach München ~** to move to Munich; **sie zog zu ihrem Freund** she moved in with her boyfriend ❸ *sein* (*einen bestimmten Weg einschlagen*) *Armee, Truppen, Volksmasse* to march; *Schafe, Wanderer* to wander; *Rauch, Wolke* to drift; *Gewitter* to move; *Vogel* to fly; **durch die Stadt ~** to wander through the town/city; **in den Krieg/die Schlacht ~** to go to war/into battle ❹ *haben* (*saugen*) **an einer Zigarette ~** to pull on *sep* a cigarette ❺ *sein* (*eindringen*) to penetrate ❻ *haben* KOCHK *Tee* to brew ❼ *haben* (*fam*) **hör auf, das zieht bei mir nicht!** stop it, I don't like that sort of thing!; **diese Masche zieht immer** this one always does the trick; **die Ausrede zieht bei mir nicht** that excuse won't work with me ❽ KARTEN to play ❾ SCHACH to move ❿(*Waffe*) to draw **III.** *vi impers haben* **es zieht** there is a draught **IV.** *vt impers haben* **es zog ihn in die weite Welt** the big wide world lured him away; **was zieht dich hierhin/nach Hause?** what brings you here/home?; **mich zieht es stark zu ihm** I feel very attracted to him **V.** *vr haben* ❶ (*sich hin~*) *Gespräch, Verhandlungen* to drag on ❷(*sich erstrecken*) ■*sich an etw dat entlang* **~** to stretch along sth ❸(*sich hoch~*) ■*sich aus etw dat* **~** to pull oneself out of sth ❹(*sich dehnen*) ■*sich* **~** *Holz, Rahmen* to warp; *Klebstoff* to become tacky; *Metall* to bend

Zie·hen <-s> ['tsiːən] *nt kein pl* ache

Zieh·har·mo·ni·ka *f* concertina

Zie·hung <-, -en> *f* draw

Ziel <-[e]s, -e> [tsiːl] *nt* ❶ (*angestrebtes Ergebnis*) goal, aim; *Hoffnung, Spott* object; **am ~ sein** to be at one's destination, to have achieved one's goal *fig*; **sich dat ein ~ setzen** to set oneself a goal ❷ SPORT, MIL target; **ins ~ treffen** to hit the target

❸ SPORT (*Rennen*) finish; **durchs ~ gehen** to cross the finishing line ❹ TOURIST (*Reise~*) destination; *Expedition* goal ▸**über das ~ hinausschießen** to overshoot the mark

Ziel·bahn·hof *m* destination **ziel·bewusst**^RR, **ziel·be·wußt**^ALT **I.** *adj* purposeful **II.** *adv* purposefully

zie·len ['tsiːlən] *vi* ❶ (*anvisieren*) to aim (**auf** at) ❷ (*a. fig: gerichtet sein*) ■*auf jdn/etw* **~** to be aimed at sb/sth

Ziel·fern·rohr *nt* scope **Ziel·ge·ra·de** *f* finishing [*or* Am finish] straight **Ziel·gruppe** *f* target group **Ziel·li·nie** *f* finishing [*or* Am finish] line **ziel·los** **I.** *adj* aimless **II.** *adv* aimlessly **Ziel·ort** *m* destination **Ziel·per·son** *f* target **Ziel·schei·be** *f* ❶ (*runde Scheibe*) target ❷ (*Opfer*) butt **Ziel·set·zung** <-, -en> *f* target **ziel·si·cher** *adj* unerring **Ziel·spra·che** *f* target language

ziel·stre·big ['tsiːlʃtreːbɪç] **I.** *adj* single-minded **II.** *adv* single-mindedly **Ziel·stre·big·keit** <-> *f kein pl* single-mindedness

ziem·lich ['tsiːmlɪç] **I.** *adj* ❶ *attr* (*beträchtlich*) considerable; *Vermögen* siz[e]able ❷ (*einigermaßen zutreffend*) reasonable **II.** *adv* ❶ (*weitgehend*) quite ❷ (*beträchtlich*) quite ❸ (*beinahe*) almost; **so ~** more or less; **so ~ alles** just about everything; **so ~ dasselbe** pretty much the same

Zier·de <-, -n> ['tsiːɐdə] *f* decoration; **zur ~** for decoration

zie·ren ['tsiːrən] **I.** *vr* ■*sich* **~** to make a fuss; *Mädchen* to act coyly; **ohne sich zu ~** without having to be pressed **II.** *vt* (*schmücken*) to adorn

Zier·fisch *m* ornamental fish **Zier·garten** *m* ornamental garden **Zier·leis·te** *f* border; AUTO trim; *Möbel* edging; *Wand* moulding

zier·lich ['tsiːɐlɪç] *adj* dainty; *Frau* petite; *Porzellan* delicate

Zier·naht *f* decorative stitching *no pl, no indef art* **Zier·pflan·ze** *f* ornamental plant **Zier·vo·gel** *m* caged bird

Zif·fer <-, -n> ['tsɪfɐ] *f* ❶ (*Zahlzeichen*) digit; (*Zahl*) figure; **römische/arabische ~n** roman/arabic numerals ❷ (*nummerierter Abschnitt*) clause

Zif·fer·blatt *nt* [clock]/[watch] face; *Sonnenuhr* dial

zig [tsɪç] *adj* (*fam*) umpteen; **~mal** umpteen times

Zi·ga·ret·te <-, -n> [tsigaˈrɛtə] *f* cigarette **Zi·ga·ret·ten·au·to·mat** *m* cigarette machine **Zi·ga·ret·ten·etui** *nt* cigarette case

Zi·ga·ret·ten·pa·ckung *f* cigarette packet [*or* Am pack] **Zi·ga·ret·ten·pa·pier** *nt* cigarette paper **Zi·ga·ret·ten·pau·se** *f* fag break **Zi·ga·ret·ten·schach·tel** *f* cigarette packet [*or* Am pack] **Zi·ga·ret·ten·spi·tze** *f* cigarette holder **Zi·ga·ret·ten·stum·mel** *m* cigarette butt

Zi·ga·ril·lo <-s, -s> [tsiga'rɪlo] *m o nt* cigarillo

Zi·gar·re <-, -n> [tsi'garə] *f* cigar

Zi·geu·ner(in) <-s, -> [tsi'gɔynɐ] *m(f)* Gypsy

Zi·geu·ner·mu·sik *f kein pl* gypsy music **Zi·geu·ner·schnit·zel** *nt* pork escalope served in spicy sauce with red and green peppers

zig·mal ['tsɪçma:l] *adv* (*fam*) umpteen times

zig·ste(r, s) ['tsɪçstə] *adj* (*fam*) **zum ~n Mal!** for the umpteenth time!

Zi·ka·de <-, -n> [tsi'ka:də] *f* cicada

Zim·bab·we <-s> [tsɪm'bapvə] *nt* SCHWEIZ *s.* **Simbabwe**

Zim·mer <-s, -> ['tsɪmɐ] *nt* room; **~ frei haben** to have vacancies

Zim·mer·an·ten·ne *f* indoor aerial [*or* Am *also* antenna] **Zim·mer·de·cke** *f* ceiling **Zim·mer·hand·werk** *nt kein pl* carpentry *no pl, no indef art* **Zim·mer·kell·ner(in)** *m(f)* room service waiter [*or fem* waitress] **Zim·mer·laut·stär·ke** *f* low volume; **etw auf ~ stellen** to turn sth down **Zim·mer·mäd·chen** *nt* chambermaid **Zim·mer·mann** <-leute> *m* carpenter

zim·mern ['tsɪmɐn] **I.** *vt* ❶ (*aus Holz herstellen*) ■ **etw ~** to make sth from wood ❷ (*fig*) *Alibi* to construct; *Ausrede* to make up *sep* **II.** *vi* to do carpentry; ■ **an etw** *dat* **~** to make sth from wood

Zim·mer·pflan·ze *f* house plant **Zim·mer·ser·vice** *m* room service **Zim·mer·tem·pe·ra·tur** *f* room temperature **Zim·mer·ver·mitt·lung** *f* accommodation [*or* Am accomodations] service

zim·per·lich ['tsɪmpɐlɪç] *adj* prim, squeamish; (*empfindlich*) [hyper]sensitive; **sei nicht so ~** don't be such a sissy

Zimt <-[e]s, -e> [tsɪmt] *m* cinnamon

Zimt·stan·ge *f* stick of cinnamon

Zink <-[e]s> [tsɪŋk] *nt kein pl* ❶ CHEM zinc ❷ MUS cornet

Zin·ke <-, -n> ['tsɪŋkə] *f* ❶ (*spitz hervorstehendes Teil*) *Kamm, Rechen* tooth; *Gabel* prong ❷ (*Holzzapfen*) tenon

zin·ken ['tsɪŋkn̩] *vt* KARTEN to mark

Zinn <-[e]s> [tsɪn] *nt kein pl* ❶ CHEM tin *no pl* ❷ (*Gegenstände aus ~*) pewter *no pl*

zin·nern ['tsɪnɐn] *adj attr* pewter

Zin·no·ber¹ <-s> [tsɪ'no:bɐ] *nt kein pl* ÖSTERR (*gelblichrote Farbe*) vermilion *no pl*

Zin·no·ber² <-s> [tsɪ'no:bɐ] *m kein pl* ÖSTERR mineral

zin·no·ber·rot *adj* vermilion

Zinn·sol·dat *m* tin soldier

Zins¹ <-es, -en> [tsɪns] *m* FIN interest *no pl;* [jdm] **etw mit ~ und ~es**eins **zurückzahlen** to pay sb back for sth with interest *fig;* **~en bringen** to earn interest; **zu hohen/niedrigen ~en** at a high/low rate of interest

Zins² <-es, -e> [tsɪns] *m* ❶ (*hist*) tax ❷ SÜDD, ÖSTERR, SCHWEIZ (*Miete*) rent

Zins·ab·schlag·steu·er *f* tax paid on interest earned **Zins·er·hö·hung** *f* rise in interest rates **Zins·er·trag** *m* interest yield

Zin·ses·zins *m* compound interest

zins·los *adj* interest free

Zins·satz *m* rate of interest; (*Darlehen*) lending rate

Zip·fel <-s, -> ['tsɪpfl̩] *m* corner; *Hemd, Jacke* tail; *Saum* dip; *Wurst* end

Zip·fel·müt·ze *f* pointed cap

Zir·bel·drü·se ['tsɪrbl̩-] *f* ANAT pineal gland

zir·ka ['tsɪrka] *adv* about

Zir·kel <-s, -> ['tsɪrkl̩] *m* ❶ (*Gerät*) pair of compasses ❷ (*Gruppe*) group; **nur der engste ~ seiner Freunde wurde eingeladen** he only invited his closest [circle of] friends

Zir·ku·la·ti·on <-, -en> [tsɪrkula'tsi̯o:n] *f* circulation

zir·ku·lie·ren* [tsɪrku'li:rən] *vi* to circulate

Zir·kus <-, -se> ['tsɪrkʊs] *m* ❶ (*Unterhaltung*) circus ❷ (*fam: großes Aufheben*) fuss

Zir·kus·zelt *nt* big top

zir·pen ['tsɪrpn̩] *vi* ZOOL to chirp

zisch [tsɪʃ] *interj* hiss

zi·schen ['tsɪʃn̩] **I.** *vi* ❶ *haben* (*ein Zischen von sich geben*) to hiss; *Fett* to sizzle ❷ *sein* (*sich mit einem Zischen bewegen*) to swoosh **II.** *vt* (*mit einem Z~ sagen*) to hiss ► **einen ~** (*sl*) to have a quick one

Zi·schen <-s> ['tsɪʃn̩] *nt kein pl* hiss

Zisch·laut *m* sibilant

Zis·ter·ne <-, -n> [tsɪs'tɛrnə] *f* cistern

Zi·ta·del·le <-, -n> [tsita'dɛlə] *f* citadel

Zi·tat <-[e]s, -e> [tsi'ta:t] *nt* quotation

Zi·ther <-, -n> ['tsɪtɐ] *f* zither

zi·tie·ren* [tsi'ti:rən] *vt* ❶ (*wörtlich anführen*) to quote ❷ (*vorladen*) to summon

Zi·tro·ne <-, -n> [tsi'tro:nə] *f* lemon ► **jdn ausquetschen wie eine ~** to squeeze sb dry

zögern	
zögern	**hesitating**
Ich weiß nicht so recht.	I'm not sure.
Ich kann Ihnen noch nicht sagen, ob ich Ihr Angebot annehmen werde.	I'm still unable to say whether or not I can accept your offer.
Ich muss darüber noch nachdenken.	I still have to think about it.
Ich kann Ihnen noch nicht zusagen.	I can't accept yet.

Zi·tro·nen·baum m lemon tree **Zi·tro·nen·fal·ter** m brimstone butterfly **zi·tro·nen·gelb** adj lemon yellow **Zi·tro·nen·li·mo·na·de** f lemonade **Zi·tro·nen·saft** m citrus fruit **Zi·tro·nen·säu·re** f kein pl citric acid **Zi·tro·nen·scha·le** f lemon peel

Zi·trus·frucht ['tsi:trʊs-] f citrus fruit

Zit·ter·aal ['tsɪtɐ-] m electric eel

zit·te·rig ['tsɪtərɪç] adj shaky

zit·tern ['tsɪtɐn] vi to shake (**vor** with); **vor Angst** ~ to quake with fear; *Stimme* to quaver; *Blätter, Gräser, Lippen* to tremble; *Pfeil* to quiver; ■[**vor jdm/etw**] ~ to be terrified [of sb/sth]

Zit·tern <-s> ['tsɪtɐn] nt kein pl shaking, trembling

Zit·ter·pap·pel f aspen

zitt·rig ['tsɪtrɪç] adj s. zitterig

Zit·ze <-, -n> ['tsɪtsə] f teat

Zi·vi <-s, -s> ['tsi:vi] m (fam) kurz für **Zivildienstleistender**

zi·vil [tsi'vi:l] adj ❶ (nicht militärisch) civilian ❷ (fam: akzeptabel) reasonable ❸ (höflich) polite

Zi·vil <-s> [tsi'vi:l] nt kein pl civilian clothes npl

Zi·vil·be·völ·ke·rung f civilian population **Zi·vil·cou·ra·ge** f courage [of one's convictions] **Zi·vil·dienst** m kein pl community service as alternative to military service **Zi·vil·dienst·leis·ten·der** m young man doing community service as alternative to military service **Zi·vil·fahn·der(in)** m(f) plain-clothes policeman **Zi·vil·ge·richt** nt civil court **Zi·vil·ge·sell·schaft** f civil society **Zi·vil·ge·setz·buch** nt schweiz (Bürgerliches Gesetzbuch) code of civil law

Zi·vi·li·sa·ti·on <-, -en> [tsiviliza'tsi̯oːn] f civilization

Zi·vi·li·sa·ti·ons·krank·heit f illness caused by civilization **zi·vi·li·sa·ti·ons·mü·de** adj tired of modern-day society

zi·vi·li·sa·to·risch [tsiviliza'toːrɪʃ] adj with regard to civilization

zi·vi·li·sie·ren* [tsivili'ziːrən] vt to civilize

zi·vi·li·siert I. adj civilized II. adv civilly

Zi·vi·list(in) <-en, -en> [tsivi'lɪst] m(f) civilian

Zi·vil·klei·dung f s. **Zivil** **Zi·vil·per·son** f (geh) s. **Zivilist** **Zi·vil·pro·zess**^RR m civil action **Zi·vil·recht** nt civil law **Zi·vil·schutz** m civil defence

Zo·bel <-s, -> ['tsoːbl̩] m sable

zo·cken ['tsɔkn̩] vi (sl) to gamble

Zo·fe <-, -n> ['tsoːfə] f lady-in-waiting

Zoff <-s> [tsɔf] m kein pl (sl) trouble

zog [tsoːk] imp von **ziehen**

zö·ger·lich ['tsøːgɐlɪç] I. adj hesitant II. adv hesitantly

zö·gern ['tsøːgɐn] vi to hesitate; ■~, etw zu tun to hesitate before doing sth; ohne zu ~ without [a moment's] hesitation

Zö·gern <-s> ['tsøːgɐn] nt kein pl hesitation no pl

zö·gernd I. adj hesitant, hesitating; dieser Frage hat sich die Regierung nur sehr ~ angenommen the government accepted this question but only with [strong] reservations II. adv hesitantly

Zög·ling <-s, -e> ['tsøːklɪŋ] m (veraltend) pupil

Zö·li·bat <-[e]s, -e> [tsøli'baːt] nt o m celibacy no pl

Zoll[1] <-[e]s, -> [tsɔl] m (Maß) inch

Zoll[2] <-[e]s, Zölle> [tsɔl, pl 'tsœlə] m ❶ ÖKON customs duty; ■für etw akk ~ bezahlen to pay [customs] duty on sth; durch den ~ kommen to come through customs ❷ kein pl (fam: Zollverwaltung) customs npl

Zoll·ab·fer·ti·gung f ❶ (Gebäude) customs post ❷ (Vorgang) customs clearance **Zoll·amt** nt customs office **Zoll·be·am·te(r)**, -be·am·tin m, f customs officer

zol·len ['tsɔlən] vt (geh) to give; jdm Achtung/Anerkennung/Bewunderung ~ to respect/appreciate/admire sb

Zoll·er·klä·rung f ÖKON customs declaration; Zoll- und Devisenerklärung currency and customs declaration **Zoll·fahn·der(in)** <-s, -> m(f) customs investigator **Zoll·fahn·dung** f customs investigation

Z

department **zọll·frei** *adj, adv* duty-free
Zọll·ge·büh·ren *pl* customs duty **Zọll·gren·ze** *f* customs [area] border **Zọll·kon·trol·le** *f* customs check
Zöll·ner <-s, -> ['tsœlnə] *m* ① (*Zollbeamter*) customs officer ② (*in der Bibel*) tax collector
zọll·pflich·tig *adj* dutiable **Zọll·schran·ke** *f* customs barrier
Zọll·stock *m* ruler
Zọll·uni·on *f* ÖKON customs union
Zom·bie <-[s], -s> ['tsɔmbi] *m* zombie
Zo·ne <-, -n> ['tso:nə] *f* zone
Zo·nen·gren·ze *f* (*hist*) **die ~** the East German border
Zoo <-s, -s> [tso:] *m* zoo
Zo·o·lo·gie <-> [tsoolo'gi:] *f kein pl* zoology
zo·o·lo·gisch [tsoo'lo:gɪʃ] **I.** *adj* zoological
II. *adv* zoologically
Zoom <-s, -s> [zu:m, tso:m] *nt* (*~ objektiv*) zoom lens
zoo·men ['zu:mən, 'tso:mən] *vt* ■jdn/etw **~** to zoom in on sb/sth
Zoom·ob·jek·tiv *nt* FOTO zoom lens
Zopf <-[e]s, Zöpfe> [tsɔpf, *pl* tsœpfə] *m* ① (*geflochtene Haarsträhnen*) plait, AM *usu* braid ② KOCHK plait
Zọpf·mus·ter *nt* MODE cable stitch
Zorn <-[e]s> [tsɔrn] *m kein pl* anger; **in ~ geraten** to fly into a rage; **einen ~ auf jdn haben** to be furious with sb; **im ~** in anger
zor·nig ['tsɔrnɪç] *adj* angry; ■~ **auf jdn sein** to be angry with sb; **leicht ~ werden** to lose one's temper easily
Zo·te <-, -n> ['tso:tə] *f* dirty joke
zot·te·lig ['tsɔt(ə)lɪç] *adj* (*fam*) shaggy
zot·teln ['tsɔtl̩n] *vi sein* (*fam*) to amble
zot·tig ['tsɔtɪç] *adj s.* zottelig
z.T. *Abk von* **zum Teil** partly
zu [tsu:] **I.** *präp +dat* ① (*wohin*) to; **ich muss gleich ~m Arzt** I must go to the doctor's; **wie weit ist es von hier ~m Bahnhof?** how far is it from here to the train station?; **~m Militär gehen** to join the army; **~m Schwimmbad geht es da lang!** the swimming pool is that way!; **~ Fuß/Pferd** on foot/horseback ② (*örtlich: Richtung*) **~m Fenster herein/hinaus** in/out of the window; **~r Tür herein/hinaus** in/out the door; **~m Himmel weisen** to point heavenwards; **~r Decke sehen** to look [up] at the ceiling; **~m Meer/zur Stadtmitte hin** towards the sea/city centre ③ (*neben, mit*) ■~ **jdn/etw** next to sb/sth; **setz dich ~ uns** [come and] sit with us; **etw ~ etw** *dat* **tragen** to wear sth with sth ④ *zeitlich* at;

~ Ostern/Weihnachten at Easter/Christmas; **[bis] ~m 31. Dezember/Montag/Abend** until 31st December/Monday/[this] evening; **~m Wochenende fahren wir weg** we are going away at [*or* AM on] the weekend; **~m 1. Januar fällig** due on January 1st; **~m Monatsende kündigen** to give in one's notice for the end of the month ⑤ (*anlässlich einer S.*) **etw ~m Geburtstag/~ Weihnachten bekommen** to get sth for one's birthday/for Christmas; ■jdm **~ etw gratulieren** to congratulate sb on sth; **jdn ~m Essen einladen** to invite sb for a meal; **~ dieser Frage möchte ich Folgendes sagen** to this question I should like to say the following; **eine Rede ~m Thema Umwelt** a speech on the subject of the environment ⑥ (*für etw bestimmt*) **Papier ~m Schreiben** writing paper; **Wasser ~m Trinken** drinking water; **das Zeichen ~m Aufbruch** the signal to leave; **etw ~r Antwort geben** to say sth in reply; **~ nichts taugen** to be no use at all; **mögen Sie Zucker ~m Kaffee?** do you take your coffee with sugar?; **~m Frühstück trinkt sie immer Tee** she always has tea at breakfast ⑦ (*um etw herbeizuführen*) **~r Einführung ...** by way of an introduction ...; **~r Entschuldigung/Erklärung** in apology/explanation; **sie sagte das nur ~ seiner Beruhigung** she said that just to set his mind at rest; **~ was soll das gut sein?** what is that for? ⑧ *mit infin* **bei dem Regenwetter habe ich keine Lust ~m Wandern** I don't fancy walking if it is raining; **wir haben nichts ~m Essen** we have nothing to eat; **gib dem Kind doch etwas ~m Spielen** give the child something to play with; **das ist ja ~m Lachen** that's ridiculous; **das ist ~m Weinen** it's enough to make you want to cry ⑨ (*Veränderung*) **~ etw werden** to turn into sth; ■jdn/etw **~ etw machen** to make sb/sth into sth; **~m Kapitän befördert werden** to be promoted to captain; **~m Vorsitzenden gewählt werden** to be elected to the post of chairman; **etw ~ Pulver zermahlen** to grind sth [in]to powder ⑩ (*Beziehung*) **Liebe ~ jdm** love for sb; **aus Freundschaft ~ jdm** because of one's friendship with sb; **das Vertrauen ~ jdm/etw** trust in sb/sth; **meine Beziehung ~ ihr** my relationship with her ⑪ (*im Verhältnis zu*) in relation to; **im Vergleich ~** in comparison with; **im Verhältnis 1 ~ 4** MATH in the ratio of one to four; **unsere Chancen stehen 50 ~ 50** our chances are fifty-fifty; SPORT **Bayern München gewann mit 5 ~ 1** Bayern Munich won five-one ⑫ (*einer Sache zugehörig*) ~ **den Lehrbüchern gehören auch Kassetten** there are cassettes to go with the text books; **wo ist der Korken ~ der Flasche?** where is the cork for this bottle?; **mir fehlt der Schlüssel ~ dieser Tür** I'm missing the key to this door ⑬ *bei Mengenangaben* ~ **drei Prozent** at three percent; **sechs [Stück] ~ fünfzig Cent** six for fifty cents; **~m halben Preis** at half price; **wir sind ~ fünft in den Urlaub gefahren** five of us went on holiday together; **sie kommen immer ~ zweit** those two always come as a pair; **der Pulli ist nur ~r Hälfte fertig** the jumper is only half finished; **~m ersten Mal** for the first time ⑭ (*örtlich: Lage*) in; ~ **Hause** at home; ~ **seiner Rechten/Linken...** on his right/left [hand side]... ⑮ (*als*) ■**jdn ~ etw ernennen** to nominate sb for sth; ■**jdn/etw ~m Vorbild nehmen** to take sb/sth as one's example ⑯ (*in Wendungen*) ~**m Beispiel** for example; **~r Belohnung** as a reward; **~r Beurteilung** for inspection; **~m Gedächtnis von jdm** in memory of sb; **~m Glück** luckily; **jdm ~ Hilfe kommen** to come to sb's aid; **~r Probe** as a trial; **~r Strafe** as a punishment; **~r Warnung** as a warning; SCHWEIZ ~**r Hauptsache** mainly; **~m voraus** in front of; **~m vorn[e]herein** from in front; **~m Rechten schauen** to look to the right **II.** *adv* ❶ (*all~*) too; ~ **sehr** too much; **ich wäre ~ gern mitgefahren** I would have loved to have gone along ❷ (*geschlossen*) shut, closed; **dreh den Wasserhahn ~!** turn the tap off!; **Tür ~, es zieht!** shut the door, there's a draught!; **mach die Augen ~, ich hab da was für dich** close your eyes, I've got sth for you; **die Geschäfte haben sonntags ~** stores are closed on Sundays ❸ (*örtlich*) towards ❹ (*fam: betrunken sein*) ■~ **sein** to be pissed ❺ (*in Wendungen*) **immer/nur ~!** go ahead; **mach ~** hurry up **III.** *konj* ❶ *mit infin* to; ■**etw ~ essen** sth to eat; **ich habe heute einiges ~ erledigen** I have got a few things to do today; **sie hat ~ gehorchen** she has to obey; **die Rechnung ist bis Freitag ~ bezahlen** the bill has to be paid by Friday; **ohne es ~ wissen** without knowing it ❷ *mit Partizip* ~ **bezahlende Rechnungen** outstanding bills; **der ~ Prüfende** the candidate to be examined; **nicht ~ unterschätzende Probleme** problems [that are] not to be underestimated

zu·al·ler·erst [tsuˈʔalɐˈʔeːɐ̯st] *adv* first of all
zu·al·ler·letzt [tsuˈʔalɐlɛtst] *adv* last of all
zu|bau·en *vt* to fill in *sep*
Zu·be·hör <-[e]s, *selten* -e> [ˈtsuːbəhøːɐ̯] *nt o m* equipment *no pl*; (*zusätzliche Accessoires*) accessories *pl*; (*Ausstattung*) attachments *pl*
Zu·be·hör·teil *nt* accessory
zu|bei·ßen *vi irreg* to bite
zu|be·rei·ten* *vt* ■**etw ~** to prepare sth
Zu·be·rei·tung <-, -en> *f* ❶ (*das Zubereiten*) preparation ❷ (*von Arzneimitteln*) making up
zu|bil·li·gen *vt* ■**jdm etw ~** to grant sb sth
zu|bin·den *vt irreg* to tie; **sich die Schuhe ~** to lace up shoes
zu|blin·zeln *vi* ■**jdm ~** to wink at sb
zu|brin·gen *vt irreg* ❶ (*verbringen*) to spend ❷ (*herbeibringen*) to bring to ❸ DIAL (*zukriegen*) to get shut *sep*
Zu·brin·ger <-s, -> *m* TRANSP ❶ (*~ straße*) feeder road ❷ (*Flughafenbus*) shuttle [bus]
Zu·brin·ger·dienst *m* shuttle service
Zucht <-, -en> [tsʊxt] *f* ❶ *kein pl* HORT cultivation *no art, no pl* ❷ *kein pl* ZOOL breeding *no art, no pl* ❸ (*gezüchtete Pflanze*) variety; (*gezüchtetes Tier*) breed; *von Bakterien* culture *spec* ❹ *kein pl* (*Disziplin*) discipline *no art, no pl*
Zucht·bul·le *m* breeding bull
züch·ten [ˈtsʏçtn̩] *vt* ❶ HORT to grow ❷ ZOOL to breed; *Bienen* to keep
Züch·ter(in) <-s, -> *m(f)* *von Rassetieren* breeder; *von Blumen* grower; *von Bienen* keeper
Zucht·haus *nt* HIST ❶ (*Strafe*) prison sentence; ~ **bekommen** to be given a prison sentence ❷ (*Strafanstalt*) prison
Zucht·hengst *m* stud horse
züch·ti·gen [ˈtsʏçtɪɡn̩] *vt* (*geh*) to beat
Züch·ti·gung <-, -en> *f* beating
Zucht·per·le *f* cultured pearl
Zucht·tier *nt* breeding animal
Züch·tung <-, -en> *f* ❶ *kein pl* HORT cultivation *no art, no pl* ❷ *kein pl* ZOOL breeding *no art, no pl* ❸ (*gezüchtete Pflanze*) variety; (*gezüchtetes Tier*) breed
zu·cken [ˈtsʊkn̩] *vi* ❶ *haben* (*ruckartig bewegen*) *Augenlid* to flutter; *Mundwinkel* to twitch; **mit den Achseln ~** to shrug one's shoulders; **ohne mit der Wimper zu ~** without batting an eyelid ❷ *haben* (*aufleuchten*) *Blitz* to flash; *Flamme* to flare up
zü·cken [ˈtsʏkn̩] *vt* ❶ *Schwert* to draw ❷ (*fam: rasch hervorziehen*) to pull out *sep*
Zu·cker¹ <-s, -> [ˈtsʊkɐ] *m* sugar *no art,*

no pl

Zu·cker² <-s> [ˈtsʊkɐ] *m kein pl* MED diabetes *no art, no pl*

Zu·cker·brot *nt* (*veraltet: Süßigkeit*) sweetmeat *dated* ▸ **mit ~ und Peitsche** (*prov*) with the carrot and the stick **Zu·cker·do·se** *f* sugar bowl **Zu·cker·guss**^RR *m* icing *no art, no pl*, AM *esp* frosting *no art, no pl*

zu·cker·hal·tig <-er, -[e]ste> *adj* containing sugar

Zu·cker·hut [ˈtsʊkɐhuːt] *m* ❶ GEOL sugarloaf ❷ KOCHK winter chicory

zu·cke·rig [ˈtsʊkərɪç] *adj* sugary

zu·cker·krank *adj* diabetic **Zu·cker·kran·ke(r)** *f(m)* diabetic **Zu·cker·krank·heit** *f* diabetes *no art, no pl* **Zu·cker·le·cken** *nt* ▸ **kein ~ sein** to be no picnic

zu·ckern [ˈtsʊkɐn] *vt* to sugar

Zu·cker·rohr *nt* sugar cane *no art, no pl* **Zu·cker·rü·be** *f* sugar beet *no art, no pl* **Zu·cker·streu·er** *m* sugar sprinkler **zu·cker·süß** [ˈtsʊkɐˈzyːs] *adj* ❶ (*sehr süß*) as sweet as sugar *pred* ❷ (*übertrieben freundlich*) sugar-sweet *also pej* **Zu·cker·wat·te** *f* candy floss BRIT, cotton candy AM

zuck·rig [ˈtsʊkrɪç] *adj s.* **zuckerig**

Zu·ckung <-, -en> *f meist pl von Augenlid, Lippe, Mundwinkel* twitch; *eines Epileptikers* convulsion

Zu·de·cke *f* DIAL cover

zu|de·cken *vt* to cover [up *sep*]

zu·dem [tsuˈdeːm] *adv* (*geh*) furthermore

zu|dre·hen I. *vt* ❶ (*verschließen*) to screw on *sep* ❷ (*abstellen*) to turn off *sep* ❸ (*festdrehen*) to tighten ❹ (*zuwenden*) **jdm den Kopf ~** to turn [one's face] towards sb; **jdm den Rücken ~** to turn one's back on sb II. *vr* ▪ **sich jdm/etw ~** to turn to[wards] sb/sth

zu·dring·lich [ˈtsuːdrɪŋlɪç] *adj* pushy *pej*; ▪ **~ werden** (*sexuell belästigen*) to act improperly [towards sb]

Zu·dring·lich·keit <-, -en> *f* ❶ *kein pl* (*zudringliche Art*) pushiness *no art, no pl pej* ❷ *meist pl* (*zudringliche Handlung*) advances *pl*

zu|dröh·nen *vr* (*sl*) ▪ **sich ~** to be/become intoxicated; **sich mit Rauschgift ~** to get high [on drugs]

zu|drü·cken *vt* ❶ (*durch Drücken schließen*) to press shut *sep* ❷ (*fest drücken*) **jdm/einem Tier die Kehle ~** to throttle sb/an animal

zu·ein·an·der [tsuʔaiˈnandɐ] *adv* to each other; **~ passen** *Menschen* to suit each other; *Farben, Kleidungsstücke* to go well together

zu|er·ken·nen* *vt irreg* (*geh*) ▪ **jdm etw ~** to award sth to sb; **das Kind wurde dem Vater zuerkannt** the father was given custody of the child

zu·erst [tsuˈʔeːɐ̯st] *adv* ❶ (*als erster*) the first; (*als erstes*) first ❷ (*anfangs*) at first ❸ (*zum ersten Mal*) for the first time

zu|fä·cheln *vt* ▪ **jdm/sich Luft ~** to fan sb/oneself

Zu·fahrt [ˈtsuːfaːɐ̯t] *f* ❶ (*Einfahrt*) entrance ❷ *kein pl* (*das Zufahren*) access *no art, no pl* (*auf* to)

Zu·fahrts·stra·ße *f* access road; (*zur Autobahn*) approach road

Zu·fall *m* coincidence; (*Schicksal*) chance; **das ist ~** that's a coincidence; **etw dem ~ überlassen** to leave sth to chance; **es dem ~ verdanken, dass ...** to owe it to chance that ...; **der ~ wollte es, dass ...** chance would have it that ...; **etw durch ~ erfahren** to happen to learn of sth; **welch ein ~!** what a coincidence!

zu|fal·len *vi irreg* ❶ (*sich schließen*) to close ❷ (*zuteilwerden*) ▪ **jdm ~** to go to sb ❸ (*zugewiesen werden*) ▪ **jdm ~** to fall to sb; *Rolle* to be assigned to sb ❹ (*zukommen*) **diesem Treffen fällt große Bedeutung zu** great importance is attached to this meeting ❺ (*leicht erwerben*) ▪ **jdm ~** to come naturally to sb

zu·fäl·lig I. *adj* chance *attr* II. *adv* ❶ (*durch einen Zufall*) by chance; **rein ~** by pure chance; **jdn ~ treffen** to happen to meet sb ❷ (*vielleicht*) **wissen Sie ~, ob/wie/wann/wo ...?** do you happen to know whether/how/when/where ...?

zu·fäl·li·ger·wei·se *adv s.* **zufällig** II

Zu·fäl·lig·keit <-, -en> *f* coincidence

Zu·falls·tref·fer *m* fluke *fam*

Zu·flucht <-, -en> [ˈtsuːflʊxt] *f* refuge ▸ **jds letzte ~ sein** to be sb's last resort

Zu·fluchts·ort *m* place of refuge

Zu·fluss^RR *m*, **Zu·fluß**^ALT *m* ❶ *kein pl* (*das Zufließen*) inflow ❷ (*Nebenfluss*) tributary

zu|flüs·tern *vt* ▪ **jdm etw ~** to whisper sth to sb

zu·fol·ge [tsuˈfɔlɡə] *präp* (*geh*) ▪ **einer S.** *dat* **~** according to sth

zu·frie·den [tsuˈfriːdn̩] I. *adj* (*befriedigt*) satisfied (**mit** with); **danke, ich bin sehr ~** thanks, everything's fine; (*glücklich*) contented (**mit** with), content *pred* II. *adv* with satisfaction; (*glücklich*) contentedly; **~ lächeln** to smile with satisfaction; **~ stellend** satisfactory

zu·frie·den|ge·ben *vr irreg* ▪ **sich** [**mit etw** *dat*] **~** to be satisfied/content[ed] [with sth] **Zu·frie·den·heit** <-> *f kein pl* satisfaction *no art, no pl;* (*Glücklichsein*) contentedness *no art, no pl* **zu·frie·den|las·sen** *vt irreg* ▪**jdn** ~ to leave sb alone; ▪**jdn mit etw** *dat* ~ to stop bothering sb with sth

zu|frie·ren *vi irreg sein* to freeze [over]

zu|fü·gen *vt* ❶ (*erleiden lassen*) to cause; **jdm Schaden/eine Verletzung** ~ to harm/injure sb; **jdm Unrecht** ~ to do sb an injustice ❷ (*hin~*) ▪**einer S.** *dat* **etw** ~ to add sth [to sth]

Zu·fuhr <-, -en> ['tsu:fu:ɐ̯] *f* supply

Zug¹ <-[e]s, Züge> [tsu:k, *pl* 'tsy:gə] *m* (*Bahn*) train ► **der** ~ **ist** abgefahren (*fam*) you've missed the boat

Zug² <-[e]s, Züge> [tsu:k, *pl* 'tsy:gə] *m* ❶ (*inhalierte Menge*) puff (**an** on/at), drag *fam* (**an** of/on); **einen** ~ **machen** to have a puff, to take a drag *fam* ❷ (*Schluck*) gulp ❸ *kein pl* (*Luft~*) draught ❹ *kein pl* PHYS (*~ kraft*) tension *no art, no pl* ❺ (*Spiel~*) move; **am** ~ **sein** to be sb's move ❻ (*Streif~*) tour; **einen** ~ **durch etw** *akk* **machen** to go on a tour of sth ❼ (*lange Kolonne*) procession ❽ (*Gesichts~*) feature; **sie hat einen bitteren** ~ **um den Mund** she has a bitter expression about her mouth ❾ (*Charakter~*) characteristic ❿ (*Schritt*) ▪~ **um** ~ systematically; (*schrittweise*) step by step; ▪**in einem** ~ in one stroke; ▪**im** ~**e einer S.** in the course of sth ⓫ (*Umriss*) **in großen Zügen** in broad terms ► **in den letzten Zügen liegen** to be on one's last legs; **etw in vollen Zügen genießen** to enjoy sth to the full

Zu·ga·be ['tsu:ga:bə] *f* ❶ (*Werbegeschenk*) free gift ❷ MUS encore ❸ *kein pl* (*das Hinzugeben*)

Zug·ab·teil *nt* train compartment

Zu·gang <-[e]s, -gänge> ['tsu:gaŋ, *pl* 'tsu:gɛŋə] *m* ❶ (*Eingang*) entrance ❷ *kein pl* (*Zutritt, Zugriff*) access *no art, no pl* (**zu** to)

zu·gan·ge [tsu'gaŋə] *adj* NORDD ▪**irgendwo** ~ **sein** to be busy somewhere (**mit** with)

zu·gäng·lich ['tsu:gɛŋlɪç] *adj* ❶ (*erreichbar*) accessible; ▪**nicht** ~ inaccessible ❷ (*verfügbar*) available (+*dat* to) ❸ (*aufgeschlossen*) approachable; ▪**für etw** *akk* ~ **sein** to be receptive to sth

Zug·be·glei·ter(in) *m(f)* BAHN guard BRIT, conductor AM

Zug·brü·cke *f* drawbridge

zu|ge·ben *vt irreg* ❶ (*eingestehen*) to admit ❷ (*zugestehen*) ▪**jdm** ~, **dass ...** to

grant sb that ... ❸ (*erlauben*) to allow

zu·ge·ge·be·ner·ma·ßen *adv* admittedly

zu·ge·gen [tsu'ge:gn̩] *adj* (*geh*) ▪**bei etw** *dat* ~ **sein** to be present at sth

zu|ge·hen *irreg* **I.** *vi sein* ❶ (*sich schließen lassen*) to shut ❷ (*in eine bestimmte Richtung gehen*) ▪**auf jdn/etw** ~ to approach sb/sth ❸ (*sich versöhnen*) ▪**aufeinander** ~ to become reconciled ❹ (*übermittelt werden*) ▪**jdm** ~ to reach sb ❺ (*fam: sich beeilen*) **geh zu!** get a move on! **II.** *vi impers sein* **auf ihren Partys geht es immer sehr lustig zu** her parties are always great fun; **musste es bei deinem Geburtstag so laut** ~**?** did you have to make such a noise on your birthday?

zu|ge·hö·ren* *vi* (*geh*) ▪**jdm/etw** ~ to belong to sb/sth

zu·ge·hö·rig ['tsu:gəhø:rɪç] *adj attr* (*geh*) accompanying *attr*

Zu·ge·hö·rig·keit <-> *f kein pl* (*Verbundenheit*) affiliation *no art, no pl* (**zu** to); **ein Gefühl der** ~ a sense of belonging

zu·ge·kifft ['tsu:gəkɪft] *adj* (*sl*) high [on hash or marijuana]

zu·ge·knöpft *adj* ❶ (*mit Knöpfen geschlossen*) buttoned-up ❷ (*fam: verschlossen*) reserved

Zü·gel <-s, -> ['tsy:gl̩] *m* reins *npl;* **die** ~ **anziehen** to draw in the reins; (*fig*) to keep a tighter rein on things ► **die** ~ **[fest] in der Hand [be]halten** to keep a firm grip on things

zü·gel·los *adj* unrestrained

zü·geln ['tsy:gl̩n] **I.** *vt* ❶ (*im Zaum halten*) to rein in *sep* ❷ (*beherrschen*) to curb ❸ (*zurückhalten*) ▪**jdn/sich** ~ to restrain sb/oneself **II.** *vi sein* SCHWEIZ (*umziehen*) ▪**[irgendwohin]** ~ to move [somewhere]

Zu·ge·ständ·nis ['tsu:gəʃtɛntnɪs] *nt* concession

zu|ge·ste·hen* *vt irreg* to grant

zu·ge·tan ['tsu:gəta:n] *adj* (*geh*) ▪**jdm/ etw** ~ **sein** to be taken with sb/sth

Zug·fahrt *f* train journey **Zug·füh·rer(in)** *m(f)* BAHN guard BRIT, conductor AM

zu·gig ['tsu:gɪç] *adj* draughty

zü·gig ['tsy:gɪç] **I.** *adj* ❶ (*rasch erfolgend*) speedy ❷ SCHWEIZ (*eingängig*) catchy **II.** *adv* rapidly

Zug·kraft *f* ❶ PHYS tensile force *spec* ❷ *kein pl* (*Anziehungskraft*) appeal *no art, no pl* **zug·kräf·tig** *adj* appealing; (*eingängig a.*) catchy

zu·gleich [tsu'glaɪç] *adv* ❶ (*ebenso*) both ❷ (*gleichzeitig*) at the same time

Zug·luft *f kein pl* draught **Zug·ma·schi·ne** *f* AUTO traction engine

Z

Zug·per·so·nal *nt* train staff

Zug·pferd *nt* ❶ (*Tier*) draught horse ❷ (*besondere Attraktion*) crowd-puller

zu|grei·fen *vi irreg* ❶ (*sich bedienen*) to help oneself ❷ INFORM ■**auf etw** *akk* ~ to access sth

Zug·res·tau·rant *nt* dining car

Zu·griff *m* ❶ (*das Zugreifen*) grab ❷ INFORM access *no art, no pl* (**auf** to) ❸ (*Einschreiten*) **sich dem** ~ **der Justiz entziehen** to evade justice

Zu·griffs·be·rech·ti·gung *f* INFORM access authorization **Zu·griffs·ge·schwin·dig·keit** *f*, **Zu·griffs·zeit** *f* INFORM access speed **Zu·griffs·recht** *nt* INFORM access rights *pl* **Zu·griffs·zeit** *f s.* **Zugriffsgeschwindigkeit**

zu·grun·de, **zu Grun·de**^RR [tsu'grʊndə] *adv* [**an etw** *dat*] ~ **gehen** to be destroyed [by sth]; **etw einer** *S. dat* ~ **legen** to base sth on sth; **einer** *S. dat* ~ **liegen** to form the basis of sth; **jdn/etw** ~ **richten** (*ausbeuten*) to exploit sb/sth; (*zerstören*) to destroy sb/sth

Zug·schaff·ner(in) *m(f)* train conductor **Zug·tier** *nt* draught animal

zu|gu·cken *vi* (*fam*) *s.* **zusehen**

Zug·un·glück *nt* railway accident; (*Zusammenstoß a.*) train crash

zu·guns·ten, **zu Guns·ten**^RR [tsu'gʊnstn̩] *präp* +*gen* for the benefit of; (*zum Vorteil von*) in favour of

zu·gu·te|hal·ten [tsu'gu:tə-] *vt irreg* ■**jdm etw** ~ to make allowances for sb's sth

zu·gu·te|kom·men [tsu'gu:tə-] *vt irreg* ■**jdm/etw** ~ to be for the benefit of sb/sth

Zug·ver·bin·dung *f* train connection **Zug·ver·kehr** *m* train services *pl* **Zug·vo·gel** *m* migratory bird **Zug·zwang** *m* pressure to act

zu|ha·ben *irreg* (*fam*) I. *vi* to be closed II. *vt* ■**etw** ~ to have got sth shut

zu|hal·ten *irreg* I. *vt* ❶ (*geschlossen halten*) to hold sth closed ❷ (*mit der Hand bedecken*) ■**jdm/sich etw** ~ to hold one's hand over sb's/one's sth; **sich** *dat* **die Nase** ~ to hold one's nose II. *vi* ■**auf jdn/etw** ~ to head for sb/sth

Zu·häl·ter(in) *m(f)* <-s, -> ['tsu:hɛltɐ] pimp *masc*, procurer *form*

Zu·häl·te·rei <-> [tsu:hɛltə'raɪ] *f kein pl* pimping *no art, no pl*

Zu·hau·se <-s> [tsu'haʊzə] *nt kein pl* home *no art, no pl*

Zu·hil·fe·nah·me <-> [tsu'hɪlfənaːmə] *f* ■**unter** ~ **einer** *S. gen* with the aid of sth

zu|hö·ren *vi* to listen; ■**jdm/etw** ~ to list-

en to sb/sth

Zu·hö·rer(in) *m(f)* listener; ■**die** ~ (*Publikum*) the audience + *sing/pl vb*; (*Radio~ a.*) the listeners

Zu·hö·rer·schaft *f kein pl* audience

zu|ju·beln *vi* to cheer

zu|keh·ren *vt* **jdm den Rücken** ~ to turn one's back on sb

zu|klap·pen *vt, vi* to snap shut

zu|kle·ben *vt* to stick down *sep*

zu|knal·len *vt, vi* (*fam*) to slam shut

zu|knei·fen *vt irreg* ■**etw** ~ to shut sth tight[ly]; **die Augen** ~ to screw up one's eyes

zu|knöp·fen *vt* ■**etw** ~ to button up *sep* sth

zu|kom·men *vi irreg sein* ❶ (*sich nähern*) ■**auf jdn/etw** ~ to come towards sb/sth ❷ (*bevorstehen*) ■**auf jdn** ~ to be in store for sb; **alles auf sich** ~ **lassen** to take things as they come ❸ (*gebühren*) **mir kommt heute die Ehre zu, Ihnen zu gratulieren** I have the honour today of congratulating you; **jdm etw** ~ **lassen** (*geh*) to send sb sth; (*jdm etw gewähren*) to give sb sth ❹ (*angemessen sein*) **dieser Entdeckung kommt große Bedeutung zu** great significance must be attached to this discovery

Zu·kunft <-> ['tsu:kʊnft] *f kein pl* ❶ (*das Bevorstehende*) future *no pl;* **in ferner/naher** ~ in the distant/near future; **in die** ~ **schauen** to look into the future ❷ LING future [tense]

zu·künf·tig ['tsu:kʏnftɪç] I. *adj* ❶ (*in der Zukunft bevorstehend*) future *attr* ❷ *Nachfolger* prospective II. *adv* in future

Zu·kunfts·aus·sich·ten *pl* future prospects *pl* **Zu·kunfts·bran·che** *f* new industry **Zu·kunfts·fä·hig·keit** *f* forward compatibility **Zu·kunfts·for·schung** *f kein pl* futurology *no art, no pl* **Zu·kunfts·mu·sik** *f* ▶ [**noch**] ~ **sein** (*fam*) to be [still] a long way off **Zu·kunfts·per·spek·ti·ve** *f meist pl* future prospects *pl* **Zu·kunfts·plä·ne** *pl* plans *pl* for the future **zu·kunfts·si·cher** *adj* with a guaranteed future *pred* **Zu·kunfts·tech·no·lo·gie** *f* new technology **zu·kunfts·träch·tig** *adj* with a promising future *pred;* ■~ **sein** to have a promising future **zu·kunft(s)·wei·send** *adj* forward-looking

zu|lä·cheln *vi* ■**jdm** ~ to smile at sb

Zu·la·ge <-, -n> ['tsu:laːgə] *f* bonus [payment]

zu|lan·gen *vi* (*fam*) ❶ (*zugreifen*) to help oneself ❷ (*zuschlagen*) to land a punch

❸ (*hohe Preise fordern*) to ask a fortune

zu|las·sen *vt irreg* ❶ (*dulden*) to allow ❷ (*fam: geschlossen lassen*) to keep shut *sep* ❸ (*die Genehmigung erteilen*) ■**jdn** ~ to admit sb (**zu** to); ■**jdn als etw** ~ to register sb as sth ❹ (*anmelden*) ■**etw** ~ to register sth ❺ (*erlauben*) **diese Umstände lassen nur einen Schluss zu** these facts leave only one conclusion

zu·läs·sig ['tsuːlɛsɪç] *adj* permissible; JUR admissible; ■**nicht** ~ JUR inadmissible

Zu·las·sung <-, -en> *f* ❶ *kein pl* (*Genehmigung*) authorization *no pl*; (*Lizenz*) licence; **die ~ entziehen** to revoke sb's licence ❷ (*Anmeldung*) registration ❸ (*Fahrzeugschein*) vehicle registration document

Zu·las·sungs·be·schrän·kung *f* restriction on admission[s] **Zu·las·sungs·pa·pier** *nt meist pl* vehicle registration document **zu·las·sungs·pflich·tig** *adj* (*geh*) requiring licensing **Zu·las·sungs·prü·fung** *f* ADMIN, SCH entrance exam

Zu·lauf ['tsuːlaʊf] *m* inlet

zu|lau·fen *vi irreg sein* ❶ (*Bewegung zu jdn/etw*) ■**auf jdn/etw** ~ to run towards sb/sth; (*direkt*) to run up to sb/sth ❷ (*hinführen*) to lead to ❸ (*schnell weiterlaufen*) to hurry [up] ❹ (*spitz auslaufen*) to taper [to a point] ❺ (*zu jdm laufen und bleiben*) ■**jdm** ~ to stray into sb's home; **ein zugelaufener Hund/eine zugelaufene Katze** a stray [dog/cat]

zu|le·gen I. *vt* ❶ (*fam: zunehmen*) to put on *sep* ❷ (*dazutun*) to add ▸ **einen Zahn** ~ to step on it II. *vi* ❶ (*fam: zunehmen*) to put on weight ❷ (*fam: das Tempo steigern*) to get a move on; *Läufer* to increase the pace III. *vr* (*fam*) ■**sich** *dat* **jdn/etw** ~ to get oneself sb/sth

zu·lei·de, zu Lei·deRR [tsuˈlaɪdə] *adv* **jdm etwas/nichts ~ tun** (*veraltend*) to harm/to not harm sb

zu|lei·ten *vt* ❶ (*geh: übermitteln*) ■**jdm etw** ~ to forward sth to sb ❷ (*zufließen lassen*) ■**[etw** *dat*] **etw** ~ to supply sth [to sth]; **durch diese Röhre wird das Regenwasser dem Teich zugeleitet** rain water is fed into the pond through this pipe **Zu·lei·tung** *f* ❶ *kein pl* (*geh: das Übermitteln*) forwarding *no art, no pl* ❷ (*zuleitendes Rohr*) supply pipe

zu·letzt [tsuˈlɛtst] *adv* ❶ (*als Letzte[r]*) ~ **eingetroffen** to be the last to arrive; ~ **durchs Ziel gehen** to finish last ❷ (*endlich*) in the end ❸ (*zum letzten Mal*) last ❹ (*zum Schluss*) **bis** ~ until the end; **ganz** ~ right at the end ❺ ([*besonders*

auch) **nicht** ~ not least [of all]

zu·lie·be [tsuˈliːbə] *adv* ■**jdm/etw** ~ for sb['s sake]/for the sake of sth

Zu·lie·fer·be·trieb *m*, **Zu·lie·fe·rer(in)** <-s, -> *m(f)* supplier

zu|lie·fern *vi* to supply

zum [tsʊm] = **zu dem** *s.* **zu**

zu|ma·chen I. *vt* ❶ ([*ver*]*schließen*) to close; **eine Flasche/ein Glas** ~ to put the top on a bottle/jar ❷ (*zukleben*) *Brief* to seal ❸ (*zuknöpfen*) ■**etw** ~ to button [up *sep*] sth ❹ (*den Betrieb einstellen*) to close [down *sep*]; **den Laden** ~ to shut up shop II. *vi* ❶ (*den Laden schließen*) to close ❷ (*fam: sich beeilen*) to get a move on

zu·mal [tsuˈmaːl] I. *konj* particularly as II. *adv* particularly

zu|mau·ern *vt* to brick up *sep*

zu·meist [tsuˈmaɪst] *adv* (*geh*) mostly

zu·min·dest [tsuˈmɪndəst] *adv* at least

zu·mut·bar *adj* reasonable

zu·mu·te, zu Mu·teRR [tsuˈmuːtə] *adv* **mir ist so merkwürdig** ~ I feel so strange; **mir ist nicht zum Scherzen** ~ I'm not in a joking mood

zu|mu·ten ['tsuːmuːtn̩] *vt* ■**jdm etw** ~ to expect sth of sb; **jdm zu viel** ~ to expect too much of sb; ■**sich** *dat* **etw** ~ to undertake sth; **sich zu viel** ~ to overtax oneself **Zu·mu·tung** *f* unreasonable demand; **das ist eine ~!** it's just too much!

zu·nächst [tsuˈnɛçst] *adv* ❶ (*anfangs*) initially ❷ (*vorerst*) for the moment

zu|na·geln *vt* to nail up *sep;* **einen Sarg** ~ to nail down *sep* a coffin

zu|nä·hen *vt* to sew up *sep; Wunde* to stitch

Zu·nah·me <-, -n> ['tsuːnaːmə] *f* increase

Zu·na·me ['tsuːnaːmə] *m* (*geh*) surname

zün·deln ['tsʏndl̩n] *vi* to play [around] with fire

zün·den ['tsʏndn̩] I. *vi* ❶ TECH to fire *spec* ❷ (*zu brennen anfangen*) to catch fire; *Streichholz* to light; *Pulver* to ignite *form* II. *vt* ❶ TECH to fire *spec* ❷ (*wirken*) to kindle enthusiasm ▸ **hat es bei dir endlich gezündet?** have you cottoned on?

zün·dend *adj* stirring; *Idee* great

Zun·der ['tsʊndɐ] *m* tinder *no art, no pl*

Zün·der <-s, -> ['tsʏndɐ] *m* detonator; *Airbag* igniter *spec*

Zünd·flam·me *f* pilot light **Zünd·holz** <-es, -hölzer> *nt bes* SÜDD, ÖSTERR match **Zünd·holz·schach·tel** *f* matchbox **Zünd·ka·bel** *nt* [spark] plug lead **Zünd·ker·ze** *f* spark plug **Zünd·schloss**RR *nt* ignition lock **Zünd·schlüs·sel** *m* ignition key **Zünd·schnur** *f* fuse **Zünd·spu·le** *f*

AUTO [ignition *form*] coil **Zünd·stoff** *m kein pl* inflammatory stuff *no art, no pl*

Zün·dung <-, -en> *f* ❶ AUTO ignition *no pl* ❷ TECH firing *no art, no pl*

Zünd·vor·rich·tung *f* detonator

zu|neh·men *irreg vi* ❶ (*schwerer werden*) to gain weight ❷ (*anwachsen*) to increase (**an** in) ❸ (*sich verstärken*) to increase; *Schmerzen* to intensify

zu·neh·mend I. *adj* increasing *attr; Verbesserung* growing *attr* II. *adv* increasingly

zu|nei·gen I. *vi* ■ einer S. *dat* ~ to be inclined towards sth; **der Ansicht ... , dass ...** to be inclined to think that ... II. *vr* **sich dem Ende** ~ to draw to a close

Zu·nei·gung *f* affection *no pl*

Zunft <-, Zünfte> [tsʊnft, *pl* 'tsʏnftə] *f* HIST guild

zünf·tig ['tsʏnftɪç] *adj* (*veraltend fam*) proper

Zun·ge <-, -n> ['tsʊŋə] *f* tongue; **die ~ herausstrecken** to stick out one's tongue; **auf der ~ zergehen** to melt in one's mouth ▶ **seine ~ im Zaum halten** (*geh*) to mind one's tongue, AM *usu* to watch one's language; **eine böse/lose ~ haben** to have a malicious/loose tongue; **es lag mir auf der ~ zu sagen, dass ...** I was on the point of saying that ...; **etw liegt jdm auf der ~** sth is on the tip of sb's tongue

zün·geln ['tsʏŋln] *vi* ❶ *Schlange* to dart its tongue in and out ❷ (*hin und her bewegen*) to dart

Zun·gen·bre·cher <-s, -> *m* (*fam*) tongue twister **Zun·gen·kuss**[RR] *m* French kiss **Zun·gen·spit·ze** *f* tip of the tongue

Züng·lein ['tsʏŋlaɪn] *nt* pointer ▶ **das ~ an der Waage sein** to tip the scales; POL to hold the balance of power

zu·nich·te|ma·chen [tsu'nɪçtə-] *vt* to wreck; *jds Hoffnungen* ~ to dash sb's hopes

zu|ni·cken *vi* ■ jdm ~ to nod to sb

zu·nut·ze, zu Nut·ze[RR] [tsu'nʊtsə] *adv* **sich** *dat* **etw ~ machen** to make use of sth

zu|ord·nen ['tsu:ʔɔrdnən] *vt* ■ etw einer S. *dat* ~ to assign sth to sth; ■ jdn einer S. *dat* ~ to classify sb as belonging to sth

Zu·ord·nung *f* assignment

zu|pa·cken *vi* ❶ (*zufassen*) to grip; (*schneller*) to make a grab ❷ (*kräftig mithelfen*) ■ [mit] ~ to lend a [helping] hand ❸ (*mit Gegenständen füllen*) to fill

zup·fen ['tsʊpfn] *vt* ❶ (*ziehen*) ■ jdn an etw *dat* ~ to pluck at sb's sth; (*stärker*) to tug at sb's sth ❷ (*herausziehen*) ■ etw aus/von etw *dat* ~ to pull sth out of/off

sth; **sich die Augenbrauen** ~ to pluck one's eyebrows

Zupf·in·stru·ment *nt* plucked string instrument

zu|pros·ten *vi* ■ jdm ~ to drink [to] sb's health

zur [tsu:ɐ̯, tsʊr] = **zu der** s. **zu**

Zür·cher ['tsʏrçɐ] *adj* Zurich *attr*

Zür·cher(in) <-s, -> ['tsʏrçɐ] *m(f)* native of Zurich

zu·rech·nungs·fä·hig *adj* JUR responsible for one's actions *pred* ▶ **bist du noch ~?** (*fam*) are you all there?

zu·recht|bie·gen *vt irreg* ❶ (*in Form biegen*) to bend into shape ❷ (*fam*) ■ jdn ~ to lick sb into shape; **etw wieder** ~ to get sth straightened out **zu·recht|fin·den** [tsu'rɛçtfɪndn̩] *vr irreg* ■ sich irgendwo ~ to get used to somewhere; **sich in einer Großstadt** ~ to find one's way around a city **zu·recht|kom·men** *vi irreg sein* ❶ (*auskommen*) to get on ❷ (*klarkommen*) to cope ❸ (*rechtzeitig kommen*) to come in time; **gerade noch** ~ to come just in time **zu·recht|le·gen** I. *vt* ■ jdm etw ~ to lay out *sep* sth [for sb] II. *vr* ■ sich *dat* etw ~ ❶ (*sich etw griffbereit hinlegen*) to get sth ready ❷ (*sich im Voraus überlegen*) to work out *sep* sth **zu·recht|ma·chen** *vt* (*fam*) ❶ (*vorbereiten*) ■ etw ~ to get sth ready ❷ (*zubereiten*) ■ etw ~ to prepare sth ❸ (*schminken*) ■ jdn ~ to make up *sep* sb; ■ sich ~ to put on *sep* one's make-up ❹ (*schick machen*) ■ sich ~ to get ready; ■ jdn ~ to dress up *sep* sb **zu·recht|wei·sen** *vt irreg* (*geh*) to reprimand (**wegen** for)

zu|re·den ['tsu:re:dn̩] *vi* ■ jdm [gut] ~ to encourage sb

zu|rei·ten *irreg* I. *vt* ■ ein Tier ~ to break in *sep* an animal II. *vi sein* ■ auf jdn/etw ~ to ride towards sb/sth; (*direkt*) to ride up to sb/sth

Zü·rich <-s> ['tsy:rɪç] *nt* Zurich *no art, no pl*

zu|rich·ten ['tsu:rɪçtn̩] *vt* ❶ (*verletzen*) to injure; **jdn** ~ to beat up *sep* sb ❷ (*beschädigen*) **etw ziemlich** ~ to make a quite a mess of sth ❸ (*vorbereiten*) to finish

Zur·schau·stel·lung *f* (*meist pej*) flaunting

zu·rück [tsu'rʊk] *adv* ❶ (*wieder da*) back; ■ ~ **sein** to be back (**von** from) ❷ (*mit Rückfahrt, Rückflug*) return; **hin und ~ oder einfach?** single or return? ❸ (*einen Rückstand haben*) behind ❹ (*verzögert*) late ▶ ~ **!** go back!

zu·rück|be·hal·ten* *vt irreg* ❶ (*behalten*)

jemanden zurechtweisen	
jemanden zurechtweisen	rebuking somebody
Ihr Verhalten **lässt einiges zu wünschen übrig.**	Your behaviour **leaves quite a lot to be desired.**
Ich verbitte mir diesen Ton!	I will not be spoken to in that tone (of voice)!
Das brauche ich mir von Ihnen nicht gefallen zu lassen!	I don't have to put up with that from you!
Unterstehen Sie sich!	Don't you dare!
Was erlauben Sie sich!	How dare you!
Was fällt Ihnen ein!	What do you think you're doing!

■**etw** ~ to be left with sth ❷ (*vorläufig einbehalten*) ■**etw** ~ to retain [*or* withhold] sth **zu·rück|be·kom·men*** *vt irreg* to get back *sep* **zu·rück|beu·gen I.** *vt* to lean back *sep* **II.** *vr* ■**sich** ~ to lean back **zu·rück|be·zah·len*** *vt* to pay back *sep* **zu·rück|bil·den** *vr* ■**sich** ~ to recede **zu·rück|blei·ben** *vi irreg sein* ❶ (*nicht mitkommen*) to stay behind ❷ (*zurückgelassen werden*) to be left [behind] ❸ (*nicht mithalten können*) to fall behind ❹ (*als Folge bleiben*) to remain (**von** from) **zu·rück|bli·cken** [tsuˈrʏkblɪkn̩] *vi s.* **zurück·schauen zu·rück|brin·gen** *vt irreg* to bring back *sep* **zu·rück|da·tie·ren*** *vt* to backdate **zu·rück|den·ken** *vi irreg* to think back (**an** to) **zu·rück|drän·gen** *vt* to force back *sep* **zu·rück|er·hal·ten*** *vt irreg* (*geh*) *s.* **zurückbekommen zu·rück|er·o·bern*** *vt* ❶ MIL to recapture ❷ POL (*erneut gewinnen*) to win back *sep* **zu·rück|er·stat·ten*** *vt s.* **rückerstatten zu·rück|fah·ren** *irreg* **I.** *vi sein* ❶ (*zum Ausgangspunkt fahren*) to go/come back ❷ (*geh: zurückweichen*) to recoil (**vor** from) **II.** *vt* ❶ (*etw rückwärtsfahren*) to reverse ❷ (*mit dem Auto zurückbringen*) to drive back *sep* ❸ (*reduzieren*) to cut back *sep* **zu·rück|fal·len** *vi irreg sein* ❶ SPORT to fall behind ❷ (*in früheren Zustand verfallen*) ■**in etw** *akk* ~ to lapse back into sth ❸ (*darunter bleiben*) ■**hinter etw** *akk* ~ to fall short of sth ❹ (*jds Eigentum werden*) ■**an jdn** ~ to revert to sb *spec* ❺ (*angelastet werden*) ■**auf jdn** ~ to reflect on sb ❻ (*sinken*) ■**sich auf etw** *akk* ~ **lassen** to fall back on[to] sth **zu·rück|fin·den** *vi irreg* ❶ (*Weg zum Ausgangspunkt finden*) to find one's way back ❷ (*zurückkehren*) ■**zu jdm** ~ to go/come back to sb **zu·rück|for·dern** *vt* ■**etw** ~ to demand sth back (**von** from) **zu·**

rück|füh·ren I. *vt* ❶ (*Ursache bestimmen*) ■**etw auf etw** *akk* ~ to attribute sth to sth; (*etw aus etw ableiten*) to put sth down to sth; **etw auf seinen Ursprung** ~ to put sth down to its cause; ■**das ist darauf zurückzuführen, dass ...** that is attributable to the fact that ... ❷ (*zum Ausgangsort zurückbringen*) ■**jdn irgendwohin** ~ to lead sb back somewhere **II.** *vi* to lead back **zu·rück|ge·ben** *vt irreg* ❶ (*wiedergeben*) to return ❷ (*erwidern*) **ein Kompliment** ~ to return a compliment; **"das ist nicht wahr!" gab er zurück** "that isn't true!" he retorted *form* **zu·rück·ge·blie·ben** *adj* slow **zu·rück|ge·hen** *vi irreg sein* ❶ (*wieder zum Ausgangsort gehen*) to return ❷ (*abnehmen*) to go down ❸ MED (*sich zurückbilden*) to go down; *Bluterguss* to disappear; *Geschwulst* to be in recession ❹ (*stammen*) **die Sache geht auf seine Initiative zurück** the matter was born of his initiative ❺ (*verfolgen*) **weit in die Geschichte** ~ to go back far in history **zu·rück|ge·win·nen*** *vt irreg* to win back; *Rohstoffe* to recover **zu·rück·ge·zo·gen** *adj, adv* secluded **Zu·rück·ge·zo·gen·heit** <-> *f kein pl* seclusion; **in [völliger]** ~ **leben** to live in [complete] seclusion **zu·rück|grei·fen** *vi irreg* ■**auf etw** *akk* ~ to fall back [up]on sth **zu·rück|ha·ben** *vt irreg* (*fam*) ■**etw** ~ to have [got] sth back; **ich will mein Geld** ~! I want my money back! **zu·rück|hal·ten** *irreg* **I.** *vr* ■**sich** ~ ❶ (*sich beherrschen*) to restrain oneself; **sich mit seiner Meinung** ~ to be careful about voicing one's opinion ❷ (*reserviert sein*) to be reserved **II.** *vt* ❶ (*aufhalten*) to hold up *sep* ❷ (*nicht herausgeben*) to withhold ❸ (*abhalten*) ■**jdn [von etw** *dat*] ~ to keep sb from doing sth **III.** *vi* ■**mit etw** *dat* ~ to hold sth back

zu·rück·hal·tend I. *adj* ① (*reserviert*) reserved ② (*vorsichtig*) cautious II. *adv* cautiously

Zu·rück·hal·tung *f kein pl* reserve *no art, no pl*

zu·rück|ho·len *vt* ① (*wieder zum Ausgangspunkt holen*) to fetch back *sep* ② (*in seinen Besitz zurückbringen*) to get back *sep* **zu·rück|keh·ren** *vi sein* to return (**zu** to); **nach Hause** ~ to return home **zu·rück|kom·men** *vi irreg sein* ① (*erneut zum Ausgangsort kommen*) to return; **aus dem Ausland** ~ to return from abroad; **nach Hause** ~ to return home ② (*erneut aufgreifen*) ■ **auf etw** *akk* ~ to come back to sth; ■ **auf jdn** ~ to get back to sb **zu·rück|krie·gen** *vt* (*fam*) *s.* **zurückbekommen** **zu·rück|las·sen** *vt irreg* ① (*nicht mitnehmen*) to leave behind *sep* ② (*fam: zurückkehren lassen*) ■ **jdn [nach Hause]** ~ to allow sb to return [home] **zu·rück|le·gen** *vt* ① (*wieder hinlegen*) to put back *sep* ② (*reservieren*) ■ **jdm etw** ~ to put sth aside for sb ③ (*hinter sich bringen*) **35 Kilometer kann man pro Tag leicht zu Fuß** ~ you can easily do 35 kilometres a day on foot ④ (*sparen*) to put away *sep* **zu·rück|leh·nen** *vr* ■ **sich** ~ to lean back **zu·rück|lie·gen** *vi irreg sein* **Examen liegt vier Jahre zurück** it's four years since his exam; **wie lange mag die Operation** ~? how long ago was the operation? **zu·rück|mel·den** *vr* ■ **sich** ~ to be back

Zu·rück·nah·me <-, -n> [tsuˈrʏknaːmə] *f* withdrawal; *eines Angebots* revocation; *einer Beschuldigung* retraction

zu·rück|neh·men *vt irreg* ① (*als Retour annehmen*) to take back *sep* ② (*widerrufen*) to take back *sep* ③ (*rückgängig machen*) to withdraw; **ich nehme alles zurück** I take it all back; **sein Versprechen** ~ to break one's promise **zu·rück|pral·len** *vi sein* ① (*zurückspringen*) ■ **von etw** *dat* ~ to bounce off sth; *Geschoss* to ricochet off sth ② (*zurückschrecken*) to recoil (**vor** from) **zu·rück|rei·chen** I. *vi* ■ **irgendwohin** ~ to go back to sth; **ins 16. Jahrhundert** ~ to go back to the 16th century II. *vt* (*geh*) ■ **jdm etw** ~ to hand back *sep* sth to sb **zu·rück|rei·sen** *vi sein* to travel back **zu·rück|ru·fen** *irreg* I. *vt* ① (*zurück telefonieren*) to call back *sep* ② (*zurückbeordern*) to recall ③ (*fig*) **sich** *dat* **etw in die Erinnerung** ~ to recall sth II. *vi* to call back **zu·rück|schal·ten** *vi* AUTO **in den 1./einen niedrigeren Gang** ~ to

change down into 1st/a lower gear **zu·rück|schau·en** *vi* to look back (**auf** on) **zu·rück|schi·cken** *vt* to send back *sep* **zu·rück|schie·ben** *vt irreg* ■ **etw** ~ to push back sth *sep* **zu·rück|schla·gen** *irreg* I. *vt* ① SPORT to return ② (*umschlagen*) to turn back *sep*; **ein Verdeck** ~ **to** fold back a top II. *vi* ① (*einen Schlag erwidern*) to return ② (*sich auswirken*) **auf jdn/etw** *akk* ~ to have an effect on sb/sth **zu·rück|schrau·ben** *vt* (*fam*) to lower (**auf** to); **seine Ansprüche** ~ to lower one's sights **zu·rück|schre·cken** *vi irreg sein* ① (*Bedenken vor etw haben*) to shrink (**vor** from); **vor nichts** ~ (*völlig skrupellos sein*) to stop at nothing; (*keine Angst haben*) to not flinch from anything ② (*erschreckt zurückweichen*) to start back **zu·rück|schrei·ben** *vt* to write back **zu·rück|seh·nen** *vr* **sich nach Hause/auf die Insel** ~ to long to return home/to the island **zu·rück|set·zen** I. *vt* ① (*zurückstellen*) to put back *sep* ② AUTO to reverse ③ (*herabsetzen*) to reduce ④ (*benachteiligen*) to neglect; **sich [gegenüber jdm] zurückgesetzt fühlen** to feel neglected [next to sb] II. *vr* ■ **sich** ~ ① (*sich zurücklehnen*) to sit back ② (*den Platz wechseln*) **setzen wir uns einige Reihen zurück** let's sit a few rows back III. *vi* ■ [**mit etw** *dat*] ~ to reverse [sth] **zu·rück|spu·len** *vt* to rewind **zu·rück|ste·cken** I. *vt* to put back *sep* II. *vi* to back down; ~ **müssen** to have to back down **zu·rück|ste·hen** *vi irreg* ① (*weiter entfernt stehen*) to stand back ② (*hintangesetzt werden*) ■ [**hinter jdm**] ~ to take second place [to sb]; (*an Leistung*) to be behind [sb] ③ (*sich weniger einsetzen*) ■ [**hinter jdm**] ~ to show less commitment [than sb else] **zu·rück|stel·len** *vt* ① (*wieder hinstellen*) to put back *sep* ② (*nach hinten stellen*) to move back *sep* ③ (*kleiner stellen*) *Heizung, Ofen* to turn down *sep* ④ (*aufschieben*) to put back *sep*; (*verschieben*) to postpone; **die Uhr** ~ to turn [*or* AM *also* set] back *sep* the clock ⑤ (*vorerst nicht geltend machen*) **seine Bedenken/Wünsche** ~ to put aside one's doubts/wishes ⑥ ÖSTERR (*zurückgeben*) to return **zu·rück|sto·ßen** *vt irreg* to push away *sep* **zu·rück|stu·fen** *vt* to downgrade **zu·rück|tre·ten** *vi irreg sein* ① (*nach hinten treten*) to step back (**von** from) ② (*seinen Rücktritt erklären*) to resign ③ JUR **von einem Anspruch/einem Recht** ~ to renounce a claim/right *form* **zu·rück|ver·fol·gen*** *vt* to trace back *sep* **zu·rück|ver·set·zen*** I. *vt* ■jdn ~ to transfer sb back II. *vr* ■sich ~ to be transported back **zu·rück|wei·chen** *vi irreg sein* to draw back [*or* recoil] (**vor** from); **vor einem Anblick** ~ to shrink back from a sight **zu·rück|wei·sen** *vt irreg* ❶ (*abweisen*) ■jdn ~ to turn away sb *sep;* ■etw ~ to reject sth ❷ (*sich gegen etw verwahren*) ■etw ~ to repudiate sth *form*

Zu·rück·wei·sung *f* ❶ (*das Abweisen*) rejection *no art, no pl* ❷ (*das Zurückweisen*) repudiation *no art, no pl*

zu·rück|wer·fen *vt irreg* ❶ (*jdm etw wieder zuwerfen*) ■etw ~ to throw back *sep* sth ❷ (*Position verschlechtern*) **das wirft uns um Jahre zurück** that will set us back years **zu·rück|wir·ken** *vi* ■auf jdn/ etw ~ to react [up]on sb/sth **zu·rück|wol·len** I. *vi* (*fam*) to want to return; **nach Hause** ~ to want to return home II. *vi* ■etw ~ to want sth back **zu·rück|zah·len** *vt* ■etw ~ to repay sth **zu·rück|zie·hen** *irreg* I. *vt* ❶ (*nach hinten ziehen*) to pull back *sep; Vorhang* to draw back *sep* ❷ (*widerrufen*) to withdraw II. *vr* ■sich ~ to withdraw (**aus** from) III. *vi sein* **nach Hamburg** ~ to move back to Hamburg; **nach Hause** ~ to move back home

Zu·ruf ['tsuːruːf] *m* call; (*nach Hilfe*) cry **zu|ru·fen** I. *vt irreg* ■jdm etw ~ to shout sth to sb II. *vi* ■jdm ~, **dass er/sie etw tun soll** to call out to sb to do sth

zur·zeit [tsʊrˈtsaɪt] *adv* at present

Zu·sa·ge ['tsuːzaːgə] *f* assurance

zu|sa·gen I. *vt* ■[jdm] ~ to promise II. *vi* ■[jdm] ~ ❶ (*die Teilnahme versichern*) to accept sb ❷ (*gefallen*) to appeal to sb

zu·sam·men [tsuˈzamən] *adv* ❶ (*gemeinsam*) together (**mit** with); ■~ **sein** (*beieinander sein*) to be together; ■**mit jdm sein** to be with sb ❷ (*ein Paar sein*) ■~ **sein** to be going out [with each other] ❸ (*insgesamt*) altogether

Zu·sam·men·ar·beit *f kein pl* cooperation *no art, no pl* **zu·sam·men|ar·bei·ten** *vi* ■**mit jdm** ~ to work [together] with sb; (*kooperieren*) to cooperate with sb **zu·sam·men|bau·en** *vt* to assemble **zu·sam·men|bei·ßen** *vt* **die Zähne** ~ to grit one's teeth **zu·sam·men|bin·den** *vt irreg* to tie together *sep* **zu·sam·men|blei·ben** *vi irreg sein* to stay together; ■**mit jdm** ~ to stay with sb **zu·sam·men|bre·chen** *vi irreg sein* to collapse; *Kommunikation* to break down **zu·sam·men|brin·gen** *vt irreg* ❶ *Geld* to raise ❷ (*in Kontakt bringen*) ■jdn [mit jdm] ~

to introduce sb [to sb]; **ihr Beruf bringt sie mit vielen Menschen zusammen** in her job she gets to know a lot of people ❸ (*fam: aus dem Gedächtnis abrufen*) to remember ❹ (*anhäufen*) to amass **Zu·sam·men·bruch** *m* collapse **zu·sam·men|drän·gen** I. *vr* ■sich ~ to crowd [together]; (*vor Kälte a.*) to huddle together II. *vt* to concentrate; **die Menschenmenge wurde von den Polizeikräften zusammengedrängt** the crowd was herded together by the police **zu·sam·men|drü·cken** *vt* to press together; (*zerdrücken*) to crush **zu·sam·men|fah·ren** *vi irreg sein* to start; (*vor Schmerzen*) to flinch; (*vor Ekel a.*) to recoil **zu·sam·men|fal·len** *vi irreg sein* ❶ (*einstürzen*) to collapse; *Gebäude a.* to cave in; *Hoffnungen, Pläne* to be shattered; *Lügen* to fall apart; ■**in sich** ~ to collapse ❷ (*sich gleichzeitig ereignen*) to coincide ❸ (*körperlich schwächer werden*) to weaken **zu·sam·men|fal·ten** *vt* to fold [up *sep*]

zu·sam·men|fas·sen I. *vt* ❶ (*als Resümee formulieren*) to summarize; **etw in wenigen Worten** ~ to put sth in a nutshell ❷ (*zu etw vereinigen*) **die Bewerber in Gruppen** ~ to divide the applicants into groups; ■jdn/etw in etw *dat* ~ to unite sb/sth into sth; ■etw unter etw *dat* ~ to class[ify] sth under sth; **etw unter einem Oberbegriff** ~ to subsume sth under a generic term II. *vi* to summarize; **..., wenn ich kurz** ~ **darf** just to sum up, ...

Zu·sam·men·fas·sung *f* ❶ (*Resümee*) summary ❷ (*resümierende Darstellung*) abstract; *Buch a.* synopsis

zu·sam·men|fli·cken *vt* (*fam*) ❶ (*reparieren*) ■etw ~ to patch sth up, to cobble sth together; **eine zerrissene Hose notdürftig** ~ to patch up torn trousers as well as one can ❷ (*fam: operieren*) ■jdn ~ to patch up sb *sep fam* ❸ (*fam: zusammenschustern*) **einen Artikel/Aufsatz** ~ to knock together an article/essay **zu·sam·men|flie·ßen** *vi irreg sein* to flow together **Zu·sam·men·fluss^RR** *m* confluence *spec;* **am** ~ **der beiden Flüsse** where the two rivers meet **zu·sam·men|fü·gen** I. *vt* (*geh*) to assemble; **die Teile eines Puzzles** ~ to piece together a jigsaw puzzle II. *vr* **die Teile fügen sich nahtlos zusammen** the parts fit together seamlessly **zu·sam·men|füh·ren** *vt* to bring together *sep;* **eine Familie** ~ to reunite a family **zu·sam·men|ge·hö·ren*** *vi* ❶ (*zueinander gehören*) to belong together ❷ (*ein Ganzes bilden*) to go together;

Karten to form a deck; *Socken* to form a pair

zu·sam·men·ge·hö·rig *adj präd* ❶ *(eng verbunden)* close ❷ *(zusammengehörend)* matching

Zu·sam·men·ge·hö·rig·keit <-> *f kein pl* unity

Zu·sam·men·ge·hö·rig·keits·ge·fühl *nt kein pl* sense of togetherness

zu·sam·men·ge·setzt *adj* compound *attr spec* **zu·sam·men·ge·stöp·selt** [tsuˈzamənɡəʃtœpsl̩t] *adj (pej fam)* [hastily] thrown together **zu·sam·men·ge·wür·felt** *adj* mismatched **Zu·sam·men·halt** *m kein pl* ❶ *(Solidarität)* solidarity; *Mannschaft* team spirit (+*gen* [with]in) ❷ TECH cohesion **zu·sam·men·hal·ten** *irreg* I. *vi* to stick together II. *vt* ❶ *(beisammenhalten)* **seine Gedanken ~** to keep one's thoughts together; **sein Geld ~ müssen** to have to be careful with one's money ❷ *(verbinden)* **die Schnur hält das Paket zusammen** the packet is held together by a string ❸ *(nebeneinanderhalten)* **zwei Sachen ~** to hold up two things side by side

Zu·sam·men·hang <-[e]s, -hänge> *m* connection; *(Verbindung)* link **(zwischen** between); **keinen ~ sehen** to see no connection; **jdn/etw mit etw** *dat* **in ~ bringen** to connect sb/sth with sth; **etw aus dem ~ reißen** to take sth out of [its] context; **im ~ mit etw** *dat* in connection with sth; **im ~ mit etw** *dat* **stehen** to be connected with sth; **nicht im ~ mit etw** *dat* **stehen** to have no connection with sth **zu·sam·men·hän·gen** I. *vt irreg* **Kleider/Bilder ~** to hang [up] clothes/pictures together II. *vi irreg* ❶ *(in Zusammenhang stehen)* ■**mit etw** *dat* **~** to be connected with sth ❷ *(lose verbunden sein)* to be joined [together]

zu·sam·men·hän·gend I. *adj* ❶ *(kohärent)* coherent ❷ *(betreffend)* ■**mit etw** *dat* **~** connected with sth II. *adv* coherently; **etw ~ berichten** to give a coherent account of sth

zu·sam·men·hang(s)·los I. *adj* incoherent; *(weitschweifig a.)* rambling II. *adv* incoherently; **etw ~ darstellen** to give an incoherent account of sth

zu·sam·men·hef·ten *vt* to clip together *sep;* *(mit einem Hefter)* to staple together *sep; Stoffteile* to tack together *sep* **zu·sam·men·klapp·bar** *adj* folding *attr; Stuhl, Tisch* collapsible; ■**~** to fold **zu·sam·men·klap·pen** I. *vt haben* to fold up *sep* II. *vi sein* (*a. fig fam*) to col-

lapse **zu·sam·men·kno·ten** *vt* to tie together *sep* **zu·sam·men·kom·men** *vi irreg sein* ❶ *(sich treffen)* to come together; ■**mit jdm ~** to meet sb; **zu einer Besprechung ~** to get together for a discussion ❷ *(sich akkumulieren)* to combine; **heute kommt wieder alles zusammen!** it's another of those days! ❸ *(sich summieren)* **Schulden** to mount up; *Spenden* to be collected **zu·sam·men·kra·chen** *vi sein (fam)* ❶ *(einstürzen)* **Brücke** to crash down; *Brett* to give way; *Bett, Stuhl* to collapse with a crash; *Börse, Wirtschaft* to crash ❷ *(zusammenstoßen)* to smash together; *Auto a.* to crash [into each other] **zu·sam·men·krat·zen** *vt (fam)* to scrape together *sep*

Zu·sam·men·kunft <-, -künfte> [tsuˈzamənkʊnft, *pl* -kʏnftə] *f* meeting; **eine gesellige ~** a social gathering **zu·sam·men·läp·pern** *vr (fam)* ■**sich ~** to add up **zu·sam·men·lau·fen** *vi irreg sein* ❶ *(aufeinandertreffen)* to meet (**in** at), to converge (**in** at); *Flüsse* to flow together ❷ *(zusammenströmen)* to gather **zu·sam·men·le·ben** I. *vi* to live [together] II. *vr* ■**sich ~** to get used to one another **Zu·sam·men·le·ben** *nt kein pl* living together *no art* **zu·sam·men·le·gen** I. *vt* ❶ *(zusammenfalten)* to fold [up *sep*] ❷ *(vereinigen)* to combine (**mit** into); *(zentralisieren)* to centralize; *Klassen, Grundstücke* to join ❸ *(in einen Raum legen)* ■**jdn** [**mit jdm**] **~** *Gäste* to put sb [together] with sb II. *vi* to club together, to pool resources **zu·sam·men·neh·men** *irreg* I. *vt* to summon [up *sep*]; **seinen ganzen Mut ~** to summon up all one's courage; **den Verstand ~** to get one's thoughts together; ■**alles zusammengenommen** all in all II. *vr* ■**sich ~** to control oneself **zu·sam·men·pa·cken** *vt* ■**etw ~** ❶ *(packen)* to pack sth; *(abräumen)* to pack away sth *sep;* **pack deine Sachen zusammen!** get packed! ❷ *(zusammen in etwas packen)* to pack sth up together; **packen Sie mir die einzelnen Käsesorten ruhig zusammen!** just pack the different cheeses together, that'll be fine! **zu·sam·men·pas·sen** *vi Menschen* to suit each other; **gut/schlecht ~** to be well-suited/ill-suited; *Farben* to go together; *Kleidungsstücke* to match **zu·sam·men·pfer·chen** *vt* to herd together *sep* **Zu·sam·men·prall** *m* collision **zu·sam·men·pral·len** *vi sein* to collide **zu·sam·men·pres·sen** *vt* to press together *sep;* **die Faust ~** to clench one's fist; **zusammengepresste Fäuste/ Lippen** clenched fists/pinched lips **zu·sam·men|rau·fen** *vr* (*fam*) ■**sich** ~ to get it together **zu·sam·men|rech·nen** *vt* to add up *sep;* **alles zusammengerechnet** all in all **zu·sam·men|rei·men** *vr* ■**sich** *dat* **etw** ~ to put two and two together from sth; **ich kann es mir einfach nicht** ~ I can't make head or tail of it **zu·sam·men|rei·ßen** *irreg vr* ■**sich** ~ to pull oneself together **zu·sam·men|rü·cken** **I.** *vi sein* to move up closer; (*enger zusammenhalten*) to join in common cause **II.** *vt haben* ■**etw** ~ to move sth closer together **zu·sam·men|ru·fen** *vt irreg* to call together *sep;* **die Mitglieder** ~ to convene [a meeting of] the members *form* **zu·sam·men|sa·cken** *vi sein* to collapse **zu·sam·men|schei·ßen** *vt irreg* (*derb*) ■**jdn** ~ to give sb a bollocking **zu·sam·men|schla·gen** *irreg* **I.** *vt irreg haben* ❶(*verprügeln*) to beat up *sep* ❷(*zertrümmern*) to smash [up *sep*] **II.** *vi sein* ■**über jdm/etw** ~ to close over sb/ sth; (*heftiger*) to engulf sb/sth **zu·sam·men|schlie·ßen** *irreg* **I.** *vt* to lock togeth-er *sep* **II.** *vr* ■**sich** ~ ❶(*sich vereinigen*) to join together; **Firmen schließen sich zusammen** companies merge ❷(*sich ver-binden*) to join forces **Zu·sam·men·schluss**^RR *m*, **Zu·sam·men·schluß**^ALT *m* union; *Firmen* merger **zu·sam·men|schrau·ben** *vt* to screw to-gether **zu·sam·men|schrei·ben** *vt irreg* ❶(*als ein Wort schreiben*) ■**etw** ~ to write sth as one word ❷(*fam*) **was für einen Unsinn er zusammenschreibt!** what rubbish he writes!; **sie hat sich mit ihren Romanen ein Vermögen zusam-mengeschrieben** she has earned a fortune with her novels **zu·sam·men|schus·tern** *vt* (*pej fam*) to cobble together *sep* **Zu·sam·men·sein** <-s> *nt kein pl* meeting; (*zwanglos*) get-together; *Verliebte* rendezvous; **ein geselliges** ~ a social [gathering] **zu·sam·men|set·zen** **I.** *vt* ❶(*aus Teilen herstellen*) to assemble; **die Archäologen setzten die einzelnen Stücke der Vasen wieder zusammen** the archaeologists pieced together the vases ❷(*nebeneinandersetzen*) **Schüler/ Tischgäste** ~ to put pupils/guests beside each other **II.** *vr* ❶(*bestehen*) ■**sich aus etw** *dat* ~ to be composed of sth ❷(*sich zueinander setzen*) ■**sich** ~ to sit togeth-er; (*um etw zu besprechen*) to get togeth-er; ■**sich mit jdm** ~ to join sb **Zu·sam·men·set·zung** <-, -en> *f* ❶(*Struktur*)

composition; *Ausschuss a.* constitution *form;* *Mannschaft* line-up; *Wählerschaft* profile *spec* ❷(*Kombination der Bestand-teile*) ingredients *pl;* *Rezeptur, Präparat* composition; *Teile* assembly ❸LING (*Kompositum*) compound **Zu·sam·men·spiel** *nt kein pl* ❶SPORT teamwork ❷MUS ensemble playing ❸(*fig*) interplay **zu·sam·men|stau·chen** *vt* (*fam*) ❶(*maß-regeln*) ■**jdn** ~ to give sb a dressing-down ❷(*zusammendrücken*) ■**etw ist zusam-mengestaucht** sth is crushed **zu·sam·men|ste·cken** **I.** *vt* to pin together *sep* **II.** *vi* (*fam*) **die beiden stecken aber auch immer zusammen!** the two of them are quite inseparable! **zu·sam·men|stel·len** *vt* ❶(*auf einen Fleck stel-len*) **die Betten** ~ to place the beds side by side ❷(*aufstellen*) to compile; *Delegation* to assemble; *Menü* to draw up; *Programm* to arrange **Zu·sam·men·stel·lung** *f* ❶(*Aufstellung*) compilation; (*Liste*) list; *Programm* arrangement ❷ *kein pl* (*Heraus-gabe*) compilation **Zu·sam·men·stoß** *m* collision; (*Auseinandersetzung*) clash **zu·sam·men|sto·ßen** *vi irreg sein* ❶(*kolli-dieren*) to collide; ■**mit jdm** ~ to bump into sb ❷(*aneinandergrenzen*) to adjoin **zu·sam·men|strö·men** *vi sein* to flock together **zu·sam·men|stür·zen** *vi sein* to collapse **zu·sam·men|tra·gen** *vt irreg* ❶(*auf einen Haufen tragen*) to collect; *Holz* to gather ❷(*sammeln*) to collect **zu·sam·men|tref·fen** *vi irreg sein* ❶(*sich treffen*) to meet; ■**mit jdm** ~ to meet sb; (*unverhofft*) to encounter ❷(*gleichzeitig auftreten*) to coincide **Zu·sam·men·tref-fen** *nt* ❶(*Treffen*) meeting ❷(*gleichzei-tiges Auftreten*) coincidence **zu·sam·men|trei·ben** *vt Menschen/Tiere* ~ to drive people/animals together **zu·sam·men|tre·ten** **I.** *vi irreg sein* to meet, to convene *form; Gericht* to sit; *Parlament a.* to assemble; **wieder** ~ to meet again, to re-assemble, to reconvene *form* **II.** *vt* (*fam*) ■**jdn** ~ to give sb a severe [*or fam* one hell of a] kicking **zu·sam·men|trom·meln** *vt* (*fam*) **Anhänger/Mitglieder** ~ to rally supporters/members **zu·sam·men|tun** *irreg* **I.** *vt* (*fam*) to put together; **Tomaten und Kartoffeln darf man nicht in einem Behälter** ~ you can't keep tomatoes and potatoes together in one container **II.** *vr* (*fam*) ■**sich** ~ to get together; **die Betrof-fenen haben sich zu einer Bürgerinitia-tive zusammengetan** those concerned have formed a citizens' action group **zu·sam·men|wach·sen** *vi irreg sein* ❶(*zu-*

sammenheilen) to knit [together]; *Wunde* to heal [up] ❷ *(sich verbinden)* to grow together **zu·sạm·men|wir·ken** *vi (geh)* ❶ *(gemeinsam tätig sein)* to work together ❷ *(vereint wirken)* to combine **Zu·sạm·men·wir·ken** *nt kein pl* interaction **zu·sạm·men|zäh·len** *vt* to add up *sep;* **alles zusammengezählt** all in all **zu·sạm·men|zie·hen** *irreg* **I.** *vi sein* to move in together **II.** *vr* ◼**sich ~** ❶ *(sich verengen)* to contract; *Schlinge* to tighten; *Pupillen, Haut* to contract; *Wunde* to close [up] ❷ *(sich ballen)* to be brewing; *Gewitter a.* to be gathering; *Wolken* to gather; *Unheil* to be brewing **III.** *vt* ❶ *Truppen, Polizei* to assemble ❷ *(zueinanderziehen)* **die Augenbrauen ~** to knit one's brows **zu·sạm·men|zu·cken** *vi sein* to start; *(vor Schmerz)* to flinch

Zu·satz ['tsu:zats] *m* ❶ *(zugefügter Teil)* appendix; *(Verb~)* separable element; *(Abänderung)* amendment ❷ *(Nahrungs~)* additive; **ohne ~ von Farbstoffen** without the addition of artificial colouring **Zu·satz·ge·rät** *nt* attachment; INFORM peripheral [device]

zu·sätz·lich ['tsu:zɛtslɪç] **I.** *adj* ❶ *(weitere)* further *attr; Kosten* additional ❷ *(darüber hinaus möglich)* additional; *(als Option a.)* optional **II.** *adv* in addition; **ich will sie nicht noch ~ belasten** I don't want to put any extra pressure on her

Zu·satz·stoff *m* additive

zu|schau·en *vi s.* zusehen

Zu·schau·er(in) <-s, -> *m(f)* ❶ SPORT spectator ❷ FILM, THEAT member of the audience; TV viewer ❸ *(Augenzeuge)* witness **Zu·schau·er·raum** *m* auditorium **Zu·schau·er·tri·bü·ne** *f* stands *pl* **Zu·schau·er·zahl** *f* THEAT, SPORT attendance figures *pl;* TV viewing figures *pl*

zu|schi·cken *vt* to send; ◼**sich** *dat* **etw ~ lassen** to send for sth; **[von jdm] etw zugeschickt bekommen** to receive sth [from sb]

Zu·schlag <-[e]s, Zuschläge> *m* ❶ *(Preisaufschlag)* supplementary charge ❷ *(zusätzliche Fahrkarte)* supplement; *(zusätzlicher Fahrpreis)* extra fare ❸ *(zusätzliches Entgelt)* bonus ❹ *(bei Versteigerung)* acceptance of a bid ❺ *(Auftragserteilung)* acceptance of a tender; **jdm den ~ erteilen** *(geh)* to award sb the contract **zu|schla·gen** *irreg* **I.** *vt haben* ❶ *(schließen)* to bang shut *sep;* **ein Buch ~** to close a book ❷ *(offiziell zusprechen)* ◼**jdm etw ~** *(bei Versteigerung)* to knock sth down to sb; **der Auftrag wurde der**

Firma zugeschlagen the company was awarded the contract ❸ *(zuspielen)* **jdm den Ball ~** to kick the ball to sb **II.** *vi* ❶ *haben (einen Hieb versetzen)* to strike; **das Schicksal hat erbarmungslos zugeschlagen** fate has dealt a terrible blow ❷ *sein Tür* to slam shut ❸ *haben (fam: zugreifen)* to get in fast; *(viel essen)* to pig out; **schlag zu!** dig in! ❹ *(fam: aktiv werden)* to strike

zu|schlie·ßen *irreg vt* to lock

zu|schnap·pen *vi* ❶ *haben* to snap ❷ *sein* to snap shut

zu|schnei·den *vt irreg* ❶ MODE ◼**etw ~** to cut sth to size; **Stoff ~** to cut out *sep* material ❷ *(fig)* ◼**auf jdn zugeschnitten sein** to be cut out for sb; **das Produkt ist auf den Geschmack der Massen zugeschnitten** the product is designed to suit the taste of the masses

Zu·schnitt *m* ❶ *(Form eines Kleidungsstücks)* cut ❷ *kein pl (das Zuschneiden)* cutting; *Stoff a.* cutting out

zu|schnü·ren *vt* ❶ *(durch Schnüren verschließen)* to lace up *sep* ❷ *(abschnüren)* **die Angst/Sorge schnürte ihr die Kehle zu** she was choked with fear/worry

zu|schrau·ben *vt* to screw on *sep*

zu|schrei·ben *vt irreg* ❶ *(beimessen)* ◼**jdm etw ~** to ascribe sth to sb; **jdm übernatürliche Kräfte ~** to attribute supernatural powers to sb ❷ *(zur Last legen)* **jdm/etw die Schuld an etw** *dat* **~** to blame sb/sth for sth

Zu·schrift *f (geh)* reply

zu·schul·den, zu Schul·den[RR] [tsu'ʃʊldn̩] *adv* **sich** *dat* **etwas/nichts ~ kommen lassen** to do something/nothing wrong

Zu·schuss[RR] <-es, -schüsse> *m,* **Zu·schuß**[ALT] <-sses, -schüsse> ['tsu:ʃʊs, *pl* 'tsu:ʃʏsə] *m* subsidy; *(regelmäßig von den Eltern)* allowance

zu|schüt·ten I. *vt* to fill in *sep* **II.** *vr (fam)* ◼**sich ~** to get pissed [*or* Am drunk]

zu|se·hen *vi irreg* ❶ *(mit Blicken verfolgen)* to watch; *unbeteiligter Zuschauer a.* to look on ❷ *(etw geschehen lassen)* ◼**einer S.** *dat* **~** to sit back and watch sth; **tatenlos musste er ~, wie ...** he could only stand and watch, while ...; **da sehe ich nicht mehr lange zu!** I'm not going to put up with this spectacle for much longer! ❸ *(dafür sorgen)* ◼**~, dass ...** to see [to it] that ...; **sieh mal zu, was du machen kannst!** *(fam)* see what you can do!

zu·se·hends ['tsu:ze:ənts] *adv* noticeably

zu|sen·den *vt irreg s.* **zuschicken**

Zuständigkeit ausdrücken	
nach Zuständigkeit fragen	**asking about responsibility**
Sind Sie die behandelnde Ärztin?	Are you the doctor in attendance?
Sind Sie dafür zuständig?	Is it your responsibility?/Are you in charge?
Zuständigkeit ausdrücken	**expressing responsibility**
Ja, bei mir sind Sie richtig.	Yes, you've come to the right person.
Ich bin für die Organisation des Festes verantwortlich/zuständig.	I am responsible for organizing the party.
Nicht-Zuständigkeit ausdrücken	**expressing lack of responsibility**
Da sind Sie bei mir an der falschen Adresse. *(fam)*	You've come to the wrong person.
Dafür bin ich (leider) nicht zuständig.	I'm not responsible for that (I'm afraid).
Dazu bin ich (leider) nicht berechtigt/befugt.	(I'm sorry,) I'm not entitled/authorized to do that.
Das fällt nicht in unseren Zuständigkeitsbereich.	That isn't our responsibility.

zu̱|set·zen I. *vt* ■[einer S. *dat*] **etw ~** to add sth [to sth] **II.** *vi* ■**jdm ~** ❶ (*bedrängen*) to badger sb ❷ (*überbelasten*) to take a lot out of sb

zu̱|si·chern *vt* ■**jdm etw ~** to assure sb of sth; **jdm seine Hilfe ~** to promise sb one's help

Zu̱·si·che·rung *f* promise, assurance

zu̱|sper·ren *vt* to lock

Zu̱·spiel *nt kein pl* SPORT passing

zu̱|spie·len *vt* ❶ SPORT ■**jdm den Ball ~** to pass the ball to sb ❷ (*heimlich zukommen lassen*) **etw der Presse ~** to leak sth [to the press]

zu̱|spit·zen I. *vr* ■**sich ~** to come to a head **II.** *vt* to sharpen

zu̱|spre·chen *irreg* **I.** *vt* ❶ (*offiziell zugestehen*) ■**jdm etw ~** to award sth to sb; **jdm ein Kind ~** to award sb custody [of a child] ❷ (*geh*) **jdm Mut/Trost ~** to encourage/comfort sb ❸ (*zuerkennen*) ■**jdm/einer S.** *dat* **etw ~** to attribute sth to sb/sth **II.** *vi* (*geh*) ❶ (*zu sich nehmen*) ■**einer S.** *dat* **~** to do justice to sth ❷ (*zureden*) **jdm beruhigend ~** to calm sb; **jdm ermutigend ~** to encourage sb

Zu̱·spruch *m kein pl* (*geh*) ❶ (*Popularität, Anklang*) **sich großen ~s erfreuen** to be very popular; **wir rechnen mit starkem ~** (*viele Besucher*) we're expecting a lot of visitors; (*starkem Anklang*) we're expecting this to be very popular ❷ (*Worte*) **ermutigender/tröstender ~**

words of encouragement/comfort

Zu̱·stand <-[e]s, -stände> ['tsu:ʃtant, *pl* 'tsu:ʃtɛndə] *m* ❶ (*Verfassung*) state, condition; **im wachen ~** while awake ❷ *pl* (*Verhältnisse*) conditions; **in den besetzten Gebieten herrschen katastrophale Zustände** conditions are catastrophic in the occupied zones; **das ist doch kein ~!** it's a disgrace! ▸ **Zustände bekommen** (*fam*) to have a fit

zu·stan·de, zu Stan·de^{RR} [tsu'ʃtandə] *adv* **etw ~ bringen** to manage sth; **die Arbeit ~ bringen** to get the work done; **eine Einigung ~ bringen** to reach an agreement; **es ~ bringen, dass jd etw tut** to [manage to] get sb to do sth; **~ kommen** to materialize; (*stattfinden*) to take place; (*besonders Schwieriges*) to come off; **nicht ~ kommen** to fail

Zu̱·stan·de·kom·men <-s> *nt kein pl* realization

zu̱·stän·dig ['tsu:ʃtɛndɪç] *adj* ❶ (*verantwortlich*) responsible; **der ~e Beamte** the official in charge; **dafür ist er ~** that's his responsibility ❷ (*Kompetenz besitzend*) competent *form*

Zu̱·stän·dig·keit <-, -en> *f* ❶ (*betriebliche Kompetenz*) competence ❷ (*Jurisdiktion*) jurisdiction *no indef art*

Zu̱·stän·dig·keits·be·reich *m* area of responsibility

zu̱|ste·cken *vt* ❶ (*schenken*) ■**jdm etw ~** to slip sb sth ❷ (*heften*) to pin up *sep*

Zustimmung geben	
zustimmen, beipflichten	**agreeing**
Ja, das denke ich auch.	Yes, I think so too.
Da bin ich ganz deiner Meinung.	I completely agree with you on that.
Dem schließe ich mich an. *(form)*	I endorse that. *(form)*
Ich stimme Ihnen voll und ganz zu.	I absolutely agree with you.
Ja, das sehe ich genauso.	Yes, that's exactly what I think.
Ich sehe es nicht anders.	That's exactly how I see it.
Ich gebe Ihnen da vollkommen Recht.	You're absolutely right.
Da kann ich Ihnen nur Recht geben.	I can only agree with you on that.
(Das) habe ich ja (auch) gesagt.	That's (just) what I said.
Finde ich auch.	I think so too.
Genau!/Stimmt!	Exactly!/(That's) right!

zu·ste·hen *vi irreg* ❶ *(von Rechts wegen gehören)* ■**etw steht jdm zu** sb is entitled to sth; **etw steht jdm von Rechts wegen zu** sb is lawfully entitled to sth ❷ *(zukommen)* **es steht dir nicht zu, so über ihn zu reden** it's not for you to speak of him like that

zu·stei·gen *vi irreg sein* to get on; **noch jemand zugestiegen?** *(im Bus)* any more fares, please?; *(im Zug)* tickets please!

Zu·stell·be·zirk *m* postal district **Zu·stell·dienst** *m* delivery service

zu·stel·len *vt* ■**etw ~** ❶ *(überbringen)* to deliver sth ❷ *(durch Gegenstände verstellen)* to block sth

Zu·stel·ler(in) <-s, -> *m(f)* postman *masc*, postwoman *fem*, AM *usu* mailman [*or fem* -woman]

Zu·stel·lung <-, -en> *f* delivery

zu·stim·men *vi* ■**jdm ~** to agree [with sb]; ■**[einer S. *dat*] ~** *(mit etw einverstanden sein)* to agree [to sth]; *(einwilligen)* to consent [to sth]

zu·stim·mend **I.** *adj* affirmative; **ein ~es Nicken** a nod of assent **II.** *adv* in agreement

Zu·stim·mung *f* agreement; *(Einwilligung)* consent; *(Billigung)* approval

zu·stim·mungs·pflich·tig *adj* *(geh)* *Gesetzesantrag, Reform* requiring approval (in from)

zu·sto·ßen *irreg* **I.** *vi* ❶ *haben* *(in eine Richtung stoßen)* to stab; *Schlange* to strike ❷ *sein* *(passieren)* ■**jdm ~** to happen to sb; **hoffentlich ist ihr kein Unglück zugestoßen!** I hope she hasn't had an accident! **II.** *vt* **die Tür mit dem Fuß ~** to push the door shut with one's foot

Zu·strom *m kein pl* ❶ METEO inflow ❷ *(massenweise Zuwanderung)* influx ❸ *(Andrang)* **auf der Messe herrschte reger ~ von Besuchern** crowds of visitors thronged to the fair

zu·ta·ge, zu Ta·ge^RR [tsuˈtaːgə] *adj* **etw ~ bringen** to bring sth to light; **~ treten** to come to light *fig*

Zu·tat <-, -en> [ˈtsuːtaːt] *f meist pl* ❶ *(Bestandteil)* ingredients *pl* ❷ *(benötigte Dinge)* necessaries *pl* ❸ *(Hinzufügung)* addition

zu·tei·len *vt* ❶ *(austeilen)* **im Krieg wurden die Lebensmittel zugeteilt** food was rationed during the war ❷ *(zuweisen)* to allocate; **jdm eine Aufgabe/Rolle ~** to assign a task/role to sb

Zu·tei·lung *f* ❶ *(Rationierung)* **auf ~** *(rationiert)* on rations ❷ *(Zuweisung)* allocation; *einer Aufgabe, Rolle a.* allotment; *von Mitarbeitern* assignment

zu·teil·wer·den [tsuˈtaɪl-] *vt irreg sein* *(geh)* ■**jdm etw ~ lassen** to grant sb sth; ■**jdm wird etw zuteil** sb is given sth

zu·tiefst [tsuˈtiːfst] *adv* deeply; **~ verärgert** furious

zu·tra·gen *irreg* **I.** *vt* *(geh)* ■**jdm etw ~** ❶ *(übermitteln)* to report sth to sb ❷ *(hintragen)* to carry sth to sb **II.** *vr* *(geh)* ■**sich ~** to happen

zu·trau·en *vt* **jdm viel Mut ~** to believe sb has great courage; **sich *dat* nichts ~** to have no self-confidence; **sich *dat* zu viel ~** to take on too much; **das hätte ich dir nie zugetraut!** I would never have expected that from you!; *(bewundernd)* I never thought you had it in you!; **dem traue ich alles zu!** I wouldn't put anything past him!

Zu·trau·en <-s> *nt kein pl* confidence (**zu** in)

zu·trau·lich ['tsu:traʊlɪç] *adj* trusting; *Hund* friendly

zu|tref·fen *vi irreg* ❶ (*richtig sein*) to be correct; (*sich bewahrheiten*) to prove right; (*gelten*) to apply; (*wahr sein*) to be true; ■**es trifft zu, dass ...** it is true that ... ❷ (*anwendbar sein*) ■**auf jdn** |**nicht**| ~ to [not] apply to sb; **genau auf jdn ~ Beschreibung** to fit sb['s description] perfectly

zu·tref·fend I. *adj* ❶ (*richtig*) correct; **Z~ es bitte ankreuzen** tick [*or* AM mark] where applicable ❷ (*anwendbar*) **eine auf jdn ~e Beschreibung** a description fitting that of sb **II.** *adv* correctly; **wie meine Vorrednerin schon ganz ~ sagte, ...** as the previous speaker quite rightly said ...

Zu·tritt *m kein pl* admission (**zu** to); (*Zugang*) access; |**keinen**| **~ zu etw** *dat* **haben** to [not] be admitted to sth; **~ verboten!** [*o* **kein ~!**] no admittance; (*als Schild a.*) private

Zu·tun *nt* **ohne jds ~** (*ohne jds Hilfe*) without sb's help; (*ohne jds Schuld*) through no fault of sb's own

zu|tun *irreg* **I.** *vt* ❶ (*schließen*) to close ❷ (*fam: hinzufügen*) to add **II.** *vr* (*zugehen*) **die Tür tat sich hinter ihm zu** the door closed behind him

zu·un·guns·ten [tsu'ʔʊŋɡʊnstn̩] **I.** *präp* +*gen* to the disadvantage of **II.** *adv* **~ einer S.** *gen*/**von jdm** to the disadvantage of sth/sb

zu·un·terst [tsu'ʔʊntɐst] *adv* right at the bottom; **ganz ~** at the very bottom

zu·ver·läs·sig ['tsu:fɛɐ̯lɛsɪç] *adj* reliable

Zu·ver·läs·sig·keit <-> *f kein pl* reliability

Zu·ver·sicht <-> ['tsu:fɛɐ̯zɪçt] *f kein pl* confidence; **voller ~** full of confidence

zu·ver·sicht·lich *adj* confident

zu·vor [tsu'fo:ɐ̯] *adv* before; (*zunächst*) beforehand; **im Monat/Jahr ~** the month/year before; **noch nie ~** never before

zu·vor|kom·men *vi irreg sein* ❶ (*schneller handeln*) ■**jdm ~** to beat sb to it *fam,* to get in ahead of sb ❷ (*verhindern*) ■**ei·ner S. ~** *Vorwürfen, Unheil* to forestall

zu·vor·kom·mend I. *adj* (*gefällig*) accommodating; (*höflich*) courteous **II.** *adv* (*gefällig*) obligingly; (*höflich*) courteously

Zu·vor·kom·men·heit <-> *f kein pl* (*gefällige Art*) obligingness; (*höfliche Art*) courtesy

Zu·wachs <-es, Zuwächse> ['tsu:vaks, *pl* 'tsu:vɛksə] *m* increase

zu|wach·sen *vi irreg sein* ❶ (*überwuchert werden*) to become overgrown ❷ *Wunde* to heal [over [*or* up]] ❸ (*geh: zuteilwerden*) ■**jdm wächst etw zu** sb gains in sth; **jdm wachsen immer mehr Aufgaben zu** sb is faced with ever more responsibilities

Zu·wachs·ra·te *f* growth rate

Zu·wan·de·rer, Zu·wan·de·rin *m, f* immigrant

zu|wan·dern *vi sein* to immigrate

Zu·wan·de·rung *f* immigration

zu·we·ge, zu We·ge [tsu've:gə] *adv* **gut/schlecht ~ sein** to be in good/poor health; **etw ~ bringen** to achieve sth; **es ~ bringen, dass jd etw tut** to [manage to] get sb to do sth

zu·wei·len [tsu'vaɪlən] *adv* (*geh*) occasionally; (*öfter*) sometimes

zu|wei·sen *vt irreg* ■**jdm**/**einer S. etw ~** to allocate sth to sb/sth; ■**jdm etw ~** *Aufgaben* to assign sth to sb

Zu·wei·sung <-, -en> *f* allocation

zu|wen·den *irreg* **I.** *vt* ❶ (*hinwenden*) **jdm das Gesicht/den Kopf ~** to turn one's face towards sb; **jdm den Rücken ~** to turn one's back on sb; **einer S.** *dat* **seine Aufmerksamkeit ~** to turn one's attention to sth ❷ (*zukommen lassen*) ■**jdm etw ~** to give sb sth **II.** *vr* ■**sich jdm**/**einer S.** *dat* **~** to devote oneself to sb/sth; **wollen wir uns dem nächsten Thema ~?** shall we go on to the next topic?

Zu·wen·dung *f* ❶ *kein pl* (*intensive Hinwendung*) love and care ❷ (*zugewendeter Betrag*) sum [of money]; (*Beitrag*) [financial] contribution; (*regelmäßig*) allowance

zu|wer·fen *vt irreg* ❶ (*hinwerfen*) ■**jdm**/**einem Tier etw ~** to throw sth to sb/an animal; **jdm einen Blick ~** to cast a glance at sb ❷ (*zuschlagen*) ■**etw ~** *eine Tür* to slam sth [shut]

zu·wi·der¹ [tsu'vi:dɐ] *adv* ■**jdm ist jd/etw ~** sb finds sb/sth unpleasant; (*stärker*) sb loathes sb/sth; (*widerlich*) sb finds sb/sth revolting

zu·wi·der² [tsu'vi:dɐ] *präp* ■**einer S.** *dat* **~** contrary to sth; **allen Verboten ~** in defiance of all bans

zu·wi·der|han·deln [tsu'vi:dɐhandl̩n] *vi* (*geh*) ■**einer S.** *dat* **~** to act against sth

zu|win·ken *vi* ■**jdm ~** to wave to sb

zu|zah·len I. *vt* **100 Euro ~** to pay an extra 100 euros **II.** *vi* to pay extra

zu|zie·hen *irreg* **I.** *vt haben* ❶ (*fest zusammenziehen*) to tighten ❷ *Gardinen* to draw; *Tür* to pull ❸ (*hinzuziehen*) to consult **II.** *vr haben* ❶ (*erleiden*) **sich** *dat* eine **Krankheit** ~ to catch an illness; **sich** *dat* **eine Verletzung** ~ to sustain an injury *form* ❷ (*einhandeln*) **sich** *dat* **jds Zorn** ~ to incur sb's wrath *form* ❸ (*sich eng zusammenziehen*) ■**sich** ~ to tighten **III.** *vi sein* to move into the area

zu·züg·lich ['tsu:tsy:glɪç] *präp* ■~ **einer S.** *gen* plus sth; (*geschrieben a.*) incl[.] sth

zu|zwin·kern *vi* ■**jdm** ~ to wink at sb; (*als Zeichen a.*) to give sb a wink

zwang [tsvaŋ] *imp von* **zwingen**

Zwang <-[e]s, Zwänge> [tsvaŋ, *pl* tsvɛŋə] *m* ❶ (*Gewalt*) force; (*Druck*) pressure; **gesellschaftliche Zwänge** social constraints; ~ **auf jdn ausüben** to exert pressure on sb; **unter** ~ under duress ❷ (*Notwendigkeit*) compulsion; **aus** ~ out of necessity ❸ (*Einfluss*) influence ▸ **tu dir keinen** ~ **an** feel free [to do sth]

zwän·gen ['tsvɛŋən] *vt* ■**etw in/zwischen etw** *akk* ~ to force sth into/between sth; **Sachen in einen Koffer** ~ to cram things into a case; ■**sich durch/in etw** *akk* ~ to squeeze through/into sth; **sich durch die Menge** ~ to force one's way through the crowd

zwang·haft *adj* compulsive; (*besessen*) obsessive

zwang·los I. *adj* ❶ (*ungezwungen*) casual; (*ohne Förmlichkeit*) informal ❷ (*unregelmäßig*) irregular **II.** *adv* (*ungezwungen*) casually; (*ohne Förmlichkeit*) informally

Zwangs·ar·beit *f kein pl* hard labour **Zwangs·ein·wei·sung** *f* compulsory hospitalization **zwangs·er·näh·ren*** *vt* ■**jdn** ~ to force-feed sb **Zwangs·er·näh·rung** *f* force-feeding *no indef art* **Zwangs·hand·lung** *f* compulsive act **Zwangs·ja·cke** *f* strai[gh]tjacket **Zwangs·la·ge** *f* predicament; **in eine** ~ **geraten** to get into a predicament

zwangs·läu·fig I. *adj* inevitable **II.** *adv* inevitably; **dazu musste es ja** ~ **kommen** it had to happen

Zwangs·maß·nah·me *f* compulsory measure **Zwangs·räu·mung** *f* eviction **zwangs·ver·ord·net** [tsvaŋsfɛɐ̯ʔɔrdnət] *adj* decreed by law **Zwangs·ver·stei·ge·rung** *f* compulsory sale **Zwangs·vor·stel·lung** *f* obsession

zwangs·wei·se I. *adj* compulsory **II.** *adv* compulsorily

zwan·zig ['tsvantsɪç] *adj* twenty; *s. a.* **achtzig**

Zwan·zi·ger¹ <-s, -> ['tsvantsɪɡɐ] *m* ❶ (*fam*) twenty-euro note ❷ SCHWEIZ twenty-rappen coin

Zwan·zi·ger² ['tsvantsɪɡɐ] *pl* ■**die** ~ the twenties; (*geschrieben a.*) the 20[']s; **in den ~n sein** to be in one's twenties

Zwan·zi·ger·jah·re *pl* ■**die** ~ the twenties; (*geschrieben a.*) the 20[']s

zwan·zig·ste(r, s) ['tsvantsɪçstə, -stə, -stəs] *adj attr* ❶ (*nach dem 19. kommend*) twentieth; *s. a.* **achte(r, s)** 1 ❷ (*Datum*) twentieth; *s. a.* **achte(r, s)** 2

zwar [tsva:ɐ̯] *adv* (*einschränkend*) **sie ist** ~ **47, sieht aber wie 30 aus** although she's 47, she looks like 30; **das mag** ~ **stimmen, aber ...** that may be true, but ...; ■**und** ~ (*erklärend*) namely

Zweck <-[e]s, -e> [tsvɛk] *m* ❶ (*Verwendungs~*) purpose; **ein guter** ~ a good cause; **seinen** ~ **erfüllen** to serve its/one's purpose ❷ (*Absicht*) aim; **seinen** ~ **verfehlen** to fail to achieve its/one's object; **einem bestimmten** ~ **dienen** to serve a particular aim; **zu welchem** ~? for what purpose? ❸ (*Sinn*) point; **der** ~ **soll sein, dass ...** the point of it is that ...; **das hat doch alles keinen** ~! there's no point in any of that ▸ **der** ~ **heiligt die Mittel** (*prov*) the end justifies the means

zweck·dien·lich *adj* (*nützlich*) useful; (*angebracht*) appropriate

Zwe·cke <-, -n> ['tsvɛkə] *f* DIAL (*Nagel*) nail; (*Reiß~*) drawing pin BRIT, thumbtack AM

zweck·ent·frem·den* *vt* to use for another purpose; ■**etw [als etw** *akk*] ~ to use sth as sth **Zweck·ge·mein·schaft** *f* partnership of convenience

zweck·los *adj* futile; (*sinnlos a.*) pointless **Zweck·lo·sig·keit** <-> *f kein pl* futility; (*Sinnlosigkeit a.*) pointlessness

zweck·mä·ßig *adj* ❶ (*für den Zweck geeignet*) suitable ❷ (*sinnvoll*) appropriate; (*ratsam*) advisable **Zweck·mä·ßig·keit** <-, -en> *f* usefulness

zwecks [tsvɛks] *präp* (*geh*) ■~ **einer S.** *gen* for [the purpose of *form*] sth

zweck·wid·rig *adj* inappropriate

zwei [tsvai] *adj* two; **für** ~ **arbeiten/essen** to work/eat for two; *s. a.* **acht¹**

Zwei <-, -en> [tsvai] *f* two

zwei·bän·dig *adj* two-volume *attr*, in two volumes *pred* **Zwei·bett·zim·mer** *nt* double room

zwei·deu·tig ['tsvaidɔytɪç] **I.** *adj* ambiguous; (*anrüchig*) suggestive **II.** *adv* ambiguously; (*anrüchig*) suggestively **Zwei·deu·tig·keit** <-, -en> *f* ambiguity **zwei·di·men·si·o·nal I.** *adj* two-dimensional **II.** *adv* in two dimensions **Zwei·drit·tel·mehr·heit** *f* two-thirds majority; **mit** ~ with a two-thirds majority

zweifeln

Zweifel ausdrücken	expressing doubt
Ich bin mir da nicht so sicher.	I'm not so sure about that.
Es fällt mir schwer, das zu glauben.	I find that hard to believe.
Das kaufe ich ihm nicht ganz ab. *(fam)*	I don't quite buy his story. *(fam)*
So ganz kann ich da nicht dran glauben.	I cannot really believe that.
Ich weiß nicht so recht.	I don't really know.
Ob die Kampagne die gewünschten Ziele erreichen wird, **ist noch zweifelhaft.**	**It is by no means certain that** the campaign will achieve the desired aims.
Ich habe da so meine Zweifel, ob er es wirklich ernst gemeint hat.	**I have my doubts as to whether** he really was serious about it/that.
Ich glaube kaum, dass wir noch diese Woche damit fertig werden.	**I very much doubt (that)** we will finish this week.

zwei·ein·halb ['tsvaɪʔaɪn'halp] *adj* two-and-a-half

Zwei·er·be·zie·hung *f* relationship

Zwei·er·bob *m* two-man bob

zwei·er·lei ['tsvaɪɐ'laɪ] *adj attr* two [different]; **mit ~ Maß messen** to apply double standards; *s. a.* **achterlei**

Zwei·er·rei·he *f* row of two abreast, double row; **in ~n antreten** to line up in twos; **in ~n marschieren** to march two abreast

Zwei·eu·ro·stück, **2-Eu·ro-Stück** *nt* two-euro piece [*or* coin]

zwei·fach, **2·fach** ['tsvaɪfax] **I.** *adj* ➊ (*doppelt*) **die ~e Dicke** twice [*or* double] the thickness; **die ~e Menge** twice as much ➋ (*zweimal erstellt*) **eine ~e Kopie** a duplicate; **in ~er Ausfertigung** in duplicate **II.** *adv* **etw ~ ausfertigen** to issue sth in duplicate

Zwei·fa·mi·li·en·haus [tsvaɪfa'miːliən-haus] *nt* two-family house

Zwei·fel <-s, -> ['tsvaɪfl̩] *m* doubt; (*Bedenken a.*) reservation; **darüber besteht kein ~** there can be no doubt about that; **da habe ich meine ~!** I'm not sure about that!; **sich** *dat* **[noch] im ~ sein** to be [still] in two minds; **jdm kommen ~** sb begins to doubt; **außer ~ stehen, dass ...** to be beyond [all] doubt that ...

zwei·fel·haft *adj* ➊ (*anzuzweifeln*) doubtful ➋ (*pej: dubios*) dubious

zwei·fel·los ['tsvaɪflloːs] *adv* undoubtedly

zwei·feln ['tsvaɪfl̩n] *vi* ▪**an jdm/etw ~** to doubt sb/sth; (*skeptisch sein a.*) to be sceptical about sb/sth; ▪**[daran] ~, ob ...** to doubt whether ...; **ich habe keine Minute gezweifelt, dass ...** I did not doubt for a minute that ...

Zwei·fels·fall *m* ▪**im ~** if in doubt **zwei·**

fels·frei *adj* without doubt *pred*, unambiguous **zwei·fels·oh·ne** [tsvaɪfl̩s'ʔoːnə] *adv* (*geh*) *s.* **zweifellos**

Zweig <-[e]s, -e> [tsvaɪk] *m* ➊ (*Ast*) branch; (*dünner, kleiner*) twig; (*mit Blättern/Blüten a.*) sprig ➋ (*Sparte*) branch ➌ (*Fachrichtung*) branch ▸ **auf keinen grünen ~ kommen** (*fam*) to get nowhere

zwei·glei·sig ['tsvaɪglaɪzɪç] **I.** *adj* ➊ (*liter*) double tracked, double-track *attr* ➋ (*fig*) **~e Verhandlungen führen** to transact negotiations along two [different] lines **II.** *adv* **etw ~ verhandeln** to negotiate sth along two [different] lines

Zweig·nie·der·las·sung *f* subsidiary

Zweig·stel·le *f* branch office

zwei·hän·dig ['tsvaɪhɛndɪç] *adj* two-handed

zwei·hun·dert ['tsvaɪ'hʊndɐt] *adj* two hundred

zwei·jäh·rig, **2-jäh·rig**^{RR} *adj* ➊ (*Alter*) two-year-old *attr*, two years old *pred*; *s. a.* **achtjährig 1** ➋ (*Zeitspanne*) two-year *attr*, two years *pred*; *s. a.* **achtjährig 2** ➌ BOT biennial

Zwei·kam·mer·sys·tem [tsvaɪ'kamɐzys-teːm] *nt* JUR two-chamber system **Zwei·kampf** *m* duel **Zwei·klas·sen·ge·sell·schaft** *f* SOZIOL, POL divided society

zwei·mal, **2-mal**^{RR} ['tsvaɪmaːl] *adv* twice, two times; **sich** *dat* **etw nicht ~ sagen lassen** to not need telling twice; **sich** *dat* **etw ~ überlegen** to think over *sep* sth carefully; (*zweifelnd*) to think twice about sth

zwei·mo·to·rig *adj* twin-engined; **~ sein** to have twin engines

Zwei·par·tei·en·sys·tem *nt* two-party system

zwei·po·lig *adj* bipolar

Zwei·rad *nt* (*allgemein*) two-wheeled vehicle *form;* (*Motorfahrrad*) motorcycle; (*Fahrrad*) [bi]cycle; (*für Kinder a.*) two-wheeler

Zwei·rei·her <-s, -> *m* double-breasted suit/coat

zwei·rei·hig ['tsvaɪraɪɪç] **I.** *adj* double-row *attr,* in two rows *pred; Anzug* double-breasted **II.** *adv* in two rows

Zwei·sam·keit <-, -en> ['tsvaɪza:m-] *f* (*geh*) togetherness

zwei·schnei·dig ['tsvaɪʃnaɪdɪç] *adj* two-edged ► **ein ~ es Schwert** a double-edged sword

zwei·sei·tig *adj* ❶ (*zwei Seiten umfassend*) two-page *attr,* of two pages *pred;* **~ sein** to be two pages ❷ (*von zwei Parteien unterzeichnet*) bilateral

zwei·spal·tig *adj* double-column[ed] *attr,* in two columns *pred*

zwei·spra·chig ['tsvaɪʃpraːxɪç] **I.** *adj* ❶ (*in zwei Sprachen gedruckt*) in two languages *pred; Wörterbuch* bilingual ❷ (*zwei Sprachen anwendend*) bilingual **II.** *adv* **~ erzogen sein** to be brought up speaking two languages

Zwei·spra·chig·keit <-> *f kein pl* bilingualism *form*

zwei·spu·rig *adj* two-lane *attr;* ◼ **~ sein** to have two lanes

zwei·stel·lig *adj* two-digit *attr,* with two digits *pred*

zwei·stim·mig I. *adj* two-part *attr,* for two voices *pred* **II.** *adv* **etw ~ singen** to sing sth in two parts

Zwei·strom·land *nt kein pl* ◼ **das ~** Mesopotamia

zwei·stün·dig, 2-stün·digᴿᴿ ['tsvaɪʃtʏndɪç] *adj* two-hour *attr,* lasting two hours *pred*

zweit [tsvaɪt] *adv* **wir sind zu ~** there are two of us

zwei·tä·gig, 2-tä·gigᴿᴿ *adj* two-day *attr*

Zwei·takt·mo·tor *m* two-stroke engine

zweit·äl·tes·te(r, s) *adj attr* second oldest [*or* eldest]

zwei·tau·send ['tsvaɪ'taʊznt] *adj* two thousand

Zwei·tau·sen·der *m* mountain over 2,000 metres

Zwei·aus·fer·ti·gung <-, -en> *f* ❶ *kein pl* (*das Ausfertigen*) duplication ❷ (*Ausgefertigtes*) duplicate

zweit·bes·te(r, s) ['tsvaɪt'bɛstə, -'bɛstɐ, -'bɛstəs] *adj* second best; ◼ **Z~** [r] **werden** to come second best

zwei·te(r, s) ['tsvaɪtə, 'tsvaɪtɐ, 'tsvaɪtəs] *adj* ❶ (*nach dem ersten kommend*) second; **die ~ Klasse** second form Bʀɪᴛ, second grade Aᴍ; *s. a.* **achte(r, s)** **1** ❷ (*Datum*) second [*or* 2nd]; *s. a.* **achte(r, s) 2**

Zwei·tei·ler <-s, -> *m* ❶ ᴍᴏᴅᴇ two-piece; (*Badeanzug a.*) bikini ❷ ᴛᴠ, ʀᴀᴅɪᴏ two-parter

zwei·tei·lig ['tsvaɪtaɪlɪç] *adj* in two parts

zwei·tens ['tsvaɪtn̩s] *adv* secondly; (*bei Aufzählung a.*) second

zweit·größ·te(r, s) *adj attr* second-biggest; *Mensch a.* second-tallest

zweit·klas·sig *adj* (*pej*) second-rate

zweit·letz·te(r, s) ['tsvaɪtlɛtstə] *adj* penultimate

zweit·ran·gig *adj s.* **zweitklassig**

Zweit·schlüs·sel *m* duplicate key **Zweit·schrift** *f* (*geh*) copy, duplicate copy *form* **Zweit·stim·me** *f* second vote **Zweit·tü·rer** *m* two-door car **Zweit·wa·gen** *m* second car **Zweit·woh·nung** *f* second home

zwei·wö·chig *adj* two-week *attr,* of two weeks *pred;* **von ~ er Dauer sein** to last/take two weeks

Zwei·zei·ler *m* ❶ (*Gedicht*) couplet ❷ (*Text aus zwei Zeilen*) two-line text

zwei·zei·lig *adj* ❶ (*aus zwei Zeilen bestehend*) two-line *attr,* of two lines *pred;* ◼ **~ sein** to have two lines ❷ ᴛʏᴘᴏ **mit ~ em Abstand** double-spaced

Zwei·zim·mer·woh·nung *f* apartment with two rooms excluding kitchen and bathroom

Zwerch·fell ['tsvɛrçfɛl] *nt* diaphragm

Zwerg(in) <-[e]s, -e> [tsvɛrk, *pl* 'tsvɛrgə] *m(f)* ❶ (*im Märchen*) dwarf; **Schneewittchen und die sieben ~ e** Snow White and the Seven Dwarfs ❷ (*zwergwüchsiger Mensch*) dwarf

zwer·gen·haft *adj* dwarfish; (*auffallend klein*) tiny

Zwerg·huhn *nt* bantam

Zwer·gin <-, -nen> ['tsvɛrgɪn] *f fem form von* **Zwerg**

Zwerg·wuchs *m* dwarfism

Zwetsch·ge <-, -n> ['tsvɛtʃgə] *f* damson; (*~ nbaum*) damson tree

Zwetsch·gen·mus *nt* plum jam **Zwetsch·gen·was·ser** *nt* plum brandy

Zwi·ckel <-s, -> ['tsvɪkl̩] *m* ❶ ᴍᴏᴅᴇ gusset ❷ ᴀʀᴄʜɪᴛ spandrel

zwi·cken ['tsvɪkn̩] *vi, vt* to pinch

Zwi·cker <-s, -> ['tsvɪkɐ] *m* ÖSTERR, SÜDD (*Kneifer*) pince-nez

Zwick·müh·le *f* ► **in der ~ sein** (*fam*) to be in a dilemma

Zwie·back <-[e]s, -e *o* -bäcke>

['tsviːbak, *pl* -bɛkə] *m* rusk

Zwie·bel <-, -n> ['tsviːb!] *f* ❶ KOCHK onion ❷ (*Blumen~*) bulb

zwie·bel·för·mig *adj* onion-shaped

Zwie·bel·ge·wächs *nt* bulbiferous plant **Zwie·bel·ku·chen** *m* onion tart **Zwie·bel·ring** *m* onion ring **Zwie·bel·sup·pe** *f* onion soup **Zwie·bel·turm** *m* cupola

Zwie·ge·spräch *nt* (*geh*) tête-à-tête

Zwie·licht ['tsviːlɪçt] *nt kein pl* twilight; (*morgens a.*) half-light; (*abends a.*) dusk

zwie·lich·tig *adj* (*pej*) dubious

Zwie·spalt ['tsviːʃpalt] *m kein pl* conflict

zwie·späl·tig ['tsviːʃpɛltɪç] *adj* conflicting; *Charakter* ambivalent; *Gefühle* mixed

Zwie·tracht <-> ['tsviːtraxt] *f kein pl* (*geh*) discord

Zwil·ling <-s, -e> ['tsvɪlɪŋ] *m* ❶ (*meist pl*) twin; **eineiige ~e** identical twins; **siamesische ~e** Siamese twins; **zweieiige ~e** fraternal twins ❷ *pl* ASTROL ▪ **die ~e** Gemini; **im Zeichen der ~e geboren** born under the sign of Gemini; [**ein**] ~ **sein** to be [a] Gemini

Zwil·lings·bru·der *m* twin brother **Zwil·lings·paar** *nt* twins *pl* **Zwil·lings·schwes·ter** *f* twin sister

Zwin·ge <-, -n> ['tsvɪŋə] *f* TECH [screw] clamp; (*kleiner*) thumbscrew *spec*

zwin·gen <zwang, gezwungen> ['tsvɪŋən] I. *vt* ❶ (*mit Druck veranlassen*) to force [*or* compel]; **ich lasse mich nicht** [**dazu**] ~ I won't be forced [into it]; (*allgemein*) I won't give in to force ❷ (*geh*) **jdn zu Boden** ~ to wrestle sb to the ground ❸ (*notwendig veranlassen*) to force; ▪ **gezwungen sein, etw zu tun** to be forced into [doing] sth II. *vr* ▪ **sich zu etw** *dat* ~ to force oneself to do sth III. *vi* **zum Handeln/Umdenken** ~ to force sb to act/rethink

zwin·gend I. *adj* urgent; *Gründe* compelling II. *adv* **sich ~ ergeben** to follow conclusively

Zwin·ger <-s, -> ['tsvɪŋɐ] *m* cage

zwin·kern ['tsvɪŋkɐn] *vi* to blink; [**mit einem Auge**] ~ to wink; **mit dem rechten Auge** ~ to wink one's right eye; **freundlich** ~ to give [sb] a friendly wink

zwir·beln ['tsvɪrb!n] *vt* ▪ **etw** ~ to twirl sth [between one's finger and thumb]

Zwirn <-s, -e> [tsvɪrn] *m* [strong] thread

zwi·schen ['tsvɪʃn] *präp* ❶ (*sich dazwischen befindend:* ~ **2 Personen, Dingen**) between; **das Kind saß ~ seinem Vater und seiner Mutter** the child sat between its father and mother; **sein Gewicht**

schwankt ~ 70 und 80 kg his weight fluctuates between 70 and 80 kilos; (~ *mehreren: unter*) among[st]; **es kam zu einem Streit ~ den Angestellten** it came to a quarrel between the employees ❷ (*zeitlich dazwischenliegend*) between; ~ **Weihnachten und Neujahr** between Christmas and New Year ❸ (*als wechselseitige Beziehung*) ~ **dir und mir** between you and me

Zwi·schen·auf·ent·halt *m* stopover **Zwi·schen·be·mer·kung** *f* interjection **Zwi·schen·be·richt** *m* interim report **Zwi·schen·bi·lanz** *f* FIN interim balance **Zwi·schen·deck** *nt* 'tween decks *pl* **Zwi·schen·ding** *nt s.* **Mittelding**

zwi·schen·drin [tsvɪʃn'drɪn] *adv* ❶ (*räumlich*) amongst ❷ (*fam: zeitlich*) in between [times]

zwi·schen·durch [tsvɪʃn'dʊrç] *adv* ❶ *zeitlich* in between times; (*inzwischen*) [in the] meantime; (*nebenbei*) on the side ❷ *örtlich* in between [them] **Zwi·schen·fall** *m* ❶ (*unerwartetes Ereignis*) incident ❷ *pl* (*Ausschreitungen*) serious incidents; (*schwerwiegend*) clashes **Zwi·schen·fra·ge** *f* question [thrown in] **Zwi·schen·grö·ße** *f* in-between size **Zwi·schen·händ·ler(in)** *m(f)* middleman **Zwi·schen·la·ger** *nt* temporary store; (*für Produkte*) intermediate store **zwi·schen|la·gern** *vt* to store [temporarily] **zwi·schen·lan·den** *vi sein* to stop over **Zwi·schen·lan·dung** *f* stopover **Zwi·schen·mahl·zeit** *f* snack [between meals] **zwi·schen·mensch·lich** *adj* interpersonal **Zwi·schen·prü·fung** *f* intermediate exam[ination *form*] (*on completion of an obligatory set of studies*) **Zwi·schen·raum** *m* ❶ (*Lücke*) gap ❷ (*zeitlicher Intervall*) interval **Zwi·schen·ruf** *m* interruption; ▪ **~e** heckling **Zwi·schen·run·de** *f* SPORT intermediate round **zwi·schen·spei·chern** *vt* INFORM to buffer **Zwi·schen·spiel** *nt* ❶ MUS (*Interludium*) interlude ❷ MUS (*instrumentale Überleitung zwischen Strophen*) intermezzo ❸ LIT (*Episode*) interlude **zwi·schen·staat·lich** *adj attr* international; (*bundesstaatlich*) interstate **Zwi·schen·sta·di·um** *nt* intermediate stage; (*bei einer Planung a.*) intermediate phase **Zwi·schen·sta·ti·on** *f* [intermediate] stop; **in einer Stadt ~ machen** to stop off in a town **Zwi·schen·ste·cker** *m* ELEK adapter [plug] **Zwi·schen·stopp**[RR] <-s, -s> *m* AUTO stop-off **Zwi·schen·stück** *nt* TECH connecting piece **Zwi·schen·sum·me** *f*

Z

subtotal **Zwi·schen·wand** f dividing wall; (Stellwand) partition **Zwi·schen·zeit** f ■**in der ~** [in the] meantime **zwi·schen·zeit·lich** adv meanwhile **Zwi·schen·zeug·nis** nt ❶ (vorläufiges Arbeitszeugnis) interim reference ❷ (vorläufiges Schulzeugnis) end of term report

Zwist <-es, -e> [tsvɪst] m (geh) discord; (stärker) strife no indef art; (Streit) dispute

zwit·schern ['tsvɪtʃɐn] I. vi to twitter, to chir|ru|p II. vt ▶**einen ~** (fam) to have a drink

Zwit·ter <-s, -> ['tsvɪtɐ] m hermaphrodite

zwit·ter·haft adj hermaphroditic

zwo [tsvoː] adj (fam) two

zwölf [tsvœlf] adj twelve; s. a. **acht**[1]

Zwölf·fin·ger·darm [tsvœlf'fɪŋɐdarm] m duodenum

zwölf·te(r, s) ['tsvœlftə, 'tsvœlftɐ, 'tsvœlftəs] adj attr ❶ (nach dem elften kommend) twelfth; **die ~ Klasse** sixth form Brit, twelfth grade Am; s. a. **achte(r, s)** 1 ❷ (Datum) twelfth, 12th; s. a. **achte(r, s)** 2

Zwölf·ton·mu·sik ['tsvœlftoːnmuziːk] f twelve-tone music

Zy·a·nid <-s, -e> [tsÿa'niːt] nt cyanide

Zy·an·ka·li <-s> [tsÿa:nka:li] nt kein pl potassium cyanide

zy·klisch ['tsyːklɪʃ] adj cyclical

Zy·klon <-s, -e> [tsy'kloːn] m cyclone

Zy·klop <-en, -en> [tsy'kloːp] m Cyclops

Zy·klus <-, Zyklen> ['tsyːklʊs, pl 'tsyː-klən] m cycle; **ein ~ von Vorträgen** a series of lectures

Zy·lin·der <-s, -> [tsi'lɪndɐ] m ❶ MATH, TECH cylinder ❷ (Hut) top hat

zy·lin·der·för·mig adj s. **zylindrisch**

Zy·lin·der·kopf m cylinder head **Zy·lin·der·kopf·dich·tung** f [cylinder] head gasket

zy·lind·risch [tsi'lɪndrɪʃ] adj cylindrical

Zy·ni·ker(in) <-s, -> ['tsyːnikɐ] m(f) cynic

zy·nisch ['tsyːnɪʃ] I. adj cynical II. adv cynically; **~ grinsen** to give a cynical grin

Zy·nis·mus <-, -ismen> [tsy'nɪsmʊs, pl -'nɪsmən] m ❶ kein pl (zynische Art) cynicism ❷ (zynische Bemerkung) cynical remark

Zy·pern ['tsyːpɐn] nt Cyprus; s. a. **Deutschland**

Zy·prer(in) <-s, -> ['tsyːprɐ] m(f) Cypriot; s. a. **Deutsche(r)**

Zy·pres·se <-, -n> [tsy'prɛsə] f cypress

Zy·pri·er(in) <-s, -> ['tsyːpriɐ] m(f) s. **Zyprer**

zy·prisch ['tsyːprɪʃ] adj Cypriot; s. a. **deutsch**

Zys·te <-, -n> ['tsÿstə] f cyst

z.Z(t). Abk von **zur Zeit** at the moment

Anhang
Appendix

Englische Kurzgrammatik
Brief English grammar

Das Substantiv – Nouns

Das **Geschlecht** der Substantive stimmt im Englischen mit dem natürlichen Geschlecht überein. Da der Artikel immer gleich ist, erkennt man es nur an dem Pronomen (persönliches Fürwort).

the boy	he	er
the lady	she	sie
the book	it	es

Schiffsnamen sind meist weiblich. Auch Länder, Autos und Flugzeuge werden oft durch den Gebrauch der weiblichen Pronomen personifiziert.

Im **Plural** wird an den Singular eines Substantivs ein **-s** angehängt. Dieses *s* wird stimmhaft [z] gesprochen nach Vokalen und stimmhaften Konsonanten:

days	[deɪz]	Tage
dogs	[dɒgz]	Hunde
boys	[bɔɪz]	Jungen

und stimmlos nach allen stimmlosen Konsonanten:

books	[bʊks]	Bücher
hats	[hæts]	Hüte

Bei Wörtern, die auf **-ce, -ge, -se, -ze** enden, wird das im Singular stumme **-e** wie [ɪ] ausgesprochen:

pieces	['piːsɪz]	Stücke
sizes	['saɪzɪz]	Größen

Auf einen Zischlaut **(s, ss, sh, ch, x, z)** endende Wörter bekommen **-es** [ɪz] angehängt:

box**es**	['bɒksɪz]	Schachteln
boss**es**	['bɒsɪz]	Chefs

Auslautendes **y**, dem ein Konsonant vorausgeht, wird im Plural zu **-ies** [ɪz]:

lady	Dame	lad**ies**	['leɪdɪz]	Damen
pony	Pony	pon**ies**	['pəʊnɪz]	Ponys

auch Wörter, die auf **-o** enden, und einen Konsonanten vorangestellt haben, bekommen oft **-es**:

tomato**es**	[tə'mɑːtəʊz]	Tomaten
hero**es**	['hɪərəʊz]	Helden

Einige auf *-f* oder *-fe* endende Wörter erhalten im Plural die Endung *-ves*:

Singular			Plural		
half	[hɑːf]	Hälfte	hal**ves**	[hɑːvz]	Hälften
knife	[naɪf]	Messer	kni**ves**	[naɪvz]	Messer
leaf	[liːf]	Blatt	lea**ves**	[liːvz]	Blätter
wife	[waɪf]	Ehefrau	wi**ves**	[waɪvz]	Ehefrauen

Andere ändern ihren Vokal bzw. ihre Vokale:

Singular			Plural		
foot	[fʊt]	Fuß	fe**e**t	[fiːt]	Füße
man	[mæn]	Mann	m**e**n	[men]	Männer
woman	['wʊmən]	Frau	w**o**m**e**n	['wɪmɪn]	Frauen

Unregelmäßige Pluralbildungen und solche auf *-ves, -oes* bzw. *-os* sind im englisch-deutschen Teil des Wörterbuchs angegeben.

Nominativ/Akkusativ/Dativ/Genitiv – Nominative/accusative/dative/genitive

Nominativ und Akkusativ haben dieselbe Form. Der Genitiv wird meist mit Hilfe von *of,* der Dativ mit *to* ausgedrückt.

- Der **Dativ** kann auch ohne *to* gebildet werden, wenn das Dativobjekt unbetont ist. Das Dativobjekt steht dann direkt hinter dem Verb:

    He gives the porter the ticket.
    anstelle von: He gives the ticket to the porter.

- Im Unterschied zum Deutschen wird auch bei folgenden Ausdrücken die Form des **Genitivs** mit *of* gebraucht:

    a cup **of** coffee   eine Tasse Kaffee
    the city **of** London   London
    the Isle **of** Wight   die Insel Wight

- Der **sächsische Genitiv**, der häufig bei Personen und personifizierten Begriffen zur Bezeichnung des Besitzes verwendet wird und vor dem Substantiv steht, das er näher bestimmt, ist ähnlich wie im Deutschen: „Vaters Hut". Er wird im Singular durch Apostroph und *s* gekennzeichnet:

my sister**'s** room	das Zimmer meiner Schwester

und im Plural durch den Apostroph allein:

my sisters**'** room	das Zimmer meiner Schwestern

Wörter wie z. B. *shop, church, cathedral* werden nach dem sächsischen Genitiv oft weggelassen:

at the butcher**'s**	*statt:* at the butcher's shop	beim Metzger
St. Paul**'s**	*statt:* St. Paul's Cathedral	die St.-Pauls-Kathedrale

Das Adjektiv – Adjectives

Das Adjektiv bleibt nach Geschlecht und Zahl immer unverändert.

Steigerung

Bei der **regelmäßigen Steigerung** erhalten einsilbige Adjektive im Komparativ die Endung *-er* [ə(r)] und im Superlativ *-est* [ɪst].

great	great**er** (than)	great**est**
groß	größer (als)	am größten

- Bei Adjektiven, die auf *-e* enden, entfällt bei der Steigerung mit *-er, -est* ein *e:* fine, fin**er**, fin**est**.
- Bei Endbuchstaben *d, g, n* und *t* werden bei der Steigerung mit *-er, -est* verdoppelt, wenn ihnen ein kurzes, betontes *a, e, i* oder *o* vorausgeht: big, big**ger**, big**gest**.

Zwei- und mehrsilbige Adjektive werden im Komparativ mit *more* [mɔː] (mehr) und im Superlativ mit *most* [məʊst] (meist) gesteigert.

difficult	**more** difficult (than)	**most** difficult
schwierig	schwieriger (als)	am schwierigsten

Unregelmäßige Steigerung

good	**better**	**best**
gut	besser	am besten
bad	**worse**	**worst**
schlecht	schlechter	am schlechtesten
much/many	**more**	**most**
viel/viele	mehr	am meisten

Unregelmäßige Steigerungsformen sind im englisch-deutschen Teil des Wörterbuchs angegeben.

Das Adverb – Adverbs

Adverbien werden gebildet, indem man an ein Adjektiv *-ly* anhängt.

slow	slow**ly**	He speaks slow**ly**.	Er spricht langsam.
quick	quick**ly**	He runs quick**ly**.	Er läuft schnell.

- Ein Sonderfall ist *well,* das Adverb zu *good* (gut).

He speaks English **well**.	Er spricht gut Englisch.

- Adverbien mit der Endung *-ly* werden mit *more* und *most* gesteigert.

slow**ly**	**more** slowly	**most** slowly
langsam	langsamer	am langsamsten

Das Verb – Verbs

Präsens

Infinitiv: (Grundform)	to knock klopfen	to call rufen	to go gehen	to wash waschen	to study studieren
I (ich)	knock	call	go	wash	study
you (du, Sie)	knock	call	go	wash	study
he (er)					
she (sie)	knocks	calls	goes	washes	studies
it (es)	[nɒks]	[kɔːlz]	[gəʊz]	['wɒʃɪz]	['stʌdɪz]
we (wir)	knock	call	go	wash	study
you (ihr, Sie)	knock	call	go	wash	study
they (sie)	knock	call	go	wash	study

Nur die 3. Person Singular wird verändert.

Das **-s** ist stimmlos nach stimmlosen Konsonanten *(he knocks)* und stimmhaft nach Vokalen *(he goes)* sowie stimmhaften Konsonanten *(he calls)*.

Präteritum und Partizip Perfekt

Die Vergangenheitsform wird gebildet, indem man **-ed** an die Grundform des Verbs anhängt.

Infinitiv: (Grundform)	to open öffnen	to arrive ankommen	to stop anhalten	to carry tragen
I	opened ['əʊpənd]	arrived [ə'raɪvd]	stopped [stɒpt]	carried ['kærɪd]
you, he, she, it, we, you, they	opened	arrived	stopped	carried

- Bei Verben, die auf **-e** enden, entfällt ein *e:* agre**ed**, arriv**ed**.
- Ein auslautendes **-y** verwandelt sich in **-ied:** hurr**ied**.
- Auslautendes **b, d, g, m, n, p, s, t** wird verdoppelt, wenn es nach kurzem, betonten Vokal steht.
- Bei mehrsilbigen Verben, die auf **-l** enden, wird im britischen Englisch dieses meist verdoppelt: travel, travel**l**ed.
- Das Partizip Perfekt ist gleich dem Präteritum:

opened geöffnet	arrived angekommen	stopped angehalten	carried getragen

Die Formen der **unregelmäßigen Verben** sind in einer gesonderten Liste aufgeführt.

Die Hilfsverben – Auxiliary verbs

Präsens und Partizip Präsens

Infinitiv: (Grundform)	to be sein	to have haben	to do tun, machen
I	am ich bin	have ich habe	do ich tue
you	are du bist; Sie sind	have du hast; Sie haben	do du tust; Sie tun
he, she, it	is er, sie, es ist	has er, sie, es hat	does er, sie, es tut
we	are wir sind	have wir haben	do wir tun
you	are ihr seid; Sie sind	have ihr habt; Sie haben	do ihr tut; Sie tun
they	are sie sind	have sie haben	do sie tun
Partizip:	being seiend	having habend	doing tuend

Im gesprochenen Englisch werden häufig Kurzformen gebraucht:

am	→ 'm	I'm
are	→ 're	you're
is	→ 's	he's, she's
have	→ 've	I've
has	→ 's	he's, she's

Verneinung	Kurzform
are not	aren't
is not	isn't
have not	haven't
has not	hasn't
do not	don't
does not	doesn't

Präteritum und Partizip Perfekt

Infinitiv: (Grundform)	to be sein	to have haben	to do tun, machen
I	was ich war	had ich hatte	did ich tat
you	were du warst; Sie waren	had du hattest; Sie hatten	did du tatest; Sie taten
he, she, it	was er, sie, es war	had er, sie, es hatte	did er, sie, es tat
we	were wir waren	had wir hatten	did wir taten
you	were ihr wart; Sie waren	had ihr hattet; Sie hatten	did ihr tatet; Sie taten
they	were sie waren	had sie hatten	did sie taten
Partizip:	been gewesen	had gehabt	done getan
Verneinung:	wasn't weren't	hadn't	didn't

Perfekt

Das Perfekt bildet man im Unterschied zum Deutschen immer mit **have** + Partizip Perfekt.

I have had	ich habe gehabt
I have been	ich bin gewesen
I have done	ich habe getan
I have called	ich habe gerufen
I have arrived	ich bin angekommen
I have gone	ich bin gegangen

Plusquamperfekt

Das Plusquamperfekt wird mit **had** + Partizip Perfekt gebildet.

I had had	ich hatte gehabt
I had been	ich war gewesen
I had done	ich hatte getan
I had called	ich hatte gerufen
I had arrived	ich war angekommen
I had gone	ich war gegangen

Unselbstständige Hilfsverben

Sie können nicht selbstständig auftreten, sondern müssen immer von einem anderen Verb (im Infinitiv ohne *to*) begleitet werden.

I you he, she, it we you they	**can** können	**may** dürfen	**shall** sollen	**will** wollen, werden	**must** müssen
Verneinung:	**cannot** **can't**	**must not** **mustn't**	**shall not** **shan't**	**will not** **won't**	**need not** **needn't**

Diese Verben sind bei allen Personen gleich; die dritte Person Singular hat **kein** *-s*.

Präteritum		Ersatz	
could	konnte	to be able (to)	können, im Stande sein (zu)
might	könnte	to be allowed (to)	mögen, dürfen, können
would	würde	to want, to wish (to)	wollen, wünschen
should	sollte	to be obliged (to)	verpflichtet sein (zu)

Verneinung:	**could not**	**might not**	**would not**	**should not**
	couldn't	**mightn't**	**wouldn't**	**shouldn't**

- Die Formen des Präteritums, die denen des Konditionals gleich sind, findet man oft in Höflichkeitswendungen:

Could you give me ...?	Können sie mir ... geben?
Would you ..., please.	Würden Sie bitte ... .
Would you like ...?	Wollen/Möchten Sie ...?
I should like	Ich möchte ... .

Futur und Konditional – Future and conditional tenses

Das Futur wird mit *will* (in der 1. Person Singular auch *shall*) gebildet. Der Konditional wird mit *would* (in der 1. Person auch *should*) gebildet. In der gesprochenen Sprache wird fast nur die Kurzform verwendet.

Futur		Konditional	
I shall/will go	ich werde gehen	**I should/** **would go**	ich würde gehen
you will go	du wirst gehen; Sie werden gehen	**you would go**	du würdest gehen; Sie würden gehen
he, she, it **will go**	er, sie, es wird gehen	**he, she, it** **would go**	er, sie, es würde gehen
we shall/ **will go**	wir werden gehen	**we should/** **would go**	wir würden gehen
you will go	ihr werdet gehen; Sie werden gehen	**you would go**	ihr würdet gehen; Sie würden gehen
they will go	sie werden gehen	**they would go**	sie würden gehen
Kurzform:	**I'll go, you'll go, he'll** **go, we'll go, you'll go,** **they'll go**	**I'd go, you'd go, he'd go, we'd go,** **you'd go, they'd go**	

Frage und Verneinung mit *do* –
Questions and negation using *do*

Das Hilfsverb *do* wird zur Bildung der fragenden und der mit *not* verneinten Form der selbstständigen Verben verwendet.

Do you speak German?	Sprechen Sie Deutsch?
Does he know?	Weiß er es?
Did you call?	Haben Sie gerufen?
I do not (don't) speak German.	Ich spreche kein Deutsch.
He does not (doesn't) know.	Er weiß es nicht.
I did not (didn't) call.	Ich habe nicht gerufen.
Didn't he come?	Ist er nicht gekommen?
Didn't she call?	Hat sie nicht gerufen?

- *do* wird nicht verwendet in Fragesätzen, in denen ein Fragewort selbst das Subjekt ist:

Who wrote the letter?	Wer schrieb den Brief?
Which of these trains goes to London?	Welcher dieser Züge fährt nach London?

und auch nicht in Sätzen mit den Hilfsverben:

am, are, is, was, were, can, could, may, might, must, shall, should, will, would

Die Verlaufsform – The continuous form

Die Verlaufsform wird mit dem Hilfsverb *be* und dem Partizip Präsens *(-ing)* gebildet. Mit der Verlaufsform wird eine Handlung ausgedrückt, die gerade abläuft, noch andauert oder noch nicht abgeschlossen ist, war oder sein wird.

I am working.	Ich arbeite gerade.
I was working.	Ich arbeitete (gerade).
I shall be working.	Ich werde arbeiten.
It is raining.	Es regnet.

- Bei Verben, die auf *-e* enden, entfällt das *e:* **arrive, arriving.**
- Bei Verben, die auf *-ie* enden, verwandelt sich dies in *y:* **lie, lying.**
- Für die Verdoppelung der Endkonsonanten gelten dieselben Regeln wie zur Bildung des Präteritums: **stop, stopping; travel, travelling**.
- Die Form *be going to* wird für eine beabsichtigte Handlung, die in naher Zukunft stattfinden wird, verwendet.

I **am going to** go to London next week.	Ich werde nächste Woche nach London fahren.
She **is going to** buy a new dress.	Sie wird sich ein neues Kleid kaufen.

Das Gerundium – The gerund

Das Gerundium (Verb + *-ing*) ist die substantivierte Form des Infinitivs.

Instead of **writing** I'd rather go for a walk.	Anstatt zu schreiben würde ich lieber spazieren gehen.
Smoking is dangerous.	Rauchen ist gefährlich.

Das Passiv – The passive tense

Zur Bildung des Passivs verwendet man das Hilfsverb *be* und das Partizip Perfekt.

The doctor examines Peter.	Der Arzt untersucht Peter.
Peter **is examined** (by the doctor).	Peter wird (vom Arzt) untersucht.
Somebody stole my bike.	Jemand hat mein Fahrrad gestohlen.
My bike **was stolen**.	Mein Fahrrad wurde gestohlen.

Pronomen – Pronouns

Personalpronomen

Subjektsfall		Objektsfall	
I	ich	me	mir/mich
you	du; Sie	you	dir/dich; Ihnen/Sie
he	er	him	ihm/ihn
she	sie	her	ihr/sie
it	es	it	ihm/es
we	wir	us	uns/uns
you	ihr; Sie	you	euch/euch; Ihnen/Sie
they	sie	them	ihnen/sie

- Im Objektsfall steht *to* (Dativ), wenn das Pronomen besonders hervorgehoben werden soll:

I gave the book **to** him.	Ich gab ihm *(betont)* das Buch.
anstatt: I gave him the book.	Ich gab ihm *(unbetont)* das Buch.

Possessivpronomen

Das Possessivpronomen ist für Singular und Plural gleich. Es hat adjektivische und substantivische Formen.

Adjektivisch (verbunden)

my book	mein Buch	**my books**	meine Bücher
your book	dein/Ihr Buch	**your books**	deine/Ihre Bücher
his book	sein Buch	**his books**	seine Bücher
her book	ihr Buch	**her books**	ihre Bücher
its book	sein Buch	**its books**	seine Bücher
our car	unser Auto	**our cars**	unsere Autos
your car	euer/Ihr Auto	**your cars**	eure/Ihre Autos
their car	ihr Auto	**their cars**	ihre Autos

Substantivisch (alleinstehend)

mine	meines/der, die, das meinige/die meinigen
yours	deines/Ihres; der, die, das deinige/Ihrige; die deinigen/Ihrigen
his	seines/der, die, das seinige/die seinigen
hers	ihres/der, die, das ihrige/die ihrigen
ours	unseres/der, die, das unsrige/die unsrigen
yours	eures/Ihres; der, die, das eurige/Ihrige; die eurigen/Ihrigen
theirs	ihres/der, die, das ihrige/die ihrigen

It's not my book. It's yours.   Es ist nicht mein Buch. Es ist deines.

Demonstrativpronomen

Singular:	**this**	Plural:	**these**
	dieser, diese, dieses		diese
	that		**those**
	jener, jene, jenes		jene

This is an English book and **that** is a German book.
Dies hier ist ein englisches Buch und das da ist ein deutsches Buch.

These pictures are nicer than **those**.
Diese Bilder sind schöner als jene.

Reflexivpronomen

myself	mich	**ourselves**	uns
yourself	dich; sich	**yourselves**	euch; sich
himself	sich	**themselves**	sich
herself	sich		
itself	sich		

I enjoy **myself**.	Ich amüsiere mich.
You enjoy **yourself**.	Du amüsierst dich./Sie amüsieren sich.
He enjoys **himself**.	Er amüsiert sich.
She enjoys **herself**.	Sie amüsiert sich.
We enjoy **ourselves**.	Wir amüsieren uns.
You enjoy **yourselves**.	Ihr amüsiert euch./Sie amüsieren sich.
They enjoy **themselves**.	Sie amüsieren sich.

Relativpronomen

	Personen	Sachen	Personen und Sachen
Nominativ (Wer? Was?)	who	which	that
Genitiv (Wessen)	whose	of which	
Dativ (Wem?)	to whom	to which	
Akkusativ (Wen? Was?)	whom/who	which	that

Das Relativpronomen hat im Singular und im Plural die gleiche Form.

- Im Akkusativ kann *that* auch wegfallen:

This is the strangest book **(that)** I have ever read.
Das ist das merkwürdigste Buch, das ich je gelesen habe.

Interrogativpronomen

Substantivisch (alleinstehend)

who?	wer?	**Who are you?**	Wer sind Sie?
whose?	wessen?	**Whose car is this?**	Wessen Auto ist das?
whom?/who?	wem/wen?	**Who(m) did you help?** **Who(m) did you see?**	Wem hast du geholfen? Wen hast du gesehen?
what?	was?	**What is that?**	Was ist das?
which?	welche/ welcher/ welches?	**Which is the quickest way?**	Welches ist der kürzeste Weg?

who/whose/whom fragen nach Personen, *what* nach Sachen und *which* nach Sachen aus einer bestimmten Anzahl.

- **Präpositionen** im Fragesatz werden **nachgestellt**:

Where do you come **from**?	woher?
What are you looking **for**?	wonach?
What do you want this **for**?	wofür?
What are you laughing **at**?	worüber?
Who are you speaking **to**?	mit wem?

Adjektivisch (verbunden)

What book?	*Was für ein* Buch?
What English songs?	*Was für* englische Lieder?
Which book?	*Welches* Buch? (von mehreren Büchern)

Die indefinitiven Pronomen: *some* **und** *any*

some/somebody/someone/something

some und seine Zusammensetzungen stehen

1. in bejahenden Sätzen,
2. in Fragesätzen, wenn darauf eine bejahende Antwort erwartet wird.

1. I'd like **some** strawberry jam.
   Ich hätte gern die Erdbeermarmelade.

   Somebody/Someone has stolen my purse.
   Jemand hat meinen Geldbeutel gestohlen.

   I'd like **something** to drink.
   Ich hätte gern etwas zu trinken.

2. May I have **some** more tea, please? – Yes, of course.
   Kann ich noch etwas Tee haben? – Aber selbstverständlich.

any/anybody/anyone/anything

any und seine Zusammensetzungen werden verwendet in

1. verneinten Sätzen,
2. in Fragesätzen, auf welche die Antwort ungewiss ist,
3. in Bedingungssätzen.

1. I don't have **any** friends in London.
   Ich habe keine Freunde in London.

2. Is there **anybody/anyone** who speaks German?
   Spricht hier jemand Deutsch?

   Have you got **any** stamps?
   Haben Sie vielleicht ein paar Briefmarken?

   Can I do **anything** for you?
   Kann ich irgendetwas für Sie tun?

3. If I had **any** stamps I would post the letter.
   Wenn ich Briefmarken hätte, würde ich den Brief einwerfen.

Unregelmäßige englische Verben
Irregular English verbs

Infinitiv Infinitive	Präteritum Preterite	Partizip Perfekt Past Participle
arise	arose	arisen
awake	awoke	awaked, awoken
be	was *sing*, were *pl*	been
bear	bore	borne
beat	beat	beaten
become	became	become
begin	began	begun
bend	bent	bent
beseech	besought	besought
bet	bet, betted	bet, betted
bid	bid	bid
bind	bound	bound
bite	bit	bitten
bleed	bled	bled
blow	blew	blown
break	broke	broken
breed	bred	bred
bring	brought	brought
build	built	built
burst	burst	burst
buy	bought	bought
can	could	–
cast	cast	cast
catch	caught	caught
choose	chose	chosen
cling	clung	clung
come	came	come
cost	cost	cost
creep	crept	crept
cut	cut	cut
deal	dealt	dealt
dig	dug	dug
do	did	done
draw	drew	drawn
dream	dreamed, dreamt	dreamed, dreamt
drink	drank	drunk
drive	drove	driven
dwell	dwelt	dwelt
eat	ate	eaten
fall	fell	fallen

Infinitiv Infinitive	Präteritum Preterite	Partizip Perfekt Past Participle
feed	fed	fed
feel	felt	felt
fight	fought	fought
find	found	found
flee	fled	fled
fling	flung	flung
fly	flew	flown
forbid	forbad(e)	forbidden
forget	forgot	forgotten
forsake	forsook	forsaken
freeze	froze	frozen
get	got	got, AM gotten
give	gave	given
go	went	gone
grind	ground	ground
grow	grew	grown
hang	hung, *jur* hanged	hung, *jur* hanged
have	had	had
hear	heard	heard
heave	heaved, hove	heaved, hove
hide	hid	hidden
hit	hit	hit
hold	held	held
hurt	hurt	hurt
keep	kept	kept
kneel	knelt	knelt
know	knew	known
lay	laid	laid
lead	led	led
lean	leaned, leant	leaned, leant
leap	leaped, leapt	leaped, leapt
learn	learned, learnt	learned, learnt
leave	left	left
lend	lent	lent
let	let	let
lie	lay	lain
light	lit, lighted	lit, lighted
lose	lost	lost
make	made	made
may	might	–
mean	meant	meant
meet	met	met
mistake	mistook	mistaken
mow	mowed	mown, mowed
pay	paid	paid

Infinitiv Infinitive	Präteritum Preterite	Partizip Perfekt Past Participle
put	put	put
quit	quit, quitted	quit, quitted
read	read	read
rend	rent	rent
rid	rid	rid
ride	rode	ridden
ring	rang	rung
rise	rose	risen
run	ran	run
saw	sawed	sawed, sawn
say	said	said
see	saw	seen
seek	sought	sought
sell	sold	sold
send	sent	sent
set	set	set
sew	sewed	sewed, sewn
shake	shook	shaken
shave	shaved	shaved, shaven
shear	sheared	sheared, shorn
shed	shed	shed
shine	shone	shone
shit *vulg*	shit, shat *vulg*	shit, shat *vulg*
shoot	shot	shot
show	showed	shown
shrink	shrank	shrunk
shut	shut	shut
sing	sang	sung
sink	sank	sunk
sit	sat	sat
sleep	slept	slept
slide	slid	slid
sling	slung	slung
slink	slunk	slunk
slit	slit	slit
smell	smelled, smelt	smelled, smelt
sow	sowed	sowed, sown
speak	spoke	spoken
speed	speeded, sped	speeded, sped
spell	spelled, spelt	spelled, spelt
spend	spent	spent
stand	stood	stood
steal	stole	stolen
swell	swelled	swollen
swim	swam	swum

Infinitiv Infinitive	Präteritum Preterite	Partizip Perfekt Past Participle
swing	swung	swung
take	took	taken
teach	taught	taught
tear	tore	torn
tell	told	told
think	thought	thought
thrive	throve, thrived	thriven, thrived
throw	threw	thrown
thrust	thrust	thrust
tread	trod	trodden
wake	woke, waked	woken, waked
wear	wore	worn
weave	wove	woven
weep	wept	wept
win	won	won
wind	wound	wound
wring	wrung	wrung
write	wrote	written

Deutsche Kurzgrammatik
Brief German grammar

Articles – Der Artikel

The article indicates the gender of a noun. There are three genders in German: masculine, feminine and neuter, as well as four cases: nominative, accusative, genitive and dative.

| | definite article | | | | indefinite article | | | |
	m	**f**	**nt**	**pl**	**m**	**f**	**nt**	**pl**
nom.	der	die	das	die	ein	eine	ein	*no article used with plural nouns*
acc.	den	die	das	die	einen	eine	ein	
gen.	des	der	des	der	eines	einer	eines	
dat.	dem	der	dem	den	einem	einer	einem	

Nouns – Das Substantiv

All German nouns are written with a capital letter. There are three declensions: strong, weak and mixed. These terms classify nouns according to their endings in the genitive case.

1. Strong masculine and neuter nouns

	nom. plural: +e	nom. plural: umlaut+e	nom. plural: +er	nom. plural: umlaut+er
	singular			
nom.	der Tag	der Traum	das Kind	das Dach
	the day	*the dream*	*the child*	*the roof*
acc.	den Tag	den Traum	das Kind	das Dach
gen.	des Tag(e)s	des Traum(e)s	des Kind(e)s	des Dach(e)s
dat.	dem Tag(e)	dem Traum(e)	dem Kind(e)	dem Dach(e)
	plural			
nom.	die Tage	die Träume	die Kinder	die Dächer
acc.	die Tage	die Träume	die Kinder	die Dächer
gen.	der Tage	der Träume	der Kinder	der Dächer
dat.	den Tagen	den Träumen	den Kindern	den Dächern

	nom. plural: +s	nom. plural: umlaut only	nom. plural: no change	nom. plural: no change
	singular			
nom.	das Auto	der Vogel	der Tischler	der Lappen
	the car	*the bird*	*the carpenter*	*the cloth*
acc.	das Auto	den Vogel	den Tischler	den Lappen
gen.	des Autos	des Vogels	des Tischlers	des Lappens
dat.	dem Auto	dem Vogel	dem Tischler	dem Lappen

plural				
nom.	die Autos	die Vögel	die Tischler	die Lappen
acc.	die Autos	die Vögel	die Tischler	die Lappen
gen.	der Autos	der Vögel	der Tischler	der Lappen
dat.	den Autos	den Vögeln	den Tischlern	den Lappen

2. Strong feminine nouns

	nom. plural: umlaut+e	nom. plural: umlaut only	nom. plural: +s
singular			
nom.	die Wand	die Mutter	die Bar
	the wall	*the mother*	*the bar*
acc.	die Wand	die Mutter	die Bar
gen.	der Wand	der Mutter	der Bar
dat.	der Wand	der Mutter	der Bar

plural			
nom.	die Wände	die Mütter	die Bars
acc.	die Wände	die Mütter	die Bars
gen.	der Wände	der Mütter	der Bars
dat.	den Wänden	den Müttern	den Bars

3. Weak masculine nouns

singular			
nom.	der Bauer	der Bär	der Hase
	the farmer	*the bear*	*the hare*
acc.	den Bauern	den Bären	den Hasen
gen.	des Bauern	des Bären	des Hasen
dat.	dem Bauern	dem Bären	dem Hasen

plural			
nom.	die Bauern	die Bären	die Hasen
acc.	die Bauern	die Bären	die Hasen
gen.	der Bauern	der Bären	der Hasen
dat.	den Bauern	den Bären	den Hasen

4. Weak feminine nouns

singular				
nom.	die Uhr	die Feder	die Gabe	die Ärztin
	the clock	*the feather*	*the gift*	*the doctor*
acc.	die Uhr	die Feder	die Gabe	die Ärztin
gen.	der Uhr	der Feder	der Gabe	der Ärztin
dat.	der Uhr	der Feder	der Gabe	der Ärztin

plural				
nom.	die Uhren	die Federn	die Gaben	die Ärztinnen
acc.	die Uhren	die Federn	die Gaben	die Ärztinnen
gen.	der Uhren	der Federn	der Gaben	der Ärztinnen
dat.	den Uhren	den Federn	den Gaben	den Ärztinnen

5. Mixed masculine and neuter nouns

These are declined as strong nouns in the singular and weak nouns in the plural.

singular				
nom.	das Auge	das Ohr	der Name	das Herz
	the eye	*the ear*	*the name*	*the heart*
acc.	das Auge	das Ohr	den Namen	das Herz
gen.	des Auges	des Ohr(e)s	des Namens	des Herzens
dat.	dem Auge	dem Ohr(e)	dem Namen	dem Herzen

plural				
nom.	die Augen	die Ohren	die Namen	die Herzen
acc.	die Augen	die Ohren	die Namen	die Herzen
gen.	der Augen	der Ohren	der Namen	der Herzen
dat.	den Augen	den Ohren	den Namen	den Herzen

6. Nouns declined as adjectives

masculine singular		
nom.	der Reisende	ein Reisender
	the traveller	*a traveller*
acc.	den Reisenden	einen Reisenden
gen.	des Reisenden	eines Reisenden
dat.	dem Reisenden	einem Reisenden

plural		
nom.	die Reisenden	Reisende
acc.	die Reisenden	Reisende
gen.	der Reisenden	Reisender
dat.	den Reisenden	Reisenden

feminine singular		
nom.	die Reisende	eine Reisende
acc.	die Reisende	eine Reisende
gen.	der Reisenden	einer Reisenden
dat.	der Reisenden	einer Reisenden

plural		
nom.	die Reisenden	Reisende
acc.	die Reisenden	Reisende
gen.	der Reisenden	Reisender
dat.	den Reisenden	Reisenden

neuter singular		
nom.	das Neugeborene	ein Neugeborenes
	the new born (baby)	*a new born (baby)*
acc.	das Neugeborene	ein Neugeborenes
gen.	des Neugeborenen	eines Neugeborenen
dat.	dem Neugeborenen	einem Neugeborenen

plural		
nom.	die Neugeborenen	Neugeborene
acc.	die Neugeborenen	Neugeborene
gen.	der Neugeborenen	Neugeborener
dat.	den Neugeborenen	Neugeborenen

Adjectives – Das Adjektiv

When an adjective stands in front of a noun it has to agree with the gender, case and number of the noun. As with nouns, the declension of adjectives is classified as strong, weak and mixed.

The strong declension

The strong declension is used when there is no article, pronoun or other word preceding the adjective indicating the case (e.g. *manch(e)*, *mehrere* etc.). It is also used with cardinal numbers and expressions like *ein paar* and *ein bisschen*.

	m	f	nt
singular			
nom.	guter Wein	schöne Frau	liebes Kind
	good wine	*beautiful woman*	*well-behaved child*
acc.	guten Wein	schöne Frau	liebes Kind
gen.	guten Wein(e)s	schöner Frau	lieben Kindes
dat.	gutem Wein(e)	schöner Frau	liebem Kind(e)

	m	f	nt
plural			
nom.	gute Weine	schöne Frauen	liebe Kinder
acc.	gute Weine	schöne Frauen	liebe Kinder
gen.	guter Weine	schöner Frauen	lieber Kinder
dat.	guten Weinen	schönen Frauen	lieben Kindern

The weak declension

The weak declension is used with adjectives preceded by the definite article or with any other word already clearly showing the case of the noun (e.g. *diese(r, s)*, *folgende(r, s)* etc.).

	m	f	nt
singular			
nom.	der gute Wein	die schöne Frau	das liebe Kind
acc.	den guten Wein	die schöne Frau	das liebe Kind
gen.	des guten Wein(e)s	der schönen Frau	des lieben Kindes
dat.	dem guten Wein	der schönen Frau	dem lieben Kind(e)

	plural		
nom.	die guten Weine	die schönen Frauen	liebe Kinder
acc.	die guten Weine	die schönen Frauen	liebe Kinder
gen.	der guten Weine	der schönen Frauen	lieber Kinder
dat.	den guten Weinen	den schönen Frauen	lieben Kindern

The mixed declension

The mixed declension is used with singular masculine and neuter nouns and the indefinite articles *ein* and *kein,* as well as with the possessive pronouns *mein, dein, sein, unser, euer, ihr.*

	m	nt
	singular	
nom.	ein guter Wein	ein liebes Kind
	a good wine	*a well-behaved child*
acc.	einen guten Wein	ein liebes Kind
gen.	eines guten Wein(e)s	eines lieben Kindes
dat.	einem guten Wein(e)	einem lieben Kind

Adverbs – Das Adverb

When an adjective is used as an adverb it remains unchanged.

er singt **gut**	*he sings well*
sie schreibt **schön**	*she writes well*
er läuft **schnell**	*he runs fast*

Verbs – Das Verb

Present tense

The basic ending of German verbs is *'-en'* (*machen, sagen, essen* etc.). To form the present tense, remove the *'-en'* and add the corresponding personal endings to the stem of the verb. There is no continuous form in German, e.g.

Ich gehe um acht Uhr ins Büro.	can be translated as	*I go to the office at eight o'clock.* (routine)
	or	*I'm going to the office at eight o'clock.* (single event)

Regular verbs (weak conjugation)

	machen *to do*	**legen** *to put*	**sagen** *to say*
ich	mach**e**	leg**e**	sag**e**
du	mach**st**	leg**st**	sag**st**
er sie es	mach**t**	leg**t**	sag**t**
wir	mach**en**	leg**en**	sag**en**
ihr	mach**t**	leg**t**	sag**t**
sie/Sie	mach**en**	leg**en**	sag**en**

Irregular verbs (strong conjugation)

Irregular verbs usually change their stem vowels.

	tragen *to wear*	**blasen** *to blow*	**laufen** *to run*	**essen** *to eat*
ich	trage	blase	laufe	esse
du	trägst	bläst	läufst	isst
er sie es	trägt	bläst	läuft	isst
wir	tragen	blasen	laufen	essen
ihr	tragt	blast	lauft	esst
sie/Sie	tragen	blasen	laufen	essen

Past tense

There are three tenses for the past in German, the imperfect, the present perfect and the past perfect. There is no past continuous form.

The imperfect tense

The imperfect tense expresses a past event.

Letztes Jahr reisten wir nach Spanien.	*We went to Spain last year.*

The following verb endings are added to the stem of **regular verbs** to form the imperfect:

	machen *to do*	**begegnen** *to meet*	**wetten** *to bet*
ich	mach**te**	begegn**ete**	wett**ete**
du	mach**test**	begegn**etest**	wett**etest**
er sie es	mach**te**	begegn**ete**	wett**ete**
wir	mach**ten**	begegn**eten**	wett**eten**
ihr	mach**tet**	begegn**etet**	wett**etet**
sie/Sie	mach**ten**	begegn**eten**	wett**eten**

Irregular verbs usually change their stem vowels in the imperfect.

	tragen *to wear*	**blasen** *to blow*	**laufen** *to run*	**essen** *to eat*
ich	trug	blies	lief	aß
du	trugst	bliest	liefst	aßt
er sie es	trug	blies	lief	aß
wir	trugen	bliesen	liefen	aßen
ihr	trugt	bliest	lieft	aßt
sie/Sie	trugen	bliesen	liefen	aßen

The present perfect tense

The present perfect is the most common way of referring to the past and is formed with the present tense of either *haben* (to have)

or *sein* (to be) followed by the past participle of the verb.

Der Zug ist abgefahren.	*The train has gone.*
Heute Nacht hat es geregnet.	*It rained last night.*

Verbs which express movement or a change of state form the perfect tense with **sein**.

	radeln *to ride a bike*	**fahren** *to drive*	**sterben** *to die*
ich	bin geradelt	bin gefahren	bin gestorben
du	bist geradelt	bist gefahren	bist gestorben
er sie es	ist geradelt	ist gefahren	ist gestorben
wir	sind geradelt	sind gefahren	sind gestorben
ihr	seid geradelt	seid gefahren	seid gestorben
sie/Sie	sind geradelt	sind gefahren	sind gestorben

Transitive, reflexive and impersonal verbs form the perfect tense with **haben**, as do most intransitive verbs when they express a permanent condition.

	machen *to do*	**sich freuen** *to be happy*	**leben** *to live*
ich	habe es gemacht	habe mich gefreut	habe gelebt
du	hast es gemacht	hast dich gefreut	hast gelebt
er sie es	hat es gemacht	hat sich gefreut	hat gelebt
wir	haben es gemacht	haben uns gefreut	haben gelebt
ihr	habt es gemacht	habt euch gefreut	habt gelebt
sie/Sie	haben es gemacht	haben sich gefreut	haben gelebt

Forming the present perfect

Most past participles are formed by putting **-ge** in front of the verb stem and adding either **-t** (weak verbs) or **-en** (strong verbs).

bauen	to build	(hat) gebaut
hören	to hear	(hat) gehört
lesen	to read	(hat) gelesen
singen	to sing	(hat) gesungen

In compound verbs with a „separable" adverbial prefix, the syllable **-ge-** is inserted between the prefix and the stem of the verb.

auflbauen	to build up	(hat) auf**ge**baut
zulhören	to listen	(hat) zu**ge**hört
vorllesen	to read out	(hat) vor**ge**lesen

There are however many verbs which form the past participle without the prefix **-ge**. Most of these verbs belong to two basic groups:

1. Verbs ending in **-ieren**.

marschieren	to march	(ist) marschiert
probieren	to try	(hat) probiert

2. All verbs beginning with one of the following unstressed prefixes:

be-, emp-, ent-, er-, ge-, ver-, zer-

bebauen	to build on	(hat) bebaut
erhören	to answer	(hat) erhört
gestalten	to design	(hat) gestaltet
verlangen	to demand	(hat) verlangt

The past perfect tense

The past perfect is used to describe an event that had already finished when another event happened. It is formed with the imperfect tense of *haben* or *sein* and the past participle.

Als er im Kino ankam, hatte der Film schon begonnen.	*When he arrived at the cinema the film had already started.*

	fahren *to drive*	**sterben** *to die*	**legen** *to put*	**leben** *to live*
ich	war gefahren	war gestorben	hatte gelegt	hatte gelebt
du	warst gefahren	warst gestorben	hattest gelegt	hattest gelebt
er sie es	war gefahren	war gestorben	hatte gelegt	hatte gelebt
wir	waren gefahren	waren gestorben	hatten gelegt	hatten gelebt
ihr	wart gefahren	wart gestorben	hattet gelegt	hattet gelebt
sie/Sie	waren gefahren	waren gestorben	hatten gelegt	hatten gelebt

Future tense

The future tense is formed with auxiliary verb *werden* and the infinitive of the main verb.

Morgen wird es schneien.	*It will snow tomorrow.*
Er wird noch im Urlaub sein.	*He will still be on holiday.*
Ich werde dich immer lieben.	*I will always love you.*

	legen *to put*	fahren *to drive*	sein *to be*	haben *to have*	können *to be able to*
ich	werde legen	werde fahren	werde sein	werde haben	werde kön-nen
du	wirst legen	wirst fahren	wirst sein	wirst haben	wirst können
er sie es	wird legen	wird fahren	wird sein	wird haben	wird können
wir	werden legen	werden fah-ren	werden sein	werden haben	werden kön-nen
ihr	werdet legen	werdet fah-ren	werdet sein	werdet haben	werdet kön-nen
sie/Sie	werden legen	werden fah-ren	werden sein	werden haben	werden kön-nen

Note that the present tense is also frequently used to express the future.

Pronouns – Die Pronomen

Pronouns agree with the gender and case/number of the noun they refer to.

Personal pronouns

nominative	accusative	genitive	dative
ich *(I)*	mich *(me)*	meiner	mir
du *(you)*	dich *(you)*	deiner	dir
er *(he)*	ihn *(him)*	seiner	ihm
sie *(she)*	sie *(her)*	ihrer	ihr
es *(it)*	es *(it)*	seiner	ihm
wir *(we)*	uns *(us)*	unser	uns
ihr *(you)*	euch *(you)*	euer	euch
sie *(they)*	sie *(them)*	ihrer	ihnen
Sie *(you)*	Sie *(you)*	Ihrer	Ihnen

- **du** is the familiar form of address when speaking to family, friends and children.
- **Sie** is the polite form of address (for both the singular and plural).
- **ihr** is the familiar form of address used when speaking to more than one person.

Reflexive pronouns

These are used with reflexive verbs such as *sich freuen*, *sich waschen*, *sich bedanken*. They refer to the subject of a sentence and must agree with the subject in case and number.

myself	mich	ich freue mich
yourself	dich *(familiar)*	du freust dich
	sich *(polite)*	Sie freuen sich
himself/herself/itself	sich	sich er/sie/es freut sich
ourselves	uns	wir freuen uns
yourselves	euch *(familiar)*	ihr freut euch
	sich *(polite)*	Sie freuen sich
themselves	sich	sie freuen sich

Possessive pronouns

A possessive pronoun indicates belonging or ownership and agrees in case, gender and number with the noun to which it refers.

	m	f	nt	pl
singular				
nom.	mein	meine	mein	meine
acc.	meinen	meine	mein	meine
gen.	meines	meiner	meines	meiner
dat.	meinem	meiner	meinem	meinen

• **dein** *(your)*, **sein** *(his)*, **ihr** *(her)*, **sein** *(its)* are declined like **mein** *(my)*.

1st person plural *(our)*

nom.	unser	uns(e)re	unser	uns(e)re
acc.	uns(e)ren unsern	uns(e)re	unser	unsre
gen.	uns(e)res	uns(e)rer	uns(e)res	uns(e)rer
dat.	uns(e)rem unserm	uns(e)rer	uns(e)rem unserm	uns(e)ren

2nd person plural *(your)*

nom.	euer	eure	euer	eure
acc.	euren	eure	euer	eure
gen.	eures	eurer	eures	eurer
dat.	eurem	eurer	eurem	euren

3rd person plural *(their)*

nom.	ihr	ihre	ihr	ihre
acc.	ihren	ihre	ihr	ihre
gen.	ihres	ihrer	ihres	ihrer
dat.	ihrem	ihrer	ihrem	ihren

Demonstrative pronouns

A demonstrative pronoun indicates which person or thing is being referred to.

	m	f	nt	pl
nom.	dieser	diese	dieses	diese
acc.	diesen	diese	dieses	diese
gen.	dieses	dieser	dieses	dieser
dat.	diesem	dieser	diesem	diesen
nom.	jener	jene	jenes	jene
acc.	jenen	jene	jenes	jene
gen.	jenes	jener	jenes	jener
dat.	jenem	jener	jenem	jenen
nom.	derjenige	diejenige	dasjenige	diejenigen
acc.	denjenigen	diejenige	dasjenige	diejenigen
gen.	desjenigen	derjenigen	desjenigen	derjenigen
dat.	demjenigen	derjenigen	demjenigen	denjenigen
nom.	derselbe	dieselbe	dasselbe	dieselben
acc.	denselben	dieselbe	dasselbe	dieselben
gen.	desselben	derselben	desselben	derselben
dat.	demselben	derselben	demselben	denselben

The definite article *der, die, das* is also used as a demonstrative pronoun.

Relative pronouns

The most common relative pronouns are *der, die, das.* Less common are *welcher, welche, welches.* All relative pronouns introduce a subordinate clause which supplements the main clause. Relative pronouns agree in gender and number with the word in the main clause to which they refer.

Sie putzt ihr neues Auto, das/welches sie sich gekauft hat.	*She is cleaning the new car that/which she bought.*

	m	f	nt	pl
nom.	welcher	welche	welches	welche
acc.	welchen	welche	welches	welche
gen.	dessen	deren	dessen	deren
dat.	welchem	welcher	welchem	welchen

Interrogative pronouns

An interrogative pronoun distinguishes between a person (Wer?) and a thing (Was?). It only occurs in the singular.

	Person		Thing	
nom.	**Wer** spielt mit?	*Who is joining in the game?*	**Was** ist das?	*What is that?*
acc.	**Wen** liebst du?	*Who do you love?*	**Was** höre ich da?	*What do I hear?*
gen.	**Wessen** Haus ist das?	*Whose house is that?*		
dat.	**Wem** gehört das Haus?	*Who does the house belong to?*		

Was für ein(er) … (What sort of a…) is used to ask after the particular character of a person or thing.

Was für ein Mensch ist Janet eigentlich?	*What is Janet really like?*
Was für einen Anzug möchten Sie?	*What sort of suit would you like?*

The interrogative pronouns *welcher, welche* und *welches* are used to ask after one particular person or item amongst several.

Welche Schuhe soll ich nehmen? (die Braunen oder die Schwarzen?)	*Which shoes shall I take? (the brown ones or the black ones?)*
Mit welchem Bus kommst du? (mit dem um 16 oder um 17 Uhr?)	*Which bus will you be on? (the 4 or 5 o'clock?)*
Welches Eis schmeckt dir besser? (Erdbeer- oder Schokoladeneis?)	*Which ice cream do you prefer? (strawberry or chocolate?)*

	m	f	nt	pl
nom.	welcher	welche	welches	welche
acc.	welchen	welche	welches	welche
gen.	welches	welcher	welches	welcher
dat.	welchem	welcher	welchem	welchen

Unregelmäßige deutsche Verben
Irregular German verbs

Ableitungen und Zusammensetzungen sind unter dem Grundverb nachzuschlagen; **ab|brechen** unter **brechen**.

The preterite forms and past participles of compound verbs and derivations can be found by referring to the simple verb. In the case of **ab|brechen** for instance, see **brechen**.

Infinitiv infinitive	Präteritum preterite	Partizip Perfekt past participle
backen	backte *o alt* buk	gebacken
befehlen	befahl	befohlen
beginnen	begann	begonnen
beißen	biss	gebissen
bergen	barg	geborgen
bersten	barst	geborsten
bewegen	bewog	bewogen
biegen	bog	gebogen
bieten	bot	geboten
binden	band	gebunden
bitten	bat	gebeten
blasen	blies	geblasen
bleiben	blieb	geblieben
bleichen	bleichte *o alt* blich	gebleicht *o alt* geblichen
braten	briet	gebraten
brechen	brach	gebrochen
brennen	brannte	gebrannt
bringen	brachte	gebracht
denken	dachte	gedacht
dreschen	drosch	gedroschen
dringen	drang	gedrungen
dürfen	durfte	dürfen, gedurft
empfangen	empfing	empfangen
empfehlen	empfahl	empfohlen
empfinden	empfand	empfunden
essen	aß	gegessen
fahren	fuhr	gefahren
fallen	fiel	gefallen
fangen	fing	gefangen
fechten	focht	gefochten
finden	fand	gefunden
flechten	flocht	geflochten
fliegen	flog	geflogen
fliehen	floh	geflohen
fließen	floss	geflossen
fressen	fraß	gefressen

Infinitiv infinitive	Präteritum preterite	Partizip Perfekt past participle
frieren	fror	gefroren
gären	gärte o gor	gegärt o gegoren
gebären	gebar	geboren
geben	gab	gegeben
gedeihen	gedieh	gediehen
gefallen	gefiel	gefallen
gehen	ging	gegangen
gelingen	gelang	gelungen
gelten	galt	gegolten
genesen	genas	genesen
genießen	genoss	genossen
geraten	geriet	geraten
geschehen	geschah	geschehen
gestehen	gestand	gestanden
gewinnen	gewann	gewonnen
gießen	goss	gegossen
gleichen	glich	geglichen
gleiten	glitt	geglitten
glimmen	glimmte o selten glomm	geglimmt o selten geglommen
graben	grub	gegraben
greifen	griff	gegriffen
haben	hatte	gehabt
halten	hielt	gehalten
hangen	hing	gehangen
hängen	hing (hängte)	gehangen, (gehängt)
heben	hob	gehoben
heißen	hieß	geheißen
helfen	half	geholfen
kennen	kannte	gekannt
klimmen	klimmte o klomm	geklommen o geklimmt
klingen	klang	geklungen
kneifen	kniff	gekniffen
kommen	kam	gekommen
können	konnte	können, gekonnt
kriechen	kroch	gekrochen
laden	lud	geladen
lassen	ließ	gelassen nach Infinitiv lassen
laufen	lief	gelaufen
leiden	litt	gelitten
leihen	lieh	geliehen
lesen	las	gelesen
liegen	lag	gelegen

Infinitiv infinitive	Präteritum preterite	Partizip Perfekt past participle
lügen	log	gelogen
mahlen	mahlte	gemahlen
meiden	mied	gemieden
melken	melkte *o veraltend* molk	gemolken
messen	maß	gemessen
misslingen	misslang	misslungen
mögen	mochte	mögen, gemocht
nehmen	nahm	genommen
nennen	nannte	genannt
pfeifen	pfiff	gepfiffen
preisen	pries	gepriesen
quellen	quoll	gequollen
raten	riet	geraten
reiben	rieb	gerieben
reißen	riss	gerissen
reiten	ritt	geritten
rennen	rannte	gerannt
riechen	roch	gerochen
ringen	rang	gerungen
rinnen	rann	geronnen
rufen	rief	gerufen
salzen	salzte	gesalzen *o selten* gesalzt
saufen	soff	gesoffen
saugen	sog *o* saugte	gesogen *o* gesaugt
schaffen	schuf	geschaffen
schallen	schallte *o* scholl	geschallt
scheiden	schied	geschieden
scheinen	schien	geschienen
scheißen	schiss	geschissen
schelten	schalt	gescholten
scheren	schor	geschoren
schieben	schob	geschoben
schießen	schoss	geschossen
schinden	schindete	geschunden
schlafen	schlief	geschlafen
schlagen	schlug	geschlagen
schleichen	schlich	geschlichen
schleifen	schliff	geschliffen
schließen	schloss	geschlossen
schlingen	schlang	geschlungen
schmeißen	schmiss	geschmissen
schmelzen	schmolz	geschmolzen
schnauben	schnaubte *o veraltet* schnob	geschnaubt *o veraltet* geschnoben
schneiden	schnitt	geschnitten

Infinitiv infinitive	Präteritum preterite	Partizip Perfekt past participle
schrecken *vt*	schreckte	geschreckt
vi	schrak	geschrocken
schreiben	schrieb	geschrieben
schreien	schrie	geschrie[e]n
schreiten	schritt	geschritten
schweigen	schwieg	geschwiegen
schwellen	schwoll	geschwollen
schwimmen	schwamm	geschwommen
schwinden	schwand	geschwunden
schwingen	schwang	geschwungen
schwören	schwor	geschworen
sehen	sah	gesehen
senden	sandte *o* sendete	gesandt *o* gesendet
sieden	siedete *o* sott	gesiedet *o* gesotten
singen	sang	gesungen
sinken	sank	gesunken
sinnen	sann	gesonnen
sitzen	saß	gesessen
sollen	sollte	sollen, gesollt
spalten	spaltete	gespalten *o* gespaltet
speien	spie	gespie[e]n
spinnen	spann	gesponnen
sprechen	sprach	gesprochen
sprießen	spross *o* sprießte	gesprossen
springen	sprang	gesprungen
stechen	stach	gestochen
stecken	steckte *o geh* stak	gesteckt
stehen	stand	gestanden
stehlen	stahl	gestohlen
steigen	stieg	gestiegen
sterben	starb	gestorben
stieben	stob *o* stiebte	gestoben *o* gestiebt
stinken	stank	gestunken
stoßen	stieß	gestoßen
streichen	strich	gestrichen
streiten	stritt	gestritten
tragen	trug	getragen
treffen	traf	getroffen
treiben	trieb	getrieben
treten	trat	getreten
triefen	triefte *o geh* troff	getrieft *o geh* getroffen
trinken	trank	getrunken
trügen	trog	getrogen
tun	tat	getan
verbieten	verbot	verboten

Infinitiv infinitive	Präteritum preterite	Partizip Perfekt past participle
verbrechen	verbrach	verbrochen
verderben	verdarb	verdorben
vergessen	vergaß	vergessen
verlieren	verlor	verloren
verraten	verriet	verraten
verstehen	verstand	verstanden
verwenden	verwendete *o* verwandte	verwendet *o* verwandt
verzeihen	verzieh	verziehen
wachsen	wuchs	gewachsen
waschen	wusch	gewaschen
weben	webte *o geh* wob	gewebt *o geh* gewoben
weichen	wich	gewichen
weisen	wies	gewiesen
wenden	wendete *o geh* gewandt	gewendet *o geh* gewandt
werben	warb	geworben
werden	wurde	worden, geworden
werfen	warf	geworfen
wiegen	wog	gewogen
winden	wand	gewunden
winken	winkte	gewinkt *o dial* gewunken
wissen	wusste	gewusst
wollen	wollte	wollen, gewollt
wringen	wrang	gewrungen
ziehen	zog	gezogen
zwingen	zwang	gezwungen

Gegenüberstellung:
Amerikanisches und britisches Englisch
American and British English –
A brief comparison

Amerikanisches Englisch (AM) American English (AM)	Britisches Englisch (BRIT) British English (BRIT)	Deutsch German
airplane	aeroplane	Flugzeug nt
antenna	aerial	Antenne f
apartment	flat	(Miets)wohnung f
apartment house	block of flats	Mietshaus nt
attorney	lawyer, solicitor, barrister	Rechtsanwalt, -anwältin m, f
baby carriage	pram	Kinderwagen m
baby-stroller	pushchair, buggy	(für Babys) Sportwagen m
backpack	rucksack, backpack	Rucksack m
baggage car	luggage van	Gepäckwagen m
band-aid	plaster, elastoplast	Pflaster nt
bangs	fringe	Pony m (Frisur)
bathroom	toilet	Toilette f
bill	(bank)note	Geldschein m
billfold	wallet	Brieftasche f
bleachers	uncovered stand (seats)	Zuschauersitze (im Freien)
blow away (sl)	hammer (sl)	vernichtend schlagen
bookstore	bookshop	Buchhandlung f
buck (sl: $)	quid (sl: £)	Dollar m/Pfund nt
buddy (fam)	mate (fam)	Kumpel m
bulletin board	notice board	schwarzes Brett
burglarize	burgle	einbrechen in
busy TELEC	engaged	besetzt TELEK
candy, a piece of	sweet	Bonbon nt
candy store	sweet shop	Süßwarenladen m
car	carriage	Waggon m
car, freight car	(goods) waggon	(Güter)wagen m
carnival	funfair	Jahrmarkt m
casket, coffin	coffin	Sarg m
catchall	junk room	Rumpelkammer f
checkbook	cheque-book	Scheckheft nt
checkers	draughts	Damespiel nt
checking account	current account	Girokonto nt
chips, potato chips	crisps	Kartoffelchips pl
clothes-dryer	tumble-dryer	Wäschetrockner m
coat check	cloakroom	Garderobe f
collect call	reverse-charge call	R-Gespräch nt

Amerikanisches Englisch (AM) American English (AM)	Britisches Englisch (BRIT) British English (BRIT)	Deutsch German
condo(minium)	owner-occupied flat	Eigentumswohnung *f*
conductor	chief guard	Zugführer(in) *m(f)*
cookie	biscuit	Keks *m*
cot	folding bed	Klappbett *nt*
counterclockwise	anticlockwise	gegen den Uhrzeigersinn
crossing guard	lollipop man/lady	Schülerlotse, -lotsin *m, f*
crosswalk	pedestrian crossing	Fußgängerüberweg *m*
curb(stone)	kerb(stone)	Bordstein *m*
custom-made clothes	made-to-measure clothes	Maßkleidung *f*
diaper	nappy	Windel *f*
dishtowel, tea towel	tea towel	Geschirrtuch *nt*
divided highway	dual carriageway	vierspurige Schnellstraße
dorm(itory)	hall of residence	Studentenwohnheim *nt*
downtown	city/town centre	Stadtzentrum *nt*
dresser	dressing table	(Frisier)kommode *f*
driver's license	driving licence	Führerschein *m*
duplex	semi-detached house	Doppelhaushälfte *f*
efficiency (apartment)	bedsit	Einzimmerapartment *nt*
eggplant	aubergine	Aubergine *f*
elective	option	Wahlfach *nt*
elementary school	primary school	Grundschule *f*
elevator	lift	Aufzug *m*
emergency room	casualty	Notaufnahme *f*
exclamation point	exclamation mark	Ausrufezeichen *nt*
fall, autumn	autumn	Herbst *m*
fanny pack	bum bag	Gürteltasche *f*
faucet, tap	tap	Wasserhahn *m*
fender	wing	Kotflügel *m*
fire department	fire brigade	Feuerwehr *f*
first floor	ground floor	Erdgeschoss *nt*
flashlight	torch	Taschenlampe *f*
freeway	motorway	Autobahn *f*
french fries	chips	Pommes frites *pl*
galoshes	Wellingtons	Gummistiefel *pl*
garbage	rubbish	Müll *m*
garbage can	rubbbish bin	Mülleimer *m*
garbageman	dustman, bin man (*fam*)	Müllmann *m*
garbage truck	dustcart, bin lorry (*fam*)	Müllwagen *m*
gas(oline)	petrol	Benzin *nt*
gas station	petrol station	Tankstelle *f*
gawker (*pej*)	gawper (*fam*)	Gaffer(in) *m(f)*
general delivery	poste restante	postlagernd
German shepherd	Alsatian	Schäferhund *m*
girl scout	girl guide	Pfadfinderin *f*

Amerikanisches Englisch (AM) American English (AM)	Britisches Englisch (BRIT) British English (BRIT)	Deutsch German
godawful (*fam*)	terrible	fürchterlich
goddam(ned) (*sl*)	bloody awful (*sl*)	beschissen (*sl*)
gotten	got	bekommen (haben)
grade	1. class; 2. mark	1. Klasse *f*; 2. Note *f*
grade school	primary school	Grundschule *f*
green thumb	green fingers	grüner Daumen
ground ELEC	earth	Erde, erden ELEK
guy (*fam*)	bloke (*fam*), guy (*fam*)	Kerl *m* (*fam*)
high school	secondary school	weiterführende Schule
hightail it (*fam*)	clear off (*fam*)	abhauen (*fam*)
highway	motorway	Autobahn *f*
hood	bonnet	Motorhaube *f*
hooky, play hooky (*fam*)	play truant, bunk off (*fam*)	(die Schule) schwänzen (*fam*)
house-break *(an animal)*	house-train	(ein Tier) stubenrein machen
housing development	housing estate	Wohnsiedlung *f*
ice pop, popsicle	ice lolly	Eis *nt* am Stiel
John Doe	Joe Bloggs	Otto Normalverbraucher
jumper	pinafore dress	Trägerkleid *nt*
jumper cables	jump leads	Starthilfekabel *nt*
know-it-all (*fam*)	know-all (*fam*)	Besserwisser(in) *m(f)*
ladybug	ladybird	Marienkäfer *m*
last name	surname	Nachname *m*
layover, stopover	stopover	Zwischenlandung *f*
license plate	number plate	Autokennzeichen *nt*
life preserver	lifebelt	Rettungsring *m*
line	queue	(Menschen)schlange *f*
line up, stand in line	queue	Schlange stehen
liquor store	off-licence	Wein- und Spirituosen- handlung *f*
lunchroom	canteen	Kantine *f*
lush (*sl pej*)	piss artist (*sl pej*)	Säufer(in) *m(f)* (*pej*)
mailbox	letter box	Briefkasten *m*
mailman	postman	Briefträger *m*
major	main subject	Hauptfach *nt*
math	maths	Mathe *f*
men's room	Gents	Herrentoilette *f*
metermaid	traffic warden	Politesse *f*
movie	film	Film *m*
natality, birthrate	birthrate	Geburtenziffer *f*
neat (*fam*)	ace (*fam*)	super (*fam*)
newsdealer	newsagent	Zeitungshändler(in) *m(f)*
nightstick	truncheon	Schlagstock *m*

Amerikanisches Englisch (AM) American English (AM)	Britisches Englisch (BRIT) British English (BRIT)	Deutsch German
notebook	exercise book	Übungsheft *nt*
odometer	mileage indicator, mileometer	Kilometerzähler *m*
on-ramp, off-ramp	slip road	Zubringer *m*; Auffahrt, Ausfahrt *f*
pacifier	dummy	Schnuller *m*
pack (*of cigarettes*)	packet (*of cigarettes*)	Schachtel *f* (*Zigaretten*)
panhandle	scrounge	schnorren
panhandler	scrounger	Schnorrer(in) *m(f)*
pants	trousers	Hose *f*
pantsuit	trouser suit	Hosenanzug *m*
pantyhose	tights	Strumpfhose *f*
parentheses	brackets	(runde) Klammern *pl*
parking lot	car park	Parkplatz *m*
parochial school	denominational school	Konfessionsschule *f*
part (*in hair*)	parting	Scheitel *m*
patrolman	policeman on patrol	Streifenpolizist *m*
pavement	road surface	Fahrbahn *f*
paycheck	pay packet	Gehalt *m*
pen pal	penfriend	Brieffreund(in) *m(f)*
period	full stop	Punkt *m*
pharmacist	chemist	Drogist(in) *m(f)*/ Apotheker(in) *m(f)*
phone booth	phone box, phone booth	Telefonzelle *f*
pickle	gherkin	Essigurke *f*
plastic wrap	cling film	Frischhaltefolie *f*
principal	headteacher	Rektor(in) *m(f)*
pry (open)	prize (open)	aufbrechen
public school	state school	staatliche Schule
purse, pocketbook	handbag	Handtasche *f*
quiz	short test	kurze Prüfung
railroad	railway	Eisenbahn *f*
railroad crossing	level crossing	Bahnübergang *m*
realtor, real estate agent	estate agent	Grundstücksmakler(in) *m(f)*
recreational vehicle, RV	camper van	Wohnmobil *nt*
regular, normal	normal	normal
rent, to	rent, hire	mieten
rent (out)	rent out, let; hire out	vermieten
re-run TV	repeat	Wiederholung *f* TV
restroom	toilet	Toilette *f*
résumé	CV	Lebenslauf *m*
review	revision	Wiederholung *f* (*von Stoff*)
robe, bathrobe	dressing gown	Morgenmantel *m*
round-trip ticket	return ticket	Rückfahrkarte *f*

Amerikanisches Englisch (AM) American English (AM)	Britisches Englisch (BRIT) British English (BRIT)	Deutsch German
rowboat	rowing boat	Ruderboot *nt*
rowhouse	terraced house	Reihenhaus *nt*
rumpus room	playroom	Spielzimmer *nt*
run (*in stocking*)	ladder	Laufmasche *f*
sailboat	sailing boat	Segelschiff *nt*
sales clerk, salesperson	shop assistant	Verkäufer(in) *m(f)*
sales tax	value-added tax	Mehrwertsteuer *f*
schedule	timetable	Stundenplan *m*
school principal	headteacher; headmaster, headmistress	Rektor(in) *m(f)*
second floor	first floor	erster Stock
Secretary of the Interior	Home Secretary	Innenminister(in) *m(f)*
sedan	saloon	Limousine *f*
semi(trailer)	articulated lorry	Sattelschlepper *m*
shopping cart	shopping trolley	Einkaufswagen *m*
sick	ill	krank
sidewalk	pavement	Gehweg *m*
silent partner	sleeping partner	stiller Gesellschafter
squad car	patrol car	Streifenwagen *m*
station wagon	estate (car)	Kombi(wagen) *m*
store	shop	Laden *m*
storekeeper	shopkeeper	Ladenbesitzer(in) *m(f)*
strip mining	open-cast mining	Tagebau *m*
stroller	pushchair, buggy	(*für Babys*) Sportwagen *m*
student	pupil	Schüler(in) *m(f)*
subway	underground, tube (*fam*)	U-Bahn *f*
sunroom	conservatory	Wintergarten *m*
suspenders	braces	Hosenträger *pl*
switch	points	Weiche *f*
switchblade (knife)	flick knife	Schnappmesser *nt*
tailpipe, exhaust pipe	exhaust pipe	Auspuffrohr *nt*
third-class mail, printed matter	printed matter	Drucksache *f*
thumb-tack	drawing pin	Reißnagel *m*
tideland	mud-flats	Watt *nt*
toiletries bag	sponge bag	Kulturbeutel *m*
toll-free	free of charge	gebührenfrei
tow-truck	breakdown vehicle	Abschleppwagen *m*
tractor-trailer	articulated lorry	Sattelschlepper *m*
traffic circle	roundabout	Kreisverkehr *m*
training wheels	stabilisers	Stützräder *pl*
trainman	railway man	Eisenbahner *m*
trash	rubbish	Abfall *m*
trash can	rubbish bin	Abfalleimer *m*

Amerikanisches Englisch (AM) American English (AM)	Britisches Englisch (BRIT) British English (BRIT)	Deutsch German
Treasury Secretary	Chancellor of the Exchequer	Finanzminister(in) *m(f)*
truck	lorry	Lastwagen *m*
trucker	lorry driver	Lastwagenfahrer(in) *m(f)*
trucking	road haulage	Spedition *f*
trunk	boot	Kofferraum *m*
turn signal	indicator	Blinker *m*
tuxedo	dinner-jacket	Smoking *m*
undershirt	vest	Unterhemd *nt*
underwear	pants	Unterhose *f*
upgrade	upward slope	Steigung *f* (*im Gelände*)
vacation	holiday	Ferien *pl*
vacationer	holiday-maker	Urlauber(in) *m(f)*
vendue, auction	auction	Auktion *f*
vest	waistcoat	(Herren)weste *f*
vocational school	technical college	Berufsschule *f*
wallet	purse	Geldbeutel *m*
washcloth, wash-rag	flannel	Waschlappen *m*
windshield	windscreen	Windschutzscheibe *f*
workweek	working week	Arbeitswoche *f*
wrecker	breakdown vehicle	Abschleppwagen *m*
wrench	spanner	Schraubenschlüssel *m*
yard	garden	Garten *m*
yellow (*color of traffic light*)	amber	gelb (*Ampelfarbe*)
yellow jacket	wasp	Wespe *f*
zip code, ZIP code	postcode, postal code	Postleitzahl *f*
zipper	zip (fastener)	Reißverschluss *m*
zucchini	courgette	Zucchini *f*

Zahlwörter
Numerals

null	0	nought, zero
eins	1	one
zwei	2	two
drei	3	three
vier	4	four
fünf	5	five
sechs	6	six
sieben	7	seven
acht	8	eight
neun	9	nine
zehn	10	ten
elf	11	eleven
zwölf	12	twelve
dreizehn	13	thirteen
vierzehn	14	fourteen
fünfzehn	15	fifteen
sechzehn	16	sixteen
siebzehn	17	seventeen
achtzehn	18	eighteen
neunzehn	19	nineteen
zwanzig	20	twenty
einundzwanzig	21	twenty-one
zweiundzwanzig	22	twenty-two
dreiundzwanzig	23	twenty-three
dreißig	30	thirty
einunddreißig	31	thirty-one
zweiunddreißig	32	thirty-two
vierzig	40	forty
einundvierzig	41	forty-one
fünfzig	50	fifty
einundfünfzig	51	fifty-one
sechzig	60	sixty
einundsechzig	61	sixty-one
siebzig	70	seventy
einundsiebzig	71	seventy-one
achtzig	80	eighty
einundachtzig	81	eighty-one
neunzig	90	ninety
einundneunzig	91	ninety-one
hundert	100	a [o one] hundred
hundert(und)eins	101	hundred and one

hundert(und)zwei	102	hundred and two
hundert(und)zehn	110	hundred and ten
zweihundert	200	two hundred
dreihundert	300	three hundred
vierhundert(und)einundfünfzig	451	four hundred and fifty-one
tausend	1000	a [o one] thousand
zweitausend	2000	two thousand
zehntausend	10 000	ten thousand
eine Million	1 000 000	a [o one] million
zwei Millionen	2 000 000	two million
eine Milliarde	1 000 000 000	a [o one] billion
eine Billion	1 000 000 000 000	a [o one] trillion

Die Ordnungszahlen
Ordinal numbers

erste	1.	1st	first
zweite	2.	2nd	second
dritte	3.	3rd	third
vierte	4.	4th	fourth
fünfte	5.	5th	fifth
sechste	6.	6th	sixth
siebente	7.	7th	seventh
achte	8.	8th	eighth
neunte	9.	9th	ninth
zehnte	10.	10th	tenth
elfte	11.	11th	eleventh
zwölfte	12.	12th	twelfth
dreizehnte	13.	13th	thirteenth
vierzehnte	14.	14th	fourteenth
fünfzehnte	15.	15th	fifteenth
sechzehnte	16.	16th	sixteenth
siebzehnte	17.	17th	seventeenth
achtzehnte	18.	18th	eighteenth
neunzehnte	19.	19th	nineteenth
zwanzigste	20.	20th	twentieth
einundzwanzigste	21.	21st	twenty-first
zweiundzwanzigste	22.	22nd	twenty-second
dreiundzwanzigste	23.	23rd	twenty-third
dreißigste	30.	30th	thirtieth
einunddreißigste	31.	31st	thirty-first
vierzigste	40.	40th	fortieth
einundvierzigste	41.	41st	forty-first
fünfzigste	50.	50th	fiftieth
einundfünfzigste	51.	51st	fifty-first
sechzigste	60.	60th	sixtieth
einundsechzigste	61.	61st	sixty-first

siebzigste	70.	70th	seventieth
einundsiebzigste	71.	71st	seventy-first
achtzigste	80.	80th	eightieth
einundachtzigste	81.	81st	eighty-first
neunzigste	90.	90th	ninetieth
hundertste	100.	100th	(one) hundredth
hundertunderste	101.	101st	hundred and first
zweihundertste	200.	200th	two hundredth
dreihundertste	300.	300th	three hundredth
vierhundert(und)einund-fünfzigste	451.	451st	four hundred and fifty-first
tausendste	1000.	1000th	(one) thousandth
tausend(und)einhun-dertste	1100.	1100th	thousand and (one) hundredth
zweitausendste	2000.	200th	two thousandth
einhunderttausendste	100 000.	100 000th	(one) hundred thousandth
millionste	1 000 000.	1 000 000th	millionth
zehnmillionste	10 000 000.	10 000 000th	ten millionth

Die Bruchzahlen
Fractions

ein halb	$1/2$	one [o a] half
ein Drittel	$1/3$	one [o a] third
ein Viertel	$1/4$	one [o a] quarter
ein Fünftel	$1/5$	one [o a] fifth
ein Zehntel	$1/10$	one [o a] tenth
ein Hundertstel	$1/100$	one hundredth
ein Tausendstel	$1/1000$	one thousandth
ein Millionstel	$1/1000000$	one millionth
zwei Drittel	$2/3$	two thirds
drei Viertel	$3/4$	three quarters
zwei Fünftel	$2/5$	two fifths
drei Zehntel	$3/10$	three tenths
anderthalb	$1 1/2$	one and a half
zwei(und)einhalb	$2 1/2$	two and a half
fünf drei achtel	$5 3/8$	five and three eighths
eins Komma eins	1,1	1.1	one point one
zwei Komma drei	2,3	2.3	two point three

Vervielfältigungszahlen
Multiples

einfach	single	vierfach	fourfold, quadruple
zweifach	double	fünffach	fivefold
dreifach	threefold, treble, triple	hundertfach	(one) hundredfold

Britische und amerikanische Maße und Gewichte
British and American weights and measures

Längenmaße – Linear measures

1 inch (in) 1″		= 2,54 cm
1 foot (ft) 1′	= 12 inches	= 30,48 cm
1 yard (yd)	= 3 feet	= 91,44 cm
1 furlong (fur)	= 220 yards	= 201,17 m
1 mile (m)	= 1760 yards	= 1,609 km
1 league	= 3 miles	= 4,828 km

Nautische Maße – Nautical measures

1 fathom	= 6 feet	= 1,829 m
1 cable	= 608 feet	= 185,31 m
1 nautical, sea mile	= 10 cables	= 1,853 km
1 sea league	= 3 nautical miles	= 5,550 km

Feldmaße – Surveyors' measures

1 link	= 7,92 inches	= 20,12 cm
1 rod, perch, pole	= 25 links	= 5,029 m
1 chain	= 4 rods	= 20,12 m

Flächenmaße – Square measures

1 square inch		= 6,452 cm^2
1 square foot	= 144 sq inches	= 929,029 cm^2
1 square yard	= 9 sq feet	= 0,836 m^2
1 square rod	= 30,25 sq yards	= 25,29 m^2
1 acre	= 4840 sq yards	= 40,47 Ar
1 square mile	= 640 acres	= 2,59 km^2

Deutsche Maße und Gewichte
German weights and measures

Längenmaße		Zeichen	Vielfaches der Einheit
Seemeile	*nautical mile*	sm	1852 m
Kilometer	*kilometre*	km	1000 m
Meter	*metre*	m	Grundeinheit
Dezimeter	*decimetre*	dm	0,1 m
Zentimeter	*centimetre*	cm	0,01 m
Millimeter	*millimetre*	mm	0,001 m
Flächenmaße			
Quadratkilometer	*square kilometre*	km^2	1 000 000 m^2
Hektar	*hectare*	ha	10 000 m^2
Ar	*are*	a	100 m^2
Quadratmeter	*square metre*	m^2	1 m^2
Quadratdezimeter	*square decimetre*	dm^2	0,01 m^2
Quadratzentimeter	*square centimetre*	cm^2	0,0001 m^2
Quadratmillimeter	*square millimetre*	mm^2	0,000 001 m^2
Kubik- und Hohlmaße			
Kubikmeter	*cubic metre*	m^3	1 m^3
Hektoliter	*hectolitre*	hl	0,1 m^3
Kubikdezimeter	*cubic decimetre*	dm^3	0,001 m^3
Liter	*litre*	l	
Kubikzentimeter	*cubic centimetre*	cm^3	0,000 001 m^3
Gewichte			
Tonne	*ton*	t	1000 kg
Doppelzentner	–	dz	100 kg
Kilogramm	*kilogramme*	kg	1000 g
Gramm	*gramme*	g	1 g
Milligramm	*milligramme*	mg	0,001 g

Temperaturumrechnung
Temperature conversion table

°F	°C	°C	°F
0	−17,8	−10	14
32	0	0	32
50	10	10	50
70	21,1	20	68
90	32,2	30	86
98.4	37	37	98.4
212	100	100	212

zur Umrechnung 32 abziehen und durch 1,8 teilen

to convert, subtract 32 and divide by 1.8

zur Umrechnung mit 1,8 multiplizieren und 32 addieren

to convert, multiply by 1.8 and add 32

Deutschland

Germany

Länder
(und Hauptstädte)

Federal states
(and capital cities)

Baden-Württemberg (Stuttgart)	Baden-Württemberg (Stuttgart)
Bayern (München)	Bavaria (Munich)
Berlin (Berlin)	Berlin (Berlin)
Brandenburg (Potsdam)	Brandenburg (Potsdam)
Bremen (Bremen)	Bremen (Bremen)
Hamburg (Hamburg)	Hamburg (Hamburg)
Hessen (Wiesbaden)	Hesse (Wiesbaden)
Mecklenburg-Vorpommern (Schwerin)	Mecklenburg-West Pomerania (Schwerin)
Niedersachsen (Hannover)	Lower Saxony (Hanover)
Nordrhein-Westfalen (Düsseldorf)	North Rhine-Westphalia (Düsseldorf)
Rheinland-Pfalz (Mainz)	Rhineland-Palatinate (Mainz)
Saarland (Saarbrücken)	Saarland (Saarbrücken)
Sachsen (Dresden)	Saxony (Dresden)
Sachsen-Anhalt (Magdeburg)	Saxony-Anhalt (Magdeburg)
Schleswig-Holstein (Kiel)	Schleswig-Holstein (Kiel)
Thüringen (Erfurt)	Thuringia (Erfurt)

Österreich   Austria

Bundesländer   ## Provinces
(und Hauptstädte)   ## (and capital cities)

Bundesländer (und Hauptstädte)	Provinces (and capital cities)
Burgenland (Eisenstadt)	Burgenland (Eisenstadt)
Kärnten (Klagenfurt)	Carinthia (Klagenfurt)
Niederösterreich (St. Pölten)	Lower Austria (St. Pölten)
Oberösterreich (Linz)	Upper Austria (Linz)
Salzburg (Salzburg)	Salzburg (Salzburg)
Steiermark (Graz)	Styria (Graz)
Tirol (Innsbruck)	Tyrol (Innsbruck)
Vorarlberg (Bregenz)	Vorarlberg (Bregenz)
Wien (Wien)	Vienna (Vienna)

Die Schweiz   Switzerland

Kantone   ## Cantons
(und Hauptorte)   ## (and capital cities)

Kantone (und Hauptorte)	Cantons (and capital cities)
Aargau (Aarau)	Aargau (Aarau)
Appenzell Außerrhoden (Herisau)	Appenzell Outer Rhodes (Herisau)
Appenzell Innerrhoden (Appenzell)	Appenzell Inner Rhodes (Appenzell)
Basel-Landschaft (Liestal)	Basel-Land (Liestal)
Basel-Stadt (Basel)	Basel-Stadt (Basel, Basle)
Bern (Bern)	Bern (Bern)
Freiburg (Freiburg)	Fribourg (Fribourg)

Genf (Genf)	Geneva (Geneva)
Glarus (Glarus)	Glarus (Glarus)
Graubünden (Chur)	Graubünden, Grisons (Chur)
Jura (Delémont)	Jura (Delémont)
Luzern (Luzern)	Lucerne (Lucerne)
Neuenburg (Neuenburg)	Neuchâtel (Neuchâtel)
Nidwalden (Stans)	Nidwalden (Stans)
Obwalden (Sarnen)	Obwalden (Sarnen)
Sankt Gallen (Sankt Gallen)	St. Gall(en) (St. Gall(en)
Schaffhausen (Schaffhausen)	Schaffhausen (Schaffhausen)
Schwyz (Schwyz)	Schwyz (Schwyz)
Solothurn (Solothurn)	Solothurn (Solothurn)
Tessin (Bellinzona)	Ticino (Bellinzona)
Thurgau (Frauenfeld)	Thurgau (Frauenfeld)
Uri (Altdorf)	Uri (Altdorf)
Waadt (Lausanne)	Vaud (Lausanne)
Wallis (Sitten)	Valais (Sion)
Zug (Zug)	Zug (Zug)
Zürich (Zürich)	Zürich (Zürich)

Vereinigtes Königreich
United Kingdom

England

Grafschaft County	Abkürzung Abbreviation	Hauptstadt Administrative centre
Bedfordshire	Beds	Bedford
Berkshire	Berks	Reading
Buckinghamshire	Bucks	Aylesbury
Cambridgeshire	Cambs	Cambridge
Cheshire	Ches	Chester
Cornwall	Corn	Truro
Cumbria		Carlisle
Derbyshire	Derbs	Matlock
Devon		Exeter
Dorset		Dorchester
Durham	Dur	Durham
East Sussex	E. Sussex	Lewes
Essex		Chelmsford
Gloucestershire	Glos	Gloucester
Greater London		**London**
Greater Manchester		Manchester
Hampshire	Hants	Winchester
Hertfordshire	Herts	Hertford
Kent		Maidstone
Lancashire	Lancs	Preston
Leicestershire	Leics	Leicester
Lincolnshire	Lincs	Lincoln
Merseyside		Liverpool
Norfolk		Norwich
Northamptonshire	Northants	Northampton
Northumberland	Northd	Morpeth
North Yorkshire	N. Yorks	Northallerton
Nottinghamshire	Notts	Nottingham
Oxfordshire	Oxon	Oxford
Shropshire	Salop	Shrewsbury
Somerset	Som	Taunton
South Yorkshire	S. Yorks	Barnsley
Staffordshire	Staffs	Stafford
Suffolk	Suff	Ipswich
Surrey		Kingston upon Thames
Tyne and Wear		Newcastle upon Tyne
Warwickshire	Warks	Warwick
West Midlands	W. Midlands	Birmingham

Grafschaft County	Abkürzung Abbreviation	Hauptstadt Administrative centre
West Sussex	W. Sussex	Chichester
West Yorkshire	W. Yorks	Wakefield
Wiltshire	Wilts	Trowbridge
Worcestershire	Worcs	Worcester

Wales
Wales, *Welsh:* Cymru

Verwaltungsregion Unitary authority	Hauptstadt Administrative centre
Anglesey	Llangefni
Blaenau Gwent	Ebbw Vale
Bridgend	Bridgend
Caerphilly	Hengoed
Cardiff	**Cardiff**
Carmarthenshire	Carmarthen
Ceredigion	Aberaeron
Conwy	Conwy
Denbighshire	Ruthin
Flintshire	Mold
Gwynedd	Caernarfon
Merthyr Tydfil	Merthyr Tydfil
Monmouthshire	Cwmbran
Neath Port Talbot	Port Talbot
Newport	Newport
Pembrokeshire	Haverfordwest
Powys	Llandrindod Wells
Rhondda Cynon Taff	Clydach Vale
Swansea	Swansea
Torfaen	Pontypool
Vale of Glamorgan	Barry
Wrexham	Wrexham

Schottland
Scotland

Grafschaft County	Hauptstadt Administrative centre
Aberdeen City	
Aberdeenshire	Aberdeen
Angus	Forfar
Argyll and Bute	Lochgilphead
Clackmannanshire	Alloa

Grafschaft County	Hauptstadt Administrative centre
Dumfries and Galloway	Dumfries
Dundee City	
East Ayrshire	Kilmarnock
East Dunbartonshire	Kirkintilloch
East Lothian	Haddington
East Renfrewshire	Giffnock
Edinburgh City	
Falkirk	Falkirk
Fife	Glenrothes
Glasgow City	
Highland	Inverness
Inverclyde	Greenock
Midlothian	Dalkeith
Moray	Elgin
North Ayrshire	Irvine
North Lanarkshire	Motherwell
Orkney Islands	Kirkwall
Perth and Kinross	Perth
Renfrewshire	Paisley
Scottish Borders	Melrose
Shetland Islands	Lerwick
South Ayrshire	Ayr
South Lanarkshire	Hamilton
Stirling	Stirling
West Dunbartonshire	Dunbarton
Western Isles	Stornoway
West Lothian	Livingston

Nordirland
Northern Ireland

Grafschaft County	Hauptstadt Principal town
Antrim	Belfast
Armagh	Armagh
Down	Downpatrick
Fermanagh	Enniskillen
Londonderry	Londonderry
Tyrone	Omagh

Republik Irland
Republik of Ireland, *Gaelic:* Èire

Provinz und Grafschaften Province and counties	Hauptstadt Principal town
Connacht, *formerly:* **Connaught**	
Galway, *Gaelic:* Gaillimh	Galway
Leitrim, *Gaelic:* Liathdroma	Carrick-on-Shannon
Mayo, *Gaelic:* Mhuigheo	Castlebar
Roscommon, *Gaelic:* Ros Comáin	Roscommon
Sligo, *Gaelic:* Sligeach	Sligo
Leinster	
Carlow, *Gaelic:* Cheatharlach	Carlow
Dublin, *Gaelic:* Baile Átha Cliath	**Dublin**
Kildare, *Gaelic:* Chill Dara	Naas
Kilkenny, *Gaelic:* Chill Choinnigh	Kilkenny
Laois/Laoighis/Leix	Portlaoise
Longford, *Gaelic:* Longphuirt	Longford
Louth, *Gaelic:* Lughbhaidh	Dundalk
Meath, *Gaelic:* na Midhe	Navan
Offaly, *Gaelic:* Ua bhFailghe	Tullamore
Westmeath, *Gaelic:* na h-Iarmhidhe	Mullingar
Wexford, *Gaelic:* Loch Garman	Wexford
Wicklow, *Gaelic:* Cill Mhantáin	Wicklow
Munster	
Clare, *Gaelic:* An Cláir	Ennis
Cork, *Gaelic:* Chorcaigh	Cork
Kerry, *Gaelic:* Chiarraighe	Tralee
Limerick, *Gaelic:* Luimneach	Limerick
Tipperary, *Gaelic:* Thiobrad Árann	Clonmel
Waterford, *Gaelic:* Phort Láirge	Waterford
Ulster	
Cavan, *Gaelic:* Cabháin	Cavan
Donegal, *Gaelic:* Dún na nGall	Lifford
Monaghan, *Gaelic:* Mhuineachain	Monaghan

Vereinigte Staaten von Amerika
United States of America

Bundesstaat Federal state	Hauptstadt Capital city
Alabama	Montgomery
Alaska	Juneau
Arizona	Phoenix
Arkansas	Little Rock
California	Sacramento
Colorado	Denver
Connecticut	Hartford
Delaware	Dover
Florida	Tallahassee
Georgia	Atlanta
Hawaii	Honolulu
Idaho	Boise
Illinois	Springfield
Indiana	Indianapolis
Iowa	Des Moines
Kansas	Topeka
Kentucky	Frankfort
Louisiana	Baton Rouge
Maine	Augusta
Maryland	Annapolis
Massachusetts	Boston
Michigan	Lansing
Minnesota	Saint Paul
Mississippi	Jackson
Missouri	Jefferson City
Montana	Helena
Nebraska	Lincoln
Nevada	Carson City
New Hampshire	Concord
New Jersey	Trenton
New Mexico	Santa Fe
New York	Albany
North Carolina	Raleigh
North Dakota	Bismarck
Ohio	Columbus
Oklahoma	Oklahoma City
Oregon	Salem
Pennsylvania	Harrisburg
Rhode Island	Providence
South Carolina	Columbia

Bundesstaat Federal state	Hauptstadt Capital city
South Dakota	Pierre
Tennessee	Nashville
Texas	Austin
Utah	Salt Lake City
Vermont	Montpelier
Virginia	Richmond
Washington	Olympia
West Virginia	Charleston
Wisconsin	Madison
Wyoming	Cheyenne

Kanada
Canada

Provinz Province	Hauptstadt Capital city
Alberta	Edmonton
British Columbia	Victoria
Manitoba	Winnipeg
New Brunswick	Fredericton
Newfoundland	Saint John's
Novia Scotia	Halifax
Ontario	Toronto
Prince Edward Island	Charlottetown
Québec	Québec
Saskatchewan	Regina

Territorium Territory	Hauptstadt Capital city
Northwest Territories	Yellowknife
Nunavut Territory (*since 1st April 1999*)	Iqaluit
Yukon Territory	Whitehorse

Australien
Australia

Staat State	Hauptstadt Capital city
New South Wales	Sydney
Queensland	Brisbane
South Australia	Adelaide
Tasmania	Hobart
Victoria	Melbourne
Western Australia	Perth

Territorium Territory	Hauptstadt Capital city
Australian Capital Territory	Canberra
Northern Territory	Darwin

Neuseeland
New Zealand

North Island
South Island

Weitere Inseln Small outlying islands
Auckland Islands
Kermadec Islands
Campbell Island
the Antipodes
Three Kings Islands
Bounty Island
Snares Island
Solander Island
Stewart Island
Chatham Islands

Schutzgebiete Dependencies
Tokelau Islands
Ross Dependency
Niue Island (free associate)
Cook Islands (free associates)

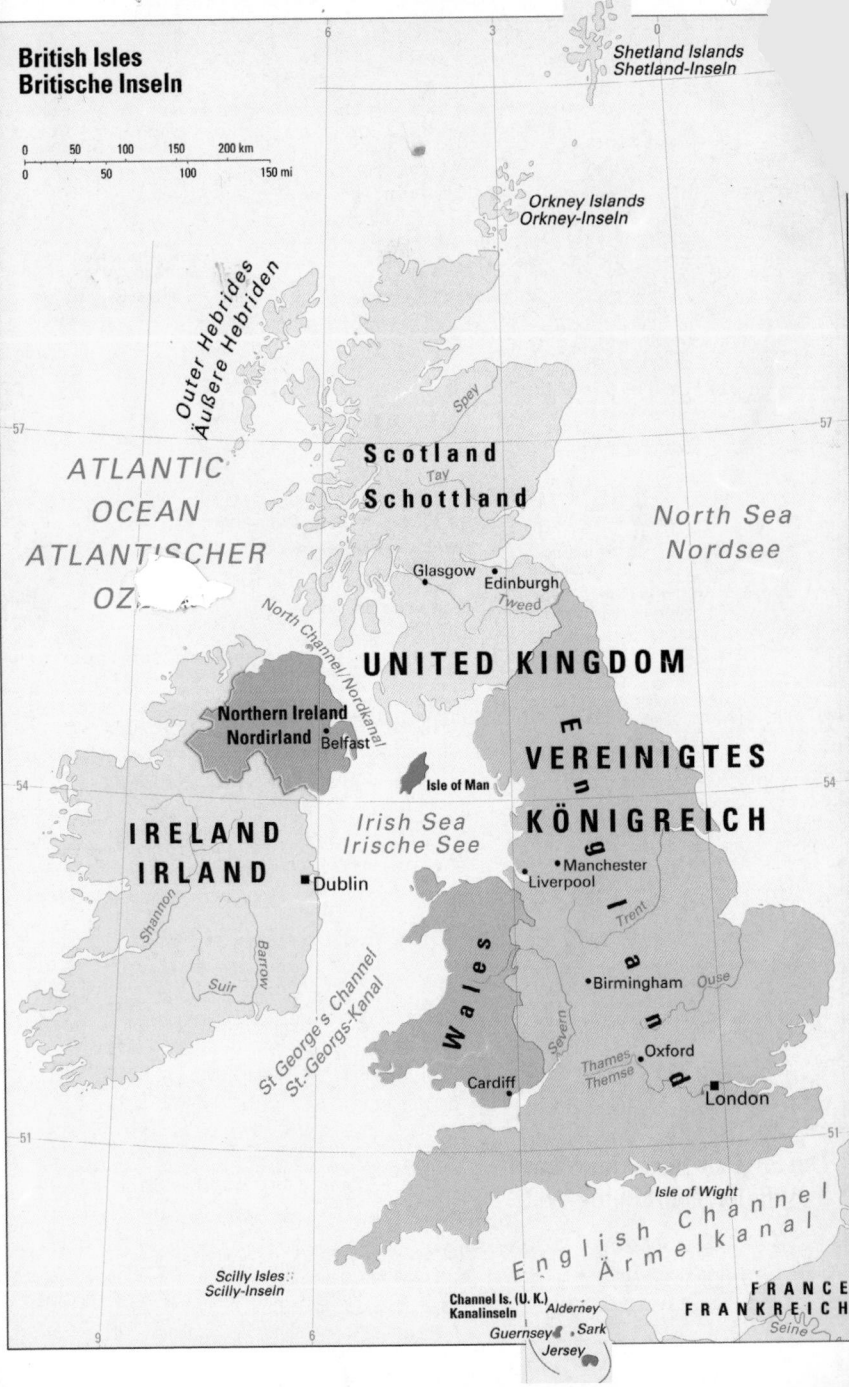

British Isles
Britische Inseln

| 0 | 50 | 100 | 150 | 200 km |
| 0 | 50 | 100 | 150 mi |

Shetland Islands
Shetland-Inseln

Orkney Islands
Orkney-Inseln

Outer Hebrides
Äußere Hebriden

Spey

ATLANTIC
OCEAN
ATLANTISCHER
OZ...

S c o t l a n d
S c h o t t l a n d

Tay

North Sea
Nordsee

Glasgow • Edinburgh
Tweed

North Channel/Nordkanal

UNITED KINGDOM

Northern Ireland
Nordirland • Belfast

V E R E I N I G T E S

Isle of Man

IRELAND
IRLAND

Irish Sea
Irische See

K Ö N I G R E I C H

• Manchester
Liverpool •

■ Dublin

Shannon

Barrow
Suir

**E
n
g
l
a
n
d**

Trent

• Birmingham

Ouse

St George's Channel
St.-Georgs-Kanal

**W
a
l
e
s**

Severn

Thames
Themse

Oxford •

• Cardiff

■ London

Scilly Isles
Scilly-Inseln

Isle of Wight

E n g l i s h   C h a n n e l
Ä r m e l k a n a l

Channel Is. (U. K.)
Kanalinseln *Alderney*

Guernsey • *Sark*

Jersey

F R A N C E
F R A N K R E I C H

Seine

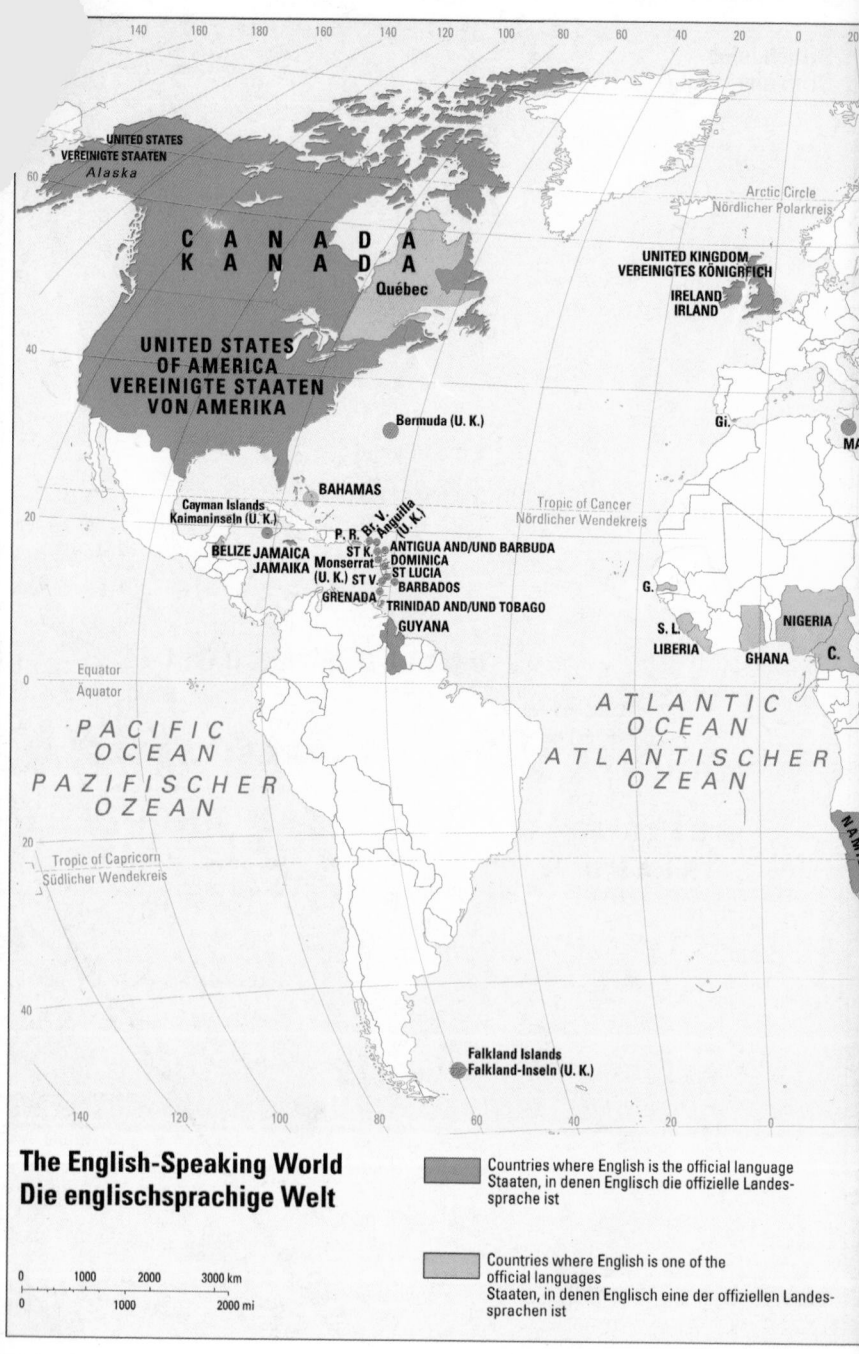

The English-Speaking World
Die englischsprachige Welt

Countries where English is the official language
Staaten, in denen Englisch die offizielle Landessprache ist

Countries where English is one of the official languages
Staaten, in denen Englisch eine der offiziellen Landessprachen ist

| 0 | 1000 | 2000 | 3000 km |
| 0 | 1000 | 2000 mi | |

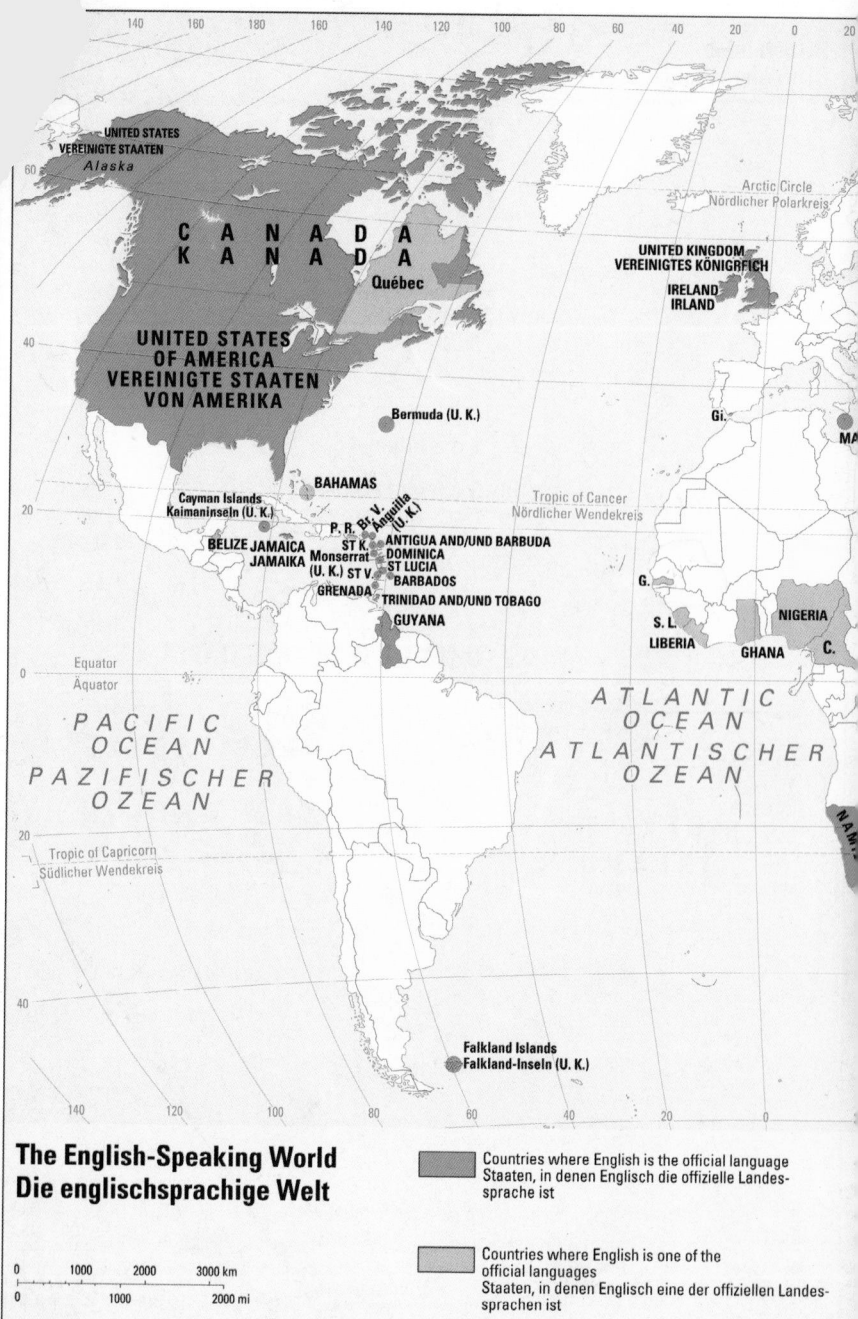

140 160 180 160 140 120 100 80 60 40 20 0 20

UNITED STATES
VEREINIGTE STAATEN
Alaska

60

Arctic Circle
Nördlicher Polarkreis

C A N A D A
K A N A D A

Québec

UNITED KINGDOM
VEREINIGTES KÖNIGRFICH

IRELAND
IRLAND

40

UNITED STATES
OF AMERICA
VEREINIGTE STAATEN
VON AMERIKA

Bermuda (U. K.)

Gi.

MA

BAHAMAS

20

Cayman Islands
Kaimaninseln (U. K.)

Tropic of Cancer
Nördlicher Wendekreis

P. R. Br. V.
Anguilla
ST K. (U. K.)

ANTIGUA AND/UND BARBUDA
DOMINICA

BELIZE JAMAICA
JAMAIKA

Monserrat
(U. K.) ST V.

ST LUCIA
BARBADOS

G.

GRENADA

TRINIDAD AND/UND TOBAGO

S. L.

NIGERIA

GUYANA

LIBERIA

GHANA

C.

0

Equator
Äquator

A T L A N T I C
O C E A N

P A C I F I C
O C E A N

A T L A N T I S C H E R
O Z E A N

P A Z I F I S C H E R
O Z E A N

20

Tropic of Capricorn
Südlicher Wendekreis

NAM.

40

Falkland Islands
Falkland-Inseln (U. K.)

140 120 100 80 60 40 20 0

The English-Speaking World
Die englischsprachige Welt

Countries where English is the official language
Staaten, in denen Englisch die offizielle Landessprache ist

Countries where English is one of the
official languages
Staaten, in denen Englisch eine der offiziellen Landessprachen ist

0   1000   2000   3000 km

0   1000   2000 mi

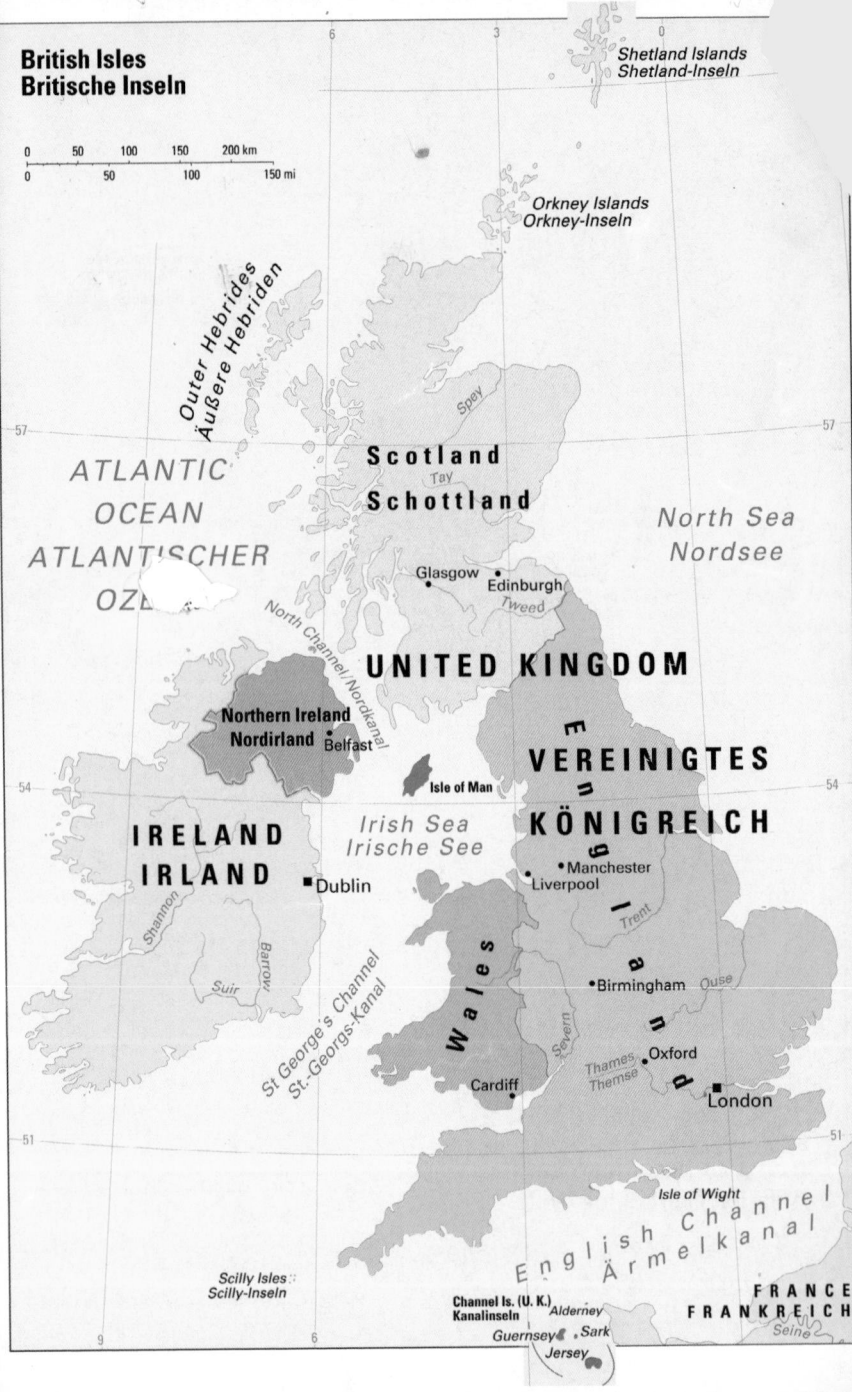

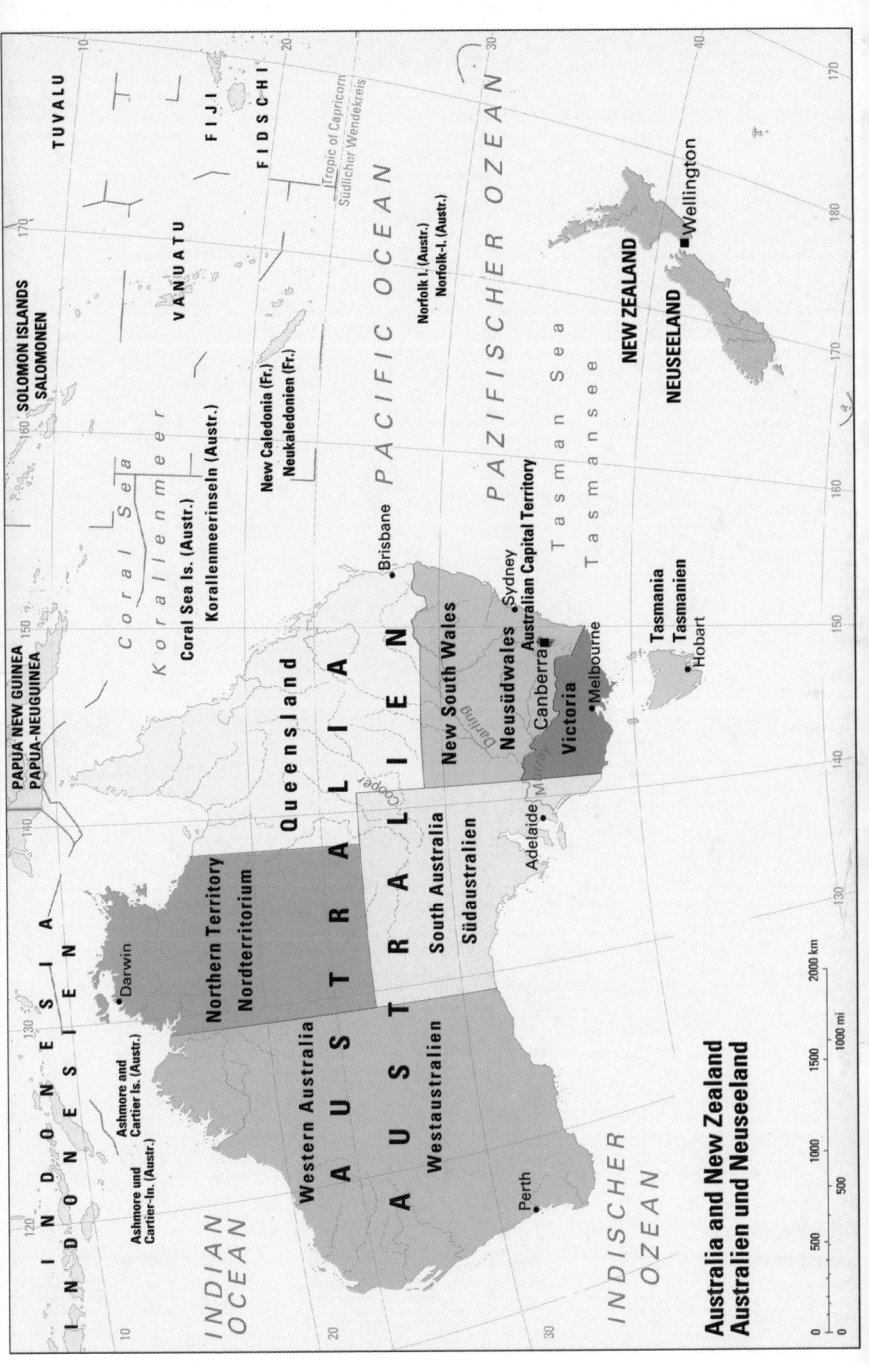

Australia and New Zealand
Australien und Neuseeland

Nordsee
North Sea

Ostsee
Baltic Sea

DÄNEMARK
DENMARK

Rügen

Nordfriesische Inseln
North Frisian Islands

Kiel

Schleswig-

Holstein

Ostfriesische Inseln
East Frisian Islands (zu/to
Hamburg)

Mecklenburg-Vorpommern
Mecklenburg-West Pomerania

(zu/to
Bremen)

Hamburg
Hamburg

Schwerin

Elbe

NIEDERLANDE
NETHERLANDS

Bremen
Bremen

Niedersachsen
Lower Saxony

POLEN
POLAND

Oder

Branden-

Berlin
Berlin

Hannover
Hanover

Sachsen-
Anhalt

Potsdam

Weser

burg

Nordrhein-
Westfalen
North Rhine-
Westphalia

Magdeburg

Oder

Saxony-Anhalt

Düsseldorf

Köln
Cologne

Elbe

Sachsen

Dresden

BEL.

Rhein
Rhine

H e s s e n

Erfurt

Thüringen
Thuringia

Saxony

Hesse

Rheinland-Pfalz

Wiesbaden

Mainz Frankfurt

TSCHECHISCHE
REPUBLIK

LUX.

Rhineland-
Palatinate

CZECH REPUBLIC

Saarland

Saarbrücken

B a y e r n

FRANKREICH

Baden-

Nürnberg
Nuremberg

Donau
Danube

FRANCE

Stuttgart

Württemberg

B a v a r i a

Donau
Danube

München
Munich

Rhein
Rhine

Bodensee
Lake Constance

SCHWEIZ

L

Ö

SWITZERLAND

A U S T R I A

Deutschland
Germany

BELG. BELGIEN
BELGIUM
L. LIECHTENSTEIN
LUX. LUXEMBURG
LUXEMBOURG

0	50	100	150	200 km

0	50	100	150 mi

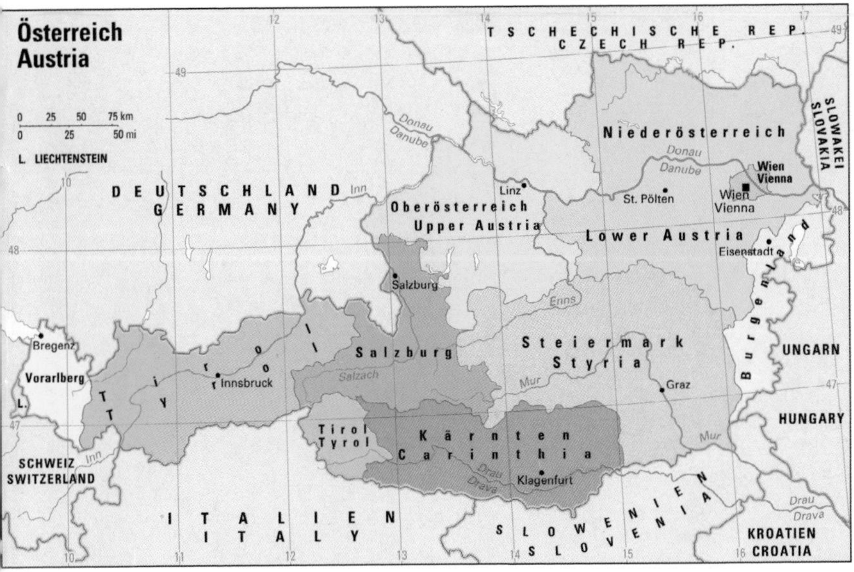

Österreich
Austria

0 25 50 75 km
0 25   50 mi

L. LIECHTENSTEIN

T S C H E C H I S C H E   R E P.
C Z E C H   R E P.

SLOWAKEI
SLOVAKIA

Donau
Danau

D E U T S C H L A N D
G E R M A N Y

Inn

Niederösterreich

Donau
Danube

Wien
Vienna

Linz

St. Pölten

Wien
Vienna

Oberösterreich
Upper Austria

Lower Austria

Eisenstadt

Salzburg

Enns

Burgenland

Salzburg

Salzach

Steiermark
Styria

Mur

Graz

UNGARN

HUNGARY

Bregenz

Vorarlberg

L

T
i
r
o
l

Innsbruck

Tirol
Tyrol

Kärnten
Carinthia

Drau

Mur

SCHWEIZ
SWITZERLAND

Inn

Klagenfurt

Drau
Drava

I T A L I E N
I T A L Y

S L O W E N I E N
S L O V E N I A

KROATIEN
CROATIA

A. A.-R. Appenzell Ausser-Rhoden
          Appenzell Outer Rhodes
A. I.-R. Appenzell Inner-Rhoden
          Appenzell Inner Rhodes
B.-L.   Basel-Landschaft
          Basel District
B.-St.   Basel-Stadt
          Basel City
N.   Neuenburg
          Neuchâtel
Nidw.   Nidwalden
Obw.   Obwalden
S.   Solothurn
Sch.   Schaffhausen

Rhein
Rhine

D E U T S C H L A N D   G E R M A N Y

Sch.
Schaffhausen

Lake Bodensee Constance

Basel
B.-St.

Liestal
B.-L.

Aare

Jura

Doubs

Delémont

S.

Solothurn

Aargau

Aarau

Zürich
Zurich

Zürich
Zürich

Thurgau
Frauenfeld

St. Gallen

Herisau

A. A.-R.
Appenzell
A. I.-R.

Rhein
Rhine

ÖSTERREICH
AUSTRIA

Neuenburg
Neuchâtel

N.

Neuenburger See
Lake Neuchâtel

Bern

Freiburg
Fribourg

Bern

Luzern
Luzern
Lucerne
Lucerne

Vierwaldstätter See
Lake Lucerne

Zug
Zug

Sarnen
Obw.

Stans
Nidw.

Altdorf

Schwyz
Schwyz

Glarus

St. Gallen

Glarus
Glarus

LIECHTENSTEIN

Chur
Coire

F R A N K R E I C H
F R A N C E

Waadt
Vaud

Freiburg
Fribourg

Lausanne

Uri

Graubünden
Grisons

Genfer See
Lake Geneva

Genf
Geneva

Gent
Geneva

Sion

Rhône

Wallis
Valais

Tessin
Ticino

Bellinzona

Lago Maggiore
Lake Maggiore

Luganer See
Lake Lugano

Die Schweiz
Switzerland

I T A L I E N
I T A L Y

0 25 50 75 km
0   25   50 mi